Ouvrages édités par les DICTIONNAIRES LE ROBERT
107, avenue Parmentier, 75011 PARIS (France).

Dictionnaires de langue :

— *Grand Robert de la langue française* (deuxième édition).
Dictionnaire alphabétique et analogique de la langue française (9 vol.).
Une étude en profondeur de la langue française.
Une anthologie littéraire de Villon à Queneau et à nos contemporains.

— *Petit Robert 1 [P. R. 1].*
Dictionnaire alphabétique et analogique de la langue française
(1 vol., 2 208 pages, 59 000 articles).
Le classique pour la langue française : 8 dictionnaires en 1.

— *Robert méthodique [R. M.].*
Dictionnaire méthodique du français actuel
(1 vol., 1 648 pages, 34 300 mots et 1 730 éléments).
Le seul dictionnaire alphabétique de la langue française qui groupe les mots par familles.

— *Micro-Robert.*
Dictionnaire du français primordial
(1 vol., 1 232 pages, 30 000 articles).
Un dictionnaire d'apprentissage du français.

— *Dictionnaire universel* d'Antoine Furetière
(édition de 1690, préfacée par Bayle).
Réédition anastatique (3 vol.), avec illustrations du XVIIe siècle et index thématiques.
Précédé d'une étude par Alain Rey :
«Antoine Furetière, imagier de la culture classique».
Le premier grand dictionnaire français.

— *Le Robert des sports.*
Dictionnaire de la langue des sports
(1 vol., 586 pages, 2 780 articles, 78 illustrations et plans cotés),
par Georges PETIOT.

Dictionnaires de noms propres :
(Histoire, Géographie, Arts, Littératures, Sciences...)

— *Grand Robert des noms propres.*
Dictionnaire universel des noms propres
(5 vol., 3 504 pages, 42 000 articles, 4 500 illustrations couleurs et noir, 210 cartes).
Le complément culturel indispensable du *Grand Robert de la langue française.*

— *Petit Robert 2 [P. R. 2].*
Dictionnaire des noms propres
(1 vol., 2 106 pages, 36 000 articles, 2 200 illustrations couleurs et noir, 200 cartes).
Le complément, pour les noms propres, du *Petit Robert 1.*

— *Dictionnaire universel de la peinture.*
(6 vol., 3 022 pages, 3 500 articles, 2 700 illustrations couleurs).

Dictionnaires bilingues :

— *Le Robert et Collins.*
Dictionnaire français-anglais/english-french
(1 vol., 1 536 pages, 225 000 «unités de traduction»).

— *Le «Junior» Robert et Collins.*
Dictionnaire français-anglais/english-french
(1 vol., 960 pages, 105 000 «unités de traduction»).

— *Le «Cadet» Robert et Collins.*
Dictionnaire français-anglais/english-french
(1 vol., 624 pages, 60 000 «unités de traduction»).

— *Le Robert et Signorelli.*
Dictionnaire français-italien/italiano-francese
(1 vol., 3 008 pages, 339 000 «unités de traduction»).

Consultez à la fin de ce volume
les titres de la collection «Les usuels du ROBERT».

LE GRAND ROBERT
DE LA LANGUE FRANÇAISE

LE GRAND ROBERT
DE LA LANGUE FRANÇAISE

DICTIONNAIRE
ALPHABÉTIQUE ET ANALOGIQUE
DE LA LANGUE FRANÇAISE

de Paul ROBERT

DEUXIÈME ÉDITION
entièrement revue et enrichie
par
Alain REY

Tome II
Bip - Cout

LE ROBERT
107, avenue Parmentier, Paris-XIe

Deuxième édition entièrement revue et enrichie.

ISBN 2-85036-099-6 (édition complète).
ISBN 2-85036-077-5 (tome II).

On trouvera en tête du premier volume
les préfaces de Paul ROBERT et d'Alain REY,
l'explication des signes conventionnels, abréviations et conventions,
les principes de la transcription phonétique,
les correspondances des principales datations lexicales
ainsi que la liste des collaborateurs de l'ouvrage ;
et en fin d'ouvrage (tome IX) les annexes suivantes :
dérivés de noms propres de personnes et de lieux (noms d'habitants),
tableaux des conjugaisons des verbes français,
bibliographie et liste des suffixes.

Bip

BIP [bip] n. m. ⇒ **Bip-bip**.

BIPALE, ALES [bipal] adj. — 1960; de *bi-*, et *pale*.

♦ Techn. À deux pales. *Hélice bipale.*

BIPARE [bipaʀ] adj. et n. f. — xxᵉ; de *bi-*, et *-pare*.

♦ Biol. Se dit d'une femme, d'une femelle qui a enfanté deux fois.
— N. f. *Une bipare.* ⇒ **Multipare**.

BIPARTI, IE [bipaʀti] ou **BIPARTITE** [bipaʀtit] adj. — 1361, attestation isolée, *biparti* « divisé en deux parties »; repris au xixᵉ; *bipartite*, 1768; de l'anc. franç. *parti*, p. p. de *partir* « partager » (→ Partir), et préf. *bi-*; bas lat. *bipartitus*, p. p. de *bipartire*, de *bi- (bis)*, et *partire* « partager ».

♦ **1.** Qui est divisé en deux parties.

1   Quelques vieilles sont carrément embossées derrière ces portillons bipartis, dont le haut ne se ferme que le soir et qui laissent dépasser leurs têtes comme celle des chevaux dans un box.   Hervé BAZIN, le Cri de la chouette, p. 165.

(1803). Bot. Divisé en deux.

♦ **2.** (1936). Qui est composé de deux éléments, de deux groupes. *Une attirance bipartite. Opposition bipartite.* ⇒ **Binaire**. — Polit. *Un gouvernement bipartite*, composé par l'association de deux partis. *Un accord bipartite*, entre deux partis.

2   Il n'est rien qui, dans l'univers, ne soit susceptible de former une opposition bipartite et ne puisse alors symboliser les différentes manifestations couplées et antagonistes du pur et de l'impur.   Roger CAILLOIS, l'Homme et le Sacré, p. 49.

DÉR. **Bipartisme**.

BIPARTISME [bipaʀtism] n. m. — 1948; de *biparti*.

♦ Polit. Forme de gouvernement où s'associent deux partis. — Par ext. Système politique qui s'appuie sur la coexistence de deux partis politiques. *Le bipartisme britannique. Le bipartisme et l'alternance**.

BIPARTITION [bipaʀtisjɔ̃] n. f. — 1751, en géométrie; de *bi-*, et *partition* « partage » (1360).

♦ Didact. Division en deux parties. *Bipartition cellulaire. Bipartition d'une molécule, d'un atome* (fission).

(Abstrait). *La bipartition d'un domaine, d'un concept.*

BIP-BIP [bipbip] n. m. — V. 1957, à l'occasion du lancement du premier satellite artificiel soviétique (spoutnik); onomatopée.

♦ Signal acoustique fait de brèves émissions sonores répétées identiquement. « *Qu'un client indélicat s'empare clandestinement d'un objet ainsi étiqueté, un "bib-bip" se fait entendre* » (le Point, 9 juin 1980, p. 170).

Papa !... Stephen regarde immédiatement ce que j'ai pu rapporter... Droit au sac de voyage... Un train musical... Une télévision qui chante... Un avion téléguidable... Une voiture à bip-bip lumineux (...)   Ph. SOLLERS, Femmes, p. 180.

Fam. Dispositif (d'alarme, d'alerte) émettant ce type de signal. « *Il est relié par un bip-bip à un poste central où veille, notamment, un pompier de service* » (l'Express, 14 juil. 1979, p. 71).

REM. On rencontre aussi la forme *bip*. « *Dès qu'il (le contrevenant) s'écarte de plus de 500 mètres de sa maison, une alarme retentit à la police qui rapplique et le repère aussitôt grâce au bip électronique* » (Libération, 30 déc. 1983, p. 20).

BIPÈDE [bipɛd] adj. et n. m. — 1598; lat. *bipes, bipedis* « qui a deux pieds ».

★ **I.** Qui marche sur deux pieds. *Les oiseaux sont bipèdes.*

1   L'homme est le seul qui soit bimane et bipède, parce qu'il est le seul qui ait deux mains et deux pieds (...)   BUFFON, Hist. nat. des animaux, Le singe.

N. m. (1755). *L'homme est un bipède.* — Spécialt (par plais.). Être humain.

1.1   (...) mais prenez garde, bonnes gens, pendant que vous contemplez l'espèce quadrupède, il y a près de vous des bipèdes très adroits qui glissent leurs mains dans vos poches, sans que vous en ayez le moindre soupçon... et tout à l'heure, quand vous en aurez fini avec les animaux, vous resterez stupéfaits en ne trouvant plus votre bourse, votre montre, votre mouchoir ou votre tabatière.
     Ch. PAUL DE KOCK, la Grande Ville, p. 212-213.

2   Tout tient au caprice de deux ou trois bipèdes sans plumes qui se jouent de l'espèce humaine (...)   P.-L. COURIER, Lettres, I, 80.

★ **II.** N. m. Équit. Deux jambes du cheval. *Le bipède antérieur. Le bipède postérieur. Bipèdes latéraux. Bipède diagonal.*

DÉR. **Bipédie**.

BIPÉDIE [bipedi] n. f. — xxᵉ (1955, Teilhard de Chardin, *in* T. L. F.); de *bipède*.

♦ Didact. Qualité de bipède. Fait d'être bipède, aptitude à marcher sur deux pieds. *La bipédie de l'homme et de certains animaux.*

  L'anthropomorphisme en effet constitue une formule distincte de celle des singes, attestée par la seule famille anthropienne. Sa caractéristique fondamentale réside dans l'adaptation de la charpente corporelle à la marche en bipédie. Cette adaptation se traduit par une disposition particulière du pied dont les doigts sont en rayons parallèles comme chez les Vertébrés marcheurs, par des détails de construction du tarse et des os du membre inférieur et surtout par une adaptation du bassin qui porte en équilibre tout le poids du tronc.
     A. LEROI-GOURHAN, le Geste et la Parole, t. II, p. 90-92.

1. BIPENNE [bipɛn] ou **BIPENNÉ, ÉE** [bipene; bipɛnne] adj. — 1842, *bipenné*; *bipinné*, au sens 2, 1803; du lat. *bipinnis, bipennis*, de *bi- (bis)*, et *penna* « penne, aile ».
Didactique.

♦ **1.** Vx. Qui a deux ailes (insectes). ⇒ **Diptère**.

♦ **2.** Bot. *Feuille bipennée*, dont le pétiole porte deux pétioles secondaires.

2. BIPENNE [bipɛn] n. f. — 1703; lat. *bipennis* « hache à deux tranchants », de *bipennis*, adj. → 1. Bipenne.

♦ Archéol. Hache à deux tranchants (dans l'antiquité romaine).

BIPHASÉ, ÉE [bifɑze] adj. et n. m. — Déb. xxᵉ; de *bi-*, et *phase*.

♦ Électr. Se dit d'un système formé de deux courants monophasés de signes contraires. — N. m. *Du biphasé.* ⇒ **Polyphasé**.

BIPIED [bipje] n. m. — xxᵉ; de *bi-*, et *pied*.

♦ Support d'un fusil-mitrailleur, formé de deux pieds en V renversé. *Porter, disposer le bipied.*

BIPLACE [biplas] adj. et n. m. — 1917; de *bi-*, et *place*.

♦ Qui comporte deux places. *Un véhicule biplace.*
N. m. (Le plus souvent en parlant d'un avion):

1   (...) Geoffroy finit par s'asseoir dans l'appareil, à côté de Magenheim. C'était un tout petit biplace de tourisme dont l'unique moteur à hélices commença à tourner dans un ronronnement d'une discrétion surprenante.
     Guy DES CARS, l'Envoûteuse, p. 288.

Par ext. (Plus rare). Véhicule à deux places (automobile, canot, etc.).

2 Il est vrai que Gonzague, à qui son père ne refuse rien, a aussi un biplace à moteur hors-bord (...)   Hervé BAZIN, Cri de la chouette, p. 122.

BIPLAN [biplɑ̃] adj. et n. m. — 1875, *in* Guilbert ; var. anc. *aérobiplane*, angl. *aero-biplane*, de *aero-*, et *biplane*, de *bi-*, et *plane* « plan » ; de *bi-*, et *plan*.

♦ Qui a deux plans de sustentation (en parlant d'un avion). *Des avions, des chasseurs biplans.* — N. m. *Les biplans de la guerre de 1914-1918.*

DÉR. Biplaniste.

BIPLANISTE [biplanist] n. m. — D. i. (xxᵉ) ; de *biplan*.

♦ Hist. de l'aéron. Aviateur aux commandes d'un biplan.

BIPOINT [bipwɛ̃] n. m. — Mil. xxᵉ ; de *bi-*, et *point* (I.).

♦ Math. Couple de points d'un espace affine, dont l'un est l'origine et l'autre l'extrémité. *Des bipoints équipollents*.*

BIPOLAIRE [bipɔlɛʀ] adj. — 1842 ; de *bi-*, et *polaire*.

♦ **1.** Phys. Qui a deux pôles. *Aimant bipolaire.* — Qui présente deux pôles magnétiques.
Qui est monté sur deux conducteurs de potentiels différents. *Coupe-circuit bipolaire.*
(1865). *Cellule bipolaire :* cellule nerveuse pourvue de deux prolongements. « *Il retrouve aussi chez les poissons adultes les intermédiaires entre cellules bipolaires et unipolaires* » (*l'Année biologique* 1900, p. 581 ; 1898).
(1906). Math. *Coordonnées bipolaires,* qui déterminent un point dans un plan par ses distances à deux points fixes (pôles).

♦ **2.** Fig. Qui a deux pôles* (3.).

1 Martin du Gard, nature bipolaire, oscilla longtemps entre Jacques, le révolté lyrique, et Antoine, le stoïque réaliste.   A. MAUROIS, Études littéraires, t. II, p. 20.
2 Et la situation de la France dans le monde. Songez qu'en ces vingt ans on a assisté à la déstalinisation, à la décolonisation, à la création du Marché Commun, au schisme soviéto-chinois, c'est-à-dire à la fin d'un monde bipolaire, États-Unis d'un côté, U. R. S. S. de l'autre.   Françoise GIROUD, Si je mens, p. 190.

♦ **3.** Didact. (géogr.). Qui appartient à la fois au pôle arctique et au pôle antarctique.

DÉR. V. Bipolarisation, bipolarisé, bipolarité.

BIPOLARISATION [bipɔlaʀizasjɔ̃] n. f. — V. 1966 ; du rad. de *bipolaire*, d'après *polarisation*.

♦ Polit. Tendance au regroupement de forces politiques en deux blocs. ⇒ **Bipartisme.** « *Les réformateurs évoquent le refus de la bipolarisation de la vie politique nationale* » (*l'Express*, 8 janv. 1973).

BIPOLARISÉ, ÉE [bipɔlaʀize] adj. — 1971, J.-L. Parodi, *in* T. L. F. ; du rad. de *bipolaire*, d'après *polarisé*.

♦ Polit. Regroupé en deux forces de tendances opposées.

BIPOLARITÉ [bipɔlaʀite] n. f. — 1842 ; du rad. de *bipolaire*, d'après *polarité*.

♦ Didact. (phys., sc. nat.). État, propriété de ce qui est bipolaire*.
Spécialt. Caractère des espèces vivantes qui existent dans les zones froides (circumpolaires) des deux hémisphères.

BIPOUTRE [biputʀ] adj. — 1927 ; de *bi-*, et *poutre*.

♦ Techn. Qui comporte deux poutres parallèles maintenues à un même massif. *Un pont roulant bipoutre.*
Aviat. Se dit d'un avion dans lequel la partie arrière du fuselage est remplacée par deux poutres carénées.

BIQUADRATIQUE [bikwadʀatik] adj. et n. f. — 1771 ; de *bi-*, et *quadratique*.

♦ Math. Qui est du quatrième degré. *Une équation biquadratique.*
N. f. Courbe gauche obtenue par l'intersection de deux quadriques.

BIQUE [bik] n. f. — 1509 ; orig. incert., p.-ê. altér. de *biche*, par croisement avec *bouc* ; Guiraud suppose une orig. commune avec *biche*, du lat. pop. **bigica, *bigitare*, du rad. lat. *big-* (var. *bis-*) exprimant l'écartement, l'obliquité (« animal qui bondit de travers »).

♦ **1.** Fam. (Vx ou régional). Chèvre. *Un troupeau de biques. Une peau de bique :* une peau de chèvre servant de vêtement. — Ellipt. *Porter une bique.*

La bique, allant remplir sa traînante mamelle (...)   LA FONTAINE, Fables, IV, 15.   1
Cependant, chaque soir, sur la route gelée, une carriole emportait le jeune docteur (...) sous sa peau de bique (...)   F. MAURIAC, le Baiser au lépreux, XIV, p. 153.   2
(...) Côme de Lambrefault (...) tirait un louis d'or de son porte-monnaie de cuir fauve, le tendait au chauffeur engoncé dans une peau de bique (...)   P. VIALAR, la Grande Meute, p. 6.   3

Loc. *Crotte* de bique.*
Être bique et bouc, homosexuel à la fois passif et actif. (cf. À voile et à vapeur).

♦ **2.** (1830). Fam., péj. Fille, femme déplaisante (vieille, laide ou désagréable). *Une grande bique. Vieille bique.*

Lisa se pencha pour la suivre du regard, entre les crépines de l'étalage. Elle la vit traverser la chaussée et entrer dans le pavillon aux fruits.   4
— La vieille bique ! grogna Gavard.   ZOLA, le Ventre de Paris, t. I, p. 106 (1875).

♦ **3.** (1864). Mauvais cheval*. ⇒ **Rosse.**

♦ **4.** Loc. régionale. *Tête de bique :* personne têtue. ⇒ **Bourrique, mule** (tête de).

(...) c'était un malheur d'avoir affaire à une tête de bique pareille.   R. QUENEAU, le Dimanche de la vie, p. 58.   5

DÉR. 1. Bicot, biquet, biqueter.
HOM. Bic.

BIQUET, ETTE [bikɛ, ɛt] n. — 1355, *bicquet*, techn., « support, petite "chèvre" » ; sens 1., 1668, cit. ; de *bique*.

♦ **1.** Petit de la bique. ⇒ (fam.) 1. **Bicot, chevreau.**

(La bique). Non sans dire à son Biquet :
— Gardez-vous, sur votre vie (...)   LA FONTAINE, Fables, IV, XV.

♦ **2.** N. f. Fam. **BIQUETTE** : petite chèvre.

♦ **3.** (1843, Flaubert). Terme d'affection à l'adresse d'un enfant. *Obéis à papa, mon biquet. Viens, ma biquette.*

BIQUETER [bikte] v. intr. — Conjug. *jeter.* — D. i. ; de *bique*, et suff. *-eter*.

♦ Vx. Mettre bas (en parlant d'une chèvre). *Les chèvres biquettent.*

BIQUOTIDIEN, IENNE [bikɔtidjɛ̃, jɛn] adj. — 1876 ; de *bi-*, et *quotidien*.

♦ Qui se fait deux fois par jour. *Des ablutions biquotidiennes.* — On écrit aussi *bi-quotidien*.

DÉR. Biquotidiennement.

BIQUOTIDIENNEMENT [bikɔtidjɛnmɑ̃] adv. — xxᵉ (attesté 1966) ; de *biquotidien*, d'après *quotidiennement*.

♦ Rare. Deux fois par jour.

BIRAPPORT [biʀapɔʀ] n. m. — xxᵉ ; de *bi-*, et *rapport*.

♦ Math. *Birapport de quatre nombres* a, b, c, d, *réels ou complexes,* le rapport $\dfrac{c-a}{c-b} : \dfrac{d-a}{d-b}$, noté (a, b, c, d). *Birapport de quatre points* A, B, C, D, *pris sur une droite orientée,* birapport de leurs abscisses (rapport $\dfrac{\overline{CA}}{\overline{CB}} : \dfrac{\overline{DA}}{\overline{DB}}$, quotient du rapport des mesures algébriques des deux vecteurs ayant pour origine C et pour extrémités A et B par le rapport des mesures des deux vecteurs d'origine D et d'extrémités A et B). — Syn. : *rapport anharmonique* (vieilli). *Le birapport de quatre points est indépendant du repère choisi sur la droite. Quatre points dont le birapport est égal à -1 forment une division harmonique*.*

BIRATIONNEL, ELLE [biʀasjɔnɛl] adj. — 1899 ; de *bi-*, et *rationnel*.

♦ Math. *Bijection birationnelle :* bijection* rationnelle, dont la réciproque est aussi une fonction rationnelle*. — Hist. des math. *Transformations birationnelles* (Cremona, 1866).

BIRBE [biʀb] n. m. — 1836 ; ital. *birba* « coquin » (xviiᵉ), en rapport avec le franç. *bribe*, d'où « mendiant », et p.-ê. infl. de *barbon* pour le sens en français.

Péjoratif.

♦ **1.** Vx. Vieillard. « *Vous êtes bon et vous êtes joli, pour un birbe accablé de caducité* » (Théodore de Banville).

♦ **2.** Loc. mod. **VIEUX BIRBE** : vieillard ou homme d'âge mûr ennuyeux et ratiocinant.

Justement, j'connais un vieux birbe de savant qui s'intéresse à ces machins et qui nous paiera le zigue emmaillotté au poids de l'or.
L. FORTON, les Aventures des Pieds-Nickelés, *in* l'Épatant, 1909, p. 62.

REM. Le T. L. F. mentionne les variantes (dérivés) anciennes *birbaillon*, n. m; *birbon*, n. m. (1860); *birbasse*, n. f. (1893, Richepin).

BIRCHER [biʀʃɛʀ], **BIRCHERMÜESLI** [biʀʃɛʀmysli] n. m. ⇒ **Müesli**.

BIRE [biʀ] n. f. — 1669; altér. de *buire* (anc. franç. *buiron*), du bas lat. *buireta*.

♦ Régional. Pêche. Nasse en osier. — Bouteille en osier servant à la pêche.

BIRÉACTEUR [biʀeaktœʀ] n. m. — V. 1945 (in *Larousse mensuel*, 1957); de *bi-*, et *réacteur*.

♦ Avion à deux réacteurs. ⇒ **Bimoteur**.

BIRÉFRINGENCE [biʀefʀɛ̃ʒɑ̃s] n. f. — 1878; de *bi-*, et *réfringence*.

♦ Phys. Propriété qu'ont certains corps transparents de diviser en deux rayons réfractés le rayon lumineux incident qui les pénètre. ⇒ **Réfraction** (double réfraction). *La biréfringence du spath d'Islande.*

BIRÉFRINGENT, ENTE [biʀefʀɛ̃ʒɑ̃, ɑ̃t] adj. — 1842; de *bi-*, et *réfringent*.

♦ Phys. Qui possède la propriété de biréfringence*. *Le quartz est biréfringent. Prisme biréfringent.*

BIRÈME [biʀɛm] n. f. — 1541; lat. *biremis*, de *bi-* (*bis-*) «deux fois», et *remus* «rame».

♦ Hist. Galère de l'antiquité à deux rangs de rames de chaque côté.

BIRGUE [biʀg] n. m. — 1834; lat. zool. *birgus*, 1815; semble d'orig. italienne.

♦ Zool. Gros crustacé terrestre, appelé couramment *crabe** *des cocotiers.*

BIRIBI [biʀibi] n. m. — 1719, Voltaire; ital. *biribisso* «jeu de hasard», d'orig. incert.; nom propre dans des comptines et des refrains : *Biribi, mon ami*, 1648.

★ **I.** Vx. Jeu de hasard voisin du loto.

★ **II.** (1861; nom d'une ancienne compagnie disciplinaire d'Afrique du Nord, d'un sens pop. du mot, «tourniquet de foire», ou directement du sens I.; mais il peut s'agir d'un autre mot). Argot milit. (Employé comme un nom propre). Compagnie de discipline. *Envoyer un soldat puni à Biribi.*

BIRLOIR [biʀlwaʀ] n. m. — 1694; origine incertaine, p.-ê. d'une var. régionale de *virer*.

♦ Techn. Tourniquet, loquet qui fixe le châssis d'une fenêtre à guillotine.

BIRMAN, ANE [biʀmɑ̃, an] adj. et n. — 1800, *in* D.D.L.; de *Birmanie.*

♦ De Birmanie; qui se rapporte à la Birmanie.
N. *Un Birman, une Birmane :* un habitant, une habitante de la Birmanie.
N. m. Langue du groupe tibéto-birman, parlée en Birmanie et en Assam.

BIROTOR [biʀotoʀ] n. m. et adj. invar. — V. 1960; de *bi-*, et *rotor*.

♦ Techn. Qui fonctionne avec deux rotors, généralement en rotation sur le même axe, et en sens inverse l'un de l'autre; à deux rotors.

BIROULADE [biʀulad] n. m. — 1862, F. Fabre; occitan *viroulado*, de *viroula* «tourner», de même orig. que *virer*.

♦ Régional (Cévennes). Réunion où l'on mange des châtaignes rôties.

BIROUTE [biʀut] n. f. — Attesté 1914; orig. inconnue, dialectale, cf. *biroutche* en rouchi (dialecte du Hainaut), v. 1830; de nombreux mots régionaux désignent la tarière : *biro, birou, biroune.*

♦ **1.** Argot. Pénis. ⇒ **Bitte**.
Les lavabos, les types étalent leur biroute sur le zinc ruisselant et la nettoient avec soin. Roger IKOR, À travers nos déserts, p. 459.

♦ **2.** (1916; appelée aussi *bite, couille à Joffre*, cf. A. Doillon). Argot milit. Manche à air indiquant la direction du vent, sur un terrain d'aviation. ⇒ **Boudin**. — REM. Le mot donne lieu à calembour, et désigne par plaisanterie une route à voies séparées, une autoroute (*biroute*).

BIRTH(-)CONTROL [bœʀskõtʀol] n. m. — 1933, cit.; mot angl., de *birth* «naissance», et *control* «contrôle».

♦ Anglic., vieilli. Contrôle* des naissances (→ Planning* familial). *« Les révolutions aiment à se donner une date. Le 14 juillet du "birth-control" peut être fixé au 20 mai 1960. Ce jour-là, le premier contraceptif oral de l'histoire fut approuvé par l'administration américaine... »* (*Science et Vie*, n° 595, 1967, p. 64, *L'« escalade » de la contraception*).
C'est le but même de la contraception ou birth control, c'est-à-dire non pas la suppression du germe (ce qui est considéré comme immoral et sévèrement puni par la loi) mais la stérilisation des rapports entre sexes.
Paul MORAND, Londres, II, p. 93 (1933).

1. BIS, BISE [bi, biz] adj. — 1080, *Chanson de Roland*; orig. incert., p.-ê. du bas lat. *bombyceus «de soie», de *bombyx**; mais P. Guiraud suppose une série de dér. pop. du lat. *bis*, dont *biseus, qui aurait signifié «composé de deux parties» d'où «impur».

♦ Rare ou vx. D'un gris tirant sur le brun*. *Un teint bis*, très brun. *De la laine bise.* ⇒ **Beige**.

Cette maîtresse un tantet bise
Rit à mes yeux (...) LA FONTAINE, Pâté, *in* LITTRÉ. 1

Cour. *Pain bis*, gris à cause du son qu'il renferme. — *Une toile bise.*

J'ai faim, dit-il; et bien vite
Je sers piquette et pain bis. BÉRANGER, Souvenirs du peuple, *in* LITTRÉ. 2

Une grande toile bise a été étendue au-dessous de la verrière, si bleue dans la nuit, et tamise le soleil. Ici la chaleur est supportable. 3
M. DURAS, Dix heures et demie du soir en été, p. 119.

Un grand fourre-tout de toile bise, une de ces grands sacs que l'on appelle vulgairement baise-en-ville, pend à son épaule droite. 4
Georges PÉREC, la Vie mode d'emploi, p. 20.

DÉR. Bisaille, 1. biser, biset, 1. bisette, bisonne.
HOM. (De *bise*) 1. Bise, 2. bise, formes des v. 1. biser, 2. biser, 3. biser.

2. BIS [bis] adv. et n. m. — 1690; lat. *bis* «deux fois».

♦ **1.** Une seconde fois. Cri par lequel on demande la répétition de ce que l'on vient de voir ou d'entendre. ⇒ **Bisser**.

(...) le père, enchanté, frappe des mains, en criant : bis, bis (...) 1
ROUSSEAU, Émile, v.

(...) au concert, des amateurs fanatiques qui s'exténuaient à applaudir et à crier bis (...) PROUST, À la recherche du temps perdu, t. XIII, p. 176. 2

Mus. Indication d'avoir à répéter une phrase, un refrain.
N. m. *Un, des bis.* ⇒ **Rappel**.

Les bis se redemandaient sans fin, on s'enthousiasmait de l'auteur, de l'acteur, de l'actrice (...) DIDEROT, Lettre à Mme Ricoboni. 3

♦ **2.** Indique la répétition du numéro. *Habiter au 3 bis de telle rue.*

BIS- Élément indiquant le redoublement (ex. : *biscuit...*; ⇒ **Bi-**, **di-**), ou ajoutant une nuance péjorative (ex. : *bistourné*).

BISAÏEUL, EULE [bizajœl] n. — 1315; *besaiol*, 1283; de *bis-* «deux fois», et *aïeul*.

♦ Littér. Père ou mère des aïeuls. ⇒ **Aïeul, arrière-grand-mère, arrière-grand-père**. *Il a encore ses bisaïeuls.* ⇒ **Arrière-grands-parents**.

(...) nous avons fouillé dans de vieux coffres pour en exhumer les parures qui firent les beaux jours du harem impérial au temps d'Abd-ul-Medjib. (La dame du palais qui les porta était notre bisaïeule). LOTI, les Désenchantées, III, 16, p. 120.

BISAIGUË [bizɛgy] n. f. ⇒ **Besaiguë**.

BISAILLE [bizaj] n. f. — XVIIe; de 1. *bis*, à cause de la couleur.
Agric., vx ou régional.

♦ **1.** Farine de deuxième qualité dont on fait le pain bis.

♦ **2.** Mélange de pois gris et de vesce pour nourrir la volaille.

BISANCIEN [bizɑ̃sjɛ̃] n. m. — D. i. (attesté 1907, René Bazin); de *bis-* «deux fois», et *ancien*.

♦ Techn. (agric.). Réserve d'arbres ayant quatre fois l'âge d'un taillis sous futaie.

BISANNUALITÉ [bizanɥalite] n. f. — xviie ; de bis-, et annualité.

♦ Rare. Caractère bisannuel.

BISANNUEL, ELLE [bizanɥɛl] adj. — 1762, sens 2. ; de bis-, et annuel.

♦ **1.** (1842). Qui revient tous les deux ans. ⇒ **Biennal.** *Une cérémonie, une fête bisannuelle.* — REM. Un emploi au sens de « semi-annuel » est attesté.

♦ **2.** Bot. Se dit d'une plante qui vit deux ans (la première année est un cycle végétatif ; la seconde année, la plante fleurit et fructifie). *La betterave, la carotte sont bisannuelles.*

BISANT [bizɑ̃] n. m. — Attesté 1925, Pourrat ; de 1. bise, mais on trouve brisant chez Villon, que Guiraud rattache à biseau.

♦ Régional. *Vent de bisant, bisant :* vent qui souffle du nord.

BISBILLE [bizbij ; bisbij] n. f. — 1677 ; ital. bisbiglio « murmure », de bisbigliare.

♦ Fam. Petite querelle* pour un motif futile. ⇒ **Brouillerie, dispute.** *Être en bisbille avec qqn,* en conflit pour des raisons futiles.

1 Des rois qui souvent pour vétille
   Avaient entre eux quelque bisbille (...)   TAILLET, *in* HATZFELD.

2 Si quelque badaud s'étonnait de les voir en bisbille, ils se cachaient pour rire de lui, et on les entendait babiller et chanter ensemble comme deux merles dans une branche.   G. SAND, la Petite Fadette, p. 18.

3 Dans son café-tabac-ministère, Guignebert avait davantage l'air d'être le patron du bistrot que le ministre de l'Information. Il siégeait en bras de chemise, la cravate dénouée, arbitre des bisbilles, déjà, entre les futurs journaux, entre les mouvements, les partis.   Claude ROY, Nous, p. 14.

DÉR. V. **Bisbrouille.**

BISBROUILLE [bizbʀuj ; bisbʀuj] n. f. — Attesté déb. xxe ; croisement de bisbille et de brouille.

♦ Régional (Belgique), fam. Fâcherie, petite brouille.

Je suis tout le temps à éviter les sujets de bisbrouille entre eux.
   Franz FONSON et Fernand WICHELER, le Mariage de Mlle Beulemans, I, 13.

BISCAÏEN [biskajɛ̃] n. m. — 1689 ; de Biscaye, nom de la province espagnole où fut d'abord employée cette arme.

♦ **1.** Anciennt. Mousquet de gros calibre à longue portée.

♦ **2.** (1829). Mod. Projectile de ce fusil. — Par ext. Petites balles composant la mitraille.

Blessé à Gravelotte d'un éclat de biscaïen dans la cuisse, il tirait la jambe avec dignité.   M. YOURCENAR, Archives du Nord, p. 315.
Fam., vx. Bille. — Grêlon.

♦ **3.** ⇒ **Biscayen** (2.).

HOM. **Biscayen.**

BISCAÏENNE [biskajɛn] n. f. — 1712 ; d'abord biscayen, adj. masc., 1555 ; de Biscaye.

♦ Mar. Embarcation légère, à extrémités pointues, destinée à la pêche, employée dans le Nord de l'Espagne et au Pays basque.

BISCAYEN, YENNE [biskajɛ̃, jɛn] adj et n. — 1555, en parlant d'une embarcation (→ Biscaïenne) ; de Biscaye. → aussi Bisquain, 2. bisque.

♦ **1.** Adj. Relatif à la Biscaye, province du Nord-Ouest de l'Espagne. N. *Un Biscayen, une Biscayenne.*

♦ **2.** N. m. (1804, *in* D.D.L.). *Le biscayen* (ou *biscaïen*), dialecte basque parlé dans la plus grande partie de la Biscaye.

BISCHOF [biʃɔf] n. m. — 1804, Grimod de La Reynière, bichop, in D.D.L. ; 1808, Flaubert, bischoff, cf. angl. bishop (1738) ; all. Bischof (1773) ; de l'all. Bischoff « évêque ».

♦ Anciennt. Boisson faite de vin sucré, parfois épicé, dans lequel a macéré du citron ou de l'orange, et qui se buvait chaude ou froide. *Le bischof fut à la mode au XIXe siècle* (cf. Flaubert, Huysmans, in T.L.F.). — REM. On relève de nombreuses variantes adaptées des graphies anglaise et allemande : *bischoff, bichof, bichoff, bishof, bishoff* ; et d'après l'angl. bishop (1738) : *bishop, bichop, bischop* [biʃɔp].

BISCÔME [biskom] n. m. — 1709 ; biscobe, 1570 ; leibescuobe, 1471, Fribourg ; probablt du suisse alémanique *lebeskuche, all. Lebkuchen.

♦ Régional (Suisse). Pain d'épice, souvent orné d'une image.

Je colportais les pains d'épices, en ce temps là, les biscômes bernois au miel ou à l'anis avec dessus un ours en sucre qui tire une langue rose comme une fraise.
   Jacques CHESSEX, Portrait des Vaudois, p. 45.

BISCORNU, UE [biskɔʀny] adj. — 1390, biscornu « qui a deux cornes, deux pointes » ; de bis-, et cornu. → Bicorne.

♦ **1.** (1580). Qui a une forme irrégulière, présentant des saillies. *Un bâtiment biscornu.* — N. m. *Le biscornu.*

Efflanquée du côté droit et toute biscornue de l'autre (...)   1
   Antoine HAMILTON, Mém. du comte de Grammont, 10.

♦ **2.** (1740). Fig., fam. Compliqué, bizarre. ⇒ **Extravagant, saugrenu.** *Idées biscornues. Esprit biscornu.* ⇒ **Bizarre.** *Visions biscornues.* ⇒ **Cornu** (vx).

Vous trouverez bon que je fasse tout mon possible pour rompre un mariage aussi   2
biscornu que celui-là (...)   J. F. REGNARD, la Sérénade, I.

Adultère!... Il se représente soudain tout ce que ce mot contenait d'usuel, de   3
domestique, de ridicule, de gauchement tragique ou de platement comique, de saugrenu, de biscornu (...)   FRANCE, le Mannequin d'osier, VI.

CONTR. **Régulier.** — **Raisonnable, sensé.**

BISCOTEAU [biskɔto] n. m. ⇒ **Biscoto.**

BISCOTER [biskɔte] v. tr. — 1532, Rabelais ; orig. incert., p.-ê. métathèse de bistoquer (déb. xvie), « faire l'amour avec (une femme) », lui-même rapproché du flamand besteken « fixer », d'où « parer, orner », d'où « faire des cadeaux » puis « faire la cour », mais ni la forme ni l'évolution sémantique ne sont convaincantes.

♦ Fam., vx. Lutiner, peloter (une femme). Cf. Flaubert, Raoul Ponchon, *in* T.L.F.

BISCOTIN [biskɔtɛ̃] n. m. — 1680 ; de l'ital. biscottino, dimin. de biscotto « biscuit ».

♦ Vx ou régional. Petit biscuit ferme et cassant. *Biscotins d'Aix.*
Le roi mettait dans ses poches force biscotins pour ses chiennes couchantes.
   SAINT-SIMON, Mémoires, 403, 252.

BISCOTO ou **BISCOTEAU** [biskɔto] n. m. — 1930 ; de l'initiale de biceps, d'après costeau.

♦ Fam. Biceps (surtout bien développé). *Il a de ces biscoteaux !* — Var. graphique : *biscotteau.*

Les pirates ne paient pas d'impôts   1
Et s'font des tatouages sur les biscotos.
   B. VIAN, Textes et Chansons, « Les pirates », p. 72.

Un plâtrier, ça se reconnaît de loin, comme un boulanger : biscoteaux de lutteur   2
et joues de papier mâché.   CAVANNA, les Ritals, p. 106.

BISCOTTE [biskɔt] n. f. — 1807 ; ital. biscotto « biscuit », proprt « cuit deux fois », du lat. médiéval biscottum « biscuit », 1218, de bis-, et cotto « cuit ».

♦ Tranche de pain de mie séchée au four industriellement. *Biscotte de régime, biscotte sans sel. Biscotte beurrée. Un paquet de biscottes. Tu veux des biscottes ou du pain grillé ?*
Elle vous envoie des mots secs, comme des biscottes de Bruxelles.
   BALZAC, *in* P. LAROUSSE.

REM. L'homonyme *biscotte* « casquette » (*in* Courteline) est probablt une altération de *viscope* « visière ».

DÉR. **Biscotterie, biscottier.**

BISCOTTERIE [biskɔtʀi] n. f. — Mil. xxe ; de biscotte.

♦ Techn. Entreprise de fabrication de biscottes. Ensemble des techniques de cette fabrication.

BISCOTTIER, IÈRE [biskɔtje, jɛʀ] n. — V. 1960 ; de biscotte.

♦ Techn. Fabricant(e) de biscottes.

BISCUIT [biskɥi] n. m. — 1538 ; réfection, d'après le lat., de bescuit, 1112 ; de bis-, et cuit, p. p. de cuire.

★ **I.** ♦ **1.** Galette de farine de blé passée au four, puis déshydratée, qui constituait autrefois un aliment de réserve pour l'armée. ⇒ **Biscotin.** *Ration de biscuit. Tremper, casser du biscuit.* — *Biscuit de mer :* pain séché qui peut se conserver longtemps. — Vx.

Biscuit de guerre. — Biscuit animalisé, contenant des matières animales qui augmentent ses qualités nutritives. *Biscuit vitaminé.*

Loc. *S'embarquer sans biscuit :* partir à la légère, sans prendre de précautions, sans argent.

1   Des voyages entrepris témérairement, et, comme l'on dit, des embarquements sans biscuits (...)   D'AUBIGNÉ, *Disc. militaire,* I, 193.

♦ **2.** Gâteau* sec fait avec des œufs, de la farine, du sucre. ⇒ **Boudoir, craquelin, croquet, croquignolle, galette, gaufrette, petit-beurre, sablé, tuile.** *Biscuit à la noix de coco, au fromage. Biscuits salés,* pour l'apéritif. ⇒ **Bretzel, cracker; amuse-gueule.**

1.1   Plus loin, la maison Guillout, sévère comme une caserne, étalait délicatement, derrière ses glaces, des paquets dorés de biscuits et des comptoirs pleins de petits-fours.   ZOLA, *le Ventre de Paris,* t. I, p. 44.

Loc. *Biscuit à la cuiller,* très léger et absorbant.

1.2   Le curé était encore chez les Muselier, attablé devant un verre de vin blanc et une assiette de biscuits à la cuiller.   M. AYMÉ, *la Vouivre,* p. 175.

Galette destinée à la nourriture d'animaux. *Biscuit de chien. Biscuit de fourrage.*

♦ **3.** (Dans des expressions). Gâteau à base de farine, de sucre et d'œufs. *Biscuit de Savoie, biscuit au chocolat, biscuit roulé, meringué.*

♦ **4.** Par anal. de forme. **BISCUIT DE MER :** os de seiche.

♦ **5.** (1935, argot des chauffeurs de taxis). Argot. Contravention. *Attraper un biscuit.*

★ **II.** ♦ **1.** (1751). Porcelaine blanche non émaillée, cuite au four, qui imite le grain du marbre et dont on fait des figurines, des médaillons. *Une statuette en biscuit.*

1.3   Il eut le culte d'un ange aux ailes de biscuit si déliées, fines et transparentes qu'il les voyait vraiment trembler, comme celles d'un papillon parmi les fleurs en bois découpé de l'étagère.   M. JOUHANDEAU, *la Jeunesse de Théophile,* p. 127.

♦ **2.** Un, des biscuits, ouvrage fait en cette matière. *Biscuits de Sèvres. Biscuit de Saxe.*

2   Le nom de biscuit est tout à fait impropre pour désigner ces figurines, puisqu'elles ne sont cuites qu'une seule fois.   Louis RÉAU, *Dict. d'art et d'archéologie,* p. 57.

♦ **3.** Techn., vx. Particule dure, pierreuse, dans la chaux éteinte.

DÉR. Biscuité, biscuiter, biscuiterie.

BISCUITÉ, ÉE [biskɥite] adj. — 1806, sens I. ; de *biscuit.*

★ **I.** Vx. *Pain biscuité,* cuit plus longtemps que le pain ordinaire. ⇒ **Biscuit** (I., 1.).

★ **II.** (1867 ; de *biscuit,* II.). *Porcelaine biscuitée,* qui a subi une cuisson spéciale. ⇒ **Biscuit** (II.).

BISCUITER [biskɥite] v. tr. — 1845 ; de *biscuit* (II.).

♦ Techn. Cuire au four (une pièce de poterie). ⇒ **Biscuit** (II.).

BISCUITERIE [biskɥitʀi] n. f. — Av. 1877 ; de *biscuit* (I.).

♦ Fabrication, industrie des biscuits, des gâteaux secs. *Travailler dans la biscuiterie. — Une biscuiterie,* fabrique de biscuits, de gâteaux secs industriels.

BISCUTELLE [biskytɛl] ou BISCUTELLA [biskytɛ(l)la] n. f. — 1842 ; lat. sc. *biscutella* (1798, Linné) ; de *bi-* (*bis*), et *scutella,* de *scuta* (→ Scutellaire), de *scutum* «bouclier».

♦ Bot. Plante alpine crucifère, aussi appelée *lunetière* à cause de ses fruits dont la forme évoque celle de lunettes.

1. BISE [biz] n. f. — V. 1130 ; du francique **bisa* ou d'un germanique **bisjo,* par le lat. médiéval *biza* (768) ; Guiraud préfère y voir l'adj. 1. *bis, bise,* par le sens «(qui souffle) de travers, de manière divergente», selon le sémantisme des dér. du lat. *bis.*

♦ **1.** Vent* sec et froid soufflant du nord ou du nord-est. *Une bise aigre, âpre* (cit. 4), *coupante, cinglante* (→ Abasourdir, cit. 1), *glaciale. La bise siffle dans les arbres.*

1   Comme tombe une fleur que la bise a séchée (...)   MALHERBE, VI, 20, *in* LITTRÉ.
2   Qu'il eût du chaud, du froid, du beau temps, de la bise (...)   LA FONTAINE, *Fables,* VI, 4.
3   La bise de Grignan qui vous fait avaler tous les bâtiments de vos prélats me fait mal à votre poitrine (...)   Mᵐᵉ DE SÉVIGNÉ, 1113, 29 déc. 1688.
4   (...) une bise triste gémissait sous les portes et dans les corridors de l'hôtellerie.   CHATEAUBRIAND, *Mémoires d'outre-tombe,* IV, 5.
5   Heureusement que le bon clocher de Montipouret n'est pas chiche de se montrer, et qu'il n'y a pas une éclaircie où il ne passe le bout de son chapeau reluisant pour vous dire si vous tournez en bise ou en galerne.   G. SAND, *François le Champi* (Gasnier), XV, 115.
6   Une bise aigre sifflait, collant leurs minces capes sur le corps des comédiens, et leur souffletant le visage (...)   Th. GAUTIER, *le Capitaine Fracasse,* t. I, VI.

L'âpre bise d'hiver, qui se lamente au seuil
Souffle dans le logis son haleine morose!
     RIMBAUD, les *Étrennes des orphelins,* II.   7

Un grand coup de bise avait balayé le ciel (...)
     Alphonse DAUDET, *Lettres de mon moulin,* XVI.   8

Dehors, une bise aigre s'était levée, qui charriait de la neige fondue.
     MARTIN DU GARD, *les Thibault,* t. IV, p. 67.   9

Les gémissements des oiseaux migrateurs qui traversaient le ciel délavé, le sanglot ininterrompu de l'aigre bise dans les baraquements, cette terre funèbre où tout leur était hostile, et surtout cet hiver qui leur tombait sur les épaules (...)
     M. TOURNIER, *le Roi des Aulnes,* p. 186.   9.1

Loc. fam. *Fendre la bise :* aller très vite. *Un fend-la-bise :* une personne qui «fend la bise», qui est rapide, intrépide.

♦ **2.** Poét. L'hiver ; le froid.

Quand la bise fut venue (...)   LA FONTAINE, *Fables,* I, 1.   10

♦ **3.** Loc. fam. (Régional ; fréquent dans le Centre de la France). **À TOUTE BISE :** à toute vitesse, très vite. ⇒ **Biture.**

DÉR. Bisant.
HOM. 2. Bise, bise (fém. de 1. *bis*).

2. BISE [biz] n. f. — 1911 ; de 3. *biser.*

♦ Fam. Baiser. *On va lui faire une grosse bise.* ⇒ **Bisou.** *Donner une bise, des bises à un enfant. — Allez, la bise à tous ! À bientôt ; bises aux enfants.*

DÉR. Bisou.
HOM. Bise (fém. de 1. *bis*), 1. **bise.**

BISEAU [bizo] n. m. — 1451, en orfèvrerie ; sens général, XVIᵉ ; orig. incert., probablt de même orig. que *biais,* d'où **biaiseau, bieseau.*

♦ **1.** Bord taillé obliquement. ⇒ **Biais, chanfrein.** *On affûte une scie en aiguisant le biseau de chacune de ses dents. Le biseau d'un tesson de verre. —* **EN BISEAU.** *Une vitre, une glace en biseau. Tailler qqch. en biseau.* ⇒ **Biseautage, biseauter, ébiseler.** *Outil à lame en biseau. Un sifflet en biseau.*

♦ **2.** Outil* acéré dont le tranchant est en biseau. *Biseau de menuisier, de tourneur.*

♦ **3.** Techn. (joaill.). Facette contiguë à la table d'un brillant. — (Horlog.). *Taille d'un verre qui s'enchâsse sur un cadran.*

(Impr.). Cadre des pages de caractères qui permet leur serrage dans les formes.

♦ **4.** Mus. Bec (de certains instruments à vent). — Extrémité (d'un tuyau d'orgue).

DÉR. Biseauter.

BISEAUTAGE [bizotaʒ] n. m. — 1863, *in* Littré ; de *biseauter.*

♦ Techn. Action de tailler en biseau ; résultat de cette action. *Biseautage d'une glace, d'un verre de montre.*

BISEAUTER [bizote] v. tr. — 1743, *bizotter* ; de *biseau.*

♦ **1.** Tailler en biseau. *Biseauter un brillant, une moulure.*

♦ **2.** Marquer (des cartes à jouer) d'un signe sur la tranche pour tromper au jeu.

Fig., vx. *Biseauter (qqch.) :* truquer. *Biseauter un suffrage* (Goncourt).

▶ **BISEAUTÉ, ÉE** p. p. adj.

♦ **1.** Taillé en biseau. *Une glace biseautée.*

Vêtue de sa longue douillette lilas, Mᵐᵉ Chantelauze vérifie son visage dans la glace biseautée achetée mille francs place d'Aligre.   Violette LEDUC, *Folie en tête,* p. 449 (1970).   1

La lumière et la musique y sont dispensées avec une prodigalité qui fait rêver. Des glaces biseautées, des dorures partout.   Francis PONGE, *le Parti pris des choses,* p. 70.   2

♦ **2.** *Cartes biseautées* (→ ci-dessus, 2.).

DÉR. Biseautage, biseauteur.

BISEAUTEUR, EUSE [bizotœʀ, øz] n. — 1852 ; de *biseauter.*

♦ **1.** Techn. N. m. Ouvrier qui biseaute.

♦ **2.** Rare. Personne qui biseaute les cartes. ⇒ **Tricheur.**

BISEGMENTATION [bisɛgmɑ̃tasjɔ̃] n. f. — XIXᵉ ; de *bisegmenter.*

♦ Didact. Action de bisegmenter ; son résultat.

BISEGMENTER [bisɛgmɑ̃te] v. tr. — XIXᵉ ; de *bi-*, et *segment*.

♦ Didact. Partager en deux segments.

DÉR. **Bisegmentation.**

BISENESS [biznɛs] n. m. ⇒ **Bisness.**

1. BISER [bize] v. intr. — 1690 ; de 1. *bis*.

♦ Agric. Devenir gris noir (en parlant des graines qui se détériorent).

2. BISER [bize] v. tr. — 1732 ; de 2. *bis* « deux fois ».

♦ Techn. Reteindre (une étoffe déjà teinte).

3. BISER [bize] v. tr. — 1866 ; forme dial. de *baiser*, p.-ê. avec infl. du type *bicher*, de *bec*.

♦ Fam. Donner une bise à (qqn). ⇒ 1. **Baiser**, I. (vx) ; **embrasser** ; **biger** (régional). *Viens me biser.*

DÉR. **Biger**, 2. **bise.**

BISET [bizɛ] n. m. — Fin XIIᵉ ; attestation isolée, adj., XIIIᵉ ; repris 1723 ; de 1. *bis*.

♦ **1.** Vx. Étoffe de laine grossière, de couleur bise.

♦ **2.** (1552). Pigeon* de couleur bise, aussi appelé *pigeon sauvage* et *pigeon de roche. Le biset est l'ancêtre des pigeons domestiques.* — Appos. *Pigeon biset.*

♦ **3.** (1815). Hist. Garde national qui faisait son service habillé en bourgeois (en habit « bis », gris). — REM. Les Goncourt écrivent *bizet.*

1. BISETTE [bizɛt] n. f. — 1327 ; de 1. *bis*, et suff. *-ette.*

♦ **1.** Vx. Passementerie d'or et d'argent.

♦ **2.** (1690, Furetière). Petite dentelle de bas prix.

HOM. 2. **Bisette.**

2. BISETTE [bizɛt] n. f. — D. i. ; de *bise*, fém. de 1. *bis*.

♦ Régional. Macreuse (I.).

HOM. 1. **Bisette.**

BISEXE [bisɛks] adj. — 1814 ; de *bi-*, et *sexe*.

♦ Biol. Vx. ⇒ **Bisexué.**

DÉR. **Bisexuel.**

BISEXUALITÉ [bisɛksɥalite] n. f. — 1894, *in* D. D. L. ; de *bisexuel*, d'après *sexualité*.

♦ **1.** (Bot., zool.). Caractère des organismes (plantes et animaux) bisexués. *Bisexualité biologique.*

♦ **2.** Psychol. Caractère constitutionnellement bisexuel des tendances psychiques de l'individu humain (→ Ambivalent, cit. 1). ⇒ **Hermaphrodisme.** *Conséquences psychologiques de la bisexualité.* — REM. Variante graphique (critiquée) : *bissexualité.*

1　Bisexualité psychique à dominante monosexuelle sur une sexualité physiologique fermement arrêtée : ainsi peut-on qualifier l'équilibre normal de l'être humain.
　　E. MOUNIER, la Relation sexuelle, tiré du « Traité du caractère » (1948), *in* Dʳ WILLY, la Sexualité, t. I, p. 43.

2　Notion introduite par Freud en psychanalyse sous l'influence de Wilhelm Fliess : tout être humain aurait constitutionnellement des dispositions sexuelles à la fois masculines et féminines qui se retrouvent dans les conflits que le sujet connaît pour assumer son propre sexe.
　　J. LAPLANCHE et J.-B. PONTALIS, Voc. de la psychanalyse, art. *Bisexualité.*

♦ **3.** Rare. Caractère d'une personne bisexuelle (2.), de relations bisexuelles.

CONTR. **Monosexualité, unisexualité.**

BISEXUÉ, ÉE [bisɛksɥe] adj. — 1845 ; du rad. de *bisexuel*.

♦ Qui possède les deux sexes. — Biol. Qui produit simultanément ou successivement des gamètes des deux sexes. ⇒ **Ambisexué** (1.), **autogame, hermaphrodite, monoïque.** — Syn., vx : *bisexe, bisexuel* (1.).

Bot. Se dit des plantes ayant l'organe mâle (étamine) et l'organe

femelle (pistil) réunis dans la même fleur ou sur le même pied. ⇒ **Androgyne, hermaphrodite** (II., 2.).
Zool. ⇒ **Hermaphrodite** (II., 2.).
REM. On écrit parfois *bissexué* (orthographe critiquée).

BISEXUEL, ELLE [bisɛksɥɛl] adj. et n. — 1826 ; de *bisexe*, d'après *sexuel*.

♦ **1.** Biol., vx. ⇒ **Bisexué.**

♦ **2.** Psychol. Qui concerne les deux sexes dans l'individu humain. *Tendances bisexuelles. Caractère bisexuel des tendances, de la libido.*

♦ **3.** Qui a des relations sexuelles aussi bien avec des hommes qu'avec des femmes ; qui est à la fois hétérosexuel et homosexuel. *Une femme bisexuelle.* — N. *Un bisexuel, une bisexuelle.* — *Relations bisexuelles.*

♦ **4.** Rare. Composé de personnes des deux sexes. « *Une multitude bisexuelle* » (Villiers de L'Isle-Adam, *in* T. L. F.).
REM. On trouve aussi la var. graphique *bissexuel* (orthographe critiquée).

DÉR. **Bisexualité.** — V. **Bisexué.**

BISHOF [biʃɔf] ou **BISHOP** [biʃɔp] n. m. ⇒ **Bischof.**

BISMARCKIEN, IENNE [bismarkjɛ̃, jɛn] adj. — 1897, Barrès (qui emploie aussi *bismarckisme*, n. m.) ; du nom de *Bismarck*, chancelier allemand.

♦ De Bismarck ; de sa politique.

BISMUTH [bismyt] n. m. — 1690, Furetière ; *bismuot*, 1562 ; *bissemut*, 1597 ; lat. des alchimistes *bisemutum* (1530, Agricola), de l'all. *Wismut.*

♦ **1.** Métal brillant à reflets rouges (symb. *Bi ;* n° at. 83 ; p. at. 209), très cassant, se cristallisant facilement et formant des alliages fusibles. *Le bismuth est un corps diamagnétique. Sulfure de bismuth.*

Ce blanc n'est pas toujours du blanc de Candie, fait de coquilles d'œufs ; il est souvent composé de magistères de bismuth, jupiter, saturne, de céruse (...)
　　Ed. et J. DE GONCOURT, la Femme au XVIIIᵉ s., t. II, p. 141.

Sels de bismuth utilisés en pharmacie (→ ci-dessous, 2.).

♦ **2.** Méd. Sel ou composé du bismuth (albuminate, citrate, sous-nitrate), utilisé comme médicament. *Prendre du bismuth.*

DÉR. **Bismuthé, bismuthine, bismuthique, bismuthisme.**
COMP. **Bismuthomanie, bismuthothérapie.**

BISMUTHÉ, ÉE [bismyte] adj. — XIXᵉ ; de *bismuth*.

♦ Didact. Qui contient du bismuth. *Médicament bismuthé. Poudre bismuthée.*

BISMUTHINE [bismytin] n. f. — 1845 ; de *bismuth*.

♦ Chim. Composé organique du bismuth*, de formule générale R_3Bi. — Spécialt. Sulfure naturel de bismuth.

BISMUTHIQUE [bismytik] adj. — 1838 ; de *bismuth*.
Didactique.

♦ **1.** Relatif au bismuth, qui en a les caractères. *Troubles bismuthiques* : troubles d'intolérances relatifs à l'absorption de bismuth. ⇒ **Bismuthisme.**

♦ **2.** À base de bismuth. *Traitement bismuthique.*

D'autres enfin, proposent de garder le traitement classique bismuthique simple dans les syphilis récentes, pour réserver la pénicilline aux formes plus anciennes ou aux cas particuliers, tels que syphilis au cours de la grossesse.
　　J. et H. PAYENNEVILLE, le Péril vénérien, La syphilis, p. 52.

BISMUTHISME [bismytism] n. m. — XIXᵉ ; de *bismuth*.

♦ Méd. Intoxication par le bismuth.

BISMUTHOMANIE [bismytɔmani] n. f. — XIXᵉ ; de *bismuth*, et *manie*.

♦ Méd. Consommation habituelle et excessive de médicaments bismuthés.

BISMUTHOTHÉRAPIE [bismytɔterapi] n. f. — XIXᵉ ; de *bismuth*, et *thérapie*.

♦ Méd. Emploi thérapeutique des sels de bismuth.

BISNESS ou **BISENESS** ou **BIZNESS** [biznɛs] n. m. — 1912 ; adapt. orale de l'angl. *business* « affaire ». → Business.

♦ **1.** Fam. et vieilli. Affaire, business*.

(...) une veuve, personne de bon lieu, qui avait commencé par louer une de ses chambres à un officier américain pendant la guerre, et de là avait glissé à prendre des pensionnaires, sans que ce bisness l'amoindrît aux yeux des siens, couvert qu'il était par son origine patriotique (...)
MONTHERLANT, les Célibataires, 1934, *in* T. L. F.

♦ **2.** Argot. Prostitution, racolage. *Attaquer le bisness. Faire le bisness :* faire le trottoir.

♦ **3.** Fam. Affaire embrouillée. *Tu parles d'un bisness, on n'y comprend rien !* ⇒ **Binz** (ou bin's). *Qu'est-ce que c'est que ce biznesslà ?*

♦ **4.** (1928, *in* Höfler). Fam. Chose, truc. *Passe-moi donc ce bizness.* ⇒ **Bidule.**

BISOC [bisɔk] n. m. ⇒ **Bissoc.**

BISON [bizɔ̃] n. m. — 1307 ; lat. *bison* (Pline), mot d'orig. germanique.

♦ **1.** Mammifère ongulé *(Bovidés-bovinés)* au front large, bombé et armé de cornes courtes, aux épaules plus élevées que la croupe, à la tête ornée d'une épaisse crinière ; spécialt, bison mâle et adulte. *Bison d'Amérique.* ⇒ **Buffalo** (cit.) ; → Bœuf à bosse* (1. Bosse, cit. 5). *Le massacre des bisons. Troupeaux de bisons.*

Les bœufs attelés, indolents et forts, — coiffés tous de la traditionnelle peau de mouton couleur de bête fauve qui leur donne l'air de bisons ou d'aurochs, — traînaient ces chariots lourds (...)
LOTI, Ramuntcho, II, 2, p. 213.

(Des surnoms de chefs indiens, connus des enfants). *Bison futé,* nom donné à un organisme de prévention et de sécurité routière.

♦ **2.** (Incorrect en zool.). *Bison d'Europe.* ⇒ **Aurochs, ure.** *Les bisons peints des cavernes préhistoriques.*
Herbe de (des) bisons : herbe aromatique utilisée pour parfumer une variété de vodka (en Pologne).

DÉR. 1. Bisonne.

1. BISONNE [bizɔn] n. f. — 1867 ; de *bison.*

♦ Rare. Bison femelle.

HOM. 2. Bisonne.

2. BISONNE [bizɔn] n. f. — 1835 ; de 1. *bis.*

♦ Techn. Toile grise pour doublure, pour reliure.

HOM. 1. Bisonne.

BISONTIN, INE [bizɔ̃tɛ̃, in] adj. et n. — 1751, *Encyclopédie ;* du lat. *Bisontii.*

♦ Qui se rapporte à la population, à la ville, à la région de Besançon. N. *Un Bisontin, une Bisontine :* un habitant, une habitante de Besançon.

BISOU [bizu] n. m. — Av. 1901, *in* Bruant ; de 2. *bise.*

♦ Fam. Grosse bise (⇒ 2. **Bise**), gros baiser (dans le langage enfantin). *Allez, gros bisous !*

Allons, faites un bisou à papa, mon petit monsieur (...)
J. DUTOURD, Pluche, XI, p. 153.

DÉR. Bisouter.

BISOUTER [bizute] v. tr. — Déb. xxᵉ ; de *bisou.*

♦ Fam. Faire des bisous à (qqn). ⇒ 3. **Biser.**

BISQUAIN [biskɛ̃] ou **BISQUIN** [biskɛ̃] n. m. — 1664 ; p.-ê. de *Bisquain,* ancien nom des *Biscayens*.*

♦ Techn. Peau de mouton avec sa laine, dont les bourreliers couvrent les colliers des harnais de chevaux.

1. BISQUE [bisk] n. f. — Av. 1853, Sand ; de *bisquer.*

♦ Fam. et régional. Colère, dépit, mauvaise humeur.

(...) si, par je ne sais quelle bisque qui me vint, je n'eusse toussé fortement pour arrêter le baiser au passage.
G. SAND, les Maîtres sonneurs, p. 302, *in* T. L. F.

HOM. 2. Bisque, 3. bisque, formes du v. bisquer.

2. BISQUE [bisk] n. f. — Déb. xvııᵉ ; p.-ê. du nom de la province espagnole de *Biscaye ;* si le sens initial est bien « potage contenant les éléments solides coupés » (cf. provençal *bisco* « morceau »), le mot

pourrait, comme *bisquer,* se rattacher au lat. *bis* par les dérivés exprimant l'idée de « divergence », de « biais » (par « morceau coupé, taillé en biais ») — hypothèse de P. Guiraud.

♦ Cuis. Potage fait avec un coulis de crustacés. *Bisque d'écrevisses, de homard.* — Potage au coulis de gibier, de volaille. *Bisque à la Reine,* au blanc de poulet.

Il faudra quatre grands potages (...) et cinq assiettes d'entrées. Potages : bisque, potage de perdrix aux choux verts (...) MOLIÈRE, l'Avare, III, I, Texte de 1682. 1

Après le souper, où il y eut beaucoup de vins d'Espagne et de vins du Rhin, des potages à la bisque et au lait d'amandes (...) FLAUBERT, Mᵐᵉ Bovary, I, VIII. 2

HOM. 1. Bisque, 3. bisque, formes du v. bisquer.

3. BISQUE [bisk] n. f. — 1547 ; p.-ê. de *Biscaye.* → 2. Bisque.

♦ Anciennt. Au jeu de paume, Avantage (quinze points) concédé par un joueur à son adversaire, et utilisable au cours de la partie au moment choisi par le bénéficiaire.

Loc. (Vx). *Prendre sa bisque :* avoir l'avantage au jeu ; fig. prendre son temps pour se détendre.

On dit (...) qu'un homme prend sa bisque quand il quitte son travail ordinaire pour se promener, pour se divertir, et surtout quand il le fait rarement.
FURETIÈRE, Dict., 1690.

HOM. 1. Bisque, 2. bisque, formes du v. bisquer.

BISQUER [biske] v. intr. — Av. 1706, Scarron ; orig. incert., p.-ê. du provençal *bisco* « mauvaise humeur », d'origine obscure, p.-ê. en rapport avec *bico, bisco* « chèvre, bique », qui viendrait du rad. *bis* par l'idée de « aller en biais, de travers » (Guiraud).

♦ Fam. Éprouver du dépit*, de la mauvaise humeur. ⇒ **Enrager, pester, rager, râler.** *Faire bisquer qqn.* → fam. Faire devenir chèvre* (qqn). — *Bisque, bisque, rage !,* formule employée, notamment par les enfants, pour exciter qqn en s'en moquant.

Je crois que ma belle robe va joliment la faire bisquer (...) 1
la Tête et le Cœur, II, 7 (*in* LITTRÉ).

Cristi ! je bisque de ne pas être Picard ! 2
E. LABICHE, la Chasse aux corbeaux, I, 3.

DÉR. 1. Bisque.

BISQUIN [biskɛ̃] n. m. ⇒ **Bisquain.**

BIS REPETITA PLACENT [bisʀepetitaplasɛ̃t] — Mots latins, « les choses répétées plaisent ».

♦ Loc. (Littér.). Ceci mérite d'être redit, répété (aphorisme forgé d'après un vers de l'*Art poétique* d'Horace).

BISSAC [bisak] n. m. — Mil. xvᵉ ; de *bis-,* et *sac.*

♦ Sac fendu en long par le milieu et dont les extrémités forment deux poches. ⇒ **Besace** (cit. 1). *Un bissac de mendiant, de voyageur.*

Passa un jeune gars breton qui portait un bissac sur l'épaule (...) 1
LOTI, Mon frère Yves, XLIX, p. 127.

En revanche, Mandrin avait longtemps séjourné dans le pays, et nous étions plutôt de sa parenté, à voir nos défroques, nos garnitures de matamores, nos bissacs et la façon faraude dont nous portions l'espingole à la bretelle. 1.1
Jacques PERRET, Bande à part, p. 23.

Loc. fam. (Vx). *Avoir de bons tours dans son bissac.* ⇒ **Sac.**

Non, dit l'autre : je n'ai qu'un tour dans mon bissac (...) 2
LA FONTAINE, Fables, IX, 14.

Loc. fam. (Vx). *Envoyer au bissac :* réduire à la mendicité. *Être au bissac, réduit au bissac,* à la mendicité.

1. BISSE [bis] n. f. — 1694 ; ital. *biscia* « serpent », du lat. *bestia* « bête ».

♦ Blason. Couleuvre.

HOM. 2. Bis, 2. bisse, formes du v. bisser.

2. BISSE [bis] n. m. — 1569 ; mot dial. ; var. de *bief, biez.* → Bief.

♦ Régional (Suisse romande). Long canal d'irrigation conduisant l'eau des montagnes au sommet d'un terrain cultivé. *Les bisses du Valais.*

(...) puis tout à coup, c'est un vrai mur, un mur de cent mètres de haut. Où va, pendu en l'air, le bisse, un grand canal de bois, fixé au moyen de poutres enfoncées aux fentes du roc, et gagnant ainsi, tout le long de la paroi, jusqu'aux régions des neiges tardives, où il recueille l'eau qui sert à irriguer les prés.

C.-F. RAMUZ, Jean-Luc persécuté, p. 224-225.

HOM. 2. **Bis**, 1. **bisse**, formes du v. **bisser**.

BISSECTER [bisɛkte] v. tr. — XIXᵉ ; du lat. *bis*, et *sectum*, supin de *secare* « couper ».

♦ Didact., vx. Partager en deux parties égales par une ligne.

BISSECTEUR, TRICE [bisɛktœʀ, tʀis] adj. et n. f. — 1857, n. f. ; adj., 1872 ; de *bis-*, et *secteur*.
Géométrie.

♦ **1.** Qui divise en deux parties égales. *Plan bissecteur. Droite bissectrice.*

♦ **2.** N. f. **BISSECTRICE** (plus cour.) : demi-droite qui partage un angle (un secteur angulaire) en deux parties égales. *Tracer la bissectrice d'un angle. Bissectrice d'un angle saillant* (dans le tracé des fortifications). ⇒ **Capitale** (III.). *Bissectrice d'un angle de demi-droites, d'un couple de demi-droites*, qui partage l'angle formé par ces demi-droites en deux parties égales. *La bissectrice de deux demi-droites est l'ensemble des points du plan équidistants de celles-ci. Deux droites concourantes ont deux bissectrices, qui sont perpendiculaires. Bissectrice (extérieure, intérieure) d'un triangle en un de ses sommets.*

BISSECTION [bisɛksjɔ̃] n. f. — 1751, *Encyclopédie* ; de *bis-*, et *section*.

♦ Géom. Division en deux parties égales.

BISSEL [bisɛl] n. m. — Fin XIXᵉ ; de *Bissel*, nom de l'inventeur ; l'invention date de 1857.

♦ Techn. Essieu porteur aux extrémités de certaines locomotives, destiné à faciliter le passage dans une courbe de l'ensemble de la machine.

BISSER [bise] v. tr. — 1820 ; de 2. *bis*.

♦ **1.** Faire répéter, recommencer (une partie de spectacle, de concert). *La salle, le public a bissé le couplet, le refrain.*
Par ext. *Bisser un acteur, un chanteur, un musicien*, le rappeler* en réclamant la répétition d'un passage, d'un morceau.

♦ **2.** Répéter ce qu'on vient d'exécuter, à la demande du public. *L'acteur a bissé la tirade. Le public l'a rappelé et lui a fait bisser le scherzo.*

À l'exception de Rossi qui jugea les basses un peu faibles et le contrepoint sommaire, ce qui pouvait être mis au compte d'un léger dépit, l'auditoire fut enchanté, et le mouvement lent dut être bissé.

Hubert LE PORRIER, le Luthier de Crémone, p. 115.

Par ext. Répéter. « *Cet absurde besoin de bisser le mot ou la phrase...* » (Gide, *in* T. L. F.).

CONTR. (Du 1.) **Siffler.**

BISSEXTE [bisɛkst] n. m. — Av. 1150 ; lat. *bisextus*, de *bis* « deux fois », et *sextus* « sixième », parce que, dans le calendrier julien, le 24 février, sixième jour avant les calendes de Mars, était doublé tous les quatre ans.

♦ Didact., vx. Le vingt-neuvième jour ajouté au mois de février des années bissextiles. ⇒ **Intercalaire** (jour).

DÉR. **Bissextile.**

BISSEXTILE [bisɛkstil] adj. f. — 1549, *les ans bissestilz* ; de *bissexte*.

♦ *Année bissextile*, qui comporte trois cent soixante-six jours. ⇒ **Année, bissexte.** *Toutes les années dont le millésime est divisible par quatre sont des années bissextiles, sauf les années séculaires dont le millésime n'est pas divisible par quatre cents (ex. : 1700, 1900) ; à cette exception près, l'année bissextile revient tous les quatre ans. Le mois de février des années bissextile compte vingt-neuf jours.*

CONTR. **Commun** (année commune).

BISSEXUALITÉ [bisɛksɥalite] n. f. ; **BISSEXUÉ, ÉE** [bisɛksɥe] adj. ; **BISSEXUEL, ELLE** [bisɛksɥɛl] adj. ⇒ **Bisexualité, bisexué, bisexuel.**

BISSOC [bisɔk] n. m. — 1853, cit. ; de *bis-*, et *soc*.

♦ Agric. Charrue* à deux socs montés sur un même bâti, et dont on

se sert pour les labours superficiels. *Des bissocs.* — Appos. *Charrue bissoc.*

L'éléphant laboure avec autant d'adresse que d'intelligence (...) La charrue à laquelle il est attelé est ordinairement une charrue double ou bissoc, traçant deux sillons à la fois.

Almanach du Magasin pittoresque pour 1854, p. 32 (1853), *in* D. D. L., II, 12.

REM. Var. graphique : *bisoc* (*in* D. D. L., II, 12).

BISTOQUET [bistɔkɛ] n. m. — 1721, « masse de billard » ; de *bis-*, et *toquer* « frapper ».

♦ Techn. Outil, machine servant à couper les tringles dont on fait les clous.

BISTORTE [bistɔʀt] n. f. — XIIIᵉ ; du lat. *bistorta*, de *bis*, et *tortus* (fém. *torta*) « tordu ».

♦ Plante astringente *(Renouées)* à rhizome tordu et à fleurs roses.

BISTORTIER [bistɔʀtje] n. m. — 1581 ; p.-ê. du provençal *bistorti* « rouleau » ; de *bis*, et p. p. de l'anc. franç. *tort*, de *torser* « tordre ».

♦ Techn., vx. Pilon utilisé autrefois en pharmacie.

BISTOUILLE [bistuj] n. f. — Fin XIXᵉ, mot dialectal du Nord de la France ; cf. *bistingo* « cabaret », 1845, p.-ê. en relation avec *bistro*, par la var. *bistrouille*, p.-ê. à rattacher à *bistre** ; orig. obscure, p.-ê. de *bis-*, et *touiller*.
Familier.

♦ **1.** Mauvais alcool, mauvaise boisson. — On dit aussi dans ce sens *bistrouille* [bistʀuj].

Et cela donna une méchante piquette piquée, une piquette de n'importe où, une triste, une fade bistrouille de plaine, déshonorante en Beaujolais.

G. CHEVALLIER, Clochemerle, p. 393.

♦ **2.** (1901). Régional (Nord, Belgique). Café mêlé d'eau-de-vie. — Par ext. Rasade d'eau-de-vie qu'on verse dans son café. *Les « gens d'ici, ces buveurs de bistouille »* (Bernanos, *Monsieur Ouine*, Romans, Pl., p. 1377).

Ainsi parlent les garçons, à travers la fumée des pipes, la buée des bistouilles, un soir de ducasse (...)

BERNANOS, Nouvelle histoire de Mouchette, *in* Œ. roman., Pl., p. 1295.

BISTOURI [bisturi] n. m. — 1564, *bistorie*, n. f. ; *bistorit* « poignard », 1464 ; p.-ê. empr. à l'ital. *bisturino*, altér. de *pistorino* « dague, poignard (de *Pistoia*) », du lat. *Pistorium* « Pistoia » (ville) ; Guiraud préfère y voir le dér. d'un adj. non attesté *biste « courbe », du rad. lat. *bis*. → 1. **Bis**, 1. **bise**, biseau.

♦ Instrument chirurgical en forme de couteau, à lame courte, fixe ou pliante, et qui sert à faire des incisions dans les chairs. *Bistouri cannelé. Donner un coup de bistouri.*

(...) il réconforta le patient avec toutes sortes de bons mots, caresses chirurgicales qui sont comme l'huile dont on graisse les bistouris.

FLAUBERT, Mᵐᵉ Bovary, I, 2.

J'eus vite le bistouri en main — oh ! pour de menues besognes — pour ouvrir un furoncle, pour inciser un petit phlegmon.

G. DUHAMEL, Biographie de mes fantômes, V.

Dans cette société israélite du temps des Rois, menacée des pires maladies spirituelles, les Prophètes vont entrer comme le bistouri dans une chair.

DANIEL-ROPS, le Peuple de la Bible, III, II, p. 222.

Par ext. Tout instrument ou dispositif permettant d'inciser les chairs (comme le bistouri à lame). *Bistouri électrique* (ou *à haute fréquence*). *Bistouri au laser.*

(...) on dit déjà *un bistouri au laser*, mais le bistouri qui était un couteau géant pour les gens d'armes, devenu depuis Ambroise Paré l'instrument le plus réduit de la chirurgie sanglante, qu'adviendra-t-il de lui quand on ne charcutera plus l'homme à l'acier ? désignera-t-il seulement le rayon-découpeur ou s'effacera-t-il devant le mot *laser* ?

ARAGON, Blanche..., III, II, p. 385.

Par métaphore. (Littér.). *Donner un coup de bistouri* (cf. Trancher dans le vif).

(...) si, pour ouvrir un abcès, il *(un vrai romancier)* prend un bistouri tranchant, c'est qu'on ne peut se contenter d'y appliquer de bonnes paroles.

G. DUHAMEL, Défense des lettres, V, 158.

REM. Les verbes dérivés *bistorier* (1546, Rabelais), *bistourier* (1848, Chateaubriand) et *bistouriser* (1941, Gide) sont pratiquement inusités.

BISTOURNAGE [bisturnaʒ] n. m. — 1836 ; de *bistourner*.

♦ Techn. Procédé de castration des animaux domestiques mâles qui consiste à tordre le cordon spermatique sans pratiquer aucune ouverture aux bourses.

BISTOURNER [bistuʀne] v. tr. — 1175, *bestourner* «mal tourner»; de *bes-, bis-*, préf. péj., et *tourner*.

♦ **1.** (1718). Tourner, courber (un objet) de manière à le déformer.

♦ **2.** (1680). Techn. Châtrer* (un animal mâle) par bistournage.

▶ **BISTOURNÉ, ÉE** p. p. adj. (XIIᵉ).

♦ **1.** Littér. Déformé, compliqué. «*Des vers bistournés*» (Baudelaire). *Une prose bistournée.*

♦ **2.** (1678). Techn. Qui a été châtré par bistournage. *Un veau bistourné.* — N. m. *Un lot de bistournés.*

DÉR. Bistournage.

BISTRAGE [bistʀaʒ] n. m. — 1890; de *bistrer*.

♦ Rare. Action de bistrer; son résultat. «*Ce bistrage macabre du dessus des yeux*» (Goncourt, *Journal*, 1890).

BISTRE [bistʀ] n. m. — Déb. XVIᵉ, n. m.; adj., v. 1570; p.-ê. à rapprocher de *bis* «gris» (→ 1. Bis), à condition qu'il existe des intermédiaires (**biste*, à rattacher à *bise, bisque* selon Guiraud).

♦ **1.** Substance colorante d'un brun noirâtre, faite de suie détrempée et mêlée d'un peu de gomme. *Bistre employé dans la peinture au lavis. Un dessin au bistre.* — Couleur ainsi obtenue.

1 (...) un léger cercle de bistre cernait ses yeux, comme s'il eût été convalescent.
BALZAC, le Message, t. II, Pl., p. 172.

2 Quelle raison aurais-je de partir? demande-t-elle en plissant un peu ses paupières fardées de bistre sur ses yeux verts.
A. ROBBE-GRILLET, la Maison de rendez-vous, p. 84.

♦ **2.** D'un brun noirâtre. *Couleur bistre. Un crayon bistre.* — *Une peau, un teint bistre; un visage bistre.* ⇒ **Basané, bistré, hâlé, tanné.** «*Un homme à teint bistre*» (Aragon).

DÉR. Bistré, bistrer.

BISTRÉ, ÉE [bistʀe] adj. — 1809; de *bistre*.

♦ Qui a la couleur du bistre. ⇒ **Bistre** (2.). *Un teint bistré.*

1 Très grand tableau. Les tons bistrés dans les ombres le rendent très triste.
E. DELACROIX, Journal 1850-1854, août 1850, t. II, p. 22.

2 Elle porte en bandoulière un grand sac de toile écrue et tient dans sa main droite une photographie bistrée représentant un homme en redingote noir.
Georges PÉREC, la Vie mode d'emploi, p. 116.

3 J'ai été reçu par un jeune homme en noir, aux yeux très noirs, au teint bistré, au nez fin et curieux.
J. GREEN, Journal, 18 oct. 1966, Vers l'invisible, p. 502.

Spécialt. *Des yeux bistrés,* cernés.

BISTRER [bistʀe] v. tr. — 1835; de *bistre* ou de *bistré* (antérieur).

♦ Rendre de couleur bistre. — REM. Le verbe est plus rare que l'adj. *bistré.*

DÉR. Bistrage, bistrure.

BISTRO ou **BISTROT** [bistʀo] n. m. — 1884; orig. incert.; p.-ê. du poitevin *bistraud* «petit domestique», qui aurait désigné l'aide du marchand de vin; ou encore des formes *bistingo* (1845), *bistringue, bastringue*, d'orig. obscures; quant à une adaptation du russe *byistro* «vite», venue des cosaques demandant à boire à Paris en 1814, c'est une pure fantaisie en l'absence de toute attestation du mot à l'époque ou peu après; mais l'hypothèse la plus vraisemblable rattache le mot à *bistouille* (par la var. attestée *bistrouille* et un verbe *bistrouiller*).
→ Bistrouille.

♦ **1.** Vieilli, fam. Marchand de vin tenant café. ⇒ **Cabaretier, mastroquet; bistrote.** *Il était bistro (bistrot) à Montmartre. Aller chez le bistro.*

1 (...) les prolétaires qui s'empoisonnent chez le bistrot (...)
BERNANOS, les Grands Cimetières sous la lune, I, 4, p. 120.

2 (...) la mère ôte son corset et le fils son gilet. Des natures de bistrots en vacances.
COLETTE, Chéri, p. 26.

2.1 Et plus Dorothée refusait, plus je m'entêtais dans mon idée, car je suis Breton, moi, et le métier de bistrot n'était pas pour me déplaire.
B. CENDRARS, Moravagine, in Œ. compl., t. IV, p. 203.

♦ **2.** Cour. Café (souvent petit et modeste). ⇒ 2. **Café; bistroquet, troquet.** *Aller au bistro. Un patron de bistrot.* ⇒ **Bistroquet** (et → ci-dessus, 1.). *C'est un pilier de bistrot. Une terrasse de bistrot* (→ Pinard, cit. 2).

3 Disparaîtrez-vous un jour, petits bistros de chez nous, petites salles basses, chaudes, enfumées, où trois bougres, épaule contre épaule, autour d'un infime guéridon de fer bâfrent le bœuf bourguignon, se racontent des histoires, et rigolent, tonnerre! rigolent en sifflant du piccolo?
G. DUHAMEL, Scènes de la vie future, XIV, p. 210.

4 Le terme *(bistrot)* n'apparaît qu'en 1884 d'après notre meilleur spécialiste de l'argot, M. Gaston Esnault, à qui l'on peut se fier pour la documentation historique en la matière. A-t-il été créé d'après la **bistouille** ou est-ce un dérivé de **bistre**? La question reste en suspens, en attendant qu'on connaisse la région (Paris ou le

Nord) où s'est formé le mot après **1870**. En tout cas, c'est une création bien française.
A. DAUZAT, in le Monde, 17 janv. 1951.

5 Hier soir, dîner au bistrot avec X (...)
F. MAURIAC, Bloc-notes 1952-1957, p. 28.

6 (...) à l'affût du profit, les hôteliers remplacent la qualité par la forme; alors les amateurs éclairés s'enfuient vers un «petit bistrot», vers un restaurant simple et modeste où officie quelque Chef désireux de se tailler une réputation.
H. LEFEBVRE, la Vie quotidienne dans le monde moderne, p. 197.

REM. Le mot, comme *hôtellerie, auberge,* tend à être employé dans un contexte mélioratif, pour désigner un restaurant traditionnel français (notamment parisien), d'allure simple, mais pouvant être coûteux et à la mode.
Les grands bistros. — *Style bistro,* se dit du mobilier typique des bistros du début du siècle (tables rondes à dessus de marbre, chaises cannées, porte-manteaux «perroquets», etc.).

DÉR. V. Bistroquet, bistrote.

BISTROQUET [bistʀɔkɛ] n. m. — 1926; mot-valise, de *bistro,* et *troquet.*
Familier.

♦ **1.** Tenancier de bistro. ⇒ **Bistro** (1.), **mastroquet.** «*Le bistroquet se plaint de ces clients qui viennent boire un café à cinq...*» (le *Nouvel Obs.*, nᵒ 467, 22 oct. 1973, p. 45).

♦ **2.** Bistro*, café.

BISTROTE [bistʀɔt] n. f. — 1914; fém. de *bistrot.*

♦ Fam. Femme qui tient un café.

1 Je n'emporterai pas mon fonds de liquoriste au Paradis, n'est-ce pas?... Alors, buvons-le. C'est mon défunt qui me l'a légué. Il y a du bon. Il s'y connaissait. Je ne suis qu'une bistrote d'occasion.
B. CENDRARS, Bourlinguer, p. 326.

2 Cette petite-là, elle finira ou bien à la Comédie-Française (...) ou bien bistrote, parce qu'elle s'amourachera sur le tard d'un chasseur d'hôtel ou d'un chef de cuisine (...)
M. DRUON, la Chute des corps, II, V, p. 148.

BISTROUILLE [bistʀuj] n. f. ⇒ Bistouille (1.).

BISTRURE [bistʀyʀ] n. f. — 1871, Goncourt; de *bistrer.*

♦ Rare. Teinte bistre; spécialt, cerne couleur de bistre.

BISULFATE [bisylfat] n. m. — 1846; de *bi-*, et *sulfate.*

♦ Chim. Sel acide de l'acide sulfurique, surtout appelé *sulfate acide.*

BISULFITE [bisylfit] n. m. — 1838; de *bi-*, et *sulfite.*

♦ Chim. Sel acide de l'acide sulfureux, surtout appelé *sulfite acide.*

Et il n'est pas jusqu'aux odeurs de bisulfite, d'hydroquinone, d'acide acétique et d'hyposulfite qui contribuent à charger de maléfices une atmosphère déjà confinée.
M. TOURNIER, le Roi des Aulnes, p. 119.

DÉR. Bisulfitique.

BISULFITIQUE [bisylfitik] adj. — XXᵉ; de *bisulfite.*

♦ Chim. Se dit des composés d'addition que les aldéhydes et les cétones donnent avec les bisulfites alcalins. *Utilisation des lessives résiduaires bisulfitiques.*

BISULFURE [bisylfyʀ] n. m. — 1838; de *bi-*, et *sulfure.*

♦ Chim. Composé sulfuré (polysulfure) dans lequel le nombre d'atomes de soufre est supérieur à celui d'un sulfure normal. ⇒ **Sulfure.**

BISULQUE [bisylk] ou **BISULCE** [bisyls] adj. — XVIᵉ; du lat. *bisulcus* «fourchu», de *bi- (bis)*, et *sulcus* «sillon».

♦ Didact., vx. Qui a le sabot fourchu. ⇒ **Ongulé, ruminant.**

1. BIT [bit] n. m. — 1875; p.-ê. du néerl. (d'Afrique du Sud: afrikaans) dans l'industrie du diamant, du verbe *bijten* «mordre»; cf. angl. *bit* «morsure».

♦ Techn. Trépan destiné à traverser des roches très dures.

HOM. Beat, 2. bit, bite, bitte, formes des v. biter, 1. bitter.

2. BIT [bit] n. m. — 1959; mot amér., abréviation de *binary digit* «unité discrète de système binaire».

♦ **1.** Inform. Unité élémentaire d'information pouvant prendre deux valeurs distinctes, notées 0 et 1. ⇒ **Binaire** (élément), **binon;** et aussi **octet.** «*Toute l'information contenue à l'intérieur d'un microprocesseur est codée au moyen de bits (codage binaire). En particulier, les instructions destinées au processeur sont encodées en un* *format à 8 bits. Chaque groupe de 8 bits est appelé un octet* » (*la Recherche*, n° 86, févr. 1978, p. 25).

♦ **2.** Comm. « Unité d'incertitude ou d'information dans la théorie mathématique de l'information » (R. Escarpit, *Information et communication*, Lexique, p. 198). « *En fait, la quantité d'information ne dépend que de la probabilité. On prend comme unité la quantité d'information apportée par l'apparition d'un événement de probabilité un demi, par exemple, la retombée d'une pièce de monnaie sur le côté face. Cette unité s'appelle un bit* » (*le Monde*, 12 déc. 1973).

HOM. Beat, 1. **bit, bite, bitte,** formes des v. **biter,** 1. **bitter.**

BITABLE ou **BITTABLE** [bitabl] adj. — D. i. (xxᵉ) ; de *biter* ou *bitter* (3.).

♦ Fam. Qui peut être compris (surtout en emploi négatif ou restrictif). ⇒ **Compréhensible.** *Son laïus n'était pas bitable, était à peine bittable.*

CONTR. **Imbittable.**

BITE ou **BITTE** [bit] n. f. — 1584 ; orig. incert., p.-ê. du normand *bitter* «boucher (un trou)», de l'anc. scandinave *bita* «mordre», confondu avec *bitte** (I.), t. de marine, par anal. de forme ; p.-ê. avec infl. de *habiter* «avoir un commerce charnel», mais les intermédiaires formels et sémantiques manquent.

♦ **1.** Fam., vulg. Pénis. « — *Un bouquin porno. T'en as jamais vu ? — Qu'est-ce qu'y font là ? Elle lui mord la bite ?* » (*Charlie-Hebdo*, 12 janv. 1978).

1 Pourquoi des obscénités ? disais-je dans le temps. Je dis maintenant : pourquoi farder le mot bite puisque le mot se perd dans la myrrhe et l'encens de Genet.
Violette LEDUC, la Folie en tête, p. 161-162.

2 Antoine d'Argenti n'oublierait jamais Étienne se déshabillant dans une chambre d'hôtel d'un petit village en Égypte et lui jetant d'un air revêche : «Alors, d'Argenti, vous aimez ma bite ?»
Marie-Claire BLAIS, Une liaison parisienne, p. 127.

Loc., argot milit. *Bite-à-cul,* se dit, dans les troupes aéroportées, au moment du saut lorsque les parachutistes se rangent en colonnes serrées, et, plus généralement, d'un ordre serré.

Loc. vulg. *Peau de bite et balai de crin :* rien du tout, jamais de la vie. ⇒ **Peau** (de balle...). — *Beau, belle comme une bite,* «comme une bite en fleur» (Genet, *Notre-Dame des fleurs,* p. 30) : très beau, très belle.

♦ **2.** Difficulté imprévue, échec. ⇒ **Couille.**

3 Merde, que je me disais, d'afur !... T'es encore tout lopaille mon pote ! C'est la grosse bite !... CÉLINE, Mort à crédit, Pl., p. 1019, *in* CELLARD et REY.

DÉR. **Biter.**
HOM. Beat, 1. **bit,** 2. **bit, bitte,** formes des v. **biter,** 1. **bitter.**

BITENSION [bitãsjõ] adj. invar. — V. 1970 ; de *bi-,* et *tension.*

♦ Électr. Se dit d'un appareil électrique qui peut fonctionner sous deux tensions différentes. *Un appareil, des lampes bitension.*

BITER ou **BITTER** [bite] v. tr. — 1864 ; de *bite.*
Fam., vulgaire.

♦ **1.** Posséder sexuellement. ⇒ **Baiser.**

♦ **2.** (1905, «punir»). Fig. Posséder, avoir. ⇒ **Baiser.** *Se faire, se laisser biter. Biter quelqu'un.*

1 Les Vaches ! répéta l'homme. Quand ils ont demandé ceux qui savaient conduire, j'aurais dû me méfier, je me suis laissé biter comme un bleu.
Robert MERLE, Week-end à Zuydcoote, p. 11 (1949). → Bleu-bite.

2 Moi, je n'ai qu'un atout pour le biter : l'élément de surprise. J'entends par là que mon seul espoir c'est de l'étonner histoire de freiner un poil ses réflexes.
SAN-ANTONIO, Remets ton slip, gondolier !, p. 183.

♦ **3.** Loc. fam. *Ne rien biter à qqch. :* ne rien comprendre. ⇒ **Piger.**

DÉR. **Bitable** ou **bittable.**
HOM. 1. **Bitter.**

BITERROIS, OISE [biterwa, waz] adj. et n. — du lat. *Biterræ* «Béziers».

♦ Qui se rapporte aux habitants, à la ville, à la région de Béziers. *Un demi de mêlée biterrois* (au rugby).
N. *Un Biterrois, une Biterroise :* un habitant, une habitante de Béziers.

BITONAL, ALE, AUX ou **ALS** [bitɔnal, o] adj. — 1920 ; de *bi-,* et *tonal.*

♦ Didact. Qui comporte deux tons (ou sons). *Voix bitonale :* trouble de la phonation caractérisé par la superposition de deux sons différents. *Toux bitonale. Klaxon bitonal des véhicules de secours.*

(...) Laurent reçut les compliments de Gazzoni, personnage squelettique, à l'étrange voix bitonale. G. DUHAMEL, Combat contre les ombres, p. 174.

REM. On écrit parfois *bi-tonal.*

Mus. Qui relève de deux tons simultanément. ⇒ **Polytonal.**

DÉR. **Bitonalisme, bitonalité.**

BITONALISME [bitɔnalism] n. m. — 1935 ; de *bitonal.*

♦ Mus. Théorie musicale qui repose sur le système de la bitonalité.

BITONALITÉ [bitɔnalite] n. f. — 1922, mus., *in* D. D. L. ; de *bitonal.*

♦ **1.** Didact. Caractère de ce qui est bitonal.

♦ **2.** Mus. Présence de deux tonalités* (simultanément ou continûment) dans un épisode. ⇒ **Polytonalité.**

BITORD [bitɔr] n. m. — 1690, Th. Corneille ; de *bi-,* et *tordre.*

♦ Mar. Cordage mince, formé de deux ou plusieurs fils de caret tordus ensemble. *Une pelote de bitord.* ⇒ **Manoque.**

Var. graphique : *bitor.*

Par métaphore :
C'était la fin, plus morne et plus *tordu,*
Se surprenait à hâler son *bitor* de misère.
Tristan CORBIÈRE, le Bossu Bitor, *in* Œ. compl., Pl., p. 819.

REM. Un emploi adjectif (ou par apposition) au sens étymologique de «deux fois tordu» est attesté dans le titre de Corbière où *Bitor* est un nom propre : *le Bossu Bitor.*

BITOS [bitos] n. m. invar. — 1926 ; orig. incert., p.-ê. de *bite ;* on a évoqué, sans preuves, le nom d'un chapelier parisien.

♦ Argot. Chapeau masculin.

1 (...) mon Durandard est un adjudant marqué du signe royal, il est invincible, il a une plume blanche au bitos (...) une lumière sur le front (...)
Jacques PERRET, Bande à part, p. 210.

2 Oh ! ces chapeaux, ces bibis, ces bitos, quels amours ! sursauta Léone.
P. GUTH, Jeanne la mince, p. 133.

Loc. fig. *Porter le bitos :* porter le chapeau.

BITTE [bit] n. f. — 1382 ; anc. scandinave *biti* «poutre transversale sur un navire».
Marine.

★ **I.** Billot* de bois ou d'acier fixé verticalement sur un pont de navire, et sur lequel s'enroulent et s'amarrent les aussières. ⇒ **Bitton.** *Les bittes de mouillage sont fixées sur un massif en chêne. Amarrer une remorque à une bitte. Une bitte d'ancre. Les bittes de beaupré.*

1 (...) hisser (...) le vieux flotteur gluant sur le pont (...) faire deux tours sur la bitte avec la chaîne et (...) refout' le tout à l'eau dans un grand éclaboussement de jurons. Benoîte et Flora GROULT, Il était deux fois, p. 324.

Borne d'un quai qui sert à amarrer les câbles. ⇒ **Bollard, canon** (d'amarrage). *Bitte d'amarrage. Tourner une chaîne sur une bitte.*

2 Le yacht accoste, deux matelots lancés les fixent aux bittes du petit môle. Roger NAÏM, l'Ère des truands, p. 31.

3 (...) une bitte d'amarrage en fonte d'où part une grosse corde tendue, d'autres cordages enroulés sur eux-mêmes et formant une sorte de lâche collier sur les pavés humides (...) A. ROBBE-GRILLET, la Maison de rendez-vous, p. 192.

★ **II.** (Métaphore de forme). Vulg. Pénis. ⇒ **Bite.**
DÉR. 1. **Bitter, bitton, biture.**
HOM. Beat, 1. **bit,** 2. **bit, bite,** formes des v. **biter,** 1. **bitter.**

1. BITTER [bite] v. tr. — 1643 ; de *bitte.*

♦ Mar. Amarrer autour d'une bitte. *Bitter un cordage.* — Loc. *Bitte et bosse !,* annonce de la descente à terre (on passe les *bosses* d'amarrage autour de la *bitte*). — Par ext. (1840, *in* Esnault). Exclamation invitant au plaisir, aux réjouissances (la descente à terre étant habituellement fêtée par la « bordée » traditionnelle).

Largue l'écoute ! Bitte et bosse ! (...) Jean RICHEPIN, la Mer.
HOM. **Biter.**

2. BITTER v. tr. ⇒ **Biter.**

3. BITTER [bitɛr] n. m. — 1834 ; *pitre,* 1721 ; du néerl. *bitter* «amer».

♦ **1.** Liqueur apéritive alcoolisée et amère, d'origine hollandaise. ⇒ **Amer, apéritif.**

1   L'établissement riche et fameux a grand air.
    Las d'avoir trop servi l'absinthe et le bitter,
    Le garçon, déjà vieux, de qui le front s'appuie
    À l'humide vitrage où vient couler la pluie,
    Songe : quelle existence, hélas ! matin et soir,
    Toujours crier, toujours courir, jamais s'asseoir (...)
        Germain NOUVEAU, Album zutique, « Garçon de café », *in* Pl., p. 787.

2   Fous la paix, coupa Dieulefils en ressuscitant sur son séant par la vertu des efflu-
    ves d'anis, d'amers et de bitters qui flottaient dans la pièce.
        A. BLONDIN, Monsieur Jadis, p. 87 (1970).

    Avec un nom apposé :

3   (...) elle s'appelle Laura, elle a treize ans et demi, elle propose de boire un verre
    de bitter-soda en bavardant, pour faire connaissance (...)
        A. ROBBE-GRILLET, Projet pour une révolution à New York, p. 57.

♦ **2.** (Angl. *bitter* « amer »). Variété de bière anglaise, blonde, plus
amère que la bière de type lager. ⇒ aussi **Ale.**

BITTON [bitɔ̃] n. m. — 1564 ; de *bitte.*

♦ Mar. Petite bitte* fixée sur un bateau et destinée à l'amarrage.
⇒ **Taquet** (→ Navire, cit. 5).

BITTURE [bityʀ] n. f., **BITTURÉ, ÉE** [bityʀe] adj., **BITTU-
RER (SE)** [bityʀe] v. pron. ⇒ **Biture, bituré, biturer** (se).

BITUMAGE [bitymaʒ] n. m. — 1866 ; de *bitumer.*

♦ Action de bitumer. — Résultat de cette action. *Le bitumage
d'une route.* ⇒ **Asphaltage.**

BITUMASTIC [bitymastik] n. m. — xxᵉ ; de *bitu(me),* et *mastic.*

♦ Techn. Peinture bitumineuse qui protège les métaux de l'oxydation.

BITUME [bitym] n. m. — 1575 ; *betumoi,* v. 1160 ; *betume,* 1190 ;
bitumme, bithume, xvᵉ ; du lat. *bitumen* « bitume ».

♦ **1.** Minér. Mélange naturel ou artificiel d'hydrocarbures (et de
résines, d'asphaltènes...) qui se présente à l'état solide ou liquide
(pâteux), de couleur noire, opaque. *Bitumes naturels :* gaz naturels, huiles brutes (pétrole), cires minérales (ozocérite, hattchetite),
asphaltes, asphaltites. *Les bitumes artificiels sont obtenus dans la
distillation et l'oxydation du pétrole. Le bitume de Judée* (spalt)
s'emploie en héliogravure, en photocollographie.

0.1 Terre de Cassel ou noir de pêche, etc. — Ombres avec bitume, cobalt, blanc et
     ocre d'or.   E. DELACROIX, Journal 1823-1850, 22 sept. 1844, t. I, p. 209.

1   Ses eaux blanchâtres *(de la mer Morte),* huileuses, portent des taches de bitume
     étalées en larges cernes irisés.   LOTI, Jérusalem, XV, p. 177.

♦ **2.** Cour. Cette substance traitée et utilisée comme revêtement
imperméable des chaussées et des trottoirs. ⇒ **Goudron, macadam.**

1.1 Le Parisien, qui jadis faisait le voyage de Naples et gravissait le mont Vésuve
     pour voir bouillonner ce bitume, foule maintenant aux pieds cette matière qu'il
     ne regardait autrefois qu'avec crainte et respect, et, tout en se promenant sur
     les boulevarts *(sic),* il peut encore voir bouillonner le bitume, non pas sur la bou-
     che d'un cratère, mais dans une grande chaudière de fer placée sur une espèce
     de poêle, dans lequel des individus fort noirs entretiennent un grand feu, en ayant
     soin de remuer avec une pelle le liquide visqueux qui répand au loin une fumée
     épaisse et une odeur fort désagréable.
         Ch. PAUL DE KOCK, la Grande Ville, p. 333.

2   Sur le bitume des trottoirs, des peintres exposent en plein air des tableaux dont
     ils sont peut-être les auteurs responsables (...)
         G. DUHAMEL, le Voyage de P. Périot, I.

3   Il faisait de plus en plus chaud, et rue Campagne-Première, le bitume amolli col-
     lait à la semelle.   Roger VAILLAND, Bon pied, bon œil, p. 76.

    Fam. Le sol lui-même. *Arpenter le bitume.* ⇒ **Pavé, trottoir.**

    Argot. *Faire le bitume :* se prostituer (→ Faire le trottoir*). *Une
    fleur de bitume :* une prostituée.

4   La prostituée du boulevard de Clichy et l'inspecteur qui la surveille ont tous les
     deux de mauvais souliers et tous les deux ont mal aux pieds d'avoir arpenté des
     kilomètres de bitume.   G. SIMENON, les Mémoires de Maigret, p. 111.

DÉR. Bitumer, bitumeux, bitumier, bitumose. — (Du rad. du lat. *bitumen*) V. **Bituminer, bitumineux, bituminifère, bituminiser.**
COMP. Bitumastic. — V. **Bituminifère.**

BITUMER [bityme] v. tr. — 1544, *batumé,* adj., attestation isolée ;
repris 1840, *bitumer, in* D. D. L. ; de *bitume.*

♦ **1.** Enduire de bitume. ⇒ **Asphalter, goudronner.** *Bitumer une
artère. Outils servant à bitumer une chaussée.* ⇒ **Boucharde, brasse,
lissoir, pilon, pochoir.**

Je m'entendrais tout autant à écraser des vessies de couleur sur ma palette qu'à
bitumer mes toiles ou à buriner mes eaux-fortes.
    J. VALLÈS, l'Insurgé, éd. Rencontre, 1885-86, p. 105.

♦ **2.** Fig. (vx), argot. Se prostituer (→ Faire le trottoir*).

▶ **BITUMÉ, ÉE** p. p. adj. *Trottoir bitumé. Carton bitumé.*
Rare. Qui contient du bitume.
DÉR. Bitumage.

BITUMEUX, EUSE [bitymø, øz] adj. — Fin xiiiᵉ ; de *bitume.*

♦ **1.** Qui contient du bitume. ⇒ **Bitumineux.**

♦ **2.** Qui ressemble à du bitume, a l'aspect du bitume.

1   Vienne. Musée Lichtenstein... Quatre Chardin, dans une tonalité plus chaude, plus
     bitumeuse, que ceux que je connais en France.
         Ed. et J. DE GONCOURT, Journal, 24 sept. 1860.

2   (...) la bitumeuse et ombreuse profondeur des vieux tableaux craquelés (...)
         Claude SIMON, la Route des Flandres, p. 49 (1960).

BITUMIER [bitymje] n. m. — xixᵉ ; de *bitume.*

♦ **1.** Ouvrier qui prépare ou utilise le bitume*. ⇒ **Asphalteur.** —
REM. Dans ce sens, le féminin *bitumière* [bitymjɛʀ] est virtuel.

♦ **2.** (xxᵉ). Navire pétrolier équipé pour le transport du bitume.
⇒ **Asphaltier.**

BITUMINER [bitymine] v. tr. — 1611 ; lat. *bituminare,* de *bitumen,
-inis.* → Bitume.

♦ Vx. Bitumer.

BITUMINEUX, EUSE [bityminø, øz] adj. — 1330 ; lat. *bitumino-
sus,* de *bitumen, -inis.* → Bitume.

♦ Qui contient du bitume*, qui en a les qualités. ⇒ **Bitumeux.** *La
paraffine est tirée de schistes bitumineux. Houille bitumineuse.*

(...) d'abord, un grand plan d'ombre ressemblant à un lavis d'encre de Chine sur
un dessous de sanguine, une zone de tons ardents et bitumineux, brûlés de ces
roussissures de gelée et de ces chaleurs d'hiver qu'on retrouve sur la palette
d'aquarelle des Anglais (...)   Ed. et J. DE GONCOURT, Manette Salomon, p. 4.

BITUMINIFÈRE [bityminifɛʀ] adj. — xxᵉ ; du rad. du lat. *bitumen,
-inis,* et suff. -*fère.*

♦ Didact. Qui contient ou produit du bitume.

BITUMINISATION [bityminizɑsjɔ̃] n. f. — 1814 ; de *bituminiser.*

♦ Techn. Transformation en bitume. *Bituminisation des résidus de
distillation du pétrole.*

(...) le pétrole résulterait de la transformation de matières végétales sous l'action
de bactéries anaérobies. Il se produirait une putréfaction particulière dite *bituminisation,* avec enrichissement de la matière en carbone et hydrogène.
    les Roches, *in* Grand Mémento Encycl. Larousse, t. II, p. 623 (1937).

BITUMINISER [bityminize] v. tr. — V. 1950 ; du rad. du lat. *bitumen* (→ Bitume), et suff. -*iser.*

♦ Techn. Transformer en bitume.

▶ **BITUMINISÉ, ÉE** p. p. adj.
Transformé en bitume.
DÉR. Bituminisation.

BITUMOSE [bitymoz] n. f. — xxᵉ ; de *bitume,* et suff. -*ose.*

♦ Méd. Maladie pulmonaire provoquée par l'inhalation de poussières de bitume.

BITURBINE [bityʀbin] adj. — V. 1960 ; de *bi-,* et *turbine.*

♦ Techn. Mû par deux turbines. ⇒ **Bimoteur.** « *Un hélicoptère biturbine* » (*Science et Vie,* nᵒ 588, p. 103). *Des fusées biturbines.*

BITURE [bityʀ] n. f. — 1515 ; de *bitte,* et suff. -*ure.* — REM. La graphie étymologique *bitture* semble usuelle.

♦ **1.** Mar. Longueur de câble ou de chaîne élongée sur le pont d'un
navire et qui file de l'écubier lorsqu'on mouille l'ancre. ⇒ **Mouillage.** *Prendre une bonne biture,* une longueur de chaîne suffisante.
Prendre la biture. « *Préparer la chaîne (...) en la rangeant en biture
sur le pont* » (*Nouveau cours de navigation des Glénans,* p. 321).

♦ **2.** (1842). Fig., fam. *Prendre une biture :* s'en donner tout son soûl.
— Par ext. (Plus cour.). ⇒ **Ivresse ;** (fam.) **cuite.** *Une sacrée biture.
Avoir, prendre une belle biture.*

(...) je n'ai pas déshonoré sa boîte ni son journal, ce qui compte ce sont mes piges, et pas les bitures que j'ai prises.   A. SARRAZIN, la Traversière, p. 268.

♦ **3.** Loc. fam. *À toute biture :* à toute allure. ⇒ **Berzingue.**

DÉR. Biturer (se).
HOM. Byture.

BITURÉ [bityʀe] adj. — Mil. xixᵉ ; de *biturer* (se).

♦ Fam. Ivre. ⇒ **Bourré.** *Il était complètement bituré.*

BITURER (SE) [bityʀe] v. pron. — 1834 ; de *biture* (2.).

♦ Fam. S'enivrer*, prendre une biture.

DÉR. Bituré.

BIUNIVOQUE [biynivɔk] adj. — 1956 ; de *bi-*, et *univoque.*

♦ **1.** Math. (Vieilli). *Application ou correspondance biunivoque :* application bijective. ⇒ **Bijection.** *Une correspondance biunivoque entre deux ensembles est une application telle que tout élément de l'ensemble d'arrivée soit l'image d'un élément unique de l'ensemble de départ.*

♦ **2.** Didact. *Relation, correspondance biunivoque* (entre deux groupes de données) : relation terme à terme qui à chaque élément du premier groupe associe un élément du second, et réciproquement. « *En français, la correspondance entre les phonèmes et les graphèmes n'est pas biunivoque, c'est-à-dire qu'il manquait des lettres pour transcrire des sons, mais que d'autre part nous avions trop de lettres pour d'autres sons* » (*la Recherche*, nᵒ 39, nov. 1973).

BIUNIVOQUEMENT [biynivɔkmɑ̃] adv. — Attesté 1963 ; de *bi-*, et *univoquement.*

♦ Didact. (Rare). De manière biunivoque.

BIVA n. m. ⇒ **Biwa.**

BIVALENCE [bivalɑ̃s] n. f. — Mil. xxᵉ ; de *bivalent.*

♦ Didact. Caractère, propriété de ce qui est bivalent.

BIVALENT, ENTE [bivalɑ̃, ɑ̃t] adj. — 1904, in *Rev. gén. des sc.*, nᵒ 22, p. 1030 ; de *bi-*, et *-valent*, de *valence.*

♦ **1.** Chim. Se dit d'un corps qui a pour valence 2.

♦ **2.** Log. *Logique bivalente :* type de logique qui n'admet pour une proposition que deux valeurs de vérité, le vrai et le faux.

DÉR. Bivalence.

BIVALVE [bivalv] n. m. et adj. — 1718, nom ; adj., 1751 ; de *bi-*, et *valve*, par le lat. sc. *bivalva* (xvᵉ, Th. Gaza).
Zoologie.

♦ **1.** Adj. Se dit des coquilles composées de deux valves jointes par un muscle charnière. *Coquillage bivalve, mollusque bivalve,* à coquille bivalve.
Bot. Se dit d'organes formés de deux parties analogues à des coquilles. *La capsule du lilas, certains noyaux, sont bivalves.*

Du sable, presque uniquement agrémenté par cette étrange plante gris-vert dont enfin je puis voir le fruit : un beignet énorme, bivalve (...)
                    GIDE, Voyage au Congo, in Souvenirs, Pl., p. 833.
À deux éléments réunis par charnière. *Spéculum bivalve.*

♦ **2.** N. m. pl. Classe de l'embranchement des mollusques* ; mollusques à symétrie bilatérale, au corps comprimé latéralement, inclus dans une coquille formée de deux valves articulées par un ligament et une charnière. *Parmi les quelque 1 500 espèces de bivalves, la plupart sont marines.* — Syn. : *lamellibranches ;* et, vx, *acéphales, pélécypodes.* — *L'huître, la moule, la palourde sont des bivalves.* — Au sing. *Un bivalve.*

BIVAQUER [bivake] v. intr.

♦ Vx. ⇒ **Bivouaquer** (encore *in* Huysmans, 1906).

BIVEAU [bivo] n. m. — 1568, *buveau* ; anc. franç. *baïvel*, de *baïf* « béant », de *baer*. → Béer.

♦ Techn. Équerre à branches mobiles dont se sert le tailleur de pierre pour mesurer l'angle compris entre deux surfaces contiguës. — On dit aussi *buveau.* — Imprim. (Vx). Sorte d'équerre utilisée par les fondeurs de caractères.

BIVITELLIN [bivitelɛ̃] adj. — Mil. xxᵉ ; de *bi-*, et lat. *vitellus* « jaune de l'œuf ».

♦ Biol. *Jumeaux bivitellins,* provenant de deux œufs différents. — Syn. cour. : *faux jumeaux.* ⇒ **Biovulaire, dizygote.**

CONTR. Univitellin.

BIVOUAC [bivwak] n. m. — 1690 ; *bivoie*, 1650 ; du suisse all. *Biwacht* « patrouille supplémentaire de nuit », ou néerl. *bijwacht*, de *bi-, bij-* « auprès de », et *wacht* « garde ».

♦ **1.** Vx. Garde de nuit.

♦ **2.** (1805). Mod. Installation provisoire en plein air de troupes en campagne. ⇒ **Campement, cantonnement.** *Établir un bivouac. Coucher au bivouac. Abri de bivouac.* ⇒ **Abrivent** (vx). *Feux de bivouac.*

Les troupes étaient au bivouac par des pluies continuelles (...)   1
                    DUCLOS, Œ. compl., XI, II, 147.
(...) pris d'impatience, voulant apercevoir de près les feux des bivouacs ennemis,   2
il *(Napoléon)* eut l'audace de s'avancer entre les deux lignes.
                    Louis MADELIN, Hist. du Consulat et de l'Empire, t. V, p. 322.
Le hall, rempli de pantalons rouges, ressemblait à un bivouac.   3
                    MARTIN DU GARD, les Thibault, t. VIII, p. 10.
Au soir du 1ᵉʳ décembre 1805, l'Empereur parcourt les bivouacs de la grande   3.1
armée, établis au sud de Brünn. C'est la tournée des popotes.
                    A. BLONDIN, Monsieur Jadis, p. 78.
Lieu où la troupe est installée. *Reconnaissance, choix d'un bivouac.* ⇒ **Castramétation.** *Arriver au bivouac.* — Par ext. La troupe elle-même. *Le réveil du bivouac.*

Par métaphore :

Telle était cette Convention démesurée ; camp retranché du genre humain atta-   4
qué par toutes les ténèbres à la fois, feux nocturnes d'une armée d'idées assiégées,
immense bivouac d'esprits sur un versant d'abîme.
                    HUGO, Quatre-vingt-treize, II, III, I, 12.
(1875, *in* Petiot). Par ext. Campement que les alpinistes installent pour passer la nuit en montagne.

DÉR. Bivouaquer.

BIVOUAQUER [bivwake] v. intr. — 1791 ; var. *bivaquer*, 1793 ; de *bivouac.*

♦ S'installer en bivouac. ⇒ **Camper.** *L'armée bivouaque dans la neige. Les soldats ont bivouaqué au bord de la rivière.*

Sur la grande place, transformée en camp que gardaient de nombreuses sentinel-   0.1
les, deux mille Tartares bivouaquaient en bon ordre.
                    J. VERNE, Michel Strogoff, p. 204.
Par ext. Passer une nuit en plein air.

Certes, quand je bivouaquais sur les bords du Danube, mon domicile n'était pas   1
là (...)   P.-L. COURIER, I, 250, *in* LITTRÉ.
(1886, *in* Petiot). Alpin. Camper pour la nuit en haute altitude. *L'expédition a bivouaqué à 3 000 mètres d'altitude.*
Fig. Être établi provisoirement.

Les temps de vicissitudes politiques font du monde un champ de bataille où la   2
vérité bivouaque avec l'erreur.
                    LACORDAIRE, *in* P. LAROUSSE.
Devrai-je bivouaquer dans l'église ? Le sacristain a jeté son plumeau sur une den-   3
telle. C'est l'heure du Campari ; ils disparaissent par une petite porte.
                    Violette LEDUC, la Folie en tête, p. 555.

BIWA [biwa] n. m. — xxᵉ, attesté ; mot japonais.

♦ Luth japonais de forme ovoïde, à manche court, à quatre ou cinq cordes, dont on joue avec un plectre de buis (le *bachi*). *Le biwa est un instrument traditionnel dont on fait encore usage à l'occasion de cérémonies. Dans le bunraku*, le biwa a été remplacé par le shamisen*.*

Le *Meiké* en 12 livres est, en effet, une véritable épopée, récitée (...) aux carre-   1
fours ou dans les châteaux par des « moines » aveugles s'accompagnant au *biwa.*
                    René SIEFFERT, la Littérature japonaise, p. 85.
REM. On rencontre parfois la graphie *biva.*

Mon maître, lui dit-il, espère de toi, ô le plus merveilleux des musiciens de la terre,   2
un chant sur ta biva plus beau que celui que tu chanterais au plus grand mikado
de la terre (...)
                    A. ARTAUD, l'Étonnante Aventure du pauvre musicien, *in* Œ. compl., t. I, p. 171.

BIXACÉES [biksase] n. f. pl. — 1842 ; *bixinées*, 1831 ; lat. sc. *bixineæ*, 1815 ; de *bixa* (xvᵉ), n. sc. du rocouyer, adaptation du nom caraïbe de cet arbre.

♦ Bot. Famille de plantes *phanérogames angiospermes*, classe des *dicotylédones dialypétales*, comprenant des arbres ou arbrisseaux exotiques. *Le rocouyer fait partie de la famille des bixacées.* — Au sing. *Une bixacée.*

BIZARDE [bizaʀd] adj. f. — D. i. (probablt xviiiᵉ ou antérieur) ; forme ancienne et aberrante de *bizarre*, sur le modèle des adj. en *-ard* à fém. en *-arde.*

♦ Vén. *Tête bizarde :* tête de cerf (de daim, etc.) dont les bois sont mal formés. — Par métonymie. *Courir une* (ou *un*) *tête bizarde,* une bête à tête bizarde.

BIZARRE [bizaʀ] adj. et n. m. — 1572; *bizerre,* 1555; *bigearre,* n., et *bigarre,* av. 1544; ital. *bizzaro* «capricieux», d'abord «coléreux», p.-ê. de l'esp. *bizarro* «brave»; *bigarre* manifeste p.-ê. l'attraction de *bigarré;* Guiraud rattache l'ensemble au rad. *bis-*.

♦ **1.** Qui s'écarte de la norme.

(Choses). ⇒ **Baroque, biscornu, curieux, étonnant, étrange, extraordinaire, insolite, singulier, surprenant.** *Bizarre et ridicule.* ⇒ **Cocasse, comique, drôle, marrant** (fam.), **plaisant, ridicule.** *Une grosse dame coiffée d'un chapeau bizarre. — Des visions bizarres.* ⇒ **Fantasmagorique, fantastique, funambulesque, monstrueux.** — (Choses naturelles, animaux). *Des plantes et des insectes bizarres. Une végétation bizarre.*

Qui manque d'homogénéité. *Assemblage bizarre.* ⇒ **Hétéroclite.** *Des vêtements bizarres. Un accoutrement, un affublement extrêmement bizarre.*

(Personnes). Qui a un comportement étrange, extravagant. ⇒ **Bizarroïde** (fam.). *Une personne, une femme bizarre.* ⇒ **Numéro** (un numéro), **original, phénomène.** *Il, elle est un peu bizarre. Un homme bizarre* (→ ci-dessous, cit. 3 et 7). ⇒ **Olibrius, pistolet** (drôle de), **type** (drôle de), **zèbre.** *Il, elle est un peu bizarre. — Une personne de caractère bizarre. Humeur bizarre* (→ ci-dessous, cit. 1 et 6).

(Abstractions). Qui s'écarte du «bon sens» ou de la coutume. ⇒ **Insensé, loufoque, saugrenu, tordu.** *Des idées, un raisonnement bizarre.* ⇒ **Cornu** (vx), **paradoxal.** *Des raisons, des paroles bizarres.* ⇒ **Abrupt, capricieux.** *Des croyances, des religions bizarres.*

1 Le caprice de notre humeur est encore plus bizarre que celui de la fortune.
LA ROCHEFOUCAULD, Maximes, 45.

2 — C'est une nouveauté, sans doute, assez bizarre,
Que leurs humeurs si bien unis.
— Il est vrai que la chose est rare (...) MOLIÈRE, Psyché, I, 2.

3 C'est un homme extraordinaire (...) fantasque, bizarre, quinteux.
MOLIÈRE, le Médecin malgré lui, I, 5.

4 Ils chantent dans les blés un chant bizarre et fou (...)
HUGO, la Légende des siècles, XI, «Le Cid exilé», 4.

5 Regardez les institutions des anciens sans penser à leurs croyances, vous les trouverez obscures, bizarres, inexplicables.
FUSTEL DE COULANGES, la Cité antique, Introduction.

6 (...) son caractère est devenu inégal, bizarre. Il passe brusquement et sans cause de la joie à la tristesse. FRANCE, la Vie en fleur, XI.

7 (...) Calixte était un être bizarre. Jamais je ne la trouvai deux jours de suite dans la même humeur. Edmond JALOUX, Fumées dans la campagne, XIV, p. 113.

Spécialt. Imprévisible, inexplicable (en parlant d'un événement). *Il n'écrit pas, c'est bizarre.* ⇒ **Anormal.** *«Vous avez dit bizarre?... Comme c'est bizarre!»* (Jacques Prévert; dialogue du film *Drôle de drame,* de Marcel Carné). *Bizarre bizarre!*

♦ **2.** Qui suscite une sensation de malaise en révélant une anomalie de comportement. ⇒ **Inquiétant, pénible.** *Un sentiment bizarre. J'ai ressenti une impression bizarre, une bizarre impression de... Des yeux troubles, bizarres. Un regard bizarre.* — Mal à l'aise (emploi subjectif). *Être, se sentir (tout) bizarre.* Cf. Se sentir tout chose.

♦ **3.** N. m. L'ensemble des choses bizarres. *Être amateur de bizarre. L'Ange du bizarre,* nouvelle de Poe (trad. de Baudelaire).

8 (...) le côté simple et naturel des choses ne se révèle à moi qu'après tous les autres, et je saisirai tout d'abord l'excentrique et le bizarre (...)
Th. GAUTIER, Mlle de Maupin, VI.

9 Mais ce qui nous dominait surtout c'était l'horreur du particulier, du bizarre, du morbide, de l'anormal. GIDE, Si le grain ne meurt, II, 1.

REM. Comme tous les évaluatifs, cet adjectif correspond à un jugement social qui ne signifie que par rapport à une norme idéologique de référence; l'insistance peut être mise sur l'étrangeté, l'irrationalité, etc.

CONTR. Clair, égal, équilibré, normal, ordinaire, pondéré, régulier, simple.
DÉR. Bizarrement, bizarrerie, bizarroïde.

BIZARREMENT [bizaʀmɑ̃] adv. — 1594; *biserrement,* 1587; de *bizarre.*

♦ D'une manière bizarre*. ⇒ **Curieusement, étrangement.** *Bizarrement fait, accoutré. Il se comporte bizarrement, aujourd'hui. Bizarrement, il a voulu commencer par la fin.*

1 Un écho ridicule lui répondant bizarrement (...)
MOLIÈRE, la Princesse d'Élide, Intermède, II, Argument.

2 (...) l'idée de justice, bizarrement pervertie, aidait elle-même à obscurcir la dernière lueur du juste (...) MICHELET, Hist. de la Révolution franç., t. I, p. 1034.

BIZARRERIE [bizaʀʀi] n. f. — 1555, *bizarrie;* de *bizarre.*

♦ Caractère d'une personne, d'une chose bizarre*. ⇒ **Étrangeté, excentricité, extravagance, fantaisie, folie, manie, originalité, singularité.** *La bizarrerie de qqn, sa bizarrerie. La bizarrerie d'un original. Il est d'une bizarrerie* (et adj.). *La bizarrerie d'un caractère, d'une humeur, d'un esprit.* — *La bizarrerie d'une idée, d'un raisonnement, d'un événement.*

Il y a assez d'injustice dans le procédé des hommes, assez d'inégalités et des bizarreries dans leurs humeurs incommodes et contrariantes.
BOSSUET, Oraison funèbre de Mlle La Vallière. 1

Nous cherchons notre bonheur hors de nous-mêmes et dans l'opinion des hommes que nous connaissons flatteurs, peu sincères (...) quelle bizarrerie! 2
LA BRUYÈRE, les Caractères, II.

(...) je ne sais par quelle bizarrerie de la nature l'amitié l'emporte en moi sur l'amour. ROUSSEAU, Julie ou la Nouvelle Héloïse, I, LXIV. 3

(De prétendus hommes de génie) qui portent, même dans leur conduite, cette bizarrerie qu'ils croient un signe de talent. 4
E. DELACROIX, Écrits, Journal, 31 août 1855.

Tiburce était réellement un jeune homme fort singulier; sa bizarrerie avait surtout l'avantage de n'être pas affectée, il ne la quittait pas comme son chapeau et ses gants en rentrant chez lui : il était original entre quatre murs, sans spectateurs, pour lui tout seul. Th. GAUTIER, la Toison d'or, I. 5

(Une, des bizarreries). Chose, élément, action bizarre. *Les bizarreries de la mode. Les bizarreries de la langue française* (⇒ **Anomalie**), *de l'administration* (⇒ **Chinoiserie**).

(...) le sage M. Gosselin, opposé à tous les excès, en suspicion contre les singularités et les nouveautés, fronçait le sourcil devant certaines bizarreries. 6
RENAN, Souvenirs d'enfance..., IV, II.

Mais elle n'empêchait pas mon rire devant certaines excentricités, bizarreries ou méchancetés comiques. Georges LECOMTE, Ma traversée, p. 24. 7

CONTR. Égalité, équilibre, norme, pondération, régularité.

BIZARROÏDE [bizaʀɔid] adj. — Av. 1922; comp. plaisant, de *bizarre,* et suff. sc. *-oïde.*

♦ Fam. (d'abord dans l'argot des milieux scientifiques). Bizarre*, étrange.

Tout cela par la faute de Ski. Vous êtes plutôt bizarroïde dans vos renseignements, mon cher! PROUST, Sodome et Gomorrhe, Pl., t. II, p. 922.
REM. C'est le professeur Cottard, médecin éminent, qui parle.

BIZINGUE (DE) [dəbizɛ̃g] loc. adv. — 1844, *Töpffer;* altér. probable de *brindezingue.*

♦ Régional (Suisse, Savoie). De travers, de guingois. ⇒ **Traviole** (de). *Marcher (tout) de bizingue.* — Fig. (Choses). *Aller de bizingue :* aller mal.

L'on parvient à trouver un char à bancs ayant pour maître et pour cocher un vétéran à jambe de bois; mais ce brave homme est aussi agile et plus gai, très certainement, que la plupart de ceux qui jouissent de leurs deux jambes. Assis de bizingue sur l'échelle du char, de là il guide, il fouette, il évite les ornières (...)
Rodolphe TÖPFFER, Voyages en zigzag, p. 13.

BIZNESS [biznɛs] n. m. ⇒ **Bisness; business.**

BIZUT ou **BIZUTH** [bizy] n. m. — 1843, à Saint-Cyr; orig. incert., p.-ê. du franç. du XVIe *bisogne* «jeune recrue», mot d'orig. esp. Familier.

♦ **1.** (D'abord argot des grandes écoles). Élève de première année. ⇒ **Bleu, nouveau.** *On va chahuter les bizuts (les bizuths). Eh, le bizut! Eh, bizut!* — REM. En attribut, le mot peut s'appliquer aux femmes, mais il semble qu'il n'ait pas de forme féminine (*bizute, bizuthe* est virtuel). *Elle est bizut.*

♦ **2.** (1961). Débutant, novice. *«Les autres bizuts de l'équipe tricolore» (Elle,* 29 mars 1965).

CONTR. Ancien.
DÉR. Bizutage, bizuter.

BIZUTAGE [bizytaʒ] n. m. — 1949; de *bizut* ou de *bizuter.*

♦ Argot scol. Manifestation estudiantine d'initiation des bizuts, comportant des brimades. *«Les bizutages ne sont dans les facultés qu'une brimade artificielle et sans objet»* (Affiche, faculté des Lettres, Besançon).

BIZUTER [bizyte] v. tr. — 1949; de *bizut.*

♦ Argot scol. Faire subir les brimades du bizutage* à (qqn; un, des bizuts).

DÉR. V. Bizutage.

Bk [beka] Symbole du berkélium.

BLABLABLA [blablabla] ou **BLABLA** [blabla] n. m. — 1937, *bla... bla... bla...,* Céline, *in* D.D.L.; onomat. dialectale.

♦ Fam. Bavardage, verbiage sans intérêt. — Déclaration verbeuse destinée à endormir la méfiance. ⇒ **Baratin, boniment.** *C'est du blablabla!* — REM. On écrit aussi *bla bla bla, bla-bla(-bla).*

Passe le temps, passe la vie, la vie privée (...) et pendant ce temps-là, ce temps sans temps, comme la guerre du même nom, ce temps mort séques- 1

trant les vivants, qu'est-ce qu'on entend, le bla bla bla, le bleu blanc rouge, le glas glas glas des trafiquants d'armes, trafiquants d'âmes (...)
J. PRÉVERT, Choses et autres, p. 288.

2 (...) je ne m'attardais pas trop aux échantillons de blabla issu de la clandestinité (...) Rappelez-vous en ce temps-là tout ce que la radio épurée nous déversait comme niagaras d'imbécillités (...) âneries sentencieuses et rodomontades infantiles.
Jacques PERRET, Bâtons dans les roues, p. 12.

3 Elle finit par me bercer avec l'évocation de mes journées écoulées. Le vague blablabla de mes tristes années.
Violette LEDUC, la Folie en tête, p. 484.

4 On fait une œuvre littéraire ou on n'en fait pas une. Tout le reste est bla-bla (...)
Ph. SOLLERS, Femmes, p. 91.

REM. On rencontre un emploi interjectif plus ancien (Blah! Blah! Blah!, 1929, Claudel, in D.D.L.). → Ta! Ta! Ta! et les onomatopées visant à exprimer le bavardage stérile.

5 Un torrent de navets pourris... bla... bla... bla... Prolétaires! en masses! sifflez toutes ces ordures! (...) la gangrène cinématographique! Au pilori du peuple!... bla... bla... Nous te retrouverons ma belle! Le complot permanent contre l'esprit sain des masses! bla... bla... bla... le haut idéal des masses! bla... bla... bla...
CÉLINE, Bagatelles pour un massacre, p. 265 (1937).

DÉR. **Blablater.**

BLABLATER [blablate] v. intr. — V. 1960; de *blabla.*

♦ Fam. Faire des blablas; parler de manière verbeuse, inutile ou trompeuse.

DÉR. **Blablateur.**

BLABLATEUR, EUSE [blablatœʀ, øz] n. — V. 1960; de *blablater* ou de *blabla.*

♦ Personne qui fait du blabla. — Spécialt. Orateur; présentateur (de radio, de télévision). *« Les candidats au bac 69 sont meilleurs orateurs qu'habiles stylistes : signe des temps. Ils auront toujours l'espoir de pouvoir devenir de parfaits blablateurs de radio ou de télévision. Il en faudra toujours »* (le *Provençal,* 1er juil. 1969).

BLACK ARM [blakaʀm] n. m. — V. 1960; mot angl. (1907), proprt « bras noir ».

♦ Anglic., techn. Maladie bactérienne du cotonnier, déterminée par le *Bacterium malvacearium,* qui provoque la pourriture des capsules. *Les black-arms.*

BLACK-BASS [blakbas] n. m. invar. — 1906; amér. (Canada, 1785; États-Unis, 1815); de *bass* « perche », et *black* « noir ».

♦ Anglic. Poisson comestible (*Micropterus salmoides*) voisin de la perche, originaire d'Amérique et importé en France vers 1880. ⇒ **Achigan** (en franç. du Canada).
Carnassier, omnivore, le Black-Bass, vorace et chasseur, n'avale que des proies vivantes (...)   Paul VIVIER, la Pisciculture, p. 89.

BLACK-BOTTOM [blakbɔtɔm] n. m. — 1927; mot amér. (1926) composé de *black* « noir », et *bottom* « derrière », selon Wartburg, parce que certains quartiers noirs étaient situés sur des terres « noires », près des fleuves (« fonds noirs »), mais remotivé d'après *bottom* « derrière ».

♦ Anglic., anciennt. Danse importée des États-Unis, à la mode entre 1925 et 1935, exécutée sur un rythme de fox-trot. *Danser le black-bottom. Des black-bottoms.*

BLACKBOULAGE [blakbulaʒ] n. m. — 1866; de *blackbouler.*

♦ Rare. Action de blackbouler; résultat de cette action.
Après avoir (...) obtenu le maximum et le principal sur cette terre vous connaîtriez les tristesses d'un blackboulage d'outre-tombe.
PROUST, À la recherche du temps perdu, t. XII, p. 119.

BLACKBOULER [blakbule] v. tr. — 1877; *blackbouler,* attestation isolée, 1837; adapt. de l'angl. *to blackball,* de *black* « noir », et *ball* « boule » (refait sur *boule*).
Anglicisme.

♦ **1.** Ancienn. Rejeter (qqn) par un vote, en mettant dans l'urne une majorité de boules noires. — Mettre (qqn) en minorité dans un vote. *Se faire blackbouler au premier tour.*

1 Son frère aîné, qui travaillait l'opinion dans un département du Midi, s'était fait blackbouler et reblackbouler aux élections.   GIDE, Si le grain ne meurt, I, 6.

♦ **2.** Fam. Refuser (un candidat) à un examen. ⇒ **Coller.**

♦ **3.** Par ext. Écarter (qqn) avec rudesse. ⇒ **Évincer, repousser;** et aussi (fam.) **envoyer** (bouler, promener...).

2 Il dit avoir reçu les félicitations de X., Z. et Z., cite dix noms dont huit sont ceux d'auteurs blackboulés par nous.   GIDE, Journal, mai 1923.

▶ **BLACKBOULÉ, ÉE** p. p. adj. (1860, n.). *Candidat blackboulé.* — N. *Les élus et les blackboulés.* — (Choses) :

Et ce point de vue de la réalisation théâtrale d'un chef-d'œuvre blackboulé est un 3 point de vue auquel on ne pense jamais.
A. ARTAUD, Lettre à Louis Jouvet, 1er mars 1932, Œ. compl., t. III, p. 297.

DÉR. **Blackboulage.**

BLACK-OUT [blakawt] n. m. — 1941, Aragon; angl. *black-out,* t. de théâtre, de *black* « noir », et *out* « complètement ».
Anglicisme.

♦ **1.** Obscurité totale commandée par la défense passive (→ Blitz, cit.). ⇒ **Couvre-feu.** — Panne d'électricité généralisée.

Nous dînons dès six heures et demie (...) ayant soin aussitôt de fermer volets et 1 rideaux pour le « black-out » qu'on exige très strictement observé.
GIDE, Journal, 19 déc. 1942.

Au mépris du *black-out* qui plongeait la ville dans les ténèbres, la façade de 2 l'*Impérial* demeurait éclairée (...)   Francis CARCO, les Belles Manières, p. 37.

On en était toujours au *black-out* à Paris, à ses foules tâtonnantes dans les ténè- 3 bres, aux phares en veilleuse des autos. Dépouillée de ses lumières publicitaires, la Tour Eiffel que Tristan Bernard avait, au début de la guerre, surnommée « la veuve Citroën », se silhouettait par les nuits claires, au-dessus de la ville éteinte.
Francis CARCO, Nostalgie de Paris, p. 200.

REM. On rencontre la variante graphique plaisante *blaquaoute* reproduisant la prononciation à l'anglaise.

Le soir, à l'heure du *blaquaoute,* entre la place Pigalle et la rue des Martyrs, 4 les passants s'émeuvent d'apercevoir, flottant et oscillant dans la nuit, un rond de lumière qui se présente sous l'aspect d'une sorte d'anneau de Saturne.
M. AYMÉ, le Vin de Paris, p. 97.

♦ **2.** (1946, *in* Höfler). Fig. Silence gardé (sur une nouvelle, une décision officielle). *« Black-out sur une enquête judiciaire »* (*Elle,* 11 nov. 1968).

Et au Lycée, Dédé. 5
— J'y suis passé bien sûr. Black-out complet. La patronne elle-même n'a pas voulu me recevoir.   Yanny HUREAUX, la Prof, p. 331.

BLACK-ROT [blakʀɔt] n. m. — 1885; angl. *black rot,* de *black* « noir », et *rot* « pourriture ».

♦ Anglic. Vitic. Maladie de la vigne due à un champignon ascomycète. ⇒ **Excoriose.** — Plur. *Des black-rots.*

BLAFARD, ARDE [blafaʀ, aʀd] adj. et n. — 1549, *blaffard; blaffart* « affaibli, amolli », 1342; du moy. all. *bleichvar* « de couleur pâle », de *bleich* « pâle », et *var* « couleur »; cf. all. *Farbe.*

♦ **1.** (Concret). D'une teinte pâle; sans éclat. ⇒ **Blanc, blême, décoloré, pâle, terne.** *Couleur blafarde.* ⇒ **Délavé, élavé.** *Teint blafard.* ⇒ **Exsangue, terreux.** — REM. *Livide** s'emploie dans un sens voisin mais contraire à son origine. — *Visage maigre et blafard.* ⇒ **Hâve.** — (Personnes). Qui a un teint blafard. *Il était blafard.* — (Lumière). *Un petit jour blafard; une aube, une lumière blafarde.* — Par métonymie. *Une lanterne, un tube au néon blafard,* qui donne une lumière blafarde.

Quelquefois, le ciel a mauvaise mine. Il est blafard. 1
HUGO, les Travailleurs de la mer, II, III, 2.

Sur le pavé noirci, les blafardes lanternes 2
Versaient un jour douteux plus triste que la nuit.
A. DE MUSSET, Lettre à Lamartine.

Les effets du costume (...) ne sont pas moins fâcheux; entre autres la couleur crue 3 ou blafarde de la peau (...)   TAINE, Philosophie de l'art, t. II, p. 299.

La pleine lune éclairait d'une lueur vive et blafarde tout l'horizon, rendait plus 4 visible la pâle désolation des champs.   MAUPASSANT, Clair de lune, p. 87.

(...) quelque chose de terne, de blafard, un jour d'hiver se levant sur du granit. 5
LOTI, Mon frère Yves, V, p. 25.

La clarté blafarde des tubes de néon achève de leur donner des airs de malades 6 ou de drogués; blancs et nègres y sont presque devenus de la même teinte métallique.   A. ROBBE-GRILLET, Projet pour une révolution à New York, p. 31.

N. Rare. *Un blafard, une blafarde :* une personne qui a le teint blafard. — N. f. (n. propre). *La Blafarde :* la lune.

N. m. *Le blafard :* ce qui est blafard.

♦ **2.** (Abstrait). Littér. D'aspect morne, triste. *Une journée blafarde, sinistre.*

Spécialt. *Une voix blafarde,* sans timbre, triste et monocorde.

N. f. Vx (argot ancien). *La Blafarde :* la mort.

CONTR. **Animé, coloré, cru, éclatant, frais, rougeaud, rubicond, sanguin, vermeil, vif.**
DÉR. **Blafardement.**

BLAFARDEMENT [blafaʀdəmɑ̃] adv. — 1575; de *blafard.*

♦ Rare. Avec une lumière blafarde.

1. BLAGUE [blag] n. f. — 1721; du néerl. *balg* « enveloppe », par métathèse.

♦ Petit sac, enveloppe servant à contenir du tabac (souple, à la différence de la *tabatière*). *Blague, blague à tabac en cuir, en caoutchouc. Acheter une blague neuve. La blague à tabac d'un fumeur de pipe.*

Il se trouva repasser par mon bureau, s'assit, me tendit sa blague à tabac.
— Je vois que vous êtes un fumeur de pipe aussi. J'aime les fumeurs de pipe.
          G. SIMENON, les Mémoires de Maigret, p. 19.

DÉR. **Blaguer.** — V. 2. **Blague.**
HOM. 2. **Blague,** formes du v. **blaguer.**

2. BLAGUE [blag] n. f. — 1809 ; métaphore de 1. *blague*, avec la valeur de «chose gonflée, mensongère», ou (plutôt) déverbal de *blaguer.*

Familier.

♦ **1.** Vieilli. *(La blague).* Type de moquerie ou de discours destiné à amuser, à mystifier ; par ext., ironie ou plaisanterie. ⇒ **Rigolade.** *Avoir de la blague, une fameuse blague. Parler de qqch. avec blague.* «*La gouaillerie et la blague bien élevée de Giraud*» (Goncourt, *in* T. L. F.). *Avoir le sens de la blague et de l'humour. Il est toujours bon, prêt pour la blague.*

1   Ce système, appelé, dans l'argot du journalisme, la blague.
          BALZAC, Illusions perdues, II.

1.1   La blague, — cette forme nouvelle de l'esprit français, née dans les ateliers du passé, sortie de la parole imagée de l'artiste, de l'indépendance de son caractère et de sa langue, de ce que mêle et brouille en lui, pour la liberté des idées et la couleur des mots, une nature de peuple et un métier d'idéal (...)
          Ed. et J. DE GONCOURT, Manette Salomon, p. 28.

Mod. (en loc.). **À LA BLAGUE** : d'une manière légère et amusée, par insouciance, ironie ou scepticisme (s'oppose à : *au sérieux*). *Prendre qqn, qqch., traiter qqch. à la blague. Prendre tout à la blague* : ne rien prendre au sérieux.

Loc. adv. *Blague à part ;* (1859) *blague dans le coin* (→ 1. Plante, cit. 1) : toute intention plaisante étant écartée ; pour parler sérieusement.

1.2   Je te le secoue, il tombe sous la table en disant : «J'veux un fiacre.» Moi, ça commençait à me fendre l'arche *(m'ennuyer).* Je lui dis : «Pas de bêtises, mon vieux ! ça ne serait pas à faire ; blague dans le coin, t'es malade, mais paye ta moitié.»
          MONSELET, le Musée secret de Paris, 1859, p. 80, *in* D. D. L., II, 15.

1.3   — Blague dans le coin, dit-elle *(au fakir),* je parie que vous êtes de Houilles ou de Bezons, peut-être même de Sartrouville, je reconnais ça à votre accent.
          R. QUENEAU, Pierrot mon ami, éd. L. de Poche, p. 32.

Sans blague ! (→ ci-dessous, sens 2.).

♦ **2.** Plus cour. *(Une, des blagues).* Histoire, récit, réflexion imaginée pour mystifier gaiement. *Il a encore inventé cette blague. Conter, débiter, dire, raconter des blagues.* ⇒ **Bobard, galéjade, hâblerie, plaisanterie.** *C'est vrai, ou c'est encore une blague ?* ⇒ **Mensonge.** *Tu ne vas pas croire, gober, avaler cette blague ?*

1.4   (...) un beau parleur avait amené la conversation sur l'exécuteur des hautes œuvres de Paris, et il en faisait le portrait, lorsque tout à coup un des auditeurs s'écria d'une voix rauque :
   — Tu dis des *blagues*... tu parles de choses que tu ne connais pas ! Tu nous dis que le bourreau d'ici est petit, moi je te dis qu'il est grand.
          Ch. PAUL DE KOCK, la Grande Ville, p. 186 (1842).

Spécialt. Histoire comique, souvent grivoise. *Recueil de blagues. Raconter une blague en société* (→ Une bien bonne*). *Une blague idiote, marrante.*

Loc. **SANS BLAGUE(S)** !, interjection qui marque un doute ironique à l'égard de ce qui vient d'être dit (→ argot. Sans charre* !). — (Exprimant l'indignation). *Non mais, sans blague ?* — (Dans le même sens). *Cette blague ! La bonne blague !* (→ Tu m'en diras* tant).

♦ **3.** Acte ou propos destiné à se moquer. ⇒ **Farce, plaisanterie.** *Il lui fait une blague, une bonne, une sale blague.* ⇒ **Tour** (mauvais tour). *Faire une blague sur, avec, contre qqn. Faire la blague de* (et inf.) : faire qqch. par plaisanterie.

2   Depuis longtemps, il mijotait en soi, dans l'intention du père Soupe, le plan d'une blague gigantesque.
          COURTELINE, Messieurs les ronds-de-cuir, II, II.

Par métaphore. «*Les petites blagues annuelles de la rivière*» (Colette, *in* T. L. F.).

♦ **4.** Erreur ou maladresse* faite par légèreté. ⇒ **Bêtise, bévue, boulette, bourde, gaffe.** *Il faudra réparer cette blague. Eh là ! pas de blagues !* : faites attention, pas d'imprudence.

REM. On note vers 1900 les composés rares *blaguologie* ou *blagologie* [blagɔlɔʒi] n. f. (1898, Barrès) «répétition de blagues» : «*Et enfin, ils* (tous ces fakirs du communisme) *n'ont pas l'air de s'apercevoir que la violence qui est, toute blagologie mise à part, leur seule arme, est une arme dangereuse qui peut se retourner contre eux*» (Mercure de France, 15 févr. 1923) ; *blagomachie* [blagɔmaʃi] n. f. (1902, Barrès) «querelle qui ne repose que sur des blagues».

HOM. 1. **Blague,** formes du v. **blaguer.**

BLAGUER [blage] v. — 1808 ; de 1. *blague*, au sens métaphorique de «gonfler d'air» comme un sac, une blague (à tabac).

Familier.

♦ **1.** V. intr. **a** Dire des blagues. ⇒ **Plaisanter.** *Il blague à longueur de journée. Vous blaguez !*

Vx. Mentir.

b Causer familièrement (en bonne part). *Nous blaguions entre amis. Blaguer sur qqn, qqch. ; blaguer de qqch.,* en parler familièrement. *Il ne faut pas blaguer de ça.* — *Ne pas blaguer avec qqn ou qqch.,* le prendre au sérieux. ⇒ **Badiner, rigoler.** *Il ne blague pas, il ne blague jamais avec la discipline.*

En incise (littéraire) :

Viens-tu faire du recrutement dans Saint-Henri ? plaisanta-t-il avec un sourire où   0.1
le cynisme habituel se tempérait d'amitié. — Oui, je viens te chercher, blagua
Emmanuel.   Gabrielle ROY, Bonheur d'occasion, 1945, *in* T. L. F.

♦ **2.** V. tr. Railler sans méchanceté. ⇒ **Charrier, taquiner.** *Blaguer qqn ou qqch. Blaguer qqn sur, de, à propos de qqch.* «*Tout le monde le blaguait de rester à Montmartre*» (Martin du Gard, *in* T. L. F.). — *Blaguer les idées, les petites manies de qqn.*

Il avait une manière de blaguer les gens sans les fâcher (...)   1
          MAUPASSANT, Toine, p. 11.

Quelquefois il blaguait le pacifisme de Hugo, vieux roublard, vieux malin (...)   2
          A. MAUROIS, Études littéraires, Charles Péguy, t. I, p. 240.

Et pendant ce temps, j'entends dans mon dos, trois petites filles blaguer la façon   3
dont les sœurs leur font faire le signe de la croix.
          Ed. et J. DE GONCOURT, Journal, t. II, p. 95.

▶ **SE BLAGUER** v. pron.

(Rare). Se moquer de soi ; se moquer mutuellement l'un de l'autre.

Mais, tout le temps qu'on mangea le gigot, les plaisanteries continuèrent. Lui-   4
même, quand la femme de ménage lui eut retrouvé une assiette de soupe et une
part de raie, se blagua, en bon enfant.   ZOLA, l'Œuvre, 1886, p. 98.

Récipr. *Se blaguer mutuellement.*

DÉR. **Blagueur.** — V. 2. **Blague.**

BLAGUEUR, EUSE [blagœr, øz] n. et adj. — 1808 ; de *blaguer* ou de 2. *blague.*

Familier.

♦ **1.** N. Personne qui aime la blague, qui a l'habitude de dire ou de faire des blagues. **a** ⇒ **Hâbleur, menteur.** *Un blagueur invétéré.*

b ⇒ **Moqueur, plaisantin.** *Tu es une petite, une sacrée blagueuse.* Rare (avec un compl.). *Flaubert, «ce gros blagueur de toutes les gloires humaines*» (Goncourt, *in* T. L. F.).

♦ **2.** Adj. **a** (Personnes). Qui fait ou raconte des blagues ; qui aime la blague (2. Blague, 1.), la plaisanterie ; qui ne prend rien au sérieux.

Et, sans doute, au «perron de Tortoni», quartier général des boulevardiers miso-   1
néistes et blagueurs, préférait-il *(Jean Moréas)* la terrasse du Café Américain, où
la gouaille, à l'égard des efforts originaux, était moins acerbe (...)
          Georges LECOMTE, Ma traversée, p. 202.

La gravité de la vie présente-t-elle fait à l'homme une jeunesse sérieuse, réfléchie,   2
mélancolique. Pourquoi la jeune fille du jour est-elle ironique, blagueuse ?
          Ed. et J. DE GONCOURT, Journal, t. VI, p. 92.

b (Choses). *Un air, un sourire blagueur.*

CONTR. Sérieux, sévère.

BLAID [blɛd] n. m. — 1897, Loti ; du béarnais *blé* «fronton», esp. *ble* «jeu de pelote», la finale est obscure.

♦ Pelote basque pratiquée contre un mur. *Jeu de blaid.*

HOM. Bled.

BLAIR [blɛr] n. m. — 1872 ; var. *blaire*, 1883 ; abrév. de *blaireau* (1834), par allus. au museau allongé de l'animal.

♦ Fam. Nez*. ⇒ **Blase.** — Par ext. Visage, tête.

«À présent, mesdames et messieurs, je vais continuer la séance par un travail   1
beaucoup plus fort et plus périlleux. Je vais mettre ma tête dans la gueule du terrible fauve.» En joignant le geste à la parole, Croquignol plongea son blair dans
la mâchoire du lion.
          L. FORTON, les Aventures des Pieds-Nickelés, *in* l'Épatant, 1908, p. 18.

Enfin, une, deux, trois gouttes d'eau s'écroulent sur l'asphalte. L'observateur, que   2
la sortie de 6 heures a laissé déçu, reste à son poste. Quatre, cinq, six gouttes
d'eau. Des gens inquiets pour leur paille *(chapeau de paille)* lèvent le blair.
          R. QUENEAU, le Chiendent, p. 21 (1932).

REM. La var. *blaire* semble inusitée au XXᵉ s.

DÉR. **Blairer.**

BLAIREAU [blɛro] n. m. — 1312, *blarel* ; de l'anc. franç. *bler* «tacheté».

★ **I.** ♦ **1.** Petit mammifère carnassier, bas sur pattes, de pelage clair sur le dos, foncé sous le ventre. ⇒ **Taisson.** *Les pattes du blaireau sont munies d'ongles crochus dont il se sert pour creuser de profonds terriers.* ⇒ **Vermillonner.** *Le blaireau fait partie des «bêtes puantes*». *Chasse au blaireau. Terrier du blaireau.* ⇒ **Taissonnière.** *Le blaireau* (Mustélidés) *est appelé en zoologie Meles. Le blaireau appartient à la même famille que la belette, le carcajou, le ratel.*

Le blaireau est un animal paresseux, défiant, solitaire, qui se retire dans les lieux   1
les plus écartés, dans les bois les plus sombres, et qui s'y creuse une demeure souterraine.   BUFFON, Hist. nat. des animaux, «Le blaireau».

2 Ne bouge pas, écoute... Un buisson secoué... Le blaireau est là. Je le connais. Il gîte à cent mètres plus haut près d'un oléastre. Une bête trapue, féroce. Je l'entends quelquefois rôder autour des hangars (...)
H. BOSCO, l'Âne Culotte, Récit Const. Gloriot, p. 58.
Par compar. *Avoir un museau, des yeux de blaireau. Se terrer comme un blaireau.*

♦ **2.** Pop. et vx. ⇒ **Blair.**

★ **II.** ♦ **1.** (1751). Techn. Pinceau fait de poils de blaireau dont se servent les peintres, les doreurs. — Par ext. Ce pinceau destiné à l'époussetage d'objets délicats.

♦ **2.** Cour. Brosse pour barbe (à l'origine, en poils de blaireau) que l'on utilise pour faire mousser le savon. *Blaireau véritable,* en poils de blaireau.

3 La ville est très petite : je dus me contenter d'une vulgaire échoppe sur la place. C'était jour de marché ; la boutique était pleine (...) mais rien, ni les rasoirs douteux, le blaireau jaune, l'odeur, les propos du barbier, ne put me faire reculer.
GIDE, l'Immoraliste, VII, in Romans, Pl., p. 403.

DÉR. Blaireauter.

BLAIREAUTER [blɛʁote] v. tr. — Mil. XIXᵉ, P. de Saint-Victor ; de *blaireau* «pinceau en blaireau, à poils très fins».

♦ Peint. Peindre au blaireau, pour obtenir une teinte fondue où n'apparaît pas la touche. ⇒ **Lécher.**

▶ **BLAIREAUTÉ, ÉE** p. p. adj.
Obtenu avec le blaireau.

1 (...) une certaine manière de peindre unie, sage, lisse, blaireautée, sans pâte, sans touche (...) une peinture impersonnelle et inanimée, terne et polie, reflétant la vie dans un miroir dont le tain serait malade (...)
Ed. et J. DE GONCOURT, Manette Salomon, p. 162.

2 (...) au milieu du XIXᵉ siècle, c'est l'anti-art qui était à l'honneur. Jusqu'à la guerre de 1914, les récompenses officielles et les commandes allèrent surtout à la peinture anecdotique, exécutée d'une touche blaireautée sur un dessin impersonnel (...)
André RICHARD, la Critique d'art, p. 118.

BLAIRER [blɛʁe] v. tr. — 1914 ; de *blair.*

♦ Fam. (généralement à la forme négative ou interrogative). *Ne pas (pouvoir) blairer qqn (ou qqch.),* ne pas l'aimer, l'accepter. ⇒ **Sentir ;** fam. **piffer** (cf. Avoir dans le nez). *Tu crois qu'on peut blairer un type pareil ?*

1 Le jeune homme eut beau, comprenant trop tard son erreur, dire qu'il ne blairait pas les flics et pousser l'audace jusqu'à dire au baron : «Fous-moi un rencart» *(un rendez-vous),* le charme était dissipé.
PROUST, le Temps retrouvé, Pl., t. III, p. 827.

2 Milédi *(mille dieux),* c'que j'peux pas blairer, hé, s'écrie tout d'un coup Fouillade, c'est c't'exercice et ces marches qu'on nous esquinte pendant le repos (...)
H. BARBUSSE, le Feu, t. I, I, XIV, p. 78.

3 Boris ne blairait pas beaucoup les pédérastes (...)
SARTRE, l'Âge de raison, II, p. 27.

Rare (à l'affirmatif). *« Nous qu'avions été jusqu'alors très bien blairés et peinards... »* (L.-F. Céline, Mort à crédit, in T. L. F.).

BLAISER [blɛze] et dér. ⇒ **Bléser.**

BLÂMABLE [blamabl] adj. — 1267 ; de *blâmer.*

♦ Qui mérite le blâme, la désapprobation. ⇒ **Condamnable, critiquable, répréhensible.** *Imputer à qqn des actions, des paroles blâmables.* ⇒ **Accuser.** *Se conduire d'une façon blâmable. Démériter. Sa façon de faire n'est pas blâmable.*

1 C'est en quoi mon offense est plus blâmable encore,
De tromper lâchement un mari qui m'adore (...)
MAIRET, Sophonisbe, I, 4.

2 Il faut, parmi le monde, une vertu traitable ;
À force de sagesse, on peut être blâmable (...)
MOLIÈRE, le Misanthrope, I, 1.

3 En vérité, rien ne me paraît plus louable ou blâmable, et les plus étranges actions ne m'étonnent que peu.
Th. GAUTIER, Mˡˡᵉ de Maupin, III.

4 D'ailleurs, Monsieur, la plus grande des sottises c'est de trouver ridicules ou blâmables les sentiments qu'on n'éprouve pas.
PROUST, À la recherche du temps perdu, t. II, p. 228.

REM. L'antéposition est rare : *«cette blâmable conduite... »* (Chateaubriand).

CONTR. Excusable, louable, pardonnable.

BLÂMANT, ANTE [blamɑ̃, ɑ̃t] adj. — 1836, Stendhal ; p. prés. de *blâmer.*

♦ Littér., rare. Qui blâme, critique, réprouve. *« Blâmante, méchante, acariâtre »* (Stendhal, *Lucien Leuwen*). — *Un regard blâmant, sévère.*

BLÂME [blam] n. m. — 1080, *Chanson de Roland* ; de *blâmer.*

♦ **1.** Opinion défavorable, jugement de désapprobation sur qqn ou qqch. ⇒ **Anathème, animadversion, censure, condamnation, critique, désapprobation, grief, improbation, objurgation, plainte, procès,**

remontrance, répréhension, réprimande, réprobation, reproche, tollé, vitupération, vitupère (vx). *S'attirer, encourir, mériter, recevoir le blâme de qqn.* ⇒ **Démériter** (→ Attribuer, cit. 18). — *(Le blâme). Mériter, encourir le blâme.* — Vx. *Être imputé à blâme* (→ ci-dessous, cit. 2). — *S'attirer, encourir, mériter, recevoir le blâme de qqn.* ⇒ **Démériter** (→ Attribuer, cit. 18). — *(Un, des blâmes). Jeter, faire retomber un blâme sur qqn. Un blâme mérité, justifié. Blâme public. Blâme sévère, infamant, outrageant, humiliant.*

1 Crains-tu si peu le blâme, et si peu les faux bruits ? CORNEILLE, le Cid, III, 4.

2 Une action ne peut être imputée à blâme lorsqu'elle est involontaire (...)
PASCAL, les Provinciales, 4.

3 Peu de gens sont assez sages pour préférer le blâme qui leur est utile à la louange qui les trahit (...) LA ROCHEFOUCAULD, Maximes, 147.

4 Le blâme piquait au vif les cœurs généreux et retenait les plus faibles dans le devoir (...) BOSSUET, Hist., III, 6, in LITTRÉ.

5 (...) tout discours qui produit pour quelqu'un profit ou dommage, estime ou mépris, louange ou blâme, contre la justice et la vérité (...)
ROUSSEAU, Rêveries..., 4ᵉ Promenade, p. 412.

Être sans blâme, irréprochable.

♦ **2.** (1732 ; «accusation», 1177). Dr., vieilli. Peine infamante qui consistait en une réprimande publique.

Spécialt. Sanction disciplinaire, critique et réprobation officielle des agissements ou de l'attitude d'un fonctionnaire ou d'une personne soumise à un statut disciplinaire, telle qu'un élève au sein d'une institution scolaire. *Donner, infliger un blâme à qqn ; recevoir un blâme.*

Dr. intern. *Voter un blâme contre un pays* (dans une assemblée internationale).

♦ **3.** Signe de réprobation (en l'absence de paroles). *Un regard de blâme. Sentir un blâme, un blâme muet dans le regard de qqn.* ⇒ **Reproche.**

Par métonymie. *« Elle ne vivait plus que comme un blâme muet dans la maison »* (Zola, *la Débâcle,* p. 264, in T. L. F.).

CONTR. Apologie, approbation, éloge, félicitation, louange, panégyrique.

BLÂMER [blame] v. tr. — 1050, *blasmer* ; du lat. pop. *blastemare* «faire des reproches», lat. ecclés. *blasphemare.* → Blasphémer.

♦ **1.** Porter, exprimer un jugement (moral, esthétique, social...) défavorable sur (qqn ou qqch.). ⇒ **Accuser, anathématiser, attaquer** (cit. 30), **censurer, condamner, critiquer, désapprouver, désavouer, épiloguer** (sur), **grief** (faire grief à), **improuver, incriminer, pierre** (jeter la pierre à), **procès** (faire le procès de), **redire** (trouver à redire à), **reprendre, réprimander, reprocher, réprouver.** *Blâmer violemment qqn.* ⇒ (littér.) **Flageller, flétrir, fustiger, stigmatiser, vitupérer.** *Blâmer qqn en se moquant, en raillant.* ⇒ **Dauber** (sur), **fronder.** *Blâmer qqn, qqch. par plaisir, par jalousie, par souci de la morale. Blâmer la conduite, les agissements de qqn. Blâmer qqn de* (ou *pour) son attitude. Blâmer une œuvre.* ⇒ **Critiquer.** — *Être à blâmer.* ⇒ **Blâmable.** Loc. *Être plus à plaindre qu'à blâmer,* plus malheureux que coupable. ⇒ ci-dessous, cit. 9. — Absolt. → ci-dessous, cit. 5, 6, 7, Beaumarchais *(sans la liberté de blâmer...).*

1 J'ai beau vous blâmer,
Lui-même il vous défend, vous excuse sans cesse (...) CORNEILLE, Suréna, I, 2.

2 On blâme aisément les défauts des autres, mais on s'en sert rarement à corriger les siens. LA ROCHEFOUCAULD, Maximes posthumes, 526, p. 326.

3 Je suis âne, il est vrai, j'en conviens, je l'avoue ;
Mais que dorénavant on me blâme, on me loue ;
Qu'on dise quelque chose ou qu'on ne dise rien
J'en veux faire à ma tête. LA FONTAINE, Fables, III, I.

4 Je blâme également, et ceux qui prennent parti de louer l'homme, et ceux qui le prennent de le blâmer. PASCAL, Pensées, VI, 421.

5 Plus enclin à blâmer que savant à bien faire. BOILEAU, l'Art poétique, IV.

6 (...) la vérité qui blâme est plus honorable que la vérité qui loue ; car la louange ne sert qu'à corrompre ceux qui la goûtent, et les plus indignes en sont toujours les plus affamés (...) ROUSSEAU, Julie ou la Nouvelle Héloïse, II, XIX.

7 Je lui dirais... que, sans la liberté de blâmer, il n'est point d'éloge flatteur ; et qu'il n'y a que les petits hommes qui redoutent les petits écrits.
BEAUMARCHAIS, le Mariage de Figaro, V, 3.

8 Laissez dire, laissez-vous blâmer, condamner, emprisonner, laissez-vous pendre, mais publiez votre pensée. P.-L. COURIER, Pamphlets politiques, Pl., p. 214.

9 Écoute, Landry, lui dit-elle *(Fadette)* je suis plus à plaindre qu'à blâmer (...)
G. SAND, la Petite Fadette, XVIII, p. 126.

Littér. (Sujet n. de chose) :

10 Le reproche, lisible dans ses yeux, ne blâmait pas ma curiosité, mais bien la finasserie qu'elle jugeait indigne de nous. COLETTE, Naissance du jour, p. 123.

Blâmer qqn de... (et inf.) :

11 (...) ils l'avaient blâmé de s'attacher à une maîtresse, mais l'approuvaient d'adopter son chien. A. MAUROIS, les Discours du Dʳ O'Grady, III.

(Sujet n. collectif). *La philosophie a blâmé la révocation* (cit. 1) *de l'Édit de Nantes. La majorité de l'Assemblée, l'Assemblée a blâmé l'attitude du gouvernement.* — Absolument :

12 Le sénat, dont l'approbation tenait lieu de récompense, savait louer et blâmer quand il fallait (...) BOSSUET, Hist., III, 6.

♦ **2.** Dr. Punir (qqn) par un blâme*. Réprimander officiellement. *Être blâmé par le conseil de discipline.*

▶ **SE BLÂMER** v. pron.

Réfl. S'infliger un blâme à soi-même.

13   Suivre de loin que pour être loué.   LA ROCHEFOUCAULD, *Maximes*, 554.
14   (...) Je m'avisai de suivre le conseil que nous donne Pythagore, de rappeler le soir ce que nous avons fait dans la journée, pour nous applaudir de nos bonnes actions, ou nous blâmer de nos mauvaises.   A.-R. LESAGE, *Gil Blas*, VII, X, 46.

Récipr. *Ils se blâment.*

▶ **BLÂMÉ, ÉE** p. p. adj. *Élèves blâmés.* — N. *Un blâmé, des blâmés.*

CONTR. Applaudir, approuver, complimenter, défendre, encourager, exalter, excuser, féliciter, flatter, justifier, louer, préconiser, vanter.

DÉR. Blâmable, blâmant, blâme.

BLANC, BLANCHE [blɑ̃, blɑ̃ʃ] adj. et n. — V. 950 ; d'un germanique **blank* « brillant », passé en lat. médiéval *(blancus)*, en provençal, italien, etc., éliminant les mots latins *albus* et *candidus*.

★ **I.** Adj. ♦ **1.** Qui est d'une couleur* combinant toutes les fréquences du spectre, et produisant une impression visuelle de clarté neutre, dont la nature offre de nombreux exemples. *Blanc comme la neige, comme neige* (⇒ **Nivéen**), *comme le lait* (⇒ **Lacté, lactescent, laiteux**), *l'albâtre*, la craie, un lis.* ⇒ aussi **Albe, candide** (littér.). *La synthèse des sept couleurs du spectre donne la lumière blanche. Avoir un reflet blanc.* ⇒ **Blanchoyer.** *Aube blanche. Les nuits blanches du cercle polaire.* — *Écume, mousse blanche. La gelée* blanche.* — (Antéposé). *Blanche hermine, blanche colombe.* — *Des moutons blancs. Une vache blanche. Un chien blanc.* — *Le marbre blanc de Carrare. Argile* (cit. 1) *blanche. Colle, crème blanche. Le sel, le sucre sont blancs.* — *Lin blanc* (→ Candide, cit. 1). *Des draps blancs et des draps de couleur. Le bal des Petits Lits blancs.* — *Porter une chemise blanche. Veste blanche. Un voile blanc.* — *Drapeau* blanc. Le drapeau français est bleu, blanc, rouge. La canne blanche, le bâton blanc de l'aveugle. Le bâton blanc de l'agent de police.* — *Clown* blanc.*

REM. Lorsque le syntagme s'oppose à d'autres, avec des adj. de couleur, et désigne une classe de choses précises, → ci-dessous, 3.

1   Suivre de loin des blanches voiles (...)   HUGO, *les Feuilles d'automne*, 25.
2   (...) E blanc (...)
     (...) candeurs des vapeurs et des tentes,
     Lances des glaciers fiers, rois blancs, frissons d'ombelles (...)   RIMBAUD, *Voyelles*.
3   La voie blanche de chaleur était si lumineuse que Démétrios fermait les yeux comme au soleil de midi.   Pierre LOUŸS, *Aphrodite*, II, 7.
4   Sous les futaies (...) les robes blanches rayonnèrent, peu à peu (...)   Edmond JALOUX, *le Jeune Homme au masque*, I.
4.1   À la place du mince tube creux en métal blanc, imitant misérablement une sorte d'aileron, vient se poser une lourde poignée de vieux cuivre adorablement patiné (...)   N. SARRAUTE, *le Planétarium*, p. 20.

♦ **2.** (Peau, corps). D'une couleur pâle voisine du blanc. ⇒ **Albuginé** (littér.), **argenté, incolore, ivoirin, opalin.**

ⓐ (Peau humaine). *Peau, main blanche.* ⇒ **Clair.** *Teint blanc.* ⇒ **Blafard, blanchâtre, blême.** « *Les corps blancs des amoureuses* » (→ Lacté, cit. 2, Apollinaire). « *La blanche Ophélia...* » (→ Flotter, cit. 1, Rimbaud). *Être blanc de peau.* — *Être blanc* : avoir le teint pâle ; avoir mauvaise mine ; pâlir sous le coup d'une émotion. *Il est devenu tout blanc, blanc comme un linge.* — *Être blanc* : ne pas être bronzé. — Loc. fam. *Il est blanc comme un cachet d'aspirine, comme un pied de lavabo.* — (La blancheur ayant un sens psychologique). *Devenir blanc comme linge.* — (XIVe). *Être blanc de colère, blanc de rage.*

5   Voilà votre thé, fait de ma blanche main (...)   A. DE MUSSET, *Un caprice*, VIII.
6   (...) une nymphe souriante dans tout l'éclat de sa blanche nudité.   Th. GAUTIER, *Fortunio*, XII.
7   (...) la jeune femme (...) poussa un soupir qui fit retourner les têtes ; elle était aussi blanche que la neige du dehors (...)   MAUPASSANT, *Boule de suif*, p. 26.
8   (...) des femmes douces et graves, blanches comme des oublies (...)   HUYSMANS, *En route*, p. 23.

ⓑ (Poils). *Cheveux, poils blancs. Barbe blanche.* ⇒ **Chenu.** — Fig. *Se faire des cheveux blancs*, du souci. — *Être blanc, tout blanc* : avoir les cheveux blancs du fait de l'âge. ⇒ **Canitie.**

8.1   Ainsi les mèches de la princesse de Guermantes, qui quand elles étaient grises et brillantes comme de la soie semblaient d'argent autour du son front bombé, ayant pris à force de devenir blanches une matité de laine et d'étoupe, semblaient au contraire à cause de cela être grises comme une neige salie qui a perdu son éclat.   PROUST, *le Temps retrouvé*, Pl., t. III, p. 940.

Dents blanches. — *Faire les yeux blancs* : montrer le blanc des yeux (en les levant au ciel).

Par métonymie (de *blanc de colère*). *Colère blanche*, extrême.

8.2   Et, comme il la regardait, pris d'une colère blanche, elle partit d'un grand éclat de rire.   ZOLA, *Son Excellence Eugène Rougon*, t. II, p. 67.

(1545, *in* D. D. L.). Spécialt. Dont la peau est peu pigmentée (en parlant des individus appartenant aux races eurasiennes dites *races blanches*). → aussi ci-dessous, II., C. *Une femme blanche*, de race blanche. — Par analogie :

8.3   Et de même si nous pensons que les nègres sentent mauvais, nous ignorons que pour tout ce qui n'est pas l'Europe, c'est nous blancs, qui sentons mauvais. Et je

---

dirai même que nous sentons une odeur blanche, blanche comme on peut parler d'un "mal blanc".
     A. ARTAUD, *le Théâtre et son double*, Idées Gallimard, p. 12-13 (1938).

Par ext. *Les quartiers blancs d'une ville* (opposés à *jaunes, noirs*).

♦ **3.** (Dans des syntagmes caractérisés). ⓐ Qui est clair, peu coloré (⇒ **Incolore**) par rapport à d'autres choses du même genre (souvent qualifiées de *noires** ou qualifiées par un adj. de couleur).

(Choses naturelles ; végétaux, animaux). *Raisin blanc* (opposé à *noir*). — (1611). *Merle blanc* (→ Merle, cit. 2 et *supra*). — *Camélia blanc, lilas blanc. Nénuphar blanc* : nymphéa. *Cygnes blancs et cygnes noirs. Ours blanc* (opposé à *ours brun, noir*). — Vx. *Ambre blanc* (opposé à *gris*), le blanc de baleine. — *Ver blanc.* ⇒ **Ver.** *Fourmi blanche.* ⇒ **Termite.** — *Poissons blancs* (servant d'appât). ⇒ **Blanchaille, blanquet** (I., 4.).

(Produits alimentaires). *Vin blanc* (opposé à *rouge, rosé*). → ci-dessous, II., B. — *Alcools blancs* : alcools de fruits non teintés. *Le kirsch, la mirabelle sont des alcools blancs.* — *Poivre blanc* (opposé à *gris*). *Sucre blanc* (opposé à *roux*). *Viandes blanches*, le veau, les volailles (opposé à *viandes rouges*). *Farine blanche. Pain blanc* (opposé à *bis*). *Fromage blanc. Sauce blanche. Boudin blanc. Beurre blanc.*

9   Tu boiras bien un verre d'eau avec un doigt de vin blanc (...)   H. BOSCO, *l'Âne Culotte*, p. 51.

(Objets fabriqués). *Cire blanche.* ⇒ **Cold-cream.** *Monnaie blanche. Argent blanc. Fer* blanc. Métal blanc. Cuivre blanc. Fonte blanche. Couperose blanche* : sulfate de zinc. *Arme blanche*, non bronzée (par oppos à *arme à feu*). *Bois* blanc. Filin, cordage blanc*, non goudronné. *Les touches blanches d'un piano. Bille blanche* (au billard). ⇒ **Blanche** (2.). *Encre blanche* : encre sympathique. *Verre blanc.* — Fig. *Houille* blanche* : énergie hydroélectrique.

9.1   Quant aux armes blanches, elles avaient été puisées dans le musée d'antiquités, haches de silex, heaumes, masses d'armes, francisques, framées guisardes, pertuisanes, verdiers, rapières, etc., et aussi dans ces arsenaux particuliers, connus généralement sous les noms *d'offices* et de *cuisines*.   J. VERNE, *le Docteur Ox*, p. 102.

Mal blanc. Tumeur blanche. — *Pertes blanches.* ⇒ **Leucorrhée.** — *Globule blanc.* ⇒ **Leucocyte.**

Livre* blanc, à couverture blanche ; aussi : dont toutes les pages sont blanches. ⇒ **Album.**

Loc. fig. *Marquer** (cit. 13) *un jour d'un caillou blanc, d'une pierre blanche. Montrer patte** (cit. 11) *blanche.*

Loc. fig. *Une oie** (cit. 6 et 7) *blanche.*

ⓑ Spécialt (dans des n. pr.). *La mer Blanche, le mont Blanc* (par allus. à la neige, à la glace).

ⓒ (1174). Qui porte des vêtements blancs.

Pères blancs. Sœurs blanches (cf. *Les blancs-manteaux*). — Par ext. (couleur symbolique). *Les Russes blancs* (opposés à *rouges*). *Le parti blanc, la Terreur blanche. La Dame blanche.*

♦ **4.** ⓐ (V. 1180 ; idée de propreté). Dont la couleur blanche n'est pas ternie. ⇒ **Net, propre, pur, vierge.** *Du linge, des draps blancs.* ⇒ **Propre ; blanchir, blanchisseur.**

ⓑ Qui n'est pas écrit. *Un intervalle blanc. Bulletin* (de vote) *blanc. Un blanc-seing.*

10   Ah ! grâce aux passions que mon cœur se retranche,
     Puisse toute ma vie être une page blanche.   LAMARTINE, *Jocelyn*, II, 56.

Fig. *Donner, laisser carte blanche à qqn ; avoir carte blanche.* ⇒ **Carte** (cit. 1, 2 et 2.1).

ⓒ (XVIIe). Fig. Qui n'est pas souillé, coupable. ⇒ **Candide, immaculé, innocent, lilial, pur, virginal.** *N'être pas blanc* : courir le risque d'être puni. *Sortir blanc, blanc comme neige*, acquitté, justifié. *Blanc comme un lis.*

11   Quand vos péchés seraient comme l'écarlate, ils deviendront blancs comme la neige ; et quand ils seraient rouges comme le vermillon, ils seront blancs comme la laine la plus blanche.   BIBLE (SACY), *Isaïe*, I, 18.
12   Selon que vous serez puissant ou misérable,
     Les jugements de cour vous rendront blanc ou noir.   LA FONTAINE, *Fables*, VII, 1.

Vx. *Bal blanc* : bal de jeunes filles.

♦ **5.** (Idée de manque). Qui n'a pas tous les effets habituels. *Voix blanche*, sans timbre (→ Récitation, cit. 2). *Nuit blanche*, sans sommeil. *Coup blanc*, sans résultat. *Faire chou* blanc. Opération blanche. Examen blanc. Mariage blanc*, sans union sexuelle. *Jeu blanc. Saignée, ponction blanche.* — *Vers blancs*, sans rime. *Magie* blanche*, qui n'a pas recours aux mauvais esprits. — *L'écriture* blanche.*

13   Il faisait de grands efforts pour dominer son trouble et il balbutia d'une voix blanche (...)   G. DUHAMEL, *Chronique des Pasquier*, VIII, III, p. 297.
13.1   Ils les initiaient ainsi non par une cérémonie "blanche" mais par le déploiement premier et effectif ; par l'étrenne de leur activité créatrice.
     Roger CAILLOIS, *l'Homme et le Sacré*, p. 142.
13.2   Sa voix est légère, comme vidée, c'est peut-être cela qu'on appelle une voix blanche (...)   N. SARRAUTE, *le Planétarium*, p. 223.
13.3   C'est une voix blanche, détimbrée. Voix blanche, écriture exacte et pure.
     Henri LEFEBVRE, *la Vie quotidienne dans le monde moderne*, p. 25.
13.4   Pour l'immédiat, elle restera quelques jours à l'hôtel avec sa mère (...) que Rodri-

gue surtout ne se croie pas obligé de venir la voir ; leur mariage sera aussi blanc qu'il le désirera, c'est bien ainsi qu'on dit.

Roger VAILLAND, Bon pied, bon œil, p. 73.

♦ **6.** Qui fait la synthèse de toutes les fréquences, dans un intervalle donné. *Bruit* (cit. 43) *blanc.*

♦ **7.** Techn. *Coupe blanche, coupe à blanc estoc ; blanc estoc* (par oppos. à *coupe* claire* et à *coupe sombre*) : abattage total d'une forêt. ⇒ **Blanc-étoc.**

♦ **8.** Loc. prov. *Connu comme le loup blanc.* ⇒ **Loup.** — *C'est blanc bonnet* et bonnet blanc* : c'est identique, semblable. — *Cousu de fil* blanc* : évident. — *Manger son pain* blanc le premier.*

Prov. *Rouge soir et blanc matin, c'est la journée du pèlerin* : le couchant rougeoyant et l'aube embrumée annoncent une belle journée, pendant laquelle un marcheur peut parcourir une longue route.

N. *Dire blanc et noir* : ne pas prendre parti. — *L'un dit blanc et l'autre noir* : ils sont en contradiction. — *Dire tantôt blanc, tantôt noir.*

14 Quand je veux dire « blanc », la quinteuse dit « noir » (...)   BOILEAU, Satires, II.

♦ **9.** (Emploi adverbial). *Il gèle blanc* : il fait de la gelée* blanche. — *Voter blanc.* — *Cheval qui boit blanc* (→ ci-dessous, II., B., 4. : *qui boit dans son blanc*). — *Laver très blanc. La lessive X lave plus blanc.*

★ **II.** N. m. **A.** *(Le blanc, du blanc).* ♦ **1.** (1080). Couleur blanche. ⇒ **Blancheur.** *Un blanc cru, éclatant, immaculé ; un blanc mat, sale, laiteux. Blanc cassé*, à peine teinté (de gris très clair). *Être d'un blanc de lait, de perles. Le blanc réfléchit la lumière.* — *Le blanc, symbole de pureté, d'innocence.*

15 Les maisons sont d'un blanc à éblouir et coupées d'ombres fines, rayées comme un burin.   E. FROMENTIN, Une année dans le Sahel, p. 67.

15.1 (...) la gloire d'un arbre à fruit, l'image la plus tenace qu'il dépose en nous, la plus passionnément contemplée, c'est le souvenir de sa floraison éphémère. Les manchons blancs passés aux bras des cerisiers, le blanc-vert hâtif qui étoile les pruniers, le blanc crémeux hérissé d'étamines brunes des poiriers, enfin les pommiers blancs comme des roses, roses comme la neige à l'aurore — cette écume, ces cygnes, ces fantômes, ces anges, en huit jours naissent, déferlent et s'anéantissent, meurent épars.   COLETTE, Flore et Pomone, in Gigi, p. 142.

15.2 (« Mais, pensa-t-il encore, est-ce que dans certains pays le blanc n'est pas aussi la couleur de la mort ? »)...   Claude SIMON, le Palace, p. 22.

15.3 Alors vient la deuxième aube, le *blanc.* La lumière commence à se mêler à la noirceur de l'air. Tout de suite elle étincelle dans l'écume de la mer, sur les croûtes de sel des rochers, sur les pierres coupantes au pied du vieux figuier.
                    J.-M. G. LE CLÉZIO, Désert, p. 390.

Techn. *Blanc d'argent, d'azur, de Chine, des Indes, de pâte,* noms de différents degrés de blancheur (des tissus). *Blanc d'impression, blanc grand teint, petit teint.*

(V. 1230). Absolt. Vêtements blancs. *Porter du blanc, être vêtu de blanc* (→ Bleu, cit. 12.1). *Un enfant voué au blanc et au bleu* (en l'honneur de la Vierge). — (Comm.). *Linge blanc* (draps, serviettes, etc.). *Exposition, vente de blanc. La semaine du blanc.*

15.4 Ils regardaient attentivement les piles de linge de l'Exposition de Blanc, imitant habilement des montagnes de neige.   N. SARRAUTE, Tropismes, p. 12.

16 Ils étaient tout vêtus de blanc (...)   FÉNELON, Télémaque, IX.

17 (...) les communiantes, le nez en l'air, la bouche grande ouverte, envoyaient vers Dieu des cantiques, et une fillette habillée de blanc distribuait des petits pains chauds à la porte de l'église.   H. BOSCO, l'Âne Culotte, p. 9.

Fig. *Aller, passer du blanc au noir* : passer d'un extrême à l'autre, changer complètement d'avis.

18 Voilà l'homme en effet, il va du blanc au noir.   BOILEAU, Satires, VIII.

Vx. *Mettre du noir sur du blanc* : écrire. — Loc. adv. *Noir sur blanc* : de façon claire, irréfutable. *C'est écrit noir sur blanc.* ⇒ **Noir** (cit. 38).

Fig., vx. *Voir la vie en blanc,* la voir avec optimisme (→ mod. Voir la vie en rose*).

19 Le duc de Chevreuse toujours équanime, toujours espérant, toujours voyant tout en blanc (...)   SAINT-SIMON, Mémoires, 322, 209.

EN BLANC : avec la couleur blanche. *Peint en blanc. Se mettre en blanc.*

Loc. *Hommes en blanc* : médecins de cliniques et des hôpitaux, chirurgiens revêtus de la blouse blanche. *Les Hommes en blanc,* œuvre d'A. Soubiran.

19.1 — (...) Le bureau des Entrées a enregistré vos dires, je n'ai que faire de votre présence, allez-vous-en.
Non : elle accrochait un des hommes en blanc et réussissait à prendre un ton angoissé :
— Alors, docteur ? C'est grave ? Vous n'allez pas la garder, tout de même ?
                    A. SARRAZIN, l'Astragale, p. 62.

Loc. *Chèque* en blanc.*

♦ **2.** Loc. adv. (XVIᵉ). **À BLANC** : de manière à devenir, à être blanc. *Il a gelé à blanc.*

CHAUFFER *(un métal)* **À BLANC,** jusqu'à l'incandescence. — Par ext. *Chauffé à blanc* : extrêmement chaud.

19.2 Nous ne sommes pas les premiers à avoir vu la poussière de l'Asie Mineure en été, ses pierres chauffées à blanc, les îles sentant le sel et les aromates, le ciel et la mer durement bleus.   M. YOURCENAR, Archives du Nord, p. 44.

(1871, au p. p.). Fig. Exalter (qqn) ; pousser à l'extrême (des sentiments).

Dans la complète solitude où je vécus, je pus chauffer à blanc ma ferveur, et me maintenir dans cet état de transport lyrique hors duquel j'estimais malséant d'écrire.   GIDE, Si le grain ne meurt, I, 9.   20

Anciennt. *Poudré à blanc :* entièrement poudré.

On voit (...) Caton poudré à blanc et Brutus en panier.   21
                    ROUSSEAU, Julie ou la Nouvelle Héloïse, II, 17.

Saigner* (qqn, un animal) *à blanc,* en le vidant de son sang. — Fig. Épuiser. *Les impôts saignent à blanc le contribuable.*

La rapacité bourgeoise qu'il tenait de son père, cette hérédité du gain qui l'avait jeté secrètement à des spéculations infimes, dès les premiers sous gagnés, s'étalait aujourd'hui, finissait par faire de lui un terrible monsieur saignant à blanc les artistes et les amateurs qui lui tombaient sous la main.   21.1
                    ZOLA, l'Œuvre, p. 407.

Spécialt. **À BLANC** : sans balle. *Cartouche chargée à blanc,* sans projectile offensif. *Un coup à blanc,* sans charge. *Tirer à blanc. Tir à blanc.* — Fig. *À blanc* : sans effet réel, pour essayer. « *Coup d'État à blanc* » (*l'Express,* 21 sept. 1970).

B. *(Le blanc, un blanc).* ♦ **1.** Partie blanche (de certaines choses). — (XIVᵉ). *Blanc de poulet, de perdrix,* la chair blanche de la poitrine. — (V. 1265, *liblans d'un uef*). *Blanc d'œuf* : partie incolore et visqueuse de l'œuf, formée d'albumine*. — Absolt. *Battre* (cit. 14) *des blancs en neige.*

Un plat préparé au blanc, poulet au blanc, à la sauce blanche.

Fam. *Le vin blanc. Aimer le blanc. Boire un coup de blanc. Préférer le blanc sec.* — Loc. (Vieilli). *Être entre le blanc et le clairet,* entre deux vins. — **BLANC DE BLANC, BLANC DE BLANCS** : vin blanc fait avec du raisin blanc. — *Un blanc* : un verre de blanc. *Boire un petit blanc au comptoir. Un blanc-limonade. Un blanc-cassis.* ⇒ **Kir.**

J'ai payé un blanc sec à papa et une glace à la pistache à Philippe au Rendez-vous des Pêcheurs.   21.2
                    Yanny HUREAUX, la Prof, p. 26-27.

Palfy couronna sa réussite en commandant un seul vin, un blanc de blanc.   21.3
                    Michel DÉON, le Jeune Homme vert, p. 213.

Régional (Belgique). *Un blanc* : un genièvre.

(V. 1210). *Le blanc de l'œil.* ⇒ **Cornée, sclérotique.** — Loc. fig. *Regarder qqn dans le blanc des yeux,* bien en face. *Se manger le blanc des yeux* : se quereller. *Rougir jusqu'au blanc des yeux.*

Le duc de Chevreuse rougit jusqu'au blanc des yeux, il s'embarrassa, il balbutia (...)   22
                    SAINT-SIMON, Mémoires, 192, 64.

On se mange dans Paris le blanc des yeux fort mal à propos.   23
                    VOLTAIRE, Lettre à Mᵐᵉ du Deffand, 24 oct. 1772.

(...) alors quoi ? dit-elle en le regardant tout à coup dans le blanc des yeux (...)   24
                    LOTI, Pêcheur d'Islande, IV, 5, p. 236.

Dès qu'il s'animait (...) le blanc de son grand œil chevalin s'injectait d'un peu de sang.   25
                    MARTIN DU GARD, les Thibault, t. VI, p. 128.

Je lui ai dit qu'à douze dollars la tonne, il me prenait pour un couillon et, quand il a compris que je ne rigolais pas, il m'a regardé dans le blanc des yeux comme ceci (...)   25.1
                    G. SIMENON, Feux rouges, p. 40 (1953).

Blanc de baleine* (vx : *ambre blanc*). ⇒ **Spermaceti.**

♦ **2.** (1306, « marge »). Intervalle*, espace libre qu'on laisse dans un écrit. ⇒ **Interligne.** *Laisser des blancs, de grands blancs dans un manuscrit.* — *Blanc* : surface du papier encore non écrit. **EN BLANC.** *Une procuration en blanc.* ⇒ **Blanc-seing.**

Peu de gens sont disposés à signer une confession de foi en blanc (...)   26
                    PASCAL, les Provinciales, 17.

Il n'en sait rien encore, répliqua le diable ; il a laissé le nom en blanc.   27
                    A.-R. LESAGE, le Diable boiteux, I, 38.

Les actes seront inscrits sur les registres, de suite, sans aucun blanc.   28
                    Code civil, art. 42.

Je laissais aux endroits qu'ils *(les bibliothécaires)* n'avaient pu lire des espaces en blanc (...)   29
                    P.-L. COURIER, I, 76.

Par ext. Interruption momentanée d'un programme sonore (bande magnétique, radio) ou visuel (télévision). « *Imaginons qu'il y ait un défaut sur la bande magnétique, une petite zone démagnétisée, un blanc de quelques microns de large, une poussière. Dans les enregistrements normaux, c'est-à-dire analogiques, ce blanc, qu'on appelle aussi "drop-out" se traduit par un petit bruit parasite désagréable* » (*Sciences et Avenir,* nᵒ 373, mars 1978). — Par anal. Support d'informations disponible. ⇒ **Vide.**

Fig. Espace vide, temps* mort.

Je voudrais, au cours de la journée, des blancs, des pauses (...)   30
                    GIDE, Journal, 16 mai 1905.

Puis il y a eu un blanc, un espace vide, un temps mort de longueur indéterminée pendant lequel il ne se passe rien, pas même l'attente de ce qui viendrait ensuite.   30.1
                    A. ROBBE-GRILLET, Projet pour une révolution à New York, p. 7.

Bonjour. Je reviens.   30.2
— Ah, vous êtes au courant ? lui dis-je.
— De quoi ?
— Je vais vous raconter.
— Non. J'arrive.
Un temps. Un blanc. Je demandai, au hasard :
— Pourquoi ? Pierre est en voyage ?
                    Maurice CLAVEL, le Tiers des étoiles, p. 126.

♦ **3.** (1507). Partie centrale d'une cible. ⇒ **Mille** (dans le). — Par ext. Vx. La cible elle-même. *Tirer au blanc. Donner, mettre dans le blanc* (Académie).

On le voit (...) tirer de l'arc et disputer avec son valet lequel des deux donnera mieux dans un blanc avec des flèches.   31
                    LA BRUYÈRE, Caractères de Théophraste, « D'une tardive instruction ».

(1960 ; de *butte en blanc*). Loc. fig. Mod. *De but en blanc :* directement, brusquement, sans préparation. *Aborder qqn, qqch. de but en
blanc.* ⇒ **But** (cit. 3).

32 (...) de but en blanc leur parler d'une affaire (...)
Ce serait être maladroit (...)   LA FONTAINE, Contes ; « Joconde ».
33 (...) s'aller marier de but en blanc avec une inconnue (...)
                                   MOLIÈRE, les Fourberies de Scapin, I, 6.

♦ **4.** (Nom de diverses choses caractérisées par la couleur blanche).
Vx. Petite monnaie d'argent.

34 Il me jette sa bourse, il n'y avait que trois ou quatre pièces de six blancs (...)
                                   Th. GAUTIER, le Capitaine Fracasse, XII.

Bot. Maladie des plantes caractérisée par les efflorescences blanches qui recouvrent les organes aériens, les racines. *Blanc des
céréales, de la vigne, du roster. — Blanc de champignon :* mycélium de l'agaric* champêtre, utilisé pour propager les champignons
de couche. *Blanc de Hollande :* variété de peuplier* blanc. — *Blanc
d'eau :* nénuphar blanc.

Pêche. Hareng de conserve. — Petits poissons servant d'appât (syn. :
poissons blancs). ⇒ **Blanchaille.**

Fig. (Hippol.). *Cheval qui boit dans le blanc, qui boit son blanc,* qui
a le tour de la bouche blanc.

♦ **5.** (V. 1340, *blanc d'Espaigne*). **a** Matière colorante, qui sert à
peindre. *Une porte passée au blanc. Badigeonner de blanc un mur.
Un blanc laqué. Blanc de calamine. Blanc de zinc :* oxyde de zinc.
Blanc d'albâtre : chaux réduite en poudre. *Blanc de chaux. Blanc
de Senlis, de Carmes, de Meudon, d'Espagne.* ⇒ **Calcédoine, craie,
mastic.** *Mettre du blanc à une queue de billard. Blanc d'argent, de
plomb :* sous-carbonate de plomb. ⇒ **Céruse.**

35 Il m'a donné sa recette pour imprimer les panneaux, cartons ou toiles : colle de
peau et blanc d'Espagne, appliqués à la brosse et unis au papier de verre.
                                   E. DELACROIX, Journal 1823-1850, 7 févr. 1847, t. I, p. 261.

b Vx. **BLANC DE FARD :** poudre blanche pour se farder.

36 Ces eaux, ces blancs, ces pommades,
Et mille ingrédients qui font des teints fleuris.
                                   MOLIÈRE, l'École des femmes, III, 2.
37 Sa toilette devint une grande affaire ; tout le monde sut qu'il mettait du blanc (...)
                                   ROUSSEAU, les Confessions, IX.

c Techn. *Blanc optique :* matière colorante bleutée utilisée pour
donner l'impression de la blancheur, dans la fabrication du papier,
du tissu, etc. ⇒ **Azurant.** *En l'absence de coloration au blanc optique, les surfaces blanches paraissent jaunâtres.*

C. N. (1678, La Fontaine). **BLANC, BLANCHE :** personne de race blanche (→ ci-dessus, cit. 8.3). « *La plus belle blanche* » (→ Large,
cit. 3). *Les blancs du Sud des États-Unis.*

38 (...) il y a sept lunes que les blancs de la Virginie se sont emparés de nos terres.
                                   CHATEAUBRIAND, Atala, Épilogue.
39 Moins le blanc est intelligent, plus le noir lui paraît bête.
                                   GIDE, Voyage au Congo, in Souvenirs, Pl., p. 692.

Les pauvres blancs (calque de l'angl. des États-Unis *poor white*), *les
petits blancs :* les blancs dont le niveau de vie est comparable à
celui des noirs (s'est employé en français d'Afrique noire ; se dit en
parlant de divers pays d'Afrique et d'Amérique).

40 Les affranchis, en butte aux vexations des *petits blancs,* appelèrent, en 1793, Port-
au-Prince *Port-aux-Crimes.*
                                   E. LA SELVE, la République d'Haïti, in le Tour du monde, 1879, t. II, p. 194.

La traite des blanches, trafic de femmes blanches destinées à
la prostitution*.

★ **III.** n. f. **BLANCHE.** ♦ **1.** Boule blanche (au billard).

♦ **2.** Fam. *La blanche* (abrév. de *poudre blanche*) : cocaïne. ⇒ **Neige**
(2.).

41 Ça n'sert à rien d'être aux as, ta blanche, c'est comme si t'avais peau d'balle dans
ton morlingue, pisqu'y a pas d'marchands.
                                   H. BARBUSSE, le Feu, t. II, II, XV, p. 5.
42 L'héro, la M, la blanche et le H, toutes ces cames me devinrent familières.
                                   Martin ROLLAND, la Rouquine, p. 100.

♦ **3.** Régional. Eau-de-vie blanche, marc.

♦ **4.** ⇒ **Blanche** (n. f.).

CONTR. Noir. — Écrit, foncé, malpropre, obscur, sale, sombre.
DÉR. Blanchaille, blanchâtre, blanche, n., blanchement, 1. blanchet, 2. blanchet ;
blancheur, blanchir, blanchoyer. — V. Blanquette.
COMP. Blanc-bec, blanc-étoc, blanchecaille, blanc-manger, blanc-manteau, blanc-
nez, blanc-seing.

BLANC-BEC [blãbɛk] n. m. — 1752 ; de *blanc,* et *bec.*

♦ **1.** Vx. (Fam.). Jeune homme imberbe.

♦ **2.** Mod. (Littér. ou plais.). Personne (le plus souvent, jeune homme)
sans expérience et sûre de soi. ⇒ **Béjaune.** *Un blanc-bec prétentieux,
arrogant. Des blancs-becs.*

1 Il est bien honteux qu'une trentaine de blancs-becs aient l'impertinence de vous
aller faire la guerre (...)   VOLTAIRE, Lettre à Catherine II, 95.
2 (...) ce blanc-bec qui, avec tant d'aisance, tant de chic, tant de jeunesse, tenait
tête à plus fort que lui (...)   COURTELINE, Boubouroche, IV.

Quand mon père fit tomber la cendre de son cigare sur le tapis, je remarquai   3
leur expression de mépris amusé. La jeune fille pouffa de rire. Son frère, blanc-
bec boutonneux qui affectait un « chic anglais » (chose courante à Bordeaux), lança
d'une voix perchée : « Monsieur voudrait peut-être un cendrier ? »
                                   Patrick MODIANO, les Boulevards de ceinture, p. 78-79.

♦ **3.** En franç. d'Afrique. Péj. Personne de race blanche. ⇒ **Blanc.**

CONTR. V. **Vieux** (vieux barbon, vieux birbe, vieille barbe...).

BLANC-ÉTOC [blãketɔk] ou BLANC-ESTOC [blãkɛstɔk]
n. m. — 1730, *blanc-estoc, blanc-être ; blanc-étoc,* 1751, Encyclopédie ;
de *blanc,* et *estoc* « tronc d'arbre ».

♦ Techn. Coupe complète d'une forêt (coupe blanche*). — Syn. :
blanc-être (vx). *Des blancs-estocs.*

BLANCHAILLE [blãʃaj] n. f. — 1694 ; de *blanc,* et suff. *-aille.*

♦ Régional ou techn. (pêche). Menu poisson blanc, servant souvent
d'appât. ⇒ **Fretin ; blanquet** (I., 4.).
La blanchaille commençait à sauter au nez des perches ou des brochets.
                                   Hervé BAZIN, Cri de la chouette, p. 227.

BLANCHÂTRE [blãʃɑtʀ] adj. — 1372, *blanchastre ;* de *blanc,* et
suff. *-âtre.*

♦ Qui tire sur le blanc*, est d'un blanc imparfait ou anormal.

(...) la manière de peindre est moins simple (...) Le coloris s'éteint ; il devient de   1
plus en plus blanchâtre, crayeux et blême.
                                   TAINE, Philosophie de l'art, t. II, p. 35.
(...) le docteur Morgan, le sinistre chirurgien criminel, vient de faire son appari-   2
tion, avec ce visage immobile et blanchâtre qu'on lui voit toujours dans les journaux, mais qui doit être un masque.
                                   A. ROBBE-GRILLET, Projet pour une révolution à New York, p. 144.

BLANCHE [blãʃ] n. f. — 1621, *in* D.D.L. ; de *blanc* (II.).

♦ **1.** Mus. Note dont la panse est blanche. *Une blanche vaut deux
noires, une demi-ronde.*

♦ **2.** Billard. Bille blanche. *Jouer sur la blanche.*

♦ **3.** Femme blanche. ⇒ **Blanc** (II., C.).

♦ **4.** ⇒ **Blanc** (III.).

BLANCHECAILLE [blãʃkaj] n. f. — 1935 ; de *blanche* (fém. de
blanc), et *caille,* fig.

♦ Argot, vx. Blanchisseuse. « *Margot la blanchecaille et Fanchon la
cousette* » (G. Brassens).

BLANCHEMENT [blãʃmã] adv. — Fin XIVe ; de *blanc.*

♦ Rare. D'une manière blanche, nette ; proprement (→ Atourner,
cit. 2). « *Une maisonnette blanchement tenue* » (M. Schwob, *in*
T. L. F.).

1. BLANCHET [blãʃɛ] n. m. — V. 1230, « camisole » ; de *blanche*
(fém. de *blanc*), et suff. *-et.*

♦ **1.** (1278). Techn. Étamine de laine claire, grisâtre. — Pharm. Mol-
leton servant à filtrer certains liquides épais.

(1680). Imprim. Feutre absorbant l'humidité de la pâte à papier qui
sort de la forme. — Drap fin garnissant le tympan d'une presse, qui
amortit la pression et en égalise le foulage.

Techn. (sellerie). Morceau de cuir en renforçant un autre.

♦ **2.** Méd. (Vx). Maladie de la bouche. ⇒ **Muguet.**

♦ **3.** Bot. **BLANCHET,** n. m., ou **BLANCHETTE,** n. f. : mâche (1.).
HOM. 2. Blanchet.

2. BLANCHET, ETTE [blãʃɛ, ɛt] adj. — Fin XIIe ; de *blanc.*

♦ Vx ou rare. Légèrement blanc. — Fig. Propret.
HOM. 1. Blanchet.

BLANCHEUR [blãʃœʀ] n. f. — V. 1120 ; de *blanc, blanche.*

♦ **1.** Couleur blanche ; caractère de ce qui est blanc*. — Par ext.
Caractère de ce qui est sans tache. *La blancheur de l'albâtre, de
la neige. Une blancheur crue, éblouissante, éclatante, immaculée ;
une blancheur pure.* ⇒ **Candeur,** 1. (littér.). *La blancheur des cheveux, des poils.* ⇒ **Canitie.** *La blancheur du linge, d'une lessive.
L'azurage* augmente la blancheur du linge, du papier. Un teint
d'une blancheur maladive* (→ Pâleur, cit. 1). *La blancheur de
l'aube.*

1 La mort ne l'a point changée; cette éclatante blancheur *(de son teint),* symbole de son innocence et de la candeur de son âme.
BOSSUET, Oraison funèbre de Marie-Thérèse d'Autriche.

1.1 En effet, la réflexion des monticules de glaces et de la plaine le saisissait de la tête aux pieds, et il lui semblait que cette couleur le pénétrait et lui causait un affadissement irrésistible. Son œil en était imprégné, son regard dévié. Il crut qu'il allait devenir fou de blancheur.
J. VERNE, Un hivernage dans les glaces, p. 310.

1.2 (...) la clarté déserte de ma lampe
Sur le vide papier que la blancheur défend (...)
MALLARMÉ, Brise marine, Œ. compl., Pl., p. 38 (→ Papier, cit. 15).

2 (...) ses épaules étincelaient et dans la blancheur dorée de fines veines bleues couraient au bord des seins. FRANCE, l'Anneau d'améthyste, XIII.

3 (...) les pêchers formaient des bouquets d'une blancheur avivée de rose.
FRANCE, le Petit Pierre, XXX, p. 211.

4 Ces voix claires et acérées mettaient dans la ténèbre du chant des blancheurs d'aube (...) HUYSMANS, En route, p. 5.

5 (...) elle avait un éclat d'une blancheur lumineuse; elle me faisait penser à un beau diamant au clair de lune. A. MAUROIS, Climats, I, 7, p. 62.

♦ **2.** Fig. Candeur, innocence. ⇒ **Virginal.** *La blancheur et la pureté d'une jeune fille. Blancheur d'âme.*

CONTR. Noirceur.

BLANCHIMENT [blɑ̃ʃimɑ̃] n. m. — 1600; de *blanchir.*

♦ **1.** Action de blanchir. ⇒ **Déalbation.** *Le blanchiment d'un mur, d'un plafond. Blanchiment au lait de chaux.* ⇒ **Échaudage.**

♦ **2.** Techn. Action de décolorer pour rendre blanc. *Blanchiment des fibres textiles, des tissus écrus qui sortent de fabrication.* ⇒ **Azurage.** *Opérations de blanchiment* (bouillissage [1.], débouillissage, bain d'acide chlorhydrique, lavage, séchage). *Blanchiment par exposition au soleil.* ⇒ **Herberie.** *Blanchiment chimique* (au chlore, à l'eau oxygénée). ⇒ **Lessivage, lessive.** *Le blanchissage rend au linge sali la blancheur obtenue par le blanchiment.* — *Blanchiment de la cire, des huiles, des colles; de l'ivoire, de la paille, du papier, des peaux.* — *Blanchiment des monnaies:* procédé de nettoiement des monnaies et des pièces d'argent. ⇒ **Dérochage.**

Hortic. Opération qui décolore certains organes des plantes alimentaires. ⇒ **Étiolement.**

Cuis. ⇒ **Blanchir.**

BLANCHIR [blɑ̃ʃiʀ] v. — Déb. XIIᵉ; de *blanc.*

★ **I.** V. tr. ♦ **1.** Rendre blanc ou plus blanc. ⇒ **Décolorer, éclaircir.** *Blanchir les dents. Le soufre blanchit la laine. Blanchir le sucre.* ⇒ **Terrer.** *Blanchir du cuivre au platine.* ⇒ **Platiner.** — (Le sujet désigne la lumière). Donner une teinte claire et blanche à (qqch.). *L'aube blanchit le ciel.*

1 À peine la lumière blanchissait le fond du vallon (...)
BERNARDIN DE SAINT-PIERRE, l'Arcadie, livre II.

2 Le point du jour blanchit les fentes de l'espace.
HUGO, la Légende des siècles, XIII, L'épopée du ver.

3 On ne blanchit pas les nègres et on ne change pas le sang d'un livre. On peut l'appauvrir, voilà tout. FLAUBERT, Correspondance, t. III, p. 69.

3.1 Et ceux-là qui sauront blanchir nos ossements
Les bons vers immortels qui s'ennuient patiemment (...)
APOLLINAIRE, Alcools, p. 168.

Prov. vieilli (et raciste). *À blanchir la tête d'un nègre, on perd sa lessive:* on ne peut corriger un incorrigible. *« C'est vouloir blanchir un nègre »* (Flaubert, *Correspondance,* 1868, *in* T. L. F.): c'est une chose impossible.

Sylv. Enlever à (un arbre) un fragment d'écorce, pour indiquer qu'il doit être coupé.

Hortic. Provoquer l'étiolement de (certains légumes) pour en améliorer l'aspect. *Blanchir des salades.*

(1761) Cuis. Donner une première cuisson à (des fruits, des légumes, certains abats); passer à l'eau bouillante.

Par ext., typogr. *Blanchir une page,* en augmenter les blancs, les interlignes, les marges. ⇒ **Éclaircir.** — Absolt. *Il faut blanchir un peu, le texte est trop serré.*

♦ **2.** (Sujet n. de chose ou de personne). Couvrir d'une couche blanche; enduire d'une couche blanche. *La neige blanchit les sommets. La poudre lui blanchit le visage. Blanchir un mur à la chaux.* ⇒ **Chauler, échauder.** *Blanchir qqch. au blanc d'Espagne.*

4 (...) notre maître Mitis
Pour la seconde fois les trompe et les affine,
Blanchit sa robe et s'enfarine (...) LA FONTAINE, Fables, III, 18.

5 Quand les neiges viennent blanchir les Alpes et le mont Jura (...)
VOLTAIRE, Lettre à Mᵐᵉ du Deffand, 25 janv. 1775.

6 L'hiver blanchit les monts où le milan séjourne (...)
HUGO, la Légende des siècles, XII, VI, « Le Colosse de Rhodes ».

♦ **3.** (1288). Laver, nettoyer* (le linge blanc). *Blanchir du linge,* lui rendre sa couleur primitive. ⇒ **Blanchiment, blanchissage; azurer, herber, lessiver, savonner.** *Blanchir des draps. Donner son linge à blanchir. Blanchir et glacer un col.*

Absolt, vx. Blanchir et repasser. *Cette laveuse blanchit bien.*

(1694). *Blanchir (qqn),* nettoyer son linge.

— Ça c'est du nanan! cria Clémence, en ouvrant un nouveau paquet. 6.1
Gervaise, prise brusquement d'une grande répugnance, s'était reculée.
— Le paquet de madame Gaudron, dit-elle. Je ne veux plus la blanchir, je cherche un prétexte... Non, je ne suis pas plus difficile qu'une autre, j'ai touché à du linge bien dégoûtant dans ma vie; mais, vrai, celui-là, je ne peux pas.
ZOLA, l'Assommoir, V, t. I, p. 181.

♦ **4.** (Mil. XVIᵉ). ⓐ Techn. Faire disparaître les inégalités. ⇒ **Dégrossir.** *Blanchir une planche.* ⇒ **Raboter.** *Blanchir une pièce,* en serrurerie. ⇒ **Limer, meuler.** *Blanchir une pièce forgée.* — *Blanchir la sole d'un sabot de cheval:* limer la sole avant d'ajuster le fer.

ⓑ Fourbir, nettoyer (un métal). *Blanchir de l'argenterie.*

♦ **5.** (XIVᵉ). Abstrait (du sens 3., «nettoyer»). *Blanchir qqn.* ⇒ **Disculper, innocenter.** *Blanchir un accusé. Blanchir qqn d'un scandale, d'un soupçon.*

Il est selon mon cœur de hasarder une opinion qui tende à blanchir un personnage 7
illustre (...) DIDEROT, Essai sur Claude.

Je vais vous le dire, moi, pourquoi il agissait ainsi! s'écrie le procureur général... 7.1
Loin de blanchir l'accusé, cette manière de procéder nous renseigne sur le machiavélisme d'une âme profondément pervertie.
H. TROYAT, la Tête sur les épaules, p. 67.

Blanchir des capitaux, de l'argent, en effacer l'origine illégale ou frauduleuse par des opérations financières.

♦ **6.** Effacer momentanément les symptômes d'une maladie (particulièrement la syphilis). *Les remèdes ne font que blanchir le mal.*

★ **II.** V. intr. ♦ **1.** Devenir blanc. *Les cheveux blanchissent avec l'âge* (cit. 52). *Le jour, l'aube blanchit.* — (Personnes). Avoir des cheveux qui blanchissent (⇒ ci-dessous, cit. 9.1). *Il commence à blanchir. Elle a blanchi assez tôt.*

(...) regardez les champs qui déjà blanchissent pour la moisson. B 8
BIBLE (SEGOND), Évangile selon saint Jean, IV, 35.

Le jour s'approche et l'Olympe blanchit. RACINE, Poésies divines, 5. 9

(...) nous autres, nous rajeunissons en blanchissant, et plus nous blanchissons, plus 9.1
on nous dit qu'on nous aime, plus on nous le montre et plus on le croit.
MAUPASSANT, Fort comme la mort, p. 105.

(Le sujet désigne l'eau). Se couvrir d'écume.

Voyez tout l'Hellespont blanchissant sous nos rames (...) 10
RACINE, Iphigénie, I, 5.

(La rivière) blanchit aux coudes et dort sous la caresse des saules. 11
J. RENARD, Histoires naturelles, p. 7.

(En parlant du teint). *Son teint blanchit.* — (Sujet n. de personne). *Blanchir de rage, de peur.* ⇒ **Blêmir, pâlir.**

♦ **2.** (Sujet n. de personne). Passer un long temps de la vie, vieillir. *Il a blanchi:* il a pris de l'âge. *Blanchir dans* (une situation). — Loc. *Blanchir sous le harnais*.*

Et ne suis-je blanchi dans les travaux guerriers, 12
Que pour voir en un jour flétrir tant de lauriers? CORNEILLE, le Cid, I, 4.

(...) Joseph Mousselon, parlementaire blanchi sous le harnois, vétéran de la révo- 13
lution. G. DUHAMEL, le Voyage de Patrice Périot, II.

Prov. *Tête de fou ne blanchit jamais:* ceux qui n'ont pas de soucis ne vieillissent pas.

▶ **SE BLANCHIR** v. pron.

Se rendre blanc. *Se blanchir en se frottant à un mur.*

Fig. Se disculper. *Il s'est blanchi sans l'aide d'un avocat.*

(...) elle avait dû s'interroger sans fin sur ce premier soir et mon étrange conduite, 13.1
tenter de me blanchir, peser sur sa mémoire au nom de sa foi en moi, espérer
contre l'évidence (...) Maurice CLAVEL, le Tiers des étoiles, p. 265.

▶ **BLANCHISSANT, ANTE** p. prés.

Qui devient blanc. ⇒ **Blanchissant,** adj.

La rive au loin gémit blanchissante d'écume. RACINE, Iphigénie, V, 6. 14

▶ **BLANCHI, IE** p .p. adj.

Devenu, rendu blanc. *Tête blanchie, cheveux blanchis.* — *Linge blanchi. Chemise blanchie.* — *Des ossements blanchis.* — *Mur blanchi à la chaux,* chaulé.

Loc. fig. *Sépulcre blanchi:* hypocrite. ⇒ **Sépulcre.**

(Personnes). Qui a les cheveux blancs. — Loc. fig. *Blanchi sous le harnais, le harnois* (→ ci-dessus, cit. 13). ⇒ **Harnais.**

(Personnes). Dont le linge est lavé, nettoyé. *Pensionnaire logé, nourri et blanchi.*

Fig. Disculpé. *Sortir blanchi d'un scandale.*

N. (Loc. péj. et raciste). Vieilli. *Un (une) mal blanchi(e):* une personne de race noire (employé en appellatif injurieux).

CONTR. Noircir, salir, souiller. — Accuser, charger.
DÉR. Blanchiment, blanchissage, blanchissant, blanchissement, blanchisserie, blanchisseur.
COMP. Reblanchir.

BLANCHISSAGE [blɑ̃ʃisaʒ] n. m. — Fin XVIᵉ; «action de blanchir une surface», 1539; de *blanchir.*

♦ **1.** Action de nettoyer, de blanchir* (I., 3.) le linge. ⇒ aussi **Lessive.** *Envoyer du linge au blanchissage. Payer la note de blanchissage. Blanchissage industriel.* ⇒ **Blanchisserie.** *Blanchissage au* *moyen d'une machine à laver. Opérations de blanchissage.* ⇒ **Triage ; trempage ; essangeage ; coulage ; savonnage ; bouillage ; rinçage ; essorage ; séchage ; calandrage ; apprêt ; repassage.** *Produits utilisés dans le blanchissage* (amidon, bleu, cendre, javel [eau de javel], potasse, soude).

1 (...) il y avait aux manches de la veste de Monsieur, ainsi qu'à celles de la robe de Madame, une vieille paire de manchettes cousues après l'étoffe, et que je lavais tous les Samedis au soir ; point de draps, point de serviettes, et tout cela pour éviter le blanchissage.	SADE, Justine.., t. I, p. 30.

Par métaphore :

2 (...) la seule utilité de Dieu serait de garantir l'innocence et je verrais plutôt la religion comme une grande entreprise de blanchissage, ce qu'elle a été d'ailleurs, mais brièvement, pendant trois ans tout juste, et elle ne s'appelait pas religion. Depuis, le savon manque, nous avons le nez sale et nous nous mouchons mutuellement.	CAMUS, la Chute, p. 129.

♦ **2.** Techn. Opération de raffinage* qui convertit le sucre brut en sucre blanc.

♦ **3.** (De *blanchir*, I., 4.). Techn. Limage.

BLANCHISSANT, ANTE [blãʃisã, ãt] adj. — D.i. ; p. prés. de *blanchir*.

♦ **1.** Littér. Qui devient blanc. *L'aube blanchissante, le jour blanchissant. Les vagues blanchissantes,* écumantes. — Spécialt. *Chevelure blanchissante.* ⇒ aussi **Grisonnant.**

♦ **2.** Techn. Qui rend plus blanc. *Produits blanchissants.*

BLANCHISSEMENT [blãʃismã] n. m. — 1356 ; de *blanchir.*

♦ **1.** Vx. Opération par laquelle on blanchit (qqch.), on rend plus blanc. ⇒ **Blanchissage ; blanchissement.**

♦ **2.** (V. 1570). Littér. Fait de blanchir (II.). *Le blanchissement des cheveux.*

♦ **3.** Fig. Fait d'innocenter, de blanchir* (qqn). « *Le blanchissement crapuleux de Dreyfus...* » (Léon Daudet, *Bréviaire du journ.,* 1936, in T. L. F.).

BLANCHISSERIE [blãʃisʀi] n. f. — 1671 ; de *blanchir.*

♦ **1.** Techn. Lieu où s'effectue le blanchiment (du linge, de la toile ; de la cire). *Une blanchisserie de toiles.*

♦ **2.** Cour. Établissement où l'on fait le blanchissage du linge. ⇒ (régional) **Buanderie.** *Faire laver son linge dans une blanchisserie. Blanchisserie automatique.* ⇒ **Laverie** (automatique).

♦ **3.** Métier du blanchisseur*. *Les problèmes de la blanchisserie.*

BLANCHISSEUR, EUSE [blãʃisœʀ, øz] n. et adj. — 1530 ; *blanquisseur,* 1339 ; aussi « ouvrier qui blanchit les murs », XVIe ; de *blanchir.*

★ **I.** ♦ **1.** Personne dont le métier est de blanchir le linge (manuellement), et éventuellement de le repasser. ⇒ **Buandier** (régional), **lavandier** (vx), **lessivier** (techn.). *Une blanchisseuse de gros, de fin* (de linge fin). — Anciennt. *Lavandière.* Batte, battoir, selle de blanchisseuse. Fer, étendoir, séchoir de la blanchisseuse traditionnelle. — REM. Sans que le mot ait vieilli, le métier tendant à disparaître, il connote le passé.

— (...) Vous étiez blanchisseuse dans votre pays, n'est-ce pas, ma petite ? Gervaise, les manches retroussées, montrant ses beaux bras de blonde, jeunes encore, à peine rosés aux coudes, commençait à décrasser son linge. Elle venait d'étaler une chemise sur la planche étroite de la batterie, mangée et blanchie par l'usure de l'eau ; elle la frottait de savon, la retournait, la frottait de l'autre côté. Avant de répondre, elle empoigna son battoir, se mit à taper, criant ses phrases, les ponctuant à coups rudes et cadencés.
— Oui, oui, blanchisseuse... A dix ans... Il y a douze ans de ça... Nous allions à la rivière...	ZOLA, l'Assommoir, t. I, I, p. 18.

Fig., fam. *Porter le deuil de sa blanchisseuse :* porter des vêtements sales.

♦ **2.** N. m. Personne qui gère un établissement où l'on blanchit le linge, à l'aide de machines. *Porter du linge, des draps chez le blanchisseur ou à la laverie automatique.* — REM. Au Canada, on dit *buandier*.

♦ **3.** Techn. Spécialiste du blanchiment. *Blanchisseur de cire.* — *Blanchisseur (de toiles) sur pré.*

♦ **4.** Personne qui blanchit (I., 5.). « *Un blanchisseur d'âmes* » (Zola). — (1907). Argot. Avocat (→ Blanchir, I., 5.).

♦ **5.** Techn. Ouvrier qui nettoie les lames de couteaux.

★ **II.** Adj. (ou appos.). Techn. *Appareil blanchisseur,* servant à blanchir.

BLANCHOIEMENT [blãʃwamã] n. m. — Attesté 1926 ; de *blanchoyer.*

♦ Rare, littér. Teinte, reflet blanc. — Écrit *blanchoyement :*

(...) je marchai vers elle sans hésiter, comme aspiré par ce sourire harmonieux, par cette luisance des yeux, par ce blanchoyement du cou.
	Vladimir VOLKOFF, le Retournement, p. 80.

BLANCHOYANT, ANTE [blãʃwajã, ãt] adj. — Attesté 1925 ; de *blanchoyer.*

♦ Littér. Qui a des reflets blancs, blanchâtres.

1 (...) tout était blanchoyant. Les squelettes des squares et des rues, les fossiles des hommes et des chiens, restaient, abandonnés çà et là, sous le soleil de la conscience.	J.-M. G. LE CLÉZIO, le Déluge, p. 15.

2 Il avait envie de se transformer soudain en balle de ping-pong et de rebondir follement d'un bout à l'autre du logis, en éclairs blanchoyants, impossible à tuer, léger, léger, bien léger.	J.-M. G. LE CLÉZIO, la Fièvre, p. 69.

BLANCHOYER [blãʃwaje] v. intr. — 1080 ; de *blanc, blanche,* et suff. *-oyer.*

♦ Vieilli. Avoir des reflets blancs, des teintes blanches.

L'on voit avec horreur d'antiques ossements
Blanchoyer à travers de pompeux ornements (...)
	MASSON, les Helvétiens, V, *in* LITTRÉ.

DÉR. Blanchoiement, blanchoyant.

BLANC-MANGER [blãmãʒe] n. m. — V. 1275 ; de *blanc,* et *manger.*
Cuisine.

♦ **1.** Gelée faite avec du lait, des amandes, du sucre (→ Crème* d'amandes).

Il a vu cela, lui, toute cette chair d'espagnole, grassouillette et pâle, nourrie de blancs-mangers (...)	Alphonse DAUDET, l'Immortel, p. 126.

♦ **2.** Gelée de viande blanche. *Des blancs-mangers.*

BLANC-MANTEAU [blãmãto] n. m. — 1292 ; de *blanc,* et *manteau.*

♦ Religieux de l'ordre des *servites,* appelé aussi *guillemite. Des blancs-manteaux.*
La rue des Blancs-Manteaux, à Paris (→ Échafaud, cit. 7).

BLANC-NEZ [blãne] n. m. — Fin XVIIIe, Buffon ; de *blanc,* et *nez.*

♦ Zool., vx. Singe cercopithèque, dit aussi *ascagne,* dont le nez porte une tache blanche. *Des blancs-nez.* — Par appos. *Singe blanc-nez.*

BLANC-SEING [blãsɛ̃] n. m. — 1573 ; *blanc-signé,* 1454, encore au XVIe ; de *blanc,* et *seing* « signature ».

♦ Dr. Signature apposée au bas d'une feuille blanche que le signataire a autorisé une personne pour qu'elle la remplisse elle-même. *Donner un blanc-seing. Des blancs-seings. Abus* de blanc-seing.*

1 Quiconque, abusant d'un blanc-seing qui lui aura été confié, aura frauduleusement écrit au-dessus une obligation ou décharge, ou tout autre acte pouvant compromettre la personne ou la fortune du signataire, sera puni des peines (...)
	Code pénal, art. 407.

Loc. *Donner (son, un, le) blanc-seing,* son autorisation, son accord total. ⇒ **Carte** (blanche), **mandat.**

2 (...) mais ceci, pour le moment, me préoccupait le plus, et je suis sûr que tu me comprendras, d'Artagnan, c'était de reprendre à cette femme une espèce de blanc-seing qu'elle avait extorqué au cardinal, et à l'aide duquel elle devait impunément se débarrasser de toi et peut-être de nous.
	DUMAS, les Trois Mousquetaires, t. II, p. 536.

BLANDICE [blãdis] n. f. — V. 1275, archaïque après le XVIe ; repris déb. XIXe dans l'usage littér. ; du lat. *blanditiæ,* pl. de *blanditia* « flatterie ».

♦ Littér. Ce qui flatte, séduit. ⇒ **Caresse, charme, flatterie, jouissance, séduction, tentation.** — REM. Le mot s'emploie presque toujours au pluriel.

1 Ce n'est qu'amours et blandices
Mignardises et délices.	BAÏF, Amour de Francine, III.

2 Je trouvais à la fois dans ma création merveilleuse toutes les blandices des sens et toutes les jouissances de l'âme.
	CHATEAUBRIAND, Mémoires d'outre-tombe, I, 3.

3 L'admirable, dans le Erlkönig de Gœthe, par exemple, c'est que l'enfant soit moins terrorisé que charmé, c'est qu'il cède aux blandices mystérieuses qui échappent aux regards du père.	GIDE, Journal, 27 févr. 1928.

4 Jean-Paul Sénac, je l'ai dit, végétait dans l'ombre d'un politicien (...) qui le couvrait de blandices quand approchait le moment de rédiger un rapport ou de prononcer des harangues.	G. DUHAMEL, Chronique des Pasquier, V, IV.

BLANQUE [blɑ̃k] n. f. — 1541, *blancque* ; de l'ital. *bianca* « blanche ».

♦ Vx. Loterie italienne, en usage au XVIe siècle, où un bulletin blanc faisait perdre. — Par ext. Aux jeux de hasard, Coup où l'on n'amène rien. *Amener blanque :* tirer un mauvais numéro. *Tirer une blanque.*

BLANQUET [blɑ̃kɛ] n. m. — 1600, au sens I., 1.; du provençal mod. *blanquet,* de *blanco* « blanc » ou de *blanc,* par des formes dialectales. → Blanquette.

★ **I.** ♦ **1.** Vx (repris 1918). Variété de vin blanc.

♦ **2.** (1690). Variété de poire. — Syn. : *blanquette.*

♦ **3.** (1838 ; du provençal). Agric. Maladie des oliviers, dont les racines deviennent blanchâtres.

♦ **4.** (1826 ; altéré en *blaquet*). Petits poissons blancs utilisés comme appât. ⇒ **Blanchaille.**

★ **II.** (1879). Pop. Vx. Pièce d'argent (opposé à *jaunet**). « *Salut, belles recettes ! salut jaunets et blanquets !* » (Léon Cladel, *Ompdrailles, in* T. L. F.).

BLANQUETTE [blɑ̃kɛt] n. f. — 1600 ; provençal mod. *blanqueto,* dimin. de *blanco* « blanc », ou du fém. dialectal de *blanc.*

★ **I.** ♦ **1.** Vin blanc mousseux du Languedoc. ⇒ **Clairette.** *Blanquette de Limoux.*
Cépage blanc, variété de chasselas.

♦ **2.** Produit de la première distillation de l'eau-de-vie.

♦ **3.** (1611). Petite poire à peau blanche.

★ **II.** (1735). Ragoût de viande blanche. *Blanquette de veau servie avec du riz. Blanquette d'agneau, de volaille.* — (Sans compl.). *De la blanquette :* de la blanquette de veau. *Blanquette à l'ancienne.*

★ **III.** (1821, *in* Esnault). Argot anc. Argenterie. Monnaie blanche.
(...) il sort deux pièces de cinq francs de sa poche, et l'individu qu'on appelle Coquardet s'écrie :
— Bigre !... pus qu'ça de *balles !* Est-ce que tu as une *cambrousse* qui te donne de la *blanquette ?*
— Non... non !... c'te farce ! au contraire, car hier on a volé, dévalisé chez nous pendant que j'étais à *louper* (...)
Ch. PAUL DE KOCK, la Grande Ville, t. I, p. 181.

BLANQUISME [blɑ̃kism] n. m. — 1870, Veuillot, *in* T. L. F. ; du nom de Louis-Auguste *Blanqui* (1805-1881).

♦ Didact. Théorie révolutionnaire du socialiste utopiste Blanqui. — Par anal. *Un « blanquisme artistique »* (Thibaudet) ; « *blanquisme moral »* (Camus, *l'Homme révolté, in* T. L. F.).

BLANQUISTE [blɑ̃kist] adj. et n. — 1870 (→ Blanquisme) ; de *Blanqui.*

♦ De Blanqui. *Le socialisme blanquiste.* — Favorable au blanquisme (adj. et n.).

BLAPS [blaps] n. m. invar. — 1775 ; dér. sav. du grec *blaptein* « nuire ».

♦ Insecte coléoptère (*Ténébrionidés*) de grande taille, de couleur noire, qui vit dans les lieux obscurs.

BLASE ou **BLAZE** [blɑz] n. m. — 1885, « *sous faux blase* », *in* Esnault ; p.-ê. de *blason.*

♦ **1.** Argot. Nom, et, spécialt, nom propre.
1   Je lui demande son nom : un grognement me répond, quelque blaze compliqué, sans doute.   A. SARRAZIN, la Cavale, p. 237
2   Et puis, ne m'appelez pas Pédro-surplus. Ça m'agace. C'est un blase que j'ai inventé sur l'instant, comme ça, à l'intention de Gabrielle (...)
R. QUENEAU, Zazie dans le métro, Folio, p. 159.

♦ **2.** (1915). Pop. Nez. ⇒ **Blair, pif, tarin.** — REM. Dans ce sens, souvent écrit *blaze.* « *Je sais ce qui nous pend au blaze* » (Céline, *Mort à crédit*).

COMP. Surblase.

BLASÉ, ÉE [blaze] adj. et n. ⇒ **Blaser.**

BLASEMENT [blazmɑ̃] n. m. — 1835 ; de *blaser.*

♦ Rare. État d'une personne blasée. ⇒ **Dégoût, satiété.** — Par ext. :
Les satiétés de la jouissance, le blasement des volontés satisfaites aussitôt qu'exprimées, l'isolement du demi-dieu qui n'a pas de semblables parmi les mortels, le

dégoût des adorations et comme l'ennui du triomphe avaient figé à jamais cette physionomie, implacablement douce et d'une sérénité granitique.
Th. GAUTIER, le Roman de la momie, III.

CONTR. Enthousiasme.

BLASER [blaze] v. tr. — Mil. XVIIe, Mathurin Régnier ; p.-ê. du moy. néerl. *blazen* « gonfler, enfler », d'où *blasé* en picard, rouchi « gonflé ou blêmi par l'excès d'alcool » ; on a invoqué aussi le provençal *blazir* « faner, abîmer », d'orig. francique ; Guiraud propose de rattacher *blason** à ce sémantisme.

♦ **1.** Vx. Brûler, user par l'excès d'alcool.
Un corps que la nature avait bien composé,   1
Mais que le feu qu'il boit sans ressource a blasé (...)
Mathurin RÉGNIER, *in* TRÉVOUX.

♦ **2.** (1762). Mod. Affaiblir, émousser* les sens de (qqn) ; atténuer (les sensations, les impressions) par l'abus. ⇒ **Dégoûter, désabuser, fatiguer, lasser, rassasier, soûler.** *Les mets épicés, les liqueurs fortes blasent le goût. Une vie trop facile l'a complètement blasé, l'a blasé sur tout.*
L'exercice de la Terreur a blasé le crime, comme les liqueurs fortes blasent le   2
palais.   SAINT-JUST, cité par JAURÈS, Hist. socialiste..., t. VIII, p. 392.

▶ **SE BLASER** v. pron. (1785, Sade).
Devenir blasé. — (Personnes). *Se blaser de qqch. Se blaser sur qqch. Il est encore jeune et enthousiaste, mais il finira par se blaser. Se blaser d'un spectacle quotidien.*
(Sentiments) :
L'amour vrai ne se blase point.   2.1
HUGO, l'Homme qui rit, II, 2, 9 (cf. Attiédier, cit. 9).

▶ **BLASÉ, ÉE** passif, p. p. et adj. Plus courant.

a Émoussé par les excès, la satiété (en parlant des sens, des sensations). *Un palais blasé.*

b (Personnes, facultés psychiques, sentiments). Dont les sensations, les émotions ont perdu leur vigueur et leur fraîcheur, qui n'éprouve plus de plaisir à rien. ⇒ **Froid, indifférent, insensible ; dégoûté, fatigué.** *Être complètement blasé* (cf. *Être revenu de tout, avoir fait le tour de...*). *Être blasé par l'excès, l'habitude. Blasé de qqch. — Des personnes blasées. Un milieu blasé.* — *Esprit, cœur blasé.*
Les sens usés sans avoir joui, l'esprit affaibli sans avoir produit rien de bon, et   3
blasé sans avoir rien goûté.   D'ALEMBERT, Œuvres, t. IV, p. 220.
Ainsi la pointe de la douleur est émoussée, non que le cœur soit blasé, non que   4
l'âme soit aride (...)   Mme DE STAËL, Corinne, II, 4.
Avant la fin du jour blasé du lendemain (...)   5
HUGO, les Chants du crépuscule, 13.
(...) quoi que l'on ait dit de la satiété et du dégoût qui suit ordinairement la pos-   6
session, tout homme qui a l'âme un peu bien située, et qui n'est pas blasé misé-
rablement et sans ressource, sent son amour s'augmenter de son bonheur (...)
Th. GAUTIER, Mlle de Maupin, VII.
Les gens qui se disent blasés n'ont jamais rien éprouvé : la sensibilité ne s'use pas.   7
J. RENARD, Journal, 28 déc. 1896.
On jouit certes mieux du théâtre quand on l'aime et qu'il est mauvais, que quand,   7.1
blasé, on est dans une belle loge devant des acteurs de choix (...)
PROUST, Jean Santeuil, Pl., p. 747.
À côté de ces doctrines dissolvantes, la recherche de la jouissance a créé cette   8
étrange société qui, bientôt, trouvait dans les perversions les plus singulières un
coup de fouet aux sens blasés.   Louis MADELIN, Talleyrand, XL, p. 436.
Ce sont les esprits blasés, ce sont les esprits prévenus qui ne savent plus rien voir,   9
qui ne peuvent plus rien découvrir avec leurs yeux ternis et secs.
G. DUHAMEL, le Temps de la recherche, XVI.
N. (1817). *Un blasé, une blasée. Faire le blasé.* ⇒ **Dégoûté, sceptique.**
(...) lui, s'épuisant à vouloir procurer à cette blasée d'amour une commotion qu'elle   10
ignorât encore (...)   Alphonse DAUDET, Sapho, VIII.

CONTR. Attirer, plaire. — (De *blasé*) Avide, enthousiaste, inassouvi.
DÉR. Blasement.

BLASON [blazɔ̃] n. m. — XIIe ; « bouclier », 1160 ; orig. inconnue, comme l'équivalent provençal *blezo* « bouclier » (XIIe) ; on a proposé le francique **blasjan* « enflammer, embraser », d'où « éclat, couleurs vives », ou un dérivé de *Blesum* « Blois », ville qui aurait été renommée pour ses écus ; pour Guiraud, le germanique *blazen, blasen* « souffler, gonfler » explique le sens, par « écu bombé, garni d'une bosse ». → Blasé.

★ **I.** ♦ **1.** Ensemble des signes distinctifs et emblèmes d'une famille noble, d'une collectivité. ⇒ **Armes** (V.), **armoiries** (cit. 1 et 2), **écu, écusson ; bannière, cartouche, panonceau, pennon, sceau.** *Blason peint, brodé, sculpté. Le blason d'une famille impériale. Le blason d'un chapitre, d'une corporation, d'une ville. Blasons de France.* ⇒ **Armorial.** *Blason d'un aîné* (armes pleines), *d'un cadet* (armes brisées). *Peindre un blason.* ⇒ **Armorier.** *Fabricant de blasons.* ⇒ **Armoriste, blasonnier.**
Sir Charles aima la cour pavée de l'Hôtel de Vauclère, sa façade de briques aux   1
cordons de pierre que couronnait un blason taillé (...)
A. MAUROIS, les Discours du Dr O'Grady, VIII, p. 85.
Être fier de son blason. ⇒ **Titre ; nom.**

Loc. fig. *Redorer son blason :* relever sa fortune, lui rendre le lustre du nom que l'on porte. — **Spécialt.** Se dit d'un noble pauvre qui épouse une roturière riche.

Littér. *Ternir son blason* : déshonorer sa famille, déchoir.

♦ **2.** Connaissance, art, science relatifs aux armoiries. ⇒ **Héraldique.** *Expliquer des armoiries selon les règles du blason.* ⇒ **Blasonner** (I., 2.).

2 (...) Le noble poursuivit :
Moi je sais le blason ; j'en veux tenir école. LA FONTAINE, Fables, X, 15.

3 Pour qui sait le déchiffrer, le blason est une algèbre, le blason est une langue (...) Ce sont les hiéroglyphes de la féodalité (...)
HUGO, Notre-Dame de Paris, t. I, III, 2.

Termes de blason. ⇒ **Champ, table.**
Écu.
Formes de l'écu : écu allemand, anglais, espagnol, flamand, français, italien, polonais, portugais, suisse.
Positions ou points dans l'écu. ⇒ **Abîme, cœur, flanc ; chef, pointe ; dextre, senestre ; canton.**
Partitions* de l'écu : contre-palé, coupé, écartelé, équipolé, gironné, parti, taillé, tiercé (en bande, en barre, en chevron, en fasce, en pal, en pointe), tranché, sautoir (écartelé en sautoir) ; quartier. — *Partitions sur le triangle :* chapé, chaussé, embranché, emmanché, vêtu. — *Partitions courbes :* darpo, enclavé. — *Menues partitions :* billeté, denché, denté, échiqueté, endenté, engrelé, enlevé, fuselé, maçonné, moucheté, nébulé, ondé, plumeté ; à crénelures, en lambel (→ ci-dessous les rebattements).
État de l'écu : écu bandé, en bannière, barré, brisé, chapé, chaussé, contre-bandé, contre-barré, croissanté, plein.
Couleurs ou *émaux :* azur, carnation, gueules, orangé, pourpre, sable, sinople. *Fourrures* ou *pannes :* panne ; hermine, vair, tire (rangée de vair), vairé ; contre-hermine, contre-vair. *Métaux :* argent, or.
Pièces honorables : bande (et contrebande), barre (et bâton, contre-barre), bordure (et filière), campagne ou champagne (et plaine), chappe, chausse, chef (et comble), chevron (et étaie), cœur (écu en cœur), croix (et filet en croix), écusson, émanche ou emmanche, émanchure, embrasse (embrasse dextre ou senestre), esquerre, fasce (et devise, trangles, burelles), filière (et jumelles, tierce), flanc (flanc dextre ou senestre), franc-canton, franc-quartier, giron, gousset, losange (grande losange), mantel, orle, pairle, pal (et vergettes), pile, sautoir, vêtement.
Rebattement* des pièces honorables (multiplication des partitions). *Bande et barre :* bandé, barré, contre-bandé, contre-barré, cotice, coticé (en bande, en barre). *Chevron :* chevronné. *Fasce :* burelé, contre-fascé. *Pal :* palé, vergetté. Échiqueté, losangé. Tiercé (en bande, en barre, etc.) ; équipollé.
Modifications des pièces honorables : aiguisé, alésé, bastillé, bretessé, câblé, componé, déché ou denché, déjoint, dentelé, échiqueté, engrêlé, failli, fiché, fleuré, fleuronné, fourcheté, fretté, ondé, patté, potencé, raccourci, rompu, trescheur, vidé, vivré, etc. — *Modifications des extrémités alésées* (croix, etc.) : ancrées, cramponnées, fleurdelysées, fourchetées, guivrées, gringolées, hendées, pommetées, potencées, recerclées, remplies, vuidées.
Meubles ou figures.
Figures naturelles.
Figures humaines : ange, aquilon, buste, dextrochère (bras droit), foi (mains unies), senestrochère (bras gauche), sauvage, tête de Maure.
Animaux : abeilles, agneau pascal, aigle, alérion, bécassine, bélier, canettes, cerf, chabot, cheval, coq, couleuvre, dauphin, hure, immortalité (phénix), léopard, lévrier, lion, merlettes, mouton, ours, pélican. — *Parties d'animaux :* appendice, massaire (ramure de cerf), patte de loup, rencontre (tête vue de face), vol (ailes).
Végétaux : arbre, cep de vigne, coquerelles (noisettes), écot (branche), épis, fleurdelis, quatrefeuille, quintefeuille, redorte (branche tressée), rose, tiercefeuille, trèfle.
Astres, éléments, phénomènes naturels : étoile, globe, lune, soleil ; arc-en-ciel ; coupeau ; goutte ; terrasse (figuration du sol).
Figures artificielles.
Constructions, objets faits de main d'homme : château, donjon, maison, pont, tour, ville ; annelet, arbalète, ardent (torche), bris d'huis, clef, chausse-trape, colonne, cor, courtine, croisette, écusson, flambeau, huchet, lambrequin, maillet, marteau, quintaine, roue, torque, tortil, trabe, vaisseau.
Figures stylisées ou ornementales : anille, besant, 2. billette, carreau, coquille, croissant, engrêlure (filet), étaie, filet, filière, flanquis ou flanchis, franc-canton, frette, fusée, lambel, losange, macle, potence, rai d'escarboucle, tau, triangle, tourteau, vire.
Figures de fantaisie : amphiptère, amphisbène, centaure, chimère, dragon, griffon, guivre, harpie, hydre, licorne, phénix, salamandre, sirène, sphinx.
Attributs des pièces ou meubles (modifications) : abaissé, accolé, adextré, adossé, affronté, ajouré, alterné, ancré, anillé, appointé, arrondi, bastillé, billeté, bardé, branché, bretessé, brisé, brochant, cannelé, cantonné, chargé, composé, couplé, cousu, crénelé, den-

ché, dentelé, denticulé, émanché, empiétant, engrêlé, enquerre (à l'enquerre), enté, flamboyant, fleurdelisé, fleuronné, florencé, fourché, fretté, fuselé, goutté, guivré, haussé, herminé, losangé, mi-parti, moucheté, mouvant, ondé, orlé, ouvert, péri, perlé, peronné, plumeté, pommeté, rayonnant, recerclé, resarcelé, retrait, retranché, semé, senestré, sommé, surmonté, tréflé, volté.
Attributs d'animaux : accorné, ailé, allumé, animé, assis, bâillonné, barbé, bardé (cheval), becqué, bouclé (collier d'animal muni d'une boucle), caudé, colleté, courbé (dauphin... en demi-cercle), couronné, diffamé (sans queue), éployé (aigle), essorant (oiseau s'envolant), gisant (cerf), lampassé (orné d'une langue), léopardé (lion... dans la position du léopard), morné, passant, patté, rampant, saillant, tortillant (serpent).
Attributs de plantes : arraché, écimé, écoté (ébranché), fruité, terrassé (placé sur une « terrasse »).
Attributs propres à certains meubles : affûté (canon), à l'antique (vêtements), appaumé (main), haut (épée), pavillonné (instrument de musique), taré (casque).
Ornements extérieurs à l'écu : banneret (vol banneret), cimier, collier, cordelière, cordon, couronne, cri, heaume, devise, lambrequin, listel, manteau, pavillon, soutien, support, tenant, terrasse, timbre, toque, tortil.

♦ **3.** (1505, « éloge » ; → Blasonner). **Littér.** Poésie décrivant de manière détaillée, sur le mode de l'éloge ou de la satire, les caractères et qualités (d'un être ou d'un objet). *Le Blason du sourcil,* de Maurice Scève. *Les blasons du corps féminin. Célébrer sa dame en un blason.* ⇒ **Blasonner** (3.). — *Le blason,* genre littéraire très en vogue au XVIe siècle.

4 Un (...) livre trepelu *(mesquin),* qui se vend par les bisouars et porteballes *(colporteurs)* au titre : *le Blason des couleurs.* Qui l'a fait ? Quiconque il soit, en ce a été prudent qu'il n'y a point mis son nom. Mais, au reste, je ne sais quoi premier en lui je doive admirer, ou son outrecuidance, ou sa besterie *(bêtise).*
RABELAIS, Gargantua, IX.

★ **II. Techn.** Traverse sculptée reliant les pieds de devant d'un siège.

DÉR. Blasonner.

BLASONNÉ, ÉE [blazone] adj. ⇒ **Blasonner.**

BLASONNEMENT [blazɔnmã] n. m. — 1664, Pomey ; de *blasonner.*

♦ **Techn.** Représentation ou description du blason selon les règles de la science héraldique.

BLASONNER [blazone] v. tr. — 1389 ; de *blason.*

★ **I.** ♦ **1.** Peindre (les armoiries) avec les couleurs, les figures... qui conviennent. *Les graveurs blasonnent les armoiries avec des pointillés, des hachures conventionnelles.* — *Blasonner son écusson de...*
Mettre des armoiries à... *Blasonner un monument, une porte, un papier à lettres.*
(Sujet n. de chose). Orner, figurer sur (un blason). *La fleur de lys qui blasonne l'écusson du Québec.*

♦ **2.** Décrire, expliquer (les armoiries) selon les règles du blason.

★ **II. Fig.** ♦ **1. Vx.** Dépeindre, célébrer par un blason (II.).

♦ **2. Mod.** et **littér.** (Iron.). Railler, se moquer de. ⇒ **Brocarder.**

1 Comment par Pantagruel et Panurge est Triboulet blasonné.
RABELAIS, le Tiers Livre, titre du chapitre XXXVIII.

▶ **BLASONNÉ, ÉE** p. p. adj.

♦ **1.** *Armoiries blasonnées sur un carrosse.*
Qui porte un blason. *Porte blasonnée.*

2 On avait tout sorti : toute la vaisselle, toute l'argenterie du gouvernement blasonnée d'une tête de taureau... Henri FAUCONNIER, Malaisie, p. 152.

Par analogie :

3 Les traductions de la Bible, bonnes et mauvaises, vont se multipliant dans les vitrines des libraires, toutes blasonnées d'imprimaturs.
J. GREEN, Journal, 1958-1967 (Vers l'invisible), p. 164.

(Personnes). Qui possède un blason et un titre nobiliaire. ⇒ **Noble.**
Un mari blasonné.
N. (ironique) :

4 Les titres nobiliaires s'entendaient dans les conversations : « Comte, baron », puis les appellations de sociétés anonymes : « Mon cher président » et celles de la poli-

tique : « M. le ministre ». M. Zerter plaçait des blasonnés dans ses nombreux conseils d'administration.   Pierre HAMP, La Peine des hommes (Moteurs), p. 248.

♦ **2.** Fig. Blâmé, critiqué, tourné en ridicule.

DÉR. Blasonnement, blasonneur.

BLASONNEUR, EUSE [blazɔnœR, øz] n. et adj. — XIVe ; de *blasonner.*
Vieux.

♦ **1.** Personne qui s'occupe de blason. ⇒ **Héraldiste.**

♦ **2.** Fig. Personne railleuse, qui blasonne (II.).
Adjectif :
Les brocards d'un esprit blasonneur.
        HARDY, Rav. du Plut., V, 2, *in* HATZFELD.

REM. Dans ce sens, la variante *blasonnier, ière* [blazɔnje, jɛR] est attestée. Des «*remarques blasonnières*» (Queneau, *Pierrot mon ami*). Hist. littér. Poète auteur de blasons (II.).

BLASPHÉMATEUR, TRICE [blasfematœR, tRis] n. et adj. — 1389, *blasfemateur*; lat. ecclés. *blasphemator*, de *blasphemare.* → Blasphémer.

♦ **1.** N. et adj. Personne qui blasphème. *Un blasphémateur.* ⇒ **Impie, renieur, sacrilège.** *Lapider le blasphémateur* (Lévitique, XXIV, 16).
Ce qu'il y a de remarquable chez Maurice de Talleyrand, c'est que, sacrilège du fait des circonstances (et, bien entendu, je n'entends point par là le réhabiliter), il n'a jamais été blasphémateur.   Louis MADELIN, Talleyrand, XXXIX, p. 424.
Adj. Un sceptique parjure et blasphémateur.

♦ **2.** Adj. Qui a le caractère du blasphème. ⇒ **Blasphématoire.**

CONTR. Adorateur, bénisseur, fidèle, glorificateur, laudateur.

BLASPHÉMATOIRE [blasfematwaR] adj. — 1532 ; de *blasphémer.*

♦ Style soutenu. Qui contient ou constitue un blasphème. Écrit, parole, propos blasphématoire. ⇒ **Impie, sacrilège.**
1 Ne crains point les paroles blasphématoires des officiers du roi d'Assyrie.
       VOLTAIRE, Philosophie, IV, 419.
2 On s'est couché dans la prière avec le soleil (...) et voilà qu'on se réveille en gaieté folle, en soif ardente, proférant comme spontanément des mots blasphématoires, impies.   SAINTE-BEUVE, Volupté, XXI, p. 223.

CONTR. Pieux.

BLASPHÈME [blasfɛm] n. m. — Fin XIIe ; lat. ecclés. *blasphemia*, grec *blasphêmia* «parole impie».

♦ **1.** Parole qui outrage la Divinité, la religion, le sacré. ⇒ **Jurement, sacrilège.** *Dire, lancer, proférer, prononcer, vomir des blasphèmes.* ⇒ **Blasphémer.** *Qui a le caractère du blasphème.* ⇒ **Blasphématoire.** *Un blasphème impie, injurieux. Le blasphème est un péché, un crime contre Dieu. Que la colère ne te pousse pas au blasphème* (Job, XXXVI, 18).
1 Tout péché, tout blasphème sera remis aux hommes, mais le blasphème contre l'Esprit ne sera pas remis.
       BIBLE (CRAMPON), Évangile selon saint Matthieu, XII, 31.
2 (...) le Doute n'est ni une impiété, ni un blasphème, ni un crime; mais une transition d'où l'homme retourne sur ses pas dans les Ténèbres ou s'avance vers la Lumière.   BALZAC, Séraphîta, Pl., t. X, p. 545.
3 Des brutaux vociféraient des blasphèmes. Julien les reprenait avec douceur ; et ils ripostaient par des injures.   FLAUBERT, Trois contes, II, 3.
4 Le blasphème des grands esprits est plus agréable à Dieu que la prière intéressée de l'homme vulgaire ; car, bien que le blasphème réponde à une vue incomplète des choses, il renferme une part de protestation juste, tandis que l'égoïsme ne contient aucune parcelle de vérité.
       RENAN, Dialogues et Fragments philosophiques, p. 15.
5 Le docteur O'Grady peut risquer au mess les pires blasphèmes sans émouvoir le général ni le Padre ; ils ont été élevés à Eton et se savent invulnérables.
       A. MAUROIS, les Discours du Dr O'Grady, XIII, 140.

♦ **2.** Par ext. Propos déplacés et outrageants pour une personne ou une chose considérée comme très respectable, quasi sacrée. ⇒ **Imprécation, insulte.**
6 Pouvons-nous sans folle outrecuidance croire que l'avenir ne nous jugera pas comme nous jugeons le passé ? Voilà les blasphèmes que me suggère mon esprit profondément gâté.   RENAN, Souvenirs d'enfance..., II, I.

CONTR. Bénédiction, respect, vénération.

BLASPHÉMER [blasfeme] v. — Conjug. *céder.* — Fin XIIe ; du lat. ecclés. *blasphemare*, grec *blasphêmein.* → Blâmer.

♦ **1.** V intr. Proférer des blasphèmes. ⇒ **Maudire, renier, sacrer** (intrans.). *Blasphémer contre le Ciel, contre la Providence. La douleur porte à blasphémer* (→ Abaisser, cit. 17). *Taisez-vous, vous blasphémez !*
1 Tu ne blasphémeras pas contre Dieu, et tu ne maudiras pas un prince de ton peuple.   BIBLE (CRAMPON), Exode, XXII, 27.

2 (...) il venge tôt ou tard son saint nom blasphémé (...)
       RACINE, Athalie, II, 7.
3 Riez et blasphémez dans vos heures oisives.
Moi, je ferai passer vos bouches convulsives
Du rire au grincement de dents !   HUGO, Ballades, 8.
4 Les douleurs passagères blasphèment et accusent le ciel ; les grandes douleurs n'accusent ni ne blasphèment, elles écoutent.
     A. DE MUSSET, la Confession d'un enfant du siècle, III, 2, p. 144.

Par ext. ⇒ **Jurer.**
4.1 — Vous avez affaire à moi ! Vous n'aurez pas cette porte !
— C'est vous qui m'en empêcherez ?
— Bon dieu de bon dieu, vous l'aurez pas, que j'vous dis.
— Tiens, vous blasphémez ?
     R. QUENEAU, le Chiendent, p. 342 (1932).

Par ext. Proférer des imprécations, des critiques contre une personne ou une chose considérée comme éminemment respectable, quasi sacrée. ⇒ **Injurier, insulter, jurer.** « *C'est blasphémer que de médire de cet homme, que de critiquer cet ouvrage* » (Académie).
5 Il ne m'est pas venu dans l'idée de me fâcher ou de moins le vénérer, qu'il me vient dans l'idée de blasphémer contre le soleil lorsqu'il se couvre d'un nuage.
     STENDHAL, Souvenirs d'égotisme, p. 38.

♦ **2.** V. tr. Vieilli. Outrager en prononçant des blasphèmes. ⇒ **Injurier, moquer** (se). *Il blasphéma et maudit le nom de Dieu* (Lévitique, XXIV, 1).
5.1 Nous avons blasphémé Jésus
Des Dieux le plus incontestable (...)
    BAUDELAIRE, les Fleurs du mal, "L'examen de minuit", Pl., p. 144.

Par ext. *Blasphémer qqch.* : avoir une attitude qui correspond à un blasphème.
6 Tout tourne en bien pour les élus, jusqu'aux obscurités de l'Écriture ; car ils les honorent, à cause des clartés divines. Et tout tourne en mal pour les autres, jusqu'aux clartés ; car ils les blasphèment, à cause des obscurités qu'ils n'entendent pas.   PASCAL, Pensées, VIII, 375.

Par ext. *Blasphémer la science, la morale, la religion.*
7 Ces hommes qui, selon le langage de l'apôtre, blasphèment tout ce qu'ils ignorent.
    FLÉCHIER, II, 114, *in* LITTRÉ.

CONTR. Bénir, honorer, respecter, vénérer.
DÉR. Blasphématoire. — V. Blasphémateur.

BLASTE [blast] n. m. — 1811, *in* Cottez ; du grec *blastos* «germe». → Blast(o)-.

♦ Bot. Partie de l'embryon végétal qui se développe à la germination. *Le blaste comprend la radicule et la tigelle.*

-BLASTE Second élément de mots savants, du grec *blastos* «germe». ⇒ **Blast(o)-** ; et aussi **chondroblaste, cytoblaste, ectoblaste, endoblaste, érythroblaste, fibroblaste, leucoblaste, mésoblaste, myéloblaste, myoblaste, neuroblaste, ostéoblaste.**
On peut signaler aussi, par exemple : *blépharoblaste* [blefaRoblast] n. m., «corpuscule basal» (⇒ **Blépharo-**); *lymphoblaste* [lɛ̃foblast] n. m., «cellule-mère du lymphocyte» (⇒ **Lympho-**).

BLASTÈME [blastɛm] n. m. — 1815, Mirbel ; grec *blastêma* «bourgeon», de *blastêô* «germer». → Blasto-.
Biologie.

♦ **1.** Hist. des sc. (selon une doctrine abandonnée). Matière vivante liquide qui pourrait donner naissance à des éléments anatomiques constituant un organisme.

♦ **2.** Groupement cellulaire formé d'éléments relativement simples et peu différenciés (souvent désignés par un composé en -blaste), qui donne naissance, par différenciation, spécialisation, etc., à un élément organique ou à un organe. *Blastème de régénération* : groupement analogue au cours d'un processus de régénération.

BLASTO- Élément, du grec *blastos* «germe», servant à produire de nombreux composés en biologie, aux sens de « germe », « embryon », « bourgeon » (depuis le XIXe siècle). ⇒ **Blastocœle, blastocyste, blastocyte, blastoderme, blastogenèse, blastomère, blastomycètes, blastopore, blastozoïde ; -blaste** ; et aussi **blaste, blastula ; blastème.** — Outre ces composés traités à l'ordre alphabétique, on peut signaler des termes plus rares, parfois vieillis. En zoologie et paléontologie : *blastodinium* [blastodinjɔm] n. m. (XIXe) « protozoaire flagellé parasite de copépodes »; *blastoïdes* [blastoid] n. m. pl. (XIXe) « échinodermes fossiles »; *blastophage* [blastofaʒ] n. m. (1909)« coléoptère s'attaquant aux bourgeons des résineux »; *blastotroque* [blastoRɔk] n. m. (XIXe) « genre de madrépores »; — En botanique (*blast[o]* = bourgeon) : *blastocholines* [blastokɔlin] n. f. pl., « acides organiques des fruits »; *blastocolle* [blastokɔl] n. f. (XXe) « substance visqueuse protégeant les bourgeons »; — En médecine et biologie : *blastocinèse* [blastosinɛz] n. f. (1967) « mouvements et déplacements de l'embryon »; *blastophore* [blastofɔR] n. m., « substance de la cellule spermatique »; *blastophtorie* [blastoftɔRi] n. f., « altération des gamètes ».

BLASTOCŒLE ou **BLASTOCÈLE** [blastɔsɛl] n. m. — 1877 ; angl. *blastocœle*, Huxley ; de *blasto-*, et grec *koilos* «creux».

◆ Biol. Cavité de segmentation qui apparaît au stade de la blastula*. ⇒ **Blastocyste**. *Le plancher du blastocœle. Blastomères distribués autour du blastocœle.*

1 L'œuf (...) se métamorphose en *Morula* pourvue d'une cavité centrale, résultant de la division, ou *blastocœle*. G. DARIN, Trad. HUXLEY, Éléments d'anatomie comparée, 1877, p. 46, *in* D. D. L., II, 5.

2 Au milieu du disque germinatif se trouve le blastocœle, sous forme d'une petite cavité dont le toit est formé d'une seule assise de cellules. G. SAINT-RÉMY, Sur quelques mécanomorphoses produites par la force centrifuge sur les œufs de grenouilles fécondés, *in* l'Année biologique 1899, p. 173 (1897).

DÉR. Blastocœlien.

BLASTOCŒLIEN, IENNE [blastɔseljɛ̃, jɛn] adj. — Attesté 1942, Caullery ; de *blastocœle*.

◆ Biol. Qui se rapporte au blastocœle. *Cavité blastocœlienne.*

BLASTOCYSTE [blastɔsist] n. m. — 1906, *in Rev. gén. des sc.*, nº 10, p. 459 ; de *blasto-*, et grec *kustis* «poche gonflée».

◆ Méd., biol. Forme segmentée de l'œuf fécondé au moment où il entre dans l'utérus. « *Le blastocyste est une sphère creuse consistant en une couche cellulaire externe entourant une cavité appelée blastocèle et contenant un groupe de cellules massé en un point donné de la surface interne* » (*la Recherche*, nº 94, nov. 1978).

BLASTOCYTE [blastɔsit] n. m. — 1942, Hertig et Roch ; de *blasto-*, et *-cyte*.

◆ Biol. Cellule embryonnaire non encore différenciée. *Tumeur formée de blastocytes* (blastocytome).

BLASTODERME [blastɔdɛRm] n. m. — 1824, Nysten ; en all., *Pander*, 1818 ; de *blasto-*, et *-derme*.

◆ Biol., embryol. Partie de l'œuf fécondé des mammifères, formée de deux feuillets, qui donnera naissance à l'embryon. ⇒ **Cœlome**. *Cellules du blastoderme.* ⇒ **Blastomère**.

DÉR. Blastodermique.

BLASTODERMIQUE [blastɔdɛRmik] adj. — 1838 ; de *blastoderme*.

◆ Biol. Qui se rapporte au blastoderme. *Feuillets blastodermiques* (→ Cœlome, cit.).

BLASTOGENÈSE [blastɔʒenɛz ; blastɔʒenɛz] — 1894, A. S. I. ; *blastogénésie*, 1838, en bot. ; de *blasto-*, et *-genèse, -génie*. Biologie, embryologie.

◆ **1.** Premier stade du développement de l'embryon, pendant lequel se forme le blastoderme*.

◆ **2.** Mode de reproduction par bourgeonnement. ⇒ **Blastozoïde**.

DÉR. Blastogénétique ou **blastogénique.**

BLASTOGÉNÉTIQUE [blastɔʒenetik] ou (vieilli) **BLASTOGÉNIQUE** [blastɔʒenik] adj. — 1892, Guérin, *blastogénique* ; de *blastogenèse, blastogénie*. Biologie, embryologie.

◆ **1.** Qui provient d'un germe.

Au-dessous des tentacules, le corps comprend (...) la zone sexuelle, la zone blastogénique et le pied. C.-B. DAVENPORT, Compte rendu de Peebles, Études expérimentales sur l'hydre, *in* l'Année biologique 1899, p. 210 (1897).

◆ **2.** Qui se rapporte à la blastogenèse.

BLASTOMÈRE [blastɔmɛR] n. m. — 1877, cit. 1 ; de *blasto-*, et grec *meros* «partie».

◆ Biol. Cellule provenant des premières divisions de l'œuf fécondé. ⇒ **Blastula, morula**. *Les blastomères sont organisés autour d'une cavité, le blastocœle*.

1 La masse protoplasmique (...) se convertit en un corps mûriforme, composé de masses divisées ou blastomères. G. DARIN, Trad. HUXLEY, Éléments d'anatomie comparée, 1877, p.45, *in* D. D. L., II, 10.

2 On peut enlever une ou plusieurs cellules (appelées blastomères) à l'œuf en voie de segmentation. Bien plus l'un des deux premiers blastomères de l'œuf divisé en deux, ou l'un des quatre premiers blastomères de l'œuf divisé en quatre cellules peut donner naissance à un organisme complet. E. WOLFF, les Problèmes de l'embryologie expérimentale, p. 6, Sciences, nº 1.

BLASTOMYCÈTES [blastɔmisɛt] n. m. pl. — 1869, *in* D. D. L. ; de *blasto-*, et *-mycète*.

◆ Bot. Famille de champignons se reproduisant par bourgeonnement (ex. : *levure de bière* et *muguet*). — Au sing. *Un blastomycète.*

Quant au parasite, au blastomycète décrit par Sanfelice, personne ne l'a retrouvé depuis cet auteur. J. COMBY, Traité des maladies de l'enfance, 1902, p. 936, *in* D. D. L., II, 8.

DÉR. Blastomycétien ou **blastomycétique, blastomycose.**

BLASTOMYCÉTIEN, IENNE [blastomisetjɛ̃, jɛn] ou **BLASTOMYCÉTIQUE** [blastomisetik] adj. — Attesté 1910 ; de *blastomycète*.

◆ Bot. Qui se rapporte aux blastomycètes. *Origine blastomycétienne d'une maladie. Dermatite blastomycétique.*

BLASTOMYCOSE [blastomikoz] n. f. — 1909, *in* D. D. L. ; de *blastomycète*, et *mycose*.

◆ Méd. Affection (mycose*) causée par le développement d'un blastomycète* sur la peau, dans un organe. *Blastomycose brésilienne, européenne.* — REM. L'adj. correspondant est *blastomycosique* [blastomikozik].

BLASTOPORAL, ALE, AUX [blastɔpoRal, o] adj. — 1905, *in Rev. gén. des sc.*, nº 8, p. 383 ; de *blastopore*.

◆ Biol., embryol. Qui se rapporte au blastopore ; du blastopore.

Spemann a pu montrer qu'une certaine zone de l'embryon (lèvre blastoporale) joue un rôle privilégié dans la formation des organes embryonnaires. Jean ROSTAND, Esquisse d'une histoire de la biologie, p. 231.

BLASTOPORE [blastɔpoR] n. m. — 1865, *in* Littré-Robin ; de *blasto-*, et *poros* «passage».

◆ Biol., embryol. Orifice de l'intestin embryonnaire primitif ou *archentéron*.

1 Le *prostoma* (*blastopore*, Ray-Lankester) est d'abord largement ouvert, mais il ne tarde pas à se rétrécir. GIRARD, Compte rendu d'HUXLEY, Éléments d'anatomie comparée, 1876, p. 133, *in* D. D. L., II, 10.

2 Les éléments provenant de la lèvre dorsale du blastopore donneront la corde dorsale, axe squelettique sur lequel se moulera la colonne vertébrale (...) Jean GUIBÉ, les Batraciens, p. 75.

DÉR. Blastoporal.

BLASTOZOÏDE [blastozɔid] adj — 1893, E. Perrier ; de *blasto-*, et suff. *-zoïde*, du grec *zôoeidês* «semblable à un animal».

◆ Biol., embryol. Organisme animal d'une colonie, produit par blastogenèse et disponible pour la reproduction par le même phénomène.

BLASTULA [blastyla] n. f. — 1896, cit. ; lat. mod. *blastula* (1880, *in* Cottez), du grec *blastos* «germe» (→ Blasto-), et suff. dimin. du lat. sc. *-ula*. → Gastrula, morula.

◆ Biol., embryol. Stade du développement embryonnaire caractérisé par la formation d'une cavité (⇒ **Blastocœle**) entre les blastomères ; ensemble des blastomères et du blastocœle. *La blastula succède à la morula*. ⇒ aussi **Gastrula**.

L'un des hémisphères de la blastula s'aplatit, se creuse, et finalement se replie à l'intérieur de l'autre, réduisant peu à peu la cavité de segmentation, qui finit par disparaître, quand les deux feuillets se sont accolés l'un à l'autre. CARLET et PERRIER, Précis de zoologie, Masson, 1896, p. 26, *in* D. D. L., II, 12.

BLATÈREMENT [blatɛRmɑ̃] n. m. — 1947, *in* T. L. F. ; de *blatérer*.

◆ Rare. Cri du chameau ou (vx) du bélier.

BLATÉRER [blateRe] v. intr. — Conjug. *céder* — 1834 ; en parlant du bélier, 1681, attestation isolée ; lat. *blaterare* «bavarder» (→ Déblatérer), aussi «blatérer» et «coasser».

◆ Rare. Pousser son cri, en parlant du chameau (et des animaux analogues), du bélier (vx). *Les dromadaires se mirent à blatérer.*

DÉR. Blatèrement.

BLATIER [blatje] n. m. — 1267, *bläetier, blatier* ; p.-ê. du lat. médiéval **bladatarius*, de *bladataria* «entrepôt pour les grains», du rad. **blad*, de *blé*.

◆ Vx. Revendeur de grain. — Appos. *Marchand blatier.*

(...) ils avaient résolu d'entrer dans la ville (...) habillés en blatiers, vêtus comme eux de vareuses blanches. BARBEY D'AUREVILLY, le Chevalier des Touches, p. 110.

BLATTE [blat] n. f. — 1534, Rabelais ; lat. *blatta*, même sens.

◆ Insecte dictyoptère *(Blattidés)* nocturne et omnivore, au corps aplati. *Il existe environ 2 500 espèces de blattes. Les principales variétés de blattes sont la blatte germanique* (Blattella germanica), *la blatte orientale* (Blatta orientalis) *ou cafard*, et la blatte américaine* (Periplaneta americana) *ou cancrelat*. Blatte géante.*

1 D'énormes blattes s'ébattaient sur nos objets de toilette.
          GIDE, Voyage au Congo, in Souvenirs, Pl., p. 705.

2 (...) la blatte cette amie aux bords des bains attiques lucifuge copine et surtout tropicale.
          R. QUENEAU, Petite cosmogonie portative, in Chêne et Chien, p. 144.

BLAUDE [blod] n. f. — XVIᵉ ; orig. incert., p.-ê. forme fém. dialectale de *bliaud*.

♦ Vx ou régional. Blouse*.

À Montigny, Monsieur Grosclaude
Vise sans lapin sans dévier
Ou, vêtu de sa verte blaude
Jette dans le Loing l'épervier
          MALLARMÉ, Vers de circonstance, in Œ., Pl., p. 86.

BLAVET [blavɛ] n. m. — 1793, in D.D.L. ; de *bleu*, d'après le lat. médiéval *blavus*, du francique *blao. → Bleu.

♦ Régional. Champignon comestible de la famille des agarics *(agaric palomet)*.

BLAZE [blaz] n. m. ⇒ Blase.

BLAZER [blazɛʀ ; blɛzœʀ] n. m. — V. 1920 ; mot angl. (1880), de *to blaze* « flamboyer ».

♦ **1.** Anciennt (ou dans le contexte britannique). Veste de flanelle de couleurs vives. *Un blazer à rayures jaunes et bleues.*

♦ **2.** Mod. Veste de sport (d'homme ou de femme) unie, souvent en flanelle. *Un blazer noir, bleu, vert sombre. Blazer croisé, droit. Blazer portant un écusson brodé sur la poche de poitrine.*

(...) elle le voyait marcher vers elle, avec ses pantalons de flanelle, son foulard soigneusement plié dans le col de sa chemise, son blazer bleu sombre, ses mocassins (...)
          F. SAGAN, la Chamade, p. 147.

BLÉ [ble] n. m. — 1080, *blet*, Chanson de Roland ; p.-ê. du francique *blâd « produit du champ » (cf. néerl. *blat* « récolte ») ou du gaul. *blato « farine », par le lat. médiéval *bladum* (au plur. *blada*, VIIᵉ).

♦ **1.** Plante de la famille des graminées* ; céréale* dont le grain sert à l'alimentation. ⇒ **Froment.** *Le blé est une céréale du genre triticum. Principales espèces de blé.* ⇒ **Froment.** *Blé commun ou blé tendre* (à épis barbus ; sans barbes). ⇒ **Touselle.** *Blé poulard ou renflé. Blé dur. Blé amidonnier.* ⇒ **Amidonnier.** *Blé épeautre.* ⇒ **Épeautre.** *Blé barbu. Blé locular. Blé d'hiver, d'automne, de printemps.* — *Racine, tige de blé.* ⇒ **Chaume, éteule, feurre, paille, tuyau.** *Feuille de blé.* ⇒ **Fane.** *Blé fané. Épi et fleurs de blé.* ⇒ **Épi, épillet ; balle, glume, glumelle.** *Le grain de blé est un caryopse*. Culture du blé.* ⇒ **Agriculture, céréaliculture ; agricole** (travaux, opérations agricoles). *Semailles* du blé.* ⇒ **Emblaver, emblavure, ensemencer, semer, semis, semoir.** *Blé de semence. Blé en herbe.* — Fig. *Le Blé en herbe,* titre d'un roman de Colette (1923), dont le thème est l'adolescence. — *Blé vert. Le blé lève, fleurit, mûrit, blondit, jaunit. Blé sur pied. Champ de blé, mer de blé. Les ondulations des blés.* — Loc. *Blond*, doré comme les blés :* d'un blond doré (cheveux). *Les blés d'or. L'or des blés.* Plantes croissant dans un champ de blé ⇒ **Agrostis, ivraie, lychnide, mélampyre, végétal.** *Blé déchaussé, clairsemé. Blé qui verse. Récolte du blé.* ⇒ **Moisson, moissonner ; déblaver, déblayer** (vx), **faucher.** *Des blés coupés en juin, juillet, août* (cit. 1). *Blé en javelles* (⇒ **Enjaveler, javelle, moyette**) ; *en gerbes* (⇒ **Gerbe, gerber**) ; *en meules. Battre le blé.* ⇒ **Battage, battre ; dépiquage.** *Vanner le blé.* ⇒ **Vannage ; tarare, van.** *Mettre le blé en grange.* ⇒ **Engranger.** *Insectes parasites du blé.* ⇒ **Calandre, charançon** (*blé charançonné*), **cosson, teigne, zabre...** *Maladies du blé.* ⇒ **Brouissure** (*blé brouis*), **brûlure** (*blé brûlé*), **carie** (*blé carié*), **charbon** (*blé charbouillé*), **moucheture** (*blé moucheté*), **nielle, niellure** (*blé niellé*), **rachitisme, rouille.** *Blé gelé, blé échaudé*.*

1 Le blé, riche présent de la blonde Cérès (...)
          LA FONTAINE, Fables, IX, 11.
2 Ces blés sont mûrs, dit-il, allez chez nos amis
Les prier que chacun, apportant sa faucille,
Nous vienne aider demain dès la pointe du jour.
          LA FONTAINE, Fables, IV, 22.
3 Les alouettes font leur nid
Dans les blés, quand ils sont en herbe (...)
          LA FONTAINE, Fables, IV, 22.
4 On distingue à peine (...) le blé froment d'avec les seigles.
          LA BRUYÈRE, les Caractères, VII, 21.
5 (...) les champs avaient la pâleur exquise des blés nouveaux (...)
          E. FROMENTIN, Un été dans le Sahara, I.
6 Les blés étaient verts ; ils s'étendaient au loin dans la plaine onduleuse, où les sainfoins se teignaient d'amarante (...)
          E. FROMENTIN, Dominique, III.
7 Les bœufs blonds comme les blés.
          J. RENARD, Journal, 25 oct. 1895.
8 (...) les grandes vagues de blé qui ondulent à l'infini (...)
          Jérôme et Jean THARAUD, l'Ombre de la croix, VIII, p. 189.

Elle *(La Péguinotte)*... ne refusait jamais de donner un coup de main, quand on battait le blé en juillet, sur l'aire brûlante.
          H. BOSCO, l'Âne Culotte, p. 19.   9

Loc. prov. *Manger son blé en herbe :* dépenser d'avance son revenu ; gaspiller son avoir. — Prov. (Vx). *Neige au blé est bénéfice, comme au vieillard la pelisse. Bon champ semé, bon blé rapporte.*

♦ **2.** Le grain* seul de cette plante. *Composition chimique du blé.* ⇒ **Amidon, gluten.** *Porter le blé au moulin. Moudre du blé.* ⇒ **Mouture ; farine, gruau, semoule, son.** *Un hectolitre, un quintal de blé. Un sac, un tas de blé. Grenier, entrepôt à blé. Dock, silo à blé. Conditionnement des blés. Stocker le blé en vue de la soudure. Ravitaillement en blé. Commerce, vente du blé. Office du blé. Cours du blé, des blés.* — *Farine, pain de blé* (on dit plutôt : *de froment*).

Et l'abondance à pleines mains
Verse en leurs coffres la finance,
En leurs greniers le blé, dans leurs caves les vins (...)   10
          LA FONTAINE, Fables, VII, 6.
Suivez le précepte d'Horace : Ayez toujours une année de blé par devers vous,   11
provisae frugis in annum (lib. I, ép. XVIII).   VOLTAIRE, Dict. philosophique, Blé.

Loc. prov. (1673). *Crier famine sur un tas de blé :* se plaindre lorsque l'on est dans l'abondance.

(...) de tous les proverbes que cette production de la nature et de nos soins a fourni,   12
il n'en est point qui mérite plus l'attention des législateurs que celui-ci : « Ne nous remets pas au gland quand nous avons du blé ».
          VOLTAIRE, Dict. philosophique, Blé.

♦ **3.** Vieilli. Champ de blé. *Se cacher, se coucher dans un blé. Marcher dans les blés.* — REM. Quand *blé* est au plur. *(se cacher dans les blés),* le mot est compris aujourd'hui au sens 1. — Prov. *Être pris comme dans un blé :* ne pouvoir s'échapper.

Pour la troisième fois le maître se souvint   13
De visiter ses blés.   LA FONTAINE, Fables, IV, 22.
Je n'ai rien caché à l'homme que vous m'avez envoyé ; je l'ai mené dans un blé ;   14
j'ai abattu en sa présence les épis qui s'élevaient au-dessus des autres.
          FÉNELON, Perlande, in LITTRÉ.
Pourquoi courir les villes   14.1
Quand un si bel été
Promène sur les blés
Ses lumières tranquilles.   Maurice CARÊME, Mère.

♦ **4.** (XVIᵉ). Qualifié. Se dit de graminées distinctes du froment. *Petits blés.* ⇒ **Avoine, orge.** *Blé noir.* ⇒ **Bucail, sarrasin.** *Blé cornu.* ⇒ **Seigle** (ergoté). *Blé de la Saint-Jean.* ⇒ **Seigle.** — *Blé d'Espagne, de Turquie, blé indien* (vx), *blé d'Inde* (vx, littér. : Claudel ; ou régional : Canada, 1603). ⇒ **Maïs.** — *Blé de Tartarie.* ⇒ **Sarrasin.** *Blé de Guinée.* ⇒ **Sorgho.** *Blé des Canaries.* ⇒ **Alpiste.** *Blé méteil*.* — *Blé de vache, blé rouge.* ⇒ **Mélampyre.** *Blé d'amour.* ⇒ **Grémil.**

Accompagné d'un qualificatif, le même nom *(blé)* est encore donné à d'autres   15
plantes : ainsi le *blé noir* est le sarrasin, le *blé de Turquie* ou *blé d'Inde* est le maïs, le *blé méteil* est un mélange de froment et de seigle dans des proportions variées, le *blé trémois* est le seigle de mars, le *blé des Cafres* ou *blé de Guinée* est le sorgho.   Omnium agricole, p. 143.
Faites un sillon, allant tout le jour dans le même sens et semez-y le blé, semez-y le maïs !   16
Le blé indien, qui a plus que la taille d'un homme emplumé, présentant l'épi énorme et aigu. Élevez une mer de cochons.   CLAUDEL, l'Échange, I, p. 161.
On loue son climat *(celui de l'île des Indiens Manitouline)* adouci par le voisinage   17
des eaux du lac Huron et par celui des collines rocheuses de la grande terre, qui l'abritent partiellement vents du Nord. Le blé d'Inde, les melons, les tomates, les prunes et les cerises y viennent à maturité (...)
          H. DE LAMOTHE, Excursion au Canada et à la rivière rouge du nord,
          in le Tour du monde, 1878, t. I, p. 230.

Blé cornu : ergot* du seigle.

♦ **5.** (1866 ; d'abord argot). Fam. Argent. ⇒ **Fric, galette, oseille, osier, trèfle.** *Avoir du blé.*

DÉR. **Bléer.**
COMP. V. **Emblaver.**

BLÈCHE [blɛʃ] adj. — 1596, sens 1 ; mot normand, var. métaphorisée de *blece*, forme régionale de *blet, blette* ; A. Simonin signale que *blesche* est le nom du troisième et avant-dernier grade dans la hiérarchie des Mercelots (truands de mauvaise renommée).

♦ **1.** (XVIᵉ-XIXᵉ). Vx. De caractère faible et dolent.

♦ **2.** (Du sens 1, plus ou moins confondu avec une var. de *blette : poire blaiche ;* emplois régionaux du XIXᵉ passés en argot parisien v. 1880 [1921, Esnault]). Argot. Mauvais ; laid. ⇒ **Moche, tarte.**

Je ne pense pas qu'il se soit vengé, mais la cuisine était d'un blèche ! Dès que vous   1
aviez terminé votre porcife¹, une seule envie vous venait : vous tirer, tant l'odeur des mangeailles voisines devenait débectante.
          Albert SIMONIN, Touchez pas au grisbi, p. 45.
1. Portion.

Elles étaient neuf autour de lui, des gentilles, des grosses, des fluettes et deux   2
alors qu'étaient bien blèches, des hideurs de filles...
          CÉLINE, Guignol's band, p. 57.

REM. Un dér. *bléchard* [bleʃaʀ] est attesté dès 1881 (in Cellard et Rey).

BLED [blɛd] n. m. — Fin XIXᵉ ; arabe maghrébin *blĕd*, arabe class. *bĭlâd* « pays, contrée ».

♦ **1.** En Afrique du Nord, Intérieur des terres, campagne. ⇒ 1. **Brousse** (1.).

1 Encore faut-il que chez l'adversaire, à Tunis, au Caire et dans le bled, une volonté commune se dégage d'arrêter l'effusion de sang.
F. MAURIAC, le Nouveau Bloc-notes 1958-1960, p. 301.

♦ **2.** (1916). Argot milit. Terrain nu : pays désolé, sauvage. *Parcourir le bled.*

♦ **3.** (1934). Fam. *(Un, des bleds).* Village éloigné, isolé, offrant peu de ressources. ⇒ **Patelin, trou.** — Péj. Tout endroit qui n'est pas une grande ville, et où l'on est censé s'ennuyer. *Que faire dans ce bled? Quel bled ici!*

2 Jamais, répondit le duc d'Auge. Je lui ai déjà expliqué que je ne voulais plus remettre les pieds dans ces bleds impossibles. Une croisade c'est beaucoup; deux c'est trop.
R. QUENEAU, les Fleurs bleues, p. 55.

(Avec un poss. ou un compl. de n. en *de*). Village, ville ; spécialt, lieu d'origine. *Retourner dans son bled.*

Lieu (quelconque).

3 On ne doit pas s'amuser beaucoup dans votre bled.
R. QUENEAU, Loin de Rueil, p. 16.

4 — Où qu't'étais, Tilou ?
— A Stuttgart.
— C'est loin, c'bled-là ?
René FALLET, Banlieue Sud-Est, p. 160, *in* CELLARD et REY.

DÉR. (Du 1.) **Blédard.**
HOM. **Blaid.**

BLÉDARD [bledaʀ] n. m. — 1926, *in* Esnault ; de *bled.*

♦ Personne vivant dans le bled (1.). — Spécialt. Soldat servant dans le bled.

1 Le récit du blédard avait une présence de chair. Ils se turent.
J. GENET, Pompes funèbres, p. 14 (1953).

2 Ce François Mocqueur, au visage avenant, que j'avais pris longtemps pour un benjamin des brigades internationales, une sorte de saint Louis de Gonzague des barricades, un libérateur du quartier, était en réalité un bledard *(sic)* chevronné des campagnes de Madagascar.
A. BLONDIN, les Enfants du bon Dieu, p. 58.

3 Une comtesse hongroise, la veuve d'un gros industriel, une danseuse de Tabarin — bref «des blondes» comme disait Marcheret — se prirent aux charmes de ce blédard nostalgique qui, de leurs soupirs, tira de substantiels bénéfices.
Patrick MODIANO, les Boulevards de ceinture, p. 71 (1972).

BLÉER [blee] v. tr. — Conjug. *céder.* — 1842 ; de *blé.*

♦ Rare. Ensemencer (une terre) en blé. ⇒ **Emblaver.**

BLEIME [blɛm] n. f. — 1660 ; mot wallon, du néerl. *blein* «ampoule».

♦ Vétér. Irritation, meurtrissure de la partie sous-cornée du talon de cheval. *La bleime est souvent due à la pression du fer, ou à l'insertion de corps durs entre le fer et la sole du pied. Bleime sèche,* restreinte à un hématome. *Bleime humide,* accompagnée d'un suintement. *Bleime suppurée,* accompagnée d'une rétention de pus.

HOM. **Blême.**

BLÊME [blɛm] adj. — xive ; de *blêmir.*

♦ **1.** Extrêmement pâle ; d'une blancheur maladive (en parlant du visage). ⇒ **Blafard, blanc, livide** (2., cour.), **mat, pâle.** *Avoir un visage, un teint blême.* ⇒ **Hâve.**

1 À cet objet d'horreur, l'œil troublé, le teint blême,
J'ai demeuré longtemps plus morte que lui-même.
ROTROU, Antigone, I, 2.

2 (...) sa face blême comme un fromage où flambait un nez chauffé au rouge.
Th. GAUTIER, le Capitaine Fracasse, XV.

(xve). Personnes. Qui a le teint blême. *Être blême de peur, de colère.* ⇒ **Bleu** (I., 2.), **vert** (*infra* cit. 0.2). *Devenir blême.* ⇒ **Blêmir.**

3 Ni ce matin ni ce soir, trancha Madame Brigitte, blême de colère.
F. MAURIAC, la Pharisienne, p. 124.

♦ **2.** Par métaphore (→ ci-dessous, cit. 5) ou fig. D'une couleur pâle et déplaisante (choses, lumières). *Un jour, une aube, un matin blême. Une lumière, une lueur blême.* ⇒ **Blafard, faible, pâle.** — Poét., vx. *Le rivage blême :* les bords du Styx, fleuve des morts.

4 Le destin (...)
Est jaloux qu'on passe deux fois
Au delà du rivage blême (...)
MALHERBE, VI, 17, *in* LITTRÉ.

5 La disette au teint blême (...)
BOILEAU, le Lutrin, *in* LITTRÉ, V.

6 Un soleil pas bien chaud, c'est vrai, mais tout de même
Point trop à dédaigner par un matin blême.
Edmond ROSTAND, les Musardises, III, «La brouette».

7 (...) il est naturellement impossible de distinguer les flocons les uns des autres : vus de si haut, ils ne forment de place en place qu'un vague halo blanchâtre, douteux lui-même car la lueur des lampadaires est très faible, rendue plus incertaine encore par l'éclat diffus que répandent alentour toutes ces surfaces blêmes, le sol, le ciel, le rideau de flocons serrés (...)
A. ROBBE-GRILLET, Dans le labyrinthe, p. 78.

REM. Même en emploi concret, le mot connote des idées pénibles : *le petit matin blême,* dans un style assez convenu, était celui des exécutions capitales.

N. m. (Rare). Ce qui est blême ; teinte blême.

8 Les trombes regagnent alors chacune son asile, au centre de la terre, vers le noyau liquide de la planète. Mais là où la main les fixe, ce sont deux cordes sans cou-

leurs, dans le genre du blême, qu'une couleur démesurée a raidies en torsades de verre.
J.-M. G. LE CLÉZIO, le Déluge, p. 260.

N. f. Argot. *La blême :* la mort (Céline, *in* Cellard et Rey).

CONTR. Animé, coloré, éclatant, frais, hâlé, rouge, rubicond, sanguin, vermeil.
DÉR. **Blêmeur.**
HOM. **Bleime.**

BLÊMEUR [blɛmœʀ] n. f. — 1885 ; de *blême.* → Pâleur.

♦ Littér., rare. Aspect, couleur de ce qui est blême. — *La blêmeur du visage.* — *Couleur blême.* «*Les blêmeurs de l'aube*» (Henri Barbusse, *le Feu*).

BLÊMIR [blemiʀ] v. — Conjug. *finir.* — 1080, *Chanson de Roland ;* du francique **blesmjan,* de **blasmi* «couleur pâle», l'anc. nordique *blàmi* désigne une couleur sombre : cf. l'évolution de *livide.*

♦ **1.** Intrans. Devenir blême (personnes, visages ; teint...). *Blêmir de peur, de rage.* ⇒ **Blanchir, pâlir, verdir** (*supra* cit. 2).
Absolt. Avoir une réaction visible de peur ou d'extrême colère. *À ces mots, il blêmit.*

1 (...) il *(le Champi)* se mit à blêmir aussi et à trembler et à regarder Madeleine, pensant qu'elle lui parlerait.
G. SAND, François le Champi, IX, p. 82.

2 (...) je ne goûterai jamais une joie plus intense que celle qui m'inondait le jour où, du haut de la tribune, je voyais se convulser ou blêmir tous ces visages de coquins.
M. BARRÈS, Leurs figures, p. 220.

♦ **2.** (Sujet n. de chose). *L'aube blêmit. Une lumière qui blêmit.* ⇒ **Pâlir.**

3 On voit le jour blêmir (...)
HUGO, Caravane.

4 (...) sur le jardin du Luxembourg, l'horizon blêmissait ; des vapeurs circulèrent dans l'avenue, et enveloppèrent d'ouate les touffes noires des cimes.
MARTIN DU GARD, les Thibault, t. I, p. 63.

♦ **3.** Trans. Rendre blême.

5 (...) au-dessus des toits, le clignement de quelques éclairs lointains blêmissait par instants le ciel.
MARTIN DU GARD, les Thibault, t. IV, p. 154.

▶ **BLÊMI, IE** p. p. adj.

6 Remontant l'escalier, Rieux revoyait son visage, blêmi par les fatigues et les privations.
CAMUS, la Peste, V, *in* Récits et nouvelles, Pl., p. 1451.

CONTR. Colorer (se), rougir.
DÉR. Blême, blêmissant, blêmissement.

BLÊMISSANT, ANTE [blemisɑ̃, ɑ̃t] adj. — P. prés. de *blêmir.*

♦ Littér. Qui est en train de blêmir, de devenir blême.

(Visages, personnes). *Teint, visage blêmissant.*

(Choses) :

1 Alors les étoiles s'allument au-dessus de la campagne blêmissante.
E. FROMENTIN, Une année dans le Sahel, p. 65.

2 Quand l'aube parut blêmissante au ciel, ils étaient encore là tous deux ; mais le sergent les chassa de peur d'être puni à cause de son bon vouloir.
Charles DE COSTER, la Légende d'Ulenspiegel,
in Littératures de langue franç. hors de France, p. 213.

BLÊMISSEMENT [blemisɑ̃] n. m. — 1564 ; «action de rendre blême par l'offense», 1190 ; de *blêmir.*

♦ Littér. Fait de blêmir.

Cela prit forme et s'ébaucha derrière les arbres avec le blêmissement de l'apparition ; la masse blanchit ; le jour qui se levait peu à peu plaquait une lumière blafarde sur ce fourmillement (...)
HUGO, les Misérables, t. II, p. 104, *in* T. L. F.

BLENDE [blɛ̃d] n. f. — 1751 ; all. *Blende,* déverbal de *blenden* «éblouir».

♦ Minér. Minerai de sulfure de zinc*, parfois associé au plomb et au cadmium. *Cristaux de blende. La blende est souvent mélangée à la galène. Métal extrait de certaines blendes.* ⇒ **Indium.**

COMP. V. **Pechblende.**
HOM. 1. **Blinde,** 2. **blinde,** formes du v. **blinder.**

BLENNIE [bleni] n. f. — 1558, *belenne ; blenne,* 1754 ; lat. mod. *blennius* (1554), du lat. class. *blendius* (Pline).

♦ Zool. Poisson acanthoptérygien (*Blenniidés*) de petite taille, à grosse tête, au corps allongé et de section arrondie, qui vit en eau douce ou dans les eaux du littoral. *Le corps des blennies est recouvert d'un mucus ressemblant à de la bave.* ⇒ **Baveuse.** *Blennie ocellée, blennie paon, blennie coiffée* (variétés). *Les blennies ressemblent aux gobies.*

BLENNO- Élément, du grec *blenna* «mucus», qui entre dans la composition d'un certain nombre de mots médicaux. ⇒ **Blennorragie, blennorrhée.** Outre ces mots, on peut signaler des composés plus rares : *blennadénite* [blenadenit] n. f., «inflammation des glandes

muqueuses »; *blennogène* [blenɔʒɛn] adj., «qui produit des mucosités »; *blennoïde* [blenɔid] adj., qui ressemble au mucus »; *blennophtalmie* [blenɔftalmi] n. f. (1870), «conjonctivite muco-purulente »; *blennorrhoïde* [blenɔRɔid] adj. (1926), «qui ressemble à l'écoulement blennorragique »; *blennostase* [blenɔstaz] adj., «suppression d'un écoulement muqueux ».

BLENNORRAGIE [blenɔRaʒi] n. f. — 1798, *blennorrhagie*, in Cottez ; de *blenno-*, et *-rragie*.

◆ Méd. Maladie contagieuse vénérienne caractérisée par une inflammation des voies génito-urinaires avec écoulement purulent (par le méat urinaire). ⇒ fam. **Castapiane, chaude-pisse** (et chaude-laux); argot **chtouille** ; → fam. Rhume* de culotte. *Blennorragie gonococcique* (⇒ **Gonorrhée**), *non gonococcique. La blennorragie et ses complications chez l'homme.* ⇒ **Cystite, orchite, prostatite, urétrite.** *Blennorragie chez la femme.* ⇒ **Cystite, métrite, ovarite, salpingite, vaginite.** *Blennorragie chronique.* ⇒ **Blennorrhée.** — Abrév. fam. **BLENNO,** n. f. (1965, Sandry et Carrère). *Des blennos,* ou (invar.) *des blenno.* « *On soignera à l'œil vos blenno* » (San Antonio, *Béru-Béru,* p. 363). — REM. Académie 8e éd. a fixé l'orthographe de ce mot, encore écrit *blennorrhagie* par Littré et Hatzfeld. → suff. *-rrhagie, -rragie.*

DÉR. **Blennorragique.**

BLENNORRAGIQUE [blenɔRaʒik] adj. et n. — 1824, *blennorrhagique* ; de *blennorragie.*

Médecine.

◆ **1.** Qui concerne la blennorragie.

◆ **2.** Atteint de blennorragie.

Même Soledad, dont j'étais tombé amoureux, me lassa en réussissant le même mois à devenir chrétienne, blennorragique, marxiste et enceinte. J'éprouvai une forte impression de démodé.   Jacques LAURENT, les Bêtises, p. 272.

N. *Un, une blennorragique.*

BLENNORRHÉE [blenɔRe] n. f. — Fin XVIIIe, *in* Nysten ; de *blenno-,* et *-rrhée.*

◆ Méd. Écoulement chronique de mucosités et de pus par un conduit naturel. *Blennorrhée oculaire.*

BLÉPHAR-, BLÉPHARI-, BLÉPHARO- Élément, du grec *blepharon* « paupière » qui entre dans la formation de mots scientifiques et médicaux. ⇒ **Blépharite, blépharo-conjonctivite, blépharophtalmie, blépharotic.** Exemples de dérivés plus rares : *blépharadénite* [blefaRadenit] n. f. (1865), « inflammation des glandes palpébrales »; *blépharoplastie* [blefaRɔplasti] n. f. (1865), « greffe des paupières »; *blépharoplégie* [blefaRɔpleʒi] n. f., « paralysie des paupières »; *blépharostase* [blefaRɔstaz] n. f., « immobilisation préopératoire des paupières »; *blépharotomie* [blefaRɔtɔmi] n. f. (1970). — (Dans un autre sens). Bot. *Blépharophore* [blefaRɔfɔR] adj. (1842), « qui porte des cils ».

BLÉPHARITE [blefaRit] n. f. — XVIIIe ; de *bléphar-,* et *-ite.*

◆ Méd. Inflammation de la paupière, et, spécialt, de son bord. *Blépharite ciliaire.*

Il avait le bord des paupières avivé par une légère blépharite.   G. DUHAMEL, Chronique des Pasquier, III, IX.

BLÉPHARO-CONJONCTIVITE [blefaRokõʒõktivit] n. f. — 1878 ; de *blépharo-,* et *conjonctivite.*

◆ Méd. Inflammation des paupières et de la conjonctive.

BLÉPHAROPHTALMIE [blefaRɔftalmi] n. f. — XXe (*in* Larousse, 1928); de *bléphar-,* et *ophtalmie.*

◆ Méd. (Rare). Inflammation des paupières et de la conjonctive. ⇒ **Blépharo-conjonctivite.**

BLÉPHAROSPASME [blefaRɔspasm] n. m. — 1865 ; de *blépharo-,* et *spasme.*

◆ Méd. Contractions spasmodiques de l'orbiculaire des paupières pouvant provoquer des clignements accélérés et répétés des paupières.

BLÉPHAROTIC [blefaRɔtik] n. m. — Mil. XXe ; de *blépharo-,* et *tic.*

◆ Méd. Tic des paupières pouvant se manifester sous la forme de clignements convulsifs ou d'écarquillements.

DÉR. **Blépharotiqueur.**

BLÉPHAROTIQUEUR, EUSE [blefaRɔtikœR, øz] n. — Mil. XXe ; de *blépharotic.*

◆ Méd. Personne qui est atteinte d'un blépharotic.

BLÉRIOT [bleRjo] n. m. — Déb. XXe ; du n. de *Blériot,* ingénieur et aviateur, 1872-1936.

◆ Hist. de l'aéronautique. Type d'avion construit sur le modèle du monoplan utilisé par Blériot dans la première traversée de la Manche en avion (1909).

BLÈSE [blɛz] n. — XIXe (*blésité* attesté déb. XIXe); de *bléser.*

◆ Rare. Personne affectée de blésité*.

BLÈSEMENT [blɛzmã] n. m. — 1838 ; *blaisement,* 1834 ; de *bléser.*

◆ Défaut de prononciation d'une personne qui blèse ; fait de bléser. ⇒ **Blésité.** *Le blèsement d'un enfant.*

Antoinette s'est mise aussi de la partie, répétant avec ce blèsement qu'elle a et dont elle connaît déjà le charme : « Viens avec nous, Pluffe, on va paffer une bonne vournée (...) »   J. DUTOURD, Pluche, XIV, p. 246.

Var. : *blaisèment* [blɛzmã].

BLÉSER [bleze] v. intr. — Conjug. *céder.* — 1219 ; de l'anc. franç. *bles, blois,* du lat. *blæsus* « bègue ».

◆ Didact. ou littér. Parler avec un défaut de prononciation qui consiste à substituer des interdentales aux sifflantes. ⇒ **Blésité.** — Par ext. ⇒ **Zézayer.**

Vx. Bégayer.

Var. : *blaiser* [blɛze].

DÉR. **Blèse, blèsement, blésité.**

BLÉSITÉ [blezite] n. f. — 1803 ; de *blèse.*

◆ Rare. Défaut de prononciation qui consiste à ne pouvoir émettre les sifflantes [s], [z] et à les remplacer par des interdentales ou des postdentales. — REM. La blésité est parfois confondue avec le zézaiement*.

Vx. Bégaiement.

Didact. (psychol.). Trouble du langage consistant dans la persistance de défauts appartenant aux stades enfantins de l'apprentissage du langage (remplacements d'un phonème par un autre, inversions, élisions, réduplications de syllabes, manque de syntaxe...). *Les phonèmes les plus perturbés dans les blésités sont ceux qui ont été les plus difficiles à acquérir. Blésités par substitution ou déformation de phonèmes.* ⇒ **Chuintement, clichement, deltacisme, gammacisme, grasseyement, iotacisme, lambdacisme, 2. mutacisme, zézaiement, zozotement** (d'après R. Lafon).

BLESSABLE [blɛsabl ; blesabl] adj. — 1603 ; repris XIXe ; de *blesser.*

◆ Rare. Qui est susceptible d'être blessé (au propre et au fig.). ⇒ **Vulnérable.** — Surtout en emploi négatif. *Rien ne l'atteint, il n'est pas blessable.*

BLESSANT, ANTE [blɛsã, ãt ; blesã, ãt] adj. — 1145 ; p. prés. de *blesser.*

◆ **1.** Qui heurte, fait souffrir dans l'amour-propre, la délicatesse. ⇒ **Blesser** (3.); **désobligeant, injurieux, mortifiant, offensant.** *Discours, propos, procédés blessants. Paroles blessantes.* ⇒ **Pique, pointe.** — *Sa remarque avait quelque chose de blessant, un côté, un aspect blessant.*

Cette prétendue franchise à l'aide de laquelle on débite des opinions tranchantes ou blessantes est ce qui m'est le plus antipathique.   [1]
    E. DELACROIX, Journal, 8 mars 1949.

(...) je m'étais laissé aller à murmurer quelques mots impatientés et blessants, qui,   [2]
je l'avais senti à une contraction de son visage, avaient porté, l'avaient atteinte.
    PROUST, À la recherche du temps perdu, t. IX, p. 204.

(Personnes). *Il a été blessant par son arrogance, sa morgue.* ⇒ **Arrogant, déplaisant, désagréable.** *Une personne acrimonieuse et blessante. Je n'ai pas voulu être blessant avec lui.*

N. m. Rare. *Le blessant d'une parole, d'une attitude.*

◆ **2.** Rare (au sens concret, → Blesser, 1.). Qui blesse ou peut blesser (le corps, les sens). *Un froid blessant.* ⇒ **Piquant, vif.** *« Une lumière dure, crue, blessante »* (CARCO, *in* T. L. F.).

CONTR. (Du 1.) **Agréable, aimable, charmant, conciliant, consolant.**

BLESSÉ, ÉE [blese] adj. et n. — 1155 ; de *blesser.*

♦ **1. Adj.** [a] Qui a reçu une blessure. *Des soldats blessés ; blessés à la tête. Soigner les civils blessés. — Une tête blessée. Membre, genou blessé.*

1   Elle suffoque, elle se dégage, elle voudrait fuir, blessée, la flèche au flanc.
                        MARTIN DU GARD, les Thibault, t. IV, p. 27.

[b] *Fig. Personne blessée. Être blessé dans son amour-propre* (cit. 10), *dans la délicatesse de ses sentiments.* ⇒ **Froissé, mortifié, offensé.** — *Vanité, fierté blessée. Amour-propre blessé. Cœur blessé* (→ Plein, cit. 17).

2   — Eh bien ! ce n'est pas ma faute, répondit-elle, un peu blessée de ce qu'il ne la tutoyait plus (...)   G. SAND, la Mare au diable, XI, p. 95.
3   Frédéric se sentit blessé, jusqu'au fond de l'âme (...)
                    FLAUBERT, l'Éducation sentimentale, I, VI.

Poét., vx. Blessé par l'amour, et, absolt, *blessé :* amoureux (→ Blesser, cit. 8).

4   Ariane, ma sœur, de quel amour blessée,
  Vous mourûtes aux bords où vous fûtes laissée !   RACINE, Phèdre, I, 3.

♦ **2. N.** Personne qui a reçu une, des blessure(s). *Une blessée. Cet accident de la route a fait un mort et trois blessés. Des blessés de guerre.* ⇒ **Invalide, mutilé.** *Les blessés de la route. Blessés de la face* (→ argot milit. Gueules* cassées). *Un blessé resté infirme, boiteux.* ⇒ **Estropié.** *Transport des blessés.* ⇒ **Ambulance, brancard, brancardier, cacolet, civière.** *Évacuer les blessés. Soigner, opérer les blessés.* ⇒ **Hôpital, infirmerie, infirmier.** *Les assaillants achevèrent* (cit. 21) *les blessés. « Le râle épais d'un blessé qu'on oublie »* (→ Effort, cit. 3, Baudelaire).

5   Voici un peuple qui (...) se dresse comme un lion ; il ne se couche point (...) qu'il n'ait bu le sang des blessés.   BIBLE (CRAMPON), Nombres, XXIII, 24.
5.1 Le blessé est devenu un objet de mode. Il est pour d'autres un objet d'utilité, un paratonnerre.   Ed. et J. DE GONCOURT, Journal, 11 nov. 1870, t. IV, p. 101.
6   Je peux bien parler de ça, car j'ai vu mourir, hélas ! des centaines et des centaines de blessés.   DUHAMEL, Récits des temps de guerre, t. II, p. 49.

REM. Le nom s'emploie avec des adj. qualifiant normalement la blessure, et non la personne blessée : *blessé grave, léger ; un grand blessé.* Ces emplois sont critiqués par les puristes.

CONTR. **Ingambe, intact, sauf** (sain et sauf), **valide.**

BLESSEMENT [blɛsmã] n. m. — 1840, *blessement de la loi ; blecement* «dommage», 1370 ; de *blesser.*

♦ Rare. Fait de blesser (au fig.), d'attaquer en blessant (les sentiments, etc.).

BLESSER [blese] v. tr. — Mil. XIᵉ, *blecier* «meurtrir des fruits» ; *blecer,* 1080, «mettre (qqn) à mal» ; sens mod. v. 1170 ; d'un gallo-roman **blettiara,* du francique **blettjan* «meurtrir» ; Guiraud suppose en outre un croisement avec un **blattiare* gallo-roman, de *blatta, blattea* «sève de la pourpre noire».

♦ **1.** (Sujet n. d'être animé). Frapper d'un coup qui cause une lésion à l'organisme. ⇒ **Blessure** ; **abîmer, amocher, arranger** (fam.) ; **assommer, contusionner, écorcher, éreinter, estropier ; maltraiter, meurtrir, mutiler, navrer** (vx). *Blesser qqn grièvement.* ⇒ 1. **Écharper.** *Blesser qqn à coups de cornes* (⇒ **Encorner**), *à coups de couteau* (⇒ **Couper ; balafrer, entailler, percer, poignarder**), *de dents* (⇒ **Mordre**). *Blesser qqn par écrasement, pression.* ⇒ **Broyer, écraser, fouler, froisser ; contondant.** *Blesser qqn par brûlure.* ⇒ **Brûler.** *Blesser qqn légèrement* (cf. Faire un bobo, une égratignure à...). *Blesser qqn mortellement, à mort. Chacun peut être blessé.* ⇒ **Blessable, vulnérable.** — Spécial (au combat, à la guerre). *Blesser deux ennemis et en tuer un. Se faire blesser et être évacué du front.*

1   L'intention de celui qui blesse ne soulage pas celui qui est blessé.
                        PASCAL, les Provinciales, 7.

Passif et p. p. ⇒ **Blessé.** *Être blessé à la jambe.*

2   Tué, peu importait. Son angoisse était d'être blessé au ventre.
                    MALRAUX, la Condition humaine, Pl., p. 233.

(Sujet n. de chose). Occasionner une blessure à (qqn, un animal, une partie du corps). *Il est tombé sur un tesson qui l'a blessé au genou.* — (Projectiles). *La flèche, la balle qui l'a blessé. La balle a blessé le poumon. Le mors a blessé la bouche du cheval.* — Fig. *Le bât blesse.* ⇒ **Bât** (*supra* cit. 4).

Causer une douleur, faire mal à (qqn, une partie du corps). *Son corset la blessait. Le rocher blessait ses pieds nus.*

3   (...) des souliers qui me blessent furieusement (...)
                MOLIÈRE, le Bourgeois gentilhomme, II, 5.

Techn. Pratiquer une entaille dans (un arbre, une plante).

♦ **2.** [a] (Abstrait). Littér. Causer une impression désagréable, pénible à (un sens, la sensibilité). ⇒ **Affecter.** *Cette horrible scène blesse la vue.* ⇒ **Effaroucher.**

[b] (Concret). Produire une sensation pénible, désagréable sur (un, les sens). *La lumière trop vive blessait les yeux, la vue. Des sons qui blessent l'oreille.* ⇒ **Déchirer, écorcher.**

4   Mes yeux sont trop blessés, et la cour et la ville (...)
  Ne m'offrent rien qu'objets à m'échauffer la bile (...)
               MOLIÈRE, le Misanthrope, I, 1.
5   J'ai remarqué que les enfants ont rarement peur du tonnerre, à moins que les éclats ne soient affreux et ne blessent réellement l'organe de l'ouïe ; autrement cette peur ne leur vient que quand ils ont appris que le tonnerre blesse ou tue quelquefois.   ROUSSEAU, Émile, I.

♦ **3.** [a] Vieilli, par métaphore. (Le sujet désigne un sentiment, un affect ; le compl. désigne une personne). Toucher, atteindre (cit. 15).

6   La main qui me blessait a daigné me guérir ?
             CORNEILLE, Rodogune, IV, 3.
7   (...) la pitié qui me blesse
  Sied bien aux plus grands cœurs, et n'a point de faiblesse.
             CORNEILLE, Polyeucte, I, 1.

Fig., vx. Frapper par l'amour. — Au passif. *Être blessé par, de...*

8   (...) ces hommes saints qui ont été autrefois blessés des femmes.
             LA BRUYÈRE, les Caractères, III, 40.

[b] (1176). Mod. Porter un coup pénible à (qqn), toucher ou impressionner désagréablement les sentiments. ⇒ **Choquer, contrarier, déplaire, heurter, irriter, offenser, ulcérer** (fig.). *Une attitude, des paroles qui blessent qqn, son amour-propre.* ⇒ **Blessant.** *Blesser qqn au vif,* douloureusement. ⇒ **Vif** (piquer, toucher... au vif). *Blesser l'amour-propre, la fierté* (→ 2. Manifeste, cit. 1), *l'orgueil de qqn par des railleries, des moqueries, des taquineries.* ⇒ **Égratigner, froisser, piquer, vexer.** *Un rien le blesse :* il est susceptible, vulnérable. *Blesser une susceptibilité.* — Absolt. *Ce sont des paroles qui blessent, peuvent blesser.*

9   Mais une grande offense est de cette nature
  Que toujours son auteur impute à l'offensé
  Un vif ressentiment dont il le croit blessé (...)   CORNEILLE, Rodogune, I, 5.
10 Et je ne vois rien là, si j'en puis raisonner,
  Qui blesse la pensée et fasse frissonner.   MOLIÈRE, les Femmes savantes, I, 1.
11 (...) la vie est pleine de choses qui blessent le cœur.
          Mᵐᵉ DE SÉVIGNÉ, 438, 30 août, 1675.
12 Les petits esprits sont trop blessés de petites choses ; les grands esprits les voient toutes, et n'en sont point blessés.   LA ROCHEFOUCAULD, Maximes, 357.
13 C'était un fier gueux que ce seigneur, sa vanité était blessée pour peu de chose.
          VOLTAIRE, Dict. philosophique, Amour-propre.
14 Si elles *(les lois divines)* blessent notre raison, c'est parce qu'elles y sont supérieures et qu'elles s'accordent avec les vraies fins de l'homme et non avec ses fins apparentes.   FRANCE, la Rôtisserie de la reine Pédauque, XV.
15 (...) l'immortalité du monde, qui jusque-là l'avait laissée indifférente, eut prise sur elle et la blessa cruellement, comme la dureté des saisons terrasse les corps que la maladie rend incapables de lutter.   PROUST, les Plaisirs et les Jours, p. 62.
16 Jacques eut un mauvais rire. L'attitude de son frère le blessait au vif.
          MARTIN DU GARD, les Thibault, t. VII, p. 272.

♦ **4.** (Sujet n. de personne). Vx ou littér. Enfreindre, aller à l'encontre de (un principe, une règle sociale). ⇒ **Atteinte** (porter atteinte à), **contraire** (être contraire à), **enfreindre, heurter, violer.** *Il lui arrive de blesser les bienséances, les convenances, les règles, les principes, les usages, les goûts.* — (Sujet n. de chose). *Ce récit blesse la vraisemblance. Blesser la pudeur* (⇒ **Attenter** [à]), *la charité. Propos qui blessent le respect.* ⇒ **Irrespectueux...**

17 C'est un peu librement expliquer sa pensée
  Pourquoi ? La bienséance y semble un peu blessée.   MOLIÈRE, Mélicerte, I, 4.
18 Sans blesser la charité et votre conscience mortellement (...)   PASCAL, Lettres, 7.
19 (...) l'on n'y blesse point *(à la cour)* la pureté de la langue.
          LA BRUYÈRE, les Caractères, IX, 53.
20 Celui qui dit (...) de soi, et sans croire blesser la modestie, qu'il est bon (...)
          LA BRUYÈRE, les Caractères, XI, 84.
21 Celui qui blesse la vérité offense les dieux (...)   FÉNELON, Télémaque, III.
22 (...) je vous jure d'être décent, et de ne pas dire un seul gros mot, ni rien qui blesse les convenances.   A. DE MUSSET, Il ne faut jurer de rien, II, 1.

♦ **5.** (Sujet n. de personne ou, plus souvent, de chose). Faire tort*, porter préjudice à (un intérêt). ⇒ **Léser, nuire, préjudicier.** *Cet accord blesse nos intérêts.* ⇒ **Atteinte** (porter).

23 Parle ; et sans espérer que je blesse ma gloire,
  Voyons comment tu sais user de la victoire.   RACINE, Alexandre, V, 3.

▶ **SE BLESSER** v. pron.

♦ **1.** Se faire une blessure à soi-même. *Se blesser en tombant. Se blesser volontairement. Se blesser grièvement.* ⇒ **Estropier** (s'), **mutiler** (se). *Il s'est blessé au genou en tombant.*

♦ **2.** Fig. S'offenser. ⇒ **Formaliser** (se), **offenser** (s'), **piquer** (se). *Il se blesse pour un rien.* ⇒ **Susceptible.**

24 (...) elle dont la susceptibilité de paysanne fière se blessait d'un regard (...)
          ZOLA, la Terre, p. 55.

▶ **BLESSÉ, ÉE** p. p. adj. ⇒ **Blessé** à l'ordre alphabétique.

CONTR. **Épargner, panser, soigner.** — **Caresser, charmer, complaire, complimenter, flatter, louer, réparer.** — **Respecter.** — **Avantager.**

DÉR. **Blessable, blessant, blessé, blessement, blessure.** — V. aussi **Blet.**

BLESSURE [blesyʀ] n. f. — 1138, *blescëure ; blessure,* XIVᵉ ; de *blesser,* et suff. *-ure.*

♦ **1.** Lésion faite aux tissus vivants par une cause extérieure (pression, choc, coup* porté au moyen d'un instrument tranchant ou contondant, arme à feu; chaleur), involontairement ou pour nuire. ⇒ **Lésion, plaie, trauma; balafre, coupure, écorchure, entaille, estafilade, estocade, morsure, mutilation, piqûre; bleu, bosse, brûlure, commotion, contusion, distension, ecchymose, élongation, fêlure, foulure, fracture, froissement, luxation, meurtrissure.** *Blessure béante, ouverte; la blessure bâillait.* ⇒ **Plaie** (cit. 3). *Blessure en séton*.* *Blessure faite au chien par le sanglier.* ⇒ **Décousure.** *Blessure légère, bénigne, superficielle.* ⇒ **Bobo** (fam.), **égratignure, éraflure, griffure; excoriation** (didact.). *Blessure béante, profonde, dangereuse, grave, mortelle.* « *Une blessure large et creuse* » (→ Meurtrir, cit. 2, Baudelaire). *Blessure cruelle, cuisante, douloureuse. Recevoir une blessure, être couvert, criblé de blessures. Soigner, bander, panser, guérir une blessure. Blessure curable, guérissable. Aviver, rouvrir une blessure. Marque, trace d'une blessure.* ⇒ **Cicatrice.**

1   Les défauts de l'âme sont comme les blessures du corps : quelque soin qu'on prenne de les guérir, la cicatrice paraît toujours, et elles sont à tout moment en danger de se rouvrir.   LA ROCHEFOUCAULD, Maximes, 194.

2   Il lui fait dans le flanc une large blessure.   RACINE, Phèdre, V, 6.

2.1   (...) je m'y traînai comme je pus, et m'y étant mise à la même place, tourmentée de mes blessures encore saignantes, accablée des maux de mon esprit et des chagrins de mon cœur, je passai la plus cruelle nuit qu'il soit possible d'imaginer.   SADE, Justine..., t. I, p. 99.

3   Ce jour verdâtre (...) ces ombres vêtues de pansements comme d'un costume de mi-carême, tout cela *(la salle de l'hôpital San Carlos)* semblait un royaume éternel de la blessure, établi là hors du temps et du monde.   MALRAUX, l'Espoir, I, III, 1.

Par métaphore, poét. (→ Ensanglanter, cit. 3).

4   Mes lèvres sont les bords d'une blessure brûlante.   Pierre LOUŸS, Aphrodite, I, p. 23.

Dr. Être inculpé pour coups et blessures. ⇒ **Coup** (cf. Code pénal, art. 309 à 311).

(En parlant d'un animal). *Soigner les blessures d'un cheval. Animal qui lèche ses blessures.* — Fig. (en parlant d'un végétal). Littér. « *Les blessures vertes de l'arbre* » (Giono, le Grand Troupeau).

(Choses). *Les blessures d'un vieux mur.* — Poét. Trace comparée à une blessure. « *La nuit (est...) déchirée de longues blessures de clarté* » (Genevoix, *in* T. L. F.).

♦ **2.** Par métaphore ou fig. Atteinte* morale. ⇒ **Blesser** (3.); **coup, douleur, froissement, offense, trait.** *Blessure de l'âme. Blessure d'amour-propre*.* *Les blessures de l'amour. Infliger une blessure.* ⇒ **Blesser.** *Blessure béante :* peine morale vive et toujours présente. *Accabler de blessures. Rouvrir, raviver une blessure oubliée. Une vieille blessure :* un ancien amour. *Enfoncer, retourner le fer, le poignard dans la blessure.* ⇒ **Plaie.** *Mettre un baume sur une blessure* (→ Baume, cit. 9). *Être insensible, invulnérable* aux blessures.*

5   Il va percer mon cœur et rouvrir ma blessure (...)   VOLTAIRE, Alzire, III, 3.

6   La femme est née pour la souffrance. Chacun des grands pas de la vie est pour elle une blessure.   MICHELET, la Femme, p. 268.

7   (...) de toutes les blessures, celles que font la langue et l'œil, la moquerie et le dédain sont incurables.   BALZAC, le Cabinet des Antiques, Pl., t. IV, p. 349.

8   (...) l'esprit se plaies et ses blessures aussi cruelles et souvent plus horribles que celles du corps.   A. DE MUSSET, l'Anglais mangeur d'opium, Au lecteur.

9   (...) en dépit des froissements, des blessures, qui ne sont point épargnés à ceux qui s'aiment, et surtout quand ils sont des êtres trop sensibles (...)   R. ROLLAND, le Voyage intérieur, p. 133.

10   Mon Dieu je viens à Vous avec toutes mes plaies qui sont devenues des blessures; avec tous mes péchés sous le poids desquels mon âme est écrasée (...)   GIDE, Numquid et tu...?, 29 octobre, *in* Journal 1889-1939, Pl., p. 603.

11   (...) ils ont rompu, je ne sais trop pourquoi et, chez lui au moins, la blessure saigne encore (...)   A. MAUROIS, Terre promise, XXX, p. 210.

12   Il lui restait des souvenirs de beauté humaine comme des blessures.   COCTEAU, le Grand Écart, I.

CONTR. **Guérison, pansement, soin.** — **Caresse, cicatrice, douceur.** — **Apaisement, consolation.**

BLET, BLETTE [blɛ, blɛt] adj. — V. 1295, *blete*, fém.; rare en anc. franç., repris au XVIᵉ; de l'anc. franç. *blece* (→ **Blèche**), de *blecier* « meurtrir ». → **Blesser.**

♦ **1.** Se dit des fruits trop mûrs* dont la chair s'est ramollie. *Poire blette. Ces fruits ne sont plus blets, mais gâtés, pourris. Les nèfles se mangent blettes.*

1   On mange à l'état blet les fruits de quelques espèces de (...)   ADRIEN DE JUSSIEU, dans JAUBERT, Glossaire (*in* LITTRÉ).

Par métonymie. *Un goût un peu blet,* de fruit blet.

♦ **2.** Fig. Qui a l'aspect, la couleur brunâtre du fruit blet.

2   Un peu de sang colora ses joues blettes.   F. MAURIAC, le Nœud de vipères, II, 14, p. 171.

3   Rouge, d'un rouge un peu blet, elle dédaignait la poudre (...)   COLETTE, la Fin de Chéri, p. 80.

♦ **3.** Péj. Marqué par l'âge; plus que mûr*.

(...) adossée à l'oreiller, elle jette sur Thérèse un regard de mépris. Et Thérèse oublie ses questions, paraît se réduire, devenir plus blette, plus informe.   Suzanne PROU, la Terrasse des Bernardini, p. 115.   4

CONTR. **Vert.** — **Dur.**
DÉR. **Blettir.**
HOM. (Du fém.) **Blette.**

BLETTE [blɛt] n. f. ⇒ **1. Bette.**

BLETTIR [bletiʀ] v. intr. — Conjug. *finir.* — 1338; de *blet.*

♦ **1.** Devenir blet*. *Les pommes blettissent moins souvent que les poires.*

Par métaphore :

J'ai fortement avancé... et *Cⁱᵉ* (titre d'une œuvre). Mais je pleure presque de n'y pouvoir travailler dix heures par jour. C'est un fruit mûr qu'il faut cueillir et ne pas laisser blettir.   J.-R. BLOCH, Deux hommes se rencontrent, p. 176.   1

♦ **2.** Au fig. (Péj.). Devenir blet (3.), mûrir* à l'excès.

Moune, c'est comme un modèle, à découper au pointillé, de ce qu'il ne faut pas être à soixante-cinq ans. Moune ou l'art et la manière de mal vieillir. Pourrir dans un coin, blettir dans l'autre, rester jeune juste de là où ça compte pour du beurre.   Benoîte et Flora GROULT, Il était deux fois, 1968, p. 56.   2

Au participe passé :

(...) lorsque les Aurignaciens gravent sur un bloc une vulve et un phallus, il n'y a évidemment aucune recherche pornographique, car il a fallu toute la maturité des civilisations un peu blettes de l'Amérique précolombienne, de l'Inde, de la Chine ou de l'Europe pour atteindre cet état de la figuration.   A. LEROI-GOURHAN, le Geste et la Parole, t. II, p. 250.   3

DÉR. **Blettissement** ou **blettissure.**

BLETTISSEMENT [bletismɑ̃] n. m., ou **BLETTISSURE** [bletisyʀ] n. f. — 1826; de *blettir*.

♦ Maturité excessive, qui rend un fruit blet*.
Blettissure : endroit blet.

BLEU, BLEUE [blø] adj. et n. m. — V. 1121, *bloe, blo, blef*, probablt au sens de « pâle, blanchâtre »; en parlant du ciel pur *(blef)*, v. 1150; *bleu*, XIIᵉ-XIIIᵉ; du francique *blao* (même sens). Cf. all. *blau.*

★ **I.** Adj. ♦ **1.** Qui est d'une couleur entre l'indigo et le vert, dont la nature offre de nombreux exemples, comme un ciel sans nuages (⇒ **Azur, azuré, azureée, azurin, cérulé**), certaines fleurs (⇒ **Bleuet, bluet, myosotis, pervenche**), certains minéraux (⇒ **Lapis-lazuli, saphir**). — (Phys.). *La couleur bleue correspond aux radiations du spectre visible situées entre les raies F* (bleu verdâtre) *et le G* (indigo) *du spectre solaire.*
Un ciel bleu, sans nuages. *Mer bleue. Les flots bleus. Le fleuve bleu :* le Yang-Tsé-Kiang. *Le beau Danube bleu. Montagnes bleues. Brume bleue* (→ Baigner, cit. 9).

1   Ô beau cristal murmurant
Que le ciel est azurant
D'une belle couleur blue *(bleue)*   RONSARD, Odes, V, 13, *in* HUGUET.

2   La nature, la mer, le ciel bleu, les étoiles (...)   HUGO, les Chants du crépuscule, 13.

3   Les ombres bleues des peupliers barrent la route (...)   Fr. JAMMES, Poèmes mesurés, IX.

Fig. *La houille* bleue :* l'énergie des marées.
Une pierre bleue. — Loc. *Pierres bleues :* calcaires du carbonifère de couleur bleue. — Chim. *Cendres bleues* (vx) : carbonate de cuivre artificiel. *Cuivre bleu :* variété de carbonate de cuivre. *Mélange bleu de l'ammoniaque et du sulfate de cuivre.* ⇒ **Céleste** (eau céleste).
Des yeux bleus. ⇒ **Pers.**

4   Si je vous le disais pourtant, que je vous aime,
Qui sait, brune aux yeux bleus, ce que vous en diriez ?   A. DE MUSSET, Choix de poésies, « À Ninon ».

Barbe, chevelure bleue, très noire. *Le conte de Barbe-Bleue. Menton bleu,* rasé mais laissant deviner une barbe noire.

5   Je reconnus ces cheveux noirs, noirs à reflets bleus qu'ils *(les poètes arabes)* comparent au pigeon dans l'ombre (...)   E. FROMENTIN, Un été dans le Sahara, III.

(Qualifiant un animal). Dont l'apparence extérieure (peau, fourrure, etc.) présente une teinte, un reflet bleuté. — Spécial. (Qualifiant une espèce, une variété). *Baleine* bleue. Perruche* bleue. Renard* bleu. Requin* bleu. Mouche bleue.* — *Persan bleu* (chat). — *Race bleue du Maine* (moutons). *Race bleue du Nord* (bovins).
Sang bleu. ⇒ **Sang.** — Fig. Sang noble.

6   L'ancienne noblesse répugnait si bien à cette conformation absolue des organes qu'elle déclarait bleu le sang qui coulait dans ses veines.   G. DUHAMEL, Récits des temps de guerre, t. II, XI, p. 46.

Vêtement, costume bleu. Robe, veste bleue. Pantalon de toile bleue. ⇒ **Blue-jeans.** *Combinaison bleue. Bas bleu.* — Fig. *Bas-bleu.* ⇒ **2. Bas.** *Cordon bleu.* ⇒ **Cordon-bleu.** *Ruban bleu.* ⇒ **Ruban.** *Dentelle bleue :* dentelle anglaise faite à Coventry.
Se dit de certaines personnes vêtues de bleu (→ ci-dessous, II., B.,

1.). *Officier bleu* (vx). *Les hommes bleus* : les Touaregs. *Les filles bleues* (vx) : les religieuses de l'Annonciade.

Cols* bleus : marins français. — *Casques bleus* (par métonymie) : troupes de l'O. N. U.

Ballets bleus. ⇒ **Ballet** (*supra* cit. 5).

Encre bleue, crayon bleu. — Spécialt. *Papier bleu* : papier d'huissier. — *Bibliothèque bleue* : ensemble de romans de chevalerie à couverture bleue. — *Guides bleus*, nom (déposé) d'une série de guides publiés par un grand éditeur français.

6.1 Le Guide Bleu ne connaît guère le paysage que sous la forme du pittoresque (...) Pour le Guide Bleu les hommes n'existent que comme types.
R. BARTHES, Mythologies, p. 121-122.

Loc. **CONTE BLEU** : récit fabuleux (probablt à cause des contes de la bibliothèque bleue). Discours en l'air, sornette.

7 Des vers, des contes bleus, de frivoles sornettes (...)   BOILEAU, Satires, XII.

(De la couleur du ciel évoquant l'idéal, la pureté, l'illusion). Loc. *Songe bleu, rêve* bleu.* — *La fleur bleue, la petite fleur bleue.* ⇒ **Fleur.**
(En parlant d'une viande). Très saignant, à peine grillé. *Steak, bifteck* (cit. 2) *bleu.*

7.1 Le gros mangeur qui désire un steak saignant le commande bleu, peut-être pour oublier sa vraie couleur de sang.   J. PRÉVERT, Choses et autres, p. 260.

Spécialt. *Époque, période bleue d'un peintre* (d'abord appliqué à Picasso), caractérisée par des tonalités à dominante bleue.

7.2 Elle passait au loin, très embellie (...) un peu comme dans ce qu'on a appelé, pour un peintre qui fut de vos tout premiers amis, l'*époque bleue.*
A. BRETON, l'Amour fou, VII, p. 69.

(1957). *Zone* bleue* : zone à stationnement limité, dans une grande ville.

(En France). *Carte bleue*, nom d'une carte* de crédit. — *Compteur bleu* : compteur électrique plus puissant qu'un compteur normal.

7.3 Le monsieur de l'électricité est là... et je ne trouve plus mon compteur bleu...?
Benoîte et Flora GROULT, Il était deux fois, p. 57 (1968).

♦ **2.** [a] (En parlant de la peau). D'une couleur livide*, après une contusion, un épanchement de sang (→ ci-dessous, II., B., 3. : *un bleu*). *Certaines affections rendent la peau bleue, livide ou noirâtre.* ⇒ **Cyanose.** *Œdème bleu.*

[b] Loc. (1837, in D. D. L.). **MALADIE BLEUE** : état morbide provoqué par les malformations congénitales du cœur et des gros vaisseaux, avec coloration bleue des téguments. ⇒ **Tétrade** ou **tétralogie** (de Fallot). — Par métonymie. *Enfant bleu* : enfant ayant la maladie bleue.

7.4 Ce que l'on nomme la maladie bleue s'appelle de son nom technique *la tétralogie de Fallot* (...)
Le sang qui part de l'aorte est donc *(dans cette maladie)* un sang mélangé (...) insuffisamment chargé en oxygène, il est bleu, ce qui explique non seulement la couleur des téguments de l'enfant, mais aussi tous les troubles qu'il présente. (...) beaucoup d'enfants atteints de cardiopathies congénitales, et beaucoup d'enfants bleus en particulier.   Cl. D'ALLAINES, la Chirurgie du cœur, p. 50.

[c] (Personnes). ⇒ **Livide.** *Être bleu de froid, de colère, d'émotion* (⇒ **Vert**), *de peur. En devenir, en être, en rester bleu* : être figé par l'étonnement. ⇒ **Interdit, stupéfait.** *Il en est resté bleu.*

[d] (1616, in D. D. L.). Qui rend bleu (en parlant d'un sentiment). — Cour. *Une peur* bleue.*

7.5 Des fonds roux, des colères bleues, des rages jaunes, et ce continu clignement d'yeux.   J. RENARD, Journal, 18 juin 1900.

7.6 (...) j'aime ma névrose. Je ne veux pas guérir. C'est de là que me vient cette peur bleue, cette panique dès la nuit.   E. IONESCO, Journal en miettes, p. 126.

7.7 Et puis... où était le champ de mines ! François avait une peur bleue des mines, qui vous attaquent lâchement aux jambes, au ventre...
Armand LANOUX, le Commandant Watrin, p. 171-172.

♦ **3.** (1982 ; orig. inconnue). *Nuit bleue* : nuit où plusieurs attentats sont organisés simultanément.

★ **II. N. m. A.** ♦ **1.** (1180). Couleur bleue. *Le bleu est l'une des sept couleurs fondamentales du spectre. Aimer le bleu. Le bleu est une couleur apaisante. Nuances de bleu. Un bleu clair ; bleu d'azur, barbeau, céruléen, céleste, ciel, électrique, horizon ; bleu lavande, bleu de lin, bleu Nattier (du nom du peintre) ; bleu pâle, pastel, bleu de porcelaine, pervenche* (cit. 2), *bleu de faïence* (→ Blond, cit. 6). *Bleu vif, bleu outremer, bleu de roi* ou *de France* : couleur de la maison de France. *Bleu de Prusse. Bleu foncé, bleu marine, bleu hussard ; bleu noir, turquin ; bleu nuit ; gros bleu* (→ Brouillonner, cit.). *Bleu gris ; bleu acier, ardoise* (cit. 1), *éléphant. Bleu gendarme. Bleu vert ; bleu de jade ; bleu paon, pétrole, turquoise. Bleu canard.* — REM. *Les syntagmes peuvent s'employer adjectivement, mais bleu et l'adjectif qui l'accompagne éventuellement restent alors invariables : des yeux bleu vert, des manteaux bleu marine, des touches bleu de Prusse. « Cachemires bleus et bleu de ciel »* (Mallarmé, *la Dernière Mode*, Pl., p. 715).

8 Ce beau vert et ce bleu céleste *(de l'arc-en-ciel)* sont un beau signal d'un Dieu apaisé (...)   BOSSUET, Élévation à Dieu..., 8e sem., 6.

9 Le ciel était d'un bleu de cobalt pur (...)
E. FROMENTIN, Un été dans le Sahara, I.

9.1 Un soir fait de rose et de bleu mystique,
BAUDELAIRE, les Fleurs du mal, « La Mort des amants ».

10 (...) le grand ciel, rien que du bleu, un infini de bleu.
ZOLA, la Faute de l'abbé Mouret, p. 207.

11 Cinq heures de l'après-midi est un moment instable, doré, qui nuit passagèrement au bleu universel, air et eau, où nous nous baignons.
COLETTE, la Naissance du jour, p. 97.

12 Le lac, vu de haut, a la densité du mercure, son éclat mort. Les vignes sulfatées, qui dévalent jusqu'au rivage, sont d'un bleu de poison.
MARTIN DU GARD, les Thibault, t. VIII, p. 95.

(1254). Couleur bleue des vêtements. *Porter du bleu. S'habiller de bleu.* — Loc. *Vouer un enfant au bleu* : faire vœu d'habiller un enfant en bleu, en l'honneur de la Vierge.

12.1 Voilà la jeune rue et tu n'es encore qu'un petit enfant
Ta mère ne t'habille que de bleu et de blanc
APOLLINAIRE, Alcools, « Zone ».

Tirant sur le bleu. ⇒ **Bleuâtre, bleuté.** *Bleu mêlé de rouge.* ⇒ **Lilas, violet.** *Combinaison de bleu et de jaune.* ⇒ **Vert.** *A la lumière, l'azurine est d'un bleu fluorescent.*

En bleu. « *Le plafond peint en bleu...* » (Baudelaire, Pl., p. 58). *S'habiller en bleu. Teinter en bleu.* ⇒ **Azurer ; bleuir, bleuter.**

(1718 ; le poisson prend une teinte bleue). *Au bleu*, façon de préparer certains poissons d'eau douce (truite, carpe) en les jetant vivants dans un court-bouillon salé, vinaigré et aromatisé. *Truite au bleu* (→ Meunier, cit. 4).

♦ **2.** Loc. fig. (1877). *En voir de bleues* : subir des mésaventures (cf. En voir de toutes les couleurs, des vertes et des pas mûres...). — *N'y voir que du bleu* : n'y rien voir, n'y rien comprendre ; se laisser tromper (→ N'y voir que du feu*).

(1866, Amiel). *Être dans le bleu* : être dans le vague.

12.2 Chez lui, le corps n'existait guère ; l'esprit habitait bien haut dans le bleu des légendes ; le cœur seul vivait (...)   Louise MICHEL, la Misère, t. III, p. 575 (1881).

Loc. vieillie. *Voir tout en bleu.* ⇒ **Rose.**

Par métaphore. Azur, milieu céleste.

♦ **3.** (1577). Matière colorante bleue. *Variétés de bleus. Bleus végétaux.* ⇒ **Indigo, pastel, tournesol.** *Bleus minéraux : bleu de Prusse, ou de Berlin* (ferrocyanure de fer). *Bleu d'azur, de smalt.* ⇒ **Azur** (1.), **smalt.** *Bleu de cobalt.* ⇒ **Cobalt.** *Bleu d'outremer* : silicate double d'aluminium, de sodium, etc. *Bleus cuivreux : bleu de montagne* (⇒ **Azurite**) ; *bleu de cuivre ; bleu égyptien ; bleu de Brême, de Hambourg. Bleus de houille.* ⇒ **Aniline, induline, naphtaline, rosaniline ; indophénol, phénol, résorcine.** *Bleu sulfuré. Bleu azoïque.* Teinture bleue. *Bleu de teinturier.* ⇒ **Éméraldine, guède.** *Bleu de lessive. Bleu d'azur.* ⇒ **Azur** (cit. 1 et *supra*). *Passer le linge au bleu*, pour le blanchir. ⇒ **Azurage, azurer.** *Des boules de bleu* (→ Savon, cit. 1).

Loc. fig. (1877). **PASSER AU BLEU** : faire disparaître, subtiliser (⇒ **Escamoter, sauter**) ; éviter ou oublier de faire (cf. Passer à l'as).

12.3 Absolument dépaysé, je passai au bleu dans la prière du matin : dans une cure, Seigneur ! — (...)   Hervé BAZIN, Vipère au poing, p. 144.

Bleu de méthylène* (substance antiseptique et analgésique).

12.4 À la crèche, j'allais le voir en douce : les carreaux étaient passés au bleu, mais j'avais raclé la peinture, dans un coin pour l'apercevoir.
Jean FERNIOT, Pierrot et Aline, p. 156.

Décor bleu (dans l'émaillage, la porcelaine). *Du bleu de Sèvres. Un beau bleu.*

Blason. ⇒ **Azur.**

B. Par métonymie. (Choses ou personnes de couleur bleue.)
♦ **1.** Personne vêtue de bleu. [a] Hist. Nom donné aux soldats républicains par les royalistes vendéens.

13 Théoriquement l'uniforme des volontaires *(pendant la Révolution)* était bleu. La couleur se généralisa. Aussi « les habits bleus par la victoire usés » sont-ils restés dans l'imagination des hommes du temps. Ils caractérisaient l'armée révolutionnaire. Pour les chouans, l'ennemi, c'étaient les « bleus ». Les gendarmes aussi portèrent le nom.   BRUNOT, Hist. de la langue franç., t. IX, p. 951.

13.1 On voit encore au sommet du mont des Alouettes les moulins à vent qu'utilisaient les Vendéens pour signaler les mouvements des Bleus.
S. DE BEAUVOIR, Tout compte fait, p. 255.

N. f. pl. (1679, in D. D. L.). Vx. *Les Bleues* (ou *filles bleues*), religieuses en manteau bleu de l'un des ordres de l'Annonciade.

[b] (1791, in T. L. F.). Jeune recrue (les soldats d'autrefois arrivant souvent à la caserne en blouse bleue). ⇒ **Conscrit, nouveau, novice ; bleu-bite ; bleusaille** (→ Pierrot, cit. 3). *Brimer les bleus.*

14 (...) par des paroles aimables et persuasives comme en ont au lycée les vétérans, au régiment les anciens pour un bleu qu'on veut amadouer (...)
PROUST, À la recherche du temps perdu, t. X, p. 51 (→ Amadouer, cit. 5).

15 L'officier, déjà fort désobligé par ces propos impertinents, bondit de rage lorsqu'il apprit qu'ils étaient tenus par un simple engagé, un « bleu » !
A. ALLAIS, Contes et chroniques, p. 55.

16 Je suis rentré en dépôt de mon régiment. Ce sont tous les jours des bleus à dresser, des détachements à habiller, à équiper. Je suis chef de section (...)
J.-R. BLOCH, Deux hommes se rencontrent, p. 291.

(1898). Nouvel élève. ⇒ **Bizut.** *Tu me prends pour un bleu ! Les bleus et les anciens.*

[c] (1867). Au Canada, Membre du Parti conservateur* (opposé à *rouge**).

♦ **2.** Combinaison de travail, généralement en toile bleue. *Un bleu de mécanicien. Bleu de chauffe** (cit. 1 et 2). — **BLEUS**, n. m. pl. *Mettre ses bleus. Des bleus de travail.*

17 Les pendules du pointage inscrivaient sur les cartons des compagnons en bleu la minute de leur passage.   Pierre HAMP, la Peine des hommes (Moteurs), p. 22.

♦ **3.** (1863). Marque livide sur la peau résultant d'un coup. ⇒ **Ecchymose, meurtrissure.** *Se faire un bleu. Être couvert de bleus.*

18 Mme Gavotte m'écoutait d'une oreille distraite, elle cherchait ses bleus sur ses jambes, sur ses bras : les suçons de Ferdinand. Il l'aime, il la mord.
                                    Violette LEDUC, la Folie en tête, p. 446.

♦ **4.** (1851). *Gros bleu* : gros vin rouge de mauvaise qualité. *Petit bleu* : vin rouge léger.

19 (...) des lorettes sans ouvrage, prises de la tentation d'une journée de campagne et du petit *bleu* du cabaret.   Ed et J. DE GONCOURT, Manette Salomon, p. 98.

20 Goûte à ce velours
Ce petit bleu lourd
De menaces (...)   Georges BRASSENS, le Bistro.

Bleue, n. f. (1903, Willy, *in* D.D.L.). Pop. Absinthe. ⇒ **Verte.**

♦ **5.** (1928). Fromage persillé, préparé à partir du lait de vache (à la différence du roquefort) et dont la pâte est parsemée de moisissures bleuâtres. *Bleu d'Auvergne, bleu de Bresse* (ou *Bresse bleu,* adj.), *bleu des Causses. Un bleu très savoureux, onctueux.*

♦ **6.** (Noms d'animaux). *Bleu d'Auvergne* : chien à poils ras, à plaques noires bleutées. ⇒ **Braque.** — *Bleu de Gascogne* : chien courant à pelage noir et blanc.
Régional. Squale appelé aussi *bleuet* ou *cagnot.* ⇒ **Chien** (de mer), **roussette.**

♦ **7.** Fam., vieilli. *Petit bleu, bleu* : dépêche (sur papier bleu). ⇒ **Pneu, pneumatique** (cit. 4 et *supra*), **télégramme.**
Photogr. Photographie d'un dessin obtenue par impression sur papier au ferroprussiate, les traits du dessin apparaissent en blanc sur fond bleu. *Tirage des bleus.*

♦ **8.** Altération du lait due à un microbe *(bacillus cyanogenes).* — Maladie du vin.

♦ **9.** Techn. Au billard, Craie pour frotter le procédé.

♦ **10.** Plais. (pour blues*). *Le Petit Bleu de la côte ouest* (des États-Unis), titre d'un roman de J.-P. Manchette.

♦ **11.** N. f. Loc. *La grande bleue* : la Méditerranée.

★ **III.** Vieilli. Altération par euphémisme de *Dieu*, entrant dans la composition de nombreux jurons. ⇒ **Corbleu, morbleu, palsambleu, parbleu, sacrebleu.** « *Tonnerre de bleu* » (Courteline, *in* T.L.F.).

21 Il y a tant de bleus, bleu d'auvergne, de caserne ou jadis ersatz de Dieu dans les bons vieux jurons irrespectueux, jernibleu, morbleu, sacrebleu (...)
                                    J. PRÉVERT, Choses et autres, p. 260.

CONTR. (De II., 2.) Ancien, vétéran.
DÉR. Blavet, bleuâtre, bleuet, bleueur, bleuir, bleusaille, bleuté.
COMP. Bleu-bite. — V. aussi Cyan(o)-.

BLEUÂTRE [blφatʀ] adj. — 1552, *bleuastre ; bleuate,* 1493 ; de *bleu.*

♦ Qui tire sur le bleu, n'est pas franchement bleu. ⇒ **Bleu, céruléen.** *Teinte, couleur bleuâtre. Flamme bleuâtre du gaz ; fumée bleuâtre d'une cigarette. Gris bleuâtre.* ⇒ **Ardoise.** *Des éclairs bleuâtres* (→ Phosphore, cit. 2).

1 (...) l'affleurement bleuâtre des veines microscopiques qui serpentent sous l'épiderme (...)   TAINE, Philosophie de l'art, t. I, ɪ, 3.
2 Le « Président » alluma une cigarette au cigare du « Bureau de tabac », en aspira légèrement la fumée, regarda un instant celle-ci monter en volutes bleuâtres vers le plafond, et prononça : Et maintenant c'est contre nous que se tourne l'épouvantable expérience !...   G. LEROUX, Rouletabille chez Krupp, p. 35.

⇒ **Livide.** *Un cerne bleuâtre.*
N. m. *Le bleuâtre. Un bleuâtre tirant sur le vert.*

BLEU-BITE [blφbit] n. m. — 1936, *le Franç. mod. 1973* ; de *bleu,* et *bite,* argot milit. *(deuxième bitte* : deuxième classe), p.-ê. altér. d'un mot régional *bisteau* (Genève) « jeune apprenti ».

♦ Argot milit. (vulg.). Soldat de deuxième classe, nouvelle recrue. ⇒ **Bleu.**

1 Écoutez, chef, je m'en charge, moi, de lui apprendre le respect au bleu-bite.
                                    Roger NIMIER, le Hussard bleu, p. 22 (1950).
2 Quelques jours de paix, et puis on l'embarqua, lui et d'autres bleubites sur le *Sidi-Bel-Abbès,* direction Oran.   Jeanne CORDELIER, la Passagère, p. 159.

BLEUET [blφɛ] ou **BLUET** [blyɛ] n. m. — 1380, *blevaiz ; bleuez,* 1404 ; substantivation de l'adj. *bleuet* « un peu bleu », encore chez Ch. Cros *(velours bleuet)* et Céline *(prunelles bleuettes)* ; de *bleu.*

★ **I.** ♦ **1.** Centaurée à fleur bleue, plante commune dans les blés. ⇒ **Aubifoin,** 2. **barbeau, casse-lunettes** (vx), **centaurée.** — Fleur de cette plante.

1 Allez, allez, ô jeunes filles,
Cueillir des bleuets dans les blés !   HUGO, les Orientales, xxxII, « les Bleuets ».
2 — Dis-moi, dit-il, quelle fleur tu préfères, je t'en ferai faire une broche (...)
— Une broche, comment ?

— En pierres de la même couleur : en rubis si c'est le coquelicot ; en saphir si c'est le bluet, avec une petite feuille en émeraudes (...)
— Le bluet, dit-elle, c'est si gentil !
— Va pour le bluet. Nous irons le commander dès que nous serons de retour à Paris.   MAUPASSANT, Fort comme la mort, éd. 1889, p. 205.

♦ **2.** Régional (Canada). Baie bleue de l'airelle des bois, ou myrtille d'Amérique. *Confiture de bleuets. Tarte aux bleuets.*

3 Côte à côte ils *(Maria et François Paradis)* ramassèrent des bleuets quelque temps avec diligence, puis s'enfoncèrent ensemble dans le bois, enjambant les arbres tombés, cherchant du regard autour d'eux les taches violettes des baies mûres.
                                    Louis HÉMON, Maria Chapdelaine, p. 73.

★ **II.** Télégramme. ⇒ **Bleu** (II., B., 7.).
DÉR. (Du sens 2) Bleuetière.

BLEUETIÈRE [blφtjɛʀ] n. f. — 1937 ; mot canadien, de *bleuet,* 2.

♦ Régional (Canada). Terrain à bleuets* (à myrtilles). *Les bleuetières du Saguenay, du Lac Saint-Jean.* On dit aussi *bleuetterie.*

BLEUEUR [blφœʀ]. n. m. — 1823, cit. ; de *bleu.*

♦ Techn. Ouvrier qui polit la pointe des aiguilles. — REM. Le fém. *bleueuse* est virtuel.

Un cinquième, nommé bleueur, imprime à la pointe, sur une très petite meule, un poli bleuâtre qui a donné le nom à cet ouvrier. Un sixième écrit sur les paquets le numéro des aiguilles.
              LENORMAND et MELLET, *in* COURTIN, Encycl. mod., I, Mongie, 1823, p. 427 (*in* D.D.L., II, 15).

BLEUIR [blφiʀ] v. — 1690, Furetière ; v. 1290, *blauir* « devenir bleu » ; de *bleu.*

♦ **1.** V. tr. Rendre bleu. *Le froid lui bleuit le visage.*

1 Le soir, il voyait à quelque cent mètres, par-dessus la rivière, la lune bleuir les jardins du harem (...)   H. BARRÈS, Un jardin sur l'Oronte, p. 179.
Techn. Bleuir un métal en le chauffant, en le frottant. ⇒ **Bleuissage.**

♦ **2.** V. intr. Devenir bleu. *Le tournesol bleuit sous l'action d'une base. Bleuir de froid.* Apparaître avec une teinte bleuâtre. *La côte bleuissait au loin.*

2 La mer, plate, dure et blanche semblait une piste de patinage déserte. Tout à l'heure, elle bleuirait, clapoterait, deviendrait liquide et profonde (...)
                                    SARTRE, les Chemins de la liberté, t. II, p. 69.

2.1 Après deux jours, le ciel bleuit ; la mer se calme ; l'air tiédit.
              GIDE, Voyage au Congo, *in* Souvenirs, Pl., p. 683.
3 (...) bleuissant par degrés jusqu'au zénith, le ciel à travers les espaces de l'Est gardait le même bleu que durant le jour, éteint seulement et glacé.
                                    MONTHERLANT, la Relève du matin, p. 117.
4 Une rose écorchée bleuit
              ÉLUARD, Poésie et vérité 1942, « Du dedans », Pl., t. I, p. 1111.

▶ **SE BLEUIR** v. pron. Rare :
5 La peau se bleuissait sous les matraques, les cheveux étaient collés par une sueur mauvaise, et dans quelques poitrines, les cœurs battaient la chamade, tressautaient follement.   J.-M. G. LE CLÉZIO, la Fièvre, 1965, p. 15.

▶ **BLEUI, IE** p.p. adj. *Membre bleui par le froid.*
6 Mais pourtant ils restaient dans le silence, les hommes et les femmes aux visages et aux corps bleuis par l'indigo et la sueur ; pourtant ils n'avaient pas quitté le désert.   J.-M. G LE CLÉZIO, Désert, p. 17.
Techn. *Métal bleui.*

DÉR. Bleuissage, bleuissant, bleuissement, bleuissure.

BLEUISSAGE [blφisaʒ] n. m. — 1863 (1852 selon G.L.L.F.) ; de *bleuir.*

♦ Action de rendre bleu ; son résultat. — Techn. *Bleuissage de l'acier, d'un métal* : action de le chauffer ou de le frotter avec un outil appelé *bleuissoir.*

BLEUISSANT, ANTE [blφisã, ãt] adj. — D. i. ; p. prés. de *bleuir.*

♦ Qui bleuit. *Peau bleuissante de froid.*

BLEUISSEMENT [blφismã] n. m. — 1842 ; de *bleuir.*

♦ **1.** Le fait de bleuir* (2.); teinte de ce qui devient bleu. *Le bleuissement des lèvres sous l'effet du froid.*

Elle entra doucement dans l'eau son bras nu, un bras un peu maigre, dont la peau de soie montrait le bleuissement tendre du réseau des veines.
                                    ZOLA, le Ventre de Paris, t. I, p. 181 (1875).

♦ **2.** Action de bleuir* (1.). *Le bleuissement des paupières avec un fard.*

BLEUISSURE [blφisyʀ] n. f. — 1867 ; de *bleuir.*

♦ Rare. Marque bleue sur le corps de qqn. ⇒ **Bleu** (II., B., 3.).

BLEUITÉ [blɸite] n. f. — 1871, Rimbaud ; de *bleu*.

♦ Rare. Coloration bleue (le mot est typiquement rimbaldien).

1   Des curiosités vaguement impudiques
Épouvantent le rêve aux chastes bleuités
          RIMBAUD, Poésies, XXXVIII, « Les premières communions ».

2   Où, teignant tout à coup les bleuités, délires
Et rythmes lents sous les rutilements du jour (...)
          RIMBAUD, Poésies, XLI, « Le bateau ivre ».

BLEUSAILLE [blɸzaj] n. f. — 1900 ; *bleuzaille*, 1865 ; de *bleu*.

♦ Argot milit., puis fam. Conscrit. *Qu'est-ce que tu veux, bleusaille ?*
⇒ **Bleu.** « *Son rejeton, une bleusaille* » (Galtier-Boissière, *in* Cellard
et Rey). — Collectif. *La bleusaille :* ensemble des bleus.

DÉR. **Bleusaillon.**

BLEUSAILLON [blɸzajɔ̃] n. m. — xxᵉ ; de *bleusaille*.

♦ Argot milit. Bleu, conscrit. ⇒ **Bleusaille.**

(...) surnommé Papadac, adjudant de tirailleurs qui, vers l'année 1922, au cours
d'opérations variées par les bousbirs chérifiens et les Berbères de Haute-Moulouya,
révéla au bleusaillon que j'étais les aspects les plus exquis du prestige adjutex (...)
          Jacques PERRET, Bande à part, p. 213.

BLEUTÉ, ÉE [blɸte] adj. — Av. 1845, Bescherelle ; de *bleu*.

♦ Qui a une nuance bleue. *Tons bleutés. Verres bleutés. Ailes bleutées.*
N. m. *Le bleuté.*

BLEUTER [blɸte] v. tr. — 1843, Balzac ; de *bleu*.

♦ Techn. Passer légèrement au bleu. *Bleuter le linge.* ⇒ **Azurer.**
— Au p. p. *Toile bleutée.*

DÉR. **Bleuterie.**
HOM. **Bleuté.**

BLEUTERIE [blɸtʀi] n. f. — 1889, Goncourt ; de *bleuter*.

♦ Techn. Entreprise spécialisée dans la teinture du tissu.

B. L. I. [beɛli] n. f. — D. i. (xxᵉ) ; sigle.

♦ Radio. Bandes* latérales indépendantes.

BLIAUD ou BLIAUT [blijo] n. m. — V. 1150 ; *blialt*, 1080, *Chan-
son de Roland* ; orig. obscure ; l'anc. provençal *blidal, blizal*, rend peu
vraisemblable l'orig. francique par *blifald*, de *bli* (coloré, éclatant), et
fald « pan d'un habit ».

♦ **1.** Hist. Longue tunique que les hommes et les femmes portaient
au moyen âge.

♦ **2.** Régional. Longue blouse de travail (H. Pourrat, *in* T. L. F.).

BLINDAGE [blɛ̃daʒ] n. m. — Av. 1740 ; de *blinder*.

♦ **1.** Action de blinder (1.). *Faire un blindage.*

♦ **2.** Ensemble des matériaux servant à blinder.
Trav. publ. Construction servant à consolider les parois (d'une tran-
chée, d'un tunnel). ⇒ 1. **Blinde.** *Blindage d'une galerie de mine*
(⇒ **Boisage**).
Milit. Protection (d'un navire, d'un véhicule) par des plaques de
métal. ⇒ **Cuirasse.** *Plaque de blindage en acier, en fonte. Blindage
d'un navire, d'un char* (cit. 6).
Par anal. Protection (contre un phénomène physique dangereux).
Blindages contre les radiations. Plaque de blindage.
Techn. Plaques* de métal, dispositif servant à isoler un appareil
électrique (⇒ **Bouclier, carter, écran**). *Le blindage d'un bobinage,
d'un transformateur.*

On pourrait dire (...) que le schème de fonctionnement de la tétrode n'est pas parfaitement complet par lui-même, si l'on conçoit l'écran comme un simple blindage
aérostatique, c'est-à-dire comme une enceinte portée à une tension continue
quelconque (...)
          Gilbert SIMONDON, Du mode d'existence des objets techniques, p. 29.

Protection contre les radiations. *Le blindage d'une source radioactive, d'un réacteur.*

1. BLINDE [blɛ̃d] n. f. — 1628 ; plur., 1678 ; de l'all. *blenden* « aveu-
gler », de *blend* « aveugle ».

♦ Ancienn. Pièce de bois soutenant les fascines d'un abri, d'une
tranchée, pour en mettre les occupants à couvert. — REM. S'emploie
en général au plur. *Des blindes.*

DÉR. **Blinder.**
HOM. **Blende, 2. blinde.**

2. BLINDE [blɛ̃d] n. f. — 1931, *in* Cellard et Rey ; orig. obscure p.-ê.
en rapport avec *blinde, blindé* « ivre ».

♦ Loc. fam. *À toute blinde :* à toute vitesse. — La var. *à toute blindée* (T. L. F.) n'est pas attestée.

HOM. **Blende, 1. blinde.**

BLINDÉ, ÉE [blɛ̃de] adj. ⇒ **Blinder.**

BLINDER [blɛ̃de] v. tr. — 1678 ; de 1. *blinde*.

♦ **1.** Ancienn. (Fortif.). Garnir de blindes* (un ouvrage de fortification) pour protéger contre les projectiles. ⇒ **Abriter, protéger.** *Blinder une casemate.*
Techn. *Blinder une galerie de mine.*
Par ext. Protéger. « *En un tour de main, la ville fut blindée, bar-
ricadée, casematée* » (Daudet).

♦ **2.** (1831, mar.). Mod. Entourer (un navire, un véhicule) d'une cuirasse, d'une armure de plaques de métal (⇒ **Blindage**). *Blinder un
wagon, une tourelle, une automitrailleuse.*
Techn. Isoler (un appareil électrique ; un réacteur, un engin
nucléaire) par une protection. *Blinder un moteur, une lampe.*

♦ **3.** (1866). Fig. Endurcir, armer. *L'adversité l'a blindé.*

▶ **SE BLINDER** v. pron.

♦ **1.** (Du sens 3). *Se blinder contre la critique.*

♦ **2.** Se soûler, s'enivrer (⇒ **Blindé, 3.**).

▶ **BLINDÉ, ÉE** p. p. adj. (1834).

♦ **1.** [a] Protégé par un blindage. *Véhicule blindé. Abri blindé.*
⇒ **Blockhaus.** *Train blindé.* — *Éléments, régiments blindés,* composés de véhicules blindés, de chars. *Division* (cit. 5) *blindée.*

Un train d'artillerie, suivi d'une dizaine de voitures blindées, montait vers la Bastille.   MARTIN DU GARD, les Thibault, t. VIII, p. 21.   1

(...) du point de vue de l'engin blindé, une armée adverse peu motorisée est comme
immobile.   SAINT-EXUPÉRY, Pilote de guerre, XIII, p. 91.   2

Le train blindé sortit de son tunnel, menaçant et aveugle. Ramos prit une fois de
plus conscience qu'un train blindé, ce n'est qu'un canon et quelques mitrailleuses.
       MALRAUX, l'Espoir, I, II, 2.   3

Devant nous, l'armée allemande donnait moins l'impression de fuir que de s'en
aller. Une nuit, on nous envoya contre un train blindé ce qui me charma par référence au morceau de Malraux (...)   Jacques LAURENT, les Bêtises, p. 234.   4

N. m. (1941). *Un blindé :* véhicule militaire blindé. *Les blindés.*
⇒ **Char, tank.**

Les gouvernements avaient voulu concilier les partisans d'Hitler et ses adversaires, les partisans des blindés et leurs adversaires. Alors, on a mis un demi-soldat
dans un demi-char, pour livrer un demi-combat.
       MALRAUX, Antimémoires, Folio, p. 140.   5

Techn. *Appareil électrique, moteur, réacteur blindé.*

[b] Se dit d'un projectile, destiné au gros gibier, dont la balle est
recouverte de maillechort, cuivre ou nickel. *Balle blindée,
demi blindée.*

♦ **2.** (1896, Delesalle). Fig., fam. Endurci. ⇒ **Immunisé, protégé.** *Il en
a vu d'autres, c'est un homme blindé. Maintenant, je suis blindé.*

♦ **3.** (1881 ; orig. obscure, p.-ê. altér. de *dans les brindes*, de *brinder*).
Fam. (surtout attribut). Ivre. ⇒ **Bourré, soûl.** *Il était complètement
blindé.* — Var. : *blinde* (Bruant, *in* T. L. F.).

CONTR. Découvrir, exposer. — (Du p. p. adj.) Délicat, désarmé, vulnérable.
DÉR. **Blindage.**

BLINIS [blinis] n. m. invar. — 1883, Verne ; russe *blini*.

♦ Petite crêpe de sarrazin très épaisse, généralement servie avec
les hors-d'œuvre (notamment, en France, avec le saumon fumé, le
caviar). « *... agrémenter (un) dîner en servant avec l'assiette russe
des blinis* » (*l'Express*, nᵒ 1380, 19 déc. 1977).

Et c'est pourquoi, madame la Marquise, il est probablement en train de faire manger des blinnis *(sic)* à la Russe (...) à cette blonde fadasse...
       Benoîte et Flora GROULT, Il était deux fois, p. 59.   1

Exceptionnellement on s'offrira du caviar et des blinis.
       Denyse VAUTRIN, le Tourbillon des jours, t. III, p. 76.   2

BLINQUER [blɛ̃ke] v. intr. — D. i. ; néerl. *blinken*.

♦ Régional (Belgique). Reluire, briller (en parlant d'objets).

Tout devient terriblement réel : ces uniformes de mort à boutons métalliques brill-
lants comme une lame, ces godillots et ces leggins qu'on doit faire blinquer pour
éblouir les gens de Petrograd où l'on défile (...)
       Roger FOULON, Marcel Thiry poète, p. 16.

Trans. Faire reluire. *Blinquer les cuivres* (emploi propre à Bruxelles,
selon J. Hanse).

BLISTER [blistɛʀ] n. m. — 1967 ; mot angl. « bulle, soufflure ».

♦ Anglic. Coque de plastique transparent, collée sur carton, sous laquelle sont vendues certaines marchandises. *Ampoules électriques sous blister.*

BLITZ [blits] n. m. — V. 1940; angl. *to blitz,* de l'all. *Blitzkrieg* « guerre-éclair ».

♦ Hist. Époque des bombardements allemands sur l'Angleterre pendant la dernière guerre.

1 (...) sur la route de Londres dont nous approchions dans le *black-out* (...) Ce n'était pas encore le *Blitz* et les habitants de Londres devaient en voir bien d'autres d'ici peu (...)   B. CENDRARS, Bourlinguer, p. 294.

2 — La reine d'Angleterre doit se rendre à Belfast. « Je n'oublie pas que je suis reine d'Angleterre et d'Irlande », aurait-elle déclaré.
« Elle ne l'oubliera pas, aurait déclaré à son tour un chef de l'IRA. Nous lui réservons un accueil du genre *Blitz.* »   J. GREEN, Journal, la Terre est si belle, 7 août 1977.

BLIZZARD [blizaʀ] n. m. — 1888; mot anglo-américain (1870) d'orig. obscure, p.-ê. onomatopée.

♦ Vent accompagné de tourmentes de neige, dans le grand Nord.

BLOC [blɔk] n. m. — 1262, « tronc des aumônes »; sens général, déb. xve; probablt du moy. néerl. *bloc* « tronc abattu ».

★ **I.** ♦ ♦ **1.** Masse solide et pesante constituée d'un seul élément. *Un bloc de marbre, de granit, de pierre.* ⇒ **Roche, rocher.** *Bloc de bois.* ⇒ **Billot.** — (xve). *Le bloc :* bloc de bois où l'on enfermait ou serrait les pieds (de condamnés, d'esclaves). *« Punis par les fers ou le bloc »* (*Voyage de La Pérouse*) → ci-dessous, III. — *Briser un bloc en morceaux. Bloc tombé du ciel.* ⇒ **Aérolithe.** *Bloc de bois non équarri.* ⇒ **Bille.** *Petit bloc cubique.* ⇒ **Pavé.** *Taillé dans un seul bloc.* ⇒ **Monolithe, monolithique.** → *D'une seule pièce*. Bloc compact, solide. Agglomérer* (cit.) *des fragments pour former un bloc.* — Techn. *(Bloc de pierre). Bloc brut :* morceau de pierre non travaillée. *Bloc d'échantillon,* taillé sur carrière. *Bloc débité.* ⇒ **Libage ; moellon.** *Bloc de béton. Chariot lève-blocs.* ⇒ **Bardeur,** 2.

1 Un bloc de marbre était si beau
  Qu'un statuaire en fit l'emplette :
  — Qu'en fera, dit-il, mon ciseau ?
  Sera-t-il dieu, table ou cuvette ?   LA FONTAINE, Fables, IX, 6.

2 La Fontaine ne me dit rien qui vaille (...)   LA FONTAINE, Fables, III, 18.
N. B. Ce vers passé en proverbe, est parfois appliqué à des personnes ou à des choses dont on se méfie.

2.1 (...) l'on avait mis à la mer une embarcation, commandée par cet officier, pour reconnaître les atterrages — de l'un de ces vastes îlots, d'aspect désert, sortes de volcaniques blocs de lave qui jaillissent, noirs, à de prodigieuses altitudes, — et balancent, dans l'orageux ciel du grand océan équinoxial, d'énormes forêts d'un vert intense.   VILLIERS DE L'ISLE-ADAM, Tribulat Bonhomet, p. 150.

3 Et cette barrière, avec un bloc de pierre pour faire le contrepoids ! Sont-ils retardés par ici ! (...)   MARTIN DU GARD, les Thibault, t. III, p. 79.

Géol. *Bloc continental :* ensemble de continents séparés par des mers peu profondes. *Bloc erratique :* fragment de roche transporté par d'anciens glaciers loin de son origine. *Bloc perché,* isolé et mis en saillie par l'érosion. ⇒ **Cheminée** (de fée).

Blocs arrondis par l'érosion (érosion en boule). ⇒ **Boulder.** — *Bloc de glace* (en mer).

Par métaphore, littér. *« Calme bloc ici-bas chu d'un désastre obscur... »* (Mallarmé, *le Tombeau d'Edgar Poe*).

4 Et dans l'informe bloc des sombres multitudes,
  La pensée en rêvant sculpte des nations.   HUGO, les Voix intérieures, I.

(En parlant d'une personne). *« M. Simonnot, cette statue, ce bloc monolithique »* (Sartre, *les Mots,* p. 73).

♦ **2.** Techn. Masse de bois, de métal servant à divers usages (⇒ **Billot**). *Bloc de plomb,* billot sur lequel le graveur fixe son ouvrage. — Imprim. Support des clichés. *Clichés montés sur bloc. Ligne-bloc,* ligne fondue d'un seul bloc par la linotype. — *Bloc de raffineur,* pièce de bois sur laquelle on frappe les formes pour en détacher les pains de sucre. — Masse inférieure d'une grosse enclume. — Mandrin de bois du ciseleur. — Presse de tabletier. — *Bloc de culasse d'un canon.* ⇒ **Culasse.**

Sports (athlétisme). *Bloc de départ.* ⇒ **Starting-block.**

(Anglic.). Cube. *« ... son fils, qui jouait avec des blocs sur le tapis du salon »* (Chardonne, *in* T. L. F.).

♦ **3.** Ensemble de feuillets de même dimension, collés ensemble sur un seul côté et facilement détachables. *Écrire sur un bloc. Bloc de papier à lettres.* ⇒ aussi **Bloc-notes.**

5 Elle sortit du classeur le bloc à en-tête, sur lequel Antoine écrivait ses ordonnances, et prit son stylo dans son sac.   MARTIN DU GARD, les Thibault, t. V., p. 155.

♦ **4.** **a** (Après 1750). Ensemble (de choses formant une unité). ⇒ **Amas, assemblage.** *Faire un bloc de diverses marchandises.*

Autom. *Bloc moteur* ou *bloc-moteur :* groupe formé par le moteur, l'embrayage, la boîte de vitesses. ⇒ **Bloc-cylindres.**

Fortif. Ouvrage défensif protégé et armé. ⇒ **Blockhaus.**

Cin. *Bloc sonore :* unité sonore.

Ensemble de timbres formant un carré ou un rectangle.

Chir. *Bloc opératoire** (ellipt *bloc*).

5.1 On vous préparera pour le bloc (...) En attendant, je vais vous raser la jambe.   A. SARRAZIN, l'Astragale, p. 72.

Le bloc technique d'un aéroport.

b Ensemble d'appareils groupés de manière à occuper le moins d'espace possible. *Bloc sanitaire. Bloc d'appareils.* — *Bloc-eau :* groupement des appareils utilisant l'eau (gaine de canalisations : alimentation et vidange; appareils : baignoire, douche, évier; w.-c., etc.). *Bloc-bain* (baignoire, lavabo, bidet). *Bloc-douche* (la douche remplaçant la baignoire). *Bloc-cuisine, bloc-évier* (évier, chauffe-eau).

5.2 (...) un quadrilatère qui s'inscrivait dans une grande pièce carrée, la divisant en deux ailes. On avait dû ajouter après coup cuisine et bloc-eau.   Christiane ROCHEFORT, le Repos du guerrier, II, III, p. 173.

♦ **5.** (1862; anglo-amér. *block,* 1796). Anglic. *Bloc d'immeubles,* ou *bloc :* ensemble d'immeubles formant un ensemble isolé d'autres ensembles par des rues. ⇒ **Îlot, pâté** (de maisons). — REM. Souvent dans un contexte nord-américain (aussi écrit *block* → Quartier, cit. 8).

5.3 (...) les nouveaux blocs d'habitations, poussés rutilants et incongrus sur les anciens glacis, ou les hollywoodiennes villas des négociants en vins pourvues de pergolas, de piscines, de palmiers hollywoodiens, ou l'antique halle des marchands muée en café dernier cri (...)   Claude SIMON, le Vent, p. 41.

5.4 Bien qu'ils fussent encore à une distance de presque deux blocs, on entendait distinctement le bruit régulier de leurs bottes sur l'asphalte.   A. ROBBE-GRILLET, Projet pour une révolution à New York, p. 21.

♦ **6.** (xviie, abstrait). Grande quantité (d'éléments) faisant un tout homogène. *Un bloc imposant d'idées nouvelles.*

Ensemble qui ne peut être scindé, divisé. *La philosophie marxiste forme un bloc.* ⇒ **Ensemble, totalité, tout.** *Un bloc sans fissure.*

6 La famille oppose à l'étranger un bloc sans fissure; mais, à l'intérieur, que de rivalités furieuses !   F. MAURIAC, la Province, p. 16.

(1889, Clemenceau, mais → cit. 6.1). Groupement politique. ⇒ **Coalition, union.** *Bloc des gauches :* les partis de gauche alliés (→ Monolithique, cit. 2).

6.1 Laissez-moi vous apprendre, pour conclure, que le mot « Bloc », dont l'univers entier croit Clemenceau le père, fut imaginé par un de mes élèves et ami : Joseph Casanova, qui usa le premier de ce vocable dans le *Réveil du Nord.*   GIRAUDOUX, Siegfried et le Limousin, p. 14.

6.2 Alourdie, retardée, stabilisée par son économie artisanale et agricole, la France s'était enfoncée dans les ténèbres du Bloc national et l'impuissance du Cartel des Gauches.   Raymond ABELLIO, Ma dernière mémoire, t. II, p. 59-60.

Le bloc soviétique : les pays qui dépendent étroitement de l'Union soviétique.

6.3 Aussi bien, le plancton fléchit, la banquise craquelle, l'oxygène se raréfie, l'eau se pollue et on parle encore de « blocs » et de nations, de « monde socialiste » et de « monde capitaliste », comme si l'appartenance à une Église, à un Parti, à une École vous immunisait contre les effets terribles de l'encombrement et de la pollution.   Emmanuel BERL, le Virage, p. 31.

Écon. polit. *Bloc monétaire :* ensemble de pays ou d'États associés dont les monnaies sont rattachées à une monnaie commune non convertible en or. ⇒ **Zone** (monétaire). *Le bloc franc* (1945), *le bloc dollar, le bloc rouble.*

FAIRE BLOC : former un ensemble solide. *Faire bloc contre l'agresseur.* ⇒ **Unir** (s'). *Une phrase qui fait bloc.* — *Former bloc* (même sens).

7 On s'imagine que ces particules enchaînant les phrases, les rendent plus coulantes, plus solides (...) Les bonnes phrases n'ont pas besoin d'être boulonnées; elles font bloc.   Antoine ALBALAT, l'Art d'écrire..., VI.

7.1 — Accepte Samazelle; et arrange-toi avec Luc pour le neutraliser.
— S'il fait bloc avec Trarieux ils seront aussi forts que nous.   S. DE BEAUVOIR, les Mandarins, p. 242.

D'un bloc, tout d'un bloc : tout d'une pièce.

8 Puis elle tourna sur ses talons, tout d'un bloc, comme une statue sur un pivot, et prit le chemin de sa maison.   FLAUBERT, Mme Bovary, II, 6.

Inform. Sous-ensemble de circuits réalisant une même fonction. *Bloc logique, bloc de calcul.* — Suite de caractères traités ensemble.

Math. Dans une matrice, chacune des sous-matrices que l'on peut former en cloisonnant par des horizontales et des verticales respectivement de même largeur et de même hauteur que la matrice.

♦ **7.** Loc. adv. (1530, *in* D. D. L.). **EN BLOC :** tout ensemble, en totalité. ⇒ **Globalement, gros** (en), **masse** (en). *Pris en bloc. Admettre en bloc un raisonnement, un système. Acheter en bloc* (s'oppose à : *isolément, séparément, successivement*).

9 (...) l'histoire, qui tient un registre si exact des variations morales, ne constate qu'en bloc et très imparfaitement les variations physiques.   TAINE, Philosophie de l'art, t. II, IV, 269.

10 (...) le prolétariat est bien résolu, cette fois, à se soulever, en bloc, contre leur politique d'agression !   MARTIN DU GARD, les Thibault, t. V, p. 139.

11 On ne croit plus de la même manière qu'autrefois, cela est clair, on ne croit plus en bloc ce que l'Église enseigne.   J. GREEN, Journal, Vers l'invisible, 27 mai 1959.

★ **II.** (Le sens « action de bloquer » n'est pas attesté en emploi général). ♦ **1.** Au jeu du billard, Action d'immobiliser la bille d'un adversaire contre la bande.

♦ **2.** Physiol. Trouble de la transmission de l'influx nerveux (le plus souvent à propos du cœur). *Bloc* (ou *blocage*) *du cœur* ou *bloc cardiaque,* localisé dans le système de conduction cardiaque (nœuds sinusal et atrioventriculaire, faisceau de His); *bloc atrioventricu-*

laire, intéressant la conduction entre oreillettes et ventricules ; *bloc pariétal*, au niveau ventriculaire ; *bloc péri-* ou *post-infarctus, pariétal limité à une partie du myocarde atteinte d'infarctus.*

♦ **3.** Loc. adv. Mar. À **BLOC.** *Hisser (une voile, un pavillon) à bloc :* jusqu'à toucher la poulie de la drisse. *Souquer (une manœuvre) à bloc,* au maximum, à fond.
Complètement, à fond. *Fermer un robinet à bloc. Serrer les freins à bloc.* ⇒ **Bloquer.** *Gonfler un pneu à bloc.*

12   Pas d'hommes : ni les assiégés couchés derrière leurs guichets fermés à bloc, ni les assaillants, défilés dans les maisons qui dominaient la voie.
                                            MALRAUX, la Condition humaine, p. 102.
Fig., fam. *Travailler à bloc,* le plus possible. *Être à bloc :* n'en pouvoir plus. *Être gonflé à bloc* (1945). ⇒ **Gonfler** (*infra* cit. 5).

13   Il travaille donc, il travaille, il travaille. Mieux ! Il phosphore, il rupine à bloc.
                                            R. QUENEAU, Loin de Rueil, p. 46.

★ **III.** (1846, du *bloc,* I., 1.) *de bois enfermant les pieds des esclaves).* Fam. Prison. *Mettre qqn au bloc.*
(1861). Salle de police, commissariat. *Passer la nuit au bloc.*

14   F...-moi cet homme-là au bloc. On verra demain.
                                            A. ALLAIS, Contes et chroniques, p. 68.

CONTR. Élément, fragment, lot, morceau, parcelle, partie, tronçon. — Demi, moitié (à) ; partie (en) ; incomplètement.
DÉR. Blocaille, blochet, bloquet. — V. Blot.
COMP. Bloc-cylindres, bloc-diagramme. — Monobloc. — V. Bloc-notes.
HOM. Block, bloque.

BLOCAGE [blɔkaʒ] n. m. — 1547, archit. ; de *bloquer.*

★ **I.** (De *bloquer,* I.). ♦ **1.** Archit. Massif de matériaux (moellons, briques, pierrailles, mortier) qui remplit les vides entre les deux parements d'un mur. ⇒ **Remplage.** — On dit aussi *blocaille.*

♦ **2.** Typogr. *Blocage de lettres,* lettres retournées employées provisoirement pour remplacer les lettres manquantes.

★ **II.** (De *bloquer,* II.). ♦ **1.** Action de bloquer*. *Blocage d'une bille de billard.* — (1907). *Blocage des freins.* ⇒ **Serrage.** *Vis, écrou de blocage.*
Sports (boxe). Geste qui arrête le coup de l'adversaire. — (1905, *in* Petiot). Football. Action de bloquer le ballon. *Faire un blocage.* ⇒ **Arrêt.** *Blocage de la balle entre le pied et le sol* (⇒ **Contrôle**). *Blocage de la balle par le gardien de but.*

1   Ce premier quart d'heure ne donna rien que des cafouillages sordides devant les buts, des loupés de toutes sortes et des coups francs à n'en plus finir. Dabek n'eut à effectuer que trois blocages sans grand péril (...)
                                            René FALLET, le Triporteur, p. 406.
Action d'immobiliser (une partie du corps). *Blocage du bassin.*
(1945, *in* D.D.L.). *Blocage des prix, des salaires :* action de fixer les prix, les salaires et d'en empêcher la hausse.

♦ **2.** Méd. *Blocage du cœur,* ou *blocage cardiaque.* ⇒ **Bloc** (I., 2. : bloc du cœur). *Blocage articulaire :* immobilisation soudaine et douloureuse d'une articulation. *Blocage méningé :* barrage constitué dans l'espace sous-arachnoïdien par une tumeur ou une inflammation et qui interdit la circulation du liquide céphalo-rachidien ainsi que celle de tout médicament. *Blocage intestinal :* arrêt soudain du transit intestinal, généralement dû à une occlusion.

♦ **3.** Psychol. Comportement réactionnel d'un être vivant en période d'apprentissage caractérisé par l'apparition de troubles émotionnels ou par une régression. ⇒ Psychan. ⇒ **Barrage.**

2   Le facteur commun aux trois types de symptômes (*névrotiques*) est donc la disproportion entre l'excitation et la décharge déterminée par l'excès de stimulations externes dans la névrose traumatique, l'interruption du processus de décharge dans la névrose actuelle, le blocage défensif de la décharge dans la psychonévrose.
                                            Daniel LAGACHE, la Psychanalyse, p. 62.
Cour. *Blocage (affectif),* le fait d'être bloqué (⇒ 1. **Bloquer,** II., 5.). Brusque inhibition d'une conduite. *Avoir un blocage* (pendant une épreuve d'examen, par ex.).

BLOCAILLE [blɔkaj] n. f. — 1549 ; de *bloc.*

♦ Techn. et géol. Pierres et débris réunis en un bloc. ⇒ **Blocage,** I.
Sur un tertre de blocaille morainique qui semblait gigantesque dans ce pays plat, Kaltenborn dressait sa silhouette massive et tabulaire.
                                            M. TOURNIER, le Roi des Aulnes, p. 244.

BLOCAUX [blɔko], n. m. pl. — Repris au XIXe de l'anc. franç. *bloquel* dér. de *bloc*.

♦ Géol. *Argile à blocaux.* ⇒ **Argile.**

BLOC-CYLINDRES [blɔksilẽdʀ] n. m. — XXe ; de *bloc* (I.), et *cylindre.*

♦ Bloc métallique contenant les cylindres d'un moteur. *Des blocs-*

cylindres. *Le bloc-cylindres est fondu en une seule pièce ; dans certains modèles les cylindres sont amovibles.*

BLOC-DIAGRAMME [blɔkdjagʀam] n. m. — 1959 ; de *bloc,* et *diagramme.*

♦ Géogr. Représentation d'une zone géographique délimitée en perspective et en coupe, destinée à montrer les rapports entre la structure du sous-sol et la topographie. *Des blocs-diagrammes.*

BLOCHE [blɔʃ] n. m. — 1908 ; abrègement de *astibloche,* de *asticot.*

♦ Argot, vieilli. Asticot.

BLOCHET [blɔʃɛ] n. m. — 1676 ; *bloichet, bloquet* «billot», XIVe ; de *bloc.*

♦ Techn. (menuis.). Pièce de bois qui reçoit l'arbalétrier et le réunit à la sablière. *Poser un blochet à l'angle d'un toit.* ⇒ **Entretoise.**

BLOCK [blɔk] n. m. — V. 1940 ; mot all., pour *Hauserblock* «bloc de maisons, îlot».

♦ Hist. Groupe de bâtiments servant d'abri aux détenus, aux prisonniers en Allemagne, pendant la Deuxième Guerre mondiale. *Les prisonniers du block 4.*
(*Les sentinelles*) qui passaient l'inspection de notre block (...)
                                            Pierre GASCAR, le Temps des morts, p. 219.
HOM. Bloc, bloque.

BLOCKHAUS [blɔkos] n. m. — Fin XVIIIe ; all. *Blockhaus,* de *Block* «poutre», et *Haus* «maison». → Blocus.

♦ Ouvrage militaire défensif, étayé de poutres, de rondins (ancient) ou fortifié de béton. ⇒ **Fortification ; casemate, fortin.** *Blockhaus blindé. Blockhaus servant d'abri à des pièces d'artillerie.*

1   Nous vîmes sur notre gauche, tenant à la route, un «blockhaus» ou station militaire, espèce de grande baraque fortifiée (...)
                                            Sergent BOURGOGNE, Mém., p. 64 (1812-1813) *in* BRUNOT, IX, 979.

2   (...) il y a, à vingt kilomètres au sud de Taza, un vrai front français, des blockhaus, des postes continus, réunis par des tranchées, des fils de fer barbelés (...)
                                            L. H. LYAUTEY, Paroles d'action, p. 326.

3   Il traversa à nouveau toute la ville, tout ce dédale sonore plein de coups de douleurs et de frissons, cette espèce de blockhaus asphyxiant et sale où les couloirs partaient dans toutes les directions, pour mieux vous tromper (...)
                                            J.-M. G. LE CLÉZIO, la Fièvre, p. 34.
Mar. Poste de combat protégé et blindé du commandant d'un navire de guerre.

BLOCK-SYSTEM [blɔksistɛm] n. m. — 1881 ; angl. *block-system* (1873), de (*to*) *block* «fermer», et *system.*

♦ Anglic. Techn. (ch. de fer). Dispositif de signalisation automatique sur des sections de voie, destiné à éviter les collisions. *Des block-systems.* — Francisation : *bloc-système* (mal formé, pour *système* [*à*] *bloc* [*s*]).

BLOC-MOTEUR [blɔkmɔtœʀ] n. m. ⇒ **Bloc,** I., 4., a.

BLOC-NOTES [blɔknɔt] n. m. inv. — 1884, *block-notes ;* de *note,* et angl. *block.*

♦ Bloc de papier (pour prendre des notes). ⇒ **Bloc,** I., 3. Plur. *Des blocs-notes.* — *Le Bloc-notes, le Nouveau Bloc-notes,* de Mauriac (titre d'un recueil d'articles).

BLOC-SYSTÈME [blɔksistɛm] n. m. ⇒ **Block-system.**

BLOCUS [blɔkys] — 1397 ; 1376, *blochus, in* D.D.L. ; néerl. *blokhuis* «maison (*huis*) de poutres». → Blockhaus.

♦ **1.** (XVIe). Vx. Fortin empêchant les secours de parvenir à une place assiégée.

♦ **2.** (1663). Par ext. Investissement d'une ville ou d'un port (⇒ **Siège**) d'un littoral, d'un pays entier, pour l'isoler, couper toutes ses communications avec l'extérieur. *Faire le blocus.* ⇒ **Bloquer.** *Troupes de blocus. Lever, rompre le blocus. Faire lever, forcer un blocus.* ⇒ **Débloquer.** *Blocus maritime.* — (1806). Hist. *Blocus continental* : le blocus instauré par Napoléon Ier, destiné à prévenir l'accès de l'Europe à l'Angleterre.

1   Louis XIV fit lever le blocus de Luxembourg, en 1682 (...)
                                            VOLTAIRE, le Siècle de Louis XIV, 14.

2   (...) pour que le Blocus (*le blocus continental*) fût opérant, il fallait qu'il fût complet, total et absolu (...)   Louis MADELIN, Talleyrand, II, XVIII, 177.
Blocus économique : mesures prises et manœuvres faites par un

pays pour isoler économiquement un autre pays du reste du monde. (⇒ **Boycott, boycottage**).

BLOND, BLONDE [blɔ̃, blɔ̃d] adj. et n. — 1080, *blund, Chanson de Roland* (subst.) ; 1160, adj. ; p.-ê. germanique **blund*.

★ **I.** Adj. Qui est d'une couleur claire, proche du jaune doré, en parlant des cheveux, des poils (dans la race blanche). *Poils, cheveux, sourcils blonds.* (→ Chevelure, cit. 3). *Chevelure* (cit. 6) *blonde. Barbe, moustache blonde.*

1   L'or de tes blonds cheveux (...)   D'AUBIGNÉ, Printemps, 25.
La fourrure (cit. 6) *blonde d'un chat.*

(Personnes). Qui a les cheveux blonds, le poil blond. *Une jeune fille blonde. Un enfant blond.* — *Tête blonde,* spécialt : enfant blond. *Les chères têtes blondes :* les enfants (iron.). *Les Nordiques sont blonds. La blonde Cérès* (→ Blé, cit. 1). *Blond comme les blés* (→ Blé, cit. 7).

2   — Je serai son maître de lyre,
Dit le blond et docte Apollon.   LA FONTAINE, Fables, XI, 2.
Teint blond : teint des personnes blondes.

(1336 ; choses ; souvent pour qualifier spécifiquement par oppos. à *brun*). Qui est d'un jaune doré. *Un cuir blond* (→ Beurre* frais). *Du miel blond. Une sauce blonde. Beurre* blond* (opposé à *noir*). *Bière* blonde, tabac blond* (opposé à *brun*). *Cigarette blonde* (⇒ aussi **Blonde**, *infra* 4.). — *Soie blonde.* ⇒ **Blonde** ; écru. *Étoffe blonde.* ⇒ **Beige**.

Poét. *Les blonds épis, les blondes moissons. « Le lourd pain blond »* (→ Boulanger, cit. 1, Rimbaud). *Les blondes collines. Le sable, l'arène blonde* (→ Arène, cit. 1). *La poussière blonde. La blonde aurore.*

3   L'Égypte ! Elle était, toute blonde d'épis,
Ses champs, bariolés comme un riche tapis (...)   HUGO, les Orientales, I, 4.

Arts. *Gravure blonde,* dont les noirs sont légers.

★ **II.** N. ♦ **1.** N. m. La couleur blonde. *Des cheveux d'un beau blond. Blond platiné, blond argent. Blond cendré, doré. Blond ardent, vénitien.* ⇒ **Roux.** *Blond clair, pâle. Blond fade, filasse.* ⇒ **Blondasse.** *Blond naturel. Blond artificiel.* ⇒ **Décoloré, oxygéné.** *Un blond d'avoine.*

4   D'Antin était d'un fort beau blond.   SAINT-SIMON, Mémoires, 294, 2.
5   (...) que le blond de ses cheveux est pâle auprès des tons étranges et riches dont Rubens a réchauffé la ruisselante chevelure de la sainte pécheresse.
       Th. GAUTIER, Fortunio, la Toison d'or, IV.
6   Au physique, nous trouvons *(aux Pays-Bas)* une chair plus blanche et plus molle, ordinairement des yeux bleus, souvent d'un bleu de faïence (...) des cheveux d'un blond filasse et presque blancs chez les petits enfants (...)
       TAINE, Philosophie de l'art, t. I, III, I, p. 227.
7   C'étaient des cheveux blonds, d'un blond cendré, d'un blond de poudre (...)
       Alphonse DAUDET, le Petit Chose, II, 10.

♦ **2.** N. m. et f. *(blund,* 1080). UN BLOND, UNE BLONDE : une personne blonde. *Un petit blond.* ⇒ **Blondin, blondinet.** *Une belle blonde. Un beau blond.* Fam. *Salut, beau blond !* (→ ci-dessous cit. 9.1). — *Une fausse, une vraie blonde. Un teint, une peau de blond, de blonde.*

8   (...) cet air de douceur des blondes auquel mon cœur n'a jamais résisté.
       ROUSSEAU, les Confessions, III.
9   Une grande blonde aux yeux languissants (...)   ROUSSEAU, Émile, V.
9.1   — Il disait comme çà qu'il vous connaissait, monsieur le gendarme.
   — Qu'est-ce que vous dites, vous, beau blond ?
   — Je te dis qu'il disait comme çà...
       Henri MONNIER, Scènes populaires, l'Exécution, p. 111.

(1831). *La blonde de qqn, sa blonde,* sa petite amie. « *Je m'en vais revoir ma blonde, je m'en vais revoir ma mie »* (chanson). «*Auprès de ma blonde... »* (chanson).

Vieilli. *Courtiser la brune et la blonde :* être volage.

10   J'ai longtemps parcouru le monde,
Et l'on m'a vu de toute part
Courtisant la brune et la blonde,
Aimer, soupirer au hasard (...)   ÉTIENNE, Joconde, I, *in* LITTRÉ.

♦ **3.** N. m. (1778). Cuis., vx. *Blond de veau, de volaille,* coulis blond (de viande).

♦ **4.** N. f. BLONDE (opposé à *brune*) : cigarette de tabac blond. *Il ne fume que des blondes.*

11   (...) tu lui interdis de fumer des blondes parce que ça lui jaunit les dents (...)
       J. CAU, la Pitié de Dieu, p. 133.

(1882). Bière blonde. *Un demi de blonde. Boire une blonde.*
⇒ aussi **Blonde**, n. f.

CONTR. **Brun ; foncé, noir.**
DÉR. **Blondasse, blonde, blondelet, blondeur, 1. blondin, blondir, blondoyer.**

BLONDASSE [blɔ̃das] adj. — Av. 1755, Saint-Simon ; de *blond* et suff. péj. *-asse.*

♦ Qui est d'un vilain blond, fade. *Des cheveux blondasses,* presque incolores. — (Personnes). *Un grande fille blondasse.*

C'était un petit homme, goussaut et blondasse qui paraissait hébété.
       SAINT-SIMON, Mémoires, 114, 266.

N. *Un, une blondasse.*

DÉR. **Blondasserie.**

BLONDASSERIE [blɔ̃dasʀi] n. f. — 1881, Goncourt ; de *blondasse.*

♦ Rare. Caractère de ce qui est blondasse ; blondeur fade.

BLONDE [blɔ̃d] n. f. — 1740 ; de *blond.*

★ **I.** Dentelle légère, faite à l'origine de soie écrue. ⇒ **Toilé,** 2.

Votre Majesté fournira les coiffures de blondes aux dames du palais (...)
       VOLTAIRE, Lettres à Catherine II, 119.

★ **II.** (1561). Bouillon blanc (plante).

BLONDEL [blɔ̃dɛl] n. m. — Mil. xxᵉ ; de *Blondel,* physicien (1863-1938).

♦ Opt. Ancienne unité de luminescence. ⇒ **Candela.**

BLONDELET, ETTE [blɔ̃dlɛ, ɛt] adj. et n. — xvᵉ ; de *blond.*

♦ Vx. Légèrement blond. (Hypocoristique). *Des cheveux blondelets.* N. *Un blondelet, une blondelette.* ⇒ **Blondinet.**

BLONDEUR [blɔ̃dœʀ] n. f. — 1275 ; repris 1575 ; de *blond.*

♦ Caractère de ce qui est blond. *La blondeur des blés, des cheveux ; d'une personne.*

1   Tes cheveux qui d'un or non pareil
Surmontent la blondeur des rayons du soleil.   Amadis JAMYN, Poésies II, 80.
2   Le deuil allait bien à Micheline (...). Le noir faisait valoir sa blondeur et sa carnation.   M. AYMÉ, Travelingue, p. 20.

1. BLONDIN, INE [blɔ̃dɛ̃, in] n. — Mil. xviiᵉ ; de *blond.*

♦ **1.** (1652). Vx. Enfant, jeune homme, jeune fille à cheveux blonds. ⇒ **Blondinet.**

1   Et le soir, le terrible soir, où, dans la chambre d'épouvante, j'ai vu une mère qui venait de se suicider avec ses cinq petits, la mère tombée sur le paillasson en allaitant son nouveau-né, les deux fillettes dormant aussi là leur dernier sommeil de blondines jolies.   ZOLA, Rome, p. 626.

♦ **2.** (1651). Jeune galant.

2   Il passe en beauté feu Narcisse,
Qui fut un blondin accompli.   MOLIÈRE, la Pastorale comique, 2.
3   Quelle distance entre le jeune blondin qui jadis était courtisé par les femmes chic ou aspirant à le devenir, et le discoureur, le doctrinaire qui ne cessait de jouer avec les mots !   PROUST, le Temps retrouvé, Pl., t. III, p. 760.

♦ **3.** Adj. Vx. Qui a les cheveux blonds.

♦ **4.** (1869). Techn. *Toile blondine,* variété de toile écrue. N. f. *De la blondine.*

DÉR. **Blondinet.**

2. BLONDIN [blɔ̃dɛ̃] n. m. — 1923, *in* D.D.L. ; de *Blondin,* nom d'un acrobate célèbre, qui avait traversé sur un fil tendu les chutes du Niagara.

♦ Techn. Benne à fond mobile soutenue par un système de câbles, que l'on utilise pour le transport de charges, notamment du béton, au-dessus d'un ravin, etc.

BLONDINET, ETTE [blɔ̃dinɛ, ɛt] n. — 1842, E. Sue ; dimin. de 1. *blondin.*

♦ Enfant blond*. *Une mignonne blondinette. Un blondinet de cinq ou six ans.*

BLONDIR [blɔ̃diʀ] v. — V. 1180 ; de *blond.*

♦ **1.** V. intr. Devenir blond*. *Les blés blondissent.*

1   (...) au milieu de sa chevelure noire quelques cheveux que pénétrait le soleil blondissaient comme des fils d'or.   HUGO, Notre-Dame de Paris, VIII, 4.
2   (...) les foins blondissaient prêts à mûrir.   E. FROMENTIN, Dominique, III.

(xxᵉ). Cuis. Rissoler dans un corps gras ; cuire légèrement (en parlant d'un mélange de farine et de beurre). *Faire blondir un roux.*

♦ **2.** V. tr. (V. 1300). Rendre blond. *L'eau oxygénée blondit les cheveux.* — *Elle s'est blondi les cheveux.*

▶ SE BLONDIR v. pron. réfl. *Elle se blondit.*

CONTR. **Brunir.**
DÉR. **Blondissant.**

BLONDISSANT, ANTE [blɔ̃disɑ̃, ɑ̃t] adj. — 1549 ; p. prés. de *blondir.*

♦ Qui devient blond. *Les champs blondissants.*

(...) la moisson blondissante,
Chevelure des sillons. NERVAL, Poésies, « les Papillons ».

CONTR. Brunissant.

BLONDOIEMENT [blɔ̃dwamɑ̃] n. m. — 1611, *blondoyement ;* de *blondoyer.*

♦ Littér. Action de blondoyer ; effet de ce qui blondoie.

BLONDOYANT, ANTE [blɔ̃dwajɑ̃, ɑ̃t] adj. — 1275 ; p. prés. de *blondoyer.*

♦ Littér. Qui blondoie.

Ces belles tresses ondoyantes
Et d'un beau fin or blondoyantes (...) DU BELLAY, IV, 75, *in* LITTRÉ.

BLONDOYER [blɔ̃dwaje] v. intr. — Conjug. *noyer.* — Fin XIIᵉ ; de *blond.*

♦ Littér. Avoir une teinte blonde, des reflets blonds. *Les pousses* (cit. 3) *vertes blondoyaient.*

DÉR. Blondoiement, blondoyant.

BLOOM [blum] n. m. — 1884 ; 1774, attestation isolée ; mot angl. de *to bloom* « marteler ».

♦ Anglic. Techn. Demi-produit métallurgique obtenu par passage d'un lingot d'acier dans un laminoir dégrossisseur. ⇒ **Blooming.**

HOM. Bloum.

BLOOMER [blumœʀ] n. m. — 1929 ; attestation isolée, 1899, *in* Höfler ; angl., nom propre.

♦ Anglic. Culotte d'enfant, bouffante et serrée en haut des cuisses par un élastique.

C'était juste après le cours de gym. Nous venions de regagner le vestiaire, toutes transpirantes de performances. Nos bloomers bouffants adhéraient à nos ventres.
 Jeanne CORDELIER, la Passagère, p. 155.

BLOOMING [blumiŋ] n. m. — 1859 ; angl. *blooming machine,* de *to bloom* « battre, marteler ». → Bloom.

♦ Anglic. Techn. Laminoir dégrossisseur réversible, qui transforme le lingot de métal en une pièce à section carrée (le *bloom*). *Les billettes résultent du tronçonnage des produits du blooming.*

BLOQUE [blɔk] n. f. — D. i. ; déverbal de 2. *bloquer.*

♦ Régional (Belgique). Préparation intense aux examens (notamment, universitaires). *Le mois de bloque.*

HOM. Bloc, block.

1. BLOQUER [blɔke] v. tr. — V. 1450 ; de *bloc.*

★ **I. ♦ 1.** Réunir, mettre en bloc. ⇒ **Grouper, masser, réunir.**
— REM. Semble inusité en emploi concret. — *Bloquer plusieurs idées en une phrase. Bloquer deux paragraphes.* — Spécialt. P. p. *Vote bloqué :* procédure parlementaire par laquelle l'assemblée est contrainte d'accepter ou de refuser en bloc les articles d'un projet de loi proposé par le gouvernement.

♦ **2.** Archit. Garnir de blocage. — Typogr. *Bloquer une lettre.* ⇒ **Blocage** (I., 2.).

★ **II. ♦ 1.** (Déb. XVIIᵉ). Investir, fermer par un blocus*. ⇒ **Cerner, investir.** *Bloquer un port, une ville.* ⇒ **Siège** (mettre le siège). — Passif et p. p. :

1 Ratopolis était bloquée :
On les avait contraints de partir sans argent (...) LA FONTAINE, Fables, VII, 3.
2 Bloqués par les vaisseaux anglais (...) SAINT-SIMON, Mémoires, I, 302.

♦ **2.** Empêcher de se mouvoir, de passer. ⇒ **Arrêter, coincer, immobiliser.** *Bloquer qqn,* le retenir avec insistance. *Navire bloqué par les glaces.* ⇒ **Immobiliser.**

3 Arrivés des premiers, nous étions tout en haut de l'estrade ; bloqués par douze rangs de foule et maintenus en place jusqu'à la fin (...)
 GIDE, Journal, 17 févr. 1912.
4 Déporté vers la droite, il se trouva bloqué contre les maisons (...)
 MARTIN DU GARD, les Thibault, t. VII, p. 63.
4.1 (...) elle aussi travaillait dans un bureau. Le sous-chef la bloquait tout le temps dans les petits coins et le chef faisait de même. À peine sortie de leurs mains, elle passait à celles du métro. R. QUENEAU, le Chiendent, p. 10.

Bloquer une porte. Bloquer les roues. Bloquer un moteur. ⇒ **Caler.** *Bloquer les freins.* ⇒ **Bloc** (serrer à bloc), **freiner.**

Puis il court aux deux autres portes, successivement, sans plus de succès : toutes 4.2
les trois sont bloquées hermétiquement.
 A. ROBBE-GRILLET, Projet pour une révolution à New York, p. 136.

Techn. *Bloquer un train,* l'arrêter au moyen des signaux appropriés. — *Bloquer la voie.* → Block-system.

Jeu de billard (vx). Immobiliser la bille de son adversaire contre la bande.

Alpin. Tendre (la corde) pour soutenir le grimpeur. — Boxe et lutte. Empêcher (l'adversaire) de se mouvoir. — (1905, *in* Petiot). Football, basket... *Bloquer le ballon.* ⇒ **Blocage,** II.

Le remplaçant bloqua sa balle, la passa à son avant centre. 4.3
 René FALLET, le Triporteur, p. 375.

♦ **3.** (Abstrait). *Bloquer le (un) crédit :* suspendre les opérations de crédit. *Bloquer les crédits. Bloquer un compte en banque.* ⇒ **Geler.** — P. p. *Compte bloqué :* somme d'argent déposée en banque, sans possibilité de retrait, pour un temps déterminé et pour laquelle sont versés des intérêts. — *Bloquer les prix, les salaires,* en interdire l'augmentation.

Sans doute les Français auraient-ils consacré (...) une part plus forte de leur 4.4
revenu, jadis, à leur habitation urbaine, si les salaires n'avaient pas été si misérablement bas et surtout si les pouvoirs publics n'avaient pas pratiquement bloqué les prix des loyers pendant quarante ans et ainsi détourné les capitaux de s'investir dans la construction. Jean FERNIOT, Pierrot et Aline, p. 276.

♦ **4.** Boucher, obstruer. *Bloquer le passage.* ⇒ **Barrer.** *La route est bloquée.* ⇒ **Embouteiller.** « *Les chantiers* (cit. 2) *du métro achevaient de bloquer les carrefours* ».

♦ **5.** Psychol., psychan. (surtout au passif et p. p.). *Être bloqué :* être arrêté (dans ses réactions) par une cause perturbante qu'on ignore. ⇒ **Blocage.** *Son échec l'a bloqué.* — Au p. p. *Sujet bloqué par le jeu des défenses dans une cure psychanalytique.*

La cure psychanalytique s'adresse à des sujets bloqués dans leurs facultés d'aimer 4.5
ou de coopérer, c'est-à-dire de communiquer, c'est-à-dire encore de vivre avec les autres (...) A. AMAR, le Praticien et le Philosophe, p. 14, *in* la Nef, nᵒ 31.

Nom :

(...) les refoulés, les complexés, les inhibés, les « bloqués », tous ceux qu'intoxiquent 4.6
les poisons que chacun secrète en son for intérieur, toutes les victimes de la pollution intime (...) Jean-Louis BORY, Ma moitié d'orange, p. 78.

♦ **6.** Régional (Canada). *Bloquer (un examen).* ⇒ **Coller, échouer.**

▶ **SE BLOQUER** v. pron.
S'immobiliser. *Moteur, mécanisme qui se bloque.* ⇒ **Coincer** (se).

(...) il semblait au bord même de l'aveu ; puis soudain, comme si les paroles se 5
bloquaient dans sa gorge, il stoppait net.
 MARTIN DU GARD, les Thibault, t. IV, p. 85.
(...) quelque chose s'était bloqué, il y avait eu une panne, il fallait attendre que 6
ça revienne. SARTRE, les Chemins de la liberté, t. I, p. 228.
Il se tut. Les mots se bloquaient dans sa gorge. 7
 H. TROYAT, la Tête sur les épaules, p. 119.

(Sujet n. de personne). S'arrêter.

Je me bloque et regarde ce fakir, presque nu, s'avancer, regarder l'animal, cares- 8
ser la tête du reptile, les yeux rivés à lui.
 Fernand FOURNIER-AUBRY, Don Fernando, p. 408.

▶ **BLOQUÉ, ÉE** p. p. adj. (→ ci-dessus I., 1. : *vote bloqué ;* II., 2. ; 3. : *compte bloqué ;* 5.).

CONTR. Débloquer. — (Du sens I) Diviser, morceler, séparer, sérier. — (Du sens II) Défendre ; déclencher, dégager, dépanner, desserrer, remettre (en marche), reprendre (sa marche). — Marcher, repartir.
DÉR. Blocage, bloquette, bloqueur. — V. Bloquet.
COMP. Abloquer, débloquer ; alpha-bloquant, bêta-bloquant ; 1. bloqueur.

2. BLOQUER [blɔke] v. tr. — 1911, attesté ; néerl. *blokhen* « travailler durement ».

♦ Régional (Belgique). Étudier assidûment pour les examens. ⇒ **Bûcher, potasser.**

En novembre (...) on n'aura plus que quelques heures de cours communs. Ça ne te fait rien, à toi, de te dire que c'est le dernier après-midi que nous bloquons ensemble ? Marcel THIRY, Simul et autres cas, p. 54 (1963).

DÉR. Bloque, 2. bloqueur.

BLOQUET [blɔkɛ] n. m. — XVIᵉ ; du rad. de 1. *bloquer.*

♦ Techn. Bobine à manche des dentellières.

BLOQUETTE [blɔkɛt] n. f. — 1866 ; de 1. *bloquer.*

♦ Jeu où l'on doit bloquer des billes dans un trou. *Jouer à la bloquette. Partie de bloquette.*

1. BLOQUEUR, EUSE [blɔkœʀ, øz] adj. et n. m. — XXᵉ ; de 1. *bloquer.*

♦ **1.** Adj. Qui bloque. *Système bloqueur.*

♦ **2.** N. m. (Physiol.). Substance qui inhibe l'activité d'une substance organique. ⇒ **Inhibiteur.** *Ces hormones modifiées « s'avèrent des* *bloqueurs extrêmement puissants de la fonction testiculaire au lieu d'en être des stimulants* » (le Monde, 11 août 1982, p. 10).

2. BLOQUEUR, EUSE [blɔkœʀ, øz] n. — Mil. xxᵉ ; de 2. *bloquer*.

♦ Régional (Belgique). Travailleur acharné, bûcheur. Syn. régional : *manchaballe*.

BLOT [blo] n. m. — 1835, Esnault ; 1821, « prix » ; mil. xviiᵉ « bon prix », attestation isolée ; altér. de *bloc*.
Argot.

♦ **1.** Sorte. — Loc. *Du même blot* : semblable. *Le même blot :* la même chose. ⇒ **Pareil**.

1 (...) j'ai distingué près de Pigalle quelques voitures qui se massaient ; ça devait être le grand barrage. J'étais pas bon.
Rue Blanche, à hauteur du Florence, c'était le même blot. J'ai obliqué.
                          Albert SIMONIN, Touchez pas au grisbi, p. 67.

Travail ; spécialt, travail pénible, mauvaise affaire. *Tu parles d'un blot !*

2 Charger... décharger !... voilà tout ! Un point et c'est marre !... Camelote de commerce ou de guerre... Jamais un autre blot ! C'était comme ça leur destin.
                          CÉLINE, Guignol's band, p. 147 (1951).

♦ **2.** Compte, affaire, dans : *Ça fait mon blot.*

3 C'est un blot, moi, v'là mon pépin :
J'saigne un goncier comme un lapin (...)
Y a pas gras les nuits qu'Bibi bouge,
A Montrouge.   A. BRUANT, Dans la rue, p. 98.

4 (...) et ça se fout tant de noir aux yeux, tant de poudre, tant de cheveux frisés, que je te défie de savoir si elles sont jolies ou non. Ça brille, ça cause, ça remue (...) ça fait bien mon blot !
                          COLETTE, la Vagabonde, p. 237.

BLOTTIR (SE) [blɔtiʀ] v. pron. — 1552, au p. p. ; p.-ê. du bas all. *blotten* « écraser », l'idée de « se cacher » étant souvent exprimée par une métaphore de « s'aplatir ». → Se tapir.

A. ♦ 1. Se ramasser sur soi-même, de manière à occuper le moins de place possible. ⇒ **Accroupir** (s') ; **boule** (se mettre en boule), **bouler** (se), **pelotonner** (se), **ramasser** (se), **recroqueviller** (se), **replier** (se), **tapir** (se). *Un lapin se blottit dans un trou.* ⇒ **Clapir** (se). *Se blottir dans son lit, sous ses couvertures.* ⇒ **Enfouir** (s'). *Se blottir sur soi-même.*

1 *Se tapir,* c'est (...) s'aplatir, s'appliquer contre (...) Mais *se blottir,* c'est s'arrondir (...) se mettre en bloc, en boule, se rouler sur soi-même, dans un trou ou quelque chose de semblable, qui enveloppe et couvre au lieu d'abriter (...) On *se tapit* pour n'être pas vu (...) Mais il peut se faire qu'on *se blottisse* sans avoir l'intention de se cacher (...)
                          LAFAYE, Dict. des synonymes, Tapir (se), se blottir.

2 Je laisse à penser si ce gîte
Était sûr ; mais où mieux ? Jean Lapin s'y blottit.   LA FONTAINE, Fables, II, 8.

3 *(Mitis)* Se niche et se blottit dans une huche ouverte.
                          LA FONTAINE, Fables, III, 18.

3.1 Elle se jeta dans la voiture, referma la portière, se blottit au fond, se sentant seule derrière les glaces relevées, seule pour songer.
                          MAUPASSANT, Fort comme la mort, p. 38.

4 Il donnait en exemple les oiseaux qui se mettent la tête sous l'aile, tous les animaux qui se blottissent pour dormir (...)   GIDE, les Faux-monnayeurs, II, 4.

4.1 (...) là, elle s'accroupit, se rencogne autant qu'elle peut comme si elle espérait rentrer dans les murs, et se blottit sur elle-même en tenant ses genoux repliés dans ses bras.   A. ROBBE-GRILLET, Projet pour une révolution à New York, p. 149.

♦ **2.** (1596). Chercher à se mettre à l'abri, en sûreté en se ramassant sur soi-même. ⇒ **Cacher** (se), **réfugier** (se). *Se blottir contre qqn.* ⇒ **Presser** (se), **serrer** (se contre). *Se blottir contre l'épaule de qqn, dans ses bras...* (→ Évoquer, cit. 10).

5 Elle s'amusa un instant de son air surpris, puis vint se blottir entre ses bras.
                          A. MAUROIS, Bernard Quesnay, XXII, p. 149.

(Sujet n. de chose). Être caché, placé contre qqch.

5.1 Le lit se blottissait très simplement contre le mur sous les roses noires d'une satinette rouge damassée.   M. JOUHANDEAU, la Jeunesse de Théophile, p. 121.

Au participe passé :

6 C'était un paradis (...) blotti au pied d'une haute falaise couronnée de figuiers sauvages, dans un creux, à l'abri de la pluie et du vent (...)
                          H. BOSCO, l'Âne Culotte, p. 10.

B. (Abstrait) :

7 Le désir de celle-ci *(cette femme)* l'avait à peine effleuré, et semblait blotti, caché derrière un autre sentiment plus puissant, encore obscur et à peine éveillé.
                          MAUPASSANT, Fort comme la mort, p. 31.

8 Je me suis frileusement blotti dans un peu de tendresse.
                          GIDE, Journal, 23 juill. 1891.

▶ **BLOTTI, IE** p. p. adj. Voir ci-dessus à l'article.

CONTR. Étirer (s'). — Découvrir (se), exposer (s').
DÉR. Blottissement.

BLOTTISSEMENT [blɔtismã] n. m. — 1870, Goncourt ; de *se blottir*.

♦ Rare. Action de se blottir ; résultat de cette action.

Qui comprendra que le dénuement puisse être attrayant comme un luxe ? et le blottissement dans la détresse autant que l'exaltation de l'amour ?
                          GIDE, Journal, 14 févr. 1916.

BLOUM [blum] n. m. — 1881, « chapeau haut de forme » ; orig. inconnue, p.-ê. nom propre de fabricant, *Blumenthal*.

♦ (1897, Rictus). Argot, vx. Chapeau (d'homme). — Var. : *blum* (1938, La Varende, *in* T. L. F.).
HOM. Bloom.

BLOUSANT, ANTE [bluzã, ãt] adj. — 1926, n. ; de 2. *blouser*.

♦ Cout. Qui blouse. *Robe à dos blousant.*

CONTR. Ajusté.

1. BLOUSE [bluz] n. f. — 1680 (1600, terme de jeu de paume) ; orig. incert. ; on a proposé le néerl. *bluts* « bosse » et « enfonçure », phonétiquement inadéquat, par ailleurs *belouse,* 1585, a un sens érotique.

♦ Vx. Trou, poche aux coins et au milieu des grands côtés, dans les anciens billards. *Envoyer une bille dans la blouse.* ⇒ 1. **Blouser**.

DÉR. 1. Blouser.
HOM. 2. Blouse, blues.

2. BLOUSE [bluz] n. f. — 1788 ; orig. obscure ; mot régional, le rapport avec *blaude* n'est pas établi ; pour Guiraud, la var. *belouse* permet de rattacher le mot au lat. *bullosa* « en forme de bulle, gonflé, bouffant », de *bulla*.

♦ **1.** Vêtement de travail que l'on met par-dessus les autres pour les protéger. ⇒ **Bliaud, bourgeron, casaque, sarrau, souquenille, tablier.** *Blouse de toile, de cotonnade. Au xixᵉ siècle, les ouvriers étaient vêtus de blouses* (⇒ **Blousier**). *Blouse de paysan. Blouse de roulier.* ⇒ **Roulière** (vx). *Blouse d'artiste, de peinture. Blouse blanche de chirurgien.* ⇒ aussi **Casaque** (5.). *Blouse d'écolier. Porter une blouse.* — *Être en blouse. Des hommes en blouse* (→ Roulière, cit. 1).

1 Il avait une blouse grise, à ceinture et à plis fixés sur sa taille courte, qui lui donnait l'aspect d'une barrique cerclée.   G. SAND, *in* Pierre LAROUSSE.

Par métonymie, vx. *Les blouses, le monde des blouses* (des ouvriers).

♦ **2.** (1899). Chemisier de femme, large du bas, porté vague ou serré par une ceinture. ⇒ **Chemisette, chemisier, corsage.** *Blouse de soie. Blouse à grand col se passant par la tête.* ⇒ **Marinière.** *Porter une blouse.*

2 Plutôt que d'être à nouveau séduit par des souvenirs de là *(de Rome)*, il s'intéresserait à la transparente blouse de sa voisine (...)
                          A. PIEYRE de MANDIARGUES, la Marge, p. 93.

Vêtement léger (d'homme ou de femme) habillant le torse. *Blouse ukrainienne.*

DÉR. Blousé, 2. blouser, blousier, blouson.
HOM. 1. Blouse, blues.

BLOUSÉ, ÉE [bluze] adj. — xxᵉ ; de *blouse* « tablier ».

♦ Rare. Vêtu d'une blouse.

La sage-femme énorme et blousée mettait les deux drames en scène, au premier, au troisième, bondissante, transpirante, ravie et vindicative.
                          CÉLINE, Voyage au bout de la nuit, p. 274 (1932).

HOM. Blousé (de *blouser*).

1. BLOUSER [bluze] v. tr. — 1654, *se belouzer* ; de 1. *blouse*.

♦ **1.** Vx. Mettre dans la blouse. *Blouser une bille* (de billard). *Blouser sa propre bille.*

♦ **2.** (D'abord au pron., de *se belouser* « mettre sa bille dans la blouse »). Fig. et fam. Tromper, décevoir. *Je me suis bien vite aperçu qu'il voulait me blouser. Il s'est fait blouser. Être blousé.*

1 As-tu aimé ce film ? l'interroge Anouk. La voix est mondaine et l'œil goguenard. — Énormément, dit Robert. Evidemment, tu es blousée, chérie. Aucun fasciste n'a été puni ; la pollution : tintin ; et pas un mot sur le Vietnam. Une vraie misère.
                          Christine ARNOTHY, Un type merveilleux, p. 3.

▶ **SE BLOUSER** v. pron.

(1680). Se méprendre, se tromper (→ Tomber dans le panneau* ; se mettre, se ficher dedans).

2 (...) un spécialiste peut se blouser comme un autre homme.
                          GIDE, Journal, 4 janv. 1933.

3 Cette petite histoire ne persuadera personne et ne servira qu'à m'enfoncer dans

cette conviction : que l'on se blouse tout aussi souvent par excès de défiance que par excès de crédulité.   GIDE, Voyage au Congo, in Souvenirs, Pl., p. 825.

HOM. Blousé.

2. BLOUSER [bluze] v. intr. — 1925, in D.D.L. : de 2. blouse.

♦ Bouffer comme fait une blouse. *Il faut faire blouser cette chemisette à la taille.*

DÉR. Blousant.

BLOUSIER [bluzje] n. m. — 1852, à Genève ; de 2. blouse.

♦ Vx. Homme qui porte une blouse* ; ouvrier en blouse (notamment dans le contexte historique de la Commune : *insurgé*).

Un blousier seul, au milieu d'un groupe, raconte des choses qu'il a vues (...)
          Ed et J. DE GONCOURT, Journal, t. IV, p. 52.

Var. péj. *Blousard* (Huysmans, *En route*).

BLOUSON [bluzɔ̃] n. m. — 1907, in D.D.L. ; de 2. blouse.

♦ **1.** Veste courte relativement ample à la taille et serrée aux hanches. *Blouson de sportif, de militaire. Blouson militaire (⇒ **Battledress**). Blouson à fermeture-éclair. Porter un blouson, le blouson. Blouson de cuir, de satin, de jeans. Pantalon et blouson assortis. Blouson d'homme, de femme.*

1 On voit que ses vêtements ne sont pas de la confection en série : le style en est élégant, la matière souple, douce, brillante sans excès, coûteuse probablement ; le pantalon est en cuir noir, lui aussi, et à fermeture éclair comme le blouson, dont le col est entrouvert jusqu'à la naissance des seins.
          A. ROBBE-GRILLET, Projet pour une révolution à New York, p. 107.

♦ **2.** Loc. (V. 1960). **BLOUSON NOIR** : jeune homme (souvent agressif ou délinquant), vêtu de blouson de cuir noir. ⇒ **Loubard,** 2. **loulou ; rocker.** *Une bande de blousons noirs sur des motos.*

2 Nous répétons pour nous rassurer que les tricheurs sont une invention de cinéastes et les blousons noirs un phénomène sans portée.
          F. MAURIAC, le Nouveau Bloc-notes 1958-1960, p. 245.

3 Elle était poursuivie et même pire, comme je vais le raconter à présent. Mais le jeune blouson noir, désigné par la lettre W dans le rapport, ne pouvait s'en rendre compte.   A. ROBBE-GRILLET, Projet pour une révolution à New York, p. 131.

Par anal. (vieilli ; à la mode v. 1970). **BLOUSON DORÉ** : jeune homme de famille riche ou honorable assimilé au blouson noir par la nature répréhensible de ses activités.

4 Sortie du fils Pacton « pétaradant » sur son scooter (*graine de blouson noir... vous voulez dire doré... on a les enfants qu'on mérite...*)
          P. DANINOS, le Jacassin, p. 61.

BLOUSSE [blus]. n. f. — 1752 ; orig. incert. ; p.-ê. du provençal mod. *(lano) blouso* « (laine) dépouillée », germ. *bloz* « nul ».

♦ Techn. Déchets, partie très grossière de la laine, éliminés par les peigneuses (dans une filature).

(...) quant aux *(fibres)* plus courtes, elles sont éliminées et constituent les déchets ou *blousses* qui sont revendus aux filatures de laine cardée dont ils constituent parfois une partie de la matière première.   Charles MARTIN, la Laine, p. 56.

B.L.U. [beɛly] n. f. — D.i. (xxᵉ) ; sigle.

♦ Radio. Bande* latérale unique.

BLUE-JEAN [bludʒin] n. m. ou BLUE-JEANS [bludʒins] n. m. pl. — 1956, in Höfler ; *blue jean*, 1954 ; *blue-jeans*, n. m. pl., 1949 ; mot amér., de *blue* « bleu », et *jeans*. → Jeans.

Anglicisme.

♦ Pantalon de forte toile bleue (⇒ **Denim,** anglic.), à piqûres apparentes, porté surtout par les jeunes gens des deux sexes. ⇒ **Jean.** *Un blue-jean délavé. Blue-jean serré.* — REM. Il y a des hésitations sur la graphie, la prononciation et le nombre de ce mot ; *blue-jeans* est parfois prononcé [bludʒin], et le pluriel peut désigner un seul objet, comme dans *un pantalon, des pantalons.*

1 (...) au supplice sans doute d'avoir été obligée de passer une robe au lieu des blue-jeans et des chandails dont elle devait habituellement s'affubler.
          Claude SIMON, le Vent, p. 60.

2 (...) on voit des princes en salopette, des monarques à vélo, des reines en *blue-jeans.*   P. DANINOS, Un certain Monsieur Blot, p. 57.

3 Martin vit d'abord le chef du groupe, un jeune garçon d'une douzaine d'années, vêtu d'un blue-jeans et d'un sweater blanc.
          J.-M. G. LE CLÉZIO, la Fièvre, Martin, p. 166.

4 Les étudiants et les étudiantes — qui ont abandonné le blue-jean pour des robes à jupons qui marquent un retour au romantisme — sont d'une élégance et d'une propreté inimaginables dans nos pays.
          G. DUMUR, in les Lettres nouvelles, nᵒ 36, mars 1956.

Les graphies francisées (plais.) *bloudgine* (M. Aymé), *bloudjinnzes* (Queneau), *blougines* (Elle, in Etiemble) marquent les hésitations phonétiques.

BLUE NOTE [blunɔt] n. f. — xxᵉ ; amér. *blue* (→ Blues), et *note.*

♦ Anglic. Jazz. Note (médiante et sensible ; dominante) abaissée d'un demi-ton de manière à apporter des accords mineurs dans une tonalité majeure. *Les blue notes sont, dans la tonalité de do, le mi bémol et le si bémol, auxquels le jazz moderne a ajouté le sol bémol (quinte diminuée) à partir de la période be bop (vers 1945).*

Dans le ton *do* par exemple, le *mi* et le *si* se trouvent abaissés d'un demi-ton. Et ce sont ces notes abaissées, les "blue notes" qui confèrent à la musique noire son caractère de poignante tristesse.   Lucien MALSON, les Maîtres du jazz, p. 10.

BLUES [bluz] n. m. — 1919, in Höfler ; de l'amér. *blues*, employé pour *blue devils* « idées noires ».

Anglicisme.

♦ **1.** Forme musicale élaborée par les Noirs des États-Unis d'Amérique, et se caractérisant par une formule harmonique constante et un rythme à quatre temps. → Rythm and blues. *Blues lent. Blues rapide instrumental.* (⇒ **Boogie-woogie**). *Le blues est une des sources du jazz*.*

Air de cette musique. *Jouer, siffler, chanter un blues.* — *Chanteur de blues.* ⇒ **Bluesman.**

1 Antoine se mit à claquer des dents sur un rythme de batterie New Orleans. Holiday l'entortilla dans une couverture et lui chanta trois blues.
          René FALLET, le Triporteur, p. 88.

2 À côté de cette musique religieuse *(les « negro-spirituals »)*, ils *(les Noirs américains)* avaient leurs chants profanes, cri de l'âme noire sous l'oppression de l'esclavage, chants qui furent appelés les « blues » (...)
          H. PANASSIÉ, in Initiation à la musique, p. 110.

♦ **2.** Cour. (abusif en mus.). Musique de jazz lente (⇒ **Slow**) ; danse exécutée sur cette musique. *Danser un blues langoureux.*

♦ **3.** (1970, in Cellard et Rey ; réemprunt à l'angl. *to be, to feel blue*). Fam. Mélancolie, humeur sombre. ⇒ **Bourdon, cafard.** *Avoir le blues.*

3 Je me laissais bercer par le ronron du moteur, par la monotonie du paysage. Et, pour chasser mon blues montant, je nous imaginais, toi et moi, parcourant l'Ile-de-France à bicyclette.   Jeanne CORDELIER, la Passagère, p. 314.

DÉR. Bluesman.
HOM. Blouse.

BLUESMAN [bluzman] n. m. — 1961, in Höfler de *blues*, et suff. d'orig. angl. *-man.*

♦ Anglic. Chanteur musicien de blues. — Plur. *Bluesmen* [bluzmɛn]. *Les bluesmen du Mississippi. « À plagier les grands bluesmen noirs d'autrefois sans en avoir le feeling ni le coffre, on a la mine blafarde. »* (*l'Express,* 16 oct. 1972, p. 14).

BLUET [blyɛ] n. m. ⇒ Bleuet.

BLUETTE [blyɛt] n. f. — V. 1530 ; 1550, *belluette* ; probablt dér. de l'anc. franç. *belue* « étincelle » (qui aurait donné *belluer*, xiiiᵉ, « éblouir »), p.-ê. d'un lat. pop. *biluca*, issu par substitution d'initiale de *famfaluca.* → Berlue.

♦ **1.** Vx. Petite étincelle.

1 Des bijoux posés sur la toilette, bracelets, colliers, pendants d'oreilles, lançaient de folles bluettes et de brusques scintillements d'or.
          Th. GAUTIER, le Capitaine Fracasse, I, VIII.

♦ **2.** (Abstrait). Vx ou littér. Trait vif et léger. *Il y a quelques bluettes d'esprit dans cet ouvrage* (Académie, 1878). *« Ces petites bluettes passagères, inoffensives d'aspect... »* (Bernanos, in T. L. F.).

(En littérature). Petit ouvrage léger et spirituel. (→ 1. Boire, cit. 44).

2 La *Revue des Deux-Mondes.* — Il y a une charmante bluette d'Alfred de Musset : *Un caprice.* C'est léger et joli comme la chose.
          BARBEY D'AUREVILLY, Premier mémorandum, 16 juin 1837, p. 162.

3 Sur scène les élèves des petites classes jouent en lever de rideau. Ils présentent des bluettes didactiques et moroses sur les métiers, tous les maladies destinées à mettre le public en appétit (...).   Pierre MERTENS, la Fête des anciens, in Littérature de langue franç. hors de France, p. 316.

DÉR. Bluetter.

BLUETTER [blyete] v. intr. — 1801 ; de bluette.

♦ Vieilli, rare. Jeter des bluettes, de petites lueurs.

BLUFF [blœf] n. m. — 1840 ; mot angl. des États-Unis, de *to bluff.* → Bluffer.

♦ **1.** Aux cartes (poker). Attitude destinée à impressionner l'adversaire en lui faisant illusion.

♦ **2.** (1895, in Höfler). Attitude destinée à intimider l'adversaire. *Pratiquer le bluff.* ⇒ **Battage, blague, chantage, tromperie ; bluffer.** *Bluff diplomatique.* ⇒ **Chantage.** *Des bluffs. Ça n'est qu'un bluff. Il nous a eus au bluff.*

1 De part en part il n'y a que rhétorique et bluff dans cet homme-là.
GIDE, Journal, 10 janv. 1906.

2 (...) mais si aux cartes, à la guerre, où il importe seulement de gagner, on peut résister au bluff, les conditions ne sont point les mêmes que font l'amour et la jalousie, sans parler de la souffrance.
PROUST, À la recherche du temps perdu, t. XIII, p. 25.

♦ **3.** Esbroufe, épate.

3 Le style nouveau s'accompagne d'un certain bluff. Et le grand problème sera de garder le style sans le bluff.   F. MAURIAC, Bloc-notes, 1952-1957, p. 138.

4 L'inspiration, c'est une invention des gens qui n'ont jamais rien créé. Nous entretenons la légende pour nous faire valoir, mais entre nous, c'est un bluff. Le poète ne connaît que la commande.   J. ANOUILH, Ornifle ou le Courant d'air, I, p. 47.

CONTR. Sincérité.
DÉR. Bluffer, bluffeur.

BLUFFER [blœfe] v. — 1884 ; de *bluff*, pour correspondre à l'anglo-amér. *to bluff* (1864, en poker ; 1839, «faire illusion»), mot empr. du néerl. aux États-Unis.

♦ **1.** V. intr. Fam. Pratiquer le bluff ; tenter de donner le change, de faire illusion. ⇒ **Intimider, leurrer, tromper** (→ fam. Esbroufer ; faire de l'esbroufe, de l'épate). *Il bluffe constamment. Bluffer avec qqn. Bluffer sur, quant à son origine. Cesse donc de bluffer* (→ argot Arrête ton char*).

1 Comme au poker : ceux qui *blufferont* le mieux, le plus longtemps, gagneront (...)
MARTIN DU GARD, les Thibault, t. VI, p. 213.

Par ext. Se vanter.

♦ **2.** V. tr. (1895, *in* Höfler). [a] Au jeu. *Essayer de bluffer l'adversaire, au poker.* → Poker, cit. 2.

[b] *Bluffer qqn,* tenter de l'abuser. *Il nous a bluffés.*

2 (...) il s'immobilisa, pensant (c'est-à-dire la partie de lui-même qui s'efforçait de bluffer l'autre disant :) «Putain de pays où même un carrelage sous des pieds nus n'est pas fichu d'être plus frais qu'un lit ou plutôt un paquet de linge mouillé.
Claude SIMON, le Palace, p. 131.

▶ **SE BLUFFER** v. pron. (Réfl.). *Passer son temps à se bluffer,* s'abuser, s'illusionner. *«Ne cherchons pas à nous bluffer là-dessus»* (Montherlant, *in* T. L. F.).

Récipr. *Ils se bluffent mutuellement.*

BLUFFEUR, EUSE [blœfœʀ, øz] n. et adj. — 1895, au fém., P. Bourget ; de *bluff*, le v. *bluffer* étant postérieur.

♦ **1.** N. Personne qui bluffe. ⇒ **Hâbleur, menteur, vantard.** *Un grand bluffeur au poker. C'est une bluffeuse.*
Prétentieux. *C'est un petit bluffeur.* ⇒ **Esbroufeur.**

♦ **2.** Adj. (1903, *in* Höfler). Qui bluffe. *Il est un peu bluffeur.*

BLUSH [blœʃ] n. m. — 1969, *in* Höfler ; mot angl. proprt «afflux de sang au visage».

♦ Anglic. Fard à joues sec. *Blush rose, orangé, en poudre, en crème. Se mettre une touche de blush sur les pommettes.* — REM. La var. *blush-on* paraît vieillie.

Tout, je volais tout, fonds de teint, mascara, laits hydratants, crèmes de nuit, blush-on, eyeliners, vernis à ongles, shampooings, je fourrais tout sous un journal.
Christine DE RIVOYRE, Fleur d'agonie, p. 28.

BLUTAGE [blytaʒ] n. m. — 1556, *buletaige* ; 1611, *belutage*, et *blutage* ; en 1546, Rabelais, *belutaige* «coït» ; de *bluter*.
Technique.

♦ **1.** Séparation du son et de la farine. ⇒ **Tamisage.** *Blutage à la main, à la machine* (⇒ **Blutoir**). *Taux de blutage.*

♦ **2.** Nettoyage et triage des chiffons, pour la fabrication de la pâte à papier.

BLUTEAU [blyto] n. m. — Fin xɪvᵉ, *blucteau* ; *buretel,* déb. xɪɪᵉ ; de *bluter*.

♦ Techn. (vx). Tamis à bluter* (la farine). *Des bluteaux.*

BLUTER [blyte] v. tr. — V. 1350 ; *buleter,* 1170 ; *beluter,* fin xɪɪᵉ ; moy. haut all. *biuteln,* par métathèse (*b-l-t* pour *b-t-l*), puis métathèse des voyelles ; pour Guiraud, il s'agit d'un mot roman, *buleter* étant une var. de *bureter.* → Bure.
Technique.

♦ **1.** Tamiser (la farine) pour la séparer du son. *Bluter la farine*, *la mouture*. *Tamis à bluter.* ⇒ **Bluteau, blutoir.** — P. p. *Farine blutée.*

♦ **2.** Passer au tamis (une matière pulvérulente). *Bluter le minerai de talc* (⇒ **Bluteur**).
DÉR. Blutage, bluteau, bluterie, bluteur, blutoir.

BLUTERIE [blytʀi] n. f. — 1701 ; *buleterie* «blutoir», 1325 ; de *bluter.*
Technique.

♦ **1.** Lieu où l'on blute la farine.

♦ **2.** Appareil qui sert à bluter certaines matières. ⇒ **Bluteur.**

BLUTEUR [blytœʀ] n. m. — 1539 ; *buleteres,* 1268 ; de *bluter.*
Technique.

♦ **1.** Ouvrier qui fait le blutage*. — REM. Dans ce sens, le fém. *bluteuse* est virtuel.

♦ **2.** Appareil servant à bluter (le talc). ⇒ **Bluterie.**

BLUTOIR [blytwaʀ] n. m. — 1690 ; *belutoir,* 1315 ; de *beluter, bluter*.

♦ Appareil servant à bluter (la farine). *Blutoir à la main.* ⇒ **Bluteau, sas, tamis.** *Blutoir mécanique.* ⇒ **Moulin, plansichter.**

1 (...) l'horloge de l'église qui nous épluche le temps miette à miette comme le blutoir le grain (...)   G. SAND, François le Champi, XVI, p. 120.

2 Quant aux diverses parties du mécanisme intérieur, la boîte destinée à contenir les deux meules (...) et enfin le butoir, qui, par l'opération du tamisage, sépare le son de la farine, cela se fabriqua sans peine.
J. VERNE, l'Île mystérieuse, t. II, p. 534.

BOA [bɔa] n. m. — 1372 ; du lat. *boa* «serpent d'eau».

♦ **1.** Grand serpent d'Amérique du Sud (*Colubriformes*), non venimeux, carnassier, qui, avant d'avaler sa proie, l'étouffe dans ses anneaux. ⇒ **Eunecte.** *Un boa constrictor.* ⇒ **Constricteur, devin** (vx). *Des boas empereurs. «Les boas luisants»* (→ Bras, cit. 8).

1 Les boas monstrueux, les crocodiles verts,
Moindres que des lézards sur ses murs entr'ouverts,
Glissaient parmi les blocs superbes (...)   HUGO, les Orientales, I.

1.1 Je me rendais au Jardin des Plantes, pour le dîner que fait à quatre heures et demie, tous les deux mois, le boa (...) j'ai devant moi le monstre de six mètres en son immobilité morte, avec ses écailles ternes, ses yeux en verre décoloré (...)
Ed. et J. DE GONCOURT, Journal, t. VIII, p. 196.

1.2 Mais qui donc!... mais qui donc ose, ici, comme un conspirateur, traîner les anneaux de son corps vers ma poitrine noire? (...) Car, vois-tu, boa, ta sauvage majesté n'a pas, je le suppose, l'exorbitante prétention de se soustraire à la comparaison que j'en fais avec les traits du criminel.
LAUTRÉAMONT, les Chants de Maldoror, Pl., p. 198-199.

(Abusif en zool.). Python.

Par compar. *«Financièrement parlant, M. Grandet tenait du tigre et du boa»* (→ Griffe, cit. 7.1, Balzac).

♦ **2.** (1827). Par anal. de forme. Tour de cou (en fourrure ou en plumes).

2 (...) et les femmes enroulaient autour de leur cou ces boas de plumes qui étaient alors à la mode.   ALAIN-FOURNIER, le Grand Meaulnes, p. 101.

BOAT PEOPLE [botpipœl] n. m. pl. — 1979, expr. angl. «gens des bateaux».

♦ Anglic. Se dit des Cambodgiens qui ont massivement fui leur pays en 1979, sur des bateaux, et, par ext., de réfugiés abandonnant leur pays dans les mêmes conditions. *«Durant les six premiers mois de 1978, on avait accueilli 16 000 boat people provenant du Vietnam»* (*l'Express,* n° 1463, 21 juil. 1979). *«... plus de 16 000 boat people ont encore quitté Cuba la semaine dernière»* (le Point, n° 400, 19 mai 1979).

1. BOB [bɔb] n. m. — 1950, au sens 2 ; nom angl., dimin. hypocoristique de *Robert* désignant les soldats (ou marins) américains.
Anglicisme.

♦ **1.** Bonnet de marin, dans l'armée américaine.

♦ **2.** Coiffure de toile souple en forme de cloche à bords relevés.

2. BOB [bɔb] n. m. ⇒ **Bobsleigh.**

3. BOB [bɔb] n. m. — 1918, Maurois ; argot angl., dimin. de *Robert.*
Rare.

♦ **1.** Pièce d'un shilling. — Shilling.

♦ **2.** (De l'argot amér.). Dollar (Simonin, *Le cave se rebiffe, in* Cellard et Rey).

4. BOB [bɔb] n. m. — 1935 ; abrév. de *bobinette* (1881), «jeu de dés, jeu de hasard truqué» ; plus ou moins senti comme américanisme, à cause de 3. *bob*.

♦ Dé (à jouer).

Gégène (sortant deux dés de sa poche).
Faut voir si mes bobs sont pareils avec ceux d'ici.
Charlot. — Eh! Fernand, envoie un peu l'godet et les bobs.
         E. BOURDET, Fric-Frac, p. 18, *in* CELLARD et REY.

BOBARD [bɔbaʀ] n. m. — V. 1900 ; du rad. onomat. *bob-*, bien attesté en anc. et moy. franç. (*bober* «tromper», XIIIe ; *boban* «vanité», XIIe, etc.), et qui a dû subsister dans les dialectes. → Bobine.
Familier.

♦ **1.** Rare. Propos fantaisiste et mensonger qu'on imagine par plaisanterie, pour tromper ou se faire valoir. ⇒ **Mensonge ; bateau**, II, 4. ; 2. **blague, boniment, canular.** *Raconter des bobards. Donner, couper dans un bobard.*

1   Je ne suppose pas que vous coupiez dans le bobard de son génie créateur ?
         BERNANOS, Un mauvais rêve, Œ. roman., Pl., p. 893.

♦ **2.** Cour. Fausse nouvelle. ⇒ **Canard.** *Les bobards de la radio, de la presse. Croire tous les bobards. C'est encore un bobard.*

2   (...) ça n'est pas un bobard ? On peut vous faire avaler n'importe quoi.
         SARTRE, les Chemins de la liberté, t. II, p. 42.

3   Ce n'est pas avec tes bobards qu'on supprimera la guerre, dit-il, mais avec des canons, des avions et des tanks.   Francis CARCO, les Belles Manières, p. 16.

CONTR. V. **Vérité.**
DÉR. **Bobardier.**

BOBARDIER, IÈRE [bɔbaʀdje, jɛʀ] n. — 1922, L. Daudet ; de *bobard.*

♦ Fam., vieilli. Propagateur, propagatrice de bobards. — Adj. *Des «ministres bobardiers»* (1941, le Pilori, *in* T. L. F.).

1. BOBÈCHE [bɔbɛʃ] n. f. — 1335 ; p.-ê. du rad. onomat. *bob-* comme *bobine*, avec un élément final inexpliqué *(flammèche ?).*

♦ **1.** Disque légèrement concave adapté aux chandeliers et destiné à recueillir la cire coulant des bougies. ⇒ **Binet, bobéchon, brûle-bout, brûle-tout.** *La bobèche d'un bougeoir. Bobèche en cuivre, en verre. Bobèches décoratives d'un lustre électrique.*

1   Ça répercutait plein le bastringue que ça faisait trembler les parois tellement qu'ils hurlaient fort en chœur !... Le lustre à bobèches il voguait, valsait sur les têtes !...
         CÉLINE, Guignol's band, p. 148.

2   — Allo, Police !... mugit une voix qui traversa les murs et fit vibrer, comme pour en atténuer l'éclat, les bobèches en cristal du lustre.
         Francis CARCO, les Belles Manières, p. 41.

Par ext. Partie supérieure (d'un chandelier évasé).

♦ **2.** (1878 ; croisement de *bobine* et de *bobèche,* avec infl. possible de *cabèche*). Fam., vx. Tête. ⇒ **Bobéchon.** *Se monter la bobèche.*

DÉR. **Bobéchon.**

2. BOBÈCHE [bɔbɛʃ] n. m. — 1836 ; adj. en 1795 «bouffon» ; du rad. expressif *bob-* (→ Bobine) ; le nom du pitre *Bobèche* vient de ce mot, et non l'inverse.

♦ **1.** Vx. Pitre, bouffon (de parades, etc.).

♦ **2.** Niais, imbécile (Goncourt, *Journal*).

DÉR. **Bobècherie.**

BOBÈCHERIE [bɔbɛʃʀi] n. f. — 1868, Goncourt ; de 2. *bobèche.*

♦ Vx, rare. Niaiserie de bobèche. Paroles, boniment d'un bobèche.

BOBÉCHON [bɔbeʃɔ̃] n. m. — XIXe ; de 1. *bobèche.*

♦ **1.** Bobèche métallique munie d'une pointe de fixation.

Une suspension massive, formée de boules, de lianes et de bobéchons en bronze, pendait du plafond comme un monstre marin flottant entre deux eaux.
         H. TROYAT, la Tête sur les épaules, p. 15.

♦ **2.** (1866). Vieilli. Tête. *Monter le bobéchon à qqn, se monter le bobéchon.* ⇒ **Bourrichon.**

BOBEUR [bɔbœʀ] n. m. — 1951, *in* Höfler ; de *bob*, abrév. de *bobsleigh.*

♦ Sports. Équipier d'un bobsleigh.

REM. 1. On trouve la variante *bobiste*, n. (1912, *in* Petiot).
2. Le fém. de *bobeur* n'est pas attesté.

BOBINAGE [bɔbinaʒ] n. m. — 1809 ; de *bobiner.*
Technique et courant.

♦ **1.** Action d'enrouler un fil sur une bobine. — Spécialt, techn. Opération de tissage qui consiste à enrouler le fil sur les bobineaux en vue de l'ourdissage. ⇒ **Envidage.** *Le bobinage du coton.*
Ensemble de fils bobinés. *Dérouler les bobinages.*

♦ **2.** Électr. Enroulement de fils conducteurs autour d'un noyau. ⇒ **Bobine.** *Le bobinage d'un électro-aimant.*

(...) toutes les catégories du geste technique, de la manipulation du métal au maniement de la lime, au bobinage des fils électriques, à l'assemblage plus ou moins manuel ou mécanique des pièces.
         A. LEROI-GOURHAN, le Geste et la Parole, t. II, p. 42.

Les fils enroulés. *Flux magnétique traversant un bobinage.*

BOBINARD [bɔbinaʀ] n. m. — 1900 ; orig. incert., p.-ê. de *Bobino*, nom d'un pitre aux plaisanteries grossières, puis nom d'un établissement de spectacles populaires, à Paris, rue de la Gaîté.
Familier.

♦ **1.** Maison de prostitution. ⇒ **Bordel.**

1   Avec bien du mal, j'ai fini par recueillir l'adresse incertaine d'une «Maison», d'un bobinard clandestin, dans le quartier nord de la ville.
         CÉLINE, Voyage au bout de la nuit, p. 208 (1932).

2   (...) dès qu'une jeune fille riait un peu fort, il la mettait à la porte... «Allez, ouste ! Et pas la peine de revenir. Ici, ce n'est pas un bobinard».
         Roger VAILLAND, 325 000 francs, p. 237.

Var. : *bob,* n. m. ; *bobino,* n. m.

♦ **2.** Fig. Grand désordre. ⇒ **Bordel.** *Ta piaule, c'est un vrai bobinard.*

3   Un terrible bobinard de pièces détachées s'entassait à même le parquet, escaladait la cheminée de marbre et interdisait presque l'entrée de ce capharnaüm.
         Albert SIMONIN, Touchez pas au grisbi, p. 160.

REM. On trouve vers 1880-1890 un homonyme *bobinard* «commis de mercerie» (de *bobine*). Cf. Zola, *Au Bonheur des dames.*

BOBINE [bɔbin] n. f. — 1410 ; orig. incert. ; probablt du rad. onomat. *bob-*, exprimant le mouvement des lèvres, d'où la rondeur, et aussi la bêtise. → Bobard, bobèche, bobo, bombance...

★ **I.** ♦ **1.** Petit cylindre à rebords servant à maintenir enroulé (et à dévider) une matière souple ; ce cylindre garni d'une matière souple enroulée. *Bobine de fil à coudre. Enrouler sur une bobine.* ⇒ **Bobiner.** *Dévider une bobine de fil*.* ⇒ **Débobiner.** *Changer de bobine. Bobine de dentellière.* ⇒ **Bloquet.** *Bobine de soie.* ⇒ **Rochet, roquetin.** *Les bobines d'un métier à tisser, d'une machine à coudre.* ⇒ **Bobineau, 3. cannelle, 2. canette** (cit.), *dévidoir. Bobines de câbles.*

1   Ne pourront lesdits maîtres teinturiers défaire ni diviser les pantines de soie crues ou teintes (...) mais les rendront en la forme qu'ils les auront reçues (...) même les rochets et bobines sur lesquelles elles seront évidées (...)
         Règlements sur les manufactures, Août 1669, *in* LITTRÉ.

Par métaphore. *Dévider la bobine de ses pensées.* ⇒ **Fil** (fig., *supra* cit. 34). *« La bobine de tes jours »* (Amiel).

♦ **2.** (1866, *Année sc. et industr.*). Électr. Cylindre creux sur lequel s'enroule un fil conducteur isolé qu'un courant électrique peut parcourir. *Bobine de dérivation, de self-induction. Le rupteur d'une bobine d'induction. Bobine de Siemens. La bobine d'induction de Ruhmkorff, de Godfroy. Bobine cloisonnée, à spirales plates, en nids d'abeilles. Bobine à spires jointives. Création d'un champ magnétique à l'intérieur d'une bobine* (⇒ **Solénoïde**). *Bobines d'un électro-aimant*. Bobine de multiplicateur. Bobine thermique,* servant de fusible sur une ligne télégraphique. *Bobine d'automobile,* transformant le courant des accumulateurs et l'envoyant au distributeur d'allumage.

♦ **3.** Techn. Tambour sur lequel s'enroule le fil sortant de la filière. Tambour d'enroulement d'un câble.
Élément central du moulinet* de pêche à la ligne.

♦ **4.** Rouleau (d'une matière enroulée). ⇒ **Roule, rouleau.**
Rouleau de papier (pour une rotative, par ex.).
(1895, *Année sc. et industr.*). Rouleau de pellicule (vierge ou impressionnée). *Bobine de pellicule photographique. Bobine de film.*
Rouleau de ruban de machine à écrire. ⇒ **Ruban.**

★ **II.** ♦ **1.** (1829). Fam. Visage (ridicule, comique). ⇒ **Tête** ; (fam.) **binette, bobinette, tronche.** — Par ext. L'expression de ce visage. *Faire une drôle de bobine.*

2   Les gens me tombent dessus, rien qu'à voir ma bobine sous un bec de gaz.
         BERNANOS, l'Imposture, *in* Œ. roman., Pl., p. 465.

3   Il a une sale bobine ; le nez crochu, ce qui est particulièrement déplaisant pour un visage noir.   GIDE, Voyage au Congo, *in* Souvenirs, Pl., p. 841.

4   — Ça ne va pas être bien long maintenant... Vous verrez qu'on arrivera à temps pour les huîtres... Moi, je ne devais pas réveillonner... J'en reviens pas de ma veine ! Non, la bobine du sous-chef !... (...) Quand ils sont venus me chercher, si vous aviez vu sa bobine, alors... !
         H.-G. CLOUZOT et J. FERRY, Quai des Orfèvres (scénario), 1947, *in* l'Avant-Scène, n° 29, p. 50, 1963.

♦ **2.** Vx. Tête, crâne.

5 Elle a des dents qui viennent d'Angleterre et un chignon! Pas un cheveu sur la
bobine!... Un caillou!...   GORON, l'Amour à Paris, t. I, p. 570.

DÉR. Bobineau, bobiner, bobinette, bobineur, bobinier, bobinoir.

BOBINEAU ou BOBINOT [bɔbino] n. m. — 1567; de *bobine.*

★ **I.** Techn. ♦ **1.** ⓐ Bobine de métier à filer sur laquelle s'enroule
le fil.

ⓑ Partie d'une bobine de papier pour rotative qui reste inutilisée
en fin de dévidage.

♦ **2.** Bande magnétique enroulée.

★ **II.** (1827). Argot anc. Montre. — Var. : *bob, bobe, bobine.*

BOBINER [bɔbine] v. tr. — 1680; *babiner,* 1320; de *bobine, -babine,*
forme altérée.

♦ Techn. Enrouler* (une matière souple) sur une bobine. ⇒ **Embo-
biner; envider, renvider.** *Bobiner du fil, du ruban, un câble. Bobiner un film, une bande magnétique. Bobiner ce qui était débobiné.*
⇒ **Rembobiner.**

▶ **BOBINÉ, ÉE** p. p. adj. :
Du fil de cuivre bobiné.   B. CENDRARS, Bourlinguer, p. 258.

CONTR. Débobiner.
DÉR. Bobinage, bobineur, bobinoir.

BOBINETTE [bɔbinɛt] n. f. — 1696, cit. 1; de *bobine.*

♦ **1.** Vieilli. Loquet mobile en bois maintenu par une petite cheville,
et qui servait à fermer les portes.

1 Tirez la chevillette, la bobinette cherra (...)
                   Ch. PERRAULT, Contes, «Chaperon rouge» (1696).

♦ **2.** (1852). Fam. Tête, visage. ⇒ **Bobine.**

Par plaisanterie :

2 Encore une photo, une seule, s'il vous plaît. Il ne faut pas y songer. L'homme
compte une minute. Il va tirer sur la languette et la bobinette cherra.
                   François-Marie BANIER, la Tête la première, p. 58-59.

BOBINEUR, EUSE [bɔbinœʀ, øz] n. — 1559, *babineur;* au fém.,
1723; de *bobiner* d'abord sous la forme *babiner.*

★ **I.** ♦ **1.** Personne chargée du bobinage. ⇒ **Bobinier.** *Bobineuse de
téléphonie. Bobineuse professionnelle radio. Bobineuse d'induits.*
⇒ **Bobinier.**

♦ **2.** N. f. (1838). BOBINEUSE : machine à bobiner. ⇒ **Bobinier, bobinoir, enrouleur, enrouleuse, rouet.** *Bobineuse automatique.*

★ **II.** (1901; de *bobine,* II.). Argot anc. Figurant de théâtre.

BOBINIER, IÈRE [bɔbinje, jɛʀ] n. — 1751; de *bobine.*
Technique.

♦ **1.** Vx. Machine à étirer la laine.

♦ **2.** (1941). Mod. Ouvrier, ouvrière qui effectue les bobinages électriques. ⇒ **Bobineur.**

BOBINOIR [bɔbinwaʀ] n. m. — XIXᵉ; de *bobiner.*

♦ Techn. Bobineuse mécanique (spécialt, en métallurgie).

BOBINOT [bɔbino] n. m. ⇒ **Bobineau.**

BOBISTE [bɔbist] n. ⇒ **Bobeur.**

BOBO [bɔbo] n. m. — 1440; mot onomatopéique enfantin.

♦ **1.** Fam. (enfantin). Douleur physique. *Avoir bobo. On lui a fait
bobo, du bobo.* — Exclamatif. *Maman, bobo!* — Petite plaie; endroit
du corps où l'on a mal. *Panser un bobo.*

1 Dieu! que la médecine est belle!
Jugez-en par deux aperçus :
Les bobos sont au-dessous d'elle,
Et les maux graves au-dessus (...)   PONS DE VERDUN, *in* LITTRÉ.

1.1 Voyons, Guguste, votre analyse des *Animaux malades de la peste?*
— Mon papa, il y a la peste dans un pays... c'est une vilaine maladie... on a mal
au ventre, on est jaune et on se tortille, n'est-ce pas?
— Je ne puis pas affirmer que l'on se tortille... je demanderai cela au docteur;
mais va toujours.
— Les animaux ne se soucient pas d'avoir la peste... comme nous autres nous
n'aimons pas à avoir du bobo?   Ch. PAUL DE KOCK, la Grande Ville, p. 210.

♦ **2.** Fig. Mal anodin, sans gravité; douleur qui ne dure pas.

2 Enfin, c'est un homme qui brûlerait sans hésitation le genre humain pour éviter
un bobo à ma fille!   G. LEROUX, Rouletabille chez Krupp, p. 48.

♦ **3.** Fig. et fam. (seulement dans un contexte négatif). *Il n'y a pas de
bobo,* pas de dégât, pas de grabuge, pas de casse*; pas de risque.

Une mode récente, ça ne se ressuscite pas. Mais une très vieille mode, oubliée   3
depuis longtemps, alors là, pas de bobo : maquillée en nouveauté, elle fait
fureur (...)   Roger IKOR, les Fils d'Avrom, «Les eaux mêlées», p. 462.

BOBONNE [bɔbɔn] n. f. — 1828, au sens 2, *in* D.D.L.; réduplica-
tion fam. de *bonne,* en appellatif : *ma bonne.*

♦ **1.** (1865, E. About). Vx. Dans le lang. des enfants. Bonne
(d'enfants). — Par ext. Bonne, servante. «*Elle s'en allait trottinant* (...) *petite bobonne qui fait une commission*» (Maupassant, *la
Chambre, in* T.L.F.).

♦ **2.** Pop., vx. Terme d'affection donné à l'épouse dans un milieu
petit-bourgeois. Appellatif : *ma bobonne* (vx); *bobonne.*

Allons, Bobonne, dépêche-toi! s'écria M. Bonnichon secouant magnifiquement son   1
bonnet.   BALZAC, Œ. diverses, t. II, p. 347.

♦ **3.** Mod., fam., péj. Épouse, femme (suppose un âge moyen, un
milieu social modeste, petit-bourgeois).

Pour lui, les femmes sont des paillassons ou des «bobonnes», le repos du guerrier   2
ou la machine à faire des enfants.   Jean LARTÉGUY, les Prétoriens, p. 666.

(Souvent employé sans déterminant, comme un n. propre) :

C'est très gentil d'emmener bobonne et les gamins prendre l'air.   3
                   J. DUTOURD, les Horreurs de l'amour, p. 237.

Adj. *Elle commence à faire un peu bobonne et popote.*

BOBOSSE [bɔbɔs] n. — 1825, n. m., «vieux beau», attestation iso-
lée, repris 1866, au fém.; de *bosse.*

♦ **1.** N. m. et f. Fam. et vx. Nom (surnom) donné à une personne
bossue. — Adj. *Elle est un peu bobosse* (Rigaud, *Dict. d'argot*).

♦ **2.** N. m. (1883); de *fantabosse* «fantassin»). Argot milit. (vx). Fantassin.

BOBSLEIGH [bɔbslɛg] n. m. — 1903; attestation isolée *bobsleigh,*
1899; mot angl., de *to bob* «se balancer», et *sleigh* «traîneau».

♦ Sports. Traîneau* articulé, à plusieurs places, muni d'un volant
de direction et pouvant glisser à grande vitesse sur des pistes
de neige aménagées. *Une course de bobsleigh. Équipier d'un bobsleigh.* ⇒ **Bobeur.**

Ah, tenez, je sais où nous nous sommes vus pour la dernière fois. Au champion-   1
nat d'Europe de bobsleigh.
                   R. GARY, Au-delà de cette limite, votre ticket n'est plus valable, p. 27.

(1889, *in* Höfler). Par abrév. *Un bob. Être éjecté de son bob. Épreuve
de bob à deux aux championnats et Jeux Olympiques d'hiver.*

Les *bobs* dont l'écartement des patins est obligatoirement de 0,67 m sont en bois   2
ou en métal, munis de freins et guidés au moyen d'un volant ou de ficelles.
                   Jean DAUVEN, Technique du sport, p. 121.

DÉR. (De l'abrév. *bob*) Bobeur.

BOC [bɔk] n. m. — Attesté déb. XXᵉ; altér. phonétique de *bouc.*

♦ Régional (Suisse). Bouc*, barbiche en pointe.

Lorsque Jaccoud a demandé la parole, lorsqu'il s'est levé, lunettes étincelantes,
boc dardé, gilet canari, veste orange, chacun l'a imaginé, à son assurance et à son
ton péremptoire, dans le rôle du prochain directeur.
                   Jacques CHESSEX, l'Ogre, p. 162.

1. BOCAGE [bɔkaʒ] n. m. — 1138, *boscage,* mot anglo-normand,
cf. anc. franç. *boschage;* de **bosc* (anc. franç. *bos*). → Bois.

♦ **1.** Littér. Petit bois*; lieu ombragé. ⇒ **Bocager.** *La fraîcheur d'un
bocage.* ⇒ **Bosquet.**

Je faisais ces méditations dans la plus belle saison de l'année, au mois de juin,   1
sous des bocages frais, au chant du rossignol, au gazouillement des ruisseaux.
                   ROUSSEAU, les Confessions, IX.

L'oiseau qui charme le bocage   2
Hélas! ne chante pas toujours (...)
                   LAMARTINE, Nouvelles méditations, «Adieux à la poésie».

(Contexte littér.). Lieu agreste. *Doux bocage, adieu* (→ Avertir,
cit. 10).

♦ **2.** (1732). Type de paysage caractéristique de l'Ouest de la
France, formé de prés clos par des levées de terre plantées d'arbres.
Le bocage vendéen, ou, absolt, *le Bocage. Le bocage normand.*

(...) quand on s'avance vers l'Ouest, on pénètre dans le Bocage, pays couvert, sil-   3
lonné de clôtures et de lignes d'arbres, plus maigre de culture que les «campagnes», mais propice à l'élevage du bétail (...)
                   DEMANGEON, Géographie économique de la France, t. I, p. 231.

DÉR. Bocager, bocageux.
HOM. 2. Bocage.

2. BOCAGE [bɔkaʒ] n. m. — 1834; du rad. de *bocard,* et suff. *-age,*
ou réduction de *bocardage.*

♦ Techn. Fonte résiduelle mélangée aux laitiers et que l'on peut

extraire par bocardage*. — Morceau de cette fonte. *Des bocages de fonte.*
Loc. *Fonte de bocage* (de *bocardage*).
HOM. 1. **Bocage.**

BOCAGER, ÈRE [bɔkaʒe, ɛʀ] adj. — 1584, cit. 1 ; de *bocage*. Littéraire.

♦ **1.** Vx, poét. Relatif aux bocages ; qui est propre aux bocages. — *Nymphes bocagères.*

1 Forêt, haute maison des oiseaux bocagers (...) RONSARD, Élégies, XXX (1584).

2 De vos flûtes bocagères
Réveillez les plus beaux sons (...)* MOLIÈRE, le Malade imaginaire, Prologue.

3 (...) j'ai trouvé un charme infini dans cette soirée et des émanations bocagères très agréables. E. DELACROIX, Journal, 23 juin 1854.

♦ **2.** Qui comporte des bocages ; du bocage (2.) en tant que type géographique. ⇒ **Bocageux** (vx). *Régions bocagères.*

4 Le temps s'ouvrait d'une mise en valeur systématique de la forêt, qui fit la prospérité des bûcherons et des éleveurs. Les progrès du peuplement *bocager* accompagnèrent cette mutation. Georges DUBY, Guerriers et Paysans, p. 231.

Boisé, embelli par une végétation qui rappelle les bocages. *Rives bocagères.*

5 (...) une petite ville gracieusement logée au sein d'une vallée bocagère (...) G. DUHAMEL, Chronique des Pasquier, IV, X, p. 338.

♦ **3.** Relatif au Bocage (de Vendée). — N. (Rare). Personne qui vit dans le Bocage.

BOCAGEUX, EUSE [bɔkaʒø, øz] adj. — xvᵉ, *boscageux* ; de *bocage*.

♦ Vx. Qui se rapporte aux bocages. ⇒ **Bocager.** *Région bocageuse.*

1. BOCAL, AUX [bɔkal, o] n. m. — 1532, Rabelais, *baucal* ; ital. *boccale,* du bas lat. *baucalis,* bas grec *baukalis* «récipient pour tenir les liquides au frais».

A. ♦ **1.** Récipient à col très court, ordinairement à large ouverture. *Un bocal en grès, en verre. Bocal cylindrique, pansu. Un bocal de cerises à l'eau-de-vie. Bocal de chimiste, de pharmacien. Bocaux de confiseur. Des bocaux remplis de bonbons* (cit. 4) *anglais. Fruits conservés en bocaux.*

1 (...) deux étagères, deux lames de verre, qui supportaient des bocaux et des bouteilles. Sur l'une les bocaux de fruits, les cerises, les prunes, les pêches (...) sur l'autre (...) des fioles claires vert tendre, rouge tendre, jaune tendre (...) ZOLA, le Ventre de Paris, t. I, p. 162.

Bocal (de verre) à poissons rouges. Deux poissons nageaient dans un bocal.
Bocal de fœtus. Par métaphore :

2 La Chine a eu avant nous toutes nos inventions, l'imprimerie, l'artillerie, l'aérostation, le chloroforme. Seulement la découverte qui en Europe prend tout de suite vie et croissance, et devient prodige et merveille, reste embryon en Chine et s'y conserve morte. La Chine est un bocal de fœtus. HUGO, l'Homme qui rit, I, 2, 4.

Par métonymie. *Manger tout un bocal de confitures. «Il en avait sucé un demi bocal* (de griottes)» (Giono, *Colline, in* T. L. F.).

♦ **2.** Par ext. Techn. (Anciennt). Globe transparent rempli d'eau, monté sur pied, servant à diffuser le rayonnement d'une source de lumière.
Globe de verre, de cristal destiné à abriter un objet. (Hugo, *les Misérables, in* T. L. F.).

♦ **3.** (1829, Stendhal ; réempr. à l'ital.). Ancienne mesure de capacité pour les liquides, en Italie (entre 0,68 l et 1,83 l selon Bescherelle).

B. ♦ **1.** Argot, vx. Petite chambre.

3 Que fais-tu, enfin, dans ton bocal des Andelys. FLAUBERT, Correspondance, 11 nov. 1844, p. 157, *in* D. D. L., II, 7.

♦ **2.** (1918). Argot milit. Casque de fantassin. — Par ext. Tête, crâne. *Être agité du bocal,* excité. *A l'agité du bocal,* pamphlet de Céline (contre Sartre).

♦ **3.** Mod. Ventre. *Manger à s'en faire péter le bocal.* ⇒ **Bidon, panse.**
HOM. 2. **Bocal.**

2. BOCAL, AUX [bɔkal, o] n. m. — xxᵉ, attesté ; altér. d'après 1. *bocal,* de 3. *bouquin.*

♦ Mus. Pièce évasée adaptée à certains instruments à vent (cuivres) pour mieux fixer l'embouchure. *Instruments à bocal. Bocal réglable.*
HOM. 1. **Bocal.**

1. BOCARD [bɔkaʀ] n. m. — 1741, *boccard* ; altér. de *bocambre,* de l'all. *Pochhammer* «marteau à écraser», de *pochen* «écraser».

♦ Techn. Machine à broyer les minerais, à réduire en poudre certaines substances. ⇒ **Broyeur.** *Bocard à plusieurs pilons, munis de mentonnets soulevés par un arbre à cames. Bocard à eau, à sec.*
DÉR. Bocarder.
HOM. 2. **Bocard.**

2. BOCARD [bɔkaʀ] n. m. — 1821 ; p.-ê. var. de *boxon, bocson,* avec changement de suffixe.

♦ Argot, vieilli. Maison de prostitution. ⇒ **Bordel, boxon.**

La petite prostituée nous avait dit qu'elle était internée dans son bocard depuis quatorze mois. Michel LEIRIS, l'Âge d'homme, p. 147.
HOM. 1. **Bocard.**

BOCARDAGE [bɔkaʀdaʒ] n. m. — 1801 ; de *bocarder.*

♦ Techn. Broyage au moyen du bocard. ⇒ 1. **Bocard.** *Fonte extraite par bocardage.* ⇒ 2. **Bocage.**

(...) l'on parle de sa pensée comme d'un travail fonctionnel analogue à la confection mécanique des saucisses, à la mouture du grain ou au bocardage du minerai. R. BARTHES, Mythologies, p. 92.

BOCARDER [bɔkaʀde] v. tr. — 1751 ; de 1. *bocard,* 1.

♦ Techn. Broyer au bocard.
DÉR. Bocardage, bocardeur.

BOCARDEUR [bɔkaʀdœʀ] n. m. — 1867, P. Larousse ; de *bocarder.*

♦ Techn. Ouvrier qui effectue le bocardage. — REM. Le fém. est virtuel.

BOCCAGE [bɔkaʒ] n. m. ⇒ **Bocage.**

BOCHE [bɔʃ] n. m. — 1886, argot milit. ; aphérèse d'*Alboche*, avec infl. de *tête de boche* «tête dure», dér. de *caboche* en argot des typographes, 1862.

♦ Péj., vieilli (diffusé en 1914-1918). Allemand*. ⇒ **Alboche** (vx).

1 «Au commencement de la guerre on nous disait que ces Allemands c'était des assassins, des brigands, de vrais bandits, des bbboches...» (Si elle mettait plusieurs *b* à *boches,* c'est que l'accusation que les Allemands fussent des assassins lui semblait après tout plausible, mais celle qu'ils fussent des Boches, presque invraisemblable à cause de son énormité. PROUST, le Temps retrouvé, Pl., t. III, p. 844.

2 «Nous ne craignons rien. Ni les Boches (...)» Jamais Watrin n'avait parlé autrement des Allemands que sous ce vocable franchement démodé. Il n'y avait plus de Boches, en mai 40. Il n'y en avait pas encore. La haine nécessaire à toute guerre, même larvée, ne se satisfaisait plus du vocable dérivé des «Alboches» de 1870. La haine inventait des termes plus faibles, les Chleus, les Frisés, les Frizous, les Fridolins... Elle inventerait demain les «haricots verts», les «sauterelles», les «vert de gris», puis reprendrait le mot «Boche», mais pour l'instant il était périmé, ridicule. Armand LANOUX, le Commandant Watrin, p. 59.

Adj. Allemand (dans le contexte de la guerre). *Des avions boches ont bombardé la gare* (cit. 5).

3 Ça, c'est l'ancienne tranchée boche qu'ils ont fini par lâcher (...) H. BARBUSSE, le Feu, I, 12.
DÉR. Bocherie.

BOCHERIE [bɔʃʀi] n. f. — 1914 ; de *boche.*

♦ Péj., vx. Caractère du boche. Ensemble des boches.

BOCK [bɔk] n. m. — 1866, «bière de Bavière», 1862, Goncourt ; de l'all. *Bockbier,* altér. de *Einbeckbier* «bière d'Einbeck», ville de Basse-Saxe, qui exporta sa bière en Bavière dès le xivᵉ ; *ein* étant compris comme l'article, le mot fut abrégé en *bock,* d'où *Bockbier.*

★ I. ♦ **1.** Vx. Pot à bière* contenant environ un quart de litre. ⇒ **Chope.** *Bock ruisselant de fraîcheur* (→ Attabler, cit. 5). — Contenu de bière de ce pot. *Garçon, un bock !,* nouvelle de Maupassant (où l'on trouve le dér. archaïque *bockeur* «buveur de bière»).

1 Devant les cafés, s'accoudent aux petites tables, le cigare à la bouche, les buveurs de bocks. Th. GAUTIER, *in* P. LAROUSSE.

♦ **2.** Verre à bière à pied, unité minimale de consommation au café (par oppos. au demi* de forme cylindrique, sans pied, et de contenance plus importante, mais bien inférieure au demi-litre). *Un bock vide.* (→ 1. Patron, cit. 9). — REM. Le mot, très usuel jusqu'en 1940, a vieilli.

2 Des croque-morts avec des bocks tintaient des glas. APOLLINAIRE, Alcools, p. 139.

Par métonymie. Contenu d'un bock. *Boire quelques bocks. Bock bien frais.*

3 J'aurais été, comme cela eût été très bien pour moi, professeur de philosophie dans une petite ville de province, que tous les soirs j'aurais été jouer aux cartes et boire des bocks au café. PROUST, Jean Santeuil, Pl., p. 198.

4 Je n'accepte ni l'un ni l'autre, mais ne vous fâchez pas, nous allons concilier les deux points de vue : comme paiement et excuses, vous allez m'offrir un bock.
Jean PRÉVOST, les Frères Bouquinquant, p. 132.

★ **II.** (Av. 1914, *in* T. L. F.). Méd. Récipient muni d'un tuyau terminé par une canule, qu'on utilise pour les injections, les lavements. *Bock à injections.*

★ **III.** (1901 ; p.-ê. abrév. de *bocal*, avec infl. de *bock* I. ou II., et de *bol*). ♦ **1.** Argot anc. Postérieur, anus. ⇒ **Bol, pot.**

♦ **2.** Fam., rare. *Avoir du bock,* de la chance (R. Fallet, *in* Cellard et Rey).

BOCSON [bɔksɔ̃] n. m. ⇒ **Boxon.**

BODHISATTVA [bodisatva] n. m. invar. — 1859 ; mot sanskrit *bodhisattva-,* de *bodhi-* « connaissance parfaite, illumination », et *sattva-* « état ».

Didactique.

♦ **1.** Dans le bouddhisme, Sage ayant franchi tous les degrés de la perfection sauf le dernier qui fera de lui un bouddha.

1 Aussi bien une notion « unitaire » comme celle de *bodhisattva* ne peut-elle exister en Occident. Pour le bouddhiste mahayaniste, le « bodhisattva », on le sait, est un être ayant déjà atteint la délivrance personnelle au cours de sa dernière incarnation terrestre et qui, parvenu au nirvâna, obtient de redescendre sur terre comme instructeur, muni de tous ses pouvoirs, pour aider à la délivrance de tous et exhausser ainsi le niveau général de l'entropie humaine.
Raymond ABELLIO, Ma dernière mémoire, t. II, p. 51.

♦ **2.** Représentation d'un bodhisattva, généralement paré et couronné.

2 Les figures les plus célèbres de ce site (...) sont deux Bodhisattva aux somptueuses parures et à l'expression mystique et surhumaine.
Jeannine AUBOYER, les Arts de l'Extrême-Orient, p. 61.

BODIAN [bodjɑ̃] n. m. — 1804, Latreille ; lat. zool. *bodianus* (1790), d'orig. incertaine.

♦ Serran (poisson).

BODY [bɔdi] n. m. — xxᵉ ; angl. *body* « corps ».

♦ Anglic. ⇒ **Justaucorps.**

BODY BUILDING [bɔdibɥildiŋ] n. m. — 1982 ; mot angl. « culturisme », proprt « construction du corps ».

♦ Anglic. Forme de musculation destinée à remodeler le corps ou certaines parties du corps par des exercices appropriés et souvent à l'aide d'instruments spécifiques (poids, haltères, extenseurs, etc.) « *Si vous avez envie de biceps, de pectoraux, bref de beaux muscles là où il faut, et cela rapidement, adonnez-vous au body building. Formidable pour tonifier ses muscles à la carte. Le principe : à l'aide de poids, haltères et divers appareils sophistiqués, travailler un ou plusieurs muscles précis* » (*Elle,* nᵒ 1968, 26 sept. 1983, p. 107).

BOEING [bɔiŋ] n. m. — V. 1960 ; de *Boeing Company,* société de constructions aéronautiques américaine fondée en 1934.

♦ Type d'avion transcontinental de la Boeing Company. *Prendre le Boeing à destination de New York. Descendre d'un Boeing.* — (Avec le nombre spécifiant le type). *Un Boeing 707, un Boeing 747* (⇒ **Jumbo-jet**).

1 Son sérail (*à J. Stark, imprésario*) est fait de cabines de Boeings, de murs insonorisés de studios, aussi étouffants que ceux du palais de Roxane dans *Bajazet,* de rideaux de scène, de projecteurs, de rampes de feu.
P. GUTH, Lettre ouverte aux idoles, Mireille Mathieu, p. 33.

2 Savoir enfin ce que ça veut dire : être un homme. Et que les dieux venus en bateau repartent en Boeing.
Claude COURCHAY, La vie finira bien par commencer, p. 174.

BOER [bɔɛʀ] n. m. — 1935 (mais antérieur, v. 1925) ; probablt jeu de mot sur la prononc. néerlandaise de *boer* [buʀ] et *bourre* « policier ». Cf. A. Breffort, *Mon taxi et moi, in* Cellard et Rey.

♦ Argot des taxis. Policier en civil chargé du contrôle de la réglementation des voitures de place, à Paris.

BOËSSE [bɔs] n. f. — 1728 ; *gratte-bœsse,* xviᵉ ; provençal *gratta-boyssa* « gratte, balaye ».

♦ Techn. Outil à ébarber les sculptures. — Outil de doreur.
DÉR. **Boësser.**

BOËSSER [bɔse] v. tr. — 1728 ; de *boësse.*

♦ Techn. Ébarber à la boësse.

BOËTE [bwat] n. f. ⇒ **Boite.**
HOM. **Boëtte** (régional), **boîte.**

BOËTTE [bwɛt] régional [bwat] n. f. — 1672 ; breton *boet* [bwɛt] « nourriture », var. *boued.*

♦ Techn. (pêche). Appât pour la pêche en mer. *La gravette est une excellente boëtte pour tous les poissons.* — (Collectif). *Amorcer sa ligne avec de la boëtte* (⇒ **Esche**). *Boëtte à casiers.*
Régional (Bretagne). *Boëtte blanche :* languette de peau (appelée aussi *fleurette* ou *guelin*) prélevée au flanc d'un poisson, avec laquelle on appâte certains poissons particulièrement voraces (tacaud, maquereau, merlan).
REM. Var. graphiques (vieillies) : *boëte, bouette* [bwɛt], *boitte* [bwat].
HOM. **Boëte, boite, boîte.**

BŒUF, BŒUFS [bœf, bø] n. m. — Déb. xiiᵉ, *buef ; mil. xvᵉ, beuf* (Villon) ; écrit *bœuf* avec le *o* du lat., 1546, Rabelais ; du lat. *bos* « bœuf ».

★ **I. ♦ 1.** (Sens extensif ; zool., cour.). Mammifère ruminant* domestique de la famille des *bovidés** (⇒ **Bovin, bovinés ; génisse, taureau, vache, veau**) ; spécialt, le mâle adulte (→ ci-dessous). *Espèces de bœufs :* banteng (île de la Sonde), gayal, gaur, zébu (Asie et Afrique) ; *bœuf domestique d'Europe.* — Spécialt. Le bœuf domestique d'Europe (mâle, sauf au sing. collectif) *Les bœufs et les vaches* (⇒ **Bétail ; aumaille,** cit. 1). *Le bœuf a des cornes creuses, est cavicorne*. Le front large et plat du bœuf. Les babines, les barbillons, le mufle, le fanon d'un bœuf. L'estomac* du bœuf. Crâne du bœuf.* ⇒ **Bucrâne.** *Cri du bœuf.* ⇒ **Beuglement, meuglement, mugissement.** *Le garde-bœuf ou pique-bœuf se nourrit des insectes parasites du bœuf.* — *Viande de bœuf* (→ ci-dessous, 4.). *Langue de bœuf. Peau, cuir de bœuf. Le cæcum de bœuf donne la baudruche*.

Le bœuf Apis : dieu égyptien, taureau sacré.

Plus cour. Bœuf mâle (opposé à *vache*) castré (opposé à *taureau*) et adulte (opposé à *veau*). *Jeune bœuf.* ⇒ **Bouvard, bouveau, bouvillon.** *Élevage des bœufs, sélection des races de bœufs. Bœuf auvergnat, berrichon, boulonnais, charolais, durham, écossais, limousin, nivernais* (France) ; *bœuf d'Angus* (Écosse) ; *bœuf de Kobé* (Japon)... *Un troupeau formé de bœufs et de vaches de boucherie. Bœuf de trait, de labour. Piquer les bœufs.* ⇒ **Aiguillon** (cit. 1, 2). *Un paysan et son bœuf* (→ Vergogneux, cit., Apollinaire). *Gardeur de bœufs.* ⇒ **Bouvier, toucheur** (de bœufs). *Atteler** (cit. 1) *des bœufs à la charrue. Le joug* des bœufs. Une paire de bœufs. « J'ai deux grands bœufs dans mon étable* » (chanson). *Un bœuf qui a perdu son compagnon d'attelage** (cit. 5). ⇒ **Solard.** *Parquer des bœufs à l'étable.* ⇒ **Bouverie.** *Mettre des entraves* à un bœuf. Bœuf de boucherie,* pour l'alimentation. *L'engraissement, l'embouche des bœufs. Marquer des bœufs au fer rouge.* ⇒ **Ferrade.** *Commerce des bœufs en gros.* ⇒ **Cheville ; chevillard.** *Logement des bœufs à l'abattoir**. ⇒ **Bouvril.** *Marteau pour assommer** *les bœufs.* ⇒ **Merlin.**

1 (...) une femme de village, ayant appris à caresser et à porter entre ses bras un veau dès l'heure de sa naissance, et continuant toujours à ce faire, gagna par là l'accoutumance que tout grand bœuf qu'il était, elle le portait encore.
MONTAIGNE, Essais, I, 23.

2 Une grenouille vit un bœuf
Qui lui sembla de belle taille. LA FONTAINE, Fables, I, 3.

3 Quatre bœufs attelés, d'un pas tranquille et lent,
Promenaient dans Paris le monarque indolent (...) BOILEAU, le Lutrin, II.

4 J'aime un gros bœuf, dont le pas lent et lourd,
En sillonnant un arpent dans un jour,
Forme un guéret, où mes épis vont naître. VOLTAIRE, le Pauvre Diable.

5 Un vieillard (...) poussait gravement son areau de forme antique, traîné par deux bœufs tranquilles, à la robe d'un jaune pâle, véritables patriarches de la prairie, hauts de taille, un peu maigres, les cornes longues et rabattues, de ces vieux travailleurs qu'une longue habitude a rendu frères (...)
G. SAND, la Mare au diable, II, p. 19.

6 Les bœufs attelés, indolents et forts (...) LOTI, Ramuntcho, II, 2. → Bison, cit.

7 Un bœuf semé de mouches. J. RENARD, Journal, 17 août 1903.

Loc. *Bœuf gras :* bœuf promené en pompe dans certaines villes pendant le carnaval. On jouait autrefois de la vielle sur son passage, d'où son nom de *bœuf viellé.*

Ancient. *Char à bœufs,* destiné aux transports pesants.

Loc. *Nerf de bœuf.*

8   Je vais appeler quelqu'un, demander un nerf de bœuf (...) et te rouer de mille coups.   MOLIÈRE, Dom Juan, IV, 1.

Sang* de bœuf (couleur). — Fig. *Œil de bœuf.* ⇒ **Œil-de-bœuf.**
Loc. métaphorique. Appos. *Chalutier bœuf,* travaillant en couple, chaque bateau tirant une aile du chalut (dit *chalut bœuf*).

♦ **2.** (Fin XIIᵉ). *Du bœuf, le bœuf.* Viande de bœuf ou de vache, de génisse. *Morceaux de bœuf* (termes cour. et termes techn. de boucherie*). ⇒ **Aloyau, araignée, bavette, cimier, collier, contre-filet, côte, crosse, croupon, culotte, entrecôte, faux-filet, filet, flanchet, gîte, hampe, jarret, joue, langue, macreuse, moelle, onglet, paleron, plat** (de côtes), **poitrine, quasi, queue, romsteck** (et **aiguillette**), **surlonge, tende, tranche, trumeau** ; (spécialt, en cuis.) **bifteck** (cit. 1), **chateaubriand, gras-double, persillade, pot-au-feu, rosbif, tournedos,** et aussi **T-bone** (anglic.). *J'aime mieux le bœuf que le mouton, le veau. Bœuf au naturel,* sans apprêt. *Bœuf grillé* (⇒ **Grillade**), *rôti* (viande* rouge) ; *rôti de bœuf.* ⇒ **Rôti.** *Bœuf braisé. Je préfère le bœuf saignant, bleu, plutôt cuit. Bœuf à la vinaigrette. Bœuf bouilli.* ⇒ **Bouilli** (cit. 4). *Bœuf gros sel :* bœuf bouilli, mangé avec du gros sel. — (1651). *Bœuf à la mode* ou *bœuf-mode :* pièce de bœuf cuite à l'étouffée, assaisonnée de carottes, etc. *Bœuf bourguignon*. Bœuf en daube*. Bœuf mariné* (Canada). — *Bouillon de bœuf.* ⇒ **Bouillon** (gras). *Conserves de bœuf.* ⇒ **Corned-beef, singe** (fam.). *Bœuf congelé. Manger du bœuf. Faire cuire du bœuf.* — *Langue de bœuf, joue de bœuf, queue de bœuf.*

♦ **3.** (Qualifié). **ⓐ** Nom donné à d'autres bovidés. *Bœuf à bosse.* ⇒ **Bison.** *Un troupeau de bœufs sauvages.* ⇒ **Aurochs** (ou **urus**), **bison, yack.** *Bœuf musqué.* ⇒ **Ovibos.**

ⓑ Fig. (En parlant d'autres animaux). *Bœuf d'eau.* ⇒ **Butor.**

♦ **4.** (Du sens 1). Loc. compar. ou métaphorique et fig. (En parlant des personnes). **ⓐ** Idée de force, de lourdeur. *Être fort comme un bœuf. Lourd, épais, pesant comme un bœuf. Il a l'allure d'un bœuf.*

9   C'était *(M. de Chaulnes)* sous l'épaisseur, la pesanteur, la physionomie d'un bœuf, l'esprit le plus délié, le plus délicat, le plus souple (...)   SAINT-SIMON, Mémoires, 21, 241.

10   (...) un gros garçon d'une douzaine d'années, fort comme un bœuf (...)   Alphonse DAUDET, le Petit Chose, I, 1.

Fig., vx. *C'est un bœuf,* se dit d'un homme obtus, lent d'esprit ou grossier d'allure (→ Éléphant, pachyderme).

11   Peste soit du gros bœuf, qui pour me faire choir
Se vient devant mes pas planter comme une perche !
    MOLIÈRE, l'École des maris, II, 2.

ⓑ Idée de travail obstiné et patient. (1547). *Travailler comme un bœuf,* beaucoup et sans manifester de fatigue (→ Comme une bête). *Elle travaille comme un bœuf.*

12   Jean Bonnerot reste attelé à Sainte-Beuve, à la Correspondance générale et à la Bibliographie, comme un bœuf à la charrue, creusant sillon après sillon (...)   A. BILLY, Sainte-Beuve, p. 12.

Un bœuf de labour, se dit d'un homme infatigable au travail.
Vx. *Être le bœuf :* supporter habituellement tous les travaux et les désagréments, à la place des autres.

ⓒ Loc. *Souffler comme un bœuf :* souffler fort, être essoufflé (→ Souffler comme un phoque*). — REM. On trouve dans les textes d'autres comparaisons moins courantes (*suer comme un bœuf,* Zola ; *frapper comme un bœuf,* Huysmans, *in* T.L.F.).

♦ **5.** Loc. *Avoir un bœuf sur la langue :* être silencieux, avoir reçu de l'argent pour se taire (*bous* en grec signifie *pièce d'argent* et *bœuf*).
Donner un œuf pour avoir un bœuf : rendre un petit service pour en obtenir un plus grand.

13   Comme il n'y a pas de proportion entre ces choses-là ; je n'aime point à donner un œuf pour avoir un bœuf (...)   ROUSSEAU, Lettre à Panckoucke, 21 déc. 1764.

(1579). *Mettre la charrue* avant les bœufs :* commencer par où l'on devrait finir.
Qui vole un œuf, vole un bœuf : on est facilement entraîné sur le chemin du vol.

♦ **6.** (1861, argot de Saint-Cyr ; orig. obscure).

ⓐ Fam. En fonction d'adj. postposé, invar. *Un effet, un succès bœuf.* ⇒ **Colossal, énorme, monstre.** *Un culot bœuf. Des succès bœuf.*

14   — Quoi ? comment ? que dit-il ? un nouveau succès ?
— Bœuf !   Edmond ROSTAND, l'Aiglon, III, 8.

ⓑ Régional (Suisse). *C'est bœuf :* c'est bête.

★ **II.** (V. 1925, *in* Cellard et Rey ; orig. obscure, une allusion au *Bœuf sur le toit,* cabaret de jazz, n'est pas exclue). Argot des musiciens. (Jazz). Improvisation collective. *Faire un bœuf avec des copains.*

DÉR. **Bouvard, bouveau, bouverie, bouvet, bouvillon, bouvril.** — V. **Bouvreuil.**
— (Du lat. *bos*) **Bouvier, bovidés, bovin, bovinés.**

BOF [bɔf] interj. — Av. 1968, cit. 2 ; onomatopée.

♦ Interjection exprimant le mépris, la lassitude, l'indifférence. → Super, cit. 3. « *Bof ! Vivre à l'heure atomique, c'est savoir au*

---

fond de soi, que tout peut arriver chaque jour » (*l'Express,* nº 1164, 1973).

— Autrement dit tu ne trouves pas ça formidable.
— Bof ! Il est bon quand même ton truc. Donne-le, il passera.   1
    Marie CARDINAL, les Mots pour le dire, p. 265.

Pendant le déjeuner, je l'ai laissé me prendre la main. Bôf *(sic),* qu'est-ce que c'est, une main ?   Benoîte et Flora GROULT, Il était deux fois, p. 128 (1968).   2

N. m. invar. :

Quand James God sortait du Conseil de rédaction, où il apportait ponctuellement   3
ses bof et ses bâillements, il se plantait devant la double porte.
    G. CESBRON, les Imposteurs, p. 224.

B. O. F. [beɔεf] n. et adj. invar. — 1944 ; abrév. de *Beurre, Œufs, Fromages.*

♦ **1.** Fam. Crémier ; détaillant de beurre, œufs, fromages.

♦ **2.** Péj. Commerçant enrichi (spécialt, commerçant enrichi par le marché noir, les détaillants de produits laitiers ayant été souvent accusés de marché noir).

(...) ce petit provincial d'André Breton, qui singe Lamennais comme un B. O. F.   1
(beurre, œufs, fromages) le vieux Rotschild !   B. CENDRARS, Bourlinguer, p. 386.

Sur Paris règnent les Allemands, et sur le peuple de Paris les trafiquants, les   2
B. O. F., les crémiers, les épiciers, les bouchers.   Jean LARTÉGUY, les Centurions, p. 214.

Par ext. Nouveau riche vulgaire et prétentieux.

La maison est une construction de deux étages, bâtie pour un ancien B. O. F. pré-   3
tentiard qui a voulu une tour, histoire de se donner des idées de noblesse.
    SAN-ANTONIO, le Secret de Polichinelle, p. 35.

Adj. *Il est un peu B. O. F.*

BOFFUMER (SE) [bɔfyme] v. pron. — XVᵉ en anc. franç., Coquillart, *in* Godefroy ; croisement du radical expressif de structure consonantique *b-f* (→ Bafouer, bafouiller, bâfrer, bouffer, bouffir, rebiffer...), suggérant les notions de gonflement, de souffle bruyant, de ridicule et de mépris, avec *fumer.*

♦ Régional (Sud). S'emporter, se mettre en colère, s'irriter.

1. BOG [bɔg] n. m. — 1839 ; mot angl. (v. 1505), d'orig. écossaise.

♦ Vx. Fondrière, marécage, en Écosse.
HOM. 2. **Bog,** 1. **bogue,** 2. **bogue,** 3. **bogue.**

2. BOG [bɔg] n. m. — 1863 ; angl. *bog* (déb. XVIᵉ), mot écossais.

♦ Anciennt. Jeu de cartes apparenté au nain jaune.
DÉR. **Boguer.**
HOM. 1. **Bog,** 1. **bogue,** 2. **bogue,** 3. **bogue.**

BOGHEAD [bɔgεd] n. m. — 1858, *in* Höfler ; nom d'un village d'Écosse, en rapport avec *bog.* → 1. Bog.

♦ Minér. Houille riche en matière volatile, intermédiaire entre les charbons et les schistes bitumeux.

BOGHEI, BOGUET [bɔgε] ou **BUGGY** [bygi] n. m. — 1820, *boghei* ; *boguet,* 1838 ; *buggy,* 1874 ; *bockei,* 1799 ; angl. *buggy.*

♦ Petit cabriolet découvert.

La chignole à Massicot était un boguet arthritique, terriblement haut sur pattes,   1
cuirassé de crotte et de cambouis.
    G. DUHAMEL, Récits des temps de guerre, t. II, p. 276.

REM. L'orthographe du mot est indécise et l'on trouve d'autres graphies : *boguey* (1828), *boghey.*

(...) la tante Marie alla frapper aux volets d'un voisin, qui possédait un boghey et   2
un petit cheval. C'était une époque bénie, où les gens se rendaient service : il n'y
avait qu'à demander.   M. PAGNOL, la Gloire de mon père, t. I, p. 34.

BOGIE ou **BOGGIE** [bɔgi] n. m. — 1843, *bogie* ; *boggie,* 1888 ; angl. *bogie,* mot dial. d'orig. inconnue.

♦ Techn. (ch. de fer). Chariot à deux essieux (quatre roues) sur lequel est articulé par pivot le châssis d'une voiture (wagon) pour lui permettre de prendre les courbes.

(...) une locomotive pourra avoir un centre de gravité plus bas, les moteurs étant logés au niveau des boggies.
    Gilbert SIMONDON, Du mode d'existence des objets techniques, p. 54.

BOGOMILE [bɔgɔmil] n. et adj. — 1732 ; n. propre, du bulgare *bog* « Dieu », et *mile* « ami ».

♦ Relig. Membre d'une secte hérétique qui vécut du Xᵉ au XIIIᵉ siècle. *Un, une bogomile. Le livre des bogomiles.* — Adj. Relatif à cette secte. *Le manichéisme bogomile. Stèles bogomiles.*

En 1140, un synode tenu à Constantinople condamna au feu les livres de Cons-   1
tantin Chrysomale, contenant des doctrines bogomiles, et lus avidement dans les
monastères. — Selon M. Matter [*Histoire critique du gnosticisme,* 2ᵉ éd., 1844]

(...) le système cathare n'est qu'une sorte de résumé tronqué, de traduction occidentale des doctrines bogomiles (...). Le système bogomile, tel que nous le connaissons, ne se montre que depuis la seconde moitié du onzième siècle, tandis que dès la fin du dizième on découvre des traces cathares en France.
C. SCHMIDT, Hist. et doctrine de la secte des cathares ou Albigeois, I, 14 et II, 1849, *in* D.D.L.

2 Avec Dedijer nous avons été voir la nécropole bogomile de Radimlje dont il nous avait souvent parlé. Les bogomiles ou patarins étaient des manichéistes dont l'hérésie a gagné au XIIᵉ siècle le midi de la France.
S. DE BEAUVOIR, Tout compte fait, p. 269.

REM. Les dérivés *bogomilien, ienne* [bɔgɔmiljɛ̃, ɛn] adj. (*doctrine, hérésie bogomilienne*) et *bogomilisme* [bɔgɔmilism] n. m., sont attestés en 1869 (*in* D.D.L.).

1. BOGUE [bɔg] n. f. — 1555; *boggue*, 1537; mot de l'Ouest, p.-ê. du breton *bolc'h* «cosse de lin», mot panceltique, probablt d'orig. gauloise *bulga* (d'où *bouge* «sac»).

♦ **1.** Bot. Enveloppe de la châtaigne.

1 Aux châtaignes elle donne les bogues piquantes et âpres (...)
DE MONTREUX, *in* HUGUET.

2 Entre les feuilles craquantes luisaient les dos en acajou des marrons d'Inde, enveloppés parfois dans leurs bogues aux teintes incertaines, du beige rouillé au vert amande.
Boris VIAN, l'Herbe rouge, 15, p. 70.

Loc. *En bogue,* enroulé sur soi-même (du hérisson, H. Bazin, *in* T.L.F.).

♦ **2.** Loc. fam. (vx ou régional). *Une châtaigne sous bogue :* une personne hargneuse, piquante, sous des apparences moins déplaisantes. Adj.

3 Le fichu caractère de ma femme avait des causes physiologiques. Son opération l'a transformée. Évidemment, elle sera toujours un peu châtaigne sous bogue, mais elle devient *vivable.*
Hervé BAZIN, Vipère au poing, p. 128.

DÉR. 2. **Boguer.**
HOM. 1. **Bog,** 2. **bog,** 2. **bogue,** 3. **bogue.**

2. BOGUE [bɔg] n. — 1554; anc. provençal *boga,* lat. *boca.*

♦ Poisson téléostéen au corps allongé, présentant des rayures de couleur vive, vivant en Méditerranée et dans l'Atlantique, à chair estimée (*Sparidés*). *Bogue commun* (n. sc. : *boops boops*). *Bogue saupe* (n. sc. : *boops salpa*). ⇒ **Saupe.**

REM. Le genre du mot est incertain; le T.L.F. le fait du masc. (d'après H. Coupin, *Animaux de nos pays*), d'autres dict. du féminin.

DÉR. **Boguière.**
HOM. 1. **Bog,** 2. **bog,** 1. **bogue,** 3. **bogue.**

3. BOGUE [bɔg] n. f. — 1863; ital. *boga* «anneau», du longobard *bauga,* lat. médiéval *bauca* «bracelet».

♦ Techn. Gros anneau de fer, fixé au manche des marteaux de forge.
HOM. 1. **Bog,** 2. **bog,** 1. **bogue,** 2. **bogue.**

1. BOGUER [bɔge] v. intr. — XIXᵉ; de 2. *bog.*

♦ Anciennt. Mettre un enjeu, au jeu de bog*.

2. BOGUER [bɔge] v. intr. — 1866, P. Larousse; de 1. *bogue.*

♦ Rare. Former des bogues (marronniers, châtaigniers).

BOGUET, BOGUEY [bɔgɛ] n. m. ⇒ **Boghei.**

BOGUIÈRE [bɔgjɛʀ] n. f. — XVIᵉ; de 2. *bogue.*

♦ Techn. et régional. Filet utilisé en Méditerranée pour la pêche aux bogues, aux rougets.

BOHÈME [bɔɛm] n. — 1372; lat. médiéval *bohemus* «habitant de la Bohême».

★ **I.** ♦ **1.** Vx. Habitant de la Bohême : membre des groupes nomades qu'on supposait originaires de ce pays. ⇒ **Bohémien, gitan, tsigane.**

1 Nous avons rencontré M. et Mᵐᵉ de Valavoire, avec un équipage qui ressemblait à une compagnie de bohèmes.
Mᵐᵉ de SÉVIGNÉ, Lettres, 644, 29 août 1677.

1.1 (...) les théâtres forains s'en allèrent par morceaux; les danses et les chants cessèrent; les parades se turent (...) Agents et soldats, le fouet ou la baguette à la main, stimulaient les retardataires et ne se gênaient point d'abattre les tentes, avant même que les pauvres bohèmes les eussent quittées.
J. VERNE, Michel Strogoff, p. 82.

Loc., vx. *Vie de bohème :* vie errante, nomade.

2 C'est une vie de bohème et non pas de gens qui gouvernent (...)
FÉNELON, Mémoires sur la situation déplorable de la France en 1710.

♦ **2.** Anciennt (dans le contexte de la vie des artistes au XIXᵉ). Personne qui mène une vie vagabonde ou hostile aux règles bourgeoi-

ses, sans égard pour les conventions, l'argent et sans souci du lendemain. ⇒ **Bohémien** (4., vx); → Cuvier, cit. (⇒ **Bohémianisme**). *Vie de bohème* (→ La vie d'artiste*). *C'est une maison de bohème. Un bohème débraillé.*

3 Je suis un fainéant, bohème journaliste,
Qui dîne d'un bon mot étalé sur son pain.   NERVAL, « Madame et Souveraine ».

Le fém. *une bohème* est rare.

♦ **3.** Adj. *Avoir un caractère, une allure, un genre bohème.* ⇒ **Artiste, fantaisiste.** *Habitudes, mœurs bohèmes.*

4 Quand on n'a, de sa vie, été bohème, pourquoi faillir sur la fin à ce qu'on professe le mieux ?   COLETTE, l'Étoile Vesper, p. 172.

♦ **4.** N. f. **[a]** Ancient. *La bohème,* ensemble des bohèmes. *La Bohème galante,* de G. de Nerval. *La bohème littéraire et artiste de Paris. Scènes de la vie de bohème,* de Henri Murger («*la bohème,* c'est le stage de la vie artistique. C'est la préface de l'Académie, de l'Hôtel Dieu ou de la Morgue »). — *Ma bohème,* poème de Rimbaud.

[b] Milieu artiste, antibourgeois. *La bohème de Saint-Germain-des-Prés, de Montparnasse. La bohème de Greenwich Village.*

5 Le tranquille Montparnasse était loin de prévoir ce qu'une internationale bohème artiste ferait de lui plus tard.   Georges LECOMTE, Ma traversée, I, p. 61.

★ **II.** *Du, le bohème* (de *verre de Bohême*). Verre blanc fabriqué en Bohême, depuis le XVIᵉ siècle.

CONTR. Sédentaire. — Bourgeois, pantouflard (fam.). — (De l'adj). **Rangé, réglé, régulier.**
DÉR. **Bohémien.**

BOHÉMIANISME [bɔemjanism] n. m. — Av. 1867; de *bohémien.* Rare.

♦ **1.** Penchant pour l'errance à la manière des Tsiganes. — (Dans un contexte esthétique) :

Glorifier le vagabondage et ce qu'on peut appeler le Bohémianisme, culte de la sensation multipliée, s'exprimant par la musique. En référer à Liszt.
BAUDELAIRE, Journaux intimes, «Mon cœur mis à nu».

♦ **2.** Goût pour la vie de bohème* (2.); vie de bohème.

BOHÉMIEN, IENNE [bɔemjɛ̃, jɛn] adj. et n. — 1467, au sens 2; de *bohème.*

♦ **1.** Adj. De la Bohême. *Populations bohémiennes. Géographie, économie bohémienne.* «*Le dialecte* [sic] *tchèque ou bohémien*» (Mérimée, *in* T.L.F.).

N. m. Ensemble des parlers tchèques de Bohême.

♦ **2.** N. Cour. (mais désuet). Tsigane nomade ou membre d'un groupe se livrant à des activités artisanales, à la mendicité, disant la bonne aventure, etc. — REM. Le mot vient de l'assimilation aux Tsiganes de tout groupe errant d'apparence exotique. ⇒ **Égyptien** (2.), **gipsy** (vx), **gitan, romanichel** (vieilli), 1. **romano** (péj.), **tsigane, zingaro** (vx); **boumian** (régional). — *Roulotte, campement, troupe de Bohémiens. Bohémiens en voyage,* poème de Baudelaire. *Des Bohémiennes diseuses de bonne aventure, montreuses de chèvres savantes.*

0.1 N'estoit-ce pas là un gentil filz? Bohemiennes luy pourroyent bien dire : Vous estes d'un bon père et d'une bonne mère, mais l'enfant ne vault guères.
Bonaventure DES PÉRIERS, Nouvelles récréations, *in* Conteurs franç. du XVIᵉ s., Pl., p. 514.

1 La petite danseuse ne craignait rien; elle ne disait pas la bonne aventure, ce qui la mettait à l'abri de ces procès de magie si fréquemment intentés aux bohémiennes.
HUGO, Notre-Dame de Paris, VII, 2.

2 (...) hormis nos bohémiens, nous ne connaissons pas de ces tribus sans racines (...)
DANIEL-ROPS, le Peuple de la Bible, I, 3, p. 31.

Adj. Des Bohémiens. *Musicien bohémien. Jupe bohémienne :* longue jupe ample, à la manière de celles que portent les femmes tsiganes. *Langue bohémienne.* ⇒ **Romani.** — N. m. Vx. *Le bohémien.* ⇒ **Tsigane.**

REM. Le mot ne s'emploie plus dans un discours objectif sur les Tsiganes; il reste lié aux jugements du XIXᵉ s. sur des communautés considérées comme inassimilables et étranges, voire dangereuses.

♦ **3.** Fig. et vx. Vagabond, chemineau.

Adj. (1855, *in* D.D.L.). «*Vie de maquignon ou de maçon bohémien*» (G. Sand, *in* T.L.F.).

N. f. Vx. Femme adroite et rusée, entremetteuse habile.

♦ **4.** Vx. Bohème (2.). «*Champfleury, un de ces Bohémiens...*» (Goncourt). — Adj. *Vie bohémienne,* de bohème.

DÉR. **Bohémianisme.** — V. **Boumian.**

BOHÉMISTE [bɔemist] n. — Mil. XXᵉ; de *Bohême.*

♦ Didact. Spécialiste de la Bohême, de la Tchécoslovaquie; de la langue tchèque.

BOÏAR [bɔjaʀ] n. m. ⇒ **Boyard**.

BOILLE [bɔj] n. f. — 1624, *boillie*; var. de 2. *bouille*, cf. *bolie*, 1353.

♦ Régional (Suisse). Récipient cylindrique ou ovale (d'abord en bois : douves, puis en métal, etc.) servant au transport du lait. ⇒ **Bidon, boîte** (à lait), 2. **bouille** (régional). *Fûts et boilles en métal, en plastique.* — REM. À l'origine, ce récipient, muni de bretelles, était transportable à dos d'homme (syn. : *boille à lait*).

C'est le domestique qui va porter le lait à la fromagerie. Dans la boille, qui est une hotte de fer, arrondie selon la forme du dos, avec deux courroies aux épaules, quarante, soixante litres font un poids (...)
C.-F. RAMUZ, Nouvelles et Morceaux, Œ. compl., t. III, p. 188.

Récipient de forme analogue, servant à sulfater la vigne. ⇒ **Sulfateuse**. *Boille à sulfater.* Par anal. *Boille à chauler.*

Récipient pour transporter le poisson vivant.

REM. On écrit et prononce *bouille* [buj] dans quelques cantons (Neuchâtel, Jura).

1. BOIRE [bwaʀ] v. tr. — *Je bois, tu bois, il boit, nous buvons, vous buvez, ils boivent; je buvais; je bus, il but, nous bûmes, ils burent; je boirai; je boirais; bois, buvons, buvez; que je boive, que nous buvions, qu'ils boivent; que je busse, que nous bussions, qu'ils bussent; buvant; bu.* — Xᵉ; anc. franç. *beivre, boivre,* du lat. *bibere,* même sens.

★ I. ♦ 1. Avaler, absorber (un liquide, une boisson). ⇒ **Avaler, ingurgiter**; fam. **écluser, pomper, siffler**.

1 D'après certains puristes, il faudrait dire : *prendre* et non *boire* du café, du thé, du chocolat, mais *boire* de l'eau, de la bière, du vin. Distinction arbitraire et ridicule. L'Académie dit *Prendre du café. Boire du café au lait* (à Café). *Boire du thé. Prendre du café* (à Thé).
Joseph HANSE, Dict. des difficultés grammaticales, éd. 1949, p. 141.

Boire de l'eau, du vin, du lait, du café, une tisane, une liqueur. Il boit beaucoup de lait. ⇒ **Buveur** (de...). *L'enfant a bu son lait.* ⇒ **Téter**. *Boire un poison. Socrate fut condamné à boire la ciguë. Un liquide bon à boire.* ⇒ **Buvable, potable**. *Boire un canon, une coupe, une chope, une chopine, une pinte, un pot, une rasade, un verre*, un petit verre. Boire une tournée, la rince* (fam.). *Boire une gorgée, un gorgeon* (fam.), *une goutte, une lampée* (fam.), *une larme, un doigt, un léger doigt de vin* (→ Blanc, cit. 9). *Boire son verre d'un trait.* ⇒ **Lamper, vider**. *Boire du champagne.* ⇒ **Sabler**. *Boire un verre d'alcool en faisant cul sec* (→ Cul, infra cit. 18). *Boire de l'eau-de-vie entre deux plats.* ⇒ **Trou** (normand). *Boire du vin, un alcool en gourmet.* ⇒ **Déguster, humer, siroter**.

2 Il commande chez l'hôte, y prend des libertés,
Boit son vin, caresse sa fille.
LA FONTAINE, Fables, IV, 4.

3 (*Elle*) chantait d'un gosier sec
Le vin mousseux, le frontignan, le grec,
Buvant de l'eau dans un vieux pot à bière (...)
VOLTAIRE, le Pauvre Diable.

4 Il finissait toujours la coupe dont elle avait bu la moitié (...)
Mᵐᵉ DE STAËL, Corinne, XV, 3.

4.1 (*Il*) prendra de la soupe, du poisson frit, une salade; il boira un quart de vin blanc.
A. PIEYRE DE MANDIARGUES, la Marge, p. 89.

Loc. *Boire un coup.* ⇒ **Coup** (IV.). *« Boire un petit coup c'est agréable... »* (chanson). *Payer un coup à boire à qqn.* ⇒ (fam.) **Rincer**, 4.

Boire le coup de l'étrier : boire une dernière fois avant le départ. ⇒ **Étrier** (cit. 4).

Être bon, mauvais à boire. « Une onde mauvaise à boire » (→ Naviguer, cit. 7, Apollinaire). — Fam. *Se laisser boire :* être bon à boire. *Ce petit pinard se laisse boire.*

Fam. *Boire un coup, boire une, la tasse* (→ Boire un bouillon*, boire la goutte*; aussi régional boire calade*) : au cours d'un bain de mer, avaler involontairement une gorgée d'eau. — Absolt ou intrans. *Boire à la grande tasse :* se noyer.

Fig. *Un cheval qui boit son blanc* (intrans., *qui boit dans son blanc*). ⇒ **Blanc**. *Un cheval qui boit sa bride,* se dit d'un cheval au mors trop enfoncé dans la bouche.

♦ 2. Absolt ou intrans. Absorber une certaine quantité de liquide. *Boire pour apaiser, pour étancher sa soif*.* ⇒ **Désaltérer** (se), **rafraîchir** (se). *Boire sans soif. Boire chaud, tiède, frais, froid, glacé. Boire dans le creux de la main* (⇒ **Laper**), *dans un verre, à la bouteille, au goulot, à la régalade*. Boire à petits coups.* ⇒ **Buvoter, siroter**. *Boire à petites gorgées. Boire à plein verre. Boire à grands, à longs, à larges traits.* — Vx. *Vase à boire.* ⇒ aussi **Récipient**. *Verre* à boire. Boire à discrétion, à satiété, à volonté. Boire tout son soûl*, à tire-larigot. Boire beaucoup et vite. Demander, réclamer à boire. Servir à boire à qqn. Offrir, payer à boire à qqn. Faire boire un malade.* ⇒ **Administrer** (un remède...).

5 Au contraire, ton ennemi a-t-il faim, donne-lui à manger; a-t-il soif, donne-lui à boire (...) BIBLE (CRAMPON), Épître de saint Paul aux Romains, XII, 20.

6 L'appétit vient en mangeant, disait Angest (...) la soif s'en va en buvant.
RABELAIS, Gargantua, 5.

7 Tant qu'ils trouvent des plantes à brouter, ils (*les chameaux*) se passent très aisément de boire. BUFFON, Hist. nat., les Quadrupèdes, t. V, p. 23.

8 Donne-lui tout de même à boire, dit mon père.
HUGO, la Légende des siècles, XLIX, Le temps présent, « Après la bataille ».

---

9 Mon verre n'est pas grand, mais je bois dans mon verre.
A. DE MUSSET, Premières poésies, « La coupe et les lèvres »,
Dédicace (→ Imiter, cit. 19).

10 (...) elle boit par désœuvrement, pour tuer le temps et l'ennui, comme un terrassier se saoule quand il n'a pas d'ouvrage.
COLETTE, la Paix chez les bêtes, « La chienne Bull ».

11 (...) des gendarmes, debout, boivent, chacun leur tour, à la régalade, en élevant dans la lumière un bidon de soldat.
MARTIN DU GARD, les Thibault, t. VIII, p. 159.

REM. Dans cet emploi absolu, et dans le contexte de la civilisation française, *boire* concerne souvent le vin et les boissons alcooliques (→ ci-dessus, cit. 10); cette valeur est lexicalisée au sens 3.

Loc. *Il y a à boire et à manger,* se dit d'une boisson trouble et épaisse avec des particules solides en suspension, et, fig., d'une chose, d'une situation qui présente de bons et de mauvais aspects.

(Animaux). Se désaltérer en absorbant de l'eau (→ Lion, cit. 3, et ci-dessus, cit. 7). *Faire boire les bêtes.* ⇒ **Abreuver; abreuvoir, auge, barbotage, buvée**. *Donner à boire à un chien, à un oiseau.*

♦ 3. Intrans. Absorber (notamment, régulièrement et avec excès) des boissons alcoolisées. *Il boit et il fume.* ⇒ **Aviner** (s'), **enivrer** (s'), **soûler** (se); fam. **accoler** (la bouteille), **biberonner, bidonner, boissonner** (vx), **cocarder** (se), **gargariser** (se), **humecter** (s'humecter le gosier), **lamper, lester** (se), **lever** (le coude), **lichailler, licher, lipper** (vx), **picoler** (et **pictancher, picter, pictonner**), **pinter, pomper, taper** (se), **téter** (la bouteille). → aussi fam. et pop. En étouffer un, s'en jeter un (derrière la cravate), nettoyer (une bouteille...), se rincer le corridor*, la dalle*, sécher (un glass, un kil, une rouille); s'appuyer, écluser, s'enfiler, s'enfoncer, s'envoyer (qqch.), soiffer, souffler dans l'encrier, siffler, se rincer; tuer le ver, chasser le brouillard. *Aimer à boire* (⇒ **Biberon, buveur, ivrogne**). *Boire par habitude, par plaisir, par passion, par manie* (⇒ **Dipsomanie**). *Boire pour oublier. Boire sans s'enivrer.* ⇒ **Tenir** (le coup). — Loc. compar. *Boire comme une éponge, un tonneau, un trou. Boire comme un Polonais, un pompier, un sonneur, un Suisse, un templier. Boire sec :* boire du vin blanc, et aussi boire beaucoup d'alcool. *Un air*, une chanson* à boire. À boire! « C'est à boire qu'il nous faut! » Après boire. Réunion, repas où l'on boit.* ⇒ **Beuverie, libation, rastel** (régional), **ribote** (vieilli). *S'attabler* pour boire. Boire à l'occasion d'un événement* (⇒ **Arroser** (B., 3.). *S'abstenir de boire. Il a bu! :* il a trop bu. *Quand elle a bu, elle n'est pas gaie.*

12 Allons, qu'on donne du vin à Monsieur Jourdain, et à ces Messieurs, qui nous feront la grâce de nous chanter un air à boire.
MOLIÈRE, le Bourgeois gentilhomme, IV, 1.

13 J'ai soupé hier avec trois des plus jolies femmes de Paris; nous avons bu jusqu'au jour (...) A.-R. LESAGE, Turcaret, III, 5.

14 Quand Auguste buvait, la Pologne était ivre.
VOLTAIRE, Épître, À l'impératrice de Russie Catherine II, 56.

15 Ils buvaient tous comme des éponges, mais un d'eux surtout déployait une remarquable puissance d'ingurgitation. Th. GAUTIER, le Capitaine Fracasse, XV.

16 (...) s'il est vrai que de votre vivant vous jurâtes comme un païen, fumâtes comme un Suisse et bûtes comme un sonneur (...)
FRANCE, le Crime de S. Bonnard.

17 (...) l'homme extraordinaire dont je parle (...) but comme un trou sans avoir jamais eu grand soif. COURTELINE, Boubouroche, Petit historique.

18 (...) il faut bien le reconnaître, l'Américain ne sait pas boire. Il a toujours l'air de se suicider. G. DUHAMEL, Scènes de la vie future, V.

18.1 Il boit, mais il était fait pour l'opium : on se trompe aussi de vice; beaucoup d'hommes ne rencontrent pas celui qui les sauverait.
A. MALRAUX, la Condition humaine, p. 37.

18.2 Gadelle buvait. Il buvait plus que n'importe quel paysan du pays, pas seulement de temps en temps, mais le soir, commençant le matin pour ne s'arrêter que le soir. Il buvait assez pour répandre dans la chaleur d'une pièce, une odeur d'alcool que je reniflais toujours avec dégoût.
G. SIMENON, les Mémoires de Maigret, p. 61.

18.3 Je n'aime pas tellement l'alcool. Et pourtant si je ne bois pas, ça ne va pas. C'est comme si j'avais peur, alors je bois pour ne plus avoir peur.
IONESCO, Rhinocéros, I, p. 42.

Emploi substantivé :

Manger n'est qu'un vulgaire artisan, tandis que boire est un artiste. Boire inspire de riantes idées aux poètes (...) manger ne leur donne que des indigestions. [18.4]
Claude TILLIER, Mon oncle Benjamin, III.

Vx. *Donner qqch. pour boire :* donner une gratification. ⇒ **Pourboire**.

19 Mon gentilhomme, donnez, s'il vous plaît, aux garçons quelque chose pour boire.
MOLIÈRE, le Bourgeois gentilhomme, II, 5.

Boire à la santé de qqn, boire à qqn, à qqch., formuler des vœux avant de vider son verre. ⇒ **Brinde, toast** (porter un toast). *Boire au retour d'un voyageur. Choquer son verre avant de boire.* ⇒ **Trinquer**.

20 On boit une dernière fois ensemble, tous à la ronde, choquant les verres très fort (...) LOTI, Ramuntcho, II, 9, p. 275.

21 Ma mère lui versa un verre d'eau-de-vie, qu'il but à la santé de la compagnie, car il avait de l'usage. FRANCE, le Petit Pierre, XI.

Le roi, la reine boit, acclamations usitées le jour des Rois quand le roi ou la reine boit.

♦ 4. V. tr. ⓐ Vieilli. *Boire une santé, des santés :* boire à la santé.

22 Je voudrais bien les remercier d'avoir bu ma santé; la vôtre fut bue avant-hier chez la princesse de Tarente (...) Mᵐᵉ DE SÉVIGNÉ, Lettres, 441.

ⓑ Dépenser en buvant. *Il a bu sa paye en deux jours. Boire son salaire, son patrimoine, sa fortune.*

★ **II.** (1550). ♦ **1.** Absorber (le sujet désigne un corps poreux, perméable). ⇒ **Imprégner** (s'). *Le soleil boit la rosée. L'éponge boit.* ⇒ **Imbiber** (s'). *Un papier qui boit l'encre* (⇒ **Buvard**). — Absolt. *Papier qui boit,* sur lequel on ne peut écrire lisiblement.

22.1 Il est bien véritable que parfois quand les Chantres ont failly ils diront par excuse que le papier boit, et accuseront la fueille de ce que la fueillette leur aura fait faire.
    A. GANTEZ, l'Entretien des musiciens, Claudin, 57, 1643, *in* D. D. L., II, 15.

23 Le fer moissonna tout; et la terre humectée
But à regret le sang des neveux d'Érechthée.
    RACINE, Phèdre, II, 1.

24 Sans crainte du pressoir, le pampre tout l'été
Boit les doux présents de l'aurore (...)
    André CHÉNIER, « la Jeune Captive », *in* Œ. poétiques, t. II.

25 (...) les murs étaient restés enduits d'un vieux crépi rose vif qui buvait la lumière comme un badigeon italien.
    MARTIN DU GARD, les Thibault, t. II, p. 251.

25.1 L'argile rouge a bu la blanche espèce
    VALÉRY, Poésies, « le Cimetière marin ».

Loc. fig. *Boire l'obstacle,* se dit d'un véhicule, d'un cheval lancé à pleine vitesse et qui semble absorber, avaler les obstacles.

♦ **2.** (Par métaphore du sens I). **a** (Sujet n. de personne). Absorber (qqch. qui est assimilé à un liquide qui étanche la soif). ⇒ **Absorber, aspirer, pénétrer** (se), **remplir** (se). *Boire la santé, la vie. Boire la joie, les plaisirs.* « *Et je buvais ton souffle...* » (Baudelaire, *le Balcon*).

26 D'enfants à sa table une riante troupe
Semble à lui seul lui rendre la joie à pleine coupe.
    RACINE, Esther, II, 8.

27 Il aurait voulu l'envelopper, l'absorber, la boire.
    FLAUBERT, Salammbô, XI.

28 Il se mit à respirer longuement, buvant de l'air comme les ivrognes boivent du vin (...)
    MAUPASSANT, Clair de lune, p. 14.

29 (...) nous nous abreuvions avidement de l'âme la plus sincère, la plus héroïque, la plus généreuse, une âme toute remplie de toutes les passions du monde et de tous les souffles de la terre (...) nous allions boire la joie, l'amour, la force, qui nous manquaient.
    R. ROLLAND, Musiciens d'aujourd'hui, p. 60.

30 Bu du sommeil jusqu'à plus soif.
    GIDE, Journal, 1931.

31 (...) le lézard buvait le soleil. Le dos écailleux ne bougeait pas (...)
    H. BOSCO, l'Âne Culotte, p. 53.

Boire les paroles de qqn, les écouter avec attention et admiration. *Boire qqn, qqch. des yeux,* regarder avidement (→ **Manger des yeux***).

32 Il ne manquait pas un de ses discours, il buvait ses paroles, riait de ses plaisanteries à mâchoire déployée, écumait de ses invectives, jubilait des combats et du paradis promis.
    R. ROLLAND, Jean-Christophe, p. 1294.

33 Mon vieux, je ne le regardais plus, je le buvais, j'étais totalement électrisé.
    MARTIN DU GARD, les Thibault, t. IV, p. 100.

Boire un affront, une injure. ⇒ **Endurer, subir** ; → Avaler des couleuvres*.

34 Ils boivent les affronts comme l'eau (...)
    ROUSSEAU, Émile, II.

Avoir toute honte bue : avoir épuisé toutes les hontes de sorte qu'on n'a plus honte de rien (→ Honte, cit. 29, 29.1).

35 Je dis que c'est horrible, et toute honte est bue
Autant par qui reçoit, que par qui distribue !
    HUGO, la Légende des siècles, « Les quatre jours d'Elciis », XX.

b Littér. Absorber (choses). « *L'œil ! Il boit la vie apparente (...). Il boit le monde, la couleur, le mouvement, les livres, les tableaux...* » (Maupassant, *in* T. L. F.).

♦ **3.** (Dans des métaphores, le compl. désignant un récipient rempli de boisson, ou une boisson). Loc. *Boire le calice* jusqu'à la lie* : accepter, subir jusqu'au bout des épreuves, des afflictions.

36 Souvent las d'être esclave et de boire la lie
De ce calice amer que l'on nomme la vie (...)
    André CHÉNIER, Élégie, XXXVI.

37 Je voudrais maintenant vider jusqu'à la lie
Ce calice mêlé de nectar et de fiel :
Au fond de cette coupe où je buvais la vie,
Peut-être restait-il une goutte de miel (...)
    LAMARTINE, Méditations, « L'automne ».

38 Elle avait bu jusqu'à la lie la coupe amère de son triste amour.
    A. DE MUSSET, la Confession d'un enfant du siècle, p. 285.

39 Il (Jésus) pouvait encore éviter la mort; il ne le voulut pas. L'amour de son œuvre l'emporte. Il accepta de boire le calice jusqu'à la lie.
    RENAN, Vie de Jésus, XXIII, Œ. compl., t. IV, p. 321.

Boire la coupe de la colère divine : recevoir le châtiment de Dieu (métaphore biblique).

40 La main du Seigneur vous a fait boire la coupe de sa colère; elle est remplie d'un breuvage qu'il veut faire boire aux pécheurs.
    BOSSUET, Sermons, Nécessité de travailler à son salut, I.

Poét. et vx. *Boire l'eau de... (un fleuve) :* naître, habiter sur ses rives. *Les peuples qui boivent l'eau du Gange :* les Hindous.

Vx. *Boire la sueur de qqn :* s'enrichir du travail de qqn à ses dépens.

Boire un bouillon :* avoir un revers de fortune.

Boire du lait, du petit lait : se réjouir, se délecter de qqch., d'une flatterie (→ fam. Se gargariser).

40.1 La vieille Eugénie boit du petit lait. Quel manque de pudeur ! Ainsi ils ont été ensemble, dans un lointain autrefois, ces deux vieux-là (...)
    Claude MAURIAC, le Dîner en ville, p. 261.

40.2 Vous êtes le genre d'homme que j'aime. Tout à fait mon idéal. Sans blague, vous êtes drôlement beau.
— Écoute, n'exagère pas, dit Martial avec une bonhommie modeste. (Il buvait du petit lait.) Il était aux anges.
    Jean-Louis CURTIS, le Roseau pensant, p. 201.

Il boirait la mer et les poissons : il a une soif inextinguible.
— *C'est, ce n'est pas la mer à boire :* c'est, ce n'est pas difficile.

Tout cela, c'est la mer à boire (...)
    LA FONTAINE, Fables, VIII, 25.   41

(...) elle rêva un tapis et Lheureux, affirmant « que ce n'était pas la mer à boire », s'engagea poliment à lui en fournir un.
    FLAUBERT, Mme Bovary, III, 4.   42

Loc. littér. (vx). *Boire l'eau du Léthé :* oublier. — *Boire à la fontaine des Muses, d'Hippocrène :* s'adonner à la poésie. — *On ne saurait faire boire un âne qui n'a pas soif.* ⇒ **Âne.** — Loc. mod. *Il ne faut pas dire « Fontaine, je ne boirai pas de ton eau ».* ⇒ **Fontaine.** — *Le vin est tiré, il faut le boire :* il n'y a plus à hésiter, on ne peut plus reculer, il faut achever ce qui est commencé.

Voyez-vous, mes enfants, quand le blé est mûr, il faut le couper; quand le vin est tiré, il faut le boire.
    Alphonse DAUDET, Lettres de mon moulin, XI.   43

Fig. *Qui a fait la faute la boit :* on supporte les conséquences des fautes qu'on commet.

(1814, cit.). *Croyez cela et buvez de l'eau,* se dit d'une chose qui ne doit pas être crue. *Compte dessus et bois de l'eau, compte là-dessus et bois de l'eau fraîche.*

Spectacles. La jolie bluette du *Cosaque à Paris,* ou *Croyez cela et buvez de l'eau,* a été hier répétée avec le plus grand succès.
    J.-B. COUCHERY, *in* le Moniteur secret, II, 1814, p. 217 (*in* D. D. L.).   44

Il y a, il n'y a pas d'eau à boire : il y a, il n'y a pas à gagner dans cette affaire. — *Qui bon l'achète, bon le boit :* ce qu'on paye cher dure longtemps.

Intrans. *Qui a bu, boira* (La Fontaine, *Fables,* III, 7) : on ne se corrige pas de ses vieux défauts, de ses vieilles habitudes.

On ne saurait si peu boire qu'on ne s'en ressente : on s'expose à quelque sottise en buvant trop.

▶ **SE BOIRE** v. pron. (passif).

Pouvoir ou devoir être bu. *Cette eau se boit, peut se boire.* ⇒ **Potable.** *Le vin rouge se boit chambré ou frais ; le champagne se boit frappé. Le pastis se boit avec de l'eau.*

▶ **BU, BUE** p. p. adj. Voir ci-dessus à l'article.

Spécialt. Fam., régional (personnes). Ivre, soûl. *Il est un peu bu. Il est arrivé complètement bu.*

Le prévenu Brument interrompt avec vivacité la déposition et déclare : « J'étais bu ».
Alors Cornu, se tournant vers son complice, prononce d'une voix profonde comme une note d'orgue :
« Dis que j'étions bus tous deux et tu n'mentiras point ».
    MAUPASSANT, Une vente, Pl., t. I, p. 1208.   45

CONTR. Rejeter, vomir. — Abstenir (s').
DÉR. 2. Boire. — (Du rad. *beuv-*) **Beuverie.** — (Du rad. *buv-*) **Buvard, buvée, buvable, buvette, buveur, buvoter.** — (De l'anc. inf. *beuvre*) V. **Breuvage.**
COMP. Après-boire, déboire, emboire, (imbu) fourbu, pourboire. — **Boit-sans-soif, boit-tout.**
HOM. 2. Boire.

2. BOIRE [bwar] n. m. — Xe, *bewre* ; → 1. Boire.

♦ Rare, sauf dans : *Le boire et le manger. Le boire :* l'action de boire ; le liquide que l'on absorbe. ⇒ **Boisson.** « *Le buveur ne regarde guère que le boire* » (Valéry, *in* T. L. F.). *Le boire et le manger :* l'action de boire et de manger (→ Ingestion, cit.). *L'instinct de l'homme* (cit. 74) *le porte au manger et au boire. Les règles du manger et du boire* (→ Contrevenir, cit. 2).

Et le financier se plaignait
Que les soins de la Providence
N'eussent pas au marché fait vendre le dormir
Comme le manger et le boire.
    LA FONTAINE, Fables, VIII, 2.   1

J'imagine une accueillante maîtresse de maison qui tient tête à ses hôtes dans le boire et le manger, et s'égaie de leurs plaisanteries risquées (...)
    M. YOURCENAR, Archives du Nord, p. 63.   2

Fam. *En oublier, en perdre le boire et le manger :* être absorbé par une occupation, un souci, un sentiment (→ Étuver, cit. 2 ; maladie, cit. 15).

BOIS [bwɑ] n. m. — 1080, *Chanson de Roland,* au sens I, 1 ; du francique **bosk* « buisson ». Cf. all. *Busch,* par le lat. pop. *bosci,* plur. de *boscus,* le rapport avec le lat. *buxus* « buis » n'est pas à écarter, selon Guiraud, si l'on admet la possibilité d'un dérivé roman **buxicus.*

★ **I.** ♦ **1.** (*Un bois, des bois*). Espace de terrain couvert d'arbres*. ⇒ **Forêt, frondaison, futaie, sylve ; bocage, boqueteau, bosquet, bouquet** (d'arbres), **breuil** (régional), **buisson, fourré, futaie, massif** (d'arbres), **sous-bois, taillis.** Espace découvert dans un bois. ⇒ **Clairière.** *Un pays de bois.* ⇒ **Boisé.** *L'orée*, la lisière d'un bois. Un bois mystérieux, ombreux, sombre, ténébreux ; épais, impénétrable, touffu ; frais, riant ; désert, silencieux, solitaire. Bois de châtaigniers* (⇒ **Châtaigneraie**), de chênes (⇒ **Chênaie**), de frênes (⇒ **Frênaie**), de pins (⇒ **Pinède**), de sapins (⇒ **Sapinière**). Un petit bois. Les grands bois.* ⇒ **Forêt.** Acheter, vendre un bois en friche. Bois domanial, communal. Possession d'un bois indivis.* ⇒ **Ségrairie.** *Le Bois de Boulogne à Paris. Aller, se promener au bois. Marcher dans les bois, dans les sous-bois. S'égarer en plein bois. Couper à travers bois. Bois sacrés,* consacrés au culte par les anciens. — *Bois d'Épidaure, bois de Vesta.*

Les vents sont assoupis, les bois dorment sans bruit.
    RONSARD, *in* LITTRÉ.   1

J'ai besoin du silence et de l'ombre des bois (...)
    BOILEAU, Épîtres, 6.   2

3   Mes seuls gémissements font retentir les bois (...)   RACINE, Phèdre, II, 2.

4   Un terrain couvert ou plutôt à demi couvert de genièvres, de bruyères, est un bois
à moitié fait et qui a peut-être dix ans d'avance sur un terrain net et cultivé (...)
BUFFON, Expériences sur les végétaux, 2ᵉ mémoire.

5   Il *(J.-J. Rousseau)* veut réduire au gland l'Académie entière :
Renoncez aux cités, venez au fond des bois,
Mortels, vivez contents sans secours et sans lois (...)
VOLTAIRE, les Deux Siècles.

6   Cependant à l'orée du bois on voit déjà fleurir les primevères (...)
BERNARDIN DE SAINT-PIERRE, Étude, V.

7   Tantôt un bois profond, sauvage, ténébreux
Épanche une ombre immense, et tantôt moins nombreux,
Un plant d'arbres choisis forme un riant bocage (...)   DELILLE, Jardins, II.

8   Nous traversâmes quelques petits bois de baumiers et de cèdres de la Virginie (...)
CHATEAUBRIAND, Voyage en Amérique, 308.

9   Salut ! bois couronnés d'un reste de verdure !
Feuillages jaunissants sur les gazons épars !
LAMARTINE, Premières méditations, « L'automne ».

10   J'aime le son du cor, le soir au fond des bois (...)   A. DE VIGNY, le Cor.

11   Comme le flot des mers ondulant vers les plages
Ô bois, vous déroulez, pleins d'arome et de nids,
Dans l'air splendide et bleu, vos houles de feuillages ;
Vous êtes toujours vieux et toujours rajeunis.
LECONTE DE LISLE, Poèmes barbares, « La Fontaine aux lianes ».

12   Nous n'irons plus au bois, les lauriers sont coupés (...)
Th. DE BANVILLE, Cariatides, « les Stalactites ».

13   (...) dans l'air passe cette senteur spéciale des arrière-saisons, senteur des bois
qui se dépouillent (...)   LOTI, Ramuntcho, II, 3.

14   Ton sourire est pareil aux clairières des bois.
Francis JAMMES, Choix de poèmes, « La jeune fille nue », p. 124.

15   Je m'éteindrai, un soir, comme ce soleil
Qui dore les bois poétiques de ces coteaux.
Francis JAMMES, Almaïde d'Étremont, p. 172.

Bêtes, oiseaux des bois. — *Fraises* des bois.* — *Les nymphes* des
bois. La Belle au bois dormant* (→ Beau, cit. 111.1 et 112). —
Loc. *Homme des bois* (fig.), homme rude et sauvage. ⇒ **Ours** (fig.).
Vx (du malais). *Homme des bois :* orang-outang.— *Sortir du bois,*
en parlant des animaux. ⇒ **Débucher.** — Vén. *Faire le bois, chasser
dans les bois.* ⇒ **Brousser.** — Poét. *Les hôtes des bois :* les animaux
qui vivent dans les bois. Spécialt. Les oiseaux.

16   Vous êtes le phénix des hôtes de ces bois.   LA FONTAINE, Fables, I, 11.

Vx. *Le bois, les bois :* lieu dangereux abritant des brigands.

17   Le bois le plus funeste et le moins fréquenté
Est au prix de Paris un lieu de sûreté (...)   BOILEAU, Satires, VI.

On n'aimerait pas le rencontrer au coin d'un bois : il a l'air
d'un bandit.

18   Qu'un brigand me surprenne au coin d'un bois, il faut par force donner sa
bourse (...)   ROUSSEAU, Du contrat social, I, 3.

(1791, *in* D.D.L.). *Être volé comme dans un bois.*

19   Vous savez mes malheurs : j'ai été volée comme dans un bois.
A. DE MUSSET, Un caprice, III.

19.1   Il n'y avait pas non plus, dans cette petite ville où le luxe s'est accru maintenant
comme partout, un seul hôtel où nous puissions avoir une table passable d'officiers, sans être volés comme dans un bois (...)
BARBEY D'AUREVILLY, les Diaboliques, « Le rideau cramoisi ».

Loc. fig. *Aller au bois sans cognée :* entreprendre qqch. sans s'assurer des moyens pour réussir. — Prov. *Qui a peur des feuilles, n'aille
au bois :* celui qui manque de courage doit éviter le danger. — *La
faim fait sortir le loup du bois.*

20   Alors la faim, qui chasse le loup hors du bois, me fit sortir de mon gîte pour aller
acheter des vivres (...)   A.-R. LESAGE, Don Guzman..., II, 4.

Vén. *Faire le bois :* rechercher le grand gibier.

♦ **2.** *(Le bois, les bois...).* La végétation ligneuse. *Exploiter le
bois.* ⇒ **Foresterie, sylviculture.** *Le bois d'une exploitation forestière.* ⇒ **Boisement, déboisement, déforestation, reboisement ; déro-
der, essarter, layer ; balivage, débosquage.** *Du bois en pleine végétation, bois vif. Bois recepé.* ⇒ **Receper, revenue.** *Des arbres qui poussent trop de bois* (→ Arbre, cit. 23). *L'âge du bois.*
Techn. *Bois de brin,* venu de la graine ; *jeune bois* (⇒ **Perchis**), *bois
taillis, bois de demi-futaie,* considéré comme de haut revenu ; *bois
de futaie. Bois sur pied ; bois vert* ; bois en grume,* revêtu
de son écorce. ⇒ **Grume.** *Bois de printemps,* tendre et mou. *Bois
brouté, noueux, rabougri, tordu, veiné. Bois encroué :* arbre sur
lequel un autre est tombé. *Bois éhoupé, déshonoré :* arbre dont
la cime est coupée. *Bois chablis,* abattu par le vent. *Bois arsin,*
endommagé par le feu. *Bois exploité à part.* ⇒ **Ségrais.** *Bois défen-
sables :* arbres que leur hauteur met à l'abri de la dent des bestiaux. *Bois en défends,* qu'il n'est pas permis d'abattre. ⇒ **Marmen-
teau.** Dr. *Bois domaniaux,* qui appartiennent à l'État (⇒ **Domaine**).
Bois communaux. — REM. Ces syntagmes désignent aussi l'espace
boisé (au sens 1). *Bois de réserve,* que les communes font exploiter périodiquement. *Droit de ramasser du bois dans la forêt.*
⇒ **Affouage.** *Bois de délit :* arbres coupés en fraude. *Bois mort*
(⇒ **Boisette, mort-bois**). *Bois gisant, renversé. Ramasser du bois
en coupe. Une coupe de bois.*

21   Le fripon qui me vola la moitié d'une coupe de bois, obtient de l'équité des juges
un encouragement de 800 francs (...)   P.-L. COURIER, I, 448.

22   Voilà l'enfant des chaumières
Qui glane sur les bruyères
Le bois tombé des forêts (...)   LAMARTINE, Harmonies, II, 1.

23   (...) deux antiques tilleuls cachent sous leur robe de verdure une telle quantité de
bois mort qu'ils font aux souffles du vent un bruit étrange d'ossements heurtés.
MAUPASSANT, la Vie errante, p. 54.

23.1   Il était important que ces bois fussent promptement coupés et débités, car on ne
pouvait les employer verts encore, et il fallait laisser au temps le soin de les durcir.
J. VERNE, l'Île mystérieuse, t. II, p. 769.

★ **II.** (1165). ♦ **1.** *(Le bois ; du bois... :* non comptable). Matière
ligneuse et compacte des arbres et de certains végétaux. ⇒ **Ligni-,
xylo-.**

[a] Emplois concrets. *Le tissu vasculaire du bois est formé d'une
agglomération de cellules parallèles ou perpendiculaires à l'axe.*
⇒ **Fibre, sève, vaisseau ; rayon.** *Formation du bois mise en évidence
par une section transversale d'un tronc d'arbre.* ⇒ **Assise** (génératrice), **aubier, écorce, cœur** (bois de cœur). *Un bois sec, dur ; vert,
tendre ; échauffé, malandre, pouilleux ; piqué, pourri, rongé, spongieux, vermoulu. Bois rongé par des champignons. Bois artisonné,*
rongé par les insectes. ⇒ **Lignicole ; gâte-bois, perce-bois.** — *Les
défauts du bois.* ⇒ **Broussin, cadranure, écorce** (entre-écorce), **fibre**
(fibre-torse), **frotture, gélivure, loupe, lunure, nœud, ronce, roulure.**

24   Mais attends que l'hiver s'en aille, et tu vas voir
Une feuille percer ces nœuds si durs pour elle,
Et tu demanderas comment un bourgeon frêle
Peut, si tendre et si vert, jaillir de ce bois noir.
HUGO, les Feuilles d'automne, 26.

25   (...) les bois les plus durs sont ceux qui pourrissent le moins vite.
FLAUBERT, Correspondance, t. II, p. 386.

Morceau, pièce de bois. Bout de bois (et fig.). ⇒ **Bout.**

Loc. *Dur comme du bois :* très dur.

Classification des bois suivant leurs qualités. ⇒ **Essence.** — *Bois
feuillus :* hétérogènes *(zone poreuse).* ⇒ **Allante, châtaignier, chêne,
faux-acacia, frêne, micocoulier, mûrier, olivier, orme.** *Bois homogènes, durs et lourds : bois de fer.* ⇒ **Alisier** (blanc, terminal), **amman-
dier, cerisier, cerisier-merisier, charme, cormier, cornouiller, coudrier, érable, hêtre, mimosa, platane, poirier, pommier, sidéroden-
dron.** *Bois homogènes tendres et légers ou bois blancs.* ⇒ **Aune,
bouleau, marronnier, peuplier, saule, tilleul, tremble.** — *Bois résineux.* ⇒ **Cèdre, épicéa, genévrier, if, mélèze, pin, sapin.** — *Bois exotiques.* ⇒ **Acajou, amarante, 2. angélique, avodiré, balsa, buis, courbaril, ébène, filao, fraké, framiré, iroko, okoumé, palissandre, pit-
chpin, séquoia, sipo, teck.** — ⇒ aussi **Arbre.**

(Afrique). *Bois rouge :* bois d'œuvre dur, de couleur rouge (opposé
à *bois blanc).*

[b] Loc. métaphorique et fig. *Il n'est bois si vert qui ne s'allume :*
la patience a des limites.

Loc. *Donner à qqn une volée de bois vert,* le frapper avec des branches flexibles. — Vx. *Charger qqn de bois,* lui donner des coups
de bâton.

26   Que le galant alors soit frotté d'importance !
— Crois-moi qu'il se verra, pour te mieux contenter,
Chargé d'autant de bois qu'il en pourra porter.   CORNEILLE, l'Illusion, II, 8.

Il ne faut pas mettre le doigt entre le bois et l'écorce (⇒ **Arbre,**
cit. 36).

Faire flèche de tout bois : utiliser tous les moyens dont on dispose.

27   Desmarets ne savait plus de quel bois faire flèche ; tout manquait et tout
était épuisé (...)   SAINT-SIMON, Mémoires, 196, 127.

27.1   La frousse n'est pas une base solide pour l'acquisition d'une croyance religieuse,
dit Hubert sévèrement.
— Oh, tu sais... Je suppose que Dieu n'y regarde pas de si près. Il doit faire flèche de tout bois.   Jean-Louis CURTIS, le Roseau pensant, p. 227.

27.2   Faut-il vraiment faire flèche de tout bois pour ratisser le maximum d'hommages ?
Benoîte et Flora GROULT, Il était deux fois, p. 164.

Toucher du bois : faire le geste superstitieux de toucher un objet
de bois pour écarter quelque danger possible.

28   Il touche du bois quand il redoute quelque éventualité fâcheuse.
G. DUHAMEL, les Maîtres, XII.

DE BOIS, EN BOIS : impassible, insensible (dans des expressions).
N'être pas de bois : ne pas manquer de sensibilité, de sensualité.
Rester de bois, insensible. *Qqch. qui laisse de bois.* ⇒ **Froid.** Vx.
N'être ni caillou ni bois.

28.1   Ces plaintes et ces serments le laissaient pourtant de bois.
R. DORGELÈS, Tout est à vendre, p. 403.

29   (...) car une fille enfin n'est ni caillou ni bois.
MOLIÈRE, le Dépit amoureux, III, 9.

30   Ah ! que je suis désolé Monsieur l'Inspecteur !... Vraiment !... Je vous fais mes excuses !...
Pas un mot... Du bois... Il le laisse dire.   CÉLINE, Guignol's band, p. 112.

Tête (cit. 28) *de bois :* personne têtue.

Montrer un visage de bois, un visage fermé, froid. ⇒ **Visage.** *Avoir
la gueule de bois :* avoir mal à la tête, se sentir mal pour avoir trop
bu. ⇒ **Gueule.**

31   — J'ai un peu mal aux cheveux.
— Vous puez l'alcool !
— J'ai un petit peu mal à la gueule de bois, c'est vrai.   IONESCO, Rhinocéros, p. 17.

Fam. *Chèque en bois :* chèque sans provision. *Langue de bois :* discours, langage de propagande figé. ⇒ **Langue.**

[c] (Mil. XIIIᵉ). Techn., cour. *Le bois,* matière utilisable.

Industrie du bois. L'abattage du bois. ⇒ **Bûcheronnage, équarris-**

sage, sciage. Bois brut. — Loc. techn. *Bois carré,* celui qui est équarri (⇒ **Dosse**). *Bois de fente,* obtenu en fendant l'arbre suivant le fil. *Bois scié, tranché.* — *Outils servant à abattre le bois.* ⇒ **Cognée, coin, ébuard, hache, passe-partout, scie, serpe.** *Bois débité.* ⇒ **Basting, bille, merrain, rondin, roule, roulon.** *Bois mis en tas mesurés.* ⇒ **Corde, cordée, pile, rôle, stère.** Vx. *Cent de bois, pièce de bois* (mesures) :

32　Un Cent de bois, chez les Charpentiers, c'est cent fois 72 pouces de bois en longueur, ou une pièce qui a douze pieds de long sur six pouces d'espaisseur et de largeur : de sorte qu'une seule poutre est souvent comptée pour quinze ou vingt pièces de bois. Tout le bois de charpente se réduit à cette mesure.
　　　　　　　　　　　　　　　　　FURETIÈRE, Dict., art. *Bois.*

33　Vitruve dit qu'avant d'abattre les arbres il faut les cerner par le pied jusque dans le cœur du bois, et les laisser ainsi sécher sur pied.
　　　　　　　　　　　　　BUFFON, *Expériences sur les végétaux,* 2ᵉ mémoire.

Loc. fig. *Abattre du bois :* abattre beaucoup d'ouvrage. Spécialt. *Abatteur* de bois.*

Le transport du bois. ⇒ **Flottage, schlittage; radeau.** *Train* de bois. Coupler un train de bois :* assembler les pièces deux à deux. *Le dépècement d'un train de bois.* ⇒ **Déchirage.** *Bois flotté. Bois canard.* ⇒ **Canard.** *Bois accroché au bord d'un cours d'eau. Bois volant,* amené directement au port par le flot. — Au plur. *Des bois volants, flottants.*

34　À une assez grande distance des terres, il faut, avant que d'entrer dans le Mississippi, se débarrasser des bois flottants qui sont descendus de la Louisiane (...)
　　　　　　　　　　　　　G.-T. RAYNAL, Hist. philosophique..., XVI, 6.

Bois de chauffage, destiné à être brûlé, à servir de combustible. *Bois neuf, bois en grume :* revêtu de son écorce. *Menu bois, gros bois, bois à brûler. Bois de moule :* coupé suivant une longueur donnée, pour être brûlé (⇒ **Billette, billot, bûche, bûchette, bourrée, brassée, charbonnette, cotret, fagot, falourde, fascine, margotin, moulée, rondin**). *Faire, fendre, casser du bois. Faire sa provision de bois. Marchand de bois. Mettre du bois au feu*. Le bois pétille* (⇒ **Braise, tison**). *Se chauffer au bois. Un poêle à bois. Cuisinière, chaudière à bois. Pain cuit au four à bois, au bois.* — *Réserve de bois.* ⇒ **Bûcher.** *Bois utilisé pour le chauffage.* ⇒ **Branche, brin** (brins mal venus), **copeau, déchet, éclat** (éclat de bois), **éclisse, racine, sciure, souche.** *Bois de boulange,* servant à chauffer le four du boulanger.

35　Son hôte la menait tantôt fendre du bois (...)　LA FONTAINE, Fables, III, 8.
36　*(Vous le trouverez)* qui s'amuse à couper du bois.
　　　　　　　　　　　　　　　　　MOLIÈRE, le Médecin malgré lui, I, 4.
37　Le laboureur, quand il a besoin de bois, coupe une branche, et non pas le pied de l'arbre.　VOLTAIRE, cité par MONTESQUIEU, Œ., note.
37.1　Bon mon garçon, dit-il à Harbert, si moi j'ignore le nom de ces arbres, je sais du moins les ranger dans la catégorie du bois à brûler, et, pour le moment, c'est la seule qui nous convienne.　J. VERNE, l'Île mystérieuse, t. I, p. 43.
37.2　(...) pour préserver ces animaux *(des moutons)* de l'atteinte des insectes, ils les tenaient sous le vent de foyers de bois vert qu'ils alimentaient nuit et jour, et dont l'âcre fumée se propageait lentement au-dessus de l'immense marécage.
　　　　　　　　　　　　J. VERNE, Michel Strogoff, p. 220-221 (1876).
38　(...) il dépensait un stère de bois et lésinait sur une allumette (...)
　　　　　　　　　　　　　　　　　R. ROLLAND, Jean-Christophe, p. 847.

Loc. fig., vx. *Remettre du bois :* pousser à l'enthousiasme (argot de théâtre, XIXᵉ).
Loc. prov. *Le bois tortu fait le feu droit :* des moyens détournés permettent souvent d'atteindre un but honnête. *Il n'est feu que de bois vert :* l'enthousiasme est le propre de la jeunesse. *Faute de bois, le feu s'éteint.*

39　Faute de bois, le feu s'éteint; éloignez le rapporteur, et la querelle s'apaise.
　　　　　　　　　　　　　BIBLE (CRAMPON), Proverbes, XXVI, 20.

(XVIᵉ). *Montrer de quel bois on se chauffe,* de quoi on est capable (en matière de défense), souvent dans des formules de menace (à partir du XVIIᵉ).

40　Vous verrez de quel bois nous nous chauffons lorsqu'on s'attaque à ceux qui nous peuvent appartenir.　MOLIÈRE, George Dandin, I, 4.
40.1　Montrons-leur un peu de quel bois — inflexible et léniniste — on se chauffe chez nous.　Régis DEBRAY, l'Indésirable, p. 251.

Conservation du bois. On incorpore au bois des matières antiseptiques pour le conserver en le protégeant des agents destructeurs. Traitement du bois par injection de coaltar, créosote, phénol, sels, sulfates. ⇒ **Empilage, étuvage, immersion, séchage, vieillissement, ventilation.** *Bois injecté. Bois amélioré,* traité par imprégnation de lignine*. ⇒ **Densification, lamellation.** — *Bois déversé,* qui a travaillé, qui est gauchi par l'action de la chaleur ou de l'humidité. *Distillation du bois.* ⇒ **Carbonisation, cuisage; fumeron, fourneau, fraisil.** *Produits de la distillation du bois.* ⇒ **Acétone, acide** (acide acétique), **alcool** (alcool méthylique), **charbon, gaz, goudron.**

Industries qui utilisent le bois (industries de la laine du bois, du papier, du pyroxyle, d'armes de guerre, de chasse). *Le travail du bois. Le bois, matériau noble.* — *Bois de construction, bois d'œuvre* (⇒ **Assemblage, chantournage, charronnage, charpentage, corroyage, cubage, débitage, façonnage, montage, placage, traçage**). *Débiter le bois* (⇒ **Débillarder, dégauchir, dégraisser**). Techn. *Bois de service.* ⇒ **Madrier, panne, planche, poutre, solive.** *Bois de menu service.* ⇒ **Étai, poteau, traverse.** — *Bois de charpente** (chêne), *de carrosserie, de charronnage* (charme, cornouiller, frêne, orme, platane...), *d'ébénisterie* et de menuiserie** (chêne, bois exotique, myrte, noyer, poirier...), *de tournerie* (buis, citronnier, cornouiller,

genévrier, olivier, vigne...), *de boissellerie* (bouleau blanc, hêtre, saule), *de tonnellerie* (acacia, châtaignier, chêne, frêne...), *de vannerie* (osier, rotin...), *de teinture* (bois de campêche, bois rouge du Brésil, de la Colombie, de sapan [⇒ **Césalpinie**], sumac).

Bois médicinaux : gaïac, salsepareille, santal (bois de), sassafras, squine. *Produits des bois résineux.* ⇒ **Baume, gomme, résine, vernis.** *Bois odorants :* calambac, bois de santal. *Bois de Panama,* qui a des propriétés analogues à celles du savon. *Bois puant.* ⇒ **Anagyre.** *Bois utilisés en aéronautique :* bouleau, frêne, okoumé, spruce.

Loc. fig. **BOIS D'ÉBÈNE :** esclaves noirs (dans le contexte de la traite des esclaves). *Marchand, trafiquant de bois d'ébène.*

(1243, *en bois*). *De bois, en bois,* construit en bois. *Construction en bois. Un pont de bois. Une maison de bois, en bois* (⇒ **Chalet**). *Une cabane en bois, faite de rondins. Escalier, parquet en bois.* ⇒ **Plancher.**

40.2　Le sol est en bois ordinaire, noirci par la boue et de grossiers lavages, ainsi que les premières marches, seules bien visibles, de l'escalier.
　　　　　　　　　　　　A. ROBBE-GRILLET, Dans le labyrinthe, p. 55.

Objets en bois, de bois. Volets de bois. Un manche de pioche en bois. Une canne de bois. ⇒ **Bâton.** *Meubles en bois.* ⇒ **Meuble;** et aussi **caisse, coffre.** *Des sabots* de bois. Des semelles de bois.*

40.3　Je me contentai de ces galoches, à semelles de bois, qu'on commençait à fabriquer.
　　　　　　　　　　　　S. DE BEAUVOIR, la Force de l'âge, p. 518.

Bouchons en bois. ⇒ **Bonde, romaillet.** *Une jambe* de bois. Cheval de bois.* ⇒ **Cheval.** *Une croix de bois. Le bois de la croix de Jésus-Christ. Un Dieu de bois. Bon Dieu de bois !* (juron bénin). *Des idoles de bois.* — Par métonymie. *Partie en bois;* ce qui est en bois (→ ci-dessous, II., 2.).

41　Adorez-vous des dieux de pierre ou de bois?　CORNEILLE, Polyeucte, III, 2.
42　Vois comme tout nu sur la croix,
　　Victime pure et volontaire,
　　Les deux bras étendus sur cet infâme bois,
　　Jadis pour tes péchés je m'offris à mon Père.
　　　　　　　　　CORNEILLE, l'Imitation de J.-C., IV, 961.
43　Un Bûcheron venait de rompre ou d'égarer
　　Le bois dont il avait emmanché sa cognée.　LA FONTAINE, Fables, XII, 16.
44　On me jettera dans les charniers Saint-Innocent et on ne mettra sur ma fosse qu'une croix de bois (...)
　　　　VOLTAIRE, Contes en vers (Préface signée Catherine Vadé).

Sculpture sur bois. Sculpture en bois d'olivier.
Loc. *Déménager* à la cloche de bois.*
Être du bois dont on fait les flûtes : être accommodant jusqu'à la complaisance. *Être du bois dont on fait les généraux...,* avoir les qualités qu'exige cette fonction.

45　C'est après la trentaine qu'on peut voir si un gars est du bois dont on fait les militants : quand il faut renoncer à avoir une famille, un nom, un métier.
　　　　　　　　　　　　Régis DEBRAY, l'Indésirable, p. 77.

♦ **2.** **[a]** *Le bois de... :* partie en bois (d'un objet). *Le bois d'une pioche.* ⇒ **Manche.** → ci-dessus, cit. 43. *Le bois de la croix.* — *Le bois d'une raquette,* manche et cadre. — (1925). Loc. *Faire un bois :* frapper la balle avec le bois, le cadre.
Loc. *Casser du bois :* endommager un avion, à l'atterrissage. — Fam. (argot des taxis). Endommager son véhicule.

[b] (1426, *bos de lit*). *Un bois, des bois.* Objet en bois. — *Un bois de lit :* cadre de bois d'un lit, supportant le sommier. — *Les bois d'un navire. Bois droits, bois courbants, bois tors.*

(1929). Sports. *Les bois :* les poteaux du but. *Défendre ses bois.*
Bois de justice : la guillotine.

Argot anc. Au plur. Meubles (Dorgelès, *les Croix de bois,* p. 423). *Être sur ses bois,* dans ses meubles.

Techn., vx. Parties en bois qui servent à garnir une forme, en imprimerie.

[c] Régional. *Un, des bois :* partie végétale lignifiée. — (Suisse). Vitic. Sarment, pampre.

[d] (Afrique noire). *Un bois :* un arbre.
Un morceau de bois; un bâton. *Taper avec un bois.*

♦ **3.** (V. 1375; par anal. avec les branches du bois). *Le bois, du bois* (vieilli) ; *les, des bois* (plur.) : cornes des cervidés (cerf, chevreuil, daim, élan, renne). ⇒ **Andouiller, cor, dague, empaumure, merrain, ramure, revenue.** *Les mâles seuls portent des bois, sauf chez les rennes.*

46　Comme un vieux cerf dans une forêt porte son bois rameux au-dessus des têtes des jeunes faons dont il est suivi (...)　FÉNELON, Télémaque, V.

Loc. fig. *Une femme qui fait porter du bois à son mari,* qui lui est infidèle (par allusion à l'image populaire des cornes* ornant le front des maris trompés). *Il lui a poussé du bois :* sa femme l'a trompé.

47　*(Il pourrait bien)* Charger de bois mon dos comme il a fait mon front.
　　　　　　　　　　　　　　　　　MOLIÈRE, Sganarelle, 17.
48　Leurs maris ont leur provision de bois sans aller la chercher sur le port (...)
　　　　　　　　　　　　A. FURETIÈRE, le Roman bourgeois, I, 107.

♦ **4.** (1866). *(Un, des bois).* Gravure sur bois. *Bois du XVIᵉ siècle ornant une édition.*

49   (...) il gagnait son pain comme tous les graveurs, en exécutant des bois pour des publications illustrées.   ZOLA, Paris, t. I, p. 202.

♦ **5.** *(Un, des bois).* Instrument à vent de la famille constituée par la flûte, le hautbois, la clarinette, le cor anglais, le basson *(les bois).* *Les bois et les cuivres.*

DÉR. Boiser, boiserie, boiseaux. — Cf. aussi les éléments **ligni-** et **xylo-,** du lat. et du grec. — (De *bosc,* forme dial.) V. **Boqueteau, boquillon, bosquet, bouquet.** **COMP.** Déboisement, déboiser, reboisement, reboiser. — **Mort-bois, sainbois, sous-bois.**

BOISAGE [bwɑzaʒ] n. m. — 1610 ; de *boiser.*

♦ **1.** Action de boiser*, de garnir avec du bois de menuiserie. *Boisage d'une maison, d'un navire.* — (Av. 1788, Buffon). Spécialt. Cuvelage. *Effectuer le boisage d'une galerie, d'un puits de mine.*

♦ **2.** Éléments, structure servant à boiser. *Le boisage d'une galerie de mine* (souvent remplacé par un *blindage*). ⇒ **Cadre, chapeau, corniche, étai, montant, palplanche, semelle** ou **sole.** *Demi-boisage,* qui ne revêt que le faîte et une paroi de la galerie. *Boisage sans sole,* qui revêt le faîte et les deux parois. *Boisage de faîte.*

BOISÉ, ÉE [bwɑze] adj. ⇒ **Boiser.**

BOISEMENT [bwɑzmɑ̃] n. m. — 1823 ; « bois recouvrant un mur », 1723 ; de *boiser.*

♦ **1.** Action de boiser, de garnir d'arbres (un terrain). *Boisement par semis, par plantation*. Le boisement ou le repeuplement d'une clairière, d'un terrain.* ⇒ **Afforestation ; reboisement.**

♦ **2.** Technique :

Le boisement des claies (« encabanagi » en provençal) est une opération qui consiste à disposer sur les claies des rameaux secs, de manière à former de petites cabanes dans lesquelles les vers filent leur cocon.   L. ROMAN, Manuel du magnanier, 1876, *in* D.D.L., II, 4.

CONTR. Déboisement.

BOISER [bwɑze] v. tr. — 1671, au sens 1 ; de *bois.*

♦ **1.** Vx. Garnir avec du bois. *Faire boiser les murs d'un appartement* (⇒ **Boiserie**). — Techn. Renforcer par un boisage. *Boiser une galerie de mine* (⇒ **Boisage**).

1   Le maréchal d'Estrées aimait fort Nanteuil, il fit boiser toute sa maison.   SAINT-SIMON, Mémoires, 11, 265.

♦ **2.** (Attesté 1863 ; de *boisé*). Garnir d'arbres (un terrain). ⇒ **Planter ; reboiser.** *Boiser une contrée, une colline.* ⇒ ci-dessous **Boisé** (plus cour.).

▶ **BOISÉ, ÉE** p. p. adj. (1690).

♦ **1.** Couvert de bois (I.). *Région boisée.*

2   Des pentes boisées descendent en moutonnant vers le bas de la vallée.   E. FROMENTIN, Une année dans le Sahel, p. 67.

3   Nous gagnons une partie plus boisée, tout au bord de l'affluent, dont les eaux sont sensiblement plus limpides.   GIDE, Voyage au Congo, *in* Souvenirs, Pl., p. 691.

♦ **2.** Vx. *Murs boisés,* couverts de boiseries. — Techn. (mines). Renforcé par un boisage (⇒ **Boiser,** 1.). *Galerie boisée.*

♦ **3.** Fig., fam. Vx. Garni de bois (5.) comme un cerf. *Tête boisée,* qui porte des cornes (mari trompé).

CONTR. Déboiser. — Découvert. **DÉR.** Boisage, boisé, boisement, boiseur. **COMP.** Déboiser, reboiser.

BOISERIE [bwɑzʀi] n. f. — 1715 ; de *bois,* et *-erie.*

♦ **1.** Ouvrage en bois de menuiserie*. *La boiserie d'une porte, d'une fenêtre.* ⇒ **Châssis.** *Boiserie recouvrant le sol d'un appartement.* ⇒ **Parquet.** *Boiserie contenant un orgue.* ⇒ **Buffet.** « *Fauteuils délicats de boiserie* » (Michelet, *in* T.L.F.). « *La haute boiserie de son lit* » (Loti, *in* T.L.F.).

♦ **2.** Spécialt. Au plur. Éléments de menuiserie d'une maison, à l'exclusion des parquets. *Boiseries des murs d'un appartement.* ⇒ **Lambris, moulure, panneau.** *Boiseries en chêne, boiseries peintes.*

1   Des boiseries sans aucune peinture ni vernis, mais ajourées avec une capricieuse mignardise, très finement menuisées (...).   LOTI, Mme Chrysanthème, XXXV, p. 178.

2   Bernard admira la rusticité des boiseries, le plafond aux poutres noires et blanches, la grande baie sur le jardin fleuri.   A. MAUROIS, Bernard Quesnay, II, p. 18.

BOISEUR [bwɑzœʀ] n. m. — 1795 ; de *boiser.*

♦ Techn. Ouvrier employé aux travaux de boisage* des mines. — Adj. *Un ouvrier boiseur.* — REM. Le fém. est virtuel.

BOISEUX, EUSE [bwɑzø, øz] adj. — 1680 ; de *bois.*

♦ Rare. De la nature du bois* ; qui se rapporte au bois. ⇒ **Ligneux.** *Substance boiseuse.*

BOISSEAU [bwaso] n. m. — 1190 ; *boissel, boistiel,* 1198 ; probablt dér. de *boisse* (attesté seulement au XIIIe), d'un lat. de Gaule *bostia,* du gaulois **bostia* « creux de la main ; poignée » ; pour Guiraud, du bas lat. *buxa* par un roman **buxellus* « récipient de bois », hypothétique, mais qui rend l'évolution de sens plus simple.

♦ **1.** Ancienne mesure de capacité (environ un décalitre) ; récipient de forme cylindrique, de contenance variable, utilisé pour les matières sèches ; son contenu. *Mesures au boisseau. Un boisseau de froment, de blé. Fabrication de boisseaux et d'instruments analogues.* ⇒ **Boissellerie.** — Au Canada, Mesure actuelle de 8 gallons*, soit 36, 36 litres.

0.1   Il y eut, après le déjeuner, une distribution du travail : les hôtes de passage durent moudre, pour leur part, à l'aide de machines, trois ou quatre boisseaux de blé.   Louise MICHEL, la Misère, t. III, p. 712.

Loc. fig. *Mettre la lumière sous le boisseau* : cacher la vérité.

1   Personne n'allume une lampe pour la mettre dans un lieu caché ou sous le boisseau, mais on la met sur le chandelier, afin que ceux qui entrent voient la lumière (...)   BIBLE (SEGOND), Luc, XI, 33.

2   Pourquoi la vanité d'un père barbare cache-t-elle ainsi la lumière sous le boisseau (...)   ROUSSEAU, Julie ou la Nouvelle Héloïse, II, 2.

♦ **2.** Par anal. de forme. Techn. Tuyau de fonte, de terre cuite, s'emboîtant dans un autre. *Boisseaux pour la conduite, l'écoulement des eaux, des fumées...* — Moule en terre servant à la fabrication des pipes. — Trou de la cannelle d'un robinet dans lequel manœuvre la clef.

DÉR. V. **Boisselage, boisselée, boisselier, boissellerie.**

BOISSELAGE [bwaslaʒ] n. m. — Fin XIVe ; de *boissel, boisseau.*

♦ Vx. Mesurage au boisseau.

BOISSELÉE [bwasle] n. f. — XIIIe ; de *boissel, boisseau.*

♦ **1.** Techn. Contenu d'un boisseau*.

♦ **2.** Vx. Ancienne mesure agraire équivalent à la surface d'ensemencement d'un boisseau de grains.

BOISSELIER [bwasəlje] n. m. — 1338 ; de *boissel, boisseau.*

♦ Techn. Personne qui fabrique des boisseaux* et autres ustensiles en bois cintré (tamis, etc.). ⇒ **Boissellerie.**

BOISSELLERIE [bwasɛlʀi] n. f. — 1751 ; de *boissel, boisseau.*

♦ Techn. Fabrication et commerce du boisselier ; objets qu'il fabrique et vend. *On utilise beaucoup le hêtre en boissellerie.*

BOISSON [bwasɔ̃] n. f. — XIIIe ; du bas lat. *bibitio,* accusatif *bibitionem,* de *bibere* « boire ».

♦ **1.** Liquide propre à être bu ou destiné à être bu. ⇒ **Breuvage.** *Une boisson froide, glacée, tiède, chaude, brûlante. Boisson rafraîchissante* (⇒ **Rafraîchissement**), *cordiale, tonique* (⇒ **Cordial, remontant, vulnéraire**), *apéritive* (⇒ **Apéritif**), *digestive* (⇒ **Digestif**). *Boisson hygiénique, curative, purgative* (⇒ **Potion, purge**). *Boisson gazeuse, gazéifiée.* ⇒ **Eau, soda.** *Boisson aromatique, aromatisée, forte, aigre, piquée ; douce, insipide, fade. Boisson buvable, imbuvable, potable, non potable, dangereuse, mortelle* (⇒ **Poison**). *Mauvaise boisson.* ⇒ **Bibine.** *Boisson pure, naturelle, mélangée, coupée* (⇒ **Ingrédient, mélange, mixture**), *bouillie, infusée* (⇒ **Décoction, infusion**), *contenant des gouttelettes en suspension* (⇒ **Émulsion**). — *La boisson des dieux.* ⇒ **Nectar.** — *Principales boissons naturelles.* ⇒ **Eau** (eau naturelle, gazeuse, minérale), **lait.** — *Boissons alcoolisées.* ⇒ **Alcool, eau-de-vie, élixir, liqueur, spiritueux, vermouth** ; *anis, anisette, menthe, ouzo, pastis ; cocktail ; punch, grog. Boissons alcoolisées et fermentées.* ⇒ **Vin ; bischof, buvande, hypocras, piquette, rapé, sabayon ; hydromel, kéfir, koumis, kwass, pulque, saké ; bière ; cidre, halbi, poiré.** *Boissons fortes, enivrantes* (→ ci-dessous, 2.). — *Boissons alcaloïdiques.* ⇒ **Café, kola, thé, maté.** *Boissons infusées.* ⇒ **Infusion, tisane.** *Boissons sucrées non alcoolisées, boissons sans alcool.* ⇒ **Jus** (de fruit), **limonade, sirop ; anisade, orangeade, citronnade ; coco, réglisse, sapinette ; oxycrat, oxymel ; milk-shake** (anglic.).

REM. De nombreux noms usuels de boissons sont des marques (Cocacola, Schweppes ; Martini, Pernod, Ricard). Certains sont passés au statut de nom commun (Coca-cola, Pernod...).

1   On appelle *boisson* tout aliment liquide dont on a coutume pour apaiser la soif ou se procurer un plaisir (...) *Breuvage* annonce par sa terminaison un composé, une mixture, le résultat d'une opération ayant pour objet particulier et exprès de

produire un effet extraordinaire (...) Il faut prendre des boissons pour vivre, pour se désaltérer ou se rafraîchir ; mais la médecine ordonne les breuvages.
LAFAYE, Dict. des synonymes, Boisson, Breuvage.

2 Le bon abbé se loue de son vin, et en use plus continuellement que nous ne faisons des eaux ; il ne met point d'intervalle à cette cordiale boisson (...)
Mme DE SÉVIGNÉ, 904, 12 janv. 1683.

3 (...) on éteint tout, et le ciné commence ; on sirote des boissons froides ; tu vois ça ?
MARTIN DU GARD, les Thibault, t. III, p. 41.

Spécialt. Liquide consommé dans un lieu public, seul ou avec la nourriture (souvent à l'exclusion de l'eau). *Boissons* (alcooliques et non alcooliques) *proposées dans un café, une brasserie, un bar. Le menu comprend une boisson au choix. Et comme boisson, que prendrez-vous ? Nourriture et boissons. Boissons-pilotes :* boissons à prix fixés, relativement bas. — Collectif. *Combien coûte le repas, sans (avec) la boisson ?*

♦ **2.** (1611). Spécialt. Boisson alcoolique. *Débit de boissons.* ⇒ **Café ; bar, buvette, cabaret.** *Droit sur les boissons, sur la circulation des boissons* (⇒ **Expédition ; acquit-à-caution, congé, laissez-passer, passavant**).

Loc. littér. *Être pris de boisson,* ivre.

♦ **3.** (Av. 1778, Rousseau). Habitude de boire de l'alcool. *Être adonné à la boisson. S'adonner à la boisson.* ⇒ **Alcoolisme, ivresse ; boire** (I., 3.).

4 Un mari plus jeune qu'elle, mais usé par la boisson (...)
ROUSSEAU, les Confessions, I.

DÉR. Boissonner.

BOISSONNER [bwasɔne] v. intr. — 1858 ; de *boisson.*

♦ Fam., vx. S'adonner à la boisson (Huysmans, *in* T. L. F.). — V. pron. Vx. *Se boissonner* (même sens).

BOITAGE [bwataʒ] n. m. — 1961 ; de *boiter.*

♦ Action de boiter. ⇒ **Boitement, boiterie, claudication.**
À propos, petit, si la presse te demande comment tu t'entraînes, motus ! Pas un mot sur les séances de boitage.
— De « claudication » serait mieux, dit le Docteur.
J. CAU, la Pitié de Dieu, p. 139.

HOM. Boîtage.

BOÎTAGE [bwataʒ] n. m. — 1832 ; de *boîte.*

♦ Techn. Action de mettre dans une boîte, en boîte. — Par métonymie. Emboîtage.

HOM. Boitage.

BOITAILLER [bwataje] v. intr. — 1858 ; de *boiter.*

♦ Vx. ⇒ **Boitiller.**

BOITARD [bwataʀ] n. m. — 1320 ; de *boîte.*

♦ Techn. Boîte métallique contenant les rouages nécessaires à la transmission du mouvement d'un arbre moteur vertical. Syn. : *boîtillon.*

BOITE [bwat] n. f. — 1450, *être en boite* « ivre » ; sens 1, 1584 ; du lat. *bibita,* p. p. de *bibere* « boire ».

♦ **1.** Vx. État du vin bon à boire. *Vin en boite,* en état d'être bu.

♦ **2.** (1690). Boisson fabriquée à partir du marc. ⇒ **Piquette.** (Souvent écrit *boëte*).

HOM. Boëte, boëtte (régional), boîte.

BOÎTE [bwat] n. f. — V. 1150 ; du lat. pop. **buxita,* de *buxida* (IVe), de *buxis,* altér. p.-ê. d'après *buxus* « buis », du lat. class. *pyxis* « boîte, coffret », grec *puxis,* de *puxos* « buis ».

♦ **1.** Récipient facilement transportable, généralement muni d'un couvercle. ⇒ **Récipient ; contenant, emballage.** *Boîte de grandes dimensions.* ⇒ aussi **Caisse, coffre.** *Le fond, les parois, les charnières, les crochets d'une boîte. Une boîte en fer, en argent, en or, en ivoire, en bois. Boîte en carton.* ⇒ **Carton** (à chapeaux, à chaussures), **classeur.** *Boîte vide, pleine. Vider une boîte.* — *Boîte où, dans laquelle on met qqch. Boîte où l'on dispose de l'argent.* ⇒ **Cagnotte, coffre, tirelire, tronc.** *Boîte dans laquelle on expose des reliques.* ⇒ **Châsse, reliquaire.** *Boîte où les Romains rangeaient les manuscrits.* ⇒ **Capsa.**

0.1 On dirait en somme que c'est la boîte qui est l'objet du cadeau, non ce qu'elle contient : des nuées d'écoliers, en excursion d'un jour, ramènent à leurs parents un beau paquet contenant on ne sait quoi, comme s'ils étaient partis très loin et que ce leur fût une occasion de s'adonner par bandes à la volupté du paquet.
R. BARTHES, l'Empire des signes, p. 63.

Boîte de... : boîte contenant (qqch.). *Offrir une boîte de bonbons,*

de chocolats. Boîte de couleurs, d'aquarelle. Boîte de secours. Boîte d'allumettes. Boîte de sardines. Boîte de conserves*. Des vieilles boîtes de conserve (vides). → ci-dessous REM., *supra* cit. 1.

Boîte à compartiments, comportant des compartiments. ⇒ **Boîtier, case, casier, casse, fichier, nécessaire** (de toilette, de pharmacie), **plumier, tiroir.**
Boîte à... : boîte destinée à recevoir (qqch.). *Boîte à échantillons.* ⇒ **Marmotte** (de commis voyageur). *Boîte à ouvrage,* destinée à contenir les objets de couture. *Boîte à outils. Boîte à pharmacie, à chirurgie. Boîte à cigares,* (vx) *à tabac* (⇒ **Tabatière**), *à gants* (mod. → ci-dessous). *Boîte à chaussures. Boîte à cirage, à épices, à savon, à sel. Boîte à ordures.* ⇒ **Poubelle.** *Boîte à lettres* (→ ci-dessous, 2.). — *Boîte à bonbons.* ⇒ **Bonbonnière, chocolatière, drageoir.** *Boîte à gâteaux, à biscuits. Boîte à bijoux.* ⇒ **Baguier, coffret, écrin.** *Boîte à hostie.* ⇒ **Custode.** *Boîte à souvenirs, boîte à poudre.* ⇒ **Poudrier.** — REM. On ne dit pas *boîte à conserves,* mais *de conserves.*

1 Je ferai tomber leurs cheveux, je détruirai et les colliers et les bracelets et les anneaux et les boîtes à parfum (...)
BOSSUET, Sermon pour la profession de Mlle La Vallière.

2 J'arrangerais une boîte bien garnie de bonbons (...)   ROUSSEAU, Émile, II.

2.1 Du diachylum et des bandes traînaient sur la cheminée. La boîte chirurgicale posait au milieu du bureau, les sondes emplissaient une cuvette dans un coin (...)
FLAUBERT, Bouvard et Pécuchet, Pl., t. I, p. 719.

3 Parmi les affaires de Chrysanthème, ce qui m'amuse à regarder, c'est la boîte consacrée aux lettres et aux souvenirs : elle est en fer blanc, de fabrication anglaise (...)
LOTI, Mme Chrysanthème, I, XXVII, p. 131.

Rare. Récipient pour un liquide. — Loc. *Boîte à lait.*

Boîte de bouquiniste ; les boîtes des bouquinistes (cit. 1 et 3). ⇒ **Bouquinerie.**

♦ **2.** Emplois spéciaux. Loc., vx. *Boîte à Perrette :* caisse secrète d'une association. Fig. *Mon argent est passé dans la boîte à Perrette, je ne sais ce qu'il est devenu.*

Mod. *Boîte à idées,* destinée à recevoir des suggestions. — *Boîte à malice, à surprise*, à attrape.* Fig. *Boîte à malice :* ensemble de moyens secrets, de ruses dont une personne dispose.

Boîte à musique, dans laquelle un mécanisme permet de reproduire, autant de fois qu'on le désire, quelques mélodies.

BOÎTE AUX LETTRES : dispositif installé sur la voie publique pour recevoir les lettres destinées à la poste ; boîte privée d'une maison, où le courrier est distribué. *Boîte à lettres* (même sens). — Absolt. *La boîte du bureau de poste ; jeter, mettre une lettre dans la boîte, à la boîte.* ⇒ **Poster.** *Retirer les lettres de la boîte.* ⇒ **Levée ; boîtier.** Spécialt :

4 Certaines boîtes qui étaient lors nouvellement attachées à tous les coins des rues, pour faire tenir les lettres de Paris à Paris (...)
FURETIÈRE, le Roman bourgeois, II, 65.

Fig. *Servir de boîte aux lettres,* d'intermédiaire discret dans un échange de lettres, de relais dans la communication entre deux ou plusieurs individus ou groupes.

BOÎTE POSTALE : boîte aux lettres réservée à un particulier, à l'intérieur d'un bureau de poste. *Boîte postale d'une entreprise* (abrév. : B. P.). Syn. ⇒ *case* postale.* ⇒ aussi **Cedex.**

(Abstrait). Catégorie, classe de choses. *Classer les idées dans des petites boîtes.* ⇒ **Tiroir.**

Loc. *Boîte à gants :* petit compartiment, souvent muni d'une porte, aménagé dans une automobile, à portée du conducteur, et où l'on peut ranger de menus objets. → Vide-poches.

4.1 Nul n'a jamais su que dans la voiture, derrière le carton de cette cavité du tablier que l'on nomme la boîte à gants, Sigismond, par une sorte d'enfantine manie, cachait un petit revolver (...)   A. PIEYRE DE MANDIARGUES, la Marge, p. 247.

Techn. *Boîte à gants* (« munie de gants ») : enceinte étanche destinée à la manipulation de produits radioactifs, l'opérateur ayant accès à l'intérieur en enfilant les longs gants protecteurs fixés sur l'une au moins des faces. *Le plus souvent en verre ou en matière plastique transparente, les boîtes à gants servent à la manipulation des émetteurs α et β, et les sorbonnes* sont utilisées pour des activités plus fortes (β et γ).*

Menuis. *Boîte à onglet,* qui sert à préparer les pièces destinées aux encadrements. *Boîte à recaler :* outil pour polir les coupes faites à la scie.

♦ **3.** Cavité, organe creux qui protège et contient un organe, un mécanisme.

a (XVIe). Anat. Cavité osseuse. *Boîte de la hanche.*

REM. C'est de ce sens que vient *boiteux.*

5 Si l'os de la cuisse est hors de sa boîte (...)   Ambroise PARÉ, Introd., 23.

(1833, *in* D. D. L.). *Boîte crânienne :* cavité osseuse qui renferme le cerveau.

6 Un brusque hululement aigu, traînant, déchire l'air, brutalement suivi d'un éclatement, tout proche, qui fait sauter le cerveau dans la boîte crânienne.
MARTIN DU GARD, les Thibault, t. VIII, p. 186.

b Sports. *Boîte d'appel,* pour le saut à la perche. ⇒ **Butoir.**

Techn. (Élément d'un mécanisme). *La boîte de culasse d'un fusil. Boîte à mitraille :* projectile creux destiné à éclater en l'air, en projetant la mitraille qu'il contient. *Boîtes à balles, à boulets, à caffuts, à étoupilles. Boîte d'artifices.* ⇒ **Bombe, gargoussier, pou-**

drière, pyrotechnie. — Absolt. *Tirer des boîtes dans une fête publique.* — Vx :

7   Des boîtes qui crevèrent tuèrent trois ou quatre personnes (...)
                                                    Mᵐᵉ DE SÉVIGNÉ, 291.

8   Je l'accoutume aux coups de fusil, aux boîtes, aux canons (...)
                                                    ROUSSEAU, *Émile*, 1.

Cin. Magasin (d'une caméra). *Mettre dans la boîte :* filmer ; prendre en photo. *C'est dans la boîte !*

8.1 « Ceux-là je les mets dans la boîte !... »
    On ne pouvait pas lui refuser cette joie.   R. FRISON-ROCHE, *Nahanni*, p. 291.

Loc. fam. *Boîte à images :* poste récepteur de télévision.

Électr. *Boîte de résistance,* qui permet de faire varier l'intensité d'un courant électrique. *Boîte de coupure, de jonction,* pour interrompre ou rétablir le passage du courant.

Boîte d'horloge. La boîte du ressort d'une montre, d'une pendule. ⇒ **Barillet.** ⇒ aussi **Boîtier,** II., 2.

Techn. *Boîte de direction,* qui contient les organes de commande des roues directrices d'une automobile. — Cour. *Boîte de vitesses :* organe renfermant les engrenages des changements de vitesse. ⇒ **Engrenage.** — Techn. *Boîte d'essieu, de roue :* pièce conique fixée dans le moyeu d'une roue. ⇒ **Chapeau, fusée.** — Loc. techn. *Boîte à étoupes :* pièce cylindrique remplie d'étoupe ou de cuir embouti, et dans laquelle peut glisser la tige d'un piston sans perte de vapeur ou d'eau. *Boîte à feu :* partie d'une chaudière tubulaire qui enveloppe le foyer. *La boîte à fumée* (⇒ **Fraisil**), *à vapeur, à sable d'une locomotive. Boîte à graisse :* réservoir d'huile ou de graisse nécessaire au graissage* des organes d'une machine.

8.2 Puis, à un second coup de sifflet, la marche en avant recommença : elle s'accéléra ; bientôt la vitesse devint effroyable ; on n'entendait plus qu'un seul hennissement sortant de la locomotive ; les pistons battaient vingt coups à la seconde ; les essieux des roues fumaient dans les boîtes à graisse.
                                        J. VERNE, *le Tour du monde en 80 jours*, p. 253.

BOÎTE NOIRE. [a] Inform., cybern. Système ou machine dont on ignore le fonctionnement interne, et qui n'est connu que par ses réponses aux sollicitations extérieures.

[b] (Sur un avion, un véhicule, un navire). Dispositif enregistrant les données nécessaires à la marche (pilotage automatique, etc.) et toutes les circonstances des déplacements. *Récupérer la boîte noire d'un avion abattu pour étudier les circonstances de la catastrophe.*

♦ **4.** (XXᵉ). Contenu* d'une boîte. *Manger une boîte de bonbons, de fruits, de conserve. Avaler une boîte de pilules.*

9   Il reçut de ce commerçant quatre boîtes de sucre et cinq six morceaux de savon.
                                                    H. BOSCO, *l'Âne Culotte*, p. 16.

♦ **5.** Fam. Maison, lieu de travail. ⇒ **Taule.** *Quelle boîte ! Quitter sa boîte ; changer de boîte. Je n'ai pas déshonoré sa boîte.* → Pigiste, cit. 1.

10 (...) son envie de lâcher la boîte le lendemain (...)
                                        COURTELINE, *Messieurs les ronds-de-cuir*, t. II, 11.

11 — À quelle heure la boîte ferme-t-elle, demanda-t-il simplement.
    — La maison ferme à sept heures, Monsieur.
                                        Charles PLISNIER, *Meurtre*, II, p. 22.

11.1 Qu'est-ce que tu as ?... — J'ai que je pars... que je quitte la boîte ce soir...
                                        O. MIRBEAU, *le Journal d'une femme de chambre*, p. 385.

11.2 Je n'ai jamais travaillé en boîte, dit Marie-Jeanne... Ça ne m'empêche pas de comprendre.
    — Toi, dit la mère, tu es fille d'ouvriers.
                                        Roger VAILLAND, *325 000 francs*, p. 195.

École, lycée. ⇒ **Bahut.** *Aller à la boîte.* — Péj. *Boîte à bachot.* ⇒ 2. **Bachot.** *Boîte à curés, de curés :* séminaire ; école religieuse.

11.3 (...) nous le verrons passer d'un train d'enfer d'une institution religieuse à une institution laïque (...) sans noter entre ces boîtes d'autres différences que la bouffe plus ou moins mauvaise et des lieux plus ou moins sales.
                                        M. YOURCENAR, *Archives du Nord*, p. 296.

11.4 Spécialisé dans la préparation à l'X, le collège Sainte-Ginette comptait bon an mal an une trentaine de reçus qui, répartis deux par deux dans l'ensemble des salles, trouvaient naturel d'y apporter l'esprit de contention et de surveillance générale des boîtes à curés et couvraient l'École d'une sorte d'organisation parallèle ayant sa vie propre, ses mots d'ordre, ses buts proches ou lointains et même son chef désigné, le père jésuite Pupey-Girard, l'aumônier de l'École.
                                        Raymond ABELLIO, *Ma dernière mémoire*, t. II., p. 22.

♦ **6.** (1918, in D. D. L.). **BOÎTE DE NUIT :** petit cabaret ouvert la nuit où l'on boit, danse et qui présente parfois des attractions. ⇒ **Cabaret, night-club.** Ellipt. (fam.). *Une boîte très ollé-ollé.* → Olé, cit. 2. *Fréquenter les boîtes à la mode. Sortir, aller en boîte.*

11.5 Tu sais que c'est actuellement la boîte la plus chic de Paris (...) Il faut d'ailleurs avouer que l'idée de Nouméa, comme atmosphère, est assez drôle.
                                        Sacha GUITRY, *Ils étaient 9 célibataires*, p. 112.

11.6 L'après-midi, bateau avec ses copains anglais. Le soir, une boîte.
                                        Jacques LAURENT, *les Bêtises*, p. 425.

Boîte de jazz : bar nocturne où l'on écoute du jazz. *Boîte de tango,* où l'on danse le tango.

11.7 Où danse Vladimir, ce soir ?
    — Eh ! mon petit, vous savez bien que les boîtes de tango sont fermées depuis la guerre !
                                        G. LEROUX, *Rouletabille chez Krupp*, p. 61.

♦ **7.** Loc. fig. **BOÎTE DE PANDORE,** se dit de ce qui, sous des apparences trompeuses, est la source de bien des maux, par allusion à

Pandore qui reçut de Zeus une boîte où étaient renfermés tous les maux.

12 La volupté lâche et infâme, qui est le plus horrible des maux sortis de la boîte de Pandore, amollit tous les cœurs et ne souffre ici aucune vertu.
                                        FÉNELON, *Télémaque*, IV.

13 Ô fond de la boîte de Pandore ! ô espérance ! où êtes-vous ?
                                        VOLTAIRE, Lettre à Mᵐᵉ de Lutzelbourg, 7 nov. 1754.

Être dans une boîte, comme dans une boîte, protégé ; enfermé.

Avoir l'air de sortir d'une boîte, se dit des personnes excessivement soignées.

Prov. *Dans les petites boîtes, les bons onguents,* compliment que l'on fait aux personnes de petite taille pour marquer qu'elles ont souvent plus de qualités que les autres.

Fam. **METTRE (qqn) EN BOÎTE,** se moquer de lui ; le mystifier (cf. fam. Faire marcher). *Mise en boîte.* ⇒ **Moquerie.**

13.1 Il rit d'un rire bref. Il se mettait en boîte avec bienveillance. Il prépara deux whiskies. Gestes, mouvements enrobés.   Violette LEDUC, *la Bâtarde*, p. 355.

Loc. fam. *Boîte à asticots :* cercueil. *Boîte à dominos* (Goncourt), même sens.

Boîte au lait : sein.

Vx. *Boîte à sel :* endroit où se tenait le contrôleur, au théâtre.

Vx. *Boîte à poux :* calot.

♦ **8.** Fam. Bouche (dans quelques expressions). *Fermer sa boîte :* se taire. *Ta boîte !* : tais-toi. ⇒ **Gueule.**

14 « Que va-t-on faire ? — Vos boîtes, les aminches, qu'on entende la mienne ! » fit Croquignol pour réclamer la parole.
                                        L. FORTON, *les Aventures des Pieds-Nickelés*, in *l'Épatant*, 1909, p. 82.

DÉR. Boîtage, boitard, boîtier, I., II.
COMP. Déboîter, emboîter.
HOM. Boëte, boëtte (régional), **boite ;** formes du v. **boiter.**

BOITEMENT [bwatmɑ̃] n. m. — 1539 ; de *boiter.*

♦ Rare. Action de boiter. ⇒ **Boitage, boiterie, claudication.** *Un léger boitement.* ⇒ **Boitillement.**

BOITER [bwate] v. intr. — 1539, *boister* ; du rad. de *boiteux* ; a remplacé *boistoier,* 1358 ; de *boiste,* et *-oyer.*

♦ **1.** Marcher en inclinant le corps plus d'un côté que de l'autre, ou alternativement de l'un et de l'autre. ⇒ **Boitage, boitement, boiterie ; boitailler** (vx), **boitiller, clocher** (vx), **clopiner, déhancher** (se), **traîner** (la jambe). → Fam. Loucher* de la jambe. *En boitant.* ⇒ **Clopin-clopant.** *Boiter bas,* d'une façon marquée. *Boiter du pied droit, du pied gauche, des deux pieds. Boiter comme un canard. Boiter à cause d'une infirmité, d'une affection, d'une lésion, d'une malformation articulaire, d'une blessure, d'une douleur, d'une déchirure musculaire. Cheval qui boite.* ⇒ **Feindre.** (D'un oiseau) : → Mimer, cit. 1.

1   Il (M. Choulette) longeait le quai, boitant d'une jambe, le chapeau en arrière sur son crâne bossué, la barbe inculte (...)   FRANCE, *le Lys rouge*, VII.

2   Puis le dessous du genou a gonflé, la rotule s'est empâtée, le jarret aussi s'est trouvé pris. La circulation devenait pénible et la douleur secouait les nerfs jusqu'à la cheville et jusqu'aux reins. Je ne marchais plus qu'en boitant fortement et me trouvais toujours beaucoup plus mal.
                                        RIMBAUD, *Correspondance, À Isabelle,* 15 juil. 1891.

3   Si ton ami boite du pied droit, boite du pied gauche, pour que votre amitié reste dans un équilibre harmonieux.   J. RENARD, *Journal,* 10 mai 1906.

Trans. (Rare). *Boiter son chemin :* aller son chemin en boitant.

♦ **2.** (En parlant d'un meuble). Ne pas tenir d'aplomb. ⇒ **Branler, bringuebaler ; osciller.** *Une table, une chaise qui boite.* ⇒ **Boiteux.**

♦ **3.** Fig. *Un raisonnement qui boite,* qui est défectueux, imparfait. ⇒ **Boiteux** (plus cour.) ; **clocher.** *Un esprit qui boite.*

4   Suivez l'esprit qui plane et non l'esprit qui boite (...)
                                        HUGO, *l'Année terrible,* Mai 3.

Un vers, une phrase qui boite, mal construits.

Prov. (vx). *Pour qui jouit seul, le plaisir boite.*

DÉR. Boitage, boitailler, boitement, boiterie, boitiller.

BOITERIE [bwatʀi] n. f. — 1803 ; de *boiter.*

♦ **1.** Infirmité, mouvement d'une personne qui boite. ⇒ **Boitage, boitement, claudication.**

1   (...) il (l'enfant) devint un gars fort mignon, tout plein de petites idées drôles et aimables, et ne pouvant plus déplaire à personne, malgré sa boiterie et son petit nez camard.   G. SAND, *la Petite Fadette,* XXXIV, 224.

2   J'ai demandé à partir au front dans un poste de secours, malgré ma boiterie.
                                        Paul BOURGET, in DURRIEU, *Parlons correctement.*

3   La boiterie de son amie, au lieu de l'attendrir, l'irritait.
                                        Louis GILLET, in DURRIEU, *Parlons correctement.*

4   Je sonne, j'entends la boiterie de ses hauts talons, ses jambes sont lourdes.
                                        Violette LEDUC, *la Folie en tête,* p. 36.

(En parlant des animaux et, en particulier, du cheval). *Boiterie temporaire, continue, intermittente.*

♦ **2.** Fig., littér. Caractère de ce qui boite (3.). « *Boiteries bizarres de l'écriture* » (J. Cocteau, *la Difficulté d'être*, 1947, *in* T. L. F.).

BOITEUX, EUSE [bwatφ, φz] adj. et n. — 1226, *boistous* ; de *boiste* (*boîte* « cavité d'un os »).

★ **I.** ♦ **1.** (Personnes, animaux). Qui boite. ⇒ **Banban** (fam.)., **bancal, bancroche** (fam.), **béquillard** (fam.) (→ **Béquille**, cit. 1, 2), **éclopé, infirme, invalide.** *La Vallière, Talleyrand, Byron étaient boiteux.* — *Le dieu boiteux :* Vulcain. — *Le diable boiteux :* Asmodée (le démon de midi). — *Bête boiteuse. Cheval boiteux. Canard* boiteux.*

N. Personne qui boite (→ ci-dessous, cit. 1, 3 et aussi cit. 7). *Un boiteux, une boiteuse. La canne, les béquilles, la jambe de bois, la jambe articulée d'un boiteux. Faire le boiteux.*

1   Le boiteux bondira comme le cerf et la langue des muets sera déliée.
                                    BIBLE (SACY), Isaïe, XXV, 6.
2   La volatile malheureuse (...)
     Traînant l'aile et tirant le pié,
     Demi-morte et demi-boiteuse,
     Droit au logis s'en retourna.   LA FONTAINE, Fables, IX, 2.
3   La nouvelle du siège de Charleroi a fait courir tous les jeunes gens, et même les boiteux (...)   Mᵐᵉ DE SÉVIGNÉ, 345.
4   Cette femme a un petit garçon fort gentil, mais boiteux, qui, clopinant avec ses béquilles, s'en va d'assez bonne grâce demander l'aumône aux passants.
                                    ROUSSEAU, Rêveries, 6ᵉ Promenade.
     Adj. Par ext. *Pas boiteux, démarche boiteuse.*
5   L'hyène au pas boiteux (...)   HUGO, Caravane.
     T. de manège. *Cheval boiteux de l'oreille, de la bride,* qui marque de la tête les pas qu'il fait en boitant.
     Subst., dans des prov. *Il ne faut pas clocher devant les boiteux :* il ne faut pas évoquer une infirmité, un travers... devant celui qui en est affligé. — *Au pays des culs-de-jatte, les boiteux sont maîtres.* ⇒ **Aveugle** (au royaume des aveugles, les borgnes sont rois).
     Vx. *Attendre le boiteux :* attendre qu'une occasion se présente.

♦ **2.** (Choses). Qui n'est pas d'aplomb. ⇒ **Bancal, branlant, inégal.** *Un meuble, un fauteuil boiteux. Une armoire, une table, une chaise boiteuse.*
6   Quatre sièges boiteux, un manche de balai,
     Tout sentait son sabbat et sa métamorphose.   LA FONTAINE, Fables, VII, 15.

♦ **3.** (Abstrait). Qui manque d'équilibre, de solidité. ⇒ **Instable, mal** (mal fait, mal fichu...). — *Un projet, un raisonnement boiteux. Une raison, une explication boiteuse. La « Paix boiteuse »* termina la deuxième guerre de religion. *Une justice boiteuse,* qui s'exerce avec beaucoup de lenteur ou sans équité. — *Un esprit boiteux, une conscience boiteuse.* ⇒ **Faux.**
7   D'où vient qu'un boiteux ne nous irrite pas, et un esprit boiteux nous irrite ? à cause qu'un boiteux reconnaît que nous allons droit, et qu'un esprit boiteux dit que c'est nous qui boitons ; sans cela, nous en aurions pitié et non colère.
                                    PASCAL, Pensées, II, 80.
8   La vengeance est boiteuse, elle vient à pas lents,
     Mais elle vient (...)   HUGO, Hernani, II, 3.
9   Rien n'égale en longueur les boiteuses journées (...)
                      BAUDELAIRE, les Fleurs du mal, « Spleen et Idéal », Spleen.
10   (...) c'est précisément ce raisonnement boiteux qui l'amène *(saint Paul)* à cette conclusion (...)   GIDE, Numquid et tu...?, 17 juin 1916.
11   (...) il faut sans fin manœuvrer, transiger, accepter les compromis boiteux.
                                    S. DE BEAUVOIR, les Mandarins, p. 15.
     N. Vx. Personne qui a un esprit boiteux (Balzac, *in* T. L. F.).

♦ **4.** Qui présente une irrégularité, qui brise l'harmonie d'un ensemble. *Phrase, période boiteuse. Vers boiteux,* qui n'a pas le nombre de syllabes voulu. — Mus. *Contretemps boiteux, syncope boiteuse.* — Imprim. *Colonne boiteuse,* d'une longueur anormale.

★ **II.** N. f. **BOITEUSE.** ♦ **1.** Techn. Solive dont une extrémité est encastrée dans le mur, l'autre étant fixée à la chevêtre.

♦ **2.** Mus. Ancienne danse allemande.

CONTR. Alerte, allègre, valide. — Aplomb (d'), **égal, équilibre** (en), **harmonieux, symétrique. — Approprié, droit, fondé, juste, logique, solide, sûr. — Rapide.**

BOÎTIER [bwatje] n. m. — 1596, au sens I, 1 ; « fabricant de boîtes », 1268 ; de *boîte.*

★ **I.** ♦ **1.** Boîte à compartiments destinés à recevoir différents objets. *Instruments de chirurgie rangés dans un boîtier.*

♦ **2.** (1836). Cour. *Boîtier (de montre) :* enveloppe de métal, d'argent, d'or, où s'emboîtent le cadran et le mécanisme d'une montre. *Un superbe boîtier en or.*
Boîtier de lampe de poche : boîte métallique renfermant la pile électrique.

♦ **3.** Techn. (dentisterie). Coffre où sont encastrés les appareils les plus courants de pratique dentaire, ainsi que divers accessoires (jet de cuvette, jet de verre, etc.). *Boîtier à pied. Boîtier suspendu avec bras permettant tous les débattements* (déplacements).

★ **II.** ♦ **1.** (1801). Vx. Employé des postes préposé à la levée des lettres de la boîte. ⇒ **Facteur.**

♦ **2.** (V. 1960). Polit. Membre d'une assemblée politique chargé de voter pour l'ensemble des membres du groupe.

BOITILLANT, ANTE [bwatijɑ̃, ɑ̃t] adj. — 1881 ; p. prés. de *boitiller.*

♦ **1.** Qui boitille. *Démarche boitillante,* d'une personne qui boitille.

♦ **2.** Fig. Dont le rythme est irrégulier*, saccadé*. *Des strophes boitillantes.* ⇒ **Dissymétrique, oscillant, sautillant.**
La musique enragée, boitillante, courait sous les arbres, tantôt affaiblie, tantôt grossie dans un souffle passager de brise.
                                    MAUPASSANT, la Femme de Paul, p. 30.

CONTR. Régulier (2.).

BOITILLEMENT [bwatijmɑ̃] n. m. — 1867 ; de *boitiller.*

♦ Léger boitement*. *Il vient de se tordre la cheville, mais son boitillement ne durera pas.*

BOITILLER [bwatije] v. intr. — 1867 ; de *boiter.*

♦ Boiter légèrement. ⇒ **Boitailler** (péj.).
La bête est fatiguée, elle boitille un peu (...)
                                    ALAIN-FOURNIER, le Grand Meaulnes, p. 35.

DÉR. Boitillant, boitillement.

BOÎTILLON [bwatijɔ̃] n. m. ⇒ **Boitard.**

BOITON [bwatɔ̃] n. m. — 1506, *buaton* ; latinisé en *buatonus,* 1471 ; du rad. gaulois **bôte-* « étable », suffixé.

♦ Régional (Suisse). Porcherie ; loge du porc. — Fig. Logement exigu (infl. de *boîte*), malpropre.
1   Un pourceau qui crie, pousse et finalement rebrousse au grand galop vers le boiton paternel.
                      Rodolphe TÖPFFER, Nouveaux voyages en zig-zag, *in* LITTRÉ, Suppl.
2   Les cris les plus aigus, c'est le matin de la boucherie qu'il les pousse, quand on l'extrait du boiton et qu'il débouche dans la cour (...)
                      Jacques CHESSEX, Portrait des Vaudois, p. 106.

BOITOUT [bwatu] n. m. ⇒ **Boit-tout.**

BOIT-SANS-SOIF [bwasɑ̃swaf] n. invar. — 1872, *in* T. L. F. ; 1795, n. propre, *in* D. D. L. ; de *(qui) boit sans (avoir) soif.*

♦ Fam. Ivrogne. *C'est une sacrée boit-sans-soif. Des boit-sans-soif.*
(...) Honorine refermait ensuite la porte, après avoir lancé un regard terrible aux fainéants et aux boit-sans-soif qui débauchaient son maître (...)
                                    G. CHEVALLIER, Clochemerle, p. 51.

BOITTE [bwat] n. f. ⇒ **Boëtte.**

BOIT-TOUT ou **BOITOUT** [bwatu] n. m. invar. — 1701 ; de *boit* (v. *boire*), et *tout.*

♦ **1.** Vx. Verre à pied cassé, qu'on ne peut poser sans l'avoir vidé.

♦ **2.** (1835). Régional. Trou creusé en terrain humide afin de l'assécher. ⇒ **Puisard.**

1. BOL [bɔl] n. m. — 1790, *in* D. D. L. ; *bowl,* 1760 ; angl. *bowl* ; d'abord emprunté à propos du punch, on trouve la forme *bolleponge* dès 1653.

★ **I.** ♦ **1.** (1792). Pièce de vaisselle, récipient hémisphérique, sans anses, servant à contenir des liquides. ⇒ aussi **Coupe, jatte, tasse.** *Bol de porcelaine, de faïence, de métal. Les oreilles d'un bol. Bol servant de rince-doigts.*
1   *(Pendant mon séjour à New York, je demandai)* du punch ; et Little lui-même nous en apporta un bol (...) nous n'avons point en France de vases de cette dimension.
                      A. BRILLAT-SAVARIN, Physiologie du goût, Variétés, III.
2   Dans le bol où le punch rit sur son trépied d'or.
                      A. DE MUSSET, Premières poésies, « Rafaël ».
     Par anal., fam., par plais. *Coupe (de cheveux) au bol. Cheveux coupés au bol,* très courts, raides, très dégagés et en arrondi.
3   Assise sur son escabeau, une jambe repliée dans son collant noir, avec son visage assez flibustier sous ses cheveux coupés au bol, elle avait l'air de la Jehanne du Procès (...)   A. BLONDIN, Monsieur Jadis..., p. 161.

♦ **2.** (1790 ; premier emploi, en parlant du punch ; → aussi cit. 1). Contenu d'un bol. *Prendre, boire un bol de café, de café au lait, de* *cidre.* ⇒ **Bolée.** *Se nourrir d'un bol de riz. Boire du café à pleins bols.*

(1909, *in* Höfler). Fig. *Prendre un bol d'air :* aller au grand air.

★ **II.** Fig., vulg. ♦ **1.** (Fin XIXᵉ). Argot. Cul, anus. ⇒ **Pot.**
Ne pas se casser le bol : ne pas s'en faire. ⇒ **Cul** (se casser le cul).
En avoir ras* le bol. ⇒ **Cul** (en avoir plein le cul, ras le cul...); **ras-le-bol.**

♦ **2.** (V. 1945). Fam. Chance. ⇒ **Pot.** *Un sacré coup de bol. Manque de bol! Ce n'est vraiment pas de bol. Avoir du bol. Quel bol il a!*

4 Tomber sur une peau de vache, ce n'est pas de bol mais tomber sur le prof dont on passe le crâne du fils à la tondeuse, c'est tout de même rarissime!
                                   Joseph JOFFO, Baby-foot, p. 247.

DÉR. Bolée.

2. BOL [bɔl] n. m. — 1256, *bol armenike* ; *bolus,* XIVᵉ ; bas lat. *bolus* « grosse pilule », du grec *bôlos* « motte de terre ».

♦ **1.** Pharm. Grosse pilule* ovoïde. Spécialt. Remède de consistance molle (⇒ **Électuaire**), roulé dans une poudre pour être avalé en une seule fois. — *Bol d'Arménie, bol oriental, bol de Sinope :* terre argileuse, ocreuse, employée autrefois comme médicament, sous forme de boulettes. ⇒ **Bolaire** (terre bolaire), **ocre.** *Le mot « brouillamini » est une corruption de « bol d'Arménie ».*

♦ **2.** (1805, Cuvier, *in* T. L. F.). *Bol alimentaire :* masse d'aliments mastiqués, imprégnés de salive, et qui sera déglutie. ⇒ **Déglutition.**
D'abord pressé entre le dos de la langue et pressé contre la voûte du palais, le bol alimentaire glisse ensuite en arrière pour franchir l'isthme du gosier, où il échappe au contrôle de la volonté.   Dʳ P. VALLÉRY-RADOT, Notre corps..., p. 89.
Bol fécal : matières fécales accumulées dans le côlon.

DÉR. Bolaire.

BOLAIRE [bɔlɛʀ] adj. — 1762 ; de 2. *bol.*

♦ Didact. De la nature du bol d'Arménie. *Terre bolaire.* ⇒ **Argileux, sigillé.**
Elle se présente comme une terre bolaire qui happe à la langue et qui est grasse au toucher (...)   BUFFON, Hist. nat. des minéraux, t. III, p. 141.

BOLAS [bɔlas] n. m. pl. — 1866 ; esp. *bolas* (1612) « les boules », de *bola* « boule ».

♦ Instrument formé de trois cordes lestées, utilisé autrefois par les Indiens d'Amérique du Sud pour capturer un adversaire, un animal (⇒ **Lasso**).
Vendredi se révéla également excellent lanceur de bolas, galets ronds au nombre de trois attachés à des cordelettes réunies à un centre commun. Lancées adroitement, elles tournoient comme une étoile à trois branches, et si elles sont arrêtées par un obstacle, elles l'entourent et le ligotent étroitement.
                                   M. TOURNIER, Vendredi..., p. 152.

BOLCHEVIK [bɔlʃevik ; bɔlʃəvik] n. m. — 1903 ; russe *bolchevik* « partisan de la majorité », de *bolche* « grand », opposé à *menchevik* « partisan de la minorité ».

♦ **1.** Hist. En Russie, Partisan du bolchevisme*. Syn. : *maximaliste.*

♦ **2.** Vieilli. Russe communiste*. — Communiste, soviétique.
Mais la France n'avait pas le choix : ou devenir américaine ou devenir bolchevik.
                                   Paul MORAND, Bouddha vivant, p. 185.

REM. On trouve aussi (vx) *bolcheviste* [bɔlʃəvist] (1917, Barrès, *in* T. L. F.).
Var. : *bolchevick* (vx).

DÉR. Bolchevique, bolchevisant, bolcheviser, bolchevisme, bolcheviste, bolcho.

BOLCHEVIQUE [bɔlʃevik ; bɔlʃəvik] adj. — 1917 ; de *bolchevik.*

♦ Vx. Relatif au bolchevisme. — N. ⇒ **Bolchevik.**

BOLCHEVISANT, ANTE [bɔlʃevizɑ̃, ɑ̃t ; bɔlʃəvizɑ̃, ɑ̃t] adj. — 1921, Proust, *in* T. L. F. ; de *bolchevik.*

♦ Vieilli ou hist. Qui sympathise avec la théorie bolchevique. *Discours bolchevisant. Théories bolchevisantes.*

BOLCHEVISATION [bɔlʃevizasjɔ̃ ; bɔlʃəvizasjɔ̃] n. f. — 1924 ; de *bolcheviser.*

♦ Hist. Action de bolcheviser. *« La bolchevisation intensive de l'automne 1947 »* (*le Nouvel Obs.*, 20 nov. 1972).
Je n'admets pas (...) que l'on puisse, avec des phrases et des mots vides de sens, parler d'optimisme, de bolchevisation.
                                   Maurice THOREZ, Lettre à Souvarine, 11 avr. 1924,
                                   in le Nouvel Obs., 26 mai 1975, p. 92.

BOLCHEVISER [bɔlʃevize ; bɔlʃəvize] v. tr. — 1920, au p. p., Proust ; de *bolchevik.*

♦ Rendre conforme au bolchevisme ; soumettre au pouvoir des bolcheviks.
On bolchevise les Arabes (...) Il y a des partis communistes en Égypte.
                                   J. MAXE, De Zimmerwald au bolchevisme, p. 194.

DÉR. Bolchevisation.

BOLCHEVISME [bɔlʃevism ; bɔlʃəvism] n. m. — Av. 1902, Barrès ; de *bolchevik.*

♦ **1.** Hist. Doctrine des majoritaires conduits par Lénine (⇒ **Bolchevik**), élaborée à partir de 1903 et basée sur le collectivisme marxiste intégral.

♦ **2.** Polit. (vieilli). Communisme russe.
(...) ce bolchevisme dans sa pensée aussi avait contaminé les chevaux.
                                   J. GIRAUDOUX, Églantine, 1927, p. 117.

BOLCHEVISTE [bɔlʃevist ; bɔlʃəvist] adj. et n. ⇒ **Bolchevik.**

BOLCHO [bɔlʃo] n. m. — XXᵉ (1966, *in* D. D. L.) ; de *bolchevik.*

♦ Fam. (langage des jeunes). Communiste, partisan du communisme soviétique. *« On casse du bolcho, on croque du curé, on brocarde le parlementarisme »* (*le Nouvel Obs.*, 25 juin 1973).

BOLDO [bɔldo] n. m. — 1838 ; *boldu,* 1834 ; mot esp. d'Amérique *boldu* (1660), probablt de l'araucan.

♦ Bot. Plante dicotylédone *(Monimiacées)* scientifiquement appelée *pneumus boldus,* originaire du Chili, dont les feuilles possèdent des propriétés médicinales (cholagogues et laxatives). *Infusion de boldo pour le traitement du foie.*

BOLDUC [bɔldyk] n. m. — 1868 ; de *Bois-le-Duc,* nom français d'une ville des Pays-Bas.

♦ Ruban de lin ou de coton, plat et peu tramé, utilisé dans le ficelage des petits paquets. *« Un entrelacs patient d'épingles de nourrice sur du bolduc de mercière »* (*l'Express,* 15 avr. 1974).
Or ma mère (...) qui est venue les mains vides, elle a son tas : cinq paquets enveloppés de papier-fête, ficelés en croix avec des choux de bolduc.   1
                                   Hervé BAZIN, Cri de la chouette, p. 118.
Mᵐᵉ Bernard tenait par le bolduc un petit paquet de truffes de Chambéry.   2
                                   R. SABATIER, les Fillettes chantantes, p. 193.

-BOLE Élément, du grec *bolê* « action de jeter, lancer », de *ballein* « jeter, lancer ». ⇒ **Discobole, hyperbole, métabole, parabole, symbole.**

BOLÉE [bɔle] n. f. — 1885, *in* Höfler ; de 1. *bol.*

♦ Régional. Contenu d'un bol. ⇒ 1. **Bol,** 2. (plus cour.). *Une bolée de cidre, de vin chaud.*
La niche votive où pour les doigts furtifs de Pan on avait déposé la bolée de mûres   1
blanches.   J. GIONO, Naissance de l'Odyssée, p. 126.
Fig. ⇒ 1. **Bol,** 2.
Pierrot aspira une bonne bolée d'air.   2
                                   R. QUENEAU, Pierrot mon ami, éd. L. de Poche, p. 65.

BOLÉRO [bɔleʀo] n. m. — 1803, *bollero* ; esp. *bolero* « danseur », puis n. de danse, d'orig. incert., soit de *vuclo* « vol », soit de *bola* « boule » (à cause du chapeau rond du danseur).

♦ **1.** Danse espagnole à trois temps, de mouvement très modéré. — Air sur lequel on la danse. *Jouer un boléro aux castagnettes.*
— Il faut danser seule, mademoiselle.
— Oui, les gavottes, les boléros (...)   PICARD, Manie de briller, II, 3 (1806).
Par ext. Mus. Composition musicale s'apparentant au boléro espagnol. *Le Boléro de Ravel.*

♦ **2.** **a** (1897). Petite veste de femme, courte et sans manches.
b (1880, *in* D. D. L.). Vx. Chapeau de femme à bords relevés.

BOLET [bɔlɛ] n. m. — Déb. XIVᵉ ; lat. impérial *boletus.*

♦ Bot., cour. Champignon charnu *(Basidiomycètes)* ayant un hyménium* à tube, à pied central. ⇒ 1. **Cèpe.** *Bolets comestibles : le bolet cèpe* (ou *cèpe de Bordeaux), le bolet tête-de-nègre, le bolet bai* (ou *cèpe bai)... Bolet bronzé, bolet poivré, bolet raboteux ; bolet à beau pied. Le bolet satan* (ou *bolet de Satan) est indigeste.*
Les bolets de Satan au pied cramoisi et tuméfié (...)
                                   M. TOURNIER, le Roi des Aulnes, p. 210.

REM. Dans le lang. courant, *bolet* désigne les champignons de cette famille à l'exclusion du *bolet cèpe*, appelé couramment *cèpe**.

DÉR. **Bolétique.**

BOLÉTIQUE [bɔletik] adj. — 1811 ; de *bolet*.

♦ Chim. Se dit d'un acide que l'on peut extraire des bolets.

BOLGE [bɔlʒ] n. f. — 1912, Psichari, *in* T.L.F. ; ital. *bolgia*, n. f., plur. *bolge* (*in* Dante), de l'anc. franç. *bouge* « sac ».

♦ Didact., rare. Gouffre, caverne. — Au masc. « *J'enfonçais dans un bolge de l'enfer du Dante* » (Gide, *Journal*, 29 janv. 1912).

BOLIDE [bɔlid] n. m. — 1570 ; « sonde », 1548, Rabelais ; lat. *bolis, -idis*, du grec *bolis, -idos* « sonde, jet (de lumière) ».

♦ **1.** Cour. (vx en astron.). Corps céleste, météorite (⇒ **Astéroïde, météore**) dont l'orbite ressemble à celle des comètes et qui produit une traînée lumineuse lorsqu'il parvient au voisinage de la Terre. *Les bolides présentent l'apparence des étoiles* filantes, mais leur apparition est irrégulière. Bolide qui tombe sur la terre.* ⇒ **Aérolithe.**
Loc. *Arriver, passer, filer, tomber comme un bolide,* très vite, très brusquement. — Ski. *Descendre en bolide,* en attitude de recherche de vitesse.

♦ **2.** (*In* Petiot). Véhicule qui atteint ou peut atteindre une grande vitesse. ⇒ **Fusée.** *Un bolide de course.* Iron. *Tu peux me prêter ton bolide ?* (à propos d'une voiture quelconque).

1   (...) le ronflement d'une auto dominait le bruit des charrettes : un bolide lumineux passait en trombe à travers le feuillage, et s'évanouissait dans la nuit.
MARTIN DU GARD, les Thibault, t. V, p. 265.

♦ **3.** Coup de poing violent et rapide. — (V. 1930). Jeux de balle. Coup imparable.

2   En cinq minutes, Ricciomingardi avait eu à parer trois bolides de Poniatowski et de Delatouche.   René FALLET, le Triporteur, p. 368.

BOLIER [bɔlje] ou **BOULIER** [bulje] n. m. — 1681 ; anc. provençal *bolech*, du lat. *bolus* « coup de filet ».

♦ Pêche. Grand filet traîné par bateau le long des côtes. Var. : *boulièche,* n. f.

BOLINCHE [bɔlɛ̃ʃ] n. m. ou f. — 1967 ; *boliche, bouliche,* 1769 ; anc. provençal *bolech*, de *boù* « coup de filet », lat. *bolus*.

♦ Techn. (pêche). Filet tournant et coulissant, en trapèze, et qui forme, en se refermant, une sorte d'entonnoir évasé. — Filet à manche.

BOLIVAR [bɔlivaʀ] n. m. — 1819 ; de *Bolivar,* héros de l'indépendance en Amérique du Sud.

♦ **1.** Anciennt. Chapeau haut de forme évasé, à larges bords, à la mode vers 1820.

♦ **2.** Mod. Unité monétaire du Venezuela.

BOLIVIEN, IENNE [bɔlivjɛ̃, jɛn] adj. et n. — D. i. ; de *Bolivie*.

♦ Qui se rapporte à la Bolivie ou à ses habitants. *Frontière bolivienne.* — N. *Un Bolivien, une Bolivienne.*

BOLLANDISTE [bɔlɑ̃dist] n. m. — 1732 ; du nom de Jean de Bolland (1596-1665).

♦ Membre de la société savante fondée par le jésuite Jean de Bolland, travaillant comme hagiographe. — Ouvrage rédigé par cette société. *Consulter la vie d'un saint dans les Bollandistes.*

BOLLARD [bɔlaʀ] n. m. — 1943 ; mot angl., *in* Höfler.

♦ Mar. Grosse bitte d'amarrage en bordure de quai.

BOLOMÈTRE [bɔlɔmɛtʀ] n. m. — 1883, *in* D.D.L. ; du grec *bolê* « trait », et *-mètre*.

♦ Didact. (phys.). Thermomètre à résistance électrique servant à mesurer de faibles dégagements de chaleur. *Le bolomètre est utilisé pour détecter le rayonnement infrarouge.*

DÉR. **Bolométrique.**

BOLOMÉTRIQUE [bɔlɔmetʀik] adj. — 1905, *in Rev. gén. des sc.,* n° 12, p. 586 ; de *bolomètre*.

♦ Phys. Qui se rapporte au bolomètre, aux mesures effectuées à l'aide du bolomètre.

BOLONAIS, AISE [bɔlɔnɛ, ɛz] adj. et n. — 1867 ; du rad. lat. de *Bologne*.

♦ De Bologne, ville d'Italie du Nord. *L'école bolonaise de peinture.* N. *Un Bolonais, une Bolonaise.*
N. m. Dialecte italien parlé dans la région bolonaise.
REM. Le mot est en concurrence avec *bolognais. Spaghettis bolognaise, à la bolognaise.*

1. BOMBAGE [bɔ̃baʒ] n. m. — 1863 ; de 1. *bomber*.

♦ **1.** Rare. Action de bomber. *Bombage du torse.* ⇒ **Bombement.**

♦ **2.** Techn. Action de cintrer (une plaque de verre, etc.). *Bombage d'une glace.*

♦ **3.** Opération (brushing) par laquelle on fait bomber les cheveux. Syn. : *gonflage.*

DÉR. **Bombagiste.**

2. BOMBAGE [bɔ̃baʒ] n. m. — Après 1968 ; de 2. *bomber*.

♦ Fam. Action de peindre, d'écrire à la bombe (1. Bombe, 8., b). *Le bombage d'un slogan.*

BOMBAGISTE [bɔ̃baʒist] n. m. — 1878 ; de *bombage*.

♦ Techn. Ouvrier qui cintre des plaques de verre par ramollissement à chaud. Syn. : *bombeur de verre.*

BOMBANCE [bɔ̃bɑ̃s] n. f. — 1530 ; *bonbance* « orgueil, faste », v. 1170 ; d'un rad. onomat. *-bob,* idée de « gonflé ». → Bobine.

♦ Fam. Le fait de manger abondamment et bien, généralement en commun. ⇒ **Chère** (grande chère), **festin, ripaille,** et, fam., **boustifaille, gogaille** (vx), **liche, muffée.** *Une énorme bombance.* → Grande bouffe*.

1   Ou je me trompe fort, ou quelque joyeuse bombance est dans l'air aujourd'hui.
A. DE MUSSET, On ne badine pas avec l'amour, I, 1.

1.1   (...) et, les souvenirs tendres se mêlant dans sa cervelle obscurcie par les vapeurs de la bombance, il eut bien envie un moment d'aller faire un tour du côté de l'église.   FLAUBERT, Mᵐᵉ Bovary, I, IV.

2   (...) les domestiques profitent de l'absence des maîtres pour faire bombance ; ils fouillent dans tous les placards ; ils se gobergent (...)
GIDE, Si le grain ne meurt, I, 2.

Loc. FAIRE BOMBANCE : faire un très bon repas. ⇒ 2. **Bombe, bringue, noce** (faire la) ; **bombancer, festoyer, goberger** (se). → (vx) Faire chère* lie.

DÉR. **Bombancer, bombancier, 2. bombe.**

BOMBANCER [bɔ̃bɑ̃se] v. intr. — Conjug. *placer.* — xvᵉ ; de *bombance*.

♦ Vx. Faire bombance, ripailler.

BOMBANCIER [bɔ̃bɑ̃sje] n. m. — 1674 ; de *bombance*.

♦ Vx. Celui qui fait bombance. ⇒ **Noceur.** *Un fieffé bombancier.*

BOMBARDE [bɔ̃baʀd] n. f. — 1413 ; *bombare,* 1271, sens II ; lat. médiéval *bombarda* (xɪɪᵉ) « instrument à vent », du lat. *bombus* « bruit sourd ».

★ **I.** ♦ **1.** (1363 ; p.-ê. de l'ital. *bombarda*). Hist. Au moyen âge, Machine de guerre qui servait à lancer de grosses pierres. ⇒ **Pierrier.** — Ancienne pièce d'artillerie. ⇒ **Canon, mortier.** *Faire tirer les bombardes.*

1   La fumée encor flotte aux gueules des bombardes.
HUGO, la Légende des siècles, VI, 11, « Le comte Félibien ».

2   Les novices artilleurs n'étaient point trop rassurés, car c'était la première fois qu'ils allaient utiliser les nouvelles acquisitions du duc d'Auge. La bombarde fonctionna de façon satisfaisante et un boulet alla s'enterrer à moins de trois cents mètres d'Onésiphore (...)   R. QUENEAU, les Fleurs bleues, p. 85.

3   Le Cleenewerck du xvɪɪᵉ siècle a dû s'inquiéter en voyant monter autour de Cassel la fumée des bombardes de Monsieur, frère du roi, combattant le prince d'Orange.
M. YOURCENAR, Archives du Nord, p. 372.

♦ **2.** (xvɪɪᵉ). Hist. mar. Galiote* armée de bombardes, de mortiers. — Mod. Petit voilier à deux mâts.

★ **II.** Mus. ♦ **1.** (1413 ; 1271, *bombare, in* D.D.L.). Instrument de métal, dont l'embouchure est munie d'une languette d'acier. Syn. : *guimbarde.*

♦ **2.** Régional (Bretagne). Instrument à anche à son très puissant, faisant partie des instruments traditionnels bretons. *Bombardes et cornemuses. Les bombardes d'un bagad*.*

♦ **3.** (1720). Jeu d'orgue* sonnant une octave au-dessous du jeu de trompette.

DÉR. 1. **Bombardelle, bombarder, bombardier.** — 2. **Bombardon.**

BOMBARDELLE [bɔ̃baʀdɛl] n. f. — XIIIᵉ ; de *bombarde.*

♦ Hist. Petite bombarde* (I.).

BOMBARDEMENT [bɔ̃baʀdəmɑ̃] n. m. — 1697 ; de *bombarder*, 1.

♦ **1.** Action de bombarder, de lancer des bombes, des obus. *Le bombardement d'une ville, d'une place forte par une armée, par l'artillerie.* ⇒ **Canonnade.** *Bombardement naval, aéro-naval.* — Spécialt. *Bombardement aérien* (→ Avion, cit. 6) et, absolt, *bombardement. Avion de bombardement* (⇒ **Bombardier**) *et avions de chasse. Aviation de bombardement. Bombardement à haute altitude, en piqué.* — Ensemble des effets (explosions, etc.) de cette opération. *Ville écrasée par les bombardements. Bombardement intense, terrible, violent.* ⇒ **Arrosage** (argot milit.). *Subir, être sous un bombardement. Le bombardement atomique d'Hiroshima et de Nagasaki. Un bombardement de N kilotonnes.*

1   Elles aussi (...) redoutaient à la fois et souhaitaient des malheurs, comme sans doute les habitants d'une ville en région envahie redoutent et souhaitent un bombardement.   A. MAUROIS, Bernard Quesnay, XIII, 86.

♦ **2.** (*Bombardement moléculaire*, 1897 ; trad. angl., cit. 2 ci-dessous). Phys. Projection de particules sur une cible. (1901). *Bombardement cathodique.* — *Bombardement électronique.* — Spécialt. Projection de particules sur des noyaux d'atome, pour obtenir des modifications de structure de ces atomes. *Bombardement de neutrons, de protons, neutronique, protonique.*

2   On savait, par les anciennes recherches de M. W. Crookes sur le phénomène baptisé par lui du nom pittoresque de *bombardement moléculaire* (...)
            L. FIGUIER, l'Année scientifique et industrielle, 1898, p. 116 (1897).

♦ **3.** Fam. Action de lancer. *Bombardement de fleurs, de confettis.* ⇒ **Bataille** (de fleurs).
Fig. *Un bombardement d'injures, d'invectives, de lettres anonymes. « Un bombardement d'erreurs et de mensonges »* (Zola, *in* T. L. F.).

BOMBARDER [bɔ̃baʀde] v. tr. — 1515 ; de *bombarde*, I.

♦ **1.** Attaquer, assaillir en lançant des bombes, des obus, etc. ⇒ **Bombardement.** *Les canons bombardèrent la ville.* ⇒ **Canonner, marmiter** (pop.), **matraquer** (fam.), **mitrailler.** — Spécialt (par avion). *Les escadrilles ont bombardé l'objectif. Bombarder des chars en piqué. Bombarder méthodiquement une ville, un secteur.* ⇒ **Arroser** (fam.). *La ville a été bombardée et détruite par l'aviation.*

1   On canonna et on bombarda la ville *(de Stralsund)* presque sans relâche (...)
                            VOLTAIRE, Charles XII, 8.

♦ **2.** (1906, in *Rev. gén. des sc.*, nº 2, p. 103). Phys. atom. Projeter des particules élémentaires à grande vitesse sur (des noyaux d'atomes). ⇒ **Bombardement,** 2.

♦ **3.** Lancer de nombreux projectiles sur (qqn, qqch.). *Bombarder qqn de cailloux, de tomates. Bombarder de fleurs* (bataille de fleurs). — Pron. *Les enfants se bombardaient à coups de boules de neige.*
(Av. 1755, Saint-Simon). Fam. Accabler, harceler de... *Bombarder qqn de demandes, de requêtes, de lettres, de télégrammes ; de prévenances, d'attentions ; de plaisanteries, de moqueries.* ⇒ **Accabler, cribler.**

2   Il n'y avait guère de jour que le duc de Grammont ne bombardât ainsi quelqu'un (...)   SAINT-SIMON, Mémoires, 168, 263.

♦ **4.** (XVIIᵉ). Fam. Nommer* brusquement, élever avec précipitation qqn à un poste, un emploi, à une dignité. ⇒ **Catapulter, parachuter.** *On l'a bombardé général, officier de la Légion d'honneur, directeur. Être bombardé, se faire bombarder à un poste.* — Pron. *Il s'est bombardé président.*

3   Ses protecteurs se servirent du progrès du jeune prince pour ne le point changer de main et laisser faire Dubois ; enfin ils le bombardèrent précepteur (...)
                            SAINT-SIMON, Mémoires, 2, 42.

4   Pierre Lenoir, lui, préférait ne pas entendre parler de ces choses-là (...) tremblant déjà d'être bombardé à un poste important à la faveur du tumulte.
                            M. AYMÉ, Travelingue, p. 51.

▶ **BOMBARDÉ, ÉE** p. p. adj. *Ville bombardée, rasée, sinistrée. Route bombardée et coupée.*

DÉR. Bombardement.

BOMBARDIER [bɔ̃baʀdje] n. m. — 1431 ; de *bombarde*, I.

♦ **1.** Vx. Le servant d'une bombarde*. ⇒ **Artilleur.** Spécialt (jusqu'en 1918 au moins). Servant d'un mortier.

♦ **2.** (1933, *in* D. D. L.). Avion* de bombardement. *Bombardier quadrimoteur* (→ Forteresse). *Bombardier lourd, léger, d'assaut. Bombardier à grand rayon d'action.* — Appos. *Chasseur bombardier.*

1   (...) les bombardiers de 1915 à 1917 purent cheminer sans qu'elle (la « chasse ») les inquiétât. Aujourd'hui l'avion bombardier doit faire aussi figure d'avion de bataille.   Edmond BLANC, l'Aviation, p. 345.

Bombardier à eau, muni de réservoirs d'eau vidés au-dessus des incendies. ⇒ **Canadair** (marque).
Aviateur chargé du lancement des bombes.

2   Les mitrailleurs épiaient le combat, le bombardier à la terre (...)
                        MALRAUX, l'Espoir, II, I, 1, 3 (1937).

♦ **3.** (1768). Zool. Coléoptère dégageant par l'anus un gaz contenant de l'acide formique. ⇒ **Brachyne.**

BOMBARDON [bɔ̃baʀdɔ̃] n. m. — 1834, → ci-dessous ; de *bombarde*, II.

♦ Mus. (ancienn). Instrument de musique, cuivre très grave, à pistons, utilisé dans les fanfares. ⇒ **Contrebasse** (à vent). *« Le bombardon a été inventé à Varsovie, il y a environ dix ans, par M. Riedl. L'instrument avait alors une autre forme que celle qui vient de lui être donnée ; il avait douze clefs. Tel qu'il est maintenant on peut le considérer comme un grand trombone qui a trois tubes qu'on ouvre ou ferme à volonté par des pistons »* (*Revue musicale*, 1834, p. 48).

BOMBASIN [bɔ̃bazɛ̃] n. m. — 1299, *in* T. L. F., art. *Basin.* → Basin.

♦ Vx. Étoffe de soie ; tissu de coton croisé.
DÉR. Basin.

BOMBAX [bɔ̃baks] n. m. ⇒ 2. **Fromager.**

1. BOMBE [bɔ̃b] n. f. — 1640 ; ital. *bomba*, du lat. *bombus.*

♦ **1.** Ancienn. Projectile creux, de forme variable, rempli d'explosif, lancé autrefois par des canons. *Bombe (sphérique), remplie de poudre et munie d'une mèche qui communique le feu à la charge. Arme à lancer des bombes.* ⇒ **Bombarde, crapaud, mortier.** *L'anse, le culot, la mèche, l'œil d'une bombe. Les grenades, obus, etc. ont remplacé les bombes.*

1   M. Renau avait encore inventé de nouveaux mortiers qui chassaient les bombes plus loin et jusqu'à 1 700 toises (...)   FONTENELLE, Éloge du chevalier Renau.

2   Les bombes se croisent dans les airs, comme l'orbe empenné que les enfants se renvoient sur la raquette.   CHATEAUBRIAND, les Natchez, X.

Bombe d'artifice : sphère creuse, souvent en carton, munie d'une mèche extérieure.

♦ **2.** Mod. Projectile sans vitesse initiale lâché par un avion. *Bombe explosive, soufflante, à souffle. Bombe incendiaire. Bombe à pénétration. Bombe au napalm, au phosphore. Bombe à billes*. Bombe de deux cents kilos, d'une tonne. Bombe bactériologique. Lâcher, larguer, jeter, lancer, laisser tomber des bombes sur un objectif ; arroser de bombes.* ⇒ **Bombarder, bombardement.** *Le dispositif lance-bombes d'un bombardier. Chapelet* (cit. 6), *tapis** (B., 3.) *de bombes. Le lâcher, la trajectoire, la chute, l'éclatement, l'explosion, l'effet de souffle d'une bombe. Abri contre les bombes. Blindage résistant aux bombes. Ville détruite, incendiée par les bombes.*

2.1 Parfois seulement, un avion ennemi qui volait assez bas éclairait le point où il voulait jeter une bombe.   PROUST, le Temps retrouvé, Pl., t. III, p. 833.

3   Les aéroplanes allemands accablaient nos parages de bombes qui sifflaient longuement avant que d'éventrer le sol ou nos maisons.
                        G. DUHAMEL, Récits des temps de guerre, I, 5.

(1945). *Bombe atomique** ou *bombe à fission, bombe A,* utilisant l'énergie de la transmutation nucléaire. *Bombe à hydrogène* ou *bombe thermonucléaire, bombe H,* utilisant la réaction de fusion d'atomes d'hydrogène chauffés par l'énergie d'une bombe à fission. *Bombe à neutrons,* qui agit par irradiation de neutrons et ne détruit que les organismes vivants, sans causer de dégâts aux installations. *Unité d'évaluation de la puissance des bombes atomiques, thermonucléaires.* ⇒ **Mégatonne.**

3.1 Tu ne vas pas jusqu'à pleurer sur le sort des tortues de mer, que la méchante bombe H a privées de leur sens de l'orientation sur cet atoll maudit, comment s'appelle-t-il encore, Bikini.   Alain BOSQUET, les Bonnes Intentions, p. 100.

♦ **3.** Projectile à déplacement autonome. *Bombe volante, planante, à ailettes modifiables. Bombe à ailette. Bombe autopropulsée, télécommandée.* ⇒ **Fusée, V 1, V 2.** *Bombe fusée*. Bombe torpille*.*

3.2 Qu'est-ce qu'un gros œuf muni d'ailettes, sinon une bombe ?
                        A. PIEYRE DE MANDIARGUES, la Marge, p. 128.

♦ **4.** Appareil explosible que fait éclater un mécanisme. ⇒ **Machine** (machine infernale). *Bombe à retardement.* — Fig. *Cette nouvelle est une véritable bombe à retardement. Bombe au plastic. Attentat à la bombe.* ⇒ **Plasticage.**

♦ **5.** (1689, Mᵐᵉ de Sévigné). Fam. Par compar. *Tomber, arriver comme une bombe,* brusquement, sans qu'on s'y attende. ⇒ **Impro-**

viste (à l'). *Gare la bombe !* → Attention ! *Une nouvelle qui éclate comme une bombe.* — Fig. *Préparer une bombe.*

4 Je suis très inquiète du voyage de M. de Grignan : quelle bombe jetée au milieu de vous tous et de votre tranquillité ! Mme DE SÉVIGNÉ, 1202, 2 août 1689.

5 Le parti de Halay fut le silence et d'attendre la bombe *(l'éclat de son beau-père).* SAINT-SIMON, Mémoires, 42, 240.

5.1 Il alla saluer le marquis et lui présenta comme un bouclier contre tout reproche, un Écossais de ses amis, M. Marmor de Karkoël, qui lui était tombé à la manière d'une bombe pendant son dîner (...) BARBEY D'AUREVILLY, les Diaboliques, « Le dessous de cartes ».

6 (...) à l'idée (...) que j'avais préparé en vain cette belle bombe de colère (...) G. DUHAMEL, Cri des profondeurs, II, 46.

7 (...) cette bombe à retardement était déjà montée avec une minutie dont j'étais fier (...) F. MAURIAC, le Nœud de vipères, p. 12.

Fam. *Foutre en bombe* : rejeter. *Se foutre en bombe* : (choses) tomber comme une bombe, s'écrouler, s'écraser en tombant ; (personnes) se mettre en colère.

♦ **6.** (1771, « récipient sphérique »). Par anal. de forme du sens 1. ⓐ Vx. Gros ballon de verre. ⇒ **Bonbonne.**

ⓑ (1866). Mar. *Bombe de, à signaux** : boule en toile pour faire des signaux à grande distance.

ⓒ (1807). *Bombe glacée* : glace* en tronc de cône, en pyramide... *Bombe au café, à la vanille.*

ⓓ (1883, Berthelot). Phys. *Bombe calorimétrique* : récipient de métal hermétiquement fermé où l'on place un poids connu de combustible pour en mesurer le pouvoir calorifique.

ⓔ (1845). Géol. *Bombe volcanique* : fragment de lave renflé en son milieu.

♦ **7.** (1928 ; même figure sémantique que 6.). Casquette hémisphérique des cavaliers, à calotte renforcée qui fait partie de la tenue d'équitation. *Bombe de chasse.*

8 Elle marchait en direction opposée en costume de cheval, avec une bombe sur la tête d'où fuyaient ses cheveux, des bottes Chantilly et une petite cravache. R. SABATIER, les Fillettes chantantes, p. 178.

♦ **8.** Par anal. de fonction, du sens 2. ⓐ *Bombe au cobalt* : appareil de traitement médical par émissions radioactives (curiethérapie), utilisant les rayons gamma du cobalt radioactif (radiocobalt 60). *Traitement de cancers par la bombe au cobalt.*

9 Ce n'est pas de mourir, qui m'effraye, c'est de mourir du cancer après avoir été charcutée trois ou quatre fois. Si je dois y rester, pas d'opération, pas de bombe au cobalt. Rien. J. DUTOURD, Pluche, VIII, p. 87.

ⓑ (1950). Atomiseur de grande dimension. *Désinfectant en bombe. Bombe insecticide. Bombe à laque, de laque pour les cheveux. Bombe à aérosol.* ⇒ **Aérosol.**

Bombe de peinture. Repeindre sa voiture à la bombe. ⇒ 2. **Bomber** ; 2. **bombage.**

DÉR. **Bombette, bombinette.**

2. BOMBE [bɔ̃b] n. f. — 1881 ; abrév. de *bombance.*

♦ Fam. Repas, partie de plaisir où l'on boit beaucoup. ⇒ **Bombance, ripaille.** *Une bombe à tout casser. Une petite bombe.*

Loc. FAIRE LA BOMBE : mener une vie de plaisirs. ⇒ **Bringue, foire, java, noce.**

Je trouve drôle que mon conseil de famille (...) soit composé précisément des parents qui ont le plus fait la bombe, à commencer par le plus noceur de tous mon oncle Charlus (...) qui a eu autant de femmes que Don Juan. PROUST, Sodome et Gomorrhe, Pl., t. II, p. 691.

BOMBÉ, ÉE [bɔ̃be] ⇒ 1. **Bomber.**

BOMBEMENT [bɔ̃bmɑ̃] n. m. — 1694 ; de *bomber.*

♦ **1.** État de ce qui est bombé*, convexe. ⇒ **Convexité, gonflement, renflement.** *Bombement d'une route,* courbure de son profil transversal, exprimée par le rapport entre la flèche et la corde de celui-ci. *Bombement d'un mur.*

Par ext. Surface bombée, partie bombée du sol.

De là, on ne le voyait pas *(la plate-forme)* ; on distinguait simplement, en se tordant le cou, un bombement bleuâtre qui brillait au soleil : le fameux surplomb de la corde coincée. R. FRISON-ROCHE, Premier de cordée, p. 151 (1941).

♦ **2.** Rare. Le fait de bomber. *Un bombement du torse.* ⇒ **Bombage.** Techn. *Le bombement d'une chaussée s'effectuait à l'aide d'une cerce.*

CONTR. Concavité, excavation.

1. BOMBER [bɔ̃be] v. tr. et intr. — 1701 ; au p. p., 1690, Furetière ; de 1. *bombe.*

♦ **1.** V. tr. Rendre convexe. ⇒ **Enfler, gonfler, renfler.** *Bomber une chaussée.* — Spécialt, techn. *Bomber une feuille de plomb,* la rouler pour en faire un tuyau. *Bomber une pièce plane.* ⇒ **Cintrer.** *Bomber le verre.* ⇒ **Bombagiste.** Hortic. *Bomber une plate-bande.* —

(Sujet n. de chose). Faire gonfler (qqch.), donner une forme arrondie à (qqch.). *« C'était la contribution de beaucoup d'arbustes qui avait réussi à la bomber ainsi »* (→ Camélia, cit. 1, Proust).

Le vent bombe la voile emplie,
L'écume argente au loin la mer. 1
LECONTE DE LISLE, Poèmes tragiques, « Pantoums malais », V.

Spécialt. *Bomber le dos* (rare) : faire le gros dos. *Bomber la, sa poitrine.* Loc. cour. *Bomber le torse :* gonfler la poitrine notamment en se redressant. *Il bombait le torse en marchant.* — Fig. Prendre un air important, faire le fier.

♦ **2.** V. intr. Devenir convexe. *Une boiserie, une planche qui bombe.* ⇒ **Gondoler, gonfler.** *Une robe qui bombe en faisant des plis.* ⇒ **Goder.** *Ce mur bombe. Une poitrine qui bombe.*

(...) sous la tunique guerrière de caoutchouc qui faisait bomber ses seins (...) 2
PROUST, À la recherche du temps perdu, t. XIII, p. 90.

▶ SE BOMBER v. pron.

♦ **1.** *Ce parquet se bombe par l'humidité.*

♦ **2.** Fin XIXe, E. Pouget, *le Père Peinard* (av. 1902) in Cellard et Rey ; de l'idée de « faire ventre », avoir le ventre vide (→ Bidon, étym.). Se passer, être privé de qqch. ⇒ **Ballon** (faire). *Tu peux toujours te bomber !*

Vise la gueule de l'homard, dit Pascal à Irène, derrière le dos de sa main. 2.1
— Cocu !... En tout cas, toi, fit-elle, tu te bombes. Francis CARCO, les Belles Manières, p. 60-61.

▶ BOMBÉ, ÉE p. p. adj. (1690).
Qui est ou qui est devenu convexe. ⇒ **Arrondi, arqué, courbe, renflé.** *Front bombé. Des ongles bombés. Des verres bombés. Boîte à couvercle bombé. Route bombée.*

(...) le ruban de la Légion d'honneur ne manquait pas sur la potrine crânement 3
bombée à la prussienne. BALZAC, la Cousine Bette, I, Pl., t. VI, p. 135.

(...) ce carrosse dont l'époque est assez indiquée par les glaces convexes, les panneaux bombés, et les sophas contournés. 4
RIMBAUD, Illuminations, « Nocturne vulgaire ».

(...) les épaules bombées de fatigue, mais l'âme plus guerrière que jamais, il ne 5
s'avoue pas vaincu. M. BARRÈS, Leurs figures, p. 369.

Elle le regardait avec des yeux bombés et inexpressifs : 6
— Refaire ma vie ? Mais je ne songe pas à refaire ma vie, mon chéri
H. TROYAT, la Tête sur les épaules, p. 10.

CONTR. Aplatir, caver, creuser, emboutir, excaver. — Cave, concave, creux.
DÉR. 1. **Bombage, bombement, bombeur.**

2. BOMBER [bɔ̃be] v. — 1889, Delvau ; de 1. *bombe.*

★ I. ♦ **1.** V. tr. Argot, vx. Frapper, battre (qqn).

♦ **2.** V. intr. (1919, *in* Esnault). Argot, vx. *Ça bombe :* il tombe des bombes, des obus.

♦ **3.** (V. 1950 ; de 1. *bombe,* comme *bombarder,* même sens ; 1920, argot des cyclistes). Fam. Aller très vite, filer. ⇒ **Foncer.** *« Le quai de Javel est désert. Je bombe à toute vibure vers le pont Mirabeau (...) »* (San-Antonio, *in* Cellard et Rey).

★ II. V. tr. (V. 1968 ; de 1. *bombe,* 8). Mod. Peindre, écrire à la bombe. *Bomber des slogans sur un mur. « Dehors Reagan et le F. M. I.* (Fonds monétaire international). *Pour un Français, cette exigence bombée sur les murs des banlieues ouvrières de Sao Paulo peut sembler ésotérique »* (l'Humanité, 24 oct. 1983, p. 1).

DÉR. 2. **Bombage.**

BOMBETTE [bɔ̃bɛt] n. f. — 1769, cit. ; dimin. de 1. *bombe.*

♦ Anciennt. Petite bombe. — Petite bombe* de feu d'artifice.

Au lieu de fusées ordinaires, c'étoit ce qu'on appelle des bombettes, espèce de bombes qui produit une grande quantité d'étoiles et dont l'effet est beaucoup plus agréable que celui des fusées. BACHAUMONT, Mémoires secrets, IV, 1769, p. 350, *in* D. D. L., II, 10.

BOMBEUR [bɔ̃bœʀ] n. m. — 1835 ; de *bomber.*

♦ Techn. Celui qui fabrique des verres bombés. ⇒ **Bombagiste.** *Bombeur de verre.* — REM. Le féminin est virtuel.

BOMBILLEMENT [bɔ̃bijmɑ̃] n. m. — 1925, Foch, *Mémoires* ; de *bombiller.*

♦ Rare. Bourdonnement.

BOMBILLER [bɔ̃bije] v. intr. — 1838 ; lat. *bombilare* « bourdonner ».

♦ Rare. (En parlant des abeilles). Bourdonner.

REM. Un vers célèbre de Rimbaud présente la var. *bombiner* (du lat. *bombinare,* var. de *bombilare*).

1 A, noir corset velu des mouches éclatantes
Qui bombinent autour des puanteurs cruelles.
RIMBAUD, Sonnet des voyelles (1871).

Fig. (en parlant de personnes) :

2 Pour l'instant, Léopold, ivre de joie, bombille autour de la mère et de l'enfant. Il pleure de bonheur et annonce à grands cris sa paternité.
Geneviève DORMANN, Sophie Trébuchet, p. 116.

DÉR. **Bombillement.**

BOMBINETTE [bɔ̃binɛt] n. f. — 21-22 nov. 1964, *Libération* ; de 1. *bombe.*

♦ Par dérision. Petite bombe atomique.
Par exemple, la plaisanterie : « Ce n'est pas de Gaulle, avec sa bombinette, qui nous rendra Berlin et la Prusse. » Pierre NORD, Miss Péril jaune, p. 421.

BOMBONNE [bɔ̃bɔn] n. f. ⇒ **Bonbonne.**

BOMBYCIDÉS [bɔ̃biside] ou BOMBYCIDES [bɔ̃bisid] n. m. pl. — xixᵉ ; de *bombyx.*

♦ Famille d'insectes lépidoptères dont le bombyx* est le principal type. — Au sing. *Un bombycidé.* ⇒ **Bombycien.**

BOMBYCIEN, IENNE [bɔ̃bisjɛ̃, jɛn] n. et adj. — 1843 ; de *bombyx.*

♦ **1.** N. m. pl. Zool. Vx. Bombycidés.

♦ **2.** Adj. Techn. anc. *Papier bombycien :* papier fabriqué à partir de vieux chiffons.

BOMBYCINER [bɔ̃bisine] v. tr. — 1838, Goncourt ; lat. *bombycinare* « travailler la soie (du *bombyx*) », au sens de *bombinare.* → Bombiller.

♦ Littér. et vx. S'affairer inutilement. → Bourdonner. — REM. Clemenceau (*in* T. L. F.) écrit *bombiciner.*

BOMBYX [bɔ̃biks] n. m. — 1508, *bombiche* ; *bombyce,* 1564 ; lat. *bombyx,* grec *bombux* « ver à soie ».

♦ Zool. Papillon nocturne de la famille des Bombycidés*. — Spécialt. *Le bombyx du mûrier,* dont la chenille est le ver à soie. — *Bombyx de l'ailante.* ⇒ **Attacus.** *Bombyx du chêne.* ⇒ **Processionnaire** (chenille).
C'était l'époque (...) où le ver à soie file son cocon dans les ténèbres du pupitre et où, à l'improviste, à travers la torpeur des classes, s'envole un absurde bourdon ou quelque bombyx aux ailes de feu. H. BOSCO, l'Âne Culotte, p. 38.

DÉR. **Bombycide, bombycidés, bombycien.**

BÔME [bom] n. f. — 1793, *Encyclopédie méthodique* ; holl. *boom* « mât ».

♦ Mar. Grand espar horizontal sur lequel sont enverguées les voiles auriques et triangulaires. — *Bôme à rouleau,* qui tourne sur elle-même et permet d'enrouler la grand-voile afin d'en diminuer la surface et d'éviter la prise de ris. — Syn. : *gui.*
À plat ventre, pour ne pas être heurté par la bôme, qui à chaque changement d'amure fauchait le pont (...) P. MAC ORLAN, l'Ancre de miséricorde, p. 197.

DÉR. **Bômé.**
HOM. 1. Baume, 2. baume.

BÔMÉ, ÉE [bome] adj. — D. i. ; de *bôme.*

♦ Mar. Muni d'une bôme*. *Trinquette bômée.*
Mais j'ai quand même envie d'amener la grande trinquette et de la remplacer par la trinquette *bômée,* plus petite, et qui peut encore être réduite en y mettant un ris si ça chauffe. Bernard MOITESSIER, Cap Horn à la voile, p. 72.

1. BON, BONNE [bɔ̃, bɔn] adj., adv. et interj. — 881 (personnes) ; xiᵉ (choses) ; lat. *bonus.*

REM. 1. Phonét. *Bon* se prononce [bɔn] devant un nom commençant par une voyelle ou une *h* muette (ex. : *un bon ami* [œ̃bɔnami]).
2. Le comparatif de *bon* est *meilleur* ; *plus... bon* peut s'employer lorsque les deux mots ne se suivent pas. *Plus ou moins bon. Plus il est bon, plus on se moque de lui. Plus une œuvre est bonne, plus elle attire la critique* (Flaubert, *in* Grevisse, nᵒ 364). *Il est bon plus que sage :* il est bon plus qu'il n'est sage (cf. Hanse, Bon). *Un vin est plus ou moins bon qu'un autre.* « *Une tisane est plus qu'une autre bonne contre telle maladie* » (Littré). → Plus (plus ou moins).
3. Place de *bon.* Généralement avant le nom, en épithète, sauf aux sens I, B, 4 (bonté) et C.
4. Sémantisme. L'adjectif, comme les principaux évaluatifs : *beau, bien...,* suppose un jugement de valeur par rapport à une norme. Cette norme est à la fois sociale et individuelle ; le « sens » de *bon* est fonc-

tion de l'«acte de parole» du locuteur, et relatif au sens du substantif avec lequel on l'emploie.

★ **I.** Adj. (Qualifiant qqch.). Qui est évalué positivement, par rapport à sa nature, sa fonction, et dans une hiérarchie de valeurs sociales, tant sur le plan esthétique ou intellectuel, qu'utilitaire, ou que moral. ⇒ **Agréable, avantageux, beau** (admirable, etc.), **bien, correct, efficace, favorable, heureux, intéressant, parfait, profitable, propice, propre, utile.** *Assez bon.* ⇒ **Acceptable, convenable, moyen, passable, satisfaisant, suffisant, utilisable.** *Fort bon, très bon.* ⇒ **Excellent, exemplaire,** et aussi le comparatif **meilleur** (cit. 1).

(...) trouver bon ce qui est bon, et meilleur ce qui est meilleur (...)
LA BRUYÈRE, les Caractères, I, 21.   1

(...) nous marchons en aveugles, ne sachant où nous allons, prenant pour mauvais ce qui est bon, prenant pour bon ce qui est mauvais, et toujours dans une entière ignorance (...) Mᵐᵉ DE SÉVIGNÉ, 922, 15 déc. 1683.   2

Commander est bon ; être riche est bon ; et ces bonnes choses mal prises et mal désirées, font néanmoins tout le mal du monde (...)
BOSSUET, Traité du libre arbitre, 11.   3

Rien n'est plus commun que les bonnes choses, il n'est question que de le discerner (...) la nature, qui seule est bonne, est toute familière et commune (...)
PASCAL, De l'esprit géométrique, II.   4

Dire d'une chose modestement ou qu'elle est bonne ou qu'elle est mauvaise, et les raisons pourquoi elle est telle, demande du bon sens et de l'expression (...)
LA BRUYÈRE, les Caractères, V, 19.   5

(...) ce qui est bon aujourd'hui est dangereux demain (...)
FÉNELON, De l'éducation des filles, V.   6

(Avant une évaluation chiffrée, mais avec une valeur d'appréciation plus nette que dans le sens A, 6, ci-dessous) :

Quarante bonnes mille livres de rente sont quelque chose de bon (...)
DANCOURT, le Chevalier à la mode, III, 1.   7

N. B. *Bon* entre dans un grand nombre d'expressions dont le présent article n'épuise pas les exemples. On peut se reporter en outre aux substantifs que *bon* qualifie → par ex. : accueil, air, ami, an, ange, année, augure, aventure, bouche, bout, chemin, compte, enseigne, escient, feuille, intelligence, main, manière, marché, occasion, office, plaisir, port, sens, temps, ton, tour, usage, visage, volonté, vouloir.

A. (En parlant de choses).

♦ **1.** Qui a une valeur utilitaire positive, dans son genre ; qui remplit bien sa fonction, est utile, agréable, efficace (en épithète, généralt avant le nom). *De bonnes chaussures, un bon couteau, un bon lit. Un habit de bel et bon drap. Séparer le bon grain de l'ivraie. Un bon blé. Du bon vin. Bon repas, bonne chère, bonne bouffe, bonne soupe. Bon morceau.* ⇒ **Délicat, succulent.** *Un bon métier. Un bon sol, une bonne terre.* ⇒ **Fertile, productif.** *Bon emploi.* ⇒ **Lucratif.** *Bonne affaire, bon bénéfice. Bon placement.* ⇒ **Avantageux.** *Bonne prise. Bon rendement. Bons résultats.* — (Abstractions). *Une chose de bonne apparence.* ⇒ **Beau.** *Bonne qualité.* — *L'argent est toujours bon.* — REM. Dans cet emploi, bon correspond souvent au sens de *bon à...* suivi d'un verbe à l'inf. (spécifiant le domaine de la qualité appréciée : *bon à manger, à avoir, à utiliser...*).

Ou admettez que l'arbre est bon, et que son fruit est bon ; ou admettez que l'arbre est mauvais, et que son fruit est mauvais : car c'est au fruit qu'on connaît l'arbre.
Évangile selon saint Matthieu, XII, 33.   8

Je vis de bonne soupe, et non de beau langage.
MOLIÈRE, les Femmes savantes, II, 7.   9

Il faut manger de bon gros bœuf, de bon gros porc, de bon fromage de Hollande (...) MOLIÈRE, le Malade imaginaire, III, 10.   10

Tout ce qu'on boit est bon, tout ce qu'on mange est sain ;
La maison le fournit, la fermière l'ordonne (...) BOILEAU, Épîtres, VI.   11

Un beau château, un bel air, de belles terrasses, une trop bonne chère (...) cette vie est trop douce, et les jours s'écoulent trop tôt, et l'on ne fait point de pénitence.
Mᵐᵉ DE SÉVIGNÉ, 1382, 10 juil. 1694.   12

Bon soupé, bon gîte, et le reste ? LA FONTAINE, Fables, IX, 2.   13

La bagatelle, la science,
Les chimères, le rien, tout est bon ; je soutiens
Qu'il faut de tout aux entretiens (...) LA FONTAINE, Fables, X, 1.   14

La paix est fort bonne de soi ;
J'en conviens (...) LA FONTAINE, Fables, III, 13.   15

(...) pourquoi vouloir faire du bon fer ? disent la plupart des maîtres de forges ; on ne le vendra pas une pistole au-dessus du fer commun (...)
BUFFON, Hist. nat. des minéraux, Introd., Œ. compl., t. VIII, p. 11.   16

L'argent est bon, mais l'aise meilleure.
FLAUBERT, Correspondance, t. III, p. 22.   17

C'est bon, ce n'est pas bon. Je ne trouve pas sa cuisine si bonne que ça. Ce n'est (fam. *c'est*) *pas bon du tout.*

♦ **2.** Qui est digne d'approbation, de confiance, a les effets qu'on attend. *Bonne monnaie, bonne caution.* ⇒ **Sûr ; solide.** *Un bon compte*. *Le compte est bon.* ⇒ **Exact, juste, rigoureux, sérieux, strict.** — Prov. *Les bons comptes font les bons amis. Faire bonne garde. De bons avis, de bons conseils.* ⇒ **Avisé, éclairé, judicieux, prudent, raisonnable, sage.** *Un bon choix. Un bon parti. De bonnes raisons, de bonnes excuses.* ⇒ **Admissible, valable.**

Approprié au but poursuivi, au résultat à obtenir. *Bon moyen. Bonne méthode. Bon remède.* ⇒ **Approprié, efficace.** *Bon exemple. Bonne leçon.* ⇒ **Salutaire.** *La leçon est bonne.*

On ne peut trop louer trois sortes de personnes :
Les dieux, sa maîtresse et son roi.
Malherbe le disait ; j'y souscris quant à moi :
Ce sont maximes toujours bonnes.
LA FONTAINE, Fables, I, 14.   18

19   J'essayerais mille petits remèdes inutiles pour en trouver un bon ; et mon impatience et mon peu de vertu me feraient une occupation continuelle de l'espérance d'une guérison (...)   Mᵐᵉ DE SÉVIGNÉ, 844, 21 août 1680.

20   Êtes-vous en faveur, tout manège est bon, vous ne faites point de fautes, tous les chemins vous mènent au terme (...)   LA BRUYÈRE, les Caractères, VIII, 90.

Loc. *Arriver à bon port* (cit. 8, 9, 10).

♦ **3.** (En parlant des productions de l'esprit). Qui est réussi, apprécié (sur le plan esthétique ou intellectuel). ⇒ **Beau, bien** (bien exécuté, bien fait) ; **adroit, habile.** *Un bon travail. Un bon tableau. De bons vers. Un bon livre.* ⇒ **Agréable, instructif.** *Son livre, son article est très bon.* ⇒ **Excellent, remarquable.**

21   Un livre est-il mauvais, rien ne peut l'excuser ;
Est-il bon, tous les rois ne peuvent l'écraser (...)   VOLTAIRE, Épîtres, 100.

21.1   Hé bien, c'est vrai, la beauté n'est pas dans un livre, elle est dans l'ensemble. Chaque roman lu séparément n'est pas bien bon, et pourtant les personnages qu'on retrouve dans tous sont vraiment très bien.   PROUST, Jean Santeuil, Pl., p. 199.

(Par euphémisme, dans un langage un peu prétentieux, en parlant d'un spectacle, d'une musique, etc.). *C'est bon, c'est très bon, ce qu'il fait là.*

21.2   — Beau salon. Le Bonnat remarquable, deux excellents Carolus Duran, un Puvis de Chavannes admirable, un Roll très étonnant, très neuf, un Gervex exquis, et beaucoup d'autres, des Béraud, des Cazin, des Duez, des tas de bonnes choses enfin.   MAUPASSANT, Fort comme la mort, éd. 1889, p. 140.

Par métonymie (en parlant de la personne : acteur, interprète). *Il est très bon.*

Loc. *Un bon mot.* ⇒ **Mot** (cit. 33, 34). → Naïveté, cit. 9.

♦ **4.** Qui est selon les règles. ⇒ **Correct, juste.** *Bon ordre*. Mettre à la bonne place,* à la place voulue. *Appuyer sur le bon endroit. Une bonne balle* (au jeu). *En bon français. — Le bon usage*.*

22   Je vous le dis en bon français.   LA FONTAINE, Fables, VI, 8.

23   Connaître la valeur juste des mots est le grand secret de bien écrire. Le mot le plus nu, mis en bonne place, fait bien plus d'effet que le terme rare.   J. DE LACRETELLE, cité par A. MAUROIS, Études littéraires, t. II, p. 221.

♦ **5.** Qui procure de la satisfaction, du plaisir, de la gaîté, de la joie, etc. ⇒ **Favorable, propice.** *Bonne chance. Bonne étoile. Bon signe. Bon vent. Un bon coup. Une bonne position.* ⇒ **Enviable.** *Prendre les choses du bon côté,* avec optimisme. *De bonnes élections. De bonnes nouvelles. Une bonne plaisanterie, un bon mot*, une bonne histoire, un bon tour.* ⇒ **Amusant, drôle, plaisant, spirituel.** → ci-dessous, cit. 118.1 et 2 : *une bien bonne. Un bon bain. L'eau est bonne,* agréable pour se baigner. (On n'emploie pas *bon* en épithète avec *eau*). — *Un bon moment. Passer de bons moments avec qqn. Se donner du bon temps. Bonne odeur.* ⇒ **Agréable, délicieux, exquis, suave.** — (En souhait). *Bonne fête ! Bon voyage ! Bonne année !* ⇒ **Heureux.** *Bon Noël !*

24   Il y a de bons mariages, mais il n'y en a point de délicieux.   LA ROCHEFOUCAULD, Réflexions..., 113.

25   Après les bons partis, les médiocres gens
Vinrent se mettre sur les rangs.   LA FONTAINE, Fables, VII, 5.

26   On aurait du moins quelques moments de bon (...)   MASSILLON, 1ᵉ Profession religieuse, 2.

27   Mon cher ange, la vie d'un homme de lettres n'est bonne qu'après sa mort (...)   VOLTAIRE, Lettre à d'Argental, 17 sept. 1755.

27.1   « L'eau était bonne ? »
« Très bonne », grogna Roch ; tu aurais dû venir.   J.-M. G. LE CLÉZIO, la Fièvre, p. 11.

Loc. *Le bon plaisir* (cit. 1, 2, 3).

♦ **6.** (Quantitatif). Qui a un degré important, notable (dans le nombre, le prix, la durée). *Il y en a un bon verre.* ⇒ **Plein.** *Une bonne distance à parcourir. C'est à trois bons kilomètres :* il y a au moins trois kilomètres. *Faire bon poids, bonne mesure. Une bonne saignée.* ⇒ **Abondant, considérable.** *Coûter un bon prix, un bon million. Un bon nombre de voyageurs. Une bonne part, une bonne partie de l'assistance.* ⇒ **Grand.** *Un bon bout* de temps.*

28   L'attaque (...) dura trois bons quarts d'heure.   RACINE, Lettres.

29   Alors Sangrado m'envoya chercher un chirurgien qu'il me nomma, et fit tirer à mon maître six bonnes palettes de sang, pour commencer à suppléer au défaut de la transpiration.   A.-R. LESAGE, Gil Blas, II, 2.

29.1   Il y avait trois bons kilomètres à faire pour revenir. Et la nuit complètement tombée (...)   Claude SIMON, le Vent, p. 89.

Loc. *De bonne heure* (cit. 100 à 104). *De bon matin* (cit. 13).

Finissons-en une bonne fois* (cit. 2 et 2.1).

REM. L'emploi adverbial (→ ci-dessous, II., 4.) est analogue quant au sens.

♦ **7.** (En parlant de choses mauvaises). Important. *Un bon poison. Recevoir un bon coup. Attraper une bonne maladie. — Une bonne gifle, un bon coup de poing.* ⇒ **Fort.** *Une bonne cuite.*

30   Je veux des maladies d'importance : de bonnes fièvres continues (...) de bonnes fièvres pourprées, de bonnes pestes, de bonnes hydropisies formées, de bonnes pleurésies (...)   MOLIÈRE, le Malade imaginaire, III, 10.

B. (Humain). ♦ **1.** (En parlant des organes, des qualités physiques : dispositions, dons naturels...). Qui fonctionne bien. ⇒ **Sain.** *Bonne oreille. Bon estomac, bon foie, bonnes jambes. — Loc. Bon pied*, bon œil, bon bec.* ⇒ **Bec** (*supra* cit. 7) ; **bon bec.** — *Bonne santé. Être en bon état*, en bonne forme*.*

31   Je suis assez adroit ; j'ai bon air, bonne mine,
Les dents belles surtout, et la taille fort fine.   MOLIÈRE, le Misanthrope, III, 1.

32   Les soucis d'un amour maternel poussé jusqu'à la passion assombrirent son caractère et troublèrent sa santé naturellement bonne.   FRANCE, le Petit Pierre, I.

♦ **2.** (Qualités morales : dispositions de l'âme, de l'esprit, du cœur). Qui est bien disposé, ou disposé vers le bien, tel qu'il est évalué socialement. *Avoir de bons penchants, un bon naturel.* ⇒ **Humain, sensible.** — Loc. *Bon cœur.* ⇒ **Cœur.** *Bon sens.* ⇒ **Sens.** *Bonne composition. Bonne humeur. Vivre en bonne intelligence avec qqn.* — *Avoir l'esprit bon, un bon esprit,* un esprit qui fonctionne bien (vx ; → ci-dessous, cit. 40).

33   Ce n'est pas assez d'avoir l'esprit bon, mais le principal est de l'appliquer bien (...)   DESCARTES, Disc. de la méthode, I.

34   M. de Vence, lui dont la tête est si bonne, si bien faite, si bien organisée (...)   Mᵐᵉ DE SÉVIGNÉ, 255, 9 mars 1672.

35   Je m'étonne comment tant de belles parties
En cet illustre amant sont si mal assorties,
Qu'il a si mauvais cœur avec de si bons yeux (...)   CORNEILLE, la Suivante, IV, 7.

36   J'ai le cœur aussi bon, mais enfin je suis homme (...)   CORNEILLE, Horace, II, 3.

37   Votre sang est trop bon, n'en craignez rien de lâche (...)   CORNEILLE, Horace, II, 6.

38   Le bon cœur est chez vous compagnon du bon sens (...)   LA FONTAINE, Fables, XII, 23.

39   La bonne grâce est au corps ce que le bon sens est à l'esprit.   LA ROCHEFOUCAULD, Réflexions, 67.

40   Un esprit médiocre croit écrire divinement ; un bon esprit croit écrire raisonnablement.   LA BRUYÈRE, les Caractères, I, 18.

41   La ruse est un talent naturel au sexe ; et, persuadé que tous les penchants naturels sont bons et droits par eux-mêmes, je suis d'avis qu'on cultive celui-là comme les autres, il ne s'agit que d'en prévenir l'abus (...)   ROUSSEAU, Émile, V.

42   Selon que l'âme, aimante, humble, bonne, sereine,
Aspire à la lumière et tend vers l'idéal,
Ou s'alourdit, immonde, au poids croissant du mal (...)   HUGO, les Contemplations, VI, XXVI.

(Des apparences signalant les qualités). *Une bonne tête.* Fam. *Il a une bonne gueule.* — *Un bon rire, un bon sourire.*

43   Sa figure est bonne et franche ; ses yeux regardent bien en face ; rien de ce qu'on est convenu d'appeler l'*air jésuite.*   LOTI, Figures et Choses..., A. Loyola, p. 71.

Loc. *Avoir bon esprit*,* un esprit conforme aux normes de la société, aux hiérarchies sociales établies, qui accepte ces normes.

♦ **3.** (Personnes). Qui est apprécié dans son rôle social, est considéré comme remplissant sa fonction (dans une appréciation traditionnelle des valeurs sociales). *Un bon artisan, un bon praticien.* ⇒ **Adroit, consciencieux, doué, expert, habile, honnête, ingénieux, sérieux.** *Un bon général... Bon juge. Un bon pasteur* :* un bon guide. *Un bon chrétien, un bon musulman, un bon patriote.* ⇒ **Fidèle, pur, véritable, vrai.** *Les bons et les mauvais Français. Un bon mari. Un bon père de famille. Une bonne mère. Une bonne ménagère.* — (Dans les relations humaines). Fidèle et sincère. *Un bon et fidèle ami. Un bon camarade. Un bon copain, une bonne copine.* Prov. *Les bons maîtres* font les bons valets. Bon prince. Bon roi.* ⇒ **Sage.** Loc. (Être) bon prince. (cit. 6 et *supra*).

44   Ce roi, des bons rois l'éternel exemplaire (...)   MALHERBE, II, 1.

45   (...) Il est trop bon mari pour être assez bon père.   CORNEILLE, Nicomède, III, 4.

46   Son père un bon bourgeois, lui sans autre mérite ;
Matière infertile et petite.   LA FONTAINE, Fables, I, 14.

47   Laissant de Galien la science suspecte,
De méchant médecin devient bon architecte (...)   BOILEAU, l'Art poétique, IV.

48   Vous voyez que je suis bon Français ; je combats les Anglais à ma façon : je suis comme Diogène qui remuait son tonneau, pendant que tout le monde se préparait à la guerre dans Athènes (...)   VOLTAIRE, Lettre à Mᵐᵉ de Fontaine, 16 avr. 1756.

49   Si Horace est le premier des faiseurs de bonnes épîtres, Rabelais, quand il est bon, est le premier des bons bouffons (...)   VOLTAIRE, Lettre à Mᵐᵉ de Fontaine, 12 avr. 1760.

50   C'est une bonne et honnête fille, qui me sert depuis vingt ans avec l'attachement d'une fille à son père, plutôt que d'une domestique à son maître (...)   ROUSSEAU, Lettres, 426.

51   (...) le bon ouvrier sait que de grandes choses sont possibles et prudemment, peu à peu, les accomplit.   A. MAUROIS, Un art de vivre, III, 1.

REM. Dans ces emplois, le substantif désigne en général un rôle social, jugé du point de vue de l'idéologie dominante. Le «*bon ouvrier*» n'est pas apprécié de la même façon par le patron et par le syndicat. Quand le substantif concerne des relations personnelles, les critères sont plus stables (*un bon copain*).

(En parlant d'un type de comportement global). Qui a des qualités humaines, morales. *C'est une bonne fille, un bon petit gars, un bon petit. Un bon garçon* (⇒ **Bon garçon** ; bongarçonnisme, garçonnisme). *Un bon diable, un bon bougre.* ⇒ **Aimable, brave, complaisant, estimable, franc, gentil, honnête, obligeant.** — REM. Plusieurs syntagmes sont vieux ou anormaux. — *Il a un bon homme de père* (vx à cause de *bonhomme**). *C'est un bon homme, un bon type.* (On dit *brave*). *Une très bonne femme* (*bonne femme** est lexicalisé). ⇒ **Femme** (I., B.). *Un bon enfant* (vx à cause de *bon enfant* ; ci-dessous).

52   (Elle) vit sous la conduite d'une bonne femme de mère, qui est presque toujours malade (...)   MOLIÈRE, l'Avare, I, 2.

53 Il me parut, comme à vous, un assez bon diable, et d'ailleurs je lui trouvai quelques connaissances mathématiques (...)
D'ALEMBERT, Lettre à Voltaire, 22 déc. 1759.

Loc. **BON ENFANT**, n. et adj. invar. *Un bon enfant. Il est assez bon enfant. Une rondeur bon enfant. Caractère bon enfant.* ⇒ **Bonenfantise.**

54 (...) un homme qui paraissait si *bon enfant?* Dans presque toutes les classes de la société, le *bon enfant* est un homme qui a de la largeur, qui prête quelques écus par-ci par-là sans les redemander, qui se conduit toujours d'après les règles d'une certaine délicatesse, en dehors de la moralité vulgaire, obligée, courante.
BALZAC, Splendeurs et Misères des courtisanes, Pl., t. V, II, p. 844.

54.1 J'ai retrouvé cette religiosité bon enfant dans les temples bouddhistes de la frontière birmane où les bonzes vivent et dorment dans la salle affectée au culte, rangeant au pied de l'autel leurs pots de pommade et leur pharmacie personnelle et ne dédaignant pas de caresser leurs pupilles entre deux leçons d'alphabet.
Claude LÉVI-STRAUSS, Tristes tropiques, p. 197.

55 Une exaltation qui se manifestait en gestes bon enfant.
P. et V. MARGUERITTE, les Tronçons du glaive, p. 193, *in* GREVISSE, n° 379 bis.

Un bon vivant, qui prend la vie du bon côté. ⇒ **Bon vivant.** *Un bon drille.* ⇒ **Joyeux.** *Gens de bonne compagnie.* ⇒ **Agréable, aimable.**

Iron. et vieilli. Qui a tous les caractères de son genre (avec un substantif dépréciatif). — Ne s'emploie qu'avec quelques substantifs. *Bon hypocrite. Bon apôtre**. Les bonnes âmes disent... Une bonne effrontée.* — Loc. *Une bonne pièce :* une personne méchante, nuisible. — *Une bonne langue :* une mauvaise langue.

56 Eh! la bonne effrontée! MOLIÈRE, Sganarelle, 6.

57 C'est un bon impertinent que votre Molière (...) Voilà un bon nigaud, un bon impertinent, de se moquer des consultations et des ordonnances (...)
MOLIÈRE, le Malade imaginaire, III, 3.

Spécialt (avec quelques substantifs dépréciatifs). Dont la bonté est mêlée d'une naïveté, d'une simplicité excessive. ⇒ **Bénin, bonasse, boniface, brave, candide, crédule, débonnaire, ingénu, innocent, naïf, paterne, simple.** *Une bonne pâte d'homme. Une bonne bête, une bonne dupe.* ⇒ **Bête, faible.**

58 La bonne bête a ses raisons. MOLIÈRE, le Malade imaginaire, I, 5.

59 La bonne dupe que M. Turcaret! A.-R. LESAGE, Turcaret, IV, 9.

Spécialt argot (en attribut). Facile à tromper, duper, d'où : victime, dupe. ⇒ **Bonard.** «*J'ai pas compris que c'était une partie de cinéma, j'ai été bon*» (Simonin, in *le Petit Simonin*). Cf. Être fait, refait ; être marron, être de la revue.

(Épithète antéposée avec un nom de chose, mais le même sens global). *Bonne poire**. *Et moi, bonne pomme**... (très fam.).

(Devant un nom propre). Vx. Qui a des qualités supérieures.

60 Le bon Socrate avait raison
De trouver pour ceux-là trop grande sa maison. LA FONTAINE, Fables, IV, 17.

Mod. Qui a de la bonté. *Ce bon Monsieur X. Cette bonne Louise. Le bon La Fontaine.*

61 La maison à présent, comme savez de reste,
Au bon monsieur Tartuffe appartient sans conteste. MOLIÈRE, Tartuffe, V, 4.

Loc. (emplois figés). *Bonne sœur.* ⇒ **Sœur** (A., 4.). *Les bons Pères :* les religieux. → Autodafé, cit. 1.

Pop. (la langue bourgeoise emploie *cher*) ou iron. *Mon bon Monsieur. Eh, oui, ma bonne dame !* — Régional (Midi). *Ah, bonnes gens ! Mon bon ami, ma bonne amie.* ⇒ **Ami...** *Nous sommes restés bons amis.* → On, cit. 16. — (Subst.). *Mon bon, ma bonne,* termes familiers d'affection (parfois condescendants) ; V. *infra,* IV, 3. — REM. À l'opposé de l'adj. *(mon bon monsieur),* le subst. a ici une connotation archaïque et aristocratique. — Vx (en s'adressant à un, à une proche, à un parent, avec une valeur forte et non iron. ; langue classique).

62 Ah! ma bonne, quelle peinture de l'état où vous avez été! et que je vous aurais mal tenu ma parole, si je vous avais promis de n'être point effrayée d'un si grand péril! Mᵐᵉ DE SÉVIGNÉ, 141, 3 mars 1671.

63 De s'entendre appeler « petit cœur » ou « mon bon! » BOILEAU, Satires, X.

63.1 En arrivant, tremblante et prête à s'évanouir, elle *(la duchesse de Bourgogne)* entra tout-de-suite dans sa garde-robe, et appela Mᵐᵉ de Nogaret, qu'elle appeloit sa *petite bonne* et à qui elle alloit volontiers au conseil, quand elle ne savoit plus où elle en etoit. SAINT-SIMON, Mémoires, 23 (1704), Pl., t. II, p. 392. N. B. Littré donne erronément cet exemple sous *bonne* « domestique ».

♦ **4.** (Après le nom en épithète ; surtout en attribut). Qui aime faire du bien, qui veut (⇒ **Bienveillant,** fait du bien à autrui. *Un homme bon ; une femme bonne et généreuse.* ⇒ **Altruiste, bénin, benoît, bienfaisant, bienveillant, charitable, clément, généreux, gracieux, humain, humanitaire, indulgent, magnanime, miséricordieux, philanthrope, secourable, sensible, serviable, sociable.** *Elle est bonne et juste. Il est bon et affable, bon et affectueux, bon et doux, paternel. Est-il bon, est-il méchant?* (titre d'une pièce de Diderot).

64 — Je vous connais, vous êtes bon naturellement,
— Je ne suis point bon, et je suis méchant quand je veux.
MOLIÈRE, les Fourberies de Scapin, I, 4.

65 Un sot n'a pas assez d'étoffe pour être bon.
LA ROCHEFOUCAULD, Réflexions, 387.

66 Être bon aux méchants,
C'est être sot (...) LA FONTAINE, Fables, X, 1.

67 Pour pouvoir être toujours bon, il faut que les autres croient qu'ils ne peuvent jamais nous être impunément méchants.
LA ROCHEFOUCAULD, Maximes supprimées, 621, p. 346.

68 Un seul *(roi, Louis XIV),* toujours bon et magnanime, ouvre ses bras à une famille

malheureuse *(les Stuarts).* Tous les autres se liguent comme pour se venger de lui (...) LA BRUYÈRE, les Caractères, XII, 118.

69 L'essentiel est d'être bon aux gens avec qui l'on vit. ROUSSEAU, Émile, I, p. 9.

70 Vive, étourdie, capricieuse folle par la tête, sage par le cœur, bonne par tempérament, méchante par caprice (...)
ROUSSEAU, la Reine fantasque, Œ. compl., t. V, p. 340.

71 Parce qu'elle feignait d'être bonne, elle croyait l'être en effet (...)
MARIVAUX, le Paysan parvenu, III.

72 Dans ce monde il faut être un peu trop bon pour l'être assez.
MARIVAUX, le Jeu de l'amour et du hasard, I, 2.

73 Il faut être aussi bonne que je le suis, pour vous passer toutes vos folies (...)
DANCOURT, le Moulin de Javelle, 3.

74 Il sait tout, mais il feint, naïf comme un enfant et bon comme un patriarche (...)
J. VALLÈS, Jacques Vingtras, L'enfant, p. 82.

74.1 Comme c'est difficile, d'être bon! Et j'espère bien ne jamais y arriver.
J. RENARD, Journal, 28 avr. 1905.

74.2 Elle a une façon d'être bonne, très méchante.
J. RENARD, Journal, 27 déc. 1887.

REM. Sans être aucunement vieilli, cet emploi est typique d'une époque où les jugements moraux étaient portés sans réticence : l'adjectif *bon* est extrêmement fréquent dans les œuvres pédagogiques du xixᵉ s., par ex. chez la comtesse de Ségur.

Loc. (1835). *Être bon comme le pain* (vx), *comme le (du) bon pain,* très bon. → Naïf, cit. 8.

75 Bon comme le pain, franc comme l'or, il aimait paternellement les Cucugnanais (...) Alphonse DAUDET, Lettres de mon moulin, XI.

75.1 Oh! qu'il est gentil! Il est bon comme le bon pain! Il faut que je l'embrasse encore! J. ANOUILH, Colombe, p. 55.

Dieu est infiniment bon. Le bon Dieu (emploi figé). ⇒ **Dieu** (cit. 49 et 50). — En interj. *Bon Dieu !* ⇒ **Dieu.**

76 Étant infiniment puissant, comme il est infiniment bon, il *(Dieu)* veut tout le bien qu'il peut faire, et il fait tout le bien qu'il veut (...)
FLÉCHIER, Oraison funèbre de M. Lamoignon.

77 Et n'êtes-vous pas trop heureux que le Seigneur, toujours bon et miséricordieux, veuille bien accepter les restes languissants de vos passions et de votre vie?
MASSILLON, Carême, Mot. de couv.

Il a été assez bon pour (et inf.). → Avoir la bonté de (→ aussi Bonasse, 0.1).

Vous êtes trop bon (formule de politesse). ⇒ **Aimable, obligeant...**

78 Vous êtes trop bonne, j'en suis comblée (...) Mᵐᵉ DE SÉVIGNÉ, 71.

Trop bon : naïf, simple (même valeur que *bon,* ironique).

79 On a surpris sa bonne foi ; on lui a volé quinze mille francs ; dans le fond, il est trop bon (...) A.-R. LESAGE, Turcaret, III, 9.

Être bon, être bien bon, se disent parfois dans le même sens ironique. *Vous êtes bien bon de le supporter.*

80 Je suis bien bon, dit-il, d'écouter ces gens-là (...) LA FONTAINE, Fables, X, 1.

81 L'exemple est admirable, et cette dame est bonne! MOLIÈRE, Tartuffe, I, 1.

Iron. (vx). Comique, réussi.

82 Parbleu! le voilà bon avec son habit d'empereur romain!
MOLIÈRE, Dom Juan, III, 5.

Fam. *Tu es bon, toi! Vous êtes bon, avec votre morale!* : vous parlez bien, mais vos remarques sont hors de propos.

♦ **5.** Régional (attribut). Dans une situation favorable ; hors de danger. *Ça y est, on a passé, on est bons !* ⇒ **Sauf, sauvé.**

♦ **6.** (Actions, caractères humains ; en épithète en général antéposée). Conforme au jugement moral. → Plein, cit. 13. *Une bonne action* (⇒ **B.A.**). *Un bon mouvement :* un acte charitable, aimable. *Allons, un bon mouvement! Bonnes paroles. Bonnes œuvres.* ⇒ **Beau, charitable, généreux, louable, méritoire, noble, vertueux.** *Bonnes mœurs, bonne conduite.* ⇒ **Digne, exemplaire, honnête, honorable, louable, méritoire, modèle, moral, raisonnable, vertueux.** *Certificat de bonne vie et mœurs. Bonne contenance**.* ⇒ **Courageux, énergique.** *Le bon droit. La bonne cause. En bonne justice.* ⇒ **Droit, équitable, juste.**

83 Pourquoi juger si mal de son intention ?
Il croit récompenser une bonne action. RACINE, Esther, III, 1.

84 L'un des avantages des bonnes actions est d'élever l'âme et de la disposer à en faire de meilleures (...) ROUSSEAU, les Confessions, I, 6.

85 La morale est la science des lois naturelles, ou des choses qui sont bonnes ou mauvaises dans la société des hommes (...)
DIDEROT, Opinion des anciens philosophes.

Qui est conforme aux usages. *Pour la bonne règle.* ⇒ **Correct.**

C. Constructions particulières (surtout attribut ; en épithète, après le nom).

♦ **1.** (1250). **BON POUR,** suivi d'un nom (cit. 86, 87, 89 ci-dessous) ou de l'inf. (cit. 90). Qui convient bien, est utile à (telle chose, telle action). ⇒ **Convenable, efficace, favorable, propice, utile.** *Remède bon pour la fièvre. Terre bonne pour le coton. Il est bon pour ce métier.* ⇒ **Capable.** — (Choses). *Être bon pour qqn. Tout (leur, lui) est bon pour* (faire qqch.). Ellipt. *Tout (leur, lui) est bon.*

86 Il ne fallait pas faire faire cela par un écolier ; et vous n'étiez pas trop bon vous-même pour cette besogne-là. MOLIÈRE, le Bourgeois gentilhomme, I, 2.

87 Ils sont trop verts *(les raisins),* dit-il, et bons pour des goujats.
LA FONTAINE, Fables, III, 11.

88 Je ne sais si ce remède serait bon pour vous ; quant à moi, j'ai assure qu'il serait indubitable pour finir ma vie. Mᵐᵉ DE SÉVIGNÉ, 614, 16 juin 1677.

89 Frappez l'arbre infructueux qui n'est plus bon que pour le feu (...)
BOSSUET, Oraison funèbre de Marie-Thérèse d'Autriche.

90 Quand on est en péril de mort toutes les armes sont bonnes pour se défendre.
CLAUDEL, Feuilles de Saints, Sainte-Thérèse.

90.1 Mais n'importe quelle bêtise, des grimaces, des singeries (...) Ça les fait chaque fois crouler de rire... Tout leur est bon, n'est-ce pas?
N. SARRAUTE, Vous les entendez?, p. 15.

Spécialt. Qui a une valeur d'échange reconnue. *Billet bon pour deux places.* ⇒ **Valable.** *Bon pour aval.* ⇒ 2. **Bon,** n. m.

(Personnes). Apte*. *Bon pour le service armé. Bon pour le service,* se dit d'un conscrit déclaré apte à faire son service militaire.

(1835). Argot. Reconnu coupable d'un délit et arrêté comme tel. *Être bon* (sous-entendu, pour la prison, pour la potence...), être promis à la prison, à la potence. Par ext. *On est bon pour la contravention!,* on va l'avoir infailliblement (surtout présent, imparfait). *Il ne fallait pas tant boire; maintenant, tu es bon pour la crise de foie.* — Absolt. *On est bon!* (pour le pépin, les complications, les ennuis...). ⇒ **Cuit, fait** (cf. fam. On y a droit). *Si jamais il y a des représailles, nous sommes bons!,* notre compte est bon. *C'est le patron qui a besoin d'un coup de main. On est bon! :* on n'y coupe pas! — À la forme négative (fam.). *N'être pas bon pour :* n'être pas disposé à, pas d'accord pour. *Je ne suis pas bon pour la corvée.* ⇒ **Chaud** (I., 3.), **emballé.**

90.2 Sur le boulevard Rochechouart les poulets, déployés en éventail sur deux rangs, tapaient les piétons aux fafs. D'un coup de châsses encore un peu vif, j'ai distingué près de Pigalle quelques voitures qui se massaient; ça devait être le grand barrage. J'étais pas bon.
A. SIMONIN, Touchez pas au grisbi, p. 67.

♦ **2. BON CONTRE :** qui réussit, efficace*. *Un remède bon contre les piqûres. Est-ce que c'est bon contre les moustiques?*

♦ **3. BON EN...** (attribut). Spécialt (personnes). Compétent, connaisseur. *Il est bon en physique. Elle est bonne en anglais.* — Ellipt. *Est-ce qu'elle est bonne (en classe, à l'école)?*

♦ **4. BON À** (et inf. passif). *Une chose bonne à manger,* à être mangée; comestible. *L'eau n'est pas bonne à boire,* n'est pas potable. *Produit bon à emballer.* ⇒ **Prêt.** *Chose bonne à jeter.* ⇒ **Digne.** — **BON À** (et inf. actif). *C'est tout juste bon à nous faire perdre notre temps.* — (Personnes). Négatif. *Il n'est bon à rien* (cit. 14), *il n'est pas bon à grand-chose :* il ne sait rien faire. ⇒ **Inutile.** *Il n'est pas bon à grand-chose.* — Prov. *À quelque chose malheur est bon.* ⇒ **Utile.**

91 Franchement, il *(un sonnet)* est bon à mettre au cabinet.
MOLIÈRE, le Misanthrope, I, 2.

92 On ne me trouve pas bonne à jeter aux chiens (...) Mme DE SÉVIGNÉ, 235.

93 La vérité n'est pas toujours bonne à dire. RACINE, Livres annotés.

94 Il prit pour sa devise : malheur est bon à quelque chose.
VOLTAIRE, l'Ingénu, 20.

95 C'est n'être bon à rien de n'être bon qu'à soi.
VOLTAIRE, 7e discours, Sur la vraie vertu.

96 Sitôt que nous sommes parvenus à donner à notre élève une idée du mot *utile,* nous avons une grande prise de plus pour le gouverner (...) *A quoi cela est-il bon?* Voilà désormais le mot sacré, le mot déterminant entre lui et moi dans toutes les actions de notre vie (...)
ROUSSEAU, Émile, III, p. 202.

97 Ce qui est bon à prendre (...) est bon (...) à garder.
BEAUMARCHAIS, le Barbier de Séville, IV, 1.

98 Il dit : « Avec ma patte en bois, je ne suis plus bon à rien! » Mais ce n'est qu'un prétexte (...)
MARTIN DU GARD, les Thibault, t. IX, p. 53.

98.1 Toute cette bonté me tue. Si je m'interdis d'être un peu méchant à quoi suis-je bon?
J. RENARD, Journal, 19 sept. 1904.

Loc. (de *n'être bon à rien,* ci-dessus, cit. 95, 98). *Bon à rien, bonne à rien,* adj. et n. (1833, Corbière, *in* D. D. L.) : personne incapable, qui ne sait rien faire. Syn. : *propre* (cit. 17, 18) *à rien.* Loc. prov. *Bon à tout, bon à rien.* — N. *Quel bon à rien!* Argot. *Un bon à lap (lappe)* (même sens).

♦ **5.** Loc. interrog. **À QUOI BON :** à quoi cela est-il bon, peut-il servir? ⇒ **Pourquoi.** *À quoi bon continuer? À quoi bon tous ces efforts? « ... répéter toutes les secondes : À quoi bon! »* (cf. Aquoibonisme, cit., Cocteau).

99 Mais à quoi bon, Seigneur, les soins que vous prenez?
MOLIÈRE, la Princesse d'Élide, I, 1.

100 Pourquoi, dans ton œuvre céleste,
Tant d'éléments si peu d'accord?
À quoi bon le crime et la peste?
Ô Dieu juste, pourquoi la mort?
A. DE MUSSET, l'Espoir en Dieu.

101 Les choses qu'on a une fois quittées,
À quoi bon leur garder son cœur?
CLAUDEL, Feuilles de Saints, Ballade.

Emplois substantivés (n. m.; parfois écrit *à-quoi-bon*) :

101.1 Je sais, de mieux en mieux, moi, quelle est la raison de cet épuisement : c'est le doute, c'est l'éternelle question « à quoi bon » enracinée dans mon esprit depuis toujours, que je ne puis déloger. Ah, si l'« à quoi bon » n'avait germé dans mon âme, puis n'avait poussé, puis n'avait tout recouvert, n'avait étouffé les autres plantes, j'aurais été un autre, comme dit l'autre.
IONESCO, Journal en miettes, p. 38.

101.2 Je me sens évidemment un peu seul, un peu bête et je commence à me demander si tout au Lossan va être aussi difficile, si cette amertume va continuer de monter en moi, cet à-quoi-bon?
François NOURISSIER, le Maître de maison, p. 67.

♦ **6.** Loc. div. (où *bon* est attribut). **BEL ET BON.** ⇒ **Beau** (cit. 74).

102 Tout ce que vous prêchez est, je crois, bel et bon;
Mais je ne saurais, moi, parler votre jargon.
MOLIÈRE, les Femmes savantes, II, 6.

Il est bon de, suivi de l'inf. *Il est bon que,* suivi du subjonctif.

103 Il est bon qu'un mari nous cache quelque chose. CORNEILLE, Polyeucte, I, 3.

104 Il est bon de parler, et meilleur de se taire (...) LA FONTAINE, Fables, VIII, 10.

Il est bon, il est beau, quoi qu'on en dise, que toutes nos actions soient pleines de Dieu, et que nous soyons sans cesse environnés de Dieu (...) 105
CHATEAUBRIAND, le Génie du christianisme, III, 5, 6.

Avoir cela de bon que...

Ils ont cela de bon qu'ils ne lassent pas de dire (...) 106
PASCAL, les Provinciales, 1.

Avoir du bon. ⇒ **Bon,** n. m., ci-dessous (IV., 2.),

Ces malheureux rois, 107
Dont on dit tant de mal, ont du bon quelquefois.
François ANDRIEUX, le Meunier de Sans-Souci.

Rien de bon : rien qui vaille. *N'attendre, n'augurer, n'espérer, ne présager rien de bon de quelque chose.*

Certain homme dont l'encolure 108
Ne me présage rien de bon (...) MOLIÈRE, Amphitryon, I, 2.

Ce portrait ne nous dit rien de bon (...) MOLIÈRE, Sganarelle, 6. 109

Ne croyez jamais rien de bon de ceux qui outrent la vertu (...) 110
BOSSUET, Hist. des Variations, XI, 60.

Trouver bon; croire bon, juger bon : juger à propos. *Trouvez bon que...* ⇒ **Admettre, agréable** (avoir pour agréable), **approuver, permettre.**

(...) Quoique tous vos conseils soient les meilleurs du monde, vous trouverez bon, s'il vous plaît, que je n'en suive aucun. MOLIÈRE, l'Amour médecin, I, 1. 111

Vous trouvez donc bon qu'on vous aime? 112
Fort bon. MOLIÈRE, le Sicilien, 6.

Il faut, si vous le trouvez bon, que nous nous coupions la gorge ensemble (...) 113
MOLIÈRE, le Mariage forcé, 9.

Cette considération ne m'a jamais retenu de faire ce que j'ai cru bon et utile (...) 114
ROUSSEAU, Lettre à Moultou, 25 avr. 1762.

Sembler bon. Comme bon vous semble. ⇒ **Guise** (à votre guise).

Usez-en comme bon vous semble. CORNEILLE, Agésilas, IV, 4. 115

(...) en ne buvant que de l'eau et ne mangeant que du pain, si bon leur semble, ils seront contents de leur sort et feront envie à leurs voisins (...) 116
VAUBAN, Projet d'une dîme royale, p. 61.

On demandera peut-être (car on devient curieux) combien de gens en France ont le droit ou le pouvoir d'emprisonner qui bon leur semble, sans être tenus de dire pourquoi (...) P.-L. COURIER, Lettres, IV. 117

(Avec *la*). Loc. *La bailler, la donner bonne* (vieilli). ⇒ **Bailler, donner.** Fam. *Je vous la souhaite bonne.* ⇒ **Chance.**

Les giboulées de mars balayaient le ciel, et la pluie cinglait le pauvre âne qui disparut derrière une rafale. 118
— Je la lui souhaite bonne. H. BOSCO, l'Âne Culotte, p. 32.

(En parlant d'une histoire, d'une plaisanterie). Loc. fam. *Elle est bien bonne (cette histoire),* elle est drôle.

N. f. *Une bonne, des bonnes* (rare); *une bien bonne* (courant).

C'est le raconteur de bien bonnes qui annonce en bridant l'œil : attention les gars vous allez vous marrer cinq minutes. 118.1
Jacques PERRET, Bâtons dans les roues, p. 229.

À Palerme, en dépit des beaux yeux de la princesse Olga, il s'en laisse conter de bien bonnes sur la saleté et la grossièreté moscovites (...) 118.2
M. YOURCENAR, Archives du Nord, p. 140.

(En parlant d'une nouvelle, d'informations). *J'en apprends de bonnes,* des choses extraordinaires, surprenantes (→ De belles. ⇒ **Beau,** *supra* cit. 75).

Votre Majesté lui en dirait de bonnes sur l'horreur d'avoir excité une guerre civile (...) VOLTAIRE, Lettre à Catherine II, 20. 119

(En parlant d'un argument, de la manière de se conduire de qqn). *Il en a de bonnes (lui, celui-là)!*

Il croisa les bras, rageusement : 120
— Pour se faire coller au mur? Non, mais dis! tu en as de bonnes!... Au moins, *là-bas,* chacun court sa chance; on peut s'en tirer, avec deux sous de veine!
MARTIN DU GARD, les Thibault, t. VIII, p. 281.

— Ah! il vous a fait dire cela froidement comme cela! Il en a de bonnes! s'écria Bloch en s'esclaffant, tandis que l'historien souriait avec une timidité majestueuse. 120.1
PROUST, le Côté de Guermantes, Folio, p. 232.

★ **II. BON,** adv. et en loc. adv.

♦ **1.** Adv. **FAIRE BON,** se dit du temps. *Il fait bon aujourd'hui.* ⇒ **Agréable, beau, doux.** *Il fait bon,* suivi de l'inf. *Il fait bon vivre dans cet endroit. « Auprès de ma blonde, qu'il fait bon dormir »* (refrain de la chanson pop. *Auprès de ma blonde*). ⇒ **Agréable.** *Il ne fait pas bon se promener dans ce quartier :* il y a quelque danger à courir là, l'endroit n'est pas sûr.

Il ne fait pas bon ici pour vous. MOLIÈRE, Dom Juan, II, 5. 121

Il fait bon vivre chez vous. A. DE VIGNY, Chatterton, III, 6. 122

Loc. *Sentir* bon* (⇒ **Agréablement, délicieusement**). — *Tenir* bon* (⇒ **Ferme, fermement, fort, solidement; résister**).

L'arbre tient bon; le roseau plie. LA FONTAINE, Fables, I, 12. 123

Lorgnant du coin de l'œil ce rôti qui avait si bonne mine et qui sentait si bon, je ne pus m'abstenir de lui faire aussi la révérence, et de lui dire d'un ton piteux : adieu rôti (...) ROUSSEAU, les Confessions, I. 124

Vx. *Coûter bon.* ⇒ **Cher.**

♦ **2.** Loc. adv. (où *bon* est subst.). **TOUT DE BON.** ⇒ **Effectivement, réellement, sérieusement.** *À la fin, ils se querellèrent tout de bon.*

— C'est sans raillerie que vous parlez? — Sans raillerie. — Vous vous mariez tout de bon? — Tout de bon. MOLIÈRE, le Mariage forcé, 7. 125

(...) je le prenais tout de bon pour raisonnable parce qu'il était raisonneur (...) 126
ROUSSEAU, les Confessions, VI.

126.1 Le sultan entra tout de bon dans la peine extrême qu'une aventure aussi surprenante devait avoir causée à la princesse (...)
    A. GALLAND, les Mille et une Nuits, t. III, p. 117.

POUR DE BON, loc. adv. **a** D'une manière effective.

127 Elle touchait pour de bon à l'accomplissement de ce rêve qu'elle avait, des années durant, caressé.   MARTIN DU GARD, les Thibault, t. III, p. 65.

127.1 (...) il ne serait pas prudent pour lui, de toute manière, de rester plus dans la concession anglaise, à attendre que la police vienne l'arrêter pour de bon.   A. ROBBE-GRILLET, la Maison de rendez-vous, p. 188.

b Fam. D'une manière sérieuse, sans plaisanter. *C'est pour de bon, ou pour de rire ?*

♦ **3.** Fam. **À LA BONNE,** loc. adv. *Avoir qqn à la bonne,* le trouver sympathique, avoir pour lui toutes les indulgences. *Je ne crains rien, il m'a à la bonne.*

127.2 C'est la dernière fois que je te tire d'affaire. Les autres, je les tirerai toujours d'affaire. Toi, j'en ai marre. Si tu ne m'as pas à la bonne, faut le dire.
    DRIEU LA ROCHELLE, la Comédie de Charleroi, p. 208 (1934).

127.3 Il m'a pas très à la bonne... Il doit être un peu jaloux...
    CÉLINE, Guignol's band, p. 52.

♦ **4.** (Emploi adverbial, s'accordant avec le subst.). Cour. *Bon* (ou, vx, *beau*) *premier, bon dernier :* absolument premier, dernier. *Elle est arrivée bonne première.*

Régional (Suisse, etc.) avec quelques adj. monosyllabiques. *Bon chaud, bon frais... :* agréablement chaud, frais. *« Ma chambre est bonne chaude aussi (...) et bien rangée... »* (T. Combes, *Petites gens,* p. 174). *De la bière bonne fraîche. Du foin bon sec.*

★ **III.** Interj. Marque l'approbation, et aussi parfois la surprise, l'ironie. ⇒ **Bien, soit.** — REM. La démotivation de *bon,* dans cet emploi, peut être quasi totale. → ci-dessous, cit. 129.1.

128 Ah! bon, bon, le voilà.   MOLIÈRE, l'Étourdi, III, 4.

129 Bon, dit Climène, en voici bien d'une autre ;
Ma chère sœur, quelle idée est la vôtre.
    VOLTAIRE, les Filles de Minée, *in* LITTRÉ.

129.1 Pour une comédie, le mot superbe d'un de nos jeunes parents : «En telle année, mon père meurt... Bon !»   Ed. et J. DE GONCOURT, Journal, t. III, p. 16.

129.2 (...) chez soi ou dans les usines, bon, c'est dans l'ordre des choses, mais ici c'est vanter, c'est le comble.   CAMUS, la Chute, p. 54.

Ah bon !, marque le renoncement devant une évidence. — *Allons, bon !,* marque la surprise, la résignation.

129.3 Martial se dit qu'il n'avait pas encore achevé sa croissance. Allons, bon! Il ne lui restait plus que trente ans à vivre, et voilà qu'il n'était même pas adulte !
    Jean-Louis CURTIS, le Roseau pensant, p. 215.

★ **IV.** ♦ **1.** N. m. (1130). Vieilli. Ce qui est bon. *Le bon et le mauvais. Il ne veut que du bon.* — Fam. *Ça, c'est du tout bon.*

130 Que le bon soit toujours camarade du beau (...)   LA FONTAINE, Fables, VII, 2.

131 Discernant non seulement le bon d'avec le mauvais, mais encore le meilleur d'avec le bon (...)   FLÉCHIER, Oraison funèbre de M. Lamoignon.

Ce qu'il y a de piquant, de plaisant, d'intéressant dans qqch. *Le bon de l'histoire est qu'il ne s'aperçut de rien.*

132 La satire de Pétrone est un mélange de bon et de mauvais, de moralités et d'ordures (...)   VOLTAIRE, Mélanges hist. Pyrrh. hist., XIV, *in* LITTRÉ.

Ce qu'il y a d'important, d'avantageux dans une affaire. *Le bon de l'affaire, de la chose.*

133 Le bon de cette profession *(médecin)* c'est qu'il y a (...)   MOLIÈRE, le Médecin malgré lui, III, 1.

♦ **2.** (Avec *avoir*). Ce qu'il y a de bon, de meilleur dans une personne ou une chose. *Il y a du bon et du mauvais en cet homme, dans cet ouvrage.*

Avoir du bon : présenter des avantages. → ci-dessus, cit. 107. *Cette solution a aussi du bon.*

Pop. et par plais. *Y a bon :* c'est bien.

♦ **3.** (V. 1225 ; surtout au plur.). Celui qui est bon, l'homme de bien. *Les bons et les méchants.*

134 Remplir les bons d'amour, et les méchants d'effroi.   CORNEILLE, le Cid, I, 3.

Mon bon, ma bonne (→ *supra,* I.; cit. 62, 63), terme d'affection ou péjoratif.

135 Quant aux lettres qu'il a reçues de Nietzsche, orgueil de sa bibliothèque, et qu'il ne te communiquera jamais, ce sont, mon cher bon, des engueulades.
    MALRAUX, Antimémoires, Folio, p. 45.

136 Prenez donc l'escalier de service, mon bon. Pour les livreurs, les arrivistes, les resquilleurs, les clodos qui veulent se glisser d'une classe à l'autre, c'est la porte de service.   Christine ARNOTHY, Un type merveilleux, p. 375.

REM. Ces emplois, sans être vieux, n'appartiennent pas à l'usage courant moderne, sauf régionalement.

CONTR. Mauvais ; exécrable, ignoble, infect. — Méchant ; malfaisant, malin ; abominable, cruel, dur, féroce. — Inacceptable, inadmissible. — Médiocre.
DÉR. 2. Bon, bonard, bonne, bonnement, bonnir. — V. (Du lat.) Bonasse, bonifier, bonté, bonus.
COMP. Aquoibonisme, bon bec, bonbon, bondieusard, bondieuser, bondieuserie, bon enfant (ci-dessus à l'article), bon garçon, bonheur, bonhomme, bonjour, bon-marché (V. marché), bonne-dame, bonne femme (V. femme), bonne-grâce, bonne-main, bonne-maman, bon-papa, bon sens (V. sens), bonsoir, bon vivant. — V. aussi Bonchrétien, bon-henri, boniface, débonnaire.
HOM. 2. Bon, bond.

---

2. BON [bɔ̃] n. m. — Av. 1750, Saint-Simon ; de 1. *bon.* → Bon pour...

♦ **1.** Formule écrite constatant le droit d'une personne d'exiger une prestation, de toucher une somme d'argent. ⇒ **Billet.** *Un bon de pain, de viande.* — *Bon au porteur, à vue. Signer, souscrire un bon, des bons.*

Bon de caisse : effet émis en contrepartie d'un prêt à court terme productif d'intérêt, et engageant l'émetteur à un remboursement à échéances déterminées.

Bon du Trésor : titre représentatif d'un emprunt d'État, à court terme. *Les bons du Trésor sont «employés par l'État pour faire rentrer dans ses caisses une partie des billets en circulation. Ils sont sur formule s'ils sont placés dans le public ou émis en comptes courants tenus à la Banque »* (Romeuf, *Dict. sc. économique).*

♦ **2.** Imprim. *Bon à tirer* :* épreuves bonnes à tirer, prêtes pour le tirage (abrév. : *b.a.t.). Envoyer les bons à tirer à l'imprimeur.*

HOM. 1. Bon, bond.

BONACE [bɔnas] n. f. — Fin XIIᵉ ; *bonnasse,* av. 1266 ; provençal *bonassa,* du lat. pop. **bonacia,* réfection d'après *bonus* «bon» du lat. *malacia* «calme de la mer», du grec *malakia,* de *malakos* «mou», senti comme un dér. de *malus* «mauvais».

♦ **1.** Mar. Calme* plat de la mer après ou avant une tempête. ⇒ **Repos, tranquillité.** *Profiter de la bonace pour s'embarquer.*

Un orage si prompt, qui trouble une bonace,
D'un naufrage certain nous porte la menace (...)   CORNEILLE, le Cid, II, 3.   1

♦ **2.** Fig. Vx ou littér. État de paix. ⇒ **Apaisement, calme, quiétude, tranquillité.**

Nous n'avons rien qui menace
De troubler notre bonace (...)   MALHERBE, II, 2, *in* LITTRÉ.   2

Quand les choses s'adouciront, il ne s'endormira pas, pour cela, dans la bonace (...)   GUEZ DE BALZAC, Avis écrit.   3

(...) je suis sûr que, malgré ma bonace charnelle, si je me trouvais en face de certaine femme dont la vue m'affole, je céderais.   HUYSMANS, En route, p. 155.   4

Ah que de besogne ! Quel théâtre autour de moi déchaîné, quelles patiences sournoises du mal dans ses bonaces, quelle imagination du bruit.
    François NOURISSIER, le Maître de maison, p. 175.   5

CONTR. Bourrasque, grain, ouragan, tempête. — Agitation, inquiétude, nervosité, trouble.
HOM. Bonasse.

BONAPARTEUX [bɔnapaʁtø] adj. — 1878 ; de *Bonaparte.*

♦ Péj. et vx. Bonapartiste.

BONAPARTISME [bɔnapaʁtism] n. m. — 1816 ; de *Bonaparte.*

♦ **1.** Forme de gouvernement dont les principes rappellent ceux du gouvernement des Bonaparte (⇒ **Empire**).

♦ **2.** Attachement à la dynastie de Napoléon Bonaparte et des Bonaparte ou à leur système politique.

Le magistrat qui les poursuit avec tant de rigueur aujourd'hui sous prétexte de bonapartisme (...) faisait (...) saisir le conscrit réfractaire, et conduire aux galères l'enfant qui préférait son père à Bonaparte (...)
    P.-L. COURIER, Pétition aux Chambres, 10 déc. 1816.

REM. On a employé la var. péj. *bonapartisterie,* n. f. (1876).

BONAPARTISTE [bɔnapaʁtist] adj. et n. — 1809, *in* D.D.L., 21 ; de *Bonaparte.*

♦ Qui a rapport au bonapartisme*.

Partisan du bonapartisme. *Il est bonapartiste.* — N. *Les bonapartistes corses.*

Vous vous êtes dit, en artiste,
Que ce serait joli d'être bonapartiste.   Edmond ROSTAND, l'Aiglon, II, 10.

BONARD, ARDE ou **BONNARD, ARDE** [bɔnaʁ, aʁd] adj. — 1887, «naïf, jobard»; de *bonard,* régional «imbécile» (1859), dér. de 1. *bon.*

♦ **1.** Argot, fam. Crédule ; dupe. *Il est bonard :* il a été dupé. ⇒ **Bon** (*infra* cit. 59) ; **avoir** (*supra* cit. 56), **posséder** (*infra* cit. 32). *« Je suis fait Bonnard ! (sic) »* (Céline, *Mort à crédit*).

(Développement) : Il faut parler : le silence en ces matières est ce qu'il y a de plus dangereux au monde. On devient dupe de tout. On est définitivement fait, bonard. Il faut d'abord parler, et à ce moment peu importe, dire n'importe quoi.
    Francis PONGE, le Parti pris des choses, p. 190.   1

♦ **2.** Régional (notamment Sud de la France). Beau, belle. *Elle est bonarde.* — (Choses). Bon. *C'est bonard !*

Exclam. *Bonard !* : bon, bien, parfait! *Bonard ! On a gagné.*

En emploi substantif et partitif :

Moi, je ne suis qu'une nénette à la con, tandis que Catherine c'est du vachement bonnard, de la vraie nana cent fois.
    Cécil SAINT-LAURENT, la Bourgeoise, p. 262.   2

BON À RIEN [bɔ̃aʀjɛ̃] n. m. ⇒ **Bon** (I., C., 4.).

BONASSE [bɔnas] adj. — Fin XVᵉ; ital. *bonaccio* (du lat. *bonus*), «calme». → Bonace.

♦ (Personnes). Faible, d'une bonté excessive par simplicité d'esprit, par peur des conflits. ⇒ **Boniface** (vx), **faible, mou.** *Un homme bonasse* (→ Bonhomme, cit. 3). — REM. Sans être ni archaïque ni littéraire, le mot est marqué et plus ou moins fréquent selon les régions.

0.1 — Comment, ils ont été assez bons?
— Assez bons, assez bons, assez bonasses, vous voulez dire.
Henri MONNIER, Scènes populaires, «Les bourgeois campagnards», 5, p. 335.

N. *Un bonasse.*
Par ext. *Caractère, figure, air, ton bonasse. Des apparences bonasses. Langage bonasse* (⇒ **Bonhomie**). — Subst. (N. m.). → ci-dessous, cit. 2.

1 Je l'aurais déjà poussé si je lui avais trouvé quelque disposition, mais il a l'esprit trop bonasse, cela ne vaut rien pour les affaires (...)
A.-R. LESAGE, Turcaret, II, 5.

2 C'est *(Turenne)* un terne visage hollandais *(il l'était de mère et d'éducation)*, qui tournerait au bonasse s'il n'avait la bouche fort arrêtée, réservée, mais très ferme.
MICHELET, Extraits historiques, p. 228.

3 (...) tout leur visage est calme ou reposé, paterne ou bonasse : tel est le bonheur du tempérament flegmatique (...) TAINE, Philosophie de l'art, t. II, p. 307.

4 Les bêtes et les gens n'arrivaient pas à le haïr : à cause d'une espèce d'inertie bonasse ou peut-être à cause de son visage.
SARTRE, l'Âge de raison, VII, p. 102.

5 Quel drôle de moinillon avec ses mains à l'intérieur des manches. Cette odeur douceâtre, débonnaire et bonasse depuis qu'elles sont entrées, serait-ce l'odeur des vieux manteaux qu'on me donnait à neuf ans? C'est l'odeur de la misère qui ne finit pas. Violette LEDUC, la Folie en tête, p. 127 (1970).

CONTR. **Dur, énergique, fin, sévère.**
DÉR. **Bonassement, bonasserie.**
HOM. **Bonace.**

BONASSEMENT [bɔnasmɑ̃] adv. — 1770; de *bonasse.*

♦ D'une manière bonasse.

1 (...) le maître, gros Turc à teint basané, à barbe noire, à physionomie bonassement féroce, nous fit servir d'un air aimablement terrible du rahat lokoum rose et blanc.
Th. GAUTIER, Constantinople, 1873, p. 98.

2 Il y avait, si vous voulez, des choses très simples : le directeur de la prison de Saigon, qui appelait bonassement «Sale gosse», en lui tapotant la joue, un petit Annamite condamné à mort. MALRAUX, Antimémoires, Folio, p. 436.

BONASSERIE [bɔnasʀi] n. f. — 1840, Balzac; de *bonasse.*

♦ Vieilli ou littér. Caractère de celui qui est bonasse. *«La bonasserie l'expose à tomber dans tous les pièges»* (E. Sue).

BON BEC [bɔ̃bɛk] n. m. — D. i.; de *(avoir) bon bec.* → 2. Bec.

♦ Vx. Personne bavarde; personne qui sait attaquer et se défendre en paroles. *Des bons becs.* ⇒ **Bec**, cit. 7 et *supra* (avoir bon bec).

BONBON [bɔ̃bɔ̃] n. m. — 1604, «friandise»; redoublement de 1. *bon.*

♦ **1.** [a] Vx. *Du bonbon.* Confiserie, sucrerie; friandise en général.

1 L'évêque successeur et neveu *(de M. de Chartres)* en était pour ainsi dire encore à recevoir du bonbon de sa main *(de Mᵐᵉ de Maintenon)*.
SAINT-SIMON, Mémoires, 289, 201.

[b] Mod. Régional (Belgique). Friandise consistant en biscuit sec.

♦ **2.** Mod. *(Un, des bonbons).* Petite friandise de consistance ferme ou dure faite de sirop aromatisé. *Une fabrique de bonbons.* ⇒ **Bonbonnerie** (vx), **confiserie.** *Bonbons mi-ouvrés.* ⇒ **Pastille** (de menthe, de Vichy). *Bonbons fondants. Bonbons acidulés, bonbons anglais.* — *Bonbons cuits ou bonbons durs* (syntagmes techniques, non courants). ⇒ **Berlingot, bêtise, caramel, dragée, praline, sucre** (d'orge). — *Bonbons au chocolat.* ⇒ **Crotte** (de chocolat). *Bonbon fourré :* sucre qui enrobe une pâte de fruit, de la liqueur. *Bonbon à la gomme.* ⇒ **Boule** (de gomme). *Bonbon parfumé à l'anis, au citron. Bonbon à la menthe. Une boîte de bonbons. Boîte à bonbons.* ⇒ **Bonbonnière.** *Un sac, un cornet de bonbons. Bonbon enveloppé dans un papier* (⇒ **Papillote**). *Manger des bonbons. Être gourmand de bonbons. Se bourrer de bonbons.*

2 J'arrangerais une boîte bien garnie de bonbons (...) ROUSSEAU, Émile, II.

3 D'abord, elles s'assirent par terre, pour manger des bonbons achetés en passant chez le confiseur en vogue de Stamboul.
LOTI, les Désenchantées, V, XXXIV, 197.

4 Elle rentra dans la boutique et disparut derrière les bocaux remplis de bonbons anglais qui tordaient leur émail rose contre la paroi de verre (...)
PROUST, Jean Santeuil, Pl., p. 358.

Fig. et vx. *Un bonbon rose :* une personne jeune et insignifiante, dont la vie s'écoule sans soucis.

Loc. mod. *Rose bonbon :* rose tendre.

♦ **3.** *Bonbon noir :* morelle noire (plante) à fruits noirs (comparés à des bonbons).

♦ **4.** Régional (Belgique). Biscuit, petit gâteau.

♦ **5.** Fig. et pop. [a] (Fin XIXᵉ). Vx. Furoncle, pustule.

[b] Mod. Au plur. Testicules. Loc. fig. *Casser les bonbons à qqn.* Syn. : *casser les couilles**.

♦ **6.** Adv. Pop. *Ça coûte bonbon*, cher (redoublement de *bon*, dans *coûter bon*, → Bon, *supra* cit. 123).

DÉR. **Bonbonnerie, bonbonnière.**

BONBONNE ou **BOMBONNE** [bɔ̃bɔn] n. f. — 1823, *in* D.D.L.; provençal *boumbouno* «sorte de bouteille», du lat. *bombus.* → Bombarde, bombe.

♦ **1.** Récipient pansu, à col étroit et court, servant à conserver des liquides; contenu de ce récipient. ⇒ **Dame-jeanne, jaquelin.** *Une bonbonne en verre, en grès. Bonbonne d'huile, de vin. Bonbonne recouverte d'osier, munie d'anses. Du vin en bonbonnes.* — *Acheter du vin par bonbonnes.*

Vous trouverez dans la voiture la bonbonne de vieille eau-de-vie. Je l'ai fait emballer avec beaucoup de soin (...)
BERNANOS, Sous le soleil de Satan, Œ. roman., Pl., p. 123.

♦ **2.** Fam. et vieilli. *Une grosse bonbonne :* une grosse femme.
REM. La graphie *bombonne*, conforme à l'étym. et à la gramm., tend à s'effacer au profit de *bonbonne* depuis Littré et Académie (Huitième éd.).

BONBONNERIE [bɔ̃bɔnʀi] n. f. — 1804; de *bonbon.*

♦ Techn. et vx. Industrie, commerce des bonbons (syn. mod. : *confiserie**).

BONBONNIÈRE [bɔ̃bɔnjɛʀ] n. f. — 1777; de *bonbon.*

♦ **1.** Petite boîte à bonbons. ⇒ **Chocolatière, drageoir.** *Une bonbonnière en porcelaine, en argent. Une bonbonnière élégante, finement travaillée.*

1 (...) le vieux maréchal de Guermantes, remplissant ma bonne d'orgueil, s'arrêtait aux Champs-Élysées en disant : «Le bel enfant!» et sortait d'une bonbonnière de poche une pastille de chocolat (...)
PROUST, le Côté de Guermantes, Pl., t. II, p. 12.

2 Le poivre dont, au temps d'Henri IV, on avait à ce point la folie que la Cour en mettait dans des bonbonnières des grains à croquer.
Claude LÉVI-STRAUSS, Tristes tropiques, p. 26.

♦ **2.** (1817). Petite construction; (plus cour.) petit appartement élégant, arrangé avec goût. ⇒ **Bijou.** *C'est une bonbonnière, une vraie bonbonnière.* ⇒ **Nid.**

— C'est une bonbonnière que cette pièce *ici.*

3 — C'est à peu près notre chambre à coucher... s'il y avait une fenêtre de plus.
Henri MONNIER, Scènes populaires, «Le dîner bourgeois», 7, p. 137.

BON-CHRÉTIEN [bɔ̃kʀetjɛ̃] n. m. — XVᵉ; p.-ê. réfection du lat. *poma panchresta*, grec *pankhrêston* «fruit utile à tout», sur 1. *bon,* et *chrétien.*

♦ Variété de grosse poire. *Des bons-chrétiens.*

L'humble François de Paule était par excellence
Chez nous nommé le bon chrétien,
Et le fruit dont le saint fit part à notre France
De ce nom emprunta le sien (...) Journal de Verdun, févr. 1730.

BOND [bɔ̃] n. m. — Déb. XVᵉ, Christine de Pisan, de *premier bont* «tout d'abord»; de *bondir.*

♦ **1.** Action de bondir*, de s'élever de terre par un mouvement brusque (en parlant d'un homme ou d'un animal). ⇒ **Gambade, saut.** *Les bonds d'un cabri. Des bonds de cabri.* ⇒ **Cabriole.** *S'élancer d'un bond.* ⇒ **Bondir.** *D'un bond, il franchit l'obstacle. Les bonds prodigieux d'un acrobate. Bond à plat ventre, en se retournant.* ⇒ **Saut** (de carpe). *Chute par bonds.* ⇒ **Cascade.**

1 Au sortir d'un terrier, deux chiens aux pieds agiles
L'étranglèrent du premier bond. LA FONTAINE, Fables, IX, 14.

2 Le tigre attend sa proie et d'un seul bond l'accable (...)
HUGO, la Légende des siècles, II, «Les lions».

Milit. *Bonds en avant, bonds successifs, progression par bonds,* étapes de l'avance des troupes au combat.

Manège. Saut que le cheval exécute sur place, les quatre pieds à la fois.

Loc. *Ne faire qu'un bond :* se précipiter. *Au premier coup de sonnette, je n'ai fait qu'un bond.*

Fig. et vx. *N'aller que par sauts et par bonds,* de manière discontinue (en parlant d'un style, d'une conduite).

3 Sa muse déréglée, en ses vers vagabonds,
Ne s'élève jamais que par sauts et par bonds (...) BOILEAU, l'Art poétique, p. 3.

4 Style incohérent, qui va par sauts et par bonds (...)
VOLTAIRE, *Philosophie*, IV, 480.

Vieilli. D'un bond, d'un seul bond : immédiatement, sans transition. *Du premier bond.* Cf. Du premier coup.

5 (...) ces âmes *(privilégiées)* franchissent d'un bond les sphères humaines et s'élè-vent tout à coup à la Prière.
BALZAC, *Séraphîta*, VI.

6 La liberté, où tant d'étourdis se trouvent portés du premier bond, fut pour moi une acquisition lente.
RENAN, *Souvenirs d'enfance...*, I, 1.

Phénomène discontinu, changement, rupture.

7 On a dit de la nature qu'elle ne faisait pas de sauts! (...) je ne vois que bonds, que volte-face, que surprises, illuminations et revirements.
G. DUHAMEL, *Chronique des Pasquier*, I, XI.

Faire un bond : progresser, augmenter subitement de façon nota-ble. *La bourse a fait un bond :* les cours des valeurs montent. ⇒ **Hausse.**

7.1 Le bond prodigieux du XIXe siècle tient dans le fait que le charbon répond tout à la fois à la fabrication de l'acier, à celle des métaux de fonderie, à la force motrice pour tirer le minerai comme pour faire tourner les machines-outils.
A. LEROI-GOURHAN, *le Geste et la Parole*, t. II, p. 57.

Bond en avant : progrès soudain et rapide. *Le grand bond en avant chinois de 1958.*

♦ **2.** (1580, Montaigne). Mouvement ascensionnel (imprimé à un corps par le choc contre un obstacle). *Le bond est d'autant plus élevé que le corps qui heurte l'obstacle est plus élastique. Les bonds d'une pierre lancée obliquement sur l'eau.* ⇒ **Ricochet.** *Bonds légers d'une voiture roulant sur une mauvaise route.* ⇒ **Cahot.** *Les bonds d'une balle.* ⇒ **Rebond, rebondir.**

Loc. *Prendre la balle au bond.* ⇒ **Balle.** *Du premier bond :* avant le rebond. *Prendre la balle du second bond :* ne pas agir en temps utile. — Loc. fig. Vx. *Saisir la balle entre bond et volée :* profi-ter d'une occasion au bon moment, avec précision. *De bond ou de volée :* de n'importe quelle façon.

8 Soit de bond, soit de volée, que nous en chaut-il, pourvu que nous prenions la ville de gloire *(le paradis)*?
PASCAL, *les Provinciales*, 9.

(1584). *Faire un faux bond, jouer un faux bond* (vx); *faire faux bond :* se dérober au dernier moment. *Faire faux bond à son hon-neur :* manquer à son honneur.

9 Toi qui mourrais plutôt que lui faire un faux bond (...)
Mathurin RÉGNIER, *Satires*, VI.

10 (...) S'il faut qu'à l'honneur elle fasse un faux bond (...)
MOLIÈRE, *l'École des femmes*, III, 2.

Mod. **FAIRE FAUX BOND :** être en retard, ne pas venir à un rendez-vous. *Faire faux bond à qqn :* ne pas faire ce qu'on lui a promis, ne pas le rencontrer quand on le devrait.

11 L'entrepreneur qui devait réparer le pavillon inhabitable avait fait faux bond, à cause des grèves (...)
GIRAUDOUX, *Bella*, VI.

12 À cause de Robert qui lui a fait faux bond, Bernard va être obligé d'écrire lui-même un article sur Brecht.
F. MALLET-JORIS, *le Jeu du souterrain*, p. 124.

COMP. Rebond.
HOM. 1. **Bon,** 2. **bon.**

BONDE [bɔ̃d] n. f. — 1347; «borne», 1269; «bouchon de tonneau», 1332; p.-ê. d'un gaul. *bunda* (cf. moy. irlandais *Bonn* «plante du pied, base» et provençal *bondon* «terrain marécageux») ou (Guiraud) d'un lat. pop. *bombita*, de la famille de *rebondi*.

♦ **1.** Techn. Ouverture de fond, destinée à vider l'eau (d'un étang, d'un réservoir). — Par ext. Système de fermeture de la bonde. ⇒ **Empellement, tampon, vanne.** *La bonde d'un vivier. Bonde auto-matique,* réglée pour maintenir constant le niveau de l'eau. *Lâcher, lever, hausser la bonde,* l'ouvrir pour faire écouler l'eau.

Loc. Fig. et vieilli. *Lâcher la bonde à ses larmes, à sa colère,* don-ner libre cours, s'abandonner.

1 (...) l'impossibilité de tenir mon cœur fermé dans ses grandes peines, me firent ouvrir à lui *(Lutold)* ; je lâchai la bonde à mes larmes (...)
ROUSSEAU, *les Confessions*, IV.

Mod. Ouverture inférieure (d'un évier, d'un lavabo, d'une bai-gnoire); système qui l'obture à volonté (⇒ **Rondelle**).

♦ **2.** Trou pratiqué dans une douve de tonneau, pour le remplir ou le vider; pièce de bois, de forme tronconique, permet-tant d'obturer ce trou. ⇒ **Bondon** (cit.), **bouchon, tampon.** *Rem-plir un tonneau jusqu'à la bonde.* ⇒ **Bonder.** *Enlever la bonde.* ⇒ **Débonder; tire-bonde.** *Ils «puchaient* (cit.) *dans la cuve, surveil-laient les bondes ...»* (Flaubert).

2 Et ça s'est débouché tout d'un coup, a coulé, clair, puis épais, puis clair encore, la lie et le vin mélangés, comme si la bonde avait sauté d'un tonneau oublié.
GIONO, *Colline*, p. 110-111.

Bonde hydraulique ou mécanique, garnissant un tonneau rempli de liquide en fermentation, permettant au gaz carbonique de s'échap-per sans laisser entrer l'air.

DÉR. Bonder, bondon.
COMP. Débonder, tire-bonde.

BONDÉ, ÉE [bɔ̃de] adj. — 1835; p. p. de *bonder*.

♦ **1.** Techn. et rare. En parlant d'un tonneau. Rempli jusqu'à la bonde* (2.).

♦ **2.** Cour. Qui contient le maximum de personnes, d'objets. ⇒ **Bourré, comble, plein.** *Métro bondé.* → Plein, cit. 10. *En août les trains sont bondés. Salle bondée.* — Mar. *Navire bondé,* dont le chargement est complet.
Bondé de... : qui contient le maximum de... *Un train bondé de voya-geurs, de marchandises.*

Des autocars vont et viennent, bondés de veufs, de veuves et d'orphelins. Des bos-quets, des grottes, des pièces d'eau avec des cygnes, débitent la consolation aux affligés.
S. BECKETT, *Premier amour*, p. 11.

CONTR. Vide.

BONDELLE [bɔ̃dɛl] n. f. — 1361, *bondale* ; du rad. gaul. *bunda* «fond», et *-elle,* le poisson vivant dans les fonds.

♦ Régional (Suisse). Poisson *(Salmonidés)* du genre corégone* *(Coregonus exiguus),* vivant dans les lacs de Neuchâtel et de Bienne, à la chair estimée. *Bondelle fumée. Filets de bondelle. La bondelle, la palée, la féra appartiennent au même genre.*

BONDER [bɔ̃de] v. tr. — 1483; de *bonde.*

♦ **1.** Techn. Remplir jusqu'à la bonde (2.). *Bonder un tonneau, une citerne.*

♦ **2.** Cour. (Rare à l'actif, employé surtout au p. p. → Bondé). Rem-plir autant qu'il est possible. ⇒ **Bourrer, remplir.** *Les deux volu-mes «qui bondaient ma petite malle»* (Bourget, *in* T. L. F.). — **REM.** L'emploi où le sujet désigne une foule et le compl. un lieu est usuel : *la foule, les spectateurs bondai(en)t le stade;* «*la jeunesse étudiante qui bondait l'amphithéâtre*» (Cocteau, *in* T. L. F.); mais *bondé* est plus cou-rant.

(1672). Mar. *Bonder un navire,* le remplir au maximum.

CONTR. Décharger, vider. — Désert, vide.
DÉR. Bondé.

BONDÉRISATION [bɔ̃deʀizasjɔ̃] n. f. — 1934, *in* Höfler; angl. *bonderizing,* avec substitution de suff.; de *Bonder,* n. propre.

♦ Techn. (métall.). Phosphatation superficielle des produits ferreux pour les protéger contre la rouille.

BONDÉRISÉ, ÉE [bɔ̃deʀize] adj. — 1952, *in* Höfler; amér. *bon-derized,* marque déposée (1932). → Bondérisation.

♦ Techn. Traité par bondérisation.

BONDIEUSARD, ARDE [bɔ̃djøzaʀ, aʀd] adj. — 1865, Vallès ; de *bon Dieu*,* et suff. péj. *-ard.*

♦ Fam. et péj. Qui manifeste une piété exagérée et mal entendue. ⇒ **Bigot.** *Une allure bondieusarde de sacristain.*
(Choses). Saint-sulpicien.

1 Il était entouré de tout un arsenal bondieusard, des brochures peintes, éparses avec des numéros du journal *le Pain,* et *l'Écho du ciel,* des gravures pieuses, un christ et autres bibelots sacrés.
Louise MICHEL, *la Misère,* t. III, p. 614 (1881).

N. *Un bondieusard. Une bondieusarde* (rare) ⇒ **Cagot, calotin.**

2 (...) Malorthy ne se laissait pas convaincre :
«Qu'a-t-elle besoin d'un curé, pour apprendre en confesse tout ce qu'elle ne doit pas savoir? Les prêtres faussent la conscience des enfants, c'est connu. »
Pour cette raison, il avait défendu qu'elle suivît le cours du catéchisme, et même «qu'elle fréquentât l'un quelconque de ces bondieusards qui mettent dans les meil-leurs ménages, disait-il, la zizanie ».
BERNANOS, *Sous le soleil de Satan* (1926), *in* Œ. roman., Pl., p. 68-69.

REM. Le peintre Courbet employait le mot pour désigner les artistes qui traitaient des sujets religieux.

DÉR. Bondieusarderie.

BONDIEUSARDERIE [bɔ̃djøzaʀdəʀi] n. f. — 1876; de *bondieu-sard.*

♦ Péj. et rare. ⇒ **Bondieuserie,** 1.

(...) non pas en retournant vers son passé d'adolescent, mais en regardant autour de lui les simples et les souffrants, pour les montrer dans leur souffrance et leur simplicité, sans bondieusarderie leur faisant cortège.
J. VALLÈS, *le Cri du peuple,* 26 juin 1882, *in* D. D. L., II, 1.

BONDIEUSER [bɔ̃djøze] v. — 1872, Goncourt, de *bon Dieu*,* d'après *bondieuserie* et *bondieusard.*
Rare. Mot des Goncourt et des écrivains «artistes» de la fin du XIXe siècle.

♦ **1.** V. intr. S'identifier à Dieu, se prendre pour le bon Dieu.

♦ **2.** V. tr. Diviniser.

BONDIEUSERIE [bɔ̃djøzʀi] n. f. — 1861 ; de *bon Dieu**, *-s*-euphonique, et suff. *-erie.*

Familier et péjoratif.

♦ **1.** Dévotion excessive. ⇒ **Bigoterie, cagoterie.** — Par ext. (littér.). Mièvrerie, fadeur.

1 (...) les sataniques litanies des *Fleurs du Mal* prennent subitement, par comparaison, comme un certain air d'anodine bondieuserie.
Léon BLOY, le Désespéré, p. 28.

♦ **2.** Objet de piété de mauvais goût. *Les bondieuseries saint-sulpiciennes.* — Spécialt (souvent au plur.). Articles de piété vendus dans le commerce.

2 Il s'était arrêté devant l'étalage d'un magasin de bondieuseries.
H. TROYAT, la Tête sur les épaules, p. 185.

3 La veuve l'invita à venir regarder la télé, le soir. Il remercia, promit. Il fit disparaître une console ornée d'un pot de misère, retira quelques bondieuseries, des crucifix. Ça irait. Ce décor ou un autre (...)
Claude COURCHAY, La vie finira bien par commencer, p. 24.

BONDIR [bɔ̃diʀ] v. intr. — XIIIᵉ ; *bundir* « retentir, résonner », 1080, *Chanson de Roland ;* du lat. pop. **bombitire*, de *bombitare,* fréquentatif *bombire* « bourdonner, faire du bruit », p.-ê. avec infl. de *bonde* au sens de « balle (de jeu de paume) », selon Guiraud.

♦ **1.** Vx. Le sujet désigne un son. Être répercuté. ⇒ **Résonner, retentir.**

1 Ce cor bondit gaillardement (...)
PALSGRAVE, l'Éclaircissement de la langue franç., p. 726.

REM. Ce sens étymologique est vieux depuis le XVIIᵉ s. ; qu'il s'agisse ou non d'archaïsmes, les emplois plus récents sont compris au sens 2.

2 Et quand il passera, ces peuples de la tente,
Prosternés, enverront la fanfare éclatante
Bondir autour de lui !
HUGO, les Orientales, « Mazeppa ».

♦ **2.** Mod. et cour. S'élever* brusquement en l'air par un saut pour retomber avec souplesse. ⇒ **Sauter ; élancer** (s'). *Les chamois bondissent dans la montagne.* ⇒ **Cabrioler, gambader.** *Le tigre bondit sur sa proie. Poisson, dauphin qui bondit hors de l'eau, à la surface de l'eau. Bondir de sa maison,* en sortir en bondissant. *Acrobate bondissant sur un tremplin.* — (Avec une comparaison, en parlant d'une personne). *Bondir comme un cabri, une chèvre, une gazelle, un tigre.*

3 De rage et de douleur le monstre bondissant
Vient aux pieds des chevaux tomber en mugissant (...)
RACINE, Phèdre, V, 6.

4 Tremplin qui tressailles d'émoi
Quand je prends un élan, fais-moi
Bondir plus haut, planche élastique !
« Frêle machine aux reins puissants,
Fais-moi bondir, moi qui me sens
Plus agile que les panthères (...) »
Th. DE BANVILLE, Odes funambulesques, « Le saut du tremplin ».

5 (...) le chat bondit sur le parquet, plus mol et plus élastique que la balle de laine qui nous sert de joujou.
COLETTE, Histoires pour Bel-Gazou, XIV.

6 (...) elle venait d'apercevoir, les cheveux flottant au vent des fenêtres ouvertes, sa nièce qui bondissait sur place comme un chevreau (...)
MARTIN DU GARD, les Thibault, t. I, p. 256.

7 (...) ce jeune homme étonnant *(Nijinsky)* (...) qui accomplissait, comme en se jouant, les pas les plus extraordinaires, qui pouvait bondir à des hauteurs insolites et qui mettait *plus longtemps à redescendre* qu'il n'en avait mis à s'élever, cet acrobate phénoménal sur qui les lois de la pesanteur semblaient n'avoir aucune prise, fut célèbre et dans le monde entier.
Francis DE MIOMANDRE, la Danse, p. 57.

(En parlant du cœur). *Le cœur bondit,* (vx) se soulève (de dégoût, etc.) ; (mod.) accélère ses battements (sous l'effet d'une émotion, ci-dessous, cit. 9, 10). *Faire bondir le cœur :* (vx) soulever, lever le cœur (ci-dessous, cit. 8) ; (mod.) émouvoir fortement.

8 La reine Gisèle était toute courbée, toussant et crachant toute la journée avec une saleté qui faisait bondir le cœur (...)
FÉNELON, XIX, 17, *in* LITTRÉ.

9 Le cœur lui bondissait d'inquiétude et de colère, la sueur lui coulait du front.
G. SAND, la Mare au diable, XIII, p. 115.

10 Et de songer qu'une femme pareille avait acheté son volume, son cœur bondissait d'orgueil.
Alphonse DAUDET, le Petit Chose, II, 9.

(Sujet n. de personne). Réagir soudainement et fortement sous l'effet d'une émotion vive. *Bondir de... Bondir d'inquiétude, d'indignation, de colère, d'impatience, de surprise, de joie.* ⇒ **Sauter.** — (Sans compl.). *À ces mots, il bondit. Cela me fait bondir.*

11 Boileau bondit d'indignation en songeant que Corneille ne distingue pas Lucain de Virgile.
Émile FAGUET, XVIIᵉ s., Études littéraires, p. 359.

♦ **3.** (Le sujet désigne un objet lancé). Faire un ou plusieurs bonds (⇒ **Bond,** 2.). *Une balle bondit et rebondit.* ⇒ **Rebondir.** — (Le sujet désigne un liquide qui jaillit ou rejaillit, le feu, etc.). Littér. *La mer bondissait sur les rochers. Des flammes bondissaient.*

12 Pourquoi bondissez-vous sur la plage écumante,
Vagues dont aucun vent n'a creusé le sillon ?
LAMARTINE, Harmonies..., I, 3.

13 La chaloupe partit (...) Elle s'en allait toute penchée sous le vent d'Ouest ; elle bondissait sur les lames avec un son creux de tambour, et à chaque saut qu'elle faisait, une masse d'eau de mer venait se plaquer sur eux (...)
LOTI, Mon frère Yves, III, p. 17.

13.1 Par instants, un remous creuse un sillon profond ; une germe d'écume bondit.
GIDE, Voyage au Congo, *in* Souvenirs, Pl., p. 692.

(Sujet n. de personne). Aller vivement, impétueusement. ⇒ **Courir,**

élancer (s'). *Bondir de, hors de...* (⇒ **Jaillir, sortir),** *dans..., sur..., vers... Elle bondit à la porte, au téléphone, vers le téléphone. Au moment de l'assaut, les poilus bondissaient des tranchées.* — Se rendre rapidement (quelque part). « *Je bondis plutôt que je ne courus place des Barricades* » (Verlaine, *Œuvres posthumes,* 1896, *in* T. L. F.).

▶ **BONDISSANT, ANTE** p. prés. et adj.

Qui bondit. *Des chevreaux bondissants.* ⇒ **Capricant.** *Un torrent bondissant. Le Basque bondissant,* surnom donné au champion de tennis Borotra.

14 Semblable, dans ses sauts hardis et dans sa légère démarche, à ces animaux vigoureux et bondissants, il *(Cyrus)* ne s'avance que par vives et impétueuses saillies (...)
BOSSUET, Oraison funèbre du prince de Condé.

15 O que n'ai-je entendu ces bondissantes eaux,
Ces fleuves, ces torrents (...)
André CHÉNIER, Élégies, XXXVII, « Aux deux frères Trudaine ».

16 Ce saut *(l'assemblé)* est très employé dans les danses dynamiques et pour obtenir des effets bondissants.
Marcelle BOURGAT, Technique de la danse, p. 53 (→ Assemblé, cit.).

Fig. et littér. Qui réagit à une émotion intense. *Poitrine bondissante, sein bondissant.* ⇒ **Haletant ; agité, ému.**

Par ext. *Allure bondissante.*

CONTR. Immobile (rester), immobiliser (s').
DÉR. Bond, bondissement.
COMP. Rebondir.

BONDISSANT, ANTE [bɔ̃disɑ̃, ɑ̃t] adj. ⇒ **Bondir** (p. prés.).

BONDISSEMENT [bɔ̃dismɑ̃] n. m. — 1547 ; « retentissement », 1379 ; de *bondir.*

Littéraire ou style soutenu.

♦ **1.** Action de bondir, suite de bonds. *Les bondissements du cabri.* ⇒ **Bond, saut.**

Les secousses des montagnes et des collines, ébranlées par un violent tremblement de terre, sont fidèlement représentées par les bondissements d'un troupeau (...)
LAHARPE, *in* LAFAYE, Dict. des synonymes, Bond, bondissement.

(Choses). *Les bondissements d'une cascade.*

♦ **2.** Littér. *Bondissement du cœur,* (vx) soulèvement (⇒ **Nausée**) ; (mod.) élan ou vive réaction. — « *Des bondissements intérieurs* » (Flaubert).

BONDON [bɔ̃dɔ̃] n. m. — V. 1300 ; de *bonde.*

Technique.

♦ **1.** Morceau de bois court et cylindrique servant à boucher la bonde* d'un tonneau. ⇒ **Bouchon.** — La bonde elle-même.

♦ **2.** (1834). Petit fromage cylindrique à pâte molle.

(...) un de ces fromages de Neufchâtel, qui, en forme de ce bouchon de bois qu'on met à la bonde des tonneaux, en ont pris le nom de bonde.
FRANCE, le Petit Pierre, XVII.

Var. : *bonde* (1880), *bondard* (1856, Hugo).

DÉR. Bondonner, bondonnière.

BONDONNER [bɔ̃dɔne] v. tr. — 1571 ; de *bondon.*

♦ Techn. Boucher avec un bondon (1.). — Par métonymie. *Bondonner de la bière, du vin.*

DÉR. Débondonner.

BONDONNIÈRE [bɔ̃dɔnjɛʀ] n. f. — XVIᵉ ; de *bondon.*

♦ Techn. Tarière servant à percer des bondes (instrument de tonnelier).

BONDRÉE [bɔ̃dʀe] adj. et n. f. — 1534, Rabelais ; p.-ê. du breton *bondrask* « grive ».

♦ *Buse bondrée* ou *bondrée :* oiseau rapace insectivore diurne (nom sc. : *pernis ; Aquilidés*). *Bondrée apivore.*

REM. L'orig. supposée du mot, certains emplois (« *les ululations des orfraies, des bondrées et des chouettes* », Gautier, *le Capitaine Fracasse*) donnent à penser que le mot désigne plusieurs oiseaux différents, régionalement.

BONDUC [bɔ̃dyk] n. m. — 1751 ; arabe *bŭndŭq* « noisette ».

♦ Rare. Arbrisseau épineux des Tropiques aussi appelé *cniquier* (*Césalpinées*). *Graines de bonduc aux propriétés toniques et anthelminthiques.*

BONELLIE [bɔneli] n. f. — 1822 ; du nom d'un naturaliste italien, F. A. *Bonelli,* mort en 1830.

♦ *Zool.* Ver marin (*Échiuriens*) caractérisé par un dimorphisme sexuel très important (femelle jusqu'à 1 m ; mâle, 2 à 3 mm). *Les larves de bonellie fixées sur la femelle deviennent mâles ; les larves libres restent femelles.*

BON ENFANT [bɔnãfã] adj. invar. — 1560 ; de 1. *bon*, et *enfant*.

♦ Qui a une gentillesse simple et naïve. → Bon, cit. 54, 54.1 et 55. ⇒ **Bonhomme.** *Un air, un comportement bon enfant. Elle est bon enfant.*

Subst. → Bon, cit. 54.

DÉR. Bonenfantise.

BONENFANTISE [bɔnãfãtiz] n. f. — Fin xixᵉ ; de *bon enfant*.

♦ *Rare.* Qualité d'une personne bon enfant ; gentillesse simple et bienveillante.

1　Le public est bon enfant, la critique est résignée. Cependant il ne faudrait pas abuser de cette bonenfantise et de cette résignation.
　　　　　　　　Le Charivari, Carnet d'un actualiste, 4 juil. 1891.

REM. On trouve dans le même sens *bonne enfance* (inus.), chez les Goncourt, ... et *bon-enfantisme,* chez Maupassant.

2　Leroy (...) cache, sous des apparences de truculence et de férocité physique, une parfaite bonne enfance et des idées pas mal prudhommesques.
　　　　　　　　Ed. et J. DE GONCOURT, Journal, t. I, p. 43.

3　Ils sont si simples, braves gens, c'est vrai, pleins de bon-enfantisme (...)
　　　　　　　　MAUPASSANT, Lettre à Flaubert, 13 mars 1884.

BON GARÇON [bõgaRsõ] adj. m. — xixᵉ ; de 1. *bon* (I., B., 3.), et *garçon.*

♦ *Fam.* Qui est gentil, complaisant (d'un homme). *Il est plutôt bon garçon. Des camarades bons garçons.*

DÉR. Bongarçonnisme.

BONGARÇONNISME [bõgaRsɔnism] n. m. — 1883, *in* D.D.L. ; de *bon garçon.*

♦ *Vieilli.* Qualité de bon garçon, caractère de bon garçon, d'un homme bon garçon. ⇒ **Garçonnisme** (cit.). — REM. On écrit aussi *bon-garçonnisme.*

1　Ce misérable est doué d'une voix loyale, d'un bongarçonnisme qui le fait cher à ses comparses.　　J. H. ROSNY, Un autre monde, p. 233 (1898), *in* D.D.L., II, 5.

2　Les exigences des directeurs, les réclamations des interprètes, les suggestions des collaborateurs que son bon-garçonnisme (sic) lui faisait prendre (...)
　　　　　　　　Francis JOURDAIN, Sans remords ni rancune, Ceux de Carnetin, p. 166.

3　Si je lui soutenais qu'elle est une entremetteuse inefficace, que répondrait-elle ? Elle riait. Parfois ce mélange de mondanité et de bon-garçonnisme m'exaspère.
　　　　　　　　Violette LEDUC, la Folie en tête, p. 36.

BONGARE [bõgaR] n. m. ⇒ **Bungare.**

BONGEAU [bõʒo] n. m. ⇒ **Bonjeau.**

BON-HENRI [bõãRi] ou [bõnaRi] n. m. — 1545 ; du lat. médiéval *bonus henricus*, p.-ê. calque de l'all. *guter heinrich* (1460).

♦ Plante herbacée (*Chénopodiacées*) à feuilles comestibles. ⇒ **Chénopode.** Syn. cour. : *épinard sauvage.*

BONHEUR [bɔnœR] n. m. — V. 1121 ; de 1. *bon*, et *heur.*

★ **I.** ♦ **1.** (*Un, des bonheurs*). Chance* ; événement heureux. ⇒ **Fortune, heur** (vx). *Un bonheur imprévu, inespéré. Le sort, la Providence, Dieu lui a accordé ce bonheur.* ⇒ **Bénédiction, faveur.** *Il lui est arrivé un grand bonheur.*

1　Depuis un certain temps, il lui est arrivé des bonheurs de toutes sortes (...)
　　　　　　　　Thomas CORNEILLE, Remarques, *in* LITTRÉ.

♦ **2.** (*Le, du bonheur*). ⇒ **Chance.** *Un coup de bonheur.* ⇒ **Aubaine, occasion** (bonne occasion).

2　Enfin je suis touchée au cœur sensiblement ;
　Et si jamais celui de ce perfide amant,
　Par un coup de bonheur, dont j'aurois tort, je pense,
　De vouloir à présent concevoir l'espérance (...)
　Quand, dis-je (...)
　Il reviendrait m'offrir sa vie en sacrifice (...)
　Je te défends surtout de me parler pour lui (...)
　　　　　　　　MOLIÈRE, le Dépit amoureux, II, 4.

Avoir du bonheur : être favorisé. *Avoir plus de bonheur que de mérite. Avoir du bonheur dans ses entreprises.* ⇒ **Réussite, succès.**

3　(...) je suis ravie du bonheur que vous avez eu à tout ce que vous avez entrepris.
　　　　　　　　Mᵐᵉ DE SÉVIGNÉ, 30, 14 juil. 1655.

4　Quand il s'agit de se précipiter dans les abîmes, les jeunes gens font preuve d'une adresse, d'une habileté singulière, ils ont du bonheur.
　　　　　　　　BALZAC, le Cabinet des Antiques, Pl., t. IV, p. 390.

Jouer de bonheur : avoir une chance inespérée ; réussir de manière inattendue.

Cour. *Porter bonheur* : porter chance (⇒ **Porte-bonheur ; fétiche, mascotte**). *Porter bonheur à qqn.*

5　Je dois dire, pour commencer, que ma naissance ne porta pas bonheur à la maison Eyssette.　　　　Alphonse DAUDET, le Petit Chose, I, 1.

Loc. fam. *Au petit bonheur ; au petit bonheur la chance* : au hasard.

6　Toutes choses, dans cette maison Baudoin, semblaient résolues au petit bonheur et le résultat sensible était un pur et grand bonheur.
　　　　　　　　G. DUHAMEL, Chronique des Pasquier, IX, 10.

Loc. adv. *Par bonheur* : par chance. ⇒ **Heureusement.**

7　Il faut, Toinette, que tu m'aides à exécuter mon dessein, et tu peux croire qu'en me servant ta récompense est sûre. Puisque, par un bonheur, personne n'est encore averti de la chose, portons-le dans son lit, et tenons cette mort cachée, jusqu'à ce que j'aye fait mon affaire.　　MOLIÈRE, le Malade imaginaire, III, 12.

8　Borée et le Soleil virent un voyageur
　Qui s'était muni par bonheur
　Contre le mauvais temps (...)　　LA FONTAINE, Fables, VI, 3.

Littér. *Avec bonheur* : avec de bons résultats, en réussissant. *Écrire, peindre avec bonheur. Exercer un métier, jouer avec bonheur.* — Vx. *En bonheur* : en ayant de la chance (syn. mod. : *en chance, en veine...*).

♦ **3.** Littér. Effet réussi obtenu par une habileté spontanée. *Des bonheurs d'expression fréquents.*

★ **II.** (xvᵉ). ♦ **1.** (*Le*) *bonheur,* absolt ; *le bonheur de qqn, un bonheur* (qualifié) : état de la conscience pleinement satisfaite. ⇒ **Béatitude, bien-être, félicité, plaisir, prospérité ; ataraxie, bien, consolation, contentement, délices, enchantement, euphorie, extase, joie, ravissement, satisfaction.**

9　(...) Ce qui, dans l'usage, distingue surtout *bonheur* de ses synonymes, c'est la fréquence de l'emploi que l'on en fait : il peut servir à définir les autres mots de cette famille (...) Le *plaisir* est le *bonheur* d'un instant, un élément du *bonheur* (...) le *bien-être* est le *bonheur* physique, sorte de *bonheur* qu'on goûte (...) sans avoir besoin de posséder ou de développer la sensibilité morale (...) La *béatitude* (...) est le *bonheur* destiné dans une autre vie à ceux qui auront pratiqué la vertu dans celle-ci (...) La *prospérité* est le *bonheur* objectif ou extérieur (...) la *félicité* est le *bonheur* subjectif (...) le *contentement* de l'âme.
　　　　　　　　LAFAYE, Dict. des synonymes, Bonheur, chance.

Bonheur parfait, durable, certain, bonheur sans mélange, sans nuage. Bonheur suprême, ineffable, céleste (cf. Septième ciel) ; *souverain bonheur. Bonheur extrême, intense. Le bonheur à pleins bords.* → Plénitude, cit. 8. *Un bonheur sans mélange* (cit. 6). *Le Bonheur fou,* roman de Giono. *Bonheur paisible.* ⇒ **Calme, paix, sérénité.** *Bonheur instable, menacé, précaire, imparfait, mêlé de peine ; un pauvre bonheur. — Le bonheur.* ⇒ **Multitude,** cit. 13 ; nivellement, cit. 3 ; paisible, cit. 6. *Aptitude* (cit. 5) *au bonheur. Appétit* (cit. 23), *désir, recherche du bonheur.* ⇒ **Eudémonisme.** *Tendre vers le bonheur ; aspirer au bonheur. Goûter le bonheur, jouir du bonheur.* ⇒ **Bienheureux, heureux.** *Le bonheur de qqn ; son bonheur. Rien ne trouble, ne gâche, n'assombrit son bonheur. Envier le bonheur d'autrui. Contribuer au bonheur ; souhaiter à qqn du bonheur, beaucoup de bonheur à qqn. Souhaits de bonheur.* ⇒ **Bénédiction, vœu.** *Faire le bonheur de qqn, le rendre heureux.* Fam. *Si ce crayon,* etc. *peut faire votre bonheur, vous être utile.* — (Marques extérieures). *Des regards brillants, étincelants de bonheur ; un visage illuminé, transfiguré par le bonheur. Être éclatante de bonheur. L'auréole* (cit. 7) *du bonheur.*

10　Dans le bonheur d'autrui je cherche mon bonheur.　　CORNEILLE, le Cid, I, 3.

11　Nous cherchons le bonheur, et ne trouvons que misère et mort. Nous sommes incapables de ne pas souhaiter la vérité et le bonheur, et sommes incapables ni de certitude, ni de bonheur.　　PASCAL, Pensées, VII, 437.

12　Le bonheur est un état permanent qui ne semble pas fait ici-bas pour l'homme. Tout est sur la terre dans un flux continuel qui ne permet à rien d'y prendre une forme constante.　　ROUSSEAU, Rêveries, 9ᵉ Promenade.

13　Tout homme veut être heureux ; mais, pour parvenir à l'être, il faudrait commencer par savoir ce que c'est que le bonheur.　　ROUSSEAU, Émile, III.

14　Il faut se faire un bonheur qui nous suive dans tous les âges ; la vie est si courte, que l'on doit compter pour rien une félicité qui ne dure pas autant que nous.
　　　　　　　　MONTESQUIEU, Disc. du 15 nov. 1725, *in* Œ. compl., p. 578.

15　Pour jouir de ce bonheur qu'on cherche tant et qu'on trouve si peu, la sagesse vaut mieux que le génie, l'estime que l'admiration, et les douceurs du sentiment que le fracas de la renommée.　　D'ALEMBERT, Éloges, Saci.

16　Il en est du bonheur comme des montres : les moins compliquées sont celles qui se dérangent le moins.　　CHAMFORT, Maximes et pensées, III.

17　Le vrai bonheur coûte peu ; s'il est cher, il n'est pas d'une bonne espèce.
　　　　　　　　CHATEAUBRIAND, Mémoires d'outre-tombe, I, 2.

18　Au banquet du bonheur bien peu sont conviés.
　Tous n'y sont point assis également à l'aise.
　Une loi, qui d'en bas semble injuste et mauvaise,
　Dit aux uns : *Jouissez !* aux autres : *Enviez.*
　　　　　　　　HUGO, les Feuilles d'automne, XXXII, « Pour les pauvres ».

19　Vous me demandez où est le bonheur dans ce monde : après de nombreuses expériences, je me suis convaincu qu'il n'est que dans le contentement de soi-même (...)
　　　　　　　　E. DELACROIX, Écrits, t. II, p. 5.

20　Le bonheur ne serait-il point de faire semblant de faire par passion ce que l'on fait par intérêt ?　　STENDHAL, Journal, p. 51.

21　L'âme se rassasie de tout ce qui est uniforme, même du bonheur parfait.
　　　　　　　　STENDHAL, De l'amour, II, 45.

22　La jouissance du bonheur amoindrira toujours le bonheur.
　　　　　　　　BALZAC, Massimilla Doni, Pl., t. IX, p. 334.

23　Le bonheur est un mensonge dont la recherche cause toutes les calamités de la vie.
　　　　　　　　FLAUBERT, Correspondance, t. I, p. 196.

24 Le bonheur, c'est le dévouement à un rêve ou à un devoir ; le sacrifice est le plus sûr moyen d'arriver au repos. RENAN, Souvenirs d'enfance..., VI, p. 103.

25 On n'est pas heureux. Notre bonheur, c'est le silence du malheur. J. RENARD, Journal, 21 sept. 1894.

26 Le bonheur est de connaître ses limites et de les aimer. R. ROLLAND, Jean-Christophe, t. VIII, p. 179.

27 (...) le bonheur n'est pas le fruit de la paix ; le bonheur c'est la paix même. ALAIN, Propos sur le bonheur, p. 191.

28 (...) ce prolongement, cette multiplication possible de soi-même qui est le bonheur. PROUST, À la recherche du temps perdu, À l'ombre des jeunes filles..., 3.

29 On ne connaît pas son bonheur. On n'est jamais aussi malheureux qu'on croit. PROUST, À la recherche du temps perdu, t. II, p. 184.

30 Que n'as-tu donc compris que tout bonheur est de rencontre et se présente à toi dans chaque instant comme un mendiant sur ta route. GIDE, les Nourritures terrestres, p. 42.

31 Que l'homme est né pour le bonheur, certes toute la nature l'enseigne. GIDE, les Nouvelles Nourritures, I.

32 Envier le bonheur d'autrui, c'est folie. On ne saurait pas s'en servir. Le bonheur ne se veut pas tout fait, mais sur mesure. GIDE, l'Immoraliste, p. 169.

33 Ainsi Pausole connaissait l'art d'échapper à tous les regrets en changeant la définition du bonheur sous la dictée des circonstances. Pierre LOUŸS, les Aventures du roi Pausole, II, II, p. 81.

34 Car il n'y a pas d'autre bonheur pour l'homme que de donner son plein. CLAUDEL, Feuilles de Saints, L'architecte.

34.1 À leurs yeux (des mâles), le bonheur est un état négatif (...) C'est un homme, Goethe, qui a parlé du « devoir du bonheur ». Et c'est un homme encore, Stendhal, qui a écrit ce mot magnifique, et qui va si loin (il contient toute une philosophie et toute une morale) : « Je ne respecte rien au monde comme le bonheur. » Mais ces hommes-là étaient des hommes supérieurs (...) La femme, au contraire, se fait une idée positive du bonheur. C'est que, si l'homme est plus agité, la femme est plus vivante. MONTHERLANT, les Jeunes Filles, 1936, p. 1003.

35 — « Oh, tu sais », murmura-t-il, « le bonheur, ça n'est pas une timbale qu'on décroche (...) C'est surtout une aptitude, je crois. Peut-être que je ne l'ai pas. » MARTIN DU GARD, les Thibault, t. V, p. 206.

36 « Ce qu'il y a d'admirable dans le bonheur des autres », dit-il (Proust) un jour à Antoine Bibesco, « c'est qu'on y croit. » A. MAUROIS, À la recherche de Marcel Proust, IV, p. 118.

36.1 « Vous savez bien, disait abruptement le général de Gaulle, que le bonheur n'existe pas, c'est le rêve des idiots ! » Il entendait par là que le bonheur ne serait concevable que comme un plaisir vainqueur du temps, que bonheur signifiait l'impossible accord du plaisir et de la durée, dont les hommes éprouvent à la fois la fascination et l'antinomie. MALRAUX, l'Homme précaire et la Littérature, p. 307.

36.2 (...) le bonheur n'est peut-être qu'un malheur mieux supporté. M. YOURCENAR, Alexis, p. 104.

(Dans un contexte politique et social). Le bonheur des hommes, des peuples, du peuple. Le roi était censé régner pour le bonheur de ses sujets.

(Dans un contexte religieux). Bonheur éternel, céleste (des élus). Bonheur du nirvâna*. — Le bonheur de... (suivi de l'inf.), celui qu'on éprouve à... Le bonheur de faire qqch., de voyager.

♦ 2. Par ext. Ce qui rend heureux. C'est un grand bonheur pour moi de collaborer avec vous. Les petits bonheurs. — Par exagér. Avoir le bonheur de..., formule de civilité. ⇒ Agrément, avantage, plaisir. Depuis que j'ai eu le bonheur de vous connaître.

37 Vous savez quel crédit ce mensonge a sur nous.
S'il procure à mes vers le bonheur de vous plaire (...) LA FONTAINE, À Mme de Montespan.

Prov. L'argent ne fait pas le bonheur. Le malheur des uns fait le bonheur des autres.

♦ 3. En interj. O bonheur ! quel bonheur ! ⇒ Joie.

38 « Oh ! quel bonheur... comme vous êtes gentil... Tenez, maintenant je puis vous le dire, j'en ai pleuré toute la nuit. » Alphonse DAUDET, l'Immortel, p. 156.

CONTR. Malheur. — Adversité, calamité. — Contre-temps, déboire, désastre, déveine, échec, guignon, infortune, malchance, revers. — Angoisse, anxiété, douleur, inquiétude, misère, peine, souffrance, trouble.
COMP. Bonheur-du-jour.

BONHEUR-DU-JOUR [bɔnœrdyʒur] n. m. — V. 1760 ; de bonheur, du, et jour.

♦ Petit bureau d'une facture très soignée, composé d'une table et, en retrait, de casiers ouverts ou fermés par des vantaux pleins ou vitrés. Un bonheur-du-jour en marqueterie, en bois de rose. → Merveille, cit. 3. Des bonheurs-du-jour.

REM. Si le nom du meuble est tiré de la grande vogue que ce dernier connut au XVIIIe s., il n'est pas étranger non plus à sa position dans une pièce (généralement près d'une fenêtre, ou entre deux fenêtres, et éclairé par la lumière du jour).

Des bonheurs-du-jour Louis XV-Eugénie détonent au milieu des vieux bahuts flamands et des honnêtes meubles Restauration. M. YOURCENAR, Archives du Nord, p. 186.

BONHOMIE [bɔnɔmi] n. f. — 1758 ; bonhommie, 1736 ; de bonhomme.

♦ 1. Simplicité dans les manières, unie à la bonté du cœur. ⇒ Affabilité, bonté, douceur, gentillesse, simplicité ; bonhomme, adj. (II.). Une douce, une aimable, une charmante bonhomie. Une apparente, une fausse bonhomie. Bonhomie béate et paterne (cit. 2). Une rude bonhomie. Une bonhomie bienfaisante. La bonhomie de qqn. Sa

bonhomie appelle la confiance. Absolt. Parler, rire, accueillir qqn avec bonhomie. Il manque de bonhomie.

Il ne faut pas que la bonhomie nous fasse oublier toute considération de dignité et de bienséance. GRIMM, Lettre du 3 avr. 1758, in BRUNOT. 1

C'est de cette retraite que je vous dis que votre procédé me désarme pour jamais, que bonhomie vaut mieux que raillerie. VOLTAIRE, Lettre à Trublet, 27 avr. 1761. 2

(...) il (Haëndel) mêlait à une force colérique qui matait les résistances, une spirituelle bonhomie qui savait panser les blessures d'amour-propre qu'il avait causées (...) R. ROLLAND, Voyage musical au pays du passé, p. 58. 3

(...) il y a dans le ton de sa voix plus de bonhomie que d'indiscrète familiarité (...) GIDE, Journal, 17 août 1914. 4

Son hochement de tête exprime une indulgente, une tendre bonhomie. N. SARRAUTE, le Planétarium, p. 139. 5

REM. Le terme s'applique généralement à un homme, plus rarement à une femme. « Avec la bonhomie de l'innocence, si le mot bonhomie ne rougissait pas de se voir employé à l'occasion d'une femme qui avait de si belles poses dans sa bergère » (Stendhal, Armance, 1827, p. 89).

Marie avait beaucoup de bonhomie, de simplicité, de naturel. PROUST, Jean Santeuil, Pl., p. 581. 6

(Avec une valeur péj.). Complaisance naïve ou excessive. ⇒ Bonasserie.

♦ 2. Rare. (Une, des bonhomies). Manière, parole pleine de bonhomie. « Ses obstinations emportées, ses soudaines bonhomies » (G. Sand, in T. L. F.).

♦ 3. (Choses ; actions). Caractère de simplicité aimable. La bonhomie de son accueil, de ses manières, d'un récit. Un style plein de bonhomie.

CONTR. Affectation, arrogance, hauteur, jactance, outrecuidance, suffisance. — Dissimulation, duplicité, finesse, incrédulité.

BONHOMME [bɔnɔm], BONSHOMMES [bɔ̃zɔm] n. m. — XIIe, « homme bon » ; « paysan, manant », XIIIe ; de 1. bon, et homme.

★ I. N. m. (Plur. bonshommes [bɔ̃zɔm]). ♦ 1. Vx. Homme plein de bonté, de simplicité (→ ci-dessous II., adj.). Le bonhomme La Fontaine. ⇒ Bon.

Je trouve irrespectueux d'appeler La Fontaine « le bonhomme ». J. RENARD, Journal, 19 janv. 1909. 0.1

Le moine (envoyé en prison à Barbezières) se trouva un bonhomme qui, gagné par la compassion, alla avertir M. de Vendôme (...) SAINT-SIMON, Mémoires, 133, 224, in LITTRÉ. 1

Loc. Faire le bonhomme : affecter la bonté et la simplicité, par malice. Un faux bonhomme. ⇒ Hypocrite, patelin, simulateur.

♦ 2. Vx. Homme simple, peu avisé et crédule. ⇒ Naïf, n. Un bonhomme que tout le monde trompe. Son bonhomme de mari.

C'est un « bon homme » (...) appréciez ces mots à leur vraie valeur (...) ils signifient : c'est un mannequin, dont on tire les cordes comme on veut. Camille DESMOULINS, in BRUNOT, Hist. de la langue franç., p. 131. 2

Je ne suis pas du tout un monstre, mais un bonhomme que vous avez rendu méchant (...) oui, je suis un bonhomme, un homme du commun, comme on me le corne sans cesse aux oreilles ; eh bien ! tout bonhomme, tout commun que je suis, si j'avais arraché cette décoration par mon importunité, si je le devais à l'intrigue, je rougirais de la porter (...) Henri MONNIER, Scènes populaires, « Les bourgeois campagnards », 10, p. 360. 2.1

♦ 3. (1360). Collectif. Vx. Paysan. Le militaire vivait aux dépens du bonhomme. Cf. Jacques Bonhomme, surnom du paysan français de l'Ancien Régime.

♦ 4. (1536). Vx. Homme d'un âge mûr ou avancé.

(...) en Touraine, en Anjou, en Poitou, dans la Bretagne, le mot bonhomme, déjà souvent employé pour désigner Grandet, est décerné aux hommes les plus cruels comme aux plus bonasses, aussitôt qu'ils sont arrivés à un certain âge. Ce titre ne préjuge rien sur la mansuétude individuelle. BALZAC, Eugénie Grandet, éd. 1834, p. 124. 3

♦ 5. (Appellatif). Vx. Terme familier et hautain adressé à un homme d'une condition inférieure. Passez votre chemin, bonhomme. ⇒ Manant, maraud.

Par allus. au sens 3, « paysan ».

(La pauvre vieille) va ramasser du bois mort
Pour chauffer bonhomme
Bonhomme qui va mourir
De mort lente Georges BRASSENS, Chansons, « Bonhomme ». 3.1

Mod. Terme familier adressé à un petit garçon. Salut, bonhomme ! Dis donc, bonhomme, tu ne pourrais pas nous laisser tranquilles ? Tu ne perds rien pour attendre, mon bonhomme. (Pour lui témoigner directement ou indirectement son affection). Viens t'asseoir ici, mon bonhomme.

(Adressé à un homme quelconque avec mépris). Cause toujours, mon bonhomme !

♦ 6. Petit bonhomme : petit garçon. Ce petit bonhomme a déjà cinq ans.

On ne manqua pas de faire beaucoup babiller le petit bonhomme. ROUSSEAU, Émile, II. 4

REM. L'emploi du syntagme pour désigner un jeune homme (Duhamel, in T. L. F.) est stylistique et péjoratif.

5   — Mais alors, il y a une différence immense entre une toilette de Callot et celle d'un couturier quelconque? demandai-je à Albertine. — Mais énorme, mon petit bonhomme, me répondit-elle. Oh! pardon.
PROUST, À l'ombre des jeunes filles en fleurs, Folio, p. 568.

L'emploi de *bonhomme,* seul, en parlant d'un enfant, est stylistique mais sans péjoration.

6   C'était un bonhomme de cinquante ans qui menait par la main un bonhomme de six ans. Sans doute le père avec son fils. Le bonhomme de six ans tenait une grosse brioche.
HUGO, les Misérables, t. II, 1862, p. 468, *in* T.L.F.

(En appellatif). *Bonjour, mon petit bonhomme !*

(Appellatif tendre, pouvant s'adresser à une femme, assimilée à un enfant). *« Chérie ! petit bonhomme ! mon chou ! »* (Audiberti, *in* T. L. F.).

♦ **7.** Fam. et cour. Homme. ⇒ **Type.** *Un drôle de bonhomme. Entrer dans la peau du bonhomme,* du personnage. *Maman, y a un bonhomme qui veut te parler. — On ne dit pas « un bonhomme »,* on dit « un monsieur ». *Un petit bonhomme rigolo. Un gros bonhomme. Un sale bonhomme. Il y avait trois bonnes femmes* et un bonhomme.* → fam. Mec.

7   Oui, j'ai connu quelques bonhommes comme cela. C'est ridicule, mais c'est plutôt touchant.
J. DUTOURD, les Horreurs de l'amour, p. 414.

(Avec une nuance admirative). *C'est un sacré bonhomme. Quel bonhomme !* ⇒ **Monsieur.** *Un grand bonhomme.*

REM. Le mot est d'un emploi familier et usuel, mais a des connotations très différentes de ses équivalents *type, mec,* etc.; il évoque souvent un discours enfantin.

Spécialt. Homme (de troupe).

♦ **8.** (1831). Figure humaine dessinée ou façonnée grossièrement. *Dessiner des bonshommes. Un bonhomme en pain d'épice. Un bonhomme de neige.*

Psychol. *Test du (petit) bonhomme,* dans lequel on fait dessiner à un enfant un personnage.

♦ **9.** Loc. (1803). *Aller, poursuivre son petit bonhomme de chemin :* poursuivre ses entreprises sans hâte, sans bruit, mais sûrement.

8   Nous avons été bien battus et mis à la raison par les vieux. Ils ont continué leur petit bonhomme de chemin entre la paix et la guerre.
DRIEU LA ROCHELLE, la Comédie de Charleroi, p. 122 (1934).

9   D'une manière, l'idée n'était pas si mauvaise de le laisser continuer seul son bonhomme de chemin : il aurait pu aussi bien nous conduire quelque part.
BERNANOS, Un crime, *in* Œ. roman., Pl., p. 821.

Nom d'un petit bonhomme !, sorte de juron familier.

10   Et au dessert... nous mangerons des huîtres, nom d'un petit bonhomme !
E. LABICHE, Un monsieur qui a brûlé une dame, 2.

★ **II.** Adj. (Plur. *bonhommes*). ♦ **1.** Vieilli. Bon et secourable. ⇒ **Bienveillant.**

♦ **2.** Littér. Plein de bonhomie*; qui marque la bonhomie. *Il est assez bonhomme. Un rire, un accent bonhomme.* ⇒ **Affable, aimable, gentil ; conciliant, facile.**

Par anal. (choses) :

11   Si tu étais aussi aimable que moi c'est-à-dire que si tu prenais un format de papier qui fût un peu bonhomme comme le mien, tes lettres seraient doubles en longueur, je les aimerais doublement (...)
FLAUBERT, Lettre à Ernest Chevalier, *in* Correspondance, t. I, Pl., p. 59.

DÉR. **Bonhomie.**

BONI [bɔni] n. m. — 1612 ; génitif du lat. *bonus* « bon », dans l'expression *aliquid boni* « quelque chose de bon ».

♦ **1.** Fin., dr., comm. Excédent d'une somme affectée à une dépense sur la somme effectivement dépensée; surplus* d'une recette sur les prévisions. ⇒ **Bénéfice, bonification, excédent, guelte, revenant-bon.** *Boni de liquidation. Mille francs de boni. Des bonis.*

♦ **2.** Avantage accordé à un employé, sous forme d'excédent de salaire.

(...) mis en verve par les vins de France, il raconte sa vie aux gardes-nobles, les bonis du métier, l'espoir qu'ils ont tous en entrant là de faire un beau mariage, de conquérir un jour d'audience pontificale, quelque riche anglaise catholique (...)
Alphonse DAUDET, l'Immortel, p. 127.

CONTR. **Déficit, moins-value, perte.**
DÉR. 2. **Bonifier.**

BONICHE ou BONNICHE [bɔniʃ] n. f. — 1863, *in* D.D.L.; de *bonne.*

♦ Péj. et vieilli. Jeune bonne. (Vieilli). Bonne* (2.). *Une petite boniche. Elle est habillée comme une boniche.* — REM. Le mot, d'abord diminutif familier relativement neutre, est devenu insultant.

Une petite bonniche n'a pas le moyen de se payer des mélancolies de millionnaire, voyez-vous !
BERNANOS, la Joie (1929), *in* Œ. roman., Pl., p. 618.

BONICHON [bɔniʃɔ̃] n. m. — 1867 ; dimin. de *bonnet.*

♦ Fam. et vieilli. Petit bonnet.

Elle lui avait acheté à *la Samaritaine* de luxe des ensembles ravissants, un rose, un bleu, un jaune citron : la robe et le manteau, ultra-courts comme il convenait, un bonichon assorti.
Denyse VAUTRIN, le Tourbillon des jours, t. II, p. 243.

BONIFACE [bɔnifas] adj. et n. — 1690, Furetière, n. propre, de *bonum* (bon) *fatum* (destin).

♦ Fam. et vx (régional). Se dit d'une personne simple, crédule et niaise. ⇒ **Bonasse, bonhomme** (adj.). *Il est un peu boniface.* — N. *« Pauvres Bonifaces ! »* (Balzac).

Spécialt. Faux bonhomme (Claudel, *l'Annonce faite à Marie,* première version).

DÉR. **Bonifacement.**

BONIFACEMENT [bɔnifasmã] adv. — 1834 ; de *boniface.*

♦ Vx et régional. Bonassement.

Moi, je suis un bon vivant, un bon enfant, sans préjugés, et je vais vous dire tout bonifacement les choses.
BALZAC, la Cousine Bette, Pl., t. VI, p. 403.

1. BONIFICATION [bɔnifikasjɔ̃] n. f. — 1584 ; de 1. *bonifier.*

♦ **1.** Action d'améliorer, de rendre d'un meilleur produit. ⇒ **Amélioration.** *La bonification des terres.* ⇒ **Amendement.**

♦ **2.** Action de bonifier, d'améliorer ; son résultat ; amélioration sur le plan du caractère, du comportement.

CONTR. **Aggravation, détérioration.**

2. BONIFICATION [bɔnifikasjɔ̃] n. f. — 1712 ; de 2. *bonifier.*

♦ **1.** Action de donner à titre de boni, de surplus. ⇒ **Rabais, remise, ristourne.** Avantage fait à un souscripteur, un débiteur qui se libère par anticipation. — La somme donnée à titre de boni. *Une bonification de cent francs.*
Bonification d'intérêt(s) : prise en charge par l'État d'une partie des intérêts d'un emprunteur pour faciliter certains investissements. ⇒ **Bonifier.**

♦ **2.** (1923, *in* G. Petiot). Sport. Cycl. « Tour de France ». « Avantage accordé au coureur qui passe en tête au sommet d'un col ou à l'arrivée ; il se chiffre en minutes et secondes à retrancher du temps réel » (G. Petiot). *Bonifications d'arrivée.*

1. BONIFIER [bɔnifje] v. tr. — Déb. XVIᵉ ; lat. médiéval *bonificare,* de *bonus* « bon », et *facere.*

♦ **1.** Rendre meilleur, d'un meilleur produit. ⇒ **Améliorer.** *Bonifier les terres par l'assolement.*

Moi je travaille celle *(la terre)* que mon père a bonifiée (...)
ROUSSEAU, Émile, II.

1

♦ **2.** Améliorer (en général). *Si vous gardez votre vin dans cet appartement chauffé, vous ne le bonifierez pas.*

▶ **SE BONIFIER** v. pron.

S'améliorer. *Le vin se bonifie en vieillissant.* — Fig. *Son caractère s'est bonifié.*

L'amputation remontait à plus de vingt ans déjà, et depuis lors la résonance de la flûte s'était sans cesse améliorée, comme celle d'un violon qui se bonifie avec le temps.
Raymond ROUSSEL, Impressions d'Afrique, p. 94.

2

▶ **BONIFIÉ, ÉE** p. p. adj. *Terres bonifiées.*

CONTR. **Aggraver, avarier, corrompre, gâter.**
DÉR. 1. **Bonification.**

2. BONIFIER [bɔnifje] v. tr. — 1712 ; d'après *boni.*

♦ Fin., dr., comm. Donner à titre de boni.

(Vers 1770) « Bonifier » signifiait toujours rendre meilleur, mais il avait développé le sens *des bonis,* c'est-à-dire de faire des avantages à ceux qui anticipent leurs versements.
BRUNOT, Hist. de la langue franç., VI, p. 497 (Le recouvrement de l'impôt).

Spécialt. *Bonifier des intérêts :* régler une part des intérêts dûs par un emprunteur dans le but de faciliter des investissements déclarés d'intérêt général.

▶ **BONIFIÉ, ÉE** p. p. adj.

Qui comporte une bonification. *Bénéficier de prêts bonifiés.*

DÉR. 2. **Bonification.**

BONIMENT [bɔnimã] n. m. — 1827 ; de l'argot *bonnir,* de la variante *bonir.*

♦ **1.** Propos débité pour convaincre et attirer la clientèle (⇒ **Parade**). *Les boniments d'un bateleur, d'un charlatan.* ⇒ **Bonimenteur, bonisseur** (cit.).

Il ajouta, sur le ton d'un boniment forain avec une dernière révérence (...)
ALAIN-FOURNIER, le Grand Meaulnes, p. 81.

1

1.1 (...) une troupe ambulante qui, entassée dans une charrette et parcourant au pas les rues pleines de curieux, distribuait maints prospectus en attirant la foule par des boniments et des coups de grosse caisse.
Raymond ROUSSEL, Impressions d'Afrique, p. 227.

Discours pour vanter une marchandise, séduire le client. ⇒ **Baratin.** *Faire, débiter des boniments.*

♦ **2.** (Av. 1181). Fam. Propos artificieux, faux ou trompeur. ⇒ **Bavardage, blabla, blague, bobard.** *Raconter des boniments. Des boniments à la noix* (cit. 6) *de coco, à la graisse* (cit. 15), *à la graisse de chevaux de bois, à la manque. Pas de boniments!*

1.2 Quand elles eurent conté leur *boniment,* il plongea la main dans un tiroir, l'en retira pleine de pièces d'or qu'il remit aux visiteuses ébahies, lesquelles prirent congé de lui sans avoir entendu le son de sa voix.
Louise MICHEL, la Misère, t. I, p. 180.

1.3 Chut donc! Ainsi tout ce que vous débitiez à Pompon et à moi... la famille du Cantal, le vieux soldat retraité... C'étaient des boniments à la graisse d'oie.
P. VEBER, Loute, II, 1902, *in* D. D. L., II, 6.

Le boniment (collectif). *C'est du boniment, ton histoire!*

2 (...) tous ceux qui ont voulu organiser du travail sans luxe ni boniment (...) se sont heurtés aux mêmes refus (...)
PÉGUY, De Jean Coste, *in* Œ. en prose, 1898-1908, Pl., p. 490.

3 (...) les malfaisants gobeurs du boniment anticlérical.
Léon BLOY, le Désespéré.

Spécialt. Faire du boniment, dire des boniments à une femme, la courtiser. ⇒ **Baratin, plat.**

4 Jacques se vit donc obligé de balancer quelques boniments à madame Baponot du genre vous aimez le cinéma (...)
R. QUENEAU, Loin de Rueil, p. 112.

DÉR. Bonimenter.

BONIMENTER [bɔnimɑ̃te] v. intr. — 1833, *in* Larchey; de *boniment.*

♦ **1.** Faire le boniment (1.).

Je l'ai connu alors qu'il bonimentait à l'Anatomic' Hall que mon père fournissait en figures de cire. Il avait à peine dix-huit ans et il avait déjà un bagout du tonnerre de Dieu pour exhiber ses saloperies.
R. QUENEAU, Pierrot mon ami, éd. L. de Poche, p. 119.

♦ **2.** Rare. Raconter des boniments (2.).

DÉR. Bonimenteur.

BONIMENTEUR, EUSE [bɔnimɑ̃tœʀ, øz] n. m. — 1894; de *bonimenter.*

♦ **1.** Personne qui fait le boniment (1.). ⇒ **Bonisseur.** — REM. Le féminin est rare.

(...) une éruption du Vésuve à la manière du XVIIIᵉ siècle finissant, avec des bonimenteurs, deux ou trois lingères et, par-dessus la peinture naïve, comme un refrain de Rossini (...)
Alain BOSQUET, les Bonnes Intentions, 1975, p. 89.

♦ **2.** Rare. Personne qui raconte des boniments (2.).

BONIR [bɔniʀ] v. tr. ⇒ **Bonnir.**

BONISSEUR [bɔnisœʀ] n. m. — 1820; de *bonir, bonnir*.

♦ Forain, camelot qui débite un boniment pour attirer le public. ⇒ **Bonimenteur** (1.).

Le bonisseur vint voir s'il pouvait y aller. On pouvait commencer. Il fit donc fonctionner le piqueupe qui se mit à débagouler Travadja la moukère et le Boléro de Ravel, et, lorsque des luxurieux supposant quelque danse du ventre se furent arrêtés devant l'établissement, il dégoisa son boniment
R. QUENEAU, Pierrot mon ami, éd. L. de Poche, p. 67.

REM. Le mot est plus technique que *bonimenteur;* le fém. *bonisseuse* est virtuel.

BONITE [bɔnit] n. f. — V. 1525; esp. *bonito,* par l'ital., probablt du rad. lat. *bonus* «bon», comme l'adj. esp. *bonito.*

♦ Thon* de la Méditerranée scientifiquement appelé *pelamys. Bonite à dos rayé; à ventre rayé.*

L'eau est calme. Un air plus frais annonce le large, l'Océan Indien.
Paul MORAND, Rien que la terre, p. 221 (1926).

BONJEAU, BONJOT ou **BONGEAU** [bɔ̃ʒo] n. m. — XVIIIᵉ; dimin. de l'anc. picard *bonge* «fagot»; flamand *bondje* «petite botte».

♦ Techn. Botte de lin immergée pour le rouissage.

BONJOUR [bɔ̃ʒuʀ] n. m. et interj. — Déb. XIIIᵉ, *bonjor* «bon jour»; sens mod.; XVᵉ; de 1. *bon,* et *jour.*

A. N. m. (avec ou sans article). ♦ **1.** Le fait de saluer en souhaitant une bonne journée; parole par laquelle on salue une personne rencontrée.

(Avec l'article). Vieilli ou régional. *Donner* (vx), *souhaiter le bonjour à qqn. Donner, envoyer le bonjour à qqn de la part de qqn.*

---

1 (...) il (*Harpagon*) ne dit jamais : *Je vous donne,* mais : *Je vous prête le bonjour.*
MOLIÈRE, l'Avare, II, 4.

1.1 (...) des petits garçons m'ont dit le bonjour si doucement qu'il me servira pour des semaines.
GIRAUDOUX, Provinciales, éd. Ferenczi, p. 121.

Loc. (1824, *in* D. D. L.). *Bien le bonjour. Je vous souhaite bien le bonjour.*

Fam. *Vous avez le bonjour des copains.* — Loc. pop. *T'as l'bonjour d'Alfred,* formule ironique pour laisser qqn.

Cour. *Un bonjour.* [a] Manière de dire bonjour, de saluer en arrivant, en rencontrant. *Un bonjour rapide, cordial, sec, froid. Il lui adressa un bonjour aimable, chaleureux. Des bonjours échangés.* — *Le bonjour de qqn. Son bonjour.*

2 Et point d'effusion avec des amis retrouvés; rien que de vagues bonjours, échangés avec des gens qui se retournaient un peu (...)
LOTI, Ramuntcho, II, 2, p. 214.

[b] Loc. *Dire un petit bonjour, passer dire un petit bonjour à qqn.* (Sans article). Plus cour. *Dire bonjour à qqn. Il ne dit ni bonjour ni bonsoir. Tu diras bonjour aux amis de ma part.*

3 (...) Ils me disent bonjour à grands bras, à gros baisers claquant sur la joue (...)
COLETTE, la Naissance du jour, p. 66.

Loc. *C'est simple comme bonjour,* très simple, évident; très facile. — (En épithète) :

3.1 Pour être heureux comme un roi, il suffit de mener une vie simple comme bonjour.
J. RENARD, Journal, 18 déc. 1893.

3.2 (...) la méthode est bonne. C'est brutal, c'est maussade, mais c'est simple comme bonjour, inratable. Dans cinq minutes, il sera debout, solide comme vous et moi.
BERNANOS, l'Imposture, *in* Œ. roman., Pl., p. 439.

3.3 Quand la motte de beurre n'était pas là, elle était pas; quand elle ne sera plus, elle sera plus. C'est simple comme bonjour.
R. QUENEAU, le Chiendent, p. 376 (1932).

♦ **2.** Signe de salut équivalent à la formule orale. *Il envoyait des bonjours et des baisers du train.*

B. Emploi interj. *Bonjour!* ♦ **1.** Formule orale de salut adressé en arrivant, en rencontrant. ⇒ **Salut!** *Bonjour, chère madame! Bonjour, Paul! Bonjour, les gars! Hé bonjour! — Bonjour chez vous! Bonjour aux copains! Bonjour à tous!*

4 Maître Renard (...)
Lui tint à peu près ce langage :
Hé! bonjour, Monsieur du Corbeau (...)
LA FONTAINE, Fables, I, 2.

Loc. fam. *Bonjour, bonsoir,* sans avoir de relations suivies, en quittant très rapidement.

Par aphérèse. *'Jour.*

5 Jour, m'sieur Lataupe, jour, m'sieur Chipoteau.
CARMOUCHE et LALOUE, les Invalides, 1840, *in* D. D. L., II, 10.

♦ **2.** Régional. La même formule, adressée à la personne que l'on quitte, en partant. ⇒ **Revoir** (au); **adieu** (régional), **bonsoir.** — REM. Cet usage, attesté dans diverses régions de France, est très usuel en français du Canada.

♦ **3.** (V. 1968). Formule de salut épistolaire, remplaçant les traditionnels «monsieur», «cher monsieur», «chère madame», «cher ami», etc.

BON MARCHÉ [bɔ̃maʀʃe] ⇒ **Marché** (I., 3.).

BONNARD, ARDE [bɔnaʀ, aʀd] adj. ⇒ **Bonard.**

1. BONNE [bɔn] n. f. — 1762, Académie; certainement antérieur, mais la date de 1708, Furetière (*in* F. e. w.), concerne le terme d'affection (→ 1. Bon); de *ma bonne* par les enfants à leur bonne; de *bonne* (1. Bon).

♦ **1.** Vx. *La bonne d'un enfant, sa bonne. Oui, ma bonne!* — Vieilli. Servante, domestique. *Bonne d'enfants.* ⇒ **Gouvernante, nurse; bobonne** (ancienn.).

1 L'enfant, livré pendant ces deux années (*de deux à quatre ans*) à des filles ignorantes nommées bonnes.
Charles FOURIER, le Nouveau Monde industriel, p. 36 (1830).

REM. Dans le même ouvrage, Fourier appelle *bonnin, bonnine,* les instituteurs pour les très jeunes enfants (3 ans) dans son système (*in* T. L. F.).

2 À quelques jours de là, revenant pareillement de la promenade avec ma bonne Mélanie (...)
FRANCE, le Petit Pierre, III, p. 24.

♦ **2.** *Bonne à tout faire; bonne :* domestique qui fait le ménage, les courses, souvent la cuisine et vit chez ses employeurs. *Ils ont une bonne espagnole qui est une perle. Une petite bonne.* ⇒ **Boniche** (péj.).

3 (...) si vous vous mariez, il vous faudra prendre une bonne. Un ménage amoureux ne peut pas vivre sans bonne. La bonne vous décharge de l'être matériel qui est en vous, vous évite cuisine, vaisselle, etc.
GIRAUDOUX, les Aventures de Jérôme Bardini, p. 113.

4 On frappe à la porte. La bonne demande si on va bientôt dîner, sans ça tout sera brûlé, et si on ne se dépêche pas l'invité aura bu tout le Dubonnet (...)
R. QUENEAU, Pierrot mon ami, éd. L. de Poche, p. 30.

REM. Le mot, considéré comme péjoratif, disparaît au profit de *domestique*, et du terme administratif *employé(e) de maison*.

DÉR. Bobonne, boniche.

2. BONNE (À LA) [alabɔn] loc. adv. ⇒ **Bon** (II., 3.).

BONNE-DAME [bɔndam] n. f. — 1538; de *bonne* (1. Bon), et *dame*.

♦ Arroche* des jardins. — Pl. *Des bonnes-dames.*

BONNE FEMME [bɔnfam] n. f. ⇒ **Femme** (I., B.).

BONNE-GRÂCE [bɔngRɑs] n. f. — Mil. XVIᵉ; de *bonne* (1. Bon), et *grâce*.

♦ **1.** Vx. Pièce de tissu ornementale servant à garnir une fenêtre, une ouverture. *« Des bonnes-grâces en mousseline blanche »* (Hugo, *in* T. L. F.).

♦ **2.** Vx. Toile dans laquelle les tailleurs enveloppaient les habits pour les transporter en ville.

BONNE-MAIN [bɔnmɛ̃] n. f. — 1877, Littré, *Suppl.;* de *bonne* (1. Bon), et *main*.

♦ Vx ou régional (Suisse). Pourboire, gratifications. *Des bonnes-mains.*

BONNE-MAMAN [bɔnmamɑ̃] n. f. — 1821; de *bonne* (1. Bon), et *maman*.

♦ Grand-mère (terme d'affection, employé comme subst. et comme appellatif). → Bon-papa. *La bonne-maman va mieux. Sa bonne-maman est venue le voir.* — *Bonjour, bonne-maman.* ⇒ **Grand-maman, mémé.** — Plur. *Des bonnes-mamans.*

BONNEMENT [bɔnmɑ̃] adv. — V. 1170, « avec bonté », remplacé dans ce sens par *bien*; de 1. *bon*.

♦ **1.** Vx. D'une manière exacte et vraie. ⇒ **Vraiment.** — (En tour négatif). *« Je ne sais pas bonnement (...) si je partirais »* (P.-L. Courier, *in* T. L. F.). — (En interrogatif). *Bonnement? :* vraiment?

♦ **2.** Vx ou régional. Avec simplicité, sans détour. ⇒ **Franchement, naïvement** (vx), **simplement.**

1   Le roi causa une heure avec le bon homme d'Andilly aussi plaisamment, aussi bonnement, aussi agréablement qu'il est possible.   Mᵐᵉ DE SÉVIGNÉ, 85.
2   Un honnête homme vous dit une chose bonnement et comme elle est (...)
                                                                    Mᵐᵉ DE SÉVIGNÉ, 86.
2.1   Le vieux prêtre se défend de rien trouver d'extraordinaire dans les propos de son pénitent, et s'amuse bonnement des scrupules de son confrère. « Un enfant, répète-t-il, un véritable enfant (...) »
                                BERNANOS, Sous le soleil de Satan, *in* Œ. roman., Pl., p. 156.

Tout bonnement : simplement, spontanément, sans détour.

3   Dire tout bonnement ce qui me viendra; le dire simplement et sans aucune prétention (...)   STENDHAL, Journal, p. 77.

♦ **3.** Mod. **TOUT BONNEMENT** (cour.); **BONNEMENT** (rare) : tout simplement* (après un verbe à sujet nom de personne, désignant une action antéposé, qualifiant un adjectif). ⇒ **Bellement** (tout bellement, vieilli), **réellement, vraiment.** *Il est tout bonnement insupportable. On l'a tout bonnement renvoyé.*

4   — Bonsoir belle dame. *(Il lui baise la main).* Vous êtes tout bonnement ravissante ce soir... Eh! mais ça n'a pas l'air très animé ici? on ne danse donc pas?
                                Henri MONNIER, Scènes populaires, « La grande dame », 6, p. 217.
5   Les dauphins (...) sont tout bonnement de petits cachalots (...)
                                                        FRANCE, le Lys rouge, XXXII.
6   Et quand il manqua son cours, en février, ses élèves, après l'avoir un peu attendu, allèrent bonnement se promener.   ARAGON, Blanche..., III, I, p. 345.

CONTR. Astucieusement, hypocritement, malicieusement.

BONNET [bɔnɛ] n. m. — 1401; mil. XIIᵉ, « étoffe à coiffure », lat. médiéval *boneta* « coiffure », 1184; p.-ê. du lat. médiéval *abonnis* « bandeau, serre-tête », lui-même du francique *obbunni* « ce qui est attaché sur »; P. Guiraud préfère rattacher le mot à une var. de *borne, bonne*, du gallo-roman *bottina*.

★ **I.** (Coiffure). ♦ **1.** Coiffure souple, sans bords, de forme variable, couvrant une partie importante du crâne (à la différence de la calotte). ⇒ **Coiffe.** — REM. — *Bonnet*, sans qualificatif, ne s'emploie plus guère pour les hommes. — *Mettre, porter un bonnet, le bonnet. Bonnet enfoncé jusqu'aux oreilles. Bonnets anciens, portés au moyen âge* (⇒ **Coqueluche**), *à la Renaissance. Soulever son bonnet pour saluer.* ⇒ **Bonnetade** (vx) (et *infra*, mettre la main au bonnet). *Bonnet de meunier*, à fond prolongé par une longue queue. *Bonnet de pêcheur. Bonnets de femme.* ⇒ **Cabochon; toque, toquet.** *Elle*

porte un petit bonnet posé sur l'oreille. ⇒ **Bonichon.** *Bonnet de laine, de coton. Un bonnet en laine tricotée. Bonnet-chaussette. Un pierrot* (cit. 1) *coiffé d'un bonnet. Acheter un bonnet de fourrure pour l'hiver. La chéchia* est un bonnet. Voilà un bonnet qui est perlé* (cit. 4).

0.1   Il y avait grand concours de populaire, et, au milieu d'Européens de toutes nationalités, des Persans à bonnets pointus, des Bunhyas à turbans ronds, des Sindes à bonnets carrés, des Arméniens en longues robes, des Parsis à mitre noire.
                                        J. VERNE, le Tour du monde en 80 jours, p. 66.

(Dans des syntagmes). Vx. *Bonnet grec :* sorte de coiffe en usage au XIXᵉ siècle. — Anciennt. **BONNET DE NUIT, BONNET DE COTON** : coiffure masculine pour la nuit, symbolisant le confort et la pusillanimité bourgeoise, la tristesse, etc. (→ ci-dessous le sens fig. 3).

1   Ménalque descend son escalier, ouvre sa porte pour sortir, il la referme : il s'aperçoit qu'il est en bonnet de nuit (...)   LA BRUYÈRE, les Caractères, XI, 7.

Spécialt. Coiffure de femme traditionnellement portée en milieu rural. ⇒ **Coiffe; bavolet, béguin, colinette.** *Bonnet de tulle, de dentelle; bonnet à bavolet* (cit. 2).

1.1   Elle était en petit fourreau blanc; ses beaux cheveux négligemment repliés sous un grand bonnet (...)   SADE, Justine..., t. I, p. 11.
2   Ses cheveux qu'elle tenait en vain prisonniers sous un lourd bonnet, s'échappaient en tresses tordues, comme des gerbes de blé mûr.
                                        RENAN, Souvenirs d'enfance..., La petite Noémi, VI, p. 98.

Ancient. *Bonnet carré d'ecclésiastique* (⇒ **Barrette**), *de professeur* (voir ci-dessous, 4.).

(1790, *in* D. D. L.). **BONNET DE POLICE** : coiffure militaire. ⇒ **2. Calot;** → 1. Espalier, cit. 5.

2.1   Me voilà aux aumôniers militaires; et la première fois que j'en vis un, avec le bonnet de police à trois galons, je courus à l'autre capitaine, le seul que je trouvai. Je lui dis que, dans les instructions sur les grades et les signes du respect, je n'avais jamais entendu parler d'aumônier à trois galons. Devais-je le salut?
                        ALAIN, Souvenirs de guerre, *in* les Passions et la Sagesse, Pl., p. 444.
2.2   Les soldats ont la tête droite, les mains posées sur une sorte de toile cirée à carreaux; ils n'ont pas de verres devant eux. Eux seuls enfin ont la tête couverte, par un bonnet de police à courtes pointes.
                                        A. ROBBE-GRILLET, Dans le labyrinthe, p. 26.

Par comparaison :

2.3   Sa bouche, fendue comme un bonnet de police, essaya d'ébaucher un sourire.
                                VILLIERS DE L'ISLE-ADAM, Tribulat Bonhomet, p. 86.

Ancienn. *Bonnet à poil des grenadiers.* ⇒ **Ourson; colback.**

Vx. *Bonnet chinois.* → ci-dessous, II., 5.

3   Leur tête était ce que serait un bonnet chinois sans clochettes : on aurait beau le secouer, il ne tinterait pas.
                        RENAN, Souvenirs d'enfance..., St Nicolas du Chardonnet, I, p. 117.

Vx. *Bonnet basque :* béret (mot de diffusion récente).

4   (...) jamais bonnets basques n'ont coiffé plus joyeuses figures.
                                        LOTI, Ramuntcho, I, 15, p. 132.

Hist. *Bonnet phrygien :* coiffure antique des Grecs de Phrygie, adopté par les sans-culottes en 1789 et devenue le symbole de l'esprit révolutionnaire. Syn. : *bonnet rouge* (→ Sans-culottisme, cit.).

4.1   Pendant l'entracte, nous avons vu des patriotes se coiffer d'un bonnet rouge dont la pointe se recourbe en avant à la manière du Corno Phrygien. Un de ceux qui en étaient coiffés, a dit tout haut que ce bonnet rouge serait désormais, dans les endroits publics, le signal auquel se rallieront les patriotes.
                        Journal des théâtres, 10 mars 1792, *in* WALTER, la Révolution franç.
                                vue par ses journaux, p. 391, (*in* D. D. L., II, 11).

Par métonymie. Révolutionnaire, sans-culotte.

4.2   Vous êtes des paysans, des violents, des sauvages, des Bonnets Rouges. C'est d'ailleurs un peu vrai quand on nous pousse à bout.
                                        P.-J. HÉLIAS, le Cheval d'orgueil, p. 474.

Par métaphore :

5   Je mis un bonnet rouge au vieux dictionnaire.   HUGO, les Contemplations, I, 7.

Vx. *Les bonnets rouges et les bonnets de coton, le bonnet rouge et le bonnet de coton :* les républicains et les royalistes (cf. Flaubert, *l'Éducation sentimentale,* 1869).

Loc. *Bonnet d'âne.* ⇒ **Âne.**

Coiffure souple portée par les enfants en bas âge. *Les bébés portaient des bonnets de dentelle. Bonnet de baptême* (vx). ⇒ **Chrémeau.**

Spécialt (mod.). *Bonnets utilisés dans divers sports. Bonnet de bain, en caoutchouc, en matière plastique.* — *Bonnet de ski* (en laine).

♦ **2.** a Méd. (vx). *Bonnet d'Hippocrate :* bandage de tête. ⇒ **Capeline.**

b Enveloppe dont on couvre la tête des chevaux. *Bonnet à œillères,* muni d'étuis pour les oreilles.

♦ **3.** (Dans des loc.). Vieilli. (Sens concret). — (1459). *Mettre la main au bonnet,* pour saluer. *Rester le bonnet à la main,* par déférence. — Vx. *Coup de bonnet :* salut (cf. Coup de chapeau).

Mod. (Fig.). *Être triste comme un bonnet de nuit* (⇒ **Éteignoir**). — Par ext. *Quel bonnet de nuit!,* se dit d'une personne triste et ennuyeuse.

(1558). *Avoir la tête près du bonnet :* être colérique, prompt à s'emporter.

6   Mais où sont donc ces esprits si vifs (...) ces têtes si près du bonnet?
                                        Mᵐᵉ DE SÉVIGNÉ, 193, 30 août 1671.

(1623). *Jeter son bonnet par-dessus les moulins :* braver l'opinion, la bienséance (surtout en parlant d'une femme, d'une jeune fille).

Prendre qqch. sous son bonnet : imaginer, forger qqch. sans aucune vraisemblance, sans fondement, et aussi, faire qqch. de sa propre autorité (⇒ **Chef** : de son propre chef), en prendre la responsabilité.

6.1 Et comme je suppose que même si elle a pris cette initiative sous son bonnet, elle reflète le fond de ta pensée. F. MALLET-JORIS, le Jeu du souterrain, p. 199.

Vieilli. *Sous le bonnet de qqn,* dans son esprit.

Deux têtes, trois têtes... sous un bonnet, se dit de plusieurs personnes qui sont toujours du même avis.

7 Voilà trois bonnes têtes dans un bonnet, la vôtre, celle de l'empereur des Romains et celle du roi de Prusse (...) VOLTAIRE, Lettre à Catherine II, 119.

Par métonymie. Esprit. Vx. *Parler à son bonnet :* se parler à soi-même. — Fam. *Casser le bonnet à qqn* (vieilli), l'ennuyer. Mod. *Se casser le bonnet :* se casser la tête. *Te casse pas le bonnet :* ne t'inquiète pas.

8 Je parle... je parle à mon bonnet.
— Et moi je pourrais bien parler à ta barrette.
MOLIÈRE, l'Avare, I, 3. — N. B. La seconde expression signifie « te battre ».

(1640). *C'est blanc bonnet et bonnet blanc :* cela revient au même, c'est la même chose.

8.1 Michelet est le type du grand bavard. Il extrait d'une petite idée une grande page. Blanc bonnet ne lui suffit pas : il lui faut bonnet blanc. En général, il lui faut des faits pour le soutenir. J. RENARD, Journal, 20 févr. 1889.

Vx. *Mettre, avoir son bonnet de travers :* se mettre, être en colère.

♦ **4.** Anciennt. **a** Coiffure des professeurs. *Porter le bonnet :* être professeur. *Bonnet carré des docteurs en théologie.*

9 Nous ne pouvons pas seulement voir un avocat en soutane et le bonnet en tête, sans une opinion avantageuse de sa suffisance ? (...) PASCAL, Pensées, II, 82.

10 Quitte là le bonnet, la Sorbonne et les bancs (...) BOILEAU, Satires, VIII.

Loc. fig. (1622, *in* D.D.L.). **UN GROS BONNET** : un personnage éminent, influent. ⇒ **Huile** (fig.).

11 Il (le cardinal de Bouillon) ne voulut voir que quelques gros bonnets des Jésuites. SAINT-SIMON, Mémoires, 297, 21, *in* LITTRÉ.

11.1 (...) je reçus pour cette soirée une invitation qui me venait d'un ancien camarade, devenu gros bonnet dans le commerce des visons. Je me décidai à en profiter. DRIEU LA ROCHELLE, la Comédie de Charleroi, p. 147.

Vx. *Y jeter son bonnet :* se reconnaître incapable de résoudre une difficulté.

12 Après avoir tourné le cas
En cent et cent mille manières,
Y jettent leur bonnet, se confessent vaincus (...) LA FONTAINE, Fables, II, 20.

(1654). *Opiner** (cit. 3) *du bonnet :* donner une adhésion totale à l'avis d'un autre, ce que faisaient les docteurs de Sorbonne en levant leur bonnet.

13 Il opine du bonnet comme un moine en Sorbonne. PASCAL, les Provinciales, 2.

14 C'est à se demander si le rôle des livres, qui parlent tous pour convaincre, n'est pas d'écouter et d'opiner du bonnet. COCTEAU, la Difficulté d'être, XIV.

b *Bonnet d'évêque :* mitre. → ci-dessous les sens fig. (II., 3.).
— *Plier les serviettes en bonnet d'évêque,* en forme de mitre.

★ **II.** Par anal. de forme. ♦ **1.** (1690). Second estomac* des ruminants.

♦ **2.** (Qualifié, dans des noms d'animaux et de plantes). Vx. *Bonnet chinois :* macaque *(Macacus simicus).* — *Bonnet noir :* fauvette. — *Bonnet de Neptune :* nom donné à des coquillages. *Bonnet d'argent, bonnet de fou :* nom de plusieurs espèces de champignons. — *Bonnet turc :* potiron. — *Bonnet de prêtre :* courge, pâtisson (se dit aussi du fusain).

♦ **3. BONNET D'ÉVÊQUE. a** Archit. Petite loge, enfoncement en forme de mitre.

b Croupion d'une volaille découpée. Syn. : *sot-l'y-laisse.*

♦ **4.** Techn. **a** Partie supérieure d'un encensoir.

b Sorte d'écrou. — *Bonnet carré, bonnet d'évêque :* foret à quatre ailes.

♦ **5.** Mus. *Bonnet chinois* (→ ci-dessus, cit. 3) : instrument de musique composé d'un manche surmonté de disques de cuivre et de clochettes. ⇒ **Chapeau** (chinois).

♦ **6.** Chacune des deux poches d'un soutien-gorge. *Soutien-gorge à bonnets arrondis, pointus.*

DÉR. Bonichon, bonnetade, bonneterie, bonneteur, bonnetier, 1. bonnette, 2. bonnette.

BONNETADE [bɔntad] n. f. — 1555 ; de *bonnet,* ou de l'anc. verbe *bonneter* (1550, Ronsard) « saluer ; opiner du bonnet ».

♦ Vx. Façon de saluer qqn en soulevant son bonnet.

BONNETEAU [bɔnto] n. m. — 1874 ; de *bonneteur.*

♦ Jeu de trois cartes que le bonneteur* mélange après les avoir retournées, le joueur devant deviner où se trouve une de ces cartes. *Se faire escroquer au bonneteau. Une partie de bonneteau.*

Et le duc se présentait naïvement pour l'aider, sans en avoir l'air, à réussir son tour, comme dans un wagon, le compère inavoué d'un joueur de bonneteau. PROUST, le Côté de Guermantes, I, Folio, p. 278.

Jeu de hasard où l'on se fait escroquer. *Les changes, « stupéfiant bonneteau où il* (le voyageur) *est toujours perdant »* (P. Morand, *in* T. L. F.).

BONNETERIE [bɔnɛtʀi ; bɔntʀi] n. f. — XVe au sens 3 ; de *bonnet.*

♦ **1.** (1718). Fabrication, industrie, commerce d'articles en tissu à mailles. *Bonneterie à la main, à l'aiguille, au crochet. Bonneterie mécanique, à la machine* (à l'aide de métiers à cueillage, de machines à tricoter ou de métiers circulaires). *Bonneterie de soie, de coton, de laine. Industrie de la bonneterie.* ⇒ **Bas** (fabrication des), **chaussetier, ganterie** (gants de tissu).

♦ **2.** Magasin où l'on vend ces articles. *Elle tient une petite bonneterie. Devanture de bonneterie. Bonneterie-mercerie.*

♦ **3.** (XVe ; premier sens attesté). Les articles fabriqués par cette industrie. ⇒ **Jersey, tricot.** *Bonneterie à un fil* ou *articles à cueillage. Bonneterie à plusieurs fils* ou *articles chaîne.*

L'étymologie du mot semble venir de *bonnet ;* mais on appelait également *bonnet* le fil de laine tissé à la main, avec l'aiguille et la broche. F. MAILLARD-DANTZER, *in* LAROUSSE de l'industrie. [1]

On désigne sous le nom générique de bonneterie toutes les étoffes formées d'un ou de plusieurs fils repliés en boucles, qui s'agrafent les unes dans les autres en formant des mailles. F. MAILLARD-DANTZER, *in* LAROUSSE de l'industrie. [2]

BONNETEUR [bɔntœʀ] n. m. — Déb. XVe, « filou » ; de *bonnet,* ou de l'anc. v. *bonneter,* attesté plus tard.

♦ **1.** Vx. Filou qui attire ses victimes à force de civilités.

♦ **2.** (1708). Vx. Celui qui prodigue révérences et compliments. ⇒ **Bonnetade** (vieux).

♦ **3.** (1874). Celui qui tient un jeu de bonneteau*. — REM. Le fém. est virtuel.

DÉR. Bonneteau.

BONNETIER, IÈRE [bɔntje, jɛʀ] n. — XVe ; de *bonnet.*

♦ **1.** Personne qui fabrique ou qui vend des articles de bonneterie*. ⇒ **Mercier** (plus cour.). — Adj. *Marchand bonnetier.*

(...) un bonnetier promenait sans hâte une immense voiture de bas et de tricots, s'arrêtant des heures devant chaque sonnette, et menaçant de masquer la sortie de Don Juan (...) GIRAUDOUX, Provinciales, p. 159.

♦ **2.** (Attesté 1928, Mauriac). **BONNETIÈRE** (n. f.) : petite armoire, utilisée à l'origine pour ranger des coiffes.

BONNETON [bɔntɔ̃] n. m. — 1675 ; de *bonnet.*

★ **I.** Vx. Petit bonnet (repris XXe : Céline, *Mort à crédit*).

★ **II.** (1883, Zola). Vx. Vendeur dans la bonneterie.

1. BONNETTE [bɔnɛt] n. f. — 1573, Du Fail ; *bonete,* XVe ; de *bonnet.*

♦ Vx ou régional. Bonnet de femme ou d'enfant.

2. BONNETTE [bɔnɛt] n. f. — 1382 ; de *bonnet,* au sens anc. « étoffe ».

♦ **1.** Mar. Voile carrée supplémentaire que l'on installe à côté des voiles principales à l'aide de bouts-dehors. *Bonnette basse, bonnette de hune, de perroquet. Mettre bonnette sur bonnette :* mettre toutes voiles dehors.

(...) nous traversions une vraie foule de navires qui venaient à nous toutes voiles dehors, et de loin ressemblaient, avec leurs bonnettes basses, à des silhouettes de femmes portant un seau de chaque main et se dandinant dans leur marche. Th. GAUTIER, Constantinople, p. 67.

♦ **2.** (1671). Fortif. Ouvrage avancé au delà du glacis, et dont les deux faces forment un angle saillant.

♦ **3.** (1899). Opt. Verre teinté adapté aux oculaires des instruments astronomiques. — Photogr. Lentille amovible modifiant la distance focale. *Bonnette de mise au point. « La solution des bonnettes paraît séduisante, d'autant plus qu'elle n'introduit aucune perte de luminosité »* (Sciences et Avenir, n° 375, mai 1978).

BONNE-VOGLIE [bɔnvɔgli] n. m. — 1670 ; francisé en *bonne voille,* v. 1520 ; *bonne veulle, bonne voglie* « bonne volonté » au XVIe ; ital. *buonavoglia* « bonne volonté », spécialisé av. 1536.

♦ Mar. Vx ou hist. Rameur volontaire sur une galère (non enchaîné, à la différence des galériens).

BONNICHE [bɔniʃ] n. f. ⇒ **Boniche.**

BONNIR ou **BONIR** [bɔniʀ] v. tr. — 1811, *in* Esnault; littéralt « rendre bon » qui remonterait par l'intermédiaire des saltimbanques et des comédiens à l'argot ital. *imbunire* « distraire aux fins de larcin », selon Esnault; la dérivation de *bon, bonne* (bonne histoire) semble plus naturelle, mais n'est pas attestée; pour Guiraud, le mot vient de *bon* « dupe » (1670).

♦ Argot. Dire, raconter. *Qu'est-ce qu'il est en train de nous bonnir? Arrête de me bonnir tes salades!*

1 Est-il drôle ce momaque : *bonis*-nous ta mission, pégriot.
Louise MICHEL, la Misère, t. III, p. 662.
2 Et toi? qu'est-ce que tu viens bonnir? CÉLINE, Guignol's band, p. 279 (1951).
3 Je fais signe à Mado de la boucler; ça, c'est une affaire de complicité-recel pour elle si elle en bonnit trop long. A. SARRAZIN, la Cavale, p. 34.

DÉR. **Boniment, bonisseur.**

BON-PAPA [bɔ̃papa] n. m. — 1822; de 1. *bon*, et *papa*.

♦ Grand-père (terme d'affection, employé comme subst. et comme appellatif). *Son bon-papa et sa bonne-maman. — Comment vas-tu, bon papa?* ⇒ **Grand-papa, pépé.** — Plur. *Des bons-papas.*

BONSAÏ [bɔ̃(t)saj] n. m. — Répandu v. 1975; mot japonais.

♦ Arbre nanifié naturellement ou (plus souvent) artificiellement, cultivé en pot (d'abord au Japon, puis dans les pays anglo-saxons et en Occident). *Un bonsaï de vingt, de cent ans. Les bonsaïs les plus recherchés des amateurs ont été nanifiés par un environnement peu favorable à la pleine croissance de l'espèce* (altitude, vent, terre peu abondante, etc.), *et sont cueillis dans la nature. Formes traditionnelles de bonsaïs* (dressé, en balai, en cascade, en boqueteau, etc.). *Les maîtres japonais du bonsaï.* — Appos. *Érable bonsaï.* — Var. : *bonzaï* [bɔ̃(d)zaj].

BON SENS [bɔ̃sãs] n. m. ⇒ **Sens** (II., 2.).

BONSOIR [bɔ̃swaʀ] n. m. et interj. — xvᵉ; de 2. *bon*, et *soir*.

★ **A.** N. m. (avec ou sans article). ♦ **1.** Le fait de saluer (⇒ **Salut**) en souhaitant une bonne soirée; parole par laquelle on salue, en soirée, une personne rencontrée, au moment de la rencontre ou au moment de prendre congé. *Le bonjour et le bonsoir. — Rendre à qqn le bonsoir. Donner* (vx), *souhaiter le bonsoir à quelqu'un.*

1 Où es-tu, Claudine, que je te donne le bonsoir? — Va, va, je le reçois de loin, et je t'en renvoie autant (...) MOLIÈRE, George Dandin, III, 5.
2 Elle était très respectée, et cela se voyait, rien que dans les bonsoirs que les gens lui donnaient. LOTI, Pêcheur d'Islande, III, p. 26.

Loc. *Bien le bonsoir. Je vous souhaite bien le bonsoir.*

Fam. *Avoir le bonsoir de qqn. Passe-lui le bonsoir de ma part.*

Un bonsoir. ⓐ Manière de dire bonsoir, de saluer en arrivant, en rencontrant, en partant. *Un bonsoir rapide, chaleureux, froid, sec. Il lui adresse un bonsoir aimable.*

ⓑ Loc. *Dire un petit bonsoir, passer dire un petit bonsoir à quelqu'un.*

(Sans article). *Dire bonsoir à qqn. Il ne dit ni bonjour ni bonsoir : il ne salue pas, n'est pas poli.*

♦ **2.** Signe de salut équivalent à la formule orale. *Il distribuait en entrant des bonsoirs d'un signe de tête.*

★ **B.** Emploi interj. *Bonsoir!* ♦ **1.** Formule orale de salut* adressée en arrivant, en rencontrant ou en prenant congé, le soir. *Bonsoir chère madame. Bonsoir, Paul! Tiens, bonsoir! Bonsoir chez vous!* (1681, in D.D.L.). Fam. *Bonsoir la compagnie!*

Loc. fam. *Bonjour*, bonsoir!*

Fig. *Bonsoir!*, marque qu'une affaire est finie, qu'on s'en désintéresse. ⇒ **Adieu.**

Par aphérèse. *'Soir.*

♦ **2.** Juron inoffensif (cf. Bon sang!). *Bonsoir de bonsoir!*

BONTÉ [bɔ̃te] n. f. — 1080, *Chanson de Roland* « qualité morale (d'une personne) »; lat. *bonitas, -atis*, à l'accusatif *bonitatem*, de *bonus* « bon ».

★ **I.** (En parlant de choses). ♦ **1.** (1130). Rare. Qualité de ce qui est bon*. ⇒ **Excellence, perfection.** *La bonté d'une terre, de l'air; la bonté d'un aliment, d'un vin; d'une marchandise.*

1 Il y a dans l'art un point de perfection, comme de bonté ou de maturité dans la nature. LA BRUYÈRE, les Caractères, I, 10.
1.1 Ce jour-là (...) la bonté de ce temps fut telle, pour la saison bien entendu, que

lorsque le ciel ne se recouvrait pas trop de nuages (...) on aurait pu le croire (...) plus proche encore de l'été. M. DURAS, Moderato cantabile, p. 143.

♦ **2.** Vx. Conformité au bien* moral. *La bonté d'une action. La bonté d'une cause.* ⇒ **Justice.** *La bonté d'un argument.* ⇒ **Force; exactitude, vérité.**

★ **II.** Cour. (En parlant de personnes). ♦ **1.** (Déb. xiiᵉ). Qualité morale qui porte à faire le bien*, à être bon* pour les autres. ⇒ **Altruisme, bénignité, bienfaisance, bienveillance, bonhomie, clémence, compassion, complaisance, douceur, facilité** (d'humeur), **humanité, indulgence, magnanimité, mansuétude, miséricorde, pitié, tendresse.** *Bonté naturelle. Grande bonté.* ⇒ **Débonnaireté, naïveté, simplicité.** *Bonté excessive, naïve.* ⇒ **Bêtise, bonasserie...** Loc. fam. *Vous avez de la bonté de reste* : vous êtes trop bon (bonne). *Bonté du cœur* : caractère charitable. *Bonté d'âme.* Loc. *Par bonté d'âme* (souvent iron.). *Être plein de bonté. Avoir un fonds de bonté. Acte de bonté. Traiter qqn avec bonté. Avoir la bonté de faire qqch. Sourire, regard plein de bonté. Avoir l'apparence de la bonté* (cf. Être tout sucre et tout miel). *Implorer la bonté, recourir à la bonté de qqn. Récompenser, louer qqn de sa bonté.*

2 Nul ne mérite d'être loué de bonté, s'il n'a pas la force d'être méchant : toute autre bonté n'est le plus souvent qu'une paresse ou une impuissance de la volonté. LA ROCHEFOUCAULD, Maximes, 237.
3 Rien n'est plus rare que la véritable bonté : ceux même qui croient en avoir n'ont d'ordinaire que de la complaisance ou de la faiblesse. LA ROCHEFOUCAULD, Maximes, 481.
4 Si c'en était ici le lieu, j'essayerais de montrer (...) comment des sentiments d'amour et de haine naissent les premières notions du bien et du mal : je ferais voir que *justice* et *bonté* ne sont point seulement des mots abstraits (...) mais de véritables affections de l'âme éclairée par la raison, et qui ne sont qu'un progrès ordonné de nos affections primitives (...) ROUSSEAU, Émile, IV, p. 278.
5 Votre bonté est si grande, qu'elle ressemble à Dieu! Elle me pénètre d'admiration, de respect et de reconnaissance; mais elle m'accable et me confond. A. DE MUSSET, Carmosine, III, 8.
6 Bonté, c'est création; bonté, c'est fécondité; c'est la bénédiction même de l'acte sacré. MICHELET, la Femme, p. 208.
6.1 La bonté n'est pas naturelle : c'est le fruit pierreux de la raison. Il faut se prendre par la peau des fesses pour se mener de force à la moindre bonne action. J. RENARD, Journal, 10 août 1904.
6.2 La bonté purement bonne ne leur est pourtant pas étrangère, mais elle se porte alors sur de pauvres mendiants, sur des créatures malheureuses qui leur représentent intellectuellement la misère du monde, les misères à qui on peut faire l'aumône de sa fortune, même d'une larme, mais non point des concessions de toutes les minutes à une intelligence inférieure à la nôtre et qui ne nous admirerait point (...) PROUST, Jean Santeuil, Pl., p. 744.
6.3 Il y a une bonté qui assombrit la vie, une bonté qui est tristesse, que l'on appelle communément pitié, et qui est un des fléaux humains. ALAIN, Propos, 5 oct. 1909, De la pitié.
7 Sur ce visage volontaire, fleurit parfois un sourire de profonde et délicate bonté. G. DUHAMEL, Récits des temps de guerre, Lieu d'asile, II.

En parlant de Dieu. *Bonté infinie, divine, souveraine, suprême. Dieu, dans sa bonté,... Dieu est toute bonté.* — Interj. (1784, *in* D.D.L.). *Bonté divine! Bonté du ciel!* (cf. mon Dieu!).

8 (...) la volonté de Dieu, qui est seule toute la bonté et toute la justice (...) PASCAL, Pensées, X, 668.
9 De tous les attributs de la Divinité toute-puissante, la bonté est celui sans lequel on la peut le moins concevoir. ROUSSEAU, Émile, I, p. 48.

♦ **2.** (T. de politesse). *Avoir la bonté de...* (et inf.). ⇒ **Amabilité, bienveillance, gentillesse, obligeance.** *Il a eu la bonté de m'écrire. — Je vous suis obligé de votre bonté.*

10 Si vous aviez la bonté de me dire la même chose, vous m'obligeriez (...) PASCAL, les Provinciales, 4 (1656).

Iron. *Quand je parle, ayez la bonté de vous taire,* je vous prie* de...

♦ **3.** (Mil. xiiᵉ). *Une, des bontés.* (Vieilli ou style soutenu). Acte de bonté; par ext. acte d'amabilité, de bienveillance. *Merci de toutes vos bontés, des bontés que vous avez eues pour moi.*

11 Je vous fais (...) mes remerciements très-humbles (...) des bontés que Votre Altesse daigne me marquer (...) LA BRUYÈRE, Lettre à Condé, VII.

Spécialt. En parlant d'une femme. *Avoir des bontés pour qqn,* lui témoigner un sentiment tendre (⇒ **Faveurs**).

12 La bonté est une vertu, mais ce n'est pas toujours par vertu qu'une femme a des bontés pour un homme. JOUY, in P. LAROUSSE.

CONTR. **Malice, malignité, méchanceté; cruauté, dureté, férocité, inclémence, noirceur, perversité.**

BONUS [bɔnys] n. m. — 1930; anglic., d'abord au Canada, lat. *bonus* « bon ».

♦ **1.** Gratification accordée par une entreprise sur le salaire d'un employé. ⇒ **Prime.**

♦ **2.** (1970). Bénéfice accordé, sur le montant de sa prime d'assurance automobile, à un conducteur n'ayant enregistré aucun accident. *Perdre son bonus.* ⇒ **Bonus-malus.**

BONUS-MALUS [bɔnysmalys] n. m. — 1970; lat. *bonus* « bon », et *malus* « mauvais ».

♦ Système d'assurance automobile dans lequel le montant de la prime est en rapport avec le taux d'accidents précédemment enregistré (⇒ **Bonus**). *« Le mécontentement se cristallise maintenant sur le bonus-malus. Cette expression moliéresque est une invention des assureurs (...) destinée à moraliser le risque automobile »* (*l'Express*, n° 1114, 13 déc. 1972).

BON VIVANT [bɔ̃vivɑ̃] n. m. et adj. — 1680 ; de 1. *bon,* et *vivant.*

♦ Homme d'humeur joviale et facile qui aime les plaisirs. → Désaccord, cit. 3 ; goguette, cit. 1. *Des bons vivants.* ⇒ **Luron** (gai luron), **vivant** (joyeux vivant).

1 Et je compris que j'avais été le seul bon vivant de nous trois, avec mon accès de gaieté. VILLIERS DE L'ISLE-ADAM, Tribulat Bonhomet, p. 113.

Adj. *Il est assez bon vivant.*

2 (...) il était bon vivant, joyeux, farceur, puissant mangeur et fort buveur, et vigoureux trousseur de servantes, bien qu'il ait plus de soixante ans.
 MAUPASSANT, Contes de la Bécasse, « Saint-Antoine ».

CONTR. Rabat-joie, triste.

BONZAÏ [bɔ̃(d)zaj] n. m. ⇒ **Bonsaï.**

BONZE [bɔ̃z] n. m. — 1570 ; du jap. *bōzu* « prêtre bouddhique », par l'intermédiaire du port. *bonzo.*

♦ **1.** Ministre de la religion bouddhique.

1 Nos amis bonzes, malgré une certaine onction ecclésiastique, rient volontiers d'un rire très bon enfant (...) LOTI, Mᵐᵉ Chrysanthème, XL, p. 206.

2 Les bonzes en jaune, à tête rasée, s'entretiennent volontiers avec les voyageurs. Ces prêtres, ou comme nos vieux auteurs disaient, ces *« talapoins »* on les surprend le matin, assis au pied du lieu, parmi les offrandes, en train de converser avec un groupe de commères aux cheveux en brosse (...)
 Paul MORAND, Rien que la terre, p. 146.

♦ **2.** Fig. et fam. Pontife ; personnage en vue, quelque peu prétentieux. ⇒ **Pédant.** *Les bonzes d'une société, d'un parti.*

♦ **3.** Fam. *Bonze, vieux bonze :* vieillard, et, par dénigrement, vieillard imbécile, gâteux.

♦ **4.** (Altér. de *gonze*). Argot. Homme, individu. ⇒ **Gonze.**

DÉR. Bonzerie, bonzesse.

BONZERIE [bɔ̃zʀi] n. f. — 1845 ; de *bonze.*

♦ Vieilli. Monastère de bonzes. ⇒ **Lamaserie.**

BONZESSE [bɔ̃zɛs] n. f. — 1842 ; de *bonze.*

♦ Vieilli. Bouddhiste cloîtrée. *Une communauté de bonzesses.*

Les Chinois et les Japonais seuls ont quelques bonzesses.
 VOLTAIRE, Essai sur les mœurs, 139.

BOOGIE-WOOGIE [bugiwugi] n. m. — 1943, *in* Höfler ; mot amér.

♦ Façon de jouer le blues au piano sur un rythme généralement rapide, avec à la basse une formule rythmique constante. ⇒ **Blues, jazz.** — Blues ainsi joué, sur lequel on danse. *Des boogie-woogies.*

BOOKMAKER [bukmɛkœʀ] et **BOOK** [buk] n. m. — 1862 ; *bookmaker,* 1855 ; mot angl., de *book* « livre », et *maker* « celui qui fait ».

♦ Personne qui, dans les courses* de chevaux, prend des paris et les inscrit.

1 Sur la route de Twickenham, Roger était le seul être humain à porter un chapeau melon. La foule des pickpockets, des bookmakers et des dandys s'abritait plus volontiers sous une casquette à large coiffe.
 A. BLONDIN, Monsieur Jadis, p. 204 (1970).

Abrév. fam. : **book** (1887 ; une première fois, 1854). Syn. : 2. *bouc.*

2 Tiens je vais réveiller le Book, une idée qui me passe... Quatre heures ! C'est l'heure de la « Royale » la comptée des courses...
 CÉLINE, Guignol's band, p. 59 (1951).

3 — Jamais je n'aurais eu l'idée de jouer un cheval avec un nom pareil, dit Bélépine, tandis que Jacques entreposait la galette aboulée par le bouque (sic).
 R. QUENEAU, Loin de Rueil, p. 89.

4 Sologne va faire une cote impressionnante. Je crois que vous avez eu raison de la jouer au Pari Mutuel plutôt que chez un book.
 Roger NAÏM, l'Ère des truands, p. 203.

BOOLÉEN, ÉENNE [buleɛ̃, eɛn] adj. — V. 1950 ; du mathématicien anglais *G. Boole.*

♦ Math., inform. Relatif à l'algèbre de Boole (ou *algèbre booléenne*). *Variable booléenne,* qui ne peut prendre que deux valeurs distinctes. ⇒ **Binaire.** — On dit aussi *boolien, ienne* [buljɛ̃, jɛn], et *booléien, ienne* [bulejɛ̃, jɛn].

BOOM [bum] n. m. — 1895, *in* Höfler ; mot anglo-amér. *boom* « détonation ».

Anglicisme (la graphie française est *boum*).

♦ **1.** Vieilli. Réclame tapageuse pour lancer une affaire.
Mod. Vente importante à prix publicitaires de produits manufacturés. *Boom sur les chaussures. Cette semaine, boom sur les textiles.* — *Boom publicitaire :* l'action de la publicité pour réaliser une vente, contribuer à la promotion d'une société, d'une vedette, d'un produit.

1 Un instant, Sindy en arriva à se demander si toute son histoire ne constituait pas, en fin de compte, un formidable boom publicitaire.
 Roger NAÏM, l'Ère des truands, p. 131 (1972).

♦ **2.** (1892, *in* Höfler). Écon. Brusque hausse des valeurs ; prospérité soudaine et peu stable. *« C'est surtout sur le marché du travail que le boom fait sentir ses effets »* (*l'Expansion*, nov. 1967).

2 J'ai souvent rêvé d'être un de ces magnats qui, saisis par une intuition cotonnière, téléphonent en pyjama d'un palace de Californie et provoquent un boom à Sydney, ou un krack à Wall Street, tandis qu'ils sont dans leur bain.
 Pierre DANINOS, Un certain Monsieur Blot, p. 253.

Loc. *En plein boom :* en plein essor. *« En plein boom sur leur propre marché »* (*le Nouvel Obs.*, n° 540, 17 mars 1975). — Fam. *Être en plein boom,* en plein travail. ⇒ **Boum.** *Alors, mon vieux, en plein boom ?*

♦ **3.** (1939, *in* Höfler). Retentissement, forte impression (produite sur de nombreuses personnes). ⇒ **Boum.**

3 Cette deuxième fois le Christ lui était apparu au cinéma, où il s'était mêlé sur l'écran à la *Bande des Habits noirs* de Paul Féval. Du moment que l'affaire s'était passée au cinéma, tout le monde prit l'affaire au sérieux et cela fit un boom énorme. Tous les louftingues de Montparnasse parlaient de se convertir.
 B. CENDRARS, Trop c'est trop, p. 10.

♦ **4.** (1950, *in* Höfler). Argot scol. Fête annuelle d'une grande école. *Le boom H. E. C.* (On écrit parfois *boum*).

CONTR. Chute, effondrement, krach, récession.
HOM. Boum.

BOOMERANG [bumʀɑ̃g] n. m. — 1863 ; *bowmerang,* 1857 ; *boomerang, boumerang, boomarang* sont attestés ; mot angl., d'une langue australienne, la forme *bommereng* (P. Larousse) vient du néerlandais.

♦ **1.** Arme de jet des indigènes australiens, formée d'une pièce de bois dur courbée et qui, lancée, peut revenir vers son point de départ si elle n'a pas touché le but.

1 Le boumerang *(sic)* ressemble à la feuille de l'eucalyptus ; il en a la forme, et l'on peut en suivre les diverses modifications depuis le moins courbé, qui rappelle le mieux la feuille, jusqu'au plus infléchi, qui s'en éloigne le plus.
 Désiré CHARNAY, Six mois en Australie, *in* le Tour du monde, 1880, t. I, p. 71.

2 D'une façon générale, on y reconnut une arme de jet économique, retournant le projectile à son expéditeur ; bref un perfectionnement du boumerang *(sic).*
 R. QUENEAU, le Chiendent, Folio, p. 210.

(Par compar.). *Revenir, se retourner comme un boomerang, en boomerang.*

3 Les années qui s'envolaient me revenaient dans le creux de la main comme des boomerangs. A. BLONDIN, les Enfants du bon Dieu, p. 50.

4 L'impitoyable loi (...) lui était donc revenue en pleine figure comme un boomerang.
 Régis DEBRAY, l'Indésirable, p. 97.

♦ **2.** (1959, *in* Höfler). Par métaphore ou fig. Acte, envoi dont les effets peuvent se retourner contre l'auteur, l'expéditeur. *« Tout acte est boomerang... »* (L. Daudet).

5 Fouquet reconnut la signature tremblotante de Marie sur ce boomerang *(l'enveloppe),* revenu à son point de départ le frapper au juste.
 A. BLONDIN, Un singe en hiver, p. 84.

Nom apposé ou adj. (1953). *Effet boomerang :* production d'un effet contraire à l'effet recherché. *Des effets boomerang(s).*

6 Particulièrement intéressants sont les effets boomerang, c'est-à-dire les conséquences contraires à l'intention du producteur, se retournant contre lui. Par exemple, une émission destinée à montrer les méfaits de charlatans qui utilisent les rayons X amena une grande partie des auditeurs non pas à faire confiance aux bons radiologues, comme ils le désiraient, mais à détourner tout simplement de cette thérapeutique qui apparaissait comme dangereuse.
 Jean CAZENEUVE, Sociologie de la radio-télévision, p. 33.

Loc. verb. *Faire boomerang :* se retourner contre l'envoyeur, contre son auteur. *Sa révélation a fait boomerang.*

BOOSTER [bustœʀ] n. m. — 1934, *in* Höfler ; mot amér. proprt « accélérateur » ; de *to boost.*

Anglicisme. Technique.

♦ **1.** Système d'accélération. *Booster de locomotive.*

♦ **2.** (1952, *in* Höfler). Fusée auxiliaire à très forte poussée pour les engins spatiaux. *« À une altitude de 12 000 pieds, le booster se détache (...) »* (*le Monde*, 13 déc. 1972). — Recomm. off. : *accélérateur, impulseur, lanceur, propulseur auxiliaire.*
Phys. Synchroton injecteur d'un accélérateur de particules.

♦ **3.** Précompresseur (d'une installation frigorifique).

BOOTLEGGER [butlegœʀ] n. m. — 1925, *in* Höfler ; mot amér. «celui qui cache sa bouteille dans sa botte».

♦ Hist. Aux États-Unis, Contrebandier d'alcool, pendant la prohibition.

BOOTS [buts] n. pl. — REM. L'usage hésite sur le genre ; le féminin semble toutefois l'emporter : on dit plus volontiers aujourd'hui *de belles boots, des boots neuves* que *de beaux boots, des boots neufs.* — 1966 ; attestation isolée, dans un contexte anglais, 1872 ; angl. *boots* «bottes».

♦ Anglic. Bottes courtes s'arrêtant au-dessus de la cheville et portées surtout avec un pantalon. ⇒ **Bottillon, bottine.** « *Les boots sont à fermeture-éclair ou à élastique, réalisés dans des peausseries souples* » (*Marie-Claire*, oct. 1971).

Elle a enfilé son jean de vacances, ses boots bleues en faux crocodile, son tee-shirt jaune, et noué un foulard rouge autour de son cou.
Joseph JOFFO, Tendre été, p. 30.

Au sing. *Un(e) élégant(e) boot* [but] *de ville.*

BOP [bɔp] n. m. ⇒ **Be-bop.**

BOQUETEAU [bɔkto] n. m. — 1598 ; *boschetel, bosquetel,* 1360 ; de *boquet,* var. picarde de l'anc. franç. *boschet, boscet,* de *bosc* «bois».

♦ Petit bois ; bouquet d'arbres. ⇒ **Bosquet.**

A gauche un boqueteau de chênes verts et un chemin.
H. BOSCO, l'Âne Culotte, p. 28.

1. BOQUILLON [bɔkijɔ̃] n. m. — 1668 ; *bosquillon,* 1210 ; de l'anc. franç. *bosc,* forme dial. de *bois*.*

♦ Vx. Bûcheron*.

1 Et boquillons de perdre leur outil,
Et de crier pour se le faire rendre. LA FONTAINE, Fables, V, 1.
2 (...) ils traversaient une clairière où travaillaient des bûcherons, c'était une coupe de bois pour alimenter les fourneaux de Timoleo Timolei. Quant à l'interpellation, elle avait pour auteur l'un de ces boquillons (...)
R. QUENEAU, les Fleurs bleues, p. 163.

2. BOQUILLON, ONNE [bɔkijɔ̃, ɔn] n. — Attesté XXe ; mot régional ; orig. inconnue, soit onomatopéique, soit (Wartburg) à rattacher à *bouc,* avec infl. de *béquillon.*

♦ Régional (repris en argot, XXe). Boiteux. — REM. Le dér. *boquillonner* «boiter» est employé (comme *boquillon*) par Céline (*Mort à crédit*).

BORA [bɔra] n. f. — 1818 ; mot slovène et triestin, du latin *boreas* «vent du Nord». → **Borée.**

♦ Vent du N.-E. froid et violent qui souffle l'hiver sur les régions septentrionales de l'Adriatique.

La bora souffle du N. N.-E., en Istrie et Dalmatie, de Trieste jusqu'à Raguse. On comprend facilement les coups de froid qu'elle amène (...) lorsqu'on (...) songe aux plateaux du Karst, dominant directement la mer de 1 000 m., couverts de neige. E. DE MARTONNE, Traité de géographie physique, t. I, p. 3.

BORACIQUE [bɔrasik] adj. ⇒ **Borique.**

BORACITE [bɔrasit] n. f. — XIXe ; *in* Littré ; de *borax.*

♦ Minér. Chloroborate de magnésie, de poids spécifique 2,9. *Le boracite se présente souvent sous la forme de cristaux incolores et transparents, dans les régions salifères.*

BORAIN [bɔrɛ̃] n. m. — 1803 ; de *Borain,* nom de l'habitant du Borinage.

♦ Régional. Mineur* dans le Borinage belge et le nord de la France. *Ensemble de borains.* ⇒ **Borinage.**

BORASSE [bɔras] n. m. — 1842 ; lat. bot. *borassus,* grec *borassos* «datte».

♦ Bot. Palmier* à tige robuste, à feuilles étalées en éventail, dont les bourgeons sont comestibles (cœur de palmier) et dont on fait le vin de palme (⇒ **Rondier**). *Le borasse des Indes, d'Afrique tropicale.* — On emploie en bot. le lat. mod. *borassus* [bɔrasys].

BORATE [bɔrat] n. m. — 1787 ; Guyton de Morneau, du rad. de *borax,* et suff. *-ate.*

♦ Chim. Sel et ester de l'acide borique. *Borate de magnésie.* ⇒ *Boracite. Borate de soude.* ⇒ **Borax, tincal.** *Borates d'ammoniaque, de chaux.*

DÉR. **Boraté.**
COMP. **Borosilicate.**

BORATÉ, ÉE [bɔrate] adj. — 1797, Hauÿ ; de *borate.*

♦ Chim. Qui contient de l'acide borique.

BORAX [bɔraks] n. m. — 1611 ; *borrache,* 1256 ; lat. médiéval *borax* (IXe) ; arabe *būrāq* «salpêtre», du persan *būrah.*

♦ Borate de sodium hydraté, se présentant en cristaux incolores, blancs ou grisâtres et solubles dans l'eau. *On trouve le borax dans l'Inde, à Ceylan, en Perse, au Tibet. Le borax ou borate de soude est un antiseptique faible employé comme collutoire, gargarisme, pansement humide contre les dermatoses.* ⇒ **Désinfectant.** *Le borax est utilisé dans l'industrie comme fondant ; dans l'analyse minérale ; pour la conservation des produits alimentaires.*

Derrière l'hélice, la surface battue est légère, feuilletée, luisante comme du borax.
Paul MORAND, Rien que la terre, p. 226.

DÉR. **Boracite, borate, bore.**

BORBORYGME [bɔrbɔrigm] n. m. — 1564 ; grec *borborugmos.*

♦ Bruit* produit par le déplacement des gaz dans l'intestin ou l'estomac. ⇒ **Flatuosité, gargouillement, gargouillis.**

Au fond de ces sépulcres de cuir je croyais entendre gronder les borborygmes de la parturition de quelque Mère Ubu (...)
P. GUTH, le Naïf sous les drapeaux, III, IV, p. 184.   1

Fig. *Les borborygmes d'une tuyauterie.*

(...) l'ascenseur n'avait pas été changé. C'était toujours le même déclic, bref, puis ce flottement de chaînes et ce borborygme huileux précédant la mise en marche (...)
MARTIN DU GARD, les Thibault, t. V, p. 164.   2

Le cri de la machine paraît peu à peu se perdre au cœur du bois, où il s'empâte, s'éteint, devient ce borborygme dans quoi bientôt la lame s'immobilise au fond de la blessure.
François NOURISSIER, le Maître de maison, p. 40.   3

Fig. et péj. Bruits de voix incompréhensibles. ⇒ **Bredouillement.**

BORCHTCH [bɔrtʃ] n. m. ⇒ **Bortsch.**

BORD [bɔr] n. m. — 1112, *bort* ; encore au XVIe ; francique **bord* «bordage d'un navire» ; *bort* «planche» viendrait soit d'un francique **bord* «planche», homonyme ou de même origine que **bord* «bordage», ou d'un germanique *bord* (F. e. w.), les rapports de ces mots étant incertains.

★ **I.** Mar. et cour. ♦ **1.** Extrémité supérieure de chaque côté du bordage d'un navire. ⇒ **Bordage ; bâbord, tribord.** — Loc. *Navire de haut bord,* haut sur l'eau ; *navire de bas bord* (rare). — *Franc-bord du navire* : partie située entre la ligne de flottaison et le pont supérieur. — Loc. cour. *Jeter, lancer qqch., qqn par-dessus bord,* à la mer. — Mar. *Recevoir la mer de tous les bords,* de tous les côtés, durant une tempête. *Rouler bord sur bord* : éprouver un violent roulis*. *Être bord à quai,* quand l'un des côtés du navire touche à quai. *Navires bord à bord,* côte à côte.

Et notre rat d'abord   1
Crut voir, en les voyant, des vaisseaux de haut bord.
LA FONTAINE, Fables, VIII, 9.
(...) ils construisirent des vaisseaux de haut bord qui firent pendant des siècles l'admiration de tous les marins du monde et dont Nelson disait qu'ils étaient les chefs-d'œuvre d'une main contrôlée par l'esprit.   1.1
Jean D'ORMESSON, la Gloire de l'Empire, t. II, p. 404.
Les bateaux destinés au transport des animaux et des chars étaient accolés bord à bord.   2
Th. GAUTIER, le Roman de la momie, II.

♦ **2.** Chaque côté du navire, considéré par rapport au vent. *Bord du vent, bord au vent* : côté d'où/où souffle le vent. *Bord de sous le vent,* sous le vent.

♦ **3.** Distance parcourue par un voilier entre deux virements (⇒ **Bordée,** 3.). *Courir, tirer un bord, des bords.* ⇒ **Bordailler** (vx), **louvoyer.** *Le bon bord* : bordée qui rapproche le navire du but. *Le mauvais bord est celui qui rapproche le bateau du vent réel. Bord au large, bord à terre,* se dit d'un navire courant des bordées tantôt vers le large, tantôt vers la terre. *Bords plats, carrés,* qui ne font pas progresser le voilier dans la direction du vent.

Le long des côtes marocaines, tout devient simple, clair, net : *Joshua* tire un bord vers la terre pendant la journée, un autre vers le large dès le début de la nuit.   2.1
Bernard MOITESSIER, Cap Horn à la voile, p. 64.
L'Ariel, après un long bord, vira et entama un nouveau bord qui l'obligeait à repasser devant nous. Michel DÉON, les Poneys sauvages, p. 263.   2.2

Loc. fig. Argot mar. *Tirer des bords* : marcher en titubant. *Louvoyer bord sur bord* (même sens). → Bordailleur, cit. (écrit *bord-sur-bord*).

♦ **4.** Par ext. (surtout dans : *le bord, à bord, du bord*). Le navire. *Aller, rester, coucher à bord. Monter à bord.* ⇒ **Aborder ; abordage.** *Être* *maître à bord. Seul maître à bord après Dieu. Chef de bord. Le capitaine* du bord. Changer de bord.* ⇒ **Transborder.** *Rallier le bord. Quitter le bord,* l'équipage. *Le chien du bord.* ⇒ **Chien.** *Prendre qqn à bord* (ou *à son bord*). — *À bord !,* ordre de retour au navire.

3 Le capitaine me prit à son bord avec mon domestique.
CHATEAUBRIAND, Itinéraire..., 6.

4 (...) l'ennui du séjour à bord, l'incommodité d'être bercé dans un lit mouvant comme par une nourrice en colère (...)
E. FROMENTIN, Une année dans le Sahel, p. 2.

5 Une heure encore avant le moment favorable pour rentrer à bord en évitant la surveillance des hommes de garde (...) LOTI, Aziyadé, XXI, p. 33.

Loc. **LES MOYENS DU BORD** : les moyens qu'offre la situation. *Se débrouiller avec les moyens du bord.*

5.1 (...) les gens qui sont comme nous et ce moment devraient se retrouver automatiquement mariés, mariés devant le commissaire du bord, avec les moyens également du bord. A. BLONDIN, Monsieur Jadis..., p. 158.

JOURNAL, LIVRE DE BORD : compte rendu de la vie à bord tenu par les officiers de quart. *Carnet* de bord.*

TABLEAU DE BORD : tableau réunissant les appareils de contrôle de la navigation. — *Par anal.* Tableau réunissant les appareils de contrôle (d'une automobile, d'un avion, etc.)

5.2 Il profita d'un arrêt, se pencha sous le tableau de bord *(de sa voiture)* et finit la bouteille qu'il jeta dans le fossé. G. SIMENON, Feux rouges, 1953, p. 111.

Fig. *Passager par-dessus bord* : passager clandestin, voyageant sans payer son passage.

À BORD, se dit des avions, des voitures, de tout véhicule. *Conducteur à bord d'un cabriolet. «(Le) mitrailleur à bord de l'appareil »* (→ Chasseur, cit. 2). *Monter à bord d'un camion, d'un char. Il y avait trois personnes à bord de la voiture.*

♦ **5.** (1849). Fig. **DU BORD DE (qqn).** *Nous sommes du même bord, du même parti, de la même opinion. «Ses amis de bord opposé »* (Sainte-Beuve).

5.3 Les écrivains de notre bord avaient tacitement adopté certaines règles.
S. DE BEAUVOIR, la Force de l'âge, p. 528.

♦ **6.** Mar. **VIRER DE BORD** : changer d'amures. — Fig. (Concret). Changer de direction.

6 L'âne vira de bord et repartit vers la montagne. H. BOSCO, l'Âne Culotte, p. 29.

(Abstrait). Changer de conduite, d'opinion.

★ **II.** (XIIᵉ). ♦ **1.** Contour, ligne formant l'extrémité (d'une surface, d'un objet considéré dans sa surface). ⇒ **Bordure, côté, limite, périphérie, pourtour.** *Un bord élevé, surajouté.* ⇒ **Rebord.**

(Dans la nature). *Le bord d'un champ, d'un bois* (⇒ **Lisière, orée**). Spécialt. **LE BORD DE LA MER.** ⇒ **Côte, grève, littoral, plage, rivage.** *Route qui surplombe le bord de la mer.* ⇒ **Corniche.** *Passer ses vacances au bord de la mer. Bord de mer. Maison située en bord de mer.* — *Poét. Les bords* : les régions en bordure de la mer. *Quitter ces bords. Les bords méditerranéens. Les bords d'une île, d'une région maritime. «Vous mourûtes aux bords où vous fûtes laissée »* (→ Blessé, cit. 4, Racine). *Sans bords* : qui se termine abruptement par un rivage (falaises, etc.) ⇒ aussi ci-dessous, 2., a, figuré.

7 L'honneur est comme une île escarpée et sans bords. BOILEAU, Satires, X.

8 Ils allaient se trouver acculés au bord de la mer, et toutes ces forces réunies les écraseraient. FLAUBERT, Salammbô, XII.

Spécialt, mar. (dans des expressions). Rivage, terre ; côte. *Mettre à bord* : arriver au port, accoster. ⇒ **Aborder ; abord.** *Suivre le bord,* la côte.

Le bord d'un fleuve, d'une rivière. ⇒ **Rive ; berge.** *Habiter au bord d'un fleuve* (⇒ **Riverain**). *Couler à pleins bords* (en parlant des eaux), en remplissant le lit du cours d'eau (→ ci-dessous *À pleins bords* 2., c). *Le courant, la rivière a dépassé les bords.* ⇒ **Déborder.**

9 Que je repose en paix sous le gazon rustique,
Sur les bords du ruisseau pur et mélancolique ! M.-J. CHÉNIER, la Promenade.

Le bord d'une route (⇒ **Côté**), *d'un fossé, d'un précipice.* — *Le bord d'un puits. Au bord, sur le bord* (de...). *S'avancer avec précaution jusqu'au bord* (d'une rivière, d'un ravin, d'un fossé...).

10 Au bord de quelque bois sur un arbre je grimpe (...)
LA FONTAINE, Fables, X, 15.

11 Sur le bord d'un puits très profond
Dormait, étendu de son long (...) LA FONTAINE, Fables, V, II.

12 Avant de monter sur le char qui devait la ramener en arrière, la reine des Goths s'arrêta au bord de la route. A. THIERRY, Récits des temps mérovingiens, I.

(Objets matériels). Partie (d'un objet considéré dans sa surface) qui borde, limite. *Le bord d'un objet.* ⇒ **Arête, contour, entourage, extrémité.** *Le bord d'un tableau.* ⇒ **Cadre.** *Le bord d'un papier, d'un livre.* ⇒ **Marge, tranche,** *d'une assiette, d'un verre. Un verre plein jusqu'au bord, à ras* bord. Un rouge* (I., 3.) *bord* : un verre de vin rempli jusqu'au bord. On a écrit *rouge-bord* (→ ci-dessous cit. 14). — *Le bord d'une table, d'une chaise.* — Loc. *S'asseoir sur le bord d'une chaise, d'un siège.*

13 Si on le prie de s'asseoir, il se met à peine sur le bord d'un siège (...)
LA BRUYÈRE, les Caractères (→ Articuler, cit. 6).

14 Un laquais effronté m'apporte un rouge-bord
D'un Auvernat fumeux, qui, mêlé de Lignage,
Se vendait chez Crenet pour vin de l'Hermitage (...) BOILEAU, Satires, III.

(...) Musidora vient d'être apportée par Jacinthe jusqu'au bord de la baignoire. 15
Th. GAUTIER, Fortunio, 6 (→ Baignoire, cit. 1).

(1596). *Le bord d'un vêtement. Bord ourlé, festonné.* ⇒ **Bordé, frange, ourlet.** *Bord effilé, effrangé.* — Loc. adv. **BORD À BORD** : en mettant un bord contre l'autre, sans les croiser. Adj. *Manteau bord à bord.*

Spécialt (souvent au plur.). Partie circulaire (d'un chapeau) perpendiculaire à la calotte. *Chapeau à larges bords, à petits bords.*

Deux hommes en chapeau à bords cassés (...) 15.1
René FALLET, le Triporteur, p. 424.

Bord gradué d'un cercle ; bord observé d'une planète. ⇒ **Limbe.**

Techn. *Le bord d'une cloche,* partie sur laquelle frappe le battant.

REM. Lorsque le second substantif désigne un objet concret, *bord* peut correspondre à l'extrémité de sa surface (abstraitement) ou à une partie distincte de l'objet (*le bord d'un puits* : la margelle ; → Bordure).

(Parties du corps). *Le bord des paupières, des yeux. Les bords d'une plaie. Conglutiner les bords d'une plaie.*

Mes lèvres sont les bords d'une blessure brûlante. 16
Pierre LOUŸS, Aphrodite, I, p. 23.

Il avait le bord des paupières avivé par une légère blépharite. 17
G. DUHAMEL, Chronique des Pasquier, III, IX, p. 116.

Spécialt. *Le bord des lèvres.* ⇒ **Bout.** *Mouiller, tremper le bord des lèvres dans une tasse.* — Loc. fig. **AU BORD DES LÈVRES.** *Avoir un mot sur le bord des lèvres,* être sur le point de le retrouver, de le dire ; avoir envie de révéler un secret (→ Sur le bout* de la langue). *Avoir l'âme, le cœur au bord des lèvres* : se confier facilement. ⇒ **Épancher** (son âme).

♦ **2.** Loc. fig. **a** Poét. et vx. *Les sombres bords* : allusion au Styx ; le royaume de Pluton. ⇒ **Enfer.** — *Abandonner ce bord,* cette vie (→ ci-dessous, cit. 24). *Le bord du tombeau* : le moment de la mort (→ ci-dessous, cit. 19 et 23).

b Mod. **ÊTRE AU BORD DE (qqch.), SUR LE BORD DE (qqch.),** en être tout près (→ Être sur le point* de...). *Être sur le bord, au bord de la tombe,* mourant. *Être au bord du gouffre, du précipice, de l'abîme,* en danger. *Être au bord des larmes,* sur le point de pleurer. *Être au bord de la victoire,* sur le point de gagner. — Le pluriel *aux bords de...* (ci-dessous, cit. 18), *sur les bords de...* (cit. 19) est archaïque.

Quand nous sommes aux bords d'une pleine victoire, 18
Quel besoin avons-nous d'en partager la gloire ? CORNEILLE, Sertorius, II, 2.

Sur les bords de la tombe où tu me vois courir (...) CORNEILLE, Œdipe, III, 2. 19

Jusques au bord du crime ils conduisent nos pas. RACINE, la Thébaïde, III, 2. 20

Vois-je l'État penchant au bord du précipice ? RACINE, Bérénice, IV, 4. 21

Les dieux nous ont conduits jusqu'au bord de l'abîme. 22
FÉNELON, Télémaque, VII.

Cette bouteille donna la mort au pape, et mit son fils au bord du tombeau. 23
VOLTAIRE, Essai sur les mœurs, III.

Faut-il sans boire abandonner ce bord *(la vie)* ? 24
Priez pour moi, je suis mort, je suis mort. BÉRANGER, Mort vivant.

Elle embrassait les mains de monsieur Blink qui semblait sur le bord d'une crise 24.1
de nerfs. Michel TREMBLAY, Contes pour buveurs attardés,
in Littératures de langue franç. hors de France, p. 523.

c Loc. littér. ou vx. *À pleins bords* : en abondance (comme un liquide remplissant un récipient jusqu'aux bords) ; en se répandant abondamment (comme un cours d'eau plein jusqu'aux bords). → ci-dessus *à pleins bords* (en parlant d'un cours d'eau).

C'est l'orgie opulente, enviée au dehors, 25
Contente, épanouie,
Qui rit, et qui chancelle, et qui boit à pleins bords
De flambeaux éblouie ! HUGO, les Chants du crépuscule, 33.

La fraternité naissante dans le sens le plus large sortait à pleins bords de tous ses 26
enseignements *(de Jésus)*. RENAN, Vie de Jésus, XIV.

Au bord de... : tout près de...

Jean-Paul se sentit triste infiniment, au bord de cette petite âme douce qui l'aimait. 27
F. MAURIAC, l'Enfant chargé de chaînes, p. 75.

d Loc. fam. (après un adj.). **SUR LES BORDS** : à la limite, sans l'être totalement, foncièrement. *Un peu filou, un peu malhonnête sur les bords* : d'une honnêteté douteuse. *Dis donc, par hasard, tu ne serais pas un peu communiste sur les bords ?* (sans y paraître).

Un peu adultère sur les bords, mais bonne épouse, bonne mère. 28
S. DE BEAUVOIR, les Belles Images, p. 85.

Faut pas pleurer, lui dit Gabriel. Il était un peu faux jeton sur les bords votre 29
jules. R. QUENEAU, Zazie dans le métro, Folio, p. 174.

Ah pauvre fou qui prends tout tellement à cœur. Si compliqué. Un peu persécuté 30
sur les bords, reconnais-le (...) N. SARRAUTE, Vous les entendez ?, p. 65.

CONTR. Centre, fond, intérieur, milieu.

DÉR. 1. Bordage, bordailler, bordée, border, bordereau, 2. bordier, bordure.
COMP. Aborder, déborder, rebord, transborder. — Franc-bord, plat-bord.
HOM. Bore, bort.

1. BORDAGE [bɔrdaʒ] n. m. — 1476 ; de *bord,* et suff. *-age.*

♦ **1.** Vx. Ce qui sert à border ; ensemble des bords*. ⇒ **Bordé.** *Bordage d'un vêtement* (⇒ **Ourlet**), *d'un chapeau, d'une chaussure.*

REM. Le sens «action de border», dér. de *border (le bordage d'un vête-*

ment par la couturière), est plus virtuel que réel (attesté en 1836 dans le dict. de l'Académie).

♦ **2.** [a] (1573). Mar. Au plur. Planches épaisses ou tôles recouvrant la membrure (d'un navire, d'une partie d'un navire). *L'ensemble des bordages constitue le bordé.* ⇒ **Bau, couple, hiloire, pavois, platbord, préceinte, rance, virure.** *Bordages du pont.* ⇒ **Bord.** *Bordages de carène ou gabord.* ⇒ **Ribord.** *Bordages de la coque.* ⇒ **Francbord.** *Fixation des bordages.* ⇒ **Gournable, râblure.**

[b] Techn. Coffre* de bois contenant du béton. ⇒ **Boisage, coffrage.**

♦ **3.** N. m. pl. (1632). Régional (Canada). Bordure de glace des cours d'eau, des rives.

Les uns gaffaient, les autres, le long des bordages, à mi-corps dans l'eau glacée, halaient en bœufs.   Félix-Antoine SAVARD, Menaud, maître draveur.

2. BORDAGE [bɔʀdaʒ] n. m. — XIIIᵉ ; du lat. médiéval *bordagium*, v. 1100 en dr. féod. ; du lat. médiéval *borda* «borde» ; de *borde*.

♦ **1.** Dr. féod., hist. Tenure portant sur une maison d'habitation et entraînant diverses corvées ; ces corvées.

♦ **2.** Régional. «Ferme louée à moitié fruit» (*in* T. L. F.). ⇒ **Borde, métairie.**

Mais dès la fin du XIᵉ siècle, semble-t-il, dans certaines provinces de Gaule, comme l'Anjou, le Maine, le Poitou, et peut-être l'Ile-de-France, des ménages paysans vinrent aussi s'établir dans des «bordes» ou des «bordages» dispersés parmi les bois et les landes.   Georges DUBY, Guerriers et Paysans, p. 229.

BORDAILLER [bɔʀdaje] ou BORDAYER [bɔʀdeje] v. intr. — 1654, *bordeyer* ; de *bord*.

♦ **1.** Mar. (vx). Virer souvent de bord sans gagner au vent.

♦ **2.** Fa. Tirer des bordeés, tituber.

DÉR. **Bordailleur.**

BORDAILLEUR [bɔʀdajœʀ] n. m. — 1878 ; de *bordailler*.

♦ Argot mar. Celui qui tire des bordées, titube ; ivrogne. — REM. Le fém. est virtuel.

Au deuxième matin, le bordailleur rentrait
Sur ses jambes en pieds-de-banc-de-cabaret,
Louvoyant bord-sur-bord (...)
          Tristan CORBIÈRE, les Amours jaunes, 1873, Pl., p. 819.

BORDE [bɔʀd] n. f. — 1172, «cabane» ; lat. médiéval *gorda* ; du francique *borda* «cabane de planches».

♦ Vx ou régional. Métairie. *Une petite borde.* ⇒ 2. **Bordage** (cit.), **borderie.**

REM. Mot surtout attesté dans le Sud-Ouest de la France.

DÉR. **Borderie, 1. bordier.** — V. 2. **Bordage, bordeau, bordel.**

1. BORDÉ, ÉE [bɔʀde] adj. ⇒ **Border.**

2. BORDÉ [bɔʀde] n. m. — 1689 ; de *border*.

♦ **1.** Galon servant à border (un vêtement, un tapis...). ⇒ **Bordure, frange, lisière.** *Garnir des rideaux d'un bordé.*

1 Il y aura un petit bordé d'argent au bas.
          Mᵐᵉ DE SÉVIGNÉ, Lettre à Mᵐᵉ de Grignan, 1091, 28 mars 1689.

♦ **2.** Mar. Ensemble des bordages*. *Bordé à clins. Bordé à francbord.*

2 Le bordé va toucher l'eau, nous sommes prêts d'embarquer.
          Hervé BAZIN, Cri de la chouette, p. 160.

HOM. **Bordée, border.**

BORDEAU [bɔʀdo] n. m. — XVIᵉ, *in* Huguet ; de l'anc. franç. *bordel*, de *borde*. → Bordel.

Vieux ou littéraire.

♦ **1.** Petite cabane.

♦ **2.** Vx. Bordel.

(...) Vivait au cabaret pour mourir au bordeau.   Mathurin RÉGNIER, Satires, X.

HOM. **Bordeaux.**

BORDEAUX [bɔʀdo] n. m. — 1785, Sade, *in* D. D. L. ; du nom de la ville.

♦ **1.** Vin des vignobles du département de la Gironde. *Un bordeaux rouge, blanc. Les bordeaux du Médoc, de Saint-Émilion, de Saint-Estèphe...* — REM. Le bordeaux est souvent dénommé par ses appellations, qu'elles soient régionales (*du saint-émilion, du pomerol, du fronsac, du lalande de Pomerol, du médoc, du haut-médoc, du graves, de l'entre-deux-mers, du blaye* (et *côtes-de-Blaye*), *du côtes-de-Bourg,*

ou communales (*du margaux, du saint-estèphe, du saint-julien — médoc —, du pauillac, du sauternes*) ; on utilise aussi les noms de châteaux : → Vin. *Classement des bordeaux* (en crus : bourgeois, grand bourgeois, etc.). ⇒ aussi **Château.** *Un grand, un petit bordeaux. Les bordeaux blancs de Graves, de Palus, de Sauternes, de Côtes.* — *Une bouteille de bordeaux.* ⇒ **Bordelaise.** *Un verre à bordeaux :* un petit verre à vin, à pied, de forme caractéristique.

Spécialt. *Bordeaux, bordeaux supérieur :* vin du Bordelais provenant des régions ne bénéficiant pas d'une appellation particulière. *Bordeaux rouge, clairet, rosé.*

♦ **2.** (1908, *in* D. D. L.). Couleur rouge foncé (du bordeaux rouge). ⇒ **Grenat.** *Un tissu d'un joli bordeaux. Le bordeaux lui va bien.* — Adj. invar. *Des vestes bordeaux.*

HOM. **Bordeau.**

BORDÉE [bɔʀde] n. f. — 1546, sens 3 ; de *bord*.

Marine.

♦ **1.** (1690). Vx. [a] Ligne de canons rangés sur chaque bord* d'un vaisseau.

[b] Décharge simultanée des canons d'un même bord. — Mod. Salve de l'artillerie du bord. *Bordée de coups de canon. Lâcher sa bordée.*

L'un des vaisseaux lâcha à l'autre une bordée.   VOLTAIRE, Candide, 20.   1

♦ **2.** (1704). Partie de l'équipage de service à bord. *Bordée de bâbord, de tribord, de quart. Petite, grande bordée.*

♦ **3.** Route parcourue par un navire qui louvoie sans virer de bord. *Faire, courir une bordée. Tirer des bordées.* ⇒ **Louvoyer.**

Nous fûmes obligés de courir des bordées entre l'île et la côte d'Asie (...)   2
          CHATEAUBRIAND, Itinéraire..., II, 13.

La «*Claymore*» quitta Bonnenuit, passa devant Boulay-Bay, et fut quelque temps   3
en vue, courant des bordées (...)   HUGO, Quatre-vingt-treize, I, II, 1.

Loc. fig. (1833). *Courir, tirer une bordée :* aller de cabaret en cabaret (en parlant des marins, et, par anal., de militaires, de jeunes, etc.). → Cavaler, cit. 5.

(...) trois jeunes hommes à la tournure délurée, à la tête intelligente, qui couraient   4
leur *bordée* de départ au moment de s'en aller en Chine.
          LOTI, Mon frère Yves, LXXI, p. 170.

Spécialt. Marcher en titubant. Syn. : *tirer des bords*.* ⇒ **Bordailler.**

Cette indécise allure convient à l'heure nocturne et au quartier, où il est habituel   4.1
de marcher en louvoyant, ou, comme disent encore les marins, de tirer des bordées.
          A. PIEYRE DE MANDIARGUES, la Marge, p. 87.

Par anal. (avec la bordée des marins). Débauche, beuverie systématique dans un ou plusieurs cabarets. ⇒ **Virée.**

Argot mar. et régional. Absence non autorisée. ⇒ **Escapade.**

♦ **4.** (Métaphore du sens 1 : coups de canon). *Une bordée de...* Grande quantité (de ce qui est assimilé à des coups).

Une bordée de rires accueillit cette réponse.   4.2
          Francis CARCO, les Belles Manières, p. 8.

(Av. 1755). *Une bordée d'injures, d'insultes.* ⇒ **Cascade.** *Recevoir, essuyer une bordée d'injures.*

Cette banderille, encore qu'hypothétique, plantée dans son dos, Martial vit rouge.   4.3
Il ne rêva plus que viol, persécution et bordées d'injures.
          Jean-Louis CURTIS, le Roseau pensant, p. 93.

Ellipt. et vx. *Une bordée.*

C'était le seul homme qui l'eût subjugué (*M. le duc*), et qui lâchait quelquefois   5
des bordées effroyables (...)   SAINT-SIMON, Mémoires, 264, 30.

HOM. **Bordé, border.**

BORDEL [bɔʀdɛl] n. m. — V. 1200, *bordel* au sing. «lieu de prostitution», au plur. *bordiaus*, XIIIᵉ, des *bordels*, 1585 ; au sens général de «cabane, maison», déb. XIIᵉ en judéo-français ; du francique **borda* «cabane, maison», p.-ê. par le provençal *bordelou*, même sens. Au singulier, le mot est en concurrence avec *bordeau** (1537), mot noté *vieilli* en 1690 par Furetière.

♦ **1.** Vulg. Maison de prostitution (interdite depuis 1950, en France). ⇒ **Bobinard, 2. bocard, bordeau, 2. bousin, boxon, chabanais** (vieilli), **2. claque, lupanar** (littér.). *Bordel public.* → Paillardise, cit. *Aller, faire un tour au bordel* (cf. Aller voir les filles). *Fréquenter les bordels. Un bordel de luxe. Tenir un bordel :* gérer une maison de prostitution (⇒ **Bordelier, taulier**). *La lanterne rouge des anciens bordels. Bordel clandestin.* ⇒ **Clandé.**

Paris entier, ayant lu son cartel,   1
L'envoie au diable, et sa muse au bordel.   CORNEILLE, Poésies diverses, II.

Il (*Vitali*) donna pour second gentilhomme à Son Excellence, à la place de celui   2
qu'il avait fait chasser, un autre maquereau comme lui qui tenait bordel public à
la Croix-de-Malte (...)   ROUSSEAU, les Confessions, t. II, p. 115.

J'ai été au bordel.   3
— Que veut dire ce mot ?
— On appelle ainsi des maisons publiques où, moyennant un prix convenu, chaque homme trouve de jeunes et jolies filles pour satisfaire ses passions.
          SADE, les Instituteurs immoraux, la Philosophie dans le boudoir, p. 102,
          in CELLARD et REY.

♦ **2.** Fig. et fam. Grand désordre (matériel ou non). *Quel bordel ici !* ⇒ **Bazar, boxon, foutoir.** *Il y a du bordel* (⇒ **Bordéleux**). *Foutre*

le bordel quelque part (cf. Foutre la merde, la pagaille, la zone).
⇒ **Bordéliser.**

4 — Salut ; entre par ici, dit Lambert joyeusement. Tu excuseras ce bordel ; je n'ai
pas eu le temps de faire de l'ordre.   S. DE BEAUVOIR, les Mandarins, p. 242.

5 Foutre le bordel seulement une nuit : pas le bout du monde, non ?
— Le bordel, ça s'organise.   Régis DEBRAY, l'Indésirable, p. 11.

Tapage. *Ils ont fait du bordel toute la nuit.* ⇒ **Boucan, bousin.**

♦ **3.** Ensemble d'objets en désordre. *Elle est venue s'installer avec
tout son bordel. J'ai laissé tout mon bordel sur la table,* toutes mes
affaires, tout mon matériel. ⇒ **Foutoir.**

6 Vous avez emporté tout vot' bordel ?
— Nous avons mieux aimé l'garder, et voilà.
                                             H. BARBUSSE, le Feu, t. II, II, XX, p. 35.

7 Ça te la coupe hein, lui dit Thérèse. Pas du toc tout ce bordel.
                                             R. QUENEAU, Loin de Rueil, p. 11.

Loc. *Et tout le bordel :* et tout le reste.

8 Monet s'amène, considère le bâtiment avec son œil de peintre et ne voit que des
taches. Moyennant quoi il peint la cathédrale de Rouen dans toute sa vérité, avec
en prime, le mysticisme du moyen âge, la spiritualité et tout le bordel.
                                             J. DUTOURD, Pluche, XI, p. 151.

Ce bordel de... : ce sale... *J'en ai marre, de ce bordel de travail.*
— *Ça va être le (un) bordel pour... :* ça va être très difficile.

♦ **4.** Exclam. vulg. équivalant à un juron. *Bordel ! Bordel de bordel !
Bordel de Dieu ! Sacré bordel ! Bordel de (qqch.) ! Bordel à cul !*

9 Il gagna la porte, se prit l'épaule dans un massacre de cerf en grommelant : « bordel ! » et sortit.   M. DRUON, la Chute des corps, V, II, p. 374.

10 Nom de Dieu de nom de Dieu de bordel de Dieu ! Je veux savoir ! je veux savoir !
Mais enfin, pourquoi ? Je veux savoir pourquoi, nom de Dieu ! Je n'admets pas
que... j'ai le droit de...
                                             M. AYMÉ, le Vin de Paris, « La fosse aux péchés », p. 145.

11 Nom de Dieu de nom de Dieu, bordel de Dieu, c'est-y pas malheureux de voir ça.
                                             DRIEU LA ROCHELLE, la Comédie de Charleroi, p. 217.

Par plais. (exclam. équivalant à *nom de Dieu !*). *La quille, bordel ! Et
la porte, bordel ! Et la tendresse, bordel !* (titre de film).

DÉR. **Bordéleux** ou **bordélique, bordelier, bordéliser.**

BORDELAIS, AISE [bɔʀdəlɛ, ɛz] adj. et n. — XIIIᵉ, *bordelois*
(d'une monnaie), du rad. *bordel-,* du lat. médiéval *burdigalensis* « de
Bordeaux ».

♦ De Bordeaux, de sa région. *L'économie bordelaise. Le vignoble
bordelais. — L'accent bordelais. — Bouteille bordelaise.* ⇒ **Bordelaise.**

N. *Un Bordelais, une Bordelaise.*

N. m. *Le bordelais :* le français régional de Bordeaux (var. régionale,
fam., *le bordeluche*).

Loc. *À la bordelaise, bordelaise :* avec une sauce au vin rouge et
divers assaisonnements. *Lamproie, entrecôte (à la) bordelaise.*

DÉR. **Bordelaise.**

BORDELAISE [bɔʀdəlɛz] n. f. — 1866, au sens 1, de *borde-
lais,* adjectif.

♦ **1.** Futaille contenant environ 225 litres, utilisée dans le commerce des vins de Bordeaux.

♦ **2.** (1877). Bouteille de forme particulière, utilisée pour les vins de
Bordeaux et contenant environ 75 centilitres.

HOM. Fém. de **bordelais.**

BORDÉLEUX, EUSE [bɔʀdəlø, øz] adj. ⇒ **Bordélique.**

1. BORDELIER, IÈRE [bɔʀdəlje, jɛʀ] adj. et n. — 1204 ; *borde-
lier* « celui qui fréquente les bordels » ; l'adj. semble récent ; de *bordel.*

♦ **1.** Adj. Vulg. Relatif aux bordels, aux maisons de prostitution.
— Où il y a des bordels.

1 Il me montra les quartiers populeux où quinze ans plus tôt il colportait des savon-
nettes, les docks où il se nourrissait de bananes volées, les petites rues bordeliè-
res qu'il traversait le cœur battant (...)   S. DE BEAUVOIR, les Mandarins, p. 423.

♦ **2.** N. (Vx). Celui, celle (⇒ **Maquerelle**) qui tient un bordel.
⇒ **Taulier.**

2 Jambe d'argent, le patron du Petit Toulon (...) ancien légionnaire, ancien marin,
vieux bordelier (...)   Roger VAILLAND, 325 000 francs, p. 9.

N. m. Celui qui fréquente les bordels. ⇒ **Putanier, putassier.**

2. BORDELIER, IÈRE [bɔʀdəlje, jɛʀ] adj. et n. f. — 1611, n. f. ;
probablt de *bord.*

♦ **1.** *Brème bordelière, bordelière* (n. f.) : poisson *(Cyprinidés),*
variété de brème. ⇒ **Brémette.**

♦ **2.** (1859, Goncourt). Rare. En bordure, en marge de. « *Cette petite
oasis bordelière du monde* » (Goncourt *in* T. L. F.).

BORDÉLIQUE [bɔʀdelik] adj. — Av. 1970 ; de *bordel.*

♦ Fam. Où il y a du bordel, du désordre. *C'est passablement bordélique, ici ! Un placard bordélique.*

Le dimanche après-midi, dans notre chambre bordélique, nous tentions de passer
le temps en fumant une cigarette de marijuana qui ne nous faisait ni chaud ni
froid.   Jacques LAURENT, les Bêtises, p. 260.

(Personnes). Qui crée du désordre, vit dans le désordre ; qui n'est
pas organisé. *Il est bordélique, mais il retrouve toujours ses affaires.*

REM. 1. On dit aussi (moins cour.) *bordéleux, euse* [bɔʀdelø, øz].
2. On trouve déb. XVIIIᵉ s. (Gueudeville, 1719, *in* D. D. L.) l'adjectif *bordélique* « relatif au bordel, qui appartient au bordel », aujourd'hui inusité.

BORDÉLISER [bɔʀdelize] v. tr. — 1934, *in* D. D. L. ; de 2. *bordel.*

♦ Fam. et rare. Mettre le bordel, la pagaille dans (un lieu, une organisation).

BORDER [bɔʀde] v. tr. — 1170 au sens I, 1 ; de *bord* au sens
étendu ; le sens originel de *bord* (marine) semble utilisé postérieure-
ment pour le verbe ; → ci-dessous II.

★ **I.** ♦ **1.** S'étendre le long du bord, occuper le bord de (qqch.).
⇒ **Longer.** — (Sujet n. de chose). *Un fossé borde la route. Les
rochers bordent le rivage.* — Rare (Sujet n. de personne). *Les soldats, l'infanterie bordant la frontière.*

Les gazons dont un printemps éternel bordait son île (...)   1
                                             FÉNELON, Télémaque, I.

Le tranquille horizon qui borde nos États (...)   VOLTAIRE, Scythes, IV, 2.   2
Le gouvernement fit border d'infanterie la route que René devait suivre (...)   3
                                             CHATEAUBRIAND, les Natchez, II, 238.

(...) n'ayant plus un penny pour payer une chambre d'hôtel, il s'assit sur le para-   4
pet qui borde le port et regarda les reflets des hublots.
                                             A. MAUROIS, les Discours du Dʳ O'Grady, XIV, p. 148.

Des ormeaux qui bordent le chemin   5
J'ai passé les premiers à peine (...)   A. CHÉNIER, la Jeune Captive.

Milit. Se disposer en ligne, sur un côté ou les deux côtés d'une voie
(ci-dessus, cit. 3). Cf. Faire la haie.

Pron. *Se border de... :* se garnir sur le bord.

♦ **2.** (1271). Garnir d'un bord, d'une bordure*. ⇒ **Entourer.** *Border
un manteau de fourrure. Border un tissu d'une frange* (⇒ **Franger**),
d'un effilé, d'un ourlet (⇒ **Ourlet**), *d'un liseré* (⇒ **Bordé**).

Le compl. désigne une partie du corps :

(...) un visage assagi, où les cils, abaissés sur la joue, bordaient d'un trait de gomme- 6
gutte la boutonnière mince de l'œil.
                                             MARTIN DU GARD, les Thibault, t. III, p. 21.

(XIIIᵉ). *Border un lit :* replier le bord des draps, des couvertures sous
le matelas. *Border un drap.* — Par ext. *Border qqn dans son lit,* et,
absolt, *border qqn.*

Sujet n. de personne :

Jacques se met à border le lit activement, avec un soin de vieille fille.   7
                                             Alphonse DAUDET, le Petit Chose, II, 4.

♦ **3.** Techn., pêche. *Border un filet,* le renforcer en l'entourant
d'une corde.

Hortic. *Border une planche :* relever la terre des bords au moyen
du dos de la bêche pour surélever la planche par rapport au sentier. — *Border une allée, une plate-bande de végétaux. Border une
allée de peupliers.*

Arts. *Border une figure,* en détacher les contours.

★ **II.** Mar. (du sens I de *bord,* mar. ou de certains emplois du sens II :
rivage, etc.).

♦ **1.** (1264). *Border un navire :* revêtir la membrure de bordages*.

♦ **2.** *Border les côtes,* les longer. *Border un bâtiment, un vaisseau,*
l'observer en le suivant.

♦ **3.** (1690, de *bord :* ramener *à bord*). *Border une voile,* en ramener
le point d'écoute vers l'axe du bateau. ⇒ aussi **Bouliner** (vx). *Border un foc, un génois. On borde une voile en embraquant l'écoute.
Border une voile plat.* — Pron. *Une voile se borde à la limite du
faséyement.* Absolt. *Borde, on va virer ! Border plat :* aplatir la voile
en tendant les écoutes au maximum.

(...) une mer très curieuse, tantôt hachée au point de nous obliger à border les voi- 7.1
les plat et à boucler le capot, tantôt exceptionnellement belle ; c'est le courant qui
fait des siennes.   Bernard MOITESSIER, Cap Horn à la voile, p. 221.

♦ **4.** *Border les avirons,* les ranger sur le bord de l'embarcation,
prêts à être utilisés.

▶ **BORDÉ, ÉE** p. p. adj. (XIIᵉ).

♦ **1.** Entouré, garni (de qqch.). *Bordé de... Route bordée d'arbres.
Mouchoir bordé de dentelle.*

Il n'y a point d'autre chemin pour y aller qu'un petit sentier tout bordé de ron-   8
ces (...)   LA FONTAINE, Psyché, II, p. 116.

Ses paupières attentives étaient bordées de cils longs.   9
                                             Paul BOURGET, Un divorce, III.

10　(...) des rabats bordés de petites perles blanches (...)
　　　　　　　　　　　Alphonse DAUDET, le Petit Chose, I, 2.

♦ **2.** Mar. *Un navire bien bordé,* dont le bordage* est solide. *Une voile bordée; une voile bordée plat.*

CONTR. et COMP. Déborder.
DÉR. Bordé.
HOM. Bordé, bordée.

BORDEREAU [bɔʀdəʀo] n. m. — 1539; *bourdrel,* 1493; probablt dér. de *bord* «relevé porté sur le bord du cahier».

♦ **1.** Relevé détaillé énumérant les divers articles ou pièces (d'un compte, d'un dossier, d'un inventaire, d'un chargement...) ⇒ **État, liste, note.** *Bordereau manuscrit, imprimé. Bordereau d'achat, de vente.* ⇒ **Facture, justificatif.** *Bordereau d'envoi, d'expédition, de livraison, de saisie.*
(...) le commissaire priseur armé de son marteau d'ivoire, le clerc chargé de bordereaux, l'expert avec son catalogue (...)
　　　　　　　　　FRANCE, le Crime de S. Bonnard, I, 8 déc. 1869.
Compt. *Bordereau de paye. Bordereau de compte, de caisse,* indiquant les payements et recouvrements. *Bordereau d'escompte :* relevé de valeurs présentées à l'escompte.

♦ **2.** État des opérations effectuées par un employé. *Bordereau d'agent de change, de courtier.*

♦ **3.** Dr. *Bordereaux réglementaires,* exactement collationnés. *Bordereau d'inscription hypothécaire,* indiquant les sommes dues aux créanciers avec leurs dates de payement. *Bordereau de collocation.* ⇒ **Collocation.**

BORDERIE [bɔʀdəʀi] n. f. — 1311; de *borde.*

♦ Vx ou régional. Petite métairie (⇒ **Borde**).

1. BORDIER, IÈRE [bɔʀdje, jɛʀ] n. et adj. — Déb. XIIᵉ, de *borde.*

♦ Vx, régional ou hist. Métayer ou fermier soumis au bordage*.
Les paysans que les documents anglais nomment «bordiers» ou «cottiers» se trouvent dans une situation peu différente.
　　　　　　　　　Georges DUBY, Guerriers et Paysans, p. 252.

2. BORDIER, IÈRE [bɔʀdje, jɛʀ] adj. — 1687; de *bord,* II. (sens 1 et 3) et I. (sens 2).

♦ **1.** Géogr. *Mer* bordière,* située en bordure d'un océan. — Par extension :
La Californie *n'est pas* l'Amérique. Cette mince ligne bordière n'a rien de commun avec l'aire américaine.
　　　　　　　　　Raymond ABELLIO, Ma dernière mémoire, t. I, p. 153.
(1873, *fossé bordier*). Rare. Qui est au bord (d'une route). *Arbres bordiers.*

♦ **2.** (De *bord,* I.). Mar. Se dit d'un bateau qui serre mieux le vent, ou répond mieux à la barre sur un bord que sur l'autre. *Un navire bordier navigue mieux sur un bord que sur l'autre.*

♦ **3.** N. m. (1743). Régional (Suisse). Riverain, propriétaire habitant en bordure d'une voie. *Circulation interdite, bordiers autorisés.*

BORDIGUE [bɔʀdig] ou **BOURDIGUE** [buʀdig] n. f. — 1613; provençal *bourdigo,* même sens.

♦ Pêche. Régional. Enceinte en clayonnages qui, au bord de la mer, sert à prendre ou garder le poisson. — REM. On rencontre aussi la forme *bourdingue* (→ Pelletat, cit.).

BORDILLE [bɔʀdij] n. f. — V. 1925, *in* Cellard et Rey; orig. incert., p.-ê. du régional (Provence) *bordille* «balayure», 1783; sans doute influencé par *bordel.*

♦ **1.** Argot de la brocante. Objet sans valeur.

♦ **2.** Argot fam. Bon à rien, imbécile. «*Quelle épaisse bordille, ce gonze !* » (A. Boudard, *la Cerise, in* Cellard et Rey).

BORDJ [bɔʀdʒ] n. m. invar. — 1852; *bourdj,* 1820, *in* D.D.L.; arabe *bŭrdj* «tour, fortin».

♦ En Afrique du Nord. Construction fortifiée (servant de forteresse, d'abri, etc.).
1　Quoique maussade à l'œil au milieu de ce désert saharien (...) le bordj (...) éveille l'idée d'une assez grande vie, et rappelle, au moins par moments, les mœurs féodales.　　　　　　　　E. FROMENTIN, Un été dans le Sahara, I, 79.
2　(...) puis sous prétexte de lui montrer des photos de peintures rupestres, il l'avait entraînée au bordj dans sa chambre (...)　　Jacques LAURENT, les Bêtises, p. 375.

BORDURE [bɔʀdyʀ] n. f. — 1240, var. *bordeüre*; de *bord.* → Bord.

♦ **1.** Ce qui garnit, occupe le bord* d'une chose, l'orne, la renforce. ⇒ **Bord, garniture, tour.** *Bordure ornementale, de renfort. La bordure d'un chapeau.* ⇒ **Liseré.** *Bordure d'un vêtement.* ⇒ **Feston.** *Bordure ourlant* l'ove d'un chapiteau.* ⇒ **Orle.** *Bordure d'une tapisserie. Bordure d'une gravure, d'une glace.* ⇒ **Cadre, encadrement.** *Papier à bordure noire. Bordure d'une monnaie.* ⇒ **Carnèle.** *Bordure d'un papier.* ⇒ **Marge.** — Spécialt. Ligne de végétaux plantés au bord d'une allée, d'un parterre.
Des bordures de buis rigoureusement taillées y dessinaient des cadres où se déployaient, comme sur une pièce de damas, des ramages de verdure d'une symétrie parfaite.　　Th. GAUTIER, le Capitaine Fracasse, t. I, V.

♦ **2.** Ce qui s'étend près du bord, occupe le bord, les bords. *La bordure d'un champ, d'un bois.* ⇒ **Lisière, orée.** *La bordure méditerranéenne de la France.* ⇒ **Côte, littoral.** *Bordure d'arbres.* ⇒ **Cordon, haie, ligne.** *Bordure de gazon, de buis.*
(...) peu de bovins *(sur le versant côtier),* sauf sur la bordure méditerranéenne de l'Europe centrale (...)
　　　　　André SIEGFRIED, Vue générale de la Méditerranée, p. 89. ［2］

♦ **3.** Emplois spéciaux. ⓐ (XIIIᵉ). Blason. *Bordure de l'écu :* pièce honorable. ⇒ **Orle.** *Bordure engrêlée.* ⇒ **Engrêlure.**

ⓑ (1773). Mar. Côté inférieur d'une voile. *Bordure de fond. Voile à bordure libre,* non bômée.

ⓒ (1701). Ponts et Chaussées. *Bordure de chaussée, bordure de pavés :* rang de gros pavés ou d'éléments en béton qui retient latéralement une chaussée. *Bordure de trottoir.*

♦ **4.** EN BORDURE : sur le bord, le long du bord. *Ils n'habitent pas dans la zone urbaine, mais en bordure. Sa propriété est en bordure de la rivière.*
Ne pourrait-on construire, en bordure de cet aérodrome que nous venons de quitter, un hôtel très bas, pour ne pas gêner les aviateurs, un hôtel très simple, où chacun trouverait un lit, une chaise et un lavabo?　　　　　　　　［3］
　　　　　G. DUHAMEL, Manuel du protestataire, p. 107.

DÉR. Bordurer, bordurier.

BORDURER [bɔʀdyʀe] v. tr. — 1801, Mercier, au p. p.; de *bordure.*

♦ **1.** Rare. Garnir d'une bordure.

♦ **2.** Argot. Exclure, renvoyer. ⇒ **Vider.** — Interdire de séjour.

▶ **BORDURÉ, ÉE** p. p. adj.

♦ **1.** Garni d'une bordure.

♦ **2.** Argot. Interdit de séjour («maintenu sur les bords»).
(...) sous prétexte qu'un homme comme moi, qu'est borduré, ne peut pas mettre les pieds en France... il en profite!
　　　　　Francis CARCO, la Dernière Chance, p. 102.

BORDURIER, IÈRE [bɔʀdyʀje, jɛʀ] n. m. — 1945; de *bordure,* probablt d'après *frontalier.*

♦ Personne qui vit à la limite entre deux régions.

BORE [bɔʀ] n. m. — 1809, Gay-Lussac et Thénard; découvert en 1807 par Sir Humphrey Davy, qui l'avait nommé *boracium* (1808), puis *boron* (1812) d'après *carbon* «carbone»; de *borax.*

♦ Chim. Corps simple métalloïde, symb. *B,* nᵒ at. 5, température de fusion 2 510 °C, densité 2,34 ou 2,37 (variétés cristalline et amorphe). *Bore cristallisé pur. Le bore est transparent à certains rayonnements infrarouges. Dérivés du bore.* ⇒ **Borique** (acide), **borax.** *Intoxication due au bore.* ⇒ **Borisme.** *Certains composés du bore sont utilisés dans la fabrication de verres spéciaux* (pyrex) *et dans l'industrie nucléaire.*

DÉR. Borique, borisme, borure.
HOM. Bord, bort.

BORÉAL, ALE, AUX [bɔʀeal, o] adj. — 1495; bas lat. *borealis* «du Nord», de *boreas* «vent du Nord». → Bora, borée.

♦ **1.** Didact. (géogr.). Qui est au nord du globe terrestre. *Hémisphère, océan, pôle boréal.* ⇒ **Arctique.** *Les climats boréaux.* ⇒ **Nordique.**

♦ **2.** Cour. Voisin du pôle Nord, qui a lieu dans la zone arctique. *Aurore boréale.* ⇒ **Aurore** (cit. 32 et *supra*); → Pôle, cit. 4. *Une lumière boréale. La rougeur boréale.* → Phosphore, cit. 1. *Faune, flore boréales.* — Vx. *L'océan Boréal.* ⇒ **Arctique.** — *Étoiles boréales. La Couronne boréale* (constellation).

Vx. Septentrional. *La forêt boréale.*

Spécialt. *Climat boréal,* intermédiaire entre le climat tempéré et le climat arctique.
Un froid boréal, très vif.

Par métaphore. Froid, glacial. «*Des yeux d'un bleu boréal...*» (Duhamel).

Cécile battait des paupières et fit un sourire boréal.
G. DUHAMEL, Chronique des Pasquier, IV, p. 144.

♦ **3.** Phys. Vx. *Pôle boréal* : pôle positif (d'un aimant).

REM. Le plur. généralt admis est *boréaux* ; il est rare ; on trouve aussi *boréals* (*les Pays boréals*, Villiers de l'Isle-Adam, *Contes cruels*, in T. L. F.).

CONTR. Austral.

BORÉE [bɔʀe] n. m. — xvᵉ ; du lat. *boreas*, du grec *boreas* «vent du Nord». → Bora.

♦ Poét. Vent du Nord (employé sans article, comme nom propre). *Le souffle de Borée.* «*(...) quand Janvier lâchera ses Borées* » (Baudelaire, *la Muse vénale*, Pl., p. 15).

BORGHOT [bɔʀgot] n. m. — 1832 ; mot arabe (xivᵉ).

♦ Rare. Voile porté par les musulmanes pour dissimuler le bas du visage.

BORGNE [bɔʀɲ] adj. et n. — V. 1180 ; «qui louche», 1165 ; orig. inconnue ; p.-ê. d'un lat. pop. *bornius*, qu'on fait remonter à un rad. indo-européen (prélatin) *borna* «trou, cavité», du rad. *bher* «façonner, trouer, etc.» par le sens «orbite; œil crevé», mais le sens initial «qui louche» semble démentir cette hypothèse.

♦ **1.** Qui a perdu un œil (⇒ **Éborgner**), ne voit que d'un œil. *Un homme, un cheval borgne.*

1   Et, fût-il louche ou borgne *(le héros),* est réputé soleil.   BOILEAU, Épîtres, IX.
2   Quand mes amis sont borgnes, je les regarde de profil.
Joseph JOUBERT, Pensées, Titre préliminaire.

Changer un cheval borgne contre un aveugle (⇒ **Aveugle**, *infra* cit. 2.1). — *Jaser, bavarder comme une pie borgne :* bavarder sans cesse. ⇒ **Pie**.

N. *Un borgne, une borgne.*

2.1   Un borgne, c'est un infirme qui n'a droit qu'à un demi-chien.
J. RENARD, Journal, 24 janv. 1896.

REM. Le fém. **borgnesse**, peu usité, est péjoratif.

2.2   Mon cher ami, je suis borgne, je suis une borgnesse... Je porte un bandeau noir. Quand je le soulève devant la glace, je vois la paupière flasque battre sur une prunelle ratatinée comme le ventre d'une vieille femme (...)
Roger VAILLAND, Bon pied, bon œil, p. 177-178.

Prov. *Au royaume des aveugles, les borgnes sont rois* (⇒ **Aveugle**, *infra* cit. 41).
Par métaphore. Presque aveugle. « *Les tribunaux les plus borgnes* » (P.-J. Toulet, *in* T. L. F.).

♦ **2.** (Choses). **a** Qui n'a qu'un orifice. — Anat. *Fistule, trou borgne. Trou borgne du frontal, de la langue.* — Spécialt. *Sein borgne,* sans mamelon.

3   (...) je m'aperçus qu'elle *(Zulietta)* avait un téton borgne.
ROUSSEAU, les Confessions, VII.

Techn. *Trou borgne,* qui ne traverse pas complètement une cloison.

b Qui éclaire peu. *Fenêtre borgne,* qui donne du jour, mais aucune vue (⇒ **Aveugle**). — (Autre sens). Fenêtre en partie aveuglée. — *Façade, mur borgne,* presque sans ouvertures.

c Qui n'a qu'un élément (au lieu de deux, plusieurs).

Hortic. (à cause de *œil* «bourgeon»). *Plante borgne,* dépourvue de bourgeons.

Techn. *Ancre borgne :* ancre à une seule patte. *Compte borgne,* qui n'est pas rond, qui n'est pas juste.

♦ **3.** (1573, «sombre»; *cabaret borgne*, 1680). Fig. et cour. Mal éclairé et mal famé. *Maison borgne. Cabaret, caboulot borgne. Rue borgne.* « *Très tard dans les brasseries borgnes* » (→ Trottoir, cit. 4).

4   (...) leur madame parlait toutes les langues et tenait un café borgne dans le quartier de Galata.
LOTI, Aziyadé, XXXIII, 121.
5   (...) des escaliers borgnes engouffrent et rejettent des putes et leurs clients (...)
A. PIEYRE DE MANDIARGUES, la Marge, p. 94.

♦ **4.** N. m. Argot anc. *Le borgne :* le pénis (cf. *le cyclope,* même sens, *in* Delvau) ; l'anus (Restif, *in* Cellard et Rey).

CONTR. Normal, régulier. — Bon, honnête.
DÉR. Borgnon, bornoyer.
COMP. Éborgner.

BORGNON [bɔʀɲõ], **BORGNOT** [bɔʀɲo] n. m. — 1715, adj. «borgne» ; *à borgnon* «à l'aveuglette», 1810 ; sens mod., 1900 ; de *borgne*.

♦ Argot. Nuit. — Var. graphique : *borgnio* (Le Breton, *Du rififi...*).

BORINAGE [bɔʀinaʒ] n. m. — 1863 ; nom d'une région minière du Hainaut.

♦ Ensemble des borains*.

BORIQUE [bɔʀik] adj. — 1818 ; de *bore*.

♦ Chim. Se dit de certains composés du bore. *Anhydride borique. Acide borique :* poudre blanche, cristalline, à propriétés faiblement antiseptiques. ⇒ **Borate, borax.** *Oxyde borique.*

DÉR. Boriqué.

BORIQUÉ, ÉE [bɔʀike] adj. — 1878 ; de *borique*.

♦ Chim. Qui contient de l'acide borique. *Eau, vaseline boriquée,* utilisée comme antiseptique.

BORISME [bɔʀism] n. m. — xxᵉ ; de *bore*.

♦ Méd. Intoxication provoquée par l'ingestion de dérivés du bore* (médicaments, produits de nettoyage, acide borique utilisé frauduleusement comme conservateur des aliments), se traduisant surtout par des troubles digestifs.

BORNAGE [bɔʀnaʒ] n. m. — 1260, bounage, sens 1 ; bonnage, 1283 ; bournage, 1299 ; de *borne* ou (sens 2) de *borner*.

♦ **1.** **a** Opération consistant à délimiter deux propriétés contiguës par la pose de bornes*. ⇒ **Abonnage,** 1. (vx). *Pierre de bornage. Action en bornage,* portant sur une contestation de limites.

Tout propriétaire peut obliger son voisin au bornage de leurs propriétés contiguës.   1
Le bornage se fait à frais communs.   Code civil, art. 646.
Débouté sans recours sur la question de l'eau, il en conçoit un sourd dépit qui le   2
pousse à m'intenter un procès de bornage.
H. BOSCO, le Mas Théotime, I, p. 11.

Par métonymie. Limites constituées par cette opération. *Les bornages, dans cette région, sont des haies.*

b Par métaphore. Le fait d'assigner des limites. ⇒ **Limitation.**

Que les savants soient passés maîtres dans l'art d'escamoter les difficultés fonda-   3
mentales en les réduisant à de simples problèmes de bornage, comme des paysans
attardés, ils s'en félicitent à tort à une époque qui, consciemment ou non, s'acharne
partout à faire sauter les limites.
Raymond ABELLIO, Ma dernière mémoire, t. I, p. 19.

♦ **2.** (1852). Mar. Navigation* côtière faite par des bâtiments de moins de 25 tonnes, dans un rayon de 15 lieues marines autour de leur port d'attache. *Patron au bornage.*

REM. La *navigation au bornage* est officiellement appelée *navigation côtière* depuis 1951. → aussi Cabotage.

BORNE [bɔʀn] n. f. — V. 1180 ; *bodne*, v. 1121, puis *bone*, 1200 (→ Abonner) ; d'un lat. pop. *bodina, botina* «borne», p.-ê. d'orig. gauloise.

★ I. ♦ **1.** Marque servant à délimiter un champ, une propriété foncière. ⇒ **Bornage, borner; limite, terme.** *Borne témoin*. Asseoir, dresser, planter, poser une borne. Arracher, reculer une borne. Déplacer, supprimer une borne.*

Tu ne reculeras point les bornes de ton prochain, posées par tes ancêtres (...)   1
BIBLE (SEGOND), Deutéronome, XIX, 14.
(...) quiconque aura déplacé ou supprimé des bornes ou des poteaux corniers, ou autres   2
arbres plantés ou reconnus pour établir les limites entre différents héritages, sera
puni d'un emprisonnement (...)   Code pénal, art. 456.

♦ **2.** (Vieilli ou littér.). Plur. Limites d'un territoire, d'un espace. *Les bornes d'un État, d'un royaume.* ⇒ **Frontières.** *Les bornes du monde civilisé. Les bornes d'un horizon.*

Pour étendre les bornes de son royaume (...)   FÉNELON, Télémaque, XIV.   3
Quand la gloire t'appelle aux bornes de l'Asie (...)   4
VOLTAIRE, la Mort de César, I, 1, in LITTRÉ.
Croire tout découvert est une erreur profonde ;   5
C'est prendre l'horizon pour les bornes du monde.
A. LEMIERRE, Utilité des découvertes...

Par métaphore. → ci-dessous.

♦ **3.** Pierre plantée, servant de limite, de repère. *Monument entouré de bornes et de chaînes. Bornes de la spina du cirque romain.* ⇒ **Meta.** *Borne milliaire* des voies romaines. ⇒ **Colonne.** — (1867). *Borne kilométrique, hectométrique,* indiquant les distances. — (1680). *Borne de protection des murs, des portes.* ⇒ **Bouteroue, chasse-roue.** *Les bornes d'une porte cochère. Bornes d'amarrage d'un quai.* ⇒ **Bitte, bollard.** *Borne d'incendie :* bouche* d'incendie formant borne. ⇒ aussi **Borne-fontaine.**

(...) de loin en loin, de vieilles bornes séculaires marquaient la place oubliée de   6
quelque derviche d'autrefois (...)   LOTI, Aziyadé, XIV, p. 20.
(Elle) ne fait pas plus attention à moi qu'à une muraille ou à une borne.   7
G. DUHAMEL, Voyage de P. Périot, I.

(Mil. xixᵉ). Vx. Petite vespasienne cylindrique pour un seul usager. « *Les bornes décentes* » (Ch. Paul de Kock, *la Grande Ville*, p. 79).

(Vx). Par allus. aux bornes des coins de rue, des portes cochères. *Orateur de borne*, qui s'exprime sur la place publique. *Enfant de la borne*, de la rue.

Loc. mod. *Être, rester planté comme une borne*, figé dans l'immobilité. ⇒ **Immobile.** Cf. Comme un piquet, un poteau, une souche.

8 (...) planté comme une borne sur l'étroit sentier, il nous avait arrêtés court.
E. FROMENTIN, Dominique, II.

Par ext. Siège circulaire des jardins publics, dont l'appui, le dossier central forme borne.

♦ **4.** (1926, Esnault). Fam. (De *borne kilométrique*). Kilomètre. *J'ai fait huit cents bornes dans la journée.* — Sports. *Disputer, prendre, mener la borne, sa borne* : mener le train pendant un certain nombre de kilomètres.

8.1 (...) je connais pourtant ça les retours de visite, le soir, quand (...) on vient de se taper cent bornes pour voir une baraque où c'est tout juste si les clients ont accepté d'entrer (...) François NOURISSIER, le Maître de maison, p. 38.

8.2 Tu te rends compte ? On a fait au moins cinq bornes en zigzag, non ?
— Pas loin ! SAN-ANTONIO, le Secret de polichinelle, p. 17.

♦ **5.** (1863, → cit. 8.3). Techn., électr. Serre-fils pour brancher un fil conducteur sur un appareil électrique. — Chacune des deux pièces d'un appareil générateur d'électricité auxquelles est relié un circuit extérieur. ⇒ **Pôle** (6.). *Les bornes d'une batterie d'accumulateurs.*

8.3 On met en outre, à l'axe et le manchon en communication par deux gros fils, avec deux tiges courtes et de gros diamètre appelées bornes implantées sur le bâti en fonte, et auxquelles arrivent sans cesse les électricités de noms contraires engendrées par la machine. Les deux pôles forment comme les deux pôles de la pile magnéto-électrique (...)
L. FIGUIER, l'Année scientifique et industrielle 1864, p. 66-67 (1863).

Par comparaison :

8.4 Tous acceptèrent gentiment que je me recharge à chacune de leurs aspérités comme à des bornes où se polarise un courant.
Jean GENET, Journal du voleur, p. 267.

★ **II.** (Abstrait, par métaphore de I., 1.) ♦ **1.** (Déb. XIIIe). Au plur. (Littér. ou style soutenu). Limites, fin, terme. « *En Dieu, il n'y a point de bornes* ». → Perfection, cit. 10. — (Chronologique). *Les bornes de la vie humaine.* ⇒ **Étendue.** — (« Espace » intellectuel) *Les bornes de l'esprit, de la raison, de la connaissance.* ⇒ **Capacité.** — (Possibilité d'action, etc.). *Jusqu'aux bornes du possible, des possibilités.* — (Limites normales ou assignées). *Les bornes de la liberté, des droits naturels* (→ Assurer, cit. 9). *Au delà des bornes. Bornes légitimes.* — *Les bornes de la décence, de la patience.*

9 Il semble que la nature ait prescrit à chaque homme, dès sa naissance, des bornes pour les vertus et pour les vices. LA ROCHEFOUCAULD, Maximes, 189.

(Dans des syntagmes verbaux). *Atteindre les bornes de...* : aller jusqu'à l'extrême de... *Franchir, dépasser, passer, transgresser les bornes de...* (du respect, de la raison, des convenances) : aller trop loin dans... ⇒ **Exagérer ;** → ci-dessous, cit. 13. (D'une chose). *Vos équipées dépassent les bornes* (Gautier). *Son algarade passait les bornes* (Cocteau, *in* T. L. F.). — Littér. *Sortir des bornes de...* : être excessif en allant au delà de... (sujet n. de chose ou de personne). *Cela sort des bornes du bon goût.* Cf. Dépasser la mesure. ⇒ **Excéder, outrepasser.** — *Assigner, donner, fixer, mettre des bornes à... :* délimiter, et, par ext., contenir. *Maintenir dans des bornes raisonnables. Renfermer, tenir ; se renfermer* (ci-dessous, cit. 16) *dans des bornes fixées, prescrites.* — *Être tenu, retenu, emprisonné dans des bornes étroites.* — « *Reculer les bornes de l'audace* » (Montherlant, *in* T. L. F.). — *Avoir* (ci-dessous, cit. 17) *des bornes. Ne pas avoir, ne pas souffrir* (ci-dessous, cit. 11, vx), *ne pas supporter de bornes* : être sans limitations, ne pas en accepter. — Loc. adv. *Sans bornes* : sans limites. ⇒ **Illimité.** — REM. *Sans borne*, au sing., est de la langue classique (ci-dessous, cit. 12), comme les emplois verbaux au sing. : *mettre une borne* (cit. 10), etc.

10 Je saurai mettre une borne à tes dérèglements (...)
MOLIÈRE, Dom Juan, IV, 4.

11 Leur cupidité qui ne souffre point de bornes (...) PASCAL, Provinciales, 12.

12 Dans ses prétentions une femme est sans borne. BOILEAU, Satires, X.

13 De l'austère pudeur les bornes sont passées. RACINE, Phèdre, III, 1.

14 Son orgueil est sans borne ainsi que sa richesse (...) RACINE, Esther, II, 8.

15 Sois homme ; retire ton cœur dans les bornes de ta condition.
ROUSSEAU, Émile, V.

16 Ce qui importe avant tout, c'est que ceux qui gouvernent, quels qu'ils soient, se renferment dans les bornes prescrites par les droits de chacun.
RENAN, Œ. compl., t. I, p. 64.

17 (...) la patience humaine a des bornes, et la mienne est à bout, se dit-il (...)
PROUST, À la recherche du temps perdu, t. II, p. 96.

♦ **2.** Math. *Borne inférieure* (respectivement *supérieure*) *d'une partie d'un ensemble ordonné* : le plus grand (respectivement le plus petit) de ses minorants* (respectivement majorants*). — *Borne inférieure* (respectivement *supérieure*) *d'une fonction* : borne inférieure (respectivement supérieure) de l'ensemble image de la fonction.

DÉR. Bornage, borner.
COMP. Aborner, borne-fontaine. — V. aussi **Abonner.**

BORNÉ, ÉE [bɔʀne] adj. ⇒ **Borner.**

BORNE-FONTAINE [bɔʀn(ə)fɔ̃tɛn] n. f. — 1835 ; de *borne*, et *fontaine*.

♦ Fontaine en forme de borne. *Des bornes-fontaines.*

1 À l'entrée, une borne-fontaine, où une jeune fille était en train de puiser de l'eau.
Roger VAILLAND, Bon pied, bon œil, p. 26.

2 Je fis ce qu'il exigeait, dans la guérite. Peut-être, sans oser me le dire, voulut-il ensuite se laver à une borne-fontaine ; il me laissa seul un instant et je me sauvai avec sa grande pèlerine de drap noir. Jean GENET, Journal du voleur, p. 34.

BORNER [bɔʀne] v. tr. — Déb. XIVe ; *boner*, 1160 ; de *borne*, en anc. franç. *bodne, bone* — d'où la forme *boner.*

★ **I.** Concret. ♦ **1.** (Choses). Délimiter un terrain par des bornes*, des marques. ⇒ **Limiter, marquer.** *Borner un champ, une propriété. Borner un chemin* (⇒ **Bornage**).

1 Vous ne pourrez pas empêcher les trois moutons de Clodius d'y passer (...) en traversant vos terres (...) Le chemin est à tout le monde...
— Dans ce cas (...) je le bornerai (...) H. BOSCO, le Mas Théotime, V, p. 123.

(Sujet n. de chose). Limiter. ⇒ **Border, confiner** (à), **terminer.** *Les pierres, les poteaux, la clôture qui borne son champ.* Par ext. (éléments naturels, limite abstraite). *Terre bornant un bois. Chemin, fossé, haie qui borde une vigne.* — *Frontières bornant un pays. La mer et les Alpes bornent l'Italie* (Académie).

2 J'avais franchi les monts qui bornent cet État,
Et trottais comme un jeune rat (...) LA FONTAINE, Fables, VI, 5.

3 L'Euphrate bornera son empire et le vôtre. RACINE, Bérénice, III, 1.

♦ **2.** (Personnes). Avoir (telle limite) à sa propriété. *Je suis borné par un cours d'eau* (Littré). « *Il acheta la pièce de terre qui le bornait au couchant* » (Académie).

♦ **3.** Arrêter, limiter. *Les montagnes bornant l'horizon, la vue.* — REM. Cette acception est plus fréquente au passif et au p.p. (→ ci-dessous, Borné).

4 Si vous m'aimez, Seigneur, nos mers et nos montagnes
Doivent borner nos vœux, ainsi que nos Espagnes (...)
CORNEILLE, Sertorius, IV, 2.

★ **II.** (1271, *bousner*). Abstrait. ♦ **1.** (Personnes). Littér. ou style soutenu (l'usage courant moderne emploie plutôt *limiter, restreindre*). Mettre des bornes à ; renfermer, resserrer dans des bornes. ⇒ **Circonscrire, limiter, modérer, réduire, restreindre.** *Borner son ambition, son bonheur, son horizon, son idéal. Borner ses désirs, ses espérances, ses prétentions, ses projets, ses talents, ses vœux, ses vues. Borner l'autorité, la puissance, les pouvoirs, les prérogatives de qqn. Borner un enseignement à quelques notions. Borner un discours. Borner son enquête, ses recherches, ses travaux à...*

5 J'ai (...) l'ambition des conquérants, qui (...) ne peuvent se résoudre à borner leurs souhaits. MOLIÈRE, Dom Juan, I, 2.

6 Car enfin je me sens un étrange dépit
Du tort que l'on nous fait du côté de l'esprit,
Et je veux nous venger, toutes, tant que nous sommes,
De cette indigne classe où nous rangent les hommes,
De borner nos talents à des futilités,
Et nous fermer la porte aux sublimes clartés.
MOLIÈRE, les Femmes savantes, III, 2.

7 Porus bornait ses vœux à conquérir un cœur (...)
RACINE, Alexandre le Grand, IV, 2.

8 Un testament qui bornait l'autorité du régent (...)
MONTESQUIEU, Lettres persanes, 93.

9 Est-ce donc à moi de vous rappeler qu'on n'a pas le droit de borner son attente et son idéal à la vie, quand on a écrit certaines pages de vos livres (...)
LOTI, les Désenchantées, III, 17, p. 129.

♦ **2.** (Personnes ou choses). Mettre un terme à...

10 Mais, pour borner enfin tout ce vague propos (...) BOILEAU, Satires, XI.

11 La mort seule, bornant ses travaux éclatants (...)
RACINE, Phèdre, II, 2.
Pouvoir l'univers le cacher si longtemps.

11.1 (...) elle rappela que, de son temps, les femmes n'avaient nul besoin de se retrouver entre elles, que la maison remplissait tous leurs vœux, bornait tous leurs désirs.
Jean-Louis CURTIS, le Roseau pensant, p. 45.

▶ **SE BORNER** (à...) v. pron. ⇒ **Cantonner** (se), **confiner** (se), **contenter** (se), **faire** (ne faire que), **tenir** (s'en tenir à). *Se borner au strict nécessaire. Se borner à faire qqch.*

(Ce succès) surpasse de beaucoup mes espérances : vous aurez vu où je me bornais, par les lettres que je reçus il y a peu de jours.
Mme DE SÉVIGNÉ, 485, 1er janv. 1676. 12

Je me borne à vous dire simplement les faits (...)
VOLTAIRE, Lettre à Trudaine, 23 déc. 1775. 13

Apprendre à me borner en écrivant, tondre mon style, autrement les accessoires me font oublier le principal.
STENDHAL, Journal, 1908, p. 277 (Charpentier). 14

(...) je me bornais à venir en costume signer la feuille de présence, au lieu d'assister ensuite, comme il se doit, à l'hebdomadaire « réunion de colonne » (...)
Georges LECOMTE, Ma traversée, p. 287. 15

(Choses). Se limiter à... *Son rôle se borne à présider les débats.*

16 Anne trouvait toujours un prétexte pour être à Paris : ses séjours à Berck se bornaient, chaque mois, à une visite de cinq à six jours.
MARTIN DU GARD, les Thibault, t. V, p. 157.

Absolt. *Il faut se borner. Savoir se borner.*

17 Qui ne sait se borner ne sut jamais écrire. BOILEAU, l'Art poétique, I.

▶ **BORNÉ, ÉE** p. p. adj. (xvᵉ).

A. (Emplois verbaux, passifs et participiaux).

(Concret). Qui a (qqch.) comme borne, est arrêté par (un obstacle). *Vue bornée par des arbres. Horizon borné par des montagnes.* Absolt. → ci-dessous, cit. 20.

(Abstrait). Qui a telles limites (intellectuelles, psychiques, morales...). Vx. *Personne bornée dans un domaine, une activité. — Son esprit, sa vue est bornée à des considérations pratiques.* Absolt. *Il a des vues bornées.* ⇒ **Limité.**

18 Appellerai-je homme d'esprit celui qui, borné ou renfermé dans quelque art ou même dans une certaine science (...)
LA BRUYÈRE, les Caractères, 12, *in* LITTRÉ.

19 Je raisonne ici, je le sais, en homme dont la vue bornée n'embrasse pas le vaste horizon humanitaire, en homme rétrograde, attaché à une morale qui fait rire (...)
CHATEAUBRIAND, Mémoires d'outre-tombe, IV, 9.

20 Ah! c'est là qu'entouré d'un rempart de verdure,
D'un horizon borné qui suffit à mes yeux,
J'aime à fixer mes pas, et, seul dans la nature
À n'entendre que l'onde, à ne voir que les cieux.
LAMARTINE, Méditations, « Le vallon ».

21 La vue est bornée à droite et à gauche par l'enceinte des roches.
FLAUBERT, Trois contes, la Tentation de saint Antoine, I, 1.

B. (Emplois absolus, en valeur d'adj.).

♦ **1.** Abstrait. Étroit, limité. *Une politique bornée. Un enseignement borné.*

♦ **2.** (1669, *esprit borné*; déb. xviiiᵉ, Saint-Simon). Cour. (D'une personne). Dont les facultés intellectuelles, les capacités de jugement sont limitées. *Un petit bourgeois borné et chauvin. Les vues courtes, rétrécies d'un homme borné. Borné et têtu.* ⇒ **Buté.** *Intelligence bornée. Caractère, esprit borné.* ⇒ **Bête, sot, stupide ; étroit, obtus.** (Cf. Ne pas voir plus loin que son nez, avoir des œillères, avoir la vue courte). — (En attribut). *Il est un peu borné. Mais vous êtes trop borné, à la fin !*

22 Ses lumières sont fort petites et son esprit le plus borné du monde (...)
MOLIÈRE, M. de Pourceaugnac, III, 1 (1669).

23 Les vues courtes, je veux dire les esprits bornés et resserrés dans leur petite sphère, ne peuvent comprendre (...)
LA BRUYÈRE, les Caractères, II, 34.

24 La plupart des législateurs ont été des hommes bornés que le hasard a mis à la tête des autres, et qui n'ont consulté que leurs préjugés et leurs fantaisies.
MONTESQUIEU, Lettres persanes, 129.

25 (...) ce père à la fois rusé et borné, qui encourageait sa fille dans des habitudes d'orgueil et de déloyauté (...) G. SAND, la Mare au diable, XIII, p. 111.

♦ **3.** Math. Qui admet une borne (II., 2.). *Partie (d'un ensemble ordonné) bornée inférieurement* (respectivement *supérieurement*), pourvue d'une borne inférieure (respectivement supérieure). *Partie bornée d'un ensemble,* bornée inférieurement et supérieurement. *Suite bornée,* dont l'ensemble des termes est borné. *Suite bornée à gauche* (respectivement *à droite*), bornée inférieurement (respectivement supérieurement).

CONTR. (Du sens II) Élargir, étendre, propager. — (Du p. p.) **Étendu, illimité, indéfini, infini, large.** — **Intelligent, ouvert, pénétrant, profond, subtil, tolérant.**

BORNOYER [bɔʀnwaje] v. — Conjug. broyer. — 1225, *borneer*; *bornoïer,* aux xiiᵉ et xiiiᵉ; de *borgne,* d'abord « regarder de travers ».

♦ **1.** V. intr. Techn. Regarder d'un œil en fermant l'autre pour vérifier un alignement, une surface plane. ⇒ **Viser.**

La dame orange arrivait à reculons sur nous en bornoyant, elle disait, parlant des tilleuls : « Pour aligné, c'est aligné, mais c'est tout ce qu'ils ont pour masquer la piscine? » François-Marie BANIER, la Tête la première, p. 141.

♦ **2.** V. tr. (1676; influencé par *borne, borner*). Techn. Placer des jalons pour construire, planter, tracer en ligne droite. *Bornoyer un mur, une allée.*

BOROSILICATE [bɔʀɔsilikat] n. m. — 1845; de *borate,* et *silicate.*

♦ Chim. Sel double, combinaison d'un borate avec un silicate.

DÉR. **Borosilicaté.**

BOROSILICATÉ, ÉE [bɔʀɔsilikate] adj. — xxᵉ; de *borosilicate.*

♦ Chim. Qui contient un borosilicate. « *Les verres utilisés en France, en Grande-Bretagne et Allemagne sont des verres borosilicatés* » (*la Recherche,* nº 91, juill.-août 1978). « *Des verres borosilicatés qui résistent bien aux acides usuels* » (P. Meyer et P. Grivet, *le Verre,* nº 264, p. 37).

BORRAGINÉES [bɔʀaʒine] ou **BORRAGINACÉES** [bɔʀaʒinase] n. f. pl. — 1805; *bouraginees,* 1775; du bas lat. *borrago, -aginis* « bourrache », et suff. *-ées* ou *-acées.*

♦ Famille de plantes phanérogames angiospermes *(Dicotylédones Gamopétales)* caractérisée par la présence de poils sur la tige et les feuilles, comprenant des herbes et des arbustes. ⇒ **Bourrache, buglosse, consoude, cynoglosse, grémil, héliotrope, myosotis, orcanète** ou **orcanette, sébestier, vipérine.** — Au sing. *Une borraginée. Une borraginacée.*

BORSALINO [bɔʀsalino] n. m. — V. 1930 (attesté 1955, Sartre); n. propre d'un grand chapelier italien, firme fondée à Alessandria en 1857.

♦ Chapeau de feutre en vogue dans les années 1930. — On écrit le mot avec ou sans majuscule.

Le poil de chameau au col relevé, le vieux Borsalino au large bord rabattu gaillardement sur l'œil droit, les cheveux soigneusement teints pour laisser du beau gris aux tempes avaient trente ans de plus que mes souvenirs (...)
R. GARY, Clair de femme, p. 18.

BORT [bɔʀ] n. m. — 1867; angl. *bort* ou néerl. *boort,* même sens, d'orig. inconnue.

♦ Techn. Diamant présentant un défaut, inutilisable en bijouterie et servant d'abrasif.

HOM. **Bord, bore.**

BORTSCH [bɔʀtʃ] n. m. — 1867; *borstch,* 1863; mot russe.

♦ Cuis. Soupe aux choux et à la viande, préparée avec de la crème et épicée (plat russe).

1 (...) il était lancé dans l'extravagance des soupes : le potage de sterlet aux foies de lotte, mouillé de vin de Champagne, les *bortsch,* les sischi à la paresseuse, le bouillon de gribouis (...) Ed. et J. DE GONCOURT, Manette Salomon, p. 112.

2 Je déjeunais d'un bortsch chez Dominique.
S. DE BEAUVOIR, la Force de l'âge, p. 16.

REM. Cet emprunt a de nombreuses variantes graphiques : *borchtch, borsch, bortch...*

3 (...) Moravagine se signa longuement devant les icônes. Puis, il s'empara d'une assiettée de zakouskis et but une grande tasse d'alcool, retourna devant les icônes, commanda un borchtch, vint s'asseoir à ma table, alluma sa courte pipe en jurant, croisa ses jambes et entama un long monologue à haute voix.
B. CENDRARS, Moravagine, *in* Œ. compl., t. IV, p. 165.

4 Le tavernier répondit :
— Du bortch qui est de la choupe aux chous echclavons (*esclavons* = slaves) et des tripes à la viducasse, le tout arrosé de vin des coteaux de Suresnes.
R. QUENEAU, les Fleurs bleues, p. 31-32.

BORURE [bɔʀyʀ] n. m. — 1820; de *bore,* et suff. *-ure.*

♦ Chim. Combinaison du bore avec un corps simple. *Borure de magnésium.*

BOSCARDER [bɔskaʀde] v. tr. — 1866, *in* D.D.L.; p.-ê. du breton *boscard* « parasite du bœuf ».

♦ Rare. Vivre en parasite dans le milieu mondain. — REM. Le mot et ses dér. (*boscard,* n. m.; *boscardise,* n. f.), ne sont attestés que chez P. Bourget.

Ce peuple d'aigrefins se distribue en équipes diverses et d'une qualité plus ou moins choisie suivant le rang du richard qu'il s'agit de boscarder.
Paul BOURGET, Drames de famille, p. 106 (1900), *in* D.D.L., II, 6.

BOSCHIMAN, ANE [bɔʃimã, an] adj. et n. — 1805; néerl. *bosjesman* « homme de la brousse »; var. *bosjeman* (1842), *bochiman* (1892), *bochimane*; cf. angl. *bushman.*

♦ Ethnol. Relatif à une ethnie noire d'Afrique du Sud.

N. *Les boschimans sont chasseurs et nomades.*

N. m. Langue des Boschimans, du groupe hottentot*.

BOSCO [bɔsko] n. m. — 1860; altér. argotique de *bosseman*,* d'après *boscot.*

♦ Mar. Maître d'équipage.

1 Il y a un bosco qui réfléchit et décide pour son équipe de matelots, à lui de se casser la tête pour savoir s'il vaut mieux peindre en commençant par l'avant ou par l'arrière (...) nous n'avons qu'à suivre le mouvement, c'est bien pratique.
Bernard MOITESSIER, Cap Horn à la voile, p. 25.

2 Il avait même précisé au bosco, qui groumait de faire sortir les matelots par ce temps dégueulasse : « De toute manière, ça fera du lest. »
Pierre ACCOCE, le Polonais, p. 11.

HOM. **Boscot.**

BOSCOT, OTTE ou **BOSCO, OTE** [bɔsko, ɔt] adj. et n. — Av. 1800; altér. argotique de *bossu.*

♦ Fam. (vieilli). Bossu; personne petite et contrefaite (→ Bossu, cit. 4). — Fém. *Boscotte, boscote.*

1 Eh là-bas! l'enragé, quoi que tu veux ici?
Qu'on te f...iche droit, quoi? pas dégoûté! Merci!...
Qui qui te faut, bosco?... des nymphes, des pucelles?
                          Tristan CORBIÈRE, Poésies, « Le bossu Bitor ».

2 (...) des sanglots gonflaient la poitrine de l'agent voyer, et, prenant, pour masquer
sa vraie peine, le premier souvenir triste, il pleurait sur sa cousine Elise-Adèle
Duchênaie, — qui était boscotte, — en murmurant ses nom et prénoms.
                          GIRAUDOUX, Provinciales, p. 153.

HOM. Bosco.

BOSEL [bɔzɛl] n. m. — 1590 ; *bozel*, 1537 ; esp. *bocel* « moulure lisse
cylindrique », du catalan *bocell*, p.-ê. du franç. **bossel, bousseau,* dér.
de *bosse.*

♦ Archit. Moulure ronde à la base d'une colonne. ⇒ **Tore.**

Le demy diamètre du pied de la colone faisoit la haulteur de la base, qui consis-
toit en bozel, contrebozel, & plinthe.
                          J. MARTIN, trad. Fr. Colonna, Hypnerotomachie
                          ou Discours du songe de Poliphile, 14 r° (1546), *in* D. D. L., II, 10.

BOSKOOP [bɔskɔp] n. f. — 1952, *belle de Boskoop*, *in Larousse
agricole* ; variété de pomme obtenue en 1947 à *Boskoop,* aux Pays-Bas.

♦ Pomme d'origine hollandaise, tardive, cultivée dans le Nord de la
France, à peau rugueuse d'un gris vert avec un côté rouge. — On
francise parfois en *boskop* ou *boscop.*

BOSNIAQUE [bɔsnjak] ou **BOSNIEN, IENNE** [bɔsnjɛ̃, jɛn]
adj. et n. — 1832 ; 1540, *in* D. D. L. ; de *Bosnie.*

♦ Adj. Qui se rapporte à la Bosnie ou à ses habitants. *République
bosniaque.*
N. Habitant de la Bosnie. *Un, une Bosniaque. Un Bosnien, une Bos-
nienne.*
N. M. Ling. Dialecte du groupe illyrien. *Parler le bosniaque.*

BOSON [bɔzɔ̃] n. m. — 1958 ; du nom du physicien indien *Bose,* et
-on, de *électron.*

♦ Phys. Particule régie par la statistique de Bose-Einstein et dont le
spin* est entier ou nul (mésons π et ϰ, photons). ⇒ aussi **Fermion.** *«Il
est donc tentant d'imaginer pour les interactions faibles une particule intermédiaire fondamentale jouant un rôle analogue à celui
du photon pour les interactions électromagnétiques ; elle a déjà un
nom, le boson intermédiaire W, nlais nul ne l'a encore détecté »* (la
Recherche, n° 32, mars 1973, p. 266).

BOSPHORE [bɔsfɔʀ] n. m. — 1694 ; lat. *bosphorus,* du grec, désignant divers détroits.

♦ Géogr. (Vx). Petit détroit*. *Le Bosphore de Thrace,* détroit
d'Istambul. *« Partout, des bosphores, des isthmes... »* (A. Pommier,
1839, *in* T. L. F.).

BOSQUET [bɔskɛ] n. m. — 1549, ital. *boschetto,* de *bosco* « bois »
ou provençal *bosquet,* de l'anc. provençal *bosc* « bois ».

♦ Petit bois ; groupe d'arbres plantés pour l'agrément. ⇒ **Boqueteau,
bouquet, massif.** *Les bosquets d'un jardin, d'un parc. Des bosquets
d'arbustes* (→ Allée, cit. 3). *Bosquet naturel.* ⇒ **Bocage.**

1 Au milieu des bosquets se pressaient avec les descendants des Paula et des Corné-
lie, les beautés venues de Naples, de Florence et de Milan (...)
                          CHATEAUBRIAND, Mémoires d'outre-tombe, XIII.

Par ext. Petit massif (de plantes).

2 Çà et là des bosquets de houx épineux (...)   H. BOSCO, l'Âne Culotte, p. 44.

Par métaphore. *« La dialectique (...) la força* (cette proie) *dans le
bosquet des notions pures »* (Valéry, *Variétés,* 4, p. 245).

BOSS [bɔs] n. m. invar. — 1869, trad. de H. Dixon, à propos des États-
Unis ; étendu à la France au xxᵉ, *bos* (1928) ; mot amér. d'orig.
holl., 1822.

♦ Fam. Patron (d'employés), chef (d'une entreprise, d'un groupe,
d'une bande...). ⇒ **Patron.** *Le boss n'est pas content. Jouer au boss.
Prendre des allures de boss.* — Au plur. *The boss.* — Le plur. anglais
bosses est très affecté en français. *« Quand règle se retourna
contre eux et que les bosses se virent menacés... »* (le Nouvel Obs.,
17 juil. 1972).

Parmi les amis du Boss, beaucoup se seraient fait un plaisir de lui donner les deux
cents billets (...)   René FLORIOT, La vérité tient à un fil, p. 78.

(Anglic. fam.). *Le big boss :* le grand patron.

1. BOSSAGE [bɔsaʒ] n. m. — 1627, en orfèvrerie ; de 1. *bosser*
« former des bosses », et suff. *-age.*

♦ **1.** (1640). Archit. Saillie laissée comme ornement (à la surface
d'un mur, d'une porte, d'une colonne). *Sculpter, tailler un bossage.*

Les vermiculures d'un bossage. ⇒ **Tortillis.** *Encadrement des bossages.* ⇒ **Anglet, refend.** *Un bossage brut, rustique, vermiculé, en
pointes de diamant.*

1 Des bossages vermiculés à refends armaient les jambages et l'arcade de la porte
fermée de deux vantaux de chêne (...)
                          Th. GAUTIER, le Capitaine Fracasse, t. I, v.

2 Il *(Omri)* acheta une colline (...) et y bâtit sa ville, Samarie. Ses murs en bossage
subsistent encore (...)   DANIEL-ROPS, le Peuple de la Bible, III, III, p. 232.

Littér. Saillie, partie convexe (en général). *« Les bossages du vase »*
(Hugo, *in* T. L. F.).

♦ **2.** (1628). Techn. (menuis.). Rondeur que présente un bois coupé
ou cintré.

Mécan. Partie saillante (d'une pièce).

♦ **3.** Mar. *Bossage de l'étambot :* partie renforcée de l'étambot*
d'un navire, autour du trou dans lequel passe l'arbre porte-hélice.

♦ **4.** (Au sing. collectif). Techn. (orfèvr., etc.). Travail en bosse. *Décoration en gros bossage.*

2. BOSSAGE [bɔsaʒ] n. m. — D. i. ; de 2. *bosser.*

♦ Mar. Action de bosser. *Le bossage de l'ancre.*

BOSSA-NOVA [bɔsanɔva] n. f. — V. 1962 ; mots port. proprt « nouvelle vague » de *bossa* « vague », de même orig. que 1. *bosse.*

♦ Musique de danse brésilienne, influencée par le jazz de tendance
cool. — *Jouer une bossa-nova. Bossa-nova et tropicalisme*. Des
bossas-novas.* — La danse elle-même. *Danser une bossa-nova.*

Tu sais, j'ai pensé que tu pourrais mettre dans ton tour quelques chansons un peu
plus «disques», avec un bon thème bien sûr, mais quelque chose d'un peu plus
dansant... J'ai là une bossa-nova (...)
                          F. MALLET-JORIS, le Jeu du souterrain, p. 234.

REM. On écrit aussi *bossa nova,* sans trait d'union.

1. BOSSE [bɔs] n. f. — 1160 ; d'un lat. pop. **bottia,* d'orig. obscure, le francique **botja* « coup », de **botan* « frapper » est peu vraisemblable.

★ **I.** ♦ **1.** Enflure due à un choc sur une région osseuse. *Bosse provenant d'un coup, d'une chute.* ⇒ **Enflure, tumeur ;** vx ou régional
beigne, bigne. *Se faire une bosse en se cognant.*

1 Il *(Lélie)* s'est fait en maints lieux contusion et bosse (...)
                          MOLIÈRE, l'Étourdi, II, 2.

2 S'il tombe, s'il se fait une bosse à la tête (...)   ROUSSEAU, Émile, II.

Fig. *Ne rêver que plaies et bosses :* être d'humeur batailleuse.

3 L'esprit charitable de souhaiter plaies et bosses à tout le monde est extrêmement
répandu.   Mᵐᵉ DE SÉVIGNÉ, 766, 29 déc. 1679.

♦ **2.** Saillie du dos, difformité de la colonne vertébrale. ⇒ **Cyphose,
gibbosité.** *Avoir une bosse.* ⇒ **Bossu.** *Bosse par devant et par derrière* (⇒ **Polichinelle**).

4 Une grosse tête hérissée de cheveux roux ; entre les deux épaules une bosse énorme
dont le contre-coup se faisait sentir par-devant (...)
                          HUGO, Notre-Dame de Paris, I, v.

Loc. fig. et fam. Vx. *Tomber sur la bosse de qqn,* le battre (cf. Tomber sur le dos de qqn). — (1791, *in* D. D. L.). Vx. *Donner, tomber dans
la bosse :* être dupé.

Loc. mod. *Rouler sa bosse :* voyager sans cesse. Fig. Changer fréquemment de situation, avoir de multiples expériences.

4.1 Il a roulé bien, il ne sait plus où il en est de ses convictions successives, il va
encore bourlinguer (...)   Alain BOSQUET, les Bonnes Intentions, p. 86.

Fam. Vx. *Se payer, se foutre une bosse de qqch. Se payer une bosse
de rire* (cf. Rire comme un bossu). — Absolt. *Prendre, se payer, se
foutre une bosse :* faire ripaille.

4.2 Je compte être à Venise vers le commencement de juin et je m'en fais une fête.
Je m'y foutrai une bosse de peinture vénitienne dont je suis amoureux.
                          FLAUBERT, Correspondance, 9 avr. 1851, Pl., t. I, p. 774.

4.3 L'autre jour, nous avons eu à côté de nous à table une bande de petits élèves de
marine anglais de 9 à 14 ans qui venaient tranquillement et comme des hommes
se foutre une bosse à l'hôtel.
                          FLAUBERT, Correspondance, 20 janv. 1851, Pl., t. I, p. 741.

♦ **3.** Anat. Saillie arrondie à la surface d'un os plat. *Bosses frontales, pariétales. Bosse occipitale.* — Spécialt. *Bosse du crâne :* protubérance du crâne considérée depuis la phrénologie* de Gall comme
le signe d'une aptitude*. *Bosses phrénologiques* (cit.). Fig. et fam.
La bosse de... : l'aptitude. *Avoir la bosse du commerce, de la musique, des mathématiques.* ⇒ **Don.**

Vén. *Bosses :* excroissances charnues qui poussent sur le front du
cerf, lorsque sa nouvelle « tête » se forme après la mue.

♦ **4.** Protubérance naturelle sur le dos (de certains animaux). *La
bosse du dromadaire. Bosses d'un chameau. Bosse de zébu, de
bison* (⇒ **Bossu,** 2.).

Baleine* à bosse (ou *bossue*). *Bœuf à bosse.*

5 La race du bison ou bœuf à bosse (...)
                          BUFFON, Hist. nat. des animaux, Quadrupèdes, t. V, p. 85.

★ II. ♦ 1. (1409). Saillie, élévation de forme arrondie à la surface du sol. ⇒ **Éminence, monticule.**

5.1 Tramontane soufflée par l'océan et bousculée entre les bosses cévenoles, mistral gorgé de fureurs au-dessous des pierres lumineuses du Rhône, se donnent ici rendez-vous.   François NOURISSIER, le Maître de maison, p. 174.

Spécialement :

5.2 L'essentiel pour un skieur est de rester en contact avec la neige au passage des bosses et de corriger la tendance au décollage due à la vitesse au passage de certaines bosses plus sèches.   Jean FRANCO, le Ski, p. 22.

♦ 2. Partie renflée et arrondie sur une surface. **ⓐ** Emplois généraux. *Former des bosses.* ⇒ **Bosselure, élevure, renflement.** *Surface déformée par des bosses.* ⇒ **Bossué.**

6   Vois-tu ces boucliers ?... Leurs bosses reluisent aux rayons du matin.
                                   CHATEAUBRIAND, Dargo, 219, *in* LITTRÉ.

Loc. *Faire bosse* (d'un mur) : faire ventre*.

ⓑ Emplois spéciaux.

Techn. Partie d'une voie de chemin de fer formant dos d'âne, dans un système de triage. *Bosse de gravité.* Syn. : *butte* de triage. Passer un train, une rame à la bosse.*

Bossage. *Les bosses d'un mur, d'une porte.* — Spécialt. Petit bossage servant de marque ou de repère, sur le parement d'une pierre.

Ancienn. Au jeu de paume, Partie saillante du mur. Loc. *Attaquer la bosse, donner dans la bosse.*

Saillant le long des rives d'un cours d'eau, constituant une gêne pour le halage.

Mar. *Bosse de nage :* endroit renflé du bordage sur lequel doit reposer l'aviron.

ⓒ Par métonymie. Objet en verre soufflé affectant une forme sphérique. ⇒ **Boudine.**

Appendice renflé placé sous un fer à cheval, pour rétablir l'aplomb.

♦ 3. Techn. Arts. *La bosse.*

ⓐ Décoration en relief, obtenue par martelage, repoussage, etc. — EN **BOSSE.** *Travailler en bosse un ouvrage d'orfèvrerie* (⇒ **Bosseler, bosser, bossette ; bossage, bosselage, bosselure**). *Vaisselle en bosse.*

7   Et quand tu vois ce beau carrosse,
     Où tant d'or se relève en bosse,
     Qu'il étonne tout le pays (...)
            MOLIÈRE, les Femmes savantes, III, 2 (sonnet emprunté à l'abbé Cotin).

ⓑ Arts. ⇒ **Ronde-bosse.** — *Peindre, dessiner d'après la bosse,* d'après une figure moulée ou sculptée en bosse.

8   Il me fallut d'abord apprendre le dessin ; je dessinai d'après la bosse, je dessinai d'après nature (...)   P.-L. COURIER, Lettres, II, 217.

8.1 Il montait d'abord chez un élève nommé Corsenaire, qui travaillait dans le haut de la maison. Il y restait six mois à dessiner d'après la bosse ; puis redescendait dans ce grand atelier d'en bas, pour dessiner d'après le modèle vivant.
                                   Ed. et J. DE GONCOURT, Manette Salomon, p. 19.

Sculpture, ouvrage en relief. ⇒ **Ronde-bosse.**

9   Une sculpture est dite *en demi-bosse* quand elle ne fait saillie sur le fond que de la moitié de son épaisseur ; *en ronde-bosse,* quand elle est complètement isolée et qu'on peut en faire le tour (...)   Louis RÉAU, Dict. d'art et d'archéologie, p. 61.

ⓒ Techn. *Serrure à bosse, en bosse,* en saillie sur la porte.

♦ 4. Techn. Forme sphérique que le verrier donne au verre. *Bosse d'une lame de verre.* ⇒ **Boudine.**

CONTR. **Cavité, creux, enfoncement, trou.**
DÉR. 1. **Bossage, bosseler,** 1. **bosser,** 3. **bosser, bossette, bossu, bossuer.**

2. BOSSE [bɔs] n. f. — 1516 ; orig. incert. ; p.-ê. de 1. *bosse* à cause des nœuds.

♦ Mar. Cordage fin, généralement de faibles dimensions, utilisé pour saisir solidement qqch. *Bosse à griffe, à bouton. Bosse de ris*. Bosse d'amarrage, bosse d'embarcation,* destinée à amarrer ou à remorquer le navire. *Bosses cassantes,* qui ont une fonction de frein en se rompant successivement. *Prendre une bosse, frapper une bosse, fixer au moyen d'une bosse.* ⇒ 1. **Bosser.**

Si une baisse barométrique s'en mêle, vérifier que les bosses de ris sont claires et que rien ne traîne sur le pont au crépuscule.
                                   Bernard MOITESSIER, Cap Horn à la voile, p. 235.

DÉR. 2. **Bossage, bosselle,** 2. **bosser, bossoir.**
COMP. **Embosser.**

BOSSELAGE [bɔslaʒ] n. m. — 1718 ; de *bosseler.*

♦ 1. Techn. Travail en bosse, en relief, exécuté sur les pièces d'orfèvrerie. ⇒ **Repoussé.** *Travailler en bosselage.*

1   Une tradition du bosselage se développe de la caryatide siphnienne aux chevaux lyriques d'Hélios et de Sélénè, antérieurs à tels fragments classiques de la frise des Panathénées.   MALRAUX, la Métamorphose des dieux, p. 87.

♦ 2. Archit. Relief, ensemble de parties en relief.

2   Les noires rues florentines avec leurs palais aux bosselages farouches attristent le voyageur qui n'a encore qu'un vernis de romantisme.
                                   M. YOURCENAR, Archives du Nord, p. 134.

BOSSELARD [bɔslaʀ] n. m. — 1878, cit. ; de *bosseler,* p.-ê. avec croisement de *bosco* « haut de forme » (1861), « bossu ».

♦ Argot, vx. Haut-de-forme.

J'ai même un bosselard, autrement dit tuyau de poêle.
            MAUPASSANT, Correspondance, XV, L. de France, p. 238 (1878),
                                                     in D. D. L. II, 5.

BOSSELER [bɔsle] v. tr. — Conjug. *appeler.* — 1170 ; de 1. *bosse.*

♦ 1. Déformer par des bosses. ⇒ **Bossuer, cabosser.** *Que vous êtes maladroit ! Vous avez bosselé cette cafetière d'argent* (Littré).

(Sujet n. de chose). Former des bosses sur (qqch.).

Dans un de ces amas qui bosselaient irrégulièrement la plaine, quelque chose de   1
plus vague qu'un spectre se leva.   FLAUBERT, Salammbô, XIII.

♦ 2. (XVIIᵉ). Techn. Travailler en bosse*, en relief (les pièces d'orfèvrerie).

▶ SE BOSSELER v. pron.

Se déformer par des bosses. ⇒ **Bossuer** (se). *Cette écuelle s'est bosselée en tombant.*

▶ BOSSELÉ, ÉE p. p. adj. (XIIIᵉ).

♦ 1. Techn. Qui a subi un travail de bosselage. *Cuiller bosselée.*

♦ 2. Cour. Qui présente des saillies, forme des bosses. *Les feuilles des choux sont bosselées. Un terrain tout bosselé.* ⇒ **Accidenté.**

Spécialt (en parlant de l'anatomie d'un être animé). *Mâchoire bosselée. Crâne bosselé.*

(...) son corps robuste, taillé à la serpe, surmonté d'une tête bosselée qui ressem-   2
blait à une grosse racine blanchie et dépouillée par un séjour au fond des mers.
                                   Claude LÉVI-STRAUSS, Tristes tropiques, p. 7.

DÉR. **Bosselage, bosselard, bossellement, bosselure.**
COMP. **Débosseler.**

BOSSELLE [bɔsɛl] n. f. — 1922 ; de 2. *bosse.*

♦ Pêche. Nasse en jonc ou en osier servant à pêcher les anguilles.

BOSSELLEMENT [bɔsɛlmɑ̃] n. m. — 1818 ; de *bosseler.*

♦ Techn. ou littér. Action de bosseler ; résultat de cette action. ⇒ **Bosselage, bosselure.**

Nicole, debout devant le lit, achevait d'enfiler sa combinaison saccagée. Il la voyait de dos. L'étoffe transparente modelait des omoplates anguleuses et le bossellement régulier de la colonne vertébrale.   H. TROYAT, le Vivier, p. 213.

BOSSELURE [bɔslyʀ] n. f. — V. 1560, Paré ; de *bosseler.*

♦ 1. Techn. Travail en bosse sur une pièce d'argenterie ; bosse, ensemble de bosses qui en résulte.

♦ 2. Rare. Déformation d'une surface par des bosses. ⇒ **Bosselage, bossellement.** *La bosselure d'une surface.*

(1704, en bot.). Par ext. Aspérité, saillie ou ensemble de saillies. *Les bosselures d'un champ. Les bosselures d'un vieux chaudron.*

BOSSEMAN [bɔsman] n. m. — 1581 ; du néerl. *bootsman* « maître d'équipage », p.-ê. avec croisement de 2. *bosse.*

♦ Ancienn (mar.). Sous-officier de marine (maître d'équipage) qui était chargé des matériels et de leur entretien à bord d'un navire. ⇒ **Bosco.** — REM. Le pluriel n'est mentionné par aucun dictionnaire ; il devrait être régularisé : *des bossemans.*

1. BOSSER [bɔse] v. — V. 1170, *bocié* « qui présente des bosses » ; de 1. *bosse.*

★ I. V. intr. **♦ 1.** Vx ou régional (Normandie). Présenter une ou des bosses. *« La voiture, surchargée (...) bossait de partout »* (La Varende, *in* T. L. F.).

Loc. *Bosser du dos :* faire le gros dos.

♦ 2. Fam. et vx (de *se payer une bosse de rire*). Rire, s'amuser. ⇒ **Gondoler** (se). Cf. Courteline, *le Train de 8 h 47,* p. 158.

★ II. V. tr. **♦ 1.** (XIXᵉ). Techn. Travailler en bosse* ; exécuter un travail en ronde-bosse.

Au p. p. :

Vingt véhicules, bossés, pavoisés et fleuris comme des carrosses anciens ou de contes.   RIMBAUD, les Illuminations, « Ornières ».

♦ 2. Régional (Canada). Déformer par des bosses. ⇒ **Bosseler.** *Bosser une aile d'auto* (*in* Bélisle).

DÉR. V. 3. **Bosser.**

2. BOSSER [bɔse] v. tr. — 1516; de 2. *bosse.*

♦ Mar. Fixer, retenir avec des bosses*, des cordages. ⇒ 2. **Bosse.** *Bosser un câble, un cordage, un filin, une manœuvre. Bosser une ancre,* la suspendre au-dessous d'un bossoir*. — Loc. *Bitte et bosse!* (⇒ 1. **Bitter,** cit.).

DÉR. 2. **Bossage.**

3. BOSSER [bɔse] v. intr. — 1878, *in* Esnault; p.-ê. d'orig. dial. de l'Ouest *bosser* (→ 1. Bosser, I., 1.) *du dos* «être courbé (sur le travail)», de 1. *bosse,* ou de 1. *bosser* ou de travailler en *bosse (ronde-bosse);* seul le milieu (inconnu) où apparaît cet usage permettrait de trancher.

♦ Fam. Travailler (notamment, travailler dur). *S'arrêter de bosser.* — *Avoir un travail régulier. Je bosse depuis six mois :* j'ai un emploi depuis six mois. ⇒ **Boulonner, turbiner.**

1 Oh! je sais bien qu'il y aura du boulot pour que ça finisse, et plus encore après. Faudra bosser. Et j'dis pas seulement bosser avec les bras.
　　　　　　　　　　　　　H. BARBUSSE, le Feu, t. I, I, XII, p. 69.

2 Alors, mon petit pote, dit-il à Pierrot, ça te dit quelque chose de bosser avec nous?
　　　　　　　　　　　　　R. QUENEAU, Pierrot mon ami, p. 8.

Trans. *Bosser un examen, un concours,* le préparer activement. ⇒ **Bûcher.**

DÉR. **Bosseur.**

BOSSETIER [bɔstje] n. m — 1488, *in* Godefroy, *Compl.*; de *bossette.*

Technique (vieux).

♦ 1. Ouvrier qui travaille en bosse. ⇒ **Cloutier.**

♦ 2. Verrier qui souffle le verre (*en bosses :* ⇒ 1. **Bosse,** II., c).

BOSSETTE [bɔsɛt] n. f. — V. 1195; de 1. *bosse.*

♦ 1. Vx ou rare. Petite bosse, au sens général (Valéry, *in* T. L. F.).

♦ 2. (1352). Techn. Ornement en bosse sur le mors, sur les œillères d'un cheval. *Bossettes dorées.* — Par ext. Les œillères.

♦ 3. Techn. Clou d'ornement à tête ouvragée employé en tapisserie ou en ébénisterie. «*Un prie-Dieu de velours cramoisi, relevé de bossettes d'or* » (Hugo, *Notre-Dame de Paris, in* T. L. F.).

♦ 4. *Bossettes d'une arme à feu :* petits renflements des ressorts de la batterie ou de la tête de gâchette.

DÉR. **Bossetier.**

BOSSEUR, EUSE [bɔsœr, øz] n. et adj. — 1908; de 3. *bosser.*

♦ Fam. Celui, celle qui produit un gros travail. ⇒ **Bûcheur, travailleur.** *C'est un sacré bosseur.* — Adj. *Elle est plus bosseuse que son frère.*

BOSSOIR [bɔswar] n. m. — 1678; de 2. *bosse.*

★ I. Marine. **♦ 1.** Grosse pièce saillante qui était placée à la proue d'un navire pour servir à la manœuvre d'une ancre. *Bossoir bâbord, tribord.* — Loc. *Homme de bossoir :* homme de veille à l'avant d'un navire. *Par le bossoir :* par l'avant du navire et un peu de travers.

1 (...) mais la nuit est une faiseuse d'histoires et ce n'est pas d'hier qu'elle en raconte aux guetteurs de créneaux et vigies de bossoir ni qu'elle fait prendre une brouette pour le train d'Attila (...)　　　Jacques PERRET, Bande à part, p. 238.

♦ 2. *Bossoir d'embarcation :* arc-boutant servant à suspendre une embarcation, à la larguer, à la hisser. ⇒ **Pistolet, porte-manteau.**

2 Là-bas, une chaloupe chargée d'hommes se balançait au bout de ses bossoirs, puis touchait l'eau dans une gerbe irisée.　　M. TOURNIER, Vendredi..., p. 234.

★ II. Fam. et vx. Au plur. *Les bossoirs :* les seins (d'une femme) (E. Sue, 1831, *in* T. L. F.).

BOSSU, UE [bɔsy] adj. et n. — V. 1170; de 1. *bosse,* I.

♦ 1. (Personnes). Qui a une ou plusieurs bosses* par déformation de la colonne vertébrale ou de la cage thoracique. *Un homme bossu. Une femme bossue.* ⇒ **Contrefait, gibbeux; difforme.** *Bossu par devant.*

1 Mᵐᵉ de Guise, bossue et contrefaite à l'excès (...)　SAINT-SIMON, Mémoires, I, 302.

2 Quand tout le monde est bossu, la belle taille devient la monstruosité.
　　　　　　　　　　　　　BALZAC, la Muse du département, Pl., t. IV, p. 61.

N. (Fin XIIIᵉ). *Un bossu, une bossue* (⇒ fam. **Bobosse, boscot**). — Loc. (légendes folkloriques). *Malin, gai comme un bossu. Toucher*

la bosse d'un bossu (geste porte-bonheur). «*Ah! Ah! Ah! On n'a jamais vu / De petit bossu aussi résolu* » (le Petit Bossu, chanson enfantine). — *Le Bossu* (1858), roman de P. Féval. «*Le bossu Bitor* », poème de Corbière.

3 Cette bossue aime un bossu
Qui, je pense, est amoureux d'elle.　　Épigramme de LEBRUN, *in* LITTRÉ.

4 «C'est un bossu, chuchotait Védrine à Freydet, et un bossu à femmes, qui se parfume et se pommade (...) puis ils sortirent. Freydet s'amusant de cette idée d'un bossu Lovelace : « Il est peut-être en bonne fortune (...)
— Tu ris (...) Eh bien! mon cher, ce bosco se paye les plus jolies femmes de Paris (...) »　　　　　　Alphonse DAUDET, l'Immortel, p. 100.

5 Un vrai bossu : cou tors et retors, très madré,
Dans sa coque il gardait sa petite influence
Car chacun sait qu'en mer un bossu porte chance.
　　　　　　　　　Tristan CORBIÈRE, Poésies, «Le bossu Bitor».

Loc. fam. *Rire comme un bossu :* rire à gorge déployée, se «tordre» de rire. ⇒ **Bosse** (se payer une bosse de rire), 1. **bosser** (I., 2.).

6 Je voyais quand même de brefs reflets de tristesse dans ses yeux malicieux. Elle maintenait l'équilibre avec des «on a ri comme des bossus (...) je m'en fiche comme de colin-tampon (...) »　　　Violette LEDUC, la Bâtarde, p. 379.

Par ext. Voûté. *Redresse-toi, tu es bossu!* — Qui a l'apparence d'un bossu (par la position, une charge : sac, etc.). *J'entrevis «des hommes fléchis et bossus gravissant une côte glissante* » (Barbusse, *le Feu, in* T. L. F.).

♦ 2. (Animaux). Qui porte une ou plusieurs bosses. *Bœuf bossu :* le bison. — Syn. : *à bosse.* — (Poissons). *Ostracion bossu.* — *Emyde bossue* (tortue).

N. m. Fam. et vieilli. Lièvre. «*Un bossu qu'ils sont en train de se becqueter en civet* » (Barbusse, *le Feu,* V).

N. f. **BOSSUE.** **ⓐ** Baleine à bosse.

ⓑ Nom de coquillages. *Bossue à deux boutons* (*in* P. Larousse).

♦ 3. (Choses). Rare. *Terrain bossu.* ⇒ **Bosselé, bossué.** *Cimetière bossu,* où il y a de nombreuses tombes.

Loc. (Vieilli). *Faire, rendre les cimetières bossus :* causer la mort d'un grand nombre de personnes.

CONTR. **Droit, raide, rectiligne.**
DÉR. V. **Boscot.**

BOSSUAGE [bɔsɥaʒ] n. m. — 1852, Nerval; de *bossuer.*

♦ Techn. ou littér. Forme d'une surface bossuée; ensemble des bosses, des renflements (d'une surface).

BOSSUER [bɔsɥe] v. tr. — 1564; de 1. *bosse.*

Technique ou littéraire.

♦ 1. (Sujet n. de personne ou de chose). Déformer* accidentellement par des bosses. ⇒ **Bosseler, cabosser.** *Bossuer une cuiller. Une balle a bossué son casque. Bossuer un instrument.* ⇒ **Fausser.**

♦ 2. (Sujet n. de chose). Rendre inégal, en constituant une, des bosses sur (une surface). *Les inégalités qui bossuent un vieux chaudron.*

1 Sur le revers d'une de ces collines décharnées qui bossuent les Landes (...)
　　　　　　　　　　　Th. GAUTIER, le Capitaine Fracasse, 1.

1.1 Des monts qu'on appellerait ailleurs des collines (...) bossuent ces terres basses.
　　　　　　　　　　　M. YOURCENAR, Archives du Nord, p. 15.

▶ SE BOSSUER v. pron. *Ce plat s'est bossué en tombant.*

▶ BOSSUÉ, ÉE p. p. adj. (XVIᵉ).

Qui présente des bosses. ⇒ **Bosselé, cabossé.**

2 Une grande main bossuée de bagues (...)　　COLETTE, la Fin de Chéri, p. 104.

3 Il était de petite taille, vif, avec des yeux vairons, un nez de goupil et très peu de cheveux sur son crâne bossué.　　G. DUHAMEL, Chronique des Pasquier, X, 3.

4 (...) un sol tassé, avili, bossué, de terrain vague (...)
　　　　　　　　　　　Claude MAURIAC, le Temps immobile, p. 488.

CONTR. **Aplani, égal, plat, uni.**
DÉR. **Bossuage.**

BOSTANGI [bɔstɑ̃dʒi] n. m. — 1546; mot turc; de l'arabe *bŭstān* «jardin», et suff. turc *djī* (servant à former des noms de métier).

♦ Hist. (et t. de voyage anc.). Homme d'une milice turque chargée de la surveillance du sérail, de l'entretien des jardins, etc. — Var. graphique (vx) : *bostandgi.*

(...) tout le luxe asiatique brillait sur les costumes fantasques des pachas, des capidgis-pachas, des bostandgis (...)　　Th. GAUTIER, Constantinople, p. 247.

BOSTON [bɔstɔ̃] ou (sens II) [bɔstɔn] n. m. — 1800; *wisk bostonien,* 1785; de *Boston,* ville des États-Unis.

★ I. Anciennt. Jeu de cartes proche du whist*, qui se joue à quatre personnes, avec 52 cartes. *Levées au boston.* ⇒ **Chelem, picolo.** — Partie de ce jeu. *Faire un boston.*

Deux tables de boston et un colin-maillard dans le salon que tu connais, tu peux t'imaginer comme on est à l'aise (...)　　P.-L. COURIER, Lettres, II, 108.

★ **II.** 1882; mot amér., abrév. de *boston dip* (1879), le «plongeon de Boston». Anciennt. Valse lente au mouvement décomposé (en vogue au début du XXe siècle). → Trust, cit. 4. *Danser le boston.*
⇒ **Bostonner.**
Air sur lequel se danse le boston. *L'orchestre joue des bostons.*

DÉR. **Bostonner.**

BOSTONNER [bɔstɔne] v. intr. — 1837, *in* Höfler; de *boston.*

★ **I.** Vx. Jouer au boston (I.).

★ **II.** (1892). Danser le boston (II.).

Daniel bostonnait sans hâte, le corps en apparence immobile, la tête droite, avec une sorte de flegme fait de raideur et d'aisance, ne dansant qu'avec la pointe de ses pieds, qui ne quittaient pas le sol.
MARTIN DU GARD, les Thibault, t. II, p. 119.

BOSTRYCHE [bɔstriʃ] n. m. — 1762, *bostriche*; grec *bostrukhos* «boucle de cheveux».

♦ Zool. Insecte coléoptère à corselet velu dont les larves vivent dans le bois du chêne. *Bostryche capucin. Bostryche typographe.*

BOT, BOTE [bo, bɔt] adj. — V. 1165; orig. incert. Cf. anc. franç. *bot* «crapaud»; p.-ê. du germanique **butta* «émoussé».

♦ Se dit du pied difforme par rétraction de tendons et de ligaments, souvent associée à des malformations osseuses. *Avoir un pied bot.*
— Par ext. Rare. *Main bote. Hanche bote* (coxa vara. ⇒ **Varus**).

Cependant, pour savoir quel tendon couper à Hippolyte, il fallait connaître d'abord quelle espèce de pied bot il avait. Il avait un pied faisant avec la jambe une ligne presque droite, ce qui ne l'empêchait pas d'être tourné en dedans, de sorte que c'était un équin mêlé d'un peu de varus (...) FLAUBERT, Mme Bovary, II, XI.

Pied bot ou *pied-bot* (en emploi adj.) : qui a un pied contrefait (personne, animal). *Byron était pied bot. Elle est pied bot.* — N. *Un, une pied-bot. Des pieds-bots. Un cheval pied bot.* ⇒ **Bouleté.**

HOM. **Bau, baud, baux** (bail), **beau.**
COMP. **Pied-bot.**

BOTAN- ⇒ **Botano-.**

BOTANIQUE [bɔtanik] adj. et n. f. — 1611; du grec *botanikê*, adj. fém., de *botanê* «plante».

♦ **1.** Adj. Relatif aux végétaux et à leur étude. *Géographie botanique* : étude de la répartition des plantes sur le globe. *Classification botanique.* ⇒ **Règne** (végétal), **embranchement, classe, ordre, famille, genre, espèce, variété, type.** *Études, recherches botaniques.*

1   Nos recherches botaniques ne furent pas heureuses; les plantes étaient peu variées (...) CHATEAUBRIAND, Voyage en Amérique, 334.

Loc. *Jardin botanique*, où les plantes sont cultivées pour l'étude scientifique, et qui contient des espèces nombreuses et répertoriées.

♦ **2.** N. f. (1680). Science qui a pour objet l'étude des végétaux. ⇒ **Arbre, herbe, plante, végétal; feuille, fleur, fruit, racine, tige.** *Branches de la botanique.* ⇒ **Anatomie, embryologie, histologie, morphologie, physiologie** (végétales); **paléobotanique; nosologie, pathologie, tératologie** (végétales). *Botanique générale* : étude des caractères communs à la vie des plantes. ⇒ **Organographie.** *Botanique spéciale* ou *comparée* : étude comparée des plantes. *Botanique appliquée.* ⇒ **Agriculture, horticulture.** *Botanique industrielle. Botanique médicale. La botanique fait partie des sciences naturelles, de la biologie*. Botanique et écologie*.* — *Travaux pratiques de botanique.* ⇒ **Herbier; botaniser, herboriser.**

2   La botanique n'est pas une science sédentaire et paresseuse qui se puisse acquérir dans le repos et l'ombre d'un cabinet. FONTENELLE, Tournefort.

3   Ces idées médicinales *(ne chercher dans les plantes que des drogues et des remèdes)* ne sont assurément guère propres à rendre agréable l'étude de la botanique; elles flétrissent l'émail des prés, l'éclat des fleurs, dessèchent la fraîcheur des bocages, rendent le verdure et les ombrages insipides et dégoûtants; toutes ces structures charmantes et gracieuses intéressent fort peu quiconque ne veut que piler tout cela dans un mortier, et l'on n'ira pas chercher des guirlandes pour les bergères parmi les herbes pour les lavements. ROUSSEAU, Rêveries..., 7e Promenade.

Les grandes divisions en botanique.
Classification des principaux groupes en botanique :
Cryptogames Thallophytes :
Protophytes : Bactériacées; Cyanophycées ou Myxophycées
Tallophytes vrais :
1. Algues : Rhodophycées; Phéophycées; Chlorophycées; Xanthophycées.

2. Champignons : Myxomycètes; Phycomycètes; Zygomycètes; Ascomycètes; Basidiomycètes.
3. Lichens : Pyrénolichens; Discolichens; Basidiolichens.
Cryptogames cellulaires :
Bryophytes ou Muscinées : Mousses; Anthocérotées; Hépatiques.
Cryptogames vasculaires :
Lycopodinées : Lycopodiales; Sélaginellales; Lépidodendrales; Isoétales.
Equisétinées : Equisétales.
Filicinées eusporangiées : Ophioglossales; Marattiales.
Filicinées leptosporangiées : Filicales; Osmondales; Hydroptéridales.
Préphanérogames :
Ptéridospermées.
Ginkyoales.
Cycadales.
Phanérogames :
Gymnospermes : Pinales; Araucariales; Podocarpales; Taxales; Cupréssales; Gnétales.
Chlamydospermes.
Angiospermes dicotylédones : 4 phylums
1. Santalales; Oléales; Protéales.
2. Amentiflores; Urticales; Polygonales; Centrospermales; Plumbaginales; Primulales.
3. Thérébinthales; Ombelliflores; Malvales; Rubiales; Ébénales; Célastrales; Rhamnales; Ligustrales; Contortales; Géraniales; Tubiflores; Euphorbiales.
4. Ranales; Aristolochiales; Pipérales; Rosales; Hamamélidales; Myrtales; Thymélaéales; Pariétales; Rhaeadales; Éricales; Cucurbitales; Synanthérales.
Angiospermes monocotylédones : 3 phylums
1. Alismatales; Potamognétales.
2. Commélinales; Graminales; Cypérales; Broméliales; Liliales; Dioscoréales; Scitaminales; Orchidales.
3. Arales; Pandanales; Palmales; Juncales.

DÉR. **Botaniquement.** — V. **Botaniser, botaniste.** — V. aussi **Botano-.**

BOTANIQUEMENT [bɔtanikmɑ̃] adv. — 1845; de *botanique.*

♦ Didact. Par rapport à la botanique.

BOTANISER [bɔtanize] v. intr. — 1801; d'après *botanique.*

♦ Didact. ou littér. Réunir des plantes pour les étudier. ⇒ **Herboriser**; → 2. Plante, cit. 15.

BOTANISTE [bɔtanist] n. — 1676; du rad. de *botanique.*

♦ **1.** Personne qui s'occupe de botanique*. *Un savant botaniste. Une remarquable botaniste.*

Comme il avait repeuplé de plantes ce jardin, il le repeupla aussi de jeunes botanistes que ses leçons y attiraient de toutes parts (...)
FONTENELLE, Fagon, *in* LITTRÉ.

♦ **2.** Spécialt. Personne qui botanise*. ⇒ **Herborisateur.** «*Comme un botaniste range dans son herbier les fleurs desséchées*» (H. Poincaré, *la Valeur de la science, in* T. L. F.).

BOTANO-, BOTAN- Premier élément de mots didactiques (rare), tiré du grec *botanê* «herbe» (⇒ **Botanique**).

BOTANOMANCIE [bɔtanɔmɑ̃si] n. f. — 1546; de *botano-*, et *-mancie.*

♦ Didact. et rare. Art de la prédiction par les plantes.

BOTANOPHILE [bɔtanɔfil] adj. et n. — 1773, Rousseau; de *botano-*, et *-phile.*

♦ Didact. et rare. Personne qui aime la botanique, botaniste (2.).

BOTHRIOCÉPHALE [bɔtriɔsefal] n. m. — 1824, *in* Cottez; du grec *bothrion* «fossette, petite cavité», et *kephalê* «tête».

♦ Ver plathelminthe *(Cestodes)* dont certaines espèces, à l'état adulte, sont parasites de l'intestin de l'homme et de quelques mammifères et qui s'y fixent grâce à deux ventouses latérales de la tête, appelées *bothridies.* ⇒ **Ténia.** → Cestodes, cit.

BOTRYOÏDE [bɔtriɔid] adj. — 1753; grec *botruoidês*, de *botru(o)-*, élément tiré de *botrus, botruos* «grappe».

♦ Didact. En forme de grappe (de raisin). *Minerai botryoïde. Tumeur botryoïde.*

BOTRYOMYCÈTE [bɔtʀijomisɛt] n. m. — 1897 ; de *botryo-* (→ Botryoïde), et *-mycète*.

♦ Méd. Amas enkysté de staphylocoques, donnant à une tumeur l'aspect d'une formation en grains.

BOTRYOMYCOME [bɔtʀijomikom] n. m. — 1905 ; de *botryo-* (→ Botryoïde), et *-ome*, d'après *botryomycose*.

♦ Méd. Petite tumeur inflammatoire chronique, d'aspect comparable à celui d'une framboise, aux doigts ou à la plante des pieds, provoquée par une infection banale et entretenue par une irritation continue (syn. : *granulome pyogénique, tumeur framboisique, granulome télangiectasique*).

BOTRYOMYCOSE [bɔtʀijomikoz] n. f. — 1897 ; de *botryo-* (→ Botryoïde), et *mycose*.

♦ Méd. vétér. Infection purulente du cheval, du chameau, se présentant sous forme d'excroissances d'aspect tumoral aux pieds. ⇒ **Botryomycome.**

1. BOTTE [bɔt] n. f. — Fin XIIᵉ ; moy. néerl. *bote* «touffe de lin», cf. le verbe *boten* «battre», d'où, probabt, «quantité de végétaux battus par le fléau».

★ **I.** ♦ **1.** Assemblage de végétaux de même nature dont les tiges sont liées ensemble. ⇒ **Faisceau.** *Mettre, lier du foin en bottes.* ⇒ **Botteler, embotteler ; bottée, bottelée.** *Botte de paille, de foin, d'épis.* ⇒ **Gerbe.** — Fig. *Chercher une aiguille dans une botte de foin* (⇒ **Aiguille,** supra cit. 13). — *Botte de feuilles de tabac.* ⇒ **Manoque.** *Botte de branches.* ⇒ **Bourrée.** *Botte de fleurs.* ⇒ **Bouquet.** *Des bottes de radis, de carottes, d'asperges, de poireaux. Une petite botte de ciboulette.* ⇒ **Bottelette, bottillon.**

1 À te dire vrai, il y a une grande différence entre mon auguste famille et une botte d'asperges. Nous ne formons pas un faisceau bien serré, et nous ne tenons guère les uns aux autres que par écrit. A. DE MUSSET, les Caprices de Marianne, 1.

2 (...) après avoir marqué ses quatre mètres sur le trottoir avec des bouchons de paille, elle pria Florent de lui passer les légumes, bottes par bottes. ZOLA, le Ventre de Paris, t. I, p. 12-13.

Par métonymie, anciennt. Sonnerie de trompette qui annonçait aux cavaliers la distribution de fourrage. *Sonner la botte.*

(1316, *bothe*). Par ext. Techn. *Botte de soie, de chanvre,* se dit de plusieurs écheveaux* liés ensemble. — *Une botte de lettres, de papier.* ⇒ **Liasse.** — *Botte de parchemin :* cahier de 36 feuilles reliées. Techn. Faisceau (de morceaux de bois).

Ensemble (de tiges, de fils de métal) réunis ou enrobés. ⇒ **Bottelage,** 2.

En botte : en paquet (en parlant de choses allongées). Vx. *Racines en botte. Futaille en botte :* ensemble des douves mises en faisceau.

♦ **2.** (XVIᵉ). Fam. (au plur.). Vieilli. *Des bottes de... :* une grande quantité (de qqch.). ⇒ **Masse, tas.**

3 (...) j'étais le Lovelace de fatuité que sont plus ou moins tous les très jeunes gens qui se croient jolis garçons, et qui ont pâturé des bottes de baisers derrière les portes et dans les escaliers, sur les lèvres des femmes de chambre de leurs mères. BARBEY D'AUREVILLY, les Diaboliques, «Le rideau cramoisi».

Loc. mod. *Il n'y en a pas des bottes,* pas beaucoup.

4 De plus ils *(les gosses)* n'ont pas des bottes de patience. R. QUENEAU, Loin de Rueil, p. 38.

★ **II.** (1860). Argot de Polytechnique. Ensemble des élèves sortis dans les premiers rangs et qui peuvent bénéficier des carrières les plus prisées. *Sortir dans la botte.* Syn. : *être bottier.* ⇒ 2. **Bottier.**

5 Il sortira dans la botte, vous verrez. Il sortira premier. Il aura la direction des Tabacs. J. DUTOURD, les Horreurs de l'amour, p. 317.

6 Michel (...) qui termine sa première année de Polytechnique à la satisfaction générale (un peu fatigué, toutefois, et sans avoir réussi à reprendre plus de trois places sur les chefs de file de la botte). Hervé BAZIN, Au nom du fils, p. 162.

DÉR. **Bottée, botteler, bottelette,** 1. **bottillon.** — (Du sens II) 2. **Bottier.**
COMP. **Embotteler.**
HOM. **Bote** (fém. de *bot*), 2. **botte,** 3. **botte,** 4. **botte,** 5. **botte.**

2. BOTTE [bɔt] n. f. — Fin XIIᵉ, *bote* «chaussure épaisse, grossière» ; orig. inconnue, p.-ê. même rac. que *bot.* Cf. le mot régional *bot* (Poitou) «sabot» ; pour Guiraud «le mot combine les deux sens de la racine **bott-*, à la fois «gonflé, arrondi» et «tronqué».

♦ **1.** Chaussure* très montante qui enferme le pied et la jambe, parfois la cuisse. *Bottes courtes ; bottes hautes. Botte cuissarde.* ⇒ **Cuissardes.** *Bottes à genouillère*. Une paire de bottes. Semelle, talon, contrefort, tige, genouillère*, revers* (⇒ **Retroussis**), tirants d'une botte. Mettre ses bottes.* ⇒ **Botter** (se). *Ôter, enlever, tirer ses bottes.* ⇒ **Débotter** (se) ; **tire-botte.** *Cirer des bottes. Mettre des*

embauchoirs dans ses bottes. — *Botte forte, molle. Botte basse, demi-botte.* ⇒ 2. **Bottillon, bottine ; boots, santiags.** *Bottes de cuir, de caoutchouc, de toile, de plastique, de fourrure. Guêtre formant botte.* ⇒ **Houseau** (vx). *Bottes portées au moyen âge* (⇒ **Heuse**). *Bottes Charles IX, Louis XIII* (bottes à entonnoir), *Louis XIV* (bottes à chaudron), *bottes Directoire... — Bottes de cavalerie.* (Anciennt). *Bottes de dragon, de maréchaussée. Bottes de postillon. Bottes à la russe, à la hussarde, à l'écuyère. Bottes de tranchée* (vx). *Bottes de saut des parachutistes.* ⇒ 2. **Ranger.** — *Bottes d'égouttier, de pompier. Bottes de marin, de pêcheur. Bottes de voile. — Bottes de motard. Bottes de cheval :* bottes pour l'équitation. *Bottes camarguaises*. — Aller chez le bottier, le marchand de chaussures acheter des bottes. Bottes de femme. La mode des bottes.*

0.1 (...) j'ai l'honneur de posséder les pieds mêmes du roi Charlemagne dans mes bottes Souwaroff, avec lesquelles je méprise bien le sol. VILLIERS DE L'ISLE-ADAM, Tribulat Bonhomet, p. 43.

0.2 Il est sanglé dans une redingote noire qui lui est trop étroite et dont les longs pans flottent sur la croupe de sa monture. Il porte un pantalon à carreaux et des grosses bottes à soufflet. B. CENDRARS, l'Or, in Œ. compl., t. II, p. 220.

Par anal. *Des bottes de neige, de boue... :* de la neige, de la boue collée autour de la jambe, comme une botte. ⇒ **Botter,** III ; 1. **botté.**

♦ **2.** Loc. *Bottes de sept lieues,* par allusion au conte du Petit Poucet. *Avancer, marcher avec des bottes de sept lieues :* aller très vite.

1 À ce moment, la convalescence du malade marche avec des bottes de sept lieues (...) Alphonse DAUDET, le Petit Chose, II, 16.

Loc. fig. Vx. *Graisser ses bottes :* se préparer à partir. — Vx. *Prendre la botte* (même sens).

2 Il n'est plus question que d'aller à Paris (...) Mᵐᵉ de la Fayette me mande que je n'ai qu'à songer à graisser mes bottes (...) Mᵐᵉ DE SÉVIGNÉ, 1286, 12 juil. 1690.

(1584). Vieilli. *(Y) laisser ses bottes :* être tué (→ fam. Y rester).

Mod. et fam. *Cirer, lécher* les bottes de qqn,* le courtiser, le flatter bassement, platement.

Vx. *Cela fait ma botte :* cela me convient. ⇒ **Botter.**

Vieilli. *Mettre, avoir du foin dans ses bottes :* amasser, avoir beaucoup d'argent.

Vieilli ou littér. *À propos de bottes :* sans motif sérieux. *Se quereller à propos de bottes. Se fâcher* (cit. 11) *à propos de bottes.*

2.1 (...) moi ! moi enfin ! J'irais!... Tenez, monsieur, cela ne se peut. (Et mettant sa main droite sur sa poitrine, il ajoutait :) Je me sens là quelque chose qui s'élève et qui me dit : Rameau, tu n'en feras rien. Il faut qu'il y ait une certaine dignité attachée à la nature de l'homme, que rien ne peut étouffer. Cela se réveille à propos de bottes. Oui, à propos de bottes ; car il y a d'autres jours où il ne m'en coûterait rien pour être vil tant qu'on voudrait (...) DIDEROT, le Neveu de Rameau, Pl., p. 438.

Mod. et cour. *En avoir plein les bottes :* être très fatigué, être excédé (→ Plein le dos, plein le cul). — Vx. *Tomber sur les bottes :* être très fatigué, épuisé.

(1797). Vieilli. *Être haut comme une botte,* très petit. Syn. mod. : *être haut comme trois pommes*.*

3 (...) un jeune garçon très prétentieux, se prenant tout à fait au sérieux (...) pas plus haut qu'une botte et sans un poil de barbe au menton. Alphonse DAUDET, le Petit Chose, I, 4.

3.1 Pietro, clown au cirque Medrano, était haut comme ma botte. DRIEU LA ROCHELLE, la Comédie de Charleroi, p. 170.

(1797). Vx. Personne très petite.

Vieilli et vulg. *Faire, chier dans les bottes de qqn :* exagérer, dépasser la mesure. *Chier dans ses bottes :* avoir peur.

Équit. *Serrer la botte :* serrer la jambe contre les flancs du cheval. *Botte à botte. Être, aller, charger botte à botte,* jambe contre jambe, en parlant de cavaliers.

Figuré :

4 (...) ici (...) tout le monde fait, en bloc, roue à roue, botte à botte, pour le moins du trente-cinq milles. G. DUHAMEL, Scènes de la vie future, VII.

(D'un cheval). *Aller à la botte :* essayer de mordre le cavalier (à la jambe). (1718). Fig. Vx. *Aller à la botte :* répondre, attaquer avec vivacité.

♦ **3.** Par métonymie. Pied chaussé d'une botte. — *Coup de botte :* coup de pied*. *Donner un coup de botte, frapper d'un coup de botte.* ⇒ **Botter,** II. *Chasser qqn à coups de bottes, à coups de bottes dans le derrière.* — (Sports : football, rugby). *Dégager la balle d'un coup de botte. Le célèbre coup de botte de cet international* (⇒ **Botteur**). *«La balle* (le ballon) *sonne sous la botte...»* → Botter, cit. 4.

4.1 Le goal reçut le ballon des mains d'un ramasseur et l'expédia d'un grand coup de botte vers la mi-droite. René FALLET, le Triporteur, p. 368.

Être, vivre sous la botte de, sous l'oppression d'un régime (politique ou militaire) autoritaire. — Spécialt. *La botte prussienne, nazie.* — *Tenir qqn sous sa botte :*

4.2 On supporte la médiocrité tant que masse, mais dans le détail, à chaque humiliation de détail, on se met en colère. Et la colère manque de vous faire tomber dans le jeu. De là à vouloir devenir général, ministre, dictateur, faire une révolution pour les tenir sous sa botte, il n'y a qu'un pas. DRIEU LA ROCHELLE, la Comédie de Charleroi, p. 93 (1934).

Par anal. *Être à la botte de qqn,* à ses ordres, à sa dévotion.

4.3 Je suis à la botte du colonel. S'il n'a pas besoin de moi, je donne un coup de main aux traducteurs.   Vladimir VOLKOFF, le Retournement, p. 34.

Bruit de bottes : bruit d'une armée, de militaires en marche.
— Par métaphore. Rumeur annonciatrice de préparatifs militaires, de guerre ; menace de guerre, d'invasion, de prise de pouvoir militaire (putsch).

♦ **4.** Par anal. de forme. *La botte de l'Italie :* la forme de l'Italie. « *Si l'Italie a la forme d'une botte...* » (A. Briand → Cul, I., 1.). Ellipt. *Visiter la botte,* la partie centrale et méridionale de l'Italie.

5 *(Il)* décrit l'Italie avec sa botte, sa ville bâtie sur l'eau, sa tour penchée qui un de ces jours va s'écrouler (...)   Alain BOSQUET, les Bonnes Intentions, p. 139.

Méd. *Botte de plâtre,* pour tenir un membre fracturé. — (Vétér.). Pièce de cuir protégeant la partie blessée du pied d'un cheval. ⇒ **Bottine.**

(1680). Chasse. Vx. Étui allongé pour le fusil. — Large collier de cuir (d'un limier).

Cout. Partie d'une manche proche du poignet.

Techn. Cylindre métallique recevant la hampe (d'un drapeau, etc.).

DÉR. **Botter,** 1. **bottier,** 2. **bottillon, bottine.**
COMP. **Débotter.** — **Demi-botte, tire-botte ; lèche-bottes.**
HOM. **Bote** (fém. de *bot*), 1. **botte,** 3. **botte,** 4. **botte,** 5. **botte.**

3. BOTTE [bɔt] n. f. — 1590 ; ital. *botta* « coup », de l'anc. ital. *bottare* (franç. *bouter, boter*). → Bouter.

♦ **1.** À l'escrime, Coup de pointe porté à un adversaire avec le fleuret, l'épée. *Porter, pousser, allonger une botte. Parer, esquiver une botte. La parade d'une botte.*

1 Quand vous portez la botte, Monsieur, il faut que l'épée parte la première... (Le maître d'armes lui pousse deux ou trois bottes).   MOLIÈRE, le Bourgeois gentilhomme, II, 2 et jeu de scène.

1.1 L'assaut se continua de la sorte par des bottes multiples ; la quarte, la sixte, la tierce, voire la prime, la quinte et l'octave, se mêlant aux « dégagez », aux « doublez » et aux « coupez », formaient des coups sans nombre, inédits et complexes, aboutissant respectivement à une feinte imprévue, rapide comme l'éclair, qui toujours atteignait son but.   Raymond ROUSSEL, Impressions d'Afrique, p. 47.

Botte secrète : coup dont la parade est inconnue de l'adversaire ; fig. attaque imprévue et imparable ; coup secret.

2 En toute l'Europe, c'est comme une immense guerre civile où chacun se bat pour son compte ; et même la mathématique ressemble à une guerre de partisans, où les habiles essaient quelque botte secrète. Tout homme est d'épée et d'entreprise, et choisit son maître.   ALAIN, Descartes, in les Passions et la Sagesse, Pl., p. 927.

♦ **2.** Loc. fig. *Porter, pousser une botte :* faire une attaque vive et imprévue, poser une question embarrassante.

3 (...) il épiait mes compagnons avec une curiosité railleuse et ne perdait jamais une occasion de les surprendre en mauvaise garde et de leur pousser une botte.   G. DUHAMEL, Chronique des Pasquier, IX.

4 (...) Veux-tu que je dise ? Il a fini par avouer, ton galant ! Je lui ai poussé une botte, à ma façon : « Niez si vous voulez, ai-je dit, la petite a tout raconté. »   BERNANOS, Sous le soleil de Satan, in Œ. roman., Pl., p. 73-74.

Argot. *Proposer la botte :* proposer à (qqn) des relations sexuelles.

5 Je ne suis pas en train de te proposer la botte, tu comprends, Véronique ? L'amour, ce n'est même pas sûr qu'il y aura de la place pour lui, ou alors à la sauvette.   René MASSON, Drugstore, p. 208.

HOM. **Bote** (fém. de *bot*), 1. **botte,** 2. **botte,** 4. **botte,** 5. **botte.**

4. BOTTE [bɔt] n. f. — Déb. XVᵉ ; ital. *botte,* du lat. tardif *buttis* ou provençal *bota,* même orig. → Bouteille.

♦ Vx. Tonneau qui servait de mesure ; cette mesure de capacité (variable selon les régions). *Une botte d'huile.*

HOM. **Bote** (fém. de *bot*), 1. **botte,** 2. **botte,** 3. **botte,** 5. **botte.**

5. BOTTE [bɔt] n. f. — D. i. (XIXᵉ) ; contraction de *beauvotte* (1839, Boiste), forme française mod. de *baivate* (1473, in Godefroy), nom de différents insectes volants, attesté dans l'Est et le Nord Est.

♦ Région. Charançon du blé.

HOM. **Bote** (fém. de *bot*), 1. **botte,** 2. **botte,** 3. **botte,** 4. **botte.**

1. BOTTÉ, ÉE [bɔte] p. p. adj. — XVIᵉ ; p. p. de *botter.*

♦ **1.** Chaussé de bottes. *Être botté, bien botté. — Botté de... Botté de cuir. Une jolie fille bottée de rouge. Le Chat botté,* conte de Perrault. Allus. hist. *Missionnaires bottés :* les dragons responsables des dragonnades.
Loc. fig. *Être botté,* prêt à partir (vieilli).

♦ **2.** Fig. *Être botté de neige, de boue :* avoir de la boue, de la neige autour des jambes. ⇒ 2. **Botte,** 1.

HOM. 2. **Botté, bottée, botter.**

2. BOTTÉ [bɔte] n. m. — 1908, in Petiot ; de *botter* II., 2.

♦ Sports. Manière de frapper la balle du pied.

(...) avec une magnifique sécheresse dans le botté. Et la jambe qui frappe fait angle droit avec le corps.   MONTHERLANT, les Olympiques, 1924, Pl., p. 292.

HOM. 1. **Botté, bottée, botter.**

BOTTÉE [bɔte] n. f. — Attesté 1910, Van der Meersch, in T. L. F. ; de 1. *botte.*

♦ Rare. Quantité (de végétaux) formant une botte. ⇒ 1. **Botte, bottelée.**

HOM. 1. **Botté,** 2. **botté, botter.**

BOTTELAGE [bɔtlaʒ] n. m. — 1351, *botelaige* en dr. « droit sur le foin » ; de *botteler.*

♦ **1.** (1636) Agric. Action de botteler ; son résultat. *Bottelage des foins.*

♦ **2.** Techn. Opération par laquelle on met des tiges, des fils (de métal) en bottes (faisceaux ou rouleaux).

BOTTELÉE [bɔtle] n. f. — 1869, A. Daudet ; de *botteler.*

♦ **1.** Agric. Ensemble des végétaux mis en bottes. *Une bottelée de paille.* ⇒ 1. **Botte, bottée.**

♦ **2.** (En parlant d'objets divers). Grande quantité. ⇒ 1. **Botte** (I., 2.).

(...) il y a les rabiots de briques, de parpaings, de carreaux de faïence, les bottelées de ferrailles à béton.   CAVANNA, les Ritals, p. 98.

BOTTELER [bɔtle] v. tr. — Conjug. *appeler.* — 1328 ; du moy. franç. *botel,* dimin. de 1. *botte.*

♦ **1.** Agric. Lier en bottes. *Botteler de la paille ; des radis.* — *Machine, appareil à botteler.* ⇒ **Botteleuse, botteloir.**

1 À Fontranges, dans les moissons, quand les travailleurs bottelaient ou dormaient, on voyait la tête de la petite Églantine surnager seule au-dessus des épis et du déluge de l'été.   GIRAUDOUX, Églantine, p. 85.

♦ **2.** Techn. Mettre en bottes (des morceaux de bois, des tiges, fils... de métal).

▶ **BOTTELÉ, ÉE** p. p. adj. *Paille bottelée.* — Par extension :

2 (...) charger dans des cours de ferme des sacs de pommes de terre, voire quelques quartiers de lard ou des saucisses longues et sèches bottelées par grosses, comme des fagotins.   M. TOURNIER, le Roi des Aulnes, p. 183.

DÉR. **Bottelage, bottelée, botteleur, botteleuse, botteloir.**
HOM. **Bottelée.**

BOTTELETTE [bɔtlɛt] n. f. — 1268 ; dimin. de 1. *botte.*

♦ Agric. Petite botte (de carottes, de poireaux, etc.). ⇒ 1. **Bottillon.**

BOTTELEUR, EUSE [bɔtlœʀ, øz] n. — 1391, *boteleur ;* de *botteler.*

♦ **1.** Agric. Personne qui fait des bottes (de foin, de paille, etc.).

Les rédacteurs sont gens connus, vignerons, bûcherons et botteleurs de foin.   P.-L. COURIER, II, 275.

♦ **2.** Techn. Ouvrier (ouvrière) qui effectue le bottelage (2.).

HOM. (Du fém.). **Botteleuse.**

BOTTELEUSE [bɔtløz] n. f. — 1897 ; de *botteler.*

♦ Agric. Machine à botteler (1.). — REM. Donné comme son concurrent en 1906, le mot a supplanté *botteloir**.

HOM. Fém. de **Botteleur.**

BOTTELOIR [bɔt(ə)lwaʀ] n. m. — 1838 ; de *botteler.*

♦ Agric. (vieilli). Appareil à botteler. — REM. → Botteleuse. — Spécialt. Appareil à serrer les asperges en bottes.

BOTTER [bɔte] v. tr. — V. 1225, « chausser » ; de 2. *botte.*

★ **I.** ♦ **1.** (1690). Sujet et compl. n. de personne. Vieilli. Pourvoir (qqn) de bottes, fabriquer, vendre des bottes à (qqn). *Quel est le cordonnier qui vous botte ?* (Académie). ⇒ **Chausser.** *Ce cordonnier le botte bien. L'administration a décidé de botter ce régiment.* Mettre des bottes à (qqn). *Son domestique le botte et le débotte.*

▶ **SE BOTTER** v. pron. (1694). Mettre ses bottes.

1   Il me fâche fort de perdre de vue mon canal et mes allées dans lesquelles
je me promenais sans être obligé de me botter (...)   GUEZ DE BALZAC, IV, 30.

REM. Seul le p. p. est courant. → Botté.

♦ **2.** [a] Sujet n. de la chose qui botte. Épouser la forme du pied.
⇒ **Chausser.** *Cette chaussure, ces bottines vous bottent bien.*

[b] (1850, cit. 1.1). Fig. et fam. ⇒ **Convenir ; aller, plaire.** *Ça me botte,
ça le botte, ça devrait le botter* (cf. Trouver chaussure à
son pied ; aller comme un gant). *Ton copain me botte.* ⇒ **Plaire.** *Ce
boulot ne me botte pas du tout.*

1.1   *Beau, jeune, ivre d'amour et défiant les pleurs* me botte assez, mais la rime qui
suit me paraît facile.   FLAUBERT, Correspondance, 15 janv. 1850, t. I, Pl., p. 574.

1.2   — Foutaises, ami Paul ! Foutaises que tout cela ! La politique, les guerres, les
sports : aucun intérêt. Ce qui me botte, moi, c'est le fait divers et les procès.
R. QUENEAU, Pierrot mon ami, éd. L. de Poche, p. 153.

1.3   La forêt la nuit ça me botte c'est des idées que j'ai tiens on irait à la cabane
allez amène-toi (...)   Tony DUVERT, Paysage de fantaisie, p. 98.

★ **II.** Donner un, des coup(s) de botte à... ♦ **1.** (1867). Fam. Donner
un coup de botte, un coup de pied à (une partie du corps de qqn,
spécialt le derrière). — Fam. *Botter le derrière, les fesses, le cul, le
train à qqn.*

2   — Toi non plus, remarqua son voisin, en désignant les chaussures cloutées, tu ne
perds pas de temps !
— Pour botter les fesses à Guillaume ! jeta l'ouvrier, en s'éloignant.
MARTIN DU GARD, les Thibault, t. VII, p. 253.

3   Je te le redis de vivement prendre la porte. Ou je vas te botter les fesses, François !
G. CHEVALLIER, Clochemerle, p. 195.

♦ **2.** (1906, *in* Petiot). Sports. *Botter la balle, le ballon.* — Absolt.
Botter. ⇒ **Shooter ; tirer ; botté, n. m. ; botteur.**

4   Chez les bleus, Michel a botté, et la balle ovale saute à bonds imprévus ; les avants
s'ébranlent. Inutile : la balle attrapée sonne sous la botte, saute haut en touche.
Jean PRÉVOST, Plaisirs des sports, p. 126.

★ **III.** V. intr. ♦ **1.** Former botte. — Alpin. Se dit des semelles, des
crampons auxquels la neige adhère. *Les crampons qui bottent
sont dangereux.*

5   Leurs larges semelles bottaient dans la neige lourde et, lorsqu'ils levaient le pied,
on en distinguait la forme, découpée à l'emporte-pièce sur le caillou (...) Par
moments, d'un bref coup de piolet sur le talon, ils détachaient le sabot de neige qui
adhérait.   R. FRISON-ROCHE, Premier de cordée, p. 26 (1941).

♦ **2.** (1798, Académie). Du terrain, d'une substance. Être de nature à
adhérer aux jambes. *La neige, la glaise botte.*

CONTR. Débotter.
DÉR. 1. Botté, 2. botté, botteur.
COMP. Rebotter.
HOM. 1. Botté, 2. botté, bottée.

BOTTEUR [bɔtœʀ] n. m. — 1924, *in* Petiot ; de *botter,* II., 2.

♦ Sport (rugby). Celui qui botte le ballon. ⇒ **Buteur.**

(...) et en ce cas *(de coup de pied de pénalité),* le botteur, choisi à volonté, peut poser
lui-même à terre le ballon, car l'adversaire n'a pas le droit de charger (...)
Jean DAUVEN, Techniques du sport, p. 92 (1948).

REM. Le fém. *botteuse* est virtuel.

BOTTICELLIEN, ENNE [bɔtitʃeljɛ̃, ɛn] adj. — 1892, Goncourt ;
botticellesque, de l'ital., av. 1896, Verlaine ; de *Botticelli* (1445-1510)
peintre florentin.

♦ Didact. De Botticelli. Qui appartient à l'univers figural de Botticelli. *Une grâce botticellienne.*

1. BOTTIER, IÈRE [bɔtje, jɛʀ] n. et adj. — Fin XVᵉ ; de 2. *botte.*

♦ **1.** Vx. Personne qui fabrique ou vend des bottes.

♦ **2.** Par ext. Personne qui fabrique et vend des chaussures sur
mesure. ⇒ **Chausseur.** — Par appos. *Artisan bottier, maître bottier.*
— REM. Le fém. *bottière* se rencontre au XIXᵉ s. « ouvrière de la chaussure » ; il est virtuel pour tous les emplois.

♦ **3.** Adj. invar. en genre ou appos. (pas d'accord). Fait comme par un
bottier ; de bottier. *Arrêt, renfort bottier. Talons bottier,* de même
forme que les talons de botte. *Souliers bottier, demi bottier* (ou
demi-bottier), à talons bottier.

Il était chaussé de souliers jaunes à talons bottier assez hauts, et tout son corps
en était cambré.   Jean GENET, Journal du voleur, p. 205.

HOM. 2. Bottier.

2. BOTTIER [bɔtje] n. m. — 1894, Esnault ; de 1. *botte,* II.

♦ Argot de Polytechnique. Élève qui sort dans la botte. ⇒ 1. **Botte,** II.

Je voulais être « bottier ». Je devins alors une machine à gagner du temps. Le
matin, au réveil, j'étais le premier habillé et descendais en salle aussitôt. J'ignorais

les récréations. Les jours de sortie, je restais de même à l'École devant mon pupitre.   Raymond ABELLIO, Ma dernière mémoire, t. II, p. 25.

HOM. 1. Bottier.

1. BOTTILLON [bɔtijɔ̃] n. m. — 1838 ; de 1. *botte.*

♦ Agric. Petite botte (de végétaux). *Un bottillon de persil.* ⇒ **Bottelette.**

HOM. 2. Bottillon.

2. BOTTILLON [bɔtijɔ̃] n. m. — 1863, Littré ; de 2. *botte.*

♦ **1.** Ancienn. Sorte de bottine*.

♦ **2.** (1894, *in* D. D. L.). Mod. Chaussure montante, petite botte s'arrêtant au-dessus de la cheville. *Bottillons en feutre pour l'appartement. Bottillons de caoutchouc.* ⇒ **Snow-boot** (vx). *Bottillons en
phoque pour la marche, aux sports d'hiver.* ⇒ **Après-ski.** *Bottillons en cuir, servant de chaussures d'hiver.* ⇒ **Boots.** *Bottillons
fourrés.*

Douce Jessica, dans ses pantalons de laine beige avec des bottillons de *feutre* (...)
— Je vous en prie (...) ceci ne ressemble pas du tout à Blanche, à ce que pour-
rait écrire Blanche en 1932 ou 1933 (...) Des pantalons ! où avez-vous la tête (...)
Non, mais, des bottillons ! Si le genre artiste s'est emparé d'elle, au plus à cette
époque Jessica portera des sandales (...)
ARAGON, Blanche..., II, VII, p. 303-304.

HOM. 1. Bottillon.

BOTTIN [bɔtɛ̃] n. m. — 1867 ; nom de Sébastien *Bottin* (1754-1853)
administrateur et statisticien.

♦ Annuaire des téléphones édité par Bottin. Par ext. Annuaire des
téléphones. *Chercher un numéro dans le bottin. On avait assis le
gosse sur deux gros bottins. Être dans le bottin,* y avoir son nom.

On signale une épidémie de vols d'un caractère intéressant. Il paraît qu'on rafle   1
les Bottins dans un grand nombre d'établissements. Les voleurs en ont chipé plus
de cinquante dans un seul quartier de Paris !
le Charivari, Chronique du jour, 26 sept. 1891.

À quelque autre de même nom était destinée cette somme. Je cherchai donc dans   2
le bottin un homonyme, qui peut-être attendait déjà. Mais mon nom n'est plus très
porté ; je vis, en feuilletant l'énorme livre, qu'il ne désignait plus que moi seul.
GIDE, le Prométhée mal enchaîné, *in* Romans, Pl., p. 309.

Le Bottin mondain : répertoire des personnalités du grand monde
(aristocratie, etc.).

Daniel Sapin, garçon débrouillard et sympathique, dénué de scrupules, tour à tour   3
impresario, barman, tenancier de boîtes de nuit, et qui connaissait son Bottin mondain comme nul autre, lui avait raconté sur cet homme une de ces histoires qui
ne s'inventent pas.   Roger NAÏM, l'Ère des truands, p. 22 (1972).

BOTTINE [bɔtin] n. f. — 1367 ; « jambière » au XVIᵉ ; de 2. *botte.*

♦ **1.** Vx. Petite botte* basse. *Mettre, lacer ses bottines.*

♦ **2.** (1870). Mod. Chaussure montante ajustée, à élastiques ou
à boutons. ⇒ **Brodequin.** *Bottines vernies. Bottines de caoutchouc.*
⇒ **Snow-boot.**

Marche un peu que je les voie remuer... que je les voie vivre... tes petites bottines.   1
O. MIRBEAU, le Journal d'une femme de chambre, p. 18.

Il était (...) chaussé de bottines à tiges de daim pâle (...)   2
A. MAUROIS, Bernard Quesnay, XXIV, p. 155.

REM. Le mot a des connotations archaïques, les *bottines* étant plutôt
désignées par les mots *botte, bottillon, boots* (anglicisme).

Loc. *Des yeux en boutons de bottine,* ronds, petits et inexpressifs.

Spécialt. *Bottine orthopédique,* destinée à corriger une déformation.
— Vétér. Pièce de cuir fixée au fer d'un cheval, en cas de blessure
au pied. ⇒ 2. **Botte,** 4.

♦ **3.** Loc. fig. Très fam. (du « bouton » de bottine). *Être de la bottine*
(d'une femme) : être homosexuelle.

BOTTINER [bɔtine] v. tr. — Mil. XXᵉ ; p.-ê. de *botter* au sens de
« demander de l'argent » (1953, Esnault), de *botter* « frapper ». → Taper.

♦ Fam. Demander avec insistance ; emprunter. ⇒ **Taper.** *« Après le
numéro* (...) *il bottine toujours l'assistance. — Personne a une
pipe ? »* (A. Boudard, la Cerise, *in* Cellard et Rey).

BOTULIQUE [bɔtylik] ou **BOTULINIQUE** [bɔtylinik] adj.
— 1878, *poison botulique, in* D. D. L. ; de *botulisme ;* du lat. sav (bacil-
lus) *botulinus,* de *botulus* « boudin ».

♦ **1.** Méd. *Bacille botulique ou botulinique :* bacille anaérobie qui
se développe dans les conserves en boîte, dans les viandes non cuites et provoque le botulisme*.

Il existe cinq types de bacilles botuliniques *(Clostridium botulinum)*... les types A, B, C sont en cause dans les intoxications d'origine carnée, le type B étant propre à la viande de porc, la plus souvent responsable.
V. VIC-DUPONT, la Maladie infectieuse, p. 66.

♦ **2.** Relatif au botulisme. *Accidents botuliniques.*

COMP. Antibotulinique.

BOTULISME [bɔtylism] n. m. — 1879, ex. ci-dessous ; lat. impérial *botulus* «boudin».

♦ Méd. Intoxication alimentaire très grave par des aliments avariés (conserves ou charcuterie) contenant des toxines du bacille botulique*. *Le botulisme se soigne par sérothérapie* (sérum antibotulinique). *« En présence de ce terrible accident, de nombreuses opinions furent mises en avant : les uns pensaient au cuivre, les autres à l'arsenic (...) d'autres enfin remirent sur le tapis le fameux botulisme, le miraculeux et insaisissable poison des saucisses avariées »* (*Journal de médecine et de chirurgie pratiques*, I, 1879, p. 265, *in* D.D.L.).

DÉR. Botulique.

BOUBOU [bubu] n. m. — 1867 ; mot malinké (Guinée) désignant un singe, puis sa peau. Courant en franç. d'Afrique.

♦ **1.** Vêtement traditionnel africain, long et ample, porté par les hommes et parfois par les femmes.

1 Les Chefs (...) portent le boubou bleu ou blanc, orné de broderies.
GIDE, Voyage au Congo, *in* Souvenirs, Pl., p. 772.

2 Et la voilà qui se dirige vers la porte, roucoulant, minaudant, balançant la hanche sous le boubou bigarré (...)
J.-R. BLOCH, Cacaouettes et Bananes, p. 62.

3 Il y a des vieux qui se traînent et des boubous oui, pagnes fleuris, comme si la vie ressortait intacte, avec ses loques rajeunies comme la peau quand elle repousse sur les plaies (...)
P. GRAINVILLE, les Flamboyants, p. 146.

♦ **2.** Vêtement masculin de dessus, à manches courtes, qui se porte flottant sur un pantalon.

BOUBOULER [bubule] v. intr. — 1829 ; formation onomatopéique, cf. lat. *bubo* «hibou».

♦ Rare. Pousser son cri (en parlant du hibou). ⇒ **Ululer.**

1. BOUC [buk] n. m. — 1121, *buc* ; du gallo-roman *buccus* (VIe) ; p.-ê. du gaul. **bucco* — d'après des formes attestées dans plusieurs langues celtiques ; pour Guiraud, déverbal de *bouquer* «frapper avec les cornes», à rattacher à *bouter*.

♦ **1.** Mâle de la chèvre*. *Relatif au bouc.* ⇒ **Hircin.** *La barbe du bouc. Vieux bouc.* ⇒ 1. **Bouquin.** *Un troupeau de boucs* (⇒ **Menon**). *Le bouc dégage une odeur forte et désagréable. — Une peau de bouc.* ⇒ **Outre.** *Cuir de bouc.* ⇒ **Maroquin.** *Demi-dieu à pieds de bouc.* ⇒ **Satyre.**
Par compar. *Puer comme un bouc. Lascif, salace comme un bouc.*
Fig. Homme extrêmement malpropre (rare), ou très sensuel (fam. et plais.). *Bouc lubrique. Ce vieux bouc court après les petites filles.*
Loc. (1690). BOUC ÉMISSAIRE : bouc que le prêtre, dans la religion hébraïque, le jour de la fête des Expiations, chargeait des péchés d'Israël (étym. ⇒ **Émissaire,** cit. 3.).

1 Il est impossible que le sang des taureaux et des boucs ôte les péchés.
BIBLE (SACY), Épître aux Hébreux, X, 4.

2 Certains de ces rites avaient une valeur de symbole très claire : tel celui de ce «bouc émissaire», qu'on chargeait de tous les péchés d'Israël par des formules imprécatoires, puis qu'on chassait au désert.
DANIEL-ROPS, le Peuple de la Bible, IV, III, p. 366.

(Av. 1750, Saint-Simon). Fig. Personne (ou ensemble de personnes) sur laquelle on fait retomber les torts des autres.

3 Je me promène à grands pas en montrant le poing à un être imaginaire, à un bouc émissaire idéal, auquel je rapporte toutes mes douleurs ; je commets toutes les extravagances possibles ; je me livre à huis clos aux actes les plus insensés (...)
LOTI, Aziyadé, XXIII, 102.

4 Dieu fait de la race le bouc émissaire de tous les péchés individuels ; il condamne la race pour sauver l'individu.
F. MAURIAC, Souffrances et Bonheur du chrétien, p. 61.

Didact. (ethnol., psychol. sociale). Victime expiatoire. — Individu ou groupe social sur lequel se fixent de manière spontanée ou provoquée les attaques d'autres membres de la société. ⇒ **Souffre-douleur.** *Le bouc émissaire est souvent un être «qu'un certain sentiment d'infériorité rend timide et peu sociable, ne participant pas à l'esprit de collectivité»* (Baruk, cit. *in* Porot, 1975).

4.1 La coutume du bouc émissaire, la plus connue de toutes par un texte célèbre de la Bible (Lévitique, XVI, 21-22), a fourni à Frazer le concept désignant l'ensemble de ces rites d'extériorisation (du mal, du malheur, du péché...). Dans la Grèce ancienne, l'une de ces cérémonies consistait en un sacrifice humain. Le choix, la désignation, les soins particuliers et, finalement, la destruction rituelle du bouc émissaire (en grec : *pharmakos*) restaient l'intervention «thérapeutique» la plus importante et la plus significative que connaissait l'homme «primitif».
Roland JACCARD, la Folie, p. 15.

Les brebis et les boucs : symbole biblique des bons et des méchants, des élus et des réprouvés (⇒ **Brebis,** cit. 4).

Si Jésus-Christ paraissait dans ce temple, au milieu de cette assemblée, la plus auguste de l'Univers, pour nous juger, pour faire le terrible discernement des boucs et des brebis, croyez-vous que le plus grand nombre de tout ce que nous sommes ici fût placé à la droite ?
MASSILLON, Sermons sur le petit nombre des élus. 5

♦ **2.** (1881). Fig. *Porter le bouc* (par allus. à la barbe du bouc) : ne porter la barbe qu'au menton. *Il a un bouc, un petit bouc.* ⇒ **Barbiche.**

Il avait maintenant le menton ponctué d'un «bouc», il portait un binocle, une longue redingote, un gant, comme un rouleau de papyrus à la main.
PROUST, le Côté de Guermantes, Folio, p. 227. 6

♦ **3.** (Dans des composés, désignant des plantes). *Barbe-de-bouc :* espèce de spirée *(Rosacées),* à fleurs blanches, appelée aussi salsifis sauvage. — *Persil de bouc.* ⇒ **Boucage.**

DÉR. Boucage, 2. **boucaner, boucaud, boucher,** n. m., 3. **bouquet,** 1. **bouquin.** — V. **Boucaille.**
HOM. Book (V. **bookmaker**), 2. **bouc.**

2. BOUC [buk] n. m. — 1866 ; abrègement francisé de *bookmaker*.

♦ Fam. ⇒ **Bookmaker, book.** *«Thomas le Bouc — abréviation française de «le bookmaker»* (Maurice Leblanc, *Arsène Lupin in* Cellard et Rey).

HOM. Book (V. **bookmaker**), 1. **bouc.**

BOUCAGE [bukaʒ] n. m. — 1701 ; de 1. *bouc.*

♦ Plante à odeur forte, et à saveur âcre. ⇒ **Anis** (famille des Ombellifères ; n. sc. *pimpinella*). Syn. : *persil de bouc.*

BOUCAILLE [bukaj] n. f. — 1906 ; orig. obscure, le rapport sémantique avec *bouc* n'est pas établi ; suff. *-aille* ; p.-ê. régional, cf. *boquin* «giboulée», dans l'Est.

♦ Mar. Crachin, bruine.

1 Vent du nord dans la matinée, entraînant avec lui brume et pluie fine, toujours la fameuse boucaille.
J.-B. CHARCOT, le «Français» au Pôle Sud, I, 1906, *in* D.D.L., II, 9.

2 On frappa, un matelot entra, tendit au commandant un papier. — Ah, dit-il, la météo. A-t-on des chances de sortir de cette boucaille ?
Roger VERCEL, l'Île des revenants, p. 14.

1. BOUCAN [bukɑ̃] n. m. — 1578 ; du tupi «gril à viande».

♦ **1.** Gril de bois pour fumer la viande, aux Caraïbes. ⇒ **Barbecue** (angl.). *Claie à boucan :* claie pour préparer la viande grillée. — REM. Le mot, rare et didactique en France, s'emploie normalement dans le français des Antilles.

Et moi, enfant, j'accompagne les femmes, je me roule sur le sable, je pêche sous les roches mon écrevisse du jour, que j'irai brûler sur un petit boucan, dans la savane.
É. GLISSANT, la Lézarde, *in* Pages africaines, I.

Appos. *Bois boucan :* bois pour fumer la viande ; bois inutilisable pour d'autres usages.

♦ **2.** Vx. Viande, poisson fumé sur le boucan. ⇒ **Boucané.** — (1722). Culin. *Boucan de tortue :* plat de viande de tortue cuite sous la braise.

♦ **3.** (1666). Vx. Cabane (où l'on boucanait la viande).

DÉR. 1. **Boucaner, boucanier.**
HOM. 2. **Boucan.**

2. BOUCAN [bukɑ̃] n. m. — V. 1624 ; orig. incert. ; p.-ê. de 2. *boucaner*, au sens anc. de «faire le bouc» ou de 1. *boucan*, au sens 3 «cabane».

♦ **1.** Vx. Lieu de débauche (→ *Boucanière*).

♦ **2.** (1790, *in* D.D.L.). **a** Vieilli. Désordre bruyant.

1 Dites les mêmes, qu'est-ce qu'il vous faudrait donc pour vous faire rire, si c'est pas rigolo qu'un honnête homme doive faire du boucan, du dégât ou un vol pour se procurer un abri ?
Louise MICHEL, la Misère, t. I, p. 108.

b Mod. Grand bruit. ⇒ **Tapage, vacarme.** *Faire du boucan. Un boucan de tous les diables.* ⇒ **Bordel** (fam.). *Quel boucan ! Arrêtez ce boucan !*

2 (...) Gaëtan, laissant échapper un plat de ses doigts indolents (..) déchaînait dans la salle un boucan du tonnerre de Dieu (...)
Émile HENRIOT, le Diable à l'hôtel, III, p. 30.

3 Enivrés par la perspective du départ, les chiens font un boucan du diable.
Jean-Yves SOUCY, Un dieu chasseur, p. 80.

HOM. 1. **Boucan.**

BOUCANAGE [bukanaʒ] n. m. — 1845 ; de 1. *boucaner.*

♦ Rare (sauf dans des contextes spéciaux). Action de boucaner (la viande, le poisson).

BOUCANÉ, ÉE [bukane] adj. ⇒ 1. **Boucaner.**

1. BOUCANER [bukane] v. — 1575 ; de 1. *boucan.*

★ **I.** V. tr. ♦ **1.** Faire sécher, à la fumée (de la viande, du poisson...).

1 Après l'avoir fait boucaner à la fumée *(la chair de castor)*, les sauvages la mangent, lorsque les vivres viennent à leur manquer (...)
CHATEAUBRIAND, Voyage en Amérique, 10.

Absolt :

1.1 Quand les gigots et les côtes sont bien cuits, elle les retire du feu et elle les met dans un grand plat de terre cuite posé à même les braises. Ensuite, elle appelle Lalla, parce que c'est le moment de boucaner. Ça, c'est aussi un des moments de la fête que Lalla préfère. J.-M.-G. LE CLÉZIO, Désert, p. 163.

♦ **2.** Par anal. Dessécher et colorer (la peau). ⇒ **Hâler, tanner.**

2 Le reflet du feu éclairait sa figure, que les années, le soleil, le grand air et les intempéries des saisons avaient boucanée pour ainsi dire et rendue plus foncée que celle d'un indien caraïbe (...)
Th. GAUTIER, le Capitaine Fracasse, t. I, 1.

★ **II.** V. intr. ♦ **1.** Aller à la chasse d'animaux sauvages, et, spécialt, de bœufs sauvages.

♦ **2.** Par ext. Mener une vie semblable à celle des boucaniers*.

▶ **BOUCANÉ, ÉE** p. p. adj.

♦ **1.** (XVIᵉ). Séché à la fumée. *Viandes boucanées.*

3 (...) mais plus de mouches maintenant, comme si elles-mêmes l'avaient abandonné *(le cheval mort)*, comme s'il n'y avait plus rien à en tirer, comme s'il était déjà — mais ce n'était pas possible, pensa Georges, pas en un jour —, non plus viande boucanée et puante mais transmué, assimilé par la terre profonde (...)
Claude SIMON, la Route des Flandres, p. 206.

4 Nous sommes sur le chemin du retour. Les traîneaux regorgent de viande fraîche et boucanée, et les chiens tirent difficilement dans la neige molle (...)
R. FRISON-ROCHE, Peuples chasseurs de l'Arctique, p. 175.

♦ **2.** Fig. Desséché. *Visage boucané, peau boucanée.* ⇒ **Basané, hâlé, tanné.**

5 (...) son visage, boucané par l'expérience et passé à l'encaustique de la dignité professionnelle (...) Léon BLOY, la Femme pauvre, p. 125.

6 André Malraux est là (...) Rien de débraillé. Figé, distant, presque homme du monde. Et sur son visage boucané, aucun des tics dont Gide parlait. Les traits sont énergiques (...) Claude MAURIAC, le Temps immobile, p. 430.

DÉR. Boucanage, boucanerie.

2. BOUCANER [bukane] v. intr. — 1701 ; « faire, imiter le bouc », 1549 ; de 1. *bouc.*

♦ Vx. Fréquenter les lieux de débauche. ⇒ 2. **Boucan.**

DÉR. 2. Boucan.

BOUCANERIE [bukanʀi] n. f. — 1578 ; de 1. *boucaner.*

♦ Lieu où se fait le boucanage ; où on boucane la viande.

Je fais raconter par Adoum la chasse à l'hippopotame, puis le dépeçage de la bête et l'odeur épouvantable de nos baleinières transformées en boucaneries.
GIDE, le Retour du Tchad, *in* Souvenirs, Pl., p. 919.

BOUCANIER [bukanje] n. m. — 1654 ; de 1. *boucan,* se disait des aventuriers, coureurs de bois de Saint-Domingue qui chassaient les bœufs sauvages pour en boucaner la viande.

♦ **1.** Aventurier vivant dans un pays exotique.
Écumeur de mer, pirate. *Les boucaniers et flibustiers qui infestaient l'Amérique.*

1 Par la hardiesse d'un peuple nouveau que le hasard composa d'Anglais et surtout de Normands, on les a nommés boucaniers (...)
VOLTAIRE, Essai sur les mœurs, 152.

2 Au temps de Rousseau, le paisible voyageur qui naviguait en Méditerranée risquait de tomber aux mains des pirates (...) Aujourd'hui, puisque les aventures de boucaniers reviennent à la mode, on aura occasion de penser à ce temps (...) où l'Océan n'était pas le plus redoutable ennemi des navigateurs (...)
ALAIN, Propos, 13 nov. 1921, Le désarmement ne règle pas tout.

♦ **2.** Vx. *Fusil boucanier* (adj.), *boucanier,* (n. m.) : long fusil dont se servaient les boucaniers.

BOUCANIÈRE [bukanjɛʀ] n. f. — Av. 1741, J. B. Rousseau *in* Littré ; croisement de *boucanier,* et de 2. *boucan.*

♦ Vx. Prostituée.

BOUCARO [bukaʀo] n. m. — 1680 ; espagnol *buccaro* ou *bujaro* probablt du port. *pucaro,* tiré d'une forme mozarabe du lat. *poculum* « coupe ».

♦ Terre argileuse, poreuse, rougeâtre servant à fabriquer des vases (⇒ **Alcarazas**).

BOUCASSIN [bukasɛ̃] n. m. — 1379 ; *bougosi,* 1305 ; turc *bogasï* « sorte de futaine », par le lat. médiéval *bocassinus.*

♦ Anciennt. Toile de coton ou futaine*, employée pour doubler des vêtements.

DÉR. Boucassiné.

BOUCASSINÉ, ÉE [bukasine] adj. — 1400 ; de *boucassin.*

♦ Anciennt. Doublé, garni de boucassin. *Tissu boucassiné.*

BOUCAU [buko] n. m. — 1538 ; du provençal *boucau, bouco* « bouche ».

♦ Régional (Sud-Est). Entrée d'un port.

HOM. Boucaud ou **boucot, boucaut.**

BOUCAUD ou **BOUCOT** [buko] n. m. — Attesté XXᵉ en ce sens ; de 1. *bouc,* comme 3. *bouquet.*

♦ Régional. Crevette grise. *« Crangon, boucaud pour la crevette grise »* la Pêche et les poissons (1967), n° 261, p. 33.

HOM. Boucau, boucaut.

BOUCAUT [buko] n. m. — 1583, *boucquaux* au plur. ; orig. obscure ; p.-ê. de *bouc* « outre, vase », altér. de l'anc. franç. *bout,* même sens, sous l'infl. de *bouc,* dont la peau servait à fabriquer des outres ; ou p.-ê. du provençal *boucau* « bocal, bouche » ; avec assimilation ultérieure du suff. -aut.

♦ **1.** Vx. Outre.

♦ **2.** (XVIᵉ). Mod. Récipient en bois, de la forme d'un tonneau, servant au transport de certaines marchandises sèches. ⇒ **Futaille.** *Un boucaut de sucre, de riz. Morue en boucaut.*

Et, à chaque instant, éclataient les hurrahs du joyeux marin, quand il reconnaissait des barils de tafia, des boucauts de tabac, des armes à feu et des armes blanches (...) J. VERNE, l'Île mystérieuse, t. II, p. 653 (1874).

HOM. Boucau, boucaud.

BOUCHAGE [buʃaʒ] n. m. — 1811 ; 1751, « terre détrempée » ; du v. *boucher.*

♦ Action, manière de boucher. ⇒ **Fermeture ; bouchement.** *Le bouchage des bouteilles* (⇒ **Boucheur**). *Un bouchage hermétique.*

Vers la fin de l'automne, des taches parurent dans les trois bocaux de conserves. Les tomates et les petits pois étaient pourris. Cela devait dépendre du bouchage. Alors le problème du bouchage les tourmenta.
FLAUBERT, Bouvard et Pécuchet, 1881, Pl., t. II, p. 716.

(1838). Ce qui sert à boucher.

BOUCHARDE [buʃaʀd] n. f. — 1600 ; orig. obscure, p.-ê. de *bocard,* sous l'infl. de *bouche,* attesté plus tard.
Technique.

♦ **1.** Marteau, rouleau armé de pointes servant à entamer les parties saillantes des pierres non dégrossies. *Boucharde de maçon, de cimentier.*
Outil de sculpteur. ⇒ **Ciseau.**

♦ **2.** Rouleau à aspérités pour donner à une surface de ciment, d'asphalte, un aspect pointillé.

DÉR. Boucharder.

BOUCHARDER [buʃaʀde] v. tr. — 1866 ; de *boucharde.*

♦ Techn. Travailler (un matériau, etc.) avec la boucharde. *Boucharder du ciment frais ou du bitume pour le gaufrer.* — Les dér. *bouchardage* [buʃaʀdaʒ] n. m. et *bouchardeuse* [buʃaʀdœz] n. f. (machine à boucharder) sont attestés en 1935.

BOUCHE [buʃ] n. f. — V. 1040, *buce* ; *boche,* 1150 ; du lat. *bucca* « joue » puis « bouche ».

♦ **1.** Cavité située à la partie inférieure du visage de l'être humain, bordée par les lèvres, communiquant avec l'appareil digestif et avec les voies respiratoires. *La bouche, ou cavité buccale, orale* (⇒ aussi **Bucco-**). ⇒ fam. **Avaloir** (vieilli), **bec, gosier, goule, goulot, gueule, margoulette, museau.** — *Une bouche large, fendue jusqu'aux oreilles. Ouvrir, fermer la bouche. Les coins de la bouche.* ⇒ **Commissure** (des lèvres), **fossette.** *Rire à pleine bouche. Tordre la bouche en faisant une grimace.* ⇒ **Rictus.** *S'embrasser sur la bouche, à pleine bouche, à bouche que veux-tu.* ⇒ **Baiser.** *Faire du bouche-à-bouche.* ⇒ **Bouche-à-bouche.**
Spécialt. Les lèvres* et leur expression. *Une bouche en cerise* (rouge et petite, ronde), *une bouche de corail* (lèvres très colorées). *Une belle bouche ; une jolie petite bouche.* ⇒ **Bouchette** (vx). *Bouche lippue. Bouche dédaigneuse, pincée.* — Loc. fig. *Faire la petite bouche, la fine bouche :* faire le dédaigneux, le difficile. — *Bouche*

en cœur. Avoir la bouche en cœur, faire la bouche en cœur. Rester bouche bée*. Avoir la bouche enfarinée* (fam.) : manifester une naïveté confiante et ridicule.

1 Ne confondez point les minauderies, la grimace, les petits coins de bouche relevés, les petits becs pincés, et mille autres puériles afféteries avec la grâce, moins encore avec l'expression. DIDEROT, Essais sur la peinture.

2 Ninon, quand vous riez, vous savez qu'une abeille
Prendrait pour une fleur votre bouche vermeille (...)
A. DE MUSSET, Poésies nouvelles, « À Ninon ».

3 La bouche, dont les lèvres étaient plus ouvertes et plus épaisses que celles des femmes de nos climats, avait les plis de la candeur et de la bonté. LAMARTINE, Graziella, XII, p. 38.

4 (...) Il *(le nègre)* planta sur eux ses yeux luisants et ravis, et les coins de sa bouche lui montèrent jusqu'aux oreilles, découvrant ses dents blanches, claires comme un croissant de lune dans un ciel noir. MAUPASSANT, Correspondance, Tombouctou.

5 Un faible sourire relevait à peine et bien mollement un coin de sa bouche comme on essaye de relever un rideau pour laisser entrer la gaieté du jour. PROUST, les Plaisirs et les Jours, p. 53.

6 (...) la mâchoire volontaire, et je ne sais quoi de hargneux dans l'expression de la bouche lippue. GIDE, Si le grain ne meurt, I, 6.

6.1 M. B... est si petit et il a une bouche si grande qu'il tiendrait aisément tout entier dans sa bouche. J. RENARD, Journal, 5 oct. 1889.

7 Le rire ne sortait pas de sa bouche. Il arrivait des quatre coins de l'organisme. Il l'envahissait, l'ébranlait, lui imprimait des saccades. COCTEAU, la Difficulté d'être, XXII.

7.1 (...) ses yeux à l'iris vert trouble (...) son petit nez busqué (...) sa belle bouche aux lèvres pâles (...) A. PIEYRE DE MANDIARGUES, la Marge, p. 31.

Bouche en cul de poule : moue, bouche pincée. — Par abrév. *Bouche en cul.* Écrit phonétiquement :

7.2 J'en ai rien à foutre de vos mijaurées, de vos bouchencus toujours repincées. Ph. SOLLERS, Lois, p. 53.

La cavité buccale. *Le vestibule de la bouche.* ⇒ **Dent, gencive, lèvre.** *La bouche proprement dite.* ⇒ **Joue, langue, palais, paroi, plancher.** *L'arrière-bouche.* ⇒ **Pharynx ; amygdale, isthme** (du gosier), **luette.** *Les maladies de la bouche.* ⇒ **Stomatite, stomatologie.** *Développement exagéré de la bouche.* ⇒ **Macrostomie.** *Désinfection de la bouche.* ⇒ **Gargariser** (se) ; **collutoire.** *Se rincer la bouche.* ⇒ **Rince-bouche.** *Flux de bouche. Empâtement de la bouche. Aspirer, expirer par la bouche* (⇒ **Respiration ; bâiller ; éternuement, souffle**). *Mettre qqch. dans sa bouche. Mettre en bouche une prothèse.*

(En tant qu'orifice digestif). *Mettre dans sa bouche.* ⇒ **Avaler, boire, déglutir, manger.** *Porter des aliments à sa bouche.* ⇒ **Bouchée ; manger, boire.** *Attraper avec la bouche.* ⇒ **Happer.** — Loc. *Cuiller* à bouche.*

(En tant que siège du goût). *Laisser fondre dans la bouche sans avaler.* ⇒ **Sucer.** *Avoir la bouche pleine.* — *À la bouche. En avoir l'eau à la bouche :* sécréter de la salive devant un mets appétissant (fig., ⇒ **Eau**). — *Avoir la bouche bonne, fraîche, mauvaise, amère, pâteuse, sèche.* ⇒ **Gueule** (de bois). *Sentir mauvais de la bouche.* ⇒ **Haleine** (avoir mauvaise haleine).

8 Vous puez le vin à pleine bouche. MOLIÈRE, George Dandin, III, 7.

9 Nous retirâmes des flots le malheureux Paul sans connaissance, rendant le sang par la bouche et par les oreilles (...) BERNARDIN DE SAINT-PIERRE, Paul et Virginie.

10 Les bouches s'ouvraient et se fermaient sans cesse, avalaient, mastiquaient, engloutissaient férocement. MAUPASSANT, Boule de suif, I, p. 25.

11 Hérode, Blazius et Scapin, qui étaient sur leur bouche et gourmands comme chats de dévote, se pourléchaient les babines à cette éloquence si grasse, si succulente (...) Th. GAUTIER, le Capitaine Fracasse, XI.

Loc. *Garder qqch. pour la bonne bouche :* pour le manger en dernier et pouvoir en conserver le goût agréable ; fig. garder pour la fin (*infra* cit. 11.1).

11.1 La mariée en signant fait une tache d'encre sur sa robe. Nous avons été conservés pour la bonne bouche. Nous restons maîtres de cent mètres carrés de parquet à chevrons et, remontant au fond de la salle, prenons place aux premiers rangs. Hervé BAZIN, Cri de la chouette, p. 194.

Loc. fig. *S'ôter, s'enlever les morceaux de la bouche :* se priver de nourriture, du nécessaire au profit de qqn. *Enlever le pain de la bouche à qqn ; s'enlever le pain* (cit. 9) *de la bouche.* — *Prendre sur sa bouche :* économiser sur sa nourriture. — *Dépense de bouche,* de nourriture. *Munitions, provisions de bouche. Excès de bouche :* excès de nourriture.

Vx. *Traiter qqn à bouche que veux-tu,* lui servir de bons plats, une nourriture abondante. — *Il est à bouche que veux-tu :* il a tout ce qu'il désire.

Laisser qqn sur la bonne bouche, sur une bonne impression.

Avoir l'eau à la bouche. — *Faire venir, mettre l'eau à la bouche :* exciter le désir, l'envie. ⇒ **Eau.**

Avoir les yeux plus grands que la bouche (rare). ⇒ **Ventre** (plus gros que le ventre).

Vx. *Être sur sa bouche :* être gourmand*.

Par métonymie. Personne qui mange. *Une fine bouche.* ⇒ **Gourmet.** (Cf. fam. Une fine gueule). — *Une bouche à nourrir :* une personne que l'on doit nourrir (dans une famille, une collectivité). *Une bouche inutile :* une personne qui ne produit, ne rapporte rien..

11.2 Mais il en mourra toujours. Il y en a trop. Trop de bouches ouvertes sur leur faim, criantes, réclamantes, avides de tout. C'est ce qui les faisait mourir. M. DURAS, Un barrage contre le Pacifique, p. 332.

Hist. *Officier de la bouche* (du roi), *service de la bouche* (du roi), chargé du service de la table du roi.

(En tant qu'organe de la parole). ⇒ **Oral, oralement,** et aussi **langue.** *Ouvrir la bouche.* ⇒ **Parler.** *Il n'a pas ouvert la bouche de la soirée* (→ Desserrer* les dents). *Une bouche éloquente.* ⇒ **Discours, parole.** *Avoir la bouche pleine de son sujet,* en parler abondamment, avec enthousisame. — (Par métaphore). *Avoir de la bouillie* dans la bouche :* articuler peu clairement. — *Avoir toujours un mot* à la bouche,* le répéter constamment, parler toujours du même sujet. *L'argent, tu n'as que ce mot à la bouche !* — *Cela m'est sorti de la bouche :* je n'ai pas pu m'empêcher de le dire. *Mettre des mots dans la bouche de qqn,* lui dicter ce qu'il doit dire ou encore lui prêter tels ou tels propos. *Je le tiens de sa propre bouche. Parler par la bouche de qqn.* — Relig. *Dieu parle par la bouche de ses prophètes. La vérité parle par sa bouche, sort de la bouche des enfants.* — Vieilli. *Avoir le cœur à la bouche :* parler avec sincérité. *Son cœur n'est pas d'accord avec sa bouche.* — *Un Saint-Jean bouche d'or* (par allusion à saint Jean Chrysostome) : une personne qui parle avec franchise, sans calcul ou avec facilité. *Parler à bouche que veux-tu,* librement, et abondamment.

(...) si nous pouvons parler à bouche que veux-tu de la famille, soit pour la magnifier, soit pour la condamner, nous ne savons plus bien quel sens réel garde ce mot honni et vénéré. Emmanuel BERL, le Virage, p. 122. 11.3

DE BOUCHE À OREILLE : secrètement, sans intermédiaire.

(...) n'en serait-il pas de même pour les âmes religieuses avec Dieu, quand il fait noir devant les tabernacles et qu'elles lui parlent, de bouche à oreille dans l'obscurité ? BARBEY D'AUREVILLY, les Diaboliques, « À un dîner d'athées ». 11.4

N. m. *Le bouche à oreille :* ce qui se transmet directement d'une personne à l'autre, par la parole. *Une publicité par le bouche à oreille.* → Le téléphone* arabe.

Les putes que Madame Rosa connaissait personnellement avaient disparu à cause du changement de génération. Comme elle vivait du bouche-à-oreille et qu'elle n'était plus recommandée sur les trottoirs, sa réputation se perdait. É. AJAR (R. GARY), la Vie devant soi, p. 82. 11.5

DE BOUCHE EN BOUCHE : indirectement. *Paroles, nouvelles qui passent, circulent, courent de bouche en bouche.* — *Voler de bouche en bouche :* se divulguer, se répandre (→ ci-dessous cit. 18).

Relig. (XIXe ; *in* P. Larousse). *Le Pape ouvre la bouche aux nouveaux cardinaux,* il les autorise à parler dans les consistoires. *Fermer la bouche à un cardinal,* se dit du Pape qui, mettant un doigt sur la bouche du cardinal nouvellement élu, indique à celui-ci qu'il lui est interdit de prendre la parole.

Mythol. ou littér. *La déesse aux cent bouches :* la renommée*. *Son nom est dans toutes les bouches.*

« Avec qui ventrebleu faut-il donc que je couche 11.6
Pour fair' parler un peu la déesse aux cent bouches (...)
Georges BRASSENS, les Trompettes de la renommée.

Loc. *Donner de la bouche.* ⇒ **Crier, gueuler.** — *Avoir l'injure à la bouche.* ⇒ **Injure.** *Jurer à pleine bouche !*

(En bouche), *Être fort en bouche* (rare ; on dit plutôt *fort en gueule**) : être autoritaire et insolent en paroles.

Fermer la bouche de qqn : le faire taire. ⇒ **Bâillonner.** *Ferme ta bouche :* tais-toi (cf. fam. Ferme ta boîte, ta gueule).
Demeurer bouche close, bouche cousue : garder le silence, le secret. Fam. *Motus** (cit. 3) *et bouche cousue.* — Loc. adv. *À bouche close :* intérieurement.

Ce n'est pas ce qui entre dans la bouche qui souille l'homme ; mais ce qui sort de la bouche, voilà ce qui souille l'homme. BIBLE (CRAMPON), Évangile selon saint Matthieu, XV, 11. 12

Bouche cousue au moins. Gardez bien le secret (...) MOLIÈRE, George Dandin, I, 2. 13

Voici comme ce Dieu vous répond par ma bouche. RACINE, Athalie, I, 1. 14

Si vous ne m'aviez point fermé la bouche, je vous en dirais bien davantage. Mme DE SÉVIGNÉ, 1298, 27 août 1690. 15

Le cœur sent rarement ce que la bouche exprime CAMPISTRON, Pompeia, II, 5. 16

De tels bienfaits enflent la bouche de la renommée. VOLTAIRE, Lettre à Catherine II, 143. 17

(...) il *(le mal)* chemine, et, rinforzando, de bouche en bouche il va le diable. BEAUMARCHAIS, le Barbier de Séville, II, 8 (→ Calomnie, cit. 5). 18

Ce que la bouche s'accoutume à dire, le cœur s'accoutume à le croire. BAUDELAIRE, Curiosités esthétiques, t. II, p. 424. 19

Un sursaut presque animal avait mis à la bouche du jeune homme, atteint en pleine chair, les mots qui devaient faire le plus de mal (...) Paul BOURGET, Un divorce, III. 20

Et si elle faisait allusion à ce qu'elle avait souffert, je lui fermais la bouche avec mes baisers et je l'assurais qu'elle était maintenant guérie pour toujours. PROUST, À la recherche du temps perdu, t. IX, p. 234. 21

Je n'ouvrirai plus la bouche. Je ne dirai plus un mot. G. DUHAMEL, Chronique des Pasquier, II, XXII. 22

Fam. *Ta bouche !* ⇒ **Gueule.** *Ta bouche, bébé !*

(En tant qu'organe de la voix dans le chant). *Chanter à bouche fermée.* — N. m. *La bouche fermée* (technique vocale).

Loc. Vx. *Harmonica à bouche.* Mod. *Musique à bouche.* ⇒ **Harmonica.**

Techn. *Bouche artificielle :* dispositif comprenant un haut-parleur identique, par ses caractéristiques de directivité et de rayonnement, à une bouche humaine moyenne.

♦ **2.** Cavité buccale (de certains animaux). *La bouche du cheval,*

de l'âne, d'un bœuf ; la bouche d'une grenouille, d'un poisson...
(⇒ **Bec, cytostome, gueule, suçoir**).

Spécialt. Bouche du cheval. *Une bouche fine, légère, dure, chatouilleuse. Il n'a ni bouche ni éperon,* se dit d'un cheval qui ne sent ni le mors ni l'éperon. *Cheval fort en bouche, dur à l'éperon. Assurer la bouche d'un cheval,* l'habituer à l'action du mors (→ **Atteler**, cit. 2).

23   Un cavalier qui gourmande la bouche de son cheval en fait bientôt une rosse
                              FÉNELON, Lettres spirituelles, 193.

♦ **3.** L'ouverture*, l'entrée (de qqch.) ⇒ **Orifice, ouverture ; entrée, gueule** (fig.). *La bouche d'un volcan, d'une caverne, d'un puits, d'un terrier. La bouche d'un four. La bouche d'un tuyau. — Mettre des tuyaux bouche à bouche.* ⇒ **Aboucher**.

23.1 Nous arrivons, au pied d'un tronc d'arbre mort devant une excavation énorme, aboutissant à une bouche de terrier si vaste qu'Adoum s'y glisse jusqu'à mi-corps.
                              GIDE, Voyage au Congo, in Souvenirs, Pl., p. 846.
23.2 Épave est le nom que parfois l'on donne aux bestiaux égarés, il s'est souvenu de cela en voyant dériver des hommes de la bouche d'un bar à celle d'une cafeteria, à celle d'un couloir d'estaminet, à celle d'un autre bar (...)
                              A. PIEYRE DE MANDIARGUES, la Marge, p. 65.

Ouverture pratiquée sur une canalisation d'eau, à laquelle on peut adapter un tuyau. *Une bouche d'eau. Bouche d'arrosage.* — Plus cour. *Bouche d'incendie* (⇒ aussi **Borne**).

Orifice (d'un instrument de musique). *Bouche biseautée de la flûte à bec. Bouche latérale de la flûte traversière.* — *Jeux à bouche, de l'orgue.*

Orifice (d'une arme à feu de gros calibre). *La bouche d'un canon.* Loc. **BOUCHE À FEU** : arme non portative. ⇒ **Canon, mortier, obusier.**

24   (...) les canons quittant leurs usages farouches,
      Ne servent plus ici que d'éclatantes bouches,
      Pour rendre grâce au ciel de cet heureux accord.   CORNEILLE, Poésies diverses, II.
25   Longtemps après sa chute *(de la bombe),* on voit fumer encore
      La bouche du mortier, large, noire et sonore (...)   HUGO, Odes, III, 6.

BOUCHE DE CHALEUR : ouverture pratiquée dans les murs ou les planchers d'une habitation, et permettant la diffusion de la chaleur produite par une chaufferie. *Appartement chauffé au moyen de bouches de chaleur. « En été, tout demeure ouvert. L'hiver des baies vitrées isolent les coulisses. Des bouches de chaleur y dispensent une température douce, 20º »* (*l'Express,* 10-16 juil. 1967). *Bouche d'égout* (cit. 3.1). — *Les bouches du métro. Une bouche de métro.* ⇒ **Entrée, sortie.**

26   Les bouches du métro refoulaient jusque sur le trottoir le flot des voyageurs (...)
                              MARTIN DU GARD, les Thibault, t. VII, p. 277.
27   *(Il)* revenait le soir, en train, à l'heure où Paris, saisi d'un accès de fièvre, s'exprime comme un organe contractile et refoule par toutes ses bouches le peuple des banlieues.   G. DUHAMEL, Chronique des Pasquier, III, I.

Partie (d'un cours d'eau) qui aboutit à la mer, à une masse d'eau. ⇒ **Embouchure**. (Au plur.). *Bouches d'un fleuve,* embouchure à plusieurs bras. *Les bouches du Rhône, du Gange.*

CONTR. Émonctoire.
DÉR. Bouchée. — Boucheton (à), 1. bouchette. — V. Bouquer, 2. bouquet.
COMP. Aboucher, déboucher, emboucher. — Bouche-à-bouche.

BOUCHE- Premier élément de composés, tiré du verbe *boucher.*
— *Bouche-bouteilles* n. m. invar. (1925) : machine à boucher les bouteilles. — **Boucheur,** 3. (boucheuse). — *Bouche-œil* n. m. (1880) : fam. et vx. somme d'argent donnée à qqn pour obtenir son silence (il feint de ne pas voir, de n'avoir pas vu qqch.). *Des bouche-œils.* — *Bouche-pores* n. m. invar. (1924) : techn. préparation pour boucher les pores du bois.

BOUCHÉ, ÉE [buʃe] adj. ⇒ **Boucher,** verbe.

BOUCHE-À-BOUCHE ![buʃabuʃ] n. m. — XIIᵉ, *bouce a bouce,* loc. adv. « bouche contre bouche » ; de *bouche.*

REM. On écrit aussi *bouche à bouche.*

♦ **1.** Vx. plais. Contact de la bouche contre la bouche (baiser).
1   Nous passâmes une journée charmante dans la solitude du tête-à-tête, ou, pour mieux dire, du bouche à bouche et nous ne revînmes à Paris qu'assez tard.
                              COURTELINE, les Femmes d'amis, p. 23 (1888).

♦ **2.** (1956). Mod. Méd. Procédé de respiration artificielle par lequel une personne insuffle avec sa bouche de l'air dans la bouche de l'asphyxié. *« Le premier médecin arrivé pratique immédiatement le bouche-à-bouche »* (*Paris-Match,* 24 oct. 1964). *Des bouche-à-bouches.*
2   T'as vu ? Ma sœur se noie : on lui fait le bouche à bouche, dit Aubin qui m'accompagne à la civette.   Hervé BAZIN, Cri de la chouette, p. 220.

BOUCHE À OREILLE [buʃaɔʀɛj] n. m. ⇒ **Bouche,** cit. 11.5 et *supra.*

BOUCHÉE [buʃe] n. f. — 1120, *buchiee* ; de *bouche.*

♦ **1.** Morceau, quantité d'aliment qu'on met dans la bouche en une seule fois. ⇒ **Goulée** (fam.), **lippée** (vx). *Une bouchée de viande. Une bouchée de pain.* → **Poindre,** cit. 3. *Nourrir un enfant bouchée par bouchée.*

0.1   (...) il posa sur la nappe sa fourchette avec la bouchée qu'il avait piquée dans son assiette au lieu de la porter à sa bouche.
                              GIDE, Voyage au Congo, in Souvenirs, Pl., p. 761.

Fig. *Pour une bouchée de pain :* pour un prix dérisoire.

0.2   C'est le plus beau monument de la région, déclare Marcheret. Nous l'avons acheté pour une bouchée de pain.   Patrick MODIANO, les Boulevards de ceinture, p. 45.

Loc. *Ne manger qu'une bouchée :* manger très peu. — *Ne pas perdre une bouchée de qqch ;* ne pas en perdre une bouchée : en profiter au maximum. — *Ne faire qu'une bouchée d'un mets,* le manger gloutonnement. Fig. *Ne faire qu'une bouchée d'un adversaire,* en triompher aisément. — *Dès la dernière bouchée :* aussitôt après le repas. — *Ne pas pouvoir avaler* une bouchée : être incapable de manger.

1   (...) il ne put avaler une bouchée.   G. SAND, François le Champi. IX.
2   Il montait dans sa chambre, la dernière bouchée avalée.
                              F. MAURIAC, le Nœud de vipères, p. 93.

Mettre les bouchées doubles : aller plus vite (dans un travail, etc.).

3   L'équipe de *Boussole* se trouva réduite, non seulement par les vacances, mais par des deuils et un accident. Il fallut, entre ceux qui restaient, se suppléer, mettre les bouchées doubles.
                              Bernard BARBEY, Chevaux abandonnés sur les champs de bataille, p. 276.

♦ **2.** ⓐ (1828, Carême ; *bouchée des dames,* 1810). **BOUCHÉE À LA REINE** : croûte feuilletée garnie de viandes blanches en sauce (→ **Financière, vol-au-vent**).

ⓑ Pâtiss. Petit four. — Confis. *Bouchée de chocolat,* et, absolt, *bouchée :* morceau de chocolat fin fourré. *Une boîte de bouchées.*

HOM. 1. Boucher, 2. boucher, 3. boucher.

BOUCHEMENT [buʃmã] n. m. — 1549 ; du v. *boucher.*

♦ Archit. Action de boucher une ouverture. ⇒ **Bouchage.** Spécialt. *Bouchement d'un mur avec de l'enduit.* ⇒ **Réparation ; maçon, plafonneur.**

1. BOUCHER [buʃe] v. tr. — V. 1275 au p. p. *bouchiés* ; de l'anc. franç. *bousche* « touffe, poignée de paille (pour fermer) » (→ **Bouchon**) ; du lat. pop. **bosca,* pl. neutre « broussailles », même rac. que *bois.*

♦ **1.** Fermer (une ouverture). ⇒ **Clore, fermer, obstruer, obturer.** *Boucher toutes les issues.* ⇒ **Barricader.** Spécialt. *Boucher une bouteille* (⇒ **Bouchon**). *Machine à boucher les bouteilles :* bouche-bouteilles (⇒ **Bouche-**). *Boucher un tonneau.* ⇒ **Bondonner.** *Boucher les trous d'un mur* (⇒ **Bouchement, mastic**). *Boucher les fentes d'une pièce de bois avec de la futée. Boucher hermétiquement un vase.* ⇒ **Luter ; lut.** *Boucher un flacon à l'émeri. Boucher les trous d'une poterie d'étain.* ⇒ **Revercher.** — *Boucher un vaisseau sanguin.* ⇒ **Oblitérer.** — *Boucher une voie d'eau.* ⇒ **Aveugler, colmater, étancher, tamponner.** *Boucher les fentes d'un navire avec de l'étoupe.* ⇒ **Calfater ; étouper.** *Boucher avec une tape*.* ⇒ **Taper.** — *Boucher les fentes d'une porte, d'une fenêtre.* ⇒ **Calfeutrer.**

1   À l'étage supérieur (...) l'on bouchait avec du plâtre les petits trous que les opérations précédentes avaient laissés.
                              FLAUBERT, l'Éducation sentimentale, II, III, Pl., t. II, p. 227.
2   (...) il est trop tard pour boucher les voies d'eau d'un navire lorsqu'il sombre (...)
                              Th. GAUTIER, le Capitaine Fracasse, t. I, 1.

Obstruer, laisser s'obstruer (involontairement). *Vous avez encore bouché le vide-ordures !*

(Sujet n. de chose). *Des saletés bouchent le conduit, le tuyau, l'écoulement.* ⇒ **Obstruer.**

Boucher un conduit naturel. ⇒ **Oblitérer.**

♦ **2.** Rendre impraticable en obstruant. *Boucher le passage.* — (Choses ou personnes ; sens passif). *Des déblais bouchent le passage, la fenêtre, la porte.* ⇒ **Barrer, obstruer.** *Il bouchait la porte, le passage.*

2.1   Et servante et valet m'ont bouché le passage.
                              MOLIÈRE, l'École des femmes, III, 4.

Boucher le passage à qqn. — (Personnes ; sens actif). *Il faudra boucher cet orifice, cette entrée.* ⇒ **Condamner, murer.** *Boucher une rue.* ⇒ **Encombrer.** *Boucher une percée sur une ligne de combat.* ⇒ **Colmater.**

(1694). Empêcher de voir. *Boucher la vue à qqn.* ⇒ **Intercepter, offusquer.** *Boucher le jour, la lumière, en faisant écran*.*

Loc. métaphorique. *Boucher la route, la voie à qqn,* le gêner, le barrer dans ses projets.

Loc. fig. *Boucher l'avenir, l'horizon de qqn,* borner ses chances de réussir.

♦ **3.** Fig. (Du sens 1). Loc. fam. *En boucher un coin à qqn,* l'étonner, le réduire au silence. ⇒ **Clouer** (le bec), **épater.** *En boucher une surface à qqn* (même sens).

2.2 Dites donc, ça vous en bouche un coin, mes enfants, s'exclama après que j'eus fini de parler Saint-Loup (...)   PROUST, le Côté de Guermantes, Folio, p. 128.

2.3 Et elle finit entre haut et bas sur une expression triviale que jamais la baronne n'avait entendue. «Comme le langage est révélateur!» songeait la vieille dame soudain calmée. Il arrivait parfois à sa fille de Paris et surtout à ses petits-enfants de risquer devant elle un mot d'argot, mais jamais ils ne se fussent servis d'une expression aussi vulgaire. Qu'avait-elle dit exactement? «Ça vous en bouche un coin...» Oui c'est cela qu'elle avait dit.   F. MAURIAC, le Sagouin, I.

2.4 Elle m'en bouche, comme on dit, une surface, pour continuer à m'exprimer un peu vulgairement.   A. ARTAUD, Lettres, 12 déc. 1931, Œ. compl., t. III, p. 239.

Vx. *Boucher un coin, deux coins; en boucher un coin :* se remplir l'estomac.

BOUCHER UN TROU. *On a besoin de toi pour boucher un trou,* occuper une place laissée vacante. ⇒ **Bouche-trou,** 2. *Cette somme bouchera les trous,* comblera les déficits. *Boucher les trous d'un budget.*

3 (...) les indemnités de guerre imposées au vaincu viendront, souvent, boucher les trous que la guerre même aura creusés dans les budgets militaires.   Louis MADELIN, Hist. du Consulat et de l'Empire, t. VI, p. 65.

♦ **4.** Obstruer (un conduit naturel). *Boucher les yeux, les oreilles à qqn,* l'empêcher de voir, d'entendre. *Boucher ses* (propres) *oreilles :* ne rien vouloir savoir. ⇒ **Ignorer** (→ ci-dessous Se boucher les oreilles). *Il bouchait ses oreilles aux nouvelles qui le gênaient.* — *Boucher son nez, ses narines.*

Se boucher le nez*, pour ne pas sentir une odeur.

Fig. *Se boucher les yeux :* refuser de voir. (V. 1610). *Se boucher les oreilles :* refuser d'entendre. (Souvent associés). *Se boucher les yeux et les oreilles.*

4 On a beau la prier,
La cruelle qu'elle est se bouche les oreilles,
Et nous laisse crier.   MALHERBE, Consolation à M. du Périer.

5 (...) c'est exactement le contraire qui me frappe si fort. C'est notre immense bonne volonté à nous boucher les yeux et les oreilles. C'est notre lutte désespérée contre l'évidence.   SAINT-EXUPÉRY, Pilote de guerre, p. 308 (*in* T. L. F.).

♦ **5.** Couvrir, encombrer, obscurcir. *Les nuages qui bouchent l'horizon.*

▶ **SE BOUCHER** v. pron.

♦ **1.** *La conduite d'eau s'est bouchée.* ⇒ **Engorger** (s'), **super.** — *Le nez, les oreilles se bouchent.*

♦ **2.** *Le temps, le ciel se bouche.* ⇒ **Couvrir** (se), **obscurcir** (s').

▶ **BOUCHÉ, ÉE** p. p. adj. (V. 1275).

♦ **1.** (En parlant d'une cavité). ⇒ **Comblé, rempli.** *Un trou mal bouché.* — *Avoir le nez bouché* (par des mucosités). *Avoir les oreilles bouchées.* — (En parlant d'une voie). ⇒ **Fermé, obstrué.** *Un chemin bouché,* encombré. — Fig. *Un avenir bouché.*

(En parlant de ce qui contient un liquide). *Baignoire, lavabo bouchés,* dans lesquels l'écoulement ne peut se faire normalement.

(Bouteille). *Bouteille bouchée,* munie d'un bouchon. Par métonymie. *Du vin, du cidre bouché,* en bouteilles bouchées (opposé à *au tonneau*).

6 Dans la campagne, le vin n'est que d'une seule qualité, mais il se vend sous deux espèces : le vin au tonneau, le vin bouché (...)   BALZAC, les Paysans, Pl., t. VIII, p. 58.

Mus. *Tuyaux bouchés :* tuyaux d'orgue fermés à une certaine hauteur pour obtenir un timbre un peu assourdi, voilé. — *Cor, trombone bouché,* muni d'une sourdine. Plus cour. *Trompette* bouchée.*

♦ **2.** (En parlant du temps). ⇒ **Brumeux, couvert, sombre.** *Un ciel bouché,* bas, très gris. «*Une grande nuit sans lune toute bouchée*» (Giono, *in* T. L. F.).

Arts (peint.). *Ton bouché,* sans transparence (peinture).

♦ **3.** (1690). Fig. *Un esprit bouché.* ⇒ **Borné, étroit, obtus.** — (Personnes). Vieilli. *Être bouché à qqch., à tout :* inaccessible, indifférent. — (XVIIIe). Mod. (Sans compl.). Imbécile. ⇒ **Obtus.** *Bouché à l'émeri*. Il est complètement bouché, celui-là!*

7 Je n'étais pas assez bouché pour ne pas sentir cela (...)   ROUSSEAU, Rêveries..., 4e Promenade.

8 Lorsqu'il traitait un point de morale, il nous demandait notre sentiment sur l'avantage qu'il devait procurer aux Hommes; il exposait si clairement que les plus bouchés donnaient leur décision.   RESTIF DE LA BRETONNE, la Vie de mon père, p. 287.

CONTR. **Déboucher, forer, ouvrir, percer.** — (P. p.) **Clair, dégagé, éclairé; fin, intelligent, ouvert, perspicace.**
DÉR. **Bouchage, bouchement, boucheur, bouchoir, bouchure.**
COMP. **Bouche-trou.** — V. **Bouche-.**
HOM. **Bouchée;** 2. **boucher,** 3. **boucher.**

2. BOUCHER [buʃe] n. m. — Fin XIIe, *bochier,* in *le Roman de Renart,* au sens 1; *boucier* «marchand de viande», 1220; traditionnellement donné comme dér. de *bouc,* à l'origine «celui qui tue le bouc et vend sa viande»; cette orig. paraît invraisemblable à P. Guiraud qui rattache le mot à *bouquer, bouter* «frapper». → **Bouc.**

♦ **1.** Celui qui tue ou fait tuer les animaux destinés à l'alimentation humaine (bœuf, cheval, porc, mouton) et en vend la chair crue. ⇒ **Abatteur** (de bestiaux), **assommeur, tueur.**

1 Il serait avéré, désormais, que les animaux destinés à notre nourriture, tels que moutons, bœufs, agneaux, chevaux et chats, conservent dans leurs yeux, après le coup de masse ou du coutelas du boucher, l'empreinte des objets qui se sont trouvés sous leur dernier regard.   VILLIERS DE L'ISLE-ADAM, Tribulat Bonhomet, p. 64.

2 C'est le tango des bouchers de la Villette
C'est le tango des tueurs des abattoirs
Venez cueillir la fraise et l'amourette
Et boire du sang avant qu'il soit tout noir
Faut que ça saigne.   Boris VIAN, les Joyeux Bouchers.

♦ **2.** (V. 1220). Cour. Marchand de viande au détail (bœuf, cheval, mouton, porc). ⇒ **Loucherbem** (argot); 1. **bouchère.** *Aller chez le boucher acheter de la viande. Boucher-charcutier,* spécialisé dans la viande de porc. ⇒ **Tripier.** *Boucher hippophagique,* qui ne vend que du cheval. *Boucher-volailler. Apprentis, commis, garçon boucher :* aides du boucher. *L'étal* du boucher. Boucher qui vend la viande en gros ou demi-gros.* ⇒ **Chevillard; cheville.** *Boucher qui tient un étal pour le compte d'un autre boucher.* ⇒ **Étalier.** *La boutique, le magasin du boucher.* ⇒ **Boucherie.** *Outils du boucher* (⇒ **Couperet, couteau, hachoir, hansart, scie, tempe**). *Allonge, croc*, pendoir de boucher. Fusil* de boucher. Argot des bouchers.* ⇒ **Loucherbem.** — *Lucienne et le boucher,* pièce de Marcel Aymé.

♦ **3.** Fig. et vx (v. 1270, *bouciers*). Bourreau*.

(1616). Homme cruel et sanguinaire. *Les bouchers d'Auschwitz.* — *C'est un vrai boucher,* en parlant d'un général peu économe de la vie de ses hommes. *Le général Mangin fut surnommé le boucher de Verdun.*

(1668). Vx. Chirurgien maladroit. ⇒ **Charcutier** (familier).

DÉR. 3. **Boucher,** 1. **bouchère, boucherie.**
HOM. **Bouchée,** 1. **boucher,** 3. **boucher.**

3. BOUCHER, ÈRE [buʃe, ɛʀ] adj. — XXe (1941, Giono, *in* T. L. F.); de 2. *boucher.*

♦ Comm. De boucherie*. *Viande bouchère. Race bouchère :* race (d'animaux) qui produit de la viande, qui est élevée pour sa viande.

HOM. **Bouchée, boucher,** v., **boucher,** n. m. — (Du fém.) 1. et 2. **Bouchère.**

1. BOUCHÈRE [buʃɛʀ] n. f. — Fin XIIe, *bouchiere;* de 2. *boucher.*

♦ **1.** Épouse du boucher.

♦ **2.** Femme qui tient une boucherie.

♦ **3.** Cuis. *À la bouchère;* ellipt., *bouchère :* avec de la viande ou (pour la viande) cuit sans assaisonnement autre que le poivre et le sel.

HOM. Fém. de 3. **Boucher,** 2. **Bouchère.**

2. BOUCHÈRE [buʃɛʀ] n. f. — 1824, De Trey en Suisse; du moy. franç. *bouchiere,* même sens, de *bouche,* nombreuses formes avec ce même sens *in* F.e.w.

♦ Régional (Suisse). Bouton, gerçure sur les lèvres ou près des lèvres.

HOM. Fém. de **Boucher,** adj., 1. **Bouchère.**

BOUCHERIE [buʃʀi] n. f. — V. 1220, *boucerie,* sens 2; de 2. *boucher.*

♦ **1.** (V. 1268). Vx. Lieu où l'on abat les bêtes destinées à l'alimentation. ⇒ **Abattoir.** — Mod. *Animaux de boucherie,* élevés pour leur chair (bœuf, cheval, mouton, porc, veau). *État d'engraissement des animaux de boucherie* (⇒ **Maniement**). *Fourgon pour le transport des animaux de boucherie.* ⇒ **Bétaillère.** *Débit des animaux de boucherie.* ⇒ **Brochage, découpage, dépeçage, dépouillement, échaudage, échaudoir, habillage, tranchoir.**

1 Vous avez (à Paris) des boucheries dans de petites rues sans issues qui répandent en été une odeur cadavéreuse, capable d'empoisonner tout un quartier.   VOLTAIRE, Lettre à Paulet, 22 avril 1768.

Viande de boucherie (ou *viande bouchère**). — *Abattis de boucherie.* ⇒ **Coiffe, crépine, issue.** *Viande* de boucherie.* ⇒ **Bœuf, mouton; carcasse** (*infra* cit. 3); **bout-saigneux, collet, gîte, nache, poitrine, selle** (d'agneau, de mouton)... *Parer, habiller la viande de boucherie,* en retirer la peau, les nerfs, les graisses inutiles. *Attendrir la viande de boucherie* (⇒ **Attendrisseur**).

♦ **2.** Commerce de la viande crue (bœuf, cheval, mouton, porc, veau) au détail. — *Boutique de boucher. Boucherie-charcuterie,* spécialisée dans la viande de porc. *Boucherie chevaline,* où on ne vend que du cheval. *Boucherie de 1re catégorie. L'étal d'une boucherie.*

1.1 Je traversai et m'arrêtai devant la boucherie. Derrière la grille les rideaux étaient fermés, de grossiers rideaux en toile rayée bleu et blanc, couleurs de la Vierge, et tachés de grandes taches roses.   S. BECKETT, Nouvelles, «Le calmant», p. 66.

Fig. *Avoir du crédit comme un chien à la boucherie,* ne pas en avoir.

♦ **3.** (1441, *in* D.D.L.) ⇒ **Tuerie; carnage, massacre.** *Conduire,* *envoyer des soldats à la boucherie* (⇒ **Guerre**). *Une véritable boucherie.*

1.2 Si vous m'envoyez en Angleterre en ce temps icy, je n'en retournerai jamais : c'est aller à la boucherie, et pour un *(sic)* affaire qui n'est point si fort contraint qu'il ne se puisse bien differer qu'il est animé, il me fera trencher la teste.
BONAVENTURE DES PÉRIERS, Nouv. récréations, 1558, *in* Conteurs franç. du XVIe s., Pl., p. 468 (*in* D. D. L., II, 4).

2 (...) Un officier préparant les Français à la boucherie, pour dire la guerre !
PROUST, À la recherche du temps perdu, t. IX, p. 180.

2.1 Au fond, vous parlez comme si vous ne deviez jamais vous battre. Vous mettez des poètes dans l'armée. Vous oubliez que la guerre sera toujours une boucherie.
J. RENARD, Journal, 20 avr. 1909.

♦ **4.** (1764). Régional (Suisse, Canada). Le fait d'abattre, de dépecer et de traiter un animal d'élevage (spécialt, le porc) pour la consommation. → Boiton, cit. 2. Loc. *Faire boucherie :* tuer le cochon (syn. : *bouchoyer*).

3 On a entendu crier les cochons, c'est le temps de la boucherie. Un matin, tout a été préparé ; derrière la maison, on saigne la bête (...) Plus tard, à la fontaine, on voit venir l'homme et la femme qui portent une grosse seille ; et du dedans sortent et s'étirent en l'air les longs boyaux blancs.
C.-F. RAMUZ, le Village dans la montagne, Œ. compl., t. III, p. 138.

4 On était à la fin de l'hiver, quand on commence à faire boucherie (...) Laver le cochon dans le cheneau, limer son cuir, arracher les soies avec la chaîne dans l'eau de soude, ça nous connaît !
Jacques CHESSEX, Portrait des Vaudois, p. 48.

5 — Goûte ces cretons, Mathieu. J'ai fait boucherie pour les Fêtes.
— Y a pas à dire, c'est bon.
Jean-Yves SOUCY, Un dieu chasseur, p. 67.

BOUCHETON (À) [abuʃtɔ̃] loc. adv. — 1418 ; de *à bouchon* « bouche contre terre », de *bouche*. Var. ancienne : *à boucheron* [abuʃrɔ̃].

♦ **1.** Vx. À plat ventre. *Se mettre à boucheton.*

♦ **2.** Mod. Régional. (D'un objet creux). Sens dessus dessous, de manière que l'orifice serve de base. *Récipient posé à boucheton pour l'égoutter.*

Mme Rezeau remonte soudain, oblique vers la ferme qu'encense son fumier et que situe, jailli d'une porte ouverte, un pan de lumière crue où brillent des bidons vides retournés à boucheton (...)   Hervé BAZIN, Cri de la chouette, p. 245.

♦ **3.** (1852). Techn. (céramique). Se dit de la position bord contre bord des poteries, des vases dans un four. *Poser des pièces à boucheton.*

BOUCHE-TROU [buʃtʀu] n. m. — 1688, « dernier enfant d'une femme » ; peint. « élément accessoire d'un tableau » 1765, Diderot ; du v. *boucher*, et *trou*.
Familier.

♦ **1.** Personne n'ayant d'autre utilité que de combler une place vide. *Des bouche-trous. Être invité comme bouche-trou. Cet employé n'est qu'un bouche-trou.* — Journaliste dont les articles ne sont utilisés qu'en cas de besoin.
(1807). Acteur* remplaçant. ⇒ **Utilité** (jouer les utilités). — Vx. Mauvais acteur.

♦ **2.** (1829). Choses. *Ce chapitre, cet article n'est qu'un bouche-trou.*

♦ **3.** Adj. ou appos. « *Un ministère bouche-trou* » (Balzac). — « *Une idée bouche-trou* » (G. Marcel, *in* T. L. F.).

1. BOUCHETTE [buʃɛt] n. f. — Fin XIIe ; *bochete*, 1160 ; de *bouche*.

♦ Vx. Petite bouche gracieuse, mignonne.

Ne m'épargne point, doucette,
Les trésors de ta bouchette (...)   BAÏF, les Amours de Méline, I, 57.

2. BOUCHETTE [buʃɛt] n. f. — D. i. ; mot wallon, apparenté à *bouquet*.

♦ Régional (Wallonie). Faisceau de tiges. — Loc. *Tirer à la bouchette :* à la courte-paille.

BOUCHEUR, EUSE [buʃœʀ, øz] n. — 1867 ; adj. 1550, *in* Paré, « obturateur » (en parlant d'un muscle) ; du v. *boucher*.
Technique.

♦ **1.** N. m. Ouvrier, ouvrière qui fabrique des bouchons de verre pour les carafes, les bouteilles.

♦ **2.** Personne qui travaille au bouchage des bouteilles dans l'industrie du vin.

♦ **3.** N. f. BOUCHEUSE : machine servant à boucher les bouteilles (→ Bouche-bouteille).

BOUCHOIR [buʃwaʀ] n. m. — 1553, *Bouchouer* ; du v. *boucher*, et -oir.

♦ Techn. Plaque de fer servant à fermer la bouche d'un four.

BOUCHOLEUR, EUSE [buʃɔlœʀ, øz] n. ⇒ **Bouchoteur.**

BOUCHON [buʃɔ̃] n. m. — Déb. XIVe ; Cf. Bouchon au XIIIe, Rutebeuf, « buisson » ; de l'anc. franç. *bousche* « poignée de paille, touffe de feuillage pour boucher ». → Boucher, v. ; P. Guiraud rattache le mot à un lat. pop. *bottica,* ce qui l'apparenterait à *botte.*

★ **I.** ♦ **1.** Vx ou techn. Poignée de paille ou de foin tortillé. *Frotter un cheval avec un bouchon.* ⇒ **Bouchonner.** — Par anal. *Un bouchon de linge :* linge tortillé. *Mettre du linge en bouchon.* ⇒ **Tapon, tampon.** — *Ce vêtement est en bouchon.* ⇒ **Boudiné, froissé.**

(*Les draps*) Qu'en bouchons tortillés elle avait sous les bras (...)   Mathurin RÉGNIER, Satires, IX.   1

♦ **2.** (1661 ; de 1. *bouchonner* ou métaphore de valeur incertaine. Cf. Bouchon t. de mépris, 1606). Terme familier de tendresse. → 1. Bouchonner, 3. *Mon petit bouchon !*

Ah ! ma petite friponne ! que je t'aime, mon petit bouchon !   MOLIÈRE, le Médecin malgré lui, I, 5.   2

♦ **3.** (1584). Vx. Bouchon (I., 1.) — parfois, rameau de feuillage — que l'on suspendait comme enseigne au-dessus de la porte d'un cabaret.

Quelques maisons du village étaient déjà remontées sur le bord du chemin, blanches et endimanchées (...) de ce nombre était le cabaret de Manette. À l'aspect du bouchon qui pendait couleur de givre à la lucarne du grenier, Benjamin se mit à chanter (...)   Claude TILLIER, Mon oncle Benjamin, III.   2.1

Loc. (Vx). *À bon vin, il ne faut pas de bouchon.* Cf. À bon vin, point d'enseigne.

(1701). Par métonymie. Cabaret*, débit de boissons (d'abord, cabaret de campagne, entouré de verdure). «*Amis, il faut faire une pause, J'aperçois l'ombre d'un bouchon* » (général Lasalle, *Fanchon,* chanson à boire).

(...) le couple se donnait rendez-vous dans un bouchon de l'avenue où de vieilles prostituées qui logeaient rue des Dames, allaient parfois, durant la nuit, se reposer.   Francis CARCO, Jésus-la-Caille, I, 5.   3

Il se levait le matin mécaniquement ou restait des journées entières dans son lit, négligeait de se raser, déjeunait d'un sandwich dans un bouchon de la ville basse, errait sans but pendant un certain temps (...)   Roger NAÏM, l'Ère des truands, p. 177.   3.1

★ **II. A.** ♦ **1.** (1397). Pièce de bois servant à fermer un tonneau. ⇒ **Bonde, bondon.** *Enfoncer un bouchon à la masse, à la tapette.*

Mar. *Bouchon d'écubier.* ⇒ **Tape.** *Bouchon de nable :* cheville obturant le trou de vidange d'une embarcation (⇒ **Nable**).

♦ **2.** [a] (1532). Pièce, ordinairement cylindrique, entrant dans le goulot des bouteilles, des carafes, des flacons et qui sert à les boucher. *Bouchon de liège, de caoutchouc, de matière plastique, de verre. Bouchon à l'émeri*. Bouchon verseur,* prolongé d'un bec destiné à canaliser et à contrôler le débit du liquide. *Bouchon doseur,* muni d'un dispositif n'acceptant qu'une certaine quantité de liquide. *Bouchon doseur d'une bouteille de pastis.*

Bouchon de carafe (en verre, en cristal). Fig. Énorme joyau.

Spécialt. *Bouchon de liège* (pour les bouteilles). *Appareil pour fixer les bouchons.* ⇒ **Boucheuse ;** aussi **mâche-bouchon, serre-bouchon.** *Cacheter* un bouchon avec de la cire. Enlever la capsule d'un bouchon.* ⇒ **Décoiffer.** *Retirer un bouchon.* ⇒ **Déboucher ; tire-bouchon.** *Remettre le bouchon.* ⇒ **Reboucher.** *Vin qui sent le bouchon. Goût du bouchon.* — *Bouchon de champagne,* à tête renflée, retenu par une armature (muselet). *Faire sauter le bouchon :* faire partir avec bruit le bouchon d'une bouteille, et spécialement d'une bouteille de champagne.

Le bouchon part, l'esprit pétille ;
La décence même y babille (...)   BÉRANGER, Gourmands, *in* LITTRÉ.   4

Collectif. *L'industrie du bouchon.*

(Emplois compar. et métaphoriques : par anal. de la légèreté du bouchon de liège).

Plus léger qu'un bouchon, j'ai dansé sur les flots.   RIMBAUD, Poésies, « le Bateau ivre », p. 138.   5

Mar. **FAIRE LE BOUCHON :** danser comme un bouchon sur l'eau, sans chavirer. *Ce dériveur fait le bouchon.* ⇒ 2. **Bouchonner.**

Par anal. (Sujet n. de personne). Se tenir, être à flot.

Quand l'aventure dicte sa loi, il faut savoir agir rapidement. Et puis, sans grain de folie on ne peut pas vivre. Je commençais à obéir aux signes, je faisais le bouchon.   Fernand FOURNIER-AUBRY, Don Fernando, p. 160.   6

Pêche. Flotteur d'une ligne qui permet de surveiller le fil. *Surveiller le bouchon.*

Patient autant qu'on peut l'être, se plaisant à suivre d'un œil un peu rêveur le bouchon de liège qui tremblait au fil de l'eau, il savait attendre, et quand, après une séance de six heures, un modeste barbillon, ayant pitié de lui, consentait enfin à se laisser prendre, il était heureux, mais il savait contenir son émotion.   J. VERNE, le Docteur Ox, p. 41.   7

Loc. fig. (Idée de fermeture). ⇒ **Boucher.** *Mettre un bouchon à qqn,* le faire taire. *Mets-y un bouchon :* tais-toi !

Se noircir le visage au bouchon, avec un bouchon enfumé. *Visages noircis au bouchon des commandos, des terroristes pour une opération de nuit.*

[b] Pièce cylindrique et creuse faite de métal ou de matière plasti-

que qui se visse (au goulot d'une bouteille, d'un flacon, à l'ouverture d'un bidon, d'un tube)... pour fermer (→ Capuchon). *Dévisser le bouchon. Bouchon métallique. Le bouchon d'un tube de dentifrice. Bouchon applicateur*.*

Par anal. *Bouchon-couronne :* capsule* métallique crantée sertie sur le goulot d'une bouteille et dont l'ouverture nécessite un ouvre-bouteille.

[C] Techn. *Bouchon fusible d'une chaudière.* ⇒ **Rondelle** (de sûreté). — *Bouchon de valve,* assurant une étanchéité supplémentaire à un pneumatique. — Absolt. *Dévisser le bouchon.*

Milit. *Bouchon allumeur d'une grenade :* dispositif d'obturation et de mise à feu de la grenade.

♦ **3.** Ce qui bouche accidentellement un conduit, un passage. ⇒ **Tampon.** *Le lavabo se vide mal, peut-être parce qu'un bouchon de savon ou de cheveux gêne l'écoulement.* — *Faire bouchon.*
Accumulation de matière (dans un espace anatomique). *Bouchon de cérumen,* qui obture le conduit auditif.

♦ **4.** Encombrement de voitures qui réduit ou arrête la circulation. ⇒ **Embouteillage.** *Un bouchon s'est formé sur la Nationale 7.*

8 Une route de soleil où tout un peuple affolé regardait devant et derrière lui (...) Il se formait des bouchons, on s'arrêtait, on marchandait avec les civils. Passer, passer. Priorité à la troupe. ARAGON, Blanche..., I, VI, p. 107.

9 Ventrauze, vingt mille habitants, en plein couloir rhodanien, constituait naguère un des pires bouchons de la R. N. 7. Claude COURCHAY, La vie finira bien par commencer, p. 18.

Météo. *Bouchon de brume :* amas de brume.

B. (1842, cit.). Jeu qui consistait à abattre des bouchons surmontés de pièces de monnaies avec des palets.

10 À quelque distance de l'église, j'ai retrouvé nos paysans réunis sur une vaste place, et presque tous occupés à jouer (...) Je m'approchai des jeux ; les plus suivis étaient le bouchon (...) la petite boule (...) A. LEGOYT, *in* les Français peints par eux-mêmes, Province, III, 1842 (*in* D. D. L., II, 12).

11 Mon Dieu ! j'ai joué au bouchon, quand j'étais gamin. ZOLA, Son Excellence Eugène Rougon, t. I, p. 203.

Loc. fam. *C'est plus fort que de jouer au bouchon :* c'est stupéfiant.

12 — Ça, c'est plus fort que de jouer au bouchon ! Comment faites-vous ?
— Eh bien, nous prenons du papier, une plume et de l'encre, parbleu ! comme tout le monde (...) G. LEROUX, Rouletabille chez Krupp, p. 150.

Régional (Midi). Jeu de pétanque. Cochonnet.

Loc. *Envoyer, lancer, pousser le bouchon trop loin :* exagérer.

13 Il ne faut pas que l'inspecteur machin-chose pousse le bouchon trop loin. Roger BORNICHE, le Ricain, p. 33.

DÉR. 1. Bouchonner, bouchonnier.
COMP. Mâche-bouchon, serre-bouchon, tire-bouchon.

BOUCHONNAGE [buʃɔnaʒ] ou **BOUCHONNEMENT** [buʃɔnmɑ̃] n. m. — 1843, bouchonnage ; bouchonnement, 1853 ; de 1. bouchonner.

♦ Agric. Action de bouchonner*. *Le bouchonnement d'un cheval.* ⇒ **Pansage.** « *Les soins du bouchonnage et du pansement sont généralement bien observés dans le département* » (*Agriculture française,* Département de la Haute-Garonne, Impr. royale, 1843, p. 282, *in* D. D. L.).

1. BOUCHONNER [buʃɔne] v. tr. — 1551 ; 1425, dr. féod. « marquer d'un bouchon de paille » ; de bouchon.

★ **I.** V. tr. ♦ **1.** Vx ou régional. Mettre en bouchon*, en tampon. ⇒ **Chiffonner.** *Bouchonner du linge, un vêtement.* ⇒ **Froisser ; tordre.**

♦ **2.** Frotter vigoureusement (qqn, un animal). — *Bouchonner un cheval :* frotter le poil de l'animal avec un bouchon* de paille ou de foin pour sécher la sueur ou activer la circulation. ⇒ **Frictionner.** *Il faut bouchonner et panser le cheval.*

0.1 Quand un cheval rentrait du travail, on le bouchonnait, mais ceux qui se chargeaient de ce travail n'auraient pas songé à se laver eux-mêmes. Jean FERNIOT, Pierrot et Aline, p. 102.

0.2 Sur la poitrine, aux aisselles, il se frotte avec un coin de serviette mouillée d'eau chaude ; puis avec la partie sèche, il se frictionne comme un cheval que l'on bouchonnerait. A. PIEYRE DE MANDIARGUES, la Marge, p. 155.

Par ext. Frotter comme avec un bouchon, pour nettoyer. *Bouchonner son visage, se bouchonner le visage.*

1 Jacques s'était tu. Il avait l'air exténué, tout à coup. Il sortit son mouchoir, et se bouchonna le visage, la nuque. MARTIN DU GARD, les Thibault, t. V, p. 197.

♦ **3.** (1662). Fig. et fam. Couvrir de caresses, être aux petits soins avec (qqn). ⇒ **Cajoler, caresser ; bouchon** (I., 2.).

2 Je te bouchonnerai, baiserai, mangerai (...) MOLIÈRE, l'École des femmes, V, 4 (1662).

3 Les gens de cette sorte se soignent bien, ils rencontrent presque toujours une femme dévouée qui leur fait tiédir leur flanelle, les bouchonne et les dorlote. G. DUHAMEL, Inventaire de l'abîme, VI.

★ **II.** V. intr. (1964). Former un bouchon (II., A., 4.). « *À 14 h 30, 25 000 personnes bouchonnent aux portes* » (*Paris-Match,* 17 oct. 1964). *Ça bouchonne sur l'autoroute.*

▶ **BOUCHONNÉ, ÉE** p. p. adj. (Du sens I). *Un cheval bien bouchonné.* — Fig. *Un enfant trop bouchonné.*

DÉR. Bouchonnage ou bouchonnement ; bouchon (I., 2).

2. BOUCHONNER [buʃɔne] v. intr. — 1937, Tharaud, *in* T. L. F. ; de (faire le) bouchon.

♦ **1.** Mar. Le sujet désigne une embarcation. Faire le bouchon*, danser sur l'eau sans chavirer. *Le voilier bouchonnait.*

1 (Le canot breton) taillera tranquillement sa route vers les lieux de pêche, bouchonnera ensuite à la cape de longues heures et reviendra avec la marée sans trop s'être soucié du temps qu'il aura rencontré. Jean GIORDAN, le Yachting, p. 62.

2 Le vent n'a pas molli, *Joshua* bouchonne toujours en sécurité, barre dessous et mer par le travers. Bernard MOITESSIER, Cap Horn à la voile, p. 271.

♦ **2.** Par anal. (Personnes). Flotter sur l'eau comme un bouchon.

3 Il (...) revient, brassant, crawlant, bouchonnant. Hervé BAZIN, Au nom du fils, p. 119.

BOUCHONNIER, IÈRE [buʃɔnje, jɛʀ] n. et adj. — 1763, Encyclopédie, n. m. ; de bouchon.
Technique.

♦ **1.** Personne qui fabrique, qui vend des bouchons* de liège. — REM. Le fém. est virtuel.

♦ **2.** Adj. *Bouchonnier, ière :* qui se rapporte à la fabrication des bouchons. *La production bouchonnière du Var.*

BOUCHOT [buʃo] n. m. — 1681 ; bouchaux, « vanne d'écluse », 1385 dans le Poitou ; mot poitevin, lat. médiéval *buccaudum,* même sens, de *bucca* « bouche ».

♦ **1.** Vx. Parc en clayonnage pour retenir le poisson.

♦ **2.** (1834). Mod. Clôture en bois, sur les bords de la mer, servant à la culture des moules, et autres coquillages. ⇒ **Moulière, parc** (à moules). *Moules de bouchot ;* ellipt. *des bouchot* ou *des bouchots* (pluriel normalisé).

DÉR. Bouchoteur ou bouchotteur.

BOUCHOTEUR ou **BOUCHOTTEUR, EUSE** [buʃotœʀ, øz] n. — 1868 ; de bouchot.

♦ Personne qui s'occupe de la reproduction des moules dans les bouchots (mytiliculteur). — Var. *Boucholeur.*

Les boucholeurs entrelacent les pieux de branches de châtaignier et placent dans ces « paniers » les paquets de jeunes moules en les pinçant dans les branches. Les élèves se fixent en vingt-quatre heures par beau temps. Cette opération s'appelle le « remuage » du naissain. Louis LAMBERT, les Coquillages comestibles, p. 67.

BOUCHOYER [buʃwaje] v. tr. — Conjug. *noyer* — 1561, de boucher, boucherie, et -oyer.

♦ Régional (Franche-Comté, Suisse). Abattre et dépecer (un animal, spécialt, un porc élevé pour sa viande) et préparer sa viande. ⇒ **Boucherie** (4. : faire boucherie).

BOUCHURE [buʃyʀ] n. f. — 1701, Vauban ; boucheure, 1600 « ce qui bouche » (un trou) ; du v. boucher.

♦ Régional (Centre). Haie vive.

Champs, prés enclos entourés de haies hautes et vives appelées ici (dans le Morvan) des *bouchures,* interrompues çà et là par des passages que l'on nomme *échaliers.* Jacques LACARRIÈRE, Chemin faisant..., p. 86.

BOUCLAGE [buklaʒ] n. m. — 1841, « fermeture » ; de boucler.

♦ **1.** Fam. Mise sous clés, action d'enfermer.

1 C'était le drame complet, cris des parents, menace de la maison de correction, bouclage dans ma chambre, confiscation de ma boîte de peinture, etc. J. DUTOURD, Pluche, X, p. 121.

Spécialt. Opération militaire ou de police par laquelle on boucle (un lieu, une zone). *Le bouclage d'un quartier insurgé. Le bouclage de la casbah d'Alger par les troupes françaises, pendant la « bataille d'Alger ».*

2 Peter Goldwin avait donné tous les ordres nécessaires au bouclage de Bangkok sans se faire trop d'illusions. Daniel ODIER, l'Année du lièvre, p. 237.

♦ **2.** Techn. Établissement d'une liaison entre deux ou plusieurs circuits électriques.
Cybern., inform. Réaction de la sortie sur l'entrée d'un système. ⇒ **Rétroaction.**

♦ **3.** Techn. (presse, journalisme). Action de rassembler tous les articles d'un journal (*bouclage rédactionnel*) et de terminer la mise en page de l'ensemble de l'édition (*bouclage technique*). L'heure de *bouclage d'un quotidien. Être prêt pour le bouclage. Le jour de bouclage d'un hebdomadaire, d'un mensuel.*

BOUCLARÈS [buklaʀɛs] adj. invar. — 1898, Esnault ; de *boucler* « fermer », et suff. argotique *-arès*.

♦ Argot. Fermé ; enfermé. « *Les placards (...) étaient bouclarès* » (A. Sarrazin, *la Cavale*, p. 15).

Si je lui saute dessus, qui la secourra ? À cette heure, tout le monde est bouclarès et la porte du Quartier d'où pourrait venir le renfort, eh ! Elle l'a fermée à clé, la clé est dans sa poche, et l'atelier est verrouillé de l'extérieur.
A. SARRAZIN, *la Cavale*, p. 89.

En interj. *Bouclarès !* : boucle-la, ferme-la !

BOUCLE [bukl] n. f. — 1080, *Chanson de Roland*, « bosse centrale d'un écu » (*écu bouclier*). → Bouclier ; 1160, sens 1 ; du lat. *buccula* « petite joue », de *bucca* « joue ».

♦ **1.** Anneau, rectangle métallique garni d'une ou plusieurs pointes montées sur un axe (⇒ **Ardillon**) et qui sert à tendre (une courroie, une ceinture). ⇒ **Anneau ; agrafe, fermail, œil.** *Assemblage, attache à boucle. Bouche de ceinture, de bretelle, de soulier ; boucle de harnais, d'une sangle. Ruban, bourdalou de chapeau à boucle. Boucle d'acier, d'argent. Boucle ronde* (⇒ **Anneau**), *carrée, ovale. Boucle à deux, trois ardillons. Barrette d'une boucle. Serrer avec une boucle.* ⇒ **Boucler.**

0.1   *(La dame) Promenait ses boucles*
      Son bandeau d'or
      Et traînait ses petits souliers à boucles.   APOLLINAIRE, Alcools, p. 149.

Loc. fig. Vx. *Serrer la boucle* : se priver (⇒ **Ceinture**).

♦ **2.** Objet en forme d'anneau. — (Servant d'ornement). *Porter des boucles d'or.* — Loc. cour. *Boucle d'oreille.* ⇒ **Oreille ; bijou, dormeuse, pendant** (d'oreille) ; → Richesse, cit. 8. *Boucles de diamants.*

1   (...) il est vrai qu'on ne sait guère (...) d'où peut venir l'usage presque général dans toutes les nations de percer les oreilles et quelquefois les narines, pour porter des boucles (...)   BUFFON, Hist. nat. de l'homme, Œ. compl., t. IV, p. 307.

Zootechn. [a] Anneau qu'on passe au groin du porc, au nez d'un bovin.

Fig. et poétique :

2   Dieu dit :
      Je mettrai ma boucle en leurs narines
      Et dans leur bouche un mors (...)   HUGO, les Châtiments, « Lux ».

[b] Anneau que l'on place à la vulve d'une femelle (jument, vache) pour l'empêcher d'être saillie.

Méd. *Boucle de Lippes* : type de stérilet ayant la forme de deux S successifs.

Mar. *Boucle de pont* : anneau fixé au pont d'un navire et qui reçoit les cordages, les amarres. — *Boucle de quai* : grand anneau scellé, qui reçoit les amarres. *Boucle d'amarrage.*

Anneau servant de heurtoir* aux portes cochères.

Anneau fixé à une porte, un tiroir et servant de poignée. *Boucle de rideau.*

Archit. Moulure en forme d'anneau.

♦ **3.** Zool. Écaille osseuse de certains poissons cartilagineux (raie bouclée).

♦ **4.** [a] Ce qui forme une courbe fermée. Didact. Ligne courbe qui se recoupe ; forme annulaire ou hélicoïdale. — *En boucle* : en forme de boucle.

Partie arrondie et allongée de lettres manuscrites. *La boucle du l, du j.*

Techn. Montage en circuit fermé d'un support audio-visuel (film, bande magnétique) qui en permet le défilement indéfiniment répété. *Boucle sonore. Boucle visuelle.* Par appos. *Film boucle* (→ aussi ci-dessous le sens 6.).

[b] (XVIIe). Cour. *Boucle ; boucle de cheveux.* ⇒ **Accroche-cœur, anglaise(s), bouclette, boudin** (2.), **crochet, frisette, frison ; friser.** *Avoir des boucles. Les boucles d'une perruque. Conserver une boucle dans un médaillon.* — Au plur. (Poét.). *Les boucles* : la chevelure*. *Boucles blondes.*

3   Trente filles de Corinthe dont les cheveux tombaient à grosses boucles sur les épaules (...)   MONTESQUIEU, Gnide, 3.

4   Ô toison, moutonnant jusque sur l'encolure !
      Ô boucles ! Ô parfum chargé de nonchaloir !   BAUDELAIRE, les Fleurs du mal, « La Chevelure ».

5   Ses cheveux incultes se tordaient autour de son front et de ses joues en longs serpents noirs, mal retenus par un ruban incarnadin que débordaient et cachaient çà et là les boucles rebelles.   Th. GAUTIER, le Capitaine Fracasse, XII.

(Formes prises par des objets souples : liens, etc.). *Faire une boucle avec une corde.* ⇒ **Nœud.** *Défaire une boucle.* ⇒ **Déboucler.** *Boucle d'un lacet de soulier. Boucles de cordage à la tête d'un mât.* ⇒ **Capelage, capeler.** — *Boucle de fil, de laine. Fils repliés en boucles.* ⇒ **Maille** (bonneterie, tricot).

♦ **5.** Courbe fermée ou quasi fermée. *Les boucles d'une rivière, d'un cours d'eau. Les boucles de la Seine.* ⇒ **Méandre.**

6   Le fleuve, au sortir de la ville, décrit une large boucle (...)   G. DUHAMEL, Scènes de la vie future, I.

(1914). Sports (aviat., autom.). Cercle vertical décrit par un avion (⇒ **Looping**), par une automobile sur une piste spéciale appelée *boucle.* Fig. *Boucler la boucle* : faire un cercle complet.

7   (...) je suis fatigué et je n'ai plus envie de penser à cette époque. Disons que j'ai bouclé la boucle le jour où j'ai bu l'eau d'un camarade agonisant.   CAMUS, la Chute, p. 147.

♦ **6.** Circuit complet, avec retour à l'état initial. ⇒ **Cycle ; rétroaction ;** → ci-dessus, 4 a. *Boucle de programme* : instructions qui peuvent être répétées jusqu'à l'obtention d'un résultat. *Système en boucle fermée,* dans lequel l'ordinateur reçoit les informations du processus qu'il est chargé de contrôler et, après traitement, réagit directement sur ce processus, sans intervention humaine. *Système en boucle ouverte,* dans lequel les paramètres de commande viennent essentiellement de l'homme.

Phys. nucl. *Boucle de réacteur* : circuit de refroidissement.

DÉR. **Boucler, bouclerie, bouclette, 2. bouclier.** — V. aussi 1. **Bouclier.**

BOUCLÉ, ÉE [bukle] adj. ⇒ **Boucler,** p. p. adj.

BOUCLEMENT [bukləmɑ̃] n. m. — 1658 ; de *boucler,* I., A., 4.

♦ Techn. (zootechn.). Action de mettre une boucle à un animal.

BOUCLER [bukle] v. — 1440 au sens II., 2. « bomber » (en parlant d'une construction) ; 1680, trans. « friser » (les cheveux) ; de *boucle.*

★ **I.** V. tr. **A.** (Idée de fermeture). ♦ **1.** Attacher, serrer au moyen d'une boucle. ⇒ **Attacher, fermer.** *Boucler une courroie, sa ceinture, son ceinturon. Bouclez vos ceintures de sécurité.*

1   (...) le Tyran boucla son majestueux abdomen d'un ceinturon contenant une longue et solide rapière.   Th. GAUTIER, le Capitaine Fracasse, XI.

Fig. et fam. *Se boucler la ceinture*, se la boucler* : se priver. Cf. Se serrer la boucle, la ceinture.

♦ **2.** [a] *Boucler sa valise, sa malle, son bagage,* les fermer. → *Faire* sa valise. Fig. et vieilli. *S'apprêter à partir, à mourir.*

2   Nous prenons un intérêt si démesuré à ce qui ne devrait nous servir que de passe-temps qu'il est dur, le dernier jour, de boucler nos valises.   COCTEAU, le Grand Écart, IX.

[b] *Boucler un dossier,* le clore, le fermer. — Théol. protestante. *Boucler le canon des livres saints,* le clore définitivement.

[c] Fig. *Boucler une affaire,* la mettre en équilibre. *Boucler son budget,* l'équilibrer (→ joindre les deux bouts*, même métaphore).

[d] Presse, journalisme. *Boucler une édition, un numéro* : finir de rassembler les articles et les tenir prêts à partir en composition ; terminer la mise en page de l'ensemble de l'édition (⇒ **Bouclage,** 3).

♦ **3.** Vx. Obstruer (un passage) à l'aide d'un anneau, d'une boucle (2.) ; cf. Boucle d'amarrage. *Boucler un port.*

[b] Mod. Fam. Fermer (un passage, une ouverture servant de passage). *Boucler la porte, la lourde** (argot).

Fermer (un local). *Boucler la maison. Il est l'heure de boucler le magasin.* — (Plus cour.). *Allez, on boucle tout !* Absolt : *on va boucler.*

2.1   (...) vous pouvez aller vous coucher si ça vous chante (...)
      — Bien, patron. On boucle et on va se promener.   R. QUENEAU, Pierrot mon ami, éd. L. de Poche, p. 18.

[c] Par ext. *Boucler qqn,* l'enfermer. *On l'a bouclé à double tour.* Au p. p. :

3   Moi, je ne peux pas aller à Paris, je suis bouclé ici (...)   MARTIN DU GARD, les Thibault, t. IV, p. 288.

Spécialt. Mettre en prison.

3.1   Moi qui te parle, des Français m'ont dénoncé comme Juif. Qu'est-ce que tu veux ? On m'a bouclé sept mois au Cherche-Midi. Ensuite on m'a conduit à Fresnes (...)   Francis CARCO, les Belles Manières, p. 54.

(Rare). Obliger à rester quelque part.

3.2   (...) que direz-vous à la donzelle quand elle vous demandera pourquoi on l'a *bouclée* dans son lit ?   Louise MICHEL, la Misère, t. III, p. 507.

(Sujet n. de chose) :

3.3   (...) et quant au puîné, le petit Caloub, une pension le bouclait au sortir du lycée chaque jour.   GIDE, les Faux-monnayeurs, Romans, Pl., p. 933.

Se boucler, v. pron. S'enfermer*. *Elle s'est bouclée dans sa chambre.* — Au passif. *Être bouclé quelque part. Ils sont tous bouclés* (spécialt, en prison. → Sous les verrous*).

[d] Loc. fam. LA **BOUCLER** : se taire (cf. Fermer sa boîte, sa gueule, et aussi argot bouclarès).

3.4   La musique signifia d'avoir à la boucler.   R. QUENEAU, Loin de Rueil, p. 195.

3.5 — Oh! c'est pas pour ça, monsieur Gaston...
— Ben, si c'est pas pour ça, t'as qu'à la boucler...
J. PRÉVERT, Le jour se lève (scénario), 1939, *in* l'Avant-Scène, n° 53, p. 37, 1965.

♦ **4.** (1562). Zootechn. Mettre une boucle, un anneau à (un animal). *Boucler une jument* (⇒ **Boucle,** 2.).

B. (Idée de forme annulaire). ♦ **1.** Refermer (qqch.) comme un anneau. *Boucler une corde,* en faisant un nœud simple. — *Boucler une mèche de cheveux.*

Parcourir en boucle (un chemin). *Boucler un circuit.* Passif. *Le circuit est bouclé, nous voilà à notre point de départ.* Loc. *Boucler la boucle.*

(Choses). Entourer comme d'une boucle en parcourant.

4 (...) par un vaste détour, bouclant la terre entière (...)
GIDE, Si le grain ne meurt, I, 9.

♦ **2.** (1556). Milit. Entourer complètement par des troupes. «*Deux mois après, le village sera encore bouclé*» (*Paris-Match,* 30 déc. 1967). *La police a bouclé la basse-ville.* ⇒ **Bouclage.**

♦ **3.** Didact. (Inform.). *Boucler un circuit.* — Au p. p. *Circuit bouclé.* ⇒ **Boucle,** 6.

★ **II.** (1440). V. intr. ♦ **1.** Techn. Bomber (en parlant d'une paroi). *Ce mur commence à boucler.* ⇒ **Bosse** (faire bosse), **ventre** (faire ventre).

♦ **2.** (1835). Avoir, prendre la forme de boucles (chevelure). *Ses cheveux bouclent facilement.* — Par métonymie. *Il, elle boucle naturellement.* ⇒ **Friser.**

▶ **BOUCLÉ, ÉE** p. p. adj. (XVᵉ).

♦ **1.** Garni de boucles. *Laine bouclée. Couverture, moquette bouclée,* de laine non unie. Spécialt. *Cheveux bouclés. Mèche bouclée.* ⇒ **Boucle.**

5 Elle avait une forêt de grands cheveux noirs, naturellement bouclés, qui lui tombaient au jarret (...)
ROUSSEAU, Confessions, IX.

(Personnes). Qui a des cheveux bouclés. *Tête bouclée. Des enfants blonds et bouclés.*

♦ **2.** Blason. *Bœuf, chien... bouclé,* orné d'un anneau. *Vache, jument bouclée. Taureau bouclé.*

♦ **3.** Zool. *Raie bouclée, squale bouclé,* hérissés d'aiguillons ou de pointes.

CONTR. Déboucler.
DÉR. Bouclage, bouclarès, bouclement.

BOUCLERIE [bukləʀi] n. f. — 1268; de *boucle.*

♦ Vx. Fabrication, commerce des boucles.

BOUCLETTE [buklɛt] n. f. — *Bouglette,* XIVᵉ, «nœud coulant formé par une petite corde»; de *boucle.*

★ **I.** Rare. Petite boucle.

★ **II.** ♦ **1.** (De *boucle de cheveux*). Petite boucle. *Elle a de jolies bouclettes.*

♦ **2.** En appos. *Laine bouclette :* laine à tricoter qui présente des petites boucles (formées par deux fils tordus dont l'un est plus long que l'autre).

1. BOUCLIER [buklije] n. m. — 1268; ellipse de *escut bucler* «écu ayant une bosse (boucle) centrale», 1080, *Chanson de Roland.* → Aspid(o)- ; de *boucle,* par le bas lat. *bucculare,* de *buccula.*

♦ **1.** Arme défensive, épaisse plaque portative dont les gens de guerre se servaient pour se protéger. ⇒ **Arme, armure, écu** (I., 2.). *On portait le bouclier au bras gauche. Se couvrir de son bouclier. Bouclier d'airain, de bronze, d'acier, de cuir, d'osier. Bouclier lamé d'argent des soldats d'Alexandre* (⇒ **Argyraspide**). *Bouclier rond, triangulaire, curviligne, ovale...* ⇒ **Broquel, écu, pavois, rondache, rondelle, targe.** *L'écu du blason représente un bouclier. Bouclier romain* (scutum, clypeus). *Bouclier grec.* ⇒ **Pelte.** *Bouclier de Pallas.* ⇒ **Égide.** *Le champ*, la bordure* (⇒ **Orle**), *la saillie, l'ombilic* (→ **Boucle,** étym.) *d'un bouclier. Courroie de bouclier.* ⇒ **Guiche, enguichure.** *Objet en forme de bouclier.* ⇒ **Pelté, scutiforme.** *La tortue* consistait à s'abriter sous les boucliers juxtaposés.* ⇒ aussi **Synaspisme.**

1 Que chacun endosse son armure et place devant lui son bouclier (...)
CHATEAUBRIAND, Desthona, 223.

2 Le bateau s'avance derrière ses voiles comme un guerrier antique derrière son bouclier.
J. RENARD, Journal, 21 juin 1890.

Loc. fig. *Faire un bouclier de son corps (à qqn) :* se mettre devant qqn pour le protéger des coups. ⇒ **Rempart.**

3 Quand, tout percé de coups, sur un monceau de morts,
Je lui fis si longtemps bouclier de mon corps (...)
CORNEILLE, Don Sanche, I, 3.

4 Le meilleur bouclier est une poitrine qui ne craint pas de se montrer découverte à l'ennemi.
CHATEAUBRIAND, Mémoires d'outre-tombe, III, 15.

Loc. (1460). *Levée de boucliers :* démonstration par laquelle les soldats romains exprimaient leur résistance aux volontés de leur général ; fig. démonstration, attaque à main armée, ou démonstration d'opposition.

5 Boileau *(non le poète)* n'était pas content de ce que M. de Paris ne levait pas bouclier pour les jansénistes.
SAINT-SIMON, Mémoires, 65, 78, *in* LITTRÉ.

Mythol. et astron. *Le bouclier d'Orion* (partie de la constellation d'Orion, formée de trois étoiles visibles).

♦ **2.** (XVIᵉ). Par métaphore ou fig, littér. Défense. ⇒ **Palladium** (vx), **protection, rempart, sauvegarde.** *Se faire un bouclier de sa froideur.*

6 Revêtez la cuirasse de la justice (...) prenez (...) vous pourrez éteindre tous les traits enflammés du malin (...)
BIBLE (SEGOND), Épître aux Éphésiens, VI, 15, 16.

7 Combien crois-tu que j'en connaisse (...) qui se sont fait un bouclier du manteau de la religion ?
MOLIÈRE, Dom Juan, V, 2.

8 Dans une armée, la discipline pèse comme bouclier, et non comme joug.
RIVAROL, Notes, p. 12.

9 Couvert du bouclier de ta philosophie,
Le temps n'emporte rien de ta félicité (...)
LAMARTINE, Méditations..., I, 12.

♦ **3.** (Par anal. d'usage) **a** (Concret). Appareil, dispositif de protection. — Artill. Plaque de blindage d'un canon.

Mines. Appareil servant à étayer les terrains tendres pendant une excavation. *Bouclier métallique,* à cloisons étanches, pour le creusement des tunnels.

Phys. nucl. *Bouclier thermique :* blindage* qui entoure un réacteur nucléaire. Par ext. Dispositif destiné à protéger une partie d'un engin spatial contre l'échauffement cinétique. — *Bouclier biologique :* blindage destiné à réduire les rayonnements ionisants à un niveau acceptable d'un point de vue biologique.

Zool. Carapace* (de certains crustacés).

b (Abstrait). *Bouclier nucléaire :* dispositif de défense nucléaire. On dit aussi *parapluie nucléaire.*

♦ **4.** (Par anal. de forme). **a** Zool. Élytre convexe (de certains insectes). — Partie dure composant le test (des animaux articulés).

b Géol. Plate-forme étendue de roches primitives. *Le bouclier canadien.*

CONTR. (Fig.) **Défaut** (de la cuirasse). — V. aussi **Attaque.**

2. BOUCLIER [buklije] n. m. — XIIIᵉ ; de *boucle.*

♦ Vx ou hist. Techn. Personne qui fabriquait les boucles et anneaux de cuivre et d'archal. — REM. Dans ce sens, le fém. *bouclière* est virtuel.

BOUCON [bukõ] n. m. — V. 1300 «morceau»; sens spécial, XIVᵉ; francisation de l'ital. *boccone* «bouchée», augmentatif de *bocca* «bouche».

♦ Vx. Hist. ou archaïsme. Morceau empoisonné ; poison. Var. : *bocon.*

BOUCOT [buko] n. m. ⇒ **Boucaud.**

BOUDDHA [buda] n. m. — 1754, *Budha ;* mot sanscrit *buddha-* «Éveillé, Illuminé», surnom de Gautama ou Çakya-Mouni, fondateur du bouddhisme*.

♦ **1.** Dans la religion bouddhiste, celui qui est parvenu à la sagesse et à la connaissance parfaite. ⇒ **Bodhisattva.** *Le bouddha vivant* (dans le lamaïsme tibétain). — REM. *Bouddha,* employé comme n. propre (sans article), désigne seulement Gautama.

(1886). Représentation peinte ou sculptée d'un bouddha. *Des bouddhas en bronze, en jade.*

1 Jacques ne répondit pas. Il contemplait obtinément le bouddha dont le visage rayonnait de sérénité solitaire au fond de la grande feuille de lotus d'or (...)
MARTIN DU GARD, les Thibault, t. V, p. 174.

2 (...) à travers les siècles des hautes époques, le lent abaissement des paupières, l'écriture de plus en plus serrée qui en Chine semblera «fermer» le visage du Bouddha sur son recueillement ; d'où les plis du manteau de plus en plus liés au corps ; d'où l'abstraction du corps lui-même.
MALRAUX, les Voix du silence, *in* Romans, Pl., p. 151.

3 Derrière lui, sur une étagère, il y avait un de ces affreux petits bouddhas bleus et obèses dont l'expression de sagesse est une invitation à finir dans la graisse.
R. GARY, Au-delà de cette limite votre ticket n'est plus valable, p. 110.

♦ **2.** Rare. L'esprit universel, incarné par un bouddha. ⇒ **Bouddhéité.**

DÉR. Bouddhéité, bouddhisme, bouddhiste.

BOUDDHÉITÉ [budeite] n. f. — 1930 cit. ; de *bouddha,* et suff. *-ité,* → **Déité.**

♦ Relig. Caractère de l'état de bouddha ; essence du bouddha.

Bouddha (...) percevait par son intuition que toute vie humaine possédait originellement la «bouddhéité», et que l'Esprit universel, le Bouddha, et la vie humaine sont une seule et même chose.
Dict. pratique des connaissances religieuses, *Deuxième Suppl.,* Letouzey et Ané, 1930, p. 293 (*in* D.D.L., II, 15).

BOUDDHIQUE [budik] adj. — 1831 *in* D.D.L. ; de *bouddhisme*.

◆ Relig. Relatif au bouddhisme*. ⇒ **Bouddhiste**. *Secte bouddhique.*
Art bouddhique. ⇒ aussi **Gréco-bouddhique.** *Temple bouddhique.*

Dans tout ce destin de l'art chrétien, comme dans celui de l'art bouddhique, le
spectacle de la vie joue son rôle infime : le premier semble plus soucieux de découvrir des prunelles où se reflète Dieu, le second de clore sur le monde des paupières délivrées, que de regarder.
MALRAUX, les Voix du silence, *in* Romans, Pl., p. 204 (1933).

COMP. **Gréco-bouddhique.**

BOUDDHISME [budism] n. m. — 1823 *in* D.D.L. ; *budsdoisme*,
1780 ; de *bouddha*.

◆ Doctrine religieuse fondée en Inde, dans le bassin du Gange, vers
le milieu du VIᵉ siècle av. J.-C., et qui se constitua comme un développement hétérodoxe par rapport au brahmanisme*. ⇒ **Bouddha.**
Le bouddhisme et le jaïnisme apparurent en même temps. Bouddhisme indien, bouddhisme de Ceylan. Expansion du bouddhisme
en Asie : au Tibet* (⇒ **Lamaïsme**), en Chine, au Japon (⇒ **Ami-
disme, zen**). Bouddhisme tantrique (⇒ **Tantrisme**). Bouddhisme dit
du petit, du grand Véhicule*. Éléments de bouddhisme repris dans
le caodaïsme*. La compassion pour autrui est privilégiée dans le
bouddhisme par rapport à la libération définitive du cycle des existences (cf. Nirvâna, samsâra). ⇒ **Bodhisattva.**

Le bouddhisme dans l'Inde est resté pendant plusieurs siècles confondu, quant à
sa partie métaphysique, avec certaines écoles des brâhmanes.
Émile BURNOUF, la Science des religions, p. 62.

DÉR. **Bouddhique.**

BOUDDHISTE [budist] adj. et n. — 1782, comme subst. *bouddiste*
(Sonnerat, *in* D.D.L.) ; de *bouddha*.

◆ **1.** Adj. Relatif au bouddhisme*. ⇒ **Bouddhique.** *Prêtre bouddhiste.* ⇒ **Bonze, bonzesse.** *Moine bouddhiste birman.* ⇒ **Talapoin**
(vx). « *Les Brahmanes mendient ainsi que les moines bouddhistes* »
(le Catholique, nº 33, sept. 1828).

◆ **2.** N. Adepte du bouddhisme.

(...) ils lui étaient reconnaissants d'une bonté dont ils ne devinaient pas qu'elle prenait ses racines dans l'opium. On lui prêtait la patience des bouddhistes : c'était
celle des intoxiqués. MALRAUX, la Condition humaine, *in* Romans, Pl., p. 37.

Var. vieillies : *boudhiste, bouddiste.*

BOUDER [bude] v. — V. 1350 ; p.-ê. du rad. onomatopéique *bod-*
désignant qqch. d'enflé (→ Boudin), par allus. à l'expression de la lèvre
du boudeur ; pour P. Guiraud, de formes gallo-romaines (**bobitare* ou
*bullitare) dérivés de *bulla*.

★ **I.** V. intr. (Personnes). ◆ **1.** Témoigner, montrer de la mauvaise
humeur, du mécontentement par l'expression renfrognée, par une
moue*, par le refus de parler, de répondre au regard, de communiquer. ⇒ **Fâcher** (être fâché), **râler** (fam.), **rechigner ; gueule, tête**
(faire la gueule, la tête ; → Faire du boudin*). *Un enfant qui boude.
Bouder dans un coin. Bouder de rage, de colère, de dépit, de honte.
Bouder contre qqn ou qqch. Quand tu auras fini de bouder...*

1 — Vous voilà bien triste, lui dit-il, et vous boudez contre votre verre.
G. SAND, la Mare au diable, XII, p. 104.

2 (...) il *(l'enfant)* s'irrite d'être en colère et se console en jurant de ne pas se consoler, ce qui est bouder. ALAIN, Propos sur le bonheur, p. 64.

Montrer de la mauvaise grâce, du dépit. Loc. *Bouder contre son
ventre :* refuser de manger, lorsqu'on a faim. *Bouder à table, au
jeu... :* manger, jouer... de mauvaise grâce. — *Bouder à la besogne.
Ne pas bouder à la besogne, à l'ouvrage :* travailler avec ardeur.

Fig. Au jeu de dominos, Passer, faute d'avoir un numéro pour pouvoir jouer.

◆ **2.** (Choses). Fonctionner mal, se présenter mal. *Le printemps
semble bouder cette année.*

3 (...) vers neuf heures, le temps fit mine de bouder, comme disent les marins (...)
HUGO, Quatre-vingt-treize, I, II, 2.

Techn. *Cette cheminée, ce four boude,* tire mal. — Hortic. Se dit
d'un jeune arbre qui pousse mal.

Techn. Se dit des huîtres dont la pousse est arrêtée ; des bassins
(claires) où le verdissement ne se fait pas. ⇒ **Boudeur** (huître boudeuse).

3.1 D'autres fois une claire « boude » au milieu de toutes les autres qui ont verdi.
Louis LAMBERT, les Coquillages comestibles, p. 3.

★ **II.** V. tr. ◆ **1.** (Compl. n. de personne). Montrer de l'hostilité
contre, envers (qqn) par une attitude maussade ou indifférente, en
refusant de communiquer (le compl. est souvent un pronom).

4 Allons, revenez près de moi, je le veux. Vous me boudez quand je devrais me
fâcher. BALZAC, Seraphîta, Pl., t. X, p. 480.

5 Je continue, par principe, à le bouder, à lui marquer de la rancune (...)
G. DUHAMEL, Chronique des Pasquier, VIII, 4.

◆ **2.** (Compl. n. de chose). Ne pas ou ne plus rechercher, se détourner de (qqch.). *Bouder les distractions, les plaisirs. Bouder les études, le travail. Bouder la campagne. Bouder un lieu trop fréquenté.*

« *Les Français boudent les aliments surgelés* » (l'Express, 8 mai
1973), en consomment peu.

5.1 Je m'étonne parfois de l'obstination que met notre taciturne ami à bouder les langues civilisées. Son métier consiste à recevoir des marins de toutes les nationalités (...) CAMUS, la Chute, p. 8.

▶ **SE BOUDER** v. pron. (Récipr.). *Deux amoureux qui se boudent.*

6 Deux créatures qui ne se conviennent pas pourraient aller chacune de son côté ;
eh bien ! (...) il faut qu'elles restent là en face l'une de l'autre à se bouder, à se
maugréer, à s'aigrir l'humeur, à s'avaler la langue d'ennui, à se manger l'âme et
le blanc des yeux (...) CHATEAUBRIAND, Mémoires d'outre-tombe, IV, 1.

DÉR. **Bouderie, boudeur, boudeuse, boudoir.**

BOUDERIE [budʀi] n. f. — 1690, Furetière ; de *bouder*.

◆ **1.** Action de bouder (en général : *la bouderie ;* ou dans un circonstance particulière : *une, des bouderies*) ; état d'une personne
qui boude. ⇒ **Fâcherie, humeur** (mauvaise). *Des bouderies continuelles, obstinées. Une bouderie stupide, insignifiante, passagère.*
⇒ **Brouille.** *Manifester son hostilité, son ressentiment, sa rancœur
par une bouderie. Faire une bouderie.* ⇒ **Bouder, boudeur.** — Didact.
*La bouderie, pour les psychologues, est une réaction affective
représentant une forme mineure d'hostilité, une attitude régressive
de refus adoptée par sentiment d'infériorité. Les « âges de bouderie » correspondent à deux phases importantes d'évolution affective (3-4 ans : développement de la conscience du moi ; prépuberté).
Bouderie répétée. Bouderies prolongées, parfois symptôme d'états
schizophréniques.* « *Le négativisme peut revêtir une forme atténuée et incomplète, celle de la* bouderie *réticente ou de l'ironie de
défense, des réponses « à côté », etc.* » (Th. Kammerer *in* Porot 1975,
art. Catatonie, p. 127 b).

1 Cette affaire avait plutôt l'air d'une bouderie que d'une rupture (...)
ROUSSEAU, *in* LAFAYE, Dict. des synonymes, Fâcherie, humeur ; bouderie.

2 Nous ne permettons point la bouderie (...) nous ne voulons jamais que nos amis
restent brouillés plus d'un quart d'heure.
MARMONTEL, *in* LAFAYE, Dict. des synonymes, Fâcherie, humeur ; bouderie.

3 Toi, tu sais supporter les longues bouderies, les regards durs et les silences obstinés (...) Paul GÉRALDY, Toi et Moi, p. 104.

◆ **2.** Le fait de ne plus rechercher qqch. « *Les appartements sont
proposés à des prix qui provoquent la bouderie des acheteurs éventuels* » (l'Express, 24 avr. 1966).

CONTR. **Humeur** (bonne), **enjouement, entrain.**

BOUDEUR, EUSE [budœʀ, øz] adj. et n. — 1680, Richelet ;
de *bouder*.

◆ **1.** Qui boude fréquemment, habituellement. *Un enfant boudeur,
boudeur et renfrogné.* ⇒ **Grognon, maussade.** — N. *Un boudeur. Une
vilaine boudeuse.*

Qui exprime la bouderie. *Air, visage boudeur. Mine boudeuse.*

◆ **2.** Techn. *Huître boudeuse,* qui boude, pousse ou verdit mal.

Quant aux huîtres de drague pêchées à Avray, beaucoup deviennent boudeuses et
refusent de croître pendant une saison, mais rattrapent le temps perdu à la saison prochaine.
G. BOUCHON-BRANDOLY, Mémoire sur la fécondation artificielle
et la génération des huîtres, 1884, *in* Encycl. universelle du XXᵉ s.

CONTR. **Enjoué, gai.**
DÉR. **Boudeusement.**

BOUDEUSE [budøz] n. f. — XIXᵉ ; de *bouder*, parce que les occupants, se tournant le dos, semblent se bouder.

◆ Siège* double où deux personnes peuvent s'asseoir en se tournant
le dos. ⇒ **Dos-à-dos.**

BOUDEUSEMENT [budøzmã] adv. — 1887 ; de *boudeur, euse*.

◆ Rare. D'une façon boudeuse ; en boudant.

Pinette (...) arracha boudeusement une touffe d'herbe entre ses genoux.
SARTRE, la Mort dans l'âme, p. 134.

BOUDI [budi], **BOUDIOU** [budju] interj. — Attesté XIXᵉ ; occitan
boun diou « Bon Dieu ! ».

◆ Régional (Sud de la France). Bon Dieu ! bon sang ! (exprimant
notamment la surprise, l'admiration, la lassitude...). *Boudi ! j'en suis
encore toute chose. Boudi ! la belle voiture.* « *Boudiou qu'il est
laid !* » (Daudet, *in* G. L. L. F.).

BOUDIN [budɛ̃] n. m. — 1268 ; du rad. onomatopéique *bod-* exprimant l'enflure. → Bouder, bedaine.

◆ **1.** Boyau rempli de sang et de graisse de porc assaisonnés. *Manger du boudin. Boudin grillé. Une aune de boudin.*

1 Nous sommes juifs comme vous, ne mangeant point de cochon, point de boudin (...) VOLTAIRE, Philosophie, III, 174.

1.1 La vérité était qu'Auguste se connaissait à merveille à la qualité du sang ; le boudin était bon, toutes les fois qu'il disait : « Le boudin sera bon. »
— Eh bien, aurons-nous du bon boudin ? demanda Lisa (...)

— Je le crois, madame Quenu, oui, je le crois... Je vois d'abord ça à la façon dont le sang coule. Quand je retire le couteau, si le sang part trop doucement, ce n'est pas un bon signe, ça prouve qu'il est pauvre (...)
ZOLA, le Ventre de Paris, t. I, p. 123 (1875). → Boyau, cit. 1.1.

(1680). **BOUDIN BLANC**, fait avec du lait et des viandes blanches, parfois des truffes, et mangé traditionnellement à Noël (en France).

Loc. **EAU DE BOUDIN** : eau dans laquelle on lave les tripes avant de faire le boudin. — Fig. (1690). *S'en aller en eau de boudin*, se dit d'une affaire bien commencée et qui se réduit à néant. Cf. Fam. et vulg. Partir en couille.

2 J'espère que toute cette affaire va s'en aller en eau de boudin, être étouffée après quelques avertissements et sanctions sans esclandre.
GIDE, les Faux-monnayeurs, III, 1, p. 296.

Par compar. *Avoir des doigts comme des boudins.* ⇒ **Boudiné.**

♦ **2.** (Par anal. de forme : objets cylindriques et relativement courts). Doigt gras et court. *Les « gros boudins qui lui servent de doigts »* (Hervé Bazin).

(1798). Boucle de cheveux en spirale. ⇒ **Anglaise** (5.).
Techn. *Ressort à boudin* : ressort de fil métallique roulé en spirale. Électr. *Boudin de résistance.* ⇒ **Résistance.**
Fusée cylindrique avec laquelle on met le feu à une mine. ⇒ **Saucisson.**
Cylindre de pâte céramique. — Agric. Foin ramassé et comprimé en cylindre.
Ch. de fer. Saillie interne de la jante* d'une roue qui en assure le maintien sur un rail. ⇒ **Bandage** (I., 2.).
(1690). Archit. Grosse moulure en cordon. ⇒ **Tore.** Rebord rond d'une marche.

3 Soudain, la semelle de sa chaussure glissa sur une marche au boudin pourri.
H. TROYAT, Amélie, p. 605.

(1835). Mar. Bourrelet qui entoure une embarcation et la protège contre les chocs.
Techn. *Boudin d'air* (vx) : chambre à air ou pneumatique en caoutchouc.
Aviat. (argot des aviat.). Manche à air d'aérodrome. ⇒ **Biroute** (fam.).
Régional (Nord, Belgique). Traversin.

♦ **3.** [a] Argot. Femme facile, prostituée.

[b] Fam. et péj. (V. 1966). Fille mal faite, petite et grosse. *Un petit boudin. Il n'y a que des boudins, ici !* — Abrév. : *boude* (1975, in Robert Beauvais, le Français Kiskose). — REM. Cette dernière forme semble être plus à la mode : « "boudin", devenu plutôt province » (le Nouvel Obs., 4 déc. 1982, in D.D.L.).

♦ **4.** Loc. fam. (calembour). *Faire du boudin :* bouder. *« Faire son boudin »* (Sartre, le Mur).

DÉR. Boudinade, boudiner, boudinière.

BOUDINADE [budinad] n. f. — 1771 ; de *boudin.*

♦ Cuis. ou régional. Morceau d'agneau farci de boudin.

BOUDINAGE [budinaʒ] n. m. — 1842 ; de *boudiner.*
Technique.

♦ **1.** Torsion légère du fil (action et résultat).

♦ **2.** Passage à la boudineuse*. ⇒ **Extrusion** (2.).

BOUDINE [budin] n. f. — 1751, verrerie ; fin XIIe *botine* « nombril » ; du rad. onomatopéique *bod-* exprimant l'enflure. → Boudin.

♦ Techn. Nœud du verre au centre d'un plateau (à l'endroit où il a été coulé) ; ouverture pratiquée à cet endroit.

BOUDINEMENT [budinmã] n. m. — 1924 cit. ; de *boudiner.*

♦ Rare. Action de boudiner* ; état de ce qui est boudiné.

On le sentait très fort, sous le boudinement de ses petites jaquettes (...)
GIDE, Si le grain ne meurt, I, 10 (1924).

BOUDINER [budine] v. — 1842, Académie, *Complément ;* de *boudin.*

★ **I.** V. tr. ♦ **1.** Techn. Tordre (des écheveaux de fil, de soie). — Tordre (un fil métallique) en spirale.

♦ **2.** Fam. (Compl. n. de personne). Serrer (qqn) dans des vêtements trop étroits. *L'habilleuse l'avait boudiné dans une redingote minuscule.* ⇒ **Saucissonner.**
V. pron. Se serrer dans des vêtements. *Se boudiner dans un corset.* En parlant du corps. *Doigts, bras ; jambes qui se boudinent.*

★ **II.** V. intr. Rare. Serrer (vêtement) de manière à former des plis. *Ce pantalon boudine.*

▶ **BOUDINÉ, ÉE** p. p. adj. (V. 1180).

♦ **1.** (Personnes). Serré dans un vêtement étriqué. *Boudiné dans une veste trop étroite.* ⇒ **Saucissonné.**

(Des) généraux à casques à pointe et à têtes de bandit, aux ventres d'outre, aux torses boudinés dans des uniformes aux teintes suaves (blanc, jonquille, ou bleu marial) et constellés de diamants (...) Claude SIMON, le Palace, p. 15.
N. (V. 1880, Larchey). Vx. Élégant qui portait une redingote serrée, boudinée.

♦ **2.** En forme de boudin. ⇒ **Bouffi.** *Doigts boudinés.*

DÉR. Boudinage, boudinement, boudineuse.

BOUDINEUSE [budinøz] n. f. — 1877 ; de *boudiner.*
Technique.

♦ **1.** Appareil servant à tordre des fils avant de les bobiner.

♦ **2.** (1907) Machine formée d'une vis sans fin tournant dans un cylindre chauffé dans lequel on presse une matière non homogène. ⇒ **Extrudeuse.**

On la passe *(la pâte de caséine qui deviendra matière plastique)* dans une presse horizontale à vis rotative appelée boudineuse, où elle se trouve plastifiée sous l'action simultanée de la chaleur et de la pression développée par la poussée de la vis ; elle sort de la machine, par une filière, sous forme de bâtons, de tubes ou de profils : c'est le *boudinage.* Jean VÈNE, les Plastiques, p. 35.

BOUDINIÈRE [budinjɛʀ] n. f. — 1669, in G. L. L. F. ; de *boudin.*

♦ Techn. (charcuterie). Entonnoir à faire les boudins et les saucisses. *Remplir les boyaux au moyen d'une boudinière.*

BOUDOIR [budwaʀ] n. m. — Déb. XVIIIe (av. 1730, Du Cerceau) ; de *bouder.*

♦ **1.** Petit salon élégant de dame. ⇒ **Cabinet** (particulier). *Se retirer, passer dans un boudoir.*

Ils s'étaient retirés tous les deux dans un petit boudoir japonais, tendu de soies éclatantes (...) MAUPASSANT, Clair de lune, p. 66. 1
Figure-toi que cette demoiselle a pour sigisbée un monsieur... un polisson ! qui capitonne son boudoir sous mon nom (...) E. LABICHE, les Petites Mains, II, 5. 2
Fig. *Propos de boudoir,* superficiels et galants. *Succès de boudoir :* succès mondains. *Diplomatie de boudoir,* caractérisée par l'influence de femmes du monde. — *La philosophie dans le boudoir,* œuvre de Sade (1795), où le « boudoir » est le lieu clos érotique sadien.

♦ **2.** (XXe). Biscuit oblong, assez dur, recouvert de sucre cristallisé.

BOUE [bu] n. f. — V. 1170, *boe ;* gaul. **bawa* « saleté », cf. gallois *baw.*

★ **I.** (Concret). ♦ **1.** Mélange de terre, de poussière, de déchets et d'eau, qui se forme dans les rues, les chemins. ⇒ **Bouillasse** (fam.), **bourbe, braye** (vx), **crotte** (vx), **fange, gâchis, gadoue, gadouille, margouillis.** *Patauger, barboter dans la boue. Poser des caillebotis* pour éviter de marcher dans la boue. Glisser, tomber dans la boue. Se salir, se souiller, se couvrir de boue. Être éclaboussé par la boue.* ⇒ **Éclaboussure.** *S'enliser dans la boue d'une ornière*. Tache* de boue. Une couche, une pellicule* (cit. 3) *de boue. Être souillé, éclaboussé de boue.* ⇒ **Crotté.** *Enlever, nettoyer la boue.* ⇒ **Décrotter, décrottoir, paillasson.**

D'un carrosse en tournant il accroche une roue,
Et du choc le renverse en un grand tas de boue (...) BOILEAU, Satires, VI.
Le comédien, couché dans son carrosse, jette de la boue au visage de Corneille, qui est à pied. LA BRUYÈRE, les Caractères, XII, 17. 2
Loin ! loin ! ici la boue est faite de nos pleurs !
BAUDELAIRE, les Fleurs du mal, « Spleen et idéal », LXII. 2.1
Ils sont là six matelots armés, en reconnaissance au milieu des fraîches rizières, dans un sentier de boue. LOTI, Pêcheur d'Islande, III, I, p. 135. 3
J'aime mieux marcher dans la boue qu'au milieu de l'indifférence, et mieux rentrer crotté que gros-jean comme devant ; comme si je n'existais pas pour les terrains que je foule... J'adore la retarde mon pas, lui sais gré des détours à quoi elle m'oblige. Francis PONGE, Pièces, « Ode inachevée à la boue », p. 60. 3.1

Fig. *Ne pas faire plus de cas de qqch. que de la boue de ses souliers :* ne pas s'en soucier, la mépriser.

Fam. *Un (petit) tas de boue :* une chose informe.

♦ **2.** (1539). Terre détrempée. ⇒ **Tourbe, vase.** *La boue fertilisante d'un cours d'eau.* ⇒ **Alluvion, limon.** *La boue du Nil. La boue d'une fondrière, d'un marécage, d'un marais, d'un étang. Boue retirée d'un fossé.* ⇒ **Curure.** *Débarrasser un canal de la boue* (⇒ **Draguer ; curer**). *Hutte de boue et de paille.* ⇒ **Mortier** (de terre), **pisé.** *Animal, sanglier, buffle qui se vautre dans la boue. La boue d'une bauge*.*

Loc. fig. Vx. *Une maison faite de boue et de crachat,* peu solide.

C'est bâtir sur la boue que d'appuyer les fondements de sa fortune sur l'affection passagère d'une vile populace (...) 4
VERTOT, Hist. des révolutions de la république romaine, XIV, p. 303.

Boue minérale : limon imprégné d'éléments minéraux. — Méd. (1835). Mod. *Bains de boue.* — Vx. *Boues thermales. Prendre les boues,* des bains de boue. ⇒ **Illuter.** — Au plur. Géol. *Boues terri-*

gènes, pellagiques : vases argileuses qui se déposent au fond des mers.

Poét. *Ce tas, cet amas de boue,* le globe terrestre.

5 Car la terre n'est qu'une goutte de boue dans l'espace, et le soleil une bulle de gaz bientôt consumée.   FRANCE, le Mannequin d'osier, XI.

♦ **3.** Résidu dont la consistance rappelle celle de la boue. ⇒ **Boueux.** *Il ne reste que de la boue dans cet encrier.* — **Méd.** *Boue urinaire. La boue d'un abcès,* un pus épais.

Au plur. ⓐ Vx. Détritus, ordures. *Ramassage des boues* (⇒ **Boueur, éboueur**). *Boues et lanternes* : taxe qui était imposée pour l'enlèvement des ordures et l'éclairage des rues.

ⓑ Mod. (techn.) Amas de déchets des eaux polluées. *Boues industrielles* (de brassage du malt, d'épuration, de raffinage). *Boues radio-actives* : résidus des centrales atomiques. *Les « boues rouges » de la Méditerranée,* déchets de bioxyde de titane.

★ **II.** (Abstrait). Littér. ou vx. ♦ **1.** Par compar., métaphore ou fig. (avec l'idée de chose méprisable).

Par compar. *Traiter, mépriser* (qqn, qqch) *comme de la boue.*

6 Ils *(les traitants)* sont méprisés comme de la boue, pendant qu'ils sont pauvres ; quand ils sont riches, on les estime assez (...)
                                    MONTESQUIEU, Lettres persanes, p. 99.

Par métaph. ou fig. Chose ou personne qu'on méprise.

6.1 C'est de la boue ! dit-on des gens qu'on abomine, ou d'injures basses ou intéressées. Sans souci de la honte qu'on lui *(la boue)* inflige, du tort à jamais qu'on lui fait. Cette constante humiliation, qui la mériterait ? (...) De mon écrit, boue au sens propre, jaillis à la face de tes détracteurs.
                                    Francis PONGE, Pièces, « Ode inachevée à la boue », p. 61.

Relig. Substance du corps humain, assimilée au limon, à la terre originelle.

7 Tout s'étudie, tout s'empresse à leur persuader *(aux grands)* qu'ils sont pétris d'une autre boue que les autres hommes (...)
                                    MASSILLON, Carême, Prospérité temporelle.

8 Les « cœurs sur la main » n'ont pas d'histoire ; mais je connais celle des cœurs enfouis et tout mêlés à un corps de boue.
                                    F. MAURIAC, Thérèse Desqueyroux, p. 8.

8.1 Certain livre, qui a fait son temps, et qui a fait, en son temps, tout le bien et tout le mal qu'il pouvait faire (on l'a tenu longtemps par parole sacrée) prétend que l'homme a été fait de la boue. Mais c'est une évidente imposture, dommageable à la boue comme à l'homme.
                                    Francis PONGE, Pièces, « Ode inachevée à la boue », p. 63.

♦ **2.** Spécialt (dans quelques loc.). Littér. État misérable, extrême pauvreté. ⇒ **Misère.** *Tirer qqn de la boue.* ⇒ **Fange, ruisseau.**

♦ **3.** Bassesse* (de l'âme). ⇒ **Abjection, ordure.** *Une âme* (cit. 72) *de boue. Se vautrer dans la boue* (→ Bauge, cit. 3).

9 La Feuillade (...) un cœur corrompu à fond, une âme de boue (...)
                                    SAINT-SIMON, Mémoires, III, 196.

10 Aujourd'hui, ce qui salit le poète et le philosophe, ce n'est pas la pauvreté, c'est la vénalité, ce n'est pas la crotte, c'est la boue.
                                    HUGO, Littérature et Philosophie mêlées, p. 31.

♦ **4.** Loc. métaphorique. Cour. *Couvrir qqn de boue ; traîner qqn dans la boue,* l'accabler de propos infamants. ⇒ **Calomnier.** « *Couverts de boue, assiégés, les Trade Unions jettent maintenant tout leur poids dans la bataille électorale* » *(le Nouvel Obs.,* avr. 1979).

11 On avait commencé à la traîner dans la boue.
                                    FÉNELON, Télémaque, VIII.

11.1 En somme, tous ceux que vous avez abîmés sont devenus vos meilleurs amis, et c'est une honte que des littérateurs que vous avez traînés dans la boue vous tendent ensuite la main, comme s'ils voulaient s'essuyer.
                                    J. RENARD, Journal, 17 nov. 1896.

12 On n'est jamais si seul dans la vie, que la boue que certains nous jettent n'éclabousse à la fois quelques autres qui nous sont chers.   GIDE, Corydon, p. 23.

DÉR. Boueur, boueux. — V. **Bouillasse.**
COMP. Ébouer, embouer, garde-boue, pare-boue.
HOM. Bout, et formes du verbe **bouillir.**

BOUÉE [bwe] n. f. — 1394 ; p.-ê. du moy. néerl. *boeye* (cf. francique *baukan* « signe »), rac. germanique *bauk-* « signal ».

♦ **1.** Corps flottant qui signale l'emplacement d'un mouillage, d'un écueil, d'un obstacle ou qui délimite une passe, un chenal... ⇒ **Balise, flotteur.** *Bouée sonore, à cloche, à sifflet. Bouée lumineuse.* ⇒ **Photophore.** *Bouée à voyant*. Bouée de corps mort*. Bouée de brume* : flotteur filé par un bateau pour servir de repère au bateau suivant. *Bouée correspondance,* contenant un tube étanche. *S'amarrer à une bouée. Bouée d'amarre*, d'orin*. Bouée soutenant un câble.* ⇒ **Flotte.**

Par métaphore. → ci-dessous cit. 1.

1 Je venais d'écrire à Gilberte une lettre où je laissais tonner ma fureur, non sans pourtant jeter la bouée de quelques mots placés comme au hasard, et où mon amie pourrait accrocher une réconciliation.
                                    PROUST, À la recherche du temps perdu, t. III, p. 197.

2 Elle atteignit la porte de son appartement, comme un nageur épuisé atteint la bouée (...)   MONTHERLANT, les Jeunes Filles, p. 235.

3 Mais pour en finir avec ces images, je voyais également les lumières des bouées, il semblait y en avoir partout, des rouges et des vertes, même à mon étonnement des jaunes.   S. BECKETT, Nouvelles, p. 110-111.

♦ **2.** Équipement insubmersible permettant de se maintenir à la surface de l'eau. *Baigneur muni d'une bouée. Gonfler une bouée.*

Bouée d'enfant en forme de canard. Bouée-culotte, servant au sauvetage du personnel de navires échoués. — **Plus cour.** *Bouée de sauvetage* (absolt, *bouée*) : plateau ou anneau d'une matière insubmersible ; bouée spéciale pendue à l'arrière d'un navire. *Lancer une bouée à la mer, à qqn.*

♦ **3.** Fig. *Bouée de sauvetage, bouée* : secours de dernière minute. → Planche* de salut.

Dans cette attente à vau-l'eau, dans cette universelle débâcle, la voici ma bouée   4
de sauvetage, ma dernière certitude.
                                    Régis DEBRAY, l'Indésirable, p. 301 (1975).

(1878 *in* D.D.L.). Loc. (vx). *Bouer de salut,* de sauvetage. *Jeter une bouée de salut à qqn.*

♦ **4.** Techn. *Bouée-laboratoire* : submersible habitable, équipé d'appareils et d'instruments de mesure, utilisé pour la recherche océanographique. « *Les moyens lourds, c'est-à-dire les navires océanographiques et les bouées-laboratoires* » *(France-Soir,* 14 févr. 1966).

BOUETTE [bwɛt] n. f. ⇒ **Boëtte.**

BOUEUR [bwœʀ] ou **BOUEUX** [bwø] n. m. — 1563, *boueur ; boueux,* 1808 ; de *boue.*

♦ Employé chargé d'enlever les ordures ménagères et les boues des voies publiques. ⇒ **Éboueur.** — REM la forme *boueux,* d'origine dialectale (*-eux* pour *-eur*) est souvent considérée comme moins « correcte » ; les puristes préfèrent *éboueur,* mieux formé.

1 (...) une armée de balayeurs s'avançait une ligne à coups réguliers de balai ;   1
tandis que des boueux jetaient les ordures à la fourche dans des tombereaux (...)
                                    ZOLA, le Ventre de Paris, t. I, p. 54 (1875).

2 Revoir madame Calvet, écrémant les ordures, avant le passage des boueurs.   2
Madame Calvet. Elle doit y être encore. Avec son chien et son landau squelettique.
                                    S. BECKETT, Textes pour rien, p. 124.

HOM. (De *boueux*) **Boueux** (adj.).

BOUEUX, EUSE [bwø, øz] adj. — 1176 ; de *boue.*

♦ **1.** Couvert, rempli ou mêlé de boue* (au sens 1. ou 2). ⇒ **Bourbeux, fangeux.** *Chemin boueux ; route boueuse. Les flots boueux du Gange. Patauger dans une neige boueuse.*

1 Ce funeste lac dont les eaux nous sont représentées si noires et si boueuses (...)   1
                                    GUEZ DE BALZAC, le Prince, Avant-propos, *in* LITTRÉ.

2 Quant au Chéliff (...) Il s'est creusé dans la marne molle un lit boueux qui res   2
semble à une tranchée (...)   E. FROMENTIN, Un été dans le Sahara, I, 40.

Source boueuse : source dont l'eau contient des boues minérales.

♦ **2.** Couvert de boue (personnes ; choses). *Des chaussures boueuses. Il était boueux, trempé.* ⇒ **Crotté.**

♦ **3.** ⓐ Qui a la consistance, l'aspect de la boue. *Couleur boueuse* : brun jaunâtre.

ⓑ (1762). Typogr. *Impression boueuse,* dont l'encre bave. *Estampe boueuse.* — Dont les couleurs sont confuses, brunes. *Un tableau boueux.*

♦ **4.** Qui contient un dépôt. *Encrier boueux. Café, vin boueux.*

♦ **5.** (Abstrait). Par métaphore ou fig. Grossier, sale. *Un flot boueux d'injures, d'ordures.* « *Le romantisme boueux de Zola* » (R. Rolland *in* T.L.F.).

HOM. Boueux, n. m. (V. **Boueur**).

BOUFFABLE [bufabl] adj. — 1915 ; de 2. *bouffer.*

♦ Fam. Mangeable (surtout en emploi négatif). *C'est pas bouffable, ce truc !*

BOUFFAGE [bufaʒ] n. m. — 1891 ; de 2. *bouffer.*

♦ Fam. *Bouffage de nez* : action de se « bouffer le nez », de se disputer. ⇒ **Dispute, querelle.**

Tandis qu'avec les autres, c'est tout l'temps des beignes, des bouffages de nez, des gosses, et pas d'considération !   GYP, *in* le Charivari, 8 sept. 1891.

BOUFFANT, ANTE [bufã, ãt] adj. et n. — XVᵉ ; p. prés. de 1. *bouffer.*

★ **I.** Adj. ♦ **1.** Qui bouffe. ⇒ **Froncé, gonflé.** *Un pantalon arabe bouffant. Des plis bouffants.* ⇒ **Bouillon** (jupe à bouillons). *Manches bouffantes.* ⇒ **Ballon ;** → Pourpoint, cit. 2. *Avoir des cheveux bouffants.*

1 Ces deux têtes charmantes, renfermées sous ce jupon bouffant, me rappelèrent les   1
enfants de Léda (...)   BERNARDIN DE SAINT-PIERRE, Paul et Virginie.

2 La jeune femme porte une robe du soir en mousseline blanche, à longue jupe très   2
bouffante et au corsage largement décolleté (...)
                                    A. ROBBE-GRILLET, la Maison de rendez-vous, p. 30.

Papier bouffant : papier non calandré, d'aspect grenu (voir II., n.).

♦ **2.** Vx ou régional. Bouffi. *Un visage « bouffant de colère »* (Daudet).

★ **II.** N. ♦ **1.** N. m. (1836, Landais). *Le bouffant d'une manche, d'une robe. Se coiffer avec un bouffant sur le front,* en faisant bouffer les cheveux sur le front. *Donner du bouffant à ses cheveux,* du volume.
Papier bouffant. *Un bouffant. Livre imprimé sur bouffant.*

♦ **2.** N. f. Vx. *Une bouffante :* petit panier* qui servait à faire bouffer les jupes.
Vx. Guimpe gaufrée qui se portait comme un fichu.

CONTR. **Aplati, collant, étriqué, plat.**

BOUFFARDE [bufaʀd] n. f. — 1821, Ansiaume ; du rad. de *bouffée.*

♦ Grosse pipe à tuyau court. ⇒ **Brûle-gueule.** — Par ext. Pipe. *Un fumeur de bouffarde. Tirer sur sa bouffarde.*

1 (...) Il *(le Scaramouche)* recule en recevant une bouffée de fumée dans la figure (...) Flambeau, s'excusant et montrant sa pipe.
— Ma bouffarde.
(On rit).   Edmond ROSTAND, l'Aiglon, IV, 11.
2 Des Cigales éloigna de quelques millimètres sa bouffarde de la bouche et après avoir lâché un jet de fumée (...)   R. QUENEAU, Loin de Rueil, p. 16.

DÉR. **Bouffarder.**

BOUFFARDER [bufaʀde] v. intr. — 1821, Ansiaume ; de *bouffarde.*

♦ Fam. et vx. Fumer la pipe. — REM. Le déverbal *bouffard* [bufaʀ] n. m. « fumeur de pipe », est attesté en 1866.

1. BOUFFE [buf] adj. et n. m. — 1791, adj., *scène-buffe ;* 1807 *opéra-bouffe ;* ital. *buffo* « plaisant » (d'où *opera buffa*), de *buffone.* → Bouffon.

♦ **1.** Adj. Qui appartient au genre lyrique léger. *Un opéra* bouffe. *Les opéras bouffes d'Offenbach.* ⇒ **Opérette.** — Vieilli. *Une pièce, une scène, un rôle de la musique bouffe.* — Par ext. *Un acteur, un chanteur bouffe.* ⇒ **Bouffon, burlesque, comique.**

1 À l'air qui jase d'un ton bouffe
Et secoue au vent ses grelots
Un regret, ramier qui s'étouffe,
Par instants mêle ses sanglots.
                    Th. GAUTIER, Émaux et Camées, « Clair de lune sentimental ».
1.1 La gaieté même que la musique bouffe sait si bien exciter n'est point une gaieté vulgaire qui ne dit rien à l'imagination (...)
                                      E. DELACROIX, Journal 1823-1850, t. I, p. 8.
2 Le burlesque était tantôt un jeu de l'imagination bouffe, tantôt un goût de reproduire avec exactitude les choses triviales.   Émile FAGUET, XVIIᵉ s., p. 273.
3 (...) la centième du *Roi Mignon,* opérette bouffe, en trois actes, à laquelle il avait collaboré anonymement.   COURTELINE, Messieurs les ronds-de-cuir, III, 3.

♦ **2.** (1804). N. m. Acteur et chanteur comique, dans un opéra. Par ext. *Les Bouffes :* à l'origine, théâtre italien. *Les Bouffes parisiens.*

CONTR. **Sérieux.**

2. BOUFFE [buf] n. f. — Av. 1926 ; *bouffe,* 1611 « gonflement des joues » et fin XVIIᵉ, Mᵐᵉ de Sévigné « orgueil, morgue » vient de l'anc. sens de 1. *bouffer ;* déverbal de 2. *bouffer.*

♦ **1.** Fam. Le fait de bouffer, de manger. — *La bouffe. Il ne pense qu'à la bouffe.* ⇒ **Bâfre** (vieilli). *C'est l'heure de la bouffe. La baise et la bouffe. « Une parole tonitruante sur les deux mamelles du bonheur dans notre société, le coït et la bouffe »* (le Nouvel Obs., 6 août 1973). *Une, des bouffes. Organiser une grande bouffe.* ⇒ **Repas ; festin ; boustifaille, gueuleton, ripaille.** *La Grande Bouffe,* film de Marco Ferreri. *À la bouffe ! :* venez manger !

1 En attendant la bouffe, on ne dit rien. Le type fume paisiblement.
                                R. QUENEAU, Zazie dans le métro, Folio, p. 50 (1959).

♦ **2.** Fam. Aliment qu'on sert aux repas. *Préparer la bouffe.* ⇒ **Repas ;** et aussi 2. **bouffer** (5., subst.). *Il aime la bonne bouffe.* ⇒ **Cuisine ; bouffetance.**

2 (...) vous serez malades à crever, avec vos estomacs rétrécis de mendigots qui peuvent plus supporter la bouffe des honnêtes gens.
                                R. QUENEAU, le Dimanche de la vie, p. 178.

Aliments. ⇒ **Nourriture ; becquetance, bouffetance, boustifaille, briffe.** *Acheter la bouffe. Il reste de la bouffe ?*

3 Donne-moi ça ! dit Vincent en s'emparant du grand sac de marin qu'Henri hâlait derrière lui : C'est un cadavre ?
— Cinquante kilos de bouffe ! dit Henri. Nadine ravitaille sa famille (...)
                                S. DE BEAUVOIR, les Mandarins, p. 96.

BOUFFÉ, ÉE [bufe] adj. (Vx). ⇒ 1. **Bouffer** (A., 1., REM. et cit. 1).

BOUFFÉE [bufe] n. f. — Mil. XIIIᵉ, au sens 2 ; 1174, *buffee* « bourrasque », fig. ; de 1. *bouffer.*

♦ **1.** (1704). Souffle qui sort par intermittence de la bouche. ⇒ **Haleine ; exhalaison, halenée** (vx). *Des bouffées de vin, d'ail. Bouffées de tabac. Souffler une bouffée de fumée au nez de quelqu'un.* ⇒ **Camouflet.** — Absolt. Bouffée de fumée. *Tirer des bouffées de sa pipe* (⇒ **Bouffarde**).

1   Il m'envoyait des bouffées de tabac à m'étouffer.
                              Antoine HAMILTON, Mém. du comte de Grammont, 3.
1.1 Et quand un ami venait la voir, elle parlait sans cesse de l'amour, de l'Opéra-Comique, de la Hollande et du chant, doucement, à intervalles réguliers, comme on exhale par bouffées la fumée de la cigarette qui sans cela nous étoufferait.
                              PROUST, Jean Santeuil, Pl., p. 780.
1.2 Tout Orgueil fume-t-il du soir,
Torche dans un branle étouffée
Sans que l'immortelle bouffée
Ne puisse à l'abandon surseoir !
                              MALLARMÉ, Autres poèmes et sonnets, I, Pl., p. 73.

♦ **2.** (Mil. XIIIᵉ). Souffle d'air, vapeur, courant qui arrive par intermittence. ⇒ **Émanation.** *Une bouffée d'air, de froid, de parfum.* Mar. *Bouffée de vent :* souffle de vent.

2   D'abord, ce ne furent que des souffles passagers *(de sirocco),* tantôt chauds, tantôt presque frais (...) Peu à peu, il y eut moins d'intervalle entre les bouffées (...)
                              E. FROMENTIN, Un été dans le Sahara, I, p. 85.
3   Des bouffées de vent chaud leur soufflaient au visage l'haleine des jardins qu'ils longeaient, un fumet de terreau mouillé, une odeur sourde de fleurs au soleil (...)
                              MARTIN DU GARD, les Thibault, t. II, p. 215.

Par bouffées : de manière intermittente. *Le vent souffle par bouffées.*
Bouffée de chaleur : sensation brusque de chaleur à la face.

♦ **3.** (1696). Fig. *Bouffée de... :* manifestation, mouvement subit, passager. ⇒ **Accès, crise, explosion, poussée.** *Des bouffées d'orgueil, de dévotion. Bouffée de colère, de gaîté. Une bouffée de fièvre. Par bouffées :* de manière intermittente (→ ci-dessous cit. 4 et 7). ⇒ **Intervalle** (par).

4   (...) brise parfumée que nous envoie par bouffées de plus en plus rares un passé de plus en plus lointain ?   H. BERGSON, le Rire, II, 1.
5   (...) leur passé remonte à leur mémoire *(les maréchaux du sacre de Napoléon)* au milieu de bouffées d'orgueil — après tout légitime.
                              Louis MADELIN, Hist. du Consulat et de l'Empire, t. V, xv, p. 204.
6   Ses oreilles allumées par une dernière bouffée de colère (...)
                              G. DUHAMEL, Chronique des Pasquier, II, I.
7   La poésie de cette nuit me saisit douloureusement parce que je ne l'éprouve que par brèves bouffées.   Claude MAURIAC, le Temps immobile, p. 124.

Psychiatrie. *Bouffée délirante :* état psychopathique aigu ou subaigu d'apparition brusque, de cycle évolutif court, se résolvant favorablement mais susceptible de récidives, et présentant comme symptôme dominant un délire plus ou moins bien systématisé. *Bouffée délirante déterminée par une intoxication, un état infectieux. Bouffée (délirante) réactionnelle*.

♦ **4.** Techn. (phys. nucl.). *Bouffée de neutrons.* ⇒ **Salve** (de neutrons).

HOM. 1. et 2. **Bouffer.**
DÉR. **Bouffarde.**

1. BOUFFER [bufe] v. — 1160 ; d'une rac. onomatopéique **buff-* (cf. ital. *buffare.* → Bouffon) désignant ce qui est gonflé. → Bouffir.

A. V. intr. ♦ **1.** Vx. Gonfler* ses joues (en signe de mécontentement). Par ext. Manifester de la colère. *Bouffer contre qqn.* — REM. On trouve aussi dans l'anc. langue un emploi passif du participe passé *bouffé,* signifiant « bouffi » (de colère, d'orgueil). ⇒ 1. **Bouffi.**

1   Mᵐᵉ de Soubise avait l'air tout bouffé (...)   SAINT-SIMON, Mémoires, VII, 102.

Vx. Gonfler (II.).

2   Nicole, à qui le gosier bouffe
Dit : *Varse* (verse) *à boire, car j'étouffe...*   VADE, la Pipe cassée, IV, Œ., t. III.

♦ **2.** Mod. Se maintenir gonflé (en parlant d'une matière légère, non rigide). *Une jupe, des cheveux qui bouffent. Faire bouffer une étoffe, un jupon.*

3   Il *(le duc de Bourgogne)* avait des cheveux châtains si crépus et en telle quantité qu'ils bouffaient à l'excès (...)   SAINT-SIMON, Mémoires, 822, 211, *in* LITTRÉ.
4   Leurs longues jupes, bouffant autour d'elles, semblaient des flots d'où leur taille émergeait (...)   FLAUBERT, l'Éducation sentimentale, II, 2.
5   Admirez. Cette merveille ! Et, s'il vous plaît — tout laine — ce grain, cette qualité ! (Il fit adroitement bouffer et bouillonner l'étoffe entre ses doigts). Hein ?
                              Francis CARCO, les Belles Manières, p. 69.

Techn. (boulang.). *La pâte bouffe,* elle gonfle (au four).
Maçonn. *Le plâtre bouffe. Le mur bouffe.* ⇒ **Bomber.**

♦ **3.** Mar., régional et vx. Souffler*, en parlant du vent. ⇒ **Venter.** *Ça bouffe dur.*

B. V. tr. Techn. (boucherie). Souffler la peau d'une bête tuée avant d'écorcher. *Bouffer un veau* (⇒ **Bouffoir**).

CONTR. Creuser (les joues). — **Aplatir** (s'), **coller, tomber.**
DÉR. **Bouffant, bouffée,** 2. **bouffer, bouffette, bouffoir.**

2. BOUFFER [bufe] v. tr. — Mil. XIXᵉ ; 1535, Marot, « gonfler ses joues par excès d'aliments » ; de 1. *bouffer* par le moy. franç. *bouffard* « gros mangeur » et *bouffeur,* même sens.

♦ 1. Manger gloutonnement. ⇒ **Bâfrer, boustifailler, empiffrer** (s'). *Il a bouffé un kilo de viande en dix minutes.* — Plus souvent, en emploi absolu : *Il ne mange pas, il bouffe. Il bouffe comme un ogre, un loup.*

1 Le langage populaire confond *bouffer* avec *bâfrer* : il bouffe bien, sans doute à cause de la rondeur des joues, quand la bouche est remplie. Mais ce n'en est pas moins une locution rejetée par le bon usage. LITTRÉ, *Dict.*, art. *Bouffer.*

♦ 2. Manger. ⇒ **Becqueter, béquiller** (argot), **boulotter, briffer.** *On va bouffer un petit steak frites. J'ai jamais bouffé de caviar. Il a tout bouffé. Il n'y a (y a) plus rien à bouffer.* — *Bouffer au restaurant. Viens bouffer chez moi. Je t'invite à bouffer.* ⇒ **Déjeuner, dîner.**

2 — T'as bouffé ? s'informa-t-elle (...)
— Non, dit-il doucement. J'ai pas d'pèze (...)
Francis CARCO, *Jésus-la-Caille*, III, 4, p. 175.

3 Avec ça que je n'ai pas pris seulement le temps de bouffer.
BERNANOS, *Un mauvais rêve*, in Œ. roman., Pl., p. 947.

4 (...) c'est toujours ceux qui travaillent le plus qui bouffent le moins et tout le monde continue à trouver ça très bien. S. DE BEAUVOIR, *les Mandarins*, p. 19.

Loc. *Bouffer des briques** : avoir très peu à manger ; n'avoir rien à manger. — *Bouffer les pissenlits* par la racine* : être mort. — *Bouffer de la vache* enragée. — Bouffer de la tête de cochon* : recevoir un coup dans l'estomac. — *Il a bouffé du lion*.

(Au passif). *Être bouffé aux vers, aux mites,* rongé par les insectes (vêtements, etc.) et fig., usé, vieux. — (Sans compl. ; choses). Très usé. → **Foutu, pourri.**

5 *Roland abandonne son ouvrage et se lève pour examiner le robinet :*
— Le joint est complètement bouffé... Ça peut nous lâcher à n'importe quel moment (...)
J. BECKER et J. GIOVANNI, *le Trou* (scénario) 1960 in l'Avant-Scène, nº 13, p. 31, 1962.

Loc. fig. *Bouffer du fric, du pognon* : dépenser sans compter. ⇒ **Claquer.** — *Bouffer du curé, du juif* : être très hostile au clergé, aux Israélites. *Avoir envie de bouffer qqn,* être furieux contre lui, vouloir l'anéantir. *Je l'aurais bouffé ! — Bouffer le nez, le blair, les foies à qqn,* lui donner des coups. ⇒ **Battre.**

Pron. (Récipr.). *Se bouffer le nez* : se disputer, se battre*.

6 Si on veut se bouffer le nez, c'est jamais les raisons qui manquent, mais si on a plaisir à faire plaisir, on s'aperçoit qu'il y a de braves gens partout.
Pierre HAMP, *le Peine des hommes* (Moteurs), p. 59.

Vouloir tout bouffer : être d'une ambition extrême ; avoir des désirs immodérés.

♦ 3. Fig. (Sujet n. de chose ou de personne). Absorber totalement ; accaparer. ⇒ **Boulotter, dévorer.** *Son travail le bouffe complètement. Se laisser bouffer par l'argent, l'alcool, le jeu, la politique. Il se laisse bouffer par ses enfants.* — *Le petit commerce ne se laissera pas bouffer par les grandes surfaces.*

♦ 4. Fam. Consommer (machine). *Une voiture qui bouffe dix litres au cent* (kilomètres). *La machine bouffe trop d'huile.*
Bouffer du kilomètre, des kilomètres : rouler beaucoup en voiture.

7 Tout à l'heure pensait-il, on causera d'homme à homme, mais avant ça, t'auras bouffé du kilomètre. Je m'appelle plus mon nom si je te tiens pas dans les brancards jusqu'à la fin. M. AYMÉ, *le Vin de Paris*, « Traversée de Paris » p. 44.

♦ 5. Subst. Rare. *Le bouffer :* la bouffe*.

8 La femme avait préparé le bouffer (...). L'enfant somnolait sous la lampe attendant le bouffer. R. QUENEAU, *le Chiendent*, p. 10 (1932).

CONTR. Jeûner. — Accorder (s'), entendre (s').
DÉR. Bouffable, bouffage, 2. bouffe, bouffetance, bouffeur.
HOM. Bouffée.

BOUFFETANCE [buftɑ̃s] n. .f — V. 1930, *in* Cellard et Rey ; de 2. *bouffer,* suff. *ance,* sous l'infl. de *bectance.*

♦ Fam. Nourriture. ⇒ 2. **Bouffe.** *Préparer la bouffetance.*

REM. *Bouffetance* a les mêmes emplois que *becquetance,* mais non tous ceux de *bouffe,* plus courant depuis 1960 environ.

L'animal affamé, ça soulève les consciences les mieux accrochées. Ça donne à parler et à réfléchir. C'est drôle ! C'est à qui se débrouillera le plus diligemment pour rapporter la bouffetance à la bête chavirante.
Louis CALAFERTE, *Partage des vivants*, p. 184.

BOUFFETTE [bufɛt] n. f. — 1409 ; de 1. *bouffer.*

♦ Anciennt. Petit nœud bouffant de ruban, employé comme ornement dans l'habillement, les tentures, le harnachement des chevaux, etc. ⇒ **Nœud ; chou, coque.**

1 Sa coiffe de nuit ornée de deux grosses bouffettes de rubans (...)
ROUSSEAU, *les Confessions*, IV.

Par anal. Houpette.

2 Le chien avait le droit d'être surpris, puisqu'il ne savait pas l'histoire naturelle. Mais, par leurs aboiements, ces renards, gris roussâtres de pelage, à queues noires que terminait une bouffette blanche, avaient décelé leur origine.
J. VERNE, *l'Île mystérieuse*, t. I, p. 271 (1874).

BOUFFEUR, EUSE [bufœʀ, øz] n. — Avant 1550, rare jusqu'au XIXᵉ ; de 2. *bouffer.*

♦ 1. Fam. et rare. Personne qui bouffe. ⇒ **Mangeur ; bâfreur, glouton, goinfre.** *C'est un bouffeur de pain,* un gros mangeur de pain.

♦ 2. *Bouffeur de curé(s)* : anticlérical. — Argot. *Bouffeur de macchabées* : employé des pompes funèbres. ⇒ **Croque-mort.**

♦ 3. (1934). Rare. *Un bouffeur de kilomètres* : une personne qui roule beaucoup en voiture.

1. BOUFFI, IE [bufi] adj. — Après 1150, *boffi,* var. de *bouffé* (vx) ; de *bouffir.* → 1. Bouffer.

♦ 1. Gonflé, enflé de manière disgracieuse. ⇒ **Boudiné, boursouflé, gonflé, gras, gros, joufflu, mafflu, soufflé, vultueux** (littér.). *Chair bouffie. Visage bouffi. Des yeux bouffis,* dont les paupières sont bouffies. — (Personnes). *Je le trouve un peu bouffi en ce moment. Bouffi de graisse.*

1 M. Thibaut secoua les épaules, et tourna vers l'abbé son visage bouffi, dont les lourdes paupières ne se soulevaient presque jamais (...)
MARTIN DU GARD, *les Thibault*, t. I, p. 12.

♦ 2. (1572, Ronsard). Fig. *Bouffi de (qqch.).* ⇒ **Gonflé, plein, rempli.** *Bouffi de vanité, de suffisance. Bouffi de rage, de colère.*

2 Je ne suis qu'un néant bouffi de vanité.
CORNEILLE, *l'Imitation de J.-C.*, III, 4109.

3 La noblesse, qui menait le roi *(Charles VI),* revenait bouffie de sa victoire de Roosebeke. MICHELET, *Extraits historiques*, p. 120.

♦ 3. Art., littér. Se dit d'un style redondant. ⇒ **Ampoulé ; emphatique, grandiloquent ; creux, vide.** *Style bouffi.*

4 (...) style à la fois plat et bouffi, lourd et traînant en longues queues de phrases interminables (...) HUGO, *Littérature et Philosophie mêlées*, p. 112.

♦ 4. N. *Un gros bouffi.* — Loc. fig. (En appellatif). *Tu l'as dit, bouffi !* : tu as raison. — Au fém. T. d'affection. Régional. *Ma petite bouffie.*

CONTR. Creux, maigre. — Simple.

2. BOUFFI [bufi] n. m. — XIXᵉ ; de *hareng bouffi* (1549), « gonflé par la saumure ».

♦ Cour. Hareng saur légèrement fumé (on dit aussi *hareng bouffi*).

BOUFFIR [bufiʀ] v. — V. 1265, var. de 1. *bouffer.*

♦ 1. V. tr. Produire l'enflure morbide, disgracieuse de... ⇒ **Boursoufler, enfler, gonfler.** *L'hydropisie lui a bouffi le ventre.*

(XVIᵉ). Pêche. Faire gonfler et fumer (des harengs salés) à la chaleur (⇒ 2. **Bouffi, bouffissage**).

♦ 2. V. intr. Prendre du volume ; présenter des bouffissures. *Son visage, son corps bouffit de plus en plus.*

▶ SE BOUFFIR v. pron.

Devenir bouffi. Fig. Devenir suffisant, gonfler d'orgueil.

CONTR. Amaigrir, creuser, dégonfler, désenfler, émacier, maigrir.
DÉR. 1. et 2. Bouffi, bouffissage, bouffisseur, bouffissure.

BOUFFISSAGE [bufisaʒ] n. m. — 1873 ; de *bouffir.*

♦ Techn. et régional. Préparation des harengs dits bouffis.

BOUFFISSEUR [bufisœʀ] n. m. — 1877 ; de *bouffir.*

♦ Techn. et régional. Ouvrier conserveur qui prépare les harengs bouffis. — REM. Le fém. *bouffisseuse* est virtuel.

BOUFFISSURE [bufisyʀ] n. f. — 1582 ; de *bouffir.*

♦ 1. Enflure morbide ou disgracieuse des chairs. ⇒ **Boursouflure, cloque, empâtement, gonflement.** *La bouffissure d'un visage. Des bouffissures sous les yeux.* ⇒ **Poche.** — Spécialt (méd.). Intumescence* produite par des infiltrations séreuses dans le tissu cellulaire.

1 (...) comme il commençait d'engraisser, ses yeux, déjà petits, semblaient remonter vers les tempes par la bouffissure de ses pommettes. FLAUBERT, *Mme Bovary*, I, IX.

1.1 Elle n'était pas laide, elle aurait même été assez jolie sans la bouffissure de ses yeux gris brillants de larmes, et la torsion de ses lèvres encore gonflées de sanglots. A. BILLY, *Sur les bords de la Veule*, p. 214.

♦ 2. (1690, Furetière). Fig. Caractère de ce qui est bouffi. *La bouffissure du style.* ⇒ **Boursouflure, emphase, grandiloquence.**
Vx. Vanité extrême.

2 La bouffissure *(du cardinal de Bouillon)* est si générale, qu'il se loue d'avoir exercé cette charge très fidèlement (...) SAINT-SIMON, *Mémoires*, 279, 29, *in* LITTRÉ.

Une, des bouffissure(s) : effet de style pompeux et creux.

3   Je préfère à ces vaines bouffissures le simple squelette de la pensée (...)
                                              BERNARDIN DE SAINT-PIERRE, Mort de Socrate, in LITTRÉ.
     CONTR. Amaigrissement, creusement, décharnement. — Pauvreté, simplicité.

BOUFFOIR [bufwaʀ] n. m. — 1701, Furetière ; de 1. *bouffer.*

♦ Techn. Instrument avec lequel le boucher bouffe (⇒ 1. **Bouffer,** B.) une bête.

BOUFFON, ONNE [bufɔ̃, ɔn] n. et adj. — 1530, *buffon ;* adj. 1680 ; ital. *buffone,* de *buffa* « plaisanterie » (→ 1. Bouffe), du rad. onomatopéique *buff-* « gonflement des joues ». → 1. Bouffer.

★ **I.** Anciennt. ♦ **1.** Vieilli ou littér. Personnage de théâtre dont le rôle est de faire rire. ⇒ **Comique ; arlequin, baladin, bateleur, bobèche** (vx), **1. bouffe, clown, gracioso, histrion, matassin, paillasse, pasquin, pitre, plaisantin, queue-rouge, trivelin, zanni.** — REM. Plusieurs de ces mots sont archaïques. *Les plaisanteries*, *les boniments, les lazzi d'un bouffon.* ⇒ **Bouffonnerie.**

1   Voilà un bel honneur pour un empereur romain que de monter sur le théâtre comme un bouffon (...)   FÉNELON, Dialogues des morts anciens, 46.

2   Bobèche, adieu ! bonsoir, Paillasse ! arrière, Gille !
     Place, bouffons vieillis, au parfait plaisantin (...)
     (...) le clown agile
     Plus souple qu'Arlequin (...)   VERLAINE, Jadis et Naguère, « Le clown ».

     Adj. *Un personnage, un rôle bouffon.*

3   On n'avait jamais vu jusque-là que la comédie fit rire sans personnages ridicules, tels que les valets bouffons, les parasites, les capitans, les docteurs, etc.
                                              CORNEILLE, Examen de Mélite.

     Spécialt, vx. *L'opéra-bouffon.* ⇒ **Bouffe.**

4   Ils voulurent enfin tout voir et tout connaître,
     Les boulevards, la foire et l'opéra-bouffon (...)   VOLTAIRE, les Trois Empereurs.

♦ **2.** Cour. Personnage qui était chargé de divertir un grand par ses plaisanteries. ⇒ **Fou.** *Les impertinences d'un bouffon. La marotte*, le bonnet, le capuchon, les grelots d'un bouffon. Triboulet, Chicot, l'Angély furent des bouffons célèbres. Bouffon de cour. Le bouffon du roi.*

5   Quel métier délicieux que celui de bouffon (...) J'arrive, et me voilà reçu, choyé, enregistré, et ce qu'il y a de mieux encore, oublié. Je vais et viens dans ce palais comme si je l'avais habité toute ma vie (...) je puis faire toutes les baliverines possibles sans qu'on me dise rien pour m'en empêcher ; je suis un des animaux domestiques du roi de Bavière, et si je veux, tant que je garderai ma bosse et ma perruque, on me laissera vivre jusqu'à ma mort entre un épagneul et une pintade.
                                              A. DE MUSSET, Fantasio, II, 3.

6   (...) aie soin de prendre ta perruque et ton habit bariolé : ne parais jamais devant moi sans cette taille contrefaite et ces grelots d'argent, car c'est ainsi que tu m'as plu : tu redeviendras mon bouffon pour le temps qu'il te plaira de l'être (...)
                                              A. DE MUSSET, Fantasio, II, 7.

★ **II.** Mod. ♦ **1.** Littér. Celui qui amuse, fait rire par ses facéties*. ⇒ **Clown** (fig.), **fagotin** (vx), **farceur, loustic, plaisantin.**

7   (...) Rabelais, quand il est bon, est le premier des bons bouffons (...)
                                              VOLTAIRE, Lettre à Mᵐᵉ du Deffand, 12 avr. 1760.

7.1 Mesdames et messieurs, l'éclairage est oblique. Si quelqu'un fait des gestes derrière moi qu'on m'avertisse. Je ne suis pas un bouffon.
                                              Francis PONGE, le Parti-pris des choses, p. 25.

     Péj. *Être le bouffon de qqn*, être pour lui un objet continuel de moquerie (cf. Tête de turc).

♦ **2.** Plus cour. (mais style soutenu). Adj. Qui marque une fantaisie peu délicate. ⇒ **Burlesque, cocasse, drôle, folâtre, grotesque, scurrile** (vx). *Un esprit bouffon. Une saillie bouffonne.* ⇒ **Lazzi, pasquinade.** *Un comique bouffon. Sa prétention est assez, est tout-à-fait bouffonne. Par ext. Qui prête au gros rire.* ⇒ **Comique, ridicule.** *Une pièce bouffonne.* ⇒ **Bouffonnade, bouffonnerie.**

8   De toutes les choses sérieuses, le mariage étant la plus bouffonne (...)
                                              BEAUMARCHAIS, le Mariage de Figaro, I, 9.

9   Déjà fort intéressé — comme je le suis toujours — par les comédies et les drames de l'humaine aventure, tour à tour si bouffonne et pathétique, je préférais une fructueuse rôderie dans les chambres civiles ou criminelles du tribunal, aux audiences plus austères de la Cour d'appel (...)
                                              Georges LECOMTE, Ma traversée, p. 287.

     N. m. Le genre bouffon. ⇒ **Grotesque.**

10   *(Il n'eût point)* Quitté, pour le bouffon, l'agréable et le fin (...)
                                              BOILEAU, l'Art poétique, 3.

11   (...) tout beau se compose du tragique et du bouffon, cette dernière partie manque dans ta lettre.
     FLAUBERT, Lettre à E. Chevalier, 20 janv. 1840, in Correspondance, Pl., t. I, p. 59.

     CONTR. Tragique. — Censeur, pleurard, puritain, rabat-joie. — Austère, grave, sérieux. — Délicat, fin, raffiné.

     DÉR. Bouffonnade, bouffonnement, bouffonner, bouffonnerie.

BOUFFONNADE [bufɔnad] n. f. — 1863, Gautier ; de *bouffon,* d'après ital. *buffonata.*

♦ Théâtre (vx). Pièce d'un comique grossier. ⇒ **Bouffonnerie, farce.**

BOUFFONNANT, ANTE [bufɔnɑ̃, ɑ̃t] adj. — xxᵉ ; p. prés. au xıxᵉ ; de *bouffonner.*

♦ Littér. Qui semble bouffonner*, faire ou dire des plaisanteries.

(...) la voix pathétique et bouffonnante de Blum disant : « Mais qu'en sais-tu ? Tu ne sais rien. Tu ne sais même pas si ce fusil était chargé. Tu ne sais même pas si ce coup de pistolet n'est pas parti par hasard (...)
                                              Claude SIMON, la Route des Flandres, p. 240 (1960).

BOUFFONNEMENT [bufɔnmɑ̃] adv. — 1837, Gautier in D.D.L. ; de *bouffon* II.

♦ Rare. D'un manière bouffonne. ⇒ **Grotesquement.**

Il tenait dans la main droite un gros gourdin de rabatteur. Il pressa le pas dès qu'il reconnut des uniformes et, quand il distingua les galons du commandant, il salua, respectueux, tentant bouffonnement de remettre de l'ordre dans sa tenue.
                                              Armand LANOUX, le Commandant Watrin, p. 69-70.

BOUFFONNER [bufɔne] v. — 1549, Rabelais ; de *bouffon* (cf. ital. *buffonare*).

♦ **1.** V. intr. (Littér.). Faire ou dire des bouffonneries*. ⇒ **Plaisanter.**
Les cénacles d'hommes souverains ne demandent pas mieux que de bouffonner. Ils se vengent ainsi de leur sérieux.   HUGO, l'Homme qui rit, II, VII, 3.

Par ext. Se montrer prétentieux, chercher à impressionner par ses propos, sa conduite. *Passer son temps à bouffonner. Bouffonner devant les filles. Bouffonner au volant de sa voiture.* ⇒ **Frimer** (familier).

♦ **2.** V. tr. (Rare). Se moquer de (qqn), plaisanter. — Se moquer de (qqch.). « *L'étrange bouffon qui bouffonnait si bien la mort* » (Baudelaire, *Poèmes en prose,* Pl., p. 133).

DÉR. Bouffonnant.

BOUFFONNERIE [bufɔnʀi] n. f. — 1539 au sens 2. ; de *bouffon.* Littéraire ou style soutenu.

♦ **1.** (1688, La Bruyère). Caractère de ce qui est bouffon. ⇒ **Cocasserie, drôlerie, grotesque** (n. m.). *La bouffonnerie d'une personne, d'un discours. Un clown d'une bouffonnerie irrésistible.* — *La bouffonnerie des premières farces de Molière, de la Commedia dell'arte.*

1   J'aime peu la comédie, qui tient toujours plus ou moins de la charge et de la bouffonnerie.   A. DE VIGNY, Journal d'un poète, p. 91.

♦ **2.** (1539). *Une, des bouffonneries.* Action ou parole destinée à faire rire par des procédés bouffons. ⇒ **Farce, joyeuseté** (vx) ; **blague, rigolade** (fam.). *Faire, dire des bouffonneries. Une bouffonnerie plaisante, grossière, inepte.*
     Spécialt. Œuvre d'un comique bouffon. ⇒ **Arlequinade, batelage** (vx), **comédie, farce.**

♦ **3.** Action, chose ridicule (faite sans intention).

2   On l'aimait *(Flaubert)* ... pour sa mélancolique vision des bouffonneries et ridicules de l'Humanité.   Georges LECOMTE, Ma traversée, III, p. 83.
     CONTR. Gravité, tragédie, tristesse.

BOUFRE [bufʀ] interj. — 1756, in D.D.L. ; altération dialectale et populaire de *bougre ;* cf. Jarry, *Ubu Roi,* III, 1.

♦ **1.** Vx. Juron atténué.

♦ **2.** Mod. (xxᵉ). Exclamation marquant l'étonnement admiratif devant quelque chose d'excessif. ⇒ **Diable !**
Boufre ! Quel cynisme !   J. DUTOURD, les Horreurs de l'amour, p. 671.
REM. Jarry forge et emploie le mot *bouffresque,* n. f., comme terme d'injure (*Ubu roi,* III, 2).

BOUGAINVILLÉE [bugɛ̃vile] n. f. — 1806 ; du nom du navigateur *Bougainville.*

♦ Plante dicotylédone *(Nyctaginacées),* arbrisseau sarmenteux grimpant à feuilles persistantes, à fleur entourée de trois bractées roses ou violettes. *Des massifs de bougainvillées.* — N. sc. : *bougainvillea* (→ Bractée, cit.). — Cette fleur.

(...) ces douces collines, où les bougainvilliers couvrent d'une chape violette les blancs crépis des hameaux.   DANIEL-ROPS, le Peuple de la Bible, II, II, p. 121.
REM. Pour désigner la plante (et non la fleur) on emploie aussi la var. *bougainvillier* [bugɛ̃vilje], n. m.

1. BOUGE [buʒ] n. m. — xvᵉ ; v. 1190, « coffre, sac » ; lat. *bulga* « bourse de cuir », probablt d'orig. gauloise. — Guiraud préfère les dér. présumés de *bulla,* *bullicus.*
Technique.

♦ **1.** Partie renflée ou incurvée (d'un objet). ⇒ **Bombement, convexité, renflement.** *Le bouge d'un couvercle de caisse. Bouge d'un mur. Bouge d'un moyeu de roue. Bouge de bouclier, de futaille, de tonneau. Bouge d'une assiette,* séparant le fond du bord.

Mar. Convexité latérale des baux et des ponts (d'un navire). ⇒ **Tonture.** — Longueur de la flèche de l'arc que font les baux et les ponts.

♦ **2.** *Bouge de ciseleur :* outil aminci et effilé. *Bouge d'orfèvre ; marteau à bouges,* à pannes arrondies.

DÉR. 2. Bouge, bougette.

2. BOUGE [buʒ] n. m. — 1732 ; v. 1200 «pièce servant de débarras» ; 1671 «petite chambre de valet» ; de 1. *bouge.*

♦ **1.** Littér. (ou style soutenu). Logement étroit, obscur, malpropre, misérable. ⇒ **Maison ; galetas, réduit.** *Habiter un bouge. Un bouge sordide, puant.*

1 Je suis content de mon bouge, et les dieux
    Dans mon taudis m'ont fait un sort tranquille (...)   VOLTAIRE, la Bastille.
2 Achmet déclare qu'il aime mieux périr de froid dehors que de dormir dans la malpropreté de ce bouge.   LOTI, Aziyadé, LXII, p. 171.

♦ **2.** Cour. Café, cabaret mal famé, mal fréquenté. ⇒ **Boui-boui.** *Les bouges des grands ports.*

Par métaphore :

3 Dans l'affreux bouge de mes veines
    coule un sang rouge de prostituée
    un sang pareil au vin qu'aiment les travailleurs.   Michel LEIRIS, Haut mal, p. 65.

DÉR. Bougerie.

BOUGÉ [buʒe] n. m. — Mil. xxᵉ ; du p. p. de *bouger*.

♦ Photogr. Caractère d'une photographie manquant de netteté, à cause d'un mouvement du photographe au moment de la prise de vue, ou d'une trop grande vitesse de déplacement de l'objet. *Éviter le bougé.*

Par métaphore :

Elle *(la science)* exige que deux lignes perçues comme deux lignes réelles soient égales ou inégales (...) sans voir que le propre du perçu est d'admettre le « bougé », de se laisser modeler par son contexte.
                        MERLEAU-PONTY, la Phénoménologie de la perception, p. 18.

HOM. Bougée, bouger.

BOUGEANT, ANTE [buʒɑ̃, ɑ̃t] adj. — Attesté xixᵉ ; de *bouger*.

♦ Rare. Qui bouge. ⇒ **Remuant.**

L'espace entre ses bras de bougeante clarté,
Ivre et fervent et sanglotant, m'a emporté,
Et j'ai passé je ne sais où, très loin, là-bas,
Avec des cris captifs que délivraient mes pas.
            VERHAEREN, les Heures d'après-midi, « Les forces tumultueuses ».

BOUGÉE [buʒe] n. f. — xxᵉ ; de *bouger*.

♦ Rare. Fait de bouger. ⇒ **Bougement.**

Il la suit dans la boutique, laissant entrebâillée la porte dont la moindre bougée ébranlait presque grotesquement un carillon.
                        M. YOURCENAR, Archives du Nord, p. 365.

HOM. Bougé, bouger.

BOUGEMENT [buʒmɑ̃] n. m. — xviᵉ, attestation isolée ; repris 1898, de *bouger*.

♦ Littér., rare. Fait de bouger. ⇒ **Bougée.**

(...) le bougement bleu du vent dans les lins.
Francis JAMMES, De l'angelus de l'aube à l'angelus du soir, 1898, *in* D. D. L., II, 3.

BOUGEOIR [buʒwaʀ] n. m — 1534 ; *boujoué,* 1514 ; de *bougie.*

♦ Chandelier bas dont le pied élargi en plateau pour recevoir la cire, est muni d'un anneau. *Bougeoir d'argent, de cuivre, de bois. Disque à rebords d'un bougeoir.* ⇒ **Bobèche.**

1 Le roi lui donna un soir le bougeoir à son coucher.
                        SAINT-SIMON, Mémoires, 54, 149.
   REM. Il s'agit de la charge de porter le bougeoir (ou la chemise) au coucher du roi, confiée à un courtisan.

2 Son anneau, plat, parfaitement circulaire, est situé à quelques centimètres seulement de la base hexagonale du bougeoir, etc., dont le corps mouluré (gorges, tores, cavets, doucines, scoties, etc.) supporte (...)
                        A. ROBBE-GRILLET, Projet pour une révolution à New York, p. 12.

BOUGEOTTE [buʒɔt] n. f. — 1859 ; de *bouger.*

♦ Fam. Manie de bouger ; envie, habitude de se déplacer, de voyager. *Avoir la bougeotte.*

1 Bien sûr, tous les Américains ne sont pas du même type. Beaucoup réagissent comme moi au monde d'aujourd'hui, à son vacarme, à sa stupide « bougeotte ».
                        F. MAURIAC, le Nouveau Bloc-notes 1958-1960, p. 239.

2 Oh sans cette affreuse bougeotte que j'ai toujours eue j'aurais vécu ma vie enfermé dans une grande pièce vide à échos, avec une grande pendule ancienne, rien qu'à écouter et à somnoler.   S. BECKETT, Têtes-mortes, p. 27.

REM. Le v. *bougeotter* attesté chez Genevoix (*in* T. L. F.) semble rare.

BOUGER [buʒe] v. — *Je bouge, nous bougeons ; je bougeais ; je bougeai, nous bougeâmes ; que je bouge ; que je bougeasse* (inus.) ; *bougeant.* — V. 1150, *bougier* «se remuer» ; du lat. pop. **bullicare,* de *bullire* «bouillonner». → Bouillir.

★ **I.** V. intr. ♦ **1.** Faire un léger mouvement. ⇒ **Agiter** (s'), **remuer.** *Le blessé, le malade ne bouge plus. Rester sans bouger. Vous avez bougé, la photo est ratée* (⇒ **Bougé**). *Ne bougeons plus ! L'enfant bouge dans le ventre de sa mère. Devant lui, personne n'ose bouger.* ⇒ **Branler** (vx), **broncher, ciller.** *Regarde le lézard, il a bougé !*

(En parlant des choses). Être animé d'un mouvement. *La table bouge quand on s'y appuie. Le vent fait bouger les branches. Tu as menti, je vois ton nez qui bouge. Faire bouger ses oreilles. Ma dent bouge.* ⇒ **Branler.** — Spécialt. *La terre a bougé,* tremblé.

(En parlant d'un bateau). *Ça bouge,* le bateau est secoué, la mer est dure.

C'est une bête égarée, dit-il, ou morte, car elle ne bouge pas.   1
                        G. SAND, la Mare au diable, VI, p. 51.
Le bois du foyer bouge, comme si la chaleur y faisait remuer des bêtes endormies.   2
                        J. RENARD, Journal, 2 mars 1895.
Elle leva, sans bouger, sur son amant son beau regard d'or fondu et dit (...)   3
                        FRANCE, Les dieux ont soif, p. 170.
L'homme ne disait mot, mais son regard ne bougeait pas.   4
                        H. BOSCO, l'Âne Culotte, p. 50.
« Et maintenant ne bougeons plus !... » Un bras reste à moitié levé, une bouche   4.1
entrouverte, une tête penchée à la renverse (...)
                        A. ROBBE-GRILLET, Dans le labyrinthe, p. 110.

♦ **2.** (Sujet n. de personne). Changer de place ; partir. ⇒ **Déplacer** (se), **mouvoir** (se), **partir, place** (ne pas rester, ne pas tenir en place), **venir** (aller et venir). ⇒ **Bougeotte** (avoir la). *Des gens qui bougent du matin au soir. Bouger quelque part, dans une pièce. Il y avait tellement de monde qu'on ne pouvait plus bouger dans le salon, qu'on ne pouvait plus y bouger. Que personne ne bouge !* — **BOUGER DE :** quitter (surtout en tournure négative). *Il ne bougeait pas du chevet de la malade. Il n'a pas bougé de Paris tout l'été. Ne pas bouger du café.*

La Goutte, d'autre part, va tout droit se loger   5
Chez un prélat qu'elle condamne
À jamais du lit ne bouger.   LA FONTAINE, Fables, III, 8.
(...) il finit pas s'anonchalir, par s'acagnarder sur une chaise, par n'avoir plus qu'un 6
désir : celui de ne pas rentrer dans la vie de la rue, de ne pas sortir de son refuge,
de ne plus bouger.   HUYSMANS, En route, p. 162.

(Animaux). *Le mulet refusait de bouger.* — (Véhicules). *Le train commença enfin à bouger.*

♦ **3.** (Surtout dans les tournures négatives). Changer, évoluer, se transformer. *Depuis vingt ans que je le connais, il n'a pas bougé. Un tissu grand teint et irrétrécissable qui ne bouge pas. Les prix n'ont pas bougé. Le niveau des océans bouge à chaque glaciation. La société bouge très rapidement. Malgré l'évolution de la situation, ses positions ne bougent pas.* — Fam. *Ça ne bouge pas d'un poil.*

♦ **4.** (Sujet n. de personne). Agir, passer à l'action. *Ne bouge surtout pas avant d'avoir vu ton avocat. J'ai peur qu'il ne bouge pas beaucoup pour vous.* ⇒ **Remuer** (se). *Les syndicats ont décidé de bouger.*

S'agiter avec hostilité, se soulever, se révolter. *Si vous bougez, vous aurez affaire à moi. Le peuple commence à bouger.*

Ce Paris odieux bouge et résiste. Allons !   7
Qu'il sente le mépris, sombre et plein de vengeance,
Que nous, la force, avons pour lui, l'intelligence !
                        HUGO, les Châtiments, « Nox », 1.

♦ **5.** Régional (Belgique) et fautif. *Bouger à qqch., y bouger,* y toucher.

★ **II.** V. tr. Fam. Remuer, déplacer. *Bouger un meuble. Bouger la tête. Sans bouger le petit doigt.* ⇒ **Lever.**

Tout en parlant, il bouge négligemment son fusil.   7.1
                        F. SAGAN, Château en Suède, p. 159, *in* HANSE.

▶ **SE BOUGER** v. pron.

Fam. Se remuer, se déplacer. *Bouge-toi de là !* ⇒ **Aller** (va-t'en).
« *Voyons Léontine, bouge-toi, tu t'ankyloses* » (Proust).
Se déranger. *Ils ne veulent pas se bouger.*

REM. Dans la langue classique, ces emplois (trans. et pron.) ne sont pas familiers.

Et personne, Monsieur, qui se veuille bouger   8
Pour retenir des gens qui se vont égorger !   MOLIÈRE, le Dépit amoureux, V, 6.
Vingt-deux chariots à quatre roues ne l'auraient jamais pu bouger de là.   9
                        RACINE, Remarques sur l'Odyssée.

▶ **BOUGÉ, ÉE** p. p. adj. Fam. *Des meubles bougés.* — Photogr. *Une photo bougée.* ⇒ **Bougé,** n. m.

CONTR. Immobiliser (s') ; demeurer, rester.
DÉR. Bougé (n. m.) ; bougeant, bougée, bougement, bougeotte. — Bougillon.
HOM. Bougé, bougée.

BOUGERIE [buʒʀi] n. f. — 1807 ; de 2. *bouge.*

♦ Régional (Lorraine). Local pour les cuves ; hangar où sont les pressoirs.

BOUGETTE [buʒɛt] n. f. — Fin XIIᵉ ; de 2. *bouge.*

♦ Vx ou hist. Sacoche (au moyen âge).

BOUGIE [buʒi] n. f. — 1495 ; «cire pour chandelles, importée de Bougie», 1300 ; de *Bougie*, ville d'Algérie, en arabe *Bŭdjāyāh*, qui fournissait au moyen âge de grandes quantités de cire.

★ **I.** ♦ **1.** Appareil d'éclairage formé d'une mèche tressée enveloppée de cire, de paraffine ou de stéarine. ⇒ **Chandelle ;** (argot) **camoufle, calbombe.** *Fabrication, industrie des bougies. Allumer une bougie.* → Phosphorique, cit. 1. *Bougie qui brûle* (⇒ **Couler, fondre, fuser**). *Flamme de bougie. S'éclairer à la bougie. Travailler à la bougie, à la lueur d'une bougie. Dîner aux bougies,* à la lumière des bougies. *Appareils portant des bougies.* ⇒ **Bougeoir ; binet, brûle-tout, chandelier.** *Éteindre une bougie* (⇒ **Éteignoir**). — Vx (1875). *Bougie filée. Pain de bougie* (bougies souples que l'on pouvait porter dans sa poche).

(Utilisée à d'autres fins que l'éclairage). *Bougie d'autel.* ⇒ **Cierge.** *Bougie de carnaval. Mettre des bougies sur un gâteau d'anniversaire.* — *Vente aux enchères à la bougie,* dont la durée des enchères est déterminée par le temps que mettent trois bougies à brûler. — *Employer de la cire de bougie pour empêcher l'effilage d'une étoffe.* ⇒ **Bougier.** *Taches de bougie.*

1 Le cerveau des enfants est comme une bougie allumée dans un lieu exposé au vent ; la lumière vacille toujours. FÉNELON, De l'éducation des filles, V.

2 (...) je me rappelais bien qu'il y avait une bougie ; et la bougie en effet était là. Elle avait baissé. Il n'en restait qu'un bout de cire, presque liquéfié par la chaleur et qui achevait de fondre. La mèche se recroquevillait. On pouvait prévoir qu'elle allait s'éteindre. Elle éclairait pourtant, et la flamme se reflétait sur le plancher (...) H. BOSCO, Un rameau de la nuit, p. 78.

2.1 Les mèches, après plusieurs essais, furent faites de fibres végétales, et, trempées dans la substance liquéfiée, elles formèrent de véritables bougies stéariques, moulées à la main, auxquelles il ne manqua que le blanchiment et le polissage. Elles n'offraient pas, sans doute, cet avantage que les mèches, imprégnées d'acide borique, ont de se vitrifier au fur et à mesure de leur combustion, et de se consumer entièrement ; mais Cyrus Smith ayant fabriqué une belle paire de mouchettes, ces bougies furent grandement appréciées pendant les veillées de Granite-house. J. VERNE, l'Île mystérieuse, t. I, p. 261.

2.2 Cependant la bougie, par le vacillement des clartés sur le livre au brusque dégagement des fumées originales encourage le lecteur, — puis s'incline sur son assiette et se noie dans son aliment. Francis PONGE, le Parti pris des choses, p. 39.

2.3 Mon gâteau d'anniversaire qui n'a pas besoin de bougies pour être illuminé. Michel LEIRIS, Haut mal, p. 225.

Loc. techn. Vx. *Noir de bougie.*

♦ **2.** (1690) Par anal. de forme. Chir. Tige cylindrique mince, flexible ou rigide que l'on introduit dans un canal pour l'explorer ou le dilater. ⇒ **Sonde.** — *Bougie filtrante* ou *bougie-filtre* (1891) : filtre cylindrique en porcelaine.

♦ **3.** (1888). Appareil d'allumage des moteurs à explosion. *L'étincelle qui jaillit de la bougie met le feu au mélange gazeux. Bougies encrassées. Changer les bougies.* — *Bougie luisante :* bougie utilisée dans les moteurs semi-diesel.

♦ **4.** (1922). Phys., vx. Unité de luminescence. *Bougie nouvelle.* ⇒ **Candela.**

3 Les bougies stéariques du commerce valent à peu près 1,25 bougie décimale ; par conséquent une lampe à incandescence de 5 bougies vaut à peu près 4 bougies stéariques. P. POIRÉ, Dict. des sciences.

Cour. Vx en phys. *Lampe de 100 bougies.*

4 À l'avant de la passerelle, une lampe de cinq cents bougies, projetait sa lumière crue sur le gaillard (...) Roger VERCEL, Remorques, p. 15.

★ **II.** Fam., vieilli. Figue, tête. ⇒ **Binette.** *Faire une drôle de bougie.*

DÉR. **Bougeoir, bougier.**

BOUGIER [buʒje] v. tr. — 1596 ; de *bougie.*

♦ Techn. Arrêter les effilures avec de la cire fondue. *Bougier le bord d'une étoffe.*

BOUGILLON, ONNE [buʒijɔ̃, ɔn] n. et adj. — 1834, Töpffer *in* D.D.L. ; de *bouger.*

♦ Fam., régional. Qui ne peut demeurer en place. *Quel enfant bougillon !*

Toutes les allures, gestes et mouvements d'un particulier de sept pieds de haut (...) Ainsi fait, le particulier est sonore, bougillon, et tient beaucoup de place. Rodolphe TÖPFFER, Voyages en zig-zag, 1838, Saint-Gothard..., p. 82.

BOUGNAT [buɲa] n. m. — 1889, Macé ; aphérèse de *charbougna* (charbonnier), imitation plaisante du parler des Auvergnats qui à Paris étaient fréquemment charbonniers.

Fam. et vieilli.

♦ **1.** Marchand de charbon. *Les bougnats parisiens tenaient souvent des cafés. Aller boire un coup chez le bougnat.*

REM. 1. On a écrit *bougna.*

2. Le fém. *bougnate* est attesté.

♦ **2.** Débit de boisson, café tenu par un bougnat (ou *bougna*).

La première fois que nous nous sommes rencontrés, devant un bougnat je crois, vous m'avez reconnue ? R. SABATIER, les Fillettes chantantes, p. 204.

BOUGNER [buɲe] v. tr. — 1926 ; même rad. que *buigne* «bosse», XIVᵉ. → Beigne.

♦ Fam. Frapper, heurter.

▶ **SE BOUGNER** v. pron.

Se heurter. *Les deux voitures se sont bougnées au coin de la rue.*

BOUGNOU [buɲu] n. m. — XIVᵉ, «réservoir» ; *bugnoilhe*, 1365, toponymes ; repris 1780 ; mot wallon de Liège ; du lat. *bulla* «boule», suff. *-oleum.*

♦ Techn. (mines) et régional (Belgique, Nord de la France). Puisard pour recueillir les eaux d'une galerie de mines *(in* Zola, *Germinal).* Var. : *boniau, bouniou.*

BOUGNOUL, BOUGNOULE [buɲul] ou **BOUNIOUL** [bunjul] n. m. — 1890, Esnault, «celui qui fait les corvées», argot ; du wolof *bou-gnoul* «noir».

Terme injurieux et raciste.

♦ **1.** (1932). Fam., vieilli. Nom donné par les Blancs du Sénégal aux Noirs autochtones.

Les bouniouls distingués que je coudoie, sur les trottoirs, en boubous majestueux et opulents (...) J.-R. BLOCH, Cacaouettes et Bananes, p. 64. [1]

♦ **2.** (Injurieux et raciste, comme *bicot, raton*). Nord-Africain. — Travailleur Nord-Africain immigré.

(...) la résolution de ces «désespérés» qui ont pris les armes pour n'être plus jamais les ratons et les bougnoules de personne. F. MAURIAC, le Nouveau Bloc-notes, 1958-1960, p. 54. [2]

Par ext. Étranger, paria.

Adj. (rare) :

Je voyais bien ce qu'ils pensaient, ils me les disaient d'ailleurs, les plus culottés, qu'une femme bougnoule ça se remplace comme un chapeau. Jean HOUGRON, la Gueule pleine de dents, p. 18. [3]

DÉR. **Bougnoulisation.**

BOUGNOULISATION [buɲulizasjɔ̃] n. f. — V. 1970 ; de *bougnoul*, d'après *clochardisation.*

♦ Fam., péj. Arrivée et installation de nombreux travailleurs immigrés arabes dans un lieu. «*La "bougnoulisation" de Saint-Laurent commence en 1962 lorsque par milliers des supplétifs musulmans (...) débarquent dans le camp de Saint-Maurice l'Ardoise*» (*le Nouvel Obs.,* 6 août 1973, p. 38). Assimilation de travailleurs à la situation de travailleurs immigrés (exploitation accrue, absence de protection légale...). «*La grande spécialité du patronat breton, c'est le licenciement individuel, et la "bougnoulisation" comme on dit là-bas, d'une main d'œuvre d'origine rurale (...)*» (*le Nouvel Obs.,* nº 407, 28 août 1972). — REM. Sans être injurieux comme *bougnoule*, le terme est fortement péjoratif et inacceptable. — Le verbe *bougnouliser* est virtuel.

BOUGON, ONNE [bugɔ̃, ɔn] adj. et n. — 1803, Boiste ; de *bougonner.*

♦ Qui exprime, ou semble exprimer, de la mauvaise humeur. ⇒ **Grognon, ronchon.** *Il a un cœur d'or mais est un peu bougon. Un air, un ton bougon.*

Un son de cloche, lourd, rouillé, presque bougon, retentit de l'autre côté du mur. HUYSMANS, En route, p. 190. [1]

Curieuse autant que bavarde, tendre autant que bougonne (...) H. BOSCO, l'Âne Culotte, p. 21. [2]

(...) il rejoignit Nadine sur un quai de la gare d'Austerlitz. — Tu n'es pas en avance, dit-elle d'un air bougon ! S. DE BEAUVOIR, les Mandarins, p. 83. [3]

N. *Quel vieux bougon !*

CONTR. **Affable, aimable, engageant.**

BOUGONNEMENT [bugɔnmɑ̃] n. m. — 1858 ; de *bougonner.*

♦ **1.** Action de bougonner. *Elle vit dans un bougonnement perpétuel.* ⇒ **Bougonnerie.**

♦ **2.** Chose dite en bougonnant. *On ne comprend rien à ses bougonnements.*

BOUGONNER [bugɔne] v. — 1798 ; 1611, Cotgrave, « faire qqch. de travers, bâcler » ; orig. incert., probablt dial. (Ouest, Centre) ; d'après Guiraud serait à rattacher à un rad. *boud, boug.* L'évolution sémantique de « faire » à « dire » reste inexpliquée.

★ **I.** V. intr. Murmurer, gronder entre ses dents. ⇒ **Grommeler, grogner, râler, rouspéter.**

(...) passant ses journées (...) à bougonner contre la politique, et à rabrouer sa fille qu'il adorait (...)   R. ROLLAND, *Jean-Christophe,* p. 376.

★ **II.** V. tr. Dire de façon indistincte, en montrant de la mauvaise humeur. *Bougonner qqch. entre ses dents.*

DÉR. Bougon, bougonnement, bougonnerie, bougonneur.

BOUGONNERIE [bugɔnʀi] n. f. — 1905, Gide ; de *bougonner.*

♦ Rare. Caractère bougon. — *Une, des bougonneries :* attitude bougonne. ⇒ **Bougonnement.**

BOUGONNEUR, EUSE [bugɔnœʀ, øz] adj. et n. — 1824 ; 1611, attestation isolée, « personne qui fait un travail avec maladresse » ; de *bougonner.*

♦ Rare. Qui bougonne ; qui a l'habitude de bougonner. *Une voix bougonneuse.* — N. *Un vieux bougonneur.* ⇒ **Bougon.**

BOUGRAN [bugʀɑ̃] n. m. — 1380 ; *bougherant,* 1302, au sens 2 ; « étoffe fine », av. 1150 ; ital. *bucherame* de l'arabe *Bŭhārā* (Boukara) ville d'Ouzbékistan d'où était importée cette étoffe (sens 1). Anciennement.

♦ **1.** Étoffe fine comme la batiste, fabriquée en Orient.

♦ **2.** Toile forte et gommée, employée dans les doublures de vêtements.

BOUGRE, BOUGRESSE [bugʀ, bugʀɛs] n. — 1450 ; v. 1260, « sodomite » ; 1172, *bogre* « hérétique » ; bas lat. *bulgarus* « bulgare » (→ Bulgare), d'abord pour désigner des hérétiques de cette région (Bogomiles, etc.) auxquels on prêtait des mœurs « contre nature ».

♦ **1.** Vx. Homosexuel passif. ⇒ **Sodomite.** — Personne méprisable. *Une vieille bougresse.*

1   Le bougre avait juré de m'amuser six mois,
     Il s'est trompé de deux.   LA FONTAINE, *Épitres,* Le Florentin.

Employé comme insulte :

1.1 Alors le perfide ne se servant plus avec moi que des plus grossières épithètes, Bou... me dit-il, reconnais-tu ce buisson d'où je t'ai tirée comme une bête sauvage pour te rendre à la vie que tu avais mérité de perdre ?   SADE, *Justine...,* t. I, p. 95.

♦ **2.** (1579 ; d'abord péj.). Mod. fam. Drôle, gaillard. *« Trois bougres rigolent en sifflant du piccolo »* (→ Bistro, cit. 3, Duhamel). *Sacré bougre !* Individu. ⇒ **Type.** *Un pauvre bougre. Un mauvais bougre.*

1.2 Pauvre cher bougre, j'ai bien envie de t'embrasser.
                    FLAUBERT, Lettre à L. Borielhet, 15 janv. 1850, *Correspondance,* t. I, p. 574.

1.3 Moi *(Lamendin).* je ne respecte que la science créatrice, celle qui crée la vérité, la science pour grands bougres.   J. ROMAINS, *Donogoo,* p. 92.

Un bon bougre : un brave type.

2   Chaque type, prends-le à part : c'est généralement un bon bougre, qui dit qu'il ne veut de mal à personne, et qui le croit.   MARTIN DU GARD, *les Thibault,* t. VII, p. 144.

Adjectivé. *Bon bougre, mauvais bougre. Il est bon bougre :* il est brave. — (Seulement en tournure négative). *Il n'est pas mauvais bougre.*

3   L'hôtelier n'était point mauvais bougre ; il vendait sa bibine. Le reste le laissait froid.   Francis CARCO, *les Belles Manières,* p. 62.

4   M. Tortose, bon bougre, donna deux ou trois petits billets à Pierrot (...)
                    R. QUENEAU, *Pierrot mon ami,* éd. L. de Poche, p. 27.

5   Je n'avais pas envers Volkman la méfiance qui eût peut-être été normale entre nous : contre toute attente, il s'était montré assez bon bougre pendant ces quelques jours passés côte à côte.   M. YOURCENAR, *le Coup de grâce,* p. 207.

♦ **3.** Fam., péj. (1608, *in* D.D.L.). **BOUGRE DE.** ⇒ **Espèce** (de), **bigre** (de). *Ce bougre d'imbécile a tout fait échouer. Bougre d'andouille ! Bougre de temps.*

6   Ce n'est pas Bellone ? la Guerre,
     Nom de Dieu ! ça ne rougit guère...
     Qu'un champ,... un fleuve... ou le terrain ;
     Ce n'est pas Diane chasseresse,
     Car cette bougre de Bougresse
     Doit être un démon à tous crins !
                    Germain NOUVEAU, *Valentines,* « La Déesse », 1922, Pl., p. 590.

7   Ah ! la bougresse de lune ! Elle en dégage, une poësie !
                    J. RENARD, *Journal,* 3 sept. 1906.

♦ **4.** Vx. Interj. (Exprime la colère, l'étonnement, l'admiration). ⇒ **Bigre, fichtre.** *Bougre, que c'est cher ! Bougre, mais c'est très réussi !*

8   Bougre ! tu vas te faire écraser !   ZOLA, *l'Œuvre,* p. 298.

DÉR. Bigre, boufre, bougrement, bougrerie. — V. Boujaron.
COMP. Rabougrir.

BOUGREMENT [bugʀəmɑ̃] adv. — Déb. XVIIIᵉ ; 1583 « à la manière des débauchés » ; de *bougre.*

♦ Fam. Très, extrêmement. ⇒ **Bigrement, diablement, drôlement.**

Je parviens à jouer passablement les deux premiers morceaux d'*Ibéria,* qui sont bougrement difficiles (...)   GIDE, *Journal,* 12 juin 1914.

Il y a pour les touristes des magasins pleins de pierres du Forum arrangées en presse-papier pour mettre sur les bureaux. On a fait des porte-plumes avec les marbres des temples... Tout cela agace bougrement les nerfs. Telle est la première impression que m'a produit[e] Rome.
                    FLAUBERT, Lettre à L. Bouilhet, 4 mai 1851, *Correspondance,* t. I, Pl., p. 779.

Beaucoup. *Il a bougrement de la chance !*

BOUGRERIE [bugʀəʀi] n. f. — 1540, Calvin ; XIIIᵉ, *bogrerie* « hérésie » ; de *bougre.*

♦ Rare. Sodomie.

— Vous voudriez peut-être, tonnait Martial, qu'on retourne au bon vieux temps de la prison pour adultère et du bûcher pour bougrerie ?
                    Jean-Louis CURTIS, *le Roseau pensant,* p. 360.

BOUI-BOUI [bwibwi] n. m. — 1847, *bouiq-bouiq* (→ cit. 1) ; 1854, *bouis-bouis* « marionnette » ; 1808, *bouis* « maison de prostitution » ; orig. incert. p.-ê. de *bouis,* dial. « étable », de *bos* « bœuf » ou bien, d'après Guiraud, reduplication expressive à rattacher à *bouisse* « fille de bas étage », qu'il rattache au rad. onomatopéique *bob-.*

♦ Fam. Théâtre ou café-concert de dernier ordre. — REM. Th. Gautier a écrit *bouig-bouig ;* on trouve aussi *bouibouis.*

1   Le bouig-bouig, s'il faut en croire les érudits, signifie en argot dramatique de bas lieu, le petit théâtre à quatre sous.
                    Th. GAUTIER, *Hist. d'art dramatique,* t. V, p. 145.

2   — Mais où chantez-vous ? demandai-je.
     — Ici, monsieur, me dit-elle d'un ton digne.
     — Tiens ! fit M. Etienne, il y a un bouibouis dans la maison ?
     — Oui, répondit-elle amèrement, et vous pouvez bien dire un bouibouis !...
                    GORON, *l'Amour à Paris,* t. II, p. 727.

Par ext. Fam. Maison, café mal famé. → Refoutre, cit. 2. *Des bouis-bouis.*

Nous allions écouter des canzonette dans un boui-boui des environs.   3
                    S. DE BEAUVOIR, *la Force de l'âge,* p. 276.

(...) tu comprends, je conclus, pourquoi je dois loger au Pelikan.   4
— Au Pelikan, s'écrie-t-elle. Mais tu es folle ! Tu n'as pas peur dans ce boui-boui ?
                    Yanny HUREAUX, *la Prof.,* p. 83.

BOUIF [bwif] n. m. — 1867, Delvau ; par aphérèse de *ribouis* « savetier ».

♦ Fam. Cordonnier.

Il a fini par liquider tout son truc. Il a perdu le peu qu'il avait et il est retourné dans son échoppe. Tout le monde l'aimait bien, le petit bouif du coin.
                    Jean FERNIOT, *Pierrot et Aline,* p. 145.

BOUILLABAISSE [bujabɛs] n. f. — 1806, *bouillabaisse,* Stendhal *in* D. D. L. Le genre (*bouille-baisse,* n. m., v. 1835) et la graphie (*bouille-à-baisse,* voir ci-dessous, Stendhal, 1837) sont fixés v. 1840 ; provençal *bouiabaisso,* p.-ê. altér. de *bouille peis,* de *bouillir,* et *peis* « poisson » ou de *bouillir* et *abaisser.*

♦ **1.** Plat provençal de poissons à la tomate, épicés, que l'on sert dans son bouillon avec des tranches de pain. *Bouillabaisse marseillaise. Bouillabaisse à la rascasse, liée à l'aïoli.* ⇒ **Bourride.** *Sauce accompagnant la bouillabaisse.* ⇒ **Rouille.**

Quand je me suis vu à une bonne demi-lieue au delà du *Château-vert,* où l'on mangeait autrefois de si bonnes *bouille-à-baisses,* je tourne mon cheval, je me mets au pas, et je vais faire mon entrée dans Marseille.   1
                    STENDHAL, *Mémoires d'un touriste,* p. 259 (Lévy).

(...) de larges tranches de pain coupées sur de petites assiettes de terre rouge, et l'on était là autour de la marmite, l'assiette tendue, la narine ouverte (...) je n'ai jamais rien mangé de meilleur que cette bouillabaisse de langoustes.   2
                    Alphonse DAUDET, *Contes du lundi,* « Paysages gastronomiques ».

Une admirable bouillabaisse apportée toute fumante du restaurant des Grottes, qui possède la réserve la mieux fournie en rascasses et poissons de roches de tout le littoral, arrosée d'un petit « vino del paese » et servie dans la lumière et la gaieté des choses, contribua au moins autant que toutes les précautions de Rouletabille à nous rassérener.   3
                    G. LEROUX, *le Parfum de la dame en noir,* p. 162.

♦ **2.** Fam. Boue. *Patauger dans la bouillabaisse.* ⇒ **Bouillasse.**

Fig., fam. Mélange hétéroclite. ⇒ **Marmelade.**

Le colonel l'inspecta derrière ses lunettes : Ah, alors c'est vous l'Anglais ? Eh bien, mon bon, il est temps que vous arriviez un peu dans cette bouillabaisse.   4
                    Guy de POURTALÈS, *la Pêche miraculeuse,* p. 318.

BOUILLAGE [bujaʒ] n. m. — 1892, Guérin ; de *bouillir.*
Technique, régional.

♦ **1.** Action de faire bouillir.

♦ **2.** Fermentation du vin en tonneau.

BOUILLAISON [bujɛzɔ̃] n. f. — 1783 ; de *bouillir*.

♦ Régional. Fermentation du cidre.

BOUILLANT, ANTE [bujɑ̃, ɑ̃t] adj. et n. — 1120 ; p. prés. de *bouillir*.

★ **I.** Adj. ♦ **1.** Qui bout. *Eau bouillante. Huile bouillante. Plonger qqch dans l'eau bouillante.* ⇒ **Ébouillanter.**

♦ **2.** Très chaud. *Boire son café bouillant.* ⇒ **Brûlant.** *Tout chaud tout bouillant !*

1 Il y a ici *(à Bourbon)* des gens (...) qui cherchent du secours dans la chaleur bouillante de ces puits (...)   Mᵐᵉ de SÉVIGNÉ, 1040, 27 sept. 1687.

♦ **3.** Fig., littér. (Personnes). Ardent, emporté, ⇒ **Fougueux, impatient, prompt, vif.** *Un homme bouillant. Le bouillant Achille* (dans l'Iliade). *Il est bouillant, il a la tête chaude*. Jeunesse bouillante. Être tout bouillant.* ⇒ **Feu** (être tout feu), **sang** (avoir le sang bouillant). *Caractère, courage, esprit bouillant. Bouillante colère. Bouillant d'ardeur, de colère, de fureur, de désir, d'impatience.* — Vx. *Bouillant de vin :* excité par le vin.

2 Et déjà tout bouillant de vin et de colère.   BOILEAU, Satires, III.

3 On l'a pris tout bouillant encore de sa querelle (...)   CORNEILLE, le Cid., II, 6.

4 Avec ce beau sang bouillant qui fait les héros et la goutte (...)   Mᵐᵉ de SÉVIGNÉ, 1218, 25 sept. 1689.

★ **II.** ♦ **1.** N. m. (Sc.). *Bouillant de Franklin :* appareil permettant de démontrer que le point d'ébullition d'un liquide s'abaisse aux faibles pressions.

♦ **2.** N. f. BOUILLANTE (fam., vx) : cafetière. *Mettre la bouillante sur le feu.*

CONTR. Froid, glacé. — Calme, mou, pondéré.
COMP. Ébouillanter.

BOUILLARD [bujaʀ] n. m. — 1680, attestation isolée ; forme dial. de *bouleau* (*bouilleau* ?), et suff. *-ard.*

♦ Régional (Anjou, Touraine, Centre). Bouleau. — Par ext. (appos.). *Peuplier bouillard,* et, absolt, *bouillard,* variété de peuplier. — REM. Le mot est dans Balzac (*le Lys dans la vallée,* dont les premières éd. portent par erreur *brouillard*).

BOUILLASSE [bujas] n. f. — Déb. xxᵉ ; 1897, J. Rictus, « misère » ; de *boue,* et *bouillie.*

♦ Fam. Boue. *Marcher dans la bouillasse d'un chantier.* — Pluie lourde.

Le ciel continuait à déverser interminablement sa bouillasse chaude.   Jean LARTÉGUY, les Centurions, p. 77.

1. BOUILLE [buj] n. f. — 1669 ; de *bouiller.*

♦ Pêche (vx). Longue perche servant à remuer le fond de l'eau pour faire déplacer le poisson. ⇒ **Bouiller ; bouloir.**

HOM. 2., 3. **Bouille.**

2. BOUILLE [buj] n. f. — 1560, *boille* ; 1353, *bolie* « mesure de capacité » ; p.-ê. lat. pop. **buttula,* de *buttis* « tonneau », rad. gaulois *bŭt-.*

♦ **1.** Régional (Suisse). Récipient* servant au transport du lait. ⇒ **Berthe, boille.**

♦ **2.** Régional. Hotte pour la vendange.

HOM. 1., 3. **Bouille.**

3. BOUILLE [buj] n. f. — V. 1890, Esnault ; par apocope de *bouillotte.*

♦ Fam. ⇒ **Figure, tête.** *Avoir une bonne bouille,* une tête sympathique. ⇒ **Boule.**

C'est fou ce que ça te change de bouille d'avoir la barbe.   Robert MERLE, Week-end à Zuydcoote, p. 45.

HOM. 1., 2. **Bouille.**

1. BOUILLÉE [buje] n. f. — 1842 ; de *bouillir.*

♦ Vieilli. Action de faire bouillir (un liquide).

HOM. 2. **Bouillée, bouiller.**

2. BOUILLÉE [buje] n. f. — 1882 ; probablt du rad. de *bouleau.* → Bouillard.

♦ Régional. Bouquet (d'arbres) ; touffe (d'herbes).

HOM. 1. **Bouillée, bouiller.**

BOUILLER [buje] v. tr. — 1669 ; de *bouler*,* du lat. *bullare* « bouillonner » (de *bulla* « bulle »), sous l'influence de *bouillir, brouiller, fouiller.*

♦ Régional ou techn. (pêche). Troubler (l'eau) avec une bouille*. ⇒ 2. **Bouler, rabouiller.**

DÉR. 1. **Bouille.**
COMP. **Rabouiller.**
HOM. 1., 2. **Bouillée.**

BOUILLERIE [bujʀi] n. f. — 1836 ; de *bouillir.*

♦ **1.** Régional. Installation d'un bouilleur* de cru.

Tous les bâtiments, depuis la charretterie jusqu'à la bouillerie, avaient besoin de réparations.   FLAUBERT, Bouvard et Pécuchet, Pl., t. II, p. 687.

♦ **2.** Vx. Chose bouillie ; préparation, décoction (Hugo, *les Travailleurs de la mer*).

BOUILLEUR [bujœʀ] n. m. — 1783 ; de *bouillir.*

♦ **1.** Personne qui distille une substance alcoolisée (vin, cidre...) ou des fruits, des grains, pour obtenir de l'eau-de-vie. ⇒ **Distillateur.** Rare, sauf dans le syntagme (1851) *bouilleur de cru :* personne qui distille ou fait distiller les produits de sa récolte pour son compte (opposé à *bouilleur professionnel*). ⇒ **Brûleur.** *L'alambic du bouilleur de cru.*

1 (...) on boit énormément de marc, qui ne manque pas, tous les fermiers de la région étant bouilleurs de cru.   Roger VAILLAND, 325 000 francs, p. 74.

2 Il suffit pour se rendre compte de la faveur dont il *(l'alcoolisme)* jouit en dépit des ravages qu'il provoque (beaucoup plus que la drogue) de se rappeler l'influence des viticulteurs, la vanité des luttes longtemps entreprises contre le privilège des bouilleurs de cru (dont Pierre Mendès France fut la victime).   Jean FERNIOT, Pierrot et Aline, p. 96.

REM. Le fém. *bouilleuse (de cru)* n'est pas attesté. On dira plutôt : *elle est bouilleur de cru.*

♦ **2.** Techn. Cylindre de tôle en contact direct avec le feu, et qui est destiné à augmenter la surface de chauffe des chaudières à vapeur. *Les cuissards relient les bouilleurs à la chaudière.* Appareil servant à distiller l'eau de mer pour la transformer en eau douce.

♦ **3.** Techn. Petit réacteur nucléaire dans lequel la matière active est un sel d'uranium dissous dans de l'eau ordinaire (réacteur à eau bouillante).

BOUILLI, IE [buji] adj. et n. m. — 1317 ; de *bouillir.*

★ **I.** Adj. ♦ **1.** Qui a été porté à ébullition. *Eau bouillie. Lait bouilli.*

Régional. *Eau bouillie :* dans le midi de la France, soupe très claire, sans légumes.

1 Ce qu'on appelle *eau bouillie,* à Tarascon, c'est quelques tranches de pain noyées dans de l'eau chaude, avec une gousse d'ail, un peu de thym, un brin de laurier.   Alphonse DAUDET, Tartarin de Tarascon, I, IX.

♦ **2.** Cuit dans de l'eau bouillante. *Viande bouillie. Châtaignes bouillies.* — *Pommes de terre bouillies,* à l'eau.

♦ **3.** Traité par un liquide bouillant. *Cuir* bouilli. Carton bouilli.* Fig. *Visage de cuir bouilli,* dont la peau est rude, basanée.

★ **II.** N. m. Viande bouillie. ⇒ **Pot-au-feu.** *Bouilli de bœuf, de mouton. Manger du bouilli.*

2 Nous avons mangé du potage et du bouilli tout chaud.   Mᵐᵉ DE SÉVIGNÉ, 425.

3 (...) tout cela pour offrir du rôti à des gens qui n'aiment que le bouilli.   STENDHAL, Souvenirs d'égotisme, p. 245.

4 — Voilà un bouilli parfait... Ah ! le bon bœuf !...
— C'est à manger à la cuillère.
— Est-ce toujours votre même boucher ?   Henri MONNIER, Scènes populaires, « Le dîner bourgeois », 8, p. 158.

HOM. **Bouillie.**
DÉR. V. **Boullu** (ou **bouillu**).

BOUILLIE [buji] n. f. — XIIᵉ, *boulie*; de *bouillir*.

♦ **1.** Aliment plus ou moins épais, fait de lait ou d'un autre liquide et de farine bouillis ensemble (pour les féculents, on dit *purée**). *Farines alimentaires pour bouillies. Une assiettée de bouillie. Bouillies pour bébé. Ce vieillard ne mange plus que de la bouillie.* ⇒ **Céréale, farine.** *Bouillie d'avoine, d'orge, de sarrasin, de maïs, de semoule, de châtaignes.* ⇒ **Gaude, polenta, sagamité.**

1   Je voudrais que vous eussiez la gueule pleine de bouillie bien chaude.
         MOLIÈRE, la Princesse d'Élide, 1ᵉʳ intermède, 2.

2   Il a été reconnu que la bouillie n'est pas une nourriture fort saine. Le lait cuit et la farine crue font beaucoup de saburre, et conviennent mal à notre estomac.
         ROUSSEAU, Émile, I, p. 52.

2.1   La bouillie coulait, toute noire et toute fumante, gonflant peu à peu le boyau, qui retombait ventru, avec des courbes molles.   ZOLA, le Ventre de Paris, t. I, p. 141.

Fig. *Avoir de la bouillie dans la bouche; manger de la bouillie :* parler de façon indistincte.

♦ **2.** EN BOUILLIE : écrasé jusqu'à présenter la consistance d'une bouillie; réduit en petits morceaux. *Les légumes ont trop cuit, ils sont en bouillie. Réduire une substance en bouillie. «Ses archives ont été réduites à l'état de bouillie»* (A. Bosquet, *les Bonnes Intentions*, p. 189). — Fam. *Mettre qqn en bouillie,* le blesser, en le rendant méconnaissable (⇒ **Abîmer, arracher**), lui faire subir une défaite écrasante (⇒ **Écraser,** fam. **écrabouiller**). — Par ext. *Je suis en bouillie,* très fatigué.

3   (...) des avions boches ont bombardé la gare! On l'a ramassé, la figure en bouillie, un œil perdu et l'autre très menacé (...)
         MARTIN DU GARD, les Thibault, t. IX, p. 121.

♦ **3.** Loc. fam. (1798, *in* D.D.L.). *De la bouillie pour les chats :* de la besogne perdue, du travail inutile, mal fait (⇒ **Gâchis**); un texte confus, incompréhensible.

4   D'un poème incompréhensible ou d'un roman finement insignifiant, il disait que c'était de la bouillie pour les chats.
         M. AYMÉ, le Confort intellectuel, VIII, p. 113.

♦ **4.** Mélange pâteux.

5   M. Gellert assure que cet acide, aidé d'une chaleur longtemps continuée, réduit en bouillie les bois les plus durs, ainsi que les cornes et les os des animaux.
         BUFFON, Hist. nat. des minéraux, *in* Œ. compl., t. III, p. 321.

Méd. *Bouillie élaborée dans l'estomac.* ⇒ **Chyme.** *Bouillie de matière végétale.* ⇒ **Pulpe; pultacée.** *Bouillie médicinale.* ⇒ **Cataplasme.**

Vitic. *Bouillie anticryptogamique, bordelaise, bourguignonne.*

Techn. *Bouillie de chiffons pour pâte à papier. Bouillie employée en céramique.* ⇒ **Barbotine.**

♦ **5.** Par métaphore ou figuré. **a** (Concret). Mélange confus.

6   Dans le salon carré, c'était une bouillie de monde grouillante et bruissante.
         MAUPASSANT, Fort comme la mort, éd. 1889, p. 136.

b (Abstrait). Mélange confus, incompréhensible. *Je ne comprends rien de ce qu'il dit, c'est une vraie bouillie. Une bouillie de mots* (⇒ **Bafouillage**).

7   Quand j'essayais de regarder l'écran c'était terrible, la tête me tournait. C'était une bouillie noire et blanche qui dansait au-dessus de ma tête et qui me donnait le mal de mer.   M. DURAS, Un barrage contre le Pacifique, p. 283.

HOM. **Bouilli.**
DÉR. V. **Bouillasse.**

BOUILLIR [bujiʀ] v. — V. 1150; *Chanson de Roland*, 1080, «jaillir»; du lat. *bullire* «bouillonner» de *bulla* «bulle». → **Bouiller**; et aussi **bouger**.

★ **I.** V. intr. ♦ **1.** Être en ébullition*. *L'eau bout à 100 degrés à la température et à la pression normales. Faire bouillir du lait. Écume d'un liquide qui bout. Commencer à bouillir.* ⇒ **Frissonner, frémir; chanter.** *Cesser de frémir. Récipients pour faire bouillir* (⇒ **Bouilleur, bouilloire, bouillotte** (2.), **chaudière**).

1   (...) la chute d'un jet d'eau donnait à un bassin l'effervescence du lait qui bout.
         Edmond JALOUX, les Visiteurs, V, p. 49.

Faire bouillir de l'eau. Fermenter en faisant des bulles, comme sous l'effet de la chaleur. *Le vin bout dans la cuve. Personne qui fait bouillir les vins.* ⇒ **Bouilleur.**

♦ **2.** Cuire dans un liquide en ébullition. *La viande doit bouillir pendant 2 heures* (⇒ **Bouilli, bouillon**). *Bouillir* (⇒ **Bouillotter**), *faire bouillir à petit feu* (⇒ **Mijoter, mitonner**). *Mettre des marrons à bouillir. Faire bouillir des herbes.* ⇒ **Arriver,** cit. 15.

2   (...) je mets le pot-au-feu avec de la chicorée amère; cela bout jusqu'au point du jour (...)   Mᵐᵉ DE SÉVIGNÉ, 334, 11 oct. 1673.

3   Les quenouilles de maïs, mises bouillir dans de l'eau de fontaine, sont retirées à moitié cuites (...)   CHATEAUBRIAND, Voyage en Amérique, Fête.

3.1   (...) on fait bouillir la graine, puis on la pile dans un mortier, avec le manche du pilon qui offre si peu de surface que la coque dure fuit de côté tandis que son enveloppe froissée se détache.   GIDE, Voyage au Congo, *in* Pl., p. 715.

Par métaphore :

3.2   Tous ces enfants bouillent dans un chaudron géant avant d'être mangés, mais je m'y suis jeté par amour, et je suis avec eux.
         M. TOURNIER, le Roi des Aulnes, p. 349.

Stériliser ou nettoyer dans l'eau qui bout. *Faire bouillir une seringue* (→ 1. Piston, cit. 1), *un biberon. Faire bouillir du linge.* Par ext. *Du linge qui bout,* qui résiste à l'ébullition.

Par métonymie. *Faire bouillir un pot. La marmite bout.* — Fig., fam. *Avoir de quoi faire bouillir sa marmite :* avoir de quoi vivre. *Aider à faire bouillir la marmite :* contribuer à la subsistance d'un ménage.

♦ **3.** Fig., littér. *Avoir le sang qui bout dans les veines :* être vif, fougueux, et aussi, être très en colère. ⇒ **Bouillonner, frémir.** *Son sang bouillait à l'idée d'une pareille ineptie.*

4   Le spectacle de l'injustice et de la méchanceté me fait encore bouillir le sang de colère (...)   ROUSSEAU, Rêveries, 6ᵉ promenade.

(Sujet n. de personne). *Bouillir de colère, d'impatience :* être emporté par la colère, l'impatience. — Absolt. *Bouillir :* s'impatienter, s'emporter. *Sa lenteur me fait bouillir.* ⇒ **Exaspérer.**

★ **II.** V. tr. Rare. ♦ **1.** Faire chauffer jusqu'à l'ébullition. *Bouillir le lait pour le conserver.*

♦ **2.** Faire séjourner dans de l'eau bouillante. *Bouillir du linge, des légumes.*

CONTR. **Geler.** — **Refroidir** (faire refroidir). — **Calmer** (se).
DÉR. **Bouillage, bouillaison, bouillant, bouillerie, bouilleur, bouilli, bouillie, bouillissage, bouillisseur, bouilloire, bouillon, bouillotte, bouillotter.**
COMP. **Pot-bouille.**

BOUILLISSAGE [bujisaʒ] n. m. — 1765, *Encyclopédie*; de *bouillir*.
Technique.

♦ **1.** En papeterie, Première opération subie par la pâte de chiffon au cours du blanchiment.

♦ **2.** Par métonymie. En sucrerie, Cuisson du jus sucré avant sa concentration, pour faire précipiter les sels de calcium.

BOUILLISSEUR [bujisœʀ] n. m. — 1923; de *bouillir*.

♦ Techn. Appareil dans lequel s'effectue le bouillissage* du jus sucré de betterave.

BOUILLITOIRE [bujitwaʀ] n. m. — 1694; de *bouillir*, d'après des dér. comme *laboratoire*.

♦ Techn. (Ancienn.). Liquide dans lequel on plonge un objet de cuivre à argenter.

BOUILLOIRE [bujwaʀ] n. f. — 1740, Académie; de *bouillir*.

♦ Récipient métallique pansu, muni d'un bec et d'une anse, destiné à faire bouillir de l'eau. ⇒ **Bouillotte, coquemar.** *Mettre la bouilloire devant le feu, sur le feu. Bouilloire russe.* ⇒ **Samovar.** *La bouilloire chante. Bouilloire électrique.*

Tout de suite, il découvrit l'assemblée des hommes dans la cour de la maison du cheikh. Ils étaient assis par terre, par groupes de cinq ou six autour des braseros où les grandes bouilloires de cuivre contenaient l'eau pour le thé vert.
         J.-M. G. LE CLÉZIO, Désert, p. 35.

BOUILLON [bujɔ̃] n. m. — V. 1150, au sens 2; de *bouillir*.

A. ♦ **1.** Techn. ou rare. Fait de bouillir (seulement dans quelques expressions). *Retirer au premier bouillon,* dès l'ébullition. *Faire jeter un bouillon à un liquide,* l'amener à ébullition.

0.1   Patience, la garbure a besoin encore d'un bouillon ou deux.
         Th. GAUTIER, le Capitaine Fracasse, p. 95.

Par métaphore :

1   Il *(le jeune marquis de Grignan)* n'est pas cuit, comme dit Mᵐᵉ de La Fayette; encore un petit bouillon au coin de votre feu lui fera tous les biens du monde (...)
         Mᵐᵉ DE SÉVIGNÉ, 1258, 25 janvier 1690.

♦ **2.** **a** Bulle ou ensemble de bulles qui se forment au sein d'un liquide en ébullition. ⇒ **Bouillonnement.** *Les bouillons d'un liquide.* — Loc. (avec *à...*). *Bouillir à petits, à gros bouillons.*

1.1   (...) les graisses bouillaient lourdement en laissant échapper, de chacun de leurs bouillons crevés, une légère explosion d'âcre vapeur.
         ZOLA, le Ventre de Paris, t. I, p. 143.

b (1393). Agitation d'un liquide provoquée par qqch. qu'on y remue.

Flot* d'un liquide très agité qui s'échappe, qui tombe (surtout dans : *à gros bouillons*). *L'eau sort à gros bouillons de cette source* (Académie).

2   (...) un ruisseau, qui, se précipitant du haut d'un rocher, tombait à gros bouillons pleins d'écumes et s'enfuyait au travers de la prairie.   FÉNELON, Télémaque, LI.

Par exagér. *Plaie qui saigne à gros bouillons. Vomir du sang à gros bouillons.*

3   (...) Mes yeux ont vu son sang
Couler à gros bouillons de son généreux flanc (...)   CORNEILLE, le Cid, II, 8.

c Vx (langue class.). État d'agitation, d'emportement violent (de l'esprit). ⇒ **Effervescence, transport.** *Les bouillons de la colère, de la passion.* — *Les bouillons du sang* (→ ci-dessous, cit. 6).

4 Modérez les bouillons de cette violence (...)   CORNEILLE, Médée, I, 5.
5 L'impétueux bouillon d'un courroux féminin (...)   CORNEILLE, Clit., 947, var.
6 Et d'un sang un peu chaud réprimant les bouillons (...)
     MOLIÈRE, Don Garcie, III, 3.

d (1765). Techn. Bulle d'air emprisonnée dans le verre, dans les métaux fondus.

♦ **3.** Fig. (idée de «bulle»). **a** (1603). Cout. Gros pli rond et bouffant d'une étoffe. *Jupe, tenture à bouillons. Bouillons de soie.*

6.1 Sa robe de taffetas lilas avait des manches à crevés, d'où s'échappaient des bouillons de mousseline (...)   FLAUBERT, l'Éducation sentimentale, Pl., t. II, p. 267.

b Excroissance de chair dans une plaie.

B. ♦ **1.** (XIIIe). Cour. Aliment liquide que l'on consomme chaud, composé d'eau dans laquelle ont bouilli de la viande ou des légumes. ⇒ **Brouet** (vx), **chaudeau** (vx), **consommé, potage, soupe.** *Boire un bouillon pour se réchauffer. Bouillon concentré.* ⇒ **Concentré.** *Bouillon clair, chaud, fumant, nourrissant, succulent. Bouillon au poisson.* ⇒ **Court-bouillon.** *Bouillon coupé, trop étendu d'eau.* ⇒ **Eau** (eau de vaisselle), **lavure.** — Loc. BOUILLON GRAS. *Les yeux d'un bouillon gras.* — *Bouillon maigre, aveugle* (sans yeux). *Dégraisser un bouillon. Passer un bouillon. Bouillon de pot-au-feu. Bouillon de tortue. Bouillon aux herbes. Bouillon de légumes. Tablette de bouillon concentré solidifié.*

7 Le potage et le bouillon de viande leur font un meilleur chyle.
     ROUSSEAU, Émile, I.
8 C'était un vieil usage français de verser un bouillon sur des tranches de pain appelées *soupes;* le nom s'est étendu ensuite à l'ensemble.
     Ch. SEIGNOBOS, Hist. sincère de la nation franç., p. 202.
8.1 — Tu dois te purger, me conseillait-elle quand ma langue lui paraissait chargée. Et tu demanderas à madame Jules qu'elle te fasse un bon petit bouillon de légumes dont tu ne boiras que le jus... N'est-ce pas, madame Jules, que vous lui ferez un bon petit bouillon de légumes?
Madame Jules acceptait la recette.
— Vous prenez une demi-botte de poireaux, une livre de carottes et quelques pommes de terre...   Henri CALET, la Belle Lurette, p. 196.

Bouillons médicinaux. Être au bouillon, réduit au bouillon : être malade et ne pouvoir absorber aucun aliment solide.

9 Nos blessés manquent de bouillons, de linge et de médicaments.
     FÉNELON, XXII, 502.
10 Les filles-Dieu portent et reportent ça et là les bouillons, la charpie.
     CHATEAUBRIAND, le Génie du christianisme, IV, III, 6.

Loc. fam. *Bouillon pointu :* lavement. — (1791, *in* D. D. L.). Fig., fam. *Bouillon d'onze heures :* breuvage empoisonné.

♦ **2.** Loc. fig. *Boire*, prendre un bouillon :* avaler de l'eau en nageant (cf. Boire la tasse). — Fig., fam. (1808, *in* D. D. L.). Essuyer une perte considérable par suite d'une mauvaise spéculation. Pop., vieilli. Eau. *Tomber, jeter qqn dans le, au bouillon.*
Fig. Situation fâcheuse. ⇒ **Embarras.** *Être dans le même bouillon.*

10.1 Je suis comme eux, bien sûr, nous sommes dans le même bouillon. J'ai cependant une supériorité, celle de le savoir, qui me donne le droit de parler.
     CAMUS, la Chute, p. 162.

♦ **3.** (1843, Balzac; de *prendre un bouillon*). Exemplaires invendus (d'une publication). *Renvoyer le bouillon, les bouillons. Reprendre les bouillons d'un journal chez les dépositaires.*

♦ **4.** *Bouillon de culture :* liquide destiné à la culture des microbes; fig., cour. milieu favorable.

11 La perfidie ne va pas sans la dissimulation, qui est comme son bouillon de culture.   Léon DAUDET, la Femme et l'Amour, XIII.

♦ **5.** (Par métonymie du sens B., 1.). Anciennt. Restaurant à bon marché.

12 Je fais connaissance avec ces étranges «bouillons» où l'on paye chaque plat au moyen de jetons préalablement achetés à la caisse et où l'on va soi-même quérir sa portion devant un long comptoir de marbre.
     G. DUHAMEL, Biographie de mes fantômes, VIII.
13 — Nous irons au bouillon Duval. Nous irions bien chez Durand, mais ce n'est pas la peine que je vous jette de la poudre aux yeux.
     J. RENARD, Journal, 11 juin 1892.

DÉR. **Bouillonner, bouillonneur.**
COMP. **Court-bouillon.** — V. aussi **Bouillon-blanc.**

BOUILLON-BLANC [bujɔ̃blɑ̃] n. m. — 1456; du bas lat. *bugillo, modifié sous l'influence de *bouillon*, à cause de l'emploi de cette plante comme tisane, probablt d'orig. gauloise, et de *blanc*, à cause de la couleur du duvet des feuilles de cette plante.

♦ Molène*, plante *(Scrofulariacées)* dont les fleurs sont employées en médecine comme pectorales. *Des bouillons-blancs.*

BOUILLONNANT, ANTE [bujɔ̃nɑ̃, ɑ̃t] adj. — XVIe; de *bouillonner.*

♦ **1.** Qui bouillonne. *L'eau bouillonnante d'un torrent.* ⇒ **Tumultueux.**

♦ **2.** (Abstrait). Qui manifeste une effervescence, une agitation extrême. *Un esprit bouillonnant. Une énergie bouillonnante.*
Il devait parfois écumer ses idées bouillonnantes.
     J. RENARD, Journal, 18 nov. 1892.

BOUILLONNÉ [bujɔne] n. m. — 1843, *in* D.D.L.; de *bouillonner.*

♦ Cout. Ornement fait d'une bande froncée sur ses deux bords et posée en applique.

BOUILLONNEMENT [bujɔnmɑ̃] n. m. — 1582, Paré; de *bouillonner.*

♦ **1.** Agitation*, mouvement d'un liquide qui bout (⇒ **Ébullition, fermentation**), bouillonne. *Le bouillonnement des moûts, de la cuve. Le bouillonnement d'une source. Bouillonnement du sang.*

♦ **2.** Ensemble de fronces bouffantes dans un tissu. ⇒ **Bouillon** (A., 3.). «*Tout ce beau bouillonnement de linge*» (Proust, *le Temps retrouvé*).

♦ **3.** (1669). Fig., littér. État d'agitation violente. ⇒ **Bouillon** (A., 2., c). *Le bouillonnement de l'âme, du cœur, du sang. Bouillonnement des désirs, des idées, des passions, des pensées.* ⇒ **Ardeur, effervescence, tumulte.**

1 (...) j'essayais, tantôt en italien, tantôt en français, d'épancher en prose ou en vers ces premiers bouillonnements de l'âme, qui semblent peser sur le cœur jusqu'à ce que la parole les ait soulagés en les exprimant.   LAMARTINE, Graziella, XV, 102.
2 (...) il *(Olivier)* avait aussi reconnu la force fatale qui les entraînait *(ces hommes)* (...) C'était un fort courant : il soulevait une masse énorme de passions, d'intérêts et de foi, qui se heurtaient, se fondaient, avec des bouillonnements d'écume et des remous contradictoires.   R. ROLLAND, Jean-Christophe, p. 1292.
3 (...) Oui, l'amour c'est ça (...) «un bouillonnement du sang, avec consentement de la volonté» (...)   MARTIN DU GARD, les Thibault, t. VI, p. 90.

Spécialt. Agitation politique. *Le bouillonnement révolutionnaire.*

CONTR. **Calme, tranquillité.**

BOUILLONNER [bujɔne] v. — V. 1215; de *bouillon.*

★ **I.** V. intr. ♦ **1.** (Le sujet désigne un liquide). S'agiter en formant des bouillons* (A.). *Source qui bouillonne.*

1 Au pied de rochers à pic, la source s'élançait en bouillonnant.
     MÉRIMÉE, Carmen, I.
1.1 (...) j'apercevais mes carreaux empourprés par les reflets du laboratoire où bouillonnaient, nuit et jour, les alambics, les matras à tubulure et les cornues (...)
     VILLIERS DE L'ISLE-ADAM, Tribulat Bonhomet, p. 143.

Présenter des bulles sur sa surface, à la suite d'un bouillonnement.

1.2 Afin d'éviter les gerçures de ses faïences, il mêlait de la chaux à son argile; mais les pièces se brisaient pour la plupart, l'émail de ses peintures sur cru bouillonnait, ses grandes plaques gondolaient (...)
     FLAUBERT, l'Éducation sentimentale, II, II, Pl., t. II, p. 178.

Par métaphore. *Avoir le sang qui bouillonne dans les veines.* ⇒ **Bouillir.**

3 Hérodias sentit bouillonner dans ses veines le sang des prêtres et des rois ses aïeux.   FLAUBERT, Trois contes, III, 1.
3 Des cœurs où bouillonne une jeune sève, et auxquels l'action est interdite (...)   LOTI, les Désenchantées, IV, XXVI, 163.

♦ **2.** (1561). Fig. Être en effervescence, s'agiter. ⇒ **Échauffer** (s'), **fermenter.** (Le sujet désigne une personne ou une caractéristique humaine). — *Bouillonner d'ardeur, de colère, de fureur. Jeunesse qui bouillonne. Les idées neuves bouillonnaient dans sa tête.*

4 (...) Si ce jeune cerveau s'échauffe, si vous voyez qu'il commence à bouillonner, laissez-le d'abord fermenter en liberté, mais ne l'excitez jamais; de peur que tout ne s'exhale (...)   ROUSSEAU, Émile, II.
5 Si tu savais...! comme le son de sa voix seulement fait bouillonner en moi une vie nouvelle!   A. DE MUSSET, André del Sarto, I, 1.
6 (...) ces phrases qui bouillonnent et se pressent dans son cerveau, il les jettera, toutes chaudes, sur le papier...   MARTIN DU GARD, les Thibault, t. VIII, p. 103.

(Sujet n. de chose) :

7 Secouée par son angoisse, la nuit bouillonnait comme une énorme fumée noire pleine d'étincelles (...)   MALRAUX, la Condition humaine, p. 10.
Le jeu, l'amour, la bonne chère,
Bouillonnent en toi, vieux chaudron!
     BAUDELAIRE, les Fleurs du mal, les Épaves, XII, «le Monstre».

♦ **3.** (XVIIe). Former des bouillons, en parlant d'une étoffe. *Sa jupe bouillonne.*

♦ **4.** (1901; de *bouillon*, B., 3.). Imprim. Avoir de nombreux exemplaires invendus. ⇒ **Bouillon.** *Journal qui bouillonne.*

9 La Gauche devait tirer au mieux, les jours de gala, à quelques milliers d'exemplaires, dont une moitié partait en services gratuits, parlementaires, ministres et grands commis, et l'autre *bouillonnait* presque toute.
     Raymond ABELLIO, les Militants, p. 81.

★ **II.** V. tr. Plisser (une étoffe) en bouillons. *Bouillonner une robe, une collerette.*

CONTR. **Apaiser, calmer** (se), **refroidir** (se).
DÉR. **Bouillonnant, bouillonné, bouillonnement, bouillonneur** (A.), **bouillonneux.**

BOUILLONNEUR, EUSE [bujɔnœʀ, øz] n. — 1883, au sens B.; de *bouillonner* (A.) et de *bouillon* (B.).

A. *Bouillonneuse,* n. f. Vx. Cuisinière qui faisait les bouillons, les potages.

B. Techn. ♦ **1.** *Bouillonneur, bouillonneuse d'étoffes :* ouvrier, ouvrière qui calandre le linge, les étoffes pour les mettre en plis.

♦ **2.** *Bouillonneuse,* n. f. Ouvrière qui exécute des franges de métal.

BOUILLONNEUX, EUSE [bujɔnø, øz] adj. — Fin xvᵉ; de *bouillonner.*

♦ Vieilli. Qui bouillonne, produit un bouillonnement. *Eau bouillonneuse.* ⇒ **Bouillonnant.**

1. BOUILLOTTE [bujɔt] n. f. — 1788, *Archives du Poitou;* de *bouillir.*

♦ **1.** Vieilli. Récipient* métallique destiné à faire bouillir de l'eau. ⇒ **Bouilloire.** *Une bouillotte de cuivre.*

1   (...) elle se sauva, effrayée par les appels impatients d'une bouillotte dont l'eau s'épandait, avec des jurons de matou, sur les plaques rouges du fourneau.   HUYSMANS, la Cathédrale, p. 428.
2   La bouillotte chantonne sa prière au feu.   J. RENARD, Journal, 22 déc. 1900.

Vx. Réservoir d'eau chaude (des anciennes cuisinières à bois ou à charbon).

Fig., plais. Chaudière à vapeur, d'une locomotive (Jules Renard), d'un bateau (Céline).

♦ **2.** (1869). Récipient que l'on remplit d'eau bouillante pour se chauffer dans un lit, dans une voiture... *Bouillotte cylindrique. Bouillotte métallique, plate.* ⇒ **Boule** (cit. 1). *Bouillotte en aluminium, en caoutchouc... Bouillotte en grès, en verre.* ⇒ **Cruchon.** *Le moine* peut remplacer la bouillotte.*

3   Dire qu'il faut que je vous apprenne à emmailloter une bouillotte !   MARTIN DU GARD, les Thibault, t. II, p. 150.

♦ **3.** (1879, Esnault). Fam. Tête. *Faire une drôle de bouillotte.* ⇒ 3. **Bouille.**

4   Caltez vivement, les roussins, sans quoi le premier qui rapplique on lui démolit la bouillotte...   L. FORTON, les Aventures des Pieds-Nickelés, in l'Épatant, 1909, p. 96-97.

DÉR. V. 3. **Bouille.**
HOM. 2. **Bouillotte.**

2. BOUILLOTTE [bujɔt] n. f. — 1788, *Éloge... de l'impertinence* in *Franç. mod.;* p.-ê. de *bouillir,* à cause de la rapidité du jeu.

♦ Anciennt. Jeu de cartes très en vogue au XVIIIᵉ siècle, brelan rapide à quatre personnes. *Mise au jeu de bouillotte.* ⇒ **Cave.** *Doubler la mise à la bouillotte.* ⇒ **Carrer.** — *Table de bouillotte,* ou *table-bouillotte* (table ronde, en général à dessus de marbre, munie de tiroirs à jetons).

1   (...) elle ne négligeait rien pour rendre sa maison agréable. On y jouait la bouillotte dans un salon, on causait dans un autre (...)   BALZAC, Un Prince de la Bohème, Pl., t. VI, p. 843.

Groupe de personnes jouant à la bouillotte.

2   Et M. Ducroquet voyant que personne n'est disposé pour faire de la musique, se décide à faire commencer le jeu. Il forme une bouillotte; la fiche est à un sou et la cave de dix. Le vieux garçon, auquel on a fait prendre une carte, trouve que c'est jouer un peu cher, mais enfin il consent à risquer une cave.   Ch. PAUL DE KOCK, La Grande Ville, t. I, P. 75.

HOM. 1. **Bouillotte.**

BOUILLOTTER [bujɔte] v. intr. — 1799, in D.D.L.; de *bouillir.*

♦ Bouillir doucement, ou trop doucement. *La friture bouillotte.*

Un chou-fleur, qui bouillottait bruyamment dans la cuisine, emplissait le logement de son odeur fétide.   MARTIN DU GARD, les Thibault, t. VI, p. 43.

REM. Le dér. *bouillottement* [bujɔtmɑ̃] n. m., est attesté en 1928 (T. L. F.).

BOUILLU [bujy] adj. m. ⇒ **Boullu.**

BOUJARON [buʒaʀɔ̃] n. m. — 1792, *boujarron;* p.-ê. métaphore iron. du provençal *boujarroun* qui signifie « sodomite », du lat. *bulgarus* (→ Bougre); la métaphore pourrait porter sur l'anus (cf. Pot, pour « cul »).

Vx. marine.

♦ **1.** Récipient en fer-blanc d'une capacité de six centilitres et servant à distribuer les divers liquides à l'équipage.

1   Puis il descendit de son banc, distribua quelques coups de pied au cul à l'équipage, but une lampée au boujaron que tendait Zélinde, et s'occupa de la route à tenir.   GIONO, Naissance de l'Odyssée, p. 28.

♦ **2.** Par métonymie. Ration quotidienne d'alcool (d'un marin). *Un boujaron de rhum, de tafia.*

---

2   (...) il comprit qu'il était temps d'appeler la cambuse à la rescousse, et il fit distribuer un boujaron aux hommes.   Roger VERCEL, Remorques, p. 99.
3   (...) mon escouade devint le noyau de la section franche et les amateurs étaient nombreux qui se présentaient pour en faire partie, bien entendu à cause du supplément de pinard et du triple boujaron de rhum dont nous jouissions (...)   B. CENDRARS, la Main coupée, in Œ. compl., t. X, p. 131.

BOUJON [buʒɔ̃] n. m. — 1613, « grosse flèche à tête »; xiiiᵉ, anc. picard *boujon* « verge de fer; verrou »; dans les parlers du Nord de la France et de Belgique « échelon, barreau »; du francique *bultjo,* cf. all. *Bolzen.*

♦ Régional (Hainaut). Barreau de chaise (*in* Hanse). Var. : *bouson.*

BOULAGE [bulaʒ] ou **BOULETAGE** [bultaʒ] n. m. — 1861; de 1. *bouler.*

♦ Techn. Fait de bouler les cornes d'un bovin.

BOULAIE [bulɛ] ou **BOULERAIE** [bulʀɛ] n. f. — 1294, *boleye,* attestation isolée; 1838, *bouleraie;* de l'anc. franç. *boul.* → Bouleau.

♦ Régional ou agric. Terrain planté de bouleaux*. *Traverser une boulaie.*

HOM. **Boulê, boulet.**

BOULANCE [bulɑ̃s] n. f. — D. i., mot dialectal (Wartburg, art. *bullare*); de *boulant.*

♦ Géol. Effondrement (d'un sable) dû à sa structure ou à un écoulement d'eau. ⇒ **Boulant.**

BOULANGE [bulɑ̃ʒ] n. f. — 1830; de 1. *boulanger.*

♦ **1.** Techn. Produit de la mouture du blé. ⇒ **Farine.**

♦ **2.** Action de pétrir et de cuire le pain (⇒ **Boulanger**). *Se lever de bonne heure pour la boulange.* — Anciennt. *Bois de boulange,* destiné à chauffer le four.

♦ **3.** Fam. Métier ou commerce du boulanger. *Être dans la boulange.* ⇒ **Boulangerie.** — Boulangerie (magasin).

1. BOULANGER, ÈRE [bulɑ̃ʒe, ɛʀ] n. et adj. — V. 1170, *bolengier;* lat. médiéval *bolengarius,* v. 1100; d'un picard *boulenc* « celui qui fabrique du pain en boule », du moy. néerl. *bolle* « pain rond », suff. germ. *-enc* (comme dans *tisserand*).

★ **I.** ♦ **1.** BOULANGER (n. m) : celui dont le métier est de faire le pain. *Le boulanger travaille la nuit. Boulanger-pâtissier. Boulanger industriel. Four de boulanger. Le dimanche, le boulanger fait des gâteaux. Boutique du boulanger.* ⇒ **Boulangerie.** *Va m'acheter une baguette chez le boulanger.* — *La Femme du boulanger,* film de M. Pagnol.

1   À genoux, cinq petits — misère ! —
Regardent le Boulanger faire
Le lourd pain blond.
Ils voient le fort bras blanc qui tourne
La pâte grise et qui l'enfourne
Dans un trou clair.
Ils écoutent le bon pain cuire (...)   RIMBAUD, les Effarés.
2   Il l'attendait en chantant, non avec la voix crépitante des flammes, mais avec le murmure qui accompagne l'incandescence du four du boulanger.   MALRAUX, Antimémoires, Folio, p. 61.

En appos. *Patron boulanger. Garçon boulanger.* ⇒ **Gindre, mitron.** *Artisan boulanger.*

3   Un patron boulanger (...) lui promettait dix-sept ou dix-huit francs par jour (...)   A. BRETON, Nadja, p. 79.

Allus. hist. *Le boulanger, la boulangère et le petit mitron,* sobriquets donnés à Louis XVI, Marie-Antoinette et leur fils par le peuple, en 1789, par allusion à la demande de pain, à la suite de la pénurie de farine.

Argot. Vx. *Le boulanger :* le diable (à cause du four).

♦ **2.** BOULANGÈRE (n. f.) : celle qui vend le pain dans une boulangerie, généralement la femme du boulanger. *La boulangère s'est trompée en rendant la monnaie.* — REM. L'emploi du fém. au sens 1. est virtuel (propriétaire ou ouvrière de boulangerie).

Pommes à la boulangère, ou, ellipt, *pommes boulangère :* pommes de terre cuites et dorées avec oignons.

♦ **3.** Adj. Qui est fait par le boulanger, vendu en boulangerie. *Biscottes boulangères.*

★ **II.** N. f. Vx. Ronde dansée sur une chanson populaire dont les paroles sont : « la boulangère a des écus... ». *Danser la boulangère* (Balzac, *César Birotteau,* 1837).

DÉR. **Boulange, boulanger** (v.), **boulangerie.**
HOM. 2. **Boulanger.**

2. BOULANGER [bulɑ̃ʒe] v. — Conjug. *bouger*. — 1573, Baïf; *boulenger*, fin xvᵉ; de *boulanger*, nom.

♦ **1.** V. intr. Faire du pain. *Autrefois, on boulangeait une fois par semaine dans chaque famille.*

♦ **2.** V. tr. Travailler, pétrir (une substance) pour faire du pain. *Boulanger de la farine.* — Par ext. Préparer et cuire (le pain). *Boulanger le pain pour la semaine.* — Au p. p. *Du pain bien boulangé.*

1   La Grande Nanon, son unique servante, quoiqu'elle ne fût plus jeune, boulangeait elle-même tous les samedis le pain de la famille.
                BALZAC, Eugénie Grandet, éd. 1838, p. 38.

2   Un souper de jambon cru, de pommes et de whisky avait été préparé sur l'une des consoles lourdement dorées; Sophie elle-même avait boulangé le pain.
                M. YOURCENAR, le Coup de grâce, p. 197.

HOM. 1. **Boulanger.**

BOULANGERIE [bulɑ̃ʒʀi] n. f. — 1314, *boulenguerie*; de *boulanger*, nom.

♦ **1.** Fabrication et commerce du pain. ⇒ **Boulange, panification.** *Opérations de boulangerie traditionnelle* (⇒ **Apprêt, bassinage, contre-frase, cuisson, délaiement, délayage, fermentation, fleurage, frase, levain, mouillage, pétrissage, soufflage**). *Travailler dans la boulangerie.* ⇒ **Boulange** (fam.). *Monter une entreprise de boulangerie industrielle, semi-industrielle.* Ensemble des professionnels de la boulangerie. *Le ministre a reçu une délégation de la boulangerie.*

♦ **2.** Lieu où l'on fait le pain destiné à la vente. *Travail de la pâte dans le fournil* d'une boulangerie* (⇒ **Coupe-pâte, paneton, pâton, pâtonnage, pétrin, racle, raclette, rouleau**). *Le four d'une boulangerie* (⇒ **Braisier, écouvillon, fourgon, fournilles, oura, râble, rouable, tire-braise**). *Cuisson du pain dans une boulangerie* (⇒ **Défourner, désenfourner; enfourner, fournée**).

♦ **3.** Plus cour. La boutique du boulanger, où l'on vend du pain et de nombreux autres produits. *Aller acheter des croissants et des biscottes à la boulangerie. Boulangerie-pâtisserie,* où l'on vend aussi des gâteaux. ⇒ **Pâtisserie** (cit. 4).
Boulangerie militaire. ⇒ **Manutention,** 4.

BOULANGISME [bulɑ̃ʒism] n. m. — 1887; du nom du général *Boulanger.*

♦ Mouvement politique attaché à la personne ou à la doctrine du général Boulanger (1837-1891). *Le boulangisme utilisant l'exaltation du sentiment national, regroupa les opposants au régime, surtout de droite, de 1886 à 1889.*

Marius André, ex-rédacteur en chef du *Faune*, cheveux longs, barbe rare (décidément, ça revient à la mode), Méridional, connaît tout et tous, parle de tout et de tous, et trouve que le boulangisme, par exemple, n'a commencé à être fort qu'aux élections dernières, celles d'octobre.   J. RENARD, Journal, 5 déc. 1889.

BOULANGISTE [bulɑ̃ʒist] n. et adj. — 1887; du nom du général *Boulanger.*

♦ Relatif au boulangisme. *L'aventure boulangiste.* — N. Partisan du boulangisme. *Un, une boulangiste. Le parti des boulangistes était la Ligue des Patriotes.*

BOULANT, ANTE [bulɑ̃, ɑ̃t] adj. — D. i.; de 1. *bouler.*

Technique ou didactique.

♦ **1.** Géol. Qui se désagrège facilement. *Sables boulants :* qui s'éboulent aisément. *Terrain boulant* (⇒ **Boulance**).

♦ **2.** *Pigeon boulant :* variété de pigeon qui peut gonfler son jabot en boule. — N. m. *Un boulant.*

(...) on y reconnaissait un tumbler, un culbutant, un nègre *(sortes de pigeons...)*, et même deux exemplaires de ces boulants juchés sur des pattes démesurées et la tête enfouie derrière un jabot monstrueusement enflé.
                M. TOURNIER, le Roi des Aulnes, p. 155.

BOULBÈNE [bulbɛn] n. f. — 1796; gascon *boulbeno* «terre d'alluvion», orig. inconnue.

♦ Didact. ou régional. Terre composée de sable, de limons argileux rougeâtres et de cailloux, sol caractéristique de l'Aquitaine. *La boulbène est un sol assez léger, facile à travailler, fertile dans les vallées, de plus en plus pauvre à mesure qu'on s'élève vers les terrasses.*

BOULDER [buldœʀ] n. m. — 1925; mot angl., proprt «galet».

♦ Anglic. Gros bloc de pierre arrondi par l'érosion.

J'ai fait l'ascension de l'énorme boulder qui domine le campement. Je m'aperçois qu'il y en a (...) dans le pays, quantité d'autres. Celui que je gravissais était des plus remarquables. D'une seule pièce — granit à très gros grain (...)
            GIDE, le Retour du Tchad, VI, *in* Souvenirs, Pl., p. 946.

BOULDOZEUR [buldozœʀ] n. m. ⇒ **Bulldozer, bouteur.**

1. BOULE [bul] n. f. — 1330; fin XIIIᵉ, «bulle»; v. 1175, *bole* «massue»; lat. *bulla* «bulle d'eau; objet sphérique».

♦ **1.** Forme sphérique; objet (non spécifié) de cette forme. *Il ramassa ses affaires et en fit une boule. Il a vu une boule enflammée passer dans le ciel. Le soleil semble être une boule de feu. Rond comme une boule. Rouler comme une boule. Objets en forme de boule.* ⇒ **Balle, ballon, bille, bombe, boulet, boulette, bulle, globe, pomme, sphère.**

Nous imitons, horreur! la toupie et la boule   0.1
Dans leur valse et leurs bonds (...)
           BAUDELAIRE, les Fleurs du mal, CXXVI, « Le voyage ».

(...) cette partie de balle (...) ce plaisir des petits chats qui sautent après des boules 0.2
de papier.   MAUPASSANT, Fort comme la mort, éd. 1889, p. 201.

En effet, un ballon, porté comme une boule au sommet d'une trombe, et pris dans 0.3
le mouvement giratoire de la colonne d'air, parcourait l'espace avec une vitesse de quatre-vingt-dix milles à l'heure, en tournant sur lui-même, comme s'il eût été saisi par quelque maelström aérien.
           J. VERNE, l'Île mystérieuse, t. I., p. 3 (1874).

REM. Dans les syntagmes comme *boule d'eau, etc.* le mot possède à la fois la valeur générale et la valeur spéciale, → ci-dessous, 3.

Rond comme une boule, en parlant d'une personne. *Boule de graisse. Boule de suif* (titre d'un conte de Maupassant) : personne grosse.

Les pieds sur une boule d'eau brûlante, le corps sous une fourrure dont   1
la caresse velue et fine, immobile et douce, la réchauffait à travers sa robe (...)
           MAUPASSANT, Notre cœur, II, VI, p. 187.

Méd. *Boule d'œdème :* infiltration de forme globulaire succédant à l'injection d'un liquide dans le derme ou l'hypoderme. Fam. *Avoir une boule dans la gorge,* une sensation de gêne au niveau du larynx, accompagnant souvent une forte émotion.
Boule hystérique : sensation éprouvée par les hystériques au début d'une attaque ou comme symptôme isolé, d'avoir une boule qui comprime leur cou et leur thorax.
EN BOULE : en forme de boule. *Des arbres taillés en boule.* ⇒ **Bulteau.** — *Un arbre en boule. Vu l'arbre en boule?,* dans le langage militaire, pour un repérage. — Géol. *Érosion en boule,* qui aboutit à la formation de blocs arrondis. — *Un chat roulé en boule. Tomber en boule.* ⇒ **Bouler; roulé-boulé.** *Se mettre, se rouler en boule.* ⇒ **Blottir** (se), **bouter** (se), **pelotonner** (se). *Mettre en boule.* ⇒ **Conglober.** *Rouler ses vêtements en boule.*

(...) l'objet, pourtant remarquable, était roulé en boule dans un coin (...)   1.1
           A. ROBBE-GRILLET, Souvenirs du triangle d'or, p. 160.

Géol. *Désagrégation en boule des roches cristallines.*

Fig., fam. *Mettre qqn en boule. Avoir les nerfs en boule :* être énervé, furieux. ⇒ **Pelote** (en). *Se mettre en boule,* en colère.

Qu'est-ce que tu as? Tu as l'air malade. Tes nerfs sont en boule (...)   2
           A. MAUROIS, Terre promise, XLII, p. 287.

UNE BOULE DE... : une quantité (d'une matière) de forme grossièrement sphérique. *Petite boule de viande.* ⇒ **Boulette.** *Boule de glace. Cornet de glace à deux boules. Boule d'aliments mastiqués.* ⇒ **Bol.** *Une boule de cire, d'antimites, de cheveux. Un pull vert, couvert de petites boules de laine* (⇒ **Boulocher**). *Le mercure se répand sur une surface en formant de petites boules. Il reste des boules de farine dans la pâte. Boule de sureau.*

Régional (Belgique). *Boule de savon :* pain (rond) de savon.

BOULE DE NEIGE : neige pressée en sphère. *Bataille de boules de neige.* Fig. *Faire (la) boule de neige :* prendre une importance de plus en plus grande et de plus en plus rapide. ⇒ **Grossir.**

(...) il *(le bourgeois)* en constitue des *capitaux,* qu'il investit dans d'autres affai- 3
res et qui font boule de neige.   MARTIN DU GARD, les Thibault, t. V, p. 218.

Eh! mon Dieu! un article circule..., on en parle..., cela finit par faire la boule de 4
neige! Et qui sait? qui sait?   FLAUBERT, Mᵐᵉ Bovary, p. 235.

Vente à la boule de neige, dans laquelle il est convenu que l'acheteur se fait rembourser au moins une part de la marchandise s'il en place à son tour une certaine quantité. *Le système de la vente à la boule de neige est illicite.*

⇒ **Boule-de-neige** (plante).

Boule de feu : pivoine. — *Boule d'or :* trolle.

En appos. Vx ou régional (Belgique). *Chapeau boule :* chapeau melon*.

♦ **2.** Math. Ensemble des points d'un espace métrique dont la distance à un point donné de l'espace est inférieure *(boule fermée)* ou strictement inférieure *(boule ouverte)* à un nombre réel positif donné. *Boule dans l'espace euclidien de dimension 3. Si l'espace est un plan euclidien, la boule est un disque.*

♦ **3.** Objet (spécifié) de forme sphérique. [a] (Objets artificiels). *Les boules d'un boulier. Boule d'un bilboquet. Boule d'une canne, d'une épée.* ⇒ **Pomme, pommeau.** *Boule d'amortissement :* ornement couronnant un pilier, une balustrade, une rampe d'escalier. *Une boule de balustre, de pilastre.* — *La boule de cristal* d'une voyante.*

Boule blanche, rouge, noire : boule qui dans certains votes, certains systèmes d'appréciation, permet de donner son avis. *Déposer*

sa boule dans l'urne. — Vx. *«Oscar passa ses derniers examens à boules blanches»* (Balzac), en obtenant une appréciation favorable.
— Fig. et vx. *La boule noire lui tombe toujours* : il joue de malchance. *Boule à repriser.* Quasi syn. : *œuf (à repriser). Boule de loto* : jeton cylindrique, portant un nombre, et que l'on tire au sort au loto. — Fig. *Avoir des yeux en boule de loto,* ronds et exorbités.

(1890, *in* D. D. L.). *Boule puante* : petite sphère qui en se brisant répand un liquide d'une odeur fétide. *Les écoliers lançaient des boules puantes pendant le cours.*

5   Nous lançions déjà des boules puantes aux filles tous les deux quand vous ne songiez pas encore à venir au monde, cher bébé.
                                                J. ANOUILH, la Répétition, p. 107.

Boule d'eau, d'eau chaude. ⇒ 1. **Bouillotte,** 2. ; → ci-dessus, cit. 1. *Boule à thé* : petit appareil formé de deux hémisphères dans lequel on met les feuilles de thé avant de les plonger dans la théière. Vx. *Boule à légume, à riz* (analogues).

Mar. *Boule de signaux,* servant à faire des signaux sur les côtes (⇒ **Bombe ; ballon**). *Boule de marée,* hissée à l'entrée d'un port pour signaler aux navires que la marée leur permet d'entrer.

Absolt. Techn. Petite enclume ronde. — Masse de métal courbe (utilisée pour planer, en orfèvrerie). — Outil à tête ronde.

BOULES QUIES [bulkiɛs] (marque déposée) : petites boules de cire que l'on se met dans les oreilles pour s'isoler du bruit. *Mettre des boules Quies.*

6   (...) il a fabriqué des boules «Quies» avec de la mie de pain enduite de gras de gamelle.   J. CAU, la Pitié de Dieu, p. 124.

7   Qu'est-ce qui t'a pris? Tu n'avais pourtant pas ces boules Quiès que tu viens d'enfoncer dans tes oreilles. Tu l'as bien entendu, le cher monsieur!
                                                Yanny HUREAUX, la Prof, p. 65.

Boule de pain. ⇒ **Miche.** *Boule de son.* — Absolt. Pain en forme de boule.

Boule militaire. Donnez-moi trois baguettes et deux boules. ⇒ aussi 1. **Boulot** (pain boulot).

BOULE DE GOMME : bonbon à base de gomme (→ Gomme, cit. 3). Loc. fam. *Mystère* (cit. 13.1) *et boule de gomme!*

Vx. *Boule de Nancy, boule d'acier* : médicament contre les contusions. *Eau de boule* : alcool contenant ces boules dissoutes.

Absolt. Régional (Belgique). Bonbon à sucer (souvent, bonbon acidulé). — Syn. fam. : *chique.* — (Afrique noire). Morceau de pâte (manioc, mil, sorgho...) façonné en boule. — Syn. : *boule de pâte.* Loc. *Manger la boule et la sauce* : manger à l'africaine.

b (Objets naturels). Baie sphérique. *Les boules du gui, du chèvrefeuille. Les boules rouges du houx.*

Fam. *Boule ; boule d'amour* : testicule. ⇒ **Balle.**

8   Ce jour-là (avant-hier lundi) mon kellak me frottait doucement, lorsque étant arrivé aux parties nobles, il a retourné mes boules d'amour pour me les nettoyer, puis continuant à me frotter la poitrine de la main gauche, il s'est mis de la droite à tirer sur mon vi *(sic).*   FLAUBERT, Correspondance, t. I, Pl., p. 573.

9   Par-dessus le marché, j'ai eu une orchite, tout comme un grand, à la suite d'une chute sur mes petites boules qui se mirent à grossir énormément et gardèrent, par la suite, une allure bien laide.   Henri CALET, la Belle Lurette, p. 55.

Fam. *Les boules* : glandes, ganglions.

Loc. fig. (v. 1980). *Avoir les boules* (ou *les glandes*) : en avoir assez, être énervé. *Ça me fout les boules! Oh! les boules!*

♦ **4.** Corps plein sphérique de métal, de bois, d'ivoire, qu'on fait rouler dans certains jeux. ⇒ aussi **Bille.** *Boule de pétanque, du jeu de quilles, de bowling, de croquet, de passe-boule. Boule de billard.* ⇒ **Bille.**

Spécialt. **a** Fam. (Sports). Ballon de football. ⇒ **Balle, ballon.** *Passe-moi la boule!*

10   Pourtant, au croisement de la route de l'Opéra, quelques gosses jouaient à la balle. Ils reconnurent Antoine et lui lancèrent la boule avec déférence.
                                                René FALLET, le Triporteur, p. 24.

b N. f. plur. **BOULES** : exercice, jeu d'équipe et de plein air qui consiste à lancer et faire rouler sur le sol des boules de bois ou de métal, de telle sorte qu'elles se rapprochent le plus possible d'un but matérialisé par une boule plus petite (cochonnet*). → **Boulodrome,** cit. 1. *Jeu de boules* (boule lyonnaise, pétanque*). *Jouer aux boules* (⇒ **Abuter, piéter, pointer, poquer, tirer**). *Joueur de boules.* ⇒ **Bouliste, boulomane.** *Équipe de joueurs de boules* : triplette. *Concours de boules. Il passait tous ses dimanches après-midi à jouer aux boules sur la place.*

Jeu de boules : lieu où l'on pratique ce jeu. ⇒ **Boulingrin** (étym.), **boulodrome.**

11   Attaché dessus vous, comme un joueur de boule
       Après le mouvement de la sienne qui roule.   MOLIÈRE, l'Étourdi, IV, 4.

c (1763, *in* D. D. L.). Jeu de hasard des casinos, voisin de la roulette. *Jouer à la boule.*

(1953). Loc. fig. Fam. *Rentrer dans ses boules, retrouver ses boules,* sa mise. — *Remonter les boules de qqn, remonter ses boules* : (se) refaire (au jeu) ; (faire) gagner de l'argent.

d Loc. fig. Vx. *Laisser rouler la boule* : ne pas s'inquiéter.

Vx. *Faire quelque chose boule à vue, à boule vue* (ou *à boulevue*), à coup sûr, précipitamment.

♦ **5.** (1798, Procès d'Orgères). Fig., fam. Tête ; crâne. *Avoir la boule à zéro* : être complètement rasé. — *Une boule de billard* : une tête chauve, et, par ext., un homme chauve.

Loc. pop. *Coup de boule* : coup de tête (pour attaquer, faire mal). Cf. Céline, *in* Cellard et Rey.

(Visage). *Avoir une bonne boule,* une bonne tête, un air sympathique. ⇒ **Balle, bille, bouille.**

(Siège de l'intelligence). *N'avoir rien dans la boule.* — (1819, *in* D. D. L.). *Perdre la boule* : devenir fou, s'affoler, déraisonner.

DÉR. et **COMP.** Boule-de-neige, 1. bouler, boulet, boulette, bouleux, boulier, bouliste, boulocher, boulodrome, boulomane, boulon, 1. boulot, boulu, boulure, sabouler. **HOM.** Boulle.

---

2. BOULE [bul] n. m. ⇒ **Boulle.**

BOULÉ [bule] n. m. — 1866, P. Larousse ; de *bouler.*

♦ Cuis. et confis. *Petit boulé, gros boulé* : degrés de cuisson du sucre, respectivement à 115° et 120° quand le sirop forme des bulles qui éclatent, puis des flocons neigeux. → Sucre, cit. 1. *Le gros boulé est aussi appelé «plume». Le sucre est au petit boulé.*

(...) sœur Sophie (...) surveillait l'ébullition des bocaux, ou le grand boulé du sucre.   Denyse VAUTRIN, le Tourbillon des jours, t. I, p. 79.

BOULÊ [bulɛ] n. f. — D. i. (attesté xxᵉ) ; mot grec.

♦ Hist. anc. Sénat d'une cité grecque. *La boulê athénienne. La boulê prépare des projets de lois qu'elle soumet à l'assemblée des citoyens.*

HOM. Boulaie, boulet.

BOULEAU [bulo] n. m. — 1516 ; de l'anc. franç. *boul,* du lat. pop. **betullus,* lat. class. *bettula,* d'orig. gauloise.

♦ Arbre des régions froides et tempérées *(Bétulacées)* à écorce blanche, à petites feuilles, dont le bois est utilisé en menuiserie, en ébénisterie et pour la fabrication du papier. ⇒ **Bouillard** (régional). *Des bouleaux gluants de sève douce.* → Sainfoin, cit. *Plantation de bouleaux.* ⇒ **Boulaie.** *Huile d'écorce du bouleau.* ⇒ **Dioggot.** *Bouleau russe, bouleau de Carélie.*

Je suis maintenant au-dessus d'une forêt de bouleaux dont les cimes pommelées s'entrechoquent, se flétrissant rapidement, tandis que se dépouillant eux-mêmes de leur peau blanche, construisent une grande boîte carrée, seul accident qui demeure dans la plaine dénudée.   Michel LEIRIS, Haut mal, p. 23.

Bois blanc du bouleau. *Une table en bouleau.*

DÉR. V. Bouillard, boulaie.
HOM. 1. et 2. Boulot.

BOULE-DE-NEIGE [buldənɛʒ] n. f. — 1816, *boule de neige ;* de *boule,* et *neige.*

♦ Viorne obier* *(viburnum),* arbre dont les inflorescences ressemblent à des boules de neige.

1   Un oranger en espalier, de petits citronniers dans de grands pots de terre rouge, les boules-de-neige montant à des morceaux de treilles de l'automne.
                                                Ed. et J. DE GONCOURT, Madame Gervaisais, p. 21.

2   À peine on avait poussé la porte du parc, qu'entre les branches des buissons on voyait blotties de grosses «boules de neige», comme le jardinier disait à Jean qu'elles s'appelaient, mais qui cueillies ne fondaient pas dans sa main, qui restaient toutes blanches et aussi grosses dans les vases de la salle à manger!
                                                PROUST, Jean Santeuil, Pl., p. 325.

BOULEDOGUE [buldɔg] n. m. — 1753, *in* Höfler ; *bouldogue,* 1745, attestation isolée ; angl. *bulldog,* proprt «chien*(dog)*-taureau».

♦ **1.** Petit dogue*, à mâchoires saillantes. *Le bouledogue est souvent agressif.* — REM. On écrit parfois *bull-dog* (abrév. fam. *bull*).

1   (...) je m'amuse à voir mettre en place le décor du corridor de l'Opéra, devant un machiniste en chef morose, accompagné en chacun de ses pas, par un bouledogue trapu, et comme écrasé sur les planches de la scène, — homme et bête à la silhouette fantastique.   Ed. et J. DE GONCOURT, Journal, t. VII, p. 13.

Par compar. *Aimable comme un bouledogue* : hargneux.

2   (...) tous admirèrent M. Foureau, qui était brutal cependant, comme l'indiquaient ses grosses lèvres et sa mâchoire de bouledogue.
                                                FLAUBERT, Bouvard et Pécuchet, Pl., t. II, p. 700.

♦ **2.** (1808). Fig. Personne d'aspect peu engageant, peu aimable.

♦ **3.** (1895, A. Daudet). Fam., vx. Revolver, pistolet à canon très court.

---

1. BOULER [bule] v. — Av. 1555, intrans. ; 1390, trans. «faire rouler» ; de *boule.*

★ **I.** V. intr. ♦ **1.** Fam. ou régional. Se déplacer sur le sol en roulant comme une boule, à la suite d'une chute (⇒ **Roulé-boulé**). *Peu après le coup de feu, on vit bouler le lièvre.* « *Des pierres qui boulent* » (Saint-Exupéry). *Du haut du col, l'ennemi faisait bouler sur eux des quartiers de rochers.*

1   On peut aussi se laisser bouler pour ne pas se faire mal quand on tombe de trop haut.   B. CENDRARS, Bourlinguer, p. 180.

2   (...) ma figure se heurte à des genoux et des doigts de pied les garçons sautent sur moi boulent se vautrent m'étreignent s'éloignent reviennent disparaissent(...)
                                        Tony DUVERT, Paysage de fantaisie, p. 110.

♦ **2.** (1854, « repousser »). Fam., cour. *Envoyer bouler qqn*, l'envoyer* promener. ⇒ **Éconduire, repousser.** *Il l'a envoyé bouler comme un malpropre.* Fig. « *Envoyer bouler l'image qu'on se fait du monde* », (M. Yourcenar, *in* Hanse). — *Se faire bouler :* se faire renvoyer, éconduire.

★ **II.** V. tr. (1390). ♦ **1.** Renverser et faire rouler par terre, en détruisant. *Bouler un lièvre,* le frapper d'un coup de feu et le faire rouler sur lui-même sur sa lancée. — *Bouler un obstacle.*

♦ **2.** Fam. Dire, réciter le plus vite possible. *L'acteur a boulé son texte* (dans ce sens, le dér. *bouleur* s'est employé). *Bouler ses mots.*

3   (...) chaque soir, j'attendais impatiemment la fin de la bouffonnerie quotidienne, je courais à mon lit, je boulais ma prière, je me glissais entre mes draps (...)
                                        SARTRE, les Mots, p. 94.

♦ **3.** Garnir d'une boule. *Bouler les cornes d'un taureau.*

▶ **SE BOULER** v. pron.

Fam., régional. Se rouler en boule, se pelotonner. *La petite fille, apeurée, se boulait dans un coin sombre de la pièce.*

4   Les yeux jaunes fouillent le courage de l'homme. Les griffes sorties, le loup-cervier se boule, prêt à bondir. La peur de la bête face à l'odeur de l'homme, aux grognements des chiens.   Jean-Yves SOUCY, Un dieu chasseur, p. 26.

▶ **BOULÉ, ÉE** p. p. adj. *Lièvre boulé.*

5   (...) ses guêtres de routier, couleur de chaume, se détendirent ainsi que ses ongles usés et rognés. Et il bondit par la haie, boulé, les oreilles à son derrière.
                                        Francis JAMMES, le Roman du lièvre, I, p. 8.

6   Sous le tir des policiers des fenêtres, deux étaient tombés au milieu de la rue, les genoux à la poitrine, comme des lapins boulés (...)
                                        MALRAUX, la Condition humaine, p. 81.

Spécialt. Équit., turf. En position ramassée pour la course (jockeys).

7   Puis dans un *canter* ou petit galop, les jockeys déjà boulés sur leurs pur-sang impatients de se détendre, vont se mettre sous les ordres du *starter.*
                                        P. ARNOULT, les Courses de chevaux, p. 96.

DÉR. **Boulant, boulé.** — **Boulage** ou **bouletage.** — V. 1. **Boulotter.**
COMP. **Abouler, bouleverser, chambouler, débouler, roulé-boulé.**
HOM. 2. **Bouler.**

2. BOULER [bule] v. tr. — XVᵉ, *boler :* « Ainsi fine ma parabole, / la merde puet quant on la bole », *le Serment du pappegay,* manuscrit messin ; du lat. *bullare* « bouillonner ». → Bouiller.

♦ Vx ou régional. Agiter, remuer, battre au moyen d'une perche (⇒ **Bouloir**). *Bouler l'eau d'une rivière.* ⇒ **Bouiller ; 1. bouille.** — Spécialt. *Bouler la chaux, le mortier.*

DÉR. **Bouloir.** — V. **Bouiller.**
HOM. 1. **Bouler.**

BOULERAIE [bulʀɛ] n. f. ⇒ **Boulaie.**

BOULET [bulɛ] n. m. — 1347 ; de *boule.*

★ **I.** ♦ **1.** **a** Projectile sphérique de métal dont on chargeait les canons. *Un boulet de canon* (⇒ aussi **Obus**). *Boulet ramé, boulet barré,* formé de deux demi-sphères réunies par une barre. *Boulet rouge,* qu'on faisait rougir au feu avant de le tirer, et qui constituait ainsi un projectile incendiaire. *Un boulet de quarante-huit* (calibre).

1   En vain boulets, obus, la balle et les mitrailles,
    De la vieille cité déchiraient les entrailles (...)
                                        HUGO, les Chants du crépuscule, I, 3.

2   (...) ayant poussé, à Brienne, son cheval sur un boulet fumant, il *(Napoléon)* s'est écrié : « Le boulet qui me tuera n'est pas encore fondu ».
                                        Louis MADELIN, Talleyrand, XXVI, p. 267.

(1798). Fig. *Tirer à boulets rouges sur qqn,* l'attaquer violemment.

2.1 (...) je ne crois pas que les révolutions soient des assassinats, ou alors je m'en désiste. On le sait. C'est pourquoi on tire sur moi à boulets rouges, des deux côtés. J'ai tué un homme.   J. GIONO, le Hussard sur le toit, p. 354.

Loc. *Entrer, arriver comme un boulet, comme un boulet de canon,* en trombe.

2.2 Aussitôt qu'il m'eut reconnu, ses sourcils élevés et disparates se défroncèrent, il entra comme un boulet de quarante-huit, se précipita dans mes bras sans dire un mot, avec une franche expression qui faillit me renverser.
                                        VILLIERS DE L'ISLE-ADAM, Tribulat Bonhomet, p. 70.

Loc. fig. *Sentir le vent* du boulet.

b *Boulet, boulet de canon :* tir puissant, au football.

2.3 D'emblée, un « boulet » de Poniatowski rencontra le poteau droit des buts de Médoc.   René FALLET, le Triporteur, p. 407.

♦ **2.** (1803). Boule, sphère de métal qu'on attachait aux pieds de certains condamnés (bagnards, etc.) par l'intermédiaire d'une chaîne. *Être condamné à la peine du boulet. Traîner le boulet :* être bagnard.

2.4 « La Belle Captive », dont les chevilles sont maintenues par de lourdes chaînes à des boulets en fonte (...)   A. ROBBE-GRILLET, Souvenirs du triangle d'or, p. 78.

(1826 ; → cit. 3). Fig. Obligation pénible, charge dont on ne peut se délivrer. *C'est un boulet à traîner.*

3   (...) Voilà quarante ans que nous traînons ce boulet (...)
                                        MARTIN DU GARD, les Thibault, t. VI, p. 129.

Personne qui ne sert à rien, ralentit l'activité des autres, constitue une charge pénible. *Quel boulet !*

4   Tu arrives exprès d'Amérique pour être mon compagnon de boulet.
                                        CHATEAUBRIAND, les Natchez, V, 219.

♦ **3.** (1776). Aggloméré de charbon, de forme ovoïde, souvent lié par une matière agglomérante, comme le goudron de houille. ⇒ **Combustible.** *Un sac de boulets.*

5   (...) on entend, provenant de la souillarde, le bruit des pelletées de boulets tombant dans le seau.   Claude SIMON, le Vent, p. 50.

♦ **4.** Régional (Liège). Boulette (de viande).

★ **II.** (XVIᵉ ; anal. de forme). Chez le cheval*, Articulation de l'extrémité inférieure de l'os canon avec la première phalange au-dessus du paturon (⇒ **Bouleté**).

6   Les mastodontes *(des zébus)* finirent par s'arracher et se ruèrent sur la pente, s'enfonçant jusqu'aux boulets, fanons claquant.
                                        Claude COURCHAY, La vie finira bien par commencer, p. 181.

Loc. *Être sur les boulets :* être très fatigué, fourbu, en parlant d'un cheval. — Par ext. (en parlant d'une personne, 1899, *in* Petiot). *Il avait fait 40 kilomètres à pied dans la journée, il était sur les boulets* (→ Être sur les genoux*).

7   Impossible de trouver un taxi. Lorsqu'il arriva rue Las-Cases, Loch était sur les boulets. Dans l'ascenseur, il se sentit, de la nuque aux genoux, gagné par un tremblement qui ne lui disait rien de bon.
                                        Bernard BARBEY, Chevaux abandonnés sur le champ de bataille, p. 257.

DÉR. **Bouleté.** — **Bouleture.**
HOM. **Boulê, boulaie.**

BOULETAGE [bultaʒ] n. m. ⇒ **Boulage.**

BOULETÉ, ÉE [bulte] adj. — 1678 ; de *boulet,* II.

♦ Zool. (En parlant d'un cheval). Dont le boulet* est porté sur l'avant, par suite d'un raccourcissement des tendons des muscles fléchisseurs. *Un cheval bouleté* (⇒ **Bouleture**).

BOULETTE [bulɛt] n. f. — V. 1393 ; de *boule.*

♦ **1.** Petite boule façonnée à la main. *Des boulettes de pain. Lancer des boulettes de papier. Boulette d'opium.*

1   Les gosses s'entrexaminent et se lancent des boulettes de papier ou des bouts de sucette gluants.   R. QUENEAU, Loin de Rueil, p. 38.

2   Ses mains, qui préparaient une nouvelle boulette, tremblaient légèrement. Cette solitude totale, même l'amour qu'il avait pour Kyo ne l'en délivrait pas. Mais s'il ne savait pas se fuir dans un autre être, il savait se délivrer : il y avait l'opium. Cinq boulettes. Depuis des années il s'en tenait là, non sans peine, non sans douleur parfois (...) Il gratta le fourneau de sa pipe (...)
                                        MALRAUX, la Condition humaine, p. 58.

Petite boule (en général). « *La crasse s'en allait par boulettes* » (Sartre, *la Mort dans l'âme,* p. 74).

Spécialt. Petite boule (d'une substance comestible) destinée à être mangée. ⇒ **Croquette.** *On nous a servi des boulettes de viande avec des pommes de terre. Boulette de charcuterie.* ⇒ **Attignole** (régional). *Préparer des boulettes de pâte pour faire des gâteaux. Tuer un chien avec des boulettes empoisonnées.*

Petite boule d'aggloméré de minerai (⇒ **Pellet**, 2.).

Régional. Caillebotte, fromage blanc (en boule).

♦ **2.** Vx. Petit projectile utilisé dans les armes à feu. ⇒ **Balle, plomb.** *Les boulettes sifflaient à ses oreilles.*

3   S'ils sont sortis, les Boches, i's ont dû prendre quéque chose! « Tiens, écoute, là-bas, les boulettes qui r'biffent ! T'entends ? »
                                        H. BARBUSSE, le Feu, t. II, II, XX, p. 19.

♦ **3.** (1807, *in* D.D.L. ; l'explication traditionnelle par les boulettes de papier que fait le mauvais élève, ne satisfait pas). Fig., fam. Bévue, sottise. ⇒ **Gaffe.** *Faire une boulette. Il ne faut surtout pas aborder ce sujet, ce serait une sacrée boulette. Accumuler les boulettes.*

4   Et, après une ultime recommandation de prudence, après avoir répété à satiété :
    — Pas de boulettes, pas de gaffes, —
                                        GORON, l'Amour à Paris, t. III, p. 1607.

BOULETURE [bultyʀ] n. f. — 1861 ; de *boulet.*

♦ Techn. Déformation du boulet d'un cheval bouleté*.

BOULEUX, EUSE [bul∅, ∅z] adj. et n. m. — 1718 ; de *boule*.

♦ **1.** Techn. (hippol.). Court et trapu, propre à de durs travaux, en parlant d'un cheval. *Une jument bouleuse.*

♦ **2.** N. m. Fig., vx. *Un bon bouleux :* un homme laborieux, patient. *Un bouleux :* un homme d'une grande force physique.

BOULEVARD [bulvaʀ] n. m. — Av. 1365, *bolevers* «ouvrage de défense» ; du moy. néerl. *bolwerc* «ouvrage de fortifications fait de madriers», puis «rempart».

★ **I.** ♦ **1.** Vx. (Fortif.). Terre-plein d'un rempart*, terrain occupé par un bastion, une courtine.

Par ext. Place forte qui met un pays à l'abri de l'invasion.

1 Cambray et Saint-Omer étaient les deux plus forts boulevards que les Espagnols eussent en Flandres.   RACINE, les Campagnes de Louis XIV.

♦ **2.** (1792). Fig. Vx ou littér. *Le boulevard de...,* ce qui sert de défense, de protection à... ⇒ **Bastion, rempart, sauvegarde.** *Le boulevard de la chrétienté, de l'Europe. Ces hommes étaient le boulevard de la liberté.*

★ **II.** Mod. ♦ **1.** (1803). Promenade, large rue plantée d'arbres faisant le tour d'une ville (sur l'emplacement des anciens remparts). *Boulevards extérieurs. — Boulevard périphérique** (cit. 1). *Boulevard circulaire.* ⇒ **Cercle,** 2. **ring.**

♦ **2.** Large voie, large, rue, souvent plantée d'arbres (abrév. : *Bd*). ⇒ **Avenue, cours.** *Le Boulevard Saint-Michel, à Paris* (fam. *Boul' Mich').* Le Boulevard de Clichy, le Boulevard des Italiens (Paris). Rouler sur un boulevard. Traverser un boulevard.

Les grands boulevards, et, absolt (1842), *les boulevards, le boulevard :* à Paris, les boulevards entre la Madeleine et la Bastille. *Les théâtres des boulevards* (→ ci-dessous, 3.). *L'animation des grands boulevards. Flâneur des boulevards* ⇒ **Boulevardier** (vx).

1.1 Le temps d'un détour par les boulevards jusqu'à l'Opéra, où m'appelle une course brève.   A. BRETON, Nadja, p. 86.

2 Le boulevard, ce fleuve de vie, grouillait dans la poudre d'or du soleil couchant.
                                                      MAUPASSANT, Tombouctou.

3 Pour Félix, les Boulevards entre l'Opéra et la porte Saint-Martin restaient le cœur vivant de la capitale, le centre de la vie sociale, comme ils l'avaient été pour son père et son grand-père. Jean-Louis CURTIS, le Roseau pensant, p. 19.

REM. On trouve parfois l'orthographe *boulevart.*

4 Boulevart sans mouvement ni commerce,
   Muet, tout drame et toute comédie,
   Réunion des scènes infinie,
   Je te connais et t'admire en silence.   RIMBAUD, Poésies, LXXVIII, Bruxelles.

♦ **3.** (Des *grands boulevards* de Paris). *Théâtre, pièce de boulevard,* d'un comique léger, traditionnel, destiné au grand public bourgeois. — Par ext. *Le boulevard :* ce genre. *C'est du bon boulevard. Comédien de boulevard. Jouer du boulevard.* — REM. Au XIXᵉ s., désigne un genre plus populaire (→ cit. 5).

5 Et les caractères de Mˡˡᵉ de Varendeuil, de Germinie, de Jupillon, vous les trouvez n'est-ce pas inférieurs aux caractères de n'importe quel mélodrame de boulevard.   Ed. et J. DE GONCOURT, Journal, t. VII, p. 321.

6 Jamais le métier, les procédés du «boulevard» n'auront réussi, comme dans *Père,* à faire rire une salle en lui montrant la vérité la plus triste (...)
                         F. MAURIAC, le Nouveau Bloc-notes 1958-1960, p. 101.

Le Boulevard du Crime : le boulevard du Temple, où se jouaient au XIXᵉ siècle, de nombreux mélodrames.

7 (...) ce que vous admirez, avec le plus de chaleur d'entrailles, et qui, selon votre expression, ne vous laisse pas *un fil de sec sur le dos,* c'est le plus gros drame du Boulevard du Crime (...)   Ed. et J. DE GONCOURT, Journal, t. VII, p. 320.

DÉR. Boulevarder, boulevardier.

BOULEVARDER [bulvaʀde] v. intr. — 1866 (cf. moy. franç. *boullewerquer* «fortifier», 1510, du sens I. de *boulevard*) ; de *boulevard*.

♦ Vx. Flâner sur les grands boulevards parisiens.

BOULEVARDIER, IÈRE [bulvaʀdje, jɛʀ] adj. et n. — 1867 ; de *boulevard*.

★ **I.** N. ♦ **1.** Vx. Personne qui fréquente les grands boulevards à Paris. — Par ext. ⇒ **Mondain, viveur.**

Il était aussi superstitieux qu'un sauvage, malin comme un singe, à la page comme un boulevardier, affranchi et dessalé.
                         B. CENDRARS, Moravagine, in Œ. compl., t. IV, p. 194-195.

♦ **2.** Auteur de pièces de boulevard*. Appos. *Auteur, écrivain boulevardier.*

★ **II.** Adj. ♦ **1.** Qui a rapport au monde, à la vie des grands boulevards* parisiens. «*Le Paris artistique et boulevardier*» (Barrès). *La langue boulevardière.*

♦ **2.** Qui a les caractères du théâtre, de l'esprit de boulevard. *Un comique boulevardier,* facile.

BOULEVARI [bulvaʀi] n. m. — 1807 ; altér. de *hourvari,* sous l'infl. de *bouleverser,* ou selon P. Guiraud, composé tautologique, de *bouler,* et *varier.*

♦ Vx, fam. Grand vacarme ; trouble. ⇒ **Hourvari.**

BOULEVERSANT, ANTE [bulvɛʀsɑ̃, ɑ̃t] adj. — 1863 ; de *bouleverser.*

♦ Qui bouleverse, qui cause une grande émotion. ⇒ **Émouvant.** *Un spectacle, un récit bouleversant. Une nouvelle, une voix, une apparition bouleversante. Raimu était bouleversant dans ce rôle.*

N. f. Vieilli

(...) le type féminin le plus répandu, c'était ce que nous appelions «les bouleversantes» : des créatures aux cheveux pâles, plus ou moins rongées par la drogue, ou par l'alcool, ou par la vie, avec des bouches tristes et des yeux qui n'en finissaient pas.   S. DE BEAUVOIR, la Force de l'âge, p. 359.

BOULEVERSEMENT [bulvɛʀsəmɑ̃] n. m. — 1579, au sens 2. ; de *bouleverser.*

♦ **1.** (1611, Cotgrave). Action de renverser, de mettre en grand désordre. ⇒ **Branle-bas, cataclysme, chambard, désordre, ravage, renversement, saccage.** *Le bouleversement d'un quartier par des travaux de démolition. Le bouleversement de l'appartement ne laissait aucun doute : les cambrioleurs avaient tout visité.* — Résultat de cette action ; choses bouleversées.

1 Il ne restait qu'un bouleversement de pierres et de poutres broyées autour d'un grand toit rouge (...)   R. DORGELÈS, Les Croix de bois, p. 144.

2 (...) si jamais notre planète est victime d'un cataclysme, à ce moment redoutable, il se trouvera des hommes qui, au milieu du bouleversement et du chaos, auront une pensée désintéressée, scientifique (...)
                    RENAN, Questions contemporaines, in Œ. compl., t. I, p. 218.

♦ **2.** Action de transformer de façon brutale, de semer le désordre, la confusion dans (qqch.) ; résultat de cette action. ⇒ **Perturbation, ravage, révolution, saccage, trouble.** *Le bouleversement des traits du visage par l'émotion.* ⇒ **Altération.** *L'actuel bouleversement des valeurs que connaît la société occidentale. Une période d'instabilité et de bouleversement politique, économique.*

3 (...) le petit drame que représentait, pour ce prêtre, ce bouleversement de ses innocentes habitudes (...)   Paul BOURGET, Un divorce, I.

4 La peste de 1502 en Provence, qui fournit à Nostradamus l'occasion d'exercer pour la première fois ses facultés de guérisseur, coïncida aussi dans l'ordre politique avec les bouleversements les plus profonds, chutes ou morts de rois, disparition et destruction de provinces, séismes, phénomènes magnétiques de toutes sortes, exodes de Juifs (...)
   A. ARTAUD, le Théâtre et son double (1938), Le théâtre et la peste (1931), Idées/Gallimard, p. 24.

♦ **3.** Action de troubler profondément (qqn), de causer une émotion intense ; résultat de cette action. *Le bouleversement de l'esprit, des idées.* ⇒ **Agitation.** — (D'une personne). *Il continuait de sourire, son bouleversement restait invisible.*

4.1 Dans ce renversement et ce bouleversement de l'âme, pour s'exprimer de la sorte, est-on maître de recueillir son esprit ?   BOURDALOUE, Pensées, t. II, p. 28.

5 Toujours ce ne qui me concerne (je suis obligé de suivre ici, pas à pas, les étapes de mon raisonnement), l'inouï bouleversement d'âme dont faisait preuve le Polonais attestait que le moment où tout allait se découvrir, c'est-à-dire où il allait être obligé de trahir pour sauver Nicole, *ne pouvait être très éloigné!*
                              G. LEROUX, Rouletabille chez Krupp, p. 139.

CONTR. Apaisement, calme, ordre.

BOULEVERSER [bulvɛʀse] v. tr. — 1557 ; composé tautologique, de 1. *bouler,* et *verser.*

♦ **1.** Mettre en grand désordre, par une action violente. ⇒ **Déranger, perturber, renverser, subvertir** (vx) ; cf. Mettre sens dessus dessous. *La tempête, l'orage a tout bouleversé.* ⇒ **Abattre, détruire, ravager, ruiner, saccager.** *Le terrain a été bouleversé par un séisme. Bouleverser tout dans une chambre.* ⇒ **Changer, modifier.** *Chercher, fouiller en bouleversant tout.* ⇒ **Farfouiller.**

1 Elle-même, tonnant du milieu des nuages,
   Bouleversa les mers, déchaîna les orages.   DELILLE, l'Énéide, I.

2 il (...) s'était terré là (...) passant ses journées à bouleverser ses plates-bandes (...)   R. ROLLAND, Jean-Christophe, p. 376.

♦ **2.** (1622). Modifier de façon brutale, mettre dans la confusion. *Les guerres bouleversent le monde. La révolution a bouleversé le pays. Cet événement a bouleversé sa vie. Cette découverte a bouleversé la science.*

3 L'amour (...) ouragan des cieux qui tombe sur la vie, la bouleverse, arrache les volontés (...)   FLAUBERT, Mme Bovary, II, 4.

4 Quelle âme hésiterait à bouleverser l'univers pour être un peu plus elle-même ?
                                          VALÉRY, Eupalinos, p. 207.

5 Deux guerres, et quelles guerres, ont, en trente ans, changé la face et l'équilibre du monde (...) rien n'est plus à sa place, la valeur des choses n'est plus la même, les rapports des hommes entre eux sont bouleversés (...)
                         André SIEGFRIED, l'Âme des peuples, I, 6.

♦ **3.** (1656). Jeter dans le trouble en causant une émotion intense. ⇒ **Émouvoir, retourner, secouer, troubler.** *Bouleverser qqn. Cette* nouvelle *l'a bouleversé* (cf. pop., *lui a tourné les sangs*). *Bouleverser l'esprit, l'imagination, les idées.*

6   Cette funeste idée bouleversa dans un instant toutes les miennes, et troubla le repos dont je commençais à jouir.
    ROUSSEAU, Julie ou la Nouvelle Héloïse, IV, 15.

7   L'orage qui bouleversait le cœur de Wilfrid fut soudain calmé par ces paroles (...)
    BALZAC, Séraphîta, Pl., t. X, p. 480.

8   Cette histoire m'a tellement bouleversé l'esprit, a jeté en moi un trouble si profond, si mystérieux, si épouvantable, que je ne l'ai même jamais racontée.
    MAUPASSANT, Clair de lune, p. 194.

9   (...) cette idée de la mort qui l'avait profondément bouleversé.
    PROUST, les Plaisirs et les Jours, p. 23.

9.1 Je ne crois pas qu'il suffise du souvenir d'un meurtre pour te bouleverser ainsi.
    MALRAUX, la Condition humaine, I, in Romans, Pl., p. 222.

♦ **4.** Absolt (aux sens 2 et 3).

10 Non, messieurs, on ne veut pas sincèrement l'ordre et la justice ; on ne veut que brouiller et bouleverser.
    MIRABEAU, Collection, t. IV, p. 338.

▶ **BOULEVERSÉ, ÉE** p. p. adj. *Terrain, village, pays bouleversé.*

10.1 Le premier de ces dessins la montre à demi étendue sur le bord du lit aux draps défraîchis et bouleversés (...)
    A. ROBBE-GRILLET, la Maison de rendez-vous, p. 78.

Figure, traits bouleversés par l'émotion, la passion. ⇒ **Altéré.**

10.2 Puis-je dire, y a-t-il des mots pour exprimer les effroyables pensées, — filles des possibilités funèbres, après tout, — qui me paralysaient des pieds à la tête, pendant ces phrases infernales ? J'étais bouleversé. Les sentiments qui s'agitaient dans mon être étaient innommables.
    VILLIERS DE L'ISLE-ADAM, Tribulat Bonhomet, p. 165 (1887).

11 (...) elle était si bouleversée qu'elle n'avait pas eu la force de feindre le calme.
    MARTIN DU GARD, les Thibault, t. II, p. 222.

12 Racontez encore, dit-il d'une voix bouleversée, vous parlez fort bien.
    G. DUHAMEL, Chronique des Pasquier, VIII, 5.

CONTR. Apaiser, calmer.
DÉR. Bouleversant, bouleversement.

BOULIÈCHE [buljɛʃ] n. f. ou **BOULIER** [bulje] n. m. ⇒ **Bolier.**

BOULIER [bulje] n. m. — 1863, Littré ; de 1. *boule.*

♦ Cadre portant des tringles sur lesquelles sont enfilées des boules et qui sert à compter. *Boulier compteur.* ⇒ **Abaque.** *Boulier chinois. Les Russes se servent souvent de bouliers pour faire leurs comptes. Compter les points au boulier* (dans un jeu).

Il ne faut pas mépriser le boulier compteur et les jeux de cube.
ALAIN, De l'arithmétique et de l'algèbre, in les Passions et la Sagesse, Pl., p. 1158.

HOM. Boulier (V. **Bolier**).

BOULIMIE [bulimi] n. f. — 1594 ; *bolisme,* 1372 ; grec *boulimia* « faim *(limos)* de bœuf *(boûs)* ».

Didact., littér. ou style soutenu.

♦ **1.** Faim insatiable, exagération pathologique de l'appétit entraînant l'ingestion de grandes quantités d'aliments, qui accompagne certains troubles physiques ou mentaux. ⇒ **Cynorexie, hyperorexie, hyperphagie.** *La boulimie est un symptôme de la présence du ténia. Boulimie névrotique.* ⇒ **Sitiomanie.** *Boulimie des chevaux.* ⇒ **Faimcalle.**

♦ **2.** Faim extrême, sensation de faim intense.

1   (...) une faim de chasseur, la plus féroce des faims, égale en âpreté à celle que les Grégeois nomment boulimie (...)
    Th. GAUTIER, le Capitaine Fracasse, III.

1.1 Tu as ce type latin qui tend, dès l'âge adulte, à se développer en largeur. Tu as surtout cette voracité, cette horrible boulimie du pauvre qui trouve tout d'un coup table mise.
    M. AYMÉ, Travelingue, p. 139.

♦ **3.** Fig. Désir intense. ⇒ **Appétit, avidité.** *Boulimie intellectuelle, de lecture. Elle a une véritable boulimie de voyages.*

2   (...) le souvenir de ses boulimies charnelles (...)   HUYSMANS, En route, p. 6.

3   Et, en effet, comme ils n'assimilent pas ce qui dans l'art est vraiment nourricier, ils ont tout le temps besoin de joies artistiques, en proie à une boulimie qui ne les rassasie jamais.   PROUST, le Temps retrouvé, Pl., t. III, p. 892.

CONTR. Anorexie, satiété.
DÉR. Boulimique.

BOULIMIQUE [bulimik] adj. et n. — 1842 ; de *boulimie.*

♦ **1.** Adj. Relatif à la boulimie ; qui tient de la boulimie. *Symptôme boulimique.* — Par ext. *Un appétit boulimique.*

Figuré :

Il se console, à sa manière, en donnant des bals d'enfants où sa boulimique rage de tendresse a cent occasions de se satisfaire (...)
    Léon BLOY, le Désespéré, p. 184.

♦ **2.** N. Personne atteinte de boulimie. *Un, une boulimique.*
Par ext. Gros mangeur.

BOULIN [bulɛ̃] n. m. — 1486 ; orig. incert. ; p.-ê. de 1. *boule* ou du lat. médiéval *bolinus* « boulon ».

♦ **1.** Trou pratiqué dans un colombier, sorte de pot de terre destiné à faire nicher les pigeons.

1   Il y a des pigeons qui préfèrent les trous poudreux des vieilles murailles aux boulins les plus propres de nos colombiers.
    BUFFON, Hist. nat. des oiseaux, Le pigeon.

2   Là, sur un arbuste squelettique, sur des baguettes de bambou, sur les planches d'entrée d'une rangée de boulins s'ébattait une faune vivante aussi étrange que l'autre (...)   M. TOURNIER, le Roi des Aulnes, p. 155.

♦ **2.** (1676). Techn. Trou pratiqué dans un mur pour un support d'échafaudage. ⇒ **Ope.** — Par ext. (1708). Traverse supportant un échafaudage.

3   (...) c'étaient partout, au milieu des herbes hautes, des plats-bords, des boulins, des cintres, mêlés à des paquets de vieilles cordes (...)   ZOLA, Lourdes, p. 152.

BOULINAGE [bulinaʒ] n. m. — 1645, Oudin ; de *bouliner.*

♦ Mar. Anciennt. Navigation à la bouline.

BOULINE [bulin] n. f. — 1155, anglo-normand *boëline,* probablt du moyen anglais *bou(e)line, bowe-line* « cordage ».

♦ Mar. (Vx). Manœuvre (⇒ **Bras**) qui sert à tenir une voile de biais, pour lui faire prendre le vent de côté. *Bouline de misaine, d'artimon. Parer les boulines. Nœud de bouline.* — *Aller à la bouline :* tenir le plus près du vent. ⇒ **Bouliner.**

Les cygnes ont l'art de tourner ce plumage du côté du vent, et d'aller comme les vaisseaux, à la bouline, quand le vent ne leur est pas favorable.
    FÉNELON, Traité de l'existence de Dieu, 19.

Alpin., mod. *Nœud de bouline,* appelé aujourd'hui *nœud de chaise* par les marins.

DÉR. Bouliner, boulinette, boulinier.

BOULINER [buline] v. — 1611, Cotgrave ; de *bouline.*

Marine (vx).

★ **I.** V. intr. Aller à la bouline, recevoir le vent de côté. ⇒ **Remonter** (au vent), **louvoyer.**

★ **II.** V. tr. (1835). Vx. Haler au moyen de la bouline. *Bouliner une voile.* ⇒ **Border.**

DÉR. Boulinage.

BOULINETTE [bulinɛt] n. f. — 1811 ; de *bouline.*

♦ Mar. (Vx). Bouline du petit hunier.

BOULINGRIN [bulɛ̃grɛ̃] n. m. — 1680 in Höfler ; *poulingrin* (attestation isolée) 1663 ; adaptation de l'angl. *bowling-green* « gazon pour jouer aux boules ».

♦ Parterre de gazon, généralement entouré de bordures, de talus.

1   Un grand parterre ; des boulingrins vis-à-vis des ailes.   Mme DE SÉVIGNÉ, 541.

2   (...) du côté de la cour, il *(le rez-de-chaussée)* est de plain-pied avec une large allée sablée donnant sur un boulingrin animé par plusieurs corbeilles de fleurs. »
    BALZAC, le Lys dans la vallée, Pl., t. VIII, p. 792-793.

Taillé en boulingrin, comme les arbustes qui bordent un boulingrin. — Figuré :

3   Le grand-duc, large face blafarde entre des favoris trop noirs taillés en boulingrin, tête de souverain pour journaux illustrés.
    Alphonse DAUDET, l'Immortel, p. 115 (1888).

BOULINGUE [bulɛ̃g] n. f. — 1512 ; orig. obscure.

♦ Mar. Petite voile du haut du mât. ⇒ **Cacatois.**

DÉR. V. **Bourlinguer.**

BOULINIER, ÈRE [bulinje, jɛʀ] adj. et n. — 1687 ; de *bouline.*

Marine (Vieux).

♦ **1.** Adj. Qui navigue à la bouline, remonte au vent.

♦ **2.** N. *Bon (mauvais) boulinier :* navire qui remonte bien (ou mal) au vent.

BOULISME [bulism] n. m. — 1935, in Petiot ; de *bouliste,* et *-isme.*

♦ Ensemble des jeux de boules.

BOULISTE [bulist] n. et adj. — 1902, in Petiot ; de 1. *boule.*

♦ **1.** Personne qui joue fréquemment aux boules (qui pratique le *boulisme*). *Tous les boulistes de la commune sont invités à participer au grand tournoi, dimanche prochain.*

♦ **2.** Adj. Relatif au jeu de boules. *Association bouliste. Tournoi bouliste.*

DÉR. Boulistique.

BOULISTIQUE [bulistik] adj. — xxᵉ ; de *bouliste.*

♦ Rare. Propre au jeu de boules ; du jeu de boules (en général plaisant).

On y rendait compte *(dans le journal local)* de la réunion annuelle de la Société amicale des joueurs de boules (...) «Cette situation n'est si prospère, disait le trésorier dans son discours, que grâce aux libéralités de notre président, mécène incomparable, dont on n'appréciera jamais assez la générosité et la grande tradition boulistique» (...)   G. BAUER, les Billets de Guermantes, janv. 1938, p. 219.

BOULLE [bul] n. m. — Fin xixᵉ ; de *Boule* ou *Boulle* maître ébéniste (1642-1732).

♦ **1.** Style de mobilier incrusté (d'ivoire, de cuivre, d'ébène) inspiré de celui de l'ébéniste Boulle. *Le style Boulle, le Boulle. Être meublé en Boulle.* Var : *boule.*

Entre les grandes consoles de faux boulle, les fauteuils couverts de housses étaient rangés contre les murs.   F. MAURIAC, les Anges noirs, éd. L. de Poche, p. 149.

♦ **2.** Meuble de ce style. *Posséder un boulle.*

HOM. Boule.

BOULLU [buly] ou BOUILLU [bujy] adj. masc. — Attesté 1838, cit. ; forme régionale du p. p. de *bouillir.* → Bouilli.

♦ Fam., régional. *Café boullu, bouillu,* qui a bouilli. — Prov. *Café boullu, café foutu.*

— Qu'est-ce que c'est que cela ? demanda Charles en riant, à l'aspect d'un pot oblong, en terre brune, verni, fayencé à l'intérieur, bordé d'une frange de cendre, et au fond duquel tombait le café en revenant à la surface du liquide bouillonnant.
— C'est du café boullu, dit Nanon.
— Ha, ma chère tante, au moins je laisserai quelque trace bienfaisante de mon passage ici. Vous êtes bien arriérés ici ! Je vous apprendrai à faire du bon café dans une cafetière à la Chaptal.   BALZAC, Eugénie Grandet, éd. 1838, p. 154.

BOULOCHAGE [buloʃaʒ] n. m. — V. 1965 ; de *boulocher.*

♦ Techn. Fait de boulocher. *Le boulochage d'un tissu, d'un revêtement de sol.*

BOULOCHER [buloʃe] v. intr. — V.1965 ; de *boule,* et *-ocher.*

♦ Se dit de tricots de laine, de tissus qui, à l'usage, forment en surface de petites boules de fibres. *Ce tissu ne bouloche pas.*

DÉR. Boulochage.

BOULODROME [bulodʀom] n. m. — 1899, *in* F. Brunot ; de 1. *boule* (4., b), et *-drome.*

♦ Lieu réservé au jeu de boules.

1   Pour peu que vous jouiez six heures par jour aux boules sur le « boulevard » des Italiens ou autre, disposé à cet effet, vous ne tarderez pas à rencontrer le citoyen qui contourne et contorsionne sa tête et tout son corps du côté du boulodrome où la boule aurait dû aller.   A. JARRY, Gestes, VII (1903), *in* D. D. L. (II, 14).

2   À quoi jouent-ils, les jeunes de chez vous ? Charroux ferma à demi les yeux. — Aux boules, dit-il. — Eh bien, dit Mademoiselle, installez-leur un boulodrome.   René MASSON, Drugstore, p. 200.

REM. Le mot pourrait remplacer l'anglicisme *bowling.*

BOULOIR [bulwaʀ] n. m. — 1751 ; de 2. *bouler.*

♦ **1.** Techn. Instrument pour remuer la chaux, le mortier (⇒ 2. **Bouler**).

♦ **2.** ⇒ 1. **Bouille.**

BOULOMANE [buloman] n. — 1908, J. Aicard ; de 1. *boule,* et *-mane.*

♦ Rare. Amateur du jeu de boules*. ⇒ **Bouliste.**

(...) il *(Camus)* a écrit *l'Étranger* à Oran, « capitale de l'ennui », écrit-il dans *l'Été,* « lieu sans âme et sans recours » où « les seuls milieux instructifs restent ceux des joueurs de poker, des amateurs de boxe, des boulomanes et des sociétés régionales. »   Pierre NORA, les Français d'Algérie, p. 160.

BOULON [bulɔ̃] n. m. — 1319 ; xiiiᵉ, *boullon* «petite boule» ; de 1. *boule.*

♦ Cheville de métal terminée à l'une de ses extrémités par une tête (ronde, carrée ou à pans) et à l'autre par un pas de vis destiné à recevoir un écrou* ou par un trou dans lequel on peut passer une clavette*. *Boulon à écrou, à œil. Boulon d'assemblage, de charnière. Bride à boulons. Couper des boulons avec des cisailles. Maintenir avec des boulons.* ⇒ **Boulonner.** *Travail des boulons.*

⇒ **Décolletage.** — Ch. de fer. *Boulon d'attelage, d'éclisse, de suspension.*

Tel administrateur (...) reçoit trente-deux roues de brouettes, mais ne peut obtenir les axes et les boulons pour les monter.   1
   GIDE, Voyage au Congo, *in* Souvenirs, Pl., p. 854.

Par compar. ou métaphore. Ce qui sert à assembler.

Certains mots sans relief peuvent être répétés quinze ou vingt fois dans une page (...) Ces mots-là sont comme les boulons d'une machine.   2
   G. DUHAMEL, Discours aux nuages, II.

DÉR. Boulonner, boulonnerie. — Boulonnière.

BOULONNAGE [bulɔnaʒ] n. m. — 1855 ; de *boulonner.*

♦ **1.** Action de boulonner. *Le boulonnage a été mal fait.*

♦ **2.** Chir. Réunion et immobilisation (de deux fragments d'un os fracturé) au moyen d'un boulon.

♦ **3.** Ensemble des boulons d'un assemblage. *Tout le boulonnage est à revoir.*

BOULONNAIS, AISE [bulɔnɛ, ɛz] adj. et n. — V. 1614, *Boulonois* ; de *Boulogne,* lat. *Bononia.*

♦ **1.** Relatif à la ville de Boulogne-sur-Mer ou à la région boulonnaise (Boulonnais). *Il est boulonnais d'origine.* — N. *Un Boulonnais, une Boulonnaise.*

♦ **2.** *Race boulonnaise :* race de bœufs et de chevaux réputés. *Cheval boulonnais :* cheval de trait élevé dans le Boulonnais et les départements environnants. *Le cheval boulonnais a les membres puissants et courts, l'encolure épaisse, la crinière touffue.*

N. m. Type bréviligne du boulonnais.

La bête, un boulonnais d'un blanc sale, accomplissait sa tâche avec conscience, rythmant ses efforts d'énergiques hochements de tête. Ses vastes sabots noyés de poils s'appliquaient carrément au pavé, s'y vissaient ; à chaque pas, chaque muscle sous la peau se tendait, vibrait comme si la puissance de l'animal s'y concentrait tout entière.   1
   Roger IKOR, les Fils d'Avrom, La greffe de printemps, p. 161.

Les miens montaient plutôt des percherons ou des boulonnais, dit, faussement modeste, le colonel.   2
   Maurice DENUZIÈRE, Louisiane, p. 395.

BOULONNER [bulɔne] v. tr. et intr. — 1690 ; 1425, «orner de bossettes» ; de *boulon.*

★ **I.** Fixer au moyen de boulons. *Boulonner des plaques de métal.*

Les charpentiers boulonnaient poutres et chevrons.   1
   Georges LECOMTE, Ma traversée, p. 599.

Au p. p. *Des bandes de fer boulonnées.*

À Tahiti, nous fabriquerons une coupole, boulonnée sur le capot de la cabine, avec visibilité sur tout l'horizon et un bon siège à côté de la roue intérieure sous la coupole.   1.1
   Bernard MOITESSIER, Cap Horn à la voile, p. 112.

★ **II.** (1895 ; de *boulon* et de 2. *boulot* ; a remplacé *boulotter,* dans ce sens). Fam. Travailler. ⇒ **Bosser, boulotter** (vx).

J'suis donc d'avis qu'le plus pressé c'est d'nous mettre à boulonner.   1.2
   L. FORTON, les Aventures des Pieds-Nickelés, *in* l'Épatant, 1911, p. 154.

Si je veux, je boulonne et j'me tiens   Francis CARCO, Jésus-la-Caille, II, 4.   2

DÉR. (Du 1). Boulonnage.

BOULONNERIE [bulɔnʀi] n. f. — 1866 ; de *boulon.*

♦ **1.** Fabrique, industrie des boulons et accessoires (écrous, rondelles, goupilles). *Travailler dans une boulonnerie.*

C'est justement la directrice de cette école, une Ardennaise, qui connaissait le patron de cette boulonnerie, Ardennais lui aussi. »   Jean FERNIOT, Pierrot et Aline, p. 141.

♦ **2.** Ensemble des boulons et accessoires. *Le rayon de la boulonnerie dans une quincaillerie.*

BOULONNIÈRE [bulɔnjɛʀ] n. f. — Mil. xixᵉ ; de *boulon.*

♦ Techn. Tarière à percer les trous des boulons.

1. BOULOT, OTTE [bulo, ɔt] adj. — V. 1830 ; de 1. *boule.*

♦ **1.** (Personnes). Gros et court. ⇒ **Rond, rondelet.** *Une femme boulotte.*

« Je la connais, moi, votre madame de Saint-Panachard ; ma femme l'avait pour élève à sa salle d'armes. Elle n'est que d'une demi-force... et elle est un peu boulotte avec cela... si vous vouliez, avec du coup d'œil, vous en feriez une écumoire ! »   1
Le maître d'armes l'avait dit, Mᵐᵉ de Saint-Panachard était un peu boulotte ; c'était une femme d'une trentaine d'années, grande et bien portante, revêtue pour la circonstance d'un costume sévère, étroitement boutonné.   A. ROBIDA, le Vingtième Siècle, p. 247.

N. Personne boulotte. *Un petit boulot. Une boulotte assez laide.* ⇒ **Boudin** (fam.).

C'était un petit boulot qui n'était pas très dégourdi ou, s'il l'était, réfléchissait, parlait, agissait avec tant de lenteur qu'il en paraissait stupide.   2
   B. CENDRARS, la Main coupée, *in* Œ. compl., t. X, p. 134 (1946).

♦ **2.** ⓐ (1896). Vieilli. *Pain boulot*, ou, n. m. (1903) *boulot :* pain rond ordinaire.

ⓑ N. m. (1879, « repas », *in* Esnault). Pop. et vx. Nourriture.

CONTR. (Du 1) **Mince, svelte.**
DÉR. (Du sens 2, b) 2. **Boulotter.**
HOM. 2. **Boulot.**

2. BOULOT [bulo] n. m. et adj. — 1900 ; « bagarre », 1881 ; probablt de 1. *boulotter.*

★ **I.** Fam. ♦ **1.** Travail, emploi, métier. *Aller au boulot. J'ai trouvé un bon boulot. Faire des petits boulots irréguliers.* ⟹ **Job.** « *Métro, boulot, dodo* » (*in* Pierre Béarn, *Couleurs d'usine*, chanson ; repris comme slogan critique en mai 1968). *Parler boulot, du boulot.* Cf. *Parler boutique.* — Lieu de travail (atelier, usine, bureau...). *Aller au boulot, à son boulot ; revenir du boulot.*

1   À midi, il faut aller déjeuner, pas trop loin à cause du boulot, car il faut revenir
    en vitesse (...)   R. QUENEAU, *le Chiendent*, p. 13.
2   J'essaierai d'être un peu plus près de mes enfants. Parce que finalement, je n'ai
    jamais tellement parlé avec Maman. Boulot, oui : je lui raconte mes histoires
    d'hôpital comme avant je lui racontais mes histoires d'école.
                                              Jean FERNIOT, *Pierrot et Aline*, p. 255.

♦ **2.** Travail, besogne. *C'est tout un boulot. J'ai un de ces boulots ! Ça va lui donner du boulot. Allez ! au boulot, tout le monde !*

3   Mon activité d'alors ! Cet état de demi-ivresse, de joie du métier, cet entrain au
    boulot.   MARTIN DU GARD, *les Thibault*, t. IX, p. 242.
    Résultat d'un travail. *C'est du bon, du beau boulot.*

♦ **3.** (V. 1920). Par métonymie. Argot. *(Un, des boulots).* Ouvrier, ouvrière. « *Un boulot qui se rendait à son petit bagne* » (A. Simonin, *Touchez pas au grisbi*, p. 39).

4   C'est que des boulots par ici... des employés, des hâtifs... ça regarde pas... ça
    fonce... C'est pas des curieux !...   CÉLINE, *le Pont de Londres*, p. 371.

★ **II.** Adj. invar. *Elle est boulot :* elle est travailleuse. *Il est boulot boulot,* pour lui le travail, c'est le travail.

5   (...) tous les matins, je donnais cent francs à ma femme. Cent francs ! Ah ! Elle ne
    se plaignait pas, elle était heureuse, je te le dis. Et puis moi tu sais, boulot, bou-
    lot, et sérieux, et tout. Le père de famille, quoi !
                                              Robert MERLE, *Week-end à Zuydcoote*, p. 20.

HOM. Bouleau.

1. BOULOTTER [bulɔte] v. intr. — 1837, Balzac ; de *bouler* « rouler », « aller son train », attesté v. 1800 d'après Esnault. Au sens 2, *boulotter* est à l'origine de 2. *boulot,* mais a été supplanté par *boulonner**.

Familier, vieux.

♦ **1.** Aller doucement, vivre tranquillement. *Comment ça va ? — Ça boulotte* (H. Monnier, Zola, Courteline *in* Cellard et Rey).

♦ **2.** Vx. Travailler. ⟹ **Boulonner,** II.

DÉR. 2. **Boulot.**
HOM. 2. **Boulotter.**

2. BOULOTTER [bulɔte] v. tr. — 1843 ; p.-ê. de pain *boulot,* par ext. « nourriture » (→ 1. Boulot) ou de *bouler* « rouler » comme 1. *boulotter,* sous l'influence de 2. *bouffer.*

♦ Fam. Manger. ⟹ 2. **Bouffer, briffer.**

1   (...) une dizaine de palotins qui vont faire l'impossible pour me ronger un peu le
    lard, pour me grignoter un orteil, pour me boulotter une fesse, pour me dévorer
    le foie ou les rognons.   G. DUHAMEL, *Chronique des Pasquier*, X, 5.
2   (...) cette fille, alors que je rencontrais à chaque pas des types qui me payaient
    à boire mais jamais à boulotter, cette fille m'a ravitaillé. Elle s'appelait Sophie.
    C'était une forte rouquine, très ardente au déduit.
                                      B. CENDRARS, *la Main coupée, in* Œ. compl., t. X, p. 44 (1946).

Fig. *Se faire boulotter par un problème.* ⟹ **Bouffer.**

3   — (...) on est obligé de croire aux qualités du cœur quand on les rencontre (...)
    — Et comme on n'existe que pour ces qualités cardiaques, elles vous boulottent.
    Puisqu'il faut toujours être bouffé, autant elles...
                                      MALRAUX, *la Condition humaine,* IV, *in Romans,* Pl., p. 333-334.

BOULTINER [bultine] v. intr. — 1925, Genevoix, ; p.-ê. de *boulette.*

♦ Régional. Courir en sautant. *Les lapins boultinent.*

BOULU, UE [buly] adj. — 1865, Barbey ; de 1. *boule,* suff. -*u.*

♦ Régional. Rond, en boule. *Un « dos boulu »* (Genevoix, *Raboliot*).

Noirs de loupes, grêlés, les yeux cerclés de bagues
Vertes, leurs doigts boulus crispés à leurs fémurs (...)
                                      RIMBAUD, *Poésies*, « Les assis ».

BOULURE [bulyʀ] n. f. — XIXe ; de 1. *boule.*
Horticulture.

♦ **1.** Maladie des jeunes plantes.

♦ **2.** Rejeton qui pousse sur la racine d'un arbre.

1. BOUM [bum] interj. et n. m. — Attesté 1835 (Balzac, *le Père Goriot*) ; onomatopée.

♦ **1.** Interj. Sert à évoquer le bruit sonore de ce qui tombe ou explose. *Et boum ! tout est tombé.* ⟹ **Badaboum.** — (Redoublé). *Le tambour fait boum-boum.*

1   Puis j'entends boum ! boum ! Ah ! je dis, voilà le fusil anglais qui parle (...)
                                              MÉRIMÉE, *Colomba*, XVII, Pl., p. 563.
2   et boum et boum c'est le canon
    du secrétaire de la mairie
    qu'a maintenant les mains toutes tachées de poudre
    et le nez qui saigne après l'explosion.
                                      R. QUENEAU, *Chêne et Chien*, « La fête au village », p. 88.

Loc. verb. *Faire boum :* éclater, exploser. *Ça a fait boum, et les vitres ont volé en éclats.* — Tomber (langage enfantin). *Jeannot a fait boum,* il est tombé par terre.

♦ **2.** N. m. Bruit sonore de ce qui tombe ou explose. *Ça a fait un de ces boums en tombant !*

3   Et tout à coup, presque en même temps, le boum assourdi du « départ », le déchi-
    rement de l'obus dans l'espace, l'éclair de l'éclatement, et, dans le nuage de fumée
    jaune et rose, on vit voler des tuiles, des morceaux de charpente, des débris noirs,
    puis vint le boum formidable de l'arrivée.
                                      Guy DE POURTALÈS, *la Pêche miraculeuse*, p. 307.

♦ **3.** N. m. (attesté mil. xxe, mais antérieur ; → Boumer). Fig. (confondu en ce sens avec *boom*). Succès brutal, réussite financière retentissante. *Sa nouvelle pièce a fait un boum.*

4   Cependant, il y avait, sur la peinture de Lafleur, un boum comme jamais vu. Les
    prix montaient à vue d'œil, un million par semaine, et le bruit courait que les meil-
    leures toiles finiraient par valoir cent millions.
                                      M. AYMÉ, *le Vin de Paris*, « La bonne peinture », p. 226 (1947).
5   (...) quand la mode s'en est mêlée, avec les Américains, le patron a voulu gros-
    sir son affaire, il a monté ailleurs une usine importante ; et puis, il s'est cassé
    les reins (...)
    En somme, un boum d'abord, un krach ensuite ? Boum et crac ! répéta-t-il en riant ;
    la formule produisait toujours son effet.
                                      Roger IKOR, *les Fils d'Avrom, Les eaux mêlées*, p. 484.
6   Parlant et en couleurs, le film était pas de l'arnaque. Rien que les gros plans, iso-
    lés en reproduction carte postale, ça aurait fait un boum dans la clientèle ména-
    gère, sur les marchés de banlieue.
                                      Albert SIMONIN, *Touchez pas au grisbi*, p. 119 (1953).

Vieilli. Grande activité, action chaude.

7   Reporter avant tout, ce grand garçon (...) nous décrivait la ruée des chars, des voi-
    tures, des camions blindés, le passage en trombe des avions (...)
    — Ah ! vieux Claude, disait Dig. Tu es en plein dans le boum.
                                      Francis CARCO, *Nostalgie de Paris*, p. 234-235.

Mod. Loc. *En plein boum :* en train de s'activer, de travailler activement (même dans le calme). *Les vendeuses étaient en plein boum.*

8   (...) il me fallait tout reprendre à zéro, l'enfant voulait savoir, que c'étaient des
    prunes de notre jardin, que nous les avions cueillies avec Edmond, que nous avions
    acheté une marmite et qu'il est mort comme ça en plein boum des confitures (...)
                                      Robert PINGET, *Passacaille*, p. 107.

DÉR. Boumer.
COMP. Badaboum.
HOM. Boom, 2. **boum.**

2. BOUM [bum] n. f. — V. 1965 ; de *surboum.*

♦ Fam. Surprise-partie. ⟹ **Surboum.** *Aller à une boum. C'est la boum de la classe, ce soir.* « *On "flirte avec"... au cours d'une "boum" ou d'une "sortie en bande"* » (G. Sitbon, *le Nouvel Obs.,* n° 409, sept. 1972).

Une boum en pleine forêt ! Pourtant c'est bien normal que les boums, ici, aient lieu dans la nature. D'abord, c'est plus facile, et puis on n'a pas les parents sur le dos.   Joseph JOFFO, *Tendre été*, p. 79.

COMP. Surboum.
HOM. Boom, 1. **boum.**

3. BOUM [bum] n. m. ⟹ **Boom,** 4.

BOUMER [bume] v. intr. — 1929, Esnault ; de 1. *boum,* 3., cf. *boom* et *boomer,* v. tr. « lancer à grand tapage par la publicité », 1905.

♦ Fam. Aller bien, marcher. ⟹ **Gazer.** *Ça boume :* ça va, ça va bien (rarement employé aux autres formes du verbe).

1   Alors raconte-moi. Le mariage. Le commerce. Tout ça. Ça gaze ? Ça boume ?
                                      R. QUENEAU, *le Dimanche de la vie*, p. 184.
2   Pourtant le rejoindre (...) ça devenait urgent. En plus de nos comptes à mettre au
    net, des choses qui ne pouvaient plus attendre, il y avait trop de trucs qui bou-
    maient pas.   Albert SIMONIN, *Touchez pas au grisbi*, p. 41.

BOUMERANG [bumʀɑ̃g] n. m. ⇒ **Boomerang**.

BOUMIAN [bumjɑ̃] n. m. — D. i. (attesté xxᵉ); altér. phonét. de *Bohémien*.

♦ Régional (Provence). Gitan, bohémien.

Étranges étrangers
Kabyles de la Chapelle et des quais de Javel
hommes des pays loin
cobayes des colonies
doux petits musiciens
soleils adolescents de la porte d'Italie
Boumians de la porte Saint-Ouen.
              J. PRÉVERT, la Pluie et le Beau Temps, p. 28 (1955).

BOUNIOU [bunju] n. m. ⇒ **Bougnou**.

BOUNIOUL [bunjul] n. m. ⇒ **Bougnoul**.

BOUQUE [buk] n. f. — 1409; en picard «passe étroite», 1338; de l'anc. provençal *boca* «bouche».

♦ Mar. Entrée, canal, passage.

COMP. **Débouquer, embouquer**.
HOM. **Bouc**.

BOUQUER [buke] v. intr. — 1552, Rabelais; p.-ê. du provençal mod. *bouca* «embrasser», pour le sens 1; de *boca* «bouche», pour le sens 3.

♦ **1.** Vx. Baiser, embrasser contre son gré.

♦ **2.** (Fin xviᵉ, Montaigne). *Faire bouquer qqn*, le contraindre à faire ce qui lui déplaît.

J'ai déjà fait bouquer messieurs du domaine, je l'emporterai encore sur eux, car j'ai raison.   VOLTAIRE, Lettre à d'Argental, 17 mars 1760.

♦ **3.** (*In* Littré). Chasse. *Faire bouquer le renard, le lapin*, le faire sortir de la bouche du terrier. *Faire bouquer un renard avec un chien, un furet*. ⇒ **Forcer**.

1. BOUQUET [bukɛ] n. m. — Déb. xvᵉ, forme normanno-picarde, *boucet, bouchet* (xiiᵉ), de *bosc* «bois» ou (selon Guiraud) apparenté à *botte* par un lat. pop. *boticus*.

★ **I.** ♦ **1.** Petit bois*. ⇒ **Boqueteau, bosquet**. *Bouquet d'arbres;* (vx) *de bois. Bouquet de verdure*.

1 Les montagnes commençaient à se couvrir de bouquets de bois.
                                    CHATEAUBRIAND, Itinéraire..., 68.

1.1 (...) la chaleur commençant à m'incommoder, je montai sur une petite éminence couverte d'un bouquet de bois, peu éloignée de la route, avec le dessein de m'y rafraîchir.   SADE, Justine..., t. I, p. 135.

2 En haut, des bouquets de chênes et de hêtres s'accrochaient sur les pentes, alternant avec des prairies (...)   LOTI, Ramuntcho, I, 12, p. 115.
REM. Le mot ne s'emploie pas sans compl., dans ce sens.

♦ **2.** (xvᵉ). Assemblage de fleurs, de feuillages coupés dont les tiges sont disposées de manière à former un ensemble harmonieux. ⇒ **Botte, faisceau, gerbe, touffe**. *Un bouquet de violettes. Cueillir, faire un bouquet, un bouquet de fleurs. Faire composer un bouquet par le fleuriste. Offrir un bouquet. Une vendeuse de bouquets*. ⇒ **Bouquetière**. *Arranger, mettre les fleurs d'un bouquet dans un vase* ⇒ **Bouquetier, porte-bouquet**). *Art japonais des bouquets*. ⇒ **Ikebana**. — Par métaphore (littér.) : → cit. 4.

3 Là croissait à plaisir l'oseille et la laitue,
   De quoi faire à Margot pour sa fête un bouquet,
   Peu de jasmin d'Espagne, et force serpolet.   LA FONTAINE, Fables, IV, 4.

4 (*Olivier*) rentrait du bal; il en rapportait dans ses habits comme une odeur de luxe, de bouquets de femmes et de plaisirs (...)   E. FROMENTIN, Dominique, XIV.

5 (...) dans un coin, on trouva soigneusement enveloppé un bouquet de fleurs desséchées, liées par un ruban tricolore.   RENAN, Souvenirs d'enfance..., V, p. 92.

5.1 (*Une chambre*)
     Où des bouquets mourants dans leurs cercueils de verre
     Exhalent leur soupir final (...)
                     BAUDELAIRE, les Fleurs du mal, CX, « Une martyre ».

5.2 Un tout petit bouquet flottant à l'aventure
     Couvrit l'Océan d'une immense floraison.   APOLLINAIRE, Alcools, p. 102.

5.3 Je remarquai des vestiges de bouquets abandonnés. Goulûment cueillis, charriés pendant de longues heures, on avait fini par les jeter, lourds, ou fanés déjà.
                                    S. BECKETT, Nouvelles, p. 93-94.

Loc. régionale (Belgique). *Bouquet tout fait, bouquet-tout-fait* (Hanse) : œillet de poète.

Fleurs, feuilles ou fruits groupés en touffe. *Un bouquet de cerises. Un bouquet de persil*.

6 (...) Çà et là, un bouquet d'ajonc se dressait sur une hauteur entre deux pierres, comme un panache ébouriffé (...)   LOTI, Pêcheur d'Islande, III, 12, p. 188.

(1575, *bouquet*). **BOUQUET GARNI** : réunion de plantes aromatiques, brins de thym, feuilles de laurier, branches de persil ou de céleri liés ensemble, que l'on fait cuire avec certains aliments bouillis ou brai-

sés. *Mettre un bouquet garni pour la préparation d'un civet, d'une sauce au vin...*

Représentation d'un bouquet. *En ce moment, il ne peint que des bouquets. Bouquet décoratif, en reliure* (⇒ **Fleuron**), *en typographie. Papier peint à bouquets*.

(1408). Archit. Ornement ressemblant à une fleur de lys.

Anciennt. *Bouquet de mariée* : bouquet de fleurs d'oranger, que les jeunes filles portaient le jour de leur mariage.

7 (...) il y avait, dans une carafe, un bouquet de fleurs d'oranger, noué par des rubans de satin blanc. C'était un bouquet de mariée.   FLAUBERT, Mᵐᵉ Bovary, I, 5.

Régional (Bretagne). *Bouquet de lait* : primevère. *Aller cueillir des bouquets de lait*.

Branche à bouquet; bouquet de mai : branche qui porte plusieurs boutons de fleurs, de fruits. ⇒ **Trochet**.

Anciennt. Touffe de paille accrochée à la queue ou au cou des animaux que l'on va vendre.

Loc. fam. Vx. *Elle porte le bouquet sur l'oreille* (en parlant d'une jeune fille) : elle cherche à se marier.

♦ **3.** Ensemble* (de choses assemblées) évoquant un bouquet de fleurs. *Un bouquet de plumes, de diamants. Le bouquet d'une coiffure*. ⇒ **Aigrette, panache**. *Il lui reste un maigre bouquet de cheveux au sommet du crâne*. ⇒ **Houppe, toupet**. *Des légumes présentés en bouquets*. ⇒ 1. **Botte**.

7.1 (...) les paquets d'épinards, les paquets d'oseille, les bouquets d'artichauts, les entassements de haricots et de pois, les empilements de romaines, liées d'un brin de paille, chantaient toute la gamme du vert (...)
                                    ZOLA, le Ventre de Paris, p. 627 (1873).

Mar. anc. *Bouquet de basse-voile* : ensemble de poulies d'écoute, d'amure... de la voile.

(Abstrait). Assemblage, réunion.

8 Par une fenêtre ouverte, on entrevoit un bouquet d'existences, un nœud de querelles, des drames (...)   G. DUHAMEL, le Temps de la recherche, X.

♦ **4.** (Métaphore du sens 2). Vx. Recueil de poésie délicate et recherchée. ⇒ **Madrigal, rondeau**. *Bouquet à Chloris, à Chloé, à Iris, à Philis*, petits vers galants.

Relig. *Bouquet spirituel* : pensées pieuses rassemblées pour aider la méditation.

♦ **5.** (1798, *bouquet d'artifice*). *Bouquet d'un feu d'artifice* : groupe de fusées spectaculaires, tirées en même temps à la fin d'un feu d'artifice. ⇒ **Girande, girandole**.

8.1 Et, me faisant tressaillir, voici qu'empourprant les vitres, le bouquet du feu d'artifice de la Fête nationale éclata, dans l'éloignement, sur la ville exultante, aux acclamations d'une multitude bisexuelle.
                     VILLIERS DE L'ISLE-ADAM, Tribulat Bonhomet, p. 171 (1887).

8.2 « — Les magnifiques gerbes de feu! » s'écria Harbert.
     En ce moment jaillissait au cratère une sorte de bouquet d'artifices dont les vapeurs n'avaient pu diminuer l'éclat. Des milliers de fragments lumineux et de points vifs se projetaient en directions contraires.
                     J. VERNE, l'Île mystérieuse, t. II, p. 832-833 (1874).

Fig., vieilli. Ce qui conclut, couronne. ⇒ **Apogée, finale**. *Ce sera le bouquet*, le dénouement.

(1828, Vidocq). Fam. *C'est le bouquet* : c'est l'ennui qui vient couronner les autres. ⇒ **Comble** (c'est le comble). Cf. Il ne manquait plus que cela.

8.3 Va, je sais ce qu'est ta vie, tu n'as pas besoin de me l'expliquer. Et sur le chapitre des relations sociales, alors, là, c'est le bouquet.
                     Jean-Louis CURTIS, le Roseau pensant, p. 144.

♦ **6.** (1845; «pot de vin», 1821). Argot. Avantage gracieux, gratification. ⇒ **Fleur**.

★ **II.** (1798; par anal. avec l'odeur d'un bouquet de fleurs). ♦ **1.** Qualité olfactive d'un vin. ⇒ **Arôme, nez, odeur**. *Ce vin a du bouquet* (⇒ **Bouqueté**), *n'a pas acquis tout son bouquet. Bouquet primaire* (arôme du raisin), *secondaire* (né de la fermentation), *tertiaire* (développé par le vieillissement). *Bouquet floral, fruité*.

9 Je bus avec respect ce vin de grande race et de noble vertu, dont on ne peut louer assez le bouquet et le feu.   FRANCE, le Crime de S. Bonnard, II, 2.

♦ **2.** Par anal. Arôme, parfum (d'une boisson, d'une nourriture).

♦ **3.** Par métaphore. *Son style a du bouquet*.

DÉR. **Bouqueté, bouquetier, bouquetière**.
COMP. **Ébouqueter, porte-bouquet**.
HOM. 2., 3. **Bouquet**.

2. BOUQUET [bukɛ] n. m. — 1485; de *bouque*, forme normanno-picarde de *bouchet*, de *bouche*.

♦ Zool. Gale du museau du mouton.

HOM. 1., 3. **Bouquet**.

3. BOUQUET [bukɛ] n. m. — 1708; «petit bouc», 1119; de 1. *bouc*. → **Crevette**, apparenté à *chèvre*.

♦ **1.** Rare. Lapin mâle, lièvre. ⇒ 1. **Bouquin**, 2.

♦ **2.** (1859 ; à cause des « barbes »). Crevette* rose. *Manger des bouquets.* — Collectif. *Du bouquet. Préférer le bouquet à la crevette grise.*

DÉR. Bouqueton.
HOM. 1., 2. Bouquet.

BOUQUETÉ, ÉE [bukte] adj. — 1848, Chateaubriand, au sens I ; de *bouqueter*, v. tr. usité seulement en emploi passif *(vin* « *bouqueté par l'âge* », Huysmans) ; de 1. *bouquet ;* cf. le moyen. franç. *bouqueter*, 1409, « orner de bouquets sculptés ».

★ **I.** Littér. Parsemé de bouquets d'arbres. *Landes bouquetées de buissons d'aubépines.*
Qui constitue un assemblage en bouquet (1. Bouquet, I., 3.).

À certains moments du reste je n'étais pas loin de croire à plus de noirceur, à l'intention délibérée de nuire, de s'attaquer à ce groupe bien bouqueté que j'ai toujours considéré comme ma revanche (...)
Hervé BAZIN, Cri de la chouette, p. 218.

★ **II.** (1873). Qui a du bouquet, en parlant d'un vin. *Un vin bouqueté.*

BOUQUETIER [buktje] n. m. — 1677 ; « endroit où il y a des bouquets de fleurs », 1600 ; de 1. *bouquet.*

♦ Vase à bouquets, muni d'un couvercle percé de trous dans lesquels on glisse les tiges des fleurs. *Placer des fleurs dans un bouquetier.*

BOUQUETIÈRE [buktjɛʀ] n. f. — 1562 ; de 1. *bouquet.*

♦ Celle qui fait et vend des bouquets de fleurs dans les lieux publics. ⇒ **Fleuriste.** *Une jeune bouquetière.*

Fabio. — Que me veux-tu, petite ?
La bouquetière. — Seigneur, je vends des roses, je vends des fleurs du printemps. Voulez-vous acheter tout ce qui me reste pour parer la chambre de votre amoureuse ?
NERVAL, les Filles du feu, « Corilla ».

REM. Le masc. *bouquetier* est attesté en 1635 « vendeur de fleurs ».

BOUQUETIN [buktɛ̃] n. m. — 1672 ; 1509, *bouquestains ;* 1240, franco-provençal *boc estaingn ;* de l'all. *Steinbock* « bouc de rocher ».

♦ Mammifère ongulé ruminant *(Bovidés-Caprinés),* à longues cornes annelées, vivant à l'état sauvage dans les montagnes d'Europe. ⇒ **Ibex.** *La chasse au bouquetin. Bouquetins et chamois*.

BOUQUETON [buktɔ̃] n. m. — D. i. ; de 3. *bouquet.*

♦ Régional. Filet servant à pêcher les crevettes.

1. BOUQUIN [bukɛ̃] n. m. — 1544, adj. ; de 1. *bouc.*

♦ **1.** (Av. 1590, Paré). Vx. Vieux bouc*. *Sentir le bouquin.*
Allez, bouquin puant, faire l'amour aux chèvres.   RACAN, Bergeries, II, 2.
Démon à pieds de bouc. ⇒ **Satyre.**

♦ **2.** (1732). Lièvre, lapin mâle. ⇒ 3. **Bouquet.**

DÉR. 1. Bouquiner.

2. BOUQUIN [bukɛ̃] n. m. — 1459, *boucquain ;* d'un dérivé (douteux) du moy. néerl. *boec* « livre ».

♦ **1.** Vieux livre. → Reliure, cit. 1. *Des bouquins poussiéreux. Chercher des bouquins d'occasion chez les bouquinistes*. Se plonger dans les bouquins.* ⇒ **Bouquiner.**

♦ **2.** (1866). Fam. et cour. a Livre (objet concret). *Un bouquin neuf. Il achète tous les bouquins qui paraissent. Bouquins de classe. Ranger ses bouquins.*
(Langage des jeunes). Publication quelconque (livre, album, revue). *File-moi ton bouquin de B. D.*

b Livre, en tant que texte. *Écrire, faire un bouquin. Tu as fini ce bouquin ? C'est un bon bouquin.*
(...) vous voilà tout à coup en tête à tête avec un de vos personnages, et pas moyen de le faire rentrer dans le plan du bouquin. Le voilà qui part tout seul.
BERNANOS, Un mauvais rêve, Œ. roman., Pl., p. 926.

DÉR. 2. Bouquiner, bouquinerie, bouquiniste.

3. BOUQUIN [bukɛ̃] n. m. — 1532 ; forme normanno-picarde de *bouche* « bouche ».
Vieilli ou régional.

♦ **1.** Bec* adapté à une corne de bœuf pour en faire une trompe de chasse. *Cornet à bouquin,* la trompe* elle-même.
(...) ce soir ils font un bruit de tambours et de cornets à bouquin infernal.   [1]
E. DELACROIX, Journal, 4 février 1832, p. 152.

(...) j'entendais plus tard le cornet à bouquin du chevrier (...)   [2]
PROUST, Albertine disparue, Folio, p. 97.

♦ **2.** (1833). Bout qui s'adapte au tuyau de la pipe et que le fumeur met dans sa bouche. *Bouquin d'ambre.*
Quant aux bouquins d'ambre, ils sont l'objet d'un commerce spécial et qui se rapproche de la joaillerie pour la valeur de la matière et du travail.   [3]
Th. GAUTIER, Constantinople, p. 114.
« Obstinées comme Marguerite », songe Mathieu en mordillant le bouquin de sa pipe.   [4]
Jean Yves SOUCY, Un dieu chasseur, p. 161.

1. BOUQUINAGE [bukinaʒ] n. m. — 1700 ; de 1. *bouquiner.*

♦ Rut, chez le lapin et le lièvre. *L'époque du bouquinage.*

HOM. 2. Bouquinage.

2. BOUQUINAGE [bukinaʒ] n. m. — 1860 ; de 2. *bouquiner.*

♦ Fam. et rare. Fait de lire.

HOM. 1. Bouquinage.

1. BOUQUINER [bukine] v. intr. — 1655 ; « avoir les mœurs du bouc », 1611 ; de 1. *bouquin.*

♦ Rare. (En parlant du bouc, du lapin, du lièvre). Couvrir la femelle.

DÉR. 1. Bouquinage.
HOM. 2. Bouquiner.

2. BOUQUINER [bukine] v. — 1611 ; de 2. *bouquin.*

★ **I.** V. intr. (Langage des bibliophiles). Fouiller dans les vieux livres, chercher des livres d'occasion, des livres anciens, notamment chez les *bouquinistes*.* ⇒ **Bouquinerie,** 2.
Tout compte fait, je ne sais pas de plaisir plus paisible que celui de bouquiner sur les quais.   [1]
FRANCE, Pierre Nozière, I, 7, 3.

★ **II.** V. tr. ♦ **1.** (1840). Vieilli. Lire (de vieux livres).
Comme cela doit être amusant de bouquiner, de fourrer son nez dans de vieux papiers, avait-elle (Odette) ajouté (...)   [2]
PROUST, À la recherche du temps perdu, t. I, p. 268.

♦ **2.** Cour., fam. Lire. *Il bouquine toute la journée. Il est en train de bouquiner un illustré.*

DÉR. 2. Bouquinage, bouquineur.
HOM. 1. Bouquiner.

BOUQUINERIE [bukinʀi] n. f. — 1800 ; v. 1650, « amas de vieux livres » ; de 2. *bouquin.*

♦ **1.** Rare. Magasin ou boîte de bouquiniste.
C'est l'hôtel où mourut Oscar Wilde ; la cour du Commerce on le sieur Guillotin expérimenta sur un mouton son horrible machine à raccourcir qu'on appela plus tard « la Veuve » ; la bouquinerie du père d'Anatole France ; la bicoque d'angle des parents d'André Chénier (...)   Francis CARCO, Nostalgie de Paris, p. 27.

Commerce des livres d'occasion. — Par ext. Ensemble de bouquins.

♦ **2.** Fait de chercher des livres d'occasion. *Passer son temps en bouquineries.*

BOUQUINEUR, EUSE [bukinœʀ, øz] n. — 1928 ; « celui qui cherche et aime les vieux livres », 1671 ; de 2. *bouquiner.*
Familier.

♦ **1.** Personne qui aime bouquiner. ⇒ 2. **Bouquiner ; bibliophile.**
Vous savez que je suis fort ignorant bouquineur : ainsi ne craignez pas de nommer choses pour vous trop connues, *Histoire universelle* de Bossuet à part.   Germain NOUVEAU, Lettre à Paul Verlaine, 4 août 1876, Pl., p. 843.

♦ **2.** Rare. Personne qui aime bouquiner, lire. ⇒ **Lecteur, liseur.**

BOUQUINISTE [bukinist] n. — 1752, Trévoux ; de 2. *bouquin,* 1.

♦ Marchand, marchande de livres d'occasion exposés en librairie ou dans des boîtes spéciales, notamment sur les parapets des quais de la Seine, à Paris.

Les bouquinistes déposent leurs boîtes sur le parapet. Ces braves marchands d'esprit (...) sont tous mes amis et je ne passe guère devant leurs boîtes sans en tirer quelque bouquin qui me manquait jusque-là, sans que j'eusse le moindre soupçon qu'il me manquât.   [1]
FRANCE, le Crime de S. Bonnard, Œ. t. II, p. 419.
J'ai dû sottement oublier dans votre antichambre un petit paquet contenant deux livres (...) que je venais d'acheter chez un bouquiniste du Boulevard Saint-Michel.   [2]
J.-R. BLOCH, Deux hommes se rencontrent, p. 31.
Je remontais les quais de la rive gauche vers le pont des Arts. On voyait luire le fleuve, entre les boîtes fermées des bouquinistes.   [3]
CAMUS, la Chute, p. 46.

BOURACAN [buʀakɑ̃] n. m. — 1593; *barragan*, v. 1150; arabe *barrakan* «étoffe de poil de chameau», p.-ê. avec infl. de 1. *bourre* ou de la forme arabe *burrukān*.

Vieux (ou anciennement).

♦ **1.** Gros tissu de laine. ⇒ **Camelot.**

1 Pendant qu'un misérable pagne couvrait à peine vos flancs brûlés par le soleil, vos barbares pères se pavanaient sous de *buenos sombreros,* et portaient des vestes de nankin les jours de travail, et les jours de fête des habits de bouracan ou de velours (...) HUGO, Bug-Jargal, in Œ. compl., t. VI, p. 79.

2 Elle avait une courte robe bleu sombre, à petits plis froncés sur les hanches, et une sorte de veste ou brassière en bouracan noir que fermaient, à la naissance de la poitrine, deux ou trois boutons de corne. Th. GAUTIER, le Capitaine Fracasse, p. 321.

♦ **2.** Manteau fait de cette étoffe.

BOURACHER [buʀaʃe] n. m. — 1723, Savary, *Dict. de commerce;* 1602, *bouracier;* de 1. *bourre.*

♦ Régional (Nord). Ouvrier qui fabrique des étoffes de laine.

BOURAQUE [buʀak] n. f. ⇒ **Bourraque.**

BOURBE [buʀb] n. f. — Av. 1306; *borbe,* 1223; d'un gaul. *borvo.* Cf. *Borvo,* divinité gauloise des eaux thermales. → Barboter.

♦ **1.** Boue* qui s'accumule au fond des eaux stagnantes. ⇒ **Fange, limon.** *Bourbe épaisse, nauséabonde, noire d'un étang, d'un marais. Amas de bourbe.* ⇒ **Bourbier.** *Étendue pleine de bourbe.* ⇒ **Marécage.** *Patauger dans la bourbe.* ⇒ **Barboter.** *Bourbe où se vautre le sanglier.* ⇒ **Souille.** *Ôter la bourbe.* ⇒ **Curer, débourber.**

Plusieurs rues s'étiraient jusqu'à l'extrémité des mares des lacs à fond de bourbe que l'on nomme horizons. Michel LEIRIS, Haut mal, p. 58.

Amas de saletés, dépôt au fond d'un liquide. Bourbe d'un encrier. ⇒ **Boue.**

♦ **2.** (1223). Littér., rare. Chose vile, méprisable. ⇒ **Boue, fange.** *La bourbe du vice.* «La bourbe des affaires» (Huysmans, *in* T. L. F.). *Croupir dans la bourbe.* ⇒ **Bourbier.**

DÉR. Bourbelier, bourbeux, bourbier, bourbillon. — Claudel, dans *Tête d'or,* forge un verbe *bourbiller* «patauger dans la bourbe».
COMP. Débourber, embourber.

BOURBELIER [buʀbəlje] n. m. — 1755; «épaule du sanglier», 1393; de *bourbe,* l'animal laissant souvent des traces de boue sur son pelage.

♦ Vén. Poitrail (du sanglier).

C'était un énorme sanglier noir, un vieux(...) Il était large du bourbelier et la poche de ses suites ballottait en dehors de ses cuisses. Paul VIALAR, la Grande Meute, p. 325.

BOURBEUX, EUSE [buʀbø, øz] adj. — 1552; de *bourbe.*

♦ Qui est plein de bourbe, couvert de boue. ⇒ **Boueux, fangeux, marécageux.** *Chemin, sentier bourbeux. Creux, trou bourbeux.* ⇒ **Bourbier.** *Eau bourbeuse.*

1 Je lui montrais de loin les embouchures du Rhône, dont l'impétueux cours s'arrête tout à coup au bout d'un quart de lieue, et semble craindre de souiller de ses eaux bourbeuses le cristal azuré du lac. ROUSSEAU, Julie ou la Nouvelle Héloïse, IV, p. 137.

1.1 De Slovénie en Italie, aidé par les douaniers, puis abandonné d'eux, je remontai un torrent bourbeux. Jean GENET, Journal du voleur, p. 120.

Par métaphore. ⇒ **Impur.**

2 (...) ou le grand chemin de la vertu, ou le bourbeux sentier de la courtisane. BALZAC, *in* Pierre LAROUSSE.

3 Nos péchés sont têtus, nos repentirs sont lâches;
Nous nous faisons payer grassement nos aveux,
Et nous rentrons gaiement dans le chemin bourbeux,
Croyant par de vils pleurs laver toutes nos taches. BAUDELAIRE, les Fleurs du mal, Au Lecteur.

CONTR. Clair, limpide.

BOURBIER [buʀbje] n. m. — 1223; de *bourbe.*

♦ **1.** Lieu creux plein de bourbe. ⇒ **Marais, marécage.** *S'engager, entrer, tomber, s'enfoncer dans un bourbier.* ⇒ **Embourber (s'). *Tirer qqn, un véhicule d'un bourbier.* ⇒ **Débourber, désembourber.**

♦ **2.** Par métaphore ou fig. Affaire, situation difficile, inextricable. ⇒ **Embarras, pétrin.** *S'engager dans un bourbier. Il s'est mis dans un vrai bourbier.*

1 Cette naïveté embarrassait le bonhomme; il faisait de vains efforts pour se tirer de ce bourbier. VOLTAIRE, l'Ingénu, 10.

1.1 On ne sort pas d'une pareille impasse par une simple pirouette, ou alors on risque de tomber dans un bourbier. PROUST, le Côté de Guermantes, Folio, p. 288.

♦ **3.** Littér. Lieu impur.

(...) j'allumais mon sang, je traînais mon corps aux bourbiers des plaisirs(...) Th. GAUTIER, Mᵉˡˡᵉ de Maupin, III.

Chose, situation infamante. ⇒ **Bourbe, impureté.** *Le bourbier du vice.*

Relevez-moi plutôt du bourbier où j'étais tombé, en me disant d'expier ma mauvaise vie et de devenir digne de vous. G. SAND, Elle et Lui, IV, p. 89.

BOURBILLON [buʀbijɔ̃] n. m. — 1690, Furetière; de *bourbe.*

♦ **1.** Rare. Petit amas de bourbe. *Bourbillons au fond de l'encrier.*

♦ **2.** Méd. Amas de pus et de tissu nécrosé au centre d'un furoncle.

BOURBON [buʀbɔ̃] n. m. — 1930, *in* Rey-Debove et Gagnon; *Bourbon whiskey,* 1852; mot amér., abrév. de *Bourbon whisky,* fabriqué dans le comté de *Bourbon,* Kentucky.

♦ Whisky* américain, essentiellement à base de maïs, auquel on ajoute parfois du seigle et du malt. *Le bourbon a un goût très différent du whisky écossais.*

1 Regarde ce que j'apporte : du whisky américain(...)
— Magnifique! dit Henri. Il remplit un verre de bourbon qu'il tendit à Nadine. S. DE BEAUVOIR, les Mandarins, p. 21.

2 Et tout à l'heure, quand il fera son entrée au «Vieux-Joë», pour (...) réparer ses forces avec une double rasade de bourbon sec (...) A. ROBBE-GRILLET, Projet pour une révolution à New York, p. 61.

BOURBONIEN, IENNE [buʀbɔnjɛ̃, jɛn] adj. et n. — 1559, attestation isolée; repris au XIXᵉ; de *Bourbon.*

♦ Qui a rapport à la famille des Bourbons. — Spécialt. *Nez bourbonien :* nez arqué. ⇒ **Aquilin.** — REM. On dit aussi *nez à la Bourbon;* (1900) *nez bourbon.*

N. Partisan des Bourbons.

BOURBONNAIS, AISE [buʀbɔnɛ, ɛz] adj. et n. — Fin XIVᵉ; de *Bourbon,* n. propre.

♦ **1.** Du Bourbonnais, ancienne province de France. *Chien bourbonnais.* ⇒ **Braque.** — N. *Un Bourbonnais, une Bourbonnaise.*

♦ **2.** N. m. (1449, «bourrelet d'une coiffure»). Coiffure en paille tressée, en cône tronqué, munie d'une visière.

♦ **3.** N. f. (1811) **BOURBONNAISE** (vx) : chanson burlesque accompagnée de grimaces (d'après Littré).

BOURBOUILLE [buʀbuj] n. f. — 1904, in *Rev. gén. des sc.,* n° 19, p. 905; mot d'argot milit.; orig. inconnue.

♦ Miliaire*, éruption de boutons due à l'inflammation des glandes sudoripares (cour. en franç. d'Afrique; I. F. A.).

BOURCET ou **BOURSET** [buʀsɛ] n. m. — XVIᵉ; du néerl. *boegzeil;* de *boeg* «proue», et *zeil* «voile».

♦ Mar. Voile quadrangulaire soutenue par une vergue, sur laquelle le point de drisse est placé au tiers (Gruss). *Bourcet de lougre, de chasse-marée.*

BOURDAINE [buʀdɛn] ou (rare) **BOURGÈNE** [buʀʒɛn] n. f. — Après 1350; 1775; orig. obscure, p.-ê. de l'anc. norm. *borzaine* (v. 1200), d'une forme préromane **burgena* (cf. basque *burgi*), les formes en *-rd-* issues de *-rg-* étant caractéristiques des parlers de l'Ouest.

♦ **1.** Arbuste *(Rhamnacées)* à écorce laxative et dont le bois sert à la fabrication de la poudre de chasse.

Il se trouvait en fait au seuil d'une forêt de bouleaux doucement vallonnée que parsemaient des taillis de bourdaine. M. TOURNIER, le Roi des Aulnes, p. 182.

♦ **2.** Tisane faite avec l'écorce de cet arbre. *Une tasse de bourdaine.*

BOURDALOU, BOURDALOUE [buʀdalu] n. m. — 1701, Furetière; du nom de *Bourdaloue,* le célèbre prédicateur.

♦ **1.** Techn. Ruban ou tresse qu'on attache avec une boucle et qui entoure la forme d'un chapeau. *Bourdalou en cuir d'un shako.*

♦ **2.** (1762). Vase de nuit en forme oblongue, utilisé au XVIIIᵉ siècle par les dames, dans le fond duquel était parfois peint un œil accompagné d'inscriptions licencieuses.

♦ **3.** Cuis. Entremets chaud de fruits. — (À Paris). Gâteau aux amandes et aux poires.

BOURDANTE [buʀdɑ̃t] n. f. — D. i. (xxᵉ); de 1. *bourde*, d'après *gourante*.

♦ Fam. Bourde.

— Oh, oh, dit Julia, où as-tu été pêcher une bourdante pareille?
R. QUENEAU, le Dimanche de la vie, p. 15.

1. BOURDE [buʀd] n. f. — 1180; orig. obscure, p.-ê. à rapprocher de l'anc. provençal **borda* « vantardise » ou (Guiraud) de la forme dial. *borde*, var. de *bourre* « flocon », par métaphore « mensonge », du gallo-roman **burra*, **burrita* « coquille »; fétu ».

♦ **1.** Mensonge fait pour abuser, pour tromper. ⇒ **Baliverne, calembredaine, invention, plaisanterie.** *Raconter des bourdes. Il a sorti une énorme bourde dans sa conférence. Relever quelques bourdes dans un livre.*

1 Qui baillent pour raisons des chansons et des bourdes.
Mathurin RÉGNIER, Satires, X.

2 Les pauvres gens qui ne savent rien du christianisme ni de son histoire bâfrent goulûment cette bourde énorme. Léon BLOY, le Désespéré, p. 87.

♦ **2.** (xvIIIᵉ). Faute lourde, grossière. *Faire une bourde. Dire, commettre des bourdes.* ⇒ **Erreur, faute; bêtise, bévue, blague, bourdante, gaffe.**

3 D'ordinaire, un traducteur copie les traducteurs précédents, de confiance et sans toujours savoir quelles bourdes il perpétue.
J. GREEN, Journal, 21 déc. 1977, La terre est si belle, p. 217.

DÉR. Bourdante. — 3. Bourdon.
HOM. 2. Bourde.

2. BOURDE [buʀd] n. f. — 1831; « bâton », 1381; de 1. *bourdon*.

♦ Mar. Étai qui soutient provisoirement un navire échoué.

DÉR. Bourdillon.
HOM. 1. Bourde.

BOURDIGUE [buʀdig] n. f. ⇒ Bordigue.

BOURDILLON [buʀdijɔ̃] n. m. — 1732, Richelet; de 2. *bourde*.

♦ Techn. Bois de chêne refendu en douves pour faire des futailles.

BOURDINGUE [buʀdɛ̃g] n. f. ⇒ Bordigue.

1. BOURDON [buʀdɔ̃] n. m. — xIIᵉ; v. 1170, *burdun* « mulet »; du bas lat. *burdo*, accus. *burdonem* « mulet », par une métaphore habituelle (cf. étym. de *bélier* « chevalet, poutre »), p.-ê. du francique **bihordon* « enclore », de **hurd* « claie ».

★ **I.** ♦ **1.** Hist. Long bâton de pèlerin surmonté d'un ornement en forme de pomme. *Le bourdon des pèlerins de Saint-Jacques. Prendre le bourdon du pèlerin*.*
Loc. fig. *Planter le bourdon :* s'établir.

♦ **2.** Ganse (formant des renflements sur le tissu). — *Point de bourdon :* point de broderie.

★ **II.** (1881, mot régional de l'Ouest qui correspond à l'anc. franç. et au lat.). Pop. Cheval (Céline, *Casse-pipe,* in Cellard et Rey).

DÉR. 2. Bourde, bourdonnière.
HOM. 2. et 3. Bourdon.

2. BOURDON [buʀdɔ̃] n. m. — 1210, *bordon;* probablt onomatopée.

★ **I.** ♦ **1.** Insecte hyménoptère *(Apidés)* à l'aspect massif, au corps velu, qui vit en sociétés composées de mâles, de femelles stériles (ouvrières) et de femelles fécondes. *Miel de bourdons. Nid de bourdons. Bruit du bourdon.* ⇒ **Bourdonnement.** *La volucelle est un diptère ressemblant au bourdon.*

1 Un bourdon tout enflé de lumière fauve rôdait autour d'eux; il vint heurter Jacques au visage, comme une houppe de laine (...)
MARTIN DU GARD, les Thibault, t. II, p. 194.

Par compar. ou métaphore. *S'agiter comme un bourdon, faire le bourdon :* s'agiter bruyamment et inutilement. — *Avoir la tête comme un nid de bourdons,* la tête qui bourdonne*.

1.1 Comme un bourdon, alors, nous venons et revenons buter sur l'obstacle transparent.
ALAIN, Entretiens au bord de la mer, II, in les Passions et la Sagesse, Pl., p. 1272.

♦ **2.** *Faux bourdon :* mâle de l'abeille. ⇒ **Abeille** (cit. 1).

♦ **3.** Par métonymie. Régional. Bourdonnement. *« Un bourdon de mouches semblait la chanson même de l'après-midi »* (H. Pourrat, in T. L. F.).
Bourdonnement de voix. ⇒ **Brouhaha, murmure.**

★ **II.** 1915, *in* Sainéan; métaphore de l'insecte (→ Cafard) ou du bruit

(sens III). Fig., fam. *Avoir le bourdon :* se sentir mélancolique. ⇒ **Cafard, noir, spleen** (cf. Broyer du noir).

1.2 Vous êtes rigolote, vous. Vous n'avez pas l'air de vous en faire.
— Vous, vous avez le bourdon, hein? ce soir.
— C'est que c'est pas drôle. Je n'ai plus d'emploi. Toujours chômeur.
R. QUENEAU, Pierrot mon ami, p. 44.

1.3 C'est pas pour dire, t'es pas bavard... t'as le bourdon, pour sûr... Ah! la la... c'est comme si je te voyais! Tu dois être un doux, toi... un sentimental...
H.-G. CLOUZOT et J. FERRY, Quai des Orfèvres (scénario), 1947, in l'Avant-Scène, nº 29, p. 52, 1963.

1.4 Moi qui pensais pouvoir franchir en liberté le solstice d'été, cet équateur du truand, me voilà à l'abri des coups de soleil, coups de lune, et en butte aux coups de gueule, coups de bourdon, pour un temps terriblement déterminé.
A. SARRAZIN, la Cavale, p. 9.

★ **III.** (V. 1280, en parlant d'un instrument). ♦ **1.** Basse continue dans certains instruments. *Bourdon de vielle, de la cornemuse.*

1.5 Ne pourrais-je pas mesurer ces paroles et les chanter? Un bourdon de ma guitare imiterait la présence divine de la mer (...)
J. GIONO, la Naissance de l'Odyssée, p. 69.

FAUX-BOURDON. Hist. mus. Plain-chant où la basse, transportée à la partie supérieure, forme le chant principal. — Mod. ⇒ **Faux-bourdon.**

2 (...) le bon père qui, autrefois, avait été renommé à Notre-Dame pour chanter et enseigner le faux-bourdon (...)
A. DE VIGNY, Servitude et Grandeur militaires, I, 5, p. 125.

♦ **2.** *Bourdon d'orgue :* jeu de l'orgue qui fait la basse. — Vieilli. Nom de la quatrième corde du violon.

3 Si le son est tiré de la chanterelle ou du bourdon (...) ROUSSEAU, Émile, II.

♦ **3.** Grosse cloche à son grave. *Bourdon de cathédrale.*

4 (...) Paris s'éveilla au son du bourdon de Notre-Dame, muet depuis dix ans.
Louis MADELIN, Hist. du Consulat, x, p. 163.

5 Ah! ce bourdon! s'écria François, il est vraiment obsédant, on en a la tête grosse, et qui éclate! ZOLA, Paris, t. II, p. 244.

DÉR. Bourdonner.
HOM. 1. et 3. Bourdon.

3. BOURDON [buʀdɔ̃] n. m. — 1690; de 1. *bourde*.

♦ Typogr. Faute de composition, omission d'un ou de plusieurs mots figurant sur la copie. ⇒ **Sauton.**

HOM. 1. et 2. Bourdon.

BOURDONNANT, ANTE [buʀdɔnɑ̃, ɑ̃t] adj. — xvIᵉ; de *bourdonner.*

♦ **1.** Qui émet un bourdonnement. *Mouche bourdonnante.* ⇒ **Bourdonneur.** — *Foule bourdonnante. Cloche bourdonnante. Prières bourdonnantes.* → Pénitent, cit. 3.

♦ **2.** Qui est le siège d'un bourdonnement. *Oreilles bourdonnantes.*
(...) une brûlure lui tordait la poitrine, montait à sa tête bourdonnante et près d'éclater comme une tôle chauffée à blanc. Alphonse DAUDET, Sapho, III.
Par ext. *Usine bourdonnante, bourdonnante d'activité.*

BOURDONNEMENT [buʀdɔnmɑ̃] n. m. — 1545, *bourdonnement d'aureilles;* de *bourdonner.*

♦ **1.** (1556). Bruit sourd et continu que font en volant les insectes et certains petits oiseaux. *Un bourdonnement de mouches. Le bourdonnement des abeilles.* ⇒ aussi **Bruissement.** *Bourdonnement de colibris. Bourdonnement de ruche.*

1 Une Mouche survient, et des chevaux s'approche,
Prétend les animer par son bourdonnement. LA FONTAINE, Fables, VII, 9.

2 (...) le double ronron, mystérieux privilège du félin, rumeur d'usine lointaine, bourdonnement de coléoptère prisonnier, moulin délicat dont le sommeil profond arrête la meule. COLETTE, Histoires pour Bel-Gazou, XVII.

Bruit continu provoqué par un objet qui vibre. *Le bourdonnement d'une cloche. Bourdonnement d'un moteur.* ⇒ **Vrombissement.**

2.1 Le restaurant, au milieu d'un îlot d'arbres et d'arbustes, avait l'air d'une ruche trop pleine et vibrante. Un bourdonnement confus de voix, d'appels, de cliquetis de verres et d'assiettes voltigeait autour, en sortait par toutes les fenêtres et toutes les portes grandes ouvertes.
MAUPASSANT, Fort comme la mort, éd. 1889, p. 141.

3 Là-haut, de minuscules ailes brunes et brillantes *(d'un aéroplane)* françaient le bleu uni du ciel inaltérable. J'avais pu enfin attacher le bourdonnement à sa cause, à ce petit insecte qui trépidait là-haut, sans doute à bien deux mille mètres de hauteur, je le voyais bruire.
PROUST, À la recherche du temps perdu, t. XII, p. 253.

4 Il était souvent étourdi par le bourdonnement de sa musique.
R. ROLLAND, Jean-Christophe, p. 611.

Techn. Vibrations de faible amplitude affectant la cellule d'un avion (recomm. off. pour traduire l'angl. *buzz).*

♦ **2.** Murmure sourd, confus, d'un grand nombre de voix. *Bourdonnement d'une conversation. Le public manifeste sa désapprobation par un bourdonnement général.* ⇒ **Rumeur.** *Bourdonnement d'une foule.*

5 La foule, avec son bourdonnement monotone de rires et de prières, se presse autour de lui, lançant à pleine main ses offrandes (...)
LOTI, Mᵐᵉ Chrysanthème, XXXIV, p. 168.

6 Un bourdonnement de conversation et de rires répandit, dans le jardin, sa ruche de bruits. Edmond JALOUX, le Jeune Homme au masque, I, p. 2.

6.1 Cette mort de Rampolla... Je le revois, 25 ans en arrière... Sa haute figure ennuyée et affable, la nuée de courtisans qui se levaient sous ses pas (...) le bourdonnement d'attente et d'espoir qui entourait sa personne...
R. ROLLAND, Deux hommes se rencontrent, p. 225.

7 (...) Jacques percevait très bien (...) le timbre si particulier de cette voix *(celle de Jaurès)* : ce bourdonnement, cette vibration en sourdine, analogue à la résonance d'une fosse d'orchestre. MARTIN DU GARD, les Thibault, t. V, p. 289.

♦ **3.** *Bourdonnement d'oreilles* : perception auditive d'un bruit sourd, régulier et grave provoquée par des troubles circulatoires, par une anomalie de l'appareil auditif, par un état nerveux... ⇒ **Tintement, tintouin** (vx); **acouphène**.

8 Il n'entend rien non plus, rien qu'un bourdonnement sourd, un roulement confus, comme s'il avait pour oreilles deux coquilles marines, de ces grosses coquilles à lèvres roses où l'on entend ronfler la mer.
Alphonse DAUDET, le Petit Chose, II, 16.

BOURDONNER [buRdɔne] v. — V. 1200, *bordonner;* de 2. *bourdon.*

★ **I.** V. intr. ♦ **1.** (En parlant d'un insecte). Faire entendre un bourdonnement*. *Mouche, abeille qui bourdonne.* ⇒ **Bombiller** (rare).

1 Autour du compotier de reines-claudes une guêpe bourdonnait et toute la maison semblait ronronner avec elle sous la caresse de midi.
MARTIN DU GARD, les Thibault, t. II, p. 187.

Émettre un son grave et continu, dû à une vibration. ⇒ **Bruire, souffler.** *Le poêle bourdonne.* ⇒ **Ronronner.** *Le moteur bourdonne* (⇒ aussi **Vrombir**). *La foule des élèves bourdonnait en attendant la proclamation des résultats. « Je défends à toute guitare De bourdonner aux alentours »* (Gautier). *Les cloches bourdonnent.*

2 N'entends-tu pas déjà mille rumeurs bourdonner confusément dans la cité qui sort de sa torpeur méridienne ? Th. GAUTIER, le Roman de la momie, II.

3 La musique du bal bourdonnait encore à ses oreilles.
FLAUBERT, Mme Bovary, I, VIII.

4 (...) les hélices des ventilateurs bourdonnaient sans répit.
MARTIN DU GARD, les Thibault, t. II, p. 92.

♦ **2.** (Sujet n. de lieu, de chose située dans l'espace). Être le siège d'un bourdonnement. *La ruche bourdonne.* — Par compar. ou métaphore. *L'usine bourdonne.*

5 Du haut en bas de ses six étages, la *Maison du peuple* de Bruxelles bourdonnait comme un nid de frelons. MARTIN DU GARD, les Thibault, t. VII, p. 29.

Bourdonner de conversations.

5.1 Ah! tout l'escalier, le nôtre, le B, il en bourdonnait de notre histoire, ils en bavaient des bigornos tous les bricoleurs des étages, ils en revenaient pas de notre chance !
CÉLINE, Mort à crédit, p. 178-179.

5.2 Trois mois d'été humide et ouaté de brouillard, bourdonnant des offres de marchands juifs venus de New York pour acheter dans de bonnes conditions leurs bijoux aux émigrés russes. M. YOURCENAR, le Coup de grâce, p. 148.

Spécialt. *Il sentit sa tête, ses oreilles bourdonner, avant de s'évanouir* (⇒ **Bourdonnement**).

♦ **3.** S'agiter confusément dans la pensée, en provoquant une sensation analogue à un bourdonnement. *Ses reproches bourdonnaient encore dans ses oreilles.*

6 Ses projets, ses souvenirs, bourdonnaient dans sa tête, encore étourdie par le tangage du vaisseau (...) FLAUBERT, Salammbô, VII.

★ **II.** V. tr. (Av. 1696). Littér. ♦ **1.** Chanter d'une voix basse. ⇒ **Fredonner.** *Bourdonner un air.*

♦ **2.** Vieilli. Dire de façon répétée (des choses qui importunent l'entourage).

7 Il faut que je bourdonne mes peines comme la mouche. Mme DE SÉVIGNÉ, 393.

♦ **3.** Techn. Faire résonner (une cloche) sans la mettre en branle, en faisant mouvoir le battant.

DÉR. **Bourdonnant, bourdonnement, bourdonneur.**

BOURDONNEUR, EUSE [buRdɔnœR, φz] adj. et n. — 1606; 1495, *mouches bourdonneresses;* de *bourdonner.*

♦ Qui émet un bourdonnement. ⇒ **Bourdonnant.** *Insecte bourdonneur.*

Des grappes humaines se collaient en essaims bourdonneurs à l'arrière-train des autobus. A. BLONDIN, les Enfants du bon Dieu.

N. *Un bourdonneur :* un animal qui bourdonne.

BOURDONNIÈRE [buRdɔnjɛR] n. f. — 1842; de 1. *bourdon.*

♦ Techn. Pièce d'huisserie où pivote le goujon (ou *bourdonnier*) d'une porte, d'une fenêtre. — REM. Certains auteurs appellent *bourdonneau* la bourdonnière et *bourdonnière* le bourdonnier.

BOURG [buR] n. m. — V. 1360, *burc*, 1080; d'un croisement du lat. *burgus* «fortification», en bas lat. «habitations fortifiées» et du germanique **burg* «ville fortifiée», d'où lat. médiéval *burgus* «petite ville».

♦ **1.** Gros village où se tiennent ordinairement des marchés.

⇒ **Bourgade**, (cit. 1), **village.** *Bourg ou canton de la Grèce antique.* ⇒ **Dème.** *Gros bourg.* ⇒ **Ville.** *Bourg prospère.*

1 (...) la maîtresse de cette auberge était (...) fort affairée (...) C'était, le lendemain, jour de marché dans le bourg. FLAUBERT, Mme Bovary, II, I.

♦ **2.** Dans les régions à habitat dispersé, Partie de la commune où sont regroupés les commerces, les édifices publics et un assez grand nombre d'habitations particulières. *Aller au bourg faire les courses. Il habite au bourg. Le bourg et les hameaux.*

♦ **3.** Hist. Circonscription électorale en Grande-Bretagne. — LOC. (1819). **BOURG POURRI** : bourg qui a conservé le droit d'élire des députés, malgré son petit nombre d'habitants, et où l'on trafiquait les votes.

2 M. de Nucingen, futur pair de France et qui avait été élu dans une espèce de bourg-pourri, un collège à peu d'électeurs, où le journal fut envoyé gratis à profusion. BALZAC, Une fille d'Ève, I, VII, 1839, *in* D. D. L., II, 10.

DÉR. **Bourgade, bourgeois.**
COMP. V. **Faubourg.**
HOM. 1. **Bourre,** 2. **bourre,** 3. **bourre.**

BOURGADE [buRgad] n. f. — 1418, *borguade;* de l'anc. provençal *borgada,* de *borc* «bourg». L'emprunt à l'ital. *borgata* est moins probable.

♦ Petit bourg*, dont les maisons sont disséminées sur un assez grand espace (⇒ **Village**).

1 (...) c'est seulement sous le rapport numérique que la *bourgade (est plus petite)* que le *bourg* (...) Sous le rapport de l'étendue (...) la *bourgade* est plus grande que le *bourg,* elle est moins resserrée (...) les maisons en sont plus disséminées (...)
LAFAYE, Dict. des synonymes, p. 195.

2 Il est prêt à faire entendre sa voix dans les hameaux et dans les bourgades avec autant de satisfaction que dans Rome même.
FLÉCHIER, Panégyriques, II, p. 350.

3 Force est de reconnaître qu'en ce temps *(celui de Thésée)* l'aspect de la campagne n'était nullement rassurant. Entre les bourgades dispersées s'étendaient de grands espaces incultes, traversés de routes peu sûres.
GIDE, Thésée, 1946, *in* Romans, Pl., p. 1417.

DÉR. **Bourgadier.**

BOURGADIER [buRgadje] n. m. — 1879, Daudet; de *bourgade.*

♦ Régional (Provence). Habitant d'un bourg, d'une bourgade.

BOURGAGE [buRgaʒ] n. m. — XIIIe, Godefroy; de *bourg.*

♦ Anc. dr. et hist. Mode de tenure pour les maisons des bourgs. *Franc bourgage.*

BOURGE [buRʒ] n. — 1978, *in* D. D. L.; abrév. de *bourgeois.*

♦ Fam. Bourgeois. «*Ils détestent les punks, les bourges*» (le Nouvel Obs., 19 mai 1978, in Dico-plus).

N. f. «Bourgeoise», épouse.

BOURGÈNE [buRʒɛn] n. m. ⇒ **Bourdaine.**

BOURGEOIS, OISE [buRʒwa, waz] n. et adj. — 1080, *burgeis;* de *bourg.*

★ **I.** ♦ **1.** Hist. (moyen âge). Citoyen d'un bourg, d'une ville, bénéficiant d'un statut privilégié. *Les bourgeois d'une commune. Les bourgeois de Calais* : citoyens de Calais (six) qui en 1347, se sacrifièrent en se livrant aux Anglais, pour sauver la ville assiégée (titre d'une sculpture célèbre de Rodin). *Un riche bourgeois.* — Personne affranchie de la juridiction féodale, seigneuriale. ⇒ **Franc-bourgeois.**

1 Un amateur de jardinage,
Demi-bourgeois, demi-manant. LA FONTAINE, Fables, IV, 4.

2 On appelait bourgeois au Moyen âge, non pas les habitants des villes, mais tout homme qui était sujet d'un Seigneur, en jouissant pourtant de la liberté civile.
FUSTEL DE COULANGES, Leçons à l'Impératrice, III, IX, p. 208.

Collectivt. *Le bourgeois* : le corps des bourgeois. *Le bourgeois a pris les armes* (Littré).

3 On vit des échevins se qualifier bourgeois du roi.
VOLTAIRE, Essai sur les mœurs, 98.

Mod. et régional (Suisse). Personne ayant le droit de cité communal (⇒ **Bourgeoisie**). *Assemblée, Conseil des bourgeois. «Une commune ne traite pas toujours identiquement ses bourgeois et les autres citoyens du canton »* J.F. Aubert, *Traité de droit constitutionnel suisse,* I, p. 371 (1967).

(1668). Hist. Dans l'ancien régime, Personne qui n'appartenait ni au clergé ni à la noblesse, ne travaillait pas de ses mains et possédait des biens (→ Naissance, cit. 10). *Les bourgeois, roturiers*, faisaient partie du tiers-état. On appelait « Mademoiselle » les bourgeoises, même mariées. Un bourgeois anobli. Le Bourgeois Gentilhomme,* comédie de Molière.

4 Tout bourgeois veut bâtir comme les grands seigneurs (...)
LA FONTAINE, Fables, I, 3.

5 Il n'est guère naturel en dialogue que des princes ou des bourgeois chantent leurs passions. MOLIÈRE, le Bourgeois gentilhomme, I, 2.

Mod. *Bourgeois,* opposé à *noble,* à *aristocrate,* à *patricien.*

6 « Père n'était qu'un bourgeois », songeait-il. « Elle, c'est une patricienne. »
MARTIN DU GARD, les Thibault, t. V, XX, p. 257.

♦ **2.** Péj. (dès l'époque class.). Personne n'ayant pas la distinction attribuée aux nobles. *Un bourgeois gentilhomme* (qui affecte les manières des nobles).

7 Alors lui et ses compagnons ouvrirent la bouche quasi tous ensemble pour m'appeler bourgeois ; car c'est l'injure que cette canaille donne à ceux qu'elle estime niais ou qui ne suivent point la cour (...)
Charles SOREL, Vraye hist. comique de Françion, p. 286 de l'édit, 1635.

8 C'est un bon bourgeois assez ridicule, comme vous voyez, dans toutes ses manières. MOLIÈRE, le Bourgeois gentilhomme, III, 16.

♦ **3.** (Au XIXᵉ et mod). Personne (en principe non noble), appartenant à la classe moyenne ou dirigeante, qui possède une certaine fortune, ne travaille pas de ses mains (opposé à *ouvrier, paysan*), et se caractérise par un certain conformisme intellectuel (→ Parapluie, cit. 2 et 3). *Un bon bourgeois. Une bourgeoise respectable. Bourgeois aisé, cossu. Riche bourgeois. Bourgeois vivant de ses rentes.* ⇒ **Rentier.** *Bourgeois propriétaire*.*

9 Le vrai bourgeois est, par caractère, possesseur paisible et paresseux de ce qu'il a ; il est toujours content de lui, et facilement content des autres.
Joseph JOUBERT, Pensées, XVI, 24.

10 Dieu, dans son paradis terrestre, aurait voulu, pour y compléter les Espèces, y mettre un bourgeois de province, il n'aurait pas fait de ses mains un type plus beau, plus complet que Philéas Beauvisage.
BALZAC, le Député d'Arcis, Pl., t. VII, p. 655.

10.1 (...) il lui déplie autant de châles que le milan décrit de tours sur un lapin ; au bout d'une demi-heure, étourdie et ne sachant que choisir, la digne bourgeoise, flattée dans toutes ses idées, s'en remet aux commis (...)
BALZAC, Un Prince de la Bohême, éd. Michel Lévy, p. 241.

10.2 Bourgeois c'est habitant de la ville ; et ce mot dit bien ce qu'il veut dire. Il oppose le commerce aux métiers, et d'abord au métier essentiel, qui est aux champs. L'opposition si naturelle entre bourgeois et paysans s'est étendue aux ouvriers du bois, et de là aux ouvriers du charbon et de la mine.
ALAIN, les Arts et les Dieux, Pl., p. 1134.

10.3 Je définis le bourgeois comme un homme qui profite des résultats sans penser au travail. ALAIN, les Arts et les Dieux, Pl., p. 1107.

♦ **4.** N. m. Emplois spéciaux (par oppos. à *militaire*). — *En bourgeois. Être habillé en bourgeois,* en civil. *Un sergent de ville, un policier en bourgeois.* — Fam. *Les en-bourgeois :* les policiers en civil.

10.4 Bientôt la porte fut forcée, et une dizaine d'agents en bourgeois envahirent l'antichambre pour pénétrer ensuite dans la salle.
Raymond ROUSSEL, Impressions d'Afrique, p. 277.

Vx. *(Le bourgeois de qqn).* Patron chez qui travaille un ouvrier, un domestique. *Il est chez son bourgeois.*

Maître, maîtresse de maison. *Le bourgeois est sorti. La bourgeoise.*

En appellatif (vx). « *Ce cochon demandait : où faut-il aller, bourgeois... ?* » (Maupassant).

10.5 Le cocher de remise se retourna. « Bourgeois, notre coupé s'arrête. »
Émile GABORIAU, l'Affaire Lerouge, p. 410.

Celui qui n'appartient pas au « milieu ». ⇒ 3. **Cave, pante...** *Les bourgeois et les hommes.*

♦ **5.** Spécialt (voc. d'inspiration marxiste). Personne appartenant à la classe dominante, qui, dans un régime capitaliste, possède ou maîtrise les moyens de production ; ou simplement jouit de l'ordre établi et le cautionne (opposé à *prolétaire*). ⇒ **Petit-bourgeois.** *Un bourgeois progressiste, humaniste, conservateur. Grand bourgeois, moyen bourgeois, petit bourgeois* (⇒ **Petit-bourgeois**).

11 Le petit bourgeois (...) dépend tout entier de l'ordre établi, l'Ordre Établi qu'il aime comme lui-même, car cet établissement est le sien.
BERNANOS, les Grands Cimetières sous la lune, I, 2, p. 61.

11.1 Et la peinture moderne ouvre son mystère à tout bourgeois, fût-il un bourgeois-type. F. MAURIAC, le Nouveau Bloc-notes 1958-1960, p. 177.

(En apostrophe, toujours péj.). *Sale bourgeois ! Vous êtes tous des bourgeois, des fachos !*

♦ **6.** Péj. (Au XIXᵉ). Personne de peu de goût, ne portant pas d'intérêt aux arts et aux lettres (⇒ **Béotien, philistin**) ; (au XXᵉ) personne appartenant à la classe moyenne, caractérisée par son conformisme intellectuel, esthétique et social.

12 Le *slogan* de Flaubert : « J'appelle bourgeois quiconque pense bassement »... Si j'avais à le commenter, je dirais au nom de Flaubert : peu m'importent les « classes sociales » ! Il peut y avoir des « bourgeois » tout aussi bien parmi les nobles que parmi les ouvriers et les pauvres. Je reconnais le bourgeois non point à son costume et à son niveau social, mais au niveau de ses pensées ; *le bourgeois* a la haine du gratuit, du désintéressé, et il (...) hait tout ce qu'il ne peut s'élever à comprendre. GIDE, Journal, 22 août 1937.

Loc. *Épater les bourgeois,* ou (collectif ; plus cour.), *le bourgeois :* choquer, scandaliser ; faire impression.

12.1 La douche froide, ensuite, glaçant sa chair haletante, lui rappela les bains de la vingtième année, quand il piquait des têtes dans la Seine, du haut des ponts de la banlieue, en plein automne, pour épater les bourgeois.
MAUPASSANT, Fort comme la mort, éd. 1889, p. 101.

12.2 (...) le lecteur, averti par un clin d'œil, pense aussitôt à quelques jeunes gens hir-

sutes qui s'en vont, le sourire en coin, placer des pétards sous les fauteuils de l'Académie, dans le seul but de faire du bruit et d'épater les bourgeois.
A. ROBBE-GRILLET, Pour un nouveau roman, p. 26.

♦ **7.** N. f. (XVᵉ). Pop. (avec un poss.). Épouse. *Je viendrai avec ma bourgeoise.* — REM. Le mot a pu s'employer, avec un effet stylistique plaisant, dans des milieux sociaux riches, aristocratiques... (cf. Proust, *le Côté de Guermantes,* faisant dire au duc de Guermantes : *je vais faire dire à ma bourgeoise que vous l'attendez...*).

12.3 Quand je commence à deviner que ma bourgeoise en sait trop et se méfie, je reste peinard et sa mauvaise humeur passe.
B. CENDRARS, la Main coupée, in Œ. compl., t. X, p. 224.

★ **II.** Adj. ♦ **1.** Qui appartient à la bourgeoisie (en tant que groupe ou que classe) ; qui caractérise la bourgeoisie.

(Aux sens anciens de *bourgeois*). *Garde bourgeoise, milices* bourgeoises.* — *Le Roman bourgeois,* de Furetière. — *Caution bourgeoise.* ⇒ **Caution.**

(Sens mod.). *Quartier bourgeois. Presse bourgeoise. Habitudes, institutions, culture, valeurs bourgeoises. Le théâtre bourgeois et le théâtre populaire. La classe bourgeoise.* ⇒ **Bourgeoisie.** *Vie, habitudes bourgeoises. Éducation, enfance bourgeoise. Une hérédité, des attaches bourgeoises.*

13 (...) le monde souffre infiniment plus du sabotage bourgeois et capitaliste que du sabotage ouvrier. Ch. PÉGUY, Notre jeunesse, p. 142.

13.1 Le récit, tel que le conçoivent nos critiques académiques — et bien des lecteurs à leur suite — représente un ordre. Cet ordre, que l'on peut en effet qualifier de naturel, est lié à tout un système, rationaliste et organisateur, dont l'épanouissement correspond à la prise du pouvoir par la classe bourgeoise.
A. ROBBE-GRILLET, Pour un nouveau roman, p. 31.

13.2 (...) ce petit Alain Guimiez (...) un bien gentil petit, insatisfait, inquiet (...) produit très pur de sa classe : jeune intellectuel bourgeois marié à une petite fille gâtée comme lui. N. SARRAUTE, le Planétarium, p. 287.

14 La famille bourgeoise classique épargne et investit en placements plus ou moins assurés, plus ou moins rentables. Le bon Père constitue un patrimoine ou l'augmente ; il le transmet par héritage, encore que l'expérience montre que les fortunes bourgeoises se dissolvent à la troisième génération, que seul le passage à la Grande Bourgeoisie évite la catastrophe.
Henri LEFEBVRE, la Vie quotidienne dans le monde moderne, p. 70.

Spécialt. Hist. littér. *Drame* bourgeois, comédie* bourgeoise.*

Régional (Jura, Suisse). Relatif aux bourgeois, au droit de bourgeoisie. ⇒ **Bourgeoisial.** *Assemblée bourgeoise.*

Polit. (voc. marxiste). Caractérisé par la domination de la classe bourgeoise. ⇒ **Capitaliste.** *Pays bourgeois et pays socialistes. L'État bourgeois.*

♦ **2.** Péj., vieilli. Commun, vulgaire (opposé à *aristocratique,* aux XVIIᵉ et XVIIIᵉ ; à *artiste* au XIXᵉ). *Air bourgeois, mine bourgeoise.*

15 Des personnages qui ne sont point dans la nature, des amours bourgeois et insipides (...) VOLTAIRE, Lettre à Damilaville, 24 août 1764.

15.1 Et à propos des relations bourgeoises que le prince avait à Doncières, il convient de dire ceci. Le lieutenant-colonel jouait admirablement du piano, la femme du médecin-chef chantait comme si elle avait eu un premier prix au Conservatoire.
PROUST, le Côté de Guermantes, Folio, p. 159.

Subst (n. m.). *C'est du dernier bourgeois !* (Cf. Molière, *les Précieuses ridicules,* 4), particulièrement vulgaire.

♦ **3.** Qui a des valeurs morales et sociales conservatrices, mène une vie rangée. *Il est devenu bien bourgeois. Rendre bourgeois.* ⇒ **Embourgeoiser.** Par ext. *Idées bourgeoises, goûts bourgeois. Les vertus bourgeoises.* → Parangon, cit. 3.

16 Tu t'es roulé en boule dans ta sécurité bourgeoise, tes routines, les rites étouffants de ta vie provinciale (...)
SAINT-EXUPÉRY, in A. MAUROIS, Études littéraires, t. II, p. 265.

♦ **4.** Polit. Qui est caractéristique de la bourgeoisie en tant que groupe social ou que classe sociale. — Qui est fait, dominé par la bourgeoisie. *Révolution bourgeoise. Démocratie bourgeoise. Idéologie bourgeoise.*

17 Est bourgeois ce qui vit de persuader. Le commerçant en sa boutique, le professeur, le prêtre, l'avocat, le ministre, ne font que cela. Vous ne les voyez point changer la face de la terre, ni transporter les objets. Ce qui résiste à eux c'est l'objet, c'est l'homme ; et de là naissent et renaissent d'étonnants préjugés, qui ne sont au fond que l'enfance continuée.
ALAIN, les Arts et les Dieux, Pl., p. 1234.

18 Et ce simple fait, que l'enfant parle avant de savoir ce qu'il dit, explique assez que nos connaissances naturelles sont d'abord purement verbales ; ce qui, joint à ce que notre première puissance est de persuasion, donne une idée plus approchée de l'esprit bourgeois, qui consiste à tout faire et à tout obtenir par des paroles. D'après cette remarque, on comprend par exemple qu'un chirurgien est moins bourgeois, ou plus prolétaire, qu'un médecin, et que tout gouvernement est bourgeois, sans en excepter aucun (...) ALAIN, les Arts et les Dieux, Pl., p. 1108.

♦ **5.** Caractéristique des habitudes de vie confortables, mais relativement simples, de la bourgeoisie. — Spécialt. Simple mais de bonne qualité. *Cuisine bourgeoise. Maison bourgeoise* (par oppos. à *hôtel*). *Vêtement, habit bourgeois ; tenue bourgeoise* (⇒ **Civil** et cidessus, I, 4. : *en bourgeois*).

19 Comme il n'y avait pas de galons à sa livrée, cela faisait à peu près un habit bourgeois (...) ROUSSEAU, les Confessions, II.

20 Leurs habitudes changèrent et, quittant leur pension bourgeoise, ils finirent par dîner ensemble tous les jours. FLAUBERT, Bouvard et Pécuchet, p. 676.

Vin, cru bourgeois : dans le Bordelais, cru intermédiaire dans un classement hiérarchique, entre les vins « nobles » et les vins « paysans ». *Les crus bourgeois sont eux-mêmes subdivisés (grand bourgeois, etc.).*

Loc. vieillie. *À la bourgeoise :* tranquillement, sans s'en faire. → À la papa*.

21 Cela fait, il ceignait son vaste chapeau moderne, soufflait la lampe, descendait, et, la clef de sa demeure une fois en poche, s'acheminait, à la bourgeoise, vers la lisière du parc abandonné.
VILLIERS DE L'ISLE-ADAM, Tribulat Bonhomet, p. 14-15.

CONTR. (Du 1.) **Manant, serf, vilain ; artisan.** — (Du 2.) **Aristocrate, noble. — Ouvrier, prolétaire ; campagnard, paysan. — Militaire. — Artiste, bohème, hippie, marginal. — Anarchiste, révolutionnaire.**

DÉR. Bourgeoisant, bourgeoisement, bourgeoisie, bourgeoisisme.

REM. D'autres dérivés sont restés sans avenir : *bourgeoiserie* (1871) et *bourgeoiseté* (1841), n. f.

COMP. Antibourgeois, petit-bourgeois.

BOURGEOISANT, ANTE [buRʒwazɑ̃, ɑ̃t] adj. — 1910, *les bourgeois bourgeoisants ; de bourgeois.*

♦ Fam., vieilli. Qui joue au bourgeois, qui veut s'embourgeoiser. *« De bons prolétaires bourgeoisants »* (Duhamel, *in* T. L. F.).

BOURGEOISEMENT [buRʒwazmɑ̃] adv. — 1654, Scarron ; de *bourgeois.*

♦ **1.** D'une manière bourgeoise, avec le conformisme et le goût de la tranquillité qui caractérisent la bourgeoisie. *Vivre, s'installer, se marier bourgeoisement.*

1 (...) des sœurs à elle, qu'elle *(Oriane)* détestait (...) moins intelligentes et presque bourgeoisement mariées (...)
PROUST, À la recherche du temps perdu, t. VIII, p. 137.

1.1 La maison était bourgeoisement habitée, et ils occupaient les lieux en bons pères de famille, selon la lettre et l'esprit de leurs baux.
M. AYMÉ, Maison basse, p. 19.

Péj. Sans aucun goût pour les choses élevées. ⇒ **Vulgairement.**

2 Un esprit ravalé et bourgeoisement prosaïque (...)
Th. GAUTIER, le Capitaine Fracasse, t. I, V.

3 (...) et, bourgeoisement, le Saint-Père avait un mouchoir sur les genoux, pour s'essuyer.
ZOLA, Rome, p. 616.

♦ **2.** Dr. *Habiter bourgeoisement* (un appartement, une maison) : habiter à titre privé, sans en faire un usage commercial ou artisanal (→ cit. 1.1).

BOURGEOISIAL, ALE, AUX [buRʒwazjal, o] adj. — 1669, *loy bourgeoisialle ; bourgeoisal* dès le xvᵉ ; de *bourgeois,* spécialt.

♦ Régional (Suisse). De la bourgeoisie (1.), droit de cité communal. → Communal. *Conseil bourgeoisial ; assemblée bourgeoisiale.* — *Biens bourgeoisiaux,* appartenant à la « bourgeoisie ».

BOURGEOISIE [buRʒwazi] n. f. — 1240, *borgesie ; de bourgeois.*

♦ **1.** Ancient. Qualité de bourgeois* (I., 1.). *Droit de bourgeoisie. Ville de bourgeoisie* (⇒ **Commune**). *Bourgeoisie royale* (→ Bourgeois du roi).

1 Le droit de bourgeoisie à nos peuples donné.
CORNEILLE, Sertorius, 579.

Mod. Rare ou régional (Suisse) :

a Droit de cité que possède toute personne dans sa « commune d'origine ». *« Au-dessous de l'indigénat* (nationalité communale), *existe encore une nationalité communale, appelée "droit de cité" ou "bourgeoisie" »* (J.-F. Aubert, *Traité de droit constitutionnel Suisse.* t. I, p. 355). *Livre de bourgeoisie,* où sont inscrits les bourgeois de chaque commune.

1.1 Le bruit se répandit bientôt que l'étranger se réclamait de la commune, qu'il venait demander un certificat d'origine et un passeport pour entreprendre un long voyage à l'étranger, qu'il n'avait pas pu faire preuve de sa bourgeoisie et que le syndic, qui ne le connaissait pas et qui ne l'avait jamais vu, lui avait refusé et certificat et passeport.
B. CENDRARS, l'Or, p. 16.

b Ensemble des citoyens d'une commune ou « bourgeois ».

♦ **2.** (1538). Hist. Ensemble des bourgeois. — Spécialt (opposé à *noblesse). L'ascension de la bourgeoisie à partir du xviiᵉ siècle.*

1.2 Ceux qui ne voulaient pas qu'une portion connue sous le nom de bourgeoisie s'emparât du crédit des deux ordres *(clergé et noblesse)* anéantis.
FOUQUIER-TINVILLE, Acte d'accusation de Bailly, *in* BRUNOT.

♦ **3.** (Fin xviiiᵉ). Polit. Classe dominante en régime capitaliste, qui possède ou maîtrise les moyens de production (opposé à *prolétariat). La bourgeoisie capitaliste. Révolution dirigée contre la bourgeoisie.*

1.3 Le fond de l'argumentation des staliniens et de leurs compagnons de route est simple : Il n'y a plus de bourgeoisie en U.R.S.S., donc il n'y a plus d'exploitation. Cette idée est d'autant plus efficace, du point de vue de la propagande stalinienne, qu'il est incontestable que non seulement il n'y a plus de bourgeoisie en Russie mais que partout où le stalinisme prend le pouvoir il détruit, dans des délais plus ou moins courts, la bourgeoisie en tant que classe dominante. Cependant, il est tout aussi incontestable que, dans ces pays, l'exploitation subsiste, au moins aussi lourde — sinon davantage — que dans les pays bourgeois traditionnels. Ce

qu'il faut donc, c'est montrer clairement à la classe ouvrière qu'il ne suffit pas de détruire la bourgeoisie pour abolir l'exploitation.
CASTORIADIS, la Société bureaucratique, p. 12.

1.4 L'affirmation des communistes chinois selon laquelle la Révolution culturelle est une lutte entre le prolétariat et la bourgeoisie a pu surprendre. Certains s'étonnent en effet qu'une deuxième révolution soit nécessaire dans un régime communiste contre une bourgeoisie privée du pouvoir économique et politique depuis plus de 20 ans. Cette affirmation serait fausse si elle désignait la bourgeoisie chinoise traditionnelle qui n'est en somme qu'un vestige aujourd'hui. Elle peut se comprendre par contre comme désignant une néo-bourgeoisie formée de ceux à qui la persistance des inégalités a permis d'acquérir des privilèges qu'ils cherchent à accroître et qu'ils défendent en essayant de faire prévaloir des vues politiques opposées à la rigueur militante du maoïsme.
DAUBIER, la Révolution culturelle prolétarienne en Chine, t. I, p. 38.

♦ **4.** Cour. Ensemble des bourgeois (I., 5.). *La petite bourgeoisie* (⇒ **Petite-bourgeoisie**), *la moyenne et la grande bourgeoisie. Appartenir à la bourgeoisie. Politique qui sert, dessert les intérêts de la bourgeoisie. Bourgeoisie d'argent, financière. Bourgeoisie commerciale, industrielle. Bourgeoisie cultivée.* ⇒ **Élite.** *La haute, la moyenne, la petite bourgeoisie. Être de bonne, d'ancienne bourgeoisie. La bourgeoisie provinciale. Rêveuse bourgeoisie, œuvre de* Drieu la Rochelle. — (Dans le voc. marxiste). *Bourgeoisie nationale, impérialiste.*

2 On parle sans cesse de bourgeoisie. Mais il est vain d'appeler de ce nom des types sociaux très différents.
BERNANOS, les Grands Cimetières sous la lune, I, 2, p. 59.

3 On comprend que le mendiant soit en quelque sorte le pur bourgeois ; car il n'obtient que par un art de demander, par des signes émouvants ; les haillons parlent. Et le chômeur, par les mêmes causes, est aussitôt déporté en bourgeoisie.
ALAIN, les Arts et les Dieux, p. 1235.

4 La bourgeoisie, elle, aménage le quotidien et croit y échapper en vivant grâce à l'argent un perpétuel « dimanche de la vie ». Elle y aspire en vain. Peut-être la bourgeoisie ascendante, militante et souffrante, parvenait-elle à transfigurer sa quotidienneté. Ainsi la bourgeoisie hollandaise au xviiᵉ siècle.
Henri LEFEBVRE, la Vie quotidienne dans le monde moderne, p. 79.

Rare. Ensemble de bourgeois.

♦ **5.** Vieilli. Caractère de ce qui est bourgeois ; caractéristique de la bourgeoisie. ⇒ **Bourgeoisisme.**

5 Ses plaisanteries infatuées roulaient le plus souvent sur l'anthropophagie. Le tout semblait se fondre dans une bourgeoisie bonasse, — mais lorsqu'il s'évertuait sur son thème favori (...) ses yeux brillaient de flammes superstitieuses.
VILLIERS DE L'ISLE-ADAM, Tribulat Bonhomet, p. 87 (1887).

COMP. Petite-bourgeoisie.

BOURGEOISISME [buRʒwazism] n. m. — 1852, Flaubert ; de *bourgeois,* et *-isme.*

♦ Qualité de bourgeois ; caractère du bourgeois. ⇒ **Bourgeoisie,** 5.

1 Qui fera l'esthétique du bourgeoisisme ? Julien BENDA, l'Ordination, I, 2.

2 Mon frère, en tant que bourgeois, n'en est même pas au niveau des bourgeois modernes dont je parlais l'autre jour. Il n'a pas découvert les antiquaires ; il n'a aucun goût, il est tout pur dans son bourgeoisisme.
J. DUTOURD, Pluche, VI, p. 39.

BOURGEON [buRʒɔ̃] n. m. — 1160, *burjon ;* lat. *burrio, burrionem,* de *burra* « bourre » (→ 1. Bourre, à cause de l'aspect velu du bourgeon).

♦ **1.** Excroissance qui apparaît sur la tige ou la branche d'une plante, et qui contient en germe les tiges, branches, feuilles, fleurs ou fruits. ⇒ **Gemme, pousse, rejet, rejeton ; bouton** (cit. 1), **caïeu, dard, œil.** *Bourgeon à fleurs, à fruits, à feuilles, à bois. Les bourgeons jaillissent du bois* (cit. 24), *se développent, se gonflent, éclatent. Duvet qui recouvre certains bourgeons.* ⇒ **Bourre.** *Les bourgeons de sapins sont utilisés en médecine.*

1 Les bourgeons, qui commençaient à se gonfler à la pointe des branches fines et noires, faisaient aux arbres, sous le ciel rose, des cimes violettes.
FRANCE, Histoire comique, XVI.

2 Sur les ramures jusque-là toutes nues, les frêles bourgeons pointèrent.
Paul BOURGET, le Disciple, IV, 4.

3 Les arbres dont les bourgeons sourient déjà, et demain, éclateront de rire.
J. RENARD, Journal, 5 mars 1906.

(1798). Nouveau jet* (de la vigne). *Les bourgeons d'un cep de vigne. En bourgeons :* qui comporte des bourgeons. *Arbre en bourgeons.* Fig., littér. Qui n'a pas atteint son plein développement. *Talent en bourgeons. — Produire des bourgeons.* ⇒ **Pousser ; mailler.** *Bourgeon de l'année.* ⇒ **Mailleton, scion.** *Bourgeon planté en terre* (⇒ **Bouture, drageon**), *inséré sur une autre plante* (⇒ **Greffe ; écusson**). *Dessécher, brûler des bourgeons. Enlever les bourgeons d'un arbre.* ⇒ **Éborgnage, éborgner.**

Bot. *Bourgeon terminal, apical, latéral, axillaire. Les bourgeons axillaires ne croissent généralement qu'après les bourgeons apicaux. Bourgeon ambigène ; bourgeon nu ; bourgeon écailleux. Bourgeon adventif.* ⇒ **Bulbille.** *Bourgeon de certaines plantes aquatiques.* ⇒ **Turion.** *Tige provenant d'un bourgeon axillaire.* ⇒ **Stolon.** *Bourgeon végétatif. Les enveloppes du bourgeon recouvrent le point végétatif de la tige. Disposition des feuilles dans le bourgeon.* ⇒ **Préfoliation.** *Les bourgeons débourrent* au printemps.

♦ **2.** (V. 1270). Vx. Bouton* (du visage). *Un gros nez couvert de bourgeons.* ⇒ **Bourgeonner, bourgeonneux.**

4   Le duc de la Feuillade avait une physionomie si spirituelle qu'elle réparait sa laideur et les bourgeons dégoûtants de son visage.
                                            SAINT-SIMON, Mémoires, 99, 53.

♦ **3.** ⓐ (Après 1948). Histol. *Bourgeon gustatif* (ou *du goût*) : formation ovoïde dans l'épithélium des papilles gustatives, débouchant à l'extérieur par un *pore gustatif* et renfermant, à côté de cellules de soutien, les cellules réceptrices du goût. *Bourgeon conjonctif* (1824, vx, *bourgeon charnu*) : petite granulation rougeâtre de tissu conjonctif contribuant à cicatriser les plaies.

ⓑ Embryol. Première ébauche d'un organe ayant la forme d'une petite masse saillante, arrondie.

♦ **4.** Fig., littér. ⓐ Début laissant prévoir le développement important (d'un phénomène). *Les premiers bourgeons d'un mouvement politique, littéraire.*
5   Ouvrons ensemble le dernier bourgeon de l'avenir.
                        P. ÉLUARD, la Victoire de Guernica, XIII, Pl., t. I, p. 814.

ⓑ (1565). Vx. Personne très jeune, inexpérimentée.

DÉR. Bourgeonner, bourgeonneux, ébourgeonner.

BOURGEONNANT, ANTE [buʀʒɔnɑ̃, ɑ̃t] adj. — D. i. ; p. prés. de *bourgeonner.*

♦ **1.** Qui bourgeonne (1.). *Végétal, rameau bourgeonnant.* Syn. : *bourgeonneux.*

♦ **2.** Qui se couvre de boutons. *Un nez bourgeonnant.*

BOURGEONNEMENT [buʀʒɔnmɑ̃] n. m. — 1600, O. de Serres ; de *bourgeonner.*

♦ **1.** Cour. Action de bourgeonner. *Le bourgeonnement d'une plante.*

♦ **2.** Biol. Reproduction asexuée par bourgeons. ⇒ **Blastogenèse.**

♦ **3.** *Bourgeonnement d'une plaie* : formation de bourgeons conjonctifs à la surface d'une plaie.

♦ **4.** Fig., littér. Début du développement (d'un phénomène abstrait). *Le bourgeonnement d'une révolution.* « *Le bourgeonnement de la croyance populaire...* » (Élie Faure, *in* T. L. F.).

BOURGEONNER [buʀʒɔne] v. intr. — 1115 ; de *bourgeon.*

♦ **1.** Pousser, jeter des bourgeons*. *Les arbres bourgeonnent au printemps.* ⇒ **Boutonner,** I.

♦ **2.** Se couvrir de boutons. *Son visage, son nez bourgeonne.*
P. p. adj. (Av. 1664). Couvert de bourgeons, de boutons. *Un nez d'ivrogne, rouge et bourgeonné.* ⇒ **Boutonneux ; bourgeonnant, bourgeonneux, fleuri** (5.).
1   Quoiqu'elle fût laide, sèche comme un cotret, et bourgeonnée comme un printemps (...)
                                            FLAUBERT, Mᵐᵉ Bovary, I, I.
1.1 (...) je remarquai un jeune homme brun, assez bien vêtu, mais fort sale, et au visage bourgeonné.
                                            GIDE, Dostoïevski, p. 231.

♦ **3.** ⓐ Se cicatriser en formant des bourgeons conjonctifs. *Sa plaie bourgeonne.*

ⓑ Biol. Se reproduire en formant des bourgeons (3., b).

♦ **4.** Fig., littér. (en parlant d'un phénomène abstrait). Commencer à se développer.
2   L'idée est chose qui grandit, bourgeonne, fleurit, mûrit, du commencement à la fin du discours.   H. BERGSON, le Rire, I, 4.

CONTR. Mourir, sécher.
DÉR. Bourgeonnant, bourgeonnement, bourgeonneux.

BOURGEONNEUX, EUSE [buʀʒɔnø, øz] adj. — 1571 ; de *bourgeon.*

♦ **1.** Rare. Qui comporte de nombreux bourgeons. *Des rameaux bourgeonneux.* ⇒ **Bourgeonnant.**
1   (...) je ramassai et rapportai à la maison quelques-unes des branches bourgeonneuses qui jonchaient le sol couleur de cendre.
                                            Jacques LAURENT, les Bêtises, p. 121.

♦ **2.** Boutonneux. *Visage bourgeonneux.* ⇒ **Bourgeonnant.** Par métonymie (avec un n. abstrait) :
2   (...) le jeune M. de Castorin lui-même en sa puberté bourgeonneuse (...)
                                            Émile HENRIOT, le Diable à l'hôtel, XXII.

BOURGERON [buʀʒəʀɔ̃] n. m. — 1842, E. Sue, mot régional du Nord *(bourgèron)* ; de l'anc. franç. *bo(u)rge* « sorte de toile », d'un lat. pop. **burrica,* de *burra* « bourre ».

♦ Vieilli. Courte blouse de travail en grosse toile.
1   Il est vêtu de ce bourgeron de treillis qu'il portait au pénitencier.
                                            MARTIN DU GARD, les Thibault, t. VIII, p. 137.
2   (...) des soldats en bourgeron blanc faisaient l'exercice et, comme au Luxembourg, on entendait le clairon triste.   J. PRÉVERT, Choses et autres, p. 63 (1972).

BOURGMESTRE [buʀgmɛstʀ] n. m. — 1309, *bourguemaistre, bourmaistre* ; moy. haut-all. *burgermeister,* de *bürger* « bourgeois », et *meister* « maître ».

♦ Régional (franç. de Belgique, de Suisse). Premier magistrat des communes belges (⇒ **Maïeur**), suisses. *Les fonctions du bourgmestre sont analogues à celles du maire*. Bourgmestres et échevins*. Le Bourgmestre de Furnes,* roman de G. Simenon (1939). — REM. L'emploi au fém. est virtuel.
Homologue du maire français, aux Pays-Bas, en Allemagne.

BOURGOGNE [buʀgɔɲ] n. m. — Fin xvIIᵉ ; n. d'une province franç. ; du lat. vulg. *Burgundia,* rac. germanique.

♦ Vin* des vignobles de Bourgogne. *Les bourgognes sont récoltés dans la Côte-d'Or (Beaune, Chambertin, Clos-Vougeot, Corton, Meursault, Montrachet, Morey, Musigny, Nuits-Saint-Georges, Pommard, Romanée...), l'Yonne (Chablis...), le Mâconnais. Bourgogne rouge, blanc. Bourgogne aligoté** (blanc). *Boire du bourgogne. Un verre de bourgogne.*
Bouteille ou ensemble de bouteilles de ce vin. *J'ai chez moi un vieux bourgogne. Ce bourgogne est excellent.*

BOURGUE [buʀg] n. m. — 1901 ; altér. de *bourque* « sou » ; métathèse de *broque* « pièce de monnaie », forme normanno-picarde de *broche* « obole ».

♦ Argot (vx). Sou. « *On se goinfrait au restaurant pour trente bourgues* » (Trignal, *Pantruche, in* Cellard et Rey).

BOURGUIGNON, ONNE [buʀgiɲɔ̃, ɔn] adj. et n. — Fin xIIᵉ ; lat. *Burgundinem,* accus. de *Burgundio* « burgonde ».

★ **I.** ♦ **1.** Adj. et n. Relatif à la Bourgogne. *L'art roman bourguignon. Accent bourguignon. Dialectes bourguignons* (n. m., *le bourguignon*). — N. Habitant de la Bourgogne. *Un Bourguignon, une Bourguignonne.*

♦ **2.** N. m. (1752). Bloc de glace de mer de dimensions réduites. « *Le bateau avait trouvé les premiers bourguignons annonciateurs du pack (Sciences et Avenir,* oct. 1960, p. 90).

♦ **3.** Adj. et n. (1866). *Bœuf bourguignon* : bœuf accommodé au vin rouge et aux oignons (→ Bâfrer, cit. 1.).

★ **II.** (1821). Pop. Soleil (abrév. : *bourgue,* n. m.).
DÉR. Bourgnignote.

BOURGUIGNOTE ou BOURGUIGNOTTE [buʀgiɲɔt] n. f. — 1537 ; adj. « bourguignon », 1468 ; du rad. de *Bourguignon.*

♦ **1.** Hist. Casque* sans visière en usage de la fin du xvᵉ au xvIIᵉ siècle. (→ Arme, cit. 0.2).

♦ **2.** Fam., vx. (1914-1918). Casque.

BOURLINGAGE [buʀlɛ̃gaʒ] n. m. — 1936, *in* D. D. L. ; de *bourlinguer.*

♦ Rare. Fait de bourlinguer. ⇒ **Bourlingue.**
(...) revoir sur la morue le givre des bourlingages (...)
                                            Violette LEDUC, la Folie en tête, p. 238.

BOURLINGUE [buʀlɛ̃g] n. f. — 1878, au sens 2 ; de *bourlinguer,* p.-ê. avec attraction de *bouler* « rouler ».

♦ **1.** Régional. Grand voyage qui comporte une part de risque. *Partir pour une grande bourlingue.*
1   La longue houle de l'Atlantique chantait la maudite phrase maintenant, et puis le cri de la barre le répéta, et puis le vent, rabotant allègrement le gréement et les vergues, et puis de curieuses petites voix de gramophone dans la cale, parmi la pourriture de trente années de bourlingue par toutes les mers.
                                            J. RAY, les Derniers Contes de Canterbury, p. 152.
2   C'est pas bien marrant, ton petit truc. La bourlingue avec des valises en plomb et la bise qui vous coupe la gueule et tout ça vaut le compte d'un petit margoulin qui a la tremblote, tu pourrais quand même trouver mieux.
                                            M. AYMÉ, le Vin de Paris, « La traversée de Paris », p. 47.

♦ **2.** (De *bourlinguer,* II.). Fam., vieilli. Fait de renvoyer un employé. ⇒ **Licenciement.** *Craindre la bourlingue.* — Loc. *Être dans la bourlingue,* dans une situation financière difficile.

BOURLINGUER [buʀlɛ̃ge] v. — Fin xvIIIᵉ, selon Jal ; attesté 1831 ; p.-ê. de *boulingue* ou selon Guiraud, du provençal *bourla,* dimin. de *bourre* désignant de petits objets (bogue de châtaigne, coquille vide...) d'où « être agité sur la mer comme une coquille de noix ».

★ **I.** V. intr. ♦ **1.** Mar., vieilli. Avancer péniblement contre le vent et la mer, en roulant et tanguant.

♦ **2.** Naviguer beaucoup. *Avoir bourlingué dans les mers du Sud.* (1861). Fig., fam. Voyager beaucoup, mener une vie aventureuse (cf. fam. Rouler sa bosse). *Bourlinguer,* récit de Blaise Cendrars.

★ **II.** V. tr. (1878). Fam., vx. Renvoyer, licencier (un employé). *Il s'est fait bourlinguer.*

DÉR. **Bourlingage, bourlingue, bourlingueur.**

BOURLINGUEUR, EUSE [buʀlɛ̃gœʀ, øz] adj. et n. — 1896; «patron qui menace de renvoyer ses employés», 1880; de *bourlinguer.*

♦ **1.** N. m. Rare. Bateau qui remue beaucoup.

♦ **2.** Adj. et n. Cour., fam. Qui voyage beaucoup par goût, mène une vie aventureuse.

Après ça, le Pallut a dû s'expatrier. Depuis, il est toujours au bout du monde, il fait le bourlingueur.　　　R. SABATIER, les Noisettes sauvages, p. 162.

BOURNONITE [buʀnɔnit] n. f. — 1903, in *Rev. gén. des sc.,* n° 3, p. 164; de *Bournon,* minéralogiste français, 1751-1825.

♦ Minér. Sulfure* naturel de plomb, d'antimoine et de cuivre.

BOURRACHE [buʀaʃ] n. f. — 1256, *bourrace;* lat. médiéval *borrago;* arabe *săbū rădj* «le père de la sueur»; P. Guiraud invoque plutôt le lat. médiéval *borrago* (d'où **burrago, *burracea*), c'est-à-dire «bourrue».

♦ **1.** Plante à grandes fleurs bleues des lieux incultes *(Borraginacées),* employée en tisane comme sudorifique et diurétique. — *Bourrache officinale.*

1　Terpine ou drosera, ce que tu voudras. Et dans une infusion de bourrache (...) Oui, oui : remède de bonne femme (...)
　　　　　MARTIN DU GARD, les Thibault, t. VIII, p. 196.
2　Moi, j'aime le parfum de la bourrache, affirma la terrible Pellichat. Rien de tel pour les bronches. C'est miraculeux.　H. BOSCO, Un rameau de la nuit, p. 208.
Fausse bourrache : buglosse.

♦ **2.** Tisane de bourrache. *Boire une tasse de bourrache.*

BOURRADE [buʀad] n. f. — 1553; de *bourrer* «maltraiter».

♦ **1.** Poussée brève et brutale qu'une personne exerce sur une autre. *Une bourrade du poing, du coude, de la crosse d'un fusil. Repousser qqn d'une bourrade. Lancer, flanquer une bourrade dans les côtes, dans les reins de qqn. Recevoir des bourrades.* — Spécialt. *Donner une bourrade dans le dos en marque d'amitié. Une joyeuse bourrade. Une bourrade amicale.*

0.1　Un détachement de Cosaques l'accompagnait et faisait ranger la foule à force de bourrades, violemment données et patiemment reçues.
　　　　　J. VERNE, Michel Strogoff, p. 79 (1876).
1　D'une bourrade le chef l'écarta et sortit (...)
　　　　　COURTELINE, Messieurs les ronds-de-cuir, III, I.

♦ **2.** (1581). Vx, chasse. Légère atteinte du gibier par le chien, l'oiseau (fauconn.) qui le poursuit, et lui arrache une touffe de poils ou de plumes. *Donner, tirer une bourrade.* ⇒ **Bourrer.**

♦ **3.** (1690). Fig., vx. Attaque ou riposte vive en paroles.

2　MM. des enquêtes donnèrent, à leur ordinaire, maintes bourrades à MM les présidents.　　　RETZ, II, 255, *in* LITTRÉ.
3　Il *(Brissac)* lui donnait *(à Fagon)* des bourrades devant le roi qui mettaient Fagon en véritable furie.　　　SAINT-SIMON, Mémoires, 339, 201.

DÉR. **Bourrader.**

BOURRADER [buʀade] v. tr. — 1888, Barrès; de *bourrade.*

♦ Rare. Frapper en donnant des bourrades.

BOURRAGE [buʀaʒ] n. m. — 1465, *bourraiges,* attestation isolée, repris mil. xixᵉ; de *bourrer.*

♦ **1.** Action de bourrer. *Le bourrage d'un poêle, des trous d'un mur... Le bourrage, le chargement d'une mine. Bourrage des traverses de chemin de fer. Achever le bourrage d'un joint.* — (1866, in Littré, *Suppl.*). Spécialt. Remplissage des vides d'un ouvrage de maçonnerie.

Photogr. Accident de prise de vue qui consiste en une accumulation de pellicule dans la caméra, empêchant celle-ci de tourner.

Cout. Points de bâti exécutés sur un dessin, avant la broderie.

♦ **2.** Matière dont on se sert pour bourrer. ⇒ 1. **Bourre.** *Changer le bourrage d'une paillasse. Le bourrage d'un pneumatique, d'un câble.*

♦ **3.** (1876). **BOURRAGE DE CRÂNE :** action insistante, persévérante dans le dessein d'en faire accroire. ⇒ **Battage, bluff, exagération, mensonge, persuasion.**

Spécialt. Propagande* intensive. — REM. Cette expr. s'est surtout répandue pendant la guerre de 1914-1918, et a beaucoup été employée à propos de cette guerre.

1　Le bourrage de crâne est un mot vide de sens. Eût-on dit aux Français qu'ils allaient être battus, qu'aucun Français ne se fût plus désespéré que si on lui avait dit qu'il allait être tué par les berthas. Le véritable bourrage de crâne, on se le fait à soi-même par l'espérance, qui est une figure de l'instinct de conservation d'une nation, si l'on est vraiment membre vivant de cette nation.
　　　　　PROUST, le Temps retrouvé, Pl., t. III, p. 773.
2　Chez nous, en effet, on semble avoir rendu le mensonge bénin et risible; on l'a surnommé «bourrage de crâne».
　　　　　G. DUHAMEL, Récits des temps de guerre, t. II, XVII, p. 66.
Enseignement fondé sur une acquisition massive de connaissances, ne laissant aucune place à la réflexion. ⇒ **Bachotage.**

BOURRANT, ANTE [buʀã, ãt] adj. — 1967; de *bourrer.*

♦ Qui bourre (aliment). ⇒ **Bourratif.** *Ce gâteau est trop bourrant, vous n'avez rien de plus léger?*

BOURRAQUE ou BOURAQUE [buʀak] n. f. — 1572, «nasse à anguilles»; mot normand; orig. obscure, forme dial. à rapprocher du moy. franç. *bourrache* (xviᵉ) «flacon à collet étroit», des formes *bourras, bourrasse* et sens de l'évolution de *bourriche;* du lat. *burra* «bourre». → Bourriche.

♦ Régional. Filet à crevettes, aussi appelé *pousseux.*

BOURRAS [buʀa] n. m. — 1260; *boraz,* 1225; de *bourre.*

♦ Techn. Grosse toile faite d'étoupes de chanvre.

BOURRASQUE [buʀask] n. f. — 1548, Rabelais; ital. *burasca* (xviᵉ), auj. *burrasca,* du lat. *boreas* «vent du nord». → Borée.

♦ **1.** Coup de vent * impétueux et de courte durée. ⇒ **Cyclone, orage, ouragan, tempête, tornade, tourbillon, tourmente.** *Une bourrasque accompagnée de pluie.* — Courte tempête. *Une bourrasque de vent, de pluie, de neige.*

1　Soudain la mer commença *(à)* s'enfler et *(à)* tumultuer du bas abîme (...) de mortelles bourrasques, *(à)* siffler à travers nos antennes (...)
　　　　　RABELAIS, le Quart Livre, 18.
2　(...) une tempête en forme de bourrasque (...)　MOLIÈRE, le Dépit amoureux, IV, 2.
3　(...) une bourrasque d'ouest avait emporté plusieurs marins et deux navires.
　　　　　LOTI, Pêcheur d'Islande, III, 11, p. 183.
4　Des bourrasques de pluie, portées par le vent du large, s'engouffraient dans les rues et sifflaient le long des maisons.
　　　　　MARTIN DU GARD, les Thibault, t. III, p. 97.
5　Et soudain (...) cette bourrasque, ces roulements dans le ciel, ces lourdes gouttes glacées.　　　F. MAURIAC, le Nœud de vipères, I, XI.
6　(...) alors qu'on l'attend *(le mois de mars)* tout giboulées et tout bourrasques, cette année-là il se montra pluvieux. Ondées brusques certes, fouettées par un vent de traverse âpre, qui lançait par paquets l'eau contre les fenêtres (...)
　　　　　H. BOSCO, Un rameau de la nuit, p. 115.
7　Cette bonne femme, dit-il en riant, c'est un ouragan. Elle entre comme une bourrasque, flanque tout par terre et repart en coup de vent.
　　　　　SARTRE, l'Âge de raison, XV, p. 269.

♦ **2.** (1594). Fig., vieilli. Mouvement de colère brusque et de peu de durée. ⇒ **Accès.** *Les bourrasques le rendent insociable. Les bourrasques populaires.* ⇒ **Agitation.**

8　Cette bourrasque aux faubourgs (...)　la SATIRE MÉNIPPÉE, I, 44.
9　Ces bourrasques dégoûtèrent tellement le cardinal qu'il voulut quitter la junte (...)
　　　　　SAINT-SIMON, Mémoires, III, 464.

♦ **3.** *Une bourrasque de :* une série (d'événements adverses, violents et passagers).

10　Leur apparition avait été accueillie par une bourrasque d'injures et de coups de sifflet.　　　A. MAUROIS, Bernard Quesnay, XVII, p. 111.
Vieilli. *Agir par bourrasques,* avec ardeur mais par à-coups.
11　Je n'ai jamais été follement prodigue que par bourrasques; mais jusqu'alors je ne m'étais jamais beaucoup inquiété si j'avais peu ou beaucoup d'argent.
　　　　　ROUSSEAU, les Confessions, V.

CONTR. **Bonace, calme.**

BOURRATIF, IVE [buʀatif, iv] adj. — Mil. xxᵉ; de *bourrer.*

♦ Fam. Qui bourre, en parlant d'un aliment. *Ces biscuits sont bourratifs.* ⇒ **Bourrant.**

Mes articles étaient plus bourratifs qu'un repas complet.
　　　　　Edmonde CHARLES-ROUX, Oublier Palerme, p. 12, *in* HANSE.

CONTR. **Léger.**

1. BOURRE [buʀ] n. f. — 1174, *borre,* au sens 1; bas lat. *burra* «étoffe grossière».

A. ♦ **1.** Déchet d'une fibre (surtout laine et soie). *Bourre de laine** ou *bourre lanice :* déchet du peignage de la laine. ⇒ **Débourrage.** *Bourre de soie* :* déchet du dévidage des bobines de soie grège. ⇒ **Bourrette, bourrillon, capiton, lassis, strasse.** *Fil obtenu à par-*

tir de la bourre de soie. ⇒ **Schappe.** *Enlever les bourres des étoffes, des draps.* ⇒ **Éplucher.** *Bourre obtenue par épluchage du drap.* ⇒ **Ploc.** *Bourre tontisse*.*

♦ **2.** (1268). Amas de poils*, détachés avant le tannage de la peau de certains animaux, utilisé pour le rembourrage des objets de bourrellerie et dans la fabrication du feutre. *Garnir un harnais, un bât de bourre. Tirer la bourre de la peau d'un bœuf, d'un cheval.* ⇒ **Ébourrer.**

Loc. (1877, *in* Petiot). Fig., fam. (→ Bourrade, 2). *Se tirer la bourre :* combattre âprement pour la victoire.

Techn. Ensemble des poils d'une fourrure, généralement plus courts et plus fins que les jarres*.

0.1   Pour mériter ce nom *(fourrure),* il faut que le revêtement soit composé d'un double, ou même triple, système pileux, celui des poils proprement dits, ou *jarres,* qui recouvrent généralement la bourre, cette seconde production pouvant être très semblable à la première, ou s'affiner de plus en plus jusqu'à former un duvet extrêmement serré, mœlleux, soyeux, qui donne habituellement à l'ensemble du pelage tout sa valeur.   René THÉVENIN, les Fourrures, p. 27.

♦ **3.** (V. 1270, en parlant des harnais de chevaux). Déchets de fibres textiles, matière utilisée pour rembourrer. *Bourre des coussins, des matelas, d'un bourrelet. Bourre de coton, de laine utilisée pour doubler des vêtements.* ⇒ **Ouate.**

1   Cinq ou six chaises recouvertes de velours (...) laissaient échapper leur bourre par les déchirures de l'étoffe (...)   Th. GAUTIER, le Capitaine Fracasse, t. I, 1.

1.1   Le règlement m'oblige à vous faire fouiller (...) Il se déshabilla à grands gestes rapides, en jetant ses vêtements par terre. Les deux gardiens tâtèrent les doublures, enfoncèrent mes aiguilles dans la bourre des épaules, inspectèrent l'intérieur des chaussures, les talons.   Roger VAILLAND, Bon pied, bon œil, p. 149.

Par métaphore :

2   (...) le renouveau efface un matin tout le bon travail d'avril déjà bien avancé, emplit le ciel d'une bourre grise qui se dénoue en neige comme un édredon crevé.
COLETTE, l'Étoile Vesper, p. 12.

♦ **4.** (1690). Duvet* qui recouvre les bourgeons de certains arbres. *La bourre de la vigne, du palmier.*

3   Le chameau de tête *(celui qui est en tête de la caravane)* est attaché par une corde de bourre de palmier.   CHATEAUBRIAND, Itinéraire, II, 194.

3.1   (...) un coin de la terrasse de ce bistrot où parfois la queue d'une bourrasque pousse jusqu'entre les pieds de fonte des guéridons, les brindilles et les bourres de platanes.   Claude SIMON, le Vent, p. 43.

♦ **5.** (1618). Corps inerte qui maintient en place la charge d'une arme à feu. *Bourre de fusil, de cartouche.*

4   J'ajoute aux pistolets une petite charge sans bourre.   ROUSSEAU, Émile, I.

B. *Jeu de la bourre :* jeu de cartes analogue à l'écarté.

5   (...) je lui apprenais les distractions de ma compagnie, la bourre, la belote, lui transmettant ma jeunesse sous forme de ces jeux qui allaient lui servir (...)
GIRAUDOUX, Bella, I.

C. ♦ **1.** (1690). Fig. Fam. Ce qui sert à garnir, à remplir, sans avoir de valeur. *Il y a bien de la bourre dans cet ouvrage* (Académie). ⇒ **Remplissage.** *Ces vers contiennent des bourres.* ⇒ **Cheville.**

♦ **2.** Loc. fam. (métaphore du sens 2). **DE PREMIÈRE BOURRE :** de première qualité. *Des fringues de première bourre. C'est un gars, un pilote de première bourre.*

REM. Certains font venir cette expression de 3. *bourre* «action de bourrer (une pipe)».

DÉR. Bourracher, bourras, bourrer, bourrette, bourrier, bourrillon, bourru. — (De l'anc. franç. *bourrel.* V. **Bourrelet**) V. **Bourreau, bourrelet, bourrelier, bourrellerie.** — (Du lat. *burra*) V. **Bourgeon, bourgeron.** V. aussi **Bourraque, bourriche.**

COMP. Débourrer, ébouriffer, embourrer, rembourrer, tire-bourre.
HOM. **Bourg,** 2. **bourre,** 3. **bourre.**

2. BOURRE [buʀ] n. m. — 1910 ; de *bourrique* (3.) «agent», 1877, ou de *bourrer* «rouer de coups». → **Cogne.**

♦ Argot. Généralt au plur. Policier (surtout, policier en civil).

1   Méfie-toi, la Caille ; les mecs font le jeu des bourres.
Francis CARCO, Jésus-la-Caille, I, 1.

2   (...) si saouls, que les bourres entrent les sortir à grands coups de tiges, qu'ils s'en aillent dégueuler ailleurs.   CÉLINE, Guignol's band, p. 34.

3   On vivait dans l'instant. En évitant les bourres, les sans-tripes qui nous eussent volontiers crochetés au premier tournant de rue, et coups dans la gueule, et dépôt à la suite. Ils nous avaient en plein dans leur mauvais œil, les vaches !
Louis CALAFERTE, Partage des vivants, p. 79.

HOM. **Bourg,** 1. **bourre,** 3. **bourre.**

3. BOURRE [buʀ] n. f. — Déb. xxᵉ ; de *bourrer* «bloquer, arrêter».

★ **I.** ♦ **1.** Fam. Fait de bourrer, de se presser ; grande hâte due à un retard. *Période de bourre.* ⇒ 2. **Bourrée.**

Loc. cour. **ÊTRE À LA BOURRE :** être obligé de se presser. *Tout le travail arrive en même temps, je suis à la bourre.*

1   Bon, dis donc, je raccroche parce que je n'ai pas le temps, ce matin je suis plutôt à la bourre.   Cecil SAINT-LAURENT, la Mutante, p. 111.

(V. 1930). *À la bourre :* en arrière, le dernier. — Par ext. En retard.

---

2   (...) Pierrot qu'ils avaient laissé à la bourre, et solitaire.
R. QUENEAU, Pierrot mon ami, éd. L. de Poche, p. 20.

♦ **2.** Loc. **À PLEINE BOURRE :** complètement, tout à fait.

3   ... Il poussait des cris diaboliques... Il repassait par les transes... Il se voyait persécuté par un carnaval de monstres... Il déconnait à pleine bourre...
CÉLINE, Mort à crédit, p. 157.

♦ **3.** Rare. Action de bourrer (une pipe) ; son résultat. *La première bourre, la seconde bourre d'une pipe.*

♦ **4.** Loc. fam. **BONNE BOURRE :** souhait formulé à qqn, à un couple, d'un acte sexuel satisfaisant (J. Cordelier, *in* Cellard et Rey).

★ **II.** (1926). Au plur. **BOURRES :** mensonges, affirmations fausses ou exagérées. *C'est vrai, ce que je te dis, c'est pas des bourres.* N. m. sing. (Céline, *Mort à crédit*). *C'est du bourre.*

HOM. **Bourg,** 1. **bourre,** 2. **bourre.**

BOURREAU [buʀo] n. m. — 1319 ; *bourrel,* n. m., 1302 ; de *bourrer* «frapper».

♦ **1.** Homme qui exécute les peines corporelles ordonnées par une cour de Justice. *Bourreau qui applique la torture, les supplices.* ⇒ **Questionnaire, tortionnaire, tourmenteur ;** ⇒ aussi **bourrelle.**

Spécialt. Homme qui exécute les condamnés à mort. ⇒ **Exécuteur** (des hautes œuvres, des basses œuvres), **guillotineur, tranche-tête** (vx), **béquillard** (argot anc.). *Les instruments du bourreau. Livrer qqn, la tête de qqn au bourreau. Il a avoué entre les mains du bourreau. Aide du bourreau, les aides du bourreau.* — Vx. *Valet de bourreau.*

1   Allons vite, des commissaires, des archers, des prévôts, des juges, des gênes, des potences et des bourreaux.   MOLIÈRE, l'Avare, IV, 7.

1.1   Sanson, le père du dernier exécuteur de ce nom, car il a été destitué récemment, était le fils de celui qui exécuta Louis XVI.
Après quatre cents ans d'exercice de cette charge, l'héritier de tant de tortionnaires avait tenté de répudier ce fardeau héréditaire.
Les Sanson, fixés à Rouen, pendant deux siècles, avant d'être revêtus de la première charge du royaume exécutaient de père en fils les arrêts de la justice depuis le treizième siècle. Il est peu de familles qui puissent offrir l'exemple d'un office ou d'une noblesse conservée de père en fils pendant six siècles.
BALZAC, la Dernière Incarnation de Vautrin, éd. Michel Lévy, p. 73.

1.2   (...) les aides du bourreau, en redingotes, en hauts chapeaux de soie noirs, attendaient, erraient d'un air de patience.   ZOLA, Paris, t. II, p. 178.

2   Nous adresserons à Dieu, jusqu'au seuil de la mort, la prière de Mᵐᵉ du Barry à Sanson : « Monsieur le bourreau, encore une petite minute (...) »
F. MAURIAC, Souffrances et Bonheur du chrétien, p. 86.

2.1   Vous savez que l'ordonnance d'extermination est toujours en vigueur. Et ce serait une erreur de croire que votre beauté va freiner l'ardeur des bourreaux.
A. ROBBE-GRILLET, Souvenirs du triangle d'or, p. 180.

♦ **2.** (1550). Personne qui fait souffrir, qui martyrise qqn, physiquement ou moralement, afin d'en obtenir qqch. ou non (⇒ aussi **Bourreleur, bourrelle**).

3   *(Il veut)* Qu'au lieu de votre époux je sois votre bourreau ?
RACINE, Iphigénie, III, 6.

3.1   Néanmoins, je préférai ne pas parler de cet incident puisque je n'avais eu ni le courage ni la puissance de l'empêcher ; il m'eût été trop pénible, en disant du bien de la victime, de faire ressembler aux satisfactions de la cruauté les sentiments qui animaient les bourreaux de cette débutante.
PROUST, le Côté de Guermantes, Folio, p. 208.

4   Toute la vie n'est-elle pas faite ainsi du plus haut de l'échelle au plus bas (...) chacun ayant sa victime et chacun son bourreau ?
Paul LÉAUTAUD, Passe-temps, p. 96.

Par métaphore. Littér. « *L'homme est sans cesse à la fois* (...) *assassin et bourreau*». → Perversité, cit. 3, Baudelaire.

4.1   Je suis la plaie et le couteau !
Je suis le soufflet et la joue !
Je suis les membres et la roue,
Et la victime et le bourreau !
BAUDELAIRE, les Fleurs du mal, «l'Héautontimoroumenos», Pl., p. 79.

Fig. *Bourreau de soi-même* (trad. de *Héautontimoroumenos,* titre d'une comédie de Térence) : personne très exigeante vis-à-vis d'elle-même.

Spécialt. Tortionnaire.

5   Ils l'ont conduit au cimetière abattu d'une balle dans le ventre. Et comme il se hâtait pas de mourir, les bourreaux qui buvaient non loin de là, sont revenus avec la bouteille d'eau-de-vie, un peu saouls. Ils ont enfoncé le goulot dans la bouche de l'agonisant, puis lui ont cassé sur la tête le litre vide.
BERNANOS, les Grands Cimetières sous la Lune, p. 134.

Loc. *Bourreau* d'enfants : personne qui martyrise un ou des enfants (→ Enfant* martyr). ⇒ **Pervers.** — Didact. *Bourreau domestique* (attesté 1934) : personne (type pervers) dont la malignité s'exerce exclusivement sur les membres de sa famille (actes de brutalité, comportement tyrannique...).

♦ **3.** Fig. *Bourreau de travail* : personne qui abat beaucoup de travail.

6   (...) ce Bonaparte — lui-même bourreau de travail — était déjà l'homme qui devait toujours fatiguer ses collaborateurs, par son souci de les *faire rendre.*
Louis MADELIN, Hist. du Consulat, t. II, XVII, p. 247.

6.1   Pierre savait qu'avant peu il aurait sa place au bureau même de son frère et qu'il

lui faudrait besogner neuf et dix heures par jour dans l'ombre de ce bourreau de travail, tyran peut-être redoutable, plus méthodique, que n'était M. Lenoir le père.
M. AYMÉ, Travelingue, p. 154.

Bourreau d'argent : personne qui dépense beaucoup.

♦ **4.** Par plais. *Bourreau des cœurs* : homme qui a du succès auprès des femmes (→ Don Juan).

7 Beau, vigoureux, gaillard, la coqueluche des femmes, le bourreau des cœurs (...)
FRANCE, le Petit Pierre, XXII.

DÉR. (De l'anc. franç. *bourrel*) **Bourreler, 1. bourrelle.**

1. BOURRÉE [buʀe] n. f. — 1326 ; p. p. fém. de *bourrer*.

★ **I.** Vx ou régional. Fagot* de menues branches. *Brûler une bourrée.*

0.1 Les moutons hors de l'ombre, à travers les bourrées,
Font bondir au soleil leurs toisons éclairées (...)   HUGO, les Châtiments, IV, 10.

0.2 Pierre, c'était le nom du vieux serviteur, prit une poignée de bourrées, la jeta sur le feu à demi mort ; les brindilles craquèrent et se tordirent et bientôt la flamme, poussant un flot de fumée, se dégagea vive et claire au milieu d'une joyeuse mousqueterie d'étincelles.   Th. GAUTIER, le Capitaine Fracasse, p. 17.

★ **II.** (1642 ; introduite à la cour en 1565, elle se dansait autour d'un feu de fagots). Danse du folklore auvergnat. *Danser la bourrée. Pas de bourrée.* → 1 Pas, cit. 43. — Par ext. Air sur lequel on exécute cette danse. *Jouer une bourrée à la cornemuse* (cabrette), *à la vielle, à l'accordéon.*

1 Des demoiselles qui dansent la bourrée dans la perfection.   Mme DE SÉVIGNÉ, 277.

2 *(Elle)* commença à sautiller avec tant d'orgueil et de prestesse, que jamais bourrée ne fut mieux marquée ni mieux enlevée.   G. SAND, la Petite Fadette, XIV, 105.

HOM. Bourrer.

2. BOURRÉE [buʀe] n. f. — D. i. (xxe) ; de *bourrer*.

♦ Fam. et rare. Période d'activité intense. ⇒ **Presse ; 3. bourre.**

Et elle a encore une heure de trajet pour descendre, une heure pour remonter, en pleine bourrée.   Hervé BAZIN, Cri de la chouette, p. 205.

HOM. 1. Bourrée, bourrer.

BOURRÈLEMENT [buʀɛlmɑ̃] n. m. — 1580, Montaigne ; repris au xixe ; de 1. *bourreler*, rac. *bourreau.*

♦ Littér. Douleur physique cruelle. — Fig. Torture morale. ⇒ **Tourment.** *Le bourrèlement de la conscience.* ⇒ **Remords.**

1. BOURRELER [buʀle] v. tr. — Conjug. *appeler.* — 1554, aussi au sens matériel ; de *bourrel*, anc. forme de *bourreau.*

♦ Littér. Tourmenter*, torturer moralement. *Bourreler qqn de remords. Le remords le bourrelait.*

1 Le meurtrier que la peur bourrelle.   THÉOPHILE DE VIAU, Pyrame et Thisbé, III, 1.

REM. Rare, sauf au p. p., dans l'expression *bourrelé de remords.*

2 Julie, fatiguée, chagrine, ou inquiète de sa sœur et très probablement bourrelée de soupçons (...)   E. FROMENTIN, Dominique, XVII.

3 Il était honteux de lui-même et bourrelé de remords.   MARTIN DU GARD, les Thibault, t. VI, p. 114.

CONTR. Apaiser, calmer.
DÉR. Bourrèlement, bourreleur.

2. BOURRELER [buʀle] v. tr. — Conjug. *appeler.* — 1896 ; de l'anc. franç. *bourrel.* → Bourrelet.

♦ Rare. Former un bourrelet sur. *« Ses cheveux (...) bourrelaient son front bas de deux profondes vagues chargées d'ombre (...) »* (P. Louÿs, *Aphrodite, in* T. L. F.).

BOURRELET [buʀlɛ] n. m. — 1386 ; de l'anc. franç. *bourrel,* dè *bourre* ; on a écrit aussi *bourlet.*

♦ **1.** Vx. Coussin rempli de bourre*. — Spécialt. Coussinet circulaire servant à se protéger la tête pour porter un fardeau. ⇒ **Tortillon.** — (1680). Anciennt. Coiffure rembourrée, que l'on mettait aux enfants pour protéger leur tête quand ils tombaient.

1 Émile n'aura ni bourrelets, ni paniers roulants, ni chariots, ni lisières ; ou du moins, dès qu'il commencera de savoir mettre un pied devant l'autre, on ne le soutiendra que sur les lieux pavés, et l'on ne fera qu'y passer en hâte.
ROUSSEAU, Émile, II, p. 60.

1.1 (...) jusqu'à plus de quatre ans ils *(les petits Homais)* portaient tous, impitoyablement, des bourrelets matelassés.   FLAUBERT, Mme Bovary, II, VI.

♦ **2.** (1835). Mod. Bande de feutre, de caoutchouc mousse, etc., que l'on fixe au bord des battants des portes et des fenêtres pour arrêter les filets d'air. → Paillasson, cit. 1. *Isoler un appartement avec des bourrelets de mousse. Calfeutrer une ouverture à l'aide d'un bourrelet.*

♦ **3.** Anciennt. Pièce du costume féminin, du XVIe au XVIIIe siècle,

rouleau de tissu porté autour des hanches et qui faisait s'évaser la jupe.

Les paniers à bourrelets avaient au contraire au bas un gros bourrelet qui évasait la jupe.   Ed. et J. DE GONCOURT, la Femme au XVIIIe siècle, II, p. 55.   1.2

♦ **4.** Renflement, saillie, généralement circulaire. *Les bourrelets d'une cicatrice. Les dunes, la neige forment des bourrelets.*

La prairie s'allonge sous un bourrelet de collines basses pour se rattacher par derrière aux pâturages du pays de Bray.   FLAUBERT, Mme Bovary, II, I.   1.3

Bourrelet de la bouche d'un canon, d'une cartouche. ⇒ **Garniture.**
Bourrelet d'une dent. ⇒ **Collet.**

Spécialt (cour.). *Bourrelet de chair, de graisse,* et, absolt, *bourrelet :* pli arrondi en certains endroits du corps (nuque, ventre, estomac, etc.). *Des bourrelets disgracieux.*

(...) sa calotte *(de M. Pinault)* rembourrée pour préserver son vieux crâne des névralgies, formait autour de sa tête un bourrelet hideux.   2
RENAN, Souvenirs d'enfance..., IV, II, p. 174.

De la nuque à bourrelet jusqu'à mes fanons de petite vache, il n'y a pas une fronce,   3
pas un caniveau, pas une gaufrure de ma peau qui n'inspire confiance.
COLETTE, la Paix chez les bêtes, Poucette.

(...) les cheveux roulés tout autour de la tête en un bourrelet vaporeux dans lequel   4
courait une torsade de mousseline fauve.
G. DUHAMEL, Chronique des Pasquier, V.

(...) son cou épais, puissant, que traverse un gros bourrelet, sort de son col   5
ouvert (...)   N. SARRAUTE, le Planétarium, p. 284.

Mar. *Bourrelet de défense :* ceinture entourant la coque de certains navires pour les protéger des chocs.

Bot. *Bourrelet d'une branche, d'une racine :* renflement qui se forme au printemps. ⇒ **Callosité.**

BOURRELEUR, EUSE [buʀlœʀ, øz] n. — D. i. ; de 1. *bourrelet.*

♦ Rare. Personne qui torture. ⇒ **Bourreau.**

J/e suis la bourreleuse forcenée galvanisée par les tortures et tes cris m//emportent d'autant plus m/a plus aimée que tu les contiens.
Monique WITTIG, le Corps lesbien, p. 8.

BOURRELIER, IÈRE [buʀəlje, jɛʀ] n. — 1268 ; de l'anc. franç. *bourrel* «collier, harnais». → Bourrelet.

♦ **1.** N. m. Artisan qui fait et vend des harnais*, des sacs, des courroies de cuir. ⇒ **Bâtier, sellier ; bourrellerie.** *Outils de bourrelier.* ⇒ **Carrelet, crin** (crépi), **gouge, manicle** (ou manique), **pied-de-biche, rondelet, tranchet, trusquin** (ou troussequin).

♦ **2.** N. f. Rare. Femme d'un bourrelier. — Femme exerçant le métier de bourrelier.

BOURRELLE [buʀɛl] n. f. — XVIe, déjà fig. «Ah ! *longues nuits* (cit. 29) *d'hiver, de ma vie bourrelles»* (Ronsard) ; fém. de *bourrel* «bourreau*».

♦ **1.** Ancienn. Femme qui exécute certaines peines infligées par un tribunal à des femmes. — Femme du bourreau.

♦ **2.** Mod. Littér. et rare. Femme qui tyrannise son entourage. — Spécialt. Femme qui maltraite ses enfants. — REM. Le masc. *bourreau* est plus fréquent, même en parlant d'une femme : *cette mère est un bourreau pour ses enfants.*

Je vous soupçonne d'être une mère jeune, tendre (...) un peu faible (...) Si je risque à vous exposer, sur la manière d'élever les enfants, mes idées personnelles, n'allez-vous pas me traiter de bourrelle ?
COLETTE, De ma fenêtre, 20 février 1941, p. 78.

BOURRELLERIE [buʀɛlʀi] n. f. — 1268 ; de l'anc. franç. *bourrel.* → Bourrelier.

Vieilli (ou hist., le référent tendant à disparaître).

♦ **1.** Métier ou commerce du bourrelier. *Bourrellerie de harnachement.* ⇒ **Sellerie.** *Bourrellerie bâtière.* ⇒ **Bât.** *Travailler dans la bourrellerie.*

♦ **2.** Atelier, boutique de bourrelier. *Les bourreliers ont fermé peu à peu, comme les forges de villages.*

(...) un gamin poursuivi vira brusquement au coin de la bourrellerie et il resta là, nous contemplant.   GIRAUDOUX, Provinciales, p. 48.

BOURRE-MOU [buʀmu] n. m. — Déb. xxe ; de *bourrer le mou* «en faire accroire».

♦ Fam. *Du bourre-mou* (collectif) : des histoires, des paroles trompeuses. ⇒ **Baratin, bla-bla, boniment.**

En Afrique, c'est la chaleur qui me crevait... Ici, je suis pas assez intelligent...   1
Mais tout ça, je m'en rends compte, c'est du «bourre-mou» ! Ah ! si j'avais du pognon !   CÉLINE, Voyage au bout de la nuit, p. 272.

Tout ça c'est du bourre-mou. J'sais pas calculer et je m'fous des boniments que   2
tu m'balances.   H. BARBUSSE, le Feu, t. I, I, XIV, p. 77.

BOURRER [buʀe] v. — 1332, «maltraiter»; de 1. *bourre*.

★ **I.** V. tr. **A.** (Remplir). ♦ **1.** (1519). Garnir (qqch.) de bourre*. *Bourrer un coussin, un matelas.* ⇒ **Cotonner, empailler, matelasser, rembourrer.** — (1704). Spécialt. *Bourrer un fusil,* y introduire la bourre. ⇒ **Tasser.**

0.1   (...) les dix mille cartouches que j'ai bourrées dans mon fusil, qui sait si la moitié n'a pas lancé une balle au but que le soldat cherche.
NERVAL, les Filles du feu, éd. la Technique du livre, p. 97.

Mar. Vx. *Bourrer les cofferdams* d'un navire.*

♦ **2.** Remplir complètement (qqch.) en tassant. *Bourrer sa pipe. Bourrer une valise, un poêle.*

1   (...) il s'anima seulement quand parurent les cigarettes, et il demanda du tabac français pour bourrer sa pipe (...)   LOTI, Figures et Choses, p. 202.

2   (...) vous bourriez une petite valise et vous nous tiriez la révérence : vous repartiez chez vous, dans vos patelins.
G. DUHAMEL, Récits des temps de guerre, t. II, VIII, p. 35.

2.1   Ah, vous pouvez le dire, les poêles Godin, il n'y a rien de tel, ça vaut le chauffage central. Ça ne s'éteint jamais. On les bourre le soir, le matin il n'y a qu'à vider les cendres (...)   N. SARRAUTE, le Planétarium, p. 92.

Fam. *Bourrer une salle,* la remplir de personnes favorables à une des parties en présence dans un débat.
Bourrer les urnes, les remplir illicitement de bulletins de vote favorables au parti qu'on veut voir gagner.

♦ **3.** Fam. Tasser sans précaution pour faire tenir (quelque part, dans qqch.). *Vous avez bourré mes papiers dans mon tiroir, je ne retrouve plus rien.* — Passif et p. p. *Ses affaires étaient bourrées dans une malle.*

♦ **4.** **BOURRER** (qqch., qqn) **DE** (qqch.). ⓐ Compl. n. de chose. Remplir complètement (de qqch.). *Bourrer un sac de vêtements, un placard de vaisselle, un débarras de vieux meubles.* — (Abstrait). *Bourrer un discours de citations. Bourrer un texte de chevilles.* ⇒ **Farcir, truffer** (plus cour. au p. p. ; → ci-dessous).

ⓑ Compl. n. de personne. *Bourrer qqn de nourriture.* ⇒ **Gaver.**

3   (...) elle le bourrait tellement de nourriture qu'il finissait par s'endormir.
FLAUBERT, Trois contes, I, 3.

Pron. *Elle se bourrait de tartines. Ne te bourre pas de pain comme ça.*
Fig. et vieilli. Accumuler. → ci-dessous Se bourrer, cit. 4.3 et *supra.*

3.1   Vraiment, il faut être imbécile pour servir, avec si peu de gages et tant de fidélité, des hommes qui se bourrent de millions.
BALZAC, Un homme d'affaires, Pl., t. VI, p. 811.

(Abstrait). *Bourrer un enfant de grec et de latin, de mathématiques.* ⇒ **Accabler.** — Pron. *Il se bourre de philosophie.*

3.2   — Son précepteur ! Voyons, l'avez-vous bien bourré de grec et de latin ?
— Oh ! bourré n'est pas le mot... On ne peut pas dire qu'il en soit bourré !
E. LABICHE, Deux merles blancs, I, 3, in Théâtre complet, t. VIII, p. 125.

♦ **5.** Loc. fam. (1907). *Bourrer le crâne, le mou, la caisse* (rare) *à qqn,* lui raconter des histoires, essayer de lui en faire accroire. ⇒ **Mentir, tromper** (cf. Endormir qqn). *N'essaie pas de lui bourrer le mou, ça ne prendra pas.* — Pron. (récipr.). *Se bourrer le crâne, la caisse, le mou.*

3.3   ... Tout ça c'est un peu raisonnable, mais c'est rempli bien plus encore d'un tas d'immondes crasseux mensonges... Les garces elles s'animent tellement fort à se bourrer la caisse toutes les deux qu'elles couvrent les bruits du piano...
CÉLINE, Mort à crédit, Folio, p. 42.

3.4   On parle de la guerre. Nous nous rendons compte qu'on nous a encore une fois bourré le crâne.   DRIEU LA ROCHELLE, la Comédie de Charleroi, p. 200.

Pron. *Se bourrer la gueule.* ⇒ **Souler** (se). → ci-dessous, Se bourrer, 2.

♦ **6.** Argot, vulg. Avoir des rapports sexuels actifs avec (qqn). ⇒ 3. **Bourre,** 4.

3.5   — Y a des frangines, continuait Marco, qui peuvent aller se faire bourrer dans tous les azimuts ; t'en as rien à foutre du moment qu'elles ramènent la comptée régulièrement (...)   Albert SIMONIN, Touchez pas au grisbi, p. 214.

B. (Frapper). ♦ **1.** Vx ou mod. et fam. Frapper (qqn). *Il se fit bourrer dans la mêlée générale.*

3.6   Je t'ai bourré, tu m'as bourré, nous sommes quittes ?
Jacques LAURENT, les Bêtises, p. 409.

Bourrer qqn de coups, le frapper. ⇒ **Battre, maltraiter.**

4   Il avait été arrêté, bourré de coups, conduit vers les voitures de police (...)
MARTIN DU GARD, les Thibault, t. VI, p. 286.

Pron. (récipr.). *Ils se sont bourrés (de coups).*
(Le compl. désigne une partie du corps). *Bourrer le dos, les côtes de qqn à coups de poing.*

4.1   (...) mon voisin me bourra les côtes à coups de coude avec une hargne que je ne compris pas.   M. TOURNIER, le Roi des Aulnes, p. 28.

Loc. fam. *Bourrer la gueule à qqn. Il s'est fait bourrer la gueule.* ⇒ **Casser.**

4.2   C'est un héros. Nous n'en avons pas d'autre. J'admets qu'il a déguerpi aussi vite qu'une puce quand on lui a bourré la gueule mais il a tout de même reçu une belle torgnole.   Pierre HAMP, la Peine des hommes (Moteurs), p. 90.

♦ **2.** (1694). Vx, chasse (en parlant d'un animal de chasse : chien, etc.). Arracher du poil (⇒ **Bourre**) à un lièvre, un lapin en le poursui-

vant ; le mordre en tentant de l'attraper. *Le chien a bourré le lièvre* (⇒ **Bourrade,** 2.).

▶ **SE BOURRER** v. pron.
Familier ou argotique.

♦ **1.** S'enrichir (cf. S'en mettre plein les poches, et ci-dessus, cit. 3.1).

4.3   «... Je pourrais me sucrer davantage ! Mes femmes me suffisent. Je pourrais faire de la munition ! On me l'a proposé !... Y en a de plus cons que moi qui se bourrent !... »   CÉLINE, Guignol's band, p. 83.

♦ **2.** Pop. S'enivrer, se saouler. ⇒ **Beurrer** (se). *Il se bourre régulièrement tous les samedis soir.*

★ **II. A.** V. intr. ♦ **1.** Chasse (en parlant d'un chien). Courir après le lièvre au lieu de rester à l'arrêt.

♦ **2.** (Sujet n. de personne). Fam. Aller très vite, se dépêcher. ⇒ **Foncer** ; 3. **bourre,** 2. **bourrée.** *Il va falloir bourrer si on veut finir à temps.* — Spécialt. Conduire très vite. *Il a bourré comme un dingue pour arriver avant la nuit.*

B. Emplois absolus. ♦ **1.** (Sujet n. de personne). Fam. Donner des coups violents et répétés (→ ci-dessus I., B.) ; attaquer en frappant.

4.4   Il rentre, mon père, juste à ce moment... Il était pas du tout refroidi... Il se met à bourrer dans la table, et tant que ça peut dans les cloisons !... À deux poings fermés ! Toujours en sifflant des vapeurs...
CÉLINE, Mort à crédit, Folio, p. 195.

(Avec un compl. prépositionnel) :
Tu bourres sur l'ennemi comme un bouc (...)   4.5
BERNANOS, Sous le soleil de Satan, in Œ. roman., Pl., p. 183.

♦ **2.** (Sujet n. de chose). Fam. Caler l'estomac, donner une sensation de réplétion. *Un aliment qui bourre.* ⇒ **Bourrant, bourratif.**

♦ **3.** Argot des spectacles. Faire salle comble. *Ce soir on a bourré.*

▶ **BOURRÉ, ÉE** p. p. adj.

♦ **1.** ⇒ **Complet, empli, plein, rassasié.** *Une valise bourrée à craquer. Portefeuille bourré de billets de banque. La salle est bourrée ce soir.* ⇒ **Comble.**
Son texte est bourré d'erreurs, de fautes. Une lettre bourrée de fautes d'orthographe. — *Il est bourré de complexes.*

5   Il y a à peine huit jours que je suis installé, j'ai déjà la tête bourrée d'impressions et de souvenirs (...)   Alphonse DAUDET, Lettres de mon moulin, I.

6   Bourré de grec, bourré de latin, bourré d'anglais et d'allemand, ex-élève sorti premier de l'École des Langues Orientales.
COURTELINE, Messieurs les ronds-de-cuir, I, I, III.

6.1   (...) il a entendu ce cri, une sorte de râle plutôt (...) ou n'importe quel bruit du port tout proche, bourré de jonques et de sampans qui servent d'habitation à des familles entières.   A. ROBBE-GRILLET, la Maison de rendez-vous, p. 128.

♦ **2.** Fam. Soûl. ⇒ **Ivre ; beurré, plein.** *Être bourré comme une huître.*

J'ai eu la touche avec elle, mardi dernier, elle était bourrée, elle voulait tout le temps m'inviter à danser.   SARTRE, les Chemins de la liberté, t. I, XI, p. 188.

7.1   Je suis absolument désolé de t'avoir réveillé mais... je suis saoul. Oui, c'est ça, je suis bourré.   R. GARY, Clair de femme, p. 61.

♦ **3.** Argot. (→ Se bourrer, 1.). Riche, fortuné. ⇒ **Plein** (aux as).

8   Max est un vrai pante, parce que Toni-l'Élégant qui a fait l'affaire à ma place est aujourd'hui bourré à craquer, avec château en Sologne, chasses, bateau et tout ?
Albert SIMONIN, Touchez pas au grisbi, p. 32.

9   C'était pas un homme méchant, mais aigri à cause du climat, il faisait du pognon voilà tout... il voulait retourner au soleil... Chez lui en Calabre et bourré !
CÉLINE, Guignol's band, p. 53.

CONTR. Débourrer. — Vider. — Jeûner (faire jeûner).
DÉR. Bourrade, bourrage, bourrant, bourratif, 3. **bourre, bourreau,** 1. **bourrée,** 2. **bourrée, bourreur, bourroir.** — V. 2. **Bourre.**
COMP. Bourre-mou ; débourrer.
HOM. 1. **Bourrée,** 2. **bourrée.**

BOURRETTE [buʀɛt] n. f. — 1423 ; de *bourre.*

♦ **1.** Soie grossière qui entoure le cocon. ⇒ **Bourre** (de soie), **schappe.**

♦ **2.** (1589). Tissu fait avec cette soie. *Des rideaux de bourrette.*

BOURREUR, EUSE [buʀœʀ, øz] n. — 1874, *bourreur de lignes ;* de *bourrer.*

♦ **1.** Rare. Personne qui bourre (qqch.). « *Bourreur de pipes* » (Goncourt).
Techn. *Bourreur de four à zinc.*
Argot typogr. *Bourreur de lignes :* ouvrier rapide mais peu soigneux.

♦ **2.** *Bourreur, bourreuse de crâne :* personne qui bourre le crâne, en fait accroire (surtout en politique).
La manifestation contre les Vanderveld, Jouhaux, et autres bourreurs de crâne.
R. ROLLAND, Journal, Cahier XX.

Absolt. *Va donc, eh, bourreur !*

BOURRICHE [buʀiʃ] n. f. — 1526; orig. incert.; p.-ê. dér. dial. de 1. *bourre.* → **Bourraque.** Selon Guiraud, à rattacher à des formes *bourras, bourrasse, bourrin* «étoffe de bourre», «treillis servant de sac», d'où par anal. «natte de jonc», «nasse», puis «panier grossier».

★ **I.** ♦ **1.** Vx ou techn. Long panier* sans anse servant à transporter du gibier, du poisson, des fruits. ⇒ aussi **Cageot.** *Une bourriche pleine de gibier.*

Spécialt, cour. Panier servant au transport des huîtres. ⇒ **Cloyère.** *Jeter une bourriche vide.*

1   Derrière lui, sur le carreau de la rue Rambuteau, on vendait des fruits. Des rangées de bourriches, de paniers bas, s'alignaient, couverts de toile ou de paille; et une odeur de mirabelles trop mûres traînait.
ZOLA, le Ventre de Paris, t. I, p. 23.

2   La marée arrivait, les camions se succédaient, charriant les hautes cages de bois pleines de bourriches, que les chemins de fer apportent toutes chargées de l'Océan.
ZOLA, le Ventre de Paris, t. I, p. 32.

Par métonymie. Contenu d'une bourriche. *Ils ont mangé une bourriche d'huîtres à deux.*

♦ **2.** Techn. Petit panier servant au transport des fleurs.

Par métaphore :

3   (*Mme de Cambremer*) n'était-elle pas dans une salle où c'était seulement avec les femmes les plus brillantes de l'année les loges (et même celles plus hauts étages qui d'en bas semblaient des grosses bourriches piquées de fleurs humaines et attachées au cintre de la salle par les brides rouges de leurs séparations de velours) composaient un panorama éphémère (...)
PROUST, Du côté de Guermantes, Folio, p. 64.

★ **II.** Argot vieilli. Tête. ⇒ **Bourrichon.**

DÉR. Bourrichon.

BOURRICHON [buʀiʃɔ̃] n. m. — 1860, Flaubert; de *bourriche.*

♦ Fam. Tête*. ⇒ **Bourriche,** II.

Loc. *Monter le bourrichon à qqn,* lui monter la tête, exciter son imagination.

Se monter le bourrichon : se faire des illusions. — (1859, *in* D.D.L.). Vx. *Se charpenter le bourrichon.*

1   Oh! laissez-moi se monter le bourrichon pour faire de la littérature et que bienheureux sont les épiciers!
FLAUBERT, Correspondance, t. III, p. 38.

2   Et surtout on ne se livre pas à ce que j'appellerai ces acrobaties de sensibilité, huit jours avant de se présenter au Cercle! Elle est un peu roide! Non, c'est probablement sa petite grue qui lui aura monté le bourrichon.
PROUST, Du côté de Guermantes, Folio, p. 286.

BOURRICOT ou **BOURRIQUOT** [buʀiko] n. m. — 1849; esp. *borrico* «âne», par le franç. d'Algérie. → Bourrique.

♦ Petit âne (d'abord, en franç. d'Afrique du Nord). ⇒ **Bourriquet.** Fam. *C'est kif-kif* bourricot : c'est la même chose.

0.1   À travers ce tumulte, les légions de bourricots et leurs conducteurs nègres, les carrioles à deux ou trois chevaux.
P. DE CASTELLANE, Souvenirs de la vie militaire en Afrique, *in* Revue des Deux-Mondes, sept. 1849 (*in* D.D.L., II, 5).

1   Il y a si loin en effet d'un lion à un *bourriquot!* (...)
Tartarin donna cent francs; l'âne en valait bien dix. C'est le prix courant des *bourriquots* sur les marchés arabes.
Alphonse DAUDET, Tartarin de Tarascon, II, 6.

2   (...) l'âne, qui n'est pas le bourricot minable d'Algérie, mais une bête de belle taille (...)
DANIEL-ROPS, Peuple de la Bible, I, II, p. 42.

Fig. Personne entêtée. ⇒ **Âne, bourrique.**

BOURRIDE [buʀid] n. f. — 1735; mot provençal *bourrido,* de *boulido* «bouilli». Cf. gascon *bourit* «bouilli», *bourri* «grumeau qui se forme dans la bouillie» (Mistral).

♦ Plat provençal de poissons, contenant de la rascasse, voisin de la bouillabaisse*, servi avec un aïoli.

BOURRIER [buʀje] n. m. — 1368; de *bourre.* Régional.

♦ **1.** Déchet du blé battu, brin de paille qui traîne par terre et que l'on piétine.
Le courant large et rapide charriait de l'écume, des bourriers, des fagots et des débris de toute sorte de choses.
Claude MAURIAC, le Temps immobile, p. 203.

♦ **2.** Ordures. *Va jeter le bourrier dehors.*
Lieu où l'on dépose les ordures. *Jeter quelque chose au bourrier.*

♦ **3.** Éboueur (attesté *in* Mauriac).

BOURRILLON [buʀijɔ̃] n. m. — 1877, Littré; dimin. de *bourre.*

♦ **1.** Techn. Petit amas de bourre qui se forme au milieu de la soie grège.

♦ **2.** Bot. Œil basilaire très développé.

Le sarment s'articule sur le bois de l'année précédente par un empattement qui porte de nombreux yeux basilaires rudimentaires dont le plus développé est appelé *bourrillon.* L'extrémité du sarment en voie de croissance est constituée par de jeunes feuilles encore imparfaitement étalées qui entourent le bourgeon terminal.
Louis LEVADOUX, la Vigne et sa culture, p. 14.

BOURRIN [buʀɛ̃] n. m. — 1903, argot milit.; mot dial. de l'Ouest : «âne»; de *bourrique.*

♦ **1.** Fam. Cheval*. ⇒ **Canasson.**
C'était l'École d'application. Sept cents chevaux! Il n'était pas compliqué le métier militaire, on passait sa journée à étriller et à brosser les bourrins.
Jean FERNIOT, Pierrot et Aline, p. 81.   1

Si il s'arrête une seconde, c'est alors par derrière qu'il rue! Il est soulevé par la colère, il plane du cul comme un bourrin!
CÉLINE, Mort à crédit, Folio, p. 195.   2

♦ **2.** Fam. Cheval-vapeur.
Moteur. ⇒ **Moulin.** *Lancer le bourrin. C'est un bon bourrin.*

♦ **3.** Argot. (vulg., mais non péj.). Femme ou homme qui aime et recherche les rapports sexuels. (En emploi adj.) : «*Elle était pas bourrin, cette petite...* » (Simonin).

BOURRINE [buʀin] n. f. — 1942; mot dial. de l'Ouest p.-ê. du normand *bur* «habitation de village»; du germanique.

♦ Régional. Maison traditionnelle du marais vendéen.

BOURRIQUE [buʀik] n. f. — 1603; de l'esp. *borrico* «âne», du lat. pop. **burricus,* altér., sous l'infl. de *burrus* «roux», et de *burra* «bure», du lat. *buricus* «petit cheval».

♦ **1.** Âne, ânesse. ⇒ **Baudet;** bourricot, bourriquet. *Une vieille, une pauvre bourrique pelée. Têtu comme une bourrique.* — *Soûl comme une bourrique :* complètement soûl (probablt par confusion avec *barrique*).
Eh quoi! charger ainsi cette pauvre bourrique!
N'ont-ils point de pitié de leur vieux domestique?
LA FONTAINE, Fables, III, 1.   1

Loc. fam. *Faire tourner qqn en bourrique,* l'abêtir à force d'exigences, de taquineries... ⇒ **Abrutir.**
Il ferait déjà tourner tout son monde en bourrique, si on le laissait faire (...) Monsieur n'imagine pas ce que c'est : un vif-argent, un touche-à-tout!
MARTIN DU GARD, les Thibault, t. IX, p. 23.   2

Vx. Mauvais cheval. ⇒ **Bourrin.**

♦ **2.** Fig. et fam. Personne têtue. ⇒ **Âne** (2.), **mule, sot.** *Quelle bourrique!*
En bas dans les grands rayons, c'était que des bourriques, surtout les «expéditeurs»; j'ai jamais connu de fumiers plus ragotards, plus sournois... Ils avaient rien à penser qu'à faire des paquets.
CÉLINE, Mort à crédit, Folio, p. 150.   2.1

Vous me traitez de bourrique, par-dessus le marché. Vous voyez bien, vous m'insultez.
E. IONESCO, Rhinocéros, p. 38.   2.2

♦ **3.** (1877). Argot. Policier. ⇒ 2. **Bourre.**
Ça n'a fait qu'un cri : Un agent! — Nom de Dieu! — L'coup des bourriques.
Francis CARCO, Jésus-la-Caille, I, 1.   3

Je suis déjà assez merde! repéré!... Encore un coup d'outrage!... que c'est plein partout de bourriques!
CÉLINE, Guignol's band, p. 361.   4

CONTR. Pur-sang.
DÉR. Bourrin, bourriquet, bourriquier. — (Sens 3). V. 2. **Bourre.**

BOURRIQUET [buʀikɛ] n. m. — 1534, Rabelais; de *bourrique.*

♦ **1.** Âne de petite espèce. Petit ânon. ⇒ **Bourricot.**
Un groupe de paysannes en habits de fête (...) se disputaient pour la possession d'une niche de la muraille. Un ânier l'occupait avec son bourriquet et ses couffes d'oignons.
J. GIONO, Naissance de l'Odyssée, p. 38.

♦ **2.** (1611). Techn. Treuil servant à élever des matériaux. ⇒ **Tourniquet.** *Bourriquet de maçon, de mines.*
Boîte mobile servant à recueillir les débris produits par un métier à tisser.

BOURRIQUIER [buʀikje] n. m. — 1854; de *bourrique.*

♦ Vx. Conducteur d'ânes.

BOURRIQUOT [buʀiko] n. m. ⇒ **Bourricot.**

BOURROIR [buʀwaʀ] n. m. — 1758; de *bourrer.*

♦ Techn. Pilon servant à bourrer.

BOURRU, UE [buʀy] adj. — 1555, *bourru de plumes* «fourni de plumes»; de *bourre.*

★ **I.** (Choses; sauf dans : *moine bourru*). ♦ **1.** Qui a la rudesse, la grossièreté de la bourre. ⇒ **Rude.** *Fil bourru. Étoffe bourrue. Des cheveux bourrus. Plante bourrue,* recouverte d'un fin duvet.

Vx. **LE MOINE BOURRU** : personnage imaginaire vêtu de bure, comme un moine, et qui rôderait la nuit (analogue culturellement au *croquemitaine,* au *loup-garou*).

♦ **2.** Qui n'a pas encore subi de traitement. *Pierre bourrue* : pierre mal dégrossie. — *Vin bourru* : vin nouveau, non fermenté, troublé par la lie. ⇒ **Jeune.**

♦ **3.** *Lait bourru,* qui vient d'être tiré.

0.1   Le médecin lui avait ordonné un régime. Elle prenait le soir du lait bourru, à l'étable même.   GIRAUDOUX, les Aventures de Jérôme Bardini, p. 41.

★ **II.** (Personnes ; ou par métaphore). Fig. et cour. ♦ **1.** (1617). Peu aimable, qui a des manières brusques. ⇒ **Acariâtre, morose.** *Un homme bourru. Il est gentil, mais un peu bourru.*

N. m. Vieilli. *Bourru bienfaisant* : homme qui sous des dehors désagréables, possède un caractère bienveillant.

Un air bourru. ⇒ **Renfrogné.**

1   Pour l'homme aux rubans verts, il me divertit quelquefois avec ses brusqueries et son chagrin bourru (...)   MOLIÈRE, le Misanthrope, V, 4.

2   (...) avec son air bourru, c'était le meilleur homme du monde (...)   Alphonse DAUDET, le Petit Chose, I, 2.

3   Elle n'était pas jolie, elle ressemblait trop à son père et c'était gênant de retrouver ce visage bourru au-dessus d'un corps de jeune fille (...)   S. DE BEAUVOIR, les Mandarins, p. 18.

♦ **2.** Littér. (Choses). Rude, désagréable. *« Les vents bourrus de novembre »* (Laforgue, *in* T. L. F.).

CONTR. Lisse. — **Affable, aimable, câlin, cajoleur, débonnaire, doux, liant, patelin, sociable.**

1. BOURSE [buʀs] n. f. — V. 1150 ; bas lat. *byrsa, bursa* « cuir », puis « sac de cuir », d'où « bourse », du grec *bursa* « cuir apprêté, outre ». → Bursaire.

♦ **1.** Anciennt. Petit sac arrondi, généralement à fronces ou à soufflets, destiné à contenir les pièces de monnaie et que l'on porte sur soi. *Une bourse de cuir, de tissu, une bourse au crochet, une bourse en kapok, en mailles de métal. Une bourse à cordons, à coulant.* ⇒ **Aumônière, escarcelle, gibecière.** *Une bourse à fermoir.* ⇒ **Portemonnaie** (mod.). *Ouvrir, fermer, vider sa bourse.*

1   (...) il laisserait ma bourse traîner sur la table, je ne sais où, dans ses rebuts, tandis que le suivra partout, tandis qu'en jouant à l'heure qu'il est, il la tire avec orgueil ; je le vois l'étaler sur le tapis, et faire résonner l'or qu'elle renferme.   A. DE MUSSET, Un caprice, 5.

Vx. *Couper les bourses* : voler. — *Un coupeur de bourses* : un voleur.

2   (...) un petit couteau affilé comme l'aiguille d'un palletier dont il *(Panurge)* coupait les bourses (...)   RABELAIS, Pantagruel, XVI.

3   C'est la vie des voleurs d'aujourd'hui et des coupeurs de bourse (...)   VOLTAIRE, Essai sur les Mœurs, Avant-Propos.

Loc. *La bourse ou la vie !,* injonction du voleur au passant qu'il assaille.

4   (...) je lui demande la bourse ou la vie (...)   Th. GAUTIER, le Capitaine Fracasse, XII.

4.1   J'ai entre les mains des lettres qui peuvent renverser tous ses rêves de bonheur... Je lui mettrai ces lettres sous la gorge, et je lui demanderai la bourse ou la vie !   E. LABICHE, la Chasse aux corbeaux, V, 7.

Loc. fig. Vx. *Donner la bourse à garder au larron* : charger d'une mission de confiance, d'un secret, etc. celui dont on devrait se méfier. — Loc. fig. Mod. *Ne pas laisser voir le fond de sa bourse* : cacher l'état de ses affaires. — *Tenir les cordons de la bourse* : disposer des finances. — (1690). *Sans bourse délier* : sans qu'il en coûte rien. — (1668). *Ouvrir sa bourse à ses amis,* les aider financièrement. — Vieilli. *Loger le diable dans sa bourse, avoir la bourse plate, légère* : être sans argent. *Avoir la bourse ronde, bien garnie* : être bien pourvu.

5   Ce vénérable hillot *(garçon)* fut averti
De quelque argent que m'aviez départi
Et que ma bourse avait grosse aposthume *(abcès).*   Clément MAROT, Au roi pour avoir été dérobé.

6   Un homme n'ayant plus ni crédit ni ressource,
Et logeant le diable en sa bourse,
C'est-à-dire n'y logeant rien (...)   LA FONTAINE, Fables, IX, 16.

7   (...) ceux qui nous ouvrent leur bourse et nous disent : « Prenez ».   MOLIÈRE, George Dandin, II, 1.

8   Le domaine, ayant fait mettre en prison les pères de famille, avait acheté leurs meilleures possessions sans bourse délier (...)   VOLTAIRE, l'Homme aux quarante écus, Audience.

9   Cet argent suffit à payer notre retour, et nous nous embarquons le cœur léger, et la bourse aussi.   LOTI, Aziyadé, LXIV, p. 173.

♦ **2.** Par métonymie. Argent que contient une bourse ; par ext., argent que l'on possède. *Sa bourse s'épuise.* — (1611). Vieilli. *Faire bourse à part.* (1690) *faire bourse commune. Faire appel à la bourse de qqn. Être ami* jusqu'à la bourse. — *Donner toute sa bourse. Ce produit, ce spectacle est à la portée de toutes les bourses, des bourses les plus modestes.* → 2. Morgue, cit. 2.

10   On a la fille, soit : on n'aura pas la bourse.   RACINE, les Plaideurs, III, 4.

11   Les disciples de Pythagore ne faisaient qu'une même bourse.   FÉNELON, Pythagore, in LITTRÉ.

Ma bourse renforcée par Mme de Warens (...)   ROUSSEAU, les Confessions, II.   12

♦ **3.** (1399). *Bourse d'études,* et, absolt, *bourse* : pension accordée à un élève, un étudiant, pour subvenir à ses besoins pendant le temps de ses études. *Bourse entière. Demi-bourse. Élève qui a été reçu à un concours de bourses.* ⇒ **1. Boursier.** *Bourse d'agrégation. Bourse de voyage* : bourse accordée pour un voyage d'étude.

Des places gratuites qu'on appelle en France des bourses (...)   ROUSSEAU, le Gouvernement, Pologne, IV.   13

Il *(l'Empereur)* avait créé 6 000 bourses pour que les enfants du peuple eussent un large accès à l'enseignement secondaire les acheminant à l'enseignement supérieur ou aux écoles spéciales.   Louis MADELIN, Hist. du Consulat et de l'Empire, t. VI, v, p. 71.   14

♦ **4.** Par anal. Petit sac souple. ⇒ **Enveloppe, poche.** — (1743, *in* D. D. L.). *Bourse à cheveux.*

(1409). Chasse. Poche que l'on place devant le terrier pour prendre le lapin. — Pêche. Filet en forme de poche. — Liturgie. Double carton dans lequel on met les corporaux* qui servent à la messe.

♦ **5.** Anat. *Bourses séreuses*, *synoviales** : poches membraneuses des articulations.

(V. 1275). Absolt. *Les bourses* : l'enveloppe des testicules*. ⇒ **Scrotum.**

Dans ma section, il y avait un type qui avait une orchite double et qui marcha trois jours avant d'être évacué. D'ailleurs, de le voir portant ses bourses comme un saint sacrement de douleur, me faisait penser (...) à Richard Cœur-de-Lion (...)   DRIEU LA ROCHELLE, la Comédie de Charleroi, p. 41.   15

DÉR. Bourseau, boursette, boursicaut (ou boursicot), 1. boursier, boursiller. — V. 2. Bourse.
COMP. Débourser, embourser. — Bourse-à-pasteur.

2. BOURSE [buʀs] n. f. — 1549 ; p.-ê. du n. de l'hôtel de la famille *Van der Burse,* à Bruges, avec infl. de 1. *bourse,* hypothèse contestée par Guiraud qui fait venir le mot de 1. *bourse,* dans des expressions comme *monnaie courant en bourse* où *bourse* signifie « place où se tiennent les opérations commerciales », puis, par métonymie « l'opération elle-même » ; → cit. 1.

♦ **1.** Réunion périodique de personnes qui s'assemblent soit pour conclure des opérations sur les valeurs mobilières ou sur des marchandises, soit pour constater les cours de ces valeurs ou marchandises, dans un lieu fixé par le gouvernement ; lieu où se déroule cette réunion. *Les réunions hors bourse sont interdites. Création, suppression d'une bourse.* — REM. Lorsqu'il s'agit d'une bourse spécifique, le mot s'écrit souvent avec la majuscule. — *Fréquenter la Bourse. Ouverture, clôture de la Bourse. Dans les bourses, les transactions se font par l'intermédiaire des agents* de change. Personnes qui travaillent dans une bourse.* ⇒ **2. Boursier.** *La bourse a clôturé en hausse.*

Bourse apparaît en flamand, sans que l'on sache au juste s'il vient de *bursa* ou du nom d'une famille brugeoise dont la maison servait de rendez-vous aux marchands. En 1531 est ouverte à Anvers la nouvelle *Bourse.* Dès lors le mot est courant et remplace le vocable traditionnel de *Loge (de Change),* répandu par les Italiens et maintenu à Lyon. En 1549, les Toulousains se plaignaient de n'avoir pas un lieu : *change, estrade* ou *bourse,* comme Lyon, Anvers, etc. Henri II y ordonne une bourse commune sur le modèle du *Change de Lyon.*   BRUNOT, Hist. de la langue franç., t. VI, p. 165, note 1.   1

À Paris, il n'y eut longtemps qu'une place de commerce, avec des emplacements traditionnellement affectés aux divers commerces (Pont au Change, galerie du Palais, rue Quincampoix, place Vendôme, etc. La Bourse de Paris ne fut installée officiellement qu'en 1724, rue Vivienne, à l'Hôtel de Nevers, alors qu'il existait depuis longtemps déjà, à Lyon, Toulouse, Montpellier, Rouen.   Fr. OLIVIER-MARTIN, l'Organisation corporative de la France d'ancien régime, p. 275.   2

Il est défendu de s'assembler ailleurs qu'à la Bourse, et à d'autres heures qu'à celles fixées par le règlement de police, pour proposer et faire des négociations (...)   Arrêté du 27 Prairial An X, art. 3.   3

Bourse des valeurs, où se négocient les valeurs mobilières. ⇒ **Marché, valeur ; corbeille, parquet ; coulisse.** *Il existe huit bourses des valeurs en France.* — Ellipt. *La Bourse de Londres, de New York, de Tokyo.*

La Bourse : la bourse des valeurs de Paris. *Le quartier de la Bourse.*

Pour marquer leur situation éminente à la Bourse, le même arrêt du Conseil (30 mars 1774) ordonne la construction dans l'enceinte de la Bourse d'une séparation de trois pieds de hauteur isolant les agents de change et que l'on appelle aujourd'hui le Parquet.   Fr. OLIVIER-MARTIN, l'Organisation corporative de la France d'ancien régime, p. 282.   4

Dans les Bourses comportant au moins six offices d'agent de change, il peut être créé un parquet en vertu d'un décret (...)   Décret, 7 oct. 1890, art. 15.   5

On m'a dit qu'il vivait de médiocres opérations hebdomadaires à la Bourse.   VALÉRY, Monsieur Teste, p. 18.   5.1

Bourse de marchandises ; bourse de commerce, où se négocient les marchandises. *Les courtiers des bourses de marchandises. Il y a 71 bourses de commerce en France.*

(...) les *bourses de marchandises* (souvent appelées bourses de commerce, où se concluent des ventes et des achats en gros de certains produits en nature et aussi certains contrats qui se rapportent au commerce maritime. En France, les négociations se font (...) dans les *bourses de marchandises* par l'entremise de courtiers.   Paul REBOUD, Précis d'économie politique, t. II, p. 33.   6

♦ **2.** Ensemble des opérations traitées dans une bourse, cours qui y sont constatés. *Opérations de bourse.* ⇒ **Achat, marché** (au comptant, à livrer, à terme ; marché à prime ou options), **négociation, ordre, souscripteur, transaction, transfert, vente** (à couvert, à découvert) ; **arbitrage, change, compensation, déport, différence, filière, liquidation, report, reporter.** *Jouer, spéculer à la Bourse.* ⇒ **Boursicoter ; agiotage ; boursicotier,** 2. **boursier ; spéculateur, baissier, haussier.**

Coup de bourse. Les cours de la Bourse. ⇒ **Cote, cours.** *Activité de la Bourse. Les mouvements de la Bourse. La Bourse a monté, a baissé.* ⇒ **Baisse, hausse** (boom). *Chute de la Bourse.* ⇒ **Krach.** *La Bourse et l'opinion. — Marchandises, valeur cotées en bourse. Société cotée en bourse,* dont les actions sont cotées.

6.1 Quant à la fortune d'aujourd'hui, qui est presque toute dans des opérations de bourse, de courtage, d'agiotage, de coulisse ou d'agences de change, rien n'a été prévu pour la protéger ou la défendre, cette fortune moderne (...)
Ed. et J. DE GONCOURT, Journal, t. I, p. 84.

7 (...) les cours de la Bourse sont affaires d'opinion. Ils reflètent les idées, les imaginations sombres ou riantes (...) J. BAINVILLE, la Fortune de la France, p. 155.

8 (...) si un autre Proudhon venait à écrire un nouveau *Manuel du Spéculateur à la Bourse,* il pourrait poser en principe que le moyen le plus sûr de gagner est de « tourner le dos à la multitude », comme les sages antiques le recommandaient pour la recherche de la vérité. J. BAINVILLE, la Fortune de la France, p. 158.

8.1 J'ai fini par comprendre que ces actions avaient été émises par des sociétés en faillite ou qui n'existaient plus depuis longtemps. Il croyait dur comme fer pouvoir les utiliser encore et les remettre sur le marché. « Quand nous serons cotés en Bourse... » me disait-il d'un petit air espiègle.
Patrick MODIANO, les Boulevards de ceinture, p. 89.

♦ **3.** L'ensemble des spéculateurs d'une bourse. *L'esprit de la Bourse. Bruits, nouvelles, tuyaux de Bourse.*

♦ **4.** (1967). *Bourse immobilière :* réunion périodique de personnes assemblées pour conclure des opérations sur les affaires immobilières et constater leurs cours. *Bourse immobilière de Paris. La Bourse immobilière permet aux agents immobiliers de s'instruire des affaires en cours et de confronter leurs prix. — Absolt. Étude des prix en Bourse.*
Ensemble des opérations proposées. *La Bourse immobilière procède par annonces « à la criée » des affaires offertes ou recherchées, et par affichage sur panneaux des offres et des demandes.*

♦ **5.** Lieu où l'on échange certaines marchandises. *La bourse des timbres. Bourse des livres.*

♦ **6. BOURSE DU TRAVAIL** : « Réunion des adhérents des divers syndicats d'une même ville ou région en vue de se concerter pour la défense de leurs intérêts et l'organisation de divers services d'intérêt collectif » (Capitant, *Vocabulaire juridique*). *Les bourses du travail. La Bourse du travail,* à Paris. — Lieu où se tient cette réunion.

9 La Bourse du travail de Paris, ainsi que ses annexes, a pour objet de faciliter les transactions relatives à la main-d'œuvre, au moyen de bureaux de placement gratuit, de salles d'embauchage publiques, et par la publication de tous renseignements intéressant l'offre et la demande de travail. Elle a également pour but de concourir à l'éducation technique et économique des syndicats professionnels ouvriers. Il est annexé des bureaux mis à la disposition des syndicats ouvriers et des salles pour les réunions corporatives. Décret, 17 juil. 1900.

♦ **7.** *Bourse nationale de l'emploi :* organisme créé pour favoriser le rapprochement des offreurs et des demandeurs d'emploi. ⇒ **Agence.**

DÉR. 2. **Boursier.** — V. **Boursicoter,** 2.

BOURSE-À-PASTEUR [buʀsapastœʀ] n. f. — V. 1350, Arveiler ; de 1. *bourse,* à, et *pasteur.*

♦ Petite plante des lieux incultes *(Cruciféracées),* dont le fruit sec a la forme d'un cœur. *Des bourses-à-pasteur* [buʀsapastœʀ]. ⇒ **Capselle.**

BOURSEAU [buʀso] n. m. — 1611, « bosse » de 1. *bourse ;* sens actuel, XVIIᵉ.

♦ Techn., archit. Grosse moulure ronde d'une toiture d'ardoise. *Membrons à bourseaux.*

BOURSET [buʀsɛ] n. m. ⇒ **Bourcet.**

BOURSETTE [buʀsɛt] n. f. — 1304 ; de 1. *bourse.*

♦ **1.** Vx. Petite bourse. ⇒ **Boursicot.**

♦ **2.** (Av. 1585). Régional. Mâche (1).

BOURSICAUT ou BOURSICOT [buʀsiko] n. m. — 1296, *bourseco ;* de 1. *bourse.*

♦ **1.** Vx, régional. Petite bourse. ⇒ **Boursette.**

♦ **2.** (1830, Stendhal). Petite somme économisée et mise en réserve.

Elle fit mine de chercher sa bourse (...) « Nous n'étions pas encore là, dit-il, quand vous avez crié après votre boursicot. » G. SAND, François le Champi, VIII.

DÉR. **Boursicoter.**

BOURSICOTAGE [buʀsikotaʒ] n. m. — 1864 ; de *boursicoter.*

♦ **1.** Vx. Action de mettre un peu d'argent de côté.

♦ **2.** Mod. Action de faire de petites opérations en bourse.

REM. *Boursicotiérisme* a été utilisé en ce sens (1881).

BOURSICOTER [buʀsikote] v. intr. — 1580 ; de *boursicot.*

♦ **1.** Vx. Faire de petites économies.

♦ **2.** (1841, Balzac ; de 2. *bourse*). Mod. Faire de petites opérations en bourse. ⇒ **Spéculer.**

1 J'ai des capitaux considérables, engagés à la bourse ; je boursicote, je coulisse, je reporte. COGNIARD et BOURBOIS, le Monde camelote (1856), I, 5.

2 (...) l'homme de la rue joue, je veux dire qu'il trafique sur les valeurs, sur les papiers, sur l'argent, qu'il spécule et boursicote. G. DUHAMEL, Scènes de la vie future, XV.

DÉR. **Boursicotage, boursicotier** ou **boursicoteur.**

BOURSICOTIER, IÈRE [buʀsikotje, jɛʀ] ou BOURSICOTEUR, EUSE [buʀsikotœʀ, øz] adj. et n. — 1851, boursicotier, ière ; boursicoteur, euse, 1867 ; de *boursicoter.*

♦ Celui, celle qui boursicote.

1 (...) la petite salle est pleine à éclater, les agentes de change s'agitent bruyamment ; (...) les banquières, les commises, les boursicotières et les tripoteuses se bousculent, glapissent des offres et des demandes, crient des ordres ou des cours. A. ROBIDA, le Vingtième Siècle, p. 300 (roman d'anticipation, antiféministe, écrit avant 1900).

2 Personnellement, il était pacifique, pas très intrigant, assez joli garçon, assez vulgaire, pas fin, pas intellectuel pour un sou. Boursicotier. DRIEU LA ROCHELLE, la Comédie de Charleroi, p. 82.

1. BOURSIER, IÈRE [buʀsje, jɛʀ] n. et adj. — 1224 ; de 1. *bourse.*

♦ **1.** Vx. Artisan qui fabrique, commerçant qui vend des bourses.

♦ **2.** (1387). Mod. Personne qui a obtenu une bourse* dans un établissement d'enseignement. *Bonaparte, boursier du Roi à l'École de Brienne. Elle est boursière.*

1 On exige d'un boursier bien plus que d'un autre. Il est tenu de réussir. MICHELET, Hist. de la Révolution franç., t. I, p. 478.

2 Les boursiers, aujourd'hui, renient promptement le peuple d'où ils sortent. ALAIN, Souvenirs de guerre, in les Passions et la Sagesse, Pl., p. 542.

3 Ne t'imagine pas, parce que tu es boursier, devoir rien à personne. GIRAUDOUX, Simon le pathétique, p. 8.

Adj. *Élève boursier.*

2. BOURSIER, IÈRE [buʀsje, jɛʀ] n. et adj. — 1512 ; de 2. *bourse.*

★ **I.** N. ♦ **1.** Personne qui fait des opérations en bourse. *Des petits boursiers occasionnels. Les spéculations des boursiers.*

♦ **2.** (1838). Personne qui exerce sa profession à la bourse. ⇒ **Agent** (de change), **coulissier, courtier, remisier.**

★ **II.** Adj. (1837). Relatif à la bourse. *Opérations boursières. Mouvements boursiers. Capitalisation* boursière.*

BOURSILLER [buʀsije] v. intr. — 1548, Rabelais ; de 1. *bourse.*
Vieux.

♦ **1.** Donner un peu d'argent en vue d'un achat à plusieurs. ⇒ **Cotiser.** « *Quand nous avons boursillé pour la layette* » (E. Sue, in T. L. F.).

♦ **2.** Sortir sans cesse de petites sommes de sa bourse.

BOURSOUFLAGE ou BOURSOUFFLAGE [buʀsuflaʒ] n. m. — 1765, fig., in D. D. L. ; de *boursouflé.*

♦ **1.** État de ce qui est boursouflé. ⇒ **Boursouflement, boursouflure.** Action de boursoufler. ⇒ **Gonflement ; enflure.**

♦ **2.** Fig. Enflure du style. ⇒ **Boursouflement.** *Discours plein de boursouflage (boursoufflage).*

BOURSOUFLÉ, ÉE ou BOURSOUFFLÉ, ÉE [buʀsufle] adj. — V. 1450 ; *bousouflé,* v. 1200 ; de *soufflé,* et rad. onomat. *bou-, bod-* (→ Boudin) « idée de gonflement ».

♦ **1.** Qui présente des gonflements disgracieux. *Visage boursouflé.*

⇒ **Bouffi, enflé, gonflé.** *Un malade boursouflé, boursoufflé, tout boursoufflé.*

♦ **2.** (Abstrait). **BOURSOUFLÉ DE :** plein, gonflé de. *Être boursouflé (boursoufflé) de prétention, de sottise.*

♦ **3.** (Av. 1701). Fig. Emphatique et vide. *Style, discours boursouflé.* ⇒ **Ampoulé, déclamatoire, guindé.**

1 Un mélange du style poétique et boursouflé avec le langage de la philosophie (...)
   VOLTAIRE, Lettre à Thieriot, 7 févr. 1759.
2 (...) la tragédie (...) nous présente des êtres si gigantesques, si boursouflés, si chimériques (...)
   ROUSSEAU, Lettre à M. d'Alembert, p. 148.
3 (...) la forme est détestable ! C'est boursouflé, pâteux, chargé de bavardages !
   MARTIN DU GARD, les Thibault, t. II, p. 248.

Nom masculin :

4 Je ne peux souffrir le boursouflé et une grandeur hors de nature (...)
   VOLTAIRE, Lettre à Voisenon, 23 févr. 1763.

CONTR. Creux, émacié. — Familier, naturel, simple.
DÉR. Boursouflage, boursouflement, boursoufler, boursouflure.

BOURSOUFLEMENT ou BOURSOUFFLEMENT

[buʀsufləmɑ̃] n. m. — 1590, Paré, attestation isolée, repris xxᵉ ; de *boursouflé.*

♦ **1.** État de ce qui est boursouflé. ⇒ **Boursouflage, boursouflure.** Action de boursoufler. ⇒ **Enflure, gonflement.**

(1803, Boiste). Chim. Augmentation du volume d'un corps sous l'effet de la chaleur.

♦ **2.** Fig. Enflure du style. *Le boursouflement (boursoufflement) de son discours.* ⇒ **Boursouflage.**

BOURSOUFLER ou BOURSOUFFLER [buʀsufle] v. tr.

— 1530, « enfler » ; de *boursouflé.* — REM. La graphie *boursouffler* a été admise par l'Académie en 1975, pour harmoniser ce verbe avec *souffler.*

♦ **1.** Rendre enflé, gonflé. ⇒ **Enfler, gonfler.** *La maladie boursoufle les yeux, son visage. Une couche de peinture qui se boursouffle, se boursouffle.* ⇒ **Cloquer.** *Le pain se boursoufle.* ⇒ **Coquiller.**

♦ **2.** (Av. 1822). Fig. Donner une importance exagérée à.
Au jour le jour, elle m'agaçait par son souci de se construire une vie si riche, si « variée » que du haut de sa future gloire Marco ne pût pas la dédaigner : elle truquait la réalité, elle boursouflait ses expériences (...)
   S. DE BEAUVOIR, la Force de l'âge, p. 165.
Rendre trop sûr de soi, de son importance. *L'orgueil, la vanité le boursoufle (boursoufle).*
Rendre ampoulé. *L'emphase boursoufle son style.*

CONTR. Dégonfler, désenfler.

BOURSOUFLURE ou BOURSOUFFLURE [buʀsuflyʀ] n. f.

— 1532, méd. ; de *boursouflé.*

♦ **1.** Distension, gonflement* que présente par endroits une surface unie. *Boursouflure du sol.* ⇒ **Soulèvement.** *Boursouflure d'un enduit sur un mur.* ⇒ **Coquille, soufflure.** *Boursouflure du fer.* ⇒ **Moine.** *Boursouflure du visage, de la peau...* ⇒ **Ampoule, bouffissure, cloque.**

1 Le regard restait bleu et vif ; mais, sous les paupières inférieures, des boursouflures mauves surplombaient les pommettes vermiculées de couperose.
   MARTIN DU GARD, les Thibault, t. VIII, p. 251.
2 Le plâtre des cloisons mansardées, sous l'effet de l'humidité, formait des boursouflures dont plusieurs avaient éclaté, laissant apparaître comme un fond d'abcès, le bois noir et pourri d'un chevron ou du lattis.
   M. AYMÉ, le Passe-muraille, « L'huissier ».

♦ **2.** Fig. *Boursouflure de style.* ⇒ **Emphase, enflure.**

CONTR. Creusement, creux. — Naturel, simplicité.

BOUSAGE [buzaʒ] n. m. — 1838 ; de *bouser.*

♦ Techn. Passage au bain de bouse des étoffes qui ont reçu le mordant. *Le bousage fixe le mordant.*

BOUSARD [buzaʀ] n. m. — 1721, Trévoux ; *bouzard,* 1655 ; de *bouse.*

♦ Vén. Fiente molle des grosses bêtes (cerf, sanglier, etc.), au printemps.
(...) les moquettes des chevreuils — moulées à un seul aiguillon en hiver, en été agglomérées en grappe comme celles des moutons —, les laissées des sangliers — en forme de quilles l'hiver, de bousards inconsistants l'été — (...)
   M. TOURNIER, le Roi des aulnes, p. 227-228.

BOUSBIR [buzbiʀ] n. m. — Attesté xxᵉ ; mot arabe, n. pr. du quartier réservé.

♦ Quartier réservé, en Afrique du Nord. « *Les bousbirs chérifiens* » (→ Bleusaillon, cit. Perret).

La nuit tomba très vite, profonde, légère, chargée d'étoiles pures. Nous nous acheminâmes vers le bousbir, le quartier réservé. Il se trouvait en dehors de la petite ville (...) Je savais bien qu'il ne pouvait avoir rien de comparable avec celui de Casablanca, véritable cité de feux, de tumulte et de luxure, mais je fus néanmoins stupéfait par son aspect misérable. Au fond d'un sentier sordide, boueux et puant, un mur de pisé entourant un espace plus réduit qu'une cour de ferme, cachait les joies sensuelles d'Agadir.
   J. KESSEL, Vent de sable, p. 109-110.

BOUSCUEIL [buskœj] n. m. — 1928 ; mot canadien, de *bousculer.*

♦ Régional (Canada). Mouvement des glaces sous l'action du vent, de la marée ou du courant. ⇒ **Débâcle.** *Le bouscueil du printemps.*

BOUSCULADE [buskylad] n. f. — 1848, Dumas ; de *bousculer.*

♦ **1.** Action de bousculer* ; choc brutal et involontaire entre deux personnes. « *Il se plaignit auprès de son voisin des bousculades que celui-ci lui infligea* » (Queneau, *Exercices de style*).

♦ **2.** Fait de se bousculer, d'être bousculé. — Spécialt. Remous de foule. *Une bousculade générale vers la sortie ; la bousculade du Métro.*

1 Une bousculade sépara Chicot de l'établissement du fanatique hôtelier.
   A. DUMAS, in Pierre LAROUSSE.

Fig. Fait d'être en désordre. ⇒ **Chahut, désordre.**

2 (...) cette bousculade effrayante des événements et des êtres (...)
   G. DUHAMEL, Chronique des Pasquier, VIII, p. 266.

♦ **3.** Grande hâte, précipitation. *Dans la bousculade du départ, ils avaient oublié leurs passeports.*

BOUSCULANT, ANTE [buskylɑ̃, ɑ̃t] adj. — Fin xixᵉ ; de *bousculer.*

♦ Rare. Qui bouscule. *Une foule bousculante.*

Fig. Qui dérange intellectuellement, qui n'est pas conforme aux habitudes.

Mᵐᵉ Lemonnier a montré un vrai talent de comédienne dans le rôle de cette bousculante héroïne aux pataquès tour à tour plaisants et périlleux.
   P. VÉRON, in le Charivari, Théâtres, 10 juil. 1891.

BOUSCULEMENT [buskylmɑ̃] n. m. — 1838 ; de *bousculer.*

♦ Rare. Action de bousculer. — Désordre, agitation. ⇒ **Bousculade.**

1 Ce que nous appelons mouvements du cœur n'est que le bousculement irraisonnable de nos pensées (...)
   GIDE, Journal, 2 avr. 1929.

Par métonymie, littér. Ensemble de choses, de personnes bousculées ou qui semblent l'être.

2 Au haut de la montée, Coriolis s'arrêtait à cette grotte de Franchart, qui a, à son seuil, le désordre et le bousculement de sièges de granit renversés par un festin de Lapithes.
   Ed. et J. DE GONCOURT, Manette Salomon, p. 245.

BOUSCULER [buskyle] v. tr. — 1798 ; comp. tautologique, du moy. franç. *bousser* « heurter », du moy. haut-all. *bôren,* et de *culer,* de *cul,* plutôt que de *bouteculer,* de *bouter,* et *cul.*

♦ **1.** Mettre en désordre en poussant, en renversant. « *On a bousculé tous mes livres* » (Académie). ⇒ **Bouleverser, déranger ;** → Mettre sens* dessus dessous. *Les ennemis furent bousculés.* ⇒ **Battre, culbuter, renverser.**

♦ **2.** Heurter violemment. *Bousculer une potiche. On se fait bousculer par des centaines de personnes. Être bousculé par la foule, par un passant.* ⇒ **Ballotter, pousser.** *Il a été bousculé par une voiture, mais c'est sans gravité.*

0.1 Son chapeau était de travers, son manteau sale, elle avait l'aspect désordonné et mécontent, la figure rouge et préoccupée d'une personne qui vient d'être bousculée par une voiture ou qu'on a retirée d'un fossé.
   PROUST, le Côté de Guermantes, Folio, t. I, p. 374.
1 Le flot des voyageurs les bouscula avant qu'il (*Jérôme*) eût trouvé le mot d'accueil (...)
   MARTIN DU GARD, les Thibault, t. II, p. 226.
2 Mathieu fut heurté, bousculé : une oscillation ample et vague secouait la foule autour de lui.
   SARTRE, la Mort dans l'âme, I, p. 146.

Spécialt (dans un contexte érotique). « *Le pauvre diable qui bouscule sa bonne amie sur la mousse...* » (Bernanos, in T. L. F.). → **Culbuter, renverser.**

♦ **3.** Obliger (qqn) à se dépêcher, à se presser. ⇒ **Presser.** *Il est lent et n'aime pas qu'on le bouscule. Son patron le bouscule, il se fait bousculé. Il est lent ; il ne faut pas le bousculer.* — Au passif. *J'ai été tellement bousculé que je n'en ai pas trouvé le temps.* ⇒ **Dérangé, occupé.** → ci-dessous, Bousculé (p. p. adj.).

♦ **4.** Sujet n. de personne ou de chose. (1852). Abstrait. Modifier avec une certaine brusquerie. ⇒ **Malmener, troubler.** « *Certaines réalités bousculent les idées reçues* » (le Monde, 19 sept. 1965). *Bousculer les habitudes, les préjugés, les traditions.*

3 L'an dernier, il eût bondi, bousculé le repos de Léa (...)   COLETTE, Chéri, p. 173.

(Compl. n. de personne) :

3.1 C'étaient ces deux mots-là qui le bousculaient, l'aveuglaient, l'empêchaient de comprendre quoi que ce fût à une aussi prodigieuse aventure !...
G. LEROUX, Rouletabille chez Krupp, p. 14.

▶ **SE BOUSCULER** v. pron.

♦ **1.** Se pousser, se heurter mutuellement.

4 On se pressait confusément, s'interpellant à grands cris, se bousculant, avec cette sorte de hâte que montrent les gens les mieux élevés, aussitôt qu'il y a à manger et à boire (...) Edmond JALOUX, le Jeune Homme au masque, I, p. 24.

5 (...) les maîtresses de maison laissaient, dans une fête, le baron avoir seul une chaise sur le devant dans un rang de dames, tandis que les autres hommes se bousculaient dans le fond. PROUST, le Côté de Guermantes, Folio, t. I, p. 321.

♦ **2.** (Abstrait). Arriver ensemble de façon désordonnée. *Les idées se bousculent dans sa tête.*

♦ **3.** Loc. fig. Fam. *Se bousculer au portillon :* arriver en grand nombre et en désordre. *Il y avait beaucoup de monde, on se bousculait au portillon.* — Aussi : *ça se bouscule au portillon,* à propos d'une personne qui a des difficultés d'élocution, qui bégaye.

▶ **BOUSCULÉ, ÉE** p. p. adj.

♦ **1.** Heurté, renversé ou déplacé, mis en désordre. *Chaises et tables bousculées.* — (Personnes). Poussé, heurté.

Agité, pressé par le travail (→ ci-dessus, v. tr., 3.). *Je suis très bousculé en ce moment, je ne pourrai vous voir que plus tard.* — Vieilli (avec un compl.). *Être bousculé de travail.*

♦ **2.** Fam. *Bien bousculé :* bien fait*, bien bâti (en parlant d'une personne). Cf. Bien balancé, bien roulé.

DÉR. Bouscueil, bousculade, bousculant, bousculement, bousculeur.

BOUSCULEUR, EUSE [buskylœʀ, øz] adj. et n. — 1872; de *bousculer.*

♦ Rare. Qui bouscule (qqn ou qqch.), a l'habitude de bousculer.

Mélancolique et crispé, M. de Damvilliers n'admira que Notre-Dame, la Sainte-Chapelle et le Pont-Neuf. Il trouva la Seine étroite comme un canal, la Sorbonne triste comme une prison, les avenues tracées sans souci de la géométrie et les Parisiens insolents et bousculeurs. Maurice DENUZIÈRE, Louisiane, p. 240.

BOUSE [buz] n. f. — XIIe; orig. obscure, p.-ê. d'un adj. *bau, *bosa, dér. de *boue,* d'orig. gauloise, ou, selon Guiraud, à rapprocher de l'anc. provençal *boza* et de formes dial. proches d'un gallo-roman *bobosa «renflé», p.-ê. *bobosa (ou *bovosa) «de bœuf», d'où la forme *bowosa, puis *bouse.*

♦ Fiente des bovins. *De la bouse de vache. Bain de bouse.* ⇒ **Bousage.**

1 (*À la campagne...*) Un être humain normal, honnête et bien portant, ça sent la bouse fraîche, la chemise sure, la chique figée (...) Le Parisien, être essentiellement dépravé, se donne beaucoup de mal pour éliminer cette bonne odeur de santé.
CAVANNA, Cavanna, p. 104.

(Une, des bouses). Marcher dans une bouse. Faire du feu avec des bouses séchées.

2 Nous regardions, pendant des heures, les vaches; nous regardions choir, éclater les bouses; on pariait à celle qui fienterait la première.
GIDE, les Nourritures terrestres, V, 3.

3 (...) dans cette étable, pleine de bouses sèches et creuses qui s'affaissaient avec un soupir quand j'y piquais le doigt (...) S. BECKETT, Premier amour, p. 26.

DÉR. Bousard, bouser, bouseux, bousier, bousiller, 1. bousin.

BOUSER [buze] v. — 1838; de *bouse.*

★ **I.** V. tr. Techn. Former (l'aire d'une grange) avec un mortier de bouse et de terre. — Soumettre au bousage.

★ **II.** V. intr. Rare (en parlant d'un bovin). Évacuer la bouse.

DÉR. Bousage.

BOUSEUX, EUSE [buzø, øz] adj. et n. — 1885, *bousoux,* mot de l'Ouest; de *bouse.*

♦ **1.** Rare. Couvert de bouse.

Tout le bateau éventre et crève !... O Bâtiment !... celui qui n'y perd point le soufle... à regarder... n'est qu'un salope navrant, bouseux trou du cul de vache !
CÉLINE, Guignol's band, p. 43 (1951).

♦ **2.** N. m. Fam. et péj. Paysan. → Cul-terreux. — REM. Le fém. est virtuel dans ce sens.

BOUSIER [buzje] n. m. — 1762; de *bouse.*

♦ Scarabée coprophage, vivant dans les excréments de mammifères, qu'il roule en boulettes. ⇒ **Fouille-merde, 1.**

(*La police*) est (*présente*), en effet, sous la forme de plusieurs agents bleu noir, couleur des bousiers (...) A. PIEYRE DE MANDIARGUES, la Marge, p. 129.

BOUSILLAGE [buzijaʒ] n. m. — 1521, *bouzillage;* de *bousiller.*

♦ **1.** Techn. Mélange de terre détrempée et de paille que l'on emploie dans certaines constructions rustiques. ⇒ **Bauge, torchis.** *Un mur en bousillage.*

♦ **2.** (1720; de *bousiller*). Fam. Action de bousiller (I., 2.). Ouvrage fait précipitamment et mal. ⇒ **Bâclage, gâchis, massacre, sabotage.**

Quant à Poizat et à son *Electre,* la platitude de sa poésie, le bousillage et la guimauve foraine des mises en scène dont il se satisfait, prouve la triste conception qu'il se fait de la tragédie.
A. ARTAUD, Bilboquet, Cocteau et Alfred Poizat, Œ. compl., t. I, p. 204.

♦ **3.** (1919, *bouzillage*). Fam. Massacre. *Le bousillage de toute une génération dans une guerre.*

BOUSILLER [buzije] v. — 1554; de *bouse.*

★ **I.** V. intr. ♦ **1.** Techn. Maçonner en bousillage.

♦ **2.** Fig. et vieilli. Faire du mauvais travail. ⇒ **Bâcler.** « *C'est un brouillon, il ne fait que bousiller* » (Académie).

(...) gâcheur de papier : il trouvait toujours trop lents ses secrétaires et préférait bousiller lui-même. Fortunat STROWSKI, Montaigne, p. 41. 1

★ **II.** V. tr. (1694). Fam. ♦ **1.** Exécuter sans soin (un travail). ⇒ **Cochonner, gâcher, torcher.** *Bousiller un ouvrage.*

♦ **2.** Rendre inutilisable, casser. ⇒ **Abîmer, amocher, détériorer.** *Il a bousillé son appareil, son avion, en atterrissant. Bousiller une voiture.*
Pronominal :

(*La script-girl*) raconte qu'il y a eu avant-hier un formidable accident de chemin de fer aux Aubrais : 120 morts, et que des tas d'autos se bousillent sur les routes.
S. DE BEAUVOIR, la Force de l'âge, p. 396. 1.1

Par ext. (Sujet n. de personne). *Il s'est bousillé une jambe dans son accident.*

♦ **3.** Tuer, massacrer.

... Paraît que la division de cavalerie a ordre de se faire bousiller derrière nous pour *les* empêcher de nous tomber dessus ! 2
MARTIN DU GARD, les Thibault, t. VIII, p. 166.

(...) on voulait sauver l'honneur pour que la France puisse parler aux Alliés la tête haute; il y a des types qui se sont fait bousiller pour ça : c'est bien du sang perdu ! 3
S. DE BEAUVOIR, les Mandarins, p. 152.

▶ **BOUSILLÉ, É** p. p. adj. *Un travail bousillé. Sa voiture est complètement bousillée.* Syn. : *foutu, nase.*

DÉR. Bousillage, bousilleur.

BOUSILLEUR, EUSE [buzijœʀ, øz] n. — 1690; «maçon qui fait le bousillage», 1480; de *bousiller.*

♦ Fam. Personne qui bousille son travail, le fait mal. ⇒ **Gâcheur.**

« L'Allemagne doit me croire si je dis que j'eusse préféré la paix à la guerre »; l'auteur de *Mein Kampf* se donne comme un bon ouvrier de paix que des « bousilleurs » sont venus malgré lui distraire de sa besogne. Le Juif Ahasvérus est l'unique responsable. J. GUEHENNO, Journal des années noires, 1er janv. 1942.

1. BOUSIN [buzɛ̃] n. m. — 1611; de *bouse.*
Technique.

♦ **1.** Croûte terreuse et friable qui recouvre les pierres de taille. *Enlever le bousin avant la taille.* ⇒ **Ébousiner.**

♦ **2.** (1808, *bouzin*). Matières étrangères dans un glaçon.

♦ **3.** (1866). Tourbe de mauvaise qualité.

2. BOUSIN [buzɛ̃] n. m. — 1790, *in* D.D.L.; argot des marins, de l'angl. pop. *to booze* « s'enivrer ».

♦ **1.** Pop. et vx. Cabaret mal famé. ⇒ **Bouge.**
(1790, *bouzin*). Vieilli. Maison de prostitution. ⇒ **Bordel.**

♦ **2.** (1801). Fam. et mod. Grand bruit, tumulte. ⇒ **Bordel, boucan, bousingot.** *Un bousin infernal. Faire du bousin.*

♦ **3.** Argot fam. Moteur. → Bousine, 3.

DÉR. Bousingot.

BOUSINE ou **BOUZINE** [buzin] n. f. — 1534, «trompette»; *buisine* «trompette, cor», 1080, *Chanson de Roland;* lat. *bucina.* → Buccin.

♦ **1.** (Attesté XXe). Vx ou régional. Instrument de musique à vent, variété de cornemuse.

♦ **2.** (1891). Régional. Vessie d'animal.
Plais. (chez Jarry). BOUZINE : ventre, bedaine.

♦ **3.** (1915, argot milit.). Argot fam. Objet bruyant, machine ferraillante (notamment, d'un moyen de transport : locomotive, camion, remorque, moto...).
Automobile, voiture. ⇒ **Bagnole.**

Notre bouzine cane, grelotte, engagée traviole au montoir entre trois camions déporte, hoquète, elle est morte !   CÉLINE, Guignol's band, p. 7 (1951).

BOUSINGOT [buzɛ̃go] n. m. — V. 1830, *bouzingot*; de 2. *bousin*.

♦ **1.** Vx, fam. Tapage. ⇒ 2. **Bousin.**

♦ **2.** (1877). Vx. Cabaret mal famé. ⇒ **Bouge, boui-boui,** 2. **bousin.**

♦ **3.** (1832). Anciennt (et hist.). Jeune républicain, après la révolution de 1830. *Les bousingots se distinguaient par leur accoutrement négligé, et en particulier portaient un chapeau de cuir bouilli, portant aussi ce nom* (→ ci-dessous, 4.). *Usage des mots* jacobin, bousingot *et* démagogue (cit. 3) *au XIXe siècle.*

1 Le résultat de ce conseil tenu par les chiens de garde fut qu'on s'était trompé, qu'il n'y avait pas eu de bruit, qu'il n'y avait là personne, qu'il était inutile de s'engager dans l'égout de ceinture, que ce serait du temps perdu, mais qu'il fallait se hâter d'aller vers Saint-Méry, que s'il y avait quelque chose à faire et quelque « bousingot » à dépister, c'était dans ce quartier-là.   HUGO, les Misérables, V, III, II.
2 Le Christ de l'Évangile était un bousingot.   FRANCE, Crainquebille, p. 7.

♦ **4.** (1836). Anciennt. Chapeau de marin à larges bords, en cuir bouilli.

DÉR. Bousingotisme.

BOUSINGOTISME [buzɛ̃gotism] n. m. — 1850; var. *bousingoterie*, 1832; de *bousingot*.

♦ Hist. Opinions et mœurs des bousingots.

BOUSSOLE [busɔl] n. f. — 1532; *bussole*, 1527; ital. *bussola*; du lat. vulg. **buxula* «petite boîte»; de *buxis*.

♦ **1.** Instrument servant à indiquer une direction, composé d'un cadran au centre duquel est fixée une aiguille aimantée*, mobile, dont la pointe se dirige vers le nord. *Boussole de déclinaison,* pour déterminer la déclinaison magnétique d'un lieu. *Boussole de marine.* ⇒ **Compas.** *L'habitacle* d'une boussole marine. Boussole d'inclinaison,* pour déterminer la latitude. *Boussole d'arpenteur. Boussole de poche.* → 1. Pointer, cit. 5. *Cadran* de boussole. Partie de la boussole recevant le saphir du pivot*.* ⇒ **Chape.** *S'orienter à l'aide de la boussole. Naviguer à la boussole.*
Vx. *Boussole des sinus et des tangentes :* appareil destiné à comparer des intensités de courant électrique. ⇒ **Galvanomètre.**

1 Les anciens n'ayant pas de boussole, ne pouvaient naviguer que sur les côtes (...)   MONTESQUIEU, Grandeur et Décadence des Romains, 4.
2 Attention ! le garçon de dix-sept ans, il est souvent pareil à un pilote qui se fierait à une boussole affolée.   MARTIN DU GARD, les Thibault, t. IX, p. 197.

♦ **2.** Loc. fig. et fam. *Perdre la boussole :* être troublé, affolé. ⇒ **Perdre** (la tête, le Nord...). *Il a complètement perdu la boussole.* ⇒ **Azimuté** (fam.), **déboussolé, désorienté; cinglé, fou.**

2.1 Ma parole, je perds la boussole. J'ai relu les dernières pages de mon journal. Les dates et les heures y sont indiquées. Si Moravagine dit vrai, si, réellement, nous sommes aujourd'hui le 11 comme il l'affirme et non pas le 10 comme je le crois, alors... alors, je suis plus gravement atteint que je ne le pensais moi-même.   B. CENDRARS, Moravagine, in Œ. compl., t. IV, p. 160.

♦ **3.** Fig. Objet, personne qui guide, conduit, dirige, sert de point de référence. ⇒ **Conseiller** (→ Aimant, cit. 1), **direction, guide.**

3 La perte de toute boussole, de toute direction, qui caractérise l'attente, persiste encore après l'arrivée de l'être attendu.   PROUST, Sodome et Gomorrhe, I, éd. de la Gerbe, p. 189.
4 Suivre mon chemin tout seul, et consulter ma boussole personnelle.   G. DUHAMEL, le Voyage de Patrice Périot, VIII.

DÉR. Boussolier.
COMP. Déboussolé.

BOUSSOLIER [busɔlje] n. m. — 1955, *Dict. des Métiers;* absent du F. e w.; de *boussole.*

♦ Techn. Fabricant, monteur, réparateur de boussoles.

BOUSTIFAILLE [bustifaj] n. f. — 1819, Balzac, *in D.D.L.;* de 2. *bouffer* par les formes régionales *bouffaille* (1792), *boutifaille.* Familier.

♦ **1.** Grand repas, festin. ⇒ 2. **Bouffe, gueuleton.** *Une, des boustifailles.*

1 Mes amis, autrefois, dans cet aimable autrefois, on se mariait savamment; on faisait un bon contrat, ensuite une bonne boustifaille. Sitôt Cujas sorti, Ganache entrait !   HUGO, in Pierre LAROUSSE.

♦ **2.** *La boustifaille :* la nourriture. ⇒ 2. **Bouffe, mangeaille.** *Aller acheter de la boustifaille. Préparer la boustifaille.*

2 Et tous trois s'empressèrent de détaler pour aller un peu plus loin se restaurer et prendre des forces. Ils en avaient bien besoin, ces pauvres Pieds-Nickelés, car en fait de boustifaille, ils n'avaient pris que la pâtée que leur avaient passée les garçons de ferme !   L. FORTON, les Aventures des Pieds-Nickelés, in l'Épatant, 1908, p. 35.

REM. On trouve aussi l'abrév. *boustiffe* ou *boustife.*

C'est les épiciers de la rue Berce qu'ont les premiers fait du scandale... Ils ne voulaient plus rien chiquer pour nous avancer de la boustiffe...   3
                                CÉLINE, Mort à crédit, p. 186.
Trognes bouffies à force de ribotes, de beuveries, de boustife et d'excès de putes !   4
                                P. GRAINVILLE, les Flamboyants, p. 134.

DÉR. Boustifailler.

BOUSTIFAILLER [bustifaje] v. intr. — 1866, Delvau; de *boustifaille.*

♦ Fam. Manger beaucoup, faire un bon repas. ⇒ **Bâfrer,** 2. **bouffer.**
Est-ce qu'on avait besoin de boustifailler à cette heure ?   Louise MICHEL, la Misère, t. I, p. 76.

DÉR. Boustifailleur.

BOUSTIFAILLEUR, EUSE [bustifajœʀ, øz] n. — 1892; de *boustifailler.*

♦ Fam. Personne qui mange beaucoup. ⇒ **Bâfreur, glouton, goinfre, morfal.**
(...) comme la seule personne qu'il connaissait à ce bal constamment l'entraînait vers le buffet, il dut passer pour un boustifailleur.   GIDE, Journal, 15 août 1914.

BOUSTROPHÉDON [bustʀofedɔ̃] n. m. — XVIe; adv. grec *boustrophêdon,* littéralt «en tournant comme les bœufs (d'un sillon à un autre)», de *bous* «bœuf», *strophê* «action de tourner», et *-don,* suff. d'adverbes.

♦ Didact. Écriture primitive utilisée en Asie Mineure et par les Grecs, dont les lignes vont sans interruption de gauche à droite et de droite à gauche (à la manière des bœufs traçant les sillons d'un champ).

ASIE MINEURE. — L'écriture la plus importante à signaler, ce sont les hiéroglyphes dits hittites, gravés surtout sur des murs de palais royaux (environ de − 1300 à − 700). Ils se présentent en lignes horizontales, alternativement de droite à gauche et de gauche à droite, suivant la disposition qu'on appelle du terme grec *boustrophédon :* à tournée de bœuf (au cours du labour).   M. COHEN, l'Écriture, Écriture de la région égéenne, p. 47.
Psychol. Mouvement alterné de progression, dans l'écriture ou le déchiffrement.

BOUT [bu] n. m. — 1180; «coup», v. 1121; de *bouter* «frapper», et aussi «pousser».

★ **I.** ♦ **1.** Partie extrême, terminale (d'un objet allongé). ⇒ **Extrémité, limite.** *Tenir les deux bouts d'une corde, d'une couverture. Le bout d'un bâton, d'une canne, d'un parapluie. Embout, garniture, virole garnissant le bout d'un bâton. Le bout d'une chaussure.* ⇒ **Carre.** *Ciseaux à bouts ronds, droits. Bout aigu, piquant.* ⇒ **Pointe.** *Le bout d'une aile.* ⇒ **Aileron.** *Le bout d'un morceau de bois. Couper le bout (d'un bâton).* ⇒ **Ébouter, raccourcir.** *Manger un œuf à la coque par le gros bout, le petit bout* (cf. *Les «gros boutiers»* et les «petits boutiers», dans les trad. franç. des *Voyages de Gulliver* de Swift). *Le bout d'une pipe.* — (Avec à). *À un bout, à l'autre bout, aux deux bouts, au bout de...* — Par métaphore. «*Le pouvoir est au bout du fusil»* (slogan révolutionnaire). *Repousser quelque chose du bout du pied.*
(...) les moustaches, d'une longueur démesurée, poissées et maintenues à chaque bout par un cosmétique, remontaient en arc de cercle (...)   0.1
                                Th. GAUTIER, le Capitaine Fracasse, p. 45.
(...) une planche posée sur deux bâtons, dont le Tyran, Blazius, Scapin et Léandre tenaient les bouts, forma une civière.   0.2
                                Th. GAUTIER, le Capitaine Fracasse, p. 230.
(...) il devient alors impossible d'apercevoir, depuis le pont, autre chose que la paroi abrupte de la digue fuyant tout droit vers le quai et interrompue à l'autre bout (...)   0.3
                                A. ROBBE-GRILLET, le Voyeur, p. 14.
Techn. *Bois* de bout,* travaillé (scié, entaillé, gravé, etc.) perpendiculairement aux fibres (opposé à *bois de fil*).
Loc. *Au bout du fil :* au téléphone. ⇒ **Fil** (cit. 25.1 et *supra*). *Qui est au bout du fil?* (cf. À l'appareil).
(1288). Mar. *Avoir le vent de bout* (mod. *vent debout*), face au navire. — Mod. *Bout au vent, bout au courant, bout à la lame,* face à eux (dans ces trois expressions, *bout* se prononce* [but]. *Être, rester, se mettre bout au vent.* Absolt. *Se mettre bout,* bout au vent. — REM. *Bout,* au sens de *avant* (→ Proue) ne s'emploie pas seul.
Loc. fig. *Regarder une chose par le gros bout, par le petit bout de la lorgnette.* ⇒ **Lorgnette** (cit. 3 à 5). Var. : *par le petit bout de la lunette*.*
Le bout de la table. Être placé au bout de la table, en bout de table. — Anciennt. *Le haut bout de la table* :* la place d'honneur. *Occuper le haut bout de la table.* ⇒ **Siéger, trôner.** *Le bas bout.* — Par métaphore. *Le haut bout :* la première place.
Peu de gens en leur estime
Lui refusent le haut bout.   LA FONTAINE, Fables, VIII, 13.
À table, au plus haut bout il veut qu'il soit assis (...)   MOLIÈRE, Tartuffe, I, 2.   2

Bout de table ou *bout-de-table* : flambeau déposé à chaque bout d'une table servie. *Des bouts-de-table.*

Bout de pied ou *bout-de-pied* : petit tabouret servant à poser les pieds quand on est assis dans un fauteuil. *Des bouts-de-pied.*

(Parties du corps) :

Le bout du sein. ⇒ **Bouton, mamelon.** *Un sein sans bout :* un sein borgne*.

LE BOUT DU NEZ. *Avoir le bout du nez froid. Se gratter le bout du nez.* — Loc. fig. *Ne pas voir au bout* (vx), *plus loin que le bout de son nez :* avoir la vue courte, manquer de sagacité. → Nez, cit. 26 et *supra.*

3   Mme Panache, avec ses yeux pleins de chassie, ne voyait pas au bout de son nez (...)
                                                    SAINT-SIMON, Mémoires, 44, 9.

Loc. *Mener qqn par le bout du nez,* lui faire faire ce que l'on veut.

4   (...) la justice est bête, et par le bout du nez,
     On conduit où l'on veut Thémis, la vieille aveugle.
                                                    HUGO, les Années funestes, XXX.

Loc. fam. *Ça lui (me, te...) pend au bout du nez :* (en parlant d'une chose désagréable) ça risque de lui (m', t'...) arriver.

Le bout de la langue.

5   La consonne D, par exemple, se prononce en donnant du bout de la langue au-dessus des dents d'en haut (...)   MOLIÈRE, le Bourgeois gentilhomme, II, 6.

Loc. fig. **LE BOUT DE LA LANGUE.** *Avoir un mot, un nom sur le bout de la langue :* être sur le point de se rappeler ce mot (→ Sur le bord* des lèvres).

LE BOUT DES DENTS. (Dans des loc. fig.). *Manger du bout des dents,* sans appétit. *Goûter qqch. du bout des dents.* — (1331). *Rire du bout des dents :* rire avec peine, par calcul, par nécessité... ⇒ **Rire** (rire jaune).

6   Je dissimulais, et, riant du bout des dents, je lui dis que je trouvais cette aventure plaisante (...)   A.-R. LESAGE, Don Guzman..., V, 4.

6.1 (...) c'était ce qu'on appelle un homme du monde, affectant toujours et partout un peu de dédain. Cette légère complaisance dans l'inflexion, cette affectation de négligence qui tenait les mots du bout des dents, m'en assuraient.
                        DRIEU LA ROCHELLE, la Comédie de Charleroi, p. 151.

À regret, avec dégoût. *Accepter qqch. du bout des dents.*

LE BOUT DES LÈVRES. *Du bout des lèvres :* avec dédain, et aussi sans sincérité, sans empressement. *Répondre du bout des lèvres.* Littér. *Du bout du cœur* (même sens).

7   Depuis lors, quand il me parla, ce fut toujours du bout des lèvres, d'un air méprisant.   Alphonse DAUDET, le Petit Chose, I, 2.

8   (...) je me prêtais à ses projets par convenance, du bout du cœur (...)
                                                    GIDE, Si le grain ne meurt, I, 7.

9   Les voix restent toujours quelque peu confidentielles; elles n'échangent les pensées ou les sentiments que du bout des lèvres.
                                                    H. BOSCO, Un rameau de la nuit, p. 177.

9.1 Thérèse se lève, obéit en silence, reçoit de secs «merci» dits du bout des lèvres et sifflant comme coups de bec.
                        Suzanne PROU, la Terrasse des Bernardini, p. 89.

Le bout d'un doigt, des doigts, de nos doigts (cit. 18). *Par le bout, du bout du doigt.*

9.2 *(Isabelle)* appuya sur la manche rapée du Baron le bout de ses doigts délicats (...)
                                    Th. GAUTIER, le Capitaine Fracasse, p. 86.

9.3 Blazius, content de sa besogne, mena par le bout du petit doigt, comme on mène une jeune épousée à l'autel, le baron de Sigognac devant la glace de Venise (...)
                                    Th. GAUTIER, le Capitaine Fracasse, p. 148.

Loc. *Toucher qqch. du bout des doigts,* délicatement. Vx. *Avoir des yeux au bout des doigts :* avoir des doigts très habiles, un toucher délicat.

Fig. *Ne pas remuer le bout du petit doigt :* ne pas bouger. — (1665). *Connaître, savoir* quelque chose sur le bout du doigt,* le savoir parfaitement. ⇒ **Connaître.** — *Jusqu'au bout des doigts :* de façon complète. *Avoir de l'esprit jusqu'au bout des doigts.*

10   (...) Pour moi, j'aime mieux qu'Émile ait des yeux au bout de ses doigts que dans la boutique d'un chandelier.   ROUSSEAU, Émile, II.

11   On ne remue pas le bout du petit doigt sans faire du mal à quelqu'un.
                                    G. DUHAMEL, Chronique des Pasquier, II, XXII.

Au bout, jusqu'au bout des ongles (même sens) :

11.1 Ils voient que je suis bourgeois jusqu'au bout des ongles et pourtant homme.
                        DRIEU LA ROCHELLE, la Comédie de Charleroi, p. 198.

Le bout de l'oreille. — Fig. *Montrer le bout de l'oreille.* ⇒ **Trahir** (se).

12   (...) je ne suis pas encore content; l'*auteur* y montre *(dans la Mare au Diable)* encore de temps en temps le bout de l'oreille (...)
                        G. SAND, François le Champi, Avant-Propos.

Loc. *À bout de bras :* à l'extrémité du bras levé ou tendu, en faisant un effort. *Tenir, porter qqch. à bout de bras.* — Par métaphore ou fig. *Il tient son affaire à bout de bras,* par son effort personnel.

(*Bout,* non spécifié par un compl. de nom). *Tirer à bout portant,* (vx) *à bout touchant,* de façon à ce que l'arme touche l'adversaire, la cible, et, par ext., tirer de très près. — Fig. *tirer à bout portant,* directement, immédiatement. ⇒ **Brûle-pourpoint** (à).

13   Au pied de la montagne, on boit vite une bière froide qui vous fracasse les tempes à bout portant.   COCTEAU, le Grand Écart, I.

BOUT À BOUT [butabu] (XIVe ; «sans avantage de part ni d'autre», 1268). Loc. adv. De façon qu'une extrémité touche l'autre. *Mettre bout*

à bout. ⇒ **Abouter, ajointer, joindre, rabouter.** *Coudre deux tissus bout à bout. Être bout à bout.* ⇒ **Queue** (à la queue leu leu).

Fig. *Mettre bout à bout mots et phrases.* → Non, cit. 55.4. *En mettant leur expérience bout à bout, ils iront loin,* en ajoutant leur deux expériences.

14   Quatre Mathusalem bout à bout ne pourraient
     Mettre à fin ce qu'un seul désire.   LA FONTAINE, Fables, VIII, 25.

15   L'homme n'a pas une seule et même vie; il en a plusieurs mises bout à bout, et c'est sa misère.   CHATEAUBRIAND, Mémoires d'outre-tombe, I, 3.

Loc. fig. *Brûler la chandelle par les deux bouts :* manquer d'esprit d'économie. Aussi : mener une vie débridée, sans égards pour sa santé. ⇒ **Gaspiller.** *Manger son bien par les deux bouts.*

16   (...) le maître d'hôtel et l'intendant étaient d'accord ensemble et brûlaient la chandelle par les deux bouts (...)   A.-R. LESAGE, Gil Blas, VII, XV, 71.

Joindre les deux bouts : équilibrer son budget. → Pleurer, cit. 29.

17   Mes deux bouts que j'ai peine à joindre sont malheureusement les deux bouts de bien des choses.   SAINTE-BEUVE, Lettre à Guttinguer, 5 sept. 1839.

17.1 (...) elle se trouvait indépendante, elle le faisait remarquer, sa toute petite rente, sa retraite, mais cependant un peu juste pour tous ses besoins « spirituels » en plus et de sa vie mondaine!... Elle aurait pas pu s'habiller... Comme ça « governess » chez Titus ça lui faisait joindre les deux bouts...   CÉLINE, Guignol's band, p. 250.

17.2 On doit remuer à peine les lèvres pour ses fins de mois difficiles, on doit dissimuler ses acrobaties pour un budget. Ne pas joindre les deux bouts, une lèpre. Il faut cacher cette maladie.   Violette LEDUC, la Folie en tête, p. 53.

Spécialt. Partie extrême (d'un objet) distincte et constituée par un élément ajouté (ornemental ou fonctionnel). *Le bout d'une canne.* ⇒ **Embout.** *Le bout d'un instrument à vent.* ⇒ **Embouchure.** *Enlever, remettre le bout. Sertir un bout.* ⇒ **Emboutir.**

♦ **2.** (1468, *prendre qqch. par le bon bout*). Abstrait. Manière dont qqch. se présente. ⇒ **Aspect, côté.** *Je ne sais pas par quel bout commencer ce travail, aborder cette affaire. Prendre une affaire par le bon, le mauvais bout,* d'une manière qui convient, ne convient pas.

17.3 Et pour commencer par un bout : avez-vous vu, dites-moi
                                                    MOLIÈRE, l'Avare, I, 4.

17.4 (...) Son cœur, croyez-moi, n'est point roche, après tout,
     À quiconque la sait prendre par le bon bout.   MOLIÈRE, l'Étourdi, III, 2.

17.5 Il faut signaler aussi le cas de ceux qui ne verbalisent pas leur demande et qui, bien souvent, sont écrasés par le poids de leur symptôme. Leur demande est pour ainsi dire totale, ils ne savent pas comment l'exprimer, par quel bout la prendre.
                        TAHAR BEN JELLOUN, la plus Haute des Solitudes, p. 51.

Prendre qqn par le bon, le mauvais bout, en tenant compte ou non de son caractère, de ses susceptibilités. — Loc. *On ne sait pas par quel bout le, la prendre :* il, elle est difficile, revêche, peu abordable.

Tenir le bon bout (d'une affaire) : être en passe de réussir, avoir l'avantage.

♦ **3.** Limite (d'un espace matériel ou métaphorique). *Le bout de la route.* — *Accompagner qqn jusqu'au bout de la route. Disparaître au bout de l'horizon. Aller au bout du monde.* ⇒ **Éloigner** (s'). *Suivre qqn jusqu'au bout du monde. Parcourir les deux bouts de la terre. Voyage au bout de la nuit,* roman de Céline. — *Tout au bout :* à l'extrême limite.

18   Robin mouton, qui par la ville
     Me suivait pour un peu de pain,
     Et qui m'aurait suivi jusques au bout du monde.   LA FONTAINE, Fables, IX, 19.

19   Dieu leur a promis que encore qu'il les disperserait aux bouts du monde, néanmoins, s'ils étaient fidèles à sa loi, il les rassemblerait.   PASCAL, Pensées, 638.

20   Maintenant elle avait pris l'habitude d'aller dès le matin tout au bout des terres, sur la haute falaise de Pors-Even (...)   LOTI, Pêcheur d'Islande IV, 8, p. 292.

21   Le missionnaire va jusqu'au bout de la terre pour trouver son compte entre les brebis de Dieu.   CLAUDEL, Feuilles de Saints, Ste Thérèse.

21.1 Au bout de l'esprit, le corps. Mais au bout du corps, l'esprit.
                                                    VALÉRY, M. Teste, p. 116.

21.2 Vers le bout de la jetée, la construction se complique, la chaussée se divise en deux (...)   A. ROBBE-GRILLET, le Voyeur, p. 13.

21.3 Celui *(le piquet)* qui se dressait au bout de l'allée centrale était encore plus volumineux que les autres (...)   A. ROBBE-GRILLET, le Voyeur, p. 19.

21.4 Au bout du paysage de l'avenir, au bout de ces routes de ciment, de ces ponts suspendus, de ces dédales des villes, de ces dessins des fils et des transistors, il y a peut-être encore de même pays, inconnu, ce pays vieux de millions d'années (...)
                                        J.-M. G. LE CLÉZIO, Haï, p. 14.

21.5 Elle vient de l'autre bout de la ville, de derrière les môles et les entrepôts à huile, à l'opposé de ce boulevard de la Mer, de ce périmètre qui lui fut il y a dix ans autorisé (...)   M. DURAS, Moderato cantabile, 10/18, p. 96.

21.6 L'auto était garée sous un toit de joncs au bout du jardin.
                        M. DURAS, les Petits Chevaux de Tarquinia, p. 19.

Loc. fig. (1619, *in* D.D.L.). *C'est le bout du monde (si...) :* c'est à la limite de ce qui est possible. *C'est bien le bout du monde si on n'y arrive pas :* il est quasi certain qu'on y arrivera. — *Ce n'est pas le bout du monde :* ce n'est pas bien difficile à faire.

22   Je pars, et si je vous écris encore lundi, c'est le bout du monde.
                                        Mme DE SÉVIGNÉ, 296, 8 juil. 1672.

D'UN BOUT À L'AUTRE : du début jusqu'à la fin, de haut en bas, entièrement.

(1530, *in* D.D.L.). Littér. **DE BOUT EN BOUT :** d'une extrémité à l'autre, complètement. *Traverser un pays de bout en bout.* ⇒ **Part** (de part en part).

23   Et d'un bout à l'autre il *(Tartuffe)* ne dit pas un mot (...) qui ne peigne aux spectateurs le caractère d'un méchant homme.   MOLIÈRE, Tartuffe, Préface.

24 Quoi? Jouer nos amours ainsi de bout en bout!
CORNEILLE, la Suite du Menteur, Variante, I.

25 Cette architecture bizarre se répète d'un bout à l'autre avec la plus exacte symétrie. E. FROMENTIN, Un été dans le Sahara, I, p. 103.

26 Le building monte! Il va vivre : vingt puits d'ascenseurs le perforent de bout en bout. G. DUHAMEL, Scènes de la vie future, VIII, p. 112.

26.1 Le jeune physicien, dès qu'on le laisse à lui-même, frappe la table de son hochet ou de son poing. Il ne se lasse pas de recommencer. D'où ces petits fragments d'Univers, toujours mesurés aux forces et aux projets; et ces chemins explorés de bout en bout. ALAIN, les Dieux et les Arts, Pl., p. 1224.

26.2 Il gambillait comme un cabri d'un bout à l'autre du terrain.
CÉLINE, Mort à crédit, p. 242.

Loc. fig. *Être au bout de son rouleau, du rouleau.* ⇒ **Rouleau** (*supra* cit. 2); → ci-dessous, *à bout,* cit. 39 et *supra.*

À tout bout de champ. → ci-dessous, avec une valeur temporelle, I., 4.

♦ **4.** Fin* (d'une action, d'une durée, d'un temps qui s'écoule). ⇒ **Terme, terminaison.** *Le bout de l'année. Arriver au bout d'un travail. Voir le bout de ses peines. Ne pas être au bout de ses ennuis, de ses peines. On en voit le bout.*

26.3 « Tes desseins n'ont pas naissance
Qu'on en voit déjà le bout. MALHERBE, II, 2.

Prières, service du bout de l'an, qui commémorent l'anniversaire d'un décès.

26.4 (...) quelque frère vous récitera les prières du bout de l'an.
CHATEAUBRIAND, Mémoires d'outre-tombe, IV, 9.

AU BOUT DE (une durée) : après que se soit écoulé. *Au bout de quelques jours. Au bout d'un moment, d'un certain temps :* après un certain temps.

27 Au bout de quelque temps que messieurs les louvats
Se virent loups parfaits et friands de tuerie. LA FONTAINE, Fables, III, 13.

28 Il se plia sur le côté, baissa les yeux; et, au bout d'une minute, parlait de nouveau.
VALÉRY, M. Teste, p. 33.

29 (...) ces empoisonnements qui n'agissent qu'au bout d'un certain temps.
PROUST, À la recherche du temps perdu, t. IX, p. 252.

29.1 (...) ce n'est qu'au bout de plusieurs secondes qu'il vit ses prunelles glisser vers la pelote de ficelle qu'il tenait dans la main (...)
A. ROBBE-GRILLET, le Voyeur, p. 10.

Au bout de (qqch.) : à la fin de.
Être, arriver au bout d'une opération, d'un travail. ⇒ **Accomplir, achever.** *Arriver au bout de sa carrière, de sa vie. Arriver au bout d'un voyage. En être au bout de son discours. Être au bout de ses peines.* Loc. *Il n'est pas au bout de ses peines**.

30 C'est que d'abord elle était au bout de son pauvre argent.
LOTI, Pêcheur d'Islande, VIII, p. 106.

31 Il avait forcé la voix pour arriver au bout de sa tirade.
MARTIN DU GARD, les Thibault, t. IX, p. 125.

31.1 Hier à huit heures Madame Bérenge, la concierge, est morte (...) C'est une douce et gentille et fidèle amie. Demain on l'enterre rue des Saules. Elle était vraiment vieille, tout au bout de la vieillesse. CÉLINE, Mort à crédit, p. 11.

31.2 (...) le total, la somme sont pour le langage des terres promises, entrevues au bout de l'énumération (...) R. BARTHES, S/Z, p. 120.

Loc. **À BOUT.** *À bout de course :* à la fin de son mouvement (en parlant d'un mécanisme). — Fig. Fatigué, épuisé.

32 (...) ma femme n'était pas d'attaque, elle n'en pouvait plus, à bout de course, recrue de fatigue. F. MAURIAC, le Nœud de vipères, XIII.

(1616). *À bout de... :* en n'ayant plus de... *Être à bout de forces, de ressources, d'arguments, de nerfs, de patience. À bout de souffle**.

32.1 Il aboyait comme un dogue... Ils ont hurlé le pour et le contre, entre les crises et les furies... J'allais pas moi, leur causer...
À bout d'arguments, ma mère est remontée m'entreprendre... Elle voulait que je lui confesse... CÉLINE, Mort à crédit, p. 196.

32.2 Peut-être pouvait-elle encore se rattraper? Mais elle était à bout d'arguments, à bout de force, et l'autre n'avait pas bronché! H. TROYAT, le Vivier, p. 104.

32.3 (...) son cri pénètre de force les courtines défonce les baldaquins dorés
puis s'effondre à bout de tout et coagule au creux des draps
M. LEIRIS, Haut mal, p. 33.

Absolt. *Être à bout :* n'en pouvoir plus, être épuisé. *Mes forces sont à bout. Ma patience est à bout. Pousser, mettre qqn à bout,* l'exaspérer*.

33 Les valets enrageaient, l'époux était à bout. LA FONTAINE, Fables, VII, 2.

34 *(Sa mauvaise conduite)* Met à chaque moment ma patience à bout.
MOLIÈRE, l'Étourdi, I, 7.

34.1 Tu m'as fait trop de peine, tu m'as souvent caché la vérité, je suis à bout.
PROUST, le Côté de Guermantes, Folio, p. 313.

(XVe). **VENIR À BOUT DE (qqch., qqn),** s'en débarrasser par une suite d'efforts. *Venir à bout d'un travail,* aboutir, l'achever. *Venir à bout d'une difficulté, d'un adversaire.* ⇒ **Triompher** (de), **vaincre.** — *Venir à bout de* (et inf.). *Venir à bout de faire qqch., d'inspirer un sentiment* (→ Cependant, cit. 6.2, Rousseau).

35 (...) mais un peu de courage
Vous le fera trouver, vous en viendrez à bout. LA FONTAINE, Fables, V, 9.

36 Une espèce de préjugé nous fait croire que le seul équilibre qu'on doive chercher entre deux êtres, est celui du bonheur. Le reste, nous l'appelons crise, et nous n'avons pas de cesse, que nous n'en soyons venus à bout.
J. ROMAINS, Psyché, t. I, Lucienne, p. 195.

36.1 Le gros animal tapi au fond de sa tanière a été enfumé, il est sorti... ouvre, qu'il entre... Mais regardez, la dose a été trop forte, il s'affale, ses gros yeux bulbeux se voilent, il va expirer... Et nous qui pensions qu'il aurait encore la force de mordre, qu'on n'en viendrait jamais à bout...
N. SARRAUTE, Vous les entendez?, p. 159.

Jusqu'au bout : jusqu'à la fin. — Fig. Complètement. *Aller jusqu'au bout d'une affaire,* la terminer, l'achever. — *Aller jusqu'au bout de ses idées :* être logique, conséquent. *Personne qui va jusqu'au bout de ses idées.* ⇒ **Jusqu'au-boutiste.** *Être fidèle jusqu'au bout.*

Vous êtes généreux; soyez-le jusqu'au bout. CORNEILLE, Polyeucte, IV, 5. 37

(...) Vous devez, Madame, espérer jusqu'au bout. RACINE, la Thébaïde, III, 1. 38

Habitués qu'ils sont à frapper l'esprit du public par des formules sonores et creuses, les politiques se vantent volontiers d'aller « jusqu'au bout de leurs idées ». 39
G. DUHAMEL, Défense des lettres, III, p. 256.

(...) je sentais que ce n'était pas la phrase qui était mal faite, mais moi pas assez fort et agile pour aller jusqu'au bout. 39.1
PROUST, le Côté de Guermantes, t. II, Folio, p. 25.

(...) une fois sur mille je pouvais suivre l'écrivain jusqu'au bout de sa phrase (...) 40
PROUST, le Côté de Guermantes, t. III, Folio, p. 26.

De quoi j'ai souffert le plus? Peut-être de l'habitude de développer toute ma pensée, d'aller jusqu'au bout en moi. VALÉRY, M. Teste, p. 74. 41

C'est gentil à vous, dit-elle, d'être resté jusqu'au bout. Cette pièce est absurde. Et je suis une vieille comédienne qui n'intéresse plus personne (...) Ils sont tous partis les uns après les autres. 42
A. ROBBE-GRILLET, la Maison de rendez-vous, p. 138.

Au bout du compte : tout compte fait, après tout, en définitive... ⇒ **Finalement.**

On trouve au bout du compte que les choses sont bien comme elles sont. 43
FONTENELLE, Sapho, Laure.

À tout bout de champ (métaphore du sens I, 3, 1636; *à chacun bout de champ,* XVe, proprt « à chaque fois que la charrue arrive au bout du champ ») : à tout propos, à chaque instant.

Autrefois on rencontrait à tout bout de champ des personnages dont les allures ressemblaient à celles de M. de Talleyrand, et l'on n'y prenait pas garde (...) 44
CHATEAUBRIAND, Mémoires d'outre-tombe, IV, 9.

(...) mon ami Achmet, gai ou rêveur, homme du peuple et poétique à l'excès, riant à tout bout de champ et dévoué jusqu'à la mort! LOTI, Aziyadé, VII, p. 82. 45

★ **II.** (1580). ♦ **1.** Partie, fragment (d'une matière ou d'un objet). ⇒ **Morceau** (cit. 2). *Un bout de fromage, de réglisse. Un bout de fil. Un bout de bougie. Un bout de paille.* ⇒ **Brin.** *Un petit bout d'os. Se défaire par petits bouts.*

Fam. Morceau de forme irrégulière ou non spécifiée. *Un bout de papier* (cit. 2). *Un bout de pain. Un bout de bois. Un vieux bout de savon. Un gros bout de viande.*

(...) un bout de tablier retroussé par un coin, un large couteau plongé dans une gaine de bois, tempérait ce que sa mine pouvait avoir d'un peu farouche (...) 45.1
Th. GAUTIER, le Capitaine Fracasse, p. 87.

Jamais cette minute ne reviendrait, jamais cet éclat incroyable d'un tout petit bout de ciel n'étendrait de nouveau un espace vierge entre ces nues opaques et ces vagues rebelles. Edmond JALOUX, les Visiteurs, I, 8. 46

Fabien (...) fumait dans le secret les bouts de cigarettes opiacées où Fanny avait injecté des parfums. F. MAURIAC, le Mal, p. 20. 47

Il ramasse tous les morceaux au fur et à mesure qu'ils se débinent, des bouts de commande et des boulons, des petites goupilles et des grosses pièces. 47.1
CÉLINE, Mort à crédit, p. 72.

C'est moi qui tenais les paris, le ginger, les chocolats, les images, les bouts de cigarettes... même des bouts de sucre... trois allumettes. 47.2
CÉLINE, Mort à crédit, p. 241.

Quelques-unes *(des photographies)* sont épinglées avec des petits bouts de fil de laiton que m'apporte le contremaître et où je dois enfiler des perles de verre coloriées. Jean GENET, Notre-Dame des fleurs, p. 14. 47.3

Cette merveilleuse éclosion de belles et sombres fleurs, je ne l'appris que par fragments : l'un m'était livré par un bout de journal, l'autre cité négligemment par mon avocat (...) Jean GENET, Notre-Dame des fleurs, p. 10. 47.4

BOUT SAIGNEUX : cou de veau, de mouton, tel qu'on le vend chez le boucher. (On écrit aussi *bout-saigneux*).

Loc. fam. (orig. obscure). *Discuter le bout de gras :* bavarder (→ Tailler une bavette).

Les Baponot et les Sabotier discutaient le bout de gras à quelques pas de l'entrée en un groupe compact et distant. R. QUENEAU, Loin de Rueil, p. 106. 47.5

(1919). Cin. **BOUT D'ESSAI :** morceau de pellicule développé rapidement pour contrôler la prise de vue. — Par ext. Essai, fragment de film tourné pour juger un acteur. *Faire un bout d'essai* (au cinéma, au théâtre).

(1895, *in* Petiot). Fam. (Sports). Vx. **BOUT DE BOIS :** volant (d'une auto). *À toi de prendre le bout de bois,* de conduire.

Vieilli. *Mettre les bouts de bois* (ci-dessous, 2.).

♦ **2.** Absolt, fam. (De *bout de bois* « jambe », argot). *Mettre les bouts :* partir, s'en aller, s'enfuir. → Mettre les cannes*. *« Charlamilébou »* (Queneau, *Zazie dans le métro*).

Dès que le patron a mis les bouts, le petit Robert, il se tenait plus. 47.6
CÉLINE, Mort à crédit, p. 180.

Hé la p'tite dame z'avez une putain qui met les bouts! 47.7
Tony DUVERT, Paysage de fantaisie, p. 102.

♦ **3.** Partie (d'une chose abstraite). *Il n'a écouté qu'un bout du cours. Il ne connaît que des petits bouts du cours. Il ne connaît que des petits bouts de la théorie.* ⇒ **Bribe, fragment.** *J'ai appris cette nouvelle par petits bouts. Entendre un bout de sermon, un bout de messe,* une partie du sermon, de la messe.

Je vous embrasse mille fois, et m'en retourne à mon jardin, et puis à un bout de salut (...) Mme DE SÉVIGNÉ, 244, 29 janv. 1672. 48

Loc. Par antiphrase. *En connaître, en savoir un bout :* savoir beaucoup de choses, en savoir long (→ En connaître un rayon*). *Il en* *connaît un bout sur ses antécédents politiques.* — Absolt. Être très compétent.

48.1 — Ne t'inquiète pas, Landry te sortira de là. Laisse-le faire, il est un peu brutal, mais il en connaît un bout. René FLORIOT, La vérité tient à un fil, p. 140.

Partie (d'une étendue, d'un espace). *Faire un bout du chemin à pied.* Fam. *Faire un bout de conduite à qqn,* l'accompagner une partie de sa route.

49 (...) elle nous adopta tous (...) me fit un bout de conduite quotidienne sur le chemin de l'école. COLETTE, Histoires pour Bel-Gazou, VI.

Par antiphrase. *C'est un bout de chemin!,* une grande distance. Absolt. *Il y a un bout, un bon bout d'ici au village.*
Partie (d'une durée). *Un petit bout de temps :* peu de temps. *Un bon bout de temps :* un temps long. *Il y a un bout de temps qu'il est parti.*

50 Il est resté là un bout de temps à rêvasser, les yeux fixés en terre (...) Mᵐᵉ DE GENLIS, Théâtre d'éducation, La Rosière, II, 4.

♦ **4.** *Un bout de :* un peu de. *Un bout de lettre :* une lettre courte, rapide. *Jouer un bout de rôle :* jouer un rôle secondaire, sans importance. *Faire un bout de lecture à qqn. Faire un bout de toilette. Chanter un bout de mélodie. Il a un bout de jardin derrière sa maison.*

51 Il comprit que monsieur Squadra, ayant remarqué cette desserte dans la chambre, venait de l'apporter là, puisqu'il devait être rentré faire un bout de ménage. ZOLA, Rome, p. 607.

52 (...) nous avons acheté un bout de terrain dans le Midi (...) pour avoir un coin vraiment à nous, où planter notre tente par la suite (...) Bernard MOITESSIER, Cap Horn à la voile, p. 57.

Un bout d'homme : un homme de petite taille. — Fig. Homme sans capacité. *Un petit bout, un gentil petit bout :* un galapiat gracieux. *Un bout de chou, un petit bout de chou :* un petit enfant.

53 Enfin et surtout, il existe à Marseille un petit bout de femme qui s'appelle Françoise (...) Bernard MOITESSIER, Cap Horn à la voile, p. 37.

★ **III.** (On prononce le *t :* [but]). Mar. Cordage. *Passe-moi le bout. Un vieux morceau de bout. Ranger tous les bouts* [but] *qui traînent dans le fond d'un bateau.*

54 Un bout frappé sur l'arrière de *Vencia* nous avait permis d'amener l'ancre en paix, de brosser la chaîne, de laver le pont maculé de vase et d'établir la voilure sur un bateau propre. Bernard MOITESSIER, Cap Horn à la voile, p. 91.

CONTR. Centre, ensemble, milieu ; tout.
COMP. Abouter, bouts-rimés, debout, embouter, surbout. — V. **Bout-dehors.**
HOM. (Sauf III.). **Boue,** formes du v. **bouillir.**

BOUTADE [butad] n. f. — 1580, Montaigne ; de *bouter* «pousser une pointe».

♦ **1.** Trait d'esprit. ⇒ **Mot, propos, saillie.** *Boutade vive, cruelle, mordante. Boutade spirituelle, drôle. Ce n'est qu'une boutade.* ⇒ **Plaisanterie.**

1 Je hasarde souvent des boutades de mon esprit (...) MONTAIGNE, Essais IV, 64.

2 Elle bavardait comme une pie : il lui donna la réplique avec entrain ; elle avait une franchise amusante, des boutades drolatiques ; ils échangeaient en riant leurs impressions (...) R. ROLLAND, Jean-Christophe, p. 516.

3 L'abbé Calou était de ces innocents qui ne savent pas toujours retenir un mot drôle et qui, plutôt que de le ravaler une boutade, aiment mieux être pendus. F. MAURIAC, la Pharisienne, XVI, p. 249.

♦ **2.** Littér. Trait de mauvaise humeur.

4 Marie n'avait pas précisément son franc-parler — maman ne l'eût point toléré — elle s'en tenait aux boutades : quelques mots partaient en sifflant, chassés par une furia comprimée. GIDE, Si le grain ne meurt, I, 6.

♦ **3.** Littér., vx. Caprice. *Agir par boutade. Travailler par boutade.* ⇒ **Accès, à-coup.** «*Quelle boutade vous prend ?* » (Académie).

5 Cessez donc ces boutades d'enfant malade. Elles viennent de ce que vous rêvez au lieu de réfléchir ; de ce que vous suivez la passion, au lieu de la raison. LOTI, Aziyadé, XXIII, p. 106.

BOUTANCHE [butɑ̃ʃ] n. f. — 1889, *in* Cellard et Rey ; altér. de *bouteille.*

♦ Fam. Bouteille. *Une bonne boutanche.*

On me file une boutanche de Négrita dont j'use abondamment. Ces messieurs sont aux petits soins pour ma pomme. SAN-ANTONIO, le Secret de Polichinelle, p. 87.

BOUTARGUE [butaʀg] n. f. — 1441 ; provençal *boutargo ;* p.-ê. anc. esp. *botargo,* arabe *bîṭārīḫāh* «caviar».

♦ Mets provençal composé d'œufs de mulet (ou muge) salés, pressés, séchés et épicés. Syn. : *poutargue.*

BOUT-DEHORS [budəɔʀ] n. m. — 1844 ; *boute-hors* «jeu où l'on doit expulser un des joueurs pour prendre sa place», 1394 ; de *bouter,* et *hors,* altéré en *bout-dehors.*

Mar. (Var. anc. : *boute-hors*).

♦ **1.** Anciennt. Pièce de mâture qui peut s'ajouter à une vergue ou

au mât de beaupré, pour établir une voile supplémentaire. *Des bouts-dehors.*

1 On rentra le bout-dehors. Les panneaux furent condamnés avec soin. Pas une goutte d'eau ne pouvait, dès lors, pénétrer dans la coque de l'embarcation. J. VERNE, le Tour du monde en 80 jours, p. 178.

♦ **2.** Mod. *Bout-dehors de foc,* ou, absolt, *bout-dehors :* espar horizontal à l'avant d'un bateau, permettant d'amurer le ou les foc(s) en avant de l'étrave des petits voiliers.

2 Nous avons profité de la dernière semaine pour mettre au point le système des changements de foc sur le bout'dehors : un gros fil de fer (...) est tendu entre le ridoir de la draille de foc et un hauban du grand mât (...) C'est un moyen tout simple pour manœuvrer à l'extrémité de ce bout-dehors qui prolonge l'étrave de 2,20 mètres. Bernard MOITESSIER, Cap Horn à la voile, p. 181.

BOUT-DE-PIED [budpje], **BOUT-DE-TABLE** [budtabl]. ⇒ **Bout** (*infra* cit. 2).

BOUTE-EN-TRAIN [butɑ̃tʀɛ̃] n. m. et adj. invar. — 1718 ; «broche portée sur le sein», 1694 ; de *bouter,* et de la loc. *en train* «en mouvement».

♦ **1.** Personne qui met en train, en gaieté, qui excite à la joie ou amuse ceux avec lesquels elle se trouve. ⇒ **Amuseur.** *Boute-en-train facétieux.* ⇒ **Farceur.** *Des boute-en-train. Elle était le boute-en-train de la bande. Cette fille est un vrai boute-en-train.*

Dans les cabarets, on faisait cercle autour de lui *(l'oncle Pierre)...* il était la vie, l'âme, le boute-en-train de tout le monde. RENAN, Souvenirs d'enfance..., III, Mon oncle Pierre.

Adj. *Il, elle est très boute-en-train.*

♦ **2.** Zootechn. Individu (en général, mâle) traité aux androgènes et utilisé pour la détection des femelles en chaleur (dans les espèces où cet état est difficilement décelable : juments, brebis).

BOUTEFAS [butfa] n. m. — 1868, *boutefa ;* var. *bourrifas,* 1634 ; probablt de *bout-,* du lat. *buttis* «tonneau», et *-fars,* rad. de *farcir,* avec infl. probable de *bourrer,* de *faim* (boutefam, cf. *matefaim*), de *bouter.*

♦ Régional (Suisse). Saucisson de porc, enveloppé dans le gros boyau de l'animal. «*Une tranche de boutefas à la panse rebondie, ni trop maigre ni trop gras et fumé à point...* » (Gazette de Lausanne, 6 janv. 1945).

BOUTEFEU [butfø] n. m. — 1324 ; de *bouter* «mettre», et *feu.*

♦ **1.** Anciennt. Bâton garni à son extrémité d'une mèche pour mettre le feu à la charge d'un canon, allumer un feu. *Des boutefeux.* Par métonymie. Personne qui allume un feu.

1 Les Jungmannen entourent le bûcher selon un carré ouvert du côté où le vent chassera fumées et flammèches. Le plus petit se détache et marche vers le bûcher. Il a à la main une bluette palpitante et légère comme un papillon de lumière, si fantasque que nous craignons tous qu'elle ne s'éteigne avant que le petit boutefeu n'ait accompli son office. M. TOURNIER, le Roi des Aulnes, p. 300.

♦ **2.** (1569, Calvin). Fig. Vx. Personne qui suscite des querelles, qui excite les discordes. *Des boutefeux.*

2 Le roi Guillaume *(d'Angleterre)* était l'âme, le boute feu et le constructeur de cette guerre (...) SAINT-SIMON, Mémoires, 97, 29.

CONTR. Pacificateur.

BOUTEILLE [butɛj] n. f. — 1160, *botele ;* du bas lat. *butticula,* de *buttis* «tonneau» (→ **Botte**), à rattacher, selon Guiraud, à un rad. roman **boutt* exprimant l'idée de renflement.

♦ **1.** Récipient* plus haut que large, muni d'un goulot étroit, souvent en verre, et destiné à contenir et à transporter des liquides. — Spécialt. Récipient de verre destiné à contenir du vin. *Bouteille de vin, d'alcool, d'eau minérale. Une bouteille d'eau de Javel. Bouteille à liqueurs, pour les liqueurs. Bouteille d'eau de seltz.* ⇒ **Siphon.** *Bouteille de bière.* ⇒ **Canette.** — *Une bouteille de verre*.* *Une bouteille de, en grès, en plastique. Fabrication des bouteilles.* ⇒ **2. Bouteillerie.** *Bouteille spéciale en métal, en cuir.* ⇒ **Gourde.** *Bouteille ronde, carrée, plate, clissée. L'anneau, la bague, le col, le collet, le goulot, l'épaule, le fût, le ventre, la panse, le cul, le fond d'une bouteille. Débris d'une bouteille.* ⇒ **Tesson.** *Contenu d'une bouteille. Petite bouteille de verre.* ⇒ **Fiole, flacon.** *Bouteille d'un litre.* ⇒ **Litre.** *Grande bouteille de vin.* ⇒ **Magnum.** *Grandes bouteilles de champagne ayant la contenance de deux bouteilles ordinaires* (⇒ **Magnum**), *quatre bouteilles* (⇒ **Jéroboam**), *six* (⇒ **Réhoboam**), *huit* (⇒ **Mathusalem**), *douze* (⇒ **Salmanazar**), *seize* (⇒ **Balthazar**), *vingt bouteilles* (⇒ **Nabuchodonosor**). *Grosses bouteilles enveloppées de paille ou d'osier.* ⇒ **Bonbonne, dame-jeanne, fiasque, tourie.** *Enveloppe pour protéger les bouteilles.* ⇒ **Paillon.** — *Panier à bouteilles. Casier à bouteilles.* ⇒ **Porte-bouteilles.** *Coucher les bouteilles dans les casiers.* — *Laver, rincer, égoutter une bouteille.* ⇒ **Goupillon, hérisson.** — *En bouteille. Mettre du vin en bouteilles.* ⇒ **Embouteiller.** — *Boucher une bouteille.* ⇒ **Bouchage, boucheur ; bouchon, capsule, serre-bouchon.** *Bouteille étiquetée, cachetée à la cire. Apposer une capsule-congé sur une bouteille.*

Coiffer, décoiffer une bouteille. Déboucher une bouteille avec un tire-bouchon. Vider une bouteille. Vider une bouteille sans la déboucher. ⇒ **Vide-bouteille.** *Bouteille pleine; bouteille vide.* ⇒ **Cadavre** (fam.). *Boire à la bouteille. Mettre un bateau dans une bouteille. Bateau en bouteille. Manuscrit trouvé dans une bouteille,* nouvelle de Poe (trad. Baudelaire). — Loc. prov. *Avec des si* on mettrait Paris dans une bouteille.* — (Opposé à *litre*). Récipient contenant à peu près 73 cl (destiné à contenir des vins d'appellation contrôlée). *Bouteille de bourgogne* (bourguignonne), *de bordeaux* (bordelaise), *d'alsace, de champagne* (champenoise). *Commander un vin en bouteille, en demi-bouteille, au restaurant* (par oppos. à *en pichet, en carafe*). ⇒ **Demi-bouteille,** (fam.) 2. **fillette.**

1 Un soir, l'âme du vin chantait dans les bouteilles (...)
     BAUDELAIRE, les Fleurs du mal, CIV, « L'âme du vin ».

2 Tout cela ne vaut pas, ô bouteille profonde,
   Les baumes pénétrants que ta panse féconde
   Garde au cœur altéré du poëte pieux (...)
     BAUDELAIRE, les Fleurs du mal, CVII, « Le vin du solitaire ».

3 (...) si, au théâtre, l'on nous sert des poulets de carton et des bouteilles de bois tourné, nous nous précautionnons, pour les mets plus substantiels.
     Th. GAUTIER, le Capitaine Fracasse, p. 35.

4 Les dix flacons avaient été religieusement vidés, et le Pédant renversa le dernier, en faisant rubis sur l'ongle ; ce geste fut compris par le Matamore, qui descendit à la charrette chercher d'autres bouteilles.
     Th. GAUTIER, le Capitaine Fracasse, p. 50.

5 Celle *(la goutte)* qui reste toujours au goulot de la bouteille ! Tu n'as pas encore saisi le coup pour la rattraper. Ce n'est pourtant pas sorcier (...) ! Tu verses en faisant un quart de tour, puis, avec le bouchon, tu remets la goutte dans le goulot.
     M. PAGNOL, Marius, I, 3.

6 (...) je n'imagine pas Arlette versant du poison dans la bouteille de médicament.
     G. SIMENON, Maigret et la vieille dame, p. 48.

7 Sans rien dire, elle emplit le verre jusqu'au bord. Puis elle quitte de nouveau la pièce. La bouteille est un litre ordinaire en verre incolore, à demi pleine d'un vin rouge de teinte foncée (...)   A. ROBBE-GRILLET, Dans le labyrinthe, p. 65.

Loc. fig. Régional (Belgique). *Mettre qqn en bouteille,* se moquer de lui. → En boîte.

(1839, Balzac, *in* D.D.L.). Par appos. *Vert bouteille :* couleur vert jaune assez sombre (de certaines bouteilles en verre). *Tissu vert bouteille. Boiseries vert bouteille* (→ Suer, cit. 9).

Bouteille à la mer : bouteille enfermant un message, jetée à la mer par les marins naufragés dans l'espoir qu'elle flottera jusqu'à un navire ou un lieu habité (*la Bouteille à la mer,* titre d'un poème de Vigny, où un Capitaine, qui sait qu'il va se perdre en mer, confie son journal à une bouteille ; symbole de l'œuvre que « Dieu prendra du doigt pour la conduire au port »). *Lancer une bouteille à la mer.*

8 (...) est-ce que tu comprends bien que tout ceci vers toi n'était, n'est qu'une bouteille à la mer, et il n'y a pas la plus petite chance que le flot l'emporte à tes pieds, elle va se perdre ou tomber aux mains d'un enfant aveugle (...) les phrases défaites comme des chevelures, les syntaxes brisées, la chanson morte (...) tout n'est qu'une bout' à la m' (...) L'obsession chez moi de ce concept, dans mes pensées, est si grande que cela vient de m'échapper sous la forme secrète que je lui donne pour moi seul. J'ai dit *bout' à la m'...* et parfois l'écriture en varie à ce lieu de passage où la conscience se forme en prenant air de langage. Orthographe même, variable d'ailleurs, *boute-à-l'âme* comme d'un vieux mot français pour la solitude des marins, peut-être un parler de boucanier ; ou bien c'est encore d'un seul mot *boutalame,* où la mer peut-être le cède à la lame (...)
     ARAGON, Blanche..., III, I, p. 373-374.

Fig. Fam. *C'est la bouteille à l'encre,* une question, une situation confuse, embrouillée, obscure. *C'est la bouteille à l'encre, nous n'en sortirons pas !* (→ Affirmer, cit. 4).

9 Nous sortons d'*on ne sait quoi* : la Raison n'est que douteuse. J'ajouterai, pour être franc, que la Mort m'étonne encore plus que sa triste Sœur ; c'est, vraiment, la bouteille à l'encre !...
     VILLIERS DE L'ISLE-ADAM, Tribulat Bonhomet, p. 45.

10 Cette affaire-là, jusqu'ici, c'est la bouteille à l'encre. Je ne dis pas que d'un côté comme de l'autre il n'y ait à cacher d'assez vilaines turpitudes. Que même certains protecteurs plus ou moins désintéressés de votre client puissent avoir de bonnes intentions, je ne prétends pas le contraire.
     PROUST, le Côté de Guermantes, Folio, t. I, p. 294.

Loc. *Laisser sa raison, ses sens au fond d'une, de la bouteille.* ⇒ **Enivrer** (s'). *Ce vin a cinq ans de bouteille. Vin qui prend de la bouteille,* qui vieillit en bouteille. Fig. *Une amitié qui comptait vingt ans de bouteille,* d'âge, d'ancienneté (Balzac, *in* G.L.L.F.). — *Prendre de la bouteille :* acquérir de l'expérience, de la maturité en vieillissant. — Par ext. Vieillir.

N'avoir rien vu que par le trou d'une bouteille : avoir l'esprit borné ou peu cultivé.

Par métonymie. Contenu d'une bouteille. *Toute la bouteille d'huile s'est répandue par terre.* — Spécialt (vin, alcool). *Boire, payer une bouteille.* ⇒ (fam.) **Boutanche, kil, pot,** 2. **rouille ;** → Pomper, cit. 4. *Une bouteille de rouge. Une bouteille de champagne.* ⇒ **Roteuse** (à Roteur, 2.). *Vider une bouteille. Casser, tordre le cou* à une bouteille. Coucher, étouffer une bouteille. Rafraîchir, chambrer une bouteille. Laisser vieillir une bouteille. Une bonne bouteille. Une bouteille millésimée. Décanter une bouteille de bordeaux dans une carafe.* — *Aimer, cultiver la bouteille* (fam.) : s'adonner à la boisson.

Vieilli. *Payer bouteille (à qqn) :* payer une bouteille de vin au café.

Régional (Wallonie). « Médicament liquide à absorber ou à appliquer » (Hanse). *Une bouteille pour les rhumatismes.*

Vx. *Maison de bouteille :* petit pied-à-terre à la campagne. ⇒ **Vide-bouteille.**

Loc. *La dive* bouteille.*

♦ **2.** Récipient métallique destiné à contenir un liquide à température et à pression constante, un gaz sous pression. — Contenu de cette bouteille. *Bouteille d'air comprimé, d'oxygène.*

Bouteille isolante, et, cour., *bouteille thermos** : bouteille à deux parois réfléchissantes entre lesquelles on a fait le vide (vase de Dewar) et qui conserve au contenu sa température primitive. (1835). *Bouteille de Leyde :* condensateur électrique. *Grande bouteille de Leyde.* ⇒ **Jarre** (électrique).

Bouteille optique : appareil qui permet de réaliser des expériences sur un seul atome, rendu visible par l'action de faisceaux laser. *Bouteille à neutrons :* récipient de cuivre ou de verre pour le stockage des neutrons très lents. — Par anal. *Bouteille magnétique :* champ magnétique clos permettant d'emmagasiner des neutrons très lents pendant une période notable (env. 45 minutes).

♦ **3.** N. f. pl. (1690). Mar. Water-closet des officiers (« Expression encore en usage », Gruss).

DÉR. Boutanche, bouteiller, bouteillerie. — V. Bouteillon.
COMP. Embouteiller ; porte-bouteilles, vide-bouteille.

1. BOUTEILLER [buteje] n. m. — 1138 ; de *bouteille.*

♦ Hist. Maître échanson. Grand officier* de la couronne qui avait l'intendance du vin, des vignobles.

Le bouteiller, aidé par les échansons, s'occupe des vignobles et de la cave du roi et surveille le commerce des boissons.   O. MARTIN, Précis d'hist. du droit franç., n° 422.   1

(...) l'office de bouteiller était à la cour du roi capétien l'une des charges les plus importantes.   Georges DUBY, Guerriers et Paysans, p. 266.   2

DÉR. 1. Bouteillerie.

2. BOUTEILLER [buteje] n. m. — 1786 ; de *bouteille.*

♦ Régional (notamment Suisse). Casier à bouteilles, dans une cave. — Porte-bouteilles.

1. BOUTEILLERIE [butɛjʀi] n. f. — 1155, de 1. *bouteiller.*

♦ Vx. Charge de bouteiller.

2. BOUTEILLERIE [butɛjʀi] n. f. — 1845, Bescherelle ; de *bouteille.*

♦ Techn. Fabrication des bouteilles. *Travailler dans la bouteillerie. Usine où l'on fabrique des bouteilles. Installer une bouteillerie.*

BOUTEILLON [butɛjɔ̃] ou **BOUTHÉON** [buteɔ̃] n. m. — 1917 ; altér. d'après *bouteille,* de *Bouthéon,* n. de l'inventeur.

♦ Marmite aplatie et cintrée des troupes en campagne. Var. : *boutéon :*

Maillat traversa un groupe d'une dizaine de soldats qui picniquaient, assis en cercle sur le sable. Au milieu d'eux trônait un boutéon plein de vin, où ils trempaient un quart à tour de rôle.   Robert MERLE, Week-end à Zuydcoote, p. 28.

Argot milit. Fausse nouvelle.

BOUTER [bute] v. tr. — 1080 ; francique *bôtan « frapper » d'où, d'après Guiraud, une forme romane **botitare,* d'une rac. **bot-* « gonfler ». → Bout, bouton.

♦ **1.** Vx ou littér. Pousser. ⇒ **Bousculer, refouler.** *Bouter l'ennemi hors de France. Bouter qqn à terre,* renverser.

Le président et dictateur Santa Anna envoie 300 galériens par la mer. Il leur a promis des terres, des outils, du bétail et leur réhabilitation s'ils arrivent à bouter les Américains dehors.   B. CENDRARS, l'Or, *in* Œ. Compl., t. II, p. 178.   1

Au participe passé :

(...) la mendiante, voyant qu'il ne se décidait pas à prendre un billet, a voulu se rappeler à son attention, et elle s'est penchée vers lui en s'appuyant sur une béquille boutée hors du trottoir pour donner plus d'élan à sa requête.
     A. PIEYRE DE MANDIARGUES, la Marge, p. 24.   2

♦ **2.** Régional et vx. Placer, mettre.

♦ **3.** Archit. Soutenir une poussée (⇒ **Arc-boutant**).

DÉR. Bout, boutade, bouterolle, bouteur, boutis, boutisse, boutoir, bouton, bouture.
COMP. Débouter, rebouter. — Arc-boutant, boute-en-train, boutefeu, boute-hors (V. Bout-dehors), bouteroue, boute-selle. — V. Bousculer.

BOUTEROLLE [butʀɔl] n. f. — 1202 ; de *bouter.*
Technique.

♦ **1.** Garniture métallique au bas d'un fourreau d'épée. — Blason. Cette garniture sur une armoirie.

♦ **2.** Filet.

♦ 3. Outil à tête arrondie en creux avec laquelle on façonne une pièce de métal (tête de rivet, en particulier). — Outil de bijoutier, tige à tête ronde. — Outil de joaillier à tête de cuivre, pour user les pierres dures.

♦ 4. (1676). Serrur. Une des gardes de la serrure. — Fente de la clef qui la reçoit.

BOUTEROUE [butʀu] n. f. — 1631 ; *boute-rœ,* XIIIᵉ ; de *bouter* « pousser », et *roue.*
Technique ou histoire.

♦ 1. Borne* placée à l'angle d'un édifice, d'un mur, d'une porte pour en écarter les roues des voitures.

♦ 2. (1863). Bande de fer dont on garnit la voie d'un pont pour le protéger contre le frottement des roues.

BOUTE-SELLE [butsɛl] n. m. invar. — 1549 ; de *bouter* « mettre », et *selle.*

♦ Ancienn. Sonnerie de trompette pour avertir les cavaliers de mettre la selle pour partir, et de monter à cheval. *Des boute-selle.*

1 Tout à coup, un boute-selle furieux sonna, appelant aux armes. C'était l'ennemi qui nous surprenait et qui avait égorgé au couteau, silencieusement, nos sentinelles. Il fallait sauter à cheval.
BARBEY D'AUREVILLY, les Diaboliques, « À un dîner d'athées ».

2 (...) il ne faut pas être le dernier à faire son paquet, si les jeunes gens nous arrivent en sonnant le boute-selle. C'est notre jour de mobilisation, à nous.
J.-R. BLOCH, Et compagnie, p. 85.

BOUTEUR [butœʀ] n. m. — 1973 ; de *bouter.*

♦ Techn. (mot recommandé par l'Administration). Bulldozer* (admis par l'Académie sous la forme *bouldozeur*). *Bouteur à pneus. Bouteur biais.* ⇒ **Angledozer.** *Bouteur inclinable,* dont la lame peut être inclinée par rapport à l'horizontale et à la verticale. — REM. Ce mot n'est pas attesté, à notre connaissance, dans l'usage spontané.

BOUTHÉON [buteõ] n. m. ⇒ **Bouteillon.**

BOUTIQUAIRE [butikɛʀ] n. m. — 1974 ; de *boutique ;* mot créé pour l'aéroport de Roissy.

♦ Rare. Ensemble de boutiques constituant un centre commercial. *Le boutiquaire d'un aéroport.*

BOUTIQUE [butik] n. f. — 1242, *bouticle ;* de l'anc. provençal *botica,* du grec *apothêkê* « magasin, dépôt ». → Apothicaire.

♦ 1. Petit local commercial situé au rez-de-chaussée d'une maison, présentant généralement une vitrine et dans lequel un commerçant spécialisé dans un domaine expose et vend des produits au détail. ⇒ **Bazar, débit, échoppe, magasin, officine ; commerce, fonds** (de commerce). *Boutique de charcutier, d'épicier, de fruitier, de rôtisseur ; de chapelier, de savetier, de fripier ; de droguiste. Boutique de mercerie, de parfumerie, d'herboristerie ; d'horlogerie. Boutique du marchand de tabac.* ⇒ **Bureau** (de tabac).

0.1 Chaque boutique aperçue lui faisait prévoir les suivantes alignées le long du boulevard, et deviner la figure du marchand si souvent entrevu derrière sa vitrine.
MAUPASSANT, Fort comme la mort, éd. 1889, p. 215.

0.2 Près de la place Maubert, à l'endroit où chaque matin de bonne heure j'attends l'autobus, trois boutiques voisinent : Bijouterie, Bois et Charbons, Boucherie.
Francis PONGE, le Parti pris des choses, p. 78.

Boutique franche : boutique située dans une zone où les marchandises vendues ne sont pas soumises au paiement de droits ou de taxes (recomm. off. pour traduire *tax free shop, duty free shop*).

Spécialt. Magasin ou rayon de prêt-à-porter d'un grand couturier. *Les boutiques du Quartier latin.* — REM. Dans cet emploi, *boutique* n'a pas les connotations modestes ou archaïques du mot dans ses autres emplois, bien au contraire.

0.3 Après la guerre de 70, elle avait fait une fortune avec son mari dans le commerce des gants « d'agneau », Passage des Panoramas. C'était une boutique célèbre, ils en avaient une autre encore, Passage du Saumon. À un moment, ils employaient dix-huit commis.
CÉLINE, Mort à crédit, p. 111.

Magasin ou rayon de prêt-à-porter (d'un grand couturier). — Appos. *Écharpe boutique.*

(Av. 1575). Vieilli. Lieu dans lequel un artisan travaille, et éventuellement vend les produits qu'il fabrique. ⇒ **Atelier.** *La boutique d'un artisan** (cit. 3). *La boutique d'un ébéniste, d'un cordonnier ; une boutique d'ébéniste, de cordonnier. La devanture d'une boutique.* ⇒ **Devanture, étalage, montre, vitrine.** *Enseigne* de boutique. Exposer des marchandises* dans une boutique* (⇒ **Déballage**). *L'arrière-salle d'une boutique.* ⇒ **Arrière-boutique.** *Les clients, les chalands d'une boutique. Une boutique bien achalandée*.* — *Garçon de boutique.* ⇒ **Commis.** *Une boutique en désordre.* ⇒ **Bric-à-brac, capharnaüm.**

Ouvrir, avoir, tenir, fermer boutique. Se mettre en boutique : ouvrir et gérer une boutique (en parlant d'une famille).

1 Les uns y tiennent boutique et ne songent qu'à leur profit.
ROUSSEAU, Émile, IV.

1.1 On a quitté la rue de Babylone, pour se mettre en boutique, tenter encore la fortune, Passage des Bérésinas (...)
CÉLINE, Mort à crédit, p. 62.

Étalage en plein vent. Boutique de foire. ⇒ **Baraque.** *Boutique de marchand ambulant. Plier (la) boutique.*

2 Toujours les mêmes boutiques, sans le moindre vitrage, ouvertes au vent (...)
LOTI, Mme Chrysanthème, I, 12, p. 85.

Fig. *Fermer, plier boutique :* cesser de faire quelque chose, renoncer.

3 L'abbé Tétu (...) dit qu'il avait fermé sa boutique pour l'amitié, mais qu'il la rouvre pour vous (...)
Mme de SÉVIGNÉ, 1345, 29 oct. 1692.

Loc. fig. (vx). *Faire de son corps une boutique d'apothicaire.* ⇒ **Apothicaire** (cit. 2).

♦ 2. Par métonymie. Ensemble des marchandises dont une boutique est garnie. *« Il a engagé toute sa boutique »* (Académie). *Fonds de boutique. Il ne pouvait se décider à choisir et voulait emporter toute la boutique.*

4 Quand il me donnerait toute la boutique d'un mercier, cela ne me ferait pas tant de plaisir qu'un petit peloton qu'Arlequin m'a donné.
MARIVAUX, la Double Inconstance, II, 1.

Ensemble des outils d'un artisan.

Fam. *Toute la boutique :* ensemble d'objets hétéroclites. ⇒ **Bazar ; attirail, outillage.** *Il est parti avec toute sa boutique. Et toute la boutique :* et tout le reste*.

(XVIᵉ). Fam. Parties génitales (d'un homme, plus rarement d'une femme).

4.1 Jusqu'au coup de cloche qui annonçait le dîner, nous nous montrions mutuellement nos petites boutiques et nous égayions en tripotages et intromissions impossibles.
Henri CALET, la Belle Lurette, p. 60.

♦ 3. Commerce, activité de détaillant. *Travailler dans la boutique.* Entreprise que constitue un commerce.

4.2 La boutique sombrait sans recours... Des bibelots on en vendait plus, même pas à des prix dérisoires...
CÉLINE, Mort à crédit, p. 103.

Par ext. Fam. Affaire, travail. *Ça marche la boutique ? Parler boutique :* parler de ses activités professionnelles (cf. Parler affaires) ; fig. parler en professionnel, en personne avertie (d'un sujet quelconque) :

4.3 — Vous aimez les minettes ? demanda le voisin.
— Pas spécialement. Je préfère les femmes mûres, dit Martial, heureux de rompre sa solitude. (Et puis, c'est toujours intéressant de parler boutique avec un amateur éclairé.)
Jean-Louis CURTIS, le Roseau pensant, p. 195.

Milieu social constitué par les professionnels d'un même domaine. *Être de la boutique. Avoir l'esprit de boutique.*

4.4 Nous n'avons pas à prendre parti sur le formalisme et l'esprit de boutique, dont les documents officiels du groupe lui-même font état pour le dénoncer.
J. LACAN, Écrits, p. 246.

♦ 4. (Déb. XVIIIᵉ). Fam. Maison, lieu de travail. ⇒ **Bahut, baraque, bazar, boîte, turne.** *Quelle sale boutique ! Je ne vais pas faire long feu dans cette boutique !*

5 Il *(Tonnerre)* était fort mal dans cette petite cour par ses bons mots ; il lui avait échappé de dire qu'il ne savait pas ce qu'il faisait dans cette boutique (...)
SAINT-SIMON, Mémoires, 24, 530.

6 Les grisettes de Paris adorent le spectacle et les acteurs : elles ont aussi un doux penchant pour les auteurs, parce qu'elles font des pièces, qu'ils vont sur les théâtres, et enfin qu'ils sont ce qu'elles appellent de la *boutique* (la boutique pour ces demoiselles signifie le théâtre), et elles aiment tellement la *boutique,* que tout ce qui en approche, y tient, y touche, a des droits à leur affection.
Ch.-Paul DE KOCK, la Grande Ville, t. I, p. 343.

♦ 5. (1309 ; avec infl. de l'anc. franç. *boute* « tonneau »). Pêche. Caisse percée de trous et immergée dans laquelle on conserve le poisson vivant ; compartiment d'un bateau de pêche, aménagé pour conserver le poisson vivant. ⇒ **Vivier.**

DÉR. Boutiquaire, boutiquer, boutiquier.
COMP. Arrière-boutique.

BOUTIQUER [butike] v. tr. — 1859 ; de *boutique* « atelier ».

♦ Fam. Faire, fabriquer. *Qu'est-ce que tu boutiques ?*

Ils se demandent sûrement ce que nous boutiquons.
Pierre ACCOCE, le Polonais, p. 146.

BOUTIQUIER, IÈRE [butikje, jɛʀ] n. et adj. — 1596 ; *bouticlier,* 1414 ; de *boutique.*

♦ 1. N. (Souvent péj.). Personne qui tient une boutique*. ⇒ **Commerçant, marchand** (cit. 3).

1 C'était la Dame, la cliente qu'avait tout l'argent sur elle, tout le pognon des boutiquiers planqué dans ses trousses...
CÉLINE, Mort à crédit, p. 94.

2 (...) Thérèse supportait mal que Paul eût épousé, introduit dans sa maison une boutiquière. Et plus de plus que Thérèse ? Elle disait qu'elle aurait admis un mariage de convenance avec une riche héritière, mais elle trouvait que cette alliance avec la fille d'un boucher fleurait le mariage d'amour.
Suzanne PROU, la Terrasse des Bernardini, p. 102.

Péj. Commerçant.

3 Toute cette bourgeoisie absurde se sera usée et perdue par des calculs de petits
boutiquiers (...)   G. DUHAMEL, Cri des profondeurs, II, p. 30.

4 Je remarque avec Giles que Herbert Spencer avait pensé à cela, exactement à
cela. Un philosophe pourtant. Mais le philosophe d'une nation de boutiquiers est
plus profondément boutiquier que philosophe, comme un chien de chasse n'est pas
tellement chien de chasse qu'il n'est pas chien.
                                     Henri MICHAUX, Un barbare en Asie, p. 180.

(En franç. d'Afrique; non péj.). Commerçant; gérant d'un fonds
de commerce.

♦ **2.** Adj. Relatif aux boutiquiers.

5 En dépit d'une littérature abondante, celle qu'on appelait jadis la fille-mère, et
aujourd'hui la mère célibataire, a été moins en France qu'ailleurs mise au ban de la
société, mis à part le petit monde louis-philippard de la bourgeoisie boutiquière.
                                     Jean FERNIOT, Pierrot et Aline, p. 284.

Péj. Digne de la petite bourgeoisie commerçante. *Une amabilité
boutiquière* (surtout usité au fém.). ⇒ **Commerçant** (adj.).

6 — Madame est difficile comme toutes les personnes de goût, dit le chef de l'établissement en s'avançant avec ces grâces boutiquières où le prétentieux et le patelin se mélangeaient agréablement.
                                     BALZAC, Gaudissart, II, Pl., t. VI, p. 859.

7 Costals faisait une si drôle de figure (...) en racontant ces histoires, que Mᵐᵉ Dan-
dillot trouva qu'il était «un amour» : la terminologie boutiquière lui venait assez
aisément.   MONTHERLANT, le Démon du bien, p. 85.

BOUTIS ou **BOUTTIS** [buti] n. m. — 1360, Froissart; «choc»,
en anc. franç.; de *bouter*, «soulever la terre», même mot que *bouter*
«pousser, heurter».

♦ Vén. Action de fouiller avec le boutoir (sanglier). Par ext. Trou
fait par un sanglier.

— (...) La laie et les petits ont dû aller aux fouges faire leurs bouttis, ce qui veut
dire, pour vous, profane, chercher sous la terre les racines de fougères.
                                     Paul VIALAR, la Grande Meute, p. 319.

BOUTISSE [butis] n. f. — 1444, *pierres boutices*; mot wallon, de
bouter «s'enfoncer dans».

♦ Techn., archit. Pierre, brique placée dans un mur selon sa longueur, perpendiculairement au parement, de manière à ne montrer
qu'un de ses bouts. — Appos. *Pierre boutisse.*

BOUTOIR [butwaʀ] n. m. — 1361, «outil de maréchal-ferrant»;
de *bouter.*

♦ **1.** (1611). Extrémité du groin avec lequel le sanglier, le porc fouis-
sent la terre. *Terre fouillée par un boutoir de sanglier* (boutis).
Coup de boutoir : coup violent et répété. ⇒ **Bélier** (coup de bélier).
— Fig. Propos dur et blessant; trait d'humeur brutal.

La patience *(de Maisons)* fut inaltérable aux coups de boutoir que mon impatience
porta souvent sur les présidents et les usurpations (...)
                                     SAINT-SIMON, Mémoires, 377, 99.

♦ **2.** Techn. Instrument de maréchal-ferrant, de sabotier, de corroyeur. ⇒ aussi **Bute, butoir.**

BOUTON [butɔ̃] n. m. — 1160, «bourgeon»; de *bouter* «pousser».

♦ **1.** Petite excroissance d'où naissent les branches, feuilles, fruits
ou fleurs d'un végétal. ⇒ **Bourgeon, œil.** *Bouton à bois, à feuilles,
à fruit.* — Spécialt. *Bouton de fleur* : la fleur au début de son développement, avec la ou les enveloppes qui recouvrent les organes de
la reproduction. *Ouverture du bouton.* ⇒ **Anthèse, aperture.** *Bouton
de rose. Bouton qui s'épanouit, qui éclot.*

1 Le *bouton* n'est autre chose qu'un petit *bourgeon*, le rudiment d'un *bourgeon* (...)
on se sert plus particulièrement de *bouton* en parlant des fleurs, de *bourgeon* pour
désigner un embryon végétal d'où doivent se développer des feuilles et des branches.   LAFAYE, Suppl., Bouton, bourgeon.

2 *(L'écolier)* Gâtait jusqu'aux boutons, douce et frêle espérance,
Avant-coureurs des biens que promet l'abondance.
                                     LA FONTAINE, Fables, IX, 5.

3 On remarque dans un bouton de rose naissante ce qui promet une belle fleur (...)
                                     FÉNELON, XIX, 124.

4 Les rameaux des arbres sont parsemés de boutons de fleurs blanches et cramoi-
sies (...) BERNARDIN DE SAINT-PIERRE, Harmonies de la nature, I, Tabl. génér.

Une fleur en bouton. — Fig. *Des promesses en bouton,* qui vont
s'épanouir, se développer*. «La femme en bouton»* (Hugo, *in*
P. Larousse).

Sculpt. Ornement figurant une fleur en bouton.

Par métaphore, fam. Clitoris.

♦ **2.** **ⓐ** (1530). Petite tumeur faisant saillie à la surface de la peau.
⇒ **Bourgeon** (vx), **dôse** (régional), **pustule, tumeur, vésicule.** *Bouton
d'acné, de petite vérole, d'herpès. Boutons de jeunesse, de l'enfance.
Bouton de fièvre. Éruption de boutons sur le visage, être couvert
de boutons* (⇒ **Boutonneux**). — Par ext. *Bouton d'Orient, d'Alep, de
Biskra...* : peishmanioses cutanées.

5 Comme il était de peau délicate, d'exubérants boutons se soulevaient sous leurs
morsures *(des puces)* qu'il enflammait en se grattant comme à plaisir.
                                     GIDE, les Caves du Vatican, IV, 1.

5.1 Il était très long, osseux, avec un grand nez, de gros traits, des cheveux roux, et
je l'ai toujours connu le visage couvert, non pas de ces petits boutons d'acné qui

désespèrent les jeunes gens, mais de gros boutons rouges ou violets qu'il passait
son temps à couvrir de pommades et de poudres médicamenteuses.
                                     G. SIMENON, les Mémoires de Maigret, p. 8.

ⓑ *Bouton de sein.* ⇒ **Bout, mamelon.**

6 (...) la toile qui couvrait son corps était si souple et si diaphane qu'elle laissait voir
les boutons des seins (...)   Th. GAUTIER, Mˡˡᵉ de Maupin, IX.

ⓒ Histol. *Bouton synaptique* : renflement terminal d'une fibre nerveuse (axone) au niveau du contact synaptique avec la
membrane de l'élément suivant (dit *postsynaptique*), dendrite ou
corps cellulaire.

ⓓ Biol. *Bouton céphalique* (du spermatozoïde). ⇒ **Acrosome.**

♦ **3.** Petite pièce, souvent circulaire, servant à l'assemblage des parties d'un vêtement et cousue à l'une d'elles (⇒ **Attache**). *Bouton
d'habit, de veste, de chemise, de culotte, de braguette. Bouton de
col, de plastron. Bouton de bottine.* — Loc. *Des yeux en boutons
de bottines, très petits et ronds. Habit, soutane à boutons. Veste
à trois, quatre boutons. Engager un bouton dans sa boutonnière*.
⇒ **Boutonner.** *Attacher, coudre un bouton.* — Anciennt. *Planchette à
astiquer les boutons.* ⇒ **Patience.** — *Acheter des boutons dans une
mercerie, à un marchand ambulant. Carte de boutons. Bouton de
métal, d'argent, de cuivre, d'or; bouton de celluloïd, de céramique, de corne, de corozo, d'ivoire, de jais, de matières plastiques,
de galalithe, de nacre, d'os, de verre. Bouton de tissu,* formé d'un
moule de bouton recouvert de tissu. *Bouton à freluche, à queue,
sans queue. Bouton à pression** (cit. 7) ou *bouton-pression.* ⇒ **Pression.** — *Bouton-poussoir. Des boutons-poussoirs.*

7 Il trouva ce conquérant *(Charles XII)* vêtu d'un habit de gros drap bleu, avec des
boutons de cuivre doré.   VOLTAIRE, Charles XII, 2.

8 M. le duc de Villeroy eut avant-hier deux boutons de son justaucorps emportés
d'un coup de mousquet à la tranchée.
                                     PELLISSON, Lettres historiques, t. III, p. 331, *in* POUGENS.

8.1 Comme cette femme est mennonite
Ses rosiers et ses vêtements n'ont pas de boutons
Il en manque deux à mon veston
La dame et moi suivons presque la même rite.   APOLLINAIRE, Alcools, p. 42.

8.2 Il travaillait pour la marchande (...) Il lui vendait tous ses boutons, le long de
l'avenue près de la porte, il se vadrouillait dans le marché, avec sa tablette sur
le bide, retenue au cou par une ficelle. «Treize cartes pour deux sous mesdames !...»   CÉLINE, Mort à crédit, p. 108.

8.3 Resté seul, l'infirmier boutonne sa canadienne en toile, d'une teinte terreuse, pâlie
et tachée sur le devant, trois boutons de cuir tressé qu'il fait passer l'un après
l'autre dans leurs brides; ils sont très abîmés tous les trois, celui du bas est entaillé
d'une large écorchure au milieu de l'arrondi : un lambeau de cuir soulevé, d'un
demi-centimètre.   A. ROBBE-GRILLET, Dans le labyrinthe, p. 132.

(1876, Zola, *in* D.D.L.). *Boutons de manchette* : dispositif qui permet de fermer les manchettes d'une chemise, en passant dans deux brides, sans être cousu à l'un des côtés (→ Gammée, cit. 1). *J'ai perdu
un bouton de manchette.*

Fig. et fam. *Bouton de culotte* : chose sans valeur.

Insigne servant à la décoration d'un vêtement. — Vén. Bouton symbolique qui permet à quelqu'un de revêtir la tenue d'un équipage
de chasse. Par métonymie. Tenue de l'équipage de chasse, que portent les veneurs — Par ext. Veneur d'un équipage.

8.4 *(Il)* avait pris l'air maussade et irritable du vieux veneur dès que le cerf est attaqué.
«(...) j'ai horreur qu'on me suive de trop près» cria-t-il aux jeunes gens (...)
Et comme l'usage interdisait aux invités de dépasser les boutons, force était aux
jeunes gens de demeurer sur place.
                                     M. DRUON, la Chute des corps, II, X, p. 178.

Il ne manque pas un bouton (de guêtre) : tout est fin prêt (dans
une revue de détail militaire, et, par ext., en toute circonstance).

♦ **4.** Partie saillante, plus ou moins circulaire (d'un objet), servant
à manœuvrer, ouvrir, fermer. *Bouton de porte, de serrure, de tiroir,
de couvercle.* ⇒ **Poignée.**

9 (...) elle aperçut une grande porte à deux battants dont elle tourna le bouton (...)
                                     Th. GAUTIER, le Capitaine Fracasse, XVI.

9.1 L'œil de l'enfant arrive sensiblement au niveau du bouton de porte, ovoïde, en porcelaine blanche.   A. ROBBE-GRILLET, Dans le labyrinthe, p. 101.

Par ext. Dispositif permettant d'ouvrir ou de fermer un circuit électrique. *Bouton électrique.* ⇒ **Commutateur, interrupteur.** *Bouton
d'appel d'un ascenseur. Le bouton d'une minuterie. Bouton de sonnerie, de sonnette.* — *Tourner le bouton d'un poste de radio* (pour
l'ouvrir ou le fermer). *Bouton molleté. Appuyer sur le bouton. La génération presse*-bouton.

10 (...) chaque fois que la porte cochère s'ouvrait, la concierge appuyait sur un bouton électrique qui éclairait l'escalier.
                                     PROUST, À la recherche du temps perdu, t. IX, p. 166.

10.1 Ah! tourner le bouton! Le téléspectateur est un dieu maître d'interrompre à la
seconde une revue à grand spectacle, comme était celle-là.
                                     F. MAURIAC, Bloc-notes 1952-1957, p. 338.

10.2 Ce soir, 21 juillet, je tourne le bouton de la radio.
                                     F. MAURIAC, le Nouveau Bloc-notes 1958-1960, p. 80.

10.3 Le bouton de la minuterie, en porcelaine blanche, est placé juste en haut de l'escalier, à l'angle du mur.   A. ROBBE-GRILLET, Dans le labyrinthe, p. 101.

10.4 Imaginons même qu'il n'y ait qu'un bouton à presser, pour obtenir l'évolution la
plus favorable possible aux pays riches.   A. SAUVY, Croissance zéro?, p. 298.

Équit. *Bouton de bride* : anneau de cuir qui permet de resserrer les
rênes. *Bouton mobile, coulant.* — *Mettre un cheval sous le bouton.*

— Loc. fig. Vx. *Serrer le bouton à quelqu'un,* le menacer, le presser vivement.

11 Je suis homme pour serrer le bouton à qui que ce puisse être.
MOLIÈRE, George Dandin, I, 4.

Techn. Bouton de fin : parcelle d'or, d'argent qui reste après l'opération de la coupelle.

Lutherie. Cheville fixant les cordes du violon, de la harpe.

Petite saillie ronde. Le bouton d'un couvercle de soupière.

Spécialt. Bouton de fleuret. — (1885). *Coup de bouton,* qui touche avec le bout du fleuret. ⇒ **Boutonner,** III.

11.1 Je ne dis pas que Chevillard soit imbattable au coup de bouton, mais il me séduit. Il a des retraits de corps d'une grâce imprévue. Tout son jeu est une composition de haut style. Sa phrase d'armes est presque littéraire.
J. RENARD, Journal, 5 août 1893.

Bouton de mire. — Vx. *Bouton de culasse d'un canon.* — Vx. *Bouton de feu :* tige à bouton que l'on chauffe pour cautériser une plaie.

Mar. Gros nœud faisant une boule à l'extrémité d'un cordage. *Erse à bouton.*

Par métaphore (du sens 3). *Ne tenir qu'à un bouton :* être peu assuré, précaire. → Ne tenir* qu'à un fil, un cheveu.

12 La colère du roi fit peur aux Bouillons ; leur rang et leur échange ne tenaient qu'à un bouton (...)   SAINT-SIMON, Mémoires, 76, 246.

DÉR. Boutonné, boutonner, boutonnerie, boutonneux, boutonnier, boutonnière.
COMP. Bouton-d'argent, bouton-d'or, bouton-pression.

BOUTON-D'ARGENT [butɔ̃daʀʒɑ̃] n. m. — 1808 ; de *bouton,* et *argent.*

♦ Renoncule* à fleurs blanches. ⇒ **Achillée, millefeuille.** *Des boutons-d'argent.*

BOUTON-D'OR [butɔ̃dɔʀ] n. m. — 1775 ; de *bouton,* et *or.*

♦ Renoncule âcre à fleurs jaune doré. ⇒ **Bassinet, populage.** — (1849, *in* D.D.L.). Couleur de cette fleur. *Des soies bouton-d'or.*

BOUTONNAGE [butɔnaʒ] n. m — 1867 ; de *boutonner.*

♦ **1.** Action de boutonner (un vêtement).

♦ **2.** Manière dont un vêtement se boutonne. *Boutonnage de droite à gauche, de gauche à droite ; devant ; dans le dos.*

CONTR. Déboutonnage.

BOUTONNÉ, ÉE [butɔne] adj. — 1160 ; de *bouton.*

♦ **1.** Qui se ferme à l'aide de boutons. *Une robe boutonnée derrière.* — Fermé par des boutons. *Habit boutonné. Un costume étroitement boutonné* (→ 1. Boulot, cit. 1).

1 (...) le col de sa chemise veuf de cravate mais soigneusement boutonné, la veste boutonnée aussi d'un de ces complets en tissu de mauvaise qualité (...)
Claude SIMON, le Palace, p. 31.

♦ **2.** Par métaphore. *« Un vocabulaire très boutonné »,* guindé. → Carambouillage, cit. 2.

♦ **3.** *Escr. Fleuret boutonné,* dont l'extrémité est munie d'un bouton.

2 D'Artagnan prit d'abord ces fers pour des fleurets d'escrime, il les crut boutonnés.
A. DUMAS, les Trois Mousquetaires, t. I, p. 36.

CONTR. Déboutonné.

BOUTONNEMENT [butɔnmɑ̃] n. m. — 1846 ; de *boutonner.*

♦ Bot. Formation des boutons.

BOUTONNER [butɔne] v. intr. et tr. — Fin XIIᵉ ; de *bouton.*

★ **I.** V. intr. Pousser des boutons. ⇒ **Bourgeonner.** *Un rosier qui boutonne.*

(1542). *Un visage, une peau qui boutonne.*

★ **II. A.** V. tr. ♦ **1.** (1344). Fermer, attacher au moyen de boutons. *Boutonner sa veste.*

1 Sa grosseur était si prodigieuse que sept personnes d'une taille médiocre pouvaient tenir ensemble dans son habit et le boutonner (...)
BUFFON, Suppl. à l'Hist. nat., Œ., t. XI, p. 118.

1.1 Il me serra la main sans relever la tête. Je boutonnai bien ma houppelande, à cause du vent.   VILLIERS DE L'ISLE-ADAM, Tribulat Bonhomet, p. 58.

♦ **2.** Fam. Attacher les boutons des vêtements de (qqn). *Boutonner un enfant.*
Fig. *Être boutonné jusqu'au menton :* ne pas laisser pénétrer sa pensée, être secret.

♦ **3.** (Sujet n. de dispositif qui attache).

1.2 Je ne remarquai rien d'abord mais quand nous ressortîmes j'eus la stupeur de voir, à la patte d'étoffe servant à boutonner la poche de sa chemise, une sorte de

petit lézard inquiet et tranquille à la fois, suspendu par les dents. C'était la pince d'acier dont nous avions besoin et que Stilitano venait de voler.
Jean GENET, Journal du voleur, p. 58.

B. V. intr. Se fermer au moyen de boutons. *Ce corsage boutonne par derrière* (Brunot, *la Pensée et la Langue,* p. 369).

2 La duchesse de Bourgogne vint au sermon en habit de chasse qui boutonnait jusqu'au menton.   P.-L. COURIER, II, 235.

▶ **SE BOUTONNER** v. pron. (passif). *Ce gilet se boutonne sur le côté.* — (Réfl.). Fam. Boutonner ses vêtements. *Tu t'es encore boutonné de travers.*

★ **III.** V. tr. Escr. *Boutonner quelqu'un,* lui porter un coup de bouton de fleuret.

▶ **BOUTONNÉ, ÉE** p. p. adj. (au sens II). ⇒ **Boutonné.**

DÉR. Boutonnage, boutonnement.
COMP. Déboutonner, reboutonner.

BOUTONNERIE [butɔnʀi] n. f. — 1660, Oudin ; de *bouton.*

♦ Techn. Fabrication, commerce des boutons. Fabrique de boutons.

BOUTONNEUX, EUSE [butɔnø, øz] adj. — 1837 ; « bourgeonnant », 1557 ; de *bouton,* 2.

♦ Qui a des boutons (2.). *Visage boutonneux. Un adolescent boutonneux.* ⇒ **Bourgeonneux.** *Peau boutonneuse.* — Qui s'accompagne de boutons. *Rougeole boutonneuse.*

BOUTONNIER, IÈRE [butɔnje, jɛʀ] n. — 1268 ; de *bouton.*

♦ Techn. Ouvrier, ouvrière qui fait des boutons.

BOUTONNIÈRE [butɔnjɛʀ] n. f. — 1596 ; *botennire* « garniture faite de boutons », 1353 ; de *bouton.*

♦ **1.** Petite fente faite à un vêtement pour y passer un bouton. ⇒ **Bride, œillet.** *Border, ourler, brider, passepoiler une boutonnière. Patte à boutonnière. Galon entourant une boutonnière.* ⇒ **Brandebourg.** *Boutonnière fermée,* qui n'est que figurée sur le vêtement. Absolt. *Boutonnière :* la boutonnière du revers de veste. *Avoir une fleur, un œillet, une décoration, un ruban, une rosette à la boutonnière.*

1 Il distribua (...) une petite croix faite d'un bout de ruban (...) et les invités (...) durent garder ce signe pour en orner (...) leur boutonnière (...)
G. SAND, la Mare au diable, Appendice I, p. 144.

1.1 (...) un vieux monsieur dont je venais de faire la connaissance et auquel je crus pouvoir offrir la rose qu'il admirait à ma boutonnière (...)
PROUST, À l'ombre des jeunes filles en fleurs, Folio, p. 532.

Cout. Point de boutonnière.

Fleur portée sur un corsage ou au revers d'une veste, à la boutonnière.

1.2 Je regardais M. de Charlus. La houppette de ses cheveux gris, son œil dont le sourcil était relevé par le monocle et qui souriait, sa boutonnière en fleurs rouges, formaient comme les trois sommets mobiles d'un triangle convulsif et frappant.
PROUST, le Côté de Guermantes, t. I, p. 323-324.

♦ **2.** (XVIIIᵉ). Incision longue et étroite. Fam. *Faire une boutonnière à quelqu'un avec un poignard.*
Spécialt. Chir. Incision pratiquée dans la peau pour atteindre un organe, dans la paroi d'une cavité, d'un organe.

2 On lui fit une très belle boutonnière et on lui glissa dans la vessie une sonde spéciale.   G. DUHAMEL, Cri des profondeurs, XI, p. 214.

Fig. Fente.

3 (...) les cils (...) bordaient (...) la boutonnière mince de l'œil.
MARTIN DU GARD, les Thibault, t. III, p. 21.

♦ **3.** (V. 1953). Géol. Dépression résultant de l'évidement d'un bombement anticlinal dont la voûte a été entaillée et aplanie par l'érosion. *La boutonnière du pays de Bray.*

DÉR. Boutonniériste.

BOUTONNIÉRISTE [butɔnjeʀist] n. — 1955, *Dict. des Métiers ;* de *boutonnière.*

♦ Techn. Ouvrier, ouvrière qui fait les boutonnières, à la main ou à la machine.

BOUTON-PRESSION [butɔ̃pʀɛsjɔ̃] n. m. ⇒ **Pression.**

BOUTRE [butʀ] n. m. — Av. 1866 ; orig. incert., p.-ê. de l'arabe *būt* « bateau à voile », empr. angl. *boat* « bateau ».

♦ Petit navire arabe à voiles, à l'arrière très élevé (→ Sambouk, cit.).

BOUT-SAIGNEUX [busɛɲφ] n. m. ⇒ **Bout.**

BOUTS-RIMÉS [buʀime] n. m. pl. — 1649, Scudéry ; de *bout*, et *rimé*.

♦ **1.** Rimes* proposées d'avance pour faire des vers sur un sujet souvent pris à volonté. *Le faiseur de bouts-rimés.* → Rime, cit. 8.

Nos actions sont comme les bouts-rimés, que chacun fait rapporter à ce qu'il lui plaît.   LA ROCHEFOUCAULD, Maximes, 382.

♦ **2.** Au sing. *Un bout-rimé* : une pièce de vers composée sur des rimes données.

BOUTTIS [buti] n. m. ⇒ **Boutis.**

BOUTURAGE [butyʀaʒ] n. m. — 1845 ; de *bouturer*.

♦ Action de multiplier des végétaux par boutures (cit. 1). *Le bouturage de géraniums.*

BOUTURE [butyʀ] n. f. — 1583 ; «pousse», 1446 ; de *bouter*.

♦ Fragment (pousse, etc.) prélevé sur une plante qui, plantée en terre, prend racine et forme un nouvel individu. *Boutures, greffes et marcottes. La reproduction par bouture ou bouturage. Faire des boutures.* ⇒ **Bouturer ; ébouturer.** *Bouture qui prend racine.* ⇒ **Prendre, raciner.** *Rameau, feuille, bourgeon servant de bouture.* ⇒ **Crossette, plançon.** *Bouture de l'année.* ⇒ **Mailleton.**

1 Le bouturage est moins émouvant que le greffage et ne comporte pas de magie. N'empêche que je ne me blasai jamais, dans mes jardins, sur le moment où la bouture qui a perdu connaissance et semble succomber à son sectionnement brutal, décide de vivre, rouvre ses verts canaux à l'ascension de la sève, et se redresse par imperceptibles saccades...   COLETTE, Gigi, «Flore et Pomone», p. 175.

Par métaphore :

2 Le propre de la superstition, c'est qu'elle reprend de bouture. L'idolâtrie engendre l'idolâtrie ; un fétiche se greffe sur l'autre.
                    HUGO, Post-Scriptum de ma vie, IV, 3.

DÉR. Bouturer.

BOUTURER [butyʀe] v. tr. — 1836 ; de *bouture*.

♦ **1.** Reproduire (une plante) par boutures.

♦ **2.** (Plantes). Intrans. Pousser des tiges par le pied. ⇒ **Drageonner.**

DÉR. Bouturage.

BOUVARD [buvaʀ] n. m. — 1362 ; de *bœuf*.

♦ Agric. Jeune bœuf ou jeune taureau. — REM. On écrit parfois *bouvart*.

BOUVARDIA [buvaʀdja] n. m. — D. i. ; de *Bouvard*, médecin de Louis XIII, d'après G. L. E.

♦ Plante ligneuse ou herbacée (famille des *Rubiacées*), cultivée pour ses fleurs.

Un tout petit bouquet discret mais embaumant de cette fleur qu'on ne trouve qu'à Paris , la *(sic)* bouvardia, et que les engageantes marchandes du quai aux Fleurs qui en laissent dépouiller leur panier s'entêtent à appeler le boulevardia.
                    B. CENDRARS, Trop c'est trop, p. 35.

BOUVEAU [buvo] n. m. — XIVe ; de *bœuf*.

♦ Agric. Jeune bœuf*. ⇒ **Bouvard, bouvillon** (on dit aussi *bouvelet*).

BOUVERIE [buvʀi] n. f. — Fin XIIe, *boverie* ; de *bœuf*.

♦ Vx ou techn. (agric.). Étable à bœufs.

(j'ai vu) l'accouplement des bêtes en forêt sous les yeux des enfants, et des convalescences de prophètes au fond des bouveries (...)
                    SAINT-JOHN PERSE, Éloges, Anabase, X, p. 141.

BOUVET [buvɛ] n. m. — 1600, par anal. avec les sillons tracés par le bœuf ; «jeune bœuf», 1305 ; de *bœuf*.

♦ Techn. Rabot* servant, en menuiserie, à faire des rainures ou des languettes. ⇒ **Gorget.**

DÉR. Bouveter.

BOUVETER [buvte] v. tr. — 1876, au p. p. ; de *bouvet*.

♦ Techn. Raboter à l'aide d'un bouvet.

DÉR. Bouveteuse.

BOUVETEUSE [buvtφz] n. f. — 1929 ; de *bouveter*.

♦ Techn. Machine à bois pour faire des rainures ou des languettes.

BOUVIER, IÈRE [buvje, jɛʀ] n. — 1119, *buvier* ; du bas lat. *bovarius* «marchand de bœufs», de *bos* «bœuf».

♦ **1.** Personne qui garde et conduit les bœufs. ⇒ **Gardien.**

Marie, je ne suis qu'un bouvier, mais vraiment tu me prends pour un bœuf.   G. SAND, la Mare au diable, X, p. 82.   1

(...) le morne et silencieux monologue du bouvier conduisant ses bœufs de labour (...)   E. FROMENTIN, Dominique, II.   2

Fig. et vx. Personne grossière et maladroite. «*Cet homme sale (...) ce bouvier débraillé* (un médecin)» (Montherlant, *in* T. L.F.). — Nom d'une constellation de l'hémisphère boréal.

♦ **2.** N. m. Oiseau des champs se nourrissant des mouches qui tournent autour des bœufs.

♦ **3.** N. m. *Bouvier des Flandres* : espèce de chien de berger.

DÉR. V. Bouvreuil.

BOUVIÈRE [buvjɛʀ] n. f. — 1611 ; orig. obscure, p.-ê. du rad. de *boue*, n'est probablt pas à rapprocher du précédent.

♦ Poisson osseux de rivière *(Cyprinidés)*, au corps couvert de grosses écailles, appelé aussi *rosière* (2. Rosière).

BOUVILLON [buvijõ] ou **BOVILLON** [bɔvijõ] n. m. — XVe ; de *bœuf*.

♦ Jeune bœuf plus âgé que le veau. ⇒ **Veau.** Syn. : *bouvard, bouveau*.

BOUVREUIL [buvʀœj] n. m. — 1743 ; *bouvreur*, 1700 ; contraction de **bouvereuil*, de *bœuf*, par métaphore, à cause de la silhouette trapue de cet oiseau, plutôt que dimin. de *bouvier*.

♦ Oiseau passereau des jardins et des bois *(Fringillidés)*, au plumage gris et noir, rouge sur la poitrine. *Le bouvreuil se nourrit de graines, de baies et d'insectes. Gai comme un bouvreuil* : très gai.

(...) elle *(Fadette)* lui avait parlé d'amitié, d'une voix si douce que celle des bouvreuils qui gazouillaient en dormant dans les buissons paraissait dure auprès.
                    G. SAND, la Petite Fadette, XX, p. 141.

BOUVRIL [buvʀil] n. m. — 1867 ; de *bœuf*.

♦ Techn. Lieu où on loge les bœufs* dans les abattoirs.

BOUZINE [buzin] n. f. ⇒ **Bousine.**

BOUZY [buzi] n. m. — 1861 ; n. de lieu.

♦ Vin de champagne (notamment, rouge) de Bouzy. *Du bouzy rouge.*

BOVARYSME [bɔvaʀism] n. m. — 1865, Barbey d'Aurevilly ; de *(Madame) Bovary*, roman de Flaubert.

♦ Didact. Pouvoir «qu'a l'homme de se concevoir autre qu'il n'est» (J. de Gaultier, *le Bovarysme*, 1902, *in* Lalande) et «par suite, de se faire une personnalité fictive, de jouer un rôle qu'il s'attache à soutenir malgré sa vraie nature et malgré les faits» (Lalande). — (Psychol.). Attitude psychologique dans laquelle des aspirations insatisfaites, alliées à un manque d'autocritique, poussent le sujet (généralement une femme, pour des raisons socioculturelles) à s'évader d'une réalité qu'il juge médiocre pour se réfugier dans une vie imaginative et romanesque, surtout dans le domaine sentimental. — Cour. Évasion dans l'imaginaire par insatisfaction.

Somme toute, nous ne sommes pas très loin ici, me semble-t-il, de ce que M. Jules de Gaultier appellera le *bovarysme* — nom qu'il donne, d'après l'héroïne de Flaubert, à cette tendance qu'ont certains à doubler leur vie d'une vie imaginaire.   GIDE, Dostoïevsky, p. 236.   1

Le même bovarysme (...) qui chez l'un aboutit à l'échec, peut aboutir chez un autre à la réussite.   A. POROT, citant J. Delay, Névrose et Création, 1954, *in* Manuel alphabétique de Psychiatrie, 1975.   2

BOVARYSTE [bɔvaʀist] adj. — 1857 ; de *(Madame) Bovary.*

♦ Didact. Relatif au bovarysme.

BOVETTE ou **BOWETTE** [bɔvɛt] n. f. — D. i. (cf. *bouveau,* même sens, 1867) ; mot flamand, de *bove* « caverne », bas lat. **bova* « trou ».

♦ Techn. et régional. Galerie de mine au rocher.

Le schéma le plus courant du mouvement des berlines (...) est le suivant : la berline part du culbuteur du jour, elle descend par la cage du puits, arrive à l'accrochage du fond. Un cheval, une locomotive ou un système de traînage l'emmène dans la bowette d'étage, puis dans la voie du fond d'étage.
                                              Michel CAZIN, les Mines, p. 93.

DÉR. **Bovetteur.**

BOVETTEUR [bɔvetœʀ] n. m. — D. i. (xxᵉ, attesté) ; de *bovette.*

♦ Techn. et régional. Ouvrier employé au creusement des galeries au rocher.

BOVIDÉS [bɔvide] n. m. pl. — 1836 ; du rad lat. *bos, bovis* « bœuf », et suff. *-idés.*

♦ Zool. Famille de mammifères ongulés ruminants, à cornes creuses, dont la denture ne comporte ni incisives ni canines, et dont les membres se terminent par deux doigts munis de sabots. ⇒ **Cavicornes.** *Cri des bovidés.* ⇒ **Beuglement, meuglement, mugissement.** *Les bovidés peuvent être répartis en cinq sous-familles : les bovinés*, les céphalophinés, les hippotraginés (cob ou kob, gnou), les antilopinés (gazelles) et les caprinés. Les ovins, les bovins (⇒ **Bœuf**), les chèvres, les antilopes, les gazelles et les chamois sont des bovidés.*

Adj. *Les mammifères bovidés.*

REM. Dans la langue courante, *bovidés* ne s'emploie guère qu'à propos des bovinés bovins*.

Au sing. *Le bœuf est un bovidé.*

Par comparaison :

Il regarda ma main. Un regard splendidement, étonnamment, inhumainement vide. Un regard de bovidé à la panse pleine.
                              Louis CALAFERTE, Partage des vivants, p. 56.

BOVILLON [bɔvijɔ̃] n. m. ⇒ **Bouvillon.**

BOVIN, INE [bɔvɛ̃, in] adj. et n. m. — V. 1121, adj. ; rare jusqu'au xixᵉ ; du bas lat. *bovinus,* de *bos, bovis* « bœuf ».

♦ **1.** Qui a rapport au bœuf (espèce). *Races bovines* (⇒ **Bétail,** cit. 1).

Fig. et fam. Qui a la lourdeur du bœuf.

Spécialt. *Regard, œil bovin* (d'une personne), éteint, morne et sans intelligence.

(...) un nombre indéterminé de bonnes femmes, dont la moitié, vénales, et l'autre moitié, bovines (...)   Jean-Louis CURTIS, le Roseau pensant, p. 156.

♦ **2.** N. m. pl. *Les bovins :* les animaux de l'espèce *bœuf :* les bœufs, les vaches, les taureaux et les veaux. — Au sing. *Un bovin.*

Zool. ⇒ **Bovinés.**

BOVINÉS [bɔvine] n. m. pl. — 1898 ; du lat. *bos, bovis* « bœuf ».

♦ Zool. Sous-famille de bovidés dont le bœuf est le type (⇒ **Bovins**), comprenant aussi l'aurochs, le buffle, le yack, le bison, le zébu.

BOWETTE [bɔvɛt] n. f. ⇒ **Bovette.**

BOWLING [boliŋ] n. m. — 1907 ; *bowling-saloon,* 1874 ; répandu v. 1950 ; mot amér., de *to bowl* « jouer aux quilles ».

♦ Anglic. Jeu de quilles et de boules. *Jouer au bowling.* Lieu où l'on y joue. *Aller dans un bowling.*

1   Il m'emmena dans un bowling où nous avons bu de la bière, en regardant tomber des quilles (...)   S. DE BEAUVOIR, les Mandarins, p. 314 (1954).
2   Hélène m'a plus d'une fois proposé de sortir avec ce qu'elle appelle « la bande de profs ». Ça ne me dit rien d'aller au bowling, ou de voir un spectacle à la Maison de la Culture (...)   Yanny HUREAUX, la Prof, p. 88.

BOW-WINDOW [bowindo] n. m. — 1863 ; attestation isolée, *bow window,* 1830 ; mot angl., de *bow* « arc », et *window* « fenêtre ».

♦ Anglic. Fenêtre en saillie sur le mur d'une maison. *Des bow-windows.* Syn. : *bay-window.* — Recomm. off. ⇒ **Oriel.**

1   Chaque cottage porte une petite excroissance plus claire, de forme carrée ; c'est un bow-window. Dans chaque bow-window, il y a un pot de fleurs. Derrière chaque pot de fleurs, il y a un parloir. Ombre de Dickens !
                                          J.-R. BLOCH, Sur un cargo, p. 20.

2   Elle avait une teinte bleu-gris, une petite véranda donnant sur l'avenue Jean-Charcot, et un bow-window du côté de la rue.   Patrick MODIANO, Villa triste, p. 175.

BOX [bɔks], plur. **BOXES** [bɔks] n. m. — 1838 ; « loge de théâtre », 1777 ; angl. *box* « boîte ».

♦ **1.** Stalle d'écurie servant à loger un seul cheval.

(1918, *in* Höfler). Compartiment cloisonné (d'un garage). ⇒ **Stalle.**

♦ **2.** (1879, *in* Höfler). Espace à demi-cloisonné, dans un lieu public, dans les locaux d'une collectivité, pour isoler les personnes. *Le box des accusés au tribunal. — Boxes de cafés. Boxes de dortoirs dans un pensionnat. Les boxes d'une salle d'hôpital. Boxes vitrés d'employés de bureau, de dactylos, dans une entreprise.*

1   Vincent entre dans le bar. Une longue salle voûtée avec des boxes à droite et à gauche.   H.-F. REY, les Pianos mécaniques, p. 20.
2   Conduis-moi au box de M. Canet, dit Noël à un grouillot. Dans la salle carrée attenante au grand hall *(de la Bourse),* une quarantaine de cages minuscules et identiques, le long des murs, contenaient des hommes de tous âges qui s'égosillaient dans leurs téléphones (...) Au-dessus de l'une des cages était gravé dans le cuivre le nom de l'agent de change.   M. DRUON, les Grandes Familles, IV, xv, p. 258.
3   Sartre l'a trouvée couchée dans un des boxes d'une grande salle de réanimation, inconsciente, bardée d'appareils destinés à faire battre le cœur, le bras pris dans un goutte-à-goutte.   S. DE BEAUVOIR, Tout compte fait, p. 109.
4   Si jamais les nouvelles du Maroc leur devaient donner quelque jour de l'inquiétude, ils savent bien qu'aucun box assez vaste n'existe dans aucun tribunal pour accueillir tous les responsables du coup de force de Rabat.
                                      F. MAURIAC, Bloc-notes 1952-1957, p. 51.

♦ **3.** Anglic. (repris à l'angl. *box*). Vx. Appareil de photo rudimentaire (« boîte »).

HOM. Box (box-calf), boxe.

BOXANT, ANTE [bɔksɑ̃, ɑ̃t] adj. — xxᵉ ; de 1. *boxer.*

♦ Rare. Qui pousse à pratiquer la boxe.

(...) non loin de ces lieux où germa la vocation boxante de Jacques L'Aumône (...)   R. QUENEAU, Loin de Rueil, p. 62.

BOX-CALF [bɔkskalf] ou **BOX** [bɔks] n. m. — 1899 ; mot anglo-amér., du nom du bottier anglais Joseph *Box,* et *calf* « veau », la marque de fabrique représentant un veau *(calf)* dans une boîte.

♦ Cuir fait de peaux de veau tannées au chrome, servant à la confection des chaussures, sacs, etc. *Un sac en box noir.* On dit aussi *calf*. Des box-calfs. Des box.*

Isabelle crachait plus fort sur le box-calf. Ma brosse était sous le pied de la surveillante.   Violette LEDUC, la Bâtarde, p. 104.

HOM. (De *box*) Box, boxe.

BOXE [bɔks] n. f. — 1804 ; angl. *box* « coup ».

♦ Sport de combat, réglementé depuis la fin du xixᵉ siècle, opposant deux adversaires qui se frappent à coups de poing, mais en portant des gants spéciaux (gants de boxe). ⇒ **Pugilat** (cf. Le noble art). *Boxe anglaise. Boxe française* (⇒ **Savate**).

1   Mais combat n'est pas sport : les partisans de la boxe française répètent qu'elle est plus efficace que la boxe anglaise : comme elle est, d'un côté, moins efficace que le jiu-jitsu, ce n'est pas elle qu'il faudrait adopter.
                                          Jean PRÉVOST, Plaisirs des sports, p. 89.

Plus cour. Boxe anglaise. *Boxe olympique. Match, combat de boxe.* ⇒ **Arbitre, boxeur, gong, juge, reprise** (ou **round**), **ring.** *Gagner un match de boxe aux points, par abandon, par jet de l'éponge*, par arrêt de l'arbitre, par knock-out* (⇒ aussi **Break ; compte ; knockdown**). *Le tenant du titre et son challenger*, dans un match de boxe. Coups classiques de la boxe.* ⇒ **Crochet, direct, swing, uppercut.** *Promoteur, organisateur de matchs de boxe.* ⇒ **Match-maker** (anglic.).

2   Le fils de notre crémière nous fait demander de lui prendre des billets d'assaut de boxe.   Ed. et J. DE GONCOURT, Journal, t. I, p. 170.
3   La conversation britannique est un jeu comme le cricket ou la boxe : les allusions personnelles sont interdites comme les coups au-dessous de la ceinture, et quiconque discute avec passion est aussitôt disqualifié.
                                  A. MAUROIS, Les silences du colonel Bramble, VI, 60.

DÉR. **Boxer, boxeur.**
HOM. Box.

1. BOXER [bɔkse] v. — 1772 ; « se battre comme les Anglais », 1767, *in* D. D. L. ; de *boxe.*

♦ **1.** V. intr. Livrer un combat de boxe, pratiquer la boxe. *Apprendre à boxer. Il boxe bien. Se mettre en garde pour boxer.*

♦ **2.** V. tr. (1791, *in* Höfler). Fam. Frapper à coups de poing (qqn). *Je vais te boxer !*

— Calme-toi. Ce n'est pas dans mes procédés de boxer les clients. Seulement, celui-là, qu'il revienne et il saura ce que c'est qu'un emplâtre.

Francis CARCO, les Belles Manières, p. 85.

(1801). Rencontrer (un adversaire) dans un combat de boxe.

DÉR. **Boxant.**

2. BOXER [bɔksɛʀ ; bɔksœʀ] n. m. — 1919, *Larousse mensuel ;* mot all. «boxeur».

♦ Chien de garde, voisin du dogue allemand, à robe fauve ou tachetée. *L'élevage des boxers.*

Le boxer me fixait, planté sur ses quatre pattes écartées. Il se tourna, je vais lui caresser les reins. Sa petite queue frétillait.

Violette LEDUC, la Folie en tête, p. 264.

3. BOXER [bɔksœʀ] ou BOXER-SHORT [bɔksœʀʃɔʀt] n. m. — V. 1970 ; mot angl. «culotte courte de boxeur».

♦ Anglic. Short de sport doublé d'un slip.

BOXEUR [bɔksœʀ] n. m. — 1788 ; de *boxe.*

♦ Celui qui pratique la boxe*. ⇒ **Pugiliste.** *Catégorie (poids) de boxeurs :* poids bantam (ou poids coq), poids plume, léger, moyen, mi-lourd, lourd. *Ce boxeur a un bon punch*, une bonne frappe*, mais il manque d'allonge*. Le jeu de jambes, l'esquive d'un boxeur. Le manager, le soigneur d'un boxeur. Boxeur amateur, professionnel. Écurie de boxeurs. L'entraînement d'un boxeur* (⇒ **Punching-ball; sparring-partner**). *Coquille** protégeant le bas-ventre d'un boxeur.*

La porte refermée fit osciller la lampe : les visages disparurent, reparurent : à gauche (...) la tête de boxeur crevé d'Hemmelrich, tondu, nez cassé, épaules creusées.

MALRAUX, la Condition humaine, p. 13.

BOX-OFFICE [bɔksɔfis] n. m. — 1950 ; attestation isolée, 1923 ; mot amér., proprt «guichet de théâtre». → Box.

♦ Anglic. Dans le milieu du spectacle, échelle de succès d'après le montant des recettes. *Être, figurer au box-office. Arriver en tête du box-office. Des box-offices.*

Marina Gospel, la plus grande vedette du box-office, interprétait le rôle d'une naïade éprise d'un pilote d'avion qui s'était réfugié sur une île déserte avec une cargaison d'or.   Jean CAYROL, Histoire de la mer, p. 164 (1973).

BOXON [bɔksɔ̃] n. m. — 1837 ; *bocson* «cabaret», 1811 ; mot angl. «cabinet particulier de taverne» ; de *box* «salon particulier dans un café». → Box.

Familier.

♦ **1.** Maison de prostitution. ⇒ **Bordel ; bobinard** (cit. 3), **bocard.** — Var. : *bocson.*

1   Ils venaient surtout eux, au boxon, pour la rigolade. Souvent ils se battaient pour finir, énormément. La police arrivait alors en trombe et emportait le tout dans des petits camions.   CÉLINE, Voyage au bout de la nuit, p. 209 (1932).

2   Chez mon frère, c'était le 47 de la rue Thiers, le boxon le plus cher, le plus célèbre, le mieux coté d'Épinal. Trente femmes sages comme des images y travaillaient avec application. Les fafiots s'accumulaient dans la tirelire de Dominique et pour les généraux, Camélia, en personne, soi-même, se mettait à l'ouvrage.

R. QUENEAU, le Chiendent, p. 413.

♦ **2.** Grand désordre. ⇒ **Bordel.** *Quel boxon, chez toi !*

DÉR. V. 2. **Bocard.**

BOY [bɔj] n. m. — 1857, *in* Höfler ; attestation isolée, 1836 ; mot angl., «garçon».

♦ **1.** (1872). Jeune palefrenier.

♦ **2.** (1843). Jeune domestique indigène en Extrême-Orient, en Afrique, etc. ⇒ **Boyesse.** *Des boys* [bɔj].

1   C'est elle qui jetait à son chien les restes de viande, plutôt que de les laisser finir par ses boys.   GIDE, Voyage au Congo, *in* Souvenirs, Pl., p. 831.

2   Nous ne prendrons rien, dit Rolain en voyant le boy apporter un plateau garni de verres immenses.   Henri FAUCONNIER, Malaisie, p. 23.

(En franç. d'Afrique). Loc. *Boy-cuisinier. Boy de chambre, de table.*

♦ **3.** (1947). Danseur de music-hall (⇒ **Girl**) ; musicien d'un orchestre de variétés à l'américaine.

3   Il nous arrivait de voir ensemble un film nouveau ; nous allâmes en grande pompe écouter Jack Hylton et ses boys (...)

S. DE BEAUVOIR, la Force de l'âge, p. 43.

♦ **4.** (Réempr. à l'angl.). *Les boys* [bɔjz] : les soldats (britanniques, américains).

DÉR. **Boyesse.**

BOYARD ou BOÏAR [bɔjaʀ] n. m. — 1415, *boyare ;* mot russe, «seigneur».

♦ **1.** Ancienn. Noble, en Russie. *Les moujiks et les boyards.*

Enfouis sous un amoncellement de burnous et de couvertures, Paul et moi, nous avions l'air de deux boyards (...)   GIDE, Si le grain ne meurt, II, 1.

♦ **2.** (1932). Fam. Vieilli ou par plais. Homme riche, cossu. *Il s'est payé un costume de boyard. C'est un vrai boyard.*

BOYAU [bwajo] n. m. — V. 1340 ; *boiel*, 1100 ; lat. *botella* «entrailles», de *botellus* «petite saucisse».

♦ **1.** Intestin* d'un animal. ⇒ **Tripe.** *Les boyaux des bêtes abattues sont utilisés en charcuterie* (⇒ **Boudin, saucisse...**). — *Remplir un boyau de graisse, de viande...* (⇒ **Boudinière**). — Au plur. Fam. Intestin de l'homme. ⇒ **Entrailles, viscères.** (1790, *in* D.D.L.). *Rendre tripes et boyaux.* ⇒ **Vomir.** *Perdre ses boyaux.* ⇒ **Ébouler** (s'), éventrer. *Alcool si fort qu'il semble tordre les boyaux.* ⇒ **Tord-boyaux.**

Sa fièvre est augmentée avec une colique dans les boyaux (...)   1

Mme DE SÉVIGNÉ, Lettres, 334.

Léon, de la main droite, soulevait un long bout de boyau vide, dans l'extrémité   1.1
duquel un entonnoir très évasé était adapté ; et, de la main gauche, il enroulait le boudin autour d'un bassin, d'un plat rond de métal, à mesure que le charcutier emplissait l'entonnoir à grandes cuillerées.

ZOLA, le Ventre de Paris, t. I, p. 141.

Chir. *Boyau de chat servant à faire des sutures.* ⇒ **Catgut.**

Corde à boyau, ou *boyau* : corde faite avec les intestins de certains animaux, et servant à garnir les violons, les harpes, à monter des raquettes. — Fam. et vx. *Racler le boyau :* jouer mal du violon. — *Un boyau de raquette de tennis.* — *Travail des boyaux.* ⇒ **Boyauderie, boyaudier.**

REM. On trouve chez Céline le dérivé *boyasse* [bwajas] «entrailles humaines».

Il nous avait tout gloutonné... tout l'or !... Ah ! le gros bâfreux sale ventru !... Et il   1.2
jubilait tout ravi !... à travers les quintes !... Il se tenait plus de rigolade lui le phénomène !... Toute sa boyasse qui tintait !...   CÉLINE, Guignol's band, p. 233.

♦ **2.** Par anal. Conduit long et étroit servant d'écoulement... ⇒ **Tuyau.** *Un boyau en toile, en caoutchouc. Le boyau d'une pompe.*

(1904, *in* Petiot). *Boyau de bicyclette :* pneumatique très mince, utilisé sans chambre à air. *Boyaux d'un vélo de course. Les boyaux coûtent cher et sont très fragiles.*

♦ **3.** Chemin, passage étroit. *Un boyau de mine :* galerie étroite faisant communiquer des sections plus importantes. *Boyau de tranchée en zigzag.* ⇒ **Tranchée.** *Une rue en boyau.*

(...) cette porte est l'entrée d'un boyau, aussi obscur que long, des sinuosités duquel   1.3
ta frayeur en entrant t'empêcha, sans doute, de t'appercevoir ; d'abord ce boyau descend, parce qu'il faut qu'il passe sous un fossé de trente pieds de profondeur, ensuite il remonte après la largeur de ce fossé, et ne règne plus qu'à six pieds sous le sol ; c'est ainsi qu'il arrive aux souterrains de ce pavillon, éloigné de l'autre d'environ un quart de lieue (...)   SADE, Justine..., t. I, p. 161 (1791).

La boutique, où l'oncle Gradelle avait amassé son trésor, sou à sou, était une sorte   1.4
de boyau noir, une de ces charcuteries douteuses des vieux quartiers (...)

ZOLA, le Ventre de Paris, t. I, p. 80.

Derrière l'église, la grand'rue se rétrécit, forme un boyau.   2

MARTIN DU GARD, les Thibault, t. VIII, p. 172.

Elles *(les bêtes)* cheminent lentement, sûrement, les unes derrière les autres, tels   3
des soldats dans les boyaux d'un champ de bataille.

G. DUHAMEL, Scènes de la vie future, VIII.

DÉR. **Boyauderie, boyaudier, boyauter** (se).
COMP. **Tord-boyaux.** — V. **Ébouler, tournebouler.**

BOYAUDERIE [bwajodʀi] n. f. — 1835 ; de *boyau.*

♦ Techn. Préparation des boyaux. — Lieu où se fait cette préparation.

BOYAUDIER [bwajodje] n. m. — 1690 ; *boiotier,* 1680 ; de *boyau.*

♦ Techn. Ouvrier spécialisé dans la préparation des boyaux.

BOYAUTER (SE) [bwajote] v. pron. — 1901, Bruant ; de *boyau.*

♦ Fam. Rire* très fort, se tordre* de rire. ⇒ **Bidonner** (se).

Caché par les deux époux, Ribouldingue se boyautait tel un chapeau-claque qui   1
aurait des coliques hépatiques. «Ah ! l'animal ! pouffait-il entre ses dents, qu'il en a un culot !»

L. FORTON, les Aventures des Pieds-Nickelés, *in* l'Épatant, 1910, p. 135.

(...) il en pouvait plus de se boyauter les cannes en l'air (...)   2

Tony DUVERT, Paysage de fantaisie, p. 27.

BOYCOTT [bɔjkɔt] n. m. — 1888, *in* Höfler ; mot angl. → Boycotter.

♦ Anglic. Boycottage*. *« Ces conclusions optimistes n'avaient pas empêché les syndicats de déclencher un premier boycott des produits français »* (*l'Express*, 28 mai 1973). *Des boycotts.*

BOYCOTTAGE [bɔjkɔtaʒ] n. m. — 1881, *in* Rey-Debove et Gagnon ; de *boycotter*.

♦ Interdit ou blocus matériel prononcé contre un individu, un groupe, un pays et contre les biens qu'il met en circulation. — Syn. : *boycott. Boycottage des produits de certains pays. Boycottage d'un pays.*

1 Elle se félicita que les professeurs de maintien, de la Souabe à la Franconie, eussent approuvé en chœur le boycottage, s'engageant à remplacer désormais la révérence française par un pas qu'ils venaient d'inventer et qui s'appelait révérence Meyer-Goya. GIRAUDOUX, Siegfried et le Limousin, p. 132.

2 (...) en décembre 1976, un consortium de banques suisses réunit d'urgence 340 millions de dollars destinés à la toute jeune dictature argentine ; ce crédit permet au général Videla de consolider son pouvoir et d'échapper au premier boycottage international. Jean ZIEGLER, Main basse sur l'Afrique, p. 24.

BOYCOTTER [bɔjkɔte] v. tr. — 1880 ; de l'angl. *(to) boycott*, de *Boycott*, propriétaire irlandais mis en quarantaine (1832-1897).

♦ Infliger ou tenter d'infliger un dommage matériel ou moral à (un individu, un groupe, un pays), en refusant des relations ou en se livrant à des actes agressifs, particulièrement dans le domaine économique et social. *Boycotter quelqu'un, un commerçant, un employeur.* — Par ext. *Boycotter quelque chose, un produit.* ⇒ **Frapper ; index** (mettre à l'index), **interdit** (jeter l'interdit), **quarantaine** (mettre en). *Boycotter une marchandise étrangère.*

0.1 En Amérique, la colère, l'indignation furent profondes. Nos marchandises furent boycottées. Le tourisme américain se détourna de nos ports. Toutes nos œuvres françaises créées et maintenues avec tant d'effort périclitèrent. CLAUDEL, l'Amérique et nous, Œ. en prose, Pl., p. 1213.

Refuser de prendre part à. *Boycotter des élections. Boycotter un congrès scientifique, un spectacle, un journal.*

1 Nous nous promettons de résister à leur sollicitation et de boycotter les feuilles du milieu du jour. GIDE, Journal, 23 août 1914.

Refuser d'admettre (quelqu'un).

2 Contre le noir, la coalition *(des ouvriers américains)* est tacite et spontanée : exceptionnellement on le reçoit dans le syndicat, plus généralement on le boycotte. André SIEGFRIED, les États-Unis d'aujourd'hui, p. 98.

DÉR. Boycottage, boycotteur.

BOYCOTTEUR, EUSE [bɔjkɔtœʁ, øz] n. — 1881, *in* Höfler ; de *boycotter*.

♦ Personne qui boycotte.

BOYESSE [bɔjɛs] n. f. — 1921, *in* Höfler ; de *boy**.

♦ Rare. Domestique indigène féminine, en Extrême-Orient, en Afrique, etc. — (En franç. d'Afrique, le mot est vieilli ou péj.).

BOY-FRIEND [bɔjfʁɛnd] n. m. — 1947, *in* Rey-Debove et Gagnon ; mot angl. de *boy* « garçon », et *friend* « ami ».

♦ Anglic. Plais. Homme, garçon avec qui l'on entretient une relation amoureuse. ⇒ **Flirt.** *Elle nous a présenté son boy-friend. Des boy-friends.*

BOY-SCOUT [bɔjskut] n. m. — 1910 ; mot angl., « garçon-éclaireur ».

♦ 1. Vx. ou iron. Garçon faisant partie d'un mouvement de scoutisme. ⇒ **Éclaireur, scout.** *L'uniforme du boy-scout. Des boy-scouts.* Par plais., prononcé [bwaskut] :

1 Car il faut vous dire, mes chers auditeurs, que dans la loge du Père se trouvent trois charmants petits boiscouts qui sont aussi enfants de chœur (...) Boris VIAN, le Dernier des Métiers, p. 45.

♦ 2. Fig. et fam. Idéaliste naïf qui cherche à bien faire. *Une mentalité de boy-scout.* — Adj. *Il est un peu boy-scout.*

2 Une révolution même « très civilisée » comme fut celle-là, selon nos deux auteurs qui en sont tout attendris, n'est pas un jeu de boy-scout. F. MAURIAC, le Nouveau Bloc-notes 1958-1960, p. 171.

3 Comme presque toutes les femmes Bertille a un côté boy-scout. Elle rêvait déjà de conversion (...) Hervé BAZIN, Cri de la chouette, p. 47.

DÉR. Boy-scoutesque.

BOY-SCOUTESQUE [bɔjskutɛsk] adj. — V. 1960 ; de *boy-scout*.

♦ Rare. Qui rappelle la mentalité des boy-scouts (2.).

(...) cette volonté d'ordre, de stabilité, de cette conception obstinément boy-scoutesque et optimiste du monde à quoi il s'accroche, qu'il cherche à toute force à préserver, à tenir pour vraie contre l'évidence même (...) Claude SIMON, le Vent, p. 149.

BOZO [bozo] n. m. — Mil. xxᵉ ; orig. incertaine.

♦ Canadianisme. Auteur-compositeur-interprète (ex. : F. Leclerc, G. Vigneault). *Des bozos.*

B. P. [bepe] Abrév. de *boîte postale*.

Bq [beky] Phys. Symb. du *becquerel**.

Br [beɛʁ] Symb. chimique du *brome**.

BRABANÇON, ONNE [bʁabɑ̃sɔ̃, ɔn] adj. et n. — 1174, *breibançon ;* lat. médiéval *brabantio*, de *Bracbantia* « le Brabant », province du centre de la Belgique.

♦ Du Brabant. *Mœurs brabançonnes.*

Ses œuvres traitent de légendes brabançonnes — d'un bâtiment posthume, — d'un virtuose guerroyeur enlevé par Celle qu'on révère à Paphos (...) VILLIERS DE L'ISLE-ADAM, Tribulat Bonhomet, p. 75 (1887).

(1890). *Cheval brabançon,* ou (n. m.), *brabançon :* cheval de trait dont la race est originaire du Brabant. (1910). *Terrier brabançon. Terrière brabançonne.* (→ 2. Terrier, cit. 2).

N. Personne originaire du Brabant, ou y habitant.

La Brabançonne : l'hymne national belge.

BRABANT [bʁabɑ̃] n. m. — 1815 ; *charrue de Brabant*, 1800, du n. de la province où elle était fabriquée.

♦ Agric. Charrue* métallique à avant-train. *Brabant simple. Double-brabant,* à deux socs et deux versoirs. Par appos. *Charrue brabant.*

(...) il biaise, il se traverse, comme un jeune cheval au brabant. BERNANOS, la Joie, Œ. roman., Pl., p. 607.

BRACELET [bʁaslɛ] n. m. — 1415 ; *brachelé* « poignet d'une armure », 1387 ; *bracelet* « petit bras », v. 1150 ; de *bras*.

♦ 1. Bijou en forme d'anneau, de cercle qui se porte autour du poignet. ⇒ **Anneau, chaînette.** *Bracelet en or, en ivoire, en cuir, en velours. Bracelet de perles. Fragment de corail pour bracelet.* ⇒ **Puntarelle.** *Bracelet d'une plaque d'identité. Chaînette de sûreté d'un bracelet. Bracelet sans agrafe.* ⇒ **Cercle, porte-bonheur ; jonc.** *Bracelet de sept anneaux.* ⇒ **Semaine.** *Bracelet à mailles.* ⇒ **Gourmette.** *Bracelet en forme de serpent. Bracelet antique pour le cou, les bras, les jambes.* ⇒ **Psellion.** *Bracelet antique figuré sur les chapiteaux.* ⇒ **Armille.** — *Porter des bracelets* (→ Anneau, cit. 6, et bijou, cit. 1).

1 (...) la vieille semblait au comble de l'irritation, levait son poing cliquetant de bracelets comme celui d'une romanichelle. MARTIN DU GARD, les Thibault, t. II, p. 233.

2 Elles réclamaient mes conseils avant d'arrêter leur choix sur les glands, les barrières de perles, les tassettes et les bracelets de moire destinés à achever la splendeur de leurs robes. Jean RAY, les Derniers Contes de Canterbury, p. 89.

Bracelet d'une montre : cercle de cuir, d'étoffe ou bijou qui entoure le poignet et tient la montre. ⇒ **Bracelet-montre, montre-bracelet.** Par anal. Enveloppe de cuir que certains travailleurs portent autour du poignet pour le rendre plus fort. *Bracelet de force.* ⇒ **Poignet** (de force).

♦ 2. (Au plur.). Argot. Menottes. *On lui a passé les bracelets.*

♦ 3. Par ext. du sens 1. Anneau porté au pied comme ornement.

3 Chaque danseur avance à petits pas saccadés qui font tinter les bracelets de ses chevilles. GIDE, Voyage au Congo, in Souvenirs, Pl., p. 729.

♦ 4. Archit. Ornement annulaire. ⇒ **Annelure, bague.**

♦ 5. Lien élastique circulaire, et assez large.

COMP. Bracelet-montre, montre-bracelet.

BRACELET-MONTRE [bʁaslɛmɔ̃tʁ] n. m. — 1909, *in* D.D.L. ; de *bracelet*, et *montre* pour traduire l'angl. *wrist-watch*. → Montre-bracelet.

♦ Bijou composé d'un bracelet sur lequel est montée une montre. *Des bracelets-montres.*

Tandis qu'on épuisait les stoïciens, elle consulta son bracelet-montre. C'était un boîtier entouré de brillants. M. AYMÉ, Maison basse, p. 186.

BRACHIAL, IALE, IAUX [bʁakjal, jo] adj. — 1541 ; lat. *brachialis*, de *brachium*. → Bras.

♦ Anat. Qui appartient au bras. *Muscles brachiaux. Biceps brachial.* ⇒ **Biceps.** *Triceps brachial.* ⇒ **Triceps.** *Névralgie du plexus* brachial (ou *brachialgie*).

BRACHIOPODES [bʁakjɔpɔd] n. m. pl. — 1805, Cuvier ; du lat. *brachium* « bras », et *-pode*.

♦ Zool. Groupe d'animaux marins enfermés dans une coquille à deux valves, une ventrale et une dorsale, le plus souvent fixés (directement ou par un pédoncule).

BRACHY- Élément préfixal, du grec *brakhus* «court», entrant dans la composition de nombreux mots savants (peut s'opposer à *aux-*, à *dolicho-*). — REM. Outre les termes traités ci-dessous à l'ordre alphabétique, on peut signaler : *brachyanticlinal, aux,* n. m., géol. : anticlinal court ; *brachyœsophage,* n. m., méd., brièveté anormale de l'œsophage ; *brachysynclinal, aux,* n. m., géol. : synclinal court.

BRACHYCÉPHALE [brakisefal] adj. — 1836 ; de *brachy-*, et *-céphale*.

♦ Didact. (anthrop.). Qui a le crâne arrondi, presque aussi large que long. *Homme, race brachycéphale.* — N. *Un, une brachycéphale.*

CONTR. **Dolichocéphale.** — V. aussi **Mésocéphale.**
DÉR. **Brachycéphalie, brachycéphalisation.**

BRACHYCÉPHALIE [brakisefali] n. f. — 1859, Broca ; de *brachycéphale*.

♦ Didact. (anthrop.). Caractère d'un crâne brachycéphale. — (Anat.) Malformation crânienne liée à une fermeture prématurée de la suture coronale (jonction de l'os frontal et des deux pariétaux), caractérisée par une augmentation des dimensions verticale et transversale du crâne, avec réduction de la distance d'avant en arrière.

BRACHYCÉPHALISATION [brakisefalizasjɔ̃] n. f. — xxᵉ, *in* Manuila, 1970 ; de *brachycéphale*.

♦ Didact. Passage graduel de l'état de dolichocéphale à l'état de mésocéphale puis de brachycéphale, observé chez l'*Homo sapiens* depuis le Paléolithique supérieur jusqu'à nos jours. *La «brachycéphalisation serait un phénomène évolutif»* (Manuila).

BRACHYCÈRES [brakisɛr] n. m. pl. — 1790 ; de *brachy-*, et grec *keras* «corne».

♦ Zool. Sous-ordre d'insectes diptères à antennes courtes, palpes dressés et à ailes larges. *Les taons, les bombydes* (Orthorrhaphes) ; *les syrphes, les drosophiles, les muscidés* (mouches), *les œstrides* (Cyclorrhaphes) *sont des brachycères.* — Au sing. *Un brachycère.*

BRACHYDACTYLE [brakidaktil] adj. et n. — 1863, Littré ; de *brachy-*, et *-dactyle*.

♦ Didact. Qui a les doigts courts.

BRACHYLOGIE [brakilɔʒi] n. f. — 1842 ; de *brachy-*, et *-logie*.

♦ Didact. et vx. Manière de s'exprimer avec une extrême concision ; obscurité qui en résulte.

BRACHYNE [brakin] n. m. — 1846, Bescherelle ; *brachine,* 1834, Landais ; lat. sc. *brachynus* dû à Weber, av. 1811 ; probablt du grec *brakhus* «court», avec suffixation obscure.

♦ Zool. Carabe de couleur bleu foncé ou noir, variée de jaune, qui vit à l'abri de pierres, etc. par petits groupes et se défend en émettant par l'anus un liquide corrosif. — Syn. : *bombardier,* 3.

BRACHYOURES [brakjur] ou **BRACHYURES** [brakjyr] n. m. pl. — 1801, Latreille ; de *brachy-*, et grec *oura* «queue». → Anomoures, macroures.

♦ Zool. Division du sous-ordre des décapodes* marcheurs (tribu des *Reptantia*), à abdomen très réduit (à la différence des langoustes, des homards, et des anomoures) et à carapace circulaire aplatie. Syn. cour. : ⇒ **Crabe.** — Au sing. *Un brachyoure.*

BRACHYPTÈRE [brakiptɛr] adj. et n. m. — 1867, P. Larousse (adj. «qui a les ailes courtes»), et 1834, Landais (n. d'oiseaux, d'insectes hyménoptères et de coléoptères proches du charançon) ; de *brachy-*, et *-ptère*.

♦ Zool. Se dit des insectes hémiptéroïdes à ailes plus courtes que l'abdomen. — N. m. (av. 1899). Coléoptère à élytres très courts *(Nitidulidés).*

BRACHYRHYNQUE [brakirɛ̃k] adj. et n. m. — 1867, P. Larousse (adj. et n. d'insectes, de plantes) ; de *brachy-*, et grec *rhugkhos* «bec».
Zoologie.

♦ **1.** Vx. Se dit d'un crabe à corps massif, par opposition à *oxyrhynque.*

♦ **2.** Mod. Se dit d'un animal à bec court.

BRACO [brako] n. m. — xxᵉ ; abrév. de *braconnier*.

♦ Fam. Braconnier. *«Un truc local toujours payant en pareil cas, et que nos bracos et pêcheurs resquilleurs connaissent bien...»* (*Au bord de l'eau,* nº 366, p. 35, 1967).
Pour conduire un braco en prison, un gendarme vaut un gendarme.
M. GENEVOIX, Raboliot, 1925, p. 234.

BRACONNAGE [brakɔnaʒ] n. m. — 1834 ; cf. anc. franç., «chasse avec un braque», 1228 ; de *braconner*.

♦ Action de braconner, délit de celui qui braconne. ⇒ **Filetage.** *Il vivait de braconnage.*
Et ils se mirent à défendre le braconnage : on sait d'abord que les lapins rongent les jeunes pousses, les lièvres abîment les céréales (...)
FLAUBERT, Bouvard et Pécuchet, X.

BRACONNER [brakɔne] v. — 1718 ; divers sens, depuis 1228, dont «chasser avec des braques», de l'anc. franç. **bracon*, attesté en anc. provençal, germ. **brakko* «chien de chasse» ; cf. all. *Bracke.* → Braque.

★ **I.** V. intr. Chasser, et, par ext., pêcher sans permis, ou à une période, en un lieu, avec des engins prohibés.
Fig. *Braconner sur les terres d'autrui* : ne pas respecter ce qui est sa propriété (ses droits, son champ d'activité ; son conjoint, etc.).
Manifestement, après les avanies subies à Alger, en Syrie, en Indochine, il ne lui déplaît pas de braconner sur les brisées des Américains.
Régis DEBRAY, l'Indésirable, p. 174.

★ **II.** V. tr. ♦ **1.** Chasser en braconnant dans (un lieu).
Au pré, quand les alentours étaient déserts, la mémé quittait ses galoches et ses bas, retroussait sa lourde jupe et ses jupons, et, pieds dans l'eau, allait tâter les herbes aquatiques, glisser ses mains sous les pierres pour braconner la rivière.
R. SABATIER, les Noisettes sauvages, p. 117.

♦ **2.** Fig. (fam. et vx.) *Braconner quelqu'un* : entraîner quelqu'un avec soi. ⇒ **Lever, racoler.** *Braconner une femme.*
DÉR. **Braconnage, braconnier.**

BRACONNIER, IÈRE [brakɔnje, jɛr] n. et adj. — 1637 ; *broconnier* «officier chargé de dresser les braques», v. 1178 ; de *braconner*.

♦ Chasseur (ou pêcheur) qui se livre au braconnage. *Le garde-chasse a surpris des braconniers. Braconnier qui tend des pièges.* ⇒ **Tendeur.** *Piège de braconnier pour prendre des chevreuils* (⇒ **Dardière**) ; *des lièvres* (⇒ **Laçon**) ; *des oiseaux* (⇒ **Gluau**).
Bouvard soutenait n'avoir pas injurié Sorel, mais, en prenant le parti du braconnier, avoir défendu l'intérêt de nos campagnes ; il rappela les abus féodaux, les chasses ruineuses des grands seigneurs.
FLAUBERT, Bouvard et Pécuchet, X.
Au fond de tout paysan, même le plus honnête, il y a un braconnier.
ZOLA, la Terre, p. 37-38.
C'est un Paris de piéton fureteur et fouilleur comme un braconnier.
J. ROMAINS, les Hommes de bonne volonté, t. V, p. 131.
Les braconniers souvent sont subtils, et m'intéressent. Ils sont pleins d'enseignements quand leur humeur les porte au récit. Mais quelque chose dans leur silence m'éloigne d'eux. Leur mutisme a trop écouté les derniers sons des dernières terreurs qui hérissent la plume, agglutinent le poil et voilent d'une taie bleuâtre les doux yeux des bêtes capturées.
COLETTE, Flore et Pomone, in Gigi, p. 154-155.

Abrév. fam. : *braco,* n. m.

Adj. Littér. ou régional. *Des habitudes braconnières.*

BRACONNIÈRE [brakɔnjɛr] n. f. — 1386 ; *bragonnière,* 1309 ; p.-ê. de l'ital. *braconi* «haut-de-chausses de hallebardier», de *braca* (du lat. *braca* ; → Braie).

♦ Anciennt. Pièce d'armure qui protégeait le bassin et les cuisses. *Une braconnière de mailles.*

BRACTÉAL, ALE, AUX [brakteal, o] adj. — 1863 ; de *bractée*.

♦ Bot. Propre aux bractées ; qui avoisine les bractées.

BRACTÉATE [brakteat] adj. et n. f. — 1751 ; du lat. *bractea* «feuille de métal».

♦ Didact. (numism.). Dont l'empreinte, frappée d'un seul côté sur un flan de métal très mince, est en relief sur la face et en creux sur le revers. *Une monnaie bractéate.*
N. f. Monnaie bractéate. — Archéol. Mince feuille de métal estampée.

BRACTÉE [bʀakte] n. f. — 1783, *bractea* «feuille de métal».

♦ Bot. Petite feuille ordinairement colorée, située le plus souvent à l'insertion des pédicelles. ⇒ **Bractéole**. *On trouve les bractées en collerette à la base des ombelles et des capitules.* ⇒ **Involucre**. *Bractées de l'épillet des graminées.* ⇒ **Glume, glumelle**. *Les grandes bractées du spathe de palmier.*

Un adolescent perdit une bonne part de son admiration pour le bougainvilléa, ce manteau de feu orangé, violacé, rose, qui couvre des murs algériens. «Depuis que je sais que ce ne sont que des bractées...», dit-il sans s'expliquer davantage. Eh oui, des bractées seulement. Nous ne voulons révérer que le cratère, qui est la fleur. COLETTE, Flore et Pomone, in Gigi, p. 142.

DÉR. Bractéal. — V. **Bractéole.**

BRACTÉOLE [bʀaktɛɔl] n. f. — 1566 ; lat. *bracteola*, de *bractea*. → Bractée.

♦ Bot. Bractée* d'ordre secondaire, à la base des pédicelles d'une inflorescence composée.

BRADAGE [bʀadaʒ] n. m. — V. 1960 ; de *brader*.

♦ Action de brader. *Le bradage des invendus.*
Fig. «*Bradage, abandon des traditions, vandalisme disait-on*» (*le Monde*, 15 nov. 1966).

BRADEL (À LA) [alabʀadɛl] loc. adj. et n. m. — 1850, Balzac ; de *Bradel*, n. d'une famille de relieurs.

♦ Techn. (reliure). *Reliure, cartonnage à la bradel*, ou *bradel* : reliure où le bloc des cahiers est emboîté dans un cartonnage léger, le dos étant séparé des plats par une rainure longitudinale.

BRADER [bʀade] v. tr. — 1866 ; «griller des viandes», puis «détruire par le feu», d'où «gaspiller», Flandres, v. 1440 ; cf. les fig. de *griller* ; mot wallon et picard, du néerl. *braden*, cf. all. *braten* «rôtir».

♦ **1.** Vendre en braderie. *On brade, on brade !*

♦ **2.** Par ext. Se débarrasser de (une marchandise, un bien) à n'importe quel prix. ⇒ **Liquider, sacrifier**. *J'ai bradé ma voiture.*

1 Ne la brade pas quand même ! ajoute la malheureuse. Mets ce qu'il faut.
BERNANOS, Nouvelle histoire de Mouchette, in Œ. roman, Pl., p. 1308.

2 Il est donc très facile de liquider la Vergeraie et la Bertonnière, excellentes métairies qui sont au surplus en fin de bail. Il est moins de brader la Belle Angerie, occupée, mal en point et défendue par les cris de la famille.
Hervé BAZIN, Cri de la chouette, p. 104 (1972).

3 Quant à la fusion, même échec ; les deux administrateurs, affirmant que Brasselier voulait brader l'affaire, avaient alerté les actionnaires (...)
René FLORIOT, La vérité tient à un fil, p. 15.

♦ **3.** (Dans le disc. polit.). *Brader l'Empire, brader les colonies :* abandonner des territoires nationaux sans les défendre. *La droite accusait la gauche de vouloir brader l'Algérie.*

4 (...) les mêmes qui ont fait croire à une partie de l'opinion que P.M.-F.[1] a bradé l'Empire français (...) F. MAURIAC, Bloc-notes 1952-1957, p. 315.
1. Pierre Mendès-France.

5 *Premier banquier :* C'est foutu. Un gouvernement de traîtres nous brade notre empire.
Deuxième banquier : Ainsi, de l'Indépendance ils ont fixé la date[1] !
Aimé CÉSAIRE, Une saison au Congo, I, IV.
1. Il s'agit du Congo.

DÉR. Bradage, braderie, bradeur.

BRADERIE [bʀadʀi] n. f. — 1867 ; rouchi «gaspillage», 1834 ; «rôtisserie», 1448 ; mot d'orig. wallonne et picarde, de *brader*.

♦ **1.** Régional (Nord) puis cour. Foire où les habitants vendent à bas prix des vêtements ou objets usagés.
Par ext. Liquidation de soldes en plein air. *Des braderies de quartier.*

♦ **2.** Action de brader (2.), et (polit.), d'abandonner (→ Brader, 3.).

La grande presse a noyé le plus qu'elle a pu l'acte de Dakar. L'image imbécile de «braderie» inventée contre Mendès-France demeure partout inscrite dans le filigrane. F. MAURIAC, le Nouveau Bloc-notes 1958-1960, p. 278.

BRADEUR, EUSE [bʀadœʀ, øz] n. — D. i. ; attesté 1957 au sens 2 ; «rôtisseur», 1421 ; de *brader*.

♦ **1.** Personne qui brade, se débarrasse à bas prix de quelque chose. *Des étalages de bradeurs.* ⇒ **Braderie** (1.).

♦ **2.** Polit. Personne qui brade le territoire national. *On l'accuse d'être un bradeur d'Empire.*

1 Votre (*il s'agit de P. Mendès-France*) grande force en Algérie, c'est d'avoir raison comme vous aviez raison au Maroc, en Tunisie, en Afrique Noire, où le général de Gaulle a pu déjà accomplir (trop tard, hélas ! à Rabat et à Tunis) ce qui vous faisait traiter de bradeurs et de traîtres.
F. MAURIAC, le Nouveau Bloc-notes 1958-1960, p. 110.

2 Le bradeur d'Empire ! Personne n'était moins disposé que lui à brader, personne n'eût été un plus dur négociateur, si on lui en avait laissé la charge.
F. GIROUD, Si je mens, p. 155 (1972).

BRADILLON [bʀadijɔ̃] n. m. ⇒ **Brandillon**.

BRADY- Élément préfixal (du grec *bradus* «lent») entrant dans la composition de mots savants.

BRADYCARDIE [bʀadikaʀdi] n. f. — 1893, Littré, *Dict. de méd.*, in D. D. L. ; de *brady-*, et *-cardie*.

♦ Méd. Ralentissement du rythme cardiaque (moins de 60 pulsations).

CONTR. Tachycardie.

BRADYCINÉSIE [bʀadisinezi] ou **BRADYKINÉSIE** [bʀadikinezi] n. f. — Mil. xxᵉ ; de *brady-*, et *-cinésie, -kinésie*.

♦ Méd. Lenteur anormale des mouvements observée dans certaines maladies mentales et nerveuses.

BRADYKININE [bʀadikinin] n. f. — Mil. xxᵉ ; terme dû à Rocha e Silva, 1949 ; de *brady-*, et *kinine*.

♦ Biol. Kinine* comptant neuf aminoacides, formée à partir de globulines du plasma sanguin, qui provoque une contraction lente et progressive de la musculature lisse et une hypotension prolongée.
REM. La *bradykinine* est parfois appelée *kallidine I*, par opposition à la *kallidine* proprement dite, ou *kallidine II*.

BRADYLALIE [bʀadilali] n. f. — 1907, Larousse ; de *brady-*, et *-lalie*.

♦ Méd. Lenteur anormale de l'articulation, dans la parole.

BRADYPE [bʀadip] n. m. — 1826 ; lat. zool. *bradypus*, grec *bradupous* «au pied lent».

♦ Zool. Lémurien du genre aï*. ⇒ **Paresseux**.

BRADYPEPSIE [bʀadipɛpsi] n. f. — 1584 ; grec *bradupepsia*, de *pepsia* «digestion». → Brady-.

♦ Méd. Digestion anormalement lente (cf. Molière, *le Malade imaginaire*, II., 5).

BRADYPSYCHIE [bʀadipsiʃi] n. f. — Mil. xxᵉ (in Porot, 1952) ; de *brady-*, et *-psychie*.

♦ Méd. Ralentissement anormal des activités psychiques, inertie du développement des idées, observée dans différents troubles physiques et mentaux (intoxications, lésions des centres nerveux, inhibition émotive, anxiété, épilepsie, confusion mentale...). ⇒ **Ralentissement** (psychique), **viscosité** (mentale).

CONTR. Tachypsychie.

BRAGARD, ARDE [bʀagaʀ, aʀd] n. et adj. ⇒ **Braguard**. — REM. Le mot a un homonyme (adj. et n.) «de Saint-Dizier».

BRAGOU-BRAS ou **BRAGOU-BRAZ** [bʀagubʀa] n. m. — 1838, Stendhal ; mot breton, proprt «culotte large», de *bragou*, plur. de *bragez* «culotte», et *braz* «grand». → Brague, braie (mot d'orig. gauloise).

♦ Anciennt et régional. Large culotte bouffante du costume masculin breton traditionnel, portée avec un gilet brodé *(chupen)* et le chapeau rond.

REM. Mentionné avant le xixᵉ s. dans les dict. breton-français, comme mot breton.

Bragou-bras, grande culotte à la mode des Bas-Bretons, et des paysans de plusieurs autres provinces. L. LE PELLETIER, Dict. de la langue bretonne, art. Braghes (Paris, 1752).

BRAGUARD, ARDE ou **BRAGARD, ARDE** [bʀagaʀ, aʀd] n. et adj. — 1495 ; du moy. franç. *braguer* «faire le fier» (1547), dér. de l'anc. franç. *brague* «plaisanterie, vantardise».

♦ Vx. Personne aimant les plaisirs. ⇒ **Fêtard, noceur, paillard**. REM. Le mot se trouve encore au xxᵉ s. dans un discours archaïsant (La Varende, in T. L. F.).

1. BRAGUE [bʀag] n. f. — 1308 ; empr. du provençal *braga*, du lat. *braca*, lui-même du gaul. → Braie.

♦ Vx. Culotte. ⇒ **Haut-de-chausses.**

DÉR. 1. Braguet, braguette.

2. BRAGUE [bʀag] n. f. — 1553 ; probablt empr. au génois *braga*, du lat. médiéval *bragoto* (cf. ital. *braca* « culotte » et « cordage »).

♦ Mar. Cordage qui était destiné à freiner le recul d'un canon.

DÉR. 2. Braguet.

1. BRAGUET [bʀagɛ] n. m. — 1802 ; de 1. *brague.*

♦ Vx. Pagne (Baudry de Lozières, *Voyage à la Louisiane*).

2. BRAGUET [bʀagɛ] n. m. — 1834 ; de 2. *brague.*

♦ Mar. anc. Cordage destiné à maintenir un mât.

BRAGUETTE [bʀagɛt] n. f. — 1534 ; *brayette*, 1379, aussi « petite braie » ; dimin. de *brague* « culotte », provençal *braga.* → Braie.

♦ **1.** Ancienn. Pièce de tissu triangulaire, s'attachant sur le devant du haut-de-chausses et recouvrant les parties sexuelles de l'homme. *Les aiguillettes* d'une braguette.*

0.1 Pour la braguette feurent levées seize aulnes un quartier d'icelluy mesmes drap. Et fut la forme d'icelle comme d'un arc-boutant, bien estachée joyeusement à deux belles boucles d'or, (...) Car (ainsi que dict Orpheus, *libro De Lapidibus*, et Pline, *libro ultimo*) elle a vertu érective et confortative du membre naturel.
L'exiture de la braguette estoit à la longueur d'une canne[1], deschicquetée, comme les chausses, avecques le damas bleu flottant comme davant. (...) Mais je vous en exposeray bien davdantage au livre que j'ay faict *De la dignité des braguettes.* D'un cas vous advertis que, si elle estoit bien longue et bien ample, si estoit-elle bien guarnie au dedans et bien avitaillée, en rien ne ressemblant les hypocriticques braguettes d'un tas de muguetz, qui ne sont plenes que de vent (...)
                                                RABELAIS, Gargantua, VIII.
1. Mesure valant plus de 1,75 m.

♦ **2.** Mod. Ouverture sur le devant (d'un pantalon, d'un short, d'un caleçon) de la ceinture à l'entrejambe. *Braguette à boutons, à glissière, à fermeture-éclair. Fermer, boutonner, ouvrir sa braguette. Avoir la braguette ouverte.*

1 Gabriel rougit et resserra le nœud de sa cravate après avoir vérifié d'un doigt preste et discret que sa braguette était bien close.
                                                R. QUENEAU, Zazie dans le métro, Folio, p. 98.

2 Laura fixe le regard, avec une moue de répugnance, sur la braguette déformée du mince pantalon collant.
                                                A. ROBBE-GRILLET, Projet pour une révolution à New York, p. 110.

REM. La fonction de la braguette, qui ne se trouve à l'origine que sur les pantalons d'hommes, semble restreindre les possibilités d'emploi de ce terme pour désigner l'ouverture d'un pantalon de femme.

♦ **3.** Par métonymie. Sexe (de l'homme) ; activités sexuelles. *« Il y a moins de bêtise dans la braguette de l'homme que dans son cerveau et dans son cœur »* (Montherlant, *les Lépreuses, in* T. L. F.). *Elle est un peu portée sur la braguette.*

BRAHMAÏSME [bʀamaism] n. m. Vx. ⇒ **Brahmanisme.**

BRAHMAN [bʀaman] n. m. — 1928 ; mot sanscrit « l'absolu ».
Didactique (religion).

♦ **1.** Savoir, connaissance contenus dans les textes fondamentaux du brahmanisme.

1 Le mot *brahman* est souvent employé dans le Véda, mais pour signifier la prière, le rite, la religion, dont les actes s'exécutent dans l'enceinte sacrée.
                                                Émile BURNOUF, la Science des religions, p. 153.

2 Il *(le brahmane)* est le détenteur du *brahman* (mot neutre), la parole souveraine ou le mot de l'énigme, le savoir védique s'exprimant volontiers précisément sous forme d'énigmes.
                                                Jean FILLIOZAT, les Philosophies de l'Inde, p. 11.

♦ **2.** Être universel, absolu, dont procède toute chose. — Divinité qui l'incarne. *Le śabdabrahman* (absolu-parole) *joue un rôle essentiel dans la philosophie indienne.*

3 Bien entendu, le mot Être traduit mal le Brahman incréé, la Déité suprême — auquel le sage accède par ce qu'il y a de plus profond dans l'âme, et non par l'esprit. Les dieux ne sont que des moyens différents de l'atteindre, et « chacun va à Dieu à travers ses propres dieux ». C'est lui que le Bouddha tente de détruire dans sa prédication primitive, lorsqu'il donne pour la fin dernière à l'extase, ce qu'il appelle avec grandeur : la paix de l'abîme.
                                                MALRAUX, Antimémoires, Folio, p. 299.

4 Le produit du cœur est l'esprit *(manas)*, celui de l'esprit la parole ; celui de la parole l'acte *(karman).* C'est cet acte qui, accompli, est l'homme, lieu du Brahman. Ainsi le cycle se referme, car le Brahman est aussi le maître des créatures d'où tout est issu et qui habite dans l'individualité psychique humaine façonnée par la pensée et la parole passée en actes. C'est ce Brahman, inapparent mais latent par nature en l'homme, que la philosophie des *Upanishad* enseigne à trouver en soi-même.
                                                Jean FILLIOZAT, les Philosophies de l'Inde, p. 16.

BRAHMANE, BRÂHMANE [bʀaman] n. m. — 1667 ; *brachmane*, 1532 ; *abraiaman*, 1298 ; var. *bra(h)min(e)*, XVIᵉ-XVIIIᵉ ; 1699, *brame* ; du sanscrit *brāhmana*, probablt par le portugais.

♦ **1.** Membre de la caste sacerdotale, la première des grandes castes traditionnelles de l'Inde. — Syn. (vx.) : *brahmine (bramine). Le sanscrit, langue liturgique des brahmanes. Brahmane savant et fondateur de sectes.* ⇒ **Pandit.** *Femme d'un brahmane.* ⇒ **Brahmine.**

(...) tout brâhmane devra passer successivement par quatre états de vie : celui d'étudiant brahmanique, entre l'initiation et la fin de ses études védiques, pendant lequel il doit observer une chasteté absolue ; celui de maître de maison marié, où il sacrifie, engendre des fils, qui est la phase sociale par excellence ; celui d'habitant de la forêt, stade intermédiaire et largement théorique (...) et, enfin, celui de « renonçant » intégral — sannyāsin — qui lui assure la délivrance.
                                                Madeleine BIARDEAU, l'Hindouisme, anthropologie d'une civilisation, p. 34.

♦ **2.** Par ext., littér. Sage (Giraudoux, *in* T. L. F.).

DÉR. Brahmanisme, brahmine.

BRAHMANIQUE [bʀamanik] adj. — 1830 ; de *brahmanisme.*

♦ Propre au brahmanisme. *La société brahmanique.* ⇒ **Brahmique.** *Textes brahmaniques. Spéculations philosophiques brahmaniques.*

BRAHMANISME [bʀamanism] n. m. — 1801 ; de *brahmane.*

♦ Système social et religieux de l'Inde, faisant suite au védisme et précédant l'hindouisme, caractérisé par la suprématie des brahmanes et l'intégration de tous les actes de la vie civile aux rites et devoirs religieux (⇒ **Brahmanique**). — Var. (vx) : *brahmaïsme.*

(...) le brâhmanisme est né d'un abaissement des Asuras au profit des dieux et bientôt au profit du plus grand d'entre eux, Brahmâ.
                                                Émile BURNOUF, la Science des religions, p. 216.

DÉR. Brahmanique, brahamaniste.

BRAHMANISTE [bʀamanist] n. et adj. — 1927, E. Favre ; du rad. de *brahmanisme.*

♦ Relatif au brahmanisme.

N. Personne qui pratique le brahmanisme.

BRÂHMÎ [bʀami] n. f. — 1928, Larousse ; sanscrit *brāhmī*, d'abord « énergie personnifiée de Brahmâ, parole ».

♦ Didact. L'une des écritures de l'Inde, attestée depuis le IIIᵉ siècle av. J.-C., qui se répandit en Indochine et en Indonésie, et dont la forme demeurée usuelle est la *devanagari. La brahmi, sans doute d'origine sémitique, est fondée sur un système alphabétique et s'écrit de gauche à droite.* — Adj. *L'écriture brâhmî.*

REM. L'orthographe *brâhmî* (transcription du sanscrit) est usitée par les spécialistes et dans les éditions savantes.

BRAHMINE [bʀamin] n. f. — Av. 1704, cit. ; *bramine*, 1502 ; var. de *brahmane.*

♦ **1.** Vx. Brahmane. — Var. : *bramine.*

S'il fut étonné de tant de richesses réunies en un seul endroit, il le fut bien davantage quand il vint à juger de la richesse du royaume en général, en considérant qu'à la réserve des brahmines et des ministres des idoles, qui faisaient profession d'une vie éloignée de la vanité du monde, il n'y avait dans toute son étendue ni Indien ni Indienne qui n'eût des colliers, des bracelets et des ornements aux jambes.
                                                A. GALLAND, les Mille et Une Nuits, t. III, p. 372.

♦ **2.** Femme d'un brahmane.

BRAHMIQUE [bʀamik] adj. — Mil. xxᵉ ; de *brahman.*
Didactique.

♦ **1.** Relatif au brahman.

♦ **2.** Rare. Relatif aux brahmanes ; de la caste des brahmanes. ⇒ **Brahmanique.**

BRAI [bʀɛ] n. m. — 1309 ; « boue », XIIᵉ ; de 2. *brayer* « enduire de goudron ».

♦ Techn. (relativement cour.). Résidu pâteux de la distillation des goudrons, des pétroles et d'autres matières organiques. *Le brai est utilisé comme agglomérant du poussier de houille, pour la fabrication de peintures, enduits d'étanchéité, etc. Brai sec provenant de la térébenthine distillée.* ⇒ **Arcanson, colophane.** *Brai gras* : brai sec liquéfié par addition de goudron, de poix grasse. *Brai liquide.* ⇒ **Goudron.** *Poussier de charbon aggluttiné au brai.* ⇒ **Aggloméré.** *Enduire de brai* (⇒ **Brayer**) *les coutures d'une carène avec le guipon.*

Après vingt-cinq à trente couches de papier journal, j'obtiendrai un bordé assez robuste, et terminerai alors par une dernière couche en sac de jute, cousue et barbouillée de brai, exactement comme on habille un kayak.
                        Bernard MOITESSIER, Cap Horn à la voile, p. 19.

HOM. Braie, brayer.

BRAIE [bʀɛ] n. f. — 1172 ; lat. *braca*, plur. *bracae*, mot gaul. → Braconnière, brague.

♦ **1.** Au plur. Anciennt. **BRAIES** : pantalon ample, en usage chez les Gaulois et les peuples germaniques.

0.1 (...) les Celtes avec leurs capuchons de laine, leurs blouses assez semblables à celles de nos paysans de naguère, leurs shorts de sportifs et leurs amples braies qui redeviendront de mode chez les sans-culottes de la Révolution
                                    M. YOURCENAR, Archives du Nord, p. 23.

Loc. Vx. *Se tirer d'une affaire les braies nettes* : se tirer heureusement d'une mauvaise affaire.

1   Moi, je dis que nos libertés auront peine à sortir d'ici les braies nettes.
                                    MOLIÈRE, les Précieuses ridicules, 11.

♦ **2.** (1680). Vx. Couche ou lange pour les jeunes enfants (rare au sing.).

2   (...) Ce petit *Amour* (...) les courtes jambes encore alourdies, déformées par des braies mal nouées, qui tombent et le découvrent à demi (...)
                                    GIDE, Journal, Feuillets, 1895.

♦ **3.** Mar. Toile appliquée autour du trou pratiqué dans le pont pour le passage d'un mât, d'une pompe... pour empêcher l'eau d'entrer dans le bâtiment.

Pêche. Chalut fixe, maintenu ouvert par des perches, et dirigé vers la côte.

♦ **4.** Fortif. Ouvrage construit à l'extérieur d'une fortification pour en protéger le pied. *Fausse braie* : enceinte basse ajoutée au pied d'une enceinte préexistante. — Techn. anc. Garniture, en meunerie, forge ; protection, en typographie (sens attestés de 1690 au XIXe s.).

DÉR. 1. Brayer. — V. Brêler.
HOM. Brai, braye.

BRAIEMENT [bʀɛmɑ̃] n. m. ⇒ Braiment.

BRAILLARD, ARDE [bʀajaʀ, aʀd] n. et adj. — 1528 ; de *brailler*.
Familier.

♦ **1.** Personne qui est en train de brailler, qui braille souvent. ⇒ **Brailleur, gueulard.** *Un braillard insupportable.* — Adj. *Un enfant braillard.* ⇒ **Pleurard.**

0.1 Alors, tapie dans la haie, retenant son souffle, le cœur submergé d'une délicieuse angoisse, elle épiera la troupe braillarde.
                                    BERNANOS, Nouvelle Histoire de Mouchette, in Œ. roman., Pl., p. 1267.

♦ **2.** Personne qui s'exprime en criant très fort ; et, spécialt, qui crie beaucoup mais n'agit pas. *Un grand braillard. Une braillarde.* ⇒ **Criard, fort** (fort en gueule, fam.). *Ce (grand) braillard d'adjudant.* « *Les braillards de l'antisémitisme* » (Clemenceau).

1   Par la morbleu ! vous êtes de grands braillards vous autres, et vous avez la gueule ouverte de bon matin (...) Diable soit les brailleurs !
                                    MOLIÈRE, la Princesse d'Élide, I, 2.

2   (...) c'est cela, la paix ; la disparition de tous ces braillards belliqueux.
                                    Paul LÉAUTAUD, Passe-temps, p. 84.

(Animaux). ⇒ **Criard.** *Des mouettes braillardes.*

♦ **3.** Adj. Qui se manifeste bruyamment. *Une gaieté braillarde. Une voix braillarde. Des discussions intarissables et braillardes.*

♦ **4.** N. m. Petit porte-voix utilisé à bord des bateaux.

BRAILLE [bʀaj] n. m. — 1927, pour *écriture* ou *alphabet Braille,* du n. de l'inventeur, Louis *Braille* (1852).

♦ Alphabet conventionnel basé sur un système de points saillants (également applicable aux chiffres, à la musique, à la sténo), à l'usage des aveugles. *Apprendre le braille. Écriture braille,* en alphabet braille. *Procédé d'impression en relief* (anaglyptique*) *du braille.*

— Vous n'avez pas essayé le Braille ?
— Vous voulez dire, ces trucs avec les points ?
— Oui.   J.-M. G. LE CLÉZIO, le Déluge, p. 115.

BRAILLEMENT [bʀajmɑ̃] n. m. — 1590, Brantôme ; de *brailler*.

♦ Action de brailler. *Un braillement de chansons à boire.*
Cri, éclat de voix d'une personne qui braille. *Des braillements insupportables.* ⇒ **Criaillerie.**

Un vrai maigre bouffon avec sa guiterne et son braillement de chansons à l'espagnole (...)   BANTÔME, *in* HUGUET.

Spécialt. Cri, hurlement (d'un jeune enfant).

BRAILLER [bʀaje] v. — V. 1220 ; lat. vulg. *bragulare*, de *bragere* « braire ». → Braire.

★ **I.** V. intr. Fam. ♦ **1.** Crier fort, parler de façon assourdissante et ridicule. ⇒ **Crier, hurler.** *Il ne parle pas, il braille. Cesse donc de brailler comme ça ! Ce n'est pas la peine de brailler, on a compris ! Toute la salle braillait, se mit à brailler.* — En incise : *Ta gueule !, braillait-il.*
Chanter mal et fort. ⇒ **Beugler.** — Péj. Chanter. « *Tâchez de brailler en mesure !* » (Courteline).
(Sujet n. de chose). *Des hauts-parleurs braillaient.*
Spécialt (en parlant des enfants). Pleurer bruyamment.

1   Il *(cet enfant)* braille à faire sourd un chantre (...)
                                    HUGO, Notre-Dame de Paris, IV, I.

Exprimer ses idées de façon tapageuse. *Ils ne savent que brailler au lieu de discuter. Ceux « qui braillent sur la question des prolétaires et des salaires* » (Balzac, *in* T. L. F.).

♦ **2.** Chasse (en parlant d'un chien). Crier, aboyer sans être sur la voie.
(En parlant du paon). Pousser son cri.

★ **II.** V. tr. ♦ **1.** (Personnes). Dire, chanter très fort, en criant. *Brailler des injures. Brailler ses opinions sur tous les toits. Brailler une chanson.*

2   Quatre-vingt-dix mille cloîtrés qui braillent ou qui nasillent du latin (...)
                                    VOLTAIRE, l'Homme aux quarante écus.

3   La seule chose qui manque ce sont ces bonshommes qui se font pisser le sang à coups de verge en braillant des cantiques derrière les processions.
                                    Claude SIMON, le Palace, p. 126.

Au p. p. *Des invectives braillées.*

♦ **2.** (Animaux). Par retour au sens étymologique :

4   Et les bons ânes
     Braillent hi-han et se mettent à brouter les fleurs
     Des couronnes mortuaires.   APOLLINAIRE, Alcools, p. 125.

DÉR. Braillard, braillement, brailleur.

BRAILLEUR, EUSE [bʀajœʀ, øz] adj. et n. — 1586 ; de *brailler*.

♦ Qui braille. *Un gosse brailleur.* — *Un âne brailleur.*
N. *Ce n'est qu'un (grand) brailleur.*

REM. Le mot est à peu près synonyme de *braillard**, mais il est moins usuel ; le verbe *brailler* étant lui-même péj., l'opposition des suffixes (*-eur*, neutre ; *-ard*, péj.) n'apporte guère de nuance.

BRAIMENT [bʀɛmɑ̃] n. m. — 1590 ; «cri, pleur», 1160 ; de *braire*.

♦ **1.** (En parlant d'un âne, d'un mulet, d'une mule...). Cri caractéristique : aspiration très sonore, d'un timbre désagréable, sifflant ou rauque ; brusque expiration. *Le braiment d'un âne. Des braiments sonores, répétés.*

J'entendais le braiment des ânes (...)
                                    LAMARTINE, Graziella, III, 13 (→ Bruit, cit. 5).

REM. On écrit parfois *braiement* (vieilli).

♦ **2.** (En parlant d'une personne). Cri bruyant, laid et prolongé. — REM. En emploi métaphorique, le mot est sans doute influencé par *braillement.*

BRAIN DRAIN [bʀɛndʀɛn] n. m. — V. 1960-1965 ; mot angl. des États-Unis, «drainage de cerveaux».

♦ Anglic. Recrutement à l'étranger (drainage), au profit des États-Unis, de cadres de valeur (ingénieurs, techniciens, chercheurs...).

BRAINSTORMING [bʀɛnstɔʀmiŋ] n. m. — 1959, *in* Höfler ; mot angl. des États-Unis, littéral «tempête *(storming)* des cerveaux *(brain)*».

♦ Anglic. Technique de recherche des idées au cours de séances spécialement organisées, où chacun est invité à fournir ses suggestions sur une question, pour résoudre un problème. « *Ce "brain storming", le vidage violent des cerveaux...* » (*Paris-Match*, 27 oct. 1973, p. 82). — Réunion où l'on applique cette technique. *Des brainstormings.* — REM. Le mot, critiqué par les puristes, n'a pas reçu d'équivalent français efficace ; Louis Armand avait proposé le plaisant : *remue-méninges* (le mot est parfois employé, en particulier au Québec) : « *À Kamarina, les séances de brain-storming, ou de remue-méninges, ont lieu à l'ombre, pour éviter que les esprits ne s'échauffent* » (le Nouvel Obs., 24 juin 1983).

BRAIN-TRUST [bʀɛntʀœst] n. m. — 1947, *in* Höfler ; brain trust, 1933 ; mot angl. des États-Unis, «trust du cerveau».

♦ Anglic. Hist. Nom donné à l'équipe d'intellectuels et de professeurs dont s'entoura F. Roosevelt. — Petite équipe d'experts, de techniciens, etc., qui assiste une direction. *Des brain-trusts.*

(...) le groupe d'intellectuels qu'un journaliste a baptisé : Brain-Trust, le Trust du

Cerveau (...) Roosevelt, gouverneur de New York, s'est lié avec un certain nombre de professeurs de l'Université de Columbia ; devenu Président, il a fait de ces professeurs des sous-secrétaires d'État (...)
A. MAUROIS, Chantiers américains, II, p. 69-70.

2 *(un personnage parle)* il est devenu ingénieur et enfin P.-D. G. (...) d'un brain-trust spécialisé dans l'engineering (...)   Hervé BAZIN, Cri de la chouette, p. 26.

BRAIRE [bRɛR] v. — 1640 ; «crier», 1080 ; du lat. pop. *bragere*, d'un rad. *brag-* ; cf. gaélique *braigh* «crépiter». → aussi Brailler.

REM. Le verbe s'emploie surtout à l'inf. et à la 3e pers. du présent et du futur de l'ind. *(il braira)*. Le conditionnel, plus rarement l'imparfait (*je brayais*, A. France) se rencontrent aussi, de même que le passé simple (*l'âne a brait*).

★ **I.** V. intr. ♦ **1.** (En parlant d'un âne). Crier (de manière caractéristique, très sonore et disgracieuse). ⇒ **Braiment.**

0.1 Ils y trouvèrent, attelé à une voiture grande comme une brouette, un tout petit âne qui s'ennuyait sans doute, et qui se mit à braire en les voyant, d'un ronflement si fort et si prolongé, que les vastes toitures des Halles en tremblaient.
ZOLA, le Ventre de Paris, t. I, p. 35.

1 (...) non pas un âne pétulant, un de ces ânes qui (...) cabriolent sur les talus, qui ruent dans les brancards, lèvent la croupe et braient comme douze trompettes dès qu'ils reniflent l'odeur enivrante de l'âne (...)
H. BOSCO, l'Âne Culotte, p. 13.

Par métaphore ou compar. (Sujet n. de personne). *Il brayait comme un âne.*

(Avec les valeurs péj. de *âne*) :

2 Laissez donc braire maître Aliboron, dit Fréron (...)
VOLTAIRE, Lettre à Marmontel, 2 avr. 1772.

♦ **2.** Fig. et fam. Crier, pleurer bruyamment. ⇒ **Brailler.**

3 Berthe-jambe-de-bois, qui faisait le promenoir, elle me repère elle devant le *Daisy*...
— Ah ! qu'elle se met à braire... T'es du cirque ?...
CÉLINE, Guignol's band, p. 326.

♦ **3.** (Mil. xxe). Fam. *Faire braire :* ennuyer profondément. *Tu me fais braire avec tes histoires.* ⇒ **Suer** (faire).

4 Ils me font braire ceux qui dissertent sur le malaise de la jeunesse. Le malaise, la difficulté d'être, c'est nous qui l'éprouvons, nous qui cherchons tout le temps à nous faire pardonner notre âge.
Benoîte et Flora GROULT, Il était deux fois, p. 341.

★ **II.** V. tr. Crier, chanter fort et mal. ⇒ **Brailler.** *Ils braient des sottises. Braire un air ancien. «On brait un oratorio de Mendelssohn»* (Berlioz, in D. D. L.).

DÉR. Braiment.

BRAISAGE [bRɛzaʒ] n. m. — 1957 ; de *braiser*.

♦ Cuis. Action de braiser, opération culinaire par laquelle on braise (un aliment).

On braise les viandes de 2e catégorie (...) La base de cette technique est le *fonds de braisage* (...) Dans un premier temps, on saisit dans la cocotte la viande sur toutes ses faces (...) On prépare alors le fonds de braisage en faisant rissoler les légumes, auxquels on ajoute le bouquet et les couennes.
François LÉRY, Technique de la cuisine, p. 82 (1962).

1. BRAISE [bRɛz] n. f. — V. 1170, *breze* (→ Brésil) ; orig. incert. ; p.-ê. d'un germanique *brasa*, *bras* par un empr. au rad. gothique *bras-*. → aussi Brasero, brasque, brésolles.

♦ Bois réduit en charbons ardents. *Remplir de braise une chaufferette, un brasero. Cuire, griller sur la braise. Souffler sur la braise, les braises. Attiser la braise. La braise, les braises d'une bûche, d'un tison.*

0.1 — Pendant que nous avons une si bonne braise, qu'une aune de boudin viendrait bien à propos !   Ch. PERRAULT, Contes, « Les souhaits ridicules ».

1 (...) Et il faut souffler patiemment sur cette petite braise enfouie sous les cendres, pour qu'elle s'attise (...) pour qu'elle flambe, peut-être, un jour !
MARTIN DU GARD, les Thibault, t. VI, p. 230.

Viande à la braise, cuite dans un plat entouré de braise.

Spécialt. Bois formant un charbon léger qui se rallume aisément. *Braise de boulanger.* ⇒ **Braisette.** *Remuer la braise dans le four avec un fourgon. Retirer la braise du four avec un tire-braise* (⇒ **Débraiser, ébraiser**). *Éteindre, conserver la braise.*

Loc. fam. *Être sur la braise* (→ Être sur des charbons* ardents).

Vieilli. *Tomber de la poêle dans la braise* (cf. de Charybde en Scylla). *Passer sur qqch. comme chat sur braise :* glisser sur un sujet sans oser en parler à fond.

2 Le garde des sceaux parla peu, dignement, en bons termes, mais comme un chat qui court sur la braise.   SAINT-SIMON, Mémoires, 514, 60, *in* LITTRÉ.

Avoir des yeux de braise, des yeux vifs, brillants (→ Ardent, cit. 18).

3 On voyait luire ses petits yeux devenus couleur de braise (...)
E. FROMENTIN, Un été dans le Sahara, II.

Être chaud comme braise : être très ardent, très amoureux. ⇒ **Ardent.**

4 Les Calabraises sont noires dans la plaine, blanches sur les montagnes, amoureuses partout ; Calabraise et braise, c'est tout un.
P.-L. COURIER, Lettres, XLIX, Pl., p. 729.

(1680). Vx. *Rendre qqch., le rendre chaud comme braise,* sur le champ.

DÉR. Braiser, braisette, braisier, braisière, braisiller, braser, brasier, brasière, brasiller. — V. Brésil.

COMP. Embraser.

2. BRAISE [bRɛz] n. f. — 1783 ; soit de *braise,* mot du Lyonnais, «miette, débris» (→ 2. Brésiller), soit emploi métaphorique de 1. *braise* «charbon», celui-ci servant à «faire bouillir la marmite».

♦ Fam. Argent (monnayé). *T'as de la braise ?*

1 Comm' ça j'gagn' pas mal de braise,
Mon beau-frère en gagne autant,
Pisqu'i' r'fil' ma sœur Thérèse (...)
À Ménilmontant.   A. BRUANT, Dans la rue, p. 89.

2 Jean ouvre des châsses comme des soucoupes : il n'a pas dû voir souvent autant de braise éparpillée sur sa descente de lit.   A. SARRAZIN, l'Astragale, p. 210.

BRAISER [bRɛze] v. tr. — 1767 ; de 1. *braise.*

♦ Faire cuire (une viande, un poisson, certains légumes) à feu doux et à l'abri de l'air. *Braiser un gigot.* — Absolt. *«On ne rissole, on ne braise que sous sa direction...»* (P. Morand, *in* T. L. F.). — P. p. adj. (plus cour.). *Bœuf braisé. Laitues braisées.*

DÉR. Braisage.

BRAISETTE [bRɛzɛt] n. f. — 1836 ; de 1. *braise.*

♦ Rare. Menue braise.

BRAISIER [bRɛzje] n. m. — 1701 ; «grand feu de charbons ardents», XIIIe ; de 1. *braise.*

♦ **1.** Ancienn. Huche où le boulanger met la braise étouffée.

♦ **2.** Vx. Brasero.

BRAISIÈRE [bRɛzjɛR] n. f. — 1706 ; de 1. *braise.*

♦ **1.** Étouffoir pour la braise.

♦ **2.** (1798). Récipient de fonte (⇒ **Cocotte**) utilisé pour braiser les viandes ou cuire doucement un mets, caractérisé par un couvercle creux à rebord où l'on met de l'eau (autrefois des braises) pour empêcher l'évaporation du jus de cuisson. ⇒ **Daubière.**

BRAISILLANT, ANTE [bRɛzijã, ãt] adj. ⇒ **Braisiller.**

BRAISILLEMENT [bRɛzijmã] n. m. — 1886, Zola ; de *braisiller.*

♦ Littér. Scintillement léger, discret. ⇒ **Brasillement.**

BRAISILLER [bRɛzije] v. intr. — 1882, Zola ; 1869, p. prés. adj. ; de 1. *braise.*

♦ Littér. Scintiller (en parlant de la braise). ⇒ **Brasiller.** *Des charbons qui braisillent faiblement.* — Par anal. *«Le soleil braisillait dans un ciel d'un bleu pur»* (Zola, la Terre).

Au p. prés. adj. Scintillant.

(...) le soleil à son déclin jetait des lueurs braisillantes d'or rouge !
ZOLA, Rome, p. 377.

DÉR. Braisillement.

1. BRAME [bRam] n. m. Vx. ⇒ **Brahmane.**

2. BRAME [bRam] ou **BRAMEMENT** [bRammã] n. m. — 1787, *bramement ;* de *bramer.*

Littéraire ou technique (vénerie).

♦ **1.** Cri du cerf en rut (en vénerie, on dit surtout *brame*). ⇒ **Bramée.**

1 Il écoutait attentivement leurs deux râles presque égaux (...) incertaine d'abord, cette voix plaintive, longuement poussée, se rapprochait, s'enfla, devint cruelle ; et il reconnut, terrifié, le bramement du grand cerf noir.
FLAUBERT, Trois contes, « La légende de saint Julien l'Hospitalier ».

1.1 Il me fait entendre toute sorte de cris d'animaux, et singulièrement des brames de cerfs en rut qui sont d'une puissance d'évocation admirable (...)
M. TOURNIER, le Roi des Aulnes, p. 85.

♦ **2.** Fig. Hurlement prolongé.

2 (...) un cri s'élève, suraigu, terrifiant (...) Il avait commencé comme un haut bramement d'agonie, et voici qu'il s'achève et s'éteint en une sorte de rire, sinistrement burlesque, comme le rire des fous (...)   LOTI, Ramuntcho, I, 8, p. 97.

BRAMÉE [bʀɑme] n. f. — 1863 ; de *bramer*.
Régional.

♦ **1.** Cri du cerf. ⇒ **Brame.**

♦ **2.** Fig. (en Suisse). Cri aigu et prolongé.

BRAMER [bʀɑme] v. intr. — 1528 ; anc. provençal *bramar* « chanter », et aussi « mugir, braire », du gothique *bra(m)mon*.

♦ **1.** (En parlant du cerf). Pousser son cri. *La biche brame. Les cerfs se mirent à bramer.*

1 Le faon, tout de suite, fut tué. Alors sa mère, en regardant le ciel, brama d'une voix profonde, déchirante, humaine.
FLAUBERT, Trois contes, « La légende de saint Julien l'Hospitalier ».

♦ **2.** (Sujet n. de personne). Fig. et fam. Crier, chanter fort. ⇒ **Beugler, brailler, lamenter** (se), **pleurer.** *Bramer comme un veau.* — *Bramer après, vers qqn, qqch.,* soupirer fortement.

2 Ah ! Je brame après cette santé, cet équilibre heureux (...)
GIDE, Journal, 1918.

3 — Vous me feriez sortir de mon sang-froid, cria Cadet Blanchet en bramant comme un taureau.
G. SAND, François le Champi, IX, p. 78.

Par métonymie :

4 — Non mais, brama le téléphone, qu'est-ce qu'i faut pas entendre. T't'déranger toi ? qu'est-ce que tu pourrais branler d'important ?
R. QUENEAU, Zazie dans le métro, Folio, p. 138.

▶ **BRAMANT, ANTE** p. prés. et adj.
Qui brame.

DÉR. 2. **Brame, bramée.**

BRAMINE [bʀamin] n. m. ⇒ **Brahmane.**

1. BRAN ou **BREN** [bʀɑ̃] n. m. — 1205, *brent* ; du lat. vulg. *brennus* « son », p.-ê. d'un rad. gaul. *brenno*.

♦ **1.** Régional. Partie la plus grossière du son.
Loc. prov., vx. *Faire l'âne* pour avoir du bran : se faire passer pour plus stupide qu'on est pour obtenir une faveur, un renseignement (⇒ **Son**).

1 (...) deux factionnaires en uniforme couleur de bran, baïonnette au fusil, montent la garde (...)
A. PIEYRE DE MANDIARGUES, la Marge, p. 35.
(1743). *Bran de scie* : sciure* de bois.

♦ **2.** (1306 ; déb. XIIIe, « boue »). Vx et fam. Excrément. ⇒ **Merde.** *Du bran de chien.*
Régional. *Bran d'agace* : gomme sécrétée par l'écorce du cerisier et du prunier.

♦ **3.** Interj. Fam., vieilli. Exclamation de colère, de mépris. ⇒ **Merde.** *Bran pour lui !*

2 Du bran pour la psychologie.
FLAUBERT, Lettre à E. Chevalier, 6 nov. 1839, Correspondance, Pl., t. I, p. 55.

DÉR. (De **bren**) **Breneux.** — V. aussi **Brignolet.**

2. BRAN [bʀɑ̃] n. m. — 1080, *brant* « lame d'épée » ; du francique *brand* « tison », ou p.-ê., selon Guiraud, de l'anc. franç. *branca* « patte, branche », et de *brander* « allumer ». → Brandir, brandon.

♦ Ancienn. Épée à forte lame dont on se servait au moyen âge. Var. : *branc* [bʀɑk], *brand, brant.*

BRANCARD [bʀɑ̃kaʀ] n. m. — 1429, *branquart*, au sens 3 ; 1380, « chariot », de *branque*, forme normande de *branche* ou du provençal mod. *brancal.*

♦ **1.** Barre de bois fixée à un objet et qui permet de le transporter. ⇒ **Bras,** 5. *Les brancards d'une civière, d'un meuble ; d'une charrette à bras ; d'une brouette* (cit. 3).

0.1 Les pieds du petit homme qui court entre les brancards continuent, sur un rythme vif et régulier, à frapper l'asphalte lisse.
A. ROBBE-GRILLET, la Maison de rendez-vous, p. 23.

♦ **2.** Par métonymie (objet muni de brancards). — Hist. du meuble. Ancien guéridon à bras.

0.2 Les grandes tapisseries exécutées aux Gobelins et représentant la visite de Louis XIV à la Manufacture, nous ont conservé la reproduction des objets d'argent qu'on y fabriquait. On voit sur l'une d'elles, au premier plan, ce qu'on appelait un brancard, sorte de guéridon muni, en effet, de brancards à l'aide desquels il pouvait être transporté par deux hommes. Ce meuble devait servir de support à une grande torchère.
Luc LANEL, l'Orfèvrerie, p. 97.
Cour. Civière*. ⇒ **Bard, comète, litière.** *Transporter un blessé, un malade sur un brancard.* ⇒ **Brancarder.** *Personne qui transporte un malade sur un brancard.* ⇒ **Brancardier** (cit.).

1 Il avait été longtemps promené sur divers brancards, avec des temps d'arrêt dans des ambulances.
LOTI, Pêcheur d'Islande, III, p. 141.

2 (...) le brancard était trop court pour un homme d'une bonne taille (...)
G. DUHAMEL, Récits des temps de guerre, t. II, p. 53.

♦ **3.** Pièce de bois prolongeant la caisse d'une voiture, d'une char-

rette, et permettant d'atteler un cheval. ⇒ **Limon.** *Harnais servant à atteler un cheval dans les brancards.* ⇒ **Dossière, porte-brancard.** *Brancard de caisse.* ⇒ **Longeron.**

2.1 Charles, posé sur le bord extrême de la banquette, conduisait les deux bras écartés, et le petit cheval trottait l'amble dans les brancards, qui étaient trop larges pour lui.
FLAUBERT, Mme Bovary, I, VIII.

3 (...) une vieille calèche dresse en l'air deux moignons de brancards, sur lesquels dorment des poules.
MARTIN DU GARD, les Thibault, t. VIII, p. 174.
Âne qui rue dans les brancards (→ Braire, cit. 1). Loc. fig. *Ruer* (cit. 5) *dans les brancards.*

DÉR. **Brancarder, brancardier.**

BRANCARDAGE [bʀɑ̃kaʀdaʒ] n. m. — 1917, *in* D. D. L. ; de *brancarder.*

♦ Techn. Action, manière de transporter sur un brancard. *Les techniques de brancardage. Le brancardage des blessés.*

BRANCARDER [bʀɑ̃kaʀde] v. tr. — 1877 ; de *brancard.*

♦ Techn. Transporter (qqn qui ne peut pas se déplacer) sur un brancard. *Brancarder un blessé, un infirme.*

DÉR. **Brancardage.**

BRANCARDIER [bʀɑ̃kaʀdje] n. m. — 1651, Scarron ; de *brancard.*

♦ **1.** Personne qui est chargée du transport des blessés ou des malades, sur un brancard*. ⇒ **Ambulancier.** *Soldat brancardier, brancardier militaire :* soldat qui relève les blessés sur un champ de bataille et les transporte à l'ambulance.

Déjà, dans la cour, des équipes de brancardiers, avec leurs brancards et leurs petites voitures, guettaient les fourgons, les tapissières, les véhicules de toutes sortes recrutés pour le déménagement de l'Hôpital.
ZOLA, Lourdes, p. 214.

♦ **2.** (1863). Vx. Cheval attelé entre les brancards d'une voiture. ⇒ **Limonier.**

1. BRANCHAGE [bʀɑ̃ʃaʒ] n. m. — 1454 ; *branchaige* « famille », 1453 ; de *branche.*

♦ **1.** Ensemble des branches* (d'un arbre). ⇒ **Frondaison, ramée.** *Élaguer le branchage d'un arbre.*

1 Le Ciel permit qu'un saule se trouva,
Dont le branchage, après Dieu, le sauva.
LA FONTAINE, Fables, I, 19.

2 Laissons l'aurore poindre et luire, et le zéphir
Frissonner à travers les branchages profonds.
HUGO, les Années funestes, XVIII, 2.

2.1 Le souffle des cieux sans étoiles agitait plaintivement les hauts branchages dans les ténèbres autour de l'étang (...)
VILLIERS DE L'ISLE-ADAM, Tribulat Bonhomet, p. 15.

♦ **2.** (1845). Au plur. Petites branches coupées. ⇒ **Broutille.** *Branchages assemblés en fagots, en fascines. Une jonchée de branchages.*

3 La nuit tombante ramena le sentiment de l'hiver et ils rentrèrent dîner devant le feu, qui était une flambée de branchages.
LOTI, Pêcheur d'Islande, V, 5, p. 269.

♦ **3.** (1813). Par anal. (en parlant du cerf). Bois, ramure.

♦ **4.** (1875). Techn. Branchement. *Un branchage d'égout.*

2. BRANCHAGE [bʀɑ̃ʃaʒ] n. m. — D. i. (XVIIIe ?) ; de *brancher* II., 1.

♦ Vx et rare. Action de pendre, de brancher (qqn). « *Un branchage de notables* » (Barrès, *in* T. L. F., sous 1. *branchage*).

BRANCHE [bʀɑ̃ʃ] n. f. — V. 980 ; du bas lat. *branca* « patte (d'un animal) ».

★ **I.** ♦ **1.** Ramification latérale de la tige ligneuse (d'un arbre). — REM. En arboriculture, on réserve ce nom aux plus fortes ramifications (opposé à *rameau* et à *scion*). ⇒ Arbor. *Branche mère,* qui pousse directement sur le tronc. *Branches charpentières d'un arbre fruitier,* qui constituent la charpente, le squelette de l'arbre. *Branche à bois,* qui est conservée pour porter les branches à fruits. *Branches fruitières.* ⇒ **Brindille** (hortic.), *courçon.* Base d'une branche coupée *dans un arbre fruitier.* ⇒ **Ergot.** *Branche chiffonne :* rameau qui ne porte que des boutons à fleurs. *Branche à bouquet,* qui porte plusieurs boutons à fruits. *Branche gourmande,* dont le développement excessif épuise la branche à fruits.

Cour. *Maîtresse branche. Branche morte. Secouer les branches d'un arbre.* « *Un cassis sauvage (...) qui passait une branche de fleurs par la fenêtre* » (Proust). *Branche noueuse, flexible. Les branches basses. Sur la plus haute branche. Les branches du chêne. Une branche de hêtre. Le bruit du vent dans les branches. Allumer un feu avec de petites branches sèches. L'écureuil saute de branche en branche. Branches courbées sous le poids des oiseaux.* → Perchoir, cit. 1. — *Ensemble des branches d'un arbre.* ⇒ **Branchage, ramée, ramure.** *Petite branche.* ⇒ **Branchette, brindille, rameau, ramille, rouette.** *Branches nouvelles.* ⇒ **Pousse, rejet, rejeton, surgeon,** taille ; (rare) **bouture, crossette.** *Branches repiquées pour la reproduction.* ⇒ **Bouture, ente, greffe, marcotte, plançon, scion.** — (Vén.). *Branches hardées : petites branches des taillis qui accrochent au passage les bois des cerfs. Branche rompue par le veneur pour reconnaître le passage d'un gibier.* ⇒ **Brisée.** — *Dépouiller un arbre de ses branches* (⇒ **Découronner, ébrancher, élaguer, émonder**). *Couper la branche d'un arbre* (⇒ **Ravaler**). *Un moignon de branche. Branche chargée de ses ramifications secondaires.* ⇒ **Branchée, ramée.** *Ployer une branche. Courbure d'une branche.* ⇒ **Arcure.** *Menues branches coupées et liées ensemble.* ⇒ **Clayonnage, croisillon.** *Une branche de buis*. Chant des oiseaux dans les branches.* ⇒ **Ramage.** — *Ornement architectural sculpté en branche de vigne.* ⇒ **Pampre.**

1 (...) on les entendait babiller et chanter ensemble comme deux merles dans une branche. G. SAND, la Petite Fadette, p. 18.

2 (...) les branches anguleuses des vieux arbres, hérissées de pâles lichens, s'étendaient et s'entrecroisaient comme de grands bras décharnés sur la tête de nos voyageurs (...) G. SAND, la Mare au diable, X.

3 Des branches d'églantine, dont l'une portait déjà de petites baies, fleurissaient un buisson en travers du sentier. MARTIN DU GARD, les Thibault, t. II, p. 260.

4 Je saisis une branche, la plus proche, et je tirai. Elle résista, plia, craqua, mais tint bon. Je dus la tordre, l'arracher fibre par fibre. Mes doigts s'engluaient dans la gomme. Tout à coup la branche se détacha et tomba à terre. Je fus effrayé de sa grandeur, elle était formée de plusieurs rameaux. H. BOSCO, l'Âne Culotte, p. 84.

4.1 (...) dehors il fait froid, le vent souffle dans les branches noires dénudées ; le vent souffle dans les feuilles, entraînant les rameaux entiers dans un balancement, balancement qui projette son ombre sur le crépi blanc des murs. A. ROBBE-GRILLET, Dans le labyrinthe, p. 9.

Spécialt. Bâton, morceau de bois formé d'une branche coupée. *Un petit chameau « que poussaient avec des branches, deux petits Arabes »* (Maupassant).

♦ **2.** (Av. 1704). Ramification d'une partie quelconque de la plante. *Les branches d'une racine.* (1863). *Asperges, céleris en branches,* avec la tige complète. — Loc. fig. et fam. *Il n'y en a pas plus que de beurre en branche.* ⇒ **Beurre** (*infra* cit. 4.4). *C'est de la connerie en branche :* c'est complètement idiot.

♦ **3.** Par anal. *Une branche de corail.* (Av. 1250). *Les branches du cerf.* ⇒ **Bois.**

4.2 Elle est garnie d'idoles, qui, des trois côtés de la pièce disposées sur deux files, brandissent des épées, des luths, des roses et des branches de corail (...) CLAUDEL, Connaissance de l'Est, 1907, p. 31.

♦ **4.** Loc. fig. *Être comme l'oiseau sur la branche :* occuper une position précaire, incertaine.
Scier la branche sur laquelle on est assis : compromettre sa position.

5 Ainsi la monarchie de Juillet était discréditée, ébranlée par ceux qui l'avaient faite, par ces élus censitaires qui sciaient la branche sur laquelle ils étaient assis. J. BAINVILLE, Hist. de France, XIX.

S'attacher aux branches : s'arrêter aux circonstances inutiles, en négligeant l'essentiel.
(1690). *Sauter de branche en branche :* dans la conversation, passer brusquement d'un sujet à l'autre (→ Coq-à-l'âne.)
S'accrocher à toutes les branches : se servir de tous les moyens nécessaires, ne rien négliger.
Se rattraper aux branches : rétablir une situation critique en saisissant une opportunité.

★ **II.** Par anal. ♦ **1.** (1293). Ramification ou division (d'un organe, d'un appareil, etc.) qui part d'un axe ou d'un centre. — (1637). Anat. *Branches collatérales, terminales d'un nerf, d'un vaisseau.*
Les branches d'un chemin, d'une voie de communication, d'une mine, d'une tranchée, d'un égout. ⇒ **Embranchement.** *Faire se rejoindre les deux branches d'un tuyau* (⇒ **Brancher, embrancher**).

6 La grande artère qui envoie ses branches par tout le corps. DESCARTES, Disc. de la méthode, 5.

Le chandelier* à sept branches. Les branches d'un compas, d'une paire de lunettes, d'un mors, d'un fer à cheval, d'une paire de ciseaux. Les branches d'un lustre. Branche d'une hélice.

6.1 À six heures du soir, le *Mongolia* battait des branches de son hélice les eaux de la rade d'Aden et courait bientôt sur la mer des Indes. J. VERNE, le Tour du monde en 80 jours, p. 61.

Élément partant d'un nœud, dans un graphique en forme d'arbre*. *Les branches d'un arbre généalogique.*
Math. Portion d'une courbe non fermée (parabole, etc.). *Branche parabolique d'une courbe.*

♦ **2.** (V. 1178). Fig. Division (d'une œuvre, d'un système complexe).
(1306). *Branches d'une famille :* série généalogique provenant d'une souche commune. *Branche cadette. Un Bourbon de la branche aînée.*

7 Un de nos amis dit qu'il y a une branche aînée à poison, où l'on ne remonte point, parce qu'elle n'est pas originaire de France ; ce sont ici des petites branches de cadets qui n'ont pas de souliers. Mme DE SÉVIGNÉ, 777, 31 janv. 1680.

8 — Il y a plusieurs branches de d'Artagnan à Tarbes et dans les environs, dit le cardinal, à laquelle appartenez-vous ?
— Je suis le fils de celui qui a fait les guerres de religion avec le grand roi Henri, père de Sa Gracieuse Majesté. A. DUMAS, les Trois Mousquetaires, t. II, p. 466.

Elle était de la branche des ducs de la Rochefoucauld, ma grand-mère est des ducs de Doudeauville. PROUST, le Côté de Guermantes, Folio, t. II, p. 289. 9
Les branches du roman de Renart : les parties (écrites à des époques différentes). *Les différentes branches de la science. Les branches de l'enseignement* (classique, moderne, technique). ⇒ **Discipline, spécialité.**

♦ **3.** Écon. Ensemble des entreprises qui fabriquent la même catégorie de produits (→ Secteur, cit. 3.1). *Les branches les plus touchées par la crise. Il y a beaucoup de chômage dans cette branche de l'industrie.*

Cour. Domaine d'activité. *Choisir sa branche.*

♦ **4.** (1872). Techn. (Hippol.). *Cheval qui a de la branche,* qui a le garrot bien sorti, l'encolure longue et la tête petite.
(Av. 1907). Loc. fig. AVOIR DE LA BRANCHE : être racé, avoir de l'allure et de la distinction.

Faut-il le dire ? Je trouvai cet homme très comme il faut. Il n'était pas jeune, oh 10 non ! mais il portait beau ; il avait de la « branche ». GORON, l'Amour à Paris, t. I, p. 352-355.

★ **III.** (1877). Fam. VIEILLE BRANCHE : vieux camarade (→ Pote). — Vieilli, sauf en appellatif. *Salut, vieille branche ! Je compte sur toi, ma vieille branche.*

(...) Nouveau, un de mes vieux copains, poète et *prosateur* de beaucoup d'esprit et 11 de talent, serait heureux de savoir si tu pourrais lui accepter deux ou trois récits humoristiques pour *Le Réveil*. Il te serait reconnaissant de vouloir bien lui écrire un mot à ce sujet, et si tu acquiesces, il t'enverrait ou te remettrait ses manuscrits. Je te recommande cette vieille branche chaudement. VERLAINE, Lettre à E. Lepelletier (1882), *in* G. NOUVEAU, Pl., p. 860.

CONTR. Tronc, souche, tête.
DÉR. 1. **Branchage, branchée, branchement, brancher, branchette, branchu.** — V. **Brancard.**
COMP. Ébrancher. — Sous-branche. — V. **Embrancher.**

BRANCHÉE [bʀɑ̃ʃe] n. f. — Av. 1849 ; de *branche.*
♦ Rare. Ce que porte une branche. *Une branchée de feuilles, de fleurs.*

BRANCHEMENT [bʀɑ̃ʃmɑ̃] n. m. — XVIe ; de *branche* (I.) ou de *brancher* (II., mais le verbe est attesté un peu après).

♦ **1.** Vx. Action de pousser des branches (se dit d'un végétal).

♦ **2.** (1853). Action de brancher. ⇒ 1. **Branchage,** 4. *Réaliser un branchement, le branchement d'un appareil.*
Canalisation, conduite, galerie secondaire partant de la voie principale pour aboutir au point d'utilisation. *Un branchement d'égout a crevé. Branchement d'évacuation. Branchement de ventilation* (tuyau d'évent).

Ce puits avait-il d'autres branchements que la communication verticale avec la mer ? Se ramifiait-il vers d'autres portions de l'île ? J. VERNE, l'Île mystérieuse, t. II, p. 463.

Techn. *Branchement de voie :* appareil d'aiguillage. *Branchement entre deux lignes téléphoniques.* ⇒ **Bretelle,** II., 3.

♦ **3.** Inform. Rupture de séquence, dans le déroulement d'un programme. ⇒ **Alternative, bifurcation.**

BRANCHER [bʀɑ̃ʃe] v. — 1510 ; *brancé,* n. m., « fait de se percher », déb. XIVe ; de *branche.*

★ **I.** V. intr. ou pron. (*Se brancher*). Se percher sur les branches d'un arbre. *Le faisan, la perdrix branchent, se branchent.*

Dans le brouillard immobile qui pleure aux arbres, ils *(les chats-huants)* se branchent et chantent. COLETTE, la Paix chez les bêtes, Chats-Huants. 1

Au participe passé :
(...) pourvu que tu t'empares de l'animal, qu'importe si c'est par ruse ou par force ? 1.1 Tu peux le poursuivre ou l'attendre, l'affûter, le tirer posé ou branché, le prendre au gîte. BERNANOS, Monsieur Ouine, *in* Œ. roman., Pl., p. 1386.

★ **II.** V. tr. ♦ **1.** (1543). Vx. Pendre (qqn) à une branche ou à un gibet. *Brancher un voleur.*

♦ **2.** Vx. Diviser en plusieurs parties. *Brancher une famille.*

♦ **3.** (1863). Mod. Rattacher (une conduite, un circuit secondaire) à une canalisation, à un circuit principal. *Brancher des conduites de gaz sur le réseau urbain. Brancher le téléphone. Votre téléphone, votre appareil est branché, vient d'être branché.* — Par ext. *Brancher une maison sur le tout-à-l'égout. Je suis directement branché sur le ministère. «Allô ! l'hôpital Cochin ? On le brancha au moins quatre services différents »* (G. Simenon).
Mettre momentanément en communication (un circuit secondaire) avec un réseau principal. *Brancher une lampe, un aspirateur, un poste de radio, un poste téléphonique.*

Il l'aidait à disposer les coussins, à brancher une lampe de chevet sur la prise élec- 2 trique. MARTIN DU GARD, les Thibault, t. VII, p. 209.

Par métaphore :
Un enfant n'aurait pas la force de pousser une locomotive : il peut cependant la 3

lancer s'il ouvre le bon robinet. Branchez votre volonté au bon endroit et vous serez le maître du monde.   A. MAUROIS, les Discours du D^r O'Grady, XIV, p. 145.

Pron. *Se brancher sur...*

♦ **4.** Fig. *Brancher* (qqn, qqch.) *sur* (qqch.) : orienter, diriger. *Brancher la conversation sur tel sujet.*

4 Je branche la dame sur la mode et les potins littéraires, je décapite son paquet, j'offre du feu ; et la fourrure de cette bonne fée embaume l'atelier, et je respire de tout mon nez, volant au grotesque et à la misère quelques secondes parfumées.
                                                            A. SARRAZIN, la Cavale, p. 229.

Pron. *Se brancher sur un sujet.*

♦ **5.** (V. 1960). Fam. (mot à la mode ; langage des jeunes). Intéresser vivement, mettre en communication psychique. *Est-ce qu'il t'a branché ?*, mis au courant, intéressé au problème.

Passif (plus cour.). *Être branché sur qqch.*, en relation d'intérêt. *Il est pas branché sur le jazz.* — *Être branché sur qqn*, avoir un intérêt affectif pour.

(Sujet n. de chose). Concerner, être important pour... « *La musique, c'est fantastique parce que ça branche les jeunes, c'est le seul spectacle encore possible* » (*le Nouvel Obs.*, 16 oct. 1978). — (Sujet n. de personne). *Il, elle me branche.*

▶ **BRANCHÉ, ÉE** p. p. adj.

(Au sens I). → ci-dessus, cit. 1.1. — (Au sens II). *Voleur branché*, pendu. — *Conduite branchée. Téléphone branché.*

Conversation branchée sur un sujet.

Fam. (au sens II, 5). Intéressé, mis au courant et concerné.

5 Si « branchée » que soit la jeune journaliste noire, elle n'a cependant pas eu le temps de voir venir un monsieur qui, en très peu de temps, s'est imposé comme une super-star.   Ph. KOECHLIN, *in* le Nouvel Obs., 15 janv. 1973, p. 16.

6 Les homos, eux, au moins, se foutent complètement de ce que je peux penser ou écrire. Puisque je suis de l'autre côté, pas branché, donc bloqué, donc insignifiant (...) Genet ? Non ? Ah, bon.   Ph. SOLLERS, Femmes, p. 167.

(Choses). À la mode. Cf. Dans le coup. *Une discothèque branchée.* N. *Un branché, une branchée.*

7 Le soir, avec quinze autres branchés, ils font les nuits de la MJC, au bar, avec musique à fond, bière et joints, ils dérangent les réunions du Groupe des Femmes ou de la Semaine Homosexuelle avec leur impitoyable, ils essaient de toucher des gens nouveaux mais le folk tient bon.   Actuel, févr. 1980, p. 59.

DÉR. (De II., 1.) 2. **Branchage.** — V. **Branchement.**
COMP. **Débrancher.**

BRANCHETTE [bʀɑ̃ʃɛt] n. f. — Fin XIIIe, *brancete* ; de *branche.*

♦ Littér. Petite branche.

Un vieux tronc d'arbre d'où s'élève une branchette, comme un vieillard qui, au printemps, mettrait sa béquille sur son épaule.   J. RENARD, Journal, 19 mai 1904.

BRANCHE-URSINE [bʀɑ̃ʃyʀsin] n. f. — 1600 ; *brance-ursine*, XVe ; lat. médiéval *branca ursina*, de *branca* « patte » (→ Branche), et *ursinus*, de *ursus* « ours », parce que les feuilles de cette plante ressemblent à une patte d'ours.

♦ Bot. Acanthe sans épine.

BRANCHIAL, ALE, AUX [bʀɑ̃kjal, o] adj. — 1770 ; de *branchie.*

♦ Didact. (zool.). Qui appartient aux branchies. *La respiration branchiale. Fentes branchiales.* ⇒ **Ouïes.** *Arcs* (II., B., 1.) *branchiaux. Filtres branchiaux.* → Planctonique, cit. 2.

Chez les amphibiens les branchies sont externes, originaires de téguments et supportées par la surface externe des arcs branchiaux.   Jean GUIBÉ, les Batraciens, p. 33.

BRANCHIE [bʀɑ̃ʃi] n. f. — 1690 ; lat. d'orig. grecque *branchia.*

♦ Organe de respiration des animaux aquatiques, constitué par des touffes ou des lamelles du tégument (mollusques, crustacés), ou de fentes du pharynx (poissons, têtards). *Les branchies des poissons, des mollusques.*

DÉR. **Branchial.**
COMP. **Abranche, branchiopodes.** — V. **Branchiosaure.**

BRANCHIOPODES [bʀɑ̃kjɔpɔd] n. m. pl. — 1803 ; du rad. de *branchie*, et *-pode.*

♦ Zool. Sous-classe de crustacés primitifs, aux pattes aplaties et lobées. — Au sing. *La daphnie est un branchiopode.*

BRANCHIOSAURE [bʀɑ̃kjɔzɔʀ] ou **BRANCHIOSAURUS** [bʀɑ̃kjɔzɔʀys] n. m. — 1887, *in* Encycl. Berthelot ; lat. zool. *branchiosaurus.* → Branchie, et -saure.

♦ Didact. (zool.). Petit amphibien fossile aquatique de l'ordre des *Stégocéphales.* — Plur. Le groupe correspondant, syn. de *phyllospondyles.*

BRANCHU, UE [bʀɑ̃ʃy] adj. — V. 1160 ; de *branche.*

♦ **1.** Qui a beaucoup de branches*. *Un arbre branchu. Chou branchu :* chou qui pousse des tiges touffues.

♦ **2.** Fig. Qui possède de nombreuses ramifications.

Un escalier étroit, branchu comme une artère, s'élevait dans le milieu de la baraque et distribuait en tous sens des galeries tortueuses (...)
                                                            G. DUHAMEL, Vue de la terre promise, IV.

BRAND [bʀɑ̃] n. m. ⇒ 2. **Bran.**

BRANDADE [bʀɑ̃dad] n. f. — 1788 ; provençal *brandado* « chose remuée ».

♦ Régional ou cuis. Morue émiettée, mêlée à de l'huile, du lait (ou de la crème), de l'ail pilé. *Brandade nîmoise.* — (Tautologie). *De la brandade de morue.*

REM. Le mot est parfois employé pour désigner un plat de morue émiettée et de purée de pommes de terre.

1. BRANDE [bʀɑ̃d] n. f. — 1478 ; lat. médiéval *branda* « bruyère », 1205 (en Bretagne) ; de l'anc. v. *brander* (1160), « brûler », du germanique **brand* « tison », parce qu'on brûlait les bruyères. → Brandir, brandon.

Régional ou didactique.

♦ **1.** Ensemble des plantes de sous-bois (bruyères, ajoncs, genêts, fougères). — Terre infertile où poussent ces plantes. ⇒ **Lande.**

Au bout d'un quart d'heure, ils avaient franchi les brandes.   1
                                                            G. SAND, la Mare au diable, XV, p. 125.

(...) un feu sournois qui rampe sous la brande, embrase un pin, puis l'autre, puis   2
de proche en proche crée une forêt de torches.
                                                            F. MAURIAC, Thérèse Desqueyroux, IV, p. 57.

Sans discuter, Tiffauges obliqua vers le talus de gauche, s'enfonça dans les con-   3
gères boueuses qui le bordaient, et sentit sous ses pieds le sol mou et traître de la
brande.   M. TOURNIER, le Roi des Aulnes, p. 392.

♦ **2.** Régional. Fagot* de brins de bruyère, enduit d'une substance inflammable. *Se chauffer avec des brandes.*

2. BRANDE [bʀɑ̃d] n. f. ⇒ **Brante.**

BRANDEBOURG [bʀɑ̃dbuʀ] n. — 1708 ; « casaque à galons », n. f., 1656 ; de *Brandebourg*, État allemand d'où venait cette mode.

♦ **1.** N. m. Ornement en broderie ou en galon sur un vêtement. ⇒ **Passementerie.** *Brandebourg de boutonnière. Une tunique à brandebourgs.* ⇒ **Dolman.**

Il y avait sur le quai de la gare un ostrogoth en uniforme de je ne sais quoi, une espèce d'adjupette en leggings, mal luné et congestionné, genre revenant du cadre noir, corseté, taille de guêpe, fin de siècle, ou de louveterie, serré dans un pet-en-l'air à brandebourgs et passementeries, une pièce de musée, quoi : le général du Grand Chenil lui-même (...)
                                                            B. CENDRARS, la Main coupée, *in* Œ. compl., t. X, p. 215.

♦ **2.** N. f. Vx. Pavillon, berceau de jardin.

BRANDEVIN [bʀɑ̃dvɛ̃] n. m. — 1641, Richelieu ; néerl. *brandewijn* « vin *(wijn)* distillé ». → Brandy.

♦ Vieilli. Eau-de-vie de vin.

DÉR. **Brandevinier.**

BRANDEVINIER, IÈRE [bʀɑ̃dvinje, jɛʀ] n. — 1718 ; de *brandevin.*

♦ Vx. Personne qui fabrique ou vend du brandevin.

BRANDILLANT, ANTE [bʀɑ̃dijɑ̃, ɑ̃t] adj. — 1879 ; de *brandiller.*

♦ Rare. Qui brandille, oscille, ballotte.

Il marche de long en large, dans la brandillante cellule du compartiment, cage étroite devenue soudain vide (...)   J.-R. BLOCH, Sybilla, p. 320.

REM. On trouve aussi *brandouillant.*

BRANDILLER [bʀɑ̃dije] v. — Fin XIIIe ; de *brandir*, et *-iller.*

★ **I.** V. tr. Vx. Remuer* d'un mouvement alternatif. ⇒ **Agiter, balancer, ballotter, mouvoir.** *Brandiller les jambes.* — V. pron. *Se brandiller sur sa chaise.*

★ **II.** V. intr. (Rare ou littér.). Être agité avec un mouvement alternatif. ⇒ **Ballotter.** *Le drapeau brandille au vent.* ⇒ **Flotter.** *Un cadavre brandillait au bout de la corde.*

REM. On trouve aussi *brandouiller.*

DÉR. **Brandillant, brandilloire, brandillon.**

BRANDILLOIRE [bʀɑ̃dijwaʀ] n. f. — 1572 ; de *brandiller.*

♦ Vx. Balançoire faite de cordes ou de branches entrelacées.

BRANDILLON [bʀɑ̃dijɔ̃] n. m. — 1902, Lyon et pop. Paris, 1912 ; de *brandiller.*

♦ Argot. Bras.

1   Je récupère mon huile, que la dame avait prise pour de l'eau de Cologne et qu'elle voulait confisquer, et je me prépare à me mettre tout ça sur les bradillons.
A. SARRAZIN, la Cavale, p. 337.

2   Il met son brandillon en avant. Je le lui bloque et le tords. Il gueule ; une torsion, le voilà à genoux par terre.
SAN-ANTONIO, Au suivant de ces messieurs, p. 154-155.

REM. On trouve aussi *bradillon.*

BRANDIR [bʀɑ̃diʀ] v. tr. — 1080, *Chanson de Roland* ; p.-ê. de l'anc. franç. *brand* «tison», — le verbe a eu en moy. franç. le sens de «scintiller» —, d'où «lame d'épée» (à cause de l'éclat), du francique **brand,* même sens (→ 2. Bran, brandon), ou, d'après Guiraud, d'un gallo-roman **brancitare* «agiter, secouer», de *branca* «patte». → Branche.

♦ **1.** Agiter en tenant en l'air, d'une manière menaçante. *Brandir un poignard, un bâton.*

1   Elle avait l'air de brandir une petite lance d'amazone, elle était très belle.
A. MAUROIS, Bernard Quesnay, XXX, p. 205.

Par métaphore. *Brandir l'étendard de la révolte.*

Par ext. (abstrait). *Brandir la menace de sa démission.*

♦ **2.** Agiter (qqch.) en élevant, pour attirer l'attention.

2   (...) le type brandissait des journaux en murmurant : «*Paris-soir,* dernière. Il m'en reste deux, achetez-les.»
SARTRE, les Chemins de la liberté, t. II, Le sursis, p. 9.

DÉR. **Brandiller, brandissement, brandisseur.** — V. **Branler.**

BRANDISSAGE [bʀɑ̃disaʒ] n. m. — 1885, Zola ; de *brandir* «calfeutrer», fin XIIIᵉ, en wallon.

♦ Techn. Action de boucher les fentes dans la voûte d'une galerie de mine. — Matière qui sert à boucher ces fentes.

BRANDISSEMENT [bʀɑ̃dismɑ̃] n. m. — 1660 ; «éclat», de *brandir* au sens anc. de «scintiller», 1587 ; de *brandir.*

♦ Rare. Action de brandir. «*Le brandissement d'un sabre levé sur ma tête pour me tailler en pièces*» (Nerval, *in* T. L. F.).

BRANDISSEUR, EUSE [bʀɑ̃disœʀ, øz] n. — 1848 ; de *brandir.*

♦ Rare. Personne qui brandit (qqch.).

Exaltée brandisseuse de chapelets, fervente diseuse de litanies (...)
G. CHEVALLIER, Clochemerle, p. 122.

BRANDON [bʀɑ̃dɔ̃] n. m. — 1130 ; du francique **brant* «tison» par l'interm. d'un anc. franç. **brant* «tison» qui ne s'est pas maintenu, ou p.-ê. par croisement entre l'anc. franç. *brandir* «agiter», et *brander* «allumer» (Guiraud). → 2. Bran, brandir.

♦ **1.** Vx. Torche* de paille enflammée servant à éclairer ou à mettre le feu. ⇒ **Flambeau.**

1   (...) Mais l'homme était venu ; l'homme était entre elles comme un brandon insensible qui les brûlait toutes deux.
Edmond JALOUX, les Visiteurs, V, p. 52.

Vx. *Dimanche des Brandons* : premier dimanche du Carême, pendant lequel avait lieu une procession aux flambeaux.

♦ **2.** Loc. fig. (1275). Mod. et littér. *Brandon de discorde** : personne, chose qui provoque une querelle, le trouble. *C'est un brandon de discorde.* — *Jeter le brandon de la discorde.*

♦ **3.** (1634). Débris enflammé qui s'échappe d'un incendie.

Par métaphore :

2   Un feu subtil s'allume, et ses brandons épars
Sur votre don fatal courent de toutes parts (...)
CORNEILLE, Médée, V, 1.

3   Pourtant des factions que son bras vient d'abattre
Il éteint le dernier brandon.
HUGO, Odes, II, 7.

♦ **4.** (1416). Dr. Bâton entortillé de paille que l'on pique sur le bord

d'un champ dont les fruits sont judiciairement saisis. ⇒ **Saisie-brandon.**

DÉR. (De 4.) **Brandonner.**

BRANDONNER [bʀɑ̃dɔne] v. tr. — 1345 ; de *brandon.*

♦ Dr., vx. Entourer de brandons (4.) pour marquer la saisie de. *Brandonner un champ, une terre.*

BRANDOUILLER [bʀɑ̃duje] v. intr. ⇒ **Brandiller.**

BRANDY [bʀɑ̃di] n. m. — 1791, *in* Höfler ; *brandi,* 1688, attestation isolée ; mot angl., abrév. de *brand-wine,* néerl. *brandewijn.* → Brandevin.

♦ Eau-de-vie en provenance d'Angleterre, et, par ext., de pays où le mot est adopté. *Un brandy espagnol.*

Les gentlemen assis autour de la table tapotent leurs vieilles pipes culottées, sirotent leur brandy (...)
N. SARRAUTE, Vous les entendez ?, p. 8.

BRANLADE [bʀɑ̃lad] n. f. — 1849 ; de *branler.*

♦ Fam., vulg. et vx. Action de branler, masturbation. ⇒ **Branlage, branlée, branlette.**

Toutes les femmes musulmanes allaient le voir et le polluaient, si bien qu'il en est crevé d'épuisement. Du matin au soir c'était une branlade perpétuelle.
FLAUBERT, Lettre à L. Bouilhet, 4 déc. 1849, Correspondance, t. I, Pl., p. 542.

BRANLAGE [bʀɑ̃laʒ] n. m. — 1936 ; de *branler.*

♦ Fam. et vulg. Action de (se) branler, masturbation. ⇒ **Branlade, branlée, branlette.**

(...) à l'infirmerie huit jours on lui guérit le cul il se branlait sans arrêt ça lui passait la douleur son lit défoncé craquait vibrait à toute allure on avait un peu honte pas pour les branlages mais pour son pauvre cul.
Tony DUVERT, Paysage de fantaisie, p. 218.

BRANLANT [bʀɑ̃lɑ̃] adj. — XIVᵉ ; de *branler.*

♦ **1.** Qui branle, qui est instable. ⇒ **Chancelant, instable ; brimbalant.** *Avoir la tête branlante, le chef branlant. Dent branlante. Siège, tabouret branlant. Escalier branlant. Maison branlante. Pierre branlante.*

1   Les échelles, de sept mètres, se succédaient, les unes solides encore, les autres branlantes, craquantes, près de se rompre (...)   ZOLA, Germinal, IV, 6.

1.1 On la fit entrer dans un vestibule branlant, dont les murs crevassés étaient étayés par des poutres neuves.   G. LEROUX, Rouletabille chez Krupp, p. 92.

Loc. fig. *Château branlant :* édifice précaire ; enfant qui commence à marcher et tombe souvent.

Il marche présentement, mais c'est comme un château branlant.
Mᵐᵉ DE SÉVIGNÉ, 58.

♦ **2.** (Abstrait). Mal assuré, qui manque de force, semble près de s'écrouler. *Un régime branlant. Des raisonnements branlants. Un commerce branlant.*

CONTR. Assuré, fixe, immobile, solide, stable, sûr.

BRANLE [bʀɑ̃l] n. m. — V. 1165, *prendre son branle* «se mettre en mouvement» ; de *branler.*

♦ **1.** Vx ou littér. [a] Ample mouvement d'oscillation. ⇒ **Balancement.** *Le branle d'une cloche.* — Vx. *Sonner en branle* : donner aux cloches leur balancement maximum. ⇒ **Volée** (à la volée) ; **bourdonner.** → ci-dessous, Mettre en branle.

Le branle de la tête. ⇒ **Branlement, hochement.**

1   Et les yeux à terre, le crâne dur, ils dirent non, toujours non, d'un branle farouche.   ZOLA, Germinal, t. II, p. 32.

2   Le moindre sujet d'alarme se traduisit chez elle par un branle machinal de son petit front d'ivoire (...)   MARTIN DU GARD, les Thibault, t. III, p. 120.

Poét. « *Le branle universel de la danse macabre* » (cit. 3, Baudelaire).

[b] Mouvement.

2.1 Mais toujours passions folles, sang qui bout, viscérales lubies qui donnent au monde son branle.   Régis DEBRAY, l'Indésirable, p. 194.

[c] Loc. mod. METTRE EN BRANLE. *Mettre en branle une cloche.* → ci-dessus, Sonner en branle. — Fig. *Mettre en branle :* mettre en mouvement, donner la première impulsion à. → Netteté, cit. 6.

3   (...) vers la fin du jour, après un grand effort, je crois avoir remis en branle l'informe masse.   GIDE, Journal (1907).

4   (...) je suis responsable de cette déplaisante petite agitation, de cette mise en branle de forces oisives (...)   COLETTE, la Naissance du jour, p. 89.

5   On voit quelles forces l'Internationale peut mettre en branle quand elle le veut.
MARTIN DU GARD, les Thibault, t. VI, p. 39.

Être en branle, se mettre en branle : se mettre en mouvement, en action.

6   La marche a quelque chose qui anime et avive mes idées : je ne puis presque penser quand je reste en place ; il faut que mon corps soit en branle pour y mettre mon esprit.   ROUSSEAU, les Confessions, V.

♦ **2.** Fig. et vx. Première impulsion (donnée à qqch. que l'on met en activité, en mouvement, en train). *Suivre le branle général* (Académie). *Donner le branle à une affaire.*

♦ **3.** (XIIIᵉ). [a] Ancienn (hist. de la mus.). Danse à figures où un ou deux danseurs conduisaient les autres ; air sur lequel on la dansait. *Danser un branle. Jouer un branle.*

7   Le branle, qui fut tellement célèbre que chaque province avait le sien, est l'ancêtre vénérable et joyeux de nos quadrilles et de certaines figures du cotillon.   F. DE MIOMANDRE, Danse, p. 28.

Loc. fig. (vx). *Mener, ouvrir, commencer le branle :* donner le premier l'exemple d'une chose.

[b] Mod. Danse en chaîne à pas réglé. *La gavotte* bretonne est un branle.*

♦ **4.** (1678). Vx. Hamac de matelot. *Mettre bas les branles.* ⇒ **Branle-bas.**

REM. Dans de nombreux emplois, le mot est d'usage restreint, à cause de la fréquence du sens érotique de *branler* et de ses dérivés.

COMP. (De 4.) **Branle-bas.**

BRANLE-BAS [bʀɑ̃lbɑ] n. m. invar. — 1687, ordre de mettre *bas les branles* «les hamacs», qui étaient sur les entreponts, pour se disposer au combat.

♦ **1.** Mar. *Branle-bas de combat :* ensemble des dispositions prises sur un navire de guerre en vue du combat. *Branle-bas du matin, du soir,* préparatifs de l'équipage au moment du lever, du coucher. *Des branle-bas. Sonner le branle-bas.*

1   Yves entendit au-dessus de lui faire le branle-bas du soir, tous les hamacs qui s'accrochaient, et puis le premier cri des hommes de quart marquant les demi-heures de la nuit.   LOTI, Mon frère Yves, VI, p. 31.

♦ **2.** (1863 ; «épouvante», 1832). Fig. et cour. Agitation vive et souvent désordonnée, dans la préparation d'une opération. ⇒ **Bouleversement, remue-ménage.** *Branle-bas général. Mettre tout en branle-bas.*

2   (...) le gouvernement serbe se trouvait, ces jours-ci, dans le branle-bas des élections (...)   MARTIN DU GARD, les Thibault, t. VI, p. 100.

3   Je pense que de sa décision du 18 Juin, l'espoir avait conservé pour lui un accent tragique. Un branle-bas de combat régnait dans l'hôtel autour du destin reparu.   MALRAUX, Antimémoires, Folio, p. 158.

4   (...) qui aurait pu percevoir la menace, le danger, le branle-bas, la fuite désordonnée, les appels, les supplications (...)   N. SARRAUTE, Vous les entendez?, p. 14.

BRANLÉE [bʀɑ̃le] n. f. — 1936 ; de *branler.*

♦ **1.** Fam. et vulg. Fait de branler ; masturbation. ⇒ **Branlade, branlage, branlette.**

(...) ils causaient se tapaient dessus sortaient courir ou jouaient aux cartes jusqu'au moment des branlées quand le soleil tombait ils aiment me mettre tout nu au milieu d'eux (...)   Tony DUVERT, Paysage de fantaisie, p. 18.

♦ **2.** Mar., fam. Coup de vent difficile à étaler. *On s'est pris une de ces branlées !*

Cour. (fam.). Fait d'être battu, écrasé. ⇒ **Défaite ;** (fam.) **raclée.**

♦ **3.** Techn. Sonnerie de cloches.

BRANLEMENT [bʀɑ̃lmɑ̃] n. m. — V. 1355, *branlemens ;* de *branler.*

Mouvement de ce qui branle.

♦ **1.** Rare. *Le branlement d'une carriole.* ⇒ **Balancement, brimbalement.**

♦ **2.** Cour. *Branlement de tête :* action, manière de branler la tête. *« Un branlement sénile de la tête »* (Daudet).

Un branlement de tête et des grimaces affectées (...)   RACINE, Alexandre, 1ʳᵉ préface.

BRANLE-QUEUE [bʀɑ̃lkø] n. m. — XVIᵉ ; de *branler,* et *queue.*

♦ Bergeronnette. ⇒ **Hoche-queue.**

BRANLER [bʀɑ̃le] v. — 1080 ; contraction de *brandeler* «agiter, osciller», de *brandir* ou p.-ê. d'orig. gallo-romane de **brancitulare* ou *branculare* «remuer les pattes» ou «remuer comme une branche», de *branca* «patte», «branche» en roman (Guiraud).

Vieux ou en locution (à cause de l'emploi érotique).

★ **I.** V. tr. ♦ **1.** Vx. Remuer en balançant, en faisant osciller. *Branler les bras, les jambes.* *«Oiseaux qui volent sans branler les ailes»* (Malherbe, *in* G. L. L. F.).

1   Sganarelle, tendant toujours la main et la branlant, comme pour signe qu'il demande de l'argent.   MOLIÈRE, le Médecin malgré lui, III, 2 (jeux de scène).

Mod. *Branler la tête,* la remuer d'avant en arrière, ou d'un côté à l'autre. ⇒ **Balancer, hocher, secouer ; branlement.**

2   (...) une infinité de petites lois cul-de-jatte, qui, à peine nées, branlent la tête comme de vieilles femmes.   HUGO, Littérature et Philosophie mêlées, p. 52.

♦ **2.** (Av. 1585, *in* D. D. L.). Fam. et vulg. Masturber. ⇒ **Branlocher.**

2.1   (...) le collégien branlant en silence sa pine amoureuse ne se sentira donc plus le nez piqué par cette âcre odeur qui ajoute à son plaisir.   FLAUBERT, Lettre à Louis Bouilhet, 4 sept. 1850, *in* Correspondance, t. I, Pl., p. 681-682.

2.2   J'ai vu il y a 8 jours un singe dans la rue se précipiter sur un âne et vouloir le branler de force.   FLAUBERT, Lettre à Louis Bouilhet, 15 janv. 1850, *in* Correspondance, t. I, Pl., p. 573.

Pron. (1785, cit. 2.3). *Se branler ;* se masturber (cit. 1). → **Branlette,** cit. 1.

2.3   — Tiens, Françon, me dit-il, en sortant un vit monstrueux de sa culotte, dont je pensai tomber à la renverse d'effroi, tiens, mon enfant, continuait-il en se branlant, as-tu jamais rien vu de pareil à cela ?   SADE, les 120 Journées de Sodome, t. I, I, p. 118.

♦ **3.** Fig. et fam. Faire, fabriquer. *Qu'est-ce qu'ils branlent ?* ⇒ **Glander.** *J'en ai rien à branler :* cela m'est égal (cf. Rien à faire, à foutre). ⇒ **Foutre** (II., 1.).
Se branler de (qqch.), s'en branler, se moquer. *Tu parles s'il s'en branle ! Tes histoires, je m'en branle.* ⇒ **Foutre** (III., se foutre de). — (Compl. n. de personne). *On s'en branle, de ce crétin !*

2.4   Moi j'suis un mataf. J'ai qu'ma paye. Faut que j'me démerde autrement. C'est pas déshonorant. C'est de la came que je propose. Il a pas à me juger. Et même si c'est un flic, moi j'm'en branle.   Jean GENET, Querelle de Brest, p. 189.

2.5   — Et le type ? demanda Gridoux, qu'est-ce qu'il branle ?   R. QUENEAU, Zazie dans le métro, Folio, p. 73.

♦ **4.** Argot mar. *Se faire branler :* essuyer un coup de vent très fort et très pénible.

Fam. Subir une défaite cuisante, un échec. ⇒ **Branlée.**

★ **II.** V. intr. ♦ **1.** Être instable, mal fixé. ⇒ **Chanceler, osciller, vaciller.** *Une chaise, une dent qui branle.* — *Branler au manche, dans le manche,* se dit d'un outil, d'un instrument emmanché. *« Des couteaux branlant dans le manche »* (→ Couper, cit. 17, France). Fig. Manquer de stabilité, de solidité.

3   Pendant que le comte-duc peut tout encore, et que tu possèdes ses bonnes grâces, profite de l'heure ; car ce ministre, à ce qu'on m'a dit, branle dans le manche.   A.-R. LESAGE, Gil Blas, XII, 7.

3.1   — On prétend qu'il *(Arnoux)* branle dans le manche? dit Pellerin.
Le marchand de tableaux venait d'avoir un procès pour ses terrains de Belleville, et il était actuellement dans une compagnie de kaolin bas-breton avec d'autres farceurs de même espèce.
Dussardier en savait davantage ; car son patron lui, M. Moussinot, ayant été aux informations sur Arnoux près du banquier Oscar Lefebvre, celui-ci avait répondu qu'il le jugeait peu solide (...)   FLAUBERT, l'Éducation sentimentale, II, II.

♦ **2.** Vx (en parlant des personnes). Bouger, remuer.

4   On leur a dit qu'il ne faut pas branler ni aller et venir quand ils sont dans leurs rangs (...)   Mᵐᵉ DE SÉVIGNÉ, 1178, 15 mai 1689.

5   Si tu branles, ajouta-t-il, avant que le soleil soit levé, comme je te l'ai déjà dit, je te prendrai par les pieds et je te casserai la tête en mille pièces contre cette muraille.   A. GALLAND, les Mille et Une Nuits, t. I, p. 308.

REM. Cet emploi est encore vivant au Canada, où le mot n'a pas la valeur érotique qu'il a prise en français central. En France, le mot est d'usage difficile, même au sens II, 1.

CONTR. Demeurer, rester, tenir.

DÉR. Branlade, branlage, branlant, branle, branlée, branlement, branlette, branleur, branlocher, branloire.

COMP. Ébranler. — Branle-queue.

BRANLETTE [bʀɑ̃lɛt] n. f. — 1936 ; «manière de pêcher (en secouant la ligne)», 1836 ; de *branler.*

♦ Fam. Masturbation (solitaire ou non). ⇒ **Branlade, branlage, branlée.**

1   En tout cas, quel plaisir j'ai pris rétrospectivement à ma jolie branlette d'autrefois ! Avec quelle émotion j'ai rencontré cette enfant pleine de sève qui voulait se branler, qui se branlait et qui en éprouvait du plaisir.   Marie CARDINAL, les Mots pour le dire, p. 129.

2   J'achevai le parcours, sans bouder mon plaisir. C'était pas la femme et son mystère, ses pudeurs ses odeurs sa tendresse sa sauvagerie, mais c'était quand même mieux qu'une branlette.   CAVANNA, les Ritals, p. 126.

BRANLEUR, EUSE [bʀɑ̃lœʀ, øz] n. et adj. — 1690, Furetière ; de *branler.*

★ **I.** Adj. Rare. Qui n'est pas bien fixé, qui bouge.

REM. Ce sens paraît fictif ; Furetière écrit : «qui branle. Il n'est guère en usage qu'en un sens odieux et obscène», bien qu'il définisse le mot comme «adjectif».

★ **II.** N. (1690 ; → ci-dessus, REM.). Fam. ♦ **1.** Personne qui masturbe (qqn). ⇒ **Masturbateur.** *«La meilleure branleuse que le château renfermât»* (Sade, *in* D. D. L.).

1   On chargea Hercule du même emploi chez les garçons, qui toujours bien plus adroits dans cet art-là *(de masturber)* que les filles, parce qu'il ne s'agit que de

faire aux autres ce qu'ils se font à eux-mêmes, n'eurent besoin que d'une semaine pour devenir les plus délicieux branleurs qu'il fût possible de rencontrer.
SADE, les 120 Journées de Sodome, t. I, I, p. 188-189.

Adj. (Rare) :

2   Elle cherche mon sexe... Je n'ai pas oublié comme elle est branleuse... J'ai beaucoup regardé ses doigts pendant le dîner... Elle a compris... Elle a mis une jupe noire fendue... Le rêve...   Ph. SOLLERS, Femmes, p. 156.

Personne qui se masturbe. ⇒ **Masturbateur, onaniste.**

3   (...) ce n'était pas une mince ironie que de jouir, moi, de cette réputation au milieu d'une armée de petits branleurs qui s'en allaient communier tous les dimanches.
H. BAZIN, la Mort du petit cheval, p. 21-22.

♦ **2.** Par ext. Personne qui ne fait rien de son temps. *C'est un bon à rien, un petit branleur.*

4   Le temps s'écoule : bavardages, évocations du temps de la guerre quand les hommes étaient des hommes, considérations grinçantes sur les nouvelles générations de casseurs — des petits branleurs sans morale —, prévisions sombres sur l'avenir !
Roger BORNICHE, le Gang, p. 52.

(Injure). *Sale petite branleuse !*

BRANLOCHER [bʀɑ̃lɔʃe] v. tr. — 1932 ; de *branler.*

♦ Fam. et rare. Masturber. ⇒ **Branler.**

Je fais d'abord coucher mon idiot pour qu'il me foute sérieusement la paix... Je le branloche un tout petit peu, ça le tenait tranquille d'habitude... ça l'endormait aisément (...)   CÉLINE, Mort à crédit, Folio, p. 278.

Pron. *Se branlocher.* « René debout se branloche... » (Duvert, *Paysage de fantaisie*, p. 122).

BRANLOIRE [bʀɑ̃lwaʀ] n. f. — V. 1350 ; de *branler.*

♦ Vx. Planche en équilibre servant de balançoire. ⇒ **Bascule. —** Caisse suspendue sous une voiture.

BRANQUE [bʀɑ̃k] n. m. et adj. — Av. 1900, *in* Cellard et Rey ; «mauvais ouvrier», 1890 ; «âne», 1821 ; d'orig. obscure, p.-ê. de formes régionales, avec infl. de *braque* «étourdi» ; cf. provençal *branco* «traînard», suisse roman *branko* «vieux mulet».

♦ Fam. Sot, imbécile (avec infl. de *braque** «fou»).

1   (...) il n'a pas remarqué ma voiture au passage. Je l'ai rangée dans une rue transversale et je suis revenu à pinces, en promeneur nocturne, trouer ce bon branque.   Albert SIMONIN, Touchez pas au grisbi, p. 106.

Adj. *Être branque, se sentir branque.* « *Une affaire complètement branque, dit-il en soupirant* » (P. Gombert, *le Prix d'un taxi*, p. 105).

2   — D'abord, les poissons, c'est les seuls animaux propres à élever, pas bruyants et qui puent pas... Et puis, ça pourra te sembler branque, toute cette flotte qui coule, jour et nuit dans leur bassin, claire et fraîche, parce qu'il faut qu'elle soit fraîche, c'est le plus dur à trouver, j'ai jamais rien rencontré d'aussi reposant... (...) Ça te semble ridicule peut-être ?   Albert SIMONIN, Touchez pas au grisbi, p. 213.

COMP. **Branquignol.**

BRANQUIGNOL [bʀɑ̃kiɲɔl] n. m. et adj. — 1899, *in* Cellard et Rey ; de *branque,* et suff. *-ignol* (→ Croquignol, tartignol), p.-ê. sous l'infl. de *guignol.*

♦ Fou, loufoque. ⇒ **Braque.** *Les Branquignols,* pièce de R. Dhéry. *Il est un peu branquignol.* ⇒ **Dérangé, fêlé, piqué, siphonné, timbré.**

Un vieux branquignol, on ne frottait que les lendemains de boue, et encore, où ça se voyait, devant les fenêtres.   MARTIN DU GARD, les Thibault, t. IV, p. 156.

DÉR. **Branquignollerie.**

BRANQUIGNOLLERIE [bʀɑ̃kiɲɔlʀi] n. f. — Mil. xxᵉ ; de *branquignol.*

♦ Rare. Spectacle drôle, un peu loufoque.

Sur les Champs-Élysées, on donnait un western, un film érotique suédois, une branquignollerie française, un Jerry Lewis.   Jean-Louis CURTIS, le Roseau pensant, p. 371.

BRANT [bʀɑ̃] n. m. ⇒ 2. **Bran.**

BRANTE [bʀɑ̃t] ou BRANDE [bʀɑ̃d] n. f. — 1549, *brante* ; *brande,* 1569 ; dér. franco-provençal *brentaye,* v. 1340 ; latinisé en *brenda,* 1450 ; d'un rad. préroman **brenta* (xiiiᵉ en Italie du Nord).
Régional (Suisse).

♦ **1.** Récipient en bois servant à transporter à dos d'homme la vendange, le moût... *Porter la brande, la brante.*

Ils se sont baissés de nouveau, ayant rempli leurs seilles ; ils les portent à la brante où on foule avec le fouloir, et la brante s'en va à son tour à la cuve, et la cuve au pressoir.   C.-F. RAMUZ, le Village sur la montagne, t. III, p. 119.

Rare. Hotte servant à transporter un autre liquide. *Brante à lait.* ⇒ **Boille.**

♦ **2.** Contenu d'une brante (mesure de capacité ; env. 40 l). « *Une vigne de 70 à 80 brantes* » (*Feuille d'avis du Valais,* 21 janv. 1958).

BRAQUAGE [bʀakaʒ] n. m. — 1867 ; de *braquer.*

♦ **1.** Action de braquer les roues d'une voiture, les gouvernes d'un avion. *Le braquage des roues. — Angle de braquage,* formé par les roues directrices avec l'axe longitudinal de la voiture (le volant tourné à fond). *Rayon de braquage,* du cercle tracé par les roues extérieures dans un virage.

Par ext. *Le braquage d'une antenne, d'une tuyère, des gouvernes d'un avion.*

♦ **2.** (1941, Esnault ; de *braquer* 1., b). Argot. Attaque à main armée, particulièrement au revolver.

1   Je comptais remettre sa fiche signalétique aux doigts de Julien, j'avais rêvé de ligotage, braquage, opération-surprise : toujours cette Série Noire (...)
A. SARRAZIN, l'Astragale, p. 190.

2   Toutefois, assuré de son résultat, le grand laissait son imagination folâtrer, extrapolant dans de futures arnaques divertissantes et nourricières, dont la plus élémentaire lui semblait devoir être une seconde livraison bidon à cet acheteur méfiant, avec braquage dès le début de l'analyse (...)
Albert SIMONIN, Hotu soit qui mal y pense, p. 21 (1971).

BRAQUE [bʀak] n. m. et adj. — 1500 ; ital. *bracco,* provençal *brac* ; orig. germanique **brakko* ou bien, d'après Guiraud, du provençal *braca* «chercher», de l'ital. *braccare,* même sens, le chien cherche le gibier qu'il dirige (→ Braquer) vers son maître. → Braconner.

♦ **1.** N. m. Chien de chasse à poils ras et à oreilles pendantes, très bon chien d'arrêt.

1   La grande voix de cloches des braques au chenil (...)
COLETTE, Flore et Pomone, *in* Gigi, p. 148.

♦ **2.** Adj. (1736 ; d'abord *fou, étourdi comme un braque*). Fam. Un peu fou, écervelé, toqué. ⇒ aussi **Branque, branquignol.**

2   (...) il a eu trop d'embêtements dans l'existence ça l'a rendu un peu braque.
ZOLA, Paris, t. I, p. 20.

N. (rare au fém.). *C'est un vrai braque, ce type.*

3   Entendez-moi, monsieur ; après chacune de ses bêtises, il reste des semaines sans travailler. Il est temps que ça finisse et je lui promets que, s'il recommence de faire le braque, je lui jette un pot d'eau bouillante à la figure.
J. RENARD, Bucoliques, *in* Œ., Pl., t. II, p. 185.

BRAQUEMART [bʀakmaʀ] n. m. — 1411 ; *bragamas,* 1392 ; moy. néerl. *breecmes* «couperet».

♦ **1.** Anciennt. Épée courte à deux tranchants, en usage aux xivᵉ et xvᵉ siècles (→ Arme, cit. 40).

1   (...) et avec son grand braquemart *(le moine)* frappait sur ces fuyards à grand tour de bras, sans se feindre ni épargner. Tant en tua et mit en pièces que son braquemart rompit en deux pièces.   RABELAIS, Gargantua, XLIV.

2   (...) il dégaine son braquemart et s'apprête à férir le fauve (...)
R. QUENEAU, les Fleurs bleues, p. 103.

REM. À cause du sens 2, le mot n'est plus employé que par plaisanterie.

♦ **2.** Fam. Pénis.

3   (...) tant de bracquemars en roiddys qui habitent par les braquettes claustrales.
RABELAIS, Pantagruel, XV.

BRAQUEMENT [bʀakmɑ̃] n. m. — 1690, Furetière ; de *braquer.*

♦ Vx. Action de braquer ; état de ce qui est braqué.

BRAQUER [bʀake] v. tr. — 1546, Rabelais, «faire tourner, orienter» ; var. *brater* «diriger une voiture», 1611 ; orig. incert., p.-ê. du lat. pop. **brachitare,* de *bracchium* «bras», le changement de *-ter* à *-quer* demeurant difficile à expliquer ; d'après Guiraud, à rattacher à **brachicare,* de *brachiare* «orienter une voile à l'aide de bras» (sorte de cordage. → Bras, 5.), *brater* s'explique à partir du doublet **brachitare,* même sens.

♦ **1.** [a] Tourner (une arme à feu, un instrument d'optique...) dans la direction de l'objectif. ⇒ **Diriger.** *Braquer ses canons, sa lorgnette, une lampe de poche sur qqn, sur qqch.*

1   *Braquer,* en parlant d'un canon, c'est diriger, tourner celui-ci du côté où l'on veut tirer. *Pointer,* c'est ajuster le canon de manière à pouvoir frapper le but qu'on se propose de toucher.   BAILLY, Dict. des synonymes, art. *Braquer.*

2   (...) il s'en sert ainsi que d'un tromblon et il braque sur moi, sans trêve, la large gueule menaçante.   COURTELINE, Messieurs les ronds-de-cuir, III, III.

3   (...) on aperçoit, majestueux, fin, et braquant son monocle sur les visages remarquables, M. Albert Besnard, venu de Rome à l'appel du gouvernement (...)
Georges LECOMTE, Ma traversée, p. 487.

Par anal. Fixer (le regard, etc.).

3.1   Et je braquais mon œil sur l'ouverture lumineuse.
VILLIERS DE L'ISLE-ADAM, Tribulat Bonhomet, p. 171.

4   Il ne parle pas pour cette rangée d'officiers qui braquent leurs yeux sur lui.
MARTIN DU GARD, les Thibault, t. VIII, p. 137.

5   Moi qui ai horreur de l'attendrissement ! lança-t-elle avec feu, braquant soudain sur Antoine un regard tellement inflexible (...)
MARTIN DU GARD, les Thibault, t. III, p. 150.

6   (...) il est nécessaire d'isoler, parmi les éléments du plan *(de travail),* celui qui, premier, exige des actions immédiates. C'est sur lui que doit être braquée toute la lumière de l'attention.   A. MAUROIS, Un art de vivre, p. 96.

b (1930). Argot. Mettre en joue (qqn) ; attaquer à main armée. *Braquer une banque.* ⇒ **Braquage.**

6.1 Trois hommes masqués vont pénétrer chez vous et vous dérober vos bijoux. Pour le faire tranquillement, ils vous braqueront, vous saucissonneront et vous enfermeront sans doute dans quelque placard.
Pierre NORD, les Espionnes au coin du feu, p. 323.

6.2 Il s'était redressé, la manivelle du cric à la main.
« Veux-tu lâcher ça, petit imprudent », je lui ai dit.
C'était pas un battant. Comme je le braquais, il a tout de suite obéi.
Albert SIMONIN, Touchez pas au grisbi, p. 106.

♦ **2.** Rare. Faire tourner (un véhicule) en orientant le timon, en manœuvrant la direction. Absolt, cour. (d'une automobile). *Braquer pour se garer.* — V. intr. *Voiture qui braque mal,* qui tourne mal, qui a un trop grand rayon de braquage.

6.3 L'Ancien ouvrit le portail, démarra, braqua, plaça les roues sur les deux bandes cimentées qui bordent les rangées de pavillons, pendant que Yves fermait le portail. Roule (...)
Claude COURCHAY, La vie finira bien par commencer, p. 163 (1972).

♦ **3.** (1798). Fig. *Braquer qqn contre...,* l'amener à s'opposer entièrement à. ⇒ **Dresser.** *Être braqué contre... :* être opposé obstinément, d'une manière déterminée à... *Il est braqué contre ce projet, il ne veut rien entendre.*

7 La Curie, composée en énorme majorité de prélats italiens et espagnols, n'était guère portée à la conciliation, braquée d'avance contre des ouvertures qui pouvaient être un piège et aboutir à la plus avilissante des avanies.
Louis MADELIN, Hist. du Consulat et de l'Empire, t. VIII, p. 110.

(Sans compl. second) :

8 — Au téléphone j'ai senti une réticence quand il a compris que je ne serais pas seule, poursuivit-elle. Ah, j'ai peur d'avoir fait une gaffe !
— Vous l'avez braqué ? demandai-je. Il est jaloux ?
Jacques LAURENT, les Bêtises, p. 75.

Pron. *Se braquer contre qqn, qqch. Il s'est braqué.* ⇒ **Buter** (se), **cabrer** (se).

9 Pour ne pas s'exposer à un échec, il combina soigneusement sa démarche en descendant sans se presser la rue de Clichy. « Combien lui demander ? Si c'est trop, il se braquera. »
R. DORGELÈS, Tout est à vendre, p. 118.

Au p. p. *Il est complètement braqué.*

CONTR. Détourner.
DÉR. Braquage, braquement, braqueur.

BRAQUET [bʀakɛ] n. m. — 1900, *bracket, in* Petiot ; de *braquet* « petit clou ».

♦ **1.** Rapport de multiplication (entre le nombre de dents du plateau et celui du pignon), qui commande le développement* d'une bicyclette. *Le dérailleur permet de changer de braquet. Petit, grand braquet. Braquet de 14/46 :* développement obtenu en utilisant un pignon de 14 dents et un plateau de 46 dents.

1 Busard retourna sa bicyclette et se mit à expliquer le principe des démultiplications, et comment on utilise le dérailleur et les braquets, en fonction de la pente, du vent, selon qu'on prend un virage à la corde ou sur le plus grand rayon, et aussi en rapport de l'attitude des adversaires et en tenant compte de sa propre fatigue.
Roger VAILLAND, 325 000 francs, p. 189.

Par comp. (même emploi que : *vitesse, démultiplication*).

2 Mais la variété du cinéma permettait toujours d'avoir au moins l'illusion et parfois la réalité d'un changement de braquet.
F. GIROUD, Si je mens, p. 67 (1972).

♦ **2.** Régional (Wallonie). Scie égoïne.

BRAQUEUR, EUSE [bʀakœʀ, øz] n. — 1947, Esnault ; de *braquer* « mettre en joue ».

♦ Argot. Agresseur qui utilise une arme à feu. → **Flingueur.** — Rare au féminin.

1 Si je lui réponds, je vais encore écorcher, sous le cuir d'un caïd de *thriller,* une peau sensible de *caballero.* Humphrey Bogart a couché, vers 1930, avec la Maja nue et ils ont mis au monde cet Eldorado de braqueurs gentilshommes.
Régis DEBRAY, l'Indésirable, p. 16.

2 Pardi, si je me rappelle Marseille. La place de la Bourse avec les macs et les équipes de braqueurs.
Henri CHARRIÈRE, Papillon, p. 380.

BRAS [bʀɑ] n. m. — 1080, *braz* ; du lat. pop. **bracium,* lat. class. *bracchium,* grec *brakhiôn.*

♦ **1.** **a** Anat. Segment du membre supérieur compris entre l'épaule et le coude (opposé à *avant-bras*). *Du bras.* ⇒ **Brachial.** *Os du bras.* ⇒ **Humérus.** *Mouvement du bras :* abduction, adduction, élévation, rotation. *Muscles du bras.* ⇒ **Biceps, triceps, deltoïde.** *Système artériel du bras. Pli entre le bras et l'avant-bras.* ⇒ **Saignée.**

b Cour. (impropre en anat.). Le membre supérieur, de l'épaule à la main (argot *brandillon*). ⇒ **Arrière-bras** (rare), **avant-bras.** *Bras droit, bras gauche* (en blason : ⇒ **Dextrochère, senestrochère**). *Avoir de longs bras. Bras nerveux, décharné, bras charnu, gros, musclé. Avoir des bras musclés* (⇒ **Biceps,** fam. **biscoteau**), *forts, gros.* → ci-dessous, *Gros bras. La force des bras. Avoir le bras fatigué, ankylosé ; blessé. Avoir un bras cassé, en écharpe* (cit. 2 et 3).

Être estropié, amputé d'un bras, manchot. — *Avoir les bras couverts, nus.*

1 (...) les manches pagodes relevées jusqu'aux épaules, laissant nus les bras gracieux qui ont le poli de l'ambre et qui en rappellent un peu la couleur.
LOTI, Mᵐᵉ Chrysanthème, XI, p. 79.

2 Ils demeuraient si beaux, ses bras, de l'aisselle pleine et musclée jusqu'au poignet rond, qu'elle les contempla un moment.
« Belles anses, pour un si vieux vase ! »
COLETTE, Chéri, p. 156 (→ Anse, cit. 4 ; et aussi amphore, cit. 2).

2.1 Et des bras plus jolis que les vôtres. Et les marques du vaccin sur son bras (...)
MONTHERLANT, Pitié pour les femmes, p. 58.

2.2 Deux bras nus, deux angoisses froides
Gelaient tout le long de son torse.
Robert VIVIER, Au bord du temps, « Le motocycliste ».

Lever, baisser, plier, étendre les bras. Se croiser les bras. Écarter, arrondir les bras. — Loc. *Lever les bras au ciel* (pour prendre le ciel à témoin, en signe de désespoir, etc.). *Balancer les bras. Agiter les bras. Faire des signaux* à bras. Les bras en croix. Croiser les bras sur la poitrine. Avoir les bras collés au corps. Écarter les bras du corps.* — *Porter sur ses bras, entre ses bras, dans ses bras. Tenir entre ses bras, dans ses bras* (⇒ **Brasse, brassée**). *Lever un poids à bras tendu, à bout* de bras. Brandir à bout* de bras. Porter, tenir un objet sous le bras. Rester l'arme au bras.*

3 (...) des danseuses antiques (...) arrondissant en l'air leurs bras blancs et frêles comme les anses d'une amphore d'albâtre (...)
Th. GAUTIER, Fortunio, XVI, p. 110.

4 (...) un matelot, qui était couché les bras étendus en croix.
LOTI, Mon frère Yves, V, p. 25.

5 Elle s'imposait de rester là, debout, les bras ballants (...)
MARTIN DU GARD, les Thibault, t. V, p. 264 (→ Ballant, cit. 2).

5.1 (...) le médecin lève les bras au ciel en ouvrant les doigts, comme un inspiré qui prêche une nouvelle religion, ou comme un chef d'État qui répond aux acclamations de la foule.
A. ROBBE-GRILLET, Dans le labyrinthe, p. 202.

5.2 Le soldat porte un paquet sous son bras gauche.
A. ROBBE-GRILLET, Dans le labyrinthe, p. 20.

Danse. *Port de bras. Positions de bras.*

c Loc. et syntagmes verbaux. *Saisir, tenir qqn par le bras. Ouvrir les bras, tendre les bras. Jeter les bras au cou de qqn* (→ Sauter au cou*). *Serrer dans ses bras, entre ses bras.* ⇒ **Embrasser.** *Se jeter entre les bras, dans les bras de qqn. Tomber dans les bras l'un de l'autre.*

6 Par quels embrassements il vient de m'arrêter !
Ses bras, dans nos adieux, ne pouvaient me quitter (...) RACINE, Britannicus, V, 3.

7 Il avait jadis dormi dans ses bras, vécu dans son amour.
MAUPASSANT, les Sœurs Rondoli, « Rencontre », p. 248.

8 Tes bras, qui se joueraient des précoces hercules,
Sont des boas luisants tes solides émules,
Faits pour serrer obstinément,
Comme pour l'imprimer dans ton cœur, ton amant.
BAUDELAIRE, les Fleurs du mal, LII, « Le beau navire ».

9 (...) elle s'arrêtait de dormir (...) éclatait de rire, me disant, en nouant ses bras à mon cou (...) PROUST, À la recherche du temps perdu, t. XII, p. 231.

10 (...) elle s'était jetée sur lui, elle l'avait serré des deux bras, l'embrassant, l'étouffant (...) MARTIN DU GARD, les Thibault, t. I, p. 94.

Être dans les bras de... : être enlacé avec (une personne, dans une situation érotique).

11 Vous veniez de mon front observer la pâleur,
Pour aller dans ses bras rire de ma douleur. RACINE, Andromaque, IV, 5.

Donner, offrir le bras à qqn, pour qu'il puisse s'y appuyer (cit. 31) en marchant. *Donner le bras à deux femmes* (→ Faire le pot à deux anses*). *Elle donnait le bras à son fiancé ; elle était au bras de son mari. Se donner le bras. Marcher en se donnant le bras* (cf. *infra,* Bras dessus, bras dessous). *Donner, tendre, offrir le bras à un vieillard. Prendre le bras, s'appuyer au bras de quelqu'un.*

12 Elle prenait mon bras, et nous marchions sous les arbres (...)
E. FROMENTIN, Dominique, XIII.

13 (...) le Marquis s'avança, et, offrant son bras à la femme du médecin, l'introduisit dans le vestibule. FLAUBERT, Mᵐᵉ Bovary, I, VIII.

14 Elle se mit debout avec effort, et, appuyée au bras de Bernard, gagna la pièce qu'elle occupait au-dessus du grand salon
F. MAURIAC, Thérèse Desqueyroux, p. 173.

Loc. littér. *Lever le bras sur qqn,* menacer de le frapper ; par ext., le menacer.

Arrêter le bras de qqn, l'empêcher de frapper, d'exécuter une violence.

d (1660, Oudin). Loc. fig. **GROS COMME LE BRAS** (se dit ironiquement pour accompagner une appellation flatteuse).

15 Ça lui coupait les moyens, d'être « monsieur Sorel » gros comme le bras.
F. MALLET-JORIS, le Jeu du souterrain, p. 71.

16 Tous les plus gros monsieurs me parlaient chapeau bas :
« Monsieur de Petit Jean », ah ! gros comme le bras !
RACINE, les Plaideurs, I, 1.

17 Aujourd'hui Pierrotte n'est plus Pierrotte : c'est M. Pierrotte gros comme les deux bras. Alphonse DAUDET, le Petit Chose, II, 2.

Vx. *Faire les beaux bras :* affecter la grâce, prendre de grands airs.

COUPER BRAS ET JAMBES (à qqn) : lui enlever ses moyens d'action, le paralyser d'étonnement, le décourager. *Cet arrêt nous a coupé bras et jambes* (Académie). *Ce malheur lui a coupé bras et jambes.* ⇒ **Anéantir** (*supra,* cit. 12), **décourager.**

17.1 Martial s'assit, hébété. Il ne dit rien, de quelques instants. Enfin il dit une chose qui pouvait sembler relativement peu appropriée à la circonstance :
— Oh, putain !
(...) Ça me coupe bras et jambes (...)
     Jean-Louis CURTIS, le Roseau pensant, p. 47.

LES BRAS M'EN TOMBENT : je suis stupéfait.

BAISSER LES BRAS : renoncer à agir, à poursuivre une action entreprise (cf. Laisser tomber). ⇒ **Abandonner.**

Rester les bras ballants (devant qqch.) : ne savoir que faire, ne rien pouvoir faire ; rester oisif.

Se tordre les bras de douleur (d'inquiétude, de désespoir) : manifester sa douleur, etc., en s'agitant.

Lier les bras : empêcher d'agir.

18 (...) la gentilhommerie vous tient les bras liés. MOLIÈRE, George Dandin, I, 3.

Vivre de ses bras, d'un travail manuel. *Avoir les bras rompus,* fatigués par un travail excessif ; *les bras retournés, à la retourne* (fam.) : être paresseux. *Se croiser les bras, demeurer, rester les bras croisés,* sans rien faire.

19 *(Je)* demeure les bras croisés comme un jocrisse (...) MOLIÈRE, Sganarelle, 16.
20 Je ne sais rien faire de mes bras... Je ne paie pas ma place au soleil de la vie.
     Alphonse DAUDET, le Petit Chose, II, 14.

Tendre, ouvrir les bras à qqn, lui porter secours, lui pardonner.

Tendre les bras à qqn, vers qqn, implorer son aide, son secours. ⇒ **Implorer, prier.**

Se jeter, se réfugier dans les bras de : se mettre sous la protection de. Par métaphore. *Dans les bras de* (qqch. d'abstrait). → cit. 22 et 25. — *Recevoir qqn à bras ouverts,* l'accueillir avec effusion, empressement. *S'arracher des bras de quelqu'un.*

21 Je reviens à son âme *(de Turenne)...* nul dévôt ne s'est avisé de douter que Dieu ne l'eût reçue à bras ouverts (...) Mme DE SÉVIGNÉ, 431, 16 août 1675.
22 (...) il vaut mieux se jeter entre les bras du christianisme ou de la philosophie, que de s'arrêter plus longtemps sur ce désagréable endroit.
     Mme DE SÉVIGNÉ, 1101, 9 déc. 1688.
23 Le pape, à qui Charles Martel était nécessaire, lui tendait les bras.
     MONTESQUIEU, l'Esprit des lois, XXXI, 11.
24 Je m'attendais que, confus de ma condescendance et de mes avances, Grimm me recevrait les bras ouverts, avec la plus tendre amitié.
     ROUSSEAU, les Confessions, IX.
25 (...) Claude, contristé et découragé dans ses affections humaines, s'était jeté avec plus d'emportement dans les bras de la science, cette sœur qui du moins ne vous rit pas au nez (...) HUGO, Notre-Dame de Paris, IV, 5.
25.1 Enfin, vers minuit et demi, une pirogue, portant deux hommes, accosta la grève. C'était Ayrton, légèrement blessé à l'épaule, et Pencroff, sain et sauf, que leurs amis reçurent à bras ouverts. J. VERNE, l'Île mystérieuse, t. II, p. 623.

Être dans les bras de Morphée : dormir. *Tirer qqn des bras de la mort. S'endormir dans les bras du Seigneur* : mourir.

26 Elle se trouve toute vive et tout entière entre les bras de la mort, sans l'avoir presque envisagée. BOSSUET, Oraison funèbre de Marie-Thérèse d'Autriche.

SUR LES BRAS. *Avoir qqn ou qqch. sur les bras,* en être chargé, importuné. *Avoir des enfants sur les bras.* ⇒ **Charge** (à charge). *Avoir un importun* toujours *sur les bras. Avoir de nombreux ennemis sur les bras,* avoir à se défendre seul contre eux. *Avoir des affaires, des soucis, sur les bras. Se mettre, s'attirer sur les bras une vilaine affaire.*

27 Vous voilà sur les bras une fâcheuse affaire (...) MOLIÈRE, le Misanthrope, I, 3.
28 Je me lasse de vous avoir sur les bras, et la garde de deux filles est une charge un peu trop pesante pour un homme de mon âge.
     MOLIÈRE, les Précieuses ridicules, 4.
29 (...) il se trouve que j'ai le gouvernement de Provence sur les bras (...)
     Mme DE SÉVIGNÉ, 245, 3 févr. 1672.
30 Jamais la France ne se vit tout à la fois tant d'ennemis sur les bras.
     RACINE, les Campagnes de Louis XIV.
30.1 (...) il savait (...) qu'une fois de plus, il s'était mis une sale histoire sur les bras.
     F. MALLET-JORIS, le Jeu du souterrain, p. 87.

Fam. *En avoir plein les bras* : en avoir assez, être épuisé (cf. Pardessus la tête, plein le dos*).

Fam. *Huile de bras* : force, énergie (cf. Huile de coude).

♦ **2.** (Dans des loc. ; symbole de la force guerrière, du pouvoir). *Le bras de Dieu. Un bras protecteur, un bras puissant. Le bras séculier* : la puissance temporelle (par oppos. à celle de l'Église). *Le bras de la justice* (⇒ **Autorité**).

31 (...) Ce n'est pas que je veuille avec cet artifice
Dérober un coupable au bras de la justice :
Quoi qu'il ait fait pour vous, traitez-le comme tel,
Et punissez en moi ce noble criminel (...) CORNEILLE, Horace, V, 3.
32 Et quand les Dieux vengeurs laissent tomber leur bras,
Il pense assez souvent sur qui n'y pense pas. CORNEILLE, Œdipe, II, 2.
33 Nous trouverons très naturel qu'ils nous abandonnent ici-bas au bras séculier, s'ils ne trouvent aucun autre moyen de prouver leur bienveillance à l'égard des vainqueurs. BERNANOS, les Grands Cimetières sous la lune, p. 147.

Avoir un bras de fer, d'airain, une grande autorité*, une volonté* inflexible ou tyrannique. *Avoir un bras de coton* : être mou, lâche, veule. *La force, la valeur de son bras. La patrie a besoin de son bras.*

S'appuyer sur le bras de qqn, être soutenu, aidé par lui. — En terme de mystique. *S'appuyer sur un bras de chair* : mettre son espoir dans les choses temporelles.

34 Ton bras est invaincu, mais non pas invincible. CORNEILLE, le Cid, II, 2.

---

35 Mon bras, qu'avec respect toute l'Espagne admire (...)
Trahit donc ma querelle, et ne fait rien pour moi ? CORNEILLE, le Cid, I, 5.
36 C'est moi qu'Amphitryon députe vers Alcmène,
Et qui du port Persique arrive de ce pas ;
Moi qui viens annoncer la valeur de son bras (...) MOLIÈRE, Amphitryon, I, 2.
37 La bataille sans doute allait être cruelle,
Et son événement vidait notre querelle,
Quand du fils de Créon l'héroïque trépas
De tous les combattants a retenu le bras. RACINE, la Thébaïde, III, 4.

Avoir le bras long : avoir un grand pouvoir. ⇒ **Crédit, influence.**

Vx. *Avoir cent bras* : être fort actif.

38 Voyez comme Mme de La Fayette se trouve riche en amis... elle a cent bras, elle atteint partout (...) Mme DE SÉVIGNÉ, 1268, 26 févr. 1690.

♦ **3.** (Fin XVe). Par métonymie. ⓐ Personne qui agit, travaille, combat. ⇒ **Agent, soldat, travailleur.** *Ce domaine demande plus de cent bras pour l'entretenir. L'industrie réclame des bras. Avoir plusieurs bras à son service. Mille bras se sont armés pour le défendre* (Académie).

39 (...) j'ose dire encor qu'un bras si renommé
Peut-être aurait moins fait si le cœur n'eût aimé. CORNEILLE, Héraclius, II, 7.
40 (...) les humoristes comparent l'agriculture, pour se moquer de certains orateurs, à la Vénus de Milo qui manque de bras.
     J. BAINVILLE, la Fortune de la France, p. 348.

Spécialt. Personne qui exécute, par oppos. à celle qui organise. *Les tueurs n'ont été que les bras d'un complot dont la tête est à l'étranger.*

(1801). **BRAS DROIT.** *Le bras droit de qqn,* son principal agent d'exécution.

41 Quand le bras a failli, l'on en punit la tête. CORNEILLE, le Cid, II, 8.
42 On disait le « général Vendémiaire » appelé à se faire, contre « les factions », le bras du gouvernement résolu à les combattre toutes.
     Louis MADELIN, Hist. du Consulat et de l'Empire,
     L'ascension de Bonaparte, I, p. 5.
42.1 Ces femmes ont laissé tomber douceur, tendresse (...) pour cultiver en elles intelligence, logique, organisation, honnêteté, rigueur et surtout discipline. (...) Ces femmes sont des « bras-droits ». Elles ne rivalisent pas avec l'homme-patron, s'abritent à l'ombre de son aile d'où elles jaillissent pour matraquer au moyen d'une force qui n'est pas la leur (...) Michèle PERREIN, Entre chienne et louve, p. 127.

Fam. **GROS BRAS.** *Un gros bras* : un dur*, un casseur. *Jouer les gros bras* : jouer les durs. — Spécialt. Homme de main, garde du corps. ⇒ **Gorille.** *« Les "gros bras" qui étaient chargés de la sécurité dans certaines équipes* (sportives) *de l'Est »* (l'Équipe, 22 oct. 1972). — Chauffeur de poids lourd.

ⓑ **BRAS DE FER** : jeu opposant deux adversaires qui ont un coude posé sur une table, leurs avant-bras verticaux l'un contre l'autre, et essayent de faire plier le partenaire par des pressions de la paume de la main. — Fig. *« Entre sylviculteurs et papetiers on parle bien de se concerter, de passer des contrats à long terme (...) Ici on préfère encore les parties de bras de fer aux franches négociations »* (le Monde, 5 janv. 1980, p. 21).

BRAS D'HONNEUR : geste injurieux qui consiste à lever le bras droit plié en même temps qu'on pose l'avant-bras gauche sur la face antérieure du coude (simulacre d'érection). *Faire un bras d'honneur à qqn.*

42.2 Le chauffeur de taxi Jules Pasderas (...) résumait deux fois par jour la situation d'une manière peut-être grossière, mais toute la population d'Alger partageait à cette époque son point de vue : L'expédition d'Égypte ? ... mon zeb. — Le tout accompagné d'un magnifique « bras d'honneur ».
     Jean LARTÉGUY, les Centurions, p. 347.

ⓒ Vx. Manche. *Avoir les bras retroussés jusqu'au coude.*

Loc. mod. **EN BRAS DE CHEMISE** : en chemise, sans veste.

42.3 Mais si l'hôtel de Guermantes commençait pour moi à la porte de son vestibule, ses dépendances devaient s'étendre beaucoup plus loin au jugement du duc qui (...) se faisait la barbe le matin en chemise de nuit à sa fenêtre, descendait dans la cour, selon qu'il avait plus ou moins chaud, en bras de chemise, en pyjama, en veston écossais de couleur rare, à longs poils, en petits paletots clairs plus courts que son veston (...) PROUST, le Côté de Guermantes, Folio, t. I, p. 36.
42.4 (...) le jeune receveur des postes, M. Gabriel Pichobre, ouvrir sa fenêtre et apparaît en bras de chemise au premier étage. H. BOSCO, l'Âne Culotte, p. 67.
42.5 (...) le notaire, qui a perdu le bouton de son faux col, descend en bras de chemise.
     R. QUENEAU, le Chiendent, p. 71.

♦ **4.** ⓐ (Animaux). Dans le membre antérieur du cheval, Partie qui fait suite à l'épaule et qui a pour base l'humérus.
Tentacule des mollusques céphalopodes. *Les bras d'une pieuvre.*

43 Quand un poulpe s'est retiré de sa coquille, une infinité de petites pierres s'attachent à ses bras. RACINE, Remarques sur l'Odyssée.
Chacune des divisions radiaires du corps de certains Échinodermes (astérides, ophiures...). *Les cinq bras de l'étoile de mer ; les dix bras ramifiés des crinoïdes.*

ⓑ Hortic. Branche qui part du tronc à l'horizontale. *Bras d'un cep de vigne, d'un poirier en espalier.*

Vx (par métaphore ou compar. poétique). Branche d'un arbre.

44 Je vois les tilleuls et les chênes,
Ces géants de cent bras armés. RACINE, Poésies diverses, 22.
45 Un lieu très silencieux au-dessus duquel des chênes et des hêtres séculaires nouaient comme des bras leurs grosses branches moussues.
     LOTI, Mon frère Yves, p. 242.

♦ **5.** Par anal. (de forme, de destination). ⓐ (1606). Mar. Manœuvre servant à orienter un espar (vergue, tangon), à le brasser*. ⇒ **Écoute, bouline**. *Bras de spi.* — Pêche. Filin de manœuvre d'un filet. — *Bras d'une ancre*.* ⇒ **Branche, patte.**

b (1175). Techn. Brancard, pièce allongée. *Les bras d'une chaise à porteur.* ⇒ **Bâton.** *Siège à bras.* — *Les bras d'un gibet, d'une croix.*

c Accoudoir (d'un fauteuil). *Recouvrir le dossier et les bras.*

46 Ne soyez pas inexorable à ce fauteuil qui vous tend les bras (...) contentez un peu l'envie qu'il a de vous embrasser.   MOLIÈRE, les Précieuses ridicules, 9.
REM. Il s'agit d'une métaphore précieuse sur le sens 1, encore vivante dans la langue courante.

d Partie mobile (d'une grue, d'un sémaphore). *Le bras d'une manivelle. Bras de lecture d'un électrophone :* longue tige mobile qui porte la tête de lecture.

46.1 Le pick-up avait perdu son moteur et son bras. Il ne restait que l'interrupteur.   BORIS VIAN, Vercoquin, p. 61.

BRAS DE LEVIER : distance de la direction d'une force à son point d'application, évaluée perpendiculairement à la direction de cette force.

♦ **6.** **a** (V. 1165). Division (d'un cours d'eau) que partagent des îles. *Bras principal, bras secondaires. Bras mort,* où l'eau ne circule plus. *Bras secondaire, à eaux stagnantes, dans la plaine du Mississipi.* ⇒ **Bayou.**

46.2 Trop lointaines, ces fenêtres, pour que je puisse rien voir, bien que ce bras du fleuve ne soit pas très large en cet endroit de l'île.   Claude MAURIAC, le Dîner en ville, p. 276.

BRAS DE MER : détroit, passage. *Traverser un bras de mer.*

b Par anal. (emploi stylistique). Division d'une chaussée.

46.3 En réalité, il rentrait à pied du Lycée Condorcet et après avoir franchi un premier bras de la place Clichy, il attendait sur le refuge du métro l'instant de franchir le second.   M. AYMÉ, Maison basse, p. 7.

♦ **7.** Loc. adv. À **BRAS** : à l'aide des seuls bras (sans machine). *Il a fallu transporter tout cela à bras. Moulin, charrette à bras,* qu'on meut à bras.

À **TOUR DE BRAS** : de toute sa force*. *Frapper à tour de bras.* — Fig. En grande quantité, sans arrêter (avec des verbes comme *donner, distribuer...*).

47 Des jets de pompe, des seaux d'eau lancés à tour de bras.   LOTI, Mon frère Yves, XCII, p. 219.

47.1 (...) il donnait aux Israélites, à tour de bras, des certificats de baptême de toutes dates, à condition pourtant de les baptiser (...)   MALRAUX, Antimémoires, Folio, p. 9.

(1871). À **BRAS RACCOURCIS.** *Frapper, se jeter sur qqn à bras raccourcis,* avec la plus grande violence.

47.2 (...) quelques louches individus (...) s'avisèrent de prendre la défense de leurs collègues et tombèrent sur les philosophes à bras tant raccourcis qu'allongés.   R. QUENEAU, Pierrot mon ami, éd. L. de Poche, p. 16.

Fig. Sans ménagement.

47.3 (...) je tombais à bras raccourcis sur la première bourgeoise venue. Elle goûtait avec sa sœur et les enfants de sa sœur.
« Ce n'est pas tout ça » lui dis-je entre deux éclairs au chocolat.   DRIEU LA ROCHELLE, la Comédie de Charleroi, p. 177.

(Fin XVIIIᵉ ; *a brache de corps,* 1465 ; de *brac(h)e* « les deux bras », et *corps*). À **BRAS-LE-CORPS** : avec les bras et par le milieu du corps. *Traîner, porter, tenir, saisir, prendre qqn à bras-le-corps.*

48 Saisi à bras-le-corps, soulevé, il gigota une seconde ; puis, acceptant le jeu, il éclata d'un rire clair.   MARTIN DU GARD, les Thibault, t. IX, p. 26.

48.1 La voyant bondir vers l'air libre, l'instinct de proie me saisit, je la rattrapai vers l'escalier, la pris à bras-le-corps et la ramenai en la traînant à terre jusqu'au lit où elle tomba tout à fait.   M. BLANCHOT, l'Arrêt de mort, p. 67.

BRAS DESSUS, BRAS DESSOUS : en se donnant les bras.

49 (...) Et on s'en va, bras dessus, bras dessous, du côté de Recouvrance (...)   LOTI, Mon frère Yves, IV, p. 21.

DÉR. et **COMP.** Bracelet, brassée, 2. brasser, brassier, brassière. — **Appui-bras, sous-bras.** — V. **Braquer, brassard, brasse, 1. brasser.** — (Du lat. *bracchium*) **Brachial, brachiopodes.**

BRASAGE [bʁazaʒ] n. m. — 1867 ; de *braser*.

♦ Assemblage (de métaux) par brasure.

BRASER [bʁaze] v. tr. — 1578 ; « embraser », anc. franç. ; de 1. *braise.*

♦ Assembler (des métaux) par brasure (⇒ **Souder**).
DÉR. Brasage, brasure.

BRASERO [bʁazeʁo] n. m. — 1784 ; *bracero,* 1722 ; mot esp., de *brasa* « braise ».

♦ Appareil de chauffage constitué d'un bassin de métal, rempli de charbons ardents, posé sur un trépied. ⇒ (vx) **Braisier, brasier, brasière.**

1 (...) tout cela faisait de la cendre, qui s'amassait et se confondait dans un brasero de cuivre (...)   LOTI, les Désenchantées, I, 3, p. 28.

---

2 La lumière des braseros vacillait, répandait l'odeur de l'huile chaude et de la fumée.   J.-M. G. LE CLÉZIO, Désert, p. 18.

BRASIER [bʁazje] n. m. — 1130 ; de 1. *braise.*

♦ **1.** Masse d'objets ou matières en complète ignition du fait d'un incendie. *L'incendie transforme les maisons en brasier, en un brasier. Brasier ardent. La fumée, les flammes, les flammèches d'un brasier.*

1 (...) par moments, la fumée se déchirait, les toits effondrés laissaient voir les chambres béantes, le brasier montrait tous ses rubis ; des guenilles écarlates et de pauvres vieux meubles couleur de pourpre se dressaient dans ces intérieurs vermeils (...)   HUGO, Quatre-vingt-treize, I, IV, VII.

2 Il demeurait hésitant sur le seuil, ébloui par le brasier de cette chapelle en feu.   HUYSMANS, En route, p. 127.

2.1 Je flambe dans le brasier à l'ardeur adorable
Les membres des croyants m'y rejettent multiple innombrablement
Éloignez du brasier les ossements   APOLLINAIRE, Alcools, « Le brasier », p. 108.

2.2 Quand, une heure et demie plus tard environ, ils arrivèrent en vue de l'île où avait eu lieu l'explosion, celle-ci n'était plus qu'un brasier.   G. LEROUX, Rouletabille chez Krupp, p. 32.

Son corps est un brasier, un brasier ardent (→ Ardent, cit. 14) : il a une forte fièvre, il éprouve une intense sensation de chaleur.

Par anal. *Le brasier du couchant.*

3 Le soir vient, le soleil descend dans son brasier (...)   HUGO, la Légende des siècles, « La confiance du Marquis Fabrice », IX.

♦ **2.** Fig. Foyer de passions violentes, de guerre. — *Son cœur est un brasier. Sa tête est un brasier :* il a une imagination ardente.

4 Septembre languissait, mais le brasier de la Somme redoublait d'ardeur.   G. DUHAMEL, Récits des temps de guerre, I, II, 12.

♦ **3.** Vx. Brasero. ⇒ **Braisier, brasière.**

BRASIÈRE [bʁazjɛʁ] n. f. — 1785 ; « étouffoir », 1706 ; de 1. *braise.*

♦ Vx. Brasero. ⇒ **Braisier, brasier.**

BRASILIO- Élément, signifiant « du Brésil ». ⇒ **Brésilien.** *La frontière brasilio-argentine.*

BRASILLEMENT [bʁazijmɑ̃] n. m. — 1835, Académie ; de *brasiller.*

♦ **1.** État de la mer qui brasille. ⇒ **Scintillement, phosphorescence.**

♦ **2.** Le fait de brasiller ; scintillement. ⇒ **Braisillement** (braisiller, dér.).

L'homme frappe sur l'enclume et, d'un seul coup, fait jaillir un brasillement d'étincelles par quoi toute la forge sombre s'éclaire.   Léon DAUDET, la Femme et l'Amour, Conclusion.

BRASILLER [bʁazije] v. — 1223, *bresilliee* ; de 1. *braise.*

★ **I.** V. tr. Faire griller* sur la braise. *Brasiller de la viande.*

★ **II.** V. intr. (En parlant de la mer). Scintiller, présenter une traînée de lumière, la nuit (par luminescence ou réflexion de la lumière des astres). ⇒ **Briller, étinceler.** *La lune, une phosphorescence font brasiller la mer.*

Ressembler à de la braise ; produire des étincelles, des lueurs ; avoir une teinte de braise. ⇒ **Braisiller.**

1 La bougie brasillait. Elle s'éteignit brusquement et tout fut noir. Il y eut une odeur de fumée et de suif (...)   H. BOSCO, Un rameau de la nuit, p. 79.

Par métaphore :

1.1 Quand les vaillants se font connaître (...) alors on peut dire que ça fume ! que ça brasille âcre aux fagots !   CÉLINE, Guignol's band, p. 21.

▶ **BRASILLANT, ANTE** p. p. adj. *Astres brasillants.* ⇒ **Flamboyant** (cf. Huguet, *Dict. du XVIᵉ siècle*).

2 (...) la belle saison provençale constellée de géraniums brasillants (...)   COLETTE, la Naissance du jour, p. 109.

DÉR. Brasillement.

BRASQUE [bʁask] n. f. — 1757 ; ital. du Nord *brasca,* lat. vulg. **brasica,* même orig. que 1. *braise.*

♦ Techn. Pâte servant au revêtement intérieur des creusets, des fourneaux où l'on réduit des oxydes métalliques. *La brasque est formée d'argile et de charbon.*
DÉR. Brasquer.

BRASQUER [bʁaske] v. tr. — 1812 ; de *brasque.*

♦ Techn. Enduire de brasque.

1. BRASSAGE [bʀɑsaʒ] n. m. — 1324, sens 2 ; de 1. *brasser.*

♦ **1.** (1331). Ensemble des opérations consistant à brasser la bière. *Salle de brassage d'une brasserie*.*

♦ **2.** Action de mélanger en remuant. *Le brassage du métal en fusion dans un creuset. Cadence de brassage du linge dans une machine à laver.*
Mélange. *Brassage des gaz :* mélange gazeux d'air et d'essence dans la chambre de combustion d'un moteur à explosion (⇒ 1. **Brasseur,** 3.). *Brassage des ondes sonores.*

♦ **3.** 1921. (Abstrait). *Le brassage des races, des peuples, des classes sociales. Les États-Unis, creuset* (⇒ anglic. **Melting-pot**) *où s'opère le brassage de populations très diverses.*

1 (...) nous nous plaçons à la veille de la dernière guerre, avant l'effroyable brassage qui en a été la conséquence (...)
André SIEGFRIED, l'Âme des peuples, II, p. 116.

2 Je connais assez, jusque dans ses détails, l'histoire de la Grèce (...) pour tenir compte du gigantesque et malheureux brassage de sa population au milieu des invasions de toute sorte qui ont multiplié les bâtardises, depuis les Gaulois jusqu'aux Turcs (...)
Albert T'SERSTEVENS, Itinéraires de la Grèce continentale, p. 27.

3 Il serait en tout cas de votre intérêt que le brassage des partis brouille l'image que nous avons gardée du M.R.P. et nous permette de l'oublier.
F. MAURIAC, le Nouveau Bloc-notes 1958-1960, p. 8.

2. BRASSAGE [bʀɑsaʒ] n. m. — 1867 ; *brasseyage,* 1771 ; de 2. *brasser.*

♦ Mar. Action de brasser une vergue ; angle de la vergue par rapport à sa position de repos.

BRASSARD [bʀɑsaʀ] n. m. — 1562 ; altér. de *brassal,* 1546 ; de l'ital. *bracciale* « bracelet », de *braccio* « bras » ou du provençal *brassal.*

♦ **1.** Ancienn. Pièce d'armure* qui couvrait le bras. *Brassard et cuissard.* « *Le brassard se compose de deux pièces réunies par la cubitière* » (Réau).
Garniture de protection du bras (dans certains métiers, certains jeux).

♦ **2.** (1845). Bande d'étoffe ou ruban servant d'insigne, qu'on porte au bras. *Brassard de premier communiant, d'infirmier. Brassard de deuil.* ⇒ **Crêpe.**

1 Ces hommes qui ont au coude gauche un brassard d'étoffe rouge ? Ce sont les chefs.
ZOLA, la Fortune des Rougon, I, p. 34.

2 Rouletabille (...) entra dans une grande salle et aperçut tout de suite, à une petite table placée contre une fenêtre donnant sur l'avenue de Clichy, un militaire de taille et de corpulence imposantes, habillé d'un bleu horizon immaculé, et dont la manche s'adornait d'un brassard avec un bel A majuscule.
G. LEROUX, Rouletabille chez Krupp, p. 7.

DÉR. Brassardé.

BRASSARDÉ, ÉE [bʀɑsaʀde] adj. — Av. 1747, Voltaire ; de *brassard.*

♦ Rare. Qui porte un brassard.

Les occupants grévistes organisaient une discipline de grande courtoisie. Les réceptionnaires brassardés recevaient les visiteurs avec les formules de la politesse administrative.   Pierre HAMP, la Peine des hommes (Moteurs), p. 110.

BRASSE [bʀɑs] n. f. — 1409 ; v. 1080, *brace* « longueur des deux bras étendus » ; du lat. pop. *brachia,* plur. de *brachium* « bras », pris pour un féminin.

♦ **1.** Ancienn. Mesure de longueur égale à cinq pieds (env. 1,60 m).

1 Un honnête homme, en pareil cas,
Aurait fait un saut de vingt brasses.Iv   LA FONTAINE, Fables, v, 11.

Spécialt, mar. Mesure de profondeur valant env. 1,60 m. *La sonde donnait dix brasses.*

2 Les plus grandes profondeurs où les plongeurs puissent descendre, qui sont de vingt brasses.   BUFFON, Preuves sur la théorie de la Terre, 2ᵉ Discours.

3 Nous donnâmes fond par six brasses.   CHATEAUBRIAND, Itinéraire..., II, 18.

♦ **2.** (1835, *nager à la brasse*). Nage sur le ventre par mouvements simultanés et symétriques des bras, puis des jambes ; chacun des espaces successifs ainsi parcourus. *Brasse coulée,* où l'avancée correspondant au repliement des jambes se fait sous l'eau. *Nager la brasse. Champion du deux cent mètres brasse. — Brasse papillon*.*

♦ **3.** Espace parcouru par un nageur à chaque déploiement des bras. ⇒ **Brassée.** *Il sait à peine nager, il ne fait que deux ou trois brasses* (Littré).

♦ **4.** Quantité (de qqch.) qu'on peut tenir dans les bras. ⇒ **Brassée.** *Faire un feu avec une brasse de paille.*

DÉR. Brassiage. — 2. Brasseur.

BRASSÉ [bʀɑse] adj. m. — D. i. (xxᵉ) ; de *brasse* (2.).

♦ Sport (nage). Exécuté en brasse. *Dos brassé.*

HOM. Brassée, brasser.

BRASSÉE [bʀɑse] n. f. — XIIIᵉ, *bracie ; braciee,* v. 1170, « mesure de longueur » ; de *bras.*

♦ **1.** Quantité (de qqch.) que l'on peut tenir entre les bras. ⇒ **Brasse,** 4. *Brassée de foin, de paille, de fleurs. Porter de l'herbe à brassées.*

Mᵐᵉ Lepic tombe sur ses enfants et les étreint d'une seule brassée.   1
J. RENARD, Poil de Carotte, p. 29.

Marie, en bonne Suissesse, aimait les fleurs ; nous en rapportions des brassées.   2
GIDE, Si le grain ne meurt, I, 2.

Par ext. Grande quantité. *Une brassée d'enfants. Il lit par brassées.*

♦ **2.** Mouvement des bras dans la nage. ⇒ **Brasse.** *Faire quelques brassées.*

HOM. Brassé, brasser.

1. BRASSER [bʀɑse] v. tr. — V. 1175, *bracier* « mélanger ; remuer » ; 1176, « faire de la bière » ; dès l'orig., croisement d'un verbe dérivé du lat. pop. **braciare,* de *braces,* cf. anc. franç. *brais* « malt », et d'un verbe dérivé de *bras ;* sens combinés au figuré.

A. *Brasser la bière :* préparer le moût en faisant macérer le malt dans l'eau (opération qui précède le houblonnage et la fermentation) ; par ext., fabriquer la bière. ⇒ 1. **Brasseur.** — Par ext. *Brasser le cidre.*

Au mois de novembre ils brassèrent du cidre. C'était Bouvard qui fouettait le cheval et Pécuchet, monté dans l'auge, retournait le marc avec une pelle.   0.1
FLAUBERT, Bouvard et Pécuchet, II.

B. ♦ **1.** Remuer en mêlant. *Brasser du métal en fusion. Brasser la pâte dans le pétrin.* ⇒ **Pétrir.** *Brasser des feuilles. Un ventilateur brassait l'air.*

Antoine, songeur, brassait et rebrassait la salade.   1
MARTIN DU GARD, les Thibault, t. V, p. 212.

Le vent tournait autour de la maison, brassait les feuilles mortes des tilleuls.   2
F. MAURIAC, le Nœud de vipères, II, 18.

Régional (Sud-Est de la France, Suisse ; attesté v. 1820). Remuer (la salade). ⇒ **Fatiguer, touiller.** *Brasser la salade.*

Loc. (XVIIIᵉ). *Brasser la neige, la boue :* marcher avec difficulté dans la neige, la boue ; patauger dans. « *Chercher un passage à travers champs en brassant la neige jusqu'au ventre* » (Feuille d'avis de Neuchâtel, 4 févr. 1907).

Fam. Mélanger (les cartes). *Brasser les cartes avant de donner.* ⇒ **Battre** (→ Brême, cit. 1). Dér. : *la brasse.*

Pêche. *Brasser l'eau,* la troubler en la remuant. ⇒ **Battre, bouiller.**

Fig., fam. *Brasser de l'air,* et, absolt, *brasser :* s'agiter, parler beaucoup, mais sans agir, ou sans obtenir de résultat. *Il brasse, il brasse, mais il ne sait rien faire.*

♦ **2.** (Sujet n. de chose). Mélanger, mêler. *Le service militaire brasse les couches sociales.*

♦ **3.** (V. 1175). Fig., vx. Tramer, comploter en secret. *Brasser des intrigues.* ⇒ **Machiner, ourdir.**

(...) tous deux (Diderot et Grimm) avaient eu (...) de fréquents et secrets colloques avec sa mère, sans qu'elle eût pu rien savoir de ce qui se brassait entre eux.   3
ROUSSEAU, les Confessions, IX.

♦ **4.** (1808). Fig. Mod. Manier beaucoup (d'argent), traiter beaucoup (d'affaires). *Brasser des affaires* (⇒ 1. **Brasseur**).

Il me fallait des affaires, je les cherchai ; j'en brassai bientôt à moi seul plus que les autres officiers ministériels.   4
BALZAC, in Pierre LAROUSSE.

Ils ont construit d'énormes usines, troué des montagnes, noyé des vallées et peuplé des déserts, ils ont brassé des milliards et gagné beaucoup d'argent, mais ils ont aussi profané la science et gâché leur vie, tout en polluant au passage le ciel, la terre et les mers.   Raymond ABELLIO, Ma dernière mémoire, t. II, p. 18.   5

DÉR. 1. Brassage. — (De A.) Brasserie, 1. brasseur, brassin.
HOM. Brassé, brassée, 2. brasser.

2. BRASSER [bʀɑse] v. tr. — 1694 ; *brassayer,* 1683 ; cf. anc. franç. *brac(e)ier* « agiter les bras » ; de *bras.*

♦ Mar. Orienter un espar* en agissant sur son (ses) bras. — Absolt. *Brasser carré* (à angle droit avec la quille), *en pointe* (à angle aigu). *Brasser à culer, sur le mât,* pour faire reculer le navire. *Brasser le tangon* du spi. — REM. On dit aussi *brasseyer.*

DÉR. 2. Brassage.
HOM. Brassé, brassée, 1. brasser.

BRASSERIE [bʀɑsʀi] n. f. — 1371 ; de 1. *brasser*.

♦ **1.** Fabrique de bière (⇒ **Bière**). *Aménagement, équipement d'une brasserie :* magasin à malt (⇒ **Malterie**), germoir*, atelier de broyage, grille de brassage, de houblonnage, de réfrigération, bacs de dépôt, cuves* de fermentation, filtres ; atelier de mise en fûts, en cannettes* (cannetterie).
Industrie de fabrication de la bière. *La brasserie française, allemande, anglaise.*

♦ **2.** (1844). ⓐ Anciennt. Établissement (café) où on consommait surtout de la bière.

ⓑ Mod. Grand café-restaurant servant des repas (en principe, simples et rapides). *Brasserie alsacienne. Dîner dans une brasserie.* → Trottoir, cit. 4.

1. BRASSEUR, EUSE [bʀɑsœʀ, øz] n. — 1250 ; de 1. *brasser*.

♦ **1.** Personne qui fabrique de la bière ou qui en vend en gros. *Ouvrier brasseur.* ⇒ **Malteur.** — Vx. *Brasseur de bière.*
1 Jason était manillier, (...) Morgant, brasseur de bière.
RABELAIS, Pantagruel, 30.

♦ **2.** (Entre 1826 et 1856). Personne qui s'occupe de nombreuses affaires.
2 Il a une femme jeune ; il lui faut comme intermède sentimental, les baisers édentés de l'ancienne brasseuse d'affaires devenue ensuite marchande de pain d'épices.
le Charivari, Paris à la petite semaine, 20 août 1891.

♦ **3.** Techn. Dans un moteur, Dispositif qui opère le brassage* des gaz.

HOM. 2. Brasseur.

2. BRASSEUR, EUSE [bʀɑsœʀ, øz] n. — 1932, *in* Petiot ; de *brasse*.

♦ Sport. Nageur, nageuse de brasse.

HOM. 1. Brasseur.

BRASSEYER [bʀɑseje] v. ⇒ 2. **Brasser.**

BRASSIAGE [bʀɑsjaʒ] n. m. — 1751, de l'anc. franç. *brassier* «mesurer à la brasse», de *brasse*.

♦ Mar. Mesure de la profondeur de l'eau (⇒ **Sondage**). — Hauteur d'eau indiquée par la sonde.

BRASSICALES [bʀɑsikal] n. f. pl. ⇒ **Crucifères.**

BRASSICOLE [bʀɑsikɔl] adj. — Mil. xxᵉ ; du rad. de *brasserie*, d'après les adj. du type *agricole*.

♦ Techn. Relatif à l'industrie de la bière, à la brasserie. *Plusieurs entreprises de brasserie «ont décidé de rassembler leurs activités brassicoles sur le marché français»* (le Monde, 5 oct. 1983, p. 42).

BRASSICOURT [bʀɑsikuʀ] adj. et n. m. — 1690, Furetière ; ital. du Nord *brassicorto* «qui a les bras courts».

♦ Techn. (hippol.). Cheval qui a les genoux naturellement arqués.

BRASSIER [bʀɑsje] n. m. — 1455, «paysan qui n'a pas d'animal de trait» ; de *bras*.

♦ Régional. Ouvrier agricole qui reçoit la moitié de sa rémunération annuelle en nature.

BRASSIÈRE [bʀɑsjɛʀ] n. f. — 1341 ; 1278, *braciere* «garniture intérieure placée sous l'armure pour la défense des bras» ; de *bras*.

♦ **1.** Ancient (langue class.). Chemise de femme très ajustée.
1 (...) une méchante petite jupe avec des brassières de nuit qui étaient de simple futaine (...) MOLIÈRE, les Fourberies de Scapin, I, 2.
(1843). Mod. Petite chemise de bébé, courte, à manches longues, en toile fine (*brassière de dessous ; la brassière de dessus* est en laine tricotée). ⇒ **Cache-brassière.**
Loc. fam. *Mettre, tenir qqn en brassière(s),* dans un état de contrainte qui lui enlève la liberté de sa propre conduite. *Être en brassières.*
2 M. de Couronges se désolait de la fermeté qu'il rencontrait sur beaucoup de points qui tenaient M. de Lorraine fort en brassières dans son état.
SAINT-SIMON, Mémoires, 62, 37.

♦ **2.** Mar. Gilet de sauvetage. *Le port de la brassière est obligatoire.*

♦ **3.** (1838). Vx (au plur.). Lanières de cuir, d'étoffe... qui passent sous le bras et servent à porter une charge. ⇒ **Bretelle, bricole.** Embrasse fixée à l'intérieur d'une voiture.

COMP. Cache-brassière.

BRASSIN [bʀɑsɛ̃] n. m. — 1240, «quantité de liquide brassé en une fois» ; *bracin* «complot», v. 1185 ; de 1. *brasser*.

♦ Techn. Cuve où l'on brasse la bière. — Contenu de cette cuve.

BRASURE [bʀɑzyʀ] n. f. — 1803, Boiste ; attestation isolée, 1478 ; de *braser*.

♦ Techn. Procédé de soudure consistant à interposer, entre les pièces à souder, un alliage ou un métal fusible. *Souder par brasure.* ⇒ **Braser.** — Cet alliage, ce métal.

BRAVACHE [bʀavaʃ] n. m. et adj. — 1570, *bravasche* ; ital. *bravaccio*, péj. de *bravo*. → Brave, 2. brave.

♦ Littér. ou style soutenu. Faux brave qui fanfaronne. ⇒ **Fanfaron, fier-à-bras, matamore, olibrius, rodomont** (vx). *Prendre un air de bravache. Militaire qui affecte des airs de bravache* (cf. Fendeur de nasaux, traîneur de sabre).
1 C'est un bravache (...) il n'a plus de quoi être un héros.
LA BRUYÈRE, les Caractères, XII, 93.
2 Naturellement on fait le bravache, on chante, en allant de la rive gauche à la rive droite (...) H. BOSCO, l'Âne Culotte, p. 40.
3 (...) quand on est seul, on n'est pas tenté de se donner la comédie à soi-même et de faire le bravache. J. GREEN, Journal, La terre est si belle, 1ᵉʳ déc. 1977.

REM. Le fém. *(une bravache)* est virtuel.
Adj. *Un air bravache.*

CONTR. Brave.
DÉR. Bravacherie.

BRAVACHERIE [bʀavaʃʀi] n. f. — 1594 ; de *bravache*.

♦ Rare. Attitude d'une personne bravache ; paroles, actes bravaches. ⇒ **Bravade** (2.).
Si la bande ne se désolidarisait jamais de Loulou bien qu'elle n'appréciât pas ses excès, c'est qu'elle éprouvait comme les rois, le besoin d'un bouffon et que, comme eux, elle lui accordait le droit absolu au caprice, donc, indirectement, un pouvoir certain. En plus, les bravacheries de Loulou ne trompaient personne.
Jacques LAURENT, les Bêtises, p. 391.

BRAVADE [bʀavad] n. f. — 1494 ; ital. *bravata*, de *bravare* «faire le brave», de *bravo*. → Brave, 2. bravo.

♦ **1.** Ostentation de bravoure. *Un chef qui s'expose inutilement par bravade.*
0.1 (...) je mettais une espèce de bravade à traiter cette adversaire en ami.
M. YOURCENAR, le Coup de grâce, p. 169.

♦ **2.** Action ou attitude de défi insolent envers une autorité qu'on brave. *«Elle perdait le bénéfice de sa bravade»* (Cocteau).
1 (...) les matrones chantaient d'une voix perçante et poussaient de grands éclats de rire en signe de mépris et de bravade contre ceux du dehors (...)
G. SAND, la Mare au diable, Appendice II.
2 Mélek les pressait de relever aussi leur voile, par bravade contre la règle tyrannique (...) LOTI, les Désenchantées, V, XXX, p. 176.
3 J'ai fait pipi sur le tapis ! Je l'ai même fait exprès, par désœuvrement, par bravade. COLETTE, la Paix chez les bêtes, La chienne trop petite.
Péj. Action de bravache. ⇒ **Bravacherie, fanfaronnade, rodomontade, vanterie.**
4 (...) ils se dépensent en bravades grossières, par orgueil désespéré (...)
F. MAURIAC, le Jeune Homme, p. 66.

DÉR. Bravader.

BRAVADER [bʀavade] v. intr. — Attesté xxᵉ ; de *bravade*.

♦ Littér. (rare). Affecter un air de bravade.
Ne va-t-il pas rentrer dans le bar et affronter la naine, bravader à son tour pour faire aux putes rompre les rangs (...)
A. PIEYRE DE MANDIARGUES, la Marge, p. 74.

BRAVE [bʀav] adj. — Après 1535 ; n. m., «spadassin», 1521 (→ 2. Bravo) ; «courageux, orgueilleux, noble, beau, excellent», jusqu'au xviiᵉ ; ital. *bravo* «courageux, beau, noble», du lat. *barbarus* «barbare», puis «fier». → Bravache, bravade, bravo...

♦ **1.** Vx. Qui est vêtu avec soin.
1 Mᵐᵉ de La Fayette me mande comme elle se fait brave pour la noce de son fils (...) Mᵐᵉ DE SÉVIGNÉ, 1238, 27 nov. 1689.

♦ **2.** (1549). Mod. (généralt placé après le nom, en épithète, sauf si le contexte permet de lever l'ambiguïté). Qui affronte avec courage le danger, les périls. — Spécialt. Courageux au combat, devant l'ennemi. ⇒ **Audacieux, courageux, crâne, hardi, héroïque, intrépide,** invincible, résolu, vaillant, valeureux (cf. fam. Avoir de l'estomac, du ventre, avoir qqch. dans le ventre ; être d'attaque ; n'avoir pas froid aux yeux...). *Un homme brave et généreux. Un cœur, une figure, un air brave et résolu. « De bons et braves soldats »* (De Gaulle, *in* T. L. F.). *Il n'est brave qu'en paroles.* ⇒ **Bravache, fanfaron.**

2 Brave qui n'est pas bon n'est brave qu'à demi.
                                   HUGO, la Légende des siècles, XVII, « L'aigle du casque ».
3 Marat était audacieux, mais nullement brave.
                                   MICHELET, Hist. de la Révolution franç., t. II, p. 63.

N. Personne qui n'hésite pas à affronter les dangers. *Un faux brave.* ⇒ **Bravache.** *Faire le brave :* affecter la bravoure.

Spécialt. Soldat d'un grand courage. *C'est un brave.* ⇒ **Héros, lion, paladin, preux.** — Loc. fam. *Un brave à trois poils, à tout poil :* un homme intrépide ⇒ **Poilu** (→ argot milit. Lascar). *Les actes de courage, de valeur d'un brave.* ⇒ **Arme** (faits d'armes), **exploit, prouesse.** *Le brave des braves :* surnom du maréchal Ney.

4 Il est de faux dévots ainsi que de faux braves (...)   MOLIÈRE, Tartuffe, I, 5.
5 On ne veut point perdre la vie, et on veut acquérir de la gloire : ce qui fait que les braves ont plus d'adresse et d'esprit pour éviter la mort, que les gens de chicane n'en ont pour conserver leur bien.   LA ROCHEFOUCAULD, Maximes, 221.
6 J'aurais besoin peut-être, d'ici peu, de quelques braves à tout poil pour une expédition qu'on me propose (...)   Th. GAUTIER, le Capitaine Fracasse, XII.
7 (...) il vous suffira de dire : J'étais à la bataille d'Austerlitz pour que l'on vous réponde : Voilà un brave !   NAPOLÉON, Proclamation d'Austerlitz, citée par MADELIN, Hist. du Consulat, t. V, p. 334.
8 Elle faisait la brave, et le toisait, une main sur la hanche, la tête d'aplomb sur son beau cou.   COLETTE, la Chatte, p. 173.
8.1 Nous nous reconnaissions comme des braves, comme de ceux qui sont le sel d'une armée. Et chacun devenait encore plus brave en regardant l'autre.
                                   DRIEU LA ROCHELLE, la Comédie de Charleroi, p. 64.

Paix des braves : paix honorable pour ceux qui se sont battus courageusement (à propos de la proposition de cessation des hostilités aux nationalistes algériens).

8.2 J'avais pensé à ce qu'on appelait alors « la paix des braves », et à la fraternisation dont je ne sais, encore aujourd'hui, dans quelle mesure elle fut sincère ou truquée. Mais pour moi comme pour lui, ni le maintien de la Communauté, ni l'indépendance de nos anciennes colonies d'Afrique si elle succédait à la Communauté, ne permettraient la poursuite sans fin de la guerre d'Algérie.
                                   MALRAUX, Antimémoires, Folio, p. 200.

♦ **3.** Mod. (placé avant le nom, en épithète). Honnête et bon avec simplicité. *Un brave homme, une brave femme. De braves gens. Un brave type.* ⇒ **Bon, honnête, obligeant, serviable.** — Par ext. *Un brave cœur.* ⇒ **Généreux.**

9 Du Metz, brave homme, mais chaud et emporté (...)   RACINE, Notes historiques.
10 Ce sont de braves cœurs que les gens de la plaine (...)
                                   HUGO, la Légende des siècles, XI, « Le Cid exilé », 4.
11 (...) au nom de principes et de convenances (...) qu'ils invoquaient en commun avec lui, en braves gens de même acabit (...)
                                   PROUST, À la recherche du temps perdu, t. I, p. 203.
12 Elle avait une brave figure de curé de campagne, énergique, riante, finaude aussi, et portait sur des cheveux courts tout blancs un chapeau de pêcheur à la ligne.
                                   MARTIN DU GARD, les Thibault, t. II, p. 98.
13 Là, avec nous, vivaient, patriarcalement encore, deux braves serviteurs, comme hélas ! On n'en rencontre plus guère aujourd'hui (...)
                                   H. BOSCO, l'Âne Culotte, p. 18.
13.1 Je me souviens aussi d'un compagnon de guerre de mon père, venu lui rendre visite en 1920. Sa femme l'accompagnait, et le temps du thé fut celui d'une constante scène de ménage larvée. « Et pourtant, me dit-on père lorsqu'il fut reconduit, c'est un brave homme et un homme brave — un des officiers les plus braves que j'aie connus (...) »   MALRAUX, Antimémoires, Folio, p. 620.

Par ext. (en parlant d'un animal). Qui fait correctement ce qu'on attend de lui. *« Ces braves chiens de berger, tout affairés après leurs bêtes »* (Daudet).

D'une bonté ou d'une gentillesse un peu naïve et attendrissante. *Il est bien brave, mais il m'ennuie.* ⇒ **Gentil.** Cf. régional Bravounet. *Mon brave homme* (appellatif condescendant et archaïque).

13.2 Ces deux concierges étaient bien braves mais je leur faisais grief de n'être pas des anciens.   Jacques LAURENT, les Bêtises, p. 365.
14 Cette « brave Oriane », comme il eût dit cette « bonne Oriane », ne signifiait pas que Saint-Loup considérât Mme de Guermantes comme particulièrement bonne. Dans ce cas, bonne, excellente, brave, sont de simples renforcements de « cette », désignant une personne qu'on connaît et dont on ne sait trop que dire avec quelqu'un qui n'est pas de votre intimité.
                                   PROUST, À la recherche du temps perdu, t. I, p. 122.

N. m. Vieilli (appellatif condescendant à l'égard d'un inférieur). *Bonjour, mon brave.*

♦ **4.** Régional (Sud-Est de la France, avec une valeur voisine de celle de l'ital. *bravo, brava*). D'une apparence et d'un comportement plaisant, agréable (avec l'idée d'efficacité souriante).

CONTR. Capon, couard, craintif, lâche, peureux, poltron, pusillanime, timide. — Malhonnête, mauvais.

DÉR. Bravement, braver, braverie. — V. Bravoure.

BRAVEMENT [bʀavmɑ̃] adv. — 1465 ; de brave.

♦ **1.** Avec bravoure, d'une manière décidée, sans hésitation. ⇒ **Courageusement, hardiment, vaillamment, valeureusement.** *Défendre bravement sa patrie. Supporter bravement les difficultés. Se tirer bravement d'une épreuve.*

1 La Zabelle prit bravement son parti et promit que dès le lendemain elle reconduirait le Champi à l'hospice.   G. SAND, François le Champi, II, p. 39.

Ma mère, qui allait bravement et sans faiblir parmi des reliques, buta sur cette   2
poignée d'or, jeta un cri (...)   COLETTE, la Naissance du jour, p. 47.

♦ **2.** Vx ou régional (Sud-Est). Bien, honnêtement. *Il fait très bravement son travail.*

CONTR. Lâchement, timidement. — Maladroitement, malhonnêtement.

BRAVER [bʀave] v. — 1515 ; de brave, d'après l'ital. bravare. → Bravade.

♦ **1.** V. intr. Vx. Parader*, humilier (qqn) par son luxe.

J'en ai vu d'autres (...) qui engageaient tout ce qu'ils avaient et celui de leurs voi-   1
sins, pour acheter chevaux et accoutrements afin de braver.
                                   DU FAIL, Contes d'Entrapel, 2, in HUGUET.

♦ **2.** V. tr. Mod. Défier orgueilleusement en montrant qu'on ne craint pas. ⇒ **Affronter, opposer** (s'), **provoquer.** *Braver l'ennemi. Braver qqn en face. « Tu me braves, Cinna, tu fais le magnanime »* (Corneille). — (Compl. n. de chose). *Braver le danger. Braver la colère de qqn. Braver l'autorité.*

Au moyen âge, les individus pouvaient encore braver l'État et les ligues de mécon-   2
tents le tenir en échec.   J. BAINVILLE, Hist. de France, V.
(...) elle parvenait à braver son regard, sans faiblir (...)   3
                                   MARTIN DU GARD, les Thibault, t. VI, p. 156.
Mais en même temps grondait en elle cette juste fureur contre laquelle il lui était   4
si malaisé de se défendre, lorsqu'on osait braver ses ordres, et se soustraire à ce qu'elle avait résolu et prescrit.   F. MAURIAC, la Pharisienne, p. 239.

Vx (langue class.). *Braver qqn avec insolence.* ⇒ **Insulter, narguer, nique** (faire la nique à qqn). — (Compl. n. de chose) :

Vous triomphez, cruelle, et bravez ma douleur.   RACINE, Iphigénie, II, 5.   5

♦ **3.** Se comporter sans crainte devant (qqch. de redoutable qu'on accepte d'affronter). ⇒ **Mépriser.** *Braver le sort, la faim, le froid, la mort.* ⇒ **Moquer** (se). *Braver un danger inconsidérément. Braver les années,* se refuser à subir leur atteinte.

Cependant que mon front, au Caucase pareil,   6
Non content d'arrêter les rayons du soleil,
Brave l'effort de la tempête.   LA FONTAINE, Fables, I, 22.
On ne songe qu'à conserver son enfant ; ce n'est pas assez ; on doit lui apprendre   7
à se conserver étant homme, à supporter les coups du sort, à braver l'opulence et la misère, à vivre, s'il le faut, dans les glaces d'Islande ou sur le brûlant rocher de Malte.   ROUSSEAU, Émile, I, p. 13.
Il y a des misères que l'on brave, que l'on méprise d'un cœur léger, pour soi-même.   8
On ne se pardonne pas de les infliger à un autre.
                                   Paul BOURGET, Un divorce, V.

Ne pas craindre de ne pas respecter (une règle, une tradition). *« Le latin, dans les mots, brave l'honnêteté »* (Boileau), se permet de transgresser l'honnêteté, la bienséance. *Braver les convenances, les bienséances.* ⇒ **Offenser, violer.** *Braver l'opinion, le qu'en dira-t-on.* ⇒ **Moquer** (se) (→ fam. Pisser au bénitier*, jeter son bonnet* par-dessus les moulins).

(...) il fallut me soumettre à tout risque, et me résoudre à braver le qu'en dira-   9
t-on, sauf à délibérer dans la suite si je me résoudrais à montrer mon ouvrage ou non.   ROUSSEAU, les Confessions, IX.
Je sais quel charme austère il y a pour les fortes natures à braver la médiocrité   10
impuissante et à provoquer la rage des sots.
                                   RENAN, Philosophie de l'Hist. contemporaine, Œ. compl., t. I, p. 56.
(...) il se sentit décidé plus témérairement à braver les règles, les lois, les entra-   11
ves quelconques de ce monde.   LOTI, Ramuntcho, XI, p. 286.

▶ **SE BRAVER** v. pron.

Récipr. Se défier, se provoquer l'un l'autre.

Oronte et lui se sont tantôt bravés (...)   MOLIÈRE, le Misanthrope, II, 6.   12

CONTR. Éviter, fuir, respecter, soumettre (se).

BRAVERIE [bʀavʀi] n. f. — 1541, « bravade, défi » ; de brave.

♦ **1.** (Av. 1555). Vx. Parure, toilette (encore au XIXe s.).

(...) la braverie et l'ajustement est la chose qui réjouit le plus les filles (...)   1
                                   MOLIÈRE, l'Amour médecin, I, 1.

Élégance, recherche vestimentaire.

♦ **2.** Rare (littér.). Assurance, audace. ⇒ **Bravoure.**

J'en tire le désir et déjà presque l'habitude d'une certaine braverie morale, un peu hargneuse, mais belle en somme, et la seule certainement capable de grandes choses.   GIDE, Journal, 10 juin 1891.

♦ **3.** Littér. Fanfaronnade, bravoure ostentatoire.

Elle était généreuse par braverie et se plaisait aux remerciements.   3
                                   G. SAND, François le Champi, VII.

CONTR. Timidité ; modestie.

BRAVISSIMO [bʀavisimo] interj. — 1775, in D.D.L. ; superl. ital. de bravo. → 1. Bravo.

♦ Exclamation exprimant un très haut degré de contentement. *Bravo ! bravissimo !*

Bravo ! bravo ! bravo ! (À part. — Écoutant la musique qui continue.) C'est encore plus faux... tant mieux !... ça m'exerce... (À Antoine.) Fais comme moi ! (Applaudissant plus fort.) Bravissimo ! bravissimo !
                                   E. LABICHE, la Chasse aux corbeaux, I, 6.

1. BRAVO [bʀavo] interj. et n. m. — 1738 ; mot ital. *bravo* «bon».
→ Brave.

♦ **1.** Exclamation dont on se sert pour applaudir, pour approuver.
⇒ **Bravissimo.** *Bravo ! c'est parfait ! Bravo à toi ! Bravo à votre
succès !*

1   Mais presque aussitôt, Mrs. Edith se releva et, prenant les mains de M. Darzac,
elle lui dit avec une force, une exaltation véritable cette fois-ci (décidément, aurais-
je mal jugé Mrs. Edith en la trouvant affectée) :
« Bravo, monsieur Robert ! *All right ! You are a gentleman !* »
           G. LEROUX, le Parfum de la dame en noir, p. 304.

♦ **2.** N. m. Applaudissement, marque d'approbation. ⇒ **Vivat.**
J'entendais « les rires et les bravos » (Mérimée). *Un tonnerre
de bravos.*

2   La salle craquait sous les bravos ; on recommença la strette entière ; les amoureux parlaient des fleurs de leur tombe, de serments, d'exil, de fatalité, d'espérances (...)   FLAUBERT, Mᵐᵉ Bovary, II, XV.

REM. Jusqu'au XIXᵉ s., on trouve les formes *bravi* et *brava*, appliquées
respectivement à plusieurs personnes et à une femme, selon l'usage
de l'adjectif italien.

2. BRAVO [bʀavo], plur. **BRAVI** [bʀavi] n. m. — 1832 ; mot ital.
«mercenaire», de *bravo* «courageux». → Brave.

♦ Hist. Tueur à gages, spadassin italien.

   (...) ce qui est plus vraisemblable, c'est qu'il *(Danton)* s'était engagé comme bravo
de l'émeute (...)   MICHELET, Hist. de la Révolution franç., t. I, p. 625.

Par ext. Vieilli. Homme de main. Maître chanteur.

BRAVOURE [bʀavuʀ] n. f. — 1648, *bravure* ; ital. *bravura*, de *bravo*.
→ Brave.

♦ **1.** Qualité d'une personne brave. *Avoir, témoigner de la bravoure. Manquer de bravoure. Bravoure de sentiments* (→ ci-dessous, cit. 1.1). — Spécialt. Courage militaire. ⇒ **Audace, courage,
hardiesse, héroïsme, vaillance, valeur.** *Une bravoure chevaleresque.*

1   *(Il n'est)* à la cour, oreille qu'il ne lasse
A conter sa bravoure et l'éclat de sa race ?   MOLIÈRE, le Misanthrope, I, 1.

1.1   — Est-ce vrai ? s'écria-t-elle, en le regardant avec un sourire qui éclairait tout son
visage, un peu semé de taches de son.
Il ne résista pas à cette bravoure de sentiment, à la fraîcheur de sa jeunesse, et
il reprit (...)   FLAUBERT, l'Éducation sentimentale, Pl., t. II, p. 283.

2   (...) cette forme particulière de bravoure, qui n'est pas du courage, et qui consiste
à fermer les yeux pour ne pas voir le danger où l'on court.
           Ch. PÉGUY, Œ. compl., t. XII, p. 89.

3   Quand il n'y a pas de joie, il n'y a pas d'héroïsme ; il n'y a que de la bravoure (...)
           MARTIN DU GARD, les Thibault, t. VII, p. 180.

Vx (surtout au plur.). *Une, des bravoures.* Exploit, prouesse militaire.

♦ **2.** [a] Rare. Qualité d'un musicien virtuose. *La bravoure d'un pianiste.*

[b] (1798 ; italianisme). Mus. (vieilli). *Air de bravoure :* air brillant destiné à faire valoir le talent du chanteur.

4   Car M. de Norpois, chez qui l'âge avait éteint ou désordonné les qualités les plus
belles, en revanche avait perfectionné en vieillissant les « airs de bravoure », comme
certains musiciens âgés, en déclin pour le reste, acquièrent jusqu'au dernier
jour, pour la musique de chambre, une virtuosité parfaite qu'ils ne possédaient
pas jusque-là.   PROUST, Albertine disparue, Folio, p. 303.

Mod. *Morceau de bravoure :* partie d'une œuvre (littéraire, cinématographique, etc.), d'un discours, que l'auteur a voulue particulièrement brillante.

5   J'ai récité la même litanie à la tribune de six Congrès de six Partis différents, en
l'espace de trois mois, sans changer un iota (...). Mon morceau de bravoure s'appelait « Salutations du délégué du Comité central du vaillant Parti frère » (...)
           Régis DEBRAY, l'Indésirable, p. 235.

CONTR. **Couardise, crainte, lâcheté, peur, poltronnerie, timidité.**

BRAYE [bʀɛ] n. f. — 1863 ; var. de *brai*.

♦ Vx. Boue, terre grasse, corroi dont on enduit le fond ou les parois
des bassins, des étangs.

HOM. **Brai, braie.** — Formes du v. **braire.**

1. BRAYER [bʀeje] n. m. — 1389 ; v. 1130, *braier* «ceinture qui
maintient les braies» ; de *braie.*

Technique.

♦ **1.** Techn. Bande de cuir soutenant le battant d'une cloche.

(1701). Ceinture de cuir à poche qui soutient la hampe d'un drapeau.

♦ **2.** (1564). Méd. Bandage herniaire.

♦ **3.** (1678). Techn. Cordage dont les maçons se servent pour élever
du moellon ou du mortier.

HOM. **2.** Brayer.

2. BRAYER [bʀeje] v. tr. — 1382 ; *broier*, 1295 ; anc. nordique
braeda «goudronner».

♦ Techn. Enduire de brai. *Brayer un navire.*

HOM. **1.** Brayer.

BRAYETTE [bʀɛjɛt] n. f. Vx. ⇒ **Braguette.**

BREACK-WATER [bʀɛkwatœʀ] n. m. ⇒ **Break-water.**

1. BREAK [bʀɛk] n. m. — 1830 ; mot anglais.

♦ **1.** Anciennt. Voiture à quatre roues, ouverte, avec un siège de
cocher élevé et deux banquettes longitudinales à l'arrière
(→ 1. Banquette, cit. 1).

   (...) et le landau, la calèche, deux grands breaks déposaient au perron de la cour
d'honneur où retentissaient les coups de timbres, d'illustres habitués de la rue de
Poitiers (...)   A. DAUDET, l'Immortel, p. 277.

(1900, Baudry de Saulnier). Carrosserie d'automobile analogue.

♦ **2.** (1950). Mod. Type de carrosserie automobile en forme de fourgonnette, mais à arrière vitré. *Un break Peugeot. Une 204 break.*

2. BREAK [bʀɛk] n. m. — 1909, *in* Petiot ; mot anglo-amér. «interruption».

Anglicisme.

♦ **1.** Sports. Interruption momentanée d'un match de boxe, ordonnée par l'arbitre. — Loc. *Faire le break :* au tennis, Creuser à son
avantage un écart de deux jeux dans le score en gagnant son propre service et celui de son adversaire..

♦ **2.** (1926, *in* Höfler). En jazz, Interruption du jeu de l'orchestre
pendant quelques mesures, créant un effet d'attente.
Cadence improvisée, pendant cette interruption.

   Le chanteur de blues débute souvent par un break, c'est-à-dire une fantaisie de
quelques notes, une phrase nettement ciselée, sur les quatre premières mesures,
n'exposant la phrase principale qu'à partir de la cinquième mesure.
           Lucien MALSON, les Maîtres du jazz, p. 10.

♦ **3.** Aviat. Interjection (internationale) commandant une manœuvre
extrêmement rapide et imprévue.

♦ **4.** Action de faire attendre quelqu'un pour préparer un effet.
« *Fischer* (champion d'échecs) *cherche maintenant à faire le break
pour casser le moral de son adversaire* » (A. de Penanster,
l'Express, p. 33, n° 1099, 31 juil.-6 août 1972).

REM. « De nombreux termes français traduisent parfaitement les concepts rendus par les mots anglais *break* ou *to break*. Selon le contexte,
il convient d'utiliser les substantifs : *arrêt, coupure, dislocation, déga-
gement, décrochage, rupture, cassure, esquive,* etc., ainsi que les verbes correspondants » (in *la Banque des mots,* 4, p. 209).

BREAKDOWN [bʀɛkdawn] n. m. — 1949 ; mot angl. «effondrement» dans *nervous breakdown,* de *to break down* «tomber en se brisant».

♦ Anglic. Dépression nerveuse.

BREAKFAST [bʀɛkfœst] n. m. — 1862, cit. ; mot angl. de *to break*
«rompre», et *fast* «jeûne».

♦ Anglic. Petit déjeuner à l'anglaise comportant en général des
céréales (parfois du porridge), des œufs, du jambon ou du bacon,
des toasts ou des muffins et, comme boisson, du thé. *Des breakfasts.*

1   Le déjeuner fut modeste, frugal, comme il est d'habitude en Angleterre pour ce
breakfast matinal : le thé, l'inévitable thé, le beurre, le lait, un œuf cuit sur un
morceau de jambon, une microscopique tranche de pain dépouillée de croûte et
coupée en carré, formaient tous les éléments du repas.
           L. SIMONIN, Visite aux mines de Cornouailles,
           in le Tour du monde 1865, t. I, p. 359 (texte rédigé en 1862).

2   Je rentre pour le breakfast : porridge, thé, fromage ou viande froide, ou œufs.
           GIDE, Voyage au Congo, *in* Souvenirs, Pl., p. 816.

BREAK-WATER [bʀɛkwatœʀ] n. m. — 1818 ; angl. *breakwater,* de
to break «briser», et *water* «eau».

♦ Anglic. Techn. Jetée à l'entrée d'un port, destinée à casser la houle
du large. ⇒ **Brise-lames.** — Var. orthographique : *breack-water* (vx).

BRÉANT [bʀeɑ̃] n. m. ⇒ **Bruant.**

BREBIETTE [bʀəbijɛt] n. f. — V. 1170 ; de *brebis.*

♦ Vx. Jeune brebis. — REM. On écrit aussi *brebillette.*

BREBIS [bʀəbi] n. f. — XIIIᵉ ; *berbis*, XIIᵉ ; lat. pop. **berbicem*, class. *berbecem*, var. de *vervecem*, accusatif de *vervex.*

♦ **1.** Femelle adulte de l'espèce ovine (moutons).

1 *(Le terme de brebis)* s'applique plus particulièrement aux femelles qui ont déjà mis bas. Avant d'être brebis, les femelles sont, suivant l'âge, dites *agnelles* ou *antenaises.*
Omnium agricole, Brebis.
Brebis blanche, noire. Brebis bêlante. Toison de brebis. Mâle de la brebis. ⇒ **Bélier.** *Brebis qui met bas.* ⇒ **Agneler.** *Jeune brebis.* ⇒ **Antenaise, brebiette, vacive.** *Petit de la brebis.* ⇒ **Agneau, agnelle.** *Lait, fromage* de brebis. « Qui sauve le loup tue les brebis »* (→ Action, cit. 21, Hugo). *Mener paître les brebis. Brebis immolée aux dieux* (Grèce antique). ⇒ **Apotropée.**

2 C'est là qu'on voit errer les taureaux qui mugissent, les brebis qui bêlent, avec leurs tendres agneaux qui bondissent sur l'herbe fraîche (...)
FÉNELON, Télémaque, III.

Loc. (vieilli). *Faire un repas de brebis :* manger sans boire.

Prov. *Brebis qui bêle perd sa goulée.* ⇒ **Bêler.** *À brebis tondue, Dieu mesure le vent :* Dieu proportionne les épreuves à notre faiblesse. *Qui se fait brebis, le loup le mange :* ceux qui ont trop de bonté sont la proie des méchants. *Brebis comptées, le loup les mange :* les précautions les plus minutieuses se révèlent toujours insuffisantes, ou se retournent contre ceux qui les prennent.

♦ **2.** Fig. Personne innocente, jeune fille très douce.

Loc. prov. *C'est la brebis du bon Dieu :* c'est une personne tout à fait inoffensive.

♦ **3.** (Métaphore évang.). Chrétien fidèle à son pasteur. ⇒ **Ouaille.** *« Les brebis de Dieu »* (Claudel). *Ramener la brebis égarée au bercail*. Le bon Berger donne sa vie pour ses brebis.* ⇒ **Berger** (cit. 13).

3 Si un homme a cent brebis, et qu'une d'elles vienne à s'égarer, ne laissera-t-il pas sur les montagnes les quatre-vingt-dix-neuf autres, pour aller à la recherche de celle qui s'est égarée ?
BIBLE (CRAMPON), Évangile selon saint Matthieu, XVIII, 12.

4 Lorsque le Fils de l'homme viendra dans sa gloire (...) Il séparera les uns d'avec les autres, comme le berger sépare les brebis d'avec les boucs ; et il mettra les brebis à sa droite et les boucs à sa gauche.
BIBLE (SEGOND), Évangile selon saint Matthieu, XXV, 31-33.

5 Mais certains de vos jeunes collègues, par excès de zèle sans doute, donnent aux vrais fidèles l'impression déprimante de ne plus s'intéresser à eux, de ne s'intéresser qu'à ceux qui sont en dehors de l'Église, aux brebis perdues ou à récupérer : les ouvriers synd...
— L'Église, interrompit l'abbé (...)
Jean-Louis CURTIS, le Roseau pensant, p. 258.

Cour. *Brebis galeuse.* ⇒ **Galeux.**

DÉR. **Brebiette.**

1. BRÈCHE [bʀɛʃ] n. f. — 1119 ; de l'anc. haut all. *brecha* « fracture ». Cf. all. mod. *brechen* « briser ».

♦ **1.** Ouverture* (d'un mur, d'une clôture). *Réparer les brèches d'une haie.*

1 (...) Germain (...) occupait la dernière heure du jour à fermer les brèches que les moutons avaient faites à la bordure d'un enclos voisin des bâtiments.
G. SAND, la Mare au diable, IV, p. 39.

Ouverture (dans une enceinte fortifiée). — Percée (d'une ligne fortifiée, d'un front). ⇒ **Trouée.** *Faire, ouvrir une brèche. S'élancer, foncer* (→ Attaquer, cit. 10), *pénétrer dans la brèche. Refaire, réparer, colmater une brèche.*

2 (...) chaque division, formant carré, ses bagages au centre, ses canons aux angles, prenait l'aspect d'une forteresse vivante dont les brèches se réparaient à l'instant même où elles se creusaient(...)
Louis MADELIN, Hist. du Consulat, t. II, Ascension de Bonaparte, XVI, p. 238.

3 Débouchant de la forêt de Villers-Cotterets, des centaines de chars Renault et Larraque ouvrirent une brèche dans la forteresse allemande (...)
A. MAUROIS, Terre promise, XXVII, p. 183.

LOC. **SUR LA BRÈCHE.** *Monter sur la brèche. Être toujours sur la brèche :* être toujours à combattre ou prêt au combat, à la lutte, et, fig., être toujours au travail, en pleine activité. *Mourir sur la brèche :* mourir en plein combat, et, fig., en pleine activité.

4 On l'avait vu *(un nègre)* sur la brèche des derniers ; il avait battu en retraite pied à pied (...)
E. FROMENTIN, Un été dans le Sahara, II, p. 134.

Battre en brèche. ⇒ **Battre** (cit. 37 et *supra*).

♦ **2.** Petite entaille (sur un objet d'où s'est détaché un éclat). → *Brèche sur une lame d'acier.* ⇒ **Cassure, hoche.** *Brèches en dents de scie.*

Par ext., vx. *Faire une brèche à un pâté.* ⇒ **Entamer.**

♦ **3.** (Abstrait). Lieu où est interrompu (qqch.). ⇒ **Ouverture, trou, passage.** *Une brèche dans une forêt,* un vide causé par les coupes.

Brèche dans une muraille de montagnes. ⇒ **Coupure, trouée.** *La brèche de Roland. Brèche dans la coque d'un navire.*
(Abstrait). *Une brèche dans la pensée.*

4.1 (...) « le ciel » est ici ce qui est seulement entrevu dans une brèche de la pensée s'oubliant elle-même, dormant et ne dormant pas, attentive à se réveiller au niveau des muscles de plus en plus fins et attendant l'heure vers le matin (...)
Ph. SOLLERS, Nombres, p. 31.

Fig. Dommage qui entame. *Faire une brèche sérieuse à sa fortune.* ⇒ **Perte.** *Faire une brèche à l'honneur, à la réputation. Ouvrir une brèche dans un principe, dans un système de doctrines.*

4.2 Milady avait donc fait brèche, avec sa fausse vertu, dans l'opinion d'un homme prévenu horriblement contre elle (...)
A. DUMAS, les Trois Mousquetaires, t. II, p. 628.

5 Rejeter ces obligations, ce serait ouvrir une brèche dans l'armature des institutions qui font qu'une communauté nationale comme la France est un organisme équilibré, vivant.
MARTIN DU GARD, les Thibault, t. VII, p. 173.

♦ **4.** Comm. Interruption dans l'alignement des produits présentés au public (signalant que le produit a été vendu).

CONTR. **Fermeture, lien, soudure.**
DÉR. **Bréchu.**
COMP. **Ébrécher.** — V. **Brèche-dent.**
HOM. 2. **Brèche,** 3. **brèche.**

2. BRÈCHE [bʀɛʃ] n. f. — 1611, *bresche* ; ital. *breccia,* mot d'orig. ligure.

♦ Géol. Roche sédimentaire à structure fragmentaire formée de débris à angles vifs agglomérés dans un ciment naturel. ⇒ **Conglomérat.** *Brèche ossifère,* formée par des ossements agglomérés de mammifères.

DÉR. **Bréchification.**
HOM. 1. **Brèche,** 3. **brèche.**

3. BRÈCHE [bʀɛʃ] n. f. — D. i. ; emploi régional ; probablt emploi fig. de 1. *brèche* « ébréchure ».

♦ Apic. Miel vendu avec son gâteau de cire. — Fragment de rayon de miel (retiré de la ruche).

HOM. 2. **Brèche,** 3. **brèche.**

BRÈCHE-DENT [bʀɛʃdɑ̃] adj. et n. — XIIIᵉ, *brichedent* ; de l'anc. franç. *brécher* « faire une brèche », et *dent.*

♦ Vx. Qui a perdu une ou plusieurs dents de devant. *Une vieille brèche-dent.*

N. *Des brèche-dents.*

(...) quant à la figure, il y avait encore grande différence entre eux et moi : le premier était bossu ; le second, brèche-dent ; le troisième, borgne ; le quatrième, aveugle (...)
A. GALLAND, les Mille et une Nuits, t. I, p. 429.

REM. On écrit parfois *un, une brèche-dents* (invar.).

BRÉCHET [bʀeʃɛ] n. m. — XVIᵉ ; *brichet, bruchet,* XVᵉ ; angl. *brisket,* du moy. angl. *brusket* sous l'infl. de *breast* « poitrine », à rattacher à l'anc. scandinave *brjosk* « cartilage ».

♦ Crête osseuse saillante et verticale sur la face externe du sternum de la plupart des oiseaux. ⇒ **Carène** (zool.) ; **fourchette.**

1 Son thorax bombe comme un bréchet ; son crâne déplumé, son cou maigre, son nez proéminent et busqué, font penser à un vautour.
MARTIN DU GARD, les Thibault, t. VIII, p. 116.

Par ext. Sternum (humain).

2 Elle se dévêtit et m'exhiba une poitrine flasque, qui se tordait d'une façon émouvante sur un bréchet provocant.
DRIEU LA ROCHELLE, la Comédie de Charleroi, p. 182.

3 Arrogant, le bréchet gonflé, il dégustait sa phrase.
Christine DE RIVOYRE, les Sultans, p. 106.

BRÉCHIFICATION [bʀeʃifikasjɔ̃] n. f. — Av. 1974, *la Recherche,* nº 41 ; du rad. de 2. *brèche,* et *-fication.* → -fier.

♦ Géol. Processus de formation d'une brèche (2. Brèche).

BRECHTIEN, IENNE [bʀeʃtjɛ̃, jɛn] adj. — Mil. XXᵉ ; de *Bertold Brecht,* dramaturge allemand.

♦ Didact. Qui se rapporte à, ou évoque Brecht, sa pensée, son œuvre. *L'univers brechtien.*

(...) atteindre au statut du personnage brechtien, objet aliéné mais source de critique.
R. BARTHES, Mythologies, p. 181.

BRÉCHU, UE [bʀeʃy] adj. — Attesté XXᵉ ; de 1. *brèche.*

♦ Rare. Qui présente des brèches (1. Brèche). ⇒ **Ébréché.**

(...) j'étais le chevalier crotté, fourbu, haletant par les forêts enchantées, la barbe roussie par le souffle des dragons (...) l'épée bréchue (...)
Jacques PERRET, Bande à part, p. 93.

BREDI-BREDA [bʀədibʀəda] loc. adv. — V. 1580; onomatopée, même orig. que *bredin, bredouiller*, p.-ê. du lat. *brittus* «breton».

♦ Fam. et vx. Avec précipitation et confusion (avec des verbes comme *dire, raconter...*).

BREDIN [bʀədɛ̃] n. m. — 1574; de *brediner, berdiner*, vx, (→ Brediner) même orig. que *bredi-breda, bredouiller**.

♦ Régional. Niais, imbécile. «*Tafarel tout bredin de colère*» (G. Chevallier, *Clochemerle*). Var. : *berdin.*

BREDOUILLAGE [bʀəduja3] n. m. — Fin xviiᵉ; de *bredouiller*, et *-age.*

♦ Fait de bredouiller. *Un bredouillage inintelligible.* — Paroles confuses. *Ne proférer que des bredouillages.* ⇒ **Bafouillage, balbutiement, bredouillement, bredouillis.**
Le duc de Guiche se submergeait en bredouillages.
                                         SAINT-SIMON, Mémoires, 509, 244.

BREDOUILLANT, ANTE [bʀədujã, ãt] adj. — 1857; de *bredouiller.*

♦ Qui bredouille. ⇒ **Bégayant; bafouillant.** *Articuler* (cit. 8) *d'une voix bredouillante.*
Jean se sentait si écrasé, si humble devant cet homme si noble, si laid devant cet homme si beau, si mal habillé devant cet homme si chic, si bredouillant devant cet homme si disert, qu'il en éprouvait une sorte de honte.
                                         PROUST, Jean Santeuil, Pl., p. 577.

BREDOUILLE [bʀəduj] n. f. et adj. — 1611, t. de jeu; 1534, adj., *in* Rabelais, sens obscur; orig. incert., le rapport avec *bredouiller* n'est pas établi, sauf à rattacher le mot à *berdouille* «boue» (Nord), d'où *être bredouille, bredouiller* «patauger» (hypothèse de Guiraud).

★ **I.** Vx. ♦ **1.** N. f. *La bredouille :* marque du jeu de tric-trac indiquant que l'on a gagné un certain nombre de points sans que l'adversaire en ait marqué. *Grande bredouille :* gain total sur la partie (cf. le grand schelem au bridge); *petite bredouille. Faire la bredouille* (Académie); *avoir la bredouille :* gagner sans que l'adversaire puisse marquer un point.
Loc. *Mettre (qqn) en bredouille,* le faire perdre en ayant la bredouille, et, fig. (1627, *in* D.D.L.), mettre dans un grand embarras.

♦ **2.** (Du point de vue du perdant). Loc. *Perdre une partie bredouille,* sans avoir marqué un point, l'adversaire ayant «eu la bredouille».
N. f. Archaïsme littér. Échec complet (Audiberti, *in* T.L.F.).

★ **II.** Adj. Mod. Du sens I, 2; d'abord (1704) en parlant d'une femme qui va au bal sans être invitée une seule fois à danser; cf. Faire tapisserie.

♦ **1.** *Rentrer, revenir bredouille* (de la chasse, de la pêche, etc.), sans avoir rien pris. — Par anal. *Nous avons cherché une chambre d'hôtel, mais nous sommes revenus bredouilles.*
Somme toute nous reviendrons bredouilles (n'étaient les volailles du début), mais ravis.   GIDE, Voyage au Congo, *in* Souvenirs, Pl., p. 849.

♦ **2.** (En attribut). Qui n'a rien obtenu, a échoué. *Être bredouille, complètement bredouille après une démarche.*

BREDOUILLEMENT [bʀədujmã] n. m. — 1611; de *bredouiller.*

♦ Action de bredouiller; ensemble de paroles confuses. ⇒ **Balbutiement** (cit. 1); **bafouillage, bredouillage, bredouillis.** *Les bredouillements d'un timide.*
1   (...) ce bredouillement, l'incohérence de ses paroles, le flux de mots où il noyait sa pensée, son manque apparent de logique, attribués à un défaut d'éducation, étaient affectés.   BALZAC, Eugénie Grandet, éd. 1838, p. 39.
2   Le même bredouillement de syllabes se fit entendre, couvert par les huées de la classe.   FLAUBERT, Mᵐᵉ Bovary, I, I (→ Articuler, cit. 8).

BREDOUILLER [bʀəduje] v. — 1564; altér. de l'anc. franç. *bredeler,* var. probable de *bretter, bretonner* «parler comme un Breton» (→ Bretonnant); du lat. *brittus,* ou, d'après Guiraud, emploi métaphorique de *berdouille* «boue» (mot du Nord). → Bredouille.

★ **I.** V. intr. Parler d'une manière précipitée et peu distincte. ⇒ **Bafouiller, balbutier, bégayer, marmonner.** *Il en bredouillait d'émotion.*
1   Je savais aussi qu'il était un peu bavard et fatigant à entendre, parce qu'il parlait lentement, cherchait ses phrases, bredouillait (...)
                                         Alphonse DAUDET, le Petit Chose, II, 6.
2   C'était un gros vieux homme ardent, essoufflé, qui rougeoyait comme une forge, qui bredouillait, sifflait et postillonnait en parlant.
                                         GIDE, Si le grain ne meurt, I, 6.

★ **II.** V. tr. Dire en bredouillant. ⇒ **Bafouiller, balbutier, bégayer...** *Que bredouillez-vous? Bredouiller un compliment, une excuse.*

— Avez-vous quelquefois lu votre contrat de mariage?   3
— Ma foi, non!... je l'ai entendu bredouiller un jour par votre notaire de Caen...
et je l'ai signé de confiance.   E. LABICHE, les Petites Mains, II, 3.

Parler confusément et mal (une langue). Par ext. :
4   (...) ne prenez ces impressions que pour de simples réactions d'abordage. On ne peut rien conclure sur des gens parmi lesquels on est depuis trois semaines et dont on commence à bredouiller le langage.
                                         J.-R. BLOCH, Deux hommes se rencontrent, p. 216.

Fig. Interpréter, réciter confusément (qqch.).

▶ **BREDOUILLÉ, ÉE** p. p. adj. *Mots bredouillés. Excuses bredouillées à mi-voix.* — Par métonymie (pour *bredouillant*). «*Une élocution bredouillée*» (Gide).

CONTR. Articuler.
DÉR. Bredouillage, bredouillant, bredouillement, bredouilleur, bredouillis.

BREDOUILLEUR, EUSE [bʀədujœʀ, ⌀z] n. et adj. — 1642, Oudin; de *bredouiller.*

♦ Personne qui bredouille.
L'avocat bredouilleur (...)   MOLIÈRE, Monsieur de Pourceaugnac, II, 2.
Didact. «*Contrairement au bègue, le visage du bredouilleur est peu mobile, l'élocution est molle, assourdie, confuse, mais la respiration est aussi déséquilibrée*» (R. Lafon, *Vocabulaire de psychopédagogie et de psychiatrie de l'enfant,* art. Bredouillement, 1973).
REM. On trouve, dans le même sens, deux variantes : *bredouillard,* adj. m. (1611). «*(...) l'accent (...) bredouillard*» (Verlaine, *in* T.L.F.). — *Bredouillon,* adj. et n. m. (1852). Régional. «*Ce petit Romain (...) bredouillon*» (Daudet, *in* T.L.F.).

BREDOUILLIS [bʀəduji] n. m. — 1600; de *bredouiller,* et *-is.*

♦ Action de bredouiller; paroles confuses. ⇒ **Bafouillage, balbutiement, bredouillage, bredouillement.** *De vagues bredouillis. La fin de la phrase se perdit dans un bredouillis incohérent.*
1   Revoici, grâce aux *propos familiers* retenus et recueillis par Mondor, notre Valéry, et ce bredouillis à la fin des phrases où se noue quelque merveille, je l'entends (...)
                                         F. MAURIAC, Mémoires intérieurs, p. 323.
2   L'homme, dans un bredouillis haletant, déclara qu'il était «vélite dans la troisième du second».   William DE BAZELAIRE, l'Or de la Bérézina, p. 197.

BREEDER [bʀidœʀ] n. m. — 1962; mot angl., de *to breed,* v. intr., «se reproduire, se multiplier».

♦ Anglic., techn. Réacteur nucléaire surgénérateur*. «*(...) les réacteurs à eau légère ne dureront pas. Ensuite viendront les breeders, ou surgénérateurs, si vous préférez*» (*l'Express,* nᵒ 1156, 3-9 sept. 1973, p. 127).

1. BREF, BRÈVE [bʀɛf, bʀɛv] adj. et adv. — Fin xvᵉ; *brief, brieve* «de peu de durée», v. 1040 (encore au xviiᵉ), du lat. *brevis* «court».

★ **I.** Adj. ♦ **1.** (1115). Vx ou littér. Petit, court. *Une brève stature.*
0.1   Hormis le brun noir de ses cheveux et le noir de sa (très) brève robe (...) il n'est rien là qui ne soit rose ou vert (...)
                                         A. PIEYRE DE MANDIARGUES, la Marge, p. 210.
0.2   Et j'ai reçu dans le cœur ce visage à la fois enfantin et tourmenté. Les sourcils brefs, le front plat et le regard grave du jeune Bonaparte peint par Boilly (...)
                                         Geneviève DORMANN, le Bateau du courrier, p. 30-31.
N. m. Vx. *Pépin le bref* (le petit).

♦ **2.** De peu de durée. *Un bref épisode.* ⇒ **Court, momentané.** *Chant, cri bref. Un bref silence. Brève étreinte. Brève rencontre. Brève averse. Un délai très bref. À bref délai :* dans un avenir très proche. *Assigner* (cit. 17) *à bref délai. Une vie brève. Jeter un bref coup d'œil.* ⇒ **Rapide.** *Esquisser un bref sourire.*
Par ext. Qui passe très court, passe trop rapidement. *Les heures trop brèves que nous avons passées ensemble.*
1   (...) six années tellement brèves, effrayantes d'avoir été si brèves, tant s'accélère de plus en plus la fuite du temps, au déclin de la vie.
                                         LOTI, Suprêmes visions d'Orient, p. 1.
2   Scène étourdissante et brève, ce quart d'heure singulier s'en était allé en folie dans le tourbillon de son souvenir.
                                         Pierre LOUŸS, les Aventures du roi Pausole, IV, IX, p. 257.
2.1   Un peu de jour, un peu d'amour,
     Un peu de soleil, comme en rêve,
     Et son front et ces lys autour,
     C'était chose fragile et brève.
                                         Charles VAN LERBERGHE, Premiers poèmes, 1886, «Au bois dormant».
3   Mais elle ne pouvait pas comprendre que l'humeur sensuelle de l'homme est une saison brève, dont le retour incertain n'est jamais un recommencement.
                                         COLETTE, la Chatte, p. 136.
REM. Aux sens 1 et 2, l'adj. est souvent placé avant le nom, en épithète.

♦ **3.** (Av. 1200). De peu de durée (dans l'expression, dans le discours). *Une brève allocution. Un discours bref. Une lettre brève.* ⇒ **Succinct.** *Être bref. Soyez bref :* parlez en peu de mots, ne faites pas un long discours. ⇒ **Concis, laconique.** *Pour être bref, nous nous contenterons de dire que... Rendre bref.* ⇒ **Abréger, accourcir, raccourcir.**

4 (...) Surtout soyez bref.   MOLIÈRE, le Mariage forcé, 4.

5 Son discours s'acheva par un bref mais foudroyant réquisitoire contre les grands
journaux (...)   Georges LECOMTE, Ma traversée, p. 208.

Tranchant, sec. *Répondre d'un ton bref.* ⇒ **Brusque, coupant.** *Avoir
un parler bref. Donner des ordres brefs.*

6 Son parler était bref; sa politesse, distante, même avec ses collaborateurs.
MARTIN DU GARD, les Thibault, t. VIII, p. 199.

REM. On trouve encore au XIXᵉ s., la forme *brief, briève* (par archaïsme).

6.1 (...) s'il parlait peu, c'est que les dolmens parlent peu, comme les jardins de La
Fontaine. Quand cela lui arrivait, du reste, c'était de briève façon.
BARBEY D'AUREVILLY, les Diaboliques, p. 305.

♦ **4.** (1549). Didact. Dans la métrique ancienne, se dit d'une voyelle
ou syllabe dont la quantité est, par rapport à une *longue,* à peu près
dans le rapport 1 à 2 (→ aussi Ambigu, I., 4.).

Ling. Se dit d'un son dont la durée d'émission est brève par rapport à une durée d'émission moyenne (ou propre aux sons voisins).
⇒ **Brève; brévité.**

♦ **5.** N. m. (Rare). *Le bref d'un exposé.*

★ **II.** Adv. ♦ **1.** Littér. De manière brève. *Parler bref :* s'exprimer
de façon concise.

♦ **2.** (V. 1450). Absolt. Pour résumer les choses en peu de mots.
⇒ **Enfin, résumé** (en). Cf. En un mot comme en cent. *Bref, j'ai fini.
Enfin, bref, tout va bien.*

7 Pleurs, soupirs, tout en fut : bref, il n'oublia rien.   LA FONTAINE, Fables, XI, 2.

8 Bref, il tirait argument (...)   GIDE (→ Avantage, cit. 48).

Loc. adv. (1403). Littér. **EN BREF :** en peu de mots. *Expliquer les
choses en bref* (Littré). *Voilà, en bref, la décision prise.*

9 À juger en bref, il semble que l'importance de la mémoire soit moindre dans la
création artistique. Il n'en est rien.   G. DUHAMEL, Inventaire de l'abîme, v.

CONTR. **Ample, grand, long, prolongé. — Prolixe; bavard, délayé, diffus, étendu,
mielleux, onctueux, verbeux.**

DÉR. **Brève. —** V. **Brièvement, brièveté,** et aussi **brévité.**

COMP. **Abréger.**

2. BREF [bʀɛf] n. m. — 1557; «lettre, missive», 1080; du bas lat.
brevis, breve, subst. de l'adj. *brevis* «sommaire».
Religion catholique.

♦ **1.** Rescrit du pape, de caractère privé, sur des matières de
moindre importance que celles dont traite la bulle. *Secrétaire des
brefs. Sceau rouge d'un bref.*

(...) onze mois plus tard, sa veuve, la toujours belle Flavia (...) avait épousé un
homme magnifique, son cadet de dix ans, un Suisse nommé Jules Laporte, ancien
sergent de la garde du Saint-Père, ensuite courtier marron d'un commerce de reliques, aujourd'hui marquis Montefiori, ayant conquis le titre en conquérant de la
femme, par un bref spécial du pape.   ZOLA, Rome, p. 63.

♦ **2.** Petit livre indiquant les rubriques du bréviaire pour l'office de
chaque jour.

DÉR. **Brevet.**

BREGMA [bʀɛgma] n. m. — 1546, *bregme;* mot grec, «sommet
du crâne».

♦ Anat. Jonction des sutures osseuses du crâne, entre les pariétaux
et le frontal. ⇒ **Fontanelle.**

BRÉHAIGNE [bʀeɛɲ] adj. f. — XIIIᵉ; au XIIᵉ, *baraine, baraigne* en
parlant d'une terre stérile; Guiraud décompose le mot en *bar-,* rad.
pré-roman exprimant l'opposition, et *haigne* (cf. anc. franç. *meshaigne*
«mutiler»), d'un dial. *haigner* «mordre, mutiler» d'où «châtrer» (un mâle
ou une femelle).

♦ **1.** Vx ou littér. (en parlant d'une femme). Stérile.

1 (...) une demoiselle heureusement bréhaigne que deux ans de mariage rendirent la
plus laide et conséquemment la plus hargneuse femme de la terre.
BALZAC, Melmoth réconcilié, Pl., t. IX, p. 279.

♦ **2.** Techn. (en parlant des femelles de certains animaux). Stérile.
Jument bréhaigne. Biche bréhaigne. — Par ext. *Carpe bréhaigne,*
qui n'a ni œufs ni laitance.

2 Lorsque la tuerie cessa, onze cerfs et quatre biches brehaignes *(sic)* fumaient dans
leur sang. Il était bon que les femelles devenues impropres à la reproduction fussent abattues car entrant en chaleur les premières, elles épuisaient inutilement les
mâles.   M. TOURNIER, le Roi des Aulnes, p. 225.

♦ **3.** Par ext. Littér. et rare. Qui ne produit rien. « *Cervelles bréhai-
gnes* » (Gautier, *in* G. L. L. F.).

BREITSCHWANZ ou **BREITSCHWANTZ** [bʀɛʃwɑ̃ts]
n. m. — 1899, *breitschwanze;* mot all. «large queue».

♦ Variété d'astrakan (agneau né avant terme); sa fourrure. ⇒ **Caracul.**

Il s'empresse de congédier sa secrétaire, et examine la jeune femme d'un regard de
propriétaire satisfait. Tailleur de Drecoll, rehaussé d'un clip discret; trois-quarts
en breitschwantz; petite toque en feutre gris (...)
Roger NAÏM, l'Ère des truands, p. 227.

BRÊLAGE [bʀɛlaʒ] n. m. — 1863, Littré; de *brêler.*
Technique.

♦ **1.** Assemblage destiné à maintenir ensemble plusieurs pièces de
bois au moyen de cordages.

♦ **2.** Sangle de toile portée par un soldat en tenue de combat, servant à porter le matériel militaire.

REM. 1. L'emploi en argot milit. de *brèle** «mulet» fait interpréter le mot
comme «harnachement».
2. On écrit parfois *brêlage* et *brellage.*

BRELAN [bʀəlɑ̃] n. m. — XIIIᵉ, *brelenc;* «table de jeu», v. 1165; anc.
haut all. *bretling* «tablette», de *bret* «table».

♦ **1.** Vx. Réunion où l'on joue. — Maison de jeu. ⇒ **Tripot.** *Tenir
brelan. Hanter, courir les brelans* (→ Bal, cit. 3).

♦ **2.** (Av. 1615). Ancient. Jeu de cartes dans lequel chaque joueur
n'a que trois cartes. *La bouillotte** est une variante du brelan.*

Louis XIV (...) ordonne au Duc de Bourgogne de commencer une partie de brelan.
PROUST, le Côté de Guermantes, Pl., t. II, p. 193.

♦ **3.** Mod. À certains jeux de cartes (dont l'ancien jeu de *brelan*),
Réunion de trois cartes de même valeur. *Avoir un brelan de rois,
au poker. —* À certains jeux de dés, Coup amenant trois faces semblables.

Fig. « *Un tel brelan d'atouts politiques* » (De Gaulle).

DÉR. **Brelander, brélandier.**

BRELANDER [bʀəlɑ̃de] v. intr. — 1481; de *brelan.*

♦ Vx (péj.). Jouer aux cartes. Fréquenter les brelans (1.).

BRÉLANDIER, IÈRE [bʀelɑ̃dje, jɛʀ] n. — 1386, *bellandier;*
de *brelan.*

♦ Vx (péj.). Personne qui aime à jouer aux cartes.

BRÈLE [bʀɛl] n. m. — 1914, *in* Esnault; arabe algérien *bghel* (*gh*
guttural), arabe classique *baghl;* l'existence de l'homonyme *brèle* (2.) a
pu favoriser l'emprunt. → aussi Brêlage.

♦ **1.** Argot milit. Mulet.

(...) ce n'est pas une raison parce qu'on mange du zob de brèle, ce soir, que tu dois
te lécher les babines ostensiblement en parlant de la sarcelle au jus de citron.
Armand LANOUX, le Commandant Watrin, p. 251.

♦ **2.** (1952). Fam. (argot milit.). Idiot, imbécile. *Espèce de brèle!
Quel brèle, ce type! Bande de brèles!*

HOM. **Brêle.**

BRÊLE [bʀɛl] n. f. — 1700; de *brêler.*

♦ **1.** Techn. Troncs d'arbres liés ensemble pour le flottage.

♦ **2.** Agric. et régional. Harnachement (martingale) d'une bête de
somme.

REM. On écrit parfois *brelle.*

HOM. **Brèle.**

BRÊLER [bʀɛle] v. tr. — 1863, *breller,* Littré; *embraeler,* 1309; de
l'anc. franç. *brael* «ceinture; lien», de *braie.*
Technique.

♦ **1.** Assembler, fixer à l'aide de cordages (des poutres, un chargement).

♦ **2.** Harnacher (une bête).

REM. On écrit encore *breller* (vx).

DÉR. **Brêlage, brêle.**

BRELLAGE [bʀɛlaʒ] n. m., **BRELLE** [bʀɛl] n. f., **BRELLER**
[bʀɛle] v. tr. ⇒ **Brêlage, brêle, brêler.**

BRELOQUE [bʀəlɔk] n. f. — 1694; *brelique,* XVIᵉ; *oberliques,*
mil. XVᵉ; var. *berloque;* orig. obscure, p.-ê. formation expressive apparentée à *emberlificoter**, les var. provençales *barloco, berloco, burloco*
incitent Guiraud à rattacher le mot au lat. pop. **barare,* lat. *varare* (idée
de confusion, d'agitation).

♦ **1.** Petit bijou de fantaisie qu'on attache à une chaîne de montre, à un bracelet. ⇒ **Babiole.** «*Il porte en breloque une amulette arabe*» (Duhamel). → Amulette, cit. 3.

1   Les demoiselles portaient des bandeaux colorés autour de la tête, juste au-dessus des sourcils, des grappes de breloques aux oreilles.
                                Jean-Louis CURTIS, le Roseau pensant, p. 95.

Curiosité de peu de prix. «*S'il y a de l'or pur, il peut y avoir aussi de la breloque et du zeste*» (Huysmans, *in* T. L. F.).

Pop. et vx. Montre, pendule, horloge.

♦ **2.** (1808). Anciennt. Batterie de tambour qui appelait les soldats à une distribution de vivres, ou faisait rompre les rangs. — REM. Dans ce sens, la var. *berloque* se rencontre encore.

2   (...) Rumeur triste des pompiers dans la nuit. Alertes toujours présentes après quarante-deux années. J'avais trois ans. La berloque (...)
                                                Claude MAURIAC, le Dîner en ville, p. 230.

3   L'après-midi, le soir, souvent la breloque sonnait. Boubal chassait précipitamment les clients et verrouillait les portes (...)
                                                S. DE BEAUVOIR, la Force de l'âge, p. 548.

(1791, *in* D.D.L.). Fig. et cour. *Battre la breloque* : fonctionner mal, être dérangé.

4   Je me sens très vieux, mon cher. Je suis une machine usée : les leviers n'obéissent plus. Le cœur bat la breloque (...)   MARTIN DU GARD, Jean Barois, III, 3, p. 464.

(Sujet n. de personne). Être dérangé, un peu fou.

5   Ce pauvre vieux battait la breloque, évidemment.
                                                Louise MICHEL, la Misère, t. I, p. 42.

BRÈME [bʀɛm] n. f. — XIIe, *braisme;* francique **brahsima.*

♦ Poisson d'eau douce (*Cyprinidés*), au corps long et plat. — *Brème bordelière* (ou *petite brème*). ⇒ **Brémette.**

On dit que la brème est un long poisson plat dont la capture offre plus d'intérêt que la chair, qui se révèle à la consommation molle et décevante.
                                                Suzanne PROU, la Terrasse des Bernardini, p. 91.

Brème de mer : nom donné à plusieurs poissons de mer au corps comprimé, notamment la *dorade grise* ou *canthère* et la *dorade rose* ou *rousseau.*

DÉR. Brémette.
HOM. Brême.

BRÈME [bʀɛm] n. f. — 1821 ; orig. incert., le rapport avec le «poisson plat» est loin d'être établi, l'argot ital. *bremma* «carte à jouer, billet de banque» semble postérieur.

♦ Fam. ou pop. Carte à jouer (surtout au plur. : *donner les brêmes,* ou en emploi collectif). *Maquiller les brêmes* : truquer les cartes (en les marquant, en les biseautant, etc.), pour pouvoir tricher.

1   — Tu es une flemmarde, dit des Cigales qui brassait méthodiquement les brêmes.
                                                R. QUENEAU, Loin de Rueil, p. 12.

2   Elle se fout de moi cette peau !... Elle se fout de moi !... Mimi ! Mimi ! tu m'écoutes?... Dis à la Joconde qu'elle monte !... les hommes faut qu'elle vous fasse les brêmes !   CÉLINE, Guignol's band, p. 85.

Collectivement :

3   Elle en était à espérer que Messieurs les hommes, qui tapent la brème dans l'arrière-salle, terminent leur belote, et puis viennent boire le der au rade, quand Paulo a fait une entrée radieuse.
                                                Albert SIMONIN, Hotu soit qui mal y pense, p. 56.

(1846, *in* Cellard et Rey). Carte (de prostituée). *Être en brême* : être en carte*.

HOM. Brême.

BRÉMETTE [bʀemɛt] n. f. — 1867, *brêmotte, in* P. Larousse ; de *brème.*

♦ Pêche. Brème de petite taille (appelée aussi *petite brème, brème bordelière*), espèce qui vit dans les eaux tranquilles.

BREN [bʀɑ̃] n. m. ⇒ 1. **Bran.**

BRENEUX, EUSE [bʀənø, øz] ou **BRENNEUX, EUSE** [bʀenø, øz] adj. — V. 1320 ; de *bren.* ⇒ 1. Bran.

♦ Vx ou régional (souvent plais.). Souillé d'excréments. ⇒ **Merdeux.** Fig. Minable (⇒ **Merdeux,** fig. ; → Marmiteux, cit. 2).
REM. On rencontre la var. graphique *bréneux* (→ Cénaculaire, cit. 2, Bloy).

BRENNE [bʀɛn] n. f. — XVIe, Rabelais ; n. pr. : région du Berry, probablt apparenté à *bren.*

♦ Géogr. ou régional. Terre infertile sur des sables grossiers. «*Ces traînées de sables granitiques qui forment les brennes...*» (Vidal de la Blache, *Tableau de la géographie de la France*).

BRÉSIL [bʀezil] n. m. — 1168 ; de *breze,* var. anc. de *braise.*

♦ Bois d'un arbre de la famille des césalpiniées, contenant un colo-

rant rouge (comme une braise). *Teindre avec du brésil.* ⇒ 1. **Brésiller.** Syn. : *brésillet, bois de brésil. Les bois de brésil proviennent des Indes, de l'Amérique méridionale, des Antilles.*

DÉR. Brésiline. — 1. Brésiller, brésillet.

BRÉSILIEN, IENNE [bʀeziljɛ̃, jɛn] adj. — 1578 ; de *Brésil* «pays du brésil».

♦ Du Brésil (⇒ **Brasilio-**). *Musique, danse brésilienne.* ⇒ **Bossa-nova, matchiche, samba.** *L'économie brésilienne. Le Nord-Est brésilien* (Nordeste). *La steppe brésilienne* (sertaõ). *Le cinema nôvo* («*nouveau cinéma*») *brésilien. Le candomblé*, la macoumba*, cérémonies religieuses des communautés noires brésiliennes.* — N. *Un Brésilien, une Brésilienne.*

Spécialt. Relatif à l'usage de la langue portugaise au Brésil. *Mot brésilien, tournure brésilienne.*

COMP. Afro-brésilien.

BRÉSILINE [bʀezilin] n. f. — 1838 ; de *brésil.*

♦ Techn. Matière colorante extraite du bois de brésil.

1. BRÉSILLER [bʀezije] v. tr. — 1346 ; de *brésil.*

♦ Techn. Teindre avec du brésil.

HOM. 2. Brésiller.

2. BRÉSILLER [bʀezije] v. — 1545 ; p.-ê. dér. dial. de *briser* (cf. l'anc. provençal *brezilh* «sable fin», → 2. Braise), ou même orig. que le précédent.

Technique ou littéraire.

★ **I.** V. tr. ♦ **1.** Réduire en menus morceaux, pulvériser.

Pron. *Se brésiller* : s'émietter, tomber en poussière.

♦ **2.** Fig. Vx ou littér. ⇒ **Disperser** (se).

1   (...) elle avait encombré sa vie de maintes préoccupations adventices, de sorte que l'idée de devoir, souvent, se brésillait chez elle en un tas de menues obligations.
                                                GIDE, Si le grain ne meurt, p. 165.

★ **II.** V. intr. Tomber en poussière. *Ce tabac brésille.*

▶ **BRÉSILLÉ, ÉE** p. p. adj. ⇒ **Brisé.**

2   (...) mandez-moi si vous dormez, si vous n'êtes point brésillée.
                                                Mme DE SÉVIGNÉ, 467, 13 nov. 1675.

HOM. 1. Brésiller.

BRÉSILLET [bʀezijɛ] n. m. — 1694 ; de *brésil.*

♦ Techn. (vx). Bois de brésil. ⇒ **Brésil.**

BRÉSOLLES [bʀezɔl] ou **BRESSOLLES** [bʀesɔl] n. f. pl. — 1735 ; ital. du Nord *brasola,* de *brasa* «braises» (toscan *bracia*), ital. mod. *brace* «charbons ardents», même orig. que *braise; bressolles* d'après un nom propre : le marquis de *Bressoles.*

♦ Cuis. Plat fait de viande en tranches minces alternant avec de la farce et cuit au four. — REM. On trouve parfois *brussoles* [bʀysɔl] (1783, *Encyclopédie*).

BRESSAN, ANE [bʀesɑ̃, an] adj. et n. — 1650 ; v. 1176, *Breissens;* de *Bresse,* province de France.

♦ Adj. De la Bresse. *Costume bressan. Race bressane* (de bovins). *Volailles, poulardes bressanes* (on dit plutôt : *de Bresse*).

N. Personne originaire de la Bresse.

HOM. Bressant.

BRESSANT [bʀesɑ̃] n. f. — XIXe ; du nom de l'acteur *Bressant.*

♦ Coupe des cheveux en brosse. *Une bressant.* — Loc. *À la Bressant. Coiffé, coiffure à la Bressant.*

(Cela) ne déplaisait pas plus que, chez un Hector de théâtre se promenant dans la coulisse, la coiffure à la Bressant qu'il porte encore, réservant sa perruque pour le dernier moment. PROUST, Jean Santeuil, Pl., p. 350.

HOM. Bressan.

BRÉTAILLER [bʀetaje] v. intr. — 1752, Trévoux ; de *brette.*

♦ Vx. Tirer l'épée, se battre en duel à tout propos. ⇒ **Batailler, ferrailler.**

Par ext. Fréquenter les salles d'armes.

DÉR. **Brétailleur.**

BRÉTAILLEUR [bʀetajœʀ] n. m. — 1752 ; de *brétailler.*

♦ Vx. Homme qui se bat à tout propos (⇒ **Bretteur**).

BRETAUDER [bʀetode] v. tr. — 1611, sens 1 ; 1600, sens 2 ; 1200, *bertauder* « tondre » ; d'un gallo-roman *bistositare,* du lat. *bis,* et *to(n)sitare,* de *tondere* « tondre ».

Vieux.

♦ **1.** Techn. Tondre inégalement (un animal). *Bretauder un chien.*
Par plais. (vx). Couper les cheveux à (quelqu'un).
Mᵐᵉ de Nevers y vint coiffée à faire rire : (...) La Martin l'avait bretaudée par plaisir comme un patron de mode excessive.
Mᵐᵉ DE SÉVIGNÉ, 146, 18 mars 1671.

♦ **2.** Techn. ⓐ Couper la queue ou les oreilles à (un animal). *Bretauder un cheval.* — Au p. p. *Cheval bretaudé.*
ⓑ (1690). Châtrer.

BRETÈCHE [bʀetɛʃ] n. f. — 1155 ; lat. médiéval *brittisca* « fortification », p.-ê. du lat. pop. *brittus* « de (Grande) Bretagne ».

♦ **1.** Techn. (fortif.). Logette à mâchicoulis faisant saillie sur une façade, utilisée autrefois comme ouvrage de défense.
REM. Le nom entre dans des noms propres de lieu : *Saint-Nom-la-Bretèche.*

♦ **2.** Archit. Loggia.

DÉR. V. **Bretessé.**

BRETÉCHÉ [bʀeteʃe] adj. ⇒ **Bretessé.**

BRETELLE [bʀetɛl] n. f. — Fin XIIIᵉ ; anc. haut all. *brittil* « rêne ». → Bride.

★ I. ♦ **1.** Bande de cuir, d'étoffe, que l'on passe sur les épaules pour porter un fardeau. ⇒ **Courroie, lanière ; bandoulière.** *La boucle d'une bretelle. La bretelle d'un fusil. Porter l'arme à la bretelle,* (vx) *en bretelle. Bretelle d'un drapeau.* ⇒ **Brayer.** *Bretelle d'un havresac, d'une hotte.* ⇒ **Brassière.** *La bretelle d'un portefaix.* ⇒ **Bricole.**

0.1 Ils ont, tous les deux abandonné leur sac. Le blessé a laissé aussi son fusil. Mais, lui, a conservé le sien, dont la bretelle vient de céder et qu'il est obligé de tenir à la main, horizontalement, par le milieu.
A. ROBBE-GRILLET, Dans le labyrinthe, p. 210.

Loc. *Piano* (cit. 6) *à bretelle, à bretelles :* accordéon.

♦ **2.** (1718). Souvent au plur. Bandes de tissu, de ruban, qui retiennent les pièces de lingerie féminine ou certains vêtements. ⇒ **Épaulette**(s). *Bretelles d'une combinaison, d'un soutien-gorge. Les bretelles d'un tablier.*

♦ **3.** Au plur. Bandes élastiques, passant sur les épaules, servant à retenir un pantalon. *Une paire de bretelles. Mettre, porter des bretelles. Il préfère les bretelles à la ceinture.*

1 En un clin d'œil, il se débarrassa de son gilet, détacha ses bretelles, les rompit d'un coup sec, et, s'agenouillant de nouveau, en fit un garrot qu'il noua serré à la naissance de la cuisse. MARTIN DU GARD, les Thibault, t. II, p. 139.

2 C'étaient de beaux pantalons de velours brun, côtelé, luisant, attachés au poitrail et au cou par des bretelles de cuir bien astiquées.
H. BOSCO, l'Âne Culotte, p. 15.

Syn. fam. et vx : *balancines* (au Canada, on dit *attelles*).

♦ **4.** Harnais de sécurité, remplaçant ou complétant la ceinture* de sécurité (dans une automobile).

★ II. (Objet permettant une communication entre deux autres).

♦ **1.** (1946). Techn. Dispositif d'aiguillage permettant de passer d'une voie ferrée à une voie voisine.
Milit. Ligne intérieure de défense entre deux lignes latérales.

♦ **2.** Cour. Voie de raccordement (entre deux itinéraires routiers à grande circulation). *Les bretelles d'une autoroute. Bretelles d'accès vers un grand centre urbain. Bretelle intermédiaire, de liaison.*

La voiture quitte maintenant l'autoroute et s'engage sur une « bretelle » qui lui permet d'arriver jusqu'à une petite baie (...)
Christine ARNOTHY, Un type merveilleux, p. 165.   3

♦ **3.** Techn. Branchement entre deux lignes téléphoniques. *« Deux cent cinquante "bretelles" — permettant des écoutes téléphoniques de caractère politique — auraient été mises à la disposition du ministre »* (*le Monde,* 17 févr. 1977).

BRETESSÉ, ÉE [bʀetese] ou BRETÉCHÉ, ÉE [bʀeteʃe] adj. — 1690 ; p. p. de l'anc. franç. *bretescher* « garnir de bretèches ».

♦ Blason. Crénelé symétriquement des deux côtés.

Au centre de ce fouillis ornemental rayonnait le blason du marquis, qui portait d'or à la fasce bretessée et contre-bretessée de gueules, avec deux hommes sauvages pour support. Th. GAUTIER, le Capitaine Fracasse, p. 129.

BRETON, ONNE [bʀetɔ̃, ɔn] adj. et n. — 1080, *Bretun* ; lat. *Bri(t)to, -onis.*

♦ **1.** Cour. De Bretagne (province française). *La population bretonne. Les mégalithes bretons* (dolmens, menhirs). *Chapeau breton,* ou, n. m. (1920, in D.D.L.), *un breton* (chapeau masculin, noir, à bride). *Les coiffes bretonnes* (ex. : la coiffe bigoudène*). *Armoire bretonne, lit-clos breton. Les pardons,* fêtes religieuses bretonnes. *Les enclos paroissiaux bretons. Bas breton :* de « basse Bretagne » (⇒ **Armoricain**).
Cheval breton, vache bretonne. La race bretonne pie noire (race bovine).
Gâteau breton : gâteau de pâte brisée, fait au beurre, dont la surface, dorée à l'œuf, est marquée de croisillons.

(...) les binious bretons sonnaient un air rapide et monotone du temps passé (...)
LOTI, Mon frère Yves, LXXI, p. 170.   1

N. *Un Breton, une Bretonne.*

N. m. *Le breton :* langue celtique du groupe brittonique, parlée en Bretagne. *Parler breton, apprendre le breton. Dictionnaire breton-français.*

Si le gaulois a complètement disparu depuis le début du moyen âge, il reste aujourd'hui des survivances importantes des deux autres groupes : gaéliques (irlandais ; gaélique d'Écosse) ; brittonique, gallois (du pays de Galles) et breton (...)
A. DAUZAT, l'Europe linguistique, p. 48.   2

Il parlait avec beaucoup de volubilité, prenant évidemment à pouvoir faire des plaisanteries en breton le plaisir d'un enfant qui commence à savoir assez bien nager pour pouvoir faire quelques mouvements gracieux comme les vrais nageurs.
PROUST, Jean Santeuil, Pl., p. 197.   3

Adj. De la langue bretonne. *La grammaire bretonne. Mots bretons passés en français* (ex. : *bagad, bigouden, biniou, boëtte, bragou-bras, cromlech, dolmen, fest-noz, goémon, goéland, menhir, peulven, raz ;* et, contestés, *baragouin, bijou*). *Parlers bretons du Finistère* (groupes du Nord et du Sud), *du Morbihan...,* divisés en quatre dialectes : léonard, cornouaillais, trégorrois, vannetais.

♦ **2.** Didact. Qui appartient aux peuples celtiques de Grande-Bretagne et de Bretagne, à leurs traditions et à leur civilisation. *Les romans bretons du XIIᵉ siècle.*
(1807, Stendhal, in D.D.L.). Vx. De Grande-Bretagne.

DÉR. **Bretonnant.**

BRETONNANT, ANTE [bʀetɔnɑ̃, ɑ̃t] adj. — 1269 ; de *breton.*

♦ Qui parle breton. *Les Bretons bretonnants. La Bretagne bretonnante,* où l'on parle breton.

BRETTE [bʀɛt] n. f. — XVIᵉ ; de *brette,* fém. de *bret* « breton », lat. pop. *brittus,* class. *Brito.*

Vieux ou technique.

★ I. ♦ **1.** Ancienne épée longue et étroite.

♦ **2.** Outil de maçon, à face armée de dents.

★ II. Régional (Wallonie). Dispute, altercation (« à éviter », Hanse).

DÉR. **Brétailler, bretter, bretteur.**

BRETTELÉ, ÉE [bʀetle] adj. — Mil. XIXᵉ ; de *bretteler.*

♦ Techn. Dentelé. *Truelle brettelée :* truelle dont le tranchant est dentelé.

BRETTELER [bʀetle] ou BRETTER [bʀete] v. tr. — 1611, *bretteler ; bretter,* 1690 ; de *brette.*

♦ Techn. Rayer, strier avec un outil dentelé. ⇒ **Denteler**. *Bretteler un mur.*

DÉR. Brettelé.

BRETTEUR, EUSE [bʀetœʀ, øz] n. et adj. — 1653 ; de *brette*. Anciennement.

♦ **1.** ⓐ Personne qui aime se battre à l'épée (le fém. est rare). ⇒ **Ferrailleur, spadassin.** — Personne qui sait se battre à l'épée. ⇒ **Escrimeur.**

1 Ce sont les cadets de Gascogne
De Carbon de Castel-Jaloux ;
Bretteurs et menteurs sans vergogne,
Ce sont les cadets de Gascogne !   Edmond ROSTAND, Cyrano de Bergerac, II, 7.

ⓑ Par métaphore ou fig. Personne qui se bat (fig.).

2 Parmi tous les autres bretteurs, j'ai beaucoup admiré Malraux. Sur le terrain, c'est celui que je préfère.   R. GARY, la Promesse de l'aube, p. 190.

♦ **2.** Adj. Qui aime à se battre à l'épée (⇒ **Brétailler**) ; où l'on aime à se battre à l'épée.

3 Mais la principale raison qui décide de cette martiale fête d'un assaut, fut la réputation d'une ville qui s'était appelée « la bretteuse » et qui était encore, dans ce moment-là, la ville la plus bretteuse de France. La Révolution de 1789 avait eu beau enlever aux nobles le droit de porter l'épée, à V... ils prouvaient que s'ils ne la portaient plus, ils pouvaient toujours s'en servir.
                      BARBEY D'AUREVILLY, les Diaboliques, « Le bonheur dans le crime ».

Par métaphore ou fig. Batailleur. *Un tempérament bretteur.*

BRETZEL [bʀɛdzɛl] n. m. — 1893, E. Rostand ; 1492, *brechale* (encore attesté en Suisse romande) ; mot alsacien et all. *Brezel* ; du lat. vulg. *brachitella, dimin. de *brachita, de *brachium* « bras », par anal. de forme.

♦ Pâtisserie légère, en forme de huit (ou de bras entrelacés), salée et saupoudrée de cumin. *Manger des bretzels en prenant l'apéritif.*

Une servante rentra avec une cruche de bière et des bretzels (...)
                      GIRAUDOUX, Siegfried et le Limousin, p. 79.

BREUIL [bʀœj] n. m. — V. 1190, *brueil* ; 1080, *bruill* ; du bas lat. *brogilus*, du gaulois *brogilos, de *brogae* « champ ».

♦ Régional. Bois, taillis, buisson, clos de haies servant de retraite au gibier.

BREUVAGE [bʀœvaʒ] n. m. — XVIᵉ ; *beverage, bovrage*, XIIᵉ ; *bruvaige*, 1450 ; des inf. *beivre, boivre*, var. anc. de *boire*.

♦ **1.** Vx ou littér. Boisson. *Boire un breuvage agréable, amer.*

1 Qui te rend si hardi de troubler mon breuvage ?   LA FONTAINE, Fables, I, 10.
2 Avec notre goût émoussé, violenté, accoutumé aux liqueurs fortes nous sommes d'abord tentés de déclarer ce breuvage insipide (...)
                      TAINE, Philosophie de l'art, t. II, p. 161.
2.1 Arrière la rancune abominable ! arrière
L'oubli qu'on cherche en des breuvages exécrés !
                      VERLAINE, la Bonne Chanson, IV, Pl., p. 104.

♦ **2.** Mod. Boisson d'une composition spéciale ou ayant une vertu particulière (→ Boisson, cit. 1). *Un breuvage empoisonné. Breuvage préparé pour un malade. Ordonner, administrer un breuvage.*

3 (...) lui fit boire (*à la vache*) un breuvage que la petite Fadette lui avait appris à composer.   G. SAND, la Petite Fadette, XXVI, p. 172.

Littér., poét. *Le, un breuvage des Dieux.* ⇒ **Nectar.** *Breuvage mystérieux, qui engendre l'amour.* ⇒ **Philtre.**

4 O baiser ! Mystérieux breuvage (...)
                      A. DE MUSSET, la Confession d'un enfant du siècle, III, 11 (→ Baiser, cit. 13).
5 Je rappellerai seulement que l'idée de symboliser l'amour involontaire, irrésistible et éternel, par ce breuvage dont l'action — et c'est en quoi il diffère des philtres vulgaires — se prolonge pendant toute la vie et persiste même après la mort (...)
                      G. PARIS, Préface à Trisan et Iseult (éd. J. Bédier).

♦ **3.** Anglic. (Conservé au Canada, sous l'infl. de l'angl. *beverage*). Boisson non alcoolisée. *Et comme breuvage ? Thé ou café ?*

BRÈVE [bʀɛv] n. f. — 1680 ; fém. de 1. *bref.*

♦ **1.** Voyelle, syllabe brève.

♦ **2.** Mus., ancient. Unité de durée, dans la musique médiévale (notamment dans le plain-chant). *Une longue vaut deux brèves. La brève fut notée par un carré noir, sans queue, puis par une note blanche carrée, sans queue.* ⇒ **Carrée** (I., 1.). *Mesure correspondant à la brève.* ⇒ **Alla breve** (mesure).

BREVET [bʀəve] n. m. — 1316 ; 1223, « écrit, billet » ; 1160, *brievet* ; dimin. de 2. *bref.*

♦ **1.** Dr. *Brevet, ou acte en brevet :* acte* notarié simple dont l'original est remis aux parties et, seulement mentionné au répertoire de l'étude du notaire (par oppos. à *acte notarié en minute*). *L'acte en brevet ne peut recevoir la formule exécutoire. Les principaux actes*

en brevet sont les certificats de vie, de propriété, procurations, quittances, actes de notoriété.

♦ **2.** Vx. Formule magique. ⇒ **Talisman.** *Brevet pour, à... (et inf.).*

1 Et pour gagner Paris, il vendit par la plaine
Des brevets à chasser la fièvre et la migraine.
                      CORNEILLE, l'Illusion comique, I, 3.

♦ **3.** ⓐ (1680). Ancient. (et hist.). Acte non scellé, délivré au nom du roi, par lequel il conférait une dignité, un bénéfice. *Un brevet de noblesse.* ⇒ **Parchemin.**

ⓑ (1791, *brevet d'invention*). Mod. Titre ou diplôme délivré par l'État, permettant au titulaire d'exercer certaines fonctions et certains droits. *Brevet d'invention :* titre par lequel le gouvernement confère à toute personne qui prétend être l'auteur d'une découverte ou d'une invention industrielle et en fait le dépôt dans les formes, un droit exclusif d'exploitation pour un temps déterminé. ⇒ **Propriété** (industrielle). *Se munir d'un brevet. Céder le droit d'exploitation d'un brevet à un tiers.* ⇒ **Licence** (d'exploitation). *Contrefaçon des brevets. Acheter, déposer un brevet.*

2 Toute nouvelle découverte, ou invention dans tous les genres d'industrie, confère à son auteur, sous les conditions et pour le temps ci-après déterminé, le droit exclusif d'exploiter à son profit la dite découverte ou invention. Ce droit est constaté par des titres délivrés par le Gouvernement, sous le nom de brevets d'invention.
                      Loi du 5 juil. 1844.

Brevet de perfectionnement, consacrant le perfectionnement d'une invention déjà brevetée.

ⓒ (Dans l'enseignement). Certificat accordé à une personne.
Brevet de capacité, attestant certaines connaissances. *Brevet de capacité en droit. Brevet de capacité de l'enseignement primaire* (naguère, *brevet élémentaire* et *brevet supérieur*). Absolt. *Il n'a même pas son brevet,* le brevet élémentaire. — *Brevet d'études du premier cycle* (du second degré), ou *B. E. P. C. Brevet (d'enseignement) commercial, professionnel. Brevet d'expert-comptable. Brevet d'État d'éducateur sportif. Brevets militaires* (de chef de section, de pilote, de mécanicien, etc.). *Brevet d'enseignement militaire supérieur* (naguère, *brevet d'état-major*). *Brevet sportif populaire.*

2.1 Fille de paysans, elle avait été si bonne écolière que ses parents l'avaient laissée aller jusqu'au brevet supérieur.
                      M. DURAS, Un barrage contre le Pacifique, p. 23.

Brevet d'apprentissage : certificat délivré par un patron à son apprenti au terme de la période d'apprentissage (cf. Congé d'acquit).

♦ **4.** Fig. et littér. Garantie, assurance.

3 Car on leur donne (*aux gamins de l'école primaire*) le bréviaire même du monde moderne, un brevet de la tranquillité du monde moderne.
                      Ch. PÉGUY, la République..., p. 347.

(1798). Vieilli. *Donner, délivrer, décerner à qqn un brevet d'extravagance, d'honnête homme,* le déclarer extravagant, honnête homme.

4 À côté de cela certaines opinions artistiques, moins antigermaniques que pendant les premières années de la guerre, se donnaient cours pour rendre la respiration aux esprits étouffés, mais il fallait pour qu'on les osât présenter un brevet de civisme.
                      PROUST, le Temps retrouvé, Pl., t. III, p. 837.

DÉR. Breveter.

BREVETABILITÉ [bʀəvtabilite] n. f. — XIXᵉ ; de *brevetable.*

♦ Dr. Caractère de ce qui peut être breveté.

BREVETABLE [bʀəvtabl] adj. — 1845 ; de *breveter.*

♦ Dr. Susceptible de recevoir un brevet. *Ce procédé est brevetable.*
DÉR. Brevetabilité.

BREVETÉ, ÉE [bʀəvte] adj. — 1835, *inventeur breveté* ; p. p. de *breveter.*

♦ **1.** Qui a obtenu un brevet (civil, militaire). *Officier breveté* (d'état-major). *Matelot breveté. Pilote breveté. Ingénieur breveté.* ⇒ **Diplômé.**

1 De bons ingénieurs brevetés sortiront de ces écoles (...)
                      G. DUHAMEL, Inventaire de l'abîme, VIII.

2 En fin de compte, cet expert breveté, qu'attend-on de lui ? Hé quoi ! il demande des jours et des nuits pour commencer à y voir clair dans une situation pourtant si simple (...)   F. MAURIAC, Bloc-notes 1952-1957, p. 323.

N. *Un breveté, une brevetée.*

♦ **2.** Garanti par un brevet. *Procédé breveté. Breveté S. G. D. G.,* sans garantie du gouvernement.

♦ **3.** Par ext. Qui possède un brevet de fabrication. *Fabricant breveté.* — N. *Les brevetés.*

♦ **4.** En franç. d'Afrique. Titulaire du Brevet* d'études du premier cycle (B. E. P. C.).

BREVETER [bʀəvte] v. tr. — Conjug. *acheter*. — 1751 ; de *brevet*.

♦ **1.** Anciennt (ou hist.). Pourvoir d'un brevet* (1.).
Décerner un brevet d'aptitude à (qqn).

♦ **2.** Protéger par un brevet. *Faire breveter une invention, un procédé.*

DÉR. Brevetable, breveté.

BRÉVIAIRE [bʀevjɛʀ] n. m. — 1230 ; du lat. *breviarium* « abrégé »,
de *brevis*. (→ Bref, et aussi brimborion), spécialisé en lat. ecclés.,
« sommaire du grand Office ».

♦ **1.** Relig. et cour. Livre de l'office divin, renfermant les formules
de prières par lesquelles l'Église loue Dieu chaque jour et à toute
heure. ⇒ **Heure** (livre d'heures), 2. **bref**. *Un bréviaire à tranche dorée.*
Contenu de ce livre. *Lire, dire, réciter son bréviaire. Le bréviaire
romain comprend le calendrier liturgique, l'ordinaire, le psautier,
le propre du temps, le propre des saints, les offices propres à certains lieux.*

1 Le moine disait son bréviaire (...)   LA FONTAINE, Fables, VII, 9.
2 À travers la porte vitrée, il apercevait le curé qui allait et venait, dans le potager,
en lisant son bréviaire.   F. MAURIAC, la Pharisienne, p. 102.

♦ **2.** Fig. Livre servant de modèle et contenant un enseignement
indispensable (→ Brevet, cit. 3).

3 (...) Flaubert nous avoue ses trois bréviaires de style : La Bruyère, quelques passages de Montesquieu, quelques chapitres de Chateaubriand.
          Ed. et J. DE GONCOURT, Journal, p. 236.
4 On les a inondés *(les instituteurs)...* de bréviaires laïques, de formulaires.
          Ch. PÉGUY, De Jean Coste, in Œ. en prose 1898-1908, Pl., p. 536.
5 (...) je lui apportai ce que j'avais dans ma cantine : le plus récent *Service des
Armées en campagne, l'Aide-Mémoire d'État-Major,* le dernier *Cours de tactique
générale de l'École de guerre,* et quelques autres bréviaires du même ordre.
          L.-H. LYAUTEY, Paroles d'action, p. 458.

BRÉVILIGNE [bʀeviliɲ] adj. et n. — Av. 1922 ; du lat. *brevis*
« court », et *ligne*.

♦ Adj. Didact. Qui a les membres relativement courts, l'aspect trapu
(en parlant d'un animal, notamment d'un cheval, parfois d'une personne). *Le cheval boulonnais est bréviligne.*
Chevaux à intensité de contraction, plus aptes à déployer de la force que de la
vitesse ; ils ont la poitrine ronde, les formes trapues, les lignes écourtées, les muscles plus développés en épaisseur qu'en longueur, les angles articulaires plutôt
fermés : c'est le type bréviligne... le type du cheval de trait (...)
          Henri AUBLET, l'Équitation, p. 39.
(En morphopsychologie, école ital. de Viola et Pende). *Type morphologique bréviligne sthénique,* psychologiquement expansif, gai, extro-
verti. — N. *Bréviligne asthénique.*

CONTR. Longiligne.

BRÉVILINGUE [bʀevilɛ̃g] adj. et n. — 1888, zool. ; du lat. *brevis*
« court », et *lingua* « langue ».

♦ Didact. Dont la langue est courte et peu extensible.
N. m. pl. Zool. **BRÉVILINGUES** : sous-ordre des Sauriens, caractérisé
par une langue courte, peu rétractile. *L'orvet est un brévilingue.*

BRÉVITÉ [bʀevite] n. f. — 1819 ; anc. franç. « brièveté » ; lat. *brevi-
tas,* de *brevis*. → Bref.

♦ Phonét. Caractère de la syllabe ou de la voyelle brève.

BRI [bʀi] n. m. — 1871 ; breton *pri* « argile ».

♦ Didact. Sédiment bleuâtre du littoral de l'Ouest de la France (on
dit aussi *terre de bri*). — REM. On écrit parfois *bry.*

HOM. 1. Brie, 2. brie, bris.

BRIARD, ARDE [bʀijaʀ, aʀd] adj. et n. m. — 1838 ; de *Brie*, lat.
médiéval *Brigia (silva).*

♦ De la Brie (région française). *Chien briard ; briard* (n. m.) : chien
de berger à poil long, aussi appelé *berger de Brie.*
Mme Lemaire possédait une énorme chienne briarde (...) ; elle attaquait à l'improviste les enfants et les petits animaux ; on l'attachait (...)
          S. DE BEAUVOIR, la Force de l'âge, p. 537.

BRIBE [bʀib] n. f. — V. 1290 ; probablt d'un rad. expressif désignant
des choses menues et sans valeur. → Birbe, brimborion.

♦ **1.** Vx. Morceau de pain, et, par ext., de nourriture donné à
un mendiant.

♦ **2.** Mod. Petit morceau, petite quantité. ⇒ **Fragment, miette, morceau, parcelle.** *Des bribes de viande, de tabac.*

1 (...) un déjeuner (...) qu'il partageait avec un autre camarade, car, pour moi, très
content d'en avoir quelque bribe, je ne touchais pas même à leur vin (...)
          ROUSSEAU, les Confessions, I.
2 « Et plus une bribe de tabac », soupira-t-il à mi-voix.
          MARTIN DU GARD, les Thibault, t. V, I, p. 10.
3 Notre conscience est faite de bribes et de morceaux, c'est comme une tapisserie
ouvrée par des artistes différents, de telle sorte que chaque partie n'a guère le
sentiment de l'ensemble, et ne tient pas toujours beaucoup à sa conservation
totale (...)   Edmond JALOUX, le Jeune Homme au masque, IX, p. 142.
(Abstrait). *Les bribes d'un ouvrage, d'un chapitre* (⇒ **Citation,
extrait, passage**). *Des bribes de conversation, de phrases. Apprendre
qqch. par bribes. Des bribes de souvenirs.*
4 (...) des bribes de phrases incohérentes où se marquait le désordre de sa pensée.
          G. DUHAMEL, Chronique des Pasquier, V, XIX.
5 Jacques saisissait au passage des bribes de conversation (...)
          MARTIN DU GARD, les Thibault, t. VII, p. 206.
6 Sur M. Cyprien, j'avais appris, par bribes, soit à l'école, soit même à la maison,
pas mal de choses.   H. BOSCO, l'Âne Culotte, p. 33.
7 Durtal se remâchait des bribes de réflexions sur les monastères.
          HUYSMANS, En route, p. 127.
8 (...) il le sentait, ce cerveau (...) assembler sans répit, ces incohérentes visions de
kaléidoscope, qu'il nommait « rêves » lorsque sa mémoire, au passage, en avait
retenu quelques bribes.   MARTIN DU GARD, les Thibault, t. IV, VII, p. 198.
9 Il gueulait si fort que des bribes de son discours arrivaient jusqu'à moi. Union...
frères... Marx... capital... bifteck... amour. Je n'y comprenais rien.
          S. BECKETT, Nouvelles, p. 102.

♦ **3.** Au plur. Restes insignifiants. ⇒ **Débris, miette.** « *Donnez aux
malheureux les bribes tombées de votre table* » (Lamennais). *Des
bribes de coque, de carène qui surnagent.* ⇒ **Bris, épave.** *Les bribes
d'une fortune.* ⇒ **Débris.** *Il ne connaît que des bribes d'anglais.*

CONTR. Bloc, ensemble, masse, tout.

BRIC-À-BRAC [bʀikabʀak] n. m. invar. — 1827 ; 1616, *à bric et à
brac* ; v. 1570, « à tort et à travers » ; formation expressive d'orig. obscure. → aussi De bric et de broc.

♦ **1.** Amas de vieux objets hétéroclites, destinés à la revente. *Marchand de bric-à-brac.* Par ext. Boutique de brocanteur. *Un fauteuil
trouvé au bric-à-brac du coin.*

1 Le premier, Pons avait collectionné les tabatières et les miniatures. Sans célébrité
dans la Bricabraquologie, car il ne hantait pas les ventes, il ne se montrait pas
chez les illustres marchands, Pons ignorait la valeur vénale de son trésor.
Feu Dusommerard avait bien essayé de se lier avec le musicien ; mais le prince
du Bric-à-Brac mourut sans avoir pu pénétrer dans le musée Pons, le seul qui pût
être comparé à la célèbre collection Sauvageot.
          BALZAC, le Cousin Pons, Pl., t. VI, p. 532.
2 Avez-vous connu un marchand de bric-à-brac nommé ou plutôt surnommé Trompe-
l'œil ?   Louise MICHEL, la Misère, t. III, p. 671.

♦ **2.** Amas d'objets hétéroclites et en désordre. → Pêle-mêle, cit. 3.
Quel bric-à-brac ! ⇒ **Bazar.** → Caverne (cit. 4.1) d'Ali-Baba.

3 (...) elle eut l'illusion suprême que ce sang était l'équivalent visible du trou noir
qu'un violon éventré, vu chez le juge au milieu d'un bric-à-brac de pièces à conviction, désignait avec une insistance dramatique (...)
          Jean GENET, Notre-Dame des fleurs, p. 17.
4 (...) il pouvait les distinguer maintenant : des prie-Dieu, des statues de plâtre, des
ostensoirs, l'harmonium, la camelote épineuse de faux gothique, le pieux bric-à-
brac clandestin.   Claude SIMON, le Palace, p. 106.
(Abstrait). Amas de vieilleries disparates. *Cette œuvre est encombrée
de tout le bric-à-brac romantique.*
5 (...) cette chiffonnière de mots et de notions trimbalait, comme ça, un bric-à-brac
de connaissances fragmentaires (...)   A. BLONDIN, Monsieur Jadis, p. 143.

♦ **3.** (Au Canada ; coutume très répandue en Amérique du Nord). Vente à prix réduit, par un particulier et sur sa propriété, d'objets
dont il veut se défaire (souvent pour cause de départ). Syn. :
vente-débarras.*

BRICAGE [bʀikaʒ] n. m. ⇒ **Briquage.**

BRICELET [bʀislɛ] n. m. — 1565, var. *brisselet* au XIXᵉ ; de *brissel,
bresel* (1426, Fribourg), du moy. franç. *bresseau.*

♦ Régional (Suisse). Gaufre très mince, croustillante, préparée au
fer à bricelets. — REM. On écrit aussi *brisselet.*
Une grande assiette de brisselets, sortes de gaufres plates fort croquantes, en usage
dans la campagne aux temps de fête et surtout au nouvel-an.
          A. CARTERET, Deux amis, t. I, p. 103 (1872).

BRIC ET DE BROC (DE) [d(ə)bʀiked(ə)bʀɔk] loc. adv. — 1615,
in D.D.L. ; formation expressive. → Bric-à-brac.

♦ En employant des morceaux de toute provenance, au hasard des
occasions. *Une chambre meublée de bric et de broc* (→ De pièces*
et de morceaux).*
1 Ces recommandations étaient toutes de hasard (...) de bric et de broc (...)
          J. VALLÈS, le Bachelier, p. 110.
2 Il faut dire que c'était un mois de juin magnifique.
          Jean FERNIOT, Pierrot et Aline, p. 125 (1973).
3 Sindy, porté vers l'étude et la réflexion par son hérédité paternelle et ses propres

tendances, réussit, tant bien que mal, à poursuivre ses études de bric et de broc, et parvint au niveau du deuxième baccalauréat.
Roger NAÏM, l'Ère des truands, p. 21 (1972).

BRICHETON [bʀiʃtɔ̃] n. m. — 1878; 1867, *brigeton*; de *brichet* « pain de deux livres », de l'anc. franç. *briche* « morceau de pain », même orig. que *brique*, avec infl. de *briffer, briffeton.*

♦ Fam. Pain. ⇒ **Briffeton** (vieilli), **brignolet** (argot). — Par ext. Nourriture.

— J'ai faim, n. d. D... On arrête les gens et on ne leur f... même pas à « briffer ». J'ai faim; qu'on me donne au moins du « bricheton ».
GORON, l'Amour à Paris, t. I, p. 16.

DÉR. Brichetonner.

BRICHETONNER [bʀiʃtɔne] v. intr. et tr. — Fin XIXᵉ; de *bricheton.*

♦ Fam. Manger. ⇒ **Briffer, briftonner.**

1. BRICK [bʀik] n. m. — 1781; angl. *brig*, abrév. de *brigantine*, du franç. *brigantin*.*

♦ Voilier à deux mâts gréés à voiles carrées. *Brick-goélette.*

1 C'était un très modeste petit bateau du petit port d'Antibes... un brick, qui chargeait pour les îles du Levant des jarres de terre cuite fabriquées à Vallauris (...)
LOTI, Matelot, v, p. 22.

2 Pencroff encadra de nouveau le brick dans le champ de la longue-vue, et il reconnut que ce brick, d'une jauge de trois à quatre cents tonneaux, merveilleusement effilé, hardiment mâté, admirablement taillé pour la marche, devait être un rapide coureur des mers.
J. VERNE, l'Île mystérieuse, t. II, p. 604-605.

HOM. 2. Brick, brique; formes du v. briquer.

2. BRICK [bʀik] n. m. — Répandu v. 1960; mot arabe de Tunisie, finale *-ck* par attraction de 1. *brick.*

♦ Plat tunisien, beignet salé fait d'une pâte très fine renfermant généralement un œuf. *Brick à l'œuf.*

HOM. 1. Brick, brique; formes du v. briquer.

BRICOLAGE [bʀikɔlaʒ] n. m. — Attesté XXᵉ; de *bricoler.*

♦ **1.** Action, habitude de bricoler. ⇒ **Bricole**, B. — Travail du bricoleur. *Le salon du bricolage. La passion du bricolage.*

(...) la chambre de mes parents, au nord, ne disposait elle aussi que d'une porte donnant sur le passage étroit, fermé d'un petit mur, qui bordait la maison à l'arrière, sur les champs, et où mon oncle, l'armurier, avait installé un petit atelier de bricolage pour réparer à l'occasion les fusils de chasse des voisins.
Raymond ABELLIO, Ma dernière mémoire, t. I, p. 66-67.

Spécialt. Activités manuelles dirigées (à l'école).

♦ **2.** Réparation ou travail manuel effectué approximativement. *Un bricolage rapide. C'est du bricolage, ça ne tiendra pas longtemps.* Fig. et péj. Travail peu soigné.

♦ **3.** (Depuis Lévi-Strauss). Travail dont la technique est improvisée, adaptée aux matériaux, aux circonstances.

BRICOLE [bʀikɔl] n. f. — 1372; *brigole*, 1360; ital. *briccola* « machine de guerre », probablt d'un rad. longobard *brikkil* « celui qui brise », rétabli d'après le moyen haut all. *brëchel* (cf. all. mod. *brechen* « briser »). Guiraud rattache le mot à *brique* « palet » et au verbe dial. *holer, houler* (Picardie, Wallonie) « pousser, lancer ».

A. ♦ **1.** Didact. Ancienne catapulte à courroies.

(1578). Courroie du harnais qu'on applique sur la poitrine du cheval; bretelle de porteur (→ Attelle, 1.).

(1721). Pêche. Ligne à deux hameçons.

Régional (Belgique). Lacet, nœud coulant.

N. f. pl. (1601). Chasse. **BRICOLES** : filet destiné à prendre les cerfs, les daims.

♦ **2.** (1694; « zig-zag », 1583; *mettre en la bricole* « tromper », 1440). Jeux. *Coup de bricole* : coup, au billard, où la bille frappe la bande avant de toucher l'autre bille. *Jouer de bricole.*

Vx. *Par bricole* : par raccroc, par ricochet, de seconde main.

1 C'est que vous m'aviez paru, dans votre lettre, n'être instruite (comme vous le dites vous-mêmes) que par bricole (...)
Mᵐᵉ DE SÉVIGNÉ, 1362, 26 août 1693.

♦ **3.** (1752). Mar. Vx. (Par anal. avec le balancement de la catapulte). Balancement d'un navire dû au poids des manœuvres hautes.

♦ **4.** Mod. et cour. Petit accessoire, petit objet; chose insignifiante. ⇒ **Babiole.** *Je ne peux lui faire un gros cadeau, je lui offrirai une petite bricole. Cent mille francs, c'est une bricole pour lui.* ⇒ **Rien.** *Il doit me rester une ou deux bricoles à manger.*

2 Enfin le baron, une fois lancé dans ce chemin, ôta son gilet de peau, son corset; il se débarrassa de toutes ses bricoles.
BALZAC, la Cousine Bette, Pl., t. VI, p. 271.

3 — Figure-toi que Mᵉˡˡᵉ Suzanne n'est pas venue, cet après-midi! Une mauvaise grippe...

— Si vous voulez que j'en parle à la fille de ma concierge? dit Mᵐᵉ Marthe. Elle s'occupe un peu de couture... elle pourra toujours nous aider pour les bricoles.
H. TROYAT, la Tête sur les épaules, p. 88.

Loc. *Il va lui (t') arriver des bricoles,* des ennuis (iron., de graves ennuis).

De la bricole : une chose sans importance (→ Peu* de chose; fam., de la gnognote).

— Dis, c'est pas de la bricole, Dédé. Si t'appelles pas ça de l'actualité, je ne sais pas ce qu'il te faut. Ça fait le dixième suicide d'enseignant en deux mois. 4
Yanny HUREAUX, la Prof, p. 330.

Loc. Argot professionnel. *Travail à la bricole.* ⇒ **Bricolier,** 3.

♦ **5.** Petit travail; activité, opération insignifiante, sans importance. *Il arrondit ses fins de mois en faisant quelques bricoles à droite et à gauche.* ⇒ **Brocante** (vx). *S'occuper à des bricoles. Il me reste quelques bricoles à faire, à terminer, avant de partir.*

B. (Déverbal de *bricoler*). Action de bricoler. ⇒ **Bricolage.** *C'est le roi de la bricole.*

Tous bricoleurs! La fonction a désormais dans nos mœurs son crédit, et dans la langue ses lettres patentes. Il paraît que la « bricole » était une machine de guerre, avant que nous ne nommions ainsi une activité qui s'emploie à pallier l'infortune de la paix, à faire de presque rien quelque chose. 5
COLETTE, De ma fenêtre, 19 déc. 1940, p. 46.

DÉR. Bricoler, bricolier.

BRICOLER [bʀikɔle] v. — 1480; de *bricole.*

★ **I.** V. intr. ♦ **1.** Vx. Ricocher; zigzaguer, biaiser.
(1611). Jeux. Jouer de bricole*, au billard.

♦ **2.** (Av. 1859). Mod. Gagner sa vie en faisant toute sorte de métiers, ou de petites besognes. *Cet ouvrier n'a pas de métier, il bricole par-ci, par-là* (Académie). *Bricoler dans l'édition.* — Péj. *Il bricole dans la finance* (⇒ **Magouiller**).

♦ **3.** Plus cour. Se livrer à des travaux manuels (aménagements, réparations, etc.). *Il « bricole à ravir, menuise, soude, cloue, ramone »* (Colette).

1 En hiver, après l'angélus, on a le temps de bricoler, n'est-ce pas?
MARTIN DU GARD, les Thibault, t. IV, X, p. 252.

2 Urbain (...) devait bricoler au jardin comme il le faisait ordinairement le dimanche matin.
M. AYMÉ, la Vouivre, p. 122.

3 Je leur proposai de me mettre à leur disposition, quelques heures par jour, pour les menus travaux d'entretien dont toute maison a besoin, si l'on ne veut pas qu'elle tombe en poussière. Bricoler, c'est encore une chose possible, je ne sais pourquoi.
S. BECKETT, Premier amour, p. 14-15.

★ **II.** V. tr. ♦ **1.** (1919). Installer, aménager (qqch.) en amateur, pendant ses temps de loisirs et avec ingéniosité. *Elle a bricolé une très belle bibliothèque. Il a bricolé une installation de douches dans sa cuisine. Bricoler un moteur, une pendule.*

Parfois péj. Installer, réparer tant bien que mal.

4 Ces grilles coûtent les yeux de la tête et les trois quarts du temps elles ne servent à rien parce que les ouvriers les bricolent (...)
Roger VAILLAND, 325 000 francs, p. 211.

(Abstrait). *Les députés ont bricolé une loi à la dernière minute.*

Au p. p. *Ça fait un peu bricolé.*

Par ext. Arranger pour falsifier. ⇒ **Trafiquer, tripoter.** *Ce meuble « ancien » a été bricolé.*

5 (...) et puis ma voiture était à moi, je travaillais à mon compte. Le compteur, on le bricole un peu, tu t'en doutes.
Robert MERLE, Week-end à Zuydcoote, p. 18.

♦ **2.** Techn. *Bricoler un cheval,* lui mettre la bricole.

DÉR. Bricolage, bricole (B.), bricoleur.

BRICOLEUR, EUSE [bʀikɔlœʀ, øz] n. — 1778; de *bricoler.*

♦ **1.** Vx. Chien qui s'écarte de la piste en faisant des zigzags.

♦ **2.** (Av. 1859). Péj. et vx. Personne qui n'a pas d'emploi fixe, qui vit d'expédients.

Vieilli. Personne qui travaille sans goût, sans compétence.

♦ **3.** (1938). Cour. Personne qui aime bricoler, se livre à des travaux d'intérieur.

Un bricoleur est rarement indemne de poésie. La France entière est bricoleuse. Une rêverie inventive, un art personnel ont seuls pu créer le petit ciseau à froid que j'ai trouvé un jour, emmanché de cuivre cannelé (...) gravé d'arabesques (...) Adroit, touche-à-tout, indiscret, artiste, industrieux, modeste au fond, vantard en surface (...) Si je fais le portrait du bricoleur type, je fais celui du Français.
COLETTE, De ma fenêtre, 19 déc. 1940, p. 43.

Adj. *Des goûts bricoleurs. Population bricoleuse* (→ ci-dessus, cit.).

Abrév. fam. : *bricolo.*

BRICOLIER [bʀikɔlje] n. m. — 1751; de *bricole.*

♦ **1.** Anciennt. Cheval attelé à côté du cheval de brancard, et qui porte la bricole.

♦ **2.** (1926). Rare. Bricoleur (2.).

♦ **3.** Argot professionnel. Chauffeur de taxi travaillant chez un petit loueur (travail dit *à la bricole*).

BRIDAGE [bʀidaʒ] n. m. — 1867 ; de *brider.*

♦ Rare. Action de brider*. *Le bridage d'un cheval. Le bridage d'une volaille.* — Manière dont qqch. est bridé.

BRIDE [bʀid] n. f. — V. 1223 ; moy. haut all. *brîdel* «rêne» (anc. haut all. *brittil.* → Bretelle).

♦ **1.** Pièce du harnais fixée à la tête du cheval pour le diriger, le conduire. ⇒ **Bridon ; frontail, gourmette, montant, mors, muserolle, œillère, rêne, sous-gorge, têtière.** *Mettre une bride à un cheval. Le bouton* *de la bride.*
Rênes. Tenir un cheval par la bride.

1 (...) en tenant la bride du cheval pendant que Germain plaçait son fils sur le devant du large bât (...) 　　　　　　　　　　G. SAND, la Mare au diable, VI, p. 56.

Loc. Tenir son cheval en bride, le maintenir à l'aide de la bride. Fig. *Tenir ses instincts,* les contenir. Fig. *Tenir qqn en bride.* — Vx. *Aller bride en main :* marcher doucement, avec prudence ; fig., avec circonspection. ⇒ **Retenue.**

2 Une des raisons qui m'a fait aller bride en main. 　　RACINE, Lettres.

3 Il est bon de lui tenir un peu la bride haute. 　　MOLIÈRE, l'Avare, I, 5.

4 Retiens un peu la bride à tes bouillants désirs. 　　　　　　　　　　　　　　　CORNEILLE, Clitandre, V, 3, variante.

5 À l'attrait de la coquetterie la femme sans argent, et même dénuée, ajoute celui de la liberté d'allures, du franc-parler sans grossièreté, du mépris des conventions bêtes, des brides et du licol. 　　LÉON DAUDET, la Femme et l'Amour, I.

Loc. fam., vx. Avoir plus besoin de bride que d'éperon, d'être freiné que d'être excité.

6 Notre esprit assez souvent n'a pas moins besoin de bride que d'éperon (...) 　　BOILEAU, le Longin, Traité du sublime, II.

Rendre la bride à son cheval, le laisser libre de ses mouvements. — Fig. *Lâcher,* (vx) *rendre la bride à qqn. Lâcher la bride à ses passions.* « *La populace, toujours barbare quand on lui lâche la bride* » (Voltaire).
Cheval auquel on met, on laisse la bride sur le cou, qu'on laisse aller librement.

7 La première chose que je fis fut de laisser ma mule aller à discrétion, c'est-à-dire au pas. Je lui mis la bride sur le cou (...) 　　A.-R. LESAGE, Gil Blas, I, II, p. 5.

Fig. et cour. Avoir la bride sur le cou : être libre, sans contrainte.

8 (...) je ne veux point le fâcher : après lui avoir dit ces raisons, je lui mets la bride sur le cou. 　　Mᵐᵉ DE SÉVIGNÉ, 269, 27 avr. 1672.

9 (...) en Angleterre les enfants vont seuls, les filles sont leurs maîtresses, l'adolescence a la bride sur le cou. 　　HUGO, les Travailleurs de la mer, I, III, 13.

(1532, *à bride avallée*). *Aller, courir à bride avalée* (vx), *à bride abattue* (1538) ; *à toute bride* (1559), en abandonnant toute la bride au cheval.

9.1 On n'apercevait pas la mer qui était encore à deux lieues, mais à tous moments on rencontrait des flocons d'écume filant sur les terres avec une vitesse incroyable, comme ces fuyards ou ces officiers en reconnaissance qui, passant à bride a[bat-tue, indiquent qu'on est bien sur le chemin de la grande bataille qu'on ne voit pas encore. 　　PROUST, Jean Santeuil, Pl., p. 374.

Fig. À bride abattue : rapidement ; sans retenue.

10 Nous entendîmes, après dîner, le sermon du Bourdaloue, qui frappe toujours comme un sourd, disant des vérités à bride abattue (...) 　　Mᵐᵉ DE SÉVIGNÉ, 794, 29 mars 1680.

11 (...) je me suis laissée aller à la tentation de parler de moi à bride abattue, sans retenue et sans mesure. 　　Mᵐᵉ DE SÉVIGNÉ, 1047, 13 nov. 1687.

12 (...) je fus libre de suivre à bride abattue le vol rapide de son imagination insatiable. 　　A. DE VIGNY, Journal d'un poète, p. 237.

À toute bride : très rapidement.

13 (...) la réception de ces lettres était toujours suivie soit d'un abattement qui ne durait jamais plus de quelques heures, soit d'un redoublement de verve qui l'entraînait à toute bride pendant plusieurs semaines. 　　E. FROMENTIN, Dominique, III.

Fig. et vieilli. Prendre la bride (de...) : prendre la direction, le gouvernement. *Prendre les brides du pouvoir.* ⇒ **Commandement ; barre, gouvernail.**

Cour. Tourner bride : rebrousser chemin, revenir sur ses pas ; fig., changer d'avis, de conduite.

14 Alors les cavaliers tournaient bride et hâtaient leur galop pour revenir. 　　LOTI, les Désenchantées, I, I, 33.

15 N'est-ce pas là déjà ce qui, dans ce pèlerinage que je fis à la Grande-Chartreuse, à vingt ans, m'en écarta au dernier moment (...) de sorte que, vers le point d'atteindre mon but, je tournai bride et repartis (...) 　　GIDE, Journal, 22 oct. 1928.

Prov. (vx). *À cheval donné, on ne regarde pas à la bride :* quand on reçoit un cadeau, on ne doit pas regarder au détail.

♦ **2.** Lien servant à retenir. *La bride d'une coiffure.* ⇒ **Jugulaire, sous-mentonnière.** *La bride d'une combinaison.* ⇒ **Bretelle.** *La bride d'une chaussure.*

16 (...) la vieille Mélanie (...) nouait devant sa glace les brides de son bonnet blanc à bavolet de dentelle (...) 　　FRANCE, le Petit Pierre, XIV.

Elle remonta, sous sa blouse, la bride de la combinaison, qui avait glissé. 　　H. TROYAT, la Tête sur les épaules, p. 16. 　17

Couture. Arceau de fils, de ganse servant à retenir un bouton, une agrafe, ou servant de point d'arrêt ; fils rejoignant les motifs d'une dentelle (⇒ **Barrette**). *Les brides d'un point de France, de Venise.*

Mar. *Bride d'un navire :* étrier métallique servant à lier fortement la quille à l'étambot.

Techn. Collier qu'on serre sur un objet pour retenir les pièces qui le composent ; pièce d'assemblage de deux tuyaux. *Bride à emboîtement. Bride en saillie.*

Pathol. Bandelette de tissu conjonctif fibreux de la peau (cicatrisation anormale d'une plaie, d'une brûlure) ou entre deux surfaces séreuses (du péritoine, de la plèvre), à la suite d'une inflammation.

Anat. Repli cutané ou travée fibreuse reliant deux parties anatomiques. *Bride mongolique.* ⇒ **Bridé** (3.).

DÉR. Brider, bridon.

BRIDER [bʀide] v. tr. — 1395 ; «tendre le fil d'une fileuse», XIIIᵉ ; de *bride.*

♦ **1.** Mettre, attacher la bride à (un cheval). *Brider sa monture, son cheval.*

Il mena la cavale à l'écurie du palais, où il la mit entre les mains d'un palefrenier pour la brider (...) 　　A. GALLAND, les Mille et une Nuits, t. II, p. 340. 　0.1

Pour cent francs par an, elle faisait la cuisine et le ménage, cousait, lavait, repassait, savait brider un cheval, engraisser les volailles (...) 　　FLAUBERT, Trois contes, « Un cœur simple ». 　1

Prov. (vx). *Chacun bride sa bête :* chacun se conduit suivant sa fantaisie. *Brider son cheval par la queue :* faire les choses à l'envers.

♦ **2.** (Av. 1630). Techn. Serrer avec une bride. *Brider deux tuyaux. Brider une pierre,* l'élinguer.

Mar. Ligaturer (plusieurs cordages) au moyen d'un petit filin.

Couture. Arrêter par une bride.

(1783). Cuis. *Brider une volaille,* ficeler ses membres pour empêcher toute déformation à la cuisson. ⇒ **Trousser,** et aussi **bridure.**

Loc. fig. (vx). *Brider la bécasse.* ⇒ **Bécasse.**

(1690). Vieilli. *Ce veston me bride,* me serre trop, me gêne.

♦ **3.** (XVᵉ). Fig. (Sujet n. de chose ou — plus rare — n. de personne ; → cit. 4). Contenir dans son action, gêner dans son développement (un sentiment, un élément du psychisme). ⇒ **Freiner, refréner, réprimer ; comprimer.** *Brider l'ardeur de l'adolescence. Brider les désirs, les sentiments de qqn.*

La crainte en moi fait l'office du zèle, bride mes sentiments, et (...) 　　MOLIÈRE, Dom Juan, I, 1. 　2

Une douleur fixe me bridait le cœur et me tenait les yeux aussi secs que si je n'eusse jamais pleuré. 　　E. FROMENTIN, Dominique, XVII. 　3

Nous nous laissions aller, vis-à-vis d'Hélène, à une familiarité qu'elle ne tentait pas de brider. 　　COLETTE, l'Étoile Vesper, p. 111. 　4

(Compl. n. de personne). Littér. *Brider qqn dans ses élans.*

Certes, les examens le *(le jeune homme)* brident : «On a tant d'examens à passer avant l'âge de vingt ans, dit Sainte-Beuve, que cela coupe la veine.» 　　F. MAURIAC, le Jeune Homme, p. 12. 　5

♦ **4.** Étirer de façon à donner l'impression d'être bridé (3.). *Brider les paupières.*

(...) un sourire qui s'allongeait soudain aux coins des lèvres, bridant les paupières, plissant les tempes (...) 　　MARTIN DU GARD, les Thibault, t. VI, p. 62. 　6

▶ **BRIDÉ, ÉE** p. p. adj.

♦ **1.** *Cheval sellé et bridé.*

♦ **2.** (1534). *Oie bridée, oison bridé,* à laquelle (auquel) on a passé une plume dans le bec pour l'empêcher de traverser les haies et clôtures. Fig. et vx. (1611, *oison bridé*). *Oie bridée, oison bridé :* personne niaise et docile.

♦ **3.** (1797). *Yeux bridés :* yeux caractéristiques de nombreux Asiatiques, présentant à l'angle interne un repli cutané qui retient comme une *bride* la paupière supérieure quand l'œil est ouvert. Par ext. Dont les paupières sont comme étirées latéralement. *Ces lunettes « derrière lesquelles deux petits yeux bridés papillotaient »* (Martin du Gard).

Enfin on y voyait aussi (...) des Turcomans, avec ces yeux bridés auxquels semble manquer la paupière, — tous enrôlés sous le drapeau de l'émir (...) 　　J. VERNE, Michel Strogoff, p. 264. 　6.1

(...) l'œil *(des Japonais)* est libre dans sa fente (qu'il emplit souverainement et subtilement), et c'est bien à tort (par un ethnocentrisme évident) que nous le déclarons *bridé ;* rien ne le retient, car inscrit à même la peau, et non sculpté dans l'ossature, son espace est celui de tout le visage. 　　R. BARTHES, l'Empire des signes, p. 135. 　6.2

♦ **4.** *Moteur bridé,* dont on a volontairement limité le nombre de tours minute. *Voilier bridé,* mal réglé, qui ne peut atteindre sa pleine vitesse.

(Abstrait). *Une imagination bridée.*

Ce qui est vrai, c'est qu'il a l'imagination tellement bridée, que je crois qu'il n'en reviendra pas sitôt. 　　Mᵐᵉ DE SÉVIGNÉ, 153, 8 avr. 1671. 　7

8 Un jésuite bridé entre les menaces de la Société et l'inclination naturelle qui lui
fait admirer la mémoire de son oncle *(de Descartes)*.
                                        Mᵐᵉ DE SÉVIGNÉ, 842, 14 août 1680.

CONTR. **Débrider, encourager, exciter, libérer.**
DÉR. **Bridage, bridure.**
COMP. **Débrider.**

1. BRIDGE [bʀidʒ] n. m. — 1892; mot angl. — sans rapport avec
bridge «pont» —, adapt. d'un mot levantin : le jeu vient de Russie
(biritch), puis de Turquie *(britch)*, passe en Angleterre (1875), aux États-
Unis, puis en France.

♦ Jeu de cartes, issu du whist, qui se joue à quatre (deux contre
deux), avec 52 cartes, et qui consiste, pour l'équipe qui (après les
annonces) a fait la plus forte enchère, à réussir le nombre de levées
correspondant (à remplir son contrat). *Le bridge* plafond *est à peu
près abandonné pour le bridge* contrat. *Partie, méthode de bridge.
Jouer au bridge. Faire un bridge. Faire le mort** (cit. 18) *dans une
partie de bridge. Compter les points au bridge. Faire le chelem*, le
trick*, contrer*, surcontrer* au bridge. Tournoi de bridge. Champion de bridge.*

DÉR. **Bridger, bridgeur.**
HOM. 2. **Bridge,** formes du v. **bridger.**

2. BRIDGE [bʀidʒ] n. m. — 1901, *in* Höfler; mot angl. «pont».

♦ Appareil de prothèse* dentaire servant à maintenir une dent artificielle, en prenant appui sur des dents solides.
Bridge amovible, fixé au moyen de tenons aux dents «d'ancrage»,
et amovible pour éviter de les ébranler.

HOM. 1. **Bridge,** formes du v. **bridger.**

BRIDGER [bʀidʒe] v. intr. — Conjug. *bouger.* — 1906; de 1. *bridge.*

♦ Jouer au bridge. *Ils vont bridger chez des amis.*

Elle avait dû se reposer ces deux jours, sans lui, lui qui l'obligeait trop souvent à
sortir; elle avait dû bridger avec ses amis, s'occuper de son appartement, lire ce
nouveau livre (...)   F. SAGAN, Aimez-vous Brahms?, p. 80.

BRIDGEUR, EUSE [bʀidʒœʀ, øz] n. — 1893; de 1. *bridge.*

♦ Joueur, joueuse de bridge. *Un excellent bridgeur. Elle est meilleure bridgeuse que son frère.* — Adj. *La haute société formaliste
et bridgeuse* (→ Débutant, cit. 3., Morand).

BRIDON [bʀidɔ̃] n. m. — 1611; de *bride.*

♦ Bride légère à mors brisé et articulé.

1 Après avoir bu les chevaux repartaient en trottant, par deux, les hommes courant
au milieu, jurant après eux et s'amusant à se suspendre aux bridons, on pouvait
entendre le bruit des sabots sur la boue gelée (...)
                                        Claude SIMON, la Route des Flandres, p. 9.
2 La main au bridon, le palefrenier menait la bête. Le matin était parfumé de lavande.   J. GIONO, Naissance de l'Odyssée, p. 68.

BRIDURE [bʀidyʀ] n. f. — 1421, «défaut d'une étoffe qui fait un
pli»; 1773, t. de mar.; de *brider* «ficeler (une volaille, etc.)».

Technique.

♦ **1.** Cuis. Lien servant à brider une volaille, une pièce de gibier, etc.

Un cochon de lait à l'estouffade, servi dans une feuille de bananier (...) sa bridure
faite d'une liane de vanille et d'un brin de mancenillier.
                                        B. CENDRARS, Bourlinguer, p. 198.

♦ **2.** Mar. Réunion de deux cordages (parfois plus) par plusieurs
tours serrés d'un cordage plus mince.

1. BRIE [bʀi] n. m. — 1643; pour *fromage de (la) Brie,* province
de France.

♦ Fromage fermenté à pâte molle et croûte moisie. *Une roue de
brie. Tranche de brie.* — *Quart de brie* (fig. et fam.) : grand nez.

HOM. **Bri,** 2. **brie, bris.**

2. BRIE [bʀi] n. f. — 1700; cf. *broie* au XIIIᵉ; de *brier**, var. normande
de *broyer.*

♦ Techn. Ancienn. Pièce de bois utilisée par le boulanger pour
façonner la pâte. ⇒ **Brié, brier.**

HOM. **Bri,** 1. **brie, bris.**

BRIÉ, ÉE [bʀije] adj. — 1857; de *brier.*

♦ Vx. *Pain brié* : pain à mie très dense, fait en Normandie.

HOM. **Briée, brier,** 1. **briller,** 2. **briller.**

BRIÉE [bʀije] n. f. — 1811; de *brier.*

♦ Vx. Quantité de pâte travaillée en même temps à la brie
(⇒ 2. **Brie**).

HOM. **Brié, brier,** 1. **briller,** 2. **briller.**

BRIEF, BRIÈVE [bʀijɛf, bʀijɛv] (forme anc. de *bref*). ⇒ 1. **Bref.**

BRIEFER [bʀife] v. tr. — V. 1970; de *briefing.*

♦ Anglic. Mettre au courant par un « briefing ». *Le directeur a briefé
ses collaborateurs.* «*Aller "briefer" sur ce sujet le shah d'Iran*»
(*l'Express,* 21 janv. 1978, p. 59). — REM. Ce verbe, dont l'orthographe n'est pas même francisée, relève du discours à la mode, journalistique et publicitaire ; cependant, il correspond à l'absence d'un verbe
français signifiant «informer collectivement pour une action». → Informer. On a proposé l'équivalent *breffer.*

Chaque capitaine qui accepte de faire ce travail d'espion pour la France a été
briefé, formé par nos techniciens.
                                        Philippe BERNERT, S. D. E. C. E. Service 7, p. 129.

HOM. **Briffer.**

BRIEFING [bʀifiŋ] n. m. — V. 1945; mot angl., de *to brief* «don-
ner des instructions», de *brief* «lettre, note», emprunté au franç.
→ 2. Bref.

♦ **1.** Aviat. Réunion où les équipages reçoivent, avant de partir en
mission, les dernières instructions. — Par ext. Réunion analogue,
dans l'armée.

— Ouvrez vos oreilles, je vais vous faire un briefing.   1
Toujours perché sur sa caisse, il rejeta la tête en arrière pour brailler :
— Sous-officiers! Rassemblement! Grouillez-vous!
                                        Pierre GOMBERT, le Prix d'un taxi, p. 143.

♦ **2.** (1951). Cour. Réunion d'information, mise au point de dernière
minute entre personnes devant accomplir une même action.

Excusez-moi de vous faire un briefing, mais n'est-ce pas ainsi que se résume votre   2
situation?   Cecil SAINT-LAURENT, les Passagers pour Alger, p. 275.

Discours par lequel les informations sont présentées. *Il nous a fait
un briefing d'une demi-heure.*

REM. Ce mot appartient surtout au langage commercial, publicitaire et
journalistique, particulièrement marqué par le snobisme anglicisant. Les
équivalents proposés *exposé, pré-exposé,* etc. ne conviennent guère.
Bref, n. m., ou *breffage,* n. m., semblent plus souhaitables.

DÉR. **Briefer.**

BRIER [bʀije] v. tr. — 1180; forme normande de *broyer.*

♦ Techn. Écraser (la pâte à pain) avec la brie*.

DÉR. **Brie, brié, brioche.**
HOM. **Brié, briée,** 1. **briller,** 2. **briller.**

BRIÈVEMENT [bʀijɛvmɑ̃] adv. — V. 1130; aussi *briefment,* de
brief. → 1. Bref.

♦ **1.** En peu de mots. ⇒ **Compendieusement, succinctement.** *Expliquer, raconter brièvement qqch. Donner brièvement un ordre, une
consigne.*

Nous avons montré, aussi brièvement qu'il est possible (...)
                                        SAINT-SIMON, Mémoires, 372, 198.

♦ **2.** Rare. En peu de temps, rapidement. «*Une étoile filante raya
brièvement le haut du ciel*» (Colette).

CONTR. **Longuement.**

BRIÈVETÉ [bʀijɛvte] n. f. — V. 1265; *brietez,* 1211; de *brief*
(→ 1. Bref), var. anc. *brévité.*

♦ **1.** Courte durée. *La brièveté de la vie, du temps. La brièveté
d'un règne.*

C'était le sentiment de la brièveté du temps qui nous restait à passer ensemble.   1
                                        LAMARTINE, Graziella, XVII, 145.
(...) des conceptions de durée un peu écrasantes pour nos brièvetés humaines.   2
                                        LOTI, Figures et Choses..., p. 88.
Ce plaisir lui avait rendu les malheurs de la vie comme indifférents, sa brièveté   3
illusoire.   A. MAUROIS, Études littéraires, t. I, Proust, p. 117.

♦ **2.** Concision* dans l'expression, le langage. ⇒ **Laconisme.** *Brièveté d'une déclaration, d'un ordre. La brièveté de ses phrases.*
Par ext. *Brièveté du ton, de la voix.* ⇒ **Brusquerie.** *S'exprimer avec brièveté,* brièvement.

4   La brièveté sous laquelle gémit nécessairement une matière si féconde, me fera supprimer une infinité de passages.   SAINT-SIMON, Mémoires, 372, 181.
La brièveté d'une voyelle (brève). ⇒ **Brévité.**

♦ **3.** Littér. (1549, *breveté*). Petitesse* (⇒ 1. **Bref,** I., 1.).

5   Il restait petit de corps et remédiait à la brièveté de sa taille par la hauteur de sa pensée.   FRANCE, la Vie en fleur, VI.

CONTR. Ampleur, longueur ; durabilité, durée, éternité, longévité, pérennité, perpétuité. — Prolixité, verbosité. — Douceur, onction. — Grandeur, hauteur.

BRIFETON [bʀiftɔ̃] n. m., **BRIFETONNER** [bʀiftɔne] v. ⇒ **Briffeton, briffetonner.**

BRIFEUR, EUSE [bʀifœʀ, øz] n. ⇒ **Briffeur.**

BRIFFAUD [bʀifo] n. m. — V. 1223 ; du rad. onomatopéique *brf.* → Briffer.

♦ Vx et fam. Personne qui mange gloutonnement (var. : *brifaud, brifaut, briffaut*). ⇒ **Briffeur.**

BRIFFE [bʀif] n. f. — 1798 ; de *briffer.*

♦ **1.** Vx et fam. Gros morceau de pain.

♦ **2.** Mod. Nourriture. ⇒ **Bouffe.** *Passer à la briffe. L'heure de la briffe.* — REM. On écrit aussi *brife.*

BRIFFER [bʀife] v. intr. et tr. — 1530 ; d'un rad. onomatopéique, évoquant la gloutonnerie. → Brifaud.

♦ **1.** Vx. Manger gloutonnement. ⇒ **Bâfrer.**

1   Oh ! le bon appétit ! Tenez, comme il briffe.   DU FAIL, Propos rustiques, XII, in LITTRÉ.

♦ **2.** (1628). Fam. Manger. ⇒ **Becqueter,** 2. **bouffer, brichetonner, briftonner.** → Bricheton, cit. ; goinfre, cit. 2.

2   Y a pas à dire, c'est les derniers clops. Et les Frisés n'ont pus *(plus)* qu'dalle. Y a pu grand chose à briffer. Pus de fumée. Pus de becqueter.   Jean GENET, Pompes funèbres, p. 57.
Fig. *T'as briffé du lion.* ⇒ **Bouffer** (plus cour.).

3   Calme-toi pépère tu me flanques les foies prends tes petites images bien doucement ma parole t'as briffé du céhéresse *(du C. R. S.)...*   Tony DUVERT, Paysage de fantaisie, p. 83.

REM. On écrit parfois *brifer.*
DÉR. Briffe, briffeton, briffeur. — V. aussi **Brifaud.**
HOM. Briefer.

BRIFFETON [bʀiftɔ̃] n. m. — 1916 ; de *briffer,* probablt d'après *bricheton.*

♦ Fam. et vieilli. Pain ; par ext., nourriture. ⇒ **Bricheton, briffe.** — REM. On écrit aussi *brifeton, brifton.*
DÉR. Brif(f)etonner.

BRIFFETONNER [bʀiftɔne] v. intr. et tr. — 1916 ; de *brifton* ou *briffeton.*

♦ Fam. et vieilli. Manger. ⇒ **Briffer, brichetonner.** — REM. On écrit aussi *brifetonner, briftonner.*

BRIFFEUR, EUSE [bʀifœʀ, øz] n. — 1611 ; de *briffer.*

♦ Vx, fam. Personne qui mange gloutonnement. ⇒ **Bâfreur, briffaud.** — REM. On écrit aussi *brifeur.*

BRIGADE [bʀigad] n. f. — V. 1370 ; ital. *brigata* « troupe » (→ Brigand), de *briga* « lutte » (→ Brigue), probablt apparentés à l'ital. **brigare* « aller en troupe », que P. Guiraud rattache au gotique *brikan* « briser », exprimant l'idée de « morceau, partie ». → Broyer.

♦ **1.** Vx (langue class.). Troupe.

1   Le péril approchait, leur brigade était prête.   CORNEILLE, le Cid, IV, 3.
Hist. littér. Premier nom du groupe de poètes devenu la *Pléiade*, au XVIᵉ siècle.

♦ **2.** (V. 1650). Unité composée de deux régiments (jusqu'en 1914, pour l'infanterie et 1940, pour la cavalerie) ; de nos jours, Unité tactique à l'intérieur de la division. *La division compte le plus souvent trois brigades. Général de brigade. Brigade aérienne. Demibrigade.* ⇒ **Régiment.** *Les régiments actuels sont groupés en divisions* et non plus en brigades. Brigade d'infanterie, de cavalerie. — Loc. Ce régiment fait brigade, est de brigade avec cet autre.*

Brigades internationales : formations de volontaires qui combattirent aux côtés des républicains pendant la guerre civile espagnole.
À la tête des Brigades internationales, qu'il « épurait », le communiste français André Marty devenait le « boucher d'Albacete ».   1.1
      Raymond ABELLIO, Ma dernière mémoire, t. II, p. 280.
Par ext. (générait au plur.). Nom que se donnent certains groupements se réclamant d'une organisation militaire. *Brigades rouges* (ital. *brigati rossi*) : organisation terroriste italienne. *Brigades autonomes.*

♦ **3.** (1835). Petit groupe d'hommes réunis sous les ordres d'un chef. *Une brigade de douaniers, de gardes forestiers.*
Équipe (de travailleurs). *Une brigade de cantonniers, de balayeurs. Chef de brigade. Brigade volante,* qui n'est pas affectée à un poste fixe et qui intervient en fonction des besoins.
Spécialt. Unité de gendarmerie la plus petite. *Il existe une brigade de gendarmerie dans chaque chef-lieu de canton.* — Territoire administré par une brigade de gendarmerie.
Subdivision de la police. *La brigade des jeux, la brigade des mœurs. Brigade mondaine. Brigade anti-gang.*

2   On m'a demandé souvent, en me parlant de mes débuts et de mes différents postes :
— Avez-vous fait la police des mœurs aussi ?
On ne l'appelle plus ainsi aujourd'hui. On dit pudiquement la « Brigade mondaine ».   G. SIMENON, les Mémoires de Maigret, p. 119.

3   Une fois, la police est arrivée chez elle au milieu d'une réunion (...) avec une fausse dénonciation prévenant la brigade des mœurs.   A. ROBBE-GRILLET, la Maison de rendez-vous, p. 20.

DÉR. et COMP. Brigadier, embrigader. — Demi-brigade.

BRIGADIER [bʀigadje] n. m. — 1640, Oudin ; de *brigade.*

★ **I.** Milit. ♦ **1.** Anciennt. Celui qui commandait une brigade.
Mod. Officier supérieur dans certaines armées. *Brigadier général.* Fam. Général de brigade.

♦ **2.** ⓐ Celui qui a, dans la cavalerie, l'artillerie et le train des équipages, le grade le moins élevé (correspondant à caporal). *Brigadier-chef :* militaire du grade immédiatement supérieur à brigadier.

1   Quand il choisissait l'étoffe d'un pantalon pour son escadron, il fixait sur le brigadier tailleur un regard capable de déjouer Talleyrand (...)   PROUST, le Côté de Guermantes, t. I, Folio, p. 157.

ⓑ Chef d'une brigade (de gendarmes, de policiers, de gardes forestiers, de cantonniers, de douaniers). *Brigadier des douanes, de gendarmerie.*

2   Ma chronique devait se trouver en page quatre. Effectivement, l'un des agents, après être allé la montrer au brigadier, revint vers moi, avec une moue peu convaincue.   A. BLONDIN, Monsieur Jadis, p. 180.

En appellatif :

3   Brigadier, répondit Pandore,
Brigadier vous avez raison.   G. NADAUD, les Deux Gendarmes.

♦ **3.** Mar. Premier matelot.

★ **II.** Techn. (théâtre). Bâton qui sert à frapper les trois coups annonçant le début d'une pièce de théâtre (dans les formes traditionnelles de théâtre).

COMP. Sous-brigadier.

BRIGADISTE [bʀigadist] n. — V. 1975 ; ital. *brigadisto,* plur. *brigadisti,* de *brigati (rossi).*

♦ Polit. Terroriste, membre des Brigades* rouges (italiennes).

BRIGAND, ANDE [bʀigɑ̃, ɑ̃d] n. — 1350 ; ital. *brigante* « qui va en troupe », de *brigata.* → Brigade, brigue.

♦ **1.** N. m. Vx. Soldat n'appartenant pas à l'armée régulière.

♦ **2.** N. m. (Fin XVᵉ). Homme qui pratique le brigandage*. ⇒ **Bandit, coupe-jarret, malandrin, malfaiteur, pillard, voleur.** *Une troupe, une bande*, une horde de brigands. Un nid, un repaire de brigands. Une caverne de brigands. Un chef de brigands. Brigands qui brûlaient les pieds de leurs victimes.* ⇒ **Chauffeur.** *Les brigands rançonnaient, détroussaient leurs victimes. Brigand du Sud de la France.* ⇒ 2. **Barbet** (cit.). *Brigand des montagnes grecques.* ⇒ **Clephte.** *Région infestée de brigands.*

1   Le roi Jean, délivré, vécut encore quatre ans qu'il passa à nettoyer le pays des brigands qui l'infestaient.   J. BAINVILLE, Hist. de France, VI.

2   (...) les cheveux hirsutes, la barbe longue, le corps crasseux et pouilleux, ils présentaient l'aspect de bandes de brigands « toute la *ladrerie* de Provence et de Languedoc » écrira, des soldats d'Italie, le poète Alfieri.   Louis MADELIN, Hist. du Consulat et de l'Empire, Ascension de Bonaparte, II, p. 47.

3   Ils *(ma grand-tante et mes grands-parents)* hébergeaient — avec la parfaite innocence d'honnêtes hôteliers qui ont chez eux, sans le savoir, un célèbre brigand — un des membres les plus élégants du Jockey Club (...)   PROUST, Du côté de chez Swann, Pl., t. I, p. 15-16.

REM. Sans être vieux, le mot ne s'applique guère aux activités criminelles modernes (→ Criminel, gangster, truand) ; on le réserve à des contextes historiques ou exotiques. — Spécialt (hist.) Nom donné aux membres de bandes armées, insurrectionnelles ou de résistance, par leurs adversaires, par l'armée régulière, etc. (en 1789-90, aux paysans qui attaquaient les châteaux, en 1793, aux Vendéens, etc.).

Loc. fig. *Histoires de brigands* : histoires invraisemblables et forgées (→ Conte à dormir* debout, contes bleus...).

REM. Le fém. *brigande* employé au XVIᵉ s. (Amyot) se trouve encore dans Mirabeau (*in* Littré), et est encore usité au XXᵉ s. dans des emplois littéraires.

4 Dans la forêt avec sa bande
Schinderhannes s'est désarmé
Le brigand près de sa brigande
Hennit d'amour au joli mai (...)   APOLLINAIRE, Alcools, p. 122.

5 Ne disait-on pas qu'il se cachait dans la montagne en compagnie d'une brigande dont les exploits terrorisaient les voyageurs?
                                    P. MAC ORLAN, l'Ancre de miséricorde, p. 105-106.

♦ **3.** Homme malhonnête. ⇒ **Bandit, requin.** « *Les négriers du commerce et les brigands des banques* » (Huysmans, *in* T. L. F.).

Par plais. Fam. (à l'adresse d'un enfant). *Petit brigand!* : petit coquin! ⇒ **Bandit, chenapan, coquin, vaurien.** *Brigand, veux-tu me rendre ce que tu m'as pris!*

REM. En ce sens, le fém. est courant.

(Avec une nuance admirative). *Ah, le brigand, il a encore réussi, il a encore gagné! Quel brigand!*

6 Que tu es joli, mon amour!... Oh! ta petite frimousse! (...) Et ces yeux là... ces grands yeux polissons, petit brigand?
                                    O. MIRBEAU, le Journal d'une femme de chambre, p. 331.

REM. Tous ces emplois sont analogues à ceux de *bandit* et *de coquin.*

DÉR. Brigandage, brigandeau, brigander, briganderie, brigandine.

BRIGANDAGE [bʀigɑ̃daʒ] n. m. — 1410 ; de *brigand.*

♦ **1.** Crime commis avec violence et à main armée, par des malfaiteurs, le plus souvent réunis en bande. ⇒ **Pillage, pillerie, vol.** *Acte de brigandage. Exercer le brigandage. Réprimer, supprimer, combattre le brigandage.*

1 Un bois plein de voleurs est un plus sûr passage;
Dans ces lieux jour et nuit ce n'est que brigandage.
                                    J.-F. REGNARD, le Joueur, I, 7.

Brigandage sur mer. ⇒ **Piraterie.**

2 Tu céderas ou tomberas sous ce vainqueur, Alger, riche des dépouilles de la chrétienté (...) nous verrons la fin de tes brigandages (...) et la navigation va être assurée par les armes de Louis.
                                    BOSSUET, Oraison funèbre de Marie-Thérèse d'Autriche.

♦ **2.** Par exagér. Acte de grande malhonnêteté et d'injustice. ⇒ **Concussion, déprédation, exaction, rapine.** *Ce régime ne subsiste que par le brigandage.*

3 Une compagnie, qui, dans son administration indienne, n'a subsisté que d'un secret brigandage.   VOLTAIRE, Précis du siècle de Louis XV, 35.

4 (...) le brigandage du négoce (qu'il faut bien distinguer du commerce)...
                                    JAURÈS, Hist. socialiste..., t. VIII, Le gouvernement révolutionnaire, p. 152.

BRIGANDEAU [bʀigɑ̃do] n. m. — 1542, Estienne ; de *brigand.*

♦ Vieilli. Brigand de petite envergure. ⇒ **Fripon.** — (À l'adresse d'un enfant). Petit coquin. *Figaro traite Chérubin de brigandeau.*

BRIGANDER [bʀigɑ̃de] v. — 1507 ; de *brigand.*

★ **I.** V. intr. Se livrer au brigandage. « *Des déserteurs brigandant dans les bois* » (H. Pourrat, *in* T. L. F.).

★ **II.** V. tr. (Vx). S'emparer par brigandage de (qqch.). ⇒ **Ravir.**
Qu'importe combien il a brigandé de royaumes.
                                    MALHERBE, Trad. des Bienfaits de SÉNÈQUE, VII, 2.

Régional (Suisse). Maltraiter, brutaliser (qqn, un animal). — Surmener (une bête). — V. pron. *Se brigander* : se surmener.

BRIGANDERIE [bʀigɑ̃dʀi] n. f. — 1534 ; de *brigand.*

♦ Rare. Acte de brigandage*.

BRIGANDINE [bʀigɑ̃din] n. f. — 1411 ; de *brigand* « soldat » ou p.-ê. à expliquer par l'étym. gotique *brikan* « briser », d'où le sens initial possible « cuirasse rompue ».

♦ Ancienn. Corselet d'acier en usage aux XVᵉ et XVIᵉ siècles. « *La brigandine venue d'Italie remplace le haubert* » (Réau).

BRIGANTIN [bʀigɑ̃tɛ̃] n. m. — 1360 ; aussi *brigandin* ; ital. *brigantino*, de *brigante.* → Brigand.

♦ Mar. Ancien navire à deux mâts, analogue au brick, gréant des huniers carrés.

C'est après-demain que s'embarque la bande joyeuse dans un joli brigantin appareillé de fête (...)   ROUSSEAU, Julie ou la Nouvelle Héloïse, VI, 5.

DÉR. Brigantine. — V. aussi 1. **Brick.**

BRIGANTINE [bʀigɑ̃tin] n. f. — 1835 ; *brigandine*, 1480 ; de *brigantin.*

♦ **1.** Mar. Voile trapézoïdale de l'arrière, enverguée sur la corne d'artimon. *Vergue de la brigantine.* — Adj. :

1 En me voyant reployer ce papier grand comme une voile brigantine (...)
                                    G. DUHAMEL, Scènes de la vie future, I.

♦ **2.** (XVᵉ ; d'abord « brigantin à rames »). Ancient. Petit navire à voile de la Méditerranée.

2 Sur le bureau : longues-vues, sextants et petites maquettes de vaisseaux anciens : brigantines, goélettes (...)   Régis DEBRAY, l'Indésirable, p. 147.

BRIGHT [bʀajt] (mal, maladie de). ⇒ Néphrite.

BRIGHTIQUE [bʀajtik] adj. — 1890 ; de *Bright*, nom du médecin qui décrivit cette maladie.

♦ Méd. Relatif au mal de Bright. ⇒ **Néphritique.**

BRIGHTISME [bʀajtism] n. m. — 1877 ; de *Bright*, médecin anglais.

♦ Méd. (vx). Néphrite chronique.

BRIGNOLE [bʀiɲɔl] n. f. — Av. 1615 ; de *Brignoles*, ville de Provence.

♦ Prune séchée provenant de Brignoles. ⇒ **Pruneau.**

BRIGNOLET [bʀiɲɔlɛ] n. m. — 1876 ; de *brignon* « pain pour les chiens » ; de *bren* « son », dér. dial. (Nord, Flandre).

♦ Argot fam. Pain ; bricheton. « *Une croûte de brignolet* » (Huysmans).

BRIGUE [bʀig] n. f. — 1477 ; « dispute », 1314 ; ital. *briga* d'orig. incert. ; P. Guiraud le rattache au gotique *brikan*, par l'idée de « briser ». Vieux ou littéraire.

♦ **1.** Littér. (ou style soutenu). Manœuvre secrète consistant à engager des personnes dans ses intérêts en vue d'obtenir par faveur quelque avantage ou poste immérité. ⇒ **Intrigue.** *Obtenir qqch. par brigue, à force de brigues* (Académie). *Triompher, vaincre par la brigue. Brigue dans les élections.*

0.1 Vous l'avez eu par brigue, étant vieux courtisan.   CORNEILLE, le Cid, I, 3.

1 Ne descendons jamais dans ces lâches intrigues :
N'allons point à l'honneur par de honteuses brigues.
                                    BOILEAU, l'Art poétique, IV.

2 On l'accueille, on lui rit, partout il s'insinue;
Et s'il est, par la brigue, un rang à disputer,
Sur le plus honnête homme on le voit l'emporter.
                                    MOLIÈRE, le Misanthrope, I, 1.

3 Vous n'ignorez pas que tout se fait par brigue et par cabale chez les grands (...)
                                    A.-R. LESAGE, Gil Blas, VII, 12.

♦ **2.** Vx. Action de briguer (qqch.). « *La brigue des emplois* » (Michelet).

(1636). Sollicitation amoureuse.

4 (...) la secrète brigue
Que font auprès de toi don Sanche et don Rodrigue.   CORNEILLE, le Cid, I, 1.

♦ **3.** Vx. Ensemble des personnes qui coopèrent au succès de cette manœuvre. ⇒ **Cabale, complot, conjuration, conspiration, faction, ligue, parti.** *Une puissante brigue. Former une brigue.*

5 On dit même qu'au trône une brigue insolente
Veut placer Aricie et le sang de Pallante.   RACINE, Phèdre, I, 4.

DÉR. Briguer.

BRIGUER [bʀige] v. tr. — 1518 ; « se quereller », 1478 ; de *brigue.* Vieux ou littéraire.

♦ **1.** Vx. Tenter d'obtenir par brigue. « *On brigue sourdement la faveur ; on demande hautement des récompenses* » (Voltaire). — Absolt. Intriguer.

1 Elle-même a brigué pour me voir souverain.   CORNEILLE, Pulchérie, II, 4.

♦ **2.** Mod. (littér. ou style soutenu). Rechercher avec ardeur, empressement. ⇒ **Ambitionner, convoiter, poursuivre, rechercher, solliciter.** *Briguer les honneurs, un poste, une dignité, une décoration. Briguer un ministère, un siège dans une société. Briguer les voix, les votes, les suffrages des électeurs. Briguer l'honneur de... Briguer la faveur, la protection de qqn.*

2 (...) De tous les Grecs, je brigue le suffrage.   RACINE, Andromaque, I, 1.

3 Il ne briguait aucune récompense. Les gens vous le reprochent.
                                    COCTEAU, le Grand Écart, I.

REM. *Briguer* ne s'emploie plus guère qu'avec des compl. désignant des avantages sociaux ou concrets; ses possibilités d'usage dans la langue classique étaient beaucoup plus étendues.

4 Mourir pour le pays est un si digne sort,
   Qu'on briguerait en foule une si belle mort (...)   CORNEILLE, Horace, II, 3.

5 (...) Cette foule d'amants qui brigue sa conquête.
                                   MOLIÈRE, la Princesse d'Élide, I, 1.

DÉR. Brigueur.

BRIGUEUR, EUSE [bʀigœʀ, øz] n. — 1560; «querelleur», 1373; de *briguer.*

♦ Vx. Personne qui brigue. *« Des brigueurs d'éloge »* (Balzac, *in* Larousse).

BRILLAMMENT [bʀijamɑ̃] adv. — 1787; *brillantement,* 1583; de *brillant.*

♦ **1.** D'une manière brillante, avec beaucoup de lumière. *Pièce brillamment éclairée, illuminée.*

La scène se passe dans un salon tendu de rouge, brillamment éclairé.
                                   E. SUE, *in* Pierre LAROUSSE.

♦ **2.** D'une manière brillante, avec éclat et facilité. *Jouer brillamment son rôle. Passer brillamment un examen. Elle a brillamment réussi. Cet article est brillamment rédigé, écrit.*

CONTR. Médiocrement.

BRILLANCE [bʀijɑ̃s] n. f. — 1928; de *brillant,* avec infl. de l'angl. *brilliancy, brilliance.*

♦ **1.** Vx (phys.), ou mod. (astron. et télév.). Luminance. *Brillance apparente (ou subjective).* ⇒ **Phanie.** *Brillance radio :* intensité du rayonnement radio-électrique d'un astre. — *Amplificateur de brillance.*

Brillance sonore : « Aspect de la sensation auditive classant les sons depuis les plus *"brillants"* jusqu'aux plus *"ternes"* » (R. Chocholle, *in* Piéron). *La brillance est d'autant plus élevée que le son comporte plus d'harmoniques supérieurs.*

♦ **2.** Littér. Caractère de ce qui est brillant. ⇒ **Éclat; brillant,** II., A. (n. m.), **brillement.**

1 Puis la coloration blanche s'affaiblit, se dilua et l'eau reprit une faible brillance qui rendit le paysage brumeux, à peine distinct.
                                   Jean CAYROL, Histoire de la mer, p. 40 (1973).

2 Si vous savez les dompter, les éléments en furie vous donneront en retour la vivacité du teint, la brillance du regard, la joie de vivre (...)
                                   J.-M. G. LE CLÉZIO, le Déluge, VIII, p. 162.
   REM. La phrase est extraite d'une publicité radiophonique, dans le roman.

Littér. Reflet brillant.

3 (...) je demande à aller aux Toilettes, pour renifler le propre, le néon et les brillances du comptoir, pour toucher au gros œuf de savon qui tourne sur son axe chromé (...)   A. SARRAZIN, l'Astragale, p. 146 (1965).

♦ **3.** Techn. Caractère (d'un liquide), lié à des propriétés optiques, et correspondant à la limpidité. *La brillance d'un vin, d'une bière* (ne contenant plus de matières en suspension).

BRILLANT, ANTE [bʀijɑ̃, ɑ̃t] adj. et n. m. — 1564; de 2. *briller.*

★ **I.** Adj. ♦ **1.** (En épithète, presque toujours après le nom). Qui brille*, soit en émettant, soit en réfléchissant la lumière, et de manière à frapper la vue (par oppos. à *clair, luisant...*). ⇒ **Brasillant, clair, coruscant, doré, éblouissant, éclatant, étincelant, flamboyant, fulgurant, luisant, lumineux, lustré, miroitant, phosphorescent, radieux, rayonnant, resplendissant, rutilant, scintillant.** *Un soleil brillant. Les brillantes Pléiades* (cit. 1). *Une constellation, une clarté, une lumière brillante. Un métal brillant. Brillant comme l'acier. Des perles brillantes. Rendre brillant du fil, du coton* (⇒ **Merceriser**). *Des couleurs, des étoffes brillantes.* ⇒ **Chatoyant, miroitant, satiné, soyeux.** — *Brillant de...* (suivi d'un nom qualifiant la source de lumière; → cit. 2).

1 Ce coteau renferme dans des lits d'argile beaucoup de gypse cristallisé en filets soyeux, brillants, et déliés (...)
                                   H. B. DE SAUSSURE, Voyage dans les Alpes, t. I, p. 55.

2 La rivière qui coulait à mes pieds tour à tour se perdait dans le bois, tour à tour reparaissait brillante des constellations de la nuit, qu'elle répétait dans son sein.
                                   CHATEAUBRIAND, le Génie du christianisme, I, v, XII.

3 À mes vitres scintillantes,
   Il *(l'hiver)* trace des fleurs brillantes.
                                   BÉRANGER, Hiver.

4 Le roi brillant du jour, se couchant dans sa gloire,
   Descend avec lenteur de son char de victoire :
   Le nuage éclatant qui le cache à nos yeux
   Conserve en sillons d'or sa trace dans les cieux (...)
                                   LAMARTINE, Premières méditations, « La prière ».

5 Ma jeunesse ne fut qu'un ténébreux orage,
   Traversé çà et là par de brillants soleils (...)
                                   BAUDELAIRE, les Fleurs du mal, « Spleen et idéal », X.

Yeux brillants, regards brillants.

Il reprit aussitôt son air flambant, planta dans mes yeux deux yeux froids et brillants comme l'acier (...)   Alphonse DAUDET, le Petit Chose, I, XIII.   6

Deux admirables yeux noirs, veloutés et brillants, éclairaient son visage.   7
                                   MARTIN DU GARD, les Thibault, v, p. 70.

Brillant de... (avec un subst. désignant la cause de l'effet produit). *Un visage brillant de fraîcheur. Des yeux brillants de larmes; de fièvre, de plaisir. Un regard brillant de bonheur, de désir, de convoitise.*

(Par transposition au domaine sonore). Qui a de l'éclat. *Son brillant* (opposé à *terne*). → Brillance.

♦ **2.** Fig. (en épithète, souvent avant le nom). Qui sort du commun, s'impose à la vue, à l'imagination par sa qualité (dans le domaine des apparences, spectacle, société, etc.). ⇒ **Beau; attrayant, éblouissant, éclatant, fastueux, luxueux, magnifique, reluisant, riche, séduisant, somptueux, splendide, superbe.** *Un brillant spectacle, un spectacle brillant, très brillant. Une brillante cérémonie. Une brillante société.*

Ainsi parle tous les jours le monde, et le monde le plus brillant et le plus somptueux (...)   MASSILLON, Carême, Aumône.   8

La société était si brillante dans le dix-huitième siècle, elle était si spirituelle, qu'elle était à elle-même son unique point de vue.   9
                                   VILLEMAIN, Littérature franç., XVIIIᵉ s., II, 2ᵉ leçon.

Au cours d'une fête splendide que Talleyrand, arrivé avec lui, offrit à la noblesse polonaise, l'Empereur se montra ébloui, et, en tout cas, charmé par la brillante compagnie qu'il y rencontra (...)   10
                                   Louis MADELIN, Hist. du Consulat et de l'Empire, t. VI,
                                   Vers l'Empire d'Occident, p. 237.

Faire un brillant mariage. ⇒ **Distingué, riche.** *Un parti brillant.*

Longtemps Juliette Rondeaux avait dédaigné les plus brillants partis de la société rouennaise (...)   GIDE, Si le grain ne meurt, I, 1.   11

(En parlant des actions, événements, situations sociales). Qui réussit, a réussi remarquablement. *Une brillante entreprise.* ⇒ **Florissant.** *Une situation brillante. Espérer un brillant avenir, une brillante carrière. Faire de brillantes études.* — *Une brillante réputation.* ⇒ **Fameux, glorieux, illustre** (plus forts).

La plus brillante fortune ne mérite point ni le tourment que je me donne, ni la petitesse où je me surprends (...)   LA BRUYÈRE, les Caractères, VIII.   12

La voyant dans une situation aussi brillante, je l'ai suppliée de vous envoyer quelques secours.   BERNARDIN DE SAINT-PIERRE, Paul et Virginie.   13

Ce terme ne veut absolument rien dire, et il est d'un pédantisme effarant (...) Cela n'empêchera pas le mot de faire, j'en suis sûr, une brillante carrière.   14
                                   A. THÉRIVE, Querelles de langage, t. III, p. 167-168.

(En parlant des qualités, des dons, des dispositions d'une personne). *Être en brillante forme, dans une forme brillante.* ⇒ **Éblouissant, éclatant.** *Intelligence, imagination brillante. Un brillant esprit.* ⇒ **Doué, étincelant, fin, intelligent, pétillant, remarquable, spirituel, vif.**

Il y a quelque différence entre un esprit de feu et un esprit brillant : un esprit de feu va plus loin et avec plus de rapidité; un esprit brillant a de la vivacité, de l'agrément et de la justesse.   15
                                   LA ROCHEFOUCAULD, Réflexions diverses, De la différence des esprits.

Vx (en parlant de la beauté physique).

(...) Vos brillants attraits, vos yeux perçants et doux.   16
                                   MOLIÈRE, les Femmes savantes, v, 1.

Rare (en parlant des apparences physiques) :

(...) pourtant j'ai idée que la tâche des maîtres était un peu ingrate devant ces visages dont les plus brillants n'étaient pas ceux qui écoutaient le mieux la leçon (...)   A. MAUROIS, Études littéraires, J. de Lacretelle, t. II, p. 212.   17

Cour. (en parlant des personnes). Qui réussit avec éclat (intellectuellement, socialement). *Un homme brillant. Un brillant acteur. Un brillant écrivain. Un brillant conférencier, un brillant causeur.* ⇒ **Captivant, intéressant.** *Un brillant officier.*

Je le retrouvai brillant, les dames se l'arrachaient.   18
                                   ROUSSEAU, les Confessions, IV.

Ces dignes prêtres ont été mes premiers précepteurs spirituels (...) J'ai eu depuis des maîtres autrement brillants et sagaces; je n'en ai pas eu de plus vénérables (...)   19
                                   RENAN, Souvenirs d'enfance..., Le broyeur de lin, I, p. 29.

(...) un monde où les femmes les plus brillantes affichaient des amants moins respectables que celui-ci (...)   20
                                   PROUST, À la recherche du temps perdu, t. VII, p. 8.

(...) comme il *(Fontanas)* n'a jamais été brillant causeur (moi non plus), il se reforme, à tous instants, de grands silences que l'on ne rompt qu'en se battant les flancs.   GIDE, Journal, 17 janv. 1902.   21

(En parlant des activités et œuvres intellectuelles, artistiques). Qui séduit par ses qualités immédiatement sensibles (parfois légèrement péj.). *Une brillante improvisation. Exécution brillante d'un passage musical.* ⇒ **Brio.** *Un style brillant. Une brillante métaphore. Un mot brillant; une page brillante, un discours brillant* (→ Morceau de bravoure*). *Une politique brillante.* ⇒ **Habile, intelligent.** *Une brillante démonstration. Son essai est plus brillant que profond.*

(...) persuadé qu'une politique brillante a nécessairement pour résultat une augmentation de forces et de ressources (...)   22
                                   Georges LECOMTE, Ma traversée, p. 363.

Il avait soutenu, l'année précédente, une thèse non pas brillante, mais exactement monumentale (...)   G. DUHAMEL, Chronique des Pasquier, III, IV.   23

(Personnes). *Brillant de...* (suivi du nom d'une qualité). *Être brillant de santé.* — Absolt. *Être brillant, en brillante forme.* ⇒ **Allègre, dispos, lucide.** *Être brillant de jeunesse, d'enthousiasme.* ⇒ **Ardent, brûlant.**

24   (...) le fils du proconsul s'approcha d'elle, tout brillant de jeunesse (...)
> FRANCE, Thaïs, II.

REM. En emploi absolu, le mot s'applique à la fois au domaine physique et à l'intellectuel (ci-dessous) :

25   Mardi dernier, de même, j'étais « brillant ». Je veux dire que mes idées circulaient allègrement dans ma tête.
> GIDE, Journal, 5 févr. 1902.

Par euphémisme (négatif). *Le résultat n'est pas brillant*, est médiocre. *Ses affaires ne sont guère brillantes*, guère prospères. *Sa santé n'est pas brillante.* ⇒ **Fameux.**

25.1   Il allongea ses quarante sous et fit un carton. Ce n'était pas brillant.
> R. QUENEAU, Pierrot mon ami, éd. L. de Poche, p. 21.

Péj. Qui n'attire que par un éclat superficiel. ⇒ **Clinquant.** *Des apparences brillantes. Des pensées plus brillantes que justes.* ⇒ **Concetti.** *De brillantes promesses.*

★ **II.** N. m. **A.** ♦ **1.** (1608). Éclat, caractère de ce qui brille. ⇒ **Brillance, chatoiement, clarté, éclat, fulgurance, fulguration, lumière, luminosité, lustre, nitescence, phosphorescence, splendeur.** *Le brillant d'un bijou.* ⇒ **Feu.** *Le brillant du métal. Des yeux qui ont le brillant de l'acier. Donner du brillant aux cheveux.*

25.2   La fine poussière qui ternit le brillant des surfaces horizontales, le bois verni de la table, le plancher ciré, le marbre de la cheminée, celui de la commode, le marbre fêlé de la commode, la seule poussière provient de la chambre elle-même (...)
> A. ROBBE-GRILLET, Dans le labyrinthe, p. 9-10.

♦ **2.** (1636). Fig. *Le brillant d'une cérémonie.* ⇒ **Faste, magnificence.** *Le brillant de sa conversation.*

26   Je n'ai pas manqué (...) de lui faire voir le brillant de cette cour (...)
> Mme DE SÉVIGNÉ, 788, Mercredi des cendres, 1680.

Le brillant de la gloire, du succès. Le brillant du style. Préférer le brillant au solide. ⇒ **Apparence, vernis.**

27   Leur gloire a son brillant et ses règles à part. CORNEILLE, l'Illusion, V, 2.

Faux brillant (→ ci-dessous, C.).

Littér. (Personnes).Apparence brillante, prospère.

27.1   Voyons, petite, regarde-moi bien en face. Oui, tu as tout à fait le même regard que ta mère ; tu seras pas mal dans quelque temps, quand tu auras pris du brillant. Il faut engraisser, pas beaucoup, mais un peu ; tu es maigrichonne.
> MAUPASSANT, Fort comme la mort, éd. 1889, p. 68.

B. ♦ **1.** (1671). Le plus souvent au plur., dans l'usage courant. Diamant taillé à facettes. *Un brillant, des brillants. Pierre montée en brillant. Tailler un diamant en brillant.* ⇒ **Brillanté, brillanter.** *Les brillants d'une bague. Bijou orné de brillants.* — En appos. *La taille brillant comporte 58 facettes.*

28   L'Impératrice était habillée de satin blanc brodé d'argent et semé de brillants sous le manteau de velours blanc brodé d'or, le front ceint d'un diadème de perles et de diamants (...)
> Louis MADELIN, Hist. du Consulat et de l'Empire, t. V, p. 204.

Un faux brillant : un diamant faux (→ par métaphore, ci-dessous, C.).

♦ **2.** Par métaphore, vx (langue classique) :

29   Mais voyant de ses yeux tous les brillants baisser,
Au monde, qui la quitte, elle veut renoncer (...)
> MOLIÈRE, Tartuffe, I, 1.

C. Loc. Vx (langue class.). **FAUX BRILLANT :** éclat illusoire, effet d'une chose brillante mais sans valeur profonde.

Spécialt (littér.). « Trait mal appliqué » (Furetière, 1690).

REM. L'expression fait interférer le sens A (« éclat ») et le sens B (« diamant ») par une métaphore sur le *brillant* (diamant) éclatant mais faux ; cette dernière métaphore est surtout sensible au pluriel (cit. 30, 32).

30   (...) La plus belle couronne
N'a que de faux brillants dont l'éclat l'environne. CORNEILLE, Héraclius, I, 1.

31   En vain l'ambition qui presse mon courage,
D'un faux brillant d'honneur pare son noir ouvrage.
> CORNEILLE, Sertorius, I, 1.

32   *(La pompe fleurie)* De tous ces faux brillants, où chacun se récrie.
> MOLIÈRE, le Misanthrope, I, 2.

32.1   Mais on endurcit difficilement un bon cœur, il résiste aux raisonnements d'une mauvaise tête, et ses jouissances le consolent des faux brillants du bel-esprit.
> SADE, Justine..., t. I, p. 9.

33   (...) une lucidité de l'esprit qui sépare à l'instant ce qui est digne d'admiration de ce qui n'est que faux brillant. E. DELACROIX, Écrits, t. II, p. 24.

CONTR. **Éteint, fané, flétri, foncé, froid, mat, obscur, ombreux, pâle, sombre, ténébreux, terne, terni.** — **Laid, pauvre, repoussant.** — **Malheureux, triste.** — **Effacé ; médiocre, sot.**
DÉR. **Brillamment, brillance, brillanter, brillantine.**

BRILLANTAGE [brijɑ̃taʒ] n. m. — Attesté 1947 ; de *brillanter.*

♦ Techn. Action de brillanter ; son résultat. *Brillantage d'un diamant.* — *Brillantage du métal, du cuir, d'un tissu.*

(...) ils achètent n'importe quoi (...) de singuliers produits de nettoyage pour la seule satisfaction de voir le marchand de couleurs faire l'article à propos d'un déboucheur de lavabos (...) d'un décapeur de bouilloires (...) d'un tampon de brillantage. Christine DE RIVOYRE, les Sultans, p. 36.

BRILLANTÉ [brijɑ̃te] n. m. — 1867 ; de *brillanter.*
Technique.

♦ **1.** Étoffe de coton où sont tissés en relief de petits dessins brillants. ⇒ **Jaconas.**

♦ **2.** Petit diamant taillé en brillant (II., B.).

BRILLANTER [brijɑ̃te] v. tr. — 1740 ; de *brillant,* II., B.

♦ **1.** Tailler (une pierre précieuse) en brillant.

♦ **2.** ⓐ Littér. et vieilli. Rendre brillant, parsemer de choses brillantes. ⇒ **Iriser.**

La lumière qu'elle *(l'émeraude)* lance en rayons aussi vifs que doux, semble, dit Pline, brillanter l'air qui l'environne, et teindre, par son irradiation, l'eau dans laquelle on la plonge. BUFFON, Hist. nat. des minéraux, VI, p. 197. 1

Les blanches clartés des bougies (...) passaient à travers ses boucles soyeuses en les brillantant et y faisant resplendir quelques fils d'or. 2
> BALZAC, Béatrix, Pl., t. II, p. 424.

Il cherchait partout de quoi monter sa palette, chauffer ses tons, les enflammer, les brillanter. Ed. et J. DE GONCOURT, Manette Salomon, p. 429. 2.1

Vx. *Brillanter son style,* le charger d'images recherchées, le fleurir.

ⓑ (1871). Techn. Revêtir d'un aspect brillant (par polissage ou autre procédé). *Brillanter une surface métallique.*

▸ **BRILLANTÉ, ÉE** p. p. adj.
Taillé en brillant. *Pierre brillantée.* ⇒ **Brillanté.** — Rendu brillant.

(...) le sol brillanté de réverbérations luisait comme du métal fourbi (...) 3
> Th. GAUTIER, le Roman de la momie, I.

Style brillanté, fleuri, recherché.
Coton brillanté (⇒ **Jaconas**). *Dentelles brillantées.*
N. m. ⇒ **Brillanté.**

CONTR. **Assombrir, obscurcir, ternir.**
DÉR. **Brillantage, brillanté, brillanteur.**

BRILLANTEUR [brijɑ̃tœr] n. m. — Av. 1973, in *la Clé des mots ;* de *brillanter.*

♦ Techn. Substance utilisée pour augmenter la brillance des bains électrolytiques de revêtement.

BRILLANTINE [brijɑ̃tin] n. f. — 1823 ; de *brillant,* I.

♦ **1.** Vx. Percale brillante servant à doubler les vêtements.

♦ **2.** (1867). Mod. Pommade, huile parfumée, servant à donner du brillant aux cheveux. ⇒ **Cosmétique.** *Lustrer des cheveux avec de la brillantine.*

La tête de sa voisine pesait lourd sur son épaule, elle sentait le cheveu et la brillantine (...) SARTRE, le Sursis, p. 155 (1945).
DÉR. **Brillantiner.**

BRILLANTINER [brijɑ̃tine] v. tr. — 1914 ; de *brillantine.*

♦ Enduire de brillantine. *Se brillantiner les cheveux.*

(...) ses cheveux noirs qui prenaient des reflets bleus de nuit lorsqu'il les brillantinait. 1
> J. CAU, la Pitié de Dieu, p. 26.

Au p. p. *Cheveux brillantinés.*

Cheveux brillantinés, teint mat, sourcils épais, son air bonhomme n'avait rien d'effrayant. Fernand FOURNIER-AUBRY, Don Fernando, p. 210-211. 2

BRILLEMENT [brijmɑ̃] n. m. — 1564 ; de 2. *briller.* → Brillant, II., A.

♦ Rare. Fait de briller, d'avoir de l'éclat. « *Ce brillement des yeux* » (Giono).
Reflet, éclat brillant. ⇒ **Brillance.**

1. BRILLER [brije] v. intr. — 1559 ; ital. *brillare* « s'agiter » (XVe), p.-ê. issu de *prillare* « s'agiter » d'un radical expressif *pir(l)- « s'agiter, tourner » (→ Pirouette) plutôt que de *beryllus* « béryl ».
Vieux.

♦ **1.** (1583). Chercher le gibier, en parlant d'un chien de chasse. ⇒ **Quêter.**

La princesse m'a donné le plus beau petit chien du monde (...) Cela est joli à voir briller et chasser devant soi dans une allée. Mme DE SÉVIGNÉ, 461, 23 oct. 1675. 1

♦ **2.** S'agiter, frétiller, aller et venir.

(...) ne croyez pas que nous puissions (...) nous accoutumer à ne vous voir plus briller dans cette maison. Mme DE SÉVIGNÉ, 1079, 1er nov. 1688. 2

REM. Ce sens a été éliminé par la diffusion de 2. *briller.*

HOM. **Brié, briée, brier, 2. briller.**

2. BRILLER [brije] v. tr. — 1564 ; de même orig. que 1. *briller* (ital. *brillare*) p.-ê. à cause du scintillement tremblant des étoiles.

♦ **1.** Émettre ou réfléchir et répandre une lumière vive, qui frappe la vue (à la différence de *luire** [cit. 2]). ⇒ **Étinceler, resplendir.**

Briller d'un vif éclat. ⇒ **Éclater** (vx), **radier.** *Briller en éblouissant*, en aveuglant*. Les astres brillent dans le firmament. Briller de mille feux.* ⇒ **Scintiller** (→ Astre, cit. 12). *Le feu, le soleil, la lumière brillent. Briller comme le feu.* ⇒ **Étinceler, flamboyer, pétiller.** *Briller au soleil.* ⇒ **Brasiller, chatoyer, iriser** (s'), **irradier, miroiter, rayonner.** *Les eaux du lac brillent au soleil. Briller et se refléter*. La soie, le satin brillent à la lumière. Briller comme l'or, le diamant.* ⇒ **Rutiler.** *Briller comme l'acier. Faire briller qqch.* ⇒ **Brillanter, iriser.** — *Briller doucement, de manière atténuée* ⇒ **Luire.**

3 (...) trois lacs qui, sous le dur soleil d'Orient, brillent comme des plaines d'acier.
MAUPASSANT, la Vie errante, Tunis, p. 186.

4 Le vin, qui brillait dans son verre ainsi que de l'ambre liquide (...)
FRANCE, Histoire comique, XI, p. 184.

5 (...) les vieilles faïences brillaient çà et là sur les murailles (...)
LOTI, les Désenchantées, XI, p. 93.

6 Dans le rayon horizontal du soir, la chevelure encore humide et lourde brillait comme une averse illuminée de soleil. Pierre LOUŸS, Aphrodite, I, 21.

7 La toile brilla de tous ses bleus, laissa voir tous les artifices du peintre, comme un visage grimé (...) COLETTE, la Naissance du jour, p. 117.

8 L'extrémité de son poil court et fourni brille, s'irise au soleil comme fait l'hermine.
COLETTE, la Paix chez les bêtes, Nonoche.

Prov. *Tout ce qui brille n'est pas or.* ⇒ **Or.**
Faire briller : rendre (une surface) polie, luisante. *Faire briller des chaussures, des meubles, un parquet avec du cirage, de la cire, de l'encaustique.* ⇒ **Astiquer, briquer, cirer.**

♦ **2.** Par ext. (le sujet désigne un élément humain, physique ou psychique). Avoir de l'éclat, être resplendissant. *Son visage brille de joie, de bonheur.* ⇒ **Illuminer** (s'), **irradier** (s'), **rayonner.** *Des yeux qui brillent comme des escarboucles.* ⇒ **Luire, pétiller.** *Ses yeux brillent de désir, de convoitise...*

9 La jeunesse en sa fleur brille sur son visage. BOILEAU, le Lutrin, I.

10 Triste, levant au ciel ses yeux mouillés de larmes,
Qui brillaient au travers des flambeaux et des armes (...)
RACINE, Britannicus, II, 2.

11 Ses yeux (...) brillaient de désir en regardant ma montre posée sur la table.
FRANCE, Histoire comique, IX, p. 146.

12 Souvent, je lui disais : « À ma mort, vous me bénirez », rien que pour le plaisir de voir ses yeux briller de convoitise.
F. MAURIAC, le Nœud de vipères, IX, p. 117.

(En parlant d'une personne). *Briller de..., par...*

13 Elle brillait de mille attraits, et ce n'était qu'agrément et que charmes que toute sa personne. MOLIÈRE, les Fourberies de Scapin, I, 2.

14 Comment bien voir ce qui flotte, brille, étincelle, éblouit ? mais elle me semblait plus belle que le rêve et d'un éclat surnaturel.
FRANCE, le Livre de mon ami, II, 11.

♦ **3.** Fig. a (Choses). Se manifester avec éclat, se distinguer par quelque qualité brillante. ⇒ **Frapper, impressionner, ressortir.**

15 Il y a de certains défauts qui, bien mis en œuvre, brillent plus que la vertu même.
LA ROCHEFOUCAULD, Maximes, 354.

16 Je ne connais dans tout le recueil de La Fontaine que cinq ou six fables où brille éminemment la naïveté puérile (...) ROUSSEAU, Émile, II.

17 Car la vérité brille où l'éternité luit (...) HUGO, L'Année terrible, Mars, 4.

b Personnes (souvent ironique, dans la langue contemporaine). Se distinguer*, se faire remarquer dans un groupe, dans une société. ⇒ **Exceller, réussir.** *Briller dans le monde.* ⇒ **Florès** (faire florès). *Briller par son esprit, ses reparties, sa conversation* (cf. Faire des étincelles, *fam.). Le désir de briller, d'étaler ses avantages, son luxe.* ⇒ **Paraître ; éclabousser** (fam.). *Briller à un examen, à un concours. Faire briller qqn,* lui donner l'occasion de faire remarquer ses qualités.

18 Il allait souvent disputer à des thèses dans les classes de philosophie, et il brillait fort par sa qualité de bon argumenteur (...) FONTENELLE, Varignon.

19 Quand on s'est attendu que je brillerais dans une conversation, je ne l'ai jamais fait. J'aimais mieux avoir un homme d'esprit pour m'appuyer que des sots pour m'approuver. MONTESQUIEU, Cahiers, p. 8.

20 Tel brille au second rang qui s'éclipse au premier. VOLTAIRE, Henriade, I, V.

21 Je n'avais nulle envie de briller sur ces bancs tachés d'encre, car à dix ans, j'étais sans ambition. FRANCE, le Petit Pierre, XXXIV.

22 Non seulement elle se retirait sans cesse et s'effaçait chaque fois qu'il aurait fallu briller (...) GIDE, Si le grain ne meurt, I, 1.

22.1 — J'ai connu des gens très brillants, très brillants (...)
— Que faisaient-ils ces gens brillants ?
— Ils brillaient beaucoup ! (...)
— Et où brillaient-ils ces gens brillants ? (...)
— Ils brillaient en société, ils brillaient dans les salons !... Ils brillaient partout ! (...)
— Ah ! mon cher, il n'y en a plus de ces gens qui brillent... *(On le voit disparaître par la droite, on l'entend)* cela a disparu. Je n'en connais plus que deux, aujourd'hui... de ces gens brillants (...) plus que deux. L'un est à la retraite et l'autre est décédé ! IONESCO, Tueur sans gages.

Fam. (en emploi négatif ; → Brillant). *Il ne brille pas par le courage :* il est plutôt peureux. Loc. *Il brillait par son absence* (cit. 2).

23 Brutus et Cassius brillaient par leur absence. M.-J. DE CHÉNIER, Tibère, I, 1.

Faire briller qqch. aux yeux de qqn. ⇒ **Miroiter** (faire miroiter), **promettre.** *Faire briller ses avantages.* ⇒ **Étaler, manifester, montrer.**

CONTR. Assombrir (s'), éteindre (s'), flétrir (se), obscurcir (s'), pâlir, ternir. — Disparaître, éclipser (s'), effacer (s').
DÉR. Brillant, brillement.
HOM. Brié, briée, brier, 1. briller.

BRIMADE [bʀimad] n. f. — 1818, «action de brimer»; de *brimer.*

♦ Épreuve* vexatoire, souvent aggravée de brutalité, que les anciens imposent aux nouveaux dans les régiments, dans les écoles (→ Amadouer, cit. 5). *Les brimades d'un bizutage*.* ⇒ **Épreuve.**
Par ext. Vexation, avanie.

1 Toujours un peu humiliant pour celui qui en est l'objet, le rire est véritablement une espèce de brimade sociale. H. BERGSON, le Rire, III, 1.

2 Ce que j'ai souffert jeune femme, les brimades qu'invente la jalousie, la claustration, et tout ce que la solitude d'un château en Armagnac autorise de supplices cachés, de vengeances impunies, on pourrait en faire un roman (...)
F. MAURIAC, la Pharisienne, p. 45.

CONTR. Cajolerie, caresse, flatterie.

BRIMBALEMENT [bʀɛbalmɑ̃] n. m. — 1564, *brimballement;* de *brimbaler.*

♦ Fam. et vieilli. Balancement, ballottement, agitation. *« Dans un brimbalement de bouteillons et de bidons »* (Dorgelès). ⇒ **Bringuebalement.**

BRIMBALER [bʀɛbale] v. — Av. 1544, «s'agiter»; en 1440, «jouir d'une femme»; formation expressive issue d'un croisement entre *baller* «danser» (→ Trimballer) et les mots en *bri-, brimb-* (→ Bribe). Cf. le moy. franç. *brimber* «mendier».
Vieilli.

♦ **1.** V. tr. Agiter, secouer. *Brimbaler des cloches.*

♦ **2.** V. intr. Osciller de manière irrégulière. *«Sa gamelle qui brimbalait»* (Dorgelès). — REM. On écrit aussi *brimballer.*

Elle tenait à deux mains un petit plateau chargé d'une tasse, d'une cafetière, d'un pot à lait et d'une assiette tapissée de tartines. Et cette vaisselle brimballait à chaque mouvement. H. TROYAT, le Vivier, p. 80.

REM. Dans ses deux emplois, ce verbe a vieilli ; il est supplanté par *bringuebaler.**

▶ **BRIMBALANT, ANTE** adj. ⇒ **Bringuebalant.**

DÉR. Brimbalement. — V. Bringuebaler.

BRIMBALLE [bʀɛbal] n. f. — Vx. ⇒ **Bringuebale** ou **brinqueballe.**

BRIMBELLE [bʀɛbɛl] n. f. — 1765, *brinbelle,* mot dial. (Normandie, Provence, Est), du rad. *bri(m)b-* exprimant la petitesse (→ Bribe, brimborion), et suff. *-elle,* p.-ê. sous l'infl. d'*airelle.*

♦ Régional. Myrtille, airelle.

BRIMBORION [bʀɛbɔʀjɔ̃] n. m. — 1611; «prière marmottée», v. 1450; altér., par croisement avec *bri(m)be,* de *brebarion,* prononc. anc. du lat. ecclés. *breviarium* «bréviaire».

♦ **1.** Surtout au plur. Menu objet de peu de valeur. ⇒ **Babiole.**

1 (...) Cent brimborions dont l'aspect importune (...)
MOLIÈRE, les Femmes savantes, II, 7.

2 Les brimborions de la parure causaient à Albertine de grands plaisirs.
PROUST, À la recherche du temps perdu, t. XI, p. 38.

3 Grande interruption dans ces pauvres notes de tous les jours : j'en suis très attristé ; il me semble que ces brimborions, écrits à la volée, sont tout ce qui me reste de ma vie, à mesure qu'elle s'écoule. E. DELACROIX, Journal, 11 mars 1854.

♦ **2.** Personne de petite taille, ou qui paraît minuscule.

4 L'agile brimborion, dont la tête, plus grosse que celle de Jenn, égalait en hauteur le restant de l'individu, mit soudain à profit l'indépendance récente de ses mouvements pour se gratter furieusement la barbe (...)
Raymond ROUSSEL, Impressions d'Afrique, p. 92.

5 Le mouvement des humains, en bas, paraît s'accélérer, et sur le quai des brimborions s'empressent. A. PIEYRE DE MANDIARGUES, la Marge, p. 45.

BRIMER [bʀime] v. tr. — 1826; de *brimer* «geler, flétrir», mot dial. de l'Ouest, de *brime,* altér. de *brume* par croisement avec *frime* «frimas», ou p.-ê., selon Guiraud, sens dial. (Normandie) de «battre», de *brim* «mèche de fouet». → Brin.

♦ Soumettre à des brimades. *Les bizuths se plaignent d'avoir été brimés.*
Soumettre à des vexations.

1 Ce qui est pour moi esprit et vie ne saurait apparaître aux collaborateurs de *l'Express,* brimés à cause de moi, que comme une loi stupide, imposée du dehors. F. MAURIAC, le Nouveau Bloc-notes 1958-1960, p. 407.

2 Que veux-tu, les jeunes, maintenant, veulent vivre leur vie ; et je ne peux pas leur donner tort. Nous avons été trop brimés, nous autres, dans notre jeunesse.
Jean-Louis CURTIS, le Roseau pensant, p. 35.

CONTR. Aider, cajoler, caresser, flatter.
DÉR. Brimade.

BRIN [bʀɛ̃] n. m. — 1471; *brain,* v. 1393; orig. incert., p.-ê. gaul. **bri-

nos « baguette » ; par analogie avec *jet,* de *jeter ;* P. Guiraud suppose un déverbal de *bringuer, bringa* « sauter ».

◆ **1.** Tige fine (d'une plante) qui sort de terre ; pousse grêle et allongée. ⇒ **Brindille.** *Un brin d'herbe, de muguet. Un brin de thym, de persil. Désherber, effeuiller brin à brin.*

1   (...) Arrachez brin à brin
Ce qu'a produit ce maudit grain (...)   LA FONTAINE, Fables, I, 8.
(1611). Sylv. Rejeton qui pousse d'une souche restée en terre après que l'arbre a été abattu. *Tailler les brins d'un taillis.*
Arbre de brin : arbre qui n'a qu'une tige d'un seul jet.
Loc. fam. (1718). *Un beau brin de fille :* une fille grande et bien faite. (→ Appât, cit. 19.) → Une belle plante*. — Rare. *Un beau brin de gars, de garçon.*
Un joli brin de plume * : une manière agréable d'écrire (souvent compris en sens abstrait : 5.).
Techn. *Bois de brin :* bois équarri, qui n'a pas été scié. *Un chêne de brin. Solives de brin.*

◆ **2.** (1471). Filament délié de chanvre, de lin.
Par ext. Filament qui constitue un fil, une corde. *Fil de laine, cordelette à plusieurs brins. Le brin libre d'une corde. Les deux brins d'un fil électrique. Le brin conducteur d'une courroie de transmission.*

◆ **3.** Petite partie longue, mince et souple (d'une matière, d'un objet). *Balai de brins de bouleau. Brin de paille.* ⇒ **Fétu.** *Natte de brins de jonc tressés.* → Polycolore, cit. *Un brin de laine traîne sur le tapis.* « *Il n'a que quelques brins de cheveux sur la tête* » (Académie). — *Brin de fil liant un écheveau.* ⇒ **Centaine.** *Brins d'un câble téléphonique, d'un fil électrique.*
Loc. Techn. *De premier, de deuxième brin :* de première, de deuxième qualité (fibres).

◆ **4.** Techn. Partie longue, mince et rigide (d'un objet démontable). ⇒ **Élément.** *Brins d'une antenne, d'une canne à pêche.*

◆ **5.** (1497). Fig. *Un brin de... :* une parcelle, une quantité infime.
— REM. N'est courant que dans quelques expr. *(brin de cour, brin de toilette). Faire un brin de cour à une femme.* ⇒ **Doigt.** *Il n'y a pas un brin de vent.* ⇒ **Souffle.** *Ne pas avoir un brin d'amitié, d'envie, d'espérance, de raison... Un brin de folie.* ⇒ **Grain.** *Faire un brin de toilette.* → Plonger, cit. 3. *Un brin de causette.*

2   Cependant, au fond de mon cœur, j'ai un petit brin de confiance.
Mme DE SÉVIGNÉ, 61, 9 déc. 1664.
Loc. adv. *Un brin :* un petit peu. *Pas un brin :* pas du tout. *Tu n'en auras pas un brin. Il est un brin délirant.* ⇒ **Tantinet** (un).

3   Ne t'attends pas que je t'aide un seul brin (...)
LA FONTAINE, Contes, IV, 5, « Le diable de Papefiguière ».

4   Pas moins, vous devez bien être un brin empêtrée.   A. DE MUSSET, Louison, I, 4.

CONTR. Masse.
DÉR. Brindille.

BRINDE [bʀɛ̃d] n. f. — 1554 ; « verre à boire », 1552 ; altér. de l'all. *bringe dir's* « je te porte (un toast) », doublet de 2. *bringue.* → Brindezingue, 2. bringue.

◆ Vx. Action de boire (un toast) à la santé de quelqu'un. ⇒ **Toast.** *Faire brindes. Porter des brindes.*
Être dans les brindes : être ivre. ⇒ **Brindezingue.**

DÉR. Brinder, brindezingue, 2. bringue.

BRINDER [bʀɛ̃de] v. intr. — 1945, cit. ; « boire avec excès », 1588 ; de *brinde.*

◆ Vx ou régional. Porter un toast.
Alors tout le monde se dressa et on leva les verres. À la plus haute période du banquet, il était de rigueur, chez nous, de brinder en faisant un vœu, puis d'échanger les coupes et de s'embrasser, garçons et filles.
H. BOSCO, le Mas Théotime, I, p. 24.

BRINDEZINGUE [bʀɛ̃dzɛ̃g] adj. et n. — Av. 1899 ; *être dans les brindezingues,* 1756 (encore usité au XIXe : Zola, *l'Assommoir*) ; déformation argotique de *brinde,* et suff. provenant peut-être de *zinc* (d'un café). → 2. Bringue.

◆ **1.** Adj. (Fin XIXe). Fam. Ivre.

◆ **2.** Adj. et n. Un peu fou, déséquilibré. *Il est complètement brindezingue. — Un vieux brindezingue.*

◆ **3.** N. m. pl. Loc. *Être dans les brindezingues :* être ivre.

BRINDILLE [bʀɛ̃dij] n. f. — 1798 ; *brindelle,* 1551 ; de *brin.* Le *d* d'appui étant inexpliqué.

◆ **1.** Branche mince, assez courte (surtout quand elle est sèche, cassée). *Fagot de brindilles.* ⇒ **Margotin.**

Abondante chute de neige cette nuit (...) La moindre brindille fait support à un   1
faix énorme.   GIDE, Journal, 7 mars 1916.
Il faut faire flamme de la moindre brindille.   2
G. DUHAMEL, Scènes de la vie future, Introd.

Hortic. Le plus court rameau d'une branche à fruit. *La taille des brindilles (d'un arbre fruitier).*

◆ **2.** Petit morceau de forme allongée (d'un végétal). *Une brindille de tabac.*

BRINGÉ, ÉE [bʀɛ̃ʒe] adj. — 1507, anc. normand ; d'un gaul. **brinos.* (→ Brin ; et aussi vergeté) ou p.-ê. du normand *bringe* « verge », le sens de « rayé » s'expliquerait par les rainures laissées par les lanières du fouet sur la peau.

◆ Régional (Ouest). Tacheté, rayé (du pelage des animaux).
(...) il (...) me propose l'achat d'une « chienne bull bringée gris, toute beauté (...) »
COLETTE, la Vagabonde, p. 38.
Roux taché de noir (pelage). *Vache bringée.*

1. BRINGUE [bʀɛ̃g] n. f. — 1808 ; « cheval mal bâti », 1738 ; p.-ê. du rad. de *brin,* selon Guiraud à rapprocher de formes dial. (Jura) comme *bringou* « boîteux », *bringala* « marcher en boîtant ».

◆ **1.** Fam. *Une grande bringue :* une grande fille dégingandée.
(...) elles s'imaginaient que la vente allait mieux chez « la grande bringue d'en   1
face ».   ZOLA, le Ventre de Paris, t. I, p. 216.
(...) Sigismond (...) s'attarde au voisinage de deux marins américains *(qui)* ont le   2
genre plutôt de la lourde brute que de la bringue élastique.
A. PIEYRE DE MANDIARGUES, la Marge, p. 133.

◆ **2.** (1751, Vadé). Fam. et vx. *En bringues :* en morceaux.

◆ **3.** Loc. fam. (1936). *À toute bringue :* à toute vitesse, très rapidement. → À tout berzingue*.

2. BRINGUE [bʀɛ̃g] n. f. — 1901 ; « santé, toast », 1611 ; var. de *brinde** ; Guiraud en fait un dérivé du provençal *bringa* « sauter, boiter ». → Brin.

◆ **1.** Fam. Beuverie, noce, foire. ⇒ **Débauche.** *Faire la bringue, une bringue à tout casser.* ⇒ 2. **Bombe ; bringuer.**
Il travaille très bien dans les matières colorantes, fait une bringue modeste et régu-   1
lière (...) c'est un bon petit.   COLETTE, Julie de Carneilhan, p. 73-74.
La femme tiendra la bourse. Une seule bringue par mois, le jour de la foire (...)   2
Roger VAILLAND, 325 000 francs, p. 75.

◆ **2.** (Sens étymologique ; germanisme). Régional (Suisse).
□**a** Toast. ⇒ **Brinde.**
□**b** Querelle, chicane. Loc. *Être en bringue,* en procès.
La politique, l'argent, le Collège, c'est rien que des bringues, des histoires, tout le   3
monde dépose plainte contre tout le monde, on se déteste, on se fait des coups
tordus (...)   Jacques CHESSEX, Portrait des Vaudois, p. 20.
□**c** Rengaine, scie. « *On s'est mis à chanter aussi, alouette, la claire fontaine, les bringues du service militaire* » (J. Chessex, *Portrait des Vaudois,* p. 225).

DÉR. Bringuer.

BRINGUEBALANT, ANTE [bʀɛ̃gbalɑ̃, ɑ̃t] ou **BRINQUE-BALANT, ANTE** [bʀɛ̃kbalɑ̃, ɑ̃t] adj. ⇒ **Bringuebaler.**

BRINGUEBALE [bʀɛ̃gbal] ou **BRINQUEBALE** [bʀɛ̃kbal] n. f. — 1634 ; *brimbale* « clochette », av. 1593, (de *brimbaler*) ; de *bringuebaler.*

◆ Techn. (vx). Levier servant à actionner le piston d'une pompe. — On a dit aussi *brimballe.*

REM. Var. graph. : *bringueballe, brinqueballe.*

BRINGUEBALEMENT [bʀɛ̃gbalmɑ̃] ou **BRINQUEBA-LEMENT** [bʀɛ̃kbalmɑ̃] n. m. — XXe ; de *bringuebaler.*

◆ Action de bringuebaler ; mouvement, bruit de ce qui bringuebale. ⇒ **Brimbalement.** *Un brinquebalement métallique* → Verni, cit. 1.
REM. Var. graphique : *bringueballement, brinqueballement.*
Demain j'aurai dormi dans l'odeur d'essence et le brinqueballement des camions.
J.-M. G. LE CLÉZIO, Désert, p. 426.

BRINGUEBALER [bʀɛ̃gbale] ou **BRINQUEBALER** [bʀɛ̃kbale] v. — 1835, *bringuebaler ; brinquebaler,* 1853 ; renforcement expressif de *brimballer.*

★ **I.** V. tr. Vx ou littér. Agiter, secouer. ⇒ **Brimballer.**
(...) les femmes accourent, secouant et brinquebalant leurs balloches (...)   0.1
GIDE, Voyage au Congo, *in* Souvenirs, Pl., p. 722.

★ II. V. intr. Mod. Aller d'un côté et de l'autre de façon brusque et irrégulière. ⇒ **Balancer** (se), **cahoter, osciller.**

1 (...) l'avenue, où défilaient, au pas, des voitures de maraîchers. Leur interminable colonne bringuebalait sur les pavés avec un grincement de café qu'on moud.
MARTIN DU GARD, les Thibault, t. V, p. 264.

▶ **BRINGUEBALANT, ANTE** ou **BRINQUEBALANT, ANTE** adj. (On dit aussi *brimbalant*). *Guimbardes cahotantes* (cit. 1) *et brinquebalantes.*

2 C'est une vieille Ford toute bringuebalante. Elle tanguait et roulait.
G. DUHAMEL, Chronique des Pasquier, X, 6.

REM. On écrit aussi *bringueballer, brinqueballer, brinqueballant.*

3 L'enfant poussa la grille, son petit cartable brinqueballant sur son dos, puis il s'arrêta au seuil du parc.   M. DURAS, Moderato cantabile, p. 49.

DÉR. Bringuebale.

BRINGUER [bʀɛ̃ge] v. intr. — 1542, au sens 2, mot régional (Suisse), « faire une brinde », « porter un toast » ; de 2. *bringue.*

♦ **1.** Régional (Suisse). Fréquenter les cafés, les lieux de plaisir. ⇒ **Bringue** (faire la).

♦ **2.** (Suisse). Insister exagérément, en importunant ; chicaner, rabâcher.

1 Le mot bringuer recouvrait des réalités fort diverses : l'esprit de chicane du gamin qui poussait les siens à bout ; la commère qui n'en finissait pas de raconter les mêmes histoires.   Jean-A. HALDIMANN, Chronique de mon village, p. 116.

♦ **3.** (1936). Rare et fam. Faire la bringue. ⇒ **Nocer.**

2 — (...) J'achèterai une paire de bœufs et trois vaches (...) Avec ce qui restera, je pourrai bringuer, en attendant d'être appelé militaire.
Roger VAILLAND, 325 000 francs, p. 80.

DÉR. Bringueur.

BRINGUEUR, EUSE [bʀɛ̃gœʀ, øz] n. — 1953 ; de *bringuer.*

♦ Fam. Personne qui aime faire la bringue. ⇒ **Noceur.**

BRINQUEBALANT, ANTE [bʀɛ̃kbalɑ̃, ɑ̃t] adj., **BRINQUEBALE** [bʀɛ̃kbal] n. f., **BRINQUEBALEMENT** [bʀɛ̃kbalmɑ̃] n. m., **BRINQUEBALER** [bʀɛ̃kbale] v. tr. ⇒ **Bringuebalant, bringuebale, bringuebalement, bringuebaler.**

BRIO [bʀijo] n. m. — 1824 ; *con brio*, 1812, Stendhal ; ital. *brio* « vivacité », emprunté à l'esp., probablt par l'anc. provençal *briu* « valeur, force » ; issu d'un gaul. **brivos* « force ».

♦ **1.** Adresse, chaleur, vivacité (dans l'exécution d'une œuvre d'art, musicale, etc.). ⇒ **Virtuosité.** *Le brio d'un musicien. Jouer avec brio. Avoir du brio. Un brio éblouissant, étincelant, étourdissant !* ⇒ **Brillant, éclat, entrain, fougue, panache, pétulance, vivacité.**

1 (...) cette gaieté italienne pleine de brio et d'imprévu (...)
STENDHAL, la Chartreuse de Parme, t. II, p. 43-44.

2 Ce *brio*, mot italien intraduisible et que nous commençons à employer est le caractère des premières œuvres. C'est le fruit de la pétulance et de la fougue intrépide du talent jeune, pétulance qui se retrouve plus tard dans certaines heures heureuses (...)   BALZAC, la Cousine Bette, I, Pl., t. VI, p. 206.

3 Il ouvrit le piano, frappa quelques accords, puis se lança dans une petite étude de Stephen Heller, en forme de fanfare, qu'il mena d'un train d'enfer et avec un étourdissant brio.   GIDE, Si le grain ne meurt, I, 6.

4 J'admire cette espèce de maladresse, de pesanteur d'exécution. Aucune maestria de la main ; aucun brio ; chez aucun artiste peut-être la tête n'a dominé de plus haut le métier.   GIDE, Journal, 20 mars 1906.

♦ **2.** Talent brillant, virtuosité. *Parler avec brio. Il a défendu sa cause avec brio, avec beaucoup de brio, avec un brio remarquable.* — REM. Le mot n'est pas employé au pluriel.

CONTR. Froideur, lourdeur, maladresse, pâleur.

BRIOCHE [bʀijoʃ] n. f. — 1404 ; de *brier**, forme normande de *broyer.* → 2. Brie, brier.

♦ **1.** Pâtisserie légère formant deux boules inégales superposées faite avec une pâte levée (farine, œufs, beurre et levure). *Manger de la brioche au goûter. Acheter une brioche pour le petit déjeuner du dimanche. Brioche mousseline.*

1 (...) je me rappelai le pis-aller d'une grande princesse à qui l'on disait que les paysans n'avaient pas de pain, et qui répondit : « Qu'ils mangent de la brioche. »
ROUSSEAU, les Confessions, VI.

2 En arrivant, elle déposait, sur le rebord de cette fenêtre, un gros paquet blanc, entouré d'une ficelle rose. C'était une brioche.
G. LEROUX, le Parfum de la dame en noir, p. 47.

Loc. fam. *S'en aller, partir en brioche :* s'émietter (comme une brioche sèche), se désagréger ; (fig.) se défaire. → Partir en couille, en eau de boudin.

♦ **2.** Fam. |a| Tête. *Tu en fais, une drôle de brioche.*

|b| Petit ventre proéminent (d'un adulte). *Prendre de la brioche, un peu de brioche.* ⇒ **Ventre ; bide** (fam.). *Il commence à avoir une petite brioche.*

Il s'est noué autour de la brioche une ceinture de flanelle.   3
SAN-ANTONIO, le Secret de Polichinelle, p. 14.

♦ **3.** (1821, *in* D.D.L.). Fam. et vieilli. Bévue, maladresse. *Faire une brioche, des brioches.*

DÉR. Brioché.

BRIOCHÉ, ÉE [bʀijoʃe] adj. — 1955 ; de *brioche.*

♦ *Pain brioché,* dont la consistance, le goût ressemblent à ceux de la brioche.

BRIOLAGE [bʀijolaʒ] n. m. — 1928 ; de *brioler.*

♦ Régional. Chant de labour.

BRIOLER [bʀijole] v. intr. — 1842, Sand, mot dial. (Centre), à rapprocher du moy. franç. *brioler* « courir avec beaucoup d'agitation » ; du gaul. **brivos* « force ».

♦ Régional (Centre de la France). Chanter pour stimuler l'ardeur des bœufs pendant le labour (G. Sand, *in* T.L.F.).

DÉR. Briolage.

BRIOLETTE [bʀijolɛt] n. f. — 1866 ; *brillolette*, 1875 ; *brignolette*, 1877 ; orig. obscure, p.-ê. à rapprocher de *briller* et de *riolé.* → Bariolé.

♦ Techn. Diamant taillé en forme de poire.

BRIQUAGE ou **BRICAGE** [bʀikaʒ] n. m. — 1899, *briquage* ; *bricage*, 1888 ; de *briquer.*

♦ Action de briquer, de nettoyer à fond. ⇒ **Asticage.** *Le briquage, bricage du pont d'un navire.*

BRIQUAILLON [bʀikajɔ̃] n. m. — 1751 ; de *brique.*

♦ **1.** Techn. et vx. Morceau de brique cassée (surtout au pluriel).

♦ **2.** Régional (Belgique). Au plur. Débris de démolition. ⇒ **Gravats.**

BRIQUE [bʀik] n. f. — 1204 ; aussi « morceau, miette », jusqu'au XVIᵉ et dial. (Nord) → Bricheton ; moy. néerl. *bricke* « brique » ; cf. all. *brechen* « briser » mot d'orig. germanique (gotique **brikan* « briser »).

♦ **1.** Pierre artificielle fabriquée avec de la terre argileuse pétrie, moulée, séchée, et dont on se sert pour bâtir. *Une brique carrée.* ⇒ **Carreau.** *Brique parallélépipédique, plate, pleine, creuse, tubulaire. Brique poreuse, réfractaire, vernissée. Brique crue,* séchée au soleil. *Brique cuite au four. Brique faite d'argile et de paille.* ⇒ **Adobe.** *Fabrication de briques.* ⇒ **Briqueterie.** *Construire en briques.* ⇒ **Briqueter.** *Maison de briques. Palais bâtis en briques.* → Pierre, cit. 13. *Peindre en imitant les briques.* ⇒ **Briqueter.** *Cheminée d'usine en briques. Briques pour cheminée.* ⇒ **Chantignole.** *Briques boutisses disposées de chant. Débris, fragments de briques.* ⇒ **Blocaille, briqueton.**

Les maisons des paysans, coiffées d'un chaume poli par le temps, se confondaient   1
avec les champs voisins : leurs briques ternes avaient pris la couleur de la glaise
jaunâtre.   A. MAUROIS, les Silences du colonel Bramble, I, p. 16.

Les colons étaient arrivés sur le terrain reconnu la veille. Il se composait de cette   1.1
argile figuline qui sert à confectionner les briques et les tuiles, argile, par conséquent, très convenable pour l'opération qu'il s'agissait de mener à bien. La main-
d'œuvre ne présentait aucune difficulté. Il suffisait de dégraisser cette figuline avec du sable, de mouler les briques et de les cuire à la chaleur d'un
feu de bois.

Ordinairement, les briques sont tassées dans des moules, mais l'ingénieur se
contenta de les fabriquer à la main.   J. VERNE, l'Île mystérieuse, t. I, p. 165.

Les murs seront faits de briques tubulaires brevetées, conformes au modèle. Toute   1.2
liberté est laissée aux architectes pour l'ornementation.
J. VERNE, les 500 Millions de la Bégum, 1879, p. 158.

Terre à brique : matériau dont sont faites les briques.

Fam. *Ça ne casse pas des briques.* ⇒ **Casser** (ça ne casse rien).

Collectif *(de la brique).* Élément de construction fait de briques ; assemblage de briques. *Construire en brique. Maçonnerie de brique.* ⇒ **Briquetage, galandage.** *Revêtement en brique.*

Couleur (de) brique : rougeâtre. ⇒ **Briqueté.** *Rouge brique.* Ellipt. *Un teint brique.*

Ce satyre est d'une belle brique bien dure, bien jaunâtre et bien cuite.   2
DIDEROT, Salons de 1759, X, p. 95,
in BRUNOT, Hist. de la langue franç., t. VI, p. 791.

(...) le mannequin apparut.   3
Il était couleur brique, sans chevelure, sans peau, avec d'innombrables filets bleus,
rouges et blancs le bariolait.
FLAUBERT, Bouvard et Pécuchet, Pl., t. II, p. 720.

Par anal. |a| Matériau moulé en forme de brique. ⇒ 1. **Briquette.** *Une brique de tourbe, de béton, de savon, d'étain.*

Mar. *Brique à pont :* pierre plate de grès fin que les marins utilisent pour blanchir un pont (⇒ **Briquer,** 1.).

ⓑ Récipient parallélépipédique utilisé pour certains liquides (alimentaires, notamment). *Une brique de lait de jus de fruits.* (⇒ **Carton**; aussi **berlingot**.)

♦ **2.** (1926). Fam. Liasse de billets d'une valeur d'un million de centimes (ou, avant la réforme monétaire, de un million de francs). Par ext. Somme d'un million de centimes. ⇒ **Bâton**, C. *Une brique égale mille fois mille anciens francs* (⇒ **Raide, sac**).

4 Et j'aim' pas l'fric
Les bagnol's qui coût'nt trois briques.
Boris VIAN, Textes et chansons, J'aime pas.

5 (...) ma bonne valise était prête comme toujours, avec les trois costards, les six limaces, et le toutim; le petit nécessaire de l'homme en cavale; et puis, en dessous, deux bonnes briques en talbins de dix mille, tout neufs, que j'avais le jour même été retirer de mon coffre. Albert SIMONIN, Touchez pas au grisbi, p. 18.

♦ **3.** (1878; du sens étymologique «petit morceau, miette», conservé dans des dialectes). Brique. *Bouffer des briques, des briques à la sauce caillou* : n'avoir rien à manger; avoir très peu à manger.

6 (...) manger des briques c'est se serrer la ceinture, danser devant le buffet, se taper du vent (...) Roger VAILLAND, Drôle de jeu, 1945, p. 70.

♦ **4.** Régional (Est, Suisse). Fragment (d'une chose cassée); éclat, tesson. — Loc. *Mettre en briques* : casser en nombreux morceaux. *En (mille) briques. Une brique de...* : un morceau de..., et, par ext., un peu de...

7 Elle en profita pour se glisser une brique de chocolat entre les dents.
Louis COURTHION, Contes valaisans, p. 49 (1904).

Pas une brique de... : pas du tout de... *«Il n'y a pas une brique de neige»* (usage parlé, 1974). *Je n'y comprends pas une brique.*

DÉR. Briquaillon, briquer, briquetage, briqueter, briqueterie, briquetier, 1. briquette, 2. briquette. — V. aussi 1. Briquet et 3. briquet.
HOM. 1. Brick, 2. brick.

BRIQUER [bʀike] v. tr. — 1850, Esnault; de *brique*.

♦ **1.** Mar. Nettoyer (les ponts, les mâts) à la brique (avec du sable et de l'eau). *Briquer le pont.*

♦ **2.** (Av. 1944). Cour. Nettoyer en frottant vigoureusement. ⇒ **Astiquer**. *Briquer un meuble. Briquer les cuivres.*

1 — Je descends briquer la bagnole. S. DE BEAUVOIR, les Belles Images, p. 95.

2 Il lui fallait être partout et nulle part, balayer, nettoyer, briquer, ranger, aller en courses, aider à la cuisine et au service, essuyer rebuffades et taloches qu'il eût le cœur d'en pleurer ou d'en rire, tout cela sans le moindre répit et dans l'ennui de sentir le temps stagner. Herbert LE PORRIER, le Luthier de Crémone, p. 28.

Au participe passé :

3 Fanaux de cuivre dans les angles et aux murs, sabres d'abordage, portulans. Le tout briqué, lustré, verni, les bois rouges à souhait.
Régis DEBRAY, l'Indésirable, p. 147.

DÉR. Briquage.

1. BRIQUET [bʀike] n. m. — 1701; «petit morceau», XVIᵉ; de *brique* «morceau». → Brique.

★ I. ♦ **1.** Vx. Pièce d'acier dont on se servait pour tirer du feu d'un caillou. ⇒ **Fusil**. *Battre le briquet.*

0.1 Il battit le briquet, souffla sur l'amadou.
BERNANOS, l'Imposture, in Œ. roman., Pl., p. 521.

Par comparaison :

0.2 Quand un cheval pète en sortant de l'écurie, c'est bon signe : il marchera bien. Le nôtre bat le briquet avec ses fers, et ce bruit me berce.
J. RENARD, Journal, 9 juil. 1897.

Loc. fig. (Mod.). *Battre le briquet.*

1 Quand il eut ainsi un peu battu le briquet sur son cœur sans en faire jaillir une étincelle (...) FLAUBERT, Mme Bovary, I, VII.

♦ **2.** Mod. Appareil pouvant produire du feu à répétition. *Briquet à essence, à gaz, à amadou. Mèche d'un briquet. Pierre à briquet.* ⇒ **Ferrocérium**. *Briquet de table, de bureau, de poche. Briquet jetable. Briquet pneumatique;* (1829, in D.D.L.) *briquet phosphorique. Briquet électrique. Briquet pour allumer le gaz.* ⇒ **Allume-gaz**.

2 (...) il semblait un peu irréel dans cette ombre, où mon faible briquet l'éclairait mal. H. BOSCO, le Jardin d'Hyacinthe, p. 63.

3 Ensuite il allume le feu avec son briquet à amadou en faisant bien attention à mettre la flamme du côté où il n'y a pas de vent.
J.-M. G. LE CLÉZIO, Désert, p. 134.

★ II. (1885, Zola). Régional (Nord de la France; Belgique). Casse-croûte; «paquet de tartines» (Hanse).

2. BRIQUET [bʀike] n. m. — 1807; «couteau à longue lame», 1734; altér. de *braquet* «petite épée»; p.-ê. de *braquemart* avec infl. de 1. *briquet*.

♦ Ancienn. Sabre court et recourbé de l'infanterie. — Appos. *Sabre briquet.*

3. BRIQUET [bʀikɛ] n. m. — 1440; probablt de *braque*, ou de *brique* «petit morceau». → Brique.

♦ Petit chien de chasse.

BRIQUETAGE [bʀiktaʒ] n. m. — 1394; de *briqueter* (attesté plus tard) ou de *brique*.
Technique.

♦ **1.** Maçonnerie de briques. *Cloison en briquetage.* — Par ext. Paroi en briques. *Un mince briquetage.*
(1718). Enduit sur lequel on trace des lignes figurant des briques.

♦ **2.** (De *briqueter*). Fabrication des briquettes.

BRIQUETER [bʀikte] v. tr. — 1418; de *brique*.

♦ **1.** Construire en briques, paver de briques. *Briqueter une cloison; un passage.*

♦ **2.** (1835). Techn. Peindre en figurant des briques. *Briqueter une façade, un mur.*
Colorer en teinte brique, rouge ocre.

♦ **3.** (1928). Transformer en briquettes.

▶ **BRIQUETÉ, ÉE** p. p. adj.
Construit en briques. — Qui a l'apparence, et, spécialt, la couleur rougeâtre de la brique. *Teinte briquetée.*

DÉR. Briquetage.

BRIQUETERIE [bʀik(ə)tʀi; bʀiketʀi] n. f. — 1407; de *brique*.

♦ Fabrique de briques. ⇒ **Tuilerie**.

BRIQUETIER [bʀiktje] n. m. — 1503; de *brique*.

♦ Ouvrier d'une briqueterie. ⇒ **Tuilier**. *Ratissette de briquetier.*

Un ouvrier exercé peut confectionner, sans machine, jusqu'à dix mille briques par douze heures; mais dans leurs deux journées de travail, les cinq briquetiers de l'île Lincoln n'en fabriquèrent pas plus de trois mille, qui furent rangées les unes près des autres, jusqu'au moment où leur complète dessication permettrait d'en opérer la cuisson, c'est-à-dire dans trois ou quatre jours.
J. VERNE, l'Île mystérieuse, t. I, p. 165.

1. BRIQUETTE [bʀikɛt] n. f. — 1612; de *brique*.

♦ **1.** Petite brique plate utilisée pour faire des revêtements. ⇒ **Tomette**. *Sol en briquettes. Foyer d'une cheminée recouvert de briquettes. Revêtement en briquettes. Pour le rez-de-chaussée, vous prendrez de la briquette ou du parquet?*

♦ **2.** (1835). Petite masse combustible formée de poussière de charbon, de tourbe... agglutinée en forme de brique. ⇒ **Aggloméré**. *Brûler des briquettes.*

(...) quelques briquettes beaucoup trop lourdes pour être faites de charbon et simplement enveloppées dans du papier journal (à seule fin, sans doute, d'en cacher la couleur). Claude SIMON, le Palace, p. 29.

2. BRIQUETTE [bʀikɛt] n. f. — 1959, Esnault; de *brique* «million».

♦ Fam. *De la briquette* : une chose négligeable, de la broutille*. ⇒ **Gnognotte**.

Je rigole, maintenant, mais je me sens paumée, paumée, paumée. Tant qu'il y avait du pognon, j'avait de l'espoir; les cent sacs du pécule, c'est de la briquette, de la briquette mangeable, mais ça n'est rien, je mangerai autre chose. Ce qui m'amuse moins, c'est de penser à tout ce qui traîne à la banque et ailleurs, qui va probablement prendre le même chemin. A. SARRAZIN, la Cavale, p. 33.

Loc. *Laisse tomber, c'est de la briquette* : abandonne, ça n'a pas d'intérêt.

BRIS [bʀi] n. m. — 1413; déverbal de *briser*.

♦ **1.** Littér. ou didact. Action de casser. *Bris par choc, torsion...*

1 (...) les voisins les plus proches, entendirent de grands cris, des trépignements, un cliquetis d'épées, et un bris prolongé de meubles.
A. DUMAS, les Trois Mousquetaires, p. 128.

Par métaphore :

2 Dans sa recherche de la pureté, le poète détruit les choses, lui aussi, à travers les mots. L'image est pour ainsi dire un bris de vocables.
R. QUENEAU, Bâtons, chiffres et lettres, p. 178.

Cour. *Bris de glace. Commerçant assuré contre les bris de vitrine.*
Dr. Rupture* faite avec violence. *Bris de scellé, bris de porte. Bris de clôture.* ⇒ **Effraction**. *Bris de prison.* ⇒ **Évasion**.

3 Dans le langage du palais, où il s'agit de qualifier des actes plutôt que de raconter des faits ou des actions, on se sert du mot *bris* pour exprimer la rupture faite avec violence d'un scellé ou d'une porte fermée; hors de là *brisement* convient seul.
LAFAYE, p. 168.

♦ **2.** (Fin XVIᵉ). Vx. Naufrage; débris d'un navire.

(1611). *Droit de bris* : droit qui appartient au seigneur sur les épaves*.

♦ **3.** (1690). Blason. **BRIS D'HUIS** : pièce de fer soutenant une porte sur son pivot.

HOM. Bri, brie.

BRISANCE [ʙʀizɑ̃s] n. f. — Mil. xxᵉ ; de *brisant*, adj.

♦ Techn. Capacité d'un explosif à fragmenter plus ou moins une masse donnée de matières disposées autour de lui (à masse égale et à disposition identique). *La brisance est quasi proportionnelle à la vitesse de détonation.*

BRISANT [ʙʀizɑ̃] n. m. — 1529 ; p. prés. de *briser*.

♦ **1.** N. m. pl. Mar. Rocher sur lequel la mer se brise et déferle. ⇒ **Écueil** ; → Récif, cit.

1   (...) rien ne luit
Dans les brisants, parmi les lames en démence (...)
           HUGO, la Légende des Siècles, « Pauvre gens », II.

2   (...) il écoute, avec une tristesse indéfinie, venir de là-bas ce bruit puissant et sourd, presque incessant depuis les origines, que font les brisants de la mer de Biscaye (...)
           LOTI, Ramuntcho, I, 13, p. 120.

3   C'était là, à deux encablures environ, que se dressait au milieu des brisants la silhouette tragique et ridicule de la Virginie dont les mâts mutilés et les haubans flottant dans le vent clamaient silencieusement la détresse.
           M. TOURNIER, Vendredi..., p. 15.

Écume qui se forme sur un écueil.

♦ **2.** (1835). Ouvrage destiné à briser les lames, en avant d'une digue, d'une jetée. *Protéger une jetée par des brisants.*

BRISANT, ANTE [ʙʀizɑ̃, ɑ̃t] adj. — 1863 ; de *briser*.

♦ **1.** Techn. Dont la vitesse de détonation est très grande et la pression de détonation très élevée ; qui a une forte puissance de fragmentation. *Un explosif peu brisant, très brisant* (⇒ **Brisance**).

1   — Ne pourriez-vous donc employer cette nitro-glycérine au chargement des armes à feu ? demanda le marin.
— Non, Pencroff, car c'est une substance trop brisante. Mais il serait aisé de fabriquer de la poudre-coton, ou même de la poudre ordinaire, puisque nous avons l'acide azotique, le salpêtre, le soufre et le charbon.
           J. VERNE, l'Île mystérieuse, t. I, p. 232.

2   De tout ceci, il résultait une puissance brisante plus forte incomparablement que la mélinite ou le trinitrotoluène mais surtout une puissance *asphyxiante* et *brûlante* surprenante à concevoir sous un aussi petit volume.
           G. LEROUX, Rouletabille chez Krupp, p. 29.

♦ **2.** (En parlant de la mer). Qui brise, déferle. *Une mer brisante* (⇒ **Brisant**, n. m.).

♦ **3.** Littér. Qui fatigue beaucoup. *Un voyage brisant.* ⇒ **Crevant** (fam.), **épuisant.**

DÉR. Brisance.

BRISCARD ou **BRISQUARD** [ʙʀiskaʀ] n. m. — 1861 ; de *brisque.*

♦ **1.** Hist. Vieux soldat de métier.

Loc. littér. *Un vieux briscard* : un soldat expérimenté.

1   Pour l'instant, ça peut aller, dis-je avec le ton du vieux briscard qui sait ce que siffler veut dire. Mettons que ça passe à deux mètres.
           Jacques PERRET, Bande à part, p. 12.

♦ **2.** Rare. Personne qui a l'habitude de se battre (pour une cause), vieux militant.

2   Un jour, Étienne Lalou m'a raconté que, chargé par l'O.R.T.F. d'un reportage auprès d'un vieux militant socialiste devenu communiste, il faisait égrener ses souvenirs à ce briscard des luttes ouvrières, qui parlait avec émotion de Jaurès (...)
           Jean FERNIOT, Pierrot et Aline, p. 82.

1. BRISE [ʙʀiz] n. f. — 1540 ; mot largement attesté à la fois dans l'aire germanique (angl. *breeze*, néerl. *brise*) et dans l'aire romane (ital. *brezza*, esp. et port. *brisa*), d'orig. incert., p.-ê. du frison de l'est *brîse* « vent frais venu de la mer ».

♦ Vent peu violent. *Une brise fraîche ; tiède ; chaude. Brise embaumée, parfumée. Brise vivifiante ; alanguie.* « *Brise marine* », sonnet de Heredia, les Trophées. *La brise se joue parmi les feuilles. L'haleine, le souffle de la brise.*

1   Les grues émigrantes passent (...) Il leur arrive parfois de perdre le vent, lorsque des brises capricieuses se combattent ou se succèdent dans les hautes régions.
           G. SAND, la Mare au diable, Appendice I.

2   Des brises chaudes montaient, avec je ne sais quelles odeurs confuses et quelle musique aérienne du fond de ce village en fleurs (...)
           E. FROMENTIN, Un été dans le Sahara, I.

3   (...) si l'on monte quelque peu et que l'on atteigne le plateau fouetté d'une brise perpétuelle (...) la perspective est splendide.
           RENAN, Vie de Jésus, I.

4   Ell était tiède, cette brise, mais si vivifiante, qu'elle semblait fraîche (...)
           LOTI, Matelot, XLVII, p. 175.

---

5   Une brise délicieuse comme une eau tiède coulait par-dessus le mur (...)
           ALAIN-FOURNIER, le Grand Meaulnes, p. 165.

6   La brise longue et égale courait à travers les arbres avec un murmure de rivière.
           COLETTE, la Chatte, p. 184.

7   Le vent n'est du reste pas très fort — il paraîtrait à peine brise auprès du siroco, du mistral.   GIDE, Voyage au Congo, in Souvenirs, Pl., p. 829.

Mar. Vent faible ou modéré. *La brise adonne, refuse. Légère brise, petite brise, jolie brise, bonne brise. Brise de mer, de terre,* soufflant de la mer vers la terre, de la terre vers la mer.

Vx. *Brises folles ; folles brises,* changeantes et faibles.

8   Cependant l'embarcation était si légère, ses voiles hautes, d'un fin tissu, ramassaient si bien les folles brises, que, le courant aidant, à six heures, John Bunsby ne comptait plus que dix milles jusqu'à la rivière de Shangaï, car la ville elle-même est située à une distance de douze milles au moins au-dessus de l'embouchure.
           J. VERNE, le Tour du monde en 80 jours, p. 183.

9   Le vent soufflait, notre canot glissait lentement. La brise de terre dura toute cette première nuit. Avant de tomber dans la zone des vents réguliers, nous comptions surtout, pour avancer, sur l'alternance quotidienne des « brises de terre » et des « brises de mer ». La mer souffle le matin, et c'est la brise qui va vers la terre ; elle s'arrête pour prendre son élan, puis aspire la brise du soir comme si elle faisait provision d'air pour la nuit. Profonde respiration de l'océan, nous allions à ce souffle vivant en un gigantesque balancement (...) Voici les raisons de ce phénomène : le matin, lorsque le soleil s'est levé, la terre se chauffe plus vite que la mer, l'air chaud s'élève pour prendre place (...)
L'air froid de la mer se précipite sur la terre, il s'y chauffe et un courant merterre s'établit. Mais si la mer se chauffe lentement, elle retient plus longtemps également ce qu'elle a pris le soir, car elle reste plus longtemps chaude que la terre et le mouvement inverse se produit.
           Alain BOMBARD, Naufragé volontaire, p. 69.

HOM. Brize ; formes du v. **briser.**

2. BRISE [ʙʀiz] n. f. ⇒ **Brize.**

BRISE- Premier élément de mots composés (substantifs), tiré du verbe *briser*, le second élément étant un substantif (voir à l'ordre alphabétique).

BRISÉ [ʙʀize] n. m. — xxᵉ ; p. p. substantivé de *briser.*

♦ Danse class. Léger croisement de jambes qui s'ajoute à des pas simples tels que glissades ou jetés. *Exécution de brisés dans des glissades battues. Brisé Télémaque :* groupement de plusieurs pas battus. — Position de la main perpendiculaire à l'avant-bras, dans quelque situation qu'il soit par rapport au bras.

BRISE-BISE [ʙʀizbiz] n. m. invar. — 1898 ; de *brise-*, et *bise.*

♦ Petit rideau garnissant le bas d'une fenêtre. — Au plur. *Des brise-bise.*

1   Ce fil rose, flottant, parlait aussi clairement que le brise-bise de dentelle aux vitres d'un appartement.   COLETTE, Histoires pour Bel-Gazou, X.

2   Les soirs de pluie (...) des filles errantes se réfugiaient dans le passage, au dépit courroucé de celles qui — derrière des brise-bise — attendaient près d'un méchant réchaud à gaz l'arrivée d'un client.   Francis CARCO, Nostalgie de Paris, p. 39.

BRISE-CŒURS [ʙʀizkœʀ] n. — 1934 ; de *brise-*, et *cœur.*

♦ Par plais. Personne qui brise les cœurs ; séducteur, séductrice qui fait souffrir. *C'est un brise-cœurs, ce garçon !* (→ Bourreau* des cœurs ; casse-cœur). — Au plur. *Des brise-cœurs.* — Adj. :

(...) sauf qu'il est plus dessalé qu'avant son départ, étant devenu un peu brisevisière et brise-cœurs, par l'effet de son stage à la caserne.
           G. CHEVALLIER, Clochemerle, p. 152.

REM. On écrit aussi : *un brise-cœur* (invar.).

BRISE-COU [ʙʀizku] n. m. invar. — 1690 ; de *brise-*, et *cou.*

♦ Vx. Passage, escalier où l'on risque de tomber. ⇒ **Casse-cou,** 1. — Au plur. *Des brise-cou.*

BRISÉE [ʙʀize] n. f. — Déb. xiiiᵉ, *brisïes* ; de *briser.*

♦ **1.** Vx ou techn. Branche brisée pour servir de repère (notamment, à la chasse à courre). *Je reconnais ma brisée, mes brisées. Une brisée.*

0.1   Se guider au milieu de ces massifs d'arbres, sans aucun chemin frayé, était chose assez difficile. Aussi, le marin, de temps en temps, jalonnait-il sa route en faisant quelques brisées qui devaient être aisément reconnaissables.
           J. VERNE, l'Île mystérieuse, t. I, p. 111.

Spécialt. (Au plur.). Vén. Branches que le veneur casse, sans les couper, pour reconnaître l'endroit où est la bête, où elle a été détournée. *Faire des brisées. Aller aux brisées, sur les brisées.*

1   Qu'au reste les veneurs, allant sur leurs brisées,
Ne forcent pas le cerf, s'il est aux reposées.   CORNEILLE, Clitandre, II, 4.

Foresterie. Branches taillées pour marquer la limite d'une coupe.

Sing. collectif. Vén. *La brisée :* la piste, le chemin à suivre pour trouver la bête, que marquent des brisées.

1.1 Selon les ordres de monsieur le marquis, commença le piqueux, je viens frapper à ma brisée à onze heures. Le cerf est lancé aussitôt.
M. DRUON, la Chute des corps, I, II, p. 24.

◆ **2.** LOC. **SUR LES BRISÉES.** *Aller, courir, marcher sur les brisées de qqn,* entrer en concurrence avec lui sur un terrain qu'il s'était réservé. *Il a l'audace* (cit. 22) *d'aller sur mes brisées.*

2 (...) je vais vous faire voir que, le jour comme la nuit, je sais punir les chevaliers audacieux qui vont sur mes brisées.   A.-R. LESAGE, Gil Blas, IX, VI.

3 (...) Carrio était amoureux d'elle (...) je ne voulais pas aller sur les brisées d'un ami (...)   ROUSSEAU, les Confessions, VII.

4 Quand Rougon lui eut affirmé qu'il n'avait jamais songé à elle, il lui avoua qu'il l'aimait depuis six mois, mais qu'il se taisait, de peur d'aller sur ses brisées.
ZOLA, Son Excellence Eugène Rougon, t. I, p. 151.

Littér. Suivre les brisées de qqn, l'imiter, suivre sa trace*, son exemple.

HOM. Briser.

BRISE-FER [bʀizfɛʀ] n. m. invar. — 1862, Hugo ; de *brise-*, et *fer*.

◆ Enfant qui casse les objets les plus solides. ⇒ **Brise-tout.** *Quel brise-fer, cet enfant ! — Adj. Il est gentil, mais un peu brise-fer.*

BRISE-GLACE [bʀizglas] n. m. — 1704 ; de *brise-*, et *glace*.

◆ **1.** Techn. Arc-boutant placé en amont des piles d'un pont pour briser les glaces. ⇒ **Avant-bec.** — Au plur. *Des brise-glaces.*

◆ **2.** (1867). Éperon à l'avant d'un vaisseau, destiné à briser la glace. (1898 ; « navire destiné à rompre la glace sur les canaux », 1836). Cour. Navire à étrave renforcée, spécialement construit pour la navigation arctique. *Brise-glace de haute mer,* destiné à pratiquer un chenal dans une banquise épaisse et à précéder des convois ; *brise-glace pour banquise peu épaisse,* destiné à transporter du fret ou des passagers. *Brise-glace utilisé en ferry-boat.*

1 Le brise-glace est né en Russie, qui sur la Baltique et dans la mer Blanche devait assurer la navigation sur des mers gelées pendant une grande partie de l'année. Aussi dès 1870, un petit bâtiment, le *Pilot,* fut aménagé pour naviguer dans les glaces, mais le véritable brise-glace, baptisé l'*Ermark,* fut construit en 1899 à Newcastle-sur-Tyne (...)
V. ROMANOVSKY et A. CAILLEUX, la Glace et les Glaciers, p. 43.

2 ... quand il s'est avancé... tel un brise-glace puissant ouvrant, fendant, faisant craquer des blocs énormes... tout s'est débandé...
N. SARRAUTE, Vous les entendez ?, p. 14.

REM. On écrit parfois : *un brise-glaces* (invar.).

BRISE-JET [bʀizʒɛ] n. m. — 1906 ; de *brise-*, et *jet*.

◆ Ajutage que l'on adapte à un robinet pour atténuer la force du jet et éviter les éclaboussures. *Mettre, adapter des brise-jets aux robinets d'une cuisine. Brise-jet en caoutchouc, en éléments métalliques.*

BRISE-LAME ou **BRISE-LAMES** [bʀizlam] n. m. — 1818 ; de *brise-*, et *lame*, d'après l'angl. *break-water.* → Break-water.

◆ **1.** Construction établie à l'entrée d'un port pour briser l'effort des lames, des vagues. ⇒ **Digue.** *Portes servant de brise-lames à l'entrée d'un bassin* (cf. Portes de flot). — Au plur. *Des brise-lames.*

Le bateau de pêche commandé par le patron Javel, entrant dans le port a été jeté à l'Ouest et est venu se briser sur les rochers du brise-lames de la jetée.
MAUPASSANT, Contes de la Bécasse, p. 147.

◆ **2.** Techn. (mar.). Cloison métallique fixée sur le pont d'un navire pour briser les lames, les paquets de mer.

BRISE-MÈCHE [bʀizmɛʃ] n. m. — D. i ; de *briser*, et *mèche*.

◆ Techn. Casse-mèche.

BRISE-MÉNAGE [bʀizmenaʒ] n. invar. — Mil. xxᵉ ; de *brise-*, et *ménage*.

◆ Rare. Personne qui aime à détruire, briser un ménage. *Ces filles sont des brise-ménage.*

Le Chef n'est pas un brise-ménage, au contraire. Seulement, il n'est pas habitué à des épouses comme nous.   A. SARRAZIN, la Cavale, p. 274 (1965).

BRISEMENT [bʀizmɑ̃] n. m. — Fin xiiᵉ ; de *briser*. Rare ou littéraire.

◆ **1.** Action de briser. ⇒ **Bris, cassage, rupture.**

0.1 (...) nous comprenions alors (...) ce désir de la créature finie succombant sous un amour infini, et croyant faire plus de place à ce torrent d'amour infini par le brisement des organes et la mort.
BARBEY D'AUREVILLY, les Diaboliques, « La vengeance d'une femme ».

(1718). Action de se briser. *Le brisement des flots, des vagues sur la jetée, la côte.* ⇒ **Déferlement.**

Le brisement de la mer m'avertit que le vent s'était levé (...)   **1**
CHATEAUBRIAND, Itinéraire..., 271.

Il n'y avait plus de radeau, plus d'Ulysse grincheux (...) mais le vin doux de   **1.1** l'écume, plus de tumultes affreux, ni de fracas d'avion, mais le château blanc d'une voilure au loin, plus de brisements (...)
Jean CAYROL, Histoire de la mer, p. 140.

Fig. Action de détruire, d'anéantir.

◆ **2.** (Av. 1704). Fig. État d'une personne qui ressent une douleur vive et profonde, qui est brisée. ⇒ **Anéantissement, bouleversement.**

La faiblesse et le brisement que ressentait Béatrix forcèrent Camille à la faire   **2** porter à la ferme (...)   BALZAC, Béatrix, Pl., t. II, p. 493.

(Plus cour.). *Brisement de cœur.*

(...) il n'est personne de nous qui n'ait été témoin de ces faits mystérieux de sen-   **3** timent ou de passion qui perdent toute une destinée, de ces brisements de cœur qui ne rendent qu'un bruit sourd.
BARBEY D'AUREVILLY, les Diaboliques, « Le dessous de cartes ».

BRISE-MOTTES [bʀizmɔt] n. m. invar. — 1796 ; de *brise-*, et *motte*.

◆ Techn. Rouleau servant à écraser les mottes de terre. ⇒ **Croskill.** *Brise-mottes à double rangée d'étoiles.*

BRISER [bʀize] v. — 1080 ; du lat. pop. *brisiare,* du bas lat. *brisare* « fouler le raisin », probablt à rattacher à *brisa* « marc de raisin », d'orig. obscure, probablt gaulois (cf. irlandais *brissim* « je brise »), le *s* sonore venant p.-ê. d'un croisement avec l'anc. franç. *bruisier,* même sens, aussi d'orig. celtique.

★ **I.** V. tr. ◆ **1.** Littér. ou régional. Casser. — REM. Ce verbe, dont l'emploi en français central est réservé à un style écrit ou soutenu, en dehors des loc. ou des emplois techn., est d'usage courant et neutre régionalement, et notamment au Canada. ⇒ **Démolir, fracasser, rompre ; pièce** (mettre en pièces). ⇒ aussi **Couper, fendre.** *Action de briser.* ⇒ **Bris, brisement.** *Briser en menus morceaux.* ⇒ **Broyer, pulvériser, réduire** (en poudre, en miettes). *Briser par compression.* ⇒ **Aplatir, écraser, effondrer.** *Briser une porte.* ⇒ **Défoncer, enfoncer ; effraction.** *Briser une serrure.* ⇒ **Forcer, fracturer.** *Briser le bord d'une assiette.* ⇒ **Ébrécher.** *Briser les mottes de terre à l'aide d'un brise-mottes. Briser le moule* après y avoir fondu une statue. *Briser les images. Qui ne peut être brisé.* ⇒ **Incassable, infrangible.** *Briser le crâne de qqn.* — *Briser des chaussures neuves,* les assouplir en les portant, en les forçant dans des embauchoirs.

(...) et le plafonds,   **1**
Ne trouvant plus rien qui l'étaie,
Tombe sur le festin, brise plats et flacons,
N'en fait pas moins aux échansons.   LA FONTAINE, Fables, I, 14.

Comme le prince idiot de Dostoïewsky, le malheureux qui souffre de ce mal (*le*   **2** *complexe d'infériorité*) est sûr que, par la force des choses, il finira par briser le vase qu'il aperçoit à l'autre extrémité de la chambre, et, en fait, il parvient le plus souvent à le briser.   G. DUHAMEL, Manuel du protestataire, p. 74.

(...) ceci encore est un axiome indiscuté par les techniciens — un arrêt net brise   **3** tous les rouages de ce mécanisme compliqué, et les rend pour longtemps inutilisables.   MARTIN DU GARD, les Thibault, t. VI, p. 212.

Le bon géant avait été attaché à la fabrication de pièces spéciales, assez délica-   **3.1** tes, dont il avait commencé par briser comme fétus un certain nombre, avant de parvenir à mener à bien son travail.
G. LEROUX, Rouletabille chez Krupp, p. 85.

Dr. *Briser un cachet, un sceau, des scellés.* ⇒ **Bris.**

Loc. fig. *Briser la glace*.* ⇒ **Rompre.**

Techn. *Briser la laine,* la démêler. *Briser le chanvre, le lin avec un brisoir.*

Par ext. *Briser une phrase, une période,* en séparer les éléments (pour alléger le style, etc.).

Fig. et vieilli. *Briser les oreilles, les tympans de qqn.* ⇒ **Casser.**

Fig. et fam. *Tu nous les brises !* ⇒ **Casser.** *Il nous les brise menu !*

◆ **2.** Fig. Rendre inutile, inefficace ; supprimer* de façon violente. — REM. Dans ce sens, *casser* n'est pas synonyme de *briser*. (Le compl. désigne une caractéristique humaine, une abstraction). *Briser le courage, la volonté, l'énergie, le ressort de qqn.* ⇒ **Abattre, affaiblir, décourager. Briser la fougue, l'élan. Briser le charme.** ⇒ **Rompre. Briser les lois, les limites de la raison.** ⇒ **Enfreindre. Briser l'avenir, la carrière, la situation, les espérances, la vie de qqn.** ⇒ **Anéantir, détruire, renverser.**

Peux-tu, dès tes jeunes années,   **4**
Sans briser d'autres destinées,
Rompre la chaîne de tes jours ?   HUGO, Odes, I, 1.

Le temps était au fanatisme. L'excès des émotions avait brisé, humilié, découragé   **5** la raison.   MICHELET, Hist. de la Révolution franç., t. II, p. 1052.

Pressé d'en finir d'une façon ou d'une autre, pressé de briser ce charme ou bien   **6** de s'y soumettre et de fuir devant lui, il tire sa montre (...)
LOTI, Ramuntcho, II, 13, p. 312.

Le choc brisa mon sommeil comme une coquille.   **7**
J. RENARD, Journal, 17 juil. 1894.

Je briserai votre volonté. Je vous couperai les vivres.   **8**
MARTIN DU GARD, les Thibault, t. IV, p. 32.

9   (...) ce geste d'autorité nationaliste, qui semblait annoncer l'intention du gouvernement de briser l'élan de la protestation ouvrière (...)
               MARTIN DU GARD, les Thibault, t. VII, p. 76.

Briser l'orgueil, l'égoïsme... de qqn. ⇒ **Abattre.**

10 (...) Adam Smith ne croit pas à la possibilité de briser l'égoïsme du monopole et d'instituer l'entière liberté du commerce.   JAURÈS, Hist. socialiste, t. V, p. 256.

Briser le cœur* (de qqn) : causer une vive douleur, une grande affliction (à qqn). ⇒ **Affliger, bouleverser ; fendre** (le cœur). Par plais. *Briser les cœurs* (⇒ **Brise-cœurs**).

11 Rien ne brise le cœur comme la simplicité des paroles dans les hautes positions de la société et les grandes catastrophes de la vie.
               CHATEAUBRIAND, Mémoires d'outre-tombe, IV, 4.

12 Tâchez, s'il n'y a pas de cœurs à briser, de rester libre et de nous revenir léger.
               SAINTE-BEUVE, Correspondance, t. I, p. 41.

(Le compl. désigne une personne). *Briser qqn,* abattre son orgueil, le heurter profondément dans sa sensibilité. ⇒ **Accabler.**

13 Maudit qui brise une femme, qui lui ôte ce qu'elle avait de fierté, de courage, d'âme !   MICHELET, la Femme, p. 47.

14 En heurtant, bien souvent l'on brise ; et c'est tout. Il faut émouvoir.
               GIDE, Journal, Honfleur, 1893.

♦ **3.** (Métaphore du sens 1). Rompre l'unité de... *Briser les fers, les chaînes, le joug, les liens de qqn,* l'affranchir* d'une domination. ⇒ **Rompre.**

15 Ah ! qu'on a de peine à briser les nœuds qui lient nos cœurs à la terre ! et qu'il est sage de la quitter aussitôt qu'ils sont rompus !
           ROUSSEAU, Julie ou la Nouvelle Héloïse, III, Lettre XXI.

16 (...) j'appliquai toutes les forces de mon âme à briser les fers de l'opinion, et à faire avec courage tout ce qui me paraissait bien, sans m'embarrasser aucunement du jugement des hommes.   ROUSSEAU, les Confessions, VIII.

17 L'art, c'est la pensée humaine
    Qui va brisant toute chaîne !   HUGO, les Châtiments, I, 9, 1.

18 Mais la force des liens à briser fait la beauté de la délivrance, et mon premier soin fut de tisser d'abord les liens.   GIDE, Journal, 30 déc. 1929.

Briser une alliance, un contrat ; une amitié, une relation... Briser un ménage (⇒ **Brise-ménage**).

Briser une grève, la faire échouer (⇒ **Briseur ; casser**).

19 (...) tu te vantes de briser la grève à coups de millions ?
            A. MAUROIS, Bernard Quesnay, XIV, p. 92.

Boxe. *Briser un corps-à-corps* : séparer les adversaires.

♦ **4.** (Sujet n. de chose ou de personne ; compl. n. de personne). Fatiguer à l'extrême par une grande agitation. ⇒ **Éreinter, harasser.** *Les secousses du voyage l'ont brisé.*

20 Le perpétuel état de défense où il devait vivre, le brisait.
            ZOLA, le Dᵣ Pascal, t. I, p. 42.

(Le compl. désigne le corps ou une partie du corps). *« Ce sommeil qui brise le corps... »* (A. Dumas, *in* T. L. F.).

20.1 (...) Sensation qui me brisa les jambes et me fit m'accrocher haletant à cette porte derrière laquelle se passait le plus grand drame de la terre (...) et cette sensation, je pensais immédiatement que Nicole avait dû la ressentir également.
         G. LEROUX, Rouletabille chez Krupp, p. 141.

♦ **5.** (Le compl. désigne un fait de discours). Vx. Interrompre brusquement. *Briser un discours, un entretien, une conversation.* — Absolt. (Vx, ou par plais.). *Brisons-là* (ou *brisons là*), *brisons là-dessus* : arrêtons la conversation (cf. Il suffit, n'insistez pas). *« Je brisai cette conversation ridicule »* (Nerval).

21 Brise-là ce discours dont mon amour s'irrite.   CORNEILLE, la Veuve, II, 2.

22 (...) Brisons-là, s'il vous plaît (...)   MOLIÈRE, l'École des femmes, IV, 8.

23 Un éclat à briser tout commerce entre nous ?
           MOLIÈRE, Dom Garcie de Navarre, I, 1.

23.1 — Vous voyez ! Eh bien, brisons là cette conversation et tenons-nous-en à ces prémices de la compréhension mutuelle et unescale entre les peuples et de la paix future. Vous permettez que je continue ma promenade ? Enchanté de vous avoir rencontré.   R. QUENEAU, les Fleurs bleues, p. 31.

♦ **6.** Blason. Modifier par une brisure*. *Briser un écu. Briser d'un lambel, d'une bordure.*

24 Guy prit le nom de Laval, et brisa la croix de Montmorency de cinq coquilles.
          SAINT-SIMON, Mémoires, 188, 8.

★ **II.** V. intr. ♦ **1.** (1678). En parlant de la mer. Déferler ou écumer quand le vent attaque la crête de la vague. ⇒ **Déferler.** *Les vagues brisent à la côte* (⇒ **Brisant**).

♦ **2.** (XIIIᵉ). Vén. Marquer le chemin avec des branches brisées. ⇒ **Brisée.** *Briser bas ; briser haut.*

♦ **3.** Blason. Avoir son écu modifié par une brisure (par rapport à celui de la branche aînée ou légitime). *La branche cadette brise d'une bordure de gueules* (Littré).

▶ **SE BRISER** v. pron.

♦ **1.** Se casser. ⇒ **Rompre** (se). *Le verre, la porcelaine se brisent facilement. Un obus qui se brise en éclats*.* ⇒ **Éclater.** *Se briser comme du verre, comme verre. Se briser une jambe.*

25 Un jeune enfant (...) tomba du haut du clocher en bas, et se brisa, sur le pavé, la tête, les bras et les jambes.   MOLIÈRE, le Médecin malgré lui, I, 4.

26 Et le vent qui se brisa à l'angle des ruines
    Gémit dans les hauts peupliers !   HUGO, Odes, V, 18, 2.

26.1 Mon verre s'est brisé comme un éclat de rire.   APOLLINAIRE, Alcools, p. 112.

♦ **2.** (En parlant de la mer). Déferler, briser (II., 1.). *Les vagues se brisent contre la digue, la falaise.*

27 Son sourire d'azur et d'argent avait l'éclat de la mer, le matin, quand elle se brise au rivage du Liban.   M. BARRÈS, Un jardin sur l'Oronte, p. 36.

Par extension :

28 Déjà des sanglots venaient se briser à ses lèvres, ses larmes coulaient (...)
          PROUST, les Plaisirs et les Jours, p. 121.

♦ **3.** Fig. Échouer. *L'assaut vint se briser sur les lignes ennemies.* Être supprimé de façon violente. *Son courage se brise, ses espérances se sont brisées. Ses chaînes se brisèrent. Son orgueil s'est brisé devant l'adversité.*

29 Nous marchons dans la vie si machinalement que certains caractères, dont l'habitude est insouciante, iraient se heurter ou se briser sans avoir pu se souvenir de Dieu, s'il ne paraissait un peu de limon à la surface de leur bonheur.
          NERVAL, la Bohême galante, « Émilie ».

30 (...) je suis arrivé à l'heure où, l'apaisement venu des désirs qui s'élancent, des espoirs qui se brisent, on embrasse l'ensemble de la route parcourue, d'un regard lavé et d'un cœur détaché.   R. ROLLAND, le Voyage intérieur, p. 11.

Avoir le cœur qui se brise : être profondément affligé, peiné.

♦ **4.** *Voix qui se brise,* qui devient irrégulière, presque inaudible, sous le coup d'une douleur, d'une émotion.

♦ **5.** Phys. (en parlant d'un rayon lumineux). Changer brusquement de direction. ⇒ **Réfracter** (se).

♦ **6.** Techn. (en parlant d'un ouvrage de menuiserie). Pouvoir se replier sur soi-même. *Bois de lit, siège qui se brisent.*

▶ **BRISÉ, ÉE** p. p. adj.

♦ **1.** (Correspond à *briser,* I.). *Verre, pot brisé. Vase brisé.*

31 Le vase où meurt cette verveine
    D'un coup d'éventail fut fêlé (...)
    N'y touchez pas : il est brisé !
       SULLY-PRUDHOMME, Stances et poèmes, « Le vase brisé ».

Fig. *Voix* brisée par l'émotion. Courage, espoir, avenir brisés. Cœur brisé.*

32 On vit alors combien lentement les âmes, une fois brisées, reprennent courage et force.   MICHELET, Hist. de la Révolution franç., t. I, p. 1097.

32.1 Puis, il le vit simplement qui s'éloignait d'un pas brisé, ralenti, comme si le café, presque vide, ne lui eût pas convenu.   ZOLA, Paris, t. I, p. 116.

Un homme brisé par le malheur. ⇒ **Abattu.**

33 Il y voit un Jacques éteint, soumis, apathique, brisé, mais par quoi ?
          A. MAUROIS, Études littéraires, t. II, p. 180.

Brisé de fatigue. ⇒ **Fatigué, harassé, moulu.**

34 (...) je rentrai chez moi, brisé de lassitude, gorgé de couleurs, mais fort satisfait (...)
          E. FROMENTIN, Une année dans le Sahel, p. 194.

35 Elle revint à elle, brisée de joie, la chair heureuse et lasse (...)
          FRANCE, le Lys rouge, XXI.

36 Il *(Jean-Christophe)* était brisé de fatigue et s'endormit presque aussitôt.
          R. ROLLAND, Jean-Christophe, p. 108.

♦ **2.** (Emplois spéciaux). Blason. Qui porte une brisure.

Géom. *Ligne brisée,* composée de segments de droite qui se succèdent en formant des angles variables.

Par analogie :

36.1 (...) entre deux murs de terre assez hauts, une rue étroite comme un corridor, sinueuse et sans cesse brisée.   GIDE, Voyage au Congo, *in* Souvenirs, Pl., p. 826.

Archit. *Arc brisé* : arc aigu (opposé à *plein cintre*). *Comble brisé,* dont le toit présente deux pentes différentes sur le même versant. (⇒ **Brisis**).

36.2 (...) de bien loin et quand j'avais à peine dépassé Saint-Georges-le-Majeur, j'apercevais cette ogive qui m'avait vu, et l'élan de ses arcs brisés ajoutait à son sourire de bienvenue la distinction d'un regard plus élevé et presque incompris.
          PROUST, Albertine disparue, éd. Folio, p. 288.

Fronton brisé, dont les rampants sont coupés avant leur intersection. — *Bâtons brisés.* ⇒ **Chevron.**

Reliure. *Dos brisé* : dos de reliure fixé au mors, qui s'écarte du dos des cahiers quand on ouvre le volume.

Rimes brisées : rimes de vers dont les hémistiches riment entre eux et peuvent se lire séparément en offrant un sens. Ex. :

37 Soit du Pape maudit   — Qui hait les jésuites
    Celui qui en eux croit   — Soit mis en paradis
    A tous les diables soit   — Qui brûle leurs écrits
    Qui leur science suit   — Acquièrent de grands mérites   E. TABOUROT, *in* LITTRÉ.

CONTR. Arranger, conserver, consolider, raccommoder, rajuster, recoller, reconstituer, réparer.

DÉR. Bris, brisant (adj. et n.), **brisé, brisée, brisement, briseur, brisis, brisoir, brisure.** — V. aussi 2. **Braise,** 2. **brésiller.**

COMP. V. l'élément brise-, et aussi débris.

HOM. Brisée.

BRISE-SOLEIL [bʀizsɔlɛj] n. m. invar. — V. 1966 ; de *brise-,* et *soleil.*

♦ Dispositif (formé de lamelles de métal ou de béton) fixé contre la façade d'un bâtiment vitré de façon à le protéger du soleil. ⇒ **Pare-soleil.**

Un dogue énorme apparaît entre les perles de cet espèce de brise-soleil ou de pare-mouches dont s'orne la porte.   Robert PINGET, Graal flibuste, p. 130.

BRISE-TOUT [bʀiztu] n. m. invar. — 1371 ; n. propre de personne, 1364 ; de *brise-*, et *tout.*

♦ Personne maladroite qui casse tout ce qu'elle touche. ⇒ **Brise-fer.** — Au plur. *Des brise-tout.* — Adj. *Elle est brise-tout.*

BRISEUR, EUSE [bʀizœʀ, øz] n. — Fin xɪɪᵉ ; de *briser.*

♦ **1.** [a] Personne qui brise (qqch.). — (1694). *Briseur d'images :* iconoclaste.
Loc. cour. (1933). *Briseur de grève :* personne qui ne fait pas la grève lorsqu'elle a été décidée ; personne embauchée pour remplacer un gréviste (⇒ **Jaune**).
[b] Rare et littér. Chose qui brise (qqch.).

1   Autour de la fontaine les déesses, hier encore étreintes jusqu'aux yeux par la glace, souriaient victorieuses (...) et gardant près d'elles le jet d'eau incessant briseur de la glace qui les avait aidées à vaincre et qu'elles laissaient caresser leur visage comme un animal aimé.   PROUST, Jean Santeuil, Pl., p. 775.

♦ **2.** N. f. Techn. Première carde d'un assortiment.

2   L'opération de cardage s'effectue par passage de la laine dans plusieurs cardes successives, trois à cinq ; constituant un *assortiment* (...) la première, dite *briseuse,* est double à avant-train ; la deuxième ou *repasseuse* et la troisième dite *fileuse* ne diffèrent de la *briseuse* que par quelques détails (...)
                              Charles MARTIN, la Laine, p. 44.

BRISE-VENT [bʀizvɑ̃] n. m. invar. — 1690 ; de *brise-*, et *vent.*

♦ Haie, rideau d'arbres abritant les cultures contre le vent et l'érosion éolienne (⇒ aussi **Abrivent**). *Planter, replanter des brise-vent.*

BRISE-VUE [bʀizvy] n. f. — D. i. ; de *brise-*, et *vue.*

♦ Régional (Belgique). Rideau protégeant une partie de l'ouverture d'une fenêtre. — Au plur. *Des brise-vues.*

BRISIS [bʀizi] n. m. — 1676 ; de *briser.*

♦ Archit. Versant inférieur d'un comble brisé.
L'eau ruisselait doucement sur le brisis du toit, et, par intervalles, des bouffées de vent se faufilaient en mugissant sous les tuiles du grenier.
                              MARTIN DU GARD, les Thibault, t. IV, p. 53.

BRISKA [bʀiska] n. m. — 1836 ; du polonais *bryczka* «voiture légère, découverte», de l'all. dial. *Barutsche.*

♦ Anciennt. Calèche de voyage.

BRISOIR [bʀizwaʀ] n. m. — 1680 ; de *briser.*

♦ Techn. Instrument pour briser le chanvre, la paille... ⇒ **Broie.** — Baguette à battre la laine.

BRISQUE [bʀisk] n. f. — 1752 ; var. *briscan,* n. m., xvɪɪɪᵉ ; d'orig. obscure, p.-ê. formation régressive à partir de *briscambille,* ou bien d'après Guiraud, d'un gallo-roman **briscare,* du lat. *brisare* «briser».

♦ **1.** Jeu de cartes plus couramment appelé *mariage.*

1   On ne fumait pas alors au 27ᵉ, si ce n'est entre soldats, au corps de garde, quand on jouait la partie de brisque sur le tambour.
                              BARBEY D'AUREVILLY, les Diaboliques, « Le rideau cramoisi ».

(D'abord au jeu de brisque). Carte privilégiée (⇒ **Atout**). *L'as et le dix sont les brisques au bésigue.*

♦ **2.** (1863). Vx. Chevron d'un soldat rengagé. *Avoir deux brisques.* Par ext. *Une vieille brisque :* un briscard*.

2   Jeannet, dans son dernier mois de service, s'était fait arracher ses brisques et mettre au gnouf après une altercation avec son capitaine.
                              Hervé BAZIN, Cri de la chouette, p. 98.

DÉR. **Briscard.**

BRISSELET [bʀislɛ] n. m. ⇒ **Bricelet.**

BRISSOTIN, INE [bʀisɔtɛ̃, in] adj. et n. — 1792 ; de *Brissot,* homme politique français, 1754-1793.

♦ Hist. Girondin. *« La clique brissotine »* (Marat, *in* D. D. L.).
N. Partisan de Brissot. ⇒ **Girondin.** *Les brissotins.*
REM. Le nom de *Brissot* a donné naissance à de nombreux dérivés, pendant la période révolutionnaire *(brissoter, brissotage, brissotier...).*

BRISTOL [bʀistɔl] n. m. — 1836 ; mot angl. de *Bristol board* «carton de Bristol», ville d'Angleterre où ce papier fut fabriqué.

♦ **1.** Papier fort et blanc, employé pour le dessin, les cartes de visite. *Dessiner sur bristol. Acheter du bristol.*

♦ **2.** (1893). Vieilli. Carte de visite. *Déposer un bristol.*

BRISURE [bʀizyʀ] n. f. — 1207 ; de *briser.*

♦ **1.** Littér. Cassure, fente. *Brisure d'un os.* ⇒ **Fracture.** *Brisure de l'écorce terrestre.* ⇒ **Clase, faille, fente.** — Par ext. Petit morceau. ⇒ **Fragment.**

1   C'est Dieu qui voulait montrer (...) qu'il secoue la terre et la brise et qu'il guérit en un moment toutes ses brisures.
                              BOSSUET, Oraison funèbre d'Anne de Gonzague.

Par ext. Apparence brisée (d'une ligne, d'un faisceau lumineux).

2   Ce geste était léger. Robert le dessinait dans l'air lentement, avec des brisures : l'une quand la main semblait sortir de la poche du volé, l'autre en entrant dans la sienne.   Jean GENET, Journal du voleur, p. 149.
Fig. et rare. (Littér.). Fait de rompre, de se rompre. *« La brisure avec les fidélités paternelles »* (Nizan, *in* T. L. F.). ⇒ **Rupture.**

♦ **2.** Techn. Articulation* par charnière de deux parties (d'un ouvrage de menuiserie, de serrurerie). *La brisure d'un volet.* ⇒ **Joint.**

♦ **3.** Blason. Pièce d'armoirie qui modifie un écu pour distinguer la branche cadette de la branche aînée, la branche bâtarde de la branche légitime.

BRITANNICITÉ [bʀitanisite] n. f. — Mil. xxᵉ ; de *britannique.*

♦ Rare. Caractère de ce qui est britannique.
— Veuillez entrer, sir.
Pourquoi a-t-il dit sir, il n'en sait rien, il n'a aucune preuve de la britannicité de l'anonyme lequel ne semble pas s'étonner de cette dénomination. Il entre.
— Asseyez-vous... sir, dit le médecin.
— Merci docteur.   R. QUENEAU, le Vol d'Icare, p. 43 (1968).

BRITANNIQUE [bʀitanik] adj. — 1512 ; lat. *britannicus* «de Bretagne», de *Britannia* «(Grande-)Bretagne».

♦ **1.** Qui se rapporte à la Grande-Bretagne et à l'Irlande. *Les Îles Britanniques comprennent la Grande-Bretagne (Angleterre, Écosse, Pays de Galles) et l'Irlande, ainsi que de nombreuses petites îles.*

♦ **2.** Qui se rapporte au Royaume-Uni (Grande-Bretagne et Irlande du Nord ou Ulster). *L'Empire britannique. Sa majesté britannique. Le léopard, le lion britannique. La ténacité, la réserve, le flegme, l'humour britannique.* ⇒ **Anglais.**

1   Avec l'Empire (ou plutôt le Commonwealth, comme on l'appelle désormais de préférence) le territoire relevant de l'influence britannique dans le monde comprend plus du quart de l'ensemble mondial. Ce n'est donc pas de son territoire métropolitain propre que l'Angleterre tire sa grandeur : cette grandeur a d'autres bases, d'autres sources.   André SIEGFRIED, l'Âme des peuples, IV.
2   Mr Cromer n'était pas le moins agité, donnant un démenti à la traditionnelle réputation du flegme britannique (...)   G. LEROUX, Rouletabille chez Krupp, p. 53.
3   La conversation britannique est un jeu comme le cricket ou la boxe : les allusions personnelles sont interdites comme les coups au-dessous de la ceinture, et quiconque discute avec passion est aussitôt disqualifié.
                              A. MAUROIS, les Silences du colonel Bramble, p. 6.

N. *Les Britanniques* (⇒ **Anglo-saxon**).
DÉR. **Britannicité** ; **britanniser, britannisme.**

BRITANNISER [bʀitanize] v. tr. — 1866, au p. p., Amiel ; de *britannique.*

♦ Rare. Donner un caractère, un aspect britannique à ; faire subir l'influence britannique à.
Au participe passé :
Mais de quel œil Brahma, Shiva et Whisnou devaient-ils considérer cette Inde, maintenant « britannisée », lorsque quelque steam-boat passait en hennissant et troublait les eaux consacrées du Gange, effarouchant les mouettes qui volaient à sa surface, les tortues qui pullulaient sur ses bords, et les dévots étendus au long de ses rives !   J. VERNE, le Tour du monde en 80 jours, p. 113.

BRITANNISME [bʀitanism] n. m. — 1884, Verlaine ; du rad. de *britannique.*

♦ **1.** Rare. Manière d'être, comportement britannique.

♦ **2.** Ling. Forme de langage propre à l'anglais parlé par les Britanniques. ⇒ **Anglicisme.** — Spécialt. S'oppose à *américanisme, canadianisme, australianisme,* etc. ⇒ **Briticisme.**

BRITICISME [bʀitisism] n. m. — 1972 ; anglais des États-Unis *briticism,* de *(Great-)Britain* «Grande-Bretagne».

♦ Ling. Vocable, sens ou tournure idiomatique propre à l'anglais des Îles Britanniques (par distinction avec l'usage anglais aux États-Unis d'Amérique). ⇒ **Américanisme**).

1   Peu de dictionnaires généraux signalent les américanismes, les briticismes, ou les

termes propres à l'Australie, au Canada, à la Nouvelle-Zélande, etc. En un sens, c'est naturel : la langue anglaise est une, avec ses multiples variétés mondiales.
> G.-J. FORGUE et R. McDAVID, la Langue des Américains, p. 132 (1972).

2 On voit bien sortir de temps à autre des glossaires américain-anglais, mais la tendance est plutôt à expliquer les « briticismes » aux Américains que l'inverse.
> G.-J. FORGUE, les Mots américains, p. 8 (1976).

BRITISH [bʀitiʃ] n. et adj. — XXᵉ ; mot angl., « britannique ».

♦ Fam. Anglais, anglaise. *Les British.* ⇒ **Angliche.**
Adj. *Il a l'accent british.*

Pourtant, je m'applique à mettre des *do* et des *did* là où il faut. Et des *get*, qui veulent dire n'importe quoi. Et *isn't* à la fin des phrases, ce qui fait très chic, très britiche *(sic)* courant.   Geneviève DORMANN, le Bateau du courrier, p. 53.

BRITTONIQUE [bʀitɔnik] adj. et n. m. — Fin XIXᵉ ; lat. *britto, -onis* « breton ».

♦ Hist. Relatif aux Celtes qui occupèrent la Grande-Bretagne avant l'arrivée des Romains. *Les peuples brittoniques. L'influence brittonique.*
N. m. Langue celtique parlée en Grande-Bretagne avant l'ère chrétienne. *Le gallois et le breton-armoricain actuels dérivent du brittonique.* → Breton, cit. 2.

BRIZE [bʀiz] n. f. — 1557 ; grec *briza,* sorte de blé ou de seigle.

♦ Plante herbacée *(Graminées)* aux ramifications ténues et gracieuses dont les épillets* verts ou roussâtres tremblent à la moindre brise. ⇒ **Amourette** (noms régionaux : *langue de femme, mouvette, pain d'oiseau, tremblette).*
REM. On trouve aussi l'orthographe *brise.*

Quand il changeait d'herbe, on le voyait jeter autour de lui un coup d'œil très aigu, très sélectif, avant d'aller cueillir celui *(le brin)* qu'il avait choisi, souvent une graminée, brise-amourette ou long dactyle (...)
> Jacques PERRET, Bande à part, p. 67.

HOM. Brise ; formes du v. **briser.**

1. BROC [bʀo] n. m. — 1380, « cruche » ; mot anc. provençal, p.-ê. du grec *brokhis,* ou selon Guiraud, du provençal *brocher* « mettre un tonneau en perce » , de *broche* « cheville » puis « robinet de tonneau », d'où *broc* « pot avec lequel on tire du vin à la broche » ou « pot muni d'une broche ».

♦ 1. Vx. Récipient à anse, à bec écrasé, dont on se sert pour transvaser les liquides. *Un broc à ventre renflé, un broc en cône tronqué. Un broc en émail, en étain, en bois cerclé de cuivre. Un broc à vin, à bière.* ⇒ **Bidon, pichet.**

1 Un dressoir en chêne supportait toutes sortes d'ustensiles, des brocs, des assiettes, des écuelles d'étain (...)   FLAUBERT, Trois contes, « Un cœur simple », 2.

♦ 2. Mod. Récipient de ce type utilisé pour mettre en réserve l'eau de toilette quand il n'y a pas d'eau courante.

2 Il (...) bondit à sa toilette, mouille dans le broc son mouchoir.
> GIDE, les Caves du Vatican, IV, 1.

Contenu de ce récipient. *Il faudra bien deux brocs d'eau pour remplir le tub.*

2. BROC [bʀɔk] n. ⇒ **Brocanteur.**

HOM. Broque.

BROCAILLE [bʀɔkaj] n. f. — 1936, Céline ; du rad. de *brocante,* et *-aille*.

♦ Péj. Brocante.

Le vieil il devait se débarrasser, fourguer tout ça à Petticoat, le pavé de la brocaille, leurs Puces, se faire de la place !   CÉLINE, Guignol's band, p. 184.

BROCANTAGE [bʀɔkɑ̃taʒ] n. m. — 1808 ; de *brocanter.*

♦ Vx. *(Le brocantage).* Action de brocanter, commerce de brocanteur. ⇒ **Brocante, revidage.** *La réglementation spéciale du brocantage.*
(Un, des brocantages). Opération de brocante.

1 Ces deux bandits (...) le ruinaient *(leur maître)* dans un brocantage continuel par des marchés de dupe, qu'ils lui persuadaient être des marchés d'escroc.
> ROUSSEAU, les Confessions, VII.

2 (...) des Juifs revenus de Pologne, étiolés et blanchis par des siècles de brocantages et d'usure, sous les ciels du Nord (...)   LOTI, Jérusalem, XIII, p. 158.

Le brocantage de qqch., sa vente au rabais. — Fig. *« Le brocantage de ses opinions* (de Talleyrand) *au congrès de Vienne »* (Chateaubriand, *Mémoires d'outre-tombe).*

BROCANTE [bʀɔkɑ̃t] n. f. — 1782, Mercier, *in* Brunot, t. VI, p. 1301 ; de *brocanter.*

♦ 1. Commerce du brocanteur. ⇒ **Brocantage.** *Il a commencé par*

la brocante et fini dans le commerce d'exportation. *« Le quartier de la brocante londonienne »* (P. Morand, *Londres).*
Par métonymie. Ensemble des brocanteurs. ⇒ **Brocanterie,** 3, 2. **chine.**

♦ 2. Action de brocanter. *Avoir le goût de la brocante.*

Alors il s'est mis à faire la brocante. Au début il prétendait toujours vendre des trucs de famille, un héritage (...) Les gens se méfiaient.
> François NOURISSIER, le Maître de maison, p. 106.

♦ 3. Fam. Vx. Petit marché ; magasin de brocanteur. *Faire quelques brocantes dans sa journée. Les brocantes du Temple.*

♦ 4. Fam. Vx. Petit travail d'occasion qu'une personne fait en dehors de sa journée, pour en ajouter le produit à son salaire. ⇒ **Bricole.** *Quelques brocantes aidant, il se fait de bons mois.*

DÉR. **Brocaille.**

BROCANTER [bʀɔkɑ̃te] v. — 1696, Regnard ; orig. incert. ; p.-ê. de l'anc. haut all. *brocko* « morceau » ou du néerl. *brok,* même mens ; d'après Guiraud, mot d'argot à rapprocher de *broque* « bijou sans valeur, menu objet », puis « pièce » (d'art, d'orfèvrerie), d'où *brocanter* « acheter à la pièce » ; cf. angl. *broker* « courtier ». → Broker.

♦ 1. V. intr. Faire commerce d'objets anciens et de curiosités qu'on achète d'occasion pour la revente. ⇒ **Chiner.**

Habile en tous métiers, intrigante parfaite ;
Qui prête, vend, revend, brocante, troque, achète (...)   1
> J.-F. REGNARD, le Joueur, V, 2.

C'est un petit rentier qui avait des fonds russes ; il habite maintenant une sorte   1.1
de cabane, derrière l'usine de produits chimiques. La misère et la crasse semblent
l'avoir rendu inaltérable. Pour vivre, il chiffonne et brocante.
> R. QUENEAU, le Chiendent, p. 85.

Fig. et littér. Faire un commerce mesquin ou honteux. *« Une de ces marchandes (...) qui brocantent sur la chair humaine jeune »* (Maupassant, *in* T. L. F.).

♦ 2. V. tr. Vendre (des objets achetés d'occasion) en tant que brocanteur. *Brocanter des tableaux, des bronzes, des manuscrits.* — Au p. p. *Un objet brocanté.*

(...) ces échanges, bonheur ineffable des collectionneurs ! Le plaisir d'acheter des   2
curiosités n'est que le second ; le premier c'est de les brocanter.
> BALZAC, le Cousin Pons, I, Pl., t. VI, p. 532.

Plus souillé qu'un haillon qu'on brocante au bazar (...)   3
> HUGO, la Légende des siècles, XLIX, « La colère du bronze ».

DÉR. **Brocantage, brocante, brocanterie, brocanteur.**

BROCANTERIE [bʀɔkɑ̃tʀi] n. f. — 1767 ; de *brocanter.*
Rare.

♦ 1. Objet brocanté.

♦ 2. Commerce du brocanteur. ⇒ **Brocantage, brocante.**

♦ 3. (1841, *in* D. D. L.). Ensemble des brocanteurs.

BROCANTEUR, EUSE [bʀɔkɑ̃tœʀ, ØZ] n. — 1694, Ménage ; de *brocanter.*

♦ Personne qui brocante. ⇒ **Antiquaire, bouquiniste, fripier, revendeur.** *Un brocanteur de ferrailles. Le capharnaüm, le bric-à-brac du brocanteur. Une brocanteuse de la Foire aux puces.*

Chaque lundi matin, le brocanteur qui logeait sous l'allée étalait par terre ses ferrailles.   FLAUBERT, Trois contes, « Un cœur simple », 2.

Fig. *Une « brocanteuse de chair humaine »* (Goncourt, *in* T. L. F.).

Abrév. fam. : *broco* [bʀɔko], *broc* [bʀɔk].

Une perpétuelle manie de fureter chez les brocos de la rive gauche avait fini par   2
devenir chez ce dernier une sorte de profession. Doué d'un flair miraculeux, Malepatte s'était mis à collectionner les objets de Chine qu'il rafistolait au besoin (...)
> Francis CARCO, Ombres vivantes, p. 270.

Et la rue Quincampoix est maintenant le domaine exclusif des brocs et des bif-   3
fins (...)   J.-P. CLÉBERT, Paris insolite, p. 197, *in* CELLARD et REY.

1. BROCARD [bʀɔkaʀ] n. m. — 1470 ; lat. médiéval *brocardus,* altér. de *Burchardus,* nom latinisé du juriste *Burckard.*

♦ Hist. du dr. Adage juridique. ⇒ **Aphorisme, maxime.**

Au XVIᵉ siècle on se servit du brocard *Le mort saisit le vif* comme d'une arme pour lutter contre les prétentions fiscales des seigneurs.
> M. PLANIOL, Traité de droit civil (10ᵉ éd.), t. III, p. 449.

HOM. 2. **Brocard,** 3. **brocard, brocart.**

2. BROCARD [bʀɔkaʀ] n. m. — 1466 ; *brocart,* 1373 ; dér. du moy. franç. *broquer* « piquer », var. dial. de *brocher.*

♦ Vx. (Souvent au plur.). Petit trait moqueur, raillerie. *Lancer, décocher, jeter des brocards à qqn. S'exposer aux brocards.*

On nous jette de tous côtés cent brocards à votre sujet (...)   1
> MOLIÈRE, l'Avare, III, 1.

(...) Votre honneur m'est cher, et je ne puis souffrir   2
Qu'aux brocards d'un chacun vous alliez vous offrir   MOLIÈRE, Tartuffe, II, 2.

3 Tous ces insolents railleurs, qui n'auraient pas eu assez de brocards pour la confession d'un pauvre moine, dite à haute voix (...) firent absolument la même chose (...) BARBEY D'AUREVILLY, les Diaboliques, « À un dîner d'athées ».

CONTR. Compliment, flatterie, louange.
DÉR. Brocarder.
HOM. 1. Brocard, 3. brocard, 1. brocart.

3. BROCARD (Académie), BROCART ou BROQUART
[bʀɔkaʀ] n. m. — 1394, *brocart*; de *broque* « dague », var. normanno-picarde de *broche*.

♦ Vén. Cerf, daim ou chevreuil mâle d'un an environ. *Les broches** (cit. 6) *d'un brocard.*

(...) une frise de chevreuils roux trottant à la lisière d'un bois — brocarts, chevrettes et faons à la file (...) M. GENEVOIX, Forêt voisine, p. 122.

Vieux brocard : brocard de plus de deux ans.

HOM. 1. Brocard, 2. brocard, 1. brocart.

BROCARDER [bʀɔkaʀde] v. tr. — xvᵉ; de 2. *brocard*.

♦ Vx ou littér. Railler par des brocards. *Il n'hésite pas à brocarder ses meilleurs amis* (Académie). — Absolt. *À brocarder toujours, on se fait des ennemis.*

1 Quant à moi, tournant sa fâcherie en risée, je recommençai à le brocarder. Charles SOREL, Vraye hist. comique de Francion, in LITTRÉ.

Au participe passé :

2 Et de quelle moquerie ne serait-il pas l'objet, par un détour, dans la personne de son vicaire, déjà assez brocardé ! BERNANOS, Sous le soleil de Satan, Œ. roman., Pl., p. 215.

CONTR. Courtiser, flatter, louanger.
DÉR. Brocardeur.

BROCARDEUR, EUSE [bʀɔkaʀdœʀ, øz] n. et adj. — 1540; de *brocarder*.

♦ Vx. Personne qui brocarde, qui en brocarde une autre. ⇒ **Moqueur, railleur.** *« La belle Cordière eut des ennemis et des brocardeurs jusqu'au sein de son triomphe »* (Sainte-Beuve, in T. L. F.).

1. BROCART [bʀɔkaʀ] n. m. — 1519; var. *brocat* au xviᵉ et encore au xviiᵉ; de l'ital. *broccato* « tissu broché ».

♦ Riche tissu de soie rehaussé de dessins brochés en fils d'or et d'argent. ⇒ **Samit.** *Une robe de brocart. Des brocarts d'or* (→ 1. Or, cit. 4).

1 *(Juger)* des beautés d'un point, ou d'un brocart nouveau. MOLIÈRE, les Femmes savantes, III, 2.

2 (...) la vieille marquise douairière dans sa robe de brocart couleur de feu (...) Alphonse DAUDET, Lettres de mon moulin, « Trois messes basses ».

3 (...) on voit scintiller aux murailles, aux arceaux, aux voûtes, un revêtement qui semble une étoffe brodée et rebrodée de nacre et d'or, sur fond vert. Peut-être un vieux brocart à ramages, ou du précieux cuir de Cordoue. LOTI, Jérusalem, VIII, p. 91.

HOM. 1. Brocard, 2. brocard, 3. brocard.

2. BROCART [bʀɔkaʀ] n. m. ⇒ 3. **Brocard.**

BROCATELLE [bʀɔkatɛl] n. f. — 1680; *brocadelle*, 1519; ital. *brocatello*, même sens, de *broccato*. → Brocart.

♦ **1.** Vx ou techn. Brocart dont les dessins sont petits et peu saillants. Tissu imitant le brocart.

1 On ne veut pas que j'honore un homme vêtu de brocatelle et suivi de sept ou huit laquais ! PASCAL, Pensées, V, 315.

2 (...) don Vigilio s'effaçait pour le laisser entrer dans un premier salon, une pièce tendue de brocatelle rouge (...) ZOLA, Rome, p. 68.

♦ **2.** (xviiiᵉ). Par anal. Marbre coquillier, qui rappelle l'étoffe de brocart par la variété de ses couleurs.

BROCCIO [bʀɔtʃjo] ou BRUCCIO [bʀutʃjo] n. m. — Attesté xxᵉ; mot corse.

♦ Fromage de chèvre corse. ⇒ 2. **Brousse.**

1. BROCHAGE [bʀɔʃaʒ] n. m. — 1822; de *brocher*.

♦ **1.** Techn. Procédé de tissage* permettant de former des ornements sur le fond uni de l'étoffe. ⇒ **Brocart, brocatelle.** — Ces dessins. *Un brochage d'or, d'argent.*

♦ **2.** **ⓐ** (1835). Action, manière de brocher (les feuilles imprimées). ⇒ **Brochure, reliure.** *Opérations constituant le brochage.* ⇒ **Assemblage, chaînette, couture, ébarbage.** *Un atelier de brochage. Le brochage succède au pliage en cahiers*.

ⓑ Assemblage qui maintient des feuilles brochées.

(...) il coupa les ficelles du brochage, détacha les premiers cahiers *(du livre...)* GIDE, Journal, 9 janv. 1930.

♦ **3.** Techn. Opération consistant à inciser pour le bouffage* la peau d'une bête abattue.

♦ **4.** Techn. Usinage d'un trou à l'aide d'une broche.

2. BROCHAGE [bʀɔʃaʒ] n. m. — xxᵉ; de *broche*, I., 2.

♦ Chir. Contention d'une fracture au moyen de broches.

1. BROCHE [bʀɔʃ] n. f. — 1121; lat. pop. *brocca*, fém. substantivé de *broccus* « saillant, proéminent » (en parlant des dents).

★ **I.** Instrument, pièce à tige pointue. ♦ **1.** (1172). Cour. Ustensile de cuisine composé d'une tige de fer pointue qu'on passe au travers d'une volaille ou d'une pièce de viande à rôtir, pour la faire tourner au-dessus de la flamme. ⇒ **Brochette, hâtelet.** *Placer une lèchefrite* sous la broche. Mettre la broche sur le hâtier* et le contrehâtier.*

1 Nous avons là une petite botte de paille pour faire le feu (...) donnez-nous seulement la permission de mettre la broche en travers à votre cheminée. G. SAND, la Mare au diable, Appendice, II, p. 159.

1.1 Dès que son frère partait, il descendait, il s'installait au fond de la boutique, ravi des quatre broches gigantesques qui tournaient avec un bruit doux, devant les hautes flammes claires. ZOLA, le Ventre de Paris, t. I, p. 66.

1.2 Elle préfère rester seule accroupie devant le feu, et elle tourne elle-même les broches, les bouts de fil de fer sur lesquels sont enfilés les morceaux de viande. J.-M. G. LE CLÉZIO, Désert, p. 163.

Mettre à la broche. ⇒ **Brocheter, embrocher** (→ Débrocher).

2 Thibault l'agnelet passera
Sans qu'à la broche je le mette (...) LA FONTAINE, Fables, X, 5.

Faire cuire en broche (vieilli), *à la broche. Viande, porcelet à la broche.*

3 Disant ces mots, il vit des bergers pour leur rôt
Mangeant un agneau cuit en broche. LA FONTAINE, Fables, X, 5.

Tourner la broche, donner un tour de broche, à la main ou mécaniquement. ⇒ **Tournebroche.**

4 Mirault, notre bon chien, a tourné ma broche pendant quatorze ans (...) Il se contentait pour prix de sa peine de lécher la rôtissoire. Mais il se fait vieux. Sa patte devient raide, il n'y voit goutte et ne vaut plus rien pour tourner la manivelle. FRANCE, la Rôtisserie de la reine Pédauque, II.

♦ **2.** (1694). Techn. **ⓐ** Tige de fer recevant la bobine* dans les filatures. *Broches à filer le coton. Bancs à broches,* sur lesquels les rubans de coton sont amincis en mèches par torsion. ⇒ **Fuseau.** *Broche supportant la canette* (→ Pointicelle, cit.).

ⓑ Tige métallique utilisée en chirurgie pour consolider ou fixer un os fracturé, une articulation. *Après son accident, on lui a mis des broches. Pose de broches sur une fracture.* ⇒ 2. **Brochage.**

ⓒ Alpin. Long piton muni d'un anneau utilisé dans la neige et la glace, ou en artificielle*.

ⓓ Ancienn. Tige de métal percutant l'amorce, dans certains fusils (dits *fusils à broche*).

ⓔ Cheville ou tige servant à enfiler des objets.

ⓕ Tige constituant la partie mâle d'une connexion électrique.

ⓖ (1680). Tige à l'intérieur du pêne d'une serrure, lorsque la clef est creuse.

ⓗ (1268). Cheville pour boucher le trou fait au foret* dans un tonneau.

ⓘ Partie tournante (portant un mandrin, une pointe de tour, une fraise, etc.) d'une machine-outil, servant à usiner un trou dans une pièce (⇒ **Brocher;** 1. **brochage**).

♦ **3.** (1690). Vx ou régional. Longue aiguille à tricoter en métal.

♦ **4.** Vx. Éperon. → Brocher, 1.

★ **II.** (1332). Cour. Bijou muni d'une longue épingle* et d'un fermoir, servant à attacher un châle, un col, ou à garnir un corsage. ⇒ **Attache, fibule; brochette,** 2. *Faire faire une broche* (→ Bleuet, cit. 2).

5 Les garnitures de dentelles, les broches de diamants, les bracelets à médaillon frissonnaient aux corsages, scintillaient aux poitrines, bruissaient sur les bras nus. FLAUBERT, Mme Bovary, I, VIII.

★ **III.** Plur. Vén. ♦ **1.** Défenses du sanglier.

♦ **2.** Premiers bois du chevreuil. ⇒ 3. **Brocard.**

6 C'est bien plutôt des chevreuils que vient le danger, car la fougue d'un jeune brocard ne recule pas devant la masse d'un grand cerf, et ses broches peuvent lui infliger des blessures irréparables. M. TOURNIER, le Roi des Aulnes, p. 230.

Pop. et vx. Dents.

★ **IV.** Loc. fam. *Il n'y en a pas plus que de beurre en broche.* ⇒ **Beurre** (cit. 4.5).

DÉR. et COMP. 2. **Brochage, brochée, brocher, brochet, brocheter, brochette.** — **Débrocher** (une viande), **embrocher.** — V. 3. **Brocard, broque.**

2. BROCHE [bʀɔʃ] n. m. Argotique. ⇒ **Brochet,** 2.

BROCHÉ [bʀɔʃe] n. m. — XVIIIᵉ ; de *brocher.*

♦ Techn. Vx. Brochage. — Tissu broché. *Du broché.*

HOM. Brochée, brocher.

BROCHÉE [bʀɔʃe] n. f. — 1556 ; de 1. *broche.*

♦ Vx. Quantité de viande qu'on fait rôtir à une broche en une seule fois. *Des brochées de volailles.*

HOM. Broché, brocher.

BROCHER [bʀɔʃe] v. tr. — 1080 ; de *broche.*

♦ **1.** Enfoncer l'éperon, la « broche ». **ⓐ** Vx. Éperonner. *Brocher son cheval.*

ⓑ (1610). Fig. et vieilli. Composer, rédiger à la hâte, sans soin. « *Je broche une comédie dans les mœurs du sérail* » (Beaumarchais). ⇒ **Bâcler, bricoler.** *Brocher un article, un mémoire, un travail.*

1   Et qui vous dit, mes divins anges, que je brochais un drame ?
              VOLTAIRE, Lettre à d'Argental, 13 juil. 1763, *in* LITTRÉ.

1.1   Elle courait le monde, assistant tantôt à une première, tantôt à un lancement de navire aérien, à une soirée, à un bal, couvrant son carnet de notes et brochant ensuite des articles pour le journal.   A. ROBIDA, le Vingtième Siècle, p. 226.

♦ **2.** (1718). Relier sommairement, après assemblage, pliure et couture des feuilles, avec une couverture de papier. *Brocher ensemble les différents fascicules d'un ouvrage* (⇒ 1. **Brochage, brochure**). *Machine à brocher.* ⇒ **Brocheuse.**

♦ **3.** (XIIIᵉ ; de *broche,* I. 2., a). **ⓐ** Tisser en entremêlant sur le fond des fils de soie, d'argent ou d'or, de manière à former des dessins en relief. ⇒ **Rebrocher** (vx). *Métier à brocher.* ⇒ **Brocheur.** *On ne brochait autrefois que des étoffes précieuses* (⇒ **Brocart, broché**).

Au passif :

1.2   Quand je rédigeai ce fragment perdu du journal, je fus longtemps hanté par la beauté d'Albert, coiffé toujours de cette casquette de la marine fluviale (dont le ruban noir est broché de fleurs).   Jean GENET, Journal du voleur, p. 163.

ⓑ Par anal. (au p. prés.). Blason. *Pièce brochante,* qui passe pardessus d'autres.

Loc. *Brochant sur le tout* : passant d'un côté de l'écu à l'autre.

2   Rien au monde cependant n'était plus pastoral et plus simple : quelques arbres (...) une femme et un rayon de soleil brochant sur le tout comme un chevron d'or sur un balcon.
         Th. GAUTIER, Mᵉˡˡᵉ de Maupin, *in* MATORÉ, (Voc. sous Louis-Philippe).

Fig. (Dans une énumération péjorative de malheurs et de défauts, de choses ou de personnes déplaisantes). Vx ou littér. Par surcroît, pour comble. (→ Sans-, cit.).

3   Il y avait des médecins (...) quelques anciens moines (...) deux ou trois prêtres soi-disant mariés, mais en réalité concubinaires, et, brochant sur le tout, un ancien représentant du peuple, qui avait voté la mort du roi (...)
         BARBEY D'AUREVILLY, les Diaboliques, « À un dîner d'athées ».

4   J'y fus trompé, puis je reconnus mon erreur, jusqu'au jour enfin où je découvris dans cette même erreur la seule part de vérité substantielle à quoi j'ai mordu de ma vie. En attendant, et brochant sur le tout, j'avais pour Sophie la camaraderie facile qu'un homme a pour les garçons quand il ne les aime pas.
         M. YOURCENAR, le Coup de grâce, p. 158.

♦ **4.** (1680). Techn. Enfoncer (des clous) dans le sabot d'un cheval qu'on ferre. *On broche les clous à l'aide d'un brochoir.* — Absolt. *Marteau à brocher.* ⇒ **Brochoir.**

♦ **5.** Techn. Inciser la peau de (une bête abattue) pour procéder au bouffage*.

♦ **6.** Techn. Usiner (un trou) à la broche.

▶ **BROCHÉ, ÉE** p. p. adj. *Livre broché,* assemblé par brochage ou par collage, ou par collage et brochage et couvert de papier (opposé à *relié,* à *cartonné*). — *Une tenture de soie brochée, brochée d'or.*

CONTR. Débrocher.
DÉR. 1. **Brochage, broché, brocheur, brochoir, brochure.** — V. 2. **Brocard.**
COMP. Débrocher (un livre), **rebrocher.**
HOM. Broché, brochée.

BROCHET [bʀɔʃɛ] n. m. — 1268, Étienne Boileau ; de *broche,* à cause de la forme pointue du museau.

♦ **1.** Grand poisson d'eau douce *(Ésocidés),* à corps étroit, élancé, couvert de fines écailles, au museau large, plat et pointu, armé de dents aiguës. ⇒ **Bécard, becquet, brocheton, lanceron.** *Tête de brochet.* ⇒ **Hure.** *Le brochet est parfois appelé requin des eaux douces. La chair estimée du brochet ; les œufs du brochet, bien que légèrement toxiques, sont utilisés en cuisine* (Europe de l'Est). *Pêcher*

le brochet. *Brochet au bleu, brochet grillé. Brochet-lance* : poisson d'Amérique du Nord. ⇒ **Lépidostée.**

En franç. d'Afrique. Poisson de mer vorace, au corps effilé, comestible. Syn. : *brochet de mer.*

1   Ma commère la carpe y faisait mille tours,
     Avec le brochet son compère.   LA FONTAINE, Fables, VII, 4.

2   Le brochet est très bon à manger ; mais ses œufs ont quelquefois une action purgative analogue à celle des œufs du barbeau.   LITTRÉ, Dict., art. *Brochet.*

3   Et elle montrait, sur des planches lessivées, d'une propreté excessive, de grands brochets étalés par rang de taille, à côté de tanches bronzées et de lots de goujons en petits tas.   ZOLA, le Ventre de Paris, t. I, p. 183.

♦ **2.** (1872, Poulot). Argot anc. Souteneur. ⇒ **Maquereau.** — Syn. (vx) : *broche,* n. m. (Bruant ; L. P. Fargue, *in* T. L. F.).

DÉR. Brocheton.

BROCHETER [bʀɔʃte] v. tr. — Conjug. *jeter.* — 1705 ; de *broche.*

♦ Rare. Traverser avec une broche ou une brochette. *Brocheter un gigot, une volaille.*

BROCHETON [bʀɔʃtɔ̃] n. m. — 1397 ; dimin. de *brochet.*

♦ Jeune brochet (de 4 à 6 semaines).

Sur le banc en face des Variétés, des pêcheurs improvisés débitent, à 2 francs pièce, des brochetons gros comme des goujons, pêchés on ne sait où.
         Ed. et J. DE GONCOURT, Journal, t. IV, p. 84.

DÉR. Brochetonnet.

BROCHETONNET [bʀɔʃtɔnɛ] n. m. — XXᵉ ; de *brocheton ;* var. régionale *brochetonneau* (F. E. W.).

♦ Techn. (pisciculture). Alevin de brochet, lorsqu'il devient capable de nager seul.

BROCHETTE [bʀɔʃɛt] n. f. — 1393 ; « pointe acérée », v. 1180 ; de *broche.*

♦ **1. ⓐ** Petite broche qui sert soit à assujettir de grosses pièces de viande à la pièce principale, soit (plus cour.) à faire rôtir ou griller de petites pièces. ⇒ **Hâtelet, lardoire.** *Rognons à la brochette* (vieilli), *en brochette. Enlever la brochette avant de manger.*

1   (...) j'ai vu sur votre table des mauviettes enfilées dans des brochettes d'or.
         VOLTAIRE, la Princesse de Babylone, III.

ⓑ Cour. Les morceaux embrochés. *Manger des brochettes.* « *Une brochette saignante* » (Cendrars, *in* T. L. F.). *Couscous brochettes,* servi avec de la viande (mouton) en brochettes. *Brochette de mouton à l'orientale.* ⇒ **Chachlik, chiche-kebab, souvlaki.** *Faire cuire des brochettes au feu de bois, sur un barbecue. Il vendait des brochettes et des merguez. Brochette de fruits de mer, de petits poissons, d'éperlans.*

2   Le bar des cornes, un peu plus bas, a son plein de gros hommes (...) qui engloutissent des brochettes de moules rouges en crachant partout les cure-dents.
         A. PIEYRE DE MANDIARGUES, la Marge, p. 87-88.

♦ **2.** (1453). Petite broche servant à porter sur l'habit plusieurs médailles ou décorations ; cette série. *Une brochette de décorations* (→ Cordon, cit. 4.1).

3   J'ose à peine la nommer, tant je redoute une raillerie déplacée : je veux parler de la maille de *Faire des mariages.* La brochette de mes décorations ne provient pas d'une autre source.   VILLIERS DE L'ISLE-ADAM, Tribulat Bonhomet, p. 48.

♦ **3.** Techn. Petite broche.

♦ **4.** Par ext. Par plais. Ensemble disposé en ligne (d'objets identiques, de personnes du même genre). ⇒ **Rangée.** « *Le banc de droite branlait (...) sous une brochette de petites filles* » (Colette, *in* T. L. F.). *Il y avait une belle brochette de généraux dans la délégation étrangère.*

♦ **5.** Techn. Bâtonnet qui sert à enfoncer la nourriture dans le bec de jeunes oiseaux. ⇒ **Becquée.** — Loc. fig. (Goncourt, 1860). Vx. *Élever un enfant à la brochette,* avec trop de soin, de délicatesse. ⇒ **Coton** (élever dans du).

DÉR. Brocheter. — V. **Broquette.**

BROCHEUR, EUSE [bʀɔʃœʀ, φz] n. — 1751 ; « tricoteur », 1680 ; de *brocher.*

♦ **1.** Ouvrier, ouvrière dont le métier est de brocher (des tissus, des livres). *Brocheur d'étoffes, en reliure.* Absolt. *Elle est brocheuse* (elle travaille dans un atelier de brochage).

Ma mère, malade, se fit brocheuse, coupa, plia.
         MICHELET, *in* Pierre LAROUSSE.

♦ **2.** N. m. Métier pour le broché (on dit aussi *battant brocheur*).

♦ **3.** N. f. Machine pour le brochage des livres. « *Le plioir de la brocheuse* » (Balzac, Œ. div., t. II, p. 122).

BROCHOIR [bʀɔʃwaʀ] n. m. — 1611 ; *brochouer*, 1443 ; de *brocher*.

♦ Techn. Marteau servant à ferrer les chevaux (⇒ **Brocher**, 4.).

BROCHURE [bʀɔʃyʀ] n. f. — 1377 ; de *brocher*.

♦ **1.** Techn. Décor tissé sur le fond d'une étoffe brochée. *Une brochure d'argent. Les fleurs de la brochure.*

♦ **2.** Techn. Action de brocher un livre ; résultat de cette action. *La brochure demandera quelques jours.* ⇒ **Brochage** (plus cour.). *Une brochure solide.*

♦ **3.** (1718). Cour. Ouvrage imprimé et broché ou sommairement assemblé, dont le nombre de pages est trop réduit pour constituer un livre. ⇒ **Opuscule, pamphlet** (vx), **tract**. *Une brochure de propagande. Brochure publicitaire. Distribuer des brochures. Brochure mensuelle, périodique.*

Ces pages agitées que je traçais le jour étaient des notes relatives aux événements du moment, lesquelles, réunies, devinrent ma brochure : « *De Bonaparte et des Bourbons* ».   CHATEAUBRIAND, Mémoires d'outre-tombe, t. III, 3.

DÉR. Brochurette, brochurier.

BROCHURETTE [bʀɔʃyʀɛt] n. f. — 1858 ; de *brochure*.

♦ Rare. Petite brochure. *Lire une brochurette.*

BROCHURIER, IÈRE [bʀɔʃyʀje, jɛʀ] n. — 1803 ; de *brochure*.

♦ Vieilli. Personne qui écrit des brochures de propagande.

Casuiste médical plein de mystères et conjecturant brochurier plein d'intentions, mais thaumaturge hypothétique, il serait peut-être le premier docteur du monde pour guérir les gens de mettre le pied chez lui (...)   Léon BLOY, le Désespéré, p. 18.

BROCO [bʀɔko] n. ⇒ **Brocanteur.**

BROCOLI [bʀɔkɔli] n. m. — 1560 ; plur. ital. *broccoli* « pousses de choux », au sing. *broccolo*, dimin. de *brocco* « chou ».

♦ **1.** Chou-fleur d'une variété non pommée à longue tige, originaire d'Italie. *Des brocolis blancs. Brocolis violets, verts.*

♦ **2.** (1740). Vx. Jeune pousse de chou, au printemps.

BRODEQUIN [bʀɔdkɛ̃] n. m. — 1476, *brouzequin* ; *brodequin* « étoffe servant à faire des chausses », fin xɪvᵉ ; *broissequin*, 1314 ; d'orig. incert., p.-ê. de l'esp. *borcequi*, avec infl. de *broder*, ou d'un croisement entre le lat. *bruscum* « nœud de l'érable » et un étymon arabe signifiant « étoffe de couleur sombre ». Le rapprochement avec le néerl. *broseken* « petit soulier » n'est pas assuré.

♦ **1.** Didact. **ⓐ** Hist. Chaussure d'étoffe, de peau, couvrant le pied et le bas de la jambe. *Les brodequins d'un évêque, d'un consul romain.*

1   Vitellius (...) ayant la toge, le laticlave, les brodequins d'un consul et des licteurs autour de sa personne.   FLAUBERT, Trois contes, « Hérodias », 2.

1.1   Pour revenir au brodequin, il est la chaussure favorite des Francs, ces superbes marcheurs devant l'Éternel. Plus tard, le brodequin devient de plus en plus léger, pour se désigner, au Moyen Âge, qu'une sorte de bas de cuir, qu'on enfile avant de mettre le pied dans la botte.   Alain BOSQUET, les Bonnes Intentions, p. 226.

ⓑ Spécialt. Chaussure à l'usage des personnages de comédie, chez les anciens.

Par métonymie. Vx. *Le brodequin :* le genre comique. — Loc. *Chausser le brodequin :* composer, jouer des comédies. *Quitter le brodequin pour prendre le cothurne :* abandonner le comique pour le tragique.

2   Mais quoi ! je chausse ici le cothurne tragique ! Reprenons au plus tôt le brodequin comique (...)   BOILEAU, Satires, X.

3   (*Eschyle*) Sur les ais d'un théâtre en public exhaussé, Fit paraître d'un brodequin chaussé.   BOILEAU, l'Art poétique, 3.

♦ **2.** Hist. (Au plur.). Pièces de bois qui servaient à serrer les jambes d'un condamné soumis à la question. *Le supplice des brodequins.* Cf. Balzac, Œ. div. t. I, p. 517, *in* T. L. F.

♦ **3.** Vx. Chaussure légère de femme ou d'enfant. → Pied, cit. 1.

♦ **4.** (1894, *in* D. D. L.). Vieilli (ou langue admin., milit.). Chaussure* montante de marche, lacée sur le cou-de-pied. *Brodequins militaires, de chasseur.* ⇒ **Godillot.** *Brodequin à guêtre.* ⇒ 2. **Ranger,** 3. (anglicisme).

4   (...) un grand gaillard, très brun, à la physionomie riante et éveillée et qui, dans son costume de sport et ses brodequins à crampons, ne manquait pas d'allure.   Francis CARCO, les Belles Manières, p. 26.

5   (...) j'acceptai de décrotter et de cirer chaque matin ses merveilleux brodequins, car j'ai toujours aimé toucher des chaussures.   M. TOURNIER, le Roi des Aulnes, p. 21.

BRODER [bʀɔde] v. tr. — Av. 1105, *brosder* ; orig. discutée ; soit du germanique **buzdan* — qui expliquerait aussi l'anc. provençal *braydar* —, soit du francique **brozdôn* ; ou p.-ê., d'après Guiraud, d'un galloroman **broccidare, broder* étant, par l'interm. de l'anc. franç. *broche* « aiguille à broder », à rapprocher de *brocher.*

♦ **1.** **ⓐ** Orner (un tissu) de broderies. ⇒ **Festonner.** *Broder un mouchoir, un napperon.*

Absolt. *Broder à l'aiguille, au crochet, au tambour, à la main, au métier. Broder en ambigu. Métier à broder :* appareil servant à exécuter des ouvrages de broderie. ⇒ **Brodeuse.** *Coton à broder. Fil à broder.* ⇒ **Cannetille, cartisane, cordonnet.**

1   Pour les lui présenter on choisit cent pucelles, Toutes sachant broder, aussi sages que belles (...)   LA FONTAINE, les Filles de Minée.

ⓑ Exécuter en broderie. *Broder un chiffre sur une chemise.*

ⓒ Orner en brodant. *Broder une chemise. Broder une chemise d'un chiffre, d'initiales.*

2   Elles étaient occupées à broder de paillettes d'or de petites pantoufles rouges, à bouts retroussés comme des trompettes.   LOTI, Aziyadé, XXIII, p. 207.

REM. Les emplois métaphoriques concrets (→ ci-dessous, cit. 3, 5 et 7) semblent plus modernes, encore que très littéraires, que les emplois abstraits.

3   Des pluies de choses jaunes et rouges grêlaient les ténèbres, et la nuit était comme un métier à tapisserie où des fils d'or couraient sans cesse, brodant la trame noire d'arabesques changeantes et de dessins inattendus.   Edmond JALOUX, le Jeune Homme au masque, I, p. 22.

Par métaphore (cit. 6) et fig. Orner, embellir.

4   (*L'amour*) C'est l'étoffe de la nature que l'imagination a brodée.   VOLTAIRE, Dict. philosophique, Amour.

5   (...) et la mer qui se brise, Là-bas, d'un flot d'argent brode les noirs îlots.   HUGO, les Orientales, X.

6   Les vertus des anachorètes brodent soigneusement sur le tissu de la foi sont aussi fragiles que magnifiques (...)   FRANCE, Thaïs, I.

7   (...) itinéraires changeants, fortuits, brodés chaque fois d'une sinuosité de plus.   J. ROMAINS, les Hommes de bonne volonté, t. III, p. 271.

Par métaphore du sens 1, b. Ajouter (qqch.) comme un embellissement.

8   Nous sommes aujourd'hui à l'énergie et à l'atrocité, et nous brodons sur le canevas de ces passions des ornements qui seraient d'un terrible à faire dresser les cheveux sur la tête, si nous pouvions les prendre au sérieux.   G. SAND, François le Champi, Avant-propos, 15.

♦ **2.** Fig. **ⓐ** Absolt ou v. intr. Amplifier ou exagérer à plaisir. ⇒ **Exagérer, mentir.** *Vous brodez, les choses se sont passées plus simplement. C'est un bavard, il ne peut pas raconter une histoire sans broder. Broder autour d'un sujet donné. Il brode à merveille sur ce thème.*

9   (...) il s'agit de faits ayant une grande part de vérité, mais sur lesquels l'imagination aurait plus ou moins brodé au détriment de l'exactitude historique.   DANIEL-ROPS, le Peuple de la Bible, IV, I, p. 281.

ⓑ V. tr. (1690). Vx. Enrichir de détails fournis par l'imagination ; inventer (un tel détail). ⇒ **Agrémenter, développer, embellir.** *Broder ses aventures.*

10   (...) la musique et la poésie ne sont, pour ainsi dire, que les thèmes sur lesquels chacun brode ses propres sentiments (...)   LAMARTINE, Graziella, XVIII, p. 78.

Mus. Agrémenter de variations, de fioritures (un morceau de musique).

▶ **SE BRODER** v. pron. Passif. *La toile se brode facilement.*

▶ **BRODÉ, ÉE** p. p. adj.

Qui comporte des broderies. *Un mouchoir, un drap brodé. Un habit brodé.*

11   (...) cette Espagnole (...) Qui soulève, en dansant son fandango léger, Les plis brodés de sa basquine !   HUGO, les Orientales, 21.

Techn. *Tissu brodé :* tissu dont les fils du dessin sont orientés dans tous les sens.

Exécuté en broderie. *Initiales brodées.*

Fig. *Melon brodé,* dont l'écorce présente des dessins évoquant une broderie. — Subst. (n. m.) :

12   — Enfin, est-ce qu'ils n'ont pas mangé un melon l'autre jour qu'on n'pouvait pas en approcher ; un brodé... un cantalou... deux fois ma tête. J'suis loin de m'opposer à ce qu'ils en mangent, du melon ; qu'ils en crèvent s'ils veulent, j'm'en moque pas mal encore ; mais qu'ils viennent exprès étaler leurs épluchures sur le carré d'en face mon paillasson, j'dis qu'c'est une petitesse.   Henri MONNIER, Scènes populaires, « Le roman chez la portière », p. 22.

CONTR. Enlaidir. — Abréger, simplifier.
DÉR. Broderie, brodeur.
COMP. Rebroder, surbrodé.

BRODERIE [bʀɔdʀi] n. f. — 1393 ; *brouderie*, 1270 ; de *broder.*

♦ **1.** Ouvrage consistant en points qui recouvrent un motif dessiné sur un canevas ; art d'exécuter de tels ouvrages. ⇒ **Dentelle, guipure, tapisserie.** *Une broderie fine, délicate, savante, riche. La broderie d'une chasuble, d'un ornement, d'un habit. Faire de la broderie.* ⇒ **Broder.** *Broderie en forme d'alvéoles.* ⇒ **Nid** (d'abeilles). — Techn. *Broderie blanche, broderie sur blanc,* destinée à l'ornementation de la lingerie et du linge (plumetis, bourdon, point de feston, grille ajourée). *Broderie sur métier* (tambour) ou *broderie d'art; broderie de couleur* (broderie d'application, d'or, au crochet, etc.). *Broderie à la machine; broderie mécanique,* effectuée sur des métiers industriels. — (1849, *in* D.D.L.). *Broderie anglaise :* broderie effectuée autour de parties évidées (et imitant la dentelle). *Broderie caucasienne*. — Broderie rehaussée de clinquant*. Broderie de faux or, de faux argent.* ⇒ **Oripeau.** *Broderie d'or des vêtements liturgiques.* ⇒ **Orfroi.** *Bande de broderie qui coupe un tissu.* ⇒ **Entre-deux.** *Dessin de broderie entouré d'un liserage. Le traçage, le poinçonnage d'un dessin de broderie.*

1 (...) Des guerriers si bien mis,
Tant d'habits, comme au bal, chargés de broderie.
CORNEILLE, Poésies diverses, 97.

2 Je voudrais bien qu'on fît de la coquetterie
Comme de la guipure et de la broderie !
MOLIÈRE, l'École des maris, II, 6.

Une, des broderies.

3 (...) en habits et vestes de soie feuille morte, rose tendre, bleu céleste, agrémentés de broderies et galonnés d'or, les hommes sont aussi parés que les femmes.
TAINE, les Origines de la France contemporaine, t. I, p. 160.

4 (...) sur fond de velours vert-émir, une ancienne et admirable broderie d'or, dessinée par un célèbre calligraphe du temps passé (...)
LOTI, les Désenchantées, I, 3, p. 46.

♦ **2.** Commerce, industrie du brodeur. *Travailler dans la broderie.*

♦ **3.** (1690). Fig. et rare. Détail dû à l'imagination, que l'on ajoute à un récit. ⇒ **Amplification, exagération.** *Agrémenter une histoire de quelques broderies.*

5 Aquaviva manda d'être en garde contre tout ce qui viendrait des Français, avec force broderies pour appuyer cet avis.
SAINT-SIMON, *in* Pierre LAROUSSE.

Mus. Ornement s'ajoutant à un thème musical.

BRODEUR, EUSE [bʀɔdœʀ, øz] n. — 1268; de *broder.*

♦ **1.** Ouvrier, ouvrière en broderie. *Brodeuse à la main. Brodeur à la mécanique. L'art du brodeur. Une habile brodeuse.*

1 Les modes changeaient, l'art du brodeur se transformait, mais on retrouvait encore là, scellée au mur, la chanlatte, la pièce de bois, où s'appuie le métier, qu'un tréteau mobile porte, à l'autre bout.
ZOLA, le Rêve, III.

♦ **2.** BRODEUSE, n. f. Métier, machine à broder. (On trouve aussi, plus rarement, le n. m. *brodeur mécanique).*

♦ **3.** Fig., vx. Personne qui brode, en parlant, pour embellir son récit. ⇒ **Hâbleur.**

2 D'où vient qu'il *(Charles Bovary)* retournait aux Berteaux (...)? Ah! c'est qu'il y avait là-bas une personne, quelqu'un qui savait causer, une brodeuse, un bel esprit.
FLAUBERT, Mᵐᵉ Bovary, I, II.

(1821, Ansiaume). Spécialt. Argot anc. Écrivain public (au bagne). — N. f. (1901, Bruant). Plume à écrire.

BROGLIEN, IENNE [bʀɔglijɛ̃, ijɛn; bʀœjɛ̃, jɛn] adj. — 1940; du nom de *Louis de Broglie,* physicien français né en 1892.

♦ Didact. Qui concerne les théories de la mécanique ondulatoire établies par L. de Broglie. *Ondes brogliennes.*

BROIE [bʀwa] n. f. — 1370; de *broyer.*

♦ Techn. Ancienn. Instrument qui servait à broyer la tige du chanvre et du lin pour détacher la filasse de la chènevotte. ⇒ **Brisoir, macque.** *Les mâchoires d'une broie.*

BROIEMENT [bʀwamɑ̃] n. m. — xvᵉ, *broyment;* de *broyer.*

♦ Rare ou littér. Action de broyer*. ⇒ **Broyage.**

1 Peu, très peu de plantes de mer échappent au broiement éternel du galet froissé, refroissé.
MICHELET, *in* Pierre LAROUSSE.

2 L'effort est une cruauté, l'existence par l'effort est une cruauté. Sortant de son repos et se distendant jusqu'à l'être, Brahma souffre d'une souffrance qui rend des harmoniques de joie peut-être, mais qui à l'extrémité ultime de la courbe ne s'exprime plus que par un affreux broiement.
A. ARTAUD, le Théâtre et son double, Lettres sur la Cruauté, Idées/Gallimard, p. 156-157.

Méd. État d'un tissu broyé ou d'une plaie provoquée par écrasement. Chir. Acte consistant à écraser une structure organique (un calcul, par ex.) afin d'en faciliter l'extraction. — Syn. : *broyage.*

BROIGNE [bʀwaɲ] n. f. — 1130; *bronie,* xᵉ; du francique **brunnia* «protection pour la poitrine du combattant».

♦ Ancienn. Tunique épaisse, parfois de cuir, en usage au moyen âge, et qui servait d'armure, de cuirasse. ⇒ **Haubert.**

BROKER [bʀɔkœʀ] n. m. — D.i.; mot angl. de *to break,* proprt «rompre». → Brocanter.

♦ Anglic. Courtier. — Spécialt. Agent de change (britannique ou américain). *Les brokers américains de Paris.*

BROMAL [bʀɔmal] n. m. — 1858, Nysten; de 2. *brome.*

♦ Chim. Aldéhyde acétique tribromé, liquide lacrymogène.

BROMATE [bʀɔmat] n. m. — 1838; de 2. *brome.*

♦ Chim. Sel ($HBrO_3$) ou ester de l'acide bromique. — Anion oxygéné de brome (BrO_3).

BROMATOLOGIE [bʀɔmatɔlɔʒi] n. f. — 1906, *in Rev. gén. des sc.,* nᵒ 6, p. 260; du grec *brôma, -atos* «nourriture», et *-logie.*

♦ Didact. Étude des aliments.

On vogue évidemment d'une façon normale de l'agriculture à l'arboriculture, puis de celle-ci à l'horticulture, et de celle-ci à l'art du liquoriste et à la bromatologie, et de là à la chimie (...) R. QUENEAU, Bâtons, chiffres et lettres, p. 113.

DÉR. Bromatologique.

BROMATOLOGIQUE [bʀɔmatɔlɔʒik] adj. — xxᵉ; de *bromatologie.*

♦ Didact. Relatif à la bromatologie. ⇒ **Alimentaire, nutritif.** *Valeur bromatologique d'une céréale.*

1. BROME [bʀɔm] n. m. — 1559; lat. *bromos,* mot grec.

♦ Agric. Plante fourragère *(Graminées)* herbacée. *Brome mollet.* → Prairie, cit. 1.1.

2. BROME [bʀɔm] n. m. — 1826, Balard; du grec *brômos* «puanteur».

♦ Corps simple (symb. *Br;* p. at. 79,909; nᵒ at. 35), métalloïde de la famille des halogènes, rouge foncé, à odeur suffocante, que l'on extrait des eaux de la mer, des gisements salins *(dépôts de Stassfurt),* de jaillissements de saumure *(Michigan). Le brome est utilisé pour fabriquer des bromures* métalliques, ainsi qu'un antidétonant pour les carburants. Intoxication due au brome.* ⇒ **Bromisme.**

DÉR. et COMP. Bromal, bromate, bromhydrique, bromique, bromisme, bromure.

BROMÉLIACÉES [bʀɔmeljase] n. f. pl. — 1810, *in* D.D.L.; du lat. bot. *bromelia* «sorte d'ananas» (→ Bromélie), et suff. *-acées.*

♦ Bot. Famille de plantes monocotylédones, exotiques, herbacées ou ligneuses, souvent épiphytes, dont les plus importantes sont l'ananas, la tillandsie, la billbergia (des appartements), la bromélie. *Les broméliacées croissent dans les régions équatoriales de l'Amérique.* — Au sing. *L'ananas est une broméliacée.*

BROMÉLIE [bʀɔmeli] n. f. — 1863, *in* Littré; lat. bot. *bromelia,* 1744, Linné; de *Bromelius (Bromel),* botaniste suédois.

♦ Plante de la famille des broméliacées*, cultivée comme ornementale.

BROMHYDRIQUE [bʀɔmidʀik] adj. — 1845; de 2. *brome,* et *-hydrique.*

♦ Chim. *Acide bromhydrique :* acide produit par la combinaison de l'hydrogène et du brome. *L'acide bromhydrique est un gaz incolore de densité 2,8, se solidifiant à 69º.*

BROMIQUE [bʀɔmik] adj. — 1838; de 2. *brome.*

♦ **1.** Chim. *Acide bromique :* acide oxygéné du brome, obtenu en traitant un bromate par l'acide sulfurique. *La solution d'acide bromique est incolore, oléagineuse, et douée d'un pouvoir décolorant. Sel de l'acide bromique.* ⇒ **Bromate.**

♦ **2.** Méd. Dû au brome. *Acné bromique,* causée par des médicaments à base de brome. *Intoxication bromique.* ⇒ **Bromisme.**

BROMISME [bʀɔmism] n. m. — 1877; de 2. *brome.*

♦ Méd. Intoxication par le brome et ses composés (spécialt, le bromure de potassium).

BROMURE [bʀɔmyʀ] n. m. — 1828; de 2. *brome.*
Chimie.

♦ **1.** Composé du brome avec un autre corps simple.

♦ **2.** Sel ou ester de l'acide bromhydrique. *Le bromure d'argent est* *utilisé en photographie.* ⇒ **Gélatino-bromure.** *Bromures de potassium, d'ammonium, de calcium employés en thérapeutique.* — Cour. Bromure de potassium (sédatif et anaphrodisiaque puissant). *Prendre du bromure.*

Ce soir, j'avalerai un gramme de bromure de potassium ; cela m'assagira les sens.
HUYSMANS, Là-bas, 1891, t. I, p. 152.

COMP. Gélatino-bromure, pentabromure, protobromure.

BRONCA [bʀɔ̃ka] n. f. — V. 1980 ; mot esp. passé dans l'usage des corridas en France.

♦ Régional (Sud-Ouest). Concert de huées*.

(...) il paraît difficile, désormais, de lui refuser (*au mot* bronca) l'accès au dictionnaire (...) La «bronca», c'est l'ensemble de hurlements et de sifflets qui salue l'apparition des picadors dans une arène, avant même qu'ils aient fait le moindre geste. Elle (...) déferle sur le matador dont le travail n'a pas satisfait le public. Les «broncas» sont toujours d'une grande intensité, mais elles s'éteignent vite dès la première passe réussie.
Yvan AUDOUARD, «Faut-il admettre le mot "bronca" au dictionnaire?», *in* le Canard enchaîné, 31 août 1983, p. 7 (à propos d'un titre du *Quotidien de Paris : «En Arles, la "bronca" anti-Mitterrand»*).

BRONCHE [bʀɔ̃ʃ] n. f. — 1633 ; *bronchie*, 1560 ; lat. *bronchia*, grec *brogkhia* (plur.).

♦ Anat. Conduit aérien du poumon (⇒ **Broncho-**). *Bronche souche :* chacun des deux conduits cartilagineux qui naissent par bifurcation de la trachée, pénètrent dans les poumons et s'y ramifient en formant l'*arbre bronchique.* ⇒ **Bronchiole.** *Affections des bronches.* ⇒ **Bronchectasie, bronchite.** *Bronches graillonnantes* (→ Pituiteux, cit. 2). *Incision dans la région des bronches.* ⇒ **Bronchotomie.**

1 La bronche droite, plus oblique que la gauche, et dont la direction prolonge celle de la trachée, est la voie habituelle suivie par les corps étrangers entrés accidentellement dans les voies respiratoires.
Dʳ VALLERY-RADOT, Notre corps, p. 66.

2 Gise lui avait posé ces ventouses ; elles commençaient à agir ; déjà les bronches se dégageaient, la respiration devenait plus aisée.
MARTIN DU GARD, les Thibault, t. VIII, p. 224.

DÉR. Bronchial, bronchiole, bronchique, bronchite.
COMP. V. Broncho-. — V. aussi **Bronchectasie.**

BRONCHECTASIE [bʀɔ̃ʃɛktazi] n. f. — 1855 ; de *bronche,* et *-ectasie.*

♦ Méd. Dilatation pathologique des bronches. — Var. : *bronchiectasie.*

BRONCHEMENT [bʀɔ̃ʃmɑ̃] n. m. — 1801, *in* Brunot ; de *broncher.*

♦ Vx. Action de broncher*, de faire un faux pas.

BRONCHER [bʀɔ̃ʃe] v. intr. — Av. 1580 ; «pencher en avant», 1176 ; du lat. pop. **bruncare,* de **bruncus* «souche» — l'étymon **pronicare* «pencher», de *pronus* «penché en avant» (→ Pronation) est moins probable ; mot d'orig. obscure ; Guiraud le rattache à l'anc. provençal *bronc* «saillie, excroissance d'arbre», du lat. *bronchus, broncus,* doublet de *brocchus* «qui fait saillie», d'où *broncher,* trans., «abattre un arbre» puis «abattre qqn, le faire tomber par terre» (comme un arbre qu'on abat).

♦ **1.** Vieilli. Faire un faux pas en marchant. ⇒ **Achopper, chopper, trébucher.** *Un cheval qui bronche ; un cheval assuré, qui ne bronche pas. Broncher à chaque pas. Broncher contre, sur une pierre.*

1 Si quelqu'un marche pendant le jour, il ne bronche point, parce qu'il voit la lumière de ce monde (...)
BIBLE (SEGOND), Évangile selon saint Jean, XI, 9.

2 Le cheval reculait toujours, ronflant, soufflant et bronchant comme un cheval effarouché qu'il était.
SCARRON, le Roman comique, II, 13.

3 Communément, il glissait, butait, bronchait, trébuchait de toutes les manières concevables et inconcevables (...)
FRANCE, le Petit Pierre, XXXII.

Prov. (Vx). *Il n'y a si bon cheval qui ne bronche :* les plus habiles se trompent parfois ; personne n'est infaillible.

Par métaphore ou fig. (Littér.). *Broncher contre, sur (qqch.) :* buter sur (une difficulté). — Absolt. *Broncher.*

3.1 (...) je ne pouvais rencontrer un homme d'esprit sans qu'aussitôt j'en fisse ma société. Ah! je vois que vous bronchez sur cet imparfait du subjonctif.
CAMUS, la Chute, p. 10.

3.2 En un mot comme en cent : la bonne brave vieille difficulté d'être. Et de se connaître. Et de se reconnaître. Et de s'accepter. Beaucoup de braves gens bronchent sur ce chemin. On dit qu'ils ne se sentent pas bien dans leur peau. Nous sommes les pires ennemis de notre liberté.
Jean-Louis BORY, Ma moitié d'orange, p. 51.

♦ **2.** Fig. Vx. Commettre une erreur ou une faute légère. ⇒ **Faillir, hésiter, tromper** (se).

4 Après quoi mauvais pas vous avez bronché,
Le reste encore longtemps ne peut être caché (...)
CORNEILLE, le Menteur, IV, 5.

5 (...) il (*votre cœur*) manque, il se trompe, il bronche à tout moment : ses allures ne sont point égales (...)
Mᵐᵉ DE SÉVIGNÉ, 965, 17 juin 1685.

6 Mais il y a en lui (*Danton*) un fond solide qui ne bronche pas.
Louis BARTHOU, Danton, p. 300.

Spécialt. En parlant d'une femme, Tromper son mari, manquer à la vertu. ⇒ **Faillir.**

7 Cette épouse est trop assistée de son époux pour broncher et déchoir de son chemin.
Saint François DE SALES, in Pierre LAROUSSE.

♦ **3.** (XVIIIᵉ). Fig. Mod. Manifester son impatience, son humeur, par un mouvement, une réaction. ⇒ **Bouger, remuer.** *Que personne ne bronche! Recevoir des injures sans broncher, sans rien dire.* ⇒ **Manifester, murmurer.**

8 Eux, bien entendu, n'avaient pas bronché, osant à peine les suivre des yeux (...)
LOTI, les Désenchantées, 11, p. 92.

9 Car, si les femmes et jeunes filles reçoivent des compliments sur les attraits précis de leur corps, sans broncher, des compliments sur les attraits précis de leur corps, une louange féminine les flatte mieux (...)
COLETTE, la Naissance du jour, p. 120.

CONTR. Taire (se).
DÉR. Bronchement.

BRONCHIAL, ALE [bʀɔ̃ʃjal] adj. — 1666 ; de *bronche.*

♦ Vx. Qui a rapport aux bronches. ⇒ **Bronchique.**

Une artère bronchiale inconnue au plus grand scrutateur du poumon (...)
FONTENELLE, Éloge des Académiciens, Ruysch.

BRONCHIECTASIE [bʀɔ̃ʃjɛktazi] n. f. ⇒ **Bronchectasie.**

BRONCHIO- ⇒ **Broncho-.**

BRONCHIOLE [bʀɔ̃ʃjɔl] n. f. — 1877 ; dimin. sav. de *bronche.*

♦ Anat., méd. Ramification terminale des bronches.

DÉR. Bronchiolite.

BRONCHIOLITE [bʀɔ̃ʃjɔlit] n. f. — Fin XIXᵉ ; de *bronchiole.*

♦ Méd. Inflammation des bronchioles.

BRONCHIQUE [bʀɔ̃ʃik] adj. — 1560, Paré ; de *bronche.*

♦ Anat., méd. Qui appartient aux bronches. ⇒ **Bronchial** (vx). *Artère bronchique. L'arbre bronchique :* les ramifications des deux branches de la trachée dans les poumons.

BRONCHITE [bʀɔ̃ʃit] n. f. — 1823 ; de *bronche,* par l'angl. *bronchitis* (1812), lat. mod., du lat. class. *bronchia* «les bronches».

♦ Inflammation de la muqueuse des bronches*. *Symptômes de la bronchite :* toux, expectoration (⇒ **Bronchorrhée**), dyspnée, douleur thoracique. *Bronchite capillaire :* infection bronchique qui gagne les bronchioles, puis les alvéoles (syn. : *bronchio*-alvéolite*). *Fumeur atteint de bronchite chronique. Il est au lit avec une bonne bronchite.*

1 Léonide enrouée à ne pas l'entendre. Paul, dans sa loge d'avant-scène où j'entends la pièce, s'écrie : «Bon, une voix de bronchite!... la pièce est fichue, si nous sommes forcés de la suspendre quatre ou cinq jours.»
Ed. et J. DE GONCOURT, Journal, éd. Charpentier, t. VII, p. 22.

2 L'été, il était affligé du rhume des foins et, dès les premiers froids, sa bronchite chronique lui donnait une toux caverneuse qu'on entendait d'un bout à l'autre des locaux de la Police Judiciaire.
G. SIMENON, les Mémoires de Maigret, p. 116.

DÉR. Bronchité, bronchiteux, bronchitique.

BRONCHITÉ, ÉE [bʀɔ̃ʃite] adj. — 1892 ; de *bronchite,* d'après *grippé.*

♦ Rare. Qui est atteint de bronchite.

Ce soir, rue de Berri, j'ai la surprise de me rencontrer avec des orateurs de mon banquet, avec Hérédia qui doit parler à la place de Coppée, bronchité, de Régnier qui parlera au nom de la jeunesse.
Ed. et J. DE GONCOURT, Journal, t. IX, p. 235.

BRONCHITEUX, EUSE [bʀɔ̃ʃitø, øz] adj. et n. — 1892, Goncourt ; de *bronchite.*

♦ Qui est souvent atteint de bronchite. *Il a toujours été bronchiteux.*

N. *Des bronchiteux.* ⇒ **Bronchitique.**

Toutes lui firent signe, même la bronchiteuse qui avait une larme sur son cerne.
Corinna BILLE, Juliette éternelle, p. 203.

BRONCHITIQUE [bʀɔ̃ʃitik] adj. et n. — 1865 ; de *bronchite.*

♦ Méd. Propre à la bronchite ; atteint de bronchite. *Symptômes bronchitiques. Malade bronchitique.*

N. Personne atteinte de bronchite. *Un, une bronchitique.*

BRONCHO- Élément, du grec *brogkhia* « bronches », qui entre dans la composition de termes (adj. ou n.) relatifs à la médecine des voies respiratoires. Voir à l'ordre alphabétique, et aussi : *broncho-dilatateur* adj. m.; *bronchologie* n. f.; *broncho-pulmonaire* adj. (1820) « qui concerne les bronches et les poumons »; *bronchorragie* n. f.; *bronchospirométrie* n. f.

REM. Sous la forme *bronchio-* : *bronchio-alvéolite* n. f. « affection des petites bronches et des alvéoles pulmonaires » (syn. : *bronchite capillaire*).

BRONCHOGRAPHIE [bʀɔ̃kɔgʀafi] n. f. — Mil. xxᵉ; de *broncho-*, et *-graphie*.

♦ Méd. Radiographie des bronches.

BRONCHOLITHE [bʀɔ̃kɔlit] n. f. — 1878, P. Larousse, *Premier Suppl.*; de *broncho-*, et *-lithe*.

♦ Méd. Calcul des bronches.

BRONCHO-PNEUMONIE [bʀɔ̃kɔpnømɔni] n. f. — 1836; de *broncho-*, et *pneumonie*.

♦ Méd. et cour. Inflammation du poumon, des bronches, bronchioles et alvéoles, d'origine infectieuse, survenant d'emblée, ou plus souvent comme complication d'une maladie infectieuse (grippe, rougeole).

Il est percé jusqu'aux os. La crainte de la broncho-pneumonie a été pour beaucoup dans son retour : c'est un homme soucieux de sa petite santé.
J. ANOUILH, Pauvre Bitos, III, p. 117.

DÉR. Broncho-pneumonique.

BRONCHO-PNEUMONIQUE [bʀɔ̃kɔpnømɔnik] adj. — 1880; de *broncho-pneumonie*.

♦ Méd. Relatif à la broncho-pneumonie.

L'état pulmonaire s'aggrava et c'est avec les symptômes d'une phtisie à forme broncho-pneumonique que le malade succomba le 17 février 1917.
B. CENDRARS, Moravagine, in Œ. compl., t. IV, p. 258.

BRONCHORRHÉE [bʀɔ̃kɔʀe] n. f. — 1833, Nysten, in D. D. L.; de *broncho-*, et *-rrhée*.

♦ Méd. Hypersécrétion du mucus bronchique qui s'observe dans les bronchites chroniques.

BRONCHOSCOPE [bʀɔ̃kɔskɔp] n. m. — 1909, in D. D. L.; de *broncho-*, et *-scope*.

♦ Méd. Instrument qui sert à examiner l'intérieur de la trachée et les grosses bronches (⇒ **Bronchoscopie**).

BRONCHOSCOPIE [bʀɔ̃kɔskɔpi] n. f. — 1904, in *Année sc. et industr.*; de *broncho-*, et *-scopie*.

♦ Méd. Examen de la cavité des bronches à l'aide d'un bronchoscope.

Il paraît que c'est très désagréable, la bronchoscopie. On vous enfonce un tube de métal dans la trachée pour observer je ne sais quoi. L'infirmière m'a dit qu'on ne m'endormirait pas, sinon superficiellement avec un vaporisateur.
Pierre MOUSTIERS, la Mort du pantin, p. 74.

BRONCHOTOMIE [bʀɔ̃kɔtɔmi] n. f. — 1617; du grec *brogkhos* « gorge », et *temnein* « couper ». → Broncho-, et -tomie. Chirurgie.

♦ **1.** Vieilli. Incision pratiquée sur l'arbre respiratoire (trachéotomie, laryngotomie ou trachéolaryngotomie).

♦ **2.** Mod. Incision d'une bronche.

BRONDIR [bʀɔ̃diʀ] v. intr. — 1878; orig. onomatopéique (rac. *brund-* exprimant un bourdonnement).

♦ Rare. Produire un brondissement. ⇒ **Vrombir**.

DÉR. Brondissement.

BRONDISSEMENT [bʀɔ̃dismɑ̃] n. m. — 1878; de *brondir*.

♦ Rare. Bruit produit par une toupie qui tourne rapidement. Ronflement* de l'air dans un poêle dont le tirage est trop violent. ⇒ **Vrombissement**.

BRONTOSAURE [bʀɔ̃tozoʀ] n. m. — 1890, P. Larousse, *Deuxième Suppl.*; 1889, in Cottez; lat. zool. brontosaurus, 1879,

Marsh; du grec *brontê* « tonnerre », et *saura* ou *sauros* « lézard » (→ -saure).

♦ Didact. Grand reptile dinosaurien fossile de la période jurassique. *Le brontosaure mesure environ vingt-deux mètres, il a une petite tête, quatre pattes et une longue queue massive.*

BRONZAGE [bʀɔ̃zaʒ] n. m. — 1845; de *bronzer*.

♦ **1.** Techn. Action de bronzer (le métal, le bois, le plâtre, etc.); son résultat. *Bronzage du cuivre, du zinc. Bronzage de la fonte, du fer par galvanoplastie. Bronzage des canons de fusil, des statuettes en plâtre, des papiers peints.*

♦ **2.** (1924). Cour. Fait de bronzer sous l'action du soleil. *Séances de bronzage sur la plage. Bronzage artificiel*, avec une lampe spéciale. *Crème, lait... pour le bronzage rapide sans coups de soleil.* ⇒ **Brunisseur**.

Mes mollets blanchâtres mal semés de poils noirs semblent réfractaires au bronzage et, à travers l'empeigne de mes sandalettes ajourées, mon pied laisse passer des orteils obstinément livides.   1
Pierre DANINOS, Un certain Monsieur Blot, p. 200.

Couleur foncée de la peau bronzée. ⇒ **Hâle**. *Le bronzage est l'un des impératifs de la mode.* ⇒ **Bronzomanie**. *Un beau bronzage. Tout son bronzage est parti depuis quinze jours que le temps est gris.* — *Bronzage intégral*, sur tout le corps.

Près d'elle son mari dormait (...) Le bronzage de sa peau était si frais qu'il paraissait le devoir au soleil de la nuit.   2
GIRAUDOUX, les Aventures de Jérôme Bardini, p. 101.

BRONZE [bʀɔ̃z] n. m. — 1511; ital. *bronzo*; d'orig. obscure, p.-ê. du lat. médiéval **brundium*, de *brundusium* « de Brindisi », ville célèbre pour la fabrication du bronze, mais l'évolution phonétique n'est pas claire. On a proposé le grec tardif *bronteion* « instrument imitant le tonnerre sur la scène », de *brontê* « tonnerre », ou encore l'arabe **buruz*, du persan **purung*. Pour P. Guiraud, le mot vient du lat. médiéval *bronzium*, autre forme de *brontium*, du lat. class. *brontea* « pierre du tonnerre », de *bronte* « tonnerre », d'où l'adj. *bronteus* ou *brontea* « qui retentit comme le tonnerre ».

♦ **1.** [a] Alliage de cuivre et d'étain. ⇒ **Airain, orichalque**. *Bronzes spéciaux* (avec addition de zinc, de plomb, etc.). *Une cloche de bronze. Des cymbales en bronze. Portes de bronze sculptées. Travail du bronze.* ⇒ **Bronzerie, bronzeur, bronzier**. *Fabrication du bronze. Bronze industriel. Bronze moulu.* ⇒ **Purpurine**. *Statue de bronze. Les anciens canons de bronze.*

Spécialt. Vx. Littér. *Le bronze* : les canons. — *Le bronze sonore* : les cloches.

Aux accents du bronze qui tonne,
La France s'éveille et s'étonne,   1
Du fruit que la mort a porté.   LAMARTINE, Méditations, I.

Ce bronze doit jeter un sourd rugissement (...)   HUGO, l'Année terrible, juil. 4.   2

Médaille de bronze. Bronze au manganèse, au vanadium. Bronze phosphoreux. Bronze chinois, japonais. Bronze blanc, fondu. Coulée de bronze : masse de bronze en fusion. *Bronze doré, patiné. Le bronze devient vert en s'oxydant.* — *Une couleur, une patine de bronze*, semblable à celle du bronze.

Le quai de la Mergellina, où les lazzaroni demi-nus se cuisent et donnent à leur peau une patine de bronze.   Th. GAUTIER, Voyage en Italie, I.   3

Tous les vases sont en bronze, mais le dessin en est varié à l'infini (...)   4
LOTI, Mᵐᵉ Chrysanthème, XXXIV, p. 165.

Il laissait à regret derrière lui les pommiers qui, plantés de travers au bord de la route, portaient droit l'énorme éventail de leurs feuilles et de leurs pommes, passaient la nuit là en tête à tête avec ce ciel qui s'assombrissait, prenant eux aussi leur vêtement de nuit, cet éclat de bronze que prend alors par un temps gris leur feuillage sombre, où la verdure presque bleue semble arrivée aussi à son extrême maturité.   PROUST, Jean Santeuil, Pl., p. 512.   4.1

[b] Couleur, teinte du bronze. *Bronze noir* (noir-fumée, noir-noir), *bronze vert* (ou *bronze antique*), *bronze médaille*. — (1843, Balzac). En appos. *Vert bronze.* — Couleur du bronze, jaune foncé, marron clair. « *J'étais en (...) habit bronze* » (Stendhal, in T. L. F.).

[c] (1860). *Bronze d'aluminium* : alliage de cuivre et d'aluminium. *Des porte-crayons, des chaînettes, des pendules en bronze d'aluminium.* — *Poudre de bronze* : pigment métallique jaune.

[d] Loc. L'ÂGE DU BRONZE : période de diffusion de la technique du bronze (environ deuxième millénaire av. J.-C.). *L'âge de bronze succède au chalcolithique* et précède l'âge de fer.* — Absolt. *Le bronze ancien, moyen, récent, final.*

♦ **2.** (*Un, des bronzes*). Objet d'art (surtout sculpté) en bronze; médaille, monnaie de bronze antique. *Bronze d'art. Un bronze antique. De beaux bronzes* (⇒ **Bronzerie**).

(...) la Chine rongée par le sang comme ses bronzes à sacrifices (...)   4.2
MALRAUX, la Condition humaine, p. 48.

Numism. *Le grand, le petit, le moyen bronze* : grande, petite, moyenne médaille.

Par ext. Reproduction d'un bronze. « *Un bronze artistique en zinc...* » (Mallarmé).

Loc. fam. *Couler un bronze* : déféquer.

♦ **3.** Vieilli. [a] Fig. *De bronze :* qui a la dureté, la couleur, la patine du bronze. Méd. *Maladie de bronze.* ⇒ **Bronzé,** 3. — *Un corps de bronze :* un corps fort, rude, solide, athlétique.

Fig. Dur, insensible*, inflexible. *Un homme de bronze.* ⇒ **Rude.** *Avoir un cœur de bronze. Être de bronze.* ⇒ **Fer, pierre** (un cœur de pierre).

5   Âmes de bronze, humains, celui-là fut sans doute
       Armé de diamant, qui tenta cette route,
       Et le premier osa l'abîme défier.   La Fontaine, *Fables,* VII, 12.

6   Ah! si ton cœur pour moi n'est de bronze ou de fer (...)
                             Molière, l'Étourdi, III, 8.

6.1   (...) je me bronzais, jusque dans les yeux, pour qu'il ne pût pas soupçonner ce qui fermentait sous ce front de bronze où couvait l'idée de ma vengeance. Je fus absolument impénétrable.
      Barbey d'Aurevilly, les Diaboliques, « La vengeance d'une femme ».

[b] (Par métaphore du sens 1). *Dur comme le bronze, plus dur que le bronze.* ⇒ **Pierre.**

7   Leurs cœurs deviennent plus durs que la pierre et que le bronze.
             Bourdaloue, la Passion de J.-C., I, p. 286.

DÉR. Bronzer, bronzerie, bronzier.

BRONZÉ, ÉE [bʀɔ̃ze] adj. — XVIᵉ ; p. p. de *bronzer.*

♦ **1.** Qui a la couleur du bronze. *Une statue bronzée. Couleur bronzée. Des tanches bronzées* (→ Brochet, cit. 3).

♦ **2.** Cour. Hâlé. *Il est rentré de vacances tout bronzé. Une peau bronzée, un teint bronzé.* ⇒ **Brun.** *Un gars superbe, athlétique, bronzé.*

1   Micheline s'était allongée sur le sable (...) Ceux des passants, hommes ou femmes, qui ralentissaient leur marche pour admirer son corps bronzé, étaient frappés par la tristesse de son visage.   M. Aymé, *Travelingue,* p. 211.

Par euphém. Dont la peau est naturellement foncée, sans être noire.

♦ **3.** Méd. *Maladie bronzée* (ou *de bronze*) : maladie due à des lésions (tuberculeuses) des capsules surrénales, qu'accompagne une coloration bronzée de la peau par hypersécrétion hypophysaire.

♦ **4.** Fig. et vx. Résistant comme le bronze. ⇒ **Dur.**

2   Il faut être bronzé pour étudier notre architecture ecclésiastique.
             Stendhal, Mémoires d'un touriste, I, p. 66.

Bronzé à (qqch.) : endurci* à...

3   (...) ce prêtre bronzé d'abord à des expéditions de brigands, plus tard missionnaire à travers les peuplades sauvages, et qui avait l'air d'avoir pris, dans son apostolat chez les noirs, sous le ciel féroce de l'Afrique, un peu de la dureté d'un négrier.
          Ed. et J. de Goncourt, Mᵐᵉ Gervaisais, p. 261.

CONTR. Blanc, clair.

BRONZE-CUL [bʀɔ̃zky] n. m. invar. — V. 1970 ; de *bronzer,* 2. et *cul.*

Familier.

♦ **1.** Action de se faire bronzer au soleil. *Faire du bronze-cul pendant toutes ses vacances.* ⇒ **Bronzette.**

♦ **2.** Lieu où l'on se fait bronzer. « *L'Occitanie est réduite à n'être que le "bronze cul" de l'Europe...* » (le Nouvel Obs., p. 18, nº 407, 28 août 1972).

BRONZER [bʀɔ̃ze] v. — 1559 ; de *bronze.*

♦ **1.** V. tr. Techn. Recouvrir (certains objets en métal, bois, plâtre...) de substances qui imitent la couleur du bronze. *Bronzer une statue de plâtre, un vase.*
Revêtir (un métal) d'une couleur brune ou bleuâtre par oxydation à la chaleur. *Bronzer un ressort, le canon d'un fusil.*

1   Le zinc, il est vrai, peut se bronzer et recevoir la patine verte ou brune ; mais insensiblement cette patine qui ne fait pas corps avec le métal, s'use aux endroits saillants.   Ch. Garnier, *in* le Moniteur universel, 12 nov. 1867.

♦ **2.** Cour. [a] V. tr. Brunir (qqn). ⇒ **Hâler, noircir.** « *Il a plu à la Providence de bronzer les hommes aux Grandes Indes* » (Voltaire). *Le soleil a bronzé son visage.*

REM. Les emplois anciens sont plus extensifs (« faire paraître brun, sombre ») ; aujourd'hui ce qui *bronze* ne peut être que le soleil.

2   Son visage durci et bronzé par l'ombre, prenait une expression mystérieuse, presque inquiétante.   France, le Lys rouge, IV.

[b] V. intr. Mod. et cour. Se dit des parties du corps et, par ext., des personnes dont la peau devient foncée par l'action du soleil ou d'une autre source de lumière. ⇒ **Brunir.** *Vous avez bronzé pendant votre séjour aux sports d'hiver. Se faire bronzer. S'exposer au soleil pour bronzer.* ⇒ **Bain** (de soleil). *Crème, lampe à bronzer.* — Loc. *On ne veut plus bronzer idiot,* passer des vacances passives à rester au soleil (⇒ **Bronze-cul, bronzette, bronzomanie**).

3   Guéri de sa mauvaise toux, il bronzait au beau soleil du Midi.
       Michel Déon, les Vingt Ans du jeune homme vert, p. 159.

♦ **3.** (Av. 1795). Fig. Vx. Rendre dur et résistant comme le bronze. « *Le malheur a bronzé son cœur* » (Académie). ⇒ **Durcir, endurcir.**

▶ **SE BRONZER** v. pron.

♦ **1.** (→ Bronze, cit. 6.1). « *En vivant et en voyant les hommes, il faut que le cœur se brise ou se bronze* » (Chamfort).

Elle ne se bronza pas au danger, affronté chaque nuit.   4
    Barbey d'Aurevilly, les Diaboliques, « Le rideau cramoisi ».

♦ **2.** S'exposer au soleil pour bronzer. *Elle passe ses étés à se bronzer sur les plages.* ⇒ **Bronzage, bronzomanie.**

(...) sur le sable de la petite plage bretonne, elle se bronzait au soleil en compagnie de Théorème et ils étaient presque nus.   5
               M. Aymé, le Passe-muraille, p. 26.

▶ **BRONZÉ, ÉE** p. p. adj. Voir à l'ordre alphabétique.

CONTR. Adoucir, amollir.
DÉR. Bronzage, bronzé, bronzette, bronzeur.
COMP. Bronze-cul, bronzomanie.

BRONZERIE [bʀɔ̃zʀi] n. f. — 1867 ; de *bronze.*
Rare.

♦ **1.** Technique du bronzeur, du bronzier.

♦ **2.** Ensemble d'œuvres d'art en bronze.

BRONZETTE [bʀɔ̃zɛt] n. f. — V. 1970 ; de *bronzer,* 2.

♦ Fam. Action de se faire bronzer au soleil. ⇒ **Bronze-cul.** *Aimer la bronzette. Faire une partie de bronzette.*

BRONZEUR [bʀɔ̃zœʀ] n. m. — 1866 ; de *bronzer.*

♦ Techn. Ouvrier procédant aux opérations de bronzage (1.). *Bronzeur sur métaux, sur bois.*
REM. Le fém. *bronzeuse* est virtuel ; comme le masc., il serait d'ailleurs plutôt compris comme « celle qui se bronze au soleil », dans la langue courante.

BRONZIER [bʀɔ̃zje] n. m. — 1846 ; de *bronze.*

♦ Techn. Artiste ou fabricant en bronzes d'art.
REM. Le fém. *bronzière* est virtuel.

BRONZOMANIE [bʀɔ̃zomani] n. f. — 1958 ; de *bronzer,* 2., et *-manie.*

♦ Fam. Besoin de se bronzer, d'avoir la peau bronzée.

Le désir de voir noircir sa peau est autre chose qu'une simple lubie aggravée par l'instinct grégaire (...) La « bronzomanie » comme ils l'appellent est en effet le signe tangible d'un changement de civilisation.
       J. Dutourd, le Fond et la Forme, p. 104 (1958).

BROOK [bʀuk] n. m. — 1846, *in* Höfler ; mot angl., proprt « ruisseau ».

♦ Anglic. (Hippisme). Fossé rempli d'eau constituant un des obstacles d'un parcours de steeple-chase.

BROQUART [bʀɔkaʀ] n. m. ⇒ 3. **Brocard.**

BROQUE [bʀɔk] n. f. — 1627 ; régional, 1625 ; forme normanno-picarde de *broche* « morceau de métal » (et « fourche »).

♦ **1.** Argot anc. Liard, menue pièce de monnaie (Hugo, *les Misérables*).

♦ **2.** Argot mod. Chose de peu de valeur. ⇒ **Broquille.** *Tout ça c'est de la broque, ça ne vaut rien. Ça ne vaut pas une broque.*
Partie infime. *Je n'en sais pas une broque.*

Je me doute pas une broque de seconde que d'ici quelques heures... Mais n'anticipons pas, comme disait Jules Verne.
       San-Antonio, Remets ton slip, gondolier !, p. 69.

HOM. 2. Broc.

BROQUEL [bʀɔkɛl] n. m. — XVIIᵉ ; mot espagnol.

♦ Anciennt (archéol.). Petit bouclier en usage en Espagne et en Italie, du XVᵉ au XVIIᵉ siècle. ⇒ **Rondelle.**

BROQUETEUR [bʀɔktœʀ] n. m. — 1845, Bescherelle ; de *broque,* forme normanno-picarde de *broche* « fourche » (et « morceau de métal »).

♦ Techn. Ouvrier qui charge les gerbes sur les voitures.

BROQUETTE [bʀɔkɛt] n. f. — 1565 ; forme normanno-picarde de *brochette*.

♦ **1.** Techn. Petit clou* à large tête, utilisé par les tapissiers. ⇒ **Semence.** — Collectif. Une certaine quantité de ces clous. *Clouer avec de la broquette.*

♦ **2.** Fam. et vx. Pénis (surtout en parlant d'un enfant).

Sur le sein des mères, le moutard à la broquette pointue éprouve des érections précoces.
FLAUBERT, Correspondance, Lettre à Louis Bouilhet, 10 févr. 1851, Pl., p. 754.

BROQUILLE [bʀɔkij] n. f. — 1835, *in* Esnault ; « boucle d'oreille ; petit bijou », 1821 ; de *broque*, 2.

♦ Argot. Minute (« à cause de l'instantanéité de l'escamotage des *broquilleurs* » : voleurs *à la broquille* [de bijoux], Chautard). *Dix plombes et vingt broquilles.*

1   Comme ça, on ne nous fera pas le coup de la bonne foi, en nous mettant devant les yeux une montre qu'on vient d'avancer subrepticement de quelques broquilles.
A. SARRAZIN, la Cavale, p. 353.

2   — J'ai un client à déposer à l'Alma... J'y serai dans dix minutes...
Effectivement, douze broquilles plus tard, je vois paraître un grand costaud aux tempes grisonnantes portant un blouson beige à col de laine.
SAN-ANTONIO, Des gueules d'enterrement, p. 187.

BROSSAGE [bʀɔsaʒ] n. m. — 1837 ; de *brosser*.

♦ Action de brosser. *Le brossage d'un vêtement.*

La peinture sous-marine de *Joshua*, au zinc silicaté, ne pouvant être utilisée que pour les coques acier, autorise un brossage énergique sans se détériorer.
Bernard MOITESSIER, Cap Horn à la voile, p. 99.

BROSSE [bʀɔs] n. f. — V. 1300, *broisse* ; 1165, « taillis » ; p.-ê. du lat. pop. *bruscia* « pousse d'arbre », de *bruscum* « excroissance ligneuse de l'érable », ou p.-ê. de *broccia*, du gaul. *wroikos* « bruyère » ; Guiraud rattache le mot à un gallo-roman *broccia* « qui a des dents, des épines », de *broccus* « dent saillante ».

♦ **1.** Ustensile de nettoyage, formé d'un assemblage de filaments souples (poils, crins, fibres synthétiques, fils métalliques) ajustés sur une monture. *La monture (ou patte), le manche, le dos d'une brosse. La garniture d'une brosse. Brosse en chiendent, en crin, en fibre, en ligneul, en poils, en soies de porc, en tampico. Brosse en nylon. Brosse métallique. Brosse à cirer, à reluire, à décrotter.* ⇒ **Décrottoire, polissoire.** *Brosse à poussière, à épousseter.* ⇒ **Époussette.** *Brosse à parquets, brosse à frotter.* ⇒ **Frottoir.** *Brosse à laver. Brosse à carder.* ⇒ **Carde.** *Brosse à ramasser les miettes.* ⇒ **Ramasse-miettes.** *Brosse à panser, à étriller les chevaux.* ⇒ **Étrille.** — *Brosse à chapeaux. Brosse à habits* (→ ci-dessous). *Brosse à chaussures, à souliers. Brosse double. Brosses utilisées pour la toilette* (→ ci-dessous les syntagmes). *Brosse à dos,* à très long manche. — Techn. *Brosse d'orfèvre* (⇒ **Soie**). *Brosse de boulanger* (⇒ **Passe-partout**). *Brosse de calfat, d'imprimerie. Brosse à épreuves. Brosse à machine, brosse à tubes. Brosse à voitures.*

1   Le cocher Tydacus
Qui, tenant l'ombre d'une brosse,
Nettoyait l'ombre d'un carrosse.
Ch. PERRAULT, Mémoires (Avignon 1759), p. 9.

1.1   L'on s'assied devant une psyché d'acajou qui contient, sur sa plaque de marbre, des lotions (...) des brosses à tête aux crins gras, des peignes acérés et chevelus *(... le coiffeur)* se rue de nouveau sur votre caboche, qu'il ratisse maintenant avec un petit peigne et rabote sans trêve avec deux brosses.
HUYSMANS, De tout, « le Coiffeur », p. 46 et 48.

Syntagmes et contextes très courants. **BROSSE À HABITS** : brosse allongée, sans manche, souvent à dos de bois, destinée à brosser les vêtements. *Des brosses à habits* [bʀɔsaɑbi]. — Absolt (même sens). *Donner un coup de brosse à un pantalon.* — Par ext. *Brosse adhésive* : rouleau adhésif enlevant les particules sur les vêtements.

(1751, *Encyclopédie*) **BROSSE À DENTS** [bʀɔsadɑ̃] : petite brosse à manche allongé, servant à nettoyer les dents. *Brosse à dents dure, souple. Brosse à dents électrique* (animée d'un mouvement de va-et-vient). *Brosse à dents à manche courbe, galbé. Partir en voyage en emmenant un pyjama et une brosse à dents,* le strict minimum.

(1835, Académie). **BROSSE À ONGLES** : petite brosse assez dure, pour nettoyer les ongles.

BROSSE À CHEVEUX (on a dit : *brosse à tête, in Encyclopédie*, 1751 ; → ci-dessus, cit. 1.1). — Absolt. *Se donner un coup de brosse. La brosse et le peigne*. *Brosse chauffante des coiffeurs. Séchage* (des cheveux) *à la brosse.* ⇒ **Brushing** (anglic.). *Brosse ronde.*

Vx. *Brosse à barbe* (*in* Littré). ⇒ **Blaireau** (mod.). *Le plateau et la brosse des anciens barbiers.*

(En composition). *Tapis-brosse.* ⇒ **Tapis** (cit. 10 et supra). *Balai-brosse.* ⇒ **Balai-brosse.**

Loc. fam. **BROSSE À RELUIRE.** *Manier la brosse à reluire* : être servilement à la dévotion de qqn ; le flatter bassement. — *La brosse à reluire* : la personne ou la chose qui donne de l'éclat à (qqn, un groupe), et dont on se sert pour paraître important.

Qui ne connaît René Rezeau ? (...) Tenez-vous bien et respectez-moi, car c'était mon grand-oncle (...). C'est lui, « la brosse à reluire de la famille », c'est lui le grand homme (...)
Hervé BAZIN, Vipère au poing, p. 18.   1.2

Fig. et vx. *Passer la brosse* : effacer, oublier (→ Passer l'éponge*).

EN BROSSE. *Cheveux (taillés) en brosse,* coupés court et droit comme les poils d'une brosse. → Pince-nez, cit. — Ellipt. *La brosse,* cette coupe de cheveux. *Porter la brosse. Couper, tailler en brosse. Coupe de cheveux en brosse.* ⇒ **Bressant.**

Il *(Hermann Müller)* a le front haut et fuyant sous une brosse de cheveux qui s'argentent.
Georges LECOMTE, Ma traversée, p. 476.   2

(...) ses cheveux grisonnants, très denses, étaient plantés bas et taillés en brosse.
MARTIN DU GARD, les Thibault, t. VIII, p. 197.   3

Var. (rare) : *à la brosse.*

La portière s'ouvrit. Une jambe raide apparut d'abord (...) puis les pans d'un manteau de tweed, puis la tête de Lamballe, cheveux coupés à la brosse (...)
Roger VAILLAND, Bon pied, bon œil, p. 19.   3.1

Par analogie :

Dans les massifs encadrés d'iris taillés en brosse (...)   GIRAUDOUX, Bella, III.   4

Loc. fig. et fam. (Vieilli). *Prendre une brosse* : se soûler. *Être en brosse,* ivre.

Fam. *Une brosse, la brosse (pour qqn)* : rien du tout. → Se brosser.

♦ **2.** Pinceau* de peintre. *Peindre à la brosse.* ⇒ **Brosser.** *Brosse de peintre en bâtiment. Brosse à faire les faux bois.* ⇒ **Spalter.** — Par métonymie. *Une belle brosse* : une exécution soignée, en parlant d'un tableau. « *Tableau fait à la grosse brosse* » (Académie), fait grossièrement.

(...) la belle brosse est forcée de s'arrêter quand la touche est heureuse.
E. DELACROIX, Journal, 26 janv. 1832.   4.1

♦ **3.** Zool. Touffe de poils des jambes du cerf. — Rangée de poils sur les pattes ou le torse de certains insectes (notamment pour amasser le pollen).

M. de Réaumur a fait représenter la coque de cette chenille à brosses.
Charles BONNET, Insectes, Observation, 25.   5

♦ **4.** Haie bordant un bois.

DÉR. Brosser, brosserie, brossier, broussaille. — V. Brousser.

BROSSÉE [bʀɔse] n. f. — 1841 ; de *brosser*.

♦ Fam. Correction ; défaite cuisante. ⇒ fam. **Peignée, raclée.** « *Les ennemis ont reçu une brossée* » (Académie).

— Bien, bien, mais crois-moi, si j'ai eu main un peu dure, c'est que je ne pouvais l'avoir plus légère que son père. Il y allait de ma dignité. J'ai jugé bon qu'elle ne trouvât pas ma brossée plus douce que celle d'un bûcheron (...)
R. QUENEAU, les Fleurs bleues, p. 127.

BROSSER [bʀɔse] v. — 1374, *bruissier* ; de *brosse*.

★ **I.** V. tr. ♦ **1.** Nettoyer, frotter avec une brosse. ⇒ **Épousseter.** *Brosser ses habits, ses souliers. Brosser le parquet.* ⇒ **Frotter.** *Brosser ses cheveux, ses ongles, ses dents. Brosser ses chaussures avec une brosse de crêpe.*

(...) j'avais rehaussé mon col, brossé mon mauvais chapeau et mon pantalon avec les paremens de mon habit, mon habit avec ses manches, et les manches l'une par l'autre (...)
BALZAC, le Message, éd. 1834, p. 13.   0.1

(Compl. n. de personne). *Brosser qqn,* brosser les vêtements qu'il porte ; le frictionner. *Brosser un cheval.* ⇒ **Étriller.** *Brosser un animal à contrepoil, à rebrousse-poil.*

Je jugeai qu'un homme qui passe deux heures tous les matins à brosser ses ongles peut bien passer quelques instants à remplir de blanc le creux de sa peau.
ROUSSEAU, les Confessions, IX.   1

Se brosser les cheveux, les ongles. Se brosser les dents.

Pron. *Se brosser* : brosser ses propres habits.

Il ne s'est pas brossé avec assez de soin, il y a des cendres sur son gilet, il y a de la poussière dans le pli de son pantalon (...)
N. SARRAUTE, le Planétarium, p. 170.   1.1

Fig. et fam. *Se brosser le ventre* : se passer de manger. — Pron. (1892, *in* D.D.L.). Absolt. *Se brosser* : être obligé de se passer de qqch. ⇒ **Priver** (se), **renoncer.** *Tu peux toujours te brosser* : tu n'obtiendras pas ce que tu désires, tu t'en passeras. ⇒ **Fouiller** (se).

Julien réfléchit, secoue la tête : « Mon vieux, tu peux toujours te brosser. » André proteste : « Alors, pourquoi qu'elle me fait de l'œil ? »
Henri FAUCONNIER, Malaisie, p. 162.   1.2

♦ **2.** (1840). Fig. et fam. Battre (qqn), infliger des coups à (qqn). ⇒ **Brossée.**

Battre au jeu. *Il s'est fait brosser à la belote.*

♦ **3.** Exécuter (un tableau, et, spécial, les fonds) à la brosse. ⇒ **Peindre.** *Brosser un décor de théâtre.*

Toute sa vie, en effet, Chas n'a cessé de peindre, mais il le faisait en secret, pour lui seul (...) il brossait des nus, des figures, des scènes de la mythologie ou de contes de fées.
Francis CARCO, Nostalgie de Paris, p. 240.   1.3

Loc. fig. *Brosser un tableau, un portrait de (qqch.),* décrire à grands traits. ⇒ **Peindre, dépeindre.** *Dans ses romans, il brosse un portrait fidèle des milieux populaires de son temps.*

2 (...) la peinture qu'il brossait de la bourgeoisie paysanne (...)
A. MAUROIS, Études littéraires, t. II, p. 23.

♦ **4.** Sports. Frapper (la balle, le ballon) de manière à lui imprimer un mouvement de rotation, un effet* particulier qui trompera l'adversaire. — Au p. p. *Une balle brossée.*

★ **II.** V. intr. (xvᵉ ; de *brosse* « broussaille »). Vx. Passer au travers des buissons, des broussailles (⇒ **Brousser**).

3 Il est aisé de juger que le respect qu'on porte au dieu Mars, à qui elle *(la forêt)* est consacrée, fait qu'on n'ose ni couper aucunes branches ni même brosser au travers. CORNEILLE, la Toison d'or.

★ **III.** V. tr. (du sens II, pour *brousser* ; cf. l'école buissonnière). Régional (Belgique). Fam. Manquer volontairement (un cours), ne pas assister à... *Brosser un cours.* ⇒ **Sécher.**

4 Je brosse le cours ! C'est décidé... avait déclaré Coco.
G. SIMENON, la Maison des sept jeunes filles, III.

DÉR. Brossage, brossée, brosseur.

BROSSERIE [bʀɔsʀi] n. f. — 1832 ; de *brosse.*

♦ **1.** Fabrication, commerce des brosses et ustensiles analogues (balais, plumeaux, etc.). *Brosserie fine. Grosse brosserie.*

♦ **2.** Fabrique de brosses. *Une petite brosserie artisanale.*

BROSSEUR [bʀɔsœʀ] n. m. — 1468, attestation isolée ; repris xixᵉ ; de *brosser.*

★ **I.** ♦ **1.** Celui qui brosse.
(1831). Spécialt et vieilli. Domestique d'un officier. ⇒ **Ordonnance.**
1 Tandis que Jean se préparait, son brosseur achevait de l'astiquer, de lui donner ses affaires. « Est-il bien, mon ceinturon, tu sais que je dîne en ville ce soir. »
PROUST, Jean Santeuil, Pl., p . 569.
2 Saint-Honoré. Table d'hôte. Un monsieur, avec une distinction de brosseur, dit, en s'asseyant :
— Toute la matinée, j'ai eu le corps dérangé.
J. RENARD, Journal, 19 août 1903.
REM. Le fém. *brosseuse* est virtuel.

♦ **2.** (1819, « soldat qui flatte les officiers »). Fam. et vx. Celui qui passe la brosse* à reluire. ⇒ **Flatteur.**

★ **II.** Régional (Belgique). Étudiant habitué à brosser (III.) les cours.

BROSSIER, IÈRE [bʀɔsje, jɛʀ] n. — 1597 ; de *brosse.*

♦ Techn. Ouvrier, ouvrière en brosserie. — Appos. *Ouvrier brossier.*

BROU [bʀu] n. m. — 1549 ; *broust* « couleur extraite de l'enveloppe de la noix », xvᵉ ; de *brout* « pousse ». → Brouter.

♦ **1.** Rare. Enveloppe verte des fruits à écale (noix, noisettes, amandes). ⇒ **Écale.**

♦ **2.** (1694). Cour. BROU DE NOIX. [a] Liqueur à base de noix dont le bois n'est pas encore formé.

[b] Teinture brune de menuisier, faite avec le brou de la noix. *Passer du bois blanc au brou de noix.*
Je te soigne, ma table, le papier de verre te purifie, le brou de noix te rend ta couleur. Violette LEDUC, Folie en tête, p. 419.

HOM. Broue, brout.

BROUAILLES [bʀuaj] n. f. pl. — xivᵉ ; *breuille*, xiiᵉ ; lat. pop. *botula*, de *botulus* « boyau ».

♦ Rare. Intestins de poisson, de volaille.

BROUE [bʀu] ou BROUÉE [bʀue] n. f. — 1316, *bröee* ; var. ou dér. de l'anc. franç. *breu* (→ Brouet) « bouillon », puis « écume, mousse ».

♦ Vx ou régional (Balzac donne le mot pour tourangeau). Brouillard.
La brouée se leva. CHATEAUBRIAND, Mémoires d'outre-tombe, t. IV, 8.
DÉR. V. 1. Brouillard.
HOM. (De *broue*) Brou, brout.

BROUET [bʀuɛ] n. m. — xiiiᵉ ; de l'anc. franç. *breu* (→ Broue) « bouillon » (attesté dans les dial. franco-provençaux), à rapprocher de l'anc. provençal **bro*, même sens, du germanique **brod* « bouillon, jus ».

♦ Vx. Aliment liquide. ⇒ **Bouillon, jus.** *Un brouet clair* (La Fontaine, *Fables*, I, 18). — Loc. *Brouet d'andouilles*, dans lequel on a fait cuire des andouilles. Loc. fig. Vx. *S'en aller en brouet d'andouilles* : n'aboutir à rien (→ Partir en eau de boudin*).

(1609). Péj. Mauvais ragoût, mauvais potage.

Brouet noir, spartiate, lacédémonien : mets simple et grossier des anciens Spartiates.
Spécialt. ⇒ **Chaudeau.**
1 Ce repas se composait d'une bouillie où entrait une variété de renouée, appelée vulgairement poivre d'eau, mêlée en proportions diverses à des ombellifères, des patiences, des liserons et des marguerites. Je ne crois sincèrement pas que ce brouet végétal constituait l'ordinaire des anciens Germains qui étaient chasseurs et pêcheurs. M. TOURNIER, le Roi des Aulnes, p. 200.
2 (...) dans la cuisine une pâtée de son cru. Penché sur le fourneau, il remue avec une grande cuillère de bois une espèce de boue noirâtre (...) Théodore dit qu'il a trouvé dans l'almanach une recette de santé pour ses lapins : des herbes choisies mêlées de sang de bœuf, une poignée de farine, des épices (...) La grosse lapine tachetée va mettre bas, et il compte essayer sur elle les vertus du brouet fortifiant. Suzanne PROU, la Terrasse des Bernardini, p. 49.

BROUETTAGE [bʀuɛtaʒ] n. m. — 1867 ; de *brouetter.*

♦ Rare. Transport par brouette.

BROUETTE [bʀuɛt] n. f. — 1202 ; dimin. d'un anc. franç. **beroue*, du bas lat. *birota* « (véhicule) à deux roues », de *bis*, et *rota*.

♦ **1.** Anciennt (jusqu'au xviiᵉ). Véhicule à deux roues ; (1690) sorte de chaise à porteur montée sur deux roues. ⇒ **Vinaigrette.** *L'invention de la brouette à porteur est attribuée à Pascal.*
1 Passepartout, les mains dans les poches, se rendit donc vers le port Victoria, regardant les palanquins, les brouettes à voile, encore en faveur dans le Céleste Empire, et toute cette foule de Chinois, de Japonais et d'Européens, qui se pressait dans les rues. J. VERNE, le Tour du monde en 80 jours, p. 180.

♦ **2.** (1329). Mod. Petit véhicule à une roue muni de deux brancards et qui sert à transporter des fardeaux à bras d'homme. *Pousser une brouette. Brouette traditionnelle, en bois. Brouette en métal, en matière plastique, à roue caoutchoutée. La roue, le coffre d'une brouette. Brouette de jardinier, de terrassier. Brouette à fond grillé, à barres. Brouette à bascule. Brouette à deux roues.* ⇒ **Diable.** *Brouette à bagages.*
2 (...) des jeux n'étaient maintenant plus de leur âge : comme de faire petites brouettes d'osier, ou petits moulins (...) G. SAND, la Petite Fadette, VII, p. 47.
3 Et voilà qu'on me jugeait capable de pousser la brouette. À vrai dire, je m'y étais déjà exercé en cachette dans la cour, derrière chez moi. J'avais bien craché dans mes mains comme on doit faire pour qu'elles ne glissent pas sur les poignées toutes lisses à force d'usage. Mais les brancards d'une brouette sont faits pour les grandes personnes. J'avais les bras trop courts, la caisse était plus lourde que je ne pensais, cette maudite roue cerclée de fer avait sûrement planté des racines dans le sol, une force invisible pesait à droite ou à gauche des que je soulevais de terre les pieds de bois, bref, le mieux que je pus faire en m'y donnant tout entier fut de pousser l'engin sur quelques mètres.
P.-J. HÉLIAS, le Cheval d'orgueil, p. 264.

Fam. et vieilli. Véhicule poussif. *Sa voiture est une vraie brouette. Ne prends pas ce train : c'est une brouette.*
Loc. fam. *Cuir de brouette :* bois.
Par métonymie. ⇒ **Brouettée.** *Une brouette de paille.*
Par anal. Jeu d'enfant dans lequel une personne marche sur les mains pendant qu'une autre lui tient les jambes à la façon des brancards d'une brouette.
4 (...) le grand écart, le poirier, la roue, la cabriole, le cochon pendu, la brouette.
Marie CARDINAL, les Mots pour le dire, p. 189.

DÉR. Brouettée, brouetter.
COMP. Motobrouette.

BROUETTÉE [bʀuete] n. f. — 1304 ; de *brouette.*

♦ Contenu d'une brouette. *Une brouettée de terre. Une pleine brouettée* (⇒ **Brouette**).
Parmi eux, il reconnut Lacaille, qui prit la rue Saint-Honoré, en poussant devant lui la brouettée de carottes et de choux-fleurs. Il le suivit, espérant qu'il l'aiderait à sortir de la cohue. ZOLA, le Ventre de Paris, t. I, p. 47.

BROUETTER [bʀuete] v. tr. — 1304, *in* Godefroy ; de *brouette.*

♦ Transporter dans une brouette. *Pelleter et brouetter des déblais.*
Il y a 25° à l'ombre, et Philippe, qui brouette du sable en plein soleil, dit :
— Ma foi, il fait bien doux ! J. RENARD, Journal, juil. 1896.
Absolt. *Il pelletait et brouettait du matin au soir.*

DÉR. Brouettage, brouetteur, brouettier.

BROUETTEUR, EUSE [bʀuetœʀ, øz] n. — 1291, *brouetur* ; *broueteire*, 1270 ; de *brouetter.*

♦ Personne, spécialt, travailleur manuel, assurant la manutention de matériaux avec une brouette.
Les brouetteurs de copeaux, vieux ouvriers qui ramassaient les déchets, pressaient le pas vers la cour où s'entassaient les débris de métal. Pierre HAMP, la Peine des hommes (Moteurs), p. 286.

BROUETTIER [bʀuetje] n. m. — Mil. xivᵉ ; de *brouetter.*
Technique.

♦ **1.** Vx. Brouetteur.

♦ **2.** (1863). Fabricant de brouettes. — Ouvrier charron* effectuant de petites opérations.

BROUGHAM [bʀugam] n. m. — 1853, Gautier ; mot angl. (1851), du nom du baron *Henry P. Brougham*.

♦ Anciennt. Petite voiture attelée, élégante, à caisse basse.

Sur le *turf* d'Hyder-Pacha défilaient gravement des arabas, des talikas et même des coupés et des broughams remplis de femmes très-richement parées et dont les diamants scintillaient au soleil (...)   Th. GAUTIER, Constantinople, 1873, p. 166.

BROUHAHA [bʀuaa] n. m. — 1552 ; *brou, brou, brou, ha, ha, brou, ha, ha,* interj., 1548 ; orig. incert., p.-ê. altér. onomatopéique de la formule d'accueil en hébreu *bārūkh habbā*.

♦ **1.** Vx. Rumeur d'approbation, applaudissements.

1 (...) si le comédien ne s'y arrête *(au beau vers),* et ne vous avertit par là qu'il faut faire le brouhaha ?   MOLIÈRE, les Précieuses ridicules, 9.

2 Les applaudissements commencèrent dès la protase ; à chaque vers c'était un brouhaha, et à la fin de chaque acte un battement de mains à faire croire que la salle s'abîmait.   A. R. LESAGE, Gil Blas, X, 5.

♦ **2.** (Av. 1755). Mod. Bruit confus qui s'élève dans une foule. ⇒ **Rumeur, tapage.** *Le brouhaha d'un hall de gare. Des brouhahas de voix.*

3 (...) la porte de la salle céda ; un brouhaha de séance parlementaire ; des étudiants, en grappes, riant, s'interpellant, se pressaient les uns contre les autres (...)   MARTIN DU GARD, les Thibault, t. III, p. 275.

4 Des éclats de rire aigus, un petit brouhaha d'accueil dans le hall (...)   COLETTE, Chéri, p. 70.

5 C'était un mouvement, une excitation, une cohue, un brouhaha dont on ne saurait donner une idée, les indigènes de classe inférieure étant fort démonstratifs, et les étrangers ne leur cédant guère sur ce point.   J. VERNE, Michel Strogoff, p. 74.

Fig. Ensemble confus et agité. « *Le brouhaha des idées parisiennes* » (Taine, *in* T. L. F.).

BROUILLADE [bʀujad] n. f. — 1876, mot provençal, même rac. que *brouiller.*

♦ Régional (Provence). Œufs brouillés. *Une brouillade aux oignons.*

Il n'y avait plus, dans le halo trouble atteint par son regard, que la fiasque de vin, un coin de plat où des frelons butinaient la brouillade d'asparagus.   J. GIONO, Naissance de l'Odyssée, p. 160.

BROUILLAGE [bʀujaʒ] n. m. — 1802, au sens 2 ; «confusion», 1573 ; de *brouiller.*

♦ **1.** Action de brouiller. « *L'impitoyable loi du brouillage des traces et de l'évanouissement à volonté* » (R. Debray, *l'Indésirable*).

♦ **2.** Par métonymie et spécialt. Mines. Point où un gisement est dérangé et mêlé de blocs hétérogènes.

♦ **3.** (1924). Trouble dans la réception des ondes de radio, de télévision, de radar dû à l'addition involontaire (⇒ **Parasite**) ou volontaire d'un signal différent du signal émis. *Brouillage sonore, visuel.* — Action de provoquer ce trouble, d'empêcher la réception d'un signal. *Le brouillage des émissions par les belligérants. Brouillage d'émissions pirates. Appareil de brouillage.* ⇒ **Brouilleur** (cit.).

COMP. **Antibrouillage.**

BROUILLAMINI [bʀujamini] n. m. — 1566, Henri Estienne ; *bouliaminy,* 1378 ; altér. sous l'infl. de *brouiller,* du lat. pharm. *boli armenii* «bol*d'Arménie», petites boules d'argile utilisées comme médicament.

♦ **1.** Vx. Emplâtre pour les chevaux où entre le bol d'Arménie.

♦ **2.** Fam. Situation très embrouillée. ⇒ **Confusion, embrouillamini, embrouille, embrouillement.** *Il y a bien du brouillamini dans cette histoire.*

1 Il y a trop de tintamarre là-dedans, trop de brouillamini.   MOLIÈRE, le Bourgeois gentilhomme, II, 4.

2 (...) mieux vaut que je renonce à démêler ce brouillamini.   COCTEAU, Journal d'un inconnu, p. 24.

1. BROUILLARD [bʀujaʀ] n. m. — 1538, Estienne ; *broillars,* xvᵉ, Ch. d'Orléans ; altér. par changement de suff. de l'anc. franç. *brouillas* (1210, jusqu'au xviiᵉ), de *brouiller.* → Broue, brouet.

♦ **1.** Phénomène atmosphérique naturel produit par des gouttes d'eau extrêmement petites qui flottent dans l'air près du sol et provoquent une diffusion intense de la lumière. ⇒ **Brume, vapeur ; brouillasse, bruine, crachin ;** → Nuage, cit. 4. — Météor. *Brouillard d'advection, de rayonnement. Brouillard pellucide* (cit.). — Cour. *Un brouillard épais, dense, opaque* (Cf. Purée de pois). *Le brouillard d'automne* (→ Vergogneux, cit.). *Un brouillard à couper* * *au couteau. Des phares qui percent le brouillard* (⇒ **Antibrouillard**). *Envelopper de brouillard.* ⇒ **Embrumer.** *Des nappes de brouillard. L'humidité du brouillard. Le brouillard s'élève ; se dissipe. Un navire, un avion pris dans le brouillard. Signaux de brouillard.*

Brouillard artificiel pour camoufler un navire, une armée. Brouillard givrant : brouillard dont les gouttelettes d'eau forment du givre à la surface du sol. — Vx. *Il fait brouillard :* il y a du brouillard. Mod. *Il fait du brouillard.* ⇒ **Brouillarder** (rare).

1 Quand il fait mouillé, quand il fait brouillard, je ne sors point (...)   Mᵐᵉ de SÉVIGNÉ, 1226, 16 oct. 1689.

2 La vapeur des brouillards ne voile point les cieux.   RACINE, Lettres.

3 (...) Montagnes que voilait le brouillard de l'automne.   LAMARTINE, Harmonies... « Milly ».

4 (...) un brouillard flottait comme une écharpe sur les sinuosités de la Toucques.   FLAUBERT, Trois contes, « Un cœur simple », 2.

5 Les lointains de la rade étaient noyés dans un brouillard blanchâtre fait d'embruns et de pluie.   LOTI, Mon frère Yves, III, p. 15.

6 Il faisait sombre dans la chambre : un brouillard jaune était tendu contre les vitres, comme un écran (...)   R. ROLLAND, Jean-Christophe, p. 555.

7 Le fond de la vallée s'enfume d'un brouillard blanc qui s'effile, se balance et s'étale comme une onde.   COLETTE, la Paix chez les bêtes, « Nonoche ».

8 La ville était morte et ruisselait sous le brouillard.   MARTIN DU GARD, les Thibault, t. III, p. 100.

8.1 (...) le brouillard, sensible et têtu comme un homme fort et triste, tombe dans la rue, épargne les maisons et nargue les rencontres.   ÉLUARD, « Quelques poètes sont sortis », *in* Œ. compl., Pl., t. I, p. 79.

Par ext. *Un brouillard de fumée.*

Par analogie :

9 C'étaient des cheveux blonds, d'un blond cendré, d'un blond de poudre, et il y en avait, et ils étaient fins, un brouillard d'or autour de la tête.   A. DAUDET, le Petit Chose, II, 10.

Phys. Suspension de gouttelettes dans un gaz saturé en vapeur. ⇒ **Aérosol.**

♦ **2.** Loc. métaphorique et fig. *Avoir un brouillard sur les yeux, devant les yeux ; voir à travers un brouillard :* avoir la vue troublée, distinguer les objets avec peine (→ Avoir un voile* devant les yeux).

Techn. *Brouillard de fond.* ⇒ **Bruit,** cit. 43 et *supra.*

Fam. *N'y voir que du brouillard :* n'y rien comprendre (→ N'y voir que du feu*).

Loc. (Vx). *Une créance hypothéquée sur les brouillards de la Seine, de la rivière...,* dont rien ne garantit le paiement.

10 Quinze mille écus (...) assignés sur les brouillards de la rivière Seine.   FURETIÈRE, le Roman bourgeois, I, 30.

♦ **3.** Par métaphore ou fig. Vieilli. Obscurité, confusion. *Un esprit plein de brouillards,* confus, trouble.

11 Sans nous plonger dans les brouillards de la métaphysique.   VOLTAIRE, Jenni, 9, *in* LITTRÉ.

Le brouillard de l'ennui, de l'oubli, de la tristesse.

12 (...) ce sont en moi d'étranges marques d'oubli. À l'éblouissante quinzaine qu'avait ouverte la rencontre avec Georges, une sorte de brouillard et d'éclipse avait succédé.   SAINTE-BEUVE, Volupté, XIV.

13 (...) l'invariable ennui, le profond ennui, le brouillard intérieur, le néant devenu sensible.   FRANCE, le Petit Pierre, X.

Être dans les brouillards, dans le brouillard : être un peu ivre*.

Loc. *Être dans le brouillard :* ne pas voir clair dans une situation qui pose des problèmes. *Foncer dans le brouillard :* agir de manière déterminée, brutale, alors qu'on ignore l'essentiel de la situation.

DÉR. **Brouillarder, brouillardeux.** — V. aussi **Brouillasser.**
COMP. **Antibrouillard, microbrouillard.**
HOM. 2. **Brouillard.**

2. BROUILLARD [bʀujaʀ] n. m. — 1611 ; «brouillon», 1496 ; de *brouiller.*

♦ **1.** Vx. En appos. *Papier brouillard :* papier non collé. ⇒ **Buvard.**

♦ **2.** N. m. Comm. Livre de commerce où l'on note les opérations à mesure qu'elles se font. ⇒ **Brouillon** (vx), **main** (main courante).

HOM. 1. **Brouillard.**

BROUILLARDER [bʀujaʀde] v. impers. — Av. 1951, Céline ; de 1. *brouillard.*

♦ Rare. Faire du brouillard ; être caractérisé par le brouillard.

Après la pluie qu'il en a ! Le temps affreux qu'il fait dehors... qu'il brouillarde et pleut en même temps ! On n'y voit pas à trois yards !   CÉLINE, Guignol's band, p. 331-332.

BROUILLARDEUX, EUSE [bʀujaʀdø, øz] adj. — 1860 ; de 1. *brouillard.*

♦ **1.** Couvert, chargé de brouillard. *Un temps brouillardeux.* ⇒ **Brumeux.**

1 Nittis a chez lui des vues de Paris, enlevées au pastel, qui m'enchantent. C'est l'air brouillardeux de Paris, c'est le gris de son pavé, c'est la silhouette diffuse de passant.   Ed. et J. de GONCOURT, Journal, 23 févr. 1878.

Par anal. *Un salon « tout brouillardeux de fumée »* (Goncourt).

Visible, vu indistinctement, dans un brouillard.

2 Mais cet œil n'existe pas, pas plus que ces mains, que cette guitare, ce paysage où passe un boutre brouillardeux.   J.-M.G. LE CLÉZIO, le Déluge, p. 279.

◆ 2. Fig. Plongé comme dans un brouillard. *Se sentir brouillardeux, tout brouillardeux.*

3 J'ai dû ramasser sur les routes une fameuse angine, je me trimballe toute fébrile et brouillardeuse, mon nez occupe toute ma tête ; mais les yeux pleins de larmes et les orteils en plomb il faut rire et avancer quand même (...)
A. SARRAZIN, la Traversière, p. 67.

(Choses abstraites). ⇒ **Brumeux.**

BROUILLASSE [bʀujas] n. f. — 1863, Littré ; de *brouillasser*.

◆ Bruine ; brouillard peu dense. — Péj. Brume.

BROUILLASSÉ, ÉE [bʀujase] adj. — 1893 ; de *brouillasser*.

◆ Rare. Qui est recouvert d'un brouillard, d'une buée.

Tout cela (...) distingué à travers un paquet de fumée comme un fond de mer artificiel à travers la vitre brouillassée d'un aquarium souterrain (...)
COURTELINE, Messieurs les ronds-de-cuir, 6ᵉ tableau, III.

REM. Courteline emploie le dér. *brouillasserie* (*les Femmes d'amis*, p. 54, *in* D. D. L.).

BROUILLASSER [bʀujase] v. intr. — 1834 ; « mélanger », déb. XVIIᵉ ; de l'anc. franç. *brouillas* « trouble, confusion ». → 1. Brouillard.

◆ Impers. *Il brouillasse :* il y a de la brume, du brouillard. *Il commençait à brouillasser. Ça brouillasse.*

(...) quand il disait qu'il bruinait, on pouvait être sûr qu'il s'agissait bien de la bruine, et qu'il ne pleuvinait, et qu'il ne brouillassait point.
GIRAUDOUX, Juliette au pays des hommes, p. 131.

Par ext. (impropre). Bruiner.

DÉR. **Brouillasse.**

BROUILLE [bʀuj] n. f. — 1617, « querelle », Richelieu, *Correspondance* ; de *brouiller*.

◆ Mésintelligence survenant entre personnes qui entretenaient des rapports familiers ou affectueux. ⇒ **Brouillerie, fâcherie, mésentente, rupture, trouble, querelle** (→ Brouiller, cit. 34). *Mettre, jeter la brouille dans une famille, un ménage. Une brouille s'est élevée, est survenue entre eux. Une petite brouille. Une brouille passagère. Une brouille sérieuse, grave.*

0.1 Il ne restait plus qu'à paraître ennuyé de cette indiscrétion des journaux qui pouvait amener des brouilles avec les personnes qu'on n'avait pu inviter (...)
PROUST, Sodome et Gomorrhe, éd. Folio, p. 192.

1 Je sentais qu'ils me menaient vers une brouille définitive ou une réconciliation, et je les suivis au Jockey.   GIRAUDOUX, Bella, VI.

1.1 Ils regardaient devant eux, muets comme après une grande brouille (...)
GIRAUDOUX, les Aventures de Jérôme Bardini, p. 56.

La brouille (collectif) :

2 Le goût de la brouille est un héritage de famille.
F. MAURIAC, le Nœud de vipères, p. 13.

Loc. (Vx). *Être en brouille (avec qqn) :* être brouillé*. → (fam.) Être en bisbille*.

CONTR. **Arrangement, raccommodement, réconciliation.**

BROUILLEMENT [bʀujmã] n. m. — 1419, *brullemens* « mise en désordre » ; repris au XIXᵉ ; de *brouiller*.

Rare.

◆ 1. Action de brouiller, de mêler. *« Brouillements féeriques de couleurs »* (Goncourt, *in* T. L. F.). — *Un brouillement de cris.*

◆ 2. État de ce qui est embrouillé, compliqué. ⇒ **Embrouillement.**

(...) ensuite il contribua, par des conversations animées et par l'ascendant qu'il exerçait sur les esprits, à ces brouillements qui amenèrent Moreau devant une cour de justice.   CHATEAUBRIAND, Mémoires d'outre-tombe, t. III, 2.

REM. L'idée de confusion l'emporte ici sur celle de mésentente, de brouille (→ Brouillerie, 2.).

BROUILLER [bʀuje] v. tr. — 1219 ; gallo-roman *brodiculare*, de *brodicare* ; du germanique *brod* « bouillon ». → Brouet, brouillade, 1. brouillard.

◆ 1. Mêler en agitant, en dérangeant. ⇒ **Mélanger, mêler.**

Vx (objets concrets, matériels). *Brouiller des papiers, des dossiers. Brouiller une pelote de fil.* ⇒ **Bouleverser, emmêler, enchevêtrer.**

Mod. (avec une valeur, souvent symbolique ou métaphorique, de suppression d'un ordre). *Brouiller la combinaison d'un coffre-fort. Brouiller les pistes*. ⇒ **Embrouiller.**

Loc. **BROUILLER LES CARTES,** les battre avant de donner. — Fig. Mettre du trouble, de la confusion dans une affaire.

1 C'est dans le jeu politique et parlementaire (...) que des joueurs, mauvais joueurs, battus, brouillent les cartes, renversent le jeu, comme fit par hasard le voisin.
Ch. PÉGUY, Œ. compl., t. XII, p. 22.

1.1 (...) une conscience scrupuleuse eût précisément évité les fautes qui nous ont coûté l'Indochine et, au Maghreb, ont brouillé irréparablement les cartes de la France.
F. MAURIAC, le Nouveau Bloc-notes 1958-1960, p. 47.

Spécialt. *Brouiller des œufs* (→ Jus, cit. 4, et ci-dessous, le p. p.). *Brouiller des couleurs. Brouiller en écrasant.* ⇒ **Broyer.**

◆ 2. Vieilli. Rendre trouble, confus (un liquide). ⇒ **Altérer, déranger, troubler.** *Brouiller un liquide, du vin,* le rendre trouble en le remuant. ⇒ **Agiter.**

Mod. Rendre trouble, difficile à voir. *Brouiller les verres d'une lunette, un objectif,* les rendre troubles, opaques. *La pluie, la buée brouille les fenêtres. Brouiller les yeux, la vue. Les larmes lui brouillent la vue. Brouiller le teint :* altérer la coloration de la peau. *Les nuages brouillent le ciel.*

2 Par moments un nuage traînant brouille le fond du paysage.
GIDE, Journal, 1909, la Mort de Charles-Louis Philippe.

◆ 3. Rendre inaudible. *Brouiller une émission de radio,* la rendre inaudible en émettant un son parasite sur la même longueur d'onde (⇒ **Brouillage,** 3.).

◆ 4. Fig. Rendre confus, embrouiller.

Mod. *La colère lui a brouillé l'esprit, la cervelle, les idées.* ⇒ **Troubler.** *Brouiller les souvenirs, les dates d'histoire.* ⇒ **Confondre, mêler.**

3 Là ma douleur trop forte a brouillé ces images (...)   CORNEILLE, Polyeucte, I, 3.
4 Quel accident nouveau te brouille ainsi le sens ?   CORNEILLE, Mélite.
5 C'étaient discours en l'air inventés par ma flamme,
Pour brouiller ton esprit et celui de sa femme.   CORNEILLE, Pertharite, IV, 2.
6 Ce serait brouiller toutes ses affaires.   RACINE, Remarques sur l'Odyssée.
7 J'avais les plus belles pensées du monde, et vos discours m'ont brouillé tout cela.
MOLIÈRE, Dom Juan, I, 2.
8 Vous savez mieux que personne comme on est peu maîtresse de ses craintes et de ses imaginations ; elles ont ici toute leur étendue ; rien ne brouille, ni ne démêle ces émotions (...)   Mᵐᵉ DE SÉVIGNÉ, 830, 10 juil. 1680.
9 (...) le désespoir de se voir toujours oublié dans les promotions lui a brouillé la cervelle.   A. R. LESAGE, le Diable boiteux, X, 101.
10 Elle perdait la mémoire, brouillait les époques (...)
FRANCE, le Petit Pierre, XXIV.
11 La mémoire a donc bien ses degrés successifs et distincts de tension ou de vitalité, malaisés à définir, sans doute, mais que le peintre de l'âme ne peut pas brouiller entre eux impunément.   H. BERGSON, Matière et Mémoire, p. 186.

Vx. *Brouiller une affaire. Il a tripoté dans mes affaires et n'est parvenu qu'à les brouiller. Cet homme brouille tout ce qu'il touche* (⇒ 1. **Brouillon**).

Vx. Troubler, altérer, gâter.

12 Je me console des inquiétudes qui viennent brouiller la joie de vous voir bientôt à Paris.   Mᵐᵉ DE SÉVIGNÉ, 859, 6 oct. 1680.

Vx. Absolt. ⇒ **Bafouiller, bredouiller.**

13 Il cherche, il brouille, il crie, il s'échauffe (...)   LA BRUYÈRE, les Caractères, XI, 7.

◆ 5. Loc. Vx. *Brouiller du papier,* le noircir en griffonnant, en écrivant rapidement. ⇒ **Barbouiller.** — Par ext. *Brouiller un sonnet.*

14 Ma sœur, un mot d'avis sur un méchant sonnet
Que je viens de brouiller dedans mon cabinet.   CORNEILLE, Mélite, II, 4.
15 J'ai plus de papier à dire de méchantes choses, que vous n'en avez employé à écrire les plus belles choses du monde.   RACINE, Lettres.

◆ 6. (Compl. n. de personne ; sujet n. de personne ou de chose). Désunir en provoquant une brouille. *Brouiller qqn avec son meilleur ami. Ce mot a failli me brouiller avec toute la bande* (→ Pissefroid, cit. 1).

16 La déesse Discorde ayant brouillé les Dieux (...)   LA FONTAINE, Fables, VI, 20.
17 Elle est très mauvaise, cette fille-là... Elle savait bien qu'elle te brouillerait avec la Madelon (...)   G. SAND, la Petite Fadette, XVII.
17.1 Mais Mᵐᵉ Verdurin (...) avait fini par trouver un plaisir désintéressé dans ce genre de drames et d'exécutions, l'avait irrémédiablement brouillé avec la personne dangereuse, sachant, comme elle le disait, « mettre bon ordre à tout » et « porter le fer rouge dans la plaie ».   PROUST, Sodome et Gomorrhe, éd. Folio, p. 305.

▶ **SE BROUILLER** v. pron.

◆ 1. (Choses). Devenir trouble, confus. *Ce liquide, ce mélange s'est brouillé. Son teint se brouille. Sa vue se brouille. Le ciel, le temps se brouille.* ⇒ **Gâter** (se).

18 Les nuages couvrirent bientôt la surface de la terre ; dès que mon fils commença à parler, le temps se brouilla (...)   Mᵐᵉ DE SÉVIGNÉ, 846, 28 août 1680.

Fig. et vx. *Les affaires se brouillent.*

Mod. (Abstractions humaines). *Son esprit, ses idées, ses souvenirs se brouillent.*

19 Oh ! qu'ils *(les souvenirs)* se brouillent donc et que tout se confonde (...)
LOTI, les Désenchantées, VI, 52.
20 (...) mais je ne me rappelle même plus. Ce qu'on me dit se brouille dans ma tête, j'y attache si peu d'importance !
PROUST, À la recherche du temps perdu, t. XII, p. 165.

Vx (faux pronominal). *Se brouiller l'esprit, la tête :* agiter en vain des idées. ⇒ **Casser** (fam., se casser la tête), **torturer** (se).

21 (...) Si nous n'aimions point à nous brouiller l'esprit
Ni de ce que l'on fait ni de ce que l'on dit !
CORNEILLE, Imitation de J.-C., I, 668.
22 Je m'aperçus bientôt que tous ces auteurs étaient entre eux en contradiction presque perpétuelle, et je formai le chimérique projet de les accorder, qui me fatigua beaucoup et me fit perdre bien du temps. Je me brouillais la tête, et je n'avançais point.   ROUSSEAU, les Confessions, VI.

Vx. *Se brouiller :* s'embarrasser, s'embrouiller.

♦ **2.** (Personnes). Cour. Cesser d'être ami. ⇒ **Fâcher** (se). *Se brouiller avec ses parents.*

23 Pompée et César s'unissent par intérêt et puis se brouillent par jalousie.
BOSSUET, Hist. des variations, III, 17.

24 (...) quelque chose d'épouvantable (...) qui eût été capable (...) de nous brouiller, ce qui nous permettrait de nous réconcilier, de refaire différente et plus souple la chaîne qui nous liait.   PROUST, À la recherche du temps perdu, t. XI, p. 33.

Fig. *Se brouiller avec le bon sens :* perdre le bon sens.
Se brouiller avec la justice : s'exposer à l'action de la justice en commettant un délit, un méfait.

25 — Une aventure où je me brouillai avec la justice (...)
— Je te conjure au moins de ne m'aller point brouiller avec la justice.
MOLIÈRE, les Fourberies de Scapin, I, 2 et 5.

▶ **BROUILLÉ, ÉE** p. p. adj.

♦ **1.** (Choses). Mêlé, mélangé.

(1611). *Œufs brouillés,* dont les blancs et les jaunes ont été mélangés (et non battus, comme pour l'*omelette*) en cours de cuisson.
⇒ **Brouillade** (régional); et → Fondue, cit. 3.

♦ **2.** Qui a été rendu confus, peu net. *Un teint brouillé. Ciels brouillés,* poème de Baudelaire. — (Passif et p. p.). *Brouillé de..., par... Des yeux brouillés (de...),* dont le regard n'est pas net. *Vue brouillée.*

26 Et, sur ce visage étrange *(de Danton),* brouillé de petite vérole (...)
MICHELET, Hist. de la Révolution franç., t. I, p. 1025.

27 (...) aux yeux battus, tout brouillés de sommeil (...)
ZOLA, l'Assommoir, t. I, p. 7.

28 (...) des yeux gris, dans un teint de brune, un peu brouillé (...)
MARTIN DU GARD, les Thibault, t. II, p. 217.

29 (...) ma vue était brouillée par mon trop grand désir de l'embrasser (...)
PROUST, À la recherche du temps perdu, t. XII, p. 225.

30 Jean-Pierre releva le front, montrant des yeux gonflés mais beaux qui, même brouillés par les larmes, illuminaient son étroite figure d'adolescent.
G. DUHAMEL, Chronique des Pasquier, X, 3.

30.1 Au repos, l'expression de Valérie était d'une tristesse tendre, et Ferral se souvenait que la première fois qu'il l'avait vue il avait dit qu'elle avait un visage brouillé, — le visage qui convenait à ce que ses yeux gris avaient de doux.
MALRAUX, la Condition humaine, p. 98.

Avoir l'estomac brouillé, et, par métonymie, *être, se sentir brouillé après un bon repas* (par confusion avec *barbouillé**).
Une émission de radio brouillée. Une voix brouillée.

(Abstrait). *Affaires brouillées. Cartes, pistes brouillées. Idées, souvenirs brouillés.* ⇒ **Disparate.** *Esprit brouillé.*

31 Là, le petit solitaire put faire tout son saoûl, des lectures brouillées, indigestes.
MICHELET, Extraits historiques, p. 350.

32 Plus les pistes lui paraissent brouillées, plus l'homme est enclin, pour sortir à tout prix de la confusion, à accepter une doctrine toute faite qui le rassure, qui le guide.
MARTIN DU GARD, les Thibault, t. IX, p. 238.

♦ **3.** Passif, p. p. et adj. (Personnes). *Être brouillé avec qqn,* ne plus être en bons termes avec lui. ⇒ **Fâché** (→ Paix, cit. 7). *Brouillé à mort. Ils sont brouillés.*

33 Que votre oncle soit brouillé ou non avec elle, il faudra bien se raccommoder.
A. DE MUSSET, Il ne faut jurer de rien, III, 5.

34 (...) je fus surpris d'entendre Andrée, que je croyais brouillée à mort avec elle, dire : « Je lui écrirai demain, parce que si j'attends sa lettre d'abord, je peux attendre longtemps, elle est si négligente. » Et se tournant vers moi elle ajouta : « Vous ne la trouveriez pas très aimable évidemment, mais c'est une si brave fille, et puis j'ai vraiment une grande affection pour elle. » Je conclus que les brouilles d'Andrée ne duraient pas longtemps.
PROUST, À l'ombre des jeunes filles en fleurs, éd. Folio, p. 562.

(V. passif). Fig. *Être brouillé avec la raison, le bon sens, la justice* (→ ci-dessus, Se brouiller, 2.). *Être brouillé avec la grammaire, avec les mathématiques, les chiffres, les noms,* ne pas les comprendre ou les oublier facilement. — P. p. *Un élève brouillé avec l'orthographe.*

35 — Dites-moi, ma bonne tante, demanda M. de Guermantes à Mᵐᵉ de Villeparisis, qu'est-ce que ce monsieur assez bien de sa personne qui sortait comme j'entrais ? Je dois le connaître parce qu'il m'a fait un grand salut, mais je ne l'ai pas remis ; vous savez je suis brouillé avec les noms, ce qui est bien désagréable, dit-il d'un air de satisfaction.   PROUST, Du côté de Guermantes, éd. Folio, p. 277.

CONTR. Accorder, arranger, clarifier, classer, débrouiller, démêler, distinguer, éclaircir. — Accorder, raccommoder, réconcilier, réunir. — Clair, net.
DÉR. Brouillage, 1. brouillard, 2. brouillard, brouille, brouillement, brouillerie, brouilleur, brouillis, 1. brouillon, 2. brouillon.
COMP. Antibrouillé ; débrouiller, embrouiller.

BROUILLERIE [bʀujʀi] n. f. — Déb. XVIIᵉ ; « désordre », 1418 ; de *brouiller.*

♦ **1.** Vieilli. Brouille passagère, sans gravité.

1 Il connaît le fond et les causes de la brouillerie des deux frères.
LA BRUYÈRE, les Caractères, II, 39.

2 À quoi bon faire part aux autres de nos petites brouilleries ? ce sont quelques légers nuages qui passent un instant dans le ciel, pour le laisser plus tranquille et plus pur.
A. DE MUSSET, le Chandelier, I, 1.

♦ **2.** Vx (en parlant de troubles politiques ; l'idée de « confusion », de « trouble » l'emporte sur celle de « mésentente »). *« Les troubles de la Ligue et les brouilleries de la Fronde »* (Chateaubriand).

BROUILLEUR, EUSE [bʀujœʀ, øz] n. et adj. — 1411, « personne qui frelate » ; de *brouiller.*

★ **I.** Vx. Personne qui « brouille », frelate (des vins, etc.).
Littér. (Dans quelques syntagmes). Celui, celle qui brouille (qqch.). *Brouilleur, brouilleuse de ménages. Brouilleur de jeu, de pistes.*

★ **II.** (1937). ♦ **1.** N. m. Techn. Émetteur qui sert au brouillage volontaire d'une émission de radio ou de télévision, d'un radar ou de tout appareil de détection.

Les Russes ont bien tenté de brouiller les stations clandestines de la Tchécoslovaquie, mais ils y ont renoncé, car ces stations étaient trop nombreuses et trop mobiles. Trop nombreuses, ces stations exigent une infrastructure colossale de brouillage ; trop mobiles, elles changent de zones de diffusion plus vite que le *brouilleur.*
le Figaro littéraire, 9-15 sept. 1968.

♦ **2.** Adj. m. *Signal brouilleur,* volontairement destiné au brouillage.

BROUILLIS [bʀuji] n. m. — V. 1450 ; de *brouiller.*

♦ **1.** Techn. (Œnol.). Mélange obtenu par distillation de vins. *Eau-de-vie obtenue à partir de brouillis.*

♦ **2.** Littér. (Huysmans, *in* T. L. F.). Mélange (de teintes, etc.).
⇒ **Brouillement.**

HOM. Brouilly.

1. BROUILLON, ONNE [bʀujɔ̃, ɔn] adj. et n. — Mil. XVIᵉ, Montaigne ; de *brouiller.*

♦ **1.** (Personnes, groupes ; caractères humains). Qui mêle tout, n'a pas d'ordre, de méthode. ⇒ **Confus, désordonné.** *Il est agité et brouillon. Une fillette vive et un peu brouillonne. Un esprit brouillon. Une humeur brouillonne. Une activité brouillonne.*

N'est-ce pas une chose étrange (...)   1
Que cette troupe brouillonne
M'arrache de cabaret ?   CORNEILLE, Poésies diverses, 72.

(...) ce démon brouillon dont il est possédé.   MOLIÈRE, l'Étourdi, V, 1.   2

— Vos réflexions métaphysiques vous donnent l'air encore plus brouillon que   2.1
d'habitude...
— J'ai l'air brouillon en général ?
— Tout à fait. Je n'oserais jamais vous laisser voyager seule, par exemple. Je vous
trouverais dans une salle de transit, Dieu sait où, huit jours plus tard (...)
F. SAGAN, la Chamade, p. 103.

N. (1549). Vieilli. Personne qui agit confusément, qui sème le désordre par ses actes. *Cet homme est un brouillon, un touche-à-tout. Ce brouillon sème partout le trouble.* ⇒ **Trublion.**

Vous savez que nous le trouvons *(le temps)* un vrai brouillon, mettant, remettant,   3
rangeant, dérangeant (...)   Mᵐᵉ DE SÉVIGNÉ, 471, 24 nov. 1675.

Eh ! non, brouillonne, non ; tu ne sais pas encore ce que tu dis.   4
MARIVAUX, le Préjugé vaincu, 8, *in* LITTRÉ.

♦ **2.** Confus, désordonné. *Une écriture brouillonne.*

Chose singulière, lui qui avait plutôt une écriture petite et brouillonne, s'appli-   5
quait, cette nuit-là, à des caractères très nets, et, sans doute, craignait-il de faire
des pâtés, car il n'avait pas plutôt tracé quelques mots qu'il prenait grand soin de
les faire sécher sur le buvard qui garnissait le pupitre.
G. LEROUX, Rouletabille chez Krupp, p. 182.

CONTR. Méthodique, ordonné ; clair (esprit clair).
HOM. 2. Brouillon ; formes du v. brouiller.

2. BROUILLON [bʀujɔ̃] n. m. — 1551 ; de *brouiller.*

A. ♦ **1.** Première rédaction d'une lettre, d'un écrit scolaire ou didactique, qu'on se propose de mettre au net par la suite. *Faire le brouillon d'une dissertation. Corriger, recopier un brouillon ; mettre un brouillon au net, au propre. Il ne fait jamais de brouillon, il rédige directement au propre. Des brouillons de poèmes. Déchirer un brouillon. Une poubelle pleine de brouillons.*

Ces quatre lettres, faites sans brouillon, rapidement, à trait de plume, et sans   1
même avoir été relues, sont peut-être la seule chose que j'ai écrite avec facilité
dans toute ma vie (...)   ROUSSEAU, les Confessions, XI.

Les ouvrages d'Hugo ressemblent au brouillon d'un homme qui a du talent : il dit   2
tout ce qui lui vient (...)   E. DELACROIX, Écrits, t. II, p. 84.

Nous n'avions pas grand temps avant le dîner. Nous fîmes plusieurs brouillons   2.1
de lettres que nous brûlâmes, puis l'heure du dîner arrivant, nous décidâmes de
nous en tenir au dernier, qui nous sembla alors le plus mauvais et nous fit regretter
d'avoir brûlé les autres.   PROUST, Jean Santeuil, p. 184.

Que vous disais-je dans ma dernière lettre ? Je ne fais pas de brouillon de ce que 2.2
je vous écris.   MONTHERLANT, Pitié pour les femmes, p. 53.

♦ **2.** Par métonymie. Papier utilisé pour rédiger des brouillons. *Je n'ai plus de brouillon. Cahier de brouillons* (on écrit aussi *cahier de brouillon* « cahier pour le brouillon » ; *brouillon* est dans ce cas pris au sens 1).

♦ **3.** Fig. Ébauche*, esquisse.

Le projet est le brouillon de l'avenir. Parfois, il faut à l'avenir des centaines de   3
brouillons.   J. RENARD, Journal, 2 févr. 1902.

♦ **4.** Loc. adv. Au **BROUILLON** (opposé à *au propre*). *Fais ton problème au brouillon, tu le recopieras plus tard.*

B. Comm. Vx. Livre de comptes. ⇒ 2. **Brouillard.**

DÉR. Brouillonner.
HOM. 1. Brouillon; formes du v. brouiller.

BROUILLONNER [bʀujɔne] v. — 1829, Boiste, v. tr.; de *brouillon.*

★ **I.** V. tr. Écrire rapidement, au brouillon (qqch.). *Brouillonner un article de journal.*

Par métaphore. (Littér. et stylistique). Griffonner comme sur un brouillon.

1   Le papier gros bleu du ciel sur lequel le soir avait brouillonné, comme un collégien, les tire-bouchons d'un crayonnage rose.
PROUST, le Côté de Guermantes, Pl., p. 95.

★ **II.** V. intr. (1900). Écrire au brouillon. *« Pendant que je rage, les autres "brouillonnent" déjà »* (Colette, *in* T. L. F.).

2   Et à main droite, le toc des tocs, le bloc où j'ai brouillonné avec des feuilles de papier mort.
Hélène CIXOUS, Souffles, p. 221.

BROUILLY [bʀuji] n. m. — D. i.; nom d'une commune du Beaujolais.

♦ Vin rouge du Beaujolais, produit dans la région de Brouilly.
HOM. Brouillis.

BROUIR [bʀuiʀ] v. tr. — 1564, *brouyr; broïr* «brûler», déb. xiie; p.-ê. du francique **brôjan* «griller, échauder». Pour Guiraud, mot provençal «faire brûler (les mauvaises herbes)», de *brou* «pousse», du gréco-lat. *bryon* «mousse», p.-ê. croisé avec le germanique **brôjan.*

♦ Vieilli ou régional. Brûler, dessécher, griller (en parlant de l'action du soleil sur les plantes). *Vignes brouies.*

DÉR. Brouissure.

BROUISSURE [bʀuisyʀ] n. f. — 1645; du rad. de *brouir.*

♦ Vieilli ou régional. État de ce qui est broui; brûlure des bourgeons, des fleurs.

BROUM [bʀum] interj. — 1843, «raclement de gorge», Balzac; onomatopée.

♦ Onomatopée imitant le ronflement et la trépidation d'un moteur.

1   Il *(le petit garçon)* alla chercher une petite voiture et se mit à la faire rouler autour des pieds de Bresson, en faisant «brouououououm, broum» pour imiter le ronflement d'un moteur.
J.-M. G. LE CLÉZIO, le Déluge, IX, p. 177.

2   D'abord la vieille balance. Mme Bornimont laissait tomber dans ses plateaux des poids en fonte d'un modèle antique.
«Brroum!» criaient les enfants, pour faire les bruits.
P. GUTH, le Naïf locataire, p. 115.

On dit aussi *vroum*.*

BROUSSAILLE [bʀusaj] n. f. — 1564; *broissaille*, 1559; *broçaille*, attestation isolée, v. 1160; de *brosse.*

♦ **1.** Cour. Au plur. Végétation touffue des terrains incultes, composée d'arbustes et de plantes rabougris, rameux et épineux. *Touffe, haie de broussailles. Traverser des broussailles. Garnir (une haie, etc.) de broussailles.* ⇒ **Broussailler.** *Broussailles d'un terrain en friche* (⇒ **Écrues**). *Arracher les broussailles.* ⇒ **Débroussailler, essarter.** *Fagot de broussailles. Un terrain recouvert de broussailles.* ⇒ **Broussailleux, embroussaillé.** *Pays couvert de broussailles.* ⇒ 1. **Brousse, maquis.** *Mettre le feu aux broussailles; feu de broussailles.*

1   Je perce à travers un fourré de broussailles du côté d'où venait le bruit (...)
ROUSSEAU, Rêveries..., 7e promenade.

2   (...) une fois dans le jardin je fus saisi, enveloppé par les broussailles. J'essayai sans succès d'atteindre une allée. Je ne réussis qu'à m'égratigner affreusement.
H. BOSCO, Hyacinthe, p. 200.

Par compar. (⇒ **Broussailleux**).

3   Sa figure *(de Tolstoï)* avait pris les traits définitifs, sous lesquels elle restera dans la mémoire des hommes (...) les broussailles blanches des sourcils, la barbe de patriarche, qui rappelle le Moïse de Dijon.
R. ROLLAND, Vie de Tolstoï, p. 175.

(1837). *Cheveux, sourcils, barbe en broussailles,* emmêlés et touffus.

♦ **2.** Rare. Au sing. *Se cacher dans une broussaille.* ⇒ **Fourré; buisson.** — Plus cour. (collectif). *La broussaille.*

Par métaphore. *« Une broussaille de conventions »* (Gide). *« La broussaille des préjugés »* (Mounier, *in* T. L. F.).

DÉR. Broussailler, broussailleux.
COMP. Débroussailler, embroussailler.

BROUSSAILLER [bʀusaje] v. — xixe; de *broussaille.*
Littéraire.

♦ **1.** V. tr. Garnir de broussailles.

♦ **2.** V. intr. Pousser en broussailles. — Par métaphore (en parlant des cheveux, des poils). Avoir un aspect broussailleux, hirsute.

N'est-ce pas? ajouta-t-il en fronçant des sourcils qui broussaillaient dans tous les sens.
G. CESBRON, Je suis mal, p. 197.

BROUSSAILLEUX, EUSE [bʀusajø, øz] adj. — 1857, Fromentin; attestation isolée, 1611; de *broussaille.*

♦ **1.** Couvert de broussailles. *Un terrain broussailleux.* — Par métaphore :

1   Il va y avoir un an que j'ai pratiquement interrompu ce journal et cette quête, cette exploration dans la forêt broussailleuse si difficile à pénétrer, à la recherche de moi-même.
IONESCO, Journal en miettes, p. 195.

♦ **2.** Fig. En broussailles. *Cheveux broussailleux. Barbe broussailleuse.*

2   (...) ses cheveux roux, durs et broussailleux, plantés comme de l'herbe sur son front bas (...)
MARTIN DU GARD, les Thibault, t. I, p. 82.

BROUSSARD, ARDE [bʀusaʀ, aʀd] n. — 1885; de 1. *brousse.*

♦ Fam. Personne qui vit dans la brousse, en brousse, loin des centres urbains. *Broussards et citadins, en Afrique.* — REM. En franç. d'Afrique, le mot a deux valeurs : a) chez les locuteurs européens (comme en Europe), «personne bien adaptée à la vie en brousse» : *un vrai broussard, un vieux broussard,* etc.; b) chez les locuteurs africains, «campagnard, provincial», dans un sens péjoratif (d'après I. F. A.).

1. BROUSSE [bʀus] n. f. — 1876; du provençal *brousso* «broussaille», mot probablt répandu par les soldats méridionaux des troupes coloniales, même orig. que *brosse*.*

♦ **1.** Région, étendue couverte de broussailles. — Broussailles.

1   Dans le bas du domaine, séparé du parc par une haie d'arbustes, s'étendait le potager. Il était défiguré par la brousse.   G. DUHAMEL, le Désert de Bièvres, VI.

Spécialt, en Afrique. ⓐ Savane arbustive.

ⓑ Région africaine éloignée des centres urbains et souvent inculte ou inhabitée. ⇒ **Bled.** *Être perdu dans la brousse. Marcher à travers la brousse.* ⇒ **Brousser.** *Vivre dans la brousse, en brousse.* ⇒ **Broussard.**

(Franç. d'Afrique). **ALLER EN BROUSSE** : aller dans le pays, hors des villes et hors du village natal (opposé à *aller au village**). — Fam. *Aller en brousse* : satisfaire ses besoins naturels, aller déféquer.

♦ **2.** Fam. Campagne; région isolée dans la campagne. ⇒ **Cambrousse.** *Il habite dans la brousse, un endroit perdu de la Lozère.*

♦ **3.** Type de végétation arbustive dégradée des pays tropicaux. — *Feux de brousse.*

2   Sur la rive gauche, au loin, quelques lumières, un feu de brousse (...)
GIDE, Voyage au Congo, in Souvenirs, Pl., p. 690.

DÉR. Broussard. — V. aussi **Brousser.**
HOM. 2. Brousse; formes du v. brousser.

2. BROUSSE [bʀus] n. f. — 1579; *brosse,* 1505; anc. provençal *broce,* rattaché au francique **brukja* «ce qui est brisé».

♦ Régional. Fromage blanc de Provence, fait avec du lait de chèvre ou de brebis. ⇒ **Broccio.**

REM. On trouve en 1861 la var. régionale provençale *brousso,* n. m.
HOM. 1. Brousse; formes du v. brousser.

BROUSSER [bʀuse] v. intr. — 1583; trans., *broiscier,* 1230; de *brosse* «taillis, broussailles». → 1. Brousse.

♦ Rare. Parcourir les broussailles, les buissons. ⇒ **Brosser** (II., vx).

Tiffauges laissait les rênes molles à Barbe-Bleue qui de toute sa masse défonçait les épiniers, broussait dans les oseraies, broyait les fougeraies et les bruyères (...)
M. TOURNIER, le Roi des Aulnes, p. 316.

(Rattaché à 1. *brousse*). Parcourir la brousse.

BROUSSIN [bʀusɛ̃] n. m. — 1562; *broissin,* xiiie; p.-ê. de *brosse,* ou de l'anc. franç. *brois,* var. *bruis* «excroissance de l'érable», du lat. *bruscum.*

♦ Arbor. Loupe (de certains arbres). → 2. *Loupe (4.). Broussin des arbres fruitiers, de l'orme, de l'érable. Le broussin est utilisé en ébénisterie.*

BROUSSO [bʀuso] n. m. ⇒ 2. **Brousse.**

BROUT [bʀu] n. m. — V. 1560, *broult ;* var. dial. de l'anc. franç. *brost* (xııᵉ), du germanique **brust* «jeune pousse». → Brou, brouter.

♦ Agric. ou régional. Pousse de printemps. — *Mal de brout :* inflammation intestinale des bestiaux qui mangent trop de brout.
DÉR. V. Brou, broutille.
HOM. Brou, broue.

BROUTAGE [bʀutaʒ] n. m. — 1845, Bescherelle ; de *brouter.*

♦ **1.** Rare. Action de brouter. *Le broutage d'un pré,* par les bestiaux.

♦ **2.** Techn. Vibrations anormales dans un mécanisme en mouvement, dues à un frottement ou à un mauvais enclenchement des pièces. ⇒ **Broutement.**

BROUTANT, ANTE [bʀutɑ̃, ɑ̃t] adj. — D. i. ; attesté 1901, Claudel, *in* T. L. F. ; de *brouter.*

♦ Rare. Qui broute. — Spécialt. Vén. *Les bêtes broutantes :* cerf, daim, chevreuil.

BROUTARD [bʀutaʀ] n. m. — 1867 ; de *brouter.*

♦ Techn. (boucherie, élevage). Veau qu'on laisse brouter (au lieu de le nourrir au lait). *Des broutards et des génisses.* — En appos. *Veau broutard.*

BROUTEMENT [bʀutmɑ̃] n. m. — 1562, *brouttement ;* de *brouter.*

♦ **1.** Action de brouter.

♦ **2.** (1845). Techn. Action, fonctionnement saccadé. ⇒ **Broutage.**

BROUTER [bʀute] v. — xıvᵉ ; *broster, bruster,* xııᵉ ; de l'anc. franç. *brost,* du germanique **brust* «bourgeon» (→ Brout), à rattacher à **brustjan* «bourgeonner» ; Guiraud rattache les deux formes *brouster* et *brouter* à deux rad. distincts, l'un germanique **brust,* d'où un lat. pop. **bruscitare,* puis *brouster ;* l'autre gotique **brut,* d'où un lat. pop. **broccitare.* → Brout.

★ **I.** V. tr. ♦ **1.** Manger en arrachant sur place (l'herbe, les pousses, les feuilles). ⇒ **Paître.** *Un âne, un troupeau broutait l'herbe du pré.* ⇒ **Tondre.** *Taillis brouté.* ⇒ **Abrouti.**

1   Ce n'est donc pas proprement de l'herbe, ni des choses tombées à terre que broutent les animaux, mais bien des *broutilles,* des bouts de branches d'arbre (...) vers lesquels il faut que l'animal élève ou tende la gueule pour saisir sa nourriture.
LAFAYE, Dict. des synonymes, Brouter.

2   Dans les maigres pâturages des îles de Bretagne, chaque brebis du troupeau, attachée à un pieu, ne peut brouter une herbe rare que dans l'étroit rayon de la corde qui la retient.   RENAN, Œ. compl., t. I, ııı, p. 225.
Figuré :

3   Je sais que jamais un vrai grand homme n'a pensé qu'il fût grand homme, et que, quand on broute sa gloire en herbe de son vivant, on ne la récolte pas en épis après sa mort.   RENAN, Souvenirs d'enfance..., vı, 4, p. 253.
Absolt. *Les moutons broutent. Le lapin broute.* ⇒ **Gagner** (→ Après, cit. 16).

4   Paissons l'herbe, broutons ; mourons de faim plutôt.   LA FONTAINE, Fables, x, 5.
Prov. *Où la chèvre est attachée, il faut qu'elle broute :* il faut savoir s'accommoder de la situation où l'on est.
Par ext. (en parlant de poissons, de mollusques marins). Se nourrir d'algues. *Les patelles broutent.* — Trans. *Certains poissons broutent les algues.*

♦ **2.** Fam. (érotique). *Brouter (qqn, les parties sexuelles de qqn) :* pratiquer des caresses buccales (des parties sexuelles). ⇒ **Sucer.**

5   Tu deviens actif, soudain ? Un taureau, ma parole (...) Oui, mon chou, mords-moi, broute-moi. J'ai un goût d'algue, et d'huître et de pain pas entièrement cuit.
Alain BOSQUET, les Bonnes Intentions, p. 258.
Fig., fam. *Tu me les broutes ! :* tu m'ennuies. ⇒ **Casser** (*supra* cit. 10.7).

★ **II.** V. intr. (1803). Se dit d'un outil tranchant (rabot, en particulier) qui agit de façon irrégulière et saccadée, ou d'un accouplement mécanique (embrayage) qui fonctionne par saccades. ⇒ **Broutage.** *L'embrayage broute, il faudra changer le disque.*
Par ext. (en parlant de l'utilisateur de la machine défectueuse) :

6   *Brouter.* — Autrefois réservé aux ruminants. S'applique aujourd'hui aux freins des automobilistes, et aux automobilistes eux-mêmes, dont on dit qu'ils broutent comme ils *font de l'huile.*   Pierre DANINOS, le Jacassin, p. 124.
DÉR. Broutage, broutard, broutement, brouteur. — Broutant, brouture.

BROUTEUR, EUSE [bʀutœʀ, øz] adj. et n. — 1571 ; repris au xıxᵉ ; de *brouter.*

♦ Qui broute. *Animal brouteur.* — Par ext. *Mollusque, poisson brouteur.*
N. m. Les *brouteurs* (d'un végétal). *« Des algues vertes (Enteromorpha et Ulva) qui se sont développées d'autant plus vite que leurs "brouteurs", les patelles, étaient tués par les détergents »* (Sciences et Avenir, mai 1978, nᵒ 375, p. 45).

BROUTILLE [bʀutij] n. f. — 1354 ; *brestilles,* 1329 ; de l'anc. franç. *brost.* → Brout.

♦ **1.** Surtout au plur. Vx. Menue branche ; petite pousse (→ Brouter, cit. 1). *Un fagot de broutilles.*

♦ **2.** (1598). Mod. Fig. Objet ou élément sans valeur, insignifiant. ⇒ **Babiole, bricole.** *Acheter, collectionner des broutilles.* — (Abstrait). *Perdre son temps à des broutilles. Il n'y a plus que quelques broutilles à régler. Ce n'est rien : une broutille.*
Sachant que Delamain n'aimait pas les conversations de broutilles, il lui parla de son travail.   A. MAUROIS, Bernard Quesnay, ıx, p. 59.   1
(...) vous-même, mon enfant, vous ne me suivez plus, vous piétinez, nous perdons du temps à des broutilles.   2
BERNANOS, Un mauvais rêve, *in* Œ. roman., Pl., p. 914.
(1832, Balzac). Spécialt, vx. Dossier, acte peu important (dans un procès).

BROUTURE [bʀutyʀ] n. f. — Fin xvıᵉ, *broutteure,* O. de Serres ; de *brouter.*

♦ Agric. Branche nouvelle dont l'extrémité a été broutée.

BROWNIEN, IENNE [bʀawnjɛ̃, jɛn ; bʀɔnjɛ̃, jɛn] adj. — 1855, Nysten ; du nom de *R. Brown.*

♦ **1.** *Mouvement brownien :* mouvement désordonné des très petites particules (de l'ordre du micron), dû à l'agitation thermique des molécules de la phase dispersante dans les systèmes à particules très fines, liquides ou gazeux (caractéristique des corps à l'état colloïdal).
Par métaphore :
Quand tu appuies sur mes globes quand tu presses même légèrement il se fait un mouvement brownien là entre mes yeux et mes paupières (...)
Monique WITTIG, le Corps lesbien, p. 168.

♦ **2.** Agité par un mouvement brownien. *Particules browniennes.*

BROWNING [bʀawniŋ ; bʀɔniŋ] n. m. — 1907 ; mot anglo-amér. (1906), nom de l'inventeur *(John Moses) Browning.*

♦ Pistolet automatique à chargeur. *Des brownings.*
(...) le jeune garçon se reprochait d'être monté, trop vite, cacher son revolver, alors qu'il aurait dû le conserver sur lui. C'était un gros browning, parachuté sans doute, en même temps que d'autres, dans la région.   1
Francis CARCO, les Belles Manières, p. 115.
C'est une balle de 7,65 revêtue d'une chemise de cuivre nickelé... Tudelle n'a pas encore l'expérience du docteur Paul, mais il est à peu près sûr qu'elle a été tirée par un browning automatique.   G. SIMENON, Maigret et les vieillards, p. 67.   2
REM. On a employé le nom propre en apposition, avant la lexicalisation du mot :
M. Syndon (...) avait mis à mort, au moyen d'un pistolet à répétition système Browning, un M. David (...)   A. JARRY, la Renaissance latine, 1903,   3
« De la douceur dans la violence », *in* Œ. compl., t. VII, p. 112.

BROWN SUGAR [bʀawnʃugaʀ] n. m. invar. — V. 1975 ; mots angl., proprt «sucre brun».

♦ Anglic. Héroïne non raffinée, d'une teneur relativement faible en principe actif. *La police a intercepté 20 kilos de brown sugar en provenance de l'Extrême-Orient.*

BROYABILITÉ [bʀwajabilite] n. f. — 1974, in *la Clé des mots ;* de *broyable.*

♦ Techn. Fait de pouvoir être broyé plus ou moins facilement. *Broyabilité d'un matériau, d'un produit.*

BROYABLE [bʀwajabl] adj. — Mil. xxᵉ ; de *broyer.*

♦ Qui peut être broyé. *Ce produit est plus facilement broyable après séchage.*
DÉR. Broyabilité.

BROYAGE [bʀwajaʒ] n. m. — 1838 ; de *broyer.*

♦ Action, fait de broyer ⇒ **Broiement.** *Broyage au pilon. Broyage mécanique,* destiné à réduire un matériau à une dimension déterminée. *Broyage du lin.*
Techn. *Broyage autogène. Résistance au broyage.*
Chir. ⇒ **Broiement.**

BROYER [bʀwaje] v. tr. — Conjug. *noyer.* — Après 1250, *broier; brier,* av. 1200 ; *breied,* après 1050, en judéo-français ; orig. incert., soit du francique **brekan* et du gotique **brikan* «briser, casser», soit d'une seule source, le germanique **brehan,* par un lat. populaire.

♦ **1.** Réduire en parcelles très petites, par pression ou par choc. ⇒ **Écraser, écrabouiller** (fam.), **pulvériser.** *Broyer par friction, pression, choc, déchiquetage* (⇒ **Broyeur).** *Broyer du sucre avec un pilon* (⇒ **Piler),** *un bocard* (⇒ **Bocarder).** *Broyer avec ses dents.* ⇒ **Croquer, mâcher, mastiquer.** *Les molaires servent à broyer les aliments. Broyer à la meule de moulin.* ⇒ **Moudre.** *Broyer des drogues dans un mortier.* ⇒ **Triturer.** *Broyer en aplatissant.* ⇒ **Écacher.**

1 (...) un monstre dont les yeux magnétiques la charmaient, dont la gueule ouverte semblait broyer sa proie par avance. BALZAC, Séraphîta, I, Pl., t. X, p. 466.

Rare ; le compl. désigne un liquide :

2 Le bateau passa sur l'eau que broyait son hélice (...) FRANCE, le Lys rouge, XXVII.

Par ext. Écraser. *Les roues du camion ont broyé sa jambe, lui ont broyé la jambe.* — Passif et p. p. *Il a eu deux doigts broyés par, dans les engrenages.*

3 Une commotion d'une violence inouïe lui broie les mâchoires (...) MARTIN DU GARD, les Thibault, t. VIII, p. 153.

Par exagér. Serrer fortement. *Vous me broyez la main.*

Spécialt. *Broyer le chanvre, le lin,* écraser les tiges pour en séparer la matière textile. *On rouit et sèche le chanvre avant de le broyer.* — *Broyer les couleurs :* pulvériser les matières colorantes en les écrasant à l'aide d'une molette plate (⇒ **Porphyre).**

4 Croyez-vous qu'un grand peintre passe son temps à broyer des couleurs et à préparer ses pinceaux ? FÉNELON, Télémaque, XXII.

♦ **2.** Loc. fig. (1756, *in* D.D.L.). **BROYER DU NOIR :** s'abandonner à des réflexions tristes ; avoir le cafard (→ Neurasthénie, cit. 2).

5 M. le Romain (...) que sa mélancolie retient dans l'obscurité de sa cahute, où il aime mieux broyer du noir dont il puisse barbouiller toute la nature (...) DIDEROT, Lettre à Sophie Volland, sept. 1767 (III, 108), *in* F. BRUNOT, Hist. de la langue franç., t. VI, p. 1398.

5.1 (...) que veux-tu, avec un soleil pareil, comment broyer du noir. J. PRÉVERT, Choses et autres, p. 48.

♦ **3.** Par métaphore ou fig. Écraser (au sens figuré).

6 (...) cette main (*de Napoléon*) petite et belle, qui broya le monde. FRANCE, le Lys rouge, III.

7 Ainsi, pas une protestation ! De la reconnaissance au contraire ! Comme Job que la main de l'Éternel broie sans obtenir de son cœur un blasphème... Ce martyr est décourageant. GIDE, Dostoïevski, p. 30.

Être broyé de fatigue, abattu, harassé. ⇒ **Moulu.**

Vx. *Broyer de la besogne** (cit. 6) : travailler durement.

(Abstrait). Littér. Écraser, anéantir. *La douleur a broyé sa pensée, l'a broyé.* «Que la douleur me broie» (Aragon).

DÉR. Broie, broiement, broyable, broyage, broyeur.

BROYEUR, EUSE [bʀwajœʀ, øz] adj. et n. — 1422 ; de *broyer.*

♦ **1.** N. Ouvrier chargé du broyage. *Broyeur de chanvre. Broyeur de couleur.* — Loc. fig. *Broyeur de noir :* personne d'humeur sombre, triste, qui broie* du noir.

1 (...) et Roland, broyeur de noir, se fût empressé de redoubler les teintes funèbres. JAURÈS, Hist. socialiste..., t. VI, p. 59.

♦ **2.** N. (1562). Machine qui sert à broyer (⇒ **Marteau, meule, pilon).** — N. m. *Broyeur de cacao pour la fabrication du chocolat. Trémie d'un broyeur. Broyeur à minerais.* ⇒ **Bocard.** *Broyeur à ordures. Broyeur à cylindres, à marteaux, à boulets, à dents. Broyeur à mâchoires.* ⇒ **Concasseur.** *Broyeur à force centrifuge. Broyeur autogène,* dans lequel les morceaux de matière à broyer, soulevés par la force centrifuge, s'effritent les uns les autres en retombant. — N. f. *Roue dentelée, lanterne, tavelle d'une broyeuse à chanvre, à lin.*

Par métaphore :

2 Je l'attends : je suis entre les dents d'une broyeuse. Je l'attends : tout est prêt pour me broyer. Est-ce que ce sera dramatique si je ne la rencontre pas ? Violette LEDUC, Folie en tête, p. 40.

♦ **3.** Adj. Qui broie. *Pièces broyeuses. Insectes broyeurs. Molaires broyeuses.*

BRRR [bʀʀ] interj. — XVIIIᵉ, Beaumarchais, *in* Bescherelle ; onomatopée.

♦ S'emploie pour exprimer une sensation de frisson (froid, peur).

1 — Ah ! Rosa !... Vous me faites l'effet d'un beau soir d'automne !...
— Et vous d'une belle journée d'hiver ! Brrr !... Je suis fâchée de ne pas avoir pris mon manchon ! LABICHE, Deux merles blancs, III, 5, *in* Théâtre complet, t. VIII, p. 223.

2 «O jeune fille, jette-toi encore dans l'eau pour que j'aie une seconde fois la chance de nous sauver tous les deux !» Une seconde fois, hein, quelle imprudence ! Supposez, cher maître, qu'on nous prenne au mot ! Il faudrait s'exécuter. Brrr... ! L'eau est si froide ! CAMUS, la Chute, p. 170.

3 (...) il valait mieux qu'il aille attendre Ida dans leur chambre. «Brrr ! Je n'ai jamais

eu tant envie qu'on m'y remplace, dit-il. Dans le genre digne, elle est terrible !» Il s'exécuta en tremblant. Maurice CLAVEL, le Tiers des étoiles, p. 114.

BRU [bʀy] n. f. — 1160 ; bas lat. *brutis,* du gotique **bruths* «jeune mariée».

♦ Belle-fille (1.). *Je vous présente ma bru. Sa bru et son gendre* (→ Ajustement, cit. 3). *La belle-mère* (cit. 1) *et sa bru. Ses deux brus.* — REM. Sans être à proprement parler vieilli, le mot est quelque peu marqué : on emploie plus volontiers aujourd'hui *belle-fille.*

Tantôt elle oubliait de mettre son couvert, tantôt elle lui donnait une fourchette sale, ou bien, encore, en essuyant la table, elle laissait à dessein des miettes devant sa bru. J. RENARD, Journal, 12 mars 1882.

BRUANT [bʀyɑ̃] n. m. — 1553 ; *bruyan,* 1370 ; var. anc. de *bruyant,* substantivé.

♦ Petit passereau *(Fringillidés),* de la taille du moineau, nichant à terre ou très près du sol. — Var. vieillie : *bréant* [bʀeɑ̃].

BRUCCIO [bʀutʃjo] n. m. ⇒ **Broccio.**

BRUCELLES [bʀysɛl] n. f. pl. — 1751 ; orig. incert., p.-ê. du lat. médiéval *brucella* (sous la forme *bulsella*) par métathèse de *bursella,* ou encore altér. de *bercelle,* du lat. médiéval *bersella.* Dans les deux cas, l'attestation, tardive en franç., fait problème.

♦ Techn. Pince fine à ressort servant à saisir de petits objets. *Brucelles d'horloger, de typographe.* — Var. (vx) : *bercelles.*

BRUCELLOSE [bʀyseloz] n. f. — 1946 ; de *brucella,* nom d'une bactérie, du nom de D. *Bruce,* médecin australien qui la découvrit, et suff. 2. *-ose.*

♦ Méd. Maladie infectieuse causée par les bacilles du genre *brucella,* transmise à l'homme par des animaux domestiques (bovidés, porcins). ⇒ **Mélitococcie.** *La brucellose provoque chez les animaux l'avortement épizootique, chez l'homme elle est caractérisée par des poussées irrégulières de fièvre (fièvre ondulante ou fièvre de Malte), des douleurs musculaires et une grande fatigue.*

BRUCHE [bʀyʃ] n. m. ou f. — 1775 ; bas lat. *bruchus* «espèce de sauterelle», du grec *broukhos.*

♦ Insecte coléoptère *(Bruchidés)* dont les larves vivent dans les graines des légumineuses. *Bruche des pois, des lentilles.*

BRUCINE [bʀysin] n. f. — 1819 ; du rad. du lat. *brucea,* anc. nom d'un arbuste abyssin découvert par J. *Bruce.*

♦ Chim. Alcaloïde voisin de la strychnine, extrait de la noix vomique.

BRUCOLAQUE [bʀykolak] n. m. — 1657 ; du grec relig. *brukolakkos,* d'orig. incert., p.-ê. de *broukhos* «sauterelle» (→ Bruche), et *lasko* «je crie, je crisse», les stridulations de l'insecte passant pour démoniaques.

♦ Didact. et rare. Revenant, spectre.

BRUGES [bʀyʒ] n. m. — 1879, A. Daudet ; de *(dentelle de) Bruges,* nom de la ville de Belgique.

♦ Dentelle au fuseau originaire des Flandres. *Robe garnie de bruges.*

BRUGNON [bʀyɲɔ̃] n. m. — 1680 ; *brignon,* 1600 ; de l'anc. provençal *brinho,* du lat. pop. **prunea,* lat. class. *pruna* «prune» — le passage de *pr-* à *br-* s'expliquant sans doute par l'infl. de *brun.* → Brunelle.

♦ Pêche à peau lisse et à chair blanche dont le noyau adhère à la chair. ⇒ aussi **Nectarine.**

(...) déjà ses joues rondes avaient un peu pâli sous leur teinte brune. Avant elles étaient pareilles à ces brugnons très mûrs des pays du Midi, qui sont d'une couleur chaude et dorée. LOTI, Mon frère Yves, LVII, p. 138.

DÉR. Brugnonier.

BRUGNONIER [bʀyɲonje] n. m. — 1877 ; de *brugnon.*

♦ Rare. Arbre, voisin du pêcher, qui donne le brugnon.

BRUINE [bʀɥin] n. f. — 1538, au sens mod. ; *broïne* (v. 1130), *bruine* «gelée blanche, brouillard», 1200 ; lat. *pruina* «frimas», avec infl. de *bruma* «brume».

♦ Petite pluie très fine et froide, qui résulte de la précipitation du brouillard. ⇒ **Boucaille** (mar.), **crachin**; et aussi **brouillasse, brumaille.** *Une bruine pénétrante, interminable.*

1 Or, depuis plus d'une semaine, il *(le mois d'octobre)* ne versait que de la bruine sur la côte, une bruine qui, par moments, se resserrait pour former une courte pluie. On frissonnait. J'ai horreur de ce temps. Il m'amollit.
H. BOSCO, Un rameau de la nuit, p. 52.

2 Il était une heure après minuit, une petite pluie tombait, une bruine plutôt, qui dispersait les rares passants.
CAMUS, la Chute, p. 81.

Eau répandue en très fines gouttelettes.

3 Tout était mélangé, et éternel, car chaque nouveau morcellement d'une goutte tombant sur la bassine renversée prenait vie à son tour et continuait son rythme d'alternance des graves et des aigus, et faisant cela, se morcelait à son tour en d'autres gouttelettes, qui devenaient d'autres parcelles, puis d'autres bruines, et des pluies, des douches (...)
J.-M. G. LE CLÉZIO, la Fièvre, p. 109 (1965).

Par anal. (littér.). Se dit d'une lumière diffuse, d'une apparence de bruine (avec les valeurs de *brume*).

Par métaphore :

4 Sans cesse cette pluie à l'âme, ce brouillard
Qui se condense et fond en bruines accrues.
RODENBACH, le Règne du silence, p. 179, *in* T. L. F.

DÉR. Bruiner, bruineux.
HOM. Formes du v. **bruiner**.

BRUINER [bʀɥine] v. intr. impers. — 1680; 1551, autre sens; de *bruine*.

♦ Faire de la bruine. ⇒ **Brouillasser, crachiner, pleuvasser, pleuviner.** *Il a bruiné toute la journée. Il ne fait que bruiner.*

1 Le vent était tombé, il bruinait, et la lueur des réverbères n'était qu'un halo dans le brouillard.
MARTIN DU GARD, les Thibault, t. IV, p. 9.

2 Il bruine toujours sur Paris et, dans l'avenue Victor-Hugo, les rares passants s'empressent de regagner leur domicile.
René FLORIOT, La vérité tient à un fil, p. 34.

Littér. Tomber comme de la bruine, en bruine.

BRUINEUX, EUSE [bʀɥinø, øz] adj. — XIIIᵉ, «nébuleux, brumeux»; de *bruine*.

♦ **1.** Qui contient, produit de la bruine. *Un temps froid et bruineux. Pluies bruineuses. Nuages bruineux.*

♦ **2.** (Vx). Où il bruine. *Les pays bruineux du Nord. Un jour bruineux.* ⇒ **Pluvieux.**

BRUIR [bʀɥiʀ] v. tr. — 1751; «brûler», XIIᵉ; du germanique **brojan* «roussir, échauder»; cf. all. *brühen* «échauder».

♦ Techn. Imbiber de vapeur (une étoffe, pour l'assouplir). ⇒ **Bruissage.** *Bruir du drap.*
DÉR. Bruissage.
HOM. Bruire.

BRUIRE [bʀɥiʀ] v. intr. — Défectif; *il bruit, ils bruissent; il bruissait; bruissant.* — 1100-1150, *Voyage de Charlemagne*; du lat. pop. **brugere*, croisement du lat. class. *rugire* «rugir» et du lat. pop. *bragere* «bramer». → Braire.

♦ **1.** Vx. Retentir. — Faire du bruit*, résonner. ⇒ **Bruisser.**

1 L'usage a préféré (...) «faire du bruit» à «bruire» (...)
LA BRUYÈRE, les Caractères, XIV, 73.

2 Pareille à ces coups de tonnerre
Qui ne font que bruire et passer.
RACINE, Poésies diverses, 9.

Fig. ⇒ **Résonner.**

3 Puisse tout l'univers bruire de votre estime!
CORNEILLE, l'Illusion comique, III, 9.

♦ **2.** (1606). Littér. Produire un bruit, le plus souvent léger, formé de plusieurs sons indistincts. ⇒ **Chuchoter, frémir, murmurer.** *Le vent bruit dans les arbres. Les feuilles frissonnent et bruissent.*

4 Les joncs sifflaient à ras de terre et les feuilles des hêtres bruissaient en un frisson rapide, tandis que les cimes, se balançant toujours continuaient leur grand murmure.
FLAUBERT, Mᵐᵉ Bovary, I, VII.

5 (...) les mouvements agiles de l'eau qui bruit et ruisselle.
TAINE, Philosophie de l'art, t. II, p. 231.

6 À force d'écouter, ils entendent bruire leurs propres oreilles, battre leurs propres artères.
LOTI, Ramuntcho, II, 9, p. 269.

7 Le souffle frais qui faisait bruire les feuillages de l'avenue sembla venir attaquer l'air vicié de la chambre (...)
MARTIN DU GARD, les Thibault, t. I, p. 59.

Bruire de... :

8 (...) l'unique platane bruissait de cris d'oiseaux (...)
F. MAURIAC, l'Enfant chargé de chaînes, p. 78.

♦ **3.** Littér. et vieilli. Se répandre (nouvelle, «bruit»); avoir un certain retentissement.

▸ **BRUISSANT, ANTE** p. prés. adj. Littér. *Un jardin bruissant d'oiseaux. Une conque bruissante* (→ Buccin, cit., Malraux). *J'avais la tête bruissante* (Flaubert, *in* T. L. F.).

---

9 (...) les lames de la mer qui apportent et remportent les coquillages bruissants (...)
LAMARTINE, cité par DOCHEZ, Dict.

CONTR. Taire (se).
DÉR. Bruissement, bruisser, bruit, bruyant.
HOM. Bruir; formes du v. **bruisser**.

BRUISSAGE [bʀɥisaʒ] n. m. — 1751; de *bruir*.

♦ Techn. Action de bruir (une étoffe); son résultat. *Le bruissage du drap.*

BRUISSANT, ANTE [bʀɥisɑ̃, ɑ̃t] adj. ⇒ **Bruire** (cit. 9).

BRUISSEMENT [bʀɥismɑ̃] n. m. — Av. 1578; de *bruire*.

♦ **1.** Bruit* généralement faible, continu, et formé de sons indistincts. ⇒ **Chuchotement, frémissement, murmure.** *Le bruissement des feuilles dans les arbres* (→ Bruit, cit. 5). *Bruissement des oiseaux, des insectes.* ⇒ **Battement** (d'ailes), **bourdonnement.** *Le bruissement d'une robe, d'une étoffe de soie.* ⇒ **Froissement, froufrou.** *Le bruissement de la vapeur.* ⇒ **Chuintement, sifflement.** *Un bruissement léger, aigu, sourd.*

1 (...) les colis montaient entre les deux tambours, et le tapage s'absorbait dans le bruissement de la vapeur (...)
FLAUBERT, l'Éducation sentimentale, I, I.

2 (...) il se faisait une étonnante musique de cigales (...) toutes ces montagnes résonnaient de leurs bruissements innombrables; tout ce pays rendait comme une incessante vibration de cristal.
LOTI, Mᵐᵉ Chrysanthème, II, p. 4.

3 Le bruissement régulier des palmes, si semblable aux gouttes de la pluie tombante, versait une illusion de fraîcheur.
Pierre LOUŸS, Aphrodite, V, v, p. 254.

4 Une foule d'aspirations confuses, que je croyais mortes depuis longtemps, font en moi un bruissement de ruche.
F. MAURIAC, l'Enfant chargé de chaînes, p. 151.

5 Les fenêtres étaient grandes ouvertes sur la nuit chaude, et on voyait les feuillages noirs (...) qui faisaient en remuant un bruissement continu, semblable à celui de la pluie.
MONTHERLANT, les Jeunes Filles, p. 277.

Spécialt. Bourdonnement des abeilles, lorsqu'elles volent ensemble sans être agitées ni dangereuses. Par métaphore. → ci-dessus, cit. 4.
Vx. Bourdonnement perçu. *Un bruissement d'oreilles. «J'ai des bruissements dans la tête»* (Balzac, *in* T. L. F.).

♦ **2.** Littér. et vx. Caractère de ce qui bruit*, produit un certain résonnement (psychologique, social). *Un «grand bruissement intérieur»* (Colette).

BRUISSER [bʀɥise] v. intr. — 1894, L. Daudet; altér. de *bruire*.

♦ Rare. Bruire.

BRUIT [bʀɥi] n. m. — 1155; «renommée», 1138; de *bruire*, d'après le lat. *brugitum*, p. p. de *brugere*. → Bruire.

♦ **1.** Sensation perçue par l'oreille. ⇒ **Son** (→ Auditif, cit. 1). — REM. *Bruit* s'oppose à *son** par la complexité acoustique (non périodicité des vibrations). *Émettre, produire, faire un bruit, des bruits. Intensité d'un bruit.* ⇒ **Bruyance, décibel.** *Écouter, entendre, percevoir un grand bruit. Le bruit du tonnerre, de la tempête. Bruit de vaisselle, de ferraille. Un bruit de crécelle. Le bruit d'une sonnette.* ⇒ **Sonnerie.** *Le bruit d'une montre. Le bruit du tambour, du canon, d'une arme à feu. Le bruit d'une armée en marche, d'une patrouille* (cit. 2). *Bruits de moteurs. Un bruit mécanique. Le bruit d'une moto. Les bruits de la rue. Reconstituer des bruits pour une émission de radio.* ⇒ **Bruitage, bruiter.** — *Bruit ambiant :* ensemble des bruits et des sons en un lieu donné à un moment donné, à l'exclusion du son ou du bruit auquel on s'intéresse. *Bruit d'ambiance :* ensemble des bruits habituels dans un endroit donné. — *Bruits harmonieux, mélodieux.* ⇒ **Chanson** (du vent), **chant, musique, souffle, soupir.** *Bruits discordants. Bruit d'une musique grossière.* ⇒ **Bastringue, cacophonie, charivari.** — *Un bruit de voix*.* ⇒ **Chuchotement, cri, éclat** (de voix), **rire.** *Le bruit de conversations lointaines.* ⇒ **Brouhaha, rumeur.** *Bruits de dispute.* ⇒ **Bagarre** (vx), **barouf** (fam.), **boulevari** (vx), **chamaille, charivari, esclandre, grabuge, hourvari** (→ ci-dessous, Bruits gênants). — *Bruits de la nature, du vent, d'une cascade, d'un ruisseau. «Ô bruit doux de la pluie* (cit. 1) *Par terre et sur les toits». Le bruit de la mer, des vagues, du ressac. — Le bruit de la mer :* résonnement entendu en portant un coquillage vide à l'oreille. — *Bruits nocturnes. Entendre des bruits insolites, inquiétants. — Un bruit de pas, le bruit des pas de qqn. Le bruit d'une course, d'une galopade. Bruit d'un cheval au pas.* ⇒ **Battue** (2.). — *Un bruit s'élève, s'étend, retentit, se répercute* (⇒ **Écho, retentissement**), *s'apaise, se calme, s'éteint, se tait. Un bruit aigu, faible, mat* (2. Mat, cit. 5 et 6), *métallique, perçant, prolongé, retentissant, sec, sourd, strident. Un bruit grave, profond. Un bruit agaçant, assourdissant, crispant, énervant, pénible. — Un bruit infernal, monstrueux, terrible, formidable* (très fort); *anormal, inhabituel, insolite, menaçant, plaintif... Un drôle de bruit. Un bruit joyeux, sinistre. Un bruit soudain, répété, régulier, saccadé. «Le bruit des rameurs»* (→ Cadence, cit. 6; 1. Rame, cit. 1).

Bruits légers. ⇒ **Bruissement, chuchotement, chuintement, clapotage, clapotement, clapotis, clappement, cliquetis, craquètement, crépitation, crépitement, crissement, décrépitation, froissement, frôlement, froufrou, gargouillement, gargouillis, gazouillement, grésillement, grincement, murmure, pétillement, râlement, ronron, ronronnement, tintement.**

Bruits forts, violents. ⇒ **Brondissement, clameur, déflagration, détonation, éclat, éclatement, explosion, fracas, grondement, pétarade, roulement, stridulation, tapement, vrombissement;** et aussi **battement, bourdonnement, claquement, craquement, ronflement, sifflement.**

Bruits gênants. ⇒ **Tapage, tumulte, vacarme;** (fam.) **barnum, boucan, bousin, chahut, chambard, foin** (faire du foin), **pétard, potin, raffût, ramdam, tintamarre, tintouin;** et aussi **bazar, bordel;** (→ ci-dessus, Bruits de dispute, et ci-dessous, (sens collectif) Le bruit, du bruit.

Bruits vagues, confus. ⇒ **Rumeur.**

Bruits du corps, de l'organisme (bruits physiologiques). Écouter les bruits de l'organisme. ⇒ **Ausculter.** *Bruits anormaux du cœur (bruit de galop, bruit de souffle). Les bruits sourds et prolongés de la pointe du cœur, les bruits secs et brefs de la base du cœur. Bruits musculaires, vasculaires. Bruits respiratoires.* ⇒ **Cornage, râle, sifflage, souffle, soupir, toux;** et aussi **hydatisme.** — *Bruits de l'estomac, de l'intestin.* ⇒ **Borborygme, flatuosité, gargouillement, gargouillis, pet, rot, vent.** *Bruit résultant de contractions du diaphragme.* ⇒ **Hoquet.** *Un bruit incongru :* un bruit de pet, de rot (→ ci-dessous, cit. 9.1, Vallès).

Bruits d'animaux. ⇒ **Cri*.** — *Interjections onomatopéiques imitant divers bruits.* ⇒ **Atchoum, badaboum, bang, bing, boum, broum, brrr, bzitt, bzzz..., clac, clic, crac, cric, crincrin, dig, ding, dong, drelin drelin, froufrou, flac, flic, floc, glouglou, paf, pan, patapouf, patatras, pet, pif, ping, plouc, pouf, poum, smack, sniff, tac, tagada, tic-tac, tam-tam, tsouin-tsouin, toc, vlan, vroum, zim, zzz...** (→ aussi l'article Onomatopée).

Spécialt. Sensation auditive désagréable, ressentie comme excessive. *Le bruit d'un marteau-piqueur. Des bruits de casseroles.* — Didact. *Bruit perturbateur.*

(Sens collectif). *Le bruit, du bruit :* ensemble de bruits (considérés en général comme gênants, pénibles, fatigants). → ci-dessous, cit. 2, 3, 4 et 20.4. — (Dans l'abstrait). *Détester le bruit et le mouvement. Craindre, redouter, ne pas supporter le bruit. Il est jeune : il aime le bruit. Le bruit est une nuisance*. Lutte et dispositifs de lutte contre le bruit.* ⇒ **Antibruit; insonorisation, isolation; amortisseur.** *Surdités dues au bruit. Se protéger du bruit par des boules* de cire. Le problème du bruit autour des aérodromes.* ⇒ aussi **Pollution.** *Mesure du bruit.* — (Concret). *Faire du bruit.* ⇒ **Bruire** (cit. 1). *Faire beaucoup de bruit* (⇒ **Bruyant**). *Vous faites trop de bruit. Je n'aime pas ce quartier, cette rue : il y a trop de bruit. Ce n'est pas de la musique qu'il fait, c'est du bruit. Marcher sans faire de bruit. Le bruit que font les voisins. Niveau, intensité du bruit. Pas de bruit.* — (Exclam.). *Pas de bruit! Assez, plus de bruit!* ⇒ **Chut!**

Un bruit (qualifié). *Les voisins font un bruit terrible, un bruit d'enfer, à tout casser, à crever le tympan, à rompre la cervelle, à fendre la tête, un bruit de tous les diables* (→ Casser les oreilles*).

1 L'air en retentissait d'un bruit épouvantable;
La frayeur saisissait les hôtes de ces bois. LA FONTAINE, Fables, II, 19.

2 (...) Vous ne savez pas combien le bruit me pèse.
MOLIÈRE, les Femmes savantes, II, 9.

3 Nos sens n'aperçoivent rien d'extrême; trop de bruit nous assourdit; trop de lumière éblouit (...) PASCAL, Pensées, II, 72.

4 Le goût de la solitude et de la contemplation naquit dans mon cœur avec les sentiments expansifs et tendres faits pour être son aliment. Le tumulte et le bruit les resserrent et les étouffent; le calme et la paix les raniment et les exaltent.
ROUSSEAU, Rêveries..., 10ᵉ promenade.

5 J'entendais le braiment des ânes, le chant du coq, le bruissement des feuilles, le gémissement alternatif de la mer, au lieu de ces roulements de voitures, de ces cris aigus du peuple et de ce tonnerre incessant de tous les bruits stridents qui ne laissent dans les rues des grandes villes aucune trêve à l'oreille et aucun apaisement à la pensée (...) LAMARTINE, Graziella, III, 13.

6 (...) le bruit de votre voix est venu frapper mes oreilles.
A. DE MUSSET, Barberine, I, 2.

7 Le vent, qui fait un bruit d'enfer dans leurs bouquets de palmes, les rebrousse *(les palmiers)* entièrement comme un parapluie retourné.
E. FROMENTIN, Un été dans le Sahara, I.

8 (...) parmi des murmures d'oiseaux, des fourmillements d'insectes sous les feuilles, des bonds légers, des vols silencieux, tous ces bruits de la nuit qui dans la grande fatigue semblent des commencements de rêve (...)
Alphonse DAUDET, Contes du lundi, I, 17.

9 Depuis un instant, des bruits confus venaient de derrière les coteaux (...) C'étaient comme les cahots éloignés d'un convoi de charrettes. La Viorne, d'ailleurs, couvrait de son grondement ces bruits encore indistincts. Mais peu à peu ils s'accentuèrent, ils devinrent pareils aux piétinements d'une armée en marche. Puis on distingua dans ce roulement continu et croissant, des brouhahas de foule, d'étranges souffles d'ouragan cadencés et rythmiques; on aurait dit les coups de foudre d'un orage qui s'avançait rapidement, troublant déjà de son approche l'air endormi. Silvère écoutait, ne pouvant saisir ces voix de tempête que les coteaux empêchaient d'arriver nettement jusqu'à lui. Et, tout à coup, une masse noire apparut au coude de la route; la *Marseillaise* chantée avec une furie vengeresse, éclata, formidable. ZOLA, la Fortune des Rougon, I, p. 30.

Il faut bien qu'il ait été vraiment un bon garçon, pour que je ne lui aie pas gardé 9.1
rancune de deux ou trois brûlées que mon père m'administra, parce qu'on avait entendu de notre côté un bruit comique (...)
J. VALLÈS, Jacques Vingtras, L'enfant, p. 109.

Le silence de la nuit, interrompu seulement par le bruit sourd des fiacres qui rou- 10
laient sur le boulevard (...) FRANCE, Histoire comique, III.

Il est minuit et, dans la paix de la maison close, point d'autre bruit que le grin- 11
cement de ma plume (...) LOTI, les Désenchantées, VI, 55, p. 253.

(...) il est comme un malade qui, la nuit, à l'heure où les bruits de la rue se sont 12
tus, perçoit les battements de son cœur. M. BARRÈS, la Colline inspirée, p. 44.

Un pigeon se posa sur ma fenêtre et s'envola avec un bruit de serviette claquante. 13
J. RENARD, Journal, 21 mai 1894.

Des bruits de tambours funèbres mouraient dans les sables. 14
Francis JAMMES, Notes sur des oasis et sur Alger, p. 236.

(...) je savais déjà le temps qu'il faisait. Les premiers bruits de la rue me l'avaient 15
appris, selon qu'ils me parvenaient amortis et déviés par l'humidité ou vibrants comme des flèches dans l'aire résonnante et vide d'un matin spacieux, glacial et pur (...) PROUST, À la recherche du temps perdu, t. XI, p. 9.

Un bourdonnement de conversation et de rires répandit, dans ce jardin, sa ruche 16
de bruits. Edmond JALOUX, le Jeune Homme au masque, I, p. 1.

Au-dessus d'elle, le grand immeuble, déserté, était silencieux. Pas d'autre bruit 17
que le ronflement du chien vautré sur le carrelage frais; un lointain raclement de patins à roulettes sur l'asphalte d'une cour voisine, et la modulation d'une goutte d'eau qui, de seconde en seconde, tombait du robinet avec un son cristallin.
MARTIN DU GARD, les Thibault, t. V, p. 162.

Il y eut un grand moment de silence pendant lequel on entendit monter des profon- 18
deurs non plus une rumeur confuse, mais mille bruits, mille sons séparés et distincts. G. DUHAMEL, Chronique des Pasquier, VIII, 5.

J'entends encore ce bruit décevant, qui croît, fait naître l'espoir d'un arrêt, puis 19
continue, décroît et s'éloigne. A. MAUROIS, Climats, II, II, p. 253.

Un coup de vent fit gémir la toiture. Première plainte qui me bouleversa. Puis 20
s'éleva un long soupir et des chuchotements coururent dans le couloir.
Une porte grinça sur ses gonds, très loin, du côté des communs. Le vent pénétrant dans les combles par quelque lucarne mal jointe souleva l'immense peuple des tuiles dont le cliquetis doux se propagea tout le long des greniers (...) l'antique métairie de pierre livrait enfin ses bruits secrets.
H. BOSCO, Hyacinthe, p. 196.

Ils dansent et ces métaphysiciens du désordre naturel qui nous restituent chaque 20.1
atome du son, chaque perception fragmentaire comme prête à retourner à son principe, ont su créer entre le mouvement et le bruit des jointures si parfaites que ces bruits de bois creux, de caisses sonores, d'instruments vides, il semble que ce soient des danseurs aux coudes vides qui les exécutent avec leurs membres de bois creux. A. ARTAUD, le Théâtre et son double, Sur le théâtre balinais, Idées/Gallimard, p. 97.

Ces cris d'entrailles, ces yeux roulants, cette abstraction continue, ces bruits de 20.2
branches, ces bruits de coupes et de roulements de bois, tout cela dans l'espace immense des sons répandus et que plusieurs sources dégorgent, tout cela concourt à faire se lever dans notre esprit, à cristalliser comme une conception nouvelle, et, j'oserai dire, concrète, de l'abstrait. A. ARTAUD, le Théâtre et son double, Sur le théâtre balinais, Idées/Gallimard, p. 96.

(...) elle se penche (...) l'oreille guettant les bruits absents qui viendraient d'en 20.3
bas : bruits de clef, bruits de porte, bruits de pas, bruits des pages d'un livre.
A. ROBBE-GRILLET, Projet pour une révolution à New York, p. 120.

Que nos poètes et nos chanteurs, avec harpes, guitares, bombardes, orgues, cuillè- 20.4
res, bidules et tonitruantes sonos rassemblent des foules ferventes et en arrivent même à révolutionner l'Olympia et Bobino, je m'en réjouis d'autant plus que quelques-uns d'entre eux sont vraiment des poètes au plein sens du terme, qu'ils savent pourquoi et avec quoi ils font du bruit.
P.-J. HÉLIAS, le Cheval d'orgueil, p. 537.

(Par allus. au roman de Faulkner, reprenant une expression de Shakespeare, et traduit en français sous le titre *le Bruit et la Fureur*) :

Pourquoi être né au XXᵉ siècle, dans une époque de mutation, pleine de bruit et 20.5
de fureur : deux guerres mondiales, des révolutions sans nombre (...)
Jean-Louis CURTIS, le Roseau pensant, p. 273.

Mus. Effet d'un objet sonore utilisé dans la musique concrète.

L'important est tout d'abord de surprendre le chercheur, non seulement dans 20.6
l'incertitude, mais dans l'ambiguïté de sa démarche. On le voit s'essayer à toutes sortes de « bruits ». Après la grenaille et les machines à vent, les tourniquets et les casseroles, il apporte au studio des corps sonores moins indignes : tiges calibrées, blocs de bois ou de métal, tuyaux d'orgue même.
Pierre SCHAEFFER, la Musique concrète, p. 19.

♦ **2.** Fig. Vx. Retentissement, éclat. *Le bruit de son nom, de ses exploits.* ⇒ **Renommée.**

Ils ont à soutenir le bruit de leurs exploits (...) RACINE, Bajazet, I, 1. 20.7

Tout autre que moi 20.8
Au seul bruit de ton nom pourrait trembler d'effroi. CORNEILLE, le Cid, II, 2.

Souviens-toi de ton livre et de son peu de bruit. 20.9
MOLIÈRE, les Femmes savantes, III, 3.

Loc. *Faire du bruit, beaucoup de bruit :* avoir un grand retentissement. ⇒ **Bruire** (3.). *Ce livre a fait beaucoup de bruit. Cette affaire fera du bruit.* — Vx. *Faire grand bruit de (qqch.) :* accorder une grande importance à (qqch.). *Faire grand bruit d'une déclaration. Faire grand bruit d'un succès.* ⇒ **Prévaloir** (se).

Voici une comédie dont on a fait beaucoup de bruit (...) 21
MOLIÈRE, Tartuffe, Préface.

La Chambre établie contre les empoisonneurs a fait grand bruit, grand éclat dans 22
la France. FURETIÈRE, Dictionnaire, art. *Bruit.*

Cette nouvelle ne fait aucun bruit à Versailles. 23
Mme DE SÉVIGNÉ, 621, 2 juil. 1677.

Les États firent grand bruit, ne menaçant pas moins que d'exterminer le roi de 24
Portugal. RACINE, Notes historiques.

Loc. fam. (réflexion d'un valet de la comédie d'A. Duval [1767-1842], *les Héritiers*). *Ça fera du bruit dans Landerneau :* cette affaire, cet événement va susciter beaucoup d'intérêt, d'émotion; on en parlera abondamment.

Mais enfin il ne faut tout de même pas nous la faire à l'oseille, il est bien cer- 25 tain que les charmantes opinions de monsieur mon neveu peuvent faire assez de bruit dans Landerneau.   PROUST, le Côté de Guermantes, éd. Folio, p. 286.

Vx. Agitation, trouble. *Se retirer loin des bruits du monde.* — **Absolt.** *Loin du bruit,* de l'agitation du monde.

26 Lieux que j'aimai toujours, ne pourrai-je jamais,
Loin du monde et du bruit, goûter l'ombre et le frais ?
                                             LA FONTAINE, *Fables*, XI, 4.

27 (...) le vain bruit de ma vie augmente à mesure que le silence réel de cette vie s'accroît.   CHATEAUBRIAND, *Mémoires d'outre-tombe*, IV, 7.

♦ **3. Loc. SANS BRUIT :** sans faire de bruit (concrètement, au sens 1), et, par métaphore, discrètement, doucement. *Marcher, travailler sans bruit.*

28 Les vents sont assoupis, les bois dorment sans bruit.   RONSARD, *in* LITTRÉ.
29 Il travaillait sans bruit, avec beaucoup d'adresse (...)
                                             LA FONTAINE, *Fables*, VII, 6.
30 L'auto filait, sans bruit.   MARTIN DU GARD, les *Thibault*, t. V, p. 151.
30.1 La clef néanmoins a tourné sans bruit dans la serrure, les gonds n'ont pas grincé, la porte s'est refermée en silence.   A. ROBBE-GRILLET, Dans le labyrinthe, p. 214.

À GRAND BRUIT (vieilli au sens concret). *Appeler à grand bruit* (→ Appeler, cit. 11). — Fig. Avec un grand retentissement. ⇒ **Bruyamment.** *Manifester* à grand bruit.*

À PETIT BRUIT (vx) : en faisant peu de bruit. — Fig. Sans se faire remarquer. ⇒ **Subrepticement.**

31 J'aurai soin de me cacher et me divertirai à petit bruit.
                                             MOLIÈRE, *Dom Juan*, v, 2.

À BAS BRUIT (vx) : à petit bruit. — Fig. (Méd.). Sans se manifester de manière observable. *Une évolution à bas bruit. Évoluer à bas bruit.*

Loc. prov. *Faire beaucoup de bruit pour rien :* donner de l'importance, de l'éclat à ce qui ne le mérite pas. *Beaucoup de bruit pour rien,* trad. française du titre d'une comédie de Shakespeare *Much ado about nothing.*

Vieilli. *Faire plus de bruit que de besogne :* parler beaucoup et travailler peu (⇒ **Bavard**). — *Faire plus de bruit que de mal* (→ Plus de peur* que de mal). — *Il n'aime pas le bruit s'il ne le fait :* il critique chez les autres ce qu'il se permet à lui-même.

♦ **4.** (Fin XIVᵉ). *Un, des bruits.* Nouvelle répandue, propos rapportés dans le public. ⇒ **Rumeur.** *Faire courir, circuler, répandre, semer un bruit. Un bruit qui court. Se faire l'écho d'un bruit.* ⇒ **Ébruiter, répéter.** *Le bruit court que... Des bruits de guerre.* ⇒ **Botte** (bruit de bottes). *Les bruits de Bourse. Des bruits en l'air. Les bruits de la ville.* ⇒ **Chronique ; bavardage, commérage, conte, dire, jacasserie, potin** (fam.), **rumeur** (→ On-dit*). *Un faux bruit :* une fausse nouvelle. ⇒ **Bobard.** *Accréditer un faux bruit. Démentir un faux bruit.*

Vx au littér. *Au bruit de :* à la nouvelle de. *Au bruit de sa mort, le peuple se réjouit.*

Vx ou littér. *Il n'est bruit que de cela :* tout le monde en parle (→ ci-dessous, cit. 36).

32 Tout autre aventurier, au bruit de ces alarmes,
Aurait fui.   LA FONTAINE, *Fables*, X, 14.

33 Il court un bruit sourd de peste, mais c'est un faux bruit. Un bruit confus nous apprend qu'il y a eu une grande affaire, mais c'est un bruit de ville, on n'en dit rien à la cour.   FURETIÈRE, *Dictionnaire*, art. *Bruit.*

34 Crains-tu si peu le blâme et si peu les faux bruits ?   LA FONTAINE, *Fables*, III, 4.

35 (...) Faire courir le bruit que j'ai chez moi de l'argent caché ?
                                             MOLIÈRE, l'Avare, I, 3.

36 Il n'est bruit que de l'excès de notre bonne intelligence.
                                             Mᵐᵉ DE SÉVIGNÉ, 350, 24 nov. 1673.

37 Vous avez cru des bruits que j'ai semés moi-même (...)
                                             RACINE, Mithridate, II, 3.

38 Quels petits bruits ne dissipent-ils pas *(les gens d'esprit)* ? Quelles histoires ne réduisent-ils pas à la fable et à la fiction ?   LA BRUYÈRE, les Caractères, IX, 34.

39 Réveillé au bruit de la chute de la Bastille comme au bruit avant-coureur de la chute du trône, Versailles avait passé de la jactance à l'abattement.
                                             CHATEAUBRIAND, *Mémoires d'outre-tombe*, I, 6.

40 Sophie faisait encore circuler d'autres bruits particulièrement alarmants chez les Strélitz.   MÉRIMÉE, Hist. du règne de Pierre le Grand, p. 11.

41 Et quelquefois aussi ce bruit de la prédilection du maître était le résultat d'une erreur, née on ne sait où et colportée dans l'école.
                                             PROUST, Sodome et Gomorrhe, éd. Folio, p. 247.

♦ **5. Sc. et techn. [a]** (Opposé à 2. *son,* à 2. *ton*). Phénomène acoustique dû à la superposition de vibrations diverses non harmoniques. *Amplitude, phase, polarisation, à variation aléatoire, des ondes sonores qui composent un bruit.*

41.1 Acoustique des consonnes. — Contrairement aux tons — qui sont des vibrations périodiques — les *bruits* consistent en vibrations non périodiques. Tout comme les tons, les bruits peuvent être analysés (selon le théorème de Fourier) en un certain nombre de courbes sinusoïdales. Mais tandis que, dans les tons, les partiels supérieurs sont par définition des multiples entiers d'un fondamental (la fréquence la plus basse), il n'y a aucun rapport semblable entre les partiels du bruit, d'où l'impression désagréable qu'il fait sur l'oreille humaine. Le caractère acoustique du bruit est déterminé, comme celui du ton, par le nombre, la fréquence et l'intensité des partiels qui le composent. Un bruit avec prédominance de fréquences hautes a un caractère aigu, tandis que la prédominance de fréquences basses lui donne un caractère grave. Les bruits utilisés dans le langage humain sont produits par différentes modifications du courant d'air venant des poumons, qui est ou bien rétréci de façon à produire une friction, ou bien arrêté momentanément avec ouverture brusque subséquente.   Bertil MALMBERG, la Phonétique, p. 18-19.

Techn. *Bruit impulsif, bouffée de bruit, pulsion de bruit :* bruits de durée brève. *Bruit pulsé :* suite de pulsions de bruit. *Bruit blanc** ou *d'agitation thermique. Bruit rose :* bruit à spectre continu dont la densité spectrale est inversement proportionnelle à la fréquence.

[b] (Mil. XXᵉ). Tout phénomène qui se superpose à un signal et limite la transmission de l'information. — REM. *Bruit* dans ce sens, désigne aussi des phénomènes non auditifs, notamment visuels. *Bruits sur un écran radar. Bruit radio-électrique. Rapport signal-bruit.* — (Didact. et cour.). *Bruit de fond :* ensemble des phénomènes parasites accompagnant la transmission, l'amplification ou la reproduction des sons, de la musique ou de la voix. ⇒ **Brouillage, parasite, souffle.** (Didact.). Impressions lumineuses dues à des décharges spontanées d'influx dans les fibres optiques. — *Bruit de ronfle :* bruit de fond de basse fréquence dû à la présence de traces de secteur. *Bruit de surface,* provoqué par les irrégularités de la surface du sillon d'enregistrement d'un disque. — Spécialt. Ling., sémiotique. *Bruit de canal,* qui gêne la transmission du signal, est extérieur au code. *Bruit de code :* divergence de deux codes qui gêne le décodage.

42 Pour la théorie moderne *l'évolution n'est nullement une propriété des êtres vivants* puisqu'elle a sa racine dans les *imperfections mêmes* du mécanisme conservateur qui, lui, constitue bien leur unique privilège. Il faut donc dire que la même source de perturbations, de « bruit » qui, dans un système non vivant, c'est-à-dire non réplicatif, abolirait peu à peu toute structure, est à l'origine de l'évolution dans la biosphère, et rend compte de sa totale liberté créatrice, grâce à ce conservatoire de hasard, sourd au bruit autant qu'à la musique : la structure réplicative de l'ADN.
                                             Jacques MONOD, le Hasard et la Nécessité, p. 152.

43 (...) la modulation artificielle *(de l'énergie qui sert de porteuse à l'information)* se confond alors avec cette modulation essentielle, avec ce bruit blanc ou ce brouillard de fond qui se surimpose à la transmission ; il ne s'agit pas ici d'une distorsion harmonique, car c'est une modulation indépendante de celle du signal, et non une déformation ou un appauvrissement du signal. Or, pour diminuer le bruit de fond, on peut diminuer la bande passante, ce qui diminue aussi le rendement en information du canal envisagé. Un compromis doit être adopté qui conserve un rendement d'information suffisant pour les besoins pratiques et un rendement énergétique assez élevé pour maintenir le bruit de fond à un niveau où il ne trouble pas la réception du signal.   Gilbert SIMONDON, Du mode d'existence des objets techniques, p. 134.

CONTR. Calme, paix, silence, tranquillité.

DÉR. Bruital, bruiter.

COMP. Ébruiter, antibruit, bruitophone.

HOM. P. p. de **bruir.**

BRUITAGE [bʀɥitaʒ] n. m. — 1946, *in* D. D. L. ; de *bruiter.*

♦ Reconstitution artificielle des bruits naturels qui doivent accompagner l'action (au théâtre, au cinéma, à la radio). *Service de bruitage de la radio. Un bruitage réussi.*

BRUITAL, ALE, AUX [bʀɥital, o] adj. — Mil. XXᵉ ; de *bruit.*

♦ Didact. et rare. Qui est constitué de bruits. *Musique bruitale.*

Sur le phono, je mis du Bach, puis, me ravisant, un disque de musique concrète bruitale (...)   Jacques LAURENT, les Bêtises, p. 215.

BRUITER [bʀɥite] v. — 1834 ; de *bruit.*

★ **I. V. intr.** Rare. Faire un, du bruit (E. de Guérin, *in* T. L. F.).

★ **II. V. tr.** (Mil. XXᵉ). Techn. Faire le bruitage de. *Bruiter un film, une émission de radio.*

Rare. Imiter le bruit de.

(...) il jouait la scène où Rollon culbute le roi de France, tout en bruitant le mascaret.   Maurice CLAVEL, le Tiers des étoiles, p. 93.

BRUITEUR [bʀɥitœʀ] n. m. — 1922, *in* D. D. L. ; de *bruit.*

♦ **1.** Spécialiste du bruitage. — REM. Dans ce sens, le fém. *bruiteuse* est virtuel.

♦ **2.** Appareil avertisseur d'une machine. *Bruiteur du métro, annonçant l'imminence du départ, de la fermeture des portes.*

Un œil électronique décelait ces faux pas dans l'instant même, bloquait net tout mécanisme de la presse et alertait le surveillant en déclenchant un bruiteur, dont le son était analogue au signal *occupé* sur le téléphone.
                                             Roger VAILLAND, 325 000 francs, p. 153.

BRUITOPHONE [bʀɥitɔfɔn] n. m. — 1914, R. Rolland ; de *bruit,* et -*phone.*

♦ Rare (par plais.). Appareil à émettre des bruits.

À propos de printemps, j'ai entendu celui de Stravinsky. Les futuristes peuvent saluer en lui leur génie musical. Il est l'homme à faire sortir de leurs bruitophones la frénésie de puissants poèmes orgiaques.
                                             R. ROLLAND, Deux hommes se rencontrent, Lettre du 9 mai 1914, p. 261.

BRÛLABLE [bʀylabl] adj. — 1546 ; de *brûler.*

♦ **1.** Qui peut être brûlé. *Ce bois n'est pas brûlable.*

♦ **2.** Vx. Qui mérite d'être brûlé. *Un ouvrage hérétique brûlable.*
⇒ **Condamnable.**

Deux tomes très condamnables et très brûlables, que de charitables âmes m'ont fait la grâce de m'imputer.   VOLTAIRE, Lettre à d'Argental, 13 avr. 1773.

CONTR. Imbrûlable, ininflammable.

BRÛLAGE [bʀylaʒ] n. m. — xviᵉ, repris xixᵉ ; de *brûler*.

♦ **1.** Action de brûler (dans des emplois spéciaux). *Faire le brûlage d'une peinture qu'on veut gratter. — Brûlage des terres :* opération consistant à brûler les herbes sèches, les broussailles. *Brûlage des cheveux,* traitement consistant à en flamber la pointe. Absolt. *Le coiffeur m'a fait un brûlage.*

♦ **2.** (Au sens général). Rare. Destruction par le feu. — Fig. *« C'est un brûlage général ! C'est Sardanapale ! »* (Balzac, *la Cousine Bette, in* T. L. F.).

BRÛLANT, ANTE [bʀylɑ̃, ɑ̃t] adj. — xiiᵉ ; de *brûler*.

♦ **1.** Vx. Qui est en flammes, en feu. ⇒ **Embrasé, enflammé, incendié.**

1   Des peuples qui dix ans ont fui devant Hector,
     Qui cent fois effrayés de l'absence d'Achille,
     Dans leurs vaisseaux brûlants ont cherché leur asile (...)
                                    RACINE, Andromaque, III, 3.
2   Figure-toi Pyrrhus, les yeux étincelants,
     Entrant à la lueur de nos palais brûlants (...)   RACINE, Andromaque, III, 8.

Par métaphore. *« Leur amour brûlant (...) qui se changeait en cendres »* (→ Brûler, cit. 2.1, Maupassant).

♦ **2.** (Choses concrètes). Qui est assez chaud pour brûler (qqn).
⇒ **Bouillant.** *Prendre un thé brûlant. La pierre brûlante d'un sauna.*

Par exagération :

3   (...) de grosses larmes brûlantes qui roulent sur ses joues.
                          Alphonse DAUDET, le Petit Chose, I, 12.

Qui peut causer une brûlure. *Une casserole, des cendres brûlantes. Substances brûlantes.* ⇒ **Caustique, corrodant, corrosif.**

3.1 Et tu bois cet alcool brûlant comme ta vie
     Ta vie que tu bois comme une eau-de-vie.   APOLLINAIRE, Alcools, p. 15.

Qui échauffe, dessèche. ⇒ **Torride.** *Une atmosphère brûlante. Un vent, un soleil brûlant. Saison brûlante* (→ Attiédir, cit. 1).

4   Une bouffée d'air brûlant s'échappa de l'ouverture sombre (...)
                          Th. GAUTIER, le Roman de la momie, Prologue.
5   (...) la triste Judée, desséchée comme par un vent brûlant d'abstraction et de mort.
                                    RENAN, Vie de Jésus, I, p. 6.
5.1 L'après-midi était encore brûlant et le soleil était haut dans le ciel. Les plus petits enfants faisaient encore la sieste à l'ombre des manguiers.
                          M. DURAS, Un barrage contre le Pacifique, p. 114.

Qui donne ou éprouve une sensation de brûlure, de chaleur excessive, d'embrasement, de fièvre... *Saveur âcre et brûlante. Avoir la gorge brûlante, les mains brûlantes, la tête brûlante. Plaie brûlante. Assoupir* (cit. 2) *une fièvre brûlante. Une peau brûlante* (→ Brûlure, cit. 4).

6   Seule, je viens encor, de mon voile couverte,
     Poser mon front brûlant sur sa porte entr'ouverte,
     Comme une veuve en pleurs au tombeau d'un enfant.
                                    A. DE MUSSET, Nuit d'Août.
7   Je me sentais de glace, sauf ce creux dans ma poitrine, tout brûlant.
                  BERNANOS, le Journal d'un curé de campagne, p. 195.

Loc. *Plante brûlante,* dont le contact éveille une sensation de brûlure. ⇒ **Cuisant.** *L'ortie, plante brûlante.*

♦ **3.** Fig. *Une question brûlante, un sujet, un problème brûlant,* qui soulève les passions. *Un terrain brûlant :* un sujet de conversation qu'il est prudent d'éviter. ⇒ **Dangereux, délicat, épineux, glissant, périlleux.** *Problème d'une actualité brûlante.* — (Rare). *Point brûlant,* (point chaud).

7.1 Pierre le regardait à son tour, émerveillé de son aisance, de son audace tranquille, sur ce sujet brûlant.   ZOLA, Rome, p. 673.
7.2 Lui, le grand journaliste international, célèbre par ses reportages sur le Che *(Che Guevara)* et sur Mao, l'homme qui se trouve toujours aux points brûlants du globe.
                          Jean-Louis CURTIS, le Roseau pensant, p. 106.

♦ **4.** Fig. (Personnes, en attribut ; sentiments). Ardent, passionné. *Il était brûlant de passion, d'amour, de rage...* ⇒ **Dévoré, embrasé, enflammé.** *Une passion brûlante.* ⇒ **Bouillant, dévorant.** *Brûlant d'ardeur, de zèle, de courage.* ⇒ **Enthousiaste, fervent, vif.** *Des regards brûlants. Cœur, tempérament brûlant. Brûlant de toutes les ardeurs* (cit. 38). *La brûlante espérance qui l'anime* (cit. 27). *Un brûlant esprit d'apostolat* (cit. 1). *Style brûlant. Pages brûlantes de passion.*

8   D'un geste menaçant, d'un œil brûlant de rage.   RACINE, la Thébaïde, V, 3.
9   Avec un sang brûlant de sensualité presque dès ma naissance, je me conservai pur de toute souillure jusqu'à l'âge où les tempéraments les plus froids et les plus tardifs se développent.   ROUSSEAU, les Confessions, I.
10   Dieu d'un souffle brûlant avait formé mon âme :
     Tout ce qu'elle approchait s'embrasait de sa flamme.
                  LAMARTINE, Nouvelles méditations, « Le Poète mourant ».
11   (...) des indignations brûlantes comme la foudre.
                          M. BARRÈS, la Colline inspirée, p. 157.

CONTR. Éteint, frais, froid, gelé, glacé, refroidi. — Glacial, rafraîchissant, refroidissant. — Flegmatique, indifférent, insensible, tiède.

BRÛLÉ, ÉE [bʀyle] n. — xviiᵉ ; du p. p. de *brûler**.

♦ **1.** N. m. Odeur, goût d'une chose qui brûle ou a brûlé. *Odeur, goût de brûlé. Ça sent le brûlé. — Ça sent le brûlé,* se dit quand on pressent quelque danger. ⇒ **Roussi.** — Didact. *Le brûlé, considéré comme composante olfactive.* ⇒ **Empyreumatique.** — Particules brûlées, aliment brûlé. *Détacher le brûlé au fond d'une poêle.*
⇒ **Brûlon** (régional).

♦ **2.** N. Personne qui a subi des brûlures. *Transport à l'hôpital des grands brûlés. Une brûlée. Service des brûlés,* et, ellipt., *les brûlés. Elle est infirmière aux brûlés.*
Personne suppliciée par le feu.

♦ **3.** N. f. (Fam.). *Une brûlée :* une correction (→ Bruit, cit. 9.1).

BRÛLE-BOUT [bʀylbu] n. m. — 1852 ; de *brûler*, et *bout*.

♦ Ancienn. Dispositif, bougeoir spécial permettant de brûler les bouts de bougie. ⇒ **Binet, brûle-tout.** — Au plur. *Des brûle-bouts.*
— REM. Certains font le pluriel invariable.

BRÛLE-GUEULE [bʀylgœl] n. m. invar. — 1735 ; de *brûler*, et *gueule*.

♦ Pipe à tuyau très court. ⇒ **Bouffarde ; brûlot.** — Au plur. *Des brûle-gueule.*

1   (...) une petite pipe courte et brune, de celles qu'on appelle « brûle-gueule »
                          Alphonse DAUDET, le Petit Chose, I, 7.
2   Flambeau allume son petit brûle-gueule français à la longue pipe allemande du vieux.   Edmond ROSTAND, l'Aiglon, V, 1.
2.1 Les ouvriers allant au club, tout en fumant
     Leur brûle-gueule au nez des agents de police (...)
                          VERLAINE, la Bonne Chanson, XVI, Pl., p. 112.
3   Pour Bob, son brûle-gueule entre les lèvres, il fumait à courtes bouffées, assis de travers sur sa chaise, le crâne à la muraille, regardant fixement devant lui, les yeux dilatés, l'air absorbé.
                  B. CENDRARS, Moravagine, in Œ. Compl., t. IV, p. 205.

BRÛLEMENT [bʀylmɑ̃] n. m. — 1587 ; *bruillement*, 1120 ; de *brûler*. Rare.

♦ **1.** Action de brûler ou état de ce qui brûle. *Le brûlement des hérétiques, des sorcières.* ⇒ **Bûcher.** *Brûlement de parfums.*

♦ **2.** Sensation de brûlure. *Sentir un brûlement. Des brûlements d'estomac.* ⇒ **Brûlure.** *« Chercher la fraîcheur de la terre pour éteindre le brûlement de sa peau »* (Goncourt, *in* T. L. F.).

BRÛLE-PARFUM [bʀylpaʀfœ̃] n. m. — 1785 ; de *brûler*, et *parfum*.

♦ Réchaud sur lequel on brûle des aromates. ⇒ **Cassolette, encensoir.** — Au plur. *Des brûle-parfums.*

C'est là que fument les brûle-parfums en filigrane d'or et d'argent.
                          Th. GAUTIER, in Pierre LAROUSSE.

Argot. Pistolet (A. Le Breton, *Du Rififi...*).
REM. On écrit parfois *brûle-parfums*, au sing. D'autres font *brûle-parfum* invariable.

BRÛLE-POURPOINT (À) [abʀylpuʀpwɛ̃] loc. adv. — 1648 ; de *brûler*, et *pourpoint*.

♦ **1.** Vx. *Tirer sur qqn à brûle-pourpoint,* de très près (de manière à brûler le pourpoint). ⇒ **Bout portant.**

1   *(Ils)* tirèrent à brûle-pourpoint deux coups de mitraille.
                  MICHELET, Hist. de la Révolution franç., t. I, p. 985.

♦ **2.** (1701). Fig. et mod. (Après un verbe de déclaration). Sans préparation ou avec brusquerie. *Poser une question, dire qqch. à qqn à brûle-pourpoint.*

2   (...) un Français à barbe grise (...) qui visite la *Résolue*, s'était arrêté pour contempler Jean la manœuvre, et, à brûle-pourpoint, lui avait dit (...)
                          LOTI, Matelot, XXV, p. 96.
3   Comment qu'il s'appelait finalement ?... Courtral ?... Comment ?... Et où ça qu'il était né ?... Connu ?... Occupation ?...
     — Il s'appelait pas Courtral du tout !... qu'elle a répondu à brûle-pourpoint !... Il s'appelait pas des Pereires !...
                          CÉLINE, Mort à crédit, p. 573.

Rare (après un verbe quelconque). *Venir, arriver à brûle-pourpoint.*
⇒ **Impromptu.**

BRÛLER [bʀyle] v. — 1120 ; orig. incert., probablt altér. de l'anc. franç. *usler*, lat. *ustulare*, p.-ê. sous l'infl. de l'anc. franç. *bruir* (→ Bruir) ; pour Guiraud, la parenté avec *ustulare* est secondaire : *brûler* serait issu d'une forme romane **brusculare*, diminutif de

*brusciare et de *brusculare «flamber superficiellement (qqch.) avec de la bruyère», du roman bruscum «bruyère».

★ I. V. tr. ♦ 1. Détruire par le feu. ⇒ Calciner, carboniser, consumer, embraser, griller, incendier. *Brûler un tas de vieux papiers, des mauvaises herbes dans le jardin. Brûler des bûches dans la cheminée. Les ennemis ont brûlé les villes, les maisons, les forêts, les moissons.* ⇒ Incendier (plus cour. dans ce contexte). « Le corps et la tête furent brûlés sur un bûcher où l'on jeta aussi le Dictionnaire Philosophique » (Lanson).

1 Vous amasserez aussi au milieu des rues tous les meubles qui s'y trouveront, et vous les brûlerez avec la ville, consumant tout en l'honneur du Seigneur votre Dieu, de manière que cette ville devienne comme un tombeau éternel.
BIBLE (SACY), Deutéronome, XIII, 16.

2 Il (Napoléon) affecte de railler ces Russes, «qui brûlent leurs maisons pour nous empêcher d'y passer la nuit». J. BAINVILLE, Napoléon, t. II, 21.

2.1 Olivier répéta :
— Brûle, brûlez-les, Any.
D'un même geste de ses deux mains, elle lança dans le foyer les deux paquets de papiers qui s'éparpillèrent en tombant sur le bois (...) Ce fut bientôt, tout autour de la pyramide blanche, une vive ceinture de feu clair qui emplit la chambre de lumière ; et cette lumière illuminant cette femme debout et cet homme couché, c'était leur amour brûlant, c'était leur amour qui se changeait en cendres.
MAUPASSANT, Fort comme la mort, éd. 1889, p. 348-349.

2.2 Nous fîmes plusieurs brouillons de lettres que nous brûlâmes, puis l'heure du dîner arrivant, nous décidâmes de nous en tenir au dernier, qui nous sembla alors le plus mauvais et nous fit regretter d'avoir brûlé les autres.
PROUST, Jean Santeuil, Pl., p. 184.

Brûler un cadavre (dans un four crématoire*). ⇒ Incinérer. *Brûler qqn, brûler vif un condamné par le supplice du feu* (⇒ Autodafé, bûcher).

2.3 (...) d'après ton rêve et ton principe
L'enfer dans le bûcher s'éteint et se dissipe
De sorte que la flamme envoie au ciel les morts
Et que, pour sauver l'âme, il faut brûler le corps.
HUGO, Torquemada, Prologue.

3 (...) il ne faut pas brûler ses compatriotes pour des arguments.
VOLTAIRE, → Argument, cit. 5.

4 Sire, tu veux jeter ta femme en ce brasier, c'est bonne justice, mais trop brève. Ce grand feu l'aura vite brûlée, ce grand vent aura vite dispersé sa cendre. Et quand cette flamme tombera tout à l'heure, sa peine sera finie.
J. BÉDIER, Tristan et Iseut, p. 91.

Brûler qqn à petit feu, lentement.

5 (...) cette pauvre diablesse de Voisin, qui est, à l'heure que je vous parle, brûlée à petit feu à la Grève. Mme DE SÉVIGNÉ, 783, 21 févr. 1680.

5.1 Tu ne sais pas, toi, tu ne sais pas que si je meurs avant d'avoir mené à bien leur œuvre maudite, ils m'ont promis de te brûler à petit feu !... à petit feu ! entends-tu !
G. LEROUX, Rouletabille chez Krupp, p. 141.

REM. L'expression s'emploie aussi à l'intransitif (→ ci-dessous, II.).

6 C'est brûler à petit feu, ce me semble, que de savourer ainsi dix ou douze jours une violente inquiétude (...) Mme DE SÉVIGNÉ, 568, 14 août 1676.

(En parlant du feu). Détruire en consumant. ⇒ Dévorer, embraser. *Les flammes ont tout brûlé. Un feu qui brûle et détruit* (→ Ardent, cit. 10).

Livrer (qqch.) au feu volontairement, pour détruire, et, notamment, de manière symbolique. *Brûler un livre de la main du bourreau.* ⇒ Autodafé. *Brûler des idoles, des emblèmes*, en signe d'exécration.

7 Il sortit de la maison de l'Éternel l'idole d'Astarté, qu'il transporta hors de Jérusalem vers le torrent de Cédron ; il la brûla au torrent de Cédron et la réduisit en poussière (...) BIBLE (SEGOND), II Rois, XXIII, 6.

8 Philippe-le-Bel fit brûler à Paris cette bulle, et publier à son de trompe cette exécution (...) VOLTAIRE, Dict. philosophique, Bulle.

9 Doux Sicambre, incline le col, adore ce que tu as brûlé, dit le prêtre qui administrait à Clovis le baptême d'eau.
CHATEAUBRIAND, Mémoires d'outre-tombe, IV, 9.

Loc. *Brûler la cervelle** à qqn*, le tuer d'une balle dans la tête.

♦ 2. Fig. et métaphorique (souvent en locution).

(1706). Passer sans s'arrêter à (un point d'arrêt prévu). *Le convoi a brûlé la station. Brûler un signal, un feu rouge.* ⇒ Griller. *Brûler une étape** (cit. 5), ne pas s'y arrêter.

10 Le navire qui le conduisait en extrême Asie avait ordre de se hâter, de brûler les relâches. LOTI, Pêcheur d'Islande, IX, p. 110.

10.1 Le métro brûle un tas de stations, ça fait étrange.
S. DE BEAUVOIR, la Force de l'âge, p. 395.

10.2 — Ne dépasse pas la vitesse réglementaire.
— Compris.
— Évite surtout de brûler les feux rouges. Pour ne pas se faire prendre en chasse, évidemment. G. SIMENON, Feux rouges, p. 53.

(Av. 1789 «laisser impayé», in Esnault). Argot (vieilli). *Brûler le dur :* prendre le train sans payer. *Brûler le bateau :*

10.3 Dans mon portefeuille, j'avais la lettre d'un copain. Il m'écrivait qu'il était en taule à Bordeaux pour trois mois parce qu'il avait «brûlé le bateau en rentrant du Venezuela». «Brûler le bateau», en argot, ça veut dire faire le trajet clandestinement, sans payer, comme on dit pour les trains : «brûler le dur».
Francis GUILLO, le P'tit Francis, p. 71.

Fig. *Brûler les étapes :* atteindre un but sans suivre la filière normale, sans observer les formes, les délais d'usage.
Brûler la consigne, ne pas s'y conformer (→ Manger la consigne*).
Brûler la politesse à qqn : partir brusquement, sans prendre congé. ⇒ Filer; enfuir (s').

Fig. Surmener, user prématurément. *Brûler sa santé, sa vie. — Brûler ses chevaux. — Loc. métaphorique. Brûler ses bottes.*

11 Empressés, inquiets, sentant la fièvre et se rongeant les ongles, c'étaient des gens surchauffés, qui brûlaient leurs bottes, leurs chevaux, leur vie.
FRANCE, Jocaste, II.

Brûler ses vaisseaux : accomplir un acte après lequel toute retraite, tout recul, tout revirement est impossible. → Précéder, cit. 3. (Allusion à la conduite d'Agathocle de Syracuse, de Guillaume le Conquérant, de Fernand Cortez, qui, décidés à vaincre ou à mourir, brûlèrent leurs navires pour s'interdire toute possibilité de se rembarquer).

11.1 (...) si (...) obéissant à je ne sais quel insidieux mot d'ordre vous ne désarmiez pas, mais vous confiniez dans une opposition stérile qui semble pour certains l'*ultima ratio* de la politique, si vous vous retiriez sous votre tente et brûliez vos vaisseaux, ce serait à votre grand dam (...)
PROUST, le Côté de Guermantes, éd. Folio, p. 295.

Brûler les ponts* (cit. 10) *derrière soi* (même sens).

Littér. ou vx. *Brûler le pavé :* se déplacer à toute allure. *Brûler le terrain* (même sens).

12 À mesure que les roues *(de la berline)* brûlaient le pavé du faubourg, les voyageurs oubliaient leurs soucis. FRANCE, Les dieux ont soif, p. 102.

13 Il lui ôta son bonnet (...) et s'en alla, souple, rapide, brûlant le pavé avec une envie de sauter et de courir (...) LOTI, Matelot, XXXII, p. 129.

14 La Biche aux cornes d'or que n'atteint pas la fronde
Qui, de ses quatre pieds qui brûlent le terrain,
Fait flamber l'herbe au feu de ses sabots d'airain !
H. DE RÉGNIER, les Médailles d'argile, « Bûcher d'Hercule ».

Brûler les planches : jouer avec une fougue communicative.

15 Il *(le comédien)* doit être froid en brûlant les planches et rester tranquille au milieu des plus grandes furies. Th. GAUTIER, le Capitaine Fracasse, X.

♦ 3. (1636). Faire brûler (un combustible, un objet destiné à produire du feu). *Brûler du bois, du charbon, du gaz, du pétrole... pour se chauffer, pour faire la cuisine.*
Brûler une chandelle, une bougie, de l'huile, pour s'éclairer
Loc. fig. *Brûler la chandelle par les deux bouts** (cit. 16).

16 Il brûle au feu de la moitié de son bois,
Avec cette moitié il cuit de la viande,
Il apprête un rôti et se rassasie ;
Il se chauffe aussi, et dit : Ha ! ha !
Je me chauffe, je vois la flamme ! BIBLE (SEGOND), Esaïe, XLIV, 16.

Vieilli. *Brûler une cigarette.* ⇒ Fumer ; griller (fam.). *En brûler une.*
Par ext. Consommer (de l'énergie). *Brûler de l'électricité.*

♦ 4. Faire brûler (en symbole de qqch.). *Brûler un cierge, des parfums, de l'encens*, en l'honneur de la divinité ou d'un personnage sacré. ⇒ Sacrifice ; ⇒ Brûle-parfum, cassolette, encensoir. *Brûler un cierge à Saint-Antoine.*

17 Et il *(Moïse)* brûla dessus *(sur l'autel)* l'encens composé d'aromates, selon que le Seigneur le lui avait commandé. BIBLE (SACY), Exode, XL, 25.

18 Un passager, pendant l'orage,
Avait voué cent bœufs au vainqueur des Titans.
Il n'en avait pas un (...)
Il brûla quelques os quand il fut au rivage :
Au nez de Jupiter la fumée en monta.
LA FONTAINE, Fables, IX, 13.

Loc. fam. *Brûler un cierge, une chandelle à qqn*, éprouver pour lui de la reconnaissance.

Vx. *Brûler de l'encens devant quelqu'un.* ⇒ Aduler, flagorner, flatter.

♦ 5. Faire exploser, détonner (une substance explosive). *Brûler de la poudre, une amorce. Brûler quelques cartouches.* ⇒ Tirer.
Loc. fig. *Prendre une ville sans brûler une cartouche, une amorce* (vx), sans avoir à tirer, à se battre. — *Brûler ses dernières cartouches**.

♦ 6. [a] (1884, Maupassant). Fam. et vieilli. *Brûler qqn*, le tuer avec une arme à feu.

18.1 Descendez donc avec moi, que nous parlions affaires dans un endroit tranquille. Si vous n'êtes pas sage, je vous brûle. Descendez, cher ami.
ARAGON, Anicet, VIII, p. 118.

18.2 Fais comme les autres, que je lui ai dit, ou je te brûle !
Roger VERCEL, Capitaine Conan, XV, p. 242.

[b] (1828, Vidocq). Vx. Dénoncer, démasquer. — (Sujet n. de chose). Compromettre, discréditer (qqn) ; faire connaître (la police, etc.). *Cette dernière trahison l'a brûlé auprès de ses complices* (surtout au p. p., dans ce sens ; → ci-dessous Brûlé, p. p., 6.).

♦ 7. (V. 1180, «dessécher»). Altérer par l'action du feu, de la chaleur, et, par ext., d'un caustique, d'un corrodant. *Brûler un vêtement, du linge au repassage.* ⇒ Cramer, roussir. *L'eau-forte brûle le linge.*

Brûler un rôti. ⇒ Calciner. — Par ext. *Brûler un plat en le faisant trop cuire.*

L'un me brûle mon rôt en lisant quelque histoire (...)

19 MOLIÈRE, les Femmes savantes, II, 7.

Attaquer, tuer (un végétal) en desséchant. *Le soleil, le vent brûlent les arbres. La gelée a brûlé les bourgeons.* ⇒ Griller. *Vignes brûlées par le soleil.* ⇒ Brouir.

19.1 Il est vrai que la mer ne montait pas à la même hauteur chaque année. Mais elle montait toujours suffisamment pour brûler tout, directement ou par infiltration.
M. DURAS, Un barrage contre le Pacifique, p. 25.

Cautériser (volontairement). *Brûler les tissus au thermocautère, à la neige carbonique.*

Soumettre à la torréfaction. ⇒ **Griller, torréfier.** *Brûler du café.*

Vx ou régional. Distiller. *Brûler du vin.*

19.2 Mais la qualité du feu tient à celle du bois. Car on ne « brûle » jamais du vin qu'au bois. Un « brûleur » de profession n'acceptera pas de distiller avec des bûches quelconques. — Joseph DE PESQUIDOUX, Chez nous, 1921, p. 53.

♦ **8.** (Sujet n. de chose). Chauffer au point de donner une sensation de brûlure*, de dessèchement. *Le soleil, le vent brûle le visage. — Une liqueur qui brûle le gosier. Un feu me brûle* (→ Ardent, cit. 24). — *La fièvre le brûlait.*

20 Le vent du sud brûle l'atmosphère. — F. MAURIAC, le Nœud de vipère, p. 149.

21 (...) je sens un feu qui me brûle au-dedans, Et veux chercher ici quelque herbe salutaire. — LA FONTAINE, Fables, IV, 12.

22 Oh! les pleins midis tombant d'aplomb sur la rivière, il me semble qu'ils me brûlent encore. — Alphonse DAUDET, Contes du lundi, « Le pape est mort ».

23 Dans la fièvre ardente qui la brûlait, sa volonté, au fond d'elle, semblait se bander et résister au délire, tellement elle craignait de parler. — ZOLA, la Terre, p. 170.

24 Les mouvements qu'il venait de faire avaient ravivé au creux du dos ces escarres qui le brûlaient comme un fer rouge. — MARTIN DU GARD, les Thibault, t. IV, II, p. 131.

Irriter (une partie du corps).

25 (...) la fumée résineuse et refoulée brûlait ses yeux, irritait sa gorge déjà malade à cause du tabac. — F. MAURIAC, Thérèse Desqueyroux, p. 186.

(Avec un pron. personnel compl. d'objet indirect). *Cet alcool lui brûlait l'estomac.*

25.1 (...) la fumée de la cigarette lui brûlait cette fois les lèvres pour de bon, la cigarette (...) lui brûlant en même temps les doigts de sorte que sa main sursauta vivement. — Claude SIMON, le Palace, p. 139.

Fig. *Le pavé lui brûle les pieds* : il a hâte de partir (→ ci-dessous, cit. 40 et *supra*).

26 Dès lors, le pavé de Plassans lui brûla les pieds. On le vit rôder sur les promenades comme une âme en peine. Puis il se décida brusquement, il partit pour Paris. — ZOLA, la Fortune des Rougon, II, p. 74.

♦ **9.** Fig. (Sujet n. de chose; compl. n. de personne). Enflammer, enfiévrer. ⇒ **Dévorer, embraser.**

27 (...) cette soif de l'or qui le brûlait dans l'âme (...) — BOILEAU, Satires, X.

28 Je la vis entourée; je me rapprochai d'elle. J'entendis autour de moi des mots qui me brûlèrent : j'étais jaloux. — E. FROMENTIN, Dominique, XII.

29 Dieu m'est témoin que, malgré le feu d'amour qui me brûlait le sang, aucune mauvaise pensée ne me vint (...) — Alphonse DAUDET, Lettres de mon moulin, V.

(Sujet n. de personne; compl. n. de chose). Consumer (fig.).

30 Quels secrets dans son cœur brûle ma jeune amie (...) — VALÉRY, Poésies, « La dormeuse ».

Par métaphore du sens concret :

31 (...) l'homme était entre elles comme un brandon insensible qui les brûlait toutes deux. — Edmond JALOUX, les Visiteurs, V, p. 52.

(Dans le langage précieux). Rendre amoureux, ardent.

32 Vous me connaissez mal : la même ardeur me brûle (...) — CORNEILLE, Polyeucte, I, 1.

33 Il a sa belle femme avec lui : elle brûlerait Rennes, si elle y était plus de quatre jours. — Mme DE SÉVIGNÉ, 1214, 11 sept. 1689.

★ **II.** V. intr. (Après 1150). ♦ **1.** Se consumer par le feu. *Un bois qui brûle lentement. Le bois d'aune brûle rapidement en donnant une chaleur vive. La ville a brûlé pendant trois jours. Sa maison a brûlé complètement, entièrement.* Par métaphore. « *Le péché brûle avec le vil haillon charnel* » (→ 1. Bûcher, cit. 4.1).

Loc. fig. *Le torchon* brûle. Le tapis* brûle.*

Flamber. *Le feu qui brûle dans la cheminée. Le feu ne veut pas brûler.* ⇒ **Prendre.**

34 Du feu toujours ardent qui brûle pour nos dieux. — RACINE, Britannicus, V, 8.

35 Alors le Seigneur lui apparut dans une flamme de feu qui sortait du milieu d'un buisson; et il voyait brûler le buisson sans qu'il se consumât. — BIBLE, (SACY), Exode, III, 2.

35.1 Rubis de la fournaise! ô braises! pierreries! Flambez, tisons! brûlez, charbons! feu souverain, Pétille! luis bûcher! prodigieux écrin D'étincelles qui vont devenir des étoiles! — HUGO, Torquemada, III, 5.

36 Mon foyer, si modestement campagnard, ne brûlait pas tout bonnement, comme les autres (...) — H. BOSCO, le Jardin d'Hyacinthe, p. 85 (→ Foyer, cit. 4).

Être calciné, mal cuit, à feu trop vif. *La soupe a brûlé. Le rôti brûle. Ça a failli brûler.*

37 La soupe est prête? — Oui, Madame, mais ce galampian nous a mis tellement en retard, qu'elle a failli brûler vingt fois! — H. BOSCO, l'Âne Culotte, p. 21.

Se consumer en éclairant. *La bougie brûle encore.*

Par ext. *Une lampe brûle. Laisser brûler la lumière, l'électricité.*

38 Ce grand Nagasaki où brûlent tant de quinquets à pétrole, où papillotent tant de lanternes de couleur (...) — LOTI, Mme Chrysanthème, I, 12, p. 84.

38.1 (...) le secrétaire occupait un ancien placard à linge sale, sans fenêtre, où l'électricité brûlait du matin au soir et n'ayant guère plus de largeur que sa machine à écrire. — M. AYMÉ, Travelingue, p. 145.

♦ **2.** (1688). Fig. Éprouver la sensation d'une brûlure, d'une irritation, d'une chaleur très vive, d'une extrême sécheresse; être brûlant. *Brûler de soif, de fièvre.*

Elle *(Mathilde)* ne frémissait plus. Elle entrait dans la fournaise d'une fièvre 39 atroce et brûlait tout entière comme un jeune pin. — F. MAURIAC, Génitrix, p. 56.

(Avec un pron. compl. indirect.) *La gorge, l'estomac me brûle, lui brûle. Ça me brûle. —* Fig. *Les mains lui brûlent* : il est impatient d'agir. — *Les pieds lui brûlent* : il a hâte de partir (→ ci-dessus, cit. 26 et *supra*, autre construction de sens analogue).

Les pieds me brûlaient à Paris; je ne pouvais m'habituer au ciel gris et triste de 40 la France, ma patrie (...) — CHATEAUBRIAND, Mémoires d'outre-tombe, III, 13.

♦ **3.** (1538). Sujet n. de personne ou d'abstraction humaine. Par métaphore (vx ou littér.) et fig. (littér.). Être animé d'une vive ardeur. ⇒ **Arder** (vx). *Brûler de la même ardeur* (cit. 12, 20). *Cœur, âme qui brûle. Brûler d'amour, de zèle, de curiosité, d'impatience.*

Ah! Quel étrange amour! et que les belles âmes 41 Sont bien loin de brûler de ces terrestres flammes! — MOLIÈRE, les Femmes savantes, IV, 2.

Au foyer de ces problèmes l'âme de la Convention brûlait. 42 — JAURÈS, Hist. socialiste..., t. IV, p. 371.

Âme de feu dans un corps débile *(Napoléon)*. Volonté de fer, esprit qu'agitait un 43 cœur effréné, fortifiant son génie naturel de ses passions mêmes, brûlant de toutes les ardeurs — les plus hautes et les pires — celles de l'amour et celles de la haine (...) — Louis MADELIN, Hist. du Consulat et de l'Empire, t. V, L'avènement de l'Empire, XII, 174.

Exprimer avec intensité l'ardeur, la passion.

Dans ce visage d'enfant, brûlait un regard attestant la maturité, l'autorité. 44 — G. DUHAMEL, Chronique des Pasquier, Jardin des bêtes sauvages, II, p. 237.

Vx (dans le langage précieux). *Brûler pour qqn,* en être amoureux. ⇒ **Languir** (cit. 17).

Télamon pour Chloris avait l'âme embrasée, 45 Chloris pour Télamon brûlait de son côté (...) — LA FONTAINE, les Filles de Minée, 302-303.

On dit qu'il a longtemps brûlé pour la princesse. — RACINE, Andromaque, I, 3. 46

Littér. *Brûler que* (vx) : être impatient que... (cit. 48, ci-dessous). Mod. *Brûler de* (suivi d'un inf.) : être impatient de...

Mais je vois que déjà vous brûlez de me suivre. — RACINE, Athalie, IV, 3. 47

(...) Achille... vous brûlez que je ne sois partie. — RACINE, Iphigénie, II, 5. 48

(...) et pensant à ces magistrats qu'il brûlait de confondre (...) 49 — FRANCE, Les dieux ont soif, p. 198.

♦ **4.** (1829). À certains jeux ou devinettes. Être tout près de découvrir l'objet caché, la solution. *Vous brûlez.*

Un savant s'approche de la vérité, il la flaire; il « brûle », comme on dit dans les 49.1 jeux enfantins (...) — Jean ROSTAND, Esquisse d'une histoire de la biologie, p. 236.

— Allez, plus vite! Plus vite! 50 Vas-y Médor! Hé tu brûles! Tu brûles! — J.-M. G. LE CLÉZIO, la Fièvre, p. 171.

▶ **SE BRÛLER** v. pron.

A. ♦ **1.** Se détruire soi-même par le feu. *Plusieurs personnes se sont brûlées, se sont brûlées vives en signe de protestation* (suicide par le feu).

Il *(Sardanapale)* périt enfin dans sa ville capitale, où il se vit contraint à se brû- 51 ler lui-même avec ses femmes, ses eunuques et ses richesses. — BOSSUET, Disc. sur l'Hist. universelle, I, 7.

Le papillon s'est brûlé à la flamme de la bougie

Loc. fig. *Se brûler à la flamme, à la chandelle* : être comme le papillon de nuit, victime d'un danger ou d'une tentation qu'on a imprudemment sous-estimés.

Quand on se brûle au feu que soi-même on attise, 52 Ce n'est pas accident, mais c'est une sottise. — Mathurin RÉGNIER, Satires, 14.

Quelques-uns y avaient (...) laissé leur tête, gens trop étourdis pour ne pas se brû- 53 ler aux flammes qu'ils avaient attisées (...) — Louis MADELIN, Talleyrand, V, 40, p. 441.

♦ **2.** S'infliger une brûlure partielle. *Se brûler en renversant une casserole d'eau chaude.* ⇒ **Ébouillanter** (s'), **échauder** (s'). *Il s'est brûlé au deuxième degré et il a fallu l'hospitaliser. Se brûler à la main, au pied.*

♦ **3.** Fig. Se perdre, se compromettre dans l'opinion.

(...) le fin du fin du journalisme catholique consiste à éviter de se brûler et donc 53.1 à fuir les questions brûlantes. — F. MAURIAC, Bloc-notes 1952-1957, p. 205.

Se laisser découvrir par un adversaire.

(...) ça fait trop longtemps, on va se brûler, impossible que les flics ne s'intéres- 53.2 sent pas à toi la prochaine fois qu'il est. — Régis DEBRAY, l'Indésirable, p. 98.

B. (Réfléchi indirect; faux pronominal). SE BRÛLER (suivi d'un compl.). ♦ **1.** Détruire volontairement par le feu (→ ci-dessus, A., 1.). *Les Amazones* (cit. 1), *selon la légende, se brûlaient le sein droit.*

♦ **2.** Infliger (involontairement) une brûlure à (une partie du corps). *Elle s'est brûlé la main en sortant un plat du four. Se brûler le pied.*

Loc. fig. *Se brûler les ailes*.*

Fig. *Risquer de se brûler les doigts* : se mêler d'une affaire dans laquelle il est dangereux d'intervenir.

♦ **3.** Par ext. *Se brûler la cervelle* : se suicider d'une balle dans la tête.

(...) certain colonel d'une garnison de l'Est, qui (...) croyant que la France cédait 53.3

déjà devant l'ennemi, avait sorti son revolver, et, plutôt que de survivre au déshonneur, s'était brûlé la cervelle devant son régiment.
MARTIN DU GARD, les Thibault, t. VII, p. 285.

♦ **4.** S'abîmer de façon irrémédiable (la vue, les yeux). *Se brûler les yeux à lire.* ⇒ **User** (s').

▶ **BRÛLÉ, ÉE** p. p. adj. Passif.

♦ **1.** (Personnes). Mort par le feu. *Être brûlé, mourir brûlé.* ⇒ **Brûlé** (n.).

53.4 (...) le feu prit, l'incendie fut horrible, il y eut vingt-une personnes de brûlées, mais nous nous sauvâmes.
SADE, Justine..., t. I, p. 35.

♦ **2.** (Choses). Qui a brûlé. *Bois brûlé.* — Endommagé par le feu ou par un agent corrodant. *Tissu brûlé. Peau brûlée.*

Très cuit, trop cuit. *Rôti brûlé.* ⇒ **Calciné.** *Pain brûlé.* Par ext. *Couleur pain* brûlé.* Ellipt. *Un ton brûlé.* — N. m. *Une odeur de brûlé.* ⇒ **Brûlé** (n.).

Par anal. Vieilli. *Teint brûlé.* ⇒ **Aduste** (vx), **boucané, bronzé, bruni, hâlé, noir.**

Vx (d'une personne) :

53.5 (...) les filles de sa province, ces filles brûlées du Midi, devaient rêver de lui, lorsqu'il venait à passer devant leur porte, par les chaudes soirées de juillet.
ZOLA, la Fortune des Rougon, I, p. 11.

♦ **3.** Chauffé, desséché. *Brûlé par le soleil. Brûlé par les ardeurs du soleil, par la canicule.*

54 Certain jour, errant dans la partie élevée de la plaine de Cachena, harassé de fatigue, mourant de soif, brûlé par un soleil de plomb (...)   MÉRIMÉE, Carmen, I.

55 (...) la route de Pistoïa brûlée par les soleils et les neiges (...)
FRANCE, le Lys rouge, VIII.

Absolt (rare). *Un pays brûlé.* ⇒ **Aride.**
Détérioré par une trop forte chaleur, un agent corrosif, etc. *Morue brûlée* (par excès de salage).

Fig. et littér. Détérioré par l'alcool. « *Le cerveau brûlé de la vieille alcoolique* » (Van der Meersch, *in* T.L.F.).

♦ **4.** Ravagé par des incendies. Loc. *Tactique de la terre* brûlée.*

♦ **5.** Loc. fig. *Un cerveau brûlé, une tête brûlée* : un individu exalté, qui se jette dans toutes sortes d'aventures, au mépris des risques. *Cette fille est une tête brûlée.*

56 Le parti janséniste se récria contre l'injustice de lui attribuer l'hérésie de quelques têtes brûlées qu'il désavouait entièrement.   SAINT-SIMON, Mémoires, 250, 80.

56.1 Mais un certain nombre de voyageurs avaient été immédiatement séduits par la proposition. Elle plaisait particulièrement au colonel Proctor. Ce cerveau brûlé trouvait la chose très faisable. Il rappela même que des ingénieurs avaient eu l'idée de passer des rivières «sans pont» avec des trains rigides lancés à toute vitesse, etc.
J. VERNE, le Tour du monde en 80 jours, p. 251.

Adj. *Elle est un peu tête brûlée.*

♦ **6.** (1830). Dont l'activité clandestine est désormais connue de l'adversaire. ⇒ **Démasqué.** *Leur agent, leur réseau d'espionnage est brûlé.*

56.2 Hélas! si la duègne proxénète pour qui la connaissance du Tout-Paris est une nécessité professionnelle, ne vous a pas reconnu la première fois, elle signale votre faux nom, donne toutes les indications pouvant vous faire reconnaître.
À la seconde ou à la troisième visite, vous êtes brûlé.
GORON, l'Amour à Paris, t. I, p. 208.

Qui a perdu tout crédit.

57 (...) toujours sans le sou, brûlé chez tous les usuriers.
J. LEMAITRE, les Rois, p. 93.

57.1 — J'ai cessé de plaire, parce que j'ai cessé d'être utile. Je suis brûlé — voilà le mot — je suis brûlé ici et ailleurs, je suis brûlé partout!
BERNANOS, l'Imposture, Œ. roman., Pl., p. 419.

♦ **7.** Vx. *Brûlé de...* : tourmenté de façon dévorante par (un besoin, un désir, une passion). *Brûlé de soif, de convoitise, de désir.* ⇒ **Altéré, assoiffé, avide.** *Brûlé d'amour.*

58 Vaincu, chargé de fers, de regrets consumé,
Brûlé de plus de feux que je n'en allumai (...)   RACINE, Andromaque, I, 4.

59 Ah! que veux-tu qu'un cœur brûlé d'amour fasse durant tant de siècles? L'absence même serait moins cruelle.
ROUSSEAU, Julie ou la Nouvelle Héloïse, Lettre XXXIV.

60 (...) Madeleine se réveilla et appela Catherine, en disant d'une voix si faible qu'on ne l'entendait quasi point, qu'elle était brûlée de soif.
G. SAND, François le Champi, XVII, p. 123.

CONTR. Geler, glacer, rafraîchir, refroidir.

DÉR. Brûlable, brûlage, brûlant, brûlé, brûlement, brûlerie, brûleur, brûlis, brûloir, brûlot, brûlure.

COMP. Brûle-bout, brûle-gueule, brûle-parfum, brûle-pourpoint (à), brûle-tout.

BRÛLERIE [bʀylʀi] n. f. — 1783; «action de brûler», 1417; de *brûler.*

♦ **1.** Rare. Distillerie d'eau-de-vie (→ Brûloir, 3.).

♦ **2.** Usine, atelier de torréfaction du café.

BRÛLE-TOUT [bʀyltu] n. m. invar. — 1822; de *brûler,* et *tout.*

♦ **1.** Anciennt. Appareil permettant de brûler les bouts des bougies. ⇒ **Binet, brûle-bout.** — Au plur. *Des brûle-tout.*

♦ **2.** (1884, Daudet). Vieilli. Personne passionnée, qui s'enflamme facilement.

Ces œuvres devraient être dans des musées, proféra-t-il. Ah! si j'étais encore aux Beaux-Arts! Mais il n'y a plus de place que pour les incapables. Routiniers ou brûle-tout : pas de milieu.   R. DORGELÈS, À bas l'argent!, p. 31.

BRÛLEUR, EUSE [bʀylœʀ, øz] n. — XIIIᵉ; de *brûler.*

★ **I.** ♦ **1.** Vx. Incendiaire. *Un brûleur de granges, de châteaux* (⇒ aussi **Pétroleuse**).

Représentez-vous un peu cet enfant devenu (...) un homme de guerre, un brûleur de maisons (...)   Mᵐᵉ DE SÉVIGNÉ, 1214, 11 sept. 1689.   1

♦ **2.** ⓐ (1666). Bouilleur de cru (→ Brûler, cit. 19.2).

ⓑ Ouvrier procédant à la torréfaction (du café, de la chicorée). ⇒ **Torréfieur.**

♦ **3.** (1823). Fig. *Un brûleur de planches :* un comédien qui joue avec brio.

Bosc se leva avec l'instinct du vieux brûleur de planches qui sent venir sa réplique.   2
ZOLA, Nana, t. I, p. 142.

Pour tout dire par un exemple, l'air rapide de Figaro, à son entrée au premier   3
acte du *Barbier de Séville,* se battait au numéro 33 du métronome et durait cinquante-huit minutes —, quand l'acteur était un brûleur de planches.
J. VERNE, Une fantaisie du docteur Ox, p. 47.

★ **II.** (1853). Appareil destiné à mettre en présence un combustible (gazeux, liquide ou pulvérisé) et un comburant (air, oxygène) afin de permettre et de régler la combustion à sa sortie. *Les brûleurs d'une cuisinière à gaz.* ⇒ **Bec.** *Brûleur à mazout.*

Techn. *Brûleur à double débit,* qui possède deux orifices d'admission.

BRÛLIS [bʀyli] n. m. — V. 1170, *bruelleïz;* de *brûler.*

♦ **1.** Action de brûler les broussailles pour défricher un terrain.

♦ **2.** Portion de forêt incendiée ou de champ dont on a brûlé les herbes et les broussailles, pour améliorer le sol (à distinguer de *écobuage*). *Culture sur brûlis.* « *Le brûlis est une technique très ancienne (...) On l'a toujours utilisé partout dans le monde, sans doute depuis le paléolithique, pour entretenir les pâturages des animaux sauvages et domestiques. Il s'agit naturellement de brûlis contrôlé ... »* (le Monde, 24 mars 1982).

Ils ouvrent des brûlis dans la forêt-galerie qui occupe le fond humide des vallées   1
et ils plantent et cultivent des jardins (...)
Claude LÉVI-STRAUSS, Tristes tropiques, p. 240.

Depuis l'administration interdisait la culture sur brûlis aux montagnards, qui   2
avaient le choix entre la mort lente et la révolte.
Claude COURCHAY, La vie finira bien par commencer, p. 207 (1972).

BRÛLOIR [bʀylwaʀ] n. m. — 1784; de *brûler.*

♦ **1.** Appareil de torréfaction consistant en un réchaud sur lequel tourne un cylindre ou une sphère en tôle. ⇒ **Torréfacteur.**

♦ **2.** Vieilli. Pièce d'un réchaud, par les trous et les fentes de laquelle sort le gaz. ⇒ **Brûleur.** *Réchaud à trois brûloirs. Nettoyer des brûloirs encrassés.*

♦ **3.** (1843). Lieu aménagé pour distiller de l'alcool. ⇒ **Brûlerie.**

BRÛLON [bʀylɔ̃] n. m. — D. i.; dér. dial. de *brûler,* et suff. *-on (-umen).*

♦ Régional (Suisse). Substance alimentaire brûlée qui reste attachée au fond d'un ustensile de cuisson. ⇒ **Brûlé** (n.).

HOM. Formes du v. **brûler.**

BRÛLOT [bʀylo] n. m. — 1627; de *brûler.*

♦ **1.** (XVIIᵉ et XVIIIᵉ). Mar. Anciennt. Petit navire chargé de matières combustibles et destiné à incendier les bâtiments ennemis en se consumant lui-même. *Attacher un brûlot au flanc d'un navire.*

Les vaisseaux (...) embrasés par les brûlots, sautent en l'air (...)   1
RACINE, les Campagnes de Louis XIV.

Par comparaison :

Ils se bornaient à lancer un pamphlet de Camille Desmoulins, comme un brûlot.   2
JAURÈS, Hist. socialiste..., t. VII, p. 351.

Par métaphore (moderne) :

Puis je créai le «Syndicat des Gens de Lettres», brûlot attaché au flanc du grand   3
navire qu'est la Société des Gens de Lettres, afin de lui permettre d'ester en justice au profit de ses membres.   Georges LECOMTE, Ma traversée, p. 371.

(...) il *(Talleyrand)* trouva avec ce «gamin» endiablé *(Thiers)* un brûlot que, après   4
l'avoir soigneusement préparé, il attacherait au flanc du bâtiment pour le faire sombrer.   Louis MADELIN, Talleyrand, v, 36, p. 390.

♦ **2.** Fig. Objet, idée susceptible de causer des dommages, des dégâts.

5 Les *Cahiers (de la Quinzaine)* sont « un brûlot au flanc de la Sorbonne ».
A. MAUROIS, Études littéraires, Charles Péguy, t. I, p. 237.

Spécialt. Journal polémique.

6 La *Revue de l'aviation française* se vendait bien, mieux en tout cas que *La Gauche*, petit brûlot de peu de flamme créé par lui de moitié avec un vieux radical hors d'âge nommé Georges Ponsot dans le but plus ou moins avoué d'empêcher l'alliance électorale des radicaux et des socialistes.
Raymond ABELLIO, les Militants, p. 81.

(1740). Personne qui polémique vivement sans craindre de prendre des risques. *Le brûlot d'un parti.* ⇒ **Boutefeu, casse-cou.**

♦ **3.** (1696, Canada). Moustique, petit insecte dont la piqûre donne une sensation de brûlure.

♦ **4.** (1719). Cuis. (vx). Mets très épicé.

(1843). Par ext. Eau-de-vie sucrée et flambée destinée à relever un plat.

♦ **5.** Techn. Charbon de bois incomplètement traité.

♦ **6.** (1845). Fam. Pipe. ⇒ **Brûle-gueule.**

BRÛLURE [bʀylyʀ] n. f. — V. 1220, *bruleüre*; de *brûler*.

♦ **1.** Lésion produite sur une partie du corps par l'action de la flamme, de la chaleur (contact ou rayonnement), ou d'une substance corrosive. *Brûlures du premier degré (rougeurs ou érythème), du deuxième degré (cloques ou phlyctènes), du troisième degré (escarres). Cicatrice que laisse une brûlure. Risques d'infection d'une brûlure. La gravité d'une brûlure est fonction de son étendue plus que de son degré. Brûlures dues aux radiations atomiques. Brûlures par l'eau bouillante.* ⇒ **Échaudure.** *Brûlure de la peau. Brûlures internes. Brûlure des voies respiratoires. Un coup de soleil est une brûlure du premier degré. Se faire une brûlure à la main. Sensation de brûlure.* ⇒ **Douleur, 1. feu** (fig.), **irritation, urtication.**

1 Elle avait au sein la cicatrice d'une brûlure d'eau bouillante (...)
ROUSSEAU, les Confessions, V.

2 Il soignait les brûlures avec l'acide picrique et entendait que ce fût le traitement initial.
G. DUHAMEL, Biographie de mes fantômes, V.

Tache ou trou à l'endroit où une étoffe, un objet a brûlé. *Il a une brûlure de cigarette à son gilet. Les brûlures d'une moquette.*

♦ **2.** (1539). Sensation de chaleur intense, d'irritation dans l'organisme. *Des brûlures d'estomac.* ⇒ **Acidité, aigreur.** *La brûlure de la fièvre*.* ⇒ **Chaleur, 1. feu.**

3 Après le froid de tout à l'heure, une brûlure lui tordait la poitrine, montait à sa tête bourdonnante (...)
Alphonse DAUDET, Sapho, III.

4 (...) une peau sans un défaut, sans une rugosité, sans une moiteur, et brûlante, mais brûlante en dedans, comme on sent la brûlure de la fièvre à travers une manche de mousseline (...)
MARTIN DU GARD, les Thibault, t. III, p. 41.

5 La brûlure de la lumière est sèche et poudreuse. Il n'y a pas une goutte de sueur sur le corps de Lalla, et sa robe bleue frotte sur son ventre et sur ses cuisses en faisant des crépitements électriques.
J.-M. G. LE CLÉZIO, Désert, p. 201.

♦ **3.** Altération produite sur les végétaux par le soleil ou la gelée. ⇒ **Brouissure, dessèchement.**

♦ **4.** Techn. Altération (oxydation, début de fusion) d'un métal trop chauffé, qui le rend impropre à être forgé.

♦ **5.** (1561, *brûlure de cœur*). Abstrait. Sensation vive et pénible. *Les brûlures de la jalousie, de l'amour-propre.* ⇒ **Blessure.**

6 Mille Rêves en moi font de douces brûlures.
RIMBAUD, Poésies, XXVII, « Oraison du soir ».

BRUMAILLE [bʀymaj] n. f. — 1866; de *brume*.

♦ Temps brumeux. — Brume peu épaisse. ⇒ **Brouillasse, brumasse.**

Mais le brouillard ne devait pas tarder à se lever. Ce n'était qu'une brumaille de beau temps. Un bon soleil en chauffait les couches supérieures, et cette chaleur se tamisait jusqu'à la surface de l'îlot.
J. VERNE, l'Île mystérieuse, 1874, t. I, p. 32.

Bruine, crachin.

Par métaphore. ⇒ **Brume.**

BRUMAIRE [bʀymɛʀ] n. m. — 1793; de *brume*.

♦ Didact. (hist.). Deuxième mois du calendrier républicain, commençant trente jours après l'équinoxe d'automne (du 22 octobre au 21 novembre). *Le coup d'État du 18 Brumaire :* l'action de Bonaparte qui devait aboutir au Consulat. — REM. Sainte-Beuve emploie *brumairien, ienne* «partisan du 18 brumaire».

Ainsi, les trois premiers mois de l'année, qui composent l'automne, prennent leur étymologie, le premier des vendanges qui ont lieu de septembre en octobre; ce mois se nomme *Vendémiaire;* le second, des brouillards et des brumes basses qui sont, si je puis m'exprimer ainsi, la transsudation de la nature d'octobre en novembre; ce mois se nomme *Brumaire;* le troisième, du froid tantôt sec, tantôt humide, qui se fait sentir de novembre en décembre; ce mois se nomme *Frimaire.*
FABRE D'ÉGLANTINE, in JAURÈS, Hist. socialiste..., t. VIII, p. 256.

BRUMAL, ALE [bʀymal] adj. — 1551; «relatif au Nord», 1495; lat. *brumalis*, de *bruma*. → Brume.

♦ Didact. et rare. D'hiver, qui appartient à l'hiver, à la saison des brumes. *Plante brumale.*

BRUMAN ou BRUMEN [bʀymã] n. m. — 1198; aussi *prumen;* anc. nordique *brudrmann* «garçon d'honneur».

♦ Régional (Normandie). Vx. Fiancé. — Gendre.

BRUMASSE [bʀymas] n. f. — Attesté xxᵉ, mais antérieur; *brumas*, au xvᵉ; de *brume*.

♦ Petite brume. ⇒ **Brumaille.**

DÉR. Brumasser.
HOM. Formes du v. **brumasser.**

BRUMASSER [bʀymase] v. impers. — 1837; de *brumasse*.

♦ Faire un peu de brume. *Il brumasse.* ⇒ **Brouillasser.**

BRUME [bʀym] n. f. — 1562; «jours d'hiver», 1265; lat. class. *bruma* «(solstice d')hiver», d'où «jours d'hiver les plus courts», probablt par l'anc. provençal *bruma*.

♦ **1.** Brouillard (plus ou moins épais). ⇒ **Brumaille, brumasse.** *La vapeur d'eau se condense en brume. Banc, rideau de brume. Une brume épaisse. La saison des brumes :* l'hiver. ⇒ **Brumaire, brumal.** *Un pays de brumes.* — *Signal, trompe, corne de brume,* utilisés pour signaler sa présence sur l'eau en cas de brume.

Météor. Brouillard léger, laissant une visibilité supérieure à 1 km.

REM. Alors qu'en marine, *brume* peut désigner un brouillard épais, le mot *brume,* dans la langue courante, évoque plutôt une apparence visuelle assez légère, un voile de brouillard peu épais (→ Vapeur). *Une brume argentée, bleue* (→ Baigner, cit. 9), *dorée, ouatée, transparente. Brume légère, flottante, qui s'effiloche.*

0.1 En effet, vers six heures et demie, trois quarts d'heure après le lever du soleil, la brume devenait plus transparente. Elle s'épaississait en haut, mais se dissipait en bas. Bientôt tout l'îlot apparut, comme s'il fût descendu d'un nuage; puis, la mer se montra suivant un plan circulaire, infinie dans l'est, mais bornée dans l'ouest par une côte élevée et abrupte.
J. VERNE, l'Île mystérieuse, t. I, p. 32.

1 C'était la première brume d'août qui se levait. En quelques minutes, le suaire fut uniformément dense (...)
LOTI, Pêcheur d'Islande, III, IX, p. 173.

2 Ici et là, des nappes de brumes dormantes s'étirent dans le vent, se lacèrent, et laissent paraître de grands espaces nouveaux.
MARTIN DU GARD, les Thibault, t. VIII, p. 150.

3 L'étang, dans le crépuscule d'aube, était un gouffre d'étain blême, sans rives, où traînaient des fumées de brume. Nous les voyions s'élever des eaux inertes, monter lentement entre les hauts roseaux. Elles enveloppaient les têtes des arbres, les cachaient de leur masse épaisse. Bientôt elles restèrent suspendues à quelques pieds au-dessus de l'étang. Leur nappe impénétrable voilait le ciel et les ramures (...)
M. GENEVOIX, Forêt voisine, VIII, p. 95.

♦ **2.** (1752). Vapeur formée par de fines gouttelettes; nuage de particules en suspension. *Produire une brume en vaporisant un liquide.* ⇒ **Brumisateur.** *Une brume de poussière.* — *« Des brumes d'encens »* (Valéry). ⇒ **Fumée.**

Apparence légère, immatérielle. *Une brume de dentelles, de cheveux blonds.*

♦ **3.** (Après 1850). Par métaphore ou fig. Ce qui empêche de voir clair, de bien comprendre; état où l'on ne voit, ne comprend pas clairement. ⇒ **Brumeux.** *Les brumes du sommeil, de l'ivresse* (⇒ **Embrumer**). *Des brumes intellectuelles.*

4 Réalisme, idéalisme, autant de brumes à travers lesquelles l'homme aveugle cherche la vérité.
J. RENARD, Journal, 17 janv. 1903.

Par comparaison :

5 (...) le cénobite n'a pas de pire ennemi que la tristesse. J'entends par là cette mélancolie tenace qui enveloppe l'âme comme une brume et lui cache la lumière de Dieu.
FRANCE, Thaïs, I.

DÉR. Brumaille, brumaire, brumasse, brumer, brumeux, brumisateur, brumisation.
— V. aussi **Brumal.**
COMP. Embrumer.
HOM. Formes du v. **brumer.**

BRUMEN [bʀymã] n. m. ⇒ **Bruman.**

BRUMER [bʀyme] v. impers. — 1863; de *brume*.

♦ Rare. Faire de la brume. *Il brume ce matin.* ⇒ **Brumasser.**

BRUMEUSEMENT [bʀymøzmã] adv. — D.i.; attesté 1945, J. Gracq; de *brumeux*.

♦ Littér. D'une manière brumeuse (2. ou 3.), vague.

BRUMEUX, EUSE [bʀymø, øz] adj. — 1787 ; de *brume*.

♦ **1.** Qui est couvert, chargé de brume. ⇒ **Brouillardeux.** *Ciel, temps brumeux.* ⇒ **Nébuleux, obscur.** *Atmosphère brumeuse. Espace clair dans un ciel brumeux.* ⇒ **Éclaircie.**
(Lieu, objet). Enveloppé, couvert de brume. *La brumeuse Norvège.*
Par ext. (Littér.). Fait de brume ; qui ressemble à la brume. *Des traînées brumeuses à l'horizon.*

♦ **2.** Par métaphore et fig. (Littér.). Qui est sans netteté, terne ou sombre. *Image brumeuse, tableau brumeux.*
(Des sons). « *Rire brumeux* » (Colette) ; *voix brumeuse,* peu claire, peu nette.

♦ **3.** (Attesté 1850, Flaubert). Abstrait. Qui manque de clarté. ⇒ **Flou, obscur.** *Esprit brumeux. Poésie, philosophie brumeuse.* ⇒ **Nébuleux.** *Votre raisonnement est un peu brumeux.*
Vague, indistinct. *Idées brumeuses. Un souvenir brumeux.*
Littér. Mélancolique.

Derrière les ennuis et les vastes chagrins
Qui chargent de leurs poids l'existence brumeuse (...)
                    BAUDELAIRE, les Fleurs du mal, III, « Élévation ».

CONTR. Clair, éclairci, ensoleillé, limpide, lumineux, transparent. — Gai.
DÉR. Brumeusement.

BRUMISATEUR [bʀymizatœʀ] n. m. — 1970 ; de *brume*.

♦ (Esthétique, dermatologie). Atomiseur* pour les soins de la peau. *Brumisateur d'eau minérale.*

BRUMISATION [bʀymizɑsjɔ̃] n. f. — V. 1970 ; de *brume*.

♦ Techn. Action de créer de la brume artificielle.

BRUN, BRUNE [bʀœ̃, bʀyn] adj. et n. — 1080, aussi « brillant », « luisant » ; du bas lat. *brunus* ; du germanique *brūn* ; cf. all. *braun*, angl. *brown*.

★ **I.** Adj. ♦ **1.** D'une couleur sombre entre le roux et le noir. ⇒ **Bistre, brunâtre, brunet** (vx), **châtain, chocolat, marron, maure** (tête de maure), **nègre** (tête de nègre), **tabac, terreux.** *La couleur brune de la châtaigne. La chair brune d'un fruit trop mûr, blet. Étoffe de laine brune.* ⇒ **1. Bure** (cit. 2 et 3). *Costume, uniforme brun, brun clair.* ⇒ aussi **2. Kaki.** *Rendre brun.* ⇒ **Brunir.** *Brun minéral.* ⇒ **Terre** (terre d'ombre). *Teint brun ; peau brune. Visage brun.* ⇒ **Basané, bistre, bistré, boucané, brique** (adj.), **bronzé, hâlé** ; et aussi **noir** (I., A., 2.), **tanné.** *Avoir les cheveux bruns et les yeux marrons. Cheveux très bruns, presque noirs. Cheval à robe brune.* ⇒ **Bai.** *Pelage brun. Fourrure* (cit. 6) *brune.* — *Teinture brune à base de brou* de noix.

1 (...) je suis attiré par ce qui reste de soleil sur les peaux brunes (...)
                    GIDE, Si le grain ne meurt, II, 1.
2 (...) lui-même, avec sa culotte de bure, sa chemise brune, sa peau recuite (...)
                    H. BOSCO, l'Âne Culotte, p. 51.
(Dans des syntagmes, avec une valeur de spécification). *Ours brun* (opposé à *ours blanc*). — *Sucre brun,* non raffiné. *Bière brune* (→ ci-dessous, II., 3., Brune, n. f.). *Tabac brun* (opposé à *blond*). *Sauce brune :* sauce faite d'un roux éclairci de bouillon.
Chemise brune : militant hitlérien, dont l'uniforme comportait une chemise brune.

♦ **2.** Vx (langue class.). Obscur, sombre. *La nuit brune.* « *Un temps fort brun* » (La Fontaine). — Régional (Canada). « *Il faisait encore brun* » (Guévremont).

♦ **3.** (Personnes). **a** Qui a les cheveux bruns. *Il est brun* (opposé à *blond*).

b Qui a le teint brun (d'une personne de race blanche). *Elle est naturellement brune. Il est revenu très brun de ses vacances* (opposé à *blanc,* à *pâle*). ⇒ **Bronzé, brunir** (au p. p.).

★ **II.** N. ♦ **1.** N. m. et f. (Fin XIIᵉ). Personne qui a les cheveux bruns ou le teint brun. *Un beau brun.* — Fam. *Salut, beau brun !* (→ Beau blond*, plus cour.). *Une brune piquante. Une brune aux yeux bleus* (→ Aimer, cit. 19). *Petite brune.* ⇒ **Brunette.**

3 Une petite brune vive et piquante (...)   ROUSSEAU, Émile, V.
4 Je n'ai eu que des brunes pour amies, de ces femmes qui ont toujours l'air d'être à l'ombre, comme les sources.
                    Valery LARBAUD, Amants, heureux amants, p. 113.
Fig. *La brune et la blonde :* toutes les femmes. *Aller de la brune à la blonde. Courtiser la brune et la blonde.*

♦ **2.** N. m. (1350). Couleur sombre entre le noir et le roux. *Brun clair. Brun foncé. Nuances de brun* (→ 1. Bure, cit. 2). *Brun chaud à reflets dorés.* ⇒ **Mordoré.** *Brun végétal ; brun de cachou, de garance, de sépia. Cette étoffe tire sur le brun, elle est d'un beau brun* (Académie). *Les bruns d'un tableau. Cheveux d'un brun roux, clair.*

Adj. (invar.). *Cheveux brun roux.* ⇒ **Auburn.** *Une robe brun pâle, brun clair.* ⇒ **Carmélite.**

Et les sièges leur ont des bontés : culottée   5
De brun, la paille cède aux angles de leurs reins.
                    RIMBAUD, Poésies, XXV, « les Assis ».

(1502). Substance de cette couleur (utilisée en peinture). *Un tube de brun Van Dyck.*

♦ **3.** N. f. **BRUNE** (opposé à *blonde*). **a** *Bière brune. Boire une brune. Préférer la brune à la blonde.*

b *Cigarette brune. Fumer des brunes.*

Vous fumez ? dit-il.   6
Ce sont des brunes ? dit l'homme.   J.-M. G. LE CLÉZIO, le Déluge, p. 113 (1966).

DÉR. Brunante, brunâtre, brune, brunet, brunir. — V. Brunelle.
HOM. (Du fém.) Brune (n. f.).

BRUNANTE [bʀynɑ̃t] n. f. — 1810 ; mot canadien, du rad. de *brunir*.

♦ Régional (Canada). Tombée de la nuit. « *La brunante descend sur la forêt* » (J.-Y. Soucy). — Loc. *À la brunante :* au crépuscule, le soir. ⇒ **Brune.**

Dans ce champ de trèfles rouges (...) et cet autre champ de blé d'Inde *(maïs)* à travers lequel je suis revenue, en pleurant, à la brunante (...)
                    Claude MAURIAC, le Dîner en ville, p. 78.

BRUNÂTRE [bʀynɑtʀ] adj. — 1557 ; de *brun*.

♦ Tirant sur le brun. *Un gris brunâtre. Une robe brunâtre.* — REM. Ne se dit pas des cheveux.
N. m. *Un marron tournant au brunâtre.*

BRUNCH [bʀœnʃ] n. m. — V. 1970 ; mot angl. de *br(eakfast)* « petit déjeuner », et *(l)unch* « déjeuner ».

♦ Anglic. Repas pris dans la matinée qui sert à la fois de petit déjeuner et de déjeuner (en principe les dimanches et jours fériés). — Au plur. *Des brunches.*

BRUNE [bʀyn] n. f. — V. 1450 ; de *brun*, adj.

♦ Vx. Fin du jour, tombée de la nuit. ⇒ **Soir ; brunante.**
Loc. adv. *Sur la brune* (vx), *à la brune* (mod.) : au crépuscule.

N'avez-vous jamais accepté, pour rentrer à la brune, le bras d'un inconnu ?   1
                    A. DE MUSSET, Confession d'un enfant du siècle, p. 237.
Une humble, une veuve qui a marié sa fille, qui s'en va acheter le lait et le pain   2
à la brune, à l'heure où la mèche se noie dans le suif de l'église.
                    Violette LEDUC, la Folie en tête, p. 59.

BRUNELLE [bʀynɛl] n. f. — 1694 ; *prunelle,* 1564 ; lat. médiéval *brunella* ; du bas lat. *brunus* « brun », et de *pruna* « prune ». → Brugnon.

♦ Plante herbacée *(Labiacées)* à fleurs violettes, qui pousse dans les bois et les pâturages.

BRUNET, ETTE [bʀynɛ, ɛt] adj. et n. — Mil. XIIᵉ ; de *brun*.

♦ **1.** Adj. Vx. Tirant sur le brun. *Cheveux brunets.*

♦ **2.** N. **a** Vieilli. Petit brun, petite brune. *Un brunet et un blondinet.* Mod. (p.-ê. sous l'infl. de l'angl. *brunette,* lui-même du français). *Une jolie brunette.*

b (1752). Vx. Romance (où il était question de *brunettes*).

♦ **3.** N. f. Hist. *Brunette.* Étoffe précieuse, brune à l'origine (au moyen âge).

BRUNI [bʀyni] n. m. — 1808 ; de *brunir*.

♦ Poli ; partie polie. *Le bruni d'une pièce d'orfèvrerie.*
CONTR. Mat.
HOM. P. p. de brunir.

BRUNIR [bʀyniʀ] v. — 1080, *Chanson de Roland,* au p. prés., *brunisant* ; « être brillant », fin XIIᵉ ; de *brun*.

★ **I.** V. tr. ♦ **1.** (V. 1160). Techn. Procéder au brunissage de (un métal, une pièce mécanique). *Brunir de l'or, de l'argent. Brunir de l'acier.*

♦ **2.** (XIIIᵉ). Rendre brun ; teindre en brun. *Le soleil brunit la peau.* ⇒ **Basaner, boucaner, bronzer, hâler,** et aussi **noircir, tanner.** *Brunir une boiserie.*

Ils brunirent leurs muscles, déjà noirs, en halant des bateaux et des filets.   1
                    Jean GENET, Journal du voleur, p. 157.

Par ext. ⇒ **Obscurcir.**

2 Mais déjà l'ombre plus épaisse
Tombe et brunit les vastes mers.   LAMARTINE, *Méditations poétiques*, I, 21.

★ **II.** V. intr. (1690, Furetière). Devenir brun ; prendre une couleur brune. *Ses cheveux ont bruni. Le soleil a fait brunir sa peau.* — (Des cheveux). *Un enfant blond qui a bruni en grandissant.* — (Du teint, du corps). *Brunir à la mer.* ⇒ **Bronzer**. *Se faire brunir.*

3 Aussi Jean n'alla pas d'abord au collège et quand il était à Paris, les jambes nues pour se laisser brunir, il restait toute la journée aux Champs-Élysées (...)
                                                    PROUST, *Jean Santeuil*, p. 216.

▶ **SE BRUNIR** v. pron.
S'exposer au soleil pour brunir. ⇒ **Bronzer** (se).

4 Il passait des heures entières sur la plage pour se brunir, afin que Solange le trouvât plus séduisant.   J. DUTOURD, *les Horreurs de l'amour*, p. 622.

▶ **BRUNI, IE** p. p. adj. *Métal bruni.* ⇒ **Bruni** (n. m.). *Des meubles de bois brunis par l'âge.* — *Visage bruni.* ⇒ **Bronzé, brun, hâlé.** — *Il est revenu tout bruni de ses vacances.*

CONTR. **Apâlir, blanchir, éclaircir, matir, pâlir.**
DÉR. **Bruni, brunissage, brunissant, brunissement, brunisseur, brunissoir, brunissure.**
COMP. **Rembrunir.**
HOM. (Du p. p.) **Bruni** (n. m.).

BRUNISSAGE [bʀynisaʒ] n. m. — 1680 ; de *brunir* (I., v. tr.).
Technique.

◆ **1.** Opération consistant à polir en frottant un métal fin. *Le brunissage de l'or.*
Opération consistant à donner un certain poli à un métal par une oxydation superficielle.

◆ **2.** (xxᵉ). Opération consistant à roder la surface frottante d'une pièce mécanique. *Brunissage de deux engrenages, d'un alésage.*

BRUNISSANT, ANTE [bʀynisɑ̃, ɑ̃t] adj. — 1557 ; de *brunir*.

◆ Qui devient brun ; qui est en train de brunir.
On paie au Prêtre un toit ombré d'une charmille
Pour qu'il laisse au soleil tous ces fronts brunissants.
                                RIMBAUD, *Poésies*, XXXVIII, « les Premières Communions », I.

BRUNISSEMENT [bʀynismɑ̃] n. m. — 1587 ; de *brunir*.

★ **I.** (De *brunir*, I., v. tr.). Vx. Brunissage (des métaux).

★ **II.** (De *brunir*, II., v. intr.). ◆ **1.** (1873). Fait de brunir, d'être bruni. *Le brunissement de la peau par le soleil.* ⇒ **Bronzage.**

◆ **2.** Chim. et techn. *Brunissement des glucides :* phénomène biochimique par lequel un glucide brunit sous l'influence de la chaleur (caramel, croûte du pain, fromage des gratins, etc.).

BRUNISSEUR, EUSE [bʀynisœʀ, øz] n. — 1313, au sens I ; de *brunir*.

★ **I.** (De *brunir*, I., v. tr.). Techn. Ouvrier, ouvrière chargé(e) des opérations de brunissage.

★ **II.** N. m. (Mil. xxᵉ ; de *brunir*, II., v. intr.). Cour. Produit destiné à hâler, ou à intensifier le bronzage de l'épiderme.

BRUNISSOIR [bʀyniswaʀ] n. m. — 1564 ; de *brunir*.

◆ **1.** Techn. Outil servant au brunissage.

◆ **2.** (Chir. dentaire). Instrument servant à finir par brunissage les obturations métalliques des dents. *Le brunissoir, à manche ou rotatif, est monté sur le tour.*

BRUNISSURE [bʀynisyʀ] n. f. — 1429, *brunisseure* ; de *brunir*.
Technique.

★ **I.** ◆ **1.** Technique du brunisseur. ⇒ **Brunissage.** — Poli d'un ouvrage bruni.

◆ **2.** (1723). Action de brunir par la teinture les nuances des étoffes pour mieux les assortir.

★ **II.** (1903, in *Rev. gén. des sc.*, nᵒ 12, p. 682 ; de *brunir*, II., v. intr.). Maladie de certaines plantes. *Brunissure de la pomme de terre. Brunissure de la vigne.*

BRUNOISE [bʀynwaz] n. f. — 1815, *in* D.D.L. ; orig. obscure.

◆ Cuis. (vx). Julienne. — (Mod.). Aliment coupé en très petits dés (2 à 3 mm), pour la garniture des potages. ⇒ **Julienne.**

BRUSHING [bʀœʃiŋ] n. m. — V. 1966 ; procédé déposé ; mot angl., « brossage ».

◆ Anglic. Mise en plis où les cheveux mouillés sont travaillés mèche après mèche sur une brosse ronde et en les séchant au séchoir à main. *Se faire faire une coupe et un brushing. Brushing pour gonfler les cheveux* (⇒ 1. **Bombage**, 3.), *pour les lisser.*
Équivalent français : *séchage à la brosse ; séchage-brossage.*

BRUSQUE [bʀysk] adj. — 1549 ; « aigre » (vin), 1373 ; ital. *brusco* « âpre, non poli, rude ».

★ **I.** (En parlant d'êtres vivants ; généralt après le nom, en épithète).
◆ **1.** Qui agit avec rudesse, par des actions vives. *Homme brusque.* ⇒ **Abrupt, bourru, brutal, cassant, cavalier, cru, escarpé, impatient, impétueux, nerveux, prompt, rude, violent.** *Il est brusque dans ses manières, en paroles.* ⇒ **Sec.** *Être brusque avec qqn.* ⇒ **Brusquer.** *Il est un peu brusque, mais très franc et très bon. Il est brusque et grossier, impoli, rébarbatif.*

REM. Le mot, sans précision et en contexte neutre, n'est ni péjoratif ni mélioratif.

1 L'on voit des gens brusques *(qui)* vous expédient, pour ainsi dire, en peu de paroles, et ne songent qu'à se dégager de vous (...)
                                LA BRUYÈRE, *les Caractères*, V, 26.

1.1 Mon père n'est pas toujours commode. Il est un peu brusque parfois, il peut être très insociable, je crois qu'il est assez timide, au fond.
                                N. SARRAUTE, *le Planétarium*, p. 186.

Par ext. Propre à une personne brusque. *Caractère, allure brusque.*

2 Il *(le fils de Bussy)* a quelque chose de brusque et d'impétueux qui ne lui attire pas beaucoup d'amis.   Mᵐᵉ DE SÉVIGNÉ, *Lettres*, 847, 28 août 1680.

◆ **2.** (En parlant des mouvements, des gestes, des actes). Effectué avec une vivacité imprévisible. *Mouvements brusques.* ⇒ **À-coup, bond, ressaut, ruade, saccade, saut, soubresaut, sursaut.**

3 (...) jamais ses gestes *(de Marcelle)* n'avaient été si brusques, ni sa voix si heurtée, si masculine.   SARTRE, *les Chemins de la liberté*, t. I, I, 12.

◆ **3.** (xviiᵉ, d'une réplique). En parlant du comportement. D'une vivacité rude inamicale aller jusqu'à l'agressivité. *Manières brusques et joviales, brusques et désagréables* (⇒ **Rude**)*, brusques et grossières. Ton brusque.* ⇒ **Bref, cinglant, sec.** — (Paroles). *Faire une réponse brusque. Il l'a rabroué, rembarré, repoussé par une phrase, une remarque brusque* (⇒ **Brusquer, rudoyer**).

◆ **4.** Rare (en parlant du style). Rude et direct. *Des phrases brusques et expressives.* « *Un style brusque, inégal et violent* » (J. Lemaitre, à propos de Huysmans, *in* T. L. F.).

★ **II.** (Av. ou après le nom, en épithète). Qui est soudain, que rien ne prépare. ⇒ **Imprévu, inattendu, inopiné, précipité, soudain, subit.** *Brusque et imprévu.* (→ **Assaillir**, cit. 1). *Brusque réveil. Brusque silence. Brusque accession au pouvoir. Attaque brusque. Arrivée brusque.* ⇒ **Accès, irruption, trombe.** *Arrêt brusque. Virage un peu brusque. Changement brusque ; un brusque changement. Brusque départ, retour. Sa décision, son action... a été brusque, complètement imprévisible.* — *Brusque coup de vent. De brusques ondées.*

4 Ce brusque retour des pluies nous a surpris au moment de monter à cheval.
                                E. FROMENTIN, *Un été dans le Sahara*, I.

5 Un crescendo brusque, imprévu, effroyable, des râles, la mêlée aérienne de deux voix furibondes (...)   COLETTE, *la Paix chez les bêtes*, « Prrou ».

6 (...) un de ces vieux ânes butés, qui marchent le museau entre leurs pattes, sournois, rusés, aigris, la lippe baveuse, méditant la ruade, le coup de dent, l'arrêt brusque, le départ en trombe et qui, patients sous les plus rudes volées de bois vert, attendent de passer devant une mare fangeuse pour courir s'y vautrer avec toute leur charge sur le dos.   H. BOSCO, *l'Âne Culotte*, p. 13.

(En parlant des sentiments, des « mouvements de l'âme »). Soudain et intense. *Un brusque besoin* (cit. 30). *Une brusque envie de...*

Par ext. (du temporel au spatial). *La route fait des coudes, des virages brusques, de brusques détours.*

CONTR. **Bon, doux, flegmatique, patient, posé.** — **Graduel, lent, progressif.**
DÉR. **Brusquement, 1. brusquer, brusquerie, brusquet.**
HOM. Formes des v. 1. **brusquer**, 2. **brusquer**.

BRUSQUEMBILLE [bʀyskɑ̃bij] n. f. — 1718 ; de *Bruscambille*, surnom d'un comédien.

◆ Anciennt. Jeu de cartes.

BRUSQUEMENT [bʀyskəmɑ̃] adv. — 1534, Rabelais ; de *brusque*.

◆ **1.** ⓐ Vx. Avec rudesse, brusquerie. *Il l'a traité brusquement.*

ⓑ Mod. Avec soudaineté et brusquerie, en paroles. *Il ne faut pas répondre si brusquement, ce n'est pas poli. Interrompre brusquement qqn, lui couper* la parole. Répondre brusquement à qqn* (→ À **brûle-pourpoint***, de but* en blanc ; cf., vieilli, à la hussarde, de plein saut).

0.1 Il *(La Pérouse)* se tourna vers moi et, brusquement, brutalement, répéta, comme si je doutais de sa parole :
— Oui, je l'ai chargé *(le pistolet).*
GIDE, les Faux-monnayeurs, *in* Romans, Pl., p. 1131.

♦ **2.** Mod. D'une manière brusque, soudaine. ⇒ **Inopinément, soudainement ; coup** (tout à coup).
REM. Le passage du sens social et psychologique (→ ci-dessus, 1.) au sens simplement temporel est incertain, en parlant des actions humaines. *Surgir brusquement. Agir brusquement. Brusquement, il se mit à crier. Partir brusquement.* ⇒ **Brûler** (la politesse), **planter** (planter là qqn). — *Ouvrir brusquement une porte.*

1 (...) devenus brusquement bavards à ne laisser personne leur répondre.
MAUPASSANT, Contes et nouvelles, « Le vieux », Pl., t. I, p. 1135.

Le sujet du verbe est un nom de chose :

2 Une tumeur qui évolue si brusquement (...)
MARTIN DU GARD, les Thibault, t. III, p. 195.

3 (...) la porte s'ouvre d'un seul coup, si brusquement qu'il doit s'accrocher au chambranle pour ne pas tomber, pour ne pas se trouver happé par ce corridor béant (...)
A. ROBBE-GRILLET, Dans le labyrinthe, p. 97.

♦ **3.** D'une manière soudaine (⇒ **Brusque,** II.). *La pluie s'est brusquement mise à tomber. Le temps a brusquement changé.* ⇒ **Brutalement.**

4 J'hésitai vraiment à reconnaître la belle Claire Lenoir, en considérant les ravages causés sur ce visage, évidemment par quelque angoisse mystérieuse ; elle était comme brusquement vieillie.
VILLIERS DE L'ISLE-ADAM, Tribulat Bonhomet, p. 154.

CONTR. Doucement, patiemment, posément. — Graduellement, lentement.

1. BRUSQUER [bRyske] v. tr. — Mil. XVIIe ; de *brusque.*

★ **I.** ♦ **1.** Vx. Traiter (qqn) de manière offensante.

♦ **2.** Mod. Traiter d'une manière brusque, sans se soucier de ne pas heurter. *Vous avez tort de brusquer cet enfant.* ⇒ **Secouer.** *Il brusque tout le monde.*

1 Pour peu que j'eusse parlé, je n'aurais pu m'empêcher de le brusquer.
MONTESQUIEU, Lettres persanes, 48.

Littér. (compl. n. de chose). *« Il n'aimait guère qu'on brusquât les convenances »* (Barrès). *Brusquer la nature.*

Rare. Dire d'une manière brusque. — En incise :

1.1 — Eh bien ? brusqua Lampieur. Francis CARCO, l'Homme traqué, p. 38.

★ **II.** Précipiter (ce dont le cours est naturellement lent, ou l'échéance éloignée). ⇒ **Hâter, presser.** *Brusquer une affaire, une décision. Brusquer un voyage. Brusquer le dénouement, la solution d'une crise. Brusquer une séparation. Il ne faut rien brusquer.*

2 Il était trop prudent *(le père Barbeau)* pour brusquer les choses et se devait tenir pour content de ce qu'il avait obtenu. G. SAND, la Petite Fadette, XXX, p. 203.

3 Il n'avait plus qu'une pensée : brusquer l'adieu, se retrouver seul (...)
MARTIN DU GARD, les Thibault, t. IX, p. 128.

Loc. (Vx). *Brusquer l'aventure :* prendre brusquement son parti, au hasard de ce qui peut arriver.

▶ **BRUSQUÉ, ÉE** p. p. *Attaque brusquée,* soudaine.

4 On croyait que l'affaire traînerait, elle fut brusquée.
MICHELET, Hist. de la Révolution franç., t. I, p. 892.

CONTR. Flatter, ménager, ralentir.
HOM. 2. Brusquer.

2. BRUSQUER [bRyske] v. tr. ⇒ 2. **Busquer.**

BRUSQUERIE [bRyskəRi] n. f. — 1666, Molière ; de *brusque.*

★ **I.** ♦ **1.** Caractère d'une personne qui traite les autres sans ménagement, avec rudesse, ou de ses actes. ⇒ **Brusque** (I.). *Il est d'une brusquerie insupportable. La brusquerie de qqn, sa brusquerie. La brusquerie d'un geste, d'un mouvement, d'une réplique.* ⇒ **Rudesse.** *Traiter les gens avec brusquerie.* ⇒ 1. **Brusquer, rudoyer.**

1 (...) il veut qu'on agisse avec brusquerie atterrante, dans le saisissement, d'une première entrevue (...) LOTI, Ramuntcho, II, 9, p. 275.

2 (...) franche jusqu'à la brusquerie (...)
Éd. HERRIOT, la Vie de Beethoven, p. 131.

Littér. (en parlant du style). Caractère énergique et rude.

♦ **2.** Précipitation (dans les actes). *« La brusquerie fait tout rater »* (Céline).

♦ **3.** Littér. Caractère de ce qui est fait très rapidement, de ce que rien ne prépare (⇒ **Brusque,** II.). *La brusquerie d'une décision. La brusquerie d'un virage. « La brusquerie des tournants »* (Hugo, *in* T. L. F.).

★ **II.** Vx. *(Une, des brusqueries).* Action ou parole brusque. *Se permettre des brusqueries* (Académie).

3 Il me divertit quelquefois avec ses brusqueries et son chagrin bourru (...)
MOLIÈRE, le Misanthrope, V, 4.

4 Le maréchal de Joyeuse, qui ne se communiquait à personne et à qui il échappait des brusqueries fréquentes (...) SAINT-SIMON, Mémoires, 29, 83.

---

5 Elle *(Miss Harriet)* avait des brusqueries, des impatiences, des nerfs.
MAUPASSANT, Contes et nouvelles, Pl., t. II, p. 872.

CONTR. **Affabilité, amabilité, aménité, cajolerie, caresse, douceur, patience.**

BRUSQUET, ETTE [bRyskɛ, ɛt] adj. — 1548, Rabelais ; de *brusque.*

♦ Vx ou régional. Un peu brusque.
REM. L'adj. a servi de nom propre, notamment pour un chien.

Une petite fille sauta d'un banc, brusquette, comme un oiseau s'envole d'une branche. MONTHERLANT, le Démon du bien, p. 23.

Prov. (Vx). *À brusquin brusquet :* envers qui agit de façon brutale, il faut agir plus brutalement encore (*brusquin,* de *brusque,* p.-ê. d'après *malin*).

HOM. Formes des v. 1. **brusquer,** 2. **brusquer.**

BRUSSOLES [bRysɔl] n. f. pl. ⇒ **Brésolles.**

BRUT, BRUTE [bRyt] adj. — Fin XIIIe ; lat. *brutus* « stupide ».
REM. En épithète, toujours après le nom.

♦ **1.** Vx. Qui représente un état primitif, peu évolué. ⇒ **Grossier, rudimentaire.** *« C'est ainsi que devaient naître ces âmes vivantes d'une vie brute et bestiale »* (Bossuet).

1 De tous les quadrupèdes, le cochon paraît être l'animal le plus brut.
BUFFON, Hist. nat. des animaux, Cochon, *in* LITTRÉ.

Corps bruts : minéraux (par oppos. aux *corps organisés*). ⇒ **Inorganique.** — REM. Cet emploi archaïque se trouve encore dans la langue littéraire (Claudel, *in* T. L. F.).

N. m. *Le brut :* l'inorganique.

2 Cela nous prouve que la nature ne tend pas à faire du brut, mais de l'organique.
BUFFON, Hist. nat. des animaux, Animaux reprod., *in* LITTRÉ.

♦ **2.** Vx. Qui tient de la bête ; qui est dépourvu de raison ; par ext., lourd, stupide. *Un esprit brut.* ⇒ **Fruste, grossier, inintelligent, rude, simple.** *Force brute.* ⇒ **Brutal ; bestial** (cit. 1), **machinal.** — *Bête brute :* être privé de raison. ⇒ **Brute.**

3 Un enragé (...) qui passe cette vie en véritable bête brute (...)
MOLIÈRE, Dom Juan, I, 1.

♦ **3.** (1416). Mod. Qui est à l'état naturel, n'a pas encore été façonné ou élaboré par l'homme. ⇒ **Naturel, originel, primitif, pur, sauvage, vierge.** *Matière brute. Minerai brut,* tel qu'il sort de la mine. *Sucre brut. Pétrole brut,* non raffiné. — N. m. *Du brut :* des hydrocarbures non raffinés. *3 000 tonnes de brut se sont déversées sur les plages.* — *Pierre brute, diamant brut, marbre brut,* non taillés, non polis. *Dégrossissage du diamant brut.* ⇒ **Brutage ; bruteur.** *Statue brute,* à l'état d'ébauche*. ⇒ **Inachevé.** — *Fer brut. Fonte brute. Or brut.* ⇒ **Natif.** *Soie brute.* ⇒ **Grège.** *La laine brute est de couleur beige.* — *Bois brut,* non taillé. — *Terrain brut.* ⇒ **Friche** (en), **inculte.**

Spécialt (d'une espèce animale). Rare. Non domestique. ⇒ **Sauvage.**

3.1 Je demandai à mon cocher si ces cobayes que je voyais par centaines de milliers s'ébattre dans la rivière et sur les rives vivaient en liberté ou étaient le fruit d'élevages. « L'un et l'autre, me dit-il, ou plutôt on ne distingue plus l'espèce domestique de la brute ». Robert PINGET, Graal Flibuste, p. 13.

Qui résulte d'une première élaboration (avant d'autres transformations). *Métal brut, brut de coulée* (à la sortie de la lingotière), *brut de fonderie* (non usiné), *brut de laminage* (à la sortie du laminoir). Loc. fig. *Brut de fonderie, de coulée,* à l'état brut (→ ci-dessous, 4.). — *Coton brut, toile brute.* ⇒ **Écru.** — *Champagne brut,* auquel il n'a pas été ajouté de sucre après l'évacuation du dépôt. ⇒ **Sec.** Techn. *Champagne brut de dégorgement.* — N. m. *Une bouteille de brut.* (Comm. ; d'après *blanc de blancs*). *Du brut de brut.*

♦ **4.** (Abstrait). Qui n'a subi aucune élaboration intellectuelle, est à l'état de donnée immédiate. *Fait brut. Le sens brut d'un mot.* ⇒ **Originel, premier.** *À l'état brut.* — REM. Dans les emplois class., ce sens ne peut être clairement distingué des emplois 1 et 2 (« primitif », « fruste »).

4 L'éducation qui d'ordinaire dans les autres hommes embellit ou cultive un fonds encore brut ou ingrat (...) MASSILLON, Villeroy, *in* LITTRÉ.

5 (...) chez vous *(dans les grandes villes),* rien n'est pur (...) au sens brut.
R. ROLLAND, le Voyage intérieur, p. 127.

6 Les idées s'offraient presque toujours à l'état brut : il fallait les dégager péniblement de la gangue. R. ROLLAND, Jean-Christophe, p. 384.

Sc. *Résultat brut d'une expérience :* résultat obtenu sans les corrections nécessaires. *Fait brut, résultat brut,* non analysé.

(1944 ; répandu par J. Dubuffet). *Art brut,* spontané, échappant à toute influence culturelle.

7 L'art « brut », la pierre surprenante, la racine compliquée, le cristal, le poisson laminé entre deux feuilles de schiste rejoignent un plan esthétique que le jardin chinois avait atteint il y a plusieurs siècles, mais ils rejoignent aussi, de manière rassurante pour l'unité humaine, la recherche des formes insolites par les derniers Paléanthropiens.
A. LEROI-GOURHAN, le Geste et la Parole, II, p. 216.

♦ **5.** Écon. Dont le montant est évalué avant déduction des taxes et frais divers. *Traitement, bénéfice brut, salaire brut* (opposé à *net*). *Produit national brut (P. N. B.). Immobilisations brutes,* avant amortissement. — Adv. *L'opération doit produire brut un million.*

Comm. Total, y compris l'emballage ou le véhicule de transport. *Poids brut* (opposé à *poids net*). — Adv. *Cette caisse d'oranges pèse brut cinquante kilos.* ⇒ **Ort.**

CONTR. Achevé, affiné, apprêté, civilisé, complexe, cultivé, dégrossi, évolué, façonné, œuvré, ouvré, parfait, poli, raffiné, travaillé. — Net.
DÉR. et COMP. Brutage, brute. — Abrutir. — V. Brutal, bruteur.

BRUTAGE [bʁytaʒ] n. m. — 1877 ; de *brut.*

♦ Techn. Action de dégrossir le diamant brut. *Ouvrier chargé du brutage* (⇒ **Bruteur**).

BRUTAL, ALE, AUX [bʁytal, o] adj. — XIVᵉ ; bas lat. *brutalis,* de *brutus.* → **Brut.**

REM. En épithète, placé après le nom, sauf effet stylistique.

★ **I.** Adj. ♦ **1.** Vx. Qui tient de la brute. ⇒ **Animal, bestial, grossier.** *Des instincts, des appétits brutaux. Une passion brutale.*

1   Il y a tant de gens qui se laissent entraîner par leurs appétits brutaux.
                          DESCARTES, *in* LITTRÉ.

2   La partie brutale veut toujours prendre empire sur la sensitive (...)
                  MOLIÈRE, le Médecin malgré lui, III, 6.

3   Vos sentiments brutaux veulent se contenter (...)
                  MOLIÈRE, les Femmes savantes, IV, 2.

Mod. *La force brutale* (opposé à *la force morale de la raison*). —
REM. Cet emploi est plutôt compris au sens 2.

♦ **2.** (En parlant des personnes). Qui use volontiers de violence, du fait de son tempérament rude et grossier. ⇒ **Dur, emporté, irascible, méchant, vif, violent.** *Un homme brutal et borné.* ⇒ **Brute** (3.), **mufle** (cf. vx ou vieilli, *C'est un bœuf, un bouledogue, un buffle, un cheval de charrue..., un charretier, un crocheteur). Un soudard, un pillard brutal. Un gardien brutal. Elle est très brutale avec ses enfants. Il est brutal et méchant*, cruel*.*

(En parlant des tendances, des actions...). Qui est sans ménagement, ne craint pas de choquer. *Une franchise brutale. Assouvir* (cit. 3) *une fureur brutale. Réalisme brutal.* ⇒ **Cru.** *Ton brutal.* ⇒ **Brusque, direct,** 2. **franc, sec, vif.** *Réponse, discussion brutale. Bon sens brutal.*

4   Si vous demandez à un homme brutal : «Qu'est devenu un tel?» il vous répond durement : «Ne me rompez point la tête».
           LA BRUYÈRE, les Caractères de Théophraste, De la brutalité.

5   Mais quoi? partir ainsi d'une façon brutale,
  Sans me dire un seul mot de douceur pour régale !
                  MOLIÈRE, Amphitryon, I, 4.

6   (...) je ne l'aime pas : il est brutal avec sa petite sœur et il est malpropre.
           G. SAND, la Mare au diable, X, p. 85.

(En parlant de l'expression). *Discours, article, livre brutal.* ⇒ **Agressif, vif, violent.**

Par ext. *Une description d'un réalisme brutal* (⇒ **Brutalisme**).

7   Schwob m'en voulut, me fut-il redit. Mon livre brutal écrasait indécemment son livre délicat (...)
           GIDE, Journal, 20 sept. 1931.

(Actes). D'une vivacité excessive, violent (mais sans méchanceté ni grossièreté). *Un coup de volant brutal.* ⇒ **Brusque.** *Il a des gestes maladroits et un peu brutaux.*

(Actes collectifs). D'une rigueur extrême, allant jusqu'à la violence. *Répression brutale.* ⇒ **Brutalité.**

♦ **3.** (Choses). Imprévisible, soudain et violent. *Douleur brutale. Événement brutal.*

Spécialt. Qui frappe rudement et brusquement. *Le coup, le choc a été brutal.* ⇒ **Dur, fort, rude, violent.**

Dont les effets sont inévitables; qui échappe à l'action humaine. ⇒ **Brut.** *Le fait, le phénomène brutal. Que peut-on faire devant la réalité brutale?*

★ **II.** N. ♦ **1.** (1672). Personne brutale. ⇒ **Brute** (2.). *C'est une brutale. Agir en brutal.* ⇒ **Brutaliser.** *Les sévices d'un brutal. Apprivoiser* (cit. 4), *adoucir un brutal.*

8   — Toujours à vous louer il a paru de glace.
    — Le brutal !
            MOLIÈRE, les Femmes savantes, IV, 2.

9   D'un fort, elle *(l'auto)* fait un brutal et d'un brutal une bête.
           G. DUHAMEL, Scènes de la vie future, VI.

9.1 M. de Bismarck n'était pas un diplomate faux et menteur, mais un franc, un brutal, qui criait toujours la vérité, annonçait toujours ses intentions.
          MAUPASSANT, Fort comme la mort, éd. 1889, p. 62.

♦ **2.** N. m. (1744, *in* D. D. L.). Pop. et vx. *Le brutal :* le canon.

10   (...) quand le brutal gronde, on ne montre jamais d'or.
          STENDHAL, la Chartreuse de Parme, p. 53.

♦ **3.** N. m. Fam. (Argot vieilli). Eau-de-vie.

11   Le gros, qui croyait dur à l'efficacité des boissons au-dessus de quarante, a sonné Nana pour qu'elle monte le vieux marc. On s'est efforcé*(s)* de lui en verser quelques cuillerées dans la gorge, au mec Riton. Il fallait se rendre à l'évidence, même le brutal lui donnait pas la moindre sensation; il avalait même plus !
          Albert SIMONIN, Touchez pas au grisbi, p. 170.

CONTR. Élevé, humain, intelligent. — Aimable, amène, cajoleur, câlin, civilisé, délicat, doux, galant, honnête, poli.
DÉR. Brutalement, brutaliser, brutalisme, brutaliste, brutalité.

BRUTALEMENT [bʁytalmɑ̃] adv. — 1428 ; de *brutal.*

♦ **1.** D'une manière brutale* (I., 2.), avec brutalité. ⇒ **Cruellement, durement, férocement, grossièrement, rudement, violemment.** *Agir brutalement. Battre qqn brutalement. Parler brutalement à qqn.* ⇒ **Crûment.** *Mettre qqn à la porte brutalement.*

1   Agamemnon déclare brutalement qu'il aime autant Briséis que son épouse parce qu'elle fait d'aussi beaux ouvrages.
          CHATEAUBRIAND, le Génie du christianisme, II, II, 12.

2   Il n'osait plus la manier brutalement, la saisir, la frapper, la pétrir comme sa chose mauvaise et rétive (...)
          FRANCE, le Lys rouge, XXI.

Avec soudaineté et violence (mais sans rudesse ni grossièreté). *Tu manies ces bibelots trop brutalement.* ⇒ **Brusquement.** *Claquer la porte brutalement.*

♦ **2.** Avec soudaineté, de manière imprévisible et violente (plus fort que *brusquement**). *L'orage a éclaté brutalement. La terrible nouvelle les a frappés brutalement. Il est mort brutalement. Virer brutalement.*

CONTR. Délicatement, doucement.

BRUTALISER [bʁytalize] v. tr. — 1704 ; p. p. «rendu semblable à une brute», 1572 ; de *brutal.*

♦ **1.** Traiter d'une façon brutale* (I., 2.), avec violence. ⇒ **Battre, frapper, houspiller, malmener, maltraiter, molester, rudoyer.** *Brutaliser un enfant. Brutaliser des animaux.* ⇒ **Tourmenter.**

Si l'on vous brutalise, est-ce ma faute à moi.
          J.-F. REGNARD, Menechmes, II, 5.

Fam. *Il ne faut pas me brutaliser,* me faire violence. ⇒ **Brusquer.**

Littér. Traiter, manier (qqch.) d'une manière brutale.

♦ **2.** Rare et littér. Rendre brutal, plus brutal. «*Brutalisez votre style, me disait un ami*» (Amiel, Journal, *in* T. L. F.).

BRUTALISME [bʁytalism] n. m. — 1879 ; de *brutal.*

♦ **1.** Rare. Caractère de ce qui est brutal. ⇒ **Brutalité.**

♦ **2.** Didact. Attitude ou école littéraire prônant un réalisme très cru. ⇒ **Brutaliste.**

(...) l'ensemble est d'un érotisme inouï, un fondu en enchaîne, un brutalisme bouleversant, des latences étonnantes, une poésie énorme.
          M. AYMÉ, Travelingue, p 81.

REM. C'est un personnage de snob ridicule qui parle.

♦ **3.** (V. 1965 ; angl. *brutalism,* P. et A. Smithson ; de *brutal,* de même orig. que le franç. *brutal*). Arts. Mouvement et style d'architecture strictement fonctionnaliste, qui recherche l'effet esthétique par l'emploi délibéré, explicite, des matériaux et procédés les plus efficaces techniquement.

BRUTALISTE [bʁytalist] n. et adj. — 1874, cit. ; adj., 1892 ; de *brutal.*

♦ Didact. Relatif au brutalisme* (littéraire, architectural).

Il a commencé par être un réaliste, et il est maintenant un brutaliste, comme disent à présent les réalistes avancés.
     BARBEY D'AUREVILLY, *in* le Constitutionnel, 20 avr. 1874 (*in* D. D. L.).

BRUTALITÉ [bʁytalite] n. f. — 1539 ; de *brutal.*

★ **I.** *(La brutalité).* ♦ **1.** Vx. Caractère d'une personne brutale (I., 1.), qui tient de la brute et de ses tendances. ⇒ **Animalité, bestialité** (→ ci-dessous, cit. 3).

♦ **2.** Mod. Caractère d'une personne brutale (I., 2.), violente et grossière. ⇒ **Barbarie, cruauté, dureté, férocité, inhumanité, sauvagerie, violence.** *Agir, parler avec brutalité. La brutalité d'un soudard, d'un nervi, d'un sbire... Elle est d'une brutalité révoltante. Brutalité aveugle* (cit. 15), *insensée, sans nom.*

Grossièreté, impolitesse. ⇒ **Brusquerie, rudesse.** *Une brutalité insupportable. Parler, répondre avec brutalité,* brutalement.

1   (...) Vouloir d'un œil sec voir mourir ce qu'on aime :
  L'effort en est barbare aux yeux de l'univers,
  Et c'est brutalité plus que vertu suprême.
          MOLIÈRE, Psyché, II, 1.

2   La brutalité est une (...) dureté, et j'ose dire une férocité, qui se rencontre dans nos manières d'agir, et qui passe même jusqu'à nos paroles.
          LA BRUYÈRE, les Caractères de Théophraste, De la brutalité.

2.1 Il s'exprimait difficilement mais avec force ; et quand il avait trouvé le terme dont il avait besoin, il le lançait contre son interlocuteur avec une brutalité qui semblait destinée à anéantir toute velléité de discussion ou de controverse.
          G. LEROUX, Rouletabille chez Krupp, p. 19-20.

REM. Le sens psychologique et social du mot, dans l'usage classique, est encore marqué par le sens originel (→ ci-dessus, 1.) :

3 Ils ne se conduisent pas comme des hommes, mais comme des bêtes, en se laissant conduire à la brutalité de leurs appétits.
BOUHOURS, Nouvelles remarques sur la langue franç., *in* LITTRÉ.

(Actes collectifs, attitude sociale). Caractère violent et agressif. *La
brutalité d'un régime, d'une police. Le gouvernement, l'armée... a
réagi avec brutalité. La brutalité d'une répression.* — Absolument :

4 La propriété foncière est mère d'inégalité et de brutalité.
JAURÈS, Hist. socialiste..., t. I, p. 127.

Par ext. Caractère brutal, dur et contraignant (d'un pouvoir social).

5 L'empressement des citoyens peut encore faire oublier la brutalité des institutions.
G. DUHAMEL, Scènes de la vie future, I.

♦ **3.** Caractère brutal (I., 3.), inattendu, violent (de qqch.). *La brutalité d'une passion. La brutalité d'un événement inattendu. La
brutalité de la pluie.*

6 La brutalité de la saison a furieusement outragé la délicatesse de ma voix (...)
MOLIÈRE, les Précieuses ridicules, 9.

REM. Satire du langage précieux où *brutalité* a le sens initial et très fort de
« rudesse grossière ».

7 « Parbleu », pensa Antoine, étourdi par la brutalité du choc.
MARTIN DU GARD, les Thibault, t. IX, p. 128.

★ **II.** (1680). *Une, des brutalités.* Acte brutal, parole brutale. *Souffrir des brutalités de qqn.*

8 (...) l'impiété et les brutalités d'un peuple barbare (...)
FLÉCHIER, Panégyriques, II, p. 367, *in* LITTRÉ.

Spécialt. Action brutale (d'un groupe social, de la force collective,
etc.). *Les brutalités policières.* ⇒ **Sévices.**

CONTR. Amabilité, aménité, civilité, douceur, galanterie, humanité, politesse.
— Cajolerie, caresse.

BRUTE [bʀyt] n. f. — 1669, Pascal ; *brut*, masc., 1547 ; de *brut.*

♦ **1.** Littér. Animal*, considéré dans ce qu'il a de plus bas, de plus
éloigné de l'homme. ⇒ **Bête.** *L'instinct qui tient lieu de raison aux
brutes* (Académie). *L'ange et la brute.*

1 La création est une ascension perpétuelle, de la brute vers l'homme, de l'homme
vers Dieu.   HUGO, Post-scriptum de ma vie, VI.

La brute primitive, ancestrale (dans l'homme).

Vx ou littér. Homme à l'état sauvage, qui n'a pas subi l'influence de
la civilisation.

2 Cette fois, la pure brute apparaît : tout le vêtement que les siècles lui avaient
tissé et dont la civilisation l'avait revêtue, la dernière draperie humaine tombe à
terre ; il ne reste que l'animal primitif, le gorille féroce et lubrique que l'on croyait
dompté, mais qui subsiste indéfiniment dans l'homme, et que la dictature, jointe
à l'ivresse, ressuscite plus laid qu'aux premiers jours.
TAINE, les Origines de la France contemporaine, t. III, III, 7.

2.1 Chevelure hérissée, barbe inculte descendant jusqu'à la poitrine, corps à peu près
nu, sauf un lambeau de couverture sur les reins, yeux farouches, mais énormes,
ongles démesurément longs, teint sombre comme l'acajou, pieds durcis comme s'ils
eussent été faits de corne : telle était la misérable créature qu'il fallait bien, pourtant, appeler un homme ! Mais on avait droit, vraiment, de se demander si dans ce
corps il y avait encore une âme, ou si le vulgaire instinct de la brute avait seul
survécu en lui !   J. VERNE, l'Île mystérieuse, t. II, p. 504.

♦ **2.** Mod. Personne grossière, sans intelligence ni culture, qui se
laisse aller à ses instincts. ⇒ **Bête.** *Cet homme est une brute. Une
grosse brute. Brute épaisse* (fam.). *Rendre semblable à une brute.*
⇒ **Abrutir.** *« Au point de vue moral, cette fille est une brute »*
(Valery Larbaud, *in* T. L. F.).

3 (...) l'homme, tel que l'a conçu Rubens, semble une florissante brute, que ses
instincts condamnent à l'engraissement du pâturage ou aux mugissements du combat.   TAINE, Philosophie de l'art, t. II, v, p. 309 (→ Assommeur, cit.).

4 (...) la plus riche imagination ne peut pas vous permettre de prévoir ce qu'ils sont
capables de fabriquer... des abrutis, des brutes, pas un atome d'initiative, d'intérêt pour ce qu'ils font, pas la moindre trace de goût (...)
N. SARRAUTE, le Planétarium, p. 13.

5 Écrasé par cette masse de chair abandonnée de la plus ténue spiritualité, je
connaissais le vertige de rencontrer enfin la brute parfaite, indifférente à mon bonheur.   Jean GENET, Journal du voleur, p. 142.

Fam. *On n'est pas des brutes ! :* nous ne sommes pas insensibles, grossiers.

Dormir comme une brute, d'un sommeil profond, qui fait perdre
complètement conscience. — Par ext. *Comme une brute :* avec
acharnement. ⇒ **Bête** (comme une). *Travailler (bosser, ramer...)
comme une brute.*

(En appellatif). ⇒ **Idiot, butor.** *« Brute ! Lourdaud ! »* (P. Bourget).
Triple brute. ⇒ **Buse.**

♦ **3.** Plus cour. Homme brutal*, violent et grossier. *Une vraie, une
grande brute. Frapper comme une brute. C'est une brute et un
lâche.*

(En appellatif). *Sale brute ! Arrête de taper, grande brute ! Bande
de brutes !*

BRUTEUR [bʀytœʀ] n. m. — XXᵉ ; de *brut (diamant brut), brutage.*

♦ Techn. Personne qui effectue le brutage* des diamants. *(Le)
« bruteur, cet artisan qui frotte les diamants les uns contre les*

---

autres pour découvrir les nervures de la pierre » (le Nouvel Obs.,
nᵒ 739, 8 janv. 1979).

BRUTION [bʀytjɔ̃] n. m. — V. 1830 ; orig. obscure.

♦ Argot. Élève ou ancien élève du Prytanée militaire de La Flèche.

BRUXELLOIS, OISE [bʀyselwa, waz] adj. et n. — Av. 1400,
Brouselois.

♦ De Bruxelles, capitale de la Belgique. *La population bruxelloise,
l'humour bruxellois, l'accent bruxellois.* — N. *Les Bruxellois.*
Cuis. *À la bruxelloise :* garni de choux de Bruxelles et de pommes château.

BRUXISME [bʀyksism] n. m. — Après 1950 (*in* Manuila, 1970) ;
adapt. du grec *brugmos* « grincement de dents », de *brukein* « grincer
des dents ».

♦ Méd. Mouvement inconscient de friction intense et prolongée des
dents, provoquant leur usure ou leur ébranlement. ⇒ aussi **Bruxomanie, brycomanie.**

BRUXOMANIE [bʀyksɔmani] n. f. — 1907, Marie et Pietkiewitz
fils, *in* Garnier et Delamare ; t. mal formé, du grec *brukein* « grincer
des dents », et *-manie.*

♦ Méd. Manie de grincer des dents ; bruxisme attribué à des causes psychologiques.

REM. *Brycomanie* représente un syn. mieux formé, mais *bruxomanie* est
renforcé par *bruxisme.*

BRUYAMMENT [bʀyjamɑ̃ ; bʀɥijamɑ̃] adv. — V. 1300, *bruiam-
ment ;* de *bruyant.*

♦ **1.** D'une manière bruyante. *Rire bruyamment. Se moucher, éter-
nuer bruyamment.*

Louis, voici le temps de respirer les roses,
Et d'ouvrir bruyamment les vitres longtemps closes (...)
HUGO, les Voix intérieures, XIV.

♦ **2.** En parlant très fort, en faisant beaucoup de bruit. *Protester,
approuver bruyamment.* — Par ext. *Il se vante, il triomphe trop
bruyamment.*

♦ **3.** Par métaphore et fig. En ayant un grand retentissement ; avec
éclat*. *Phénomène social, politique qui se manifeste, éclate
bruyamment.*

CONTR. Doucement, silencieusement. — Sourdement.

BRUYANCE [bʀyjɑ̃s ; bʀɥijɑ̃s] n. f. — V. 1210, *bruiance,* attestation
isolée ; repris 1867, Goncourt ; du rad. de *bruyant.*

♦ **1.** Littér. et rare (Goncourt). Manifestation bruyante.

♦ **2.** (XXᵉ). Didact. Niveau de pression acoustique d'un bruit (phénomène vibratoire). — *Bruyance perçue :* intensité d'une sensation
auditive de bruit.

BRUYANT, ANTE [bʀyjɑ̃, ɑ̃t ; bʀɥijɑ̃, ɑ̃t] adj. — 1165, *bruiant,*
anc. p. prés. de *bruire.* → Bruant.

★ **I. ♦ 1.** Qui fait beaucoup de bruit. ⇒ **Assourdissant, retentissant, sonore, tonitruant.** *Musique bruyante. Conversation bruyante.
Une gaieté bruyante. Une explosion terriblement bruyante.*
⇒ 1. **Fort.**

0.1 Lola se vengeait du sort contraire en se livrant à toutes sortes de manifestations bruyantes de son mécontentement. Elle râlait, grognait, renâclait, gémissait,
traînait les pieds dans la poussière, s'alourdissait de trente kilos à mon bras qui me
remorquait, comme une bourrique à la longe.
Geneviève DORMANN, le Bateau du courrier, p. 66.

(Personnes). *Ces enfants sont bruyants.* ⇒ **Tapageur, turbulent.** *Une
bande de noceurs bruyants.* ⇒ **Beuglard, braillard, hurleur, tapageur ; gueulard** (fam.). *Une noce bruyante.* — (Actions). *Jeux bruyants.*

1 Tous ces galants de cour, dont les femmes sont folles,
Sont bruyants dans leurs faits et vains dans leurs paroles (...)
MOLIÈRE, Tartuffe, III, 3.

2 Des manières bruyantes et des tons de voix assommants.
MOLIÈRE, les Amants magnifiques, II, 2.

3 Il n'y a de bruyantes que les folles ; les femmes sages ne font point de sensation.
ROUSSEAU, Émile, V.

4 Les jeux bruyants, la turbulente joie voilent les dégoûts et l'ennui.
ROUSSEAU, Émile, IV.

5 Un peu étourdi par le va-et-vient bruyant de la rue, j'allais devant moi (...)
Alphonse DAUDET, le Petit Chose, II, 4.

N. (rare au fém.). Personne bruyante. *Il fuit les bruyants et les agités.*

♦ **2.** Péj. Qui se fait à grand bruit, avec éclat. *Dévouement bruyant.
Il a le triomphe bruyant.*

♦ **3.** Littér. Dont on parle beaucoup. *Une renommée bruyante. Un scandale bruyant.* ⇒ **Éclatant.** *Des honneurs bruyants.*

♦ **4.** Par métaphore. Qui produit un effet violent. *Des tons bruyants et criards*.*

★ **II.** ♦ **1.** (1740). Où il y a beaucoup de bruit. *Une rue bruyante. Une réunion, une assemblée bruyante. La séance fut bruyante.* ⇒ **Tumultueux.** — *Bruyant de... Une salle bruyante de rires. La cour de récréation était bruyante des jeux et des cris des enfants.*

♦ **2.** Par métaphore. Rempli d'une agitation vive. *«Âme bruyante de douleur»* (P. Louÿs, *in* T. L. F.).

CONTR. Silencieux. — Calme, paisible, tranquille. — Discret.

DÉR. Bruyamment, bruyance.

BRUYÈRE [bʀyjɛʀ; bʀ yijɛʀ] n. f. — 1174, au sens 3; du lat. pop. **brucaria,* du bas lat. *brucus* «bruyère», p.-ê. d'un gaulois **bruko.*

♦ **1.** (1180). Petit arbrisseau des landes *(Éricacées)* à tige rameuse, à petites fleurs rouge violacé. *Bruyère franche* ou *cendrée. Bruyère à balais. Balai de bruyère. Bruyère arborescente. Une lande couverte de genêts et de bruyères.*

1 (...) la bruyère aux clochettes mortes qui s'effritent et tombent en poussière aussitôt que nos doigts les effleurent. M. GENEVOIX, Forêt voisine, IV, p. 37.

1.1 Des petites bruyères, roses et pâles, se montraient timidement à travers les restes de neige et semblaient sourire à ce peu de chaleur. Le thermomètre remonta enfin au-dessus de zéro. J. VERNE, Un hivernage dans les glaces, p. 328.

Hortic. *Terre de bruyère* : terre siliceuse formée notamment par la décomposition des bruyères. — Ellipt. *Plante de bruyère* : plante qui ne pousse bien que dans la terre de bruyère.

♦ **2.** Cour. Racine de cette plante. *Une pipe de bruyère.*

♦ **3.** (1174). Lieu où pousse la bruyère. ⇒ **Brande, lande.** *Une bruyère inculte, sablonneuse.*

2 Le jour, je m'égarais sur de grandes bruyères terminées par des forêts. CHATEAUBRIAND, René.

Coq de bruyère. ⇒ **Coq.**

DÉR. Bruyéreux.

BRUYÉREUX, EUSE [bʀyjeʀø, øz; bʀyijeʀø, øz] adj. — 1803, *in* D. D. L. 20; de *bruyère.*

♦ Rare. Couvert de bruyères. *Terrain bruyéreux.*

BRY [bʀi] n. m. ⇒ **Bri.**

BRY-, BRYO- Premier élément de mots savants (bot.), du grec *bruon* (lat. *bryon*) «mousse». Voir à l'ordre alphabétique.

BRYACÉES [bʀijase] n. f. pl. — 1845, Bescherelle; du lat. sav., de *bry-,* et suff. *-acées.*

♦ Bot. Famille de plantes cryptogames (ordre des *Bryales* [bʀijal] n. f. pl.), embranchement des *bryophytes.* ⇒ **1. Mousse.** — Au sing. *Une bryacée.*

BRYCOMANIE [bʀikɔmani] n. f. — 1928, Larousse; du grec *brukein* «grincer des dents», et *-manie.*

♦ Méd. Syn. (mieux formé) de *bruxomanie*.*

BRYOLOGIE [bʀijɔlɔʒi] n. f. — 1838; de *bryo-* (→ **Bry-**), et *-logie.*

♦ Didact. Partie de la botanique qui étudie les bryophytes*, les mousses.

DÉR. Bryologique, bryologue.

BRYOLOGIQUE [bʀijɔlɔʒik] adj. — 1838; de *bryologie.*

♦ Didact. De la bryologie. *Revue bryologique et lichénologique,* titre d'une publication savante.

BRYOLOGUE [bʀijɔlɔg] n. — Mil. XIXᵉ; de *bryologie.*

♦ Didact. Spécialiste des bryophytes*, des mousses.

BRYON [bʀijɔ̃] n. m. — 1562, *brion; lat. bryon,* grec *bruon* «mousse». → **Bry-.**

♦ Bot. Plante cryptogame, mousse (famille des *Bryacées)* vivace croissant surtout sur l'écorce des arbres. — REM. On écrit aussi *bryum* [bʀijɔm] n. m. (1741).

BRYONE [bʀijɔn] n. f. — 1256, *brioine; lat. bryonia,* grec *bruônia* «vigne blanche».

♦ Bot. Plante des haies *(Cucurbitacées),* herbacée, vivace et grimpante, à baies rouges ou noires, appelée parfois *couleuvrée, vigne noire, navet du Diable. On extrait de la bryone dioïque un purgatif violent, la bryonine.*

BRYOPHYTES [bʀijɔfit] n. f. pl. — 1924; du grec *bruon* «mousse», et *-phyte.*

♦ Bot. Végétaux cryptogames, non vasculaires, sans racine et de petite taille, dont l'appareil végétatif est constitué d'un axe feuillé simple ou rameux né d'une spore et portant les organes reproducteurs (anthéridie ou archégone). *Après fécondation l'archégone des bryophytes est à l'origine d'un sporange porté par l'appareil végétatif. Les bryophytes comprennent les Sphagnales* (cit.), *les Hépatiques* et les Mousses*. Étude des bryophytes.* ⇒ **Bryologie.** — Au sing. *Une bryophyte.*

BRYOZOAIRES [bʀijɔzɔɛʀ] n. m. pl. — 1836; formation en *-zoaires** d'après le lat. sc. *bryozoa,* 1831, Ehrenberg, du grec *bruon* «mousse» (→ Bry-), et *zôa,* plur. de *zôon* «animal».

♦ Zool. Groupe de métazoaires, généralement marins, qui vivent en colonies fixées sur les fonds rocheux ou coquilliers du littoral. — REM. On dit aussi *polyzoaires*.* — Au sing. *Un bryozoaire.*

BU, BUE [by] p. p. adj. ⇒ **Boire.**

BUANDERIE [buɑ̃dʀi] n. f. — 1471; de *buandier.*

♦ **1.** Local réservé à la lessive, aux lavages. *Le linge sèche dans la buanderie.*

On descendait tout le linge en ville à une buanderie spéciale. CÉLINE, Mort à crédit, p. 228, *in* T. L. F.

♦ **2.** (1921). Régional (Canada). Blanchisserie.

BUANDIER, IÈRE [buɑ̃dje, jɛʀ] n. — Av. 1544; *bugadier,* 1408; de *buer* (vx) «faire la lessive» (→ Buée), et suff. franco-provençal *-andier, -andière,* sur le modèle de *lavandière.*

♦ **1.** Vx. Personne qui fait la lessive. — Spécialt. Personne chargée du premier blanchiment* des toiles neuves.

Mod., techn. Ouvrier, ouvrière assurant le lavage du linge dans les grandes blanchisseries, à la main ou à la machine.

(...) si les draps et la paillasse sont tachés demain, la nouvelle buandière, Solange, acceptera plus aimablement de s'en occuper. A. SARRAZIN, la Cavale, p. 276.

♦ **2.** Régional (Canada). Blanchisseur, blanchisseuse.

DÉR. Buanderie.

BUBALE [bybal] n. m. — 1752; lat. *bubalus* «gazelle d'Afrique», du grec *boubalos.*

♦ Grande antilope d'Afrique *(Antilopidés). Les bubales ont des cornes en forme de lyre.*

BUBBLE-GUM [bœbœlgɔm] n. m. — Av. 1973; mot angl. de *to bubble* «faire des bulles», et *gum* «gomme».

♦ Anglic. Chewing-gum* qui permet de faire des bulles.

De temps en temps il s'arrête de mâcher son chewing-gum, il entrouvre ses lèvres et il souffle une bulle. La bulle verte se gonfle, se distend, puis elle explose avec un bruit sec. On appelle ça un bubble-gum. J.-M. G. LE CLÉZIO, les Géants, p. 36.

BUBE [byb] n. f. — V. 1230; bas lat. *bubo* «bubon», grec *boubôn.* → Bubon.

♦ Vx. Bouton qui se forme sur la peau. ⇒ **Pustule.**

DÉR. Bubelé, bubelette.

BUBELÉ, ÉE [byble] adj. — Attesté XIXᵉ, Th. Gautier; de *bube.*

♦ Vx. Couvert de bubes. *Nez, visage bubelés.* ⇒ **Boutonneux.**

BUBELETTE [byblɛt] n. f. — 1542, Rabelais; de *bube.*

♦ Vx. Petite pustule. — REM. Chez Gautier, où il est attesté (1863) le mot semble un archaïsme repris à Rabelais.

BUBO [bybo] n. m. — 1829, Académie, Suppl.; lat. *bubo, -onis* «hibou», grec *buas.*

♦ Didact. Grand duc (rapace nocturne).

BUBON [bybɔ̃] n. m. — 1372; bas lat. *bubo,* du grec *boubôn* « aine; tumeur à l'aine ». → Bube.

♦ **1.** Vx. Adénite inguinale. — Mod. Tuméfaction inflammatoire des ganglions lymphatiques, en relation avec certaines maladies (syphilis, peste, etc.). ⇒ **Adénite.** *Bubon chancrelleux, bubon syphilitique, bubon pesteux. Inciser un bubon* (→ Laboratoire, cit. 4).

1　Il savait que dans le faubourg même une dizaine de malades l'attendraient le lendemain matin, courbés sur leurs bubons. Dans deux ou trois cas seulement, l'incision des bubons avait amené un mieux.　　　　　　　CAMUS, la Peste, I, p. 74.

2　Au milieu des taches, des points plus ardents se créent, autour de ces points, la peau se soulève en cloques comme des bulles d'air sous l'épiderme d'une lave, et ces bulles sont entourées de cercles, dont le dernier, pareil à l'anneau de Saturne autour de l'astre en pleine incandescence, indique la limite extrême d'un bubon. Le corps en est sillonné. Mais comme les volcans ont leurs points d'élection sur la terre, les bubons ont leurs points d'élection sur l'étendue du corps humain. À deux ou trois travers de doigt de l'aine, sous les aisselles, aux endroits précieux où les glandes actives accomplissent fidèlement leurs fonctions, des bubons apparaissent, par où l'organisme se décharge, ou de sa pourriture interne ou, suivant le cas, de sa vie.　　　　　　　　　　A. ARTAUD, le Théâtre et son double,
　　　　　　　　　　　　　　　　　　　Le théâtre et la peste, Idées/Gallimard, p. 26.

♦ **2.** Rare. Plante dicotylédone *(Ombellifères)* aromatique, aux feuilles ressemblant à celles du persil, d'où son nom *persil de Macédoine.*

DÉR. (Du sens 1) **Bubonique, bubonneux.**

BUBONIDÉS [bybɔnide] n. m. pl. ⇒ **Strigidés.**

BUBONIQUE [bybɔnik] adj. — 1892; de *bubon.*

♦ Seult dans le syntagme : *peste bubonique,* caractérisée par des bubons.

BUBONNEUX, EUSE [bybɔnø, øz] adj. — 1910; de *bubon.*

♦ Rare. Qui est couvert de bubons. *Un visage bubonneux.* — REM. On écrit aussi *buboneux* (Montherlant, *in* T. L. F.).

BUBONOCÈLE [bybɔnɔsɛl] n. f. — XVIIIe; du grec *boubôn* « aine », et *kêlê* « tumeur ».

♦ Méd. (vx). Hernie inguinale.

BUCAIL n. m. ou **BUCAILLE** n. f. [bykaj] — 1600, O. de Serres; du néerl. *boekweit* « sarrasin ».

♦ Régional. Sarrasin, blé noir.

BUCARDE [bykaʀd] n. f. — 1827; *boucarde,* 1757; ital. *bucardia,* du lat. sc. *bucardia,* du grec *bous* « bœuf », et *kardia* « cœur ».

♦ **1.** Mollusque bivalve (n. sc. : *cerastoderma*) des côtes européennes. *Bucarde à papilles.*

♦ **2.** *Bucarde épineuse :* mollusque à valves semblables, à côtes rayonnantes portant une série d'épines (n. sc. : *acanthocardia*).

REM. On écrit parfois *buccarde* (J. Verne).

BUCCAL, ALE, AUX [bykal, o] adj. — 1735; du rad. du lat. *bucca* « bouche ».

♦ Didact. ou style soutenu. Qui appartient, a rapport à la bouche. ⇒ **Oral.** *La cavité buccale. Nerf buccal. Muqueuse buccale. Muscles buccaux.* ⇒ aussi **Bucco-.**

1　*Du visage.* Qu'est-ce que le visage de l'homme ou des animaux? C'est la partie antérieure de la tête. Où sont réunis les organes des sens principaux, avec l'orifice buccal. C'est là que se lisent les sentiments. De là que s'extériorisent la plupart des expressions.　　　　　　　　Francis PONGE, le Parti pris des choses, p. 210.

2　D'abord l'espace buccal : c'est à sa bouche que le nourrisson porte tout objet, non pour le manger, mais comme au seul lieu de son corps où l'accord exact des mouvements et des sensations, exigé dès la naissance par la succion, permet aussi d'apprécier un contour, un volume, une résistance, tout cela encore confus évidemment et confondu avec d'autres qualités éventuelles, telles que température ou goût.　　　　　　　Henri WALLON, l'Évolution psychologique de l'enfant, p. 142.

BUCCIN [byksɛ̃] n. m. — 1372, *buccine, buxine;* lat. *buccina,* altér. de *bucinum* « trompette », par attraction de *bucca* « bouche ». Didactique.

★ **I.** Hist. Trompette romaine. *Joueur de buccin.* ⇒ **Buccinateur.**

Les carabes de Rome entrèrent dans l'eau tiède au commandement des buccins; chaque soldat ployé, cuirasse dans le soleil, emplit son casque de coquillages et repartit, sans perdre sa place dans le rang, tenant ce casque plein de murex ou de conques bruissantes.　　　　　MALRAUX, Antimémoires, Folio, p. 86-87.

REM. On trouve encore *buccine, buisine,* ou *busine* (n. f.) en ce sens, au XIXe s.

★ **II.** (1711; d'abord *buxine,* 1563, *buccine,* 1698; lat. *bucinum, bucina* « coquillage », sens fig. de *bucinum* « trompette »). Zool. Gros mollusque gastéropode des côtes de l'Atlantique. *Buccin ondé.*

BUCCINATEUR [byksinatœʀ] n. m. et adj. — 1549, fig., «panégyriste»; lat. *buccinator,* de *buccinare* «sonner de la trompette», de *buccina.* → Buccin.

♦ **1.** (1611). Didact. (hist.) ou littér. Joueur de trompette, de buccin (à Rome, dans l'antiquité).

Le camp s'éveille. En bas roule et gronde le fleuve
Où l'escadron léger des Numides s'abreuve.
Partout sonne l'appel clair des buccinateurs.
　　　　　　　　J.-M. DE HÉRÉDIA, Trophées, «Trebbia».

♦ **2.** Adj. et n. m. (1654). Se dit d'un muscle de la joue, qui permet de tirer en arrière les commissure labiales (comme pour jouer de la trompette).

REM. La forme fém. *buccinatrice* est virtuelle.

BUCCO- Premier élément de mots savants, du lat. *bucca* «bouche». ⇒ **Buccal.** Voir à l'ordre alphab., ci-dessous. ⇒ aussi **Buccopharyngien** (adj.) «de la bouche et du pharynx».

BUCCO-DENTAIRE [bykodɑ̃tɛʀ] adj. — XXe; de *bucco-,* et *dentaire.*

♦ Didact. Qui se rapporte à la bouche et aux dents. *La cavité buccodentaire. Hygiène bucco-dentaire.*

BUCCO-GÉNITAL, ALE, AUX [bykoʒenital, o] adj. — XXe; de *bucco-,* et *génital.*

♦ Didact. Qui concerne la bouche et les parties génitales. *Relations sexuelles bucco-génitales.* ⇒ **Cunnilingus, fellation.**

BUCENTAURE [bysɑ̃tɔʀ] n. m. — 1579; *bugentor,* 1486; vénitien *bucintoro,* d'orig. obscure.

♦ **1.** Être mythique analogue au centaure, mais à corps de taureau.

♦ **2.** (N. propre). *Le Bucentaure :* navire d'apparat que montait le doge de Venise quand il épousait la mer.

Lorsque autrefois ces galériens ramaient à bord du Bucentaure (...) Les forçats vénitiens mariaient le Doge à la mer.
　　　　　　　CHATEAUBRIAND, Mémoires d'outre-tombe, IV, 7.

BUCÉPHALE [bysefal] n. m. — Mil. XVIe; nom du cheval d'Alexandre le Grand; grec *boukephalos,* proprt «à tête de bœuf». Vieux.

♦ **1.** Cheval de parade ou de bataille.

♦ **2.** Iron. Cheval. *Monter sur son bucéphale.*

BUCÉROS [byseʀɔs] n. m. ⇒ **Calao.**

BÛCHAGE [byʃaʒ] n. m. — 1875, Goncourt; «action de couper du bois», 1853; de 2. *bûcher.*

♦ Fam. Action de bûcher, de fournir un travail intellectuel soutenu.

1　Il *(Flaubert)* se couchait à quatre heures du matin, et s'étonnait de se trouver à sa table de travail, quelquefois à neuf heures. Un bûchage, coupé seulement de pleines eaux dans la Seine, le soir.
　　　　　　　Ed. et J. DE GONCOURT, Journal, t. V, 1er sept. 1876, p. 217.

2　C'est pendant des années de bûchage sans espoir et sans horizon que j'ai été brave.
　　　　　　　J. VALLÈS, le Bachelier, p. 427 (1881).

1. BÛCHE [byʃ] n. f. — V. 1130, *busche;* lat. pop. **buska* «bosquet», neutre plur. sur le modèle de *fructus, fructa* (→ Busc); orig. incert., p.-ê. mot germanique **buskum;* mais Guiraud rattache le mot au roman et le rapproche de *bois;* l'étymon commun serait *buxus* «buis» (à la fois l'arbuste, son bois, et les objets de buis); *bus(c)a* viendrait alors du roman **buxīcus, -a* «semblable au buis», puis «lieu planté d'arbustes semblables au buis», puis «objets de buis».

♦ **1.** Morceau de bois* de chauffage, de grosseur variable. *Grosses, petites* (⇒ **Bûchette**) *bûches. Mettre une bûche dans le feu* (→ Attiser, cit. 1; âtre, cit. 6). *Couper des bûches.* ⇒ 2. **Bûcher.** *Scie* à bûches. Coin de bois pour fendre des bûches.* ⇒ **Ébuard.** *Suage* d'une bûche.*

1　Les flammes dansaient joyeusement sur les énormes bûches du foyer (...)
　　　　　　　Th. GAUTIER, le Capitaine Fracasse, XVI.

2　(...) le crépitement des grosses bûches dans l'âtre de la salle commune.
　　　　　　　G. DUHAMEL, Chronique des Pasquier, V, VI.

3　Dès que Jean était réveillé, on venait allumer les énormes bûches couchées dans la cheminée qui occupait toute la longueur de sa chambre.
　　　　　　　PROUST, Jean Santeuil, Pl., p. 516.

Une cabane, une hutte de bûches. ⇒ **Rondin.**

BÛCHE DE NOËL : grosse bûche que l'on faisait brûler à la veillée de Noël. ⇒ **Tronche.** — Par anal. Pâtisserie en forme de bûche spécialement faite pour les fêtes de fin d'année.

Techn. *Bûche économique* : combustible aggloméré fait avec de la houille, de l'anthracite et un peu d'argile. ⇒ **Boulet, briquette.**

Argot (vieilli). Allumette.

♦ **2.** Par compar. *Dormir comme une bûche*, comme une masse, lourdement. — Vx. *Il n'entend pas plus qu'une bûche* : il est sourd ; il ne comprend rien. — *Avoir la tête dure comme une bûche* : être très entêté. *Il reste là comme une bûche*, sans bouger, inerte. Fig. *Une vraie bûche, quelle bûche !*, se dit d'une personne stupide et apathique.

4 (...) Monsieur la conscience ! qu'est là depuis une heure, qu'a rien dit... une bûche !
CÉLINE, Guignol's band, p. 111 (1951).

En appellatif. « *Bûche ! Enfant de bûche...* » (Céline).

♦ **3.** Fragment ligneux infumable qu'on rencontre dans le tabac. *Il y a des bûches dans cette cigarette.*

♦ **4.** Rare. Barre tracée pour apprendre à écrire. ⇒ **Bâton.**

♦ **5.** Carte sans valeur, à certains jeux de cartes.

DÉR. 1. Bûcher (n.), 2. **bûcher** (v.), **bûchette, bûchille.** — V. **Bûcheron.**
COMP. V. **Débûcher, embûche.**
HOM. 2. Bûche ; formes du v. 2. **bûcher.**

2. BÛCHE [byʃ] n. f. — 1875 ; probablt déverbal du v. dial. *bûcher* « frapper, heurter, buter », de 1. *bûche.*

♦ **1.** Fam. Chute. *Ramasser, prendre une bûche* : tomber. *Quelle bûche ! Attention à la bûche !*

♦ **2.** Vx. *Prendre une bûche* : essuyer une défaite, un échec.

Les soldats de Verdun racontent peu la guerre : ce n'est pas leur genre, les récits de bataille. « On a fait du bon boulot... » (...) « Les Boches ont pris une pile... Une bûche sérieuse. » Voilà le plus souvent leur façon de résumer une victoire.
M. BARRÈS, Mes cahiers, t. XIII, p. 246.

HOM. 1. Bûche ; formes du v. 2. **bûcher.**

1. BÛCHER [byʃe] n. m. — Fin XIIIᵉ, *buchier ; buscier* « bosquet », fin XIIᵉ ; de 1. *bûche.*

♦ **1.** Rare. Tas de bois. *Le bûcher brûle dans la cheminée.* Lieu où l'on range le bois* à brûler. *Aller chercher du bois au bûcher.*

0.1 Venait ensuite, s'ouvrant immédiatement sur la cour, où se trouvait l'écurie, une grande pièce délabrée qui avait un four, et qui servait maintenant de bûcher, de cellier, de garde-magasin, pleine de vieilles ferrailles, de tonneaux vides, d'instruments de culture hors de service, avec quantité d'autres choses poussiéreuses dont il était impossible de deviner l'usage.
FLAUBERT, Mᵐᵉ Bovary, I, V.

0.2 (...) il dormait (...) dans le bûcher où se trouvait sa couverture.
Francis CARCO, l'Homme traqué, p. 122.

♦ **2.** Amas de bois sur lequel on mettait les cadavres pour les brûler, les incinérer.

1 Romains, priverez-vous des honneurs du bûcher
Ce père, cet ami qui vous était si cher ?
VOLTAIRE, la Mort de César, III, 8.

1.1 La peste établie dans une cité, les cadres réguliers s'effondrent, il n'y a plus de voirie, d'armée, de police, de municipalité ; des bûchers s'allument pour brûler les morts, au hasard des bras disponibles.
A. ARTAUD, le Théâtre et son double,
Le théâtre et la peste, Idées/Gallimard, p. 31.

♦ **3.** Amas de bois sur lequel on brûlait les condamnés au supplice du feu, les livres interdits... — Supplice consistant à être brûlé vif. *Condamner qqn au bûcher. Le supplice du bûcher* (→ Apâlir, cit.). *Dresser le bûcher. Monter sur le bûcher. Jeanne au bûcher*, oratorio de Claudel et Honegger.

2 D'Iphigénie immolée
Je vois le bûcher fumant.
J.-B.-L. GRESSET, Ode, VI.

3 Ces exemples de piété consistaient à suspendre les patients à une haute potence dont on les faisait tomber à plusieurs reprises sur le bûcher.
VOLTAIRE, Essai sur les Mœurs, 125.

4 Vous n'avez eu que des bûchers et des injures pour réfuter mes raisonnements (...)
ROUSSEAU, Lettre à M. de Beaumont, p. 497.

Par métaphore :

4.1 Pour que l'enfer se ferme et que le ciel se rouvre
Que faut-il ? Le bûcher. Cautériser l'enfer (...)
La terre incendiée éteindra l'enfer sombre.
L'enfer d'une heure annule un bûcher éternel
Le péché brûle avec le vil haillon charnel,
Et l'âme sort, splendide et pure, de la flamme.
HUGO, Torquemada, Prologue.

Figuré :

5 Elle avait dressé de ses propres mains le bûcher où elle devait consommer son sacrifice.
FLÉCHIER, Oraison funèbre de Marie-Thérèse d'Autriche.

HOM. 2. Bûcher (v.).

2. BÛCHER [byʃe] v. tr. — 1200, *buskier ;* de 1. *bûche.*

★ **I.** Vx, régional ou techn. ♦ **1.** Vx. Frapper, heurter. — Régional. Frapper, battre (qqn). ⇒ **Rosser.**
V. pron. **SE BÛCHER** : se battre.

(...) alors ils se sont éloignés en conscience. Quand on montait l'escalier, on les entendait se bûcher (...) et comme Adèle trouvait ça infect, ils se sont jeté la bouteille d'huile à la figure (...)
ZOLA, l'Assommoir, t. I, p. 237.

Absolt et intrans. Cogner, taper (Balzac, *in* T. L. F.).

♦ **2.** (1360). Techn. Dégrossir (une pièce de bois) à coups de hache. *Bûcher une poutre, un rondin.*
Bûcher une pierre, en enlever les saillies.

Absolt. *Les outils à bûcher* (hache, herminette, etc.), par oppos. aux *outils à planer* (varlope, riflard, rabot, etc.) et aux *outils à refendre* (scies).

Intrans. Régional. Faire le travail du bûcheron.

★ **II.** (1852). Fam. Travailler*, étudier avec acharnement. *Bûcher son examen.* — Absolt. *Il bûche toute la journée* (Académie). ⇒ **Bûcheur.** *Bûcher comme un sourd.*

2 (...) il le découvrit dans une pension bourgeoise de la rue Saint-Jacques, bûchant sa procédure, devant un feu de charbon de terre.
FLAUBERT, l'Éducation sentimentale, I, III.

3 Auguste n'avait pas eu d'enfance. Il bûchait sans fin ni trêve, tout le long du jour ; le soir, il allait à l'école. Le dimanche, il s'occupait à la maison avec sa mère et Angèle, quand Angèle était là.
Louise MICHEL, la Misère, t. I, p. 13.

REM. Le mot, dans ce sens, tend à vieillir (→ plus cour. Bosser, gratter).

CONTR. Caresser, dorloter. — Paresser.
DÉR. Bûchage, 2. **bûche, bûcheur.**
HOM. 1. Bûcher (n.).

BÛCHERON, ONNE [byʃRɔ̃, ɔn] n. — 1555 ; anc. franç. *boscheron,* XIIᵉ ; de *bosc* (→ Bois), refait d'après 1. *bûche.*

♦ Personne dont le métier est d'abattre du bois*, des arbres* dans une forêt. ⇒ (vx) **Abatteur, boquillon.** *Cabane, chaumière de bûcheron.* ⇒ **Chaumine, loge.** *Outils du bûcheron.* ⇒ **Cognée, gouet, hache, serpe, tronçonneuse...** *Bûcheron sédentaire, nomade. Fort comme un bûcheron. Une carrure, des poings de bûcheron.*

1 Écoute, bûcheron, arrête un peu le bras !
Ce ne sont pas des bois que tu jettes à bas (...)
RONSARD, Élégies, XXX.

2 Un pauvre Bûcheron, tout couvert de ramée,
Sous le faix du fagot aussi bien que des ans (...)
LA FONTAINE, Fables, I, 16.

2.1 Ô délicate bûcheronne
À damner tous les bûcherons
Quel est le matou qui ronronne
En zieutant tes jolis seins ronds
APOLLINAIRE, Poèmes à Lou, *in* Œ. poétiques, Pl., p. 488.

3 C'était Mademoiselle qui s'avançait en trottinant, cassée en deux comme une vieille bûcheronne, et si recroquevillée maintenant (...)
MARTIN DU GARD, les Thibault, t. III, p. 120.

DÉR. Bûcheronner.
HOM. Futur du v. 2. bûcher.

BÛCHERONNAGE [byʃRɔnaʒ] n. m. — 1947 ; de *bûcheronner.*

♦ Travail du bûcheron ; abattage et débitage des arbres.

(...) un escadron disciplinaire sera formé à la première occasion. Constitué par les esprits les plus rebelles du régiment, il se consacrera à des travaux de bûcheronnage et d'artisanat, suivant les principes des Chantiers de Jeunesse.
Roger NIMIER, le Hussard bleu, p. 145 (1950).

REM. Le mot évoque plutôt le travail artisanal (→ Foresterie).

BÛCHERONNER [byʃRɔne] v. intr. — 1587 ; de *bûcheron.*

♦ Abattre des arbres à titre professionnel et de manière artisanale ; faire le travail de bûcheron.

1 Ce Drumeau bûcheronne dans la forêt de Servières que ses ancêtres n'ont pas quittée depuis des siècles, mais son travail prend fin aux premières neiges d'avril et il vit le reste de l'année d'un certain nombre de métiers divers (...)
BERNANOS, Un crime, Œ. roman., Pl., p. 746.

2 Mussbaüm était ailleurs, en course, au village, ou occupé à bûcheronner dans la montagne.
Catherine PAYSAN, le Clown de la rue Montorgueil, p. 81.

Par comparaison :

3 Et puis, Zola nous raconte ses petites affaires. Ah ! le vieux bûcheron bûcheronne toujours.
J. RENARD, Journal, 2 mars 1895.

DÉR. Bûcheronnage.

BÛCHETTE [byʃɛt] n. f. — V. 1400 ; *buschete,* 1223 ; *busquette,* v. 1200 ; de 1. *bûche.*

♦ **1.** Petit morceau de bois sec, petite bûche. *Ramasser, brûler des bûchettes. Faire prendre le feu avec des bûchettes.*

1 (...) une fourmi qui traîne une bûchette en terrain difficile (...)
ALAIN, les Idées et les Âges, *in* les Passions et la Sagesse, Pl., p. 260.

2 Ma vareuse trempée fumait sur le poêle que Conrad alimentait d'affreuses petites bûchettes humides (...)
M. YOURCENAR, le Coup de grâce, p. 182.

♦ **2.** Petit bâton de bois servant aux enfants pour apprendre à compter. — Loc. (Vx). *Tirer à la bûchette* : tirer à la courte paille*.

BÛCHEUR, EUSE [byʃœʀ, ɸz] n. — 1853, *in* D.D.L.; de 2. *bûcher* (v.).

♦ Personne qui bûche, étudie, qui travaille sans relâche. ⇒ **Bosseur, travailleur.**

J'étais un « bûcheur » et m'en faisais gloire : un bûcheur, rien que cela (...)
                                        F. MAURIAC le Nœud de vipères, p. 22.

Adj. *Un élève bûcheur. Il est très bûcheur.*

BÛCHILLE [byʃij] n. f. — D.i.; de *bûche*, et suff. dimin. *-ille.*

♦ Régional (Suisse). Copeau de bois équarri ou raboté.

On va ramasser les bûchilles sous le hangar du charpentier, et l'on dit proverbialement : « la bûchille n'a pas sauté bien loin du tronc ».
                                        E. LUGRIN, Locutions vaudoises, p. 69 (1917).

BUCOLIQUE [bykɔlik] n. f. et adj. — V. 1275; lat. *bucolicus* « pastoral » (d'un poème), du grec *boukolikos* « relatif aux bouviers, aux pâtres ».

★ I. N. f. ♦ 1. Poème pastoral, églogue, idylle. *Les Bucoliques de Virgile, d'A. Chénier.*

0.1 Du jour où j'ai connu le paysan, toute bucolique m'a paru mensonge, même les miennes.   J. RENARD, Journal, 19 sept. 1904.

♦ 2. Vx (1690; encore attesté déb. xixᵉ, *in* T.L.F.); probablt métaphore ironique. Vieux chiffons, vieux papiers.

★ II. Adj. ♦ 1. Didact. Relatif à la poésie pastorale; qui compose cette poésie. *Un poète bucolique.*

Vers bucolique : hexamètre latin dont la césure se fait au quatrième pied.

♦ 2. (1611). Littér. Qui a rapport à la vie des champs telle qu'elle est évoquée dans la poésie pastorale; qui aime la campagne, la nature (parfois iron.). *Il a des goûts bucoliques.*

0.2 Je vis aux champs; j'aime et je rêve;
1   Je suis bucolique et berger (...)   HUGO, Chansons des rues et des bois, p. 67.
     Le convoi a pour musique ces airs bucoliques qui rappellent au Suisse exilé son père, sa mère, ses sœurs et les bêlements des troupeaux de sa montagne.
                                        CHATEAUBRIAND, le Génie du christianisme, IV, 2, 7.
     Qui a rapport à la vie de la campagne.
2   J'observe l'esprit bucolique et remarque non sans anxiété que le paysan n'est pas sans ressembler à la betterave qu'il cultive avec tant d'assiduité.
                                        A. MAUROIS, les Discours du Dʳ O'Grady, XX, p. 221.

DÉR. **Bucoliquement, bucoliser.**

BUCOLIQUEMENT [bykɔlikmã] adv. — 1611, repris xixᵉ; de *bucolique.*

♦ Littér. De façon bucolique.

BUCOLISER [bukɔlize] v. intr. — 1881; de *bucolique.*

♦ Littér., rare. Être tranquillement à la campagne. « *Une berge des environs de Paris avec un voyou bucolisant par les sentiers* » (J. Laforgue, *in* D.D.L.).

BUCRANE ou **BUCRÂNE** [bykʀɑn] n. m. — 1838; 1803, « casque en tête de bœuf »; lat. *bucranium* « tête de bœuf; bugrane », du grec *boukranion*, même sens (→ Bugrane).

♦ Motif ornemental constitué par une tête de bœuf sculptée, employé dans l'architecture de l'Antiquité et de la Renaissance. *Frise décorée de bucranes.*

1   La lune neige sa lumière sur la couronne gothique de la tour du tombeau de Metella et sur les festons de marbre enchaînés aux cornes des bucranes (...)
                                        CHATEAUBRIAND, Mémoires d'outre-tombe, IV, 5.
     Par ext. Littér. Crâne de bœuf.
2   Lucius Aemilius Carpus Sextumvir Augustal et Dendrophore a recueilli les forces du taureau, les a transportées du Vatican, et a consacré l'autel et le bucrâne à ses dépens, sous le sacerdoce de Quintus Sammius Secundus (...)
                                        STENDHAL, Mémoires d'un touriste, I, p. 142.
3   Frank rêve de savanes noyées (...) de bucranes accrochés en totem sur des pieux (...)   Régis DEBRAY, l'Indésirable, p. 303.

BUDGET [bydʒɛ] n. m. — 1764; mot angl.; d'abord « sac du trésorier », de l'anc. franç. *bougette*, dimin. de *bouge* « sac, valise ». → Bouge.

♦ 1. « Acte par lequel sont prévues et autorisées les recettes et les dépenses annuelles de l'État ou des autres services que les lois assujettissent aux mêmes règles. » (Décret du 5 mai 1862, art. 5). — REM. Le terme de *budget*, quoique toujours utilisé dans le langage courant, est actuellement abandonné dans la langue du droit au profit de l'expression *loi de finance (de l'année)* [Ordonnance du 2 janv. 1959]. ⇒ **Crédit, dépense, recette.** *Dresser, préparer, discuter, voter, refuser, exécuter le budget. Le budget de l'État est préparé par*

le gouvernement et voté par les Chambres. *Budget de la Guerre, de la Marine, de l'Éducation nationale. Budget ordinaire. Budget extraordinaire. Budget annexe,* se rapportant à un service doué d'une autonomie financière. *Budget du département. Budget de la commune. Budget de report,* constitué de crédits inutilisés d'un ancien budget, qui reçoivent une affectation nouvelle. *Budget provisoire.* ⇒ **Douzième.** *Budget rectificatif :* état des corrections apportées, en cours d'année, au budget primitif. *Budget économique :* exposé prévisionnel de l'ensemble des activités de l'économie nationale pour l'année à venir. *Les articles, les chapitres, les postes du budget. Inscrire une dépense au budget.* ⇒ **Imputer, inscrire; budgétiser.** *Équilibre* du budget. Budget en excédent*, en déficit** (→ Comptabilité, compte, dépassement, moins-value, plus-value...).

Par anal. Revenus et dépenses (d'une famille, d'une entreprise, d'un groupe...) ⇒ **Compte.** *Budget familial, domestique. Établir son budget. Équilibrer son budget; boucler son budget.* ⇒ **Bout** (joindre les deux bouts). *Un budget large, étroit. Écorner son budget. Gérer le budget d'une association.*

Le budget des dépenses ne s'élevant qu'à un milliard cinq cents millions pour frais d'exploitation et appointements des Italiens, la *Société du Parc européen* recuellera donc deux milliards de bénéfice par an!
                                        A. ROBIDA, le Vingtième Siècle, p. 309.

Budget minimal : estimation des besoins minimum servant de base à l'établissement du salaire* minimum interprofessionnel de croissance. — *Budget-type,* établi d'après une liste d'articles de consommation courante, et caractéristique d'une catégorie de population.

♦ 2. Plan de dépenses envisagées (pour une activité précise). *Prévoir le budget d'un voyage, de ses vacances. Établir le budget d'une opération publicitaire.*

DÉR. **Budgétaire, budgéter, budgétisation, budgétiser.**
COMP. **Budgétivore. — Sous-budget.**

BUDGÉTAIRE [bydʒetɛʀ] adj. — 1825, Balzac; de *budget.*

♦ 1. Qui a rapport au budget de l'État. *Prévision budgétaire. Loi budgétaire. Question budgétaire. Contingent, crédit, dépense budgétaire. Autorisation budgétaire. L'année budgétaire coïncide généralement avec l'année civile. Exercice budgétaire. Contrôle budgétaire.*

Roger Renault avait calculé que pour remettre au travail les 435 000 chômeurs officiellement recensés, il fallait dresser un plan, étalé sur trois ans, d'un montant global de vingt milliards de francs, ce qui était considérable puisque cette somme atteignait à elle seule la moitié du montant des recettes budgétaires de l'année 1936.   Raymond ABELLIO, Ma dernière mémoire, t. II, p. 263.

♦ 2. Relatif à un budget, aux dépenses. *La situation budgétaire de la famille est difficile.* — REM. À la différence de *budget* (2.), l'adj. n'est pas courant dans cet emploi.

DÉR. **Budgétairement.**

BUDGÉTAIREMENT [bydʒetɛʀmã] adv. — 1872, *in* Höfler; de *budgétaire.*

♦ Didact. Au point de vue du budget.

BUDGÉTER [bydʒete] v. tr. — Conjug. *céder.* — 1872; de *budget.*

♦ Fin. Inscrire au budget. ⇒ **Budgétiser.** *Budgéter des dépenses.*

Au p. p. *Dépenses non budgétées.*

BUDGÉTISATION [bydʒetizasjõ] n. f. — 1953; de *budget.*

♦ Fin. Inscription au budget. *La budgétisation des prestations sociales.*

CONTR. **Débudgétisation.**

BUDGÉTISER [bydʒetize] v. tr. — 1953, *in* Höfler; de *budget.*

♦ Fin. Inscrire au budget; faire la budgétisation* de. ⇒ **Budgéter.**

(...) certaines prestations sociales seraient budgétisées.
                                        Jean-Paul COURTHÉOUX, la Politique des revenus, p. 32.

CONTR. **Débudgétiser.**

BUDGÉTIVORE [bydʒetivɔʀ] adj. et n. — 1845; de *budget,* et *-vore.*

♦ Par plais. Qui émarge au budget de l'État, vit à ses dépens. — N. « *Les fonctionnaires, ces budgétivores* » (S. de Beauvoir, *in* T.L.F.).

BUE [by] n. f. — V. 1200, *buie ; buhe,* en 1448 ; d'un francique **buka* « cruche », de l'anc. bas francique **buk* « récipient » ; cf. all. *Bauch* « ventre ».

♦ Régional. Cruche ventrue, à anses. ⇒ **Buire.**

HOM. Bu (p. p. de *boire*).

BUÉE [bɥe] n. f. — V. 1220 ; p. p. subst. gallo-roman **bucata* « lessive », orig. incert., soit du francique **bukon,* soit mot roman, à rapprocher de l'anc. franç. *buie* « cruche, tuyau », lat. *buca,* doublet attesté de *bucca* « bouche » (Guiraud). → Buer.

★ I. Vx ou régional. Lessive. *Faire la buée.* ⇒ **Buer,** I.

★ II. ♦ **1.** (1387, repris XIXᵉ). Vapeur qui se dépose en fines gouttelettes formées par condensation. *Dégager de la buée. Des vitres, des lunettes couvertes de buée.* ⇒ **Embué.** *Essuyer la buée d'un pare-brise.* — « *La buée de lait qui baignait les champs* » (→ Illimiter, cit. 2, Maupassant).

1   (...) une vapeur bleuâtre ou grise, une buée universelle, qui fait autour des objets une gaze moite, même dans les beaux jours.
                              TAINE, Philosophie de l'art, t. I, III, III, p. 270.
2   Jeune fille. Une rougeur s'étale sur sa joue comme la buée sur un vase d'eau fraîche.   J. RENARD, Journal, 11 sept. 1907.
3   À cette heure, la salle *(du bar)* était pleine de noctambules attablés dans une buée tiède qui puait la cuisine, l'alcool, le cigare, et que brassaient en sifflant les ventilateurs.   MARTIN DU GARD, les Thibault, t. III, p. 222.
4   La buée qui sortait de sa bouche peu à peu effaçait sa figure bonasse, en se déposant sur la vitre. Et alors, de sa grosse main, il essuyait cette vapeur sur le carreau, pour continuer à me regarder.
                              H. BOSCO, le Jardin d'Hyacinthe, p. 115.

♦ **2.** Littér. Apparence dont on n'aperçoit pas distinctement les détails. ⇒ aussi **Brouillard, brume.**

5   Tout ce gris pâlit jusqu'à n'être plus qu'une buée laiteuse, azurée (...)
                              GIDE, Voyage au Congo, in Souvenirs, Pl., p. 687.

♦ **3.** Idée confuse, imprécise. « *Il n'y avait dans son esprit qu'une buée mentale, légère et presque lumineuse (...)* » (Queneau).

BUEN RETIRO [bwɛnʀetiʀo] n. m. — 1707, Lesage ; nom d'un parc de Madrid où Philippe IV fit bâtir une résidence royale ; proprt « bonne retraite ».

♦ **1.** Vx. Appartement privé. — Maison de campagne isolée.

♦ **2.** Fam., vieilli (ou par plais.). Cabinet d'aisances. ⇒ **Cabinet,** I., 2.

(...) il eut hier une plaisante conversation avec un autre gueux qui demeure auprès du buen-retiro sur le passage de la cour.
                              A. R. LESAGE, le Diable boiteux, XVI, p. 177.

REM. On écrit aussi *buen-retiro ;* on a employé la variante *retiro.*

BUER [bɥe] v. — Mil. XIIᵉ ; p.-ê. du francique **bûkôn* « tremper dans la lessive », ou plutôt du roman **bucare* « couler la lessive par la cannelle du cuvier », puis « passer le linge dans le cuvier », de *buie* « cruche, tuyau, cannette », lat. *buca* (→ Buée).

★ I. V. tr. (Vx ou régional). Laver, lessiver. *Buer du linge :* faire la buée*.

★ II. V. intr. ♦ **1.** Techn. (En parlant du pain qui cuit). Dégager de la vapeur.

♦ **2.** Littér. Rare. Se couvrir de buée. « *Les vitres buent* » (Huysmans, *in* T. L. F.). ⇒ **Embuer** (s').

DÉR. (Du I.) **Buandier.**

BUFFALO [byfalo] n. m. — 1796, *in* D.D.L. ; mot amér. ; port. *bufalo,* lat. pop. *bufalus* « buffle ».

♦ Anglic. Bison d'Amérique du Nord (dans un contexte américain). — Plur. : *des buffaloes* (Chateaubriand) ; *des buffalos* (Genevoix).

On voyait ces ruminants — ces buffalos, comme les appellent improprement les Américains — marcher au pas tranquille, poussant parfois des beuglements formidables. Ils avaient une taille supérieure à celle des taureaux d'Europe, les jambes et la queue courtes, le garrot saillant qui formait une bosse musculaire, les cornes écartées à la base, la tête et les épaules recouverts d'une crinière à longs poils. Il ne fallait pas songer à arrêter cette migration. Quand les bisons ont adopté une direction, rien ne pourrait ni enrayer ni modifier leur marche. C'est un torrent de chair vivante qu'aucune digue ne saurait contenir.
                              J. VERNE, le Tour du monde en 80 jours, p. 230 (1873).

BUFFE [byf] n. f. — V. 1200, *bufe ;* orig. obscure, probablt du rad. onomatopéique *buff-* exprimant l'idée de gonflement, puis de bruit.

♦ Vx et par archaïsme. Gifle, coup violent.

BUFFET [byfɛ] n. m. — 1268 ; v. 1150, « escabeau » ; orig. obscure ; p.-ê. rad. onomatopéique *buff-,* exprimant le bruit d'un souffle. → Bouffer.

♦ **1.** Vx. Table, desserte. *Buffet dressé* (→ Argent, cit. 1). Assortiment de vaisselle présenté sur cette table.

(1832). Mod. Table (souvent, simple plan sur tréteaux) où sont servis des plats froids, des pâtisseries, des rafraîchissements à l'occasion d'une réception privée ou publique. *Vous disposerez, vous placerez le buffet entre les fenêtres.*
Ensemble des mets et des boissons ainsi servis. *Le buffet était excellent. Buffet froid.* — Système de restauration où les convives se servent librement à un tel buffet, moyennant un prix fixe. Réunion, réception où la nourriture est ainsi servie. *Aller à un buffet.* ⇒ **Cocktail, lunch.**
Buffet campagnard, avec des charcuteries et du vin (le buffet traditionnel étant plutôt constitué de petits fours accompagnés de champagne, whisky, etc.).
Par métonymie. Salle où est servi un buffet. « *La salle à manger de Daudet, transformée en buffet de bal...* » (Goncourt).

♦ **2.** (1547). Meuble de salle à manger ou de cuisine assez bas, de forme parallélépipédique, fermé par des battants, servant à ranger la vaisselle, l'argenterie, le linge de table, certaines provisions. ⇒ **Armoire, bahut, commode, crédence, desserte.** *Les boiseries d'un buffet. Corniche, chapiteau d'un buffet. Buffet de cuisine. Buffet rustique, ancien, Henri II. Buffet surmonté d'un vaisselier.*

C'est un large buffet sculpté ; le chêne sombre,   0.1
Très vieux, a pris cet air si bon des vieilles gens ;
Le buffet est ouvert, et verse dans son ombre
Comme un flot de vin vieux, des parfums engageants (...)
                              RIMBAUD, Poésies, « Le buffet », Pl., p. 68 (→ aussi Vieillerie, cit. 1).

Il y a aussi un vieux buffet   1
qui sent la cire, la confiture,
la viande, le pain et les poires mûres (...)
                              Francis JAMMES, De l'Angélus de l'aube..., « La salle à manger ».

Un buffet vaisselier pour les livres. Une cuisine sombre avec chauffe-eau. Ça fleu-   1.1
rait le moisi.   Claude COURCHAY, La vie finira bien par commencer, p. 24.

♦ **3.** Loc. fig., fam. (du sens 1). *Danser devant le buffet :* n'avoir rien à manger.

S'ils mangeaient du pain au beau temps, les fringales arrivaient avec la pluie et   2
le froid, les danses devant le buffet, les dîners par cœur, dans la petite Sibérie de
leur cambuse.   ZOLA, l'Assommoir, t. II, X, p. 120.

♦ **4.** (1680). Menuiserie (d'un orgue). *Le buffet d'un orgue ; un buffet d'orgue. Le buffet du grand jeu.*

Du buffet d'orgues aux stalles, le bois naturel lui prête aussi l'intimité d'une église   3
de campagne.   J. GREEN, Journal, 3 mai 1977 (La terre est si belle), p. 127.

Par ext. *Buffet d'orgue :* petit orgue.

♦ **5.** (1704). Archit. **BUFFET D'EAU :** table de pierre, de marbre, supportant des coupes, des bassins disposés en gradins, et faisant rejaillir l'eau en cascades.

♦ **6.** (1863). *Buffet de gare :* café-restaurant installé dans les gares importantes. ⇒ **Buvette, cafétéria.** *Dix minutes d'arrêt, buffet ! Dîner au buffet de la gare. Tenancier d'un buffet.* ⇒ **Buffetier.** *Arrêt-buffet :* arrêt d'un train, lorsque la gare comporte un buffet (ancienn). — Fig. *Arrêt-buffet !* : on s'arrête, on s'interrompt.

C'est dans ce dernier compartiment que M. et Mᵐᵉ Darzac et le professeur Stan-   4
gerson firent le voyage de Paris à Dijon. Là, tous trois étaient descendus et avaient
dîné au buffet.   G. LEROUX, le Parfum de la dame en noir, p. 76.
Buffet ambulant, roulant ; buffet de quai.

♦ **7.** (1803). Fam. Ventre, estomac. ⇒ **Burlingue** (argot). — Poitrine. ⇒ **Caisse, coffre.** *Il n'avait rien dans le buffet,* rien mangé.

On se congratule quand tout à coup on s'aperçoit que le paternel est mort. Il a   5
reçu un coup de pétard dans le buffet. Il est plein de grains de plomb. Il n'y a
plus qu'à l'enterrer.   R. QUENEAU, Loin de Rueil, p. 41.

J'ai les pieds qui me rentrent dans les jambes, les jambes dans les genoux, les   6
genoux dans les cuisses, les cuisses dans le buffet et l'buffet dans la cafétéria !
                              Armand LANOUX, le Commandant Watrin, p. 12.

DÉR. **Buffetier.**

BUFFÈTEMENT [byfɛtmɑ̃] n. m. — 1972 ; adaptation de l'angl. *buffeting,* de *to buffet* « frapper, secouer ».

♦ Techn. Vibration affectant les empennages ou les gouvernes d'un avion. — REM. L'anglicisme *buffeting* [byftiŋ] est employé dans la langue technique.

(...) les vibrations (...) sont imputables à de légères dissymétries dans les mouvements alternatifs des pièces des moteurs de l'hélice, ou encore apparaissent à la faveur des turbulences nées du mouvement relatif de l'air et du fuselage ; aux grandes vitesses, ces turbulences peuvent induire un régime vibratoire très irrégulier dont les amplitudes atteignent parfois des valeurs importantes (« buffeting ») à l'approche des vitesses soniques (...)
                              Jacques GUILLERME, la Vie en haute altitude, p. 114.

BUFFETIER, IÈRE [byftje, jɛʀ] n. — 1874 ; de *buffet.*

♦ Vieilli. Personne qui tient un buffet de gare. ⇒ aussi **Cafetier, restaurateur.**

Mod. Personne qui tient un buffet roulant, un buffet de quai.

BUFFLE [byfl] n. m. — V. 1200 ; ital. *bufalo*, lat. pop. *bufalus* «antilope», altér. du lat. class. *bubalus*. → Buffalo.

♦ **1.** Mammifère ruminant *(Bovidés)*, voisin du bœuf, dont il existe plusieurs espèces en Afrique et en Asie. ⇒ **Karbau.** *Buffle de cafrerie*, à longues cornes élargies et arrondies. *Buffle d'Asie, buffle commun*, ou, absolt, *buffle*, vivant à l'état sauvage dans l'Inde, et domestiqué en Perse, en Turquie, en Égypte..., aux cornes dirigées en arrière, à l'aspect massif, au pelage noir. *Buffle d'eau*, vivant sur des terres inondées. *Lait, beurre de buffle.* ⇒ **Buffleterie.** — Loc. (Rare). *Être fort comme un buffle.* ⇒ **Bœuf.**

1   (...) il faisait front *(Jaurès)* comme un buffle qui va foncer.
                                   MARTIN DU GARD, les Thibault, t. V, p. 290.
2   Faisne, qui a des délicatesses de buffle, entra dans la turne en grognant (...)
                                   G. DUHAMEL, Récits des temps de guerre, t. II, p. 260.
3   Quelques jours avant, il avait capturé, à l'aide de trappes, un couple de buffles sauvages, qu'il retenait prisonniers avec de fortes lianes enroulées autour de leurs cornes et fixées à un tronc d'arbre.
                                   Raymond ROUSSEL, Impressions d'Afrique, p. 281.
4   Inutile de dire que le buffle d'eau est lent. Le buffle d'eau désire se coucher dans la boue. En dehors de cela, il n'est pas intéressé.
                                   Henri MICHAUX, Un barbare en Asie, p. 18.

Spécialt. Mâle de cette espèce (opposé à *bufflesse*).
Peau du buffle. *Une valise en buffle.*

♦ **2.** Par métonymie. Vx. *Un buffle :* un justaucorps en peau de buffle. ⇒ **Buffleterie.** — Corne de buffle.

♦ **3.** Fam., vieilli. Personne brutale, peu aimable. *Quel buffle !* ⇒ **Mufle.**

DÉR. Bufflesse ou **bufflonne, buffleterie, buffletin, bufflon.**
COMP. **Crapaud-buffle.**

BUFFLESSE [byfl.s] ou **BUFFLONNE** [byflon] n. f. — 1837, *bufflesse* ; *bufflonne*, 1829 ; de *buffle*.

♦ Rare. Femelle du buffle. *Lait de bufflesse.*

BUFFLETERIE [byfl.tri] n. f. — 1792 ; *buffetrie*, 1610 ; de *buffle*.

♦ **1.** Techn. Méthode de chamoisage des peaux (à l'origine, de buffle), notamment pour les cuirs de l'équipement militaire.

♦ **2.** Partie de l'équipement en cuir qui soutient les armes.

1   (...) une forme surgit du néant, passa dans un froissement musculeux de bête en course, de buffleteries et de ferraille entrechoquée, le buste obscur incliné en avant sur l'encolure (...)
                                   Claude SIMON, la Route des Flandres, p. 32.
2   Mais le dernier homme était resté là, sur le chemin. Il posa son fusil par terre, déboucla son ceinturon d'un geste fébrile, s'empêtra quelques secondes dans ses buffleteries et posa culotte.   Jacques PERRET, Bande à part, p. 124.

DÉR. **Buffletier.**

BUFFLETIER [byfl.tje] n. m. — 1845, Bescherelle ; de *buffleterie*.

♦ Techn. Ouvrier qui fabrique des buffleteries.

BUFFLETIN [byfl.tɛ̃] n. m. — 1594 ; de *buffle*.

♦ **1.** Rare. Jeune buffle. ⇒ **Bufflon.**

♦ **2.** (1690). Vx ou hist. Justaucorps en cuir.

BUFFLON [byflɔ̃] n. m. — 1845 ; de *buffle*.

♦ Rare. Jeune buffle. ⇒ **Buffletin** (1.).

BUFFLONNE [byflon] n. f. ⇒ **Bufflesse.**

BUFO [byfo] n. m. — Attesté xxᵉ ; mot lat., «crapaud». → Bufonidés, bufotaline, bufoténine, bufothérapie.

♦ Didact. (zool.). Genre de Crapaud de la famille des Bufonidés* *(Anoures).*

Le genre Bufo est cosmopolite ; il n'est absent qu'en Nouvelle-Guinée, en Polynésie, en Australie et à Madagascar (...) ce sont de tous les Amphibiens les plus prolifiques. (Une femelle de *B. marinus* d'Amérique du Sud peut donner jusqu'à 35 000 œufs par an).   Jean GUIBÉ, les Batraciens, p. 121.

BUFONIDÉS [byfɔnide] n. m. pl. — 1878, *in* Cottez ; *bufonoïdes*, 1826, *in* Cottez ; du lat. *bufo* «crapaud». → Bufo.

♦ Didact. (zool.). Famille d'amphibiens anoures *(Bufonoïdea)* dépourvus de dents, possédant un tégument souvent épais et couvert de verrues. — Au sing. *Le crapaud* est un bufonidé.

Les Bufonidés sont souvent des formes lourdes, à corps plus ou moins aplati, à pattes relativement courtes peu adaptées au saut. On connaît des représentants de cette famille sur l'ensemble du globe.   Jean GUIBÉ, les Batraciens, p. 121.

BUFOTALINE [byfɔtalin] n. f. — 1903, in *Rev. gén. des sc.*, nᵒ 24, p. 1252 ; du lat. *bufo* «crapaud» (→ Bufo), d'après *digitaline.*

♦ Biochim. Toxine contenue dans le venin des crapauds, qui agit sur le cœur. ⇒ **Bufoténine** (cit.).

BUFOTÉNINE [byfɔtenin] n. f. — 1903, in *Rev. gén. des sc.*, nᵒ 24, p. 1252 ; du lat. *bufo* «crapaud» (→ Bufo), et de *sérotonine.*

♦ Biochim. Toxine entrant dans la composition du venin de crapaud.

Dans celui *(le venin)* du Crapaud par exemple on trouve une toxine agissant sur le cœur à la façon de la digitaline (c'est la bufotaline), et une autre sur le système nerveux (la bufoténine) ; cette dernière présente une action assez rapide et efficace : certains Indiens d'Amérique du Sud empoisonnent leurs flèches du venin d'un petit amphibien.   Jean GUIBÉ, les Batraciens, p. 46.

BUFOTHÉRAPIE [byfoteRapi] n. f. — Mil. xxᵉ ; du lat. *bufo* «crapaud» (→ Bufo), et *-thérapie.*

♦ Didact. (méd.). Emploi thérapeutique du venin de crapaud.

BUGAKU [bugaku] n. m. — D. i. (attesté xxᵉ) ; mot japonais.
Didactique.

♦ **1.** Musique japonaise, forme de gagaku* destinée à être dansée.

♦ **2.** Danse exécutée sur cette musique, divertissement aristocratique très élaboré, exécuté avec de très riches costumes et parfois des masques.

BUGGY [bœgi] n. m. ⇒ **Boghei.**

1. BUGLE [bygl] n. m. — 1832, *in* Höfler ; mot angl., abrév. de *bugle-horn* «cor en corne de bœuf», empr. à l'anc. franç. *bugle* «jeune bœuf», du lat. *buculus*, même sens. → Beugler.

♦ **1.** Instrument à vent de la famille des saxhorns (cuivres), utilisé notamment dans la musique militaire. ⇒ **Cornet, trompette.**

1   (...) donneur universel aussi en piston et en bugle, Montazeau avait été prêté pour le dimanche par la fanfare du XIIIᵉ à celle de Cormeilles (...)
                                   GIRAUDOUX, Églantine, p. 37.
2   (...) le chant lancinant de multiples transistors était parfois couvert par des chœurs en langues étrangères avec accompagnement de cornemuse, de bugle ou d'ocarina.
                                   R. QUENEAU, les Fleurs bleues, p. 46.

♦ **2.** Hist. (D'après le sens initial de l'anglo-normand *bugle*, xviᵉ). Ancien instrument à vent fait d'une corne de bovidé.

DÉR. **Bugler.**
HOM. 2. **Bugle,** formes du v. **bugler.**

2. BUGLE [bygl] n. f. — xiiiᵉ ; *bucle*, v. 1290 ; lat. médiéval *bugula.*

♦ Bot. Plante herbacée *(Labiacées)*, dont une espèce à fleurs bleues est commune dans les lieux humides. *Une espèce de bugle était autrefois employée comme vulnéraire.*

HOM. 1. **Bugle,** formes du v. **bugler.**

BUGLER [bygle] v. intr. — 1873 ; de 1. *bugle.*

♦ Rare. Produire un son qui ressemble à celui du bugle. ⇒ aussi **Beugler, corner.**

J'entends le vent du nord
Qui bugle comme un cor
C'est l'hallali des trépassés
J'aboie après mon tour assez
J'entends le vent du nord
J'entends le glas du cor.   Tristan CORBIÈRE, les Amours jaunes, Pl., p. 809 (1873).

BUGLOSSE [byglɔs] n. f. — 1372 ; lat. *buglossa*, grec *bouglôsson* «langue de bœuf».

♦ Bot. Plante herbacée des lieux incultes *(Borraginacées)*, à fleurs généralement bleues, aussi appelée *fausse bourrache.*

BUGNE [byɲ] n. f. — 1810 ; «tumeur», 1732, Trévoux ; forme franco-provençale de *beigne*.*

♦ Régional. Beignet* de pâte, frit dans l'huile (spécialité lyonnaise). *Manger des bugnes.* «*Bugne à l'éperon ; bugne à la rose*» (Nizier du Puitspelu, *le Littré de la Grand'Côte*, 1894).
Fig. «*Va t'en donc, grande bugne !*», grand nigaud (Nizier du Puitspelu, *le Littré de la Grand'Côte*, 1894).

BUGRANE [bygRan] n. f. — 1545 ; *bugrave*, 1542 ; *bouveraude*, 1379 ; du lat. *bucranium* (→ Bucrane), croisé avec des formes issues du lat. vulg. **boveretina* «arrête-bœuf», de *bos* «bœuf», et *retinere* «arrêter, retenir», plante ainsi appelée à cause de ses racines qui arrêtent la charrue.

♦ Bot. Plante épineuse *(Papilionacées)*, à fleurs bleues, appelée aussi *arrête-bœuf.* ⇒ **Ononis.**

BUILDING [byldiŋ; bildiŋ] n. m. — 1895; mot anglo-amér., de *to build* « construire ».

♦ Anglic. Vaste immeuble moderne, à nombreux étages. ⇒ **Tour; gratte-ciel** (→ Batterie, cit. 5). *Habiter dans un building de 40 étages. La société a ses bureaux dans un building.*

1 Le building monte! Il va vivre : vingt puits d'ascenseurs le perforent de bout en bout. G. DUHAMEL, Scènes de la vie future, VIII, p. 112.

2 La seule lumière venait du building voisin : un grand rectangle d'électricité pâle... MALRAUX, la Condition humaine, p. 7.

3 (...) les buildings sont des ex-votos à la réussite, ils sont derrière la statue de la Liberté, comme les statues d'un homme ou d'une entreprise qui se sont élevés au-dessus des autres. SARTRE, Situations III, p. 87.

4 (...) les phares des autos balayaient l'avenue où brillaient les hauts buildings. S. DE BEAUVOIR, les Mandarins, p. 328.

REM. En France, le mot a tendance à vieillir, sauf en parlant des États-Unis (→ Immeuble, tour). Il reste usuel en Belgique, au sens de « immeuble moderne » (même lorsqu'il est assez petit).

BUIRE [bɥiʀ] n. f. — V. 1175; p.-ê. altér. de l'anc. franç. *buie* « cruche » (→ Bue), du francique **buk* « ventre », ou d'un bas francique **buri* « récipient ».

♦ **1.** Archéol. Vase en forme de cruche, à bec et à anse. ⇒ **Aiguière.** *Mettre des liqueurs dans une buire d'or, d'argent.*

♦ **2.** Régional. Bidon, cruche servant au transport du lait, de l'huile... ⇒ **Bue.** — Contenu de ce bidon.

DÉR. **Burette.**

BUIS [bɥi] n. m. — 1160; *bois*, XIIIe; *buix*, 1360; *bouys*, 1471; anc. franç. *bois*, lat. *buxus* (→ Buxacées); *buis* est issu de *buxus* (avec p.-ê. infl. de *buisson*), ou plus probablt de *buxeus*, forme adjectivée. → Bois.

♦ **1.** Arbuste à petites feuilles persistantes *(Buxacées)*, souvent employé en bordures dans les jardins. *Buis bénit :* branche de buis qu'on bénit le jour des Rameaux (→ Bénir, cit. 24).

1 Des bordures de buis rigoureusement taillées y dessinaient des cadres où se déployaient, comme sur une pièce de damas, des ramages de verdure d'une symétrie parfaite. Th. GAUTIER, le Capitaine Fracasse, V.

2 Bien qu'il ne vît dans la nuit ni les buis ni les fusains, il devinait leur feuillage sombre par leur odeur amère. MALRAUX, la Condition humaine, p. 206.

3 Maigret s'avança sans bruit, s'inclina, trempa un brin de buis dans l'eau bénite et en aspergea le cercueil. G. SIMENON, M. Gallet décédé, p. 41.

♦ **2.** Bois jaunâtre, dense et dur, de cette plante. *Ouvrage de tabletterie, d'ébénisterie en buis. Boule en buis, de buis. Peigne de buis. Sculpter du buis.*

Par anal. *Couleur de buis.* « *Ces vieilles au menton de buis jaune* » (A. Daudet, *in* T. L. F.).

Fam. *Tête de buis :* tête de bois, tête dure.

♦ **3.** Techn. Lissoir en buis des cordonniers servant à polir les talons et le bord des semelles.

DÉR. **Buiser, buissaie** ou **buissière, buisse** ou **bouisse.** — V. **Buisson.**

BUISER [bɥize] v. tr. — 1954; *buisser*, 1892; *bouysser*, 1473; de *buis.*

♦ Régional. Garnir avec des rameaux de buis. *Buiser une tombe.*

BUISINE [bɥizin] n. f. — 1080; du lat. pop. **bucina.* → Buccin.

♦ Vx. Trompette. ⇒ **Buccin.**

BUISSAIE [bɥisɛ] ou **BUISSIÈRE** [bɥisjɛʀ] n. f. — 1866, *buissaie*; *buissière*, 1507; de *buis.*

♦ Régional. Lieu planté de buis (cf. Daudet, Arnoux, *in* T. L. F.). *Traverser une buissière.*

BUISSE [bɥis] ou **BOUISSE** [bwis] n. f. — 1751, *Encyclopédie*; de *buis.*

♦ Vx. Outil de cordonnier servant à cambrer les semelles. — Instrument de tailleur pour rabattre les coutures.

BUISSON [bɥisõ] n. m. — V. 1160; *boissun*, 1080; altér., p.-ê. d'après *buis*, de l'anc. franç. *boisson*, du lat. *buxeus* (→ Buis), dimin. de *buis.*

♦ **1.** Bouquet, touffe d'arbrisseaux sauvages et rameaux. *Buisson épineux. Bruyères, églantiers, genêts, ronces en buisson.* ⇒ **Buissonnant.** *Un buisson d'aubépine. Fourré de buissons touffus.* ⇒ **Hal-**

---

lier. *Lieu où poussent les buissons.* ⇒ **Garrigue, lande.** *Buisson où se réfugie le gibier.* ⇒ **Breuil.**

0.1 Je n'ai jamais vu dans un endroit en maçonnerie une telle multiplicité de fers de lance, de pals, d'artichauts, de buissons et de ronces. B. CENDRARS, Moravagine, Œ. compl., t. IV, p. 250.

Arbre de buisson, buisson : arbre fruitier nain que l'on taille en buisson. — Arbre que l'on taille tous les deux ou trois ans afin qu'il ne dépasse pas trois mètres de hauteur.

Se cacher dans un buisson. Explorer, fouiller les buissons... — LOC. *Battre** (cit. 16 à 18) *les buissons.*

Chasse. *Faire, trouver buisson creux :* ne plus trouver dans l'enceinte la bête qu'on avait détournée; (fig.) ne pas trouver la personne ou la chose qu'on était allé chercher.

Fig. *Se sauver à travers les buissons :* chercher des échappatoires quand on est trop pressé dans la discussion.

Par métaphore (en parlant d'un obstacle, d'une chose qui ralentit une action).

1 Ma vie a été misérablement accrochée aux buissons de ma route; heureux si j'avais été l'oiseau libre qui chante et fait son nid dans ces buissons! CHATEAUBRIAND, Mémoires d'outre-tombe, II, 12.

2 (...) j'ai, comme un mouton
Qui laisse sa laine au buisson,
Senti se dénuer mon âme. A. DE MUSSET, Poésies nouvelles, « Nuit de décembre ».

3 Des branches d'églantine (...) fleurissaient un buisson en travers du sentier. MARTIN DU GARD, les Thibault, t. II, p. 260.

(1262). *Le buisson ardent où Dieu se révéla à Moïse.* ⇒ **Buisson-ardent.**

4 (...) il *(Moïse)* a une vision singulière. Un buisson brûle et pourtant ne se consume pas (...) DANIEL-ROPS, le Peuple de la Bible, II, I, p. 83.

Par anal. Touffe.

5 L'œil est rentré sous l'arcade sourcilière qu'enfile un buisson de poils. GIDE, les Faux-monnayeurs, I, 4.

♦ **2.** (1739). Mets arrangé en forme de pyramide hérissée d'épines. *Buisson d'écrevisses* (cit. 1).

♦ **3.** (1886). Didact. Partie inférieure d'une tornade, plus large que la colonne centrale, constituée de gouttelettes d'eau soulevées de la mer ou de poussières, de débris soulevés du sol.

DÉR. **Buissonner, buissonneux, buissonnier.**
COMP. **Buisson-ardent.**

BUISSON-ARDENT [bɥisõaʀdã] n. m. — 1680; de l'expression *buisson ardent.*

♦ Arbuste méditerranéen *(Rosacées)* à baies écarlates, ornemental (jardins), appelé aussi *arbre de Moïse* (n. sc. : *cotoneaster*).

BUISSONNANT, ANTE [bɥisonã, ãt] adj. — 1898, *Nouveau Larousse illustré*; de *buissonner.*

♦ **1.** Qui buissonne (plante). ⇒ **Buissonneux.** *Des rosiers buissonnants. Espèce buissonnante pour la décoration des parterres.*

1 Il vit de loin (...) les tomates buissonnantes. PAGNOL, Jean de Florette, p. 254.

Par anal. *Des favoris buissonnants.*

♦ **2.** Fig. Se dit d'un classement en arbre (taxinomique ou génétique) dont les divisions et les subdivisions sont nombreuses dès la base, et les branches irrégulières. « *Le caractère "buissonnant" du monde vivant...* » (*Science et Vie*, n° 588, p. 59; 1967).

2 Cette apparente option est constante et justifie l'expression d'évolution « buissonnante » qu'emploient les paléontologistes pour rendre compte de la diversification des êtres vivants. A. LEROI-GOURHAN, le Geste et la Parole, I, p. 43.

BUISSONNEMENT [bɥisonmã] n. m. — 1875; de *buissonner.*

♦ Rare. Action de buissonner (2.).

BUISSONNER [bɥisone] v. intr. — XVe; *boissoner*, v. 1200; de *buisson.*

♦ **1.** Chasse. Aller dans les buissons à la recherche du gibier. *Le chien buissonne.* — (En parlant du cerf). Se retirer, se cacher dans un buisson.

Par ext. Vx. Se promener tranquillement. — Spécialt. Faire l'école buissonnière.

♦ **2.** (1838). Pousser en forme de buisson (en parlant des plantes); développer de nombreux rameaux feuillés latéraux près du sol. *Un géranium qui buissonne.* ⇒ **Buissonnant.**

DÉR. **Buissonnant, buissonnement.**

BUISSONNEUX, EUSE [bɥisonφ, φz] adj. — V. 1175, *boissonneus*; de *buisson.*

♦ **1.** Qui est couvert de buissons. *Pays buissonneux.*

1 (...) il fallait courir vers la berge molle, fangeuse mais buissonneuse et assez inclinée pour être protectrice.   Jacques LAURENT, les Bêtises, p. 320.

2 (...) face à ce quadrilatère de grands rosiers emmêlés ils voient la fuite buissonneuse de la pente la maison et le jardin (...)
                                        Tony DUVERT, Paysage de fantaisie, p. 214.

♦ **2.** En forme de buisson. *Arbre buissonneux.* ⇒ **Buissonnant.** Constitué de buissons.

3 Ses cheveux étaient gris et rares, mais sur les arcades sourcilières à l'architecture
massive, s'accrochait une énorme et buissonneuse végétation.
                      G. DUHAMEL, Chronique des Pasquier, Cécile, X, p. 79.

BUISSONNIER, IÈRE [bɥisɔnje, jɛʀ] adj. — V. 1540; *buysso-
niere*, n. f., 1538, «lieu couvert de buissons»; de *buisson*.

♦ **1.** Loc. ÉCOLE BUISSONNIÈRE. — Vx. École clandestine tenue au
moyen âge en plein champ. — Mod. *Faire l'école buissonnière :* flâner, se promener au lieu d'aller en classe, et, par ext., manquer à
son travail, à son occupation (→ 1. Muser, cit. 2).

De toutes les écoles que j'ai fréquentées, c'est l'école buissonnière qui m'a paru
la meilleure et dont j'ai le mieux profité.   FRANCE, le Petit Pierre, VIII.

♦ **2.** (1580). Vx. Qui habite les buissons. *Lapin, merle buissonnier.*

♦ **3.** (1547; repris v. 1965). Mod. Qui s'écarte des chemins battus.
⇒ **Libre, original, vagabond.** *Tourisme buissonnier. Rivière, route
buissonnière. Plaisir buissonnier.*

BULBAIRE [bylbɛʀ] adj. — 1833; de *bulbe*.

♦ Anat. Relatif au bulbe rachidien. *Nerfs crâniens bulbaires. Contrôle et régulation bulbaires de la vie végétative.*

BULBE [bylb] n. m. — xvᵉ; lat. *bulbus* «oignon».

★ **I.** ♦ **1.** Bot. et cour. Organe souterrain renflé, constitué par un
bourgeon au centre d'écailles fixées sur une tige en plateau, porteur
de racines adventives, rempli de réserves nutritives grâce auxquelles
la plante reconstitue chaque année ses parties aériennes. ⇒ **Oignon.**
*Bulbe écailleux, tuniqué. Bulbe de jacinthe, de lis, de tulipe. Cul-
ture des plantes à bulbes.* ⇒ **Bulbiculture.** *Le bulbe de colchique est
prescrit contre la goutte. Tige florale d'un bulbe. Enveloppe d'un
bulbe.* ⇒ **Tunique.**
Bot. *Bulbe de propagation :* bourgeon se développant sur un
bulbe. ⇒ **Caïeu.**

1 Lorsque les feuilles sont très serrées et confondues avec le plateau de manière à ne
constituer qu'une seule masse, on dit que le bulbe est *solide :* Safran, Glaïeul.
                                        POIRÉ, Dict. des Sciences, Bulbe.

REM. Selon Académie, huitième éd., *bulbe* au sens botanique est féminin : *une bulbe.* Cette forme semble inusitée.

♦ **2.** (1732). Anat. Renflement arrondi et globuleux. *Bulbe dentaire,
pileux,* à la base d'une dent, d'un poil. *Bulbe d'une plume. Bulbes
oculaires, auditifs. Bulbe de l'ovaire, de l'urètre. Bulbe spongieux*
(de l'urètre). *Bulbe vestibulaire* (ou *bulbe du vagin*) : chacun des
deux organes érectiles situés de part et d'autre des orifices de
l'urètre et du vagin.
Anat. et cour. *Bulbe rachidien,* ou, absolt, *bulbe :* segment inférieur
de l'encéphale, qui fait suite à la moelle épinière (on l'appelait autrefois *moelle allongée*), se continuant par la protubérance annulaire.
*Le bulbe est le lieu d'origine des quatre dernières paires de nerfs
crâniens* (glossopharyngien, pneumogastrique, spinal et grand hypo-
glosse). ⇒ **Bulbaire.**

2 La région du bulbe est, au point de vue physiologique, d'une importance capitale.
Elle sert en effet d'origine à un grand nombre de nerfs crâniens (...) et par suite,
une lésion du bulbe entraînant une lésion du noyau d'origine de ces nerfs, les désorganise et les annihile au point de vue physiologique.
                                        POIRÉ, Dict. des Sciences, Bulbe.

♦ **3.** Coupole sphérique se terminant en pointe (en forme d'oignon).
Bulbe d'une église russe. Église à bulbes. ⇒ **Bulbé, bulbeux** (2.).

3 (...) n'ayant d'autre route que le rebord dentelé d'une corniche, d'où l'on aperçoit
les plaques de cuivre du toit et les bulbes des clochetons (...)
                      Th. GAUTIER, Voyage en Russie, « Le Kremlin », p. 279.

Anthrop. *Bulbe de percussion.*

4 Les roches clastiques comme le silex ou les quartzites, soumises à un choc violent, libèrent des éclats qui présentent sur leur plan d'éclatement une surface conchoïdale, le bulbe de percussion.
                      A. LEROI-GOURHAN, le Geste et la Parole, I, p. 130.

★ **II.** (1897, *in* Höfler; de l'angl. *bulb* «oignon; bulbe, ballon»). Mar.
Renflement de la partie inférieure de la quille, destiné à diminuer
la résistance à l'eau.
Renflement de l'avant de la carène d'un grand navire moderne, destiné à faciliter sa pénétration dans l'eau. *Le bulbe d'un pétrolier,
d'un cargo. Le bulbe émerge en partie quand le bateau navigue
à vide.*

REM. Dans cet emploi, on écrit parfois *bulb.*

DÉR. Bulbaire, bulbé, bulbille. — V. Bulbeux, bulbo-.
COMP. Bulbiculteur, bulbiculture.

BULBÉ, ÉE [bylbe] adj. — Attesté 1957; de *bulbe*.

♦ Rare. En forme de bulbe. *« Un de ces clochers bulbés... »* (J. Laurent, *les Bêtises,* p. 236). ⇒ **Bulbeux,** (2.).

BULBEUX, EUSE [bylbø, øz] adj. — 1545; lat. *bulbosus,* de *bulbus.* → Bulbe.

♦ **1.** Bot. Qui a un bulbe. *Plante bulbeuse. Liliacées à racines bul-
beuses.*

♦ **2.** Renflé, en forme de bulbe. ⇒ **Bulbé.**

Il faut aussi que la demie de sept heures ait sonné au clocher bulbeux (...)
                                        COLETTE, la Naissance du jour, p. 195.

Anat. *Corps bulbeux. Artère bulbeuse.*

BULBICULTEUR [bylbikyltœʀ] n. m. — xxᵉ; du rad. de *bulbe,* et
-culteur «qui cultive».

♦ Techn. Horticulteur spécialisé dans les plantes à bulbes (tulipes,
jacinthes, crocus, dahlias...). *Les bulbiculteurs hollandais.*

BULBICULTURE [bylbikyltyʀ] n. f. — xxᵉ; du rad. de *bulbe,*
et *-culture.*

♦ Techn. Culture des plantes d'agrément à bulbes (tulipes, etc.).

BULBILLE [bylbij] n. f. — 1836, Landais; de *bulbe.*

♦ Bot. Petit bulbe qui naît à l'aisselle d'une feuille et sert de bourgeon de remplacement. *Les bulbilles de l'ail. Bulbilles radiculai-
res, foliaires.*

BULBO- Premier élément, de *bulbe**, entrant dans la composition
de mots d'anatomie, et désignant soit le bulbe rachidien (⇒ **Bulbo-
médullaire**), soit le bulbe de l'urètre (⇒ **Bulbo-caverneux**).

BULBO-CAVERNEUX, EUSE [bylbokavɛʀnø, øz] adj. et n.
— 1805, Cuvier; de *bulbo-,* et *caverneux.*

♦ Anat. Qui se rapporte au bulbe* spongieux de l'urètre et à l'urètre.

BULBO-MÉDULLAIRE [bylbomedylɛʀ] adj. — V. 1920; de
bulbo-, et *médullaire.*

♦ Anat. Qui se rapporte au bulbe* rachidien et à la moelle épinière.

BULBUL [bylbyl] n. m. — 1838, Lamartine; mot persan.

♦ Zool. et littér. Petit passereau au plumage brun verdâtre.

Ils entendent des voix que nous n'entendons pas,
Ils savent ce que dit l'étoile dans sa course (...)
Le bulbul à l'aurore et le cœur au soupir.
                      LAMARTINE, Fragment du Livre primitif, « La chute d'un ange ».

(...) le bulbul chante le poëme de ses amours avec la rose, caché sous les touffes
de myrtes.   Th. GAUTIER, Constantinople, p. 356.

BULGARE [bylgaʀ] adj. et n. — 1732; *bulgaire,* 1606; anc. franç.
bou(l)gre «albigeois, sodomite», les Bulgares ayant été manichéens
(→ Bougre); lat. *Bulgares.*

♦ De la Bulgarie. *Le peuple bulgare. Yaourt bulgare. Unité monétaire bulgare.* ⇒ **Lev.**

N. *Les Bulgares.* — N. m. *Le bulgare,* langue slave du groupe méridional. *Le bulgare s'écrit en caractères cyrilliques.*

BULL [byl] n. m. ⇒ **Bulldozer.**

BULLAGE [bylaʒ] n. m. — Mil. xxᵉ; de 1. *bulle.*
Technique.

♦ **1.** Opération consistant à introduire du gaz dans un liquide (de
manière à former des bulles). *Bullage d'air comprimé.*

♦ **2.** Agitation d'un fluide provoquée à l'aide d'un gaz (généralement de l'azote).

♦ **3.** Formation de bulles ou de pores à la surface d'une couche de
peinture. ⇒ aussi **Cloquage.**

BULLAIRE [bylɛʀ] n. m. — 1727; lat. médiéval *bullarium,* de *bulla.*
→ 1. Bulle.

♦ Relig. Recueil des bulles des papes. — Scribe qui copiait ces bulles.

BULL-DOG [byldɔg] n. m. ⇒ **Bouledogue** (1.).

BULLDOZER [byldozɛʀ] ou [buldozœʀ] n. m. — 1927 ; mot amér., d'abord « celui qui malmène », de *to bull-doze* « intimider ».

♦ **1.** Engin de terrassement, tracteur à chenilles très puissant, utilisé notamment dans les travaux publics. — Académie franç. : *bouldozeur* (inus.) ; recomm. off. : *bouteur*.

(...) vous voyez cette belle machine peinte en rouge, qui est en train de démolir un immeuble. C'est quelque chose de terrible, vraiment, parce que vous ne vous y attendiez pas. Elle est là, seule au milieu du chantier, pareille à un gros insecte aux bras épais, avec son cockpit fermé, où on ne voit pas d'homme. Il y a tellement de moteurs partout, et le bulldozer est seul sur la plaine de gravats, et il avance, recule, avance en grognant. Devant lui, ses deux bras musclés portent une main aux doigts recourbés, et c'est avec ça qu'il démolit la maison. Le bulldozer avance sur ses chenilles. La lumière du soleil rebondit sur sa coque de métal rouge et sur le cockpit de plexiglas. Avec sa puissance, il escalade les tas de cailloux et de plâtre, il marche vers les murs de la maison en ruines. Quand il arrive devant le mur, il lève un peu ses bras, et il les laisse retomber. La main crochue frappe négligemment le mur qui s'effondre. Puis le bulldozer recule, et avec sa main, il tasse les morceaux de mur. On renifle la poussière âcre qui vole dans l'air, on entend tous les bruits effrayants, les craquements de la pierre écrasée, les coups de la main de métal, les grincements des chenilles, les rugissements du moteur. C'est tellement beau qu'on ne peut plus le haïr. On est enlevé à soi, arraché, on est soumis à la machine qui travaille. Il y a tant de solitude et de force, dans ce chantier (...) J.-M. G. LE CLÉZIO, les Géants, 1973, p. 182.

Abrév. fam. : *bull* [byl].

♦ **2.** Fig. Personne qui renverse tout sur son passage, qui passe allègrement par-dessus les obstacles. *C'est un vrai bulldozer, ce garçon !*

1. BULLE [byl] n. f. — V. 1190, *buille* « sceau » ; lat. médiéval *bulla*, spécialisation du lat. class. *bulla* « bulle d'eau ; médaillon, ornement en forme de boule ». → Boule.

★ **I.** ♦ **1.** Antiq. rom. Petite boule que les patriciens portaient au cou jusqu'à l'âge de dix-sept ans.

1   Des toges, des prétextes, des bulles. ROUSSEAU, Émile, IV.

♦ **2.** Boule de métal attachée à un sceau, et, par ext., ce sceau. *La bulle des papes est à l'effigie de saint Pierre et de saint Paul. Bulle d'un prince du moyen âge.*

♦ **3.** (1214, *boille*). Lettre patente du pape avec le sceau de plomb, désignée par les premiers mots du texte (ex. : *bulle Unigenitus*) et contenant ordinairement une constitution générale. *Bulles à caractère privé.* ⇒ **2. Bref ; rescrit.** *Fulminer, publier une bulle. Brûler une bulle. Bulle d'excommunication*. *Bulle d'indication*, pour la convocation d'un concile : *Bulle sabbatine. Les Appelants* (II., 2.), *opposants à la bulle Unigenitus. Officier de la chancellerie romaine qui écrit les bulles.* ⇒ **Scripteur.** *Recueil de bulles.* ⇒ **Bullaire.**

2   La bulle *in coenâ Domini* indigna tous les souverains catholiques, qui l'ont enfin proscrite dans leurs états ; mais la bulle *Unigenitus* n'a troublé que la France. On attaquait dans la première les droits des princes et des magistrats de l'Europe ; ils les soutinrent. On ne prescrivait dans l'autre que quelques maximes de morale et de piété. VOLTAIRE, Dict. philosophique, Bulle.

Acte, ordonnance des empereurs d'Allemagne. *La bulle d'or de Charles IV réglait la forme des élections impériales* (→ Bas, cit. 44).

♦ **4.** (1690). Archéol. Tête de clou richement ornée décorant des vantaux, des coffres.

★ **II.** Cour. ♦ **1.** (Av. 1590). Quantité (d'air ou de gaz) enfermée dans une matière. — Spécialt. Petite quantité (d'air ou de gaz) qui s'élève à la surface d'un liquide en mouvement, en effervescence, en ébullition. *Bulle d'air, de gaz. Bulles dans une matière en fusion.* « *Des bulles d'air sous l'épiderme d'une lave* » (→ Bubon, cit. 2, Artaud). *Liquide qui fait des bulles.* ⇒ **Effervescent, gazeux, pétillant.** *Bulles qui montent dans un verre d'eau minérale, de bière. Les bulles du mousseux, du champagne. Amas de bulles.* ⇒ **Mousse.** *Des bulles éclatent à la surface de l'eau qui bout. Bulle de salive. Niveau* à bulle. *Bulles dans de la colle ; bulles dans l'épaisseur d'une couche de peinture.* ⇒ **Bullage** (3.) ; et aussi **cloque.** — Techn. *Piège* à bulles.

2.1   Des mousses, jusqu'au fond descendues, faisaient une profondeur avec l'ombre : des algues glauques retenaient des bulles d'air pour la respiration des larves. GIDE, Paludes, *in* Romans, Pl., p. 104.

3   (...) un bruit de pas sans écho sur le gravier d'une allée, une bulle formée contre une plante aquatique par l'eau de la rivière et qui crève aussitôt, mon exaltation les a portés et a réussi à leur faire traverser tant d'années successives (...) PROUST, À la recherche du temps perdu, t. I, p. 248.

4   (...) comme une bulle d'air détachée des profondeurs d'une eau dormante par le passage d'une bête invisible. H. BOSCO, le Jardin d'Hyacinthe, p. 145.

5   Je laissais ce prénom éclater comme une bulle à la surface de notre vie. F. MAURIAC, le Nœud de vipères, p. 65.

5.1   (...) on hésite même à préciser le sens du mouvement, vers le haut ou vers le bas, comme pour des particules en suspension dans une eau tranquille, des petites bulles dans un liquide chargé de gaz, des flocons de neige, de la poussière. A. ROBBE-GRILLET, Dans le labyrinthe, p. 80.

Loc. fam. (métaphore du *niveau à bulle*). COINCER LA BULLE : ne rien faire, se reposer (comme la bulle du niveau, qui reste immobile

quand on l'a placée [« coincée »] entre les repères, le niveau étant horizontal). ⇒ **2. Buller.**

5.2   Je ne rigole pas, je suis vraiment en vacances, je vais t'expliquer ça, mais ça ne te dérange pas, je retourne sous le lit parce que si le responsable des cuisines me trouve en train de coincer la bulle, il risque de ne pas me féliciter. Joseph JOFFO, Un sac de billes, p. 165.

État d'une personne qui ne fait rien, qui n'a rien à faire ; inaction, repos. *C'est la bulle, ce travail.*

BULLE DE SAVON : globe formé d'une pellicule d'eau savonneuse et pouvant se tenir en suspension dans l'air. *Faire des bulles de savon avec un chalumeau. Irisations sur une bulle de savon.* — *S'envoler, flotter comme une bulle de savon.* — Par métaphore. Chose fragile, illusoire.

Faire, souffler des bulles de chewing-gum. ⇒ **Bubble-gum** (cit.).

Inclusion d'air dans une matière solidifiée (parfois volontaire, parfois constituant un défaut de fabrication). *Bulles dans une matière plastique. Verre qui présente des bulles.* ⇒ **Bullé.**

Par ext. Objet de forme plus ou moins sphérique. ⇒ **Balle, boule.**

6   Car la terre n'est que la goutte de boue dans l'espace, et le soleil une bulle de gaz bientôt consumée. FRANCE, le Mannequin d'osier, Œ., t. XI, p. 364.

7   Et c'est ensuite le silence, jalonné seulement par le bruit régulier (régulier ?) de ce (...) qui s'est révélé, après examen, provenir de cette espèce de boule, ou de bulle, ou de bulle, ou de perle, qui traverse sans cesse dans des directions changeantes l'espace cubique de la cellule. A. ROBBE-GRILLET, Souvenirs du Triangle d'or, p. 156.

♦ **2.** ⓐ Méd. Soulèvement de l'épiderme ménageant une cavité remplie de sérosité. ⇒ **Ampoule, cloque, phlyctène, vésicule ; bulleux.** *Bulle d'emphysème.*

ⓑ *Bulle tympanique* : cavité contenant les organes de l'oreille moyenne, chez certains mammifères.

♦ **3.** (V. 1860). Espace délimité par une ligne courbe fermée, placé à proximité de la bouche d'un personnage dessiné et contenant un texte correspondant à ses paroles, ses pensées... *Les bulles d'une bande dessinée* (→ 1. Bande, cit. 6). ⇒ **Ballon ; phylactère** (3.) ; cf. ital. *fumetto.* — Par ext. Texte contenu dans une bulle.

8   (...) quelques notes de musique se détachent sur un fond clair : c'est un chant (dans la bande dessinée *Krazy kat*). La bulle doit être lue comme paroles d'une rengaine ; une graphie inégale (...) suggère les inégalités d'une voix peu posée. Alain REY, les Spectres de la bande, p. 102.

♦ **4.** Sc. ⓐ (Mil. xxᵉ). Phys. *Chambre* à bulles.

ⓑ (V. 1980). *Bulle magnétique* ou *bulle :* domaine magnétisé minuscule, placé et circulant en très grand nombre sur un substrat plat pour constituer une mémoire de grande capacité et de faible encombrement. *Mémoire à bulles.*

♦ **5.** Enceinte stérile dans laquelle on place dès leur naissance les enfants présentant un déficit immunitaire. ⇒ **Bébé** (bébé-bulle). *Bulle d'élevage.*

DÉR. **Bullage, bullé,** 2. **buller, bulleux.** — V. **Bullaire,** 1. **buller, bulletin, bulteau.** HOM. **Bull,** 2. **bulle,** formes des v. 1. **buller,** 2. **buller.**

2. BULLE [byl] n. m. et adj. invar. — 1808 ; *bule,* 1765, « pâte à papier grossière » ; orig. obscure.

♦ **1.** Papier jaunâtre, de qualité très ordinaire. — Adj. m. invar. *Papier bulle.*

♦ **2.** Pop. Vx. Argent (monnaie).

HOM. **Bull,** 1. **bulle,** formes des v. 1. **buller,** 2. **buller.**

BULLÉ, ÉE [byle] adj. — 1834 ; de 1. *bulle.*

♦ Techn. Qui présente, contient des bulles. ⇒ **Bulleux.** — Spécialt. *Verre bullé.*

1. BULLER [byle] v. tr. — Fin xiiiᵉ ; lat. médiéval *bullare,* de *bulla.* → 1. Bulle.

♦ Relig., hist. Sceller avec une bulle. *Buller un acte.*

Au p. p. *Acte bullé. Bénéfice bullé,* conféré par une bulle.

2. BULLER [byle] v. intr. — 1951 ; de *(coincer la) bulle* (→ 1. Bulle, II., 1.).

♦ Fam. Ne rien faire. *Il bulle toute la journée.*

BULLETIN [byltɛ̃] n. m. — 1532 ; anc. franç. *bulette,* de *bulle* « sceau », avec infl. de l'ital. *bollettino* « billet ».

♦ **1.** Vx. Billet faisant part d'un avis, d'une décision, d'un événement, d'un ordre.

1   Il lui bailla incontinent un bulletin, par la vertu duquel la porte lui fut ouverte et les chevaux baillés. MARGUERITE DE NAVARRE, Nouvelles, XII, *in* LITTRÉ.

♦ **2.** (1539). *Bulletin de vote :* papier indicatif d'un vote, que l'électeur dépose dans l'urne. *Bulletin nul,* irrégulier (par modification, surcharge, etc.). *Bulletin blanc*, vierge (en signe d'abstention). *Mettre, déposer son bulletin dans l'urne. Composer son bulletin à son gré* (→ Panachage, cit.). *Compter, dépouiller les bulletins.*

♦ **3.** (1611). Certificat ou récépissé délivré à un usager. ⇒ **Reçu.** *Bulletin de bagages, de consigne. Bulletin de salaire, de paye*, comportant les indications légales concernant un travail salarié, et qui doit accompagner le paiement du salaire. ⇒ **Feuille, fiche.** *Bulletin de commande, d'expédition.* ⇒ **Bordereau, ordre.** *Bulletin de demande de remboursement. Bulletin de casier judiciaire. — Bulletin de naissance.* ⇒ **Acte.**

Loc. fam. *Avaler son bulletin de naissance* : mourir.

♦ **4.** Information émanant d'une autorité, d'une administration, et communiquée au public. ⇒ **Communiqué, rapport.** *Bulletin météorologique, bulletin météo. Bulletin militaire. Bulletin de l'armée*, faisant le récit officiel des opérations en cours. *Les bulletins de la Grande Armée.*

2 Bernard avait répondu par un petit billet de deux lignes sur un ton de général qui griffonne un bulletin en pleine bataille.
A. MAUROIS, Bernard Quesnay, XVIII, p. 106.

2.1 Toujours suspendus aux écouteurs de la radio pour capter les bulletins météo, nous continuons sagement à raser les murs, touchant un port à la moindre grimace du ciel.
Bernard MOITESSIER, Cap Horn à la voile, p. 60.

Bulletins de statistique, publiés par les offices de statistique.

Bulletin de santé, par lequel les médecins traitants rendent compte de l'état d'un personnage important.

2.2 Aussi avec quelle anxiété on attendit, au début, les bulletins de santé que publiaient les médecins de Dieppe auxquels le comte confia le malade !
M. LEBLANC, l'Aiguille creuse, p. 90-91.

Bulletin scolaire, ou, absolt, *bulletin* : rapport (généralement trimestriel) des professeurs et de l'administration, contenant les notes de travail et de conduite d'un élève. ⇒ **Carnet** (de notes). *Il a eu un bon bulletin. Montre ton bulletin à ton père.*

Article résumant et commentant des nouvelles dans un certain domaine. *Bulletin de l'étranger.*

Bulletin d'information : émission de télévision ou de radio au cours de laquelle sont données les principales informations de la journée. ⇒ **Journal** (parlé). *Le bulletin de la mi-journée.*

(1793). *Bulletin des lois* : recueil officiel des lois. ⇒ **Journal** (officiel). *Bulletin de la Bourse.* ⇒ **Cote** (des valeurs).

Revue se bornant généralement à rendre compte brièvement de certaines activités. *Le bulletin d'une association sportive. Éditer un bulletin. Bulletin scientifique, littéraire, politique.*

3 Mourlan, aux jours héroïques de l'Affaire, avait fondé un bulletin de combat, tiré à la polycopie, et qu'on se passait, alors, chaque semaine, de main en main.
MARTIN DU GARD, les Thibault, t. V, p. 285.

4 Dans cette prétention, ils *(les planistes)* s'accordaient d'ailleurs aux personnalistes et même, au-delà, aux «néo-capitalistes» de la «Société d'études et d'informations économiques» de MM. Pinot, Lambert-Ribot et Peyerimhoff, qui éditait le célèbre *Bulletin quotidien* du Comité des Forges et qui fut dans les années 20 le premier séminaire de ces nouveaux «ingénieurs politiques».
Raymond ABELLIO, les Militants, p. 57.

BULLEUX, EUSE [bylø̜, ø̜z] adj. — 1803 ; de 1. bulle.

♦ **1.** Rare. Qui présente des bulles (II., 1.). ⇒ **Bullé.**

1 (...) j'ai mal au ventre les crèmes glacées que je ne digère pas le coca-cola s'y mélange les bulles le gras bulleux la vanille blême.
Tony DUVERT, Paysage de fantaisie, p. 149.

Didact. *Sables bulleux, laves bulleuses.*

2 À peine éclairé d'une lumière diffuse, le paysage semblait comme déterré, gardant dans ses creux, dans ses fissures, sur ses pitons, des couches de lave bulleuse.
Jean CAYROL, Histoire de la mer, p. 47.

♦ **2.** Méd. Qui présente des bulles (II., 2.). *Dermatose bulleuse* (ex. : impétigo, pemphigus). *Érythrodermie bulleuse.*

Par métaphore :

3 Les alluvions des mangroves roulent leurs ventres effervescents, bulleux, cloqués de pépites gluantes et jaunes.
P. GRAINVILLE, les Flamboyants, p. 13.

BULL-FINCH [bulfinʃ] n. m. — 1862 ; attestation isolée, *ball-finch*, 1829 ; mot angl., p.-ê. altér. de *bull-fence* «clôture à taureaux».

♦ Anglic. Obstacle de steeple-chase, formé d'un talus surmonté d'une haie. — Plur. *Des bull-finches.*

(...) de sorte qu'il *(de Reixach)* se trouva à peu près au milieu de la piste et seul, devançant légèrement le second cheval, les deux autres à environ cinq mètres derrière, tous les quatre se dirigeant vers le bull-finch d'un galop maintenant moins coulé, plus saccadé (...)
Claude SIMON, la Route des Flandres, p. 152.

BULL-TERRIER [bultɛrje] n. m. — 1858 ; mot angl., de *bull(dog)*, et *terrier*.

♦ Chien d'une race anglaise, bon ratier. *Des bull-terriers.*

BULTEAU [bylto] n. m. — 1752 ; altér. de *bouleteau*, de *boule*, sous l'infl. de 1. bulle.

♦ Sylv. Arbre en boule. *Tailler des arbres en bulteau*, les étêter.

BUMPER [bœmpœr] n. m. — V. 1960, *in* Rey-Debove et Gagnon ; mot angl., de *to bump* «heurter, rebondir».

♦ Anglic. Borne ou plot sur lequel la bille métallique d'un billard électrique rebondit. ⇒ **Billard** (cit. 5 et *supra*).

BUN [bœn] n. m. — 1827, *in* Rey-Debove et Gagnon ; mot angl. d'orig. incertaine, probablt de même orig. que *bugne**.

♦ Anglic. Petit pain au lait, généralement servi avec le thé (spécialité britannique).

Elle sait que bientôt il sera temps de faire griller les « buns » et de sonner la cloche pour le thé.
N. SARRAUTE, Tropismes, p. 108.

BUNA [byna] n. m. — 1948 ; mot allemand, nom déposé ; de *bu(tadiène)*, et *Na*, symbole du sodium.

♦ Techn. Caoutchouc synthétique — de fabrication allemande — obtenu par polymérisation du butadiène en présence du sodium.

La polymérisation du butadiène étant effectuée en présence de sodium, les Allemands désignèrent tout caoutchouc qui en dérivait par le terme général de Buna (BUtadiène — NAtrium).
Jean VÈNE, les Caoutchoucs et Textiles synthétiques, p. 16.

BUNGALOW [bœ̃galo] n. m. — 1826, *in* D.D.L. ; *bungaloe*, 1808 ; mot angl., de l'hindi *bangla* «du Bengale».

♦ **1.** Maison indienne basse entourée de vérandas.

1 Les plus importantes de ces constructions ressemblent aux bungalows des Indes ; le toit est plat et s'avance de manière à couvrir une galerie extérieure, bien treillissée, basse et ombreuse, appuyée sur des poteaux.
Trad. de R. BURTON, Voyage à la cité des Saints, *in* le Tour du monde, 1862, t. VI, p. 364.

2 Joseph sauta de la carriole, prit le cheval par la bride, quitta la piste et tourna dans le petit chemin qui menait au bungalow. La mère l'attendait sur le terre-plein, devant la véranda.
M. DURAS, Un barrage contre le Pacifique, p. 15.

♦ **2.** (1925, *in* Höfler). Petit pavillon en rez-de-chaussée. *Les bungalows d'un village de vacances.*

3 La « Villa Mektoub » est la dernière habitation sur la gauche, juste à la lisière de la forêt. D'aspect, c'est un compromis entre le bungalow et le pavillon de chasse. Le long de la façade, une véranda (...) Le portail est peint à la chaux (...) Marcheret a fait édifier, tout autour du parc, une palissade en bois de teck.
Patrick MODIANO, les Boulevards de ceinture, p. 25-26.

BUNGARE [bœ̃gar] n. m. — 1829, *bongare*, Académie, *Suppl.* ; mot bengali.

♦ Zool. Serpent venimeux *(Colubridés)* de l'Insulinde, à rayures noires et jaunes, ou totalement bleu.
REM. On trouve aussi l'orthographe *bongare* [bõgar].

COMP. **Bungarotoxine.**

BUNGAROTOXINE [bœ̃garɔtɔksin] n. f. — V. 1970 ; de *bungare*, et *toxine*.

♦ Biochim. Toxine (provenant du venin du *Bungarus multicinctus*) qui entraîne une paralysie neuromusculaire. *La bungarotoxine a été utilisée pour dénombrer les sites récepteurs à l'acétylcholine.*

1. BUNKER [bunkɛr ; bunkœr] n. m. — V. 1942 ; mot all., d'abord «soute à charbon».

♦ **1.** Casemate construite par les Allemands pendant la guerre de 1939-45. *Le bunker de la chancellerie à Berlin.*

1 Les deux jeunes officiers S.S. qui montaient la garde devant la porte du bunker de Hitler fouillèrent les deux hommes pour s'assurer qu'ils ne portaient sur eux aucune arme. Puis ils s'effacèrent.
D. LAPIERRE et L. COLLINS, Paris brûle-t-il ?, I, IX, p. 39.

♦ **2.** Casemate. — Construction souterraine très protégée.

2 Les machines sombres n'hésitent pas, elles savent tout de suite ce qu'il faut faire, elles connaissent le secret des paroles qui sont aussi des actions. Elles ne veulent pas de bruit. Elles veulent du silence, de la puissance, de l'électricité. Dans leurs bunkers de béton aux murs épais, dans l'air conditionné à 20 °C qui souffle jour et nuit, les machines sombres ne connaissent pas la vie sur la terre.
J.-M. G. LE CLÉZIO, les Géants, p. 165.

2. BUNKER [bœnkœr] n. m. — 1902, *in* Petiot ; mot angl., «banc, coffre» (1738) ; p.-ê. apparenté à *bank* «talus».

♦ Anglic. Sports. Trou garni de sable, au golf.

BUNRAKU [bunraku] n. m. — xxᵉ ; mot japonais.

♦ Didact. Théâtre japonais de marionnettes, issu d'un style de narration accompagné au biwa*, le *joruri*, puis (au XVIe siècle) de l'accompagnement de shamisen*, enfin de l'utilisation de poupées articulées. *Chaque poupée du bunraku, haute de un à deux mètres, est manipulée par un maître et deux aides, tandis que des récitants disent le texte, accompagnés au shamisen. Chikamatsu Monzaemon, l'un des plus grands dramaturges japonais, est l'auteur de pièces de bunraku.*

> Le Bunraku, lui, (c'est sa définition) sépare l'acte du geste : il montre le geste, il laisse voir l'acte, il expose à la fois l'art et le travail, réserve à chacun d'eux son écriture.   R. BARTHES, l'Empire des signes, p. 73.

BUNTSANDSTEIN [buntsãtʃtajn] n. m. — 1903, *Encycl. Berthelot*, art. *Trias* ; en all., fin XVIIIe, d'après Berthelot ; mot all., de *bunt* « bigarré », et *Sandstein* « grès ».

♦ Didact. (géol.). Étage inférieur du trias. *Le buntsandstein* ou *grès bigarré.*

BUPLÈVRE [byplɛvʀ] n. m. — 1562, *bupleuron* ; du grec *boupleuron* « flanc de bœuf », de *bous*, et *pleuron*, par le latin.

♦ Bot. Plante dicotylédone *(Ombellifèracées),* à fleurs jaunes, à vertus médicinales (vulnéraire). *Buplèvre à feuilles rondes* ou *percefeuille.*

BUPRESTE [bypʀɛst] n. m. — 1372 ; lat. *buprestis,* grec *bouprêstis,* littéralt « enfle-bœuf ».

Zoologie.

♦ **1.** Coléoptère *(Pentamères)* aux couleurs métalliques, au vol léger, qui vit sur les fleurs, sur les arbres. *Larve xylophage du bupreste.*

> Nous récoltons des cailloux d'or dans le sable, les coquilles rares que le flot avait laissées, et les buprestes couleur d'émeraude sur les tamaris de la plage.
> GIDE, le Voyage d'Urien, in Romans, Pl., p. 30.

♦ **2.** Vx. Coléoptère du genre méloé.

BUQUER [byke] v. intr. — 1440 ; *buskier,* 1200 ; p.-ê. du francique **buskan,* ou forme picarde de *bûcher* « abattre du bois ».

♦ Vx ou régional. Frapper, heurter.

BURALISTE [byʀalist] n. et adj. — Fin XVIIe ; de *bureau,* p.-ê. d'après *journaliste.*

♦ **1.** N. Personne préposée à un bureau de recette, de timbres, de poste ; spécialt, personne qui tient un bureau de tabac.
Vx. Personne tenant un bureau, un guichet.

♦ **2.** Adj. *Recette buraliste :* lieu où l'on peut se procurer des timbres fiscaux, etc.

BURAT [byʀa] n. m. — 1593 ; *bural,* 1570 ; probablt de l'ital. *buratto,* lat. médiéval *buratus,* de *bura.* → Bure.

♦ Anciennt. Étoffe de laine plus grosse que l'étamine.

BURATIN [byʀatɛ̃] n. m., ou **BURATINE** [byʀatin] n. f. — 1690, in Furetière ; ital. *burattino,* dimin. de *buratto.* → Burat.

♦ Vx. Popeline dont la chaîne est de soie et la trame de laine.

BURDIGALIEN [byʀdigaljɛ̃] n. m. — 1892, créé par Ch. Depéret (d'après Haug) ; de *Burdigala,* n. lat. de Bordeaux.

♦ Didact. (géol.). Dernier âge du miocène.

1. BURE [byʀ] n. f. — 1441 ; p.-ê. du lat. pop. **bura,* pour *burra* (→ Bourre), moins probablt dér. régressif de *burrel, bureau* ; Guiraud rattache le mot (ainsi que *bureau*) à l'anc. adj. *bur* « brun foncé », du lat. *burrus* « roux ».

♦ Étoffe grossière de laine brune. ⇒ **Bureau** (I., vx), **burelle** (régional). *Culotte de bure* (→ Brun, cit. 2). *Se vêtir de bure.*

1 > Quelquefois la Mort se pare des lambeaux de la pourpre ou de la bure dont elle a dépouillé le riche et l'indigent.   CHATEAUBRIAND, les Martyrs, p. 263.

2 > Ce costume se composait d'une veste en bure brune, sans col ni poche (sauf qu'un détenu avait percé la doublure et fait ainsi une sorte de poche intérieure). Toutes les boutonnières existaient. Tous les boutons manquaient. Cette bure était très usée, pourtant elle l'était moins que celle du pantalon. Il était réparé par neuf morceaux de drap dont l'usure était plus ou moins vieille. Il y avait donc neuf teintes différentes de brun.   Jean GENET, Miracle de la rose, p. 18-19.

3 > Les chaussons sont en bure brune. La sueur les rend rigides. Le calot plat est en bure brune. Le mouchoir est rayé bleu et blanc.
> Jean GENET, Miracle de la rose, p. 19.

Par ext. Vêtement de cette étoffe. *La bure du moine, de l'ermite. La bure des carmélites.*

Par métaphore, littér. Chose brune qui couvre, enveloppe. « *La bure tenace des feuilles mortes* » (Mauriac, in T. L. F.).

DÉR. V. Bureau.
HOM. 2. Bure.

2. BURE [byʀ] n. m. — 1751, *Encyclopédie* ; mot wallon, de l'anc. haut all. *bur.*

♦ Techn. Puits vertical reliant deux galeries de mine.

HOM. 1. Bure.

BUREAU [byʀo] n. m. — 1190, *buriaus* ; *burel,* v. 1150 ; de 1. *bure* « étoffe grossière » ou, selon P. Guiraud, de l'anc. franç. *bur* « brun foncé », du lat. *burrus* « roux », comme 1. *bure.*

★ **I.** Vx. Bure*. « *Ma veste de bureau* » (G. Sand, in T. L. F.).

★ **II.** ♦ **1.** (1316). Vx ou techn. Tapis recouvrant une table. « *Le bureau de drap foncé* » (d'un orfèvre). → Bijouterie, cit. 1.

♦ **2.** (1361, « table recouverte d'un tapis »). Table sur laquelle on écrit, on travaille. *Être assis devant son bureau. Son bureau est encombré de papiers.*
Table à tiroirs et à tablettes où l'on peut enfermer des papiers, de l'argent. ⇒ **Secrétaire.** *Bureau d'acajou, de chêne. Bureau Louis XIV, Empire...* — *Bureau à cylindre :* bureau à couvercle cylindrique se rabattant sur la table. *Bureau ministre :* grand bureau luxueux comme peut en avoir un ministre. *Bureau (à) dos d'âne,* dont la partie servant à écrire est inclinée. *Table-bureau. Sous-main de bureau. S'asseoir à son bureau. Un large bureau de bois noir* (→ Bibliothèque, cit. 3).

1 > Entre les fenêtres, meuble coquet du dernier siècle, sur lequel elle écrivait les réponses aux questions pressées apportées pendant les réceptions.   MAUPASSANT, Fort comme la mort, éd. 1889, p. 88.

1.1 > (...) il essaya de situer Émile Gallet, dans le fauteuil tournant planté devant le bureau. Sur ce dernier, il y avait un encrier en métal blanc, une boule de cristal servant de presse-papier.   G. SIMENON, M. Gallet décédé, p. 48.

1.2 > (...) il s'installe à neuf heures derrière son bureau-ministre.
> Robert PINGET, Graal Flibuste, p. 58.

Déposer un projet sur le bureau d'une Assemblée, le déposer sur le bureau devant lequel est assis le président de l'Assemblée.

Fig., fam. *Cette affaire est sur le bureau,* on commence à s'en occuper.

★ **III.** ♦ **1.** (1495). Pièce où est installée la table de travail (bureau, II.), avec les meubles indispensables (bibliothèque, classeurs, etc.). ⇒ **Cabinet.** *Le bureau d'un avocat, d'un banquier, d'un homme d'affaires. Le mobilier d'un bureau.* ⇒ **Armoire, bibliothèque, cartonnier, classeur, fichier, serre-papiers, table** (et → ci-dessus, II.). *Travailler, s'installer dans son bureau. Être convoqué dans le bureau du directeur.*

1.3 > Le reporter fut introduit tout de suite dans le bureau de la direction.
> G. LEROUX, Rouletabille chez Krupp, p. 10.

2 > M. Achille installa son petit-fils dans son bureau particulier, antre obscur, encombré de registres centenaires, et lui confia des « prix de revient » à vérifier.
> A. MAUROIS, Bernard Quesnay, IV, p. 23.

Bureau des dépêches : salle où sont installés les téléscripteurs et où l'on classe les dépêches, dans un journal. — Syn. : *salle des dépêches* (terme recomm. pour remplacer l'anglicisme *desk*).

♦ **2.** Par ext. Lieu de travail des employés (d'une administration, d'une entreprise). ⇒ **Cabinet, étude** ; (pop.) **boîte, burlingue.** *Les bureaux d'une administration, du ministère, de la préfecture, de la mairie... Les bureaux d'une société.* ⇒ **Direction, service** (caisse, comptabilité, contrôle, secrétariat...). *Frais de bureau. Personnel d'un bureau.* ⇒ **Chef, commis, dactylographe, employé, garçon, huissier, secrétaire.** *Heures de bureau. Ouverture, fermeture des bureaux. Aller au, à son bureau. Sortir du bureau à cinq heures. Travailler dans un bureau.*

2.1 > Sans aucun souci du lendemain, dans un bureau clair et moderne, je passe mes jours.   Francis PONGE, le Parti pris des choses, I, le Monologue de l'employé, p. 17.

DE BUREAU. *Meubles, fournitures de bureau ; articles de bureau :* matériel utilisé dans les bureaux (pour écrire, ranger, reproduire des documents, etc.). *Calculateur de bureau. Chaise, table de bureau* (aussi au sens III., 1.). « *Une petite table de bureau supportant des paperasses* » (C. Simon, le Palace). — *Travail de bureau. Informatique de bureau.* ⇒ **Bureautique.**
Le bureau, les bureaux, en tant que lieu de travail (opposés aux *champs,* à *l'usine).* ⇒ **Secteur** (tertiaire).
Loc. *Homme de bureau,* qui se consacre à sa vie de bureau. ⇒ **Bureaucrate, cabinet** (homme de).

3 > Un de ces êtres minutieux qui installent dans toute leur vie l'exactitude de l'heure du bureau et l'ordre des cartons étiquetés.
> Alphonse DAUDET, Contes du lundi, II, 6.

Garçon de bureau. Employé de bureau.
Loc. *Prendre l'air* du bureau.*

♦ **3.** Établissement ouvert au public et où s'exécute un service d'intérêt collectif. *Les guichets d'un bureau.* — (Qualifié). *Bureau des hypothèques, de l'enregistrement. Bureau de déclarations de la direction générale des impôts. Bureau du cadastre. Bureau de l'état civil. Bureau d'accueil. Bureaux des changes, de douane, de l'octroi.*

4   (...) dans une laide bâtisse prétentieuse qui est une espèce de bureau d'état-civil (...)   LOTI, Mme Chrysanthème, v, p. 54.

(Av. 1770, *bureau à tabac*). **BUREAU DE TABAC,** où se fait la vente du tabac et des articles de la Régie (→ Tabac, cit. 2). *Tenir un bureau de tabac.* ⇒ **Buraliste.** *Bureau de tabac dans un café.* ⇒ **Tabac** (bar-tabac, café-tabac ; tabac).

BUREAU DE POSTE. ⇒ **Poste.**

Vx. *Bureau d'affaires.*

4.1   La diète est un bureau d'affaires pour la bureaucratie allemande ; c'est à peine et de fort loin un corps politique.
                                     J.-A. DE GOBINEAU, Correspondance avec Tocqueville, 1854, p. 215.

Succursale. *Cette compagnie de transports a des bureaux dans toute la France. Bureau à l'étranger d'un journal,* sa représentation à l'étranger.

♦ **4.** Guichet (d'une salle de spectacle). *Les bureaux d'un spectacle* (Académie). *Bureau d'un théâtre. Bureau de location, de supplément. Jouer à bureaux fermés* (toutes les places étant déjà louées), *à bureaux ouverts. Assiéger les bureaux.*

4.2   (...) trois mois de représentations pendant lesquels l'établissement de la rue Richer avait joué sans discontinuer à bureaux fermés en réalisant le maximum des recettes (...)   Guy DES CARS, la Demoiselle d'opéra, p. 251.

♦ **5.** (1557). Service (assuré dans un bureau). *Le bureau administratif, commercial. Les bureaux d'un état-major. Deuxième bureau* ou *service de renseignements. Bureau d'un ministère. Bureau des longitudes :* service effectuant des prévisions astronomiques et éditant notamment des éphémérides. *Bureau d'aide sociale :* service municipal chargé d'appliquer certaines aides d'aide sociale et de venir en aide aux personnes les plus démunies. *Bureau international du travail (B. I. T.) :* organisme administratif permanent de l'Organisation internationale du travail (O. I. T.). *Bureau de recrutement militaire.* — Vieilli. *Bureau de placement,* procurant des emplois aux chômeurs. *Bureau d'assistance, de bienfaisance, de charité. Bureau de nourrices,* qui recherchait des nourrices.

5   Tu méconnais, Comtois, ses bonnes qualités ;
    Lui, c'est un philanthrope ; il est des comités
    De secours, d'indigence ; il régit les hospices,
    La maison des vieillards, le bureau des nourrices.
                      ÉTIENNE, les Deux Gendres, I, 1, *in* LITTRÉ, Dict., art. *Philanthrope.*

Absolt. *Les bureaux* (→ ci-dessous, IV., 1.).

Bureau d'étude : établissement privé qui effectue certaines études à la demande de clients.

♦ **6.** Vx. **BUREAU D'ESPRIT :** salon ayant de grandes prétentions intellectuelles. *Tenir un bureau d'esprit.*

5.1   Cette personne s'appelle la marquise de Villeparisis. J'avoue que l'espoir de devenir l'un des habitués d'un pareil bureau d'esprit me consolerait, me ferait envisager sans ennui de renoncer à me présenter à l'Institut. Chez elle aussi on tient commerce d'intelligence et de fines causeries.
                                     PROUST, le Côté de Guermantes, Folio, t. I, p. 314.

★ **IV. ♦ 1.** (1718). Ensemble des employés travaillant dans un bureau. *La lenteur des bureaux administratifs. Tout le bureau s'est réuni.*

Absolt. *Les bureaux :* la bureaucratie*, l'ensemble des services. ⇒ **Administration** (notamment celle de l'État).

6   Ce que nous appelons la raison d'État, c'est la raison des bureaux.
                                                   FRANCE, l'Anneau d'améthyste, v.

6.1   Les Services, on en médit beaucoup. Les «Bureaux», selon le terme consacré, sont, dans tous les pays du monde, chargés des péchés d'Israël.
                                            L.-H. LYAUTEY, Paroles d'action, p. 113.

♦ **2.** Membres d'une assemblée élus par leurs collègues pour diriger les travaux. *Président, vice-président, secrétaire, trésorier du bureau. Bureau de l'Académie. Bureau d'une association, d'une société, d'un syndicat. Élire, renouveler le bureau. Faire partie du bureau. Bureau provisoire, définitif, démissionnaire. Réunion du bureau. Bureau d'une réunion publique. Bureau politique :* direction collective d'un parti ou d'une instance d'un parti, notamment dans le Parti communiste. *Bureau de cellule, de section, bureau fédéral* (fédération) ; *bureau politique* (cf. Politburo, du russe).

♦ **3.** *Bureau de vote :* section du corps électoral communal ; organisme qui préside au vote dans une section.

7   Le bureau de chaque collège ou section est composé d'un président, de quatre assesseurs, et d'un secrétaire choisi par eux parmi les électeurs.
                                                          Décret du 2 févr. 1852.

♦ **4.** Groupe de délégués chargés d'étudier une question. ⇒ **Comité, commission.** — *Bureau Veritas :* comité technique de surveillance des avions, des navires.

DÉR. et COMP. Buraliste, bureaucratie. — V. 1. Bure, burlingue.

BUREAUCRATE [byʀɔkʀat ; byʀɔkʀat] n. m. et adj. — 1790 ; de *bureaucratie.*

♦ **1.** (Sens étym.). Vx. Personne qui a le pouvoir dans un bureau ; haut fonctionnaire (cf. Balzac, Stendhal).

♦ **2.** Fonctionnaire qui attribue une importance exagérée à sa fonction et en abuse vis-à-vis du public. *Bureaucrates et technocrates.*

♦ **3.** [a] Péj. Employé de bureau. ⇒ **Gratte-papier, gratteur** (de papier), **paperassier, plumitif, rond-de-cuir, scribe, scribouillard** (→ Méticuleux, cit. 1).

Je me suis moqué des bureaucrates, et, voilà ! je suis beaucoup moins libre qu'un employé de bureau. Je suis lié comme un chien de garde.
                                     G. DUHAMEL, Chronique des Pasquier, III, XII.

Adj. *Il est trop bureaucrate. Rendre les gens bureaucrates* (→ Bureaucratiser, cit. 1).

[b] (En franç. d'Afrique). Non péj. Fonctionnaire ; personne travaillant dans un bureau.

DÉR. Bureaucratiser.

BUREAUCRATIE [byʀɔkʀasi ; byʀɔkʀasi] n. f. — Mot créé par Gournay (mort en 1759), et répandu sous la Révolution (1790) ; de *bureau,* et -*cratie.*

♦ **1.** Pouvoir politique des bureaux ; influence abusive de l'administration*. *La bureaucratie et la technocratie.*

L'appareil législatif était beaucoup plus succinct, l'administration moins ramifiée, moins touffue, la bureaucratie modeste, la paperasserie raisonnable.   1
                                     G. DUHAMEL, Inventaire de l'abîme, VII.

Chaque bureaucratie aménage (s'aménage) son espace. Elle le jalonne, le marque.   2
Il y a l'espace fiscal, l'espace administratif, l'espace juridique.
                       Henri LEFEBVRE, la Vie quotidienne dans le monde moderne, p. 296.

Ancien membre de l'exécutif de l'Internationale communiste, Souvarine était le   3
plus avancé, le plus original aussi, dans sa critique de la bureaucratie stalinienne.
                                     Raymond ABELLIO, les Militants, p. 62.

♦ **2.** *La bureaucratie :* l'ensemble des fonctionnaires considérés du point de vue de leur pouvoir (notamment dans l'État). *Une bureaucratie paperassière* (cit. 2).

Tous (ces hommes), ils appartiennent au même grand et seul parti de la bureau-   4
cratie.   Ch. PÉGUY, Situations, p. 158.

DÉR. Bureaucrate, bureaucratique.

BUREAUCRATIQUE [byʀɔkʀatik ; byʀɔkʀatik] adj. — 1796, *in* D.D.L. ; de *bureaucratie.*

♦ Propre à la bureaucratie. *Société bureaucratique. Pouvoir, impérialisme bureaucratique. Excès bureaucratiques.*

(...) ce niveau de vie record évoque désormais un tableau de travail collectif,   1
de discipline, d'organisation bureaucratique monstre, où l'initiative et la fantaisie d'autrefois sont devenues difficiles, pour ne pas dire impossibles.
                                     André SIEGFRIED, l'Âme des peuples, III, p. 177.

La loi des Parkinson, d'après laquelle les bureaux sécrètent et engendrent des   2
bureaux, ne décrit pas complètement le processus, à savoir l'organisation bureaucratique de la quotidienneté.
                       Henri LEFEBVRE, la Vie quotidienne dans le monde moderne, p. 295.

Fam. Qui évoque les bureaux, les employés de bureau. *Des attitudes, des manières bureaucratiques.*

DÉR. Bureaucratiquement.

BUREAUCRATIQUEMENT [byʀɔkʀatikmɑ̃ ; byʀɔkʀatikmɑ̃] adv. — 1961, *in* T.L.F. ; de *bureaucratique.*

♦ D'une manière bureaucratique.

BUREAUCRATISATION [byʀɔkʀatizasjɔ̃ ; byʀɔkʀatizasjɔ̃] n. f. — 1905 ; de *bureaucratiser.*

♦ Péj. Transformation en bureaucratie ; accroissement du pouvoir des services administratifs. *« La lutte du citoyen contre la bureaucratisation »* (*le Monde,* 13 avr. 1966).

Pourtant les communistes continuent follement à appliquer leur tactique «classe contre classe», qui vide leurs partis mais en facilite la bureaucratisation, la centralisation staliniennes.   Raymond ABELLIO, les Militants, p. 122.

BUREAUCRATISER [byʀɔkʀatize ; byʀɔkʀatize] v. tr. — 1876 ; de *bureaucrate.*

♦ Transformer par la mise en place d'une bureaucratie*. *Bureaucratiser un service.*

La bureaucratie bureaucratise les gens bien mieux qu'en les régentant. Elle tend   1
à les intégrer en les rendant bureaucrates (et par conséquent en faisant d'eux ses délégués dans la gestion bureaucratique de leur vie quotidienne).
                       Henri LEFEBVRE, la Vie quotidienne dans le monde moderne, p. 295.

Par ext. Soumettre à l'esprit de la bureaucratie.

Son esprit travaille, me disais-je, satisfaite de compter sur elle. Les vieux, d'habi-   2
tude, bureaucratisent l'avenir.   Violette LEDUC, Folie en tête, p. 473.

▶ **BUREAUCRATISÉ, ÉE** p. p. adj.
Transformé en bureaucratie. Conçu, organisé par un bureaucrate, comme par un bureaucrate.

Heureusement, l'excès de la jouissance débilite l'imagination comme le jugement (...) certains mariages, qui sont des débauches bureaucratisées, deviennent en même temps les monotones corbillards de l'audace et de l'invention.
CAMUS, la Chute, p. 123.

Polit. *Parti, syndicat bureaucratisé.*

DÉR. **Bureaucratisation.**

BUREAUTIQUE [byʀotik] n. f. — 1976 ; nom déposé ; de *bureau*, d'après *informatique* (mot mal formé).

♦ Ensemble des techniques (informatique, télématique...) visant à automatiser les travaux de bureau. *Il est conseil en bureautique. Salon de la bureautique.*

BURELAGE [byʀlaʒ] n. m. — xxᵉ ; de *burelé.*

♦ Techn. Fond rayé (d'un timbre-poste).

BURELÉ, ÉE [byʀle] adj. — 1235 ; de l'anc. franç. *burel* «tapis (rayé)». → Bureau.

♦ Blason. Divisé par des burelles. — Techn. (timbres). *Fond burelé,* rayé.

DÉR. **Burelage.**

BURELLE ou **BURÈLE** [byʀɛl] n. f. — xvᵉ, *burelle ; burèle,* 1631 ; de l'anc. franç. *burel* «étoffe (rayée)». → Burelé.

♦ **1.** Blason. Fasce rétrécie sur un écu. *Les burelles sont en nombre pair, de couleurs différentes, et alternent l'une avec l'autre.* ⇒ **Burelé.**

♦ **2.** Régional. Étoffe de bure*.

BURETTE [byʀɛt] n. f. — 1360 ; *bivrete,* xıııᵉ, «petite cruche» ; de *buire,* et suff. *-ette ;* Guiraud rapproche le mot de *buire, bure,* qui signifient à la fois «treillis d'osier pour pêcher, nasse» et «flacon, cruche», selon le même type d'évolution sémantique que *bourriche*, d'un roman **burius.*

♦ **1.** Liturgie. Flacon destiné à contenir les saintes huiles, ou l'eau et le vin de la messe.

♦ **2.** (1611). Petit flacon à goulot. *Les burettes d'un huilier. Burette de cristal.*
(1866). Récipient à tubulure pour verser un liquide. *Burette en cuivre. Burette de mécanicien versant goutte à goutte de l'huile de graissage.*
Chim. Récipient cylindrique en verre gradué, muni à sa partie inférieure d'un dispositif d'écoulement. *Utilisation des burettes en analyse volumétrique.*

♦ **3.** Au plur. Fam. Testicules. ⇒ **Burne, couille.** *Casser les burettes à qqn,* l'importuner (→ Casser* les pieds, les couilles...). — REM. Comme d'autres loc. fam., l'expression est assez démotivée pour pouvoir s'appliquer aux femmes.
Et je me plonge dans ma lecture, sourde aux tentatives que fait le colis *(une détenue)* pour me brancher : elle s'extasie sur mes cheveux frisés, s'apitoie sur mon âge encore tendre ; bref, elle me casse les burettes.
A. SARRAZIN, la Cavale, p. 294.

BURG [buʀg] n. m. — 1842, Hugo ; mot all., «château-fort». → Burgrave.

♦ Didact. Château fort, en Allemagne.

1   Du lac de Constance aux Sept-Montagnes, chaque crête du Rhin avait son burg et son burgrave.
HUGO, le Rhin, 1842, p. 120.

2   Puis il tourna autour d'un château médiéval, perché en haut d'une colline de sapins noirs ; de la brume blanche encerclait le burg sinistre, et les cimes neigeuses étaient immobiles à l'horizon, une muraille rose et grise.
J.-M. G. LE CLÉZIO, la Fièvre, p. 32.

BURGAU [byʀgo] n. m. — 1563, B. Palissy ; probablt mot des Antilles ; l'esp. et le port. sont postérieurs au français.

♦ Zool. Coquillage univalve nacré ; nacre de ce coquillage. *Incrustations de burgau.*

1   Des pupitres croisés en X, pareils à ceux dont nous nous servons pour feuilleter les recueils de gravures, sont dispersés çà et là et soutiennent les manuscrits du Koran ; plusieurs sont ornés d'élégantes nielles et de délicates incrustations de nacre, de cuivre et de burgau.   Th. GAUTIER, Constantinople, p. 271.

2   Dans une belle boîte incrustée de burgau, une boîte à chocolats (...)
COLETTE, Julie de Carneilhan, p. 118.

DÉR. **Burgaudine, burgauté.**

BURGAUDINE [byʀgodin] n. f. — 1701 ; *burgadine,* 1654 ; de *burgau.*

♦ Techn. Nacre fournie par le burgau.

BURGAUTÉ, ÉE [byʀgote] adj. — 1884 ; de *burgau.*

♦ Didact. et rare. Incrusté de nacre. — *Nacre burgautée,* qui ressemble à la nacre du burgau.
Par un plafond d'albâtre et des lampes d'argent tombe une lumière mate, que tout absorbe, sauf les plateaux de nacre burgautée, qui la renvoient en jouant.
Paul MORAND, Bouddha vivant, p. 126.

BURGRAVE [byʀgʀav] n. m. — 1482 ; *bour(ch)grave,* 1413 ; all. *Burg-Graf* «comte d'une forteresse», de *Burg ;* cf. *Burg* et *Graf* «comte».

♦ **1.** Hist. Dans le Saint Empire, Commandant d'une ville ou d'une citadelle (fonction, puis titre nobiliaire). ⇒ **Burg** (cit. 1). *Les Burgraves,* drame de V. Hugo.

♦ **2.** Fam., vx. Vieillard à idées arriérées. ⇒ **Barbon.** — REM. Sens en usage dans la deuxième moitié du xıxᵉ s.

DÉR. **Burgraviat.**

BURGRAVIAT [byʀgʀavja] n. m. — 1550 ; de *burgrave.* Didactique.

♦ **1.** Dignité de burgrave.

♦ **2.** Territoire soumis à l'autorité d'un burgrave.

BURIN [byʀɛ̃] n. m. — 1420 ; ital. *burino,* du longobard **boro* «forêt», à rapprocher de l'all. *bohren* «percer».

♦ **1.** Ciseau d'acier que l'on pousse à la main et qui sert à graver, à couper les métaux. *Ciseler, sculpter, tailler au burin. Variétés de burins.* ⇒ **Bédane, charnière, drille, échoppe, guilloche, onglette, pointe** (pointe-sèche). *Graver au burin* (→ Airain, cit. 2).

Ah! si j'osais attaquer le bois directement avec le burin, sans me refroidir à le   0.1
dessiner d'abord ! Je n'indique d'ailleurs au crayon que l'ébauche, le burin peut ensuite avoir des trouvailles, des énergies et des finesses inattendues.
ZOLA, Paris, p. 203.

On pense si la signature de celui qui signait au burin les violons Hartford était   0.2
superbe.   GIRAUDOUX, les Aventures de Jérôme Bardini, p. 114.

Loc. fig. Littér. *Graver au burin :* marquer de façon indélébile.

Il est des esprits qui ne voient bien les choses qu'après qu'elles sont passées. Mais   1
alors, rien ne leur échappe, les moindres détails sont gravés au burin.
R. ROLLAND, Jean-Christophe, Le Buisson ardent, ı, p. 1258.

♦ **2.** Gravure au burin. *Livre illustré de burins du xvıııᵉ siècle.* Procédé de gravure utilisant le burin. *Le burin et l'eau-forte.*

♦ **3.** Par métonymie. Littér. Manière de graver. *Avoir le burin léger, ferme, net, spirituel.*

Il *(l'original du portrait)* était gravé d'un burin tout de flamme.   2
CORNEILLE, Poésies diverses, 9.

♦ **4.** Techn. (Même valeur sémantique que 1.). Ciseau d'acier (souvent mécanique) pour couper les métaux, dégrossir les pièces. — Gros épissoir de calfat.
Chir. Instrument à extrémité biseautée tranchante, pour entailler l'os.

DÉR. **Buriner.**

BURINAGE [byʀinaʒ] n. m. — 1881, «travail au burin» ; de *buriner.*

♦ Techn. Action de buriner (les métaux), d'enlever les bavures des pièces.

BURINÉ, ÉE [byʀine] adj. — xıxᵉ ; p. p. de *buriner.*

♦ Techn., arts. Gravé au burin. — Fig., cour. *Visage buriné ; traits burinés,* marqués et énergiques.

BURINER [byʀine] v. — 1554 ; de *burin.*

★ **I.** V. tr. ♦ **1.** Graver au burin. *Buriner une planche.*

Sinon, mon très cher frère, je te séquestre, te torture, te tue, et ferai buriner sur ta pierre, par tes partisans : «Ci-gît un martyr».
VILLIERS DE L'ISLE-ADAM, Tribulat Bonhomet, p. 117.

Techn. Travailler au burin (les métaux).

♦ **2.** (1798). Littér. Fig. Écrire d'un style énergique et profond. *« Tacite n'écrit pas, il burine l'histoire »* (Académie).

★ **II.** V. intr. (1888, Villatte). Fam., vx. Travailler sans relâche, avec application. ⇒ **Bûcher.**

DÉR. **Burinage, buriné, burineur.**

BURINEUR, EUSE [byʀinœʀ, øz] n. — 1877 ; «graveur», 1599 ; de *buriner.*

★ **I.** ♦ **1.** Techn. Ouvrier spécialisé dans le burinage des pièces métalliques.

> Quoique fort laborieux *(Jules Renard)*, il produit peu, et surtout peu à la fois, semblable à ces patients burineurs qui taillent l'acier avec une lenteur géologique.
> R. DE GOURMONT, le Livre des masques, p. 108.

♦ **2.** (1907). Fam., vieilli. Personne qui travaille dur. ⇒ **Bûcheur.**

★ **II.** N. m. (Av. 1867). Techn. Outil utilisé pour buriner. ⇒ **Burin.**

1. BURLESQUE [byʀlɛsk] adj. et n. — 1666, n. m., «ouvrage burlesque»; *bourrelesque*, 1594, *Satire Ménippée*; ital. *burlesco*, de *burla* «plaisanterie».

♦ **1.** Littér. D'un comique extravagant et déroutant. ⇒ **Bouffon, comique, loufoque.** *Une histoire burlesque. Chansonnette burlesque. Coq-à-l'âne, jeu de mot burlesque. Invention burlesque. Peinture d'une scène burlesque.* ⇒ **Bambochade, caricature, charge.** *Farce burlesque.* ⇒ **Pantalonnade.** *Travestissement, accoutrement burlesque. Pantin burlesque. Film burlesque* (→ ci-dessous, 3., *le burlesque*).

1   J'aime mieux Bergerac et sa burlesque audace
> Que ces vers où Motin se morfond et nous glace.
> BOILEAU, l'Art poétique, IV.
REM. Ici, le sens général est confondu avec le sens littéraire (→ ci-dessous, 3.).

2   Enfin on peut compter plus de mines burlesques
> Que Callot n'en grava jamais dans ses grotesques.
> SANLECQUE, Poème sur le geste, *in* LITTRÉ.

3   Dans certains sermons burlesques, un homme prêche tandis que l'autre fait des gestes.
> VOLTAIRE, Instit. phil., 125.

Par ext. Tout à fait ridicule et absurde. ⇒ **Grotesque.** *Quelle idée burlesque! Son explication, ses justifications sont tout simplement burlesques.*

♦ **2.** N. m. Caractère d'une chose burlesque, absurde et ridicule. *Cela tient du burlesque. Mêler le burlesque et le tragique.*

4   Ce fut le burlesque au milieu de la terreur, contraste fréquent dans les choses humaines.
> BALZAC, Une ténébreuse affaire, Pl., t. VII, p. 526.

Genre cinématographique d'un comique rapide fondé sur des situations concrètes et utilisant de nombreux gags*. ⇒ **Slapstick.**

4.1   Rien ne nous retint de goûter le genre nouveau qui venait de naître en Amérique : le burlesque. Les derniers Buster Keaton, les derniers Harold Lloyd, les premiers Eddie Cantor prolongeaient, d'ailleurs avec charme, la vieille tradition comique (...)
> S. DE BEAUVOIR, la Force de l'âge, p. 115.

♦ **3.** (Mil. XVIIᵉ). Hist. littér. *Le genre burlesque,* ou, n. m., *le burlesque,* parodie de l'épopée consistant à travestir, en embourgeoisant, des personnages et des situations héroïques (à l'inverse du genre héroï-comique*). *Virgile travesti, de Scarron, est un poème burlesque. Style burlesque,* propre à ce genre. *Mot burlesque,* propre au genre burlesque.

5   Le burlesque était tantôt un jeu de l'imagination bouffe, tantôt un goût de reproduire avec exactitude les choses triviales.
> FAGUET, XVIIᵉ s., Études littéraires, p. 273.

Auteurs burlesques. — N. *Les burlesques de la période baroque.* ⇒ **Grotesque** (→ aussi ci-dessus, cit. 1, Boileau).

CONTR. Dramatique, grave, sérieux, tragique, triste.
DÉR. Burlesquement. — V. 2. **Burlesque.**

2. BURLESQUE [byʀlɛsk] n. m. — 1935, *in* D.D.L.; mot américain, empr. au franç. 1. *burlesque.*

♦ Anglic. Aux États-Unis, Cabaret ou revue de music-hall présentant des femmes dévêtues (correspond à peu près au «français» strip-tease*).

BURLESQUEMENT [byʀlɛskəmɑ̃] adv. — 1690; de 1. *burlesque.*

♦ D'une manière burlesque. ⇒ **Comiquement; absurdement, cocassement, grotesquement, ridiculement.**

> Il faut pleurer d'être dans un pays *(la Provence)* où l'on porte le deuil si burlesquement.
> Mᵐᵉ DE SÉVIGNÉ, 442, 9 sept. 1675.

CONTR. Gravement, sérieusement, tristement.

BURLINGUE [byʀlɛ̃g] n. m. — 1877, *in* Esnault; de l'argot *burlin* (v. 1836; dimin. de *bureau*), et suff. péjoratif.

♦ **1.** Fam. Bureau (lieu de travail).

1   (...) le sous-chef est sorti de son burlingue pour prendre le registre des mains du brigadier, il va sûrement lui demander si tout le monde s'est bien tenu.
> A. SARRAZIN, la Cavale, p. 408.

2   Ne soupçonnant pas qu'un œil admiratif l'épinglait chaque jour sur le trajet qui le menait de la caserne au burlingue (...)
> R. QUENEAU, le Dimanche de la vie, p. 11.

♦ **2.** Argot. Ventre. ⇒ **Buffet.** *Il a reçu deux bastos dans le burlingue.*

BURNE [byʀn] n. f. — 1888, *in* Esnault; mot rouchi, «nœud, excroissance d'un arbre», par anal. de forme.

♦ (Au plur.). Fam. et vulg. Testicules. ⇒ **Burette, couille.**

> Avec les autres matelots, en mer, il avait dit qu'à Brest il irait se vider les burnes et cette nuit il ne songeait même pas qu'il aurait dû baiser la fille.
> Jean GENET, Querelle de Brest, p. 182.

Casser les burnes à qqn, l'importuner. *Tu nous casses les burnes!*

BURNOUS [byʀnus] n. m. — 1735; *bornoz,* et nombreuses var., 1686; *albernoux,* 1478; arabe *bŭrnŭs* «sorte de manteau».

♦ **1.** Grand manteau de laine à capuchon (en usage dans les pays arabes du Maghreb). *Burnous blanc. Le burnous était porté par les régiments de spahis.*

> Je n'ai pas parlé à Alcassar de la visite au pacha dans sa tente. La selle à sa droite, son sabre sur son matelas blanc, couvertures; un homme à ses pieds dormant enveloppé dans un burnous noué par derrière.
> E. DELACROIX, Journal, 11 mars 1832.

> Il *(notre hôte)* porte deux burnous, un noir par-dessus un blanc.
> E. FROMENTIN, Un été dans le Sahara, I, p. 18.

> (...) sous un amoncellement de burnous et de couvertures, Paul et moi, nous avions l'air de deux boyards.
> GIDE, Si le grain ne meurt, II, 2.

Loc. fam. *Faire suer* le burnous.

♦ **2.** Cape très enveloppante, à capuchon (notamment pour les jeunes enfants). *Burnous de bébé.*

> Son chapeau de paille nacrée avait une garniture de dentelle noire. Le capuchon de son burnous flottait au vent (...)
> FLAUBERT, l'Éducation sentimentale, II, IV.

BURON [byʀɔ̃] n. m. — 1611; *buiron,* 1772; du germanique *bûr* «hutte, cabane». → 2. **Bure.**

♦ Régional (Auvergne). Petite cabane de berger, et, spécialt, petite fromagerie.

> On voit partout *(sur le Puy-de-Dôme)* les burons ou les chalets de l'Auvergne.
> CHATEAUBRIAND, Clermont, 120.

DÉR. **Buronnier.**

BURONNIER [byʀɔnje] n. m. — D. i. (le mot n'est pas dans Littré, contrairement à ce qu'indique Wartburg); de *buron.*

♦ Régional. Berger qui fabrique artisanalement des fromages dans un buron.

BURSAIRE [byʀsɛʀ] adj. et n. f. — 1800, *in* Boiste; du lat. bot. *bursaria,* de *bursa* «bourse».

Didactique.

♦ **1.** Adj. Qui a la forme d'une bourse.

♦ **2.** N. f. ⓐ Bot. Arbrisseau d'Australie.

ⓑ (Lamarck, 1809). Zool. Genre d'infusoires.

BURSAL, ALE, AUX [byʀsal, o] adj. — 1553, Rabelais; du rad. du lat. *bursa, byrsa.*

♦ Hist. Qui porte création d'impôts exceptionnels (sous l'Ancien Régime). *Édits bursaux.*

1. BUS [bys] n. m. — 1893, *in* D.D.L.; abrév. de *omnibus.*

♦ **1.** Véhicule automobile de transport en commun, dans une zone urbaine. ⇒ **Autobus.** *Prendre le bus. Attraper le dernier bus. Arrêt de bus. Chauffeur de bus. Ticket de bus.*

> Il n'y avait pas de moyens de transport, pas de métro, pas de bus.
> Jean FERNIOT, Pierrot et Aline, p. 136.

Par métonymie. Trajet de bus. *Combien coûte le bus pour...?*

♦ **2.** Anglic. Véhicule de transport en commun interurbain. ⇒ **Car.** *Traverser l'Inde en bus.*

COMP. Minibus.
HOM. 2. **Bus.**

2. BUS [bys] n. m. — Mil. XXᵉ; de l'angl. *omnibus.*

♦ Inform. Conducteur commun à plusieurs circuits permettant de distribuer des informations ou des courants d'alimentation.

HOM. 1. **Bus.**

-BUS Élément, de *autobus,* indiquant un moyen de transport collectif (ex. : *airbus, minibus, trolley-bus*) ou un véhicule affecté à un usage particulier et public (ex. : *bibliobus*).

BUSAIGLE [byzɛgl] n. m. — 1845; de 1. *buse,* et *aigle.*

♦ Zool. Buse dont les tarses sont empennés.

BUSARD [byzaʀ] n. m. — 1174, *busart;* de l'anc. franç. *bu(i)son.*
→ 1. Buse.

♦ Oiseau rapace diurne *(Falconidés),* à longues ailes et longue queue. *Busard des roseaux; busard des marais* (⇒ **Harpaye**), *busard cendré. Le busard vit dans les endroits très découverts.*

Brasselier sent la panique l'envahir, comme le flamant rose survolé par le busard (...)   René FLORIOT, La vérité tient à un fil, p. 5.

BUSC [bysk] n. m. — 1611; *buste, buz,* 1545; ital. *busto,* avec infl. de l'ital. *busco* «brindille», de même racine que *bûche.* → Bûche, bush.

♦ **1.** Ancient. Lame de métal, d'ivoire, étroite et flexible, qui sert à maintenir le devant d'un corset. ⇒ **Baleine.**

1 Un coup de busc sec sur les doigts qui s'émancipent vaut bien un coup de votre rapière.   Th. GAUTIER, le Capitaine Fracasse, t. II, x.
2 (...) et des petits pieds, je n'en ai jamais vu de pareils, ils ne sont pas plus larges que son busc.   BALZAC, la Cousine Bette, i, Pl., t. VI, p. 240.
Corset maintenu par des baleines. *Porter un busc.*

♦ **2.** Techn. Coude de la crosse d'un fusil.

♦ **3.** (1751). Techn. Saillie contre laquelle viennent buter les portes d'une écluse.

DÉR. Busqué, busquière. — V. 1. Busquer.

1. BUSE [byz] n. f. — 1460; de l'anc. franç. *buson, buison,* du lat. *buteo, -onis.* → Busard, butor.

♦ **1.** Oiseau rapace diurne, aux formes lourdes, qui se nourrit de rongeurs. *Buse pattue.* ⇒ **Busaigle.** *Buse bondrée.* ⇒ **Bondrée.** *Buse des marais.* ⇒ **Busard** (B. harpaye). *Des buses planaient* (→ 2. Planer, cit. 3).

1 (...) la buse des bois cramponnée à sa maîtresse branche *(du bouleau)* pour guetter les perdreaux couplés.   M. GENEVOIX, Forêt voisine, p. 55.

♦ **2.** (1545). Fig., fam. Personne sotte et ignorante. ⇒ **Âne, balourd, bête, crétin, cruche.** *Dès qu'on lui parle, il prend une tête de buse.* — (En appellatif). *Triple buse!*

2 Pas une buse diplomatique qui ne se crût supérieure à moi de toute la hauteur de sa bêtise.   CHATEAUBRIAND, Mémoires d'outre-tombe, ii, 2.
3 (...) dites-lui que l'examinateur qui m'a interrogé en octobre, sur la cosmo, était une buse (...)
                                  BERNANOS, Lettres à l'abbé Lagrange, déc. 1904, *in* Œ. roman., Pl., p. 1725.
Adj. *Il est vraiment trop buse!*
4 Je le regarde alors de tout près ce petit rageur... Il me paraît moins buse que les autres à la réflexion... Je le saisis! hop! je l'entraîne!...
                                  CÉLINE, Guignol's band, p. 307.

COMP. Busaigle.
HOM. 2. Buse, formes du v. buser.

2. BUSE [byz] n. f. — xiiie; p.-ê. moy. néerl. *bu(y)se* ou de l'anc. franç. *busel* «tuyau», du lat. *bucina.* → Buisine.

★ **I.** ♦ **1.** Conduit, tuyau. *Buse en ciment. Buse d'aérage,* dans les mines. *Buse d'injection.* ⇒ **Trémie.** *Buse de carburateur* : pièce formant un étranglement qui accroît la dépression. ⇒ **Venturi.** *Buse aspiratrice. Buse d'un arroseur. Buse d'arrosage à gicleur interchangeable.*
Techn. Canal qui amène l'eau d'un bief de moulin sur la roue. Tuyau d'aération d'un puits de mine. *Buse d'aérage.*
Tuyau adapté à la tuyère d'un haut fourneau.

♦ **2.** Régional. Tuyau de poêle.

★ **II.** ♦ Régional (Belgique; du wallon *buse* «chapeau haut-de-forme»; cf. Tuyau de poêle). Échec aux élections; échec à un examen. *Attraper une buse.*

DÉR. Buser, busette.
HOM. 1. Buse, formes du v. buser.

BUSER [byze] v. tr. — D. i.; de 2. *buse* (II.).

♦ Régional (belgicisme). Fam. Recaler, faire échouer.

L'après-midi, il fait passer des examens. N'ai busé personne. À quoi bon!
                                  Marianne PIERSON-PIERARD, Premier été sans Fabienne, p. 15 (1975).
Passif et p. p. *Être busé aux élections, à un examen. Candidat busé.*

BUSETTE [byzɛt] n. f. — 1905; «canal, conduit», 1313; de 2. *buse.*

♦ Techn. Orifice d'une poche de coulée; son garnissage en matières réfractaires (en métallurgie).

BUSH [bœʃ] n. m. — 1860, *in le Tour du monde;* mot angl., proprt «broussailles».

♦ Anglic. (Géogr.). Association végétale des pays secs (Afrique orientale, Madagascar, Australie), formée de buissons serrés et d'arbres isolés. *Maquisards réfugiés dans le bush. Ferme dans le bush.*

1 Sur le bord de la galerie forestière, quantité d'arbres fleuris (...) Puis, dans le bush, d'autres arbustes isolés (...) les herbes, depuis les dernières pluies, ont atteint déjà près d'un mètre de haut.   GIDE, Retour du Tchad, viii, Pl., p. 999.
2 La plupart d'entre eux furent dirigés sur les Montagnes Bleues, d'autres s'engagèrent pour défricher le «bush», la pouilleuse forêt australienne, et quelques-uns, attirés par les fallacieuses promesses des nouveaux placers de l'hinterland, se perdirent définitivement.   Jean RAY, les Derniers Contes de Canterbury, p. 190.
3 Le paysage qui se découvre sous nos pieds a quelque chose d'irréel. Pas de vastes prairies, pas de zones cultivées, c'est le bush à l'infini, une grandiose solitude plus angoissante que la nudité du Sahara, car ce paysage où tout respire la vie est vide d'humanité.   R. FRISON-ROCHE, Nahanni, p. 82.

BUSHI [buʃi] n. m. invar. — D. i; mot japonais.

♦ Hist. Guerrier japonais de l'époque féodale, seigneur féodal. ⇒ **Samouraï.** *Il est né dans une famille de bushi. Code d'honneur du bushi.* ⇒ **Bushido.**

À partir de 1615 furent promulguées les «lois pour les maisons militaires» (...) régulièrement complétées et précisées par la suite, elles fixèrent les limites sévères dans lesquelles pouvait s'exercer l'autorité — par d'autres côtés inquiétante — des *bushi.* Si le *bushi* pouvait décider souverainement de la vie ou de la mort de ses sujets roturiers, il lui était interdit d'effectuer, sans l'autorisation du shōgun, la moindre réparation sur son château (...)
                                  D. et V. ÉLISSÉEFF, la Civilisation japonaise, p. 114.

DÉR. Bushido.

BUSHIDO [buʃido] n. m. — D. i.; mot jap., de *bushi.* → Bushi.

♦ Hist. Ensemble des préceptes qui constituent la morale du bushi* japonais (mot répandu en Occident par l'enseignement des arts martiaux, et généralement dévié de son sens).

BUSINE [byzin] n. f. ⇒ **Buccin.**

BUSINESS [biznɛs] n. m. — 1876, *in* Höfler; mot angl., de *busy* «affairé»; cf. les graphies en *bis-, biz-,* adaptations orales.
Anglicisme.

♦ **1.** Vx. Travail, affaires. ⇒ **Bisness** (1.). *Il est dans le business.* ⇒ **Négoce.**
Argot. Prostitution. ⇒ **Bisness** (2.).

1 (...) Marinette parlait business maintenant, de la chaude soirée qui se préparait pour ses perruches, l'*Ile-de-France* ayant le matin même déposé au Havre un contingent d'amerloques (...)   Albert SIMONIN, Touchez pas au grisbi, p. 183.

♦ **2.** Mod. *Le big business* [bigbiznɛs] : le monde des affaires, du grand capitalisme. *Un patron du big business américain.* «*Sous la pression conjuguée du* big business *et des syndicats, les États-Unis (...) commencent à fermer leurs frontières*» (*le Nouvel Obs.,* 31 oct. 1977).

2 La haine des races, attisée exprès par le big business, se conforme à l'ancien précepte de l'empire romain : divide et impera (...)
                                  Roger NAÏM, l'Ère des truands, p. 190.

COMP. V. Businessman.

BUSINESSMAN [biznɛsman] n. m. — 1871; mot anglais.

♦ Homme d'affaires (→ Absent, cit. 7). — Plur. *Des businessmen* [biznɛsmɛn] ou *businessmans* [biznɛsman].

J'ai attendu Fitzgerald pendant une heure. Je ne pouvais pas régler l'affaire avec sa secrétaire : je veux un reçu signé par lui. Je connais les businessmen américains : je m'en méfie.   Roger NAÏM, l'Ère des truands, p. 242.

BUSINESS SCHOOL [biznɛsskul] n. f. — V. 1970; mot amér., de *business*,* et *school* «école».

♦ Anglic. Aux États-Unis, École de commerce. *Une business school prestigieuse.* «*C'est une carrière de banquier à faire rêver les jeunes loups. Mais elle ne passe par aucune business school*» (*l'Express,* 9 oct. 1972).

BUSQUÉ, ÉE [byske] adj. — xvie, *(femme) busquée* «qui porte un busc»; de *busc.*

♦ **1.** Rare. Muni d'un busc. *Corset busqué.*

♦ **2.** Littér. (Cour. en parlant du nez). Qui présente une courbure convexe, comme le devant d'un corset muni d'un busc. *Nez* busqué.* ⇒ **Aquilin, bourbonien.**

1 Très droit, le monocle levé, le nez busqué formant proue, la moustache blanche à la gauloise (...) Un profil de vieil aigle prêt à fondre du bec.
                                  MARTIN DU GARD, les Thibault, t. IV, p. 94.
2 (...) la force était dans l'accord du nez busqué et du menton presque en galoche (...)   MALRAUX, la Condition humaine, p. 68.
Techn. *Cheval busqué,* dont la tête est arquée.

♦ **3.** (1751). Techn. *Portes busquées* (d'une écluse), dont les deux vantaux forment un angle en s'appuyant l'un contre l'autre.

DÉR. V. Busquer.
HOM. 1. Busquer, 2. busquer.

1. BUSQUER [byske] v. — 1718 ; de *busc* ou de *busqué*.

★ **I.** V. tr. ♦ **1.** Anciennt. Munir d'un busc. *Busquer un corset.* — Pron. (Vx). *Se busquer :* se vêtir d'un corset à busc.

♦ **2.** (1860). Littér. Rendre courbe, arquer. ⇒ **Bomber, courber.** *Le chirurgien a légèrement busqué son nez.* — Pron. *Se busquer :* devenir busqué. *Son nez se busque.*

Rare (sujet n. de personne). Se courber, se voûter.

(...) son seigneur l'entend et se busquant un peu, pour lui faire passer le ravin de ténèbres, il l'arme intérieurement jusqu'au cœur (...)
Hélène CIXOUS, Souffles, p. 152.

★ **II.** V. intr. Techn. (en parlant des portes d'une écluse). Se fermer à angle droit.

HOM. Busqué, 2. busquer.

2. BUSQUER [byske] v. tr. — V. 1550 ; esp. *buscar* « chercher » ; lat. vulg. *buskum, d'orig. germanique. → Bûche.

♦ Vx. Loc. *Busquer fortune :* chercher fortune.

REM. On trouve une forme altérée *brusquer fortune* (av. 1571), le v. étant confondu avec *brusquer**.

HOM. Busqué, 1. busquer.

BUSQUIÈRE [byskjɛʀ] n. f. — 1690 ; de *busc*.

♦ Anciennt. Partie du corset dans laquelle on glissait le busc.

BUSSEROLE [bysʀɔl] n. f. — 1803 ; *bousserole*, 1775 ; provençal *bouisserolo*, de *bouis* « buis ».

♦ Sorte d'arbousier *(Éricacées),* arbrisseau à feuilles vertes persistantes et à baies rouges.

BUSTE [byst] n. m. — 1356 ; ital. *busto,* du lat. class. *bustum* (→ Buse) « bûcher funèbre », d'où « tombeau, monument funéraire » (orné du buste du mort).

♦ **1.** Partie supérieure du corps humain, de la tête à la ceinture. ⇒ **Torse, tronc.** *Dresser, redresser le buste. Rejeter le buste en arrière. Garder le buste droit. Se caler le buste dans un fauteuil. Buste étroit, creusé ; buste large, épanoui. Incliner le buste pour saluer qqn. Les sirènes ont un buste de femme et une queue de poisson. Se faire peindre en buste,* dans un portrait qui ne représente que le buste. *Portrait gravé en buste.* — Spécialt. Poitrine de femme, seins. ⇒ **Gorge.** *Gymnastique pour la beauté du buste.*

1   Je plongeais les yeux dans toutes les loges peuplées de femmes ; cela formait, vu d'en bas une irritante exposition de bustes à peu près sans corsage et de bras nus gantés très court.   E. FROMENTIN, Dominique, X.
2   Malgré des hanches rondes et un buste épanoui, elle paraissait mince (...)
Marcel PRÉVOST, les Demi-vierges, I, p. 5.
3   (...) il carrait les épaules, redressait et dilatait le buste.
MARTIN DU GARD, les Thibault, t. III, p. 11.
4   (...) le buste bien pris dans une robe de drap qui lui comprimait la gorge.
G. DUHAMEL, Chronique des Pasquier, III, I.
5   L'émotion l'étouffait un peu, il ramena ses mains sur les bras du fauteuil et, appuyé sur elles, il redressa le buste.   H. BOSCO, Un rameau de la nuit, p. 263.

♦ **2.** Sculpture représentant la tête d'une personne et une partie de ses épaules, de sa poitrine généralement sans les bras. *Buste antique. Buste de marbre, buste en plâtre. Buste en hermès**, dont la base est cubique. Buste en piédouche**, dont la base arrondie repose sur un pied. Buste de femme servant de figure de proue. Faire le buste de qqn. Un buste de Voltaire* (→ Pèlerinage, cit. 3).

6   C'était un buste creux, et plus grand que nature.   LA FONTAINE, Fables, IV, 14.
7   (...) vous voyez la sculpture s'altérer profondément. Les bustes impériaux ou consulaires perdent leur sérénité et leur noblesse (...)
TAINE, Philosophie de l'art, t. II, III, II.

DÉR. Bustier.

BUSTIER [bystje] n. m. — Déb. xxᵉ ; de *buste*.

♦ **1.** Didact. Sculpteur spécialisé dans les bustes. ⇒ **Statuaire.**

♦ **2.** (V. 1955). Cour. Soutien-gorge sans bretelles, dont la base enserre le buste jusqu'à la taille. *Le bustier permet le grand décolleté montrant les épaules.* — Vêtement de même forme avec ou sans bretelles. *Bustier habillé porté avec une jupe du soir.*

(...) alors il se déguise, ah ah ! une fois, à un réveillon, il mit mon bustier et mes escarpins les plus hauts.   Christine DE RIVOYRE, les Sultans, p. 88.

BUT [by(t)] n. m. — 1245 ; probablt francique *but « souche, billot » (servant à l'orig. de cible pour le tir à l'arc), de l'anc. nordique **butr-* même sens ; pour Guiraud, *but* serait une forme de *bout* et une métonymie de 1. **butte** « tertre ».

♦ **1.** Point visé, objectif. ⇒ **Cible, mire** (point de mire), **objectif, visée ; carton, silhouette.** *Viser le but. Diriger, braquer son arme vers le but. Coucher en joue le but. Atteindre, frapper, toucher le but.* ⇒ **Blanc** (tirer au blanc), **mille** (mettre dans le mille), **mouche** (faire mouche). *Manquer le but. Le projectile passa à côté, au-dessus du but. Dépasser le but, aller au-delà du but. But à éclipse, but mobile. Figurine, poupée... servant de but. Lancer un projectile vers le but.* ⇒ **Abuter.** *Tir** au but.* — Artill. *But à battre.*

1   Il peut frapper au but une fois entre mille (...)   LA FONTAINE, Fables, VIII, 16.
2   Là-bas, au large, la torpille touche le but.   COCTEAU, le Discours du grand sommeil.
2.1   Rien au monde n'est capable de l'empêcher *(la torpille)* d'atteindre exactement son but, ni d'éclater à l'heure fixée et à l'endroit fixé.
G. LEROUX, Rouletabille chez Krupp, p. 23.

Spécialt (boules). Cochonnet. *Pointer une boule vers le but.*

Loc. (1660). **DE BUT EN BLANC** (var. anc. : *de pointe en blanc, de blanc en blanc*). — Milit. *Tir de but en blanc :* tir effectué d'une butte de tir en visant le blanc de la cible par la ligne de mire sans se servir d'une hausse mobile, sans préparation. — Fig. *De but en blanc :* sans préparation, brusquement. ⇒ **Blanc** (cit. 32 et 33).

3   Écoutez, disait Mᵐᵉ Cottard, on est excusable de répondre un peu de travers quand on est interrogée ainsi de but en blanc, sans être prévenue.
PROUST, À la recherche du temps perdu, t. IV, p. 9.

Par anal. Math. *But d'une application**,* son ensemble d'arrivée.

♦ **2.** Point que l'on se propose d'atteindre. ⇒ **Terme.** *Le but de la course.* ⇒ **Arrivée.** *Courir, se ruer vers le but. Atteindre le but, toucher au but. S'arrêter au but. Le but d'une promenade, d'une expédition, d'un voyage. Atteindre le but par petites étapes. Allons voir cette petite église : ce sera un but de promenade. Marcher, se promener sans but, sans but précis* (errer, flâner...).

4   Gageons, dit celle-ci, que vous n'atteindrez point
Sitôt que moi ce but (...)   LA FONTAINE, Fables, VI, 10.

♦ **3.** **a** Chacune des deux limites avant et arrière d'un terrain de jeu, encadrées par les touches. *Le but d'un jeu de barres, d'un jeu de chat perché.* — (Même sens au sing. et au plur.). Espace déterminé que doit franchir le ballon (ou la balle, le palet) pour qu'un point soit marqué, au football, hand-ball, hockey, etc. *Barre transversale d'un but. Poteaux d'un but* (au football, on dit aussi *les bois). Filet tendu derrière le but, au football. Au basket, le but est formé par le panier** suspendu au panneau. Gardien de but.* ⇒ **Gardien, goal** (2.). *Tirer au but.* — Au plur. *Les buts. Envoyer la balle dans les buts.* ⇒ **Cage** (I., 5.). *C'est à ton tour d'aller dans les buts. Les buts adverses. Organiser la défense** des buts.*

(Football, rugby). *Ligne de but :* ligne tracée au fond du terrain, au milieu de laquelle sont dressés les poteaux du but *(poteaux de but). Surface de but,* qui se trouve devant le but. ⇒ aussi **En-but.** — (Au basket). *Zone de but :* zone qui se trouve devant le panier. ⇒ aussi **Raquette** (4.).

b (1922). Point marqué quand le ballon a pénétré le but adverse. ⇒ **Goal** (1., vx) ; et aussi **panier** (5., b). *Marquer* (cit. 22) *un but. Notre équipe a marqué trois buts. C'est l'avant-centre qui a rentré tous les buts.* ⇒ **Buteur.** *Un but marqué sur coup franc, sur pénalty. Crier : but ! Transformer un essai** en but, au rugby. Gagner par trois buts à un. Les deux équipes en étaient à un but partout à la mi-temps. Le score est de trois buts à zéro* (ou, par abrév., *de trois à zéro).*

4.1   Les coudes écartés ou les poings en avant, les plus hardis fonçaient, et une longue clameur saluait chaque « but ». C'était un jeu de grands, et les petits comme moi n'y avaient que faire.   Raymond ABELLIO, Ma dernière mémoire, t. I, p. 113.

c Loc. (Vx). **BUT À BUT :** à égalité, sans avantage, de part et d'autre. ⇒ **Également.** *Être but à but. Troquer but à but.*

♦ **4.** Fig. Ce que l'on se propose d'atteindre ; ce à quoi l'on tente de parvenir. ⇒ **Achèvement, dessein, fin, intention, objectif, objet, propos, résolution, visée, vue.** *Son but est d'obtenir..., de parvenir à..., d'accéder à... N'avoir qu'un but, n'avoir pas d'autre but que...* (cf. Ne vivre que pour...). *Chercher à atteindre deux buts à la fois* (→ Courir deux lièvres** à la fois). *Voilà son but caché, secret.* ⇒ **Motif, motivation ; cause, raison.** *Ses désirs, ses efforts, ses tentatives, ses essais tendent** à ce but, le portent vers ce but. Assigner un but à qqn.* ⇒ **Mission.** *Se proposer un but. Tendre vers le même but, vers un but commun.* ⇒ **Concorder, concourir, confluer, conspirer, converger.** *Ne considérer** que le but. Rapporter tout à un but. Viser un but. Avoir pour but qqch* (cf. En vue). ⇒ **Buter** (vx). *S'agiter, s'évertuer sans but précis.* ⇒ **Aventure** (à l'aventure). *Deviner le but caché de qqn* (cf. Où il veut en venir). *Dissimuler son but.* — Par métaphore. *Aller, avancer, marcher, cheminer, s'acheminer vers un but. Approcher du but. Remuer ciel et terre pour atteindre** le but. Tous les moyens lui sont bons pour arriver à son but. Toucher** le but, au but ; parvenir au but.* ⇒ **Aboutir ; port** (arriver au port).

Loc. *Aller droit au but, sans détour** (→ Ne pas y aller** par quatre chemins). Toucher au but, frapper au but* (Académie) : dans une affaire, trouver le point essentiel. — *Passer, dépasser son but. Être détourné de son but, être encore loin du but. But absurde, extravagant ; but coupable, criminel ; but sensé, louable ; but éloigné, distant ; but rapproché, facile à atteindre. Le but de l'existence, de la vie.* ⇒ **Raison ; destination, destinée.** *But général de l'action.* ⇒ **Direction, ligne** (de conduite). *Ne pas confondre les moyens et* les buts. ⇒ **Fin.** *Je ne sais pas le but de sa visite. — Sans but. Association sans but lucratif.*

5 L'homme croit se conduire lorsqu'il est conduit, et pendant que par son esprit il tend à un but, son cœur l'entraîne insensiblement à un autre.
LA ROCHEFOUCAULD, *Maximes*, 43.

6 Nous connaissons d'abord les choses (...) Je touche au but du premier coup, et je vous apprends que votre fille est muette. MOLIÈRE, le *Médecin malgré lui*, II, 4.

7 C'est une chose si délicate que la réputation de ces Messieurs *(les officiers)* qu'ils aiment mieux passer le but que de demeurer en chemin.
Mme DE SÉVIGNÉ, 634, 6 août 1677.

8 (...) Mon intérêt seul est le but où tu cours. RACINE, *Esther*, II, 5.

9 L'art doit se donner un but qui recule sans cesse. RIVAROL, *Notes*, p. 79.

10 Ne vous donnez pas pour but d'être quelque chose, mais d'être quelqu'un.
HUGO, *Post-scriptum de ma vie*, II.

11 On reproche aux gens qui écrivent en bon style de négliger l'idée, le but moral, comme si le but du médecin n'était pas de guérir, le but du peintre de peindre, le but du rossignol de chanter, comme si le but de l'Art n'était pas le Beau avant tout.
FLAUBERT, *Correspondance*, t. I, p. 157.

12 Quand le bonheur égoïste est le seul but de la vie, la vie est bientôt sans but.
R. ROLLAND, *Jean-Christophe*, t. VIII, p. 94.

13 Vivre sans but, c'est laisser disposer de soi l'aventure.
GIDE, les *Faux-monnayeurs*, III, 14.

14 On dédaigne volontiers un but qu'on n'a pas réussi à atteindre, ou qu'on a atteint définitivement. PROUST, À la recherche du temps perdu, t. XIII, p. 308.

15 La volonté de séduire, c'est-à-dire de dominer, les diverses manières de bander un souhait ou un ordre, de les darder vers leur but, je les sens encore élastiques (...)
COLETTE, la *Naissance du jour*, p. 75.

15.1 Dans d'autres cas, on ne peut pas dire que le véritable but fût sacrifié au but accessoire et imaginé après coup, mais le premier était tellement opposé au second que si la personne qu'Albertine attendrissait en lui déclarant l'un, avait appris l'autre, son plaisir se serait aussitôt changé en la peine la plus profonde.
PROUST, À l'ombre des jeunes filles en fleurs, *in* Folio, p. 613.

(Gramm.). *Complément de but,* marquant dans quelle intention, par quel but on accomplit l'action. *Le complément de but peut être un nom ou un verbe à l'infinitif. Conjonction de but,* introduisant les propositions finales (ou propositions subordonnées de but). *Afin que, de crainte que, de façon à ce que, de manière à ce que, de peur que, pour que, en sorte que, de sorte que, sont des conjonctions et locutions conjonctives de but.*

REM. Certaines locutions tout à fait courantes sont, ou ont été rejetées par certains puristes.

Loc. prép. **DANS LE BUT DE, DANS UN BUT... :** dans le dessein, l'intention de. *Il l'a fait dans un but tout à fait désintéressé.*

16 Par le temps actuel, il serait à craindre qu'un monument élevé dans le but d'imprimer l'effroi des excès populaires donnât le désir de les imiter (...)
CHATEAUBRIAND, *Mémoires d'outre-tombe*, III, 3.

17 Ce fut moins par vanité que dans le seul but de lui complaire.
FLAUBERT, Mme *Bovary*, III, 5.

18 Poil de Carotte (...) ne se préoccupe que de ne pas nettoyer son assiette (...) Dans ce but, il se livre à des calculs compliqués. J. RENARD, *Poil de Carotte*, Agathe.

19 (...) cette fois il ne l'avait fait que dans le but d'exaspérer son frère.
MONTHERLANT, les *Célibataires*, I, 3, p. 76.

REM. Les deux locutions sont condamnées par Littré («On n'est pas dans un but; car, si on y était, il serait atteint»), et au xxe s. par quelques puristes; elles ne sont pas signalées dans Académie, huitième éd. Cependant, *but* signifie au figuré «dessein, intention», et de même que l'on dit *dans le dessein, l'intention de...,* on doit pouvoir dire *dans le but de...* En fait, ces expressions sont couramment employées, et par les meilleurs écrivains (cf. Grevisse, no 934,10, et aussi Durrieu qui, tout en condamnant la construction, cite Mme de Staël, Chateaubriand, Hugo, Balzac, Nerval, Flaubert, Loti, A. France, etc.).

Loc. **POURSUIVRE UN BUT,** (vx) *suivre un but :* chercher à réaliser un dessein.

20 Il suit toujours son but jusqu'à ce qu'il l'emporte (...) CORNEILLE, *Nicomède*, V, 4.

REM. Autre expression condamnée par quelques puristes (notamment Durrieu, qui cite pourtant Corneille, Lamartine, Renan, etc.) mais admise par Académie, huitième éd. (art. *Poursuivre*) : «*Poursuivre un but, un avantage*».

REMPLIR UN BUT : réaliser un dessein, arriver à ses fins.

REM. Cette expression également condamnée par Littré et quelques autres est justifiée par le sens figuré de *remplir* (cf. Remplir un dessein, un devoir, ses obligations, ses promesses, etc.).

21 Il avait très industrieusement et très frauduleusement rempli son but.
SAINT-SIMON, *Mémoires*, 346, *in* LITTRÉ.

22 Je ne remplirai pas le but de ce livre. ROUSSEAU, les *Confessions*, II.

CONTR. Départ (point, ligne de départ).

DÉR. et COMP. Abuter, 1. buter, buteur, 1. butte, débuter, en-but, rebuter. HOM. Bute, 1. butte, 2. butte, formes des v. **1. buter, 2. buter, 1. butter.**

BUTADIÈNE [bytadjɛn] n. m. — 1913 ; de *buta(ne),* et *di(éthyl)ène.*

♦ Chim. Hydrocarbure éthylénique employé dans la fabrication du caoutchouc synthétique. ⇒ **Buna** (cit.).

COMP. V. **Buna.**

BUTAGAZ [bytagɑz] n. m. — xxe ; marque déposée, de *buta(ne),* et *gaz.*

♦ Gaz en bouteille (le plus souvent du butane), utilisé à des fins domestiques. *Cuisinière au butagaz.* ⇒ **Butane.**

Sur des tréteaux rudimentaires, les réchauds à butagaz supportent les alambics d'acétylisation. Roger BORNICHE, le *Ricain*, p. 337.

Réchaud alimenté par du gaz en bouteilles. *Il a fait réchauffer des conserves sur le butagaz.* ⇒ **Camping-gaz.**

BUTANE [bytan] n. m. — 1874 ; du rad. de *but(ylique),* et suff. chim. *-ane.*

♦ Cour. Hydrocarbure saturé, gazeux et liquéfiable, employé comme combustible (C_4H_{10}). *Une bouteille de butane. Cuisinière au butane.* ⇒ **Butagaz** (marque déposée). — Appos. *Gaz butane.*

DÉR. et COMP. Butadiène, butagaz, butanier, butanol.

BUTANIER [bytanje] n. m. — 1950 ; de *butane.* → Pétrolier.

♦ Techn. Navire destiné au transport du butane.

BUTANOL [bytanɔl] n. m. — xxe ; de *butane,* et suff. chim. *-ol.*

♦ Chim. Alcool butylique.

BUTANT, BUTTANT [bytã] adj. m. — xviiie ; de 1. *buter.*

♦ Archit. (Rare). Qui supporte une poussée. ⇒ 1. **Buter.** *Pilier-butant. Arc-butant.* ⇒ **Arc-boutant.**

BUTE [byt] n. f. — 1690 ; de 1. *buter.*

♦ Techn. Instrument pour couper la corne des sabots du cheval.

HOM. But, 1. butte, 2. butte, formes des v. **1. buter, 2. buter, 1. butter.**

1. BUTÉE [byte] n. f. — 1676 ; de 1. *buter.*

♦ **1.** Archit. Massif de pierre destiné à supporter une poussée. — Spécialt. Culée d'un pont (établie pour résister à la poussée des arches).

♦ **2.** Techn. et cour. Organe, pièce supportant un effort axial. *Palier de butée. Collier de butée. Vis de butée. Plaque de butée. Butée à billes :* roulement à billes absorbant une poussée. *La butée d'une porte.* ⇒ **Butoir.**

Elle ouvre la porte d'un seul coup, avec violence. Le battant frappe contre une butée de caoutchouc et revient en vibrant jusqu'à moitié course.
A. ROBBE-GRILLET, *Projet pour une révolution à New York*, p. 118.

REM. On trouve aussi la forme *buttée.*

HOM. 2. Butée, 1. buter, 2. buter, 1. butter.

2. BUTÉE [byte] ou BUTÉA [bytea] n. f. — 1832 ; lat. sc. *butea,* d'après le nom du comte de *Bute.*

♦ Plante dicotylédone (*Légumineuses-Papilionacées*) qui donne une gomme astringente. — Syn. : *arbre à laque.*

HOM. (De *butée*) 1. Butée, 1. buter, 2. buter, 1. butter.

BUTÈNE [bytɛn] ou BUTYLÈNE [bytilɛn] n. m. — 1845, *in* Cottez, *butène* ; *butylène,* 1867 ; du rad. de *butyle,* ou de *butyle,* et suff. chim. *-ène.*

♦ Chim. Hydrocarbure éthylénique (C_4H_8). *Les butènes sont utilisés pour la fabrication du butadiène, et entrent parfois dans la composition du butane.*

1. BUTER [byte] v. — 1500, Pasquier ; «toucher à ; aller jusqu'à» (en parlant d'une terre, d'une surface), 1289 ; de *but.*

★ **I.** V. intr. ♦ **1.** Vx. *Buter à :* viser à (qqch., à faire qqch.).

Toutes mes volontés ne butent qu'à vous plaire. MOLIÈRE, l'*Étourdi*, V, 2. 1

♦ **2.** Mod. *Buter contre :* heurter le pied contre (qqch. de saillant). ⇒ **Achopper, chopper, cogner, heurter.** *Buter contre une pierre, un rebord.*

Adoum reste plié en deux de rire, parce qu'un de nos pagayeurs, pris de peur et voulant reculer, a buté contre une souche et roulé à terre. 1.1
GIDE, *Voyage au Congo*, *in* Souvenirs, Pl., p. 852.

«*Pour qu'ils* (tes pieds) *ne butent pas aux pierres*» (Ramuz, *in* T. L. F.).

J'entendais ces accusations avec la rage de me sentir buter à un endroits à 1.2
partir desquels le chemin rustique et familier qu'était le caractère de Françoise devenait impraticable, pas pour longtemps heureusement.
PROUST, À l'ombre des jeunes filles en fleurs, éd. Folio, p. 564.

Absolt. ⇒ **Broncher, trébucher.**

Communément, il glissait, butait, bronchait, trébuchait de toutes les manières concevables et inconcevables, se cognait contre tous les murs (...) 2
FRANCE, le *Petit Pierre*, XXXII.

Fig. *Buter sur, contre, devant* (une difficulté, etc.) : se heurter à (une difficulté). ⇒ **Broncher.**

3   Dans la politique (...) l'Angleterre a résolu des problèmes sur lesquels ont buté tous les autres pays.   André SIEGFRIED, l'Âme des peuples, III, p. 102.

♦ **3.** (Sujet n. de chose). *Buter sur, contre* : s'appuyer sur, être arrêté, calé par. *La poutre bute contre le mur.* — On trouve aussi la forme *butter** (1. Butter, 2.).

3.1   Le mouvement de la porte butait sur une chaise d'où s'écroulaient des dossiers.   Pierre HAMP, la Peine des hommes (Moteurs), p. 12.

★ **II. V. tr. ♦ 1.** (1694). Archit. Soutenir, étayer. ⇒ **Appuyer, épauler.** *Buter un mur, une voûte au moyen d'un arc-boutant, d'une butée, d'une culée.*

♦ **2.** Vx. Contrecarrer (qqn).

♦ **3.** Mod. Réduire, acculer (qqn) à une position de refus entêté. ⇒ **Braquer.** *Tu l'as buté, on n'en tirera plus rien maintenant.*

▶ **SE BUTER v. pron.**

♦ **1.** Se heurter (à qqn, qqch.). *Se buter contre un mur. Se buter à un obstacle, à une difficulté insurmontable. Se buter dans une attitude boudeuse.*

4   (...) je ne pouvais plus mettre le pied dehors sans me buter à des gens de connaissance (...)   COURTELINE, Boubouroche, II, 1.

♦ **2.** Fig. Se fixer (à une résolution, à une attitude) avec obstination. ⇒ **Entêter** (s'), **obstiner** (s'), **opiniâtrer** (s'). *Je me bute à cette idée.*

Absolt (plus cour.). ⇒ **Braquer** (se).

4.1   (...) il se butait là, il s'était obstiné à vouloir terminer tout, avant de repeindre la figure centrale (...)   ZOLA, l'Œuvre, p. 462.

5   Car le propre de la divinité c'est l'entêtement. Si l'homme savait pousser l'obstination à son point extrême, lui aussi serait déjà dieu. Voyez les savants, et les secrets divins qu'ils arrachent de l'air ou du métal, simplement parce qu'ils se butent.   GIRAUDOUX, Amphitryon 38, III, 1.

▶ **BUTÉ, ÉE** p. p. adj. (1859, Monselet, *in* D. D. L.).
Entêté dans son opinion, dans son refus de comprendre. ⇒ **Entêté, obstiné, têtu.** *Un enfant boudeur et buté. Il est exclusif et buté dans ses opinions. Buté comme une mule. Esprit buté.* ⇒ **Borné, étroit.** *Un âne buté* (→ Brusque, cit. 6). — REM. L'adj. peut exprimer une attitude habituelle ou, au contraire, particulière à une situation. *N'insiste pas, elle est butée.*

Qui exprime cet entêtement. *Un visage, un air buté. Une mine butée.*

6   (...) ma tante Chárles, également butée et complètement imperméable aux sentiments, pensées ou intentions d'autrui.   GIDE, Journal, 18 sept. 1916.

7   Ils ne comprennent rien, ils sont là, butés, cette idiote et cet imbécile, à qui j'apporte des millions et qui au lieu de tomber à mes genoux comme je l'imaginais, discutent, ergotent (...)   F. MAURIAC, le Nœud de vipères, II, 12, p. 143.

8   (...) il y avait en nous quelque chose d'irrémédiablement buté qui nous interdisait de faire confiance aux mots.   M. YOURCENAR, le Coup de grâce, p. 243.

CONTR. Contourner, franchir (un obstacle). — **Changer** (d'avis, d'idée), **renoncer.** — (De *buté*) Changeant, versatile. — Ouvert, souple (esprit).
DÉR. **Butant, bute, 1. butée. — V. Butoir.**
HOM. **1. Butée, 2. butée, 2. buter, 1. butter.**

2. BUTER [byte] v. tr. — 1821 ; de 2. *butte,* probablt sous l'infl. de 1. *buter.*

♦ Argot. Tuer, assassiner. *Il s'est fait buter par des tueurs, par un gang adverse.*

1   On va le *buter,* répéta La Pouraille, il est depuis deux mois *gerbé à la passe* (condamné à mort).   BALZAC, Splendeurs et misères des courtisanes, Pl., t. V, p. 1057.

2   — Y a un mec qui s'est fait buter cette nuit Villa Saint-Marceau, un nommé Brignon...   H.-G. CLOUZOT et J. FERRY, Quai des Orfèvres (Scénario), 1947, *in* l'Avant-Scène, n° 29, p. 26.

3   Tu leur aurais dit il y a un an : «(...) Retourne au Basto ! Business elle est morte ! Fini Londres !...» Ils t'auraient buté Roi des folles !...   CÉLINE, Guignol's band, p. 81.

4   (...) pourquoi prendre la peine de me buter, puisque je n'existe déjà pas ?   A. SARRAZIN, l'Astragale, p. 115.

On trouve, plus rarement, la forme *butter.*

HOM. **1. Butée, 2. butée, 1. buter, 1. butter.**

3. BUTER [byte] v. tr. ⇒ **1. Butter.**

BUTEUR [bytœʀ] n. m. — Déb. xxᵉ ; de *but.*

♦ (1932, *in* Petiot). Football. Joueur qui sait tirer au but et marquer. *Notre équipe manque de buteurs.* — (Rugby). Celui qui fait la

transformation. ⇒ **Botteur.** — (1904, *in* Petiot). Serveur, à la pelote basque.

REM. Le fém. *buteuse* [bytøz] est virtuel.

HOM. **Butteur.**

BUTIN [bytɛ̃] n. m. — Déb. xvᵉ ; «partage de ce qui a été pris à l'ennemi», 1350 ; du moyen bas all. *būte ;* cf. all. *Beute.*

♦ **1.** Ce qu'on prend aux ennemis, pendant une guerre, après la victoire. ⇒ **Capture, dépouille, prise, proie, trophée.** *Un riche butin. Amasser, faire, enlever du butin.* ⇒ **Butiner** (vieilli). *Partager, distribuer le butin. Avoir part au butin.*

Les militaires regrettaient ces campagnes d'Italie qui rapportaient de l'avancement et du butin (...)   J. BAINVILLE, Hist. de France, VIII.

♦ **2.** Par ext. Produit d'un vol, d'un pillage. *Le voleur surpris a dû abandonner son butin. Part de butin.* ⇒ (argot) 2. **Fade, pied.**

Le butin se partage, *Cœur-de-fer* veut que j'aie ma portion, elle se montait à vingt louis, on me force de les prendre (...)   SADE, Justine..., I, p. 48.   1.

♦ **3.** (xvIIᵉ). Produit, récolte qui résulte d'une recherche. ⇒ **Découverte, profit.** *Le butin des dernières fouilles est très important. Le butin que rapportent les fourmis. Les abeilles* (cit. 2) *dégorgent leur butin, vont à la recherche du butin.* ⇒ **Butiner.**

(...) Se charger l'esprit d'un ténébreux butin
De tous les vieux fatras qui traînent dans les livres.   MOLIÈRE, les Femmes savantes, IV, 3.

Aussitôt nous avons mis notre butin en sûreté, et pendant la récréation de midi, nous avons pu l'inventorier à loisir.   MARTIN DU GARD, les Thibault, t. I, p. 16.

(...) dans ces clichés romantiques, il serait difficile de découvrir une note juste, un vrai butin littéraire.   A. THIBAUDET, Gustave Flaubert, p. 18.

CONTR. Perte.
DÉR. **Butiner.**

BUTINAGE [bytinaʒ] n. m. — 1380 ; de *butiner.*

♦ **1.** Vx. Action de prendre du butin à l'ennemi.

♦ **2.** (1901 ; en parlant d'un insecte). Action de butiner. *Le butinage des abeilles.*

BUTINER [bytine] v. — 1513 ; «partager ce qu'on a pris à l'ennemi», 1350 ; de *butin.*

★ **I. V. tr. ♦ 1.** Vx. Prendre comme butin. ⇒ **Piller, voler.**

La Normandie était petite et la police y était trop bonne pour qu'ils puissent butiner grand'chose les uns sur les autres.   MICHELET, Extraits historiques, p. 95.

♦ **2.** (1718). Mod. (En parlant des insectes). Visiter pour y rechercher du pollen. *Les abeilles butinent les fleurs.*

(...) il s'est assis sur une large touffe de petites fleurs des sables que butinaient des abeilles (...)   A. PIEYRE DE MANDIARGUES, la Marge, p. 9.   1.

Absolument :
Le matin, quand on est abeille, pas d'histoire, faut aller butiner.   Henri MICHAUX, Face aux verrous, « Tranches de savoir », p. 60.   1.

♦ **3.** Mod. Par métaphore ou fig. Récolter, ramasser çà et là. *Butiner quelques renseignements.* ⇒ **Glaner.** — Rare. Visiter pour se procurer certaines choses.

Oui, comme lieu de promenade, quand on est obligé de sortir, laissez-moi les cimetières (...) j'erre, les mains derrière le dos, parmi les pierres, les droites, les plates, les penchées, et je butine les inscriptions. Elles ne m'ont jamais déçu, les inscriptions (...)   S. BECKETT, Premier amour, p. 9.   1.

★ **II. V. intr. ♦ 1.** Vx. S'emparer de butin. ⇒ **Piller.** « *Les Barbares butinèrent jusque sous les murs de Constantinople* » (Chateaubriand, *in* T. L. F.).

♦ **2.** (1718 ; en parlant d'un insecte). Visiter les fleurs pour y rechercher de la nourriture. *Les abeilles butinent sur les fleurs.*

Les abeilles ne butinent qu'un temps ; après se font trésorières.   GIDE, les Nourritures terrestres, p. 81.

▶ **BUTINANT, ANTE** p. prés. et adj. *Abeille butinante.* ⇒ **Butineur.**

(...) un vrai romancier (...) apporte sa contribution à l'histoire de l'homme et de la femme. Que s'il prend un trait à l'un, que s'il emprunte à l'autre un mot, il accomplit son devoir de témoin, il joue son rôle d'abeille butinante.   G. DUHAMEL, Défense des lettres, II, V, 158.

DÉR. **Butinage, butineur.**

BUTINEUR, EUSE [bytinœʀ, øz] adj. et n. — 1845, *in* Bescherelle ; n. 1443, «officier qui garde et vend le butin» ; de *butiner.*

★ **I.** Adj. (En parlant d'un insecte). Qui butine, dont le rôle est de butiner. *Insecte butineur. Abeille* (cit. 15) *butineuse ;* (n.) *une butineuse* (→ Abeille, cit. 5). — Syn. : *butinant, ante.*

★ **II.** N. m. (Techn.). Appareil qui permet de rassembler les divers éléments d'une commande.

BUTLER [bœtlœr] n. m. — D.i.; mot anglais.

♦ Anglic. Maître d'hôtel, majordome (dans un contexte anglais).

BUTOIR [bytwar] n. m. — 1790, «boutoir à sculpter»; altér. de *boutoir*, d'après 1. *buter*.

♦ **1.** Couteau* emmanché à ses deux extrémités, et servant à racler le cuir. ⇒ **Drayoire**. *Le butoir est utilisé pour le corroyage des cuirs.*
Outil à sculpter le bois. ⇒ aussi **Boutoir**.

♦ **2.** (1845). Pièce, dispositif servant à arrêter. *Butoir d'une porte, en caoutchouc ou en métal. Butoir dans une serrure. Butoir d'une voie de chemin de fer* : obstacle artificiel adapté à l'extrémité d'une voie de garage et contre lequel viennent buter les tampons d'une locomotive, d'un wagon. ⇒ **Heurtoir**. *Butoir en béton. — Butoir d'un pare-chocs d'automobile.* ⇒ **Banane**.
Embusqués dans un hall aux verrières de rouille
Où les rails sont des parallèles qui s'embrouillent
Si bien que sur un rire de butoirs ternis
S'arrête court le roulement de mille années.
                Robert VIVIER, Embrun de l'âge, Des nuits et des jours.
Sports. Butoir artificiel : planche qui borde le cercle d'envoi, au lancer du disque, du poids. — Au saut à la perche, Dispositif dans lequel le sauteur place la pointe de la perche, pour s'enlever (syn. : *boîte d'appel*). — *Butoir servant d'appui aux coureurs de vitesse.* ⇒ **Cale, starting-block**.
HOM. Buttoir.

BUTOME [bytom] n. m. — 1783; lat. bot. *butomus*, 1694; grec *boutomos*, proprt «qui coupe la langue des bœufs».

♦ Plante aquatique *(Alismacées)* appelée communément *jonc fleuri*, aux fleurs blanches ou roses.
Le gazon s'élevait alors à cinq ou six pieds de hauteur. L'herbe avait fait place aux plantes marécageuses, auxquelles l'humidité, aidée de la chaleur estivale, donnait des proportions gigantesques. C'étaient principalement des joncs et des butomes, qui formaient un réseau inextricable, un impénétrable treillis, parsemé de mille fleurs, remarquables par la vivacité de leurs couleurs, entre lesquelles brillaient des lis et des iris, dont les parfums se mêlaient aux buées chaudes qui s'évaporaient du sol.
                J. VERNE, Michel Strogoff, p. 217.

DÉR. Butomées ou butomacées.

BUTOMÉES [bytome] ou (vx) **BUTOMACÉES** [bytomase] n. f. pl. — XVIIIe; de *butome*.

♦ Bot. Famille de plantes (ordre des *Fluviales*) qui comprend des espèces poussant au bord de l'eau et dont les fleurs durent très longtemps.

BUTOR, ORDE [bytɔr, ɔrd] n. — XIIe; du lat. *buteo, butio* (→ 1. Buse), et élément final obscur, p.-ê. de *taurus* «taureau».

★ **I.** N. m. Oiseau échassier appelé aussi *bœuf d'eau (Ardeidés),* héron des marais au plumage fauve et tacheté, dont le cri évoque le mugissement du taureau.
Par appos. *Héron butor.*

★ **II.** N., rare au fém. (1661). Fig. Personne grossière, sans délicatesse. *C'est un butor.* ⇒ **Âne, balourd, bête, cruche, ganache, lourdaud, maladroit, sot, stupide.** — En appellatif injurieux. (Cour. dans la langue class.; archaïque ou plais. en franç. mod.). *Butor!, imbécile!* — Adj. *Il est butor, grossier...* (→ ci-dessous, cit. 1).
Ce Pierre Boy était si butor, si bête, et se comporta si brutalement que, pour ne pas me mettre en colère, je me permis de le plaisanter (...)
                ROUSSEAU, les Confessions, XII.
Il y avait surtout le fils d'un entrepreneur forain (...) un butor de forme athlétique... qui mettait son orgueil à rester dernier de la classe (...)
                GIDE, Si le grain ne meurt, I, 4.
À la voir debout dans le métro parisien, le plus enragé butor lui céderait une place assise.
                G. DUHAMEL, Scènes de la vie future, XI.
CONTR. Délicat, distingué, fin, intelligent, vif.
DÉR. Butorderie.

BUTORDERIE [bytɔrdəri] n. f. — 1754, Voltaire; de *butor*.

♦ Rare. Caractère d'une personne butorde. ⇒ **Grossièreté**. *Il est d'une butorderie incroyable.*
(Une, des butorderies). Chose, action digne d'un butor.
Tout pardonnant aux autres qu'il est, on sent que son esprit a de bons yeux, et qu'il perçoit parfaitement les niaiseries, les lâchetés, les butorderies qui lui sont données à voir.   Ed. et J. de GONCOURT, Journal, 28 août 1855.

BUTTAGE [byta ʒ] n. m. — 1835, *butage*; de 1. *butter*.

♦ Hortic. Action de butter (une plante). *Le buttage de la vigne.*

BUTTANT [bytã] adj. m. ⇒ **Butant**.

1. BUTTE [byt] n. f. — V. 1375; «but d'une course», 1225; forme fém. de *but*.

♦ **1.** Petite éminence de terre. ⇒ **Colline, hauteur, mont, monticule, motte, tertre.** *Monter sur une butte. Une butte de sable. Une butte rocheuse, boisée. Les Buttes-Chaumont. La Butte rouge,* chanson de Montéhus.
Le Lido est une zone de dunes irrégulières assez approchantes des buttes aréneuses du désert de Sabbah.   CHATEAUBRIAND, Mémoires d'outre-tombe, cité par BRUNEAU, Hist. de la langue franc., t. XII, p. 307.   1
Dans notre Flandre, aussi, on baptise mont, la butte du Kemmel qui a cent mètres.
                DANIEL-ROPS, le Peuple de la Bible, II, II, p. 119.   2
Spécialt. *La Butte* : la butte Montmartre, à Paris. *Les artistes de la Butte. Ubu sur la Butte,* pièce de A. Jarry.
Il avait chanté dans des cabarets de Montmartre des poèmes volontiers lestes, dans la tradition grivoise chère à la Butte ils feraient aujourd'hui rougir un régiment de singes.   J.-L. BORY, Ma moitié d'orange, p. 56.   2.1
Géogr. *Butte-témoin* : butte représentant, sur une plate-forme démantelée par l'érosion, les restes du relief ancien. *Butte résiduelle.*
Hortic. Petit tas de terre que l'on fait au pied d'une plante. *Marcottage en butte. Faire des buttes autour d'une plante.* ⇒ 1. **Butter; buttage.**
Techn. (ch. de fer). Élévation permettant le triage «à la gravité» des wagons. ⇒ **Bosse**.
Trav. publ. *Travail en butte,* en élévation, en remblai (opposé à *en fouille).*

♦ **2.** (1451, «cible»). Tertre naturel ou artificiel auquel on adosse une cible. *Butte de tir. La butte d'un polygone d'artillerie.*
Loc. fig. *Être en butte à* : être exposé à (comme si on servait de cible). ⇒ **Flanc** (prêter le flanc), **mire** (servir de point de mire), **prise** (donner)... *Être en butte à la calomnie, aux coups de la fortune, du sort, aux attaques, à des tourments* (→ Persécuter, cit. 1), *à des vexations. Être en butte aux coups de deux parties.* ⇒ **Marteau** (être entre le marteau et l'enclume). *Mettre en butte à* : exposer à.
Ceux qui croient avoir du mérite se font un honneur d'être malheureux, pour persuader aux autres et à eux-mêmes qu'ils sont dignes d'être en butte à la fortune.
                LA ROCHEFOUCAULD, Maximes, 50.   3
Cependant je fus en butte à des vexations sans nombre (...)
                FRANCE, Pierre Nozière, I, 6.   4
Comment pourra-t-il (*le gouvernement*) être arbitre et chef s'il est lui-même en butte aux attaques justifiées d'innombrables ennemis?
                Louis MADELIN, Hist. du Consulat et de l'Empire, I, 6.   5
CONTR. Creux, dépression, fossé, plaine.
HOM. But, bute. 2. butte, formes des v. 1. buter, 2. buter, 1. butter.
DÉR. 2. Butte, 1. butter, butture.

2. BUTTE [byt] n. f. — 1821, Ansiaume; emploi métonymique de 1. *butte* «petit tertre» (sur lequel on montait l'échafaud).
Argot.

♦ **1.** Vx. Échafaud.

♦ **2.** (Senti comme déverbal de 2. *buter*). Meurtre, mort violente. ⇒ 2. **Buter.**
C'était rien que quelques farces assez méchantes, mais vrai, je voyais pas comment lui clore la gueule ainsi qu'à ses gonzes et ses gonzesses, autrement que par la butte.   Albert SIMONIN, Touchez pas au grisbi, p. 119.
HOM. But, bute, 1. butte, formes des v. 1. buter, 2. buter, 1. butter.
DÉR. 2. Buter.

BUTTÉE [byte] ⇒ 1. **Butée**.

1. BUTTER [byte] v. tr. — 1701; *buter,* 1694; de 1. *butte*.

♦ **1.** Hortic., agric. Disposer (de la terre) en petites buttes; garnir (une plante) de terre qu'on élève autour du pied. ⇒ **Chausser**. *Butter des pommes de terre. Butter un arbre.*
(...) solidement agrippé aux mancherons de son motoculteur rouge, il continue de butter des choux dans le potager.   Hervé BAZIN, Cri de la chouette, p. 89.   1
REM. On trouve plus rarement *buter.*
La mère taillait ses bananiers. Le caporal les butait et les arrosait derrière elle.
                M. DURAS, Un barrage contre le Pacifique, p. 114.   2
Au p. p. *Terres buttées* : terres amassées en petites buttes.

♦ **2.** Heurter. — REM. *Butter,* en ce sens, n'est qu'une variante orthographique rare de 1. *buter*.
(...) Couche-toi sans pudeur
Vieux cheval dont le pied à chaque obstacle butte.
                BAUDELAIRE, les Fleurs du mal, LXXX.
CONTR. Déchausser.
DÉR. Buttage, butteur.
HOM. Butée, 1. buter, 2. buter.

2. BUTTER [byte] ⇒ 2. **Buter.**

BUTTEUR [bytœʀ] ou **BUTTOIR** [bytwaʀ] n. m. — 1866, *butteur; buttoir*, 1835; de 1. *butter.*

♦ Hortic. Petite charrue utilisée pour butter (des plantes). — Outil à fer en forme de V qu'on passe entre les rangées cultivées.

HOM. **Buteur.** — **Butoir.**

BUTTURE ou **BUTURE** [bytyʀ] n. f. — 1690; de 1. *butte.*

♦ Vétér. Tumeur à l'articulation du pied d'un chien.

BUTYLE [bytil] n. m. — 1854; du rad. de *but(yrique)*, et suff. chim. *-yle.*

♦ Chim. Radical univalent de formule — C_4H_9. ⇒ **Butylique.** *L'acétate de butyle est un plastifiant.*

DÉR. **Butylène, butylique.** — V. **Butène.**

BUTYLÈNE [bytilɛn] n. m. ⇒ **Butène.**

BUTYLIQUE [bytilik] adj. — 1854; de *butyle.*

♦ Chim. Se dit des alcools, esters et composés contenant le radical butyle. *Alcool butylique* (⇒ **Butanol**), *aldéhyde butylique.*

COMP. V. **Butane, butène.**

BUTYR-, BUTYRO- Élément, du grec *bouturon*, lat. *butyrum* «beurre», entrant dans la composition de nombreux mots savants. ⇒ **Butyrique, butyromètre.**

BUTYRATE [bytiʀat] n. m. — 1816, *in* Cottez; du rad. de *butyrique*, et suff. *-ate.*

♦ Chim. Sel de l'acide butyrique.

BUTYREUX, EUSE [bytiʀø, øz] adj. — 1560; du lat. *butyrum* «beurre».

♦ Didact. Qui a l'apparence ou les caractères du beurre. ⇒ **Beurreux.**

Il restait au fond du verre après qu'on avait bu, une sorte de crème épaisse et presque butyreuse que les pailles n'aspiraient plus. GIDE, Journal, 3 juin 1905.
Taux butyreux (du lait) : contenance du lait en matières grasses (aptes à former le beurre).

BUTYRINE [bytiʀin] n. f. — 1819; du rad. de *butyrique*, et suff. *-ine.*

♦ Chim. Corps gras présent dans le beurre.

BUTYRIQUE [bytiʀik] adj. — 1816, *in* Cottez; de *butyr(o)-*, et suff. *-ique.*

♦ **1.** Didact. Qui se rapporte au beurre.

♦ **2.** Chim. *Acide butyrique* : acide organique d'odeur désagréable, présent dans le beurre rance, la sueur et au cours de certaines décompositions de matières organiques. — *Fermentation butyrique* : formation d'acide butyrique par décomposition du sucre, de l'acide lactique ou de l'amidon, due à certains micro-organismes.

DÉR. et COMP. V. **Butyle, butyrate, butyrine.**

BUTYROMÈTRE [bytiʀɔmɛtʀ] n. m. — 1855, *in* Nysten, *Addenda*; de *butyr(o)-*, et *-mètre.*

♦ Didact. (techn.). Appareil servant à mesurer la quantité de matière grasse contenue dans le lait.

BUVABLE [byvabl] adj. — 1611; *bevable*, déb. XIVe; n. m., «buveur», 1272; du rad. *buv-* de *boire.*

♦ **1.** Qui peut se boire, n'est pas désagréable au goût. *Ce vin est à peine buvable.* — Pharm. *Ampoules buvables*, à prendre par la bouche.

Il a fait une marmite de bouillon. Il n'était pas buvable. Il était infect. J. RENARD, Journal, p. 855, *in* T. L. F.

♦ **2.** Fam. (dans une tournure négative). Supportable, tolérable. *Ce type n'est pas buvable.* ⇒ **Imbuvable.**

CONTR. **Imbuvable.**

BUVANDE [byvɑ̃d] ou **BUVANTE** [byvɑ̃t] n. f. — 1564; du rad. *buv-* de *boire.*

♦ Régional. Boisson légère; piquette*. *Buvande de prunelles.*

BUVANT, ANTE [byvɑ̃, ɑ̃t] adj. — XVIIe; du rad. *buv-* de *boire.*

♦ Vx. Qui aime bien boire.

Il avait raison. C'est folie
De compter sur dix ans de sa vie,
Soyons bien buvants, bien mangeants (...) LA FONTAINE, Fables, VI, 19.

CONTR. **Sobre.**

BUVARD [byvaʀ] n. m. — 1830; «papier non collé; sous-main», 1828; du rad. *buv-* de *boire.*

♦ **1.** Sous-main garni d'un papier spécial, non collé, qui boit l'encre; feuille de buvard (2.).

(...) elle a soulevé le buvard et lu le nom de Loselée sur le feuillet que j'avais trouvé et laissé là (...) Pensive et triste, Mme Millichel referma le buvard. H. BOSCO, Un rameau de la nuit, p. 174.

Chose singulière, lui qui avait plutôt une écriture petite et brouillonne, s'appliquait, cette nuit-là, à des caractères très nets, et, sans doute, craignait-il de faire des pâtés, car il n'avait pas plutôt tracé quelques mots qu'il prenait grand soin de les faire sécher sur le buvard qui garnissait le pupitre. G. LEROUX, Rouletabille chez Krupp, p. 182.

Buvard-réclame : feuille de papier buvard portant une inscription publicitaire.

♦ **2.** (1867). *Papier buvard* (ou, vx, papier brouillard*) ou *buvard* : ce papier; feuille de ce papier. *Sécher une lettre avec un buvard. Acheter du buvard.*

Enfin, nous avons appris comment Rouletabille avait mis à profit cette station répétée de Serge devant le pupitre de la porte B pour faire tenir au Polonais, par le truchement d'un papier buvard, les instructions nécessaires à une entreprise dont nous verrons les résultats. G. LEROUX, Rouletabille chez Krupp, p. 191.

Tampon buvard. ⇒ **Tampon** (cit. 0.1 et *supra*).

DÉR. **Buvarder.**

BUVARDAGE [byvaʀdaʒ] n. m. — Attesté 1965; de *buvarder.*

♦ Fam. Action de buvarder. — Trace laissée par l'encre sur un buvard. «*Le terne sous-main imbibé de mille buvardages*» (A. Sarrazin, *in* D. D. L.).

BUVARDER [byvaʀde] v. tr. — XXe; de *buvard.*

♦ Fam. Sécher avec un buvard. *Buvarder une lettre.*

Avec soin, elle buvarda la page et referma son journal à clef. Cécil SAINT-LAURENT, Clarisse, p. 36.

DÉR. **Buvardage.**

BUVEAU [byvo] n. m. ⇒ **Biveau.**

BUVÉE [byve] n. f. — 1700; *bevée* «coup à boire», XIIe; du rad. *buv-* de *boire.*

♦ Agric. (Régional). Breuvage composé de son et de farine, destiné au bétail (cf. Henri Pourrat, *Gaspard des montagnes, in* T. L. F.).

BUVERIE [byvʀi] n. f. ⇒ **Beuverie.**

BUVETIER, IÈRE [byvtje, jɛʀ] n. — 1586; de *buvette.*

♦ Vx. Personne qui tient une buvette. ⇒ **Cafetier.**

Il n'y avait pas d'autre Buvetier que le Juge. RESTIF DE LA BRETONNE, la Vie de mon père, p. 50.

BUVETTE [byvɛt] n. f. — 1534; du rad. *buv-* de *boire.*

♦ **1.** Vx. Action de boire. *Faire une petite buvette.* ⇒ **Beuverie** (vx).
(1611). Réunion où l'on boit (aux XVIIe et XVIIIe siècles).

♦ **2.** (1624). Mod. Dans certains établissements publics, Petit local ou comptoir où l'on sert à boire. ⇒ **Bar, café.** *La buvette d'une gare.* ⇒ **Buffet.** *La buvette de la Chambre, du Palais.*
Endroit où l'eau thermale est proposée à la consommation, où l'on peut la boire, dans une station de cure.
Petit café modeste. *La buvette d'un hameau de campagne.*

Sous le fallacieux prétexte d'acheter le cheval, Moravagine entraîne le vieux

cocher chez tous les maquignons, dans tous les quartiers, dans toutes les rues. Ils font toutes les maisons de thé, toutes les buvettes, roulent de bar en traktir.
B. CENDRARS, Moravagine, *in* Œ. compl., t. IV, p. 167.

Débit de boissons non permanent. *La buvette d'une fête foraine. Une buvette en planches.*

2 Emma voulut sortir ; la foule encombrait les corridors, et elle retomba dans son fauteuil avec des palpitations qui la suffoquaient. Charles, ayant peur de la voir s'évanouir, courut à la buvette lui chercher un verre d'orgeat.
FLAUBERT, Mme Bovary, II, XV.

DÉR. Buvetier.

BUVEUR, EUSE [byvœʀ, φz] n. — 1470 ; *beveor*, 1170 ; du rad. *buv-* de *boire.*

♦ **1.** Personne qui aime boire du vin, des boissons alcoolisées. ⇒ **Ivrogne.** *Un grand buveur.* — (Rare au fém.). « *C'est une buveuse.* » « *Fortes buveuses* » (Pesquidoux, *in* T. L. F.).
1 (...) la trogne enluminée du gros buveur (...)
TAINE, Philosophie de l'art, t. II, p. 73.

Buveur de... : personne qui boit habituellement (une boisson). *C'est une buveuse de bière. Un buveur, un grand buveur de cidre. Buveurs d'eau, de lait.*
1.1 (...) un homme qui pouvait avoir dans les quarante ans, plutôt gras, mais bel homme quand même parce qu'il était grand. Ce devait être une solide fourchette et un beau buveur de bière. G. LEROUX, Rouletabille chez Krupp, p. 118.

Par exagér. Littér. *Buveur de sang* : personne cruelle, sanguinaire.

Fam., vx. *Buveur d'encre* : employé de bureau (La Bédallière, 1842, *in* T. L. F.).

♦ **2.** Personne qui boit, est en train de boire. *Les buveurs à la terrasse d'un café.* ⇒ **Consommateur.**
1.2 Quant aux autres personnages, ils ne paraissent pas se soucier de ce qui se passe de ce côté-là : l'ensemble des buveurs attablés, parlant avec animation et gesticulant (...) A. ROBBE-GRILLET, Dans le labyrinthe, p. 109.

♦ **3.** Spécialt. (Vieilli). Personne qui boit l'eau thermale dans un établissement, une station de cure. ⇒ **Baigneur, curiste.**
2 (...) je me rends à Mühlenbad (bain du moulin) : les buveurs et les buveuses se pressaient autour de sa fontaine (...)
CHATEAUBRIAND, Mémoires d'outre-tombe, IV, 4.

BUVOTER [byvɔte] v. intr. — Av. 1564 ; *buveter*, 1539 ; fréquentatif de *boire.*

♦ Rare. Boire* à petits coups et fréquemment. ⇒ **Siroter.**

BUXACÉES [byksase] n. f. pl. — 1857 ; du lat. *buxus* « buis ».

♦ Bot. Famille de plantes dont le type est le buis. — Au sing. *Une buxacée.*

BUYSE [bɥiz] ou BUYSSE [bɥis] n. f. — 1866 ; du scandinave *bûza* « navire ».

♦ Techn. (pêche). Petit bâtiment hollandais servant à la pêche aux harengs.

BUZZER [bœzœʀ] n. m. — Mil. XXe ; mot angl., de *to buzz* « bourdonner ».

♦ Anglic. Vibreur* sonore.

BY [bi] n. m. — 1326, *buy* ; var. de *bief**.

♦ Régional. Fossé creusé dans le fond d'un étang, et servant à le vider pour le curer.

BYBLOS [biblos] n. m. — 1842 ; mot grec, « papyrus ». Histoire antique.

♦ **1.** Papyrus que les Égyptiens utilisaient pour faire des chaussures.

♦ **2.** Chaussure faite avec ce matériau. « *Pontifes chaussés de byblos* » (Flaubert, *in* T. L. F.).

BYE-BYE [bajbaj] ou BYE [baj] interj. — 1934 ; mot anglais.

♦ Fam. Au revoir, adieu ; salut. ⇒ **Ciao.** « *Vous direz au revoir aux autres pour moi. Allez, bye !* » (A. Sarrazin).

BYLINE [bilin] n. f. — 1898 ; russe *bylina.*

♦ Littér. Épopée populaire russe.

BY-PASS [bajpas] n. m. invar. — 1922, *in* Höfler ; mot angl., « dérivation », de *pass* « passage », et *by* « proche, secondaire ».

Anglicisme.

♦ **1.** Techn. Canal de dérivation pratiqué sur le trajet d'un fluide. — Robinet à double voie, vanne commandant ce dispositif.

♦ **2.** (1952). Voie de dérivation permanente, dans la circulation automobile. ⇒ **Dérivation.**

♦ **3.** (1965). Chir. Opération ayant pour but de rétablir la circulation sanguine interrompue par l'oblitération d'une artère. — Syn. : *pontage.*

Recomm. off. : *dérivation, déviation, contournement, circuit de contournement, évitement,* et la francisation *bipasse* [bipas], peu recommandable dans la mesure où *pontage* est déjà en usage.

BYRONIEN, IENNE [bajʀɔnjɛ̃, jɛn] adj. et n. — 1831 ; de *Byron,* poète romantique anglais, 1788-1824.

♦ Didact. Qui concerne l'œuvre de Byron, sa manière. Digne de Byron. *Héros byronien. Désespoir byronien.*
(...) un volume de vers byroniens de peu de promesses, mais suffisamment poissés de mélancolie pour donner à certaines âmes liquides le mirage du *Saule* de Musset sur le tombeau d'Anacréon. Léon BLOY, le Désespéré, p. 12.

N. *Des byroniens.*

BYRONISME [bajʀɔnism] n. m. — 1862 ; de *Byron.* → Byronien.

♦ Didact. Influence (littéraire, intellectuelle) de Byron. — Vieilli. Manières, style de vie inspirés de Byron.

BYSSINOSE [bisinoz] n. f. — 1894 ; *byssinosis,* 1877, Adrien Proust ; du grec *bussinos* « de lin, de coton ».

♦ Méd. Pneumoconiose due à la poussière de fibre de coton.

BYSSUS [bisys] n. m. — 1530 ; *bysse,* 1519 ; *byssum,* 1291 ; mot lat., grec *bussos* « lin très fin, coton ».

♦ **1.** Ancient. Tissu de lin très fin, très estimé. — REM. Dans ce sens, on a employé la var. *bysse.*

♦ **2.** (1809 ; *bysse,* 1805). Faisceau de filaments soyeux, sécrétés par une glande de certains lamellibranches, leur permettant de se fixer.
Elle *(Géraldine)* ne ramassait plus les coquilles porte-soie dont le byssus fin, brillant et moelleux, pouvait devenir une fibre textile qu'elle peignait et filait les nuits où elle ne dormait pas, afin d'en fabriquer des sacs pour ranger sa nourriture.
Jean CAYROL, Histoire de la mer, p. 181.

BYTURE [bityʀ] n. m. — 1816, *in* D. D. L. ; du lat. *byturum* « vermisseau ».

♦ Zool. Insecte coléoptère *(Byturidés),* nuisible aux fleurs de framboisier.

HOM. Bitture.

BYZANTIN, INE [bizɑ̃tɛ̃, in] adj. — 1732 ; n. m., 1338, « monnaie de Byzance » ; bas lat. *Byzantinus,* de *Byzantium,* grec *Buzantion* « Byzance ».

♦ **1.** De Byzance, propre à Byzance et à son empire. *Empire byzantin* : empire romain d'Orient (fin IVe-1435). *L'histoire, la civilisation byzantine. Littérature byzantine. Droit byzantin. Le grec byzantin. L'Orient byzantin. Le Monde byzantin,* œuvre de L. Bréhier.

N. (rare au fém.). *Les Byzantins.* « *L'économie dirigée que pratiquaient les Byzantins* » (H. Pirenne, *Grands courants de l'hist. universelle,* t. II, p. 99). *L'art, le style byzantin,* art chrétien d'Orient, développé notamment dans les Balkans et en Italie. *Église byzantine. Mosaïques, fresques byzantines. Chapiteau byzantin.*
1 À l'apogée de l'art impérial, la puissance romaine s'étendait jusqu'aux confins du monde méditerranéen ; au VIe siècle, seule la puissance byzantine conserve forme d'empire dans l'anarchie universelle. Ce Nouvel Empire a substitué un peuple d'apparitions immobiles à un peuple de statues.
MALRAUX, la Métamorphose des dieux, p. 113.

Vx (au XIXe). Dont le style se rapproche du byzantin. — REM. L'adj. s'oppose à *gothique* et est approximativement appliqué à l'art roman (→ Roman).
2 Les deux parties latérales *(de la cathédrale de Strasbourg)* sont des chefs-d'œuvre de sculpture et d'architecture ; l'une est mauresque, l'autre est byzantine, et chacune est bien préférable à l'immense façade (...)
NERVAL, Lorely, Du Rhein au Mein, I, Pl., t. II, p. 747.
N. B. *Mauresque* qualifie ici l'arc en tiers-point du style gothique.

♦ **2.** (1838). Fig. Qui évoque, par son excès de subtilité, par son caractère formel et oiseux, les disputes théologiques de Byzance. *Discussion, querelle byzantine* (→ Discuter sur le sexe des anges*). *La France byzantine,* de J. Benda.
3 Croyez bien qu'il ne s'agit pas là d'un luxe futile n'intéressant que les grammai-

riens patentés, les amateurs de querelles byzantines et autres fendeurs de fils en quatre.   G. DUHAMEL, Discours aux nuages, I.

DÉR. **Byzantiner, byzantinisant, byzantinisme, byzantiniste.**
COMP. **Bizantinologie, bizantinologue.**

BYZANTINER [bizɑ̃tine] v. intr. — 1870 ; de *byzantin.*

♦ Didact., vx. Se livrer à des discussions byzantines.

BYZANTINISANT, ANTE [bizɑ̃tinizɑ̃, ɑ̃t] adj. — Attesté xxᵉ ; de *byzantin.*

♦ Rare. Qui rappelle l'art byzantin ; qui s'en inspire.

(...) c'était dans une chapelle récente, dessinée et décorée dans un style d'un modernisme byzantinisant que nous réunissaient les offices et les prières.
          M. TOURNIER, le Roi des Aulnes, p. 58.

BYZANTINISME [bizɑ̃tinism] n. m. — 1838 ; de *byzantin.*
Didactique.

♦ **1.** Tendance aux discussions byzantines.

♦ **2.** (1868). Caractère byzantin.

Strzygowski a étudié toute une série de tissus trouvée par lui en Égypte (...) dont le byzantinisme est incontestable, mais qui accusent une transformation du style assez marquée, que l'auteur attribue à l'influence de la Chine.
          Michèle BEAULIEU, les Tissus d'art, p. 34.

BYZANTINISTE [bizɑ̃tinist] n. — Déb. xxᵉ ; de *byzantin.*

♦ Didact. Spécialiste de l'histoire et de la civilisation byzantines. — REM. On emploie aussi le syn. *byzantinologue.*

BYZANTINOLOGIE [bizɑ̃tinɔlɔʒi] n. f. — V. 1950 ; de *byzantin,* et *-logie.*

♦ Didact. Étude de l'histoire et de la civilisation byzantines.

BYZANTINOLOGUE [bizɑ̃tinɔlɔg] n. ⇒ **Bizantiniste.**

BZITT [bzit] interj. — 1859.

♦ Onomatopée imitant le bruit d'un liquide qui jaillit par un orifice très fin.

BZZZ [bzz] interj.

♦ Onomatopée évoquant le bruit d'un vol d'insecte.

C

1. C [se] n. m.

♦ Troisième lettre et deuxième consonne de l'alphabet. *Ce se prononce* [s] *devant* e, i, y (cigare, céleste, cymbale), *et devant* a, o, u *quand il porte une cédille* (façade, hameçon, aperçu); *dans les autres cas, devant* a, o, u, *il se prononce* [k] (car, court, culasse, claque, croc), *sauf dans* second *et ses dérivés, où il se prononce* [g]; *en fin de mot, il se prononce* [k] (lac) *ou ne s'entend pas* (tabac) [taba]. — *Ch note la fricative sourde* [ʃ].
C... pour con, *par euphémisme. Être c... comme la lune.*

2. C [se]

♦ Log. Signe de la conversion*.
Math. Symbole représentant l'ensemble des nombres complexes. — (En majuscule). Abréviation du nombre *cent,* en chiffres romains (ex. : *CXX :* 120). — (Minuscule). Symbole du *centime.*
Métrol. Symbole du préfixe *centi-.* — *Ca :* centiare.
Phys. °*C :* degré Celsius.
Chim. *C :* symbole chimique du *carbone.*
Mar. Troisième pavillon du code international de signaux (hissé isolément, il signifie «oui»).
Mus. *C,* nom ancien (et angl., all.) de la note *do;* sur la portée, il indique une mesure à quatre temps (⇒ **Mesure**); traversé d'une barre verticale, il indique la même mesure, mais battue à deux temps; hors de la portée, il est mis pour *canto* «chant».

Ca [sea] Symbole chimique du calcium*.

1. ÇA [sa] pron. dém. — 1649; abrév. de *cela,* d'après *çà,* adv. de lieu.

♦ **1.** Fam. Cela, ceci (sujet et compl.). *Il ne manquait plus que ça. Donne-moi ça. À part ça. Ça n'a rien à voir. Ça vaut bien ça. Ça me fait de la peine. Me faire ça, à moi. Comprenez-vous ça?* (→ Arbre, cit. 47). *Tout ça. Ça dépend. Ça ira. Comment ça va? Ça va, ça va bien, mal.*

1 (...) nous lui mettrions le cou sur un rail, de manière à ce que le premier train le décapitât. On pourrait chercher ensuite, quand il aurait tout ça écrasé : plus de trou, plus rien (...) Est-ce que ça va, dis? — Oui, ça va, c'est très bien.
ZOLA, la Bête humaine, p. 365.

2 Mais non, ma pauvre Lucie, tout cela est loin de moi, maintenant (...) Tout cela est bien fini. Oui, je suis très attaché à cette malheureuse; mais ça n'a rien à voir (...)
F. MAURIAC, le Désert de l'amour, p. 211.

COMME ÇA. *C'est comme ça :* c'est ainsi. ⇒ **Ainsi.** *Il est comme ça. Me faire une chose comme ça. C'est comme ça que je lui ai dit,* c'est de cette façon, de cette manière. *Comme ça :* simplement, à priori.

2.1 — Après tout, c'est leur affaire, hein? J'en ai rien à foutre. — Moi non plus... mais, à vue de nez, comme ça, comment verrais-tu le problème?
Régis DEBRAY, l'Indésirable, 1975, p. 291.

Comme ça, vous ne restez pas? ⇒ **Donc.** — «*Comment allez-vous? comme ça*», à peu près. *Comme ci, comme ça :* plutôt mal que bien. ⇒ **Couci-couça.** — *Comme ça!* (souvent avec un geste du pouce vers le haut) : très bien, extraordinaire. *C'était comme ça, ton repas!* — *Je m'en soucie comme de ça du tout.*

2.2 «Que le Diable m'emporte si elle ne ressemblait pas, sous sa nuée blanche *(une mousseline transparente),* à une statue de corail vivant! Aussi, depuis ce temps-là, je me suis soucié de la blancheur des autres femmes comme de ça!» Et Mesnilgrand envoya d'une chiquenaude une peau d'orange à la corniche (...)
BARBEY D'AUREVILLY, les Diaboliques, «À un dîner d'athées».

Il y a (y'a) de ça! : c'est en partie vrai. *Il lui ressemble.* — *Oui, y'a de ça!* [jadsa].

2.3 On va vieillir douillettement.
Dans la terrible certitude du lendemain.
Espèce de mort prématurée (...)
Hélas! y'a de ça (...) c'est pourtant vrai (...)
Je vois les choses comme elles sont.
Sacha GUITRY, Ils étaient neuf célibataires, p. 220.

Avoir de ça, de l'argent, de l'esprit. — Fam. *Elle a de ça!* : elle a des appas. — *Et avec ça?,* formule utilisée par un commerçant pour demander à un acheteur s'il désire autre chose.

♦ **2.** Renforçant une interrogation, une affirmation, une négation. (Avec des pronoms et adv. interrogatifs). *Qui ça? Où ça?*

3 Pour des raisons logiques, ou des raisons sentimentales, telles que l'impatience, l'angoisse, une volonté exaspérée, on insiste sur la question qu'on pose. Divers mots mettent en valeur le caractère interrogatif : *donc, ça, par hasard :* Est-ce que par hasard vous m'auriez oublié? — Qui ça? Antoine? — Vous allez au bal, où ça?
F. BRUNOT, la Pensée et la Langue, XII, v, p. 499.

3.1 Siècle de vitesse! qu'ils disent. Où ça? Grands changements! qu'ils racontent. Comment ça? Rien n'est changé en vérité.
· CÉLINE, Voyage au bout de la nuit, p. 13.

(Avec les adv. d'affirmation et de négation). *Ça oui. Ça non.* — Parfois, en simple interj. *Ça! Ah ça! Ça alors!* — *Je ne veux pas de ça,* et, absolt, *pas de ça! Pas de ça, Lisette!,* exprime un refus amusé. *Pas ça!* : rien du tout (souvent accompagné d'un geste, l'ongle du pouce sous une dent du haut; → ci-dessous, cit. 3.3).

3.2 Ah! J'ai passé des nuits à rôder dans ma chambre, tenant ces chiffons de papier dans mes doigts crispés, ruminant l'assaut sur le monde avec ces correspondants pour capitaines! Heureusement je me suis vu dans la glace (...) Pas de ça, mon gars : halte-là!
J. VALLÈS, l'Insurgé, 1886, p. 53.

3.3 PETITE CHOSE : (...) Pas seulement de disputes?
Pas seulement un raccommodage?
MITSOU, l'ongle sous la dent : — Pas ça. Il ne me dispute jamais.
COLETTE, Mitsou, 1919, p. 21.

3.4 Si l'on voulait bien se donner la peine de viser haut sans considération de rang ni de fortune, on ne ferait rentrer que des impôts! Ça! Rien n'est plus évident, c'est sûr, à qui le dites-vous!
Pierre DANINOS, Un certain monsieur Blot, 1960, p. 231.

Conférant une valeur superlative à des adjectifs, des verbes. *Ça, pour être gentil, il est gentil. Ça, pour dormir, il s'y entend. Ça, comme bavard, il est un peu là!*

♦ **3.** Pour indiquer différents modes d'énonciation, dans quelques contextes spécifiques. — (L'approbation). *C'est ça!* : c'est très bien, bravo! — (La satisfaction). *C'est toujours ça de gagné, de pris. C'est toujours ça.* — (L'admiration). *Je ne vous dis que ça!*

3.5 Oui, je la connais (...) Ses lèvres font un bruit répugnant, son baiser claque sur le bout de ses doigts... Je ne vous dis que ça. Une pure merveille.
N. SARRAUTE, Vous les entendez?, 1972, p. 136.

(L'indignation, l'étonnement). *Ça, par exemple! Ah, ça, alors!* — (Le doute). *Avec ça qu'il ne l'a pas dit!*
Avec ça! : je vous crois! *Rien que ça!,* exclamation d'étonnement devant un chiffre important, une chose impressionnante.

♦ **4.** Fam. Désigne un sujet non déterminé remplaçant un pron. impers. ⇒ **Il.** *Ça a neigé toute la nuit. Ça sent bon ici.*

4 Les impersonnels tendent à prendre un autre sujet que *il.* Dans beaucoup de cas, *ça* représente une idée exprimée antérieurement, il joue le rôle de représentant : Ne vous fourrez pas dans cette affaire, *ça* sent la faillite; *ça* renvoie à *cette affaire.* Mais en outre, surtout dans le langage familier, on emploie souvent de nos jours le mot *ça,* sans qu'il représente un autre sujet : *ça* me fâche *de penser* que vous êtes parti sans m'avertir.
F. BRUNOT, la Pensée et la Langue, VIII, II, II, p. 288.

♦ **5.** Désignant des personnes. Celui-là, celle-là, ceux-là (avec mépris). *Ça, ce n'est pas un homme! Un ministre, ça!*

5 Ces sales ouvriers ont encore choisi un jour où j'ai du monde.
Allez donc faire du bien à ça!
ZOLA, Germinal, II, p. 66.

5.1 Quant au quarteron de grotesques spécialisés en ethnologie sud-américaine, parlons-en! (...) Et Jean-Pierre et toi, vous vous laissez intimider par ça, par vraiment ce qu'il y a de plus médiocre au monde.
Jean-Louis CURTIS, le Roseau pensant, p. 328.

Exprimant l'indulgence amusée, la tendresse :

5.2 La loge, c'était comme un lieu public et tout le monde aimait mes parents. La porte ne restait jamais longtemps fermée, ça bavardait, ça racontait mille choses, des histoires de quartier.
Jean FERNIOT, Pierrot et Aline, p. 29.

6 Ça peut être aussi un terme de tendresse : Les grands-mères, ça ne fouette jamais. Une mère dira, en montrant son enfant : Vous voyez comme on est attaché à ça.
F. BRUNOT, la Pensée et la Langue, VI, VI, p. 190.

♦ 6. Spécialt. L'acte sexuel (cf. La chose). *Ils ont fait ça dans le foin.*

6.1 Ensuite, c'était une putain. Ce qu'elle voulait c'était ça, et vite. Elle s'allonge sur le canapé et soulève ses jupes. Moi aussi, certes, je voulais ça, mais aussi autre chose. Enfin nous faisons ça.
DRIEU LA ROCHELLE, la Comédie de Charleroi, 1934, p. 179.

6.2 Melly se faisait dans les cent dollars par jour en maison (...) L'amour qu'elle exécutait pour vivre ne la fatiguait guère. Les Américains font ça comme des oiseaux.
CÉLINE, Voyage au bout de la nuit, p. 209.

REM. 1. Employé comme sujet des v. *devoir* et *pouvoir* suivis de *être*, *ça* s'emploie pour exprimer la vraisemblance (*ça doit être...*, *ça peut être...*), les deux v. pouvant être combinés (*ça doit pouvoir se faire*).

7 Oui, elle est tombée de la fenêtre (...) ça ne peut être qu'un accident.
F. MAURIAC, le Désert de l'amour, p. 213.

2. En revanche, *ça* ne peut précéder immédiatement le v. *être*, bien que cet usage soit fréquent (mais critiqué) dans le franç. de Belgique : *ça est beau*, etc. (→ Belgicisme, cit. 2).

HOM. 2. Çà, 3. ça, sa.
DÉR. 3. Ça.

2. ÇÀ [sa] adv. de lieu. — 1080 ; lat. pop. *ecce hāc* « voici, par ici ».

♦ 1. Vx. Ici, cet endroit-ci. *Viens çà.*

1 Viens çà, que je voie. Montre-moi tes mains.
MOLIÈRE, l'Avare, I, 3.

Mod. *Çà et là. Courir, errer, se promener, vaguer çà et là*, de côté et d'autre. *Jeter, semer çà et là.* ⇒ **Désordre** (en), **pêle-mêle.**

2 Un bruyant attelage de mules espagnoles piqué çà et là par les apostrophes du sagal (...)
HUGO, Notre-Dame de Paris, VII, 3.

3 (...) Çà et là
comme Antar mort debout,
les goumiers veillent.
COCTEAU, Poèmes, « Discours du grand sommeil ».

3.1 Quand les gendarmes (...) font irruption dans la villa, ils ne trouvent que (...) quelques hauts fonctionnaires ou hommes d'affaires en vue, qui conversent çà et là dans les fauteuils, les canapés, ou se tiennent debout dans une encoignure de fenêtre (...)
A. ROBBE-GRILLET, la Maison de rendez-vous, 1965, p. 20.

♦ 2. Interj. Vx. S'emploie pour exciter, encourager, exhorter qqn. *Ça, travaillons !* ⇒ **Aller** (*supra* cit. 77). → Authentique, cit. 7.

4 Çà, déjeunons, dit-il. Vos poulets sont-ils tendres ?
LA FONTAINE, Fables, IV, 4.

(Marquant la menace, l'impatience*). *Çà, allez-vous vous taire !*
(L'étonnement*, l'indignation*). *Ah ! çà, pour qui me prenez-vous ?* (Académie).

Vx. **OR** ÇA, marque qu'on va se mettre à faire une chose.

5 Le renard étant proche : « Or çà, lui dit le Sire,
Que sens-tu ? dis-le moi : parle sans déguiser ».
LA FONTAINE, Fables, VII, 7.

6 Or çà
Verbalisons.
RACINE, les Plaideurs, II, 4.

COMP. Deçà.
HOM. 1. Ça, 3. ça, sa.

3. ÇA [sa] n. m. — Mil. xxᵉ ; de 1. *ça*, trad. de l'all. *Es* (1923, Freud, Groddeck) : *das Ich und das Es* « le moi et le il » ; d'abord traduit par *le soi*.

♦ Psychan. Dans la théorie des trois instances de la personnalité (Freud), Pôle des pulsions dont les contenus inconscients sont en partie héréditaires, en partie acquis (et refoulés). *Le ça, réservoir de l'énergie psychique* (⇒ **Pulsion**), *entre en conflit avec le moi et le surmoi.*

1 La psychanalyse distingue, au point de vue organisation psychique, entre le ça, le moi et le surmoi. Le ça est formé par l'ensemble des tendances primitives, des instincts élémentaires. Il est actif, exigeant, alogique et sexuel. Il est d'autre part inconscient. Il est sous la domination du principe du plaisir et demeure étranger au principe de réalité.
Guy PALMADE, la Psychothérapie, p. 67.

2 Freud veut nous soyons raisonnables ; mais il nous prouve que, au mieux, nous ne le serons pas à 25 %. Le Moi, en effet, — seul capable de raison — est pris entre le ça, aux pulsions incoercibles, dont il n'est qu'un rameau, et le « surmoi », autre rameau du ça, qui commande le Moi sans condescendre à justifier les ordres qu'il lui donne.
Emmanuel BERL, le Virage, 1972, p. 71.

HOM. 1. Ça, 2. çà, sa.

C. A. [sea] n. m. — Abréviation.

♦ 1. Chiffre* d'affaires. *Un C.A. de six millions de francs.* — (En appos. après un chiffre). «*Groupe multinational, produits à forte notoriété, implantation solide (plus de 20 millions C. A.)*» (*l'Express*, 4 déc. 1972).

♦ 2. Conseil d'administration*. *Assister au C. A.*

CAB [kab] n. m. — 1848 ; mot angl. (1827), abrév. du franç. *cabriolet.*

♦ Ancienn. Variété de cabriolet* d'origine anglaise, où le cocher est placé derrière.

1 Il se rappela qu'elle lui avait dit un jour : Je n'aurais qu'à dire à Madame Verdurin que ma robe n'a pas été prête, que mon cab est venu en retard (...)
PROUST, Du côté de chez Swann, Pl., t. I, p. 371.

2 On m'apprenait qu'en accompagnant une dame, il me fallait lui offrir la main gauche pour l'aider à monter sur le haut marchepied du cabriolet, tandis que le bras droit s'interposerait entre sa robe et la haute roue du cab, contre la boue (...)
Paul MORAND, Venises, 1971, p. 63.

CABAJOUTIS [kabaʒuti] n. m. — 1833 ; normand-angevin *cabagétis* «cahute, bicoque»; du normand *cabas* «vieux meubles» (→ Cabas), et de *ajouter*, par un dér. *ajoutis.*

♦ Régional et vx. Construction formée de parties datant de plusieurs époques, donc disparates.

Cette maison était une de celles qui appartiennent au genre dit cabajoutis. Ce nom très significatif est donné par le peuple de Paris à ces maisons composées, pour ainsi dire, de pièces de rapport.
BALZAC, Ferragus, 1833, p. 126, *in* D.D.L., II, 2.

CABALE [kabal] n. f. — 1532, « tradition transmise »; de l'hébreu rabbinique *qabbala* «tradition».

★ **I. ♦ 1.** (1611). CABALE ou CABBALE (orthographe vieillie de *kabbale*). ⇒ **Kabbale.** *L'école, les docteurs de la cabale.*

♦ 2. (1546). Vieilli. Science occulte prétendant faire communiquer ses adeptes avec des êtres surnaturels. ⇒ **Magie, occultisme, théosophie.** «*Abracadabra» est un terme de cabale.*

★ **II.** Fig. Littér. ou style soutenu. **♦ 1.** (1546). Manœuvres secrètes, concertées contre qqn ou qqch. ⇒ **Brigue, complot, conjuration, conspiration, intrigue...** *Faire, monter une cabale contre qqn. Former des cabales. Être initié à une cabale* (→ Antre, cit. 5 ; argumenter, cit. 2 ; aventurer, cit. 9).

Point de cabale en eux, point d'intrigues à suivre (...)
MOLIÈRE, Tartuffe, I, 5. — 1

Il faut avoir de l'esprit pour être homme de cabale : l'on peut cependant en avoir à un certain point, que l'on est au-dessus de l'intrigue et de la cabale, et que l'on ne saurait s'y assujettir (...)
LA BRUYÈRE, les Caractères, VIII, 92. — 2

(...) M. Laudet sait très bien qu'à tort ou à raison *les Cahiers de la Quinzaine* et moi sommes ou si l'on veut sont ce qui est le plus en butte aux attaques, aux violences, aux perfidies, aux offenses, aux campagnes, aux cabales, aux ignominies, à tous les coups du Parti Intellectuel.
Ch. PÉGUY, Un nouveau théologien, p. 141. — 3

Il tape du pied *(Marinetti);* il fait voler la poussière ; il jure, sacre et massacre ; il organise des contradictions, des oppositions, des cabales pour ressortir de là triomphant.
GIDE, Feuillets, 1889-1939, Pl., p. 348. — 4

Assuré de l'appui de Louis XIII après la « journée des dupes », Richelieu n'en eut pas moins à combattre les intrigues et les cabales auxquelles le frère du roi se prêtait.
J. BAINVILLE, Hist. de France, XI, p. 201. — 5

On fait ou on emploie une cabale pour chasser celui qui est en possession, afin de se mettre à sa place ou simplement afin de le perdre, et sans qu'on ait l'idée de lui succéder.
LAFAYE, Dict. des synonymes, Cabale... — 6

Et voilà qu'il se forme contre moi une cabale dans laquelle entre même la servante : «Que madame ne fasse le pain sur la table et monsieur sera bien obligé d'aller le chercher.» Les parents d'Élise obliquement me lancent que je devrais écrire des articles pour l'*Intransigeant* ou le *Figaro* : — Fais travailler ton mari (...)
M. JOUHANDEAU, Chroniques maritales, 1938, p. 21. — 6.1

♦ 2. (1636). Vx. Ensemble des membres d'une cabale. ⇒ **Clique, coterie, faction, ligue.** *La cabale remplissait le parterre.*

Les propos incessamment rebattus de la cabale philosophique qui l'entourait lui revinrent à l'esprit. Quand j'allai vivre à l'Hermitage, ils publièrent, comme je l'ai déjà dit, que je n'y tiendrais pas longtemps. Quand ils virent que je persévérais, ils dirent que c'était par obstination, par orgueil, par honte de m'en dédire, mais que je m'y ennuyais à périr, et que j'y vivais très malheureux.
ROUSSEAU, les Confessions, XI. — 7

DÉR. Cabaler, cabalisme, cabaliste.

CABALER [kabale] v. intr. — 1617 ; de *cabale.*

♦ Vx. Susciter une cabale* ; faire partie d'une cabale. ⇒ **Comploter, conspirer, intriguer.** *Cabaler contre qqn, en faveur de qqn.*

Mentir (...) cabaler, nuire, c'est leur état *(celui des faux dévôts).*
LA BRUYÈRE, les Caractères, XIII, 22. — 1

On cabalait, mais on gardait le silence, ou on laissait clabauder les caillettes et les cafards, ou soi-disant tels, que le Conseil mettait en avant pour se rendre odieux à la populace, et faire attribuer son incartade au zèle de la religion.
ROUSSEAU, les Confessions, XII. — 2

Le Comité de la Société des Gens de Lettres, où siégeaient alors quelques gaillards méfiants, timorés, irascibles, sans goût, ne comprenant rien aux scrupuleuses études et recherches de sculpteurs ou bien mal résignés au choix que, malgré eux, on avait fait de Rodin, s'alarmèrent ou plutôt cabalèrent en exigeant qu'on mît l'artiste en demeure de livrer son œuvre «fin courant».
Georges LECOMTE, Ma traversée, p. 220. — 3

(...) ils cabalaient avec toute l'autorité que leur donnait l'engouement du moment contre tout ce qui tendait à sortir de l'ornière tracée.
E. DELACROIX, Journal, 28 avril 1853. — 4

▶ **CABALANT, ANTE** p. prés. et adj.
Vx. Qui aime à intriguer.

Mais, Monsieur Martin, avez-vous vu Paris? *(dit Candide).* Oui, j'ai vu Paris (...) C'est un chaos, c'est une presse dans laquelle tout le monde cherche le plaisir (...) Je connus la canaille écrivante, la canaille cabalante et la canaille convulsionnaire.
VOLTAIRE, Candide, 1759, éd. Garnier, p. 172. — 5

DÉR. Cabaleur.

CABALEUR, EUSE [kabalœʀ, øz] n. — 1680 ; *cabaleuse*, mil. xvIIᵉ ; de *cabaler.*

♦ Vx. Personne qui cabale, fait partie d'une cabale (II.). ⇒ **Cabaliste** (2.).

CABALISME [kabalism] n. m. — 1866 ; de *cabale*, d'après *cabaliste*.

♦ Didact. Théories de la kabbale. — Par ext. Système d'occultisme (cf. Renan, *l'Avenir de la science*).

CABALISTE [kabalist] n. m. et adj. — 1532 ; de *cabale*.

♦ **1.** Vieilli. Philosophe, théologien versé dans la cabale juive. ⇒ **Kabbaliste.** — Adj. *Un juif, un rabbin cabaliste.*

1   (...) plus d'un rabbin cabaliste se répand de la cendre sur la tête et fait des conjurations afin d'obtenir de Dieu le châtiment de peuples balayés de la face du monde depuis des siècles.   Th. GAUTIER, Constantinople, p. 234.

♦ **2.** (1690). Fig. et vx. Celui qui cabale. ⇒ **Cabaleur.**

2   Les Jésuites ont voulu joindre Dieu au monde et n'ont gagné que le mépris de Dieu et du monde. Car du côté de la conscience cela est évident, et du côté du monde ils ne sont pas de bons cabalistes.   PASCAL, Pensées, XIV, 935.

DÉR. **Cabalistique.**

CABALISTIQUE [kabalistik] adj. — 1532 ; de *cabaliste*.

♦ **1.** Vieilli. Qui est relatif à la Kabbale juive. *Science, livre, interprétation cabalistique.*

♦ **2.** Didact. Qui a rapport à l'occultisme. ⇒ **Ésotérique, magique.** *Art cabalistique. Termes, chiffres, signes cabalistiques.*

Entre tous les hommes, ces figures géométriques, ces signes cabalistiques : homme, femme, statue, table, guitare, redeviennent des hommes, des femmes, des statues, des tables, des guitares, plus familiers qu'auparavant, parce que compréhensibles, sensibles à l'esprit comme aux sens.   ÉLUARD, Donner à voir, Pl., t. I, p. 942.

♦ **3.** (1867). Cour. *Langue, style cabalistique,* mystérieux, difficilement compréhensible.

CONTR. (Du 3.) **Clair, limpide.**
DÉR. **Cabalistiquement.**

CABALISTIQUEMENT [kabalistikmɑ̃] adv. — Av. 1834 ; de *cabalistique*.

♦ Littér. D'une manière cabalistique, empreinte de mystère et de magie, et selon une signification qui échappe aux non-initiés. ⇒ **Mystérieusement ; magiquement.**

1   Amalia disposait cabalistiquement sur le guéridon son précieux jeu de tarots.   COLETTE, le Pur et l'Impur, 1932, p. 118.

2   J'ai plus de lecteurs au Japon qu'en France, m'a-t-on dit. Je ne me souviens guère des inaugurations ; je me souviens d'un dialogue, en 1960, dans un jardin que je suis en train de survoler : le jardin «des Sept Pierres», le fameux Jardin-Sec — petits menhirs sur un sable cabalistiquement ratissé.   MALRAUX, Antimémoires, Folio, p. 569.

CABALLERO [kabaleʀo] ou, à l'esp. [kabajeʀo] n. m. — 1595, *cavallero, in* D. D. L. ; mot esp., «cavalier» (XIᵉ), «gentilhomme» (1620).

♦ Hist. Gentilhomme espagnol de petite noblesse. — Fam. Monsieur, bourgeois (dans un contexte espagnol ou par allusion à l'Espagne).

CABALLIN [kabalɛ̃] adj. — XVᵉ ; du lat. tardif *caballus* «cheval».

♦ Vx. Relatif au cheval. —*Aloès caballin,* utilisé en médecine vétérinaire.

CABAN [kabɑ̃] n. m. — 1448 ; de l'ital. de Sicile *cabbanu,* par le provençal *caban,* de l'arabe *qābāʔ* «tunique».

♦ **1.** Vêtement de dessus à manches et à capuchon. ⇒ **Manteau ; capote.** *Se vêtir d'un caban pour se protéger de la pluie.*

1   Je traînai une chaise-longue près de la cheminée. Au moment de m'y installer je pensai qu'un manteau ne me serait pas inutile. Un gros caban de cuir était pendu dans un réduit, près de la salle.   H. BOSCO, Hyacinthe, p. 95.

Spécial. Manteau court en gros drap porté dans la marine. *Caban de marin, d'officier de marine. Un caban bleu marine.*

♦ **2.** Longue veste de sport en gros drap, croisée haut. ⇒ **Vareuse.**

2   Dieu sait quel caban de landes
Enténèbre ma poitrine.
Mes jambes toujours plus grandes
M'enlèvent, cheminant.   Robert VIVIER, Légende, « Le miracle enfermé » (1939).

CABANAGE [kabanaʒ] n. m. — 1803 ; de *cabaner* ou de *cabane*.

♦ **1.** Action de cabaner (1.). — Par métonymie. Ensemble de cabanes.

♦ **2.** (1930, Morand, *in* T. L. F.). Cabane.

À rester toujours assis sur mon cul près du lac, j'ai oublié que j'étais un dieu qui marchait dans sa création, car un dieu ça ne fait pas un feu et un cabanage en disant : ici c'est chez moi, je m'installe.
Jean-Yves SOUCY, Un dieu chasseur, p. 197 (roman québécois).

CABANE [kaban] n. f. — 1387 ; provençal *cabanna,* du bas lat. *capanna* «hutte».

♦ **1.** Petite construction en matériaux légers ou sommaires, grossièrement construite. ⇒ **Baraque, bicoque, cabanon, cahute, case, hutte.** *Vivre, habiter dans une cabane. Cabane de berger.* ⇒ **Buron.** *Cabane de bûcheron.* ⇒ **Loge.** *Cabane de pêcheur. Cabane de bambou* ; fam. *la cabane bambou* (→ ci-dessous, 4., a). — *Une pauvre, une misérable cabane. Cabane en planches, en terre battue ; cabane couverte de chaume.* ⇒ **Chaumière.** *Cabane à outils.*

1   Le pauvre en sa cabane où le chaume le couvre (...)   MALHERBE, VI, 18.
2   Il est nuit. La cabane est pauvre, mais bien close.
HUGO, la Légende des siècles, LII, « Les pauvres gens », I.
3   Ses vingt-quatre disciples, ayant construit leurs cabanes proche la sienne, imitaient ses austérités.   FRANCE, Thaïs, p. 8.
3.1   Le gendarme qui les gardait les comptait trois fois par jour, pour être bien sûr qu'il ne manquait personne. Plus tard, on les laissa libres de faire ce qu'ils voulaient ; on les enfermait seulement la nuit, dans une grande cabane de bois, où ils dormaient sur des hamacs tendus entre deux barres.
ZOLA, le Ventre de Paris, t. I, p. 133.

(1837 ; *cabane du sucre,* 1707). *Cabane* ou *cabane à sucre :* au Canada, Bâtiment construit à l'intérieur d'une propriété agricole dans une forêt d'érables et destiné à la fabrication du sucre et du sirop d'érable. ⇒ **Sucrerie** (d'érable).

4   Peut-être même est-ce la première cabane de la série de toutes les cabanes habitées? Cabane à sucre abandonnée (...) les immenses chaudrons noirs servent à bouillir le sirop d'érable.   Anne HÉBERT, les Enfants du sabbat, p. 85.

(1786, H. de Saussure). Spécialt. Refuge de haute montagne. *Coucher en cabane :* faire étape au refuge. *Gardien de cabane,* chargé de la gérance de la cabane en saison d'excursions.

5   Comme sur une cible, le gardien est là devant la porte de la cabane. La cabane est tassée derrière lui : un triangle de moellons de granit sous l'auvent des neiges.   Maurice CHAPPAZ, la Haute Route, p. 58.
6   Tu ne voudrais pas que je me fasse gardien de cabane à vingt-six ans? Faut laisser ça aux vieux guides.   R. FRISON-ROCHE, Premier de cordée, p. 217.

REM. Le mot est courant en Suisse romande ; en Savoie, il semble reculer devant *refuge.*

♦ **2.** (1462). Abri pour les animaux. *Cabane à poules, à lapins :* casier en planches pour élever les poules, les lapins. — Fig. **CABANE À LAPINS :** maison de piètre apparence ; qualifie aussi un immeuble moderne, aux appartements exigus (→ **Cage*** à poules, cage à lapins). *Ces immeubles sont de véritables cabanes à lapins.*

♦ **3.** Case où l'on place les vers à soie pour qu'ils y filent leur cocon. ⇒ **Cabaner.**

7   Dès ce temps jusqu'à ce qu'ils *(les vers à soie)* fussent en cabane, il *(M. le capitaine Wildermett)* les nourrit avec les feuilles de mûrier rose d'Italie enté.
VLAMONT DE BOMARE, Dict. raisonné universel d'hist. nat., 1775, *in* D. D. L., II, 6.

♦ **4.** [a] (1925). Fam. **EN CABANE :** en prison. *Descendre, se trouver en cabane. Se faire mettre en cabane. Mettre, foutre qqn en cabane.* — (1905). Vieilli. Prison militaire. *La cabane bambou* (dans l'armée coloniale).

[b] (1925). Argot. Maison de tolérance. *Expédier une gonzesse en cabane. Être en cabane.*

♦ **5.** Vx. Cabine (1.) de bateau.

♦ **6.** Loc. fig. Vieilli. *Attiger la cabane :* exagérer. ⇒ **Charrier, cherrer.**

DÉR. **Cabanage, cabaneau, cabaner, cabanette, cabanon.**

CABANEAU [kabano] n. m. — XVIIᵉ ; de *cabane*.

♦ Mar., pêche. Cabane des équipages des morutiers.

CABANER [kabane] v. tr. — XVIᵉ, *se cabaner* «habiter une cabane» ; de *cabane*.

♦ **1.** (1605, au p. p.). Vx. Loger dans une cabane.

♦ **2.** (1867 ; au p. p., 1763). Techn. Disposer un abri de branchages pour que les vers à soie y filent leur cocon. ⇒ **Encabaner.**

♦ **3.** (1783). Mar. Renverser une embarcation, la mettre quille en l'air. *Cabaner un navire sur cale.* — Intrans. (en parlant d'une embarcation). Chavirer. *Pris par le travers, le canot a cabané.* — Par ext. (personnes) :

— Vous savez tous, aussi bien que moi, ce que c'est qu'un marche-pied qui part. Petit-Louis cabane et tombe à l'eau en grand.
E. CORBIÈRE, la Mer et les Marins, 1833, V, X, *in* D. D. L., II, 13.

DÉR. V. **Cabanage.**

CABANETTE [kabanɛt] n. f. — 1635 ; de *cabane*.
Rare ou régional.

♦ **1.** Petite cabane. ⇒ **Cabanon.**

En somme, en admettant que la chose *(le mariage)* se fasse, on pourrait prévoir cela pour octobre (...) Cela pourrait se faire à Perros-Guirec, où j'ai eu dans le temps une cabanette.   Montherlant, le Démon du bien, 1937, p. 115.

♦ **2.** Cabane (3.) pour les vers à soie.

CABANON [kabanɔ̃] n. m. — Av. 1752, «loge où l'on enferme les fous»; de *cabane.*

♦ **1.** Petite cabane. — (1867). En Provence, Petite maison de campagne.

1 — Dites, Norine, vous viendrez encore au cabanon, dimanche?   M. Pagnol, Marius, I, 8.

Chalet de plage.

1.1 L'ami de Raymond habitait un petit cabanon de bois à l'extrémité de la plage. La maison était adossée à des rochers et les pilotis qui la soutenaient sur le devant baignaient déjà dans l'eau.   Camus, l'Étranger, p. 74.

♦ **2.** Anciennt. Cachot obscur où l'on enfermait les criminels dangereux. ⇒ **Cellule.**

2 Jacques Collin fut placé, comme le plus dangereux des deux prévenus, dans un cabanon tout en pierre de taille, qui tire son jour d'une de ces petites cours intérieures (...)   Balzac, Splendeurs et Misères des courtisanes, III, Pl., t. V, p. 933.

(Premier sens attesté). Cellule où l'on enfermait les aliénés agités jugés dangereux. *On lui passa la camisole de force et on le mit au cabanon.*

3 Mais parle donc, espèce d'immolé! hurla l'orateur (...) Cela devait être un fanatique religieux, je ne trouvais pas d'autre explication. Il s'était peut-être échappé du cabanon.   S. Beckett, Nouvelles, 1945, p. 103.

Loc. fig. et fam. *Être bon à mettre au cabanon, bon pour le cabanon,* complètement fou.

1. CABARET [kabaʀɛ] n. m. — 1275, *tenir kabaret;* moy. néerl. *cabret,* anc. picard *camberete* «petite chambre». → Chambre.

♦ **1.** Vieilli. Établissement où l'on sert des boissons, éventuellement des repas. ⇒ **Bistrot, bouchon, boui-boui, café, débit** (de boisson), **estaminet.** *Aller boire, manger au cabaret. Petit cabaret.* — Vx. *Tenir cabaret.* — *Tenancier de cabaret.* ⇒ **Cabaretier.** *Hanter, fréquenter le cabaret. Vivre dans les cabarets. Un pilier* de cabaret, un habitué assidu; par ext., un ivrogne. Cabaret borgne*, mal famé.* ⇒ (vx ou vieilli) **Assommoir, bibine** (1.), **bousin, caboulot, popine, tapis-franc;** (mod.) **troquet.** *Cabaret où l'on mange.* ⇒ **Gargote.** *Cabaret mal tenu.* ⇒ **Cambuse.** — *Cabaret où l'on danse.* ⇒ **Guinguette.** *Chansons de cabaret* (cf. Chansons à boire). *La Muse au cabaret,* poèmes de Raoul Ponchon (1920). — *Cabaret littéraire,* où se réunissaient des écrivains, des artistes.

REM. Dans ce sens, le mot a vieilli, sauf dans certains emplois métaphoriques *(pilier de cabaret);* encore très usuel au XIXe s., *cabaret* désignait parfois des débits de boisson servant aussi à manger, mais d'un rang social plus élevé. Dans cet emploi, *café* (précédé par *cabaret de café,* vx), puis *brasserie,* etc. l'ont remplacé. Mais *cabaret* reste vivant dans la langue contemporaine pour évoquer le passé.

1 (...) tous deux étaient des hommes très sages, n'allant jamais dans les cabarets et ne faisant point noce de tous les jours fériés (...)   G. Sand, la Petite Fadette, XXVI, p. 176.

1.1 Le tableau, dans son cadre de bois verni, représente une scène de cabaret. C'est une gravure en noir et blanc datant de l'autre siècle, ou une bonne reproduction. Un grand nombre de personnages emplit toute la scène : une foule de consommateurs, assis ou debout, et, tout à fait sur la gauche, le patron, légèrement surélevé derrière son comptoir.   A. Robbe-Grillet, Dans le labyrinthe, p. 24.

♦ **2.** Établissement où l'on présente un spectacle satirique, musical, etc., et où les clients peuvent consommer des boissons, souper, danser. ⇒ **Café-concert; boîte** (de nuit). *Passer la soirée au cabaret. Un cabaret parisien. Une revue de chansonniers, dans un cabaret. Cabaret chic, élégant. Souper au cabaret.*

2 Les cabarets de nuit s'éveillent tard, avec leurs lumières voilées et les odeurs d'eau-de-vie, dans l'estuaire même de la mort.   G. Duhamel, le Voyage de Patrice Périot, I, p. 8.

2.1 Presque toujours, les dîners de moins de huit ou dix personnes se terminent au spectacle; la plupart des cabarets de nuit offrent de véritables revues (...) les cabarets s'ouvrent à minuit. Le divertissement n'y est pas comme à Paris fourni par les clients ou par un couple de professionnels; c'est tout un spectacle qui est offert, d'un genre plus léger que le théâtre.   Paul Morand, New York, p. 172 et 189.

♦ **3.** (1694). Vieilli. Plateau* sur lequel on place un assortiment de flacons, de verres à liqueurs, de tasses...; cet assortiment. ⇒ **Cave** (à liqueurs). *Un cabaret de cristal,* petit meuble ou coffret contenant un service à liqueurs. *Un cabaret en laque.*

3 (...) des liqueurs contenues dans un de ces magnifiques cabarets en bois précieux qui sont comme des tabernacles.   Balzac, Béatrix, Pl., t. II, p. 413.

DÉR. Cabaretier.
HOM. 2. Cabaret, 3. cabaret.

2. CABARET [kabaʀɛ] n. m. — 1538; métathèse d'après 1. *cabaret;* de *baccaret,* du lat. impér. *baccar,* grec *bakkaris* «espèce d'immortelle orientale»; ou, d'après Guiraud, de *ca-,* préf. désignant le creux d'un abri (→ Caboulot), et anc. franç. *barrer* «fermer».

♦ Plante dont les feuilles opposées se soudent, formant un réceptacle pour l'eau de pluie. ⇒ **Asoret.** — *Cabaret des oiseaux* (même sens).

HOM. 1. Cabaret, 3. cabaret.

3. CABARET [kabaʀɛ] n. m. — 1751; orig. obscure.

♦ Vx. ⇒ **Chardonneret.**

HOM. 1. Cabaret, 2. cabaret.

CABARETIER, IÈRE [kabaʀtje, jɛʀ] n. — V. 1360; de 1. *cabaret.*

♦ Vx (ou hist.). Celui, celle qui tient un cabaret (1.). ⇒ **Aubergiste, cafetier, gargotier.** *Le cabaretier leur servit à boire.*

1 Le Jupiter d'Homère avec ses deux tonneaux me fait lever les épaules; je n'aime point Jupiter cabaretier donnant, comme tous les cabaretiers, plus de mauvais que de bon.   Voltaire, Memmius, IX.

REM. Le mot s'employait encore au XXe s., en milieu rural :

2 L'estaminet ne doit plus faire crédit, car Mme Isambert, la nouvelle cabaretière, n'est pas tendre pour les ivrognes.   Bernanos, Nouvelles histoires de Mouchette, 1937, *in* Œ. roman., Pl., p. 1271.

CABAROUET [kabaʀwɛ] n. m. ⇒ Cabrouet.

CABAS [kaba] n. m. — 1372; *cabar,* 1364; provençal *cabas,* du lat. pop. **capacium,* p.-ê. de *capax* «qui contient beaucoup».

♦ **1.** Panier souple qui sert à mettre des fruits. ⇒ **Couffe, couffin.** *Un cabas rempli de figues, de raisins. Cabas à olives.* Contenu d'un cabas. *Un plein cabas de figues.*

♦ **2.** Panier aplati ou sac à provisions que l'on porte au bras. *Faire son marché avec un cabas.*

1 Ils allaient dans les marchés avec des cabas pour s'offrir à porter les provisions que les bourgeois y achetaient.   A.-R. Lesage, Don Guzman..., II, 2.

2 Félicité retirait de son cabas des tranches de viande froide, et on déjeunait dans un appartement faisant suite à la laiterie.   Flaubert, Trois contes, «Un cœur simple», II, p. 17.

3 Le soir tombait (...) des enfants qui sortaient de l'école refluaient vers la vieille ville en traînant leurs galoches. Des ménagères aux cabas vides erraient en quête de provisions (...)   Francis Carco, les Belles Manières, p. 21.

DÉR. Cabasset.

CABASSET [kabasɛ] n. m. — 1284; de *cabas.*

♦ Anciennt. Casque sans visière, en usage aux XVIe et XVIIe siècles. ⇒ **Bassinet.**

CABBALE [kabal] n. f. ⇒ Cabale (I., 1.).

CABÈCHE [kabɛʃ] n. f. — 1879, Esnault; *cavèche,* 1552 (→ Cavecé); esp. *cabeza* «tête», bas lat. *capitia* «tête», de *caput.*

♦ Fam. et vieilli. Tête. ⇒ **Caberlot, caboche, ciboulot.** *Couper la cabèche.*

(Guerre de 1914-1918; tirailleurs marocains). *Couper cabèche :* couper la tête, tuer.

Un des tirailleurs entend, en passant, de quoi l'on parle. Il nous regarde, rit largement dans son turban casqué, et répète, en faisant : non, de la tête : Pas Kam'rad, non pas Kam'rad, jamais! Couper cabèche!   H. Barbusse, le Feu, 1916, t. I, p. 23.

CABERLOT [kabɛʀlo] n. m. — 1899, *in* E. Chautard, *la Vie étrange de l'argot;* orig. incert., à rapprocher du rad. du lat. *caput.*

♦ Fam. et vieilli. Tête, crâne. ⇒ **Cabèche, caboche, ciboulot.**

Ils *(les obus)* éclatent presque toujours trop haut. Barque nous explique, bien que nous le sachions.
— Le pot de chambre *(le casque)* te protège suffisamment l'caberlot contre les billes de plomb. Alors ça t'démolit l'épaule et ça t'fout par terre, mais ça t'bouzille pas.   H. Barbusse, le Feu, 1916, t. II, p. 13.

Loc. *Taper sur le caberlot :* obséder, rendre fou.

CABERNET [kabɛʀnɛ] n. m. — 1861; terme du Médoc, p.-ê. du lat. *caput* «tête».

♦ Cépage à petites grappes, à petits grains à peau fine *(cabernet franc)* ou dure et épaisse *(cabernet sauvignon).* En France, le cabernet franc (parfois appelé *bouchet*) est courant (Bordelais, Touraine) et le cabernet sauvignon représente 50 à 70 % des cépages du Bordelais.

L'on rencontre des crus où le cépage dominant est le malbec, ou le merlot, ou le larnet, ou le verdot, ou le cabernet (...) Le cabernet sauvignon a dans la Gironde la réputation d'être le plus avantageux à cultiver. Il produit le meilleur vin.   Dupuits de Maconeix, *in* Encyclopédie pratique de l'agriculteur, 1861, t. IV (*in* D.D.L., II, 12).

Régional. *Petit cabernet :* cabernet sauvignon.

Vin issu de ce cépage. *Les cabernets rosés sont moelleux et secs.*

CABESTAN [kabɛstɑ̃] n. m. — 1648; *cabestant,* 1382; provençal *cabestran,* de *cabestre* «corde de poulie». → Chevêtre.

♦ Treuil à arbre vertical sur lequel peut s'enrouler un câble, une chaîne, et qui sert à tirer des fardeaux. ⇒ **Vindas.** *Cabestan à bras,* muni de barres horizontales (→ Barre d'anspect*). *Cabestan à vapeur. Cabestan électrique,* utilisé pour la manœuvre des plaques tournantes, le halage. *Petit cabestan à main.* ⇒ **Winch.** *Arbre, axe, mèche d'un cabestan; taquets, cliquets, linguet d'un cabestan. Plaque recevant le pivot du cabestan.* ⇒ **Saucier.** *Le cabestan est utilisé à bord des navires pour virer les amarres; pour actionner les barbotins.* ⇒ aussi **Guindeau.** *Haler un navire au cabestan.* ⇒ **Touer.** *Armer un cabestan,* l'équiper, le garnir d'un câble. — *Virer le cabestan, virer au cabestan. Dévirer le cabestan.*

Comme j'allais m'endormir, j'entendis sur le pont quelques pas précipités, comme pour une manœuvre (...) Bientôt, j'entendis les anneaux sonores de la chaîne de l'ancre se dérouler pesamment du cabestan; puis je sentis ce coup sec qui fait vibrer tout le navire, quand l'ancre a roulé jusqu'au fond solide (...)
                                      LAMARTINE, Voyage en Orient, 5 sept. 1832.

CABIAI [kabjɛ] n. m. — 1741, mot galibi (langue indienne de Guyane), de *cabi* «herbe», et *aica* «manger». → Cobaye. — REM. Le nom tupi apparenté *capiigouare* est connu en 1575 (Thevet).

♦ Mammifère rongeur *(Caviidés),* appelé scientifiquement *Hydrochœrus* et vulgairement *Cochon d'eau* (parce qu'il vit près des fleuves). *Le cabiai est le plus grand des rongeurs; il vit en Amérique du Sud.*

Les chasseurs (...) virent Top *(le chien)* aux prises avec un animal qu'il tenait par une oreille. Ce quadrupède était une espèce de porc long de deux pieds et demi environ, d'un brun noirâtre mais moins foncé au ventre, ayant un poil dur et peu épais, et dont les doigts (...) semblaient réunis par des membranes.
Hubert crut reconnaître en cet animal un cabiai, c'est-à-dire un des plus grands échantillons de l'ordre des rongeurs.
Cependant, le cabiai ne se débattait pas contre le chien. Il roulait bêtement ses gros yeux profondément engagés dans une épaisse couche de graisse.
                                      J. VERNE, l'Île mystérieuse, t. I, p. 114.

CABILLAUD [kabijo] n. m. — 1762; *cabillau(t),* 1278; *cabellau,* v. 1250; du néerl. *kabeljau.*

♦ Églefin* (famille des *Morues*). Morue fraîche. — On écrit aussi *cabillau. Œufs de cabillaud préparés.* ⇒ **Tarama.**

Et dire que les hommes m'appellent morue verte quand je suis morte... — Je t'ai mangée? — Petite malheureuse. On nous mange toujours les jours creux ou les jours tristes (...) C'était un cabillaud tendre et nostalgique.
                                      Jean CAYROL, Histoire de la mer, p. 129.

HOM. Cabillot.

CABILLOT [kabijo] n. m. — 1687; provençal *cabilhot,* de *cabilha* «cheville».

♦ **1.** Mar. Cheville à laquelle on amarre les manœuvres courantes. *Cabillot d'amarrage. Cabillot de tournage.*

♦ **2.** Argot des marins (vx). Fantassin. — Spécialt. Soldat de l'infanterie de marine.

HOM. Cabillaud.

CABIN-CRUISER [kabinkʀuzœʀ] n. m. — 1960, *cabine cruiser, in* Höfler; mot angl., de *cabin* «cabine», et *cruiser* «croiseur».

♦ Yacht de croisière à moteur. — Plur. *Des cabin-cruisers.*

Daniel s'était abouché avec un Américain qui vivait sur un cabin-cruiser.
                                      Michel DÉON, les Poneys sauvages, p. 468.

CABINE [kabin] n. f. — 1688; de l'angl. *cabin* (xviᵉ), moy. angl. *caban* (xivᵉ), p.-ê. du franç. *cabane.* → Cabane. — REM. L'anc. picard *cabine* «maison de jeu» est attesté en 1364; d'après Guiraud, mot normanno-picard, var. de *cabenne, cabène,* de *ca-* «creux, intérieur» (→ Caboulet, cahute), et *benne, banne* «panier», puis «hutte»; la forme *cabine* serait à rapprocher du normanno-picard *binot, binette* «corbeille».

♦ **1.** (1759; *cabain,* 1530). Petite chambre, à bord d'un navire. — Syn. vx : *cabane. Retenir une cabine à bord d'un paquebot.* ⇒ **Couchette.** *Cabine de luxe.*

1   Nous avons été visiter notre navire, notre maison pour tant de mois! Il est distribué en petites cabines où nous avons place pour un hamac et pour une malle. Le capitaine a fait percer de petites fenêtres qui donnent un peu d'air et de lumière aux cabines.   LAMARTINE, Voyage en Orient, 15 juin 1832.

2   La vie était saine et rude; ce froid plus piquant augmentait le bien-être du navire, l'impression de gîte bien chaud qu'on éprouvait dans la cabine en chêne massif, quand on y descendait pour souper ou pour dormir.
                                      LOTI, Pêcheur d'Islande, III, 10, p. 176.

3   La jeune fille fut installée dans une cabine, que les matelots disposèrent pour elle en peu d'instants et qu'ils rendirent aussi confortable que possible.
                                      J. VERNE, Un hivernage dans les glaces, p. 235.

Cabine des cartes : chambre des cartes.

♦ **2.** (xxᵉ). *Cabine de navigation, cabine de pilotage,* à bord d'un avion. — *Cabine largable :* cabine de pilotage d'un avion mili-

taire, qui peut se séparer du fuselage s'il faut évacuer l'équipage. — *Cabine spatiale :* habitacle d'un vaisseau spatial ou d'un satellite artificiel. «*Mercury, les premières cabines habitées américaines, quittaient leur orbite terrestre et pénétraient dans l'atmosphère comme des boulets de canon en suivant une trajectoire purement balistique (...) Avec les cabines Gemini s'amorça une évolution*» (le Monde, 13 déc. 1972, p. 21).

♦ **3.** (1866). Petit espace clos où une personne au moins peut se tenir. ⇒ **Cabinet, réduit.** *Cabine de bain,* où l'on se déshabille avant le bain. *Louer une cabine à la piscine.* — (1862). *Cabine (téléphonique*) :* petit local affecté à l'usage du téléphone. *Cabine publique.*

— Il a même fallu que je lui dise si j'étais seule ou non. Alors, il m'a expliqué que son coup de téléphone devait rester secret, qu'il ne m'appelait pas du ministère mais d'une cabine publique, qu'il était important pour lui d'entrer au plus tôt en contact avec toi.   G. SIMENON, Maigret chez le ministre, p. 9.   4

(1889). *Cabine d'ascenseur; la cabine d'un ascenseur.*

À l'extrémité du couloir (...) pas d'ascenseur. Sonnerait-il? Il descendit. À l'étage inférieur (...) une dizaine de personnes attendaient la cabine qui arrivait.
                                      MALRAUX, la Condition humaine, Pl., p. 12.   5

Cabine de vote. ⇒ **Isoloir.** — Ch. de fer. *Cabine d'aiguillage, de signaux. Cabine de conduite :* compartiment d'extrémité d'une voiture, où se tient le conducteur.
Sur un véhicule utilitaire, Emplacement aménagé pour le conducteur (et généralement une ou deux autres personnes). *Le siège de la cabine d'un camion* (cit. 6, Duras). *La cabine du chauffeur* (→ Camion, cit. 7).

CABINET [kabinɛ] n. m. — 1491, «chambre»; de *cabine;* l'ital. *gabinetto* «chambre, meuble» (après 1550) est probablt empr. au français.

★ **I.** ♦ **1.** Petite pièce située à l'écart, dans un appartement, et qui n'est pas utilisée comme chambre. ⇒ **Réduit.** *Cabinet attenant* (cit. 3) *à une chambre. Cabinet de débarras*.* ⇒ **Cagibi** (fam.). *Cabinet noir,* sans fenêtres. *Menacer un enfant de l'enfermer au cabinet noir. Faire de la photographie dans un cabinet noir* (cf. Chambre noire).

Mon petit papa, dit Jean en se mettant à genoux, on me veut du mal, maman me persécute, défends-moi.   0.1
— Non, ta mère a raison, dit M. Santeuil incertain de ce qu'il allait dire (...) Jean, au moment où son père le poussait en lui donnant des claques vers le cabinet noir, tomba dans une violente attaque de nerfs.   PROUST, Jean Santeuil, p. 224.

Vieilli. *Cabinet particulier :* pièce où l'on sert des repas, dans un café, un restaurant. ⇒ **Salon** (particulier).

Trois heures du matin (...) La vie s'est réfugiée ici *(à Paris),* la vie intense, louche, dorée, nomade, bohème, la vie qui ne veut pas dormir (...) Des adorateurs de toutes les races, de tous les climats, de toutes les langues, sont venus offrir leur encens, dans ce temple qu'on appelle le cabinet particulier, à cette idole parisienne, la «soupeuse».   0.2
                                      Germain NOUVEAU, Petits tableaux parisiens, IX, Pl., p. 461.

(1751). Mod. **CABINET DE TOILETTE** : petite pièce aménagée pour qu'on puisse y faire sa toilette (lavabo, parfois douche, w.-c.). ⇒ **Bain** (salle de bains).

Le cabinet de toilette avait l'aspect d'une officine : sur l'étagère, sur la table, des fioles (...)   MARTIN DU GARD, les Thibault, t. III, p. 119.   1

REM. On a employé *cabinet,* dans ce sens, mêlé au sens 2. ci-dessous.

J'entrai dans le cabinet qui m'était destiné; il avait environ huit pieds carrés; le jour y venait comme dans l'autre pièce, par une fenêtre très haute et toute garnie de fer. Les seuls meubles étaient un bidet, une toilette *(table à toilette)* et une chaise percée.   SADE, Justine..., I, p. 157.   1.1

♦ **2.** (1690). *Cabinet d'aisances*,* et, absolt, *cabinet, cabinets.* ⇒ **Buen retiro** (vx), **garde-robe** (vx), **water-closet** (et les formes : vatères, vécés, waters, w.-c.); **latrines**; (fam. et argot) **chiottes, gogues, goguenots, tartisses.** *La cuvette, le siège des cabinets* (cf. fam. Chaise percée, trône). *La chasse d'eau des cabinets. Aller aux cabinets* (cf. par euphém. Aller quelque part, aller au petit coin). *Papier* (cit. 7) *utilisé dans les cabinets :* papier hygiénique. — Fam. *Papier de cabinets.*

Un moutard (...) qui voudrait m'empêcher d'aller aux cabinets et de faire mes nécessités!   COURTELINE, Messieurs les ronds-de-cuir, 2ᵉ tableau, I, p. 66.   2

Grande «distinction morale». Mais *(elle)* croit un peu trop que les vrais poètes ne vont jamais aux cabinets.   GIDE, Journal, 25 avr. 1907.   3

Savez-vous où sont les cabinets? dit-elle. Elle avait raison, je n'y pensais plus. Se soulager dans son lit, cela fait plaisir sur le moment, mais après on est incommodé. Donnez un vase de nuit, dis-je.   S. BECKETT, Premier amour, p. 44.   3.1

REM. L'extension de ce sens spécial de *cabinet* rend rare tout emploi absolu du mot, surtout au pluriel (→ ci-dessous, cit. 4, 5).

♦ **3.** (1536). Vieilli. Lieu formant abri dans un jardin. *Cabinet de verdure.* ⇒ **Gloriette, tonnelle.**

(...) une de ces demeures où chaque salon a l'air d'un cabinet de verdure et où, sur la tenture des chambres, les roses du jardin dans l'une, les oiseaux des arbres dans l'autre, vous ont rejoints et vous tiennent compagnie.   3.2
                                      PROUST, le Temps retrouvé, p. 697.

♦ **4.** (1539). Littér. Pièce où l'on se retire pour travailler, pour converser en privé. *Cabinet de travail, d'étude.* ⇒ **Bureau.** — Loc. *Homme de cabinet :* homme d'études.

4 Une personne humble, qui est ensevelie dans le cabinet, qui a médité (...) pendant toute sa vie. LA BRUYÈRE, les Caractères, II, 28.

5 Souvent ce cabinet superbe et solitaire
Des secrets de Titus est le dépositaire. RACINE, Bérénice, I, 1.

6 Avant d'éteindre, il *(Antoine)* se retourna pour embrasser du regard ce cabinet de travail, qui était maintenant comme une alvéole vide. MARTIN DU GARD, les Thibault, t. IV, p. 250.

7 Messieurs, dit-il, puisque vous désirez vous entretenir avec moi, nous serons mieux dans mon cabinet de travail qu'ici. J. ROMAINS, les Copains, I, p. 55.

(1835). Vx. *Cabinet de lecture :* lieu où l'on peut consulter, emprunter des ouvrages, des journaux. ⇒ **Bibliothèque.** *S'abonner à un cabinet de lecture.*

Vx. *Cabinet de physique, de chimie.* ⇒ **Laboratoire.** — Par métonymie. Ensemble des instruments nécessaires aux expériences de physique, de chimie.

♦ **5.** (1834). Lieu d'exercice de certaines professions libérales (avocats, médecins). *Le cabinet d'un avocat. Rendez-vous à mon cabinet. Cabinet de consultation* (d'un médecin). — (1970). *Cabinet de groupe :* réunion de plusieurs praticiens (généralistes ou spécialistes) qui exercent dans un même local et utilisent en commun les installations ainsi que le personnel de secrétariat.

(1834). *Cabinet d'affaires :* établissement où l'on se charge, moyennant rétribution, des affaires d'autrui. ⇒ **Agence.**

Par métonymie. Ensemble des affaires, des clients dont s'occupe un cabinet d'affaires, un notaire (⇒ **Étude**), un avocat, etc. *Cet avocat a un très bon cabinet.*

★ **II.** ♦ **1.** Vx ou hist. Conseil* où se traitent les affaires de l'État. *La politique des cabinets européens* (Littré). *Le prince a son cabinet...* (→ Ministère, cit. 9).

8 Je ne suis pas ici un historien qui doit vous développer le secret des cabinets. BOSSUET, Oraison funèbre de Henriette Anne d'Angleterre.

9 Le roi cependant (...) avait résolu dans son cabinet qu'il n'y eût plus de guerre. RACINE, Disc. à l'Académie.

Vx. *Cabinet noir :* service qui procédait à l'ouverture de certaines correspondances, par ordre du gouvernement.

♦ **2.** (1708; angl. *cabinet,* 1644; franç. *cabinet du Roy,* 1606). Mod. Ensemble des ministres*, secrétaires d'État, dans le régime parlementaire. ⇒ **Gouvernement, ministère.** *Le cabinet est soumis à la responsabilité politique devant les Chambres. Le cabinet s'est présenté devant les Chambres. Renverser le cabinet. La démission du cabinet. Le cabinet de M. X* (nom d'un Premier ministre), *le cabinet X.* «*Les ministres et secrétaires d'État seront vraisemblablement convoqués* (...) *par un conseil extraordinaire au cours duquel M. Barre remettrait sa démission et celle de son cabinet*» (le Monde, 31 mars 1978).

9.1 (...) alors que certains de ses collègues passaient à la Chambre sans laisser de traces, Point avait été réélu coup sur coup et, trois mois plus tôt, lors de la formation du dernier cabinet, avait reçu le portefeuille des Travaux Publics. G. SIMENON, Maigret chez le ministre, p. 11.

Former le cabinet, un cabinet de coalition.

9.2 Incidemment, les Français lisent dans leur journal (...) que les sociaux-démocrates allemands, vainqueurs aux élections, songent à former un cabinet de coalition. Jean FERNIOT, Pierrot et Aline, p. 12.

♦ **3.** Service chargé de la préparation des affaires gouvernementales et administratives dans un ministère, une préfecture. *Le cabinet du ministre. Personnel du cabinet. — De cabinet. Chef de cabinet. Attaché de cabinet. Conseil de cabinet.* ⇒ **Conseil.** *Directeur de cabinet.* ⇒ **Directeur.**

★ **III.** (1542). Vieilli ou dans des loc. Lieu où l'on place, où l'on expose des objets de curiosité, d'étude. *Cabinet de curiosités, de raretés, d'objets d'art; cabinet de tableaux, d'armes...* ⇒ **Musée.** *Le Cabinet des Antiques,* roman de Balzac. *Le cabinet des médailles de la Bibliothèque nationale* (→ Bibliothécaire, cit.). *Le cabinet des poinçons de l'Imprimerie nationale. Cabinet d'histoire naturelle. Pièce de cabinet. Cabinet de cires :* lieu où est exposée une collection de reproductions en cire d'hommes et de scènes célèbres. — Syn. : *musée de cires.*

10 Une belle arme (...) est une pièce de cabinet (...) qui n'est pas d'usage, qui ne sert ni à la guerre ni à la chasse (...) LA BRUYÈRE, les Caractères, III, 49.

11 Quelques personnes (...) ont voulu avoir dans leur cabinet un abrégé en tableaux des plus grandes actions de ce prince. RACINE, Campagnes de Louis XIV.

12 C'est une rare pièce, et digne, sur ma foi,
Qu'on en fasse présent au cabinet d'un roi ! MOLIÈRE, l'Étourdi, III, 4.

12.1 Car l'anatomie est alors un des grands goûts de la femme : peu s'en faut que les femmes à la mode n'aient dans un coin du jardin de leur hôtel, ce petit boudoir, ces délices de Mlle Biberon, la grande artiste en sujets anatomiques faits de cire et de chiffons, un cabinet vitré plein de cadavres ! Ed. et J. DE GONCOURT, la Femme au XVIIIᵉ siècle, t. II, p. 153.

Par métonymie. Ensemble des collections* contenues dans un cabinet de curiosités. *Il a un riche cabinet* (Académie).

★ **IV.** ♦ **1.** (1528). Vieilli ou techn. (hist. du mobilier). Meuble à plusieurs compartiments pour ranger des objets précieux. ⇒ **Buffet.** *Cabinet d'ébène, de laque.* — Loc. (Vx). *Mettre qqch. au cabinet,* le ranger dans un tiroir; le mettre au rebut.

13 Franchement, il *(ce sonnet)* est bon à mettre au cabinet. MOLIÈRE, le Misanthrope, I, 2.

REM. L'exemple n'est plus compris et évoque le sens I., 2. ci-dessus.

14 Des cabinets incrustés en pierres dures de Florence, bourrés de billets doux, de tresses de cheveux, de bracelets et de bagues et autres témoignages de passions oubliées (...) Th. GAUTIER, le Capitaine Fracasse, t. II, XIII, p. 111.

♦ **2.** Techn. Meuble en bois dans lequel est fixé le mouvement d'une horloge.

♦ **3.** (1668). *Cabinet d'orgue :* buffet d'orgue.

COMP. **Arrière-cabinet.**

CÂBLAGE [kablaʒ] n. m. — 1877; de *câbler.*

♦ **1.** Fabrication d'un câble; torsion des fils d'un câble. *Les opérations du câblage, dans une câblerie.*

♦ **2.** Montage des fils d'un appareil électrique; établissement des connexions d'un appareil électronique. ⇒ **Connecteur.** *Procéder au câblage d'un téléviseur. Câblage défectueux.*

Ensemble des fils du montage d'un appareil électrique, des connexions d'un appareil électronique. *Réparer le câblage.*

Aucun des défauts de l'amplification ne vient du mécanisme électronique des lampes; ils sont dus aux éléments extérieurs : capacités parasites des électrodes, résistances, capacités, transformateurs qui servent à relier une lampe à la suivante dans l'amplificateur, et qui constituent le délicat «câblage» des châssis de T.S.F. Pierre GRIVET et Pierre HERRENG, la Télévision, p. 90.

♦ **3.** Action de câbler (une dépêche).

♦ **4.** Téléphérage des bois en montagne.

CÂBLE [kabl] n. m. — 1180, *cable,* mot anglo-normand; *caavle,* 1310; provençal *cable,* du bas lat. *capulum* «espèce de corde»; s'est substitué à l'anc. franç. *cheable, chaable, châble.*

♦ **1.** Faisceau de fils (de chanvre, d'acier) tressés. ⇒ **Corde.** *Câble rond, plat. Câble de levage. Câble pour retenir un chargement.* ⇒ **Liure.** *Câble de traction.* ⇒ **Remorque.** *Câble de funiculaire.* ⇒ **Téléphérage.** *Câble de mine. Câble télédynamique,* pour transmettre le mouvement d'une machine. *Fixer un câble à un fardeau.* ⇒ **Chabler.** — *Tendeur, poulies de câble. L'âme, les torons d'un câble. Entrelacement unissant les torons de deux câbles.* ⇒ **Épissure.**

1 Les câbles sont formés de torons en fils métalliques enroulés autour d'une âme, en chanvre garnie de suif et de goudron. Le diamètre des fils varie de 1/2 à 2 mm. P. POIRÉ, Dict. des sciences, art. *Câble.*

1.1 Trois grandes pirogues conjuguées forment bac; sur le plancher qu'elles rejoint, les deux autos s'installent. Un câble de métal, dont s'emparent les nautoniers, est tendu d'une rive à l'autre et permet de résister à la violence du courant. GIDE, Voyage au Congo, *in* Souvenirs, Pl., p. 716.

Mar. Gros cordage* composé de trois aussières commises en grelin, ou forte amarre en acier. *Filer, mouiller un câble :* lâcher le câble en le déroulant. *Haler, paumoyer un câble. Treuil pour filer, haler un câble.* ⇒ **Cabestan.** *Boucle, tour d'un câble roulé sur lui-même.* ⇒ **Plet.** *Câble enroulé sur le tambour. Câble d'une boucle d'amarrage. Câble d'ancre.* ⇒ **Chaîne.** *Étalinguer un câble à l'organeau d'une ancre. Câble d'embossage.* ⇒ **Embossure.** *Câble de la barre du gouvernail.* ⇒ **Drosse.** *Câble de halage.* ⇒ **Remorque, touée.**

2 Ils gagnent leurs vaisseaux, ils en coupent les câbles (...) CORNEILLE, le Cid, IV, 3.

3 Mais un marin n'est jamais embarrassé, quand il s'agit de câbles ou de cordages, et Pencroff tressa rapidement une corde longue de plusieurs brasses au moyen de lianes sèches. Ce câble végétal fut attaché à l'arrière du radeau, et le marin le tint à la main (...) J. VERNE, l'Île mystérieuse, t. I, p. 49.

Loc. fam. (1850). Argot des marins. *Filer le (son) câble :* partir. *Filer son câble par le bout :* mourir. — Fam. *Couper le câble (avec qqn) :* cesser toute relation.

4 Le jour du mariage, Mᵐᵉ de Villeparisis eut chez elle toutes les nobles personnes dont elle se moquait, dont elle se moqua même avec les quelques bourgeois intimes qu'elle avait conviés et auxquels le prince de Lannes avait mis alors des cartes avant de «couper le câble» dès l'année suivante. PROUST, À la recherche du temps perdu, Pl., t. II, p. 450.

Ancienne mesure marine. ⇒ **Encâblure.**

Mécan. *Câble de commande. Câble de frein.*

♦ **2.** Techn. **a** En passementerie, Gros cordon d'argent, de soie..., servant à relever des draperies, des rideaux, des tentures, à attacher les tableaux. ⇒ **Câblé.**

b En architecture, Moulure, torsade en forme de gros cordage. ⇒ **Rudenture.**

♦ **3.** (1867). Fil conducteur métallique protégé par des enveloppes isolantes. *Isolant de câble.* ⇒ **Gutta-percha.** *Câble électrique. Câble aérien. Gaine, armure d'un câble. Câble alu-acier; câble à âme d'acier.* ⇒ **Bimétal.**

5 Pendant des semaines, Tiffauges arpenta les routes et les chemins de la région en poussant devant lui la brouette dérouleuse chargée de câbles de campagne ou portant sur la poitrine le plastron-dérouleur garni d'un câble d'assaut, cependant que deux camarades munis d'échelles et de lances à fourche faisaient courir les câbles le long des murs, d'arbre en arbre ou de poteau télégraphique en poteau télégraphique. M. TOURNIER, le Roi des Aulnes, p. 146.

Poser, immerger un câble sous-marin. Câble télégraphique, télé-phonique. Câble coaxial*, câble à fibres* optiques. (1970). *Câble de télévision. Télévision par câbles.* ⟹ **Câblodistribution ; télédistribution.** *Diffusion par câbles.* — *Le câble :* la télévision par câbles.

♦ **4.** Fig. Techn. *Câble hertzien** : faisceau étroit d'ondes très courtes permettant une directivité très précise, et remplaçant une section de câbles.

♦ **5.** (1897). Câblogramme. *Envoyer un câble.* ⟹ **Câbler.**

6   Tu sais où est James? J'ai reçu un câble de lui ce matin. (On n'envoie pas de lettres ni de cartes postales).   Pierre DANINOS, Un certain Monsieur Blot, p. 207.

DÉR. **Câbleau** ou **câblot, câbler, câblerie, câbleur, câbleuse, câblier, câblière, câbliste.**
COMP. **Câblodistributeur, câblodistribution, câblogramme.**

CÂBLÉ, ÉE [kable] adj. et n. m. — 1690 ; de *câbler.*

★ **I.** Adj. ♦ **1.** *Fil câblé,* retordu.

♦ **2.** Archit. *Moulure câblée,* en forme de câble.

♦ **3.** Mar. *Ancre câblée,* munie d'un câble.

♦ **4.** Électr. *Circuits câblés,* construits par câblage (2.), par opposition à *circuits* imprimés, intégrés.*

Inform. Dans un ordinateur, Qualifie les fonctions et les instructions ou opérations qu'elles permettent lorsque leur structure est réalisée matériellement et non pas par le logiciel (s'oppose à *programmé*).

★ **II.** N. m. ♦ **1.** Gros cordon de passementerie fait de fils tortillés.

♦ **2.** Fil à coudre. *Du câblé six fils. Câblé d'Alsace,* coton à tricoter.

CÂBLEAU [kablo] n. m. ⟹ **Câblot.**

CABLEMAN [kabləman] n. m. ⟹ **Câbliste.**

CÂBLER [kable] v. tr. — 1680 ; de *câble.*

♦ **1.** Assembler (plusieurs fils, plusieurs torons) en les tordant ensemble en un seul câble. *Câbler des haussières.*

♦ **2.** (1877 ; de l'angl. *to cable,* v. 1871, du franç. *câble*). Envoyer (une dépêche) par câble télégraphique. ⟹ **Câble** (5.), **câblogramme.** *On vous câblera des instructions.* ⟹ **Télégraphier.**

DÉR. **Câblage, câblé.**

CÂBLERIE [kabləRi] n. f. — 1905, *in* D.D.L. ; de *câble.*
Technique.

♦ **1.** Fabrication de câbles.

♦ **2.** (1928). Fabrique de câbles. ⟹ **Corderie.**

CÂBLEUR, EUSE [kablœR, øz] n. — 1955 ; de *câble.*
Technique.

♦ **1.** Technicien, technicienne qui effectue la pose et le montage de câbles électriques.
Électr. Personne spécialisée dans le câblage (2.).

♦ **2.** Bûcheron qui procède au transport des bois par câbles. ⟹ **Câblage** (4.).

CÂBLEUSE [kabløz] n. f. — V. 1950 ; de *câble.*

♦ Techn. Machine à fabriquer des câbles. ⟹ **Tordeuse.**

CÂBLIER [kablije] n. m. et adj. — 1908, adj. ; de *câble.*

♦ **1.** Mar. Navire spécialement équipé pour le transport, la pose et la réparation des câbles sous-marins. *Les appareils de sondage d'un câblier.* — Adj. *Un navire câblier.*

♦ **2.** Techn. Fabricant de câbles. — REM. Dans ce sens, le fém. *câblière* [kablijɛR] serait normal.

CÂBLIÈRE [kablijɛR] n. f. — 1795 ; de *câble.*

♦ Techn. (mar., pêche). Pierre percée pour le passage d'un câble et qui sert de lest pour les filets de pêche.

CÂBLISTE [kablist] n. — 1973, *Voc. de l'audiovisuel,* O.R.T.F. ; de *câble.*

♦ Techn. Personne chargée de manipuler les câbles d'une caméra de télévision lors de ses déplacements dans une prise de vues. —

Recomm. off. (*Journ. off.,* 18 janv. 1973) pour remplacer l'anglicisme *cableman.*

CÂBLODISTRIBUTEUR, TRICE [kablodistRibytœR, tRis] n.
— 1982 ; de *câble* et *distributeur,* d'après *câblodistribution.*

♦ Technicien, technicienne qui installe les câbles pour la câblodistribution*. « *La tuyauterie mise en place naguère par les câblodistributeurs, après n'avoir servi qu'à une meilleure réception des trois grands réseaux nationaux américains, transporte aujourd'hui plus de programmes qu'un télémaniaque surentraîné ne pourrait en voir* » (*l'Express,* 7-13 mai 1982, n° 1609, p. 25).

CÂBLODISTRIBUTION [kablodistRibysjõ] n. f. — V. 1965 ; de *câble* (4.), et *distribution,* d'après *télédistribution.*

♦ Techn. (D'abord au Canada). Procédé de diffusion d'émissions télévisées par câbles, utilisé pour des réseaux d'abonnés à domicile ou en circuit fermé. ⟹ **Télédistribution, téléenseignement.**

CÂBLOGRAMME [kablogRam] n. m. — 1888 ; angl. *cablegram* (1868), de *cable,* du franç. *câble,* et *-gram* (→ -gramme), par anal. avec *telegram.*

♦ Vieilli. Télégramme transmis par câble. ⟹ **Câble** (5.).
Il est possible que la filière du théâtre nous égare, comme nous égarerait celle de la presse. Dans la seconde, la mutation se produisit lorsque entrèrent en jeu le câblogramme et la similigravure.   MALRAUX, l'Homme précaire, p. 217.

CÂBLOT ou CÂBLEAU [kablo] n. m. — 1530, *câblot; câbleau,* 1553 ; *cablel,* 1404, devenu *cableau,* puis *câblot* par changement de suffixe ; de *câble.*

♦ **1.** Mar. Cordage de grosseur moyenne servant d'amarre aux embarcations (chaloupes, canots, barques). « *Joshua* (un bateau) *dort maintenant au bout de son câblot* » (B. Moitessier, *Cap Horn à la voile,* p. 107).

♦ **2.** Ch. de fer. Élément de câble électrique à fort isolement qui réunit les circuits de deux véhicules ferroviaires. *Les câblots des voitures Corail.* « *(...) cinquante-sept B11tu et huit B11rtu équipés de conduites et de réversibilité avec câblots d'accouplement* » (la *Vie du rail,* n° 1663, 15 oct. 1978, p. 6).

CABOCHARD, ARDE [kabɔʃaR, aRd] adj. et n. — 1579, adj. ; de *caboche.*

♦ Fam. Qui n'en fait qu'à sa tête. ⟹ **Entêté.** *Un enfant cabochard. Une bête cabocharde.*
N. *Un cabochard, une cabocharde.* ⟹ **Tête** (forte tête).
(*Fernand*) « montait » à Paris avec un chargement de beurre sur son vélo. Tout le monde avait peur pour lui. « Vous ne devriez pas rouler ce moment, lui dis-je. Patientez, c'est la fin. » Il haussa les épaules et alla se préparer. Fernand était un cabochard.   Violette LEDUC, la Bâtarde, p. 624.

CABOCHE [kabɔʃ] n. f. — XIIIᵉ ; *caboce* « bosse, tête », v. 1160 ; orig. incert. ; forme normanno-picarde, de *boce* « bosse », et préf. péj. *ca-,* confondue avec le dér. de *caput* « tête » ; ou p.-ê., selon Guiraud, de *ca-,* et *boche,* du franco-provençal *boctio* « boule » (→ Cabochon).

♦ **1.** Fam. Tête. *Grosse caboche.*
(...) j'appelle cela ma petite classe. Vous verrez, quoique vieux, qu'ils ne se gênent   1
pas devant moi. Ils prétendent que je suis un des leurs. Et pas le moindre respect pour ma caboche blanchie.   PROUST, Jean Santeuil, Pl., p. 276.
Esprit, mémoire. ⟹ **Tête.** *Une bonne caboche :* un homme de sens. *Avoir la caboche dure :* être inintelligent ; être entêté. ⟹ **Cabochard.** *Il a une rude, une sacrée caboche.* ⟹ **Cabèche, caberlot, ciboulot.**
Voyez-vous, vous avez la caboche un peu dure.   MOLIÈRE, l'Étourdi, IV, 1.   2
(...) dans leurs sacrées caboches où n'entrent jamais deux idées à la fois, le mot   3
de fuite n'évoque pas grand-chose de bon (...)
          BERNANOS, Un crime, in Œ. roman., Pl., p. 809.

♦ **2.** (1680). Clou à grosse tête pour ferrer les souliers.

♦ **3.** Portion de tige adhérant au pétiole. « (L'écabochage) *consiste à trancher les bases des pétioles ou caboches, portions trop épaisses et trop lignifiées* » (A. Chevalier et H. F. Emmanuel, *le Tabac,* p. 72).

DÉR. **Cabochard, cabochon.**

CABOCHON [kabɔʃõ] n. m. — 1400, adj. ; *cabouchon,* 1380 ; de *caboche.*

♦ **1.** Pierre précieuse polie mais non taillée en facettes. *Cabochon de rubis. Émeraude en cabochon.*
Les tronçons basaltiques, emboîtés l'un dans l'autre, mesuraient quarante à cin-   1
quante pieds de hauteur (...)
L'éclat du foyer de lumière, signalé par l'ingénieur, saisissant chaque arête prismatique et les piquant de pointes de feux, pénétrait pour ainsi dire les parois comme si elles eussent été diaphanes et changeait en autant de cabochons étincelants les moindres saillies de cette substruction.   J. VERNE, l'Île mystérieuse, t. II, p. 796.

2 J'ai grossi, c'est affreux ! se lamenta Mme Pontet-Massène. Regardez mes mains !
(Elle dégagea ses mains couvertes de cabochons et de diamants).
Pierre DANINOS, *Un certain Monsieur Blot*, p. 211.

Adj. *Rubis cabochon.* — Loc. Par ext. *Cabochon de cristal d'un bouchon de carafe.*

Fam. Feu de position (d'une automobile).

♦ **2.** **a** (1732). Clou* à tête décorée. *Cabochon de cuivre. Meuble orné de cabochons.*

b Motif décoratif d'architecture en forme de tête de clou.

c Petit carreau d'un carrelage qui se place entre des carreaux plus grands, dans un angle à pans coupés.

♦ **3.** Hist. du costume. Bonnet de femme en usage au XVIIIe siècle.

♦ **4.** (1805, Cuvier). Mollusque univalve, dit aussi *bonnet de Hongrois.*

CABOSSAGE [kabɔsaʒ] n. m. — 1890, Goncourt ; de *cabosser*.

♦ Action de cabosser ; son résultat. *Je dois faire réparer le cabossage de ma voiture.*

CABOSSE [kabɔs] n. f. — 1752 ; même var. de mot que l'anc. franç. *caboce* « tête ». → Caboche.

★ **I.** ♦ **1.** Bot., techn. Fruit du cacaoyer. *Ce « fruit, ou cabosse (...) est une baie volumineuse, jaune ou rouge suivant les variétés (...) Il pèse de 300 à 500 g et contient vingt-cinq à soixante-quinze fèves »* (François Lery, *le Cacao*, p. 38).

♦ **2.** Régional (Sud de la France). Épi du maïs.

★ **II.** Fam. et vieilli. Bosse.

CABOSSER [kabɔse] v. tr. — 1570 ; *cabocier* « former des bosses », v. 1160 ; de l'anc. franç. *caboce* « bosse, tête ». → Caboche.

♦ Faire des bosses à. ⇒ **Bosseler, bossuer, déformer.** *Cabosser un chapeau. Le choc a cabossé la carrosserie.*

Par ext. Fam. et vieilli. *Cabosser la tête de qqn.* ⇒ **Contusionner, meurtrir.**

1 On lui cabossait la tête et les fesses de tous côtés.
M. AYMÉ, *la Jument verte*, p. 106.

▶ **SE CABOSSER** v. pron.

(Réfléchi ; sujet n. de pers.). Se heurter, se faire des bosses. — Fig. *Il a eu de terribles déceptions ces derniers temps, il s'est pas mal cabossé* (cf. Léon Daudet, A. Arnoux, *in* T. L. F.).

▶ **CABOSSÉ, ÉE** p. p. adj. *Une vieille argenterie cabossée. L'aile de sa voiture est un peu cabossée.*

2 Le terrain y est pourtant plus cabossé. G. SAND, *François le Champi*, XII, p. 98.

DÉR. **Cabossage.**

1. CABOT [kabo] n. m. — 1821, argot, « (chien) à grosse tête » ; orig. incert., du rad. de *caput* (→ Chabot) ; ou, moins probablt, altér. de *clabaud* « chien qui aboie fortement ».

♦ Fam. Chien*. ⇒ **Clébard, clebs.** *Un petit cabot. Tais-toi, sale cabot !*

1 Une dame mûre à prétentions (...) tenait un petit chien sur ses genoux. Costals échangea avec le cabot, au passage, un coup d'œil extrêmement coquin. — Vous avez fait de l'œil à cette vieille peau ! dit Solange, d'une voix peu aimable. — Pas du tout, j'ai fait de l'œil au chien. Oh ! ce qu'il avait l'air affranchi !
MONTHERLANT, *le Démon du bien*, p. 234.

2 Des chiens aboyèrent sauvagement et foncèrent sur la grille qu'ils ébranlèrent de tout leur poids, deux grands loups bruns (...) Une voix cria : « Mais qu'est-ce que c'est donc, à c't'heure ! Ah ! ben alors ! Vos gueules, les cabots ! »
Armand LANOUX, *le Commandant Watrin*, p. 69.

REM. La documentation enregistre l'abréviation *cab* [kab] (vx).

3 Le premier qui arriva à la grille du jardin s'arrêta et attendit les autres (...) — C'est icicaille, dit l'un d'eux. — Y a-t-il un cab dans le jardin ? demanda un autre. — Je ne sais pas. En tout cas j'ai levé *(apporté)* une boule que nous lui ferons morfiler *(manger)*.
HUGO, *les Misérables*, Pl., p. 1038.

HOM. 2. Cabot, 3. cabot, 4. cabot.

2. CABOT [kabo] n. m. — 1886 ; *cabo*, 1881 ; altér. probable de *capo*, abrév. de *caporal*, par attraction de 1. *cabot*.

♦ Fam. Caporal (cit. 1). *Il est passé cabot, cabot-chef.*

1 Il était furieux, le cabot, et il jurait sans se soucier du lieutenant. Il conduisit la roulante dans une cour couverte. La viande de l'intendance était arrivée, pour une

fois. « On fait des biftèques et des frites ? demanda le caporal. Ça vaudrait mieux que du singe ! »
Armand LANOUX, *le Commandant Watrin*, p. 29.

REM. La motivation pseudo-étymologique apparaît dans la cit. suivante :

2 Être caporal c'est un métier de chien. Le cabot est le clebs de ses hommes et souvent j'en ai marre.
— Mais c'est aussi un honneur, mon petit, et tu peux passer sergent.
— Ça, jamais ! mon général.
B. CENDRARS, *la Main coupée*, *in* Œ. compl., t. X, p. 180.

HOM. 1. Cabot, 3. cabot, 4. cabot.

3. CABOT [kabo] n. m. et adj. m. — 1847 ; abrév. de *cabotin*, p.-ê. avec infl. de 1. *cabot*.

♦ **1.** Cabotin (2.). *Un vieux cabot.*

1 — Oui, dit-il. Je ne comprenais pas le rôle. Je le jouais trop théâtre. Je le jouais en cabot, comme un cabot que je suis. J. RENARD, *Journal*, 2 mai 1903.

2 (...) comme ces acteurs, ces cabots de cinéma morts et oubliés depuis belle lurette et toujours prêts à faire revivre sans fin sur l'écran scintillant la même stupide scène de séduction ou d'héroïsme (...) Claude SIMON, *le Palace*, p. 16.

♦ **2.** Par ext. ⇒ **Cabotin** (3.).

3 J'avais tout de suite compris la comédie qu'ils se jouaient à eux-mêmes, les deux pauvres cabots (...) et quand ils menaçaient de se quitter, je savais très bien qu'ils n'étaient pas sincères. O. MIRBEAU, *le Journal d'une femme de chambre*, p. 375.

Adj. masc. *Il est un peu cabot. Elle est vraiment trop cabot.*

4 Il est encore plus cabot que moi : il adore que son nom soit cité dans les journaux.
Roger BORNICHE, *Flic story*, p. 234.

REM. Le fém. *cabote* [kabɔt], très rare, est attesté.

HOM. 1. Cabot, 2. cabot, 4. cabot.

4. CABOT [kabo] n. m. ⇒ **Chabot.**

CABOTAGE [kabɔtaʒ] n. m. — 1678 ; de *caboter*.

♦ Navigation effectuée en deçà des limites assignées aux voyages de long cours, à distance limitée des côtes (*Code de commerce*, art. 377). *Grand cabotage*, entre des ports de mers différentes. *Petit cabotage*, entre deux ports d'une même mer. *Cabotage national, international. Navires armés au cabotage.* ⇒ **Caboteur.** *Capitaine, patron au cabotage.*

1 La navigation marchande se divise en navigation au long cours, au cabotage international et au cabotage français. Loi du 30 janv. 1893, art. 1.

2 D'abord, un marin comme ça, il suffirait d'un peu d'argent d'avance pour lui faire suivre six mois les cours de cabotage, et il deviendrait un capitaine à qui tous les armateurs voudraient confier des navires. LOTI, *Pêcheur d'Islande*, I, 5, p. 51.

CONTR. Bornage, long cours (navigation au long cours).

CABOTER [kabɔte] v. intr. — 1678 ; de l'esp. *cabo* « cap » ou directement de *cap* (le passage de *p* à *b* est fréquent, notamment en provençal).

♦ Faire le cabotage*. *Caboter de port en port.* — Figuré :

L'étrangeté, avec les êtres vraiment jeunes, c'est qu'ils soient toujours si proches d'eux-mêmes, cabotant au plus près de leurs souvenirs, mêlés à eux, de sorte qu'on a le sentiment, les aimant, de faire irruption dans une vie bondée.
François NOURISSIER, *la Crève*, p. 140.

DÉR. Cabotage, caboteur, cabotier.

CABOTEUR [kabɔtœʀ] n. m. et adj. — 1542 ; de *caboter*.

♦ **1.** Vx. Marin qui fait le cabotage. — Adj. *Marin caboteur*, qui fait le cabotage.

1 (...) il fit construire, pour son propre compte, le brick *La Jeune-Hardie* (...) Jean Cornbutte en céda alors le commandement à son fils Louis, brave marin de trente ans, qui au dire de tous les capitaines caboteurs était bien le plus vaillant matelot de Dunkerque. J. VERNE, *Un hivernage dans les glaces*, p. 1966.

♦ **2.** Bâtiment côtier. *Un petit caboteur.*

2 C'était la fille d'un armateur, et lui avant son mariage, n'était que second sur un vieux caboteur qui traînait, le long des mers du Nord, sa panse bourrée de blé.
Roger VERCEL, *Remorques*, p. 45.

Adj. (ou appos.). *Navire, bâtiment caboteur.*

3 C'était la guenon du bord, la mascotte du Cyclone. Le jour où Royer l'avait sauvée sur un voilier caboteur (...) elle se balançait, insouciante, dans les haubans du bateau qui coulait bas. Roger VERCEL, *Remorques*, p. 62.

CABOTIER, IÈRE [kabɔtje, jɛʀ] n. et adj. — 1671, adj. ; de *caboter*.

Vieux.

★ **I.** Adj. Qui fait le cabotage (navire). *Bateau cabotier, barque cabotière. Bâtiment cabotier.*

★ **II.** ♦ **1.** N. m. ⇒ **Caboteur** (2.).

♦ **2.** N. f. (1693). **CABOTIÈRE** : bateau plat pour la navigation fluviale.

CABOTIN, INE [kabɔtɛ̃, in] n. et adj. — 1807, «comédien ambulant»; orig. incert., soit nom d'un comédien ambulant sous Louis XIII, soit mot picard, «homme très petit» (fin XVIIIe), du lat. *caput* «tête»; soit, d'après Guiraud, à rapprocher du provençal *far cabot* «saluer», doublet de *capoter* «faire signe avec la tête».

♦ **1.** Vx. Comédien* ambulant. ⇒ **Histrion.**

♦ **2.** (1834). Fam. et péj. Comédien, acteur (cit. 3 et 6.1) sans talent. ⇒ 3. **Cabot, ringard.**

1 (...) elle (*Héloïse*) voulait pendre, et sans moi (*Crevel*), la crémaillère rue Chauchat, avec des artistes, des cabotins, des gens de lettres (...)
BALZAC, la Cousine Bette, Pl., t. VI, p. 237.

2 La nuit tombait; on allumait le gaz dans la boutique. Elle entendait la clochette du théâtre qui appelait les cabotins à la représentation; et elle voyait, en face, passer des hommes à figure blanche et des femmes en toilette fanée, qui entraient par la porte des coulisses.
FLAUBERT, Mme Bovary, III, 5.

♦ **3.** Personne qui cherche à se faire valoir par des manières affectées. ⇒ 3. **Cabot** (2.).
Adj. Qui paraît affecté et prétentieux. *En public, il ne peut pas s'empêcher d'adopter un ton cabotin.* — Qui fait preuve de cabotinage (2.).

3 (*Les femmes*) sont cabotines dans l'âme, il leur faut une galerie, un public, même imaginaire, avant de s'offrir en holocauste. Une femme ne se donne jamais, elle s'offre toujours en sacrifice.
B. CENDRARS, Moravagine, *in* Œ. compl., t. IV, p. 161.

DÉR. Cabotinage, cabotiner, cabotinisme.

CABOTINAGE [kabɔtinaʒ] n. m. — 1805, Stendhal; de *cabotin.*

♦ **1.** Fam. Façon de jouer d'un cabotin* (2.).

1 Cette jolie petite Félipe, élevée dans tout le cabotinage des acteurs de Favart et du Conservatoire, n'a pas, je crois, seulement l'idée de la pudeur.
STENDHAL, Journal, p. 140.

♦ **2.** Comportement affecté du cabotin (3.). ⇒ **Charlatanisme.** *Cabotinage politique. Un cabotinage hypocrite.*

2 C'était dit avec un élan qui révélait un corps jeune, mais aussi avec un infect cabotinage.
M. BARRÈS, Leurs figures, p. 222.

3 Il se mêlait à ces petites mines un peu de ce cabotinage innocent, dont presque aucun être ne peut se dégager quand il se sait observé.
R. ROLLAND, Jean-Christophe, t. VI, p. 274.

4 Un jeune vicaire s'agitait beaucoup, faisait l'important. Il commentait les phases successives de l'office, avec une simplicité que Martial trouva factice. «Il en fait trop dans le dépouillement. C'est du cabotinage».
Jean-Louis CURTIS, le Roseau pensant, p. 85.

CONTR. Naturel, simplicité.

CABOTINER [kabɔtine] v. intr. — 1799; de *cabotin.*

♦ **1.** Vx. Exercer le métier de comédien ambulant. — Par ext. et péj. Jouer mal et avec emphase.

♦ **2.** Fam. Faire le cabotin (3.).

CABOTINISME [kabɔtinism] n. m. — 1845, *in* D.D.L.; de *cabotin.*

♦ Littér. (et rare). Cabotinage systématique.

(...) le Didon, qui ne se satisfait pas d'être une bouche du néant, et qui va prostituant sa robe de moine sur les tréteaux du cabotinisme international, nous sortirait du clergé *honnête* pour nous mener droit aux soutaniers apostats ou schismatiques (...)
Léon BLOY, le Désespéré, p. 147.

CABOULOT [kabulo] n. m. — 1846; mot franc-comtois, «réduit» puis «loge dans une étable», de *boulo(t)* «petit local pour animaux», p.-ê. du celtique *buta* «hutte» ou, d'après Guiraud, de *boulin* «trou du colombier» (de *boule*), et initiale *ca-*, p.-ê. due à un croisement avec *cabane.*

♦ Fam. et vieilli. Café*, cabaret* mal famé (→ Débit, cit. 4). ⇒ **Troquet.**

1 Car le caboulot est la grande plaie des foyers populaires et *l'Assommoir* de Zola est tristement vrai.
Léon DAUDET, la Femme et l'Amour, I, p. 18.

2 Nom de Dieu! oui, c'était Nana! Et dans une jolie toilette encore! Elle n'avait plus sur le derrière qu'une vieille robe de soie, toute poissée d'avoir essuyé les tables des caboulots, et dont les volants arrachés dégobillaient de partout.
ZOLA, l'Assommoir, p. 197.

Par ext. Petit café ou restaurant, à clientèle régulière.

3 À ce moment, un homme entra et demanda à dîner. Un tel événement remplit de silence le petit caboulot. Le nouvel arrivé avait un drôle d'air.
R. QUENEAU, le Chiendent, p. 32.

4 Elle avait fait des manières pour l'emmener chez elle, et lui ne voulait pas payer l'hôtel après le dîner. C'est qu'elle habitait à Neuilly, rue de Chartres, au-dessus d'un petit caboulot pour cochers, près de la Justice de Paix.
ARAGON, les Beaux Quartiers, p. 278.

DÉR. Caboulotière.

CABOULOTIÈRE [kabulɔtjɛʀ] n. f. — 1866; de *caboulot.*

♦ Fam. et vx. Serveuse de caboulot*. ⇒ **Bistrote.**

C'est (*Vaudoré*) le traditionnel bellâtre de garnison qui affole les caboulotières et qui ne parvient pas à se remettre de son effronté bonheur. Un désir infini d'être

cru Parisien jusqu'aux bout des ongles est la soif cachée de cet indécrottable provincial.
Léon BLOY, le Désespéré, p. 198.

1. CABRADE [kabʀad] n. f. — 1883; de *cabrer*, ou du provençal mod. *cabrado*, de *cabrar* «se cabrer», et suff. *-ado.*

♦ **1.** Rare. Mouvement de ce qui se cabre. ⇒ **Cabrage, cabrement.** Mouvement du cheval qui se lève sur les membres postérieurs. — Contr. : *croupade.*

1 (...) après les exercices en piste sous la menace de la chambrière : la cabrade, l'immobilisation pied levé, la danse en rond, au commandement d'une jolie écuyère impitoyable (...)
Catherine PAYSAN, le Clown de la rue Montorgueil, p. 130.

Par métaphore :

2 Mais ils gardaient, tous les quatre, une assiette que les cabrades incohérentes du bateau n'avaient point encore surprise.
Roger VERCEL, Remorques, p. 29.

♦ **2.** Méd. (anesthésiologie). Mouvement de redressement esquissé par le corps d'un sujet, au début d'une anesthésie générale.

HOM. 2. Cabrade.

2. CABRADE [kabʀad] n. f. — 1867; provençal *cabrado*, de *cabra* «chèvre».

♦ Régional (Provence). Troupeau de chèvres.

HOM. 1. Cabrade.

CABRAGE [kabʀaʒ] n. m. — 1886; de *cabrer.*

♦ **1.** Action de cabrer, de se cabrer (pour un animal). ⇒ 1. **Cabrade, cabrement.**

♦ **2.** Position d'un avion qui se cabre. *Vitesse de cabrage. «Le décollage des avions à réaction rapides fait intervenir (...) la notion de «vitesse de cabrage» V au-dessous de laquelle un cabrage prématuré engendrerait une traînée telle que le décollage pourrait devenir impossible»* (P.-D. Cot, *les Aéroports*, p. 33).

COMP. Autocabrage.

CABRE [kabʀ] n. f. — 1535, Rabelais; anc. provençal *cabra*, 1241; du lat. *capra.*

★ **I.** Régional (régions de langue d'oc). Chèvre.

Il se tourna vers le tas imprécis où marchands de cabres, palefreniers, maquignons écoutaient.
J. GIONO, Naissance de l'Odyssée, p. 61.

★ **II.** (1723; anc. provençal *cabra*, 1497). Techn. Petite chèvre*, appareil de levage servant à soulever des seaux, des bennes. — Vx. Chevalet de métier à tisser.

CABREMENT [kabʀəmã] n. m. — 1872; de *cabrer.*
Rare.

♦ **1.** Action de cabrer, de se cabrer. ⇒ 1. **Cabrade, cabrage.**

♦ **2.** Fig. et littér. Attitude de raidissement, de rigidité morale. *«Des raidissements et des cabrements en arrière»* (Péguy, *in* T.L.F.).

CABRER [kabʀe] v. tr. — V. 1180, v. intr.; du rad. lat. *capra* «chèvre», probablt par le provençal *cabrar* (non attesté), du rad. de l'anc. provençal *cabra* «chèvre».

♦ **1.** (1636). Faire se dresser (un animal). *Cabrer son cheval.*
Relever la partie antérieure de (qqch.). *Cabrer un canon, un avion.* — (1908). Dresser (un avion) verticalement, au cours du vol. *Cabrer son avion pour échapper au tir des ennemis.* — (1928). Absolt. «*On cabre pour sauver son altitude*» (Saint-Exupéry, *Terre des hommes*, p. 46).

0.1 Vent d'Est. On est aveugle. Le soleil est roulé dans ses volutes jaunes (...) La terre n'apparaît qu'à la verticale, et encore! Je cabre? je pique? je penche? Va-t'en voir! On plafonne à cent mètres.
SAINT-EXUPÉRY, Courrier Sud, 1928 (*in* D.D.L., II, 16).

♦ **2.** (1627). Dresser, révolter (qqn), l'inciter à résister, à s'opposer. *On l'a cabré contre son père. Il faut éviter de cabrer cet enfant.*

1 Je payai (*pour lui*) en tremblant de le cabrer.
ROUSSEAU, Rêveries, 9, *in* LITTRÉ.

2 (...) rien de ce qui pousse à la révolte n'est définitivement dangereux — encore que la révolte puisse fausser le caractère : le replie, le retourne ou le cabre et conseille une ruse impie.
GIDE, les Faux-monnayeurs, I, XII, p. 146.

▶ **SE CABRER** v. pron.

♦ **1.** (Av. 1315; *cabrer*, av. 1188). Se dresser sur les pattes de derrière (en parlant d'animaux, chevaux, etc.).

3 Des chevaux sautaient, caracolaient, se cabraient dans la foule, comme des chiens qui caressent leurs maîtres.
CHATEAUBRIAND, Mémoires d'outre-tombe, t. II, II, II, p. 247.

4 (...) Le peuple? Un âne qui se cabre! HUGO, les Châtiments, III, 8, 3.

5   (...) il prit peur, se cabra, lança quelques ruades, enfin, crinière au vent, partit au galop dans la plaine (...)   G. DUHAMEL, Chronique des Pasquier, III, p. 85.

Par anal. Se dresser d'un élan, verticalement.

6   La houle se cabra sous le navire et se renversa, rejetant l'épave dans sa crinière d'écume.   HUGO, l'Homme qui rit, I, II, 15.

6.1   Lyrisme des pagayeurs, au dangereux franchissement de la barre (...) À trois reprises la chaloupe se cabre, à demi dressée hors du flot ; et lorsqu'elle retombe un énorme paquet d'eau vous inonde, que font sécher bientôt le soleil et le vent.   GIDE, Voyage au Congo, in Souvenirs, Pl., p. 688.

(Avec ellipse de se). *Faire cabrer son cheval.*

7   L'animal se sentant blessé, la douleur le fit cabrer.   DU GUESCLIN, Mémoires, VI, in LITTRÉ.

♦ **2.** (1606). Par métaphore ou fig. Se dresser contre (qqch. ou qqn). ⇒ **Braquer** (se), **rebiffer** (se), **révolter** (se). *Se cabrer à l'idée de céder. Cela le fait se cabrer, le fait cabrer.*

8   Il y a de certains esprits qu'il ne faut prendre qu'en biaisant, des tempéraments ennemis de toute résistance, des naturels rétifs, que la vérité fait cabrer, qui toujours se roidissent contre le droit chemin de la raison, et qu'on ne mène qu'en tournant où l'on veut les conduire.   MOLIÈRE, l'Avare, I, 5.

9   Le libéralisme de votre esprit se cabre contre les vieilleries du dogme (...)   FLAUBERT, Correspondance, 1860, p. 399, in T. L. F.

10   L'orgueil musulman se cabra, s'autorisant de prétextes religieux (...)   MICHELET, Extraits historiques, Hist. du XIXᵉ siècle, p. 373.

11   Sa dignité hautaine *(de Franchita)* se cabrait vraiment à l'idée qu'il faudrait reparaître en solliciteuse devant son amant d'autrefois.   LOTI, Ramuntcho, I, I, p. 18.

12   (...) parfois, un nom, une idée, moins même, une intonation, enfin je ne sais quel souffle traversait nos chamailles et les esprits, aussitôt, se cabraient comme des insectes en position de combat.   G. DUHAMEL, Chronique des Pasquier, III, p. 17.

▶ **CABRÉ, ÉE** p. p. adj. et n. m.

♦ **1.** *Cheval cabré, à demi cabré* (→ Pendule, cit. 3). *Avion cabré.* — N. m. (1923). État, mouvement de ce qui est cabré. ⇒ **Cabrage, cabrement.** *Les cabrés de l'avion.*

12.1   Je me suis soulevé, j'ai enjambé la carlingue, et me suis maintenu d'abord sur l'aile (...) J'avais, avant de quitter la carlingue, réglé l'avion au cabré.   SAINT-EXUPÉRY, Pilote de guerre, p. 63.

♦ **2.** Fig. (Personnes ; abstractions humaines). Qui se cabre, qui se révolte. ⇒ **Agressif, combatif ;** et aussi **farouche, ombrageux.** *Une attitude cabrée.* — *Être cabré devant, contre qqch.*

13   Son attitude cabrée, le feu de son regard, exprimant un orgueil démesuré, aveugle, insolement agressif.   MARTIN DU GARD, les Thibault, t. VIII, p. 46.

14   Cabrée devant l'injustice, elle souhaitait jouer à la fois le rôle de la vertu persécutée et celui de la rebelle vengeresse.   A. MAUROIS, le Cercle de famille, p. 65.

15   (...) sa volonté si impétueuse, si cabrée, si hardie à sauter les obstacles.   PROUST, les Plaisirs et les Jours, p. 127.

16   On m'a peint ce Monsieur Orlov, comme de nature un peu fière, un peu... cabrée.   GIDE, Robert, I, 2.

DÉR. 1. **Cabrade, cabrage, cabrement.**

CABRETTE [kabʀɛt] n. f. — 1926 ; anc. provençal *cabreto* « petite chèvre ; musette, cornemuse » ; de *cabro* « chèvre » (cf. *chievrette* « musette », XIIIᵉ), et suff. *-eto* (franç. *-ette*).

♦ Régional (Centre, Sud-Ouest). Instrument de musique à vent fait d'une peau de chèvre, analogue à la cornemuse*. ⇒ **Chabrette.** *« C'est maintenant une tradition. Chaque été, au pied de Montségur, forteresse cathare démantelée il y a sept siècles par les barons d'Île-de-France, on chante et on danse. Dans la prairie ariégeoise où, en 1244, deux cents hérétiques furent livrés aux flammes d'un immense bûcher, jeunes gens et jeunes filles forment des farandoles au son aigrelet des vielles et des cabrettes, ces binious du Midi. Provocation ? »* (le Monde, 15 mars 1977).

CABRI [kabʀi] n. m. — 1680 ; anc. provençal *cabrit*, av. 1394 ; bas lat. *capritus* « bouc », du lat. *capra* « chèvre ».

♦ **1.** Petit de la chèvre. ⇒ **Biquet, chevreau.** *Agile, leste, vif comme un cabri. Faire des bonds, des sauts de cabri. Sauter, sautiller, caracoler comme un cabri.*

1   Eux *(trois matelots)* qui avaient tant bu, tenaient ferme, sautaient comme des cabris (...)   LOTI, Mon frère Yves, LXXI, p. 170.

♦ **2.** Chèvre naine à poil ras, en Afrique noire (ses cornes rudimentaires et sa petite taille, même adulte, lui ont fait donner le nom du chevreau). *Manger du cabri.*

2   Il est vrai, nous dit l'infirmier, que le blanc paie beaucoup moins cher que l'indigène les cabris et les poulets (...)   GIDE, Voyage au Congo, in Souvenirs, Pl., p. 769.

♦ **3.** Ski (à cause de l'agilité du cabri ; → Chamois). Épreuve de compétition (slalom géant) ; prix qui lui correspond.

3   Le *chamois de France* et le *cabri* sont des épreuves de compétition également organisées par les écoles de ski.   Jean FRANCO, le Ski, p. 53.

♦ **4.** Techn. (Rare). Petit chevalet. ⇒ **Chèvre.**

CABRIOLE [kabʀijɔl] n. f. — XVIᵉ ; *capriole*, 1562 ; ital. *capriola* « femelle du chevreuil », lat. *capreola* « chèvre sauvage », *b* par infl. de *cabri*.

★ **I.** ♦ **1.** (Souvent au plur.). Bond léger, capricieux, désordonné. *Faire, exécuter des cabrioles.* ⇒ **Gambade.** — Spécialt. Tout saut agile qu'on fait en se retournant avec souplesse sur soi-même. ⇒ **Culbute, galipette, pirouette.** *Cabrioles de clown.*

1   (...) des bandes de karabataks *(de plongeons noirs)* exécutaient des cabrioles fantastiques autour des barques des pêcheurs (...)   LOTI, Aziyadé, Eyoub à deux, LXVI, p. 175.

1.1   (...) cette souplesse qui lui permettait tout geste sans qu'une jointure parlât, sans qu'un muscle saillît, et lui laissait faire tout effort, toute cabriole avec un corps de repos (...)   GIRAUDOUX, Églantine, p. 226.

(1690). Saut (avec l'idée de mouvements désordonnés ou de longue chute). *« Une cabriole du haut de ce clocher (...) »* (Nerval). Loc. fam. *Faire la cabriole :* se livrer à des ébats amoureux (Zola, *l'Assommoir*).

♦ **2.** (1611). Danse. Saut dans lequel les jambes battent l'une contre l'autre pendant que le danseur est en l'air. ⇒ **Bond, entrechat.** *Battre la cabriole.*

2   Où trouverez-vous (...) parmi les farceurs, un jeune homme qui s'élève si haut en dansant, et qui passe mieux la capriole *(cabriole)* ?   LA BRUYÈRE, les Caractères, III, 33.

♦ **3.** (1564). Manège. Saut où le cheval décoche une ruade pendant qu'il est en l'air. *Faire aller un cheval à cabrioles. Danser la cabriole.*

3   Dans la *cabriole,* le cheval après s'être enlevé du devant, détache la ruade le plus horizontalement possible. C'est ce qu'on appelle dénouer l'aiguillette. Cet air se demande en partant du terre-à-terre.   H. AUBLET, l'Équitation, p. 96.

★ **II.** Abstrait. ♦ **1.** (1845). Chute (d'une entreprise). ⇒ **Banqueroute, dégringolade** (fam.), **krach.** *Ce négociant, cette affaire a fait la cabriole.* Loc. fam. *Faire la cabriole :* mourir, disparaître. — *La cabriole finale :* la mort.

4   Mais le vilain de l'histoire était que cet entêté soulard se cassait davantage chaque fois, si bien que, de rechute en rechute, on pouvait prévoir la cabriole finale, le dernier craquement de ce tonneau malade dont les cercles pétaient les uns après les autres.   ZOLA, l'Assommoir, 1877, t. II, p. 204.

♦ **2.** Plaisanterie, trait d'esprit paradoxal par lequel on coupe court à une discussion embarrassante. ⇒ **Échappatoire, pirouette.** *S'en tirer par une cabriole.*

♦ **3.** (V. 1850). Vieilli. Retournement opportun d'attitude ou de principes aux dépens de la dignité. ⇒ **Apostasie, reniement, retournement, revirement.** *Les cabrioles d'un homme politique. N'en être pas à une cabriole près. « Tous les tours, tous les gestes, toutes les cabrioles du ministère »* (Balzac). ⇒ **Pirouette.**

CABRIOLER [kabʀijɔle] v. intr. — 1584 ; var. *caprioler,* du XVIᵉ à la fin du XVIIᵉ ; de *capriole.* → Cabriole.

♦ Faire la cabriole ou des cabrioles. *Un âne qui cabriole* (→ Braire, cit. 1).

1   Et ainsi sautant, dansant, voltigeant, pirouettant, cabriolant, nous arrivâmes au logis, où nous trouvâmes une table qui semblait avoir été servie par les fées.   VOITURE, Lettre 10, in LITTRÉ.

2   L'air tiède et le soleil (...) faisaient cabrioler les gamins et les marmitons blancs qui avaient déposé leurs corbeilles sur les bancs pour courir et jouer avec leurs frères les jeunes voyous (...)   MAUPASSANT, Fort comme la mort, éd. 1889, p. 82.

(En parlant d'une chose). ⇒ **Valdinguer, valser.**

3   Mais le vent s'est mis à souffler (...) le petit navire dansait si fort qu'une table cabriola les pieds en l'air ; désarroi des grands naufrages, à grandes eaux cinquante de fond.   GIDE, Voyage au Congo, 1927, in Souvenirs, Pl., p. 828.

(Abstrait). *« Mon esprit cabriole et chahute »* (Léautaud, in T. L. F.).

DÉR. **Cabriolet, cabrioleur.**

CABRIOLET [kabʀijɔlɛ] n. m. — 1775 ; de *cabrioler,* à cause du mouvement sautillant.

★ **I.** ♦ **1.** Ⓐ Anciennt. Voiture légère à cheval, à deux roues, à capote mobile. ⇒ **Boghei, cab, tilbury, wiski.** *Atteler, conduire un cabriolet.* — *Cabriolet milord* (cit. 2).

1   (...) une espèce de cabriolet, à capote de toile cirée, avec deux chevaux attelés en flèche qui ont au cou une quantité considérable de clochettes.   LOTI, Figures et Choses..., p. 56.

Compartiment ouvert, sur une diligence.

Ⓑ (1928). Automobile décapotable. *Un cabriolet grand sport.*

♦ **2.** (1757). Par anal. avec la forme de la voiture ou avec le mécanisme de la capote. Chapeau de femme, sous le Directoire, dont le bord s'évase par devant. On dit aussi : *chapeau en cabriolet, chapeau-cabriolet* ou *cabriolet.*

2   Cette jeune dame *(Rachel)* portait une robe de velours carmélite et un châle de cachemire de l'Inde, à grandes palmes. Une capote, en forme de cabriolet, encadrait son visage mince et pâle.   FRANCE, le Petit Pierre, 1918, p. 104.

♦ **3.** Fauteuil de petite dimension, dont le dossier est incurvé pour épouser le dos. *« (En raison de) la rigueur du véritable statut hiérarchique qui réglait la vie mondaine (...) lorsque vers 1750, les menuisiers en siège inventeront le "cabriolet" dont la caractéristique est la "hotte" dessinée par le dossier (...) c'est avec indignation* *qu'on signalera son intrusion dans l'ordre des sièges consacrés »* (G. Janneau, *le Mobilier français*, n° 26, p. 66). — *À cabriolet*, se dit du dessin de dossier caractéristique de ce fauteuil.

3 La console Louis XV est superbe, flanquée de deux fauteuils que je n'avais pas remarqués. Si leurs dossiers à cabriolet sont du pur Louis XV, les pieds eux semblent Louis XVI. C'est cela. Ce sont des meubles de la transition.
Claude MAURIAC, *le Dîner en ville*, 1959, p. 198.

★ **II.** (1866 ; allus. à l'attelage du cabriolet). Argot anc. Corde à nœuds ou chaîne terminée par deux morceaux de bois, dont les agents se servaient pour lier les mains de ceux qu'ils arrêtaient. — Mod. Menottes.

Par métaphore :

4 Il éleva son poignet droit en l'air. « Tu ne la vois pas, mais tiens ; moi, je la sens là, la menotte, la vie m'a passé le cabriolet. »
ARAGON, *les Beaux Quartiers*, 1936, p. 286.

CABRIOLEUR, EUSE [kabʀijolœʀ, øz] n. et adj. — 1625 ; de *cabriole*.

♦ Rare. (Personne ou animal). Qui fait des cabrioles. « *Ces chèvres cabrioleuses* » (M. Rollinat, *in* T. L. F.).

CABROUET [kabʀuɛ] ou **CABAROUET** [kabaʀwɛ] n. m. — 1719, *in* D.D.L. ; de *ca-*, d'orig. obscure, p.-ê. préf. péj., soit plus probablt forme normanno-picarde de *char*, soit première syllabe de *cabriolet*, et *brouet(te)*.

♦ Régional. Petit chariot à deux roues. ⇒ **Diable**, III., 1.

Spécialt. Charrette à deux roues employée aux Antilles pour le transport des cannes à sucre.

Quelques vedettes, placées aux sommets des rochers voisins, éclairaient les alentours du quartier général de Biassou, dont le seul retranchement, en cas d'attaque, était un cordon circulaire de cabrouets, chargés de butin et de munitions.
HUGO, *Bug-Jargal*, 1826, *in* Œ. Compl., t. VI, p. 71.

CABUS [kaby] adj. m. — 1393 ; anc. provençal *cabus*, 1256 ; du lat. *caput* « tête ».

♦ *Chou* * *cabus* : chou à tête ronde (⇒ **Pommé**) et à feuilles lisses. — N. m. *Des cabus.*

CACA [kaka] n. m. — 1534 ; mot enfantin ; du lat. *cacare*. → Chier.

♦ **1.** Fam. (lang. enfantin). Excrément*, matière fécale. — *Faire caca* : déféquer (⇒ **Cacade**). *Il a fait caca dans sa culotte.*

1 (...) ce sont des thèmes qu'elle rencontre naturellement « à travers choux », et dont elle descend plus naturellement encore pour en venir à un petit singe qui lui a fait caca dans la main.
Ed. et J. DE GONCOURT, *la Femme au XVIIIᵉ siècle*, 1862, t. II, p. 122.

2 Un noir angelot qui titube
Ayant trop mangé de jujube
Il fait caca ; puis disparaît ;
Mais son caca maudit paraît,
Sous la lune sainte qui vaque
De sang sale un léger cloaque.
RIMBAUD, *Poésies*, LV, Album dit « Zutique », *l'Angelot maudit*.

3 — À cet âge, ça ne sait pas encore (...) Il se porte bien au moins ?
— Très bien, merci.
— Les cacas sont beaux ? Le caca c'est tout l'enfant. Un enfant qui a de beaux cacas, c'est un enfant qui profite.
J. ANOUILH, *Colombe*, 1973, p. 11.

(1690). Ordure*, saleté (*le caca, du caca* ; rarement, *un, des cacas*). *C'est du caca.* — *Ce bouquin, c'est du caca, c'est un vrai caca* : il est sans valeur. — Loc. fam. *Être dans le caca (jusqu'au cou)*, dans une situation très difficile. *Tomber, retomber dans le (son) caca*, dans une position mauvaise. *Mettre le nez de qqn dans son caca*, l'obliger à reconnaître sa faute ou son erreur.

REM. Dans ces emplois, le mot correspond pour le sens à *merde**, mais relève d'un usage pseudo-enfantin, plus ou moins marqué par la mode.

4 Voir Sarah Bernhardt dans *l'Aiglon*, qu'est-ce que c'est ? du caca. Mounet-Sully dans *Œdipe?* Caca.
PROUST, *Sodome et Gomorrhe*, Pl., t. II, p. 1070 - C'est Charlus qui parle.

Exclam. enfantines. *Caca ! Pipi caca. Caca boudin**.

♦ **2.** (1867). Dans des comp. CACA D'OIE : *couleur caca d'oie*, ou *caca d'oie* : couleur jaune verdâtre. *Des peintures caca d'oie.* — Vx. CACA DAUPHIN : *Couleur caca dauphin*, ou *caca-dauphin* : couleur jaune orangé.

5 En novembre 1781, la naissance du Dauphin met en vogue la nuance caca Dauphin, et change en Dauphin les Jeannettes que toutes les femmes portaient au cou.
Ed. et J. DE GONCOURT, *La femme au XVIIIᵉ siècle*

♦ **3.** Adj. Fam. [a] Très sale. « *Une eau caca* » (Céline).

[b] (Pendant la guerre de 1914-1918 ; adapt. plaisante de l'allem. *KK Brot, Kriegskartoffelbrot* « pain de guerre de pommes de terre »).

Pain caca : pain grossier, noir, à base de pommes de terre (dans les camps de prisonniers en Allemagne).
DÉR. **Cacade.**

CACABER [kakabe] v. intr. — 1560 ; bas lat. *cacabare*, du grec *kakabidzein*.

♦ Rare. Crier, en parlant de la perdrix, de la caille.

CACADE [kakad] n. f. — 1690 ; *caguade*, fin xviᵉ, de *caca*. → Cagade.

♦ **1.** Vx. et fam. Évacuation d'excréments*.

♦ **2.** (1589). Fig. Reculade honteuse, échec ridicule. *Faire une cacade par lâcheté, par couardise.*

Quand je vois la cacade devant Dantzick (...) VOLTAIRE, *Lettr. Pruss.*, 109.
REM. Le mot se rencontre encore dans l'usage littéraire (cf. Céline au sens 1 ; H. Bazin, L. Daudet au sens 2, *in* T.L.F.).

CACAHUÈTE [kakawɛt] n. f. — 1801 ; esp. *cacahuete*, mot aztèque *tlacacahuatl*, de *tlalli* « terre », et *cacahuatl* « cacao ».

♦ Fruit de l'arachide* ; graine contenue dans ce fruit, notamment quand elle est grillée. *Cacahuètes grillées. Manger des cacahuètes. Acheter un paquet de cacahuètes. Aux Antilles, les cacahuètes sont appelées pistaches* (cit. 1.1). — On écrit aussi *cacahouète, cacahouette* [kakawɛt]. *Cacahouettes et bananes*, roman de Jean-Richard Bloch.

Le sou vaut ici huit perles bleues. Un enfant achète une poignée de cacahouettes. On lui rend quatre perles.
GIDE, *Voyage au Congo*, 1927 ; *in* Souvenirs, Pl., p. 817.

Beurre de cacahuètes : préparation pâteuse, sucrée, utilisée en tartines, etc. Syn. : *beurre* * *d'arachide.* (L'expr. est la trad. de l'angl. *peanut butter*.)

CACAO [kakao] n. m. — 1569, « cacaoyer » ; *cacap*, 1532 ; mot esp., de l'aztèque *cacahuatl*.

♦ **1.** Graine de cacaoyer servant à fabriquer le chocolat*. *Les cacaos terrés sont les plus estimés. La théobromine est extraite du cacao. Beurre de cacao* : matière grasse exprimée du cacao. *Poudre de cacao* (*cacao* au sens 2).

1 On sait que Linné appelle cacao *cacao theobroma* (boisson des dieux). On a cherché une cause à cette qualification emphatique : les uns l'attribuent à ce que ce savant aimait passionnément le chocolat (...)
A. BRILLAT-SAVARIN, *Physiologie du goût*, I, p. 143.

♦ **2.** (1903). [a] Poudre de cette graine que l'on dissout pour en faire une boisson chaude.

[b] Cette boisson. *Une tasse de cacao.* ⇒ **Chocolat.**

2 — Madame a les yeux battus (...) Madame devrait prendre un verre de cognac.
— Non, merci, j'aime mieux mon cacao.
WILLY (COLETTE), *Claudine s'en va*, 19, *in* D.D.L., II, 16.
DÉR. **Cacaoté, cacaoyer** ou **cacaotier, cacaoyère** ou **cacaotière.**

CACAOTÉ, ÉE [kakaɔte] adj. — 1947 ; de *cacao*.

♦ Qui contient du cacao. *Petit déjeuner cacaoté. Farine cacaotée.* ⇒ **Chocolaté.**

CACAOUI [kakawi] n. m. — 1672 ; mot algonquin.

♦ Régional (Canada). Petit canard sauvage ou *harelde du Nord*, appelé aussi *canard à longue queue de Terre-Neuve*.

CACAOYER [kakaɔje] ou **CACAOTIER** [kakaɔtje] n. m. — 1686, *cacaoyer* ; *cacaotier*, 1698 ; de *cacao*.

♦ Plante dicotylédone (*Sterculiacées*), originaire de l'Amérique du Sud, scientifiquement appelée *Theobroma cacao*. *Les fruits du cacaoyer* (⇒ **Cabosse**) *contiennent une pulpe renfermant les graines.* ⇒ **Cacao.** *Plantation de cacaotiers.* ⇒ **Cacaoyère** ou **cacaotière.**

CACAOYÈRE [kakaɔjɛʀ] ou **CACAOTIÈRE** [kakaɔtjɛʀ] n. f. — 1719, *in* D.D.L. ; de *cacao*.

♦ Plantation de cacaoyers.

CACARDEMENT [kakaʀdəmɑ̃] n. m. — 1867, Goncourt, de *cacarder*.

♦ Cri de l'oie (⇒ **Caquetage**).

Il contrefaisait le réveil d'une basse-cour, la fanfare fêlée du coq, les gloussements, les cacardements, les roucoulements, tous les caquetages gazouillants des bêtes qui semblaient s'éveiller sous sa blouse.
Ed. et J. DE GONCOURT, *Manette Salomon*, p. 26.

CACARDER [kakaʀde] v. intr. — 1613; repris en 1820; formation onomatopéique; → Couin-couin.

♦ Rare. Crier, en parlant de l'oie.

1 (...) on entend cacarder les oies vigilantes d'une basse-cour à l'autre.
J. RENARD, Hist. nat., 1896, p. 100.

Par métaphore (au p. p., supposant un v. tr. non attesté) :

2 Avec ses yeux cuits persillés de cils ras, son gros foie d'oie balancé sur des pieds plats, sa voix cacardée du fond de la gorge, Madame Daroux manquait d'allure et le savait.   Hervé BAZIN, Cri de la chouette, 1972, Grasset, p. 50.

DÉR. Cacardement, cacardeur.

CACARDEUR, EUSE [kakaʀdœʀ, øz] adj. — 1919, R. Rolland; de cacarder.

♦ Qui cacarde. Des oies cacardeuses.

CACATOÈS ou **KAKATOÈS** [kakatɔɛs] n. m. — 1809, cacatoès; kakatoès, 1760; cacatois, 1663; cacatoua ou kakatou, 1652; port. cacatua, malais kakatūwa, de kaka, n. d'un oiseau (corneille?), et tūwa «vieux».

♦ Oiseau grimpeur (Psittacidés) dont la tête est ornée d'une huppe érectile aux vives couleurs (⇒ **Perroquet**).

1 Par là-dessus, les cris déchirants du kakatoès (...)
Alphonse DAUDET, le Petit Chose, II, 12.

REM. Le mot s'est prononcé [kakatwa] jusqu'au XIXᵉ s. (→ Cacatois) et écrit kakatoès jusqu'à la fin du XIXᵉ s., en concurrence avec cacatoès, graphie normale aujourd'hui; mais on rencontre encore au XXᵉ s. la graphie kakatoès.

2 (...) un kakatoès qu'un singe a attrapé par la queue se débat à mort et il piaule (...)
GIRAUDOUX, Provinciales, p. 59.

CACATOIS [kakatwa] n. m. — 1835; cacatoi, 1832; de cacatois «cacatoès» (1663), par allus. à la voile appelée perroquet.

♦ Mar. Petite voile carrée, au-dessus du perroquet*. Serrer les cacatois.

Le vent fraîchissait, et La Jeune-Hardie courait grand largue sous ses huniers, sa misaine, sa brigantine, ses perroquets et ses cacatois.
J. VERNE, Un hivernage dans les glaces, p. 221.

Mât de cacatois, et, absolt, cacatois : le mât qui porte cette voile.

CACHALOT [kaʃalo] n. m. — 1694; cachalut, t. d'apothicaire, 1628; esp. ou port. cachalote poisson «à grosse tête», de cachola «grosse tête», de la famille du lat. caput.

♦ Mammifère cétacé* (Odontocètes), scientifiquement appelé physeter, voisin de la baleine, mais possédant des dents — et non des fanons. Le cachalot peut atteindre de 15 à 20 mètres de long; sa tête est énorme. Pêche au cachalot. Produits extraits du corps du cachalot : ambre* gris, blanc de baleine (⇒ **Spermaceti**).

Loc. fam. Souffler comme un cachalot : être très essoufflé.

CACHE [kaʃ] n. — 1561; en cache «en cachette», av. 1559; de cacher.

★ I. N. f. Vieilli ou régional. Lieu secret propre à cacher, à se cacher. ⇒ **Cachette**. Une bonne cache. Sortir de sa cache.

1 Un invalide prétendait avoir travaillé autrefois à faire à Meudon une cache pour un gros trésor.   SAINT-SIMON, Mémoires, 120, p. 66.

2 C'était (...) comme un animal minuscule, dans le genre d'une souris et qui bondissait, rebondissait, s'échappait loin de lui, et le traînant avec elle, par petits soubresauts de l'échine par réflexes atrophiés, l'attirait vers sa cache, vers son trou au coin d'un mur (...)   J.-M. G. LE CLÉZIO, la Fièvre, p. 108.

★ II. N. m. (1898; «feuille opaque pour éviter un décalquage», 1870). Photo et cinéma. Papier à surface opaque destiné à cacher une partie de la pellicule à impressionner. Les caches «sont des plaques opaques masquant une partie du champ visuel. Les caches dits obscurs circonscrivent des zones d'ombres qui ne seront pas "exposées" et qui permettront une nouvelle exposition à l'aide du contre cache» (H. Agel, le Cinéma, 1954; Casterman, p. 197).

Par ext. Élément destiné à masquer une partie d'une surface lors d'une opération effectuée sur cette surface. — (1884). Papillon collé sur un détail d'un projet d'architecture ou de décoration pour indiquer une variante.

DÉR. Cachette.
HOM. Cash.

CACHE- Élément servant à former divers composés, de genre masculin, relevant notamment du vocabulaire des jeux (ex. : cache-tampon), de la mode (ex. : cache-nez) ou de la technique (ex. : cache-flamme).

CACHE-BRASSIÈRE [kaʃbʀasjɛʀ] n. m. — Av. 1973; de cache-, et brassière.

♦ Petit corsage en tissu fantaisie destiné à protéger la brassière d'un bébé. Le cache-brassière remplace le bavoir. Des cache-brassières.

CACHE-CACHE [kaʃkaʃ] n. m. invar. — 1778; de cacher.

♦ 1. Jeu d'enfants où l'un des joueurs doit découvrir les autres qui sont cachés. ⇒ **Cachette** (3.), **cligne-musette** (vx). Une partie de cache-cache.

♦ 2. Loc. fig. Jouer à cache-cache : se cacher et se montrer tour à tour; se manquer l'un l'autre alors qu'on cherche à se joindre.

Voyez-vous, plus l'heure est grave, plus on joue à cache-cache avec soi-même (...)
MARTIN DU GARD, les Thibault, t. III, p. 133.

CACHE-CŒUR [kaʃkœʀ] n. m. — Mil. XXᵉ; de cache-, et cœur.

♦ Petite pièce de l'habillement féminin, portée croisée sur la poitrine. «On nous a montré les sept façons de la porter (l'étole), et d'en faire à loisir une veste trotteur, un cache-cœur ou un cache-épaules» (le Monde, 13 mars 1952). Des cache-cœurs. — Appos. Un gilet cache-cœur.

CACHE-COL [kaʃkɔl] n. m. — 1842; cache-coul «sorte de fraise», 1532, Rabelais; de cache-, et col.

♦ Écharpe qui entoure le cou. ⇒ **Écharpe, foulard**; cache-nez. — On a dit aussi cache-cou.

REM. On fait traditionnellement le mot invariable, mais rien ne s'oppose à ce qu'on écrive régulièrement des cache-cols.

CACHE-CORSET [kaʃkɔʀsɛ] n. m. — 1879, in D. D. L.; de cache, et corset.

♦ Anciennt. Sous-vêtement féminin couvrant le buste (sur le corset). Des cache-corset ou des cache-corsets.

(...) il vit une petite métairie au bord de la route et, dans le pré, une femme en jupon rouge (...)
Elle avait les épaules et les bras nus hors d'un cache-corset de toile dans lequel elle étalait également de fort gros seins très hâlés.
J. GIONO, le Hussard sur le toit, 1951, p. 11.

CACHECTIQUE [kaʃɛktik] adj. — 1538; grec kakhektikos, par le lat. méd. cachecticus. → Cachexie.

♦ Méd. Relatif à la cachexie. État cachectique. — Qui est atteint de la cachexie. — N. Un, une cachectique.

Antoine, silencieux et le cœur serré, observait le masque cachectique de son père (...)   MARTIN DU GARD, les Thibault, t. III, p. 124.

CACHE-ENTRÉE [kaʃɑ̃tʀe] n. m. — 1740; de cache-, et entrée.

♦ Techn. Petite pièce métallique qui masque l'entrée d'une serrure quand la clef est enlevée. Des cache-entrée ou des cache-entrées.

CACHE-FLAMME [kaʃflam] n. m. — XXᵉ; de cache-, et flamme.

♦ Techn. Appareil tronconique, placé à l'extrémité du canon d'une arme automatique, pour refroidir les gaz et dissimuler la flamme produite par leur combustion. Le cache-flamme d'un fusil mitrailleur. Des cache-flammes (→ Cache-col, REM.).

CACHE-MAILLE [kaʃmaj] n. f. — 1611; de cache-, et 2. maille «monnaie».

♦ Vx ou régional. Tirelire. Des cache-maille ou des cache-mailles. — REM. On trouve chez Cendrars la var. par approximation phonétique : cachemagne.

CACHE-MAILLOT [kaʃmajo] n. m. — XXᵉ; de cache-, et maillot.

♦ Vêtement léger que les femmes portent par-dessus le maillot de bain, avant ou après la baignade. Des cache-maillot en tissu éponge. Des cache-maillots (→ Cache-col, REM.).

CACHEMENT [kaʃmɑ̃] n. m. — XVIᵉ; de cacher.

♦ Vx (langue class.). Action de cacher (qqch., qqn), de se cacher. Les mines qu'elles affectèrent (...) leurs détournements de tête, et leurs cachements de visage.   MOLIÈRE, Critique de l'École des femmes, 3.

CACHEMIRE [kaʃmiʀ] n. m. — 1803; n. d'un État de l'Inde.

♦ 1. (1820). Tissu ou tricot fin en poil de chèvre du Cachemire ou du Tibet, mêlé de laine. Pull-over en cachemire. — Par ext. Tissu de laine très fin.

1   Voici des burnous de cachemire ondoyants comme des flots de clarté, puis des haillons superbes de misère (...)   MAUPASSANT, la Vie errante, p. 150.

REM. La graphie angl. *cashmere* est couramment employée en commerce, elle sert parfois à éviter l'ambiguïté avec le sens 2. *Pull en cashmere. Tissu en pure laine cashmere.*

1.1   (...) l'on découvrait, au milieu des jambons de Prague et des cachemires de l'Inde, des caviars d'Iran et des cachemires d'Écosse (...)   A. BLONDIN, Monsieur Jadis, 1970, p. 203.

Loc. pop. (1886). Vieilli. *Donner un coup de cachemire,* un coup de torchon.

♦ **2.** *Un châle de cachemire,* à dessins caractéristiques; absolt, *un cachemire.*

2   Les petites créatures qui passent leur vie à essayer des cachemires ou qui se font les portemanteaux de la mode n'ont pas de dévouement, elles en exigent et voient dans l'amour le plaisir de commander, non celui d'obéir.   BALZAC, la Peau de chagrin, Pl., t. IX, p. 87.

Par appos. *Impression cachemire :* motif reproduisant les dessins caractéristiques des châles en cachemire.

CACHE-MISÈRE [kaʃmizɛʀ] n. m. invar. — 1847; de *cache-,* et *misère.*

♦ **1.** Vêtement de bonne apparence sous lequel on dissimule des habits ou du linge usagés.

♦ **2.** Élément de décoration, tapisserie, tenture, papier peint..., qui cache une surface dégradée.

CACHE-MOUCHOIR [kaʃmuʃwaʀ] n. m. — 1866; de *cache-,* et *mouchoir.* ⇒ **Cache-tampon.**

CACHE-NEZ [kaʃne] n. m. invar. — 1830; «sorte de masque», 1536; de *cache-,* et *nez.*

♦ Écharpe* dont on s'entoure le cou et qui peut couvrir le bas du visage pour préserver du froid. ⇒ **Cache-col.** *Des cache-nez.*

Un feutre à larges bords jetait de l'ombre sur ses yeux étincelants; un gros cache-nez de laine entourait son cou (...)   M. BARRÈS, la Colline inspirée, p. 290.

CACHE-POT [kaʃpo] n. m. — 1830; loc., fin XVIIe; de *cache-,* et *pot.*

♦ Enveloppe ou vase orné qui sert à cacher un pot de fleurs. *Des cache-pot ou des cache-pots.*

Une filandreuse plante verte jaillissait d'un cache-pot de peluche (...)   G. DUHAMEL, Chronique des Pasquier, IV, I.

(1684). Loc. vieillie. À CACHE POT ou À CACHE-POT : en fraude. *Vendre du vin à cache-pot.*

CACHE-POUSSIÈRE [kaʃpusjɛʀ] n. m. invar. — 1876; de *cache-,* et *poussière.*

♦ Anciennt. Vêtement de dessus en tissu léger pour protéger les automobilistes de la poussière. *Des cache-poussière.*

Je reste immobile, à mon siège. Mon cache-poussière fait une tache blanche dans la nuit. M. et MM. Seymour Caress ne descendent pas de leur voiture.   Paul MORAND, l'Europe galante, Nicu Petresco, p. 75.

1. CACHER [kaʃe] v. tr. — XIIIe; signifie aussi «presser» jusqu'au XVIe, cf. l'anc. franç. *escachier.* → Cachet; du lat. pop. **coacticare* «comprimer, serrer», puis «cacher»; dér. du lat. class. *coactare* «contraindre».

♦ **1.** Mettre (qqch.) dans un lieu où on ne peut le trouver; dérober, faire disparaître* (qqch.). *Cacher des papiers, des bijoux, de l'argent.* ⇒ **Camoufler,** celer (vx), **dissimuler,** mucher (fam.), **musser** (vx), **planquer** (fam.). *Cacher vivement qqch.* ⇒ **Escamoter.** *Cacher un trésor dans un lieu secret.* ⇒ **Abriter, enfermer, enserrer, renfermer, serrer** (mettre sous clef), **clef** (mettre sous clef), **sûreté** (mettre en sûreté). *Cacher un objet volé.* ⇒ **Receler.** *Cacher qqch. dans la terre.* ⇒ **Enfouir, ensevelir, enterrer.** *Cacher qqch. derrière un voile*, un écran*...* ⇒ **Couvrir, déguiser, envelopper, masquer, recouvrir, voiler.** *Cacher une lettre, des billets sous un livre, dans un livre, derrière qqch. — Cacher ses cheveux sous un bonnet.* ⇒ **Couvrir.** *Cacher son visage dans ses mains. Cacher sa nudité, son sein. Cachez ce sein* (forme erronée souvent donnée au passage célèbre de *Tartuffe* : *couvrez,* cit. 17, *ce sein*)...

1   Cela sent son vieillard, qui, pour en faire accroire, Cache ses cheveux blancs d'une perruque noire.   MOLIÈRE, l'École des maris, I, 1.

2   (...) afin qu'au moindre bruit (...) je fasse cacher les lumières.   MOLIÈRE, le Sicilien, 2.

Dérober (qqn) à la vue, aux recherches. *Cacher un prisonnier, un évadé. Son complice l'a caché chez lui pendant un mois.*

♦ **2.** (Sujet n. de choses). Empêcher de voir. ⇒ **Dissimuler, masquer.** *La marée haute cache les écueils. Cet arbre cache le soleil, la vue.* ⇒ **Arrêter, boucher.** *Les nuages ont caché le soleil.* ⇒ **Éclip-**

---

ser, occulter, offusquer (vx). Spécialt (corps humain). *Ses cheveux cachaient son front.*

3   (...) Ce nuage épais Est plus puissant que moi, puisqu'il cache mes traits (...)   LA FONTAINE, Fables, IX, 7.

4   (...) De Jérusalem l'herbe cache les murs!   RACINE, Esther, I, 1.

4.1   Il faisait nuit, mais non pas la nuit silencieuse sous les étoiles des champs de Réveillon, la pâle lumière des fenêtres du château dans la nuit. Les maisons lui cachaient le ciel, les becs électriques lui cachaient la nuit, le va-et-vient des voitures, des passants, lui cachait le silence.   PROUST, Jean Santeuil, Pl., p. 499.

Loc. *Un train peut en cacher un autre* (formule de l'Administration, aux passages à niveau).

♦ **3.** Soustraire aux regards (une chose concrète révélatrice de sentiments). *Cacher ses yeux derrière des lunettes noires. Cacher ses larmes.* ⇒ **Rentrer** (ses larmes).

5   (...) elle se sauve *(Sophie)* dans les bras de sa mère et cache dans ce sein maternel son visage enflammé de honte.   ROUSSEAU, Émile, v, p. 563.

♦ **4.** Loc. CACHER SON JEU, aux cartes. Fig. Cacher son but ou les moyens par lesquels on cherche à l'atteindre; dissimuler. *Atteindre son but en cachant son jeu* (cf. Sans avoir l'air d'y toucher).

6   M... n'est pas précisément un hypocrite; mais tout de même il cache son jeu.   GIDE, Journal, 1er janv. 1907.

7   Félicité n'avait jamais su cacher son jeu, et sa belle-fille se flattait de l'entendre toujours venir de loin avec ses gros sabots.   F. MAURIAC, Génitrix, IX, p. 110.

7.1   La maison appartenait à un vendeur d'esclaves. Ah! on ne cachait pas son jeu, en ce temps là! On avait du coffre, on disait : «Voilà, j'ai pignon sur rue, je trafique des esclaves, je vends de la chair noire».   CAMUS, la Chute, p. 53.

♦ **5.** (1549). Soustraire, dérober (qqch.) à la connaissance. ⇒ **Déguiser, dissimuler, farder, rentrer.** *Cacher ses inquiétudes, ses ennuis. Cacher sa passion, son émotion, son enthousiasme. Cacher ses défauts, ses vices. Cacher sa peur.* ⇒ **Crâner** (fam.), fanfaronner, *Cacher une déconvenue, un ridicule. Il a intérêt à cacher cela, à ne pas s'en vanter. Cacher ses actions.* ⇒ **Cachette, catimini, secret, tapinois** (agir en cachette, catimini, etc.). Cf. fam. En douce. *Cacher un scandale.* ⇒ **Étouffer.** *Cacher la vérité.* → Mettre sous le boisseau*.

8   La douleur que l'on cache est la plus inhumaine.   Mathurin RÉGNIER, Dialogue, Cloris et Philis, 61.

9   Le péché que l'on cache est demi-pardonné.   Mathurin RÉGNIER, Satires, XIII, 9.

10   On dit que l'amour, le feu et l'argent ne se peuvent longtemps cacher.   SCARRON, le Roman comique, II, XIX, p. 281.

11   Il n'est point de déguisement qui puisse longtemps cacher l'amour où il est, ni le feindre où il n'est pas.   LA ROCHEFOUCAULD, Maximes, 70.

12   C'est une grande habileté que de savoir cacher son habileté.   LA ROCHEFOUCAULD, Maximes, 245.

13   Il arrive quelquefois qu'une femme cache à un homme toute la passion qu'elle sent pour lui, pendant que de son côté il feint pour elle toute celle qu'il ne sent pas.   LA BRUYÈRE, les Caractères, III, 67.

14   Pour sauver son crédit, il faut cacher sa perte.   LA FONTAINE, les Fables, XII, 7.

15   J'avais tort de cacher mon déplaisir, et je n'avais qu'à parler.   MOLIÈRE, l'Amour médecin, I, 4.

16   T'ai-je jamais caché mon cœur et mes désirs?   RACINE, Andromaque, I, 1.

17   Les femmes ont toutes l'art de cacher leur fureur, surtout quand elle est vive (...)   ROUSSEAU, les Confessions, IX.

18   Je ne veux pas qu'on soit un charlatan, et qu'on use en rien d'artifice; mais je veux qu'on observe l'art : l'art est de cacher l'art...   Joseph JOUBERT, Correspondance, à Mme de Beaumont, 12 sept. 1801.

19   (...) la parole a été donnée à l'homme pour cacher sa pensée.   STENDHAL, Armance, I, p. 661.

20   La jeune fille ne pouvait pas plus dérober à l'œil intelligent de son silencieux ami une tristesse, une inquiétude, un malaise, que celui-ci ne pouvait cacher à Caroline une préoccupation.   BALZAC, Une double famille, Pl., t. I, p. 933.

21   S'il y avait quelque chose à cacher, il le couvrait très bien de ses habitudes de silence.   BARBEY D'AUREVILLY, les Diaboliques, le Dessous de cartes.

22   Voilà donc la pensée qu'ils nous cachent sous tant de beaux semblants!   Th. GAUTIER, Mlle de Maupin, v, p. 91.

23   La dissimulation est la première veste de l'homme civilisé et la pierre angulaire de la société. Il nous est aussi nécessaire de cacher notre peau que de porter des vêtements.   FRANCE, le Mannequin d'osier, XII, p. 369.

24   Il *(Antoine)* avait pu voir bien des choses; il en soupçonnait beaucoup d'autres, mais faisait mine de ne remarquer rien de ce qu'on prétendait lui cacher.   GIDE, les Faux-monnayeurs, I, II, p. 21.

24.1   Cependant, cacher totalement une passion (ou même simplement son excès) est inconcevable : non parce que le sujet humain est trop faible, mais parce que la passion est, d'essence, faite pour être vue : il faut que cacher se voie.   R. BARTHES, Fragments d'un discours amoureux, p. 52.

Cacher sa vie : vivre hors du monde, à l'abri des regards.

25   Pour te garder *(le bonheur)* il faut savoir Te cacher et cacher sa vie.   VOLTAIRE, Thélème et Macare.

Se garder de dire, de faire connaître. ⇒ **Celer, dissimuler, taire.** *Cacher à qqn une mauvaise nouvelle. Cacher son nom. Je ne cacherai pas ma pensée, mes intentions. Il cache son âge. Je ne vous cache pas que...* (⇒ **Avouer,** contr.). *Pour ne rien vous cacher :* pour tout vous dire.

26   Je voudrais vous cacher une triste nouvelle.   RACINE, Phèdre, I, 4, 26.

27 (...) au lieu de vouloir vous cacher mes ennuis, je cherche à m'épancher, et trouve une douceur secrète à vous découvrir mon âme (...)
A. R. LESAGE, le Diable boiteux, XIII, p. 121.

▶ **SE CACHER** v. pron.

♦ **1.** (Personnes). Faire en sorte de n'être pas vu, trouvé ; se mettre à l'abri, en lieu sûr. ⇒ **Dérober** (se), **disparaître, embusquer** (s' ; fam.), **tapir** (se) ; **musser** (se ; vx), **planquer** (se ; fam.), **terrer** (se) ; **abri** (se mettre à l'abri). *Se cacher derrière un arbre* ⇒ **Affûter** (s' ; vx). *Un fuyard, un évadé, un banni qui se cache.* — (Animaux). *Les lapins se cachent dans des trous.* ⇒ **Clapir** (se).

28 Approchons cette table et vous mettez dessous.
— Comment ? — Vous bien cacher est un point nécessaire.
MOLIÈRE, Tartuffe, IV, 4.

29 Procris s'était cachée en la même retraite
Qu'un faon de biche avait pour demeure secrète.
LA FONTAINE, les Filles de Minée.

30 Thisbé s'était cachée en un buisson épais. LA FONTAINE, les Filles de Minée.

31 Les gens contents doivent se cacher comme des malfaiteurs.
HUGO, l'Homme qui rit, II, IV, 2.

32 — Cachons-nous. — Dans l'armoire ? HUGO, Hernani, I, 2.

33 « On se cache, donc on conspire. » (Robespierre).
MICHELET, Hist. de la Révolution franç., t. II, p. 1099.

34 (...) nous nous sommes sauvés plus loin, et puis nous avons été nous cacher dans le bois. G. SAND, la Mare au diable, XV, p. 127.

35 Un galant homme est toujours un galant homme, même le jour où certaines circonstances de la vie l'ont mis dans la nécessité de se cacher dans un bahut.
COURTELINE, Boubouroche, II, 3.

36 (...) les dames-fantômes, presque toutes gracieuses, qui le jour promenaient dans les rues leur énigme, se sont cachées, par convenance, évanouies aussitôt le crépuscule (...) LOTI, Suprêmes visions d'Orient, p. 98.

(Choses). *Le soleil s'est caché* (derrière un nuage), a disparu.

Aller se cacher : ne pas oser se montrer. *Va te cacher !* : va-t-en (cf. fig. et fam. Va te coucher).

37 Allez vous cacher, vilaines, allez vous cacher pour jamais.
MOLIÈRE, les Précieuses ridicules, 16.

38 Laissez-moi là, vous dis-je, et courez vous cacher.
MOLIÈRE, le Misanthrope, I, 1.

♦ **2.** (Choses abstraites). Se dissimuler. *Son ambition se cache sous des dehors d'indifférence. Se cacher sous le manteau de la vertu. La vérité se cache derrière l'apparence.*

39 Ce qui y paraît *(dans le monde)* ne marque ni une exclusion totale, ni une présence manifeste de divinité, mais la présence d'un Dieu qui se cache. Tout porte ce caractère. PASCAL, Pensées, t. III, VIII, 556, p. 6.

40 L'hypocrisie pour être utile, doit se cacher.
STENDHAL, le Rouge et le Noir, X, p. 303.

41 Du reste, les sentiments honorables n'ont que faire de se cacher. — Les sentiments cachés n'ont que faire d'être honorables. GIDE, Robert, I, 3.

42 (...) derrière le plus beau motif, souvent se cache un diable habile et qui sait tirer gain de ce qu'on croyait lui ravir. GIDE, les Faux-monnayeurs, II, v, p. 281.

43 Une insatisfaction, qui se cachait au fond de lui, le retenait dans cette chambre (...) MARTIN DU GARD, les Thibault, t. III, p. 57.

Déguiser ses sentiments.

44 Si l'on mettait à se cacher autant de soin qu'on en met d'ordinaire à se montrer, on éviterait bien des peines. FRANCE, le Livre de mon ami, IV, p. 83.

♦ **3.** (Personnes). SE CACHER À, DE (qqn). *Se cacher à...* ⇒ **Éviter, fuir.** *Se cacher à qqn. Se cacher au monde, aux yeux du monde :* mener une vie retirée.

45 (...) Quoi, Seigneur ? croira-t-on
Qu'elle ait pu si longtemps se cacher à Néron ? RACINE, Britannicus, II, 2.

Se cacher à soi-même : s'ignorer soi-même. *Se cacher son caractère, ses défauts.*

46 Le plus malheureux effet de la faiblesse de l'âge était de se cacher à ses propres yeux. BOSSUET, Oraison funèbre de Michel Le Tellier.

(1666). *Se cacher de qqn,* lui cacher ce que l'on fait ou dit.

47 On trompe Iphigénie ; on se cache d'Achille (...) RACINE, Iphigénie, II, 8.

48 Quand je voyais qu'Albertine avait combiné à mon insu, en se cachant de moi, le plan d'une sortie (...) PROUST, À la recherche du temps perdu, t. XI, p. 111.

(1667). *Se cacher de (qqch.),* n'en pas convenir. ⇒ **Secret** (tenir secret). *Il ne s'en cache pas,* il agit ouvertement.

49 Je ne m'en cache point : l'ingrat m'avait su plaire (...)
RACINE, Andromaque, IV, 3.

50 Si vous ne vous cachiez pas de vos bienfaits (...) vous auriez eu plus tôt mon remerciement. LA BRUYÈRE, Lettres, XIX, À Bussy.

▶ **CACHÉ, ÉE** p. p. adj.

♦ **1.** (Concret). Qu'on a caché ; qui se cache, évite de se montrer. *Découvrir ce qui était caché. Complot, conspiration cachée.* ⇒ **Clandestin, secret.** *Recoin, repli caché. Source cachée.* ⇒ **Souterrain.** *Trésor caché.*

51 Gardez-vous (...) de vendre l'héritage
Que nous ont laissé nos parents :
Un trésor est caché dedans. LA FONTAINE, Fables, V, 9.

52 Toute sa personne velue
Représentait un ours, mais un ours mal léché.
Sous un sourcil épais il avait l'œil caché (...) LA FONTAINE, Fables, XI, 7.

(Lieu). Retiré.

53 (...) quelque asile caché où elle (*Mme de La Tour*) pût vivre seule et inconnue (...)
BERNARDIN DE SAINT-PIERRE, Paul et Virginie, p. 16.

(Personnes). *Vivre caché.* — Prov. *Pour vivre heureux, vivons cachés.*

54 Il en coûte trop cher pour briller dans le monde,
Combien je vais aimer ma retraite profonde !
Pour vivre heureux, vivons caché. FLORIAN, Fables, II, 11.

♦ **2.** (Abstrait). Secret, non exprimé ; impossible à déceler. *Passion, douleur, peine cachée. Sentiments cachés.* ⇒ **Intime.** *La vérité, la réalité cachée sous l'apparence* (→ Apparence, cit. 11 ; apparent, cit. 2). *Pensée cachée.* ⇒ **Arrière-pensée.** *Action cachée.* ⇒ **Furtif** (vx.), **subreptice** (→ Action, cit. 17). *Doctrine cachée.* ⇒ **Abscons, ésotérique, mystérieux, occulte, sibyllin.** *Découvrir un sens caché à un texte.* ⇒ **Codé, cryptique.**

55 La plupart des hommes ont, comme les plantes, des propriétés cachées que le hasard fait découvrir. LA ROCHEFOUCAULD, Maximes, 344.

56 Un scandale est l'effet que produit d'ordinaire la révélation d'une action cachée. Car les hommes ne se cachent guère que pour agir contrairement aux mœurs et à l'opinion. FRANCE, le Mannequin d'osier, p. 377.

57 Les hommes appellent miracle l'apparition subite d'une réalité cachée.
R. ROLLAND, Au-dessus de la mêlée, p. 72.

Loc. fig. (1690). *C'est un trésor caché,* une personne dont la valeur est méconnue. — *N'avoir rien de caché pour qqn,* ne rien lui cacher.

♦ **3.** Vx (langue class.). Qui dissimule. *Esprit caché.* ⇒ **Secret.**

58 Jamais capitaine n'a été plus caché dans ses desseins.
RACINE, les Campagnes de Louis XIV.

♦ **4.** Mus. *Octave, quinte cachée :* octave, quinte qui n'est pas réellement écrite.

CONTR. **Afficher, arborer, découvrir, dévoiler, étaler, exhiber, exposer, montrer.** — **Divulguer, révéler.** — **Apparaître, manifester** (se), **montrer** (se), **paraître.** — (Du p. p.). **Apparent, découvert, évident, ostensible, sensible, visible.**

DÉR. **Cache, cacherie, cachet** (du sens ancien « pressoir »), **cachette, cachot, cachotter.** — V. aussi **Cache-** (et composés).

2. CACHER ou **CACHÈRE** [kaʃɛʀ] adj. ⇒ **Kascher.**

CACHE-RADIATEUR [kaʃʀadjatœʀ] n. m. — 1935 ; de *cache-*, et *radiateur.*

♦ Revêtement ou élément d'ameublement grillagé, destiné à cacher un radiateur d'appartement. *Des cache-radiateurs.*

CACHERIE [kaʃʀi] n. f. — Déb. XVIIIᵉ, Saint-Simon ; de *cacher.*

♦ Vx et rare. Le fait de cacher, de dissimuler, ou de se cacher. « *L'aventure de la cacherie chez moi* » (Stendhal, 1842 ; *in* T. L. F.).

CACHE-SEXE [kaʃsɛks] n. m. — Fin XIXᵉ ; de *cache-*, et *sexe.*

♦ Petit vêtement couvrant le bas-ventre, culotte minuscule. ⇒ **Slip, string.** *Des cache-sexe* ou *des cache-sexes.* — En apposition :
Les femmes n'ont d'autre vêtement qu'une feuille cache-sexe dont la tige, passant entre les fesses, rejoint par derrière la ficelle qui sert de ceinture.
GIDE, Voyage au Congo, in Souvenirs, Pl., p. 749.

CACHET [kaʃɛ] n. m. — 1464, « empreinte » ; de *cacher* au sens anc. de « presser ».

♦ **1.** Plaque ou cylindre d'une matière dure gravée avec lequel on imprime une marque (sur de la cire). ⇒ **Sceau.** *Cachet monté en bague, muni d'un manche. Cachet d'or, de rubis, d'agate. Appliquer, apposer, mettre un cachet. Armes gravées sur un cachet.*

1 — Voilà le diamant que vous m'aviez fait prendre
— Fort bien. — Il est à vous encore ce bracelet.
— Et cette agate, à vous qu'on fit mettre en cachet.
MOLIÈRE, le Dépit amoureux, IV, 3.

2 (...) un cachet en forme de petit cylindre, sur lequel était gravée une scène religieuse (...) DANIEL-ROPS, le Peuple de la Bible, I, 3, p. 76.

La cire, la matière qui porte l'empreinte du cachet. *Cachet fixant les scellés*. Fermer une lettre par un cachet de cire rouge. Briser un cachet. Cachet entier, rompu.* — Vieilli. *Cachet volant,* qui n'adhère qu'à la partie supérieure d'une lettre, sans la fermer.

3 (...) la première lettre du Directoire en renfermait une seconde, scellée de trois cachets rouges, au milieu desquels il y en avait un démesuré.
A. DE VIGNY, Servitude et Grandeur militaires, Cachet rouge, I, v, p. 70.

Fig. *Mettre un cachet sur la bouche de qqn,* lui imposer le silence.

Loc. (1636). **LETTRE DE CACHET** : sous l'Ancien Régime, Lettre au cachet du roi, contenant un ordre d'emprisonnement ou d'exil sans jugement. *Le roi embastillait par lettre de cachet. L'arbitraire des lettres de cachet.*

4 On peut compter quatre-vingt mille lettres de cachet décernées contre les plus honnêtes gens de l'État, sous le plus doux des ministères.
DIDEROT, Opinions des philosophes, in LITTRÉ.

♦ **2.** (1564). Marque apposée à l'aide d'un cachet (ou d'un timbre en caoutchouc, d'un tampon). ⇒ **Empreinte.** *Le cachet d'oblitération de la poste.* ⇒ **Oblitération, timbre.** *Cachet postal, de la poste,* indiquant le lieu, la date et l'heure de départ d'une lettre, d'un paquet. *Le cachet de la poste faisant foi* (pour une date). *Le cachet d'une marque* commerciale, d'un fabricant.* ⇒ **Estampille.** *Appliquer un cachet sur des bouteilles.*

♦ **3.** (1762). Fig. Marque, signe caractéristique, distinctif. ⇒ **Marque, originalité.** *Un cachet de nouveauté, d'originalité. Le cachet d'une époque. Le cachet d'un style.* ⇒ **Griffe, patte.** *Le cachet du génie. Paysage ayant un cachet d'exotisme. Ce village a du cachet. Cet homme a un cachet de distinction. Elle a du cachet, de l'élégance.*

5   Le style de M. Villemain appartient à notre temps par un certain souci et une certaine curiosité d'expression qui y met le cachet; c'est un style, après tout, individuel, et qui ressemble à l'homme.
SAINTE-BEUVE, Causeries du lundi, 19 nov. 1849, p. 120.

5.1 J'aurais voulu voir Ernest étaler ses grâces dans des polkas échevelées! Vous allez rester dans la tête de ces braves gens-là comme le type du chic parisien. Ils vous ont trouvé un « cachet plein de distinction », j'en suis sûr.
FLAUBERT, Correspondance, 7 juil. 1869.

♦ **4.** [a] (1733). Vx. Carte où l'on marquait d'un cachet chaque leçon donnée, chaque service rendu dans un abonnement. *Leçons à deux cents francs le cachet.*

6   Mon écolière me présentait le petit cachet.
DIDEROT, le Neveu de Rameau, p. 158.

Vx. *Repas au cachet dans un restaurant.* ⇒ **Ticket.**

[b] Loc. mod. *Courir le cachet :* chercher à donner des leçons à domicile.

6.1 Elle l'avait adoré, en effet, au point de flatter le seul vice dont il fût capable, une paresse devenue bien vite monstrueuse, dévoratrice. Pour continuer à nourrir ce cancer, le modeste emploi perdu, le patrimoine dissipé, la malheureuse — selon le mot féroce, un des plus beaux du vocabulaire bourgeois — courut le cachet.
BERNANOS, Monsieur Ouine, in Œ. roman, Pl., p. 1352.

[c] (1898, *in* D.D.L.). Rétribution* d'un artiste, pour un engagement déterminé. *Le cachet d'un acteur, d'un musicien. Les cachets énormes des vedettes de cinéma.*

6.2 *(La Berma)* savait qu'elle abrégeait ses jours, mais voulait faire plaisir à sa fille à qui elle rapportait de gros cachets, à son gendre qu'elle détestait mais flattait (...)
PROUST, le Temps retrouvé, p. 995.

♦ **5.** (1873). Pharm. Enveloppe de pain azyme dans laquelle on enferme un médicament en poudre. *Avaler, prendre un cachet.* ⇒ **Capsule, gélule.**

7   Que veux-tu, Père, ton estomac n'est plus un organe de jeune homme! Voilà huit mois au moins qu'on te bourre de potions, de cachets.
MARTIN DU GARD, les Thibault, t. III, p. 123.

8   Le soldat saisit le verre, et boit avec avidité. Mais les cachets à moitié fondus qu'il avale avec la dernière gorgée passent mal, et ne lui reste plus d'eau pour les aider à descendre. Il garde dans la gorge une sorte de dépôt granuleux, âcre.
A. ROBBE-GRILLET, Dans le labyrinthe, p. 135.

Abusif. Comprimé. *Cachet d'aspirine. Prendre un cachet pour calmer la migraine.* — Loc. fam. *Être blanc comme un cachet d'aspirine :* avoir le teint, la peau très pâle; spécialt, ne pas être bronzé.

DÉR. Cacheter, cacheton.

CACHETAGE [kaʃtaʒ] n. m. — 1861; de *cacheter.*

♦ Techn. Action de cacheter. « *Le nouveau bouchon imperméable et, dit-on, inattaquable par les alcalis même concentrés, permet de supprimer l'opération du cachetage des bouteilles* » (E. Cadol, in *Encyclopédie pratique de l'agriculteur,* 1861; Didot, t. IV, col. 215).
Fermeture de ce qui est cacheté.

CACHE-TAMPON [kaʃtɑ̃põ] n. m. — 1835, Ch. Paul de Kock; de *cache-,* et *tampon.*

♦ Jeu d'enfant où l'on cache un mouchoir ou un objet quelconque que l'un des joueurs doit découvrir (on dit aussi *cache-mouchoir*). *Jouer à cache-tampon.*

Jean avait fait comme ceux qui à cache-tampon, après avoir été tout près de l'objet, s'en éloignent subitement. Car ceux qui sont amoureux croient avoir un plaisir désintéressé à voir les gens qui connaissent l'amour, à parler de l'amour. Mais c'est dans l'espoir d'y retrouver leur amour à eux.
PROUST, Jean Santeuil, Pl., p. 779.

REM. *Cache-tampon,* comme *cache-col,* etc. pourrait porter la marque du pluriel; il est traditionnellement considéré comme invariable.

CACHE-TÉLÉPHONE [kaʃtelefɔn] n. m. — V. 1950; de *cache-,* et *téléphone.*

♦ Revêtement, généralement en tissu, destiné à habiller un appareil téléphonique. « *On trouve le cache-téléphone de velours au drugstore de Neuilly* » (le Figaro, 28 sept. 1966, *in* P. Gilbert). *Des cache-téléphones.*

CACHETER [kaʃte] v. tr. — Conjug. *jeter.* — 1464; de *cachet.*

♦ **1.** Fermer avec un cachet; marquer d'un cachet. ⇒ **Estampiller, sceller.** *Cacheter une lettre, une enveloppe, un paquet.* — (1554). *Cacheter une bouteille.* — *Cire* à cacheter :* mélange résineux pour

cacheter les lettres. *Pain à cacheter :* petit morceau de pâte sèche qui remplace la cire.

Le visage barbouillé d'une couche de craie, le nez entièrement habillé d'une carapace de pains à cacheter écarlates, ses cheveux qu'il *(Lahrier)* portait longs (...)   1
COURTELINE, Messieurs les ronds-de-cuir, 2ᵉ tableau, II, p. 69.

♦ **2.** Fermer (une enveloppe gommée ou autocollante). *Cacheter un pli. Il faut que je timbre et que je cachette cette lettre.*

▶ **CACHETÉ, ÉE** p. p. adj.

♦ **1.** *Dossier, paquet cacheté. Lettre cachetée,* fermée.

Elle entre et le voit assis à sa table en face de plusieurs liasses de lettres. Certaines de ces liasses sont déjà cachetées; d'autres ne sont encore que ficelées; d'autres sont libres.   2
Francis JAMMES, Clara d'Ellébeuse, p. 79.

♦ **2.** *Bouteille cachetée,* dont le goulot et le bouchon sont cachetés, dans un but de conservation. — Par métonymie. *Vin cacheté :* vin vieux.

Coupeau et Lantier se payaient ensemble des noces à tout casser (...) et, attablés nez à nez au fond d'un restaurant voisin, ils se flanquaient par le coco des plats, qu'on ne peut manger chez soi, arrosés de vin cacheté.   3
ZOLA, l'Assommoir, t. II, p. 32.

N. m. (Vieilli). *Boire du cacheté.*

CONTR. Décacheter, desceller; ouvrir.
DÉR. Cachetage.
COMP. Décacheter, recacheter.

CACHETERO [katʃeteʀo] n. m. — 1843, Gautier; mot esp., de *cachete* «poignard».

♦ Taurom. Poignard court, à large garde, avec lequel on achève le taureau lorsqu'il survit à la mise à mort à l'épée. — Par métonymie. Celui qui tue le taureau avec ce poignard, enfoncé dans la moelle épinière.

CACHETON [kaʃtõ] n. m. — 1946, cit.; «cachet pharmaceutique», 1937; dimin. de *cachet.*

♦ Fam. Cachet (4.) de professeur, ou cachet d'artiste. Péj. *Courir le cacheton.*

Hai, dit un Corse, il a raison, le petit. Que si nous autres, l'instruction, on l'avait eue, qu'est-ce qu'on n'aurait pas fait? — À la tienne, répliqua le premier joueur. On serait capitaine de gendarmerie ou professeur de piano à courir le cacheton. Tu permets que je ne sois pas jaloux
M. AYMÉ, le Chemin des écoliers, 1946, p. 134.

DÉR. Cachetonner.

CACHETONNER [kaʃtone] v. intr. — Mil. xxᵉ; de *cacheton.*

♦ Fam. Courir le cachet (professeur, artiste).

Élodie se cachait pour voir ses amis de la télévision. Elle cherchait péniblement à cachetonner. L'argent de « Lucrèce Borgia » filait rapidement.   1
Jacqueline MONSIGNY, le Miroir aux pingouins, p. 245.

(... un) comédien raté, cachetonnant dans les bonnes ou les mauvaises comédies de boulevard d'avant-guerre et finissant par prendre le chemin du cirque comme clown (...)   2
Catherine PAYSAN, le Clown de la rue Montorgueil, p. 55.

CACHETTE [kaʃɛt] n. f. — 1559; *en quachetez,* 1313; du rad. de *cacher,* et suff. *-ette.*

♦ **1.** Endroit retiré, propice à cacher qqch. ou qqn. ⇒ **Cache, planque** (fam.). *Mettre ses économies dans une cachette. Sortir de sa cachette.*

Il promit qu'il révélerait des cachettes où il y avait de grands trésors.   1
J. AMYOT, Lucul. 64, *in* LITTRÉ.

Figuré :

Le vautour simulé par les plis de la jupe de la Vierge dans le tableau de Léonard, comme le sac de glands sous le bras du jeune homme de la chapelle Sixtine, sont des exemples des multiples cachettes à quoi se complaisent les génies. Pendant la Renaissance, elles ne relèvent pas de complexes, mais d'une volonté malicieuse de déjouer la police dictatoriale de l'Église!   1.1
COCTEAU, Journal d'un inconnu, p. 41.

♦ **2.** Loc. adv. EN CACHETTE : en se cachant. ⇒ **Catimini** (en), **clandestinement, dérobée** (à la dérobée), **discrètement, furtivement, musse-pot** (à musse-pot, vx), **secret** (en), **secrètement, tapinois** (en). *Rire* en cachette.* ⇒ **Barbe** (dans sa barbe), **cape** (sous cape). *Faire qqch. en cachette.* ⇒ **Cacher** (se).

Mais le mal est, Monsieur, qu'il faudra s'introduire   2
En cachette.
MOLIÈRE, le Dépit amoureux, V, 2.

Loc. prép. *En cachette de* (et subst.) : à l'insu de. *Il s'est engagé en cachette de ses parents.*

Subissant ce qu'il appelait « son mal », il y appliquait des compresses d'herbes diverses, surtout d'orties et de feuilles, cela en cachette du médecin dont il oubliait volontiers les remèdes.   3
R. SABATIER, les Noisettes sauvages, t. 32.

♦ **3.** Jeu d'enfants où l'on se cache. ⇒ **Cache-cache.** *Jouer à la cachette.* — REM. On dit aussi *jouer aux cachettes* (régional) :

Six mois plus tard, en jouant aux cachettes avec mon frère Paul, je m'enfermai   4
dans le bas du buffet, après avoir repoussé les assiettes.
PAGNOL, la Gloire de mon père, p. 58.

CACHEXIE [kaʃɛksi] n. f. — 1537; lat. médical *cachexia*, grec *kakhexia*, de *kakos* «mauvais», et *hexis* «constitution».

♦ **1.** «Trouble profond de toutes les fonctions de l'organisme» résultant d'une maladie (Garnier). *La cachexie est un état d'amaigrissement* et de fatigue généralisée dû à la sous-alimentation* (⇒ **Athrepsie, consomption**), *ou liée à la phase terminale de graves maladies. Cachexie aqueuse :* ankylostomiase (⇒ **Ankylostome**). *Cachexie hydropique.* ⇒ **Œdème** (œdème par carence). *Cachexie hypophysaire*. Cachexie pachydermique.* ⇒ **Myxœdème.** *Cachexie paludéenne.* ⇒ **Paludisme.** *Cachexie séreuse. Cachexie fluorique.*

♦ **2.** Vétér. *Cachexie aqueuse, sèche, osseuse* (des bovins et des ovins).

DÉR. V. **Cachectique.**

CACHINNATION [kaʃinasjõ] n. f. — 1969; du lat. *cachinnare* «rire aux éclats».

♦ Psychiatrie. Rire forcé, ne traduisant aucun sentiment, propre aux schizophrènes.

CACHOT [kaʃo] n. m. — 1550, «lieu secret»; puis «cachette»; de *cacher.*

♦ **1.** (1627). Cellule basse et obscure, dans une prison. ⇒ **Bassefosse, cabanon, cellule, geôle, oubliette.** *Cachot sombre, obscur, souterrain. Mettre, jeter, plonger, enfermer un prisonnier dans un cachot, au cachot. Être muré dans un cachot. Ancien cachot d'un couvent.* ⇒ **In pace.**

1 J'ai une aversion mortelle pour la prison; je suis malade; un air renfermé m'aurait tué; on m'aurait peut-être fourré dans un cachot.
VOLTAIRE, Lettre à d'Argental, avr. 1734.

2 (...) et l'on n'entendit plus dans le cachot d'autre bruit que le soupir de la goutte d'eau qui faisait palpiter la mare dans les ténèbres.
HUGO, Notre-Dame de Paris, VIII, 4, p. 127.

Fig. ⇒ **Prison.**

3 (...) l'unique cachot est celui qui mure la conscience.
HUGO, Shakespeare, II, 3, p. 71.

Par ext. Toute prison. *Être aux cachots.* Loc. *La paille humide des cachots :* la prison.

4 Non, je ne regrette pas d'avoir fait, à quarante et six ans, l'expérience de ce qu'on est convenu d'appeler la paille humide des cachots.
G. DUHAMEL, Récits des temps de guerre, II, p. 255.

♦ **2.** Punition (dans une prison, et, autrefois, une communauté) qui consiste à être enfermé seul dans une cellule. *Faire trois jours de cachot* (argot *mitard*).

5 (...) le plus petit air de répugnance aux propositions des Moines, de quelque nature que puissent être ces propositions, deux cents coups; une entreprise d'évasion; une révolte, neuf jours de *cachot* toute nue, et trois cents coups de fouet chaque jour (...)
SADE, Justine..., t. I, p. 165.

Le cachot noir. ⇒ **Cabinet** (noir).

CACHOTTER [kaʃɔte] v. tr. — 1689, cit.; de *cach(er)*, et suff. dimin. *-ot(t)er.*

♦ Class. (et rare). Cacher* des petites choses sans importance. ⇒ **Mystère** (faire mystère de). On a écrit aussi *cachoter :*

Je lui contai tout naïvement mes petites prospérités, ne voulant point les cachoter sans savoir pourquoi.
Mᵐᵉ DE SÉVIGNÉ, 1139, 21 févr. 1689.

DÉR. Cachotterie, cachottier.

CACHOTTERIE [kaʃɔtʀi] n. f. — 1698, Bossuet; de *cachotter.*

♦ Cour. (à la différence de *cachotter*). Affectation de mystère dans les paroles et les actions, au sujet de choses sans importance; petit secret que l'on affecte de taire. ⇒ **Mystère, secret.** *Il a la manie de faire des cachotteries.*

CONTR. Franchise, sincérité.

CACHOTTIER, IÈRE [kaʃɔtje, jɛʀ] n. — 1670, adj.; de *cachotter.*

♦ Personne qui aime à faire des cachotteries. *Un petit cachottier.*

— (...) je te préviens entre autres que de ma chambre on entend tout ce qui se dit au jardin.
— Et alors? Que veux-tu que ça me foute? Je ne suis pas une cachottière, moi, je ne m'entoure pas de mystère.
S. DE BEAUVOIR, les Mandarins, p. 332.

Adj. *Elle est très cachottière. Des manières cachottières.*

CACHOU [kaʃu] n. m. et adj. — 1651; port. *cacho* (mod. *cachu*); du tamoul ou du malais *kāšu.*

♦ **1.** Extrait du bois d'un acacia, utilisé en peinture.

♦ **2.** Extrait (astringent) du fruit de l'*acacia catechu* ou de la noix d'arec. → Catéchine, pyrocatéchine.

(1680). Cour. Pastille brune aromatisée au cachou. *Une boîte de cachous. Un cachou.*

Fumeuse avec ça, qui vous offrait des cachous. La petite boîte de fer ronde, vous savez, dont on fait tourner le couvercle, que ça t'ouvre un trou sur la tranche.
ARAGON, Blanche..., t. II, p. 52.

♦ **3.** Adj. De la couleur brun rougeâtre du cachou. ⇒ **Acajou.** *Des bas cachou.*

La maison qu'habitait Durtal était une ancienne bâtisse couleur de pierre ponce, coiffée de tuiles brunes et agrémentée de volets cachou.
HUYSMANS, l'Oblat, p. 71.

CACHUCHA [katʃutʃa] n. f. — 1836, Paul de Kock; esp. *cachucha* d'orig. obscure.

♦ Danse andalouse d'un mouvement animé et gracieux.

(Le) coup de jupe d'une danseuse espagnole piaffant une cachucha (...)
Éd. et J. DE GONCOURT, Manette Salomon, p. 25.

CACHUNDÉ [kaʃœde] n. m. — 1751; var. au XVIIIᵉ; port. *cachondé* (1619), de *cacho* (→ Cachou), et malais *ondeh* «gâteau».

♦ Vx (attesté surtout jusqu'en 1850). Substance aromatique, utilisée en tablette pour parfumer l'haleine.

CACIQUE [kasik] n. m. — 1545; ital. *cacicco* (1507) puis de l'esp. d'Amérique; mot arawak des Antilles.

♦ **1.** Chef indigène des anciens habitants de l'Amérique centrale.

♦ **2.** (Av. 1843). Major du concours d'entrée à l'École normale supérieure.

J'ai beaucoup d'affection pour Lestandi. C'est un nature, une âme de «cacique», comme nous disions à Normale.
Patrick MODIANO, les Boulevards de ceinture, p. 168.

(1940). Par ext. Major du concours d'entrée à une grande école, quelle qu'elle soit.

♦ **3.** (1970). Personnalité nantie d'une fonction importante (politique, administrative) ou d'une influence notable sur un groupe.

CACO- Préfixe, du grec *kakos* «mauvais», entrant dans la composition de nombreux mots savants ou dans celle de mots empruntés du grec.

CACOCHYME [kakɔʃim] adj. — 1478; grec médical *cakokhumos,* de *caco-,* et *khumos* «humeur».

♦ **1.** Vx ou plais. D'une constitution débile, d'une santé déficiente par l'effet de l'âge. ⇒ **Maladif, malingre, valétudinaire.** *Un vieillard cacochyme.*

Je ne me chargerais pas d'un enfant maladif et cacochyme, dût-il vivre quatre-vingts ans.
ROUSSEAU, Émile, I, p. 29.

Par métaphore (choses, mécanismes). Délabré ou d'aspect fragile. *Un tacot cacochyme.*

♦ **2.** (1680). Vx. D'humeur bizarre, aigrie, inégale. ⇒ **Quinteux.**

♦ **3.** N. (Sens 1 ou 2). *Un pauvre cacochyme.*

CONTR. Sain, valide, vigoureux. — Affable, égal.

CACOCHYMIE [kakɔʃimi] n. f. — 1503; bas lat. *cacochymia* (Vᵉ), grec *cakokhumia,* de *cakokhumos.* → Cacochyme.

♦ Vx. État de faiblesse due à l'extrême vieillesse.

Pelletier, que j'ai rencontré en omnibus, en allant chercher des lunettes, m'a dit que je surmonterais la cacochymie du corps et de l'esprit en faisant de temps en temps un voyage.
E. DELACROIX, Journal, 2 mars 1849.

CACODYLATE [kakɔdilat] n. m. — 1843; de *cacodyl(e),* et *-ate.*

♦ Chim. Sel ou ester de l'acide cacodylique. *Le cacodylate de soude* (de sodium), *de fer est utilisé en injections contre les asthénies.*

Tout le monde, en ce temps-là, prescrivait le cacodylate de soude en injections hypodermiques.
G. DUHAMEL, Biographie de mes fantômes, X, p. 184.

CACODYLE [kakɔdil] n. m. — 1842; all. *Kakodyl* (XIXᵉ); du grec *kakôd(ês)* «qui sent mauvais», et suff. all. *-yl* (franç. *-yle*).

♦ Chim. Composé arsénié, liquide transparent et vénéneux, d'une odeur désagréable, de formule $(CH_3)_2\,AS - AS\,(CH_3)_2.$

DÉR. Cacodylate, cacodylique.

CACODYLIQUE [kakɔdilik] adj. — 1842; de *cacodyl(e),* et *-ique.*

♦ Chim. Qui a rapport au cacodyle. *Acide cacodylique.*

CACOGRAPHE [kakɔgʀaf] n. — 1820; de *cacographie.* Didactique.

♦ **1.** (1829). Vieilli. Personne qui orthographie mal. — (1820). Spécialt (anciennt). Pédagogue qui utilise la cacographie comme moyen d'enseignement.

♦ **2.** Mauvais écrivain. « *Les deux cacographes* (Verhæren et Gustave Robin) » (Claudel, *in* T. L. F.).

CACOGRAPHIE [kakɔgʀafi] n. f. — 1554, repris 1835 ; de *caco-*, et grec *-graphie*.
Didactique.

♦ **1.** Vieilli. Orthographe fautive. — (1809). Spécialt. (Anciennt). Méthode d'enseignement qui consiste à introduire volontairement dans un mot une faute d'orthographe pour la faire corriger par les élèves. *La cacographie n'est plus employée pour l'enseignement de l'orthographe.*

♦ **2.** Mauvais style. ⇒ **Charabia.**

1 Je relève ce bel exemple de cacographie, dans un article de Henry Bataille sur Lucien Mühlfeld (*Renaissance latine*, 15 déc. 1902) : « Mystérieux talion pour les intellectuels dont le sort d'être ici-bas comme éternellement en voyage semble implacable, et pourquoi le désir amer de fixer enfin, quelque part, leur fugacité, sonne peut-être là-haut le châtiment d'un éternel repos. »
GIDE, Journal, 6 nov. 1942.

REM. On rencontre chez Proust le verbe *cacographier*.

2 *(Les)* Jardies où Honoré de Balzac, harcelé par les recors, ne s'arrêtait pas de cacographier pour une Polonaise, en apôtre zélé du charabia.
PROUST, Sodome et Gomorrhe, Pl., t. II, p. 1052. - C'est Brichot qui parle.

DÉR. **Cacographe, cacographique.**

CACOGRAPHIQUE [kakɔgʀafik] adj. — 1832 ; de *cacographie*.
Didactique.

♦ **1.** Vieilli. Qui utilise, en pédagogie, la cacographie. *Méthode, exercices cacographiques.*

♦ **2.** Qui dénote un mauvais style. *Des écrits cacographiques.*

CACOLET [kakɔlɛ] n. m. — 1819 ; *cacolier*, 1808 ; d'un mot régional des Pyrénées *cacoulet*, p.-ê. du basque ou, d'après Guiraud, de **coacoler* « placer ensemble sur son cou », forme reconstituée d'après le provençal *acolar* « se mettre (un manteau) sur les épaules », cf. anc. franç. *acoler* « pendre qqch. à son cou ».

♦ **1.** Bât* composé de deux sièges à dossier, et qui sert à transporter des voyageurs, des blessés, dans une armée en campagne ou en terrain difficile.

1 (...) des cacolets revenant des avant-postes avec les blessés qui se balancent aux flancs des mules (...)   Alphonse DAUDET, Contes du lundi, Mères.

En cacolet : disposé de chaque côté du dos d'une bête de charge, à la manière du cacolet.

2 Les bêtes de charge, trimbalaient (...) des peaux de vison et de chinchilla fourrées dans des longs sacs de toile en cacolet sur l'échine (...)
B. CENDRARS, Bourlinguer, éd. Folio, p. 469.

Par ext. (rare). Chacun des deux éléments dont se compose ce siège double.

3 Il couvrit d'une sorte de housse le dos de l'éléphant et disposa, de chaque côté sur ses flancs, deux espèces de cacolets assez peu confortables.
J. VERNE, le Tour du monde en 80 jours, p. 83.

♦ **2.** Alpin. Siège en toile forte, muni de bretelles, permettant en montagne de transporter à dos un blessé.

♦ Régional (Suisse). Châssis vertical auquel sont fixés un ou deux plans horizontaux, et muni de bretelles pour le transport à dos d'homme. *Porter des fromages, des caissettes de raisin, du bois sur son cacolet.*

CACOLOGIE [kakɔlɔʒi] n. f. — 1835, Académie ; « injure », 1611 ; grec *kakologia* « injure ; calomnie », de *kakos* « mauvais » (→ Caco-) et *logos* « discours ; parole » (→ -logie).

♦ Didact. et rare. Locution ou construction vicieuse. — Par ext. Texte jugé vicieux. ⇒ **Cacographie.**

Ergo le réquisitoire qui entraîna la condamnation à mort et l'exécution de Robert Brasillach — écrivain médiocre et traître au demeurant — ne fut qu'une sinistre cacologie vomie par un ramassis de métèques mal débarbouillés *(dit le narrateur)*.   M. TOURNIER, le Vent Paraclet, p. 86.

CACOPHONIE [kakɔfɔni] n. f. — 1587 ; grec *kakophônia* « voix ou son désagréable », de *kakos* « mauvais » (→ Caco-), et *phônê* « son » (→ -phonie).

♦ **1.** Didact. Succession désagréable de sons, dans la parole ; syllabes ou mots dont la rencontre est désagréable à l'oreille. *L'allitération engendre souvent la cacophonie.*

1 Et les moindres défauts de ce grossier génie
Sont une cacophonie, ou la pléonasme, ou la cacophonie.   MOLIÈRE, les Femmes savantes, II, 7.

♦ **2.** (1732). Cour. Mélange confus de plusieurs voix, de plusieurs bruits. ⇒ **Concert, dissonance.** « *La cacophonie des sifflets et des hurlements* » (Chateaubriand, *in* T. L. F.).

Par anal. Mélange confus de sensations diverses (dans un domaine autre que le son).

2 *(Les femmes)* restaient debout, se saluant, dans le bouquet final des fromages. Tous, à cette heure, donnaient à la fois. C'était une cacophonie de souffles infects, depuis les lourdeurs molles des pâtes cuites, du gruyère et du hollande, jusqu'aux pointes alcalines de l'olivet.   ZOLA, le Ventre de Paris, t. II, p. 114.

CONTR. **Euphonie, harmonie.**
DÉR. **Cacophonique.**

CACOPHONIQUE [kakɔfɔnik] adj. — 1853 ; de *cacophonie*.

♦ **1.** Qui fait une cacophonie. *Sons cacophoniques.*

♦ **2.** Qui produit une cacophonie. *Un orchestre cacophonique.*

Et ce fut l'été. Torride, desséché lui aussi (...) Et souvent (j'étais moi aussi parti en vacances, le plus loin possible de la ville, de la chaleur et des plages cacophoniques) je pensais à lui *(Montès)*.   Claude SIMON, le Vent, p. 230.

CONTR. **Harmonieux.**

CACOSMIE [kakɔsmi] n. f. — 1970 ; de *cac(o)-*, et grec *osmê* « odeur ».

♦ Méd. Perception d'une odeur fétide, soit réelle, soit inexistante (hallucination olfactive).

CACTACÉES [kaktase] ou (vx) **CACTÉES** [kakte] n. f. plur. — 1850 ; *cacté*, adj., 1803 ; de *cact(us)*, et *-acées*.

♦ Bot. Famille de plantes phanérogames, dicotylédones dialypétales, comprenant des arbres, arbrisseaux ou herbes vivaces, charnus, à végétation lente, renfermant un suc aqueux ou laiteux, ce qui leur a valu le nom de *plantes grasses* (qu'elles partagent avec d'autres plantes). *Les cactacées, en forme de raquettes, de colonnes, de « cierges », de sphères, etc., ont des feuilles réduites à des épines (oponce ; cierge).* ⇒ **Cactus.** *On dénombre environ 2 000 espèces de cactacées.* — Au sing. *Une cactacée, une cactée.*

De loin en loin, il y avait les silhouettes calcinées des petits acacias, des buissons, et les touffes des cactées et des palmiers nains, là où l'humidité de la vallée mettait de vagues taches sombres.   J.-M. G. LE CLÉZIO, Désert, p. 210.

CACTERAIE [kaktəʀɛ] n. f. — xxᵉ ; de *cact(us)*, et suff. *-eraie*.

♦ Rare. Lieu où poussent des cactus, des cactées.

Là, des villageois et des villageoises vêtus de robes bleu pâle s'affairaient dans cette cacteraie en transportant sur la tête ou sur l'épaule des jarres de terre cuite qu'ils entouraient de leurs longs bras.
R. SABATIER, les Enfants de l'été, 1978, p. 198-199.

CACTUS [kaktys] n. m. — 1788 ; *cactier*, 1791 ; lat. bot. *cactus*, grec *kaktos* « artichaut épineux ».

♦ **1.** Cactacée. *Des cactus de diverses espèces. Un jardin de cactus.* — Spécialt. Oponce *(Opuntia)* ; figuier* de Barbarie.

1 Ces bois de cactus ont un aspect fantastique. Les troncs tordus ressemblent à des corps de dragons, à des membres de monstres aux écailles soulevées et hérissées de pointes.   MAUPASSANT, la Vie errante, p. 251.

2 Autour du village, le désert. Un désert de laves et de grès avec ses cactus géants piqués comme des sentinelles, ses maigres broussailles, son effrayante aridité.
Bernard MOITESSIER, Cap Horn à la voile, p. 123.

♦ **2.** (1967 ; d'une chanson humoristique). Fig. et fam. Difficulté, complication, obstacle. ⇒ **Écueil, os** (4.). *Il y a des cactus.*

DÉR. **Cactacées, cacteraie.**

CACUMINAL, ALE, AUX [kakyminal, o] adj. — 1888, cf. *cacuminé* « en pointe » (1839) ; dér. du lat. *cacumen* « pointe ».

♦ Didact. (phonét.). Qui est produit par la pointe de la langue repliée vers le palais. *T cacuminal* (ou : *cérébral*).

C.à.d. [sɛtadiʀ] Abréviation graphique pour *c'est-à-dire*.

CADASTRAGE [kadastʀaʒ] n. m. — 1948, *in* T. L. F. ; a remplacé *cadastration*, 1892 ; de *cadastrer*.

♦ Admin., techn. Action de cadastrer. *Le cadastrage des terres avant remembrement.* — Son résultat.
REM. La var. *cadastration* [kadastʀasjɔ̃] est hors d'usage.

CADASTRAL, ALE, AUX [kadastʀal, o] adj. — 1790 ; de *cadastre*.

♦ Admin. Du cadastre. *Plan, relevé cadastral ; matrice cadastrale. Éléments cadastraux.* → Cadastre. *Titres cadastraux. Revenu cadastral* (impôt foncier ; prestations agricoles).

Après avoir attendu des semaines, elle se décida à aller à Kam. Les agents cadastraux avaient bien reçu son projet. S'ils ne lui avaient pas répondu c'était parce que, décidément, l'assèchement de la concession ne les intéressait pas. Néanmoins, ils lui donnaient l'autorisation tacite de faire ses barrages. La mère repartit, fière de ce résultat.   M. DURAS, Un barrage contre le Pacifique, p. 29.

CADASTRE [kadastʀ] n. m. — 1527 ; *cathastre*, 1525, mot provençal ; ital. *catastico*, bas grec *katastikhon* «liste», et proprt «ligne par ligne», de *kata* «de haut en bas», et *stikhos* «rang, ligne».

♦ **1.** (XVIIIᵉ). Registre public définissant dans chaque commune la surface et la valeur des biens-fonds et servant de base à l'assiette de l'impôt foncier. *Un plan parcellaire et une matrice cadastrale constituent le cadastre d'une commune.* — *Révision du cadastre. Cadastre rénové. Cadastre numérique :* ensemble des éléments cadastraux (informations concernant parcelles, propriétaires et bâtiments), mis sous forme numérique.

♦ **2.** Administration fiscale chargée d'établir, de mettre à jour et de conserver les documents précédents. *Les employés, les agents du cadastre.* ⇒ **Cadastreur.**

1   (...) Bonaparte a prescrit que le *Cadastre* (...) soit enfin établi, et il a tenu à ce que l'on poussât activement à ce travail énorme (...)
          Louis MADELIN, Vers l'Empire d'Occident, VII, p. 96.

2   Les concessions cultivables n'étaient accordées, en général, que moyennant le double de leur valeur. La moitié de la somme allait clandestinement aux fonctionnaires du cadastre chargés de répartir les lotissements entre les demandeurs.
          M. DURAS, Un barrage contre le Pacifique, p. 25.

DÉR. Cadastral, cadastrer.

CADASTRER [kadastʀe] v. tr. — Av. 1781, Turgot ; de *cadastre*.

♦ **1.** Faire le cadastre de (un lieu), mesurer. *Cadastrer une région. Cette propriété est cadastrée sous tel numéro.* — Au p. p. :

1   Ils étaient tous bûcherons. Ils avaient fui la plaine pour venir s'installer dans cette partie de la forêt non encore cadastrée par les Blancs, afin de ne pas payer d'impôts et de ne pas risquer l'expropriation.
          M. DURAS, Un barrage contre le Pacifique, p. 159.

♦ **2.** Fig. Borner, délimiter.

2   Il est vrai qu'à partir de cette mutation historique caractérisée par l'institution généralisée du marché et de ses concurrences, chaque homme est devenu le rival de chaque autre, que la liberté a été cadastrée comme la propriété : ma liberté s'arrête là où commence la liberté de l'autre.
          Roger GARAUDY, Parole d'homme, p. 144.

DÉR. Cadastrage ou cadastration, cadastreur.

CADASTREUR [kadastʀœʀ] n. — 1838 ; de *cadastrer*.

♦ Admin., techn. Personne qui établit le cadastre (⇒ **Arpenteur**) ou le rédige et le conserve (en général, un notaire). — REM. Le fém. *cadastreuse* est virtuel.

CADAVÉREUX, EUSE [kadaveʀø, øz] adj. — 1546, Rabelais ; lat. *cadaverosus*, de *cadaver* «cadavre».

♦ Littér. (ou style soutenu). Qui tient du cadavre. *Odeur cadavéreuse. Teint cadavéreux.* ⇒ **Cadavérique.**

1   (...) son père et sa mère l'avaient obtenu dans leur vieillesse, et il *(le cousin Pons)* portait les stigmates de cette naissance hors de saison sur son teint cadavéreux qui semblait avoir été contracté dans le bocal d'esprit-de-vin où la science conserve certains fœtus extraordinaires.   BALZAC, le Cousin Pons, Pl., t. VI, p. 536.

2   Elle a, en ce moment, quelque chose de bouleversé qui ne l'embellit pas. Elle est d'une pâleur cadavéreuse.   Louise MICHEL, la Misère, t. II, p. 341.

CADAVÉRIQUE [kadaveʀik] adj. — Av. 1787 ; du lat. *cadaver*.

♦ **1.** Qui est caractéristique du cadavre. *Odeur, teinte cadavérique.*

1   Dans le *Repas d'Emmaüs*, le Christ de Rembrandt est un ressuscité, figure cadavérique, jaunâtre et douloureuse, qui a connu le froid du tombeau, et dont le triste et miséricordieux regard s'arrête encore une fois sur les choses humaines (...)
          TAINE, Philosophie de l'art, t. II, V, I, I, p. 227.

Anat. et méd. *Lividité, pâleur cadavérique. Rigidité cadavérique.*

(1827). Qui concerne, s'exerce sur un cadavre. *Examen, autopsie cadavérique.*

♦ **2.** Plus cour. Qui rappelle par son aspect un cadavre. *Un visage cadavérique.* ⇒ **Cadavéreux.** *Rigidité, fixité cadavérique* (lorsqu'il ne s'agit pas d'un cadavre).

2   Elles *(des femmes)* virent des traits jaunes, mais durcis, et comme figés dans une fixité cadavérique, des lèvres contractées, des dents serrées.
          LOTI, Mon frère Yves, V, p. 26.

3   Cet homme ne vivait pas (...) Sa figure, sèche et cadavérique, affectait des teintes sombres. Comme les tableaux de Léonard de Vinci, il avait poussé au noir.
          J. VERNE, Maître Zacharius, p. 113.

CADAVÉRISER (SE) [kadaveʀize] v. pron. — 1830 ; du lat. *cadaver* ou de *cadavérique*.

♦ **1.** Anat., méd. Devenir cadavre ; subir l'altération qui succède à l'arrêt des fonctions vitales. — REM. Dans ce sens, l'emploi trans. est virtuel.

1   Dès que le bout du nez ou de l'oreille blanchit et se cadavérise, il faut le frotter

avec de la neige ; par réaction homéopathique, *similia similibus*, le sang et la vie reviennent aussitôt.   L. VIARDOT, Souvenirs de chasse, 1853, in D. D. L., II, 7.

♦ **2.** Littér. Se figer dans une attitude de cadavre.

2   Stéphanie fondait en larmes. Tout à coup ses pleurs se séchèrent, elle se cadavérisa comme si la foudre l'eût touchée, et dit d'un son de voix faible : « Adieu, Philippe. Je t'aime, adieu ! — Oh ! elle est morte ! s'écria le colonel (...)
          BALZAC, Adieu, 1830, Pl., t. IX, p. 790.

(XXᵉ). Abstrait. Figer son esprit comme dans une rigidité de cadavre.

3   Incapable de me « cadavériser » ainsi, fût-ce par fidélité à moi-même.
          Jean ROSTAND, Carnet d'un biologiste, p. 67.

CADAVRE [kadɑvʀ] n. m. — XVIᵉ ; *cadaver*, av. 1550 ; lat. *cadaver*.

♦ **1.** Corps (d'un être humain ou d'un animal mort). — REM. Employé pour désigner le corps d'un animal, le mot s'applique surtout aux mammifères et aux gros oiseaux.

a Pour les êtres humains. ⇒ **Mort** (n. m.) ; **corps, dépouille** (dépouille mortelle), **macchabée** (pop.). *Un cadavre inerte, froid, pâle, verdâtre. La lividité, la rigidité du cadavre* (⇒ **Cadavéreux, cadavérique**). *Mettre un cadavre dans le cercueil, en bière. Cadavres enterrés, incinérés.* ⇒ **Charnier, cimetière, crématorium, fosse ; crémation, ensevelissement, inhumation.** *L'immersion d'un cadavre en mer. Embaumement d'un cadavre* (⇒ **Momie**). — *Fossilisation d'un cadavre. Destruction du cadavre par décomposition, putréfaction. Cadavre décomposé.* ⇒ **Charogne.** *Dissection des cadavres.* ⇒ **Anatomie** (cit. 3). *Autopsier un cadavre.* ⇒ **Autopsie.** *Les cadavres de la morgue*. Lieu d'exposition des cadavres dans l'Antiquité romaine.* ⇒ **Gémonies ; nécropole.** *Restes de cadavres.* ⇒ **Ossement, relique.** — *Le cadavre de qqn, d'un homme âgé, d'une femme, d'un enfant. Un petit cadavre :* un cadavre d'enfant. — *Légendes concernant les cadavres.* — *Attirance et répulsion pathologiques pour les cadavres.* ⇒ **Nécrophilie, nécrophobie.** — *Animaux qui se nourrissent de cadavres.* ⇒ **Nécrophage.** *La police a découvert un cadavre dans la malle.*

1   C'est, dit-il, un cadavre ; ôtons-nous, car il sent.   LA FONTAINE, Fables, V, 20.

2   La chair changera de nature ; le corps prendra un autre nom ; même celui de cadavre ne lui demeurera pas longtemps. La chair deviendra je ne sais quoi qui n'a plus de nom dans aucune langue (...)   BOSSUET, Sermon sur la mort.

3   Le cadavre embaumé *(de Cromwell),* que Charles II fit exhumer depuis et porter au gibet, fut enterré dans le tombeau des rois.
          VOLTAIRE, Essai sur les mœurs, p. 181.

4   C'est presque une impression apaisante que de surprendre ainsi, à la lueur du grand soleil, le mystère des transformations souterraines ; de voir que *ce n'est que cela,* un cadavre, qu'au bout de trois ou quatre années c'est déjà si peu humain, si proche du terreau et des pierres.
          LOTI, Figures et Choses..., Profanation, p. 169.

4.1 Les trois hommes se courbèrent vivement. À moitié nu, le cadavre s'allongeait maigre, effrayant. La chair verdâtre, aux tons de cire molle, apparaissait par endroits, entre les vêtements déchiquetés.
     (...) ils virent que toute cette chair grouillait abominablement (...)
          M. LEBLANC, l'Aiguille creuse, p. 77.

Comme un cadavre. Être, rester comme un cadavre, dans une immobilité de mort.

5   Et sans connaissance à présent, passif comme un cadavre, il *(Jean)* fut reporté par eux dans l'infirmerie chaude, qu'ils appelaient le « mouroir ».
          LOTI, Matelot, XLVII, p. 183.

6   M. Thibault était lourd et ne s'aidait pas ; il se laissait manier comme un cadavre.
          MARTIN DU GARD, les Thibault, t. III, p. 245.

(1927). Hist. littér. *Le cadavre exquis :* jeu collectif surréaliste consistant à composer des phrases dont l'ordre grammatical est respecté, chaque participant fournissant un élément dans un contexte inconnu de lui. (Le premier exemple était : *Le cadavre exquis boira le vin nouveau).*

b (Animaux). *Le cadavre d'un chien, d'un cheval. Un cadavre d'animal dépecé* (→ **Carcasse**). — REM. Cet emploi est en général stylistique et évoque plus ou moins le cadavre humain (il ne s'applique en fait naturellement qu'aux animaux familiers, plus ou moins humanisés) ; *le cadavre d'un oiseau, d'un poisson, d'un insecte,* etc. ne se dit que stylistiquement.

c *Cadavre vivant, cadavre ambulant, demi-cadavre :* personne qui a un aspect cadavérique. — *Cadavre* (dans le même sens). « *Le cadavre que je suis devenu* » (P. Bourget, *in* T. L. F.). — En appos. Qui évoque les cadavres. *Vert cadavre* (Goncourt, P. Bourget, *in* T. L. F.).

Pop. et vx. *Le cadavre :* le corps (dans quelques loc.). *Se refaire le cadavre* (*in* Balzac) : se réconforter. *S'arroser le cadavre :* boire.

d (Allus. au corps d'une personne assassinée). « *La police politique, au passé plein de "cadavres"* » (L. Daudet, *in* T. L. F.), de crimes.

Loc. *Il y a un cadavre entre eux :* ils sont liés par un acte criminel ou délictueux tenu secret. Cf. la loc. angl. *The skeleton in the cupboard* « Le squelette dans le placard » (sens différent). — *Savoir où est le cadavre, où sont les cadavres.*

e Loc. fig. *Ça sent le cadavre :* les choses vont mal, deviennent inquiétantes.

REM. Le mot est cru et direct ; on l'emploie surtout dans un contexte sc. (anat.) ou policier. Dans de nombreux cas, on emploie l'euphém.

corps, notamment lorsque la personne est identifiée (la police a trouvé un cadavre, mais le corps de M. X).

♦ **2.** (1741). Littér. (plantes, objets). Le cadavre d'un grand hêtre.

7 Jérusalem n'était plus que le cadavre d'une grande ville.
BOSSUET, Politique tirée de l'Écriture sainte.

8 (...) cette cathédrale n'a plus d'âme ; elle est un cadavre inerte de pierre (...)
HUYSMANS, la Cathédrale, p. 85.

Emploi métaphorique (Cadavre de, et inanimé abstrait). Être hanté par le cadavre du passé. « Des cadavres de jours rongés par les étoiles » (Apollinaire, Alcools, p. 103).

♦ **3.** (1901). Fam. Bouteille bue, vidée jusqu'au bout.

CONTR. Vivant.

DÉR. (Du lat. cadaver) V. **Cadavéreux, cadavérique, cadavériser** (se).

1. CADDIE ou CADDY [kadi] n. m. — 1896, caddie, in Höfler ; caddy, 1900 ; mot angl. (1857), du franç. cadet.

♦ Au golf, Garçon qui porte les clubs du ou des joueurs et les lui passe, les leur passe. ⇒ **Cadet.** — Plur. Des caddies.

HOM. 2. Caddie, cadi, cadis.

2. CADDIE [kadi] n. m. — 1952, marque déposée ; de 1. caddie, mot amér., de caddie cart « chariot de caddy » (golf).

♦ Anglic. Petit chariot métallique (fabriqué par la firme ayant déposé cette marque) pour transporter les denrées dans les magasins à libre-service, les bagages dans les gares ou les aéroports. « Ce monde chaud et froid (...) cette mélasse sonore, musique d'ambiance lénifiante, hachée d'appels au haut-parleur et du bruit de plusieurs centaines de caddies qui s'entrechoquent au passage (...) » (le Nouvel Obs., n° 426, 8-14 janv. 73, p. 50). — Plur. Des caddies.

REM. L'anglicisme est ici historique ; cet instrument s'appelle trolley en Grande-Bretagne, cart aux États-Unis.

HOM. 1. Caddie, cadi, cadis.

CADE [kad] n. m. — 1518 ; provençal cade, bas lat. catanum.

♦ Genévrier* oxycèdre des pays méditerranéens. — **HUILE DE CADE** : liquide noir et odorant employé en médecine comme parasiticide et comme topique dans certaines dermatoses. L'huile de cade est extraite des baies (⇒ **Cadenelle**) du cade.

CADEAU [kado] n. m. — 1416, « lettre capitale », d'où (1532) « enjolivures » ; du provençal capdel « chef », fig. « lettre capitale » ; lat. capitellum, dimin. de caput « tête ».

♦ **1.** (1656 ; langue class.). Vx. Divertissement offert à une dame.

♦ **2.** (1669). Mod. Objet qu'on offre à qqn. ⇒ **Don, présent, souvenir.** Les petits cadeaux entretiennent l'amitié (loc. prov.). Cadeaux de noce. ⇒ **Corbeille, liste** (de mariage). Cadeau de nouvel an. ⇒ **Étrenne, gratification.** Cadeau de Noël. Offrir, distribuer des cadeaux avec générosité, largesse, libéralité. Un beau cadeau. Recevoir un cadeau royal, magnifique. Faire un cadeau à qqn. Faire cadeau d'un livre. ⇒ **Offrir.** Un cadeau inattendu. ⇒ **Surprise.**

1 (...) les bontés qu'elle prodiguait à Thérèse, lui faisant de petits cadeaux, l'envoyant chercher, l'exhortant à l'aller voir, la recevant avec cent caresses, et l'embrassant très souvent devant tout le monde.
ROUSSEAU, les Confessions, XL.

2 Et puis, l'une à l'autre, elles se présentent des cadeaux, gentiment, avec des sourires de petites filles.
LOTI, Mme Chrysanthème, XII, p. 86.

3 Le cadeau est attouchement, sensualité : tu vas toucher ce que j'ai touché, une troisième peau nous unit. Je donne à X... un foulard et il le porte : X... me donne le fait de le porter ; et c'est d'ailleurs ainsi que, naïvement, il le conçoit et le dit.
R. BARTHES, Fragments d'un discours amoureux, p. 89.

REM. Cadeau s'emploie en apposition pour former des composés. — Pour désigner une présentation : « L'emballage cadeau est passé dans les habitudes, dans la plus modeste boutique on vous demande toujours si « c'est pour offrir » (l'Écho de la mode, 20 nov. 1966, p. 56). Une boîte-cadeau. Un coffret-cadeau. — Un paquet cadeau ; un paquet-cadeau, des paquets-cadeau. — Pour désigner un objet : À cette époque de l'année (Noël), tous les fabricants "d'objets-cadeaux" déversent sur le marché une série de produits nouveaux conçus spécialement pour attirer l'attention et qui, rarement, correspondent à un besoin précis de l'utilisateur » (l'Express, 16 déc. 1968, p. 171). Une idée-cadeau. Des jetons-cadeaux. Un cadeau souvenir.

(Mil. XVIIIe). Argot. Rémunération d'une prostituée. N'oublie pas mon cadeau, mon petit cadeau !

(En franç. d'Afrique). Petite somme d'argent réclamée ou donnée. M'sieu, cadeau ! — Adj. ou adv. En prime ; gratis.

♦ **3.** Loc. Faire (le) cadeau de qqch. à qqn, lui céder qqch. — (V. 1930). Fam. Ne pas faire de cadeau(x) à qqn : être dur (en affaires, etc.) avec lui... — Absolt. Ne pas faire de cadeau(x).

4 (...) ça n'avait pas dû être facile, je te le dis, parce qu'un type qui monte en gentleman dans une course avec des jockeys, il peut s'attendre à ce qu'ils ne lui fassent pas de cadeau.
Claude SIMON, la Route des Flandres, p. 147.

5 (Les lycéens) n'appréciaient que les cours-détente, où l'on peut s'exprimer (...) Le

prof est chic, on peut chahuter. Ils ne faisaient d'ailleurs pas de cadeaux et tourmentaient à mort le prof de musique, une chère vieille chose incapable de se défendre.
Claude COURCHAY, La vie finira bien par commencer, p. 73.

♦ **4.** Loc. fam. (en parlant de qqch. ou de qqn). C'est pas un cadeau ! C'est un joli cadeau ! : c'est une chose, une personne difficile à supporter.

DÉR. Cadeauter.

CADEAUTER [kadote] v. tr. — 1844 ; de cadeau.

♦ Fam. et rare. Gratifier (qqn de qqch.).

1 Le poète Mallarmé (l'auteur du Faune) m'a cadeauté d'un livre qu'il édite : Vatek, conte oriental.
FLAUBERT, Correspondance, t. VII, p. 313.

2 Jeanin habitait (...) porte à porte avec le seul parent qui lui restait (...) surnommé le Bon-Dieu, à cause de sa dévotion. Lui-même, parce qu'il était beau de visage, grand et fort, avait été cadeauté par les femmes du sobriquet de Jeanin Bouquet.
A. DE CHATEAUBRIANT, la Brière, p. 93.

REM. 1. Le mot est normal et courant en français d'Afrique (cf. I. F. A. N.).
2. Variantes graphiques :

3 Puis il imagina de casser contre sa tête une assiette, en la heurtant d'un petit coup. D'autres l'imitèrent ; les morceaux de faïence volaient (...). — Ne vous gênez pas ! Ça ne coûte rien ! Le bourgeois qui en fabrique nous en cadote !
FLAUBERT, l'Éducation sentimentale, Pl., t. II, p. 156.

4 Il y a (à Croisset) une chambre d'amis qui sera arrangée. Vous l'habiterez, Seigneur, s'il vous plaît de m'honorer de votre compagnie, de me gratifier de votre présence, de me cadotter de votre conversation, etc.
FLAUBERT, Correspondance, t. I, p. 158 (1844).

CADÉDIOU [kadedju], CADÉDIS [kadedis] interj. — XVIIe ; gascon cadediou, cadedis ; contraction de cap de Dious « tête de Dieu ».

♦ Vx ou plais. Juron gascon, en usage au XVIIe siècle.

CADENAS [kadna] n. m. — 1540 ; cathenat, 1529 ; anc. provençal cadenat (XIIIe), du bas lat. catenatum, de catenatus « enchaîné », de catena « chaîne ».

♦ **1.** Serrure mobile munie d'un arceau qui se passe dans des pitons (pour fermer une porte, un coffre, une malle...). L'arceau (⇒ **Anneau, anse, crochet**) du cadenas a l'une de ses extrémités qui tourne sur l'autre, quand le cadenas est fermé, est traversée par le pêne. Clef de cadenas. Cadenas à chiffre, à combinaison, à secret. Mettre, poser un cadenas. Forcer, ouvrir un cadenas. Fermer une porte au cadenas. ⇒ **Cadenasser.**

1 Car sitôt que du soir les ombres pacifiques
D'un double cadenas font fermer les boutiques (...)
BOILEAU, Satires, VI.

2 (...) je vous défends, de la part de la sainte Inquisition, de toucher à ce cadenas, puisque c'est le sceau du Saint-Office. Je reviendrai demain ici à la même heure pour le lever, et vous apporter des ordres.
A.-R. LESAGE, Gil Blas, VI, I, p. 346.

(1779). Loc. fig. (Vx). Mettre un cadenas aux lèvres de qqn, le faire taire.

3 Et nos prédicateurs ont-ils ces qualités ? Si par hasard ils ne les avaient pas, faudrait-il pour cela leur attacher des cadenas aux lèvres ?
DIDEROT, Claude et Néron.

♦ **2.** (1551). Ancienn. Coffret fermé à l'aide d'un cadenas, contenant l'argenterie dont se servaient les rois et les grands seigneurs.

♦ **3.** Dr. comm. Loi du cadenas : loi qui, pour empêcher les spéculations, mettait en vigueur, par décret, les projets de loi tendant au relèvement des droits de douane sur les marchandises.

DÉR. Cadenasser.

CADENASSER [kadnɑse] v. tr. — 1569 ; de cadenas.

♦ **1.** Fermer avec un cadenas. Cadenasser une porte, une malle.

1 (...) l'homme a remis sa veste, rallumé son mégot ; la femme cadenasse son cabas (...)
MARTIN DU GARD, les Thibault, t. VIII, p. 98.

♦ **2.** Fig. Cadenasser le bec à qqn, le faire taire. ⇒ **Clouer** (le bec à qqn).

Par métaphore. Tenir enfermé.

2 Lâche pénitent, sans aucun doute, mais vergogneux et humilié. Il avouait, du moins, sa détresse et ne cadenassait pas exclusivement son ignominie dans le coffre-fort des confessionnaux et des tabernacles.
Léon BLOY, le Désespéré, 1886, p. 42.

▶ **SE CADENASSER** v. pron.

(Réfl. ; personnes). S'enfermer solidement. Il s'est cadenassé dans sa chambre. ⇒ **Verrouiller** (se). — Par métaphore. Se cadenasser dans son mutisme.

3 Des voyous accoudés aux comptoirs se retournent.
Ces visages qui se cadenassent, ces mains qui se ferment un peu. À présent tous les accidents deviennent possibles.
Pierre MERTENS, la Fête des anciens, p. 207.

▶ **CADENASSÉ, ÉE** p. p. adj.

♦ **1.** Porte cadenassée.

♦ **2.** Par métaphore et fig. (Choses). « Un univers cadenassé »

(Colette, *in* T. L. F.). — (Pers.). Secret, impénétrable. *« (Il) demeurait secret, fermé, bouclé, cadenassé »* (H. Pourrat, *in* T. L. F.).

CADENCE [kadãs] n. f. — 1520; «chute», fin xvᵉ; ital. *cadenza,* du lat. *cadentia (verba),* de *cadere* «finir, se terminer».

♦ **1.** Didact. ou littér. (en parlant de mots). Rythme de l'accentuation, en poésie ou en musique; effet qui en résulte. ⇒ **Harmonie, nombre.** *La cadence d'un alexandrin. Cadence harmonieuse, juste cadence.*

1   Enfin Malherbe vint, et, le premier en France,
    Fit sentir dans les vers une juste cadence (...)   BOILEAU, l'Art poétique, I.
    Rythme produit par l'agencement des éléments d'une phrase et l'organisation des assonances. *La cadence de cette période est belle* (Académie).

2   Il y a dans l'homme un goût naturel qui le rend sensible au nombre et à la cadence; et, pour introduire dans les langues cette espèce d'harmonie et de concert, il n'a fallu que consulter la nature.   ROLLIN, Traité des études, III, 3.

♦ **2.** (1550). Mus. Terminaison d'une phrase musicale, consistant principalement dans la résolution d'un accord dissonant sur un accord consonant. *Cadence parfaite,* dans laquelle la basse va de la dominante à la tonique. *Cadence plagale* (sous-dominante à tonique). *La demi-cadence se termine sur l'accord de dominante; dans la cadence imparfaite, l'un des accords est renversé; la cadence rompue ou évitée annonce une cadence sans la résoudre. Cadence ornée d'un trille*.*
Dans un concerto, Partie improvisée ou écrite, précédant la conclusion d'un mouvement et reprenant un ou des thèmes de la partition, que le concertiste exécute en soliste.

2.1 Le concerto comporte traditionnellement trois mouvements. Chacun d'eux se termine en principe par une *cadence* ou *point d'orgue,* sorte de brillante péroraison où le soliste n'est plus soutenu par l'orchestre, suivie de la reprise du thème principal en manière de coda. Au XVIIIᵉ, il était d'usage d'improviser la *cadence*; mais il en résulta des abus de virtuosité analogues à ceux qui avaient amené les compositeurs à composer eux-mêmes leurs *doubles* (...). À partir de Beethoven, l'usage s'imposa d'écrire intégralement la cadence. Il est juste de préciser que d'autres maîtres (...) l'avaient précédé dans cette voie.
                A. HODEIR, les Formes de la musique, p. 36.

♦ **3.** (Fin xvᵉ). Chorégr. Mesure réglant le mouvement d'un danseur. ⇒ **Rythme.** *Donner, marquer, presser, suivre, perdre la cadence.*

3   Holà! ne pressez pas si fort la cadence.   MOLIÈRE, les Précieuses ridicules, 12.

♦ **4.** Cour. Rythme d'un mouvement régulier du corps. *La cadence de la marche. Accélérez la cadence!* — Par métonymie. Répétition du bruit produit par ce mouvement.

4   (...) la jeune femme et son compagnon n'entendaient en marchant que la cadence de leurs pas sur la terre du sentier...   FLAUBERT, Mᵐᵉ Bovary, II, III.
    (Fin xviiᵉ). **EN CADENCE :** d'une manière rythmée, régulière. *Sauter en cadence. Marcher* (cit. 9) *en cadence. Les troupes armées défilent en marchant en cadence.*

5   Aux flancs du vase comme le long de la frise, la théorie des vierges marche en cadence.   Francis de MIOMANDRE, Danse, « La Grèce », p. 10.
    En parlant des sons :

6   Un soir, t'en souvient-il? nous voguions en silence;
    On n'entendait au loin, sur l'onde et sous les cieux,
    Que le bruit des rameurs qui frappaient en cadence
    Tes flots harmonieux.   LAMARTINE, Premières méditations, « Le lac ».

7   On n'entend que les lamentations, perpétuellement reprises en cadence.
                LOTI, Figures et Choses..., p. 113.

    REM. *Cadence* et *en cadence* peut qualifier le mouvement régulier d'objets et la succession rythmée de sons qu'ils produisent. *Le marteau s'abat en cadence sur l'enclume.*

8   Pour ponctuer le rythme des phrases, ses mains fermées, posées sur le bord de la table, se soulevaient et retombaient, sans violence, mais avec une cadence de marteau-pilon.   MARTIN DU GARD, Thibault, t. V, p. 290.

♦ **5.** Spécialt (idée de vitesse). *Cadence de tir d'une arme,* nombre de coups qu'elle peut tirer en un temps déterminé. — (Idée de rendement). Rythme de travail d'un ouvrier, d'une équipe; de la production d'une entreprise. *Forcer la cadence. Une cadence infernale.* (L'expr. s'emploie, générait au plur., pour désigner un rythme de travail à la chaîne jugé excessif). *À bas les cadences infernales! À une bonne cadence :* à une bonne allure. *Accélérer la cadence de production.*
Par ext. Rythme, en général. *En province, on ne vit pas selon la même cadence qu'à Paris.*

DÉR. **Cadencer.**

CADENCÉ, ÉE [kadãse] adj. ⇒ **Cadencer.**

CADENCEMENT [kadãsmã] n. m. — 1873, Zola; de *cadencer.*

♦ Rare. Mouvement bien rythmé.

    (...) il lui sembla entendre un murmure confus qui venait de l'ouest. C'était comme le bruit d'une chevauchée lointaine sur la terre sèche. Pas de doute. Il se produisait, à une ou deux verstes en arrière, un certain cadencement de pas qui frappaient régulièrement le sol.   J. VERNE, Michel Strogoff, 1876, p. 232.

CADENCER [kadãse] v. tr. — Conjug. *placer.* — 1701; *cadencé,* p.p., 1597; de *cadence.*

♦ **1.** Didact. (littér.). Donner de la cadence à (des phrases, des vers). ⇒ **Rythmer.** *Cadencer une période, son style.*

♦ **2.** Littér. Conformer (ses mouvements) à un rythme. *Cadencer son pas,* le régler. *Ce danseur ne cadence pas bien ses mouvements* (Académie).

1   *(Et vous étoiles)* Qui, cadençant vos pas à la lyre des cieux,
    Nouez et dénouez vos chœurs harmonieux.   LAMARTINE, Méditations, II, 8.
    Équit. *Cadencer un cheval,* donner à ses battues, au moyen du dressage, une cadence régulière.

▶ **CADENCÉ, ÉE** p.p. adj. (1597).

♦ **1.** Qui a de la cadence, une cadence sensible. *Période cadencée. Prose nombreuse et cadencée.*

2   Qu'il est doux de voir sa pensée
    En mètres divins cadencée.   LAMARTINE, Harmonies..., I, 1.

2.1 Sombre amant de la Mort, pauvre Léopardi,
     Si, pour faire une phrase un peu mieux cadencée,
     Il t'eût fallu jamais toucher à ta pensée,
     Qu'aurait-il répondu, ton cœur simple et hardi ?
                A. DE MUSSET, Poésies nouvelles, « Après une lecture », 1842, Pl., p. 431.

3   Une phrase doit être bouclée, cadencée, bien tombante, bien proportionnée.
                Antoine ALBALAT, l'Art d'écrire, VIII, p. 149.

♦ **2.** Cour. Rythmé. *Mouvements cadencés. Marcher au pas cadencé. Galop cadencé d'un cheval.*

4   Le fandango tourne et oscille (...) tous les bras, tendus et levés, s'agitent en l'air, montent et descendent avec de jolis mouvements cadencés, suivant les oscillations du corps.   LOTI, Ramuntcho, I, V, p. 68.

5   Et cette démarche assurée, cadencée, montrait que cette créature éblouissante avait conscience d'orner le monde où elle marchait (...)
                Valery LARBAUD, Fermina Marquez, p. 15.

DÉR. **Cadencement.**

CADÈNE ou CADENNE [kadɛn] n. f. — 1540; ital. du Nord *cadena* (déb. xivᵉ), du lat. *catena* «chaîne» (→ Cadenas), plutôt que du provençal *cadena* «chaîne».

♦ **1.** Vx. Chaîne de fer à laquelle on attachait les forçats. *Être à la cadène. Mettre, attacher à la cadène :* punir du châtiment infligé aux galériens.
Par métonymie. Troupe de galériens enchaînés (dite aussi *la Grande Cadenne*) et conduits vers le bagne (de Toulon ou de Brest). — Par ext. Le bagne.

♦ **2.** Mar. **ⓐ** (1678). Vx. Chaîne de fer fixée au bordage d'un navire et sur laquelle sont ridés* les haubans, les étais.

    Une fois arrivé au bâtiment, Ayrton, accroché, soit aux sous-barbes, soit aux cadènes des haubans, pourrait reconnaître le nombre et peut-être surprendre les intentions des convicts.   J. VERNE, l'Île mystérieuse, 1874, t. II, p. 613.

ⓑ Mod. Ferrure boulonnée sur le bordage et servant au même usage. *Cadène d'étai, cadène de hauban. Les ridoirs, fixés entre la cadène et la manœuvre, permettent le réglage.*

CADENELLE [kadnɛl] n. f. — 1867; *cadenele,* 1845; provençal *cadenelo,* du rad. *caden-,* de l'étymon de *cade* (→ Cade), et suff. dimin. *-elle.*

♦ Bot. Fruit (baie) du cade.

CADENETTE [kadnɛt] n. f. — 1653; de Honoré d'Albert, Seigneur de *Cadenet* (Vaucluse), qui mit cette coiffure à la mode sous le règne de Louis XIII.

♦ **1.** Ancienn. Longue mèche de cheveux portée surtout par les hommes, à droite ou à gauche du visage.

1   Religieux, nonains, nonettes,
    Bourgeois portant cadenettes,
    Avec cotillons divers (...)
                J. LORET, la Muse historique, 1853, t. I, p. 410, *in* D. D. L., II, 7.

    (xviiᵉ). Chacune des deux tresses de cheveux que les soldats de l'infanterie française portaient de chaque côté de la figure.

2   (...) je n'espère point tant de vous, ni que vous garderez longtemps rancune à la bonne épée qui me vendra trop cher la gloire, si toutefois celui qui la porte sait retrousser une moustache blonde et friper une cadenette.
                BERNANOS, la Mort avantageuse du chevalier de Lorges, *in* Œ. roman., Pl., p. 1764.

♦ **2.** Mod. Petite tresse. *Les cadenettes d'une petite fille.* ⇒ 2. **Couette.**

CADET, ETTE [kadɛ, ɛt] n. — 1466; gascon *capdet,* provençal *capdel* «chef» (→ Cadeau), par homonymie d'après Guiraud entre le provençal *cadel* «chef» (lat. *capitellum*), et *cadel* «petit d'un animal» (lat. *catellus*); a supplanté «puîné» au xviiiᵉ.

♦ **1.** Personne, enfant, qui, par ordre de naissance, vient après l'aîné, et, par ext., après un aîné. *C'est mon cadet, ma cadette. Les cadets obéissent à l'aîné.*

1 Un second lui succède *(à l'aîné),* et se met en posture ;
Mais en vain. Un cadet tente aussi l'aventure.
Tous perdirent leur temps, le faisceau résista (...)   LA FONTAINE, Fables, IV, 18.

2 Il avait un frère aîné, capitaine dans le même régiment, pour lequel était toute la
prédilection de la mère, qui (...) en usait très mal avec le cadet (...)
                                                            ROUSSEAU, les Confessions, XII, p. 172.

3 Après des déboires qui les avaient atteints physiquement, les deux cadets se refai-
saient dans cette bienfaisante monotonie du cloître, comme des surmenés dans une
cure de repos.   M. BARRÈS, la Colline inspirée, p. 43.

Hist. (dr. féodal). *Cadet (de famille) :* jeune noble (autre que l'aîné)
destiné à la carrière ecclésiastique.

3.1 Il suffit que ce jeune homme soit le cadet de sa maison, pour ne pas douter qu'il
ne soit dès là appelé aux fonctions redoutables de pasteur des âmes.
                                                BOURDALOUE, Carême, *in* LITTRÉ.

(1671). Le dernier-né des enfants. ⇒ **Benjamin.** *La cadette de la
famille,* la plus jeune.

Adj. *Frère cadet, sœur cadette,* plus jeune que l'aîné, ou qu'un aîné.
— (1740). *Branche cadette,* issue d'un cadet.

♦ **2.** (1690). *Le cadet de qqn :* une personne moins âgée (sans relation de parenté). *Il est mon cadet de deux ans.* — (Sans compl.).
Les cadets : les plus jeunes (d'un groupe).

Fig. et vieilli. Personne qui, dans un certain domaine, a moins d'expérience qu'une autre. ⇒ **Apprenti, novice.**

Vx. *N'y allez pas si vite, mon (jeune) cadet ! Voilà un beau cadet !*

♦ **3.** Loc. *C'est le cadet de mes (ses...) soucis,* le dernier, le moindre.

♦ **4.** (1530). Anciennt. Gentilhomme qui servait comme soldat, puis
comme officier subalterne, pour apprendre le métier des armes.
— (1682). *Compagnie de cadets. Les cadets de Gascogne.*

4 J'allais devenir militaire, car on avait arrangé que je commencerais par être cadet.
                                                      ROUSSEAU, les Confessions, IV.

5 Ce sont les cadets de Gascogne
De Carbon de Castel-Jaloux ;
Bretteurs et menteurs sans vergogne,
Ce sont les cadets de Gascogne !
                                       Edmond ROSTAND, Cyrano de Bergerac, II, 7.

Mod. Élève officier.

6 De temps en temps, je rends visite, à Malvern, puis à Ribbersford *(en Angleterre),*
aux «cadets de la France libre». En 1940, j'ai créé leur école, destinée aux étudiants et collégiens passés en Angleterre.
                                        Ch. DE GAULLE, Mémoires de guerre, 1954, t. I, p. 242.

♦ **5.** (1928). Sports. Se dit d'une catégorie de sportifs plus âgés que
les *minimes,* et trop jeunes pour être parmi les *juniors* (de 15 à
17 ans). *Elle sera cadette l'an prochain.*

(1906). Au golf, Garçon chargé de porter les clubs des joueurs.
⇒ 1. **Caddie.**

CONTR. Aîné.

1. CADETTE [kadεt] n. f. — D.i. ; fém. de *cadet.*

♦ Techn. (Vx). Queue de billard moins longue qu'une autre, servant
à certains coups, dans les anciens billards.

2. CADETTE [kadεt] n. f. — 1559 ; provençal *cadeto, cadetta*
«dalle».

♦ Techn. (Vx). Pierre servant au dallage. « *Les cadettes de pierre du
plancher* » (Lamartine, *le Tailleur de pierre de Saint-Point,* 1851,
in T. L. F.).

CADI [kadi] n. m. — 1351, *cady ;* arabe *(ɔ)ăl- qāḍī* «le juge».
→ Alcade.

♦ Magistrat musulman qui remplit à la fois les fonctions civiles,
judiciaires et religieuses. *Des cadis.*

On voyait revivre d'autres cadis, d'autres pachas, d'autres effendis, qui prenaient la
place des expulsés (...)   VOLTAIRE, Candide, 30.

HOM. 1. Caddie, 2. caddie, cadis.

CADIE [kadi] n. m. — 1352 ; anc. provençal *cadis,* probablt d'orig.
catalane ; cf. *Cadiz* «Cadix».

♦ Vx. Serge de laine.

(...) et deux grands coquins de bergers drapés dans des manteaux de cadis roux
qui leur tombent sur les talons comme des chapes.
                                   Alphonse DAUDET, Lettres de mon moulin, Installations, p. 10.

HOM. 1. Caddie, 2. caddie, cadi.

CADMÉEN, ENNE [kadmeɛ̃, ɛn] adj. — 1838 ; *victoire cadmée* ou
cadméane «funeste à celui qui l'a remportée», xvie ; de *Kadmos,* fondateur légendaire de Thèbes.

♦ Didact. *Lettres cadméennes :* les seize lettres de l'alphabet primitif des Grecs. *Alphabet cadméen,* composé de ces lettres.

CADMIAGE [kadmjaʒ] n. m. — V. 1925 ; de *cadmium* ou de *cadmier.*

♦ Techn. Revêtement d'une surface métallique par dépôt électrolytique de cadmium.

CADMIE [kadmi] n. f. — 1538 ; *camie,* 1400 ; lat. *cadmia,* grec *kad-
meia (petra)* «minerai de zinc» (→ Calamine) extrait près de Thèbes,
en grec *Kadmos.*

♦ Techn. (métall.). Résidu formant une sorte de suie sur les parois
des fourneaux, dans la métallurgie du zinc (s'emploie surtout au
plur.). *Les cadmies sont composées surtout d'oxyde de zinc.*

CADMIER [kadmje] v. tr. — xxe ; de *cadmium.*

♦ Techn. Traiter par cadmiage (une surface).

▶ **CADMIÉ, ÉE** p. p. adj. (1936).
Recouvert de cadmium. *Acier cadmié.*

DÉR. V. Cadmiage.

CADMIUM [kadmjɔm] n. m. — 1817 ; all. *Cadmium, Kadmium ;* du
rad. du lat. *cadm(ia)* [→ Cadmie], et suff. sc. *-ium.*

♦ Chim. Corps simple (Cd, n° at. 48, masse at. 112,40, densité 8,64),
métal blanc comme l'étain, ductile et malléable. *Le cadmium est
utilisé en alliage, pour la protection des métaux* (⇒ **Cadmiage**),
*pour les plaques des accumulateurs alcalins et dans les réacteurs
nucléaires, pour absorber les neutrons. Alliage au cadmium.*
(1933 ; *sulfure,* 1861). *Jaune de cadmium,* ou, absolt, *cadmium :* sulfure de cadmium, jaune, utilisé en peinture comme pigment.

Les *clairs* jaune clair sur les nuages au-dessous du char : *Cadmium, blanc,* une
pointe de *vermillon.*   E. DELACROIX, Journal, 10 juin 1850.

DÉR. Cadmiage, cadmier.

CADOGAN [kadɔgɑ̃] n. m. ⇒ **Catogan.**

Reine s'est fait montrer la miniature de François Dumesnil, galant magistrat du
Directoire, en poudre et en cadogan, l'air bénin et assez fat (...)
                                        M. YOURCENAR, Archives du Nord, 1977, p. 162.

CADOLE [kadɔl] n. f. — 1678 ; provençal *cadaula* «loquet», bas lat.
*catabola, grec *katabolê* «action de jeter de haut en bas».

♦ Anciennt ou régional. Loquet ou sorte de pêne qu'on soulève avec
un bouton. *Soulever la cadole.*

HOM. Cadolle.

CADOLLE [kadɔl] n. f. — 1860 ; mot franco-provençal, passé en
Bourgogne et en Bresse ; du bas lat. **catabola,* du lat. médiéval *cata-
bulum* «base, fondement», p.-ê. par métonymie du grec *katabolê*
«action de jeter de haut en bas, fondations». → Cadole.

♦ Régional. Petite construction en pierre ou en torchis servant à ranger des instruments.

HOM. Cadole.

CADOR [kadɔʁ] n. m. — 1878 ; p.-ê. de l'arabe *gaddour* (puissant),
«chef» d'après Esnault ; cf. *Capitaine,* n. de chien procédant de la
même manière, et la finale *-dor* de *Médor, ca-* étant à rapprocher de *cabot,*
pour le sens 1.

Argot.

♦ **1.** Chien. ⇒ **Cabot, clebs.**

(...) comme un vieux cador qui se souvient tout à coup d'un coup douloureux reçu
(...) dans sa jeunesse, et répond soudain d'une caresse par une morsure (...)
                                   Albert SIMONIN, Touchez pas au grisbi, p. 113.

♦ **2.** (Du sens de l'arabe). Individu puissant ; chef. ⇒ **Caïd.** — (En
tournure négative). Fam. *C'est pas un cador :* il n'est pas très fort ;
c'est quelqu'un de médiocre.

CADOTER ou **CADOTTER** [kadɔte] v. ⇒ **Cadeauter.**

CADRAGE [kɑdʁaʒ] n. m. — 1923 ; «ensemble de cadres», 1866 ;
de *cadrer.*

♦ **1.** Mise en place de l'image (photo, cinéma, télévision).

1 Parfois, il y a du brouillamini, dans le cadrage *(à la télé)* ou les gens qui deviennent transparents, qui tremblent par tranches (...)
                                              ARAGON, Blanche..., II, VII, p. 298.

2 Manny fait face à la caméra qui recule, recadrant la porte et les yeux (...) Ce
cadrage reprend celui où Manny (...) voyait dans le rétroviseur (...) les yeux du
conducteur le fixer.
                        J.-L. GODARD, *in* Coll. des Cahiers du cinéma, n° 72, juin 1957, p. 76-77.

♦ 2. Façon dont une image est cadrée. *Un bon cadrage, un cadrage précis.*

CADRAN [kadʀɑ̃] n. m. — XIIIᵉ, *quadran*; du lat. *quadrans*, p. prés. de *quadrare* «être carré».

♦ 1. Plan (d'abord carré, puis de forme quelconque, souvent hexagonal, rond) où sont indiqués les chiffres des heures. *Cadran sciathérique, cadran solaire* (cour.), *cadran lunaire,* où l'heure est marquée par l'ombre d'un style* projetée par le soleil ou par la lune (⇒ **Gnomon**). *Ligne soustylaire d'un cadran solaire.* — REM. Seul le syntagme *cadran solaire* est d'usage courant.

1   Beaucoup d'amis sont comme le cadran solaire; ils ne marquent que les heures où le soleil vous luit.
    HUGO, Post-Scriptum de ma vie, Tas de pierres, II.
1.1 Est-il naturel qu'un petit instrument de cuivre puisse marcher tout seul et marquer les heures? On aurait dû s'en tenir au cadran solaire.
    — Vous ne parlerez plus ainsi, Scholastique, répondit Aubert, quand vous saurez que le cadran solaire fut inventé par Caïn.
    J. VERNE, Maître Zacharius, 1874, p. 120.

♦ 2. (1443). Surface (souvent circulaire) divisée en heures (et minutes), sur laquelle se déplacent les aiguilles d'une montre (horloge, pendule). *Cadran émaillé, en or. Cadran lumineux. Le cadran d'un chronomètre. Les aiguilles courent sur le cadran. La petite aiguille, la grande aiguille font le tour du cadran. Cadran d'une gare, d'une église. Le Café du Cadran.*

1.2 Passepartout ignorait ceci : c'est que si le cadran de sa montre eût été divisé en vingt-quatre heures comme les horloges italiennes, il n'aurait eu aucun motif de triompher, car les aiguilles de son instrument, quand il était neuf heures du matin à bord, auraient indiqué neuf heures du soir, c'est-à-dire la vingt et unième heure depuis minuit, — différence précisément égale à celle qui existe entre Londres et le cent quatre-vingtième méridien.
    J. VERNE, le Tour du monde en 80 jours, 1873, p. 210.
2   Sur l'une des faces du clocher s'épanouissait un cadran peint, rougeâtre et or.
    MARTIN DU GARD, les Thibault, t. IV, p. 81.

Par métaphore :

3   (...) il faudra partir quand la Grande Ourse se sera renversée dans le ciel immense. Nous suivons chaque nuit son mouvement régulier, elle est l'aiguille du cadran qui compte nos heures d'ivresse.
    LOTI, Aziyadé, Salonique, XX, p. 31.
Loc. *Faire le tour du cadran :* revenir à son point de départ, et, fig., dormir douze heures d'affilée.

♦ 3. Surface plane, divisée et graduée, portant des informations (fournies par un appareil). *Cadran d'un compas, portant une rose*, des vents. Le cadran d'une boussole. Cadran d'un appareil de radio. Sur un navire de guerre, cadran de tir, cadran de transmission d'ordres. Cadran d'instruments de physique* (ampèremètre, baromètre, galvanomètre, manomètre. — → aussi Compteur). — *Les nombreux cadrans d'un tableau* de bord d'avion.*

3.1 « Je ne vois plus les cadrans : j'allume. » Il toucha les contacts, mais les lampes rouges de la carlingue versèrent vers les aiguilles une lumière encore si diluée dans cette lumière bleue qu'elle ne les colorait pas (...)
    SAINT-EXUPÉRY, Vol de nuit, p. 24.
Le cadran d'un téléphone automatique (cercle mobile portant des lettres, des chiffres, et permettant de composer un numéro).

4   On formerait, sur un cadran, le mot auquel on s'intéresse et l'appareil donnerait, à haute voix, la définition et les explications.
    G. DUHAMEL, Cri des profondeurs, III, p. 53.

♦ 4. (1777). Techn. (arbor.). Sur les vieux arbres malades, Série de fentes transversales allant du centre du tronc à la circonférence et donnant à une coupe l'aspect d'un cadran (⇒ **Cadranure**).

♦ 5. (1857). Argot. Tête. *« Qué qu't'as donc dans le cadran? »* (*in* Esnault).

DÉR. Cadrannerie, cadranure.

CADRANNERIE [kadʀanʀi] n. f. — 1783, *Encyclopédie*; de *cadran.*

♦ Techn. Atelier où l'on fabrique les appareils de navigation à cadran.

CADRANURE ou **CADRANNURE** [kadʀanyʀ] n. f. — 1791; de *cadran.*

♦ Techn. (arbor.). Maladie des bois qui se manifeste par des fentes disposées en cadran (⇒ **Cadran,** 4.).

CADRAT [kadʀa] n. m. — 1625, *cadrat* ou *quadrat*; du lat. *quadratus* «carré».

♦ Techn. (imprim.). Petit lingot de métal plus bas que les lettres, employé par les typographes pour laisser des blancs et remplir la justification (II.) des lignes.

DÉR. Cadratin.

CADRATIN [kadʀatɛ̃] n. m. — 1688; *quadratin*, 1680; de *cadrat.* Technique (imprimerie).

♦ 1. Cadrat de l'épaisseur du caractère.

♦ 2. (Plus cour.). Espace correspondant à un cadratin. *Enfoncement de deux, trois cadratins.*

CADRATURE [kadʀatyʀ] n. f. — 1751; lat. *quadratura.* → Quadrature.

♦ Techn. Assemblage des pièces qui meuvent les aiguilles d'une montre. (On écrit aussi *quadrature.*) *La cadrature relie les aiguilles entre elles et au mouvement.*

DÉR. Cadraturier.

CADRATURIER [kadʀatyʀje] n. m. — XVIIIᵉ; de *cadrature.*

♦ Rare. Ouvrier horloger qui fait des cadratures. — REM. Le fém. *cadraturière* est virtuel.

CADRE [kadʀ] n. m. — 1549, *quadre*, Rabelais; ital. *quadro*, adj., «carré», lat. *quadrus, a, um*, adj.

★ I. (Concret). **♦ 1.** Bordure carrée (et, par ext., d'une forme quelconque) entourant une glace, un tableau, etc. ⇒ **Encadrement.** *Cadre rectangulaire, rond, ovale. Cadre en bois, en plâtre, en bronze. Cadre peint, sculpté, doré. Un superbe cadre Renaissance, Louis XV. Cadre de plafond, de bas-relief. Mettre une photographie, une peinture dans un cadre.* ⇒ **Encadrer.** *Cadre à fond mobile.* ⇒ **Passe-partout.** *Cadre et sous-verre*. Accrocher, fixer un cadre au mur.*

1   Aux plus grossiers de ces dessins, je mets des cadres bien brillants.
    ROUSSEAU, Émile, 2.
2   Comme un beau cadre ajoute à la peinture (...)
    BAUDELAIRE, les Fleurs du mal, «Spleen et Idéal», Un fantôme, III.
3   Il *(un marchand de saintes images)* avait posé à terre son panier, tout plein de ces peinturlures aux cadres dorés (...)   LOTI, Ramuntcho, I, XVII, p. 151.
3.1 Il regarde de nouveau l'agrandissement photographique accroché au mur, au-dessous des cheveux noirs de la femme. L'image a une forme ovale, estompée sur les bords; le papier tout autour est resté blanc-crème, jusqu'au cadre rectangulaire en bois très foncé.   A. ROBBE-GRILLET, Dans le labyrinthe, p. 71.
Régional (domaine franco-provençal). Tableau, gravure. *Accrocher des cadres au mur.*

♦ 2. (1690). Techn. Châssis fixe fait de pièces assemblées. *Cadre en bois, en métal. Le cadre d'une porte, d'une fenêtre.* ⇒ **Chambranle.** *Cadre où l'on coule du béton.* ⇒ **Coffrage.** *Cadre soutenant les parois d'un puits, d'une galerie de mine.* ⇒ **Boisage.** *Cadres d'une ruche où les abeilles font leurs rayons.*
Cour. *Cadre de bicyclette :* assemblage de tubes métalliques creux et soudés constituant la charpente de la bicyclette.
Cadre de déménagement : grande caisse capitonnée servant au transport du mobilier. *Louer un cadre. Cadre conteneur.* ⇒ **Cadre-conteneur, conteneur.** — Emballage léger, à claire-voie. *Ce maraîcher transporte ses produits dans des cadres.*
Radio. Appareil de radiotélégraphie constitué par un self* de grande dimension noyé dans un isolant, que l'on connecte à un récepteur radioélectrique. *Récepteurs à cadre, utilisés en radiogoniométrie.*

♦ 3. (1736). Mar. Couchette de toile montée sur un châssis en bois. —*Avoir des hommes sur les cadres :* avoir des malades à bord.

★ II. Fig. **♦ 1.** Ce qui circonscrit un espace, une scène; l'espace, la scène. ⇒ **Décor, entourage, milieu.** *Un cadre agréable, plaisant, sympathique. Aller déjeuner dans un cadre champêtre, plaisant.*

4   La mer d'un côté, des forêts de l'autre formaient le cadre de ce grand tableau *(le champ de bataille).*   CHATEAUBRIAND, les Martyrs, 196.
5   Les amants heureux s'accommodent volontiers de tous les cadres; ils portent en eux de quoi embellir les déserts.
    SAINTE-BEUVE, Causeries du lundi, 29 oct. 1849.
6   Toute philosophie est nécessairement imparfaite, parce qu'elle aspire à renfermer l'infini dans un cadre limité.   RENAN, *in* Pierre LAROUSSE.
7   Elle, plus aisément que lui, se faisait à l'idée de ce cadre tout à fait *peuple,* qui allait être, pour longtemps ou pour toujours, celui de sa vie déchue.
    LOTI, Matelot, XVIII, p. 65.
CADRE DE VIE : entourage, milieu physique ou humain dans lequel on vit. *Défense du cadre de vie.* — *Cadre* (même sens). *Un cadre familier. C'est son cadre.*

7.1 Cette angoisse mystérieuse ressentie tout le long du jour, il se l'explique maintenant : hors de son cadre habituel, le coffre, le casier d'imprimés, sous-main dont il a caché les blessures avec du papier collant, l'encrier d'encre rouge pour les débiteurs, il n'est plus rien.   J. GIONO, l'Esclave, 1924, Pl., t. I, p. 798.
(Abstrait). Ce qui limite, impose une contrainte. ⇒ **Contrainte.** *Un cadre rigide. Imposer un cadre précis à la discussion, à la réflexion. Un cadre trop strict.* ⇒ **Carcan, corset.**

8   (...) le vice qui nous rendra comiques est au contraire celui qu'on nous apporte du dehors comme un cadre tout fait où nous nous insérons. Il nous impose sa raideur, au lieu de nous emprunter notre souplesse.   H. BERGSON, le Rire, p. 11.
Didact. Structures imposées par la nature, la réalité (à la pensée), par les institutions (à la société), etc. *Les cadres sociaux, psychologiques de la mémoire. Les cadres de l'histoire, du temps.*

9   Les souvenirs de l'enfance ne sont pas, comme ceux de l'âge mûr, classés dans les cadres du temps. Ce sont des images isolées, de tous côtés entourées d'oubli, et

le personnage qui nous y représente est si différent de nous-mêmes que beaucoup d'entre elles nous paraissent étrangères à notre vie.
A. MAUROIS, le Cercle de famille, p. 13.

10 (...) le machinisme, pénétrant partout, pénétrait tout, faisant craquer les cadres multiséculaires d'une société toute marquée encore d'influences néolithiques.
André SIEGFRIED, l'Âme des peuples, I, p. 6.

11 On aboutit ainsi à la dictature d'un homme, d'un parti ou d'une bureaucratie, et au bout de la route il y a l'asservissement dans un cadre que, par habitude, on continue pourtant encore d'appeler démocratique.
André SIEGFRIED, l'Âme des peuples, I, 2.

⇒ **Loi-cadre.**

♦ **2.** (1803). Arrangement des parties (d'un ouvrage). ⇒ **Plan.** *C'est un cadre heureux, mais il n'est pas bien rempli* (Académie). *Cadre trop vaste. Cadre étroit, limité.* — Ce qui limite un sujet, et particulièrement un sujet littéraire. *Le cadre du récit.*

12 L'on y trouve *(dans le songe d'Énée),* dans un cadre étroit, tous les genres de beauté qui lui *(Virgile)* sont propres.
CHATEAUBRIAND, Génie du christianisme, II, 5.

♦ **3. DANS LE CADRE.** *Être, rester, dans le cadre de,* les limites prévues, imposées par... *Dans le cadre de ses fonctions, de ses attributions* (⇒ **Compétence**).
Dans le cadre de... : expression de style administratif employée au sens de «dans l'ensemble organisé de...». — REM. L'expression, dévaluée par sa fréquence excessive, est souvent critiquée ou employée ironiquement.

13 (...) dans une société un peu rationnelle il importe que les mères soient honorées légalement au jour M fixé par décret dans le cadre de la maternité collective (...)
Jacques PERRET, Bâtons dans les roues, p. 29.

★ **III.** (Personnes). ♦ **1.** (1796). Ensemble des officiers et sous-officiers qui dirigent les soldats d'un corps de troupe (⇒ **Encadrer**). *Les cadres d'un bataillon, d'un régiment. Cadre colonial. Des cadres décimés. Manquer de cadres. Former, instruire des cadres. Cadre d'activité. Officiers, sous-officiers du cadre de réserve :* civils qui, en cas de mobilisation, auraient un grade. — Spécialt. *Cadre de réserve :* corps des officiers généraux qui ne sont plus en activité à cause de leur âge, mais restent disponibles pour le temps de guerre. *Un officier hors cadre.*
Aviat. *Cadre sédentaire* (au sol) *et personnel navigant.* — (1825, *in* Petiot). *Le Cadre noir :* les écuyers militaires de l'École de Saumur.

14 C'était l'École d'application. Sept cents chevaux! (...) Des chevaux, il y en avait de magnifiques. Des gars du Cadre noir venaient se perfectionner là.
Jean FERNIOT, Pierrot et Aline, p. 81.

Cadres techniques et administratifs des Services du génie et du matériel, créés en 1966. — (En dehors de l'armée). *Préfet hors cadre.*

♦ **2.** (1840). Tableau des emplois et du personnel qui les remplit. *Figurer sur les cadres. Être rayé des cadres :* avoir son nom ôté du tableau, être libéré ou licencié.

♦ **3.** (1931; métonymie du sens III, 1; par anal., d'abord toujours employé au plur. pour désigner collectivement le personnel d'encadrement). *Les cadres :* le personnel d'encadrement des entreprises. *Régime de prévoyance, caisse* (d'assurance) *des cadres. Confédération générale des cadres* (C.G.C.).

15 Ils ont l'orgueil de leurs cadres, de la grosse mécanique bien huilée qu'aucun de ces désastres nationaux, dont ils furent les auteurs, durant les dernières années, n'a arrêtée ni même troublée dans son fonctionnement.
F. MAURIAC, Bloc-notes 1952-1957, p. 141.

(Au sing.). *C'est un petit cadre, un cadre moyen, un cadre supérieur.* — *Il est passé cadre :* il fait partie des cadres. *Un jeune cadre dynamique. Elle est cadre.*

16 Les cadres, grammaticalement, passent encore. Mais «le» cadre, c'est plus intrigant. Cette personnalisation, cette singularisation du terme, et puis des expressions telles que «cadre moyen, supérieur», «petit cadre», «il est passé cadre», correspond au besoin de désigner une catégorie sociale nouvelle.
Jean-François REVEL, *in* l'Express, 12 juin 1967.

En appos. *Femme cadre.*
(Par anal.). *Cadre politique :* militant qui assume au sein d'une organisation politique des fonctions de responsabilité.

COMP. Encadrement, encadrer, encadreur.

CADRE-CONTENEUR [kɑdʀ(ə)kɔ̃tnœʀ] n. m. — 1938; de *cadre* et *conteneur.*

♦ Techn. Grande caisse métallique qui sert à transporter des marchandises. «*Ce train transporte sur des wagons plats spéciaux de grands cadres-conteneurs*» (*le Monde,* 24 avr. 1968).

CADRER [kɑdʀe] v. — 1539, *cadrer à*; du lat. *quadrare,* ou de *cadre.*

★ **I.** V. intr. ♦ **1. CADRER AVEC** *(qqch.) :* aller bien avec. ⇒ **Accorder** (s'), **assortir** (s'), **concorder, convenir, rapporter** (se). *Les dépositions de témoins ne cadrent pas ensemble. La réponse ne cadre pas à la demande* (Académie). — Sans compl. *Ça ne cadre pas.*

1 Les livres cadrent mal avec le mariage (...) MOLIÈRE, les Femmes savantes, V, 3.
2 Les explications ne cadrent pas avec le texte. BOSSUET, Préface.

La loi (...) cadre donc bien mal avec l'opinion des hommes? 3
LA BRUYÈRE, les Caractères, XIV, 60.
Cet événement n'a pu cadrer fortuitement avec la prophétie. 4
ROUSSEAU, Émile, IV.
(...) une certaine tournure d'esprit (...) un genre de bêtise qui cadre bien avec le 5
milieu dans lequel vous vivez (...) LOTI, Aziyadé, Eyoub à deux, p. 105.
Là où le rythme du mouvement est assez lent pour cadrer avec les habitudes de 6
notre conscience (...) H. BERGSON, Matière et Mémoire, p. 226.
De longue date je souhaitais écrire ce Bacchus. Il se présenta sous forme de pièce, 7
de film, de livre. Je revins à l'idée de pièce, estimant que le théâtre cadrerait
mieux avec l'histoire. COCTEAU, Journal d'un inconnu, p. 86.

♦ **2.** Loc. *Faire cadrer (qqch.) à, avec (qqch.).* ⇒ **Concilier.**
(1840). Comptab. *Faire cadrer un compte,* en modifier les chiffres pour obtenir le résultat désiré.

★ **II.** V. tr. ♦ **1.** (De l'esp.). En tauromachie, Immobiliser le taureau avant de l'estoquer. — Au p. p. *Taureau cadré.*

♦ **2.** (1912). Photogr., cin., télév. Disposer, mettre en place (les éléments de l'image). *Cadrer une image.*

Pierrot ne voit rien; il a l'œil collé au viseur, il cadre l'image, mais il est inca- 8
pable d'apprécier les distances.
R. FRISON-ROCHE, Peuples chasseurs de l'Arctique, p. 346.

Cadrer une scène : procéder au cadrage d'une scène. — Au p. p. :
(...) même quand c'est mal cadré, mal photographié, mal monté, on sent que der- 9
rière la caméra française se tient un artiste (...)
J.-L. GODARD, Jean-Luc Godard, févr. 1959,
in Coll. des Cahiers du cinéma, p. 186.

Projeter en bonne place (sur l'écran). — Au p. p. *Image mal cadrée par le projectionniste.*

CONTR. Contredire, diverger; déparer, détonner, jurer; choquer.
DÉR. Cadrage, cadreur.

CADREUR, EUSE [kɑdʀœʀ, øz] n. — 1952; de *cadrer.*

♦ **1.** Personne qui effectue les cadrages, au cinéma.

♦ **2.** (Pour remplacer *cameraman*). Personne qui manie la caméra, au cinéma, à la télévision; «agent d'exécution chargé du maniement d'une caméra, de la mise au point, ainsi que de la définition du champ de prise de vues pour composer l'image» (*Journ. off.,* 18 janv. 1973). ⇒ **Opérateur; cameraman** (anglic.).
REM. Le fém. semble rare; on dirait plutôt : *elle est cadreur à la télévision.*

CADUC, UQUE [kadyk] adj. — 1346; lat. *caducus,* rac. *cadere* «tomber». → Choir.

♦ **1.** Vx. Qui touche à sa fin, menace ruine, est près de tomber. ⇒ **Vieux; faible, fragile.** *Un bâtiment caduc.*

Quel architecte est celui qui, faisant un bâtiment caduc, y met un principe pour 1
se relever dans ses ruines!
BOSSUET, Traité de la connaissance de Dieu..., IV, 2.

(Personnes). ⇒ **Abattu, cassé, vieux.** *Devenir caduc.* — (Choses). *Âge caduc,* où le corps s'affaiblit. *Santé caduque.* ⇒ **Chancelant.**

(...) elle *(Yvonne)* baissait la tête, restait longtemps caduque, en laissant pendre la 2
mâchoire d'en bas à la manière des morts.
LOTI, Pêcheur d'Islande, III, XIV, p. 198.
Sur sa face luisante, comme vernie, ses sourcils broussailleux débordaient en 3
auvents, et des milliers de filets sanguins se jouaient par la fraîcheur caduque de
ses joues (...) COURTELINE, Messieurs les ronds-de-cuir, 2ᵉ tableau, I, p. 55.
Au bout, à l'extrême bout de la rangée de baraques, comme si, honteux, il s'était 3.1
exilé lui-même (...) je vis un pauvre saltimbanque, voûté, caduc, décrépit, une
ruine d'homme, adossé contre un des poteaux de sa cahute.
BAUDELAIRE, le Spleen de Paris, XIV, «Le vieux saltimbanque».

♦ **2.** Mod. (Littér. ou style soutenu). Qui n'a plus cours. ⇒ **Démodé, dépassé** (fam.), **périmé, vieux.**

(...) ce qui était bon hier est périmé et caduc aujourd'hui. 4
CHATEAUBRIAND, Mémoires d'outre-tombe, t. V, III, XV.
C'est pour imaginer trop vite, que tant d'artistes d'aujourd'hui font des œuvres 5
caduques et de composition détestable. GIDE, Journal, Feuillets, 1893.
Mais la chute du Cabinet dont il faisait partie *(M. Édouard Herriot)* rendit caduc 6
son projet de loi qui ne fut pas repris par son successeur.
Georges LECOMTE, Ma traversée, p. 370.

Littér. (Personnes). Que l'on néglige, délaisse.

(La femme) la plus austère se sent déchue dès qu'elle cesse d'être désirée et, quoi 6.1
qu'elle en ait, elle gémit sous l'ombre de la dure loi biblique qui fait conduire par
l'épouse caduque la jeune esclave au lit du patriarche embarrassé d'un reste de
vigueur (...) Roger VERCEL, Remorques, 1935, p. 170.

(1690). Dr. *Un acte juridique est caduc lorsqu'un événement postérieur le rend inefficace.* ⇒ **Annulé, nul.** *Legs caduc :* legs annulé par la mort du légataire survenant avant celle du testateur. *Donation entre vifs caduque. Contrat de mariage caduc.*

La dot était caduque après la mort du père. 7
MONTESQUIEU, l'Esprit des lois, XXIII, 21.

Loi caduque, tombée en désuétude ou remplacée par une nouvelle loi.

♦ **3.** Loc. (1520). Vx. *Le mal caduc.* ⇒ **Épilepsie.**

♦ **4.** [a] (1833). Anat. *La membrane caduque,* et, n. f., *la caduque :* la membrane muqueuse de l'utérus devenue caduque lors de la fécondation et qui est expulsée au cours de l'accouchement (avec le placenta). Syn. : *déciduale.*

b (1803). Bot. *Organes caducs,* destinés à se détacher de la plante, à tomber. *Feuilles caduques* (opposé à *persistantes*).

c Zool. Qui tombe normalement après avoir rempli sa fonction. *Les bois du cerf sont caducs. Le serpent possède une peau caduque.*

♦ **5.** Phonét. Qui « tombe », n'est pas prononcé. *E caduc :* e dit « muet* ».

CONTR. **Jeune, neuf, vivace.**
DÉR. **Caducité.**

CADUCÉE [kadyse] n. m. — 1455, *caduce ;* lat. *caduceus,* du grec *kêrukeion* « insigne de héraut ».

♦ Attribut de Mercure, constitué par une baguette entourée de deux serpents entrelacés et surmontée de deux courtes ailes. *Le caducée est le symbole de la paix, de l'éloquence, du commerce. Le caducée est l'attribut du corps de santé. Le caducée des médecins et des pharmaciens* « évoque l'équilibre dynamique de forces opposées (...), symbole privilégié de l'équilibre psycho-somatique » (*Dict. des symboles,* Laffont, 1969). *C'est un médecin, il y a un caducée sur sa voiture.*

1   Le jour en était pris, quand quelqu'un vint leur dire
     Que le singe de Jupiter
     Portant un caducée, avait paru dans l'air.   LA FONTAINE, Fables, XII, 21.
2   L'envié le porte *(le serpent)* dans son cœur, et l'éloquence à son caducée.
                                                           CHATEAUBRIAND, le Génie du christianisme, I, III, 2.

CADUCITÉ [kadysite] n. f. — 1479, « état de ce qui est prêt à tomber » ; de *caduc.*

♦ **1.** (1538). Vx ou littér. État de ce qui est caduc. ⇒ **Décrépitude, vieillesse.** *La caducité d'un immeuble, d'une plante. La caducité d'un vieillard* (→ Âge, cit. 35).

1   La caducité commence à l'âge de soixante et dix ans ; elle va toujours en augmentant, la décrépitude suit.   BUFFON, De la vieillesse et de la mort.
1.1 (...) l'interlocuteur invalide se tenait dans une sorte d'alcôve (...) De son lit, de son fauteuil peut-être où le clouait je ne sais quelle maladie ou caducité, l'invisible patron nous avait adressé une salutation courtoise (...)
                                                           Jacques PERRET, Bande à part, p. 11.
2   (...) le port des feuilles, la disposition des ramures, la caducité de l'écorce (...)
                                                           GIDE, Si le grain ne meurt, V, p. 129.

♦ **2.** Mod. État de ce qui est faible, passager, périssable. *La caducité des choses humaines.* ⇒ **Vanité.**

3   Le vice le plus inséparable des choses humaines c'est leur propre caducité (...)
                                                           BOSSUET, Hist., III, 5, *in* LITTRÉ.

Dr. *La caducité d'un legs.* ⇒ **Caduc ; annulation, nullité.** *La caducité d'un acte juridique.*

CONTR. **Jeunesse, persistance, solidité, vigueur.**

CADURCIEN, IENNE [kadyRsjɛ̃, jɛn] adj. et n. — 1866 ; dér. du lat. *Cadurci* « les Cadurciens » (peuple d'Aquitaine).

♦ De Cahors (on dit aussi *cahorsin*).

CÆCAL, ALE, AUX [sekal, o] adj. — 1654 ; de *cæc(um).*

♦ Qui a rapport au cæcum. *L'appendice cæcal.*

COMP. **Iléo-cæcal.**

CÆCUM [sekɔm] n. m. — 1538 ; lat. médical *(intestinum) cæcum* « intestin aveugle », le cæcum étant un cul-de-sac.

♦ Didact. Première partie du gros intestin, fermée à sa base et située en deçà du point de jonction de l'intestin grêle et du gros intestin. ⇒ **Côlon, iléon.** *Inflammation du cæcum.* ⇒ **Typhlite ; appendicite.** *L'appendice* du cæcum.*

(...) il *(le gros intestin)* comprend quatre segments : à droite le cæcum où s'implante l'appendice, et auquel fait suite le côlon ascendant, puis le côlon transverse, enfin, à gauche le côlon descendant prolongé par l'S iliaque qui aboutit au rectum.   P. VALLERY-RADOT, Notre corps, p. 80.

CONTR. **Rectum.**
DÉR. **Cæcal.**

CÆSIUM [sezjɔm] n. m. ⇒ **Césium.**

C. A. F. [seɑɛf] ou CAF [kaf] adj. ou adv. — D. i. ; sigle.

♦ Abréviation de *coût, assurance, fret* (en anglais, C. I. F. : *cost, insurance, freight*), signifiant que le vendeur d'une marchandise acquitte les frais d'expédition, les droits de sortie du port et les assurances maritimes, l'acheteur répondant des pertes et des dommages survenus après l'embarquement. *Vente CAF. La marchandise est vendue C.A.F. Marchandise (livrée) CAF Bordeaux.*

1. CAFARD, ARDE [kafaR, aRd] n. — 1589 ; *caphar,* 1512 ; probablt de l'arabe *kāfir* « mécréant, renégat » (d'où le sens « faux dévot »). P. Guiraud conteste cette orig. et évoque le rad. *caf-* (cf. *cafre,* en picard, XIIe), du lat. *cavus,* par une évolution sémantique obscure.

♦ **1.** N. (Vx ou littér.). Personne qui affecte l'apparence de la dévotion. ⇒ **Bigot, cagot, dévot** (faux dévot), **hypocrite, tartufe ; cafardise.** *C'est un cafard* (→ Appeler, cit. 29).

♦ **2.** Adj. *Avoir l'air cafard, la figure cafarde.* ⇒ **Fourbe, patelin, sournois.**

1   (...) le maintien cafard ou effronté des moines (...)
                                                           ROUSSEAU, les Confessions, V, p. 249.
2   (...) ce masque cafard de domestique congédié, de voleur pris sur le fait, ce masque effronté et honteux (...)   MARTIN DU GARD, les Thibault, t. VII, p. 70.
3   « Si tu le portes manquant, avec toutes les histoires qu'il a eues déjà... » Pietro a un air cafard pour me dire ça. Je sais bien qu'il ne m'aime pas, et qu'il compte abuser de ma bonté.
                                                           DRIEU LA ROCHELLE, la Comédie de Charleroi, 1934, p. 192.

♦ **3.** N. et adj. (1834). Fam. Personne qui dénonce sournoisement les autres. ⇒ 1. **Cafarder ; cafardeur, cafeteur** (argot scolaire), **délateur, dénonciateur, espion, mouchard, rapporteur** ; → aussi Récréation, cit. 4. — (1836 ; *in* Esnault). Argot, vx. *La Cafarde :* la lune.

Argot. Agent de police. ⇒ **Condé, flic, poulet.**

4   On allait venir, il le savait. Il n'avait pas d'histoire à préparer pour la police. Il ne portait pas d'arme et personne ne pourrait prouver qu'il en avait porté une (...) Alors, inutile de préparer un conte de fées pour les cafards : il n'avait rien vu.
                                                           Loup DURAND, le Caïd, 1976, p. 373.

CONTR. **Ouvert. — Franc, sûr.**
DÉR. 1. **Cafarder, cafarderie, cafardeux, cafardise.**

2. CAFARD [kafaR] n. m. — 1542, *caffar ;* de 1. *cafard,* par métaphore sur la couleur noire et les habitudes de l'insecte, qui se cache.

♦ **1.** Blatte* orientale (n. sc. : *Blatta orientalis*). — Par ext. (cour.). Blatte. *Il y a des cafards dans cette maison.* — Par compar. *Grouiller comme des cafards.*

♦ **2.** Loc. *Avoir un cafard dans la tête :* avoir l'esprit dérangé (→ Avoir une araignée* au plafond).

(1882). Vx. Idée fixe. → 3. Cafard.

3. CAFARD [kafaR] n. m. — 1857, Baudelaire ; de 2. *cafard* (2.).

♦ Tristesse, mélancolie* accompagnées d'idées sombres et obsessives. ⇒ **Bourdon, noir** (fam.) ; **découragement, déprime, mélancolie ; spleen** (littér.).

1   Parfois il *(le Démon)* prend, sachant mon grand amour de l'Art
     La forme de la plus séduisante des femmes
     Et, sous de spécieux prétextes de cafard,
     Accoutume ma lèvre à des philtres infâmes.
                                                           BAUDELAIRE, les Fleurs du mal, « La destruction ».
2   Tant qu'il n'occuperait pas à de nouvelles opérations officiers et soldats, il fallait combattre ce que d'autres soldats d'Afrique devaient, un demi-siècle après, appeler « le cafard ».   Louis MADELIN, l'Ascension de Bonaparte, XVII, Le Gouvernement de l'Égypte, p. 252.

Avoir le cafard : avoir des idées noires. ⇒ 2. **Cafarder.** *Cela me donne, me fiche le cafard. Attraper le cafard. Une crise de cafard.*

3   (...) il a ce ton inquiet et tendre, protecteur, qu'il prend quand elle a ses moments de dépression, ses crises de larmes (...) Elle sent que ses yeux aussitôt se remplissent de larmes (...) « Je ne sais pas, j'ai le cafard. C'est idiot. C'est pour des riens... »   N. SARRAUTE, le Planétarium, p. 81.
4   (...) c'est dur, ça me fout le cafard, bon Dieu ! Je peux pas arriver à me tirer de ma coquille.   BERNANOS, l'Imposture, *in* Œ. roman., Pl., p. 476.

Loc. fam. *Coup de cafard :* accès brusque de cafard. *Agir sur un coup de cafard,* par un acte impulsif, irraisonné, inspiré par le cafard.

CONTR. **Enthousiasme, gaieté.**
DÉR. 2. **Cafarder.**

CAFARDAGE [kafaRdaʒ] n. m. — V. 1765, J.-J. Rousseau ; de 1. *cafarder.*

♦ Action de cafarder. ⇒ fam. **Mouchardage, rapportage.**

(...) au cours de mon premier stage d'avocate, j'ai connu plusieurs voleurs : ils ne m'ont parlé que de cafardages, de petites complicités avec les gardiens, de combinaisons sordides et coups bas (...)
                                                           Roger VAILLAND, Bon pied, bon œil, p. 167.

1. CAFARDER [kafaRde] v. tr. — 1508 ; *capharder,* 1470 ; de 1. *cafard,* 3.

♦ Argot scol. Faire le cafard. ⇒ **Dénoncer, espionner** ; fam. **cafeter, moucharder, rapporter.** *Cafarder son camarade auprès du professeur.* — Absolt. Faire le mouchard.

Accoutumé à lui voir dévorer ses maladies et ses chagrins, Anatole ne put se défendre d'un triste étonnement, en retrouvant cet homme si fort, si concentré, si maître de lui-même, descendu à cela : — à dire peureusement du mal de cette femme, à s'en venger comme un enfant qui *cafarde* derrière le dos de son tyran! Ed. et J. DE GONCOURT, Manette Salomon, p. 423.

DÉR. Cafardage, cafardeur.

2. CAFARDER [kafaʀde] v. intr. — 1918, Genevoix; de 3. *cafard.*

♦ Avoir des idées noires. *Je suis déprimé en ce moment, et je cafarde pour des riens.*

CAFARDERIE [kafaʀdəʀi] n. f. — 1888, *capharderie;* 1541, «manière d'être du cafard»; de 1. *cafard,* 3.

♦ Rare. Action de cafarder, de dénoncer. ⇒ **Cafardage.**

CAFARDEUR, EUSE [kafaʀdœʀ, φz] adj. et n. — XIXᵉ; de 1. *cafarder.*

♦ Rare. Délateur, délatrice. ⇒ 1. **Cafard** (1.), **cafeteur.**

Comment s'appelle-t-il? — Je ne peux pas te le dire. J'ai promis. Après, s'il se faisait attraper, il penserait que je suis une cafardeuse.
H. TROYAT, la Grive, 1956, p. 347.

HOM. (Du fém.) Fém. de cafardeux.

CAFARDEUX, EUSE [kafaʀdφ, φz] adj. — 1919, *in* Esnault; de 3. *cafard.* — REM. Ne pas confondre le féminin avec celui de *cafardeur.*

♦ **1.** Qui a le cafard (3. Cafard); qui dénote le cafard. ⇒ **Déprimé, mélancolique, triste.** *Être un peu cafardeux. Un air cafardeux.*

1 (...) comme un retraité trop rompu au travail pour n'être pas embarrassé de son loisir, comme un soldat cafardeux pendant sa permission car il ne connaît que la guerre (...) M. LEIRIS, Frêle bruit, 1976, p. 119.

N. *Un cafardeux, une cafardeuse.*

2 Encore une autre complication... Elle faisait du spleen, la Portugaise. En fait de fantaisie Cascade il la regardait même pas!... Il voulait même la rembarquer!... Je veux pas des cafardeuses ici!... Je suis assez malchanceux moi-même!...
CÉLINE, Guignol's band, 1951, p. 69.

♦ **2.** Qui suscite le cafard. *Les paysages cafardeux où s'élèvent les crassiers.* ⇒ **Déprimant, triste.**

CAFARDISE [kafaʀdiz] n. f. — 1551; de 1. *cafard* (1.).

♦ Rare. Dévotion affectée. ⇒ **Bigoterie, cagoterie, cagotisme.** — Hypocrisie.

L'autre, un Parisien de petite bourgeoisie, de caractère falot et sans contours, mettait dans les petites choses cette sorte de cafardise naturelle dont les enfants sournois se faisaient jadis un moyen de défense dans les internats trop durement dirigés. Raymond ABELLIO, les Militants, 1975, p. 23.

CAF'CONC' [kafkõs] n. m. — 1878; abréviation.

♦ Fam. et vieilli. Café-concert (→ Noctambulisme, cit.).

1 J'arrivais de province et découvrais en somme Paris sous le jour où je me l'étais représenté (...) Un caf'conc' du boulevard de Sébastopol avec ses gommeuses, ses chanteuses de genre, ses diseuses à voix me comptait tous les soirs parmi les habitués (...) On débitait sur la poudreuse estrade de cet établissement, des romances, des grivoiseries et des chansons vécues qui battaient les records de la stupidité.
Francis CARCO, Nostalgie de Paris, 1952, p. 60.

Iron. *Un répertoire, des refrains de caf'conc'.*

2 Il a été d'une gaieté charmante *(sic)* et s'est oublié jusqu'à chanter des refrains de caf'conc'.
E. DELAHAYE, Lettre à Paul Verlaine, 31 déc. 1881, *in* G. NOUVEAU, Pl., p. 859.

1. CAFÉ [kafe] n. m. — 1665; *cafeh,* 1651; turc *Kahve;* arabe *gãhwäh,* proprt «boisson enivrante». → aussi Caoua, p.-ê. par l'ital. de Venise *caffe.*

♦ **1.** Graine du caféier, arbre originaire de l'Arabie, et qui, infusée, fournit une boisson excitante et tonique. *Plantation* (cit. 3), *plant de café.* ⇒ **Caféier.** *Balle de café.* ⇒ **Farde.** *Sortes de café* : bourbon, martinique, moka; arabica, colombie, robusta. *Grain de café en coque, en cerise*. Pellicule de café* (⇒ **Écalure**). *Propriétés stimulantes du café dues à un alcaloïde* (⇒ **Caféine**). *Café soluble** (⇒ **Nescafé,** marque), *lyophilisé* (⇒ **Lyophiliser**). *Café décaféiné*. Principe aromatique du café.* ⇒ **Caféone.** *Parfumer une crème, une glace avec de l'essence de café.* — *Préparation du café.* ⇒ **Macération, torréfaction** ou **grillage.** *Café vert* : café non grillé. *Griller, brûler, torréfier du café* (⇒ **Brûloir, torréfacteur**).

Spécialt. *Café torréfié. Café en grains, en poudre* (moulu). *Moudre le café dans un moulin* à café. Acheter un paquet de café. Pot à café.*

Marc* de café : résidu du café moulu et infusé. *Divination à l'aide du marc de café.*

1 Avec cela, une femme forte, qui ne croit ni à Dieu ni au diable, mais qui accepte aveuglément les prédictions des somnambules et du marc de café.
Alphonse DAUDET, le Petit Chose, II, 11.

2 Marie de Lados moulait du café. Mais ses yeux craintifs de chienne couchante ne quittaient pas ceux de la maîtresse (...) F. MAURIAC, Génitrix, p. 153.

Au café : parfumé avec de l'essence de café. *Glace, gâteau, éclair, religieuse au café. Crème au café. Parfait au café.*

♦ **2.** Boisson obtenue par infusion des grains de café torréfiés et moulus. ⇒ pop. **Caoua** (cit. 1), **jus.** *Faire le café. Faire du café. Passer le café.* ⇒ **Cafetière, filtre, percolateur** (cit. 2). *Le café ne passe* (cit. 22) *pas. Du café décaféiné* (fam. *déca*). *Un café filtre.* ⇒ **Filtre.** *Un café express.* ⇒ **Express.** *Un café serré,* fort. *Servir, verser le café. Faire réchauffer du café. Laisser bouillir le café.* Prov. régional (Nord). *Café bouillu, café foutu. Une tasse, une cuiller, un service à café. Prendre, boire son café. Inviter qqn à prendre le café. Aimer le café brûlant. Café noir,* non mélangé de lait. ⇒ **Noir,** n. m. *Une tasse, un bol de café. Être intoxiqué par le café.* ⇒ **Caféique.**

2.1 Je ne dis que le pain qu'on coupe
En le tenant bien contre soi,
Le café qui brûle les doigts
Quand l'aube, aux fenêtres s'égoutte (...) Maurice CARÊME, le Sablier, 1969.

(1835). *Café au lait. Prendre du café au lait au petit déjeuner.* — *Couleur café au lait* : brun clair.

2.2 Dans le cheval café au lait, je me suis bien trouvé, après l'avoir trop éclairci, d'avoir repris les ombres (...) E. DELACROIX, Journal, 21 nov. 1854.

(1898). CAFÉ-CRÈME : café à la crème, et (cour.) au lait. ⇒ **Crème.** *Café-crème à l'italienne.* ⇒ **Cappuccino.** *Café glacé, froid. Café mêlé d'eau-de-vie, de rhum.* ⇒ **Bistouille, gloria.** *Café arrosé*.* Fam. *Café cognac, café rhum, café calva* (→ Calvados, cit. 5). *Un bon café, un café très fort. Un mauvais café.* ⇒ **Jus** (de chapeau, de chaussette, de chique); **lavasse.** — *Café mêlé de chicorée*.*

3 Il est hors de doute que le café porte une grande excitation dans les puissances cérébrales; aussi tout homme qui en boit pour la première fois est sûr d'être privé d'une partie de son sommeil.
A. BRILLAT-SAVARIN, Physiologie du goût, t. I, p. 137.

4 Dans peu d'instants le lait bouillant, le café noir, le beurre reposé au fond du puits rempliraient leur office de panacée (...) COLETTE, la Naissance du jour, p. 187.

Loc. fam. *C'est fort de café* : c'est un peu fort, exagéré, invraisemblable.

Allus. littér. *Racine passera comme le café* (comme la mode du café), jugement faussement attribué à Madame de Sévigné et que l'on rappelle ironiquement à une personne qui ne croit pas à la durée d'une réussite.

Café liégeois. ⇒ **Liégeois.**

♦ **3.** Tasse (verre, bol...) de café. *Elle boit dix cafés par jour. Prendre un café sur le zinc.* ⇒ **Noir.** — *Un café au lait, un café crème.* ⇒ **Crème.**

Café complet : petit déjeuner où la boisson est le café.

♦ **4.** (1798). Le moment du repas où l'on prend le café, après les desserts et avant les alcools dits *pousse-café*. Arriver au café. Ne m'attendez pas pour dîner, je viendrai seulement au café* (Académie).

DÉR. Caféier, caféine, caféique, caféisme, caféone, cafetière.
COMP. Nescafé (marque), pause-café, pousse-café.

2. CAFÉ [kafe] n. m. — 1694, *salle de café;* cabaret de cahué, 1662; le premier établissement de ce genre est ouvert en 1654 à Marseille, en 1672 à Paris; de 1. *café.*

♦ Lieu public où l'on consomme des boissons. ⇒ **Bar, bistrot, bougnat, buvette, cabaret, cafétaria, débit** (de boissons), **estaminet, troquet, zinc.** *Un grand, un beau café. Un petit café.* ⇒ **Cafeton** (vx). *Café borgne*, mal tenu.* ⇒ (vx ou vieilli) **Assommoir, bouchon, bouiboui, bousin, caboulot, cambuse, gargote, mastroquet, popine, tapisfranc,** (mod.) **troquet.** *Le patron d'un café.* ⇒ **Cafetier, tenancier.** *Garçon de café* : professionnel chargé de servir les consommations (ellipt. *garçon*). *Les barmans, les garçons d'un café. Le chasseur d'un grand café. Aller au café. Fréquenter les cafés. Un pilier de cafés. Consommer sur le zinc*, au comptoir*, à la terrasse* d'un café. Avoir rendez-vous dans un café,* à l'intérieur, dans la salle. *Consommer dans un café sans avoir de quoi payer.* ⇒ **Griveler** (→ Achalander, cit. 2; 1. bar, cit. 1). *Avoir une ardoise* dans un café. Café où l'on mange.* ⇒ **Brasserie, cafeteria, pub.** *Noms de cafés. Café de la Gare, du Commerce, des Sports,* etc. — *Café littéraire, artistique,* où se réunissent écrivains, artistes. *Café-bar.* ⇒ **Bar. Café-tabac** : café où se trouve un débit de tabac. — (1828, *in* D.D.L.). *Café-restaurant.* → Snack-bar (anglic.).

4.1 Il y a encore, à ce que j'entends dire, quelques-uns de ces beaux esprits subalternes qui passent leur vie dans les cafés, lesquels font à la mémoire de M. Despréaux le même honneur que les Chapelains fesaient à ses écrits de son vivant.
VOLTAIRE, Lettre à M. Brossette, 14 avr. 1732.

5 C'est une règle de l'art français qu'entre les expressions, il n'y en a qu'une qui est bonne, je le fais entendre par tout : qui convienne au sens en tel endroit, et traité et aux circonstances. Ce choix entre les mots n'est pas une nécessité seulement pour l'écrivain, il s'impose au langage quotidien, si l'on ne veut ni fausser la pensée ni manquer aux convenances. Essayez de confondre un *restaurant* avec une *guinguette,* un *café* avec un *caboulot* ou un *zinc.*
C'est tous les débits, mais il ne désignent pas exactement les mêmes choses, ou surtout ils ne débitent pas aux mêmes gens, ni dans le même cadre, ni pour les mêmes prix. F. BRUNOT, la Pensée et la Langue, XIII, III, p. 581.

5.1 Ils échangent leurs vues. Le premier CAFÉ est créé.
Songer, faire songer à cette institution essentielle et immémoriale et universelle,

(— à quoi les historiens qui sont des sots et ne voient jamais le fonctionnement des choses ne songent pas) — laquelle est nécessaire à la formation des *opinions* (...)   VALÉRY, Cahiers, Pl., t. II, p. 1341.

6   Dans tous les Cafés du Commerce, des orateurs exposent des plans admirables : « Si j'étais Président du Conseil (...)   A. MAUROIS, Un art de vivre, VII, I, p. 38.

7   Cependant la petite place offrait enfin à ma curiosité une façade amie, celle d'un café. Devant une porte vitrée, que voilait un rideau de perles de verre, on avait installé une table de bois et une chaise. Sur les volets ouverts, il y avait deux plaques de fer blanc : l'une pour le mot *Byrrh*, à demi mangé par la pluie et le soleil ; l'autre où le nom d'un chocolat luttait contre la rouille.
    H. BOSCO, Un rameau de la nuit, p. 13.

8   Fernand m'avait amenée à des réunions qui se tenaient le soir, dans le café-tabac qui fait l'angle du boulevard Raspail et de l'avenue Edgar-Quinet.
    S. DE BEAUVOIR, la Force de l'âge, p. 58.

Des discussions de café du Commerce : des discussions politiques oiseuses (→ ci-dessus cit. 6).

(1850). Vx. *Café chantant,* où l'on peut écouter de la musique. On écrit aussi *café-chantant. Des cafés-chantant.* ⇒ aussi **Café-concert.**

9   À onze ans, Robert et Anselme s'arrangent, en revenant de l'école, pour s'arrêter devant un café-chantant où, dès six heures, on entend de la musique. On pourrait croire que ce qui les attire ce sont les appas généreux des dames violonistes, mais non. C'est vraiment la musique.
    F. MALLET-JORIS, le Jeu du souterrain, p. 88.

Café-concert. ⇒ **Caf' conc', café-concert.**
Café-théâtre. ⇒ **Café-théâtre.**

CONTR. Cafetier.

COMP. Café-concert, café-théâtre.

CAFÉ-CONCERT [kafekɔ̃sɛʀ] n. m. — 1852, Nerval ; de 2. *café,* et *concert.*

♦ Établissement où l'on assiste à un spectacle (musique de variétés, danses...) en consommant des boissons. ⇒ **Cabaret, music-hall,** et aussi **alcazar,** 2. (vx). *Le café-concert a succédé au café* chantant *et est typique de l'époque 1900. Musique, style de café-concert.* ⇒ **Caf'conc'.** *Des cafés-concerts.*

1   Il y avait jusqu'à un phonographe (...) dont elles s'étaient amusées quelques jours, s'initiant aux bruits d'un théâtre occidental, aux fadaises d'une opérette, aux inepties d'un café-concert.   LOTI, les Désenchantées, 1906, p. 43.

2   Le samedi soir, nous ne manquions jamais le café-concert. Le troupier, la divette, le fin diseur passaient sous un feuillage raide d'arbres de printemps après s'être mis, pour détailler le couplet, au pied de l'escalier de pierre (...)
    Henri CALET, la Belle Lurette, p. 19.

CAFÉIER [kafeje] n. m. — 1835 ; *cafier,* 1715 ; de 1. *café.*

♦ **1.** Plante dicotylédone (*Rubiacées*), scientifiquement appelée *coffea,* arbrisseau originaire d'Abyssinie à feuilles persistantes. *La culture du caféier n'est praticable que dans les pays tropicaux. Le fruit* (⇒ **Cerise,** 3.) *du caféier contient deux graines (grains de café*). Plantation de caféiers.* ⇒ **Caféière, caféterie.**

(...) toute l'année durant chaque brindille de caféier porte à la fois des cerises jumelles acaules et des fleurs et des bourgeons.
    B. CENDRARS, Bourlinguer, p. 359.

♦ **2.** Rare. Planteur de caféiers.

DÉR. Caféière.

CAFÉIÈRE [kafejɛʀ] n. f. — 1797 ; de *caféier.*

♦ Agric. Plantation de caféiers. ⇒ **Caféterie.**

CAFÉINE [kafein] n. f. — 1823, *caffeine* ; de 1. *café.*

♦ Alcaloïde contenu dans le café, le thé (théine), le guarana et la kola. *La médecine utilise la caféine comme antinévralgique, diurétique, stimulant tonique du cœur. Intoxication par la caféine.* ⇒ **Caféisme.**

COMP. Décaféiner.

CAFÉIQUE [kafeik] adj. — 1891 ; de 1. *café.*
Didactique.

♦ **1.** *Acide caféique,* extrait de la caféine.

♦ **2.** (Personnes). Intoxiqué par la caféine. — N. *Un, une caféique.*

Se priver, étant alcoolique, tabachique (adonné au tabac), ou caféique et morphinomane invétéré, de ces excitants qui seuls le galvanisent, est au-dessus des forces d'un nécrophage (*celui qui mange de la viande*).
    E. BONNEJOY, le Végétarisme, 1891, *in* D.D.L., II, 14.

CAFÉISME [kafeism] n. m. — 1878 ; de *café,* et suff. *-isme.*

♦ Didact. Intoxication aiguë ou chronique par la caféine provenant du café ou d'autres produits d'origine végétale en contenant (thé, maté).

CAFÉONE [kafeɔn] n. f. — 1867 ; de 1. *café.*

♦ Didact. Principe aromatique du café.

CAFETAN ou **CAFTAN** [kaftɑ̃] n. m. — 1537, *cafetan* ; *caftan,* 1546 ; turc *qâftân* « robe d'honneur » ; arabo-persan *hâftân* « armure militaire ».

♦ Vêtement oriental, ample et long, parfois fourré. *Cafetan turc.*

(...) ce ne sont que mignonnes vestes brodées d'or et d'argent, gentils pantalons bouffants de soie, petits caftans à soutaches, tarbouches puérils ornés de croissants (...)   Th. GAUTIER, Journal, 26 janv. 1832. 0.1

J'ai fait ce tour de force d'apprendre en deux mois la langue turque ; je porte fez et cafetan (...)   LOTI, Aziyadé, Solitude, X, p. 50. 1

Sa barbe (*du Zadik*), qui tombait en deux ruisseaux d'argent jusqu'à sa large ceinture, ne se distinguait de la soie du caftan que par des reflets fauves qui rappelaient encore la jeunesse, et d'innombrables grains de tabac à priser qui la saupoudraient de points noirs.   Jérôme et Jean THARAUD, l'Ombre de la croix, II, p. 58. 2

Vêtement russe, « longue robe moscovite, attachée autour des reins par une ceinture d'étoffe de laine tressée » (M. Ancelot, *Six mois en Russie,* lettre XIV, 14 juin 1826, *in* D.D.L.).

CAFETER ou **CAFTER** [kafte] v. tr. — 1900 ; du rad. de 1. *cafard.*

♦ Argot scol. Dénoncer. ⇒ 1. **Cafarder.** *Ils m'ont cafeté au surgé* (surveillant général). — Absolt. *Je l'ai surpris à cafter.* ⇒ **Rapporter.** « (La petite fille) et ses petits camarades chinois ne tenaient pas du tout le "garde rouge" de service dans leur classe pour un "révolutionnaire" mais simplement pour un mouchard, qui "caftait" » (le Nouvel Obs., 16 janv. 1978).

DÉR. Cafeteur.

CAFETERIA [kafeteʀja] n. f. — 1925, *in* Höfler ; *caféterie,* déb. XXe ; mot amér. (1839), de l'esp. *cafeteria* « boutique où l'on vend du café ».

♦ Lieu public où l'on sert du café, des boissons, à l'exception des boissons alcoolisées, et parfois des plats sommaires, des gâteaux, etc. On écrit *cafeteria, caféteria* ou *cafétéria.* Il existe une abrév. fam. : *la cafèt'* [kafɛt]. *Des cafeteria, des cafétérias.*

Après quoi Norman me déclara qu'il mourait de faim. J'étais entrée pour téléphoner dans une *cafeteria* : il y choisit incontinent sa table et d'autorité commanda deux *ham-steaks.*   Philippe HÉRIAT, les Enfants gâtés, p. 114 (1939). 1

Pendant quelque temps, elle servit le thé dans une espèce de cafeteria du boulevard Saint-Michel qui était aussi une bibliothèque et une discothèque (...)
    S. DE BEAUVOIR, la Force de l'âge, p. 287. 2

On trouve également la var. *cafétaria* (1948) [kafetaʀja]. « *Le comptoir du service après-vente. Le rayon auto-moto. À l'entrée de la cafétaria, des vélos de course double-plateau-dix vitesses, 800 F, pendent au plafond* » (le Nouvel Obs., 9 oct. 1972).

REM. On emploie le mot *cafétier* [kafetʀi] dérivé de *cafetier,* au sens de « pièce où l'on prépare le café » (dans un hôtel, etc.), et au sens actuel de *cafeteria.*

(...) Françoise (probablement en visite à la caféterie ou en train de regarder coudre la femme de chambre)...
    PROUST, À l'ombre des jeunes filles en fleurs, Pl., t. I, p. 800. 3

(...) les opératrices obligeantes fournissaient de tasses de café les bureaux voisins qui ne disposaient pas d'une cantine comme les standardistes (...) Le local surpeuplé des téléphonistes était bien organisé pour l'éreintement des opératrices et la mise en rage des gens avec qui elles entraient en communication. Elles entendaient le tapement de la machine à écrire de Mme Arnaud, les vociférations de M. Kalentian, le remuement de la caféterie, les conversations des visiteurs.
    Pierre HAMP, la Peine des hommes (Moteurs), p. 17-18. 4

CAFÉTERIE [kafetʀi] n. f. — XVIIIe ; *caffeterie,* 1791 ; de 1. *café,* et suff. *-(t)erie.*

♦ **1.** Plantation de caféiers. ⇒ **Caféière.**

(*Dans la région de Caracas*) nous rencontrâmes en effet souvent des habitations, la plupart de cacao, et quelques cafèteries (...)   1
    Duc de BROGLIE, Journal de mon voyage aux États-Unis et dans la Nouvelle Espagne commencé en 1782, *in* D.D.L., II, 7.

♦ **2.** Usine de torréfaction du café.

Ces milliers de sucreries, d'indigoteries, de cotonneries, de cafèteries dont les maîtres enrichis s'énorgueillissaient à la veille de 1789 qu'étaient-elles, sinon du travail, de la sueur, du sang du nègre ?   Paul MORAND, Magie noire, p. 19. 2

♦ **3.** ⇒ **Cafeteria** (cit. 3, 4 et *supra*).

CAFETEUR, EUSE ou **CAFTEUR, EUSE** [kaftœʀ, øz] n. et adj. — 1914 ; de *cafeter, cafter.*

♦ Argot scol. Celui, celle qui rapporte, qui « cafte » (⇒ 1. **Cafard,** 3.). *Méfie-toi de lui, c'est un cafeteur. Sale cafteur ! Hou, la cafteuse, la vilaine cafteuse !*

Seule, Céline m'a émue. Elle ne disait rien, mais me considérait d'un air méfiant, incrédule, et je retrouvais tout à coup ma sœur d'autrefois, la redoutable aînée, la cafteuse, qui devinait avant tout le monde mes comédies et mes mensonges.
    Geneviève DORMANN, le Chemin des dames, p. 234.

CAFÉ-THÉÂTRE [kafeteatʀ] n. m. — V. 1965 ; de 2. *café*, et *théâtre*.

♦ Petite salle où l'on peut éventuellement consommer et où se donnent des spectacles scéniques échappant aux formes traditionnelles. *Des cafés-théâtres.* « *Dans l'un des plus charmants cafés-théâtres de Paris une parodie tonitruante des mythes du western* » (*l'Express,* 27 nov. 1972).

(...) il dit que les spectacles qu'on donnait maintenant à Paris étaient exécrables, sauf une petite pièce dans un café-théâtre de la banlieue : celle-là était à mourir de plaisir.   Jean-Louis CURTIS, le Roseau pensant, p. 152.

CAFETIER, IÈRE [kaftje, jɛʀ] n. — 1740 ; « celui qui vend du café en fève », 1680 ; de 2. *café,* d'après *cabaretier.*

♦ Personne qui tient un café*. ⇒ **Limonadier, mastroquet.** — (Rare au fém.).

Il avait été tué, lui, tout petit cafetier sans fortune, qui, parti à la mobilisation âgé de vingt-cinq ans, avait laissé sa jeune femme seule pour tenir le petit bar qu'il croyait regagner quelques mois après.   PROUST, le Temps retrouvé, p. 845.

CAFETIÈRE [kaftjɛʀ] n. f. — 1690 ; de 1. *café.*

♦ **1.** Récipient permettant de préparer une infusion de café. ⇒ **Bouillante** (fam.), **filtre, percolateur.** *Cafetière d'argent, de porcelaine. Cafetière russe. Cafetière à piston, cafetière à pression. Cafetière électrique.* — Contenu de ce récipient.

♦ **2.** (V. 1880). Fam. ⇒ **Tête.** *Recevoir un coup sur la cafetière,* sur le crâne.

1   Anita noue sur sa tête (...) les coins d'une loque de soie crasseuse (...) — C'est comme ce torchon que j'ai sur la « cafetière » (...) oui, oui, vous pouvez crier qu'il vous dégoûte, je-ne-le-chan-ge-rai pas ! La direction m'en doit un (...)
                         COLETTE, l'Envers du music-hall, p. 42.

2   Un jour ce fusil partira tout seul et tu te feras sauter la cafetière, marmonnant entre ses dents qu'avant de donner des armes à des gens il vaudrait peut-être mieux commencer par leur apprendre à s'en servir (...)
                         Claude SIMON, le Palace, p. 82.

CAFETON [kaftõ] n. m. — 1886 ; de 2. *café,* et suff. péj. et diminutif.

♦ Rare et vx. Petit café. ⇒ **Bistrot.**

Cette opération, réalisée sur un établissement de vingt mètres de terrasse, et situé à Montmartre, était l'orgueil de sa carrière, quoiqu'il n'en eût pas retiré le bénéfice que lui procurait le moindre des cafetons de banlieue, dont il trafiquait ordinairement.   M. AYMÉ, Maison basse, p. 31.

CAFIER [kafje] n. m. — Vx. ⇒ **Caféier.**

CAFIGNON [kafiɲõ] n. m. — Attesté 1931 (très antérieur) ; mot régional (Auvergne) d'orig. obscure, p.-ê. à rapprocher de *cafournion.*

♦ Régional. Petit recoin sombre.

CAFISTE [kafist] n. — xxᵉ ; de C.A.F., Club alpin français.

♦ Adhérent, adhérente du Club alpin français.

CAFOUILLAGE [kafujaʒ] n. m. — 1901 ; *cafouillache* « menus objets de peu d'importance », 1725 ; de *cafouiller.*

♦ Fam. Le fait de cafouiller, dans l'action, la pensée, la parole. — Trouble, désordre qui en résulte. *Quel cafouillage !* ⇒ **Cafouillis, pagaille.**

Sports. Jeu confus. *Le but a été marqué sur un cafouillage de la défense.*

Sur un cafouillage consécutif à une touche, Bombabinette s'extirpa d'un paquet de joueurs et se précipita vers les buts de Pommard.
                         René FALLET, le Triporteur, p. 378.

CAFOUILLANT, ANTE [kafujã, ãt] adj. — 1925, cit. ; p. prés. de *cafouiller.*

♦ Qui cafouille. ⇒ **Cafouilleux.**

(...) trois autres *(avants bleus)* au bord de la touche sont en paquet ; celui du milieu attrape la balle (...) puis lutte après quelques pas sur la défense reformée, passe court aux deux compagnons de sa trouée. Mais l'élan des trois sangliers se ralentit, s'arrête, toutes les forces des deux équipes cafouillantes dans un remous, sur lequel siffle la première mêlée.

Jean PRÉVOST, Plaisirs des sports, p. 127 (1925).

CAFOUILLER [kafuje] v. intr. — Av. 1740, mot picard et normand ; de *fouiller,* et du préf. péj. *ca-.*

♦ Fam. et cour. Agir d'une façon désordonnée. — (Choses). Marcher mal (sens concret ou psychologique).

(...) Boris n'aurait pas su aimer une fille de son âge. Si les deux sont jeunes, ils ne savent pas se conduire, ça cafouille, on a toujours l'impression de jouer à la dînette.   SARTRE, l'Âge de raison, II, p. 31.

DÉR. Cafouillage, cafouillant, cafouilleur, cafouilleux, cafouillis.

CAFOUILLEUR, EUSE [kafujœʀ, øz] n. — 1918 ; de *cafouiller.*

♦ Fam. Personne qui cafouille. ⇒ **Cafouilleux,** II. *Quel cafouilleur !*

HOM. (Du fém.) Fém. de **cafouilleux.**

CAFOUILLEUX, EUSE [kafujø, øz] adj. et n. — 1896 ; de *cafouiller.*

Familier.

★ **I.** Adj. Qui cafouille, fonctionne mal, échoue dans le désordre. *Ce pianiste a un jeu cafouilleux.* Syn. : *cafouillant. Il nous a fait un discours cafouilleux.*

Je serais probablement déçu si m'étaient révélés leurs sublimes secrets (des « grands initiés » du pouvoir), (...) les cafouilleux aléas de leurs expédients à la petite semaine.   Jacques PERRET, Bâtons dans les roues, p. 97.   1

En parlant de personnes :

Ça les amuse de me voir comme ça... pris au piège, hagard, cafouilleux... Une distraction. C'est bien le genre de ces gens-là...
                         CÉLINE, le Pont de Londres, 1961, p. 28.   2

★ **II.** N. Personne qui agit de façon confuse, désordonnée. ⇒ **Cafouilleur.**

Spécialt, mar. (emploi assez répandu en plaisance). Mauvais marin, malhabile à la manœuvre ; plaisancier, équipier maladroit.

Ce n'était pas la régate qu'il avait manquée ni le temps perdu qui rendaient le yéti aussi cassant mais le mépris d'un marin pour une cafouilleuse, la peine d'un marin pour un bateau perdu.   3
                         Geneviève DORMANN, la Passion selon saint Jules, p. 62.

HOM. (Du fém.) Fém. de **cafouilleur,** n.

CAFOUILLIS [kafuji] n. m. — 1898, *in* Petiot ; var. régionale *gafouillis,* 1910 ; de *cafouiller,* d'après *fouillis.*

♦ Fam. Grande confusion. ⇒ **Cafouillage.** *Son langage, quel cafouillis !*

Nous sommes des objets de l'incohérence générale (...) Nous sommes des morceaux d'une grande construction dont il faut plus de temps, plus de silence et plus de recul pour découvrir l'assemblage (...) Dans le cafouillis des problèmes posés, dans l'éboulement, nous sommes nous-mêmes divisés en morceaux.
                         SAINT-EXUPÉRY, Pilote de guerre, p. 29.

CAFOURNION [kafuʀɲõ] n. m. — 1844, altér. de *cafourneau,* p.-ê. de *caverne* (?), et de *fourneau.*

♦ Régional (Centre). Petit abri, cabane. — Var. : *cafornion* (G. Sand, *in* T. L. F.), *cafourneau.*

CAFRE [kafʀ] adj. et n. — 1616, *in* D.D.L. ; arabe *kāfir* « infidèle, renégat ». → 1. Cafard.

♦ **1.** Vx. Indigène (de quelques pays).

(1685). En parlant du Siam.

Nous entrâmes dans leurs villages et envoyâmes à leur capitaine, par quelques uns des caffres qui nous guydoient du tabac, une pipe, de l'eau de vie, un couteau, et quelques grains de corail.
                         Voiage de Siam du père BOUVET, 53, *in* D.D.L., II, 4.

(1721). En parlant de l'Éthiopie. « Nom de peuple qui habite une grande région de la Basse Éthiopie » *(Dict. de Trévoux).*

♦ **2.** Mod. De la Cafrerie, région de l'Afrique australe. *Les Cafres :* ethnie noire de l'Afrique du Sud. — *La langue cafre,* ou, n. m., *le cafre :* langue du groupe bantou parlée en Cafrerie.

CAFTAN [kaftã] n. m. ⇒ **Cafetan.**

CAGADE [kagad] n. f. — 1616, d'Aubigné ; provençal *cagado* « merde », de *cagar* (→ Caguer) ; du lat. *cacare* « aller à la selle ». → Cacade.

♦ Régional et fam. Situation inextricable. *Quelle cagade !* ⇒ **Merdier** (vulg.).

Et tu ne vas rien faire ? Tu vas laisser ce cancrelat lui manger le foie sans rien dire ? C'est ça que tu appelles l'amitié ? — Il a le droit de faire sa vie comme il veut. — S'il était seul, ce serait déjà une belle cagade, mais avec l'autre vautour !
                         Loup DURAND, le Caïd, 1976, p. 176.

CAGE [kaʒ] n. f. — V. 1160 ; du lat. *cavea* « enceinte où sont enfermés des animaux », de *cavus* « creux ».

★ **I.** Espace clos, généralement à claire-voie, servant à tenir enfermés des animaux vivants.

♦ **1.** Loge garnie de barreaux servant à enfermer ou à transporter des animaux sauvages ou des hommes. *La cage d'un lion, d'un tigre.* ⇒ **Ménagerie.** *Les cages d'un cirque. Le dompteur entre dans la cage. Cage de fer, de bois, en bois. Voiture-cage,* destinée au transport, parfois à l'exposition, des fauves. — *En cage :* enfermé dans une cage. *Un ours en cage.* — Fig. *Être, tourner comme un ours, un fauve en cage :* montrer manifestement son impatience. — *Enfermer un homme dans une cage de fer.*

1 Il (*le Cardinal La Balue*) fut enfermé dans une de ces cages de fer qu'on employait en Italie et dont il avait lui-même recommandé l'emploi.
   J. BAINVILLE, Hist. de France, VII.

2 Mourlan fit deux ou trois fois son tour de fauve en cage (...)
   MARTIN DU GARD, les Thibault, t. VII, p. 144.

2.1 Il y a seulement dans la pièce, en dehors de la table et des chaises, une cage de fer du genre cage à fauve, cubique, d'un mètre cinquante de côté environ, dont les barreaux espacés d'une dizaine de centimètres (...)
   A. ROBBE-GRILLET, Projet pour une révolution à New York, p. 149.

♦ **2.** Petite enceinte garnie de barreaux et dans laquelle on enferme des oiseaux. *Acheter une cage à oiseaux. Mettre un oiseau dans une cage, en cage. Le perchoir, le juchoir d'une cage. Grande cage où l'on élève des oiseaux.* ⇒ **Oisellerie, volière.** *Cage destinée à attraper les oiseaux.* ⇒ **Chanterelle, mésangette.** *L'oiseau s'est échappé de sa cage.*

3 Et, dans des cages pendues aux branches, il y a des pinsons, des merles, des linots, spécialement chargés de la musique (...)
   LOTI, les Désenchantées, XIII, p. 104.

4 Il y avait en face de moi, une cage accrochée au mur par un clou doré, et dorée elle-même, mais d'un vieil or éteint, une cage de luxe en forme de pagode, dans laquelle, empaillé sur son perchoir, on voyait un oiseau.
   H. BOSCO, Un rameau de la nuit, p. 99.

Prov. *Mieux vaut être oiseau de campagne qu'oiseau de cage.*

La belle cage ne nourrit pas l'oiseau : une demeure luxueuse ne remplace pas le nécessaire.

Cage servant à enfermer des oiseaux de basse-cour. ⇒ **Épinette, mue, nichoir ; poule** (cage à poules). — Vx. *Cage à volailles, aux volailles* (sur un bateau).

4.1 Nous étions dans la rade, le bateau allait à demi-vapeur. Tout le monde se taisait ; on entendait de-dessous l'avant du navire glousser une poule dans la cage aux volailles, et au haut du mât la lanterne qui crépitait dans l'humidité de la nuit.
   FLAUBERT, Correspondance, t. II, p. 222 (1850).

(1833). Mod. **CAGE À POULES.**

4.2 En arrivant au Sénégal, on leur apprendra à venir comme les imbéciles attaquer la nuit un brick de guerre, où ils croyaient ne trouver que trois hommes de quart endormis sur les cages à poules.
   E. CORBIÈRE, la Mer et les Marins, 1833, in D.D.L., II, 13.

Fig. *Cage à poules :* avion biplan, en 1914. — Fam. et péj. Mod. Logement étroit et sordide.

Par anal. *Cage d'écureuil.* ⇒ **Tournette** (au fig. → ci-dessous, II., 3.).
— *Cage à lapins.* ⇒ **Lapinière.** Fig. Se dit d'un logement exigu, ou de logements d'aspect uniforme. → Cabane* à lapins.

Pisciculture. Récipient à claire-voie pour garder les poissons. — Sorte de grillage adapté au mur par un clou doré, et servant à empêcher les poissons de s'échapper.

Pêche. Nasse* qu'on jette sur les poissons pour s'en emparer.

♦ **3.** Par métaphore. Lieu où qqn est enfermé. ⇒ **Geôle, prison.** *Mettre qqn en cage,* l'enfermer. *Être en cage :* être en prison.

4.3 De qui qu'elle me cause ? Devinez ? Du Pierrot !... Pierrot les Petits-Bras ! Il vient de tomber ! Trois ans de cage ! (...) En boîte à Dartmoor.
   CÉLINE, Guignol's band, p. 61.

Cellule fermée par des grilles, dans laquelle sont enfermés les détenus dans les commissariats. *« C'est à ce moment que les C.R.S. sont arrivés. — Les flics m'ont embarqué. Je me suis retrouvé dans la cage »* (l'Express, 19 déc. 1977). — REM. On emploie aussi cage à poules dans ce sens.

4.4 Je m'étends sur le banc, une ampoule dans l'œil comme d'habitude, et le souffle aigu du vasistas le long du cou. Au matin, j'aurai la mine figée des lendemains de cage.
   Antoine BLONDIN, Monsieur Jadis, 1970, p. 21.

Loc. *L'oiseau est sorti de la cage :* le prisonnier s'est évadé ; la personne que l'on cherchait n'est pas là.

♦ **4.** Fig., littér. ⇒ **Chaîne, lien, servitude.**

5 Le vers est toujours un peu la cage de la pensée.
   J. RENARD, Journal, 26 janv. 1898.

6 Est-ce que je suis encore libre ? (...) Je suis dans une cage sans barreaux (...)
   SARTRE, l'Âge de raison, VIII, p. 120 (→ Barreau, cit. 5).

Pièce exiguë. ⇒ **Cagibi** (fam.). *La cage d'un concierge.* ⇒ **Loge.** *La cage d'un huissier.*

Petite loge vitrée ou à guichet dans laquelle se tient un employé. *Cage de verre. La cage de la standardiste.*

♦ **5.** Sports (football, handball, hockey, etc.). Les buts, formés de deux poteaux reliés par une traverse et d'une armature métallique, placée derrière, qui soutient un filet.

7 Le premier tir de la finale passa à trois mètres de la cage de Sariéloubal.
   René FALLET, le Triporteur, p. 368.

Athlétisme. Endroit, espace grillagé d'où on lance le marteau.

★ **II.** ♦ **1.** Espace clos servant à enfermer, à limiter qqch. — Techn. *La cage d'une maison,* les gros murs. *La cage d'une mine.*

Cage de descente. Cage d'extraction : la benne servant à monter le minerai.

8 (*Étienne*) regardait en l'air filer les câbles qui passaient sur les molettes pour descendre à pic dans le puits s'attacher aux cages d'extraction (...) Et c'était dans les berlines vides que s'empilaient les ouvriers (...) Puis (...) la cage plongeait silencieuse, tombait comme une pierre (...)
   ZOLA, Germinal, t. I, p. 26-27.

Absolt. *La cage* (→ cit. *supra*).

Cage à eau : la benne servant à enlever les eaux d'infiltration.
La cage d'une pendule, d'une montre. ⇒ **Boîte, boîtier.**

♦ **2.** Sc. et techn. Assemblage de supports enfermant une partie d'une machine, un élément mécanique. *Cage de roulements à bille. La cage du différentiel. Cage d'un laminoir. Cage de boîte d'essieu* (sur une locomotive).

Mar. *Cage d'hélice :* espace clos dans lequel tourne le propulseur.

♦ **3.** Sc. *Cage de Faraday :* enceinte servant à intercepter les phénomènes électrostatiques.

Électr. *Cage d'écureuil :* « Dispositif comportant un conducteur par encoche, les extrémités de tous les conducteurs étant réunies de chaque côté par des anneaux métalliques qui les ferment en court-circuit » (Barbier-Cardiergues, *Dict. technique du bâtiment et des travaux publics*, 1971).

♦ **4.** Cour. **CAGE D'ESCALIER :** l'espace où est placé l'escalier.

9 Ce soir-là, il serait certainement entré dans sa chambre (*celle de Claire*), s'il n'avait aperçu, à l'étage supérieur, la petite face blanche de mademoiselle Saget, penchée sur la rampe. Il passa, et il n'avait pas descendu dix marches, que la porte de Claire, violemment refermée derrière son dos, ébranla toute la cage de l'escalier.
   ZOLA, le Ventre de Paris, t. I, p. 211.

CAGE D'ASCENSEUR : l'espace où se déplace la cabine d'un ascenseur. *« À chaque station deux ascenseurs de forme demi-circulaire, de 7 m 50 de diamètre, se meuvent dans la même cage »* (Année sc. et industr., 1891, p. 228).

10 (...) lorsqu'un remous (...) le plaqua contre la cage de l'ascenseur entourant la fosse graisseuse et vide (soit que la mécanique fût en panne, soit qu'on eût bloqué une fois pour toutes la cabine aux étages supérieurs).
   Claude SIMON, le Palace, p. 161.

Techn. *La cage (de charpente) d'un clocher.* — *Cage d'un moulin à vent,* assemblage de charpente.

11 En effet, on avait le grain, mais non la farine, et l'installation d'un moulin fut nécessaire (...)
On se mit donc à l'œuvre en choisissant des bois de charpente pour la cage et le mécanisme du moulin.
   J. VERNE, l'Île mystérieuse, 1874, p. 533.

♦ **5.** (1856). Anat. et cour. **CAGE THORACIQUE :** ensemble formé par les vertèbres, les côtes, le sternum et le diaphragme. *Ampliation* de la cage thoracique, au cours des mouvements respiratoires.*

♦ **6.** Psychol. *Cage sonore :* situation expérimentale destinée à déterminer les degrés de précision dans la localisation spatiale du son chez un sujet.

DÉR. Cagée, cageot, cagerotte, caget, cagette.
COMP. Encager.

CAGÉE [kaʒe] n. f. — Fin XVIᵉ, « contenu d'une cage » ; de *cage*. Rare.

♦ **1.** (1842, Académie). Ensemble des oiseaux d'une cage.

♦ **2.** (1848). Par métaphore. Voiture pleine de prisonniers.

CAGEOT [kaʒo] n. m. — 1873 ; *cajot*, 1899 ; *cageau*, 1467 ; de *cage*.

♦ **1.** Techn. Caisse* de forme variable, en bois, en osier, et servant à transporter la volaille, les fruits, les fromages... ⇒ **Billot, bourriche.**

♦ **2.** Cour. Emballage léger, à claire-voie, généralement en bois blanc, servant au transport des denrées périssables. ⇒ **Cagette, clayette ; caissette.** *Cageot de laitues, de fruits.*

A mi-chemin de la cage au cachot la langue française a cageot, simple caissette à claire-voie vouée au transport de ces fruits qui de la moindre suffocation font à coup sûr une maladie.
Agencé de façon qu'au terme de son usage il puisse être brisé sans effort, il ne sert pas deux fois. Ainsi dure-t-il moins encore que les denrées fondantes ou nuageuses qu'il enferme.   Francis PONGE, le Parti pris des choses, p. 38.

♦ **3.** (V. 1975). Fam., péj. Fille ou femme laide, mal faite. *Oh là là, cette nana, quel cageot !*

CAGEROTTE [kaʒʀɔt] n. f. — 1551 ; de *cage*.

♦ Techn. Forme d'osier à claire-voie destinée à faire égoutter les fromages. ⇒ **Caget.**

CAGET [kaʒɛ] n. m. — 1922 ; *cajet*, 1895 ; de *cage*.

♦ Techn. Claie sur laquelle on met les fromages à égoutter. ⇒ **Cagerotte.**

CAGETTE [kaʒɛt] n. f. — 1928; «petite cage», 1321; de *cage*.

♦ Petit cageot servant à transporter des fruits et des légumes, ou des fleurs (⇒ **Cageot, clayette**).

CAGIBI [kaʒibi] n. m. — 1902; mot de l'Ouest, probablt métathèse de *cabigit* «cahute», apocope de *cabagitis*, de *cabagétis*. → Cabajoutis.

♦ Fam. Pièce de dimensions étroites. ⇒ **Appentis, cagna, réduit.** *S'enfermer dans un cagibi.*

0.1 — À qui la faute? Si vous m'aviez écoutée, je serais votre maîtresse, mussée bien tranquille dans un petit rabicoin...
— Rabicoin?
— Oui, dans un petit cagibi quelconque, loin de tout votre monde, et vos réceptions suivraient leur train accoutumé.
WILLY (COLETTE), Claudine en ménage, 1902, *in* D.D.L., II, 6.

1 Arrivant au «cagibi» de l'huissier en uniforme à queue et à boutons métalliques, notre jeune fonctionnaire trouve un vieux bonhomme assis à une table (...) qui tambourinait une marche militaire sur la couverture sonore du buvard qu'il avait devant lui.
Georges LECOMTE, Ma traversée, p. 117-118.

2 Elle parle de «son petit cagibi» où elle s'enferme (...)
GIDE, Journal, 14 janv. 1943.

Petit local destiné au rangement. *Cagibi servant de débarras.* ⇒ **Débarras.**

3 — Au fond de la cave, il y a un cagibi; j'ai demandé à la concierge de le dégager : tu te serais caché là. S. DE BEAUVOIR, les Mandarins, 1954, p. 9.

CAGISTE [kaʒist] n. m. — 1955, *Dict. des métiers*; de *cage*.

♦ Techn. Ouvrier qui fabrique des cages métalliques.

CAGNA [kaɲa] n. f. — 1914; annamite *cai-nha* (1896) «la maison».

♦ **1.** Argot milit. Abri militaire, généralement souterrain; abri de tranchée.

1 La cagna qui m'était réservée avait l'avantage appréciable de comporter une vitre, au ras du sol, et un minuscule poêle.
G. DUHAMEL, la Pesée des âmes, VIII, p. 204.

2 (...) il pleut, je griffonne ce mot de dedans une froide cagna souterraine, j'ai l'onglée, les marmites *(obus)* ébranlent tout, et je suis obligé de repousser du pied des rats entreprenants qu'encourage mon immobilité (...)
J.-R. BLOCH, Deux hommes se rencontrent, p. 374.

♦ **2.** Maison rudimentaire, cabane, cahute. ⇒ **Guitoune.**

3 Puisque je raconte, que je vous dépeins... que je vous promène, dans sa cagna... son plafond était à se souvenir... Tout des paysages à l'envers!... Toutes ses toiles fixées au plafond... CÉLINE, Féerie pour une autre fois, 1950, p. 208.

1. CAGNARD, ARDE [kaɲaʀ, aʀd] adj. — 1520, *cagnar*; de *cagne* «chienne». P. Guiraud rattache le mot au préf. *ca-* «creux» et à l'anc. franç. *niart* «qui reste dans son nid».

♦ Vx ou régional (fam.). Paresseux* (comme une chienne qui aime à demeurer au coin du feu). ⇒ **Apathique, fainéant, mou, nonchalant, oisif**; fam. **cossard, flemmard.** *Rendre cagnard.* ⇒ **Acagnarder.** *Un homme cagnard. Mener une vie cagnarde.* — N. *Un cagnard :* un paresseux. (→ 1. Cagne, cit.)

CONTR. **Actif, courageux, dynamique, travailleur, vif.**
DÉR. et COMP. Acagnarder, cagnarder, cagnardise.

2. CAGNARD [kaɲaʀ] n. m. — 1611; *caignart* «abri misérable, niche», 1420; de l'anc. provençal *canha* «chienne». → 1. Cagnard, cagne.

♦ **1.** Vx. Arche de pont servant d'abri à des chemineaux, à des vagabonds.

♦ **2.** Vx. [a] Lieu de prostitution.

[b] Endroit malpropre, recoin où s'amoncellent les immondices.

♦ **3.** (1792). Mar., anciennt. Abri de planches ou de toiles fixées sur un pont de dunette pour protéger l'homme de veille des intempéries.

♦ **4.** Régional (altér. de *coignart*, 1480; de *cuneus* «coin»). En Provence et dans le Languedoc, Lieu ensoleillé, abrité du vent. — Loc. (sous l'infl. de 1. *cagnard*). *Faire du cagnard :* se reposer au soleil.

CAGNARDER [kaɲaʀde] v. intr. — XVIe, Calvin; de 1. *cagnard*.

♦ Fam. et vieilli. Vivre en cagnard. ⇒ **Paresser**; aussi **acagnarder** (s').

(...) il ne se leva qu'assez tard, vers les sept heures, après avoir cagnardé au lit. Il se lava soigneusement tous les endroits où ça peut sentir mauvais, se mouilla les cheveux (...) R. QUENEAU, Pierrot mon ami, Folio, p. 56.

CONTR. **Affairer** (s'), **agir, travailler.**

CAGNARDISE [kaɲaʀdiz] n. f. — 1540, Calvin; de 1. *cagnard*.

♦ Vx et fam. Indolence, fainéantise. ⇒ fam. **Cosse, flemme.**

CAGNASSE [kaɲas] n. f. ⇒ 1. **Cagne.**

1. CAGNE [kaɲ] n. f. — 1456, *caigne* «femme de mauvaise vie»; anc. provençal *canha* «chienne», lat. pop. *cania*, lat. *canis* «chien».

♦ **1.** Vx et péj. Chienne.

♦ **2.** Vx. Femme paresseuse et méprisable. (On dit aussi *cagnasse*.)

♦ **3.** Régional (Provence). Paresse (⇒ 1. **Cagnard**). *Avoir la cagne :* n'avoir pas envie de travailler. ⇒ **Flemme** (fam.).

La cagne est une maladie toulonnaise. Jadis, la voiture du préfet maritime contournait un cagnard endormi sur la route. La cagne, c'est la flemme, le farniente italien. COCTEAU, Journal d'un inconnu, p. 104.

DÉR. 1. **Cagnard,** 1. **cagneux.**

2. CAGNE [kaɲ] n. f. ⇒ **Khâgne.**

1. CAGNEUX, EUSE [kaɲø, øz] adj. — Déb. XVIIe; *coigneux*, 1607; de *cagne* «chienne» (p.-ê. d'après la forme de ses pattes antérieures).

♦ Qui a les genoux tournés en dedans. ⇒ **Tordu.** *Un cheval cagneux.* ⇒ **Panard.** — (Personnes). *Il est un peu cagneux.* — *Des jambes cagneuses.*

1 — C'est égal... ma tante dit que ça ne vous fait pas plaisir, les prétendus.
— Si celui-là ne te convient pas, j'en ai un autre tout prêt...
M. Oscar de Buzenval. *(À part.)* Un petit être cagneux très velu... imitant parfaitement l'araignée! LABICHE, Mon Isménie, 3, p. 275.

Figuré :
(Ils) prosternent, cagneux, devant sa majesté,
Leur bassesse avachie en imbécillité. HUGO, les Châtiments, VI, 5.

N. *Un cagneux, une cagneuse.*

CONTR. **Droit.**

2. CAGNEUX, EUSE [kaɲø, øz] n. ⇒ **Khâgneux.**

CAGNOTTE [kaɲɔt] n. f. — 1801; provençal *cagnoto* «petit cuvier pour fouler la vendange»; p.-ê. de l'anc. provençal *cana* «mesure de capacité». P. Guiraud rapproche le mot de 1. *cagnard* et de *caniche*, du préf. *ca-* «creux» et du roman *nidica*, tous ces mots évoquant le nid, le creux, la cachette, d'où *ca-niotte* «cachette» (où l'on cache l'argent).

♦ **1.** Boîte, corbeille (d'abord, plateau) dans laquelle des joueurs déposent l'argent qu'ils sont convenus de payer dans certaines circonstances. ⇒ **Tirelire.** *Verser, mettre de l'argent dans la cagnotte.*

1 On appelle cagnotte, le plateau sur lequel est placé le flambeau des tables où l'on joue à la bouillotte. C'est là que l'on met les jetons pour le prix des cartes. Comme on paie aux doubles passes, aux brelans, etc. (...), au bout de quelques jours la cagnotte, ou le flambeau, a tout l'argent des joueurs.
J.-B. PUJOUX, Paris à la fin du XVIIIe s., 1801, *in* D.D.L., II, 2.

Caisse commune d'une association, d'un groupe. *Fonder, entretenir, gérer une cagnotte.*

2 Cinquante passagers commencèrent par former une cagnotte de dix mille francs en versant chacun deux cents francs (...)
Raymond ROUSSEL, Impressions d'Afrique, p. 321.

♦ **2.** (1855). Par métonymie. Argent contenu dans une cagnotte. *Dépenser, manger* (fig.) *la cagnotte.* — Par ext. Argent économisé peu à peu. *Se constituer une cagnotte.*

♦ **3.** Régional (Suisse). Société d'épargne dont le siège social se trouve dans un établissement public. *Verser sa cotisation à la cagnotte.*

CAGOT, OTE [kago, ɔt] n. — 1535, Rabelais, «hypocrite»; d'après *bigot*; béarnais *cagot* «lépreux blanc», p.-ê. de *cagar* «chier», ou p.-ê. selon le même type d'évolution sémantique que *cafard*.

♦ Vieilli ou littér. Personne qui affiche une dévotion excessive, outrée ou d'une sincérité douteuse. ⇒ **Bigot, bondieusard, cafard, calotin, dévot** (faux dévot), **pharisien.**

1 Que son front doux et serein
Est à mon gré préférable
Au visage sec, chagrin
De ce cagot du diable
Craint partout l'esprit malin. LA FARE, Ode 6, *in* LITTRÉ.

2 Cela nous met un peu loin des cagots et des dévotes, aussi loin du reste, qu'est le catholicisme moderne de la mystique, car décidément cette religion est aussi terre à terre que la mystique est haute (...) HUYSMANS, En route, p. 284.

Adj. *Avoir un ton, un air cagot.* ⇒ **Hypocrite.**

3 Il *(Daniel)* baissa les paupières d'un air cagot, s'approcha lentement (...)
SARTRE, la Mort dans l'âme, p. 118.

Qui est marqué d'une bigoterie excessive.

4 Pour savoir où s'établir, ils passèrent en revue toutes les provinces (...) La Bretagne leur aurait convenu, sans l'esprit cagot des habitants.
FLAUBERT, Bouvard et Pécuchet, Pl., t. II, p. 680.

REM. On trouve aussi le dér. féminin *cagotine* [kagotin] : petite cagote.

5 Surpris de trouver chez une cagotine un si malicieux esprit de répartie, et sans doute tant de bon sens, l'oncle Anthime est momentanément désarçonné.
GIDE, les Caves du Vatican, II, 3, éd. Plon, p. 692.

CONTR. Convaincu, croyant, dévot, pieux, sincère. — Athée, incroyant.
DÉR. Cagoterie, cagotisme.

CAGOTERIE [kagɔtʀi] n. f. — 1598 ; de cagot.

♦ Vieilli ou littér. Dévotion excessive ou suspecte du cagot*. ⇒ **Bigoterie, hypocrisie, tartuferie.** *Une cagoterie déplacée.* — Manière d'agir propre aux cagots. *Esprit cagot.* ⇒ **Cagotisme.**

Si cet homme a vu les livres, en Italie, purgés, c'est-à-dire biffés, raturés, mutilés par la cagoterie, il cessera de se plaindre de nos bibliothèques.
P.-L. COURIER, Pamphlets politiques, Lettre III, Pl., p. 14.

CONTR. Conviction, croyance, dévotion, piété. — Athéisme, incroyance.

CAGOTISME [kagɔtism] n. m. — 1667 ; de cagot.

♦ Vx. Attitude, comportement, caractère du cagot. ⇒ **Cagoterie** (→ Bigotisme, cit. 3).

Son cagotisme en tire à toute heure des sommes,
Et prend droit de gloser sur tous tant que nous sommes.   MOLIÈRE, Tartuffe, I, 2.

CONTR. Droiture, loyauté, sincérité.

CAGOUILLE [kaguj] n. f. — 1611 ; du lat. conchylia, n. pl. de conchylium «coquille» ou p.-ê., d'après P. Guiraud, de caque «coquille» (rac. cacc- «creux»), et suff. -ouille.

♦ **1.** Régional (Aunis, Saintonge, Poitou). Escargot*.

♦ **2.** (1687, Desroches, Dict. de marine). Mar. (Vx). Volute au haut de l'éperon d'un navire.

CAGOULARD, ARDE [kagulaʀ, aʀd] n. — V. 1937 ; de Cagoule, nom donné au Comité secret d'action révolutionnaire.

♦ Membre de la Cagoule ; activiste pro-fasciste.

(...) la plupart avançaient (...) que mon entourage, noyauté de fascistes et de cagoulards, me poussait à instituer en France (...) un pouvoir personnel absolu.
Ch. DE GAULLE, Mémoires de guerre, t. II, p. 86.

CAGOULE [kagul] n. f. — 1552, cagoulle, Rabelais ; v. 1175, cagole «vêtement de moine» ; lat. ecclés. cuculla, de cucullus «capuchon». P. Guiraud évoque le préf. ca- «creux», coule étant la forme franç. pour cuculla.

♦ **1.** Froc sans manche, muni d'un capuchon percé d'ouvertures à la place des yeux et de la bouche, et que portaient les moines (→ Baisser, cit. 3).

1 À quoi répondit Gargantua : «Il n'y a rien de si vrai que le froc et la cagoule tirent à soi les opprobres, injures et malédictions du monde, tout ainsi comme (que) le vent, dit Cecias, attire les nues.   RABELAIS, Gargantua, XL.

2 Un moine en cagoule rabattue suivit le cortège, loin de tous les autres, sans que personne osât lui parler.
FLAUBERT, Trois contes, «la Légende de saint Julien l'Hospitalier», II.

3 (...) le voile épais (...) qu'elle fit retomber jusqu'au bas du visage afin de le dissimuler comme sous une cagoule.   LOTI, les Désenchantées, II, p. 18-19.

Capuchon pointu, fermé, percé à l'endroit des yeux.

4 Les pénitents s'avancent sur deux files, en longues robes et en cagoules qui les masquent (...) Ces «frères de lumière» portent d'une main un gros cierge, la flamme vers le sol (...) De l'autre main ils retiennent par-devant le capuchon, pour que ses œillères restent bien à la hauteur des yeux (...)
MONTHERLANT, les Bestiaires, p. 155.

♦ **2.** Cour. Sorte de passe-montagne, porté surtout par les enfants. — Capuchon en tissu ignifugé recouvrant entièrement la tête, à l'exception des yeux.

♦ **3.** LA CAGOULE : nom donné au Comité secret d'action révolutionnaire, C. S. A. R., groupe d'extrême droite, actif de 1932 à 1940 (⇒ **Cagoulard**).

5 Il a tout cumulé. La Cagoule, plus tard la Milice... Un gala.
F. GIROUD, Si je mens, p. 56.

Par ext. Groupe apparenté à l'extrême-droite ; son idéologie.

6 Paris, mardi 6 avril 1954.
Déjà la fatigue, le dégoût. Manifestation de l'Arc de Triomphe. Relent de cagoule.
F. MAURIAC, Bloc-notes 1952-1957, p. 71.

DÉR. Cagoulard.

CAGUER [kage] v. intr. — XVIe (?) d'après Cellard et Rey, de l'anc. provençal cagar, du lat. cacare qui a donné chier et aussi une forme caguer. → Cagade.

♦ Argot. Chier. — Fig. Tu nous fais caguer !

Il achète des terrains pour faire caguer ses concurrents, il aménage, il bâtit, et pendant ce temps, les millions filent.
R. DORGELÈS, Tout est à vendre, p. 275-276.

CAHIER [kaje] n. m. — 1559, cahier «mémoire» ; cayer, 1283 ; caer, quaer, fin XIIe ; du bas lat. quaternio «groupe de quatre feuilles», de quaterni «quatre, chaque fois», de quattuor.

♦ **1.** Assemblage de feuilles de papier cousues ou agrafées ensemble ou pliées les unes dans les autres, et munies d'une couverture. ⇒ **Album, bloc-notes, calepin, carnet, registre.** *Les feuilles d'un cahier. Cahier de papier à lettres. Cahiers d'écolier, de brouillon*, de devoirs, de mathématiques, de français. Cahier de cours. Cahier de corrigés. Mettre ses cahiers dans un cartable. Écrire, noter (qqch.) sur, dans un cahier.*

1 De fait, peu à peu les bâtons commençaient à marcher plus droit, la plume crachait moins, et il y avait moins d'encre sur les cahiers (...)
Alphonse DAUDET, le Petit Chose, I, VI.

2 (...) deux de ses cahiers de collégien, couverts de figures de géométrie, et sur lesquels, un soir de beau soleil et de beau rêve, il avait inscrit la date de son admissibilité au Borda.   LOTI, Matelot, XLVIII, p. 185.

Cahier (ou *carnet*) *de correspondance*, sur lequel sont inscrites les notes d'un élève, dont les parents peuvent prendre connaissance. *Cahier de textes*, qui enregistre la liste des devoirs et des leçons donnés.
Cahier des punitions, du règlement..., où sont consignés les punitions, le règlement...

3 Le soir, à la récréation de quatre heures, il vint vers moi et me remit, toujours souriant, toujours muet, le cahier du règlement ouvert à la page 12 : *Devoirs du maître envers les élèves.*   Alphonse DAUDET, le Petit Chose, I, VI.

4 Et ce gros livre, qu'est-ce que c'est ?... Oh ! oh !... Cahier de punitions... Boucoyran, 500 lignes... Soubeyrol, 400 lignes... Boucoyran, 500 lignes... Boucoyran, Boucoyran... Sapristi ! Tu ne le ménageais pas le nommé Boucoyran.
Alphonse DAUDET, le Petit Chose, II, IV.

Un cahier cartonné, un cahier de moleskine, un cahier bleu, rouge... suivant la nature ou la couleur de la couverture.

5 (...) Jacques tira de dessous sa veste un énorme cahier rouge qu'il avait cartonné lui-même.   Alphonse DAUDET, le Petit Chose, I, IV.

Un cahier blanc, rayé, quadrillé, à feuilles blanches, etc. Cahier de musique, sur lequel sont imprimées des portées musicales ; livret portant la partition d'un ou plusieurs morceaux de musique.

♦ **2.** (1549). Techn. (imprim.). Ensemble, plié et coupé dans l'ordre voulu, des pages fournies par une feuille. ⇒ **Livre.** *Les cahiers d'un fascicule. Publications par cahiers. Coudre des cahiers en brochure. Le cinquième cahier de ce livre a été mal plié. Il y a une erreur de reliure : il manque un cahier.*

♦ **3.** (1559). Mémoire. *Les cahiers d'une Assemblée* : mémoires présentés au Chef de l'État par les membres de cette assemblée et renfermant leurs remontrances, revendications, demandes, doléances... *Les cahiers des États généraux.*

6 On a beaucoup parlé, et avec admiration, des «cahiers» qui, selon la coutume, furent rédigés dans tous les bailliages et qui devaient résumer les vœux de la nation. En réalité, ou bien contradictoires ou bien vagues, ils soulèvent tous les problèmes sans en résoudre aucun.   J. BAINVILLE, Hist. de France, XV.

Cahier de rapport de mer : registre* coté et paraphé par les autorités locales, sur lequel le commandant d'un navire écrit son rapport de mer.

Dr. *Cahier des charges* : document fixant les modalités de conclusion et d'exécution des marchés publics (⇒ **Adjudication**). — Document écrit énumérant les droits et obligations des parties à un contrat administratif. — Cour. *Cahier à souches*. *Cahier d'entrée et sortie,* présentant les crédits et les débits. *Cahier de comptes. Cahier de recettes et dépenses.*

♦ **4.** (Souvent au masc. plur., avec une majuscule). Littér. Notes, mémoires non entièrement rédigés. *Journal d'un écrivain. Cahiers intimes,* de M. Barrès. — Publication périodique. *Les Cahiers de la Quinzaine,* de C. Péguy.

7 Me voici revenir à la chère, vieille habitude, contractée depuis l'enfance, de rédiger un cahier de «libre examen» (...)
P. KLOSSOWSKI, la Révocation de l'Édit de Nantes, p. 7.

CAHIN-CAHA [kaɛ̃kaa] adv. — 1552, Rabelais ; altér. de kahukaha, XVe ; de formation onomatopéique, p.-ê. d'après cahot. On a proposé des locutions latines comme que (ou qua) hinc que (qua) hac, mais l'expression semble d'orig. pop. et régionale.

♦ Fam. Tant bien que mal, péniblement. ⇒ **Balin-balan** (régional), **clopin-clopant.** *Arriver cahin-caha.*

1 (...) tous clopin-clopant, cahin-caha, se ruant vers la lumière, et vautrés dans la fange comme des limaces après la pluie.   HUGO, Notre-Dame de Paris, II, 6.

2 Un talika était, en effet, débouchait d'une voûte d'arbres, arrivait cahin-caha, le sentier mauvais.   LOTI, les Désenchantées, I, VI, p. 72.

3 Elle (Marguerite) est venue cahin-caha en écrasant lourdement l'herbe, et elle est là maintenant qui pleure, accroupie contre l'abreuvoir.
J. GIONO, Colline, p. 177.

Fig. *Aller cahin-caha* (en parlant d'une association, d'une affaire, de la santé, etc.), d'une manière difficultueuse, précaire*.

4 (...) gagnant cahin-caha sa pauvre vie.   RABELAIS, le Quart Livre, Prologue.

5 (...) la vie continue, cahin-caha... Et la paix aussi !
MARTIN DU GARD, les Thibault, t. V, p. 182.

CONTR. Aisément, facilement, légèrement, lestement.

CAHOT [kao] n. m. — V. 1460 ; de *cahoter*.

♦ **1.** Saut que fait une voiture en roulant sur un terrain inégal. ⇒ **Heurt, secousse.** *Un rude, un violent cahot. Les cahots menacent de faire verser la voiture.*

1 Il vient un cahot qui vous culbute, et l'on ne sait plus où l'on en est.
Mᵐᵉ DE SÉVIGNÉ, 638, *in* LITTRÉ.

2 Exprès, il laissait sa tête baller en arrière aux cahots de la course.
COCTEAU, les Enfants terribles, II.

3 Au milieu du grand silence, et dans le désert de l'avenue, les voitures de maraîchers montaient vers Paris, avec des cahots rythmés de leurs roues, dont les échos battaient les façades des maisons, endormies (...)
ZOLA, le Ventre de Paris, t. I, p. 5.

Littér. Bruit d'un véhicule cahoté.

4 De la vie, *(Jean Péloueyre)* ne percevait plus que les chants des coqs, des cahots de charrette, des appels de cloche, ce ruissellement indéfini sur les tuiles *(des pluies de l'hiver).* F. MAURIAC, le Baiser au lépreux, p. 144.

♦ **2.** Aspérité qui provoque un cahot. *Les ornières et les cahots d'un chemin. Conduire en évitant les cahots* (⇒ **Cartayer**).

♦ **3.** Par métaphore ou fig. ⇒ **Difficulté, obstacle ; contrariété, vicissitude.** *Une affaire pleine de cahots. Être meurtri par les cahots de l'existence.*

DÉR. Cahoteux.
HOM. Chaos, K. O.

CAHOTAGE [kaɔtaʒ] n. m. — 1694 ; *cahottage*, 1632, *in* D. D. L. ; de *cahoter*.

♦ Rare. Fait de cahoter ; son résultat. *Le cahotage éreintant d'une charrette, d'un tombereau.*

Par métaphore : « *Ce cahotage de tous les styles* » (Sainte-Beuve, *in* T. L. F.).

CAHOTANT, ANTE [kaɔtɑ̃, ɑ̃t] adj. — 1798, Académie ; p. prés. de *cahoter*.

♦ **1.** Qui fait cahoter. *Chemin cahotant. Route cahotante.* ⇒ **Cahoteux.**

♦ **2.** (Véhicules). Qui cahote, fait éprouver les cahots. *Voiture cahotante,* mal suspendue. ⇒ **Bringuebalant.**

1 Ils passèrent, dans leurs gimbardes cahotantes et bringuebalantes, les bœufs suivaient avec une noblesse comique, les voitures disparurent, l'une après l'autre, derrière le tournant (...)
SARTRE, le Sursis, p. 65.

Par ext. Qui est agité de mouvements analogues à des cahots.

2 Le Cyclone, à l'avant et à l'arrière, emmenait toujours deux baquets débordants d'une eau cahotante, mais les coups de mer jaillis à la proue devenaient de plus petit calibre (...) Roger VERCEL, Remorques, p. 71.

CONTR. Uni.

CAHOTEMENT [kaɔtmɑ̃] n. m. — 1769 ; de *cahoter*.

♦ Fait de cahoter. Secousse que fait éprouver une voiture qui cahote. ⇒ **Ballotement, cahot.** *Une nuit de cahotement dans le train.*

Littér. Bruit fait par un véhicule secoué par des cahots.

1 Le pluvieux automne chuchotait sur les tuiles. Un contrevent claquait ; le cahotement d'une charrette s'éloignait. F. MAURIAC, le Baiser au lépreux, p. 67.

Par anal. Suite de secousses.

2 Une souffrance effroyable me fendait (...) Une douleur vivante, une force extraordinaire, tendaient mes muscles (...) Je me sentais vertigineusement emporté dans un cahotement de fièvre (...) DANIEL-ROPS, Mort, où est ta victoire ?, p. 246.

CAHOTER [kaɔte] v. — 1564 ; du masc. néerl. **hotten* « secouer », et préf. *ca-*.

♦ **1.** V. tr. Secouer par des cahots. ⇒ **Ballotter, secouer.** — REM. Le verbe est rare à l'actif ; cour. au passif. *On est terriblement cahoté, dans cette vieille guimbarde.*

1 Les ornières cahotaient les grosses roues, les chaînes de l'attelage grelottaient au vent du matin (...) HUGO, Quatre-vingt-treize, IV, 1.

Fig. *La vie l'a cahoté.* ⇒ **Éprouver, malmener.**

♦ **2.** V. intr. Éprouver des cahots ; être secoué par des cahots. *Voiture qui cahote.* ⇒ **Bringuebaler.**

1.1 *(Noémie)* secoua sa robe pleine de sable ; des charrois cahotaient ; un geai cria.
F. MAURIAC, le Baiser au lépreux, p. 152.

▶ **CAHOTÉ, ÉE** p. p. et adj.

♦ **1.** Secoué par des cahots. *Voiture cahotée.* — (Personnes). *Voyageurs cahotés, secoués.*

2 Il y avait là dans la chaise *(roulante)* un jeune homme grossièrement vêtu (...) Sa petite femme brune (...) était cahotée à côté de lui.
VOLTAIRE, Jeannot et Colin, *in* LITTRÉ.

---

3 Disloqué, de cailloux en cailloux cahoté,
Il respirait toujours ; sans abri, sans asile (...)
HUGO, la Légende des siècles, « le Crapaud ».

♦ **2.** Fig. Saccadé dans sa démarche, heurté dans son expression, sa forme. *Un style cahoté.* ⇒ aussi **Chaotique.**

DÉR. Cahot, cahotage, cahotant, cahotement.

CAHOTEUX, EUSE [kaɔtø, øz] adj. — 1678 ; de *cahot.*

♦ Qui fait éprouver des cahots. *Chemin cahoteux.*

Par métaphore :

Il revoyait, avec une précision parfaite, le tableau *(la Chaussée de Sein)* : une chaussée, oui, une route d'écume, une avenue cahoteuse, large de quatre milles et hérissée de milliers de cailloux noirs. Roger VERCEL, Remorques, p. 124.

CAHUTE [kayt] n. f. — XVIᵉ, Calvin ; *quahute*, XIVᵉ ; *chaüte*, XIIIᵉ ; de *hutte*, et préf. péj. *ca-* ; cf. néerl. *kajuit*, soit croisement de *hutte* avec des mots comme *cabane*, *caverne.*

♦ **1.** Hutte, cabane grossière. ⇒ **Cabane, hutte.** *Construire une cahute ; s'abriter dans une cahute. Une méchante cahute. Une cahute couverte de chaume.*

1 (...) il *(Julien)* répara le bateau avec des épaves de navires, et il se fit une cahute avec de la terre glaise et des troncs d'arbres.
FLAUBERT, Trois contes, « la Légende de saint Julien l'Hospitalier », III.

1.1 (...) la maigreur de ces gens, leur apparente détresse, ne nous apparaissent pas différentes de celles des habitants des villages que nous traversons. Rien de plus misérable que les cahutes où ils vivent, entassés pêle-mêle (telle hutte en contient onze et telle autre treize). GIDE, Voyage au Congo, *in* Souvenirs, Pl., p. 805.

♦ **2.** Petit réduit ; abri rudimentaire et misérable. ⇒ **Baraque.**

2 Bréhier avait cloué, au mur de la cahute, une grande carte du front.
G. DUHAMEL, la Pesée des âmes, XIII, p. 306.

3 En amont, un bidonville a essaimé ses cahutes à flanc de montagne (...) Des toits de zinc, retenus par de grosses pierres contre les rafales de vent, tombent des cascades qui vont grossir le marigot de l'artère principale.
Régis DEBRAY, l'Indésirable, p. 302.

♦ **3.** Fam. et vieilli. Maison. *Une grande cahute.* ⇒ **Bicoque.**

4 J'ai reçu avant-hier dans une lettre de ma mère la grande nouvelle (...) Quel dîner il a dû y avoir dans la cahute paternelle à Croisset.
FLAUBERT, Lettre à Louis Bouilhet, 10 sept. 1850, *in* Correspondance, t. I, Pl., p. 685.

CAÏD [kaid] n. m. — 1694 ; *caïte*, 1310 ; arabe *qāɔïd*, proprt « celui qui conduit ».

♦ **1.** En Afrique du Nord, Fonctionnaire musulman qui cumule les attributions de juge, d'administrateur, de chef de police, etc. ⇒ aussi 2. **Aga.**

1 (...) M. Warnier (...) a été reçu avec les honneurs qui n'ont jamais été rendus, à Tanger, à aucun Européen ; le caïd est venu, à cheval, le recevoir (...)
PRINCE DE JOINVILLE, Lettre de 1844, *in* Augustin JAL, Glossaire nautique.

REM. Dans ce sens, on a aussi écrit *kaïd* (Delacroix, *Journal*, 29 janv. 1832).

♦ **2.** [a] (1903). Argot fam. Chef d'une bande de mauvais garçons ; personnage considérable dans le milieu. ⇒ **Cador, 2.**

Par ext. Personnage socialement important. *Un gros caïd.* ⇒ **Huile, manitou, ponte.**

2 Son premier client fut un gros caïd de la S. N. C. F. à qui elle fit les lignes de la main. Jacques PERRET, Bâtons dans les roues, p. 171.

[b] Fam. Homme remarquable et qui s'impose avec une certaine brutalité. ⇒ **Chef, dur.** *Faire le caïd, son caïd :* chercher à en imposer. *Jouer au caïd, jouer les caïds.*

3 Avec son flair de caïd, il aurait senti s'il pouvait pousser ses avantages. Une telle pensée m'eût semblé sacrilège. Je me contentai d'admirer la carnation de l'épicière. P. GUTH, le Naïf sous les drapeaux, III, II, p. 102.

DÉR. (Du sens 1) Caïdat.

CAÏDAT [kaida] n. m. — 1899 ; de *caïd.*

♦ **1.** Didact. Dignité de caïd (1.).

♦ **2.** Système de hiérarchie sociale propre au milieu, dans lequel des « caïds » (2., a) imposent leur loi. — Spécialt. Ce système, tel qu'il tend à s'instaurer parmi les détenus. *L'affaire, du moins, ne risque plus d'être enterrée. Car, au-delà du "cas Patry", ce sont les pratiques du caïdat en prison dont on espère que l'on va parler. Pratiques qu'encouragent les conditions de vie des maisons d'arrêt vétustes...* (le Point, 28 août 1978, n° 310, p. 60). — REM. Le mot semble être dans ce sens (2) une création journalistique. Il est maintenant fréquemment employé dans des contextes décrivant les conditions de vie en milieu carcéral.

CAÏEU ou CAYEU [kajø] n. m. — 1651 ; mot normanno-picard « rejeton » ; cf. anc. franç. *chael* « petit chien » ; du lat. *catellus.*

♦ Bot., hortic. Bourgeon qui se développe à partir du bulbe principal. *Caïeu de tulipe, de lis. Caïeu d'ail* (⇒ **Gousse**). *Des caïeux.*

1 La reproduction (...) des plantes par racines ou par caïeux.
BUFFON, Hist. nat. des animaux, Génération, *in* LITTRÉ.
2 De gros caïeux de lis paraissaient à la surface de la terre.
CHATEAUBRIAND, Itinéraire..., 33.
Fleur qui naît d'un caïeu. *Cette tulipe n'est qu'un caïeu de l'année* (Académie).

CAILLAGE [kɑjaʒ] n. m. — 1867 ; de *cailler*.

♦ Action de faire cailler ; son résultat. *Le caillage du lait.* ⇒ **Caillement.**

CAILLASSE [kajas] n. f. — 1846 ; du rad. de *caillou*, et suff. péj. *-asse.*

♦ **1.** Géol. Lit de calcaire grossier mêlé de marne, de silice, de sable, de gypse. *La caillasse est d'époque tertiaire.*

♦ **2.** Fam. Pierraille, graviers. *Marcher dans la caillasse. Caillasse servant à l'empierrement des chemins.*

1. CAILLE [kɑj] n. f. — Déb. XIIe ; *quaccola* (VIIIe), onomat. cf. bas lat. *quaccula, quacquara.*

♦ **1.** Oiseau de petite taille, à plumage tacheté, voisin de la perdrix (n. sc. : *coturnix.* ⇒ **Turnix ; *Phasianidés*).** *La caille, de la taille du merle, vit dans les champs et les prés ; c'est un gibier de passage apprécié. Chasser la caille. Filet pour prendre les cailles.* ⇒ **Tirasse.** *Cri de la caille* (⇒ **Cacaber, caqueter, carcailler, courcailler, margoter**). *Caille des blés* (espèce appelée en général *caille*). *Caille du Japon.*
1 Un dimanche, M. le maire chassait aux cailles dans mon pré (...)
P.-L. COURIER, II, 296, *in* LITTRÉ.
Loc. fam. *Gras, rond comme une caille :* grassouillet, rondelet. — Fig. *Chaud comme une caille :* ardent en amour (vx) ; mod., dont le corps est chaud (du fait d'une légère fièvre, d'un exercice violent, etc.).

♦ **2.** Fam. Terme d'affection* s'adressant à un enfant, à une femme... *Ma petite caille.* ⇒ **Cocotte, poulette, poule** (*ma poule*).
2 — Est-ce que vous êtes souffrante ?
— Non, monsieur...
— Elle est intimidée, pauvre petite caille.
LABICHE, Célimare le bien-aimé, II, 1, *in* Théâtre complet, t. III, p. 46.
Pop. et vieilli. Jeune fille, jeune femme, parfois de mœurs légères. ⇒ **Cocotte, grue, poule.**
3 Petit-Pouce et Paradis eux, pour eux la vie était belle, vraiment. Un bras passé autour de la taille d'une succulente caille, de l'autre négligemment manipulant le volant de leur véhicule réduit, ils se payaient du bonheur à quarante sous les cinq minutes. R. QUENEAU, Pierrot mon ami, éd. L. de Poche, p. 20.
DÉR. Caillet ou **cailleteau, 3. caillette.**
HOM. 2. Caille.

2. CAILLE [kɑj] n. f. — 1906 ; de **cail* «présure ou organe digestif dont on fait la présure», du lat. *coagulum* «présure». → 1. *Caillette.*

♦ Argot. Estomac. *L'avoir à la caille :* être contrarié, avoir qqch. «sur l'estomac». — (1910). *Avoir qqn à la caille,* le détester.
Moi, dit Pépin, j'm'en fais pas pour les embusqués ou les demi-embusqués, pisque c'est perdre le temps qu'on a, mais où j'les ai à la caille, c'est quand i crânent (...) qu'après, i' viennent pas dire : « J'ai été un guerrier.»
H. BARBUSSE, le Feu, t. I, p. 55.
HOM. 1. Caille.

CAILLÉ, ÉE [kaje] adj. et n. m. — → Cailler.

♦ **1.** Adj. Qui s'est coagulé et présente des caillots. *Sang, lait caillé.* Par métaphore (littér.). *« Le ciel caillé et les flèches précipitées de la pluie »* (Nizan, *in* T. L. F.).

♦ **2.** N. m. (XIVe). Partie coagulée du lait caillé. ⇒ **Caillebotte.** *La séparation du caillé et du petit-lait.*
Spécialt. Fromage mou provenant du caillé. Syn. : *fromage à la pie.*

CAILLEBOTIS [kajbɔti] n. m. — 1678, *caillebottis* ; de *caillebotte,* par anal. avec les claies sur lesquelles on fabrique les caillebottes.

♦ **1.** Mar. Treillis recouvrant l'ouverture d'une écoutille*. — Treillis amovible servant de plancher.
1 Ils viennent d'apercevoir le bateau. Leur vieux bateau. Il a besoin d'être écopé, l'eau affleure le caillebotis. Mais le fond a été repassé au coaltar, le bordé repeint, les tolets graissés. Hervé BAZIN, Cri de la chouette, p. 159.

♦ **2.** (1916). Par ext. Panneau de lattes servant de passage (dans les tranchées ; puis dans un chemin boueux, sur un sol meuble).
2 (...) un de ces chemins de lattes que l'on appelait des caillebotis.
G. DUHAMEL, la Pesée des âmes, VIII, p. 187.
3 La fonte des neiges et la pluie délayaient si bien la terre des rues non pavées qu'un peu partout avaient été posés des planches et des caillebotis permettant le passage (...) Pierre GASCAR, le Temps des morts, p. 213.

CAILLEBOTTE [kajbɔt] n. f. — 1546, Rabelais ; de *caillebotter.*

♦ Masse de lait caillé. ⇒ **Caillé, 2.**
DÉR. Caillebotis.

CAILLEBOTTER [kajbɔte] v. tr. — Déb. XIVe ; de *caille(r),* et *botter* «mettre en caillé, s'agglomérer».

♦ Vx. Réduire en caillots (du lait). ⇒ **Cailler, coaguler.**

▶ **SE CAILLEBOTTER** v. pron.
Se prendre en caillots. *Le lait se caillebotte.* ⇒ **Prendre** (se).

▶ **CAILLEBOTTÉ, ÉE** p. p. et adj. Chim. *Précipité caillebotté,* formé de caillots blanchâtres.
DÉR. Caillebotte.

CAILLE-LAIT [kajlɛ] n. m. invar. — 1701, Furetière ; du rad. de *cailler,* et de *lait.*

♦ Bot. (rare). Gaillet*, plante à laquelle on attribue la propriété de cailler le lait. *Des caille-lait.*

CAILLEMENT [kajmã] n. m. — 1478 ; de *cailler.*
Rare.

♦ **1.** Fait de cailler le lait (⇒ **Caillage**) ou le sang.

♦ **2.** État de ce qui est caillé.

CAILLER [kaje] v. — Déb. XIIe, *coaillier* ; du lat. *coagulare.* → Coaguler.

♦ **1.** V. tr. Faire prendre en caillots*. ⇒ **Coaguler, figer.** *La présure* caille le lait*. Lait caillé.* ⇒ **Caillé** (2.), **caillebotte.**
Fig. (par métaphore) :
0.1 Dans le vaste ciel boueux des forces dorment. Le temps lentement les approche du réveil. Déjà elles sont tièdes (...). Il regarda le ciel lourd et tiède où la brume était peu à peu caillée en gros nuages.
J. GIONO, le Chant du monde, p. 199 et 203.

♦ **2.** V. pron. SE CAILLER. *Le lait se caille. Le sang se caille.*
1 On craint le lait trié ou caillé : c'est une folie, puisqu'on sait que le lait se caille toujours dans l'estomac. ROUSSEAU, Émile, I, p. 36.
Par ellipse de *se. Faire cailler le lait* (→ aussi 3.).
Par métaphore. Se figer, s'immobiliser.
2 Et puis la saignée s'arrêta, le temps se cailla de nouveau (...)
SARTRE, la Mort dans l'âme, p. 137.

♦ **3.** Intrans. *Le lait a rapidement caillé. Faire cailler le lait* (→ aussi 2., par ellipse de *se*).
Par anal. (pop.). Être figé par le froid. *Je caille. On va cailler.* — Emploi impers. Faire froid. *Ça caille ici.* — Emploi trans. (par euphém.). *On se les caille.*
3 (...) peut-être novembre, octobre, je me rappelle qu'il avait plu des cordes. Un temps, on se serait cru à la fin de l'hiver. Je me souviens de ça parce que j'avais mis mon trench-coat. (...) je le revois, il portait une chemise rouge, le col ouvert sur un tricot et toujours son pantalon de velours. Ce jour-là, hein, ça caillait.
François NOURISSIER, le Maître de maison, p. 230.
Se cailler le sang, le raisin, le mou : se faire du souci.
4 Sosthène lui il était fixé. Il *se caillait* plus *le mou.* Il voulait plus se remuer pour rien. Il attendait l'accomplissement de la prophétie, que les bourriques viennent nous cueillir. CÉLINE, le Pont de Londres, p. 365.
DÉR. Caillage, caillement.
COMP. Caillebotter, caille-lait.
HOM. Cahier.

CAILLETAGE [kajtaʒ] n. m. — 1758 ; de *cailleter.*

♦ Vx. Bavardage de caillette (2.). ⇒ **Babillage, bavardage.** *Un cailletage frivole.*
La vie uniforme et simple des religieuses, leur petit cailletage de parloir (...)
ROUSSEAU, les Confessions, II.
CONTR. Discrétion, mutisme, silence.

CAILLETEAU [kajto] n. m. — 1372 ; de 1. *caille.*

♦ Rare. Petit de la caille*. — REM. On rencontre parfois la forme *caillet* [kajɛ].

CAILLETER [kajte] v. intr. — Conjug. *jeter.* — 1766, Rousseau ; de 2. *caillette.*

♦ Vx. Bavarder comme une caillette (2.). ⇒ **Babiller, bavarder.**
CONTR. Taire (se).
DÉR. Cailletage.

1. CAILLETTE [kɑjɛt] n. f. — 1393 ; dimin. d'un anc. franç. *cail « présure », du lat. coagulum. → Cailler.

♦ Quatrième compartiment de l'estomac* des ruminants, où se trouve la présure (⇒ **Abomasum**). La caillette joue le rôle essentiel dans la digestion des jeunes ruminants à l'allaitement.

HOM. 2. Caillette, 3. caillette.

2. CAILLETTE [kɑjɛt] n. f. — Av. 1544 ; du nom d'un bouffon de Louis XII et de François Ier ; masc. jusqu'au xviie, p.-ê. influencé par 1. caille.

♦ Vieilli ou hist. Femme frivole et bavarde. Babillage, bavardage de caillette. ⇒ **Cailletage**.

0.1   Quand le dix-huitième siècle, ses conventions, ses exemples, le bon goût, le bon ton du monde, les leçons de la vie, ont renouvelé complètement l'éducation et presque la nature de la femme, quand ils l'ont dépouillée de tout naturel, de toute timidité, de toute simplicité, la femme devient ce type des mœurs sociales : la caillette.   Ed. et J. DE GONCOURT, la Femme au XVIIIe siècle, t. II, p. 131.

1   Un attachement de douze ans n'avait plus besoin de paroles ; nous nous connaissions trop pour avoir plus rien à nous apprendre. Restait la ressource des caillettes, médire, et dire des quolibets.   ROUSSEAU, les Confessions, IX.

2   Me voici tombant en pleine réunion de caillettes ; elles étaient dix, et Boylesve seul homme, au milieu.   GIDE, Journal, 19 avr. 1917.

DÉR. Cailleter.
HOM. 1. Caillette, 3. caillette.

3. CAILLETTE [kɑjɛt] n. f. — 1838 ; de 1. caille, par anal. de couleur.

♦ Régional. Pétrel* de petite taille.

HOM. 1. Caillette, 2. caillette.

CAILLOT [kɑjo] n. m. — 1560 ; dimin. d'un anc. franç. *cail. → 1. Caillette.

♦ **1.** Petite masse de liquide caillé, coagulé. ⇒ **Grumeau**. Un caillot de lait.

♦ **2.** Cour. Petite masse de sang coagulé. Caillot de sang formé par la fibrine retenant les globules rouges. ⇒ **Cruor**. Un caillot se formant lors d'une artérite (→ Artérite, cit.) peut causer une embolie*. ⇒ **Thrombose**.

1   Il bave ; et, du coin de ses lèvres qu'il ne peut presque plus entr'ouvrir, il rejette un caillot de sang, compact comme la pulpe d'un fruit.   MARTIN DU GARD, les Thibault, t. VIII, p. 155.

1.1   Avec une épine de la tige il se fit une entaille longitudinale sur la face inférieure du poignet gauche, ouvrant ainsi une veine saillante et gonflée d'où il retira, pour le déposer sur sa couche, un caillot de sang verdâtre entièrement solidifié.   Raymond ROUSSEL, Impressions d'Afrique, p. 180.

Par métaphore :

2   Quelque chose se formait dans sa gorge, qui l'étouffait à demi : elle aurait voulu éclater en sanglots, se rouler à terre, vomir ce caillot d'angoisse qui la paralysait.   Edmond JALOUX, les Visiteurs, XXX, p. 233.

CAILLOU [kɑju] n. m. — V. 1275, caillou, forme normanno-picarde ; chaillou, forme francienne, fin xiie ; du moy. franç. chail, p.-ê. du gaulois *caljávo « caillouteux », de *caljo- « pierre », rad. *cal- ; P. Guiraud évoque l'adj. *calleus, de callum « durillon », ainsi qu'un dér. de calculus, d'où cail, caillou.

♦ **1.** Fragment de pierre, de roche, de petite ou moyenne dimension (du centimètre à quelques décimètres). ⇒ **Gravier, pierre**. Caillou dur, friable. Cailloux arrondis. ⇒ **Galet**. Cailloux d'ornementation. ⇒ **Rocaille**. Gros caillou. ⇒ **Bloc**. Casser des cailloux, pour l'entretien des routes. — Loc. fam. Être condamné à casser des cailloux : être condamné aux travaux forcés. — Chemin plein de cailloux. ⇒ **Rocailleux**. Cailloux pour l'empierrement* d'une route, pour le ballast d'une voie ferrée. ⇒ **Caillasse, cailloutis, rudération**. Concasser des pierres pour produire le caillou (⇒ **Concasseur**). Tas de cailloux. Écraser les cailloux au cylindre compresseur. Maçonnerie en cailloux. Caillou qui servait de projectile. ⇒ **Jalet**.

1   Prends ton pic, et me romps ce caillou qui te nuit.   LA FONTAINE, Fables, VI, 18.

2   Une grêle de cailloux, lancés contre la fenêtre et la porte qui donnaient sur cette galerie (...)   ROUSSEAU, les Confessions, XII.

3   La vie est un caillou que le sage ramasse
Pour lapider le ciel.   HUGO, les Contemplations, « Au bord de l'infini », VI.

3.1   Et si le sol dur d'une route est souvent joyeusement senti par le voyageur dont les pieds ont ainsi leur part des sensations de fatigue saine, de vie rude et naturelle que la maçonnerie lui fait vivement goûter, de même Jean retrouve avec exaltation, à sentir sous ses bottines le délicat glissement des innombrables cailloux de l'allée si unis, si rapprochés qu'ils bougent sous ses pas, ce plaisir plus raffiné et moins aigu qu'il éprouve depuis qu'il est dans ce jardin vide d'habitants (...)   PROUST, Jean Santeuil, Pl., p. 323.

4   (...) il se sentait captif, condamné à la passivité, entraîné par l'événement mondial, solidaire de sa patrie, de sa classe : aussi impuissant qu'un caillou pris dans la masse glissante d'un tombereau qu'on décharge.   MARTIN DU GARD, les Thibault, t. VII, p. 260.

Au sing., avec une valeur collective :

4.1   Le caillou sonne et luit sous mes talons poudreux (...)   VERHAEREN, Un matin, « les Forces tumultueuses ».

(V. 1780). Géol. Cailloux éclatés : silex anguleux. Caillou impressionné : galet calcaire qui a conservé l'empreinte d'un contact avec un galet siliceux. Caillou gélivé, éclaté par le gel. — Plus cour. Caillou roulé : galet de forme arrondie, usé par l'action des eaux. Cailloux polis, striés, entraînés par les glaciers. — Fam. Du caillou : de la roche. ⇒ **Caillasse**.

Mar. (fam.). Rocher, petite île, en général mal signalés.

4.2   Il me semble que, depuis, je n'ai pas arrêté. Surtout cet été-là dans l'île. Que faire d'autre quand on est assise sur un caillou au milieu de la mer, en attendant une lettre qui ne vient pas ?   Geneviève DORMANN, le Bateau du courrier, p. 23.

Par compar., fam. Avoir un cœur de caillou, le cœur dur comme un caillou, insensible. ⇒ **Pierre**.

♦ **2.** (1723). Fragment de cristal de roche, de quartz hyalin, ou pierre ayant l'apparence du cristal, employé en joaillerie. Caillou de Médoc, du Rhin. Caillou d'Égypte : jaspe au veinage ramifié, très décoratif.

Fam. Pierre précieuse, diamant.

♦ **3.** Pierre très dure qui fait feu sous l'acier. ⇒ **Silex**.

5   Des veines d'un caillou, qu'il frappe au même instant,
Il fait jaillir un feu qui pétille en sortant.   BOILEAU, le Lutrin, III.

♦ **4.** Par métaphore (littér.). ⇒ **Épreuve, difficulté, obstacle, souci**. ⇒ **Pierre, roc**. Le chemin de la vie présente bien des cailloux.

6   Je suis tout étonnée de ne plus trouver sur mon cœur, ni le jour, ni la nuit, ce caillou que vous aviez mis par l'inquiétude de votre accouchement.   Mme DE SÉVIGNÉ, 224, 2 déc. 1671.

♦ **5.** (1866). Fam. ⇒ **Figure, tête**. Avoir un caillou à caler les roues d'un corbillard : avoir une sale tête ; une tête d'enterrement. Se sucer le caillou : s'embrasser. — Avoir le caillou déplumé ; n'avoir plus de mousse sur le caillou, ne plus avoir un poil sur le caillou : avoir le crâne chauve.

7   Pendant le premier mois, Nana s'amusa joliment de son vieux (...). Plus de mousse sur le caillou, quatre cheveux frisant à plat dans le cou, si bien qu'elle était toujours tentée de lui demander l'adresse du merlan qui lui faisait la raie.   ZOLA, l'Assommoir, t. II, p. 177.

Tête (comme siège de l'intelligence). Ne rien avoir dans le caillou. — (Comme organe représentatif du caractère). Vieilli. Un dur caillou : une forte tête.

8   C'est là, dit-il, qu'on a fusillé le soldat du 204, ce matin (...). Il avait voulu couper aux tranchées (...). C'était pas un bandit ; c'était pas un de ces durs caillous comme tu en vois.   H. BARBUSSE, le Feu, t. I, p. 56.

DÉR. (Du rad.). Caillasse, cailloutage, caillouter, caillouteux, cailloutis.

CAILLOUTAGE [kajutaʒ] n. m. — 1694 ; caillotage, av. 1638 ; de caillou (le mot est antérieur à caillouter).

♦ **1.** Action de caillouter. Le cailloutage préserve les routes. Procéder au cailloutage d'un chemin.

♦ **2.** Ensemble des cailloux qui couvrent un chemin ; revêtement de cailloux. ⇒ **Pavage**. Chemin de cailloutage (Académie). Le cailloutage vient d'être refait.

♦ **3.** Techn. (maçonn.). Béton fait de cailloux noyés dans de la chaux hydraulique. Le cailloutage d'un mur.

Ces murs sont ainsi composés : un lit de grosses pierres, une maçonnerie mêlée, une couche de cailloutage.   CHATEAUBRIAND, Itinéraire..., II, 306.

♦ **4.** (Av. 1844). Céram. Faïence fine faite avec une poudre de quartz ou de silex ; poterie faite avec cette matière. Syn. : terre (III., 2.) anglaise.

CAILLOUTER [kajute] v. tr. — 1769, Turgot ; de caillou, avec t de liaison.

♦ **1.** Garnir, revêtir de cailloux. ⇒ **Empierrer**. Caillouter une route, une voie ferrée.

♦ **2.** Céram. Mêler de silex pulvérisé.

▶ **CAILLOUTÉ, ÉE** p. p. adj.

♦ **1.** Revêtu de cailloux ; empierré. Route cailloutée.

Après le dîner, la princesse se tenait dans une petite galerie aux pilastres plaqués de morceaux de glace, feuillagés d'acanthe, aux portes bleues à filets dorés, au petit pavé caillouté de violet et de jaune (...)   Ed. et J. DE GONCOURT, Madame Gervaisais, p. 89.

(Correspond au sens 2 de l'actif). Pâte cailloutée.

♦ **2.** N. m. (Un caillouté). Ornementation en cailloux de diverses couleurs dans les jardins. — Faïence fine. ⇒ **Cailloutage, 4**.

♦ **3.** Par anal. Tacheté de clair et de sombre, en parlant d'un oiseau, de son plumage.

CAILLOUTEUX, EUSE [kajutφ, φz] adj. — 1829 ; cailloteux, fin xvie ; de caillou.

♦ **1.** Où il y a beaucoup de cailloux. Chemin caillouteux. ⇒ **Pierreux**. Terres caillouteuses.

1   Cette vallée (du Chéliff), ou plutôt cette plaine inégale et caillouteuse, coupée de

monticules, et ravinée par le Chéliff, est à coup sûr un des pays les plus surprenants qu'on puisse voir.   E. FROMENTIN, Un été dans le Sahara, p. 39.

2   On avait beau marcher dans toutes les rues, et même au-delà, à travers la campagne caillouteuse que la pluie fertilisait, nulle part on ne rencontrait la véritable solitude (...)   J.-M. G. LE CLÉZIO, le Déluge, p. 44.

♦ **2.** Fig. Heurté, qui n'est pas harmonieux. *Une prose caillouteuse.*

CAILLOUTIS [kajuti] n. m. — 1700; de *caillou.*

♦ Amas ou ouvrage de petits cailloux concassés. *Recouvrir une route de cailloutis.* ⇒ **Empierrement.**

Géol. *Cailloutis glaciaire :* cailloux, graviers et sables charriés par un glacier.

1. CAÏMAN [kaimɑ̃] n. m. — 1588; *caymane,* 1584; esp. *caiman;* mot probablt caraïbe.

♦ **1.** Reptile crocodilien, de taille modeste, dont la tête est plus courte que celle du crocodile. *Les caïmans vivent en troupes dans les fleuves et les marais d'Amérique. Caïman noir de l'Amazone* (le plus grand caïman).

1   Il étouffait sous ces feuillages interminables *(de la Guyane hollandaise).* Puis lorsqu'il se dégageait enfin (...) l'homme se trouvait en face de larges rivières qui lui barraient la route; il descendait, surveillant les échines grises des caïmans, fouillant les herbes charriées, passant à la nage, quand il avait trouvé des eaux plus rassurantes.   ZOLA, le Ventre de Paris, t. I, p. 139.

2   C'est la peau du ventre et des flancs des Caïmans qui est ordinairement vendue dans le commerce sous le nom de *peau de crocodile* et est employée dans la maroquinerie.   P. POIRÉ, Dict. des sciences, art. *Caïman.*

REM. *Caïman* est le nom usuel de plusieurs animaux du genre *alligator (Alligatorius)* vivant en Amérique tropicale; mais le mot, considéré comme suggestif, est souvent employé erronément pour désigner d'autres crocodiliens. → *Crocodile.* Cet emploi est usuel et normal en franç. d'Afrique, notamment pour désigner le crocodile à museau large (I. F. A.).

3   Mais la faune, plus que la flore encore, fait l'intérêt constant du paysage. Par instants, les bancs de sable sont tout fleuris d'échassiers, de sarcelles, de canards, d'un tas d'oiseaux si charmants, si divers que l'œil ne peut quitter les rives, où parfois un grand *caïman,* à notre passage, se réveille à demi pour se laisser choir dans l'azur.   GIDE, Voyage au Congo, *in* Souvenirs, Pl., p. 822.

♦ **2.** Fig. «*Ce vieux caïman de Grandet*» (Balzac, *in* T. L. F.). ⇒ **Crocodile.**

2. CAÏMAN [kaimɑ̃] n. m. — 1880; probablt de 1. *caïman,* «animal féroce, dangereux, etc.».

♦ Argot. Préparateur ou directeur d'études (agrégé répétiteur) à l'École normale supérieure.

CAÏQUE [kaik] n. m. — Av. 1752; *caique,* fém., 1619; *caïq,* masc., 1579; turc *qâyīq,* p.-ê. par l'ital. *caicco.*

♦ Embarcation légère, à voiles ou à rames, étroite et pointue à l'avant et à l'arrière, en usage dans la mer Égée.

1   Le caïque est une barque de quinze à vingt pieds de long sur trois de large, taillée comme un patin, se terminant à chaque extrémité de manière à pouvoir marcher dans les deux sens (...)   Th. GAUTIER, Constantinople, p. 207.

2   Ces caïques, il y en a de toutes sortes, depuis les très grands à éperon d'or (...) jusqu'aux tout petits, pareils à un arc, à un croissant de lune posé sur la mer (...)   LOTI, Suprêmes visions d'Orient, p. 25.

CAIRN [kɛʀn] n. m. — 1825, *in* Höfler; *carn,* 1797; irlandais *cairn* «tas de pierres», rac. celtique *kar* «dur».

Didactique.

♦ **1.** Monticule ou tumulus celte, fait de terre ou de pierres.

1   Les highlanders vous disent en signe d'amitié : «J'ajouterai une pierre à votre *cairn* (monument funèbre)»... La pierre, entourée de quatre autres plus petites et d'une espèce d'enclos garde le nom de *cairn na huseoig,* le cairn de l'hirondelle.   MICHELET, Hist. de France, p. 200, t. I, 1833.

♦ **2.** (1860). Pyramide élevée par des alpinistes, des explorateurs, comme point de repère ou marque de leur passage. ⇒ **Champignon, steinmann.**

2   Les vivres et le bateau (...) furent débarqués, tandis qu'une escouade visitait l'île de Washington Irving, à la recherche d'un emplacement pour y élever un *cairn* ou signal en pierre, et d'une hauteur d'où l'on pût examiner au loin les glaces et la mer.   G. S. NARES, Récit d'un voyage à la mer polaire, *in* le Tour du monde, 1875, t. II, p. 170.

Par métaphore :

3   Ma joie ne demeurera que si elle est la joie de tous. Je ne veux pas traverser les batailles une rose à la main.
J'ai dressé ce cairn à la fin de mon apprentissage panique, au moment où j'arrivais sur le premier sommet. Il marquera la route parcourue.   J. GIONO, les Vraies Richesses, p. 26.

CAIROTE [kɛʀɔt] adj. et n. m. — 1889; de *Le Caire.*

♦ Du Caire (capitale de l'Égypte).

A la même heure, l'alerte est donnée à Alexandrie. Néguib, entouré des Officiers libres, prend le téléphone : le ministre de l'Intérieur l'appelle d'Alexandrie. Des

journalistes cairotes et étrangers viennent aux nouvelles. Dans un coin de bureau, Amer rédige l'appel annonçant la prise du pouvoir.   Jean ZIEGLER, Main basse sur l'Afrique, p. 128.

CAISSE [kɛs] n. f. — 1553; *quesse,* mil. XIVe; *quecce,* 1365; anc. provençal *caissa,* lat. *capsa* «coffre». → **Châsse.**

★ **I.** ♦ **1.** Grande boîte faite de planches assemblées ou coffre (de bois, de métal) utilisé pour l'emballage, le transport des marchandises. ⇒ **Caissette, coffre, colis.** *Fabrique de caisses, d'emballages.* ⇒ **Caisserie.** *Ouvrier qui fabrique les caisses.* ⇒ **Layetier.** *Le fond, les parois d'une caisse. Planches de tête et côtés d'une caisse. Compartiments d'une caisse. Couvercle de caisse cloué, à charnières. Caisse cerclée, renforcée. Caisse à claire-voie.* ⇒ **Harasse.** *Des caisses et des cageots*. Caisse pleine, dont les planches sont assemblées. Clouer une caisse. Charger, arrimer des caisses sur un camion. Expédier une caisse.* ⇒ **Expédition.** *Déballer, désemballer le contenu d'une caisse. Caisse à produits pharmaceutiques* (→ Ballotter, cit. 8). *Caisse de livres, de vaisselle. Caisse de raisins, d'oranges. Caisse capitonnée pour le transport du mobilier.* ⇒ **Cadre.**

1   On entend (...) le roulis des caisses et des meubles qui se heurtent dans les flancs du brick.   LAMARTINE, Voyage en Orient, Départ de Jaffa.

2   A chaque nouveau colis, la foule frémissait. On se nommait les objets à haute voix. «Ça, c'est la trente-abri... Ça, ce sont les conserves... la pharmacie... les caisses d'armes... »   Alphonse DAUDET, Tartarin de Tarascon, XIII.

2.1   Tous revinrent auprès de la caisse qui mesurait cinq pieds de long sur trois de large. Elle était en bois de chêne, très soigneusement fermée, et recouverte d'une peau épaisse que maintenaient des clous de cuivre.   J. VERNE, l'Île mystérieuse, t. I, p. 316.

Loc. (fig. et fam.). **CAISSE À SAVON.** **ⓐ** Voiture d'enfant faite de matériaux de récupération (caisse d'emballage munie de roues, etc.). — Par ext. Mauvaise voiture, guimbarde.

ⓑ Meuble bon marché, en bois blanc grossièrement assemblé.

♦ **2.** **ⓐ** Grande boîte, coffre destiné à des usages divers. *Caisse à clous, à outils. Caisse à liqueurs.* ⇒ **Cave.** — *Caisse à fleurs,* contenant la terre où poussent des plantes (⇒ **Encaissage; bâche, germoir**), des arbustes. *Caisse à fleurs, sur un balcon.* ⇒ **Balconnière, jardinière.** *Cultiver des orangers en caisse.*

3   Il y a un bois entier d'orangers dans de grandes caisses.   Mme DE SÉVIGNÉ, 202, *in* LITTRÉ.

Caisse roulante (pour les matériaux). ⇒ **Banne, benne, caisson.**

ⓑ Régional (Belgique). *Caisse de cigares, à cigares :* boîte de cigares, à cigares.

3.1   Fred jouait au maître, faisait circuler le pot à tabac et les caisses de cigares.   G. SIMENON, la Maison du canal, I.

3.2   Il y avait une caisse de havanes sur la cheminée, mais le commissaire préféra bourrer sa pipe.   G. SIMENON, l'Écluse nº 1, V.

♦ **3.** Techn. Dispositif rigide (de protection, etc.). — (1906). Autom. *Caisse (de voiture) :* carcasse de la carrosserie; la carrosserie, par oppos. au châssis. *L'auto elle-même.* ⇒ **Bagnole, chignole, tire.** — Fam. *C'est de la caisse :* c'est de la bonne voiture. — Argot. *Aller à fond la caisse :* rouler très vite (auto, moto).

(1820). *Caisse de piano, d'orgue* (⇒ **Buffet**), la boîte renfermant le mécanisme. *Caisse d'horlogerie,* renfermant le mouvement d'une horloge, d'une pendule. — *Caisse d'une poulie,* qui enveloppe le rouet.

Cuis. Petit papier plié, avec rebords, dans lequel on fait cuire certains mets délicats. ⇒ **Papillote.**

(1831). Mar. *Caisse à eau,* contenant l'eau douce d'un navire. ⇒ **Réservoir.** *Caisse d'assiette :* cale à eau permettant de modifier l'assiette d'un navire, d'un sous-marin. *Caisse de mât :* partie quadrangulaire formant le pied de certains mâts.

♦ **4.** (1832). Anat. *Caisse du tympan :* cavité du fond de l'oreille, située en arrière du tympan, où sont logés les trois osselets de l'oreille (marteau*, enclume*, étrier*).

♦ **5.** Phys. *Caisse catoptrique :* instrument d'optique grossissant de petits corps très rapprochés.

★ **II.** ♦ **1.** (1636). Coffre dans lequel on dépose l'argent, les valeurs. ⇒ **Bourse, cagnotte, coffre** (coffre-fort), **tirelire.** *La caisse d'un magasin. Tiroir-caisse. Caisse-comptable* (de contrôle, enregistreuse, payeuse, totalisatrice) effectuant mécaniquement les calculs. — Par ext. *Avoir telle somme en caisse, dans sa caisse. Sortir, tirer des fonds de sa caisse* ⇒ **Débourser.** — *Caisse forcée par des voleurs. Partir avec la caisse :* disparaître après avoir volé les fonds d'une entreprise. — Par ext. *Les caisses de l'État :* le Trésor public.

4   Il avait fait entrer dans les mêmes caisses publiques plus de trésors qu'aucun des autres aventuriers.   G.-T. RAYNAL, Hist. philosophique..., VII, 3.

Lieu où s'effectuent les paiements, dans un magasin, un commerce. *Les caisses d'un grand magasin, d'un supermarché.*

♦ **2.** Bureau, guichet (d'une banque, d'une entreprise...) où se font les paiements, les versements. *Employé préposé à la caisse.* ⇒ **Cais-**

sier. *Aller, passer à la caisse :* recevoir sa paie ; être congédié ou licencié ; recevoir le solde de son compte.

4.1 Bourdoncle se chargeait des exécutions. Il avait de ses lèvres minces, un terrible : « Passez à la caisse ! » qui tombait comme un coup de hache. Tout lui devenait prétexte pour déblayer le plancher (...) — Vous avez une sale figure, vous ! finit-il par dire un jour à un pauvre diable dont le nez de travers l'agaçait. Passez à la caisse !
ZOLA, Au bonheur des dames, t. I, p. 185.

Caisse !, se dit pour réclamer le compte d'un client à la personne qui tient la caisse.

4.2 Base, vernis. Là. Terminé ? Caisse, s'il vous plaît. Combien pour Mme Pontet-Massène ?
Pierre DANINOS, Un certain monsieur Blot, p. 213.

Pop. *Voyez caisse !,* exclamation ironique à l'adresse d'une personne qui « encaisse » des coups.

♦ **3.** (1690). Les fonds qui sont en caisse. ⇒ **Encaisse, fonds.** *La caisse d'un banquier, d'un négociant, d'une administration. Caisse d'un corps de troupe.* ⇒ **Masse.** *Tenir la caisse. Avoir une caisse de plusieurs millions. Faire l'état de sa caisse. Faire sa caisse. Situation d'une caisse livrant d'avance des valeurs.* ⇒ **Découvert.** — *Bordereau de caisse. Bon de caisse. Livre de caisse :* registre où sont inscrits les mouvements de fonds. — (1822). **CAISSE NOIRE :** fonds clandestins, dont l'utilisation est plus ou moins secrète.

♦ **4.** (1673). Établissement où l'on dépose des fonds pour les faire valoir ou les administrer. *Caisse d'amortissement,* de la dette publique. *Caisse des dépôts et consignations,* qui reçoit les dépôts judiciaires, les cautionnements... *Caisse d'épargne,* pour encourager l'épargne et faire fructifier les petits capitaux. *Caisses de crédit, de prévoyance, de retraite... Caisse d'escompte. Caisse de compensation*. Caisses d'allocations familiales, de la Sécurité sociale.*

5 Que le comité consente à ne plus barioler nos assignats à la façon de cette caisse d'escompte, qui n'a mis de bon sens à rien, pas même à sa cupidité.
MIRABEAU, Collection, t. IV, p. 233.

6 Le ménage a déteint sur elle. L'ombre de la caisse d'épargne est sur son front.
Ed. et J. DE GONCOURT, Journal, p. 62.

6.1 Lui est encore là, à l'abri, avec, dans une poche de sa vareuse, un carnet, un gros crayon, et le papier de la caisse des retraites.
Francis PONGE, le Parti pris des choses, p. 20.

★ **III.** (1611). Cylindre, garni d'une membrane sonore (d'un instrument à percussion) ; cet instrument. *Caisse de tambour. Battre* la caisse :* battre du tambour, et, au fig. (1787), faire du battage, de la réclame (→ Caisse est crevée. — **CAISSE CLAIRE :** tambour plat. *Les timbres* (I., 4.) *d'une caisse claire. — Caisse roulante :* tambour allongé des musiques militaires. — **GROSSE CAISSE :** gros tambour tenu ou posé verticalement et qu'on frappe avec une mailloche. ⇒ **Batterie** (→ Orchestre, cit. 6). — Loc. fig. *Battre la grosse caisse* (même sens que *battre la caisse*).

7 La grosse caisse grognait comme un ours en colère, les tambours sonnaient le fêlé, et le fifre, grimpé à des hauteurs impossibles, battait les trilles extravagants (...)
Th. GAUTIER, Constantinople, p. 18.

Les caisses d'une batterie* de jazz (caisse claire, tom médium, tom basse, grosse caisse). *Les caisses et les cymbales.*

Cour. *Caisse de résonance*.*

★ **IV.** ♦ **1.** Argot milit. Salle de police. *Grosse caisse.* ⇒ **Prison.**

♦ **2.** (1880, par anal.). Fam. Estomac ; poitrine. ⇒ **Buffet, coffre.** *Partir, s'en aller de la caisse :* être poitrinaire, tuberculeux.

8 La petite Fanny ne va pas bien (...) Tout le monde le remarque et dans tout le quartier les gens répètent toute la journée : « La petite s'en ira de la caisse, et César partira du ciboulot ».
PAGNOL, Fanny, I, 14.

9 On se demande ce qui va nous emporter à la fin. Lui s'en va de la caisse, moi de la prostate plutôt. Nous nous envions, il m'envie, je l'envie, par moments.
S. BECKETT, Textes pour rien, p. 133.

Loc. fam. *Rouler sa caisse :* rouler les épaules, le buste pour impressionner. ⇒ **Rouler** (les mécaniques...).

♦ **3.** Fam. Tête, crâne. *Bourrer* la caisse (à qqn),* (lui) raconter des histoires.

♦ **4.** Régional (Suisse, Bretagne, etc.). Loc. fam. *Avoir une (sa) caisse, prendre une caisse, ramener (rentrer) sa caisse :* être ivre, s'être enivré. ⇒ **Cuite.**

10 Il était plein comme une outre ; il avait une belle caisse.
W. BIOLLEY, le Grand Coupable, p. 142 (1902).

DÉR. Caisserie, caissette, caissier.
COMP. Décaisser, encaisse, encaissement, encaisser, encaisseur, rencaisser.

CAISSERIE [kɛsʀi] n. f. — 1869 ; de *caisse.*

Technique.

♦ **1.** Industrie de la fabrication des caisses. *Bois utilisé en caisserie.*

♦ **2.** Fabrique d'emballages rigides. *Une caisserie industrielle, artisanale.*

CAISSETTE [kɛsɛt] n. f. — 1569, Ronsard ; repris 1836, Stendhal ; de *caisse.*

♦ Petite caisse (→ Cageot, cit.).

Notre véranda est encombrée de caisses et de colis (...) Quarante-trois caissettes, sacs ou cantines, contenant l'approvisionnement pour la seconde partie de notre voyage, seront expédiés directement à Fort-Archambault (...)
GIDE, Voyage au Congo, in Souvenirs, Pl., p. 696.

Spécialt. Emballage léger (contenant des fruits sélectionnés) ; son contenu. *Acheter une caissette de pêches.*

CAISSIER, IÈRE [kɛsje, jɛʀ ; kesje, jɛʀ] n. — 1611 ; *cassier,* 1585 ; de *caisse.*

♦ **1.** Personne qui tient la caisse dans une administration, un établissement public ou privé. ⇒ **Comptable, trésorier.** *Les caissiers d'une banque, d'une maison de commerce. La caissière d'un cinéma. Elle est caissière dans un grand magasin, dans un supermarché.*

1 Dans l'antiquité, au moyen âge et jusqu'à la fin du XVIIIe siècle, les banquiers étaient avant tout des trafiquants de métaux précieux, des changeurs de monnaies, des transporteurs de capitaux d'une place sur une autre, des caissiers au service de leurs clients (...)
Paul REBOUD, Précis d'économie politique, 6e éd., Dalloz, n° 629.

2 Et il lui montra en dehors de l'enceinte, en face, dans une autre cabine de bois jaune, la caissière, une vieille et énorme femme, qui rangeait des piles de sous et de pièces de cinq francs.
ZOLA, le Ventre de Paris, p. 153.

3 Les personnages dominants y sont sans contredit d'abord le groupe des musiciens (...) puis les Caissières assises en surélévation derrière leurs banques, d'où leurs corsages clairs et obligatoirement gonflés tout entiers émergent, enfin de pitoyables caricatures de maîtres d'hôtel (...)
Francis PONGE, le Parti pris des choses, p. 70-71.

♦ **2.** Haut fonctionnaire au ministère des Finances. *Le caissier général du Trésor.*

CAISSON [kɛsõ] n. m. — 1751 ; « petite caisse », 1636 ; *caixon,* 1418 ; anc. provençal *caisson,* de l'occitan *caissa* « caisse ».

♦ **1.** Chariot de l'armée consistant en une grande caisse montée sur des roues, utilisé pour les transports militaires. *Caissons d'artillerie. Caisson de munitions, de vivres.*

1 Des querelles, des clameurs, dont le bruit se joint aux roulements des tambours, aux jurements des charretiers, au bruit des canons.
Ph. P. SÉGUR., Hist. de Napoléon, IV, 7.

♦ **2.** (1787). Vieilli. Coffre ménagé sous le siège ou à l'arrière d'une voiture.

♦ **3.** Caisse métallique pleine d'air permettant d'effectuer des travaux sous l'eau. ⇒ **Cloche** (à plongeur). *Caisson à air comprimé. Maladie des caissons :* ensemble des troubles liés aux accidents de décompression (⇒ **Barotraumatisme**) dont peuvent être victimes les scaphandriers et les ouvriers des caissons.

♦ **4.** (1832). Mar. Caisse contenant certains objets du bord. *Les caissons d'un canot. Caisson à hamacs.* ⇒ **Bastingage** (1).

1.1 Ces quatre caissons étanches (1 200 litres au total) serviront de réserve pour l'eau potable et pour une partie des provisions. Mais leur raison essentielle sera de pouvoir contribuer à la sécurité du bateau dans le cas où cette partie de la carène tosserait trop longtemps sur un rocher (...)
Bernard MOITESSIER, Cap Horn à la voile, p. 44.

♦ **5.** (1694). Archit. Vide laissé par l'assemblage des solives d'un plafond. — Compartiment creux, orné de moulures, servant à décorer un plafond, une voûte. *Un plafond à caissons. Plafond* (cit. 1) *en caissons. Une haute voûte à caissons dorés* (→ Polyédrique, cit.).

1.2 Alors Besson se retourna vers le trou lumineux qui brillait au fond de l'église, et il laissa monter la peur (...) Le mouvement de roulis balançait les colonnes de marbre, faisait monter et descendre le plafond à caissons.
J.-M. G. LE CLÉZIO, le Déluge, p. 201.

Techn. (ameublement). Partie d'un bureau placée sous la table, de part et d'autre de la place réservée à l'utilisateur, et où peuvent se loger des tiroirs superposés. *Un bureau à caisson.*

♦ **6.** Techn. Enveloppe d'un réacteur nucléaire qui contient le fluide refroidisseur.

♦ **7.** Fam. ⇒ **Tête.** *Se faire sauter le caisson :* se brûler la cervelle, se tirer un coup de revolver dans la tête. ⇒ **Suicider** (se).

2 C'est à se faire sauter le caisson, si l'on ne se sent pas le courage d'être un lâche !
J. VALLÈS, le Bachelier, p. 100.

3 Elle lui a donné trois semaines de plaisir et puis elle l'a quitté — pour le comique de la troupe. Papa était un homme qui prenait l'existence au sérieux. Il a soigneusement astiqué son grand revolver d'ordonnance et il s'est fait sauter le caisson.
J. ANOUILH, Colombe, p. 18.

CAJEPUT [kaʒpyt] n. m. — 1739 ; du malais *kayou* « arbre », et *pouti* « blanc ».

♦ **1.** Bot. Plante dicotylédone (*Myrtacées*) des Indes, scientifiquement appelée *melaleuca leucadendron* et dont on extrait une essence huileuse verte utilisée en pharmacie pour ses propriétés stimulantes.

♦ **2.** Essence de cajeput.

DÉR. Cajeputier.

CAJEPUTIER [kaʒpytje] n. m. — XIXᵉ ; de *cajeput*.

♦ Bot. Cajeput (arbre).

CAJET [kaʒɛ] n. m. ⇒ **Caget.**

CAJOLABLE [kaʒɔlabl] adj. — Mil. XVIIᵉ ; de *cajoler*.

♦ Rare. Qui peut être cajolé.

Mᵐᵉ de Warens se mit à cajoler Grossi, qui pourtant n'était pas trop cajolable.
ROUSSEAU, les Confessions, V.

CAJOLANT, ANTE [kaʒɔlɑ̃, ɑ̃t] adj. — V. 1865, Sainte-Beuve ; de *cajoler*.

♦ Qui cajole. *Voix cajolante.*

(...) cette intonation cajolante, humide et molle s'insinue en vous, cherche à vous atteindre aux endroits les plus secrets, les mieux gardés, c'est un manque de décence, un manque de respect, une tentative de viol (...)
N. SARRAUTE, Martereau, p. 47.

CAJOLER [kaʒɔle] v. — 1551 ; moy. franç. *gayoler* « babiller comme un oiseau », de *gaiole*, forme picarde de *geole* « cage » avec infl. sémantique de *enjôler* « attirer (dans une cage) par des vocalises flatteuses ».

★ **I.** V. intr. (Vx ou régional). ♦ **1.** (1551-1616 ; *cageoller*, 1579). Chanter, crier (en parlant du geai ou de la pie).

0.1   Sur le plateau, par dizaines, les geais cajolent autour des restes de l'ours ; des corbeaux arrivent en croassant, venus d'on ne sait où.
Jean Yves SOUCY, Un dieu chasseur, p. 15 (roman québécois).

♦ **2.** (1637). Échanger de galants propos.

1   (...) Bien que tout le jour il cajole avec toi.   CORNEILLE, la Suivante, II, 8.
2   Tudieu ! comme avec lui votre langue cajole !   MOLIÈRE, l'École des femmes, V, 4.

★ **II.** V. tr. (1596). ♦ **1.** Mod. Traiter (qqn) en l'entourant d'attentions, avoir envers (qqn) des manières, des paroles tendres et caressantes. *Cajoler un enfant.* ⇒ **Amignarder** (vx), **câliner, caresser, choyer, dorloter, mignoter.** — Pron. *Ils se cajolent tendrement.*

3   (...) le plus jeune était le plus gâté et le plus cajolé comme son âge le comportait.
G. SAND, François le Champi, V, p. 55.

♦ **2.** (1596). Vieilli. Chercher à gagner, à séduire par des prévenances, des flatteries, des attentions aimables. ⇒ **Amadouer, courtiser, enjôler, flagorner, flatter.** *Cajoler (qqn) du regard et de la voix.*

4   Voir cajoler sa femme et n'en témoigner rien
     Se pratique aujourd'hui par force gens de bien.
MOLIÈRE, Sganarelle, 17.
5   Cajoler les mères pour obtenir les filles (...)
MOLIÈRE, les Amants magnifiques, I, 2.
6   S'il *(Onuphre)* se trouve bien d'un homme opulent (...) il ne cajole point sa femme, il ne lui fait du moins ni avance ni déclaration (...) Il est encore plus éloigné d'employer pour la flatter et pour la séduire le jargon de la dévotion (...)
LA BRUYÈRE, les Caractères, XIII, 24.
7   À force de cajoler les dames d'Annecy, il s'était mis à la mode parmi elles ; elles l'avaient à leur suite comme un petit sapajou.   ROUSSEAU, les Confessions, IV.
8   (...) il n'y avait sorte de bassesse qu'il *(M. Bagueret)* n'employât pour me cajoler.
ROUSSEAU, les Confessions, V.

Entretenir complaisamment (un sentiment, une pensée).

9   On s'étonnera de voir Mᵐᵉ d'Orgel, si fine, incapable de démêler des fils si gros. Mais à force de cajoler certaines illusions de son cœur, elle en avait fait ses esclaves.   R. RADIGUET, le Bal du comte d'Orgel, p. 134.

CONTR. Brusquer, brutaliser, rudoyer.
DÉR. Cajolable, cajolant, cajolerie, cajoleur.

CAJOLERIE [kaʒɔlʀi] n. f. — 1609, saint François de Sales ; de *cajoler*.

♦ **1.** *(La cajolerie).* Attitude d'une personne qui cajole (II.) ; parole ou manière par laquelle on cajole. ⇒ **Câlinage, câlinerie, caresse, tendresse.** *Faire des cajoleries* ⇒ **Bicherie** (2.).

♦ **2.** *(Une, des cajoleries).*

1   (...) Séduire les personnes innocentes et simples par des cajoleries affectées.
FLÉCHIER, Sermons, II, 57.
2   Rien n'est pareil aux cajoleries dont elle *(la Duchesse de Bourgogne)* sut bientôt ensorceler Mᵐᵉ de Maintenon.   SAINT-SIMON, Mémoires, 41, 255.

Après quelques cajoleries préliminaires, qui me gagnèrent d'autant mieux que je n'en voyais pas le but (...)   ROUSSEAU, les Confessions, I, p. 46. [3]
Fig. Flatterie. *Basses cajoleries. Cajoleries hypocrites.*

CONTR. Bourrade, brusquerie, brutalité, coup.

CAJOLEUR, EUSE [kaʒɔlœʀ, øz] n. et adj. — Av. 1641 ; adj. 1616, *cageoleuse* « qui cajole » ; adj., 1585, *cajolleuse* « bavarde » ; de *cajoler*.

♦ **1.** N. Personne qui cajole, cherche à séduire. ⇒ **Courtisan, enjôleur, flatteur.** *Un cajoleur de petites filles.* — Péj. Personne qui cherche, par la flatterie, à gagner les bonnes grâces (de qqn). ⇒ **Flagorneur.** *Un cajoleur obséquieux.*

(...) voulant être utile et non cajoleur, il ne savait point flatter les gens qu'il n'estimait pas.   ROUSSEAU, les Confessions, XII. [1]

♦ **2.** Adj. Qui cajole. *Une mère cajoleuse. Il n'est pas très cajoleur.* — *Une attitude, une voix cajoleuse. Un sourire cajoleur.* ⇒ **Enjôleur.**

(...) la voix plus cajoleuse que vraiment caressante (...) [2]
GIDE, Journal, 15 avr. 1910.
(...) voix cajoleuse (il savait donner à sa voix les inflexions les plus prenantes). [3]
Jean-Louis CURTIS, le Roseau pensant, p. 323.
Fig. *Une brise cajoleuse,* douce, agréable.

CONTR. Bourru, brusque, brutal, rude.

CAJOU [kaʒu] n. m. — 1765 ; *caju*, 1602 ; mot tupi. → Acajou.

♦ Fruit de l'anacardier (anacarde), appelé aussi *acajou à pommes,* dont l'amande réniforme se mange comme la cacahuète ; cette amande, grillée et salée. *Une boîte de cajous, de noix de cajous des Indes.* — REM. Le mot angl. *cashew* [kaʃu] est parfois employé en français.

CAJUN [kaʒœ̃] n. et adj. — 1885, *cajan* ; notation phonét. par l'angl. [j = dj] du mot *Acadien,* prononcé en Louisiane avec un fort accent sur la deuxième syllabe *[cadien]* et palatalisation du *di* en *dj*.

♦ Descendant des Acadiens, établi en Louisiane. *Les Cajuns de la région de Lafayette.* — Relatif à la communauté francophone de Louisiane. *Le folklore cajun. Les parlers cajuns.*

REM. L'adj. est invar. en genre *(musique québécoise et musique cajun)* et il arrive qu'on fasse le nom invar. en nombre. *«Grelot bayou (nom d'un groupe folk) ces cajun au goût sauvage»* (Actuel, nᵒ 9, déc. 1974, p. 54).

CAKE [kek ; kɛk] n. m. — 1795 ; mot angl., abrév. de *plum-cake* « gâteau aux raisins secs ».

♦ **1.** Gâteau garni de raisins secs et de fruits confits. *Une tranche de cake. Pâte à cake. Un moule à cake.*

(...) il avait pour elle *(sa gouvernante)* plutôt de l'animosité (...) elle retirait les grains de raisin de son cake de quatre heures, sous prétexte que c'était mauvais pour lui, en réalité parce qu'elle en était friande elle-même (...)
MONTHERLANT, Pitié pour les femmes, p. 50 (1936).

♦ **2.** Loc. (1964, in D. D. L.). *En cake,* se dit d'un cosmétique présenté en pâte compacte. *Mascara en cake.*

CAKE-WALK [kɛkwɔk] n. m. — 1895 ; mot anglo-amér. (1879), proprt « marche *(walk)* du gâteau *(cake)* ».

♦ Vx. Danse des Noirs américains, en vogue au début du XXᵉ siècle, en Europe.

(...) suivant des yeux tous les mouvements d'un nègre désossé qui danse un cake-walk. Son smoking est constellé de décorations car Olympio s'est produit devant toutes les Cours. [1]
B. CENDRARS, Moravagine, 1926, in Œ. compl., t. IV, p. 180-181.

Musique sur laquelle le cake-walk se dansait. *Un air de cake-walk. Jouer le cake-walk.*

Parfois, un amateur de nouveautés exécutait un cake-walk, excentricité de fraîche importation et pour laquelle Debussy venait d'écrire une page pittoresque. [2]
G. DUHAMEL, Biographie de mes fantômes, IV, p. 68.

On trouve, chez Queneau, la graphie phonét. *kékouok.*

— À cette époque-là, Léonie et moi on était intimes. On dansait ensemble le kékouok à la Boîte à Dix Sous près de la République. [3]
R. QUENEAU, Pierrot mon ami, 1943, p. 79.

CAL [kal] n. m. — 1314 ; *chaul,* XIIIᵉ ; lat. *callus* « durillon ».

♦ **1.** Épaississement et durcissement de l'épiderme produits par frottement ou pression répétée. ⇒ **Callosité, calus, durillon.** *Avoir la paume des mains, la plante des pieds pleine de cals.*

Le cal des cors est dur et épais comme la corne de lanterne. [1]
Ambroise PARÉ, V, 31, in LITTRÉ.

♦ **2.** (Av. 1628). Méd. Formation osseuse qui soude les deux fragments d'un os fracturé. *Cal normal. Cal difforme, exubérant. Cal douloureux. Formation insuffisante du cal.* ⇒ **Pseudarthrose.**

1.1 «(...) Il est déjà tout rapiécé, regardez.» On voyait en effet sur la radio l'appareillage des clavicules, fracturées à plusieurs reprises, le cal des côtes brisées et ressoudées. Joseph PEYRÉ, Sang et Lumières, 1935, p. 219.

2 Marie-Martine souffrait d'une épaule (...) le docteur a diagnostiqué une fêlure de la clavicule. À Trousseau, on lui a mis des bandes plâtrées et on lui a défendu de faire de la gymnastique. Le cal s'est bien formé.
Jean FERNIOT, Pierrot et Aline, 1973, p. 236.

Le casque* du bec de certains oiseaux est une sorte de cal.

♦ **3.** (1863). Bot. Amas de cellulose qui obstrue les tubes criblés de certaines plantes (vigne).

HOM. 1. **Cale,** 2. **cale,** 3. **cale,** 4. **cale,** 5. **cale,** formes des v. 1. **caler,** 2. **caler.**

CALABRAIS, AISE [kalabʀɛ, ɛz] adj. et n. m. — 1845 ; adj., 1555, *calabrois ;* de *Calabre,* province du Sud de l'Italie.

♦ De Calabre. *Les légendaires bandits calabrais. L'économie calabraise.* — N. *Un Calabrais, une Calabraise :* habitant, habitante de la Calabre, ou personne qui en est originaire.

(...) la chevelure noire (...) la sécheresse calabraise du teint qui faisaient de la cousine Bette une figure de Giotto (...) BALZAC, la Cousine Bette, Pl., t. VI, p. 165.

N. m. (1866). *Le calabrais,* dialecte italien parlé en Calabre.

N. f. (1863, *in* D.D.L. ; *calabrèse,* 1826). Danse italienne.

CALADE [kalad] n. f. — 1690 ; *calate,* 1611, «terrain en pente» ; *calade,* 1564, «cale, quai en pente douce» ; ital. *calata* «pente, descente».

♦ Manège. Terrain en pente sur lequel on fait descendre les chevaux au petit galop pour leur donner de la souplesse.

CALADIUM [kaladjɔm] n. m. — 1816, francisé en *caladion* (vx) ; lat. bot. *caladium* (1750), du malais *kélady.*

♦ Bot. Plante monocotylédone *(Aracées)* herbacée, tubéreuse, à larges feuilles colorées, que l'on fait pousser comme une plante d'ornement. *Le caladium est vénéneux. Caladium exotique.* ⇒ **Colocase.**

1 En entrant dans la serre, il vjt, sous les larges feuilles d'un caladium, près le jet d'eau (...) FLAUBERT, l'Éducation sentimentale, t. I, p. 215, *in* LITTRÉ, Suppl.

2 Beauté du caladium et de sa grande feuille oreillarde, irriguée de rose, de vert, de marron ! COLETTE, Gigi, «Flore et Pomone», p. 143.

1. CALAGE [kalaʒ] n. m. — 1863 ; de 1. *caler.*

♦ Mar. Action de caler (1.), de baisser (les mâts, les vergues, etc.). *Le calage des vergues.*

HOM. 2. **Calage.**

2. CALAGE [kalaʒ] n. m. — 1866 ; de 2. *caler.*

♦ **1.** Action de caler* (2.), de fixer, d'étayer avec une cale ou de monter avec précision (une pièce).

Spécialt (autom.). *Calage de la magnéto :* montage d'un moteur à explosion tel que l'étincelle se produise au moment voulu. — Électr. *Calage des balais.*

♦ **2.** *Calage d'une hélice :* angle que fait la pale de l'hélice d'un avion avec le plan de rotation (cf. Angle d'attaque).

♦ **3.** Action de remettre à zéro, de régler (un capteur, un instrument de mesure). — Météor. *Calage altimétrique :* réglage de la position de l'échelle d'un altimètre (ou baromètre) anéroïde sur la pression effective, à un moment donné et en un lieu déterminé, afin qu'il indique la hauteur d'un aéronef au-dessus du lieu considéré.

♦ **4.** Cour. (De 2. *caler,* 4.). Arrêt brutal d'un moteur, dû à une cause fortuite.

HOM. 1. **Calage.**

CALAISON [kalɛzɔ̃] n. f. — 1730 ; de 1. *caler.*

♦ Mar. Hauteur immergée (d'un navire) suivant le chargement. ⇒ **Tirant** (d'eau).

CALALOU [kalalu] n. m. — 1751, *Encyclopédie ; callaluh,* 1823 ; mot probablt antillais.

♦ Franç. d'Afrique. Plat de farine frite à l'huile (manioc, maïs) et assaisonnée de divers condiments. «*Le calalou se mange avec du poisson, des crevettes, etc.* » (P. Vézinet, *Pages africaines,* II, p. 39, Hatier).

C'étaient des calebasses de couscous, de pâte de maïs (...) des terrines de calalou (...)
O. BHÉLY-QUÉNUM, Un piège sans fin, *in* Pages africaines, II, p. 39.

CALAMAR [kalamaʀ] n. m. — 1606 ; *calemar,* 1552 ; esp. *calamar,* var. de *calmar.* → Calmar.

♦ Calmar.

(...) des poulpes, des seiches et de longs calamars tachetés comme des ocelots (...)
A. PIEYRE DE MANDIARGUES, la Marge, 1967, p. 196.

CALAMBAC [kalɑ̃bak], **CALAMBAR** [kalɑ̃baʀ] n. m. — 1588, *calambac ; calambar,* 1842 ; port. *calambuco,* malais *kalambac.*

♦ Bois d'aloès odorant utilisé en tabletterie. *Coffret en bois de calambac.* — REM. On trouve aussi les formes *calamboc* [kalɑ̃bɔk] et *calambour* [kalɑ̃buʀ].

HOM. (De la var. *calambour*) Calembour.

CALAME [kalam] n. m. — 1540 ; lat. *calamus* «roseau».

♦ Hist. (antiq.). Roseau* dont les Anciens se servaient pour écrire.

(...) il pensait au grand cheikh Ma el Aïnine qui avait été enterré devant la maison en ruine, à Tiznit. On l'avait couché dans la fosse, le visage tourné vers l'Orient ; dans ses mains on avait mis ses seules richesses, son livre saint, son calame, son chapelet d'ébène. J.-M. G. LE CLÉZIO, Désert, 1980, p. 402.

CALAMENT [kalamɑ̃] n. m. — XIIe ; lat. médiéval *calamintha,* grec byzantin *kalaminthê.*

♦ Pharm. Herbe aromatique, scientifiquement appelée *Calamintha (Labiacées). Le calament officinal* (ou *baume sauvage, menthe de montagne) entre dans la fabrication de l'eau de mélisse*.* — Var. : *calaminthe* [kalamɛ̃t] n. f. (1601).

CALAMINAIRE [kalaminɛʀ] adj. — Fin XIVe ; du rad. de *calamine,* ou p.-ê. lat. *calaminaris.*

♦ Minér. Qui contient de la calamine. *Gisement calaminaire.* — *Pierre calaminaire.* ⇒ **Calamine.**

CALAMINE [kalamin] n. f. — 1390 ; *calemine,* fin XIIIe ; bas lat. *calamina,* altér. du lat. *cadmia.* → Cadmie.

♦ **1.** Minér. Silicate hydraté naturel de zinc. Minerai de zinc, formé d'un mélange de carbonate et d'autres composés.

♦ **2.** Techn. Résidu charbonneux de la combustion d'un carburant dans un moteur à explosion. *Ôter la calamine des cylindres.* ⇒ **Décalaminer.**

♦ **3.** (1928). Oxyde qui apparaît à la surface des métaux soumis à une haute température.

En effet la calamine est bien connue pour provoquer des phénomènes d'électrolyse en milieu salin, du fait de sa différence de potentiel par rapport à l'acier. Il est donc préférable d'en débarrasser la coque avant de passer aux travaux de peinture. Bernard MOITESSIER, Cap Horn à la voile, p. 44.

DÉR. et COMP. **Anticalaminant, calaminaire, calaminer** (se), **décalaminer.**

CALAMINER (SE) [kalamine] v. pron. — 1960 ; trans., 1587 ; de *calamine.*

♦ Techn. Se couvrir de calamine* (2.).

▶ **CALAMINÉ, ÉE** p.p. adj. (1927). Encrassé de calamine. *Cylindres calaminés.*

En rentrant à l'usine, il se déchaussa... Ses orteils trouant ses chaussettes apparurent aussi noirs que le métal calaminé.
Pierre HAMP, la Peine des hommes (Moteurs), 1942, p. 129.

CALAMINTHE [kalamɛ̃t] n. f. ⇒ **Calament.**

CALAMISTRER [kalamistʀe] v. tr. — V. 1375 ; du lat. *calamistratus* «frisé», de *calamistrum* «fer à friser».

♦ Friser* les cheveux ou les onduler.

▶ **CALAMISTRÉ, ÉE** p.p. adj.

♦ **1.** *Cheveux calamistrés,* ondulés.

1 Des cheveux noirs, soigneusement calamistrés, se tordaient au long des joues en spirales brillantes un peu alanguies par la pluie (...)
Th. GAUTIER, le Capitaine Fracasse, t. I, p. 39.

♦ **2.** *Cheveux calamistrés,* lustrés, noirs et brillants ; et aussi, pommadés, gominés. — REM. Cette extension constitue un contresens par rapport à l'étymologie.

2 (...) quelque chose d'intraitable et de cadavérique, avec le profil de sa joue décharnée, le cou décharné et nu entouré du mouchoir noué, la chevelure calamistrée et noire de danseur mondain soigneusement ordonnée comme celle de ces défunts sur lesquels on a déjà procédé à la toilette funèbre et que plus rien ne pourra jamais déranger. Claude SIMON, le Palace, 1962, p. 75.

1. CALAMITE [kalamit] n. f. — Av. 1590 ; *calemite*, 1265 ; lat. médiéval *calamita*, du bas lat. *calamites (storax)* « styrax en roseau », du grec *kalamos*, « roseau ».

♦ **1.** Vx. Résine tirée des roseaux.

♦ **2.** Paléont. Plante cryptogame fossile très répandue dans les terrains houillers. *Les calamites ressemblent aux prêles actuelles.*

♦ **3.** Zool. Crapaud* des roseaux.

HOM. 2. **Calamite.**

2. CALAMITE [kalamit] n. f. — 1527, « boussole » ; *calmite*, 1316 ; ital. *calamita*, du grec *kalamos* « roseau ».

♦ **1.** Vx. Pierre d'aimant, que l'on plaçait dans un roseau pour la faire flotter. — Par ext. Boussole.

1 Voyez à la calamite de votre boussole.   RABELAIS, le Quart Livre, 18.
2 Faustroll, l'œil sur la calamite, conclut que nous ne devions plus être très éloignés du nord-est de Paris.
                A. JARRY, Gestes et Opinions du docteur Faustroll, Pl., p. 684.

♦ **2.** (1611). Marne, argile* blanchâtre qui, mise dans la bouche, stimule la sécrétion de la salive.

HOM. 1. **Calamite.**

CALAMITÉ [kalamite] n. f. — 1355 ; lat. class. *calamitas*.

♦ **1.** (1490). Grand malheur public. ⇒ **Catastrophe, désastre, fléau.** *La famine, la guerre, les épidémies sont des calamités pour le genre humain. Les calamités fondent, s'abattent sur ce pays. Une époque remplie de calamités. Anniversaire d'une calamité.* ⇒ **Deuil** (national)... *Les dégâts, les ruines laissées par de grandes calamités.*

1 Les plus grands poètes du monde sont venus après de grandes calamités publiques.
                HUGO, les Orientales, Préface de 1824.
2 Les plus terribles calamités sont près de fondre sur la France.
                FRANCE, le Mannequin d'osier, p. 384.

Dr. *Calamités agricoles :* dommages matériels, non assurables, d'importance nationale, dûs à des variations anormales d'un agent naturel. *Les calamités agricoles sont couvertes par le régime de garantie de 1964.*

♦ **2.** Grande infortune. ⇒ **Désolation, malheur, misère.** *Sa mort est une calamité pour la famille. Subir des calamités sans nombre. Les misères, les calamités de la vieillesse.*

3 Et qu'une femme enfin dans la calamité
   Me fasse des leçons de générosité.   CORNEILLE, Polyeucte, IV, 6.
4 (...) c'est une triste chose, lorsque l'amour, au lieu de faire la félicité de la vie, en devient la calamité (...)   GIDE, les Faux-monnayeurs, III, III, p. 320.

♦ **3.** Fam. Personne ou chose qui est cause d'ennuis constants. ⇒ **Catastrophe.** *C'est une (vraie) calamité, ce type-là ! Encore elle ! Quelle calamité !*

5 Quand ce n'était pas aux plantes, c'était aux enfants que la mère s'intéressait. Il y avait beaucoup d'enfants dans la plaine. C'était une sorte de calamité. Il y en avait partout, perchés sur les arbres, sur les barrières (...)   M. DURAS, Un barrage contre le Pacifique, 1950, p. 115.

CONTR. **Bonheur.** — **Bénédiction, félicité.**
DÉR. **Calamiter.**

CALAMITER [kalamite] v. tr. — xxᵉ ; de *calamité*, d'après *catastropher*.

♦ Fam. Abattre, attrister (qqn) comme une véritable calamité. ⇒ **Catastropher.**

La verdure morte, enterrée dans ces vasques glacées, l'eau courante le long des vitres comme des larmes sur une joue (...) tout cela le calamitait, le catastrophait (...)   René FALLET, le Triporteur, p. 27.

CALAMITEUX, EUSE [kalamitø, øz] adj. et n. — Av. 1544 ; lat. *calamitosus* « désastreux, funeste ».

♦ **1.** Vx ou littér. Qui a le caractère de la calamité ; qui abonde en calamités. ⇒ **Catastrophique, désastreux, funeste.** *Époque calamiteuse.* — (Personnes). *Un homme calamiteux.* ⇒ **Malheureux, pitoyable.**

1 La plus calamiteuse et frêle de toutes les créatures, c'est l'homme (...)
                MONTAIGNE, Essais, II, 158, *in* LITTRÉ.
2 Sire, je demande pardon à votre Majesté de la calamiteuse nouvelle que je lui apporte (...)   HUGO, Notre-Dame de Paris, X, 5, p. 280.

♦ **2.** Littér. (Personnes). Qui entraîne fatalement des calamités ; qui aime à vivre dans une atmosphère de catastrophe. ⇒ **Funeste.**

3 (...) se rappelant la mine effarée de cette demoiselle si moderne, si affranchie, il trouva drôle le petit outrage (...) et il sourit, en l'honneur de la solidarité masculine et du sain mépris masculin pour la race calamiteuse des femmes.
                Jean-Louis CURTIS, le Roseau pensant, 1971, p. 134.

Nom :

Le voyage des Argonautes (...) les crimes dont on accable Médée, la traitant d'empoisonneuse et de calamiteuse (...)   4
                COCTEAU, Journal d'un inconnu, p. 143.

CONTR. **Heureux.** — **Bénéfique, béni.**

CALANCHER ou **CALENCHER** [kalɑ̃ʃe] v. intr. — 1846, *callancher* ; de *caler* « s'arrêter », et suff. argotique *-ancher*.

♦ Fam., vieilli. Mourir. ⇒ **Clamser.** *Il va calancher (calencher).*

Elle s'occupe de tout Arlette, de me défendre par téléphone, par bouquets qu'elle va faire cadeau... Elle retourne le sablier de la Cour au moment où je vais calencher... — Il mourra jamais !   CÉLINE, Féerie pour une autre fois, p. 260.   1
Mais plutôt qu'en leur compagnie, j'aurais préféré (...) calancher assise.   2
                Jeanne CORDELIER, la Passagère, p. 269.

CALANDOS [kalɑ̃dos] n. m. ⇒ **Calendo.**

CALANDRAGE [kalɑ̃dʀaʒ] n. m. — 1771 ; de *calandrer*.

♦ Techn. Opération qui consiste à calandrer (les étoffes, le papier). ⇒ **Satinage.** — Son résultat. *Un bon calandrage.*

1. CALANDRE [kalɑ̃dʀ] n. f. — V. 1236, *kalandre* ; anc. provençal *calandra*, grec *kalandra* « alouette ».

♦ Grande alouette du Sud de l'Europe. *La calandre est granivore.*

DÉR. **Calandrelle.**
HOM. 2. **Calandre,** 3. **calandre,** formes du v. calandrer.

2. CALANDRE [kalɑ̃dʀ] n. f. — 1504 ; var. dial. de *charançon*, d'orig. obscure.

♦ Zool. Insecte coléoptère nuisible *(Curculionidés).* — Syn. : *charançon. La calandre dévaste les greniers à blé.*

HOM. 1. **Calandre,** 3. **calandre,** formes du v. calandrer.

3. CALANDRE [kalɑ̃dʀ] n. f. — 1483 ; anc. franç. **colandre*, bas lat. **colendra*, grec *kulindros* « cylindre », avec changement de genre.

♦ **1.** Techn. ⓐ Machine formée de cylindres, de rouleaux, et qui sert à lisser, à lustrer les étoffes, ou à glacer les papiers.

ⓑ Machine faisant fonctionner les pompes d'épuisement, dans une mine de houille.

♦ **2.** (1948). Cour. Garniture métallique verticale sur le devant du radiateur de certaines automobiles. *Calandre nickelée, chromée.*

Il appuie à fond sur l'accélérateur, déclenche le rapport inférieur qui donne au moteur un regain de puissance, monte dans le virage à cinquante, soixante (...) Il braque à gauche d'un seul coup, heurte de plein fouet la calandre du coupé, dans un bruit de verre brisé — le phare — et un grand hurlement de klaxon.
                Régis DEBRAY, l'Indésirable, 1975, p. 304.

DÉR. **Calandrer.**
HOM. 1. **Calandre,** 2. **calandre,** formes du v. calandrer.

CALANDRELLE [kalɑ̃dʀɛl] n. f. — 1838 ; de 1. *calandre*.

♦ Petite alouette, plus petite que la calandre, à gros bec jaune et à plumage brun.

CALANDRER [kalɑ̃dʀe] v. tr. — 1483 ; p. p., 1400, *calandré* « lustré avec la calandre » ; de 3. *calandre*.

♦ Techn. Faire passer (une étoffe, un papier) à la calandre. ⇒ **Lisser, lustrer, moirer, satiner.** — Au p. p. *Étoffe calandrée.*

DÉR. **Calandrage, calandreur.**

CALANDREUR, EUSE [kalɑ̃dʀœʀ, øz] n. — 1313, *kalandreur* ; de *calandrer*.
Technique.

♦ **1.** Personne qui travaille à la calandre à papier.

♦ **2.** N. m. Cylindre de calandre.

CALANQUE [kalɑ̃k] n. f. — 1690 ; *calangue*, 1678 ; provençal *calanco*, de **cala* « abri de montagne » ou « pente raide », et suff. *-anca* ; ne s'est répandu en franç. cour. qu'au xxᵉ.

♦ Crique* profonde et étroite, entourée de rochers, en Méditerranée. *Se baigner dans une calanque.*

Je n'aime pas le large, répondit René Hautard, on ne s'y reconnaît plus. Il me faut la calanque (...) On mouille où l'on connaît les fonds, la qualité de l'eau, le roc.   H. BOSCO, Un rameau de la nuit, II, p. 84.   1

REM. La graphie *calangue* a concurrencé *calanque* jusqu'au xixᵉ s.

Une de ces cavernes, dans laquelle on pénètre par l'arche surbaissée d'un pont naturel, couvert d'un énorme bloc de granit, donne accès à la mer et s'ouvre   2

ensuite sur une étroite et obscure vallée que la mer remplit tout entière (...) C'est une calangue connue des pêcheurs où, pendant que la vague rugit et écume au dehors (...) les plus petites barques sont à l'abri (...)
Sur les deux flancs de cette vallée marine montent à perte de vue deux murailles de rochers presque à pic (...)
Au fond de la calangue, la mer s'élargit un peu, serpente (...) et finit enfin par une belle nappe d'eau dormante sur un lit de coquillages violets concassés et serrés comme du sable.   LAMARTINE, Voyage en Orient, juil. 1832.

CALAO [kalao] n. m. — 1778 ; mot malais.
Zoologie.

♦ **1.** Oiseau passériforme à long bec recourbé, surmonté d'une excroissance cornée. *Le calao, passereau des forêts chaudes* (Asie, Insulinde, Afrique), *est aussi appelé* bucéros.

♦ **2.** En Afrique, Oiseau à gros bec, de la famille des *Bucérotidés* (I. F. A.). — Syn. : *toucan* (2.), *perroquet gros bec.*

CALASIRIS [kalaziʀis] n. f. — 1838 ; *calasyris*, 1832 ; grec *kalasiris.*

♦ Anciennt. Tunique de lin, au bas bordé d'une frange, que portaient les Égyptiens.
(...) par les quais coulait un fleuve d'êtres humains se dirigeant vers le Nil. La variété la plus étrange bariolait cette multitude. Les Égyptiens formaient la masse et se reconnaissaient à leur profil pur, à leur taille svelte et haute, à leur robe de fin lin, ou à leur calasiris soigneusement plissé (...)
                              Th. GAUTIER, le Roman de la momie, 1858, p. 62.

CALAVÉRITE [kalaveʀit] n. f. — 1890 ; de *Calaveras*, localité de Californie.

♦ Minér. Tellurure naturel d'or ($AuTe_2$) contenant 3 % environ d'argent, trouvé en Californie et en Australie.
L'or a peu d'affinités chimiques ; on le rencontre la plupart du temps à l'état natif, allié à d'autres métaux et surtout à l'argent. Comme autres minéraux d'or, il n'y a que les tellurures et des séléniures, par exemple la calavérite $AuTe_2$ (soit 44,5 % d'or).   Michel CAZIN, les Mines, p. 12.

CALBAR [kalbaʀ] n. m. ⇒ **Calebar.**

CALBOMBE [kalbõb] n. f. — 1902 ; «chandelle», 1878 ; de *caleil* «lampe» avec infl. de *chandelle* pour le genre ; l'élément *-bombe* (*-bonde*) n'est pas identifié.

♦ Argot, vx. Bougie, et, par ext., lampe, ampoule électrique. *Souffler la calbombe :* souffler la bougie, éteindre.
[1] Il me braque dans le portrait le faisceau d'une formidable torche électrique.
— Qui va là ? demande-t-il, suivant la plus pure tradition.
— Baissez votre calbombe, mon vieux, je rétorque, vous allez me causer un décollement de la rétine (...)   SAN-ANTONIO, le Secret de Polichinelle, 1958, p. 77-78.
Var. : *calbombe ; calebonde, calbonde* [kalbõd].
[2] «J'éteins dans trois minutes, rangez vos affaires», dit la matonne *(gardienne)* à travers le judas (...) Il n'y a pas deux minutes qu'on nous a soufflé la calebonde, que des coups frappés à la cloison me ramènent en sursaut aux localités.
                              A. SARRAZIN, la Cavale, 1965, p. 37-39.
Loc. fig. et pop. *Tenir la calbombe :* tenir la chandelle*.

CALC- ⇒ Calci-.

CALCAIRE [kalkɛʀ] adj. et n. m. — 1751, *Encyclopédie ;* du lat. *calcarius*, de *calx* «chaux». → Calci-.

★ **I.** Adj. ♦ **1.** Qui contient du carbonate de calcium ; d'où l'on peut tirer de la chaux. *Pierre, roche calcaire.* ⇒ **Castine, liais.** *Grain calcaire.* ⇒ **Pisolithe.** *Croûte calcaire qui se forme sur une pierre.* ⇒ **Calcin** (2.). *Mesure des sels calcaires d'une eau* ⇒ **Hydrotimétrie.** *Terrain calcaire* (plus de 13 % de carbonate de calcium). *Plateau calcaire.* ⇒ **Causse.** *Relief calcaire.* ⇒ **Karstique.**
[1] Les plâtres sont disposés comme les pierres calcaires, par lits horizontaux.
                              BUFFON, Hist. nat. des minéraux, t. II, p. 57.
[2] *(Pour un)* écrivain qui refuse de croire en un Dieu auteur de l'univers (...) les montagnes sont des *protubérances* de pierres *calcaires* ou *vitrescibles* (...)
                    CHATEAUBRIAND, le Génie du christianisme, III, III, 5.

♦ **2.** Pathol. *Dégénérescence calcaire.* ⇒ **Calcification.**

♦ **3.** Chim. De calcium. *Sels calcaires.*

♦ **4.** Littér. Qui évoque la couleur blanche des roches calcaires.
[3] C'était un délicat et même un charmant Utrillo (...) Cela représentait une rue de banlieue avec, à gauche, une maison d'un blanc calcaire, à droite un bureau de tabac (...)   G. DUHAMEL, Chronique des Pasquier, I, p. 354.

★ **II.** N. m. (1835). Roche composée essentiellement de carbonate de calcium. ⇒ aussi **Calci-.** *Calcaire pur.* ⇒ **Calcite, cipolin, marbre** (blanc) ; **craie.** *Calcaire compact, grossier, siliceux* (⇒ **Meulière**), *argileux. Calcaire lithographique ; calcaire marneux.* ⇒ **Marne.** *Calcaire magnésien, dolomitique,* mêlé de carbonate de magnésium. *Calcaire dissous, en dépôt.* ⇒ **Stalagmite, travertin, tuf.** *Cal-*

caire oolithique. *Calcaires organiques : calcaire corallien, à entroques ; calcaire conchilien, coquillart, coquillier.*
Mélange d'argile et de calcaire dur. ⇒ **Ciment.** *On reconnaît le calcaire à son effervescence au contact d'un acide.*

CALCANÉEN, ENNE [kalkaneɛ̃, ɛn] adj. — 1867 ; du rad. de *calcanéum.*

♦ Anat. Du calcanéum. *L'appui de la tubérosité calcanéenne* (→ Appui, cit. 3).

CALCANÉUM [kalkaneɔm] n. m. — 1541 ; bas lat. *calcaneum* «talon».

♦ Anat. Os du tarse* qui forme le talon*.
Le calcanéum est le plus gros d'entre les autres *(os du pied)*, et sur lequel nous marchons (...)   Ambroise PARÉ, IV, 38, *in* LITTRÉ.
DÉR. Calcanéen.

CALCAR- Élément, d'un mot lat. signifiant «éperon», qui sert à former quelques mots didactiques tels que : *calcarifère* [kalkaʀifɛʀ] adj., muni d'un éperon ; *calcariforme* [kalkaʀifɔʀm] adj., en forme d'éperon.

CALCÉDOINE [kalsedwan] n. f. — Mil. XIIᵉ ; du lat. *chalcedonius*, du grec *khalkêdôn*, ville de Bithynie près de laquelle on extrayait cette pierre.

♦ Minér. et cour. Pierre (silice cristallisée) dont certaines variétés d'une transparence laiteuse, légèrement teintées, sont précieuses. *Calcédoine rouge* (⇒ **Cornaline**), *brune* (⇒ **Sardoine**), *verte* (⇒ **Chrysoprase, plasma**), *bleuâtre. Calcédoine à taches rouges.* ⇒ **Héliotrope, jaspe** (sanguin). *Calcédoine de plusieurs couleurs, à structure rubanée, veinée.* ⇒ **Agate.** *Camée en calcédoine.*
[1] Les calcédoines sont quelquefois ondées ou ponctuées de rouge ou d'orangé, et se rapprochent par là des cornalines et des sardoines.
                    BUFFON, Hist. nat. des minéraux, t. VI, p. 321.
[2] D'autres étaient revenus de l'Inde avec des paons, du poivre et des tissus nouveaux. Quant à ceux qui vont acheter des calcédoines par le chemin des Syrtes et le temple d'Ammon, sans doute ils avaient péri dans les sables.
                    FLAUBERT, Salammbô, Pl., t. I, p. 858.
DÉR. Calcédonieux.

CALCÉDONIEUX, IEUSE [kalsedɔnjø, jøz] adj. — 1892 ; *chalcedoineux*, 1690 ; de *calcédoine.*

♦ Minér. Qui ressemble à la calcédoine. *Rubis calcédonieux,* à taches laiteuses.

CALCÉMIE [kalsemi] n. f. — 1927, *in* D.D.L. ; du lat. *calx, calcis* «chaux», et suff. *-émie.*

♦ Didact. Teneur du sang en calcium. *La calcémie normale est de 0,1 g par litre.*
(...) si on greffe des parathyroïdes à un Chien qui en a été privé, la calcémie monte en quelques heures, sans dépasser le niveau normal, mais si on pratique la greffe sur un Chien normal, la calcémie ne varie pas.   Pierre REY, les Hormones, p. 75.

CALCÉOLAIRE [kalseɔlɛʀ] n. f. — 1803 ; du lat. *calceolus* «petit soulier», par anal. de forme.

♦ Bot. Plante dicotylédone (*Scrofulariacées*), originaire d'Amérique du Sud, cultivée comme ornementale. *Calcéolaire herbacée, calcéolaire ligneuse. La calcéolaire a de belles fleurs en forme de sabot.*

CALCER [kalse] v. tr. — Conjug. *placer.* — 1952, *in* Esnault ; de l'argot esp. *calzarse (a una)* «posséder, avoir une femme», de *calzar* «chausser».

♦ Argot. Posséder sexuellement (une femme). *Elle s'est fait calcer par ce type !*

CALCET [kalsɛ] n. m. — XVIIᵉ ; ital. *calcese*, lat. *carchesium.*

♦ Mar. Pièce de bois placée sur un mât à antenne et percée de trous pour le passage des manœuvres. *Mât de calcet.*

CALCI- Élément de formation de mots savants, tiré du lat. *calx, calcis* «chaux», et signifiant «calcium» ou «calcaire». — Ex. : *calcicole, calcifuge.* ⇒ aussi **Calc-, calcio-, calco-.**

CALCICOLE [kalsikɔl] adj. — 1865 ; de *calci-*, et *-cole.*

♦ Bot. Se dit d'une plante qui croît dans les terrains calcaires. *La betterave est calcicole.* — On dit aussi *calciphile* [kalsifil].

CALCIF [kalsif] n. m. ⇒ **Calecif.**

CALCIFÉROL [kalsifeʀɔl] n. m. — 1932; de *calci-*, *-fer*, et (*ergostér*)*ol*.

♦ Didact. (chim., physiol.). Vitamine D$_2$ antirachitique, que l'on obtient par irradiation de l'ergostérol. *Le calciférol «joue un rôle important dans la fixation du calcium»* (Garnier-Delamare).

CALCIFICATION [kalsifikasjɔ̃] n. f. — 1848; du rad. du lat. *calx, calcis* «chaux», et *-fication*. → Calcifier.

♦ **1.** Physiol. Dépôt de sels calcaires au cours du processus normal de formation des os. ⇒ **Ossification.**

♦ **2.** Pathol. et cour. Infiltration par des sels de calcium de tissus ou organes qui n'en contiennent pas normalement. *La calcification d'une artère. Calcification au niveau d'une valvule cardiaque.*

COMP. **Décalcification, recalcification.**

CALCIFIÉ, ÉE [kalsifje] adj. — 1765, *Encyclopédie;* du rad. du lat. *calx, calcis.*

♦ **1.** Chim. Converti en carbonate de chaux.

♦ **2.** Méd. Qui a subi une calcification. *Artère calcifiée.* — Bot. *Algues calcifiées.*

CALCIFUGE [kalsify3] adj. — 1877; de *calci-*, et *-fuge.*

♦ Bot. Se dit d'une plante qui ne pousse pas dans les terrains calcaires. *Le châtaignier est calcifuge.* — On dit aussi *calciphobe* [kalsifɔb].

CALCIN [kalsɛ̃] n. m. — 1765; déverbal de *calciner.*
Technique.

♦ **1.** Débris de glace, de verre, utilisés pour les émaux.

♦ **2.** (1873). Dépôt calcaire à l'intérieur des chaudières à vapeur. — Dépôt de carbonate de chaux laissé sur les pierres calcaires par l'eau de pluie. *Statue attaquée par le calcin.*

CALCINATION [kalsinasjɔ̃] n. f. — 1516; lat. médiéval *calcinatio*, du supin de *calcinare.* → Calciner.

♦ **1.** Vx. Réduction des pierres calcaires en chaux par l'action de la chaleur (→ Chaux, cit. 1.2).

♦ **2.** Mod. Opération par laquelle on modifie la structure d'un corps en le soumettant à une haute température. ⇒ **Combustion.** *Calcination du plomb. Résidu de calcination. Le soufre est obtenu par calcination des pyrites. La calcination du sulfate ferreux donne le sesquioxyde de fer* (colcotar).

CALCINER [kalsine] v. tr. — xive; du lat. médiéval *calcinare*, de *calx, calcis* «chaux».

♦ **1.** Techn. Transformer (une pierre calcaire) en chaux* par l'action d'un feu violent.

♦ **2.** Plus cour. Soumettre (un corps) à l'action d'une haute température. *Calciner un métal pour le transformer en oxyde. Calciner du plomb, de l'or, de l'argent. Arche à calciner.* — *Calciner du bois, de la houille.*

♦ **3.** Cour. Transformer en charbon, en cendres. ⇒ **Brûler, griller.** *Une forêt que l'incendie a calcinée.* — Par ext. *Calciner un rôti*, le cuire* à l'excès.
Littér. Soumettre à une intense chaleur.

1   Les sables, les déserts qu'un ciel d'airain calcine.
                                          HUGO, les Châtiments, V, 11.

▶ **SE CALCINER** v. pron. *Elle a laissé le rôti se calciner sur le feu* (→ ci-dessus, 3.).

▶ **CALCINÉ, ÉE** p. p. adj. *Métal calciné*, réduit en oxyde. — Par ext. ⇒ **Brûlé.** *Rôti calciné.* — *Cendres calcinées. Débris calcinés.*
Littér. Soumis à une intense chaleur qui détruit la végétation, etc.

2   Tous ces rocs calcinés par un soleil rongeur,
     Brûlent et font hâter les pas du voyageur.
                              André CHÉNIER, 34, *in* LITTRÉ.

3   Un endroit désolé, consumé de soleil, calciné même en plein hiver, pareil, pour la couleur et le désordre, à un vaste foyer dont il ne resterait plus que des cendres.
                              E. FROMENTIN, Une année dans le Sahel, p. 37.

3.1 D'immenses espaces brûlés (...) Il semble que sur ce sol calciné aucune vie ne pourra jamais reparaître et le vert très tendre du gazon qui surgit entre les chaumes noirs, déjà trois jours après l'incendie, semble presque une fausse note.
                              GIDE, Voyage au Congo, *in* Souvenirs, Pl., p. 803.

Par métaphore :
     Mon sang est calciné, la fièvre me consume.
                              ROUSSEAU, Lettre à Peyrou, 6 avr. 1765.

CONTR. **Éteindre, refroidir.**
DÉR. **Calcin.**

CALCIO- ⇒ **Calci-.**

CALCIOFERRITE [kalsjofeʀit] n. f. — xxe; de *calcio-*, et *ferrite.*

♦ Minér. Phosphate hydraté naturel de fer. — REM. On trouve aussi *calcoferrite* [kalkofeʀit].

CALCIPEXIE [kalsipɛksi] n. f. — xxe; de *calci-*, et grec *pexis* «fixation».

♦ Didact. (physiol.). Fixation de calcium.

CALCIPHILE [kalsifil] adj. ⇒ **Calcicole.**

CALCIPHOBE [kalsifɔb] adj. ⇒ **Calcifuge.**

CALCIQUE [kalsik] adj. — 1838; du rad. du lat. *calx, calcis* «chaux».

♦ Chim. Qui se rapporte au calcium ou à la chaux; qui en contient. *Sels calciques.* ⇒ **Calcaire.** *Lait calcique*, enrichi de calcium.

CALCISTIE [kalsisti] n. f. — xxe; de *calc-*, et grec *(h)istos* «tissu».

♦ Physiol. Présence de calcium dans les tissus.

CALCITE [kalsit] n. f. — 1867; all. *Calcit*, 1845; du rad. du lat. *calx, calcis* «chaux».

♦ Carbonate naturel de calcium cristallisé ($CaCO_3$), à structure rhomboédrique. ⇒ aussi **Aragonite.** *La calcite est la forme la plus fréquente de cristallisation du carbonate de calcium, et le principal constituant des roches calcaires, en particulier des concrétions calcaires des grottes; on la trouve associée à d'autres minéraux.* ⇒ **Calcomalachite.** *Certaines variétés de calcite possèdent une biréfringence très élevée.* ⇒ **Spath** (d'Islande).

CALCITHÉRAPIE [kalsiteʀapi] n. f. — xxe; de *calci-*, et *-thérapie.*

♦ Méd. Emploi thérapeutique des sels de calcium.

CALCIUM [kalsjɔm] n. m. — 1808; du rad. du lat. *calx, calcis* «chaux».

♦ **1.** Métal d'un blanc jaune, brillant (symb. : *Ca;* poids at. : 40,08; n° at. : 20), de densité 1,55, mou, fondant vers 845°. *On prépare le calcium par électrolyse du chlorure de calcium, ou en décomposant l'iodure de calcium.* ⇒ **Chaux.** *Chlorure de calcium. Bromure, iodure de calcium. Fluorure de calcium.* ⇒ **Fluorine.** *Sulfure de calcium. Carbonates (naturels) de calcium ou de chaux.* ⇒ **Aragonite, calcite.** *Le carbure de calcium fournit l'acétylène. Hydrure de calcium* ou *hydrolithe. Sulfate de calcium.* ⇒ **Gypse, plâtre, sélénite.** *Phosphate, chlorure de calcium. De nombreux sels de calcium sont utilisés en médecine.* — *L'alliage calcium-aluminium est utilisé comme antifriction.*

♦ **2.** Fam. Produit pharmaceutique renfermant des sels de calcium. *Prendre du calcium*, prendre ce fortifiant.

DÉR. (Du rad. du lat. *calx, calcis*) **Calcémie, calcification, calcifié, calciner, calcique, calcite.** — V. aussi **Calcaire; calci-** et composés.

CALCIURIE [kalsiyʀi] n. f. — xxe; de *calci-*, et *-urie.*

♦ Méd. Présence de calcium dans l'urine. *La calciurie est augmentée dans le rachitisme.*

CALCO- ⇒ **Calci-.**

CALCOFERRITE [kalkofeʀit] n. f. ⇒ **Calcioferrite.**

CALCOMALACHITE [kalkomalaʃit] n. f. — xxe; de *calco-*, et *malachite.*

♦ Minér. Minerai, mélange naturel de calcite* et de malachite.

CALCOSODIQUE [kalkosɔdik] adj. — 1905, in *Rev. gén. des sc.*, n° 16, p. 510; de *calco-*, et *sodique*.*

♦ **Minér., chim.** Qui contient du calcium et du sodium. *Feldspaths calcosodiques.*

1. CALCUL [kalkyl] n. m. — 1484 ; de *calculer.*

★ **I. Sc.** ♦ **1. Math.** Ensemble d'opérations* effectuées sur des symboles, représentants de grandeurs. — **Par ext.** Ensemble de procédés de représentation des relations logiques. ⇒ **Algorithme** ; et aussi **algèbre, arithmétique, mathématique.** *Calcul numérique :* calcul effectué sur des nombres, qui apporte des solutions numériques très fines par des techniques appropriées. ⇒ **Interpolation, itération ; graphe.** *Règle* à calcul.*

Calcul sur les doigts, calcul digital (vx) ou *dactylonomie. Calcul mental* (→ ci-dessous, II., 2.). *Calcul analogique, booléen,* utilisés en informatique. ⇒ **Ordinateur.**
Calcul algébrique, sur des symboles et des équations. *Calcul fonctionnel. Calcul infinitésimal.* ⇒ **Analyse.** *Calcul différentiel, calcul intégral,* étudiant les variations des fonctions pour des variations infiniment petites des variables. *Calcul logarithmique.* ⇒ **Logarithme.** *Calcul vectoriel,* concernant les vecteurs*. *Calcul matriciel* (cit.). ⇒ **Matrice.** *Calcul tensoriel.* ⇒ **Tenseur.** *Calcul des probabilités*.*

1   La découverte du calcul infinitésimal, que Newton a faite, a donné lieu de dire au savant Halley qu'il n'est pas permis à un mortel d'atteindre de plus près à la divinité.   VOLTAIRE, le Siècle de Louis XIV, 34.
1.1 Le calcul numérique est un moyen de détermination. Le calcul algébrique est un moyen de représentation.   VALÉRY, Mathématiques, Cahiers, t. II, Pl., p. 784.
Calculs astronomiques (cit.).

♦ **2. Log.** Opérations sur des symboles logiques. *Calcul des propositions. Calcul modal, bivalent, plurivalent. Calcul des prédicats.*

★ **II. Cour.** ♦ **1.** *(Un, des calculs).* Action de calculer, opération* numérique. *Faire un calcul. Calcul exact, juste ; faux. Des calculs difficiles, savants. Il s'est trompé dans ses calculs. Faire la preuve de la justesse d'un calcul. Calcul approché.* ⇒ **Approximation.** *Résultats d'un calcul. — Le calcul. Erreur de calcul.*
Calcul de comptabilité. Calcul d'un revenu, d'un bénéfice. Calculs statistiques. — Le calcul d'un prix de revient ; des dépenses* (⇒ **Compte**), *d'un bilan, du chiffre d'affaires* (⇒ **Comptabilité**). *— Calcul économique :* ensemble des opérations permettant de chiffrer pour chaque projet d'investissement (notamment les investissements collectifs) son taux de rentabilité.
Techniques, pratiques pour simplifier les calculs : instruments (⇒ **Arithmographe, arithmomètre, boulier...**), *instruments logarithmiques* (→ **Règle** à calcul), *procédés graphiques* (⇒ **Abaque** ; et aussi **nomographie**), *machines* (⇒ **Calculatrice, ordinateur** ; → **Machine à calculer**), *tables numériques* (⇒ **Barème**).

2   Je refuse d'introduire dans mon équation de ces facteurs non déterminés qui fausseraient tous mes calculs.   G. DUHAMEL, Scènes de la vie future, X, p. 163.

♦ **2.** *(Le calcul).* Pratique des opérations arithmétiques. *Résoudre un problème par le calcul.* ⇒ **Arithmétique.** *Cet enfant est bon en calcul. Difficultés dans l'apprentissage du calcul.* ⇒ **Dyscalculie.** *— Calcul mental,* par la seule pensée, sans l'aide de l'écriture. *— Instruments, machines utilisés pour le calcul.* ⇒ **Calculateur** (3.), **calculatrice ; calculer** (machine à calculer).

♦ **3.** (1694). *Un, des calculs.* Estimation d'un effet problable. ⇒ **Appréciation, comput, computation, évaluation, prévision, spéculation, supputation.** *Les calculs de qqn, ses calculs. D'après mes calculs, il arrivera demain. Ne jamais se tromper dans ses calculs* (→ **Avoir le compas*** dans l'œil). *Il est inconséquent dans ses calculs. Faire un mauvais calcul.*

3   Donc, à votre calcul (...)
  Monsieur, tout bien compté, ne vaut pas bien Madame ?
      MOLIÈRE, Sganarelle, 6.
4   Tant qu'un être vit, toutes les choses qu'il pourra encore accomplir, et qu'on ignore, constituent des inconnues qui faussent les calculs.
      MARTIN DU GARD, les Thibault, t. IV, p. 268.
4.1 Si l'intention de la jeune Laura avait été de masquer par son agitation les bruits de la pièce contiguë, c'était en tout cas un mauvais calcul, d'autant plus que ça reprenait de plus belle derrière la cloison (...)
      A. ROBBE-GRILLET, Projet pour une révolution à New-York, p. 59.

♦ **4. Péj.** **a** *(Un, des calculs).* Moyens que l'on combine pour arriver à un but, à une fin. ⇒ **Combinaison, plan, projet.** *La malchance a fait échouer son calcul. Faire un faux calcul.* ⇒ **Mécompte.** *Cette entreprise n'est pas désintéressée : il y entre du calcul. Les calculs de l'ambition. Déjouer les calculs de ses ennemis. Fonder, appuyer ses calculs sur...* ⇒ **Tabler** (sur...).

5   Si je ne te connaissais pas pour la plus pure et la plus angélique créature du monde, je te dirais que tes calculs sentent la dépravation.
      BALZAC, Mémoires de deux jeunes mariées, XV, Pl., t. I, p. 190.
6   Mais il ne faut pas exagérer sa grandeur d'âme ; il y eut plus d'un calcul dans son attitude.   Louis BARTHOU, Mirabeau, p. 35.

b *(Le calcul).* Comportement de celui qui agit dans une intention intéressée. *Agir par calcul.* ⇒ **Intérêt ; calculateur, intéressé.**

Sans calcul, sans aucun calcul : spontanément. *C'est du pur calcul de sa part, il n'est pas sincère.*

CONTR. Désintéressement, imprévoyance.
DÉR. Acalculie, calculette. — Dyscalculie.
HOM. 2. Calcul, formes du v. **calculer.**

2. CALCUL [kalkyl] n. m. — 1546, Estienne ; lat. *calculus* « caillou ».

♦ **Méd. et cour.** Concrétion solide de sels minéraux ou de matières organiques, formée dans un organe, un conduit ou une glande, et pouvant provoquer divers troubles. *Les calculs se forment le plus souvent dans les canaux d'excrétion* (biliaire, urinaire, salivaire). *Le calcul biliaire, par dépôt de cholestérol, sels biliaires, sels de calcium, dans les conduits biliaires et la vésicule biliaire, peut occasionner des coliques hépatiques. Le calcul rénal, calcul urinaire, par précipitation de substances normalement dissoutes dans l'urine, peut occasionner de l'hématurie, des coliques néphrétiques.* ⇒ **Gravelle, lithiase.** *Médicament qui prévient la formation des calculs.* ⇒ **Antilithique.** *Dissolution, broiement d'un calcul. Extraction d'un calcul. Calcul salivaire. Calcul de certains animaux.* ⇒ **Bézoard.**

DÉR. Calculeux.
HOM. 1. Calcul, formes du v. **calculer.**

CALCULABILITÉ [kalkylabilite] n. f. — xxᵉ ; de *calculable.*

♦ **Didact.** Caractère de ce qui est calculable.

C'est lui *(le système des signes de la pensée classique)* qui introduit dans la connaissance la probabilité, l'analyse et la combinatoire (...) C'est lui qui donne lieu à la fois à la recherche de l'origine et à la calculabilité (...)
      Michel FOUCAULT, les Mots et les Choses, p. 77.

CALCULABLE [kalkylabl] adj. — 1732 ; de *calculer.*

♦ Qui peut se calculer*. *Des effets calculables. Des phénomènes mesurables et calculables.* — (Souvent en emploi négatif). *Les conséquences ne sont pas calculables.*

Rendons d'abord l'atmosphère à la fois brumeuse et sèche, échevelée, où la cigarette est toujours posée de travers depuis que continûment elle la crée.
Puis sa personne : une petite torche beaucoup moins lumineuse que parfumée, d'où se détachent et choient selon un rythme à déterminer un nombre calculable de petites masses de cendres.   Francis PONGE, le Parti pris des choses, p. 40.

CONTR. et COMP. Incalculable.
DÉR. Calculabilité.

CALCULATEUR, TRICE [kalkylatœʀ, tʀis] n. et adj. — 1546, Estienne ; lat. impérial *calculator,* de *calculare.* → Calculer.

♦ **1. N.** Personne qui sait calculer. *Un bon calculateur.*

On pense à moi pour une place, mais par malheur j'y étais propre : il fallait un calculateur, ce fut un danseur qui l'obtint.
      BEAUMARCHAIS, le Mariage de Figaro, V, 3. 1
REM. On rappelle cette phrase pour marquer le peu de discernement qui préside à la distribution des emplois.
L'homme d'affaires. C'est un hybride du danseur et du calculateur.
      VALÉRY, Rhumbs, p. 29. 2

♦ **2. Adj.** (1794). Habile à combiner des projets, des plans, à prévoir les conséquences d'un acte ou d'un événement. *Esprit calculateur et intéressé. Il est très calculateur et très avisé* (→ Aviser, cit. 6).

Elle regretta d'être venue. Mais elle était poussée par un sentiment si puissant, si naturel, par un dévouement si peu calculateur, qu'elle rassembla son courage pour soutenir cette entrevue.   BALZAC, la Cousine Bette, Pl., t. VI, p. 452. 3
(...) Marat a eu des heures de grandeur, et, son cœur (...) connut aux heures de crise des émotions irrésistibles et entières dont l'âme, sincère aussi, mais toujours calculatrice de Robespierre ne fut jamais bouleversée.
      JAURÈS, Hist. socialiste..., t. VII, la Montagne, p. 218. 4

♦ **3. N. m.** (1962 ; *calculateur mécanique,* 1859). Machine de calcul, utilisant des cartes, bandes perforées ou rubans magnétiques, capables d'effectuer en un seul passage une série d'opérations successives. ⇒ aussi **Calculatrice.** *Calculateur électronique. Calculateur analogique.* ⇒ **Analogique.** *Calculateur digital.* ⇒ **Ordinateur.** *— Calculateur de poche :* calculateur de dimension réduite utilisant une technologie électronique très intégrée. ⇒ **Calculette, minicalculatrice.**

♦ **4. N. f.** ⇒ **Calculatrice.**

CONTR. Imprévoyant, irréfléchi. — Spontané.
DÉR. Calculatrice.

CALCULATRICE [kalkylatʀis] n. f. — 1962 ; de *calculateur* (3.).

♦ **1.** Machine de bureau effectuant les quatre opérations arithmétiques (et parfois les dérivations, les intégrations). *Calculatrice imprimante. Calculatrice à clavier.*

♦ **2.** Ordinateur* dont le calcul est la fonction principale, mais de taille supérieure à celle du calculateur. *Calculatrice analogique.*

REM. On emploie souvent le mot pour désigner (inexactement) le *calculateur** de poche.

COMP. Minicalculatrice.

CALCULER [kalkyle] v. tr. — 1372 ; bas lat. *calculare,* du lat. *calculus* « caillou servant à compter ».

♦ **1.** Chercher, déterminer par le calcul. *Calculer une somme d'argent, une dépense, un bénéfice.* ⇒ **Chiffrer, compter.** — *Calculer la distance d'une étoile. Impossible à calculer.* ⇒ **Incalculable.** — Par ext. *Calculer une éclipse.*
Calculer que : faire le compte que. *Je calcule que, cette année, mon budget va s'élever à (telle) somme. — Calculer combien..., quand...*

0.1 Eh bien ! Hora, dit Poëri à Tahoser, la vue de ces moissonneurs et de ces troupeaux t'a-t-elle amusée ? (...) Maintenant, va prendre ton repas avec tes compagnes ; moi, je rentre au pavillon, et je vais calculer combien de boisseaux de froment ont rendus les épis.   Th. GAUTIER, le Roman de la momie, p. 129.

Absolt. Faire des calculs. *Calculer de tête, mentalement. Perte de la capacité de calculer.* ⇒ **Acalculie.**

1   Faire de l'Algèbre, c'est essentiellement *calculer,* c'est-à-dire effectuer, sur des éléments d'un ensemble, des « opérations algébriques », dont l'exemple le plus connu est fourni par les quatre règles « de l'arithmétique élémentaire ».
                    N. BOURBAKI, Traité d'Algèbre, Introd.

2   Si la place d'un Cassini devenait vacante, et que le suisse ou le postillon du favori s'avisât de la demander (...) il se trouverait capable d'observer et de calculer (...)
                    LA BRUYÈRE, les Caractères, VIII, 61.

Machine à calculer : instrument faisant automatiquement des calculs. ⇒ **Arithmographe, arithmomètre, calculateur, calculatrice, calculette, ordinateur.** — *Règle** *à calculer.* Absolt. Faire des calculs d'argent. *Le comptable n'a pas fini de calculer.*

♦ **2.** Par ext. (Absolt ou intrans.). Ne dépenser qu'avec mesure, parcimonie. ⇒ **Compter.** *Dépenser sans calculer,* sans compter.

3   Il *(l'avare)* passait les nuits et les jours
     A compter, calculer, supputer sans relâche,
     Calculant, supputant, comptant comme à la tâche.   LA FONTAINE, Fables, XII, 3.

♦ **3.** (1671). Apprécier (qqch.) ; déterminer la probabilité de (un événement). ⇒ **Estimer, établir, évaluer, peser, prévoir, supputer.** *Calculer ses chances. Calculer les conséquences d'un acte, les résultats, les suites d'une démarche. Calculer les avantages d'une situation. Ne négliger aucun des facteurs en calculant.*

4   Calculer des événements qui, vu la nature des choses et le caprice de la fortune, (...) ne sont guère soumis au calcul (...)   MONTESQUIEU, l'Esprit des lois, XXX, 27.

5   (...) on peut calculer la valeur d'un homme d'après le nombre de ses ennemis et l'importance d'une œuvre au mal qu'on en dit.
                    FLAUBERT, Correspondance, t. II, p. 244.

♦ **4.** (xve). Décider ou faire (qqch.) après (l') avoir prémédité, réglé. ⇒ **Agencer, ajuster, arranger, combiner, préméditer, régler.** *Calculer le moindre de ses gestes, de ses actes, la moindre de ses paroles. Bien calculer un effort en vue d'un résultat.* ⇒ **Adapter, coordonner, proportionner.** *Calculer son élan. Il calcule son intérêt.*

6   Quand on ne calcule que son intérêt, le résultat seul décide si l'on ne s'est pas trompé.   B. CONSTANT, Journal intime, p. 173-174.

7   Vous jetez la balle au chat, qui calcule mal son élan, exprès, et la laisse rouler sous le fauteuil.   COLETTE, la Paix chez les bêtes, Poucette, p. 29.

Absolt. *Il est trop spontané pour calculer avant d'agir.* ⇒ **Raisonner, réfléchir.**

▶ **CALCULÉ, ÉE** p. p. adj.

♦ **1.** Évalué par le calcul. *Ce compte est bien calculé,* est juste.

♦ **2.** *Un ordre, une présentation calculée,* disposée, combinée, réglée d'avance. *Tout bien calculé :* tout bien pesé. *Un risque calculé.*

8   Dans ses descriptions, il *(Rabelais)* aime mieux donner l'impression des ensembles par l'entassement précipité que par le sacrifice calculé des détails.
                    Gustave LANSON, l'Art de la prose, p. 37.

♦ **3.** Inspiré par la recherche d'un avantage personnel. *Une générosité, une bonté calculée.* ⇒ **Intéressé.** *Un acte calculé* (→ Acte, cit. 5).

CONTR. (Du p. p.) **Intuitif, spontané.**
DÉR. et **COMP.** 1. Calcul, calculable.

CALCULETTE [kalkylɛt] n. f. — V. 1970 ; de *calcul,* et suff. *-ette.*

♦ Petit calculateur* de poche qui effectue principalement des calculs. — *Calculette à mémoires ; calculette programmable.*

CALCULEUX, EUSE [kalkylø, øz] adj. — 1540 ; de 2. *calcul.*
Médecine.

♦ **1.** Qui a rapport aux calculs* (2.). *Concrétion calculeuse. Affection calculeuse.*

♦ **2.** Vx. Qui est affecté de calculs. *Ce vieillard est calculeux* (Littré). — N. (1550). *Un calculeux, une calculeuse.*

CALDARIUM [kaldaʀjɔm] n. m. — 1838 ; mot latin.

♦ Didact. (antiq. rom.). Étuve, dans les bains romains. ⇒ **Bain** (cit. 8). *Des caldariums.*

Puis, c'était aussi, plus loin, à l'horizon, une autre ruine cyclopéenne, les thermes de Caracalla, laissée là de même comme le vestige d'une race de géants, disparue de la terre : des salles d'une ampleur, d'une hauteur extravagantes et inexplicables ; deux vestibules à recevoir la population d'une ville ; un frigidarium où la piscine pouvait contenir à la fois cinq cents baigneurs ; un tépidarium, un caldarium d'égale taille, nés de la folie de l'énorme (...)   ZOLA, Rome, p. 180.

CALDERA [kaldeʀa] n. f. — 1903, in *Rev. gén. des sc.,* n° 15, p. 820 ; *caldeira,* 1874 (→ ci-dessous, cit. 2) ; mot port. des Açores, « chaudière ».

♦ Géol. Grand cratère volcanique, formé par l'effondrement de la partie supérieure du cône volcanique, dans le vide laissé par certaines éruptions très intenses et rapides (éruptions ignimbritiques). *Des calderas.* — REM. On écrit aussi *caldeira* [kaldeʀa ; kaldejʀa]. *Des caldeiras.* Terme francisé : *caldère* [kaldɛʀ].

1   Le Halemaumau *(un volcan)* est un puits de 1 000 mètres de diamètre, dont la profondeur a varié, selon l'activité du volcan, de zéro à plusieurs centaines de mètres (...) il est situé dans le sud-ouest d'un vaste cratère oblong, de quatre kilomètres sur trois, chaudron volcanique qu'en jargon de métier on appelle caldera.
                    H. TAZIEFF, Histoires de volcans, p. 96.

2   Les émanations les plus actives sont concentrées dans trois excavations naturelles qui ont reçu le nom de caldeiras, à cause de leur ressemblance avec des chaudières, remplies d'eau en ébullition.
                    L. FIGUIER, l'Année scientifique et industrielle 1874, p. 28 (1873).

CALDOCHE [kaldɔʃ] n. — D. i. ; de *Calédonie,* et suff. *-oche.*

♦ Fam. (franç. de Nouvelle-Calédonie). Européen implanté en Nouvelle-Calédonie depuis une génération au moins. — (Diffusé 1984, en France). Par ext. (abusif). Européen de Nouvelle-Calédonie.

1. CALE [kal] n. f. — Déb. XIIIe ; de 1. *caler* ; le sens « action d'immerger », mentionné par le T. L. F., semble fictif, mais le sens 3 correspond bien à « action de caler ».

♦ **1.** Espace situé entre le pont et le vaigrage de fond d'un navire. *Le fond de la cale.* ⇒ **Sentine.** *Les baux, les barrots, les étais d'une cale. La cale est destinée à recevoir la cargaison. Mettre, arrimer des marchandises dans la cale.* — *Le fond de la cale. À fond de cale* (→ ci-dessous, 2.) : au fond de la cale. — *Cale remplie d'eau. Eau de cale.* — *Passager de cale :* passager clandestin.

1   (...) je me cachai à fond de cale d'un bâtiment marchand qui partait pour les Indes (...)   A. DE VIGNY, Servitude et Grandeur militaires, I, V, p. 69.

2   Par le panneau de la cale, on ne voyait plus descendre la lueur grise du jour (...)
                    LOTI, Mon frère Yves, VI, p. 31.

3   La grue de l'*Asie (un navire)* va cueillir à fond de cale les caisses qu'elle enlève dans un filet à larges mailles, puis déverse dans le chaland transbordeur.
                    GIDE, Voyage au Congo, in Souvenirs, Pl., p. 688.
Compartiment de la cale. *La cale avant, arrière. Un navire à quatre cales.*

Par ext. (en parlant d'un avion). *Cale à bagages.* ⇒ **Soute.**
Cale à eau, servant de réservoir. ⇒ **Caisse.** *Cale à charbon.* ⇒ **Soute.**

♦ **2.** Loc. fig. *Être à fond de cale,* dépourvu d'argent, de ressources.

♦ **3.** Loc., vx (*cale* semble être ici un déverbal de 1. *caler,* I., 1.). *Supplice de la cale,* qui consistait à suspendre un homme à bout de vergue et à le laisser tomber à la mer plusieurs fois de suite. *Prendre la cale,* « se dit d'une embarcation suspendue (...) par suite du décrochage d'un des palans qui la soutiennent » (Gruss).

CONTR. Pont.
DÉR. Calier.
HOM. Cal, 2. **cale,** 3. **cale,** 4. **cale,** 5. **cale,** formes des v. 1. **caler,** 2. **caler.**

2. CALE [kal] n. f. — 1694 ; provençal *calo* « quai en pente », ou déverbal de 1. *caler* comme le précédent.
Techn. (marine).

♦ **1.** Partie en pente d'un quai. *Cale de chargement, de déchargement, de halage. Mettre des marchandises sur la cale.*

♦ **2.** (1751). Plus cour. Plan incliné servant à la construction, à la réparation des navires. *Cale sèche, cale flottante, cale de radoub.* ⇒ **Bassin** (de radoub). *Cale de construction, de lancement. Cale couverte. Cale d'échouage.*
EN CALE. *Mettre un navire en cale. Navire qui entre en cale sèche.*

COMP. Avant-cale.
HOM. Cal, 1. **cale,** 3. **cale,** 4. **cale,** 5. **cale,** formes des v. 1. **caler,** 2. **caler.**

3. CALE [kal] n. f. — 1611 ; all. *Keil* « coin » ; P. Guiraud évoque un sens dérivé de *cale* « écaille ».

♦ Ce que l'on place sous un objet pour lui donner de l'aplomb, de l'assiette, pour le mettre de niveau. *Cale en forme de coin. Mettre* _une cale à un meuble boiteux. Mettre une cale derrière les roues d'un véhicule,_ pour le maintenir immobile.

Pour pouvoir sans cesse surveiller la cour, _(Nestor)_ avait même surélevé son pupitre avec des petites cales de bois et remplacé par un verre ordinaire l'un des petits carreaux de verre dépoli dont toutes les fenêtres de classes étaient garnies.
M. TOURNIER, le Roi des Aulnes, p. 36.

Mécan. Pièce de métal pour maintenir un écartement, remplir un vide.

(1939). **Sports.** _Cale de départ_ : butoir, starting-block.

DÉR. 2. Caler, 1. calot.
HOM. Cal, 1. cale, 2. cale, 4. cale, 5. cale, formes des v. 1. caler, 2. caler.

4. CALE [kal] n. f. — xiie; orig. obscure (→ 2. Calot); p.-ê. dér. régressif de _calotte,_ ou de l'anc. franç. _écale,_ de _cale_ «coquille», du lat. _callum_ «peau dure», selon l'hypothèse de P. Guiraud.

Vieux.

♦ **1.** Coiffure de femme, emboîtant le crâne, et portée seule ou sous le chapeau.

♦ **2.** (xviie). Béguin blanc porté par les servantes.

DÉR. 2. Calot, calotte.
HOM. Cal, 1. cale, 2. cale, 3. cale, 5. cale, formes des v. 1. caler, 2. caler.

5. CALE [kal] n. f. — 1606; anc. provençal _cala._ → Calanque.

♦ Vx. (Mar.). Crique, abri.

HOM. Cal, 1. cale, 2. cale, 3. cale, 4. cale, formes des v. 1. caler, 2. caler.

CALÉ, ÉE [kale] adj. ⇒ 2. Caler (II.).

CALEBAR ou **CALBAR** [kalbaʀ] n. m. — 1946, _in_ Esnault; var. suffixale de _caleçon._

♦ Pop. Caleçon. ⇒ **Calecif.** _Il s'est barré en calbar._

CALEBASSE [kalbas] n. f. — 1572; _calabasse,_ 1542; _calebace,_ 1527; esp. _calabaza,_ d'orig. incert., p.-ê. dér. préroman de la rac. _*kal-_ «abri» (→ 5. Cale, calanque, chalet), var. de _*kar-;_ l'hypothèse de l'emprunt à l'arabe _qar'a_ «gourde», assez souvent évoquée, n'est pas entièrement satisfaisante.

♦ **1.** Fruit du calebassier* ou de cucurbitacées (_Lagenaria_ ou _Courge calebasse,_ etc.). _La calebasse, vidée et séchée, peut servir de récipient; elle est utilisée comme caisse de résonance d'instruments de musique_ (→ Arc* musical; et ci-dessous, 2.).

1 Les vases dans lesquels on nous servit le vin étaient tout à fait semblables aux calebasses de Saint-Jacques (...) Cardinal de RETZ, V, 417.

Appos. _Courge calebasse_ : fruit du faux calebassier.

Récipient fait de ce fruit vidé, séché et laissé entier (la _calebasse_ affecte alors la forme d'une bouteille), ou coupé en deux selon sa longueur (elle évoque alors dans ce cas une cuillère à pot, une louche), ou encore perpendiculairement à sa longueur (forme de coupe grossièrement hémisphérique). _La calebasse d'un pèlerin._ ⇒ **Gourde.**

2 Il n'y avait dans ce lieu qu'une calebasse pour puiser de l'eau.
CHATEAUBRIAND, Atala, 261.

3 On boit dans de grandes calebasses le suc de l'érable (...)
CHATEAUBRIAND, Voyage en Amérique..., 41.

4 Le lait s'est aigri
Dans les calebasses
La bouillie a durci
Dans les vases.
Dans les cases
La peur passe, la peur repasse.
Nuit noire, nuit noire! Birago DIOP, Leurres et Lueurs, « Abandon »,
_in_ Littératures de langue franç. hors de France, p. 44.

Contenu d'une calebasse. _Une (pleine) calebasse de sorgho, de mil._

♦ **2. Mus.** Instrument à percussion utilisant comme caisse de résonance l'écorce du fruit.

5 Dès que le _Ruby (un navire)_ se met en marche, trois nègres commencent un assourdissant tam-tam, sur une calebasse et un énorme tambour de bois long comme une couleuvrine, grossièrement sculpté et peinturluré.
GIDE, Voyage au Congo, _in_ Souvenirs, Pl., p. 705.

Maracas* fait d'une calebasse dans laquelle on a introduit des cailloux, des graines...

6 Un maigre feu de broussailles, au milieu d'un grand cercle; une ronde qu'activent deux tambours et trois calebasses sonores, emplies de graines dures, et montées sur un manche court qui permet de les agiter rythmiquement.
GIDE, Voyage au Congo, _in_ Souvenirs, Pl., p. 778.

♦ **3.** a (1829). Pop., vx. Tête*. _Recevoir un coup de bambou sur la calebasse._

b Sein* pendant (cf. Blague à tabac).

DÉR. Calebassier.

CALEBASSIER [kalbasje] n. m. — 1640; _calbassier_ «baobab», 1637; de _calebasse._

♦ Plante dicotylédone (_Bignoniacées_), scientifiquement appelée _Crescentia,_ vivant en Amérique tropicale. _Fruit du calebassier._ ⇒ **Calebasse.** _Graines de calebassier._

Par ext. _Faux calebassier, calebassier rampant_ (courge calebasse : _Cucurbitacées_). _Calebassier du Sénégal_ : baobab.

CALEBOMBE [kalbɔ̃b], **CALEBONDE** [kalbɔ̃d] n. f. ⇒ **Calbombe.**

CALÈCHE [kalɛʃ] n. f. — 1656; _calege,_ 1646; all. _Kalesche,_ du tchèque _kolesa_ ou du polonais _kolaska._

♦ Ancienn. Voiture à cheval, à quatre roues, généralement découverte, munie d'une capote à soufflet à l'arrière, et d'un siège surélevé à l'avant. _Calèche légère._ ⇒ **Briska.** _Promenade en calèche. L'attelage d'une calèche. La capote, le mantelet* d'une calèche. Calèche de louage, de poste, de voyage._

À six heures donc on monte en calèche (...) Mme DE SÉVIGNÉ, 563, 29 juil. 1676. 1

(...) je m'endormis au grignotement de la pluie sur la capote de la calèche. 2
CHATEAUBRIAND, Mémoires d'outre-tombe, t. VI, III, IV.

On s'installa dans la calèche, moi à côté de Mme Millichel, Marthe près du 3
cocher (...) H. BOSCO, Un rameau de la nuit, p. 130.

DÉR. Caléchier.

CALÉCHIER [kaleʃje] n. m. — 1875, «loueur de calèche»; de _calèche._

♦ Vx. Fabricant ou loueur de voitures à chevaux élégantes.

CALECIF ou **CALCIF** [kalsif] n. m. — 1916, _in_ Esnault; resuffixation de _caleçon,_ probablt de _morcif._

♦ Pop. Caleçon. _Enfiler son calecif._ ⇒ **Calebar.**

(...) il m'aime bien le Chef, parce que je suis calme, et parce que j'ai passé des jours et des jours, autrefois, à raccommoder ses calecifs.
A. SARRAZIN, la Cavale, p. 339.

CALEÇON [kalsɔ̃] n. m. — 1643; _calçon,_ 1571; _calleson_ (de femme), 1563; ital. _calzone_ «vêtement d'homme ou de femme», plur. _calzoni,_ de _calza_ «chausse». → Chausse.

♦ **1.** Sous-vêtement masculin, culotte à jambes longues ou, plus souvent, courtes. _Il préfère le caleçon, les caleçons au slip*. Caleçon de toile, de flanelle. Être en caleçon. Porter un caleçon, des caleçons longs en flanelle._ ⇒ pop. **Calebar, calecif.**

Francion en classe, le caleçon passant hors de son haut-de-chausses jusqu'à ses 1
souliers. Charles SOREL, Vraye histoire comique de Francion, p. 138.

(1842). Ancienn. Sous-vêtement féminin descendant sous le genou. _Porter un caleçon, des caleçons de soie._

Simplement, comme une belle esclave qui sert de modèle, elle avait défait son cor- 2
selet, ses bandelettes, ses caleçons fendus (...) Pierre LOUŸS, Aphrodite, I, 3.

♦ **2.** (1835, _in_ D.D.L.). Vieilli. _Caleçon de nageur. Caleçon de bain._ ⇒ **Maillot** (de bain).

REM. _Caleçon,_ comme _culotte,_ peut s'employer indifféremment au singulier ou au pluriel. _Mettre un caleçon, des caleçons._

♦ **3.** (En franç. d'Afrique). Cache-sexe (_slip_ n'est pas usuel).

DÉR. Caleçonnade. — V. Calebar, calecif.

CALEÇONNADE [kalsɔnad] n. f. — V. 1930; de _caleçon,_ et _-ade._

♦ Spectacle de théâtre où sont mises en scène des situations intimes et scabreuses. _Les caleçonnades du boulevard* traitent volontiers de l'adultère bourgeois._

Au théâtre du Palais-Royal (...) la pièce déroula ses caleçonnades. On nous montra un couple dans un lit. On nous fit entendre des soupirs. Je n'y goûtai qu'une petite honte. P. GUTH, le Naïf sous les drapeaux, 1956, I, 1, p. 14.

CALÉDONIEN, ENNE [kaledɔnjɛ̃, ɛn] adj. — 1654, _in_ D.D.L.; de _Calédonie,_ lat. _Caledonia,_ nom anc. de l'Écosse.

♦ **1.** De Calédonie. — **Géol.** _Chaîne calédonienne_ : chaîne de montagnes du Nord de l'Europe, de formation primaire (Silurien). _Le plissement calédonien a produit les montagnes d'Écosse, de Scandinavie._

♦ **2.** De Nouvelle-Calédonie (pour _néo-calédonien_). _Le nickel calédonien._

CALÉFACTEUR [kalefaktœʀ] n. m. — 1836 ; du rad. du lat. *calefactus*, p. p. de *calefacere* « chauffer ».

♦ Vx. Appareil destiné à la conservation de l'eau chaude, ainsi qu'à une cuisson économique des aliments.

Le plus gros du bagage était parti dès la veille. Les instruments de jardin, les couchettes, les matelas, les tables, les chaises, un caléfacteur, la baignoire et trois fûts de Bourgogne iraient par la Seine, jusqu'au Havre (...)
FLAUBERT, *Bouvard et Pécuchet*, 1881, Pl., t. II, p. 683.

CALÉFACTION [kalefaksjɔ̃] n. f. — xivᵉ, *calefacion* « échauffement » ; bas lat. *calefactio*, de *calefacere* « chauffer ».
Didactique.

♦ **1.** Action de chauffer ; résultat de cette action. ⇒ **Chaleur.**

♦ **2.** (1690). Phénomène qui fait prendre à une goutte liquide, projetée sur une plaque de métal fortement chauffée, la forme d'une lentille tournant en spirale et s'évaporant.

♦ **3.** Syn. de *pollution thermique.* ⇒ **Pollution.**

CALÉIDOSCOPE [kaleidɔskɔp] n. m. ⇒ **Kaléidoscope.**

CALEIL [kalɛj] n. m. ⇒ **Calen.**

CALEMBOUR [kalɑ̃buʀ] n. m. — 1768 ; *calambour*, 1757 ; p.-ê. de l'élément *calem-* (→ Calembredaine), et *bour(de)* (→ Bourde) ; P. Guiraud y voit un composé tautologique formé de *cale* « coquille », et *bourre* « fétu ; mensonge », avec un *m* expressif devant le *b*, ou une forme dialectale à rapprocher de *calender* « dire des balivernes » (Picardie) et *calander* « bavarder » (Lorraine).

♦ Jeu de mots fondé soit sur une similitude de sons (homophonie) recouvrant une différence de sens (⇒ **Équivoque**), soit sur des mots pris à double sens. *Faire, dire des calembours. Avoir la manie des calembours. Un plat, un mauvais calembour. Il adore les calembours, les contrepèteries et les jeux de mots. Un calembour digne de l'almanach Vermot.*

1   Le calembour est la fiente de l'esprit qui vole.   HUGO, *les Misérables*, I, III, 7.
2   Le calembour est la forme la plus basse du sentiment des sonorités verbales : voilà pourquoi il lui arrive de rapprocher les grands artistes et les grands imbéciles.
Gustave LANSON, *l'Art de la prose*, p. 32.
3   Dans le calembour, c'est bien la même phrase qui paraît présenter deux sens indépendants, mais ce n'est qu'une apparence, et il y a en réalité deux phrases différentes, composées de mots différents, qu'on affecte de confondre entre elles en profitant de ce qu'elles donnent le même son à l'oreille.
H. BERGSON, *le Rire*, p. 92.
4   Les calembours naissent souvent de ce que le verbe prend avec chaque objet un sens différent : *il savait l'art de toucher les cœurs et des bénéfices ; il refaisait des vêtements et sa clientèle.*
F. BRUNOT, *la Pensée et la Langue*, IX, II, XXIII, p. 357, note.
5   (...) il remplaçait communément, n'étant pas très spirituel, le trait par le calembour (...)   GIDE, *Si le grain ne meurt*, p. 207.

DÉR. Calembourdier ou **calembouriste.**
HOM. Calambour (V. Calambac).

CALEMBOURDIER, IÈRE [kalɑ̃buʀdje, jɛʀ] n. — 1776 ; de *calembour*.

♦ Vieilli. Personne qui fait des calembours. ⇒ **Calembouriste.**

REM. On trouve aussi les graphies *calembourdiste* (1777) [kalɑ̃buʀdist] et *calembourier* [kalɑ̃buʀje].

Le Roi chassait dans la plaine de Saint-Denis, lorsque monsieur Necker la traversa pour se rendre à la campagne. Nos calembouriers se demandent : « Qu'est-ce que le roi a chassé ? Necker », répondent-ils.
LESCURE, *Correspondance secrète*, 1781, *in* Cl. MANCERON, *les Hommes de la liberté*, II, p. 393.

CALEMBOURISTE [kalɑ̃buʀist] n. — 1783 ; de *calembour*.

♦ Faiseur, faiseuse de calembours. ⇒ **Calembourdier.**

CALEMBREDAINE [kalɑ̃bʀədɛn] n. f. — 1798 ; altér. de *calembourdaine*, dial., même rad. que *calembour*. → Calembour.

♦ **1.** Propos extravagant et vain ; plaisanterie cocasse. ⇒ **Bourde, sornette, sottise.** *Dire, débiter des calembredaines* (→ Battologie, cit.).
Par ext. *Faire des calembredaines.* ⇒ **Bêtise, sottise.**

♦ **2.** Chose, action si peu sérieuse qu'elle en est dérisoire.

1   Nos généraux fabuleux avaient inventé une magnifique calembredaine, la carapace. Cette calembredaine était une bien curieuse tentative pour se défendre contre les fléaux modernes *(l'artillerie)* avec un procédé romain. Donc, on ne serrait les uns contre les autres à quarante ou cinquante, en faisant le gros dos.
DRIEU LA ROCHELLE, *la Comédie de Charleroi*, 1934, p. 55.
2   On peut se battre pour des passions confuses, on ne peut pas — vous voyez ce que je veux dire ? — se battre toujours pour des calembredaines. Ça finit par la

vente des journaux gauchistes sur les boulevards ; non certes par manque de courage ! mais parce que ce courage ne rencontre jamais son ennemi.
MALRAUX, *les Chênes qu'on abat*, 1971, p. 212.

CALEN [kalɛn] n. m. — 1552 ; *calelh*, v. 1240, Basses-Alpes ; du lat. *caliculus*, proprt « petite coupe », dimin. de *calix* « vase à boire ».

♦ Régional. Lampe à huile.

Au fond, une petite flamme fouillait les ténèbres. Il s'approcha d'elle. Elle émergeait d'un calen de fer pendu à la stèle votive.
J. GIONO, *Naissance de l'Odyssée*, p. 185.   1

REM. On trouve les graphies *caleil* [kalɛj] (1552) et *chaleil* [ʃalɛj] (1475).

Elle *(la lampe tempête)* éclairait tous les recoins que le caleil familial et sa maigre mèche à huile était bien incapable d'atteindre en temps normal.
Claude MICHELET, *Des grives aux loups*, p. 45.   2

CALENCAR [kalɑ̃kaʀ] n. m. — 1755 ; *calencards*, 1730 ; *caraca* (trad. du port.), 1628 ; persan *kalamkar* « étoffe décorée, peinte au crayon d'ardoise ».

♦ Didact. (hist.). Toile peinte de Perse ou des Indes (en usage au xviiiᵉ et au déb. du xixᵉ siècle).

CALENCHER [kalɑ̃ʃe] v. ⇒ **Calancher.**

CALENDAIRE [kalɑ̃dɛʀ] n. m. et adj. — xiiiᵉ ; du bas lat. *calendarium.* → Calendrier.

♦ **1.** Relig., vx. Obituaire.

♦ **2.** Adj. (xxᵉ). Législ. sociale. *Jour calendaire :* journée de calendrier (indemnisée par les assurances sociales et l'assurance chômage, en France, qu'il s'agisse d'un jour ouvrable ou d'un jour férié).

CALENDES [kalɑ̃d] n. f. pl. — V. 1165 ; *kalendes*, v. 1119 ; lat. *calendæ.*

♦ **1.** Didact. Premier jour de chaque mois chez les Romains. *Le mois romain était divisé en trois parties par les calendes, les ides* et les nones*. Les calendes étaient le jour d'échéance des dettes.*

Je suis venu ici plus de dix fois depuis les calendes du mois dernier. — Comment dites-vous cela, s'il vous plaît ? Les Cal... — Les Calendes, Mademoiselle, c'est la manière de compter des Romains et la mienne.
J.-F. REGNARD, *la Coquette*, III, 3.   1

Vous faites un bel éloge du jour de l'an, mais je vous aime toute l'année, et tous les jours sont pour moi les calendes de janvier.
VOLTAIRE, *Lettre à Cideville*, 4 févr. 1765.   2

♦ **2.** Loc. (1552). **CALENDES GRECQUES.** *Remettre, renvoyer aux calendes, aux calendes grecques :* remettre à un temps qui ne viendra jamais (les Grecs n'ayant pas de calendes).

L'arrêt sera donné ès *(aux)* prochaines calendes grecques, c'est-à-dire jamais (...)
RABELAIS, *Gargantua*, XX.   3

Par ext. Avenir très éloigné.

REM. Cet emploi étant assez courant et le sens 1. didactique, on rencontre l'expression *renvoyer aux calendes* avec ce sens (erroné).

DÉR. V. Calendrier.

CALENDO [kalɑ̃do] ou **CALENDOS** [kalɑ̃dos] n. m. — 1931 ; orig. incert. ; J. Cellard et A. Rey évoquent un calembour sur *cale-en-dos* « bossu » *(Dict. du français non conventionnel).*

♦ Fam. ou pop. Camembert. — REM. On écrit aussi *calandos.*

Je lui confiai les photos et les jumelles, et je m'astreignis à passer rue de Bellechasse une ou deux fois par jour, malgré la gêne que me faisaient éprouver Lev Mikhaïlovitch et l'odeur de hareng mariné qui avait remplacé dans la chambre celle du calandos.
Vladimir VOLKOFF, *le Retournement*, p. 92.

CALENDRIER [kalɑ̃dʀije] n. m. — 1372 ; *kalendier*, 1119 ; bas lat. *calendarium* « livre d'échéances », de *calendæ.* → Calendes.

♦ **1.** Système officiel de division du temps* en années, en mois et en jours. ⇒ **Chronologie.** *Calendrier égyptien antique. Le calendrier grec avec des mois, des jours intercalaires. Calendrier romain.* ⇒ **Calendes, ides, nones ; fastes, féries.** *Calendrier des chrétiens grecs.* ⇒ **Ménologe.** *Calendrier julien* ou *vieux calendrier. Nouveau calendrier* ou *calendrier grégorien*, après la réformation de Grégoire XIII. ⇒ **Année, mois, semaine, jour ; bissextile** (année), **intercalaire** (jour). *Calendrier ecclésiastique.* ⇒ **Bref** (n. m.), **comput, ordo.** *Calendrier républicain :* calendrier institué en France en 1793. (*Mois :* Vendémiaire, brumaire, frimaire, nivôse, pluviôse, ventôse, germinal, floréal, prairial, messidor, thermidor, fructidor. *Décades. Jours :* Primidi, duodi, tridi, quartidi, quintidi, sextidi, septidi, octidi, nonidi, décadi. *Jours supplémentaires, ou* sans-culottides). — *Le calendrier musulman commence le 16 juillet 622.* ⇒ **Hégire.** *Calendrier israélite :* année de douze (année commune) ou treize mois (année embolismique).

1 Le calendrier n'était pas autre chose que la succession des fêtes religieuses.
FUSTEL DE COULANGES, la Cité antique, p. 185.

Vouloir réformer le calendrier : s'attaquer follement à une tâche démesurée, vouloir « refaire le monde ».
Système de mesure du temps réglé sur les principaux phénomènes astronomiques ou climatiques. *Calendrier lunaire, solaire.*

♦ **2.** Division du temps en fonction d'un programme fixé. *Établir un calendrier de voyage, de travail.*

2 (...) un calendrier, c'est-à-dire un avenir divisé en cases, où je vais pouvoir distribuer mes projets et mes espérances. ALAIN, Propos, p. 180.

(1872). Répertoire des épreuves officielles de la saison sportive. ⇒ **Saison.**

Emploi du temps. *Avoir un calendrier très chargé. Mon calendrier ne me permet pas de vous recevoir avant quinze jours.*

Rare. Suite d'événements. « *Le calendrier de mes voyages* » (A. Arnoux, *in* T. L. F.).

♦ **3.** Tableau de la suite des saisons, des mois et des jours de l'année, contenant généralement les fêtes de l'année, et le nom d'un saint pour chaque jour, ainsi que des indications sur le début des saisons, les phases de la lune, le lever et le coucher du soleil. ⇒ **Almanach; agenda, annuaire, éphéméride.** *Consulter le calendrier. Accrocher un calendrier au mur. Calendrier des postes. Calendrier de poche. Un bloc calendrier; calendrier à effeuiller. Les saints, tous les saints du calendrier. Son nom n'est pas dans le calendrier.*

Calendrier perpétuel, combinant les indications de jours et de quantièmes selon les années, et permettant d'établir le calendrier d'une année quelconque, connaissant ses caractéristiques (lettre dominicale, épacte...).

Fig. et fam. *Ce n'est pas un saint de votre calendrier :* ce n'est pas un de vos amis.

CALENTURE [kalãtyʀ] n. f. — 1750; esp. *calentura* « chaleur, fièvre », de *calentar* « chauffer », du lat. *calere.*

♦ Méd. (Vx). Délire, parfois furieux, dû à l'insolation, dans les zones tropicales.

Certes, déclara le Dʳ Isemgrim, il arrive que marins et voyageurs soient atteints, sous les cieux étrangers, de dangereuse calenture mais jamais fièvre du Capricorne n'a nourri ses victimes de saucisses chaudes, de lapin de garenne et d'oie fumée, ni ne les a abreuvées de vin de riche treille.
Jean RAY, les Derniers Contes de Canterbury, p. 203.

CALE-PIED [kalpje] n. m. — 1895; de 2. *caler,* et *pied.*

♦ Petit butoir de métal souple adapté à la pédale de la bicyclette, et qui maintient le pied du cycliste dans une bonne position. *Des cale-pieds.*

Un vélo? dit Yann au bout d'un moment. — Ouais tout neuf (...) — Il est peint en quoi? — En rouge — Il est rouge? — Ouais, avec un guidon de course — Ah! — Et des cale-pieds. Tony DUVERT, Paysage de fantaisie, p. 123.

CALEPIN [kalpɛ̃] n. m. — 1534, « dictionnaire »; de *Calepino,* lexicographe italien, auteur d'imposants dictionnaires multilingues.

♦ **1.** Vx (langue class.). Dictionnaire. — (1662). Recueil de renseignements.

1 N'êtes-vous pas fort plaisant avec vos cinq langues? Vous voudriez (...) que mes lettres fussent des calepins? RACINE, Lettres.

Archit. Dessin indiquant les dimensions et l'épaisseur des pierres de taille utilisées pour une construction. — *Calepin d'appareil,* reproduisant à une échelle donnée la partie de l'édifice à réaliser.

♦ **2.** (1845). Mod., cour. Petit carnet de poche sur lequel on note des renseignements, des impressions... ⇒ **Carnet.** *Consulter son calepin.*

2 Là-dessus, il (...) tira de sa poche son calepin, de son calepin sa carte et la tendit à Boubouroche. COURTELINE, Boubouroche, Nouvelle, p. 64.

Mettez cela sur votre calepin : notez cela. — Fig. Gardez cela en tête et tirez-en la leçon.

♦ **3.** Régional (Belgique). Cartable.

1. CALER [kale] v. — V. 1165; anc. provençal *calar* « abaisser », du lat. *c(h)alare,* grec *khalan* « détendre, laisser aller ». → **Déchaler.**

★ **I.** ♦ **1.** V. tr. Mar. Baisser*, abaisser (un mât, une vergue). *Caler une voile, une voile. Caler un mât de hune.* — Absolt. *Caler bas; caler à mi-mât.*

Loc. fam. (Vx). *Caler la voile :* se radoucir, rabattre de ses prétentions, de ses exigences. ⇒ **Filer** (doux).

♦ **2.** (1524). Absolt (ou intrans.). Cour. Céder (devant qqn); renoncer. ⇒ **Céder, reculer.** *Il fut obligé de caler* (Académie). *Il a calé devant l'adversaire, devant la difficulté. Il a fini par caler* (par céder; et aussi, par s'arrêter; → 2. Caler, 3.). — REM. On trouve chez G. Sand la var. *caller.*

---

1 Puis elle lui dit, sans caler aucunement : « Vous ne ferez point votre perte en écoutant votre mauvaise tête ». G. SAND, François le Champi, IX, p. 80.

2 Ses tempes étroites dénotaient un entêtement de bélier, un intraitable orgueil. Jamais il ne calerait. FLAUBERT, Bouvard et Pécuchet, *in* T. L. F.

Fam. Ne plus pouvoir continuer (à manger, etc.). *Il a calé sur le cassoulet. Ça suffit, je cale!*

♦ **3.** *Caler une ligne de pêche, un filet,* les enfoncer dans l'eau.

★ **II.** V. intr. ♦ **1.** Mar. (en parlant d'un navire). S'enfoncer dans l'eau. ⇒ **Calaison.** *Ce navire cale trop de l'arrière.* — (Avec un compl. interne). *Ce bateau cale six pieds.*

♦ **2.** Régional (Québec). S'enfoncer (le sujet désigne un être animé, le verbe a une valeur progressive).

3 Alexis, lui, n'avait écouté que son cœur. Il s'était précipité dans le remous au bord duquel avait calé Joson.
Et là, il se mit à tâtonner à travers les longues écorces qui tournaient comme des varechs, à lutter de désespoir contre les tourbillons de l'eau, à battre de ses bras fraternels, à l'aveuglette, vers des semblances vagues de forme humaine.
Félix-Antoine SAVARD, Menaud, Maître-Draveur, 1964, IV, *in* Littératures de langue franç. hors de France, p. 449.

DÉR. 1. Calage, calaison, 1. **cale.** — **Caleter.** — 1. **Caleur.** — V. 2. **Cale.**
HOM. 2. **Caler.**

2. CALER [kale] v. — 1676; de 3. *cale.*

♦ **1.** Trans. Mettre d'aplomb au moyen d'une cale. ⇒ **Assujettir, étayer, fixer.** *Caler le pied d'une chaise. Caler un meuble bancal. Caler la roue d'une automobile.*

1 Calez-moi ça de chaque côté avec ces pierres que vous voyez-là! G. SAND, la Mare au diable, VIII, p. 66.

1.1 Le jour où j'adoptai cette remise j'y trouvai un canot, la quille en l'air. Je le retournai, le calai avec des pierres et des morceaux de bois, enlevai les bancs et en fis mon lit. S. BECKETT, Nouvelles, p. 105.

Rendre stable. ⇒ **Stabiliser.** *Caler le buste d'un malade dans un fauteuil. Caler sa tête sur un oreiller.* ⇒ **Appuyer.** *Caler une pile de linge contre un mur.*

2 Il entra donc, pliant sous le poids des dossiers (...) dont il se hâta de caler, à la molesquine d'une chaise, la pile énorme et vacillante.
COURTELINE, Messieurs les ronds-de-cuir, II, III.

3 Antoine (...) soutenait son père de ses deux bras, tandis que son Céline calait le buste avec des coussins (...) MARTIN DU GARD, les Thibault, t. IV, p. 171.

SE CALER : s'installer dans une position confortable. ⇒ **Carrer** (se). *Il s'est bien calé dans son fauteuil.*

Remplir (en parlant d'un aliment). *Caler l'estomac.* — Absolt. *Un aliment qui cale.*

(1878). Fig. et fam. *Se caler les joues :* bien manger.

3.1 La fille était belle. Je venais de me caler les joues. Les drinks se succédaient. J'avais les poches pleines. Les petits oiseaux mécaniques chantaient toujours. Le bar rutilait et, vraiment, j'avais par trop bourlingué à bord de ce sacré baleinier de malheur. B. CENDRARS, Moravagine, *in* Œ. compl., t. IV, p. 202.

(1903). Ellipt. *Se les caler.*

3.2 Hé! père Viron, vite une chopotte, du saucisson, une côtelette de brie; ce que vous aurez, quoi! — Briffe! Cale-toi les! J. LORRAIN et D. FABRICE, Clair de lune, 1903, I, VI, *in* D.D.L., II, 2.

Être calé : avoir l'estomac plein.

♦ **2.** *Caler une bille,* la lancer en faisant ressort avec les doigts. — Absolument :

4 (...) une autre *(bille),* translucide, en cornaline, couleur d'écaille claire, dont je me servais pour *caler.* GIDE, Si le grain ne meurt, I, 1, p. 12.

♦ **3.** (1867). Mécan. Rendre fixe ou immobile (une pièce). ⇒ **Assujettir, fixer.** *Caler une clavette. Caler une valve. Caler une frette à la presse, à chaud. Caler les balais d'une dynamo.*

Caler le moteur, le faire s'arrêter* par une fausse manœuvre. ⇒ **Bloquer.**

4.1 Une motocyclette conduite par un petit homme sec (...) m'avait doublé et s'était installée devant moi, au feu rouge. En stoppant, le petit homme avait calé son moteur et s'évertuait en vain à lui redonner souffle. CAMUS, la Chute, 1956, p. 61.

Absolt. Caler le moteur de son véhicule.

4.2 *(Armande)* prend le sens interdit (...) au ras d'un groupe de Noirs. Hurlement haineux. Si elle cale... Elle n'a pas calé. Claude COURCHAY, La vie finira bien par commencer, 1972, p. 162.

♦ **4.** Intrans. **a** (Choses). S'immobiliser. *Le moteur, la voiture a calé.*

b (Personnes). Être bloqué, s'arrêter par suite d'une défaillance. *Le coureur, épuisé, a calé. Il voulait manger tout le plat, mais il a calé avant de finir.*

(Abstrait). *Il a fini par caler,* par renoncer. ⇒ 1. **Caler** (2.).

▶ **CALÉ, ÉE** p. p. adj.

♦ **1.** Muni d'une cale. *Roue calée.* — Fixé, assujetti.

5 (...) il se sentait les mains creuses (...) il lui manquait quelque chose dans les mains, le poids d'une boule cloutée, bien calée dans sa paume (...)
SARTRE, le Sursis, p. 158.

5.1 Rassis maintenant à l'arrière, les jambes allongées et le dos bien calé contre le sac rembourré d'herbe qui me servait de coussin, j'avalai mon calmant.
　　　　　　　　　　　S. BECKETT, Nouvelles, p. 112.

♦ **2.** (1782). Fig. et fam. Vx. Bien établi, riche.

5.2 On n'a pas servi, pendant quarante ans, dans de bonnes maisons, sans faire quelques petites économies... Pas vrai?... — Oui, mais combien?... Alors, d'une voix basse, chuchotée : — Peut-être quinze mille francs... Peut-être plus... — Mazette!... Vous êtes calé, vous !
　　　　　　　　　　　O. MIRBEAU, le Journal d'une femme de chambre, 1900, p. 198.

♦ **3.** (1819). Fam., mod. Savant, instruit. *Il est rudement calé en physique.* ⇒ **Fort.**

5.3 Veux-tu mieux, sans déroger à ta dignité de jeune fille charmante, lis Plutarque, et quelque deux ou trois volumes de cette force, et tu seras calée pour toute ta vie.
　　　　　　　　　　　BALZAC, Correspondance, 1819, in D. D. L., II, 2.

♦ **4.** (1789, *in* D.D.L.; en parlant d'une chose abstraite). Difficile, compliqué. *Un problème calé.*

6 (...) une foule de trucs inédits, et plus calés les uns que les autres, pour dépouiller le pauvre monde. 　　　LÉON DAUDET, la Femme et l'Amour, IV, p. 94.

DÉR. 2. Calage, 2. caleur.
COMP. Cale-pied, décaler.

CALETER ou CALTER [kalte] v. intr. — 1878; *calleter*, 1847; *caloter*, 1798; probablt de 1. *caler* « reculer » (Lacassagne, *l'Argot du milieu*).

♦ Fam. S'en aller en courant, fuir. ⇒ **Barrer** (se ; cit. 7), **déguerpir, filer.** *On a calté en vitesse. Caltez, volailles !*

1 — Ça va, gros père, dit Gros-Louis, je m'en vais... — Je t'ai dit de caleter. — Je m'en vais, dit Gros-Louis. T'as pas besoin d'avoir peur ; c'est pas moi qui resterais dans une compagnie où je ne suis pas désiré. 　SARTRE, le Sursis, p. 34.

2 À Pierrot : — Toi, j'ai un bon conseil à te donner : déguerpis immédiatement, et qu'on ne te revoie plus ici. Inutile de revenir demain. Allez, calte.
　　　　　　　　　　　R. QUENEAU, Pierrot mon ami, p. 27 (1943).

1. CALEUR, EUSE [kalœʀ, øz] n. — 1785; p.-ê. du normand *caleux* « paresseux », de 1. *caler*.

♦ **1.** Argot des typographes. Personne qui travaille peu, qui paresse.

♦ **2.** (1813). Vx. Personne lâche, qui recule devant le danger.
HOM. 2. Caleur.

2. CALEUR, EUSE [kalœʀ, øz] n. — xxᵉ; de 2. *caler*.

♦ Techn. Personne chargée de freiner, à l'aide d'un sabot, les wagons de chemin de fer (notamment, naguère, au triage par gravité).
HOM. 1. Caleur.

CALF [kalf] n. m. — 1964.

♦ Abréviation de *box-calf.* ⇒ **Box-calf.** *« La montre à la mode, bracelet calf noir » (Paris-Match,* 31 oct. 1964). *Un sac en calf.*

CALFAT [kalfa] n. m. — 1611; *calefas,* 1371; ital. *calafato;* arabe *qâlfât,* ou de *calfater.*

♦ Mar. Professionnel qui calfate* les navires. ⇒ **Calfateur.** *Outils de calfat :* bec-de-corbin, ciseau (de calfat), clavet, coin, guignette, guipon (pinceau), patarasse.

Au loin, les marteaux de calfat tamponnaient des carènes, et une brise lourde apportait la senteur du goudron. 　FLAUBERT, Trois contes, « Un cœur simple », II.

CALFATAGE [kalfataʒ] n. m. — 1832; « étoupe servant à calfater », 1527; de *calfater.*

♦ Mar. Action de calfater. *Le calfatage n'est pas terminé. Bassin de calfatage.* — Résultat de cette action. *Un calfatage impeccable.*

Soit que les maisons cachassent une partie du port, un bassin de calfatage ou peut-être la mer même (...) 　PROUST, À l'ombre des jeunes filles en fleurs, Folio, p. 493.

CALFATER [kalfate] v. tr. — V. 1382; *calafater,* déb. xivᵉ; de l'arabe *qalfata,* probablt par l'ital. *calafatare,* ou de l'anc. provençal *calafatar,* plutôt que par le grec byzantin *kalafatês.*

♦ **1.** Mar. Rendre étanche le pont, les bordages de (la coque d'un navire) en garnissant d'étoupe goudronnée les joints et les interstices. ⇒ **Caréner, radouber.** — Au p. p. *Un pont mal calfaté* (⇒ Cambuse, cit. 1). — Absolt. *Calfater avec du brai, du goudron, du ploc, de la poix...* ⇒ **Brayer, goudronner.**

1 Le navire ne reçoit son pilote que premièrement ne soit callafatée *(calfatée)* et chargée (...) 　　　RABELAIS, Gargantua, I, 3.

2 Les lois sont faites après coup, comme on calfate des vaisseaux qui ont une voie d'eau. 　VOLTAIRE, Lettre à Catherine II, 45.

3 Lalla va s'asseoir dans le sable, au bord de la mer, là où Naman le pêcheur a allumé son grand feu de branches pour chauffer la poix, pour calfater son bateau. 　J.-M. G. LE CLÉZIO, Désert, p. 133.

♦ **2.** Boucher hermétiquement par un calfatage. *Calfater un interstice, une voie d'eau.*

Par métaphore (attraction probable de *calfeutrer*). *« Calfater les brèches des fenêtres »* (Vial).

DÉR. Calfatage, calfateur. — V. **Calfat, calfeutrer.**

CALFATEUR [kalfatœʀ] n. m. — 1382; *calphadeur,* attestation isolée, 1373; de *calfater.*

♦ Mar. (Vx). Ouvrier spécialisé dans le calfatage des navires. ⇒ **Calfat.** — REM. Le fém. *calfateuse* [kalfatøz] est virtuel.

(...) des chantiers navals, des hangars pour calfateurs de péniches (...) 　　　　　　Paul MORAND, New York, p. 250.

CALFEUTRAGE [kalføtʀaʒ] n. m. — 1718; de *calfeutrer.*

♦ Action de calfeutrer ; résultat de cette action. *Le calfeutrage de cette fenêtre n'est pas efficace.* — Fait de se calfeutrer. — REM. On dit aussi *calfeutrement* [kalføtʀəmã].

CALFEUTRER [kalføtʀe] v. tr. — 1540; *galefeustrer,* 1478; *calefestrer,* 1382; altér. de *calfater,* d'après *feutre.*

♦ **1.** Rendre étanche (une ouverture mobile) en bouchant les interstices avec une lisière, un bourrelet, pour empêcher l'air de pénétrer, éviter une déperdition de chaleur. *Calfeutrer une fenêtre avec de l'étoupe, du papier. Calfeutrer une porte, un châssis, une trappe.*

Par métaphore :

1 (...) pour vivre tranquille il faut vivre seul et calfeutrer toutes ses fenêtres de peur que l'air du monde ne vous arrive. 　FLAUBERT, Correspondance, t. I, p. 156.

♦ **2.** Fig., rare. Enfermer (qqn).

▶ **SE CALFEUTRER** v. pron. (Av. 1721).
S'enfermer. *Se calfeutrer chez soi. Il s'est calfeutré dans sa chambre.*

2 (...) les paysans les moins cultivés se calfeutrent dans des alcôves (...) 　　　GIDE, les Faux-monnayeurs, II, IV, p. 250.

3 Quand il faisait mauvais à Réveillon on se calfeutrait au coin de son feu ou, si l'on craignait d'avoir mal à la tête, on allait faire une course au village ou faire une visite à un château voisin. 　PROUST, Jean Santeuil, Pl., p. 495.

Fig. S'isoler volontairement. ⇒ **Cloîtrer** (se), **confiner** (se).

DÉR. Calfeutrage ou **calfeutrement.**

CALIBRAGE [kalibʀaʒ] n. m. — 1838; de *calibrer.*

♦ **1.** Action de donner ou de mesurer le calibre*. ⇒ **Calibrer.**
Cour. Action de classer des objets plus ou moins sphériques d'après leur calibre. *Le triage et le calibrage des fruits.*

♦ **2.** Imprim. Évaluation de la longueur qu'occupera un texte manuscrit quand il sera imprimé.

CALIBRATION [kalibʀasjɔ̃] n. f. — 1963; de *calibrer.*

♦ Phys. Étude des variations de la réponse d'un récepteur photométrique à des flux lumineux. *« Les mesures se font normalement entre 0 et 30 °C, mais pour une demande particulière on peut faire la calibration dans un domaine de température plus large » (Ingénieurs et Techniciens,* 1966, n° 200, p. 31).

CALIBRE [kalibʀ] n. m. — 1478; arabe *qâlïb* « moule à métaux; forme en bois pour fabriquer des chaussures ».

A. ♦ **1.** [a] Diamètre* intérieur d'un tube. *Le calibre des artères, des veines. Calibre d'une conduite d'eau, d'un tuyau.*

0.1 Le fer, préalablement préparé en longues et minces tiges, dont les extrémités avaient été amincies à la lime, ayant été introduit dans le grand calibre de la filière, fut étiré par l'arbre de couche, enroulé sur une longueur de vingt-cinq à trente pieds, puis déroulé et représenté successivement aux calibres de moindre diamètre ! 　J. VERNE, l'Île mystérieuse, t. II, p. 559.

[b] (1571). Spécial. Diamètre intérieur (du canon d'une arme à feu). *Le calibre d'un canon, d'une mitrailleuse, d'un fusil, d'un pistolet... Pistolet de 7,65 mm de calibre (un 7,65). Canon de gros calibre (artillerie lourde). Vérifier le calibre d'une arme.* ⇒ **Calibrer.**

1 Seize canons d'un calibre tel qu'on n'en avait point encore vu en Europe. 　　　　CHATEAUBRIAND, le Génie du christianisme, IV, V, 1.

[c] Par ext. Arme à feu (qualifiée par son calibre). *Un calibre lourd. Un calibre 6,35 ; 12.*

1.1 Même avec un calibre lourd dans les mains, on essaie de se faire plus petit quand un lion vient à vous de cette manière. 　J. KESSEL, le Lion, p. 207.

1.2 Le seize, demandai-je, c'est plus gros que le douze ?
— Non, dit l'oncle. C'est un peu plus petit.
— Pourquoi ?
— Oui! dit mon père. Pourquoi les plus petits numéros sont ceux des calibres les plus gros ?

— C'est un bien petit mystère, dit l'Oncle Jules (...). Un calibre seize, c'est un fusil pour lequel on peut fabriquer seize balles rondes avec une livre de plomb. Pour un calibre douze, la même livre de plomb ne fournit que douze balles rondes, et s'il existait un calibre un, il tirerait des balles d'une livre.
M. PAGNOL, la Gloire de mon père, t. I, p. 197.

Fam. Arme à feu portative. ⇒ **Pistolet, revolver ;** fam. **feu, flingue, pétard.**

♦ **2.** Techn. Unité de mesure, rapport entre la longueur du tube et le calibre. *Canon de 100 calibres (5 m de long pour 50 mm de calibre).*
(1636). Grosseur (d'un projectile). *Obus de gros, de petit calibre. Calibre d'une cartouche, d'une balle.* — Absolt. *Cette balle n'est pas de calibre.*

♦ **3.** Diamètre (d'un cylindre, d'un objet sphérique). *Colonnade formée d'éléments de même calibre. Calibre d'un fruit (→ Calville, cit. 1). Des œufs de calibres différents.*
Calibre d'une maille de chaîne. — Par ext. *Le calibre d'une chaîne d'ancre.*

♦ **4.** (1548). Fig. et fam. Importance, grosseur. *Une bêtise de grand calibre.*

1.3 La porte était à peine entrebâillée que déjà le visiteur était dans la chambre. C'était un petit homme vêtu de noir, de ce calibre restreint des huissiers ou des quêteurs que seule la chaîne de sûreté peut contenir.
J. GIRAUDOUX, les Aventures de Jérôme Bardini, 1930, p. 172.

Qualité, état d'une personne relativement à un modèle. ⇒ **Acabit, classe.** *Ces deux gredins sont du même calibre* (cf. lat. Ejusdem farinæ). *Il est d'un autre calibre que ce médiocre.* ⇒ **Envergure.**

2 Cela s'entend prix pour prix et sans faire comparaison de deux comédiens de campagne à deux Romains de ce calibre-là. SCARRON, le Roman comique, XVI.

B. Par métonymie. ♦ **1.** (1690). Techn. Instrument servant à mesurer un calibre. ⇒ **Étalon.** *Calibres d'acier trempé (→ Calibriste, cit.) Calibre mâchoire. Calibre d'épaisseur. Calibre à réglette graduée.* ⇒ **Vernier.** *Calibre Johanson, à lames, de haute précision.*
Mandrin* servant à mesurer le diamètre et l'épaisseur d'un diamant.

♦ **2.** Spécialt. Instrument servant à calibrer des balles. ⇒ **Passe-balles.**

DÉR. Calibrer, calibriste.

CALIBRER [kalibʀe] v. tr. — 1552, Rabelais ; dénominatif de *calibre*.
Technique.

♦ **1.** Donner le calibre* convenable à (qqch.). *Calibrer des balles. Calibrer un thermomètre, etc.*

♦ **2.** (1845). Mesurer le calibre de (qqch.). *Calibrer une machine, un tour...* — Par ext. Classer suivant le calibre. *Calibrer des fruits.*

♦ **3.** Imprim. Évaluer la longueur (par le nombre de signes, les espaces...) qu'occupera un texte manuscrit quand il sera imprimé. *Calibrer un volume de poèmes.*

DÉR. Calibrage, calibration, calibreur.
COMP. Sous-calibré.

CALIBREUR, EUSE [kalibʀœʀ, øz] n. — 1845, au fém. ; de *calibrer*.

♦ Techn. Appareil ou machine pour calibrer.

CALIBRISTE [kalibʀist] n. m. — 1941 ; de *calibre*.

♦ Techn. Ajusteur-outilleur chargé de la confection des calibres (5.).
(...) les gars de l'équipe des calibres (...) Tous de fins ouvriers, ils grattaient le métal, les calibres d'acier trempé, avec une petite pierre indienne (...) Ils accomplissaient un travail d'une extrême précision (...)
Je regardais assez souvent les calibristes. L'un ou l'autre me rendait mon regard avec un sourire de sympathie. Georges NAVEL, Travaux, p. 68.

1. CALICE [kalis] n. m. — 1180 ; lat. *calix, -icis* «coupe» ; cf. grec *kúlix.*

♦ **1.** Liturgie cathol. et cour. Vase sacré où se fait la consécration du vin, lors du sacrifice de la messe. *Le prêtre élève le calice pour la consécration. Linge sur lequel le prêtre pose le calice.* ⇒ **Corporal.** *Carton couvrant le calice.* ⇒ **Pale.** *Couvrir le calice avec la patène*. Calice d'or, d'argent, de vermeil.*

1 Nos calices avaient cherché leurs noms parmi les plantes, et le lys leur avait prêté sa forme (...) CHATEAUBRIAND, le Génie du christianisme, IV, I, 2.

♦ **2.** (1660). Terme de mystique. Épreuve cruelle. *Le calice d'amertume. Partager le calice du Christ.* ⇒ **Coupe.**

2 Jésus répondit *(aux fils de Zébédée)* : «Pouvez-vous boire le calice que, moi, je dois boire ? » — «Nous le pouvons », lui dirent-ils. Il leur dit : « Vous boirez en effet mon calice (...) » BIBLE (CRAMPON), Évangile selon saint Matthieu, XX, 22.

3 Mon père, s'il est possible, que ce calice s'éloigne de moi !
BIBLE (CRAMPON), Évangile selon saint Matthieu, XXVI, 39.

Loc. cour. (1680). *Boire le calice jusqu'à la lie :* souffrir, endurer jusqu'au bout qqch. de pénible, de douloureux, de cruel. ⇒ **Boire**

(cit. 36 à 39). *Le calice de l'affliction, de la douleur, du malheur, du sacrifice ; de l'humiliation.*

4 Il faut avaler ce calice, et penser à revenir pour vous embrasser (...)
Mme DE SÉVIGNÉ, 795, 3 avr. 1680.

5 Quel homme, sentant un peu son cœur battre, voudrait avaler le pouvoir dans ce calice de honte et de dégoût (...)
CHATEAUBRIAND, Mémoires d'outre-tombe, III, 15.

6 Évariste but comme un calice amer le silence de la jeune femme.
FRANCE, Les dieux ont soif, p. 235.

♦ **3.** Didact. (hellénisme tardif). Vase à boire, chez les Anciens. ⇒ **Coupe.**

HOM. 2. Calice.

2. CALICE [kalis] n. m. — 1575 ; lat. *calyx, -ycis,* grec *kālux ; -i-* par contamination de 1. *calice.* → Calyco-.

♦ **1.** Bot. et cour. Enveloppe extérieure de la fleur* qui, le plus souvent, recouvre la base de la corolle et est formée de petites feuilles. ⇒ **Foliole, sépale.** *Calice d'une seule pièce* (monosépale), *à sépales soudés* (gamosépale), *à sépales libres* (dialysépale, polysépale). *Calice supplémentaire de certaines fleurs* ⇒ **Calicule.** *Calice bilabié. Calice urcéolé.* ⇒ **Urcéole.** *Les divisions du calice alternent avec celles de la corolle*. Calice régulier, irrégulier.* — REM. On emploie parfois, dans la langue courante, *calice* pour *corolle.*

1 Elle *(une tulipe)* a un beau vase ou un beau calice (...)
LA BRUYÈRE, les Caractères, XIII, 2.

2 Les tièdes voluptés des nuits mélancoliques
Sortaient autour de nous du calice des fleurs.
A. DE MUSSET, Poésies nouvelles, « Lucie ».

3 Le dos brun jaillit du corsage, engaine comme d'un calice la base de cette folle fleur. Francis JAMMES, Almaïde d'Étremont, III.

3.1 (...) c'étaient les iris, dans la lumière propice et tamisée, desserrant la membrane sèche roulée à la base de leur calice, les iris qui par milliers éclosaient.
COLETTE, Flore et Pomone, in Gigi, p. 139.

♦ **2.** Anat. *Calices du rein :* canaux membraneux, collecteurs d'urine, à extrémité élargie en coupe. *Petits calices,* qui partent des papilles rénales ; *grands calices* (de deux à cinq par rein), formés par la confluence des petits et dont la réunion constitue le bassinet*.

4 L'urine, à sa sortie des papilles du rein, est recueillie par de petites poches musculo-membraneuses appelées *calices.* Ces calices, toujours très courts, se réunissent les uns aux autres pour former un réservoir commun : le *bassinet.*
L. TESTUT, Traité d'anatomie, t. V, I, II, 1, p. 51.

DÉR. et COMP. Caliciforme, calicin.
HOM. 1. Calice.

CALICHE [kaliʃ] n. m. — 1863 ; mot espagnol.

♦ Minér., techn. Mélange naturel de sels alcalins dont on extrait le nitrate de sodium et l'iode.

CALICIFORME [kalisifɔʀm] adj. — 1838 ; de 2. *calice,* et -*forme.*

♦ Bot. Qui présente la forme d'un calice.

CALICIN, INE [kalisɛ̃, in] adj. — Av. 1826 ; de 2. *calice.*

♦ Bot. Qui est de la nature du calice.

DÉR. Calicinal.

CALICINAL, ALE, AUX [kalisinal, o] adj. — 1803 ; de *calicin.*

♦ Bot. Qui appartient au calice ; qui en tient lieu. *Feuilles calicinales.*

CALICOT [kaliko] n. m. — 1808, in Höfler ; *calico,* 1750 ; *callico,* attestation isolée, 1663 ; de *Calicut,* ville indienne de la côte de Malabar, probablt par l'anglais.

♦ **1.** Toile de coton assez grossière.

1 (...) une flèche de bois soutenait un rideau de calicot blanc qui enveloppait le lit d'acajou. F. MAURIAC, Génitrix, I, p. 10.

Par ext. (par métonymie). Bande de calicot portant une inscription. *Les manifestants défilent avec leurs calicots.*

1.1 Les ouvriers parcouraient les rues en brandissant des calicots, des drapeaux.
Conrad DETREZ, l'Herbe à brûler, p. 211.

♦ **2.** (1815, n. pr.). Fam., vieilli. Commis de magasin de nouveautés (parfois péj.).

1.2 Robert eut peut-être l'idée alors que cet enfer où il vivait, avec la perspective et la nécessité d'un mariage riche, d'une vente de son nom, pour pouvoir continuer à donner cent mille francs par an à Rachel, il aurait peut-être pu s'en arracher aisément et avoir les faveurs de sa maîtresse, comme ces calicots celles de leurs grues, pour peu de chose. PROUST, le Côté de Guermantes, 1920, Folio, p. 194.

2 Les danses ardentes et chaloupées du Moulin de la Galette, où fréquentent indistinctement trottins et gigolettes, calicots valseurs, barbillons, rapins et curieux.
Francis CARCO, Jésus-la-Caille, II, IV, p. 101.

CALICULE [kalikyl] n. m. — V. 1500 ; lat. *calyculus* « petite coupe », de *calyx*. → 2. Calice.

♦ Bot. Deuxième calice, formé de sépales supplémentaires (bractées) insérés en dehors et dans l'intervalle des sépales ordinaires. *L'œillet, le fraisier ont des calicules.*

CALIER [kalje] n. m. — 1845 ; de 1. *cale*.

♦ Mar. Matelot chargé du service de la cale.

CALIFAT [kalifa] n. m. — 1560 ; de *calife*.

♦ **1.** Dignité de calife. — Régime politique à la tête duquel se trouve un calife.

♦ **2.** (1887, *in* D. D. L.). Territoire soumis au calife. *Le califat de Bagdad.*

♦ **3.** (1863). Durée du règne d'un calife ou d'une dynastie. *Califat d'Orient* (632-1258), *de Cordoue* (929-1031), *d'Égypte* (909-1171). REM. On trouve aussi, notamment chez les spécialistes (histoire, etc.), la graphie *khalifat* [kalifa].

CALIFE [kalif] n. m. — V. 1360 ; *califfe*, déb. XIIIᵉ ; *calif*, v. 1244, *in* D. D. L. ; arabe *ḫalīfāh* « successeur (de Mahomet) ».

♦ Souverain musulman, successeur de Mahomet, qui réunissait le pouvoir spirituel et le pouvoir temporel. *Le calife de Bagdad. Les califes omeyades, abbassides, fatimides, almoravides, almohades...* REM. On trouve aussi la graphie *khalife*.

DÉR. Califat.

CALIFORNIE [kaliforni] n. f. — 1850, « grande quantité », Flaubert ; de *Californie* (→ Californien), comme symbole d'un pays riche.

♦ Vx. Contrée aux immenses ressources naturelles. ⇒ **Eldorado** (cf. J. Vallès, *in* T. L. F.). *Des californies.*

CALIFORNIEN, ENNE [kalifɔrnjɛ̃, ɛn] adj. et n. — 1797 ; de *Californie*, nom d'un État de l'Ouest des États-Unis.

♦ Relatif à la Californie. — Habitant ou originaire de la Californie.

CALIFORNIUM [kalifɔrnjɔm] n. m. — 1953 ; mot amér. (1950), l'élément ayant été découvert à l'Université de Californie.

♦ Chim. Élément radioactif artificiel (n° at. 98). *« On sait que le phénomène de scission d'un noyau lourd en deux fragments plus légers a lieu spontanément par exemple pour le californium-252 »* (*la Recherche*, juil.-août 1974).

CALIFOURCHON (À) [akalifurʃɔ̃] loc. adv. — 1690 ; *à calfourchons*, 1560 ; *a caleforchies*, 1262 ; anc. franç. *calefourchies* ; orig. discutée, p.-ê. de *fourche*, et *caler*, ou du breton *kall* « testicules » ; P. Guiraud rattache *cal(i)*- au préfixe *ca-* « creux », d'où *califourchon*, *calfourchon* « (assis) sur le creux de la fourche (en parlant des jambes) ».

♦ Une jambe d'un côté, la deuxième de l'autre. ⇒ **Cheval** (à). *Se mettre, monter à califourchon. Être à califourchon sur une selle. À califourchon sur une branche d'arbre, les jambes pendantes.*

1 Des villageois, à califourchon sur un escabeau portatif, trayaient des vaches (...) CHATEAUBRIAND, Mémoires d'outre-tombe, I, 7.

2 (...) il (...) prit une chaise, la retourna, et se campa dessus, à califourchon. MARTIN DU GARD, les Thibault, t. VII, p. 168.

Porter qqn à califourchon sur son dos (sur ses épaules).

3 (*Les brancardiers*) soutenaient ceux qui pouvaient marcher, portaient les autres dans leurs bras, ainsi que des petits enfants, ou bien à califourchon sur leur dos, les mains ramenées autour de leur cou. ZOLA, la Débâcle, 1892, t. I, p. 300.

CALIGE [kaliʒ] n. f. — 1546, Rabelais ; lat. *caliga*.

♦ Archéol. Chaussure ou sandale des soldats romains.

CALIGINEUX, EUSE [kaliʒin∅, ∅z] adj. — 1529 ; *calignieux*, 1482 ; repris au XIXᵉ ; lat. *caliginosus* « nébuleux, sombre », de *caligo*, *-ginis* « obscurité, ténèbres ».

♦ **1.** Didact. Qui a l'aspect du brouillard. *Une vapeur caligineuse.* — Fig. Obscur. *Un raisonnement caligineux.*

♦ **2.** Méd. Se dit de l'œil qui a perdu son éclat, qui est trouble.

CÂLIN, INE [kɑlɛ̃, in] n. et adj. — 1833 ; « gueux, mendiant », av. 1593, mais cette valeur, comme celle de « paresseux », correspond pour Guiraud à un autre mot (dér. de *cale* « coquille ») ; de *câliner*.

★ **I.** N. ♦ **1.** Personne qui aime à être caressée, à être traitée avec une grande douceur. *Un petit câlin.* — Par ext. Personne qui caresse, câline. ⇒ **Cajoleur**. *Il fait le câlin.* — Fig. ⇒ **Enjôleur**.

♦ **2.** N. m. *Un câlin* : un échange de tendresses, de caresses. *Un petit câlin.* — Loc. *Faire (un) câlin à qqn*, le câliner. *Gros câlin*, roman de E. Ajar (Romain Gary).

0.1 Il manqua dire « Fais-moi un câlin », mais s'arrêta au seuil du sacrilège. Sa mère, sa mère seule... Gilbert CESBRON, Don Juan en automne, p. 17.

Euphém. Acte amoureux.

★ **II.** Adj. ♦ **1.** Qui aime les caresses, la tendresse. *Un enfant câlin.* ⇒ **Aimant, caressant, doux.** *Une femme tendre et câline.* — Par ext. *Air, regard, ton câlin.* ⇒ **Enjôleur, gracieux.**

1 (...) la suivante favorite dit à sa maîtresse d'un ton câlin et compatissant, comme une jeune mère qui berce les petits chagrins de son nourrisson (...) Th. GAUTIER, le Roman de la momie, p. 59.

2 L'autre se laissait caresser avec un air de lion câlin, en répondant par un bon sourire à dents blanches. LOTI, Pêcheur d'Islande, I, 1.

(Choses). Fait pour les caresses. *Des mains câlines.*

3 (*Nana*) roulait très bien ses queues de violettes (...) Le chic était dans les doigts minces de gourgandine qui semblaient désossés, souples et câlins. ZOLA, l'Assommoir, 1877, t. II, p. 170.

Fam. *Le fisc n'est pas câlin avec nous*, il est dur.

♦ **2.** (1740). Vx. Niais, naïf (encore chez Labiche, 1862).

♦ **3.** Vieilli. Indolent, paresseux et délicat (cf. G. Sand, 1853).

CONTR. Brutal, dur, rogue.

CÂLINAGE [kɑlinaʒ] n. m. — 1837 ; de *câliner*.

♦ Rare. Action de câliner. ⇒ **Câlinerie**.

CÂLINEMENT [kɑlinmɑ̃] adv. — 1842 ; de *câliner*.

♦ D'une manière câline, caressante.

Je venais de voir Andrée, dans un de ces mouvements gracieux qui lui étaient particuliers, poser câlinement sa tête sur l'épaule d'Albertine (...) PROUST, Sodome et Gomorrhe, Pl., t. II, p. 804.

CÂLINER [kɑline] v. tr. — 1808 ; *se câliner* « paresser », 1616 ; mot de l'Ouest, du normand *caline* « chaleur étouffante », lat. vulg. **calina*, du rad. de *calere* « être chaud » ; mais Guiraud considère deux verbes différents, *câliner* pouvant venir de *caliner* « paresser » (→ Câlin, étym.), avec infl. de *chael*, du lat. *catellus* « petit d'un animal ».

♦ Traiter avec une grande douceur. ⇒ **Cajoler, caresser, choyer, dorloter, flatter.** *Câliner un enfant. Il aime être câliné.*

Il soignait et câlinait son besson à plein cœur, lui donnant ce qu'il y avait de meilleur à manger, le croûton de son pain et le cœur de sa salade (...) G. SAND, la Petite Fadette, V, p. 36.

▶ **SE CÂLINER** v. pron. *Se câliner à, contre qqn* : se blottir tendrement contre qqn. — (Récipr.). Être câlin l'un envers l'autre.

CONTR. Bourrer, brusquer, brutaliser, malmener, maltraiter, rabrouer, rembarrer, rudoyer.
DÉR. Câlin, câlinage, câlinement, câlinerie.

CÂLINERIE [kɑlinri] n. f. — 1831, Balzac ; de *câliner*.

♦ Manières câlines ; caresse*, parole câline. ⇒ **Cajolerie ; câlin** (I., 2.).

1 Si je trouve drôle que notre maîtresse t'embrasse, c'est parce que tu me parais trop grand pour ça, et que ta câlinerie te fait paraître encore plus sot que tu n'es. G. SAND, François le Champi, V, p. 57.

2 Par quelles interventions de prodigieux avatars (...) Gabrielle peu à peu était devenue Tata ? Mystère et éternel assoiffement de câlinerie des amoureux demeurés très enfants. COURTELINE, Messieurs les ronds-de-cuir, 2ᵉ tableau, I, p. 54.

3 Louise murmura qu'elle enviait l'existence des poissons. — Ça doit être si doux de se rouler là-dedans, à son aise, de se sentir caressé partout. Et elle frémissait avec des mouvements d'une câlinerie sensuelle. FLAUBERT, l'Éducation sentimentale, 1869, Pl., t. II, p. 283.

CONTR. Brusquerie, brutalité, dureté, rudoiement.

CALINOTADE [kalinɔtad] n. f. — 1878 ; de *Calinot*, puis *Calino*, type créé par les Goncourt en 1852.

♦ Vx. Naïveté, niaiserie, sottise plaisante. ⇒ **Bêtise, fadaise.**

CALIORNE [kaljɔrn] n. f. — 1634 ; provençal *caliourno*, p.-ê. de *cau* « gros câble », du grec *kalôs*.

♦ Mar. Fort palan* servant à élever de gros fardeaux. *Caliorne de redresse.*

Quant aux canons provenant du brick, c'étaient de jolies pièces en acier fondu qui, sur les instances de Pencroff, furent hissées au moyen de caliornes et de grues jusqu'au palier même de Granite-house (...) J. VERNE, l'Île mystérieuse, 1874, p. 464.

CALISSON [kalisɔ̃] n. m. — 1838 ; *calison* « friandise », fin XIIIe ; provençal *calisson*, forme dissimilée de *canisson, canissou(n)* « clayon de pâtissier », de *canitz* « clayon », du lat. pop. **cannicium* « (objet) fait de roseaux », de *canna* « canne ».

♦ Petit gâteau d'amandes pilées, en forme de losange, dont le dessus est glacé. *Les calissons d'Aix* (Aix-en-Provence) *sont renommés.*

CALLER [kale] v. ⇒ 1. **Caler** (I., 2.).

CALLEUX, EUSE [kalø, øz] adj. — 1478, au fém. ; *cailleux*, XIVe ; lat. *callosus* « qui présente des cals ».

♦ **1.** Qui est dur et épais, qui présente des callosités*. ⇒ **Cal.** *Des mains calleuses.*

1   (...) de cette lèvre calleuse, sur laquelle une de ces dents empiétait comme la défense d'un éléphant (...)   HUGO, Notre-Dame de Paris, I, 5, p. 60.

2   Tu mérites d'avoir toute ta vie pour maîtresses des caillettes, des gaupes, des gotons, des Maritornes aux mains rendues calleuses par le balai.
     Th. GAUTIER, le Capitaine Fracasse, t. I, p. 322.

♦ **2.** (1751). Anat. CORPS CALLEUX : large bande médullaire blanche qui réunit les deux hémisphères du cerveau chez les mammifères. — *Syndrome calleux :* ensemble des symptômes observés dans les tumeurs du corps calleux.

CONTR. **Doux, lisse.**

CALL-GIRL [kolgœRl] n. f. — 1960 ; angl. *to call* « appeler », et *girl* « fille ».

♦ Anglic. Prostituée que l'on appelle chez elle par téléphone. *Des call-girls.*

1   (...) trafic de devises, chantages divers exercés sur d'autres fraudeurs que soi-même, interventions monnayées ou dîme sur des attributions de marchés, et même réseaux de call-girls.   Loup DURAND, le Caïd, 1976, p. 578.

2   Les réseaux de call-girls, putains de luxe et concubines constituent évidemment nos meilleures affaires, puisque nous en retirons à la fois d'irremplaçables contacts avec les hommes au pouvoir et la plus grande partie de nos ressources financières.   A. ROBBE-GRILLET, Projet pour une révolution à New York, 1970, p. 56.

CALLI- Élément, du grec *kallos* « beauté », qui entre dans la composition de plusieurs mots (voir à l'ordre alphabétique).

CALLIGRAMMATIQUE [ka(l)ligRa(m)matik] adj. — 1918 ; de *calligramme.*

♦ Didact. Qui prend la forme d'un calligramme, de calligrammes*. *Pièce calligrammatique. Poésie calligrammatique.*

Le prototype de certaines stances d'*Alcools* (d'Apollinaire) comme aussi le modèle des bons vers calligrammatiques, se pourrait trouver déjà dans les *Fanfreluches antidatées* du premier livre de *Gargantua.*
     G. A. MASSON, in le Carnet critique, 1918, n° 7.

CALLIGRAMME [ka(l)ligRam] n. m. — Av. 1918, Apollinaire ; de *calli-*, et *-gramme*, par croisement de *idéogramme* avec *calligraphie.*

♦ Poème où les vers sont composés typographiquement de manière à former un dessin (illustrant le plus souvent le sujet du poème). *Calligrammes*, titre d'un recueil d'Apollinaire.

DÉR. **Calligrammatique.**

CALLIGRAPHE [ka(l)ligRaf] n. — 1751, *Encyclopédie* ; grec *kalligraphos*, de *kallos*, (→ Calli-), et *graphein* « écrire ».

♦ Personne qui a une belle écriture ; spécialiste de la calligraphie. *Broderie* (cit. 4) *dessinée par un calligraphe. Un, une calligraphe arabe. Un grand calligraphe japonais. Poète et calligraphe chinois.*

CALLIGRAPHIE [ka(l)ligRafi] n. f. — 1569, H. Estienne ; grec *kalligraphia* « belle écriture ».

♦ **1.** Art de bien former les caractères d'écriture ; écriture formée selon cet art. *Calligraphie élégante, ornée. La calligraphie chinoise, japonaise ; arabe. École de calligraphie.*

1   Il *(Lahrier)* avait une calligraphie à lui, une bâtarde fantaisiste, pétaradante d'enjolivements (...)
     COURTELINE, Messieurs les ronds-de-cuir, 2e tableau, I, p. 61.

2   La calligraphie a été, au moyen âge et dans l'Orient musulman, un art véritable qui n'a pas été sans influence sur le style de la peinture et de la sculpture.
     Louis RÉAU, Dict. d'art, art. Calligraphie.

♦ **2.** (Par métonymie). Œuvre du calligraphe. *Une calligraphie du* XVIIe *siècle. Recueil de calligraphies.*
Peinture abstraite évoquant une écriture.

DÉR. **Calligraphier.** — (Du rad.) **Calligraphique.** — V. **Calligramme.**

CALLIGRAPHIER [ka(l)ligRafje] v. tr. — 1844, Mérimée ; de *calligraphie.*

♦ Former avec beaucoup d'application, de soin (les caractères écrits). *Calligraphier une lettre.* — Au p.p. *Adresse calligraphiée.*

CALLIGRAPHIQUE [ka(l)ligRafik] adj. — 1823, *in* Boiste ; du rad. de *calligraphie.*

♦ **1.** Relatif à la calligraphie. *Exercices calligraphiques.*

♦ **2.** Arts. Qualifie certaines œuvres abstraites où domine le signe. *Les peintures calligraphiques de Georges Mathieu.*

DÉR. **Calligraphiquement.**

CALLIGRAPHIQUEMENT [ka(l)ligRafikmɑ̃] adv. — 1854, G. Sand ; de *calligraphique.*

♦ Didact. D'une manière calligraphique.

CALLIPYGE [ka(l)lipiʒ] adj. et n. f. — 1786, *in* Cottez ; grec *kallipugos*, épithète d'Aphrodite ; de *kallos* (→ Calli-), et *pugê* « fesse » (→ -pyge).

♦ Didact. ou plais. Qui a de belles fesses. *La Vénus callipyge :* la Vénus aux belles fesses (nom d'une statue antique de Vénus).

(...) la chambre où (...) en contemplant les bergères troussées et les nymphes callipyges (...)   Claude SIMON, le Palace, p. 24.

Adj. et n. f. Par ext. (anthrop.). Qui a les fesses fortement développées.

DÉR. **Callipygie.**

CALLIPYGIE [ka(l)lipiʒi] n. f. — XXe ; de *callipyge.*

♦ Didact. Ampleur généreuse des fesses, dans les cultures où ce phénomène, chez la femme, est valorisé. *La callipygie de la Vénus hottentote.*

CALLISTE [kalist] n. m. — 1826, Boié ; grec *kallistos* « très beau ».
Zoologie.

♦ **1.** Passereau au plumage vif, varié selon les espèces.

♦ **2.** (1846). Coléoptère, carabe à corps orangé taché de noir, corselet rouge et tête bleue.

CALLISTÈPHE [ka(l)listɛf] n. m. — 1845, *in* Bescherelle ; de *calli-*, et grec *stephos* « couronne ».

♦ Bot. Plante phanérogame *(Composacées)* originaire de Chine ou du Japon, appelée couramment *reine marguerite* ou *aster de Chine*, aux fleurs roses ou mauves, parfois blanches ou soufrées dans les variétés cultivées.

CALLITRICHE [ka(l)litRiʃ] n. m. — 1766, Buffon ; lat. *callithrix* (Pline), du grec *kallithrix*, proprt « à la belle toison ».

♦ **1.** Zool. Singe catarrhinien* à face noire, à longs favoris et à beau pelage fournissant une fourrure. *La queue du callitriche atteint la taille du corps. Le ouistiti* est un callitriche. ⇒ aussi **Tamarin.**

♦ **2.** Bot. Plante aquatique appelée *étoile d'eau (Euphorbiacées)*, parce que les feuilles supérieures s'étalent, en rayonnant, à la surface de l'eau.

CALLOPSITTE [ka(l)lopsit] n. m. — XXe ; *callipsittacus*, 1899 ; de *kallos* « beauté », et *-psitte*, du lat. sav. *psittacus*, grec *psittakos* « perroquet ». → Psittacidés, psittacisme, psittacose.

♦ Zool. Perroquet de petite taille originaire d'Australie.

CALLOSITÉ [kalozite] n. f. — 1314, *caillosité, callosité* ; lat. *callositas*, de *callus*. → Cal.

♦ **1.** Épaississement circonscrit et durcissement de l'épiderme dû à l'augmentation de sa couche de cellules cornées, se produisant aux endroits soumis à des frottements ou pressions répétées (aux mains, aux pieds, aux genoux). ⇒ **Cal, cor, durillon, oignon.** *Mains couvertes de callosités.*

(...) comme la plupart des gens issus de campagnards, qui gardent toujours à l'âme quelque chose de la callosité des mains paternelles.
FLAUBERT, Mᵐᵉ Bovary, I, IX, p. 46.

Induration* qui se produit sur les bords d'un ulcère.

♦ **2.** Bot. Bourrelet dur (sur une plante).

CALLOT [kalo] n. m. ⇒ 2. **Calot,** 2. (cit. 2) ; 3. **calot,** 2.

CALLOVIEN [kalɔvjɛ̃] n. m. — 1852, A. d'Orbigny, *Paléontologie française ;* de *Kellaw(ays Rock),* n. d'un site dans le Wiltshire, au S. de l'Angleterre, et *-ien.*

♦ Géol. Étage supérieur du Jurassique moyen, supérieur au Bathonien* et inférieur à l'Oxfordien*. *Callovien inférieur, moyen, supérieur. Le Callovien est particulièrement fossilifère.*

Le CALLOVIEN tire son nom de la localité de Kellaways, dans le Wiltshire, où affleure le Kellaways Rock, calcaire sableux très fossilifère, encadré entre deux niveaux argileux. L'argile inférieure et le calcaire renferment à peu près la même faune (...) avec un certain nombre de Lamellibranches (...)
Le CALLOVIEN INFÉRIEUR n'affleure pas sur le littoral normand, mais dans l'Orne il est constitué par des calcaires marneux à *Macrocephalites macrocephalus, Herveyi, Zeilleria obovata,* qui remplissent des dépressions creusées dans le Bathonien (...)
Le CALLOVIEN SUPÉRIEUR comprend, dans l'Orne, des calcaires marneux (...) Sur le littoral, il a été mis à découvert en 1898, à Villers-sur-Mer, par un coup de mer.
Émile HAUG, Traité de géologie, 1927, p. 1007-1009.

CALLUNAIE [kalynɛ] n. f. — D. i. ; de *callune,* et *-aie.*

♦ Bot. Formation buissonnante où dominent les bruyères, les fougères, les ajoncs et les genêts.

CALLUNE [kalyn] n. f. — 1845, *in* Bescherelle ; du grec *kallunein* «nettoyer».

♦ Bot. Plante de la famille des Éricacées, appelée aussi *bruyère commune.* ⇒ **Brande.**
DÉR. Callunaie.

CALMANDE [kalmɑ̃d] n. f. — 1723, var. *calamandre ; calemande,* 1696 ; *callemandre,* 1848 ; ital. *calamandra.*

♦ Techn. Étoffe de laine lustrée d'un côté, comme le satin.

CALMANT, ANTE [kalmɑ̃, ɑ̃t] n. m. et adj. — 1726 ; de *calmer.*

♦ **1.** Adj. (1751). Qui calme la douleur, l'excitation nerveuse, qui rend calme. ⇒ **Apaisant, lénifiant.** *Des paroles calmantes. Un silence calmant.*

1   Une voix fit trembler l'appareil. Une vraie voix française, posée, affable (...) une voix pénétrante et persuasive de grand frère. Je déteste les voix françaises (...) La voix reprit, calmante et bénigne (...)   SARTRE, le Sursis, 1945, p. 293.

♦ **2.** Adj. et n. m. Se dit d'un médicament qui rend calme, ou qui atténue ou fait disparaître la douleur. ⇒ **Analgésique, anesthésique, antispasmodique, hypnotique, sédatif, tranquillisant.**

2   Ma tête me faisait de plus en plus mal et je renonçai à l'interroger davantage (...) Lewis a été m'acheter des cachets calmants, j'en ai absorbé deux, j'ai dormi.
S. DE BEAUVOIR, les Mandarins, 1954, p. 515.

N. m. *Un calmant.*

3   A vrai dire, je crois que, pareille à ces médecins qui sous différents noms de calmants vous donnent de l'opium, ses remèdes sont toujours à base d'oubli, ou plutôt d'habitudes qui est le vrai nom, vous le savez, l'oubli n'est qu'une variété.
PROUST, Jean Santeuil, Pl., p. 201.

CONTR. Angoissant. — Excitant, irritant, stimulant.

1. CALMAR [kalmaʀ] n. m. — 1606 ; *calmart,* 1464 ; anc. provençal *calamar* «écritoire», fin XIIIᵉ ; ital. *calamaro,* du bas lat. **calamarium* «écritoire», de *calamaria (theca),* même sens.

♦ Vx (depuis Richelet, 1680). Étui pour les plumes à écrire.
HOM. 2. Calmar.

2. CALMAR [kalmaʀ] n. m. — 1751 ; *calamar,* 1606 ; *calemar,* 1552 ; ital. *calamaro* (→ 1. Calmar), par métaphore, à cause de la poche d'encre.

♦ Mollusque céphalopode *(Dibranchiaux décapodes),* à nageoires triangulaires, à corps cylindrique et tentacules courts situés à l'extrémité céphalique, dont la coquille interne est une pièce cornée appelée *plume. Le calmar est voisin de la seiche.*
Cuis. *Calmar frit ; à l'encre.*
HOM. 1. Calmar.

1. CALME [kalm] n. m. — 1418 ; grec *kauma* «chaleur brûlante», d'où «calme de la mer par temps très chaud», par l'ital. *calma* ou par une langue ibérique.

♦ **1.** État d'immobilité (de l'atmosphère, de la mer) ; absence de vents, de mouvements... *Le calme de la nature, de la nuit. Calme crépusculaire.* — (1704). *Calme plat :* calme absolu de la mer. ⇒ **Bonace.** — Au fig. Absence d'événements, stagnation (dans le monde des affaires, de la politique, etc.). — *Un voilier immobilisé* (⇒ **Encalminé)** *dans un calme plat. Le calme après la tempête.* ⇒ **Accalmie, embellie.**

Soudain la brise tombe ; un calme sans haleine s'établit sur les flots.   1
Victor BÉRARD, Trad. HOMÈRE, l'Odyssée, p. 201-202.

Ce long calme, il est vrai, retarde vos conquêtes.   RACINE, Iphigénie, I, 1.   2
Et fais, comme il me plaît, le calme et la tempête.   RACINE, Esther, III, 5.   3
Une grosse mer qui régnait au large, malgré le calme des vents.   4
BERNARDIN DE SAINT-PIERRE, Paul et Virginie.

Rare ou spécialt (mar., géogr.). Au plur. *Des calmes, les calmes.*

(...) des vents violents alternant avec des calmes plats (...)   5
E. FROMENTIN, Dominique, III.

Géogr. *Calmes équatoriaux, tropicaux,* dans la zone de basses pressions, près de l'équateur, des tropiques.

♦ **2.** (1671). Absence d'agitation, de bruit. Impression de repos qui en résulte, ou, péj., de stagnation qui en découle. — (Matériel). *Le calme de la campagne, de la nuit. Chercher le calme, aspirer au calme. Troubler le calme. Le calme d'un sanctuaire.* ⇒ **Paix, tranquillité.**

Bientôt le silence de toute la nature l'invite au repos ; un calme délicieux suspend   6
ses sens ; sa paupière s'appesantit, ses idées fuient, échappent, elle s'endort.
CONDILLAC, Acuité des sens, III, 7.

(Société). *Rétablir le calme (dans un pays, une région, etc.),* y faire cesser les troubles publics. ⇒ **Ordre.**

Dans le calme d'une profonde paix (...)   7
BOSSUET, Oraison funèbre de Henriette-Anne d'Angleterre.

Mais un roi vraiment roi, qui, sage en ses projets,   8
Sache en un calme heureux maintenir ses sujets (...)   BOILEAU, Épîtres, 1.

(...) toutes les fois qu'une faction obtient un triomphe complet, il y a calme *dans*   9
l'État, parce que les résistances s'évanouissent.
CHATEAUBRIAND, Polémique (1818-1827), p. 245, *in* T. L. F.

Péj. (Affaires). *Le calme des affaires,* leur ralentissement ou leur arrêt. ⇒ **Marasme, stagnation.**

♦ **3.** Moment d'apaisement au sein d'une souffrance, physique ou morale. *Le malade a un moment de calme.* ⇒ **Assoupissement ; détente, rémission, repos, soulagement.** *Après ce grand désespoir, il a reconquis le calme.*

Pour mieux goûter le calme, il faut avoir passé   10
Des pénibles détroits d'une vie orageuse
Dans une vie enfin plus douce et plus heureuse (...)
André CHÉNIER, Élégies, 27, *in* LITTRÉ.

♦ **4.** Absence de passions, de désirs ; paix intérieure. *Calme de l'âme, du cœur ; calme intérieur.* ⇒ **Ataraxie, détachement, impassibilité, insensibilité, paix, quiétude, sécurité, sérénité, tranquillité ; béatitude, extase, nirvânâ.** *Un calme alcyonien* (cit.).

(...) la tranquillité en amour est un calme désagréable (..)   11
MOLIÈRE, les Fourberies de Scapin, III, 1.

Nulle paix pour l'impie. Il la cherche, elle fuit,   12
Et le calme en son cœur ne trouve pas de place.   RACINE, Esther, II, 8.

(...) comment cette passion fut-elle accompagnée, dès sa naissance, des sentiments   12.1
qu'elle inspire le moins : la paix du cœur, le calme, la sérénité, la sécurité, l'assurance ?   ROUSSEAU, les Confessions, II.

Je n'avais ni transports ni désirs auprès d'elle *(Mᵐᵉ de Warens) ;* j'étais dans un   12.2
calme ravissant, jouissant sans savoir de quoi.   ROUSSEAU, les Confessions, III.

Calme ineffable ! Olympienne sérénité ! Telle est maintenant ma vie (...)   13
G. DUHAMEL, Chronique des Pasquier, VI, 8.

♦ **5.** Absence de nervosité dans le comportement ; maîtrise de soi. ⇒ **Assurance, contrôle** (de soi), **flegme, patience, sang-froid.** *Conserver, garder son calme. Être un modèle de calme. C'est le calme en personne* (→ 1. Personne, cit. 13). *Calme inaltérable. Perdre, retrouver son calme. Allons, du calme ! Se comporter avec le plus grand calme.* ⇒ **Pondération.** *Un calme excessif, énervant.* ⇒ **Insensibilité, placidité.**

(...) elle lui en voulait de ce calme si bien assis, de cette pesanteur sereine, du   14
bonheur même qu'elle lui donnait.   FLAUBERT, Mᵐᵉ Bovary, I, 7.

L'idéal du calme est dans un chat assis.   J. RENARD, Journal, 30 janv. 1889.   15

(...) j'augmentais mon agitation en me prêchant un calme qui était l'acceptation   16
de mon infortune.   PROUST, À la recherche du temps perdu, t. I, p. 49.

(...) sa grâce, sa douceur, le calme de ses mouvements, la beauté apaisante de sa   17
voix en faisaient un être reposant et aimable comme un beau jardin.
A. MAUROIS, Ariel..., p. 301.

Ils déboutonnent sans se presser leurs vestes de cuir (...) ils ont cet air impertur-   18
bable, ces gestes lents, ce calme professionnel du médecin tandis que la famille
anxieuse attend (...) leur visage est impassible, fermé.
N. SARRAUTE, le Planétarium, p. 14.

(...) un visage inexpressif, aux traits creusés par la fatigue, contrastant par son   19
calme, avec les contorsions et grimaces répandues partout alentour.
A. ROBBE-GRILLET, Dans le labyrinthe, p. 113.

CONTR. Ouragan, tempête. — Agitation, ardeur, désordre, émotion, trouble.
DÉR. 2. Calme.
HOM. 2. Calme, formes du v. **calmer.**

2. CALME [kalm] adj. — 1585 ; *carme*, fin XVe ; probabl[t] de 1. *calme*.

♦ **1.** (Éléments, lieux). Qui n'est pas troublé, agité. ⇒ **Tranquille.** *Un lieu calme et tranquille.* ⇒ **Quiet.** *Une mer calme. Un temps calme. Atmosphère, ciel calme.*

1 Les sonneries pieuses de l'Angélus du soir, se répondant de paroisse en paroisse, versaient dans l'air quelque chose de calme, de doux et de mélancolique, image de la vie que j'allais quitter pour toujours.
RENAN, Souvenirs d'enfance..., III, 2.

1.1 (...) un roulement lointain et voilé flottait dans l'air calme du soir.
A. MAUROIS, les Silences du colonel Bramble, XXII, p. 223.

Littér. (En parlant de lieux habités, d'objets... envisagés comme un milieu pour l'homme). *Dans cette calme maison. La « calme clarté de la lampe »* (Gide).

(En parlant du temps). *Un calme après-midi d'été. Passer une soirée très calme* (dans ce sens, le mot peut ou non impliquer les valeurs du sens 2.).

Spécialt (société). Qui ne connaît pas de troubles publics. *Tout le pays est calme.*

Souvent péj. (Affaires). Qui a une faible activité. *Les affaires sont calmes. La Bourse a été calme. Le marché est calme* (contr. : *actif*).

♦ **2.** (1601 ; personnes ; manifestations psychologiques, physiques). Qui n'est plus agité par une souffrance, physique ou morale. *Le malade est calme. Ses pleurs et ses cris ont cessé, elle est redevenue calme.* ⇒ **Rasséréné, rassuré.** — *Sommeil calme.*

Qui est exempt de nervosité ; qui indique la maîtrise de soi. *Un enfant calme. Un visage, regard, caractère calme. Une attitude courageuse et calme ; un courage calme. Essayez de rester calme, maîtrisez-vous.*

2 Jamais ils ne se querellaient, étant tous deux calmes et placides.
MAUPASSANT, l'Auberge, Pl., t. II, p. 788.

Qui révèle, qui connaît la paix intérieure. ⇒ **Serein.**

3 Calme bonheur dont je me savais exclu, zone de pureté et de rêve qui m'était interdite. Tranquille amour, vague assoupie qui venait mourir à quelques pas de mon rocher.
F. MAURIAC, le Nœud de vipères, p. 102.

CONTR. Actif, agité, bruyant, colérique, ému, énervé, exalté, excité, mouvementé, nerveux, orageux, troublé.
DÉR. Calmement, calmer.

CALMEMENT [kalməmã] adv. — 1552, Ronsard ; de 2. *calme.*

♦ Dans le calme, d'une manière calme (avec les valeurs du sens 2. de 2. *calme**). ⇒ **Tranquillement ; doucement.** *Réfléchir calmement. Parler, écouter qqn calmement, sans s'énerver.* — *Sa vie se passe calmement.* ⇒ **Sereinement.**

CALMER [kalme] v. tr. — XVe ; de 2. *calme.*
Rendre calme. ⇒ **Apaiser** (cit. 1).

♦ **1.** *Calmer la tempête, les flots.*

1 Que Neptune en courroux s'élevant sur la mer,
D'un mot calme les flots, mette la paix dans l'air (...) BOILEAU, l'Art poétique, III.

♦ **2.** (XVIe). Apaiser, faire rentrer dans l'ordre. *Calmer la sédition, une querelle. Calmer les esprits aigris* (→ Accommodement, cit. 1). ⇒ **Pacifier** (→ ci-dessous, cit. 3 et 5).

(XVIIe). Diminuer la force (de la douleur, des mouvements de l'âme). *Calmer un mal, une douleur.* ⇒ **Adoucir, alléger, apaiser, assoupir, endormir, éteindre, lénifier, soulager.** *Calmer la fièvre. Calmer la soif.* ⇒ **Assouvir, désaltérer, étancher, satisfaire.** *Calmer ses nerfs. Calmer ses passions, son impatience, son inquiétude.* ⇒ **Tranquilliser ; dompter, étouffer, maîtriser, modérer, tempérer.**

2 Prends du repos, ma fille, et calme tes douleurs (...) CORNEILLE, le Cid, II, 8.
3 Quand il fallait calmer toute une populace,
Le sénat n'épargnait promesse ni menace (...) CORNEILLE, Nicomède, V, 2.
4 (...) calmer des passions violentes qu'une résistance emportée ne ferait qu'aigrir.
BOSSUET, Oraison funèbre de Marie-Thérèse d'Autriche.
5 Cette majesté intérieure qui modère les passions, qui tient les sens dans le devoir, qui calme par son aspect tous les mouvements séditieux.
BOSSUET, 1er Sermon pour la purification de la sainte Vierge, 2.
6 C'est une pitié que d'être si vive ; il faut tâcher de calmer et de posséder un peu son âme.
Mme DE SÉVIGNÉ, 410, 26 juin 1675.
7 J'ai cru que des présents calmeraient son courroux (...) RACINE, Athalie, II, 5.
8 Le prélat resté seul calme un peu son dépit,
Et jusques au souper se couche et s'assoupit. BOILEAU, le Lutrin, I.
9 Le temps calme les ivresses, même celle de l'amitié (...)
Joseph JOUBERT, Pensées, t. I, p. 186.
10 L'orage qui bouleversait le cœur de Wilfrid fut soudain calmé par ces paroles (...)
BALZAC, Séraphîta, Pl., t. X, p. 480.
11 Les mots de « quatre mille francs » calmèrent un peu le désespoir de la veuve.
PONSON DU TERRAIL, Rocambole, t. I, L'héritage mystérieux, p. 731.
12 (...) tu mènes une vie de séminariste qui a fait des vœux, de bénédictin qui prend des bains de science pour calmer la chair (...) E. FROMENTIN, Dominique, IX.
13 Ma fureur contre M. Thiers n'est pas calmée, au contraire ! Elle s'idéalise un peu s'accroît. FLAUBERT, Correspondance, t. III, p. 348.
14 Ces deux discours étaient l'expression d'une pensée très sage qui cherchait plutôt à calmer les maux qu'à les aggraver (...) Louis BARTHOU, Mirabeau, p. 273.
15 (...) pour calmer ses nerfs, elle *(Gisèle)* tournait en rond dans sa prison.
MARTIN DU GARD, les Thibault, t. I, p. 254.

♦ **3.** Rendre (qqn, un animal) plus calme. ⇒ **Apaiser, consoler, rassurer.** *Calmer un enfant. Calmer un animal,* le ramener à la docilité.

15.1 Lorsqu'une racine arrêtait le soc, le laboureur criait d'une voix puissante, appelant chaque bête par son nom, mais plutôt pour calmer que pour exciter (...)
G. SAND, la Mare au diable, II, p. 21.
15.2 On ne bercera jamais assez les enfants, du temps de leur prime jeunesse. Et même, je serais d'avis qu'on usât, pour les calmer, les endormir, d'appareils profondément bousculatoires. GIDE, Voyage au Congo, in Souvenirs, Pl., p. 683.

Rendre (à qqn) son sang-froid ; faire cesser l'agitation des passions (d'une personne). *Calmer les mécontents.*

15.3 Non pas, monsieur le comte, lui dis-je en revenant à lui d'un pas grave ; vos gens ne se mêleront pas de cette affaire, trouvez bon qu'elle se passe entre nous. Mon action, mon air, le calmèrent à l'instant même : la surprise et l'effroi se marquèrent dans son maintien. ROUSSEAU, les Confessions, VII, p. 119.

Fam. *Attends un peu, je vais te calmer !,* menace contre une personne surexcitée ou insolente.

▶ **SE CALMER** v. pron.
Devenir calme. *La tempête, la mer s'est calmée.* ⇒ **Calmir.** *Le vent se calme.*

16 Comment s'est calmé l'orage ?
Quelle main salutaire a chassé le nuage ? RACINE, Esther, III, 9.

Diminuer d'intensité. *La fièvre s'est calmée.* ⇒ **Tomber.** *Le bruit se calma.* ⇒ **Cesser.**

17 Le bruit des canons s'était subitement calmé et l'on n'entendait plus dans la salle vitrée que le pas magistral et mesuré du général.
A. MAUROIS, les Silences du colonel Bramble, XV, p. 157.

Reprendre son sang-froid. *Calmez-vous, je vous prie.* ⇒ **Contenir** (se), **rasséréner** (se).

18 A la facile audience de ce sage magistrat et par la tranquillité de son favorable visage, une âme agitée se calmait.
BOSSUET, Oraison funèbre de Michel Le Tellier.
19 (...) attendant que se calment un peu les battements précipités de son cœur, il met ensuite un temps très long à se remettre (...) GIDE, Journal, 18 août 1930.

▶ **CALMÉ, ÉE** p. p. adj.
(Éléments). Apaisé. *« Sur la mer calmée... »* (chanson). *Ouragan à demi calmé.*

(Personnes). Devenu calme ; qui a perdu sa nervosité, dont les sentiments violents se sont apaisés. *Il s'est endormi à peine calmé. Un coléreux calmé.*

(Tendances, besoins). *Appétit calmé.* — (Douleur). *Souffrance calmée, sourde.*

CONTR. Agiter, attiser, exciter, irriter. — **Emporter** (s'), **énerver** (s'), **impatienter** (s'), **inquiéter** (s'), **troubler** (se).
DÉR. Calmant.

CALMIR [kalmiʀ] v. intr. — 1787, Bernardin de Saint-Pierre ; var. de *calmer.*

♦ Mar. Devenir calme (en parlant de la mer, du vent). *Le temps calmit. Le vent calmit.*

CALO [kalo] n. m. — 1941 ; «gitan espagnol», 1847 ; mot gitan emprunté par l'espagnol.

♦ Argot espagnol moderne qui emploie de nombreux mots gitans.
REM. On rencontre aussi, en français, la graphie espagnole *caló.*
HOM. 1. Calot, 2. calot, 3. calot.

CALOGÈNE [kaloʒɛn] adj. — V. 1970 ; de *calo(r),* et *-gène.*

♦ Didact. Qui produit des calories. *«Sur cette première constatation s'est développé le concept de réacteur calogène qui doit trouver sa première réalisation en France... »* (*Sciences et Avenir*, mai 1978, n° 375, p. 17).

CALOMEL [kalɔmɛl] n. m. — 1751, *Encyclopédie* ; du grec *kalos* «beau», et *melas* «noir», p.-ê. à cause de la substance qui servit à l'obtenir.

♦ Chlorure mercureux, qui se présente sous la forme d'une poudre cristalline blanche. *Le calomel est utilisé comme purgatif et antiseptique intestinal. Donner, prendre du calomel.*

CALOMNIATEUR, TRICE [kalɔmnjatœʀ, tʀis] n. — Mil. XIIIe ; lat. *calumniator.*

♦ Personne qui calomnie. ⇒ **Accusateur, délateur, dénonciateur, détracteur, diffamateur.** *Un bas, un affreux, un méprisable calomniateur. Un calomniateur effronté. La mauvaise foi des calomniateurs. Confondre ses calomniateurs.*

1 Rien n'est trop hardi pour des calomniateurs de profession.
PASCAL, les Provinciales, XVI.
2 Les flatteurs, les fourbes, les calomniateurs, ceux qui ne délient leur langue que pour le mensonge et l'intérêt (...) LA BRUYÈRE, les Caractères, XII, 41.

3 Souvent dans ses chagrins un misérable auteur
Descend au rôle affreux de calomniateur.   VOLTAIRE, Alzire, 3ᵉ disc.

4 C'est tout autre chose avec Grimm, homme faux par caractère, qui ne m'aima jamais, qui n'est pas même capable d'aimer, et qui, de gaieté de cœur, sans aucun sujet de plainte, et seulement pour contenter sa noire jalousie, s'est fait, sous le masque, mon plus cruel calomniateur.   ROUSSEAU, les Confessions, X.

5 Calomniateurs anonymes, disais-je, ayez le courage de dire qui vous êtes ; un peu de honte est bientôt passée ; ajoutez votre nom à vos articles, ce ne sera qu'un mot méprisable de plus.   CHATEAUBRIAND, Mémoires d'outre-tombe, III, VII.

Adj. (1548). *Propos calomniateur. Un journal calomniateur.* « *L'absurdité calomniatrice des cancans* » (Proust, *in* T. L. F.).

6 Vous faites autant d'honneur aux belles-lettres que tous ces écrivains mercenaires et calomniateurs y jettent de honte et d'opprobre.
VOLTAIRE, Lettre de Boissi, 6 avr. 1773.

CONTR. Apologiste, défenseur, glorificateur, laudateur, panégyriste. — V. aussi **Médisant.**

CALOMNIE [kalɔmni] n. f. — Déb. xivᵉ, Christine de Pisan ; lat. *calumnia.*

♦ Imputation mensongère qui attente à la réputation, à l'honneur (de qqn). ⇒ **Accusation, allégation, attaque, cancan, délation, dénonciation** (calomnieuse), **détraction, diffamation, insinuation, mensonge, ragot.** *C'est une basse calomnie, une noire, une infâme, une odieuse calomnie. Inventer, avancer, semer, répandre, soutenir des calomnies. Être en butte aux calomnies des envieux. Ces calomnies ne l'atteignent pas. Repousser une calomnie. Se laver d'une calomnie.* — Au sing. (collectif). *La calomnie* (→ ci-dessous, cit. 3, 4 et 5). *Braver la calomnie. C'est de la pure calomnie,* « *c'est une calomnie très pure* » (→ Prêche, cit. 1).

1 Pour vous voir vous laver de cette calomnie.   MOLIÈRE, le Misanthrope, v, 4.

2 Mentir pour son avantage à soi-même est imposture, mentir pour l'avantage d'autrui est fraude, mentir pour nuire est calomnie : c'est la pire espèce de mensonge. Mentir sans profit ni préjudice de soi ni d'autrui n'est pas mentir ; ce n'est pas mensonge, c'est fiction.   ROUSSEAU, Rêveries..., 4ᵉ promenade.

3 Depuis que je suis né, j'ai vu la calomnie
Exhaler les venins de sa bouche impunie.   VOLTAIRE, Tancrède, III, 3.

4 Ces gens qui n'ont jamais su combattre qu'avec le stylet de la calomnie.
MIRABEAU, Collection, t. III, p. 288.

5 La calomnie, monsieur ! Vous ne savez guère ce que vous dédaignez ; j'ai vu les plus honnêtes gens près d'en être accablés. Croyez qu'il n'y a pas de plate méchanceté, pas d'horreurs, pas de conte absurde, qu'on ne fasse adopter aux oisifs d'une grande ville en s'y prenant bien : et nous avons ici des gens d'une adresse !... D'abord un bruit léger, rasant le sol comme l'hirondelle avant l'orage, *pianissimo,* murmure et file, et sème en courant le trait empoisonné. Telle bouche le recueille, et *piano, piano,* vous le glisse en l'oreille adroitement. Le mal est fait ; il germe, il rampe, il chemine, et, *rinforzando,* de bouche en bouche il va le diable ; puis tout à coup, ne sais comment, vous voyez calomnie se dresser, siffler, s'enfler, grandir à vue d'œil. Elle s'élance, étend son vol, tourbillonne, enveloppe, arrache, entraîne, éclate et tonne, et devient, grâce au ciel, un cri général, un *crescendo* public, un *chorus* universel de haine et de proscription. Qui diable y résisterait ?
BEAUMARCHAIS, le Barbier de Séville, II, 8.

6 Une médisance anonyme est peut-être plus honteuse qu'une calomnie signée.
HUGO, Littérature et Philosophie mêlées, p. 32.

7 (...) les calomnies frivoles qu'elle avait semées par la ville.
FRANCE, le Mannequin d'osier, p. 411.

Calomnie et médisance. ⇒ **Médisance ; médire.**

CONTR. Apologie, défense, éloge, glorification, louange, panégyrique. — V. aussi **Médisance.**

CALOMNIER [kalɔmnje] v. tr. — 1555 ; *calomnier qqch.,* 1541 ; *calumpnier,* 1375 ; lat. *calumniari.*

♦ Attaquer (qqn) par des calomnies. ⇒ **Attaquer ; décrier, diffamer, dire** (du mal...), **insinuer, noircir, répandre** (des calomnies), **salir** (l'honneur, la réputation) ; et aussi **médire, mentir.** *On l'a indignement calomnié. Il calomnie indignement son prochain.* Cf. Baver sur, cracher sur, déchirer (littér. et vx), traîner (dans la boue)... *Calomnier qqn derrière son dos, en cassant du sucre* (fam.) *sur son dos. Il a beaucoup médit* de lui, mais sans le calomnier.*

1 Bénissez ceux qui vous maudissent, et priez pour ceux qui vous calomnient.
BIBLE (SACY), Évangile selon saint Luc, VI, 28.

2 Vous croyez pouvoir faire votre salut en calomniant vos ennemis.
PASCAL, les Provinciales, 15.

3 (...) un pays immense où les hommes se mangent les uns les autres aussi communément que nous persécutons, que nous calomnions notre prochain à Paris.
VOLTAIRE, Fragments sur l'histoire, 23.

4 Se laisser calomnier est une des forces de l'honnête homme.
HUGO, Post-scriptum de ma vie, p. 13.

Par ext. *Calomnier les intentions de qqn.* ⇒ **Dénaturer.** *Calomnier son pays,* l'accuser injustement.

5 Notre ignorance de l'histoire nous a fait calomnier notre temps.
FLAUBERT, Correspondance, t. IV, p. 75.

Absolt. *Calomniez, calomniez, il en restera toujours qqch. !...* (→ Calomnie, cit. 5).

6 Le monde accuse, soupçonne et calomnie avec une déplorable facilité.
MAUPASSANT, Fort comme la mort.

▶ **SE CALOMNIER** v. pron.
Dire du mal de soi, se faire plus mauvais que l'on est, se rabaisser.

▶ **CALOMNIÉ, ÉE** p. p. adj. *Un novateur injustement calomnié.*

⇒ **Dénigré, vilipendé.** — N. (rare). « *Sénèque, ce grand calomnié* » (E. Blanche, *in* T. L. F.).

CONTR. Défendre, glorifier, justifier, laver (d'une calomnie).

CALOMNIEUSEMENT [kalɔmnjøzmɑ̃] adv. — 1574 ; *calumpnieusement,* 1377 ; de *calomnieux.*

♦ D'une manière calomnieuse. *Accuser calomnieusement qqn.*

CALOMNIEUX, EUSE [kalɔmnjø, øz] adj. — 1565 ; *calompnieux,* 1312 ; bas lat. *calumniosus.*

♦ Dr. et style soutenu. Qui contient une calomnie, des calomnies. ⇒ **Diffamatoire, faux, inique, injurieux, injuste, mensonger, venimeux.** *Écrit, libelle calomnieux. Accusation calomnieuse. Dénonciation calomnieuse :* imputation mensongère d'un fait blâmable dénoncé à l'autorité publique.

Quiconque aura, par quelque moyen que ce soit, fait une dénonciation calomnieuse contre un ou plusieurs individus aux officiers de justice (...) sera puni d'un emprisonnement (...)   Code pénal, art. 373.

CONTR. Apologique, élogieux, flatteur, juste, laudatif.
DÉR. Calomnieusement.

CALOPHYLLUM [kalɔfilɔm] n. m. — 1839, *calophylle ;* mot du lat. bot., Linné ; grec *kallophullos* « aux belles feuilles ».

♦ Bot. Arbre ou arbrisseau des régions tropicales *(Guttiférales)* dont certaines espèces donnent un bois de menuiserie, d'autres des sucs, des baumes utilisés en pharmacie, etc. *L'« huile de calophyllum, émollient* (...) *utilisé dans les lotions capillaires* » (Ch. Bourgeois, *Chimie de la beauté,* p. 95).

CALOPORTEUR [kalɔpɔrtœr] adj. et n. m. — 1958 ; de *calo(r),* et *porteur.*

♦ Didact. Se dit du fluide circulant dans le cœur d'un réacteur nucléaire pour en évacuer la chaleur (angl. *coolant*).

Par ext. Se dit d'un fluide déplaçant de l'énergie thermique d'un point à un autre.

CALOQUET [kalɔkɛ] n. m. — xviiiᵉ ; de 2. *calot,* d'après *paltoquet.*

♦ Argot. (Vx). Chapeau.

« Regarde donc ! dit tout d'un coup Gervaise. — Quoi donc ! — Ce caloquet de velours, là-bas. » Ils se grandirent. C'était, à gauche, un vieux chapeau de velours noir, avec deux plumes déguenillées qui se balançaient ; un vrai plumet de corbillard.   ZOLA, l'Assommoir, t. II, p. 196.

CALOR-, CALORI- Éléments, du lat. *calor* « chaleur », entrant dans la formation de mots savants.

CALORIE [kalɔri] n. f. — Entre 1819 et 1824, Clément ; répandu en phys. après 1845 ; du lat. *calor* (→ Chaleur), d'après *calorifique, calorique.*

♦ **1.** Phys. Unité employée naguère (elle n'est plus légalement autorisée depuis le 31 déc. 1977) pour évaluer les quantités de chaleur (symb. : **cal**) ; quantité de chaleur nécessaire pour élever la température d'un gramme d'eau de 14,5 °C à 15,5 °C sous la pression atmosphérique normale. *Kilocalorie ou grande calorie, valant 1 000 calories. La thermie vaut 1 000 000 de calories.* — Unité d'énergie, dite *hors système,* dont la valeur a été fixée à 4,184 joules*.

Deux températures seront comparées par la dilatation d'une même masse de mercure convenablement disposée. Les calories sont comptées d'après un poids de glace changée en eau, et le poids lui-même est mesuré par un équilibre stable d'un levier tournant.   **0.1**
ALAIN, les Idées et les Âges, *in* les Passions et la Sagesse, Pl., p. 109.

♦ **2.** Physiol. Unité utilisée pour mesurer la valeur énergétique des aliments (il faut en moyenne 2 500 kcal [→ ci-dessus, 1.] par jour pour un adulte). *Dépenser, fournir des calories. Aliments riches en calories.*

Une ration alimentaire normale doit apporter à l'organisme une quantité suffisante de calories pour couvrir à la fois les dépenses cellulaires et professionnelles (...) Le travail musculaire accroît la dépense d'énergie dans des proportions considérables. C'est ainsi qu'une marche de moins d'une heure en terrain plat exige près de 150 calories (...) 1 600 calories sont utilisées uniquement pour les besoins cellulaires *(dépense de fond).*   **1**
P. VALLERY-RADOT, Notre corps..., p. 87.

De préférence, dit-il, prenez ce gruau à la crème. Il vous donnera deux cents calories de plus que les patates douces (...) Je dis deux cents calories. C'est un aliment beaucoup plus riche que l'autre.   **2**
G. DUHAMEL, Scènes de la vie future, II, p. 37.

Fam. *Mange, ça donne des calories,* ça réchauffe, ça donne de l'énergie.

L'idée de manger des calories me gâte l'appétit.   **3**
G. DUHAMEL, Scènes de la vie future, p. 38.

Par ext. (Abusivt). *Régime basses calories, à basses calories,* peu calorique. ⇒ **Hypocalorique.**

CONTR. Frigorie.

CALORIFÈRE [kalɔʀifɛʀ] adj. et n. m. — 1807 ; de *calori-,* et *-fère.*

♦ **1.** Adj. Didact. Qui porte ou répand la chaleur. *Tuyau calorifère.*

♦ **2.** N. m. Cour. Appareil de chauffage* distribuant dans une maison, au moyen de tuyaux, la chaleur provenant d'une chaudière*. ⇒ 2. **Poêle** (cit. 2). *Calorifère à air chaud, à eau chaude, à vapeur.*
— C'est la première fois que nous n'y serons pas : à cause des rhumatismes à Monsieur le Duc, le docteur a défendu qu'on y retourne avant qu'il y ait un calorifère, mais avant ça, tous les ans, on y était pour jusqu'en janvier. Si le calorifère n'est pas prêt, peut-être Madame ira quelques jours à Cannes chez la duchesse de Guise, mais ce n'est pas encore sûr.   PROUST, le Côté de Guermantes, Pl., p. 39.

CALORIFIANT, ANTE [kalɔʀifjɑ̃, ɑ̃t] adj. — XIXᵉ ; de *calori-,* et *-fier,* d'après *calorifique.*

♦ Didact. Qui chauffe, donne de la chaleur. *Action calorifiante du soleil.*

CALORIFICATION [kalɔʀifikɑsjɔ̃] n. f. — 1860 ; de *calorifique.*

♦ Didact. (physiol.). Production de chaleur dans un organisme vivant. *La calorification maintient le corps à une température constante.*

CALORIFIQUE [kalɔʀifik] adj. — 1779 ; attestation isolée, 1550 ; lat. *calorificus* « qui échauffe ».

♦ Didact. (phys.). Qui donne de la chaleur, produit des calories. *Rayons, radiations calorifiques. Pouvoir calorifique. Capacité calorifique d'un corps homogène,* produit de sa masse par sa chaleur spécifique.
Un soleil brillant, mais sans action calorifique, sortait alors de l'Océan, et son énorme disque se balançait à l'horizon. La mer formait une nappe tranquille et bleue comme celle d'un golfe méditerranéen, quand le ciel est pur.
                                     J. VERNE, l'Île mystérieuse, t. I, p. 272.

♦ **2.** Physiol. *Valeur calorifique* (d'un aliment). ⇒ **Calorique.**

CONTR. Frigorifique.
DÉR. Calorification.

CALORIFUGE [kalɔʀifyʒ] adj. et n. m. — 1846 ; de *calori-,* et *-fuge.*

♦ Phys., techn. Qui empêche la déperdition de la chaleur, étant mauvais conducteur. *Substance calorifuge. Paroi à revêtement calorifuge. Matières calorifuges.*
Le liège, surtout le liège aggloméré, et la poudre de liège paraissent être les meilleures matières calorifuges ; puis viendraient les fibres de bois, la laine minérale, la sciure de bois, l'amiante.   P. POIRÉ, Dict. des sciences, art. *Calorifuge.*

CONTR. Frigorifuge.
DÉR. Calorifuger.

CALORIFUGEAGE [kalɔʀifyʒaʒ] n. m. — 1932 ; de *calorifuger.*

♦ Techn. Action de calorifuger ; son résultat.
(...) d'où la nécessité de le transporter *(l'oxygène liquide)* et de le conserver en réservoir ouvert muni d'un calorifugeage efficace.
                            Jean-François THÉRY, les Carburants nouveaux, p. 28.

CALORIFUGER [kalɔʀifyʒe] v. tr. — Conjug. *bouger.* — 1926, au p. p. ; de *calorifuge.*

♦ Recouvrir d'un calorifuge.

▶ **CALORIFUGÉ, ÉE** p. p. adj.
Muni d'un revêtement calorifuge. *Conduite de vapeur calorifugée.*
(...) l'épiderme nu ne résistait pas à plus de huit secondes d'exposition *(à la chaleur du volcan).*
Heureusement nous avions des vêtements en tissu calorifugé, costumes-miroirs de toile plaquée d'aluminium en feuille mince.
                                     H. TAZIEFF, Histoires de volcans, p. 127.
REM. Le mot est relativement courant, par rapport aux autres termes de la famille.

CONTR. Frigorifuger.
DÉR. Calorifugeage.

CALORIMÈTRE [kalɔʀimɛtʀ] n. m. — 1743 ; de *calori-,* et *-mètre.*

♦ Didact. (phys.). Instrument destiné à mesurer la quantité de chaleur absorbée ou dégagée lors d'une transformation physique ou d'une réaction chimique.

On peut prédire ce qui arrivera dans un système clos, ou à peu près clos, par exemple dans un calorimètre, dans un circuit électrique, dans le système solaire, si l'on considère les positions des astres seulement.
                    ALAIN, 81 chapitres..., *in* les Passions et la Sagesse, Pl., p. 1178.

CONTR. Frigorimètre.
DÉR. Calorimétrie, calorimétrique.

CALORIMÉTRIE [kalɔʀimetʀi] n. f. — 1803 ; de *calorimètre.*

♦ Phys. Technique de détermination expérimentale des énergies calorifiques (dans les phénomènes d'échanges, etc.). *Calorimétrie animale.*

COMP. Microcalorimétrie.

CALORIMÉTRIQUE [kalɔʀimetʀik] adj. — 1838 ; de *calorimètre.*

♦ Phys. De la calorimétrie. *Méthodes calorimétriques* (des mélanges ; des changements de phase* ; méthodes électriques). *Coefficients calorimétriques,* concernant la quantité de chaleur reçue par un fluide au cours d'une transformation thermo-élastique. — *Bombe calorimétrique :* instrument utilisé pour déterminer le pouvoir calorifique des combustibles, constitué d'une enceinte métallique hermétiquement fermée que l'on place dans un calorimètre.
— Mais, demandais-je, vous n'en restiez point là ; vous vous rapprochiez de la bombe calorimétrique, j'entends parfaite, c'est-à-dire définie.
         ALAIN, Entretiens au bord de la mer, *in* les Passions et la Sagesse, Pl., p. 1327.

CALORIQUE [kalɔʀik] n. m. et adj. — 1787, *in* Cottez ; du lat. *calor* « chaleur » (→ Calor-), et *-ique.*

♦ **1.** Vx. Principe hypothétique de la chaleur. *Calorique latent, libre, spécifique d'un corps.*

♦ **2.** Adj. (1864). Mod. *Valeur calorique.* ⇒ **Énergétique.** *Intensité calorique,* qui est propre à la chaleur. *Rayonnement calorique,* qui transmet de la chaleur.
Qui apporte des calories* (à un organisme). ⇒ **Calorifique.** *Minimum calorique. Excès calorique.*

COMP. Isocalorique.

CALORISATION [kalɔʀizasjɔ̃] n. f. — 1927 ; de *caloriser.*

♦ Techn. Cémentation par l'aluminium (aluminiage). ⇒ **Caloriser.**

CALORISER [kalɔʀize] v. tr. — 1927 ; de *calor-,* et *-iser.*

♦ Techn. Enduire (une surface métallique) d'une mince couche d'aluminium pour la soustraire à l'oxydation ; traiter par calorisation*.

DÉR. Calorisation.

CALOSOME [kalozom] n. m. — 1804, Latreille ; lat. sc. *calosoma,* du grec *kalos* « beau », et *sôma* « corps ».

♦ Zool. Coléoptère *(Scarabée)* aux belles couleurs mordorées.
Du haut des pins, lentement descendues, une à une, en file brune, l'on voyait les chenilles processionnaires — qu'au bas des pins, longuement attendues, boulottaient les gros calosomes.
— Je n'ai pas vu les calosomes ! dit Angèle (car je le lui montrai cette phrase).
— Moi non plus, chère Angèle, — ni les chenilles. — Du reste, ça n'est pas la saison ; mais cette phrase, n'est-il pas vrai — rend excellemment l'impression de notre voyage...   GIDE, Paludes, *in* Romans, Pl., p. 138.

1. CALOT [kalo] n. m. — 1732 ; dimin. de 3. *cale.*

♦ Pièce de bois pour caler.

HOM. Calo, 2. calot, 3. calot.

2. CALOT [kalo] n. m. — 1883 ; « partie supérieure d'un shako », 1839 ; « fond de chapeau », 1803 ; « calotte de chapeau dans laquelle ils *(les fondeurs)* mettent les dragées *(grains de plomb)* après qu'elles sont séparées des branches », 1751, *Encyclopédie ;* de 4. *cale* « coiffure ».

♦ **1.** Coiffure militaire, dite aussi *bonnet de police,* de forme allongée et sans bords. *Le calot sur l'oreille. En France, les militaires — hormis les aviateurs (personnel au sol) — ont remplacé le calot par le béret. Le calot des C. R. S.*
Le calot est posé droit sur le crâne, dont il cache entièrement les cheveux, coupés très ras comme on peut en juger d'après les tempes.
                                  A. ROBBE-GRILLET, Dans le labyrinthe, p. 29.   1

♦ **2.** (1854, *callot ;* → ci-dessous, cit. 2). Par anal. Petite toque féminine.
— Remarqué dans les caveaux que la coiffure d'une des comtesses d'Eu est la même que celle des femmes du Tréport, sauf les perles et l'étoffe : c'est une espèce de callot *(sic),* mais très gracieux.   E. DELACROIX, Journal, 20 sept. 1854.   2
Reverrai-je *(Jadin),* sa petite silhouette de gargouille, coiffée jusqu'aux sourcils d'un des calots « à la mode » qu'elle fabriquait elle-même ? Hier soir encore,   3

elle avançait dans ma loge un museau mal poudré pour me montrer sa dernière création : une toque en lapin (...) COLETTE, la Vagabonde, p. 21.

DÉR. Caloquet.

HOM. Calo, 1. calot, 3. calot.

3. CALOT [kalo] n. m. — 1866; «noix écalée», 1690; de *cale*, déglutination de *écale*.

◆ **1.** Régional (Centre, Ouest). Coquille de noix; noix (cf. P. Vialar, *in* T. L. F.).

◆ **2.** (1836; argot des jeux, 1866). Grosse bille.

1 J/e vois des quantités énormes de nucléoses brillants sauter tout autour de m/oi, certains ont entraîné les noyaux dont ils sont restés prisonniers, il m/e sort de la peau des corps comparables pour la plupart à des billes de verre pour d'autres à des calots (...) Monique WITTIG, le Corps lesbien, p. 176.

REM. On écrit aussi *callot*.

◆ **3.** (1846). Au plur. Fam. Œil. *Rouler, ribouler des calots :* faire des yeux étonnés.

2 Ne lève pas les yeux sur moi, Messaline! (...) Vous la voyez, criait-il en prenant à témoin des dieux invisibles : elle montre ces calots-là en plein midi! COLETTE, la Vagabonde, p. 146.

HOM. Calo, 1. calot, 2. calot.

CALOTIN [kalɔtɛ̃] n. m. — 1780; membre du *Régiment de la Calotte*, ordre burlesque, 1717; n. propre, 1664; de *calotte*.

◆ Fam. et péj. Celui qui porte la calotte; ecclésiastique. ⇒ **Curé.** — (1851). Par ext. Partisan du clergé. ⇒ **Clérical.**

1 (...) les rudes propos des soldats français contre les « calotins » avaient, par la suite, — de la Belgique au royaume de Naples, — accrédité la légende, bientôt grossie, d'une France athée, révoltée contre Dieu, blasphématrice de son nom et persécutrice de ses prêtres. Louis MADELIN, Hist. du Consulat et de l'Empire, VII, Les raisons du concordat, p. 101.

2 (...) c'est là qu'un patron l'avait séduite, rendue mère et poussée dans cette fameuse mauvaise voie dont toute la clique des calotins devait tant la préserver. Louise MICHEL, la Misère, t. I, p. 118.

Dévot excessif, bigot.

3 Chonteau (...) bel homme et révolutionnaire (...) blaguait férocement Pache, qu'il venait de surprendre en train de faire sa prière, à genoux derrière la tente. En voilà un calotin! ZOLA, la Débâcle, p. 24.

REM. La var. graphique *calottin* est inusuelle.

CALOTTE [kalɔt] n. f. — 1394; anc. provençal *calota*, XIIIe; de 4. *cale* «coiffure» (→ 2. Calot), ou du bas lat. *calemtica* «coiffure de femme».

★ **I.** ◆ **1.** Petit bonnet rond qui ne couvre que le sommet de la tête. *Calotte traditionnelle, dans certaines cultures.* ⇒ **Chéchia, fez; bippa.**

1 Sa calotte *(de M. Pinault)* rembourrée pour préserver son vieux crâne des névralgies, formait autour de sa tête un bourrelet hideux. RENAN, Souvenirs d'enfance..., IV, II, p. 174.

Spécialt. Coiffure ecclésiastique. *La calotte noire des prêtres. La calotte blanche du pape.* — Vieilli. Calotte rouge des cardinaux. ⇒ **Barrette, chapeau.**

2 Le roi mit la calotte sur la tête du cardinal de Noailles avec force gracieusetés. SAINT-SIMON, Mémoires, 78, 3.

Calotte en drap, en velours...

3 (...) une soutane noire avec une longue queue, une aube, un surplis, à grandes manches roides d'empois, des bas de soie noire, deux calottes, l'une en drap, l'autre en velours (...) Alphonse DAUDET, le Petit Chose, I, II.

Calotte grecque, la coiffure ancienne des Grecs, comparable au fez des Turcs. ⇒ **Chéchia.** — Par anal. (Vx). Bonnet d'intérieur muni d'un gland.

◆ **2.** (Mil. XVIIIe). Par métonymie. Péj. *La calotte :* le clergé, les prêtres; leurs partisans. *Influence de la calotte. Donner dans la calotte,* dans le cléricalisme*. ⇒ **Calotin.** *À bas la calotte!*

3.1 — Monsieur, lui dis-je, vous exercez une belle profession. — Ah! me répondit-il, en allumant sa pipe, vous trouvez ça beau de rédiger des canards dans les départements. Et des canards cléricaux. Je travaille pour la calotte. Mais on ne choisit pas son parti, n'est-il pas vrai? FRANCE, Pierre Nozière, p. 113.

◆ **3.** (1808, «coup donné à la tête»). Fig. et fam. Tape sur la tête. ⇒ **Claque, coup, gifle, soufflet;** (fam.) **baffe, beigne, taloche, tarte.** *Donner, flanquer une calotte, une paire de calottes à qqn, à un enfant. Recevoir des calottes.*

3.2 Et, s'avançant, *(Gervaise)* flanqua à Nana deux gifles soignées. La première mit de côté le chapeau à plumes, la seconde resta marquée en rouge sur la joue blanche comme un linge (...) Quand *(Nana)* faisait mine de rechigner, une calotte par derrière la remettait dans le chemin de la porte. ZOLA, l'Assommoir, t. II, p. 198.

3.3 Vous savez combien j'aime tous nos grands écrivains. Eh bien, il arrive que je demande après la lecture de telle page que j'admire, une page de Flaubert, oui. «Cette page, est-ce que je la signerais? — Je ne la signerais pas.» Hein, ma vieille amie, donnez-moi une belle calotte. J. RENARD, l'Œil clair, *in* Œ., Pl., t. II, p. 461.

★ **II.** Par anal. ◆ **1.** Voûte de forme hémisphérique. — (1832). Anat. *Calotte du crâne :* partie supérieure de la boîte crânienne. — Géom.

Calotte sphérique, l'une des deux parties d'une sphère coupée par un plan autre que médian. — Géogr. Calottes glaciaires de la Terre, d'une planète. — (1690). Archit. Partie supérieure d'une voûte hémisphérique à cintre peu élevé. ⇒ **Dôme.**

4 Si le dôme est petit, ce n'est plus qu'une ignoble calotte. CHATEAUBRIAND, Itinéraire..., 97.

◆ **2.** (1640). Littér. et vx. *La calotte des cieux :* la voûte céleste.

◆ **3.** Techn. Pièce de métal qui forme la couverture d'un bouton.

DÉR. (Du I.) Calotin, calotter.

COMP. Décalotter.

CALOTTER [kalɔte] v. tr. — 1808; de *calotte* (I., 3.).

◆ **1.** Donner une gifle, une calotte à. *Calotter un enfant.*

◆ **2.** (1907). Fam. Voler. *On lui a calotté mille francs.* ⇒ **Carotter.**

Tu as ton argent?
— Oui, je l'ai.
— Te le fais pas calotter. R. QUENEAU, le Dimanche de la vie, p. 73.

CALOYER, YÈRE [kalwaje, jɛʀ] n. — 1509; *caloier*, 1392; grec mod. *kalogeros* «beau vieillard», de *kalos* «beau», et *gerôn* «vieillard».

◆ Didact. (hist.). Moine grec, religieuse grecque, de l'ordre de saint Basile.

J'avais disputé un point du gaillard d'arrière à deux gros caloyers qui ne me l'avaient cédé qu'en grommelant. CHATEAUBRIAND, Mémoires d'outre-tombe, II, IV.

CALQUAGE [kalkaʒ] n. m. — 1766; de *calquer*.

◆ **1.** Techn. Fait de calquer.

◆ **2.** Fig. Action d'imiter. — Son résultat. *Être accusé de plagiat, de calquage.*

CALQUE [kalk] n. m. — 1762; ital. *calco*, de *calcare* «presser».

◆ **1.** Copie, reproduction calquée. *Prendre un calque. Faire le calque d'une carte. Reproduire fidèlement un dessin par le calque. Papier-calque :* papier transparent pour calquer.

1 Vu avec bien du plaisir les calques des petits dessins de Géricault (...) E. DELACROIX, Journal, 18 avr. 1824.

2 Les différentes images de Jenny au cours de ces années-là se superposaient devant ses yeux comme des calques (...) MARTIN DU GARD, les Thibault, t. VI, p. 232.

◆ **2.** (1835). Fig. Imitation, et, particulièrement, imitation servile d'une œuvre. ⇒ **Plagiat.**

◆ **3.** (1894). Ling. Transposition d'un élément d'une langue dans une autre, par traduction. *Calques sémantiques. Calques et emprunts.*

CALQUER [kalke] v. tr. — 1642; ital. *calcare* «presser»; lat. *calcare*, même sens.

◆ **1.** Reproduire un modèle sur une surface contre laquelle il est appliqué. ⇒ **Décalquer.** *Calquer un dessin avec une pointe, une plume, un crayon. Calquer qqch. au papier transparent, au papier carbone, à la gélatine, à la vitre. Calquer une carte, un dessin, une estampe, un plan. Calquer une lettre pour en faire le fac-similé.*

Absolt. *Prisme servant à calquer.* ⇒ **Chambre.**

0.1 Il faut nettoyer le verre sur lequel on doit calquer le dessin qu'on veut grandir, avec un chiffon et de l'eau-de-vie. E. DELACROIX, Journal, 15 déc. 1850.

Par métaphore :

1 (...) pour moi (...) je n'ai jamais assez (...) de m'appesantir sur les contours du tableau; de m'attester, comme l'aveugle pour les pierres des murs, qu'il est là, toujours debout dans ma mémoire, et de calquer, même en froides paroles, ces lignes, si peintes au dedans de moi, de la maison la mieux connue, du paysage le plus fidèle. SAINTE-BEUVE, Volupté, IV, p. 27.

◆ **2.** (1753). Fig. Imiter exactement, fidèlement (et parfois servilement; ⇒ **Plagier**). *Ils ont calqué leur organisation sur celle de leur concurrent.*

2 Ils calquent les modes françaises sur l'habit romain. ROUSSEAU, Julie ou la Nouvelle Héloïse, II, 17.

3 Bentivoglio, en Italie, calqua Tite-Live. CHATEAUBRIAND, le Génie du christianisme, III, III, 3.

DÉR. Calquage, calqueur.

COMP. Décalquer. — Contre-calquer.

CALQUEUR, EUSE [kalkœʀ, øz] n. — 1827, Stendhal; de *calquer*.

◆ Personne qui fait des calques. — Spécialt. Au cinéma, Personne chargée de reproduire les dessins, dans la réalisation des films d'animation. *L'équipe des calqueurs de Walt Disney.*

CALTER [kalte] v. intr. ⇒ **Caleter.**

CALTHA [kalta] n. f. — 1694, en lat. bot., Tournefort; lat. *caltha* «souci des champs».

♦ Bot. Plante aquatique *(Renonculacées)* à fleur formée de cinq sépales jaunes en corbeille.

CALUMET [kalymɛ] n. m. — 1609, «roseau pour fabriquer des pipes»; forme normanno-picarde de *chalumeau*, avec substitution de suffixe.

♦ **1.** Régional. Roseau servant à faire des tuyaux de pipe.

♦ **2.** (1732). Cour. Pipe à long tuyau que les Indiens fumaient officiellement pendant les délibérations graves. *Calumet de guerre* (blanc et gris); *calumet de (la) paix* (rouge).

1 Un Caraïbe faisait fumer, en signe de paix, des matelots dans son calumet (...)
    BERNARDIN DE SAINT-PIERRE, Études de la nature, II, Bienf., *in* LITTRÉ.

2 Le calumet de paix, dont le fourneau était fait d'une pierre rouge, fut présenté au frère d'Amélie (...)   CHATEAUBRIAND, les Natchez, I.

3 Assis contre le tronc géant d'un sycomore,
Le cou roide, les yeux clos comme s'il dormait,
Une plume d'ara, jaune et pourpre, au sommet
Du crâne, le Sachem, le dernier Sagamore
Des Florides, est là, fumant son calumet.
    LECONTE DE LISLE, Poèmes tragiques, «Le calumet du Sachem».

Fig. *Offrir le calumet de la paix à qqn :* faire une offre de réconciliation, de paix. *Fumer le calumet de la paix avec qqn.*

CALURE [kalyʀ] n. f. — Av. 1970; de *calé,* et suff. *-ure.*

♦ Régional (Suisse) et fam. Étudiant brillant; personne très instruite, très capable. *C'est une calure. Quelle calure!*

On se contente de «speaker», c'est-à-dire de demander aide oralement à un plus «calé» ou plus «costaud». Ces «calures» affronent bien des dangers.
    André MAILLARD, l'Argot au Collège Saint-Michel, p. 53.

CALUS [kaly] n. m. — 1680; *callus,* av. 1590; lat. *callus,* autre forme de *callum.* → Cal.

♦ **1.** Durillon produit par le frottement. ⇒ **Cal, callosité.**

1 (...) des mains laborieuses, endurcies de calus (...)
    VOLTAIRE, l'Homme aux quarante écus, Aventure avec un Carme.

♦ **2.** (1690). Par métaphore ou fig. Endurcissement de la sensibilité.

2 Peut-être ne parvient-on à rien sans s'être fait des calus aux endroits les plus sensibles du cœur.   BALZAC, Illusions perdues, Pl., t. IV, p. 859.

CALVADOS [kalvados] ou **CALVA** [kalva] n. m. — 1881; du nom du département d'origine.

♦ Eau-de-vie de cidre. *Faire le trou* normand avec un merveilleux calvados.*

1 Et Gorju les accompagna jusque dans la cuisine, où Germaine arrivait, en se traînant pour faire le dîner. Ils remarquèrent sur la table une bouteille de calvados, aux trois quarts vidée (...)   FLAUBERT, Bouvard et Pécuchet, IV (1881).

2 On trouvait le père et la mère *(Prouane)* en travers des portes assommés par le calvados, la terrible eau-de-vie normande; tandis que la petite les enjambait, pour égoutter leurs verres.   ZOLA, la Joie de vivre, 1884, p. 1001.

REM. L'abréviation *calva* est très courante. *Un vieux calva. Un café* calva.*

3 Dites donc, vous devez avoir soif, tous les quatre. Vous boirez bien une goutte de calva?   B. VIAN, l'Équarrissage pour tous, XXIV, *in* Théâtre, p. 266.

4 Chez la modiste, il y avait une gentille équipe d'ouvrières et d'apprenties qui s'amusaient de bistroquet, et comme le calva qu'on y débitait était bon, on était sûr d'y rencontrer les plus fameux soiffards des Montparnos (...)
    B. CENDRARS, la Grande Copine, *in* Trop c'est trop, p. 13.

5 Vers les 4 heures, l'aube commença. Il s'assit sur une chaise, une petite heure; puis descendit. Déjà des hommes se dirigeaient vers leur travail. Hippolyte, tout gaillard, servait aux uns et aux autres le café noir et le calva.   R. QUENEAU, le Chiendent, p. 45 (1932).

CALVAIRE [kalvɛʀ] n. m. — 1762; *cauvaire,* fin XIIᵉ; lat. ecclés. *calvariae (locus)* «lieu du crâne», trad. de l'araméen *gulgoltā* «crâne» (transcription grecque : *Golgotha*), nom de la colline où Jésus fut crucifié.

♦ **1.** Nom du lieu où Jésus-Christ fut crucifié. *Le chemin, les stations du Calvaire.*

1 Lorsqu'ils furent arrivés au lieu appelé Calvaire, ils l'y crucifièrent, ainsi que les malfaiteurs, l'un à droite, l'autre à gauche. Et Jésus disait : «Père, pardonnez-leur, car ils ne savent pas ce qu'ils font».   BIBLE (CRAMPON), Évangile selon saint Luc, XXIII, 33-34.

Par métaphore. *Gravir son calvaire.* ⇒ **Croix** (porter sa).

2 Ils *(ces soldats)* devaient subir, parfois, de nouvelles opérations. Certains d'entre eux s'engageaient sur les pentes d'un calvaire où nous les voyons encore trébucher avant de mourir.   G. DUHAMEL, la Pesée des âmes, XIV, p. 322.

(1838). Fig. Épreuve longue et douloureuse. ⇒ **Martyre, supplice.**

♦ **2.** (Av. 1778). Représentation plastique ou picturale de la scène du Calvaire. *Peindre un calvaire.*

3 Lejay vient de mettre Voltaire
Entre la Baumelle et Fréron;
Ce serait vraiment un calvaire,
S'il s'y trouvait un bon larron.   VOLTAIRE, Sur un portrait de lui
    (où il était représenté entre la Baumelle et Fréron).

Croix, généralement dressée sur une plate-forme et qui commémore la passion du Christ. *« Les calvaires bretons sont de véritables monuments représentant la scène de la crucifixion avec une multitude de figurants taillés dans le granit »* (Réau, *Dict.*).

4 Un calvaire pointait au haut d'une des montées du chemin; de là on découvrait un long ruban de la chaussée.
    CHATEAUBRIAND, Mémoires d'outre-tombe, IV, III.

5 Aux carrefours, les vieux christs qui gardaient la campagne étendaient leurs bras noirs sur les calvaires, comme de vrais hommes suppliciés (...)
    LOTI, Pêcheur d'Islande, III, XII, p. 188.

CONTR. **Éden.**

CALVILLE [kalvil] n. f. — 1650; *calleville,* 1630; *calvil,* 1544; de *Calleville,* nom d'un village de Normandie.

♦ Pomme à peau rouge et blanche, marquée de sillons, très savoureuse (→ 1. Pomme, cit. 1). *Calville blanche, rouge. Des calvilles* ou (invar.) *des calville* (→ Canada, cit. Zola; et ci-dessous, cit. 1).

1 Aussitôt le pomologiste de vouloir «sélectionner» ici, et de discuter calibre, transport et conservation. Calville, rainettes du Canada, rainettes et Calville : nous n'en sortîmes plus, si l'on excepte quelques wagons de pommes à cuire.
    COLETTE, Flore et Pomone, *in* Gigi, p. 173.

2 Je m'y engageai (...) pour voir ce qu'était devenue mon ancienne tanière, mais je n'y trouvai que deux tas de pommes de terre (...) À côté, dans l'ex-sacristie, embaumait un étalage de reinettes grises, mélangées de calvilles.
    Hervé BAZIN, Cri de la chouette, 1972, p. 83.

CALVINIEN, IENNE [kalvinjɛ̃, jɛn] adj. — 1560, Ronsard; du nom de *Calvin.*

♦ Qui appartient à la doctrine de Calvin. *Principes calviniens. Théologie calvinienne.* ⇒ **Calvinisme; calviniste.**

CALVINISME [kalvinism] n. m. — 1570; du nom de *Calvin,* 1509-1564.

♦ Doctrine du réformateur Calvin, qui créa le protestantisme* en France. ⇒ **Protestantisme, réforme.** *La Bible, autorité souveraine du calvinisme.*

1 Dans l'accord fait avec Calvin en 1554, on voit que le calvinisme commençait à gagner (...)   BOSSUET, Hist. des variations.

2 Louis XIV, qui avait proscrit le calvinisme avec tant de hauteur (...)
    VOLTAIRE, le Siècle de Louis XIV, 36.

CALVINISTE [kalvinist] adj. et n. — 1562; du nom de *Calvin.*

♦ Qui vient de Calvin, a rapport à Calvin, à sa doctrine. ⇒ **Protestant, réformé.** *Doctrine, religion calviniste. Prédicant calviniste.* ⇒ aussi **Calvinien.**

1 Le jeune ministre calviniste, fort instruit, plein de feu dans la dispute, nullement dressé à la politesse d'un monde qu'il n'avait pas vu, ne reconnaissant rien de supérieur à lui que la raison (...)   FONTENELLE, Saurin, *in* LITTRÉ.

2 Chacune des deux religions pouvait se croire la plus parfaite; la calviniste se jugeant plus conforme à ce que Jésus-Christ avait dit, et la luthérienne à ce que les apôtres avaient fait.   MONTESQUIEU, l'Esprit des lois, 24, V.

3 Il y a trente ans que, dans une ville d'Italie, un jeune homme expatrié se voyait réduit à la dernière misère, il était né calviniste.   ROUSSEAU, Émile, IV.

N. Personne qui se réclame de la religion de Calvin. ⇒ **Protestant.** *Les calvinistes des Cévennes.* ⇒ **Camisard.** *Calvinistes et luthériens.*

4 Les calvinistes sont bien aise de jeter le chat aux jambes des papistes.
    VOLTAIRE, Lettres, *in* LITTRÉ, art. *Chat.*

CALVITIE [kalvisi] n. f. — XIVᵉ; lat. *calvities,* de *calvus* «chauve».

♦ **1.** Absence de cheveux totale ou partielle, due à leur chute définitive. ⇒ (adj.) **Chauve.** *Calvitie précoce, sénile. La calvitie est généralement masculine. L'alopécie*, cause de calvitie.*

1 Une calvitie précoce lui dégageait le front et le grandissait encore.
    MARTIN DU GARD, les Thibault, t. VIII, p. 195.

♦ **2.** La surface de cuir chevelu rendu apparent; l'état du crâne d'une personne chauve. *Une calvitie distinguée, ridicule. La calvitie de qqn, sa calvitie.*

2 (...) cette calvitie nette, à peau fine, qui semble distinguée et studieuse.
    J. ROMAINS, les Hommes de bonne volonté, t. I, p. 72.

CONTR. V. **Chevelure.**

CALYCANTHE [kalikɑ̃t] n. m. — 1805; lat. bot. *calycanthus,* Linné, 1798; du grec *kalux, -ukos* «calice» (→ Calyco-), et *anthos* «fleur».

◆ Bot. Arbrisseau aromatique *(Monimiacées)* d'Amérique du Nord, à fleurs odorantes et décoratives.

La rivière baignait en murmurant notre presqu'île que les calycanthes parfumaient de l'odeur de la pomme.
CHATEAUBRIAND, Mémoires d'outre-tombe, 1848, I, p. 295, *in* T. L. F.

CALYCO- Élément, du grec *kalux, -ukos* « calice », servant à former quelques mots didactiques.

CALYPSO [kalipso] n. m. — V. 1960 ; mot angl. de la Jamaïque, du nom de la nymphe *Calypso.*

◆ Danse à deux temps, originaire de la Jamaïque. — Musique de type antillais qui accompagne cette danse.

Et j'ai sous les yeux, pour ne pas dire aux oreilles, l'exemple de ma fille qui semble ne pouvoir assimiler Tacite ou Salluste qu'avec le fond sonore d'un calypso de Belafonte ou d'un *rock'n'roll* de Johnny Raye.
Pierre DANINOS, Un certain Monsieur Blot, p. 191.

CALYPTO- Élément, du grec *kaluptos* « couvert, caché » (⇒ **Eucalyptus**), qui sert à former quelques mots didactiques.

CALYPTOBLASTIDES [kaliptoblastid] n. m. pl. — 1889, *calyptoblastes* ; lat. sc. *calyptoblastica*, 1869 ; de *calypto-, -blaste,* et *-ides.*

◆ Zool. Sous-ordre de Cnidaires, hydraires* dont la forme dominante est celle de polypes* vivant en colonies arborescentes. *Les Calyptoblastides se reproduisent soit par des méduses libres, soit par des polypes reproducteurs.* — Au sing. *Un calyptoblastide.* — On dit aussi *calyptoblastique* [kaliptoblastik].

CAMAÏEU [kamajφ] n. m. — 1727 ; *kamaheu* « camée », XIIIᵉ ; *camaü,* fin XIIᵉ ; p.-ê. altér. de l'arabe *qămăεïl,* plur. de *qŭmεŭl* « bouton de fleur » (en arabe, ces formes ne sont attestées que dans les dictionnaires) ; P. Guiraud rattache le mot à d'anc. formes comme *gameuz, gamauz,* d'où *gamahieu,* avec un [j] (yod) développé entre les deux voyelles en hiatus ; toutefois, le changement du *g* initial en *c* reste difficile à expliquer.

◆ **1.** Pierre fine taillée, formée de deux couches de même couleur mais de ton différent.

◆ **2.** (1676, *camayeu*). Peinture, imitant parfois les bas-reliefs, où l'on n'emploie qu'une couleur avec des tons différents. ⇒ **Camée** (2.). *Peindre une miniature en camaïeu.* — *Un camaïeu* : un tableau peint en camaïeu. *Camaïeu en grisaille,* de couleur grise.

1 (...) au-dessus des portes les quatre saisons étaient peintes en camaïeu.
Th. GAUTIER, Omphale, p. 233.
2 Enfin, pour orner ses thermes comme pour peindre LA BATAILLE D'ALEXANDRE ou le portrait de LA BOULANGÈRE, Rome, en peinture et en mosaïque, pratiquait un camaïeu d'ocres, hérité ou non des vases grecs.
MALRAUX, la Métamorphose des dieux, *in* Romans, Pl., p. 121.
Gravure en camïeu, obtenue par tirages successifs de même couleur, mais de tons différents.

◆ **3.** Fig. Œuvre littéraire empreinte de monotonie, ou d'une extrême discrétion. Uniformité monotone.

CAMAIL [kamaj] n. m. — Déb. XIIIᵉ ; anc. provençal *capmalh* « tête de mailles », du v. **capmalhar* « revêtir la tête d'une cuirasse » ; de *cap* « tête » (lat. *caput*), et du rad. du lat. *macula.* → **Maille.**

◆ **1.** Didact. Au moyen âge, Armure de tête en tissu de mailles. — Mod. Partie de la housse du cheval qui enveloppe la tête et l'encolure.

◆ **2.** (1548). Courte pèlerine que les ecclésiastiques portent par-dessus le surplis ou le rochet, ou sur la soutane. ⇒ **Domino** (vx), **mosette.** *Camail à petit capuchon. Camail rouge des cardinaux.* — *Ecclésiastique en camail* (→ Pèlerine, cit. 1). *Être en camail et en surplis. Des camails.*

1 Je sortis ainsi avec mon rochet et mon camail en donnant des bénédictions à droite et à gauche (...)
RETZ, Mémoires, II, Les barricades.
1.1 J'ai vu passer et repasser tout le personnel de l'église, depuis l'éclopé donneur d'eau bénite, affublé comme un personnage de Rembrandt, jusqu'au curé dans son camail de chanoine et sa chape de cérémonie.
E. DELACROIX, Journal, 26 juin 1853.

◆ **3.** (1596). Petit manteau, d'homme ou de femme, sans manches, de forme variée, muni ou non d'un capuchon.

2 La jeune femme (...) se leva, et montra jusqu'à la ceinture sa taille enveloppée d'un camail à la turque *(férédjé)* aux plis longs et rigides.
LOTI, Aziyadé, Salonique, IV, p. 12.

◆ **4.** Techn. Capuche garnie d'un masque de toile métallique, qu'utilisent les apiculteurs.

◆ **5.** (1922). Zool. Longues plumes du cou et de la poitrine chez le coq.

CAMALDULE [kamaldyl] n. et adj. — 1694, Corneille ; de *Camaldoli,* en Toscane, où ces religieux se sont d'abord établis, au début du XIᵉ siècle.

◆ Religieux, religieuse de l'ordre de saint Romuald. ⇒ **Bénédictin.** *La règle des camaldules est celle de saint Bernard.* ⇒ **Trappiste.**
— Adjectif :

Au douzième siècle, le Septizonium appartenait à des moines camaldules, lesquels le cédèrent à la puissante famille des Frangipani, qui le fortifièrent, comme ils avaient fortifié le Colisée, les arcs de Constantin et de Titus, toute une vaste forteresse englobant le mont vénérable, le berceau, presque en entier.
ZOLA, Rome, p. 186.

CAMARADE [kamaʀad] n. — 1587 ; « chambrée », av. 1510 ; esp. *camarada* « chambrée », de *cámara* « chambre ».

◆ **1.** Personne qui a les mêmes habitudes, les mêmes occupations qu'une ou plusieurs autres personnes, et contracte ainsi avec elle(s) des liens de familiarité (se dit surtout d'enfants, d'adolescents). ⇒ **Ami, collègue, compagnon, connaissance, confrère, copain** ; (fam.) **pote, poteau** ; (var. argotiques) **camarluche, camaro.** *Un camarade de régiment, de chambrée, de lit. Camarade d'enfance, de collège, de jeu, d'étude, de promotion, de travail, de bureau. Une camarade de jeux, de travail. Avoir de bons, de mauvais camarades. Va jouer avec tes petits camarades. Elle a une gentille camarade. Un bon, un chic*, un vrai, un vieux camarade* : un ami sûr et dévoué. *Faire de qqn son camarade* (→ Asseoir, cit. 8 ; attelage, cit. 5). *Se faire des camarades. Traiter (qqn) en camarade.*

1 Il *(le baudet)* pria le cheval de l'aider quelque peu (...)
Le cheval refusa, fit une pétarade ;
Tant qu'il vit sous le faix mourir son camarade (...) LA FONTAINE, Fables, VI, 16.
2 Accablé de passe-droits et supplanté par tous vos camarades pour avoir fait votre service à la tranchée tandis qu'ils faisaient le leur à la toilette.
ROUSSEAU, Émile, V.
3 Ils ne traitaient pas tout à fait Jacques comme ils faisaient entre eux : en camarade d'équipe. MARTIN DU GARD, les Thibault, t. V, p. 47.
4 Il n'est de camarades que s'ils s'unissent dans la même cordée, vers le même sommet. A. MAUROIS, Études littéraires, Saint-Exupéry, t. II, p. 261.
Compagnon*, compagne avec lequel on partage une aventure, une infortune. *Un, une camarade d'infortune.* ⇒ **Compagnon.**
5 Allons, camarade, allons chercher fortune autre part.
MOLIÈRE, les Précieuses ridicules, 17.
Spécialt (en parlant d'un homme et d'une femme). *En camarades :* avec des relations d'amitié platonique. *On peut continuer à se voir, mais en camarades. Sortir en camarades.*

◆ **2.** Vieilli. Appellatif familier. *Eh, camarade !*
6 Apprends-moi ton métier, camarade, de grâce (...) LA FONTAINE, Fables, XII, 9.
Vieilli (avec une nuance de condescendance dans la forme). *Mon camarade.* ⇒ **Ami** (mon petit, mon jeune).
7 L'endroit parut suspect aux voleurs : de façon
Qu'à notre promptteur l'un dit : « Mon camarade,
Tu te moques de nous (...) » LA FONTAINE, Fables, IX, 13.
Spécialt. Appellation habituelle dans certains partis politiques, tels que les partis socialistes, communistes (cf. *citoyen* au cours de la Révolution de 1789) et dans les syndicats ouvriers. *Camarades syndiqués ! Le camarade Untel, la camarade secrétaire...*
(Dans le contexte de la Russie soviétique). Terme appellatif et désignatif (traduisant le russe *tovaritch*).
(Dans le contexte d'un parti de gauche). Membre du parti. *Les camarades et les sympathisants.*

◆ **3.** Loc. *Faire camarade :* se rendre à l'ennemi (allemand *Kamerad*).

◆ **4.** *Camarade de...,* se dit d'une chose qui va normalement avec une ou plusieurs autres ; (au plur.), choses qui s'accompagnent nécessairement. ⇒ **Compagnon ; accompagner, compagnie** (aller de).
8 Que le bon soit toujours camarade du beau (...) LA FONTAINE, Fables, VII, 2.
9 Le tourment et le sommeil ne sont pas camarades de lit.
Alphonse DAUDET, le Petit Chose, II, XIV.

CONTR. Inconnu. — Adversaire, ennemi, rival.
DÉR. Camarader, camaraderie, camarluche (argot), camaro (pop.).

CAMARADER [kamaʀade] v. intr. — 1843 ; de *camarade.*

◆ Fam. et rare. Devenir, être camarades. ⇒ **Copiner** (familier).

Harry's arrive juste à temps pour les arracher l'une à l'autre *(les deux chiennes),* mouchetées de morsures roses et leurs rubans en loques (...) — « Elles camaradent bien, d'habitude, elles couchent ensemble, dans ma chambre, à l'hôtel ».
COLETTE, l'Envers du music-hall, 1913, p. 180.

CAMARADERIE [kamaʀadʀi] n. f. — 1671, Mᵐᵉ de Sévigné ; de *camarade.*

◆ **1.** Relations familières qui existent entre camarades*. ⇒ **Amitié, copinage, copinerie, familiarité, intelligence** (bonne intelligence). *Avoir des relations de bonne camaraderie. Une camaraderie éphémère. Une solide camaraderie. Une camaraderie de longue date. Vivre sur un pied de camaraderie (avec qqn),* dans un esprit d'entraide amicale.

1 (...) un peu de réserve et d'esprit critique, au début n'empêche pas une amitié sérieuse de naître, elle l'assure même contre les déceptions ultérieures, et nous aide à la distinguer des simples camaraderies.
J. ROMAINS, les Hommes de bonne volonté, t. II, p. 162.

2 (...) il lui semblait qu'une joie née de la camaraderie exige de l'esprit qu'il mette tout en commun avec le camarade, qu'il jette au foyer de l'amitié les idées fugitives.
J. ROMAINS, les Hommes de bonne volonté, t. VII, p. 120.

3 *(Jacques et Antoine)* étendirent devant le feu leurs paletots trempés, s'entr'aidant avec une camaraderie toute neuve.
MARTIN DU GARD, les Thibault, t. IV, p. 81.

4 La camaraderie mène à l'amitié (...)
F. MAURIAC, le Jeune Homme, p. 35.

Par ext. Manière simple de se comporter, comme entre amis. *Une réunion empreinte de camaraderie.*

♦ **2.** (Fin XIXᵉ). Union, entente qui existe entre des personnes ayant des intérêts communs. ⇒ **Entraide, liaison.** *Une camaraderie littéraire. Succès dû à la camaraderie. L'esprit de camaraderie qui existe dans les grandes écoles.* ⇒ **Solidarité.** — Parfois péj. ⇒ **Coterie.**

5 Depuis dix ans, la politique l'avait condamné à vivre isolé derrière un barrage de camaraderie hypocrite et méfiante.
MARTIN DU GARD, les Thibault, t. III, p. 160.

CONTR. V. **Mésintelligence.**

CAMARD, ARDE [kamaʀ, aʀd] adj. et n. — 1534, Rabelais ; de *cam(us)*, et suff. péj. *-ard.*

Vieilli ou littéraire.

♦ **1.** Adj. [a] Qui a le nez* plat et écrasé. *Il est camard.*

1 C'était une grosse fille écrasée, bonne, laide, camarde, avec de l'esprit (...)
SAINT-SIMON, Mémoires, 24, 16.

2 Pancho, fauve au dedans, est difforme au dehors ;
Il est camard, son nez étant sans cartilages (...)
HUGO, la Légende des siècles, X, Cycle chrétien, « Le jour des rois », III.

3 La mort dissimulait sa face
Aux trous profonds, au nez camard,
Dont la hideur railleuse efface
Les chimères du cauchemar.
Th. GAUTIER, Émaux et Camées, p. 222.

[b] *Nez camard,* aplati. ⇒ **Camus.**

4 (...) il *(l'enfant)* devint un gars fort mignon (...) malgré sa boiterie et son petit nez camard.
G. SAND, la Petite Fadette, XXXIV, 224.

♦ **2.** N. (1584). *Un camard, une camarde.*

(1653). Littér. *La camarde :* la mort (parce qu'on la figure avec une face décharnée, une « tête de mort » dont le nez, réduit à l'arête osseuse, paraît aplati).

5 — Je crois qu'elle regarde...
Qu'elle ose regarder mon nez, cette camarde !
Edmond ROSTAND, Cyrano de Bergerac, V, 6.

6 Si vous saviez comme j'en ai peur de la « camarde » et comme j'y pense, pendant ces longs jours d'hiver. Je n'ai ni bicyclette ni « bouquins » pour me distraire.
BERNANOS, Lettres à l'abbé Lagrange, VI, 1ᵉʳ déc. 1905, Œ. roman., Pl., p. 1733.

CONTR. Fin, pointu, retroussé... (V. Nez).

CAMARGUAIS, AISE [kamaʀgɛ, ɛz] adj. et n. — 1877 ; de *Camargue,* région du Sud de la France, dans le delta du Rhône.

♦ De la Camargue. *Cheval, oiseau camarguais. Du riz camarguais.*

(T. de mode). *Botte camarguaise,* ou, n. f., *camarguaise :* botte de cuir retourné très épais, à bout rond et talon droit (à l'origine, botte des gardians). *Une paire de camarguaises.*

N. (Personnes). *Un Camarguais, une Camarguaise.*

CAMARILLA [kamaʀija] n. f. — 1824, Chateaubriand ; mot esp., *camarilla* « cabinet particulier du roi », de *camara,* proprt « chambre ».

♦ **1.** Hist. Parti absolutiste, formé par les familiers du roi d'Espagne.

♦ **2.** Péj. (Vieilli ou littér.). Ensemble des personnes qui approchent un prince, un personnage important, et qui, ayant sur lui une grande emprise, sont politiquement influentes. ⇒ **Coterie, entourage.** *La camarilla groupe les favoris, les intrigants.*

À bas les courtisans ! les hommes de la camarilla qui ont condamné les sergents de La Rochelle !
E. SUE, *in* Pierre LAROUSSE.

CAMARLUCHE [kamaʀlyʃ] n. m. — V. 1850 ; de *camar(ade),* et suff. argotique *-muche,* passé à *-luche* pour l'euphonie.

♦ Argot. (Vieilli). Camarade de travail, de groupe politique.

CAMARO [kamaʀo] n. m. — 1846 ; de *camar(ade),* et suff. pop. *-o.*

♦ Pop. (Vieilli). Camarade.

1. CAMBIAL, ALE, AUX [kɑ̃bjal, o] adj. — 1872 ; ital. *cambiale,* de *cambio* « change ».

♦ Fin. Relatif au change. *Droit cambial.*

HOM. 2. Cambial.

2. CAMBIAL, ALE, AUX [kɑ̃bjal, o] adj. — 1892 ; du rad. de *cambium.*

♦ Bot. Du cambium. *Anneau cambial.*

HOM. 1. Cambial.

CAMBISTE [kɑ̃bist] n. m. — 1675 ; ital. *cambista,* du rad. de *cambio* « change ».

♦ Bourse. Celui qui effectue des opérations de change ; agent de change ou banquier. ⇒ **Changeur** (1.).

C'est le sens arrière qui pérore (...) Le sens arrière continue imperturbable ; c'est un banquier, lui. Du moins le prétend-il ; on le soupçonne d'être tout au plus cambiste. Mais enfin c'est un meussieu très bien.
R. QUENEAU, le Chiendent, p. 39 (1932).

Adj. *Un banquier cambiste.*

CAMBIUM [kɑ̃bjɔm] n. m. — 1560 ; méd., 1515 ; lat. bot., de *cambiare* « changer ».

♦ Bot. Assise génératrice annulaire des tiges et des racines des *Dicotylédones,* des *Gymnospermes,* qui donne naissance au bois et au liber secondaires *(cambium interne),* et au liège *(cambium externe).* ⇒ **Méristème.**

Incessamment ils parlaient de la sève et du cambium, du palissage, du cassage, de l'éborgnage (...)
FLAUBERT, Bouvard et Pécuchet, II (1881).

DÉR. 2. Cambial.

CAMBODGIEN, IENNE [kɑ̃bɔdʒjɛ̃, jɛn] adj. et n. — 1877 ; de *Cambodge,* ancien État de l'Asie du Sud.

♦ Du Cambodge. *La civilisation, la langue cambodgienne.* — N. *Parler cambodgien, le cambodgien.* — *Les Cambodgiens.* ⇒ **Khmer.**

CAMBOUIS [kɑ̃bwi] n. m. — 1690 ; *cambois,* 1393 ; orig. inconnue ; Wartburg suppose une altér. du lyonnais *camboil, *cambouil,* de *cambouiller* « bouillir à gros bouillons », de *bouillir,* et préf. péj. *ca-* ; pour P. Guiraud, le sens initial du mot serait « amas de boue », du wallon *cabouiller, cabouiier* « enduire de boue », de *bouiller* « faire des bulles », et préf. *ca-* « (en fouillant) dans les creux ».

♦ Graisse, huile oxydée ou chargée de poussières métalliques ou terreuses quand elle a servi un assez long temps à lubrifier les axes, les essieux des machines. *Se tacher les mains de cambouis. Enlever une tache de cambouis avec de l'essence.*

1 La main de l'homme est rouge, abîmée par les travaux rudes et le froid ; les doigts *(sont)* tachés de noir, comme par du cambouis, qui aurait adhéré aux régions crevassées de la peau et dont un lavage trop rapide ne serait pas venu à bout.
A. ROBBE-GRILLET, Dans le labyrinthe, 1959, p. 66.

(1886). Argot milit. *Le Royal Cambouis :* le train* des équipages.

2 Il s'est déshonoré, le mec (...) Se faire allonger par un tringlot, un gars du Royal Cambouis ! C'est ça qui dépasse tout !
Roger VERCEL, Capitaine Conan, 1934, p. 56.

CAMBRAGE [kɑ̃bʀaʒ] n. m. — 1867 ; de *cambrer.*

♦ Opération qui consiste à donner une cambrure, de la cambrure à un objet. *Cambrage des tiges de chaussures.* — Techn. Travail de pressage. *Cambrage des pantalons.*

CAMBRAI [kɑ̃bʀɛ] n. m. — 1608, *in* D.D.L. ; *cambrésine,* 1580 ; du nom de *Cambrai,* ville où ce tissu se fabrique.

♦ **1.** Techn. Fine toile de lin très claire (fabriquée à Cambrai). *Du cambrai.* — Par métonymie. Coiffe paysanne faite de cette toile. ⇒ **Cambrésine.**

♦ **2.** Dentelle de Cambrai faite à la machine.

CAMBRE [kɑ̃bʀ] n. m. — 1963 ; n. f., syn. de *cambrure,* 1751 ; de *cambrer.*

♦ Techn. (sports). Espace formé par la cambrure de deux skis placés semelle contre semelle. *« Deux skis placés (...) semelle contre semelle présentent (...) un cambre qui peut aller de 2 à 5 cm »* (J. Franco, le Ski, p. 9).

CAMBREMENT [kɑ̃bʀəmɑ̃] n. m. — 1636 (action) ; (état) 1832 ; de *cambrer.*

♦ Action de cambrer (le corps).

Dans cette cabine obscure, ils se tenaient comme des ivrognes, ils titubaient, avec de brusques rentrées du ventre, des oscillations, des cambrements des reins, des fléchissements brutaux sur les hanches (...)
Roger VERCEL, Remorques, 1935, p. 69.

CAMBRER [kɑ̃bʀe] v. tr. — 1530; pron., «se détourner», XIIIᵉ; de *cambre* «courbé» (adj.), forme normanno-picarde de l'anc. franç. *chambre*, du lat. *camur*, *camurus* «recourbé».

♦ **1.** Techn. Courber légèrement en forme d'arc. ⇒ **Arquer, infléchir.** *Cambrer une poutre.* — *Cambrer la tige, la semelle d'un soulier.* ⇒ **Cintrer.** — Reliure. Recourber vers l'intérieur les angles du carton.

♦ **2.** (1798). Cour. Redresser la taille en se penchant légèrement en arrière. *Cambrer la taille, les (ses) reins.*

1   Jérôme cambra la taille (...)   MARTIN DU GARD, les Thibault, t. III, p. 60.

▶ **SE CAMBRER** v. pron.

♦ **1.** (1530). Se redresser, pour se donner un air martial (cf. Bomber le torse). *Se cambrer en marchant.*

2   Cela l'amusait beaucoup, en le regardant *(le hibou)* de tout près, de tout près, dans les yeux, de le voir se retirer, se cambrer, d'un air de dignité offensée, en dodelinant de la tête avec un tic d'ours.   LOTI, Mon frère Yves, XI, p. 49.

Fig. Se raidir dans une attitude orgueilleuse.

3   Malgré soi l'on prend posture; l'on se cambre; on voudrait tant pouvoir se voir de dos!   GIDE, Journal, août 1910.

♦ **2.** (En parlant d'un avion). Se redresser. ⇒ **Cabrer.**

▶ **CAMBRÉ, ÉE** p. p. adj.
Qui forme un arc. ⇒ **Arqué; cambrure.** *Chaussures cambrées,* dont la partie située entre la semelle et le talon est courbe. *Pied cambré,* qui présente nettement en son milieu une courbe concave en-dessous, et convexe au-dessus. *Taille cambrée,* creusée par derrière.

4   (...) Chrysanthème est gentille, lançant ses flèches, la taille cambrée en arrière pour mieux bander son arc (...)   LOTI, Mᵐᵉ Chrysanthème, XI, p. 78.

CONTR. Aplatir; redresser. — Droit, plat.
DÉR. Cambrage, cambre, cambrement, cambreur, cambrure.

CAMBRÉSINE [kɑ̃bʀezin] n. f. — 1723; pour désigner une cotonnade indienne, plus tard appelée *cambrasine*, 1580; de *Cambrai*.
Technique ou régional.

♦ **1.** Toile de lin (fabriquée d'abord à Cambrai). ⇒ **Cambrai** (1.).

♦ **2.** Par métonymie. Coiffe de femme en toile. ⇒ aussi **Cambrai** (1.).

CAMBREUR [kɑ̃bʀœʀ] n. m. — 1838; de *cambrer*.

♦ Techn. Ouvrier qui donne leur cambrure aux cuirs des chaussures. ⇒ **Cambrage.** — REM. Le fém. *cambreuse* [kɑ̃bʀøz] est virtuel.

CAMBRIEN, ENNE [kɑ̃bʀijɛ̃, ɛn] n. m. et adj. — 1838; angl. *cambrian*, de *Cambria*, nom breton du pays de Galles.

♦ Géol. Première période de l'ère primaire. ⇒ **Primaire.** *Le cambrien est le premier système des temps fossilifères.* — Adj. *Les trois étages de la période cambrienne : inférieur (⇒ Géorgien), moyen (⇒ Acadien), supérieur (⇒ Postdamien). Le terrain cambrien,* ou, n. m., *le cambrien est un terrain sédimentaire.* — *La faune cambrienne* ou *faune primordiale.*

COMP. Antécambrien, éocambrien, infracambrien, précambrien.

CAMBRIOLAGE [kɑ̃bʀijɔlaʒ] n. m. — 1898, *in* Esnault; de *cambrioler.*

♦ Action de cambrioler; résultat de cette action. *Redouter un cambriolage. Le cambriolage de plusieurs appartements. Un cambriolage avec bris de serrure. Se protéger contre les cambriolages.*

Dans la chambre de Mᵐᵉ de Fontanin, les vêtements sur le lit, les chaussures à terre, les tiroirs ouverts, éveillaient l'idée d'un cambriolage.
MARTIN DU GARD, les Thibault, t. VI, p. 78.

CAMBRIOLE [kɑ̃bʀijɔl] n. f. — 1821; de *cambrioler* (ne pas confondre avec l'ancien mot *cambriole* «chambre», d'où viennent *cambrioler* et *cambrioleur*).

♦ Argot et vieilli. Activités du cambriolage. *Un roi de la cambriole.*

Un vieux juge d'instruction de mes amis, qui a puisé dans l'étude des dossiers criminels une connaissance approfondie des choses de la cambriole (...)
A. ALLAIS, Contes et chroniques, p. 220.

CAMBRIOLER [kɑ̃bʀijɔle] v. tr. — Av. 1847; de l'argot *cambriole* «chambre», du provençal *cambro*, même sens.

♦ **1.** Dévaliser* (une maison, un appartement) en pénétrant par effraction. *Son domicile a été cambriolé.*

♦ **2.** Rare. Dérober (qqch.) par cambriolage. ⇒ **Voler.** *Cambrioler qqch. chez qqn, dans la maison de qqn.*

♦ **3.** Voler (qqn), en commettant un cambriolage chez lui. *Cambrioler un antiquaire. Ils ont été cambriolés. Se faire cambrioler. Ils se sont fait cambrioler.* — Rare. *On l'a cambriolé de (quelque chose).*

DÉR. Cambriolage, cambriole.

CAMBRIOLEUR, EUSE [kɑ̃bʀijɔlœʀ, øz] n. — 1828; de l'argot *cambriole* «chambre». → Cambrioler.

♦ Personne qui pénètre par escalade, par effraction dans les appartements, dans les maisons, pour les dévaliser. ⇒ **Voleur; casseur, monte-en-l'air.** *Nous avons reçu la visite des cambrioleurs. D'habiles cambrioleurs. Une cambrioleuse de chambres d'hôtel.* ⇒ **Souris** (d'hôtel); et aussi **rat** (d'hôtel).

(En référence à Arsène Lupin, héros de Maurice Leblanc). *Gentleman-cambrioleur :* cambrioleur possédant l'aisance d'un homme du monde et ambitionnant d'ériger en art sa coupable industrie.

CAMBROUSIER, IÈRE [kɑ̃bʀuzje, jɛʀ] n. — 1841; *cambrouzier,* 1836, Vidocq, «voleur dans la campagne»; de *cambrous(s)e.* → Cambrousse.

♦ Vieilli, péj. Paysan(ne), provincial(e). ⇒ **Cambroussard.**

CAMBROUSSARD, ARDE [kɑ̃bʀusaʀ, aʀd] ou **CAMBROUSARD, ARDE** [kɑ̃bʀuzaʀ, aʀd] n. et adj. — 1951, *cambroussard; cambrousard,* 1915; de *cambrous(s)e.*

♦ Fam., péj. Paysan. ⇒ **Péquenaud, péquenot.** — Adj. *Des habitudes cambrousardes.*

CAMBROUSSE [kɑ̃bʀus] n. f. — V. 1860; *cambrouse* «province», 1836; *garçon de cambrouse* «voleur de grande route», 1821; du provençal mod. *cambrousso* «cambuse», de *cambra* «chambre»; la forme *cambrousse* d'après *brousse.*

★ **I.** Fam. ♦ **1.** Campagne*. *Se perdre en pleine cambrousse. Quelle cambrousse!*

La campagne! La pure cambrousse! quelque part bien loin de toutes les sales usines (...)   G. DUHAMEL, Récits des temps de guerre, t. I, II, p. 285.

♦ **2.** Lieu retiré (de province, de campagne). *Il habite une cambrousse, je ne sais plus où. Où ça se trouve, votre cambrousse?* ⇒ **Bled.** — REM. Dans ce sens, le mot subit l'attraction de *brousse* (→ 1. Brousse).

★ **II.** Argot anc. ♦ **1.** (1878, *in* Esnault). Chambre.

♦ **2.** (1842; → Blanquette, cit.). Cambriolage.

CONTR. Banlieue, ville.
DÉR. Cambroussard.

CAMBRURE [kɑ̃bʀyʀ] n. f. — 1537; de *cambrer.*

♦ **1.** État de ce qui est cambré*. ⇒ **Cintrage, courbure.** *Cambrure d'une pièce de bois.* — (1867). *Cambrure de la taille, des reins.* ⇒ **Ensellure.**

1   (...) les Parisiennes, c'étaient ces femmes dont la taille mince avait aux reins une cambrure artificielle (...)   LOTI, Pêcheur d'Islande, 1, III, p. 31.

2   (...) son regard soucieux parcourut distraitement, depuis les palettes des omoplates jusqu'à la cambrure ombrée des reins (...)
MARTIN DU GARD, les Thibault, t. III, p. 145.

♦ **2.** (Ce qui est cambré). *Cambrure du pied :* partie médiane cambrée. ⇒ **Voûte** (plantaire). — (1680). Partie courbée entre la semelle et le talon d'une chaussure.

Cambrure orthopédique : semelle fortement cambrée que l'on met dans des chaussures pour corriger un défaut de cambrure de la voûte plantaire.

♦ **3.** Sc. et techn. Paramètre qui détermine la forme (courbe) d'une lentille. — Rapport entre l'amplitude et la longueur d'une onde. *Les ondes d'oscillations «se réfléchissent d'autant mieux sur les talus (...) que leur "cambrure" est plus faible»* (J. Larras, *l'Hydraulique,* p. 72).

Ski. ⇒ **Cambre.**
Action de cambrer les plats d'une reliure.

♦ **4.** Par métaphore (d'une attitude cambrée) et littér. Manque de simplicité, recherche prétentieuse. *La cambrure du style.* ⇒ **Apprêt, recherche.**

3   Les *Mémoires* de Retz. Voilà longtemps que je n'avais goûté pareille joie. Étrange style, qui semble tout en substantifs et en verbes et qui marche sur les talons.

Apparenté tout à la fois à Montesquieu et à Saint-Simon, avec plus de cambrure et d'étroitesse que celui-ci.   GIDE, Journal, 29 janv. 1902.

DÉR. Cambrurier.

CAMBRURIER, IÈRE [kãbʀyʀje, jɛʀ] n. — Fin XIXᵉ; de cambrure.

♦ Techn. Ouvrier, ouvrière qui dépèce les chaussures usées pour en récupérer les diverses parties.

CAMBUSE [kãbyz] n. f. — 1773; du néerl. kabuis et kombuis «cuisine de navire», moy. bas all. kabūse, kambūse.

♦ **1.** Mar. Magasin du bord où sont conservés et distribués les vivres, les provisions. *Tenir la cambuse. Aller à la cambuse.*

1   La mer de plus en plus grosse submerge constamment le pont mal calfaté. L'eau pénètre dans la cambuse et abîme les vivres emmagasinés, caisses de biscuits, pommes de terre, sacs de riz (...) qui représentent trois mois de provisions.
                                              B. CENDRARS, l'Or, p. 62.

♦ **2.** Par ext. [a] Cantine d'un chantier.

[b] (1872). Fam. et vieilli. Auberge pauvre et mal tenue. ⇒ **Gargote.**

[c] (1828). Cour. Chambre, habitation mal tenue. ⇒ **Turne** (fam.).

2   S'ils mangeaient du pain au beau temps, les fringales arrivaient avec la pluie et le froid, les danses devant le buffet, les dîners par cœur, dans la petite Sibérie de leur cambuse.   ZOLA, l'Assommoir, t. II, p. 120.

DÉR. Cambusier.

CAMBUSIER [kãbyzje] n. m. — 1792; de cambuse.

♦ Mar. Matelot qui a la responsabilité de la cambuse et de la distribution des vivres aux hommes d'équipage.

Pour la première fois peut-être depuis l'embarquement, le second néglige d'opérer au-dessous de l'entrepont sa ronde habituelle. Peut-être a-t-il eu tort de fêter, ainsi que son chef, certains flacons poudreux exhumés ce soir-là d'un petit réduit dont le cambusier ne possède pas la clef.
                                              la Science illustrée, 1888, t. II, p. 286.

(1902, in D. D. L.). Fam. Aubergiste, cantinier. — REM. Le fém. *cambusière* [kãbyzjɛʀ] est virtuel.

1. CAME [kam] n. f. — 1842; camme, 1751; all. Kamm «peigne».

♦ Pièce (arrondie non circulaire ou présentant une encoche, une saillie) destinée à transmettre et à transformer le mouvement d'un mécanisme. *«Pendant la rotation, les cames font prise, avec d'autres saillies appelées* mentonnets, *implantées sur la tige d'un organe qu'il s'agit de soulever»* (Poiré, *Dict. des sc.*). — *Arbre à cames :* arbre muni de cames qui permettent de déclencher un fonctionnement à un moment déterminé de la rotation. *Roue à cames. Levée de la came. Came de butée. Cames d'un moteur, d'une serrure, d'un bocard.*

1   (...) il sut habilement profiter de la force mécanique, inutilisée jusqu'alors, que possédait la chute d'eau de la grève, pour mouvoir un moulin à foulon.
Rien ne fut plus rudimentaire. Un arbre, muni de cames qui soulevaient et laissaient retomber tour à tour des pilons verticaux, des auges destinées à recevoir la laine, à l'intérieur desquelles retombaient ces pilons (...)
                                              J. VERNE, l'Île mystérieuse, t. II, p. 450.

2   Antoine le ramenait une heure plus tard, fourbu, dégoûté, pour un an, d'engrenages, de cames et d'excentriques, presque à point pour l'estocade.
                                              A. MAUROIS, Bernard Quesnay, VIII, p. 54.

HOM. 2. Came, formes du v. camer (se).

2. CAME [kam] n. f. — Fin XIXᵉ; abrév. de camelote «marchandise».

♦ **1.** Fam. Marchandise de peu de valeur. ⇒ **Camelote, pacotille.**

♦ **2.** Argot. Marchandise illicite.

1   Nadine rit comme une dingue, me dit qu'elle n'a pas l'intention de se mettre fourgue et que ma came ne l'intéresse pas : elle en a déjà, des bijoux, honnêtement volés ceux-là.   A. SARRAZIN, la Cavale, p. 123.

♦ **3.** (V. 1930). Argot. Drogue, en particulier cocaïne. — Par ext. Tout stupéfiant ou hallucinogène.

2   «Avec moi t'as pas à t'inquiéter. Je te dis qu'auras ton fric. Tu t'amènes avec tes cinq kilos de came et tu ramasses tes sous. Compris?»
                                              Jean GENET, Querelle de Brest, p. 189.

DÉR. Camer (se).
HOM. 1. Came, formes du v. camer (se).

CAMÉE [kame] n. m. — 1752; ital. cameo. → Camaïeu.

♦ **1.** Pierre fine (agate, améthyste, onyx) sculptée en relief (opposé à *intaille*). *Les graveurs nuancent les camées en utilisant les couleurs variées des diverses couches de la pierre. Camée monté en bague, en pendentif, en broche. Une broche-camée. Une épingle-camée. Le Grand Camée de Vienne,* œuvre du graveur Dioscoride. *Émaux et Camées,* poèmes de Th. Gautier.

1   (...) au lieu de voir apparaître ma grand-mère qui, en cette saison, portait à l'inté-

rieur de vieilles fourrures ruisselant autour d'épaules frileuses, un énorme camée sur la poitrine, un éventail de jais à la main (...)
                                              Jacques LAURENT, les Bêtises, p. 149.

Profil, visage de camée, bien dessiné et régulier.

Elle avait le visage classique qu'on appelle un visage de camée (...) cette sorte de   2
visage, si impatientant pour les âmes passionnées, avec son invariable correction et son unité.   BARBEY D'AUREVILLY, les Diaboliques, «À un dîner d'athées».

(...) ces aimables prêtres arméniens aux profils de camée (...)   3
                                              LOTI, Jérusalem, XXI, p. 237.

Camée en coquillage, où la pierre trop dure est remplacée par une coquille plus tendre (on dit aussi *camée coquille*).

♦ **2.** (1819). Grisaille (peinture) imitant le camée. ⇒ **Camaïeu.**

CONTR. Intaille.
HOM. Camer (se).

CAMÉLÉON [kameleɔ̃] n. m. — XIIᵉ; lat. chamaeleon, grec khamaileôn «lion qui se traîne à terre», de khamai «à terre», et leôn «lion».

♦ **1.** Reptile saurien *(Vermilingues),* insectivore, analogue à un grand lézard, de couleur gris verdâtre, au corps comprimé latéralement, orné d'une crête dorsale, monté sur des pattes grêles et terminé par une queue prenante. *La langue longue et visqueuse du caméléon. Le caméléon a la faculté de changer de couleur sous l'action d'émotions, de sensations diverses, pour adopter la couleur du milieu où il est placé.* ⇒ **Caméléonisme, mimétisme.**

♦ **2.** Par compar., métaphore ou fig. Personne qui change de conduite, d'opinion, de langage, au gré de l'intérêt. ⇒ **Girouette.** *Il change d'attitude comme un caméléon. C'est un vrai caméléon. Ce politicien est un caméléon.*

Je définis la cour un pays où les gens,   1
Tristes, gais, prêts à tout, à tout indifférents
Sont ce qu'il plaît au Prince, ou, s'ils ne peuvent l'être,
Tâchent au moins de le paraître;
Peuple caméléon, peuple singe du maître (...)   LA FONTAINE, Fables, VIII, 14.

Le ministre ou le plénipotentiaire est un caméléon, est un Protée.   2
                                              LA BRUYÈRE, les Caractères, X, 12.

Ce sont de vrais caméléons qui changent de couleur suivant l'humeur et le génie   3
des hommes qui les approchent.   A.-R. LESAGE, Gil Blas, t. I, IV, VII, p. 246.

♦ **3.** Par anal. *Caméléon minéral :* manganate de potassium qui prend des couleurs variées sous l'influence de causes diverses.
Adj. *Étoffe caméléon :* tissu à reflets changeants.

DÉR. Caméléonesque, caméléonien, caméléonisme.

CAMÉLÉONESQUE [kameleɔnɛsk] adj. — 1835, Balzac; de caméléon, et suff. -esque.

♦ Littér. De la nature du caméléon; changeant. ⇒ **Caméléonien.**

Flavie admira cet être caméléonesque : un genou en terre, les mains en croix sur la poitrine et les yeux levés vers le ciel, dans une extase religieuse, il récitait une prière, il était le catholique le plus fervent, il se signa. Ce fut beau comme la communion de saint Jérôme.   BALZAC, les Petits Bourgeois, Pl., t. VII, p. 199.

CAMÉLÉONIEN, IENNE [kameleɔnjɛ̃, jɛn] adj. et n. m. — 1831; de caméléon.

♦ **1.** Adj. (1831). Variable, changeant. ⇒ **Caméléonesque.**

♦ **2.** N. m. pl. *Caméléoniens :* famille de sauriens dont le type est le caméléon. — Syn. : *caméléonidés.* — Au sing. *Un caméléonien.*

CAMÉLÉONISME [kameleɔnism] n. m. — 1850; de caméléon, et suff. -isme.

♦ **1.** Vieilli. Propriété que possèdent certains animaux, notamment le caméléon, de changer de couleur. ⇒ **Mimétisme.**

♦ **2.** Fig. et péj. Aptitude à changer d'opinion, d'attitude, selon les circonstances.

CAMÉLÉOPARD [kameleɔpaʀ] n. m. — 1495, cameliepars; lat. cameloparda «girafe», du grec kamèlopardalis, de kamêlos «chameau», et pardalis «panthère, léopard».

♦ Vx. Girafe. — REM. Encore chez Bernardin de Saint-Pierre (1814) et par allusion historique ou étymologique.

CAMÉLIA [kamelja] n. m. — 1829; camellie, 1819; lat. des botanistes camellia (1764), créé par Linné en l'honneur du père Kamel, qui apporta l'arbuste de l'Asie tropicale à la fin du XVIIᵉ siècle.

♦ **1.** Bot., cour. Arbrisseau *(Théacées)* à feuilles ovales, luisantes et persistantes, à fleurs larges, simples ou doubles, blanches, roses ou rouges, rappelant beaucoup la rose. *Le camélia est cultivé comme plante ornementale. Une haie de camélias en fleurs.* — En bot., on écrit *camellia.*

Il y avait dans le parc un arbre dont l'oncle de Jean était très fier : c'était un   1
immense camélia, qui était deux fois comme un homme, mais surtout s'arrondissait presque dès le pied jusqu'au faîte en une ombelle si large, composée de tant

de milliers de larges feuilles vernies qu'on eût cru que c'était la contribution de beaucoup d'arbustes qui avait réussi à la bomber ainsi plutôt qu'un seul. Partout, sur l'énorme ombelle, s'étalaient de larges fleurs rouges, roses, comme si on en eût attaché là des milliers.   PROUST, Jean Santeuil, Pl., p. 333-334.

♦ **2.** Fleur du camélia. *Offrir des camélias. Un bouquet de camélias. La Dame aux camélias*, roman d'Alexandre Dumas fils (1848).

2   À regarder un camélia luisant et verni, une rose aux bords défaillants, au cœur de soufre où semble extravasée une goutte de sang, ses yeux avaient une volupté (...)   Ed. et J. DE GONCOURT, Madame Gervaisais, p. 39.

CAMÉLIDÉS [kamelide] n. m. pl. — 1867; du rad. du lat. *camelus* «chameau».

♦ Zool. Famille de mammifères ruminants ongulés artiodactyles*, sans cornes, à estomac sans feuillet, dont les types principaux sont l'alpaga, le chameau, le dromadaire, le guanaco, le lama, la vigogne. ⇒ **Caméliens.** — Au sing. *Un camélidé.*

CAMÉLIEN, IENNE [kameljɛ̃, jɛn] adj. — 1838; du rad. du lat. *camelus* «chameau».

♦ Didact. et rare. Relatif au chameau. *L'espèce camélienne.* ⇒ 1. **Camelin.** — N. m. *Les Caméliens.* ⇒ **Camélidés.**

1. CAMELIN, INE [kamlɛ̃, in] adj. — 1509; lat. *camelinus* «qui appartient au chameau».

♦ Rare. Du chameau; qui a rapport au chameau. ⇒ **Camélien.**

HOM. 2. Camelin. — (Du fém.) Cameline.

2. CAMELIN [kamlɛ̃] n. m. — 1244; de 1. *camelot*, avec substitution de suffixe.

♦ Hist. Étoffe de poils de chameau ou de chèvre mêlés de laine et de soie, fabriquée au moyen âge. ⇒ 1. **Camelot.**

HOM. 1. Camelin.

CAMELINE [kamlin] ou CAMÉLINE [kamelin] n. f. et adj. — 1549; *sauce kameline*, 1275; n. f., 1393; altér. de *camomine*, bas lat. *chamæmelina (herba)*. → Camomille.

★ **I.** N. f. Bot. Plante dicotylédone *(Crucifèracées)*, herbacée, à petites fleurs jaunes, annuelle, cultivée pour ses graines oléagineuses. — Syn. : *sésame d'Allemagne.*

★ **II.** Adj. (1275). *Sauce cameline :* sauce brune très épicée, au vin rouge et à l'huile de cameline, en usage au moyen âge. — N. f. (1393). *Une cameline.*

CAMELLE [kamɛl] n. f. — 1779, *in* D.D.L.; provençal *camello*, lat. *camelus* «chameau», à cause du profil irrégulier de la crête.

♦ Techn. Tas de sel, dans un marais salant.

Les sels provenant de ces salines, seront, après leur facture relevés des tables avec les précautions d'usage, et on en formera des camelles, lesquelles seront placées sur une chaussée construite à cet effet (...)
          Recueil général des anciennes lois franç., XXVI, p. 98, *in* D.D.L., II, 12.

CAMELLIA [kamelja] n. m. ⇒ **Camélia.**

1. CAMELOT [kamlo] n. m. — 1589; *camelos*, 1168; arabe *hamlât*, plur. de *hämläh* «peluche de laine».

♦ Anciennt. Grosse étoffe qui était réputée faite en poil de chameau. — Étoffe de laine, parfois mêlée de poils de chèvre ou de soie formant la chaîne. ⇒ 2. **Camelin.**

On met celui qui est vêtu de soie au-dessus de celui qui n'est vêtu que de camelot.
          FURETIÈRE, le Roman bourgeois, I, 48, *in* HATZFELD.

DÉR. 2. Camelin, cameloter. — HOM. 2. Camelot.

2. CAMELOT [kamlo] n. m. — 1821; probablt dér. régressif de *camelotier*, avec p.-ê. infl. de 1. *camelot*.

♦ **1.** Marchand ambulant qui vend des articles de pacotille, des marchandises à bas prix. ⇒ **Cameloteur, camelotier; charlatan, étalagiste.** *Les boniments d'un camelot.*

1   Des camelots, mués en changeurs, circulaient, une boîte sur le ventre.
          MARTIN DU GARD, les Thibault, t. VII, p. 140.

1.1   Un terrain vague, cependant, s'ouvre à gauche, où des camelots, sous une lampe à acétylène portée par un pieu, débitent de menues utilités en matière plastique.
          A. PIEYRE DE MANDIARGUES, la Marge, p. 64.

♦ **2.** (1888). Vieilli. Vendeur de journaux, de chansons; distributeur de prospectus. *La criée des camelots.*

2   Des camelots traversaient le carrefour en criant des éditions spéciales.
          MARTIN DU GARD, les Thibault, t. VII, p. 186.

---

3   Oh! être n'importe quoi! être ce camelot misérable et bossu qui vend ses journaux le soir.   A. ARTAUD, Scenarii, *in* Œ. compl., t. III, p. 12.

Loc. (1917). Hist. **CAMELOT DU ROI** : jeune militant royaliste, vendant bénévolement des journaux, tels l'*Action française.* — Par ext. Militant royaliste.

4   Dans la montée d'ensemble du fascisme européen, l'émeute parisienne du 6 février 1934 ne fut, malgré sa trentaine de morts, qu'un épisode mineur, et son avortement immédiat donna la juste mesure des possibilités révolutionnaires de la «droite» française dans l'histoire du moment. Les «camelots du roi» et les anciens combattants «croix de feu» qui la menèrent ont toujours cru qu'ils avaient été à deux doigts de réussir.   Raymond ABELLIO, Ma dernière mémoire, t. II, p. 229-230.

REM. Le mot n'a pas de forme féminine. On trouve *femme-camelot* (A. Arnoux). *Elle est camelot.*

CAMELOTE [kamlɔt] n. f. — 1751, *reliure à la camelote* «reliure à bon marché»; probablt de *camelotier*, par apocope.

Familier.

♦ **1.** Ouvrage mal fait; marchandise de mauvaise qualité et de peu de valeur. ⇒ **Pacotille, toc.** *Vendre, acheter de la camelote. C'est de la camelote.*

Par métaphore :

1   (...) visite d'un Marinetti, directeur d'une revue de camelote artistique du nom de *Poesia.*   GIDE, Journal, 1905, Pl., p. 152.

2   On célèbre devant nous l'un des mystères les plus bas d'une civilisation qui est celle de la pacotille et de la camelote.
          G. DUHAMEL, Manuel du protestataire, V, p. 141.

3   La porte ovale au milieu de ces baies carrées a un air faux, rapporté, tout l'ensemble est laid, commun, de la camelote, celle du faubourg Saint-Antoine ne serait pas pire (...)   N. SARRAUTE, le Planétarium, p. 12.

(Abstrait). Attitude, comportement trompeur et de peu de valeur.

4   Le démon imite Dieu, crée une sorte de faux paradis. Ce qu'il a à offrir est toujours de la «camelote».
          J. GREEN, Journal, févr. 1968, Ce qui reste de jour, p. 73.

♦ **2.** Fam. [a] (1815). Toute marchandise. *Montrez-moi votre camelote. C'est de la bonne camelote.*

[b] Argot. Marchandise illicite. *Ils ont entreposé la camelote chez un receleur.* — Spécialt. Drogue. ⇒ 2. **Came** (3.).

DÉR. V. 2. Came.

CAMELOTER [kamlɔte] v. — 1530; de 1. *camelot*, avec infl. de 2. *camelot*.

♦ **1.** Trans. Vx. Façonner grossièrement comme on fait de l'étoffe dite *camelot** (1. Camelot).

♦ **2.** Intrans. (1845). Fam. Fabriquer ou vendre de la camelote.

DÉR. Camelote.

CAMELOTEUR, EUSE [kamlɔtœr, øz] n. — 1867, Delvau; de *camelotier*, avec changement de suffixe.

♦ Vieilli. Marchand ambulant, camelot.

CAMELOTIER, IÈRE [kamlɔtje, jɛR] n. — 1612, *camelottier*; argot *cœsmelotier*, 1596; de *cœsme* «gros mercier», d'orig. incert., p.-ê. à rapprocher du dial. *couème* «sot, poltron» (Sainéan), ou de l'anc. franç. *caïmand* «mendiant» (Dauzat); P. Guiraud propose l'étymon **coagmen*, d'après *coagmentare* «rassembler, réunir», d'où **cœmer*, même sens, et *coème* (mercier) «qui rassemble (la marchandise)».

Vieux.

♦ **1.** Voleur. — Contrebandier.

♦ **2.** Fabricant ou vendeur de camelote.

♦ **3.** (1821). Marchand, marchande.

DÉR. Camelote, cameloteur. — V. 2. Camelot.

CAMEMBERT [kamãbɛʀ] n. m. — 1867 (le fromage aurait été créé en 1791 par Marie Fontaine); nom du village de l'Orne d'où est originaire ce fromage.

♦ **1.** Fromage gras, à pâte molle affinée, cylindrique et peu épais, préparé avec du lait de vache. ⇒ (fam.) **Calendo.** *Un camembert bien fait, fait à cœur*; crayeux, plâtreux; coulant. Affinage, salage des camemberts. Boîte de camembert.* — Un manque de distinction qui pue au nez. Bouffer un camembert! Voilà qui ne se dit pas! Et puis parler d'un camembert en poésie!   J. ROMAINS, les Copains, I, p. 31.

Altér. pop. *Camembji.*

♦ **2.** Par anal. de forme. (Argot de l'imprim.). Demi-bobine de papier.

CAMER (SE) [kame] v. pron. — 1952, *camer*, v. tr.; de 2. *came.*

♦ Argot (puis fam.). Se droguer.

1 Mado a toujours mal quelque part, c'est bien connu. Et moi, au fond, je ne tiens pas tellement à me droguer : on sait quand on commence... à mon avis, se camer devrait être, et devrait rester, délibéré.   A. SARRAZIN, la Cavale, p. 36.

▶ **CAMÉ, ÉE** p. p. adj. et n.

Drogué. *Elle est complètement camée.* — N. *Un camé, une camée :* un drogué, une droguée.

2 Quand chaque rue est une impasse, avec, masqué d'incurable détresse, un camé qui vous met sous la gorge le couteau (...)   J. PRÉVERT, Choses et autres, p. 246.

1. CAMÉRA [kameʀa] n. f. — 1838 ; du lat. sc. *camera (lucida).*

♦ Vx. Instrument d'optique pour dessiner, appelé aussi *chambre* claire.*

2. CAMÉRA [kameʀa] n. f. — 1872 ; de l'angl. *(movie) camera,* même sens, lui-même de *camera* «appareil photographique», du lat. sc. *camera obscura.* → Chambre* noire.

♦ Appareil cinématographique de prises de vues. *Des caméras.*

1 En général, les chevaliers de la caméra n'acceptent pas de bon cœur les observations qu'on ose leur présenter.   G. DUHAMEL, Manuel du protestataire, v, p. 142.
Magasins, mécanisme d'entraînement, objectifs d'une caméra. Caméra d'amateur. Caméra à moteur électrique, munie d'un zoom... Caméra de 8 mm, caméra super-huit. L'œil de la caméra.

2 Est-il possible de courir en regardant son ombre? D'être à la fois derrière l'œil de la caméra et dans la peau de son personnage?   Régis DEBRAY, l'Indésirable, p. 297.

Loc. *Caméra-stylo* («caméra utilisée à la manière d'un stylo») : style de cinéma utilisant l'esprit ou les techniques du reportage, du roman.

Par anal. (de fonction). *Caméra de télévision :* tube électronique de prises de vues.

CAMÉRAL, ALE, AUX [kameʀal, o] adj. — 1846 ; d'après l'all. *kameralisch,* du lat. *camera* «chambre».

Didactique.

♦ **1.** Relatif aux finances publiques. *La science camérale ou caméralistique.*

♦ **2.** Méd. Relatif à une «chambre», spécialt, à la chambre pulpaire* de la dent. *Une «nécrose totale de la pulpe camérale et radiculaire»* (P.-L. Rousseau, les Dents, p. 43).

CAMERAMAN [kameʀaman] n. m. — 1919 ; mot angl., de *camera* «caméra ; appareil de photo», et *man* «homme».

♦ Anglic. Opérateur* de prises de vue (de cinéma, de télévision). — REM. On trouve parfois le fém. (angl.) *camerawoman* [kameʀawuman] ; plur. *Des cameramen* [kameʀamɛn], *des camerawomen* [kameʀawumɛn].

1 À L'ÉCOLE D'UNE CAMERAWOMAN. — Il y a plusieurs façons de parler des courts métrages d'Agnès Varda (...)   J.-L. GODARD, in Coll. des Cahiers du cinéma, n° 92, févr. 1959, p. 189.

2 (...) ce défilé incessant de cameramen, de photographes, de journalistes, le stationnement, devant notre porte, des camions de la Radiodiffusion (...)   Pierre DANINOS, Un certain Monsieur Blot, p. 182.

REM. Alors qu'on emploie encore cet anglicisme au cinéma au lieu d'*opérateur,* le langage de la télévision le remplace de plus en plus par *cadreur.* → Cadreur.

CAMÉRIER [kameʀje] n. m. — 1350, repris 1671 ; ital. *cameriere,* du lat. *camera* «chambre».

♦ **1.** Officier de la chambre du pape ou d'un cardinal. (1867). Spécialt. Prélat chargé du trésor du pape et de ses aumônes. *Camérier secret.*

On fut bien étonné de voir un camérier du pape qui ordonna à Charles VIII de retirer ses troupes.   VOLTAIRE, Essai sur les mœurs, 107, in LITTRÉ.

♦ **2.** Hist. Valet de chambre (d'un grand personnage). *Le camérier du roi.*

CAMÉRIÈRE [kameʀjɛʀ] n. f. — V. 1665 ; esp. *camarera* «dame d'honneur d'une princesse».

♦ Vx et rare. Femme de chambre. ⇒ **Camériste.**

Milady sourit à elle-même et à l'idée qui lui était venue que cette jeune femme pouvait être son ancienne camérière.   DUMAS, les Trois Mousquetaires, t. II, p. 682.

CAMÉRISTE [kameʀist] n. f. — 1741 ; var. *camariste,* 1740-1755 ; esp. *camarista,* de *cámara* «chambre», modifié sous l'infl. de l'ital. *camerista,* empr. lui-même à l'espagnol.

♦ **1.** Hist. En Espagne et dans d'autres pays, Titre donné aux dames qui servaient les princesses dans leur chambre.

♦ **2.** Ancienn. Femme de chambre (dans un milieu socialement élevé). ⇒ **Camérière.** *Elle se faisait coiffer par sa camériste.* Mod. Par plais. Femme de chambre.

CAMERLINGAT [kamɛʀlɛ̃ga] n. m. — 1570 ; de *camerlingue.*

♦ Relig. Dignité de camerlingue.

CAMERLINGUE [kamɛʀlɛ̃g] n. m. — 1572 ; *camerlin,* 1418 ; ital. *camerlingo.* → Chambellan.

♦ Relig. Cardinal de la cour pontificale qui administre la justice et le trésor, préside la chambre apostolique et gouverne quand le Saint-Siège est vacant.

1 Giovanni! Giovanni! Et, le cadavre n'ayant pas répondu, le camerlingue se tournait après avoir patienté quelques secondes, disait : «Le pape est mort!»   ZOLA, Rome, p. 642.

Par apposition :

2 Au décès du souverain pontife le gouvernement des États Romains tombe aux mains des trois cardinaux chefs d'ordre, diacre, prêtre et évêque, et au cardinal camerlingue.   CHATEAUBRIAND, Mémoires d'outre-tombe, III, XIII.

DÉR. Camerlingat.

CAMEROUNAIS, AISE [kamʀunɛ, ɛz] adj. et n. — XXe ; de *Cameroun,* port. *camarâo,* proprt «crevette».

♦ Du Cameroun, État africain. *L'économie camerounaise.*

N. *Les Camerounais.*

1. CAMION [kamjɔ̃] n. m. — 1352, *chamion, camion* «espèce de charrette» ; orig. inconnue ; on a proposé le rad. de *caminar* «cheminer» et le bas lat. *chamulcus* «chariot bas» ; pour P. Guiraud, l'idée générale est celle de petitesse, le *camion* est un «petit chariot» ; le mot serait une forme de *chat-mion* «petit chat», cette image désignant souvent des instruments, d'après *mionner* «miauler», et l'argot *mion* «garçon», d'où «petit chat» ; cette hypothèse ingénieuse reste assez gratuite.

♦ **1.** (1751). Ancienn. Véhicule bas, à quatre roues de petit diamètre, utilisé pour le transport des marchandises pesantes. ⇒ **Voiture, chariot, fardier.** *Camion à chevaux.*

1 Des camions, qui tenaient la largeur de la chaussée, roulaient bruyamment vers les docks.   MARTIN DU GARD, les Thibault, t. III, p. 103.

Techn. Petit chariot de maçon.

♦ **2.** (D'abord sous la forme *camion-auto,* 1915 ; *camion automobile*). Gros véhicule automobile servant au transport des marchandises, des matériaux. ⇒ **Poids** (lourd). *Le moteur, le châssis, la remorque, les roues d'un camion. Moteur, roue... de camion. La cabine d'un camion. Les camions et camionnettes* sont des véhicules utilitaires.* ⇒ **Utilitaire.** *Camions militaires* (pour le transport des marchandises ou des troupes). *Camion de dix, quinze, vingt tonnes.* ⇒ **Tonne** (un dix tonnes, un quinze tonnes). *Poids utile d'un camion. Un gros camion* (→ fam. Gros cul*). *Transport par camions.* ⇒ **Camionnage, routage.** *Route encombrée de camions. Monter dans, sur un camion. Traverser la France en camion. Conducteur de camion.* ⇒ **Chauffeur, routier.** *Garage de, pour camions. Gare routière, où s'arrêtent les camions. Camion en douane.* — *Camions et engins d'un chantier. Parc* de camions d'une entreprise.*

2 La route était couverte de camions aux bâches jaunes de poussière.   MALRAUX, l'Espoir, I, III, 2.

3 Cars et camions, lourdement chargés, roulent à grande allure, avec une brutalité sauvage dont on verra les effets chaque jour de mieux en mieux, sur des chemins étroits, tournants et malaisés.   G. DUHAMEL, Manuel du protestataire, IV, p. 137.

4 D'autres *(troupes en armes)* passent en camions découverts, sur lesquels les hommes se tiennent assis raides, le fusil vertical, serré à deux mains, entre les genoux ; ils sont placés sur deux rangées, dos à dos, tournés chacun vers un côté de la rue.   A. ROBBE-GRILLET, Dans le labyrinthe, p. 212.

5 On arrive sur une place : le camion est là. Un trente-deux tonnes Saviem. Bleu. Avec remorque. Arrêté.   M. DURAS, le Camion, p. 9.

6 On aurait vu que sur la banquette-lit, au-dessus du siège de la cabine du camion, il y avait une masse sombre : c'est un homme. C'est le deuxième chauffeur du camion. Il dort.   M. DURAS, le Camion, p. 15.

7 Puis on voit un nuage de poussière, un nuage jaune où se mêle la fumée bleue du moteur. Le camion rouge arrive à toute vitesse sur la route de goudron. Au-dessus de la cabine du chauffeur, il y a une cheminée qui crache la vapeur bleue, et le soleil brille fort sur le pare-brise et sur les chromes. Les pneus dévorent la route de goudron (...)   J.-M. G. LE CLÉZIO, Désert, p. 174.

Camion ouvert, à plate-forme ; camion fermé. ⇒ **Fourgon.** *Camion à benne basculante. Camion benne.* ⇒ **Benne.** *Camion à remorque*, à semi-remorque* (ou *camion semi-remorque*). ⇒ **Semi-remorque.** *Camion-citerne,* conçu pour le transport des liquides en grande quantité et en vrac (pétrole, vin...) et des gaz. *Des camions-citernes.* — *Camion-grue. Camion-toupie :* camion portant une bétonneuse (de forme cylindro-conique et tournant librement). *Camion frigorifique, isotherme,* destiné au transport des denrées périssables. — *Camion-gonio.* ⇒ **Gonio.** « *Détenteur d'un poste de radio britannique, il est bientôt cerné par les camions gonios du S. D. allemand et par les agents de la rue Lauriston qui avaient loué des chambres de bonne autour de sa planque* » (*le Nouvel Obs.*, 12 juin 1978). — *Camion de livraison. Le camion du laitier. Décharger, charger un camion.*

(En franç. d'Afrique). Camionnette ; break.

Par ext. Charge d'un camion. *Un plein camion de pommes de terre, de betteraves. La marchandise arrive par camions.*

DÉR. Camionnage, camionner, camionnette, camionneur. — V. 3. Camion.
HOM. 2. Camion, 3. camion.

2. CAMION [kamjɔ̃] n. m. — 1564 ; *gamyon*, 1496 ; orig. inconnue ; autre mot que 1. *camion.*

♦ Techn. Très petite épingle, utilisée pour les travaux délicats. *Camion de dentellière.*

HOM. 1. Camion, 3. camion.

3. CAMION [kamjɔ̃] n. m. — 1845 ; orig. incert., p.-ê. à rattacher à 1. *camion.*

♦ Techn. (peinture). Récipient dans lequel les peintres en bâtiment délaient et mélangent les couleurs. — Pharmacie. Vase de verre cylindrique.

HOM. 1. Camion, 2. camion.

CAMIONNAGE [kamjɔnaʒ] n. m. — 1820 ; de 1. *camion.*

♦ **1.** Transport par camion. — Anciennt. *Camionnage hippomobile.* — Mod. *Camionnage automobile.* ⇒ **Roulage.** — REM. Les emplois récents de *camionnage* correspondent tous à cette valeur. *Entreprise de camionnage. Camionnage de marchandises. Frais de camionnage. Camionnage d'office.*

(...) après avoir fait le tour de l'atelier, (*il*) alla donner un coup d'œil aux services de camionnage.   M. AYMÉ, Travelingue, 1941, p. 104.

♦ **2.** Prix d'un transport par camion. *Payer, régler un camionnage, le camionnage d'une marchandise.*

CAMIONNER [kamjɔne] v. tr. — 1829 ; de 1. *camion.*

♦ Transporter par camion (d'abord, hippomobile ; de nos jours, automobile). — Au p. p. *Marchandises camionnées.*

CAMIONNETTE [kamjɔnɛt] n. f. — 1917 ; de 1. *camion.*

♦ Véhicule automobile utilitaire de faible tonnage, d'une structure analogue à celle des gros véhicules de tourisme (et donc, très différent du camion). ⇒ **Fourgonnette, pick-up ;** ⇒ 1. **Camion** (3.). *Camionnette de livraison. Voiture aménagée en camionnette. Camionnette aménagée pour le camping.* ⇒ **Autocaravane, camping-car.**

Partis en auto ce matin à neuf heures pour les chutes de la M'Bali. Une camionnette nous accompagne, avec notre attirail de couchage, car nous ne devons rentrer que le lendemain.

GIDE, Voyage au Congo, 1927, *in* Souvenirs, Pl., p. 715.

CAMIONNEUR [kamjɔnœR] n. m. — 1554, selon Bloch-Wartburg ; de 1. *camion.*

♦ **1.** (1819). Vx. Cheval de trait pour camion hippomobile.

♦ **2.** (Attesté xxe). Cour. Personne qui conduit un camion (d'abord à chevaux ; de nos jours automobile).
Spécialt. Chauffeur de camion (automobile). *Travailler comme camionneur dans une entreprise de transports routiers, de déménagements. Un camionneur expérimenté.* ⇒ **Routier** (plus cour.). *Camionneur indépendant, artisan* (qui possède son camion). → ci-dessous, 3.

♦ **3.** Personne qui possède, gère une entreprise de camionnage. *Un gros camionneur parisien. Il, elle est camionneur.* — REM. Le fém. *camionneuse* [kamjɔnøz] est virtuel.

CAMISARD [kamizaR] n. m. et adj. — 1688 ; de l'occitan *camisa* « chemise », et suff. *-ard.*

♦ **1.** Hist. Calviniste cévenol insurgé, durant les persécutions qui suivirent la révocation de l'édit de Nantes. *Les camisards doivent leur nom à la chemise blanche qu'ils portaient par-dessus leurs vêtements, pour se faire reconnaître des leurs.* — Adj. *Soulèvement camisard.*

♦ **2.** Fig. Insurgé.
Tu vois d'ici : bataillon d'Afrique, camisard, un de ces soldats fortes têtes qui a fait toutes les prisons militaires du Maroc et de l'Algérie.

Henri CHARRIÈRE, Papillon, p. 302.

CAMISOLAGE [kamizɔlaʒ] n. m. — 1949, H. Bazin ; de *camisoler.*

♦ Rare. Fait de passer la camisole de force à quelqu'un.
L'évasion impossible, l'internement interminable, la discipline de fer, les camisolages gratuits.   Hervé BAZIN, la Tête contre les murs, p. 147.

CAMISOLE [kamizɔl] n. f. — 1578 ; *camizolle*, 1547 ; provençal *camisola* (1524), dimin. de *camisa* « chemise ».

♦ **1.** Vx (xvie-xixe). Vêtement à manches, plus ou moins long, porté sur la chemise (par les hommes).
Il (...) fait voir (...) une camisole de velours vert, dont il est vêtu.   1
MOLIÈRE, le Bourgeois gentilhomme, I, 2 (Jeu de scène).

♦ **2.** (1849). Vx ou régional. Vêtement de femme, porté sur la chemise, pour la nuit (⇒ **Chemise** [de nuit]), ou comme vêtement négligé, de travail, etc. (⇒ **Blouse,** 1.). « *Cette horrible femme vêtue d'une camisole de nuit (...) et portant par-dessus sa camisole un châle...* » (Ponson du Terrail, *in* T. L. F.). *Mettre, passer une camisole. Être en camisole.* ⇒ **Brassière, caraco, casaquin.**

(...) un bonnet lui cachant les cheveux, des bas gris, un jupon rouge, et par-dessus sa camisole un tablier à bavette, comme les infirmières d'hôpital.   2
FLAUBERT, Trois contes, « Un cœur simple », I.

(...) des couloirs au bout desquels, serrés entre le mur et l'escalier, se trouvent des réduits où trônent des concierges éternellement en camisole parmi des légumes et de la couture.   Francis CARCO, Nostalgie de Paris, 1952, p. 116.   2.1

(En franç. d'Afrique). Vêtement féminin à manches courtes couvrant le haut du corps (I. F. A.).

♦ **3.** (1832). CAMISOLE DE FORCE, et, absolt, CAMISOLE : vêtement de contention paralysant les mouvements, et utilisé dans l'ancienne psychiatrie pour maîtriser des malades agités (dits autrefois *fous** *furieux*). *Mettre, passer la camisole à qqn.* ⇒ **Camisoler.**

(...) Letondu, qu'on venait de fourrer à Bicêtre avec la camisole de force.   3
COURTELINE, Messieurs les ronds-de-cuir, 16e tableau, II, p. 246.

« Allez ! la petite chemise ! » dit le gardien chef (...) On venait de passer la camisole de force à Lulu. Du sac d'épaisse toile grise, seule sortait une tête hurlante, avec d'énormes tempes empourprées.   4
M. DRUON, les Grandes Familles, 1948, p. 380-381.

Par métaphore. *Camisole chimique* (H. Bazin, *la Fin des asiles,* p. 39, Grasset, 1959), se dit des neuroleptiques puissants et en général de la chimiothérapie psychiatrique utilisée pour calmer les agités. ⇒ **Tranquillisant** (majeur).

Loc. fam. *Mériter la camisole, être bon pour la camisole, pour la camisole de force :* être complètement fou* (fig.).

Par métaphore et littér. Ce qui contraint. ⇒ **Joug.** « *La camisole de l'habitude* » (Colette).

DÉR. Camisoler.

CAMISOLER [kamizɔle] v. tr. — 1867 ; de *camisole.*

♦ Vx. Mettre la camisole de force à (qqn). *Camisoler un furieux.* — Au participe passé :
L'écume encore aux dents, près de leurs rations,
Les fous camisolés s'endorment dans leurs cages,
Bercés et consolés de douces visions.

J. LAFORGUE, Recueillement du soir, 1880, *in* D.D.L., II, 7.

Par métaphore. ⇒ **Camisole** (chimique). « *Le fou (...) camisolé par les traitements* » (H. Sztulman et M. Porot, *in* Porot, 1975, p. 61 *a.*).

DÉR. Camisolage.

CAMOMILLE [kamɔmij] n. f. — 1365 ; bas lat. *camomilla,* altér. du lat. *chamæmelon,* grec *khamaimêlon,* littéralt « pomme (*mêlon*) à terre (*khamai*) ».

♦ **1.** Plante odorante (*Composacées*), dont les fleurs sont digestives et fébrifuges. ⇒ **Anthémis, matricaire.** *Camomille commune, romaine. Un champ où pousse la camomille.* — *Lotion de camomille, pour éclaircir les cheveux blonds.*

♦ **2.** Tisane, infusion des fleurs de cette plante. *Boire une camomille, une tasse de camomille. Prendre de la camomille.* — *Compresses de camomille* (décongestives, antiprurigineuses).

CAMOUFFLE [kamufl] n. f. ⇒ **Camoufle.**

CAMOUFLAGE [kamuflaʒ] n. m. — 1887, « déguisement » ; de *camoufler.*

♦ **1.** (1917). Fait de camoufler (du matériel de guerre, des troupes) en utilisant des moyens naturels (branchages, etc.) ou artificiels (filets ; peinture ; fumées).

Je m'étais pris à réfléchir sur le sens de ce fameux camouflage qui, depuis ce temps et dans la seconde guerre comme dans la première, a fait l'objet de tant de soins.   G. DUHAMEL, la Pesée des âmes, VII, p. 165.   1

Par métonymie. Ce qui camoufle. *Il avançait sous un camouflage de branches.*

♦ **2.** Fig. Fait de cacher en modifiant les apparences. ⇒ **Maquillage.** *Le camouflage des bénéfices.*

2 De nos jours, où pourtant le risque d'un discrédit moral est moins grand qu'il n'était naguère et la sanction moins rigoureuse, les feintes et les camouflages en littérature sont nombreux. GIDE, Journal, 8 déc. 1929.

3 Connaissant ce qu'il pense *(Proust),* ce qu'il est, il m'est difficile de voir là autre chose qu'une feinte, qu'un désir de se protéger, qu'un camouflage, on ne peut plus habile, car il ne peut être de l'avantage de personne de le dénoncer. GIDE, Journal, 2 déc. 1921.

4 (...) étranger autant qu'on peut l'être aux idéologies de la gauche, il *(de Gaulle)* l'est plus encore à ce camouflage des intérêts les plus âpres qui fait horreur dans la droite française. F. MAURIAC, le Nouveau Bloc-notes 1958-1960, p. 299.

Camouflage d'une conversation, de messages radios ou téléphoniques, à l'aide de mots conventionnels, de codes.

CAMOUFLE [kamufl] n. f. — 1821 ; de *camouflet.*

♦ Argot. (Vx). Chandelle, bougie. ⇒ aussi **Camouflet** (1.). — REM. On écrit parfois *camouffle* (→ ci-dessous, cit. 2).

1 Et, comme la porte du père Bazonge laissait passer une raie de lumière, *(Gervaise)* entra droit chez lui (...) La camoufle, restée allumée, éclairait sa défroque, son chapeau noir aplati dans un coin, son manteau noir qui avait tiré sur ses genoux, comme un bout de couverture. ZOLA, l'Assommoir, 1877, t. II, p. 250.

2 — Nous avons, dit-il à l'enfant, de quoi béquiller pendant cinq jours ; deux boîtes d'allumettes et un paquet de *camouffles* (...) Louise MICHEL, la Misère, t. III, p. 664-665.

Loc. fig. (Vx). *Souffler sa camoufle :* mourir.

CAMOUFLER [kamufle] v. tr. — 1836 ; pron., «se déguiser», 1821 ; probablt du rad. de *camouflet,* la notion de «dissimulation» découlant de celle de «fumée» plutôt que de l'ital. *camufare* «déguiser, tromper».

♦ **1.** Déguiser de façon à rendre méconnaissable ou inapparent (particulièrement en technique militaire). ⇒ **Camouflage** (1.); **cacher, déguiser, dissimuler, maquiller.** *Camoufler une batterie, un bâtiment, du matériel de guerre à l'aide d'une peinture bigarrée.*

♦ **2.** Fig. Masquer. *Camoufler une intention, une faute. Camoufler un meurtre en suicide,* le travestir* en suicide.

1 Il fallait, coûte que coûte, soutenir le commandement, camoufler ses fautes, sauvegarder son prestige (...) MARTIN DU GARD, les Thibault, t. VIII, p. 262.

▶ **SE CAMOUFLER** v. pron. *Ce commando ne s'est pas bien camouflé. Les enfants se sont camouflés derrière un arbre.* ⇒ **Cacher** (se). — Fig. Masquer sa vraie nature en affectant une apparence trompeuse.

▶ **CAMOUFLÉ, ÉE** p. p. *Canons de DCA camouflés pour échapper aux regards de l'ennemi.* — Figuré :

2 Il *(M. Beigbeder)* demeure en tous cas un allié plus ou moins camouflé du Parti (...) F. MAURIAC, Bloc-notes 1952-1957, p. 9.

DÉR. **Camouflage.**

CAMOUFLET [kamuflɛ] n. m. — 1611, chaumouflet, camouflet ; chault moufflet «fumée qu'on souffle malicieusement au nez (de qqn) au moyen d'un cornet de papier allumé», xvᵉ ; de *moufflet* «souffle», de *moufle* «museau», et préf. *ca-* substitué à l'adj. *chault* «chaud».

♦ **1.** Ancienn. Plaisanterie consistant à souffler de la fumée au nez de qqn (→ ci-dessus, étymologie).

(1836). Par métonymie et vx (argot). Objet dégageant de la fumée, chandelle, chandelier. ⇒ **Camoufle.**

♦ **2.** (1863). Techn. Fourneau de mine destiné à détruire une galerie ennemie et à asphyxier ceux qui y travaillent.

♦ **3.** (1680). Fig. et littér. Mortification, vexation humiliante. ⇒ **Affront, nasarde, offense.** *Donner, infliger un camouflet à qqn. Essuyer, encaisser un camouflet.*

Les défaites de la guerre russo-japonaise ont laissé dans l'État-major russe un amer besoin de revanche ; et ils n'ont jamais encaissé le camouflet que leur a infligé l'Autriche en annexant la Bosnie-Herzégovine. MARTIN DU GARD, les Thibault, t. VI, p. 210.

DÉR. **Camoufle.** — V. **Camoufler.**

CAMP [kɑ̃] n. m. — Fin xvᵉ ; *lit de can,* v. 1450 ; forme normanno-picarde ou provençale de *champ* ; lat. *campus.*

★ **I. A.** ♦ **1.** Zone provisoirement ou en permanence réservée pour les rassemblements de troupes de toutes armes, soit pour des manœuvres, des exercices *(camp d'instruction),* soit pour des essais, des études *(camp d'expérimentation).* ⇒ **Bivouac, campée** (rare), **campement, cantonnement, quartier.** *Établir son camp. Reconnaissance, choix de l'emplacement d'un camp.* ⇒ **Castramétation.** *Aller, arriver au camp. Se retrancher dans un camp. S'emparer du camp ennemi. Camp retranché, fortifié :* zone fortifiée, organisée défensivement en permanence (→ **Arrière-garde,** cit. 1 ; asseoir, cit. 6).

1 Rome est dans notre camp, et notre camp dans Rome (...) CORNEILLE, Horace, I, 3.

2 Un camp d'instruction (...) est un terrain jalonné de tranchées invraisemblables où des officiers qui ne font pas la guerre apprennent à la faire à des camarades chevronnés. A. MAUROIS, les Discours du Dᵣ O'Grady, X, p. 99.

Camp léger : camp provisoire remplaçant les casernes d'une garnison, utilisé pendant les périodes de formation des jeunes recrues. — *Camp volant* (→ ci-dessous, 6.).

Par métonymie. Le camp et les troupes qui y sont installées. *La vie du camp. Donner l'alarme* au camp.* — (1671). *Lever le camp :* quitter le camp en démontant les installations (au fig., → ci-dessous, 5.).

Loc. *Maréchal* de camp. — Aide* de camp. Lit* de camp* (facilement transportable).

Vieilli. *Table de camp.*

Allus. hist. *Le Camp du Drap d'or,* où se rencontrèrent en 1520 François Iᵉʳ et le roi d'Angleterre (près d'Ardres).

♦ **2.** Spécialt. *Camp de prisonniers* et, absolt, *camp* où sont groupés des prisonniers de guerre. *Barbelés, miradors, baraquements d'un camp. Les camps allemands des deux guerres mondiales.* ⇒ **Offlag, stalag.**

2.1 Il s'agissait d'un camp de dimensions modestes, puisqu'il ne comprenait que quatre doubles baraques de bois, juchées sur de courts pilotis, couvertes de toile goudronnée (...) cernées par deux clôtures de barbelés dont l'intervalle était rempli par des chevaux de frise entremêlés. M. TOURNIER, le Roi des Aulnes, 1970, p. 174.

(1906). CAMP DE CONCENTRATION : lieu où l'on groupe en temps de guerre ou de troubles, sous la surveillance des autorités militaires ou policières, les suspects, les étrangers, les nationaux ennemis... — REM. Cette définition administrative ne correspond pas à l'usage courant du syntagme, qui, depuis la chute du nazisme, est appliqué aux camps d'extermination (→ ci-dessous, et l'adj. *concentrationnaire*).

2.2 Vous savez que c'est une affreuse espionne, s'écriait Mᵐᵉ Verdurin (...) Je le sais et d'une façon précise, elle ne vivait que de ça. Si nous avions un gouvernement plus énergique, tout ça devrait être dans un camp de concentration. Et allez donc ! PROUST, le Temps retrouvé, Pl., t. III, p. 765.

3 Un Français, en 1900, aurait été profondément bouleversé si quelque vaticinateur s'était avisé de décrire les camps de concentration, les cruautés hitlériennes, les fours crématoires, les charniers, la misère de ces personnes que l'on dit, pudiquement, « déplacées » G. DUHAMEL, Manuel du protestataire, I, p. 20.

Camps d'extermination, où furent affamés, suppliciés et exterminés certains groupes ethniques (Juifs, Tsiganes), politiques (communistes) et sociaux (homosexuels...), notamment par le régime nazi. — Absolt. *Les camps.*

3.1 Je vais rejoindre le Comité rassemblé pour ériger un monument à Jean Moulin. Ceux qui le composent sont les délégués des organisations de résistance, des déportés, des rescapés des camps d'extermination.
Il y a vingt ans que je pense aux camps. L'horreur et la torture ont passé dans presque tous mes livres, en un temps où l'on ne connaissait encore que le bagne. MALRAUX, Antimémoires, Folio, p. 600.

Loc. *Les camps de la mort :* les camps d'extermination.

3.2 Il fallait porter l'étoile jaune (...) La jeune sœur de Maurice, Anna, fut arrêtée (...) Elle se trouvait dans le métro (...) Un contrôleur la fit descendre, l'amena au chef de quai. Elle ne revint jamais des camps de la mort. J. FERNIOT, Pierrot et Aline, 1973, p. 146.

Camp disciplinaire, camp de redressement, de représailles, camp de travail : lieu d'internement collectif et massif, où une discipline très dure, des conditions de travail inhumaines sont souvent imposées à des personnes, pour des raisons politiques. ⇒ **Goulag.**

3.3 L'existence des camps de travail n'est pas un phénomène accidentel et dont on pourrait espérer un jour l'abolition (...) On a (...) procédé à la création systématique d'un sous-prolétariat ne recevant en échange d'un travail maximum qu'un strict minimum vital : un tel ajustement n'est possible que dans les camps concentrationnaire. S. DE BEAUVOIR, les Mandarins, 1954, p. 296-297.

Camp de réfugiés, camp de transit, où sont maintenues par la contrainte des personnes « déplacées » (→ ci-dessus, cit. 3), des populations ségrégées, indésirables pour un pouvoir politique, etc.

Absolt. *Les camps,* selon les contextes, désigne les camps de concentration, d'extermination (→ ci-dessus, cit. 3.1 et 3.2), de travail forcé, de regroupement, et, en général, tout système policier où les personnes sont contraintes de vivre et travailler dans des conditions collectives, forcées et inhumaines. *Un évadé des camps. Lutter contre les camps et la torture.*

Par métonymie. Le camp : les personnes qui sont gardées dans le camp. *Tout le camp a été rassemblé devant les baraquements.*

♦ **3.** (1921). CAMP D'AVIATION : ensemble des installations nécessaires à une formation aérienne militaire.

Vieilli. Aérodrome civil et ses annexes. ⇒ **Aérodrome, champ** (d'aviation), **terrain** (d'aviation).

4 Beaucoup de villes, pour le pilote, ne sont qu'un camp d'aviation, qu'un terrain d'atterrissage. Qu'il aille à Melbourne ou à Chungking, à Calcutta ou à New York, à Tunis ou à Rio, il verra les pistes, des hangars, un camion d'essence, du sable, de la terre battue et peut-être au loin quelques arbres. A. MAUROIS, Études littéraires, t. III, p. 264.

♦ **4.** Rare. Espace de terrain où l'on campe, aménagé pour camper*. ⇒ **Campement, camping** (cour. ; pour lever les ambiguïtés, on dit parfois *camp de camping*). *Passer ses vacances dans un petit camp des Alpes.*

Spécialt (dans un groupe organisé sur un modèle plus ou moins militaire, au moins à l'origine). Terrain où se réunissent les membres d'une association ; réunion de campeurs. *Un camp scout. Un camp de jeunesse* (en 1941-44 : *chantiers* de jeunesse*). — Par ext. (dans d'autres formes de collectivités). *Revenir au camp après une excursion. — *Un camp de vacances : camp fixe* (⇒ **Colonie**), *camp itinérant. Camp de nudistes ; camp nudiste, naturiste.*

4.1 Je sais qu'il ne prend jamais son plaisir sans avoir éteint ou tiré les rideaux ; hors des camps nudistes où elle se voile miraculeusement d'innocence, la nudité des femmes lui inspire le même éloignement sacré qu'à son bisaïeul de Claquebue.
M. AYMÉ, la Jument verte, 1933, p. 23.

5 Je me mets à chantonner une ânerie que les gars des camps de jeunesse aimaient bien : «Avec l'ami Bidasse / On n'se quitte jamais / ...»
Jacques LAURENT, les Bêtises, 1971, p. 319.

Loc. *Feu* de camp.*

(1924). CAMP DE BASE : campement où sont déposés matériel et ravitaillement et qu'utilisent des alpinistes, des explorateurs polaires comme relais ou position de repli.

♦ **5.** Loc. fig. (Du sens I., A., 1). LEVER LE CAMP : s'en aller, partir après une étape (qu'il s'agisse ou non d'un *camp* au sens 4, par exemple) ; par ext. ⇒ **Décamper** (→ Cheminer, cit. 2).

6 (...) Nous levons le camp pour monter vers Jérusalem. LOTI, Jérusalem, II.

(1836). Fam. FICHER LE CAMP, FOUTRE LE CAMP : s'en aller*, partir* rapidement. ⇒ **Filer** (→ Ficher, cit. 6). *Il va falloir ficher le camp sans demander notre reste. Allez, fichez le camp ! — Fous* (cit. 2) *le camp ! Fous-moi le camp de là !*

6.1 Je n'y trouve pas l'occasion de m'en aller. Je ne sais pourquoi on dit : *f...* le camp. C'est *lever* le camp qu'il faudrait. F... le camp, c'est le planter et *stare.*
VALÉRY, Correspondance avec Gide, 1926, in T. L. F.

7 — «Foutre le camp !» gronda-t-il en bloquant les mâchoires. «Foutre le camp !»
MARTIN DU GARD, les Thibault, t. IV, p. 262.

Var. : *foutre son camp, foutre son petit camp.*

7.1 — (...) Je l'ai entendu dire qu'il se chargeait de ton compte. Hier matin, il était avec un agent de la Gestapo. Je serais toi, je foutrais mon camp. — Où ça, mon camp ? — A Paris, chez ton vieux.
Francis CARCO, les Belles Manières, 1945, p. 76.

(Surtout *foutre le camp* ; sujet non humain). Se dégrader, se perdre. *Tout fout le camp, dans ces immeubles modernes ! La plomberie commence à foutre le camp. —* (Abstrait). *La morale fout le camp.* «*Tout fout le camp avec la République»* (Goncourt, *Journal,* 1870). *Je regardais tout qui fichait* (cit. 5.1) *le camp.*

♦ **6.** Loc. (1548). CAMP VOLANT, s'est dit de l'espace où est organisée une unité légère très mobile, chargée d'inquiéter et d'observer l'ennemi. — (1833). Fig. *Vivre en camp volant :* vivre d'une manière instable, sans installation définitive (cf. Comme l'oiseau sur la branche).

8 La semaine qui suivit fut une de ces périodes agitées comme on en traverse dans les existences maritimes : vivre en camp volant à l'hôtel dans le désordre des malles à moitié défaites, ignorant la route qu'on prendra demain (...)
LOTI, Mon frère Yves, LX, p. 144.

Par métonymie. *Un camp volant* ou *un camp-volant.* ⇒ **Bohémien, nomade.**

8.1 D'abord nous autres, tu comprends, c'est pas pareil, nous sommes mariés, nous avons deux petits, c'est autre chose, nous sommes pas des camps-volants.
Thyde MONNIER, le Figuier stérile, p. 186.

♦ **7.** Vx (au pluriel). CAMPS : armées*. ⇒ **Guerre, ost** (vx), **troupe.** *La vie des camps. —* REM. Ce sens est archaïque, du fait du développement du sens 2, absolt.

9 Ce prince n'a pas plus de grâce, lorsqu'à la tête de ses camps et de ses armées, il foudroie une ville qui lui résiste (...)
LA BRUYÈRE, Disc. de réception à l'Académie.

B. (1813). Se dit de deux ou plusieurs groupes qui s'opposent, se combattent. *Les deux camps ; l'un et l'autre camp. Être dans un camp, pour un camp contre l'autre* (cf. Être de l'autre côté de la barricade). — Loc. *La balle* est dans votre camp* (par allus. au sens sportif ; → ci-dessous). *Le camp victorieux.*

CHANGER DE CAMP (fig. ; sujet n. de chose) :

10 L'espoir changea de camp, le combat changea d'âme.
HUGO, les Châtiments, V, 13, 2.

11 (...) en juillet 1918, la victoire changea de camp.
A. MAUROIS, Terre promise, XXVII, p. 183.

(En sport, jeu, etc. ; 1875, in Petiot). *Les joueurs sont distribués en deux camps. Constituer deux camps.* ⇒ **Équipe.**

11.1 Un jour qu'on allait jouer aux barres, Mlle Nelly Kossichef, la sœur cadette de Marie, assignait à chacun le camp où il se trouverait. Elle tirait chacun par l'épaule, disant : «Vous, vous serez dans mon camp ; vous, dans celui de Marie». En arrivant à Jean (...) elle dit en riant : «Oh ! non, vous, vous êtes pour le camp de Marie, cela vous fait trop de plaisir (...)» PROUST, Jean Santeuil, Pl., p. 218.

(1813). Polit. Parti, groupe (opposé à d'autres). *Passer au camp, dans le camp de l'opposition.* ⇒ **Avec.**

(Dans un conflit intellectuel) ⇒ **Côté, faction, groupe, parti.**

12 Nous nous sommes jetés dans le camp d'Aristote.
MASSILLON, Panégyrique de saint Bernard.

★ **II.** Régional (Canada), sous l'influence de l'amér. *camp. Camp (d'été).* ⇒ **Chalet, villa.** *Passer la fin de semaine au camp. — Camp de pêche, de chasse.* ⇒ **Pavillon.** — (1859). *Camp de bûcherons,* ou chantier*.

13 La population des *camps,* comme on appelle en Californie les centres miniers, est

---

un peu différente de celle des placers. Voici par exemple la manière dont se groupaient les habitants de Coulterville en 1859.
L. SIMONIN, Voyage en Californie, in le Tour du monde, 1859, p. 26.

DÉR. **Camper, camping.**
COMP. **Décamper.**
HOM. **Quand, quant.**

CAMPAGNARD, ARDE [kɑ̃paɲaʀ, aʀd] adj. et n. — 1611, *campaignard ; de campagne.*

★ **I.** Adj. ♦ **1.** Qui vit à la campagne*. ⇒ **Contadin** (rare), **paysan.** *Gentilhomme campagnard.* ⇒ **Hobereau.** — Qui a trait aux habitants de la campagne. *Un accent campagnard. Un air, un aspect campagnard.* ⇒ **Agreste, rustique, simple.**

M. de Sotenville, gentilhomme campagnard (...) 1
MOLIÈRE, George Dandin, Présentation des acteurs.

Campagnard : «Hé, ardé ! C'est-y un nez ? Nanain !» 2
Edmond ROSTAND, Cyrano de Bergerac, I, 4.

Le ciel gardait son aspect campagnard, sa crudité tandis que la ville 3
s'assombrissait, prenait son air morose, frileux et pauvre de la semaine de Toussaint. Valery LARBAUD, Amants, heureux amants, p. 184.

Parfois péj. Rustique, grossier, sans raffinement. *Il gardait des manières campagnardes.*

♦ **2.** Que l'on trouve à la campagne. *Une armoire campagnarde. Qui évoque la simplicité de la vie à la campagne. —* Loc. *Buffet campagnard :* buffet où sont présentés, entiers, des produits régionaux (charcuteries, beurre en motte, pain en miches), des tartes, que l'on sert avec du vin en tonneau, du cidre.

★ **II.** N. (Rare, dans des contextes neutres ou positifs). Personne vivant à la campagne. ⇒ **Paysan, rural ; agriculteur.**

Un campagnard fort riche et de bonne famille 4
Est si sot que d'Anselme il épouse la fille ;
Le voilà bien logé ! Thomas CORNEILLE, la Comtesse d'Orgueil, IV, 6.

Bien rarement passait sur la route poudreuse le pas traînant d'un grave paysan, 5
ou d'une belle campagnarde aux yeux lumineux dans la figure hâlée (...)
R. ROLLAND, Jean-Christophe, La foire sur la place, 1908, p. 783.

Cour. (dans des contextes péj. ou de moquerie). *Campagnards endimanchés ; «une campagnarde engourdie»* (in T. L. F.). ⇒ **Rustre ;** et (fam.) **bouseux, cul** (terreux).

CONTR. **Bourgeois, citadin, urbain ; raffiné.**

CAMPAGNE [kɑ̃paɲ] n. f. — 1671 ; *campaigne,* 1536 ; forme normanno-picarde de l'anc. franç. *champagne, champaigne,* bas lat. *campania.*

★ **I.** (Terre découverte et plate). LA CAMPAGNE : vaste étendue de pays découvert, sans reliefs très importants, par opposition aux *montagnes,* aux *bois* et aux *régions maritimes. Parcourir la campagne, la rase campagne.* Loc. *En rase campagne :* à découvert, sans protection ; dans un endroit sans habitations, donc sans ressources. *Tomber en panne de voiture en rase campagne.*

Cette portion notable de la croûte terrestre qu'on appelle la rase campagne est sil- 0.1
lonnée chaque jour par des piétons innombrables, aux foulées diverses, qui revendiquent avec modestie le titre de promeneurs.
Paul COLINET, De l'amélioration des promenades en rase campagne,
in Phantomas, n° 14, mai 1959.

REM. Dans ce sens, *campagne* (opposé à *montagne, mer, forêt*) garde sa valeur étymologique (→ Plaine) ; mais celle-ci n'est plus sentie nettement et l'emploi déterminé *(une, des campagnes)* n'est plus possible :

Tircis (...) 1
Chantait un jour le long des bords
D'une onde arrosant des prairies
Dont Zéphire habitait les campagnes fleuries. LA FONTAINE, Fables, X, 11.

Au sing., *la campagne,* généralement comprise au sens III, ci-dessous, peut encore évoquer la «plaine», la «terre découverte» :

Au Sud, la campagne bleuâtre, délicatement accidentée : fermes, coteaux, cyprès, 2
cultures, routes étroites, et lointainement un ou deux villages.
H. BOSCO, Un rameau de la nuit, p. 147.

Loc. *Battre, parcourir la campagne. —* Loc. fig. *Battre la campagne.* ⇒ **Battre** (cit. 20, 21, 22).

★ **II.** Spécialt. ♦ **1.** (1857). Vieilli. Étendue de terrain, zone où les armées se déplacent, lorsqu'elles sont en guerre (opposé à *camp, place forte*). *Faire des manœuvres en campagne. Tenir la campagne ; être maître de la campagne :* forcer l'ennemi à se retirer dans ses places ; être maître du pays. — Mod. *Capituler en rase campagne* (→ Capitulation, cit. 2 et *supra*).

♦ **2.** (1671). Mod. L'état de guerre, les combats, pour une armée. *Faire campagne :* participer à une opération de guerre. — *Artillerie, batterie, pièce de campagne.* — TENUE DE CAMPAGNE : tenue du soldat qui va combattre ou manœuvrer. *Infliger une tenue de campagne à un soldat,* lui infliger une punition qui consiste à revêtir la tenue complète de campagne et son équipement.

Une campagne : ensemble des opérations militaires sur un théâtre d'activité et à une époque déterminés. ⇒ **Expédition, opération.** *Une glorieuse campagne. Une longue, une épuisante campagne. Les* *campagnes d'Italie, d'Égypte. La campagne de France. Une ample campagne policière* (cit. 1).

3 Encore une campagne, et nos seuls escadrons
   Aux aigles de Sylla font repasser les monts.   CORNEILLE, *Sertorius*, II, 2.

4 Toutes les provisions de guerre et de bouche amassées par les ennemis pour la
   campagne.   VOLTAIRE, *le Siècle de Louis XIV*, 23.

   Titre de service de guerre. Un soldat, un sergent, un officier qui a six campagnes. Campagne simple, double; demi-campagne. Raconter ses campagnes.

5 Ses plans d'avenir étaient (...) très raisonnables : l'été prochain, revenir avec les
   galons de quartier-maître; ensuite, repartir vite pour une campagne lointaine, qui
   finirait son temps de service (...)   LOTI, *Matelot*, XXI, p. 81.

   EN CAMPAGNE. *Entrer, être en campagne.* — *Règlement de service en campagne :* instruction ministérielle permanente fixant la conduite à tenir par les unités et les soldats dans les différentes circonstances de la bataille.

   Loc. *Se mettre en campagne :* se mettre sur le pied de guerre, commencer une opération. — Spécialt. Se dit d'une unité chargée de la recherche des renseignements et du contact avec l'ennemi, qui part en opérations. — Fig. Partir pour une recherche méthodique (de qqn ou de qqch.). ⇒ **Chercher, rechercher.** *Être en campagne.* ⇒ **Équipée, voyage.** Vx. *Se mettre en campagne :*

6 On dit aussi d'un homme prompt et colère, que quand on luy dit quelque chose
   qui ne luy plaist pas, qu'aussitost il se met en *campagne*, pour dire qu'il s'échappe,
   qu'il s'emporte.   FURETIÈRE, *Dict.*, art. *Campagne*.

7 Voilà toutes les femmes en campagne pour l'avoir pour galant, et toutes les filles pour *épouseur*.   LA BRUYÈRE, *les Caractères*, VII, 14.

8 J'avais loué à Cordoue un guide et deux chevaux, et m'étais mis en campagne (...)
                                                                          MÉRIMÉE, *Carmen*, 1.

♦ **3.** (1798). *Une, des campagnes.* Période d'activité, d'affaires, de prospection, de propagande portant sur une période déterminée. *Campagne commerciale. Campagne des agrumes.* ⇒ **Saison.** *Jonction de deux campagnes agricoles.* ⇒ **Soudure.** *Campagne publicitaire, campagne électorale.* → Panneau, cit. 11. *Organiser la campagne d'un candidat. Campagne de presse, de propagande. Campagne d'alphabétisation. Mener une campagne contre qqn. Faire campagne* (fig.; → ci-dessus, II., 2.) *pour, contre (qqn, qqch.) :* militer pour, contre... *Faire campagne pour un accroissement des avantages sociaux; contre l'esprit de système, l'intolérance d'un parti.*

9 (...) les *Cahiers de la Quinzaine* et moi sommes ou si l'on veut sont ce qui est le
   plus en butte aux attaques, aux violences, aux perfidies, aux offenses, aux campagnes, aux cabales, aux ignominies, à tous les coups du Parti Intellectuel.
                                                            Ch. PÉGUY, *la République...*, p. 276.

10 (...) déchaîner partout à la fois une campagne ouverte, officielle, retentissante (...)
                                                            MARTIN DU GARD, *les Thibault*, t. V, p. 139.

   Campagne de fouilles archéologiques : l'ensemble des fouilles effectuées par tranches successives dans une région déterminée. *Campagne scientifique :* l'ensemble des travaux menés durant une période déterminée et destinés à atteindre un résultat scientifique. *Campagne de pêche :* ensemble des opérations de pêche en haute mer, depuis le départ des bateaux du port d'attache jusqu'à leur retour.

10.1 Répéter pendant dix-huit heures le même geste, de jour et de nuit, sous le ciel gris
    puis sous les abats-jours *(sic)* des globes électriques (...) couper, trancher, décol-
    ler de la chair froide dans le roulis, les brumes, les embruns, les coups de mer (...)
    c'était cela *une bonne campagne !*   Roger VERCEL, Jean Villemeur,
                                              in DUPRÉ, *Encyclopédie des citations*, n° 4310.

   Écon. Cycle de transformation des produits, pour une entreprise à caractère saisonnier, depuis l'achat des matières premières jusqu'à la vente du produit fini. — Période d'utilisation d'un matériel déterminé pour une production particulière. *Crédit de campagne,* accordé pour une campagne.

★ **III.** (Terre cultivée, loin des villes). ♦ **1.** *(Une, des campagnes).* Étendue de terres, partiellement cultivées, hors des zones urbaines. ⇒ **Champ, terre.** *De riches campagnes. Une belle campagne, bien cultivée.* — REM. Cet emploi est archaïque, sauf dans quelques expressions.

11 Rien ne suffit aux gens qui nous viennent de Rome :
    La terre et le travail de l'homme
    Font pour les assouvir des efforts superflus.
    Retirez-les : on ne veut plus
    Cultiver pour eux les campagnes (...)   LA FONTAINE, *Fables*, XI, 7.

11.1 Entendez-vous dans les campagnes
    Mugir ces féroces soldats (...)   ROUGET DE LISLE, *la Marseillaise.*

11.2 — Campagnes ! où sont les campagnes ?
    — Cher ami, dit Hubert marchant aussi, tu exagères : les campagnes commen-
    cent où finissent les villes, simplement.   GIDE, *Paludes, in Romans*, Pl., p. 111.

♦ **2.** *(La campagne).* Le milieu géographique, social, humain, défini par l'activité agricole, l'élevage... hors des zones urbaines; par ext. le milieu non urbanisé (⇒ **Nature**). *Vivre à la campagne. Aimer la campagne.* ⇒ **Nature.** *Préférer la campagne à la montagne, à la mer. Filles, gars de la campagne.* ⇒ **Campagnard.** *Un curé, un médecin de campagne. Aller passer la journée, le week-end à la campagne. Goûter les scènes de la campagne.* ⇒ **Bucolique, champêtre, pastoral.** *L'air pur de la campagne. Paix, silence, solitude de la campagne. Un lieu isolé, un coin perdu dans la campagne* (⇒ péj. **Bled, brousse, cambrousse**). *Les plaisirs de la campagne. Séjour à*

la campagne. ⇒ **Villégiature.** *Une partie de campagne.* ⇒ **Excursion, pique-nique.**

11.3 Au plus loin dans les champs, il n'y avait absolument personne. Il y avait quel-
    que chose d'exaltant à partir ainsi, sans avoir dîné, quand la nuit venait déjà, et
    à allonger sa promenade ainsi, avant de revenir dîner, par la pleine lune, sous les
    étoiles, dans cette campagne endormie, dans ce silence absolu qui faisait presque
    peur tant on le sentait près de soi quand dans les villages déjà éloignés tout le
    monde dormait.   PROUST, Jean Santeuil, Pl., p. 506-507.

REM. Les connotations attachées à *campagne* ont beaucoup varié avec l'évolution de la culture : d'abord très négative dans le discours des gens de la ville (→ cit. 12, La Bruyère), la *campagne* s'est parée de valeurs positives avec le préromantisme (→ cit. 13, Rousseau). L'évolution est comparable à celle de *montagne**.

12 L'on voit certains animaux farouches, des mâles et des femelles, répandus par la
    campagne (...) attachés à la terre qu'ils fouillent (...)
                                          LA BRUYÈRE, *les Caractères*, XI, 128.

13 La campagne était pour moi si nouvelle, que je ne pouvais me lasser d'en jouir. Je
    pris pour elle un goût si vif, qu'il n'a jamais pu s'éteindre. Le souvenir des jours
    heureux que j'y ai passés m'a fait regretter son séjour et ses plaisirs dans tous les
    âges (...)   ROUSSEAU, *les Confessions*, I.

MAISON DE CAMPAGNE : maison à la campagne qui constitue une résidence secondaire pour un habitant de la ville. — Absolt. *Une campagne. Venez me voir dans ma campagne.*

14 Acheter une campagne? on n'en avait pas encore les moyens.
                          Alphonse DAUDET, *Fromont jeune et Risler aîné*, p. 161.

... DE CAMPAGNE (avec un nom de mets), préparé comme à la campagne. *Pâté de campagne. Pain de campagne.* Loc. fam. et vieillie. (V. 1890, Verlaine, *in* D.D.L.). *Emmener (qqn, qqch.) à la campagne,* se moquer de (qqn, qqch.).

CONTR. Bois, mer, montagne. — Ville.
DÉR. Campagnard.

CAMPAGNOL [kɑ̃paɲɔl] n. m. — 1758, Buffon; adj. ital. *campagnolo* «campagnard», de *campagna* «campagne».

♦ Petit mammifère rongeur *(Muridés),* au corps plus ramassé que celui du rat, à queue courte et poilue. *L'espèce de campagnol la plus répandue en France est le campagnol dit rat des champs* (n. sc. : *arvicola.* ⇒ **Arvicole.** ⇒ aussi **Mulot.**

Un chat sauvage loge dans la haie et vit de campagnols et de gibier.
                                          J. RENARD, *Journal*, 9 oct. 1905.

CAMPANE [kɑ̃pan] n. f. — 1174, «cloche», attestation isolée; régional «clochette», XVIIᵉ; bas lat. *campana* «cloche».

♦ **1.** Vx ou régional. Clochette. ⇒ **Campanelle, clarine, sonnaille.**

1 Le bidet fait sonner sa campane.   J. GIONO, *Colline*, p. 20.

2 On entendait siffler les derniers bergers arrivants et sonner les campanes des
   béliers et des mulets (...)   J. GIONO, *le Serpent d'étoiles*, p. 93.

♦ **2.** (1393). Ancienn. Ornement de soie, de fil d'or ou d'argent, muni de glands en forme de cloches. *Campane de carrosse, de lit, de dais.*

♦ **3.** (1676). Archit. Chapiteau en forme de cloche renversée.

DÉR. Campanelle.

CAMPANELLE [kɑ̃panɛl] n. f. — XVIᵉ; *campanele,* v. 1205; de *campane.*

♦ **1.** Vx ou régional. Clochette, sonnaille.

♦ **2.** (XVIᵉ) Régional. Liseron des champs.

CAMPANIEN, IENNE [kɑ̃panjɛ̃, jɛn] adj. et n. — 1732, Trévoux; de *Campanie.*

♦ **1.** Adj. De la Campanie, région du sud de l'Italie (Naples, Salerne, Bénévent, etc.). — Archéol. *Vases campaniens :* vases grecs du IIIᵉ siècle, trouvés en Campanie.

Les «sphinges» principalement ont grande allure (...) leurs visages ont cette pureté de traits, ce regard pénétrant que nous retrouverons dans la célèbre *Médée* d'une fresque campanienne.   G. CONTENAU et V. CHAPOT, *l'Art antique*, p. 244.

♦ **2.** N. m. Ensemble des parlers italiens de Campanie (dont le napolitain). *Le campanien.*

CAMPANIFORME [kɑ̃panifɔrm] adj. — 1771, Trévoux; du lat. *campana* «cloche», *-i-,* et *-forme.*

♦ **1.** Bot., vx. (Qui présente des fleurs) en forme de cloche. *Le muguet est campaniforme.* ⇒ aussi **Campanulé.**

♦ **2.** Archit. Se dit des chapiteaux égyptiens en forme de cloche renversée. ⇒ **Campanulé.**

(Dans la grande salle hypostyle de Karnak) deux rangs de colonnes (...) le plus souvent à chapiteaux inspirés de la fleur de lotus en bouton, du papyrus, ou évasés en cloche renversée, d'où leur nom de *campaniformes.*
                          G. CONTENAU et V. CHAPOT, *l'Art antique*, p. 62.

CAMPANILE [kɑ̃panil] n. m. — 1732 ; *campanil*, 1586 ; *campanille*, 1480 ; ital. *campanile* « clocher », de *campana* « cloche ».

♦ **1.** Cour. (en parlant de l'Italie). Clocher* à jour, et, par ext., tour dressée dans le voisinage d'une église, à laquelle elle sert de clocher. *Le campanile de Florence.*

1 (...) quand le palais ducal, avec sa découpure arabe et ses campaniles chrétiens soutenus par mille colonnettes élancées, se détacha sur les régions lumineuses de l'horizon, ils crurent voir un Turner.   A. MAUROIS, Lélia, IV, II, p. 197.

1.1 Le paraphe des martinets a signé une trève, dans l'air — et il faisait si limpide que l'on entendait sonner ensemble tous les campaniles d'Italie.
                                        André HARDELET, Lourdes, lentes..., p. 92.

1.2 (...) il m'emmène dans son palais. La vue sur Venise y est adorable. Vingt campaniles se dressent dans la lumière du soir et sonnent tous à la fois.
                                        Claude MAURIAC, le Temps immobile, 1974, p. 11.

Par métaphore :

2 Sur les pentes austères, les cyprès dressaient leurs campaniles muets (...)
                                        Edmond JALOUX, Fumées dans la campagne, XXII, p. 187.

♦ **2.** (1787). Archit. Lanterne surmontant le toit de certains édifices civils et contenant souvent une cloche d'horloge.

3 Il rangea sa voiture et, de son siège, regarda les façades, chercha l'horloge, à droite. Elle était là où il était sûr de la trouver, dans son campanile, marquant midi (...)
                                        Albert AYGUESPARSE, le Partage des jours, La lumière noire, 1972,
                                        in Littératures de langue franç. hors de France, p. 284.

CAMPANULACÉES [kɑ̃panylase] n. f. pl. — 1809 ; de *campanule.*

♦ Bot. Famille de plantes *(Dicotylédones gamopétales)* comprenant des plantes à fleurs en forme de clochettes : campanule*, lobélie*, goutelet, raiponce, spéculaire. — Au sing. *Une campanulacée.*

CAMPANULE [kɑ̃panyl] n. f. — 1694 ; lat. médiéval *campanula* « petite cloche », VIIIᵉ.

♦ Bot. et cour. Plante dicotylédone *(Campanulacées)* herbacée, annuelle ou vivace, aux nombreuses variétés présentant des clochettes bleues, blanches ou violettes. *Les campanules sont cultivées comme ornementales.* — Fleur de cette plante.

DÉR. **Campanulacées, campanulé.**

CAMPANULÉ, ÉE [kɑ̃panyle] adj. — 1778 ; de *campanule.*

♦ **1.** Bot. En forme de clochette. *Corolle campanulée.* ⇒ aussi **Campaniforme.**

♦ **2.** (1884). Archit. *Chapiteau campanulé,* évasé en cloche renversée. ⇒ **Campaniforme.**

CAMPÊCHE [kɑ̃pɛʃ] n. m. — 1679 ; nom d'une ville du Mexique.

♦ Bot. Arbre de l'Amérique tropicale (Mexique), de la famille des *Césalpinées,* qui fournit un bois dur et compact. ⇒ **Campêcher.** — Cour. *Bois de campêche,* le bois de cet arbre, renfermant une matière colorante rouge, l'hématoxyline. Syn. : *bois noir, bois bleu, bois d'Inde.*

Par métonymie. La matière colorante extraite de cet arbre.

DÉR. **Campêcher.**

CAMPÊCHER [kɑ̃peʃe] n. m. — V. 1940, Haïti ; de *campêche,* au sens de « bois de campêche ».

♦ Bot. Arbre qui produit le bois de campêche (⇒ **Campêche**).

(...) elle arriva devant une barrière. On voyait la case au fond de la cour dans l'ombrage des campêchers.
                                        Jacques ROUMAIN, Gouverneurs de la rosée, t. II, p. 25 (1972).

CAMPÉE [kɑ̃pe] n. f. — Mil. xxᵉ ; mot dial. (Centre) « espace du terrain » ; de *camper.*

♦ Régional ou littér. Camp, campement ; durée d'un campement.

Il descendit, l'oreille au guet, imaginant déjà la campée des bûcherons : les haches pendues, la soupe de chou, les souples litières de feuilles.
                                        J. GIONO, Naissance de l'Odyssée, p. 73.

CAMPEMENT [kɑ̃pmɑ̃] n. m. — 1584 ; de *camper.*

♦ **1.** Rare. Action de camper*, de préparer, d'organiser un camp.

1 Je ne parle point des campements et des marches, bien qu'en cet article seul je trouve de quoi donner à M. Le Prince, je n'oserai dire la préférence (...)
                                        LA FONTAINE, Lettres, XII.

Cour. *Matériel de campement* (tente, matériel de couchage, ustensiles : bidon, gamelle, etc.).

♦ **2.** Lieu, installations où l'on campe. ⇒ **Bivouac, camp, campée, cantonnement.** *Armée, troupe au campement.* ⇒ **Quartier.** *L'installation du campement. Emplacement du campement. Chercher,*

trouver un campement pour la nuit. — REM. Les synonymes *camp* et *(terrain de) camping,* selon les contextes, sont plus usuels.

1.1 Ils arrivaient du sud, certains avec leurs chameaux et leur chevaux, mais la plupart à pied, parce que les bêtes mouraient de soif et de maladie sur le chemin. Chaque jour, autour du rempart de boue de Smara, le jeune garçon voyait les nouveaux campements. Les tentes de laine brune ajoutaient de nouveaux cercles autour des murs de la ville.   J.-M. G. LE CLÉZIO, Désert, 1980, p. 31.

Vx. Camp militaire :

2 Le prince, par son campement, avait mis en sûreté non seulement toute notre frontière et toutes nos places, mais encore tous nos soldats.
                                        BOSSUET, Oraison funèbre de Louis de Bourbon.

Milit. Détachement occupant le terrain où doit être installé un camp (vx) ; détachement envoyé pour reconnaître les lieux et préparer un cantonnement.

♦ **3.** Par métaphore. Installation provisoire ou désordonnée. *Ma chambre est un campement.* — Loc. *Je suis en campement,* installé de manière provisoire.

♦ **4.** Franç. d'Afrique. « Lieu d'hébergement éloigné des agglomérations, souvent d'architecture traditionnelle (...) syn. : case de passage » (I. F. A.).

CAMPER [kɑ̃pe] v. — 1465 ; « s'installer en un lieu », 1426 ; « placer », fin xiiᵉ ; de *camp.*

★ **I.** V. intr. ♦ **1.** S'établir, être établi dans un camp*. ⇒ **Bivouaquer, cantonner.** *L'armée campe devant les lignes ennemies.*

1 Au chapitre général que Saint François tint près d'Assise en 1219, où il se trouva plus de cinq mille frères mineurs qui campèrent en rase campagne (...)
                                        VOLTAIRE, Dict. philosophique, Quête.

(1889, alpin.). Coucher sous la tente. *Camper en haute montagne.* (1936 ; sous l'infl. de *camping*). Pratiquer le camping*.

1.1 Et il y a un an encore, je campais en montagne, je faisais mes quarante kilomètres dans la journée, sac au dos (...)
                                        MONTHERLANT, Pitié pour les femmes, p. 189.

♦ **2.** (1677). Fig. S'installer provisoirement (quelque part). *Nous campons à l'hôtel. Nous ne sommes pas dans nos meubles : nous campons.*

2 Mes gens sont occupés à déménager ; j'ai campé dans ma chambre (...)
                                        Mᵐᵉ DE SÉVIGNÉ, 368.

★ **II.** V. tr. ♦ **1.** Vx. Établir dans un camp (militaire). *Camper les troupes devant les lignes ennemies. Camper une armée pour l'hiver.* ⇒ **Cantonner.**

3 Le Maréchal de Villeroi avait campé son armée.
                                        VOLTAIRE, le Siècle de Louis XIV, 20.

♦ **2.** Vieilli. Installer (qqch.) avec décision, avec une certaine audace. ⇒ **Mettre, placer, poser.** *Camper son chapeau sur sa tête.*

4 À tout instant, il tirait, d'un étui en peau de serpent, une volumineuse paire de lunettes et il se la campait sur le nez (...)
                                        G. DUHAMEL, Chronique des Pasquier, X, p. 292.

Vx. Donner avec vigueur (un coup). *Il lui campa un soufflet, une gifle.* ⇒ **Flanquer.** — Loc. *Camper qqn à la porte.* ⇒ **Ficher, foutre** (mod.).

4.1 Ah ! mais il m'agace, celui-là ; je ne crois pas qu'il use beaucoup d'escarpins à mon service !... Je vais prier ma femme de le camper à la porte...
                                        E. LABICHE, le Clou aux maris, 6.

(1789). Vx. *Camper là qqn,* le quitter brusquement. ⇒ **Laisser, planter.**

Fig., littér. *Camper un récit,* le dire ou l'écrire avec sûreté et vivacité. — Cour. *Camper un personnage,* le représenter avec vigueur, dans l'expression écrite ou le dessin, ou bien dans le jeu théâtral.

▶ **SE CAMPER** v. pron. (1690).
Se tenir en un lieu dans une attitude fière, hardie, provocante. ⇒ **Dresser** (se), **planter** (se). *Il se campait avantageusement devant la glace.* ⇒ **Poser** (se).

5 Ce monstre, à voix humaine, aigle, femme et lion,
Se campait fièrement sur le mont Cythéron.   CORNEILLE, Œdipe, I, 3.

6 Campe-toi sur un pied.   MOLIÈRE, les Fourberies de Scapin, I, 5.

7 Matamore se campait dans une pose extravagamment anguleuse, dont sa maigreur excessive faisait encore ressortir le ridicule.
                                        Th. GAUTIER, le Capitaine Fracasse, t. I, p. 159.

8 Mais, arrivée devant la maison Detcharry, elle vit Dolorès qui, près de rentrer chez elle, se retournait et se campait sur sa porte pour la regarder passer.
                                        LOTI, Ramuntcho, I, XXVII, p. 197.

9 Vial sauta sur ses pieds, se campa devant moi, pareil à un mitron des noirs royaumes.   COLETTE, la Naissance du jour, p. 99.

▶ **CAMPÉ, ÉE** p. p. adj.

♦ **1.** (Personnes). ⇒ **Assis, établi, fixé, placé, planté, posé, posté.** *Être solidement campé sur ses jambes.* — Par ext. (vx). *Bien campé :* bien bâti. *C'est un enfant bien campé.*

Fig. et vx. *C'est un homme bien campé,* dont la situation est solide, stable. ⇒ **Installé.**

♦ **2.** *Un récit bien campé,* mis en valeur par sa clarté, sa précision. *Un personnage bien campé.* ⇒ **Décrit, dessiné, représenté.**

10 Parfois pourtant une scène habilement campée, un mot montre qu'il ne tenait qu'à
eux de faire meilleur, de satisfaire aussi les délicats.   GIDE, Journal, 1907.

DÉR. Campée, campement, campeur.
COMP. Décamper.

CAMPEUR, EUSE [kɑ̃pœʀ, øz] n. — 1913, in Petiot; de *camper*.

♦ Personne qui pratique le camping*, campe et couche sous la tente
ou dans une caravane, un camping-car, pour son plaisir. *Ce terrain
peut abriter deux cents campeurs. La route était encombrée par les
caravanes des campeurs.* ⇒ 2. **Caravanier.** *Campeurs individuels,
qui font du camping sauvage.*

Encore une saison pourrie
Priez pour les pauvres campeurs
Comme pommes à la vapeur
À mariner dans les prairies.
                        ARAGON, le Voyage de Hollande et autres poèmes, p. 45.

CAMPH-, CAMPHOR- Élément de mots scientifiques (chimie, botanique), désignant des substances apparentées au camphre,
des plantes contenant de telles substances, etc. Ex. : *camphène, camphorine.*
REM. De nombreux autres composés sont attestés dans le vocabulaire
de la chimie : *camphorate*, n. m.; *camphosulfonate*, n. m., etc.

CAMPHÈNE [kɑ̃fɛn] n. m. — 1833; de *camph-*, et *-ène.*

♦ Chim. Hydrocarbure terpénique ($C_{10}H_{16}$) servant à la fabrication
du camphre synthétique. ⇒ **Terpène.**

CAMPHOR- ⇒ **Camph-.**

CAMPHORINE [kɑ̃fɔʀin] n. f. — 1865; de *camphor-*, et *-ine.*

♦ Bot. Plante dicotylédone vivace, à tige ligneuse, et dont les feuilles exhalent une odeur de camphre. N. sc. : *camphorosma* (famille
des *Salsolacées*). — REM. On dit aussi *camphrée.* ⇒ **Camphré, 2.**

CAMPHRE [kɑ̃fʀ] n. m. — XIIIᵉ; *canfre*, 1256; du lat. médiéval *camphora*; de l'arabe *kāfūr*, même sens, cf. anc. franç. *cafour*, XIIIᵉ.

♦ **1.** Substance aromatique (cétone terpénique), blanche, transparente, d'une saveur amère et piquante, d'une odeur vive, provenant
du camphrier. *À 0°, la densité du camphre est celle de l'eau; il
fond à 175° et bout à 204°. Le camphre est utilisé en médecine
comme sédatif, antispasmodique, stimulant, antiseptique.*

1 Elle (*Emma*) pâlissait et avait des battements de cœur. Charles lui administra de
la valériane et des bains de camphre.   FLAUBERT, Mᵐᵉ Bovary, I, IX.
2 Le suc dont se forme le camphre coule par une ouverture que l'on fait au haut
de l'arbre, et se reçoit dans le vase où l'on prend consistance et devient ce qu'on
appelle camphre.   A. GALLAND, les Mille et une Nuits, t. I, p. 225.
Solution camphrée. *Piqûre de camphre.*
Littér. « *Des ciels de camphre et de sel* » (J. Lorrain, *in* T. L. F.),
d'une blancheur laiteuse.

♦ **2.** Rare. Camphrier. *Bois de camphre.*

♦ **3.** Comm. et cour. Substance extraite d'un végétal et possédant
des propriétés analogues à celles du camphre. *Camphre de menthe*
(menthol), *de thym* (thymol).

Vx. Alcool, eau-de-vie (*in* Huysmans).

DÉR. Camphré, camphrer, camphrier. — V. aussi **Camph-.**

CAMPHRÉ, ÉE [[kɑ̃fʀe] adj. et n. f. — 1564; de *camphre.*

♦ **1.** Adj. Qui contient du camphre. *Solution camphrée. Alcool camphré. Huile camphrée.*
Qui a rapport au camphre. *Odeur camphrée.*

♦ **2.** N. f. (1751). *Camphrée.* ⇒ **Camphorine.** *Camphrée de Montpellier.*

CAMPHRER [kɑ̃fʀe] v. tr. — 1564; de *camphre.*

♦ Imprégner de camphre. *Camphrer des fourrures, des lainages
pour les préserver des vers.*

▶ **SE CAMPHRER** v. pron.
(Av. 1854). Pop. et vx. S'enivrer (→ Tuer le ver*).

Se camphrer, c'était faire un léger extra d'eau-de-vie, c'était visiter plus souvent
que d'habitude le comptoir du débitant en détail.
            RASPAIL, in Revue complémentaire des sciences appliquées,
                                       nov. 1854, (in D. D. L., II, 15).

CAMPHRIER [kɑ̃fʀije] n. m. — 1751, *Encyclopédie*; de *camphre.*

♦ Bot. et cour. Arbuste (*Lauracées*) d'Extrême-Orient (laurier du

Japon, *laurus camphora*), dont le bois distillé donne le camphre.
Bois de camphrier (dit aussi *bois de camphre**).

Il régnait partout le plus bel ordre. Des allées de magnolias, de palmiers, de bananiers, de camphriers, d'orangers, de citronniers, de poivriers, traversaient les vastes cultures pour converger vers la ferme.
                        B. CENDRARS, l'Or, 1925, in Œ. compl., t. II, p. 175.
Par ext. Plante dont on peut extraire le camphre (camphrier proprement dit, camphorine, etc.). — On dit parfois *faux camphrier* pour
les plantes autres que le *laurus camphora.*

CAMPING [kɑ̃piŋ] n. m. — 1903, *in* Petiot; mot angl. (fin XIXᵉ), de
to camp « camper ».

♦ **1.** Activité touristique qui consiste à vivre en plein air, sous la
tente, et à voyager avec le matériel nécessaire. *Matériel de camping.* ⇒ **Campement** (1.). *Faire du camping* (⇒ **Camper, campeur,**
et aussi **Camping-**). *Aimer le camping.* — *Camping en caravane.*
⇒ **Caravanage, caravaning.**

Je découvris les joies du camping. J'étais toujours émue, le soir, quand j'apercevais les tentes dressées sur l'herbe d'un pré ou sur la mousse d'une châtaigneraie,
si légères, si précaires et, cependant, accueillantes et sûres.
                        S. DE BEAUVOIR, la Force de l'âge, p. 205.
REM. L'équivalent francisé *campisme* [kɑ̃pism] n. m. ne semble guère
employé.
CAMPING SAUVAGE : camping pratiqué dans des lieux qui ne sont
pas réservés et aménagés à cet effet. *Nous ne supportons pas
les terrains surpeuplés, nous faisons du camping sauvage en montagne.*

♦ **2.** *Un terrain de camping* (cf. l'angl. *camping-place*), et, absolt, *un
camping* : terrain où l'on pratique le camping. ⇒ **Camp.** — Spécialt.
Terrain muni des installations sanitaires et autres, nécessaires aux
campeurs. *Un camping municipal. Un camping privé. Camping de
première catégorie**.
REM. Ce faux anglicisme pourrait être remplacé par *terrain, camp**
ou *campement**.

-CAMPING, CAMPING- Éléments, de l'angl. *camping* ou de
l'emprunt, servant à former des mots composés. *Des autos-cam-
ping. Une croisière-camping.* — *Le camping-caravaning. Un cam-
ping-tour.* ⇒ aussi **Camping-car; camping-gaz.**

CAMPING-CAR [kɑ̃piŋkaʀ] n. m. — 1974, *le Point*, 8 juil. , *in* Gilbert; faux anglicisme, de *camping*, et angl. *car* « voiture, véhicule ».
REM. Le terme a évincé *auto-camping* et *voiture-camping* (1969, *in* Gilbert).

♦ Camionnette dont l'intérieur est aménagé pour servir de logement. — Au plur. *Des camping-cars.*
REM. Francisation normalisée au Québec (3 oct. 1980) : *autocaravane**.
Par ext. Forme de camping pratiquée en camping-car. « *Le camping-
car, déjà très développé en Grande-Bretagne et aux États-Unis.
Les géants de la location automobile hésitent à attaquer le marché français* » (*l'Express*, 3 nov. 1979).

CAMPING-GAZ [kɑ̃piŋɡaz] n. m. invar. — V. 1960; marque déposée; de *camping*, et *gaz.*

♦ Petit réchaud portatif à gaz butane pour le camping.

Non, je ne me vois pas assise derrière un volant, moi qui parviens déjà difficilement à me servir de mon camping-gaz sur lequel je vais faire réchauffer les pâtes
de ce midi et cuire un œuf à la coque. Je dînerai en lisant Le Monde.
                        Yanny HUREAUX, la Prof, 1972, p. 167.

CAMPO [kɑ̃po] n. m. — 1857; mot port. du Brésil, « plaine ».

♦ Géogr. Savane des plateaux du Brésil.

À la « mata » s'opposent les « campos », associations ouvertes d'herbes et de graminées où l'arbre disparaît. En réalité le mot « campos » recouvre des paysages et des
associations très différents. Le Brésilien distingue d'innombrables nuances parmi
les campos : « campos limpos », dépourvus du moindre arbrisseau, « campos sujos »,
parsemés de buissons, et d'arbustes isolés.   Pierre MONBEIG, le Brésil, p. 19.
REM. On rencontre parfois l'hispanisme *campo* (plur. : *campos*) au sens
de « plaine ». « *Cette enfant du campo andalou* » (Montherlant).

CAMPOS [kɑ̃po; kɑ̃pos] ou **CAMPO** [kɑ̃po] n. m. — XVᵉ; argot
lat. des écoliers *campos* (*habere, dare*) « (avoir, accorder) les champs ».

♦ Fam. Congé*, repos accordé aux écoliers... *Donner campos à qqn.*
⇒ **Clef** (clef des champs), **permission, vacance.** — (1690). Vx. Repos*
que l'on s'accorde. *C'est campos aujourd'hui.*
Fig. Répit.

1 Elle comprit cela comme moi, et notre imagination nous donna plus d'un quart
d'heure de campos.   Mᵐᵉ DE SÉVIGNÉ, 61, 9 déc. 1664.
Mod. (écrit *campo*). Repos, détente qu'on accorde. *Je vous donne
campo, vous pouvez aller jouer* (→ Passage, cit. 3). *Faire campo.*
2 Quand on reçoit un décor sur la « cafetière », et que ça se passe chez des directeurs assez dégoûtants pour vous donner campo moyennant deux sous d'éther sur

une compresse d'eau froide (...) quand on reste huit jours à moitié claquée à la taule (...)   COLETTE, l'Envers du music-hall, p. 39.

2.1 — Alors, dit le maire, comment va le chantier là-bas à Saint-Jean ?
— Ça va, dit le maçon, mais je suis obligé de faire campo. Ils sont allés chercher du sable à la rivière.   J. GIONO, les Vraies Richesses, p. 164.

Figuré :

3 Pendant ce mois-là, je me suis donné campo. Je remettais la décision d'un jour sur l'autre.   J. DUTOURD, Pluche, XIII, p. 240.

CONTR. Travail.

CAMPOSANTO [kãposãto] n. m. — 1787 ; ital. *campo santo* « champ consacré ».

Didactique.

♦ **1.** Cimetière ayant un caractère artistique ou archéologique (généralt, en Italie). *Le camposanto de Pise.*

1 J'allais oublier de mentionner le cimetière qu'on rencontre à mi-côte dans un bosquet sombre (...) des tables de marbre brisées avec des fragments d'inscriptions, des colonnes gisantes, des urnes, des débris de statues et de sculptures, achèvent de donner à ce pittoresque campo santo le caractère antique qu'il convient.
                          J. GOURDAULT, Du Nord au Midi, 1884, III, p. 83, *in* D.D.L., II, 14.

♦ **2.** (1842). Nécropole réservée à de hauts personnages.

2 Paris (...) s'aviserait-on jamais d'enterrer des peintres, des poètes, des savants, des musiciens, jusqu'à des comédiens dans l'auguste campo-santo des rois ?
                          F. WEY, les Anglais chez eux, 1856, p. 119, *in* D.D.L., II, 14.

REM. On trouve également la graphie *campo santo*, et *campo-santo.* Au pluriel sont acceptés *campi santi* [kãpisãti] le pluriel italien, *campo santo* [kãposãto] considéré comme invariable, ou *campos-santos* [kãposãto], pluriel français. Lorsque le mot est écrit en un seul élément, le plur. franç. normal est *camposantos* [kãposãto].

CAMPUS [kãpys] n. m. invar. — 1894, *in* Höfler ; amér. *campus* (employé dès 1774 à propos de Princeton), du lat. *campus* « champ ».

♦ **1.** Aux États-Unis, Vaste terrain où sont répartis les bâtiments d'une université, d'un collège.

1 J'ai fait mardi une conférence à Mills College. Le *campus* est un parc luxuriant accroché au flanc d'une colline (...)
                          S. DE BEAUVOIR, l'Amérique au jour le jour, p. 141.

2 Les universités, ces inventions du Moyen-Âge européen, se mettent à la mode de Columbia, Harvard, et Berkeley : à Grenoble, Toulouse et Caen, les nouveaux bâtiments encadrent de vastes pelouses vertes que l'on baptise, sans plus de façon, *campus.*
                          l'Express, 24-30 juill. 1967.

♦ **2.** Université construite à la campagne et dont les bâtiments sont répartis autour d'un vaste espace vert. *Le campus (universitaire) d'Orléans. Les campus scandinaves, allemands.*
Université formée de plusieurs bâtiments séparés ; espace réservé à une telle université.

CAMUS, USE [kamy, yz] adj. — 1243 ; *Camus*, surnom, 1221 ; orig. discutée, p.-ê. de *museau*, et préf. péj. *ca-*, ou du gaul. **kamusio*, du rad. celtique **kam-* « courbe », et suff. *-usio*, par l'anc. provençal *camus* « niais » ; P. Guiraud propose l'étymon lat. *camus* « muselière », d'où *camensis* « muselé » et le doublet roman **camoceus, *camuseus*, le premier avec infl. possible de *camur* « courbe ».

♦ **1.** Littér. Qui a le nez court et plat. ⇒ **Camard.** *Un visage camus. Une face camuse. Une personne camuse.*— N. *Un camus, une camuse.*

1 Pour toi, Socrate, tu n'étais qu'un pauvre homme, laid, camus, chauve (...)
                          FÉNELON, XIX, 187, *in* LITTRÉ.

2 (...) des lueurs fauves tremblaient aux angles de sa face camuse et sur les bosses de son crâne tourmenté.   FRANCE, le Lys rouge, XXII, p. 170.

2.1 J'allai droit (...) vers ce serviteur dans lequel je crus reconnaître un personnage qui est de tradition dans ces sujets sacrés et dont il reproduisait scrupuleusement la figure camuse, naïve et mal dessinée (...)
                          PROUST, le Côté de Guermantes, Folio, p. 118.

2.2 Sa face était camuse, naturellement je crois, le nez ne paraissant pas avoir été abîmé par un coup de poing. Sa mâchoire était forte, solide. Son crâne était très rond et presque toujours rasé.   Jean GENET, Journal du voleur, p. 140.

Chien camus, qui a le nez écrasé. *Cheval camus :* cheval dont le chanfrein est enfoncé.

♦ **2.** *Un nez camus*, aplati, écrasé. ⇒ **Camard.**

3 *(mon nez)* n'est ni camus ni aquilin, ni gros ni pointu, au moins à ce que je crois.
                          LA ROCHEFOUCAULD, Portrait par lui-même, *in* LITTRÉ.

♦ **3.** (1410). Fam. et vx. Qui reste désappointé, confus, penaud. ⇒ **Ébahi, embarrassé, interdit.** *Demeurer camus.*

4 Je veux que Monsieur vous rende un peu camuse.   MOLIÈRE, Dom Juan, II, 4.

CONTR. Aquilin, pointu.

CANADA [kanada] n. f. — 1873 ; *pomme de Canada*, 1632 ; du syntagme *reinette du Canada*, 1775.

♦ Variété de pomme de reinette très estimée, à chair douce, à peau rouge ou grise. *Une canada.* — REM. Le plur., en principe invariable *(des canada)*, pourrait être normalisé *(des canadas).*

(...) les calville en robe blanche, les canada sanguines (...)
                          ZOLA, le Ventre de Paris, 1873, t. II, p. 99.

N. m. (collectif). *Un kilo de canada. Du canada.*

REM. Le mot, dans cet emploi, est inconnu en français canadien.

CANADAIR [kanadɛʀ] n. m. — V. 1972 ; nom de la firme canadienne qui mit au point cet appareil, un CL-215.

♦ Avion (bombardier* à eau utilisant initialement de l'eau de mer) employé pour lutter contre les incendies.

Tous ces feux, cet été.
La nuit, je n'arrive pas à dormir. Je revois les pins qui brûlaient sur les collines, le passage des canadairs au ras des incendies, les nappes d'eau qui s'abattaient avec un bruit de grosse mitraille, miroitantes dans des trouées de soleil, à travers la fumée.   Sébastien JAPRISOT, l'Été meurtrier, 1977, p. 229.

CANADIANISME [kanadjanism] n. m. — 1888, cit. ci-dessous ; de *canadien* ; l'angl. *canadianism* est attesté en 1899.

Linguistique.

♦ **1.** Fait de langue (mot, tournure) propre au français parlé au Canada. *« Débarbouillette »* est un canadianisme qui équivaut, en français de France, à *« gant de toilette ». Canadianisme québécois* (québécisme), *acadien*, etc. *Canadianismes acceptés, autorisés, « de bon aloi » ; canadianismes combattus, condamnés* (anglicismes*, etc.).

J'ai résolu de rassembler dans une brochure la série d'articles qui ont paru récemment dans l'*Électeur* et qui signalaient un certain nombre des anglicismes et des canadianismes dont notre langage et notre style fourmillent.
                          Arthur BUIES, Anglicismes et Canadianismes, 1888.

REM. Le même auteur, en 1865, dans ses articles pour le journal *le Pays*, parlait de *« barbarismes canadiens »*.

♦ **2.** Fait de langue propre à l'anglais parlé au Canada (opposé à *briticisme, américanisme, australianisme...*).

CANADIEN, IENNE [kanadjɛ̃, jɛn] adj. et n. — 1732, Trévoux ; de *Canada*, mot huron, « village », nom donné par Jacques Cartier à une partie de la Nouvelle-France, 1535.

♦ Du Canada ou qui concerne le Canada. *Le Saint-Laurent, fleuve canadien. Le peuple canadien. Les Indiens, les Esquimaux canadiens.*

1 (...) aucune nécessité géographique ne justifiait logiquement l'existence d'une unité politique spéciale appelée Canada. Cependant cette unité politique existe : il y a un État canadien, un peuple canadien, une nation canadienne. Mais c'est l'histoire qui en est le facteur déterminant (...)   André SIEGFRIED, le Canada, III, 1.

Spécialt. Du Canada (État fédéral). *Le gouvernement canadien et les gouvernements provinciaux. L'ambassadeur canadien et le délégué général du Québec à Paris.*

N. Personne qui est de nationalité canadienne. *Un Canadien anglais* (un *« anglais »*, en français du Canada). *Un Canadien français*, de langue maternelle et de culture française (Acadien, Québécois, etc.) ⇒ **Québécois.** *Les immigrés, dits néo-canadiens.*

2 Les Canadiens français acceptent le régime britannique, parce qu'il leur garantit cet essentiel, leur religion et leur langue, c'est-à-dire la possibilité de rester distincts.   André SIEGFRIED, le Canada, XIII, 3.

REM. *Canadien français* (n. et adj.) a vieilli depuis l'extension d'usage de *Québécois, oise*, sauf pour parler des réalités françaises et francophones du Canada, hors du Québec.

DÉR. Canadianisme, canadienne.
COMP. Franco-canadien, néo-canadien.

CANADIENNE [kanadjɛn] n. f. — 1925, au sens 2 ; de *canadien.*

REM. Dans les sens ci-dessous, le mot est inconnu (et prête à sourire), en français du Canada.

♦ **1.** Long canot aux extrémités relevées, à pagaies.

♦ **2.** Agric. Charrue formée de plusieurs petits socs (pour ameublir la terre).

REM. La variante *canadien* est attestée pour ces deux sens.

♦ **3.** (1928). Longue veste, de peau ou de toile imperméabilisée, doublée de peau de mouton.

L'Homard (...) tirait malité d'une canadienne de toile cachou doublée de mouton qui lui prêtait, avec sa trique et son vieux feutre aux bords et au ruban crasseux, la dégaine inquiétante d'un détrousseur de grands chemins.
                          Francis CARCO, les Belles Manières, p. 49.

♦ **4.** Petite tente de camping dans laquelle on ne peut se tenir debout.

CANAILLE [kanaj] n. f. et adj. — V. 1470 ; ital. *canaglia* « troupe de chiens », de *cane* « chien » ; a remplacé l'anc. franç. *chie(n)naille*, encore utilisé au XVIᵉ.

★ **I.** N. f. ♦ **1.** Vieilli. *(La canaille).* Ramassis de gens méprisables ou considérés comme tels. ⇒ **Pègre, populace, racaille.** *La canaille qui s'était attroupée* (→ Attrouper, cit. 3). *La canaille des laquais. Fréquenter la canaille.* ⇒ **Encanailler** (s'encanailler, vieilli.).

REM. Le mot ne peut plus s'employer de nos jours, sauf par effet stylistique ou pour faire allusion à l'attitude aristocratique, en histoire, en opposant aux classes considérées comme supérieures les couches les plus modestes de la société. — On note en outre une opposition *populace / canaille,* dans les emplois antérieurs au xxᵉ s. (→ cit. 1 et 5).

1 La *populace* est le bas peuple, ce qu'il y a dans la société de moins distingué, de moins considéré ou de plus obscur (...) La *canaille* est une vile *populace,* une *populace* sans probité et sans honneur : aussi oppose-t-on d'ordinaire la *canaille* aux honnêtes gens.   LAFAYE, Dict. des synonymes, Suppl., Populace...

2 Connaît-on à l'habit aujourd'hui la canaille?   CORNEILLE, la Suite du Menteur, I, 1.

3 Un coupable puni est un exemple pour la canaille; un innocent condamné est l'affaire de tous les honnêtes gens.   LA BRUYÈRE, les Caractères, XIV, 52.

4 Il y a une autre canaille à laquelle on sacrifie tout, et cette canaille — c'est le peuple.   VOLTAIRE, Au marquis de Condorcet, 27 janv. 1776.

5 Dans les émeutes, dans les querelles des rues, la populace s'assemble, l'homme prudent s'éloigne; c'est la canaille, ce sont les femmes des halles qui séparent les combattants, et qui empêchent les honnêtes gens de s'entr'égorger.   ROUSSEAU, De l'inégalité parmi les hommes, I, p. 60.

6 C'est encore ici une des raisons pourquoi je veux élever Émile à la campagne, loin de la canaille des valets, les derniers des hommes après leurs maîtres (...)   ROUSSEAU, Émile, II.

6.1 La classe des infortunés, que la richesse insolente désigne sous le nom de canaille, est la partie la plus saine de la société.   MARAT, l'Ami du peuple, 7 oct. 1790, *in* Walter, la Révolution française vue par ses journaux.

7 Il aimait à fréquenter la canaille.   FRANCE, Les dieux ont soif, p. 109.

8 (...) cet aristocrate, si méprisant de la «canaille» et même du «peuple».   Louis MADELIN, Talleyrand, II, IX, p. 106.

♦ **2.** (1639). *Une canaille :* une personne digne de mépris. *Cette vieille canaille de Un Tel.* ⇒ **Coquin, crapule, fripon, fripouille, salaud, saligaud, scélérat.** *Une bande de canailles. Un ramas de canailles* (→ Pièce, cit. 3). — En interj. *Canaille! Bandit!*

9 Hé quoi! dit-il, cette canaille Se moque impunément de moi?   LA FONTAINE, Fables, XI, 3.

10 Tous les champis le sont *(voleurs)* de naissance et c'est une folie que de compter sur ces canailles-là.   G. SAND, François le Champi, II, p. 39.

11 (...) les véritables hommes d'État préfèrent toujours aux honnêtes gens les canailles.   M. BARRÈS, Leurs figures, p. 82.

12 Quoi qu'en disent les littérateurs, acharnés par conformisme romantique et par paresse d'esprit contre les médiocres, on doit reconnaître qu'un honnête homme aux mérites certains mais sans éclat, est moins estimé des gens du beau monde qu'une canaille qui se recommande par une personnalité singulière.   M. AYMÉ, le Confort intellectuel, v, p. 62.

REM. Sans être archaïque ni littéraire, ce sens est d'un style soutenu, écrit, peu familier.

♦ **3.** Par plais. (en parlant d'enfants étourdis, insupportables). *Ah! petite canaille!* ⇒ **Coquin, fripon, polisson.**

13 Que les parents sont malheureux, qu'il faille Toujours veiller à semblable canaille!   LA FONTAINE, Fables, I, 19.

★ **II.** Adj. (1867). Vulgaire, avec une pointe de perversité. ⇒ **Arsouille, voyou.** *Des manières canaille* (Littré); *des manières canailles* (Hatzfeld, *Dict. général*). *Un air, des yeux, des propos canaille* (ou *canailles*). *Des goûts canaille* (ou *canailles*). *Il a un genre un peu canaille.*

14 Derouet toussa pour se faire le creux et commença, d'une voix dont il exagérait systématiquement les intonations naturellement canailles (...)   COURTELINE, Messieurs les ronds-de-cuir, 6ᵉ tableau, III, p. 254.

N. m. (rare). *Le canaille :* le genre canaille.

CONTR. Aristocratie, grand (les grands), qualité (gens de), société (la, la bonne, la haute). — Droit, honnête, loyal, probe. — Aristocratique, délicat, distingué, raffiné. — Innocent, pur.
DÉR. Canaillement, canaillerie.
COMP. Encanailler (s'). — Canaillocratie.

CANAILLEMENT [kanajmã] adv. — 1870, Goncourt; de *canaille.*

♦ Rare et littér. D'une manière canaille.

Le pick-up jouait en sourdine un air canaillement reposant.   Albert SIMONIN, Touchez pas au grisbi, p. 102.

CANAILLERIE [kanajʀi] n. f. — 1821, Chateaubriand; de *canaille.*
Littéraire ou style soutenu.

♦ **1.** Caractère d'une canaille, ou d'une action digne d'une canaille. ⇒ **Friponnerie, improbité, indélicatesse, malhonnêteté.** *C'est de la pure canaillerie.*

1 Un refus par délicatesse serait de la canaillerie à mon endroit.   FLAUBERT, Correspondance, t. IV, p. 382.

♦ **2.** Caractère de ce qui est canaille (II.). Polissonnerie vulgaire.

2 (...) ce lieu sue la bêtise, pue la canaillerie et la galanterie de bazar. Il y flotte une odeur d'amour, et l'on s'y bat pour un oui ou pour un non (...)   MAUPASSANT, la Femme de Paul, p. 12.

3 (...) et une pointe de canaillerie faubourienne pimentait insensiblement l'amusement de ce qu'il *(Lahrier)* disait.   COURTELINE, Messieurs les ronds-de-cuir, 4ᵉ tableau, II, p. 138.

♦ **3.** Par métonymie. *(Une, des canailleries).* Action malhonnête. ⇒ **Coquinerie, crapulerie.**

4 Eh! bien, dis-je, de ces huit ans, pas un jour ne s'est écoulé qui n'ait été pour votre «amie» l'occasion d'une petite canaillerie nouvelle (...)   COURTELINE, Boubouroche, Nouvelle, p. 40.

CANAILLOCRATIE [kanajɔkʀasi] n. f. — 1793; de *canaille,* et *-cratie,* d'après *(aristo)* ou *(démo)cratie.*

♦ Rare. Suprématie de la canaille. ⇒ **Voyoucratie.**

CANAL, CANAUX [kanal, kano] n. m. — Déb. XIIᵉ; lat. *canalis,* de *canna* «roseau, tuyau».

★ **I.** ♦ **1.** (1690). Dispositif naturel ou artificiel permettant le passage* d'un liquide ou d'un gaz. ⇒ **Conduit.** *Canal circulatoire, cylindrique.* ⇒ **Conduite, tube, tuyau.** *Canal à ciel ouvert.* ⇒ **Caniveau, fossé, rigole, tranchée.** *Canal d'évacuation.* ⇒ **Égout, gouttière.** *Canal d'assèchement, de drainage, d'écoulement. Canal colateur.* ⇒ **Arrugie, cunette, dalot, drain, émissaire, goulette, noulet, saignée, watergang.** *Canal de colmatage,* pour le transport du limon. *Canal pour le transport du pétrole, du gaz naturel.* ⇒ **Gazoduc, oléoduc, pipeline.** *Canal d'adduction d'eau.* ⇒ **Adducteur, aqueduc,** 2. **buse, coursier, étier** (de marais salant). *Canal d'amenée. Canal de fuite. Canal d'irrigation*, d'arrosage*.* ⇒ **Conduite, séguia.** *Un réseau de canaux.*

1 (...) cette fertile terre d'Égypte, semblable à un jardin délicieux arrosé d'un nombre infini de canaux.   FÉNELON, Télémaque, II, p. 27.

2 L'eau, amenée de tous côtés par des canaux, permettait d'entretenir de grands bois de palmes, des plantations de cannes à sucre et des vergers pleins de roses.   LOTI, Jérusalem, XV, p. 182.

(1882). *Canaux de Mars :* formations apparemment rectilignes découvertes en 1877 par Schiaparelli à la surface de Mars, interprétées longtemps et erronément comme pouvant être des canaux creusés artificiellement à la surface de cette planète.

Conduit naturel par lequel s'effectue la circulation souterraine des eaux, des gaz. ⇒ **Galerie.**

Techn. *Canal d'injection, d'alimentation,* dans le moulage des matières plastiques.

Autom. *Canal d'admission, d'alimentation des gicleurs.* — *Canal de vidange,* dans une chaudière à vapeur.

♦ **2.** (1538). Cours d'eau artificiel, et, spécialt, cours d'eau navigable creusé ou aménagé. *Canal de communication. Canal navigable. Les canaux sont parcourus par des bateaux plats.* ⇒ **Balandre, chaland, péniche.** *Aménagement d'un canal.* ⇒ **Balisage, clayonnage; berme, bief, déversoir, écluse, franc-bord.** *Le tirant* d'eau, la profondeur d'un canal. Entretien d'un canal.* ⇒ **Curage, désenvasement, déversement, dragage.** *Bateau dragueur de canaux.* ⇒ **Revoyeur.** *Surveillant d'un canal.* ⇒ **Garde-bord.** *Canal servant à la navigation et à l'irrigation. Canal de jonction, de point de partage,* mettant en communication les cours d'eau de deux bassins hydrographiques. *Canal latéral,* longeant la partie difficilement navigable d'une rivière. *Canal de dérivation. Établir un canal de dérivation pendant la construction d'un barrage*. Canal d'accès à la mer.* ⇒ **Chenal, robine.** *Canal maritime,* faisant communiquer deux mers, deux océans. *Canal de Suez, de Panama.* — *Les canaux d'une ville bâtie sur l'eau.* (1606). *Le grand canal* (écrit aussi : *Grand Canal),* à Venise. *Les canaux de Bruges, d'Amsterdam.*

3 Je revois le canal, la lagune, les îles (...) Ma gondole est là, son fer droit; Et, durant tout un jour, j'ai eu toute Venise, Venise tout entière à moi.   H. DE RÉGNIER, Vestigia Flammæ, «Soir vénitien».

3.1 Les palais du Grand Canal, avec leurs ceintures d'algues noires et de coquillages.   Paul MORAND, Venises, p. 133.

4 Un groupe de trois canaux (canal de Briare, 1605-1642; canal du Loing, 1719-1724; canal d'Orléans, 1692), réalisant la jonction de la Seine à la Loire, joua dans l'économie de Paris, durant tout le XVIIIᵉ siècle et les débuts du XIXᵉ, un rôle de premier plan (...) avant le canal de Saint-Quentin, ce fut pour Paris la grande voie d'arrivée du charbon.   DEMANGEON, Géographie économique et humaine de la France, t. I, p. 432.

5 En amont du barrage *(de Kembs)* se détache un canal ouvert à la navigation depuis mai 1931 (...) les bateaux se rendant de Strasbourg à Bâle remontent le Rhin jusqu'à ce canal, s'y engagent et rejoignent le fleuve dans le port de Bâle; et ainsi la traction n'exige plus de gros remorqueurs, ni de manœuvres dangereuses. Le canal de Kembs n'est, dans la conception française, que la première section du canal latéral qui doit unir Bâle à Strasbourg, le Grand Canal d'Alsace.   DEMANGEON, Géographie économique et humaine de la France, t. I, p. 441.

6 (...) la rue *(une rue d'Amsterdam)* coupait une suite de canaux parallèles bordés de maisons dont les façades sans relief (...) se reflétaient dans l'eau semi-stagnante (...)   MARTIN DU GARD, les Thibault, t. II, p. 228.

7 Amsterdam. Cossues, les maisons à pignons se reflètent dans l'eau lisse des canaux.   A. MAUROIS, Bernard Quesnay, XXVIII, p. 188.

Spécialt. Pièce d'eau étroite et longue dans un jardin, un parc. ⇒ **Bassin, miroir** (d'eau).

8   C'est ce grand Trianon, solitaire et royal,
    Et son perron désert où l'automne, si douce,
    Laisse pendre, en rêvant, sa chevelure rousse
    Sur l'eau divinement triste du grand canal.
                        Albert SAMAIN, le Chariot d'or, « Versailles », III.

♦ **3.** Vieilli. Cours d'eau ; partie de cours d'eau. ⇒ **Bras, lit.**

9   (...) un canal, formé par une source pure
    Se trouve en ces lieux écartés (...)   LA FONTAINE, Fables, I, 11.

10 (...) la rivière se divise en deux canaux par des îles groupées au milieu des
    rapides (...) CHATEAUBRIAND, Voyage en Amérique..., Journal sans date, in LITTRÉ.

♦ **4.** (1549). Géogr. Nom donné à certains bras de mer. ⇒ **Détroit.**
Canal de Mozambique. Canal entre deux îles. ⇒ **Embouquement,
passe.** *Entrer dans un canal, en sortir.* ⇒ **Embouquer, débouquer.**

11 Nous fûmes obligés de tirer des bordées pour embouquer le canal (...)
                        CHATEAUBRIAND, Itinéraire..., II, 3, in LITTRÉ.

★ **II.** ♦ **1.** (1680). Anat. Structure tubulaire par laquelle s'écoulent
diverses matières ou liquides organiques (*canal excréteur,* d'une
glande ; *canal biliaire*) ou qui livre passage à un vaisseau ou à un
nerf (*canal osseux, fibreux...*). ⇒ **Tube, vaisseau ; artère ; canalicule,
conduit, infundibulum, trompe, uretère, urètre, veine...** *Canal cholédoque, cystique, digestif, éjaculateur, excréteur, hépatique ; médullaire, rachidien, vertébral. Canaux semi-circulaires de l'oreille
interne. Orifice d'un canal.* ⇒ **Méat.** *Sondage d'un canal.* ⇒ **Cathétérisme.** *Ligaturer un canal.* ⇒ **Ligature.** *Canal accidentel.* ⇒ **Fistule.**

12 Le casoar a une vésicule de fiel, et son canal, qui se croise avec le canal hépati-
    que, va s'insérer plus haut que celui-ci dans le duodénum.
                        BUFFON, Hist. nat. des oiseaux, t. II, in LITTRÉ.

12.1 Ce sont les canaux semi-circulaires q[ui] n[ous] donnent des notions sur les
    3 dimensions de l'espace (Sens de l'espace — Maladie de Ménière — Vertige).
    Si ces canaux sont lésés, les notions qu'i[ls] n[ous] donnent ne correspondent plus à
    celles q[ue] n[ous] procure la vue par ex[emple] et c'est de ce désaccord q[ue] naît
    le vertige.   CLAUDEL, Journal, 26 janv. 1936.

Canal artériel, réunissant l'aorte et l'artère pulmonaire chez
l'embryon jusqu'à la naissance (le sang de l'embryon n'ayant pas
besoin de traverser le poumon). *Le canal artériel s'oblitère normalement après la naissance.*
Pathol. *Canal artériel persistant :* malformation grave, que l'on
opère en ligaturant le canal (opération de Gross).
Canal dentaire : conduit situé au centre des racines de la dent, par
lequel passe le filet vasculo-nerveux, et qui relie l'apex à la chambre
pulpaire. *Canaux de l'ivoire. Infection des canaux. Ouvrir, boucher
les canaux.*
(1813). Bot. *Canal médullaire*. Canaux sécréteurs, canaux de
la sève.*

♦ **2.** (1538). Partie évidée ; creux. — Archit. et sculpt. Cannelure* (de
certains piédestaux). — Sillon en spirale de la volute ionique. Cannelure du chapiteau corinthien. ⇒ **Glyphe, gorge, rainure.**
Techn. *Canal de fût, de lumière,* d'un fusil.

★ **III.** (Abstrait ou fig.). ♦ **1.** (1679). Ce qui sert à établir une communication ; agent ou moyen de transmission. ⇒ **Filière, intermédiaire, voie.** *Répandre une information par le canal des journaux.*

13 Quand on songe à l'avenir et qu'on a de belles vérités à y faire passer, il est natu-
    rel de vouloir que ce soit par des canaux qui ne soient pas suspects.
                        Mᵐᵉ DE SÉVIGNÉ, 723, 20 juil. 1679.

14 Ayant reçu par les traces du sang et par le canal de la succession la propriété du
    duché (...)   RACINE, Factums.

15 La prière, le canal des grâces (...)   MASSILLON, Tiédeur, II, in LITTRÉ.

16 Les secours se multiplient, les canaux de l'abondance sont rouverts.
                        THOMAS, Éloge d'Aguesseau, in LITTRÉ.

17 Je reçois, par un canal amical, votre avis bienveillant.
                        SAINTE-BEUVE, Correspondance, II, p. 287.

Loc. *Par le canal de... :* par l'intermédiaire* de... (qqn, un moyen
de transmission).

♦ **2.** Didact. (théorie des communications, sémiotique ; angl. *channel*).
Ensemble des moyens sensoriels par lesquels une information est
transmise. *Le canal visuel, le canal auditif. Les animaux communiquent fréquemment par le canal olfactif.* — Moyen concret par
lequel un message est transmis d'un émetteur à un destinataire.

♦ **3.** (Angl. *channel*). Domaine de fréquence occupé par une émission
de télévision. *Dans un canal de télévision, réservé à un émetteur,
se trouvent l'onde porteuse de l'image et celle du son.* — (Canada).
Canal de télévision (⇒ **Chaîne**).
Moyen de transmission des signaux de chaque haut-parleur dans
une reproduction sonore stéréophonique. *Canal gauche, droit.*

♦ **4.** Écon. *Canal de distribution :* ensemble des éléments d'un
système de distribution par lesquels s'effectue la commercialisation
d'un produit. ⇒ **Circuit.** — REM. Comme le sens 3, ce dernier sens
traduit l'angl. *channel,* mais il peut provenir d'une métaphore interne
au français.

DÉR. Canalicule. Canaliser.
COMP. Multicanal.
HOM. (De *canaux*) Canot.

CANALICULAIRE [kanalikylɛʀ] adj. — 1838 ; de *canalicule.*
Didactique (zoologie et botanique).

♦ **1.** Qui se développe dans les conduites d'eau.

♦ **2.** Qui a la forme d'un canalicule. *Formations canaliculaires.*

CANALICULE [kanalikyl] n. m. — 1820 ; de *canal,* et suff. *-icule.*

♦ Didact. Petit canal.
Anat. *Canalicules biliaires du foie,* où passe la bile sécrétée par les
cellules hépatiques.
DÉR. Canaliculaire, canaliculé.

CANALICULÉ, ÉE [kanalikyle] adj. — 1803, Boiste ; de *canalicule.*

♦ Hist. nat. (vieilli). Creusé, ou prolongé en forme de canal (II., 1.).

CANALISABLE [kanalizabl] adj. — 1836 ; de *canaliser.*

♦ Qui peut être canalisé. *Rivière canalisable. Ce cours d'eau est
trop irrégulier pour être canalisable.*

CANALISATEUR, TRICE [kanalizatœʀ, tʀis] n. et adj. — 1831,
Balzac ; de *canaliser.*

♦ **1.** Personne qui creuse des canaux. *Les canalisateurs hollandais.*

♦ **2.** Fig. Personne qui centralise. — Adj. Qui canalise en endiguant,
en dirigeant. *Une campagne de presse canalisatrice des divers mouvements de l'opinion.*

CANALISATION [kanalizasjɔ̃] n. f. — 1823, Las Cases ; de *canaliser.*

♦ **1.** Action de canaliser (un cours d'eau). *La canalisation du
Rhône.* — Action de doter (une région) d'un réseau de canaux. *La
canalisation de l'Allemagne du Nord.*

♦ **2.** Techn. Transport à distance (d'un liquide, d'un gaz, du courant
électrique) au moyen de conduits, conduites, tubes, câbles, etc.

♦ **3.** (1829). Ensemble des tuyaux et conduits, ou des câbles protégés, destinés au transport des fluides, de l'énergie (souvent au pluriel). ⇒ **Réseau ; branchement, colonne** (colonne montante), **conduite,
tuyauterie.** *Canalisations de gaz, d'électricité, de pétrole* (⇒ **Pipeline**), *d'eau potable* (⇒ **Borne, griffon, puits** [puits filtrant]) ; *des
eaux d'arrosage, des eaux de rebut* (⇒ **Égout, tout-à-l'égout**).
Coups de bélier dans une canalisation d'eau.* — *Il faut refaire les
canalisations.* ⇒ **Plomberie.**
Une canalisation : un tuyau, un conduit, un tube destiné au transport d'un fluide et faisant partie d'un ensemble.

♦ **4.** Fig. Fait de canaliser, de diriger dans un sens déterminé.
La canalisation des informations. — (Concret). *La canalisation des
troupeaux* (→ Canidés, cit.).
Spécialt. Orientation et distribution des courants de la circulation
routière, grâce à des couloirs spécialement aménagés (signalisation
horizontale de la chaussée, etc.).

CANALISER [kanalize] v. tr. — 1829 ; attestation isolée, « enfermer
comme dans un canal », 1585 ; de *canal.*

♦ **1.** (1842). Rendre (un cours d'eau) navigable. *Canaliser le Rhin
au moyen d'épis* ou de canaux latéraux.*

♦ **2.** Sillonner (une région) de canaux. *Les Flandres, la Hollande,
terres que des générations ont canalisées.*

♦ **3.** Techn. Transporter à distance (un liquide, un fluide : eau, gaz,
pétrole, électricité). — REM. Cet emploi est rare.

♦ **4.** (1838). Fig. Empêcher de se disperser, diriger dans un sens
déterminé. ⇒ **Centraliser, concentrer, diriger, grouper, réunir.** *Canaliser la foule, le flot des spectateurs. Canaliser la circulation.
Canaliser les recherches, les demandes.*

1   Le progrès de la matière vivante consiste dans une différenciation des fonctions
    qui amène la formation d'abord, puis la complication graduelle d'un système ner-
    veux capable de canaliser des excitations et d'organiser des actions (...)
                        H. BERGSON, Matière et Mémoire, p. 278.

2   Un artiste doit capter son génie ; il ne lui permet pas de s'éparpiller, au hasard.
    Canalise sa force.   R. ROLLAND, Jean-Christophe, t. IX, p. 303.

3   (...) il garde une chance, si minime qu'elle soit, de tempérer la politique du maître
    ou tout au moins de la canaliser.   Louis MADELIN, Talleyrand, II, IX, p. 105.

4   C'est de même façon que, dans sa phase catholique, Rome disciplinait, canali-
    sait, en le libérant de sa source juive, le courant initial de l'Évangile.
                        André SIEGFRIED, l'Âme des peuples, conclusion, p. 196.

5   (Ils) demeurent dans l'attente de ce qui va se passer, tandis que gendarmes et
    hommes de police tentent de canaliser voitures et camions pour éviter le complet
    embouteillage.   Michel LEIRIS, Frêle bruit, p. 71.

▶ **CANALISÉ, ÉE** p. p. adj. *Fleuve canalisé. La partie canalisée* du Saint-Laurent. — Circulation canalisée. — «Agitation savamment canalisée» (Georges Sorel, in T. L. F.).

CONTR. Disperser, diverger (faire), éparpiller.
DÉR. Canalisable, canalisateur, canalisation.

CANAMELLE [kanamɛl] n. f. — 1715; cannamelle, 1611; lat. médiéval can(n)amella, de canna «canne», et mel «miel».

♦ Bot. (vieilli). Canne* à sucre.

CANANÉEN, ÉENNE [kananeɛ̃, eɛn] adj. et n. m. — Fin XVIIᵉ; chananens, v. 1235; de C(h)anaan.

♦ Didact. Du pays de Canaan (Palestine et Phénicie).

N. m. Groupe de langues sémitiques (ougaritique, phénicien, hébreu) formant, avec l'arménien, le sémitique occidental (groupe du Nord).

CANAPÉ [kanape] n. m. — 1648; conopé «rideau de lit», v. 1180; lat. conopeum «moustiquaire; sorte de lit entouré d'une moustiquaire»; grec kônôpeion, de kônôps «moustique».

♦ **1.** Siège* à dossier où plusieurs personnes peuvent s'asseoir ensemble. ⇒ **Méridienne, sofa.** Canapé garni de coussins. Canapé de cuir, de tissu. Canapé à deux places. ⇒ **Causeuse, tête-à-tête.** Canapé oriental. ⇒ **Ottomane.** Canapé de forme circulaire. S'étendre, se glisser (→ Pointe, cit. 15) sur un canapé. — Canapé-lit transformable. ⇒ **Convertible.** Tu dormiras sur le canapé du salon.

1   Le canapé, clouté d'or, revêtu de velours grenat, reposait sur des pattes incurvées.
                                        H. BOSCO, Un rameau de la nuit, p. 98.
2   Les deux hommes s'assirent sur un petit canapé à deux places, dans un coin de l'atelier, sous un dais d'étoffes orientales, et, se reprenant les mains avec des airs attendris, ils se les serrèrent de nouveau.
                                        MAUPASSANT, Fort comme la mort, éd. 1889, p. 168.

♦ **2.** (1787). Cuis. Tranche de pain de mie frais ou grillé sur laquelle on dresse certains mets. Canapé de bécasses. Canapés pour hors-d'œuvre, pour un buffet. — Loc. ... SUR CANAPÉS : présenté sur des canapés. Œufs sur canapés.

CANAQUE [kanak] adj. et n. — 1878; ling., 1867; mot polynésien kanaka «homme».

♦ **1.** Adj. Relatif aux populations autochtones du Pacifique (Nouvelle-Calédonie, Nouvelles-Hébrides, etc.). Les mœurs canaques. « Moi aussi, je suis pour l'indépendance. Car la France va nous abandonner comme elle a lâché l'été dernier les Français des Nouvelles-Hébrides. Plus personne n'investit ici. Le chômage s'étend et avec lui le nombre des partisans de l'indépendance canaque» (le Nouvel Obs., 2-8 févr. 1981).

REM. Dans ce sens, on emploie de plus en plus la graphie moins francisée kanaque ou kanake.

(...) les débats de ce congrès (le Xᵉ congrès de l'Union calédonienne) ont mis l'accent sur le thème de l'indépendance kanake à propos de laquelle M. Jean-Marie Tchibaou, vice-président de l'Union calédonienne, a déclaré : «Le pays colonisé, c'est le pays kanake. C'est donc le peuple indigène, seul peuple légitime de ce pays, qui est colonisé et qui se trouve en droit de revendiquer son bien.»
                    l'Union calédonienne et l'Indépendance kanake, in le Monde, 7 sept. 1979.

♦ **2.** N. m. Ensemble des langues parlées par les Canaques.

♦ **3.** (1899). Fam. et vx (péj. et raciste). Sauvage, individu grossier. «Nous ne sommes pas des canaques» (Léon Daudet, in T. L. F.).

CANARD [kanaʀ] n. m. — 1487; quanart, XIIIᵉ; surnom masculin, 1190; probablt du même rad. onomatopéique que l'anc. franç. caner «caqueter» (XIIIᵉ), et suff. -ard, d'après malard.

★ **I.** ♦ **1.** Oiseau palmipède (Anatidés) au bec jaune, large, aux ailes longues et pointues ornées d'un miroir (B., 4.), aux pattes palmées (in sc. : anas). Femelle du canard; un canard femelle. ⇒ **Cane.** Petit du canard. ⇒ **Caneton; canardeau** (rare). Le dandinement du canard. Le canard est aquatique. Le canard barbote, nage, plonge. Mare aux canards. ⇒ **Barbotière, canardière.** Cri du canard. ⇒ **2. Cancaner; nasiller.** Élevage du canard domestique. ⇒ **Canarderie.** Canard sauvage. Vol de canards sauvages. Mâle du canard sauvage. ⇒ **Malard.** Jeune canard sauvage. ⇒ **Halbran.** Le nyroque (nyroca), canard plongeur. ⇒ **Milouin, morillon.** Canard hollandais. ⇒ **Tadorne.** Produit du canard musqué (au plumage sombre) et du canard commun. ⇒ **Mulard.** Canard qui fournit le duvet à édredon. ⇒ **Eider.** Canard migrateur, voyageur. ⇒ **Macreuse, pilet, souchet.** Oiseaux voisins du canard. ⇒ **Harle, sarcelle.** Chasse aux canards (→ Abriter, cit. 6). Long fusil pour tirer les canards. ⇒ **Canardière.**

REM. Si le contexte ne s'y oppose pas et en l'absence d'adj. épithète, canard signifie en général «canard domestique». Un vol de canards (pour : de canards sauvages) peut se dire, mais risque d'être mal interprété hors contexte.

Demeurez au logis, ou changez de climat :
Imitez le canard, la grue et la bécasse.   LA FONTAINE, Fables, I, 8.   1

(...) quand je le voyais, les jours de promenade, se dandiner à la queue de la colonne avec la grâce d'un jeune canard (...)   2
                                        Alphonse DAUDET, le Petit Chose, I, VI.

Canard domestique (destiné à l'alimentation humaine). Canard rôti. Canard aux navets, aux olives, à l'orange. Canard au sang. Canard laqué* (plat chinois). Canard pékinois. Aiguillettes de canard. Pâté de canard. Magret* de canard. Omelette aux foies de canard. — Aiguillettes, pâté de canard sauvage.

(...) un extraordinaire canard à l'orange, avec sauce au curaçao épaissie de foies   3
de volailles pilés (...)   GIDE, Journal, 10 janv. 1943.

Œuf de canard (ou de cane) :

Peut-on dire : des œufs de canard? Sans doute on dira plus exactement : des   4
œufs de cane. Toutefois, si l'on observe que canard ne désigne pas proprement le mâle, mais l'espèce, on reconnaîtra que l'expression des œufs de canard n'est pas absurde comme : des œufs de coq. L'Académie écrit avec raison (au mot Œuf) : Œuf de poule, de canard, de pigeon.
                    J. HANSE, Nouveau dict. des difficultés du franç. moderne, art. Canard.

Spécialt. Canard mâle (par oppos. à cane) et adulte (par oppos. à caneton, canardeau).

♦ **2.** Fam. Marcher comme un canard. ⇒ **Dandiner** (se dandiner, supra cit. 2); 1. **caneter** (vx). — Marcher en canard, les pieds en canard, la pointe des pieds tournée vers l'extérieur.

Ou bien, il s'exerçait à marcher comme Charlot, les pieds en canard, en faisant   4.1
tourner une badine imaginaire.   R. SABATIER, les Allumettes suédoises, p. 189.

(1696). Mouillé, trempé comme un canard, très mouillé. Plonger, nager comme un canard, avec une aisance parfaite. — Ça ne casse pas trois pattes à un canard : cela n'a rien de bien remarquable; c'est assez médiocre. Il n'a pas trois pattes à un canard : il n'a rien fait d'extraordinaire. — Glisser comme l'eau sur les plumes d'un canard (en parlant d'événements, de comportements désagréables) : laisser indifférent. — Être comme une poule qui a couvé des canards : être étonné, voire déçu par qqn que l'on croyait bien connaître. — Canard boiteux : personne dépourvue de dons, de capacités, mal adaptée à la collectivité dans laquelle elle vit. — Par ext. Entreprise peu rentable, qui rencontre des difficultés à affronter la concurrence. Ce groupe industriel s'est séparé de sa filiale à l'étranger, qui n'était qu'un canard boiteux. Pas de pitié pour les canards boiteux! — Il ne faut pas prendre les enfants du bon Dieu pour des canards sauvages : il ne faut pas prendre les autres pour des naïfs, des sots.

FROID DE CANARD : froid très vif (les passages de canards sauvages ont lieu aux grands froids).

Et le cochon coûtait au kilo, les œufs vingt et un francs la pièce   4.2
et le vin, je le répète, deux cents francs la bouteille. Supplémentairement, il faisait un froid de canard, quatre au-dessous dans l'appartement, et pas de bois, pas de charbon non plus.   M. AYMÉ, le Vin de Paris, p. 105.

(Terme d'affection). Mon canard, mon petit canard.

★ **II.** (1840). Fig. Morceau de sucre trempé dans une liqueur, dans du café. Prendre un canard.

Il plongea un sucre dans son verre et lui sourit : «Je réponds à son sourire»,   4.3
raconte l'auteur. Il plongea alors un second sucre dans son kirsch et l'espace de quelques secondes tendit imperceptiblement sa main dans ma direction. Vraisemblablement il souhaitait que je goûte le «canard» qu'il avait préparé à mon intention.   M. TOURNIER, le Vent Paraclet, p. 217.

★ **III.** ♦ **1.** (1834). Par anal. (avec le cri du canard). Son criard, fausse note faite en chantant ou en jouant d'un instrument de musique. ⇒ **Couac.**

Par anal. (avec la forme du bec du canard). Méd. Tasse à long bec qui permet de donner à boire à un malade alité. L'infirmière lui a tendu le canard.

♦ **2.** (V. 1750). Fig. et fam. (Vieilli). Fausse nouvelle lancée dans la presse pour abuser le public. ⇒ **Bobard, bruit** (faux bruit). Ce n'est qu'un canard. Lancer des canards.

Le canard est une nouvelle quelquefois vraie, toujours exagérée, souvent fausse   4.4
(...) Le canard remonte à la plus haute antiquité. Il est la clef de l'hiéroglyphe. Il est le verbe de ses phrases énigmatiques. Les histoires de tous les peuples ont commencé par des canards. Le canard est la base des religions.
                    NERVAL, in P. GINISTY, Anthologie du journalisme, t. I, p. 306.

(1842). Par ext. Journal de peu de valeur.

En dehors de ces articles, on imprime, chaque jour, dans une foule de petits   5
canards, des notes plus ou moins venimeuses, plus ou moins menaçantes (...)
                    G. DUHAMEL, Chronique des Pasquier, VIII, p. 455.

Journal (quelconque). Prête-moi ton canard, ton journal.

Celui-ci, après avoir plié les bandes de je ne sais quel canard, est au contrôle d'un   6
petit théâtre des boulevards (...)   Ed. et J. DE GONCOURT, Journal, mai 1856.

Spécialt. Le Canard enchaîné, titre d'un journal satirique.

(...) mais à mesure qu'apparaît plus nettement à travers les caricatures et les textes   7
du journal, un «canard déchaîné» que vous êtes au moment de devenir et que vous semblez ne maîtriser qu'avec peine, je m'inquiète alors et je m'interroge (...)
                    F. MAURIAC, le Nouveau Bloc-notes 1958-1960, p. 288
                                        (Lettre au Canard enchaîné).

★ **IV.** Adj. invar. Chien canard : barbet à poil épais et frisé qu'on dresse pour la chasse aux canards. Bois canard : morceau de bois flotté qui va au fond ou s'arrête sur les bords du cours d'eau.

Mar. *Bâtiment canard :* navire qui plonge facilement par l'avant et se relève avec peine, qui canarde* (II., 2.), par suite d'un vice de construction ou de chargement.

(1926). *Bleu canard :* bleu vert.

DÉR. Canardeau, canarder, canarderie, canardière.

CANARDEAU [kanaʀdo] n. m. — 1547 ; repris 1820 ; de *canard.*

♦ Rare. Jeune canard (plus âgé que le *caneton*).

CANARDÉE [kanaʀde] n. f. ⇒ **Canarder** (II., 3.).

CANARDEMENT [kanaʀdəmɑ̃] n. m. — 1942, Gide ; de *canarder.*

♦ Fam. et rare. Action de canarder (I.).

CANARDER [kanaʀde] v. — 1578 ; de *canard.*

★ **I.** V. tr. (Fam.). Tirer, faire feu sur..., d'un lieu où l'on est à couvert (comme dans la chasse aux canards). ⇒ **Tirer.**

1 Il passa la rivière malgré ces arquebusiers qui le canardaient dans l'eau.
D'AUBIGNÉ, Vie, 15, *in* LITTRÉ.

2 Ils *(les Allemands)* boutèrent le feu aux quatre coins des immeubles (...) puis, postés devant les portes, canardaient qui voulait sortir.
GIDE, Journal, Août 1914.

3 Il n'y a pas un travailleur allemand qui souhaite quitter sa femme, ses enfants, son métier, pour prendre un fusil et canarder des travailleurs français !
MARTIN DU GARD, les Thibault, t. VII, p. 124.

(Cour.). *Se faire canarder :* se faire tirer dessus. *Se canarder :* se tirer l'un (les uns) sur l'autre (les autres).

4 Un magasin d'armes éventré fournit quelques centaines de revolvers et de fusils aux émeutiers. Bientôt les coups de feu claquent. Sur le standard radiophonique du quartier général de la police, les appels se font de plus en plus pressants : «On se fait canarder. Peut-on riposter?»
l'Express, 24-30 juil. 1967.

Absolt. *Ils s'étaient planqués pour canarder.*

★ **II.** V. intr. ♦ **1.** (1826). Mus. Faire une fausse note, un canard (III.), un couac. *Ce clairon canarde.*

♦ **2.** (1819). Mar. Plonger par l'avant et embarquer de l'eau, en parlant d'un navire.

♦ **3.** (XIXᵉ, «plonger», Genève). Régional (Suisse). Tomber en glissant (dér. : *canardée*).

DÉR. Canardement.

CANARDERIE [kanaʀdəʀi] n. f. — 1800, Boiste ; de *canard.*

♦ Agric. (rare). Lieu où l'on élève des canards (J. Aicard, *in* G. L. L. F.).

CANARDIÈRE [kanaʀdjɛʀ] n. f. — 1665 ; de *canard.*
Technique (chasse) ou régional.

♦ **1.** Mare pour les canards. — (1690). Lieu disposé pour la chasse au canard sauvage.

♦ **2.** (1794). Long fusil pour tirer de loin les canards sauvages.

On m'accorde le droit de canne et de canotage, en échange des roseaux qui, j'ai bien compris, attireront l'acheteur-sud s'il aime manier la canardière.
Hervé BAZIN, Cri de la chouette, p. 162.

1. CANARI [kanaʀi] n. m. — 1583 ; *canarin,* 1576 à 1851 ; esp. *canario* «serin des Canaries».

♦ Serin des Canaries *(Fringillidés),* petit oiseau passeriforme, à la livrée jaune et brun olivâtre. *Chant du canari. Canaris en cage.*
Par compar. *Chanter, babiller comme un canari.*

Adj. (toujours invariable et postposé). *Un gilet canari,* de la couleur jaune du canari. *Jaune canari :* jaune tirant sur le vert. *Des gilets d'un jaune canari,* ou *jaune canari (jaune* étant adjective).

Nous observons longuement l'extraordinaire travail de la mouche-maçonne (celleci à l'étranglement de son abdomen jaune canari, et non noir comme l'espèce la plus commune). En quelques minutes, elle a complètement muré une araignée dans l'alvéole de terre où elle l'avait forcée d'entrer.
GIDE, Voyage au Congo, *in* Souvenirs, Pl., p. 770.

HOM. 2. Canari.

2. CANARI [kanaʀi] n. m. — 1664 ; *canary,* 1673 ; galibi (langue indienne d'Amérique du Sud), *canáli* «terre» puis «poterie».

♦ En franç. d'Afrique. Récipient, généralement de terre cuite. *Des canaris d'eau potable.*

1 Les jeunes filles, armées de canaris, se suivaient à la queue-leu-leu sur le sentier tortueux de la fontaine.
K. FODÉBA, Aube africaine,
in Panorama de la littérature négro-africaine, p. 94.

2 De près, ce n'est qu'un égout dégageant des puanteurs de latrines. Les femmes

des maisons riveraines vont y déverser de pleins canaris d'immondices. Le plus ravissant des cloaques !
Roger VERCEL, l'Île des revenants, p. 128.

HOM. 1. Canari.

CANASSON [kanasɔ̃] n. m. — 1866 ; altér. péj. de *canard* «mauvais cheval», et suff. *-asson.*

♦ Fam. Mauvais cheval. ⇒ **Rosse.** — Par ext. Tout cheval (→ Bidard, cit.). *Il élève des chouettes canassons, de vrais pur-sang !*

1 (...) un vieux cocher à carrick, qui conduisait une haridelle boiteuse, ou, pour parler plus proprement, un horrible canasson.
FRANCE, la Vie en fleur, XXIX, p. 337.

2 Vends tes canassons et tes cochons de lait, et laisse-moi tranquille !
COLETTE, Julie de Carneilhan, p. 17.

CANASTA [kanasta] n. f. — V. 1945 ; mot esp. d'Uruguay, «corbeille», de *canastillo* «petit panier», du lat. *canistellum,* de *canistrum* «panier».

♦ Jeu de cartes (deux jeux de cinquante-deux cartes et quatre jokers) qui consiste à réaliser des séries de sept cartes de même valeur, et qui se joue en équipes. *Jeu de canasta.*

Dès le soir de son arrivée, la dame avait révolutionné l'hôtel, faisant arrêter les ventilateurs, fermer les fenêtres de la mezzanine (...) portant sur les nerfs des joueurs de bridge ou de canasta et ceux ne pipaient mot, trop galants pour protester (...)
B. CENDRARS, Noël aux quatre coins du monde, *in* Trop c'est trop, p. 147.

Par ext. La série de sept cartes de même valeur, à ce jeu. *Canasta parfaite. Canasta imparfaite :* série constituée de cartes naturelles et d'un maximum de trois cartes volantes (joker, etc.) remplaçant n'importe quelle carte.

CANCALE [kɑ̃kal] n. f. — 1891 ; de *Cancale,* ville d'Ille-et-Vilaine.

♦ Huître élevée dans la baie de Cancale. *Des cancales. Une douzaine de cancales.*

1. CANCAN [kɑ̃kɑ̃] n. m. — 1821 ; collectif, «grand bruit à propos de quelque chose», v. 1640 ; *quanquan de collège,* 1554 ; lat. *quanquam* «quoique», avec l'anc. prononc., conjonction souvent employée dans les débats d'école.

♦ (Souvent au plur.). Bavardage calomnieux, propos empreint de médisance, de malveillance. ⇒ **Bavardage, clabaudage, papotage,** (cit. 2), **potin, racontar, ragot.** *Des cancans de commère, les cancans des commères. Faire, dire des cancans (sur qqn).* → Casser du sucre* sur le dos de quelqu'un. *Colporter, faire courir, rapporter des cancans. Ce ne sont que des cancans sans fondement.*

1 Il se décida à louer une place au pavillon de la volaille, uniquement pour se distraire, pour occuper ses journées vides des cancans du marché. Alors, il vécut dans des jacasseries sans fin, au courant des plus minces scandales du quartier.
ZOLA, le Ventre de Paris, t. I, p. 96.

2 (...) et maintenant les gens vont hocher la tête, faire des cancans (...)
BERNANOS, la Joie, *in* Œ. roman., Pl., p. 723.

DÉR. 1. Cancaner, cancanier, cancanerie.
HOM. 2. Cancan.

2. CANCAN [kɑ̃kɑ̃] n. m. — 1829 ; de *cancan,* nom enfantin, «canard», réduplication de *can* et onomatopée, par analogie avec le dandinement du canard.

♦ Danse excentrique et tapageuse (quadrille), à la mode vers 1830 dans les bals publics.

1 Que dire du quadrille, du cancan? Ces pauvres trémoussements ont eu leur heure de gloire (...)
Francis DE MIOMANDRE, Danse, p. 37.

2 Vient un moment
Où, plein d'élan,
Vous risquez un léger cancan (...)
— Le cancan!... qu'est-ce que c'est que ça? (...)
— C'est une danse sans façon...
— Pauvre garçon (...)
LABICHE, Deux merles blancs, III, 5.

FRENCH CANCAN («cancan français»), dansé par des «girls» françaises dans certains cabarets, par référence au spectacle traditionnel du Montmartre de 1900. *Aller voir danser le french cancan au Moulin Rouge.*

DÉR. 3. Cancaner.
HOM. 1. Cancan.

CANCANAGE [kɑ̃kanaʒ] n. m. — 1834 ; «période où le perroquet apprend à parler» ou «lieu où l'on élève les perroquets», 1654 ; de 1. *cancaner.*

♦ Rare. Action de cancaner ; ensemble de cancans. ⇒ **Cancanerie.**

1. CANCANER [kɑ̃kane] v. intr. — 1829 ; de 1. *cancan.*

♦ Faire des cancans, des ragots (→ Papoter, cit. 1). *Trouver du plaisir à cancaner, à médire.*

Il était le seul homme du marché. Il avait la langue tellement longue, qu'après s'être fâché avec les cinq ou six filles qu'il prit successivement pour tenir sa boutique, il se décida à vendre sa marchandise lui-même, disant naïvement que ces pécores passaient leur sainte journée à cancaner et qu'il ne pouvait en venir à bout.
ZOLA, le Ventre de Paris, t. I, p. 97.

DÉR. Cancanage.
HOM. 2. **Cancaner,** 3. **cancaner.**

2. CANCANER [kɑ̃kane] v. intr. — 1654, en parlant des perroquets ; de *cancan,* nom enfantin du canard. → 2. Cancan.

♦ Rare. Pousser son cri, en parlant du canard.

Par comparaison :
Ahuri, tétanisé de tics, fragile comme une fleur de serre, cancanant comme trente canards, Jerry Lewis les fit pâmer de rire.
Jean-Louis CURTIS, le Roseau pensant, p. 376.

HOM. 1. **Cancaner,** 3. **cancaner..**

3. CANCANER [kɑ̃kane] v. intr. — 1838 ; de 2. *cancan.*

♦ Vieilli. Danser le cancan. — REM. L'homonymie avec 1. *cancaner* « faire des cancans » a éliminé ce mot, alors que *chahuter** s'est maintenu.

HOM. 1. **Cancaner,** 2. **cancaner.**

CANCANERIE ou CANCANNERIE [kɑ̃kanʀi] n. f. — 1836, G. Sand ; de 1. *cancan.*

♦ Rare. Action de cancaner. ⇒ **Cancanage,** 1. **cancaner.**

CANCANIER, IÈRE [kɑ̃kanje, jɛʀ] adj. et n. — 1834, n. ; de 1. *cancan.*

♦ Qui fait, qui rapporte des cancans, des ragots. *Des gens très cancaniers.* — N. *C'est un cancanier, une cancanière.* ⇒ **Commère.**
Dès neuf heures, tout le menu peuple du Marais — cette province cancanière — attendait aux fenêtres, aux portes, dans la rue, le passage des cabotins.
Alphonse DAUDET, Fromont jeune et Risler aîné, p. 271.

HOM. (Du masc.) Formes des v. 1., 2. et 3. **cancaner.**

CANCEL [kɑ̃sɛl] n. m. — Mil. XIIᵉ ; lat. *cancellus* « barreau » ; → (var.) Chancel.

♦ **1.** Vx. Dans une église, Balustrade qui ferme le chœur. — Var. (vieillie) : *chancel.*

♦ **2.** (1845). Hist. Lieu entouré d'une balustrade où était disposé le grand sceau de l'État. — Var. : *chancel.*

HOM. Formes des v. 1. et 2. **Canceller.**

CANCELLARIAT [kɑ̃selaʀja] n. m. — 1829 ; du rad. du lat. *cancellarius.* → Chancelier.

♦ Didact. (hist.). Dignité de chancelier.

1. CANCELLER [kɑ̃sele] v. tr. — Fin XIVᵉ ; *chanceler,* 1293 ; lat. *cancellare* « disposer en treillis ; rayer ».

♦ Dr. (vx). Annuler (un acte) en le raturant par des croix ou en le lacérant. *Canceller et annuler des documents.*

▶ **CANCELLÉ, ÉE** p. p. adj. (1808).
Biol., zool. Réticulé.

HOM. 2. **Canceller.**

2. CANCELLER [kɑ̃sele] v. tr. — V. 1970 ; angl. *to cancel* « supprimer, annuler ».

♦ Anglic. (très critiqué). Annuler, supprimer.
REM. Ne s'emploie que dans le franglais des transports aériens. *Le vol de 17 heures pour New York a été cancellé.*

HOM. 1. **Canceller.**

CANCER [kɑ̃sɛʀ] n. m. — 1372, « signe du Zodiaque » ; lat. *cancer, cancri* « crabe, écrevisse ». → 1. Cancre, chancre.

★ I. ♦ **1.** Vx. Crabe ; crustacé à pinces.

♦ **2.** Astron. Constellation zodiacale de l'hémisphère boréal figurant un crabe. *Tropique du Cancer* : tropique Nord.
Astrol. Quatrième signe du zodiaque*, correspondant à la période du 22 juin au 22 juillet. — Ellipt. *Elle est cancer* : elle est née sous le signe du cancer.

★ II. (1478 ; le sens a évolué de « maladie rongeante » [→ Chancre] à « tumeur », puis s'est spécialisé [fin XIXᵉ] au sens de « néoplasme »).

♦ **1.** Cour. Tumeur ayant tendance à s'accroître, à détruire les tissus voisins et à donner d'autres tumeurs à distance de son lieu d'origine *(métastases*).* ⇒ **Tumeur** (maligne) ; et aussi **carcinome, épithéliome, néoplasme, sarcome, squirrhe.** *Cancer du sein ; de l'estomac.*
(...) un cancer du sein, qui la faisait beaucoup souffrir, ne lui permettant plus d'écrire elle-même.   ROUSSEAU, les Confessions, II.
Méd. et cour. (l'idée de tumeur n'étant plus essentielle). État pathologique (et non pas : maladie) caractérisé par des lésions (cellulaires ou tissulaires) résultant d'une prolifération non contrôlée par l'organisme. *Vie cachée, développement d'un cancer. Prendre, déceler un cancer à son premier stade, à temps. Dissémination à distance d'un cancer.* ⇒ **Métastase.** *Symptomatologie, diagnostic du cancer,* par examen histologique, biopsie. *Pronostic et choix thérapeutique en matière de cancer* (système *T. N. M.* : étude des tumeurs, état des nodules, existence de *métastases). Facteurs pouvant favoriser les cancers* (⇒ **Cancérogène**) ; *facteurs chimiques, physiques, viraux, génétiques du cancer. Traitements, thérapeutiques du cancer :* chirurgie (exérèse), traitement par radiations (radiothérapie, bombe au cobalt*). ⇒ **Bêtathérapie, curiethérapie**), chimiothérapie, immunothérapie. — *Cancer de la gorge, de la langue, de l'estomac, du foie, de la prostate... Cancer du sang.* ⇒ **Leucémie.** *Cancer généralisé. — Avoir un cancer. Il s'est arrêté de fumer par peur du cancer. Être soigné pour un cancer. — Le cancer de qqn, son cancer. Son cancer est guéri.*

Par comparaison :
(...) ce désir était comme un cancer qui la minait.
FLAUBERT, Bouvard et Pécuchet, p. 274.

♦ **2.** (Av. 1755). Fig. Ce qui ronge, détruit.
Le luxe est une plaie qui est devenue le cancer intérieur qui ronge tous les particuliers.   SAINT-SIMON, Mémoires, 411, 147, *in* LITTRÉ.
Le cancer de la jeunesse, c'est ce doute sur soi-même. On passe probablement sa vie à s'espérer capable d'autre chose que ce qu'on fait. Mais finalement, au jour de sa mort, on est désespérément réduit à ses actes.
Benoîte et Flora GROULT, Journal à quatre mains, p. 127.
Ce qui prolifère de manière anormale et dangereuse.
Comment guérir la concupiscence ? Elle n'est jamais limitée à quelques actes : c'est un cancer généralisé ; l'infection est partout.
F. MAURIAC, Souffrances et Bonheur du chrétien, p. 92.
Spécialt. Extension d'une influence, d'un pouvoir jugés néfastes. « *Le rapporteur conclut en proposant qu'un groupe de travail recense les manifestations du "cancer" administratif et détermine les entraves qu'il conviendrait d'éliminer en priorité* » (*le Monde,* 5 janv. 1968).

DÉR. **Cancéreux, cancérisation, cancériser.** — V. aussi **cancéri-, cancéro-, carcino-.**

CANCÉREUX, EUSE [kɑ̃seʀø, øz] adj. — 1743 ; bas lat. *cancerosus,* de *cancer.* → Cancer.

♦ **1.** De la nature du cancer. *Tumeur cancéreuse* (maligne*). *Heureusement, ce n'est pas cancéreux.* — *Tissu cancéreux,* proliférant. *Cellule cancéreuse* (anomalie des mitoses, de la synthèse protéique).

♦ **2.** Qui est atteint d'un cancer. *Organisme cancéreux.*
N. (1845). *Un, des cancéreux.*

♦ **3.** Littér. Qui évoque, d'une certaine manière, le cancer.
L'odeur cancéreuse du canal faisait flaques dans une nuée verdâtre nourrie des eaux mortes (...)   B. CENDRARS, Bourlinguer, Rotterdam, Folio, p. 316.

♦ **4.** Fig. Qui prolifère d'une façon malsaine et dangereuse.
C'est bien connu que je n'approuve pas les prix, que je les rends responsables de cette prolifération cancéreuse dont souffre la librairie.
F. MAURIAC, le Nouveau Bloc-notes 1958-1960, p. 270.

COMP. **Anticancéreux.**

CANCÉRI- ⇒ Cancéro-.

CANCÉRIGÈNE [kɑ̃seʀiʒɛn] adj. et n. m. — V. 1920 ; de *cancéri-,* et *-gène.*

♦ **1.** Adj. Capable de provoquer une tumeur maligne, un néoplasme. *Action cancérigène de certains virus, de substances chimiques.* ⇒ aussi (didact.) **Carcinogène.** — REM. L'Académie des Sciences recommande *cancérogène*.*

♦ **2.** N. m. L'élément, le facteur capable de provoquer un cancer (virus, etc.).
Plus longue est la durée pendant laquelle les cellules sont soumises au cancérigène et plus grande est leur différence avec les cellules dont elles proviennent. On voit apparaître des cellules géantes et des mitoses aberrantes.
Jean VERNE et Simone HÉBERT, la Culture des tissus, p. 111.

CONTR. **Anticancéreux.**

CANCÉRISATION [kɑ̃seʀizasjɔ̃] n. f. — 1865 ; attestation isolée, 1845 ; répandu v. 1920 ; de *cancer,* et *-isation.*

♦ Méd. Transformation (d'une tumeur bénigne) en cancer. *La cancérisation possible d'un ulcère de l'estomac.*

CANCÉRISER (SE) [kãseʀize] v. pron. — Mil. xxᵉ; au p. p., *cancérisé*, v. 1920; de *cancer*, et *-iser* (*cancérisation* est antérieur).

♦ Méd. Subir une cancérisation.

▶ **CANCÉRISÉ, ÉE** p. p. adj.
Qui a subi une cancérisation. *Tumeur bénigne cancérisée.*

CANCÉRO-, CANCÉRI- Premier élément de composés savants signifiant « relatif au cancer ». — Ex. : *cancérogène* (ou *cancérigène*), *cancérologie*, *cancérophobie*. ⇒ aussi **Cancérologue.**

CANCÉROGÈNE [kãseʀɔʒɛn] adj. et n. m. — V. 1960; de *cancero-*, et *-gène*.

♦ **1.** Adj. Qui peut provoquer un cancer. ⇒ **Cancérigène, cancérogénique, carcinogène, oncogène.** « *(...) les risques cancérogènes que font courir aux malades, porteurs de greffes d'organes, les traitements immunodépressifs chroniques, malheureusement indispensables à la survie du greffon* » (*la Recherche*, n° 41, janv. 1974, p. 79).

♦ **2.** N. m. L'élément, le facteur cancérogène. « *Des expériences faites sur des animaux ont montré l'effet protecteur du sélénium lors de traitements par des cancérogènes chimiques* » (*la Recherche* n° 42, févr. 1974, p. 167).

ʀᴇᴍ. La forme *cancérogène* est préférée à *cancérigène** par l'Académie des Sciences.

ᴅÉʀ. **Cancérogénique.**

CANCÉROGENÈSE [kãseʀɔʒenɛz; kãseʀɔʒenɛz] n. f. — Mil. xxᵉ (attesté 1979, ci-dessous); de *cancéro-*, et *-genèse*.

♦ Didact. Processus de formation du cancer. ⇒ **Carcinogenèse.** « *C'est à sir Perceval Pott en Angleterre que l'on doit une des premières (sinon première) notions de cancérogenèse chimique (...) Parallèlement aux recherches menées sur la cancérogenèse chimique, l'hypothèse virale de certains cancers a été énoncée au début du siècle par un élève de Pasteur* » (*la Recherche*, n° 100, mai 1979, p. 436).

CANCÉROGÉNIQUE [kãseʀɔʒenik] adj. — 1946; de *cancérogène*.

♦ Méd. Syn. de *cancérogène* (1.). « *Le pouvoir cancérogénique (...) d'un virus ne tient pas seulement à son affinité pour un type déterminé de cellules qu'il viendrait à infecter* » (*le Monde*, 15 oct. 1966).

CANCÉROLOGIE [kãseʀɔlɔʒi] n. f. — 1920; de *cancéro-*, et *-logie*.

♦ Didact. Étude du cancer. ⇒ **Carcinologie, oncologie.** — ʀᴇᴍ. *Cancérologie* et ses dérivés sont hybrides (radical latin, et élément *-logie*, du grec), mais plus clairs que *carcinologie*, employé aussi en zoologie. « *(...) le B. C. G. qui fait actuellement l'objet d'une expérimentation très active en cancérologie et auquel on attribue un pouvoir d'activation des défenses individuelles contre le cancer* » (*Science et Vie*, janv. 1967). *Le service de cancérologie d'un hôpital.*

ᴅÉʀ. **Cancérologique.**

CANCÉROLOGIQUE [kãseʀɔlɔʒik] adj. — 1965; de *cancérologie*.

♦ Didact. Relatif au cancer, à la connaissance du cancer. *Études cancérologiques. Recherche cancérologique.*

CANCÉROLOGUE [kãseʀɔlɔg] n. — 1920; de *cancéro-*, et *-logue*, d'après *cancérologie*.

♦ Spécialiste du cancer, des recherches sur le cancer. ⇒ **Carcinologue, oncologue.** *Elle est cancérologue dans un grand hôpital.* « *(...) le congrès le plus éprouvant de l'année. En effet, durant une semaine et à l'intention de plus de 6 000 cancérologues représentant 63 nations, 2 000 rapporteurs firent éclater simultanément leurs travaux* » (*Science et Vie*, janv. 1967).

CANCÉROPHOBIE [kãseʀɔfɔbi] n. f. — 1954; de *cancéro-*, et *-phobie*.

♦ Didact. Phobie du cancer. « *Rien, d'ailleurs, n'illustre mieux la propagation extraordinaire de cette cancérophobie que la faveur avec laquelle sont accueillies les spécialités pharmaceutiques sup-*

posées douées d'une action préventive contre le cancer » (*les Temps modernes*, n° 98, janv. 1954, p. 1153).

CANCHE [kãʃ] n. f. — 1783; orig. inconnue; p.-ê. à rapprocher de *ganne* «graminée des bois», et du normand *guinche, ganche* «herbe sèche des forêts».

♦ Rare ou régional. Graminée des prairies appelée scientifiquement *aira*, utilisée comme fourrage et parfois comme plante ornementale. *Canche élevée. Canche flexueuse. Canche élégante.*

CANCOILLOTTE [kãkwajɔt; kãkɔjɔt] n. f. — 1881; mot franc-comtois *coillotte* (cf. moy. franç. *caillotte* «masse de lait caillé»), de *caillot*, et *can-*, élément obscur.

♦ Fromage de Franche-Comté, à pâte molle et fermentée, fait de lait de vache écrémé et caillé mélangé à du beurre, du vin blanc et des aromates.

1. CANCRE [kãkʀ] n. m. — 1552; attestation isolée, 1265; lat. *cancer, cancri* «crabe». → Cancer.

♦ Vx. Crabe* tourteau (Bernardin de Saint-Pierre, *in* T. L. F.).

ʜᴏᴍ. 2. **Cancre.**

2. CANCRE [kãkʀ] n. m. — 1651; métaphore de 1. *cancre* (→ Crabe); lat. *cancer, cancri*. → 1. Cancre.

♦ **1.** Vx. Être qui végète, miséreux.
Vos pareils y sont misérables,
Cancres, hères et pauvres diables (...)   Lᴀ Fᴏɴᴛᴀɪɴᴇ, Fables, I, 5.   1

♦ **2.** (1740). Vx. (Par allus. aux pinces du crabe). Personne méprisable par son avarice.

♦ **3.** (1801). Mod. et cour. Écolier paresseux et nul. *Quel cancre, ce gosse! C'est un malheureux cancre, un parfait cancre. Cette fille est un cancre.*

Cancre : sorte d'écrevisse; la lenteur et la pesanteur de sa marche ont fait donner   1.1
son nom dans les collèges aux écoliers paresseux et aux jeunes gens dépourvus de
dispositions, parce qu'on suppose qu'ils se traînent paisiblement sur les traces des
autres, ou parce qu'au lieu d'avancer ils marchent à reculons.
     Cᴏᴜsɪɴ JᴀᴄQᴜᴇs, Dict. des néologismes, 1801, Moutardier, *in* D. D. L., II, 11.
(...) le surveillant d'étude qui bâille sur ses auteurs de licence, les paresseux qui   2
bâclent leur thème, et les cancres qui attrapent des mouches (...)
     Valery Lᴀʀʙᴀᴜᴅ, Fermina Marquez, VIII, 56.
Adj. Niais, imbécile. *Des élèves assez cancres, plutôt cancres. Un air cancre et ahuri.*

ᴅÉʀ. **Cancrerie.**
ʜᴏᴍ. 1. **Cancre.**

CANCRELAT [kãkʀəla] n. m. — 1775, *cancrelas*; du néerl. *kakkerlak* «blatte d'Amérique» (1675), avec attraction de *cancre*.

♦ **1.** Blatte* d'Amérique (n. sc. : *periplaneta americana*).

♦ **2.** Par métaphore. Personne sournoise et envahissante, un peu répugnante.
Et tu ne vas rien faire? Tu vas laisser ce cancrelat lui manger le foie sans rien
dire? C'est ça que tu appelles l'amitié? — Il a le droit de faire sa vie comme il
veut.   Loup Dᴜʀᴀɴᴅ, le Caïd, p. 176.

CANCRERIE [kãkʀəʀi] n. f. — 1885; de 2. *cancre*.

♦ Fam. Caractère, état du cancre (2. Cancre, 3.). *Il est d'une cancrerie absolue.* ⇒ **Nullité.**

ʀᴇᴍ. Le mot a vieilli, sans être archaïque.

Paul, au lycée, vit que des prix de gymnastique et d'escrime, se distingua sur-   1
tout par une cancrerie volontaire, entêtée, cachant un esprit pratique et le sens
précoce de la vie (...)   Alphonse Dᴀᴜᴅᴇᴛ, l'Immortel, 1888, p. 21.
« Taisez-vous donc, tas de crétins », s'écria la grosse voix toujours écoutée de Buf-   2
feteur, que l'excès de sa cancrerie avait rendu considérable (...) aux élèves (...)
     Pʀᴏᴜsᴛ, Jean Santeuil, Pl., p. 259.

CANCROÏDE [kãkʀɔid] n. m. — 1806, Alibert; du rad. du lat. *cancer, cancri* (→ Cancer), et *-oïde*.

♦ Méd. (vieilli). Épithéliome de la peau et des muqueuses siégeant surtout à la face et plus particulièrement aux lèvres. ⇒ **Epithélioma** (spino-cellulaire). — ʀᴇᴍ. Les anciens auteurs appelaient le cancroïde *noli-me-tangere* (lat. «ne me touchez pas») parce que les topiques ne font que l'irriter.

CANDELA [kãdela] n. f. — 1949; lat. *candela* «chandelle».

♦ Phys. Unité d'intensité lumineuse (symb. : cd). → (vx) Bougie* (4.) nouvelle. *La candela est « l'intensité lumineuse, dans une direction donnée, d'une source qui émet un rayonnement monochromatique de fréquence 540×10^{12} hertz et dont l'intensité énergétique* *dans cette direction est 1/683 watt par stéradian* » (*Journ. off.*, Unités de mesure, 1982). — *Candela par mètre carré :* unité de mesure de luminance lumineuse (symb. : cd/m²), équivalant à la luminance d'une source dont l'intensité lumineuse est de 1 candela et l'aire de 1 mètre carré.

CANDÉLABRE [kɑ̃delabʀ] n. m. — xiiie ; *chandelabre,* xie ; lat. *candelabrum,* de *candela* «chandelle».

♦ **1.** Grand chandelier à plusieurs branches. ⇒ **Flambeau, torchère.** *Candélabre garni de bougies, de becs de gaz, d'ampoules électriques. Clarté, lumière des candélabres* (→ Aviver, cit. 1).

1 Un candélabre tout couvert de fleurs ciselées brûlait au fond, et chacune de ses huit branches en or portait dans un calice de diamants une mèche de byssus.
FLAUBERT, Salammbô, VII, p. 127.

2 (...) notre vieux faste oriental, à ce dîner de mariage, ne se retrouve plus guère que dans la profusion des candélabres d'argent, tous pareils, qui sont rangés en guirlande autour de la table (...)   LOTI, les Désenchantées, II, iv, p. 60.

En candélabre : en forme de candélabre (→ ci-dessous, 4.).

♦ **2.** Vieilli. Dispositif d'éclairage des voies publiques consistant en une colonne métallique creuse portant une ou plusieurs lanternes. *Les candélabres de la place de la Concorde.* ⇒ **Lampadaire.**

♦ **3.** (1694). Archit. Couronnement, balustre figurant une torchère.

♦ **4.** (1867). Arbor. Forme (évoquant celle d'un candélabre) présentée par un arbre, un arbuste, soit naturellement, soit après l'opération de la taille. *Arbre fruitier taillé en candélabre.*

En apposition :

3 Un petit enclos où l'on distingue trois croix de bois (...) Auprès de l'enclos une énorme euphorbe candélabre se donne des airs de cyprès.
GIDE, Voyage au Congo, *in* Souvenirs, Pl., p. 701.

CANDEUR [kɑ̃dœʀ] n. f. — 1558 ; «pureté d'une langue», 1546 ; «lueur, clarté», v. 1330 ; lat. *candor* «blancheur».

♦ **1.** Littér. ou style soutenu. Qualité d'une âme pure et innocente qui se montre telle qu'elle est, sans défiance. *Candeur de l'innocence, de l'enfance.* ⇒ **Crédulité, franchise, ingénuité, innocence, naïveté, pureté, simplicité, sincérité.** *Plein de candeur.* ⇒ **Candide.** *Avouer, parler avec candeur. Air de candeur. Fausse candeur. Dans sa candeur naïve, il a cru que... Candeur de cygne, d'agneau :* extrême candeur.

1 Il y a dans la véritable vertu une candeur, une ingénuité que rien ne peut contrefaire.   FÉNELON, Télémaque, 9.

2 (...) elle a jusques au déclin de la vie la candeur de l'innocence (...)
BALZAC, Mme de la Chanterie, I, Pl., t. VII, p. 298.

3 (...) c'est lui qui est l'art, l'artiste, si tu veux, chargé de traduire cette candeur, cette grâce, ce charme de la vie primitive, à ceux qui ne vivent que de la vie factice et qui sont, permets-moi de le dire, en face de la nature et de ses secrets divins, les plus grands crétins du monde.
G. SAND, François le Champi, Avant-propos, p. 9.

4 (...) un agneau de quatre semaines n'a pas plus de candeur (...)
Th. GAUTIER, Fortunio, XII, p. 86.

5 La candeur d'une enfant qui ignore sa beauté et qui voit Dieu clair comme l'eau est la grande révélation de l'idéal, de même que l'inconsciente coquetterie de la fleur est la preuve que la nature se pare en vue d'un époux.
RENAN, Souvenirs d'enfance..., Préface.

6 Les plus vantées *(les femmes)* pour leur candeur furent comédiennes encore (...)
R. DE GOURMONT, le Livre des masques, p. 189.

7 La candeur pour lui *(Talleyrand)* n'est que la forme la plus raffinée de la malice. Il l'ordonne à ses agents, comme il se l'impose à soi-même.
Éd. HERRIOT, la Vie de Beethoven, p. 9.

Iron. ou péj. Innocence puérile des sentiments, naïveté un peu niaise du jugement. *Manifester une candeur sans bornes. Quelle candeur !*

♦ **2.** Littér. (le premier emploi du mot, v. 1330, est au sens de «lueur» ; on le rencontre jusqu'au xviie). Le sens moderne est du xvie, où il coexiste avec d'autres emplois : «pureté, clarté» [de la langue, de la poésie] ; le sens latin de «blancheur» était vivant en ancien provençal : *candor*). Blancheur très pure. *La candeur de l'aube.*

8 Tu penches, grand Platane, et te proposes nu,
Blanc comme un jeune Scythe,
Mais ta candeur est prise, et ton pied retenu
Par la force du site.   VALÉRY, Charmes, « Au platane », Pl., p. 113.

9 (...) dans l'espace des nuages d'encre (...) il y eut une triple fissure blanche dessinée (...) Parfaitement nette, tracée comme à la craie (...) elle brillait sans éclat, gonflée d'un tel suc de candeur neigeuse qu'elle cessait presque d'être de la lumière.   J.-M. G. LE CLÉZIO, le Déluge, p. 175.

CONTR. **Dissimulation, fourberie, ruse.**

CANDI [kɑ̃di] adj. m. — 1256 ; arabe *qandiyy,* de *qand* «sucre de canne».

♦ *Sucre candi,* dépuré et cristallisé.

1 Nous aperçûmes de loin une île de sucre avec des rochers de sucre candi et de caramel.   FÉNELON, t. XIX, 38, *in* LITTRÉ.

2 Dans le jardin, où, en ce jour de Pâques, je cherchais autrefois des œufs en sucre candi, je recueille des objets éparpillés.
Claude MAURIAC, le Temps immobile, p. 206.

N. m. (*Du candi, le candi*). *Candi blanc, rouge, en poudre :* sucre candi blanc, rouge, en poudre.
Fruit candi, enveloppé de sucre candi. *Des fruits candis.*
Chim. (anc.). *Soufre candi :* soufre cristallisé.

DÉR. **Candir.**
HOM. Formes du v. **candir.**

CANDIDAT, ATE [kɑ̃dida, at] n. — 1546 ; «soldat d'élite», 1284 ; lat. *candidatus* «vêtu de blanc», de *candidus* «blanc», les candidats aux fonctions publiques à Rome s'habillant de blanc.

♦ **1.** Personne qui postule une place, une fonction, un poste, un titre, un mandat électoral. ⇒ **Aspirant, postulant, prétendant.** *Être candidat, candidate à un poste* (⇒ **Aspirer, briguer**). *Il y a plusieurs candidats, candidates sur les rangs pour ce poste, ce concours.* ⇒ **Compétiteur, concurrent.** *Se porter candidat à des élections*. Mettre en avant, présenter, proposer un candidat. Candidat officiel. Liste des candidats. Candidat inscrit sur une liste. Programme du candidat. Candidat élu. Candidat inéligible. Candidat battu aux élections.* ⇒ (fam.) **Blackbouler.** *Ce candidat s'est désisté en faveur de... Candidat à un fauteuil vacant de l'Académie.* — Spécial. Personne qui se présente à un examen, un concours. *Être candidat à un examen* (⇒ **Présenter, se présenter**). *Candidat libre*. Poser une colle à un candidat. Candidat admissible*, admis, reçu ; refusé, révoqué, ajourné*. Candidat astreint à un stage.* ⇒ **Stagiaire.**

REM. L'usage du féminin est flottant ; on dit parfois (anormalement) *elle est candidat à ce poste ; Mme X est candidat aux élections ;* mais normalement, *le candidat le mieux placé est une femme.*

1 Il n'y a point de candidat qui ait fait plus de bruit que lui dans toutes les disputes de notre École.   MOLIÈRE, le Malade imaginaire, II, 5.

2 Sur mes seize ans je passai à la diable un affreux petit examen nommé baccalauréat, bien fait pour avilir en même temps les candidats et les examinateurs.
FRANCE, la Vie en fleur, XII.

3 Nous ne pouvons pas songer à faire passer ici un candidat (...) vraiment dans nos idées (...) Nous tâcherons de faire voter pour vous.
J. ROMAINS, les Hommes de bonne volonté, t. XXI, II, p. 86.

4 Il monta à pas rapides l'escalier : drôle de journée qui se passait à monter des escaliers comme s'il avait été candidat à l'Académie.
S. DE BEAUVOIR, les Mandarins, p. 241.

♦ **2.** Régional (Belgique). Titulaire d'un diplôme de candidature (2.).

CONTR. Corps (électoral), **électeur.** — **Jury.**
DÉR. **Candidature.**

CANDIDATURE [kɑ̃didatyʀ] n. f. — 1816 ; de *candidat.*

♦ **1.** Action de se porter candidat ; état de candidat. *Annoncer, poser sa candidature à un poste, aux élections... Candidature officielle,* patronnée par le gouvernement. *Faire acte de candidature. Candidature unique :* candidature d'union soutenue en commun par plusieurs partis politiques. *Renoncer à une candidature. Retirer sa candidature.*

1 Il n'y a d'élections véritablement libres que si les électeurs ont le droit de se réunir pour discuter les candidatures.   PROUDHON, *in* P. LAROUSSE.

2 L'ambition ne m'est pas naturelle, je me la suis inoculée à propos de ma candidature académique.   SAINTE-BEUVE, cité par A. BILLY, Sainte-Beuve, t. I, p. 389.

♦ **2.** Régional (Belgique). Premier cycle d'études universitaires comprenant deux, parfois trois années. *Candidature préparatoire à une licence. La candidature en sciences médicales conduit au doctorat en médecine.*

CANDIDE [kɑ̃did] adj. — 1611 ; «bon, bienveillant», 1549 ; «éclatant», xve ; lat. *candidus* «blanc, éclatant».

♦ **1.** Littér. (le premier emploi du mot, au xve s., est au sens de «d'un blanc éclatant» ; on le retrouve au xixe et au xxe s., principalement dans la langue poétique où l'on joue de l'ambiguïté de ses sens). D'un blanc vif.

1 Cet homme marchait pur loin des sentiers obliques,
Vêtu de probité candide et de lin blanc (...)
HUGO, la Légende des siècles, II, « Booz endormi ».

♦ **2.** Qui a de la candeur. ⇒ **Franc, ingénu, innocent, naïf, pur, simple.** *Homme candide. Âme, cœur candide.*

2 Ce sont bien, eux aussi *(les esprits chimériques),* des coureurs qui tombent et des naïfs qu'on mystifie, coureurs d'idéal qui trébuchent sur les réalités, rêveurs candides que guette malicieusement la vie.   H. BERGSON, le Rire, p. 14.

(1668). Iron. et péj. Crédule jusqu'à la sottise. ⇒ **Innocent, niais, novice.**

♦ **3.** Qui exprime la candeur. *Air candide. Figure candide. Jeux candides.* ⇒ **Innocent.**

3 Que son œil était pur, et sa lèvre candide ! (...)
Le beau lac de Némi, qu'aucun souffle ne ride,
A moins de transparence et de limpidité.
LAMARTINE, Harmonies..., « Premier regret ».

4 (...) son front candide et serein devenait trouble par moments sous sa pensée, comme un miroir sous une haleine (...)   HUGO, Notre-Dame de Paris, II, 7.

5 Vois quels hymnes candides !
Quelle sonorité
Nos éléments limpides
Tirent de la clarté.   VALÉRY, Charmes, « Cantique des colonnes », Pl., p. 116.
CONTR. Faux, fourbe, rusé.
DÉR. Candidement.

CANDIDEMENT [kɑ̃didmɑ̃] adv. — 1694 ; « de façon bienveillante », 1611 ; « sincèrement », 1561 ; de *candide*.

♦ Littér. Avec candeur. *Dire candidement sa pensée.*

CANDIDOSE [kɑ̃didoz] n. f. — xxᵉ ; du rad. du lat. *candid(us)* « blanc », et suff. 2. *-ose*. → Candide.

♦ Didact. (méd.). Maladie infectieuse, touchant surtout la peau et les muqueuses, causée par une levure *(candida albicans)*. ⇒ **Muguet.** *Candidose buccale. Candidose vaginale.*

CANDIOTE [kɑ̃djɔt] adj. et n. — xixᵉ ; de *Candie*, anc. nom de la Crète.

♦ Poét. et vx. Crétois.

Laubé, au moment de la naissance de Nina, vivait en Crète (...) C'est donc en terre étrangère que s'étaient passées les premières années de la fillette, élevée tendrement par une nourrice candiote qui lui avait transmis un léger accent rempli de charme et de douceur.
Raymond ROUSSEL, Impressions d'Afrique, p. 223.

CANDIR [kɑ̃diʀ] v. tr. — 1600 ; de *candi*. → Candi.
Technique.

♦ **1.** Faire fondre et réduire (le sucre) jusqu'à la cristallisation. *Candir du sucre.*

♦ **2.** Revêtir d'une couche de sucre candi. *Candir des pastilles.*

▶ **SE CANDIR** v. pron.

Se cristalliser* (en parlant du sucre, de confitures). *Les confitures trop cuites se candissent* (Académie). *Substances qui se sont candies.*

(Sans pronom). *Faire candir du sucre* (candisation). *Le sucre commence à candir (à se candir).* — REM. On peut considérer cet emploi comme un intransitif.

CANDOMBLÉ [kɑ̃dɔ̃ble] n. m. et adj. invar. — 1958, n. m., R. Bastide ; mot port. du Brésil, empr. à une langue africaine.

♦ **1.** N. m. Au Brésil (surtout dans le *Nordeste*), Lieu de culte adopté par des communautés religieuses suivant des croyances et des pratiques d'origine africaine (yoruba) apportées par les Africains. ⇒ aussi **Macoumba.** *Les candomblés de Bahia. Confrérie de candomblé.*

Par ext. Cérémonie de ce culte.

Certes, la transe existe. Elle place l'homme en contact avec les morts, avec ses morts. On a voulu rattacher le théâtre aux faits de possession parce que le candomblé ou le vaudou offrent des aspects de théâtralisation, mais c'est dans la tragédie qu'émergent, comme dans la transe, les morts, Œdipe, nos pères, notre culture — et non plus une nature libérée ! R. BASTIDE, cité par J. DUVIGNAUD, in le Nouvel Obs., nº 409, 11-17 sept. 1972.

♦ **2.** Adj. invar. *Secte candomblé. Mystique candomblé.*

CANE [kan] n. f. — xvᵉ ; *quennes*, 1358 ; *quanes*, 1355 ; dér. régressif de *canard*, avec infl. de l'anc. français *aine, ane*, lat. *anas* « canard ».

♦ Femelle du canard. ⇒ **Canard.** *Petite cane.* ⇒ 1. **Canette.** *Cane sauvage ; cane domestique* (vx : *cane privée*). *Œufs de cane.* « *Quand les canes vont aux champs la première marche (va) devant...* », comptine. *La cane et ses canetons.*

Loc. Vx (in Rabelais). *Faire la cane ; plonger comme une cane* : s'esquiver à l'approche du danger, montrer de la poltronnerie. ⇒ 1. **Caner.**

Mod. *Marcher comme une cane*, en se dandinant.

Être comme une poule qui a couvé un *œuf de cane* : être très étonné. *Couver qqn comme une cane son canard*, le protéger avec excès.

DÉR. 1. Caner, 1. caneton, 1. canette, caniche.
COMP. Bec-de-cane, canepetière.
HOM. 1. Canne, 2. canne ; formes des v. 1. et 2. **caner,** 1. et 2. **canner.**

CANÉFICIER [kanefisje] n. m. — 1647 ; de *canéfice*, nom vulg. de la *casse* (2. Casse) ; de l'esp. *cañafistola*.

♦ ⇒ 2. **Casse.**

CANEPETIÈRE [kanpətjɛʀ] n. f. — 1798 ; *canepetiere*, 1606 ; *cannes petieres*, 1547, Rabelais ; de *cane*, et *petière*, de *pet*, en raison du bruit que fait l'oiseau en s'enfuyant.

♦ Petite outarde* à collier blanc.

CANÉPHORE [kanefɔʀ] n. f. — 1570 ; grec *kanêphoros* « qui porte une corbeille », de *kaneon* « corbeille », et *pherein* « porter ».

♦ **1.** Antiq. grecque. Jeune fille qui portait les corbeilles sacrées dans certaines fêtes.
De jeunes canéphores reportaient aux jardins de Vénus les corbeilles sacrées.
CHATEAUBRIAND, les Martyrs, II, 74.

♦ **2.** (1835). Archit. Statue représentant une canéphore, utilisée comme colonne ou décorant un bas-relief (ne pas confondre avec *cariatide**).

CANEPIN [kanpɛ̃] n. m. — 1310 ; orig. obscure ; un emprunt à l'ital. *canepino* « du chanvre » fait difficulté.

♦ Techn. et vx. Peau fine d'agneau ou de chevreau qui servait aux travaux de maroquinerie (gants de femme, etc.), à éprouver la qualité des lancettes (en chirurgie), etc.
Elle était vêtue d'une robe de futaine à petit collet de canepin de bien séante apparence, et un bonnet à quartiers qui emprisonnait complètement sa chevelure.
Jean RAY, les Derniers Contes de Canterbury, p. 48.

1. CANER [kane] v. intr. — 1821 ; de *cane**, *faire la cane* « se sauver, faire le poltron », au xviᵉ et xviiᵉ.

♦ Fam. Reculer devant le danger ou la difficulté. ⇒ **Céder, flancher** (→ Se dégonfler).
Ce gaillard-là n'avait pas cané devant l'ouvrage.   1
COURTELINE, Messieurs les ronds-de-cuir, 5ᵉ tableau, III, p. 208.
Eh bien ! il *(mon père)* a tourné court, il a cané, deux ou trois fois. Depuis, il se   2
défie.   G. DUHAMEL, Chronique des Pasquier, IV.
Un goût amer lui râpait la langue. Devant Dominique, elle n'avait pas cané. Main-   3
tenant, au milieu de cette foule affairée, loin du cadavre de l'empoisonneur, elle se
ventait vaincue. Les autres triomphaient.   R. QUENEAU, le Chiendent, p. 312.

DÉR. Caneur.
HOM. 2. Caner, canné, 1. **canner. .**

2. CANER ou **CANNER** [kane] v. intr. — 1872 ; de 1. *canne* « jambe ».

♦ Argot. S'enfuir (jouer des cannes). ⇒ **Calter, décaniller.** Fig. Mourir (sens métaphorique de *s'en aller). Canner dans son plumard, à l'hosto. Il est cané* : il est mort.
L'enfant était tombé sur le côté, sans sortir les mains de ses poches. Il soubresau-   1
tait et on entendait claquer ses dents. Ils firent un lit avec les affaires d'Angélo
et ils y couchèrent l'enfant (...)
Qu'est-ce qui le tenait debout ? La fierté, hein ! Tu ne voulais pas caner, hein !
J. GIONO, le Hussard sur le toit, p. 54.
S'il me fait une fleur *(le Chef)*, c'est comme ça, gratuitement, parce qu'il gèle au   2
cachot. Et, comme il l'a dit tout à l'heure, je pourrais décider d'y caner et il ne
veut pas de mon cadavre.   A. SARRAZIN, la Cavale, p. 185.
« C'est Mathieu le Professeur. Il n'est pas encore canné. Il respire. » On le souleva   3
et on le transporta sur une charrette à âne qui amenait de la brousse destinée à
être vendue aux premières lueurs de l'aube.   Loup DURAND, le Caïd, p. 46.

HOM. 1. Caner, canné, 1. **canner.**

CANETAGE ou **CANNETAGE** [kantaʒ] n. m. — 1948 ; de 2. *canette*.

♦ Techn. Opération qui consiste à mettre sur canette les fils de trame. *Canetage (cannetage) et rechargement des navettes d'un métier à tisser.*

1. CANETER [kante] v. intr. — xviᵉ ; de *cane*.
Vieux.

♦ **1.** Se dandiner (comme un canard, une cane).

♦ **2.** Jacasser, piailler.

HOM. 2. Caneter.

2. CANETER ou **CANNETER** [kante] v. intr. — xixᵉ ; de 2. *canette*.

♦ Techn. Enrouler du fil, de la soie sur une canette (2. Canette). *Machine à caneter.* ⇒ **Canetière.**

HOM. 1. Caneter.

CANETIÈRE ou **CANNETIÈRE** [kantjɛʀ] n. f. — 1867 ; de 2. *canette.*

Technique.

♦ **1.** Ouvrière chargée de disposer la soie sur les canettes (2. Canette).

♦ **2.** Machine employée à garnir de fil les canettes. *Canetière à main, automatique.*

La préparation de la trame est infiniment plus simple. Elle consiste seulement à garnir de fils les cannettes qui seront placées dans les navettes. Certaines canetières font ce travail automatiquement.
Jacques LOURD, le Lin et l'Industrie linière, p. 64.

CANETILLE [kantij] n. f. ⇒ **Cannetille.**

CANETON [kãtɔ̃] n. m. — V. 1600, O. de Serres ; *cannetton*, 1530 ; de 1. *canette.*

♦ Le petit du canard (plus jeune que le *canardeau*). *Une cane suivie de ses canetons. — Canetons à l'orange.*

1. CANETTE [kanɛt] n. f. — 1461, «petit d'une cane», Villon ; de *cane.*

♦ Petite cane.
(...) et il s'asseyait sur les racines où ils s'étaient assis ensemble, il mettait ses pieds dans tous les filets d'eau où ils avaient pataugé comme deux vraies canettes (...)
G. SAND, la Petite Fadette, VI, p. 38.
(1564). Sarcelle.

DÉR. Caneton.
HOM. 2. Canette, 3. canette, 1. cannette.

2. CANETTE ou **CANNETTE** [kanɛt] n. f. — 1407, *cannette* ; *canete* «soie tissée à la canette», 1260 ; ital. de Gênes *cannetta*, les fils d'or et d'argent provenant de cette ville.

♦ (1545). Techn. Bobine de métal, bois ou carton sur laquelle est enroulé le fil dans la navette d'un métier à tisser, ou le fil d'une machine à coudre (ne pas confondre avec 3. *cannelle*). *Canette de machine à coudre.*
À droite, un grand panneau d'un mètre carré, bordant la chaîne, se composait d'une foule d'alvéoles séparés par de fines parois ; chacune de ces cases abritait une étroite navette dans la canette, mince bobine fixée de l'avant à l'arrière, portait une provision de soie unicolore.   Raymond ROUSSEL, Impressions d'Afrique, p. 126.

DÉR. Canetage, caneter, canetière.
HOM. 1. Canette, 3. canette, 1. cannette.

3. CANETTE ou **CANNETTE** [kanɛt] n. f. — 1723 ; *kanete* «vase», XIIIᵉ. → 1. et 2. Canne.

♦ **1.** Vx. Bouteille.

♦ **2.** (1856). Petite bouteille de bière, bouchée par un cône de porcelaine maintenu par un ressort ; son contenu (25 à 30 centilitres). *Déboucher une canette de bière. —* REM. Le mot comme la forme spécifique et le système de bouchage particulier tend à disparaître au profit de *bouteille.*

♦ **3.** (Au Canada). *Bière en canette,* en boîte (anglicisme ; de *can*).
Plus tard, beaucoup plus tard, Thomas d'Amour alla s'asseoir sur le toit, avec sa tasse de café et quelques canettes de bière glacée.
Jacques GODBOUT, D'amour, P.Q., p. 106.
REM. Cet emploi, interférant avec l'emploi français normal de *canette* est en général condamné au nom de la norme.

HOM. 1. Canette, 2. canette, 1. cannette.

CANEUR [kanœʀ] adj. et n. m. — 1847 ; de 1. *caner.*

♦ Pop. et vx. Poltron.

CANEVAS [kanva ; kanvɑ] n. m. — 1509 ; *canevach*, 1281 ; forme picarde de l'anc. franç. *chenevas*, de *cheneve*, forme anc. de *chanvre.*

♦ **1.** Techn. Grosse toile dont on fabrique des voiles et les torchons, dont on entoile les vêtements. «*Manteau de canevas*» (Chateaubriand).

♦ **2.** (1584). Grosse toile claire et à jour qui sert de fond aux ouvrages de tapisserie à l'aiguille. *Gros canevas. Canevas fin. Broderie sur canevas. —* Par métonymie. Ouvrage de broderie (sur canevas). *Faire du canevas.* Dessin de la broderie (sur canevas). *Tracer un canevas.*

♦ **3.** Géod. *Canevas trigonométrique :* triangulation d'une zone dont on se propose de lever le plan. *Canevas de rattachement :* levé souterrain. — Ensemble des lignes et points essentiels d'une figure ; dessin préparatoire.

♦ **4.** (V. 1630 ; métaphore des sens 2 et 3). Cour. Donnée première (d'un ouvrage). ⇒ **Ébauche, esquisse,** 3. **plan, scénario ; ossature, schéma.** *Donner un canevas. Travailler sur un bon canevas. Le canevas d'un discours, d'un poème, d'un article.*

Voilà, Monsieur, le canevas de ce que je vous supplie de vouloir dire pour moi à Mᵐᵉ de...   RACINE, Lettres à Despréaux.   1

Il ne m'appartient pas, à mon âge, de me rengorger d'avoir fourni le canevas des divertissements de la cour (...)   VOLTAIRE, Lettre à Damilaville, 4 avr. 1765.   2

Le motif en notes détachées, par lequel débute l'allégro *(de la IVᵉ Symphonie)* n'est qu'un canevas sur lequel l'auteur répand ensuite d'autres mélodies plus réelles.   BERLIOZ, Beethoven, p. 31.   3

(...) les attentes passionnées qui font de l'âme des adolescents le canevas incohérent d'un infini roman d'amour.   MAUPASSANT, Fort comme la mort, p. 264.   4

Fig. *Broder sur un canevas :* ajouter à un fait, à un récit, à un texte, des développements, des détails de pure invention.

Nous sommes aujourd'hui à l'énergie et à l'atrocité, et nous brodons sur le canevas de ces passions des ornements qui seraient d'un terrible à faire dresser les cheveux sur la tête, si nous pouvions les prendre au sérieux.   5
G. SAND, François le Champi, Avant-propos, 15.

Spécialt. **[a]** Mus. Premières paroles qu'on fait sur un air, pour représenter seulement la mesure et le nombre des syllabes que demande la mélodie, et qui servent ensuite de modèle pour faire les paroles définitives. ⇒ **Monstre** (mus.). *Faire un canevas sur un air.*

[b] Théâtre. Plan détaillé sur lequel les comédiens peuvent improviser. *Les canevas de la Commedia dell'Arte. Canevas italiens.*

DÉR. Canevasser.

CANEVASSER [kanvase] v. tr. — xxᵉ ; de *canevas.*

♦ Rare. Quadriller comme par un canevas (3.) ; préparer le canevas (4.) de...

CANEZOU [kanzu] n. m. — Fin xviiiᵉ ; orig. incert., p.-ê. croisement du provençal *camisoun* «petite chemise» avec *caneçon,* var. pop. anc. de *caleçon ;* pour P. Guiraud, le mot a p.-ê. signifié à la fois «mousseline» et «châle de mousseline» (cf. provençal *canuzir* «lustrer les étoffes») suivant la même évolution sémantique que *cachemire* «étoffe» et «châle».

♦ Anciennt. Vêtement de femme, en général sans manches, qui tient lieu de corsage. *Canezou de lingerie, de dentelle.*

Laurence avait une amazone vert-bouteille pour se promener à cheval, une robe en étoffe commune à canezou orné de brandebourgs pour aller à pied (...)   1
BALZAC, Une ténébreuse affaire, I, Pl., t. VII, p. 481.

Cette espèce de spencer en mousseline, invention marseillaise dont le nom, canezou, corruption du mot quinze août prononcé à la Canebière, signifie beau temps, chaleur et midi.   HUGO, les Misérables, I, III, IV.   2
REM. Cette étymologie est anecdotique.

CANFOUINE [kɑ̃fwin] n. f. — 1883 ; mot régional (Anjou) «cahute, vieille maison», p.-ê. en relation avec *furnus* «four» ; cf. *cafourniau, cafourniot* «débarras».

♦ Pop. et vx ou régional. Chambre ; logement sommaire.

De près, toutes ces canfouines de bois pourri, ces jardinets entourés de haies (...) étaient aussi misérables que vus de ma fenêtre.
André SOUBIRAN, les Hommes en blanc, II, p. 148.

CANGE [kɑ̃ʒ] n. f. — 1839 ; *canje,* 1785 ; *gemges,* 1661 ; arabe *qãndjãh* «sorte de barque».

♦ Légère embarcation à voiles qui servait sur le Nil à transporter les voyageurs. ⇒ **Barque.**

On a le désert d'un côté (...) et plus loin les prairies du Nil, avec le fleuve tacheté de voiles blanches. Les canges ont toutes deux grandes voiles croisées qui font ressembler le bateau à une hirondelle volant avec deux immenses ailes.
FLAUBERT, Correspondance, 4 oct. 1849.

CANGUE [kɑ̃g] n. f. — 1686 ; port. *canga,* du chinois *K'ang (Hia)* «portant sur les épaules (une cangue)».

♦ **1.** Instrument de torture, fait d'une planche percée de trois trous dans lesquels on engageait le cou et les poignets du condamné (en Extrême-Orient). *Le supplice de la cangue.*

Une cruauté ingénieuse et fantasque avait présidé à l'enchaînement de ces prisonniers. Les uns étaient liés derrière le dos par les coudes (...) ceux-ci pris dans les poignets dans les cangues de bois ; ceux-là, le col étranglé dans un carcan ou dans une corde qui enchaînait toute une file, faisant un nœud à chaque victime.
Th. GAUTIER, le Roman de la momie, p. 76.

♦ **2.** Le supplice lui-même. *La cangue a été abolie.*

CANICHE [kaniʃ] n. m. — 1829 ; n. f., «femelle du barbet», 1743 ; de *cane,* ce chien aimant barboter dans l'eau.

♦ Chien de l'espèce des barbets, à poil frisé. *La fidélité du caniche est proverbiale. — Tondre* un caniche.*

Comme elle ne pouvait emmener son chien Dick, affreux bâtard de caniche et de barbet, Dundas en accepta gravement la garde.
A. MAUROIS, les Discours du Dʳ O'Grady, III, p. 38.
Loc. (1878). *Être fidèle, dévoué comme un caniche. Suivre qqn comme un caniche,* pas à pas, fidèlement.

Fig. Personne d'un dévouement servile. *Être le caniche de qqn. C'est un vrai caniche!*

CANICULAIRE [kanikylɛʀ] adj. — 1478; lat. *canicularis* «de la canicule».

♦ **1.** Didact. Relatif à la canicule*. *Les jours caniculaires.*
C'est l'adieu brûlant de l'été caniculaire.
　　　　　　　E. FROMENTIN, Une année dans le Sahel, p. 238.

♦ **2.** Plus cour. Brûlant comme la chaleur de la canicule. *Il fait un temps caniculaire. Chaleurs caniculaires.* ⟹ **Torride.**

CANICULE [kanikyl] n. f. — 1539; «chienne», fin XVᵉ; lat. *canicula* «petite chienne», appliqué à l'étoile Sirius «le chien d'Orion», de *canis* «chien».

♦ **1.** Didact. Principale étoile de la constellation du Grand Chien, appelée aussi *Sirius.*

♦ **2.** ⓐ (1660). Époque de grande chaleur (l'étoile *Sirius* [ou *Canicule*] se lève et se couche avec le Soleil, du 24 juillet au 24 août). *Les jours de la canicule.*

ⓑ Cour. Grande chaleur de l'atmosphère. *L'ardente canicule* (→ Ardeur, cit. 3). *En pleine canicule. Un jour de canicule. La canicule de l'été new-yorkais. Quelle canicule!*

1　Nous voilà en pleine canicule.　E. FROMENTIN, Un été dans le Sahara, p. 200.
2　(...) j'écoutais, ressuscités par mon attention, les criquets qui sciaient en menus éclats la canicule (...)　　　COLETTE, la Naissance du jour, p. 122.
3　Or, rentrer à Paris, en pleine canicule, serait me tuer. Pourrai-je seulement attendre sans nouvelles crises la fin de cet abominable été?
　　　　　　　BERNANOS, la Joie, in Œ. roman., Pl., p. 706.

CONTR. Froid.

CANIDÉS [kanide] n. m. pl. — 1834; du rad. du lat. *canis* «chien».

♦ Zool. Famille de mammifères carnivores digitigrades, au corps élancé, aux pattes hautes, au museau allongé. *Principaux types de canidés.* ⟹ **Chacal, chien, dingo, fennec, loup, lycaon, otocyon, renard.** *Les canidés ont les ongles non rétractiles; leurs pattes antérieures possèdent cinq doigts, les pattes postérieures quatre.* — Au sing. *Le chien est un canidé.*

Rabatteurs et chasseurs à la piste, les canidés ont un comportement très proche de celui du chasseur humain. Quoiqu'on ne sache encore rien de l'origine du chien qui manquait encore aux Magdaléniens, on comprend très bien la conciliation qui a pu s'établir entre le canidé et l'homme, dans la chasse, puis dans la canalisation des troupeaux.　　A. LEROI-GOURHAN, le Geste et la Parole, t. I, p. 225.

CANIER [kanje] n. m. — Attesté XIXᵉ, Mistral; mot provençal, du lat. *canna* «roseau».

♦ Régional. Lieu où poussent les roseaux. ⟹ **Cannaie.**
J'aurais voulu que tu sois dans les caniers de l'Eurotas quand Ulysse me conta ses aventures.　　　J. GIONO, Naissance de l'Odyssée, p. 60.

REM. On trouve également la graphie *cannier* chez Giono (1947).

CANIF [kanif] n. m. — 1611; *quenif*, 1441; anc. bas francique **knif*, de même famille que l'angl. *knife*.

♦ **1.** Petit couteau de poche à une ou plusieurs lames *(cit. 4) qui se replient dans le manche. *L'onglet d'une lame de canif. Canif (ou couteau) suisse,* à plusieurs lames.

♦ **2.** Techn. Outil de graveur sur bois, petite lame munie d'un manche.

♦ **3.** Loc. *Donner un coup de canif dans le contrat* (de mariage), se dit de l'époux qui est infidèle à son conjoint.
Je n'acceptais pas sa conception du mariage (...) Je n'admettais pas qu'un des deux époux «trompât» l'autre : s'ils ne se convenaient plus, ils devaient se séparer. Je m'irritais que mon père autorisât le mari à «donner des coups de canif dans le contrat».　S. DE BEAUVOIR, Mémoires d'une jeune fille rangée, p. 189.

CANIN, INE [kanɛ̃, in] adj. — V. 1390; lat. *caninus,* même sens, de *canis* «chien».

♦ **1.** Relatif au chien. *Race, espèce canine. Exposition canine.* Littér. Digne d'un chien.

1　Il m'aimait d'une façon canine et exclusive.
　　　　　　　FLAUBERT, Correspondance, t. II, p. 241.

♦ **2.** Loc. *Une faim canine :* une faim dévorante.

2　Notre renard, pressé par une faim canine,
　S'accommode en celui qu'au haut de la machine
　L'autre seau tenait suspendu.　　LA FONTAINE, Fables, XI, 6.

♦ **3.** (1541). *Dent canine,* et, plus cour., *canine* [kanin], n. f. : dent pointue située entre les molaires et les incisives et dont on se sert pour déchirer les aliments. *Canines développées des carnivores* (⟹ **Croc**), *du sanglier* (⟹ **Défense**).

Quand même vous auriez arraché les canines du tigre, et qu'il ne pourrait plus manger que de la bouillie, il lui restera toujours son cœur de carnassier!
　　　　　　　FLAUBERT, Correspondance, t. II, p. 371.

Fosse canine : dépression de la face externe du maxillaire supérieur, au-dessus du niveau de la dent canine.

Muscle canin : muscle élévateur de la commissure labiale.

DÉR. Caninement.

CANINE [kanin] n. f. ⟹ ci-dessus **Canin** (3.).

CANINEMENT [kaninmɑ̃] adv. — 1790; de *canin.*

♦ Rare. À la manière des chiens. *«Suivre caninement»* quelqu'un (Colette, *in* T. L. F.).
Ah! comme vous voilà lotis! Logés, nourris, dressés caninement (...) Ah! laissez aux dogues de mériter ainsi les faveurs de leurs maîtres.
　　　　　J. F. L'ANGE, Plaintes et représentations d'un citoyen décrété passif aux citoyens décrétés actifs, 1790, in D. D. L., II, 9.

CANISSE ou **CANNISSE** [kanis] n. f. — 1600; mot provençal, bas lat. *cannicius* «de roseau», du lat. class. *canna* «roseau».

♦ Régional. Canne de Provence longue et flexible. ⟹ 1. **Canne** (1.). *Cultures protégées du vent par des canisses (des cannisses). Disposer des canisses sur une terrasse, pour se protéger des regards indiscrets.* «Or, en examinant au microscope les poussières de ces chambrées, recueillies sur les litières, sur le sol, les murs, les canisses, etc., passées à travers un tamis de soie...» (*Année sc. et industr.* 1866, p. 397).
Il aurait voulu marcher entre les haies de cyprès et de cannisses.
　　　　　Claude COURCHAY, La vie finira bien par commencer, p. 68.

DÉR. Canissier.

CANISSIER [kanisje] n. m. — 1859; de *canisse.*

♦ Vannier qui travaille les canisses. — REM. Le fém. *canissière* est virtuel.

CANITIE [kanisi] n. f. — 1397; *canecie,* XIIIᵉ; lat. *canities* «blancheur des cheveux», de *canus* «blanc». → Chenu.

♦ Didact. État de décoloration des cheveux, devenus blancs naturellement avec l'âge, ou accidentellement sous l'influence d'une émotion vive. *Canitie précoce. Canitie partielle, généralisée.*

CANIVEAU [kanivo] n. m. — 1694, Th. Corneille; orig. incert., p.-ê. du lat. *canna* «roseau» par l'interm. de *cannicius* «canisse» ou du bas lat. **canabellum,* var. de *canabula* «canal de drainage»; un rattachement à *canif* ou une formation à partir de *niveau* et du préf. *ca-* semblent peu convaincants; P. Guiraud reprenant l'hypothèse de Littré, y voit un dér. de 2. *canne* «conduit, tuyau».

♦ **1.** Pierre creusée en rigole pour faire écouler l'eau, ou tout liquide.
Un ruisseau de sang jaillit qui s'unit à d'autres ruisseaux, coule dans les caniveaux du sol et tombe aux étages inférieurs où l'on en fait je ne sais quoi (...)　　　G. DUHAMEL, Scènes de la vie future, VIII, p. 127.

Tranchée maçonnée, à ciel ouvert ou fermée, permettant le passage d'un liquide. ⟹ **Canal.**
Le drainage prévoyait un réseau de tranchées (...) au fond desquelles était ménagée d'une manière de caniveau formé par trois dalles, deux verticales, la troisième horizontale, recouverte en toiture par les deux autres.
　　　　　　　M. TOURNIER, le Roi des Aulnes, p. 176.

♦ **2.** (1867). Cour. Bordure pavée d'une rue, le long d'un trottoir. ⟹ **Rigole, ruisseau.** *Tomber dans le caniveau. L'eau qui coule dans le caniveau.*
Judith, cette fois, ne revient plus. Elle regarde des enfants qui jouent pieds nus dans les caniveaux de la place. Une masse d'eau argileuse circule entre leurs pieds.　　　M. DURAS, Dix heures et demie du soir en été, p. 14.

♦ **3.** Techn. Conduit qui reçoit des tuyaux, des canalisations, des câbles conducteurs.

♦ **4.** Fig. et rare. Strie, sillon.
De la bajoue à bourrelet jusqu'à mes fanons de petite vache, il n'y a pas une fronce, pas un caniveau, pas une gaufrure de ma peau qui n'inspire confiance.
　　　　　　　COLETTE, la Paix chez les bêtes, «Poucette».

CANNA [kana] n. m. — 1816, *kanna*; lat. *canna* «roseau, balisier».

♦ Balisier*. *Les fleurs rouges des cannas. Fécule tirée du rhizome de certains cannas.* ⟹ **Tolomane.**

1　Dans les parcs provinciaux les bancs demeurent presque tout le temps vacants pendant les matinées de semaine, au bord des massifs bouffis de cannas et de marguerites.　　　CÉLINE, Voyage au bout de la nuit, p. 347.
2　(...) dès la grande entrée apparaît, précieusement entretenu, le grand jardin que j'ai connu sauvage : des parterres orangés et rouges, cannas et glaïeuls, rendent

presque mates les tuiles vernissées d'un orangé plus pâle, et les murs de pourpre sombre.   MALRAUX, Antimémoires, Folio, p. 564.

HOM. Khanat; formes des v. 1. caner, 2. caner, 1 canner.

CANNABINACÉES [kanabinase] n. f. pl. — 1898; *cannabinées*, 1842; du lat. *cannabis* «chanvre».

♦ Bot. Famille de plantes phanérogames angiospermes, classe des *dicotylédones apétales* qui ne comprend que deux types : le chanvre* *(cannabis)*, et le houblon* *(humulus)*. *Les cannabinacées sont des plantes à fécondation croisée.* — Au sing. *Une cannabinacée.*

CANNABIQUE [kanabik] adj. — Après 1970; de cannabisme.

♦ Didact. Qui se rapporte au chanvre indien (⇒ **Cannabis**). *Intoxication, ivresse cannabique* (⇒ **Cannabisme**).

CANNABIS [kanabis] n. m. — 1846; lat. *cannabis* «chanvre».

♦ (Répandu v. 1960, par diffusion du nom sc. de la plante). Didact. Chanvre indien (plante à propriétés psychotropes). ⇒ **Chanvre**.
Ils rirent aux larmes en feuilletant un bulletin de l'Unesco consacré à la drogue. On y voyait un fier gabelou U.S. débusquant trois feuilles de cannabis dans les entrailles d'une torche électrique. Sur le balcon, la marie-jeanne prospérait. Le Maître prétendait que c'est bon, en tisane.
      Claude COURCHAY, La vie finira bien par commencer, p. 245.

CANNABISME [kanabism] n. m. — 1945, *in* Cottez; de *cannabis*.

♦ Didact. Intoxication produite par le chanvre indien *(cannabis)*. Syn. : haschichisme.

DÉR. **Cannabique**.

CANNAGE [kanaʒ] n. m. — 1872; «mesurage des étoffes», 1723; de *canner*.

♦ **1.** Fait de canner (un siège, etc.).

♦ **2.** Partie cannée (d'un siège, etc.). *Le cannage est en bon état; est à refaire, à réparer.*

CANNAIE [kanɛ] n. f. — 1600; *canoie*, fin XIIᵉ; de 1. *canne*.

♦ Rare. Plantation de canne à sucre, de roseau. ⇒ **Canier** (régional).

HOM. Formes des v. 1. **Caner**, 2. **caner**, 1. **canner**.

1. CANNE [kan] n. f. — 1180; *chane* «cruche», v. 1160 (→ 2. Canne, 3. canette, 1. canon); du lat. *canna* «roseau».

♦ **1.** (XVIᵉ). Vieilli. Plante à tige droite, cylindrique et noueuse (roseau, bambou, balisier, rotin). *Un champ, une plantation de cannes.*
(Vx). «Bois de canne». *Un fauteuil de canne* (Balzac). ⇒ **Bambou, rotin**.
(Mod.). CANNE À SUCRE : grande graminée à longue tige pleine (n. sc. : *saccharum*), de laquelle on extrait le sucre dit *sucre de canne*. ⇒ **Canamelle** (vieilli). *Plantation de cannes à sucre.* ⇒ **Cannaie**. *La tige de la canne à sucre peut atteindre 7 mètres de hauteur. Broyage des tiges de canne à sucre, pour en extraire le jus.* ⇒ **Vesou**, et aussi 1. **bagasse**. *Distillation du jus, des mélasses de canne à sucre.* ⇒ **Rhum, tafia**. — REM. On dit aussi *canne* dans les contextes où le mot n'est pas ambigu, notamment en franç. des Antilles.
Canne de Provence (n. sc. : *arundo donax*) : grande graminée dont la tige sert à faire des cannes à pêche, des claies, des treillages... ⇒ **Canisse**.

♦ **2.** (1586). Bâton* léger (de roseau, de jonc ou de bois), parfois ouvragé, sur lequel on appuie la main en marchant. *Se promener la canne à la main. Faire des moulinets avec sa canne. Canne d'alpiniste.* ⇒ **Alpenstock** (vx). *Canne à bout ferré. Embout, virole d'une canne. Canne de jonc flexible.* ⇒ **Badine, jonc, stick**. — Techn. *Canne entée,* composée de plusieurs pièces emboîtées les unes dans les autres. — *Canne à pomme, à pommeau, à crosse, à bec d'or, d'argent. Le pommeau* (cit. 2, 4) *d'une canne. Poignée de canne en ivoire, en ambre. Donner des coups de canne à qqn. Lever sa canne sur qqn,* pour le frapper.

1   La redingote du grand-père, sa canne à pomme d'argent, d'autres objets venus de lui, s'en allaient aussi.   LOTI, Matelot, XVI, p. 59.
2   Le maître des cérémonies s'inclina de nouveau, faisant sonner sous sa canne les dalles du parvis.   MARTIN DU GARD, les Thibault, t. IV, p. 274.
3   Il a toujours une canne. Il dit : «La canne et la poche font partie de la physiologie humaine. La canne et la poche sont des annexes de l'organisme».
      G. DUHAMEL, Chronique des Pasquier, VI, VIII.

Canne anglaise, canne d'avant-bras. ⇒ **Béquille** (d'avant-bras).
Canne blanche : instrument distinctif utilisé par les mal-voyants et les aveugles.

3.1   C'est le Londres de toute ma jeunesse, avec ses chiens qui quêtent pour les hôpi-

---

taux, une tirelire sur le dos, avec ses belles dactylographes rousses dans des cirés bleus, avec ses aveugles à canne blanche (...)   Paul MORAND, Londres, p. 112.

Par métonymie. *Les cannes blanches :* les aveugles.

(Considérée comme emblème). Ancient. *Canne de compagnon, de compagnonnage. Canne de tambour-major, de majorette.*

Spécialt (comme arme de défense). *Canne armée, canne à épée, canne-épée.* ⇒ **Canne-épée**. *Canne-fusil,* qui peut se transformer en fusil. *Canne plombée,* qui peut servir de massue.

Plusieurs générations avaient laissé des cannes dans le porte-cannes : la canne-fusil du grand-oncle Ousilanne (...) la canne à épée du grand-père Lapeignine et celles dont les bouts ferrés rappelaient des villégiatures à Bagnères-de-Bigorre.   3.2
      F. MAURIAC, le Baiser au lépreux, p. 12.

(Canne à plusieurs usages). *Canne-pliant,* conçue de façon à se transformer en pliant*. — *Canne-parapluie*.

Loc. fam. *Avoir l'air d'avoir avalé* sa canne. Casser sa canne :* mourir (→ Casser sa pipe*).

♦ **3.** (1882). Sports. Bâton flexible utilisé pour un sport de combat proche de l'escrime. — *Escrime à la canne.* Sport utilisant ce bâton. *Pratiquer la canne.*

(...) Barrada professait à bord tous les genres d'exercices en usage parmi les matelots : boxe, canne, chausson (...)   LOTI, Mon frère Yves, XXVI, p. 83.   4

(1933). *Canne de golf.* ⇒ **Club**.

(Au plur.; ski). *Canne* (de ski). «(...) *les cannes de skis, des cannes qui ont conquis les skieurs aussi bien par leur design (noir et blanc) que par leur poignets, soit à dragonne, soit à protection de phalange* » (Ski Flash Magazine, nᵒ 37 [nouvelle série], mars 1979, p. 49).

♦ **4.** (1636). CANNE À PÊCHE : gaule* portant une ligne de pêche. *Scion d'une canne à pêche.*

♦ **5.** (1704). Techn. Instrument de verrier, au moyen duquel on «cueille» le verre et on souffle les objets à fabriquer (ancienne technique).

L'outil dont la fabrication offrit le plus de difficulté fut la «canne» du verrier, tube de fer, long à cinq ou six pieds, qui sert à recueillir par un de ses bouts la matière que l'on maintient à l'état de fusion.   5
      J. VERNE, l'Île mystérieuse, t. I, p. 419.

L'abolition de l'esclavage ne supprimerait pas l'exploitation de l'homme (...) J'ai connu dans ma jeunesse un salopard de maître verrier qui faisait souffler dans des cannes des garçons de quinze ans, et pour les remplacer quand leur pauvre petite poitrine venait à crever, l'animal n'avait que l'embarras du choix.   6
      BERNANOS, Journal d'un curé de campagne, *in* Œ. roman., Pl., p. 1067.

Techn. *Canne de niveau :* jauge permettant de déterminer le niveau des ergols dans les réservoirs d'un avion.

♦ **6.** (Av. 1885; du sens 2). Fam. Jambe. *Je ne tiens plus sur mes cannes! Jouer des cannes.* ⇒ 2. **Caner**. *Mettre les cannes :* s'enfuir; s'en aller. ⇒ **Bout** (mettre les bouts).

Lorsque je regrimpe dans mon pigeonnier j'ai les cannes en coton à repriser. Au point que je suis obligé de m'agripper à la rampe pour ne pas m'affaler dans l'escadrin.
J'ai connu bien des escaladeuses, mais jamais des comme Martine.   7
      SAN-ANTONIO, le Secret de Polichinelle, p. 128-129.

(...) sous le prétexte d'aller chercher une autorisation de mariage chez le curé de Mobile où habite ma mère, j'ai mis les cannes et c'est alors que vous ne m'avez plus revu.   B. CENDRARS, Moravagine, *in* Œ. compl., t. IV, p. 208.   8

♦ **7.** Ancient. Mesure de longueur (de 1,70 m à 3 m) et de superficie (Midi de la France; Italie).

DÉR. **Cannaie**, 1. **cannelle**, 2. **cannelle**, 2. **caner**, 1. **canner**, 1. **cannette**.
COMP. **Canne-épée**, **canne-plantoir**.
HOM. **Cane**, 2. **canne**; formes des v. 1. **caner**, 2. **caner**, 1. **canner**.

2. CANNE [kan] n. f. — V. 1160, *chane* «cruche»; du lat. *canna* «tuyau», même mot que le précédent.

♦ Dial. (Ouest). Récipient* en cuivre qui servait au transport du lait, puis de l'eau. ⇒ aussi **Channe**.

HOM. **Cane**, 1. **canne**.

CANNÉ, ÉE [kane] adj. — 1877; p. p. de *canner*, ou de 1. *canne*.

♦ Garni de brins entrelacés de canne, de jonc ou de rotin. *Fauteuil canné. Chaise cannée.*

Je vins m'asseoir à côté d'elle non sans émoi (car j'étais fort jeune) sur le siège canné du bateau.   A. MAUROIS, les Discours du Dʳ O'Grady, III, p. 34.   1

À cause de la chaleur, à laquelle ne change rien le très petit ventilateur électrique posé sur une chaise cannée (...)   2
      A. ROBBE-GRILLET, la Maison de rendez-vous, p. 190.

CANNEBERGE [kanbɛRʒ] n. f. — 1665; *cannebirge*, 1846; orig. inconnue.

♦ Bot. Arbuste vivace à feuilles persistantes, qui croît dans les marais et tourbières des régions montagneuses et porte une baie rouge foncé plus grosse que l'airelle (famille des *Vacciniées*; n. sc. : *oxycoccos*). *La canneberge a des baies comestibles.* — Par ext. La baie (aussi appelée *airelle des marais, myrtille des marais*).

Cuis. *Renne à la confiture de canneberges* (plat scandinave). *Poulet, dinde aux canneberges* (dans les pays anglo-saxons).

REM. Ce mot est rare ou didactique dans l'usage français, beaucoup plus fréquent au Canada francophone, où cette baie, comme dans les pays scandinaves et anglo-saxons (angl. *cranberries*), est courante et appréciée. Un synonyme d'origine indienne, *atoca**, est considéré au Québec comme un régionalisme (parfois critiqué).

CANNE-ÉPÉE [kanepe] n. f. — xxᵉ ; *canne à épée*, 1867 ; de *canne*, et *épée*.

♦ Canne creuse dissimulant une épée. *Les cannes-épées sont des armes prohibées.*

CANNELÉ, ÉE [kanle] adj. — 1553 ; *quenelé*, 1342 ; de 2. *cannelle*.

♦ **1.** Arts. Qui présente des cannelures*. *Colonne cannelée.*
N. m. Meuble à cannelures.

1 (...) des marchands de malles, d'articles pour fumeurs, de guéridons, de petits sièges, d'armures, de « cannelés » Louis XVI, se succèdent sans interruption dans ces couloirs où les boutiques ont partout le même air somnolent, qu'on leur voit dans des rêves. Francis CARCO, Nostalgie de Paris, p. 39.

♦ **2.** Creusé de cannelures. *Meule cannelée. Pneus cannelés.* — *Ongles cannelés,* marqués de stries profondes.

2 Barkilphedro (...) avait les ongles cannelés et courts, les doigts noueux, les pouces plats (...) HUGO, l'Homme qui rit, II, I, VII.

Comm. *Tissu cannelé,* et, n. m., *le cannelé :* tissu de soie (taffetas), de coton (reps) qui présente des côtes longitudinales ou transversales. *Cannelé de Reims.*

Par métaphore :

3 (...) dans un des plis cannelés de ce rideau, d'une forte étoffe de soie croisée, que j'avais ôté de sa patère et qui tombait devant la fenêtre, perpendiculaire et immobile. BARBEY D'AUREVILLY, les Diaboliques, « Le rideau cramoisi ».

CONTR. Lisse.
DÉR. Canneler.
HOM. Formes du v. **canneler.**

CANNELER [kanle] v. tr. — Conjug. *appeler.* — 1611 ; de *cannelé.*

♦ Garnir de cannelures*. *Canneler une colonne, un pilastre.*

HOM. **Cannelé** (adj. et n.).

CANNELIER [kanəlje] n. m. — 1743 ; *cannelliers*, 1645 ; *arbres canelliers*, 1575 ; de 1. *cannelle.*

♦ Bot. Variété de laurier* (famille des *Lauracées*), scientifiquement appelée *laurus cinnamomum* ou *cinname*, dont l'écorce dépourvue de son épiderme constitue la cannelle (→ 1. Cannelle).

1. CANNELLE [kanɛl] n. f. — Déb. xiiᵉ, *canele* ; de *canne* « tuyau », et suff. *-elle* ; ou lat. médiéval *cannella.*

♦ **1.** Substance aromatique constituée par l'écorce du cannelier dépouillée de son épiderme (elle prend alors la forme de petits tuyaux). *La cannelle est utilisée en cuisine, en pâtisserie, en parfumerie et en médecine comme stimulant. Cannelle giroflée. Cannelle blanche. Cannelle en poudre. Boire un bol de vin chaud parfumé avec de la cannelle. Poudre de cannelle.*

♦ **2.** Loc. fig. (1798). Vx. *Mettre en cannelle :* réduire en poussière, ruiner.
Loc. Vx ou régional (Suisse). *Tomber, partir en cannelle :* tomber en pièces. *Avoir les jambes en cannelle :* être épuisé, fourbu.

♦ **3.** Adj. (1728). *Couleur cannelle :* de la couleur roux clair de l'écorce du cannelier.

Et le voiture (...) s'était fait faire pour la cérémonie un carrick prodigieux, un carrick cannelle à cinq collets, comme on en voit sortir à l'Ambigu des berlines d'émigrés. Ed. et J. DE GONCOURT, Journal, 20 févr. 1853.

DÉR. **Cannelier.**
HOM. Formes du v. **canneler** ; 2. **cannelle**, 3. **cannelle.**

2. CANNELLE [kanɛl] n. f. — 1718 ; *canelle*, 1496 ; de *canne* « conduit, tuyau ».

♦ Techn. Petit tube, robinet que l'on adapte à une cuve, à un pressoir, à un tonneau. — REM. On dit aussi *cannette* (→ 1. Cannette).

DÉR. **Cannelé.**
HOM. Formes du v. **canneler** ; 1. **cannelle**, 3. **cannelle.**

3. CANNELLE [kanɛl] n. f. — 1929 ; *kénelle*, 1857 ; de *canne* « tuyau, bobine ». → 1. Canne, 1. canon.

♦ **1.** Techn. Rainures situées de chaque côté du chas d'une aiguille.

♦ **2.** Dans les métiers à tisser, Bobine sur laquelle s'enroule le ruban provenant de l'étirage (ne pas confondre avec 2. *canette*).

HOM. Formes du v. **canneler** ; 1. **cannelle**, 2. **cannelle.**

CANNELLONI [kaneloni ; kanɛlloni] n. m. — 1918, Apollinaire ; mot ital. « tubes de grande dimension », de *canna* « tuyau » (→ 1. Canne), et suff. augmentatif *-one.*

♦ Cuis. Pâte roulée en cylindre, farcie au gras ou au maigre. *Un cannelloni.* — Plus souvent au plur. *Des cannelloni* ou *des cannellonis.*

REM. On trouve, dans le *Grand Dictionnaire de cuisine* (1873) d'Alexandre Dumas père, la forme francisée *cannellon* [kanelɔ̃] : « *Cannellon.* — On appelle ainsi, de la forme de leurs moules, certaines compositions de pâtes fines ».

CANNELURE [kanlyʀ] n. f. — 1547 ; *canneleüre*, 1545 ; ital. *cannellatura*, même sens, de *canna* « tuyau », lat. *canna.* → 2. Canne.

♦ **1.** Sillon longitudinal (creusé dans du bois, de la pierre, du métal...) ⇒ **Moulure, rainure, strie.** *Les cannelures d'une colonne, d'un pilastre, d'un vase. Cannelures à arête vive. Cannelures à côte. Cannelures torses,* qui tournent en spirale autour du fût (d'une colonne, etc.).

1 Les tuiles neuves, dont les cannelures conservaient encore quelques minces filets de neige (...) Th. GAUTIER, le Capitaine Fracasse, t. I, VIII.

2 L'huissier ouvrit à deux battants la haute porte à cannelures d'or sur fond pâle (...) COURTELINE, Messieurs les ronds-de-cuir, 6ᵉ tableau, II, p. 230.

3 La lampe avait un abat-jour rose en verre cannelé dont les enfants aimaient caresser du bout des doigts les cannelures (...) F. MAURIAC, le Mal, IX, p. 146.

♦ **2.** Bot. Strie profonde qui parcourt la tige de certaines plantes. *Les cannelures de la bette, du céleri.*

♦ **3.** Techn. Sillon creusé sur une surface. *Cannelure de poulie.* ⇒ **Gorge, goujure.** *Cannelure d'une vis** : sillon formé par le filet.

♦ **4.** Géogr. Sillon au profil arrondi qui se creuse dans les roches nues sous l'action de l'érosion externe. *Cannelures glaciaires.*

CANNE-PLANTOIR [kanplɑ̃twaʀ] n. f. — 1951, in T. Ballu, le Machinisme agricole, p. 64 ; de 1. *canne*, et *plantoir.*

♦ Agric. Plantoir perfectionné formé de deux mâchoires en forme d'entonnoir dans lesquelles on place le tubercule. — Au plur. *Des cannes-plantoirs.*

1. CANNER [kane] v. tr. — 1867 ; « mesurer à la canne » (1. Canne, 7.), 1613 ; de 1. *canne.*

♦ Garnir (un fond, un dossier de siège, une tête de lit, etc.) avec des cannes de jonc, de rotin entrelacées. *Canner une chaise, un fauteuil* (⇒ **Canné**). *Artisan occupé à canner une chaise.* ⇒ **Canneur.**
Au p. p. ⇒ **Canné.**

DÉR. **Cannage, canné, canneur.**
HOM. 1. **caner**, 2. **caner** ; **canné**, adj.

2. CANNER [kane] v. intr. ⇒ 2. **Caner.**

CANNETAGE [kantaʒ] n. m. ⇒ **Canetage.**

CANNETER [kante] v. intr. ⇒ 2. **Caneter.**

CANNETIÈRE [kantjɛʀ] n. f. ⇒ **Canetière.**

CANNETILLE ou CANETILLE [kantij] n. f. — 1547, *cannetille* ; *canetille*, 1535, in Rabelais ; esp. *cañutillo* même sens, de *cañuto* « tuyau », du lat. *canna* « roseau », par le mozarabe *quannût*, même sens. Technique.

♦ **1.** Fil de métal (or, argent...) retordu, servant à des travaux de broderie.

(...) une grosse bourse en velours rouge à glands d'or, et brodée de cannetille usée, provenant de la succession de sa grand'mère. BALZAC, Eugénie Grandet, éd. 1838, p. 234.

♦ **2.** Mus. Fil de métal (laiton argenté) enroulé autour d'un boyau pour former les grosses cordes d'instruments à cordes frottées (violoncelles, contrebasses).

DÉR. **Cannetiller.**
HOM. Formes du v. **cannetiller.**

CANNETILLER [kantije] v. tr. — Av. 1571 ; de *cannetille.*

♦ Techn. Orner de cannetilles (1.).

1. CANNETTE [kanɛt] n. f. — XVIIIᵉ; de 1. *canne*.
Technique.

♦ **1.** Robinet adapté à un tonneau. ⇒ 2. **Cannelle.**

♦ **2.** (1867). Tube couvert ou rempli de poudre, servant à mettre le feu dans le trou d'une mine ou d'une roche.
HOM. 1. **Canette,** 2. **canette,** 3. **canette.**

2. CANNETTE [kanɛt] n. f. ⇒ 2. **Canette.**

3. CANNETTE [kanɛt] n. f. ⇒ 3. **Canette.**

CANNEUR, EUSE [kanœʀ, øz] n. — 1877; de 1. *canner.*

♦ Personne qui canne les sièges. ⇒ aussi **Rempailleur.**

CANNIBALE [kanibal] n. m. — 1558; *canibale,* 1515; esp. *caníbal,* même sens; arawak *caniba,* désignant les Caraïbes antillais.

♦ **1.** Anthropophage. — Fig. *Un appétit de cannibale,* féroce.
1 Les nègres nus crient, rient et se querellent en montrant des dents de cannibales.
GIDE, Voyage au Congo, *in* Souvenirs, Pl., p. 686.
2 Les habitants de Mihu, redoutables cannibales, parquèrent les naufragés sous bonne garde pour se repaître de leur chair; chaque jour, l'un des prisonniers, après une rapide exécution, était dévoré séance tenante en présence de tous les autres. Raymond ROUSSEL, Impressions d'Afrique, p. 279-280.
Adj. *Un sauvage cannibale.* — Se dit aussi d'un animal qui dévore ceux de son espèce. *Certains poissons sont cannibales.*

♦ **2.** Par ext. Personne cruelle et féroce. ⇒ **Sauvage.**
3 Aussi me revient-il que quelques-uns de nos cannibales parlementaires trouvent bien rigoureuse (...) la punition que Votre Majesté a faite de ces magistrats prévaricateurs (...) D'ALEMBERT, Lettre au roi de Prusse, 29 févr. 1780.
Adj. Cruel, digne d'un cannibale. *Goûter un plaisir cannibale à critiquer (à « mettre en pièces ») quelqu'un.*
4 Il racontait longuement au monstre, qui n'y comprenait goutte, mais approuvait avec des hochements de tête et de grands sourires cannibales, les traitements qu'on appliquerait à l'immonde Sholto quand on l'aurait capturé.
J. DUTOURD, Mémoires de Mary Watson, p. 244.

♦ **3.** Régional (Belgique). *Cannibale* (n. m.), ou *toast cannibale :* pain de mie grillé couvert de viande crue hachée et assaisonnée (filet américain*). → Steak tartare*.
DÉR. **Cannibalesque, cannibalique, cannibalisme.**

CANNIBALESQUE [kanibalɛsk] adj. — 1862; de *cannibale,* et suff. *-esque.*

♦ Digne d'un cannibale. *Cruauté cannibalesque.*
(...) il *(un jeune Anglais)* parle, il parle continuement *(sic),* et sa voix un peu chantante et s'arrêtant et repartant aussitôt qu'elle s'arrête, vous entre, comme une vrille, dans les oreilles ses cannibalesques paroles.
Ed. et J. DE GONCOURT, Journal, t. II, p. 26 (1862).

CANNIBALIQUE [kanibalik] adj. — 1950; de *cannibale.*

♦ Psychan. Relatif au cannibalisme (3.). *Stade cannibalique :* stade oral dans sa phase de morsure ambivalente (dit aussi *stade sadique-oral*).

CANNIBALISATION [kanibalizɑsjɔ̃] n. f. — 1969; angl. *cannibalization,* de *to cannibalize.* → Cannibaliser.
Anglicisme.

♦ **1.** Techn. Action de cannibaliser (un objet hors d'usage). *La cannibalisation de véhicules militaires déclassés; d'armements hors d'usage.*

♦ **2.** Comm. Action de cannibaliser (un produit; un marché). *La cannibalisation d'un produit de base peut causer une perte financière pour le producteur.*

♦ **3.** Comm. Action de se cannibaliser*.

CANNIBALISER [kanibalize] v. tr. — V. 1969; angl. *to cannibalize,* de *cannibal.* → Cannibale.
Anglicisme.

♦ **1.** Techn. Utiliser (un objet fabriqué) usagé en en récupérant les pièces en bon état pour réparer des objets de même type. « (...) des réacteurs de DC-8 envoyés pour révision en Belgique y sont restés pour non-paiement de la facture, et il a fallu "cannibaliser" un appareil pour rééquiper l'autre » (l'Express n° 1696, 6 janv. 1984, p. 78).
Au p. p. « Les avions déclassés ou cannibalisés » (le Nouvel Obs., nº 1004, 3 févr. 1984, p. 24).

♦ **2.** Comm. Pour un produit fabriqué, Remplacer un autre produit,

plus ancien sur le marché, sans que cela ait été voulu par le producteur.
Détruire (un marché, une société) par une autoconcurrence.

▶ **SE CANNIBALISER** v. pron.
Comm. Se nuire ou se détruire en se faisant concurrence à soi-même. ⇒ **Autoconcurrence.**

CANNIBALISME [kanibalism] n. m. — 1797; de *cannibale.*

♦ **1.** Anthropophagie.
Certaines sociétés observent vis-à-vis de leurs morts une attitude de ce type. Elles leur refusent le repos, elles les mobilisent : littéralement parfois, comme c'est le cas du cannibalisme et de la nécrophagie quand ils sont fondés sur l'ambition de s'incorporer les vertus et les puissances du défunt (...)
Claude LÉVI-STRAUSS, Tristes tropiques, p. 199-200.

♦ **2.** Fig. ⇒ **Cruauté, férocité.**

♦ **3.** Psychan. Fantasme du stade oral consistant à vouloir inconsciemment s'incorporer et s'approprier l'objet aimé et ses qualités (⇒ **Cannibalique**).

CANNIER [kanje] n. m. ⇒ **Canier.**

CANNISSE [kanis] n. f. ⇒ **Canisse.**

CANOË [kanɔe] n. m. — 1867; angl. *canoe* [kɑnu], *canowe,* XVIᵉ-XVIIᵉ; *canoa,* 1555; esp. *canoa,* arawak des Bahamas *canoa.*
REM. Le mot *canoe* apparaît en français en 1519 comme emprunt direct à l'arawak, mais pour donner *canot.* → Canot.

♦ **1.** Embarcation légère et portative, pontée ou non, mue à la pagaie simple. ⇒ **Canot, kayak, pirogue.** *Canoë canadien.*
REM. Au Canada, où l'on écrit aussi *canoé,* le terme admet le synonyme *canot* dans le cas d'une embarcation non pontée. → Canot (1.).

♦ **2.** Sport de la manœuvre, de la navigation en canoë. *Faire du canoë.* — Syn. : *canoéisme.*
DÉR. **Canoéisme; canoéiste.**
COMP. **Canoë-kayak.**

CANOÉISME [kanɔeism] n. m. — 1948; de *canoë,* d'après *canoéiste.*

♦ Sport du canoë.

CANOÉISTE [kanɔeist] n. — 1888; angl. *canoeist,* 1886; de *canoë,* et suff. *-iste.*

♦ Personne qui pratique le sport du canoë, fait du canoë.

CANOË-KAYAK [kanɔekajak] n. m. — Mil. XXᵉ; de *canoë,* et *kayak.*

♦ Sport du canoë ou du kayak. *Canoë-kayak de vitesse. Canoë-kayak d'eaux vives.* « *Le sport du canoë-kayak diffère de l'aviron classique par l'esquif et par la technique* » (Petiot, *Dict. des sports,* art. *Canoë*).

1. CANON [kanɔ̃] n. m. — 1338; ital. *cannone,* augmentatif de *canna* «tube» (→ 1. Canne); «conduit, tuyau», XIVᵉ; «bobine», 1282; de 1. *canne.*

★ **I.** ♦ **1.** Pièce d'artillerie servant à lancer des projectiles lourds. ⇒ **Arme, artillerie, batterie, bouche à feu, mortier, obusier, pièce,** et aussi (ancienn) **aspic, basilic, bombarde, caronade, couleuvrine, émerillon, faucon, fauconneau, pierrier, veuglaire.** — Spécialt. Pièce d'artillerie à trajectoire tendue (opposé à *mortier, obusier*). *Canons en fonte, en bronze coulé, en acier.* — Les *canons.* ⇒ **Bronze** (poét. et vx). — *Canon de campagne, de montagne, de place, de siège, de côte, de marine. Canon antiaérien (D.C.A.). Canon anti-char. Canon de chasse, canon de retraite d'un navire de guerre.* — *Canon atomique,* dont l'obus peut recevoir une charge atomique (désignation fautive). — *Batterie* de canons. — *Canon de petit, de moyen, de gros calibre*. Canon de 57, de 75, de 155, de 305, de 420... millimètres de diamètre intérieur (ellipt. : un 57, un 75, etc.). ⇒ **Calibre.** *Un canon de 155 long,* à long tube et longue portée, par opposition à l'obusier de 155 court. *Les berthas*, canons allemands à longue portée de la guerre de 1914-1918. Canon à tubes jumelés, multiples :* lance-fusées, pom-pom, rocket. *Canon-revolver. Canon automatique.* ⇒ **Mitrailleuse.** — (1970). *Canon mitrailleur :* arme automatique montée sur affût, sur véhicule ou sur aéronef. *Canon automouvant, automoteur, autoporté.* ⇒ **Autocanon** (vieilli). — Soldat qui sert une pièce de canon. ⇒ **Artilleur, canonnier, servant.** *Équipement, pièces d'un canon. Tube du canon* (bouche, tranche de bouche, bourrelet de bouche, couvre-bouche, galets de bouche, frein de bouche ; volée ; rayures, âme). *Cercle d'acier qui renforçait les anciens canons de bois.* ⇒ **Frette.** *Culasse* du canon* (percuteur, extracteur, éjecteur ; cordon tire-feu ; tranche de culasse). *Le feu était mis autrefois à la charge du canon au moyen d'une mèche* enflammée passant par la lumière.* ⇒ **Lumière ; chapiteau, couvre-lumière.** — *Frein hydraulique du canon,* neutralisant le recul et ramenant le tube en batterie. *Cordage qui limitait le recul des canons.* ⇒ **Brague.** *Canon sans recul. Soulever un canon sans anses avec une élingue. Boucliers, siège, essieu, roues du canon. Affût* du canon. Tourillons qui assujettissent le canon sur son affût. Flèche d'un canon* (flasque, crosse, poignée de crosse, bêche de crosse, lunette de cheville ouvrière). *Canon biflèche,* muni de deux flèches ouvrantes qu'on écarte pour la mise en batterie. *Appareils de pointage d'un canon* (collimateur, goniomètre, télémètre, hausse ; volants de pointage, manivelle de hausse, berceau de pointage). *Canons pointés par télécommande* (télépointage). — *Entretenir, démonter, graisser un canon.* ⇒ **Écouvillon, refouloir** (→ **Arsenal,** parc). — *Canon à tir rapide. Portée* d'un canon. Plate-forme pour canons.* ⇒ **Barbette, risban.** *Canons d'une tourelle. Mise en batterie d'un canon. Tir au canon. Braquer, pointer un canon.* ⇒ **Braquer** (cit. 1). *Charger un canon. Projectiles de canons.* ⇒ **Boîte** (à mitraille), **cartouche ; boulet ; obus ; mitraille, shrapnel.** — Loc. *Boulet de canon. Arriver comme un boulet* de canon. Tirer un coup de canon, tirer le canon.* ⇒ **Bombarder, canonner.** *Tir* au canon.* ⇒ **Bordée, canonnade, salve, volée.** *Le canon crache, vomit le fer, le feu, la mort. Détruire un objectif à coups de canon. L'artillerie fait feu de tous ses canons* (→ **Arroser, battre en brèche*, pilonner ; barrage** [tir de]...). *Déclaveter, égueuler, enclouer, faire sauter un canon avant qu'il ne tombe entre les mains de l'ennemi.*

Par métonymie. Artillerie en action. *Le canon tonne, gronde, rugit. Le bruit lointain du canon.* ⇒ **Bombardement, canonnade.** « *Dansons la carmagnole, Vive le son Du canon...* »

1 Le canon me semblait la voix de Bonaparte ; et, tout enfant que j'étais, quand il grondait, je devenais rouge de plaisir (...)
A. DE VIGNY, Servitude et Grandeur militaires, III, III, p. 187.

2 Quand la nation se trouve sous le canon des ennemis et sous le poignard des traîtres, l'indulgence est parricide. FRANCE, Les dieux ont soif, p. 58.

2.1 L'ingénieur avait lieu de penser que ces canons étaient de fabrication excellente, et il s'y connaissait. Faits en acier forgé, et se chargeant par la culasse, ils devaient, par là même, pouvoir supporter une charge considérable, et par conséquent avoir une portée énorme. J. VERNE, l'Île mystérieuse, t. II, p. 663.

3 Les gros canons, appuyés sur leurs *jambes de force,* se tenaient tant bien que mal, cordés par des câbles de fer. LOTI, Mon frère Yves, XXVIII, p. 90.

4 Puis, le canon tonne au quartier turc et c'est, ce soir, la salve annonciatrice de la lune nouvelle, de la fin du ramadan. LOTI, Jérusalem, XIII, p. 163.

5 Sans y prêter attention, comme l'oreille s'habitue à un tic-tac d'horloge, on entend le canon. Quand ce sont les 75 de la gare qui tirent, on dirait que leur miaulement traverse la place. R. DORGELÈS, les Croix de bois, VI, p. 113.

6 Quelques détonations étouffées par l'éloignement, puis quelques coups de canon, espacés, le tirèrent de cette prostration.
MARTIN DU GARD, les Thibault, t. IX, p. 133.

7 Le bruit des canons s'était subitement calmé (...)
A. MAUROIS, les Silences du colonel Bramble, XV, p. 157.

8 (...) déjà les canons français, mis en batterie sur le rebord du plateau, faisaient pleuvoir boulets et obus.
Louis MADELIN, Hist. du Consulat et de l'Empire, t. V, Austerlitz.

Spécialt. *Canon de marine* (sur un vaisseau de guerre). ⇒ **Pièce.** *Un croiseur de tant de canons. Vaisseau de soixante-quatorze canons.*

Loc. *Poudre* à canon.*

Péj. *Marchand de canons :* fabricant et vendeur d'armes lourdes de guerre (cf. Trafiquant d'armes).

Loc. *Du beurre** (cit. 4.6) *ou des canons.*
Homme-canon, femme-canon : athlète de cirque qui (à l'origine) portait sur ses épaules un petit canon ; ou qui était projeté comme un boulet.

Loc. **CHAIR À CANON** : les soldats exposés à être blessés, mutilés, tués (« hachés ») par le canon, la mitraille (→ Chair, cit. 14 et 15).

8.1 (...) l'ogre de Rastenburg *(Hitler),* qui exigeait de ses sujets, pour son anniversaire, ce don exhaustif, cinq cent mille petites filles et cinq cent mille petits garçons de dix ans, en tenue sacrificielle, c'est-à-dire tout nus, avec lesquels il pétrissait sa chair à canon. M. TOURNIER, le Roi des Aulnes, p. 251.

(1922). *Canon paragrêle :* canon destiné à empêcher la formation des grêlons. — *Canon lance-harpon,* pour la capture des grands cétacés. — *Canon porte-amarre,* pouvant lancer un cordage à un navire en perdition. — Anc. *Canon d'amarrage :* canon réformé fiché dans un quai pour l'amarrage des navires. ⇒ **Bitte, bollard.** — *Canon à neige :* appareil projetant de la neige artificielle destinée à améliorer une piste de ski. *Canon à avalanches,* qui permet de déclencher une avalanche menaçante, de rendre non dangereux un couloir d'avalanches.

(1903). Par métaphore. *Canon à électrons, canon électronique :* dispositif servant à accélérer les électrons cathodiques et à les rassembler en faisceau. *Canon électromagnétique. Canon-laser.* ⇒ **Laser.**

♦ **2.** (1569). Tube qui, dans les armes à feu, dirige le projectile. *Canon d'un fusil, d'une carabine, d'un revolver. Montage du canon sur le fût. Anneau fixant le canon au fût.* ⇒ **Capucine, grenadière.** *Fusil de chasse à deux canons,* à deux coups. *Fusil à long canon pour la chasse aux canards.* ⇒ **Canardière.** *Rétrécissement*

du canon pour regrouper les plombs. ⇒ **Choke-bore.** *Fusil à canon scié. Canon lisse. Canon rayé,* communiquant à la balle*, aux plombs de la cartouche*, un mouvement de rotation qui augmente la portée et la force de pénétration. *Carabine à canon scié* (pour servir d'arme meurtrière). *Canon rubané. Canon ovalisé ; piqué par la rouille. Canon d'un fusil de guerre. Baïonnette au canon :* baïonnette fixée au bout du fusil.

9 Mais, dans le mouvement de détente, le canon de ce fusil dévia par hasard dans le même sens. LOTI, Pêcheur d'Islande, III, I, p. 139.

★ **II.** (XVIᵉ). ♦ **1.** Techn. Se dit de divers objets cylindriques. — (1611). *Canon d'une seringue :* le corps de pompe de la seringue. — (1676). *Canon d'une clef,* sa partie forée. *Canon d'une serrure :* pièce de la serrure qui reçoit la tige de la clef. *Canon d'une plume,* le tuyau. *Canon d'arrosoir :* tuyau qui reçoit la pomme de l'arrosoir. *Canon d'une montre :* pièce de la roue des heures, sur laquelle est tourné l'ajustement de l'aiguille des heures. *Canon du mors :* partie du mors qui s'appuie sur la barre. — (1448). *Canon d'une fontaine :* tuyau d'une fontaine.

9.1 La petite fontaine qui alimentait l'abreuvoir était bien entretenue. Son canon de bois enfoncé dans le flanc d'un talus avait été cerclé récemment d'un anneau de fer qui était encore brillant. J. GIONO, le Hussard sur le toit, p. 279.

♦ **2.** (1578). Anciennt. Pièce de toile ou de drap, large, ornée de dentelle, de rubans et qu'on utilisait comme parure en l'attachant au bas de la culotte, au-dessous du genou.

10 (...) de ces grands canons où, comme on les entraves,
On met tous les matins ses deux jambes esclaves (...)
MOLIÈRE, l'École des maris, I, 1.

11 Le courtisan autrefois (...) portait de larges canons (...) Cela ne sied plus : il porte (...) le bas uni (...) LA BRUYÈRE, les Caractères, XIII, 16.

♦ **3.** Zool. Partie des membres du cheval comprise entre le genou et le boulet dans les membres antérieurs, et le jarret et le boulet, dans les membres postérieurs.

DÉR. Canonner, canonnerie, canonnier, canonnière.
COMP. Autocanon.
HOM. 2. Canon, 3. canon ; formes des v. 1. et 2. caner, 1. canner.

2. CANON [kanɔ̃] n. m. — 1259 ; lat. *canon* « modèle, règle » ; du grec *kanôn* « règle ».

★ **I.** ♦ **1.** Théol. Loi ecclésiastique, et, spécialt., règle, décret des conciles en matière de foi et de discipline. *Canons de l'Église. Saints canons. Canon d'un concile œcuménique. Canon apostolique. Défenses, peines imposées par les canons de l'Église* (⇒ **Canonial, canonique**).

1 Comme vous vous êtes trouvés embarrassés entre les canons de l'Église qui imposent d'horribles peines aux simoniaques, et l'avarice de tant de personnes qui recherchent cet infâme trafic (...) PASCAL, les Provinciales, 12.

Adj. (V. 1511). Plus cour. *Droit canon :* droit ecclésiastique, fondé sur les canons de l'Église, les décrétales. ⇒ **Capitulaire** (droit capitulaire). *Corps du droit canon. École de droit canon. Docteur en droit canon.* ⇒ **Canoniste.** *Le droit canon a été codifié en dernier lieu par le* corpus juris canonici, *promulgué en 1917.*

♦ **2.** (1690). Ensemble des livres admis comme divinement inspirés. *Canon des Écritures. Canon de l'Ancien, du Nouveau Testament.* ⇒ **Bible.** *Canon juif. Canon chrétien. Les protestants rejettent certains livres comme n'étant pas du canon des Écritures* (Académie).

2 On vénérait le souvenir de la révélation mosaïque, on conservait les vieux textes dans les archives, mais cela ne constituait pas encore vraiment, d'un mot grec qui signifie règle, mesure, modèle, un *canon.*
DANIEL-ROPS, le Peuple de la Bible, IV, p. 309.

♦ **3.** (V. 1350). Catalogue des saints reconnus et canonisés par l'Église romaine (⇒ **Canonisation**). — *Canon pascal :* table des fêtes mobiles, dressée pour plusieurs années. — (V. 1295). *Canon de la messe :* partie de l'office, contenant les paroles sacramentelles et des oraisons, qui va de la Préface au Pater.

2.1 (...) le rite chrétien dans son ensemble se présente sous deux aspects : il est quotidien et a pour centre le canon de la messe (...)
Émile BURNOUF, la Science des religions, p. 231.

(1550). Tableaux placés au milieu de l'autel et qui contiennent une partie de l'office. — *Canons d'autel :* tablettes contenant certaines prières, pour la plupart extraites du canon de la messe.

♦ **4.** Didact. Norme, règle.

Dans l'antiquité, Liste d'auteurs considérés comme modèles*. *Hérodote est le canon du dialecte ionien.*

(1814). Arts. Ensemble de règles* fixes servant de module pour déterminer les proportions des statues, conformément à un idéal de beauté. ⇒ **Idéal, type.** *Canon de Polyclète, de Lysippe.*

3 Les dimensions des corps ne varient pas seulement avec le sexe, mais encore avec les races et suivant les conditions d'âge, de milieu, de climat, etc... Cela explique la diversité des canons. Il en est autant que de races. Aucun n'a la prétention de fixer un idéal de beauté ou de santé. Mais tous ont leur utilité en donnant un aperçu de la conformation corporelle moyenne ; car, ils ont été établis en partant de mensurations très nombreuses, pratiquées sur des individus considérés, a priori, comme normaux. A. BINET, les Formes de la femme, p. 15.

4 L'un et l'autre portaient (...) une tête stylisée, qui paraissait moins construite par la nature que composée d'après un canon (...)
MARTIN DU GARD, les Thibault, t. V, p. 70.

Typogr. Calibre des caractères d'imprimerie. *Caractère d'un petit, d'un gros, d'un double canon.*

★ **II.** (1690). Imitation, par une partie vocale ou instrumentale, d'un thème qui vient d'être énoncé. *Canon à l'octave. Canon à deux voix. Thème en canon. Canon et fugue. Chanter un canon à trois voix.*

5 Les muézins, qui sont des bergers, debout sur leurs toits de terre, chantent tous ensemble, comme un canon et en fugue (...)   LOTI, Jérusalem, III, p. 15.

6 M. Vincent d'Indy, dans son *cours de composition musicale* a très précisément décrit le *canon*, cette pièce polyphonique vocale ou instrumentale, dans laquelle le thème proposé par *l'antécédent* est imité ensuite par toute la série des *conséquentes.*   Éd. HERRIOT, la Vie de Beethoven, p. 305.

7 « Frère Jacques, dormez-vous ? Sonnez les matines... Din, din, don... » est le type du canon à quatre « entrées » successives.
Initiation à la musique, Canon, p. 372.

DÉR. 1. **Canonial, canonique, canoniser, canoniste.** — V. aussi **Canonicat, chanoine.**
HOM. 1. **Canon,** 3. **canon ;** formes des v. 1. et 2. **caner,** 1. **canner.**

3. CANON [kanɔ̃] n. m. — 1596 ; métaphore de 1. *canon.*

♦ **1.** [a] Anciennt. Mesure de capacité utilisée pour le vin (1/16e de pinte*).

[b] (XVIIIe). Bouteille ou récipient contenant un canon.

♦ **2.** (1826). Fam. et cour. (surtout rural). Verre de vin. — Action de boire un verre. ⇒ **Coup ; chopine, verre.** *Un canon de rouge. Venez donc boire un canon. Allez, encore un petit canon !*

(...) au milieu (...) se creusait un bassin à rafraîchir et à rincer, où des litres entamés alignaient leurs cols verdâtres. Puis, l'armée des verres, rangée par bandes, occupait les deux côtés : les petits verres pour l'eau-de-vie, les gobelets épais pour les canons (...)   ZOLA, le Ventre de Paris, t. I, p. 161.

HOM. 1. **Canon,** 2. **canon ;** formes des v. 1. et 2. **caner,** 1. **canner.**

CAÑON [kaɲɔ̃ ; kanjɔn] n. m. — 1883, *in* Höfler ; *cagnon,* 1856, dans une traduction ; *canon,* 1877, Littré, *Suppl. ; canyon,* 1886 ; esp. du Mexique *cañon* «tube, tuyau», par l'anglais.

♦ Géogr. Gorge ou ravin étroit, profond, sinueux, creusé par un cours d'eau dans une chaîne de montagnes. *Les cañons du Colorado. Le Grand Cañon.*

Leur séparation ou «dissection» par des vallées, très profondes eu égard à leur largeur, et encaissées entre remparts abrupts ou même verticaux : les cañons (cagnons ou canyons), mot espagnol signifiant : tuyau, tube, canal et que les Américains appliquent à toutes les vallées de ce genre.
Édouard-Alfred MARTEL, les Causses majeurs, I, p. 5.

(1949, *in* Höfler). Océanographie. Longue dépression sous-marine formant une vallée à versants escarpés.

REM. La var. *canyon** (mot angl., [kɛnjən]) est plutôt réservée au monde anglophone.

1. CANONIAL, ALE, AUX [kanɔnjal, o] adj. — V. 1165 ; de 2. *canon.*

♦ Qui est réglé par les canons ; conforme à la règle. — (1429). *Heures canoniales :* les petites heures du bréviaire (matines, laudes, primes, tierce, sexte, none, vêpres, complies). *Défenses canoniales. Devoirs canoniaux.*

2. CANONIAL, ALE, AUX [kanɔnjal, o] adj. — XIIIe ; a remplacé *chanuinal,* XIIe ; de *chanoine,* refait sur le lat. ecclés. *canonicalis.*

♦ Relig. Qui a rapport au canonicat. *Office canonial,* que les chanoines chantent dans l'église. *Vie canoniale :* vie prescrite aux chanoines en communauté.

(...) les nouveaux monastères du XIIe siècle dénotent, dans la masse du peuple, une vitalité semblable à celle qui lance au même moment tant de fils de la noblesse dans les expéditions lointaines et dans l'état monastique ou canonial.
Georges DUBY, Guerriers et Paysans, p. 207.

CANONICAL, ALE, AUX [kanɔnikal, o] adj. — 1832 ; fin XVe au sens de 1. *canonial ;* lat. *canonicalis,* de *canonicus* «chanoine».

♦ Relig. D'un chanoine. *Maison, cellule, robe canonicale.* — REM. On dit aussi *canonial* dans ce sens (⇒ 2. **Canonial**).

CANONICAT [kanɔnika] n. m. — 1611 ; lat. ecclés. *canonicatus,* de *canonicus.* → Chanoine.

♦ **1.** Hist. Bénéfice d'un chanoine, d'une chanoinesse. *Obtenir un canonicat.*

1 Cette grâce, Sire, est un canonicat de votre chapelle royale de Vincennes (...)
MOLIÈRE, Tartuffe, 3e Placet au Roi.

Fig. et vx. *C'est un canonicat, un vrai canonicat,* une place lucrative, une sinécure.

♦ **2.** Relig. Dignité, office de chanoine. ⇒ **Chanoinie ;** → Aumusse, cit. 1. *Obtenir le canonicat.*

(...) l'abbé Birotteau avait remplacé ses deux passions satisfaites par le souhait d'un canonicat. Le titre de chanoine était devenu pour lui ce que doit être la pairie pour un ministre plébéien.   BALZAC, les Célibataires, éd. 1834, p. 48.   2

CANONICITÉ [kanɔnisite] n. f. — Av. 1704, Bossuet ; de *canonique.*

♦ **1.** Relig. Caractère de ce qui est canonique (1.).
Un concile d'une si médiocre canonicité pourrait avoir de grandes suites.
SAINT-SIMON, Mémoires, 465, 91, *in* LITTRÉ.

♦ **2.** Didact. Caractère de ce qui est canonique (5.).

CANONIQUE [kanɔnik] adj. — 1321 ; n., 1250 ; lat. ecclés. *canonicus* «conforme à la règle», grec *kanonikos*,* de *kanôn.* → 2. Canon.

♦ **1.** Relig. Conforme aux canons. *Peines canoniques.*

♦ **2.** Loc. (1783). Relig. ÂGE CANONIQUE : âge de quarante ans, âge minimum pour être servante chez un ecclésiastique.
*Capus, frileux dans sa robe de chambre, l'air d'un petit curé qui vient se coucher avec sa bonne d'âge canonique.   J. RENARD, Journal, 19 janv. 1908.   1
Cour. *Âge canonique :* âge respectable, assez avancé (on pense à un âge beaucoup plus avancé que celui qui motive l'expression). — Par ext. (Personnes). Qui a l'âge canonique. *Le pays a élu un président canonique !*

♦ **3.** Relig. Relatif aux canons. *Droit canonique :* droit canon. ⇒ **Canon.** — Qui compose les canons. *Livres, Évangiles canoniques.*
Néanmoins, s'il est vrai que les livres canoniques soient sortis l'un après l'autre du mystère où ils étaient tenus, la forme sous laquelle nous les possédons n'est pas celle que leurs auteurs leur avaient donnée (...)   2
Émile BURNOUF, la Science des religions, p. 90.

♦ **4.** Art. Conforme à une norme reconnue. *La beauté canonique. Les proportions canoniques de l'art grec.*

♦ **5.** Didact. Qui pose une règle ou correspond à une règle. ⇒ **Normatif.**
Qui correspond à une norme. *La forme canonique et les variantes d'une unité linguistique.*
Math. Qui est le plus simple relativement à certaines structures, en parlant d'un être mathématique. *Base canonique. Décomposition canonique d'une application. Équation canonique,* de forme simple, servant de modèle à une famille d'équations pouvant s'y ramener.
N. f. (1847). Système de règles.
Les réflexions qui suivent ne suivent pas une canonique de la critique. Je dis plus loin que la critique n'est pas autorisée à donner des règles aux genres littéraires.   3
A. THIBAUDET, Physiologie de la critique, p. 18, *in* FOULQUIÉ.

DÉR. **Canonicité, canoniquement.**

CANONIQUEMENT [kanɔnikmɑ̃] adv. — 1374 ; de *canonique.*

♦ **1.** Relig. Conformément aux canons (de l'Église).
Littér. et par plais. Comme un chanoine. *Renan, « les mains canoniquement croisées sur le ventre »* (Goncourt).

♦ **2.** Didact. De manière canonique (4. et 5.).

CANONISABLE [kanɔnizabl] adj. et n. — 1867 ; «louable», 1601 ; de *canoniser.*

♦ Relig. Qui peut être canonisé. *Un bienheureux canonisable.*

CANONISATION [kanɔnizasjɔ̃] n. f. — XVIe ; *canonization,* déb. XIVe ; *canonnisasion,* fin XIIIe ; de *canoniser.*

♦ Action de canoniser. ⇒ **Béatification** (cit. 1). *Procès de canonisation. Le pape prononce les canonisations des saints.*
(...) je citerai le fait récemment découvert de la canonisation par l'Église romaine d'un grand personnage indien du VIe siècle avant notre ère.
Émile BURNOUF, la Science des religions, p. 254.

Par métaphore. *« Le crédit est la canonisation de l'argent »* (Proudhon). ⇒ **Sanctification.**

CANONISER [kanɔnize] v. tr. — 1495 ; *cannoniser,* XIVe ; *canonisier,* XIIIe ; lat. ecclés. *canonizare,* grec *kanonizein* «mesurer, régler», de *kanôn.* → 2. Canon.

♦ **1.** Mettre au nombre des saints* suivant les règles et avec les cérémonies prescrites par l'Église. *Il est béatifié, mais il n'est pas encore canonisé.*
Fig. et fam. (vieilli). *Canoniser qqn, qqch.,* le sanctifier, le mettre au rang des choses saintes, sacrées. ⇒ **Encenser, glorifier, louer, prôner.**

◆ **2.** Relig. Déclarer canonique, conforme aux canons de l'Église. — Au p. p. *Livre canonisé.*

DÉR. Canonisable, canonisation.

CANONISTE [kanɔnist] n. m. — Déb. xvᵉ; de 2. *canon.*

◆ Relig. Homme d'Église spécialiste du droit canon.

CANONNADE [kanɔnad] n. f. — 1552, Rabelais; ital. *cannonata,* même sens.

◆ Tir soutenu d'un ou plusieurs canons. *Une vive canonnade. Bruit de la canonnade.*

1   Conrad et sa sœur m'attendaient sur les marches du perron, sous la marquise dont les canonnades de l'été précédent n'avaient pas laissé une seule vitre intacte (...)
M. YOURCENAR, le Coup de grâce, p. 177.

Ce bruit. *Entendre une canonnade dans le lointain.*

2   Toute la nuit, à partir de 10 heures, la lointaine canonnade a fait trembler le sol dans un indistinct grondement continu.   GIDE, Journal, 23 avr. 1943.

CANONNAGE [kanɔnaʒ] n. m. — 1771; de *canonner.*

◆ **1.** Techn. (milit.). Technique du canonnier (spécialt, sur les navires de guerre).

◆ **2.** Cour. Fait de canonner (un objectif). *Le canonnage des positions ennemies. Un canonnage systématique; sporadique.*

CANONNER [kanɔne] v. tr. — 1534; de 1. *canon.*

◆ **1.** Tirer au canon sur (un objectif). ⇒ **Bombarder** (cit. 1). *Canonner un camp, une place, une position ennemie.* — Pron. *Les deux armées se canonnèrent.*

Par métaphore. *Les gamins nous canonnaient à coup de cailloux.* ⇒ **Bombarder, mitrailler.**

(Abstrait). Attaquer violemment.

(...) s'ils *(ne)* croyaient pas *(à Dieu),* d'autres y croyaient : leurs ennemis ! et c'était assez pour maugréer, blasphémer et canonner dans leurs discours tout ce qu'il y a de saint et de sacré parmi les hommes.
BARBEY D'AUREVILLY, les Diaboliques, « À un dîner d'athées ».

◆ **2.** (1829). Mar. *Canonner une voile,* l'enrouler (lui donnant ainsi la forme tubulaire du canon).

DÉR. Canonnage.

CANONNERIE [kanɔnʀi] n. f. — 1845; «action de canonner», 1549; de 1. *canon.*

◆ Vx. Fonderie où l'on coule des canons.

CANONNIER [kanɔnje] n. m. — 1383; «fabricant de canons», 1382; de 1. *canon.*

◆ Soldat ou marin chargé du service d'une pièce de canon. ⇒ **Artilleur.** *Canonnier de la marine. La Sainte-Barbe, fête des canonniers.*

CANONNIÈRE [kanɔnjɛʀ] n. f. — 1424; *kannonire,* 1415; de 1. *canon.*

◆ **1.** Vx. Petite ouverture étroite pratiquée dans un mur pour tirer sans être vu. ⇒ **Meurtrière.**

◆ **2.** (1680; *canonière,* av. 1634). Jouet fait d'un tuyau de sureau avec lequel les enfants lancent des boulettes. ⇒ **Clifoire, pétoire, sarbacane, tube.**

◆ **3.** Mar. Petit bâtiment armé d'un ou plusieurs canons. *Canonnière fluviale, de haute mer.*

Parfois on croisait une jonque des factoreries chargée de peaux de yaks (...) parfois aussi des sampans (...) plus rarement la canonnière britannique déléguée par les cinq nations concessionnaires pour garantir ce trafic compromis par des riverains versatiles.   A. BLONDIN, Un singe en hiver, p. 6.

Loc. *La politique de la canonnière :* politique de force, dans les rapports avec des pays lointains, colonisables.

Adj. (1777, in D.D.L.). *Chaloupe* (cit. 2) *canonnière.*

CANOPE [kanɔp] n. m. — 1838, adj.; lat. *canopus;* grec *kanôpos,* nom d'une ville de Basse-Égypte où des vases en terre au couvercle surmonté d'une figure humaine servaient au culte du dieu Osiris.

◆ (1846). Didact. Vase funéraire (égyptien ou étrusque) ayant pour couvercle une tête emblématique et qui contenait les viscères des morts embaumés.

Adj. *Vase canope.*

Le sperme l'urine le sang s'étalent autour de moi comme les entrailles d'une momie dans ses vases canopes.   Tony DUVERT, Paysage de fantaisie, p. 93.

CANOT [kano] n. m. — 1599; *canoe,* 1519; esp. *canoa,* mot arawak (langue indienne caraïbe). → *Canoë.*

REM. Les marins (notamment bretons) prononcent [kanɔt] n. m., et font parfois le nom féminin.

◆ **1.** (1603). Vx ou régional (Canada). Embarcation* légère, non pontée, marchant soit à l'aviron, soit à la pagaie. ⇒ **Canadienne, canoë, kayak, périssoire, pirogue.** *Canot indien.*

L'Esquimau va prendre des peaux de loup marin; il les étend avec des barbes de   1
baleine; il en forme un long canot.   CHATEAUBRIAND, les Natchez, VIII, 340.

◆ **2.** (1677). Cour. Embarcation légère non pontée (à aviron, rame, moteur, voile). ⇒ **Barque, chaloupe, esquif, nacelle, skiff, youyou.** *Canot de pêche. Canot de plaisance,* pour la promenade (⇒ **Canoter, canotier**). *Se promener en canot.* — Régional, au fém. (→ REM. en tête d'article). *Une belle canot* [kanɔt].
Petite embarcation, utilisée pour le service d'un bateau plus grand. ⇒ **Annexe.** *Mettre les canots à la mer.*

Le canot du steamer soulevé par la houle   2
Vint me prendre, et ce fut un long embrassement.
HUGO, les Contemplations, V, En marche, XV.

Canot de l'amiral, ou *canot amiral :* canot affecté à l'usage de l'amiral. *Canot major,* affecté à l'usage des officiers sur les navires de guerre (on écrit parfois : *canot-major*). *Le canot du commandant. Canot de bord.* ⇒ **Baleinière, chaloupe.**
CANOT DE SAUVETAGE : canot insubmersible, parfois pneumatique, prêt, dans certains ports, à porter secours aux navires en détresse. — *Canot pneumatique,* en toile imperméable et gonflé à l'air comprimé. ⇒ **Bib.**

(...) chaque soldat, sur le dos, avait une outre en peau qui, gonflée, servait de canot   3
pneumatique.   DANIEL-ROPS, le Peuple de la Bible, III, II, p. 216.

(1903, *in* Petiot). *Canot automobile.* ⇒ **Vedette.** *Canot à moteur hors-bord.* ⇒ **Hors-bord.**

◆ **3.** Navigation en canot (1. ou 2.). ⇒ **Canotage.** *Faire du canot. Aimer le canot.*

DÉR. Canoter, canotier.
HOM. Canaux.

CANOTAGE [kanɔtaʒ] n. m. — 1843; de *canoter.*

◆ **1.** Action de canoter. — Sport pratiqué sur un canot. ⇒ **Aviron.** *Les joies du canotage.*

◆ **2.** En parlant d'un canot (1.), d'un canoë. *Manœuvre d'un canot*.* *Être expert en canotage.*

CANOTER [kanɔte] v. intr. — 1858; de *canot.*

◆ **1.** S'adonner à la pratique du canotage.
Aller se promener en canot, en barque (⇒ **Ramer**).

◆ **2.** Régional (Canada). Faire du canot (1.) ou canoë.

DÉR. Canotage, canoteur.

CANOTEUR, EUSE [kanɔtœʀ, øz] n. — xxᵉ; de *canoter.*

◆ Personne qui canote, se promène en canot de plaisance. *Les canoteuses, les canoteurs du bois de Boulogne.* — REM. La forme normale est *canotier,* qui a vieilli à cause du sens II («chapeau»).

CANOTIER, IÈRE [kanɔtje, jɛʀ] n. — 1830, *in* Petiot; *canautier,* fin xvᵉ; de *canot.*

★ **I.** ◆ **1.** N. m. Mar. Marin désigné pour faire partie de l'armement d'un canot en qualité de rameur.

◆ **2.** Vieilli. Personne qui s'adonne au sport du canotage. *Les canotiers du bois de Boulogne.* ⇒ **Canoteur.**

Te voilà donc devenue une canotière. La voile fait une peur abominable à ta grand-mère.   FLAUBERT, Correspondance, 1864, Conard éd., 9, 144, *in* T. L. F.

Au delà du pont, au milieu de la nappe élargie de la rivière, très-bleue, moirée   2
de vert à la rencontre des deux bras, une équipe de canotiers en vareuses rouges ramaient, pour maintenir leur canot à la hauteur du Port-aux-Fruits.
ZOLA, Son Excellence Eugène Rougon, t. I, p. 98.

Des canotiers passaient en périssoires et, dans l'île, des femmes en robes claires   3
les appelaient avec des rires argentins.   FRANCE, Jocaste, XI, p. 109.

★ **II.** (1903, Colette; *chapeau canotier,* 1874). *Un canotier :* un chapeau de paille à fond plat et à bords étroits. ⇒ **Paille,** n. m. *Être coiffé d'un canotier. Être en canotier.*

CANT [kãt] n. m. — 1824, Stendhal; mot angl., «jargon d'un milieu formaliste», 1681; p.-ê. lat. *cantus* «chant».

◆ Vieilli. Affectation excessive ou hypocrite de pudeur, de respect des convenances. ⇒ **Formalisme, pruderie.**

Rien n'éloigne davantage des deux grands vices anglais : le *cant* et la *bashfulness*, (hypocrisie de moralité et timidité orgueilleuse et souffrante ...)
STENDHAL, De l'amour, XLVI.
CONTR. Franchise, simplicité.

CANTABILE [kɑ̃tabilɛ] n. m., adj. et adv. — 1757 ; adj. ital. *cantabile*, adj. lat. *cantabilis* « digne d'être chanté ».
Musique.

♦ **1.** N. m. Morceau de musique* ou de chant au mouvement lent et souvent empreint de mélancolie.
(...) le violon seul chante sa pastorale mystique, reprise par les clarinettes et les bassons, en *cantabile* enamouré.
R. ROLLAND, le Chant de la résurrection, p. 424 (1937).

♦ **2.** Adj. (1803). *Adagio, andante, moderato cantabile. Moderato cantabile*, titre d'un roman de M. Duras.

♦ **3.** Adv. *Jouer cantabile. Exposer un thème cantabile.*

CANTAL [kɑ̃tal] n. m. — 1643 ; nom de région, puis de département français.

♦ Fromage à pâte ferme, à croûte lavée, fabriqué dans le Cantal (Auvergne), avec du lait de vache. → Fourme (du Cantal, de Salers). *Des cantals. Le cantal était connu du temps des Romains.*

CANTALOUP [kɑ̃talu] n. m. — 1791 ; *cantaloupe*, 1771 ; de *Cantalupo*, villa des papes aux environs de Rome, où ce melon était cultivé.

♦ **1.** Melon* à côtes rugueuses et à chair orangée.
1   Alors *(Pécuchet)* tenta ce qui lui semblait être le summum de l'art : l'élève du melon. Il sema les graines de plusieurs variétés dans des assiettes remplies de terreau (...) Les cantaloups mûrirent. Au premier, Bouvard fit la grimace.
FLAUBERT, Bouvard et Pécuchet, II, Pl., p. 695.
2   Entre la galette de plomb et le quatre-quarts trône un cantaloup mystérieux comme un puits, qui a bu un verre de porto et deux cuillerées de sucre en poudre...
COLETTE, Gigi, « Flore et Pomone », p. 150.
Adj. *Melon cantaloup.*
REM. On rencontre la graphie *cantalou* (→ Broder, cit. 12).

♦ **2.** Argot fam. Biceps volumineux. *Vise un peu le malabar ! T'as vu les cantaloups ?*

CANTATE [kɑ̃tat] n. f. — 1703 ; ital. *cantata* « ce qui se chante », p. p. fém. de *cantare* « chanter » ; → Sonate, toccata.

♦ **1.** Didact. Poème lyrique écrit pour être mis en musique et chanté.

♦ **2.** Mus. (plus cour.). Pièce musicale composée sur un tel texte lyrique, pour une ou plusieurs voix accompagnée(s). *Récitatifs, airs, duos d'une cantate. Cantate pour soprano, ténor et orchestre à cordes. Cantate religieuse, sacrée. Cantates profanes. Les cantates de Bach.*
DÉR. Cantatille.

CANTATILLE [kɑ̃tatij] n. f. — 1752, Trévoux ; de *cantate*, et suff. *-ille.*

♦ Mus. Vx. Petite cantate, généralement à une seule voix.

CANTATRICE [kɑ̃tatʀis] n. f. — 1762, « chanteuse italienne » ; ital. *cantatrice* « chanteuse » ; lat. *cantatrix, -icis*, de *cantare* « chanter ».

♦ Artiste lyrique, virtuose de l'opéra ou du chant classique. ⇒ **Chanteuse.** *Une grande, une célèbre cantatrice.* ⇒ **Diva.**
Ils étaient comme ces abonnés de l'Opéra qui se garderaient de porter un jugement sur une nouvelle cantatrice avant de l'avoir entendue dans le grand air du premier acte (...)
Jean-Louis CURTIS, le Roseau pensant, p. 17.
Allus. littér. *La Cantatrice chauve*, pièce de E. Ionesco (où il n'est nullement question de cantatrice, qu'elle soit chevelue ou chauve).

CANTER [kɑ̃tɛʀ] n. m. — 1862 ; mot angl., probablt de *Canterbury*, d'après l'allure relativement lente des chevaux des pèlerins de cette ville.

♦ Turf. Train d'essai d'un cheval de course ; galop modéré. *Prendre son, un canter.*
Par ext. Course d'entraînement. *Être vainqueur dans un canter.*
Loc. fig. (1867). *Dans un canter* : facilement, sans effort. ⇒ **Fauteuil** (dans un fauteuil).
1   Par induction, on dit également, quand un cheval gagne avec une excessive facilité, laissant tous ses concurrents loin derrière lui, qu'il a gagné *dans un canter.*
N. PEARSON, Dictionnaire du sport français, in PETIOT.
Figuré :
2   Il *(un pianiste)* commence, molo, dans un style on ne peut plus classique, pour

dégourdir ses vieux doigts noueux, maigres et tachés de nicotine. Un simple canter. Vieille lune de Bilbao. Et ça repart comme en 1921.
André HARDELLET, Lourdes, lentes..., p. 110.
HOM. Canthère.

1. CANTHARE [kɑ̃taʀ] n. m. — 1611, « hanap » ; repris comme t. d'archéol. grecque ; lat. *cantharus*, grec *kantharos* « coupe avec des anses ».
Didactique (antiquité).

♦ **1.** Vase à boire (grec ou romain) muni de deux grandes anses.
D'autres pièces trahissent plutôt une origine asiatique : ainsi le canthare de Boscoreale, décoré de cigognes, oiseaux qui, par essaims, passent l'hiver en Anatolie (...)
G. CONTENAU et V. CHAPOT, l'Art antique, p. 303.

♦ **2.** (1856). *Canthare* ou *cantharus* : bassin d'ablutions.

2. CANTHARE [kɑ̃taʀ] n. m. ⇒ **Canthère.**

CANTHARIDE [kɑ̃taʀid] n. f. — XIVe ; lat. *cantharis*, grec *kantharis, -idos*, même sens.

♦ **1.** Zool. Insecte coléoptère *(Méloïdés)* de couleur vert doré et brillant, appelé aussi *mouche d'Espagne* ou *de Milan.*
Une bête tiède (...) saute sur la table, d'un bond muet et si précis, qu'il n'a pas dérangé les attelles de papier sur le gros scarabée, ni éparpillé un monceau scintillant de cantharides (...)
COLETTE, la Paix chez les bêtes, p. 140.

♦ **2.** (1575). Préparation faite à partir du corps desséché de l'insecte, réduit en poudre, utilisée autrefois comme vésicant et surtout comme aphrodisiaque. *Poudre de cantharide*, cantharide.

♦ **3.** (1901). Argot et vx. Femme qui se plaît à susciter le désir sensuel, « allumeuse ».
DÉR. Cantharider, cantharidine.

CANTHARIDER [kɑ̃taʀide] v. tr. — 1880 ; de *cantharide.*

♦ Didact. Mêler, saupoudrer de cantharide pulvérisée.

▶ **CANTHARIDÉ, ÉE** p. p. adj.
Mêlé de poudre de cantharide.
(...) des brûle-parfums japonais où brûlaient des pastilles du sérail cantharidées.
Charles CROS, Œuvres en collaboration, 1880, « le Drame de la rue des anglais », Pl., p. 471.

CANTHARIDINE [kɑ̃taʀidin] n. f. — 1832 ; de *cantharide.*

♦ Didact. Principe toxique, congestionnant, extrait de la poudre de cantharide. *Pommade de cantharidine.*

CANTHARUS [kɑ̃taʀys] n. m. ⇒ 1. **Canthare.**

CANTHÈRE [kɑ̃tɛʀ] n. m. — 1863 ; *canthare*, XVIe ; lat. *cantharus*, grec *kantharos*, même sens.

♦ Zool. Poisson acanthoptérygien, type de la famille des *Cantharidés*, appelé communément *brème de mer* ou *brème de rochers*. Le canthère est un poisson au corps épais, au museau court. — REM. On dit aussi *canthare, cantre.*
HOM. Canter.

CANTIGA [kɑ̃tiga] n. f. — D.i. ; mot esp., « chanson ».

♦ Hist. de la mus. Chanson du répertoire des troubadours ibériques, du XIe au XIIIe siècles. *Cantiga profane. Les Cantigas de Santa Maria*, d'Alphonse X le Sage.

CANTILÈNE [kɑ̃tilɛn] n. f. — Après 1477 ; p.-ê. ital. *cantilena* ; lat. *cantilena* « petit chant, refrain ».

♦ **1.** Mus. (vx). Chant profane, d'un genre simple.

♦ **2.** Littér. Texte lyrique et épique, de forme relativement brève. *La cantilène* (ou « séquence ») *de sainte Eulalie (v. 880) est le plus ancien poème en langue française.*
Poème de forme brève, d'inspiration lyrique, aux harmonies douces.

♦ **3.** (1817). Cour. Chant monotone, mélancolique. ⇒ **Complainte, romance.**
Mus. Mélodie de caractère populaire et rêveur (dans une composition instrumentale).
(...) l'adagio *(de la 2e Symphonie)*, cantilène simple et naïve, qui vous berce mollement et finit par produire l'attendrissement le plus profond (...)
BERLIOZ, Beethoven, p. 75.

CANTILEVER [kɑ̃tilevɛʀ] adj. et n. m. — 1883 ; mot angl., de *cant* « rebord », et *lever* « levier ».

♦ Techn. Qui est suspendu en porte-à-faux (sans câbles). *Le célèbre pont cantilever du Firth of Forth, en Écosse. Suspension cantilever. Aile* (d'avion) *cantilever,* qui n'est reliée au fuselage par aucun mât ou hauban. — N. m. *Un cantilever. Aile d'avion en cantilever.*

CANTINE [kɑ̃tin] n. f. — 1680 ; ital. *cantina* «cave, cellier», de *canto* «coin, réserve».

★ **I.** ♦ **1.** (Vx). Caisse* divisée en compartiments, et servant à transporter des vins, des liqueurs.

♦ **2.** (1689). Coffre de voyage utilisé par les officiers, les soldats. — Malle d'aspect rudimentaire (en bois, métal). *Cantine à bagages. Cantine médicale :* caisse à pansement, à pharmacie.

0.1 Quarante-trois caissettes, sacs ou cantines, contenant l'approvisionnement pour la seconde partie de notre voyage, seront expédiés directement à Fort-Archambault (...) GIDE, Voyage au Congo, *in* Souvenirs, Pl., p. 696.

♦ **3.** Régional (Suisse). Ustensile de métal pour transporter un repas au lieu de travail, etc. ⇒ **Gamelle.**

0.2 Il préparait le dîner qu'il emportait dans une espèce de cantine en fer blanc. A. RIBAUX, Contes pour tous, p. 211.

★ **II.** ♦ **1.** Établissement où l'on sert à manger, à boire aux personnes d'une collectivité. ⇒ **Buvette, popote** (fam.), **réfectoire, restaurant.** *La cantine d'une école, d'un atelier, d'un chantier, d'une entreprise. Une cantine universitaire.* ⇒ **Resto U** (fam.). *La cantine d'une prison* (⇒ **Cantinier**). *La cantine et le foyer d'une caserne. Cantine réservée aux officiers.* ⇒ **Mess.** *La cantine d'un navire.* ⇒ **Cambuse.** *Tu apportes une gamelle ou tu manges à la cantine? Le menu de la cantine.* — *Cantine ambulante,* qui accompagne les troupes en campagne. ⇒ **Cuisine, roulante.**

1 Tu ferais une parfaite cantinière, petite Marie ; mais par malheur, tu n'as pas de cantine, et je serai réduit à boire l'eau de cette mare. G. SAND, la Mare au diable, VIII, p. 70.

2 Aussi était-il du bivouac et mangeait-il à notre cantine, au hasard de notre fourchette. J. VALLÈS, le Bachelier, p. 29.

Tenir une cantine, (vx) *tenir cantine :* gérer une cantine. ⇒ **Cantinier.**

3 (Les sous-officiers) étaient derechef à table (...) Son saisissement avait été si vif que, du plus loin qu'il aperçut le gros homme, il s'informa : — Qu'est-ce que c'est, maintenant? Tu tiens cantine? Francis CARCO, les Belles Manières, p. 10.

♦ **2.** Service, généralement subventionné, qui prépare et distribue les repas d'une collectivité (et les sert dans une cantine, un restaurant d'entreprise, un self-service, etc.). *Cantine scolaire. Cantine d'entreprise. La cantine de notre usine fonctionne bien.*

DÉR. Cantiner, cantinier.

CANTINER [kɑ̃tine] v. — 1927, «s'assurer contre argent du linge et des vivres avant le départ pour le bagne» (Esnault) ; de *cantine.* Argot.

♦ **1.** V. tr. Acheter (des vivres, etc.) à la cantine de la prison.

1 Bah, on cantinera des bières, trois d'avance, et on les planquera pour se soûler! A. SARRAZIN, la Cavale, p. 79.

♦ **2.** V. intr. Faire des achats à la cantine de la prison. «*Interdit de cantiner tant qu'on n'a rien gagné*» (Esnault).

2 Je dépose au greffe une petite somme que votre père m'a confiée : vous pourrez ainsi cantiner jusqu'à votre transfert à Sainte-Anne. Hervé BAZIN, la Tête contre les murs, p. 108.

CANTINIER, IÈRE [kɑ̃tinje, jɛR] n. — 1762 ; de *cantine.*

♦ **1.** Vx. Personne qui tient une cantine (syn. fam. : *cambusier*).

♦ **2.** N. f. Anciennt. CANTINIÈRE : jusqu'en 1914, Gérante d'une cantine militaire. *La cantinière du régiment.* ⇒ **Vivandière.**

1 Fabrice trouva bientôt des vivandières (...) — Tu ferais tout aussi bien de ne pas tant te presser, mon petit soldat, dit la cantinière touchée par la pâleur et les beaux yeux de Fabrice. STENDHAL, la Chartreuse de Parme, p. 46.

REM. Dans ce sens, le masculin est rare :

2 (Lefebvre de Béhaine) nous lit les lettres qu'il lui a écrites, les gîtes, les couchers de la campagne (...) son passage au milieu des blessés arriérés et des cantiniers attardés (...) Ed. et J. DE GONCOURT, Journal, 10 juin 1867.

CANTIQUE [kɑ̃tik] n. m. — 1532 ; *cantike,* v. 1130 ; lat. ecclés. *canticum* «chant religieux».

♦ **1.** Chant d'action de grâces consacré à la gloire de Dieu. *Le cantique de Siméon. Le cantique chanté par la Vierge Marie.* ⇒ **Magnificat.**

(1614 ; trad. littérale de la *Vulgate,* rendant le génitif superlatif de l'hébreu ; la trad. normale serait : «le grand poème», «le chant suprême»). *Le Cantique des cantiques :* poème attribué à Salomon et qui fait partie de l'Ancien Testament (⇒ **Bible**). *Le Cantique des cantiques est formé de chants d'amour qui célèbrent symboliquement l'*unio mystica.

Le Cantique des cantiques est écrit dans une langue postérieure d'au moins trois siècles à l'hébreu de Salomon. DANIEL-ROPS, le Peuple de la Bible, III, I, p. 199. 1

Par métaphore :

Elle cherchait dans l'œil de sa pâle victime
Le cantique muet que chante le plaisir,
Et cette gratitude infinie et sublime
Qui sort de la paupière ainsi qu'un long soupir. BAUDELAIRE, les Fleurs du mal, «Les épaves», III. 1.1

(Dans un titre littéraire). Poème exaltant qqch. ou qqn. *Le Cantique des colonnes,* de Valéry *(Charmes). Le Cantique de la connaissance,* de Milosz.

♦ **2.** Chant religieux en langue commune (et non en latin) destiné à être chanté dans les églises. ⇒ **Motet.** *Chanter des cantiques. Les Cantiques spirituels,* de Racine.

Dans la profonde nuit nous t'offrons ce cantique. RACINE, Poésies diverses, I, 7. 2

Puis, quand elle s'était agenouillée, quand les premiers cantiques avaient pris leur vol sous la voûte aux sonorités infinies, cela devenait peu à peu une extase (...) LOTI, Ramuntcho, I, XVIII, p. 157. 3

(...) les communiantes, le nez en l'air, la bouche grande ouverte, envoyaient vers Dieu des cantiques (...) H. BOSCO, l'Âne Culotte, p. 9. 4

♦ **3.** Spécialt. Chant religieux (psaumes* exceptés), chez les protestants.

CANTON [kɑ̃tɔ̃] n. m. — XIIIᵉ ; anc. provençal *canton* «coin, angle», de *can* «voûte, bord».

♦ **1.** Vx. Coin (de pays*). *Un canton fertile.* — Par ext. ⇒ **Coin.**

(L'homme) égaré dans ce canton détourné de la nature. PASCAL, Pensées, 1670 (Éd. Brunschwicg, II, 72). 0.1

(...) C'était à la campagne,
Près d'un certain canton de la Basse-Bretagne
Appelé Quimper-Corentin. LA FONTAINE, Fables, VI, 18.

Quand les hommes apparurent dans ce petit canton qui devait s'appeler la France, la terre était vieille de plusieurs millions de siècles. Pierre GAXOTTE, Hist. des Français, I. 2

♦ **2.** (V. 1775). *Canton de bois :* étendue déterminée d'une forêt.

C'est encore, dans ces Assemblées, qu'on assigne chaque année le canton que chacun doit couper dans les bois communs : on tire au sort (...) RESTIF DE LA BRETONNE, la Vie de mon père, p. 216. 2.1

(1867). Mod. Admin. *Canton de route, de voie ferrée :* portion de cette route, de cette voie, délimitée en vue de son entretien. ⇒ **Cantonnement, cantonnier.**

♦ **3.** (1467 ; probablt de l'ital. *cantone*). État composant la Confédération helvétique. *Les cantons sont des républiques pratiquant la démocratie directe ou représentative. Le canton de Berne. Administration d'un canton suisse* (⇒ **Avoyer**). *Le lac des Quatre-Cantons.*

Demi-canton : État résultant de la division historique d'un canton. «*Les demi-cantons ne sont pas des moitiés de canton, mais des cantons qui ont un statut diminué sur certains points particuliers*» (Aubert, *Traité de dr. const. suisse,* t. I, p. 206).

♦ **4.** (1775 ; terme repris par les administrations républicaines). Division territoriale de l'arrondissement, sans personnalité morale, sans budget, limitant la compétence territoriale de certains agents de l'État (juge de paix, percepteur...), servant de cadre pour l'accomplissement de certaines opérations administratives, et constituant des circonscriptions en vue de certaines élections (Conseil général...). *Chef-lieu de canton. Le juge de paix du canton.*

Votre royaume est composé de provinces ; ces provinces le sont de cantons ou d'arrondissements qu'on nomme, selon les provinces, bailliages (...) TURGOT, Mémoires sur les municipalités (1775), *in* LITTRÉ. 3

(1862). Au Canada, Division cadastrale de cent milles* carrés environ. *Les cantons Rousseau, Paradis,* en Abitibi. — *Les cantons de l'Est,* au Québec.

♦ **5.** (1275). Blason. Petit quartier de l'écu ; partie de l'écu formée par les pièces (croix, sautoirs) dont il est chargé. ⇒ **Honorable** (pièce honorable).

DÉR. Cantonal, cantonner, cantonnier, cantonnière.

CANTONADE [kɑ̃tɔnad] n. f. — 1455, «angle de maison, coin de rue» ; provençal *cantonada* «coin, angle». → Canton.

♦ **1.** (1694). Vx. Dans les théâtres italiens, Chacun des côtés de la scène où prenaient place certains spectateurs privilégiés. — Par ext. Groupe de personnes qui entourent qqn.

♦ **2.** (1835). Techn. L'intérieur des coulisses d'un théâtre.

Loc. cour. (1752). À LA CANTONADE. *Parler «à la cantonade» :* parler à qqn qui est supposé être dans les coulisses. *X, à la cantonade :* ... (indication de scène). — Fig. Parler en semblant ne s'adresser précisément à personne.

(...) la patronne du café parut à la porte de l'arrière-salle réservée aux réunions, et cria, à la cantonade : «On demande Thibault au téléphone». MARTIN DU GARD, les Thibault, t. VI, p. 241.

CANTONAL, ALE, AUX [kɑ̃tɔnal, o] adj. — 1817, Maine de Biran ; de *canton*, 3. et 4.

♦ **1.** (En Suisse). Du canton (3.). *Les autorités, les lois cantonales, en Suisse* (opposé à *fédéral*). *Élections, votations cantonales. Vote cantonal. Impôt cantonal. Routes cantonales et routes nationales.*

♦ **2.** (En France). Du canton (4.). *Route cantonale.* — *Délégué cantonal,* qui surveille les écoles primaires d'un canton. — *Élections cantonales,* des conseils généraux. — N. f. *Les cantonales.*

Vous savez, comme nous tous, que l'on ne peut rien augurer de la cuisine des cantonales (...)   F. MAURIAC, le Nouveau Bloc-notes 1958-1960, p. 52.

CANTONNEMENT [kɑ̃tɔnmɑ̃] n. m. — 1752 ; fig. «fait de vivre cantonné, retiré», déb. XVIIIᵉ ; de *cantonner.*

♦ **1.** Action de cantonner* des troupes. ⇒ **Bivouac, campement.** *Mettre des troupes en cantonnement.* ⇒ **Installation, logement.** *Prendre ses cantonnements.* ⇒ **Quartier.**

1   L'oberleutnant (...) était arrivé la veille par le train de vingt-trois heures cinquante pour assurer le cantonnement des troupes et le logement des officiers.
                                        Francis CARCO, les Belles Manières, p. 9.

(1752). Lieu où cantonnent les troupes. *Choix d'un cantonnement.* ⇒ **Castramétation.**

Installation chez l'habitant de troupes, de matériel militaire (⇒ **Réquisition**).

Par métonymie. Les troupes cantonnées. *Cette nouvelle a mis le cantonnement en effervescence.*

♦ **2.** (1845). Techn. (Eaux et Forêts). Circonscription forestière placée sous la responsabilité d'un Inspecteur des Eaux et Forêts, appelé *chef de cantonnement.*

Fig. Opération par laquelle le propriétaire d'une forêt grevée d'un droit d'usage abandonne à l'usager la propriété d'une partie de cette forêt, pour libérer le reste de toute servitude. *Racheter un droit d'usage par cantonnement.*

Cantonnement de pêche : portion de rivière dont la pêche est louée par affermage.

(1832). *Cantonnement des bestiaux :* partie d'un terrain réservée à des bestiaux malades.

♦ **3.** Techn. (ch. de fer). Division en cantons* (2.) ou sections. — *Poste de cantonnement,* situé à chaque extrémité d'une section de voie et renfermant des signaux.

2   Sous le jour finissant, de l'autre côté de la voie, on apercevait son mari, Misard, dans un poste de cantonnement, une de ces cabanes de planches, établies tous les cinq ou six kilomètres et reliées par des appareils télégraphiques; afin d'assurer la bonne circulation des trains.   ZOLA, la Bête humaine, p. 39.

♦ **4.** Dr. Limitation à certains biens du débiteur (des droits d'un créancier). *Cantonnement d'une saisie.*

♦ **5.** Fig. et rare. Fait de se cantonner, de se limiter. — Absolt. *Le « cantonnement et (...) l'esprit particulier »* (J. de Maistre).

CANTONNER [kɑ̃tɔne] v. tr. — 1352, «se fixer» ; de *canton.*

♦ **1.** Établir, faire séjourner (des troupes) en un lieu déterminé. ⇒ **Camper** (vx). *Cantonner une compagnie dans un village.*

Intrans. *Les troupes cantonnent.* ⇒ **Quartier** (prendre ses quartiers). *Faire cantonner des troupes.*

1   Le corps d'armée cantonnait sur la Marne, en attendant d'aller se goberger dans un secteur calme (...)   G. DUHAMEL, Récits des temps de guerre, IV, p. 22.
1.1   (...) trente gros camions (...) commencèrent dès la pointe du jour à circuler entre la gare des marchandises et les divers hôtels où les troupes devaient cantonner.
                                        Francis CARCO, les Belles Manières, p. 31.

♦ **2.** Archit. Garnir en disposant aux coins. *Cantonner une colonne de pilastres.*

▶ **SE CANTONNER** v. pron.

♦ **1.** Se retirer dans un lieu où l'on estime être en sûreté. ⇒ **Établir** (s'), **fortifier** (se), **renfermer** (se). *Les rebelles s'étaient cantonnés dans un coin de la province* (Académie).

♦ **2.** Élire domicile, demeurer exclusivement (dans).

2   Revenus à Paris, ils se cantonnèrent en divers quartiers, où ils répandirent tant de venin contre moi (...)   LA BRUYÈRE, Disc. de réception à l'Académie, Préface.

Se tenir (dans un lieu) sans sortir. *Il s'était cantonné chez lui.* ⇒ **Isoler** (s'), **retirer** (se).

♦ **3.** Fig. *Se cantonner dans ses études, dans ses recherches.* ⇒ **Borner** (se), **limiter** (se). — *Se cantonner en soi-même :* se renfermer en soi-même.

▶ **CANTONNÉ, ÉE** p. p. adj.

♦ **1.** *Troupes cantonnées.*

♦ **2.** Archit., blason. Garni aux quatre coins de... *Tour cantonnée de clochetons.* — *Croix cantonnée d'étoiles.*

♦ **3.** *(Cantonné dans..., en...).* Enfermé (dans un lieu ; par ext., dans

un domaine, une activité). *Cantonnés dans leur chambre. Il est, reste cantonné dans son travail.*

3   (...) les garçons cantonnés dans la maison, même le vieux chanteur et les vieilles commères, se mirent en devoir de garder le foyer.
                                        G. SAND, la Mare au diable, Appendice III, p. 167.

4   La parole de Dieu n'est point cantonnée dans l'Évangile et Dieu continue de s'expliquer, et s'exprime autant dans la dernière encyclique du pape que par les paroles mêmes du Christ ; et l'Église ne cesse pas d'être divinement inspirée.
                                        GIDE, Journal, 1918, Feuillets, II, Religion.

DÉR. Cantonnement.

CANTONNIER [kɑ̃tɔnje] n. m. — 1832 ; argot, «prisonnier», 1628 ; de *canton* «coin».

♦ Ouvrier qui travaille à l'entretien des routes, des fossés et des talus qui les bordent ; agent affecté à l'entretien des voies ferrées. *La massette, la racle, outils du cantonnier. Chef cantonnier.*

Vous allez dire au cantonnier qui travaille là-haut sur la route que vous l'emmenez (...)   G. SAND, la Mare au diable, VII, p. 57.

Adj. *Cantonnier, ière* [kɑ̃tɔnje, jɛʁ] : relatif au cantonnier. *Maison cantonnière.*

CANTONNIÈRE [kɑ̃tɔnjɛʁ] n. f. — 1603 ; «ce qui garnit les coins de qqch.», XVIᵉ ; de *canton* «coin».

Technique (ameublement).

♦ **1.** Vx. Tenture d'étoffe, de tapisserie dont on couvrait les colonnes du pied d'un lit.

Le fond de l'atelier était entièrement rempli par un grand divan-lit qui ne laissait de place, dans un coin, qu'à une psyché en acajou, à pieds à griffes. Sous le jour de la baie, une sorte d'alcôve s'enfonçait là entre deux grandes cantonnières de tapisserie à verdure, sous un large *tendo* de toile grise, qui rappelait le ton et le grand pli lâche d'une voile sur une dunette de navire.
                                        Ed. et J. DE GONCOURT, Manette Salomon, p. 134.

♦ **2.** Mod. Bande (rigide ou drapée) qui garnit, encadre une fenêtre, une porte.

CANTOR [kɑ̃tɔʁ] n. m. — V. 1900 ; all. *kantor* «celui qui dirige la chapelle, ou le chant liturgique dans une institution religieuse» ; lat. médiéval *cantor,* même sens.

♦ Hist. de la mus. Chanteur, dans les offices religieux ; maître de chapelle et maître de chœur. *J.-S. Bach fut cantor à la Thomas-Kirche de Leipzig ; on l'appelle souvent « le cantor de Leipzig ».*

1. CANTRE [kɑ̃tʁ] n. m. — 1751 ; probablt du rad. du lat. *canthus.* → Chantier.

♦ Techn. Partie de l'ourdissoir*, formée de broches horizontales.

Cet appareil *(le cantre)* se compose de cadres verticaux, parallèles entre eux munis de broches fixes horizontales. Les bobines sont enfilées sur ces broches, autour desquelles elles peuvent tourner librement.   Charles MARTIN, la Laine, p. 70.

2. CANTRE [kɑ̃tʁ] n. m. ⇒ **Canthère.**

CANULAIRE [kanylɛʁ] adj. — XVIᵉ, A. Paré, de *canule.*

♦ Méd. En forme de canule. — REM. On dit aussi *canulé* [kanyle].

CANULANT, ANTE [kanylɑ̃, ɑ̃t] adj. — 1835, *in* D.D.L. ; p. prés. de *canuler.*

♦ Fam. Ennuyeux, importun. ⇒ **Barbant, rasant.** *Ce qu'il est canulant, ce gosse !*

CANULAR [kanylaʁ] n. m. — 1913 ; argot scol. *canularium* «épreuves que subissent les bizuts*», latinisation plaisante de *canuler.*

♦ **1.** Argot de Normale Sup. Épreuves burlesques, brimades imposées aux nouveaux élèves.

♦ **2.** Mystification plaisante. *Monter un canular.* ⇒ **Blague.**

Romains s'était rendu célèbre à l'École Normale par de ces mystifications que l'on appelle canulars.   G. DUHAMEL, le Temps de la recherche, p. 214.

♦ **3.** Fausse nouvelle (colportée volontairement et par plaisanterie). ⇒ **Bobard.**

DÉR. Canularesque.

CANULARESQUE [kanylaʁɛsk] adj. — V. 1930 ; attestation isolée, 1895 ; de *canular.*

♦ Fam. Qui tient du canular. *Propos canularesques,* qui cherchent à mystifier.

Cet aspect cocasse ou canularesque, propre à toutes les choses sérieuses de la vie (...) ne trompe pas.   Régis DEBRAY, l'Indésirable, p. 222.

CANULE [kanyl] n. f. — xve; «petit roseau», 1314; lat. *cannula*, «petit roseau», de *canna* «tuyau». → Canne.

♦ **1.** Vx. Petit tuyau que l'on adapte à l'extrémité d'une seringue, d'un tube à injection, d'une poire à lavement. *Canule à lavement.* ⇒ **Clysoir.**
Mod. Chir. Tube souple ou rigide, servant à introduire un liquide ou un gaz dans une cavité ou un conduit de l'organisme. *Canule à trachéotomie,* introduite par incision de la trachée pour assurer le passage de l'air dans les poumons. ⇒ **Cathéter, drain, sonde.**

♦ **2.** Techn. Robinet de bois que l'on adapte à un tonneau ou à une cuve. ⇒ 2. **Cannelle.**

♦ **3.** Fig. et fam. (vieilli). Se dit d'une personne ou d'une chose ennuyeuse, importune (⇒ **Canuler**). *Quelle canule!*
À peine le train arrivé il a sauté aussi dans le dur, derrière moi... jusqu'à Paris qu'il m'a collé... (...) Il m'a rejoint tout de suite, la canule!...
CÉLINE, Mort à crédit, p. 678.
DÉR. Canulaire.

CANULÉ [kanyle] adj. ⇒ Canulaire.

CANULER [kanyle] v. tr. — 1830; de *canule*, p.-ê. par référence au désagrément attaché à l'emploi de cet objet.

♦ Fam. Ennuyer, importuner (qqn) par des propos fastidieux. ⇒ **Fatiguer, importuner.** *Tu commences à nous canuler.*
CONTR. Charmer, séduire.
DÉR. Canulant, canular.

CANUT, USE [kany, yz] n. — 1831; fém., 1928; p.-ê. de *canne* «bobine de fil» (→ 2. Canette), ou moins probablt du lat. *canutus* «blanc brillant»; P. Guiraud rattache le mot à l'anc. provençal *canut* «taffetassier» (1397) apparenté à *canuzir* «lustrer (le taffetas) par blanchiment» (→ Canezou).

♦ **1.** Celui, celle qui travaille dans les industries de la soie à Lyon. *Un canut. Les révoltes des canuts. Les Canuts,* chanson d'A. Bruant.
1 (...) j'ôte mon cilice
   Tissé de crins soyeux par de cruels canuts.   APOLLINAIRE, Alcools, p. 94.
2 Les murs *(des maisons de la Croix-Rousse)* étaient encore plus encrassés que dans le vieux Lyon (...) s'amoncelaient des retombées de fumées, des poussières, toute espèce de détritus. Dans ces taudis habités jadis par des canuts sont parqués aujourd'hui les Nord-Africains.   S. DE BEAUVOIR, Tout compte fait, p. 263.
Par ext. *Des canuts (de Lyon) :* des malheureux ; (péj.) des misérables.
REM. Le mot est rarement utilisé au féminin.

♦ **2.** Loc. *Cervelle de canut.* ⇒ **Cervelle, 3.**

CANYON [kanjõ ; kanjɔn] n. m. ⇒ Cañon.

CANZONE [kantsɔne ; kãdzɔn] n. f. — Av. 1845; ital. *canzone*, du lat. *cantare* «chanter».

♦ **1.** Littér. Petit poème italien divisé en stances égales, et terminé par une stance plus courte. *Les canzones (ou canzoni* [kantsɔni]) *de Pétrarque.*

♦ **2.** Mus. **a** (xve). Genre choral, puis pièce instrumentale de style vocal (ou adaptée d'une pièce vocale). *La canzone d'orgue,* de J.-S. Bach.

b Chanson de genre populaire, en Italie. *Les canzoni napolitaines.*
DÉR. Canzonette.

CANZONETTE [kãdzɔnɛt] n. f. — 1845; ital. *canzonetta*, de *canzone.* → Canzone.

♦ Mus. (Italie et Provence). Petite chanson, plus courte que la canzone, et de rythme alerte. — REM. On trouve aussi *canzonetta* [kantsɔnɛ(t)ta].

C. A. O. [seao] n. f. — Sigle de *conception assistée par ordinateur.*

CAODAÏSME [kaɔdaism] n. m. — V. 1930; de *Cao daï* «être suprême», en vietnamien.

♦ Didact. Religion philosophique fondée à Saigon en 1926 et qui unit le bouddhisme, le taoïsme à des éléments spirites et éclectiques.
À gauche se dresse la montagne de Tay Ninh, berceau du caodaïsme, place forte Viêt-cong.   Claude COURCHAY, La vie finira bien par commencer, p. 251.
DÉR. Caodaïste.

CAODAÏSTE [kaɔdaist] adj. et n. — V. 1930; de *caodaïsme.*

♦ Didact. Du caodaïsme. Qui pratique le caodaïsme.

CAOLIN [kaɔlɛ̃] n. m. ⇒ **Kaolin.**

CAOUA [kawa] n. m. — 1883, *cahoua*, Algérie; 1863, t. de soldat; arabe *qǎhwǎh.* → Café.

♦ **1.** Pop. ou familier. Café (boisson). *Ça sent bon le caoua! Des caouas bien chauds.*
Je ne crois pas qu'Anick aime tellement les tartines, dit Lerouge. Elle préfère certainement une autre tasse de café. Pas vrai?
— Bon, ça va, caoua pour tout le monde alors.   A. SARRAZIN, la Cavale, p. 416.   1
Il me faudra, en plus, un caoua un peu corsé, j'ai encore à sortir... je turbine à la tâche en ce moment !   A. SIMONIN, Touchez pas au grisbi, p. 31.   2

♦ **2.** Vx. Café, débit de boissons (Courteline, *in* T. L. F.)

CAOUANE ou **CAOUANNE** [kawan] n. f. — 1643, *caoüanne;* d'une langue d'Amérique du Sud, par l'espagnol.

♦ Grande tortue des mers chaudes. ⇒ 2. **Caret.**

CAOUTCHOUC [kautʃu] n. m. — 1736, répandu déb. xixe; d'un mot indien du Pérou.

♦ **1.** Substance élastique, imperméable et résistante, provenant du latex de diverses plantes ou élaborée artificiellement, constituée surtout par un hydrocarbure terpénique, formé de macro-molécules très allongées. *Caoutchouc naturel, de plantation.* ⇒ **Gomme.** *Arbres à caoutchouc :* céara, ficus, hévéa*, intisy, urcéole, vahé. ⇒ **Caoutchoutier** (2.). *Arbre, liane, plante à caoutchouc. Caoutchouc artificiel, synthétique (caoutchouc nitrile, lentyle ; néoprène).* ⇒ **Élastomère.** *Le caoutchouc est un polymère de l'isoprène*. Caoutchouc traité, vulcanisé* (⇒ **Vulcanisation**). *Caoutchouc régénéré :* produit de récupération obtenu en utilisant des objets en caoutchouc usagés. — *Caoutchouc mousse* (marque déposée), renfermant des inclusions d'air dans sa masse.
Par métonymie. Exploitation, industrie du caoutchouc. *Travailler dans le caoutchouc. La crise du caoutchouc. Manaus fut la capitale du caoutchouc.*
Le père de M. Jo s'intéressa ensuite aux planteurs de caoutchouc du Nord. L'essor du caoutchouc était tel que beaucoup s'étaient improvisés planteurs, du jour au lendemain, sans compétence. Leurs plantations périclitèrent.   M. DURAS, Un barrage contre le Pacifique, p. 63.   0.1

♦ **2.** *Caoutchouc minéral* ou *fossile :* l'élatérite* (substance molle, élastique).

♦ **3.** *(Un, des caoutchoucs).* Objet en caoutchouc ou imperméabilisé au caoutchouc.
a Fil, bande de cette matière. ⇒ **Élastique.**
b Vieilli ou régional. Vêtement caoutchouté. ⇒ **Imperméable.**
S'il pleuvait, bien que le mauvais temps n'effrayât pas Albertine qu'on voyait parfois, dans son caoutchouc, filer en bicyclette sous les averses, nous passions la journée dans le casino (...)   PROUST, À l'ombre des jeunes filles en fleurs, Folio, p. 559.   1
c Plur. Chaussures de caoutchouc, généralement destinées à être portées par-dessus des chaussures de ville pour les garantir de la pluie. ⇒ (vieilli) **Snow-boot** (cit.).
(...) Madame de Parme n'était pas partie et me voyait chaussant mes caoutchoucs américains (...) «Oh! quelle bonne idée, s'écria-t-elle, comme c'est pratique !»   PROUST, le Côté de Guermantes, Pl., t. II, p. 546.   2
d Vx. Bandage d'une roue de bicyclette.

♦ **4.** Bot. Plante ornementale d'appartement *(Ficus elastica). Un caoutchouc en pot.*
À gauche, pareillement distante de l'autel, une haute plante, vieille et lamentable, faisait un triste pendant au palmier resplendissant; c'était un caoutchouc à bout de sève et presque tombé en pourriture.   Raymond ROUSSEL, Impressions d'Afrique, p. 8.   3
DÉR. Caoutchouter, caoutchouteux, caoutchoutier.

CAOUTCHOUTAGE [kautʃutaʒ] n. m. — xxe (av. 1958); de *caoutchouter.*

♦ Techn. Action de caoutchouter. *Le caoutchoutage d'un tissu.* — Son résultat. *Le caoutchoutage de cette toile est irrégulier.*

CAOUTCHOUTER [kautʃute] v. tr. — 1844; de *caoutchouc.*

♦ Enduire de caoutchouc (opération du caoutchoutage).

▶ **CAOUTCHOUTÉ, ÉE** p. p. adj.

(Plus cour. que l'actif). *Roues caoutchoutées. Tissu caoutchouté,* imperméabilisé au caoutchouc.

Poursuivi rue des Couronnes, l'effroi que me causaient les inspecteurs m'était communiqué par le bruit terrible de leurs imperméables caoutchoutés. Chaque fois qu'à nouveau je l'entends, mon cœur se serre.
Jean GENET, Journal du voleur, p. 109.

DÉR. **Caoutchoutage.**

CAOUTCHOUTEUX, EUSE [kautʃutø, øz] adj. — 1908 ; de *caoutchouc.*

♦ Qui a la consistance du caoutchouc. *Une viande caoutchouteuse.*

1 Le sol n'était plus un plancher (...) mais un linoléum ou quelque chose du même genre, caoutchouteux, étouffant le bruit des pas, l'ensemble (...)
Claude SIMON, le Vent, p. 201.

Qui a l'aspect du caoutchouc.

2 Le visage est imberbe : un masque vulgaire mais d'une vigueur splendide, amplement modelé en une pâte incolore et caoutchouteuse, dont l'apparente élasticité contraste étrangement avec l'immobilité des traits.
MARTIN DU GARD, Devenir, 1908, p. 36.

CAOUTCHOUTIER, IÈRE [kautʃutje, jɛʁ] adj. et n. — 1892, n. ; adj., 1936 ; de *caoutchouc.*

♦ **1.** Relatif au caoutchouc. *La production caoutchoutière.* — N. Personne travaillant le caoutchouc. Industriel du caoutchouc.

♦ **2.** N. m. (1899). Plante qui produit le caoutchouc. *L'hévéa est un caoutchoutier.*

1. CAP [kap] n. m. — XIIIᵉ ; anc. provençal *cap* « tête » ; lat. *caput.*

♦ **1.** Vx. Tête. ⇒ **Chef.** — Loc. (Vx). *Se trouver cap à cap avec qqn* (→ Tête* à tête). — Mod. *Armé* (→ Armer, cit. 19), *habillé de pied en cap,* des pieds à la tête, entièrement. ⇒ **Pied** (cit. 33.1).

1 Il eût pu s'exempter de faire de la dépense en parure, car sa grande perruque seule l'habillait parfaitement de pied en cap.
ROUSSEAU, les Confessions, IV.

2 Elle quittait jamais son chapeau, ni sa voilette, ni ses gants, elle faisait telle quelle son ménage... harnachée de pied en cap ! avec ses plumes, son lorgnon...
CÉLINE, Guignol's band, p. 200.

Cap de Dious : juron gascon.

♦ **2.** *Cheval cap de more* : cheval dont la tête et les extrémités des membres sont noires (⇒ **Cavecé**).

♦ **3.** Mar. anc. *Cap-de-mouton* : bloc de bois de forme ronde et percé de trous dans lesquels passent des rides pour tendre les haubans. ⇒ **Ridoir.** *Des caps-de-moutons.*

DÉR. 2. Cap.
HOM. 1. Cape, 2. cape.

2. CAP [kap] n. m. — 1392 ; emploi spécialisé et métaphorique de 1. *cap* « tête ».

★ **I.** ♦ **1.** Pointe de terre souvent élevée qui s'avance dans la mer. ⇒ **Bec, pointe, promontoire.** *Le cap de Bonne Espérance. Le cap Horn. Dépasser, doubler, franchir un cap* (→ Battre, cit. 39).

1 Le bras de mer s'appelle entre Guernesey et Herm le petit Ruau (...) La pointe de France la plus proche est le cap Flamanville.
HUGO, l'Archipel de la Manche, IX.

2 Jamais un noir vaisseau n'a doublé notre cap *(des sirènes),* sans ouïr les doux airs qui sortent de nos lèvres.
Victor BÉRARD, Trad. HOMÈRE, l'Odyssée, p. 202.

3 Ceux qui menaient le navire connaissaient sans doute, malgré l'éloignement et la vague, ces caps avancés des continents qui sont comme des points de repère éternels sur les grands chemins du monde.
LOTI, Pêcheur d'Islande, II, IX, p. 112.

4 Or, l'heure actuelle comporte cette question capitale : l'Europe va-t-elle garder sa prééminence dans tous les genres ?
L'Europe deviendra-t-elle *ce qu'elle est en réalité,* c'est-à-dire : un petit cap du continent asiatique ?
VALÉRY, Crise de l'Esprit (1919).

Par plaisanterie (la cit. est tirée de la célèbre « tirade des nez » du *Cyrano* de Rostand) :

5 Descriptif : « C'est un roc !... c'est un pic... c'est un cap !
Que dis-je, c'est un cap ?... c'est une péninsule ! »
Edmond ROSTAND, Cyrano de Bergerac, I, 4.

♦ **2.** Loc. fig. *Franchir, passer, dépasser un cap* : aller au-delà d'une certaine limite, d'un point plus ou moins redoutable. *Passer le cap des élections sans encombre.*

6 La marquise (...) pouvait avoir dépassé le cap de la trentaine (...) que les femmes ont une si naïve répugnance à franchir.
Th. GAUTIER, le Capitaine Fracasse, t. I, p. 142.

Doubler le cap des tempêtes : échapper à un péril, à des ennuis et retrouver le calme, la tranquillité.

7 (...) il me semble que j'ai doublé le cap des tempêtes, et pénétré dans une région de paix et de silence.
CHATEAUBRIAND, Mémoires d'outre-tombe, IV, 1.

Absolt. *Il a maintenant passé le cap.* — *Franchir, doubler le cap de* (avec un nom de nombre), une étape, un palier (en vue d'un objectif déterminé). *L'entreprise a dépassé le cap des cent mille employés.*

★ **II.** (1529). Mar. Point d'orientation vers lequel un navire se dirige. *Mettre (le) cap sur..* : se diriger vers... — Mar. *Cap vrai,* mesuré sur la carte. *Cap compas,* établi en tenant compte de la déclinaison et de la variation (c'est le cap donné à l'homme de barre).

Loc. *Faire cap sur... :* se diriger sur... *Mettre le cap au large :* s'éloigner. *Virer cap pour cap :* adopter la direction opposée à celle que l'on suivait. *Changer de cap,* de direction (⇒ **Déroutement**) ; fig., modifier son comportement, et, spécialt, sa ligne politique. « *La politique française change ouvertement de cap en se réclamant de nouveau de la seule puissance nationale* » (le Monde, 31 mars 1966).

Aéron. Angle que forme la route suivie par l'avion et la direction du nord. *Cap magnétique. Cap au compas, cap compas* (→ ci-dessus, mar.). — *Tenir le (son) cap.*

8 (...) j'ai admirablement réglé le pas de mes hélices, et je tiens mon cap à un degré près.
SAINT-EXUPÉRY, Pilote de guerre, p. 46.

Loc. fig. *Mettre le cap sur, vers... :* se diriger vers...

9 (...) d'autres étapes sollicitaient nos errances (ou nos fuites ?). Nous mettions le cap vers le sud-est. Les avenues y sont ombragées (...)
Patrick MODIANO, les Boulevards de ceinture, p. 91.

Fig. *Ne plus savoir où mettre le cap* : hésiter, ne plus savoir quelle conduite adopter.

CONTR. Baie, crique...
COMP. Décaper, encaper (mar.).
HOM. 1. Cape, 2. cape.

C. A. P. [seape] n. m. — 1946 ; sigle.

♦ **1.** Certificat d'aptitude professionnelle. « *Telle cette O. S. parisienne : "Mon voisin, raconte-t-elle, est mieux payé simplement parce qu'il possède un C.A.P. de mécanicien. C'est injuste. D'une part, je sais réparer ma machine aussi bien que lui (...)"* » (l'Express, nº 1116, 27 nov. 1972, p. 81).

♦ **2.** Certificat d'aptitude pédagogique. *Le C.A.P. d'instituteur.*

C. A. P. A. [kapa] n. m. — 1941 ; sigle.

♦ Certificat d'aptitude à la profession d'avocat, permettant d'accéder au stage d'avocat, après la licence en droit.

CAPABLE [kapabl] adj. — 1507 ; *capavle de,* v. 1350 ; du bas lat. *capabilis* « qui peut contenir » (de *capere* « contenir ») et, au fig., « qui est susceptible de ».

★ **I.** ♦ **1.** Vx. *Capable de* (et subst.). Qui a le pouvoir, la possibilité de contenir, de recevoir, de supporter. ⇒ **Susceptible** (être susceptible de). — REM. Les cit. classiques, même lorsqu'on peut les interpréter au sens 2, doivent être comprises comme faisant référence à l'idée de « contenance » (→ par ext. les cit. 2, 4, 5) ; la nature des compléments, différents de ceux du mot dans ses emplois modernes, indique la différence de sens.

1 (...) les hommes sont tout ensemble indignes de Dieu, et capables de Dieu, indignes par leur corruption, capables par leur première nature.
PASCAL, Pensées, VIII, 557.

2 (...) toutes les horreurs dont une âme est capable
À vos déloyautés n'ont rien de comparable (...)
MOLIÈRE, le Misanthrope, IV, 3.

3 Elle (*Mlle de Grignan*) laisse la rigueur de la règle, dont elle n'était point capable.
Mᵐᵉ DE SÉVIGNÉ, 1001, 25 oct. 1686.

4 Je n'aurais jamais cru être capable d'une si grande solitude. RACINE, Lettres.

5 Si les hommes ne sont point capables sur la terre d'une joie plus naturelle, plus flatteuse et plus sensible, que de connaître qu'ils sont aimés (...)
LA BRUYÈRE, les Caractères, X, 31.

♦ **2.** Mod. *Capable de* (et subst., ou indéfini). Qui est en état, a le pouvoir d'avoir (une qualité...), de faire (qqch). *Capable d'une action d'éclat. Capable du meilleur comme du pire.*

6 Il faut qu'une femme soit capable de sérieux et d'enfantillage.
A. MAUROIS, Climats, II, 10 p. 200.

Il est capable de cela, il n'en est pas capable. Voyons de quoi vous êtes capable. — *Il n'est capable de rien :* c'est un bon à rien, un incapable.

♦ **3.** *Capable de* (et un infinitif). Qui a la possibilité de... (faire). ⇒ **Apte** (à), **état** (en état de), **faculté** (avoir la faculté de), **faire** (être fait pour), **force** (de force à), **habile** (être à), **susceptible** (de) ; **même** (à même de), **propre** (à), **situation** (en situation de), **taille** (de taille à), **tailler** (être taillé pour). *Il est, il se sent capable de réussir :* il est de force, de taille à réussir. *Être capable de garder un secret. Il en est bien capable. Il est capable de nous tirer d'affaire* (⇒ Admiratif, cit. 1 ; atténuer, cit. 8 ; apte, cit. 7). — (En parlant des choses). *L'émotion est capable de le tuer. Cette occasion est capable de nous sauver.*

7 La parfaite valeur est de faire sans témoins ce qu'on serait capable de faire devant tout le monde. LA ROCHEFOUCAULD, Réflexions ou sentences et maximes morales, 216, p. 275.

8 La peste (...)
Capable d'enrichir en un jour l'Achéron (...) LA FONTAINE, Fables, VII, 1.

9 Le courroux de Monsieur Purgon est aussi peu capable de vous faire mourir que ses remèdes de vous faire vivre.
MOLIÈRE, le Malade imaginaire, III, 6.

10 Le soupé *(souper)* que me donna le premier président (...) ne fut point capable de me réjouir.   Mme DE SÉVIGNÉ, 814, 27 mai 1680.

11 L'homme est extraordinairement habile à s'empêcher d'être heureux ; il semble que moins il est capable de supporter le malheur, plus il est apte à se l'apprivoiser.   GIDE, *Journal*, s. d., 1895.

12 Mon « injustice » à l'égard de la Musique vient peut-être du sentiment qu'une telle puissance est capable de faire vivre jusqu'à l'absurde.   VALÉRY, *Rhumbs*, p. 245.

13 L'animal aime presque autant que nous le bonheur (...) Mais il fuit le malheur comme il fuit la fièvre ; et je le crois capable, à la longue, de le bannir (...)   COLETTE, *la Naissance du jour*, p. 32.

14 Très en avance, mais non pas très impatient. Il se sentait capable d'attendre bien plus sans éprouver nulle trace d'ennui.   J. ROMAINS, *les Hommes de bonne volonté*, t. I, p. 66.

Par ext. *Il est capable de ne pas venir, il en est bien capable.* Cf. Il est fichu, foutu de...

♦ **4.** *Être capable de tout :* pouvoir s'acquitter avec succès de tous les emplois (⇒ **Universel**) ; n'être effrayé par rien, n'être arrêté par aucun scrupule, ne reculer devant aucune action.

15 Si vous me réduisez au désespoir, je vous avertis qu'une femme en cet état est capable de tout (...)   MOLIÈRE, *George Dandin*, III, 6.

16 Mirabeau, capable de tout pour de l'argent, même d'une bonne action.   RIVAROL, *Esprit de Rivarol.*

♦ **5.** (1507). Absolt. Qui a de l'habileté, une compétence certaine. ⇒ **Adroit, compétent, doué, entendu, expert, fort, habile, intelligent, qualifié** (cf. Il s'y connaît, il s'y entend). *C'est un ouvrier très capable.* Absolt (fam.). *Capable, le mec !* — Abrév. *Cap'. T'es pas cap'.* — Fam. *Prendre, avoir l'air capable* (Académie). ⇒ **Entendu.** N. m. Vx. *Faire le capable :* se donner l'apparence d'une habileté supérieure à celle que l'on a en réalité. ⇒ **Prétentieux, suffisant.**

♦ **6.** Dr. Qui a le droit, la capacité légale (⇒ **Capacité**). *Capable en justice. Capable de contracter, d'ester en justice... Rendre capable de...* ⇒ **Habiliter** (à).

★ **II.** (1751 ; lat. *capabilis* « qui contient »). Math. *Arc capable (relatif à un angle* α *et à deux points A et B) :* l'arc de cercle formé par les points M du plan tels que l'angle des vecteurs $\overrightarrow{MA}$ et $\overrightarrow{MB}$ soit constant et égal à α. *L'arc capable relatif à deux points A et B est un arc de cercle d'extrémités A et B.*

CONTR. Incapable. — Inapte, incompétent.
DÉR. et COMP. Capablement. — Incapable.

CAPABLEMENT [kapabləmã] adv. — 1654 ; attestation isolée, 1565 ; de *capable.*

♦ Rare ou régional. Avec compétence. *Accomplir très capablement son mandat.*

CAPACIMÈTRE [kapasimɛtʀ] n. m. — Mil. xxe ; de *capaci(té)*, et *-mètre.*

♦ Électr. Appareil utilisé pour la mesure des capacités électriques.

CAPACITAIRE [kapasitɛʀ] n. et adj. — 1834, adj. (en droit) ; de *capacité.*

♦ **1.** N. (1906). Titulaire du diplôme de la capacité en droit.

♦ **2.** Adj. (1949). Didact. Relatif à une capacité (II.).

Dans la perspective jacksonienne, les maladies nerveuses présentent, selon la profondeur de la lésion qui les engendre, différents tableaux cliniques représentant différents niveaux de dissolution, caractérisés chacun par un aspect déficitaire ou négatif et pour un aspect capacitaire ou positif qui correspond aux capacités restantes.   Jean DELAY, *Introd. à la médecine psychosomatique, Notes et observations*, p. 50.

Suffrage capacitaire : système dans lequel l'exercice du droit de vote est subordonné à un certain degré d'instruction.

CAPACITANCE [kapasitãs] n. f. — 1927, *in* Höfler ; angl. *capacitance.*

♦ Électr. Impédance* qui oppose au passage d'un courant alternatif une portion du circuit comportant plusieurs condensateurs.

CAPACITÉ [kapasite] n. f. — 1314 ; lat. *capacitas*, de *capax* « qui peut contenir ». → Capable.

★ **I.** ♦ **1.** Propriété de contenir une certaine quantité de substance. ⇒ **Contenance** (cf. **contenant**), mesure, volume. *La capacité d'un récipient. Récipient d'une grande capacité. Mesures de capacité :* ⇒ **Arrobe, baril, barrique, bichet, bock, boisseau, boujaron, canon, chopine, conge, feuillette, gallon, hémine, litron, médimne, minot, muid, picotin, pinte, pipe, pot, quart, quartaut, quarte, rasière, roquille, setier, tonneau, velte...** ; et aussi **centilitre, décalitre, hectolitre, litre.** *Mesurer la capacité d'un récipient avec une jauge*. Capacité en balles, en grains* (d'une cale). — Mar. *Capacité de charge d'un navire.* ⇒ **Portée, tonnage.** — Cour. *La capacité d'une*

casserole, d'une bonbonne. Capacité d'une valise, d'un coffre de voiture, son volume utile.

Figuré :

Ils connaissaient cette valise, aussi exactement qu'ils connaissaient à cette époque ma capacité même : ils savaient le maximum de ce qu'elle pouvait recevoir (...)   GIRAUDOUX, *Bella*, VIII, p. 178.   1

♦ **2.** (Emplois spéciaux). Techn. *Capacité du cylindre d'un moteur à explosion.* ⇒ **Cylindrée.**

Agric. *Capacité de rétention* (en eau) : proportion en poids de l'eau que le sol peut retenir après avoir été saturé d'eau et ressuyé. *Capacité au champ :* capacité de rétention mesurée directement sur le sol en place.

Capacité de tolérance : quantité maximale d'altéragène* que peut tolérer un organisme vivant ou un milieu dans des conditions données (syn. : *capacité d'acceptation*).

Trav. publ. *Capacité de transmission :* grandeur caractérisant le débit maximum d'une voie de communication (en bit/sec).

Anthrop. *Capacité crânienne :* volume de la cavité interne de la boîte crânienne.

Physiol. *Capacité pulmonaire vitale :* la plus grande quantité d'air que peuvent absorber les poumons.

♦ **3.** Par anal. (Sc.). *Capacité calorifique* ou *capacité thermique :* dérivée partielle de l'énergie à la température (en première approximation : variation d'énergie calorifique par unité de température). *Capacité calorifique à volume constant. Capacité calorifique à pression constante :* dérivée partielle de l'enthalpie par rapport à la température. *Capacité de saturation*.*

(1890). *Capacité électrostatique d'un conducteur isolé,* valeur constante du rapport de sa charge à son potentiel. ⇒ **Farad.** — *Capacité électrique d'un condensateur,* caractéristique de cet appareil qui indique la quantité d'électricité qu'il peut emmagasiner sur une tension donnée. *De la capacité.* ⇒ **Capacitif.** *Mesure des capacités* (⇒ **Capacimètre**). *Capacité d'un accumulateur,* quantité totale d'électricité qu'il peut emmagasiner et restituer (en ampères-heures).

Un des phénomènes les plus gênants de la triode était la capacité mutuelle importante dans le système formé par la grille de commande et l'anode ; cette capacité créait en effet un couplage capacitif entre ces deux électrodes, et on ne pouvait augmenter notablement la dimension de ces électrodes sans risquer de voir s'amorcer une auto-oscillation.   1.1
                    Gilbert SIMONDON, *Du mode d'existence des objets techniques*, p. 29.

★ **II.** ♦ **1.** Pouvoir, aptitude humaine. ⇒ **Capable.** Puissance de faire qqch. ⇒ **Aptitude, faculté, force, pouvoir.** *Capacité de travail. Capacité d'aimer.*

Il n'y a point de doctrine plus propre à l'homme que celle-là, qui l'instruit de sa double capacité de recevoir et de perdre la grâce, à cause du double péril où il est toujours exposé, de désespoir ou d'orgueil.   2
                    PASCAL, *Pensées*, t. II, VII, 524, p. 418.

On disait l'autre jour (...) que la vraie mesure du mérite du cœur, c'était la capacité d'aimer.   3
                    Mme DE SÉVIGNÉ, 255, 9 mars 1672.

Le Latin possède une extraordinaire capacité d'analyse, en même temps que de généralisation (...)   André SIEGFRIED, *l'Âme des peuples*, II, II, p. 38.   4

Capacité productrice, de production d'une société, d'une industrie, d'un pays.

♦ **2.** (1370). Qualité de celui qui est en état de comprendre, de faire qqch. ⇒ **Adresse, aptitude, compétence, disposition, faculté, mérite, talent, valeur.** *Avoir beaucoup de capacité. Une grande, une vaste capacité. Être doué d'une haute capacité professionnelle. Faire preuve de capacité* (cf. Donner sa mesure). *Manquer de capacité pour les affaires.* — *La capacité de l'esprit.* ⇒ **Étendue, portée.** (Souvent au plur.). *Capacités intellectuelles* (⇒ **Intelligence, science**), *artistiques. Une grande capacité pour les mathématiques.* ⇒ **Bosse** (fam. : la bosse des maths). *Les capacités d'abstraction, de résistance* (chez l'homme).

(...) sa haute capacité dans la science des bons morceaux.   5
                    MOLIÈRE, *le Bourgeois gentilhomme*, IV, 1.

Quand la capacité de son esprit se hausse
À connaître un pourpoint d'avec un haut de chausse.   6
                    MOLIÈRE, *les Femmes savantes*, II, 7.

La critique souvent n'est pas une science ; c'est un métier, où il faut plus de santé que d'esprit, plus de travail que de capacité, plus d'habitude que de génie.   7
                    LA BRUYÈRE, *les Caractères*, I, 63.

Tous les citoyens (...) sont également admissibles à toutes dignités, places et emplois publics, selon leur capacité, et sans autre distinction que celle de leurs vertus et de leurs talents.   8
                    Déclaration des droits de l'homme et du citoyen, Constitution du 3 sept. 1791, art. 6.

Avec de l'argent, tout devenait possible, facile. Même d'acheter l'intelligence, le dévouement de quelques jeunes médecins sans ressources, auxquels il assurerait l'aisance, et dont il utiliserait les capacités (...)   9
                    MARTIN DU GARD, *les Thibault*, t. V, p. 169.

Par métonymie (au plur.). *Les capacités :* les personnes capables, remarquables par leurs connaissances, leur position.

♦ **3.** (1690). Dr. *Capacité légale. Capacité de jouissance :* aptitude à jouir d'un droit. *Capacité d'exercice :* aptitude à exercer un droit. *Avoir capacité pour tester, pour contracter.* ⇒ **Habiliter** (être habilité à). *La capacité d'un donataire. La capacité d'un mineur émancipé.*

10   La femme mariée a la pleine capacité de droit. L'exercice de cette capacité n'est limité que par le contrat de mariage et par la loi.   *Code civil, art 216.*

♦ **4.** *Capacité en droit :* diplôme délivré aux étudiants (bacheliers ou non bacheliers) après deux ans d'études. ⇒ **Capacitaire.**

CONTR. Impéritie, impuissance, inaptitude, incapacité, inhabileté.
DÉR. et COMP. Capacimètre, capacitaire, capicitance, capacitif. — Incapacité, surcapacité.

CAPACITIF, IVE [kapasitif, iv] adj. — Déb. xxᵉ ; de *capacité.*

♦ **Électr.** Relatif à la capacité électrique ; correspondant à une variation de capacité. *Mesure capacitive.* « *Le déséquilibre capacitif entraîne des variations* » (*Ingénieurs et Techniciens,* nᵒ 200, p. 27). *Couplage capacitif* (→ Capacité, cit. 1.1).

CAPADE [kapad] n. f. — xviiiᵉ ; provençal *capado.*

♦ **Vx.** Quantité d'étoffe employée pour faire un chapeau. *Étouper une capade.*

CAPARAÇON [kaparasɔ̃] n. m. — Av. 1525 ; *capparasson,* 1498 ; anc. esp. *caparazón,* p.-ê. de *capa* « manteau » ou du préroman **krapp* (→ Carapace), rac. **kar(r)-,* var. de **kal-* « écale, abri », avec métathèse d'après *capa.*

Didactique ou littéraire.

♦ **1.** Armure*, harnais d'ornement dont on équipait les chevaux. *Caparaçon de tournoi, de combat.*

1   Les chevaux blanchissants frissonnent ;
Et les masses d'armes résonnent
Sur leurs caparaçons d'acier.   HUGO, Odes et Ballades, Bal. 7.

Mod. Équipement d'apparat destiné aux chevaux lors de cérémonies solennelles (sacre ; cortèges funèbres).

2   Le corbillard (...) s'achemina vers le Père-Lachaise, tiré par quatre chevaux noirs ayant des tresses dans la crinière, des panaches sur la tête, et qu'enveloppaient jusqu'aux sabots de larges caparaçons brodés d'argent.
     FLAUBERT, l'Éducation sentimentale, Pl., p. 411.

♦ **2.** Housse, couverture que l'on met sur le dos d'un cheval pour le protéger contre les intempéries, contre les mouches, etc.

DÉR. Caparaçonner.

CAPARAÇONNER [kaparasɔne] v. tr. — 1546, *caparassonner* ; de *caparaçon.*

♦ **1.** Recouvrir (une monture) d'un caparaçon. *Caparaçonner un cheval, un éléphant.*

♦ **2.** Revêtir (une personne), recouvrir (une chose) d'une manière décorative et voyante ou lourde. ⇒ **Protéger.**

0.1   Puis elle brancha le fer à repasser, caparaçonna la table de cuisine et se mit à l'ouvrage.   COLETTE, Julie de Carneilhan, p. 69.

Pron. *Se caparaçonner :* se vêtir comme d'un caparaçon. *Les cosmonautes se caparaçonnent dans leurs combinaisons spatiales.*

♦ **3.** Fig. Protéger comme par une armure.

Pronominal :

0.2   Les appartements frigorifiques vaporisent sur mes bras nus une buée glacée, je m'en frictionne, m'en caparaçonne avant de regagner l'étuve.
     A. SARRAZIN, la Traversière, p. 94.

▶ **CAPARAÇONNÉ, ÉE** p. p. adj.
Recouvert, revêtu d'un caparaçon*. *Un cheval caparaçonné de noir.*

1   Abd-ul-Hamid s'avançait (...) monté sur un cheval blanc monumental, à l'allure lente et majestueuse, caparaçonné d'or et de pierreries.   LOTI, Aziyadé, p. 54.

Fig. Recouvert comme d'un caparaçon.

2   Je parais, lente, les sourcils hauts, lourde d'un innocent sommeil, et caparaçonnée encore d'un bout de couverture traînante.
     COLETTE, la Paix chez les bêtes, p. 31.

3   Les nuits de lune, des lueurs bougent (...) sans qu'un prophète soit là pour savoir qu'un jour des espèces d'insectes grossièrement caparaçonnés *(les cosmonautes)* s'aventureront là-haut dans la poussière de cette boule morte.
     M. YOURCENAR, Archives du Nord, p. 18.

1. CAPE [kap] n. f. — 1671 ; *cappe,* v. 1460 ; anc. provençal *capa* ; par croisement avec l'anc. franç. *cape,* forme normanno-picarde de *chape.*

★ **I.** ♦ **1.** Vêtement* de dessus, sans manches, qui enveloppe le corps et les bras, avec ou sans capuchon. ⇒ **Houppelande, pèlerine.** *La cape des mousquetaires, des romantiques... Cape d'écolier. Cape d'agent de police. S'envelopper, s'emmitoufler dans sa cape. — Cape de fourrure* (vêtement plus particulièrement féminin). — (xviᵉ ; esp. *capa*). *Cape à l'espagnole, cape de Béarn.*

1   *(La)* cape de Béarn est un habit de gros drap, faite de laine grossière blanche, à capuchon, sans manches et longue presque à mi-jambes (...)
     NICOT, in L. SAINÉAN, la Langue de Rabelais, I, p. 162.

1.1   C'est l'enfant cette fois qui vient à sa rencontre (...) Bientôt il est facile de distin-

guer l'étroit pantalon noir qui enserre les jambes agiles, la cape noire rejetée en arrière qui vole autour des épaules, le béret de drap enfoncé jusqu'aux yeux.
     A. ROBBE-GRILLET, Dans le labyrinthe, p. 41.

Loc. Vx. *N'avoir que la cape et l'épée :* être sans fortune, ou encore, n'avoir que l'apparence du mérite.

2   Ce sont de ces mérites qui n'ont que la cape et l'épée.
     MOLIÈRE, le Misanthrope, V, Scène dernière.

Mod. DE CAPE ET D'ÉPÉE. *Comédie, roman de cape et d'épée,* dont les personnages sont des héros chevaleresques, dégainant fréquemment leur épée pour de justes causes. *Récit, histoire, aventure de cape et d'épée. Héros de cape et d'épée.*

Pièce d'étoffe ayant la forme d'une cape, dont le torero se sert pour exécuter les passes. *Travailler un taureau à la cape. Faire des passes* de cape.*

♦ **2. Loc. fig. SOUS CAPE.** ⇒ **Cachette** (en), **dérobée** (à la), **tapinois** (en). **Vx.** *Faire qqch. sous cape ; regarder qqn sous cape. — Mod. Rire sous cape :* rire ou se réjouir sans le montrer.

3   Io (*Mᵐᵉ de Ludres*) a été à la messe : on l'a regardée sous cape (...)
     Mᵐᵉ DE SÉVIGNÉ, 618, 15 juin 1677.

4   Je riais souvent sous cape de l'embarras de mon père et de ma mère, qui fort souvent ne savaient où se mettre.   SAINT-SIMON, Mémoires, 30, 99, in LITTRÉ.

5   (...) il se divertissait sous cape.   BALZAC, Maître Cornélius, Pl., t. IX, p. 942.

♦ **3.** (1529). Mar. (vx). Grande voile du grand mât.

Loc. (1484). *Être à la cape, se mettre, se tenir à la cape,* se dit d'un navire qui réduit sa voilure, diminue sa vitesse et gouverne de façon à dériver. ⇒ **Panne** (en). *Mettre à la cape.* ⇒ **Capéer.** *Mettre à la cape debout à la lame :* mettre le navire debout au vent en supprimant la voilure. *Prendre la cape, tenir la cape, abandonner la cape. Cape courante* (voile d'avant bordée à contre, barre sous le vent, pour un voilier) ; *cape sur ancre flottante ; cape sèche* (à sec de toile).

6   En haut, dans la mâture, on essayait de serrer les huniers, déjà au bas ris ; la cape était déjà dure à tenir, et maintenant il fallait, coûte que coûte, marcher droit contre le vent, à cause des terres douteuses qui pouvaient être là, derrière nous.
     LOTI, Mon frère Yves, XXVII, p. 85.

7   (...) à deux reprises, le capitaine avait été sur le point de prendre une cape courante, et cédait à la mer et au vent. Prendre la cape, c'est diminuer de vitesse (...) On dérivait dans le lit du vent (...)   Roger VERCEL, Remorques, p. 67.

♦ **4.** (1878). Feuille de tabac qui forme l'enveloppe extérieure du cigare. Syn. : *robe. La cape et la sous-cape.*

★ **II.** Vx. Pièce d'étoffe couvrant la tête (A. Daudet, A. France, *in* T. L. F.). ⇒ **Capuche, capuchon** ; et aussi 2. **cape.**

DÉR. Capéer ou capeyer, 1. capot ; V. Capeline.
COMP. Décaper. — Sous-cape.
HOM. 1. Cap, 2. cap, 2. cape.

2. CAPE [kap] n. f. — 1922 ; angl. *cap* « casquette ».

♦ **Rare et vx.** Chapeau melon.

HOM. 1. Cap, 2. cap, 1. cape.

CAPÉER [kapee] v. intr. — Conjug. *céder.* — 1606 ; *cappéer,* 1573 ; de 1. *cape* (I., 3.).

♦ **Vx.** Capeyer*.

CAPELAGE [kaplaʒ] n. m. — 1771 ; de *capeler.*

Marine.

♦ **1.** Action de capeler (un cordage ; un espar). *Capelage d'une vergue. Nœud de capelage.*

♦ **2.** Dispositif de fixation formé par les boucles des manœuvres. *Le capelage a lâché. Le capelage d'un mât. Le capelage des galhaubans.*

   Ces *capelages,* d'un certain volume, sont d'un effet disgracieux dans le bel appareil de mâts et de cordes qui se dressent sur le navire ; aussi a-t-on l'attention d'en déguiser les formes grossières, en les recouvrant d'une toile peinte en couleur claire.
     J. LECOMTE, Dict. pittoresque de marine, 1836, art. *Capelage.*

♦ **3.** Point du mât, de la vergue où s'applique le capelage. *Le capelage, la flèche et la pomme d'un mât de perroquet. Frapper une bosse à la hauteur du capelage.*

CAPELAN [kaplɑ̃] ou CAPÉLAN [kapelɑ̃] n. m. — 1558, ichtyologie ; *cappellan,* 1433 ; anc. provençal *capelan* « chapelain », p.-ê. en raison de la couleur grisâtre du dos de ce poisson.

♦ **1.** Régional et fam. Prêtre* (dans le Midi de la France).

♦ **2.** Poisson de mer osseux de la famille des gades* (n. sc. : *gadus*). *Le capelan sert d'appât pour la pêche à la morue. Il existe deux espèces de capelans, le grand capelan, plus fréquent en Méditerranée, et le petit capelan, représenté surtout dans la Manche et l'Atlantique. Capelan séché. —* Loc. *Sec comme un capelan :* maigre.

On nous *(les morues)* mange toujours les jours creux ou les jours tristes (...) Mais toi aussi, tu dévores les harengs, les capelans et les crabes.
　　　　　　　　　　　　　　Jean CAYROL, *Histoire de la mer*, p. 129.

Poisson (n. sc. : *mallotus cillosus*) ressemblant à l'éperlan, qui vit dans les eaux de Terre-Neuve (appellation normalisée par l'Office de la Langue française du Québec, 5 sept. 1980).

CAPELER [kaple] v. tr. — Conjug. *appeler*. — 1687 ; mot probablt normand, de *capel* « chapeau ». → Chapeau.

Marine.

♦ **1.** **a** Passer (un lien) en faisant une boucle, pour fixer. *Capeler une amarre sur une bitte. Capeler une boucle par-dessus le bout libre d'un filin.*

b Fixer (qqch.) avec la boucle d'une manœuvre. *Capeler le gréement. Capeler une vergue avec une estrope. Capeler les manœuvres sur le mât. Capeler le mât avec les haubans.* — Absolt. *Deux demi-clefs à capeler* (nom d'un nœud).

♦ **2.** Par ext. **a** Fixer solidement, par des nœuds.

Au participe passé :

1　(...) il aperçut le cadavre du matelot de quart, toujours solidement capelé au cabestan, comme un supplicié à son poteau.　M. TOURNIER, *Vendredi...*, p. 24.

b (1833, *in* D.D.L.). Argot des marins. Endosser (un vêtement). *Capeler le ciré, le caban. Capeler son gilet de sauvetage.* — Loc. *Capeler l'habit :* revêtir un scaphandre.

2　Les matelots se servent du mot *capeler,* dans leur langage pittoresque, pour dire qu'ils se revêtent, lorsqu'ils sont en fête et qu'ils mettent leur meilleur habillement. Pour exprimer : Il y aura du plaisir aujourd'hui, je me suis fait beau, ils disent : *Il y a gras aujourd'hui, j'ai capelé le rechange neuf.*
　　　　　　　J. LECOMTE, *Dict. pittoresque de marine,* 1836, art. *Capelage.*

3　— Tu veux que je te relève ? Il fera jour dans deux heures.
　　— Non, ça va Loïck... pas fatigué... (...)
　　— S'il y a quelque chose, tu m'appelles, j'ai capelé mon ciré.
　　　　　　　Bernard MOITESSIER, *Cap Horn à la voile*, p. 73.

♦ **3.** Fig. (de 1., a.). Recouvrir (qqch., une embarcation), en parlant d'une vague. *Le bateau s'est fait capeler par une déferlante.* — Au p. p. (plus cour.). *Embarcation capelée par une lame.*

DÉR. Capelage.

CAPELET [kaplɛ] n. m. — 1678 ; provençal *capelet* « chapelet ».

♦ Vétér. Tumeur qui se développe à la pointe du jarret du cheval.

CAPELINE [kaplin] n. f. — 1367, « armure de tête » ; anc. provençal *capelina* « chapeau de fer », de *cappa*. → 1. Cape.

♦ **1.** Anciennt. Armure de tête à couvre-nuque que portaient les « gens de pied », au moyen âge.

♦ **2.** (1512). Vx ou régional. Chapeau féminin à larges bords. — (1635). Coiffure féminine tombant sur les épaules. ⇒ **Coiffe.**

Devant l'auberge, elle questionna une bourgeoise en capeline de veuve (...)
　　　　　　　FLAUBERT, *Trois contes*, « Un cœur simple », II, p. 12.

Vx. Chapeau d'homme (à grands bords souples). *Capeline de vendangeur.*

♦ **3.** (1907, *in* D.D.L.). Mod. Chapeau de femme à calotte et à très larges bords souples. *Pour se protéger du soleil, elle porte une grande capeline.*

♦ **4.** Chir. Bandage de tête recouvrant toute la calotte crânienne.

CAPELLA (A) ⇒ A cappella.

CAPENDU [kapɑ̃dy] n. m. — 1423 ; dit pour *pomme de capendu* (aussi *pommier de caspendu*, 1523) ; orig. incert. ; les variantes *de court pendu* (Rabelais), et *carpendu, courpandu,* reposent probablt sur une hypothèse non fondée de Robert Estienne, *Petit Dictionnaire françois-latin :* « de *capendu* ou *carpendu,* quasi qui diroit court pendu, Malum curtipendulum ». À rapprocher du nom de lieu *Capendu* (Aude) « champ en pente », du provençal *camp* « champ », et *pendut* « pendu » (d'après Dauzat et Rostaing) ?

♦ Variété de pomme* rouge. — REM. Aussi (1924, Poiré), « variété de poire à couteau à maturité en automne ».

CAPERON [kaprɔ̃] n. m. ⇒ **Capron.**

C. A. P. E. S. [kapɛs] n. m. — 1945 ; sigle.

♦ Certificat d'aptitude pédagogique à l'enseignement secondaire. *Titulaire du C. A. P. E. S.* ⇒ **Capésien, certifié.**

Me voici prof, prof pour de bon avec mes élèves, mes cours. Finie la comédie de ce stage pédagogique de C. A. P. E. S. de l'an passé où j'allais assister à des cours rasoirs de prétentieux conseillers qui, parfois, daignaient me laisser leur place.
　　　　　　　Yanny HUREAUX, *la Prof,* p. 35.

DÉR. Capésien.

CAPÉSIEN, IENNE [kapesjɛ̃, jɛn] n. — V. 1950 ; de *C. A. P. E. S.* (jeu de mot avec *capétien*).

♦ Titulaire du C. A. P. E. S. — Syn. : *certifié.* « *Personnellement, après avoir formé des bacheliers, comme agrégé, je forme, depuis près de vingt ans, des capésiens et (...) des agrégés* » (*Courrier du Nouvel Obs.,* n° 407, 28 sept. 1972).

HOM. Capétien.

C. A. P. E. T. [kapɛt] n. m. — 1965 ; sigle.

♦ Certificat d'aptitude pédagogique à l'enseignement technique.

CAPÉTIEN, IENNE [kapesjɛ̃, jɛn] adj. — XIVe ; de Hugues Ier dit *Capet.*

♦ Relatif à la dynastie des rois de France, de la mort de Hugues Capet (987) à la mort de Charles IV le Bel (1328) ; relatif à cette époque. *Dynastie capétienne. La politique capétienne.*

N. (1643). *Les Capétiens. Un Capétien.*

HOM. Capésien.

CAPEYER [kapeje] v. intr. — 1690 ; *capéer,* 1606 ; *cappéer,* 1573 ; de 1. *cape* (I., 3.).

♦ Mar. Être à la cape. Rester à la cape. → Navire, cit. 5. — Syn. : *capéer.*

Nuit douce en perspective : la mer s'est calmée, nous sommes déjà sous le vent du cap Balgerie et *Joshua* capeye en paix comme une mouette qui attend le jour.
　　　　　　　Bernard MOITESSIER, *Cap Horn à la voile,* p. 147.

CAPHARNAÜM [kafaʀnaɔm] n. m. — 1833, Balzac ; « prison », 1649, attestation isolée ; nom d'une ville de Galilée où Jésus attira la foule devant sa porte ; avec p.-ê. infl. du berrichon *cafourniau* « débarras » (du lat. *furnus* « four »).

Familier.

♦ **1.** Lieu qui renferme beaucoup d'objets en désordre. *Cette chambre, cette maison est un vrai capharnaüm. La boutique de ce brocanteur est un capharnaüm.* ⇒ **Bric-à-brac.**

(Ce coin) faisait naître en leur esprit l'idée d'un capharnaüm de bric-à-brac, où on eût vendu de tout.　　1
　　　　　　　COURTELINE, *Messieurs les ronds-de-cuir,* 4e tableau, III, p. 253.

(Altér. probable de *cafourniau*). Régional. Débarras*.

Vous me reprendrez peut-être sur ce mot-là *(carphanion),* parce que le maître　　2
d'école s'en fâche et veut qu'on dise *carphanaüm* (sic) ; mais, s'il connaît le mot, il ne connaît point la chose, car j'ai été obligé de lui apprendre que c'était l'endroit de la grange (...) où l'on serre les jougs, les chaînes (...)
　　　　　　　G. SAND, *la Petite Fadette,* XXVI, p. 176.

♦ **2.** Amas d'objets en désordre, entassés confusément. ⇒ **Méli-mélo, pêle-mêle.**

Dans la vaste maison où tout un capharnaüm de la compagnie des Indes dormait　　3
dans les pièces fermées de l'été (...) un des cirques avait oublié un ara vert.
　　　　　　　MALRAUX, *Antimémoires,* Folio, p. 32.

Par métaphore :

C'était (autant que je puis m'en souvenir) une sorte de pot-pourri de légendes sans　　4
suite, et, comme on dit, sans rime ni raison. Il était question, là-dedans, de Mahomet, d'Adam et d'Ève, du Sultan, des régiments de la Suisse et des chevaliers errants : c'était, enfin, le capharnaüm le plus chaotique dont cerveau brûlé ait jamais conçu l'extravagance.
　　　　　　　VILLIERS DE L'ISLE-ADAM, *Tribulat Bonhomet,* p. 79.

CAP-HORNIER [kapɔʀnje] n. m. — 1944 ; du n. propre *cap Horn.*

♦ **1.** Hist. de la mar. Grand voilier qui suivait les routes passant par le cap Horn. — Au plur. *Des cap-horniers.*

♦ **2.** Marin servant sur ces voiliers. « (...) *un ancien cap-hornier qui ouvre une souscription pour sauver le dernier grand voilier français...* » (*l'Express,* n° 1421, 2 oct. 1978). — Navigateur ayant passé le cap Horn. — REM. Dans cet emploi, le fém. est *cap-hornière.*

Joshua en voudrait davantage, mais je le laisse rouspéter pour une fois sous sa voilure réduite et vais rejoindre ma future cap-hornière, petite femme aux os fragiles qui dort comme un bébé et doit rêver à quelque chose de très joli car elle sourit dans son sommeil.　　Bernard MOITESSIER, *Cap Horn à la voile,* p. 201.

CAPILL-, CAPILLI-, CAPILLO- Élément, du lat. *capillus* « cheveu ».

CAPILLACÉ, ÉE [kapi(l)lase] adj. — 1784, Bernardin de Saint-Pierre ; lat. *capillaceus* «qui ressemble à des cheveux», de *capillus* «cheveu».

♦ Bot. (vx). Qui présente la finesse du cheveu. ⇒ **Capillaire**. *Une racine capillacée.*

CAPILLAIRE [kapi(l)lɛʀ] adj. et n. m. — 1314 ; lat. *capillaris* «relatif aux cheveux», de *capillus* «cheveu».

★ **I.** ♦ **1.** Fin comme un cheveu. — Anat. Se dit des vaisseaux sanguins les plus élémentaires, dernières ramifications du système circulatoire, qui relient artérioles et veinules. *Veines, vaisseaux capillaires,* et, n. m., *les capillaires* (sing. : *un capillaire*). *Inflammation, maladie des capillaires.* ⇒ **Capillarite.** *Examen des capillaires.* ⇒ **Capillaroscopie.** — *Bronches capillaires. Bronchite capillaire :* inflammation des bronches capillaires. — Bot. Se dit de certaines parties fines et déliées des plantes. *Racines capillaires.* ⇒ **Capillacé.**

1 Une goutte de rosée qui filtre dans les tuyaux capillaires d'une plante leur présente des milliers de jets d'eau (...) BERNARDIN DE SAINT-PIERRE, 1re étude.

Phys. *Tube capillaire* (n. m., *un capillaire*) : tube de très petite section intérieure. — Par ext. *Phénomènes capillaires, forces capillaires.* ⇒ **Capillarité,** 2.

2 L'attraction et la répulsion des petits corps qui nagent à la surface des liquides sont des phénomènes capillaires que l'on peut soumettre à l'analyse. LAPLACE, Exposition du système du monde, v, 17.

♦ **2.** (1838). Relatif aux cheveux*, à la chevelure. *Lotion capillaire.* — (Dans certaines locutions hyperboliques du langage commercial ou publicitaire). *Art capillaire. Artiste capillaire.* ⇒ **Capilliculteur, coiffeur.**

★ **II.** N. m. (1579, A. Paré). Bot. Nom donné à plusieurs plantes cryptogames vasculaires (⇒ **Fougère**) à pétioles très fins. *Capillaire de Montpellier* ou *Cheveu de Vénus.* ⇒ **Adiante.** *Capillaire noir, blanc. Capillaire du Canada,* dont les feuilles sont utilisées dans la préparation d'un sirop béchique. *Sirop de capillaire.*

3 Sur ses flancs *(du rocher)* bruns et humides rayonnaient en étoiles vertes et noires de larges capillaires (...) BERNARDIN DE SAINT-PIERRE, Paul et Virginie, p. 48.

DÉR. et COMP. (Du même rad.) **Capillarimètre, capillarite, capillarité, capillaroscopie. — Électrocapillaire.**

CAPILLARIMÈTRE [kapi(l)laʀimɛtʀ] n. m. — Mil. xxᵉ ; du lat. *capillari(s),* et *-mètre.*

♦ Didact. Appareil destiné à étudier la capillarité.

CAPILLARITE [kapi(l)laʀit] n. f. — 1932, Gougerot ; du lat. *capillaris* «capillaire».

♦ Méd. Altération aiguë ou chronique des petits vaisseaux cutanés (capillaires, artérioles, veinules, plexus veineux superficiel). *Érythèmes, purpuras, manifestations de capillarite.*

CAPILLARITÉ [kapi(l)laʀite] n. f. — 1820 ; dér. sav. du lat. *capillaris.* → **Capillaire.**

♦ **1.** État de ce qui est ténu comme un cheveu. *La capillarité des dernières ramifications des bronches.* — Qualité d'un tube, d'un conduit très fin où les phénomènes capillaires se manifestent (→ ci-dessous, 2.).

♦ **2.** (1832). Phys. Phénomène relatif aux actions mécaniques liées à la grandeur de la surface d'un liquide, notamment lorsque, cette surface étant très faible, la tension* superficielle produit des phénomènes spécifiques. *L'ascension, la dépression d'un liquide dans un tube capillaire, la forme incurvée prise par la surface d'un liquide dans lequel baigne une paroi plane, l'imbibition... sont des phénomènes de capillarité.*

Géol., agric. Progression des liquides à contre-gravité, dans des conduits très étroits (phénomène particulier dû à la capillarité, au sens large). *L'eau a monté par capillarité.*

C'est par capillarité que s'imbibent les corps poreux dont une partie est mise en contact avec un liquide. C'est la même cause qui fait monter à la surface du sol, à mesure qu'elle se dessèche par l'évaporation, l'eau contenue dans les couches inférieures. Omnium agricole, p. 185.

COMP. **Électrocapillarité.**

CAPILLAROSCOPIE [kapi(l)laʀɔskɔpi] n. f. — 1920 ; du lat. *capillar(is)* «capillaire», et *-scopie.*

♦ Didact. Examen au microscope des capillaires du derme ou des muqueuses conjonctivales sur le sujet vivant. — Syn. : *dermatoscopie.*

CAPILLI- ⇒ Capill-.

CAPILLICULTEUR, TRICE [kapi(l)likyltœʀ, tʀis] n. m. — V. 1960 ; de *capilliculture.*

♦ Didact. et comm. Coiffeur* spécialiste des soins de la chevelure (⇒ **Capilliculture**).

On a donné un bain d'herbes à mes cheveux. La capillicultrice s'appelait Carole, elle a tartiné ma tête d'une gelée orange. Christine DE RIVOYRE, Fleur d'agonie, p. 115.

CAPILLICULTURE [kapi(l)likyltyʀ] n. f. — V. 1960 ; de *capilli-,* et *-culture.*

♦ Didact. et comm. Ensemble des soins donnés à la chevelure (⇒ **Capilliculteur**).

DÉR. **Capilliculteur.**

CAPILLIFORME [kapi(l)lifɔʀm] adj. — 1837 ; du lat. *capill(us)* «cheveu», et *-forme.*

♦ Didact. Qui a la forme d'un cheveu.

CAPILLO- ⇒ Capill-.

CAPILOTADE [kapilɔtad] n. f. — 1555 ; *capilotaste,* 1542 ; var. *capirotade* (Montaigne) ; p.-ê. de l'esp. *capirotada* «ragoût aux câpres», de *capirote* «capuchon», du gascon *capirot,* même sens, de *capa* «manteau». Pour P. Guiraud, la relation entre *capirotada* et *capirote* est fondée sur l'homonymie en roman entre *cappa «capuchon» et *cappare* «couper», *capilotade* étant à rattacher au lat. *cappelare* «retrancher» (cf. provençal *capoula, capoura* «hacher», esp. *capolar,* même sens).

♦ **1.** Vieilli ou cuis. Ragoût* fait de restes de viande, de volailles. *Une capilotade de perdrix.*

♦ **2.** (1610). Fam. Mise en pièces, en bouillie. ⇒ **Déconfiture, gâchis, marmelade.** *La défaite fut une véritable capilotade.* — Loc. **EN CAPILOTADE** : en piteux état. *Avoir le bras, le dos en capilotade,* couvert de blessures, meurtri. *Les ennemis sont en capilotade. Mettre qqn en capilotade,* l'accabler* de coups.

Mon nez était en capilotade, mais à l'infirmerie, les dégâts internes furent jugés peu graves. R. GARY, la Promesse de l'aube, p. 242.

Fig. *Mettre en capilotade :* traiter sans ménagement, déchirer par des médisances.

Par exagér. *Avoir (le dos...) en capilotade :* éprouver des douleurs (dans le dos...) comme si on avait été roué de coups. — *Avoir la tête en capilotade :* avoir très mal à la tête.

CAPISTON [kapistɔ̃] n. m. — 1881 ; de *capit(aine),* avec infl. de *piston* «tracassier».

♦ Argot milit. (vieilli). Capitaine. ⇒ 2. **Piston, pitaine.** *Le tampon (ordonnance) du capiston.*

Ah, zut alors ! que dit l'capiston. Ôtez-moi ça d'mon nez. Ça empeste positivement. H. BARBUSSE, le Feu, xx.

DÉR. **2. Piston.**

CAPITAINE [kapitɛn] n. m. — 1288 ; bas lat. *capitaneus* «qui est en tête», de *caput* «tête».

★ **I.** ♦ **1.** Littér. Chef militaire doté des qualités nécessaires pour le commandement. ⇒ **Chef, commandant.** *Un vaillant, un grand capitaine.* ⇒ **Soldat.** *Les grands capitaines de l'antiquité. Le captal, capitaine gascon du moyen âge. Ce capitaine est un foudre* de guerre. Soldats et capitaines.*

Chacun s'enfuit au plus fort, Tant soldat que capitaine. LA FONTAINE, Fables, IV, 6. 1

Sous lui sont formés tant de renommés capitaines que ses exemples ont élevés aux premiers honneurs militaires (...) BOSSUET, Oraison funèbre de Louis de Bourbon. 2

Il tenait pour maxime qu'un habile capitaine peut bien être vaincu, mais qu'il ne lui est pas permis d'être surpris (...) BOSSUET, Oraison funèbre de Louis de Bourbon. 3

De Palos de Moguer, routiers et capitaines Partaient, ivres d'un rêve héroïque et brutal. J.-M. DE HÉRÉDIA, Trophées (→ Gerfaut, cit. 2). 4

♦ **2.** (V. 1550). Cour. Officier qui commande une compagnie d'infanterie, un escadron de cavalerie, une batterie d'artillerie. Par ext. Officier des armées de terre et de l'air dont le grade est intermédiaire entre celui de lieutenant et celui de commandant ou de chef de bataillon. ⇒ fam. ou argot. **Capiston** (vx), 2. **piston** (vx), **pitaine.** *Le capitaine porte trois galons. Capitaine commandant la compagnie. Capitaine en premier, en second. Être nommé, devenir, passer capitaine. Capitaine de chasseurs, de tirailleurs, d'artillerie, de* *blindés. Capitaine d'aviation, capitaine aviateur. — Capitaine instructeur. Capitaine d'habillement. Capitaine trésorier. — Par anal. Capitaine de gendarmerie. Capitaine des pompiers.*

5 Vous étonnerez-vous après cela que le même soleil, tombant sur Tarascon, ait pu faire d'un ancien capitaine d'habillement comme Bravida, le brave commandant Bravida (...) Alphonse DAUDET, Tartarin de Tarascon, VII.

Grade correspondant à celui de capitaine dans la marine. ⇒ **Lieutenant** (de vaisseau).

En appellatif (de la part d'un civil). *Entrez donc, capitaine !* — (De la part d'un subordonné). *Oui, mon capitaine !*

♦ **3.** (1540). Mar. Officier qui commande un navire de commerce (sur les bateaux de pêche, ⇒ **Patron**). *Capitaine au cabotage. Le capitaine est seul maître à bord. Capitaine au long cours. Capitaine de la marine marchande, capitaine marchand. Capitaine commandant un grand paquebot.* ⇒ **Commandant.** *Capitaine d'armement :* ancien capitaine qui inspecte les navires pour le compte d'un armateur. *Capitaine-expert,* chargé d'évaluer les avaries et d'en rechercher les causes. *Capitaine de port,* chargé de la surveillance et de la police des ports de commerce, et, par anal., des ports de plaisance (⇒ **Capitainerie,** 2.). *Capitaine d'armes :* sous-officier qui a la garde des menues armes du bord et est chargé de la police. *Capitaine porteur :* capitaine au long cours ne s'occupant que de la navigation sur un navire de pêche. *Capitaine de navire corsaire* (ancienny).

6 Oh! combien de marins, combien de capitaines,
Qui sont partis joyeux pour des courses lointaines,
Dans ce morne horizon se sont évanouis !
HUGO, les Rayons et les Ombres, « Oceano Nox ».
REM. Ce passage célèbre a été pastiché. → 2. Marin, cit. 6.1.

7 Le *capitaine* est celui qui exerce le commandement à bord d'un navire de commerce. Il est nommé *patron* sur les petits bâtiments, notamment sur les bateaux de pêche. DALLOZ, Nouveau répertoire, Marine marchande, art. 110
Cf. Code commercial, art. 221 à 249 *(Du capitaine).*

Allus. littér. : « *Ô Mort, vieux capitaine...* » (→ 1. Mort, cit. 17, Baudelaire).

(Course ou plaisance). Celui, celle qui commande, à bord d'un yacht de course ou de croisière. ⇒ **Chef** (de bord), **skipper.**

Allus. *Capitaine courageux,* traduction française du titre d'un roman de Rudyard Kipling (et de son adaptation cinématographique). *Le capitaine Haddock :* personnage truculent de capitaine au long cours, dans *Tintin et Milou.*

Mar. milit. « Appellation du lieutenant de vaisseau lorsqu'il ne commande pas un bâtiment » (Gruss. — Le titre de *commandant* est donné à tout officier lorsqu'il commande un navire. ⇒ **Commandant**). *Capitaine de corvette, de frégate, de vaisseau :* officiers dont les grades correspondent respectivement à ceux de commandant, lieutenant-colonel et colonel des armées de terre et de l'air. *Capitaine de pavillon :* officier commandant le bâtiment battant pavillon amiral.

♦ **4.** (1590). Hist. Gouverneur d'une résidence royale (⇒ **Gouverneur**). Chef d'une capitainerie*. — (1671). *Capitaine des chasses, capitaine de louveterie* (⇒ **Louvetier**), chargé de la surintendance des chasses.

♦ **5.** (1902, *in* Petiot). Chef (d'une équipe sportive). *Le capitaine d'une équipe de football, de rugby. Le capitaine et l'entraîneur de l'équipe.*

7.1 C'est à ce moment que le souci de la tactique les domine tous : le capitaine, pendant la pause, désespérant de la vitesse de ses trois-quarts, ramassa ses avants le jeu au pied. Jean PRÉVOST, Plaisirs des sports, p. 133.

♦ **6.** Péj. et vx. *Un capitaine de brigands. Capitaine d'aventure. Personnage de capitaine bravache et ridicule.* ⇒ **Capitan.** — *Le Capitaine Fracasse,* roman de Th. Gautier.

Loc. mod. *Capitaine d'industrie :* chef d'une grande entreprise industrielle.

8 On a souvent comparé le grand entrepreneur à un chef militaire qui dispose ses soldats, ses canons et tout son matériel de guerre de façon à obtenir le résultat le plus efficace : d'où le nom de capitaine d'industrie qu'on lui donne quelquefois. Paul REBOUD, Précis d'économie politique, t. I, n° 239.

Fam. et vx. Titre donné ironiquement à des personnages littéraires.

9 Capitaine renard allait de compagnie
Avec son ami bouc des plus hauts encornés. LA FONTAINE, Fables, III, 5.

★ **II.** (P.-ê. du *capitaine* Jacquier, explorateur de l'Oubangui, dont l'exophtalmie était rappelée par les yeux saillants du poisson). En franç. d'Afrique. Gros poisson d'eau douce *(lates niloticus)* à la chair estimée. — *Capitaine de mer, capitaine :* le *polynemus quadrifilis* (autre poisson comestible, marin).

DÉR. (De I). **Capitainerie**; **pitaine.**

CAPITAINERIE [kapitɛnʀi] n. f. — 1339 ; de *capitaine.*

♦ **1.** (1575). Vx ou hist. Charge de capitaine des chasses ou d'une résidence royale. — Résidence, logement, circonscription, juridiction de ce capitaine.

Nous allons ce soir coucher à la capitainerie de Fontainebleau.
Mᵐᵉ DE SÉVIGNÉ, Lettre à Mᵐᵉ de Grignan, 26 juin 1676.

♦ **2.** (1933). Mod. (mar.). Bureau du capitaine de port ; services dépendant de ce bureau. *La capitainerie d'un port de plaisance. Consulter le bulletin météo à la capitainerie.*

1. CAPITAL, ALE, AUX [kapital, o] adj. — V. 1200 ; lat. *capitalis* « qui se trouve en tête, important », et « qui peut coûter la tête à (qqn) »; de *caput, -itis,* « tête ».

♦ **1.** (V. 1255). Qui peut coûter la tête à (qqn). *Peine capitale :* peine de mort. ⇒ 1. **Mort** (*supra* cit. 32). *Exécution capitale.*
Qui entraîne la peine de mort. *Procès capital. Sentence capitale.*

1 On a beaucoup loué le regret que Néron témoigna de savoir écrire, à la première sentence capitale qu'il eut à signer. DIDEROT, Claude et Néron.

Qui mérite la peine capitale ; par ext., très grave. *Crime capital.*

2 (...) Cinna vous impute à crime capital
La libéralité vers le pays natal ! CORNEILLE, Cinna, II, 1.

3 Le crime capital pour un écrivain, c'est le conformisme (...) .
R. DE GOURMONT, le Livre des masques, p. 13.

♦ **2.** Vx. Qui est à la tête de qqch. *Ville capitale.* ⇒ **Capitale** (n. f.).

4 Dans cette ville capitale (...) BOURDALOUE, Carême, I, Aumône, 146.

4.1 La ville capitale est située à l'extrémité d'une belle vallée, formée par une montagne qui est au milieu de l'île, et qui est bien la plus haute qu'il y ait au monde.
A. GALLAND, Les Mille et une Nuits, t. I, p. 262.

Lettre capitale, mise en tête de l'alinéa. ⇒ **Capitale** (n. f.).

♦ **3.** (1389). Qui est le plus important, le premier par l'importance, et, par ext., qui est très important. ⇒ **Essentiel, fondamental, important, premier, primordial, principal, suprême.** *Point capital.* ⇒ **Clef** (clef de voûte), **cœur** (du problème). *C'est son œuvre capitale.* ⇒ **Chef-d'œuvre.** *C'est d'un intérêt capital. Affaire* (cit. 56) *capitale. La question est d'une importance capitale. — Capital à qqn* (vx), *pour qqn. Pour moi, c'est capital. — Attention ! c'est un point capital, c'est capital. Jouer un rôle capital. Une erreur capitale. Un défaut capital. — Loc. Péché capital. Les sept péchés capitaux,* d'où découlent tous les autres. — Vx. *Ennemi capital,* mortel.

5 — N'est-ce point quelqu'un de ses amis? (...)
— Non, monsieur ; au contraire, c'est son ennemi capital.
MOLIÈRE, les Fourberies de Scapin, 1671, II, 9.

6 Ce mal est si capital, que, pour moi, j'en suis dans une véritable peine.
Mᵐᵉ DE SÉVIGNÉ, 1430, 20 sept. 1695.

7 Une affaire importante, et qui serait capitale à lui ou aux siens (...)
LA BRUYÈRE, les Caractères, IV, 71.

8 (...) j'ai découvert cette vérité que je crois capitale : que la tragédie est le développement d'une action et la comédie d'un caractère.
STENDHAL, Journal, p. 50.

9 Alceste est l'œuvre capitale de Gluck où il a pris le plus nettement conscience de sa forme dramatique (...) R. ROLLAND, Musiciens d'autrefois, p. 208.

9.1 L'ensemble des choses lues est capital. VALÉRY, Cahiers, t. II, Pl., p. 1317.

N. m. (1656). Vx. *Le capital :* ce qui est essentiel.

10 Le capital pour une femme n'est pas d'avoir un directeur, mais de vivre si uniment qu'elle s'en puisse passer. LA BRUYÈRE, les Caractères, III, 38.

CONTR. Accessoire, secondaire ; infime, insignifiant.
DÉR. 2. **Capital** (n. m.), **capitale, capitalement.**
HOM. 2. **Capital** (n. m.), **capitale.**

2. CAPITAL, AUX [kapital, o] n. m. — 1567 ; de 1. *capital.*

★ **I.** ♦ **1.** (1567). Somme constituant une dette (opposé à *intérêt*). ⇒ **Principal.** *Capital amortissable.*

♦ **2.** Écon. Toute richesse destinée à produire un revenu ou de nouveaux biens ; moyens de production (spécialt lorsqu'ils ne sont pas mis en action par leur propriétaire). *Le capital provient du travail et des richesses naturelles.*

1 Richesse, c'est l'ensemble des choses qui servent à la satisfaction de nos besoins. Capital, c'est l'ensemble des moyens de satisfaction résultant d'un travail antérieur. LITTRÉ, Dict., art. *Capital.*

2 (...) ce qu'on appelle le capital n'est autre chose que la richesse envisagée sous un certain aspect (...) le capital n'est (...) qu'un produit du travail et de la nature. (...) aucune richesse ne peut être produite sans le concours d'une autre richesse préexistante (...) Nous lui donnons *(le nom)* de capital.
Charles GIDE, Cours d'économie politique, p. 177 sqq.

3 *(La production technique)* s'opère par la collaboration de trois facteurs ou agents : le *Travail,* la *Nature* et le *Capital* (...) Le capital, dans les sens d'instruments, d'outillage fabriqué par l'homme, est un facteur dérivé des premiers.
Paul REBOUD, Précis d'économie politique, t. I, n° 176.

4 (...) le charbon sera « capital » s'il est utilisé pour faire marcher une machine ou une locomotive. Il sera « bien de consommation » s'il est placé dans la cheminée qui sert à chauffer la pièce dans laquelle nous nous tenons.
PIROU, Traité d'économie politique, t. I, 1, p. 117.

Doctrine classique et doctrine marxiste du capital. Capital, travail et plus-value, chez Marx.

4.1 Les découvertes de base *(dans le Capital, de Marx)* concernent donc :
1) le couple valeur/valeur d'usage ; le renvoi de ce couple à un autre couple (...) : le couple travail abstrait/travail concret ; l'importance toute particulière que Marx, à l'encontre des économistes classiques, donne à la valeur d'usage et à son corrélat, le travail concret (...) les distinctions du capital constant et du capital variable d'une part, les deux secteurs de la production d'autre part (...)
2) la plus-value.
L. ALTHUSSER, *in* ALTHUSSER et BALIBAR, Lire « le Capital », t. I, p. 96-97.

Système économique et social basé sur le capitalisme ; pouvoir social et historique de ce système. *Le Capital* (1867), ouvrage fondamental de Karl Marx.

♦ **3.** (1606). Somme que l'on fait valoir dans une entreprise. — *Capital en nature* ou *immobilier* (terres, bâtiments, usines, machines, matériel, instruments, etc.). *Capital technique, capital productif* (⇒ **Production**). *Capital fixe,* rendant des services continus. *Capitaux circulants,* qui s'aliènent ou se transforment pour produire d'autres biens (houille, semences, etc.). *Capitaux agricoles, industriels, commerciaux. Le talent d'un artiste, un brevet d'invention peut être considéré comme un capital.* — Figuré :

5 (...) le temps est le seul capital des gens qui n'ont que leur intelligence pour fortune (...) BALZAC, Illusions perdues, Pl., t. IV, p. 552.
Capital juridique : ensemble des droits à toucher un revenu. *Capital lucratif. Capital en valeur.* ⇒ **Argent, fonds, fortune, numéraire, valeur.** *Accumuler des capitaux* (⇒ **Épargne**). *Augmenter, doubler, épuiser, manger son capital. Immobiliser un capital. Capital improductif. Engager, investir dans une affaire un capital, des capitaux* (⇒ **Investissement, placement**). *Avancer des capitaux à une société* (⇒ **Commandite**). *Placer ses capitaux. Faire valoir un capital. Posséder un capital. Réaliser un capital. Circulation du capital.*

Comptab. La partie de la richesse évaluable en monnaie de compte. *Capital social :* montant des richesses apportées à une société* par des associés et dont on assure le maintien dans le patrimoine*. *Capital-actions, capital-obligations. Capital souscrit. Capital de crédit, capital extra-social,* dû aux fournisseurs, aux créanciers. *Capital nominal. Capital effectif :* le capital versé seul. *Capital immobilisé. Capital disponible. Capital souscrit. Capital de roulement. Capital versé, entièrement versé. Le capital d'une société*, d'une banque*, d'une entreprise. Société au capital de... Augmentation de capital.*

6 (...) une petite société au capital de six millions (...) A. MAUROIS, Bernard Quesnay, VII, p. 48.
Capital-décès : somme versée au moment du décès d'un assuré aux personnes qu'il avait à sa charge. *Capital différé.* « *En cas de décès avant l'échéance, le bénéficiaire de votre choix touchera, sans droits de succession à payer, pour les contrats de type "capital différé" avec contre assurance le remboursement des sommes versées...* » (*le Nouvel Obs.,* 5 nov. 1973).

♦ **4.** Cour. Ensemble des richesses possédées. *Le capital des individus, de la nation.* ⇒ **Fortune.** *Avoir un joli capital, un beau petit capital.*

7 Il ne suffit pas à un pays de ne rien perdre sur la masse d'argent qu'il possède et qui forme son capital (...) BALZAC, le Médecin de campagne, Pl., t. VIII, p. 357.
Par métaphore (plais.). *Petit capital :* virginité d'une jeune fille.

7.1 (...) celles qui, simplement, ne savent pas dire non, jamais la peur de l'enfant ne les a retenues au bord d'un canapé. Celles qui pratiquent l'art de ne céder que la bague au doigt poursuivront cette exploitation avisée de leur petit capital. F. GIROUD (art. sur la pilule), in l'Express, 17-23 juil. 1967.
Fig. Ensemble des biens (intellectuels, spirituels ou moraux) possédés par un individu, un pays. ⇒ **Patrimoine, trésor.** *Gaspiller son capital intellectuel dans des travaux sans intérêt.*

♦ **5.** (1848). L'ensemble de ceux qui possèdent les richesses, en tant que moyens de production. ⇒ **Capitaliste.** *Le capital et le travail, et le prolétariat. Le capital en tant que classe*.* — *Le petit capital* (épargnants, actionnaires) ; *le grand, le gros capital.*

8 (*Meynestrel*) Vos réformistes se trompent lourdement... doublement : primo, parce qu'ils surestiment le prolétariat ; secundo, parce qu'ils surestiment le capital. MARTIN DU GARD, les Thibault, t. V, p. 62.

★ **II.** N. m. pl. (1793). CAPITAUX : sommes en circulation, valeurs disponibles. *Circulation des capitaux. Inflation de capitaux. Les capitaux se font rares. Fuite, émigration des capitaux. Les capitaux privés. Les capitaux étrangers. Geler, immobiliser des capitaux. Les capitaux non productifs.*

9 Le franc n'était soutenu que par des artifices. Les capitaux fuyaient. A. MAUROIS, le Cercle de famille, p. 194.
Capitaux fébriles : capitaux cherchant de place en place, en période de crise, la plus-value maximale dans le minimum de temps.

CONTR. Consommation (biens de consommation). — Intérêt, rente, revenu. — Prolétariat, travail.
DÉR. Capitaliser, capitalisme, capitaliste.
HOM. 1. Capital (adj.), capitale.

CAPITALE [kapital] n. f. — 1509 ; de (*ville*) *capitale,* (*lettre*) *capitale.*

★ **I.** ♦ **1.** Ville qui occupe le premier rang dans un État, une province et qui est le siège du gouvernement. *Capitale administrative,* où sont réunies les administrations d'un pays. — *Capitale politique :* centre de l'activité politique d'un pays, d'une région. — *Capitale fédérale,* des États fédératifs. *Washington, Brasilia Canberra sont des capitales fédérales.* — *Capitale internationale :* grande ville qui est le siège d'organismes internationaux. ⇒ **Métropole.** *Strasbourg, Bruxelles, Luxembourg, capitales de l'Europe.*

1 C'est la capitale qui, surtout, fait les mœurs des peuples ; c'est Paris qui fait les Français. MONTESQUIEU, Cahiers, p. 176.
1.1 Dans les plis sinueux des vieilles capitales
Où tout, même l'horreur, tourne aux enchantements.
BAUDELAIRE, les Fleurs du mal, « Tableaux parisiens ».
1.2 La construction de capitales nouvelles, comme Washington et Saint-Pétersbourg au XVIIIe siècle, marque le sommet d'un urbanisme sans doute inspiré de réminiscences antiques, mais surtout dominé par la recherche d'un équilibre rationnel de l'espace humanisé par la construction. A. LEROI-GOURHAN, le Geste et la Parole, t. II, p. 175.
Absolt (en parlant de la capitale de l'État du pays où l'on vit). *Se rendre dans la capitale pour y trouver du travail.*

♦ **2.** Fig. Ville qui prime les autres en un certain domaine ; qui garde les traces d'une civilisation, d'une splendeur passées. *Aix, capitale de la Provence. Revendiquer le titre de capitale de... Capitale des arts, de la mode. (Avoir) un air, un aspect de capitale.*

2 Linné se rendit à Upsal, qu'on pouvait alors regarder comme la capitale littéraire de la Suède. CONDORCET, Linné.
3 Être à soi seul la capitale politique, littéraire, scientifique, financière, commerciale, voluptuaire et somptuaire d'un grand pays ; en représenter toute l'histoire ; en absorber et en concentrer toute la substance pensante aussi bien que tout le crédit et presque toutes les facultés et disponibilités d'argent, et tout ceci, bon et mauvais pour la nation qu'elle couronne, c'est par quoi se distingue entre toutes les villes géantes, la ville de Paris. VALÉRY, Regards sur le monde actuel, Fonction de Paris, p. 141.
Par métaphore, littér. *Capitale de la douleur,* de P. Éluard.

★ **II.** (1567). Grande lettre. ⇒ **Majuscule.** *Grande, petite capitale. Mettre une capitale à un nom propre. Capitale romaine, italique, grasse.*

★ **III.** Techn. (fortif.). Dans un ouvrage fortifié, Ligne bissectrice d'un angle saillant.

HOM. 1. Capital, 2. capital.

CAPITALEMENT [kapitalmɑ̃] adv. — XIVe ; de 1. *capital.*

♦ Vx. D'une manière capitale, fondamentale. ⇒ **Absolument, complètement, fondamentalement.**

CAPITALISABLE [kapitalizabl] adj. — 1842, Richard de Radonvilliers ; de *capitaliser.*

♦ Écon., fin. Qui peut être capitalisé. *Intérêts capitalisables.*

CAPITALISATION [kapitalizɑsjɔ̃] n. f. — 1829 ; de *capitaliser.*

♦ **1.** Écon., fin. Action de capitaliser, de convertir en capital. *Capitalisation d'une rente. Taux de capitalisation. Capitalisation des intérêts,* qui permet à un assureur de capitaliser les intérêts produits par les cotisations perçues jusqu'à la réalisation de l'engagement qu'il a pris. — *Société de capitalisation.* — *Capitalisation boursière :* calcul de la valeur globale des actions d'une société d'après leur cours à la Bourse.

♦ **2.** Fig. Accumulation, en vue de former ou de grossir des biens. ⇒ **Thésaurisation.** *Procéder à la savante capitalisation de ses talents.*

COMP. Sous-capitalisation.

CAPITALISER [kapitalize] v. tr. — V. 1770 ; de 2. *capital.*

♦ **1.** Écon., fin. Convertir, transformer (les intérêts ou les bénéfices) en capital. *Capitaliser les intérêts.*

♦ **2.** (1863). Fin. Évaluer la valeur d'un capital, d'après son revenu. *Capitaliser une rente.*

Fig. Accumuler, mettre en réserve. *Capitaliser ses découvertes, en différant de les révéler.*

♦ **3.** V. intr. (1831). Cour. Amasser de l'argent. ⇒ **Thésauriser.** *Il ne dépense pas tous ses revenus, il ne cesse de capitaliser.*

Ce qui empêche les travailleurs de capitaliser, c'est que la propriété ne leur en laisse pas le moyen. PROUDHON, av. 1865, in Pierre LAROUSSE.

DÉR. Capitalisable, capitalisation.

CAPITALISME [kapitalism] n. m. — 1842, « état de celui qui est riche », 1753 ; de 2. *capital.*

♦ **1.** Régime économique et social dans lequel les capitaux, source de revenu, n'appartiennent pas, en règle générale, à ceux qui les mettent en œuvre par leur propre travail. *Capitalisme libéral* ou *de libre échange,* basé sur la libre concurrence des entreprises. ⇒ **Libéralisme, propriété** (privée). *Capitalisme monopoliste,* reposant sur une forte concentration des entreprises avec formation de trusts ou monopoles. *Capitalisme d'État* (⇒ **Étatisme**). *Origines du capitalisme.* ⇒ **Mercantilisme.** *Capitalisme et machinisme.*

1 Il est admis aujourd'hui que le capitalisme a débuté sous la forme commerciale, avant de se constituer sous la forme industrielle.
GONNARD, Hist. des doctrines économiques, éd. 1930, p. 52 (origines du mercantilisme).

2 Le paupérisme (selon Karl Marx) est la conséquence fatale du capitalisme, non moins que l'enrichissement excessif d'un petit nombre de privilégiés.
GONNARD, Hist. des doctrines économiques, p. 506.

3 La supériorité des Occidentaux tient (...) en dernière analyse, au capitalisme, c'est-à-dire à la longue accumulation de l'épargne.
J. BAINVILLE, Fortune de la France, p. 117.

4 Pour ce qui est des structures, il va de soi que Marx a insisté sur le caractère temporaire ou historiquement transitoire du capitalisme, dont l'économie classique considérait les lois comme permanentes.
J. PIAGET, Épistémologie des sciences de l'homme, p. 337.

5 Nous lisions et relisions l'*Accumulation du capital*, de Rosa Luxemburg. Ce livre nous enseignait que les anciennes crises cycliques du capitalisme qui, par périodes de dix ans environ tout au long du XIXe siècle et au début du XXe, avaient servi de purges à l'économie en rétablissant ses automatismes, se liaient désormais dans une dépression permanente, de plus en plus profonde et bientôt catastrophique.
Raymond ABELLIO, les Militants, p. 105.

♦ **2.** Doctrine de ceux qui soutiennent ce régime. *Les arguments du capitalisme.*

♦ **3.** Ensemble des capitalistes, des pays capitalistes. *Le capitalisme international. Les intérêts du capitalisme financier.* — (Dans la théorie marxiste). *Le capitalisme impérialiste.* ⇒ **Impérialisme.** *Le capitalisme en tant que pouvoir de classe.* ⇒ **Bourgeoisie.**

CONTR. Communisme, socialisme.

CAPITALISTE [kapitalist] n. et adj. — 1832; «homme riche», 1759; de 2. *capital.*

★ **I.** N. ♦ **1.** (1798). Personne qui possède des capitaux, notamment des capitaux engagés dans une entreprise, et qui en tire un revenu. → 2. Capital (I., 5.). *Un riche, un opulent capitaliste. Les petits capitalistes sont menacés. Une capitaliste.*

1 Dans le monde, on n'accorde le nom de capitaliste qu'aux hommes dont l'unique ou du moins le principal revenu consiste dans l'intérêt de leurs capitaux.
J.-B. SAY, Cours d'économie politique.

2 Les socialistes opposent la classe des *prolétaires* qui disposent seulement de leurs bras à celle des *capitalistes* qui sont propriétaires des capitaux et qui les font valoir à l'aide du travail d'autrui.
Paul REBOUD, Précis d'économie politique, t. I, n° 218.

♦ **2.** Fam. Celui qui possède beaucoup d'argent. ⇒ **Riche.** *Un gros capitaliste.*
Par plais. *Tu pourrais bien me prêter cent francs, toi, un capitaliste. Des cigares de capitaliste.*

♦ **3.** Partisan du régime capitaliste.

2.1 On est capitaliste ou communiste, pas de milieu.
Raymond ABELLIO, Heureux les pacifiques, 1946, le Portulan, p. 239.

★ **II.** Adj. ♦ **1.** (1832). Qui a des capitaux et les investit dans une entreprise. *Proposer aux épargnants de devenir capitalistes.*

♦ **2.** Relatif au capitalisme libéral. *Théorie, doctrine capitaliste. Régime, économie capitaliste* (⇒ **Libéral**). — (Dans la théorie marxiste). *Société bourgeoise* (cit. 13) *et capitaliste. Les pays capitalistes. Classe capitaliste.*

2.2 Rien ne ressemble plus au système «capitaliste» dont le trait essentiel est l'abandon de la gestion du capital à des tiers et l'ignorance de ce qu'ils en font — que le système administratif à centralisation extrême, qui soustrait à la vue la corrélation des services rendus par l'État avec les prestations exigées des particuliers.
VALÉRY, Cahiers, t. II, Pl., p. 1513.

♦ **3.** Qui caractérise le système capitaliste.

3 Le profit, c'est une certaine quantité de travail non payé : voilà tout le secret de l'exploitation capitaliste.
Charles GIDE, Cours d'économie politique, t. II, p. 426.

4 En profitant de ces défaillances théoriques, à la faveur d'une conjoncture historique, avec un coût social incalculable (deux guerres mondiales, une troisième en perspective), sur la base de transformations techniques accélérées, les rapports de production capitalistes n'ont pas disparu. Ils se sont adaptés et consolidés (momentanément) dans une partie du monde, non sans peser sur l'autre partie.
Henri LEFEBVRE, la Vie quotidienne dans le monde moderne, p. 358.

CONTR. Prolétaire. — **Anticapitaliste, collectiviste, communiste, marxiste, socialiste...**
COMP. Anticapitaliste.

CAPITAN [kapitã] n. m. — 1637; «chef militaire, capitaine», v. 1514; ital. *capitano* «capitaine».

♦ Vx. Personnage de soldat, de «capitaine» ridicule, d'une bravoure affectée. ⇒ **Bravache, fanfaron, matamore.** *Le capitan, personnage de la comédie italienne.*

Des attitudes forcées ou immodestes (...) qui font un capitan d'un jeune abbé, et un matamore d'un homme de robe (...)
LA BRUYÈRE, les Caractères, XIII, 15.

CAPITANE [kapitan] n. f. et adj. — 1571, *la cappitane; gallere capitane*, 1563; ital. *(galera) capitana.*

♦ Hist. Galère principale (d'un État). *La capitane; la galère capitane.* Syn. : *navire amiral.*

Don Juan d'Autriche, et Veniero (...) attaquèrent la capitane, ottomane (...) 1
VOLTAIRE, Essai sur les mœurs, 160.

Alors s'en vont en foule et sultans et sultanes, 2
Pyramides, palmiers, galères capitanes,
Et le tigre vorace et le chameau frugal.
HUGO, les Orientales, XLI, «Novembre».

CAPITAN-PACHA [kapitãpaʃa] n. m. — 1798; *capitaine-bassa*, 1580; ital. *capitan passa;* du turc *qapūdān* «capitaine», et *paša* «pacha».

♦ Amiral turc. — Par métonymie. Vaisseau amiral turc. — Au plur. *Des capitans-pachas.*

(...) quand brûlaient au sein des flots fumants
Les capitans-pachas avec leurs armements (...) HUGO, les Orientales, V, 1.

CAPITATION [kapitasjɔ̃] n. f. — 1584; bas lat. *capitatio* «impôt par tête».

♦ Hist. Impôt*, taxe* levée par individu selon sa classe (fortune et rang). — Féod. Redevance, droit payé par les serfs au seigneur.
Les tailles s'imposent par capitation sur chaque personne.
FURETIÈRE, in BRUNOT, Hist. de la langue franç., t. VI, p. 481.

CAPITÉ, ÉE [kapite] adj. — 1808, Boiste; du lat. *caput, -itis* «tête».

♦ Bot. Terminé en tête arrondie. *Fleurs capitées. Stigmate capité.*

CAPITEUX, EUSE [kapitø, øz] adj. — 1740; «qui excite les sens» (en parlant d'une femme), av. 1558; *capitoux* «obstiné», fin XIVe; ital. *capitoso*, de *caput* «tête».

Littéraire ou style soutenu.

♦ **1.** Qui porte, qui monte à la tête, qui échauffe les sens. ⇒ **Enivrant, excitant.** *Vin capiteux. Liqueurs capiteuses. Parfum capiteux. Des odeurs, des senteurs capiteuses.*

Les murs transpiraient humectés de vendanges. Des vapeurs capiteuses formaient 1
un brouillard autour des lampes. E. FROMENTIN, Dominique, I, p. 14.

Je me sentais surexcité, vibrant, comme si j'avais bu des vins capiteux, respiré de 2
l'éther ou aimé une femme. MAUPASSANT, la Vie errante, II, p. 15.

(...) effluves capiteux du pressoir (...) Oui j'ai connu plus tard l'enivrante vapeur 3
des vendanges (...) GIDE, Si le grain ne meurt, VI, p. 170.

♦ **2.** Qui excite le désir. *Un charme capiteux, une sensualité capiteuse.* — (Personnes). *Une femme capiteuse.* ⇒ **Excitant.**

(...) une fille admirable, la tête petite, le cou rond et fort, la hanche libre. Elle 4
était là, dans le soleil et la vermine, pure comme une amphore, capiteuse comme
une fleur. FRANCE, le Lys rouge, IV, p. 59.

(...) ce ballet m'a paru moins capiteux, moins ensorcelant que ceux d'autrefois. Le 5
diable avait pas de talent vers 1925.
J. GREEN, Journal (Vers l'invisible), 5 nov. 1960.

CONTR. Calmant, refroidissant.

CAPITOLE [kapitɔl] n. m. — 1673; lat. *Capitolium* (→ 1.), de *caput* «tête».

♦ **1.** (Nom propre). Antiq. Nom d'une des sept collines de Rome, de la citadelle et du temple de Jupiter élevés sur cette colline. *La montée au Capitole, consécration suprême du triomphateur. Du Capitole.* ⇒ **Capitolin.**

Brûlons ce Capitole où j'étais attendu. RACINE, Mithridate, III, I. 1

Il avait vu le triomphe de son vainqueur, il ne lui restait plus qu'à mourir. Au 2
moment où le cortège, sortant du forum, gravit les pentes du Capitole à la lueur
des lampadaires que portaient quarante éléphants, le roi des Arvernes fut conduit
dans la prison creusée au pied de la montagne sacrée; et pendant que César amenait ses autres victimes à Jupiter, Vercingétorix fut mis à mort.
Camille JULLIAN, Vercingétorix, p. 343.

(1867). Loc. fig. (vx). *Monter au Capitole* : triompher, accéder au pouvoir. *Les oies du Capitole* : les oies consacrées à Junon et dont les cris réveillèrent le consul Manlius au moment où les Gaulois, mettant la nuit à profit, pénétraient dans la forteresse. *Faire les oies du Capitole, jouer les oies du Capitole* : avertir qqn d'un danger imminent. — (V. 1791). *La Roche Tarpéienne est près du Capitole* : la chute suit de près le triomphe (allusion à la roche proche de la forteresse, d'où les Sabins précipitèrent Tarpéia après sa trahison, et qui servit par la suite à l'exécution des condamnés à mort politiques).

On voulait, il y a peu de jours, me porter en triomphe, et maintenant on crie dans 3
les rues : *La grande trahison du Comte de Mirabeau...* Je n'avais pas besoin
de cette leçon pour savoir qu'il est peu de distance du Capitole à la Roche
Tarpéienne. MIRABEAU, Collection, t. III, in LITTRÉ.

♦ **2.** (1867). Édifice public consacré à la vie municipale et politique, dans certaines villes. *Le Capitole de Toulouse* : l'hôtel de ville

(⇒ **Capitoul**). — (1867). *Le Capitole de Washington* : siège du Congrès.

DÉR. (Correspondant au sens 1) **Capitolin.**

CAPITOLIN, INE [kapitɔlɛ̃, in] adj. — Av. 1648 ; lat. *capitolinus* « relatif au Capitole », de *Capitolium*. → Capitole.

♦ Antiq. Du Capitole. — (1731). *Le mont Capitolin*, ou, n. m. (1849), *le Capitolin* : le Capitole.

1   Un des consuls tués, l'autre fuit vers Linterne
    Ou Venuse. L'Aufide a débordé trop plein
    De morts et d'armes. La foudre au Capitolin
    Tombe, le bronze sue et le ciel rouge est terne.
                J.-M. DE HÉRÉDIA, Trophées, « Après Cannes ».

La triade capitoline : Jupiter, Junon, Minerve, auxquels était dédié le temple du Capitole. *Jupiter capitolin* : Jupiter en tant qu'on lui rendait un culte dans ce temple du Capitole. *Les jeux capitolins*, célébrés en l'honneur de Jupiter capitolin.

2   Mais le Dieu de Rome, le Dieu qui a pris la place de Jupiter capitolin, pourrait-il n'être pas le vrai Dieu ?   Valery LARBAUD, Fermina Marquez, XIV, p. 142.

CAPITON [kapitɔ̃] n. m. — 1386 ; ital. *capitone* « grosse tête », du rad. du lat. *caput* « tête ».

♦ **1.** Bourre qu'on enlève du cocon après avoir dévidé la bonne soie, et qu'on utilisait pour le rembourrage des sièges.

♦ **2.** (1857). Cour. Chacune des divisions formées par la piqûre dans un siège rembourré*. *Les capitons d'un compartiment de chemin de fer.*

Par ext. Garniture à capitons. *Capiton d'un siège, d'une tête de lit.* ⇒ **Capitonnage.**

0.1 J'aurais dû (...) demeurer avec lui sur le capiton bleu sale des compartiments de seconde classe, parmi le bavardage cordial, l'odeur humaine du wagon plein (...)
                COLETTE, la Vagabonde, 1949, p. 197.

1   (...) mastodontesques fauteuils de velours grenat, dont la monture et la forme même se dissimulaient sous l'intumescence du capiton.
                GIDE, Si le grain ne meurt, VI, p. 157.

♦ **3.** Épaisseur protectrice (pour amortir les heurts...). ⇒ **Rembourrage, tampon.**

2   Comme j'ai beaucoup maigri, un insuffisant capiton de chair ne me permet pas de ne plus sentir indiscrètement mon squelette.   GIDE, Journal, 19 mars 1943.

3   (...) nous fûmes accueillis par une débauche de capiton qui épaississait la porte, les murs, les fauteuils et le notaire lui-même, boudiné de partout (...)
                Hervé BAZIN, Cri de la chouette, 1972, p. 73.

Fig. Ce qui recouvre comme un capiton.

4   J'ai retrouvé (...) les beaux paysages de montagnes descendant doucement vers le bleu de la mer : en cette saison, elles étincelaient de blancheur sous leur capiton de neige.   S. DE BEAUVOIR, Tout compte fait, 1972, p. 264.

DÉR. Capitonner.

CAPITONNAGE [kapitɔnaʒ] n. m. — 1871 ; de *capitonner*.

♦ **1.** Action de capitonner ; manière de capitonner. *Le capitonnage du fauteuil par le tapissier. Le capitonnage du canapé a coûté trop cher.*

Antoine fut mis au capitonnage des caisses. On lui montra à placer la bourre et les découpes de soie. Pendant des mois, tant qu'il y avait à capitonner, « pas trop maladroit », il capitonna.
                Herbert LE PORRIER, le Luthier de Crémone, p. 31.

♦ **2.** Ensemble des capitons ; surface capitonnée. *Un capitonnage épais, moelleux, confortable.*

Par métaphore. « *Le capitonnage rondelet de M. Cléophas* » (A. Arnoux). ⇒ **Rembourrage.**

CAPITONNER [kapitɔne] v. tr. — 1842 ; *se capitonner* « se couvrir la tête », 1546 ; de *capiton*.

♦ **1.** Rembourrer en piquant la garniture de place en place. *Capitonner un canapé.* — Absolt. → Capitonnage, cit.

♦ **2.** Garnir confortablement (de tissu, etc.). Fig. Recouvrir d'une manière moelleuse, comme ferait un capiton. *La neige capitonne les montagnes.*

▶ **SE CAPITONNER** v. pron. (Réfl.).
Fig., fam. Se vêtir chaudement.

▶ **CAPITONNÉ, ÉE** p. p. adj. (Passif).
Garni de capitons. *Un fauteuil capitonné.* — Rembourré et piqué. *Un cercueil capitonné.* — *Cellule capitonnée*, où étaient enfermés les agités, autrefois, dans les hôpitaux psychiatriques. — Garni de tissu de manière douillette, confortable.

(...) pour s'acheminer (...) vers l'escalier capitonné d'une épaisse moquette rouge, vers le grand salon où les attendent des rafraîchissements.
                A. ROBBE-GRILLET, la Maison de rendez-vous, p. 74.

DÉR. Capitonnage.

CAPITOUL [kapitul] n. m. — 1513 ; *capitoux*, 1389 ; mot languedocien, ellipse de *(senhor de) capitoul* ; lat. ecclés. *capitulum* « chapitre, assemblée de religieux ».

♦ Hist. Magistrat municipal de Toulouse (au moyen âge et sous l'Ancien Régime). *Les capitouls, ou consuls* de la ville de Toulouse.*

C'est à la chapelle Saint-Roch, et plus tard chez les Minimes, qu'on appelait aussi les Roquets, que les rois de France s'arrêtaient quand ils arrivaient à Toulouse par la route de Paris, et le Parlement venait en cortège les saluer là, hors des murs, tandis que les magistrats municipaux, les capitouls, manifestaient leur indépendance en les attendant à l'entrée de la ville, à la porte Arnaud-Bernard.
                Raymond ABELLIO, Ma dernière mémoire, t. I, p. 130.

CAPITOULAT [kapitula] n. m. — Av. 1626 ; *capitolat*, 1567 ; lat médiéval *capitulatus* « charge de capitoul de Toulouse », de *capitulum*.

♦ Hist. Charge, dignité de capitoul. — Durée de la fonction de capitoul. — Quartier de Toulouse administré par un capitoul. *Le capitoulat de Saint-Barthélemy.*

1. CAPITULAIRE [kapitylɛʀ] adj. — 1486 ; *collations capituleres*, XIIIᵉ ; lat. médiéval *capitularis* « qui a rapport au chapitre (d'un couvent) », de *capitulum* « chapitre ».

♦ **1.** Dr. canon. Relatif aux assemblées d'un chapitre* (de chanoines ou de religieux). *Acte capitulaire*, fait en réunion de chapitre. *Assemblée capitulaire.*

♦ **2.** (1843). *Salle capitulaire*, où se réunit le chapitre. *La salle capitulaire d'une abbaye clunisienne.*

Dans la salle capitulaire de la cathédrale on peut regarder de tout près les chapiteaux qui en proviennent.   S. DE BEAUVOIR, Tout compte fait, 1972, p. 261.

DÉR. Capitulairement.

2. CAPITULAIRE [kapitylɛʀ] adj. et n. — Av. 1429 ; lat. médiéval *capitularis* « qui marque le début d'un chapitre », de *capitulum* « chapitre (d'un ouvrage) ».

Didactique.

♦ **1.** Hist. Divisé en chapitres. *Édits capitulaires.*

N. m. (1680). Ordonnance (des rois et empereurs francs). *Les capitulaires de Charlemagne. Le capitulaire de Kiersy-sur-Oise* (877). ⇒ 1. **Capitule.**

1   Ce malheureux compilateur, Benoît Lévite, n'alla-t-il pas transformer cette loi wisigothe qui défendait l'usage du droit romain, en un capitulaire qu'on attribua depuis à Charlemagne ?   MONTESQUIEU, l'Esprit des lois, XXVIII, VIII.

2   Le capitulaire *De villis*, ce guide rédigé aux alentours de l'an 800, à l'usage des régisseurs des propriétés royales, leur recommandait de dresser attentivement l'inventaire des forgerons, des *ministeriales ferrarii* (...)
                Georges DUBY, Guerriers et Paysans, p. 23.

♦ **2.** (Av. 1429). Paléographie. Relatif à l'un des chapitres d'un livre. *Lettre capitulaire* : grande lettre, le plus souvent ornée et enluminée, qui commençait chaque chapitre. — N. f. *La capitulaire.*

CAPITULAIREMENT [kapitylɛʀmɑ̃] adv. — 1611 ; *capitulerement*, attestation isolée, 1403 ; de 1. *capitulaire*.

♦ Relig. En chapitre. *Décision prise capitulairement.*

CAPITULANT [kapitylɑ̃] adj. et n. m. — 1405, n. ; bas lat. *capitulans*, p. prés. d'un verbe *capitulare* « se réunir en chapitre », de *capitulum* « chapitre ».

♦ Relig. Qui a voix dans un chapitre. *Religieux capitulant.* — N. m. *Les capitulants.*

HOM. Capitulant (p. prés. de *capituler*).

CAPITULARD, ARDE [kapitylaʀ, aʀd] adj. et n. — 1871, Goncourt ; de *capituler*, et suff. péj. *-ard*.

Péjoratif.

♦ **1.** Qui veut capituler, qui est partisan de se rendre (d'abord, dans le contexte de la guerre de 1870). « *Louis Blanc et les maires capitulards* » (Goncourt). — N. « *Les infortunés capitulards de généraux* » (Verlaine).

♦ **2.** N. Personne lâche qui cède, se dérobe, abandonne devant la difficulté, le danger. ⇒ **Défaitiste.** — REM. Le fém. est rare.

CONTR. Résistant ; combatif, courageux.

CAPITULATION [kapitylɑsjɔ̃] n. f. — V. 1591 ; «pacte, accord», av. 1528 ; lat. médiéval *capitulatio* «convention».

♦ **1.** Didact. (dr. internat., hist.). Convention par laquelle une puissance s'engage à respecter certains droits et privilèges sur les territoires soumis à sa juridiction. ⇒ **Traité.** *Signer une capitulation.*

1 Il y a une belle capitulation entre Henri IV et Saint-Malo : la ville traite de puissance à puissance, protège ceux qui se sont réfugiés dans ses murs, et demeure libre (...) de faire fondre cent pièces de canon.
CHATEAUBRIAND, Mémoires d'outre-tombe, I, 1.

(Au plur.). Hist. Conventions qui réglaient les droits des sujets chrétiens en pays musulmans. *Régime des capitulations. Les capitulations conclues entre François Ier et Soliman le Magnifique.*

♦ **2.** (1636). Cour. Convention par laquelle une place forte, une armée se rend à l'ennemi. ⇒ **Reddition.** *Pourparlers de capitulation. Négocier, signer une capitulation. Clauses de capitulation. Capitulation honorable, déshonorante, honteuse. Capitulation en rase campagne,* conclue par le commandant d'une troupe opérant en dehors d'une place de guerre*. *Capitulation sans conditions, pure et simple. Les clauses de la capitulation.*

2 Tout général, tout commandant d'une troupe armée, qui capitule en rase campagne, est puni : — 1° De la peine de mort, avec dégradation militaire, si la capitulation a eu pour résultat de faire poser les armes à sa troupe, ou si, avant de traiter verbalement ou par écrit, il n'a pas fait tout ce que lui prescrivaient le devoir et l'honneur ; — 2° De la destitution dans tous les autres cas.
Loi du 9 juin 1857, art. 210.

3 Le major resta quelques secondes étourdi par cette idée du drapeau blanc, de la défaite, de la capitulation *(de Sedan),* qui tombait au milieu de son impuissance à sauver tous les pauvres bougres (...) qu'on lui amenait.
ZOLA, la Débâcle, t. II, p. 22.

4 (...) ils *(les plénipotentiaires alliés)* avaient là débattu et signé avec les maréchaux Marmont et Moncey, les articles de la capitulation *(de Paris, en 1814).*
Louis MADELIN, Talleyrand, XXVII, p. 278.

♦ **3.** (1713). Fig. Abandon complet d'une attitude critique ou de résistance, ou de la position que l'on soutenait. ⇒ **Composition, renoncement.**

5 Elle se contraignait à sourire (...) et ce sourire, en fait, était une capitulation momentanée. MARTIN DU GARD, les Thibault, t. I, p. 118.

Capitulation de conscience : accord passé avec soi-même, concession que l'on se permet pour s'accommoder d'une situation donnée. ⇒ **Accommodement.**

CONTR. Intransigeance, obstination, refus, résistance.

1. CAPITULE [kapityl] n. m. — 1721 ; lat. médiéval *capitulum* «lecture d'un chapitre de l'Écriture», de *caput* «chapitre».

♦ **1.** Relig. Court passage de l'Écriture, approprié à l'office du jour et qui se dit après les psaumes et avant l'hymne.

♦ **2.** Hist. Article compris dans un capitulaire. ⇒ **2. Capitulaire, 1.**

2. CAPITULE [kapityl] n. m. — 1732, Trévoux ; lat. class. *capitulum* «petite tête», dimin. de *caput* «tête».

♦ Bot. Inflorescence dans laquelle les fleurs, dépourvues de pédicelle*, sont insérées les unes à côté des autres sur l'extrémité élargie du pédoncule* (réceptacle du capitule). *Les capitules de la bardane, de la pâquerette, du dahlia donnent l'impression d'une fleur unique. Plante à capitules.* ⇒ **Capitulé.**

DÉR. Capitulé.

CAPITULÉ, ÉE [kapityle] adj. — 1803, Boiste ; de *2. capitule.*

♦ Bot. *Fleurs capitulées,* assemblées en capitule. *La fritillaire est une fleur capitulée. Plantes capitulées* ou *à capitules.*

HOM. Capituler.

CAPITULER [kapityle] v. intr. — XVIe ; «convenir d'un accord, négocier», 1540 ; lat. médiéval *capitulare* «faire une convention», de *capitulum* «clause, article».

♦ **1.** Vx. Convenir des articles d'un traité. *Capituler avec qqn.* ⇒ **Traiter.**

1 L'accomplissement et exécution de ce qui aura été traité et capitulé.
SULLY, Économie royale, oct. 1607, in HATZFELD.

♦ **2.** Mod. Se rendre à l'ennemi par capitulation (en parlant d'une armée, d'une place assiégée). ⇒ **Rendre** (se) ; → Déposer, rendre les armes*, ouvrir les portes* (de la ville), livrer les clefs* (d'une ville), hisser le drapeau* blanc. *Capituler en rase campagne* (⇒ **Capitulation**), *sans conditions. Capituler avec les honneurs de la guerre,* en conservant armes et bagages. — Loc. (vx au sens propre). *Capituler avec armes et bagages.* ⇒ **Bagage** (*infra* cit. 2).

Utrecht envoya ses clefs, et capitula avec toute la province qui porte son nom. Louis *(Louis XIV)* fit son entrée triomphale dans cette ville (...)   2
VOLTAIRE, le Siècle de Louis XIV, X.

Un mois après Baylen, le duc tout frais d'Abrantès capitule à son tour, bien que, du moins, l'honorable convention de Cintra assure à son armée ce retour en France que les soldats de Dupont n'ont pas obtenu.   3
J. BAINVILLE, Napoléon, XVII.

(...) ils *(les Autrichiens)* se font fort de pouvoir, en deux ou trois semaines, contraindre militairement la Serbie à capituler (...)   4
MARTIN DU GARD, les Thibault, t. V, p. 130.

Prov. *Ville qui capitule est à demi rendue,* ou *ville qui capitule, ville rendue.* Au fig. La personne qui en est à discuter est près de céder ; dans un autre contexte : celle qui résiste aux avances finira par céder.

♦ **3.** (Av. 1696). Par métaphore ou fig. Céder devant (qqn, qqch.), abandonner la résistance. *Il me tenait tête, mais il a fini par capituler. — Capituler avec sa conscience* (⇒ **Capitulation**).

Vx et fig. (dans un emploi à rattacher au sens 1). Accepter de transiger, de parlementer.

Lorsqu'on désire, on se rend à discrétion à celui de qui l'on espère : est-on sûr d'avoir, on temporise, on parlemente, on capitule.   5
LA BRUYÈRE, les Caractères, XI, 20.

Cent fois déjà il avait ainsi capitulé sans coup férir (...)   6
COURTELINE, Messieurs les ronds-de-cuir, 6e tableau, I, p. 213.

On dit que dans sa cellule   7
Deux hommes cette nuit-là
Lui murmuraient capitule
De cette vie es-tu las.   ARAGON, Ballade de celui qui chante dans les supplices.

DÉR. Capitulard.
HOM. Capitulé. — (Du p. prés.) **Capitulant.**

CAPODASTRE [kapodastʀ] n. m. — D. i. ; probablt de l'espagnol.

♦ Mus. Accessoire que l'on adapte au manche de certains instruments à cordes pincées (guitare, en particulier) et qui permet de modifier mécaniquement, par raccourcissement des cordes, la tonalité propre de l'instrument.

1. CAPON, ONNE [kapɔ̃, ɔn] n. et adj. — 1798 ; «prêteur dans une maison de jeux», 1713 ; «écolier indiscipliné», 1690 ; «gueux», 1628 ; orig. incert., p.-ê. forme régionale (picard, provençal ?) de *chapon,* par allusion soit aux ergots (comparés aux «griffes» du voleur ?), soit à la couardise de l'animal châtré.

♦ **1.** Vx. Flatteur sans scrupule. ⇒ **Flagorneur.**

♦ **2.** (1808). Vieilli ou régional. Personne peureuse par lâcheté. ⇒ **Couard, poltron.** *C'est un capon. Ah ! les capons : ils s'enfuient ! Une petite caponne.*

Adj. : *il est trop capon pour se battre.*

Legnagna qui est né faible, envieux, capon et que l'insuccès a encore aigri (...)   1
J. VALLÈS, Jacques Vingtras, L'enfant, p. 345.

(...) en analysant l'émotion caponne que j'avais au fond de moi, je me disais que d'autres à la même place en avaient eu de pires et de même nature pourtant.   2
FLAUBERT, Correspondance, t. II, p. 216.

♦ **3.** Vx (argot scol.). Rapporteur. ⇒ **Délateur ;** (fam.) 1. **cafard, mouchard.**

CONTR. Audacieux, brave, courageux, crâne, hardi, intrépide, téméraire.
DÉR. 1. Caponner.
HOM. 2. Capon.

2. CAPON [kapɔ̃] n. m. — Fin XVIIe ; ital. *capone,* augmentatif de *capo* «tête».

♦ Mar. anc. Palan qui servait à hisser l'ancre sur les navires.

DÉR. 2. Caponner.
HOM. 1. Capon.

CAPONNADE [kaponad] n. f. — XXe ; de 1. *caponner.*

♦ Littér. Action de capon, de peureux. (⇒ **Caponnerie**). *Des caponnades.* ⇒ **Couardise.**

Le seul incident un peu vif de ces jours derniers est la panique qui a saisi la division de réserve qui formait notre gauche. Elle a brusquement lâché pied (...) Cette caponnade ridicule nous a procuré pendant deux jours et deux nuits la sensation d'être parfaitement coupés, tournés et perdus.
J.-R. BLOCH, in Deux hommes se rencontrent, p. 268.

1. CAPONNER [kapone] v. intr. — 1808 ; argot scol. «tromper ses camarades», 1704 ; de 1. *capon.*
Familier et vieux.

♦ **1.** Se conduire comme un capon, céder à la peur.

Si tu veux te venger, il faut caponer *(sic),* avoir l'air d'être au désespoir et te faire rouler par ta maîtresse.
BALZAC, la Cousine Bette, Pl., t. VI, p. 492.

♦ **2.** Moucharder. ⇒ 1. **Cafarder.**

DÉR. Caponnade, caponnerie.
HOM. 2. Caponner.

2. CAPONNER [kapɔne] v. tr. — XVIIᵉ ; de 2. *capon.*

♦ Mar. anc. Hisser (l'ancre) à l'aide du capon. *Caponner l'ancre.*

HOM. 1. Caponner.

CAPONNERIE [kapɔnʀi] n. f. — 1852 ; de 1. *caponner.*

♦ Littér. Attitude du capon ; couardise. ⇒ **Poltronnerie.** *Il est d'une caponnerie méprisable. Sa caponnerie.*

CAPONNIÈRE [kapɔnjɛʀ] n. f. — 1671 ; ital. *caponiera,* proprt « cage à chapons ».

Technique.

♦ **1.** Fortif. Chemin établi dans un fossé à sec d'une place forte, pour communiquer d'un ouvrage à un autre. *Caponnière joignant la tenaille à la demi-lune.*

♦ **2.** Ch. de fer. Niche aménagée dans la paroi d'un tunnel pour permettre aux agents circulant sur la voie de s'abriter, lors du passage d'un train.

CAPORAL, AUX [kapɔʀal, o] n. m. — V. 1570 ; « chef (en général) », v. 1520 ; ital. *caporale* « principal », de *capo* « tête ».

♦ **1.** Celui qui a le grade le moins élevé dans les armes à pied, l'aviation... ⇒ **Brigadier** (I.), 2. **cabot** (fam. ; cit. 1. et 2.). *Passer caporal. Galon de laine de caporal. Caporal de relève. Caporal d'ordinaire,* chargé de la cuisine. *Caporal chef de pièce. Caporal commandant une escouade, un demi-groupe... Le Petit Caporal :* Napoléon Iᵉʳ.

1 Il observait le caporal d'ordinaire qui jetait les morceaux de viande (...)
 — On va tirer au sort, dit le cabot.
 — Non, protestèrent plusieurs escouades (...)
    R. DORGELÈS, les Croix de bois, II, p. 29.

2 Appelé en 1915 avec sa classe, Antoine partit pour le front avec le grade de caporal, refusant de suivre les cours d'élève-officier, simplement parce qu'il jugeait absurde qu'un homme fût désigné au commandement par des aptitudes scolaires.
    M. AYMÉ, le Confort intellectuel, VIII, p. 112.

2.1 Tous les insignes distinctifs de son costume ont été décousus (...) laissant voir à l'emplacement qu'ils occupaient une petite surface de drap neuf (...) le losange de l'infanterie, les deux minces rectangles obliques, parallèles, indiquant le grade de caporal (...) A. ROBBE-GRILLET, Dans le labyrinthe, 1959, p. 98.

CAPORAL-CHEF [kapɔʀalʃɛf] : militaire qui a le grade immédiatement supérieur à celui de caporal. — Au plur. *Des caporaux-chefs.*

Fig., fam. *Un caporal et quatre hommes :* la force militaire. *On en viendrait à bout avec quatre hommes et un caporal.*

Adj. Littér., rare. Autoritaire, qui agit d'une manière militaire. ⇒ **Caporalisme.**

3 J'ai des maîtres qui règnent par la terreur. Ils ont des lettres une conception caporale. VALÉRY, cité par A. MAUROIS, Études littéraires, P. Valéry, II, p. 13.

♦ **2.** (1833, *in* D.D.L., concurremment avec *tabac de caporal*). *Caporal,* ou *caporal ordinaire :* tabac de seconde qualité, mais supérieur au tabac de troupe (dit : *du troupe**). Fumer du caporal ordinaire. Caporal gris.* ⇒ **Gris** (II., 3.).

4 Je fume avec toi le calumet de la paix, ce qui veut dire que je vais bourrer ma pipe de caporal. FLAUBERT, Correspondance, 1840, t. I, p. 65.

DÉR. Caporaliser, caporalisme.

CAPORALISATION [kapɔʀalizasjɔ̃] n. f. — 1896 ; de *caporaliser.*

♦ Rare. Action de caporaliser (un peuple, etc.) ; fait d'être caporalisé.

Oui, les chiens sont, en tant qu'espèce, éminemment méprisables, aussi bien pour l'écœurante banalité de leur affection que pour leur extraordinaire faculté de caporalisation. A. ALLAIS, Œ. posthumes, « Le chien gaffeur », 1896, *in* D.D.L., II, 14.

CAPORALISER [kapɔʀalize] v. tr. — 1866 ; v. intr., 1829, *in* D.D.L. ; de *caporal.*

♦ Rare. Faire du caporalisme* , imposer un régime autoritaire à. *Caporaliser la jeunesse.*

P. p. « (...) rupture asilaire avec le milieu familial (...) vie carcérale ou au mieux caporalisée » (H. Sztulman et M. Porot, *in* Porot, éd. 1975, p. 61 a.).

DÉR. Caporalisation.

CAPORALISME [kapɔʀalism] n. m. — 1852, Hugo, *Napoléon le Petit ;* de *caporal.*

♦ **1.** Péj. Régime politique où l'influence militaire est prépondérante, tyrannique et mesquine. *Caporalisme à la prussienne.* ⇒ **Césarisme, militarisme.**

1 Le caporalisme, c'est l'absolutisme. C'est Narvaës. C'est Bismarck. Le despotisme est un paradoxe. L'omnipotence militaire monarchique offense le bon goût. HUGO, Paris, IV, I.

♦ **2.** Forme d'autorité qui exige le respect littéral des règlements militaires. — Par ext. Autorité tatillonne. ⇒ **Autoritarisme.**

2 La négation du véritable esprit militaire, c'est cette chose hideuse qu'on appelle le caporalisme ; or, il y a un caporalisme dans toutes les professions. L.-H. LYAUTEY, Paroles d'action, p. 50.

3 Tout se faisait silencieusement, d'après un rythme préétabli, voulu, d'après une discipline sévère, stricte, d'après un caporalisme qui régnait jusque dans les plus infimes détails, qui ne laissait rien à l'imprévu. B. CENDRARS, Moravagine, *in* Œ. compl., t. IV, p. 72.

CONTR. Libéralisme.

1. CAPOT [kapo] n. m. — 1819 ; « sorte de cape », 1576 ; de 1. *cape.*

★ **I.** Vx ou régional (Canada). Manteau à capuchon. ⇒ **Capote,** 1.

★ **II.** (Dispositif destiné à protéger). ♦ **1.** (1819). Mar. Construction légère ou bâche recouvrant les ouvertures, les appareils situés sur un pont. *Capot d'échelle,* garantissant de la pluie l'ouverture d'un escalier. *Capot de cheminée,* rabattant les fumées vers l'arrière. *Capot d'habitacle* pour le compas.

Spécialt. Fermeture étanche obturant l'ouverture par laquelle on pénètre dans un sous-marin.

1 Demain, vous prendrez ce coffret, vous quitterez ce salon, dont vous fermerez la porte ; puis, vous remonterez sur la plate-forme du Nautilus, et vous rabattrez le capot, que vous fixerez au moyen de ses boulons. — Nous le ferons capitaine, répondit Cyrus Smith. J. VERNE, l'Île mystérieuse, t. II, p. 816.

♦ **2** (Fin XIXᵉ). Cour. Couverture métallique mobile protégeant un moteur. *Le capot d'une automobile. Sous le capot :* dans le moteur. *Regarder sous le capot. Ouvrir, soulever le capot* (pour examiner, réparer le moteur). *Faire cinquante mille kilomètres sans soulever le capot,* sans avoir d'ennuis mécaniques. *Le capot d'un camion.*

2 J'ai vu une de ces voitures monstrueuses, plus monstrueuse encore que toutes celles que j'ai vues jusqu'ici (...) Un frisson m'a secoué tout le corps, rien qu'à considérer le redoutable capot qui protège le moteur (...) C'est un prodigieux cube de tôle, flanqué de sirènes de paquebot, armé de phares lenticulaires, gigantesques. O. MIRBEAU, la 628-E8, p. 61 (1907).

♦ **3.** Techn. (archit.). Tambour d'un escalier. — Boîte de souffleur d'un théâtre.

Hortic. Couche de fumier sur laquelle on répand de la terre et qui a pour effet d'activer la végétation.

DÉR. Capote.
HOM. 2. Capot, 3. capot, kapo.

2. CAPOT [kapo] n. m. — 1689 ; altér. possible du provençal *fas caboto* « saluer » ; de *cap* (lat. *caput*) « tête », ou de 3. *capot.*

♦ Mar. (vx). *Faire capot :* chavirer en se renversant (en parlant d'une embarcation non pontée). ⇒ 2. **Capoter ;** → Faire chapeau*.

DÉR. 2. Capoter.
HOM. 1. Capot, 3. capot, kapo.

3. CAPOT [kapo] adj. et n. — 1585, *in* D.D.L. ; orig. incert. : une série de verbes *se caper, se caper, s'acaper,* dans l'Ouest, signifient « se cacher », « se renfrogner » (cf. Sous cape) et peuvent être à l'origine du sens « humilié, confus » (1690) ; le rad. provençal *cap* « tête » a été invoqué, et une métaphore de 2. *capot* n'est pas exclue. P. Guiraud y voit une orig. provençale de *far *capota* « plonger la tête en avant, plonger de l'avant », forme reconstruite à partir de *far caboto* « faire la révérence ». — REM. *Capot* a donné l'all. *kaputt* « vaincu, tué ».

♦ **1.** Jeux. Battu complètement, sans avoir fait une seule levée (dans certains jeux de cartes : piquet, etc.). *Être capot. Jouer capot. Elles sont capot* (invar.). — *Faire qqn capot,* le battre sans qu'il puisse faire une seule levée.

Loc. fig., vx (usage des Précieux). *Faire qqn capot, pic, repic et capot :* subjuguer entièrement. *Être, se trouver capot,* vaincu, subjugué.

1 (...) vous allez faire pic, repic et capot tout ce qu'il y a de galant dans Paris. MOLIÈRE, les Précieuses ridicules, 9.

2 Et par un six de cœur, je me suis vu capot (...) MOLIÈRE, les Fâcheux, II, 2.

2.1 Hé ! Hé ! si les bigots savaient peindre ! Au fond, nous sommes dupes, l'abbé, repics et capots. Un gâcheur de plâtre, qui ne songe qu'à se remplir les tripes, montre plus de malice que moi (...) BERNANOS, Sous le soleil de Satan, Œ. roman., Pl., p. 292.

N. m. (1680). Vx. Coup où l'on empêche l'adversaire de faire une seule levée (⇒ mod. **Chelem**). *Faire, réussir un capot.*

♦ **2.** (1690). Vieilli ou littér. Humilié et confus. ⇒ **Embarrassé, interdit, penaud.**

2.2 Point n'avez (si dois-je y souscrire),
Du temps à perdre, à lettres lire ;
Mais par Vous-même encouragé,
Bonne défense envers Vous j'ai,
Et dis-je, avec votre indulgence,
Que vous êtes capot d'avance ! G. NOUVEAU, Placet rimé, 1918, Pl., p. 770.

3   Il nous a rejoints ici, fort étonné lui-même et fort capot de tout le bruit fait
     autour de son équipée.   F. MAURIAC, la Pharisienne, XIV, p. 225.
     HOM. 1. **Capot**, 2. **capot, kapo.**

1. CAPOTAGE [kapɔtaʒ] n. m. — 1875; de 1. *capoter.*

♦ Techn. Action de capoter (une voiture); disposition de la capote
d'une voiture.

HOM. 2. **Capotage**, 3. **capotage.**

2. CAPOTAGE [kapɔtaʒ] n. m. — 1898; aviat., 1928; de 2. *capoter.*

♦ Fait de capoter; retournement sens dessus dessous (d'un véhicule).

1   (...) l'autre *(accident)* venant de se produire : simple capotage; nous assistons
     à l'extraction de deux dames pas trop endommagées, mais pantelantes, de des-
     sous l'auto retournée.   A. GIDE, Carnets d'Égypte, Pl., p. 1039.
2   L'avion venait de sauter par-dessus, comme un cheval. Il commençait à tourner
     autour du champ. En bas, pas un morceau de glace ne sonnait dans un verre; tous
     guettaient des cris.
     — Le capotage, reprit Scali. Sûrement il n'a plus de pneus (...)
     Il agitait ses bras courts, comme s'il eût voulu aider l'avion. Celui-ci toucha terre,
     s'infléchit, accrocha l'extrémité d'un plan et cela sans capoter.
                                                    MALRAUX, l'Espoir, 1937, p. 478.

HOM. 1. **Capotage**, 3. **capotage.**

3. CAPOTAGE [kapɔtaʒ] n. m. — D. i. (xxᵉ); de 1. *capot*, II., 2.

♦ Techn. Fermeture par un capot.

HOM. 1. **Capotage**, 2. **capotage.**

CAPOTE [kapɔt] n. f. — 1688; de 1. *capot* qui avait les mêmes sens.

♦ **1.** Anciennt. Grand manteau à capuchon. ⇒ 1. **Capot,** I.

♦ **2.** Manteau ample et long, de coupe vague. *Porter une capote. Se
vêtir d'une capote. Capote d'hôpital.* — (1832). Manteau militaire. *La capote kaki de l'infanterie française. Capote bleue de
l'aviation.*

1   Il y a des capotes de toutes les teintes, de toutes les formes, de tous les âges. Cel-
     les des grands sont trop petites et celles des petits trop longues. La martingale de
     Fouillard lui bat minablement les fesses, et sur le large coffre du père Hamel, la
     capote trop étroite fait des plis circulaires, tous les boutons prêts à péter.
                                                    R. DORGELÈS, les Croix de bois, IV, p. 69.
1.1 La capote militaire est boutonnée jusqu'au col, où se trouve inscrit le numéro
     matricule, de chaque côté, sur un losange d'étoffe rapporté.
                                                    A. ROBBE-GRILLET, Dans le labyrinthe, 1959, p. 29.

♦ **3.** (1839). Couverture mobile (de certains véhicules, hippomobi-
les, à moteur, etc.). *La capote d'une voiture décapotable* (⇒ **Décapotable**). *Abaisser, relever, tendre la capote d'un cabriolet. Les
arceaux, le soufflet* d'une capote. Capote à commande électrique.*

2   (...) une espèce de cabriolet, à capote de toile cirée, avec deux chevaux attelés en
     flèche (...)   LOTI, Figures et Choses..., À Loyola, p. 56.
3   (...) ses quatre roues, écartées (...) assurent *(au véhicule)* un certain équilibre sur
     des routes cahoteuses (...) Une forte capote de cuir, pouvant se rabaisser et la
     fermer presque hermétiquement, en rend l'occupation moins désagréable par les
     grandes chaleurs.   J. VERNE, Michel Strogoff, 1876, p. 120.
4   Entre les deux hautes roues *(du pousse-pousse)*, dont les rayons de bois sont peints
     en rouge vif, la capote de toile noire qui surmonte en auvent le siège unique mas-
     que complètement le client assis sur celui-ci.
                                                    A. ROBBE-GRILLET, la Maison de rendez-vous, p. 16.

♦ **4.** (1820). Anciennt. Chapeau de femme ou de fillette, à brides, en
étoffe plissée ou piquée. *Capote de crêpe, de satin.*

5   Frédéric l'attendait toujours quand ils devaient sortir; elle était fort longue à dis-
     poser autour de son menton les deux rubans de sa capote; et elle se souriait à elle-
     même, devant son armoire à glace.
                                                    FLAUBERT, l'Éducation sentimentale, 1869, Pl., t. II, p. 384.

♦ **5.** (1836, Landais; on a dit aussi *redingote, redingote anglaise*). Loc.
fam. *Capote anglaise :* préservatif masculin. ⇒ **Condom.**

6   C'est *(un bas-relief égyptien)* bordel comme une gravure lubrique Palais-Royal
     1816 (...) Quels abîmes de réflexions, Monsieur; c'est à croire, tant c'est moderne,
     que du temps de Sésostris, on connaissait les capotes anglaises.
                                                    FLAUBERT, Lettre à L. Bouilhet, 2 juin 1850, Pl., t. I, p. 634.

Elliptiquement :

7   Quant aux grecques et aux juives, elles vous sont permises si vous avez des capotes.
                                                    MÉRIMÉE, Correspondance, 23 oct. 1850, *in* D.D.L.

DÉR. 1. **Capotage**, 1. **capoter.**
COMP. **Décapoter, recapoter.**

1. CAPOTER [kapɔte] v. tr. — Attesté 1877, mais antérieur, → 1. Capotage; de *capote*, 3.

♦ Techn. Munir (un véhicule) d'une capote. — Fermer la capote
de (un véhicule). *La pluie commençant à tomber, ils capotèrent
le cabriolet.*

▶ **CAPOTÉ, ÉE** p. p. adj.
Muni d'une capote; dont la capote est fermée, rabattue. *Cabriolet capoté.*

Par métaphore. «*Des yeux capotés*» (Huysmans), à paupières
lourdes.

DÉR. 1. **Capotage.**
HOM. 2. **Capoter.**

2. CAPOTER [kapɔte] v. intr. — 1792; de 2. *capot.*

♦ **1.** Mar. Être renversé sens dessus dessous, se retourner (en parlant
d'une embarcation). ⇒ 2. **Capot** (faire capot); **chavirer.**

♦ **2.** (1907). Culbuter, se retourner (en parlant d'un véhicule : automobile, avion, etc.). → 2. Capotage, cit. 2.

♦ **3.** Fig. Échouer. *Faire capoter une affaire qui allait réussir.*

Ne pas louper un message, surtout; la vente capoterait.
                                                    Pierre ACCOCE, le Polonais, p. 10.

DÉR. 2. **Capotage.**
HOM. 1. **Capoter.**

CAPPA [kapa] ou CAPPA MAGNA [kapamagna] n. f. — xxᵉ; mots ital., du lat. *cappa.*

♦ Liturg. cathol. Vêtement de chœur que portent les cardinaux, les
évêques et certains dignitaires de la cour pontificale aux cérémonies. *Cappa en soie rouge des cardinaux, en laine violette des évêques.*

1   (...) il fut tout d'un coup très intéressé par un portrait en pied du cardinal, peint
     récemment. Celui-ci y était représenté en grand costume de cérémonie, la soutane
     de moire rouge, le rochet de dentelle, la cappa jetée royalement sur les épaules.
                                                    ZOLA, Rome, p. 88.
2   Si le pape supprimait les orgues, l'encens, les mitres des évêques et la *cappa
     magna* des cardinaux, tu serais moins catholique que moi, qui ne le suis que depuis
     deux ans.   P. GUTH, le Naïf sous les drapeaux, III, IV, p. 161.

CAPPARIDACÉES [kaparidase] n. f. pl. — 1869; du lat. impé-
rial *cappar(is)* «câprier», et suff. *-idacées* (de *-idées* et *-acées*, par contamination).

♦ Bot. Famille de plantes phanérogames *(Dicotylédones dialypétales)* comprenant des arbres, des arbrisseaux, et des herbes
annuelles ou vivaces. ⇒ **Câprier.** — Au sing. *Une capparidacée.*

CAPPELLA (A) ⇒ A cappella.

CAPPUCCINO [kaputʃino] n. m. — 1937; mot ital., «capucin»,
allus. à la couleur marron beige de la robe.

♦ Café au lait mousseux, à l'italienne.

REM. On trouve les var. graphiques *capucino* et *capuccino.*

On s'assoit chez Florian *(à Venise),* et devant le «capucino» ou la glace panachée,
on regarde le charmant va-et-vient de la place.
                                                    G. BAUËR, les Billets de Guermantes, juil. 1937, p. 173.

CAPRE [kapʀ] n. m. — 1675, Colbert; néerl. *kaper* «vaisseau cor-
saire».

Anciennt ou histoire.

♦ **1.** Navire de corsaires.

♦ **2.** Matelot embarqué à bord d'un navire corsaire.

1. CÂPRE [kɑpʀ] n. f. — 1474; de l'ital. *cappero;* lat. impér. *cap-
paris,* grec *kapparis,* même sens.

♦ Bouton à fleur du câprier, que l'on confit dans le vinaigre pour
servir d'assaisonnement, de condiment. *Boîte à conserver les câpres.*
⇒ **Câprière.** *Bocal de câpres.* — *Sauce aux câpres. Raie au beurre
noir avec des câpres.*

Par anal. *Câpres capucines :* boutons de fleurs de capucine préparés comme les câpres.

DÉR. Câprier, capron. — V. 2. **Câpre, câprière.**
HOM. 2. **Câpre.**

2. CÂPRE, CÂPRESSE [kɑpʀ, kɑpʀɛs] n. — 1842, fém., sans
accent, *in* E. Sue; p.-ê. de 1. *câpre,* par anal. de couleur.

♦ Régional (Antilles) ou littér. Personne issue de parents noir et
mulâtre, ou noir et indien.

     Puits
     Arbres creux qui abritent les Câpresses vagabondes.
                                                    APOLLINAIRE, Calligrammes, «Les fenêtres».

2   (...) toutes nuances et colorations de peau, nègres, et sacatras, câpres, mulâtres.
                                            André SCHWARZ-BART, la Mulâtresse Solitude, p. 90.

HOM. 1. Câpre.

CAPRICANT, ANTE [kapʀikɑ̃, ɑ̃t] adj. — 1838; *caprisant*, 1832; *caprizant*, 1589; du lat. *capra*, avec le *c-* de *capricorne*, p.-ê. sous l'infl. de *caprice* et des adj. comme *mordicant, suffocant*, etc.

♦ **1.** Didact. Inégal, saccadé, sautillant. *Pouls capricant.*

1   *Dico* que le pouls de Monsieur est (...) repoussant (...) et même un peu capricant.
                                            MOLIÈRE, le Malade imaginaire, II, 6.

2   Je lui pris le bras et lui tâtai le pouls; il était à la fois capricant et filiforme; j'eus pitié de sa folie et m'assis à son chevet.
                                            VILLIERS DE L'ISLE-ADAM, Tribulat Bonhomet, p. 155.

♦ **2.** Littér. Qui évoque les bonds fantasques de la chèvre. ⇒ **Caprin.** *Allure capricante.* ⇒ **Bondissant, sautillant.**

3   Elle court, capricante, décoiffée, sur elle une de ces robes que n'importe quel homme saurait faire voler — ô mes proies d'autrefois!
                                            François NOURISSIER, la Crève, p. 153.

(1862). Fig. Capricieux, fantasque. *Une humeur capricante.*

4   Dans la beauté accomplie des chefs-d'œuvre elle ne touchait plus ici qu'une beauté immobile, insensibilisée, inexpressive, presque inhumaine, et là qu'une beauté faunesque animée de la joie ivre, capricante et malfaisante du premier âge champêtre et bestial de l'homme primitif.
                                            Ed. et J. DE GONCOURT, Madame Gervaisais, p. 140.

CAPRICCIO [kapʀitʃjo] n. m. — Av. 1900; mot ital., « caprice ».

♦ Mus. Morceau instrumental de forme libre, de caractère folklorique. ⇒ **Caprice.** *Le Capriccio espagnol*, de Lalo. *Le Capriccio pour piano et orchestre*, de Stravinsky. *Des capriccios* (plur. francisé).

CAPRICE [kapʀis] n. m. — 1558; adapt. de l'ital. *capriccio* « frisson (de peur)», XIIIe, «idée fantastique», XVIe; de *capo* «tête», du lat. *caput*.

♦ **1.** *(Le caprice).* Disposition à des enthousiasmes brefs, à des désirs passagers, à des changements d'intention fréquents. ⇒ **Inconstance, instabilité, versatilité.** *Agir par caprice. C'est le caprice qui le mène.* « *Je suis avant tout l'homme de la fantaisie, du caprice, du décousu* » (Flaubert, *in* T. L. F.). — *Le caprice de qqn, son caprice,* sa tendance à de tels changements (→ ci-dessous, cit. 2 et 5). *Le caprice des enfants* (→ ci-dessous, cit. 4), leur tendance à faire des caprices.

1   (...) le chef de cette république,
     Par caprice ou par politique,
     Le changea bientôt de logis.   LA FONTAINE, Fables, VII, 6.

2   Et ne connaissant d'autres lois
     Que son caprice (...)   LA FONTAINE, Fables, Appendice aux Fables, 3.

3   Cette amoureuse ardeur qui dans les cœurs s'excite
     N'est point, comme l'on sait, un effet du mérite :
     Le caprice y prend part, et quand quelqu'un nous plaît,
     Souvent nous avons peine à dire pourquoi c'est.
                                            MOLIÈRE, les Femmes savantes, V, 1.

4   Le caprice des enfants n'est jamais l'ouvrage de la nature, mais d'une mauvaise discipline : c'est qu'ils ont obéi ou commandé; et j'ai dit cent fois qu'il ne fallait ni l'un ni l'autre.   ROUSSEAU, Émile, II, 122.

5   Du reste, aucun choix dans ses relations. Sa facile humeur, la vivacité de son caprice le jetaient à la tête du premier venu aussi lestement.
                                            Alphonse DAUDET, Numa Roumestan, III, p. 51.

(Par jeu de mots étymologique). → Chèvre, cit. 1.

♦ **2.** *(Un, des caprices).* Effet de cette disposition; volonté subite, désir passager; détermination arbitraire fondée sur la fantaisie. ⇒ **Désir, envie; accès, bizarrerie, boutade, coup** (de tête), **fantaisie, foucade, lubie, toquade.** *Agir selon ses caprices. Il a des caprices, il est sujet à des caprices. Faire, passer à qqn tous ses caprices; céder à ses caprices. Imposer ses caprices à son entourage. Les dangereux caprices d'un despote, d'un tyran, d'un dictateur.* — *Les caprices de la foule, de l'opinion.*

6   Malouet a dit un mot très pénétrant : « Il n'y avait à la gauche de l'Assemblée que deux hommes qui ne fussent point des démagogues, Mirabeau et Robespierre». Il entendait par là qu'ils suivaient leur pensée et développaient leur plan sans plier aux caprices de la foule, aux mouvements passagers de l'opinion.
                                            JAURÈS, Hist. socialiste, t. I, la Constituante, p. 421.

7   (...) l'homme est toujours heureux qu'on lui fasse sur ses caprices, et pardonne aisément qu'on soit infidèle à ses *volontés* plus anciennes, dont lui-même ne sent plus l'aiguillon.   J. ROMAINS, les Hommes de bonne volonté, t. I, p. 79.

8   Avant la guerre, les clients, des clients dont on ne parlait qu'avec une terreur respectueuse, imposaient sans efforts leurs caprices cruels à des industriels divisés et toujours affamés de travail.   A. MAUROIS, Bernard Quesnay, VI, p. 38.

9   «Allons...» soupira-t-elle comme si le choix de ce restaurant à quarante-cinq kilomètres de Paris n'était qu'une concession de plus aux caprices d'un despote.
                                            MARTIN DU GARD, les Thibault, t. VI, p. 12.

Par ext., littér. Volonté arbitraire; bon plaisir. *Le caprice de l'imagination, du désir.*

10   Ces exigences ridicules *(de la Grammaire)* ne méritent aucun respect. Les grands écrivains n'ont jamais été faits pour subir la loi des grammairiens mais pour imposer la leur, et non pas seulement leur volonté, mais leur caprice.
                                            CLAUDEL, Positions et Propositions, p. 84.

Par allus. étymologique :

Le mot caprice est gracieux, irritant et d'une origine parlante. Il évoque les bonds   11
de la chèvre, son instabilité, son humeur vagabonde.
                                            G. DUHAMEL, Inventaire de l'abîme, VII, p. 101.

Loc. *Passer un caprice à qqn* : se plier de bonne grâce au désir de qqn. *Se passer un caprice* : contenter son envie.

Spécialt. Exigence obstinée, souvent accompagnée de colère (notamment en parlant des enfants). ⇒ **Capricieux.** *Cet enfant est insupportable, il ne cesse de faire des caprices. Il ne faut pas céder à ses caprices. Il a fait un gros caprice.*

♦ **3.** *(Choses). Le, les caprices de...* (le plus souvent, au plur.), changements fréquents, imprévisibles. *Les caprices de la mode. Les caprices de la fortune, de la chance, du sort.*

Le caprice de notre humeur est encore plus bizarre que celui de la fortune.   12
                                            LA ROCHEFOUCAULD, Maximes, 45, p. 250.

(...) les caprices du hasard ou les jeux de la fortune.   13
                                            LA BRUYÈRE, les Caractères, VI, 80.

En attendant les caprices et les virevoltes de la mode, caprices et virevoltes   14
d'autant moins improbables que le nombre des formes n'est point indéfini (...)
                                            G. DUHAMEL, Cri des profondeurs, I, p. 9.

♦ **4.** Spécialt. Amour, inclination, passion qui naît brusquement et ne dure pas. ⇒ **Amourette, béguin, passade, toquade** (fam.). *Avoir un caprice pour qqn. Inspirer un caprice à qqn. Un caprice,* comédie en un acte d'A. de Musset.

On nomme hardiment amour un caprice de quelques jours, une liaison sans atta-   15
chement, un sentiment sans estime, des simagrées de sigisbée, une froide habitude, une fantaisie romanesque, un goût suivi d'un prompt dégoût : on donne ce nom à mille chimères.   VOLTAIRE, Questions sur l'Encyclopédie.

— ... Eh bien! oui, les caprices. Il est certain qu'un homme peut en avoir, et   16
qu'une femme...
— ... En a quelquefois...   A. DE MUSSET, Un caprice, 8.

Les caprices ont de la grâce, mais le crime est, pour satisfaire un caprice, d'éveil-   17
ler une passion durable.   A. MAUROIS, Un art de vivre, II, 5, p. 83.

Vx. Objet de cette inclination. *Garder dans un album les photographies de ses divers caprices.*

♦ **5.** Arts. Œuvre d'art s'écartant des règles ordinaires. ⇒ **Fantaisie.** *Les Caprices,* de Goya. — Mus. ⇒ **Capriccio.**

♦ **6.** Par ext. (Au plur.). Changements fréquents et brusques dans la forme ou le mouvement. *Les caprices du terrain. Les caprices de la lumière dans un ciel orageux.*

CAPRICIEUSEMENT [kapʀisjøzmɑ̃] adv. — 1612; de *capricieux.*

♦ D'une manière capricieuse. *Agir capricieusement.*

CAPRICIEUX, EUSE [kapʀisjø, øz] adj. et n. — 1584; ital. *capriccioso*, de *capriccio.* → Caprice.

♦ **1.** Qui a une tendance au caprice (1.), à faire des caprices (2.). — Vieilli. (Personnes). ⇒ **Bizarre, changeant, fantasque, inconstant, instable, lunatique.** *Il est capricieux jusqu'à l'extravagance.* — Cour. Qui fait des caprices (en parlant d'un enfant). *Cet enfant est capricieux et affectivement instable. Un enfant gâté* et capricieux, insupportable. — REM. Sauf dans ce dernier emploi, le mot, sans être vieux, n'est plus usuel; il s'employait pour qualifier l'instabilité intellectuelle autant qu'affective :

Il est un peu capricieux (...) et parfois il a des moments où son esprit s'échappe (...)   1
                                            MOLIÈRE, le Médecin malgré lui, II, 1.

Par ext. *Caractère capricieux, humeur capricieuse.* ⇒ **Capricant** (vx). *Attitude capricieuse, comportement capricieux.* — (Entités psychologiques). *Des idées, des fantaisies capricieuses.* ⇒ **Bizarre, excentrique, extravagant.** *La verve capricieuse d'un conteur.* ⇒ **Fantasque, léger.** — Par métonymie. *Un récit capricieux.*

Je trouve aisément la suite du cauchemar le plus capricieux et le plus échevelé.   2
                                            Th. GAUTIER, Mlle de Maupin, VI, p. 111.

(...) ce charme hardi, capricieux, irrésistible, comme la grâce d'un animal qui court   3
et qui saute.   MAUPASSANT, Fort comme la mort, II, p. 188.

La joie est capricieuse.   J. ROMAINS, les Hommes de bonne volonté, t. VI, p. 13.   4

♦ **2.** (Animaux). Qui a un comportement imprévisible. *Cheval capricieux. Mule capricieuse.* — *Les bonds capricieux d'un animal.* ⇒ **Capricant.**

♦ **3.** (Choses concrètes). Dont la forme, le mouvement varie, est vif et imprévisible. ⇒ **Fantaisiste, irrégulier.** *Mode capricieuse. Flots capricieux. Ruisseaux capricieux. Souffles capricieux du vent. Arabesques capricieuses.*

On conçoit aisément que biologistes et médecins (...) ne désespèrent pas de plier à   5
la rigueur des sciences exactes toute cette phénoménologie capricieuse, « ondoyante et diverse » dont la matière vivante est l'insaisissable et déconcertant substrat.
                                            G. DUHAMEL, Biographie de mes fantômes, XI, p. 209.

Nous allions par petites étapes, suivant un itinéraire capricieux, au gré de notre   6
fantaisie.   G. DUHAMEL, le Temps de la recherche, VII, p. 92.

CONTR. Constant, persévérant, tenace. — Raisonnable.
DÉR. Capricieusement.

CAPRICORNE [kapʀikɔʀn] n. m. — V. 1120; lat *capricornus*, de *caper* «bouc», et *cornu* «corne».

♦ 1. Animal fabuleux, à tête de chèvre et queue de poisson (⇒ **Ægipan**), dont le nom désigne une constellation zodiacale de l'hémisphère austral. *Tropique du Capricorne :* tropique sud.

Astrol. Dixième signe du zodiaque* correspondant à la période du 21 décembre au 19 janvier. — Ellipt. *Elle est capricorne :* elle est née sous le signe du Capricorne.

♦ 2. (1753). Zool. Insecte coléoptère *(Cérambycidés)* dont le nom scientifique est *cérambyx. Le capricorne compte parmi les plus grands coléoptères ; sa larve creuse de longues et sinueuses galeries, notamment dans le chêne.* ⇒ **Longicorne.**

♦ 3. (1809). Zool. Antilope vivant en Asie.

CÂPRIER [kɑpʀije] n. m. — 1562 ; *cappier*, 1517 ; de 1. *câpre.*

♦ Plante dicotylédone *(Capparidacées,* n. sc. *Capparis spinosa),* arbre ou arbrisseau à tige souple, à rameaux sarmenteux, à feuilles simples arrondies, à grandes fleurs d'un blanc rosé. *Le fruit du câprier est une baie charnue. Le câprier est cultivé pour ses boutons à fleurs* (⇒ 1. **Câpre**) *qui sont utilisés comme condiment.*
DÉR. Câprière.

CÂPRIÈRE [kɑpʀijɛʀ] n. f. — Fin XVIᵉ, O. de Serres ; de *câprier* (sens 1.), ou de 1. *câpre,* et suff. *-ière* (sens 2.).

♦ 1. Plantation de câpriers.

♦ 2. Boîte, pot à conserver les câpres.

CAPRIFICATION [kapʀifikɑsjɔ̃] n. f. — V. 1710 ; dér. sav. du lat. *caprificus* «figuier *(ficus)* à bouc». → Caprifiguier.

♦ Agric. Opération qui consiste à suspendre parmi les branches d'un figuier cultivé des figues sauvages *(caprifigues)* recélant un insecte hyménoptère blastophage, qui assure la fécondation des figues d'été.

CAPRIFIGUIER [kapʀifigje] n. m. — 1791 ; du lat. *caprificus* «figuier *(ficus)* à bouc», refait sur *figuier.*

♦ Figuier* sauvage, dont les fruits sont appelés *caprifigues* (employées pour la caprification* des figuiers cultivés).

CAPRIFOLIACÉES [kapʀifɔljase] n. f. plur. — 1809 ; dér. sav. du lat. *caprifolium.* → Chèvrefeuille ; -acées.

♦ Bot. Famille de plantes phanérogames angiospermes *(Dicotylédones gamopétales)* comprenant des arbres, arbrisseaux ou herbes, parfois sarmenteux et grimpants. *Types principaux de caprifoliacées :* adoxa, camerisier, chèvrefeuille*, diervilla, linnée, sureau, symphorine, viorne*. — Au sing. *Une caprifoliacée.*
(...) les sureaux abondaient dans l'île, vers l'embouchure du Creek-Rouge, et les colons employaient déjà en guise de café les baies de ces arbrisseaux, qui appartiennent à la famille des caprifoliacées.
J. VERNE, l'Île mystérieuse, t. I, p. 402.
Vx. Adj. *Plante caprifoliacée* (ou *caprifoliée*).

CAPRIN, INE [kapʀɛ̃, in] adj. — Mil. XIIIᵉ ; lat. *caprinus,* de *capra* «chèvre».

♦ 1. Relatif à la chèvre. *Espèces, races caprines. Un troupeau caprin,* de chèvres. — *Élevages caprins.*

♦ 2. Qui rappelle la chèvre, propre aux chèvres. *Des gambades caprines.* ⇒ aussi **Capricant.**
— Et comment vont les chevaux? demande Cidrolin.
— Ils trouvent le terrain plutôt en pente, répond le duc. Ils n'ont pas l'humeur caprine.   R. QUENEAU, les Fleurs bleues, p. 238.

CAPRINÉS [kapʀine] n. m. pl. — 1907, Larousse ; du lat. *capra* «chèvre», et suff. *-inés.*

♦ Zool. Sous-famille de mammifères, de la famille des bovidés*, comprenant les chèvres et les espèces apparentées. — Au sing. *Un capriné.*

CAPRIPÈDE [kapʀipɛd] adj. et n. m. — 1743 ; du lat. *capra* «chèvre», et *pes, pedis* «pied».

♦ Didact. Qui a des pieds de chèvre. *Satyre capripède. Faune capripède.*
N. m. *Un capripède :* un satyre.

CAPRIQUE [kapʀik] adj. — 1816, Chevreul ; du lat. *capra* «chèvre».

♦ Chim. *Acide caprique,* ou caprylique*.

CAPRISQUE [kapʀisk] n. m. — 1810 ; lat. zool. *capriscus,* grec *kapriskos,* dimin. de *kapros* «sanglier», à cause du grognement de ce poisson.

♦ Zool. Poisson du genre baliste (cf. J. Verne, *Vingt mille lieues sous les mers,* p. 128).

CAPROÏQUE [kapʀɔik] adj. Vx. ⇒ **Caprylique.**

CAPRON ou CAPERON [kapʀɔ̃] n. m. — 1642, Oudin ; de 1. *câpre,* à cause de la saveur aigre de ce fruit.

♦ Bot. Variété de grosse fraise.
DÉR. Capronier.

CAPRONIER [kapʀɔnje] n. m. — 1796 ; de *capron.*

♦ Bot. Fraisier qui produit le capron.

CAPRYLIQUE [kapʀilik] adj. — 1859 ; du rad. lat. *capra* «chèvre», et *-yl(e).*

♦ Chim. *Acide caprylique :* acide gras, de formule $C_8H_{16}O_2$, qui existe dans le beurre (de chèvre, etc.), l'huile de coco, substances d'où on l'extrait. — REM. On dit aussi *caprique* [kapʀik], *caproïque* [kapʀɔik].

CAPSA [kapsa] n. f. — 1520, «urne funéraire» ; mot lat., même sens.

♦ 1. Archéol. Boîte destinée à renfermer manuscrits, parfums, etc., dans l'antiquité romaine. *Une capsa d'ivoire.*

♦ 2. (1688). Hist. Boîte pour les suffrages, dans les élections à la Sorbonne.

CAPSELLE [kapsɛl] n. f. — 1820 ; lat. *capsella* «coffret».

♦ Bot. Plante dicotylédone *(Cruciféracées),* herbacée, appelée *bourse-à-pasteur* (n. sc. *Thlaspi*). *La capselle est commune dans les chemins.*

CAPSIDE [kapsid] n. f. — 1959, Lwoff, Anderson et Jacob ; du lat. *capsa* «boîte», et suff. *-ide.*

♦ Biol. Petit réceptacle dans la matière vivante. *Une capside entoure le matériel génétique des virus* (→ Capsomère, cit.).
(Le virus) pénètre à l'intérieur *(de la cellule)* en perdant sa capside protidique (...)
V. VIC-DUPONT, la Maladie infectieuse, p. 38.
DÉR. Capsomère, décapsidation.
COMP. Nucléocapside.

CAPSOMÈRE [kapsɔmɛʀ] n. m. — 1959, Lwoff, Anderson et Jacob ; du rad. de *capside,* et suff. *-mère.*

♦ Biol. Unité constitutive de la capside des virus.
Il a été proposé (A. Lwoff, R. Horne et P. Tournier, 1962) une systématique des virus en groupant ceux-ci suivant la nature de leur matériel génétique (A.D.N. ou A.R.N.), le type de symétrie de la capside (cubique ou hélicoïdale), le nombre des capsomères (pour les virus à symétrie cubique) ou le diamètre de la capside (pour les virus à symétrie hélicoïdale). Ce système est commode, bien qu'il conduise à réunir dans certains sous-groupes des virus sans analogie autre que structurale.   P. LÉPINE, les Virus, *in* Encycl. Pl., Biologie, p. 1892-1893.

CAPSULAGE [kapsylaʒ] n. m. — 1878 ; de *capsuler.*

♦ Techn. Fixation d'une capsule métallique sur le goulot d'une bouteille. *Capsulage à la machine* (capsulateur).

CAPSULAIRE [kapsylɛʀ] adj. — 1690, Furetière ; de *capsule.*

♦ 1. (1798). Bot. En forme de capsule. *Fruit capsulaire,* s'ouvrant de lui-même lorsqu'il est mûr. ⇒ **Capsule, follicule.**

♦ 2. Anat. Qui se rapporte à une capsule, notamment articulaire. *Ligament capsulaire* (→ Articulaire, cit. 1). — Spécialt. *Artères, veines capsulaires,* des capsules surrénales. ⇒ **Surrénal.**

CAPSULE [kapsyl] n. f. — 1532, Rabelais, *capsule du cœur ; casule,* 1478 ; lat. *capsula* «petite boîte», de *capsa.* → Caisse.

♦ 1. (Formations naturelles). **a** Anat. Formation anatomique qui a une disposition en enveloppe. *Capsule articulaire* (cit. 1). ⇒ **Articulation** (cit. 3). *Capsule synoviale. Capsules surrénales* : glandes à sécrétion interne, situées à la partie supérieure du rein. *Lésion, syndrome de la capsule interne.* — *Capsule de Tenon :* enveloppe fibreuse du globe oculaire, s'étendant, en avant, jusqu'au bord de la cornée.

b (1690). Bot. Fruit déhiscent dont l'enveloppe est sèche et dure (spécialt, lorsque ce n'est pas une silique ou une pyxide). *Capsules à plusieurs loges. Capsule séminale*, renfermant les semences, les graines. *Capsule des cruciféracées.* ⇒ **Silique**. *La balsamine** (⇒ **Noli-me-tangere**) *porte des capsules qui éclatent au moindre contact. Capsule d'iris, de pavot, de tulipe ; de coton. Capsule de noisette.* ⇒ **Coquerelle**.

1   Les plantes à coton du pays, renversant leurs capsules épanouies, ressemblent à des rosiers blancs.   CHATEAUBRIAND, Voyage en Amérique..., 350, *in* LITTRÉ.

Sommite du *sporange** (des mousses et des hépatiques), généralement en forme d'urne.

♦ **2.** **a** (1690). Chim. Récipient en forme de calotte, fait de matière réfractaire, où l'on fait évaporer les liquides. ⇒ **Godet**. *Capsule d'évaporation. Capsule en platine.*

b (1834). Pharm., cour. Enveloppe soluble dont on enrobe certains médicaments (surtout liquides) pour en masquer le goût, l'odeur. ⇒ **Cachet**. *Capsule médicamenteuse. Médicament en capsules.*

2   Pour tenter de se soustraire à ce cauchemar, Laura fouille à tâtons dans l'étroite poche de sa robe, sans pouvoir quitter des yeux le spectacle. Elle en extrait non sans mal une petite capsule pharmaceutique qu'elle avale sans hésiter.   A. ROBBE-GRILLET, Projet pour une révolution à New-York, p. 143.

♦ **3.** **a** (1834). Techn., cour. *Capsule fulminante :* petite enveloppe de cuivre dont le fond est garni de poudre fulminante (⇒ **Amorce**), et qui est employée dans les armes à feu. ⇒ **Détonateur**. *Capsule d'une arme à piston.* — Par ext. *Capsule d'une cartouche*, l'amorce. *Pistolet d'enfant à capsules*, à amorces.

b Électr., radio. *Capsule de la galène. Capsule microphonique d'un microphone à charbon* (on dit aussi *cellule, pastille microphonique*). *Changer la capsule d'un micro*.

♦ **4.** *Capsule (spatiale* ou *aérospatiale) :* élément d'un « train » spatial pouvant contenir des occupants ou des appareils de laboratoire. *Larguer une capsule. Capsule biplace.* « *L'énorme assemblage qui s'est arraché du sol du Cap Kennedy (...) s'est énormément raccourci, ne consistant plus qu'en deux éléments : la capsule-cabine et la capsule-usine* » (Paris-Match, 28 déc. 1968).

♦ **5.** (1864). Cour. Calotte de métal embouti, qui sert à fermer une bouteille, ou à garnir le goulot, après bouchage. *Capsule de bouteille de bière.* ⇒ **Bouchon** (bouchon-couronne). *Joint interne* (en liège, en plastique) *d'une capsule. Capsule d'une bouteille de vin, d'eau minérale. La capsule d'un bouchon. Munir d'une capsule.* ⇒ **Capsuler ; capsulage**. *Enlever la capsule d'une bouteille.* ⇒ **Décapsuler**. *Le trottoir près du café est jonché de capsules. Collectionner les capsules.*

CAPSULE-CONGÉ : capsule que l'on appose sur les bouteilles de vin et d'alcool, portant l'attestation du paiement des taxes fiscales.

DÉR. Capsulaire, capsuler, capsulerie.

CAPSULER [kapsyle] v. tr. — 1845 ; de *capsule*.

♦ Fermer par une capsule (5.). *Capsuler une bouteille à la machine. Machine à capsuler.* ⇒ **Capsulage**.

▶ **CAPSULÉ, ÉE** p. p. adj.
Muni d'une capsule (1.). *Tumeur capsulée*, entourée d'une capsule fibreuse. — (Au sens 3 de *capsule*). *Électrode capsulée.* — (Au sens 5). *Bouteilles capsulées.*

CONTR. Décapsuler.
DÉR. Capsulage.

CAPSULERIE [kapsylʀi] n. f. — 1867 ; de *capsule*.

♦ Vx. Usine où étaient fabriquées les capsules (3., a) pour les armes à percussion.

CAPTABLE [kaptabl] adj. — Av. 1958 ; de *capter*.

♦ Qui peut être capté. ⇒ **Capter** (2., 3.). *Onde, émission captable.*

CAPTAGE [kaptaʒ] n. m. — 1863 ; de *capter*.

Technique.

♦ **1.** Action de capter. *Le captage des eaux d'une source. Captage de l'eau pour l'alimentation d'une ville. Captage par tranchée, par aqueduc.* ⇒ **Captation** (B.). — REM. *Captage* désigne en général l'action de capter (B, 2. et 3.) ; *captation* s'emploie surtout dans le domaine psychologique et en droit (→ Capter).

♦ **2.** Action de recueillir les poussières, fumées, brouillards et gaz à l'émission.

CAPTAL [kaptal] n. m. — Fin XIVe ; repris XXe dans l'usage didactique ; mot gascon, du lat. *capitalis* « qui est le premier, chef ». → Capitoul.

♦ Hist. Au moyen âge, Capitaine, chef militaire gascon.

CAPTATEUR, TRICE [kaptatœʀ, tʀis] n. — 1606, Du Vair ; lat. *captator*, de *captare*. → Capter.

♦ Dr. Personne qui use de captation (2.). *Un captateur d'héritage, de testament, de succession. La captatrice d'un héritage.*

CAPTATIF, IVE [kaptatif, iv] adj. — 1946, E. Mounier ; du lat. *captare* « chercher à prendre ».

Didactique.

♦ **1.** Psychol. Qui cherche à accaparer qqn, à prendre pour soi. ⇒ 2. **Abusif, possessif**. *Amour captatif* (opposé à *amour oblatif*). — (Personnes). *Un sujet, un enfant captatif.*

1   On peut même dire que l'amour captatif implique la jalousie, qu'il se confond avec l'amour jaloux, la jalousie y étant virtuellement présente, même en dehors de toute situation réelle de rivalité.   Daniel LAGACHE, la Jalousie amoureuse, II, 13, *in* FOULQUIÉ, Dict. de la langue philosophique.

2   Ce que je redemandais, c'était cet élan qu'elle éprouvait justement pour ma personne, élan joyeux, non captatif. Moiselle est la première qui m'ait donné l'impression de ne pas exister relativement.   Michèle PERREIN, Entre chienne et louve, p. 116.

♦ **2.** Dr. Relatif à la captation (2.). ⇒ **Captatoire**.

CONTR. (Du sens 1) **Oblatif**.
DÉR. Captativité.

CAPTATION [kaptasjɔ̃] n. f. — 1520, *captation de beni volence* (bienveillance) ; lat. *captatio*, de *captare*. → Capter.

A. ♦ **1.** Manœuvres faites pour la conquête (d'une chose, d'une personne ou d'un de ses pouvoirs), essentiellement par intérêt.

0.1   Toute cette vie, toutes ses attentes, ses ennuis, sa faim, son sommeil, son insomnie, ses projets, ses tentatives de jouissance esthétique et leur échec, ses essais de jouissance sensuelle et leur brusque terminaison, ses essais de captation d'une personne qui plaît et leur dérisoire enlisement, cette odeur a enveloppé tout cela.   PROUST, Jean Santeuil, Pl., p. 400.

1   Ce machinisme est néanmoins surtout une technique : celle de la captation des forces naturelles, asservies par l'homme, dont la puissance se trouve de la sorte démesurément accrue.   André SIEGFRIED, l'Âme des peuples, Conclusion, I, p. 198.

Psychol. Fait de chercher à accaparer (qqn, son affection). ⇒ **Captativité**.

♦ **2.** (1752). Dr. Manœuvre répréhensible en vue d'obtenir (un bien, une libéralité), en déterminant une personne à donner, à consentir. ⇒ **Dol, suggestion**. *La captation par manœuvres déloyales entraîne la nullité de la donation* (Jurisprudence de l'art. 901 du Code civil). *Captation d'héritage, de testament. Manœuvres de captation.* ⇒ **Captatif** (2.), **captatoire**.

1.1   Les Charbonnel, qui n'avaient jamais compté sur l'héritage, devenus brusquement héritiers par la mort d'un frère du défunt, crièrent alors à la captation (...)   ZOLA, Son Excellence Eugène Rougon, t. I, p. 54.

2   Le Code n'a pas reproduit la disposition de l'ordonnance de 1735. Il y avait dans le projet de l'An VIII un article portant que les testaments « ne pourraient plus être attaqués pour cause de captation ou de suggestion ».   M. PLANIOL, Traité élémentaire de droit civil, t. III, n° 2883.

B. (1934, *in* D.D.L. ; sens concret). ♦ **1.** Rare. Fait de capter, d'amener un fluide, de le conduire. *La captation des eaux par un tuyau collecteur.* ⇒ **Captage** (terme recommandé).

♦ **2.** Radio, télév., cour. Action de recueillir (des ondes), d'enregistrer (des sons). ⇒ **Capter** (B., 3.).

DÉR. Captatoire.

CAPTATIVITÉ [kaptativite] n. f. — 1951 ; de *captatif*.

♦ Didact. (psychol., psychan.). Caractère de la conduite d'un sujet captatif. ⇒ **Possessivité**.

CONTR. Oblativité.

CAPTATOIRE [kaptatwaʀ] adj. — 1771, Trévoux ; de *captation*.

♦ Dr. Qui a rapport à la captation (2.). ⇒ **Captatif** (2.). *Manœuvres captatoires.*

CAPTER [kapte] v. tr. — XVe, « gagner (la bienveillance de l'auditeur) » ; vx au XVIIe, semble reprendre vie au XVIIIe ; lat. *captare* « essayer de prendre ».

A. ♦ **1.** **a** Chercher à obtenir* (qqch.), à gagner* (qqn) par des manœuvres intéressées, souvent peu honnêtes. ⇒ **Captiver** (A., 2.), **circonvenir**, (vx) **embobeliner** (qqn). *Capter l'attention* (cit. 30), *la bienveillance de quelqu'un.*

1   (...) je déployais toute mon éloquence pour capter la bienveillance de Mme de Warens.   ROUSSEAU, les Confessions, II.

(1762). *Capter les suffrages, les voix.*

   b| Retenir, obtenir (l'attention, l'intérêt...).

2   Sa voix de basse avait, dès les premiers mots, capté l'attention.   MARTIN DU GARD, les Thibault, t. VII, p. 118.

◆ **2.** (1935 ; très probablt antérieur, *captation* datant du XVIIIe). Dr. *Capter une donation, un legs.* ⇒ **Captation** (2.).

B. ◆ **1.** a| (1863, Littré). *Capter une source, l'eau d'une rivière, etc.* : amener l'eau à un point déterminé par un canal, un tuyau... ⇒ **Canaliser** (→ Amener, cit. 7).
Intercepter (des éléments naturels : vent, force des marées, lumière...) pour utiliser. *Capter la chaleur solaire.* ⇒ **Capteur.**

   b| (Abstrait). Recueillir pour utiliser (→ aussi Canaliser, cit. 2).

3   De même, la plupart des désespoirs d'artistes se fondent sur la difficulté ou l'impossibilité de rendre par les moyens de leur art une image qui leur semble se décolorer et se faner en la captant dans une phrase, sur une toile ou sur une portée.   VALÉRY, Variété I, p. 251.

Saisir intellectuellement. *Capter avec finesse les pensées d'autrui.*

◆ **2.** Recueillir (une émanation, une énergie), sans idée d'utilisation. — Au passif :

3.1   Une vague odeur engourdissante de peinture (...) flottait, captée par les tapis et les sièges.   MAUPASSANT, Fort comme la mort, I, 1.

◆ **3.** (XXe). Techn. *Capter (un message, une émission de radio, un courant électrique),* les recevoir ou les intercepter. *Capter un sans-fil.* — Par métaphore :

4   (...) la vérité étant plutôt un courant qui parle de ce qu'on nous dit et qu'on capte tout invisible qu'il soit, que la chose même qu'on nous a dite.   PROUST, Sodome et Gomorrhe, II, p. 315.

CONTR. Disperser, répandre. — Écarter, perdre.
DÉR. Captable, captage, capteur. — V. Captateur, captation.

CAPTEUR [kaptœʀ] n. m. — V. 1780 au sens A, 1 ; de *capter.*

A. Vx. ◆ **1.** Personne qui s'empare de (qqch., qqn). *Le capteur du fuyard recevra une prime.*

◆ **2.** (1783). Mar. Navire qui s'empare d'un autre navire.

◆ **3.** Fig. Personne qui capte (A., 1.). — Adj. *« Si gentils, si capteurs des âmes »* (→ Aimer, cit. 9.1).

B. Mod. (De *capter,* B.). ◆ **1.** (V. 1960). Sc. Dispositif permettant de détecter, en vue de le représenter, un phénomène physique sous la forme d'un signal (généralement électrique). ⇒ **Détecteur.** *« Un capteur photo-électrique (...) transforme les rotations en impulsions électriques... »* (*France-Europe*, n° 16, p. 60). — Par appos. *Un microphone capteur.* — *Capteur de cap.*

◆ **2.** Techn. *Capteur solaire* ou *capteur* : dispositif destiné à emmagasiner de l'énergie solaire pour produire de l'énergie thermique (en chauffant des réservoirs dont l'eau cédera sa chaleur à des circuits de chauffage) ou de l'énergie électrique. ⇒ **Photopile.** *« Si la totalité du rayonnement solaire pouvait être captée et accumulée par cette technique, il suffirait d'environ dix mètres carrés de capteurs pour chauffer une maison individuelle... »* (*le Nouvel Obs.*, n° 710 ; 19 juin 1978). *Capteur plan. Capteur à concentration* (de forme parabolique).

CAPTIEUSEMENT [kapsjøzmɑ̃] adv. — XIVe ; de *captieux.*

◆ Rare. De façon captieuse, insidieuse. Fallacieusement. ⇒ **Insidieusement.** *Conduire un interrogatoire en tendant captieusement des pièges au prévenu.*

CONTR. Sincèrement.

CAPTIEUX, EUSE [kapsjø, øz] adj. — XIVe ; *capcieux,* v. 1389 ; du lat. *captiosus,* du rad. de *capere* « prendre ».

Littér. ou style soutenu.

◆ **1.** Qui tend, sous des apparences de vérité, à surprendre l'esprit, à tromper, à induire en erreur. ⇒ **Fallacieux, insidieux, sophistique, spécieux.** *Raisonnement, discours captieux. Proposition captieuse. Convaincre, séduire qqn par des arguments captieux.*

1   Et toi, crédule amant, que charme l'apparence,
Et dont l'esprit léger s'attache avidement
Aux attraits captieux de mon déguisement.   CORNEILLE, Rodogune, IV, 5.

2   (...) mais devons-nous honorer les gens de bien comme un fourbe les persécute ? et le philosophe imitera-t-il des raisonnements captieux dont il fut si souvent la victime ?   ROUSSEAU, Lettre à M. d'Alembert, p. 128.

3   Ils sont sophistes autant que philosophes (...) une subtile distinction, une longue analyse raffinée, un argument captieux et difficile à débrouiller, les attire et les retient. Ils s'amusent et s'attardent dans la dialectique, les arguties et le paradoxe.   TAINE. Philosophie de l'art, t. II, IV, I, IV.

4   (...) certains mots venus du cœur toucheraient le lecteur davantage ces raisonnements plus ou moins captieux, c'est précisément pour cela que, ces mots, je ne les ai point prononcés.   GIDE, Journal, 1918, Feuillets, II, Pl., p. 672.

◆ **2.** Vx. (Personnes). *Un raisonneur, un philosophe captieux,* qui cherche à tromper par des raisonnements spécieux. ⇒ **Sophiste.**

CONTR. Correct, sincère, vrai.
DÉR. Captieusement.

CAPTIF, IVE [kaptif, iv] adj. et n. — 1450 ; lat. *captivus* « prisonnier », de *capere* « prendre ».

◆ **1.** Hist. ou littér. Qui a été fait prisonnier au cours d'une guerre, et généralement utilisé comme esclave. ⇒ **Prisonnier** (mod.). *Un roi, un peuple captif. Tuer les vaincus, et emmener leurs femmes captives. Être captif* (→ Être dans les fers*). — Par ext. *Une ville, un pays captif. Rome rendit sa liberté à la Grèce longtemps captive* (Académie).
N. *Un captif. Une captive. Le triomphateur traînait à la suite de son char les captifs enchaînés. Payer la rançon d'un captif. La délivrance, la libération des captifs.* — *La Jeune Captive*, poème de Chénier.

1   Pour éblouir le peuple, Hamilcar, dès le lendemain de la victoire, avait envoyé à Carthage les deux mille captifs faits sur le champ de bataille.   FLAUBERT, Salammbô, IX, p. 182.

◆ **2.** Littér. Privé de liberté. ⇒ **Détenu, emprisonné, enfermé, incarcéré, prisonnier** (→ Assurance, cit. 12). — Nom :

2   Les récits des captifs nous montrent l'horrible confusion qui régnait en Allemagne à la fin de la tragédie : toutes les races mêlées, — admirable résultat du racisme — des millions de personnes hors de leur lieu naturel, les camps, les charniers, la misère et la ruine générales.   G. DUHAMEL, Manuel du protestataire, p. 18.

(Animaux). Qui est prisonnier de l'homme. *Un oiseau captif.* ⇒ **Cage** (en cage). *Des bêtes captives, enfermées dans un zoo.*

◆ **3.** (1845 ; qualifiant une chose, dans quelques syntagmes). *Ballon captif* : aérostat retenu par un câble. — Géol. *Nappe captive* : nappe aquifère retenue entre deux couches imperméables. — Littér. Qui ne peut se déployer, aller librement. *L'eau captive d'un bassin.*

◆ **4.** (1488). Littér. Qui est fasciné par (qqn, qqch.) ; qui est soumis à l'emprise de (qqn, qqch.). ⇒ **Asservi, attaché, esclave ; séduit, soumis.** *Tenir qqn captif. Devenir captif de qqn.*

3   C'est proprement un charme : il rend l'âme attentive,
Ou plutôt il la tient captive (...)   LA FONTAINE, Fables, VII, À Madame de Montespan.

N. *Le captif, la captive de (qqch.),* personne soumise, asservie à (un pouvoir).

4   Même dans une société libre, il y aura toujours des captifs, ceux de la misère, ceux de l'âge, ceux des préjugés, des passions.   MICHELET, la Femme, p. 460.

5   (...) je suis le captif des mille êtres que j'aime.   SULLY-PRUDHOMME, Tendresse et Solitudes, « Les chaînes », p. 5.

(1671). Spécialt. *Être captif de ses passions, de son caractère.* — N. (→ ci-dessus, cit. 4).

6   (...) les commodités dont il se munit sont autant d'assujettissements dans lesquels il s'embarrasse, et l'artifice de son confortable le tient captif.   TAINE, Philosophie de l'art, t. II, IV, II, 1.

CONTR. Libre. — Affranchi, détaché, épanoui.

CAPTIVANT, ANTE [kaptivɑ̃, ɑ̃t] adj. ⇒ **Captiver.**

CAPTIVER [kaptive] v. tr. — Av. 1559 ; *se captiver* « se soumettre », déb. XVe ; bas lat. *captivare,* de *captivus.* → Captif.

A. ◆ **1.** (1665). Vx. Retenir captif (qqn) ; faire prisonnier. ⇒ **Enchaîner.**

1   Ni grilles ni verrous ne tiennent contre moi.
Cessez, indignes fers, de captiver un roi (...)   CORNEILLE, Médée, IV, 5.

Par métaphore. Retenir, garder (qqn) avec soi.

2   Je ne sais comme nous pûmes vous captiver un hiver ici. Vous voltigez (...)   Mme DE SÉVIGNÉ, 1245, 21 déc. 1689.

◆ **2.** (Compl. n. de chose). ⇒ **Assujettir ; asservir, maîtriser, soumettre.** *Captiver la volonté, l'attention de qqn.* ⇒ **Capter** (A., 1.).

   Il n'y a point d'assujettissement si parfait que celui qui garde l'apparence de la liberté ; on captive ainsi la volonté même.   ROUSSEAU, Émile, II, 121.

3.1   Si toutes les productions de la Nature sont des effets résultatifs des lois qui la captivent ; si son action et sa réaction perpétuelle supposent le mouvement nécessaire à son essence, que devient le souverain maître que lui prêtent gratuitement les sots ?   SADE, Justine..., t. I, p. 78.

◆ **3.** (Par métaphore du sens 1). Asservir à ses charmes.

4   Cet unique vaillant, la fleur des capitaines,
Qui dompte autant de rois qu'il captive de reines.   CORNEILLE, l'Illusion comique, III, 5.

B. Mod. ◆ **1.** (Compl. n. de chose). Vieilli ou littér. (Sujet n. de personne). Attirer et fixer (l'attention) ; retenir en séduisant, en plaisant. ⇒ **Charmer, conquérir, dompter, enchaîner, enchanter, ensorceler, gagner, occuper, passionner, plaire (à), saisir, séduire.** *Captiver le cœur de qqn par ses mérites. Captiver l'attention, l'esprit, l'intelligence de quelqu'un.*

(Sujet n. de chose) :

5 Attraits, appas, charmes *(dans une femme).* Ces trois mots expriment les beautés qui dans une femme saisissent les yeux et les captivent.
LITTRÉ, *Dict.*, art. *Attrait.*

♦ **2.** Cour. (Compl. n. de personne ou de groupe). *Sa lecture le captive. Il a su captiver l'auditoire. Captiver les foules.* — Absolt. *Un spectacle qui captive* (→ ci-dessous, *captivant*).
Passif et p. p. *Être captivé par un film.*

6 Le vieux seigneur la prit chez lui, et il fut bientôt si captivé qu'il ne pouvait se passer d'elle une minute. MAUPASSANT, Clair de lune, p. 148.

REM. Seul ce sens, le pronominal et l'adjectif participial *captivant* qui y correspond (→ ci-dessous) sont courants en français moderne.

▶ **SE CAPTIVER** v. pron.
Se passionner pour (qqn ou qqch.). *Se captiver à une lecture, à un sport.*

▶ **CAPTIVANT, ANTE** p. prés. et adj.
Qui captive (2.). *Un film captivant. Une lecture captivante.* ⇒ **Attachant.** *Une conversation, une pensée, une question captivante.* ⇒ **Enthousiasmant, passionnant, prenant.** *Un charme captivant.* ⇒ **Enveloppant, séduisant, vainqueur.** *Un homme captivant.* ⇒ **Charmeur, magicien, sorcier.**

7 (...) la terre est tellement captivante, qu'elle fait presque oublier la mer.
MAUPASSANT, la Vie errante, III, p. 59.

8 C'est chose exquise et saine que de lire dix lignes de Bossuet en choisissant un passage où il n'est nullement orateur, mais exprime simplement une pensée morale, sans mot à effet, mais lumineux et captivant par la seule vertu du terme juste.
Émile FAGUET, Études littéraires, p. 422.

9 Durant vingt minutes, le merveilleux orateur nous tint sous le charme de son élocution captivante, avec un rapide exposé qui, plein de clarté spirituellement évocatrice, prenait pour sujet l'histoire des Électeurs de Brandebourg.
Raymond ROUSSEL, Impressions d'Afrique, p. 83.

▶ **CAPTIVÉ, ÉE** p. p. adj. *Des auditoires captivés. Un air captivé* (→ ci-dessus, cit. 6).

CONTR. Affranchir, détacher, libérer. — (Du p. p.) Ennuyeux, repoussant.

CAPTIVITÉ [kaptivite] n. f. — XIIIᵉ ; lat. *captivitas,* de *captivus.* → Captif.

♦ **1.** État d'une personne captive ; fait d'être captif, retenu dans un lieu contre sa volonté. — REM. Le mot suppose un contexte ancien, historique, et ne s'emploierait plus pour «emprisonnement*, prison*». *La captivité de qqn, sa captivité. Longue, pénible, dure captivité. Pendant, durant sa captivité. À la fin de sa captivité.* — EN CAPTIVITÉ. *Emmener, réduire en captivité. Tenir en captivité.* ⇒ **Enfermer, incarcérer.** *Vivre en captivité.*

0.1 La correspondance continua jusqu'au jour. Cette nuit était la cent soixante-treizième de sa captivité *(de Fabrice, enfermé dans la citadelle de Parme),* et on lui apprit que depuis quatre mois on faisait des signaux toutes les nuits (...) deux apparitions rapides suivies de deux lettres voulaient dire *évasion.*
STENDHAL, la Chartreuse de Parme, II, xx.

Spécialt, plus cour. État de prisonnier de guerre. *Retour de captivité. Compagnons de captivité.*
Ellipt. *La captivité de Babylone* : la captivité des Hébreux à Babylone (→ Apocryphe, cit. 2).

1 Le sceptre ne fut point interrompu par la captivité de Babylone, à cause que le retour était promis et prédit. PASCAL, Pensées, 637.

Par ext. Fait d'être privé (momentanément, volontairement) de liberté. *Une captivité volontaire. La captivité quotidienne des ouvriers à l'usine.*

♦ **2.** (1690). Fig., littér. Assujettissement de l'esprit à (qqn ou à qqch.). ⇒ **Assujettissement, attachement, dépendance, esclavage, servitude, sujétion.** *La captivité des passions* (→ Bercer, cit. 8).

2 Le péché c'est ce qu'on ne fait pas librement.
Délivrez-moi de cette captivité, Seigneur !   GIDE, Journal, 1916-1919.

CONTR. Affranchissement, détachement, évasion, libération, liberté.

CAPTURE [kaptyʀ] n. f. — 1406, «prise de butin» ; lat. *captura,* de *capere* «prendre». → Captif.

♦ **1.** Action de capturer (un être vivant). *La capture d'un criminel.* ⇒ **Arrestation** (cf. Un beau coup de filet). — *La capture d'un oiseau, d'un animal sauvage.*

1 La capture du coupable, toujours imminente d'ailleurs, n'était pas encore effectuée, on tenait toutes les issues du parc. Une évasion était impossible.
M. LEBLANC, l'Aiguille creuse, p. 42.

Par métaphore. Action de gagner, de séduire (une personne).

♦ **2.** Action de saisir (qqch.). *« Capture (...) de documents importants »* (Joffre, *in* T. L. F.).
(1787). Mar. Prise d'un navire ennemi. *Surcouf a effectué de nombreuses captures.*
(1740). Saisie de marchandises (de contrebande...) opérée par le service des douanes.

2 C'est que ce Detcharry est resté fameux à Erribiague, pour ses ruses, ses embuscades, ses captures de marchandises.
LOTI, Ramuntcho, XV, p. 135 (1897).

♦ **3.** Par métonymie. Ce qui constitue la prise. ⇒ **Butin, prise, trophée.** *Une belle capture.*

♦ **4.** Géogr. *Capture d'une rivière* : phénomène naturel selon lequel une rivière change de cours pour se développer dans une autre rivière.

♦ **5.** Phys. Phénomène par lequel une particule s'intègre à un système atomique ou nucléaire. *Capture d'un neutron par un noyau.* — *Capture multiple,* dans laquelle un noyau acquiert, simultanément ou successivement, plusieurs neutrons.

DÉR. Capturer.

CAPTURER [kaptyʀe] v. tr. — XVIᵉ ; de *capture.*

♦ **1.** S'emparer de (un être vivant). ⇒ **Arrêter, prendre, saisir.** *Capturer un malfaiteur* (littér. ou style soutenu). *Capturer un animal féroce, une proie.* ⇒ **Emparer** (s'). — Au p. p. *Animaux capturés.*

Sur la rive, je poursuis de grands papillons noirs lamés d'azur (...) Il y en a d'énormes, et j'enrage de ne pouvoir m'en saisir. (J'en capture pourtant quelques-uns, mais les plus surprenants m'échappent).
GIDE, Voyage au Congo, in Souvenirs, Pl., p. 706 (1927).

Par métaphore. S'assurer de la soumission de (qqn) sur le plan intellectuel, moral, sentimental. ⇒ **Asservir, séduire, soumettre.** *« Tu captures et tu captives un grand homme »* (Balzac).
Saisir, comprendre (qqch., qqn) par l'intellect, par l'art.

♦ **2.** Rare. Prendre (qqch.). — (1835). Mar. *Capturer un navire* : saisir un bâtiment ennemi.

♦ **3.** Phys. (s'agissant d'un système nucléaire ou atomique). Absorber (une particule) par capture.

CONTR. Lâcher, libérer, relâcher.

CAPUCCINO [kaputʃino] n. m. ⇒ **Cappuccino.**

CAPUCE [kapys] n. m. — 1618 ; *capuzze,* 1606 ; ital *cappuccio* «capuchon».

♦ Didact. Capuchon* taillé en pointe que portent certains moines. *Le capuce des capucins.*

DÉR. Capucine.

CAPUCHE [kapyʃ] n. f. — 1507 ; var. régionale (Nord, Est) pour *capuce, capuchon,* jusqu'au mil. du XIXᵉ ; de *cape,* et suff. *-uche.*

♦ **1.** Ancienn. Capuchon muni d'une collerette qui protège les épaules.

♦ **2.** Mod. ⓐ Petit capuchon de poche ; capuchon amovible.

Je dévale la rue en courant. Il pleut à torrents et je n'ai pas ma capuche en plastique. Yanny HUREAUX, la Prof, p. 193.

ⓑ Capuchon (1.).

CAPUCHON [kapyʃɔ̃] n. m. — 1542 ; de *capuche,* p.-ê. avec l'infl. de l'ital. *cappuccio.* → Capuce.

♦ **1.** Large bonnet formant la partie supérieure d'un vêtement et que l'on peut rabattre sur la tête. *Baisser, rabattre son capuchon. Capuchon de moine.* ⇒ **Cagoule, capuce, cuculle** (didact.). *Coiffure de femme en forme de capuchon.* ⇒ **Capuche, capulet** (vx), **chaperon.** *Vêtements munis d'un capuchon : anorak, caban, capote, domino, pèlerine. Pèlerine, manteau, imperméable à capuchon.*

1 (...) il baissa comme une cagoule le capuchon de sa pèlerine (...)
MARTIN DU GARD, les Thibault, t. IV, p. 74.

2 Son capuchon pointu et noir se dressait démesurément sur ses épaules. Il le rendait difforme (...)   H. BOSCO, Un rameau de la nuit, p. 118.

♦ **2.** Pèlerine à capuchon. *Prends ton capuchon, il va pleuvoir.*

♦ **3.** Fig. ⓐ (1762). Bot. Prolongement en forme de sac, de casque, des pétales et sépales de certaines plantes. *Les aconits présentent un capuchon.*
Biol. *Capuchon du spermatozoïde.* ⇒ **Acrosome.**

ⓑ (1783). Mar. Coiffe goudronnée qui couvre les haubans.

ⓒ Techn. Garniture de tôle sur un tuyau de cheminée.

ⓓ Cour. Pièce (souvent filetée) servant à fermer et à protéger. *Capuchon de stylo. Mettre, visser le capuchon.* ⇒ **Bouchon.**

3 Il rebouchait les flacons de parfum, revissait le capuchon du tube de dentifrice, rangeait les pots de crème sur la tablette du lavabo (...)
H. TROYAT, la Tête sur les épaules, p. 13.

DÉR. Capuchonner.
COMP. Décapuchonner, encapuchonner.

CAPUCHONNER [kapyʃɔne] v. tr. — 1861 ; *capuchonné* « qui porte un capuchon », 1571 ; de *capuchon*.

♦ **1.** Vx. Couvrir d'un capuchon* (1.). ⇒ **Encapuchonner.**

♦ **2.** Techn. Couvrir d'un couvercle en capuchon. — Anciennt. *Capuchonner une cheminée de locomotive* (à vapeur).

▶ **CAPUCHONNÉ, ÉE** p. p. adj.

♦ **1.** Qui porte un capuchon (vx ou technique).

♦ **2.** Bot. Qui est en forme de capuchon (→ Capuchon, 3., a). *Sépales capuchonnés.*

CONTR. **Décapuchonner.**

CAPUCIN, INE [kapysɛ̃, in] n. — 1611 ; *capuchin*, v. 1580 ; *capussin*, 1542, Rabelais ; ital. *cappuccino* « porteur de capuce », de *cappuccio* « capuche, capuce ».

♦ **1.** Religieux réformé de l'ordre de saint François. ⇒ **Franciscain.** *Les capucins portent un ample capuchon pointu.* ⇒ **Capuce.** — Au fém. (1622). *Les capucines*, religieuses du même ordre.

♦ **2.** Vx (langue class.). Homme qui affiche une dévotion étroite. — *À la capucine :* à la façon d'un capucin, d'un dévot (grande simplicité, ou dévotion excessive). *Discours à la capucine.* ⇒ **Capucinade.**

1 Les sermons du P. Séraphin, dont il répétait souvent deux fois de suite les mêmes phrases, étaient fort à la capucine.   SAINT-SIMON, Mémoires, 35, 151, *in* LITTRÉ.

Parler comme un capucin : parler du nez.
Loc. *Barbe* de capucin :* longue barbe.
Loc. (Vx). *Capucin de cartes :* jeu de cartes pliées et entaillées en forme de capuce, que les enfants s'amusent à renverser. — Loc. mod. *Tomber comme des capucins de cartes,* les uns sur les autres.

2 Toute l'armée de Quiquendone fut couchée à terre, comme une armée de capucins... Heureusement il n'y eut aucune victime : quelques écorchures et quelques bobos, voilà tout.   J. VERNE, le Docteur Ox, p. 105.

♦ **3.** Bot. (Dans des syntagmes). *Barbe-de-capucin.* ⇒ **Chicorée.** *Poudre de capucin.* ⇒ **Cévadille.**

♦ **4.** Singe d'Amérique à longue barbe. ⇒ **Saï, sajou.**

3 Nous apercevons dans les branches quatre singes noirs et blancs, de ceux qu'on appelle, je crois, des « capucins ».   GIDE, Voyage au Congo, *in* Souvenirs, Pl., p. 713 (1927).

♦ **5.** Fam. (Dans le langage des chasseurs). Lièvre*.

DÉR. **Capucinade, capucinière.**
HOM. (Du fém.) **Capucine.**

CAPUCINADE [kapysinad] n. f. — 1724 ; de *capucin,* dans la loc. *à la capucine.* → Capucin (2.).

♦ Vx (langue class.) ou littér. Banal discours de morale. *Dire des capucinades. Ce sermon n'est qu'une capucinade* (Académie).

1 (...) plus adroit pourtant que fripon, et qui, débitant d'un ton de racoleur ses capucinades, ressemblait à l'ermite Pierre prêchant la croisade le sabre au côté.   ROUSSEAU, les Confessions, II.

2 (...) il n'a plus en bouche que des capucinades ; et quand j'ai bien trimé, faisant marché, cuisine et ménage, Monsieur cite son Évangile (...)   GIDE, les Caves du Vatican, Farce, I, 8.

Affectation verbale de dévotion. Faire une capucinade.

CAPUCINE [kapysin] n. f. et adj. invar. — 1694 ; de *capuce,* et suff. *-ine.*

♦ **1.** Plante dicotylédone (*Tropœloacées* ; n. sc. *tropœolum*), herbacée, annuelle ou vivace, ornementale, généralement grimpante, aux fleurs de couleur variant du jaune au pourpre. *La capucine tubéreuse est cultivée pour ses racines comestibles. Plants de capucines.*

Le soleil jouait sur les briques, sur les vitres brillantes des fenêtres qu'égayaient des capucines et des géraniums.   MARTIN DU GARD, les Thibault, t. II, p. 230.

Câpre* capucine.
Plus cour. Fleur de la capucine (qui a la forme d'un capuchon).
Adj. invar. (1798). De la couleur rouge-orangé de la capucine. *Des bérets capucine.*
Dansons la capucine !, refrain d'une ronde enfantine, au terme de laquelle on s'accroupit.

♦ **2.** (1829). Anciennt. Chacun des trois anneaux de métal qui relient le canon et le bois d'une arme à feu.
Loc. fam. (Vx). *Jusqu'à la troisième capucine :* complètement. *Être soûl jusqu'à la troisième capucine* (in Esnault).

HOM. **Capucine** (fém. de *capucin*).

CAPUCINIÈRE [kapysinjɛʀ] n. f. — 1753 ; de *capucin.*

♦ **1.** Vx (langue classique). Maison de capucins. Séminaire.

♦ **2.** Fig. et péj. Maison habitée par des dévots.

CAPUCINO [kaputʃino] n. m. ⇒ **Cappuccino.**

CAPULET [kapylɛ] n. m. — 1818 ; mot béarnais ; de *capule,* même sens, du lat. vulg. **cappulus,* croisement de *cappellus* « coiffe », et *cucullus* « capuchon ».

♦ Régional (Pyrénées) et vx. Capuchon* porté par les femmes.

Une espèce de capuchon fait en drap écarlate. On le nomme Capulet dans le pays. On en fait en drap blanc et en drap noir ; mais la couleur écarlate est la plus recherchée.   J.-M.-J. DEVILLE, Annales de la Bigorre, 1818, p. 214, *in* D. D. L., II, 12.

CAPUT MORTUUM [kapytmɔʀtyɔm] n. m. — 1751 ; expression latine, « tête morte ».

♦ **1.** Alchim. Reste, résidu. *Le caput mortuum d'une calcination.*

♦ **2.** (1845). Fig. Didact. Reste, résidu, résultat négligeable de quelque chose.

CAQUAGE [kakaʒ] n. m. — 1730 ; de 1. *caquer.*
Technique.

♦ **1.** Action de mettre en caque (du poisson ; par ext., de la poudre, du salpêtre, du suif). ⇒ **Encaquement.**

♦ **2.** Préparation (des poissons) en vue de les mettre en caque. *Le caquage des harengs* (rare : on dit plutôt *mise en caque*).

1. CAQUE [kak] n. f. — Déb. XVᵉ ; *kaque,* 1397 ; *caque,* masc., v. 1264 ; de l'anc. nordique *kaggi, kaggr* « tonneau », rapproché de 1. *caquer* au mil. du XIVᵉ.
Techn. ou fig. et littéraire.

♦ **1.** Barrique où l'on empile des harengs salés. *Une caque de harengs. Mettre, mise en caque.* ⇒ **Caquage** (rare). *Sentir la caque :* sentir très fort le poisson. « *Le garnement sentait la caque...* » (→ Poissonnerie, cit. Zola).
Prov. *La caque sent toujours le hareng :* on porte toujours la marque de son origine, de sa vulgarité, malgré des apparences flatteuses.
Fig. *Serrés comme des harengs en caque* (cf. Comme des sardines...). ⇒ aussi **Encaquer,** fig.

Nous serons tassés comme des harengs en caque.   J. RENARD, Journal, 14 nov. 1889.

♦ **2.** Techn. Baril servant à mettre du salpêtre, de la poudre. — Tonneau de bois contenant du suif fondu.

♦ **3.** Régional (Champagne). Récipient (de bois, d'osier) servant à transporter les vendanges. ⇒ **Hotte.**

COMP. **Encaquer.**

2. CAQUE [kak] n. f. — D. i. (→ Caca, 1534) ; déverbal de 2. *caquer.*

♦ Régional (Suisse) et fam. Excrément (des petits animaux : oiseaux, etc.). ⇒ **Crotte, fiente ; chiure.**

CAQUELON [kaklɔ̃] n. m. — 1717 ; *quaquellon,* 1707 ; de *caquelle* (Jura suisse, Franche-Comté), de l'alémanique *kachel* plutôt que de *caque,* du néerl. *caken* ou de *kakel* « brique vernissée » (XVᵉ, canton de Neuchâtel).

♦ Régional (Suisse romande ; Est de la France). **a** Ancienne. Casserole ou marmite en terre, en métal, munie d'un manche et de trois pieds.
b Mod. (Suisse, Franche-Comté, etc.). Poêlon où l'on prépare la fondue*.

(...) tous vinrent s'attabler autour du caquelon de terre où mijotait la fondue.   R. FRISON-ROCHE, Premier de cordée, p. 215 (1941).

1. CAQUER [kake] v. tr. — 1340 ; *quaquer,* XIVᵉ ; du néerl. *kaken* « ôter les ouïes ».

♦ **1.** Préparer (le poisson) pour le mettre en caque*. *Caquer le hareng.*

♦ **2.** (1832). Mettre en caque (des harengs, de la poudre, du suif fondu...). ⇒ **Encaquer.**

DÉR. **Caquage.** — V. 1. **Caque.**

2. CAQUER [kake] v. intr. — D. i. ; lat. *cacare,* comme *chier*,* signalé dans plusieurs régions, y compris à Paris, par Wartburg.

♦ Régional (Est, Bourgogne, Wallonie, Suisse). Déféquer. ⇒ **Chier** (généralt senti comme plus trivial) ; **caguer** (domaine occitan). — Loc. fig. *Faire caquer qqn* (cf. Faire chier). *Envoyer caquer qqn.*

CAQUET [kakɛ] n. m. — V. 1450 ; *cacquet* « jacasserie, cris de certains animaux », 1547 ; de *caqueter*.

♦ **1.** Rare. Gloussement de la poule au moment où elle pond.

♦ **2.** Vieilli ou littér. (sauf dans quelques contextes). Bavardage* indiscret, intempestif. ⇒ **Babil.** *Avoir du caquet. Des caquets de médisants. Le caquet d'un fat.* ⇒ **Jactance.** *Un caquet bien affilé* (cit. 3). — Loc. (xvᵉ). *Rabattre, rabaisser le caquet de qqn,* l'obliger à se taire, lui faire baisser le ton* (→ Clouer* le bec).

1 Autrement je saurais te rendre ton paquet.
— Et moi pareillement rabattre ton caquet.   CORNEILLE, Mélite, variante, 5.

2 Un lion en passant rabattit leur caquet.   LA FONTAINE, Fables, III, 10.

3 (...) pour rembarrer vos raisonnements et rabaisser votre caquet.
    MOLIÈRE, le Malade imaginaire, III, 3.

4 Personne ne va au spectacle pour le plaisir du spectacle, mais pour voir l'assemblée, pour en être vu, pour ramasser de quoi fournir au caquet après la pièce ; et l'on ne songe à ce qu'on voit que pour savoir ce qu'on en dira.   ROUSSEAU, Julie ou la Nouvelle Héloïse, II, Lettre XVII.

4.1 Ces caquets, particuliers à la province, où tout ce qui essaye de marcher hors des sentiers battus, a le don d'exciter la curiosité publique, ces caquets avaient trouvé un auditeur fervent dans M. Madozet.   Louise MICHEL, la Misère, t. I, p. 189.

Par métaphore :

5 (...) dans la solitude il n'y a personne pour rabattre l'impudent caquet de sa vanité.
    Valery LARBAUD, Amants, heureux amants, p. 206.

Littér. *(Un, des caquets).* Propos futiles, médisants. ⇒ **Cancan, commérage.**

♦ **3.** Vx et fam. *Caquet bon bec,* surnom donné par La Fontaine à la pie. — *Un caquet bon bec :* une personne bavarde jusqu'à l'indiscrétion.

CAQUETAGE [kaktaʒ] n. m. — 1556 ; de *caqueter*.

♦ **1.** Action de caqueter (en parlant de poules, ou d'oiseaux). ⇒ **Caquètement.**

0.1 (...) le murmure des voix féminines, augmentant, faisait comme un caquetage d'oiseaux.   FLAUBERT, l'Éducation sentimentale, II, II.

♦ **2.** Bavardage futile et lassant. ⇒ **Babillage, caquet, jaserie** (vx), **piaillerie.** *Le caquetage de qqn. Un caquetage importun. Étourdir, assourdir qqn par son caquetage. Des caquetages insupportables. Des caquetages et des cancans.*

1 Quel ennuyeux et insignifiant caquetage que la conversation d'hommes d'ailleurs spirituels, quand elle n'est pas dirigée.   STENDHAL, Journal, p. 245.

1.1 Dérangé par les caquetages d'un jeune avocat, insolent comme tous les jeunes gens, et de son client, bavard insupportable.
    E. DELACROIX, Journal, 6 oct. 1849, t. I, p. 388.

2 (...) dans l'étroite église (...) le caquetage des dames couvrait l'harmonium à bout de souffle (...)   F. MAURIAC, Thérèse Desqueyroux, IV, p. 57.

CAQUETANT, ANTE [kaktɑ̃, ɑ̃t] adj. — Av. 1892, Renard ; de *caqueter*.

♦ **1.** Qui caquette (1.).

1 (...) il apportait, en manière de politesse et de participation aux frais, une grande quantité de provisions, dont un grand cageot de poules caquetantes.
    Jean FERNIOT, Pierrot et Aline, p. 32.

♦ **2.** Fig. (correspond à *caqueter,* 2.) :

2 (...) un paquet de trois ou quatre jeunes filles déboula, caquetantes et jacassantes.
    Roger IKOR, les Fils d'Avrom, Les eaux mêlées, p. 503.

CAQUÈTEMENT [kakɛtmɑ̃] n. m. — 1572, *caquettement;* de *caqueter.*

♦ **1.** Action de caqueter (1.). ⇒ **Caquetage.** Cri de la poule, d'une volaille, quand elle caquette.

1 Un porteur d'hebdomadaires singeait à la fois le caquètement de la poule pondeuse et le cocorico du coq victorieux.   René FALLET, le Triporteur, p. 352.

♦ **2.** Fig. et rare. Action de caqueter (2.). ⇒ **Caquetage** (2.).

2 Mon fils m'a dit de me mettre au service de la jeune comtesse, me répondit la sage-femme (...) Si elle est parvenue à le rejoindre (...) et sa voix ne put retenir un caquètement d'orgueil, je pense que mon Grigori et elle se seront mariés.
    M. YOURCENAR, le Coup de grâce, p. 224 (1939).

REM. Alors que *caquet* et *caquetage* désignent, au figuré, un contenu de paroles (bavardage, cancans), *caquètement* fait surtout allusion au son, au bruit.

CAQUETER [kakte] v. intr. — Conjug. *jeter.* — V. 1450 ; *quaquetter* « faire entendre un cri particulier » (pour des oiseaux), fin xvᵉ ; de l'onomat. *kak-.* → Cacaber.

♦ **1.** (1690). Glousser au moment de pondre (en parlant de la poule).

0.1 Les poules dans la cour caquètent.   APOLLINAIRE, Alcools, p. 22.

♦ **2.** Bavarder de façon indiscrète et intempestive. ⇒ **Jaboter, jacasser, jaser** (→ Bavard, cit. 7). — REM. Les contextes les plus fréquents concernent le bavardage collectif de femmes *(des commères*

qui caquettent), mais, comme on le voit au dérivé *caquetage**, le mot s'applique aussi à des hommes.

1 Elle la méprisait (...) pour ce qu'elle savait lire et écrire, et que le dimanche, elle lisait des prières dans un coin du verger au lieu de venir caqueter et marmotter avec elle et les commères d'alentour.   G. SAND, François le Champi, II, p. 34.

1.1 Mieux vaut passer le temps à caqueter qu'à soupirer.
    BERNANOS, Dialogues des carmélites, Tableau IV, 9, in Œ. roman., Pl., p. 1670.

Par métaphore :

2 Quel calme, si le ruisseau bavard ne caquetait pas, ne chuchotait pas, n'agaçait pas autant, à lui seul, qu'une assemblée de vieilles femmes.
    J. RENARD, Poil de carotte, Le chat, II.

CONTR. Taire (se).
DÉR. Caquet, caquetage, caquetant, caquètement, caqueterie, caqueteur, caquetoire.

CAQUETERIE [kak(ə)tʀi ; kakɛtʀi] n. f. — 1418, *quaqueterie;* de *caqueter.*

♦ Rare. Entretien, conversation qui ne se compose que de caquets.

Mais alors que caqueterie se prend objectivement et au pluriel, pour une pluralité ou une suite de caquets, ce mot *(caquetage)* a rapport au bruit, à la manifestation.
    LAFAYE, Dict. des synonymes, Caquet, caqueterie.

CAQUETEUR, EUSE [kaktœʀ, øz] n. et adj. — 1507 ; de *caqueter.*

♦ **1.** Rare. Personne qui caquette, bavarde de façon lassante.

♦ **2.** N. f. (xviiᵉ). Anciennt. Siège à dossier très élevé, sans bras, considéré comme pratique pour la conversation. ⇒ **Caquetoire.**

CAQUETOIRE [kaktwaʀ] n. f. — 1522 ; de *caqueter* « bavarder ».

♦ Arts décor. Fauteuil à siège bas, à dossier haut. ⇒ **Caqueteuse** (n. f.).

(...) *la caquetoire* (...) À la vérité les technologues n'ont pu parvenir à décider de la forme de ce siège. On en trouve la mention dans nombre d'inventaires (...) mais les embryons de description qui les accompagnent sont assez contradictoires. « Petite chaise basse » (...) « petite chayre » (...) Les dictionnaires de Furetière et de Richelet comparent, en 1685 et 1680, la caquetoire au « fauteuil », c'est-à-dire au type du siège à bras.   Guillaume JEANNEAU, le Mobilier français, p. 29-30.

1. CAR [kaʀ] conj. et n. m. — xᵉ ; conj. de subordination, v. 1170 ; du lat. *quare* « c'est pourquoi » ; mot critiqué au xviiᵉ par les puristes, et défendu par Voiture.

♦ Conjonction de coordination qui introduit un rapport de cause : explication (preuve, raison) de la proposition qui précède. ⇒ **En effet, effectivement ;** et aussi **comme, parce que, puisque ; attendu que, vu que ; donner** (étant donné que). *Il ne viendra pas ce soir, car il est malade. — Car enfin... :* car, tout bien considéré...

1 Je fais ce que tu veux, mais sans quitter l'envie
De finir par tes mains ma déplorable vie ;
Car enfin n'attends pas de mon affection
Un lâche repentir d'une bonne action.   CORNEILLE, le Cid, III, 4.

2 Ils sont insupportables avec les impertinentes égalités dont ils traitent les gens. Car enfin il faut qu'il y ait de la subordination dans les choses (...)
    MOLIÈRE, la Comtesse d'Escarbagnas, 2.

3 Car enfin, ma princesse, il faut nous séparer.   RACINE, Bérénice, IV, 5.

4 (...) Car c'est double plaisir de tromper le trompeur.
    LA FONTAINE, Fables, II, 15.

5 Je vous plains : car pour moi, dans ce péril extrême,
Je saurai m'éloigner, ou vivre en quelque coin.   LA FONTAINE, Fables, I, 8.

6 Les maux qui affligent la terre ne viennent pas de Dieu, car Dieu est amour, et tout ce qu'il a fait est bon ; ils viennent de Satan.
    F. DE LAMENNAIS, Paroles d'un croyant, XXXIV.

7 Un arbre vaut mieux que le marbre
Car on y voit les noms grandir.   COCTEAU, Pièce de circonstance.

REM. *Car en effet* est un pléonasme, excepté dans le cas où *en effet* est adverbe, et signifie « dans la réalité ».

(Présentant une proposition interrogative). *« Car dans le doute qu'est-ce qu'on risque ? »* (Barrès). (Une proposition exclamative). *« Car que de hardiesse ! »* (Sainte-Beuve). (Une proposition elliptique). *« L'hiver on souffrait du froid, car pas de vitres aux fenêtres »* (Gide) ; cf. exemples in T. L. F.

REM. 1. *Car* peut s'employer au début d'une incise (→ ci-dessus, cit. 6), mais pas en tête de phrase (à la différence de *parce que* et *puisque*).

2. Dans deux propositions coordonnées, *car* est répété, repris par *et* (ou *ni*) — ...*car il était sale et il jurait* — ou n'est pas répété ; la reprise par *que* — *car il pleuvait et qu'il était tard* — est considérée comme fautive.

N. m. (V. 1616). *Le car, les car.*

8 Quelle persécution le *car* n'a-t-il pas essuyée ! et s'il n'eût trouvé de la protection parmi les gens polis, n'était-il pas banni honteusement d'une langue à qui il a rendu de si longs services, sans qu'on sût quel mot lui substituer ?
    LA BRUYÈRE, les Caractères, XIV, 73.

Les si et les car : les arguments invoqués (péj.). *Je n'ai rien à faire de tous tes si et tes car, je sais la vraie raison de ton acte.*

HOM. 2. Car, carre, quart.

2. CAR [kaʀ] n. m. — 1928, abrév. de *autocar;* «voiture sur rails», 1857; angl. *car* (1830), du normand, var. de *char.*

♦ **1.** Vx. (Anglic.). Voiture de tramway; compartiment de cette voiture (v. 1860-1880).

♦ **2.** Mod. Véhicule automobile de transport en commun, conçu et aménagé pour les transports interurbains (à la différence du bus, de l'autobus) ou spéciaux. ⇒ **Autocar, bus** (anglic.). *Un car de quarante places. Prendre, attendre le car. Ligne de cars. Un car de ramassage* scolaire* (cf., au Canada, Autobus scolaire). *Un car de tourisme. Voyage en car. Tu pars en train ou en car, ou par le car?*

La petite vallée du Sausseron, modeste affluent de l'Oise, était, depuis de longues années, desservie par une voie ferrée. On vient d'abandonner brusquement le rail et de mettre en circulation des cars. Nul ne s'aviserait de critiquer ce changement, si la route sur laquelle ces cars doivent rouler était faite à leur usage.
G. DUHAMEL, Manuel du protestataire, IV, p. 136.

Car de police : véhicule destiné à transporter des agents de police chargés d'effectuer des rondes de surveillance et susceptibles de répondre à des appels. ⇒ **Panier** (à salade). — *Car de reportage :* véhicule équipé de manière à permettre la transmission télévisée en direct des événements qui se déroulent.

COMP. Autocar, car-navette.
HOM. 1. Car, carre, quart.

CARABE [kaʀab] n. m. — 1668; lat. *carabus,* grec *karabos* «crabe».

♦ Insecte coléoptère *(Carabidés),* de couleur variable, aux reflets métalliques. *Le carabe est un grand destructeur d'insectes, larves, vers, chenilles. Carabe doré,* dit aussi *jardinière, couturière, sergent* ou *vinaigrier. Le brachyne** ou *bombardier, carabe de couleur bleue.*

Il arrive encore que les murs de la petite cour et son pavage grouillent la nuit venue de carapaces luisantes, carabes, iules (...)
François NOURISSIER, le Maître de maison, p. 184.

REM. L'emprunt *carabe* (lat. *carabus* «canot recouvert de peaux brutes») est attesté chez Malraux (*Antimémoires,* Folio, p. 86).

CARABIN [kaʀabɛ̃] n. m. et adj. — 1803; «cavalier», v. 1585; *carabin de Saint-Côme* «élève chirurgien», 1650; p.-ê. de *escarrabin* «ensevelisseur de pestiférés», mot du Midi, de la famille de *escarbot* «nécrophore», et, par métaphore, «soldat de cavalerie légère»; pour P. Guiraud, *carabin* ne peut, pour des raisons chronologiques, être rattaché à *escarrabin;* mais la relation entre les sens 1 et 2, bien établie, est d'ordre métaphorique.

♦ **1.** Anciennt. Soldat de cavalerie légère, au XVIᵉ siècle. *L'arquebuse longue ou carabine (1.), arme du carabin.*

♦ **2.** (1803). Mod., fam. Étudiant en médecine. — **REM.** Le mot n'a pas normalement de féminin, à cause de l'homonymie avec *carabine;* on dira : *elle est carabin.*

1 Le Dʳ Fiessinger prétend que son goût pour les blanchisseuses et les boniches provenait d'anciennes habitudes de carabin.
A. BILLY, Sainte-Beuve, sa vie et son temps, I, Le romantique, 6, p. 51.

(Par référence à l'esprit, aux traditions propres à ces étudiants). *Farce, plaisanterie, blague de carabin,* de goût plus ou moins macabre ou obscène. *Chansons de carabins.*

En appos. (ou adjectif) :

2 J'ai été (...) externe, un simple externe, mais qui n'avait pas les yeux dans sa culotte, un débrouillard, quoi, un vrai carabin... L'esprit carabin se perd, mon ami; on nous remplace par des types à lunettes, des coupeurs de fil en quatre (...)
BERNANOS, Monsieur Ouine, *in* Œ. roman., Pl., p. 1405.

3 Baudelaire (...) a dû plus d'une fois longer les anciens bâtiments de l'École *(de Médecine).* Rien ne s'oppose donc à l'idée qu'ayant eu très jeune l'odorat offensé par ces odeurs, elles lui aient inspiré les vers de la Charogne. L'élément «carabin» qu'on découvre dans son œuvre vient de là.
Francis CARCO, Nostalgie de Paris, p. 52.

DÉR. (Du sens 1.) Carabine.

CARABINE [kaʀabin] n. f. — 1611; *charabine,* fin XVIᵉ; de *carabin (1.).*

♦ **1.** Vx. Petite arquebuse à rouet que portaient les carabins (1.).

♦ **2.** (1694). Fusil* léger à canon court, rayé en hélice à l'intérieur. *Carabine de chasse. Carabine de précision. Carabine pour concours de tir. Tir à la carabine. Porter sa carabine à l'épaule, en bandoulière. — Être de première force à la carabine, au tir à la carabine. Préférer la carabine au fusil.*

1 Imaginez-vous une grande salle tapissée de fusils et de sabres, depuis en haut jusqu'en bas; toutes les armes de tous les pays du monde : carabines, rifles, tromblons, couteaux (...)
Alphonse DAUDET, Tartarin de Tarascon, I.

2 Pour armes, on choisit les deux fusils à pierre, plus utiles dans cette île que n'eus-

sent été des fusils à système (...) Cependant, on prit aussi une des carabines et quelques cartouches.
J. VERNE, l'Île mystérieuse, t. I, p. 327.

Carabine à bouchon, carabine à air comprimé, jouets d'enfant.

DÉR. Carabinier.

CARABINÉ, ÉE [kaʀabine] adj. — 1836; *brise carabinée,* 1687; de *carabiner* «se battre» (1611), et, fig., «souffler en tempête» (XVIIIᵉ); de *carabin (1.).*

♦ **1.** Mar. Qui souffle par intermittence (en parlant du vent : comme un *carabin* [1.] attaque, puis se retire). *Vent carabiné,* en rafales violentes.

♦ **2.** Cour., fam. Violent, intense. *Semonce carabinée.* ⇒ **Énergique.** *Une gifle carabinée.* ⇒ **Brutal, fort.** *Une grippe, des douleurs carabinées.* ⇒ **Grave, intense.** — *Un grog carabiné,* très fort. *Une bringue, une cuite carabinée.*

Rare. (Personnes). Qui est de première force; (iron.) remarquable dans son genre.

Il ne renseignait personne sur *(sa)* félicité cachée (...) lui, le Lauzun de garnison, le fat le plus carabiné et le plus fastueux (...)
BARBEY D'AUREVILLY, les Diaboliques, «À un dîner d'athées» (1874).

CONTR. Bénin, doux, faible.

CARABINIER [kaʀabinje] n. m. — 1634; de *carabine.*

♦ **1.** Anciennt. Soldat à pied ou à cheval, armé d'une carabine, et chargé de harceler l'ennemi.

0.1 Ensuite, après des escadrons de carabiniers, de dragons et de guides, commençaient les voitures de gala. ZOLA, Son Excellence Eugène Rougon, t. I, p. 109.

♦ **2.** (1846; ital. *carabiniero*). Gendarme italien. — (1906). Douanier ou gendarme espagnol.

1 Appréhendé au corps par deux carabiniers, au détour d'un sentier d'ombre (...)
LOTI, Ramuntcho, I, IV, p. 46.

Loc. *Arriver comme les carabiniers (d'Offenbach),* trop tard, quand il n'en est plus besoin (par allus. à un couplet des *Brigands,* opérabouffe d'Offenbach, livret de Meilhac et Halévy).

2 Nous sommes les carabiniers,
La sécurité des foyers;
Mais par un malheureux hasard
Au secours des particuliers,
Nous arrivons toujours trop tard. MEILHAC et HALÉVY, les Brigands.

CONTR. Brigand. — Contrebandier.

CARACAL [kaʀakal] n. m. — 1750; *karacoulac,* 1664; mot esp., du turc *qara qâlâq* «oreille noire».

♦ Zool. Variété de lynx vivant en Afrique et dans le Sud de l'Asie. ⇒ **Lynx.** *Des caracals.*

CARACO [kaʀako] n. m. — 1774; orig. incert., p.-ê. empr. au turc *kerake* «manteau large à manches» ou de l'hispano-amér. *caracol* «vêtement de nuit large et court»; P. Guiraud y voit une forme provençale de *caracon* (Cotgrave), doublet de *caraquin* (cf. Furetière, Trévoux), forme hypercorrigée de *casaquin.*

♦ Vieilli ou rural. Corsage de femme, blouse droite et assez ample. ⇒ **Camisole.** *Des caracos.*

1 Elle a un caraco rouge à pois blancs, décoloré par la sueur sous les bras.
J. GIONO, Colline, p. 160.

2 La séance terminée *(l'Assemblée nationale)* se vida sans bruit. En partant, je dépassai une pauvre femme en caraco et en pantoufles qui brandissait un balai, et je crus rencontrer ce qui, au temps de Fleurus, s'était appelé la République.
MALRAUX, Antimémoires, Folio, p. 160.

CARACOLADE [kaʀakɔlad] n. f. — 1850; de *caracoler,* et suff. *-ade.* → Galopade.

♦ Rare. Fait de caracoler (⇒ **Caracole**); de gambader. — Figuré :

(...) son débit était devenu beaucoup plus uniforme, ce qui laissait penser que dans ses caracolades du début, il y avait une manœuvre d'entrée en scène (...)
J. ROMAINS, les Hommes de bonne volonté, t. XXII, p. 21.

CARACOLANT, ANTE [kaʀakɔlɑ̃, ɑ̃t] adj. ⇒ **Caracoler.**

CARACOLE [kaʀakɔl] n. f. — V. 1650; *caragol,* 1615; *caracol,* n. m., 1611; esp. *caracol* «limaçon, escargot».

♦ **1.** Techn. et vx. Spirale. *Escalier en caracole.* ⇒ **Colimaçon.** Techn. (mines). Outil courbe à crochet, servant à extraire les tiges cassées dans un trou de sonde.

♦ **2.** [a] Techn. (manège). Mouvement circulaire que l'on fait exécuter à un cheval, avec ou sans changement de main. *Faire des caracoles.* ⇒ **Volte.**

1 Lui faisant faire *(à son cheval)* des voltes ou des caracoles, il tombe lourdement et se casse la tête.
LA BRUYÈRE, les Caractères de Théophraste, D'une tardive instruction.

2 Le cheval qui était vigoureux, fit plusieurs caracoles devant Giondar, et il le mena jusqu'à un bois, où il se jeta (...)
A. GALLAND, les Mille et une Nuits, t. II, p. 168.

b Vx. Cabriole (faite par une personne). « *Il faisait des caracoles sur la charrette* » (Balzac).

DÉR. Caracoler.

CARACOLER [kaRakɔle] v. intr. — 1642, Oudin ; de *caracole*.

Courant (à la différence de *caracole*).

♦ **1.** Faire des caracoles, des voltes* (en parlant d'un cheval). *Cheval qui caracole. Faire caracoler son cheval, sa monture.*

1 Des chevaux sautaient, caracolaient, se cabraient dans la foule comme des chiens qui caressent leurs maîtres. CHATEAUBRIAND, Mémoires d'outre-tombe, II, 2.

Exécuter une succession de voltes (en parlant d'un cavalier). *L'écuyer caracole et fait danser son cheval.*

1.1 (...) tout en bas, à droite, sur deux chevaux de feu, caracolant côte à côte, la mine farouche et sombre, voici le Kha-Khan de tous les Oïghours et Khubilaï enfant (...)
J. D'ORMESSON, la Gloire de l'Empire, t. II, p. 630.

♦ **2.** (Sujet n. de personne). Avancer en sautant, en bondissant, selon une ligne irrégulière. ⇒ **Cabrioler, sautiller.** *Les enfants caracolaient dans le jardin.*

Fig. « *Ma plume caracole* » (A. Arnoux, *in* T. L. F.).

▶ **CARACOLANT, ANTE** p. prés. et adj.

♦ **1.** Équit. Qui effectue des caracoles.

2 En tête marchait le maréchal Murat, gouverneur de Paris, caracolant sur un cheval noir (...) Louis MADELIN, l'Avènement de l'Empire, xv, p. 203.

♦ **2.** Fig. Vif, alerte (comme un cheval qui caracole).

3 Certes on voit d'ici avec quelle incomparable et majestueuse légèreté (...) de quelle piaffante, trépidante, trépignante et caracolante allure *(Robert de Montesquiou)* saurait développer puis resserrer autour de la victime élue ou couronnée ses savantes évolutions.
PROUST, *in* les Arts de la vie, n° 20 (1905), p. 69 (*in* D.D.L., II, 12).

DÉR. Caracolade.

CARACOULER [kaRakule] v. intr. — 1600 ; onomat., p.-ê. altér. de *roucouler*.

♦ Rare. Pousser son cri (en parlant du ramier*). ⇒ **Roucouler.**

CARACTÈRE [kaRaktɛR] n. m. — 1596 ; *charactere*, 1567 ; *carathere*, 1550 ; *karactere*, 1274 ; *caractère* « empreinte », 1372 ; lat. *character* « manière d'être correspondant à un style ; comportement » ; grec *kharatêr* « signe gravé, empreinte ».

★ **I.** Marque, signe distinctif. ♦ **1.** (xvIe). Signe* gravé ou écrit, élément graphique d'une écriture. ⇒ **Chiffre, lettre, signe, symbole.** *Caractères conventionnels, symboliques, hiéroglyphiques, cunéiformes. Caractères pictographiques, idéographiques.* ⇒ **Pictogramme ; idéogramme.** *Caractères phonétiques, syllabiques,* correspondant respectivement à un élément de sens, à un son, à une syllabe. ⇒ **Lettre.** *Les caractères chinois, coréens, japonais* (caractères chinois utilisés dans l'écriture du japonais ; ⇒ **Kandji**). *Dictionnaire de caractères. Les clés* des caractères chinois. Inscrire, graver un nom en caractères d'or sur un monument. Déchiffrer des caractères. Les caractères d'une inscription. Les caractères de l'alphabet. Caractères grecs, arabes, hébraïques, romains, gothiques, cyrilliques.* ⇒ **Lettre.** *Écrire en gros, en petits caractères. Caractères moulés. Emploi de caractères particuliers en musique, en phonétique.* — *Caractères polyphones.* — *Caractères algébriques, astronomiques. Caractères alphanumériques*.*

1 Qui croira que, les caractères de l'alphabet ayant été jetés en confusion, un coup du hasard ait rassemblé toutes les lettres dans l'arrangement nécessaire pour décrire de grands événements ? FÉNELON, Traité de l'existence de Dieu, 5.

2 Mais sa main ne forma que des caractères inlisibles (...)
VOLTAIRE, Hist. de l'empire de Russie, II, 17.

3 Même un paralysé, atteint d'agraphie après une longue attaque et réduit à regarder les caractères comme un dessin, sans savoir les lire, aurait compris que Mme de Cambremer appartenait à une vieille famille où la culture enthousiaste des lettres et des arts avait donné un peu d'air aux traditions aristocratiques.
PROUST, À la recherche du temps perdu, t. X, II, p. 106.

4 (...) sur les volets pourpres d'un boucher israélite, s'étalait en caractères hébraïques une enseigne dorée qui retint longuement mon regard.
MARTIN DU GARD, les Thibault, t. VII, p. 136.

4.1 Ben Saïd (...) continue à couvrir sa page quadrillée, avec lenteur mais sans rature, de minuscules caractères appliqués dont les ballottements du métro troublent à peine l'ordonnance régulière.
A. ROBBE-GRILLET, Projet pour une révolution à New York, p. 148.

4.2 Il est de coutume, lorsqu'on parle des caractères chinois, d'évoquer leur caractère imagé. Qui ignore cette écriture se la représente volontiers comme un ramassis de «petits dessins». Il est vrai que dans l'état le plus ancien que nous connaissons, nous pouvons y relever un nombre important de pictogrammes (...) mais à côté d'eux figurent des caractères plus abstraits et qu'on peut déjà qualifier d'idéogrammes (...)
À partir d'un nombre limité de caractères simples, ont été forgés par la suite des caractères complexes (...) On obtient un caractère complexe en combinant deux caractères simples : c'est ainsi que le mot clarté (...) est formé du soleil (...) et de

la lune (...) Mais le cas le plus général d'un caractère complexe est du type « radical + signe phonétique ».
François CHENG, l'Écriture poétique chinoise, p. 12.

♦ **2.** (1675). Techn. Tige de métal portant un caractère (au sens 1), une lettre, utilisée pour l'impression typographique. *Caractères d'imprimerie*, caractères typographiques.* ⇒ **Plomb, type ; lettre ; cadrat, cadratin, espace.** *Les caractères dits « en plomb »* (⇒ **Plomb**) *sont composés d'un alliage de plomb, d'antimoine et d'étain. Fonte des caractères.* ⇒ **Matrice, poinçon.** *Œil d'un caractère :* partie en relief qui imprime. *Cran d'un caractère :* entaille qui indique au compositeur le sens des lettres. *Corps d'un caractère,* sa longueur, mesurée de l'extrémité des lettres montantes à la base des jambages inférieurs. *Mesurer un caractère au typomètre. Caractères de 3 points, 5 points...* ⇒ **Point.** *Caractères de 12 points.* ⇒ **Cicéro.** *Composer en caractères de 7 points* (en 7). *Combiner des caractères de différents corps.* ⇒ **Parangonnage.** *Forme des caractères : caractères gothiques, romains, italiques ; caractères elzéviriens... Caractères gras, maigres. Les caractères d'une casse. Caractère bas de casse* (minuscules), *en capitales* (majuscules). *Caractères en relief pour les aveugles.* ⇒ **Braille.** *Composer avec des caractères mobiles ou avec des linotypes.* ⇒ **Composition ; compositeur, linotype, monotype.** *Boîte à caractères.* ⇒ **Casse** (haut de casse, bas de casse).

5 Il y a un tel livre qui court, et qui est imprimé chez Cramoisy, en tels caractères (...) LA BRUYÈRE, les Caractères, I, 33.

Dessin caractéristique d'un signe d'imprimerie, non matérialisé. *Choisir un caractère, des caractères pour imprimer un livre en photocomposition. Police* de caractères. Graphiste qui crée des caractères.*

Au sing. (collectif). Ensemble de caractères d'imprimerie.

6 La journée du lendemain fut tout entière employée à classer le caractère (...) Nous avions pris de l'elzévir de dix points et de sept points, l'un pour l'impression normale, l'autre pour les notes et additions. Nous avions de l'italique et, en outre, un assez bon choix de caractères accessoires : médicis, égyptienne, antique (...) Le caractère était neuf. Il avait cet éclat métallique un peu voilé du plomb vierge (...)
G. DUHAMEL, Chronique des Pasquier, VIII.

Cour. Empreinte d'un caractère. *Les caractères de ce livre sont beaux, très lisibles.* — Collectif. *Un beau caractère.*

♦ **3.** Fig. Empreinte. *Graver*, imprimer*, marquer* avec des caractères, en caractères ineffaçables.* ⇒ **Empreinte, sceau.** *Marquer qqn, qqch. d'un caractère infamant.*

7 Quoique cette idée générale de la beauté soit gravée dans le fond de nos âmes avec des caractères ineffaçables, elle ne laisse pas que de recevoir de très grandes différences dans l'application particulière. PASCAL, les Passions de l'amour.

8 N'est-il pas d'imprimer le sceau douloureux de la croix sur une chair qui a été marquée tant de fois du caractère honteux de la bête. MASSILLON, Jeûne.

9 Son attitude est celle du commandement, sa tête regarde le ciel et présente une face auguste sur laquelle est imprimé le caractère de sa dignité.
BUFFON, Hist. naturelle de l'homme.

10 L'instruction fait tout ; et la main de nos pères
Grave en nos faibles cœurs ces premiers caractères. VOLTAIRE, Zaïre, I, 1.

♦ **4.** Techn. Signe ou signal qui, inséré parmi d'autres, contribue à remplir une fonction.

★ **II.** (xvIIe). Signe ou ensemble de signes distinctifs.

♦ **1.** Sc. et cour. Trait propre (à une personne, à une chose), qui permet de distinguer. ⇒ **Attribut, caractéristique, indice, marque, particularité, propriété, qualité, signe, trait.** *Caractères distinctifs, particuliers, individuels, propres, originaux, typiques. Les caractères qui fondent un classement, une typologie.* ⇒ **Différence** (spécifique). *Les caractères d'une classe.* ⇒ **Trait** (pertinent). *Caractères essentiels, dominants, saillants. Caractères qualitatifs, quantitatifs.* ⇒ **Variable.** *L'un des caractères qui distinguent les matières animales des matières végétales consiste dans... Un caractère qui n'appartient qu'au seul sapajou. Le magot a tous les caractères du cynocéphale.* — *Caractères spécifiques,* communs à tous les individus d'une espèce. *Classification* des individus selon leurs caractères. Caractères congénitaux, innés, primitifs, ethniques, ataviques. Caractères héréditaires,* transmis par les gènes. *Caractères hérités de la mère, du père* (→ Matroclinie, patroclinie). *Caractères acquis.* — Anthrop. Trait distinctif de la structure biologique de l'homme. *Caractères dominants, récessifs. Caractères sexuels secondaires.* — Pédologie. *Caractère morphologique :* caractère d'un horizon ou d'un profil directement observable et enregistré objectivement. *Caractère génétique :* caractère d'un horizon ou d'un profil résultant d'un processus lié à la genèse du sol et dont il devient le témoin.

11 Le caractère qui le distingue des autres phoques est le capuchon (...)
BUFFON, Hist. naturelle, Les quadrupèdes, t. XI, p. 162.

12 (Les) perroquets amazones dont le caractère principal est d'avoir du rouge sur les ailes. BUFFON, Hist. naturelle, Les oiseaux, t. III, p. 137.

13 Quoi qu'il en soit, il est bien démontré que le singe n'est pas une variété de l'homme, non seulement parce qu'il est privé de la faculté de parler, mais surtout parce qu'on est sûr que son espèce n'a point celle de se perfectionner, qui est le caractère spécifique de l'espèce humaine.
ROUSSEAU, De l'inégalité parmi les hommes, Notes, p. 109.

14 (Linné) tira des pistils les caractères de ses divisions secondaires.
CONDORCET, Linné.

15 L'anthropologie étudie les corps humains pour arriver à classer les hommes en races d'après leurs caractères physiques. Ch. SEIGNOBOS, Hist. sincère de la nation franc., p. 5 (→ Anthropologie, cit. 5).

16 Goiran a prétendu que cette néfaste mystique de la force n'est pas tant un résultat du régime impérial qu'un caractère ethnique, spécifique, de la race : instinct plutôt que doctrine. MARTIN DU GARD, les Thibault, t. IX, p. 232.

17 D'abord l'expérience ne montre pas que les caractères acquis par l'individu soient transmissibles à sa postérité.
A. MAUROIS, Études littéraires, Bergson, t. I, p. 169.

♦ **2.** Cour. Élément propre, particulier, qui permet de reconnaître, de juger. ⇒ **Qualité.** *La simplicité est le caractère de son style.* ⇒ **Marque, trait.** *Le véritable caractère pour juger si...* ⇒ **Critère, critérium.**

18 C'est le caractère du vrai génie de répandre la fécondité sur un sujet stérile, et de varier ce qui semble uniforme. VOLTAIRE, Vie de Molière.

19 Le goût de l'extraordinaire est le caractère de la médiocrité.
DIDEROT, Salon de 1765.

20 Le caractère de l'esprit juste, c'est d'éviter l'erreur en évitant de porter des jugements (...) CONDILLAC, l'Art d'écrire, I, 1.

21 *(La méditation)* caractère essentiel de l'âme et de la force mentale (...)
CHATEAUBRIAND, le Génie du christianisme, I, I, 9.

22 Je suis donc d'avis que le caractère de la force est de se f... de tout et d'aller en avant. STENDHAL, Journal, p. 228.

Avoir tel ou tel caractère. ⇒ **Nature.** *Acquérir, conserver, perdre tel ou tel caractère. Conférer, revêtir tel ou tel caractère.* ⇒ **Qualité, titre.** *Avoir le caractère d'ambassadeur. Le caractère d'un ambassadeur rend sa personne inviolable. Le sacre donnait un caractère divin aux rois de France. Un magistrat en possession du caractère sacré et des auspices* (→ Auspice, cit. 1). *Caractère officiel, administratif, privé, bénévole, confidentiel d'une entreprise, d'une démarche. Des mesures d'un caractère social.*

23 L'artisan exprima si bien
Le caractère de l'idole,
Qu'on trouva qu'il ne manquait rien
À Jupiter que la parole. LA FONTAINE, Fables, IX, 6.

24 Vous savez que l'ordination confère aux curés un caractère indélébile, qui les suit jusqu'en enfer. Ch. PÉGUY, la République..., Compte rendu de mandat, p. 36.

Un caractère de simplicité, de distinction, de beauté. ⇒ **Air, allure, apparence, aspect, cachet, extérieur, figure.** *Des mots qui ont un caractère de sensualité* (→ Appas, cit. 13). *Sa maladie n'a, ne présente aucun caractère de gravité. Cet écrit porte un caractère d'authenticité* (Académie).

25 Ce style (...) est la marque des esprits faux et porte un caractère de servitude que je déteste. VOLTAIRE, Lettre à Thiriot, 11 sept. 1735.

26 À la lueur des flambeaux (...) les statues paraissent des figures pâles, qui ont un caractère plus touchant et de grâce et de vie.
Mme DE STAËL, Corinne, VIII, 2.

27 La ferme avait, comme eux, un caractère d'ancienneté.
FLAUBERT, Trois contes, « Un cœur simple », II.

28 N'était-il pas, en tout cas, déplorable que l'Empereur dût, dès juillet 1806, se préparer à une lutte qui pouvait revêtir un caractère si dangereux?
Louis MADELIN, Vers l'Empire d'Occident, XII, Le conflit avec le Saint-Siège.

29 (...) le style cursif, haché (...) conférait à ces notes un caractère de vérité qui forçait l'intérêt. MARTIN DU GARD, les Thibault, t. IV, p. 105.

Valeur. ⇒ **Sens, signification.** *Un caractère moral s'attache aux scènes de l'automne* (cit. 12).

30 *(L'écrivain de génie)* en saisit le vrai caractère *(des choses...).*
CONDILLAC, l'Art d'écrire.

31 Comment Wagner ne comprendrait-il pas admirablement le caractère sacré, divin du mythe, lui qui est à la fois poète et critique? BAUDELAIRE, l'Art romantique, « Richard Wagner et Tannhäuser », II.

♦ **3.** Absolt (surtout en emploi négatif). Air expressif, personnel, original. ⇒ **Allure, cachet, originalité, personnalité, relief.** *Avoir du caractère, n'avoir aucun caractère. Un style plat et sans caractère. Une physionomie sans caractère.* ⇒ **Expression.**

32 C'était une de ces tristes rues de province, sans magasin, sans animation d'aucune sorte, ni caractère, ni agrément. GIDE, Si le grain ne meurt, I, 4, p. 96.

Danse de caractère, caractéristique d'un pays, d'un folklore; ou expressive. *Musique de caractère,* exotique.

33 On pria Blanca d'exécuter une de ces danses de caractère où elle surpassait les plus habiles *guitanas.*
CHATEAUBRIAND, le Dernier Abencérage, p. 166, *in* LITTRÉ.

De caractère, se dit, dans le langage des transactions immobilières, des immeubles, logements anciens et pittoresques. *Studio de caractère, avec poutres apparentes.*

★ **III. 1.** (1665). « Ensemble des manières habituelles de sentir et de réagir qui distinguent un individu d'un autre » (Lalande). *Étude des caractères.* ⇒ **Caractérologie, psychologie.** *Le caractère, élément de l'individualité.* ⇒ **Personnalité, tempérament; constitution, idiosyncrasie.** *Le caractère est une manière d'être constante, l'humeur une disposition passagère. Analyse du caractère par les traits du visage* (⇒ **Physiognomonie**), *les bosses du crâne* (⇒ **Phrénologie**), *l'écriture* (⇒ **Graphologie**). *Formation du caractère. Son caractère n'est pas encore formé, il n'est pas encore adulte. Mobilité du caractère. Changer de caractère.* ⇒ **Naturel** (n. m.). *Être jeune de caractère. — Troubles du caractère.* ⇒ **Caractériel.** — Psychol. *Caractère hystérique, paranoïaque, obsessionnel.*

33.1 Caractère signifie étymologiquement empreinte et l'histoire d'un caractère est dans une large mesure celle de ses contacts. Chacune des fonctions sociales que nous avons exercées à l'intérieur d'un groupe, familial, professionnel, religieux, national, politique, a créé en nous un certain personnage et les conflits entre nos tendances et celles du groupe ont engendré nos caractères.
Jean DELAY, la Psycho-physiologie humaine, p. 98.

Traits de caractère. L'Athénien (cit. 3) *s'éloigne du Spartiate par mille traits de caractère. Épicurien de caractère, par caractère. Le même caractère. Des caractères très différents. Affinités, contrastes, incompatibilités de caractères.*

Vit-on jamais en deux hommes *(Condé et Turenne)* les mêmes vertus avec des caractères si différents, pour ne pas dire si contraires? 34
BOSSUET, Louis de Bourbon.

Il y a des gens d'une certaine étoffe ou d'un certain caractère avec qui il ne faut jamais se commettre (...) LA BRUYÈRE, les Caractères, V, 28. 35

Le caractère de l'enfance paraît unique; les mœurs, dans cet âge, sont assez les mêmes (...) LA BRUYÈRE, les Caractères, XI, 52. 36

Leurs caractères différents faisaient un assortiment complet et heureux (...) 37
FONTENELLE, Varignon.

C'est le sort des monarchies que leur prospérité dépende du caractère d'un seul homme. VOLTAIRE, le Siècle de Louis XIV, 17. 38

Peut-on changer de caractère? Oui, si on change de corps (...) Tant que ses nerfs *(de cet homme),* son sang et sa moelle allongée seront dans le même état, son naturel ne changera pas plus que l'instinct d'un loup et d'une fouine. 39
VOLTAIRE, Dict. philosophique, Caractère.

(...) chaque homme apporte en naissant un caractère, un génie et des talents qui lui sont propres. ROUSSEAU, Julie ou la Nouvelle Héloïse, V, Lettre III. 40

Il y a des caractères doux et tranquilles qu'on peut mener loin sans danger dans leur première innocence; mais il y a aussi des naturels violents dont la férocité se développe de bonne heure, et qu'il faut se hâter de faire hommes, pour n'être pas obligé de les enchaîner. ROUSSEAU, Émile, II. 41

Je ne vous dirai pas : changez de caractère; 42
Car on n'en change point, je ne le sais que trop,
Chassez le naturel, il revient au galop. J.-L. DESTOUCHES, le Glorieux, III, 5.

(...) on ne peut connaître son caractère et surtout l'influence qu'on a sur lui, qu'autant qu'on a passé par beaucoup d'alternatives de joie et de malheur. 43
STENDHAL, Souvenirs d'égotisme, p. 198.

Les traits les plus marquants d'un caractère se forment et s'accusent avant qu'on en ait pris conscience. GIDE, Si le grain ne meurt, VIII, p. 215. 44

Mais on peut former son caractère, on peut le refaire (...) 45
A. MAUROIS, Climats, I, p. 73.

Cour. Manière d'agir habituelle (d'une personne). ⇒ **Comportement, nature.** *Complexité, mobilité du caractère. Un caractère changeant* (⇒ **Cire** [cire molle]), *fantasque, flexible, frivole, hésitant, inconstant, indécis, irrésolu, lunatique, malléable, ondoyant, vacillant, versatile. Assouplir* le caractère. Un caractère énigmatique, étrange, indépendant, singulier... Caractère insensible, froid, amorphe, apathique, flegmatique, grave, pondéré, sérieux... Caractère sensible, affectueux, tendre, ardent, bouillant, exubérant, fougueux, passionné, véhément, vif... Donner un caractère à un personnage* (cit. 9).

L'exil est quelquefois, pour les caractères vifs et sensibles, un supplice beaucoup plus cruel que la mort. Mme DE STAËL, Corinne, XIV, 3. 46

Il a été aussi amical et aussi ouvert avec moi que le permet son caractère froid (...) 47
STENDHAL, Journal, p. 142.

Pierre n'est plus reconnaissable, dit ma mère, son caractère est devenu inégal, bizarre. Il passe brusquement et sans cause de la joie à la tristesse. 48
FRANCE, la Vie en fleur, XI.

Avoir un bon caractère, avoir bon caractère; avoir un caractère agréable, accommodant. Être d'un caractère accommodant, accort, affable, agréable* (cf. Être d'un commerce agréable), *aimable, amène, avenant, charmant, commode, complaisant, conciliant, coulant* (fam.), *débonnaire, docile, doux, égal, enjoué, gai, jovial, paisible, patient, placide, rond, sociable, sympathique* (la plupart de ces adj. peuvent qualifier aussi la personne). *Il a trop bon caractère* (→ C'est une bonne pâte* d'homme). *Être d'un heureux caractère,* optimiste. *Un caractère en or*. Avoir le caractère égal, uni. Égalité de caractère.*

Ne pouvoir supporter tous les mauvais caractères dont le monde est plein, n'est pas un fort bon caractère : il faut, dans le commerce, des pièces d'or et de la monnaie. LA BRUYÈRE, les Caractères, V, 37. 49

Il est épatant Robert (...) Bien sûr, s'il peut vivre comme il vit, c'est grâce à Cathie... — Grâce à son caractère, aussi. Il a un caractère... — Oh! en or, dit Bernard qui, lui, n'a pas un caractère en or (...) Il ne sait pas dire non. 49.1
F. MALLET-JORIS, le Jeu du souterrain, p. 24.

Avoir un mauvais caractère, avoir mauvais caractère; avoir un caractère désagréable, facilement agressif. Être d'un caractère abrupt, acariâtre, acerbe, acrimonieux, agressif, aigre, arrogant, atrabilaire, belliqueux, boudeur, bourru, brusque, brutal, capricieux, chagrin, chatouilleux, colérique, détestable, despotique, difficile, dur, emporté, à l'emporte-pièce, exécrable, hargneux, incommode, inégal, insociable, intraitable, irascible, irritable, maussade, morose, ombrageux, rétif, revêche, vindicatif, violent* (ces adj. peuvent caractériser aussi la personne). — Fam. *Avoir un sale, un fichu, un foutu caractère. Avoir un caractère de chien, de cochon.* ⇒ **Tête** (de cochon, de mule). *Avoir son (petit) caractère :* ne pas être d'une humeur facile.

Diseur de bons mots, mauvais caractère. PASCAL, Pensées, I, 46. 50

N. B. Cette « pensée » est en général interprétée au sens moderne de *caractère* (psychologique); c'est ce que fait La Bruyère quand il écrit... : « Je le dirais, s'il n'avait été dit » *(La Cour).* Il faut plutôt lire, semble-t-il, au sens de *caractère* (II.) : « Le fait de dire des bons mots est un signe, une marque négative, mauvaise ».

Mon humeur était impétueuse, mon caractère inégal. CHATEAUBRIAND, René. 51

Son caractère ombrageux à l'excès prenait de jour en jour des angles plus vifs, son visage des airs plus impénétrables (...) E. FROMENTIN, Dominique, XIV. 52

53 Les soucis d'un amour maternel poussé jusqu'à la passion assombrirent son caractère et troublèrent sa santé naturellement bonne. FRANCE, le Petit Pierre, I.

(Qualification portant sur la volonté, le courage). *Avoir un caractère audacieux, courageux, déterminé, énergique, fier, héroïque, indomptable, inflexible, orgueilleux, résolu, stoïcien, stoïque, tenace, volontaire.*

Loc. *Soutenir, ne pas démentir son caractère :* rester fidèle à son comportement habituel. *Sortir de son caractère :* sentir ou réagir d'une manière qui n'est pas habituelle, qui n'est pas conforme à son caractère. *Un calme qui perd patience et sort de son caractère.*

54 Si le fat pouvait craindre de mal parler, il sortirait de son caractère.
LA BRUYÈRE, les Caractères, XII, 51.

Littér. Manière d'être morale. *L'élévation, la bassesse du caractère. Un grand, un beau, un noble caractère.* ⇒ **Grandeur** (d'âme). *Un caractère bas, abject, bestial.* ⇒ **Âme.** — *Vigueur, force de caractère.* — *Affirmer, fortifier le caractère.*

55 Cet homme (...) d'un caractère si haut qu'on ne pouvait ni l'estimer, ni le craindre, ni l'aimer, ni le haïr à demi (...)
BOSSUET, Oraison funèbre de Michel Le Tellier (→ À, cit. 67).

56 (...) cette force de caractère qui en imposait, et dont j'aurais eu besoin pour réussir.
ROUSSEAU, les Confessions, VI.

♦ **2.** (1736). *Avoir du caractère,* un caractère déterminé, énergique. ⇒ **Courage, détermination, énergie, fermeté, résolution, ténacité, trempe, volonté.** *Manquer de caractère. Un homme sans caractère,* veule. *Faire preuve de caractère.*

57 Madame Rolland avait du caractère plutôt que du génie : le premier peut donner le second, le second ne peut donner le premier.
CHATEAUBRIAND, Mémoires d'outre-tombe, I, 7.

58 Un homme de caractère n'a pas bon caractère.
J. RENARD, Journal, 2 janv. 1907.

♦ **3.** (Av. 1757). Littér. Les personnes mêmes considérées dans leur individualité, leur originalité, leurs qualités morales. ⇒ **Personnalité.** *L'abaissement des caractères. Un grand caractère ; un homme de grand caractère.*

59 Ni la bonne éducation ne fait les grands caractères, ni la mauvaise ne les détruit.
FONTENELLE, Czar Pierre.

60 En fait, je n'ai d'amour que pour les caractères d'un idéalisme absolu, martyrs, héros, utopistes, amis de l'impossible. RENAN, Souvenirs d'enfance, p. 101.

61 Paris nous impose un uniforme ; il nous met comme ses maisons, à l'alignement ; il estompe les caractères, nous réduit tous à un type commun.
F. MAURIAC, la Province, p. 13.

62 J'ai bien assez vécu déjà pour dire avec fermeté que si j'admire les grands artistes, j'admire plus encore les grands caractères. Je les recherche et les honore.
G. DUHAMEL, Défense des lettres, II, III, p. 134.

♦ **4.** (XVIIᵉ). Mœurs (d'une personne, d'un groupe). *L'invraisemblance des caractères. Peindre, décrire des caractères.* — (Dans un titre). *Les Caractères de Théophraste. Les Caractères de La Bruyère.*

63 Ce sont les caractères ou les mœurs de ce siècle que je décris.
LA BRUYÈRE, les Caractères ou les mœurs de ce siècle.

64 Corneille nous assujettit à ses caractères et à ses idées ; Racine se conforme aux nôtres. LA BRUYÈRE, les Caractères, I, 54.

65 L'invraisemblable du roman, l'énormité des faits, l'enflure des caractères (...)
BEAUMARCHAIS, le Barbier de Séville, Préface.

66 *(Son caractère)* loin d'avoir été embelli par ses biographes, a été rapetissé par eux (...) Souvent, en croyant l'agrandir, *(ils)* l'ont en réalité amoindri.
RENAN, Vie de Jésus, XXVIII.

67 Peindre des caractères, c'est-à-dire des types généraux, voilà donc l'objet de la haute comédie. H. BERGSON, le Rire, III, 1, p. 114.

(1751). *Comédie*, pièce de caractère.*

68 Corneille lui-même avait donné le Mentor, pièce de caractère et d'intrigue prise du théâtre espagnol (...) VOLTAIRE, le Siècle de Louis XIV, 32.

♦ **5.** (1748). Par anal. *Le caractère d'une nation.* ⇒ **Âme, génie.** *Le caractère français.*

69 Comment les lois peuvent contribuer à former les mœurs, les manières et le caractère d'une nation. MONTESQUIEU, l'Esprit des lois, XIX, 27.

70 Saisir un fait par un mot, et le caractère et les mœurs d'une nation par un fait (...)
Mᵐᵉ DE STAËL, Corinne, XI, 4.

71 (...) la position défensive est antipathique au caractère français.
CHATEAUBRIAND, Mémoires d'outre-tombe, III, p. 285.

DÉR. **Caractériel, caractériser.** — V. **Caractéristique.**
COMP. **Caractérologie.**

CARACTÉRIEL, ELLE [kaʀakteʀjɛl] adj. et n. — 1841, répandu xxᵉ ; de *caractère.*

♦ **1.** Didact. Du caractère. *Traits caractériels. Structure caractérielle.* « *La structure caractérielle est une structure psychosomatique* » (R. Mucchielli, in Foulquié). — *Types caractériels :* types de caractères dont l'étude conduit à l'établissement de familles de caractères, dites *familles caractérielles. Types caractériels normaux* ou *pathologiques.*
Troubles caractériels : ensemble des dispositions pathologiques constitutionnelles et des réactions affectives qui concernent la formation du caractère. *Névrose caractérielle.*

(Personnes). Se dit d'un individu (spécialt, d'un enfant) qui a de

tels troubles, rendant difficile son adaptation au milieu. — REM. Cet emploi est entré dans la langue courante. *Il est un peu caractériel.*

Caractériel, asocial et cyclothymique, Victor avait traîné dans tous les asiles psychiatriques de l'Île-de-France avec de brèves périodes de liberté qui s'étaient régulièrement achevées par des extravagances justifiant un réinternement. 1
M. TOURNIER, le Roi des Aulnes, p. 178.

♦ **2.** N. (1951). Méd. Personne qui a des troubles caractériels. *Un caractériel,* enfant caractériel ou personne qui présente des troubles du caractère. ⇒ **Inadapté.** *Le caractériel peut être un instable, un dépressif, un cyclothymique, un mythomane, un pervers, etc.*

Une autre catégorie de névrosés que l'on rencontre plus fréquemment de nos jours est faite de ceux que l'on désigne comme « caractériels », dont la personnalité tout entière est perturbée par des troubles du comportement sans que l'on puisse détecter d'autres symptômes spécifiques. 2
S. NACHT, Guérir avec Freud, *in* la Nef, n° 31, p. 169.

Courant :

Après avoir fait végéter Marine dans un cours de caractériels de luxe (...) des garçons, de jolis chéris, toujours très nerveux, « surtout ne le grondez pas, Mademoiselle, il est si sensible (...) » 3
Benoîte et Flora GROULT, Il était deux fois, p. 287.

DÉR. **Caractériellement.**

CARACTÉRIELLEMENT [kaʀakteʀjɛlmɑ̃] adv. — 1969 ; de *caractériel.*

♦ Didact. D'une manière qui se rapporte au caractère, aux troubles du caractère. *Caractériellement, il est plutôt dépressif, actif.*

CARACTÉRIOLOGIE [kaʀakteʀjɔlɔʒi] n. f. ⇒ **Caractérologie.**

CARACTÉRISATION [kaʀakteʀizasjɔ̃] n. f. — 1840, Pierre Leroux ; de *caractériser.*

♦ Fait de caractériser ; manière dont une chose est caractérisée. *Chercher à établir la caractérisation d'une maladie.* « *La caractérisation contribue à nommer...* » (Brunot, *la Pensée et la Langue,* p. 577).
Ling. Opération par laquelle un élément (adjectif, adverbe, etc.) ajoute au contenu sémantique d'un autre élément (substantif, verbe) et forme avec lui une nouvelle unité sémantique.

CARACTÉRISER [kaʀakteʀize] v. tr. — 1512, « marquer d'un signe » ; de *caractère.*

♦ **1.** (Sujet n. de personne). Indiquer avec précision, dépeindre le caractère ou les caractères distinctifs de (une personne, une chose). ⇒ **Distinguer, marquer, montrer, préciser, souligner.** *Caractériser un être, un objet par rapport à d'autres. Caractériser par une définition.* ⇒ **Définir.**

Sera-t-on fondé à prétendre que Racine n'ait pas su caractériser les hommes ? 1
VAUVENARGUES, Racine et Corneille.

Caractériser, c'est noter les caractères, essentiels ou accessoires, naturels ou acquis, durables ou éphémères d'un être, d'une chose, d'un acte, d'une notion quelconque (...) On caractérise êtres, personnes, actions pour les nommer (...) 2
F. BRUNOT, la Pensée et la Langue, XIII, I, p. 577.

♦ **2.** (1663 ; sujet n. de chose). Constituer le caractère ou l'une des caractéristiques de (une personne, une chose) ; marquer l'appartenance à une classe. ⇒ **Définir, déterminer, individualiser, spécifier.** *Traits qui caractérisent un individu. La générosité qui vous caractérise. Symptômes, troubles qui caractérisent une maladie. Propriétés caractérisant une substance. Les signes qui caractérisent la passion.* ⇒ **Dépeindre, peindre.**

Une chose qui caractérise l'homme, et peint d'autant mieux son extravagance (...) 3
MOLIÈRE, Critique, 6.

Si l'on considère le nombre des traits qui caractérisent un personnage comique, on peut dire que la comédie est une imitation exagérée. 4
MARMONTEL, Éléments de littérature, t. VI, p. 142.

Ce qui caractérise l'homme d'action, c'est la promptitude avec laquelle il appelle au secours d'une situation donnée tous les souvenirs qui s'y rapportent (...) 5
BERGSON, Matière et Mémoire, p. 166.

(...) le mot d'ascèse (...) caractérise assez bien notre correspondance de guerre (...) 6
G. DUHAMEL (cf. Ascèse, cit. 5).

▶ **SE CARACTÉRISER** v. pron.
Se manifester par des traits caractéristiques. *La maladie ne s'est pas encore bien caractérisée.*
Être défini par tel ou tel caractère. *Cette maladie se caractérise par tels ou tels symptômes.*

▶ **CARACTÉRISÉ, ÉE** p. p. adj.

♦ **1.** (1653). Indiqué, déterminé par (tel ou tel caractère). *Syndrome caractérisé par l'élévation de la température du corps...* (Garnier et Delamare, *Dict. de médecine,* art. *Fièvre*).

Le béribéri (...) caractérisé par de graves troubles nerveux (...) 7
P. VALLERY-RADOT, Notre corps, p. 100.

♦ **2.** (1653). Dont le caractère est bien marqué, qui peut être facilement reconnu (comme tel). ⇒ **Net.** *La maladie n'est pas nette-*

ment caractérisée. — Dr. *Le délit est parfaitement caractérisé. Injures caractérisées.*

♦ **3.** (Mil. XVIIIᵉ). Littér. Qui a un caractère affirmé, qui se distingue avec netteté.

8   Ce sont deux physionomies d'amants forts tendres, mais qui n'ont rien de caractérisé ni d'original.   DIDEROT, Lettre à Mᵐᵉ Riccob.

DÉR. Caractérisation.

CARACTÉRISTIQUE [kaʀakteʀistik] adj. et n. f. — 1550, grammaire, «élément qui marque le temps d'un verbe, la fonction d'un mot»; grec *kharaktêristikos*, de *kharaktêr*. → Caractère.

★ **I.** (1779). Qui caractérise, marque l'appartenance à une classe. *Différence, marque, propriété, signe, trait caractéristique.* ⇒ **Déterminant, distinctif, essentiel, particulier, personnel, propre, spécifique, typique.** *Le beffroi est le signe caractéristique de la liberté des villes. L'assimilation, propriété caractéristique des protoplasmes vivants. Motif caractéristique d'une composition musicale.* ⇒ **Leitmotiv.**

1   On s'arrête aux traits caractéristiques de la race, et, pour empêcher de la confondre avec une autre, on donne à tous les individus la même parenté de tournure, d'élégance et de beauté banales.
    E. FROMENTIN, Un été dans le Sahara, p. 98.

★ **II.** N. f. (1690). ♦ **1.** Ce qui sert à caractériser. ⇒ **Caractère, indice, marque, signe, trait.** *Le s est la caractéristique du pluriel en français. Les caractéristiques d'une machine, d'un navire, d'une automobile, d'un avion...* ⇒ **Particularité, qualité.**

2   Une des caractéristiques des siècles de corruption est que la vertu et les talents isolés ne conduisent à rien.   DIDEROT, Essais sur Claude.

3   À côté de cette attirance vers les Littératures étrangères que suscite ce très vif besoin de renouvellement, il faut rappeler, comme une caractéristique de cette même époque, l'essor de la Littérature féminine (...)
    Georges LECOMTE, Ma traversée, p. 100.

Avoir pour caractéristique. C'est la caractéristique de (qqn, qqch.) *que* (qqch.), *que de* (faire...).

♦ **2.** Math. *Caractéristique d'un logarithme décimal,* sa partie entière (par opposition à la *mantisse*). — Exposant de la base d'un nombre écrit en virgule* flottante.

♦ **3.** Ensemble, système de caractères. — Philos. Représentation des idées et de leurs relations par des caractères, par des signes; système de signes permettant une telle représentation. *«(...) la Caractéristique universelle de Leibniz (...) devait être à la fois une langue universelle et une logique algorithmique»* (Lalande, art. *Caractéristique*). — Syn. : *symbolique.*

CARACTÉROLOGIE [kaʀakteʀɔlɔʒi] n. f. — 1945; *caractériologie,* 1909, in D.D.L.; de *caractère,* et *-logie,* d'après l'allemand.

♦ Didact. Étude psychologique des types de caractères. — On dit aussi *caractériologie.* ⇒ **Éthologie,** 2. (vx).

1   Au sens *étroit,* la caractérologie est *la connaissance des caractères,* si l'on entend par ce mot le squelette permanent de dispositions qui constitue la structure mentale de l'homme (...) La caractérologie n'en retient que (...) le système invariable de nécessités qui se trouve pour ainsi dire aux confins de l'organique et du mental. Les travaux de Malapert, de Heymans et Wiersma, de Kretschmer même (...) relèvent de ce premier sens du mot.
    Au sens *large,* souvent employé par les Allemands, la caractérologie porte, non seulement sur ce qu'il y a de permanent (...) dans l'esprit d'un homme, mais sur la manière dont cet homme exploite le fonds congénital de lui-même, le spécifie, le compense, réagit sur lui. Suivant ce deuxième sens l'*Individualpsychologie* d'Alfred Adler est une section de la caractérologie (...)
    Dans cet ouvrage (...) le mot de *caractérologie* sera toujours pris au sens étroit.
    R. LE SENNE, Traité de caractérologie, Préface, p. 1-2.

2   On peut distinguer deux grands types de caractérologie, l'une *(sic) constitutionnelle,* qui s'intéresse surtout à la constitution d'un individu et aux facteurs innés, l'autre *institutionnelle* qui s'intéresse surtout à l'histoire d'un individu et aux facteurs acquis. La première est à orientation biologique, la seconde à orientation sociologique.   Jean DELAY,
    Introd. à la médecine psychosomatique, Notes et observations, p. 87.

DÉR. Caractérologique, caractérologue.

CARACTÉROLOGIQUE [kaʀakteʀɔlɔʒik] adj. — 1945, Le Senne; de *caractérologie.*

♦ Psychol. Qui a trait, qui se rapporte à la caractérologie. *Structures caractérologiques. Le tableau caractérologique d'un individu.*

CARACTÉROLOGUE [kaʀakteʀɔlɔg] n. — 1945; de *caractérologie.*

♦ Psychol. Psychologue spécialisé en caractérologie.

Les éléments les plus nombreux et les plus précis de cette description ont été rassemblés et systématisés par G. Heymans et E. Wiersma (...) les caractérologues ultérieurs leur doivent (...) beaucoup de gratitude.
    R. LE SENNE, Traité de caractérologie, p. 3.

CARACUL [kaʀakyl] n. m. — Fin XVIIIᵉ; nom de la ville de *Karakoul.*

♦ **1.** Mouton de l'Asie centrale d'une espèce chez laquelle les agneaux nouveau-nés ont une toison bouclée. ⇒ **Astrakan** (cit. 1), **breitschwanz.** *L'Afrique du Sud élève et exporte le caracul sous le nom de swakara. Des caraculs.* — Spécialt. Agneau nouveau-né de cette variété de mouton.
Adj. ou appos. *Agneau caracul.*

♦ **2.** Fourrure de ces agneaux lorsqu'ils ont plus de cinq jours (on écrit aussi *karakul*). *Manteau de caracul. Un tour de cou en caracul.*

CARAFE [kaʀaf] n. f. — 1642, *caraffe;* ital. *caraffa,* esp. *garrafa;* arabe *ġarrāf* «pot à boire».

♦ **1.** Récipient de verre de forme pansue et à col étroit. *Une carafe de verre, de cristal. Carafe d'eau, de vin. Du vin en carafe* (opposé à *en bouteille, bouché*). *Servir du bordeaux décanté en carafe.*

1   (...) toutes ces carafes qui flambent pleines de vin de toutes les couleurs (...)
    Alphonse DAUDET, Lettres de mon moulin, «Trois messes basses».

2   (...) en posant le verre, il le fit tinter contre la carafe.
    MARTIN DU GARD, les Thibault, t. IV, p. 100.

Bouchon de carafe, en verre, en cristal; fig. et fam., grosse pierre précieuse taillée, ou son imitation. *Elle porte au doigt un véritable bouchon de carafe.*

Par métonymie. Contenu d'une carafe. *Boire une carafe de vin. Carafe d'eau.*

♦ **2.** Engin de pêche en forme de bouteille, de carafe. *Carafe à goujons. Carafe en fil de fer.* — *Pêche à la carafe.*

♦ **3.** Loc. fam. (1896). **EN CARAFE.** *Rester, être en carafe* : être oublié, laissé de côté (cf. En plan); rester court. *Sa voiture est restée en carafe.* ⇒ **Panne** (en).

3   (...) la première personne que j'aperçus fut Nane (...) elle était, comme on aurait pu le prévoir, en carafe, vaguement affairée à un sac fermé d'une chaîne d'or coulissante pour se donner une contenance (...)
    Maurice CLAVEL, le Tiers des étoiles, p. 179.

Laisser (qqn, qqch.) *en carafe,* (le) quitter brusquement; (le) laisser de côté.

4   (...) le siècle est un farceur et quand il se voit distancé par de trop malins, il peut changer de direction, laissant de côté les prétendus précurseurs avec leurs monuments en carafe (...)   Jacques PERRET, Bâtons dans les roues, p. 217.

♦ **4.** (1901). Fam. Tête. *Recevoir une balle en pleine carafe.* ⇒ **Carafon** (2.).

♦ **5.** Fam. Sot, gourde. *Quelle carafe, ce type!*

DÉR. Carafon.

CARAFON [kaʀafɔ̃] n. m. — 1700; *garafon,* 1677; de *carafe;* dans l'ital. *caraffone,* le suff. *-one* est au contraire augmentatif.

♦ **1.** Petite carafe. *Un carafon de vin, de liqueur. Carafon d'un quart de litre des restaurants.*
Contenu d'un carafon.

♦ **2.** Fam. Tête. ⇒ **Carafe** (4.). *Recevoir une beigne sur le carafon.*

Si tu voyais la gueule que t'as! — Ma gu...! — Elle en veut, elle en demande, ta gueule! (...) Et quand je réclame, pour la scène d'amour de la Dryade, d'en mettre tant et plus, et de me mouiller un peu ça, elle vous sort un carafon de première communiante!   COLETTE, la Vagabonde, p. 146.

CARAÏBE [kaʀaib] adj. et n. — 1658; *caribe,* n., 1568; mot indigène, *karib.*

♦ **1.** Didact. De la population indigène des Antilles et des côtes voisines. *Les Indiens caraïbes ont été exterminés. Les dieux caraïbes. Les langues caraïbes.*

N. *Un Caraïbe, une Caraïbe* : un Indien, une Indienne caraïbe.

1   (...) le docteur, en riant d'un rire qui me montra deux rangées de dents à faire honneur aux maxillaires d'un Caraïbe (...)
    VILLIERS DE L'ISLE-ADAM, Tribulat Bonhomet, p. 136.

Vx (au XIXᵉ). Sauvage.

2   S'il vous entendait!... un sauvage!... un caraïbe!... qui verrouille toutes les portes!...   E. LABICHE, Deux merles blancs, III, 1.

N. m. Ling. *Le caraïbe,* groupe de langues indiennes de ces régions.

♦ **2.** Relatif à la région de la mer des Antilles *(mer Caraïbe)* et de ses îles. *Projets de fédération caraïbe.*

3   Il semblerait que cet éparpillement des îles dans la mer Caraïbe, qui en effet constitua une barrière naturelle à la pénétration entre elles (...) ne dut plus jouer dans un monde ouvert par les moyens modernes de communication. Mais en réalité la colonisation a divisé en terres anglaises, françaises, hollandaises, espagnoles une région peuplée en majorité d'Africains.
    Édouard GLISSANT, le Discours antillais, Introd., p. 15-16.

CARAMBA [kaʀamba; kaʀāba] interj. — 1837; mot espagnol.

♦ Juron espagnol, exprimant la surprise, la colère...
Par iron. *Le genre «Caramba!»* : le genre héroïque, ou qui évoque

de façon traditionnelle le caractère hispanique (allusion au poème *Après la bataille* de V. Hugo, dans *la Légende des siècles*, 1859).

CARAMBOLAGE [kaʀɑ̃bɔlaʒ] n. m. — 1812; de *caramboler*.

♦ **1.** Au billard, Coup dans lequel une bille touche les deux autres. *Faire plusieurs carambolages successifs.* ⇒ **Série.**

(...) toute l'attention est tournée vers la salle de billard où le toc-toc continue; au milieu de l'émotion générale, le champion vient d'accomplir son quatorzième carambolage. R. QUENEAU, le Chiendent, 193, p. 248.

♦ **2.** (1843). Vx. Coup* double.

♦ **3.** Fig. et fam. Série, suite de chocs, de heurts, de chutes. *Carambolage d'automobiles sur une route encombrée.*

♦ **4.** Fam. Fait de caramboler (II., 2.) une femme.

CARAMBOLE [kaʀɑ̃bɔl] n. f. — 1610; *carambolas*, 1602; esp. *carambola*, fruit de l'*averrou carambolia*, du portugais.

♦ **1.** Fruit sphérique et orangé du carambolier.

Le soir, au Jardin Botanique *(de Saïgon)* goûter à une table chargée de fruits tropicaux, le corosol avec un gros hérisson vert rempli d'une crème délicieuse (...) la carambole (très acide)... CLAUDEL, Journal, 1925, Pl., p. 659.

♦ **2.** (1792). Vx. Bille rouge, au jeu de billard. — REM. Ce sens serait à l'origine de *caramboler* et de ses dérivés.

DÉR. Caramboler, carambolier. — V. Carambouillage ou carambouille.

CARAMBOLER [kaʀɑ̃bɔle] v. — 1792; *caramboller* «heurter», v. 1790; donné comme dér. de *carambole* (2.), hypothèse rejetée par Guiraud, qui postule un comp. de *bouler* «heurter la boule», et *quarre* «de coin».

★ **I.** V. intr. ♦ **1.** Toucher deux billes avec la sienne, au billard. *Il a carambolé.* — Se dit aussi au jeu de billes.

1 (...) une galerie donnant sur le jardin conduisait à la salle de billard, dont on entendait, dès la porte, caramboler les boules d'ivoire. FLAUBERT, Mᵐᵉ Bovary, I, VIII, p. 35.

♦ **2.** Vx (fin XIXᵉ). Fig., fam. Faire coup double.

★ **II.** V. tr. Fig. ♦ **1.** Bousculer, heurter. *Le camion fou a carambolé plusieurs véhicules avant de heurter le platane.*

♦ **2.** (1881). Fam., vulg. Posséder (une femme). ⇒ **Tringler** (vulg.). — (1877). *Se faire caramboler* (en parlant d'une femme) : être possédée sexuellement.

2 *(Gervaise)* sentit très bien, malgré son avachissement, que la culbute de sa petite, en train de se faire caramboler, l'enfonçait davantage, seule maintenant, n'ayant plus d'enfant à respecter, pouvant se lâcher aussi bas qu'elle tomberait. Émile ZOLA, l'Assommoir, 1877, Fasquelle Éd., t. II, p. 181.

▶ **SE CARAMBOLER** v. pron. *Les billes se carambolent. Plusieurs voitures se sont carambolées au carrefour.* — Par métaphore. *Les idées se carambolent dans sa tête.* ⇒ **Bousculer** (se).

DÉR. Carambolage.

CARAMBOLIER [kaʀɑ̃bɔlje] n. m. — 1783; de *carambole*.

♦ Petit arbre d'Asie (Inde) cultivé pour son fruit (n. sc. : *Averrhoa carambola*). ⇒ **Carambole** (1.).

CARAMBOUILLAGE [kaʀɑ̃bujaʒ] n. m. ou **CARAMBOUILLE** [kaʀɑ̃buj] n. f. — 1902, *carambouillage*; *carambouille*, 1918; probablt altér. de *carambole*, p.-ê. par croisement avec *fripouille, fouiller*...

♦ **1.** Escroquerie consistant à revendre une marchandise non payée. *Un carambouillage; une carambouille.* — *La carambouille.*

1 (...) on lui avait passé des commandes fictives, établies uniquement pour un carambouillage. Roger NAÏM, l'Ère des truands, p. 18.

2 L'escroquerie, la carambouille, l'arnaque, le hold-up, le rackett et le casse, camouflés derrière un vocabulaire très boutonné (...) ne font plus froncer de sourcils sur aucun front. Jean-Louis BORY, Ma moitié d'orange, p. 28.

♦ **2.** Faillite frauduleuse.

DÉR. Carambouiller.

CARAMBOUILLER [kaʀɑ̃buje] v. tr. — 1928, Esnault; de *carambouille*.

Argot familier.

♦ **1.** Revendre (des marchandises) sans avoir payé. — Absolt. Revendre de manière illicite ou peu honnête. Par ext. Dérober, voler.

♦ **2.** (Par confusion probable avec *caramboler*; emploi fréquent chez Céline). Mettre en désordre, abîmer.

N.B. On trouve chez Céline, dans ce sens, le dér. *carambouillade* [kaʀɑ̃bujad] n. f.

DÉR. Carambouilleur.

CARAMBOUILLEUR, EUSE [kaʀɑ̃bujœʀ, øz] n. — 1926; de *carambouiller*.

Argot familier.

♦ **1.** Personne qui pratique le carambouillage. ⇒ **Escroc.**

♦ **2.** Personne qui met en désordre.

CARAMEL [kaʀamɛl] n. m. et adj. invar. — 1680; esp. *caramel(o)*, port. *caramello* «glaçon», probablt du bas lat. *calamellus*, de *calamus* «roseau», par anal. de forme entre le sucre durci (ou une stalactite de glace) et une tige de roseau.

♦ **1.** *(Le, du caramel).* Produit brun, brillant, aromatique, de la déshydratation du sucre par l'effet de la chaleur. *L'odeur aromatique du caramel. Crème, flan au caramel.* — Appos. *Crème caramel* (cf. Crème renversée).

♦ **2.** *(Un, des caramels).* Bonbon au caramel. *Caramels mous. Mangers des caramels. Des caramels au lait, au beurre, au café, au chocolat. Un sachet, une boîte de caramels.*

Et puis je fus seul avec une grosse dame à dentelles qui regardait par la portière en mangeant des caramels (...) ayant apaisé sa gourmandise, elle me vit (...) H. BOSCO, Un rameau de la nuit, p. 124.

♦ **3.** Couleur du caramel. *Toutes les teintes du beige, du sable au caramel.* — Adj. invar. *Des soies caramel,* d'un roux clair.

DÉR. Caramélé, caraméliser.

CARAMÉLÉ, ÉE [kaʀamele] adj. — 1877, *in* Littré, *Suppl.*; *caraméler*, 1735; de *caramel*.

♦ Qui a l'apparence, le goût du caramel. *Crème caramélée.*

Par analogie (au sens de «caramélisé») :

(...) cette soupe au gruyère, mijotée, écumeuse, filante et caramélée d'oignon, qui était la spécialité de l'endroit. MARTIN DU GARD, les Thibault, t. III, p. 223.

CARAMÉLISATION [kaʀamelizɑsjɔ̃] n. f. — 1832; de *caraméliser*.

♦ Réduction du sucre en caramel. *Les produits de caramélisation, en brasserie.*

CARAMÉLISER [kaʀamelize] v. tr. — 1825; *se caraméliser*, à propos du suc des viandes, 1825; de *caramel*.

♦ **1.** Réduire (du sucre) en caramel.

♦ **2.** Mêler de caramel (une substance, une eau-de-vie).

♦ **3.** Enduire de caramel. *Caraméliser un moule.* Recouvrir de caramel. *Caraméliser un gâteau de riz.*

▶ **SE CARAMÉLISER** v. pron. *Le sucre se caramélise.* ⇒ **Caramélisation.** — Par ext. Prendre la couleur, la consistance du caramel. *La sauce devient brune et se caramélise.* — REM. Un équivalent intransitif se rencontre. *Le sucre caramélise, se caramélise.*

▶ **CARAMÉLISÉ, ÉE** p. p. adj. *Sucre caramélisé.* — Par ext. *Sauce caramélisée* (→ Caramélé, cit.). — (Au sens 2). *Eau-de-vie caramélisée.*

DÉR. Caramélisation.

CARAPACE [kaʀapas] n. f. — 1688; esp. *carapacho*, p.-ê. d'après *capa* «manteau», d'orig. incert., probablt du préroman **krapp-*, ou **kar(r)-* «écale», ou métathèse du provençal *caparasso* «sorte de manteau». → Caparaçon.

♦ **1.** Formation tégumentaire osseuse, calcaire ou écailleuse qui recouvre et protège la face dorsale de certains animaux (notamment reptiles, arthropodes). ⇒ **Test ; bouclier, cuirasse.** *Carapace des chéloniens.* ⇒ **Tortue.** *Carapace des crustacés. Carapace d'une écrevisse, d'un crabe, d'un homard, d'une langouste. Carapace du tatou. Bouclier inférieur de la carapace.* ⇒ **Plastron.** *Les écailles* d'une carapace. Carapace cornée, calcaire, chitineuse.* — Par ext. (incorrect en sc.). Peau écailleuse.

1 Et les crocodiles rapaces
Sur le sable en feu des îlots,
Demi-cuits dans leurs carapaces,
Se pâment avec des sanglots.
Th. GAUTIER, Émaux et Camées, Nostalgie d'obélisques, II.

2 Les crabes (...) avaient l'air d'achever leur repas. Ces carapaces semblaient manger cette carcasse. HUGO, les Travailleurs de la mer, II, IV, 4.

3 Elle rentra dans sa chambre, par un mouvement semblable à celui d'une tortue qui cache sa tête, après l'avoir sortie de sa carapace. BALZAC, *in* Pierre LAROUSSE.

♦ **2.** Ce qui protège. ⇒ **Armure, cuirasse.** *La carapace d'acier d'un char d'assaut.* ⇒ **Blindage.** *Une carapace de béton* (cit. 1.1). — Ce qui recouvre d'une enveloppe dure. *Une carapace de glace, de boue.* — (Abstrait). *La carapace de l'égoïsme, de l'insensibilité.*

REM. La proximité de sens et de forme met en relation *carapace* et *caparaçon**, *caparaçonner,* en entraînant des déformations pour ces derniers (*carapaçonner,* barbarisme).

♦ **3.** Géol. Concrétion épaisse, dure, à la surface du sol. *Carapace de latérite.* ⇒ **Cuirasse.**

CARAPATE [kaʀapat] n. f. — xx⁰ ; déverbal de *(se) carapater.*

♦ Fam. Fait de se carapater. *La Carapate* (titre de film, 1979).

CARAPATER (SE) [kaʀapate] v. pron. — Av. 1881 ; *carappater (se),* 1867 ; de *patte,* et p.-ê. argot *se carrer* «se cacher», du n. f. *carre* «coin», de *carrer* «donner une forme carrée» ; P. Guiraud rattache le mot à l'anc. argot *carapata* «fantassin de ligne» et à la loc. adv. *de carre, en carre* «de côté, en travers», d'où *se carapater* «s'écarter, prendre la tangente» ; le sens de «s'en aller en courant» serait alors secondaire.

♦ Fam. S'enfuir, s'en aller vivement. ⇒ **Décamper, sauver** (se). (cf. fam. Cavaler, se tirer... des pattes).

Neuf vaches sont dans un bois, à 500 mètres de neuf autres dans un pré. Le berger va les chercher. Elles se carapatent à toutes pattes dans la direction opposée aux champs.   René FALLET, le Triporteur, p. 131.

En emploi intrans. *«Se décarcasser... ; carapater au Vésinet entre deux trains»* (Céline, *Mort à crédit,* Pl., p. 353).

DÉR. Carapate.

CARAQUE [kaʀak] n. f. et adj. — xiiie ; *carraque,* 1391 ; *karaque,* 1245 ; de l'ital. *caracca,* arabe *kārrākāh* «bateau léger». Didactique.

♦ **1.** Ancien navire (portugais) de fort tonnage, très haut sur l'eau, qui faisait des voyages au long cours.

(...) il envoya au-devant de la flotte aux voiles blanches et noires une assez puissante caraque (...)   J. D'ORMESSON, la Gloire de l'Empire, t. II, p. 460.

♦ **2.** Adj. ou appos. *Porcelaine caraque :* porcelaine fine que les caraques portugaises rapportaient des Indes en Europe.

CARASSIN [kaʀasɛ̃] n. m. — 1816 ; *corrasin,* 1806 ; *carache,* 1686 ; all. *Karas,* du tchèque.

♦ Zool. Poisson physostome *(Cyprinidés),* scientifiquement appelé *carassius,* et vivant en eau douce. *Le carassin ressemble à la carpe, mais n'a pas de barbillons. Carassin doré.* ⇒ **Cyprin** (dit couramment *poisson rouge*). *Carassin commun.*

(...) formons barrage pour empêcher la venue imminente de ces animaux vertébrés inférieurs qui se laissent domestiquer ou acheter par le premier enfant venu (...) surtout les carassins et les carpes dont les couleurs font l'adoration des collectionneurs.   Jean CAYROL, Histoire de la mer, p. 60.

CARAT [kaʀa] n. m. — 1355 ; ital. *carato ;* arabe *qīrāt* «petit poids» ; du grec *keration,* proprt «gousse», puis «tiers d'obole*».

♦ **1.** Chaque vingt-quatrième d'or fin contenu dans une quantité d'or (presque toujours après un numéral). *L'or absolument pur aurait vingt-quatre carats, vingt-quatre carats de fin* (→ 1. Or, cit. 1). *Or à dix-huit, vingt, vingt-trois carats. Combien de carats de fin dans cet or ?*

1   Son mors doit être d'or à vingt-trois carats.   VOLTAIRE, Zadig, 3.

Loc. adj., vx. *À vingt-trois, à vingt-quatre carats :* parfait, absolu (souvent iron.). *Un sot à vingt-quatre carats.*

2   (...) quoique ignorante à vingt et trois carats,
    Elle passait pour un oracle.   LA FONTAINE, Fables, VII, 15.

À trente-six carats : au-delà du possible.

♦ **2.** *Carat (métrique) :* unité de masse qui sert d'étalon aux joailliers. *Le carat métrique vaut 0,2 g. Quart du carat.* ⇒ **Grain.** *Une perle, un diamant de dix carats.*

Par ext. *Du carat* (collectif), se dit de petits diamants dont le poids n'excède pas le carat et qui se vendent au poids.

♦ **3.** Argot vieilli. Année (d'âge). *Une môme de vingt-deux carats.* — (Collectif). *Prendre du carat,* de l'âge.

♦ **4.** Loc. fam. *(Le) dernier carat :* (l')extrême limite, (la) dernière limite. *Rendez-moi votre travail à la fin du mois, dernier carat. C'est le dernier carat.*

3   Vous devez opérer entre 5 h 15 et 5 h 30 du matin, dernier carat, a souligné Gérald.   Roger BORNICHE, le Gang, p. 62.

CARAVAGESQUE [kaʀavaʒɛsk] adj. et n. m. — 1951 ; de *Caravage,* d'après l'adj. italien.

♦ Arts. Du peintre italien surnommé Le Caravage ; qui caractérise sa technique picturale. *L'éclairage caravagesque.* ⇒ **Caravagisme.**

1   C'est par là qu'il *(Le Caravage)* annonce Vermeer (...) et non pas parce que les poses, l'usage de l'espace et le clair-obscur sont caravagesques dans un Vermeer, d'ailleurs suspect, la Diane au bain de La Haye.
                     A. BERNE-JOFFROY, in N. R. F., 1953 (in D. D. L., II, 15).

N. m. Peintre disciple du Caravage. — On dit aussi *caravagiste* [kaʀavaʒist]. *« L'exposition Caravage et les Caravagesques »* (L. Benoist, *Musées et muséologie,* p. 70, n° 904).

2   La lumière des caravagesques tend d'abord à séparer leurs personnages de l'obscurité (...)   MALRAUX, les Voix du silence, 1951, Pl., p. 388.

CARAVAGISME [kaʀavaʒism] n. m. — 1941, Isarlo ; de *Caravage.*

♦ Arts. Courant esthétique pictural issu du Caravage et caractérisé par les contrastes de lumière et d'ombre.

CARAVANAGE [kaʀavanaʒ] n. m. — Francisation de *caravaning** (recomm. officielle).

1. CARAVANE [kaʀavan] n. f. — 1654, in D.D.L. ; *carvane,* v. 1195 ; persan *karwân,* lors des croisades, p.-ê. du sanskrit *karabha* «chameau».

♦ **1.** Groupe de voyageurs réunis pour franchir une contrée désertique ou peu sûre (avant les moyens de transport modernes ou quand ils ne sont pas utilisables). *Les caravanes d'Orient, d'Arabie, du Sahara. Une caravane de marchands, de pèlerins, de nomades. Le chameau, le dromadaire, bêtes de somme des caravanes. La route des caravanes. Relais, abri des caravanes.* ⇒ **Caravansérail, kan.** *Caravane attaquée par des pillards.*

1   (...) après avoir acheté plusieurs sortes de marchandises, je me joignis à une caravane et passai en Perse.   A. GALLAND, les Mille et une Nuits, t. I, p. 388.

2   Puis, la poussière sembla prendre une forme, et l'on vit se dessiner une longue file de cavaliers et de chameaux chargés, qui venaient à nous (...) Enfin, il nous fut possible de distinguer l'ordre de marche et la composition de la caravane (...) Les cavaliers venaient en tête (...) puis, arrivait un bataillon tout brun de chameaux de charge, stimulés par la caravane à pied ; enfin, tout à fait derrière, accourait (...) un énorme troupeau de moutons et de chèvres noires (...)
                     E. FROMENTIN, Un été dans le Sahara, p. 229-230.

3   En tête de la caravane il y avait les hommes, enveloppés dans leurs manteaux de laine, leurs visages masqués par le voile bleu.   J.-M. G. LE CLÉZIO, Désert, p. 7.

Prov. *Les chiens aboient, la caravane passe :* il faut laisser crier les envieux, les médisants.

Par ext. Groupe de personnes susceptibles de se déplacer rapidement (pour une opération militaire, de secours...). *Caravane expéditionnaire. Caravane de recherches, de ravitaillement.*

♦ **2.** Troupe, groupe, réunion de personnes qui se déplacent. *Une caravane de touristes, d'écoliers. Caravane scolaire. Se promener en caravane.* — (1787, Saussure). *Caravane d'alpinistes.*
Par ext. *Caravane de voitures.* — (1913). *La caravane du Tour de France. La caravane publicitaire* (qui précède les coureurs) ; *la caravane suiveuse* (des directeurs sportifs, etc.).
Littér. Suite (d'animaux). *Une caravane de fourmis, d'oiseaux migrateurs.*

♦ **3.** (1824). Vx. Voiture de forains. ⇒ **Roulotte ;** 2. caravane.

DÉR. 1. Caravanier.

2. CARAVANE [kaʀavan] n. f. — V. 1930, in Rey-Debove-Gagnon ; angl. *caravan,* plus ou moins assimilé à 1. *caravane* (sens 3).

♦ Véhicule ou élément de véhicule (remorque) équipé pour servir de logement, ou roulotte de camping (ce type de camping est appelé *caravaning* ou *caravanage.*)

REM. 1. Équivalent normalisé au Québec du terme communément employé *roulotte.*
2. La *caravane* est en général tractée par une voiture, le véhicule de camping autonome étant appelé en France *camping-car* (anglicisme).

(...) je me suis glissée dans le bois d'eucalyptus réservé aux campeurs. Il n'y avait qu'une vingtaine de caravanes et quinze tentes, quinze voitures.
                     Christine DE RIVOYRE, Fleur d'agonie, p. 77.

DÉR. 2. Caravanier. — V. aussi **Caravanage, caravaning.**

1. CARAVANIER [kaʀavanje] n. m. et adj. — 1673 ; de 1. *caravane.*

♦ **1.** Conducteur des bêtes de somme d'une caravane.

♦ **2.** Adj. Qui a rapport aux caravanes. *Chemin caravanier. Cité caravanière du Moyen Orient, au moyen âge.*

2. CARAVANIER, IÈRE [kaʀavanje, jɛʀ] n. et adj. — V. 1960 ; adj., 1911 ; de 2. *caravane.*

♦ Personne qui possède une caravane et l'utilise pour camper. *« Les caravaniers ont longtemps figuré dans la catégorie du tourisme social parce qu'on les pensait trop pauvres pour louer une "vraie maison". C'était une erreur (...) La moitié des caravaniers sont des cadres moyens ou supérieurs* » (*l'Express*, 29 mars 1971).

CARAVANING [kaʀavaniŋ] n. m. — 1950 ; *caravanning*, 1932 ; de l'angl. *caravan*, d'après *camping*.

♦ Anglic. Voyage et séjour en caravane. ⇒ 2. **Caravane.** — Pratique du voyage et du camping* en caravane. *Pratiquer le caravaning.* — Recomm. off. : *caravanage* [kaʀavanaʒ] n. m.

CARAVANSÉRAIL [kaʀavɑ̃seʀaj] n. m. — 1673, A. Galland, sous l'infl. de *sérail*; *carvansera*, 1432 ; persan *kārwānsarāy* «logement de caravane».

♦ **1.** En Orient, Vaste cour, entourée de corps de bâtiments où les caravanes font halte. ⇒ **Auberge, bordj, hôtellerie.** *La foule bariolée d'un caravansérail.*

1 Le caravansérail est formé d'une cour immense entre quatre murs. Sur deux faces, une galerie couverte pour les chevaux ; aux quatre angles, une chambre pour les voyageurs.   E. FROMENTIN, Un été dans le Sahara, p. 100.
2 Ce joli mot de caravansérail que traverse comme un éblouissement tout l'Orient féerique des *Mille et une Nuits*.
Alphonse DAUDET, Contes du lundi, « Le caravansérail ».

♦ **2.** Lieu fréquenté par des étrangers de diverses provenances. *Cette ville cosmopolite est un caravansérail, une tour de Babel.*

♦ **3.** Fam. Lieu animé, en désordre. *Son appartement est toujours envahi de copains, c'est un vrai caravansérail.*

CARAVELLE [kaʀavɛl] n. f. — 1495 ; *carvelle*, 1462 ; *caruelle*, 1438 ; port. *caravela*, bas lat. *carabus*. → Gabarre.

♦ **1.** Anciennt. Navire de petit ou moyen tonnage, aux XVe et XVIe siècles. *Les caravelles avaient trois ou quatre mats, portant généralement des voiles à antennes. La Pinta et la Niña, caravelles de Christophe Colomb.*

1 Ou penchés à l'avant des blanches caravelles,
Ils regardaient monter en un ciel ignoré
Du fond de l'Océan des étoiles nouvelles.
J.-M. DE HEREDIA, les Trophées, « Les conquérants ».

♦ **2.** Nom d'un avion à réaction moyen-courrier, en service dans les années 1950 à 1970.

2 (...) la Caravelle met Rome aux portes de Paris. Je suis le dernier Français à user encore du train.   F. MAURIAC, le Nouveau Bloc-notes 1958-1960, p. 306.

♦ **3.** Voilier monotype en bois, à bouchains vifs. *La Caravelle est un voilier d'initiation à plusieurs équipiers, utilisé dans les écoles de voile.*

CARB- ou **CARBO-** Premier élément de mots didactiques, du lat. *carbo* «charbon». Voir à l'ordre alphabétique. — Spécialt (chim.). Préfixe indiquant la présence du carbone ou d'un anhydride carbonique dans un composé.

CARBAMATE [kaʀbamat] n. m. — 1868 ; du rad. de *carbamique*, et -*ate*.

♦ Chim. Sel de l'acide carbamique.

CARBAMIQUE [kaʀbamik] adj. — 1868 ; de *carbam(ide)* «urée», et -*ique*.

♦ Chim. Se dit d'un acide de formule $NH_2-CO-OH$, monoamide de l'acide carbonique.
DÉR. V. **Carbamate.**

CARBAZOL ou **CARBAZOLE** [kaʀbazɔl] n. m. — 1890 ; en all., 1872 ; cf. *carbazotique*, 1846 ; de *carb(o)-, az(ote)*, et suff. -*ol*.

♦ Chim. Composé hétérocyclique azoté $(C_{12}H_9N)$ qui accompagne l'anthracène dans le produit extrait du goudron de houille et sert à la synthèse des matières colorantes.

CARBET [kaʀbɛ] n. m. — 1638 ; Brésil, 1614 ; mot tupi, employé aux Antilles.
Didact., régional (franç. des Caraïbes).

♦ **1.** Grande case collective.

1 *(En Guyane)* l'ouvrier mineur travaille dans la boue jusqu'aux genoux, parfois jusqu'au ventre. Comme l'ouvrier qui soigne les balatas et le coupeur de bois, il loge sous des carbets à peine couverts.   J. GALMOT, in B. CENDRARS, Rhum, p. 53.

♦ **2.** (Antilles, Guyane française). Abri, hangar pour abriter embarcations, engins de pêche.

2 Je ne dis rien de la baraque (...) J'en ai vu des centaines, du même genre, quand ton père était juge à la Guadeloupe. C'est un carbet, sans les margouillats.
H. BAZIN, Cri de la chouette, p. 129.

CARBHÉMOGLOBINE [kaʀbemɔglɔbin] n. f. ⇒ **Carbohémoglobine.**

CARBINOL [kaʀbinɔl] n. m. — Déb. xxe ; de *carb-*, et -*ol*.

♦ Chim. Alcool méthylique.

CARBO- ⇒ **Carb-**.

CARBOCHIMIE [kaʀbɔʃimi] n. f. — xxe ; de *carbo-*, et *chimie*.

♦ Chim., techn. Partie de la chimie industrielle englobant les divers procédés de transformation de la houille et de ses dérivés. ⇒ **Carbonisation, cokéfaction, distillation, gazéification, hydrogénation.**
DÉR. **Carbochimique.**

CARBOCHIMIQUE [kaʀbɔʃimik] adj. — xxe ; de *carbochimie*.

♦ Chim. De la carbochimie. *Industries, usines, techniques carbochimiques.*

CARBOGÈNE [kaʀbɔʒɛn] n. m. — Fin xixe ; de *carbo-*, et -*gène*.
Technique.

♦ **1.** Mélange gazeux (90 % oxygène ; 10 % gaz carbonique) employé pour ranimer les asphyxiés.

♦ **2.** Produit pulvérulent capable de donner une eau de table gazeuse.

CARBOHÉMOGLOBINE [kaʀboemɔglɔbin] n. f. — Mil. xxe ; de *carbo-*, et *hémoglobine*.

♦ Physiol. Combinaison du gaz carbonique et de l'hémoglobine, qui se forme dans les globules rouges et se décompose dans les poumons, en libérant le gaz carbonique.
REM. On trouve parfois la variante *carbhémoglobine* [kaʀbemɔglɔbin].

CARBOMYCINE [kaʀbomisin] n. f. — V. 1960-1970 ; de *carbo-*, et -*mycine*, du grec *mukês* «champignon».

♦ Méd. Antibiotique administré par la bouche, utilisé pour combattre diverses infections, surtout celles que provoquent des bactéries rondes *(cocci)*.

CARBONADE [kaʀbɔnad] n. f. ⇒ **Carbonnade.**

CARBONADO [kaʀbɔnado] n. m. — 1888 ; mot port., «charbonneux».

♦ Techn. Diamant* noir utilisé pour le forage des roches dures.

CARBONARESQUE [kaʀbɔnaʀɛsk] adj. — 1916, R. Rolland ; de *carbonaro*.

♦ Rare. De carbonaro. *Le mouvement carbonaresque.*

CARBONARISME [kaʀbɔnaʀism] n. m. — 1818 ; de *carbonaro*.

♦ Principes, doctrines des carbonari. Mouvement politique des carbonari.

Le comte Orlando Prada, d'une noble famille milanaise, fut tout jeune brûlé d'une telle haine contre l'étranger, qu'à peine âgé de quinze ans il faisait partie d'une société secrète, une des ramifications de l'antique carbonarisme.
ZOLA, Rome, p. 128.

CARBONARO [kaʀbɔnaʀo] n. m. — 1818 ; mot ital., «charbonnier», en mémoire d'anciens conspirateurs qui se réunissaient dans des huttes de charbonnier.

♦ Membre d'une société secrète italienne, au début du XIXe siècle. — Plur. (italien). *Des, les carbonari. Les carbonari travaillaient au triomphe des idées révolutionnaires. Réunion de carbonari.* ⇒ **Vente.**

D'aucuns, qui le connaissaient mal, le crurent longtemps carbonaro. Mais, pour ceux qui le connaissaient mieux, il y avait trop de déclamation (...) dans le carbonarisme, pour qu'un homme aussi absolu tombât dans des niaiseries qu'il jugeait, avec la ferme judiciaire de son pays.
BARBEY D'AUREVILLY, les Diaboliques, « À un dîner d'athées ».

DÉR. **Carbonaresque, carbonarisme.**

CARBONATATION [kaʀbɔnatasjɔ̃] n. f. — 1874 ; de *carbonater*.

♦ Chim., techn. Fait de carbonater, ou d'être carbonaté. *La carbonatation, procédé de purification du jus de betteraves. Carbonatation de l'eau.* ⇒ **Carbonateur.**

CARBONATE [kaʀbɔnat] n. m. — 1787 ; de *carbone*.

♦ Sel ou ester de l'acide carbonique. *Carbonate hydraté.* ⇒ **Hydrocarbonate.** *Carbonates naturels : carbonate de baryum* (⇒ **Withérite**), *de calcium* (⇒ **Aragonite, calcaire, calcite, chaux**), *de cuivre* (⇒ **Azurite, malachite**), *de fer* (⇒ **Sidérose**), *de magnésie* (hydromagnésie), *de manganèse, de plomb* (⇒ **Céruse, cérusite**), *de potassium, de sodium, de zinc* (⇒ **Smithsonite**). *Carbonate d'ammoniaque, de bismuth, de fer, de magnésie* (magnésium), *de potasse* (potassium), *de soude* (sodium ; ⇒ **Bicarbonate**), *utilisés en thérapeutique.*

(...) Nab et Pencroff, guidés par Cyrus Smith, charrièrent, sur une claie (...) plusieurs charges de carbonate de chaux, pierres très communes, qui se trouvaient abondamment au nord du lac. Ces pierres, décomposées par la chaleur, donnèrent une chaux vive, très grasse (...)   J. VERNE, l'Île mystérieuse, p. 169.

DÉR. **Carbonater.**
COMP. **Bicarbonate.**

CARBONATER [kaʀbɔnate] v. tr. — 1845 ; *carbonaté*, 1801 ; de *carbonate*.

♦ Techn. Transformer en carbonate. Additionner de carbonate. — Au p. p. *Eaux carbonatées.*

DÉR. **Carbonatation, carbonateur.**

CARBONATEUR [kaʀbɔnatœʀ] n. m. — 1886 ; de *carbonater*.

♦ Techn. Appareil destiné à la carbonatation (notamment dans l'industrie des boissons gazeuses).

CARBONCLE [kaʀbɔ̃kl] ou **CARBOUCLE** [kaʀbukl] n. m. — 1080, *carbuncle*, Chanson de Roland ; *karbokle*, XIᵉ ; lat. *carbunculus*, de *carbo* « charbon ».

Vieux.

★ **I.** Escarboucle.

★ **II.** Méd. (*carbuncle* ou *carboncle*). Anthrax.

DÉR. V. **Escarboucle.**

CARBONE [kaʀbɔn] n. m. — 1787 ; lat. *carbo, -onis* « charbon ». → Carb-, carbo-.

♦ **1.** Chim. Corps simple métalloïde (symb. *C*; nᵒ at. : 6; masse at. : 12,01) qui existe sous plusieurs formes allotropiques, est très répandu dans la nature à l'état combiné et se trouve dans tous les corps vivants. *Le carbone est l'élément essentiel du charbon.* ⇒ **Carb-, carbo-.** *Le carbone est bon conducteur, combustible et réducteur. Carbones naturels : cristallisés* (⇒ **Diamant, graphite**); *amorphes* (⇒ **Charbon**; *et aussi* **anthracite, houille, lignite, tourbe**). *Carbones artificiels.* ⇒ **Charbon** (de cornue, de bois), **coke, noir** (noir animal, noir de fumée). *Action absorbante du carbone sur les gaz. La combustion de 12 g de carbone dégage de 94* (carbone diamant, carbone graphite) *à 97 calories* (carbone amorphe). — *Étude des combinaisons du carbone :* chimie organique (⇒ **Carbonate, carbure, hydrocarbure**). *Hydrates de carbone.* ⇒ **Glucide, sucre.** *Carbone éliminé par la respiration* (gaz carbonique*).

1   À la fin du XVIIIᵉ siècle, on étudiait déjà la composition de divers corps organiques (...)
Avec le début du XIXᵉ siècle s'affinent les méthodes d'analyse (...) et se précise la théorie atomique. Dans la rubrique « chimie organique » vient se ranger un immense variété de composés qui contiennent toujours du carbone et de l'hydrogène, souvent de l'oxygène (...)
                                                   François JACOB, la Logique du vivant, p. 106.

Modification de la composition d'un métal par combinaison avec le carbone. ⇒ **Cément, cémentation.**
Carbone asymétrique : atome de carbone dont les quatre valences sont saturées par quatre éléments différents.
*Oxyde** (ou *monoxyde*) *de carbone :* gaz incolore, sans odeur ni saveur, de densité 0,96, de formule CO, qui brûle en donnant du dioxyde de carbone. ⇒ **Carbonyle.** *Dioxyde de carbone :* gaz carbonique ou anhydride carbonique (CO_2).
Sulfure de carbone : liquide incolore, de densité 1,6, de formule CS_2. *Sel du sulfure de carbone.* ⇒ **Sulfocarbonate.** *Sulfurage** de la vigne au sulfure de carbone.* — *Tétrachlorure de carbone.*
Cycle du carbone, série de ses combinaisons dans les êtres vivants.
CARBONE 14 : isotope radioactif du carbone, qui permet de dater les vestiges d'êtres organisés (symb. : ^{14}C ou C^{14}). *Charbons soumis à l'analyse du carbone 14* (ou C^{14}).

2   Je viens de lire dans l'avion un très sérieux article sur le Suaire de Turin (...) Il serait plutôt authentique... Il faut encore attendre le test par carbone 14... Prudence que la science exige, bien sûr...   P. SOLLERS, Femmes, p. 170.

♦ **2.** (1914). Cour. **PAPIER CARBONE** : papier chargé de couleur (à l'origine, de noir animal), et destiné à obtenir des doubles, en dactylographie, etc. — Absolt. *Taper une lettre en six exemplaires, avec des carbones.*

DÉR. et COMP. **Carbonate, carboné, carboneux, carbonifère, carbonique, carbonisation, carboniser, carbonyle.** — V. aussi **Carb-** (carbure, etc.).

CARBONÉ, ÉE [kaʀbɔne] adj. — 1787 ; de *carbone*.

♦ Chim. Qui contient du carbone. *Les chaînes carbonées, en chimie organique.* ⇒ **Carburé.**

CARBONEUX, EUSE [kaʀbɔnø, øz] adj. — XIXᵉ ; de *carbone*.

♦ Chim. Qui contient du carbone, de la nature du carbone.

CARBONIFÈRE [kaʀbɔnifɛʀ] adj. et n. m. — 1838 ; de *carbone*, et -*fère*.

Didact. ou technique.

♦ **1.** Qui contient du charbon. *Terrain carbonifère.*

♦ **2.** Géol. Époque géologique allant du dévonien au permien (ère primaire). *On divise l'époque carbonifère en trois étages : le dinantien, le westphalien, le stéphanien.* — N. m. *Le carbonifère. La faune du carbonifère se caractérise par l'expansion des batraciens, des reptiles et l'extinction des trilobites, des poissons cuirassés.*

CARBONIQUE [kaʀbɔnik] adj. — 1787 ; de *carbone*.

♦ Se dit d'un anhydride résultant de la combinaison du carbone et de l'oxygène. *Gaz carbonique* (cour.) ou *anhydride carbonique* ou *dioxyde de carbone* (CO_2) : gaz incolore, liquéfiable par pression, incombustible. *L'anhydride carbonique gazeux a une densité de 1,53; il est soluble dans l'eau et sert à la fabrication des eaux gazeuses artificielles.* — *Neige carbonique :* anhydride carbonique solide. *Émanation naturelle d'anhydride carbonique.* ⇒ **Mofette.** — *Fixation de l'anhydride carbonique et de ses composés organiques.* ⇒ **Carboxylase.** *Élimination du gaz carbonique du sang par la respiration.* ⇒ **Carbohémoglobine.** —*Acide carbonique* (H_2CO_3) : acide très faible, jamais obtenu à l'état libre. *Sel de l'acide carbonique.* ⇒ **Carbonate.**

CARBONISAGE [kaʀbɔnizaʒ] n. m. — 1948 ; de *carboniser*.

♦ Techn. Opération qui consiste à débarrasser la laine des impuretés végétales qu'elle peut contenir (épaillage) par passage dans un bain acide.

CARBONISATION [kaʀbɔnizasjɔ̃] n. f. — 1789 ; de *carbone* ou de *carboniser* (attesté un peu plus tard).

♦ **1.** Transformation (d'une substance organique) en charbon, par la chaleur. *Carbonisation du bois* (charbon de bois), *des os* (noir animal). *Carbonisation de la houille.* ⇒ **Coke.** *Carbonisation en four. Four à carbonisation. Indice de carbonisation.*

♦ **2.** Changement ou destruction (de qqch.) par le feu. *La carbonisation des chaumes, après l'incendie.*

♦ **3.** Cuisson excessive. *Attention, le rôti est en voie de carbonisation !*

CARBONISER [kaʀbɔnize] v. — 1803 ; de *carbone*.

★ **I.** V. tr. ♦ **1.** Réduire des matières organiques en charbon. ⇒ **Brûler, calciner, consumer.** *Carboniser du bois.* — Pron. *Le bois s'est complètement carbonisé.*

1   Au laboratoire, on peut carboniser du sucre, non le transformer en alcool et gaz carbonique ainsi que le réalise la levure de bière.
                                                   François JACOB, la Logique du vivant, p. 111.

♦ **2.** Cour. Brûler complètement. *L'incendie a carbonisé la forêt entière.*

♦ **3.** (1825). Rôtir, cuire à l'excès. *Carboniser un rôti.* — Pron. *Le rôti va se carboniser.* — P. p. adj. :

2   Jardin tout noir et qui semblait pétrifié, où les arbres, les plantes et le bassin de marbre, plein d'une eau de laque, rare, épaisse et dormante, avaient un air carbonisé, comme si de quelque ancienne ardeur, il ne fût plus là qu'un témoignage volcanique.
                                         Edmond JALOUX, le Jeune Homme au masque, XIII, p. 204.

★ **II.** V. intr. Se transformer en charbon. *Ce tas de bois est en train de carboniser.*

DÉR. **Carbonisage.** — V. **Carbonisation.**

CARBONNADE ou **CARBONADE** [kaʀbɔnad] n. f. — 1534 ; *charbonnade*, XIIIᵉ ; ital. *carbonata*, de *carbone* « charbon ».

♦ Manière de griller la viande sur des charbons. *Tranches de jambon à la carbonnade.* — Viande ainsi apprêtée. *Manger une carbonnade.*

CARBONYLE [kaʀbɔnil] n. m. — 1855 ; de *carbon(e)*, et *-yle*, grec *ulê* « substance ».

♦ **1.** Chim. Radical carboné bivalent, de formule C=O. — Appos. *Groupement carbonyle, radical carbonyle* : groupe C=O, caractéristique des aldéhydes et des cétones. — *Chlorure de carbonyle* $COCl_2$ (oxychlorure de carbone). ⇒ **Phosgène**. — Adj. *Métal carbonyle* : composé d'un métal avec l'oxyde de carbone.

♦ **2.** Techn. Mélange d'huiles de créosote et d'huiles d'anthracène, utilisé pour préserver les bois de la pourriture. *Peindre au carbonyle. Passer une couche de carbonyle.*

CARBORUNDUM [kaʀbɔʀɔ̃dɔm] n. m. — 1905, in *Rev. gén. des sc.*, n° 11, p. 504 ; nom déposé angl., de *carbon* « carbone », et *corundum* « corindon ».

♦ Techn. Siliciure de carbone utilisé comme abrasif, comme matériau réfractaire. *Carborundum en grains, en poudre. Pierre de carborundum.*

CARBOUCLE [karbukl], **CARBUNCLE** [karbœ̃kl] n. m. ⇒ **Carboncle**.

CARBOXYLASE [kaʀbɔksilɑz] n. f. — xxᵉ ; de *carboxyle*, et *-ase*.

♦ Biochim. Enzyme qui catalyse la fixation du dioxyde de carbone sur un composé organique, ou qui enlève le carboxyle des acides organiques.

COMP. **Décarboxylase.**

CARBOXYLE [kaʀbɔksil] n. m. — 1890 ; de *carb-, ox(ygène)*, et *-yle*.

♦ Chim. Groupement monovalent -COOH, caractéristique des acides carboxyliques. « *Lorsque le carbone n'a plus que trois valences oxydées, il est sous la forme carboxyle...* » (Jules Carles, *la Chimie du vin*, p. 94).

DÉR. **Carboxylase, carboxylique.**

CARBOXYLIQUE [kaʀbɔksilik] adj. — 1890 ; de *carboxyle*.

♦ Chim. Se dit d'un acide organique qui contient le radical carboxyle*.
La cellulose est un *échangeur d'ions* : elle fixe des cations par ses groupes carboxyliques, cédant des ions H^+.   M. CHÊNE et N. DRISCH, la Cellulose, p. 28.

CARBURANT [kaʀbyʀɑ̃] adj. et n. m. — 1857, *appareil carburant* ; de *carbure*.

♦ **1.** Adj. Qui contient du carbure d'hydrogène (ou un autre combustible). *Mélange carburant.*

♦ **2.** N. m. (1899). Combustible qui, mélangé à l'air (⇒ **Carburation**), peut être utilisé dans un moteur à explosion, et, par ext., dans un moteur à turbine, un réacteur, etc. *Les alcools éthyliques et méthyliques sont les principaux carburants d'origine végétale. Carburants d'origine minérale.* ⇒ **Benzol, essence, gas-oil, pétrole ; supercarburant.** *Additifs antidétonants*, qui augmentent la résistance à la détonation des carburants. Distillation des carburants.* ⇒ **Cracking**. *Carburants synthétiques. Indice d'octane* d'un carburant. Carburants et comburants*. Carburant pour voitures de tourisme, pour camions, pour moteurs Diesel, pour avions à réaction* (⇒ **Carboréacteur**), *pour fusées. Réservoir à carburant. Consommation, ravitaillement en carburant. Taxe sur les carburants. Économiser le carburant ; la crise du carburant.* ⇒ **Énergie.**
L'Avant exige toutes les ressources, ce sont les carburants que demandent d'abord notre aviation, nos ravitaillements, nos transports de troupes (...)
                                    L.-H. LYAUTEY, Paroles d'action, p. 249.

COMP. **Supercarburant.** — V. **Carburéacteur.**

CARBURATEUR, TRICE [kaʀbyʀatœʀ, tʀis] adj. et n. m. — 1857 ; de *carbure* ou de *carburer*.

♦ **1.** Vx. Où se produit la carburation de certains corps. *Appareil carburateur* (pour augmenter la puissance d'éclairage du gaz).

♦ **2.** N. m. (1892, *Année sc. et industr.* 1892-93, p. 419 : « *Le carburateur est en métal...* »). Mod. et cour. Appareil dans lequel un carburant vaporisé est mélangé à l'air (mélange carburé) pour alimenter un moteur à explosion. *Le carburateur se compose d'un réservoir ou cuve maintenu à niveau constant par un flotteur, d'un gicleur entouré d'une buse ou venturi, d'un papillon des gaz. Carburateur d'automobile, d'avion. Réparer un carburateur. Inflammation du mélange carburé provenant du carburateur et du système d'injection.* ⇒ **Allumage**. *Commande du carburateur.* ⇒ **Accélérateur**. *Carburateur-injecteur. Double carburateur. Nettoyage, réglage du carburateur.* — *Moteur à carburateur et moteur à injection.*

— On leur fera réparer la prochaine fois, à ces salauds, et s'ils recommencent, on leur foutra du sable dans leur carburateur, ça manque pas ici, le sable.
                                    M. DURAS, Un barrage contre le Pacifique, p. 103.

Il pouvait lever le nez et détecter aussitôt une odeur (...) de carburateur de Honda qui a un peu chauffé dans la descente, etc.
                                    Geneviève DORMANN, le Bateau du courrier, p. 30.

CARBURATION [kaʀbyʀɑsjɔ̃] n. f. — 1852 ; de *carbure* ou de *carburer*.

♦ **1.** Techn. Enrichissement en carbone d'un corps métallique. *Carburation du fer* (acier).

♦ **2.** Plus cour. Mélange d'air et d'un hydrocarbure gazeux. ⇒ **Carburant**. *La carburation de l'essence dans le carburateur* d'un moteur à explosion. La carburation se fait mal.*
Par métaphore.
(...) restreindre le plus possible les dépenses et ce trafic d'échanges qu'est la vie ; ce qu'il appelait la carburation (...)   GIDE, les Faux-monnayeurs, II, IV, p. 250.
Fig. Fonctionnement (d'une économie, etc.) qui recherche un rendement maximum. « *La formidable "carburation" américaine commence donc à sécréter ses antitoxines. Déjà les hippies révoltés avaient (...) tourné le dos avec colère au "cauchemar climatisé"* » (*Science et Vie*, 1973 ; n° 668, p. 36).

CARBURE [kaʀbyʀ] n. m. — 1787 ; du rad. *carb-*, et suff. *-ure*.

♦ **1.** Chim. Composé binaire du carbone avec un élément différent de l'oxygène. *Carbures d'hydrogènes* (hydrocarbures) : groupes de corps, classés en séries de corps homologues, dont les molécules ne diffèrent que par le radical CH_2. ⇒ **Hydrocarbure**. *Carbure fondamental*, le premier terme de la série. *Carbures acycliques : saturés* (⇒ **Méthane** ; **éthane** ; **propane** ; **butane**) *et non saturés* (éthyléniques et acétyléniques). ⇒ **Éthylène** (et alcène) ; **acétylène** (et alcyne). *Carbures cycliques : alicycliques ou naphténiques et de la série aromatique*.* ⇒ **Benzène** ; **naphtalène** ; **anthracène**.
On sait que le sol de l'Asie centrale est comme une éponge imprégnée de carbures d'hydrogène liquides. Au port de Bakou (...) les sources d'huiles minérales sourdent par milliers à la surface des terrains.
                                    J. VERNE, Michel Strogoff, p. 435.
Carbures métalliques : carbures de fer, de calcium, de silicium, de tungstène.

♦ **2.** Spécialt, cour. Carbure de calcium. *Mettre du carbure dans une lampe à acétylène. Lampe à carbure.*
Il pénétra dans la remise, sortit le sac de carbure et en versa dans une boîte de fer-blanc. Puis il alla remettre le sac dans la remise, revint à la boîte et se mit à écraser le carbure entre ses doigts.
                                    M. DURAS, Un barrage contre le Pacifique, p. 18.

♦ **3.** Argot (par métaphore). Argent.
Cinq ans plus tard, elle rapplique sur le coin avec quatre cents billets, et elle cherche Papa. Elle le trouve, elle lui refile son carbure et Papa, naturellement, ne la contrarie pas.   F. CARCO, Paname, p. 15.
L'argent ! toujours l'argent ! Que faire sans carbure ?
                                    Roger NAÏM, l'Ère des truands, p. 119.

DÉR. et COMP. **Bicarbure, carburant, carburateur, carburation, carburé, décarburer, hydrocarbure...**

CARBURÉ, ÉE [kaʀbyʀe] adj. — 1823 ; de *carbure*.

♦ Techn. Combiné avec du carbone (en parlant d'un corps autre que l'oxygène). *Hydrogène carburé.* ⇒ **Carboné**. *Métal carburé.* — *Mélange carburé.* ⇒ **Carburant.**

CARBURÉACTEUR [kaʀbyʀeaktœʀ] n. m. — 1959 ; de *carbu(rant)*, et *réacteur*.

♦ Techn. Carburant pour moteur à réaction ou à turbine (aviation). *Problèmes « d'alimentation en énergie, en carburéacteur et essence »* (*Science et Vie*, n° 594, p. 106).
REM. Ce terme est la traduction française de l'anglais *jet fuel*.

CARBURER [kaʀbyʀe] v. intr. — 1853, *carburer la flamme du gaz d'éclairage* ; de *carbure*.

♦ **1.** Techn. Effectuer la carburation. *Ce moteur carbure mal.*

♦ **2.** (1920 ; sports). Fam. Aller (bien ou mal) ; marcher, fonctionner. *Ça carbure : ça va.*
Je te félicite, dit Chick.
Il évitait de regarder Alise.
— Qu'est-ce qu'il y a vous deux ? dit Colin. Ça n'a pas l'air de carburer fort.
                                    Boris VIAN, l'Écume des jours, XV, p. 56.

Loc. fam. *Carburer à* (et nom de boisson alcoolisée) : boire habituellement du..., de la...
(...) vous avez très bonne mine. — Merci, monsieur Anglade ! (...) — Vous suivez un régime, peut-être ? — Moi ? Pas du tout. Je carbure au whisky.
                                    Jean-Louis CURTIS, le Roseau pensant, p. 221.

Réfléchir, faire fonctionner son esprit. *Carbure donc un peu, tu trouveras la solution.*

DÉR. V. **Carburateur, carburation.**

CARCAILLER [kaʀkaje] v. intr. — 1621, *in* D. D. L. ; formation onomatopéique, le second élément représentant *caille*.

♦ Rare. Pousser son cri (en parlant de la caille).

CARCAISE [kaʀkɛz] n. f. — 1743, Trévoux ; *carquèse*, 1701 ; orig. incert. ; on a proposé l'anc. franç. *carcais* «carquois», qui convient mal pour le sens ; le grec *karkhêsion*, lat. *carchesium* «coupe à étranglement central», n'est pas sûr.

♦ Techn. Four de verrier pour le recuit du verre après coulage.

CARCAJOU [kaʀkaʒu] n. m. — 1703, *carcajoux ;* mot indien du Canada.

♦ Blaireau du Labrador.

1 Le carcajou est une espèce de tigre et de grand chat.
CHATEAUBRIAND, Voyage en Amérique, 20.

2 Mais au milieu de ces rameaux dont une constante humidité entretient la verdure, ne cherchez pas avec l'auteur d'*Atala* «des carcajous se suspendant par leurs queues flexibles au bout d'une branche abaissée pour saisir dans l'abîme les cadavres brisés des élans et des ours».
L. DEVILLE, Voyage dans l'Amérique septentrionale, *in* le Tour du monde, 1861, p. 258.

1. CARCAN [kaʀkɑ̃] n. m. — V. 1172 ; *charcanz*, déb. xiie ; lat médiéval *carcannum*, d'orig. obscure ; on a proposé l'anc. nordique *kverkband* «jugulaire» et l'arabe *halhal* «anneau de cheville» ; pour P. Guiraud, les formes *charchant, carquant* renvoient à *charchier, carquier*, formes picardes de *charger*, d'où *carguant* «charge pénible», forme de *chargeant* «lourd, pesant» (xiiie-xviie).

A. ♦ **1.** Anciennt. Collier de fer fixé à un poteau pour y attacher par le cou un criminel condamné à l'exposition publique. ⇒ **Pilori.** *La peine du carcan. Supplice du carcan.* ⇒ **Cangue.**

1 Être au carcan a son charme. Tout le monde voit que vous êtes infâme.
HUGO, les Travailleurs de la mer, I, VI, 6.

2 Parmi les trois acolytes, de même style, se distingue un rouquin efflanqué, aux oreilles décollées, comme engoncé dans un carcan qui est d'un effet assez comique.
Georges LECOMTE, Ma traversée, p. 477.

Par métonymie. Peine du carcan. *Être condamné au carcan.*

(1867). Collier de fer que portaient les forçats et qui était relié à la chaîne générale (cadène).

♦ **2.** (1468). Ancienn. Chaîne de cou en or, collier de pierreries qui faisait partie du costume (essentiellement des femmes), du moyen âge au xviiie siècle. — Mod. Parure de cou.

3 Ces riches carcans, ces colliers,
Et cette pompe enchanteresse
Ne valent pas un des baisers
Que tu donnais dans ta jeunesse.
VOLTAIRE, Épître, 28.

♦ **3.** (1832). Collier de bois qu'on place autour du cou des animaux pour les entraver. ⇒ **Tribart.**

♦ **4.** En appos. *Un col carcan,* qui engonce, serre le cou.

B. (Abstrait). Ce qui entrave la liberté. ⇒ **Assujettissement, contrainte, joug.** *Le carcan de la discipline.*

2. CARCAN [kaʀkɑ̃] n. m. — 1842 ; var. de *carcasse.*
Familier et vieux.

♦ **1.** Vieux ou mauvais cheval. ⇒ **Rosse** (→ Carogne, cit. 1).

♦ **2.** Femme grande et maigre, méchante ; personne acariâtre.

CARCASSE [kaʀkas] n. f. — 1550, Ronsard, «ossements» ; cf. l'anc. franç. *charcois*, d'origine inconnue ; un rapport avec *carquois* est improbable ; P. Guiraud rapproche le mot du normanno-picard *carquier* «charger, transporter» d'où *carcasse* «ce qui charrie, supporte (le corps)».

♦ **1.** Ensemble des ossements décharnés du corps d'un animal (surtout des grands mammifères), qui tiennent encore les uns aux autres. ⇒ **Squelette ; charpente** (charpente osseuse), **ossature.** *Carcasse de cheval. Des charognes et des carcasses d'animaux morts de soif.*

1 Et le ciel regardait la carcasse superbe
Comme une fleur s'épanouir.
La puanteur était si forte, que sur l'herbe
Vous crûtes vous évanouir.
BAUDELAIRE, les Fleurs du mal, XXIX, «Une charogne».

2 J'ai vu le long des routes désolées des carcasses de chameaux blanchir ; — chameaux abandonnés des caravanes, trop las et qui ne pouvaient plus se traîner qui pourrissaient d'abord, couverts de mouches, en dégageant d'épouvantables puanteurs.
GIDE, les Nourritures terrestres, VII, p. 165.

REM. On trouve chez Ronsard l'expression pléonastique *carcasse d'os,* où *carcasse* semble avoir précisément la valeur de «charpente».

3 Rien de nous ne reste en la bière
Qu'une vieille carcasse d'os.
RONSARD, Odes, II, 17.

Techn. (boucherie). Animal de boucherie dépecé, prêt pour le commerce. *Livrer la carcasse d'un bœuf entier.*

(1680). Cour. *La carcasse d'une volaille :* ce qui reste du corps après avoir enlevé les cuisses, les ailes et les blancs. *Ronger une carcasse de poulet.*

3.1 (...) une oie extraite de la basse-cour du maître-coq ; les ailes du volatile seraient écartées par une carcasse invisible, et ses pattes, collées au plancher par un enduit tenace, garderaient une attitude de fuite rapide.
Raymond ROUSSEL, Impressions d'Afrique, p. 344.

♦ **2.** (1680). Fig. Personne ou animal d'une maigreur extrême. *Une vieille carcasse.*

(Av. 1696). Fam. Corps humain. *Les problèmes, les exigences de la carcasse. Soigner sa carcasse. Promener sa vieille carcasse.*

4 La vieille Sanguin est morte comme une héroïne, promenant sa carcasse par la chambre, se mirant pour voir la mort. Mme DE SÉVIGNÉ, 510, *in* LITTRÉ.

5 Quelquefois, pendant une bataille, il *(Turenne)* ne pouvait s'empêcher de trembler (...) alors, il parlait à son corps comme on parle à un serviteur. Il lui disait : «Tu trembles, carcasse ; mais si tu savais où je vais te mener tout à l'heure, tu tremblerais bien davantage».
LAVISSE, Hist. de France (Cours moyen, 1re et 2e années), XIV, p. 107.

6 La lutte même qu'il lui avait fallu soutenir contre ce que, comme Turenne, il eût appelé «sa carcasse», l'avait habitué à l'énergie.
Louis MADELIN, de Brumaire à Marengo, VI, Bonaparte, p. 75.

7 Il va falloir que je me lève. La misérable carcasse est là, qui fait sentir ses exigences.
G. DUHAMEL, le Voyage de P. Périot, X, p. 188.

8 Celui qui n'a que sa carcasse, il y tient (...)
MARTIN DU GARD, les Thibault, t. VII, p. 222.

9 On peut-être encore utiliser ma vieille carcasse (...)
MARTIN DU GARD, les Thibault, t. VII, p. 294.

Par anal. Tronc et branches défeuillées (d'un arbre).

10 (...) les carcasses des charmilles, les bosquets maigres grelottent sous la pluie éternelle.
F. MAURIAC, le Nœud de vipères, p. 290.

♦ **3.** (1704 ; en parlant d'un navire). Charpente (d'un appareil, d'un ouvrage) ; assemblage* des pièces soutenant un ensemble. ⇒ **Armature, charpente.** *La carcasse d'un navire en construction, en démolition.* ⇒ **Coque.** *La carcasse d'une barque, d'une péniche échouée* (→ Avarie, cit. 3). *La carcasse d'un immeuble en ciment armé. La carcasse d'un comble, d'un parquet.* ⇒ **Châssis.** *La carcasse d'un abat-jour, d'un parapluie.*

11 Comment tous les journaux vraiment ont-ils osé nous parler d'architecture nouvelle à propos de cette carcasse métallique *(la tour Eiffel).*
MAUPASSANT, la Vie errante, I, Lassitude, p. 1.

Par ext. Débris (d'un objet, d'une construction...), tenant encore entre eux et évoquant la forme disparue. *Dans le grenier sont empilées les carcasses des meubles de jadis.*

♦ **4.** Par métaphore. Éléments qui composent la structure (d'une œuvre). ⇒ **Charpente.** *La carcasse d'un discours, d'un roman, d'une pièce de théâtre.* ⇒ **Canevas, plan.**

DÉR. V. 2. Carcan.
COMP. Décarcasser.

CARCEL [kaʀsɛl] adj. invar. et n. — 1800 ; du nom de l'inventeur, l'horloger *Carcel.*
Vieux.

♦ **1.** Adj. apposé invar. *Lampe Carcel* ou *lampe carcel :* lampe à huile, à rouages et à piston. — N. f. *La, une carcel :* une lampe Carcel.

Son chapeau de tulle noir, à bords descendants, lui cachait un peu le front ; ses yeux brillaient là-dessous (...) et la carcel posée sur un guéridon, en l'éclairant d'enbas comme une rampe de théâtre, faisait saillir sa mâchoire.
FLAUBERT, l'Éducation sentimentale (1869), II, VI.

♦ **2.** N. m. Phys. Unité d'intensité lumineuse (représentée par une lampe de ce type).

CARCÉRAL, ALE, AUX [kaʀseʀal, o] adj. — 1959 ; du lat. *carcer* «prison». → Incarcérer.

♦ Didact. De prison, qui a rapport à la prison, au régime pénitentiaire. *Le milieu, le monde, l'univers carcéral.* «Pour ces délinquants primaires, l'entrée dans le monde carcéral représente un traumatisme intolérable» (l'Express, no 1112 ; 30 oct. 1972).

Depuis leur arrestation, ils ont vite pris la mesure de l'univers carcéral où leur destin les a conduits. Roger BORNICHE, le Gang, p. 276.

Par ext. Se dit de tout ce qui évoque une prison. *Le caractère carcéral de certaines institutions psychiatriques.*

CARCINOGÈNE [kaʀsinoʒɛn] adj. — V. 1920 ; de *carcino-*, du grec *karkinos* «crabe, chancre», et *-gène.*

♦ Didact. Qui peut causer un cancer. ⇒ **Cancérigène, cancérogène.**
— **REM.** On trouve parfois *carcinogénétique* [kaʀsinoʒenetik].

CARCINOGENÈSE [kaʀsinoʒɛnɛz ; kaʀsinoʒɛnɛz] n. f. — 1968 ; de *carcino-*, du grec *karkinos* «crabe, chancre» et *-genèse*.

♦ Didact. (méd.). Processus de formation du cancer. ⇒ **Cancérogenèse**. «Ce rôle de pourvoyeur de la recherche que joue l'épidémiologie (...) a permis en particulier d'établir l'un des préceptes de base de la carcinogenèse actuelle ; à savoir qu'un agent cancérigène agit rarement seul, mais, le plus souvent, comme élément, dominant ou non, d'une addition» (*le Point*, n° 331, 22 janv. 1979).

CARCINOLOGIE [kaʀsinɔlɔʒi] n. f. — 1842 ; du grec *karkinos* «crabe, chancre», et *-logie*.
Didactique.

♦ **1.** Zool. Étude des crustacés.

♦ **2.** (1960). Étude du cancer. ⇒ **Cancérologie, oncologie.**

DÉR. **Carcinologique, carcinologue.**

CARCINOLOGIQUE [kaʀsinɔlɔʒik] adj. — 1842 ; de *carcinologie*.
Didactique.

♦ **1.** Relatif à la carcinologie (1.).

♦ **2.** Relatif à la carcinologie (2.). ⇒ **Cancérologique.**

CARCINOLOGUE [kaʀsinɔlɔg] n. — 1842 ; de *carcinologie*.
Didactique.

♦ **1.** Spécialiste en carcinologie (1.).

♦ **2.** Spécialiste en carcinologie (2.). ⇒ **Cancérologue** (plus courant), **oncologue.**

CARCINOMATEUX, EUSE [kaʀsinɔmatø, øz] adj. — 1655 ; de *carcinome*.

♦ Didact. Qui est de la nature du carcinome. *Tumeur carcinomateuse.*

CARCINOME [kaʀsinom] n. m. — 1545 ; grec *karkinôma*, par l'angl. *carcinoma* et l'all. *Karzinom*.

♦ Méd. Tumeur cancéreuse épithéliale ou glandulaire. ⇒ **Épithélioma.** *Carcinome glandulaire.* ⇒ **Adénocarcinome.**

DÉR. **Carcinomateux.**
COMP. **Adénocarcinome, nævocarcinome.**

CARDAGE [kaʀdaʒ] n. m. — 1765 ; *gardage*, 1404, attestation isolée ; de *carder*.

♦ Action de carder*. *Le cardage des laines.* — Résultat de cette opération.

Spécialt, techn. [a] Sens large. Troisième opération dans l'industrie du «peignage» de la laine (après le triage et le lavage ; avant le défeutrage, le peignage proprement dit et le finissage).

[b] Spécialt. Opération par laquelle les fibres, après ensimage et échardonnage, sont étirées, démêlées et emportées par les organes de la carde dits «grand tambour» et «hérissons».

«*L'opération globale du cardage* (sens a) *comprenant l'ensimage, l'échardonnage et le cardage* (sens b)» (R. Thiébaut, *la Filature*, p. 68, n° 537).

CARDAMINE [kaʀdamin] n. f. — 1545 ; lat. *cardamina*, grec *kardaminê*, de *kardamon* «cresson».

♦ Bot. Plante dicotylédone (*Crucifères*), herbacée, aux nombreuses variétés, qui croît surtout dans les endroits humides. *La cardamine des prés est appelée cresson des prés.*

1   Les pervenches, les primevères et les violettes apparurent les premières, puis je retrouvai successivement la cardamine des prés avec sa nuance lilas (...)
     Paul BOURGET, le Disciple, IV, p. 225.
2   (...) les sources sauvages, gardées par l'œil ouvert des myosotis et des cardamines (...)   COLETTE, Gigi, «Flore et Pomone», p. 165.

CARDAMOME [kaʀdamɔm] n. f. — V. 1210 ; *cardemome*, v. 1170 ; lat. *cardamomum*, grec *kardamômon*.

♦ Bot. Plante d'Asie (Indes, Ceylan, Cambodge, etc.), de la famille des *Zingibéracées*, incluant diverses espèces (amomes, alpinies) et dont la graine (⇒ **Maniguette**) a une saveur poivrée et aromatique.

Je te donnerai grains
de cardamome boules de massala écrasé (...)   Édouard MAUNICK, Ensoleillé vif.

CARDAN [kaʀdɑ̃] n. m. — 1867, *Année sc. et industr.*, p. 134 ; on disait *de Cardan, à la Cardan* ; nom francisé du savant italien *Cardano*, 1501-1576.

♦ Mécan. et cour. Système de suspension dans lequel le corps suspendu conserve une position invariable malgré les oscillations de son support. — On dit aussi *suspension à la Cardan, articulation à la Cardan. Cardan* ou *joint de Cardan :* articulation mécanique transmettant un mouvement. *Arbre de transmission secondaire, sur une moto, avec joint de Cardan et couple conique.* — Spécialt (autom. et cour.) Dispositif transmettant régulièrement le mouvement moteur au différentiel du pont, en dépit des oscillations de ce dernier. *Transmission par cardan.*

CARDE [kaʀd] n. f. — XIIIᵉ, «tête de chardon servant d'outil à carder» ; «cardon», XVIᵉ ; mot picard ; soit lat. **carda*, plur. collectif de *carduus* «chardon», soit déverbal de *carder*, plutôt que du provençal *carda*.

★ **I.** ♦ **1.** Tête épineuse de la cardère* ou chardon à foulon qu'on employait pour carder la laine et peigner le drap.

♦ **2.** (1835). Mod. Instrument en forme de brosse, garni de pointes métalliques, dont on se sert pour carder. *Carde à main. Carde mécanique à tambour, à volants. Cardes briseuses, finisseuses. Carde pour le chanvre.* ⇒ **Séran.** *Nettoyage des dents d'une carde.* ⇒ **Débourrage.**

★ **II.** (1536). Côte comestible des feuilles de cardon et de bette (*bette à carde*). *Une botte de cardes, manger des cardes.* — Par métonymie. La bette elle-même. *Acheter des cardes au marché.*

DÉR. **Carder.**

-CARDE Second élément de mots savants, du grec *kardia* «cœur». ⇒ **Endocarde, isocarde, myocarde, péricarde, hydropéricarde, tachycardie** ; et aussi **cardio-**.

CARDER [kaʀde] v. tr. — XIIIᵉ, *karder* ; de *carde*.

♦ **1.** Peigner, démêler (les fibres textiles). *Carder de la laine, du coton, du drap.*
Par métonymie. *Carder un matelas,* en carder la laine, le crin, pour redonner au matelas son épaisseur primitive.

♦ **2.** [a] Loc. fam. *Carder le poil à qqn,* le battre, le griffer.

[b] Par métaphore. (Littéraire) :

Dans cette vivante mâture (*de l'arbre*), le travail du bois, surchargé de membres et cardant le vent, s'entendait comme une vibration sourde que traversait parfois un long gémissement.   M. TOURNIER, Vendredi..., p. 203.

▶ **CARDÉ, ÉE** p. p. adj. (1394).
En parlant de la laine (opposé à *peigné*). Dont les fibres courtes, démêlées grossièrement, ne sont pas rectilignes et donnent au fil un aspect plus grossier que dans la laine peignée.
N. m. (1899). Comm. Tissu de laine cardée. *Le cardé est moins apprécié que le peigné.*

DÉR. **Cardage, carderie, cardeur.** — V. **Carde, cardère.**

CARDÈRE [kaʀdɛʀ] n. f. — 1778, Lamarck ; orig. incert., p.-ê. à rattacher à la famille de *chardon, carder*, ou bien formation savante à partir du lat. *carduus* «chardon».

♦ Bot. Plante des lieux incultes, de la famille des *Dipsacées*, qui porte des capitules à bractées épineuses (celles-ci servaient autrefois au cardage) appelé aussi *chardon* à foulon*). *Les feuilles ornementales de la cardère ont fait donner à la plante le nom de cabaret aux oiseaux* (ou *lavoir, bain de Vénus*) *à cause de leur facilité à retenir l'eau de pluie.*

CARDERIE [kaʀdəʀi] n. f. — 1827 ; «laine cardée», 1358, *in* D.D.L. ; «action de carder», 1397 ; de *carder*.

♦ Techn. Lieu où l'on effectue les opérations de cardage.

CARDEUR, EUSE [kaʀdœʀ, øz] n. — 1337 ; de *carder*.
Technique.

♦ **1.** Personne effectuant le cardage (à la main ou à la machine).

Je me suis arrêté ce matin à Birkenmühle où l'on m'avait signalé une certaine Frau Dorn, cardeuse de sa profession, mais qui posséderait un métier à tisser sur lequel elle confectionne des pièces d'étoffe pour peu qu'on lui apporte de la laine.   M. TOURNIER, le Roi des Aulnes, p. 344.

♦ **2.** N. f. (1876). **CARDEUSE** : machine à carder les fibres textiles, dans les filatures. — Machine de matelassier, mue le plus souvent à bras d'homme, pour carder la laine.

CARDI-, CARDIO- Premier élément de mots savants, du grec *kardia* «cœur». — Ex. : *cardiographie*. ⇒ aussi **-carde**.

CARDIA [kaʀdja] n. m. — 1556; grec *kardia* «cœur; orifice supérieur de l'estomac».

♦ Anat. Orifice supérieur de l'estomac, qui le fait communiquer avec l'œsophage et qui est situé non loin du cœur. *Incision du cardia.* ⇒ **Cardiotomie** (2.).

DÉR. Cardial, 2. cardiaque.

CARDIAL, ALE, AUX [kaʀdjal, o] adj. — V. 1930; de *cardia*.

♦ Méd. Relatif au cardia. ⇒ 2. **Cardiaque.** *Douleurs cardiales.*

CARDIALGIE [kaʀdjalʒi] n. f. — 1546; lat. médiéval *cardialgia* «maladie du cœur», grec *kardialgia* «brûlure d'estomac», de *kardia* «cœur» (→ Cardio-), et -*algie*.

♦ Méd. Douleur dans la région précordiale ou cardiaque. — Douleur de l'estomac au niveau du cardia. ⇒ **Gastralgie.**

DÉR. Cardialgique.

CARDIALGIQUE [kaʀdjalʒik] adj. et n. — 1832; de *cardialgie*.

♦ Méd. Qui est affecté de cardialgie. — N. *Un, une cardialgique.* Relatif à la cardialgie. *Des douleurs cardialgiques.*

1. CARDIAQUE [kaʀdjak] adj. et n. — 1372; grec *kardiakos*, de *kardia* «cœur».

♦ **1.** Anat. Qui a rapport au cœur. *Nerfs cardiaques. Artère cardiaque ou coronaire. Le muscle cardiaque :* le cœur. — Méd. *Pulsations cardiaques* (→ Asphyxie, cit. 1). — *Névralgie cardiaque. Insuffisance cardiaque. Palpitations cardiaques.*

♦ **2.** Adj. Qui est atteint d'une maladie de cœur. *Elle est cardiaque.* — N. *Un, une cardiaque.*

Comme il ne s'est pas aperçu du sinistre, je m'abstiens de le lui signaler; il est cardiaque sur les bords, et ça me ferait de la peine de le voir mourir!
SAN-ANTONIO, le Secret de Polichinelle, p. 33.

Par métaphore. «*Un moteur rachitique, cardiaque*» (A. Arnoux, in T. L. F.).

♦ **3.** Qui agit sur le cœur. *Remède, médicament cardiaque* (tonique ou stimulant). ⇒ **Cardiotonique, tonicardiaque.** — N. m. (1590). *Un cardiaque* (vx). ⇒ **Cordial.** *Chirurgie cardiaque,* du cœur.

♦ **4.** Rare, littér. Du cœur. «*Les qualités cardiaques* (de cœur)» (Malraux, faisant parler un personnage de *la Condition humaine*).

COMP. Tonicardiaque.

2. CARDIAQUE [kaʀdjak] adj. — 1805, Cuvier; de *cardia*.

♦ Du cardia*. ⇒ **Cardial.** *Orifice cardiaque.*

CARDIATOMIE [kaʀdjatɔmi] n. f. ⇒ **Cardiotomie** (2.).

CARDIGAN [kaʀdigã] n. m. — 1928, in Höfler; mot angl., du nom du comte *Cardigan*.

♦ Veste de laine tricotée à manches longues, et boutonnée devant jusqu'au cou. «*Les cardigans, les vestes de tailleurs et les pulls, tous longs, s'étirent jusqu'au bas des hanches au moins, sans pinces ni découpes superflues*» (*Noir et Blanc*, 1968).

CARDIIDÉS [kaʀdiide] n. m. pl. — 1899, in P. Larousse; du grec *kardia* «cœur», et suff. taxinomique -*idés*, d'après les noms scientifiques latins en -*cardia* des mollusques à coquille cordiforme. → Bucarde.

♦ Zool. Famille de mollusques bivalves dont la coquille fermée présente, de profil, la forme d'un cœur. ⇒ **Bucarde, coque.** — Au sing. *Un cardiidé.*

1. CARDINAL, ALE, AUX [kaʀdinal, o] adj. et n. m. — 1279, *vertuz cardinals*; lat. *cardinalis*, de *cardo, cardinis* «gond, pivot» et, au fig., «principal».

♦ **1.** Littér. Qui sert de pivot, qui est principal. ⇒ **Capital, essentiel, fondamental, principal.** — Loc. cour. *Les quatre vertus* cardinales (la justice, la prudence, la tempérance et le courage).

1 (...) les quatre vertus cardinales, qui ont disparu avec les temps d'innocence.
VOLTAIRE, Essai sur les mœurs, 141.

2 Je peux, dans ma chronique personnelle, considérer comme une date cardinale celle de ce dimanche (...) G. DUHAMEL, Cri des profondeurs, X, p. 185.

3 Des idées cardinales, nous autres, hommes de laboratoire, nous en rencontrons trois ou quatre fois dans notre vie, et, pour certains, c'est même beaucoup.
G. DUHAMEL, le Voyage de P. Périot, VIII, p. 142.

(1845). Liturg. *Autel cardinal :* autel principal. *Messe cardinale :* messe solennelle.

♦ **2.** Arithm. *Nombres cardinaux* (par oppos. à *nombres ordinaux*) : nombres désignant une quantité correspondant au nombre d'éléments dans un ensemble (propriété quantitative de l'ensemble). *Nombre cardinal,* ou, n. m., *cardinal d'un ensemble :* grandeur mathématique telle que deux ensembles aient même cardinal si et seulement s'ils sont équipotents*. ⇒ **Puissance** (II., 5.). *Le cardinal d'un ensemble fini est le nombre de ses éléments. Un ensemble dénombrable a le même cardinal que l'ensemble des entiers naturels. Arithmétique des cardinaux infinis.* ⇒ **Aleph; transfini.**

♦ **3.** (1680). Géogr. et cour. *Les (quatre) points cardinaux* (Nord, Est, Sud, Ouest) : points à partir desquels on détermine la situation des autres points de l'horizon. — N. m. (rare au sing.). *Les cardinaux et les collatéraux*. — Vents cardinaux,* qui soufflent des quatre points cardinaux.

Mar. *Système cardinal de balisage*,* permettant par des marques (balises, etc.), de situer un danger par rapport aux points cardinaux. *Le système cardinal est utilisé surtout en France; ses marques indiquent le point cardinal libre de danger.* — Adj. *Marque cardinale,* du système cardinal. *Bouée cardinale Sud.*

♦ **4.** Anat. *Veines cardinales :* les quatre premières veines de l'embryon, chez les mammifères (elles donnent les jugulaires et les azygos). — *Veines cardinales antérieures et postérieures chez les poissons.*

Le sang revient au cœur par le système veineux. Les veines cardinales antérieures ramènent le sang qui a irrigué la tête, et les cardinales postérieures le sang qui a irrigué le reste du corps. R. et M.-L. BAUCHOT, les Poissons, p. 40-41. | 3.1

CONTR. Accessoire, insignifiant, secondaire.

2. CARDINAL, AUX [kaʀdinal, o] n. m. — V. 1230; *chardenal,* v. 1172; du lat. ecclés. *cardinalis.* → 1. Cardinal.

★ **I.** Prélat choisi par le pape dans toutes les nations de la chrétienté pour être membre du sacré collège. *Dignité de cardinal.* ⇒ **Cardinalat.** *De cardinal.* ⇒ **Cardinalice.** *Il y a soixante-dix cardinaux. Les cardinaux ont droit de vote au conclave; le pape est ordinairement choisi parmi eux. Calotte* (⇒ **Barrette**), *vêtements pourpres du cardinal. Chapeau rouge du cardinal. Le rochet, la cappa* (cit. 1) *d'un cardinal. Titre de cardinal.* ⇒ **Éminence, éminentissime.** *Promotion de cardinaux. Les six cardinaux-évêques* (des diocèses suburbicaires), *les cinquante cardinaux-prêtres* (portant le titre d'une des vieilles églises paroissiales de Rome), *les quatorze cardinaux-diacres* (ayant le titre d'une ancienne diaconie). *Le cardinal doyen. Le cardinal camerlingue. Cardinal légat ayant des pouvoirs extraordinaires.* ⇒ **Latere** (a latere). *Le Cardinal X.*

Il existait à Rome des prêtres et des diacres appelés *cardinaux,* soit que leur nom vînt de ce qu'ils servaient aux *cornes* ou coins de l'autel, *ad cornua altaris,* soit que le mot *cardinal* dérivât du latin *cardo,* pivot ou gond. | 4
CHATEAUBRIAND, Mémoires d'outre-tombe, III, 13.

(...) il évoqua ce qu'il savait de la splendeur d'hier, la basilique débordant d'une foule idolâtre, le cortège surhumain défilant au milieu des fronts prosternés, la croix et le glaive ouvrant la marche, les cardinaux allant deux à deux comme des dieux de pléiade, vêtus du rochet de dentelle, de la robe et du manteau de moire rouge, dont les caudataires tenaient la queue (...) ZOLA, Rome, p. 205. | 4.1

★ **II.** Par anal. de la couleur du plumage avec la robe des cardinaux.
♦ **1.** Oiseau passeriforme (*Fringillidés*) au plumage rouge foncé, tête écarlate et gorge noire. *Le cardinal est originaire d'Amérique du Nord et d'Afrique.*

(...) les bengalis, dont le ramage est si doux, les cardinaux, dont le plumage est couleur de feu (...) BERNARDIN DE SAINT-PIERRE, Paul et Virginie. | 5

♦ **2.** Régional. Poisson acanthoptérygien. ⇒ **Rouget.**

DÉR. Cardinaliser. — V. **Cardinalat, cardinalice.**

CARDINALAT [kaʀdinala] n. m. — 1508; lat. ecclés. *cardinalatus,* de *cardinalis.* → 2. Cardinal.

♦ Relig. Dignité de cardinal. *Être promu au cardinalat. Appeler (qqn) au cardinalat* (→ Pourpre, cit. 4).

Le siège fut levé, la ville rendue, et la paix faite par l'entremise de Mazarin. Ce fut le premier degré par où il monta au cardinalat (...)
SCARRON, le Roman comique, III, XIII, p. 388.

CARDINALICE [kaʀdinalis] adj. — 1819, in D.D.L.; *cardinalesque, cardinalique,* XVIe; ital. *cardinalizio,* de *cardinale* «cardinal».

♦ Didact. (relig.). Qui appartient aux cardinaux. *Charge, dignité cardinalice. Siège, titre cardinalice. Revêtir la pourpre cardinalice.*

CARDINALISER [kaʀdinalize] v. tr. — 1596; Rabelais, 1534 (→ ci-dessous, cit.), au fig., «rendre rouge»; de *cardinal*.

♦ **1.** Promouvoir cardinal. *Cardinaliser un évêque.*

♦ **2.** Fam. et vx. Rougir (par l'effet de la boisson). — Au p. p.

« *Un nez cardinalisé* » (Gautier). — Pron. *Se cardinaliser :* devenir rouge.

Dans Rabelais trouvé ceci : « Les écrevisses se cardinalisent à la cuite ».
> J. GREEN, Journal, Ce qui reste de jour, 28 avr. 1969.

CARDIO- ⇒ **Cardi-**.

CARDIOGRAMME [kaʀdjɔgʀam] n. m. — 1901, *in* D.D.L. ; de *cardio-*, et *-gramme*.

♦ Enregistrement des mouvements du cœur. ⇒ **Électrocardiogramme**.

CARDIOGRAPHE [kaʀdjɔgʀaf] n. m. — 1865 ; *cardiagraphe*, 1832 ; de *cardio-*, et *-graphe*.

♦ **1.** Vx. Spécialiste de l'étude du cœur. ⇒ **Cardiologue** (moderne).

♦ **2.** Mod. Appareil enregistreur des pulsations du cœur. *Le cardiogramme est la courbe obtenue avec le cardiographe.* ⇒ **Électrocardiographe, phonocardiographe.**

CARDIOGRAPHIE [kaʀdjɔgʀafi] n. f. — 1858, Nysten ; *cardiagraphie*, 1793 ; de *cardio-*, et *-graphie*.

♦ **1.** Vx. Description du cœur. — Partie de la médecine qui traite du cœur. ⇒ **Cardiologie**.

♦ **2.** Mod. Enregistrement, par des techniques graphiques, de l'activité cardiaque, et, spécialt, des mouvements du cœur. ⇒ **Électrocardiographie ; phonocardiographie.**

DÉR. Cardiographique.

CARDIOGRAPHIQUE [kaʀdjɔgʀafik] adj. — 1865 ; *cardiagraphique*, 1832 ; de *cardiographie*.

♦ Didact. Relatif à la cardiographie. *Enregistrement, tracé cardiographique :* cardiogramme.

CARDIOÏDE [kaʀdjɔid] adj. et n. f. — 1865 ; de *cardio-*, et suff. 1. *-ide*.
Didactique.

♦ **1.** En forme de cœur. — N. f. Courbe cycloïde en forme de cœur.

♦ **2.** Qui est caractérisé par une propriété représentée par une telle courbe. *Microphone cardioïde*, dont la courbe de réponse est une cardioïde. *Antenne cardioïde.*

CARDIOLOGIE [kaʀdjɔlɔʒi] n. f. — 1863, *in* Littré ; *cardialogie*, 1762 ; de *cardio-*, et *-logie*.

♦ Méd. Étude du cœur et de ses affections. Médecine cardiaque. *Le service de cardiologie d'un hôpital.*

DÉR. Cardiologique, cardiologue.

CARDIOLOGIQUE [kaʀdjɔlɔʒik] adj. — 1866 ; *cardialogique*, 1832 ; de *cardiologie*.

♦ Méd. De la cardiologie. *Recherches cardiologiques.*

CARDIOLOGUE [kaʀdjɔlɔg] n. — V. 1920 ; de *cardiologie*.

♦ Médecin spécialiste du cœur, des maladies du cœur. *Une remarquable cardiologue.*

C'était Lenoir (...) comme je devais l'apprendre, l'un des meilleurs cardiologues de ce temps.
> G. DUHAMEL, Cri des profondeurs, XI, p. 225.

CARDIOPATHIE [kaʀdjɔpati] n. f. — 1855 ; de *cardio-*, et *-pathie*.

♦ Didact. Affection du cœur. *Cardiopathie congénitale, acquise.* — Syn. cour. : *maladie du cœur.*

CARDIO-PULMONAIRE [kaʀdjɔpylmɔnɛʀ] adj. — 1878 ; de *cardio-*, et *pulmonaire*.

♦ Méd. Relatif au cœur et aux poumons. *Fonctions cardio-pulmonaires.*

CARDIO-RESPIRATOIRE [kaʀdjɔʀɛspiʀatwaʀ] adj. — 1896 ; de *cardio-*, et *respiratoire*.

♦ Méd. Qui concerne la physiologie du cœur et des poumons. *Maladies cardio-respiratoires.*

CARDIOTOMIE [kaʀdjɔtɔmi] n. f. — 1848 ; « dissection du cœur », 1855 ; de *cardio-*, et *-tomie*.
Chirurgie.

♦ **1.** Incision du cœur.

♦ **2.** Incision du cardia (dite plus souvent *cardiatomie* [kaʀdjatɔmi] n. f.).

CARDIOTONIQUE [kaʀdjɔtɔnik] adj. et n. m. — V. 1920 ; de *cardio-*, et *tonique*.

♦ Méd. Qui augmente la tonicité du muscle cardiaque. ⇒ **Tonicardiaque**. *Propriétés cardiotoniques d'une substance.* — N. m. *La digitaline est un cardiotonique.*

CARDIO-VASCULAIRE [kaʀdjɔvaskylɛʀ] adj. — 1910 ; de *cardio-*, et *vasculaire*.

♦ Méd. Relatif à la fois au cœur et aux vaisseaux. *Troubles, maladies cardio-vasculaires. Thérapeutique cardio-vasculaire.*

CARDITE [kaʀdit] n. f. — 1755 ; dér. sav. du lat. *cardia* « cœur », probablt par le lat. mod. *carditis*.

♦ **1.** Zool. Mollusque lamellibranche *(Isomyaires)* à coquille épaisse formée de deux valves symétriques sillonnées de côtes rayonnantes.

♦ **2.** (1814 ; *carditie*, 1803 ; *carditis*, 1792). Méd. Maladie inflammatoire du cœur.

CARDON [kaʀdɔ̃] n. m. — 1507 ; anc. provençal *cardon* (XIIᵉ), bas lat. *cardo, -onis*.

♦ Plante potagère du même genre que l'artichaut, dont les feuilles portent une côte médiane (⇒ **Carde**) que l'on mange après l'avoir fait étioler.

(...) la contrée qu'accidentaient quelques dunes hérissées de cardons, offrait l'aspect assez sauvage d'une vaste région sablonneuse.
> J. VERNE, l'Île mystérieuse, t. I, p. 87.

CARDONETTE [kaʀdɔnɛt] n. f. ⇒ **Chardonnette**.

CARÊME [kaʀɛm] n. m. — Av. 1622 ; *quaresme*, 1119 ; du lat. pop. **quaresima*, du lat. class. *quadragesima (dies)* « le quarantième (jour avant Pâques) ».

♦ **1.** Période de quarante-six jours d'abstinence et de privation entre le Mardi gras et le jour de Pâques, pendant laquelle, à l'exception des dimanches, l'Église catholique prescrivait et recommandait le jeûne, la prière. ⇒ **Mi-carême**. *Temps de carême.* ⇒ **Quarantaine** (sainte quarantaine) ; **quadragésime**. *Commencement du carême.* ⇒ **Carême-prenant, cendres** (mercredi des cendres). *Dimanches de carême* (quadragésime, reminiscere, oculi, laetare, rameaux). — *Prêcher le carême. Sermon de carême.* ⇒ **Station**. *Prédicateur de carême.*

(Un Rat) qui ne connaissait l'avent ni le carême (...) [1]
> LA FONTAINE, Fables, IV, 11.

Le ramadan* musulman correspond au carême (→ ci-dessous, 4.).
Loc. prov. *Arriver comme mars en carême :* arriver sans faute, inévitablement, comme le mois de mars en carême. — REM. Cette loc. est souvent confondue avec la suivante, alors que son sens est tout différent. — *Cela arrive comme marée en carême :* cela arrive à propos, comme la marée qui est la bienvenue en carême.

♦ **2.** Jeûne, abstinence qu'on fait pendant le carême. ⇒ **Jeûne**. *Faire carême. Faire, observer le carême. Rompre le carême.*

Il va rompre le carême pour un rhume. Mᵐᵉ DE SÉVIGNÉ, 791, 20 mars 1680. [2]
Faire rompre carême. RACINE, Lettres. [3]

Fam. et vx. *Faire carême :* se passer de nourriture, et, par ext., de qqch. — *Face de carême*, pâlie, amaigrie (comme par les austérités du carême) ; ou encore, maussade, sinistre.

Voyez cet autre avec sa face de carême. RACINE, les Plaideurs, III, 3. [4]

♦ **3.** Littér. Série de sermons prêchés par un même prédicateur pendant un carême. *Le Carême de Bourdaloue. Le Petit Carême de Massillon.*

♦ **4.** (En franç. d'Afrique). Jeûne du ramadan. *Faire, casser le carême* (I.F.A.).

♦ **5.** (En franç. des Antilles). Saison sèche (opposé à *hivernage**).

CARÊME. Saison sèche (de février à août). De plus en plus humide, car le temps ici se transforme. Croyance populaire : les Américains nettoient leurs couloirs aériens autour du cap Canaveral et rejettent les débris d'orages, de pluie et de cyclones sur nous. D'où les variations du temps. [5]
> Édouard GLISSANT, le Discours antillais, p. 496.

CONTR. Gras (faire gras). — Bombance, carnaval.
COMP. Carême-prenant, décarêmer, mi-carême.

CARÊME-PRENANT [kaʀɛmpʀənɑ̃] n. m. — xiie, *feste carenpernent* « fête de mardi-gras » ; de *carême*, et *prenant* « commençant », p. prés. de *prendre*.

Vx (langue classique).

♦ **1.** Durée des trois jours qui précèdent le mercredi des Cendres, commencement du carême.

Spécialt. Mardi gras.

♦ **2.** Réjouissance de Mardi gras. ⇒ **Carnaval.**

1   (...) on dirait qu'il est céans carême-prenant tous les jours (...)
MOLIÈRE, le Bourgeois gentilhomme, III, 3.

♦ **3.** *Un, des carême(s)-prenant(s).* Personne déguisée et masquée pendant les jours gras. — (1670). Fig. et vx. Personne vêtue d'une manière bizarre, extravagante. ⇒ **Carnaval.** *Un vrai carême-prenant. Des carêmes-prenants.*

2   (...) vous voulez donner votre fille en mariage à un carême-prenant.
MOLIÈRE, le Bourgeois gentilhomme, v, 6.

3   — Monsieur ! Voilà encore un carême-prenant.
Mme DE CHAMPVAUX (en culotte cycliste, elle entre en coup de vent). — Comment me trouves-tu ? (...)
— On aura tout vu.   R. QUENEAU, le Vol d'Icare, p. 210.

CARÉNAGE [kaʀenaʒ] n. m. — 1678 ; de *caréner.*

♦ **1.** Action de caréner (1.) ; résultat de cette action. *Petit carénage,* dans lequel la coque est nettoyée et repeinte. *Grand carénage,* qui comporte une révision générale du navire. — *Bassin de carénage,* où l'on effectue les carénages.

♦ **2.** Lieu où l'on carène des navires. *Le carénage d'un port. Les remorqueurs conduisent le paquebot au carénage,* au chantier, au bassin... de carénage. ⇒ **Carène.** *Un navire au carénage.* ⇒ **Radoub.**

♦ **3.** Carrosserie carénée* (⇒ **Caréner**), aérodynamique. *Le carénage d'une motocyclette de compétition.*

CARENCE [kaʀɑ̃s] n. f. — Mil. xve ; bas lat. *carentia,* de *carere* « manquer ».

Manque de qqch. ⇒ **Défaut, manque.**

♦ **1.** (1611, *carance de biens*). Dr. Absence ou insuffisance de ressources d'un débiteur ou d'une personne décédée. *Certificat de carence. Procès-verbal de carence,* par lequel un huissier chargé d'une saisie constate son impuissance à saisir quoi que ce soit au domicile d'un débiteur.

Par ext. Insolvabilité d'un débiteur.

Délai de carence, durant lequel un salarié en arrêt de travail ne perçoit pas les indemnités servies par les assurances sociales.

♦ **2.** (1910). Situation d'une personne (d'un groupe, d'un pouvoir...) qui fait défaut, qui se dérobe devant ses obligations, qui manque à sa tâche. *La carence du gouvernement, du pouvoir.* ⇒ **Abstention, impuissance, inaction.**

1   De ce monde si imparfait, et qui pourrait être si beau, honni soit celui qui se contente ! *L'ainsi-soit-il,* dès qu'il favorise une carence, est impie.
GIDE, Journal, 28 mars 1935.

2   Est-ce paresse, fatigue ou inévitable carence ? L'individu même dans nos sociétés occidentales, n'admet plus d'être abandonné à sa responsabilité personnelle, à sa propre initiative (...)   André SIEGFRIED, l'Âme des peuples, I, II, p. 11.

♦ **3.** (V. 1920). Méd. Absence ou insuffisance d'un ou de plusieurs éléments indispensables à l'équilibre ou au développement d'un organisme. *Maladie de carence, par carence.* ⇒ **Avitaminose** (cit. 1). *Carence en fer, en calcium, en protéines.* ⇒ **Carentiel.**

3   Les trois quarts des maladies dont souffrent les indigènes (épidémies mises à part) sont des maladies de carence.
GIDE, Voyage au Congo, in Souvenirs, Pl., p. 810.

4   La politique salariale du général Pinochet fait qu'au Chili — à Santiago, Temuco, Rancagua — plus de 2 millions d'enfants au-dessous de dix ans souffrent de carences alimentaires telles qu'ils sont menacés de devenir infirmes cérébraux, de mourir de faim.   Jean ZIEGLER, Main basse sur l'Afrique, p. 19.

♦ **4.** (V. 1960). Psychol. *Carence affective :* manque ou insuffisance de liens affectifs de l'enfant avec la mère. *Carence en soins maternels. Carence familiale.*

DÉR. **Carencer, carentiel.**

CARENCER [kaʀɑ̃se] v. tr. — Conjug. *placer.* — V. 1920 ; de *carence.*

♦ **1.** Méd. (presque toujours au passif et au p. p.). Priver d'éléments nutritifs indispensables à l'équilibre physiologique. *Un organisme carencé.* « *L'alcoolique a en effet trois raisons d'être carencé en* (vitamine) *B 1* » (Dr Nauroy, in *Guérir,* oct. 1967).

1   L'augmentation rapide de la population du monde va rendre celui-ci trop petit pour les hommes. Déjà une partie appréciable de l'humanité est alimentairement carencée.   A. SAUVY, Croissance zéro, p. 9.

♦ **2.** *Faire carencer (qqn) :* faire constater la carence (d'une personne), dans une affaire d'honneur, un match.

2   — Héro est capable de vous rendre votre gifle et de refuser de se battre.
— Je le ferai carencer ! Il mourra de honte ! Il n'osera plus se montrer nulle part.
J. ANOUILH, la Répétition, I, p. 30.

▶ **CARENCÉ, ÉE** p. p. adj.

♦ **1.** (→ ci-dessus, 1.).

♦ **2.** Psychol. Se dit d'un individu (surtout d'un enfant) souffrant d'une carence affective.

CARENCIEL, IELLE [kaʀɑ̃sjɛl] adj. ⇒ **Carentiel.**

CARÈNE [kaʀɛn] n. f. — 1246, *careune,* attestation isolée ; *carene,* 1552 ; ital. *carena,* mot génois ; lat. *carina* « coquille de noix ».

★ **I.** (1552). Partie immergée de la coque (d'un navire), située sous la ligne de flottaison et comprenant la quille et les œuvres vives. *La carène d'un bateau, d'un navire, d'un voilier. Pièce intérieure renforçant la carène.* ⇒ **Carlingue.** *Flamber, mailleter une carène. Calfater une carène avec un guipon* (→ *Calfat,* cit. 1). *Bordé de carène :* bordé extérieur de la coque. — *Centre de carène.*

1   Qu'elle vogue au hasard, comme un corps palpitant,
La carène entr'ouverte,
Comme un grand poisson mort, dont le ventre flottant
Argente l'onde verte (...)   HUGO, les Orientales, II, « Canaris ».

Par métonymie. Poét., vx. Navire. — Par comparaison :

2   La pauvre maison, avec sa ceinture de goudron, son crépi blême, ses minuscules fenêtres, continuait d'entrer lentement dans le jour, poussait lentement hors de la nuit, ainsi qu'une carène naïve, ses vieux flancs ruisselants d'ombre.
BERNANOS, Monsieur Ouine, Œ. roman., Pl., p. 1381.

Loc. *Mettre, abattre un navire en carène,* le coucher sur le côté pour le caréner ou pour réparer ses œuvres vives.

★ **II.** Par anal. ♦ **1.** Enveloppe d'un ballon dirigeable.

♦ **2.** Zool. Chez les oiseaux, Partie saillante du squelette s'élevant au milieu du sternum et où s'insèrent les muscles pectoraux qui permettent le vol et la nage. — Syn. cour. : *bréchet*.* *Oiseaux à carène.* ⇒ **Carinates.**

♦ **3.** (1782 ; *carine,* 1753). Bot. Pièce formée par les deux pétales inférieurs des fleurs de papilionacées. — Syn., vx : *nacelle.*

DÉR. **Caréner.**

CARÉNER [kaʀene] v. tr. — Conjug. *céder.* — 1642 ; de *carène.*

♦ **1.** Mar. Nettoyer la carène de (un navire) des algues, de la végétation sous-marine, en effectuant le cas échéant les réparations et les travaux de peinture nécessaires. *Caréner un bâtiment.* ⇒ **Radouber.**

Absolt (plus courant) :

1   Fin mai, tout est paré ; nous avons caréné à marée basse (c'est facile dans le port de Casablanca où le marnage dépasse deux mètres).
Bernard MOITESSIER, Cap Horn à la voile, p. 67.

Intrans. Passer en carène (en parlant d'un navire).

2   Plus d'un songeait à l'hélice gigantesque, une hélice de paquebot, qu'ils avaient tous admirée longuement, quand le remorqueur carénait en cale sèche (...)
Roger VERCEL, Remorques, p. 72.

♦ **2.** Techn. Donner un profil aérodynamique à (une carrosserie). *Caréner une automobile.*

▶ **CARÉNÉ, ÉE** p. p. adj.

♦ **1.** Dont la carène a telle caractéristique (en parlant d'un navire).

Par métaphore :

3   Elle admirait cette poitrine nue, bien carénée, elle pensait à un beau navire. Il reposait dans ce lit calme, comme dans un port (...)
SAINT-EXUPÉRY, Vol de nuit, p. 89.

♦ **2.** *Automobile bien carénée. Train caréné.*

♦ **3.** Qui a la forme d'une coque de navire, d'une carène. — Sc. nat. *Feuille carénée, pétale caréné. Bec, squelette caréné.*

DÉR. **Carénage.**

CARENTIEL, IELLE ou CARENCIEL, IELLE [kaʀɑ̃sjɛl] adj. — 1950, in D. D. L. ; de *carence.*

Didactique.

♦ **1.** Méd. Relatif aux carences physiologiques ; déterminé par une carence. « *Les "psychoses toxiques" (...) quelques maladies carencielles* » (F. Cloutier, la Santé mentale, p. 8).

♦ **2.** Qui présente une, des carences. *Un régime carentiel.*

♦ **3.** Psychol. Qui présente des carences affectives. *Un milieu carentiel.*

CARESSANT, ANTE [kaʀesɑ̃, ɑ̃t] adj. — 1642, Oudin ; p. prés. de *caresser.*

♦ 1. (En parlant d'une personne, ou de son corps). Qui caresse, aime à caresser. ⇒ **Affectueux, aimant, cajoleur, câlin, tendre.** *Un enfant caressant, doux* et caressant. Elle est caressante comme une chatte.* — *Corps caressant. Mains caressantes.*

1 Vous étiez si douce, si aimable et si caressante pour moi que j'en étais toute transportée de tendresse (...)   Mme DE SÉVIGNÉ, 489, 8 janv. 1676.

2 Au contraire, depuis nos doux aveux, souvent
Elle est plus caressante et plus libre qu'avant (...)   LAMARTINE, Jocelyn, IV, 163.

3 Ce long corps souple et caressant se contourne en des émotions extrêmes, et ces deux bras jetés en avant, pour les derniers refus, vont défaillir.   E. FROMENTIN, Un été dans le Sahara, I, p. 34.

Qui séduit, cherche à séduire.

4 Je fus coquette, séduisante, comme auprès d'un homme, caressante et perfide. J'affolai cet enfant.   MAUPASSANT, Clair de lune, « Une veuve », p. 152.

(Animaux). *Un chien très caressant.*

5 Il *(le lion pris jeune)* est doux pour le maître et même caressant surtout dans le premier âge.   BUFFON, Hist. nat. des animaux, Le lion.

♦ 2. Doux comme une caresse (gestes, manières). *Un coup d'œil caressant. Regard caressant.* ⇒ **Tendre.** *Voix caressante. Des inflexions caressantes.* — REM. Au sens concret (« qui constitue une caresse, est accompagné de caresses »), le mot est archaïque (→ ci-dessous, cit. 8).

6 Des regards caressants que la bouche seconde,
Un souris chargé de douceur (...)   MOLIÈRE, Psyché, I, 1.

7 Moi, qui de mes parents toujours abandonnée,
Étrangère partout, n'ai pas même en naissant,
Peut-être reçu d'eux un regard caressant !   RACINE, Iphigénie, II, 3.

8 Ses bras savent trouver des étreintes caressantes.   ROUSSEAU, Émile, IV.

9 (...) Et ses soins caressants,
Tendres, réchaufferaient l'hiver de mes vieux ans.   COLLIN D'HARLEVILLE, le Vieux Célibataire, IV, 11.

10 (...) la voix plus cajoleuse que vraiment caressante (...)   GIDE, Journal, 15 avril 1910.

Par ext. ⇒ **Enjôleur, flatteur.** *Des paroles caressantes. Manières gracieuses et caressantes.*

11 Ces dehors agréables et caressants que quelques courtisans, et surtout les femmes (...) ont naturellement pour un homme de mérite (...)   LA BRUYÈRE, les Caractères, VII, 15.

♦ 3. Fig., littér. Qui effleure comme une caresse. *L'haleine caressante du zéphir. Une musique caressante.*

12 Lorsque du renouveau l'haleine caressante
Rafraîchit l'univers de jeunesse paré (...)   M.-J. CHÉNIER, Promenade.

Qui flatte ou émeut comme une caresse. *Le souffle caressant de la popularité. Une atmosphère douce et caressante.*

13 Je demande à l'amour un climat tiède, caressant, que la famille m'a refusé (...)   A. MAUROIS, Climats, II, 5, p. 180.

CONTR. **Froid, indifférent, insensible.** — **Brusque, brutal, rogue, rude.**

CARESSE [kaʀɛs] n. f. — 1545 ; *carresse*, 1538 ; *charesse*, 1534 ; ital. *carezza*, de *caro, cara* « cher, chère ». → Caresser.

♦ 1. Manifestation physique de l'affection, de la tendresse (vieilli ou littér.) ; spécialt (mod.), attouchement tendre, affectueux ou sensuel. — REM. Les emplois classiques du mot lui donnent une valeur plus étendue que de nos jours, où il évoque en général la sensualité érotique : on ne parlerait plus des *caresses d'un ami* ni de *caresse amicale.* En outre, il s'agit le plus souvent aujourd'hui d'attouchements de la main, alors que le mot incluait les caresses des lèvres, les baisers (→ ci-dessous, cit. 2 et 13 ; baiser, cit. 14). — *Caresse affectueuse, amoureuse, tendre. De douces caresses. Caresse légère* (⇒ **Effleurement, frôlement**), *appuyée* (⇒ **Frottement, pression**). *Caresse excitante.* ⇒ **Chatouille, chatouillement, titillation.** *Faire des caresses à qqn, accabler, couvrir qqn de caresses.* ⇒ **Caresser ; cajolerie, câlinerie, chatterie ;** vx, *mignardise, mignotise ;* fam. *papouille. Caresses indiscrètes.* ⇒ **Privauté ;** fam. *pelotage. Recevoir les caresses de qqn.* — Spécialt. *Caresses données à un animal qu'on flatte.* — Collectif. *La caresse* (→ ci-dessous, cit. 5 et 8).

1 Si, pour te prodiguer mes plus tendres caresses (...)   BOILEAU, le Lutrin, II.

2 Madame la duchesse eut la bonté de la manger de caresses *(de baisers).*   SAINT-SIMON, Mémoires, 262, 5.

3 Aussitôt ces deux petites créatures s'empressèrent autour de moi, me prirent les mains, et m'accablant de leurs innocentes caresses, tournèrent vers l'attendrissement toute mon émotion.   ROUSSEAU, Julie ou la Nouvelle Héloïse, IV, Lettre VI, p. 32.

4 Il est dans l'amour de certaines caresses que l'amour nous apprend.   HELVÉTIUS, Pensées, p. 271.

5 L'homme a toujours besoin de caresse et d'amour,
Sa mère l'en abreuve alors qu'il vient au jour (...)   A. DE VIGNY, les Destinées, « Colère de Samson ».

6 Car j'eusse avec ferveur baisé ton noble corps,
Et depuis tes pieds frais jusqu'à tes noires tresses
Déroulé le trésor des profondes caresses (...)   BAUDELAIRE, les Fleurs du mal, XXXII.

7 (...) c'est une caresse qui m'enveloppe, et je me sens écrasée comme si un dieu s'étendait sur moi.   FLAUBERT, Salammbô, III, p. 51.

8 L'amour humain ne se distingue du rut stupide des animaux que par deux fonctions divines : la caresse et le baiser.   Pierre LOUŸS, Aphrodite, II, 5.

9 (...) la chair des femmes se nourrit de caresses comme l'abeille de fleurs.   FRANCE, le Lys rouge, XXIII, p. 180.

Les caresses semées ont fleuri dans mon cœur.   10

Francis JAMMES, le Deuil des primevères, Élégie seconde, II.

Claire cessa de trembler, se détendit et s'abandonna à de lentes caresses.   11
          A. MAUROIS, Terre promise, XXXV, p. 238.

Immobile, l'échine courbée, la jeune femme se prêtait à cette caresse avec la frémissante immobilité d'une chatte.   12
          MARTIN DU GARD, les Thibault, t. V, p. 29.

Elle se pencha, vite, très vite, et mit sur la tempe du jeune homme un baiser d'oiseau, une caresse imperceptible, mais si tiède et si tendre qu'elle acheva de le bouleverser.   13
          G. DUHAMEL, Chronique des Pasquier, VIII, 12.

Spécialt. Attouchement ou contact érotique. — REM. Le mot peut désigner, soit de manière vague et discrète, tout contact sensuel (→ ci-dessus, cit. 4, 6, 7, 9, 11 et 12), soit, très précisément et par euphémisme, les contacts sexuels, manuels ou buccaux, autres que le coït (fellation, masturbation, etc.). — *Les amants se couvrent de caresses, échangent des caresses. De savantes caresses.*

(1671). Fig. *La caresse du vent, des flots. La chaude caresse du soleil.* ⇒ **Bain, baiser, effleurement, frôlement.**

Le soir apportait sa caresse froide, son effleurement perfide.   14
          Edmond JALOUX, les Visiteurs, I.

Littér. et vx. *Les caresses de la fortune.* ⇒ **Délice, volupté.**

♦ 2. (1616). Vieilli. Démonstration, manifestation, marque d'affection, de bienveillance (par la parole, le geste). *Faire mille caresses à qqn. Accabler* qqn de caresses. Des caresses adulatrices, étudiées, trompeuses. Amadouer qqn par des caresses.* ⇒ **Avance, flatterie, mamour** (fam.). *Dissimuler sous des caresses un dessein de nuire.* (→ Faire patte de velours*).

Toutes les caresses qu'il vous fait ne sont que pour vous enjôler.   15
          MOLIÈRE, le Bourgeois gentilhomme, III, 3.

Combien de gens vous étouffent de caresses dans le particulier, vous aiment et vous estiment, qui sont embarrassés de vous dans le public (...)   16
          LA BRUYÈRE, les Caractères, VIII, 30.

Bien instruit des moyens par lesquels un vieillard peut être gagné, il n'y eût point de caresses qu'il ne lui fît, point de marques d'estime et d'amitié qu'il ne lui donnât.   17
          ROLLIN, Hist. ancienne, Œ., t. II, p. 580.

Une caresse préalable assaisonne les trahisons.   18
          HUGO, les Travailleurs de la mer, II, II, 1.

(...) il réconforta le patient avec toutes sortes de bons mots, caresses chirurgicales qui sont comme l'huile dont on graisse les bistouris.   19
          FLAUBERT, Mme Bovary, I, 2.

CONTR. **Brutalité, coup, rudoiement.**

CARESSER [kaʀese] v. tr. — 1410 ; ital. *carezzare* « chérir », de *carezza.* → Caresse.

★ I. ♦ 1. Faire des caresses à (qqn), en signe de tendresse. — REM. Pour l'évolution sémantique du mot, → Caresse. — REM. *Caresser un enfant, une femme, un amant.* ⇒ **Accoler, attoucher, baiser** (vx ; cit. 3), **cajoler, câliner, chatouiller, effleurer, embrasser, enlacer, étreindre, frôler, manger** (de caresses), **mignoter, patiner** (fam. et vx), **peloter, presser, serrer, tapoter, titiller, toucher, tripoter.** *Il bécote, embrasse et caresse sa fiancée sans arrêt.* — (Le compl. désigne une partie du corps). *Caresser la joue, le bras de qqn* (→ ci-dessous, cit. 5 et 6). *Caresser un chien.* ⇒ **Flatter, rebaudir** (vénerie).

(L'âne de la fable) Qui, pour se rendre plus aimable   1
Et plus cher à son maître, alla le caresser.   LA FONTAINE, Fables, IV, 5.

Il commande chez l'hôte, y prend des libertés,   2
Boit son vin, caresse sa fille.   LA FONTAINE, Fables, IV, 4.

On en voit quelquefois *(des enfants)* qui dépérissent d'une langueur secrète, parce que d'autres sont plus aimés et plus caressés qu'eux.   3
          FÉNELON, l'Éducation des filles, 5.

Elle *(la duchesse de Bourgogne)* les embrassait *(le roi et Mme de Maintenon)*, les baisait, les caressait, les chiffonnait.   4
          SAINT-SIMON, Mémoires, 321, 195.

Cymodocée, flattant son vieux père de ses belles mains et caressant sa barbe argentée (...)   5
          CHATEAUBRIAND, les Martyrs, I.

(...) il me caressa la joue pour mieux exprimer, sans doute, la tendresse que je lui inspirais spontanément.   FRANCE, le Crime de Sylvestre Bonnard, II, I, p. 340.   6

Je pouvais bien prendre Albertine sur mes genoux, tenir sa tête dans mes mains ; je pouvais la caresser, passer longuement mes mains sur elle, mais, comme si j'eusse manié une pierre qui enferme la saline des océans immémoriaux ou le rayon d'une étoile, je sentais que je touchais seulement l'enveloppe close d'un être qui, par l'intérieur, accédait à l'infini.   7
          PROUST, À la recherche du temps perdu, t. XII, p. 230.

« Es-tu souple ! » dit-il, en la caressant comme on flatte une bête de sang.   8
          MARTIN DU GARD, les Thibault, t. III, p. 15.

Spécialt. Faire à (un, une partenaire érotique) une caresse* (spécialt ; infra cit. 13).

Effleurer de la main. *Caresser un objet. Caresser sa barbe, son menton ; se caresser la barbe.*

Iron. Vieilli. *Caresser les épaules, l'échine de qqn à coups de bâton.* ⇒ **Battre.** — Mod. *Caresser les côtes de qqn.*

(...) ils avaient manqué d'un père solide qu'aurait pas hésité à leur botter l'cul et à leur caresser les côtes. Pour ton garçon, Chalumot, l'est encore temps de le ressaisir.   8.1
          Yves GIBEAU, Allons z'enfants, 1952, p. 155.

Fig. *Caresser qqn, qqch. de l'œil, du regard :* regarder amoureusement, avec un sentiment de convoitise ou de contentement.

(...) il caresse de l'œil toute la courbe de ce corps flexible replié sur soi-même, depuis le moelleux arrondi des épaules (...)   9
          MARTIN DU GARD, les Thibault, t. III, p. 166.

♦ 2. (Av. 1777). Littér. (Sujet n. de chose). Effleurer doucement, agréablement. *Une douce brise nous caresse.* — (Passif). *Être caressé par le soleil.* ⇒ **Baigner.**

10 Cette brume de la mer me caressait, comme un bonheur.
MAUPASSANT, la Vie errante, p. 16.

11 En fin de journée, le soleil caressait les deux pièces ouvertes sur la rue.
G. DUHAMEL, Chronique des Pasquier, t. II, IV, p. 254.

Vx (d'abord t. techn. d'art). Envelopper en épousant les formes. *Draperie caressant un nu.*

12 Il nous enseigne aussi les belles draperies (...)
Dont l'ornement aux yeux doit conserver le nu,
Mais qui, pour le marquer, soit un peu retenu,
Qui ne s'y colle point, mais en suive la grâce,
Et sans la serrer trop, la caresse et l'embrasse.
MOLIÈRE, la Gloire du Val-de-Grâce, 144.

♦ 3. (1736 ; sujet n. de personne ; compl. désignant une réalité psychologique). Entretenir complaisamment. ⇒ **Complaire** (se complaire dans), **entretenir, nourrir.** *Caresser un projet, une idée, un espoir, une espérance, un rêve, une chimère.*

13 (...) je caressais une folle chimère. A. DE MUSSET, Une soirée perdue.

14 Il caressait déjà dans son âme hautaine
L'espoir vertigineux de faire, tôt ou tard,
Un manteau d'empereur des langes du bâtard.
J.-M. DE HÉRÉDIA, Trophées, « Les conquérants de l'or ».

15 (...) il *(Ramuntcho)* caresse toutes sortes de projets sacrilèges, que, jusqu'à ce jour, il aurait à peine osé concevoir. LOTI, Ramuntcho, II, III, p. 238.

16 Elle touchait pour de bon à l'accomplissement de ce rêve qu'elle avait, des années durant, caressé. MARTIN DU GARD, les Thibault, t. III, p. 65.

♦ 4. Fam., vieilli. *Caresser la bouteille :* être porté sur la boisson.

★ **II.** (1538). **♦ 1.** Fig., vx. (Sujet et compl. n. de personne). Faire des démonstrations d'affection, d'amitié, de bienveillance plus ou moins sincères à (qqn). ⇒ **Caresse** (2.) ; **aduler, cajoler, courtiser, enjôler, flatter.** *Il sait caresser les gens pour en obtenir ce qu'il désire* (Académie).

17 Quel avantage a-t-on qu'un homme vous caresse,
Vous jure amitié, foi, zèle, estime, tendresse (...)
MOLIÈRE, le Misanthrope, I, 1.

18 Ceux qui caressent également tout le monde, qui promènent leurs civilités à droite et à gauche, et courent à tous ceux qu'ils voient avec les mêmes embrassades et les mêmes protestations d'amitié. MOLIÈRE, l'Impromptu de Versailles, 3.

19 Selon qu'il vous menace, ou bien qu'il vous caresse
La cour autour de vous, ou s'écarte, ou s'empresse. RACINE, Britannicus, IV, 1.

Par métaphore du sens concret (I., 1.) :

20 Mon héros, en me caressant d'une main, m'égratigne un peu de l'autre, selon sa louable coutume (...) VOLTAIRE, Lettre à Richelieu, 11 juil. 1770.

♦ 2. (Compl. n. de chose abstraite). Littér. *Caresser les espérances, l'orgueil, l'amour-propre... (de qqn).* ⇒ **Flatter.**

21 (...) la récompense la plus agréable qu'on puisse recevoir des choses que l'on fait, c'est (...) de les voir caressées d'un applaudissement qui vous honore. Il n'y a rien assurément qui chatouille davantage que les applaudissements.
MOLIÈRE, le Bourgeois gentilhomme, I, 1 (→ Applaudissement, cit. 10).

22 Toutes les idées acceptées unanimement par eux sont celles qui caressent leur vanité ou répondent à leurs espérances, les idées consolantes (...)
FRANCE, la Vie en fleur, XXVIII.

▶ **SE CARESSER** v. pron.

♦ 1. (Récipr.). Se donner réciproquement des caresses. *Les amoureux, les fiancés n'arrêtent pas de se caresser.*

23 Deux tendres & légitimes époux se caresseraient avec moins d'ardeur (...) Leurs bouches se pressent, leurs soupirs se confondent, leurs langues s'entrelacent (...)
SADE, Justine..., t. I, p. 66.

♦ 2. (Réfl.). *Se caresser à, contre* (qqn, qqch.) : se frotter avec douceur à, contre (qqn, qqch.). *L'eau se caresse doucement au rivage.*

Absolt, érotique et par euphémisme. Se masturber (se dit surtout d'une femme).

CONTR. Battre, brutaliser, châtier, frapper, rudoyer.
DÉR. Caressant, caresseur. — V. Caresse.

CARESSEUR, EUSE [kaʀɛsœʀ, φz] adj. et n. — 1566, au fig. ; de *caresser.*

Rare.

♦ 1. Qui caresse, aime à caresser. ⇒ **Caressant.** *Mains caresseuses.* — *Des regards caresseurs.*

Rose, rasé, avec des boucles de cheveux à peine grisonnants, il avait un nez aimable, des lèvres humides, des yeux caresseurs, tout ce que la prélature romaine peut offrir de plus séduisant et de plus décoratif. ZOLA, Rome, p. 41.

♦ 2. N. Personne qui aime à donner des caresses. — Fig. et vx. Flatteur.

1. CARET [kaʀɛ] n. m. — 1382, *fil de caret* ; mot normanno-picard, dimin. de *car* « char », par assimilation d'un dévidoir à un chariot.

♦ Techn. Dévidoir à l'usage des cordiers. — **FIL DE CARET :** gros fil, fait avec des fibres de chanvre, qui servait naguère à fabriquer les cordages* pour la marine. *Natte en fils de caret.* ⇒ **Paillet.** Le fil de caret est aujourd'hui remplacé par les fibres synthétiques.

2. CARET [kaʀɛ] n. m. — 1640 ; esp. *carey*, probablt d'une langue caraïbe.

♦ 1. Zool. Tortue des mers chaudes, à la carapace imbriquée. ⇒ **Caouane.**

♦ 2. (1652). Écaille de cette tortue. *Le caret est une écaille de premier choix.*

CAREX [kaʀɛks] n. m. — 1805 ; *careix, careiche*, 1794 ; lat. *carex* « laîche ».

♦ Bot. Plante monocotylédone *(Cypéracées)*, communément appelée *laîche* (var. : *flaiche* ; → ci-dessous, cit.), à feuilles coupantes, à fleurs en épis et à fruits akène, qui croît tantôt au bord de l'eau ou dans les lieux humides, tantôt dans les prés secs, les sables. *La variété dite carex des sables est souvent plantée pour fixer les dunes.*

Des saules et des frênes se dressaient de loin en loin le long du sentier, avec des touffes de carex, qu'on appelle aussi des flaiches ou des tournedous.
A. BILLY, Sur les bords de la Veule, p. 179.

CAR-FERRY [kaʀfeʀi ; kaʀfeʀe] n. m. — 1958, in Höfler ; mot angl., de *car* « voiture », et *ferry* « passage » ; d'après *ferry-boat*.

♦ Anglic. Bateau servant au transport, à la fois des passagers et de leur voiture (→ Train* autos-couchettes). *Traversée de la Manche en car-ferry,* en ferry-boat*, en aéroglisseur. — Plur. *Des car-ferries.* « (...) sur la Manche, les car-ferries tournent en pleine saison à raison de deux aller et retour par jour... » *(l'Express,* 8-14 juil. 1968). — Abrév. : *ferry.*

CARGAISON [kaʀgɛzɔ̃] n. f. — 1611 ; *carquaison,* 1554 ; anc. gascon *cargueson,* de l'anc. provençal *cargar.* → Charger.

♦ 1. Ensemble des marchandises* chargées sur un navire. ⇒ **Charge, chargement, fret.** *Arrimer une cargaison.* ⇒ **Arrimage.** *Dommages subis par la cargaison.* ⇒ **Avarie.** *Agent de l'armateur préposé à la cargaison.* ⇒ **Subrécargue.** *Consignataire d'une cargaison. Déclaration de cargaison. Manifeste de cargaison. La cargaison d'un cargo, d'un pétrolier... Une cargaison d'huile, de vin, de pétrole, de charbon.*

1 Les dommages causés, soit aux navires, soit à leur cargaison soit aux effets et autres biens des équipages, des passagers ou autres personnes se trouvant à bord, sont supportés par les navires en faute, dans ladite proportion, sans solidarité à l'égard des tiers. Code de commerce, Loi du 7 juil. 1967, art. 4.

2 *(Le tramp)* prend en vrac des cargaisons entières, allant les chercher là où elles peuvent se trouver. André SIEGFRIED, Vue de la Méditerranée, p. 157.

♦ 2. Fam. Grande quantité (d'objets ou de personnes).

3 Les petits trains roulaient essoufflés sur Panama, avec leur cargaison fiévreuse d'Européens qui venaient à leur tour tenter fortune en chemises rouges, en bottes de cuir fauve et en pantalon de velours. B. CENDRARS, l'Or, p. 148.

♦ 3. Fig. et fam. Grande quantité. ⇒ **Collection, provision, réserve.** *Une cargaison d'anecdotes. Il a toute une cargaison d'histoires drôles.*

CARGO [kaʀgo] n. m. — Attesté av. 1907, Claudel ; *cargo-boat,* 1887 ; mot angl., « navire de charge », de *cargo* « charge », empr. à l'esp. *cargo* « charge », et *boat* « bateau ».

♦ 1. Navire destiné surtout au transport des marchandises. *Cargo assurant un service régulier* (dit *cargo-liner,* anglic.). *Cargo sans horaire ni parcours fixe.* ⇒ **Tramp** (anglic.). *Cargo charbonnier, méthanier, minéralier, pétrolier, bananier* (cf. Un charbonnier, un pétrolier, etc.). *Cargo moutonnier.* — (1923, in Höfler). *Cargo porte-conteneurs. Cargo mixte,* qui peut prendre aussi quelques passagers. — *Ce cargo fait du cabotage.* ⇒ **Caboteur.**

Un cargo passe dans la catégorie des *mixtes* lorsqu'il embarque plus de douze passagers en cabine. GRUSS, Dict. de marine, Cargo.

Cargo roulier, où les manutentions peuvent se faire horizontalement (sans opérations de levage).

Cargo hors mer : au Canada, Cargo long et étroit, adapté aux écluses des estuaires, des grands lacs.

♦ 2. (1948). Par appos. *Avion-cargo. Des avions-cargos à réaction, géants.*

CARGUE [kaʀg] n. f. — 1634 ; de *carguer.*

♦ Mar. Cordage servant à carguer les voiles. *Cargues de voiles carrées.*

CARGUER [kaʀɡe] v. tr. — 1690 ; « pencher sur le côté (en parlant d'un bateau) », 1611 ; du lat. tardif *carricare* « charger », par le provençal ou l'esp. *cargar*.

♦ Mar. Serrer et trousser (les voiles) contre leurs vergues ou contre le mât au moyen des manœuvres (cordages) appelées *cargues*. ⇒ **Ferler ; serrer.** *Carguer les voiles**.

1 À peine en mer, le capitaine, dont le vaisseau vole et nous dépasse, fait carguer les voiles et nous attend. LAMARTINE, Voyage en Orient, 28-30 juil. 1832.

2 *La Jeune-Hardie* était entièrement visible. Déjà l'équipage faisait ses préparatifs de mouillage. Les voiles hautes avaient été carguées. On pouvait reconnaître les matelots qui s'élançaient dans les agrès.
J. VERNE, Un hivernage dans les glaces, p. 223.

DÉR. Cargue, cargueur.

CARGUEUR [kaʀɡœʀ] n. m. — 1829 ; « poulie pour amener et guinder le perroquet », 1678 ; de *carguer*.

♦ Mar. Matelot employé à carguer (les voiles). — REM. Le féminin *cargueuse* [kaʀɡøz] est virtuel.

CARI ou **CARY** [kaʀi] n. m. — 1602, *caril* ; mot malabar. → Curry.

♦ Vieilli. ⇒ **Curry.** — Var. graphique : *kari* [kaʀi].

Smaïl, tu vas nous préparer le bain, les vêtements du soir, et un bon poulet au kari. Henri FAUCONNIER, Malaisie, p. 28.

HOM. Carie.

CARIACOU [kaʀjaku] n. m. — 1761, Buffon ; t. usité en Guyane au XVIIIᵉ ; corruption, selon Buffon, de *cuguacu-(apara)*, nom tupi dont on retrouve le premier élément (qui pourrait signifier « rouge ») dans le nom brésilien du couguar* ; mais peut-être faudrait-il rapprocher le mot du tupi *carajuru* « liane dont les feuilles fournissent une teinture rouge », d'où le français *cariarou*, même sens, et *carriatour* « drogue colorante ».

♦ Zool. Cerf de Virginie, voisin du caribou.

Il voit les bêtes : le maipouri, ventru et paisible comme un bœuf, le cariacou bondissant, les tatous à carapace grise, les pécaris en troupeaux qui annoncent l'aube prochaine (...) B. CENDRARS, Rhum, p. 56.

CARIANT, ANTE [kaʀjɑ̃, ɑ̃t] adj. — 1967 ; de *carier*.

♦ Méd. Qui provoque une carie. ⇒ **Cariogène.** *Acide cariant*.

CARIATIDE ou **CARYATIDE** [kaʀjatid] n. f. — 1550 ; *caryatide*, 1546 ; ital. *cariatide*, lat. *caryatides*, grec *karyatides*, de *Karyes*, ville du Péloponnèse ; on présume que des femmes de Karyes réduites en esclavage ou que les danseuses célébrant Artémis de Karyes, à Lacédémone, furent les modèles des premières cariatides.

♦ Statue de femme soutenant une corniche sur sa tête. *Des cariatides alternant avec des atlantes**. *Les cariatides de l'Érechthéion. Les cariatides de Jean Goujon*.

1 Que la cariatide, en sa lente révolte,
Se refuse, enfin lasse, à porter l'archivolte
Et dise : C'est assez ! HUGO, les Voix intérieures, IV, 1.

2 (...) son long buste bien dessiné comme celui des cariatides.
G. DUHAMEL, Récits des temps de guerre, II, p. 340.

Rester plantée comme une cariatide ; servir de cariatide : rester immobile, dressée (en parlant d'une personne, notamment d'une femme).

CARIBOU [kaʀibu] n. m. — 1607 ; mot canadien, de l'algonquin.

♦ Renne du Canada. *Des caribous*.

REM. L'Académie a supprimé en 1878 la forme *cariboux* admise jusque-là *(un, des cariboux)*.

1 Une multitude d'animaux, placés dans ces retraites *(les rives du Meschacebé : Mississippi)* par la main du Créateur, y répandent l'enchantement et la vie (...) des cariboux se baignent dans un lac (...) CHATEAUBRIAND, Atala, Prologue.

2 On rencontre encore dans ses forêts quelques ours et quelques caribous, mais les castors ont été depuis longtemps exterminés.
H. DE LAMOTHE, Excursion au Canada et à la rivière rouge du Nord, *in* le Tour du monde, 1878, p. 230.

REM. Le mot est évidemment plus fréquent en français du Canada, mais ne constitue pas un canadianisme.

CARICATURAL, ALE, AUX [kaʀikatyʀal, o] adj. et n. m. — 1842 ; de *caricature*.

♦ **1.** Qui tient de la caricature. ⇒ **Burlesque, comique.** *Dessin, portrait caricatural. Bande dessinée réaliste et bande dessinée caricaturale*.

♦ **2.** Qui déforme la réalité par exagération de certains aspects défavorables. *Interprétation caricaturale. Description caricaturale. Une comédie assez caricaturale*.

Curieux, chez ce peuple si sensible au rythme, la déformation caricaturale de nos sonneries militaires. Les notes y sont, mais le rythme en est changé au point de les rendre méconnaissables. GIDE, Voyage au Congo, *in* Souvenirs, Pl., p. 816.

N. m. « *L'outré, le caricatural (...) n'épargnent aucun personnage* » (Colette, *in* T. L. F.).

♦ **3.** Qui a naturellement un caractère de caricature, d'exagération, de comique ridicule ; qui prête à la caricature (1.). ⇒ **Grotesque, ridicule.** *Des traits caricaturaux. Un profil, un nez caricatural. Une figure, une allure caricaturale. Un aspect caricatural*.

N. m. Littér. *Le caricatural d'une situation, son côté caricatural*.

DÉR. Caricaturalement.

CARICATURALEMENT [kaʀikatyʀalmɑ̃] adv. — 1845 ; de *caricatural*.

♦ De façon caricaturale. *S'accoutrer caricaturalement*.

(...) il était moins caricaturalement séducteur que dans le film où je l'avais vu. Pierre NORD, Miss Péril Jaune, p. 62.

CARICATURE [kaʀikatyʀ] n. f. — 1740 ; ital. *caricatura*, de *caricare* « charger ».

♦ **1.** Représentation graphique (dessin, peinture...) qui, par le trait et par le choix des détails, accentue ou révèle les aspects humoristiques ou déplaisants du sujet. ⇒ **Charge.** *Les caricatures de Léonard de Vinci* (→ Omettre, cit. 3, Baudelaire), *de Daumier, de Forain. Ce n'est pas un portrait, c'est une caricature. Caricature burlesque, grotesque, spirituelle. Caricature trop chargée*, qui déforme les traits ou la silhouette du modèle aux dépens de la ressemblance. *Caricatures qui raillent, stigmatisent, flagellent un régime, un état social, les abus, les vices, les travers d'une époque*. ⇒ **Satirique** (dessin).

0.1 Du reste, il y a dans les œuvres issues des profondes individualités quelque chose qui ressemble à ces rêves périodiques ou chroniques qui assiègent régulièrement notre sommeil. C'est là ce qui marque le véritable artiste, toujours durable et vivace même dans ces œuvres fugitives, pour ainsi dire suspendues aux événements, qu'on appelle *caricatures ;* c'est là, dis-je, ce qui distingue les caricaturistes historiques d'avec les caricaturistes artistiques, le comique fugitif d'avec le comique éternel. BAUDELAIRE, Curiosités esthétiques, « Quelques caricaturistes français ».

1 C'est un art *(celui du caricaturiste)* qui exagère et pourtant ne le définit très mal quand on lui assigne pour but une exagération, car il y a des caricatures plus ressemblantes que des portraits, des caricatures où l'exagération est à peine sensible, et inversement on peut exagérer à outrance sans obtenir un véritable effet de caricature. H. BERGSON, le Rire, p. 27.

Art, technique du dessin caricatural. *La caricature et le dessin d'humour. Caricature et bande dessinée*.

2 La caricature n'a, en France, jamais tué personne. Louis MADELIN, Avènement de l'Empire, XIII, La question du couronnement, p. 187.

2.1 Chose curieuse et vraiment digne d'attention que l'introduction de cet élément insaisissable du beau jusque dans les œuvres destinées à représenter à l'homme sa propre laideur morale et physique ! Et, chose non moins mystérieuse, ce spectacle lamentable excite en lui une hilarité immortelle et incorrigible. Voilà donc le véritable sujet de cet article (...) Nous allons donc nous occuper de l'essence du rire et des éléments constitutifs de la caricature. Plus tard, nous examinerons peut-être quelques-unes des œuvres les plus remarquables produites en ce genre. BAUDELAIRE, Curiosités esthétiques, « Quelques caricaturistes français ».

♦ **2.** (Av. 1784). Description comique ou satirique par l'accentuation de certains traits (ridicules, déplaisants). *Faire dans un roman la caricature d'une société, d'un milieu*. ⇒ **Satire.**

♦ **3.** Par métonymie (chose caricaturale). Ce qui évoque sous une forme déplaisante ou ridicule (une chose ou un être comparable). ⇒ **Déformation, parodie.** *Le chauvinisme, caricature du patriotisme*.

3 (...) la superstition n'est que la caricature du vrai sentiment religieux.
GIDE, Journal, 19 sept. 1934.

4 Parfois l'imitation proustienne nous paraît aller jusqu'à la caricature, jusqu'à la charge. A. MAUROIS, À la recherche de M. Proust, VIII, 3.

5 (...) je vous aime tout de même moins quand je vois les caricatures de vous que sont, au fond, tous ces gens-là... Je sais bien que vous n'êtes pas comme ça par nature, mais vous êtes marqué par eux. A. MAUROIS, Climats, I, 7.

6 Un corps vivant, non seulement nous cache Dieu, mais le singe : il en est sa caricature. F. MAURIAC, Souffrances et Bonheur du chrétien, p. 49.

♦ **4.** (1808). Personne laide et ridiculement accoutrée. *Une vieille fée Carabosse, une vraie caricature. Ce type est une caricature*.

DÉR. Caricatural, caricaturer, caricaturesque, caricaturiste.

CARICATURER [kaʀikatyʀe] v. tr. — 1801 ; de *caricature*.

♦ **1.** Faire la caricature* de (qqn). *Caricaturer une personne*.

Absolt, rare. Faire des caricatures. *Passer son temps à caricaturer*.

♦ **2.** (1834). Représenter sous une forme caricaturale, satirique. ⇒ **Charger, contrefaire, parodier, railler, ridiculiser** (tourner en ridicule). *Caricaturer une société, un régime*.

Voyons comment Scarron a caricaturé ce sujet épique et traduit cette lutte colossale. Th. GAUTIER, les Grotesques, p. 359.

Déformer soit par une simplification excessive, soit par l'outrance. *Caricaturer la pensée d'un philosophe en voulant la résumer.* Absolt. *Tu prends vraiment plaisir à exagérer, à caricaturer!*

CONTR. **Reproduire** (exactement). — **Idéaliser.**

CARICATURESQUE [kaʀikatyʀɛsk] adj. — 1868, Barbey d'Aurevilly; de *caricature*, sur le modèle de *pédantesque*.

♦ Didact. De la caricature; qui a trait à la technique de la caricature, à l'art du caricaturiste. — Caricatural.

CARICATURISTE [kaʀikatyʀist] n. — 1803; de *caricature*.

♦ Artiste (spécialt, dessinateur) qui s'adonne à la caricature. *Gavarni, Daumier, Cham, célèbres caricaturistes. Une caricaturiste de talent. Esprit, verve de caricaturiste.*

0.1 Pour conclure, Daumier a poussé son art très loin, il en a fait un art sérieux; c'est un *grand* caricaturiste (...) Comme artiste, ce qui distingue Daumier, c'est la certitude. Il dessine comme les grands maîtres (...) Il a un talent tellement sûr qu'on ne trouve pas chez lui une seule tête qui jure avec le corps qui la supporte. Tel nez, tel front, tel œil, tel pied, telle mine. C'est la logique du savant transportée dans un art léger, fugace, qui a contre lui la mobilité même de la vie. Quant au moral, Daumier a quelques rapports avec Molière. Comme lui, il va droit au but. L'idée se dégage d'emblée. On regarde, on a compris. Les légendes qu'on écrit au bas de ses dessins ne servent pas à grand'chose, car ils pourraient généralement s'en passer. Son comique est, pour ainsi dire, involontaire. L'artiste ne cherche pas, on dirait plutôt que l'idée lui échappe. Sa caricature est formidable d'ampleur, mais sans rancune et sans fiel.
BAUDELAIRE, Curiosités esthétiques, « Quelques caricaturistes français ».

1 L'art du caricaturiste est de saisir ce mouvement parfois imperceptible, et de le rendre visible à tous les yeux en l'agrandissant. Il fait grimacer ses modèles comme ils grimaceraient eux-mêmes s'ils allaient jusqu'au bout de leur grimace.
H. BERGSON, le Rire, I (→ Caricature, cit. 1).

2 (...) l'éclairage oblique qui tombait sur lui le déformait comme l'eût fait un caricaturiste; il tournait à la charge, avec son grand nez osseux (...)
Edmond JALOUX, le Dernier Jour de la création, IX, p. 105.

Par ext. (Rare). Personne qui caricature volontairement (qqn, qqch.), soit par un autre mode d'expression, soit dans son comportement. *Une caricaturiste des mœurs, de la société.*

CARIDINE [kaʀidin] n. f. — 1837, Milne Edwards; du grec *karidion*.

♦ Zool. Crevette d'eau douce ou saumâtre. « *Grâce aux caridines, petites crevettes d'eau saumâtre dont elles raffolent, les perches grossissent plus vite que partout ailleurs* » (*Toute la pêche*, n° 57, p. 17).

CARIE [kaʀi] n. f. — 1537; du lat. *caries* « pourriture ».

♦ **1.** Méd. Destruction progressive des tissus osseux. ⇒ **Ostéite.** — *Carie sèche :* variété de carie osseuse, caractérisée par l'absence de suppuration. — Par comparaison :

1 Une femme vertueuse est la couronne de son mari,
Mais la femme sans honneur est comme la carie dans ses os.
BIBLE (CRAMPON), Proverbes, XII, 4.

Cour. Lésion qui détruit l'émail et l'ivoire de la dent et évolue en formant vers l'intérieur de celle-ci une cavité qui entraîne sa destruction progressive. ⇒ **Cavitation.** — On dit aussi *carie dentaire. Carie de l'émail :* premier stade de la carie, généralement indolore. *Carie de la dentine,* au second stade. *Carie de la pulpe* ou *du troisième degré.* ⇒ **Pulpite.** *Carie pénétrante,* qui touche la pulpe. *Carie non pénétrante,* qui n'atteint pas la cavité pulpaire. *Carie sèche* (lat. caries sicca), dont l'évolution a été arrêtée par la formation de dentine secondaire.

♦ **2.** (1611). Bot. *Carie des arbres :* altération du tissu ligneux, suivie de ramollissement. ⇒ **Chancre.** *Carie de la vigne.* ⇒ **Anthracnose.** — *Carie du blé, des céréales :* infection produite au moment de la germination, par un champignon (Ustilaginées) qui détruit l'ovaire de la plante. *Traitement de la carie du blé par chaulage.*

♦ **3.** Minér. Décomposition de la roche sous l'action d'agents érosifs. *Carie sèche de la roche.*

♦ **4.** Fig. et littér. ⇒ **Pourriture.**

2 Il est pour eux (*les objets qui dépérissent*) des caries, des ruptures, des tumeurs, des folies.
Francis JAMMES, Des choses, p. 180.

DÉR. et COMP. **Carier, carieux, cariogène, cariogenèse.**
HOM. **Cari, cary.**

CARIEN, ENNE [kaʀjɛ̃, ɛn] adj. et n. — 1547; de l'anc. nom d'une province grecque d'Asie Mineure, la *Carie.*
Didactique.

♦ **1.** Relatif à la Carie, à ses habitants. — N. Habitant, habitante de la Carie.

♦ **2.** N. m. (1838). Ling. *Le carien,* parlé par les Cariens d'Asie Mineure.

CARIER [kaʀje] v. tr. — 1530, carié; se carier, v. 1560; de *carie.*

♦ Attaquer par la carie*. ⇒ **Gâter.** *Une dent cariée peut carier les dents voisines.*

▶ **SE CARIER** v. pron. (passif). *Cette prémolaire est en train de se carier.* — Loc. fig. (Personnes). *Se carier jusqu'à l'os, jusqu'aux os :* être rongé par une maladie; (abstrait) se corrompre complètement.

1 Il demanda (...) qu'était devenue la duchesse d'Arcos de Sierra-Leone (...) À ce jeu terrible qu'elle avait joué, elle avait gagné la plus terrible des maladies. En peu de mois — dit le vieux prêtre —, elle s'était cariée jusqu'aux os (...)
BARBEY D'AUREVILLY, les Diaboliques, « La vengeance d'une femme ».

▶ **CARIÉ, ÉE** p. p. adj.
Atteint de carie dentaire. ⇒ **Gâté.** *Soigner, plomber une dent cariée.* — Par comparaison :

2 De leur gothique (*celui des Anglais*) d'ailleurs genre «vignette Walter Scott», la matière même est friable. Ils ont de mauvaises pierres, comme ils auraient de mauvaises dents : gothique carié.
F. MAURIAC, Bloc-notes 1952-1957, p. 31.

DÉR. **Cariant.**
HOM. **Carrier.**

CARIEUX, EUSE [kaʀjø, øz] adj. — 1546; de *carie.*

♦ Didact. De la carie dentaire. « *Le processus carieux* » (P.-L. Rousseau, *les Dents*). « *La forme clinique de la cavité carieuse conditionne le choix des matériaux d'obturation* » (*Information dentaire,* n° 13, 28 mars 1968).

CARIGNAN [kaʀiɲɑ̃] n. m. — 1863; nom de lieu.

♦ Agric. Cépage du Midi de la France, très productif.

CARILLON [kaʀijɔ̃] n. m. — 1718, faire carillon « faire du tapage »; *quarrellon,* 1345; *carenon,* 1178; du lat. pop. **quadrinio, -onis,* lat. class. *quaternio* «groupe de quatre cloches», de *quater* «quatre».

♦ **1.** Ensemble de cloches* accordées à différents tons. *Le carillon d'une église, d'un beffroi. Le carillon de Bruges, de Malines. Le timbre d'un carillon. Sonneur de carillon.* ⇒ **Carillonneur.**

1 Le royal carillon du Palais jette sans relâche de tous côtés des trilles resplendissants, sur lesquels tombent à temps égaux les lourdes coupetées du beffroi de Notre-Dame, qui les font étinceler comme l'enclume sous le marteau.
HUGO, Notre-Dame de Paris, III, II, p. 177.

Carillon électronique.

♦ **2.** (1752). *Le carillon d'une horloge, d'une pendule,* système de sonnerie qui se déclenche mécaniquement ou électriquement pour indiquer les heures et qui imite un carillon (1.). *Horloge à carillon,* et, ellipt., *un carillon.* ⇒ **Horloge.**
Cloche, sonnerie produisant plusieurs sons différents. *Carillon électrique.* ⇒ **Sonnette.** *Le carillon d'une porte d'entrée.*
Mus. Instrument à percussion formé d'une série de lames ou de tubes métalliques dont le timbre est analogue à celui des cloches d'un carillon (1.).

♦ **3.** Air exécuté par un carillon (1.); sonnerie de cloches vive et gaie. *Sonner le carillon. Un carillon de fête. Composer un carillon.*

2 J'avais (...) les cloches de Saint-Germain... Tantôt des carillons joyeux et fous précipitant leurs doubles-croches (...)
Alphonse DAUDET, le Petit Chose, II, V.

3 Lorsque le cortège fit son entrée dans l'antique église des évêques de Léon, le bedeau, pendu à la corde d'une cloche, se tenait prêt à commencer le carillon joyeux que commandait la circonstance.
LOTI, Mon frère Yves, II, p. 12.

Par anal. Air sonné par une horloge ou une pendule, à certains intervalles. *Le cartel fait retentir son carillon.* — Sonnerie (sous forme de quelques mesures d'un air). *Je vais ouvrir, j'entends le carillon dans l'entrée.*

♦ **4.** Fig., fam. (Vx). Tapage, vacarme. *Faire du carillon.*

DÉR. **Carillonner.**

CARILLONNANT, ANTE [kaʀijɔnɑ̃, ɑ̃t] adj. — 1653; p. prés. de *carillonner.*

♦ **1.** Qui sonne en carillons. *Cloches carillonnantes. Une musique carillonnante tombe du clocher.* — Par ext. « *Rome (...) la ville sonnante et carillonnante* » (Zola).

♦ **2.** Qui fait un bruit semblable à celui d'un carillon (1.). *Les clochettes carillonnantes du troupeau.*

CARILLONNEMENT [kaʀijɔnmɑ̃] n. m. — 1890; de *carillonner.*

♦ Rare. Action de carillonner; bruit produit par un carillon. *Le carillonnement des cloches.*

CARILLONNER [kaʀijɔne] v. — xvᵉ ; de *carillon*.

A. V. intr. ♦ **1.** Sonner en carillon*. *Les cloches carillonnent.* ⇒ **Sonner.**

Trans. *Carillonner une fête*, l'annoncer en faisant sonner le carillon, les cloches. — *Horloge qui carillonne les heures.*

1 Dans l'hôtel tout était muet, tout semblait mort, sauf la haute horloge flamande de l'escalier qui, régulièrement, carillonnait l'heure, la demie et les quarts, chantait dans la nuit la marche du temps, en la modulant sur ses timbres divers.
MAUPASSANT, Fort comme la mort, p. 317.

♦ **2.** (1648 ; sujet n. de personne). Sonner* bruyamment une cloche, une sonnette (d'une porte d'entrée). *Carillonner à la porte.*

2 À tout hasard, avant de carillonner, elle essaya d'entrer avec sa clef.
MARTIN DU GARD, les Thibault, t. VIII, p. 11.

Fam. Appeler au téléphone (en faisant retentir de nombreuses fois la sonnerie d'appel).

B. V. tr. (1653). Proclamer* bruyamment (une nouvelle). → Faire grand bruit* de..., annoncer à sons de trompe*. *Carillonner la victoire de qqn.*

▶ **CARILLONNÉ, ÉE** p. p. adj. (1835).
Loc. *Une fête carillonnée* : une fête solennelle, comportant une sonnerie de cloches.

DÉR. Carillonnant, carillonnement, carillonneur.

CARILLONNEUR [kaʀijɔnœʀ] n. m. — 1601 ; de *carillonner*.

♦ Personne chargée de sonner le carillon, un carillon. ⇒ **Sonneur.** *Quasimodo, le carillonneur de Notre-Dame* (dans *Notre-Dame de Paris*, de Hugo).

Maudit sois-tu carillonneur
Que Dieu créa pour mon malheur
Dès le point du jour à la cloche il s'accroche
Et le soir encore carillonne plus fort
Quand sonnera-t-on la mort du sonneur ?
Chanson populaire.

REM. Le fém. *carillonneuse* [kaʀijɔnøz] est virtuel.

CARINATES [kaʀinat] n. m. pl. — Av. 1928 (*in* Larousse du xxᵉ s.) ; du rad. du lat. *carina* (→ **Carène**), et suff. *-ates*.

♦ Zool. L'une des deux sous-classes divisant les oiseaux* actuels (l'autre étant les Ratites), et comprenant tous les oiseaux caractérisés par l'existence d'une carène* (II., 2.) ou *bréchet. Les carinates comprennent les oiseaux les plus évolués ; on les classe en une vingtaine d'ordres* (dont les Stéganopodes, Ciconiiformes, Ansériformes, Falconiformes, Galliformes, Charadriiformes, Columbiformes, Passériformes...). ⇒ **Oiseau.** — Au sing. *Un carinate.*

CARIOGÈNE [kaʀiɔʒɛn] adj. — xxᵉ ; de *carie*, *-o-* d'appui, et *-gène*.

♦ Didact. Qui provoque la carie. ⇒ **Cariant.**

CARIOGENÈSE [kaʀiɔʒənɛz ; kaʀiɔʒenɛz] n. f. — xxᵉ ; de *carie*, *-o-* d'appui, et *genèse*.

♦ Didact. Processus de formation d'une carie dentaire.

CARISSIME [kaʀisim] adj. — Déb. xivᵉ, *karissime* ; lat. *carissimus*, de *carus* «cher» ; cf. ital. *carissimo*.

♦ Rare, littér. Très cher, très aimé.

CARISTE [kaʀist] n. m. — Av. 1972 ; probablt du lat. *carrus* «chariot».

♦ Techn. Conducteur de chariot automoteur, d'engin de manutention, de wagonnet, etc. « *Les "caristes", ces conducteurs d'engins de manutention* » (*l'Express*, nᵒ 1125 ; 29 janv. 1973).

CARITATIF, IVE [kaʀitatif, iv] adj. — Déb. xivᵉ ; lat. médiéval *caritativus*, de *caritas* «charité».
Didactique.

♦ **1.** Inspiré par la charité* en tant que vertu (en particulier en tant que vertu chrétienne) ; qui a trait à cette vertu. ⇒ **Charitable.** *L'esprit caritatif qui anime l'Évangile.*

♦ **2.** Qui porte secours ou qui a pour but de porter secours, assistance, notamment aux plus défavorisés. *L'action caritative des organisations internationales de santé.*

1. CARLIN [kaʀlɛ̃] n. m. — 1367 ; ital. *carlino*, de *Carlo* «Charles (d'Anjou)», qui fit frapper cette monnaie.

♦ Ancienne monnaie d'Italie. *Carlin d'or, d'argent.*

2. CARLIN, INE [kaʀlɛ̃] n. m. et adj. — 1803, *in* Boiste ; du nom de l'acteur ital. Carlo Bertinazzi dit *Carlin* (1713-1783), qui jouait à Paris le rôle d'Arlequin avec un masque noir.

♦ **1.** Petit chien à poil ras, au museau noir et écrasé. ⇒ **Dogue.**

♦ **2.** Loc. *Nez de carlin* : petit nez écrasé. — Par compar. « *Le visage plat comme un carlin* » (Loti).

♦ **3.** Adj. *Chien carlin, chienne carline. Dogue carlin.*

CARLINE [kaʀlin] n. f. — 1545 ; soit provençal *carlino* ou esp. *carlina*, même sens, du catalan ou de l'esp. *cardina* «jachère», soit ital. *carlina*, d'un dér. de *cardo*.

♦ Plante dicotylédone *(Composacées)*, herbacée, annuelle ou vivace, aux feuilles épineuses, apparentée au chardon. *La carline est appelée aussi* herbe de Charlemagne, artichaut sauvage. *La carline pousse sur les terrains secs, les montagnes ou les terrains arides du Midi de la France.*

CARLINGUE [kaʀlɛ̃g] n. f. — 1573 ; *calengue*, mar., 1382 ; scandinave *kerling*.

♦ **1.** Mar. Pièce de charpente longitudinale, parallèle à la quille*, et destinée à renforcer la carène. *Extrémité de la carlingue.* ⇒ **Marsouin.**

1 La fausse quille avait été séparée avec une violence inexplicable, et la quille elle-même, arrachée de la carlingue en plusieurs points, était rompue sur toute sa longueur. « Mille diables ! s'écria Pencroff. Voilà un navire qu'il sera difficile de renflouer ! »
J. VERNE, l'Île mystérieuse, t. II, p. 649 (1874).

(1929). Par anal. Pièce de charpente longitudinale, au fond d'un hydravion.

♦ **2.** (1928). Aviat. et cour. Partie du fuselage d'un avion où prend place le pilote (→ Personnel, cit. 12, Carco).

2 Il s'agrippe d'une main au bord de la carlingue, il cherche à se redresser pour regarder derrière.
MARTIN DU GARD, les Thibault, t. VIII, p. 152.

3 Le terrain d'Alicante monte, bascule, se place, les roues le frôlent, s'en rapprochent comme un laminoir, s'y aiguisent (...) Bernis descend de la carlingue, les jambes lourdes (...) la tête pleine encore du bruit de son moteur (...)
SAINT-EXUPÉRY, Courrier Sud, p. 36.

♦ **3.** Argot, pendant la Seconde Guerre mondiale, ou dans des contextes s'y rapportant. (Du nom d'un café de la place du Trocadéro fréquenté précédemment par des aviateurs, et pendant l'occupation allemande par des membres de la Gestapo). *La Carlingue* : la Gestapo.

4 Et derrière Louis, il y avait encore un autre homme que Jeannot reconnut comme François Sini, un ancien de la Carlingue miraculeusement blanchi par Flamant et qu'il n'aimait pas, sans trop s'expliquer pourquoi.
Loup DURAND, le Caïd, p. 369.

DÉR. Carlinguier.

CARLINGUIER [kaʀlɛ̃gje] n. m. — 1942 ; de *carlingue* (2.).

♦ Techn. Ouvrier chargé du montage des carlingues d'avion.

Il ne laissait tranquilles que les carlinguiers, mais uniquement leur usinage et non les responsabilités, car dans beaucoup d'accidents il plaidait la faute des empenneurs pour mauvais atterrissage.
Pierre HAMP, la Peine des hommes (Moteurs), p. 228.

CARLISME [kaʀlism] n. m. — V. 1830 ; de *Don Carlos* d'Espagne.

♦ Hist. Attachement à la politique absolutiste et réactionnaire de Don Carlos (1788-1855), ou à celle de Charles X en France.

CARLISTE [kaʀlist] adj. et n. — 1827, *in* D.D.L. ; de *Don Carlos* d'Espagne. → Carlisme.

♦ Hist. Qui a rapport au carlisme. *La première guerre carliste.* — Qui est partisan du carlisme. *Un basque carliste.* — N. *Un, une carliste.*

CARLOVINGIEN, IENNE [kaʀlɔvɛ̃ʒjɛ̃, jɛn] adj. — Vx. ⇒ **Carolingien.**

CARMAGNOLE [kaʀmaɲɔl] n. f. — 1791 ; veste des fédérés marseillais portée depuis le xviiᵉ siècle par les ouvriers piémontais ; traditionnellement, du nom de la ville de *Carmagnola* ; mais P. Guiraud propose le provençal *carmena* «carder» d'où «se crêper le chignon», les danses étant souvent définies comme des empoignades, d'où *carmagnole* «chanson à étriller les nobles».

♦ **1.** Hist. Veste* étroite, à revers très courts, garnie de plusieurs rangées de boutons. *La carmagnole devint populaire au cours de la Révolution française de 1789.*

Une dizaine d'entre eux (*les citadins*) portaient cette veste républicaine connue sous le nom de carmagnole.
BALZAC, les Chouans, Pl., t. VII, p. 767.

♦ **2.** Par ext. Ronde chantée et dansée par les révolutionnaires.

«Dansons la carmagnole! Vive le son du canon!» (paroles de cette ronde).

Fig., vx (expression révolutionnaire : 1789-93). *Faire danser la carmagnole à qqn :* se débarrasser de qqn, notamment en le guillotinant.

REM. Le mot *carmagnol* a désigné les républicains en 1793-95 ; ce sens a été repris sous la forme *carmagnole* (cf. G. Lefebvre, *in* T. L. F.).

♦ **3.** Hist. Discours révolutionnaire (en 1789-93).

1. CARME [kaʀm] n. m. — 1220 ; du nom du mont *Carmel* en Palestine.

♦ Religieux de l'ordre de Notre-Dame du Mont-Carmel. ⇒ **Ordre** (→ Argumentant, cit.). *Carmes réformés. Carmes déchaux.* ⇒ **Déchaussé.** *Carmes et carmélites*.*

J'aurai pu jusqu'ici brouiller tous les chapitres,
Diviser Cordeliers, Carmes et Célestins (...)   BOILEAU, le Lutrin, I.

Loc. *Eau des Carmes,* nom d'une eau de mélisse*.

2. CARME [kaʀm] n. m. — 1532, «vers» ; lat. *carmen.* → Charme. Littéraire, vieux.

♦ **1.** ⓐ Vers.

On le pourrait traduire... (l'aphorisme latin *Fugax sequax, sequax fugax*) par deux carmes ou versiculets en cette teneur :
Fuyez, on vous suivra ;
Suivez, on vous fuira.   Th. GAUTIER, le Capitaine Fracasse, VIII.

ⓑ Chant poétique.

♦ **2.** Antiq. Prophétie d'un oracle.

3. CARME [kaʀm] n. m. — 1835 ; de l'argot anc. *carme* «miche de pain» (1628), lui-même métaphore de 1. *carme,* la farine étant blanche comme la robe des *carmes*.

♦ Argot, anc. Argent, monnaie.

CARMELINE [kaʀməlin] adj. f. — 1752 ; *laine carmeline,* 1723 ; esp. *carmelina.*

♦ Vieilli. *Laine carmeline :* laine de vigogne.

CARMÉLITE [kaʀmelit] n. f. — V. 1317, attestation isolée ; repris au XVIIᵉ (v. 1640) ; lat. ecclés. *carmelita,* de *Carmel.* → 1. Carme.

♦ Religieuse de l'ordre du Mont-Carmel. *Carmélites déchaussées*. La règle des carmélites est renommée pour sa sévérité. Le Dialogue des Carmélites,* œuvre de Bernanos.

1 (...) selon cette belle sentence, qui semble être prononcée pour les carmélites (...) que «le triomphe de la modestie et la dernière perfection de l'honnêteté dans votre sexe, c'est de ne se laisser jamais voir (...)
          BOSSUET, Sermon pour la vêture de Mˡˡᵉ de Bouillon.

2 Ah! ce sont des carmélites ! je savais bien qu'elles étaient des friponnes, des intrigueuses, des ravaudeuses, des brodeuses, des bouquetières (...)
          Mᵐᵉ DE SÉVIGNÉ, 663, 15 oct. 1677.

Par métonymie. *Les carmélites :* couvent de carmélites. *Être voisin des carmélites.*

(En apposition). *Couleur carmélite :* d'un brun clair qui rappelle la bure des carmélites.

3 Tout à coup Mᵐᵉ Dambreuse s'écria : — Duchesse, ah! quel bonheur! Et elle s'avança jusqu'à la porte, au-devant d'une vieille petite dame, qui avait une robe de taffetas carmélite et un bonnet de guipure, à longues pattes.
          FLAUBERT, l'Éducation sentimentale, II, IV (1869).

CARMIN [kaʀmɛ̃] n. m. et adj. invar. — V. 1165, *charmin* ; du lat. médiéval *carminium,* de *minium,* et arabe *qïrmiz.* → Kermès.

♦ **1.** Colorant rouge vif (laque alumino-silicique), tiré à l'origine des femelles de cochenille. *Carmin tendre, dur, cramoisi,* allant du rose au pourpre (en peinture sur porcelaine).

♦ **2.** Couleur rouge vif. ⇒ **Rouge, vermillon.** *Des lèvres de carmin,* de cette couleur.

La plus délicate des roses
Est, à coup sûr, la rose-thé ;
Son bouton aux feuilles mi-closes
De carmin à peine est teinté.   Th. GAUTIER, Émaux et Camées, «La rose-thé».

Adj. invar. *Couleur carmin. Étoffe carmin. Des écharpes carmin.* ⇒ **Carminé.** — *Lèvres carmin.*

DÉR. Carminé, carminer.

CARMINATIF, IVE [kaʀminatif, iv] adj. et n. m. — XVᵉ ; lat. médiéval *carminativus,* de *carminare* «carder, nettoyer».

♦ Méd. (Vx). Qui a la propriété de faire expulser les gaz intestinaux. *Un remède carminatif. Le vespétro, eau-de-vie carminative. Le thé, la menthe, l'anis, la mélisse sont carminatifs.*

Plus, du vingt-sixième, un clystère carminatif, pour chasser les vents de Monsieur, trente sols.   MOLIÈRE, le Malade imaginaire, I, 1.

N. m. Remède carminatif. *Administrer des carminatifs.*

CONTR. Flatueux.

CARMINÉ, ÉE [kaʀmine] adj. — 1784, Bernardin de Saint-Pierre ; de *carmin.*

♦ Littér. D'un rouge vif. *Soie carminée. Lèvres carminées.* ⇒ **Carmin.**

Laniboire, le teint carminé comme un apache, cria : «Allons travailler, mademoiselle Moser, je me sens en train (...)»   Alphonse DAUDET, l'Immortel, p. 314.

CARMINER [kaʀmine] v. tr. — 1838 ; de *carmin* ; le p. p. est antérieur.

♦ **1.** Techn. Convertir en carmin. *Carminer la garance.*

♦ **2.** Littér. Peindre, teindre avec du carmin. *Carminer ses lèvres. Se carminer les lèvres.* — Au p. p. ⇒ **Carminé.**

CARNAGE [kaʀnaʒ] n. m. — 1546, «chair», Rabelais ; orig. incert. ; probablt forme normanno-picarde de *charnage* (XIᵉ), de l'anc. franç. *char.* → Chair.

♦ **1.** Vx. Chair d'animaux dont se nourrissent les bêtes sauvages. ⇒ **Pâture, viande.** *Avide de carnage* (→ Affamer, cit. 7).

1 Une lionne vient, monstre inspirant la crainte ;
D'un carnage récent sa gueule est toute teinte.
          LA FONTAINE, Fables, Appendice, 5.

2 Les hommes alimentés de carnage et abreuvés de liqueurs fortes ont tous un sang aigri et aduste (...)   VOLTAIRE, la Princesse de Babylone.

♦ **2.** Mod. Action de tuer des personnes (ou certains animaux) en grand nombre ; massacre* sanglant. ⇒ **Boucherie, hécatombe, tuerie.** *Un affreux, un monstrueux carnage* (→ Battre, cit. 79). — *Lieu, champ de carnage.*

3 De notre sang au leur font d'horribles mélanges ;
Et la terre, et le fleuve, et leur flotte, et le port,
Sont des champs de carnage où triomphe la mort.   CORNEILLE, le Cid, IV, 3.

4 Ces énormes batailles de Napoléon sont au delà de la gloire ; l'œil ne peut embrasser ces champs de carnage qui, en définitive, n'amènent aucun résultat proportionné à leurs calamités.   CHATEAUBRIAND, Mémoires d'outre-tombe, III, 1.

5 Ce que nous appelons la morale n'est qu'une entreprise désespérée de nos semblables contre l'ordre universel, qui est la lutte, le carnage et l'aveugle jeu de forces contraires.   FRANCE, Les dieux ont soif, VI, p. 63.

♦ **3.** Fam. ⇒ **Destruction, dévastation, ruine.** *Quel carnage! Il a fait un vrai carnage dans l'appartement, tout est cassé.*

6 Il s'abattait sur un bureau à la façon d'une nuée de sauterelles, et tout de suite c'était la fin, le carnage, la dévastation (...)
          COURTELINE, Messieurs les ronds-de-cuir, 1ᵉʳ tableau, III.

CONTR. Paix. — Ordre.

CARNAIRE [kaʀnɛʀ] adj. — 1846 ; du lat. *caro, carnis* «chair».

♦ Didact., rare. Qui se nourrit de viande, ou vit sur la viande. ⇒ **Carnassier.** *Mouche carnaire.*

CARNASSE [kaʀnas] n. m. et f. — 1666 ; provençal *carnasso,* de l'anc. provençal *carnasa* «chair», de *car, carn.* → Carnassier.

★ **I.** N. m. Régional. Méduse. — Syn. : *ortie de mer.*

Le carnasse de la Méditerranée est repoussant. C'est un contact odieux que cette gélatine animée qui enveloppe le nageur, où les mains s'enfoncent, où les ongles labourent, qu'on déchire sans la tuer, et qu'on arrache sans vous l'ôter, espèce d'être coulant et tenace qui vous passe entre les doigts (...)
          HUGO, les Travailleurs de la mer, 1866, p. 374, *in* T. L. F.

★ **II.** N. f. Techn. Résidu de tannerie, obtenu après l'écharnage et servant à la fabrication de colles.

CARNASSIER, IÈRE [kaʀnasje, jɛʀ] adj. et n. — 1501, *carnacier,* adj. ; d'un mot provençal, de *car, carn* «chair», lat. *caro, carnis.*

★ **I.** Adj. ♦ **1.** Qui se nourrit de chair crue, de viande crue. ⇒ **Carnage** (1.). *Les animaux carnassiers. Une bête carnassière. La loutre est carnassière.*

1 Tu t'en viens me traiter de bête carnassière ;
Toi qui parles, qu'es-tu? N'auriez-vous pas sans moi,
Mangé ces animaux que plaint tout le village ?   LA FONTAINE, Fables, XII, 1.

♦ **2.** (1844). *Dent carnassière,* ou, n. f., *carnassière :* dent jugale, à couronne tranchante, caractéristique des carnassiers (→ ci-dessous, II).

♦ **3.** Rare. *Plante carnassière.* ⇒ **Carnivore.**

♦ **4.** (1583). Fig., littér. Qui fait preuve de férocité ; qui révèle une nature cruelle. *Une avidité carnassière.*

★ **II.** N. ♦ **1.** (1805 ; vx en sciences). N. m. pl. *Les carnassiers.* ⇒ **Carnivore** (II.). — Au sing. *Un carnassier.*

2 L'homme anéantit plus d'individus vivants que tous les carnassiers n'en dévorent.
BUFFON, Hist. nat. des animaux, Les animaux carnassiers.

♦ **2.** N. m. Fig., littér. Personne cruelle et avide. *« Trois carnassiers dévorants sur le même corps »* (Zola, *in* T. L. F.).

HOM. (Du fém.). **Carnassière.**

CARNASSIÈRE [kaʀnasjɛʀ] n. f. — 1752 ; *carnaciere*, 1743 ; provençal mod. *carnassiero*. → Carnassier.

♦ Sac servant au chasseur pour porter le gibier. ⇒ **Carnier, gibecière.** *Une carnassière pleine de perdreaux, de lièvres.*

Il est un peu gêné quand, avec son fusil, sa carnassière, son paletot de monsieur, il passe près d'une charrue dont les laboureurs le connaissent.
J. RENARD, Journal, 25 sept. 1899.

HOM. **Carnassière** (fém. de *carnassier*).

CARNATION [kaʀnasjɔ̃] n. f. — xvᵉ ; ital. *carnagione*, de *carne* « chair ».

♦ **1.** Couleur, apparence de la chair d'une personne. ⇒ **Teint.** *Une carnation saine, épanouie, florissante.*

1 (...) ces carnations épanouies comme des bouquets de fleurs (...)
Th. GAUTIER, Fortunio, « La toison d'or », I.
2 (...) les florissantes carnations laissent deviner la force d'un sang jeune qui coule aisément et à pleines veines (...)
TAINE, Philosophie de l'art, t. II, v, I, 1, p. 229.
3 Mais rien n'empêchera plus qu'une ombre funeste, peu à peu, s'avance sur elle, ternisse sa saine pâleur rosée, sa carnation de tubéreuse.
COLETTE, l'Étoile Vesper, p. 118.
4 (...) ni la structure, ni la carnation, ni la mobilité magique de ce visage bien fait ne permettaient d'en expliquer l'heureuse et mystérieuse beauté.
G. DUHAMEL, Chronique des Pasquier, IX, III.

♦ **2.** Peint. Coloration des parties du corps qui sont représentées nues. *Les carnations de ce tableau sont fort belles. Une carnation vive, naturelle.*

(1690). Blason. *De carnation :* présentant la couleur rosée de la peau. *Mains de carnation.*

CARNAU [kaʀno] n. m. ⇒ **Carneau.**

CARNAVAL [kaʀnaval] n. m. — 1549, *carneval* ; *quarnivalle*, 1268 (à Liège) ; ital. *carnevale* « mardi gras » ; de *carnelevare* « ôter (*levare*) la viande (*carne*) ».

♦ **1.** Période réservée aux divertissements, commençant le jour des Rois (*Épiphanie*) et prenant fin avec le début du carême (*mercredi des Cendres*). ⇒ **Gras** (jour gras) ; **carême-prenant.**
En carnaval : en période de carnaval. — Loc. fam. *Jeûner en carnaval :* vivre continuellement dans la misère.
Le jour de carnaval : le Mardi gras, veille du mercredi des Cendres.
— *Enterrer gaiement le carnaval,* le finir par de joyeuses fêtes. — *Il est triste comme s'il revenait d'enterrer le carnaval.*

1 On parle d'une comédie d'Esther qui sera représentée à Saint-Cyr, le carnaval ne prend pas le train de l'être gaillard.
Mᵐᵉ DE SÉVIGNÉ, 501.
2 (...) et je suis venu passer le carnaval à Venise. VOLTAIRE, Candide, XXVI.
3 Le carnaval s'en va, les roses vont éclore ;
Sur le flanc des coteaux déjà court le gazon.
A. DE MUSSET, Poésies nouvelles, « Mi-carême ».

♦ **2.** Divertissements (bals, défilés) de cette période, en pays catholique. *Les fêtes, les réjouissances du carnaval. Les bals masqués du carnaval.* ⇒ **Veglione.** *Le carnaval de Venise, de Nice. Le carnaval de Rio, de Bahia* (→ 1. Samba, cit.). *Accoutrement, déguisement de carnaval* (mascarade, masque* ; chicard, chienlit, domino). *Lancer des confettis aux fêtes du carnaval* (→ Atroce, cit. 5).
Ethnol. Période où l'ordre social et les hiérarchies sont symboliquement modifiés ou renversés, et qui est l'occasion de fêtes, de spectacles où s'actualisent les oppositions (dans quelque culture que ce soit) ; ensemble des activités ludiques, spectaculaires, et des attitudes propres à ce phénomène social. ⇒ **Carnavalesque** (3.).

4 Tout invite à regarder le carnaval moderne comme une sorte d'écho moribond de fêtes antiques, du type des Saturnales.
Roger CAILLOIS, l'Homme et le Sacré, p. 157.
5 Le carnaval est essentiellement dialogique (...) Ce spectacle ne connaît pas de rampe ; ce jeu est une activité ; se signifiant est un signifié (...) Celui qui participe au carnaval est à la fois acteur et spectateur (...) Dans le carnaval, le sujet est anéanti (...)
Ayant extériorisé la structure de la productivité littéraire réfléchie, le carnaval inévitablement met à jour l'inconscient qui sous-tend cette structure : le sexe, la mort. Un dialogue entre eux s'organise, d'où proviennent les dyades structurales du carnaval : le haut et le bas, la naissance et l'agonie, la nourriture et l'excrément, la louange et le juron, le rire et les larmes.
Julia KRISTEVA, Semeiotikê, p. 160.

Loc. (Vx). *Faire carnaval, faire le carnaval :* faire bombance. ⇒ **Fête** (faire la fête).

(Dans des titres musicaux). *Le Carnaval romain,* de Berlioz. *Le Carnaval des animaux,* de Saint-Saëns.

♦ **3.** *Un carnaval,* mannequin grotesque, ridicule, qui personnifie le carnaval. *Sa Majesté Carnaval,* qu'on brûlait le jour des Cendres. Fig. Vx ou régional. *Vêtu comme un carnaval. Un vrai carnaval :* un homme bizarrement accoutré, et, par ext., un homme grotesque. ⇒ **Carême-prenant** (3. ; vx). *Des carnavals.* — T. d'injure.

6 D'un coup de bâton, elle rappela Léopard aux devoirs de sa charge en le traitant de vieux bouc, de grand carnaval et de charogne malade.
M. AYMÉ, la Vouivre, p. 30.

♦ **4.** Régional, fam. Désordre ; attitude débraillée ; comportement bruyant. *Allons, petits drôles, arrêtez ce carnaval !* ⇒ **Sarabande.**

CARNAVALESQUE [kaʀnavalɛsk] adj. et n. m. — 1845, Gautier ; ital. *carnavalesco*, de *carnevale*. → Carnaval.

♦ **1.** Relatif au carnaval. *Tenue carnavalesque. Masques carnavalesques.*

♦ **2.** Digne d'un carnaval ; grotesque. *« Le carnavalesque et immortel M. de Norpois* (personnage proustien) » (P. Morand).

♦ **3.** Didact. Du carnaval, en tant que phénomène sociologique ; spécialt (selon le critique russe M. Bakhtine), qui, en littérature, manifeste les caractères d'opposition dialogique dans le rire qui sont propres au carnaval. *Le caractère carnavalesque du discours rabelaisien, étudié par Bakhtine.* — N. m. *Le carnavalesque :* le genre littéraire carnavalesque.

Il faudrait en garde contre une ambiguïté à laquelle se prête l'emploi du mot « carnavalesque ». Dans la société moderne, il connote en général une parodie, donc une consolidation de la loi ; on a tendance à occulter l'aspect *dramatique* (meurtrier, cynique, révolutionnaire...) du carnaval sur lequel justement Bakhtine met l'accent et qu'il retrouve dans la ménippée ou dans Dostoïevski.
Julia KRISTEVA, Semeiotikê, p. 162.

CAR-NAVETTE [kaʀnavɛt] n. m. — xxᵉ ; de 2. *car,* et *navette* (1.).

♦ Techn. Car destiné au transport des voyageurs, dans les aéroports, entre la salle d'attente et l'avion. *Des cars-navettes.* — Syn. cour. : *navette.*

1. CARNE [kaʀn] n. f. — Déb. xIIᵉ ; mot normanno-picard, « pivot ».

♦ Vx ou techn. Angle saillant d'une pierre, d'une construction, d'un meuble. ⇒ **Coin.** *La carne d'une table.*

(...) je me suis donné un grand coup de la tête contre la carne d'un volet.
MOLIÈRE, le Malade imaginaire, I, 2.

2. CARNE [kaʀn] n. f. — 1835, Raspail ; ital. *carne* « viande ». Familier.

♦ **1.** Viande* de mauvaise qualité (⇒ fam. **Barbaque**) ou très dure (⇒ **Semelle**). *« Cette carne bouillie des conserves »* (Goncourt).

♦ **2.** Vieilli. Vieux cheval*. *Une vieille carne...* — Personne d'aspect misérable. ⇒ **Rosse.**

1 — C'est ma tante Claire qui a l'air d'une carne ce matin... Dis monsieur, est-ce que c'est vrai que tu vas lui chauffer les pieds, la nuit ?
ZOLA, le Ventre de Paris, t. I, p. 191 (1875).
Personne (en général, femme) méchante, désagréable, insupportable. ⇒ **Chameau, rosse, vache.** *La sale carne.* — (Appellatif injurieux). *Vieille carne !*
Aussitôt Mᵐᵉ Cloche a-t-elle disparu au coin de la rue que Mᵐᵉ Belhôtel numéro 2 réapparaît :
2 — Partie, la vieille carne ? — Oui, partie.
R. QUENEAU, le Chiendent, p. 65 (1932).
Adj. Vieilli. Qui adopte un comportement désagréable vis-à-vis des autres. ⇒ **Vache ; rosse.**
Cependant, Tirette raconte les avanies que lui a fait subir, pendant vingt et un jours, l'humeur agressive d'un certain commandant-major :
3 — C'gros cochon, c'était, mon vieux, tout c'qu'y a d'plus carne sur terre !
H. BARBUSSE, le Feu, t. II, p. 25 (1917).

DÉR. V. **Carnier.**

CARNÉ, ÉE [kaʀne] adj. — 1669 ; dér. sav. du lat. *caro, carnis* « chair ».
Didact. ou littéraire.

★ **I.** Qui est de la couleur de la chair. *Œillet carné.* ⇒ **Rose.**

1 Le *cheval blanc* : peint avec des tons carnés dans les ombres, mais formés plutôt de tons lilas et violâtres (*terre de Cassel*).
E. DELACROIX, Journal, 5 mai 1851, t. II, p. 58.
2 Ceux-ci (*des pélicans*) sont gris ou blancs (...) mais on les aussi bordés de noir. Il me semble me souvenir que les autres sont tout blancs, avec des tons carnés et soufrés.
GIDE, le Retour du Tchad, I, *in* Souvenirs, Pl., p. 873.

★ **II.** (1889). Composé de viande. *Alimentation carnée. Régime carné.*

CARNEAU [kaʀno] n. m. — 1832 ; « créneau », 1360 ; de *carner,* var. picarde de *crener,* par métathèse (→ Cran) du lat. *crena.* → Créneau.

♦ Techn. Conduit qui mène, du foyer à la cheminée, les produits d'une combustion. *Carneau d'un four. Carneau de circulation :* carneau disposé de façon telle que la chaleur des gaz qu'il transporte est utilisée comme moyen de chauffage.

REM. On trouve parfois *carnau.*

CARNÈLE [kaʀnɛl] n. f. — 1611 ; de *carneau, carnel,* altér. de *créneau.* → Carneau.

♦ Techn. Bordure qui entoure le cordon d'une monnaie et qui forme la légende. — On écrit aussi *carnelle.*

DÉR. **Carneler.**

CARNELER [kaʀnəle] v. tr. — Conjug. *appeler.* — 1636 ; de *carnèle.*

♦ Techn. Orner d'une carnèle. *Carneler une médaille.*

CARNELLE [kaʀnɛl] n. f. ⇒ **Carnèle.**

CARNET [kaʀnɛ] n. m. — 1555, « registre » ; *quernet,* 1416, « registre des impôts » ; de l'anc. franç. *caer* ou *caern.* → Cahier.

♦ **1.** Petit cahier de poche, destiné à recevoir des notes, des renseignements. ⇒ **Agenda, calepin, mémento, mémorandum, répertoire.** *Carnet de poche. Consigner, noter une information, une adresse sur un carnet. Les notes* d'un carnet. Tenir régulièrement un carnet. Carnet de voyage, de route. Carnet d'adresses.*

1 (...) Alcide Jolivet veilla près de *(Harry Blount),* après avoir tiré son carnet, qu'il chargea de notes, très décidé, d'ailleurs, à les partager avec son confrère, pour la plus grande satisfaction des lecteurs du Daily Telegraph.
J. VERNE, Michel Strogoff, p. 275.

2 Ben Saïd qui est en train de relater la scène avec un soin laborieux sur le carnet à couverture de molesquine usée (...) continue à couvrir sa page quadrillée (...)
A. ROBBE-GRILLET, Projet pour une révolution à New York, p. 147.

Spécialt. Carnet où un écrivain prend des notes (→ ci-dessous, cit. 3) ; notes prises au jour le jour et destinées à une éventuelle publication. *Tenir un, son carnet.* ⇒ **Journal.** *Publier les carnets d'un écrivain.*

3 Je n'ai jamais été plus modeste qu'en me contraignant à écrire quotidiennement dans ce carnet des pages que je sais et sens si pertinemment médiocres (...)
GIDE, Journal, 7 février 1916.

(1864). *Carnet de danses* (vx), *carnet de bal,* sur lequel une jeune fille inscrivait le nom de ses cavaliers pour les danses à venir. — *Carnet* (ou *cahier) de notes,* servant à consigner les notes d'un élève et devant être présenté à la signature des parents (→ Cahier* de correspondance). *Carnet scolaire.* ⇒ **Bulletin** (scolaire). — *Carnet de textes.* ⇒ **Cahier** (de textes). — *Carnet d'échéances,* sur lequel un négociant inscrit les effets qu'il a à payer. ⇒ **Échéancier.** — *Carnet d'agent de change,* sur lequel doivent être consignées toutes les opérations effectuées par un agent de change. — *Carnet de commandes,* où l'on note les commandes ; fig., total des commandes d'une entreprise. *Le carnet de commandes est plein pour ce modèle.* — *Carnet de maternité :* carnet remis à une femme dès la déclaration de grossesse, composé de feuillets qui permettent de percevoir les prestations de sécurité sociale. — (1929, *in* D.D.L.). *Carnet de santé :* carnet remis aux parents d'un nouveau-né, et où sont consignés les renseignements concernant la santé de l'enfant depuis sa naissance. — *Carnet ; carnet mondain ; carnet blanc, carnet rose :* rubrique d'un journal consacrée à l'état-civil, où sont insérées des annonces de mariages, de naissances, de décès. — *Carnet de route :* titre donnant la description d'une voiture et qui doit être visé par la douane au passage d'une frontière. ⇒ **Triptyque.**

Carnet de bord. — Mar. Sur un navire de commerce, Registre sur lequel sont consignés les horaires de marche et les renseignements relatifs aux conditions de travail. — Carnet sur lequel sont inscrits tous les temps (dans un rallye, etc.). — Fam. Journal tenu au jour le jour, de façon détaillée (→ ci-dessus).

Régional (Suisse). *Carnet d'épargne.* ⇒ **Livret** (de caisse d'épargne). — Livret portant les achats faits à crédit chez un commerçant. *Acheter au carnet,* à crédit.

4 Il faut qu'il aille (...) aussi chez le notaire pour y déposer un peu d'argent sur son carnet d'épargne.
A. L. CHAPPUIS, À petit feu, p. 88.

♦ **2.** Assemblage de feuillets détachables. — (1897). *Carnet de chèques.* ⇒ **Chéquier.** — (1932). *Carnet à souche.*

♦ **3.** Réunion de tickets, de timbres, etc., détachables. *Carnet de tickets de métro, de tickets d'autobus. Carnet de dix, de vingt timbres. Vous voulez un carnet ou des timbres à la feuille ?*

CARNIER [kaʀnje] n. m. — 1762 ; mot provençal, « gibecière » (XIIIᵉ), lat. *carnarium* « lieu où l'on conserve les viandes » puis « gibecière », de *caro, carnis* « chair, viande ».

♦ Sac où l'on met le gibier tué (en principe, moins grand que la carnassière*). ⇒ **Gibecière.**

(...) chargé de son fusil, de son carnier. ROUSSEAU, Émile, IV, *in* LITTRÉ.

CARNIFICATION [kaʀnifikɑsjɔ̃] n. f. — 1722, *in* Cottez (phénomène décrit en 1700) ; de *(se) carnifier* (XVIIIᵉ) « se changer en chair ».

♦ Didact. Altération d'un tissu (surtout du parenchyme pulmonaire), qui prend l'apparence, la consistance du tissu musculaire. *La carnification est fréquente dans les congestions pulmonaires chroniques des cardiaques, et dans la broncho-pneumonie.*

REM. La variante *carnisation* [kaʀnizɑsjɔ̃] est archaïque.

CARNIFIER (SE) [kaʀnifje] v. pron. — 1752, Trévoux ; lat. méd. *carnificare,* du lat. *caro, carnis* « chair », et *facere* « faire ».

♦ Méd. Prendre l'apparence et la consistance du tissu musculaire (en parlant du parenchyme pulmonaire). — Au p. p. *Parenchyme carnifié.*

DÉR. **Carnification.**

CARNITINE [kaʀnitin] n. f. — Mil. XXᵉ ; du lat. *caro, carnis* « chair », -t- de liaison, et suff. *-ine.*

♦ Chim., biol. Substance vitaminique, constituant du tissu musculaire, qui joue un rôle dans le métabolisme des acides gras. — Syn. : *vitamine B_T.*

CARNIVORE [kaʀnivɔʀ] adj. et n. — 1536, attestation isolée ; repris en 1751, *Encyclopédie* ; lat. *carnivorus,* de *caro, carnis* « chair », et *vorare* « dévorer ».

★ **I.** Adj. ♦ **1.** Qui se nourrit de chair. ⇒ **Carnassier** (I.). *L'homme est à la fois carnivore et frugivore.*

Le lait des femelles herbivores est plus doux et plus salutaire que celui des carnivores. ROUSSEAU, Émile, I.

Fam. (Personnes). Qui aime beaucoup la viande, mange beaucoup de viande (saignante). *Il est carnivore ;* n., *c'est un carnivore. Principaux animaux carnivores : mammifères* (belette, chat, chien, civette, coati, fouine, furet, glouton, lion, loup, loutre, lycaon, mangouste, martre, mouffette, musaraigne, otocyon, ours, panda, protèle, puma, putois, ratel, renard, suricate, tigre, varan, zorille), *oiseaux de proie.* — Vx. *Poissons carnivores.*

♦ **2.** (1814). *Insectes carnivores* (→ ci-dessous, II, 1.).

(V. 1838). Bot. *Plante carnivore :* plante qui peut capturer ou retenir de petits animaux, des insectes, grâce à des sécrétions visqueuses, des organes contractiles, des feuilles en forme d'urne. ⇒ **Ascidie.** — Syn. (rare) : *plante carnassière.* ⇒ aussi **Entomophage, insectivore.** *La dionée, le drosera, la grassette, le népenthès, le sarracénia sont des plantes carnivores.*

★ **II.** N. (1751). ♦ **1.** N. m. pl. **CARNIVORES :** ordre de mammifères placentaires, aussi appelés *carnassiers,* à griffes, dont les dents (crocs, molaires tranchantes) et le système digestif permettent une alimentation à base de chair crue. *Les carnivores sont digitigrades ou plantigrades. Espèces de carnivores :* canidés, félidés, hyénidés, mustélidés, procyonidés, ursidés, viverridés.

Vieilli. Sous-ordre d'insectes coléoptères. ⇒ **Adéphages.**

Au sing. *Un carnivore.*

♦ **2.** Fig. « *Ces charmants et terribles petits carnivores (...) les femmes* » (A. Dumas fils, *in* T. L. F.).

CARNOTSET [kaʀnɔtsɛ] n. m. — 1894 ; mot patois vaudois, probablt du rad. de [kaʀo] « coin, angle ».

♦ Régional (Suisse). Local, souvent aménagé dans une cave, où l'on peut manger et boire entre amis. — Var. : *carnotzet* [kaʀnɔtsɛ].

Carnotset est un mot patois que tous nos paysans connaissent et qui veut dire petit coin, endroit retiré, dissimulé, cachette pratiquée dans un mur. À l'Exposition d'Yverdon, c'est tout simplement un petit local, construit en planches de sapin, et dont l'aménagement est des plus simples. Au milieu, une table, des tabourets par-ci par-là (...) Sur la table s'alignent des bouteilles (...)
le Conteur vaudois, n° 36, 1894.

CAROGNE [kaʀɔɲ] n. f. — 1350 ; *caronge,* XIIᵉ ; forme normanno-picarde de *charogne*.*
Pop., vieux.

♦ **1.** Mauvais cheval. ⇒ 2. **Carcan.**

1 Je frappai le mulet sous le ventre, pas trop fort, mais en hurlant des ordres dans ses oreilles, tandis que le paysan l'appelait : « carcan, carogne » et l'accusait de se nourrir d'excréments.
M. PAGNOL, la Gloire de mon père, t. I, p. 118.

♦ **2.** Femme méprisable, ou d'un caractère exécrable (t. d'injure dans la comédie classique).

2 Il pourrait même, pendant qu'il y est, frapper à coups redoublés sur sa charogne,

ou comme dirait ma vieille bonne, sa carogne de mère. Voilà qui serait fort bien fait et (...) ce serait donner une correction méritée à un vieux chameau.
PROUST, le Côté de Guermantes, Folio, p. 346.

1. CAROLE [kaʀɔl] n. f. — Déb. XIIIᵉ ; *charole*, XIIᵉ ; soit du lat. médiéval *caraula*, probablt de *chorus* «danse en cercle», avec infl. possible de *choraula* «flûtiste accompagnant une danse», soit du lat. pop. *choreola*, de *chorea* «danse en chœur».

♦ Anciennt. Danse en rond, au moyen âge.
Sans hâte, en cadence, une chaîne de jeunes femmes et filles, oscillait, place de la Grève, au rythme de la carole. Jeanne BOURIN, la Chambre des dames, p. 60.

2. CAROLE [kaʀɔl] n. f. — XIIIᵉ, Villard de Honnecourt ; Wace, 1155, «cercle de colonnes» ; du lat. *chorus* «chœur».

♦ Archéol. (Vx). Déambulatoire* (d'une église).

1. CAROLIN, INE [kaʀɔlɛ̃, in] adj. — 1704 ; du lat. *Carolus* «Charles».

♦ Didact. Relatif à l'époque de Charlemagne (dans quelques syntagmes : *écriture caroline* [1838], *lettre caroline*).

2. CAROLIN, INE [kaʀɔlɛ̃, in] adj. et n. — 1872 ; de *Caroline*, nom de deux États des États-Unis.

♦ **1.** Bot. *Peuplier carolin,* ou, n. m., *un carolin :* peuplier d'Amérique.
Après déjeuner, nous suivons à pied, la longue, étroite, sauvage, île de Croissy (...) Des peupliers carolins, la Seine, de part et d'autre, avec une péniche parfois.
Claude MAURIAC, le Temps immobile, p. 275.

♦ **2.** (1929). Zool. *(Canard) carolin :* canard sauvage, aux couleurs vives, originaire d'Amérique. *Une (cane) caroline.*

CAROLINGIEN, IENNE [kaʀɔlɛ̃ʒjɛ̃, jɛn] adj. et n. — 1842 ; de *carlovingien* (1643), d'après le lat. *Carolus* «Charles».

♦ Didact. Relatif à la dynastie qui tire son nom de Charlemagne, et qui régna de Pépin le Bref à Louis V. *Empereur carolingien. Dynastie carolingienne. L'administration carolingienne.*
1 Aucune histoire de France ne donne les annales complètes des temps mérovingiens et carolingiens. A. THIERRY, in Revue de Paris, 1842 I, (in D.D.L., II, 15).

N. (Rare au fém.). *Les Carolingiens.*

Plais. (par référence à Berthe «au grand pied» et par anal. avec le «nez bourbonien»). *Avoir le pied carolingien :* avoir de grands pieds.
2 (...) une dame âgée, de stature élevée apparut. Elle ressemblait à l'amiral de Coligny. Cheveux blancs, ruban noir au cou (...) — Et moi qui vous avais prise pour un homme ! dit Daphné. — Dans la famille de ma mère, nous avons tous des pieds carolingiens, expliqua la vieille dame. Cela peut tromper.
Paul MORAND, Éloge de la Marquise, in l'Europe galante, p. 137.

CAROLUS [kaʀɔlys] n. m. invar. — XVᵉ ; lat. *Carolus* «Charles».

♦ Hist., archéol. Monnaie de billon frappée sous Charles VIII, et employée comme monnaie de compte jusqu'au XVIIIᵉ siècle. *Le carolus valait 11 deniers.*

CARONADE [kaʀɔnad] n. f. — 1783 ; angl. *carronade*, de *Carron*, nom d'une ville d'Écosse.

♦ Anciennt. Canon court et léger, à faible recul. *Les caronades étaient surtout utilisées dans la marine.*
1 Une des caronades de la batterie, une pièce de vingt-quatre, s'était détachée (...) La faute était au chef de pièce qui avait négligé de serrer l'écrou de la chaîne d'amarrage et mal entravé ses quatre roues de la caronade ; ce qui donnait du jeu à la semelle et au châssis, désaccordait les deux plateaux, et avait fini par disloquer la pièce. HUGO, Quatre-vingt-treize, I, II, 4.
2 Le Duncan resta à croiser sur cette côte jusqu'au 3 mars. Ce jour-là, Ayrton entendit des détonations. C'était les caronades du Duncan qui faisaient feu, et, bientôt Lord Glenarvan et tous les siens arrivaient à bord.
J. VERNE, l'Île mystérieuse, t. II, p. 542.

CARONCULE [kaʀɔ̃kyl] n. f. — 1690 ; *caruncule*, v. 1560, A. Paré ; lat. *caruncula*, de *caro* «chair».

♦ **1.** Anat. Petite excroissance charnue. *Caroncule lacrymale,* située à l'angle interne des paupières de l'homme. *Caroncule sublinguale. Caroncules myrtiformes de la vulve* (débris cicatriciels de l'hymen). *Grande et petite caroncule du duodénum* (paroi interne).

(1805). Excroissance charnue, rouge, qui orne la tête et le cou de certains oiseaux (coq, dindon, pigeon ; casoar).

♦ **2.** (1808). Bot. Excroissance en forme de bourrelet qui entoure le hile de certaines graines (par exemple, le ricin).

DÉR. Caronculé.

CARONCULÉ, ÉE [kaʀɔ̃kyle] adj. — 1805, Cuvier ; de *caroncule*.

♦ Didact. (anat., bot.). Qui est pourvu de caroncule(s).

CAROTÈNE [kaʀɔtɛn] n. m. — 1924 ; *carottine*, n. f., 1846 ; de *carotte*.

♦ Chim., biol. Matière colorante jaune ou rouge, pigment que l'on trouve dans des végétaux (carotte), chez les animaux (corps jaune de l'ovaire). → Caroténoïde, cit. *Le carotène est un mélange isomérique de carbures d'hydrogène.*

DÉR. Caroténoïde.

CAROTÉNOÏDE [kaʀɔtenɔid] n. m. — Mil. XXᵉ ; de *carotène*, et *-oïde*.

♦ Bot. Se dit de deux pigments rouge (carotène) et jaune (xanthophylle) chimiquement voisins.
Le carotène, ou plus exactement les caroténoïdes, sont très répandus tant dans le règne végétal qu'animal. Le carotène tire son nom du fait qu'il se trouve en grande quantité dans la carotte, à laquelle il donne sa coloration orangée.
S. GALLOT, les Vitamines, p. 61.

CAROTIDE [kaʀɔtid] n. f. — 1541, adj. ; n. f., 1611 ; du grec *karôtis, -idos* «(artères) du sommeil», de *karoûn* «assoupir».

♦ Anat. Chacune des grosses artères qui conduisent le sang vers la tête. *Carotides primitives,* les deux artères de la tête et de la partie supérieure du cou. *Carotides externes* (qui vont à la face) et *internes* (qui vont au cerveau), naissant des artères carotides primitives.
Cour. Carotide externe. *Le meurtrier lui a tranché la carotide.*

DÉR. Carotidien.

CAROTIDIEN, IENNE [kaʀɔtidjɛ̃, jɛn] adj. — 1762, Académie ; de *carotide*.

♦ Anat. Relatif à une artère carotide. *Canal carotidien :* canal de l'os temporal qui donne passage à l'artère carotide interne. *Nerf, plexus carotidien.*

CAROTIQUE [kaʀɔtik] adj. — 1584 ; grec *karotikos* «qui donne un sommeil lourd», de *karos.* → Carus.

♦ Didact. (méd.). Qui a rapport au carus*. ⇒ **Comateux.** *Assoupissement carotique.*

CAROTTAGE [kaʀɔtaʒ] n. m. — 1844, Balzac ; de *carotter* (I.).

★ **I.** Action de carotter (qqn ou qqch.). — Filouterie, escroquerie.
Il ne leur sortait de la bouche que d'impures professions de foi, des délations abjectes, des vengeances de lettres anonymes, des recettes impudentes de carottage, de gaspillage et de grappillage.
Ed. et J. DE GONCOURT, Sœur Philomène, p. 67.

★ **II.** (1929 ; de *carotte*, I., 4., ou de *carotter*, II.). Techn. Extraction de carottes, dans un sondage. *Carottage par forage.* «Le grand treuil pour carottage qui permet d'obtenir des carottes de 10 à 12 mètres» (*Science et Vie*, nº 592, p. 124). — Par ext. *Carottage électrique, radio-actif :* étude des terrains traversés dans un sondage.

CAROTTE [kaʀɔt] n. f. et adj. — 1564 ; *carote*, 1538 ; *garroite*, 1393 ; lat. *carota*, grec *karôton*.

★ **I. A.** ♦ **1.** Plante dicotylédone (*Ombelliféracées*) appelée scientifiquement *daucus*, à racine pivotante, comestible, cultivée comme plante potagère. *Tige, feuille de carotte. Plant de carotte. Fanes de carotte. Champ de carottes. Faire pousser, cultiver des carottes. Récolter, tirer les carottes.*

♦ **2.** La racine seule (avec les fanes : *botte de carottes,* ou plus souvent sans elles). *Carottes fourragères,* blanches, jaunes ou rouges. *Carottes potagères,* rouges. *Carottes courtes, demi-longues, longues. La carotte contient du sucre, des phosphates.* — Spécialt. Racine rouge, conique, de la carotte potagère. *Éplucher des carottes. Manger des carottes, un plat de carottes. Carottes vichy, carottes à la crème. Carottes râpées* (servies crues, en hors-d'œuvre, souvent à la vinaigrette).

0.1 Les justes proportions, ah, pour ça il s'y connaît (...) un peu d'oignon, un peu d'ail, et persillées, salées, poivrées (...) les plus délicieuses carottes râpées (...)
N. SARRAUTE, le Planétarium, p. 120.

Régional (Suisse, Savoie). *Carotte rouge* : betterave rouge.

Loc. fam. (1878, *avoir ses carottes cuites* « être mourant »). *Les carottes sont cuites* : tout est fini, perdu (→ C'est la fin des haricots*).

0.2 Je résume : nous n'allons pas faire la grève générale à deux mois et demi de l'examen, et nous n'allons pas vider le père de Trou-Machin, pour la bonne raison que c'est impossible (...) Alors, on est d'accord : cette année, les carottes sont cuites.
Michel DE SAINT-PIERRE, les Nouveaux Aristocrates, p. 55.

(1966, emprunté à l'anglais). *La carotte ou le bâton :* l'incitation ou la menace (par allus. à l'âne qu'on ne fait avancer qu'à coups de bâton ou en lui tendant une carotte).

0.3 Donc, de Gaulle dissout la chambre, garde Pompidou, annonce les élections, et si ça ne suffit pas, il prendra d'autres mesures. La carotte ou le bâton.
Claude COURCHAY, La vie finira bien par commencer, p. 189.

Marcher à la carotte : agir poussé par l'appât d'un gain. *La politique de la carotte,* qui consiste à promettre des avantages aux gens dont on veut obtenir l'assentiment. « *L'idée de garder des condamnés douze, vingt-cinq ans d'affilée sans aucune carotte, sans aucun espoir, donne* (aux directeurs de prison) *le frisson* » (*l'Express,* 1978).

♦ **3.** (1723 ; par anal. de forme avec la racine comestible). *Carotte de tabac :* rouleau de feuilles de tabac à chiquer, de forme plus ou moins conique. — **Chique.** — Enseigne rouge, à double pointe, des bureaux de tabac en France (icône* d'une carotte de tabac à chiquer). — REM. La signification n'en est que rarement perçue, le tabac ne se chiquant presque plus de nos jours.

♦ **4.** (V. 1890). Techn. Échantillon cylindrique tiré du sol (par forage, etc.). ⇒ **Carottage** (II.).
Matière qui remplit le canal d'alimentation d'une presse à matières plastiques ; (métall.) bouchon de métal solidifié dans le trou de coulée.

0.4 (...) une sorte de bavure, qu'on appelle carotte. C'est le reste du cordon ombilical de matière plastique qui, durant le refroidissement, relie la matrice au cylindre, au travers du conduit injecteur.
Roger VAILLAND, 325 000 francs, p. 98.

♦ **5.** Jeu qui consiste à lancer un couteau de manière qu'il se plante en terre.

0.5 (...) un de ses camarades, dis-je, qui jouait à la carotte — lançant son couteau d'un geste bref pour le planter dans le bois d'une table — (...)
Michel LEIRIS, l'Âge d'homme, p. 137.

♦ **6.** (1913). Au tennis, Balle qui tourne sur elle-même et trompe l'adversaire.

★ **B.** Adj. (1846). *Rouge carotte, couleur carotte. Avoir les cheveux carotte* (cf. dans le même sens, *Poil de Carotte,* de Jules Renard). ⇒ **Roux.**

1 Poil de Carotte, va fermer les poules !
Elle donne ce petit nom d'amour à son dernier né, parce qu'il a les cheveux roux et la peau tachée.
J. RENARD, Poil de Carotte, Les poules.

★ **II.** (1784). Fig., fam. *Tirer la carotte, une carotte, des carottes à qqn :* extorquer à qqn, par ruse, des aveux. — (1831). Soutirer de l'argent à qqn, par artifice. ⇒ **Carotter.**

2 Voilà la manière dont les femmes pieuses s'y prennent pour vous tirer des carottes de deux cent mille francs.
BALZAC, in RAT, Dict. des locutions françaises.

3 Il a bien tenté, la première année, de me tirer quelques carottes... il m'écrivait des histoires romanesques pour m'attendrir (...)
E. LABICHE, les Petits Oiseaux, I, 8.

Absolt. *Tirer la carotte* (vieilli) : simuler, tirer au flanc. ⇒ **Carotter.**

4 Un cinquième (*porteur*), qui se traîne à peine, nous paraît tirer la carotte. En effet il nous accompagne le lendemain, et ne parle plus de son mal lorsqu'il comprend qu'il ne sera pas payé s'il refuse sa charge.
GIDE, Voyage au Congo, in Souvenirs, Pl., p. 783.

(En emploi libre). *Une carotte :* une escroquerie.

5 Alors un soir, il me dit : — Alice, avant de me lier avec toi pour la vie, je veux éprouver la confiance que tu as en moi, et surtout ton dévouement. Tu vas me donner trente mille francs que je garderai chez moi jusqu'au jour de notre mariage. Eh bien ! Monsieur Goron, devinez à quel point je suis tourte : non seulement je ne flairai pas la carotte, mais je n'hésitai pas une seconde.
GORON, l'Amour à Paris, t. I, p. 368.

DÉR. Carotène, carotter.

CAROTTER [kaʀɔte] v. tr. — 1732 ; de *jouer, tirer la carotte.*
Familier.

★ **I. A.** V. intr. Vx. Jouer mesquinement, très petit jeu.

B. V. tr. (V. 1840, Balzac). Extorquer (qqch. à qqn) par artifice, ruse. ⇒ **Escroquer, soutirer, voler.** *Il a carotté mille francs.* — *Carotter qqch. à qqn. Il nous a carotté presque mille francs.* ⇒ **Calotter.** — *Carotter qqn,* abuser de sa crédulité, de sa générosité, pour lui soutirer de l'argent, un avantage quelconque. ⇒ **Duper ;** (fam.) **posséder, refaire, rouler.** *Il s'est fait carotter. Carotter qqn de qqch., de cent francs.*

1 Eugénie sera d'autant mieux à vous qu'elle vous a déjà carotté (...)
Rien n'attache plus les femmes à un homme que de le carotter.
BALZAC, À combien l'amour revient aux vieillards, Pl., t. V, p. 798.

1.1 (*Le petit ramoneur*) le sourire puéril des dents blanches et des yeux blancs, mais il sait des ordures et carotterait la dame la plus sensible.
J. RENARD, Journal, p. 736.

Pron. *Se carotter* (mutuellement) *qqch.*

1.2 La Brasserie des Martyrs, une taverne et une caverne de tous les grands hommes sans nom, de tous les bohèmes du petit journalisme, d'un monde d'impuissants et de malhonnêtes, tout entiers à se carotter les uns aux autres un écu ou une vieille idée (...)
Ed. et J. DE GONCOURT, Journal, t. I, p. 144 (1857).

2 (...) il carotte des cigares aux Américains et aux hôpitaux pour les revendre dans les boîtes de nuit.
COLETTE, la Fin de Chéri, p. 70.

Absolt. *Carotter avec qqch. :* spéculer avec qqch. *Carotter avec la vente de terrains à bâtir.* — *Carotter sur qqch. :* détourner une partie de qqch. à son propre avantage. *Carotter sur la quantité des commandes passées.*

(1858). Argot milit. *Carotter une permission.* — Vx. *Carotter le service* (cf. Tirer au flanc).

★ **II.** Techn. Extraire du sol (une carotte [I., 4.], un échantillon de terrain). — Absolt. *Il va falloir carotter,* procéder à un carottage.

DÉR. Carottage, carotteur ou carottier.

CAROTTEUR, EUSE [kaʀɔtœʀ, øz] adj. et n. — 1752 ; de *carotter.*

♦ **1.** Vx. Joueur mesquin, qui joue sou à sou.

♦ **2.** (Av. 1850). Mod. Personne qui carotte (qqch.), qui escroque (qqn).

Par ext. ⇒ **Tire-au-flanc.**

REM. On dit et on écrit aussi *carottier, ière* (→ ci-dessous).

CAROTTEUSE [kaʀɔtøz] n. f. — xxe ; de *carotte* (I., 4.).

♦ Techn. Appareil servant à prélever et à extraire des carottes.

CAROTTIER, IÈRE [kaʀɔtje, jɛʀ] n. et adj. — 1750 ; de *carotter.*

★ **I.** Personne qui a l'habitude de « carotter », de soutirer de menus profits d'autrui. (⇒ **Carotteur**). — Adj. *Des mœurs carottières.*

(...) ta mère t'a mis au monde pour le plus grand bien des tapeurs et des poseurs de lapins. Tu n'as pas honte, gros cornichon, de payer les soucoupes de ces deux carottiers quand ce serait justement à eux de payer les nôtres ?
G. COURTELINE, Boubouroche, Comédie, 2.

★ **II.** N. m. Vx. Appareil à prélever les carottes, carotteuse.

CAROUBE [kaʀub] n. f. — 1512 ; lat. médiéval *carubia ;* arabe *hǎrrūbǎh,* même sens.

♦ Fruit du caroubier, gousse longue et épaisse, renfermant une pulpe sucrée. *Alcool de caroube.*

Et il eût bien voulu se remplir le ventre des caroubes que mangeaient les porcs (...)
BIBLE (CRAMPON), Évangile selon saint Luc, xv, 16.

Loc. fam. (Vieilli). *Sec comme une caroube :* très maigre.

DÉR. Caroubier.
HOM. Caroube ou carroube (V. Carouble).

CAROUBIER [kaʀubje] n. m. — 1553 ; de *caroube.*

♦ Plante dicotylédone (*Légumineuses césalpinées*), scientifiquement appelée *Cératonia. Le caroubier est un arbre méditerranéen à feuilles coriaces, persistantes, à fleurs rougeâtres. Fruit du caroubier.* ⇒ **Caroube.** *Le bois de caroubier* (⇒ **Carouge**) *est dur et d'une couleur rouge sombre.*

1 Pendant cette journée, Harbert découvrit des essences nouvelles (...) telles que des fougères arborescentes (...) des caroubiers dont les onaggas broutèrent avec avidité les longues gousses et qui fournirent des pulpes sucrées d'un goût excellent.
J. VERNE, l'Île mystérieuse, t. II, p. 735.

2 Premières pluies de Septembre (...) les caroubiers mettent une odeur d'amour sur toute l'Algérie ; le soir ou après la pluie, la terre entière, son ventre mouillé d'une semence au parfum d'amande amère, repose pour s'être donnée tout l'été au soleil.
CAMUS, Noces, in Essais, Pl., p. 76.

Par métonymie. *Couleur caroubier* ou *caroubier :* couleur rouge sombre. *Une étoffe safran et caroubier.*

CAROUBLE [kaʀubl] n. f. — 1821, Esnault ; probablt du romani *carobi* « anneau ».

♦ Argot. Clé.

La matonne (*gardienne*) s'assoit sur une chaise, rassemble ses caroubes entre ses genoux avec un cliquetis précautionneux, et frime (*regarde*) par-dessus nos têtes recueillies (...)
A. SARRAZIN, la Cavale, p. 43.

REM. On écrit aussi *carrouble,* et on emploie la var. *caroube* ou *carroube* [kaʀub].

CAROUBLEUR [kaʀublœʀ] n. m. — 1834 ; de *caroubler* « ouvrir avec de fausses clés », 1901.

♦ Argot anc. Voleur, cambrioleur, et, par ext., individu réputé brutal. — REM. On a dit aussi *caroubeur* [kaʀubœʀ] (attesté en 1833).

CAROUGE [kaʀuʒ] n. f. — 1845; sous les formes *carouge* (1680) et *carrouge* (1606) au sens de «caroubier»; var. de *caroube*.

♦ Bois rougeâtre et dur du caroubier, utilisé en ébénisterie, en marqueterie.

CAROUSSE [kaʀus] n. f. ⇒ **Carrousse.**

CARPATIQUE ou **KARPATIQUE** [kaʀpatik] adj. — 1969; *karpathique*, 1904, in *Rev. gén. des sc.*, n° 15, p. 751; de *Carpates*.

♦ Des Carpates. *Le relief carpatique.*

1. CARPE [kaʀp] n. f. — 1268; bas lat. *carpa*; mot wisigothique.

♦ **1.** Gros poisson d'eau douce *(Cyprinidés)*, scientifiquement appelé *Cyprinus. La carpe a un corps écailleux, un museau obtus, des lèvres épaisses; sa bouche est munie de deux barbillons de chaque côté. Carpe miroir*, à grandes écailles. *Carpe cuir. Carpe bossue. Carpe à la lune* : variété de carassin*. *Carpe de rivière, d'étang. La carpe peut pondre 500 000 œufs par an. Carpe laitée, carpe œuvée. Pêcher la carpe. Petit de la carpe.* ⇒ **Carpeau** (vx), **carpillon** (cit.). — *Carpe au court-bouillon. Carpe au bleu. Carpe frite. Carpe à la juive. Élevage de la carpe.* ⇒ **Carpiculture.**

1   Ma commère la carpe y faisait mille tours
     Avec le brochet son compère.   LA FONTAINE, Fables, VII, 4.

2   J'ai vu des carpes chez M. de Maurepas, dans les fossés de son château, qui ont au moins cent cinquante ans bien avérés (...)   BUFFON, Hist. nat. des animaux, X.

2.1 On déballait les carpes du Rhin, mordorées, si belles avec leurs roussissures métalliques, et dont les plaques d'écailles ressemblent à des émaux cloisonnés et bronzés (...) Doucement, dans les viviers, on versait des sacs de jeunes carpes; les carpes tournaient sur elles-mêmes, restaient un instant à plat, puis filaient, se perdaient.   ZOLA, le Ventre de Paris, t. I, p. 152.

♦ **2.** Loc. fig. (1828). SAUT DE CARPE : saut où l'on se rétablit sur les pieds, d'une détente, étant couché sur le dos. — Syn. : *saut carpé.*

2.2 Vers l'âge de sept ans, Nello était très fort sur le saut de carpe, ce saut où, étendu sur le dos, sans se servir des mains, un garçonnet se relève debout sur ses pieds par le ressort d'un coup de reins.   Ed. DE GONCOURT, les Frères Zemganno, p. 78.

Faire des sauts de carpe dans son lit, des bonds.

Fam. BÂILLER (cit. 9) COMME UNE CARPE : bâiller fortement et plusieurs fois de suite, comme la carpe qui vient respirer ou gober des insectes à la surface de l'eau. — *Ouvrir une bouche de carpe :* ouvrir grand la bouche.

2.3 La comédie de l'avant-veille recommença. Lapérine, de nouveau, ouvrit une bouche de carpe; de nouveau, le médecin-major reconnut une inflammation dans la gorge de Lapérine, et, de nouveau, Lapérine s'efforça de ne pas crever de rire au nez du médecin.   COURTELINE, les Gaîtés de l'escadron, p. 21-22.

Faire des yeux de carpe (pâmée), faire la carpe pâmée : faire les yeux doux (→ Des yeux de merlan* frit). — *Être ignorant, sot, bête comme une carpe,* fort ignorant, fort niais (→ Piller, cit. 10). — (1612). *Être, rester muet comme une carpe.*

3   Ils étaient tous congestionnés, à demi-morts de soif, et muets comme des carpes (...)   MARTIN DU GARD, les Thibault, t. VII, p. 289.

♦ **3.** En franç. d'Afrique. Poisson d'eau douce *(Percomorphes)* de la famille des *Tilapia.*

DÉR. *Carpé, carpeau, carpillon.*
COMP. *Carpiculteur, carpiculture.*
HOM. 2. *Carpe.*

2. CARPE [kaʀp] n. m. — 1546; du grec *karpos* «jointure», ou, d'après P. Guiraud, de l'anc. franç. *carper* «carder la laine», par anal. de forme. → Carpe, 2. *carpo-.*

♦ Anat. Double rangée de petits os, située entre l'avant-bras et le métacarpe. ⇒ **Carpien.** *La rangée supérieure* (ou antibrachiale) *et la rangée inférieure* (ou métacarpienne) *du carpe. Os du carpe* (scaphoïde, semi-lunaire, pyramidal, pisiforme, trapèze, trapézoïde, grand os, os crochu). *Le carpe forme un massif osseux.*

DÉR. *Carpien.*
COMP. V. **Métacarpe.**
HOM. 1. *Carpe.*

-CARPE Élément, du grec *karpos* signifiant soit «fruit», soit «carpelle», soit «péricarpe». ⇒ 1. **Carpo-.** — Ex. : *acarpe, angiocarpe, artocarpe, endocarpe, épicarpe, gymnocarpe, hétérocarpe, mésocarpe, métacarpe, péricarpe, pilocarpe, pycnocarpe, rhyzocarpe, sarcocarpe.*

CARPÉ [kaʀpe] adj. m. — 1959; de 1. *carpe.*

♦ Sports. *Saut carpé :* saut de carpe*.

CARPEAU [kaʀpo] n. m. — XIVᵉ; *cuerpiau*, v. 1270; de 1. *carpe.*

♦ Vx. Jeune carpe. ⇒ **Carpillon.**

Un carpeau qui n'était encore que fretin
Fut pris par un pêcheur au bord d'une rivière.   LA FONTAINE, Fables, V, 3.

CARPE DIEM [kaʀpedjɛm] exclam. et n. m. — Mots latins (Horace, *Odes*, I, 11, 8) signifiant «cueille le jour présent».

♦ Invitation à jouir du présent fugitif.

(...) j'ai trop peu de temps à vivre pour perdre ce peu. Horace a dit : «*Carpe diem,* cueillez le jour». Conseil du plaisir dans, de la raison à mon âge.   CHATEAUBRIAND, Mémoires d'outre-tombe, IV, 3.

N. m. *Le carpe diem horacien. La sagesse du carpe diem.*

CARPELLAIRE [kaʀpɛl(l)ɛʀ] adj. — 1904, in *Rev. gén. des sc.*, n° 15, p. 752; de *carpelle.*

♦ Didact. Qui se rapporte au carpelle. *Suture ventrale d'une feuille carpellaire.*

CARPELLE [kaʀpɛl] n. m. — 1836; du grec *karpos* «fruit».

♦ Bot. Chacun des éléments foliacés qui forment le pistil* chez les Angiospermes. *Le carpelle comprend trois parties.* ⇒ **Ovaire, stigmate, style.** *Carpelles libres, accolés, soudés. Partie du carpelle où sont insérés les ovules.* ⇒ **Placenta.**

REM. Le mot est considéré comme féminin par *Académie,* 8ᵉ édition.

DÉR. *Carpellaire.*

CARPETTE [kaʀpɛt] n. f. — 1863; «tenture», 1582; «gros drap rayé», v. 1335; angl. *carpet,* de l'anc. franç. *carpite* «sorte de tapis», de l'ital. *carpita;* rad. lat. *carpere* «lacérer». → Charpie.

♦ **1.** Petit tapis ne recouvrant qu'une partie du sol d'une chambre. ⇒ **Descente** (de lit).

Loc. *S'aplatir comme une carpette* (devant qqn), être à ses pieds, le flatter bassement. — *Lécher la carpette, les carpettes* (même sens).

♦ **2.** Fam. Personnage plat, rampant. *C'est une vraie carpette. Quelle carpette, ce type!*

DÉR. *Carpettier.*

CARPETTIER [kaʀpetje] n. m. — 1909; de *carpette.*

♦ Techn. Tisseur spécialisé dans le tissage mécanique des tapis, carpettes, moquettes. — REM. Le féminin *carpettière* [kaʀpetjɛʀ] est virtuel.

CARPHOLOGIE [kaʀfɔlɔʒi] n. f. — 1803; *in* Boiste; du grec *karphos* «flocon», et *legein* «ramasser».

♦ Didact. (pathol.). Agitation continuelle et automatique des mains (semblant chercher quelque chose dans l'air, ou allant et venant sur les couvertures, etc.), symptomatique de certains états délirants.

DÉR. *Carphologique.*

CARPHOLOGIQUE [kaʀfɔlɔʒik] adj. — Déb. XIXᵉ; de *carphologie.*

♦ Didact. (pathol.). Qui a rapport à la carphologie. «(Notre patient) *présentait des mouvements carphologiques (mouvements continuels et automatiques des mains...)*» (la Recherche, 1974; n° 42, p. 126).

CARPICULTEUR, TRICE [kaʀpikyltœʀ, tʀis] n. — XXᵉ; de 1. *carpe,* et *-culteur.*

♦ Techn. Éleveur, éleveuse de carpes.

CARPICULTURE [kaʀpikyltyʀ] n. f. — 1929; de *carpe,* et *-culture.*

♦ Techn. Élevage de la carpe.

CARPIEN, IENNE [kaʀpjɛ̃, jɛn] adj. — 1805, Cuvier; de 2. *carpe.*

♦ Anat. Relatif au carpe. *Canal carpien,* où sont logés les os du carpe.

CARPILLON [kaʀpijɔ̃] n. m. — 1579 ; de 1. *carpe*.

♦ Très petite carpe ; petit de la carpe. ⇒ **Carpeau** (vx).

Le pauvre carpillon lui dit en sa manière :
Que ferez-vous de moi ? Je ne saurais fournir
Au plus qu'une demi-bouchée.
Laissez-moi carpe devenir.   LA FONTAINE, Fables, V, 3.

1. CARPO- Élément, du grec *karpos* « fruit », qui entre dans la formation de nombreux termes de botanique. — Ex. : *carpique* [kaʀpik] adj. (vx), « relatif aux fruits » ; *carpocapse* [kaʀpokaps] n. f., « insecte parasite des fruits » ; *carpolithe* [kaʀpolit] n. m., « concrétion dure des fruits » ; *carpologie* [kaʀpɔlɔʒi] n. f., « partie de la botanique qui étudie les fruits » ; *carpomorphe* [kaʀpɔmɔʀf] adj., « qui a l'aspect d'un fruit » ; *carpophage* [kaʀpɔfaʒ] adj., « qui vit de fruits ». ⇒ **-carpe.**

2. CARPO- Élément, du grec *karpos*, au sens de « jointure » et qui indique un rapport avec le carpe. ⇒ **2. Carpe.** — Ex. : *carpométacarpien* [kaʀpometakaʀpjɛ̃] adj. ; *carpocyphose* [kaʀposifoz] n. f., « déformation du carpe ».

CARPOPHORE [kaʀpofɔʀ] n. m. — 1831, *in* Cottez ; *carpophorum*, Link, 1824 ; de 1. *carpo-*, et *-phore*.

♦ Bot. Partie aérienne des champignons supérieurs, constituant l'appareil sporifère et résultant de la caryogamie dangeardienne. *Le carpophore se présente le plus souvent en forme de parasol ou de massue* (Basidiomycètes), *de coupe ou de masse arrondie* (Ascomycètes).

CARQUOIS [kaʀkwa] n. m. — xive ; *carcois*, 1296 ; *carqais*, 1213 ; *tarchais*, v. 1270 ; du grec byzantin *tarkasion*, par l'arabe *tīrkāš* « étui à flèches », du persan *terkeck*, même sens ; le passage du *t* au *c* est dû à l'infl. de *carcois*, *carcan* « carcasse ».

♦ **1.** Étui à flèches. *Carquois de cuir, de bois. Porter l'arc* (cit. 4) *et le carquois. Le carquois en bandoulière.* ⇒ **Archère.** *N'avoir plus de flèches dans son carquois. Le carquois, attribut de Diane chasseresse. Le carquois d'Éros, de Cupidon, de l'amour* (cit. 43).

1 Ce monument, superbe entre les monuments,
Qui hérisse, au-dessus d'un mur de briques sèches,
Son faîte plein de tours comme un carquois de flèches (...)
                              HUGO, la Légende des siècles, XVI, « Sultan Mourad », V.

2 La tentation était trop forte. Il *(Julien)* décrocha son carquois.
                              FLAUBERT, Trois contes, « La légende de saint Julien l'hospitalier », II, p. 131.

Loc. fig., vx. *Vider, épuiser son carquois :* lancer toutes les épigrammes, tous les traits de satire que l'on peut.

3 Elles *(les femmes)* nous accablèrent d'abord de traits plaisants et fins, qui, tombant toujours sans rejaillir, épuisèrent bientôt leur carquois.
                              ROUSSEAU, Julie ou la Nouvelle Héloïse, II, Lettre XXI.

Par anal. de forme et de fonction. Étui oblong, ouvert à sa partie supérieure et destiné à recevoir des objets allongés. *Carquois pour les skis d'une nacelle de télécabine.*

♦ **2.** Motif décoratif en forme de carquois, fréquent à l'époque Louis XVI. — *Pieds en carquois,* droits et cannelés, des meubles Louis XVI (par opposition aux *pieds de biche** Louis XV).

CARRARE [kaʀaʀ] n. m. — 1755 ; de *Carrare,* ville de Toscane.

♦ Marbre blanc très estimé, tiré des carrières proches de Carrare. *Du carrare. Façade en carrare.*

CARRE [kaʀ] n. f. — xve ; de *carrer.*

♦ **1.** Techn. Angle qu'une face d'un objet forme avec les autres faces (dans quelques emplois). *La carre d'un chapeau :* le haut de la forme. *La carre d'un habit.* ⇒ **Carrure.** *La carre d'un soulier :* le bout d'un soulier qui se termine en forme plus ou moins carrée. *La carre d'une planche,* son épaisseur.
Chacune des faces d'une lame d'épée, de fleuret.

♦ **2.** [a] (1904, *in* Petiot). Baguette d'acier qui borde longitudinalement la semelle (d'un ski). *Carres vissées, collées ; cachées, débordantes. Dans le chasse-neige, on met les skis sur les carres internes. Lâcher les carres :* diminuer l'angle que la semelle des skis fait avec la neige. *Prise de carres, lâchage de carres* (dans un virage).

Nous louâmes sur place de vieux skis qui n'avaient même pas de carres.
                              S. DE BEAUVOIR, la Force de l'âge, p. 214.

[b] Chacune des deux arêtes inférieures de la lame (d'un patin à glace). *Carre intérieure, extérieure.*

♦ **3.** Techn. Incision faite aux pins pour en recueillir la résine. ⇒ **Surlé.**

HOM. 1. Car, 2. car, quart. — Formes du v. **carrer.**

1. CARRÉ, ÉE [kaʀe] adj. — xii[e], au fig., « largement développé », var. *quarré ;* du lat. *quadratus,* p. p. de *quadrare* « rendre carré ».

♦ **1.** Qui forme un quadrilatère dont les quatre angles sont droits et les quatre côtés égaux. *Figure carrée. Plan carré. Les surfaces carrées d'un cube.*
Mètre carré : mesure de surface d'un carré ayant un mètre de côté (écrit m²). *Cent mètres carrés.* ⇒ **Are.** — Par anal. *Par seconde carrée :* par seconde par seconde (dans l'expression des unités d'accélération). *L'unité d'accélération est le mètre par seconde carrée* (m/s² ou m·s⁻²).
Math. *Nombre carré,* multiplié par lui-même. ⇒ **2. Carré.** *Racine* carrée d'un nombre.* — *Tableau carré, matrice carrée,* qui a autant de colonnes que de lignes.

♦ **2.** Se dit de toute surface quadrangulaire à côtés (approximativement) égaux. *Fenêtre carrée. Tableau, tapis carré. Jardin public carré.* ⇒ **2. Carré, square.** *La Cour carrée du Louvre, à Paris.*
Qui a la base ou l'une des faces carrée (en parlant d'un solide). *Bonnet* carré. Tour carrée. La Maison carrée de Nîmes.* — *Bataillon carré,* qui avait autant de profondeur que de front. ⇒ **2. Carré.**
Muscle carré du menton. Front carré, aux angles fortement marqués. *Épaules carrées,* larges, robustes. ⇒ **Carrure.**

1 (...) des doigts en spatule de M. Hubert, extraordinairement plats, larges et carrés du bout (...)
                              GIDE, Si le grain ne meurt, I, IV.

♦ **3.** (xix[e]) ; « large et fort, robuste », en parlant d'une personne, xii[e]).
[a] *Une tête carrée :* un homme d'un jugement juste et solide, d'un caractère décidé, ou, en mauvaise part, un homme obstiné, opiniâtre, têtu. — Spécialt, argot anc. Un Allemand.

[b] Dont le caractère est nettement tranché, accentué. *Un refus carré. Une réponse carrée. Une décision carrée. Un homme d'une honnêteté carrée* (J. Renard).
Vx. *Un esprit carré.*

2 Votre Monsieur, qui dépeint mon esprit juste et carré, composé, étudié, l'a très bien dévidé, comme disait cette diablesse.   Mme DE SÉVIGNÉ, 164, 6 mai 1671.

(Personnes). Direct et droit. *Être carré en affaire.* ⇒ **Rond.**
Or M. Nègre (...) était un monsieur très carré.

3   COURTELINE, Messieurs les ronds-de-cuir, 4[e] tableau, II, p. 151.

♦ **4.** [a] (1694). Qui est à angle droit. *Écriture carrée :* écriture hébraïque dont les lettres à angles droits s'inscrivent dans un carré. — *Trait carré :* ligne que les charpentiers tracent perpendiculairement à une autre.

[b] Mar. Se dit de voiles qui se fixent aux vergues installées en croix. *Voiles carrées.* — *Voile à trait carré.* — *Mât carré,* portant ces voiles. — Par ext. *Un trois-mâts carré,* à voiles carrées.

♦ **5.** Fig., fam. *Partie carrée :* partie de plaisir entre deux couples qui s'échangent (→ Partie, cit. 31).

CONTR. **Rond.**
DÉR. 2. Carré, carrée, carrément.
COMP. Bicarré.
HOM. 2. Carré, carrée, carrer.

2. CARRÉ [kaʀe] n. m. — 1538, R. Estienne ; de 1. *carré.*

♦ **1.** Quadrilatère* dont les quatre angles sont droits et les quatre côtés égaux. *Le côté, la diagonale d'un carré. Réduction d'une aire à l'aire d'un carré.* ⇒ **Quadrature.**

1 Platon demande : où est le carré, où est la diagonale ? Non sur l'arène, non sur le sable où je l'inscris. C'est une forme au ciel des formes.
                              Michel SERRES, Hermès I, La communication, p. 88.

Les carrés d'un damier, d'un échiquier. ⇒ **Case.** *Carrés d'un papier.* ⇒ **Carreau, damier, quadrillage.**
CARRÉ MAGIQUE : tableau carré de nombres disposés de façon que la somme des nombres de chaque ligne, de chaque colonne, et parfois de chacune des diagonales soit constante. — (Math.). *Carré magique d'ordre 3,* à trois lignes et trois colonnes. — *Le carré sémiotique.*
Didact. (math.). *Carré latin :* tableau carré de nombres ou de symboles disposés de façon qu'aucun d'eux n'apparaisse deux fois dans la même ligne ni la même colonne. *Carré gréco-latin,* obtenu en superposant deux carrés latins (soit une paire de symboles par case).

♦ **2.** [a] Produit d'un nombre par lui-même. *Le carré du nombre n se note n². Seize est le carré de quatre,* et quatre la racine carrée de seize. ⇒ **Racine.** *Le carré de l'hypothénuse* (cit.) *d'un triangle rectangle. Élever un nombre au carré, à la puissance* deux, calculer son carré.*

2 Trois Baudouins n'étaient pas trois fois plus en retard qu'un seul Baudoin, mais neuf

fois plus, en vertu de ce principe que le retard, dans cette famille, était proportionné au carré du nombre de personnes engagées dans l'opération.
DUHAMEL, les Pasquier, Suzanne et les jeunes hommes, p. 149, *in* T. L. F.

b Argot des grandes écoles (classes préparatoires). Élève qui suit les cours de seconde année d'une classe préparatoire pour la première fois, par oppos. aux *cubes* et aux *bicarrés** (cit.), qui, respectivement, doublent et triplent cette classe.

♦ **3.** Cour. (abusif en sc.). Figure rappelant le carré ; rectangle dont les deux dimensions sont peu différentes ; surface ou espace ayant cette forme. *Carré long* (vx) : rectangle. *Carré de papier :* morceau de papier d'un format utilisé dans l'imprimerie (0,56 × 0,45). *Papier grand carré.*

Spécialt. **a** *Carré d'un escalier.* ⇒ **Palier.** *Locataires logeant sur un même carré.*

b *Avoir, cultiver un carré de terre. Carrés d'un jardin,* les compartiments de ce jardin. ⇒ **Planche.** *Un carré de légumes.* ⇒ **Carreau** (II., 2.).

3 À mesure que les plantes potagères s'étaient multipliées, il avait fallu agrandir les simple carrés, qui tendaient à devenir de véritables champs et à remplacer les prairies.   J. VERNE, l'Île mystérieuse, t. II, p. 531.

c *Un carré d'eau :* une pièce d'eau en carré.

d Espace de forme carrée. *Carré de lumière, de ciel.*

4 (...) une tabatière s'ouvrait sur un carré de ciel embrasé.
MARTIN DU GARD, les Thibault, t. VIII, p. 79.

5 À ma gauche, troué dans le vif de quelque haie compacte, s'ouvrait un assez long couloir, au bout duquel on apercevait un carré de lune.
H. BOSCO, Un rameau de la nuit, p. 139.

e Morceau de tissu en forme de carré, qu'on plie suivant la diagonale et qu'on porte comme foulard, comme fichu. *Carré de laine, de soie imprimée.*

f Régional. Place carrée. — (Québec). *Le Carré Jacques-Cartier,* à Québec. *Le Carré Saint-Louis,* à Montréal. ⇒ **Place, square.**

g **CARRÉ BLANC** : signe conventionnel, rectangulaire, indiquant naguère (de 1960 jusque vers 1974), en France, qu'une émission de télévision était déconseillée aux jeunes téléspectateurs.

5.1 Pour ce qui touche aux choses de la sexualité, il n'y a plus aucun tabou (...) Demain, les actrices montreront leur derrière en gros plan à la télé, et il n'y aura même pas de carré blanc. Mais la mort, alors, ça !... Interdiction d'en parler, quand on est bien élevé.   Jean-Louis CURTIS, le Roseau pensant, 1971, p. 346.

♦ **4.** Objet ayant une forme carrée ou cubique (pour les solides).
— Anat. Muscle de forme carrée. *Carré du menton, des lèvres, de la cuisse.*
Carré de mouton : partie du mouton entre le gigot et les premières côtelettes. *Carré d'agneau aux herbes.* — *Tailler des carrés de lard...,* des petits morceaux en forme de dés. ⇒ **Dé, carrelet** (4.).
Pêche. Filet de forme carrée. ⇒ **Carrelet.**
CARRÉ DE L'EST : fromage fermenté à pâte molle, voisin du camembert, de forme carrée.

♦ **5.** Troupe disposée pour faire face des quatre côtés. *Former le carré. Carré d'infanterie.*

6 La batterie anglaise écrasa nos carrés.   HUGO, Châtiments, « L'expiation », II.
7 (...) chaque division, formant carré, ses bagages au centre, ses canons aux angles, prenait l'aspect d'une forteresse vivante dont les brèches se réparaient à l'instant même où elles se creusaient.   Louis MADELIN, l'Ascension de Bonaparte, XVI, De Malte aux Pyramides, p. 238.

♦ **6.** (1828). Mar. Chambre d'un navire servant de salon ou de salle à manger aux officiers. *Le carré des officiers. Le carré des mécaniciens.*

♦ **7.** (XXᵉ ; ensemble de quatre éléments). Jeu. Au poker, Réunion de quatre cartes semblables. *Carré d'as.*

♦ **8.** Loc. **AU CARRÉ** : disposé de manière angulaire. — Spécialt. *Coupe* de cheveux *au carré,* les cheveux donnant l'impression d'avoir la même longueur. — Loc. fam. *Mettre* (à qqn) *la tête au carré,* le frapper (jusqu'à lui déformer la tête). Cf. Faire une grosse tête.
Lit fait au carré, lit au carré, dont les couvertures sont bordées régulièrement et fort tirées sous le matelas, de manière à présenter une apparence de netteté, d'ordre (habitude militaire).

HOM. 1. Carré, carrée, carrer.

CARREAU [kaʀo] n. m. — 1080, *quarrel,* sens I., 5. ; du lat. pop. **quadrellus,* de *quadrus* « carré ».

★ **I.** ♦ **1.** (1160, « pierre ou brique posée de chant »). Pavé plat (en terre cuite, en pierre, en marbre...), de forme généralement carrée, utilisé pour le pavage des sols ou le revêtement des murs. *Carreau en faïence ; carreau vernissé. Carreau à quatre pans. Carreau rectangulaire, hexagonal. Carreau de revêtement.* ⇒ **Azulejo.** *Carreaux recouvrant un sol, une chaussée, une rue.* ⇒ **Dalle.** *Assemblage de carreaux.* ⇒ **Carrelage.**

1 Ils (...) la traînèrent (...) sur un pavé de pierres inégales et escarpées (...) elle était tout écorchée (...) par les pointes de ces carreaux.   RACINE, Traductions.

2 (...) un grand maître tireur d'armes, qui vient, avec ses battements de pied (...) nous déraciner (...) tous les carriaux *(sic)* de notre salle.
MOLIÈRE, le Bourgeois gentilhomme, III, 3.

2.1 Les carreaux, par terre, sont blancs et verts, d'un vert plus pâle que celui des tables.   Jacques TEBOUL, Vermeer, p. 33.

♦ **2.** **a** Vx ou régional. Sol pavé de carreaux. *Le carreau d'une chambre. Laver le carreau.* — Fig. *Jeter, coucher qqn sur le carreau,* le mettre à terre. *Laisser qqn sur le carreau,* le laisser à terre, mort ou gravement blessé. *Demeurer, rester sur le carreau :* être tué, gravement blessé. — Fig. Subir un échec ; être laissé pour compte.

2.2 Il n'y a que moi jusqu'ici qui suis resté sur le carreau. Mais on ne peut pas savoir. La chance est dans ma famille ; qui sait si je ne serai pas un jour président de la République ?   PROUST, Sodome et Gomorrhe, Pl., t. II, p. 980.

Fig. *Laisser (qqn) sur le carreau :* abandonner (qqn) dans une situation difficile.

Loc. pop. Vx. *Mettre le cœur sur le carreau :* vomir (jeu de mots sur *cœur* [mal au cœur] et *carreau,* II., 3.).

b Mod. *Le carreau des Halles* (à Paris), endroit des anciennes Halles où l'on étalait et où l'on vendait les fruits, les légumes. — Dans les halles modernes, Emplacement regroupant des denrées de même nature.

2.3 Ils marchèrent dans une odeur exquise qui traînait autour d'eux et semblait les suivre. Ils étaient au milieu du marché des fleurs coupées. Sur le carreau (...) des femmes assises avaient devant elles des corbeilles carrées, pleines de bottes de roses (...)   ZOLA, le Ventre de Paris, t. I, p. 34 (1873).

2.4 *(Florent)* passa au carreau de la triperie, parmi les têtes et les pieds de veau blafards (...)   ZOLA, le Ventre de Paris, t. I, p. 48 (1873).

Le carreau du Temple, partie du marché du Temple, à Paris, où le prix des vêtements vendus peut être débattu.

c *Carreau de mine, de carrière :* emplacement où sont déposés les produits extraits. *Travailler au carreau ou au fond.*

2.5 (...) autour des bâtiments, le carreau s'étendait, et il *(Étienne)* ne se l'imaginait pas si large, changé en un lac d'encre par les vagues montantes du stock de charbon (...) encombré dans un coin de la provision de bois (...)
ZOLA, Germinal, t. I, p. 76 (1885).

♦ **3.** (Du sens 1). Méd. Tuberculose des ganglions mésentériques (le ventre devenant dur comme un carreau).

♦ **4.** (Par anal. du sens 1). **a** Plaque de verre dont sont munies les fenêtres, les portes vitrées. ⇒ **Vitre.** *Carreau cassé. Remettre, remplacer un carreau. Regarder aux carreaux,* à travers les vitres. — Par ext. Châssis garni de carreaux. *Ouvrir, fermer les carreaux* (Académie).

b Fam. ⇒ **Monocle.** — Mod. Verre de lunettes ; (au plur.) lunettes. — Par ext. Les yeux.

2.6 Comme je le racontais tout à l'heure à c'gros presse-papier, j'ai ouvert les carreaux juste à temps pour me cramponner à ma toile de tente qui fermait mon trou (...)   H. BARBUSSE, le Feu, t. I, p. 8 (1917).

♦ **5.** (1588, Montaigne ; par anal. du sens 1). Vieilli. Coussin carré, parfois recouvert de tapisserie, et servant de siège, d'agenouilloir, ou garnissant le fond, le dossier de certains sièges. *Un carreau de velours.*

3 Une de ses femmes (...) lui apporte un siège ; l'autre (...) met un carreau dessus.
RACINE, Remarques sur l'Odyssée.

4 J'aperçus la divinité assise sur un gros carreau de satin, je la trouvai charmante et grasse de la fumée des sacrifices.   A.-R. LESAGE, Gil Blas, III, IX.
5 Comme siège, on m'apporte un carreau de velours noir (...)
LOTI, Mᵐᵉ Chrysanthème, III, p. 24.

Petit métier portatif de dentellière, disposé sur un coussin.

♦ **6.** Vx. Trait de l'arbalète, au fer court et pesant, losangé à quatre pans. — Par ext. (Littér.). *Les carreaux vengeurs de Jupiter. Les carreaux de la foudre.* ⇒ **Foudre.**

♦ **7.** Techn. (objets de forme carrée). Grosse lime de serrurier. ⇒ **Carrelet** (3.), **carrelette.** — Gros fer à repasser des tailleurs.

★ **II.** ♦ **1.** Petit carré faisant partie d'un assemblage symétrique formant le décor d'un tissu. *Étoffe à carreaux. Tapisserie à grands, à petits carreaux.* ⇒ **Quadrillé.** *Les carreaux d'un tissu écossais. Veste à grands carreaux.*

5.1 Sur le damier de petits carreaux rouges et blancs de la toile cirée, le verre a laissé plusieurs traces circulaires, mais presque toutes incomplètes, dessinant une série d'arcs plus ou moins fermés.   A. ROBBE-GRILLET, Dans le labyrinthe, p. 40.

Dessin. *Carreaux de réduction, d'agrandissement, de reproduction de dessins, de cartes :* procédé de reproduction exacte d'un modèle à l'échelle voulue, qui consiste en un réseau de lignes parallèles et perpendiculaires formant des carreaux que l'on reporte sur la toile ou le papier. ⇒ **Carroyage.** *Mettre un croquis au carreau.* — Par métaphore. Réduire, régler (selon un principe).

5.2 Ainsi se révèle mon désir de peindre : peindre des femmes. Et les mettre au carreau de mon vouloir pour me leurrer sur ce qu'elles révèlent de mon impuissance.
Jacques TEBOUL, Vermeer, 1977, p. 258.

♦ **2.** Vx ou régional (Auvergne, Suisse). Carré (de terre cultivée). *Les carreaux d'un jardin. Un carreau d'artichauts.*

6 Le pis fut que l'on mit en piteux équipage
Le pauvre potager ; adieu planches, carreaux (...)   LA FONTAINE, Fables, IV, 4.

6.1 C'est pas bien grand un carreau de pois, pourtant c'est haut ; quand on y est on ne voit plus rien (...) C.-F. RAMUZ, Aline, *in* Œ. compl., t. I, p. 126.

♦ **3.** Dans les cartes à jouer, Série dont la marque distincte est un carreau rouge. *L'as de carreau. Le roi, la dame, le valet* (⇒ **Lindor**), *le dix... le sept de carreau.*

Prov. *Qui se garde à carreau n'est jamais capot**, dicton fondé sur la consonance. — Loc. *Se garder à carreau ;* (cour.) *se tenir à carreau :* être sur ses gardes.

7 (...) à travers sa pourpre, je reconnais sans cesse un froussard qui se garde à carreau. GIDE, Journal, 11 avr. 1948.

8 Tiens-toi à carreau. F. MAURIAC, le Sagouin, II, p. 79.

9 Qu'elle ait fait mauvaise impression, à Rueil, elle en paraissait d'ailleurs consciente (...) Elle se tenait à carreau (...) Elle se tassait par moments (...) engourdie, bénigne (...) Hervé BAZIN, Cri de la chouette, p. 46.

DÉR. V. Carreler, carrelet, carroyage.

CARRÉE [kaʀe] n. f. — xiiie ; de 1. *carré.*

★ **I.** ♦ **1.** Vx, mus. Note de musique médiévale. ⇒ **Brève** (2.).

♦ **2.** (Déb. xviiie). Vx. Cadre de bois où s'attachent les draperies d'un lit. — Châssis en bois garni d'une toile lacée qui occupe le fond d'un lit, d'un cadre.

★ **II.** (1878). Argot fam. Chambre, logement. ⇒ **Piaule.**

Vers les 2 heures du matin, Saturnin rentra dans sa carrée ; comme il n'avait pas du tout envie de se coucher, il se mit à écrire quelques pages destinées à l'ouvrage auquel il travaillait depuis bientôt un an. R. QUENEAU, le Chiendent, p. 407.

HOM. 1. **Carré,** 2. **carré, carrer.**

CARREFOUR [kaʀfuʀ] n. m. — V. 1120 ; du bas lat. *quadrifurcum* « à quatre fourches ».

♦ **1.** Endroit où se croisent plusieurs rues, voies ou chemins. ⇒ **Bifurcation, croisée** (des chemins), **croisement, embranchement, étoile, fourche, patte** (d'oie), **rond-point.** *Les carrefours d'une forêt, d'une ville. Attroupements obstruant un carrefour. Borne, plaque indicatrice d'un carrefour. Carrefour routier à niveaux séparés.* ⇒ **Échangeur.**

1 Le notaire qui loge au coin du carrefour. MOLIÈRE, l'École des femmes, III, 1.

2 Un fol allait criant par tous les carrefours
Qu'il vendait la sagesse (...) LA FONTAINE, Fables, IX, 8.

3 Il y avait de grands calvaires plantés aux carrefours des chemins. LOTI, Pêcheur d'Islande, II, III, p. 83.

4 Il aborde avec prudence les carrefours dangereux. Sa mère lui a recommandé de prendre garde aux voitures. J. ROMAINS, les Hommes de bonne volonté, XVIII, p. 182.

Fig. Croisement.

5 Il avait au coin de l'œil un carrefour de rides où toutes sortes de pensées obscures se montraient rendez-vous. HUGO, les Travailleurs de la mer, I, III, 3.

Vx. La voie publique. *Manières, langage de carrefour :* manières, langage grossiers, vulgaires. ⇒ **Trivial.** *Injures de carrefour. Vénus des carrefours :* prostituée.

♦ **2.** Conjoncture où l'on doit choisir entre diverses voies (dans quelques expressions). *Parvenir, se trouver à un carrefour. Se situer au carrefour de plusieurs tendances.*

6 Les femmes se tiennent aussi longtemps qu'elles le veulent dans cette position équivoque, comme dans un carrefour qui mène également au respect, à l'indifférence, à l'étonnement et à la passion. BALZAC, *in* Pierre LAROUSSE.

Lieu de rencontre où sont confrontées plusieurs civilisations, des cultures différentes.

7 J'imagine que la société ne doit pas vous manquer. La Suisse, à cette époque de l'année, est un carrefour. J.-R. BLOCH, *in* Deux hommes se rencontrent, p. 124.

Lieu où l'on confronte les idées, des théories. « *Un carrefour de l'intelligence* » (Duhamel). — (Abstrait). *Ce domaine de recherches est un carrefour.* — Loc. *Science carrefour :* science qui se trouve à l'intersection de plusieurs disciplines. *Discipline carrefour.*

Spécialt. Réunion, rencontre en vue d'une confrontation d'idées. ⇒ **Symposium, table ronde.** « *Un carrefour sur la réforme de l'Université a eu lieu à M.* » (le Monde, 16 sept. 1968).

CARRELAGE [kaʀlaʒ] n. m. — 1690 ; *quarrellage*, 1611 ; de *carreler.*

♦ **1.** Action de carreler. *Procéder au carrelage d'une place.*

♦ **2.** Pavage* ou revêtement* fait de carreaux assemblés. ⇒ **Dallage, mosaïque, pavement.** *Carrelage en brique. Carrelage à rangées de carreaux entremêlées, dit labyrinthe. Poser un carrelage. Fraîcheur, froid du carrelage* (→ Bruit, cit. 17).

CONTR. (Du sens 1) et **COMP. Décarrelage.**

CARRELER [kaʀle] v. tr. — Conjug. *appeler.* — Fin xiie ; de *carrel.* → Carreau.

♦ **1.** Paver avec des carreaux. *Carreler une chambre. Carreler une pièce, un couloir avec de petits, de grands carreaux.*

♦ **2.** (1867). Tracer des carrés sur (une feuille de papier, une toile, un dessin...). ⇒ **Quadriller.** *Carreler un dessin pour le reproduire.*

♦ **3.** Vx. Raccommoder, rapiécer, ressemeler (de vieux souliers).

DÉR. Carrelage, carreleur.

COMP. Décarreler, recarreler.

CARRELET [kaʀlɛ] n. m. — 1360, *quarlet ;* de *carrel.* → Carreau.

♦ **1.** (1694 ; se dit d'objets présentant une surface quadrangulaire). Pêche. Filet carré (⇒ 2. **Carré,** 4.) tendu sur deux cerceaux qui se croisent et sont attachés au bout d'une perche. ⇒ **Ableret, échiquier.**

(1704). Châssis d'un blanchet* de pharmacien.

♦ **2.** Poisson de mer comestible *(Pleuronectidés),* de forme quadrangulaire, à la peau marquée de taches orange (n. sc. *Pleuronectes platessa).* ⇒ **Plie.**

♦ **3.** (1561 ; désigne des objets à quatre ou plusieurs pans). Grosse aiguille à pointe quadrangulaire dont se servent les bourreliers, les reliers. — Règle quadrangulaire. — Lime à plusieurs pans. ⇒ **Carreau** (I., 7.) ; **carrelette.** Fleuret de section carrée.

C'était un vieux narquois, qui avait des railleries en action féroces. Ainsi, par exemple, il aimait à passer son carrelet à la flamme d'une bougie et (...) il appelait ce dur fleuret (...) du nom insolent de « chasse-coquin ». BARBEY D'AUREVILLY, les Diaboliques, « Le bonheur dans le crime ».

♦ **4.** Régional (Suisse). Petit carré, petit cube. *Carrelets de lard.* ⇒ **Dé.** *Tremper « de gros carrelets de pain* (dans un bol de café au lait) » (W. Biolley, *Trop tard,* 1889).

♦ **5.** Techn. Poutre courte de faible section.

DÉR. Carrelette.

CARRELETTE [kaʀlɛt] n. f. — 1676 ; de *carrelet* (3.).

♦ Techn. Petite lime à métaux, de section rectangulaire.

CARRELEUR, EUSE [kaʀlœʀ, øz] n. m. — 1463 ; de *carreler.*

♦ **1.** Personne qui pose des carreaux. ⇒ **Paveur.**

♦ **2.** N. m. Vx. Savetier ambulant. *Carreleur de souliers.*

CARRELURE [kaʀlyʀ] n. f. — 1307 ; du rad. de *carreler* (3.).

♦ Vx. Ressemelage des vieilles chaussures. — Semelles neuves qu'on met à de vieux souliers.

CARRÉMENT [kaʀemɑ̃] adv. — 1690 ; *quarrement*, xiiie ; de 1. *carré.*

♦ **1.** Littér. D'une manière carrée, à angles droits, d'équerre. *Tracer un plan carrément. Tailler une pièce carrément. Pièce coupée carrément.*

1 Les ombres couleur de fer se découpaient carrément au milieu des rues, selon le profil des maisons. Pierre LOUŸS, Aphrodite, V, 5, p. 249.

Par ext. D'aplomb. *Se tenir carrément sur ses jambes. S'asseoir carrément.*

1.1 Quenu, ravi de ces bonnes dispositions, ne s'était jamais si carrément attablé, le soir, entre son frère et sa femme. ZOLA, le Ventre de Paris, t. I, p. 160.

♦ **2.** (1866). Fig., cour. D'une façon nette, décidée, sans détours. ⇒ **Catégoriquement, fermement, franchement, hardiment, librement, nettement** (→ Réclamer, cit. 2). *Parler, répondre carrément*, sans ambages. *Dire carrément ce que l'on pense. Agir carrément.*

2 Je l'ai reçu carrément et dans tout le déshabillé franc de ma pensée. FLAUBERT, Correspondance, t. II, p. 172.

3 Roublard, ayant vu du coin de l'œil son congé qui se formulait sur la bouche à demi-ouverte de son chef, il prit carrément la parole. COURTELINE, Messieurs les ronds-de-cuir, 1er tableau, III, p. 50.

4 Dans ce singulier pays, où les hommes ne sont certainement pas à la hauteur des institutions, tout se fait « carrément », les villes, les maisons et les sottises. J. VERNE, le Tour du monde en 80 jours, p. 240.

Par ext. (qualifiant un adj.). *Il est carrément nul, idiot,* complètement. — En incise ou en réponse. « *Alors, il l'a plaquée ? Carrément !* »

CONTR. (Du sens 2) **Ambigument, indirectement, mollement, timidement.**

CARRER [kaʀe] v. tr. — V. 1180 ; du lat. *quadrare* « rendre carré ». → Cadrer.

★ **I.** ♦ **1.** Donner une figure, une forme carrée à (qqch.). — Techn. *Carrer une pierre, un bloc de marbre,* les tailler à angles droits. Vx. *Carrer une troupe,* la disposer en carré. *Carrer les épaules* (→ Buste, cit. 3). → ci-dessous, Se carrer.

♦ **2.** Fig. Caractériser nettement. *Carrer des phrases* (→ Monologue, cit. 2).

1 Tel est bien le trait qui le carre solidement, un robuste aplomb. A. THIBAUDET, Gustave Flaubert, p. 111.

♦ 3. Math., géom. Trouver le carré équivalent à (une surface déterminée par des lignes courbes). *Chercher à carrer un cercle,* la quadrature* du cercle.

♦ 4. (1765 ; *quarrer,* 1549). Arithm., alg. Former le carré de (un nombre) ; multiplier un nombre par lui-même.

★ II. (1835 ; de *carre* «cachette», lui-même emploi spécialisé de *carre* «angle, coin»). Argot. Cacher, dissimuler.

1.1 Tous ces poilus-là, ça n'emporte pas son couvert et son quart, pour manger sur le pouce. I's préfèr't mieux aller s'installer chez une mouquère de l'endroit (...) et la rombière leur carre dans son buffet leur vaisselle, leurs boîtes de conserves et tout leur bordel pour le bec.   H. BARBUSSE, le Feu, t. I, p. 49 (1917).

▶ SE CARRER v. pron. (1606 ; d'après *carrure*).

♦ 1. Vx. Développer toute sa carrure pour se mettre à l'aise ou prendre une attitude d'importance et de satisfaction. — (XIXᵉ). *Se carrer dans un fauteuil, dans sa voiture,* s'y installer confortablement ; s'y mettre à l'aise. ⇒ **Étaler** (s'), **prélasser** (se).

2 Dans ce penser il *(un baudet)* se carrait,
Recevant comme siens l'encens et les cantiques.   LA FONTAINE, Fables, V, 14.

3 C'est vrai qu'elle danse bien, mais la voilà qui fait la belle fille et qui se carre comme une agasse.   G. SAND, la Petite Fadette, XVI, p. 113.

3.1 Le représentant en vins se carrait dans un coin en agitant un journal comme un drapeau (...)   R. QUENEAU, le Chiendent, p. 44.

Figuré :

4 À l'aise dans son vieux fauteuil, il se carrait dans ses espérances.
                          BALZAC, le Cabinet des antiques, Pl., t. IV, p. 395.

♦ 2. Vx. Au jeu de bouillotte, Doubler sa mise.

♦ 3. (1866). Argot, vieilli. Se mettre à l'abri en s'enfuyant ; fuir, filer. «*Se carrer à toutes pompes*» (Esnault). — REM. On trouve chez Céline l'emploi intransitif :

5 — Foutez-moi le camp ! Foutez-moi le camp tous !
Ils reculaient, grognant, râlant... ces crocs !... s'ils regrettaient !
— Allez ! Allez ! Carrez ! Carrez !
                          CÉLINE, Féerie pour une autre fois, p. 242 (1952).

Au fig. *Se carrer de* (qqch. ou qqn) : se méfier de (qqch. ou qqn).

DÉR. Carre, carrure.
COMP. Contrecarrer.
HOM. 1. Carré, 2. carré, carrée.

CARRICK [kaʀik] n. m. — 1805, Stendhal ; mot angl., *carrick* «voiture légère» et «manteau du cocher».

♦ Redingote ample à plusieurs collets étagés (à la mode en France au XIXᵉ siècle).

1 Les chevaux, effrayés, soufflaient fortement et se cabraient au lieu d'avancer, mais le cocher avait parfaitement dîné : son épais carrick, et surtout le vin qu'il avait bu, l'empêchaient de craindre l'eau et les mauvais chemins.
                          MÉRIMÉE, la Double Méprise, Pl., p. 358 (1833).

2 Le garçon de bureau l'introduisit dans le cabinet du commissaire. Un homme de haute taille s'y tenait debout, derrière une grille, appuyé à un poêle, et relevant de ses deux mains les pans d'un vaste carrick à trois collets.
                          HUGO, les Misérables, III, VIII, XIV (1862).

CARRIER [kaʀje] n. m. — 1284, *quarrier* ; de 1. *carrière.*

♦ Celui qui exploite une carrière comme entrepreneur ou comme ouvrier. — Par appos. *Un maître carrier ; des ouvriers carriers. Le carrier extrait de la pierre.* ⇒ **Mineur, tailleur** (de pierres). *Marteaux de carrier.* ⇒ **Masse, picot.** *Scie de carrier. Levier, rouleau de carrier.*

Si, à quelque horizon, à quelque coin de bois du côté de Belle-Croix ou de la Reine-Blanche, il entendait un coup de pic régulier et résigné sur la pierre, il pensait malgré lui à la courte vie que fait aux carriers cette mortelle poussière de grès filtrant dans les ressorts de leurs montres, filtrant dans leurs poumons.
                          Ed. et J. DE GONCOURT, Manette Salomon, p. 293.

HOM. Carier.

1. CARRIÈRE [kaʀjɛʀ] n. f. — V. 1170, *quarriere* ; lat. pop. *quadraria «lieu où l'on taille les pierres», de *quadrus* «carré».

ⓐ Techn. et cour. Lieu d'où l'on tire de la pierre, des terres. *Carrière d'ardoise* (⇒ **Ardoisière**), *de grès* (⇒ **Grésière**), *de marbre* (⇒ **Marbrière**), *de pierres meulières* (⇒ **Meulière**), *de ballast* (⇒ **Ballastière**). *Carrière d'argile* (⇒ **Glaisière**), *de chaux, de gypse* (→ **Plâtrerie,** cit.), *de marne* (⇒ **Marnière**), *de plâtre* (⇒ **Plâtrière**), *de sable* (⇒ **Sablière**). *Le délit d'une pierre de carrière. Lit de pierres, étanfiche, souchet d'une carrière. Bancs de roche d'une carrière. Carrière en cul de sac. Carrière à ciel ouvert. Couronnement, ciel d'une carrière. Carrière souterraine.* ⇒ **Mine.** *Filons, puits d'une carrière. Creuser, exploiter, fouiller une carrière. Débarder la pierre d'une carrière.*

ⓑ Cour. Exploitation d'extraction à ciel ouvert (par oppos. à la *mine,* souterraine).

ⓒ Hist. *Être condamné aux carrières,* à travailler dans les carrières de l'État, dans l'Antiquité.

DÉR. Carrier.
HOM. 2. Carrière.

2. CARRIÈRE [kaʀjɛʀ] n. f. — 1534 ; ital. *carriera* «chemin de chars» ; lat. pop. **carraria,* de *carrus.*

♦ 1. Vx. Lieu disposé pour les courses de chars, de chevaux...
⇒ **Arène, champ** (de course), **lice.** *Descendre, entrer dans la carrière. Ouvrir, parcourir la carrière. Aller jusqu'au bout de la carrière.*

1 (...) À la fin quand il *(le lièvre)* vit
Que l'autre *(la tortue)* touchait presque au bout de la carrière,
Il partit comme un trait (...)   LA FONTAINE, Fables, VI, 10.

2 Il excelle à conduire un char dans la carrière (...)   RACINE, Britannicus, IV, 4.

Littér. Espace à parcourir.

3 (...) l'automobile n'est pas un bibelot de vitrine ; elle veut, elle exige une carrière où manifester ses qualités. Elle a soif d'espace.
                          G. DUHAMEL, Manuel du protestataire, IV, p. 128.

Manège. (Vx). Course que peut fournir, espace que peut parcourir un cheval sans perdre haleine. *Ce cheval a bien fourni sa carrière.*

Loc. **DONNER CARRIÈRE.** *Donner carrière à un cheval,* le laisser libre de courir, lui lâcher la bride.

(1611). *Donner carrière (à...) :* laisser le champ libre à (qqn). *Se donner carrière :* s'ouvrir un champ libre.

4 J'avais franchi les monts qui bornent cet État,
Et trottais comme un jeune rat
Qui cherche à se donner carrière (...)   LA FONTAINE, Fables, VI, 5.

Fig. *Donner carrière, libre carrière à* (qqch.) : donner toute liberté d'action à... ⇒ **Libre** (libre cours). *Donner carrière à ses passions, à ses plaintes, à ses sentiments. Donner carrière à son éloquence, à son esprit, à son imagination. Donner carrière à sa méchanceté...*

5 Il nous enseigne *(ton ouvrage)* à prendre une digne matière,
Qui donne au feu du peintre une vaste carrière (...)
                          MOLIÈRE, la Gloire du Val-de-Grâce, 60.

6 Legendre donna carrière à sa peur sous forme d'enthousiasme.
                          MICHELET, Hist. de la Révolution franç., t. II, p. 927.

7 (...) la littérature m'a empêché de donner carrière à mes vertus comme à mes vices.
                          FLAUBERT, Correspondance, t. IV, p. 323.

Vx. *Se donner carrière aux dépens de qqn,* le railler.

♦ 2. Littér. Entreprise, voie où l'on s'engage. *Une carrière d'efforts, de luttes, de souffrance. La carrière de l'ambition, de l'honneur, de la gloire, du succès.*

8 Il *(le prince)* ne tient pas à lui que, forçant la victoire,
Il ne marche à pas de géant
Dans la carrière de la gloire.   LA FONTAINE, Fables, XII, 1.

Ouvrir la carrière à qqn. Entrer dans la carrière.

9 (...) C'est mal de l'honneur entrer dans la carrière
Que dès le premier pas regarder en arrière.   CORNEILLE, Horace, II, 3.

10 La victoire en chantant nous ouvre la carrière.
                          M.-J. DE CHÉNIER, Thimoléon, II, 6.

11 Nous entrerons dans la carrière
Quand nos aînés n'y seront plus.   ROUGET DE LISLE, la Marseillaise.

12 Entrer dans la carrière veut dire : s'avancer dans le chemin de la vie.
                          J. VALLÈS, Bachelier, p. 7.

Ouvrir, fermer la carrière : être le premier, le dernier dans une voie.

♦ 3. Mod. Métier, profession qui présente des étapes, une progression. ⇒ **Profession, situation.** *Le choix d'une carrière. Embrasser, suivre une carrière. Débuter, s'avancer dans une carrière. Avancement* dans une carrière. Ouvrir à qqn une belle carrière. Briser sa carrière, une carrière.* — *Faire carrière :* réussir dans une profession. *Il ne cherche qu'à faire carrière.* ⇒ **Carriériste.** — *Se faire une carrière dans une maison de commerce. Carrière des armes, du barreau. Carrière d'administration, carrière politique.*

13 Heureux de terminer une carrière politique qui m'était odieuse, je rentre avec amour dans le repos.   CHATEAUBRIAND, Mémoires d'outre-tombe, IV, 1.

14 Se destiner à la carrière honteuse des courtisanes, avec l'intention d'en palper les avantages, tout en gardant la robe d'une honnête bourgeoise mariée (...)
                          BALZAC, Œ., t. VI, la Cousine Bette, p. 264.

15 La santé est beaucoup dans la carrière d'un homme.
                          Ed. et J. DE GONCOURT, Journal, p. 121.

16 Je ne voyais pas encore quelle carrière pouvait s'ouvrir pour moi.
                          FRANCE, la Vie en fleur, XXV, p. 276.

17 Yves regrettera ces choses plus que moi-même (...) car, pour lui, c'est la première fois que pareil intermède vient couper sa carrière rude.
                          LOTI, Mᵐᵉ Chrysanthème, L, p. 262.

18 Il changera peut-être d'avis (...) après avoir subi cette épreuve ; alors nous serions heureux de le diriger vers une autre carrière.   LOTI, Matelot, V, p. 22.

19 À l'origine de toute carrière, il y a un miracle de travail.
                          Max JACOB, Conseils à un jeune poète, p. 89.

20 Tout homme qui a l'espoir d'une noble et utile carrière intellectuelle, ne doit pas choisir Paris pour son domicile.
                          A. BILLY, Sainte-Beuve, sa vie et son temps, I, Le romantique, p. 297.

Absolt. *La carrière :* la carrière diplomatique (souvent avec une majuscule). *Embrasser la carrière* ou *la Carrière. Un homme de carrière. Militaire de carrière.*

♦ 4. Vx ou littér. Cours du temps ; durée de la vie. *Fournir une lon-*

gue carrière. La carrière de qqn, sa carrière, le cours de sa vie. *Être au bout de sa carrière. — Avoir eu une belle carrière.*

21 Et qu'un long âge apprête aux hommes généreux,
Au bout de leur carrière, un destin malheureux !   CORNEILLE, le Cid, II, 8.

22 La carrière d'Auguste a-t-elle été moins belle
Que les fameux exploits du premier des Césars ?   LA FONTAINE, Fables, VII, 18.

23 Si, moins heureux ou trop sage, je m'étais vu réduit à finir en d'autres climats une infirme et languissante carrière (...)
ROUSSEAU, De l'inégalité parmi les hommes, À la République de Genève, p. 29.

24 Votre carrière, dites-vous, est finie. Mais convenez qu'elle est finie avant l'âge.
ROUSSEAU, Julie ou la Nouvelle Héloïse, VI, Lettre VI.

La carrière d'un jour, d'une année...

25 Ô lac ! l'année à peine a fini sa carrière.   LAMARTINE, Méditations, « Le lac ».

Littér., vx (en parlant du cours des astres) :

26 Le dieu *(le Soleil divinisé),* poursuivant sa carrière,
Versait des torrents de lumière
Sur ses obscurs blasphémateurs.
LEFRANC DE POMPIGNAN, Ode sur la mort de J.-B. Rousseau.

DÉR. **Carriérisme.**
HOM. 1. **Carrière.**

CARRIÉRISME [kaʀjeʀism] n. m. — 1908, J. Rivière ; de 2. *carrière* (3.). → **Carriériste.**

♦ Attitude, manière d'agir du carriériste. ⇒ **Arrivisme.**

CARRIÉRISTE [kaʀjeʀist] n. — 1909 ; de l'angl., d'après 2. *carrière* (3.).

♦ Personne qui recherche avant tout la réussite sociale par le moyen d'une carrière (le mot est souvent péjoratif et comporte peu ou prou l'idée d'absence de scrupules quant au choix des moyens). ⇒ **Arriviste.** *C'est un, une carriériste.*

E. gagne passablement d'argent, néglige d'en profiter pour se livrer tout entier à la nécessité de régner. On pourrait donc dire qu'il est ambitieux, mais le mot ne convient guère ; aussi le dira-t-on plus justement arriviste ou plutôt, vu le cadre étroit où son activité s'exerce, carriériste.   J.-M. CAPLAIN, l'Ombre et la Lumière, 1967, *in* P. GILBERT, Dict. des mots contemporains.

CARRIOLE [kaʀjɔl] n. f. — xvıᵉ ; anc. provençal *carriola* « brouette », de *carri* « chariot », du bas lat. *carreum,* de *carrus,* ou p.-ê. ital. *carriola,* lui-même du provençal.

♦ **1.** Petite charrette campagnarde, recouverte d'une bâche, souvent grossièrement suspendue.

1 (...) une dizaine de carrioles s'attellent, allument leur lanterne, s'ébranlent avec des tintements de grelots (...)   LOTI, Ramuntcho, IV, p. 63.

2 Tous les sentiers, toutes les routes fourmillaient de pèlerins, à pied, en carrioles, ou bien entassés dans les voitures omnibus (...)
M. BARRÈS, la Colline inspirée, XVII, p. 289.

Fam. Mauvaise voiture. ⇒ **Bagnole.**

♦ **2.** (1721). Au Canada, Voiture d'hiver hippomobile, montée sur patins, assez élégante, recherchée pour sa stabilité dans la neige.

CARROSSABLE [kaʀɔsabl] adj. — 1825 ; de *carrosse.*

♦ Où peuvent circuler des voitures, (de nos jours) les automobiles. *Chemin, route carrossable.* ⇒ **Automobile** (3., vx), **automobilisable.** *Il y a un raccourci, mais il est à peine carrossable. Ici, la piste n'est plus carrossable.*

CARROSSAGE [kaʀɔsaʒ] n. m. — 1873 ; de *carrosser.*

♦ **1.** Action de carrosser. *Le carrossage n'est pas terminé.* — Son résultat ; manière dont un véhicule est carrossé. *Un beau carrossage.* ⇒ **Carrosserie.**

♦ **2.** Techn. Inclinaison des extrémités (d'un essieu) vers le sol.

CARROSSE [kaʀɔs] n. m. — 1575 ; *carroce,* v. 1260 ; ital. *car(r)ozza,* de *carro* « char » ; lat. *carrus.*

♦ Ancienne voiture de luxe à quatre roues, suspendue et couverte, tirée par des chevaux. *Monter dans un carrosse, en carrosse. Un carrosse à deux ou quatre chevaux. Avoir un carrosse* (→ Bosse, cit. 7). *Carrosse doré. La citrouille transformée en carrosse des contes de fées. Le Carrosse du Saint-Sacrement* (saynète de Mérimée).

1 On ne parlait chez lui que par doubles ducats ;
Et mon homme d'avoir chiens, chevaux et carrosses.
LA FONTAINE, Fables, VII, 14.

2 (...) ce carrosse dont l'époque est assez indiquée par les glaces convexes, les panneaux bombés, et les sophas contournés.
RIMBAUD, Illuminations, « Nocturne vulgaire ».

Loc. fig. *Avoir, rouler carrosse :* être dans l'aisance.

3 On roulait carrosse, on avait des manières de grand parvenu le cœur sur la main, et aujourd'hui, on dit à sa femme de faire des économies sur les épinards et les carottes.   Alain BOSQUET, les Bonnes Intentions, 1975, p. 197.

Vx. *Cheval de carrosse :* cheval grand et fort. — Fig., fam. Homme brutal, grossier et stupide.

Loc. fig. (fam.). *La cinquième roue* du carrosse.*

La douleur physique n'a jamais été pour nous que la cinquième roue du carrosse de la chair.   ÉLUARD, l'Immaculée Conception, Pl., t. I, p. 349.   4

DÉR. **Carrossable, carrosser, carrosserie, carrossier.**

CARROSSER [kaʀɔse] v. tr. — 1828, au p. p. ; de *carrosse.*

♦ **1.** (1863). Vx. Transporter en carrosse. ⇒ **Voiturer.**

♦ **2.** Mod. **a** (1929). Munir un véhicule d'une carrosserie.

b Techn. Donner du carrossage à un train de roues de voiture automobile.

▶ **CARROSSÉ, ÉE** p. p. adj.

♦ **1.** Muni d'une carrosserie. *Châssis carrossé.*

♦ **2.** (1949). Fam. (Personnes). *Bien carrossé :* qui est d'un bel aspect physique. *Une fille bien carrossée.* ⇒ **Fait ; roulé.**

DÉR. **Carrossage.**

CARROSSERIE [kaʀɔsʀi] n. f. — 1833 ; de *carrosse.*

♦ **1.** Industrie de la fabrication des voitures. — Mod. Industrie, commerce des carrossiers (3.). *Travailler dans la carrosserie.*

♦ **2.** (1863). Caisse d'une voiture, et, spécialt (v. 1900), d'une automobile. ⇒ **Bâti, caisse.** *Carrosserie et châssis formant une coque autoporteuse. Types de carrosseries.* ⇒ **Berline, break, coach, coupé, limousine, speeder, torpedo** (vieilli). *Carrosserie aérodynamique.* ⇒ **Carénage** (3.). *Carrosserie adaptée au châssis. Jumelles fixant la carrosserie aux ressorts de suspension d'une voiture. L'intérieur de la carrosserie. Les sièges et dossiers, les accessoires (glaces, tableau de bord...) font partie de la carrosserie.*

♦ **3.** Enveloppe extérieure (d'une machine à laver, d'un réfrigérateur). — Syn. : **caisse.**

♦ **4.** Fig., fam. Conformation physique.

Beau mais beau gars ! Très beau gars ! Vingt-deux ans au jugé, des cheveux blonds à ne savoir qu'en faire, un corps nerveux d'athlète, ce que Conan appelle une belle carrosserie (...)   Roger VERCEL, Capitaine Conan, p. 111, 1934.

CARROSSIER [kaʀɔsje] n. m. et adj. — 1589, « conducteur de carrosse » ; de *carrosse.*

A. (En rapport avec *carrosse*). ♦ **1.** Conducteur de carrosse ; cocher.

♦ **2.** Cheval d'attelage de haute taille ; cheval de carrosse.

Mais quelle peine j'ai eue à vous trouver une bête à votre poids ! C'est un demi-sang (...) qui doit peser ses mille deux cents livres et fait au moins un mètre quatre-vingts au garrot. Au fond, c'est le type du carrossier de la grande époque. Il ne risque pas de s'envoler mais il pourrait en porter trois comme vous.
M. TOURNIER, le Roi des Aulnes, p. 237.

Adj. (1635). *Cheval carrossier.*

♦ **3.** (1677, « ouvrier carrossier »). Anciennt. Fabricant de carrosses. ⇒ **Charron.**

B. (1898 ; en rapport avec *carrosserie*). Mod. Ouvrier tôlier spécialisé dans la fabrication ou la réparation des carrosseries d'automobiles. *Carrossier carénant une automobile de série.* — Spécialt. Fabricant de carrosseries de luxe (en petite série). — Dessinateur, concepteur de carrosserie. *C'est un grand carrossier italien qui a dessiné ce modèle.* — Adj. *Ouvrier carrossier.* — REM. Dans ce sens, le fém. *carrossière* [kaʀɔsjɛʀ] est virtuel.

CARROUBE [kaʀub], CARROUBLE [kaʀubl] n. f. ⇒ **Caroube.**

CARROUSEL [kaʀuzɛl] n. m. — 1620 ; *carrouselle,* xvıᵉ ; p.-ê. mot napolitain *carusello,* jeu équestre d'orig. mauresque, du nom des balles de craie en forme de tête que se lançaient deux équipes de cavaliers, de *caruso* « tête rasée » ; P. Guiraud rapproche le mot du franç. *car(r)ous, carrousse* « bombance », du roman *carosus « qui fait bon visage » d'où « bombance, fête », de l'anc. franç. *cara* « tête » (franç. *chère*).

♦ **1.** Parade, tournoi où des cavaliers divisés en quadrilles se livrent à des jeux, à des exercices, à des évolutions. *Donner, célébrer un carrousel.*

On fit en 1662 un carrousel vis-à-vis les Tuileries.
VOLTAIRE, le Siècle de Louis XIV, p. 25.   1

♦ **2.** (1740). Lieu où se donnaient les carrousels. *L'arc de triomphe du Carrousel* (de la place du Carrousel, à Paris).

♦ **3.** Techn. Dispositif circulaire (en manutention, etc.). — Spécialt. Dispositif tournant utilisé pour la délivrance des bagages dans les aérogares.

♦ **4.** Fig. *Un carrousel de...,* succession rapide (d'impressions, de sensations, etc.). *Un carrousel d'images.* — Par ext. Ensemble (d'objets mobiles qui évoluent rapidement sur un espace réduit). *Le carrousel des voitures sur la place de la Concorde. Un carrousel d'avions, de motos.*

2 Les squelettes de papier dont le carrousel d'ombres passe, à Mexico, sur les faces riantes des enfants, défient la photo fixe, sont liés à leur passage, qui suggère aussi la précarité de la vie.   MALRAUX, l'Homme précaire et la Littérature, p. 209.

Succession rapide (de personnes à une même place). *Un carrousel ministériel.*

♦ **5.** Vx (en France) ou régional (Belgique, Nord, Suisse). Manège* forain (→ Chevaux* de bois).

3 La première *(baraque)* qu'on voyait était le carrousel à vapeur. Il avait un mécanicien, une chaudière, des machines à engrenages, un sifflet comme une locomotive. Les voitures, peintes en rouge et toutes dorées, roulaient sur des rails, mais le plan n'était pas uni, c'était une montagne russe, c'est-à-dire que la piste tout le temps monte et redescend ; et tantôt on est soulevé en l'air ou on retombe, comme les bateaux sur les vagues (...) Le second carrousel était à l'ancienne mode ; les chevaux de bois sont pendus autour, deux de front, à de fortes tringles. Ils ont une vraie queue et une vraie crinière ; les étriers sont en acier. Il faut pour la musique tourner la manivelle.   C.-F. RAMUZ, les Circonstances de la vie, Œ. compl., t. II, p. 8, 1940.

CARROUSSE ou CAROUSSE [kaʀus] n. f. — 1546, *caros*, Rabelais, «action de boire en vidant son verre d'un trait» ; *faire carousse*, 1573 ; l'étymologie traditionnelle fait état d'un moyen haut allemand *garans* «entièrement, jusqu'au bout», constituant une invitation à boire son verre en une seule fois (cf. notre moderne *cul sec!*). P. Guiraud invoque un roman *carosus*, du lat. *cara* «tête». → Carrousel.

♦ Vx ou archaïsme stylistique. *Faire carousse :* boire d'abondance, boire sec. — Par ext. Festoyer en buvant, en faisant bonne chère.

Ce que c'est que la vie ! Un soir, vous faites tranquillement carousse avec un ami dans un cabaret d'honneur ; puis vous allez chacun de votre côté à vos petites affaires. Huit jours après quand vous demandez «que devient un tel», on vous répond : « Il est pendu ».   Th. GAUTIER, le Capitaine Fracasse, XII.

CARROYAGE [kaʀwaʒaʒ] n. m. — 1917, Esnault ; du rad. de *carreau.*

Technique.

♦ **1.** (Urbanisme). Quadrillage de voies.

♦ **2.** Quadrillage pour reproduire un dessin.

(...) la ville au-dessous d'eux confuse et agonisante dans l'étouffante soirée de septembre : ce n'est pas encore le crépuscule, mais bientôt : à présent, et encore pour quelques instants, son *carroyage* de rues et d'avenues est sculpté en noir par la lumière frisante qui cède pied à pied devant la montée de brume marron s'élevant du port.   Claude SIMON, le Palace, p. 190.

DÉR. Carroyer.

CARROYER [kaʀwaje] v. tr. — Conjug. *noyer.* — V. 1950 ; de *carroyage.*

♦ Quadriller (un plan, une carte) par un carroyage.

CARRURE [kaʀyʀ] n. f. — V. 1190, *quarreure* ; de *carrer.*

♦ **1.** Largeur du dos, d'une épaule à l'autre. *Forte, belle carrure. La carrure de qqn, sa carrure. Un homme de forte carrure* (→ fam. Une armoire* à glace).

1 Il *(Jaurès)* n'avait pas les gestes habituels des orateurs, mais des gestes d'ouvrier manuel, enfonçant les idées dans le bois de la tribune, appuyant du pouce pour insister, gestes rudes et lourds instinctivement faits par son épaisse carrure de montagnard cévenol.   Ch. PÉGUY, la République... Notre Royaume de France, p. 20, Préparation du Congrès socialiste national, I, 3, 5 févr. 1900.

2 Ces belles filles avaient d'ailleurs la carrure et le rable particuliers aux femmes d'athlète qui servent de piédestal aux exercices de leur mari.   GIRAUDOUX, Bella, VIII, p. 191.

(1680). Largeur d'un vêtement aux épaules. *Veste trop étroite de carrure.*

♦ **2.** (XIIIᵉ). Forme ample, carrée. *La carrure de la poitrine.*

3 Au-dessous de ses joues creusées, la carrure des mâchoires, la saillie des muscles du cou donnaient la notion de son extrême force. LOTI, Ramuntcho, I, I, p. 21.

♦ **3.** (1866). Fig. Force, valeur (d'une personne). *Il manque de carrure. Son prédécesseur était d'une autre carrure.* ⇒ **Valeur ; envergure, stature.** *Quelle carrure !*

4 (...) des bonshommes comme Néron, Richard III, Œdipe, Agamemnon ou Jean sans Terre ont une autre carrure que Roberti !   J. DUTOURD, les Horreurs de l'amour, p. 196.

CARRY [kaʀi] n. m. ⇒ **Curry.**

CARTABLE [kaʀtabl] n. m. — 1810 ; «registre», 1636 ; du lat. médiéval *cartabulum* «récipient à papier», de *charta* «papier».

♦ Sacoche* de cuir, de carton... dans laquelle les écoliers mettent et transportent leurs livres, leurs cahiers, etc. ⇒ **Carton, sac, sacoche,**

serviette. *Cartable à poignée, à bretelles. Un gros cartable. Porter son cartable à la main, sur les épaules.*

Edmond et Léonard ont posé leurs cartables, deux sacs de faux cuir jaune, tachés d'encre, et qui laissent voir le carton aux coutures ; les courroies lâches pendent le long des pieds de la chaise (...)   M. GENEVOIX, Raboliot, p. 171.

CARTAYER [kaʀteje] v. intr. — Conjug. *payer.* — 1740 ; mot de l'Ouest ; probablt du rad. de *quart* (parce qu'au passage de la voiture, la route se divise en quatre voies : les deux ornières à éviter et les traces des roues).

♦ Conduire une voiture (en général une voiture à traction animale) de façon telle que les roues passent de part et d'autre d'une ornière. *Cartayer pour éviter les cahots.*

CARTE [kaʀt] n. f. — 1393 ; du lat. *charta* «papier». — REM. phon. On dit *carte postale* [kaʀtpɔstal], mais *carte grise* [kaʀtəgʀiz]. Le *e* de *carte* se prononce quand le mot est suivi d'un mot d'une seule syllabe commençant par une consonne.

★ **I.** (xvᵉ). ♦ **1.** Vx ou techn. Papier résistant et souple fait de plusieurs feuilles collées ensemble. ⇒ **Carton.** *De la carte. Une feuille de carte.*

Comm., techn. Rectangle de carton sur lequel du fil est enroulé (⇒ **Carter**), des petits objets sont présentés. *Une carte de boutons. Carte d'échantillons*, sur laquelle sont collés des échantillons d'étoffe, des brins de laine de couleurs différentes.

EN CARTE : *Mettre un dessin en carte :* tracer sur une carte le dessin qui sera reproduit par l'ouvrier tisseur. *Mise en carte.* ⇒ **Tissage.**

CARTE BLANCHE (vx) : feuille de carton sur laquelle rien n'est écrit. — Fig., mod. *Donner, laisser carte blanche à (qqn) :* laisser (qqn) libre de toute initiative dans l'action ou le choix. *Avoir carte blanche.* ⇒ **Liberté ; blanc-seing.**

1 (...) Hoyos avait pu obtenir carte blanche pour l'Autriche, et rapporter à Vienne la promesse que l'Allemagne soutiendrait sans défaillance son alliée (...)   MARTIN DU GARD, les Thibault, t. VII, p. 42.

2 Avec Edwige, Papa, je m'arrangerai toujours. Elle me donne carte blanche.   G. DUHAMEL, le Voyage de P. Périot, I.

2.1 — Vous avez pensé à nos projets ? Encore une fois, je vous laisse carte blanche. Vous écrivez ce que vous voulez. Les colonnes de mon journal vous sont ouvertes.   Patrick MODIANO, les Boulevards de ceinture, p. 112.

♦ **2.** (1803 ; «addition», 1743). *Carte (de restaurant) :* feuille indiquant la liste des plats, des consommations, avec leurs prix. ⇒ **Menu.** *Demander, consulter la carte. Carte du jour. La carte des vins, des desserts.* — À LA CARTE. *Manger à la carte*, en choisissant librement sur la carte (opposé à *au menu, à prix fixe). Repas à la carte.* — Par ext. *À la carte :* au choix. *Voyages individuels à la carte.*

♦ **3.** (1789, *in* D.D.L.). CARTE DE VISITE, et, ellipt., CARTE : petit rectangle de papier fort sur lequel on inscrit ou l'on fait imprimer (graver) son nom, son adresse, ses titres, et qu'on laisse chez les personnes à qui l'on fait visite, lorsqu'elles sont absentes. ⇒ **Bristol** (vieilli). → Commande, cit. 1 ; lithographie, cit. 1. *Déposer, laisser sa carte chez qqn.* — Vx. *Corner* sa carte. — (Langue class.). *Remettre sa carte à qqn*, pour lui signifier qu'on le provoque en duel. ⇒ **Cartel.** — *Échanger sa carte avec qqn. Envoyer sa carte.* — REM. Les usages tendant à disparaître, le syntagme *carte de visite* est démotivé et s'emploie plus que *carte* seul.

2.2 Il faut avant d'aller plus loin parler maintenant de cette tante Louise qui devait «samedi vers deux heures» faire la connaissance d'Henri de Réveillon et qui avait appris à Jean les usages flatteurs et décevants, car presque tous les usages mondains, qui ont trait aux cartes dites de visite.   PROUST, Jean Santeuil, Pl., p. 425.

♦ **4.** (1877 ; *carte poste,* 1870). CARTE POSTALE ou CARTE : carte dont l'une des faces sert à la correspondance, l'autre étant souvent illustrée par une image, une photo (en Belgique, ⇒ **Carte-vue**). ⇒ aussi **Carte-lettre.** *Format carte postale. Écrire, envoyer, recevoir une carte postale. Carte postale en noir, en couleurs. Collectionner les cartes postales.* ⇒ **Cartophilie.** *À bientôt, je t'enverrai des cartes postales ! Des personnages de carte postale*, conventionnels (→ Reconstruction, cit.).

Rectangle de carton, souvent illustré, utilisé dans certaines circonstances pour transmettre un message. *Carte de félicitations, de remerciements. Carte de vœux*. *Carte de deuil.* ⇒ **Faire-part.**

CARTE-RÉPONSE : carte, généralement accompagnée d'un questionnaire, sur laquelle est imprimée l'adresse de la personne ou de la société qui désire recevoir une réponse, pour la formulation de laquelle est prévu un emplacement. «*Les gagnants des lots S. devront retourner à cette société la carte-réponse figurant sur leur billet de tombola*» (*le Figaro*, 23 nov. 1966). *Des cartes-réponses.*

♦ **5.** (Qualifié). Papier, document établissant certains droits de la personne qui en est munie. *Carte d'identité*. *Carte d'étudiant. Carte syndicale.* — *Il a rendu sa carte (du parti).* — (1836). *Carte électorale ; carte d'électeur*, qui constate l'inscription d'une personne sur les listes électorales et lui permet de voter.

— *Carte d'agent de police, d'inspecteur.* — *Carte de commerce,* qui autorise certaines personnes à se livrer au commerce en dehors d'une boutique. — Spécial. Autorisation de vendre, exclusivement ou non, pour le compte d'une firme. *Une bonne carte. Représentant qui a plusieurs cartes,* qui représente plusieurs maisons. ⇒ **Multi-carte.**

(1948). *Carte de séjour,* délivrée par les autorités administratives aux étrangers qui résident plus de trois mois en France. — (1955). *Carte de travail,* permettant à un étranger d'occuper en France un emploi salarié. — (1790). *Carte d'admission.* ⇒ **Billet.** *Carte d'invitation*. Carte d'introduction* (→ Recommandation, cit. 3). *Carte d'entrée. Carte d'acheteur,* délivrée par les exposants d'une foire-exposition à des clients éventuels pour leur permettre d'entrer dans la foire. *Carte de fidélité. Carte de réduction.* — **Carte de crédit** (angl. *credit card*) : carte permettant à son titulaire d'effectuer des achats payés par la banque émettrice qui les débite en compte à terme. *Retirer de l'argent à un guichet automatique, à un distributeur* automatique de billets, grâce à une carte de crédit, à une carte magnétique. Ce restaurant n'accepte qu'une seule carte de crédit. Payer avec une carte de crédit.* — Absolt. *Vous payez avec une carte ou par chèque?* — (Dans des noms de cartes). *La Carte bleue, la carte American Express.*
Carte de chemin de fer. Carte à demi-tarif, qui reconnaît à son titulaire le droit de voyager à demi-tarif. *Carte d'abonnement. Carte de circulation. Carte orange* (de transport) : carte d'abonnement mensuel sur les transports urbains et suburbains à Paris. *Carte d'invalidité, carte de priorité.* — *Carte grise* : titre de propriété d'un véhicule automobile (en France).
Carte d'alimentation, reconnaissant au titulaire le droit à certaines denrées alimentaires, en période de rationnement. *Carte de pain.* ⇒ **Ticket.**

2.3 Il se trouvait que cet homme avait besoin de faire porter très vite à Cannes une valise pleine de fausses cartes d'alimentation et qu'il avait jugé Gustin apte à remplir cette mission. Jacques LAURENT, les Bêtises, p. 31.

(1834). Anc. *Fille, femme en carte* : prostituée soumise aux visites sanitaires. ⇒ **Cartée** (régional). *Mettre en carte; être mise en carte.* ⇒ **Brème** (être en brème); **cartée; encarter.**

★ **II.** (1393). **Carte à jouer** ou **carte** : petit rectangle de carton dont l'une des faces porte une figure, et est utilisée dans différents jeux par séries conventionnelles. ⇒ **Brème** (fam.). *Jouer aux cartes.* ⇒ fam. **Cartonner; carton** (battre, taper le carton). *Ne pas toucher aux cartes,* n'y jouer jamais. *Un jeu de cartes* : ensemble de cartes de couleur et de valeur diverses, sont nécessaires pour jouer. *Jeu de 32, de 52 cartes.* ⇒ **Carreau, cœur, pique, trèfle; as, dame, joker, manillon, reine, roi, tarot, valet.** *Jeu de cartes* : jeu* qui se joue avec des cartes, selon des règles variables. *Noms de jeux de cartes* (anciens et modernes). ⇒ **Baccara, bassette, bataille, belote, besigue, blanque, bog, bonneteau, boston, bouillotte, brelan, bridge, brisque, brusquembille, canasta, chemin** (de fer), **drogue, écarté, grabuge, hoc, hombre, impériale, lansquenet, manille, mariage, mistigri, mouche, nain jaune, pamphile, pharaon, piquet, poker, polignac, quadrille, réussite, reversi, revertier, romestecq, tarot, trente** (trente-et-un, trente-et-quarante), **tri, triomphe, vingt** (vingt-et-un); **whist.** *Jouer aux cartes à la muette,* sans parler. — *Une partie de cartes.* — *Basses cartes (du deux au dix). Hautes cartes. Différents groupements des cartes au cours d'une partie.* ⇒ **Brelan, couleur, flush, full, fredon, impériale, quarte, quinte, séquence, série, sizain, tierce.**

3 Si j'avais envie de faire un doux sommeil, je n'aurais qu'à prendre des cartes, rien ne m'endort plus sûrement. Mᵐᵉ DE SÉVIGNÉ, 547, 11 juin 1676.

4 J'avais senti pétiller mon argent au moment qu'il avait lâché le mot de cartes et de dés. HAMILTON, Mémoires du comte de Grammont, III.

5 Elle maudit les cartes qui en sont la cause, elle maudit celui qui les a inventées, elle maudit le tripot et tous ceux qui l'habitent (...)
A.-R. LESAGE, le Diable boiteux, III, in POUGENS.

6 Houel et Jeanfin avaient un démon familier qui leur donnait toujours des as quand ils jouaient aux cartes (...) VOLTAIRE, Philosophie, III, p. 148.

7 Un artiste vraiment fort est celui qui sait tourner ses défauts mêmes à avantage et sait faire, de toutes les cartes de son jeu, des atouts.
GIDE, Journal, 11-12 avril 1929.

Battre les cartes. Brasser, brouiller, mêler, remêler, touiller (fam.) *les cartes.* — Loc. fig. *Brouiller* les cartes* : semer la confusion; obscurcir volontairement une affaire. ⇒ **Embrouiller.**

8 Les cartes sont tellement brouillées, que nous n'osons si l'on ose demander un congé. Mᵐᵉ DE SÉVIGNÉ, 349, 23 nov. 1673.
Couper* les cartes. Distribuer les cartes. ⇒ **Donner, faire; donne, maldonne, talon, tour.** *Tenir les cartes.* ⇒ **Prendre, renoncer; contrer.** — Collectif. *La carte. Le jeu de cartes.* ⇒ **Annonce, appel, atout, capot, chelem, contre, levée, pli, rentrée; couper, passer; mort** (faire le mort); **singleton.** *Affranchir* une carte. Prendre la carte* : accepter la couleur* proposée. *Demander la carte.*

Retourner une carte. ⇒ **Écarter; retourne.** — Fig. *On ne sait avec lui de quelle carte il retourne* : on ne peut connaître sa véritable pensée.

Couvrir* la carte. Se défausser d'une carte, d'une fausse carte : se débarrasser d'une carte sans valeur. — *Faire la carte* : faire plus de levées que le camp adverse (par oppos. à *perdre la carte*). — Loc. fig. (Vx). *Perdre la carte.* ⇒ **Troubler** (se).
Être premier en carte : avoir la primauté sur les autres joueurs.
Jouer sa dernière carte, son va-tout*. — (1848). Fig. Entreprendre une dernière tentative, risquer son dernier atout, mettre en espoir dans un suprême effort. — *Se réserver une carte en cas de besoin.* ⇒ **Atout, chance.**
Jouer la carte, sa carte. — Fig. *(Jouer) la carte* (et adj.) : (parier sur) une option dans laquelle on s'engage. *Jouer la carte socialiste. Bonnes cartes* : avantages.
Carte maîtresse : carte qui fait la levée. — Fig. Ressource capitale.
Étaler, montrer ses cartes. — (1832). *Jouer cartes sur table.* — Fig. Agir franchement, loyalement.

8.1 Alors, jouons cartes sur table, une bonne fois. J. ANOUILH, Ornifle, III, p. 179.
Comptabilité d'une partie de cartes. ⇒ **Marque, point.** *Gagner de l'argent aux cartes.* ⇒ **Miser, tailler.**
Tricher aux cartes. ⇒ **Biseauter, filer, maquiller, piper.** *Filer* la carte.* — Fig. (Vieux).

9 Il n'y a que le faible qui trompe; le vrai politique est celui qui joue bien et qui gagne à la longue; le mauvais politique est celui qui ne sait que filer la carte, et qui, tôt ou tard, est reconnu. VOLTAIRE, l'A. B. C., 12ᵉ entretien, in LITTRÉ.
Voir le dessous des cartes, la face des cartes de l'adversaire dont on tient de son côté. — Fig. *Connaître le dessous des cartes de qqn, d'une affaire,* en saisir le secret, le dessein caché. *Un dessous de cartes.* ⇒ **Secret.**

10 Une de nos folies a été de souhaiter de découvrir tous les dessous de cartes de toutes les choses que nous croyons voir et que nous ne voyons point.
Mᵐᵉ DE SÉVIGNÉ, 419, 24 juil. 1575.

11 Vous connaissez ce bon d'Hacqueville, l'ami, le confident empressé de Mᵐᵉ de Sévigné et de tout son monde, celui qui se met en quatre et en mille pour tout voir, pour tout savoir, qui sait les dessous de cartes d'un chacun, et qui n'en est pas moins obligeant et indulgent pour cela.
SAINTE-BEUVE, Causeries du lundi, 22 oct. 1849, p. 50.
Château de cartes : échafaudage de cartes.

REM. L'expression s'est employée au sing., *carte* ayant alors le sens 1 («carton»).

12 (...) l'application d'une enfant à élever un château de cartes ou à se saisir d'un papillon (...) LA BRUYÈRE, les Caractères, VIII, 61.
Fig. *Construire des châteaux de cartes* : faire des rêves, des projets fragiles et vains. *S'écrouler comme un château de cartes.* — (1690). *Un château de cartes* : une petite construction peu solide.

Faire des tours de cartes. ⇒ **Tour.** — *Carte forcée* : carte qu'un illusionniste oblige à choisir, en laissant l'apparence de liberté dans le choix. — Au fig. Obligation à laquelle on ne peut se dérober.
(1811). *Tirer les cartes* : faire de la divination au moyen des cartes. ⇒ **Cartomancie;** et aussi **tarot.**
Fabrication des cartes à jouer. ⇒ **Carterie, cartier.**

★ **III.** (1532, in D. D. L.). Représentation à échelle réduite d'une partie ou de la totalité de la surface terrestre (à l'exclusion des zones urbaines; ⇒ **Plan**). *Carte de géographie.* — (1613). *Carte géographique.* ⇒ **Mappemonde, planisphère.** *Carte partielle. Une carte d'Europe, de l'Europe, d'Allemagne, etc.* — REM. La tendance est de n'employer l'article qu'à propos de régions, de pays lointains : *carte de France, de Belgique,* mais *carte de la Chine* ou *de Chine;* ou si le nom du pays comporte l'article : *une carte du Québec, des États-Unis. Recueil de cartes.* ⇒ **Atlas.** *Collection de cartes.* ⇒ **Cartothèque.** *Exécuter, faire, dresser, tracer la carte d'une région.* ⇒ **Cartographie; échelle.** *Colorier une carte. Les cotes d'une carte.* ⇒ **Degré, méridien, parallèle.** *L'échelle d'une carte. Carte à petite, à grande échelle. Représentation du relief sur une carte.* ⇒ **Altimétrie.** *Légendes, cartouches d'une carte.* — *Carte muette* : carte sur laquelle ne figure aucun nom de lieu. — (1831). *Carte en relief*.* — (1690). *Carte topographique*.* ⇒ **Nivellement.** *Petite carte mettant en valeur un détail.* ⇒ **Carton.**

13 Cette manière d'histoire universelle est, à l'égard des histoires de chaque pays et de chaque peuple, ce qu'est une carte générale à l'égard des cartes particulières. BOSSUET, Hist., Préface.

14 On a conservé la carte sur laquelle le czar Pierre traça la communication de la mer Caspienne et de la mer Noire qu'il avait projetée. VOLTAIRE, Russie, I, 9.

15 En nous orientant pour lever nos cartes, il a fallu tracer des méridiennes.
ROUSSEAU, Émile, III.

16 Ptolémée a rendu de grands services à la géographie en rassemblant toutes les déterminations de longitude et de latitude des lieux et en jetant les fondements de la méthode des projections pour la construction des cartes géographiques.
LAPLACE, Exposition du système du monde, V, 3.

17 Il existe une carte de la France où la victoire outrecuidée traça, en 1816, une ligne qui retranchait de notre territoire une partie de nos provinces de l'Est et du Nord.
CHATEAUBRIAND, Captivité de la duchesse de Berry.

(1874). *Carte murale* : grande carte que l'on peut mettre au mur.
Carte routière, carte touristique. Les cartes et les plans* d'un guide. Carte d'état-major. — *Carte des chemins de fer* : tracé des voies ferrées d'un pays. — *Carte agronomique,* qui permet aux cultivateurs de connaître la nature des terres d'une région.
Fig. *Connaître la carte d'un pays, d'une région,* avoir une bonne connaissance topographique de ce pays, de cette région.
Fam. *Carte de géographie* ou *carte de Fance* : pollution nocturne ou tache d'urine sur un drap.

Carte climatologique, démographique, géologique, hydrographique, hypsométrique, météorologique, minéralogique, orographique, pluviométrique. — *Carte des vents*.*

(1740). *Carte astronomique* : représentation d'une position du ciel, d'un astre. ⇒ **Cosmographie.** *Carte de la Lune. Carte photographique du ciel.*

(1532, in D.D.L.). Mar. *Carte marine,* portant les renseignements utiles pour le navigateur (roches et hauts-fonds, nature des fonds, phares, balises...). *Reporter le point* sur la carte. Carte bathymétrique. Carte routière,* sur laquelle on trace à petite échelle les routes générales de grande navigation*. — *Carte d'atterrissage,* utilisée pour fixer la position du navire aux approches de la terre. — *Carte côtière,* destinée à permettre aux navires de longer la côte.

18 (...) il *(Yves)* apprenait à comprendre les cartes marines, s'amusait à y marquer des points et à y mesurer des distances.   LOTI, Mon frère Yves, XCIII, p. 226.

19 (...) et, sur les murs, les deux vieilles cartes marines où l'on voit jouer des dauphins et souffler Éole, joufflu, échevelé.   H. BOSCO, Un rameau de la nuit, p. 29.

Apprendre, étudier, lire, regarder, consulter la carte. Savoir lire une carte.

20 Nous regardons une grande carte accrochée à la muraille et sur laquelle se trouve savamment reconstituée presque toute la Jérusalem d'Hérode.
    LOTI, Jérusalem, XI, p. 130.

21 (...) au-dessous de l'avion, la carte d'état-major sur laquelle il s'est tant usé les yeux depuis quatre jours, se déploie, à perte de vue, ensoleillée, colorée, vivante !
    MARTIN DU GARD, les Thibault, t. VIII, p. 149.

(1654-1660). Fig., littér. *La carte de Tendre*, du Tendre.*

22 Je m'en vais gager qu'ils n'ont jamais vu la carte de Tendre, et que Billets-Doux, Petits-Soins, Billets-Galants, et Jolis-Vers sont des terres inconnues pour eux.
    MOLIÈRE, les Précieuses ridicules, IV.

Par métaphore :

23 La carte de notre vie est pliée de telle sorte que nous ne voyons pas une seule grande route qui la traverse, mais au fur et à mesure qu'elle s'ouvre, toujours une petite route neuve. Nous croyons choisir et nous n'avons pas le choix.
    COCTEAU, le Grand Écart, p. 26.

Carte généalogique : représentation de l'arbre* généalogique d'une famille.

(1936). Biol. *Carte chromosomique* : représentation de l'arrangement des gènes sur le chromosome.

DÉR. **Cartée, carter, carterie, cartier, cartographie, écarter, encarter.**
COMP. **Carte-lettre, carte-télégramme, carte-vue, porte-carte.**

CARTÉE [kaʀte] adj. f. — xxe ; de *carte* (I., 5.).

♦ Belgicisme. Encartée, mise en carte. *Prostituée fichée et cartée.*

CARTEL [kaʀtɛl] n. m. — 1527 ; ital. *cartello* «affiche», de *carta* «papier».

★ **I. ♦ 1.** Vx. Carte (I., 3.), papier par lequel on provoquait qqn en duel. *Envoyer un cartel à qqn.*

1 Je ne me bats jamais au soleil couché (...) Lisez le cartel, c'est pour demain.
    PICARD, la Petite Ville, IV, 11, in LITTRÉ.

Par ext. ⇒ **Défi, provocation.**
Défi de chevalier à chevalier, dans les tournois.

♦ **2.** (1704). Vx. Convention écrite entre deux chefs d'armées ennemies pour la rançon ou l'échange de prisonniers de guerre.

2 Les alliés envoyèrent le cartel pour l'échange des prisonniers.
    SAINT-SIMON, Mémoires, 41, 230.

♦ **3.** Blason. Écu.

♦ **4.** [a] (xviiie). Cartouche* ornemental qui entoure certaines pendules. ⇒ **Encadrement.** — Par ext. La pendule elle-même. *Un cartel Louis XV.*

[b] Ornement dans les bordures (de tableaux, de cheminées).

★ **II.** (1901, in D.D.L.). Écon. Concentration horizontale qui réunit des entreprises de même nature, juridiquement et financièrement autonomes, pour la mise en commun de certaines activités, en vue de réglementer la concurrence et d'obtenir un monopole des prix. ⇒ **Association, consortium, entente, trust ; cartellisation.**
Cartel de production, de vente.

(1924). Polit. Association de groupements (politiques, syndicaux) en vue d'une action commune. *Le cartel des gauches. D'un cartel.* ⇒ **Cartelliste.**

DÉR. **Cartellisation, cartelliste.**

CARTE-LETTRE [kaʀtəlɛtʀ] n. f. — 1890 ; de *carte,* et *lettre.*

♦ Feuille de papier qui, pliée et collée, peut être utilisée pour la correspondance. *Des cartes-lettres.*

CARTELLISATION [kaʀtelizɑsjɔ̃] n. f. — 1959, in D.D.L. ; de *cartel,* II.

♦ Écon. Groupement d'entreprises en cartel.
CONTR. **Décartellisation.**

CARTELLISTE [kaʀtelist] adj. — 1934, in D.D.L. ; de *cartel.*

♦ Relatif à un cartel politique.

1. CARTER [kaʀtɛʀ] n. m. — 1891 ; mot angl., du nom de l'inventeur J. H. *Carter.*

♦ Garniture extérieure de métal servant à protéger (un mécanisme). *Le carter d'une chaîne de bicyclette. Carter d'une turbine hydraulique.* ⇒ **Bâche.** *Le carter du différentiel, du changement de vitesse, du vilebrequin dans le moteur d'une automobile* (⇒ **Boîte**).
Spécialt. Enveloppe métallique étanche, sous le moteur et autour de lui (elle sert aussi de cuve à huile).

Ou bien il essayait d'imaginer les moteurs quand ils sont arrêtés, froids, sur les talus, abandonnés, avec leurs roues immobiles et leur carter silencieux qui lâche goutte à goutte de l'huile noire.   J.-M. G. LE CLÉZIO, les Géants, p. 213.

2. CARTER [kaʀte] v. tr. — xxe ; de *carte.*

♦ Comm., techn. Enrouler (du fil) sur une carte ; présenter (de petits objets) sur une carte (I., 1.). *Carter des boutons.*

Enfin, le finissage consiste en machine à pelotonner, à carter, à bobiner (...)
    Jacques LOURD, le Lin et l'Industrie linière, p. 71.

CARTE-RÉPONSE [kaʀt(ə)ʀepɔ̃s] n. f. ⇒ **Carte** (I., 4.).

CARTERIE [kaʀtəʀi] n. f. — 1850, Bescherelle ; de *carte.*

♦ Fabrication des cartes à jouer. — Atelier où on les fabrique.

CARTÉSIANISME [kaʀtezjanism] n. m. — 1667 ; de *Cartesius,* n. lat. de Descartes.

♦ Philosophie de Descartes ou de ses disciples et successeurs.

1 (...) il y a deux manières de regarder le cartésianisme, comme une métaphysique de la déduction ou comme une philosophie de l'intuition (...)
    L. BRUNSCHVIG, Descartes, Rieder, p. 40.

2 Qu'est-ce que le cartésianisme, encore un coup ? C'est la *supression du monde intelligible.*   Michel SERRES, Hermès I, la Communication p. 132.

CARTÉSIEN, IENNE [kaʀtezjɛ̃, jɛn] adj. — 1665 ; de *cartesius* n. lat. de Descartes. → Cartésianisme.

♦ **1.** Relatif à Descartes, à sa philosophie, à ses disciples. *La philosophie cartésienne. Les principes cartésiens, le cogito cartésien. Le rationalisme cartésien. Le sujet cartésien :* le sujet conscient du cogito.
Math. *Repère* cartésien. Système d'axes cartésiens. Coordonnées* cartésiennes. Produit* cartésien de deux ensembles.*

♦ **2.** Qui est partisan de la philosophie de Descartes. *Un philosophe cartésien,* et, subst., *un cartésien. Les grands cartésiens :* Malebranche, Leibnitz, Spinoza.

♦ **3.** *Esprit cartésien :* esprit qui présente les qualités intellectuelles considérées comme caractéristiques de Descartes. ⇒ **Clair, logique, méthodique, rationnel, solide.** — (Personnes). *On prétend que les Français sont cartésiens.*

1 (...) tels individus offrant à l'abord toute l'apparence de la santé et de la vigueur intellectuelle, solides, pondérés, cartésiens comme des bœufs (...)
    M. AYMÉ, le Confort intellectuel, VII, p. 103.

Péj. Qui manifeste un esprit trop systématique.

2 Oh ! bien sûr, à l'intérieur, c'est solide, on a son quant à soi. On a sa petite façon solide et bien établie de prendre la vie. On est cartésien et économe. On oppose une résistance sordide et minime au monde.
    DRIEU LA ROCHELLE, la Comédie de Charleroi, 1934, p. 205.

CARTE-TÉLÉGRAMME [kaʀt(ə)telegʀam] n. f. — 1919 ; *carte télégramme,* 1879 ; de *carte,* et *télégramme.*

♦ Vieilli. Pneumatique. *Des cartes-télégrammes.*

CARTE-VUE [kaʀtəvy] n. f. — 1901, in D.D.L. ; de *carte,* et *vue.*

♦ Régional (Belgique). Carte postale illustrée représentant une vue. *Des cartes-vues.*

1 C'étaient (...) sur sa table (...) les violentes taches d'un bleu hussard que faisaient les cartes-vues éparses expédiées par sa fille de chacune de ses étapes américaines.   Marcel THIRY, Nouvelles du grand possible, p. 24.

2 Dans son journal, le père écrit : « Sur le tapis, à ses pieds, une carte-vue parfaitement banale : un môle, une digue, des villas et un hôtel au sommet des dunes (...)
    Pierre MERTENS, l'Inde ou l'Amérique, p. 16.

CARTHAGINOIS, OISE [kaʀtaʒinwa, waz] adj. et n. — 1732, Trévoux; de *Carthage*, ville antique d'Afrique du Nord.

♦ Habitant de Carthage. — Adj. Relatif à Carthage. ⇒ **Punique.**

CARTHAME [kaʀtam] n. m. — 1512; lat. médiéval *carthamus*; arabe *qŭrtŭm*.

♦ Bot. Plante dicotylédone *(Composacées)*, herbacée, annuelle, dont les graines oléagineuses servent à la nourriture des volailles et des perroquets. *Le carthame est aussi appelé* graine de perroquet, safran bâtard. — *Les fleurs du carthame sont jaune-orangé, pourpre ou bleues.*

Devant elles, les esclaves noires ou blanches (...) leur tendaient des colliers fleuris tressés de crocus dont la fleur, blanche en dehors, est jaune en dedans, de carthames couleur de pourpre (...) Th. GAUTIER, le Roman de la momie, p. 92.

Des fleurs séchées du carthame, on extrait une teinture rouge, dite carthamine (n. f.).

CARTIER [kaʀtje] n. m. — Déb. xvie; de *carte*.

Technique.

♦ **1.** Fabricant de cartes à jouer. — REM. Dans ce sens, le fém. *cartière* est virtuel.

♦ **2.** (1751, *Encyclopédie*). Papier utilisé pour la fabrication des cartes à jouer. *Fabrication du cartier.* ⇒ **Dominoterie.**

HOM. Quartier.

CARTILAGE [kaʀtilaʒ] n. m. — 1314; lat. *cartilago.*

♦ Anat. et cour. Tissu conjonctif, translucide, ne contenant ni vaisseaux ni nerfs, résistant mais élastique et souple (⇒ **Osséine**); élément anatomique formé de ce tissu *(un, des cartilages). Le squelette des vertébrés commence par être fait de cartilage* (⇒ **Ossification**). *Cartilage embryonnaire, transformé en os au cours du développement fœtal. Membrane qui recouvre les cartilages* (⇒ **Périchondre**). *Cartilage articulaire :* cartilage qui recouvre les surfaces osseuses d'une articulation (⇒ **Synchondrose**). *L'arthrose* se caractérise par des destructions du cartilage articulaire. Le cartilage du nez, de l'oreille. Cartilage du larynx.* ⇒ **Aryténoïde.** *Cartilage de la glotte.* ⇒ **Épiglotte.** *Cartilage semi-lunaire du genou.* — *Certains vertébrés inférieurs (les Chondrichthyens, divisés en Sélaciens* et holocéphales) ont un squelette entièrement formé de cartilage.* ⇒ **Cartilagineux.**

CARTILAGINEUX, EUSE [kaʀtilaʒinø, øz] adj. — 1314; lat. *cartilaginosus*, de *cartilago* «cartilage».

♦ **1.** Anat. Relatif au cartilage. *Dégénérescence cartilagineuse.*

♦ **2.** Qui est composé de cartilage. *Tissu cartilagineux. Cellules cartilagineuses* ou *chondroblastes. Les parties cartilagineuses du squelette. Une couche cartilagineuse.*

♦ **3.** (1805). Vx. *Poisson cartilagineux* (Chondrichthyens).

CARTISANE [kaʀtizan] n. f. — 1642, Oudin; p.-ê. de l'ital. **carteggiana*, de *carta* «papier».

♦ Techn. Petit morceau de carton recouvert de fil d'or, d'argent, et qui fait relief dans les dentelles, les broderies. *Broderies à cartisane.*

CARTOGRAMME [kaʀtogʀam] n. m. — 1888; de *carto(graphie)*, et *-gramme.*

♦ Didact. Schéma cartographique où les formes topographiques sont simplifiées, et où un certain type d'information est seul symbolisé (proportions, statistiques).

CARTOGRAPHE [kaʀtogʀaf] n. — 1829; de *cartographie.*

♦ Didact. Spécialiste qui dresse et dessine les cartes de géographie. *Un, une cartographe. Dessinateur-cartographe. Cartographe-géographe :* géographe spécialisé dans l'établissement des cartes.

CARTOGRAPHIE [kaʀtogʀafi] n. f. — 1838; *chartographie*, 1832; de *carte*, et *-graphie.*

♦ **1.** Théorie et technique de l'établissement, du dessin et de l'édition des cartes et plans. *Cartographie urbaine, nautique. Cartographie des sols. Cartographie linguistique.* — *Cartographie et géographie*.*

♦ **2.** Représentation, sous forme de schémas, de phénomènes physiques. *Cartographie chromosomique.*

DÉR. Cartographe, cartographier, cartographique.

CARTOGRAPHIER [kaʀtogʀafje] v. tr. — 1906, *in* D.D.L.; de *cartographie.*

♦ **1.** Établir la carte (de qqch.).

♦ **2.** Relever l'emplacement de (qqch.).

«J'ignore qui le premier l'a cartographiée, mais elle *(une île)* se trouve notamment sur la carte de George Powell datée de 1822.»
Jean CHARCOT, Autour du Pôle sud, III, p. 316.

CARTOGRAPHIQUE [kaʀtogʀafik] adj. — 1838; *chartographique*, 1832; de *cartographie.*

♦ Relatif à la cartographie. *Science cartographique. Service cartographique et topographique. Un relevé cartographique.*

CARTOMANCIE [kaʀtomɑ̃si] n. f. — 1803; de *carte*, et *-mancie.*

♦ Prédiction de l'avenir par l'interprétation des cartes. ⇒ **Divination.**

DÉR. Cartomancien.

CARTOMANCIEN, IENNE [kaʀtomɑ̃sjɛ̃, jɛn] n. — 1803; de *cartomancie.*

♦ Personne qui pratique la cartomancie, qui tire les cartes. ⇒ **Tireur** (de cartes), **voyante.** *Aller consulter une cartomancienne.*

CARTON [kaʀtɔ̃] n. m. — V. 1500; ital. *cartone*, augmentatif de *carta* «papier».

♦ **1.** Matière formant une feuille assez épaisse, faite de pâte à papier (papier grossier ou ensemble de feuilles collées). *Carton-pâte* ou *carton gris*, fait de vieux papiers, de rognures... *Carton-cuir*, fait avec du bois. *Carton-paille.* ⇒ **Paille.** *Carton-amiante*, fait d'une pâte de fibres courtes d'amiante. *Carton-pierre*, préparé de façon à imiter des ornements en plâtre, en pierre. *Moulure de carton-pierre, de carton.* — *Carton bitumé :* carton imperméabilisé par une addition de goudron, et servant généralement à recouvrir une toiture. *Carton dur, absorbant, isolant, lustré. Carton bristol*, lisse et glacé. *Carton duplex, triplex. Feuilles de carton. Carton couché, frictionné* (techn.). *Carton ondulé. Objets fabriqués en carton.* ⇒ **Cartonnage.** *Poupée de carton. Masque de carton. Un morceau, un bout de carton.*

Un, des cartons : feuille de carton. *Un carton de grand format.* — *Morceau d'une feuille de carton. Passe-moi ce vieux carton. Une pile de cartons d'emballage.*

Le carton : la fabrication du carton. *L'industrie du carton.* ⇒ **Cartonnage**, 1. *Le papier-carton.*

♦ **2.** (Allus. aux figures et accessoires de théâtre). Par métaphore ou fig. *De carton* (vieilli), *en carton :* factice, sans réalité ou sans force. — Loc. (vx). *C'est un personnage de carton*, un homme sans personnalité, utilisé dans un rôle de parade. → Homme de paille*. *Un roi, un général de carton.* Cf. Tigre de papier. — (Choses). *En carton :* fictif.

Je proposai à M. le duc d'Orléans d'aller à la revue de la gendarmerie (...) et, sous prétexte d'honorer en M. du Maine l'autorité du roi, d'y montrer ce roi de carton pâmé d'effroi et d'embarras.   SAINT-SIMON, Mémoires, 403, 263. [1]

M. de Charlus savait bien que les tonnerres qu'il brandissait contre ceux qui ne se pliaient pas à ses ordres, ou qu'il avait pris en haine, commençaient à passer, selon beaucoup de gens, quelque rage qu'il y mît, pour des tonnerres en carton, et n'avaient plus la force de chasser n'importe qui de n'importe où. [2]
PROUST, À la recherche du temps perdu, t. IX, p. 55.

DE, EN CARTON-PÂTE : factice, en trompe-l'œil. *Un paysage de carton-pâte.* — (Abstrait). *Un caractère, des sentiments de carton-pâte. Du carton-pâte :* qqch. de trompeur, de factice, qui n'offre que l'illusion de la réalité ou de la sincérité.

Saïgon leur offre sa jungle hachée d'avenues, son théâtre en carton-pâte, deux cinémas où l'on voit des crimes et des bergeries. Marie-Antoinette (...) [2.1]
Paul MORAND, Bouddha vivant, p. 61.

Tu n'as pas le droit de te tromper sur les autres. Quand tu rencontres un Rémi Vierion, tu devrais savoir d'emblée que c'est du toc. Du carton-pâte. Et non pas tomber amoureuse de ce pantin (...) [2.2]
Jean-Louis CURTIS, le Roseau pensant, p. 327.

♦ **3.** (1611). Réceptacle, boîte, etc. en carton, servant notamment au transport de vêtements, de documents. ⇒ **Boîte.** *Mettre ses affaires dans un carton.* — Loc. *Carton à chapeaux, à chaussures.*

Spécialt. *Carton pour papiers :* casier à couvercle brisé, destiné à recevoir des papiers, des dossiers. ⇒ **Cartonnier.** — Loc. fig. *Dormir, rester enterré dans les cartons; être enterré dans les cartons :* être en souffrance, ou complètement oublié. *Son dossier dort dans les cartons du ministère.*

Un de ces êtres minutieux qui installent (...) toute leur vie l'exactitude de l'heure du bureau et l'ordre des cartons étiquetés. [3]
Alphonse DAUDET, Contes du lundi, II, 6.

4 Sur sa tête à demi vénérable déjà, d'antiques cartons, arrachés violemment à l'étreinte de leurs alvéoles, s'ouvraient, lâchant des avalanches de paperasses qui se répandaient par le vide...
COURTELINE, *Messieurs les ronds-de-cuir*, 1ᵉʳ tableau, III.

Vx ou régional. *Carton d'écolier.* ⇒ **Cartable.** *Qu'est-ce que tu as dans ton carton, des dictionnaires ?*

(1800). **CARTON À DESSIN** : grand portefeuille de carton servant à serrer des dessins, des plans.

◆ **4.** (1641, Poussin, *in* D.D.L.). Art. Dessin en grand, d'après lequel un artiste réalise une peinture murale, une tapisserie ou un vitrail. *Les cartons de Raphaël.* ⇒ **Étude, plan, projet.**

4.1 (...) car il est à remarquer que, toutes passées qu'elles sont, ces tapisseries conservent le sentiment de la couleur, d'autant plus qu'elles n'ont dû être faites que d'après des cartons légèrement colorés.
E. DELACROIX, *Journal*, 26 janv. 1852.

◆ **5.** Feuille de carton marquée de zones concentriques permettant le décompte de points, qui sert de cible dans le tir aux armes à feu (pistolet, carabine, etc.). *Faire un carton :* tirer sur un carton pour s'entraîner, par jeu, etc. *S'arrêter à un stand forain pour faire un ou deux cartons. Réussir un carton ; faire un bon carton* ou *un carton :* totaliser un nombre élevé de points dans un tir sur carton, obtenir un bon «résultat de cible».

Loc. *Faire un carton (sur...) :* tirer (sur qqn, qqch. qu'on a tout loisir de viser).

4.2 Le lendemain, nous tiraillâmes contre le mur d'une propriété, en réussissant des cartons sur des cloches à melons. J. LAURENT, *les Bêtises*, p. 235.

4.3 Abattre cette file indienne d'hommes désarmés au milieu du fleuve, c'était comme faire un carton à un stand de foire. Régis DEBRAY, *l'Indésirable*, p. 273.

◆ **6.** Fam. *Battre, manier, taper* (cit. 4.1, 4.2) *le carton :* jouer aux cartes*.

◆ **7.** Carte de visite ; carte d'invitation. *Recevoir un carton pour le dîner des Untel.*

◆ **8.** Didact. Petite carte de géographie complémentaire d'une carte principale et figurant sur la même feuille, mais établie à une échelle plus grande pour mettre en valeur un détail, une documentation particulière.

◆ **9.** (1621, *in* D.D.L.) Techn. (imprim.). Feuillet imprimé après coup, et destiné à remplacer dans un volume un passage défectueux ou à modifier. *Mettre un carton à un livre* (⇒ **Encarter**).

5 Le livre est imprimé, mais on fera des cartons. BOSSUET, *Lettres*, 141.

CONTR. Pelure.
DÉR. Cartonnage, cartonner, cartonnerie, cartonneux, cartonnier.
COMP. Carton-paille, carton-pâte, carton-pierre — (V. *supra* à l'article).

CARTONNAGE [kartɔnaʒ] n. m. — 1785 ; de *carton*.

◆ **1.** Techn. Industrie de la fabrication des objets en carton.

◆ **2.** Ouvrage en carton. *Un cartonnage robuste.* — Emballage* en carton. ⇒ **Carton, emboîtage.**

◆ **3.** Cour. Reliure comprenant généralement un dos en toile. *Cartonnage pleine toile. Cartonnage à la Bradel.*

CARTONNER [kartɔne] v. — 1751, *Encyclopédie* ; de *carton*.

★ **I.** V. tr. ◆ **1.** Garnir de carton. *Armature cartonnée. Un «polygone cartonné, couvert d'une broderie».* → Casquette, cit. 2.1.

◆ **2.** Relier (un livre) en carton. — Au p. p. *Un livre cartonné.*

★ **II.** V. intr. Fam. ou argotique. ◆ **1.** (1866). Vieilli. Jouer aux cartes* (→ Taper le carton*).

Trégoz reste un fidèle de la table du fond, il cartonne là des journées avec son ami Pitteloup. Félix VALLOTON, *Corbehaut*, p. 312.

◆ **2.** Argot scol. Échouer.

◆ **3.** *Réussir un, des «cartons» :* marquer beaucoup de points dans un tir au canon.

Par métaphore. Toucher juste, ne pas manquer son but ; pleinement réussir dans une action (en particulier si elle est menée avec une intention offensive ou violente). *C'est après la mi-temps qu'ils ont vraiment cartonné, ils ont réussi à placer quatre buts.* — Impers. *Ça cartonne,* se dit d'un phénomène, d'une action quelconque qui cause des dommages, met à mal, fait courir un danger, etc. *Ce jour-là, le vent soufflait à plus de cent-vingt, ça a salement cartonné.*

CARTONNERIE [kartɔnRi] n. f. — 1751, *Encyclopédie* ; de *carton*.
Technique.

◆ **1.** Fabrique de carton.

◆ **2.** Fabrication du carton. ⇒ **Carton, cartonnage.** *Travailler dans la cartonnerie.*

CARTONNEUX, EUSE [kartɔnø, øz] adj. — 1876 ; de *carton*.

◆ Qui rappelle le carton ; qui a l'aspect, la consistance du carton. *Ce plastique a un aspect cartonneux.*

Par extension :
(...) le vent s'engouffrait en tourbillons entre les murs, courbait, secouait feuilles et palmes avec un bruit rêche, cartonneux, un froissement, un frisson mauvais, rapide, après elles reprenaient leur immobilité. Claude SIMON, *le Vent*, p. 15.

CARTONNIER, IÈRE [kartɔnje, jɛR] adj. et n. m. — 1680 ; de *carton*.

★ **I.** Adj. ◆ **1.** Qui fabrique ou vend du carton. *L'industrie cartonnière.*

◆ **2.** Zool. *Guêpe cartonnière,* qui construit son nid avec une substance rappelant le carton.

★ **II.** N. ◆ **1.** Fabricant ou marchand d'objets, d'emballages en carton. *Un gros cartonnier.* — REM. Le fém. *cartonnière* semble inusité.

◆ **2.** N. m. (1867). Anc. Meuble de bureau pour le classement des dossiers, comportant de nombreux tiroirs faits de carton fort. *Les cartonniers de la fin du XIXᵉ siècle sont aujourd'hui très prisés des amateurs.*

Meublé d'un vieux fauteuil en tapisserie, d'une ancienne table à jeu et d'un cartonnier, ce débarras s'éclairait sur la cour par le cintre de la grande fenêtre du dessous. Alphonse DAUDET, *l'Immortel*, p. 5.

CARTOON [kartun] n. m. — 1930, *in* Höfler ; angl. *cartoon* «dessin».
Anglicisme.

◆ **1.** Dessin destiné à composer un film de dessins* animés, et, par ext., le film lui-même. *Auteur* (→ Cartoonist), *amateur de cartoons.*

◆ **2.** Dessin d'une bande dessinée (⇒ **Case, vignette**).

◆ **3.** (1946). Dessin humoristique, bande dessinée, aux États-Unis.

CARTOONIST ou **CARTOONISTE** [kartunist] n. — 1946, *cartoonist* ; *cartooniste*, 1960 ; angl. *cartoonist*, de *cartoon* «cartoon».
Anglicisme.

◆ **1.** Personne qui exécute chaque image des dessins* animés ou des bandes* dessinées.

◆ **2.** Dessinateur, dessinatrice humoristique, aux États-Unis. « *C'est sans doute pour avoir considéré que la B. D. est aussi une surface (surface occultée par la profondeur perspective) que les cartoonists redécouvrent la platitude des vignettes* » (*Magazine littéraire*, La bande dessinée, n° 95, déc. 1974, p. 25).

CARTOPHILE [kartɔfil] n. — V. 1970, attesté *in* G.D.E.L., 1982 ; de *carte*, et *-phile* (composé hybride).

◆ Personne qui collectionne les cartes postales. ⇒ **Collectionneur** (de cartes postales). *Les cartophiles connaissent la cote des cartes postales anciennes, rares, grâce à des annuaires spécialisés.*

CARTOPHILIE [kartɔfili] n. f. — V. 1970, attesté *in* G.D.E.L., 1982 ; de *carte*, et *-philie* (composé hybride).

◆ Goût pour les cartes postales ; recherche des cartes postales pour en faire collection. *Cartophilie générale, spécialisée* (par thèmes, sujets, époques).

CARTOTHÈQUE [kartɔtɛk] n. f. — 1959 ; de *carte*, 3., et *-thèque*.

◆ **1.** Didact. Collection de cartes géographiques ; local où elle se trouve.

◆ **2.** Régional (Suisse ; p.-ê. d'après all. *Kartothek*). Fichier. *Le médecin «choisit dans sa cartothèque une fiche... »* (A. L. Chappuis, *À petit feu*, p. 74).

1. CARTOUCHE [kartuʃ] n. m. — 1543 ; *cartoche*, 1546 ; ital. *cartoccio* «cornet de papier» ; de *carta* «papier».

◆ **1.** Ornement sculpté ou dessiné, en forme de feuille à demi déroulée, et destiné à recevoir une inscription, une devise, des armoiries. ⇒ **Encadrement.** *Le cartouche d'un blason*. Décoration en cartouche. Pendule montée sur cartouche. En-tête, titre, enseigne sur cartouche.*

Par métaphore :
Ces noms que la gloire a tracés
Dans un cartouche de lumière. VOLTAIRE, *Épîtres*, 56.

◆ **2.** Encadrement elliptique qui, dans les inscriptions hiéroglyphiques égyptiennes, entoure les noms des dynasties, les titres honorifiques.

2 Les porte-étendard venaient ensuite, élevant les hampes dorées de leurs enseignes représentant (...) des cartouches historiés au nom du roi, des crocodiles et autres symboles religieux ou guerriers.
Th. GAUTIER, le Roman de la momie, 1858, p. 77.

♦ **3.** Emplacement réservé à la légende ou au titre, situé au bas d'un tableau, d'une carte géographique, etc.

HOM. 2. Cartouche.

2. CARTOUCHE [kaʀtuʃ] n. f. — 1591 ; *cartuche*, 1571 ; ital. *cartuccia*, de *carta* « papier ; carton ».

♦ **1.** Enveloppe (de carton, de métal...) de forme cylindrique ou conique, contenant la charge d'une arme à feu. ⇒ **Munition, projectile.** — (Vx). *Déchirer une cartouche* : déchirer cet étui pour en verser la poudre dans le canon d'un fusil. — Ensemble formé par la douille ou l'étui renfermant la charge de poudre et le ou les projectiles des armes à feu portatives. *La douille, le culot, l'amorce, la poudre d'une cartouche. Cartouche de chasse. Cartouche de guerre à balle*. Le calibre d'une cartouche. Cartouche à percussion centrale. Cartouche à percussion latérale ou cartouche à broche. Cartouche à plomb. Charge d'une cartouche* (⇒ **Bourre**). *Le bourrelet d'une cartouche. Étui à cartouche.* ⇒ **Cartouchière.** *Fabrication des cartouches* (⇒ **Chargette, mandrin, sertisseur...**). *Épuiser sa provision de cartouches.* — Loc. fig. *Brûler (épargner) ses dernières cartouches* : utiliser (conserver) ses dernières ressources.

Vx. *Cartouche d'artillerie.* ⇒ **Gargousse, obus.**

♦ **2.** Boîte contenant, renfermant des matières inflammables. *Cartouche de mine*. Cartouche de mélinite, de dynamite. Cartouche d'artificier.* ⇒ **Boîte.**

♦ **3.** Petit étui cylindrique contenant en réserve un produit. *Une cartouche d'encre.* ⇒ **Recharge.**
Magasin permettant de charger facilement un appareil photographique, un magnétophone (il contient, à la différence de la cassette*, un ruban se déroulant dans un seul sens).

♦ **4.** Emballage contenant plusieurs paquets de cigarettes (dix le plus souvent ; aussi vingt ou vingt-cinq). *Une cartouche de gauloises, de cigarettes américaines.*

DÉR. Cartoucherie, cartouchière.
HOM. 1. Cartouche.

CARTOUCHERIE [kaʀtuʃʀi] n. f. — 1872 ; de 2. *cartouche*.

♦ Fabrique, dépôt de cartouches. *La cartoucherie d'un arsenal. Une cartoucherie désaffectée.*

CARTOUCHIÈRE [kaʀtuʃjɛʀ] n. f. — 1846 ; *cartouchier*, 1752 ; de 2. *cartouche*.

♦ Petite sacoche fixée au ceinturon ou ceinture à poches dans laquelle on met des cartouches.

(...) je ne comptais plus rencontrer d'Allemands. Je jetai mon sac (...) Et puis après, je jetai mon fourniment, les cartouchières, ma baïonnette. J'étais désarmé.
DRIEU LA ROCHELLE, la Comédie de Charleroi, p. 109.

CARTULAIRE [kaʀtylɛʀ] n. m. — 1340 ; lat. médiéval *chartularium* « recueil d'actes », de *charta*.

♦ Didact. Recueil de chartes* contenant la transcription des titres de propriété et privilèges temporels d'une église ou d'un monastère. *Un cartulaire du VIIe siècle.*

1 Un vieux cartulaire de l'église de Brioude, enterré dans l'obscurité de plusieurs siècles, fut présenté au cardinal de Bouillon.
SAINT-SIMON, Mémoires, 167, 249, *in* LITTRÉ.

2 Dol, ville espagnole de France en Bretagne, ainsi la qualifient les cartulaires (...)
HUGO, Quatre-vingt-treize, III, II, 2.

CARTUSIEN, IENNE [kaʀtyzjɛ̃, jɛn] adj. — 1889 ; lat. médiéval *cartusia* « chartreuse ».

♦ Didact. (relig.). Relatif aux Chartreux, à l'ordre des Chartreux. *Bâtiments cartusiens. Liturgie cartusienne.*

Le Père Serge portait une soutane élimée, mais il portait bien. Je lui dis que sa pauvreté lui donnait une majesté cartusienne.
Georges BORGEAUD, le Voyage à l'étranger, I, p. 92.

CARUS [kaʀys] n. m. invar. — 1721 ; *caros*, 1573 ; grec *karos* « sommeil profond ».

♦ Méd. Dernier degré du coma*, caractérisé par la disparition com-plète des réflexes (⇒ **Carotique**). *Un carus qui résiste aux plus forts stimulants. Des carus.*

DÉR. V. Carotique.

CARVI [kaʀvi] n. m. — 1360 ; lat. médiéval *carvi* ; arabe *kărāwĭyā* « racine à sucre ».

♦ Bot. Plante dicotylédone *(Ombellifères)*, appelée aussi *Cumin des prés*, qui produit des fruits aromatiques dits *graines de carvi* utilisés comme condiment dans la pâtisserie et dans la fabrication de la liqueur de kummel*. — Plur. *Des carvis.*

CARYATIDE [kaʀjatid] n. f. ⇒ **Cariatide.**

CARYO- Élément, du grec *karuon* « noix, noyau », servant à former des mots de biologie, de botanique, de zoologie.

CARYOCINÈSE [kaʀjosinɛz] ou KARYOKINÈSE [kaʀjokinɛz] n. f. — 1896 ; de *caryo-*, et grec *kinêsis* « mouvement ».

♦ Biol. Vx. Division indirecte de la cellule vivante avec changement d'état du noyau. (On dit aujourd'hui *mitose**).
Figuré :

Ce personnage unique, qui, par caryokinèse *(sic)*, donnera naissance à deux des plus beaux monstres de notre littérature *(Charlus et Norpois)*...
A. MAUROIS, À la recherche de M. Proust, v, 3, p. 156.

CARYOGAMIE [kaʀjogami] n. f. — 1906, in *Rev. gén. des sc.*, n° 5, p. 224 ; de *caryo-*, et -*gamie*.

♦ Biol. Fusion des noyaux des gamètes ou des spores intervenant à la suite de la plasmogamie, lors de la fécondation. ⇒ **Amphimixie** ; et aussi **zygote.**

CARYOPHYLLÉ, ÉE [kaʀjofile] adj. — 1615 ; *caryophyllate*, XVIIe ; lat. bot. *caryophyllata*, grec *karuophullon*. → Girofle.

♦ **1.** Se dit de fleurs à cinq pétales à onglet allongé. *L'œillet est une fleur caryophyllée.*

♦ **2.** N. f. pl. CARYOPHYLLÉES (vx) ou CARYOPHYLLACÉES (1898). Famille de plantes phanérogames angiospermes *(Dicotylédones dialypétales)*, comprenant des arbustes et des herbes annuelles ou vivaces qui croissent surtout dans l'hémisphère boréal. *Les Caryophyllacées se divisent en deux groupes :* 1) *Alsinées* (arenaria, alsine, bufonie, cherlérie, céraiste ou cérastium, eremogone, gouffeia, holostée, honckénéja, lepigonium, malaquie, moenquie, *mouron*, sabline, stellaire, spergulaire, *spergule*). 2) *Silénées* (agrostemma, caryophyllus ou eugenia ou *giroflier*, coronaria, cucubale, dianthus, gypsophile, *lychnis*, melandrium, *nielle, œillet, saponaire, silène*, tunique, vélézie). — Au sing. *Une caryophyllée, une caryophyllacée.*

CARYOPSE [kaʀjɔps] n. m. — 1834 ; *cariopse*, 1843 ; grec *karuon* « noix », et *opsis* « apparence ».

♦ Bot. Fruit indéhiscent sec, dont le péricarpe très mince enveloppe intimement la graine comme dans les Graminées (avoine, blé, maïs, orge). ⇒ **Grain.**

CARYOTYPE [kaʀjotip] n. m. — 1961 ; de *caryo-*, et -*type*.

♦ Biol. (génét.). Arrangement caractéristique des chromosomes d'une cellule spécifique d'un individu ou d'une espèce donnée. *Le caryotype est repérable par photographie au microscope.*
Par ext. Schéma, modèle de cet arrangement.

Depuis quelques années, la culture de tissus a pris une importance considérable dans l'étude des chromosomes en permettant d'établir ce que l'on appelle le caryotype, c'est-à-dire la carte de l'équipement chromosomique des cellules. C'est dans une ville des États-Unis, à Denver, en 1960, qu'a été établi le caryotype humain qui a permis de montrer que des malformations ou des maladies étaient dues à des anomalies de ce caryotype (...)
Jean VERNE et Simone HÉBERT, la Culture de tissus, p. 92-93.

1. CAS [kɑ] n. m. — V. 1220, *quas* ; lat. *casus* « chute », puis « circonstance, hasard », p. p. de *cadere* « tomber ».

★ **I.** (Emplois généraux). ♦ **1.** (XIVe). Ce qui arrive ou est supposé arriver. ⇒ **Accident, aventure, circonstance, conjoncture, événement, éventualité, fait, occasion, occurrence, situation.** *Cas grave, important ; cas étrange, rare. Un cas imprévu, fortuit.* ⇒ **Hasard.** *Cas de force* majeure. Cas rédhibitoire. Cas semblable, identique, même cas ; cas différent, opposé. Cas général ; cas particulier. Restreindre à un seul cas.* ⇒ **Particulariser.** *Cas limite. Cas type. Cas d'espèce. Cas prévu, inévitable. Cas possible, éventuel.* ⇒ **Hypothèse, possibilité.** *Plusieurs cas sont à envisager. Dans le premier cas.* ⇒ 1. **Casuel.** *Le cas échéant.* ⇒ **Échéant.** *Dans le cas* *présent ; dans ce cas-là. Dans le cas contraire ; dans un cas diffé-rent, un autre cas. Dans un cas ou dans l'autre. Dans le cas qui nous occupe. Être dans le même cas. Son cas est clair, n'est pas douteux. Son cas est difficile, embarrassant. Agir selon le cas. Cela change le cas. L'exigence, les nécessités du cas. Le cas ne s'est pas encore présenté, ne s'est pas produit. Un cas de guerre.* ⇒ **Casus belli.**

1   Voici pourtant un cas qui peut ête excepté.   LA FONTAINE, Fables, XI, 9.

2   Tous deux, par un cas surprenant,
Se rencontrent en un tournant.   LA FONTAINE, Fables, VIII, 10.

3   Ce cas n'arrive pas quelquefois en cent ans.   LA FONTAINE, Fables, XII, 12.

4   Posons le cas que vous ayez tout le bien qu'il faudrait.
     Antoine HAMILTON, Mém. du comte de Grammont, 7.

♦ **2. Loc.** (avec *en...*). *En ce cas.* ⇒ **Alors.** *En tel cas, en pareil cas. En certains cas.*
Loc. prép. *En cas de conflit ; de divorce. En cas de besoin* (cit. 73) : s'il est besoin*. *En cas de nécessité.* — **Loc. adv.** (→ ci-dessous III., 4.). *En chaque cas, en tout cas. En aucun cas.* ⇒ **Façon** (en aucune façon).

5   Des cartes en cas de besoin.   Mme DE SÉVIGNÉ, 410, *in* LITTRÉ.

6   Un honnête homme, en pareil cas,
Aurait fait un saut de vingt brasses.   LA FONTAINE, Fables, V, 11.

7   Il lui conseilla de prendre dès à présent une forte somme, de la lui confier pour être jouée avec audace dans une partie quelconque (...) En cas de gain ils fonde-raient à eux deux une maison de banque (...) Si la chance tournait contre eux, Roguin irait vivre à l'étranger.
     BALZAC, César Birotteau, I, p. 132, cité par BRUNOT.

C'est le cas de... ⇒ **Lieu** (il y a lieu de...), **occasion.** *C'est le cas ou jamais.* ⇒ **Moment** (le moment ou jamais). Fam. *C'est le cas, c'est bien le cas de le dire :* marque l'opportunité* de ce que l'on dit.

8   C'est le cas plus que jamais d'invoquer Dieu.   BOSSUET, Lettres, 152, *in* LITTRÉ.

9   Ce serait ici le cas ou jamais de faire une théorie sur la beauté des haillons, car, il faut le dire, beaucoup de ces draperies, qui abusent de loin, vues de près sont des guenilles.   E. FROMENTIN, Un été dans le Sahara, II, p. 148.

★ **II. Spécialt.** ♦ **1.** (1283). Dr. Action envisagée par la loi et pou-vant être sanctionnée. ⇒ **Crime, délit, fait.** *Cas prévu par la loi pénale.* ⇒ **Circonstance.** *Cas grave, cas pendable** (aussi au figuré); *cas bénin.* — *Cas de légitime défense*. Son cas est mauvais, n'est pas net,* se dit de celui qui est impliqué dans une fâcheuse affaire. — Cour. *Un mauvais cas. Se mettre dans un mauvais cas.* — Prov. *Tout mauvais cas est niable :* on nie fréquemment les fautes qu'on a commises.
Situation faisant l'objet d'une délibération et donnant lieu à une décision de justice. ⇒ **Affaire, cause, procès.** *Soumettre un cas au juge. Citer un cas semblable. Cas difficile à juger* (→ Argument, cit. 14).

10   Sa peccadille fut jugée un cas pendable.   LA FONTAINE, Fables, VII, 1.

11   *(Dans ces lois)* on distingue avec finesse les cas, on y pèse les circonstances.   MONTESQUIEU, l'Esprit des lois, XXX, 19.

12   Nul homme ne peut être accusé, arrêté ni détenu que dans les cas déterminés par la Loi, et selon les formes qu'elle a prescrites.
     Déclaration des droits de l'homme et du citoyen (Constitution du 3 sept. 1791, art. 7).

13   (...) il savait à quel point pèsent les précédents aux yeux de la Curie et alla cher-cher dans tous les recoins de l'histoire ecclésiastique *les cas* qu'il disait pareils au sien et qu'on avait résolus dans un sens conforme à son désir (...)
     Louis MADELIN, Talleyrand, II, X, p. 123.

Hist. Sous l'Ancien Régime, *cas royaux, prévôtaux,* réservés aux juges royaux ou prévôtaux. *Cas privilégié :* crime que les juges royaux pouvaient seuls juger, sans exception *(le duel était un cas privilégié);* cas où il s'agissait de prononcer une peine contre un ecclésiastique.

♦ **2.** (1606). Relig. **CAS DE CONSCIENCE :** difficulté sur un point de morale, de religion (⇒ **Casuistique**). — Cour. **Scrupule.**

♦ **3.** (Av. 1778). Méd. État et évolution d'un sujet, du point de vue médical. ⇒ **Maladie.** *Un cas grave, désespéré ; un cas bénin. Un cas de tuberculose non décelée.*

14   Toute maladie (...) se présente comme un cas premier, sans précédent identique ; comme un cas *exceptionnel,* pour lequel une thérapeutique nouvelle est toujours à inventer.   MARTIN DU GARD, les Thibault, t. IX, p. 239.

Par ext. (sur le plan psychologique) :

15   L'amour, la jalousie, la vanité sont pour lui, à la lettre, des maladies. *Un Amour de Swann* est la description clinique de l'évolution complète d'une de ces maladies.   A. MAUROIS, Études littéraires, Marcel Proust, t. I, p. 129.

Le sujet lui-même. *Ce malade est un cas rare.* — Par ext. *Cette personne est un cas,* présente des caractères psychologiques singu-liers. — Fam. (souvent péj.). *C'est un cas !*

♦ **4.** Math. *Cas d'égalité, de similitude des triangles :* proposi-tions qui expriment les conditions nécessaires et suffisantes pour que deux triangles soient égaux ou semblables. — Alg. *Cas irréduc-tible :* cas «où les trois racines d'une équation du troisième degré sont réelles et inégales» (M. N. Bouillet, *Dictionnaire universel des sciences, des lettres et des arts,* 1859). — *Cas limite*.

♦ **5.** *Cas social :* situation particulièrement critique d'une personne, justiciable de l'assistance de la société. *Des cas sociaux.* Par ext. Personne qui est dans cette situation.

★ **III. Loc.** ♦ **1.** Vx. **(SE TROUVER, ÊTRE) DANS LE CAS DE,** en posi-tion de.

16   Si les hommes abondent de biens, et que nul ne soit dans le cas de vivre par son travail, qui transportera d'une région à une autre les lingots ou les choses échan-gées?   LA BRUYÈRE, les Caractères, XVI, 48.

♦ **2. FAIRE CAS DE** (qqn, qqch.). ⇒ **Apprécier, considérer, estimer.** *Il fait grand cas de cet homme. Faire peu de cas, ne faire aucun cas de qqn, de qqch.* (⇒ **Mépriser, négliger**). *C'est tout le cas qu'il fait des avertissements qu'on lui donne !*

17   (...) De sa propre gloire il fait trop peu de cas (...)   CORNEILLE, Horace, v, 1.

18   (...) Brigitte me dit d'un ton sévère ce qui s'était passé dans le bois ; elle me pria de lui épargner de pareils affronts à l'avenir. Non pas, dit-elle, que j'en fasse cas (...)   A. DE MUSSET, la Confession d'un enfant du siècle, IV, II.

19   (...) ceux qui font cas d'une certaine vertu ont le plus grand mépris pour le défaut contraire.   NERVAL, Contes et facéties, « La main enchantée », II.

20   Ne croyant pas devoir me formaliser du peu de cas qu'on avait paru faire de ma personne (...)   MÉRIMÉE, Carmen, 1.

♦ **3. Loc. conj. EN CAS QUE..., AU CAS QUE...** (vieilli), **AU CAS OÙ... :** en admettant que, à supposer que. ⇒ **Quand, si.** → pop. Quelquefois que, des fois que. *En cas qu'il vienne, au cas qu'il vienne* (subj.). *Au cas, dans le cas, pour le cas où il viendrait* (cond.). *Au cas où il mourrait.* ⇒ **Venir** (s'il venait à mourir).

21   Je ne fus pas longtemps en doute sur l'accueil qui m'attendait à Genève, au cas que j'eusse envie d'y retourner.   ROUSSEAU, les Confessions, XII.

22   J'ai demandé à Monsieur de Louvois le régiment de Sanzel (...) en cas que le pauvre Sanzel fût mort.   Mme DE SÉVIGNÉ, 435, *in* LITTRÉ.

23   Je pourrais aisément compter sur la connivence du premier président en cas que la chose lui fût bien recommandée.
     VOLTAIRE, Lettre à M. de Cideville, 30 janv. 1731.

24   Elles attendaient le roi au cas qu'il se décidât à la fuite. (Michelet, Histoire de la Révolution... I, 412). — On dit plutôt maintenant : *Au cas où. Au cas où il se présenterait, vous le recevriez, n'est-ce pas ?*
     F. BRUNOT, la Pensée et la Langue, XXV, IV, p. 876.

Fam. *Je ne sais pas s'il va pleuvoir, mais j'emporte mon imperméable, en cas.* ⇒ aussi **En-cas.**

DANS TOUS LES CAS OÙ (ind. prés.) : chaque fois, toutes les fois que.

♦ **4. Loc. adv. EN TOUT (TOUS) CAS, DANS (EN) TOUS LES CAS :** quoi qu'il arrive*, de toute façon.

25   En tout cas, ce qui peut m'ôter ma fâcherie,
C'est que je ne suis pas seul de ma confrérie (...)   MOLIÈRE, Sganarelle, 17.

26   Puisque la chose est faite, il n'y faut plus penser :
Mon rival en tout cas ne peut me traverser.   MOLIÈRE, l'Étourdi, III, 4.

27   Si les raisons manquaient, je suis sûr qu'en tout cas
Les exemples fameux ne me manqueraient pas.   MOLIÈRE, les Femmes savantes, IV, 3.

28   En tout cas Tertullien se sera contrefait (...) il faudrait donc laisser là ce dur Afri-cain, sans faire un crime à toute l'Église des absurdités de son style et des irré-gularités de ses pensées.   BOSSUET, Sixième avertissement aux protestants..., 94.

29   (...) il se trouva bien vite chez les Iroquois un avocat (...) qui soutint que tortu-rer, pendre, rouer, brûler, dans tous les cas, est toujours le meilleur.   VOLTAIRE, Dict. philosophique, Supplices, section I.

30   Dans tous les jeux, les paris, les risques, les hasards, dans tous les cas, en un mot, où la probabilité est plus petite qu'un dix-millième, elle doit être et elle est en effet pour nous absolument nulle.   BUFFON, Essai d'arithmétique morale, Œ., t. X, p. 85.

DÉR. V. 1. Casuel.
COMP. En-cas.
HOM. K, 2. cas.

---

2. CAS [kɑ] n. m. — XIIIe ; lat. *casus,* calque du grec *ptôsis* «dévia-tion» par rapport au nominatif.

♦ Chacune des formes d'un mot qui présente des flexions. ⇒ **Dési-nence ; déclinaison.** *Les cas du latin.* ⇒ **Nominatif, vocatif, accusa-tif, génitif, datif, ablatif.** *La langue russe, l'allemand, le finnois ont des cas.* ⇒ **2. Casuel : adessif, allatif, ergatif, illatif, inessif, instru-mental, locatif...** *Des six cas du latin, l'ancien français n'en con-serva que deux : cas sujet et cas régime.*

HOM. K, 1. Cas.
DÉR. V. 2. Casuel.

CASANIER, IÈRE [kazanje, jɛʁ] adj. — 1552 ; *casenier,* n., «prê-teur d'argent italien installé en France», 1315 ; p.-ê. ital. *casaniere* «prêteur d'argent», de *casana* (Lucques) «boutique de prêteur», p.-ê. par croisement avec *casa* «maison», les prêteurs italiens installés en France devant résider dans un endroit précis.

♦ Qui aime à rester au logis (personnes); qui correspond à ce goût (comportements). ⇒ **Sédentaire ; pantouflard** (fam.). *Une femme casanière.* ⇒ **Pot-au-feu** (fam.). *Habitudes casanières, vie casanière. Caractère casanier. Humeur casanière. Goûts casaniers.*

1   Il la trouvait toujours là, casanière, inactive dans leur petit logis comme une femme d'Orient.   ALPHONSE DAUDET, Sapho, IV, p. 21.

2   (...) si notre vie est vagabonde notre mémoire est sédentaire, et nous avons beau

nous élancer sans trêve, nos souvenirs, eux, rivés aux lieux dont nous nous détachons, continuent à y continuer leur vie casanière (...)
PROUST, À la recherche du temps perdu, t. XV, p. 159.

N. (rare). *Un casanier. Une casanière.*

CONTR. **Bohème, errant, nomade.**

CASAQUE [kazak] n. f. — 1413 ; orig. incert., probablt du turc *quzzāh* ou *kazak* « aventurier », nom donné à des cavaliers des bords de la mer Noire (de l'ethnie Kazak) et appliqué ensuite à leur vêtement. On propose généralement le persan *kazâgand* « espèce de jaquette », avec apocope de la finale -*and*.

♦ **1.** Vx. Vêtement de dessus à larges manches. ⇒ **Manteau, surtout.** *Casaque des condamnés de l'inquisition.* ⇒ **San-benito.**

1 On portait alors des casaques par-dessus un pourpoint orné de rubans.
VOLTAIRE, le Siècle de Louis XIV, 25.

Ancien manteau militaire. ⇒ **Cotte** (d'armes), **hoqueton, sayon** (des Gaulois...), **soubreveste.** — Spécialt. Manteau des mousquetaires, des gardes du corps, au XVIIᵉ siècle. — Loc. *Prendre, rendre la casaque :* s'engager dans les mousquetaires, les quitter.

1.1 Aramis, pourquoi diable m'avez-vous demandé la casaque, quand vous alliez être si bien sous la soutane ?   DUMAS, les Trois Mousquetaires, t. I, p. 45.

Par métonymie. Vx. *Une casaque :* soldat portant casaque.

2 Le bruit que nous faisions (...) fit sortir d'une salle basse le seigneur du château, suivi de quatre ou cinq casaques ou manteaux rouges de fort mauvaise mine.
SCARRON, le Roman comique, II, III, p. 168.

♦ **2.** Loc. fig. **TOURNER CASAQUE** : fuir*, et, par ext., tourner le dos à ceux de son parti, changer de parti, d'opinion (cf. Changer son fusil d'épaule, retourner sa veste).

3 Il y a des gens qui disent qu'il tournera casaque, et qu'il vous aimera au lieu d'aimer l'Évêque.   Mᵐᵉ DE SÉVIGNÉ, 351, 27 nov. 1673.

4 Jamais nous ne fûmes aussi près de notre perte, et les plus acharnés étaient ceux des nôtres qui tournaient carrément casaque et qui allaient s'enrégimenter dans les rangs de nos ennemis et menaient la police sur des pistes sérieuses et toutes fraîches !   B. CENDRARS, Moravagine, in Œ. Compl., t. IV, p. 123.

♦ **3.** Sorte de livrée. *Une casaque de cocher.* — (1867, *in* Petiot). Veste en soie de couleur vive, que portent les jockeys. ⇒ **Jaquette.**

5 Quelques pas plus loin, c'est un fameux sellier et ses selles en peau de daim, ses éperons dorés, ses casaques de jockeys, cerise ou vert amande (...)
Paul MORAND, Londres, p. 207 (1933).

♦ **4.** Vx. Blouse ou courte jaquette de femme.

♦ **5.** Blouse de chirurgien. *La casaque, la calotte et la bavette du chirurgien.*

6 (...) le chirurgien se nettoie les mains puis enfile des gants de caoutchouc stériles comme en 1890. On sait qu'il y a ajouté l'emploi d'une « casaque » stérile, qu'il revêt avant l'opération (...)   Cl. D'ALLAINES, Histoire de la chirurgie, p. 90.

DÉR. **Casaquin.**

CASAQUIN [kazakɛ̃] n. m. — 1546 ; de *casaque.*

♦ **1.** Ancien vêtement de dessus à l'usage des hommes.

Loc. fam. (1790, *in* D.D.L.). *Donner, tomber, sauter sur le casaquin de qqn, lui tomber (sauter) sur le casaquin.* ⇒ **Battre*.**

1 C'était comme sa bête brute de Coupeau, qui ne pouvait plus rentrer sans lui tomber sur le casaquin (...) Coupeau avait un gourdin qu'il appelait son éventail à bourrique ; et il éventait la bourgeoisie, fallait voir !
ZOLA, l'Assommoir, t. II, p. 213 (1877).

♦ **2.** (1787). Vx. Corsage porté sur la jupe par les femmes (notamment à la campagne).

2 À l'intérieur du cabriolet, il reconnut dame Angèle en casaquin de voyage.
HERBERT LE PORRIER, le Luthier de Crémone, p. 62.

CASBAH [kazba] n. f. — 1830, date de la prise d'Alger ; *casouba*, 1813 ; arabe maghrébin *qăṣbāh*, arabe class. *qăṣăbāh* « forteresse ».

♦ **1.** Citadelle d'un souverain, dans les pays arabes. — Par ext. Partie haute et fortifiée d'une ville arabe. *La casbah de Tanger.* Anciennt. Quartier musulman dans une ville d'Afrique du Nord. *La casbah d'Alger :* le quartier arabe qui s'étend autour de la casbah.

1 C'est pendant les soirs de Ramadan qu'il faut visiter la Casbah. Sous cette dénomination de Casbah, qui signifie citadelle, on a fini par désigner la ville arabe tout entière.   MAUPASSANT, Au soleil, Province d'Alger, p. 83.

REM. On écrit aussi *kasbah.* → Perpendiculaire, cit. 1.

2 (...) le bruit déchirant des obus qui éclataient dans la Kasbah d'Agadir a retenti sur toute la vallée du fleuve Souss.   J.-M. G. LE CLÉZIO, Désert, p. 405.

♦ **2.** Argot. Maison, logement. ⇒ **Crèche, gourbi, piaule, taule, turne.**

CASCADE [kaskad] n. f. — 1640, Oudin ; ital. *cascata,* de *cascare* « tomber ».

★ **I.** ♦ **1.** Chute d'eau ; succession de chutes d'eau. ⇒ **Cataracte, chute.** *Cascade naturelle. Rivière, torrent tombant en cascade. Cascade artificielle, en gradins.* ⇒ **Buffet** (d'eau).

1 Un nombre infini de sources s'y précipitaient par cascades du haut du mont (...)
LA FONTAINE, Psyché, II.

2 La montagne est tellement escarpée, que l'eau se détache net et tombe en arcade, assez loin pour qu'on puisse passer entre la cascade et la roche quelquefois sans être mouillé.   ROUSSEAU, les Confessions, IV.

3 Des cascades descendaient de tous côtés, bondissaient sur des lits de pierres, comme les gaves des Pyrénées.   CHATEAUBRIAND, Mémoires d'outre-tombe, IV, 8.

4 Les plus hautes cascades déroulent pour ses yeux seuls leur nappe de cristal, plus calmes que la mer immobile, comme des cataractes du Paradis.
PROUST, À la recherche du temps perdu, t. VI, p. 93.

♦ **2.** (XIXᵉ). Fig. *Une cascade de pièces de monnaie. Cascade de draperies. Une cascade de boucles de cheveux.*

5 (...) deux cascades de cheveux châtains descendant par ondes au long de ses joues (...)   Th. GAUTIER, le Capitaine Fracasse, t. I, p. 35.

6 (...) le grand escalier (...) ruisselait incessamment dans la place comme une cascade dans un lac.   HUGO, Notre-Dame de Paris, I, I.

(Abstrait). Ce qui se produit par saccades, par rebondissements successifs. *Une cascade de rires. Cascade d'applaudissements. Subir une cascade d'injures, d'imprécations.* — (1740). Ce qui se produit à la suite de divers rebondissements. *L'événement s'est produit par cascades.* — Loc. Vieilli. *Faire la cascade :* tomber, dégringoler.

7 Cette couronne tombe à Jeanne II après diverses cascades et de grandes guerres.
SAINT-SIMON, Mémoires, *in* LITTRÉ.

EN CASCADE : par une suite de rebondissements. *Des effets en cascades.* ⇒ **Ricochet.** — Par métaphore du sens 1 :

8 De son chapeau à sa barbe, de sa barbe à son ventre, de son ventre à ses pieds, la majesté ruisselait en petites cascades.   J. ROMAINS, les Copains, V, p. 161.

♦ **3.** Électr. *(En cascade). Montage en cascade :* montage en série*. *Couplage en cascade.*

♦ **4.** (1808). Vx. Écart de conduite. *Faire des cascades.* (1858). Lazzis inattendus d'un acteur.

★ **II.** (Déverbal de *cascader*). Exercice du cascadeur* (II.). *« J'ai assisté à toutes les scènes de cascade (...). J'ai frémi le jour où il (Jean-Paul Belmondo) a exécuté un saut à la renverse alors qu'il était percuté par une voiture »* (*France-Soir Magazine,* 22 oct. 1983).

DÉR. **Cascader.** — V. **Cascatelle.**

CASCADER [kaskade] v. intr. — 1771, attestation isolée ; 1864 ; de *cascade.*

★ **I.** ♦ **1.** Tomber en cascade (en parlant d'un liquide). *Ruisselets qui cascadent sur une pente. L'eau cascade de pierre en pierre.*

1 De temps en temps, une lame plus forte que les autres gonflait la surface de la mer et recouvrait (les) croupes (des rochers) ; le liquide transparent s'étalait sur les masses arrondies, remplissait les cuvettes, cascadait le long des rigoles, nageait sur place à la manière d'une fumée.   J.-M. G. LE CLÉZIO, la Fièvre, p. 223.

Par ext. Produire un bruit de cascade ; faire tomber l'eau en cascade.

2 Un glissement faible et morne, indéfinissable, fait de pneus sur l'asphalte mouillé, de gouttières en train de cascader, de freins sifflants.
J.-M. G. LE CLÉZIO, le Déluge, p. 103.

♦ **2.** Fig. Se produire par vagues, d'une façon discontinue (en parlant d'un bruit). *Des rires d'enfants qui cascadent.*

Pop., vx. (Sujet n. de pers.). Avoir une conduite désordonnée.

★ **II.** (Sujet n. de pers.). Effectuer en série des sauts périlleux ou des chutes volontaires, des exercices périlleux (⇒ **Cascadeur**). *« Il ne m'a accepté que parce que j'étais (...) capable de cascader »* (le *Nouvel Obs.,* 25 nov. 1983, p. 75).

DÉR. **Cascadeur.**

CASCADEUR, EUSE [kaskadœʀ, øz] adj. et n. — 1859 ; de *cascader.*

★ **I.** Fam., vieilli. Qui dénote des mœurs légères, désordonnées. *Un air cascadeur. Des allures cascadeuses.* — N. (Vx). *Un cascadeur.* ⇒ **Bambocheur, coureur, noceur, viveur.**

★ **II.** ♦ **1.** (1898). Acrobate qui exécute des séries de chutes, de sauts (souvent en groupe).

♦ **2.** Acrobate qui tourne les scènes dangereuses d'un film, comme doublure de l'acteur, de l'actrice. *« Elle est devenue cascadeuse de cinéma pour "American Dreamer" »* (le *Point,* 26 déc. 1983, p. 50). — Par ext. Personne qui recherche le risque.

CASCARA [kaskaʀa] n. f. — 1890 ; mot esp. « écorce ».

♦ Pharm. Écorce desséchée et pulvérisée d'un arbre originaire de l'Amérique du Nord (*Rhamnus purshiana*), utilisée comme purgatif. *Des cascaras.*

CASCARILLE [kaskaʀij] n. f. — 1730, *cascaville* ; esp. *cascarilla,* de *cascara,* écorce.

♦ Bot., pharm. Plante du genre *croton*, dont l'écorce est astringente. ⇒ **Croton.**

CASCATELLE [kaskatɛl] n. f. — 1740 ; ital. *cascatella*, de *cascata*. → Cascade.

♦ Littér. Petite cascade.

1 On aperçoit à la fois le temple de Vesta et les cascatelles qui sortent d'un des portiques de la ville de Mécène.   CHATEAUBRIAND, Italie, 23.

Fig. *Des cascatelles de cheveux.* ⇒ **Cascade.** *« La glycine en cascatelles »* (→ Chèvrefeuille, cit. 2).

2 (...) d'épaisses cascatelles de cheveux aussi noirs que ceux de la Nuit, et filant d'un seul jet de la nuque au talon.   Th. GAUTIER, Fortunio, XXIV.

CASCHER [kaʃɛʀ] adj. ⇒ **Kascher.**

CASE [kɑz] n. f. — 1265 ; lat. *casa* «chaumière».

★ **I.** ♦ **1.** Vx. Cabane. — Fam., vieilli. Maison misérable. ⇒ **Baraque.**

♦ **2.** (1637). Habitation traditionnelle, en Afrique et dans les civilisations analogues. *Cases africaines, antillaises.* — Spécialt. Maison construite en matériaux légers. *Case de bambou, de terre sèche.* ⇒ **Hutte, paillote.** *Case à impluvium. Case à palabres. Case en banco, en dur.*

1 Qui est-ce qui demeure là-haut dans ces petites cases ?
                BERNARDIN DE SAINT-PIERRE, Paul et Virginie.

2 C'est ici la case sacrée
Où cette fille très parée (...)
Écoute pleurer les bassins (...)
                BAUDELAIRE, les Fleurs du mal, XXII, « Bien loin d'ici ».

2.1 J'attendais un enfer poussiéreux et abandonné ; je voyais des maisons coloniales neuves, beaucoup moins modestes que les cases de la Martinique, et une belle avenue couleur de sable.   MALRAUX, Antimémoires, Folio, p. 171.

2.2 Parmi nombre de cases rondes, les premières en forme d'obus paraissent plus belles encore que je ne pouvais supposer. D'une perfection de forme qui fait penser à quelque travail d'insectes, ou à un fruit (...) Dans l'intérieur des cases rondes, bétail, volailles et gens couchent ; mais non point pêle-mêle, chacun à sa place attitrée ; tout est en ordre et tout est propre.
                GIDE, le Retour du Tchad, I, in Souvenirs, Pl., p. 879.

2.3 C'était la case personnelle de mon père.
Elle était faite de briques en terre battue et pétrie avec de l'eau ; et comme toutes nos cases, ronde et fièrement coiffée de chaume. On y pénétrait par une porte rectangulaire. À droite, il y avait le lit, en terre battue (...) garni d'une simple natte en osier (...) Au fond de la case et tout juste sous la petite fenêtre, là où la clarté était la meilleure, se trouvaient les caisses à outils. À gauche, les boubous et les peaux de prière.   Camara LAYE, l'Enfant noir, in Pages africaines, II, p. 51.

Case-pirogue : case construite sur des pirogues servant de flotteurs.

2.4 Bientôt une case-pirogue débouchait en amont (...) Les gens, massés sur le pont de ciment armé ne se lassaient pas du spectacle de ces longues cases montées sur deux ou trois pirogues jumelées et qui avaient parcouru des centaines de kilomètres.   Eza BOTO, Ville cruelle, in Pages africaines, I, p. 71.

Case de passage : logement pour les hôtes de passage.

★ **II.** (XVIIe ; esp. *casa*). ♦ **1.** (1650). Chaque division tracée sur un damier, un échiquier, etc. *Les cases triangulaires du jeu de trictrac. Avancer un pion d'une case. Les 64 cases de l'échiquier. Petite carte jaune qui porte six cases.* → 1. Pointer, cit. 2.

Case d'un registre : compartiment fait à l'aide de lignes coupant transversalement les colonnes. *Folio 1 recto, case 4.*

(XXe). Espace souvent rectangulaire qui constitue l'unité graphique d'une bande* dessinée. *Un « strip » (bande) de quatre cases. « Pour une fois un auteur* (Philippe Druillet) *de B. D. qui ne fait pas de petites cases, qui aime la S. F.* (science-fiction), *qui bouleverse l'architecture graphique et qui fait des dessins à regarder des heures durant »* (Magazine littéraire, no 95, déc. 1974, p. 29).

♦ **2.** Compartiment, subdivision (d'une surface ou d'un volume). *Les cases d'une ruche d'abeilles.* ⇒ **Alvéole, cellule.** — Compartiment (d'un meuble, d'un tiroir, d'une boîte). *Les cases d'une boîte de couleurs.*

Espace ménagé sous un pupitre d'écolier pour ranger ses livres. ⇒ **Boîte** (postale), **casier.** *Case postale.*

♦ **3.** (Abstrait). Compartiment, subdivision. *Les nombreuses cases d'une classification.*

3 Encore un certain nombre de faits, et il faudra briser les cases de la chimie moderne.   CHATEAUBRIAND, le Génie du christianisme, III, II, 2.

4 (...) resserré par la compression de sa case sociale et déjeté tout d'un côté par une spécialité et une monomanie comme les personnages de Balzac.
                TAINE, Philosophie de l'art, t. II, IV, II, III, p. 159.

♦ **4.** *Les cases du cerveau :* divisions imaginaires du cerveau où l'on imagine que sont rangés les souvenirs, les connaissances, etc. *Il a un cerveau admirablement organisé, avec toutes ses petites cases bien en ordre.* — Loc. fam. *Il lui manque une case, il a une case en*

moins, une case vide : il est anormal, fou* ; son cerveau fonctionne mal.

DÉR. **Caser, casier.**

CASÉEUX, EUSE [kazeφ, φz] adj. — Av. 1780 ; *caseux*, XVIe ; dér. sav. du lat. *caseus* «fromage».

♦ **1.** De la nature du fromage. *Partie caséeuse du lait.*

♦ **2.** Méd. (Laennec). *Nécrose caséeuse,* caractérisée par la production d'un pus de consistance pâteuse, jaunâtre et granuleux. *Production, lésion caséeuse.* ⇒ **Caséification.**

CASÉI- Élément, du lat. *caseus* «fromage».

CASÉIFICATION [kazeifikasjɔ̃] n. f. — 1871 ; du rad. du lat. *caseus* «fromage», et *-fication*. → -fier.
Didactique.

♦ **1.** Transformation en fromage. — REM. On trouve parfois *caséation* [kazeasjɔ̃] n. f. (du rad. du lat. *caseus*, et *-ation*).

♦ **2.** Méd. Formation d'une nécrose caséeuse*.

CASÉIFIER [kazeifje] v. tr. — 1906 ; du lat. *caseus* «fromage», et suff. *-(i)fier*.
Didactique.

♦ **1.** V. tr. Faire coaguler la caséine de. *Caséifier du lait avec de la présure.*

♦ **2.** V. pron. (1877). Méd. *Se caséifier :* se nécroser en rendant un pus caséeux. *Lésions tuberculeuses qui se caséifient.*

CASÉINE [kazein] n. f. — 1832 ; du lat. *caseus* «fromage».

♦ Didact. Substance protéique contenue, partie en suspension, partie en dissolution, dans le lait, et qui constitue l'essentiel des fromages. (On a dit aussi *tyrine*). *Caséine extraite du lait écrémé, du babeurre, du petit-lait. Coaguler la caséine avec de la présure* (⇒ **Caillé**), *avec un acide. Caséine sèche. Caséine alimentaire* (⇒ **Fromage**). *Caséine industrielle, pour la production de matières plastiques* (⇒ **Galalithe**).
Caséine végétale : matière azotée extraite des tourteaux. ⇒ **Légumine.**

DÉR. **Caséinerie, caséinier.**

CASÉINERIE [kazeinʀi] n. f. — 1907 ; de *caséine*.
Technique.

♦ **1.** Usine où l'on extrait du petit-lait la caséine. *« Tous les sérums produits dans les fromageries et les caséineries »* (M. Beau, Le lait et l'industrie laitière, p. 103, no 377, 1949).

♦ **2.** Industrie de la caséine. *Liquides résiduaires de fromagerie, de caséinerie.*

CASÉINIER, IÈRE [kazeinje, jɛʀ] adj. et n. — XXe ; de *caséine*.
Technique.

♦ **1.** De la caséinerie (industrie).

♦ **2.** N. Personne, industriel qui fabrique de la caséine.

CASEMATE [kazmat] n. f. — 1539 ; mot d'orig. obscure ; p.-ê. ital. *casamatta*, d'orig. incert., p.-ê. de *casa* «maison», et de *matta* «fille», ou du grec *kasma, atos* «gouffre». P. Guiraud attache le mot au moy. franç. *mate* «touffe d'herbe», d'où «maison couverte de touffes d'herbes».

♦ Abri* souterrain et voûté, protégé contre les obus, les bombes. ⇒ **Fortification ; blockhaus, bunker, fortin.** *Casemate de béton. Casemate servant d'abri aux troupes, de magasin. Les casemates d'un fort, d'une citadelle. Casemates d'une ligne fortifiée.*
(...) des casemates en construction dressent leurs tiges de fer attendant le béton (...) Il faut espérer qu'on n'aura pas besoin des casemates avant que les coupoles ne les coiffent.   ARAGON, les Communistes, Mai 1940, I.
Petit ouvrage fortifié.
Mar. Logement blindé, contenant un canon et situé sur le flanc d'un navire de guerre. *Casemate mobile.* ⇒ **Tourelle.**

DÉR. **Casemater.**

CASEMATER [kazmate] v. tr. — 1740, p. p. ; 1578, «construire une casemate» ; de *casemate*.

♦ Techn. (milit.). Garnir de casemates. — Au p. p. *Un rempart casematé.*

CASER [kɑze] v. tr. — 1796 ; « loger qqch. », 1562, attestation isolée ; de *case*.

♦ **1.** Vx. Mettre dans une case, dans un compartiment. *Caser des papiers, du linge.* ⇒ **Ranger.** — Absolt. Au trictrac, Mettre deux dames sur une case.

♦ **2.** Fam. Mettre à la place qu'il faut ; dans une place qui suffit. *Caser sa voiture dans le garage.* ⇒ **Placer, ranger.** *Trouver un logement pour caser un ami.* ⇒ **Loger.** — Spécialt. Réussir à faire entrer (qqch. ou qqn) dans un espace limité. *J'ai pu caser tous mes meubles dans mon studio.* ⇒ **Distribuer, fourrer.**

(Le compl. désigne une chose abstraite). *Je n'ai pas pu caser cette affaire dans mon emploi du temps.*

0.1   Mais savez-vous pourquoi nous sommes toujours plus justes et plus généreux avec les morts ? La raison est simple ! Avec eux, il n'y a pas d'obligation. Ils nous laissent libres, nous pouvons prendre notre temps, caser l'hommage entre le cocktail et une gentille maîtresse, à temps perdu, en somme.
CAMUS, la Chute, *in* Récits et Nouvelles, Pl., p. 1492.

♦ **3.** (Compl. n. de pers.). Établir dans une situation. ⇒ **Établir, fixer.** *On l'a casé dans ce petit emploi, en attendant qu'il ait une situation.*

1   La chaire donnée à Quinet, il l'avait refusée pour ne pas quitter Paris, ce qui diminuait ses chances d'être jamais *casé* comme il disait.
A. BILLY, Sainte-Beuve, Sa vie et son temps, I, Le romantique, 44, p. 313.

Par ext. *Elle a deux filles à caser,* à marier.

▶ **SE CASER** v. pron. (1798). Fam. ⇒ **Placer** (se). *Il n'a pas pu se caser dans cet hôtel. Il s'est casé dans l'administration. Elle a trouvé à se caser,* à se marier.

2   C'est une réserve *(sept mille francs)* en cas de malheur. Il faut que j'avise à les placer et à me caser moi-même, dès demain matin.
FLAUBERT, l'Éducation sentimentale, I, IV.

3   (...) les miteux s'y logèrent à quinze ! Le reste se casa où il put (...)
COURTELINE, Messieurs les ronds-de-cuir, 6e tableau, III.

♦ **4.** Érotique. Posséder sexuellement. — REM. Auguste Le Breton *(l'Argot chez les vrais de vrais)* explique anecdotiquement le sens par les *cases* du bagne de Saint-Laurent-du-Maroni, où les forçats se livraient à la prostitution ; mais la métaphore (→ Miser) est normale et régulière.

COMP. Recaser, recasement.

CASEREL [kazʀɛl] n. m. — XVIe, *caseret ;* lat. **casearia*, de *caseus* « fromage », forme normande de l'anc. franç. *chasière*.

♦ Techn., régional. Moule à claire-voie dans lequel certains fromages sont mis en forme et égouttés. — On dit aussi *caseret* [kazʀɛt], *chaseret* [ʃazʀɛ] ou *caserette* [kazʀɛt] n. f.

CASERNE [kazɛʀn] n. f. — Av. 1547, « loge pour les (quatre) soldats qui montaient la garde » ; p.-ê. du provençal *cazerna* « groupe de quatre personnes », du lat. vulg. *quaderna*, altér. de *quaterna ;* cette hypothèse est contestée par P. Guiraud qui voit dans le provençal *cazerna* un dér. de *casa* « maison » sur le modèle de *caverne, taverne.*

♦ **1.** (1680). Bâtiment destiné au logement des troupes. ⇒ **Baraquement, casernement, quartier.** *Cour de caserne. Garnison* établie dans une caserne. Soldat consigné à la caserne. Les chambrées, la cantine, le foyer, la salle de police, le poste de garde... d'une caserne. La vie de la caserne :* réveil, lever des couleurs, exercice, corvées, appel et contre-appel, extinction des feux... *La discipline, le régime de la caserne. Caserne d'infanterie, de cavalerie, de gendarmerie, des pompiers.* — *Être à la caserne,* être soldat.

1   Je continuai ma course jusqu'à la dernière cour devant les casernes. Là nous attendaient nos soldats.
A. DE VIGNY, Servitude et Grandeur militaires, II, 12.

2   (...) cette grande communauté qu'est une caserne où, le temps ayant pris la forme de l'action, la triste cloche des heures était remplacée par la (...) joyeuse fanfare de ces appels (...)
PROUST, À la recherche du temps perdu, t. VI, p. 94.

3   — Soldat, lève-toi, soldat, lève-toi (...) La sonnerie reprenait aux quatre coins de la caserne.
J. ROMAINS, les Copains, V, p. 189.

♦ **2.** Fam. Grand immeuble peu plaisant, divisé en nombreux appartements.

4   Au coin d'Albert gate (...) s'élève l'Ambassade de France ; elle fut bâtie, conjointement avec la maison qui lui fait face, en 1852 (...) ; c'étaient les maisons les plus hautes de Londres, et comme ces deux casernes carrées ne trouvaient pas de locataires, on les surnommait Malte et Gibraltar, les deux imprenables.
Paul MORAND, Londres, p. 122 (1933).

Fam., péj. Établissement (école, lycée), entreprise où règne une discipline pesante.

DÉR. Caserner, casernier.

CASERNEMENT [kazɛʀnəmɑ̃] n. m. — 1800 ; de *caserner.*

♦ **1.** Action de caserner. *Le casernement des troupes. Officier de casernement.*

De *caserner,* intransitif :

1   Au mois de janvier, le froid deviendrait tel qu'il ne serait plus possible de mettre

le pied dehors, sans péril pour la vie. Pendant deux mois au moins, l'équipage serait condamné au casernement le plus complet ; puis le dégel commencerait (...)
J. VERNE, Un hivernage dans les glaces, p. 269.

♦ **2.** Ensemble des constructions ; construction d'une caserne. ⇒ **Caserne.** *Revue de casernement. Les casernements affectés aux troupes. De vieux casernements désaffectés.*

2   Cette salle, il le remarque à présent, se distingue par un détail important des véritables chambrées de casernement militaire : il n'y a pas de planche à paquetage, courant le long du mur, au-dessus des lits.
A. ROBBE-GRILLET, Dans le labyrinthe, p. 106.

CASERNER [kazɛʀne] v. — 1718 ; de *caserne.*

♦ **1.** V. tr. Loger dans une caserne. *Caserner une troupe, un régiment. Être caserné dans une ville frontière.* — Au p. p. *Troupes casernées.*

1   Est-ce qu'ils oseront rentrer sur nos hauteurs,
Ces anciens laboureurs et ces anciens pasteurs
Que l'Autriche aujourd'hui caserne dans ses bouges ?
HUGO, la Légende des siècles, XXXI, « Le régiment du baron Madruce », II.

2   (...) ma ville natale dotée d'une garnison, eut le spectacle d'une bien émouvante cérémonie : la remise de son nouvel étendard au régiment qui y était caserné.
Georges LECOMTE, Ma traversée, p. 33.

3   L'homme devait être caserné dans la ville même, ou dans ses environs immédiats, en attendant sa montée en ligne ; sans cela, il n'aurait pas pu venir embrasser sa femme avant de partir. Mais où les casernes se trouvent-elles dans cette cité ?
A. ROBBE-GRILLET, Dans le labyrinthe, p. 71.

Soumettre au régime de la caserne, de l'internat ; enfermer. *Caserner un élève.*

♦ **2.** V. intr. Être logé dans une caserne. *Les troupes casernent dans cette ville.*

DÉR. Casernement.

CASERNIER, IÈRE [kazɛʀnje, jɛʀ] n. m. et adj. — 1838 ; de *caserne.*

♦ **1.** Agent du génie militaire chargé du matériel d'un casernement.

♦ **2.** Adj. (1876). Rare. Qui tient de la caserne. *Des manières casernières.*

CASÉUM [kazeɔm] n. m. — D. i. (xxe) ; lat. *caseum* « fromage ».

♦ Pathol. Névrose amorphe, de couleur blanchâtre ou jaunâtre, des tissus tuberculeux infectés. *Caséum ramolli, sec.*

CASH [kaʃ] adv. et n. m. — 1916 ; angl. *cash* « argent liquide ».
Familier.

♦ **1.** Anglicisme. Par un versement comptant. *Payer cash.* ⇒ **Comptant, recta** (fam.). *Cent mille francs cash.*

(...) Simon donc alla trouver qui de droit, conclut un arrangement liquidatif, paya cash (...)
Roger IKOR, les Fils d'Avrom, Les eaux mêlées, p. 635.

♦ **2.** N. m. Acompte. *Le montant de ce cash pourra être à valoir sur le montant des premières redevances annuelles.*

HOM. Cache.

CASH AND CARRY [kaʃɛndkaʀi] n. m. — 1968 ; mot angl., de *cash* « comptant », et *carry* « emporter ».

♦ Anglic. (écon.). Formule de vente en gros utilisant le libre-service avec paiement comptant. — On dit aussi *libre-service de gros.* Recomm. off. : *payer-prendre.*

CASHER [kaʃɛʀ] ⇒ **Kascher.**

CASHEW [kaʃu] n. m. ⇒ **Cajou.**

CASH-FLOW [kaʃflo] n. m. — 1966, *in* Höfler ; mot angl., de *cash* « comptant », et *flow* « écoulement ».

♦ Anglic. (écon.). Ratio comptable permettant de déterminer les possibilités d'autofinancement d'une entreprise (⇒ **Liquidité**). — REM. L'abréviation *M. B. A.** (marge* brute d'autofinancement) peut remplacer cet anglicisme ; on a proposé *argent vif,* mais *cash-flow* est d'usage très répandu dans les milieux d'affaires.

CASHMERE [kaʃmir] n. m. Anglicisme. ⇒ **Cachemire.**

CASIER [kɑzje] n. m. — 1765, Encyclopédie ; de *case.*

♦ **1.** (1814). Ensemble de cases, de compartiments pouvant former meuble de rangement. ⇒ **Cartonnier, case** (II., 2.), 3. **casse, classeur.** *Casier de bibliothèque. Casier à musique, à disques. Ran-*

ger des dossiers dans un casier. Casier métallique. Casier à bouteilles.

Par métaphore. Subdivision, élément d'une classification. ⇒ **Division.**

1   Pas de vivant qui n'ait son compartiment dans le casier de l'imaginaire.
    HUGO, Post-Scriptum de ma vie, Promontorium somnii, III.

♦ **2.** (1860). **CASIER JUDICIAIRE, CASIER :** relevé des condamnations prononcées contre qqn (ainsi que des mesures de sûreté, des décisions disciplinaires, etc.); le service qui établit ce relevé. *Inscription au casier judiciaire. Avoir un casier judiciaire chargé. Casier judiciaire vierge,* sans condamnations. *Bulletins de casier judiciaire. Extrait du casier judiciaire. — Son casier est vierge, est chargé. Casier fiscal :* relevé des impositions et, le cas échéant, des amendes fiscales dont un contribuable a été l'objet; service qui établit ce relevé.

♦ **3.** (1765). Nasse* d'osier ou de grillage métallique servant à la capture des crustacés. *Casier à homards, à langoustes, à crabes, à crevettes.*

2   (...) il était allé faire une commande à certain vannier de ce village, qui avait seul dans le pays la bonne manière pour tresser les *casiers* à prendre les homards.
    LOTI, Pêcheur d'Islande, II, III, p. 86.

Emballage en forme de caisse à claire-voie pour les crustacés. *Expédition de langoustes en casiers.*

CASILLEUX, EUSE [kazijø, øz] adj. — 1676; orig. incert.; l'hypothèse d'un croisement avec *casser,* ou celle d'un croisement de *casser* avec *casuel* «fragile» ne sont pas entièrement convaincantes; on a également proposé un rattachement au provençal *cassilhous,* même sens.

♦ Techn. Se dit du verre qui se casse au lieu de se couper sous le diamant. *Verre casilleux.*

CASIMIR [kazimiʀ] n. m. — 1790; *casinire,* 1686; altér. angl. *cassimere,* n. angl. de la province indienne de *Cachemire.* → Cachemire.

♦ **1.** Anciennt. Étoffe de laine croisée, mince et légère. *Être habillé en casimir.*

(...) les gens (...) revêtaient par la pensée ce monsieur de cottes à revers, d'une culotte de casimir vert-pistache à nœud de rubans (...)
    BALZAC, le Cousin Pons, Pl., t. VI, p. 526.

♦ **2.** (1866). Fam., vx. Gilet (parce que les gilets étaient souvent faits de cette étoffe).

CASING [kazin] n. m. — 1888, *in* Höfler; angl. *casing,* de *to case* «mettre en caisse, envelopper».

♦ Anglic., techn. Tubage extérieur, dans un sondage pétrolier. *Casings concentriques.*

CASINO [kazino] n. m. — 1740; ital. *casino* «maison de plaisance», puis «maison de jeux».

♦ Établissement public comportant des salles de réunion, de spectacle, de danse, et où les jeux d'argent sont autorisés. *Le casino d'une station thermale, d'une ville d'eau, d'une station balnéaire, d'une plage. Le casino municipal. La salle de jeux, le dancing, le bar, le théâtre d'un casino. Jouer à la roulette, à la boule, au baccara dans un casino. Passer ses soirées dans les casinos.*

1   Je le fis entrer dans le petit Casino (...) maintenant plein du tumulte des jeunes filles qui, faute de cavaliers, dansaient ensemble.
    PROUST, À la recherche du temps perdu, t. IX, p. 249.

2   Les riches casinos ne m'attirent pas. L'atmosphère éclairée par les lustres électriques m'ennuie. Jean GENET, Journal d'un voleur, p. 38.

DÉR. Casinotier.

CASINOTIER [kazinɔtje] n. m. — Av. 1980, *le Monde,* 18 janv.; de *casino.* → Dominotier.

♦ Fam. Exploitant d'un casino. «(...) *un répit dans la dégradation constante de la situation financière des maisons de jeux, comme le pensent les "casinotiers"*» (*le Monde,* 18 janv. 1980, p. 12). — REM. Le fém. est virtuel.

CASOAR [kazɔaʀ] n. m. — 1733; *casouard,* 1677; lat. zool. *casoaris,* malais *kasuwāri.*

♦ **1.** Oiseau coureur (*Casuaridés*) de grande taille, dont la tête et le cou sont dépourvus de plumes, et qui porte sur le front un appendice corné. *Casoar à casque. Les ailes du casoar sont plus courtes que celles de l'autruche. L'émeu* appartient à la même famille que le casoar.*

1   Nos gros oiseaux sont fort petits, si on les compare au casoar.
    BUFFON, Hist. nat. des oiseaux, Le casoar.

♦ **2.** (1845). Plumet blanc et rouge ornant le shako des saint-cyriens. — Par ext. Shako orné du casoar.

Corrida ce soir entre la tarte aux champignons et les prunes. A propos de rien, comme d'habitude : du casoar des saint-cyriens qui montèrent à l'assaut en 1914, avec pantalons rouges et gants blancs.
    Benoîte et Flora GROULT, Journal à quatre mains, p. 94.   2

CASQUE [kask] n. m. — Fin XVIe; esp. *casco* «tesson, crâne», puis «casque», de *cascar* «briser»; du lat. pop. **quassicare.* → Casser.

★ **I.** Coiffure rigide recouvrant la tête afin de la protéger; ce qui rappelle la forme d'un casque.

♦ **1.** Coiffure* militaire, généralement en cuir ou en métal, qui couvre et protège la tête. ⇒ (ancient) **Armure** (de tête); **armet, bassinet, bourguignotte, cabasset, capeline, heaume, morion, salade.** *Calotte d'un casque.* ⇒ **Timbre.** *Sommet du casque.* ⇒ **Apex, cimier, crête.** *Partie d'un casque protégeant le nez* (⇒ **Nasal**), *la gorge* (⇒ **Gorgerin**), *le menton* (⇒ **Mentonnière**), *les oreilles* (⇒ **Oreillons**), *la nuque* (⇒ **Couvre-nuque**), *le front et les yeux* (⇒ **Mézail, visière**). *Casque morné*, à visière close. Fentes dans la visière close d'un casque.* ⇒ **Ventail, vue.** *Casque de tournoi.*

Il sortait de leur casque un souffle d'épopée (...)   1
    HUGO, la Légende des siècles, Les quatre jours d'Elclis, XX, 1.

(Époque moderne et contemporaine). *Casque de dragon, de cuirassier. Casque à pointe :* ancien casque des soldats allemands (et, par ext., le soldat allemand portant ce casque). *Le casque anglais, le casque français, le casque américain... ont des formes différentes. Casque lourd,* en acier. *Casque léger,* en matière plastique. *Casque des armes motorisées.*

Par métonymie. *Casques d'acier* (trad. de l'all.) : nom d'un groupe nationaliste allemand créé en 1918. — *Casques bleus,* nom donné aux troupes internationales de l'O. N. U.

PREMIER CONTINGENT : le 9 août, le Conseil de sécurité demande à la Belgique   1.1
de retirer ses troupes du Katanga et autorise le secrétaire général à envoyer des Casques bleus à Élisabethville.   Jean ZIEGLER, Main basse sur l'Afrique, p. 252.

♦ **2.** Coiffure protectrice. *Casque de motocycliste. Les motocyclistes et les cyclomotoristes doivent porter le casque.* — (1966). *Casque intégral* :* casque emboîtant qui protège toute la tête, bouche et menton compris, avec une visière transparente s'abaissant sur les yeux. — *Casque d'aviateur.* — *Casque de pompier.* — *Casque de scaphandrier.* — *Le port du casque est obligatoire dans certains sports, sur les chantiers. Casque de mineur* (⇒ **Barrette**), *de spéléologue, muni d'une lampe.*

Ils *(des joueurs de rugby américains)* ont le crâne protégé par un casque à bourrelets, et de même les tibias par des jambières à la romaine.   2
    G. DUHAMEL, Scènes de la vie future, XII, p. 180.

Vieilli. *Casque colonial :* coiffure renforcée de liège, destinée à protéger la tête du soleil.

♦ **3.** Fam., vx. **CASQUE À MÈCHE :** bonnet de coton, bonnet de nuit; on rencontre la graphie plaisante *casquamèche.*

La ville avait pris le dessus sur les pensées d'Armand (...) Les lettres d'or aux balcons des commerces de gros, baroques et lyriques, achevaient de déconcerter ses yeux neufs (...) Des hercules en casquamèche le bousculèrent. Il se sentait petit au milieu (...) de ces torses de lutteurs asservis.   2.1
    ARAGON, les Beaux Quartiers, p. 319.

♦ **4.** Dispositif qui coiffe la tête. *Casque téléphonique* ou *radiophonique, casque d'écoute :* appareil récepteur constitué par deux écouteurs reliés entre eux par un support formant serre-tête. *Écouter au casque. Le casque d'un walkman. Casque de radiotélégraphiste (sur un avion).*

Appareil à air chaud, en forme de casque, qui sert à sécher les cheveux. ⇒ **Séchoir.** *Être sous le casque.*

Des clientes étaient assises, coiffées du casque qui séchait leurs cheveux. Des   2.2
employées en blouse blanche virevoltaient autour d'elles. Une autre trônait à la caisse.   P. GUTH, le Mariage du naïf, p. 109.

♦ **5.** Par métaphore (cheveux). *Un casque de cheveux noirs.* — Par métonymie. *Casque d'or :* nom de l'héroïne blonde d'une lutte entre Apaches (→ 2. Apache, cit. 1). *Casque d'or,* film de Jacques Becker (1952) inspiré par ce fait divers.

Je me représentai sa majesté native,   3
Son regard de vigueur et de grâces armé,
Ses cheveux qui lui font un casque parfumé.
    BAUDELAIRE, Fleurs du mal, Spleen et idéal, XXXII.

(...) un front carré dans un casque de cheveux très noirs.   4
    Paul BOURGET, le Disciple, IV, p. 159.

Spécialt. Coiffure féminine où les cheveux sont relevés en cimier. *Cheveux en casque.*

♦ **6.** Par métonymie. Fam. La tête. (Dans des loc.). *S'en donner dans le casque :* s'enivrer. — *Avoir le casque :* éprouver une violente migraine pour avoir trop bu (cf. Gueule de bois).

♦ **7.** Blason. Représentation d'un casque, d'un heaume sur l'écu ou en ornement extérieur.

Qu'est devenue la distinction des casques et des *heaumes* (...) il ne s'agit plus de   5
les porter de front ou de côté, ouverts ou fermés (...)
    LA BRUYÈRE, les Caractères, XIV, 5.

★ **II.** Sc. nat. Plante ou animal qui évoque, en tout ou partie, la forme d'un casque.

♦ **1.** (1771). Bot. Pièce supérieure, dont le profil voûté évoque un casque (du calice ou de la corolle de certaines fleurs). *Le casque d'un calice.* — *Fleur en casque,* ayant cette forme. *L'aconit, la sauge, les orchidées sont des fleurs en casque.*

♦ **2.** (1845). Zool. Appendice calleux qui surmonte la tête ou le bec (de divers oiseaux). *Le casque corné du casoar.* — Partie rigide de la tête (de certains insectes).

♦ **3.** (1676). Mollusque gastéropode univalve à coquille renflée et spiralée (n. sc. : *cassis*).

6   Les fonds étaient clairs. Un ami Saintois *(de l'archipel des Saintes)* leur laissait sa barque, et en échange, ils lui ramenaient des poissons armés et ces grands coquillages appelés «casques».
          Claude COURCHAY, la Vie finira bien par commencer, p. 186.

DÉR. Casqué, 1. casquer, casquette.

CASQUÉ, ÉE [kaske] adj. — 1734 ; de *casque.*

♦ **1.** Coiffé d'un casque. *Médaille à tête casquée.*

(Itobad) ne doutait pas qu'étant casqué (...) il ne vint aisément à bout d'un champion.   VOLTAIRE, Zadig, 21, *in* LITTRÉ.
Des motards, des ouvriers casqués. Les policiers casqués et protégés par des boucliers, attendaient les manifestants. — *Casqué de..., par...* (rare). *Les «barbares, casqués d'airain»* (Barrès). *Chevalier casqué de heaume.* — Par ext. *Une femme casquée d'épais cheveux noirs.* — Par métaphore. *«Les pigeonniers casqués de tuiles vernissées»* (Giono).

♦ **2.** *Aiguière casquée,* en forme de casque renversé.

♦ **3.** Zool. Se dit d'un oiseau dont le bec ou la tête porte une protubérance calleuse ; se dit du bec, de la tête. *Bec, tête casquée.*

HOM. 1. Casquer, 2. casquer.

1. CASQUER [kaske] v. tr. — 1883 ; de *casque.*

♦ **1.** Rare. Coiffer (qqn) d'un casque ou comme avec un casque. ⇒ **Casqué.** — Pron. *Se casquer.*

Knock (...) va prendre un laryngoscope à réflecteur, s'en casque lentement, en projette soudain la lueur aveuglante sur le visage du gars (...) Quand l'autre est maté, il lui désigne la chaise longue.   J. ROMAINS, Knock, II, 6, p. 123.

♦ **2.** (Le sujet désigne la coiffure). Littér. *Le chapeau qui casquait ses cheveux. Les cheveux épais qui semblaient le casquer.*
Au passif (plus cour.) *Être casqué de..., par,* coiffé (d'un casque ou) comme par un casque. ⇒ **Casqué.**

HOM. Casqué, 2. casquer.

2. CASQUER [kaske] v. — 1836, «tomber dans un piège», puis, 1844, «payer» ; ital. *cascare* «tomber». → Cascade.
Familier.

♦ **1.** V. intr. Donner de l'argent, payer*. *Faire casquer qqn.*

1   (...) elle s'est mise à jouer, au Casino (...) Je l'ai su le jour où elle m'a écrit pour me demander de l'argent (...) Comme cela me donnait barre sur elle, j'ai casqué, sans protester (...)   J. ROMAINS, les Hommes de bonne volonté, t. XXII, p. 65.
2   Lucie eut un petit rire : «Vous n'imaginez pas que je viendrais vous demander de l'argent ? Voilà trois ans que je casque, et j'étais prête à continuer. J'ai même offert le gros sac à Mercier pour lui racheter le dossier, mais il est malin, il voyait loin.»   S. DE BEAUVOIR, les Mandarins, p. 171.

♦ **2.** V. tr. [a] *Casquer une grosse somme d'argent, cent francs.*

3   (...) j'organise une série de conférences avec des conférenciers bénévoles. Des snobs, prêts à casquer deux mille balles pour vous voir en chair et en os, il s'en ramènera à la pelle, je suis tranquille.   S. DE BEAUVOIR, les Mandarins, p. 250.

[b] Vieilli. Payer (qqn). *Casquer son propriétaire* (Bruant).

DÉR. Casqueur.
HOM. Casqué, 1. casquer.

CASQUETTE [kasкɛt] n. f. — 1813 ; de *casque,* suff. dimin. *-ette.*

♦ **1.** Coiffure formée d'une coiffe souple ou rigide, et munie d'une visière*. — REM. La casquette est à l'origine et jusqu'à une époque récente, une coiffure masculine. Les casquettes à coiffes et visières rigides sont caractéristiques des uniformes, notamment militaires.
Casquettes civiles : s'oppose à *chapeau,* à *béret.* ⇒ fam. **Bâche, gapette.** *Casquette de drap, de toile.* — Ancienn. *Casquette d'apache. Casquette à pont, à trois ponts* (coiffure traditionnelle du souteneur au XIXe siècle). — *Casquette à couvre-nuque, à oreilles, à oreillettes. Casquette fourrée. Casquette haute, basse* (fam., vx → Tampon*). *Casquette d'ouvrier* (au XIXe siècle → ci-dessous, 2.). *La casquette de Gavroche.* — *Casquette à carreaux, en tweed. Elle vient de s'acheter une casquette en velours.* — Spécialt. *(Casquette de sport). Casquette de jockey, de joueur de base-ball. Casquette hémisphérique des cavaliers.* ⇒ **Bombe.**

1   Le dôme de la halle au blé est une casquette de jockey anglais sur une grande échelle.   HUGO, Notre-Dame de Paris, III, 2.
2   (...) un homme (...) non ! une casquette, une énorme casquette en peau de lapin, qui ne disait pas grand'chose et regardait la route d'un air triste.
                Alphonse DAUDET, Lettres de mon moulin, p. 14.

2.1   (...) le *nouveau* tenait encore sa casquette sur ses genoux. C'était une de ces coiffures d'ordre composite, où l'on retrouve les éléments du bonnet à poil, du chapska, du chapeau rond, de la casquette de loutre et du bonnet de coton, une de ces pauvres choses, enfin, dont la laideur muette a des profondeurs d'expressions comme le visage d'un imbécile. Ovoïde et renflée de baleines, elle commençait par trois boudins circulaires ; puis s'alternaient, séparés par une bande rouge, des losanges de velours et de poil de lapin ; venait ensuite une façon de sac qui se terminait par un polygone cartonné, couvert d'une broderie en soutache compliquée, et d'où pendait, au bout d'un long cordon trop mince, un petit croisillon de fils d'or, en manière de gland. Elle était neuve ; la visière brillait.
          FLAUBERT, Mme Bovary, Pl., t. I, I, p. 328.

Les chasseurs de casquettes (le passage de Daudet a été repris par dérision ; *chasseur de casquettes :* chasseur maladroit, incapable de tuer le moindre gibier).

3   Quand on est bien lesté (...) on se met en chasse. C'est-à-dire que chacun de ces messieurs prend sa casquette, la jette en l'air de toutes ses forces et la tire au vol (...) Inutile de vous dire qu'il se fait dans la ville un grand commerce de casquettes de chasses. Il y a même des chapeliers qui vendent des casquettes trouées et déchiquetées d'avance à l'usage des maladroits (...)
          Alphonse DAUDET, Tartarin de Tarascon, I, 2, «Les chasseurs de casquette».

(Casquettes d'uniformes, de forme caractéristique, souvent rigide ; s'oppose à *képi,* à *bonnet de police). Casquette d'officier allemand, américain, anglais. Casquette d'officier de marine, d'aviateur. Casquette d'agent des postes, de contrôleur des chemins de fer, de chef de gare.*
Vx. Képi à coiffe non rigide des officiers de l'armée d'Afrique. *L'as-tu vue, la casquette, la casquette, L'as-tu vue, la casquette du père Bugeaud ?* (marche des zouaves).
Loc. fig. *Avoir plusieurs casquettes :* détenir un poste-clef dans différentes entreprises. *Changer de casquette,* d'affectation, de fonction. *Faire porter la casquette (à qqn) :* faire endosser (à qqn) la responsabilité d'un acte, d'une décision, dont on est l'instigateur. ⇒ **Chapeau.**

♦ **2.** Par métonymie, vieilli. (Symbole de condition sociale). — *(Casquettes civiles). Les casquettes,* opposés aux *chapeaux :* les ouvriers, opposés aux bourgeois.
(Casquettes militaires). — Vx. *Vieille casquette :* officier (péj., → Vieille baderne). — *Casquette plate :* officier allemand (en 1941-1945).

♦ **3.** Loc. fam. (Vx). *Être casquette,* un peu ivre.

DÉR. Casquetté, casquetterie, casquettier, casquettifère.

CASQUETTÉ, ÉE [kaskete] adj. — 1850, Balzac ; de *casquette.*

♦ Par plais. Coiffé d'une casquette.

CASQUETTERIE [kaskɛtʀi] n. f. — XXe ; de *casquette.*

♦ Travail, commerce du casquettier.

Désormais, il *(le casquettier)* ne connut qu'un travail honnête et fade ; de la casquetterie sans joie.
          Roger IKOR, les Fils d'Avrom, La greffe de printemps, p. 177.

CASQUETTIER, IÈRE [kasketje, jɛʀ] n. — 1867 ; de *casquette.*

♦ Personne qui fabrique ou vend des casquettes.

(...) j'aperçus dans une des boîtes en verre de la cour Zelten en personne, assis près d'un casquettier et qui, toutes les minutes, pour tromper sans doute une surveillance, se coiffait d'une casquette.
          J. GIRAUDOUX, Siegfried et le Limousin, p. 225.

CASQUETTIFÈRE [kasketifɛʀ] adj. et n. — V. 1850, mot forgé par Balzac ; de *casquett(e),* et *-fère.*

♦ Fam., vx. Porteur de casquette (ce qui connote au XIXe siècle la médiocrité petite-bourgeoise ; cf. Casquette, cit. 2.1).

CASQUEUR, EUSE [kɑskœʀ, øz] n. — Fin XIXe ; de 2. *casquer.*

♦ Rare. Personne qui «casque», qui paye.

CASSABLE [kɑsabl] adj. — XVe, *quassable* ; de *casser.*

♦ **1.** Qui peut être cassé facilement. ⇒ **Cassant, fragile.**

♦ **2.** Dr. Qui peut être cassé, annulé. *Un mariage cassable.*

CONTR. (Du sens 1.) Incassable (plus courant).
COMP. Autocassable, incassable.

CASSAGE [kɑsaʒ] n. m. — 1838 ; de *casser.*

♦ Action de casser. *Cassage des minerais.* ⇒ **Concassage.** — Agric. *Cassage des mottes :* opération qui accompagne le premier labour. ⇒ **Brise-mottes.**
Loc. (de *casser les vitres). Cassage de vitres :* intervention brutale, déclaration abrupte.

Cassage de pieds : le fait de casser* les pieds à qqn. ⇒ **Casse-pieds.**

Cassage de gueule : violente altercation, souvent accompagnée de voies de fait.

Pour un peu avant-hier les journaux auraient eu à mentionner un nouveau cassage de gueule entre automobilistes.   S. DE BEAUVOIR, les Belles Images, p. 119.

CASSANT, ANTE [kasɑ̃, ɑ̃t] adj. — 1538 ; de *casser*.

♦ **1.** (Se dit d'une matière rigide). Qui se casse, se rompt aisément ; qui n'est pas souple. ⇒ **Cassable** (sens différent), **fragile**. *Métal cassant. L'acier trempé est cassant. Une glace cassante. Des branches d'arbres cassantes*, qui se rompent à la moindre flexion. *Cassant comme du verre.*

1   L'indigotier est une plante droite et assez touffue ; de sa racine s'élève une tige ligneuse, cassante.   G. I. RAYNAL, Hist. philosophique..., VI, 7.

Poire cassante, qui croque sous la dent (par oppos. à *poire fondante*).

♦ **2.** (1824). Personnes. Qui affecte une attitude autoritaire, intransigeante. ⇒ **Absolu, brusque, dur, impérieux, inflexible, tranchant.** *Il est trop cassant avec ses collaborateurs. « Le vieux gentilhomme sec et cassant »* (A. France). *Caractère cassant.*

Par ext. *Un ton cassant.* ⇒ **Coupant, péremptoire, sec.** *Une voix cassante.*

2   Là, au milieu des chefs rassemblés, entouré de leurs regards inquiets (...) il semble vouloir les repousser de son attitude sévère et d'une voix brusque, cassante et concentrée (...)   Ph. P. SÉGUR, Hist. de Napoléon, VI, 4.

3   (Fénelon) avait tous les dons de l'esprit dans une nonchalance caressante ; comme Voltaire avait tous les dons de l'esprit dans une impétuosité conquérante et une certaine sécheresse cassante d'allures.
                        É. FAGUET, Études littéraires, XVIIᵉ s., Fénelon, IV, p. 473.

N. m. *Il a du cassant dans le caractère.*

♦ **3.** (1947 ; de *se casser la tête*, etc.). Fatigant. *Ce n'est pas très cassant.* ⇒ **Foulant** (familier).

(Dans des constructions négatives). Qui est singulier, remarquable. *Ton travail n'a rien de cassant*, rien d'extraordinaire.

CONTR. **Flexible, malléable, résistant, solide, souple. — Affable, aimable, amène, doux, gentil. — Reposant. — Exceptionnel.**

CASSATE [kasat] n. f. — V. 1950 ; ital. *cassata*, mot sicilien désignant initialement une pâtisserie aux fruits confits.

♦ Glace aux fruits confits (⇒ **Plombières**), enrobée d'une glace à un autre parfum.

1. CASSATION [kasasjɔ̃] n. f. — 1413 ; de *casser*.

♦ **1.** Dr. Annulation (d'une décision juridictionnelle, juridique ou administrative) par une cour compétente. *La cassation d'un jugement, d'un acte, d'une procédure, d'un testament.*
Spécialt. Annulation par la Cour de cassation (voir ci-dessous) ou le Conseil d'État d'une décision juridictionnelle rendue en dernier ressort, et attaquée par un pourvoi pour vice de forme, violation de la loi... *Demande, pourvoi*, recours en cassation. Moyens de cassation* : les raisons alléguées pour faire casser un arrêt, un jugement. *Se pourvoir en cassation. Aller en cassation. Requête en cassation,* examinée par la Chambre des requêtes. ⇒ **Requête.** *Prononcer la cassation d'un arrêt. Renvoi après cassation.* ⇒ **Renvoi.**

(1804 ; d'abord *tribunal de cassation*, 1790). COUR DE CASSATION : juridiction suprême de l'ordre judiciaire dont l'attribution essentielle est de statuer sur les pourvois formés contre une décision judiciaire (⇒ **Cour**). *La Cour de cassation exerce aussi un pouvoir disciplinaire sur les membres des autres juridictions.* — Abrév. fam. : *la Cour de cass'.*

1   J'ajoutai qu'il était à propos de demander à la chambre des vacations du parlement de Rouen les motifs qu'il avait eus pour nous mettre en état d'opiner en connaissance de cause sur la cassation ou la manutention de l'arrêt (...)
                        SAINT-SIMON, Mémoires, 520, 160.

2   Tous les arrêts motivés rendus par la Cour de cassation sont insérés dans un bulletin mensuel, distinct pour les chambres civiles et pour la chambre criminelle.
                        Loi 23 juil. 1947, art. 62.

3   Le demandeur en Cassation doit, à peine de déchéance, produire son mémoire ampliatif dans un délai de six mois, à compter du dépôt du pourvoi.
                        Loi du 23 juil. 1947, art. 19.

♦ **2.** Admin. Peine militaire par laquelle un caporal ou un sous-officier est cassé de son grade et replacé dans la position de soldat de deuxième classe. ⇒ **Dégradation.**

HOM. 2. Cassation.

2. CASSATION [kasasjɔ̃] n. f. — 1890 ; ital. *cassazione* « départ ».

♦ Mus. Divertissement écrit pour instruments (à vent, à cordes) et pour être exécuté en plein air. *Une cassation de Mozart.*

1   La cassation (de *cassazione* : départ) est une sorte de divertissement plus spécialement destiné à être exécuté en plein air, le soir : d'où son instrumentation, où dominent les vents. Très en vogue à l'époque du style galant (seconde moitié du XVIIIᵉ), cette forme a été complètement négligée depuis (...)
                        André HODEIR, les Formes de la musique, p. 27.

2   Je lui demandai ce que voulaient dire les expressions : cassation, altérer les sen-

---

sibles, flûte obligée, basse continue, flûte traversière. Isabelle, sans une phrase, m'offrit un livre : *La Musique et les Musiciens*.
                        Violette LEDUC, la Bâtarde, p. 131.

HOM. 1. **Cassation.**

CASSAVE [kasav] n. f. — 1599 ; esp. *cazabe*, mot de Haïti.

♦ Galette cuite de fécule de manioc ; cette fécule.

1. CASSE [kas] n. f. — 1341 ; anc. provençal *cassa*, du lat. pop. *cattia* « poêle », du grec *kuathion*, dimin. de *kuathos*.
Technique.

♦ **1.** Récipient qui reçoit le métal en fusion, dans une fonderie.

♦ **2.** Récipient, souvent à usage domestique, qui ressemble à une cuillère. *Casse de verrier*, servant à enlever les impuretés sur le verre en fusion. *Casse de savonnier* : poêlon de cuivre servant à verser l'eau sur la chaux. — Par ext. (vx). *Casse à rôt.* ⇒ **Lèchefrite.**

♦ **3.** Régional (Suisse). Casserole. — Poêle à frire.

DÉR. **Casserole, cassolette.**
HOM. 2. **casse,** 3. **casse,** 4. **casse,** 5. **casse.**

2. CASSE [kas] n. f. — 1256, *cassee* ; lat. *cassia*, grec *kassia* « cannelier ».

♦ **1.** Bot. Plante dicotylédone (*Légumineuses-césalpinées*), scientifiquement appelée *cassia*, arbre ou herbe exotique dont les fruits (*gousses*) sont d'aspect variable. ⇒ aussi **Cassie.** *La pulpe de la gousse de la casse était utilisée anciennement en médecine comme laxatif.*

♦ **2.** Pharm. Substance médicamenteuse extraite de cette plante. — Prov. (vx). *Passez-moi la casse, je vous passerai le séné** : faisons-nous de mutuelles concessions.

Pour réussir, il faut attendre le moment où l'on me demandera quelque service à moi. Je pourrai dire alors : je vous passe la casse, passez-moi le séné (...)
                        BALZAC, la Cousine Bette, Pl., t. VI, p. 360.

Syn. : 1. *cassier, canéficier.*
DÉR. 1. **Cassier.**
HOM. 1. **Casse,** 3. **casse,** 4. **casse,** 5. **casse.**

3. CASSE [kas] n. f. — 1675 ; ital. *cassa* « caisse ».

♦ Imprim. Boîte sans couvercle divisée en casiers (⇒ **Cassetin**), contenant les caractères d'imprimerie nécessaires au compositeur. *Les caractères sont rangés dans la casse. — Une casse contenant des caractères en réserve.* ⇒ **Bardeau.** *Moitié de casse.* ⇒ 1. **Casseau.** *Meuble où sont rangées les casses.* ⇒ **Cassier.** *Divisions de la casse.* ⇒ **Cassetin.** — Loc. *Haut de casse* : partie supérieure de la casse divisée en petites loges ou cassetins* et qui contient les caractères les moins fréquemment employés (capitales, lettres accentuées...). *Bas de casse*, dont les cassetins renferment les caractères courants. *Lettres du bas de casse*, ou lettres minuscules. *Composer un texte en bas de casse*, en minuscules.

(...) Picquenart nous donnait les paquets (*de caractères*) et nous chargeait de les ranger, selon l'ordre traditionnel, dans les petites loges des casses, que l'on appelle cassetins.
                        G. DUHAMEL, Chronique des Pasquier, V, VIII (cf. Caractère, cit. 6).

DÉR. 1. **Casseau,** 2. **cassier.** — V. aussi **Cassetin.**
HOM. 1. **Casse,** 2. **casse,** 4. **casse,** 5. **casse.**

4. CASSE [kas] n. f. — 1640, au sens 1 ; subst. verbal de *casser*.

♦ **1.** Vx. Décision par laquelle un officier était cassé de son grade. ⇒ **Cassation, dégradation.**

Vx. *Donner de la casse* : déposséder qqn de son emploi.

♦ **2.** (1821). Action de casser, de se casser ; résultat de cette action. ⇒ **Bris.** *Ces objets sont mal emballés, il y aura de la casse* (Académie). *Casser de la casse. Répondre de la casse.* — Fig. *Je ne réponds pas de la casse* : je dégage ma responsabilité dans cette affaire.

0.1   Mais, là, ils trouvèrent l'honorable Batulcar, furieux, qui réclamait des dommages-intérêts pour « la casse ».   J. VERNE, le Tour du monde en 80 jours, p. 204.

Techn. Le fait de se casser (en parlant de la fibre textile). → Casse-trame, cit.

Par métonymie. Surface coupante produite par la cassure d'un objet, d'un métal. *La casse de cette assiette est tranchante.*

♦ **3.** Fam. Violence ; perte qui en résulte. ⇒ **Dégât, grabuge.**

1   Tout à coup M. Eyssette devint terrible ; c'était dans l'habitude d'une nature enflammée, violente, exagérée, aimant les cris, la casse et les tonnerres (...)
                        Alphonse DAUDET, le Petit Chose, I, I.

2   La guerre exagérait sa casse ! Elle ne se conformait pas aux prévisions des règlements !...   MARTIN DU GARD, les Thibault, t. IX, p. 118.

3   Ils virent de nouveau un obus arriver, tomber droit sur le hangar, à la place qu'ils occupaient tout à l'heure. Le fracas fut épouvantable, le hangar s'abattit. Du coup, une joie folle fit danser le gamin, qui trouvait ça très farce.
— Bravo ! en v'là de la casse !   ZOLA, la Débâcle, t. I, p. 282.

♦ **4.** Fait de démonter, dépecer une vieille voiture. *Cette voiture accidentée est bonne pour la casse.* — *Mettre une voiture à la casse,* à la ferraille. *Vendre à la casse,* au poids brut, au prix de la matière première (⇒ **Casseur**).

4   Il s'est acheté à la casse un appareil de cinéma muet, il l'a eu pour une poignée de cerises, vu même que le père Jourde, le ferrailleur, n'en aurait pas voulu.
CAVANNA, les Ritals, p. 81-82.

♦ **5.** Techn. (Vitic). Altération des vins, d'origine chimique ou diastasique. *Casse blanche* : précipité de phosphore et de fer. *Casse cuivreuse, ferrique. Casse brune.* — Altération analogue de la bière. *En brasserie, la casse est une étape normale de la fermentation.*
Par analogie :

5   Les émulsifiants sont destinés à empêcher les fines particules constituant la phase dispersée de l'émulsion de s'agglomérer, entraînant ainsi la « casse » de l'émulsion.
Charles BOURGEOIS, Chimie de la beauté, p. 78.

HOM. 1. Casse, 2. casse, 3. casse, 5. casse.

5. CASSE [kas] n. m. — 1899 ; déverbal de *casser* ou abrév. de *cassement*.

♦ Argot. Cambriolage, cassement (4.). *Faire un casse* (⇒ **Casseur**).

Là, sûr, l'affaire tourne mal : pour que le juge ordonne une saisie, c'est qu'il va nous fiche le casse de la bijouterie sur les endosses.
A. SARRAZIN, la Cavale, p. 40.

HOM. 1. Casse, 2. casse, 3. casse, 4. casse.

CASSE- Élément tiré du verbe *casser,* entrant dans la formation de mots composés, le second élément étant un substantif (voir à l'ordre alphabétique).

CASSÉ, ÉE [kase] adj. — D. i. ; p. p. de *casser.*

★ **I.** Adj. ⇒ **Casser**, p. p.

★ **II.** N. m. ♦ **1.** Sports. *Cassé du corps* : position dans laquelle le corps est incliné vers l'avant (perche, ski...).

♦ **2.** Techn (cuis., confis.). Degré de cuisson du sucre*, précédant la transformation en caramel. *Petit cassé, grand cassé.*

HOM. Casser.

1. CASSEAU [kaso] n. m. — 1723, Savary des Bruslons ; de 3. *casse.*

♦ Imprim. Moitié de casse* à grands compartiments et servant de réserve pour différents caractères.

HOM. 2. Casseau.

2. CASSEAU [kaso] n. m. — 1832, Raymond ; de *casser.*

♦ Méd. vétér. Cylindre de bois à rainure que l'on utilise pour la castration (⇒ **Bistournage**) ou la cure des hernies de certains animaux. ⇒ **Billot.** — REM. S'emploie presque exclusivement au pluriel.

HOM. 1. Casseau.

CASSE-CHAÎNE [kasʃɛn] n. m. — 1890, Encycl. Berthelot ; de *casse-,* et *chaîne.*

♦ Techn. Organe du métier à tisser produisant mécaniquement l'arrêt de celui-ci quand un fil de chaîne vient à se casser. → Casse-trame, cit. — On dit aussi *casse-fil. Des casse-chaînes.*

Souvent, les métiers sont munis également de casse-chaînes. Un casse-chaîne est constitué par des lamelles métalliques en nombre égal à celui des fils de chaîne.
Charles MARTIN, la Laine, p. 74.

CASSE-CŒUR [kaskœʀ] n. m. — V. 1900 ; de *casse-,* et *cœur.*

♦ Fam. Séducteur, don Juan. ⇒ **Brise-cœur, tombeur** (fam.). *Des casse-cœurs.*

Tu connais son genre. Un peu lourd, un peu brutal, avec des manières de casse-cœur.
M. AYMÉ, Travelingue, p. 193.

CASSE-COU [kasku] n. m. invar. — 1718, Académie ; de *casse- (casser),* et *cou.*

♦ **1.** Passage, lieu où l'on risque de tomber. ⇒ **Brise-cou.** *Cet escalier est un véritable casse-cou. Des casse-cou.* — Fam., vx. *Aller au casse-cou* : aller à la guerre. ⇒ **Casse-gueule, casse-pipe.**
Interjection pour avertir celui qui a les yeux bandés qu'il est sur le point de se heurter contre quelque chose, au jeu de colin-maillard.
Crier casse-cou à qqn, l'avertir d'un danger probable. ⇒ **Avertissement ; gare** (crier gare).

1   (...) la tête abandonne les mains et les yeux
Rit quand elle s'entend crier casse-cou.
ÉLUARD, Ralentir travaux, in Œ. Compl., t. I, Pl., p. 277.

♦ **2.** Fam. Personne qui s'expose, sans réflexion, à un danger, qui commet témérairement des imprudences. ⇒ **Audacieux, imprudent, risque-tout, téméraire.** *C'est un casse-cou intrépide. Ces fillettes sont de vrais casse-cou.* — (Attribut). *Elles sont très casse-cou.*

(...) il y a une majorité stupéfiante de casse-cou, de batailleurs, de ressauteurs-nés, toujours prêts à relever un défi.   2
MARTIN DU GARD, les Thibault, t. VII, p. 144.

(1798). Spécial. Palefrenier qui dresse des chevaux difficiles. — Par ext. Cavalier audacieux mais sans talent.

CASSE-CROÛTE [kaskʀu] n. m. invar. — 1898 ; « instrument pour casser la croûte à l'usage des vieillards », 1803 ; de *casse- (casser),* et *croûte.*

♦ **1.** Repas léger pris rapidement « sur le pouce ». ⇒ **Casse-dalle, casse-graine** (fam.), **collation.**

♦ **2.** (Mil. xxᵉ). Au Québec, pour éviter l'anglicisme *snack-bar.* Café, restaurant ou bar où l'on sert des repas rapides.

CASSE-CUL [kasky] n. et adj. invar. — 1740, Académie ; de *casse- (casser),* et *cul.*
Familier.

♦ **1.** Vx. Chute sur le derrière. ⇒ **Tape-cul.** *Faire des casse-cul.*

♦ **2.** (1949). Personne ou chose contrariante, qui importune. — Adj. *Il, elle est casse-cul avec toutes ses histoires* (Cf. Il nous les casse). ⇒ **Casse-pieds.** — (Sujet n. de choses) *C'est casse-cul, ces recherches.*

Ça ne vient pas du tout, protesta-t-il en toussant.
— Ce que tu es casse-cul ! cria Guiccioli courroucé. Quand on ne sait pas vomir, on ne boit pas.   SARTRE, la Mort dans l'âme, p. 109.

CASSE-FIL [kasfil] n. m. Techn. ⇒ **Casse-chaîne.**

CASSE-GRAINE [kasgʀɛn] n. m. — 1940 ; de *casse- (casser),* et *graine.*

♦ Fam. Repas sommaire. ⇒ **Casse-croûte.** *Emporter son casse-graine.* — Repas.
(...) l'invitation au casse-graine chez Maxim's : magnum de champ *(champagne)...*
Albert SIMONIN, Touchez pas au grisbi, p. 23.

CASSE-GUEULE [kasgœl] n. m. invar. — 1808 ; de *casse- (casser)* et *gueule.*
Familier.

♦ **1.** Vx. Eau-de-vie*, liqueur très forte. ⇒ **Tord-boyaux.** *Des casse-gueule* (On dit aussi *casse-poitrine, casse-pattes*).

Gervaise, pour ne pas se faire remarquer, prit une chaise et s'assit à trois pas de la table. Elle regarda ce que buvaient les hommes, du casse-gueule qui luisait pareil à l'or, dans les verres (...)   ZOLA, l'Assommoir, t. II, p. 147.   1

♦ **2.** Mod. Entreprise hasardeuse, opération risquée. — Spécialt. (1914). *Aller au casse-gueule* : aller à la guerre. ⇒ **Casse-cou** (vx), **casse-pipe.**
Adj. Plus cour. Périlleux. *Un exercice casse-gueule. C'est casse-gueule.* — Fig. Risqué. *Abandonnez ce projet, c'est casse-gueule !* ⇒ **Dangereux, redoutable.**

(...) avec le lieutenant Demougeot, j'irais sur n'importe quel engin. Si vous aviez vu le décollage dans le port de Casa, pleine charge, entre tous les bateaux ! Le second pilote voulait descendre tellement c'était casse-gueule.   2
J. KESSEL, Vent de sable, p. 86.

CASSE-LUNETTES [kaslynɛt] n. f. — 1766 ; de *casse- (casser),* et *lunette.*

♦ Vx. ou régional. Euphraise officinale, ou centaurée-bleuet, plante qui passe pour guérir les maux d'yeux. *De la casse-lunettes. Herbe de casse-lunettes* (même sens).

Elle savait (...) macérer l'herbe de casse-lunettes qui est un remède pour les yeux.
A. ARNOUX, Suite variée, p. 74.

CASSE-MÈCHE [kasmɛʃ] n. m. — 1890, Encycl. Berthelot ; de *casse- (casser),* et *mèche.*

♦ Techn. Dispositif du banc d'étirage (filature) arrêtant le fonctionnement quand le ruban textile manque ou se casse. — Syn. : *brise-mèche* (Cf. aussi Casse-chaîne et casse-trame). — On écrit aussi *casse-mèches.*

CASSEMENT [kasmɑ̃] n. m. — XIIIᵉ ; de *casser.*

♦ **1.** Rare. Action de casser*.

♦ **2.** (1851). *Cassement de tête* : ce qui procure des maux de tête, fatigue ou obsède l'esprit ; cause de fatigue intellectuelle. ⇒ **Ennui,** *fatigue, préoccupation, souci, tracas ;* → Casse-tête, 2. et 3. *Un cassement de tête insupportable, obsédant, pénible. Ce travail est un vrai cassement de tête.*

♦ **3.** (1765). Jardin. Opération de taille des arbres fruitiers qui consiste en un pincement. *Cassement total. Cassement partiel.*

♦ **4.** (1878 ; de *casser* I., A., 1.). Argot. Cambriolage, vol par effraction. *Faire un cassement.* ⇒ 5. **Casse ; casseur.**

À la volante ou à la voie publique (...) votre indic vous rencarde un tricard ou un cassement...
Enfin, je veux dire un interdit de séjour ou un cambriolage...
J'avais compris !... Je suis artiste.
　　　　H.-G. CLOUZOT et J. FERRY, Quai des Orfèvres,
　　　　　　　　in l'Avant-Scène, nº 29, p. 28, 1963.

CASSE-MUSEAU [kasmyzo] n. m. — 1906 ; xvᵉ, «pâtisserie molle et creuse»; de *casse-*, et *museau.*

♦ Pâtisserie assez dure à croquer. *Des casse-museaux.*

CASSE-NOISETTES [kasŋwazɛt] n. m. invar. — 1680 ; de *casse-(casser)*, et *noisette.*

♦ Petit instrument pour casser les noisettes, constitué le plus souvent de deux leviers articulés formant pince. *Des casse-noisettes.* — Fig. *Menton en casse-noisettes :* dont la courbe est très accentuée vers le nez. *Profil de casse-noisettes.*

CASSE-NOIX [kasŋwa ; kasŋwa] n. m. invar. — 1564 ; de *casse-(casser)*, et *noix.*

♦ **1.** (1611). Instrument analogue au casse-noisettes, mais d'ouverture plus grande pour casser les noix. *Des casse-noix.*

♦ **2.** Oiseau granivore, à bec fort, qui vit dans les forêts de conifères des régions septentrionales.

La forêt se dépeuplait de ses oiseaux, on les voyait s'élever au-dessus des gorges, les verdiers, les casse-noix, les faucons !
　　　　Corinna BILLE, le Sabot de Vénus, p. 215.

CASSE-PATTES [kaspat] n. m. invar. — 1928 ; de *casse- (casser)*, et *patte.*

♦ Fam., vieilli. Alcool fort. ⇒ **Casse-gueule** (1.), **casse-poitrine, tord-boyaux.**

(...) une bouteille d'eau-de-vie blanche, de cette saleté que les débardeurs appellent du casse-pattes.　　　　G. DUHAMEL, Chronique des Pasquier, VI, XIII.

CASSE-PIEDS [kaspje] n. invar. — 1948 ; de *casse- (casser)*, et *pied ;* titre d'un film de Noël-Noël, *les Casse-pieds.*

♦ Fam. Personne importune, sans-gêne. ⇒ **Fâcheux, gêneur ;** fam. **casse-cul, crampon, raseur.**

Bonne nuit, pauvre petite (...) jeta le gendarme en jupon (...)
— Quel chameau ! fis-je en claquant la portière *(du taxi).*
— Oui, quel casse-pieds ! Imagine-toi, Blaise, que voici deux jours que je l'ai sur le dos et qu'elle n'a pas arrêté de me raconter des horreurs sur son mari.
　　　　B. CENDRARS, Bourlinguer, IV, Folio, p. 62 (1948).

Adj. Ennuyeux. *Ce qu'il peut être casse-pieds ! Un spectacle casse-pieds.*

CASSE-PIERRE ou **CASSE-PIERRES** [kaspjɛʀ] n. m. — xvıᵉ ; de *casse- (casser)*, et *pierre.*

♦ **1.** Vx. Outil du tailleur de pierre. — Mod. *Machine casse-pierre* ou *casse-pierres :* machine formée de massettes reliées à un arbre rotatif. *Casse-pierre à mâchoire. Les casse-pierre sont utilisés pour le concassage du ballast des voies ferrées.*

♦ **2.** Pariétaire* (plante). ⇒ **Christe-marine, saxifrage.**

CASSE-PIPE ou **CASSE-PIPES** [kaspip] n. m. invar. — 1918 ; de *casse- (casser)*, et *pipe.*

♦ **1.** Tir forain où l'on s'exerce à abattre des pipes en terre.

♦ **2.** (V. 1918). Fam. *Le casse-pipe :* la guerre. — Spécialt. La zone de combat de première ligne, le front. *Aller, monter au casse-pipe(s).* ⇒ **Casse-cou** (vx), **casse-gueule.**

1　Tu as lu les journaux ? La patrie en danger ! Tous debout !
Sabre au clair ! Zim boum boum ! c'est le tam-tam, pour préparer le grand casse-pipes !...　　　　MARTIN DU GARD, les Thibault, t. VII, p. 147.

2　Mais je me suis contenté d'une demi-mesure et je n'ai pas cessé de biaiser : postuler une affectation qui simplement ne fût pas abusive et absurde, c'était encore user de mes prérogatives d'intellectuel, donc de bourgeois, refuser de prendre le taureau par les cornes et d'aller au casse-pipe comme le premier venu.
　　　　Michel LEIRIS, Biffures, p. 229 (1948).

Par métonymie. Danger de mort (spécialt, en combattant).

3　«Tu sais où ils m'enverront. En avant de la ligne Maginot : c'est le casse-pipe garanti.»　　　　SARTRE, l'Âge de raison, p. 127 (1945).

CASSE-POITRINE [kaspwatʀin] n. m. invar. — 1844, Vidocq ; de *casse- (casser)*, et *poitrine.*

♦ Pop. et vx. Eau-de-vie très forte, et de qualité inférieure. ⇒ **Casse-gueule** (1.), **casse-pattes, tord-boyaux.**

CASSE-POT [kaspo] n. m. — 1846, Bescherelle ; de *casse-*, et *pot.*

♦ ⇒ **Cestreau.**

CASSER [kase] v. — 1160 ; *quasser* «briser», 1080, *Chanson de Roland ;* bas lat. *quassare,* forme fréquentative de *quatere* «secouer».

★ **I.** V. tr. **A.** ♦ **1.** Mettre en morceaux, diviser (une chose rigide) d'une manière soudaine, sous l'action d'un choc, d'une pression, d'un coup (le sujet désigne soit une personne, soit une chose, une force qui est cause de l'action). ⇒ **Briser, broyer, disloquer, écraser, fracasser, rompre.** *Casser une glace, une assiette, un verre.* — Fig. *Qui casse les verres les paie :* celui qui cause un dommage doit le réparer. *Il est maladroit, il casse tout ce qu'il touche.* ⇒ **Brisetout, casse-tout.** — *Casser le bec d'une cruche, d'un pot.* ⇒ **Égueuler.** *Casser la pointe d'un instrument.* ⇒ **Épointer.** *Casser le manche d'un outil.* ⇒ **Démancher.** *Endommager un vase en cassant le bord.* ⇒ **Ébrécher, écorner.** *Casser le pied d'un meuble.* ⇒ **Épater.** *Casser un carreau, une vitre.* Loc. fig. *Casser les vitres :* faire un éclat, manifester sans ménagement son mécontentement (⇒ **Emporter** [s'] ; **colère** [se mettre en]) ; avoir un effet retentissant. *Casser la baraque.* ⇒ **Baraque.** *Casser la cabane :* opérer une quasi-révolution (dans un domaine). *« Le jeune producteur qui, à trente-deux ans, a « cassé la cabane » du cinéma français, a surtout l'air d'un (individu) astucieux qui aurait commencé par vendre des cravates dans un parapluie »* (*Match*, nº 1275, 13 oct. 1973).
Casser des œufs, en briser la coquille. — Prov. *On ne fait pas d'omelette sans casser des œufs :* on n'obtient pas de résultat sans quelque sacrifice, sans quelque violence.

0.1　Mais trahir les vivants, c'est grave. «Si je parle, j'en trahirai d'autres», me répondrait Robert. Et ils ajouteraient en chœur qu'on ne fait pas d'omelette sans casser des œufs. Mais à la fin, qui les mangera toutes ces omelettes? Les œufs cassés pourriront et infesteront la terre.　　　S. DE BEAUVOIR, les Mandarins, p. 336 (1954).

Casser les assiettes : être un «casseur* d'assiettes», faire du tapage, du scandale.

0.2　Ils aspirent à l'Élysée comme pour se reposer d'avoir cassé tant d'assiettes.
　　　　F. MAURIAC, Bloc-notes 1952-1957, p. 51.

Loc. fig. (De *casser* le pain, le rompre). *Casser une croûte, casser la croûte, la graine :* manger (⇒ **Casse-croûte, casse-graine**).

1　(...) et attend le matin pour casser une croûte.　　　J. VALLÈS, l'Enfant, p. 232.

Mar. *Casser les amarres.* ⇒ **Rompre.**

2　La nuit allait les prendre, le vent se levait (...) cela tournait mal, quand, tout-à-coup, vers six heures, les voilà dégagés, partis, cassant les amarres qu'ils avaient laissées pour se tenir (...)　　　LOTI, Pêcheur d'Islande, II, XII, p. 129.

(1690). Agric. Donner un premier labour à (une terre en friche). *Casser une terre, une bruyère.* ⇒ **Cassage.**
Casser du bois, le couper (à la hache). Loc. fam. (vieilli). *Le pilote a cassé du bois en atterrissant,* il a endommagé son avion. — *Casser des fruits secs,* en briser la coquille.

3　Du matin au soir, elle cassait des amandes avec la tête d'un os de mouton, sur un gros pavé, serré entre ses genoux.　　　ZOLA, le Dr Pascal, I, p. 22.

Figuré :

4　La misère ne fait pas les amers désolés. Elle casse un ressort ; elle brise l'indépendance (...)　　　Ed et J. DE GONCOURT, Journal, p. 184.

Loc. *Casser le morceau :* avouer, dénoncer (Cf. Se mettre à table). Argot. Dire. *Casser du boni :* faire du boniment. *Sans en casser une :* sans un mot.

4.1　Durant le parcours, because que Nana, Riton en avait pas cassé une, et pendant la graine *(le repas)* ça aurait pas été poli pour Marinette de parler de nos affaires.
　　　　Albert SIMONIN, Touchez pas au grisbi, p. 93.

Casser du sucre sur le dos de qqn, le calomnier ou en médire.
— *Casser sa canne* (vx), *sa pipe, la casser :* mourir. ⇒ **Casse-pipe**(s).
— *Casser le cou à une bouteille.* ⇒ **Boire.** — *Casser sa tirelire* : dépenser toutes ses économies. *Casser un billet :* commencer à dépenser la somme qu'il représente.
Argot. Ouvrir de force la porte de..., cambrioler. *Il veut casser une banque.* ⇒ **Cassement, casseur.**
(En parlant d'une partie du corps). **CASSER LA TÊTE** (**de qqn**), l'écraser, la fracasser (vx). *Il lui a cassé la tête.*

5　(...) le fidèle émoucheur
Vous empoigne un pavé, la lance avec raideur,
Casse la tête à l'Homme en écrasant la mouche (...)
　　　　LA FONTAINE, Fables, VIII, 10.

Se casser la tête : se tuer par une chute sur la tête.

5.1　Lui faisant faire *(à son cheval)* des voltes et des caracoles, il tombe lourdement et se casse la tête.
　　　　LA BRUYÈRE, les Caractères de Théophraste, «D'une tardive instruction».

Fig. et mod. Assourdir par un grand bruit. ⇒ **Étourdir ; cassement** (de tête). *Il nous casse la tête avec ses discours.*

5.2　Une jeune Noire est en train de faire le lit au son de la radio qui hurle un air de jazz (...) Anouk se retourne vers elle et lui dit sèchement :
— Je ne veux pas de la radio... Ça me casse la tête...
　　　　Christine ARNOTHY, Un type merveilleux, 1972, p. 99.

Ce travail me casse la tête (⇒ **Casse-tête**). *Se casser la tête à, sur :* travailler avec acharnement à, sur. — Vx :

5.3 Il se casse la tête d'application. Mme DE SÉVIGNÉ, *Lettres*, 12 oct. 1677.

5.4 Quant à l'huissier à verge de Mont-de-Marsan, il ne lui reste qu'à se casser la tête sur les textes et règlements promulgués en novembre 69 par la commission permanente (...) Yanny HUREAUX, la *Prof*, p. 328.

Se casser la tête : se faire du souci.

5.5 — Ne vous cassez pas la tête ; tenez, je sais faire cette règle aussi bien que vous ; et même d'une manière plus courte. RESTIF DE LA BRETONNE, *la Vie de mon père*, p. 85.

Fam. *Ne te casse pas la tête !* : ne te fatigue pas (cf. Ne t'en fais pas). *Sans se casser la tête :* sans se fatiguer, simplement.

5.6 Oh! le mot lui est venu comme ça. Mais en somme il exprime bien sa pensée. Naturellement, parce qu'il aime Reine avec naturel. Sans avoir à se forcer, à se casser la tête. F. MALLET-JORIS, le *Jeu du souterrain*, 1973, p. 28.

Se casser la tête contre les murs : s'abandonner au découragement. ⇒ **Désespérer** (se).

Fam. *Casser la figure, la gueule, le cou, les reins, les os, la margoulette* à qqn.* ⇒ **Battre, éreinter, rosser.** *Il s'est fait casser la gueule par des loubards.* → Se faire bourrer* la gueule.

6 Par moments, des souffles de colère le soulevaient et il sentait des envies brutales d'aller casser les reins du marquis ou le souffleter au cercle. MAUPASSANT, les *Sœurs Rondoli*, « Rencontre », p. 243.

7 (...) on répète qu'on le tient cette fois, qu'on l'attendait là *(Jaurès)*, qu'on va lui casser les reins, qu'il faut qu'il en crève (...) Ch. PÉGUY, la *République...*, p. 41.

8 Et si je vous cassais la figure, maintenant ? COURTELINE, *Boubouroche*, II, 4.

9 Rien à tenter, mes gars ; résignez-vous à vous faire casser la gueule !... MARTIN DU GARD, les *Thibault*, t. VIII, p. 36.

Pron. (Récipr.). *Se casser la figure, la gueule :* se battre. (Réfl.). *Se casser la figure, la gueule :* tomber ; avoir un accident ; se tuer. *Attention, tu vas te casser la gueule !*

9.1 Brusquement, *(le cheval)* s'emballa (...) et lança en arrière une ruade si violente, que Marjalet distingua les sept clous du fer, à un pouce de son visage. — Nom de Dieu de nom de Dieu ! cria-t-il furieux, ce bougre-là va nous faire casser la gueule à tous ! COURTELINE, les *Gaîtés de l'escadron*, p. 70 (1866).

♦ **2.** Disjoindre l'articulation ou rompre l'os de (un membre, du nez, etc.), rompre ou ébrécher (une dent), etc. *Le coup, la balle, la chute lui a cassé le bras. Il s'est cassé la jambe en faisant du ski.* — (Vx). *Casser les bras et les jambes :* battre, frapper.

10 Veux-tu te voir casser les jambes et les bras ? MOLIÈRE, le *Dépit amoureux*, III, 8.

Loc. fig. *Casser bras et jambes à qqn* (sujet n. de chose) : enlever le courage, la force, tout moyen d'agir. ⇒ **Affaiblir, couper** (les bras), **décourager.** *Cette nouvelle lui a cassé bras et jambes.* — Au p.p. :

10.1 Et quand il rentra, il avait les jambes cassées et l'humeur irritable comme après une fausse joie, une bonne nouvelle qui n'est pas venue, une grande espérance qui ne s'est pas réalisée. PROUST, *Jean Santeuil*, Pl., p. 778.

Se casser le nez (cit. 38), *se casser le nez (à la porte de qqn) :* trouver porte close.

10.2 *(M. Octave)* avait dit aux deux messieurs qu'ils seraient toujours sûrs de le trouver le jeudi après-midi ; les autres jours ils risquaient fort de se casser le nez. MONTHERLANT, les *Célibataires*, 1934, *in Roman*, t. I, Pl., p. 777.

Se casser le nez, le cou, la gueule, les reins : échouer (sujet n. de personne ou de notion abstraite).

10.3 Le grotesque est un genre rien moins que facile. Il demande plus de sensibilité que d'intelligence, aussi nombre de réalisateurs parmi les plus huppés s'y cassent les reins. J.-L. GODARD, *in Cahiers du cinéma*, n° 62, août-sept. 1956.

10.4 Quoi ? On pouvait vivre dans ces cellules et être innocent ? Improbable, hautement improbable ! Ou sinon mon raisonnement se casserait le nez. CAMUS, la *Chute*, p. 127.

Casser les reins à quelqu'un, le ruiner, briser sa carrière. *Il lui a cassé deux dents d'un coup de poing.* ⇒ **Édenter.** *Se casser une dent.* — Loc. fig. *Se casser les dents (sur, contre qqch.) :* se heurter à des obstacles, des difficultés. *Je me suis cassé les dents sur ce problème*, j'ai eu du mal à le résoudre.

♦ **3.** Léser, faire mal à (une partie du corps). — REM. Cette valeur est rare au sens concret général.

Vulg. *Casser le cul, le pot à qqn*, le sodomiser. — Fig. *Tu nous casses le cul* (syn. vulg. *de casser les pieds*). *Se casser le cul à... :* se démener, faire de grands efforts pour... → Se décarcasser, se démancher, etc.

10.5 C'est pas comme une usine où les ouvriers se cassent le cul, tandis que les patrons se tournent les pouces. R. QUENEAU, le *Dimanche de la vie*, p. 180.

(1890). *Casser les pieds à qqn*, l'importuner (⇒ **Casse-pieds**). *Tu nous casses les pieds !*

10.6 Pourquoi pas alors façon de se taire ? Vous auriez dû comprendre, Monsieur le Professeur, que cela fait nombre d'années que vous nous cassez les pieds avec votre questionne-ère (...) J. PRÉVERT, *Choses et autres*, p. 146.

Var. vulg. *Casser les couilles, les burettes, les burnes, les parties* (cit. 16.1) *à (qqn).* Par euphém. *Tu nous les casses !* Syn. : *tu nous les brises, tu nous les brises menu ! ; tu nous les broutes !*

10.7 En prison. Voyous, anarchistes, mauvais Français... — Ça va, coupa Martin, tu nous en casses deux, avec tes renvois. M. AYMÉ, le *Vin de Paris*, « La traversée de Paris », p. 55.

Messieurs, Mesdames ! Ma femme est folle !... (...) Je suis le Procureur Sacagne **10.8** de Montargis dans la Côte-d'Or !...
— Merde ! Eh, Chinois ! Tu nous les casses ! Au vent ta morue ! wagon !...
Voilà comment la foule l'appelle... CÉLINE, *Guignol's band*, p. 17 (1944).

Casser les oreilles de qqn, à qqn : faire trop de bruit. Syn. (vieilli) : *briser les oreilles.*

♦ **4.** Fam. Causer à (un objet) un dommage qui l'empêche de fonctionner (sans toutefois le briser, le détruire). *Il a cassé sa bicyclette. La radio est cassée !*

J'ai cassé ma montre hier soir. GIDE, *Voyage au Congo, in Souvenirs*, Pl., p. 698 (1927). **10.9**

Fig. *Tu vas te casser les yeux à lire.* ⇒ **Abîmer.** — *Se casser la voix*, la rendre rauque en la forçant, en parlant ou en chantant trop fort ou trop haut. — Fam. *Casser le moral à qqn*, le démoraliser (cf. Casser bras et jambes).

♦ **5.** Loc. fig. et fam. ÇA NE CASSE RIEN *(ça ne casse pas trois pattes à un canard, ça ne casse pas les vitres, ça ne casse pas des briques)* : ce n'est pas extraordinaire, ça n'a rien de remarquable.
À TOUT CASSER : à toute allure. *Il conduit sa voiture à tout casser.* — Très fort (→ À tout rompre*).
Loc. adj. *Un film, un repas à tout casser*, extraordinaire. — Loc. adv. Tout au plus. *Ça vous coûtera dix francs à tout casser.*

♦ **6.** SE CASSER v. pron. **a** (Sens passif). *Ce matériau se casse facilement. L'assiette s'est cassée en tombant.*

b (Sens réfl.). Se voûter, en parlant d'une personne. *Ce vieillard commence à se casser.*

c (Réfl.). 1835, Raspail ; pour *casser* (plier) *ses jambes.* Fam. S'en aller au plus vite, s'enfuir. ⇒ **Tailler** (se).

Tu seras soupçonné (...) plus que soupçonné si les flics te piquent (...) — Si je me **10.10** casse pas, faudra que j'aille à l'enterrement et j'aime pas du tout ce truc-là. J. CAU, *la Pitié de Dieu*, 1961, p. 79.

On ralentit, on allait entrer dans un patelin. Les mômes, y se cassent. On se dit : **10.11** on leur fait peur. Roger NIMIER, le *Hussard bleu*, p. 107.

Fam. Se fatiguer ; faire un effort. *Il ne s'est pas cassé pour préparer son cours. Je ne vais pas me casser pour eux.* ⇒ **Fouler** (se fouler, 2.).

B. (Abstrait). ♦ **1.** (XIIIe). Annuler* (un acte, un jugement, une sentence). ⇒ **Abroger ; cassation.** *Casser une condamnation, un testament, un arrêt, un contrat.* ⇒ **Rescinder, rompre.**

J'ai ouï parler d'une espèce de tribunal qu'on appelle l'Académie française. Il n'y **11** en a point de moins respecté dans le monde ; car on dit qu'aussitôt qu'il a décidé, le peuple casse ses arrêts, et lui impose des lois qu'il est obligé de suivre. MONTESQUIEU, *Lettres persanes*, LXXIII.

Casser un mariage. — Par ext. *Casser des fiançailles*, les rompre.

♦ **2.** (Fin XVe). Dégrader* (un officier). ⇒ **Cassation.** — Par ext. Destituer* (qqn) d'une fonction, d'un emploi. ⇒ **Démettre, déposer, limoger, révoquer.** *Casser un fonctionnaire.* — *Casser qqn aux gages :* priver qqn de son emploi.

♦ **3.** Neutraliser (un adversaire) ; abattre (un obstacle). « *Nous n'aurons pas la victoire tant que nous n'aurons pas cassé l'infrastructure vietcong* » (l'*Express*, 17 oct. 1966).

♦ **4.** Supprimer ou désorganiser (une organisation) avec brutalité. *Casser une administration par des mesures soudaines.*

Dans les trois quarts des départements, les administrations légalement élues depuis **12** deux ans étaient cassées et, d'autorité, le Directoire *nommait*, en violation de la Constitution, des fonctionnaires à sa dévotion. Louis MADELIN, l'*Ascension de Bonaparte*, XIII, Campo-Formio, p. 180.

♦ **5.** Interrompre ou gêner. *Casser le travail. Il casse le travail. Casser une grève.* ⇒ **Briser ; briseur** (de grèves).

(...) d'une façon encore plus ténue, mais non moins blessante, il s'ingénie à « cas- **12.1** ser » la conversation, soit en imposant de passer brusquement d'un sujet grave (qui m'importe) à un sujet futile, soit en ne s'intéressant visiblement, pendant que je parle, à autre chose que ce que je dis. R. BARTHES, *Fragments d'un discours amoureux*, p. 148.

Casser le métier, le dévaloriser (en particulier en acceptant de travailler pour une rémunération inférieure à ce qui est communément admis).

Écon. Désorganiser (un marché, un cours...). — *Casser les prix :* provoquer une brusque chute des prix sur le marché. « *La vente en masse (dans un magasin à grande surface) permet de casser les prix — 10 à 15 % — pour la plupart des articles* » (*Femme pratique*, sept. 1970).

Modifier soudainement, détériorer. *Casser l'atmosphère. Casser le rythme d'une émission par des annonces publicitaires.*

♦ **6.** *Casser l'atome*, en provoquer la fission. « *Si on est parvenu à "casser" l'atome — dans des bombes ou dans des centrales atomiques — on ignore toujours de quoi sont faits les protons et les neutrons qui le constituent* » (le *Nouvel Obs.*, 23 nov. 1966). — REM. Métaphore familière qui n'appartient pas au langage scientifique.

★ **II.** V. intr. ♦ **1.** Se rompre, se briser. *Le verre a cassé en tombant.* — Se rompre facilement. *Une branche qui casse. Cela casse comme du verre.* ⇒ **Cassable, fragile.**

13 La plaisanterie est comme le coton qui, filé trop fin, casse, a dit Bonaparte.
BALZAC, Illusions perdues, Pl., t. IV, p. 806.

14 Ça pouvait être dans les onze heures quand Panturle s'est arrêté pour raccommoder la longe qui venait de casser.
J. GIONO, Regain, II, IV.

Prov. Quand la corde est trop tendue, elle casse : il est dangereux de dépasser la mesure, les bornes.

Loc. fig. Tout passe, tout lasse, tout casse : tout a une fin.

♦ **2.** Se désagréger, s'effriter. *Cette pâte casse sous les doigts.*

▶ **SE CASSER** v. pron. Voir ci-dessus I., A., 6.

▶ **CASSÉ, ÉE** p. p. adj. *Un verre cassé. De vieux jouets cassés, tout cassés. Payer les pots* cassés.*

15 — Elle ne marche pas, ta montre.
— Non, dit Marie, elle est cassée.
Bon, cassée. À cela rien à répondre. Ce ne fut qu'un peu plus tard. Pourquoi Marie accrochait-elle au mur une montre qui ne pouvait indiquer l'heure puisqu'elle était cassée? Et puis, on ne casse pas comme cela une montre.
André BAILLON, Délires, « La mort ».

(1871, Zola, *in* D. D. L.). *Col cassé :* col dur dont les deux coins supérieurs sont rabattus. Cf. fam. Col à bouffer de la tarte.

Blanc* cassé.

Fig. Une voix cassée*. ⟹ **Faible, voilé.**

16 Tout à coup elle frémissait de la tête aux pieds, en entendant partir du coin de la cheminée un petit filet de voix cassée, flutée, comme étouffée sous terre.
LOTI, Pêcheur d'Islande, III, XIV, p. 201.

17 (...) une voix qui, bien que cassée et chevrotante, avait encore une grande douceur.
Th. GAUTIER, Mlle de Maupin, VI, p. 156.

(Personnes). *Un vieillard cassé.* ⟹ **Caduc, courbé, décrépit, usé, voûté.** — *Un corps cassé par l'âge.*

18 (...) un vieillard insensé
Qui fait le dameret dans un corps tout cassé. MOLIÈRE, l'École des maris, I, 2.

19 Alors il vint, cassé de débauches, l'œil terne,
Furtif, les traits pâlis,
Et ce voleur de nuit allume sa lanterne
Au soleil d'Austerlitz! HUGO, les Châtiments, « Nox », 3.

20 Il *(le vieillard)* n'était pas voûté, mais cassé, son échine
Faisant avec sa jambe un parfait angle droit.
BAUDELAIRE, les Fleurs du mal, Tableaux parisiens, « Les sept vieillards ».

21 Je serai *(Péguy)* un vieux cassé, un vieux courbé, un vieux noueux. Je serai un vieux retors. Ch. PÉGUY, la République..., p. 267.

Argot milit. Gueule* cassée : mutilé de la face (à la suite d'une blessure de guerre).

CONTR. Arranger, raccommoder, recoller, réparer. — Confirmer, ratifier, valider. — Droit, jeune.
DÉR. Cassable, cassage, cassant, 1. cassation, 4. casse, cassé, 2. casseau, cassement, casseur, cassin, 2. cassis, casson, cassure. — V. 5. Casse.
COMP. Incassable, recasser. V. Concasser. — Casse chaîne, casse-cœur, casse-cou, casse-croûte, casse-cul, casse-fil, casse-graine, casse-gueule, casse-lunettes, casse-mèche, casse-noisettes, casse-noix, casse-pattes, casse-pieds, casse-pierre, casse-pipe, casse-poitrine, casse-pot, casse-sucre, casse-tête, casse-tout, casse-trame.

CASSEROLE [kasʀɔl] n. f. — 1583; de 1. *casse*, et suff. *-(er)ole* p.-ê. d'après l'ital. *cazzeruolo.*

♦ **1.** Ustensile de cuisine généralement en métal, de forme cylindrique et à manche. ⟹ **Braisière, sauteuse;** 1. *Casse,* 3. *Casserole en aluminium, en cuivre, en terre cuite. Étamer un fond de casserole. Queue d'une casserole. Récurer les casseroles. Une série de casseroles.*

1 Quant à la propreté, le poli de ses casseroles faisait le désespoir des autres servantes. FLAUBERT, Trois contes, « Un cœur simple ».

2 Ce jour-là le nombre des casseroles était innombrable, tant le dimanche il devait y avoir de plats. PROUST, Jean Santeuil, Pl., p. 337.

Contenu d'une casserole. ⟹ **Casserolée.** *Verser une casserole d'eau.*

♦ **2.** *Loc. À la casserole,* se dit de divers plats préparés dans une casserole. *Veau à la casserole.*

3 C'était sous le hangar de la charretterie que la table était dressée. Il y avait dessus quatre aloyaux, six fricassées de poulets, du veau à la casserole, trois gigots et, au milieu, un joli cochon de lait rôti (...) FLAUBERT, Mme Bovary, I, IV.

Fig. et fam. (par référence aux volailles que l'on tue pour les faire cuire). *Passer qqn à la casserole,* le tuer; lui faire subir une épreuve désagréable. *Passer à la casserole :* être mis dans une mauvaise situation (cf. Être cuit, frit, etc.).

4 Y a pas à chier, on est bon. Si c'est pas demain qu'on passe à la casserole, c'est après-demain. Jean GENET, Pompes funèbres, p. 94.

5 Il ne reste plus que d'attendre pour savoir si nous passerons à la casserole ou à la poêle et qui en tiendra la queue (...)
F. MAURIAC, le Nouveau Bloc-notes 1958-1960, p. 51.

Spécialt. Passer à la casserole. Se dit d'une femme dans l'obligation d'accepter l'acte sexuel, ou qui s'y prête pour la première fois.

6 J'éprouvai du plaisir, ce que je n'avais pas espéré de cette rencontre. Elle m'apprit que je pouvais la prendre normalement parce qu'elle n'était plus vierge : son cousin. Elle avait consenti parce que sa cousine, France, qu'elle admirait était passée à la casserole elle aussi. C'était la nouvelle mode.
Jacques LAURENT, les Bêtises, p. 146 (1971).

♦ **3.** (1931). Fam. Mauvais piano. — *Loc.* (par référence aussi au bruit métallique, désagréable, qu'occasionne le heurt d'une casserole). *Chanter comme une casserole :* chanter de façon discordante. *Faire un bruit de casserole :* produire un son désagréable.

♦ **4.** Fam. Objet ou personne de peu de valeur. *Être une casserole :* n'être bon à rien. — *Loc. Raisonner comme une casserole :* penser faux. — (1848). Fam. Mouchard, dénonciateur.

7 Il ne s'agit pas de *battre l'antife* (marquer le pas) sur le boulevard, sans avoir à *béquiller* (manger), crois-moi, fais-toi *casserole* (mouchard), c'est une position tout à fait tranquille. Louise MICHEL, la Misère, t. III, p. 640.

♦ **5.** (1924). Fam. Projecteur (⟹ **Gamelle**); réflecteur électrique.

DÉR. Casserolée, casserolier.

CASSEROLÉE [kasʀɔle] n. f. — 1838; de *casserole.*

♦ Contenu d'une casserole pleine. *Une casserolée de pâtes.* — Dans ce sens, *casserole* est plus usuel.

Elle me dit tout, fait Marthe. Vous savez, Madame, elle ne sait rien faire et maintenant qu'elle est seule, sans bonne, c'est une pitié! Je l'ai vue faire cuire une escalope dans une casserolée d'eau, à gros bouillons.
Hervé BAZIN, Cri de la chouette, p. 154.

CASSEROLIER [kasʀɔlje] n. m. — xxᵉ, attesté; de *casserole.*

♦ Régional (Suisse). Marmiton chargé de l'entretien de la batterie de cuisine, dans un restaurant.

CASSE-SUCRE [kassykʀ] n. m. invar. — 1892; de *casse-* (*casser*), et *sucre.*

♦ Techn. Instrument servant à casser le sucre en morceaux réguliers.

CASSE-TÊTE [kastɛt] n. m. invar. — 1690, Furetière, *casseteste* « vin fort »; de *casse-* (*casser*) et *tête.*

♦ **1.** (1762). Massue* en pierre ou en bois très dur, servant d'arme de guerre dans certaines civilisations archaïques. — Arme portative consistant en un nerf de bœuf ou en un bâton à l'extrémité plombée, parfois garni de clous... ⟹ **Matraque, poing** (coup de poing). *Des casse-tête.*

1 On distinguait dans l'ombre des choses hideuses inventées par les barbares : casse-tête garnis de clous, javelots empoisonnant les blessures (...)
FLAUBERT, Trois contes, « Hérodias ».

♦ **2.** (1803). Bruit assourdissant qui fatigue la tête. ⟹ **Cassement** (de tête).

♦ **3.** (1706). Travail intellectuel complexe qui demande un effort soutenu et fatigue l'esprit. *L'algèbre est un vrai casse-tête* (Académie).

2 — Mon ami, interrompis-je, au lieu de vivre chez soi, tranquillement, sans ambition ni casse-tête spéculatifs, à quoi bon se préoccuper de toutes ces choses en l'air? VILLIERS DE L'ISLE-ADAM, Tribulat Bonhomet, p. 115.

(1829). Jeu de patience (⟹ **Puzzle**). — (1818, *in* D. D. L.). *Casse-tête chinois,* consistant à assembler des pièces de bois de forme tortueuse. — Fig. Problème difficile à résoudre. *Cet énoncé est un véritable casse-tête chinois.* — Au Canada, s'emploie pour éviter l'anglicisme *puzzle*.*

CASSETIN [kastɛ̃] n. m. — 1552, « petit casier »; ital. *cassettino,* de *cassetta.* → Cassette.

Technique.

♦ **1.** (1611). Imprim. Chacune des petites loges de grandeur variable qui divisent une casse d'imprimerie (⟹ 3. **Casse,** cit.).

♦ **2.** (1863). Techn. Dans un four métallurgique, cavité qui reçoit le métal en fusion.

CASSE-TOUT [kastu] n. — xxᵉ; de *casse-* (*casser*), et *tout.*

♦ Fam. Personne maladroite, qui casse tout. ⟹ **Brise-fer, brise-tout.** *C'est une casse-tout.* — Adj. *Il, elle est casse-tout.*

Avec ses allures de casse-tout, Nietzsche est un craintif universitaire très dévotement lié au dogme de la supériorité des antiques — très gœthéen dans le sens stérile du mot. J.-R. BLOCH, *in* Deux hommes se rencontrent, p. 67.

CASSE-TRAME [kastʀam] n. m. — 1890, Encycl. Berthelot (le dispositif a été inventé en 1844); de *casse-* (*casser*), et *trame.*

♦ Techn. Organe du métier à tisser (constitué par une tige pivotant, à chaque passage de navette, autour d'un axe horizontal parallèle aux duites), provoquant mécaniquement l'arrêt de celui-ci lorsque la trame fait défaut ou vient à casser accidentellement. Plur. *Des casse-trame* ou *des casse-trames.*

S'il vient à se produire une casse, des organes de contrôle provoquent instantanément l'arrêt du métier. Ce sont les casse-trames et casse-chaînes.
Jacques LOURD, le Lin et l'Industrie linière, p. 65.

CASSETTE [kasɛt] n. f. — 1348; de l'anc. franç. *casse* « caisse, coffre », et *-ette.*

♦ **1.** Anciennt. Petit coffre* destiné à serrer de l'argent, des bijoux... *Cassette à bijoux.* ⇒ **Boîte, coffret.**

1 Et dans quoi est-ce que cet argent était ? Dans une cassette.
MOLIÈRE, l'Avare, V, 2.

2 Jetez les yeux sur cet hôtel magnifique, vous y verrez un grand seigneur couché dans un superbe appartement. Il a près de lui une cassette remplie de billets doux.
A.-R. LESAGE, le Diable boiteux, III.

♦ **2.** (1690). Fig. *La cassette royale, la cassette d'un prince :* le Trésor particulier du roi, du prince. ⇒ **Trésor.** *Les biens de la cassette.*

3 Qui sait, au contraire, si l'homme dévot a de la vertu ?
Il n'y a rien pour lui sur la cassette (...) LA BRUYÈRE, les Caractères, XIII, 28.

Fam. *Je prendrai cette somme sur ma cassette personnelle.* ⇒ **Cagnotte, réserve.** — Fig. et fam. *Pour les beaux yeux de sa cassette :* pour sa dot (Molière, *l'Avare,* V, 3).

♦ **3.** (V. 1960). Boîtier, de petite taille, muni de bobines de bande* magnétique défilant dans les deux sens (⇒ **Mini-cassette;** → Cartouche). *Enregistrement sur cassette. Magnétophone à cassettes.* ⇒ **Magnétophone; magnétocassette.** «*Il n'y a pas que des cassettes préenregistrées : on peut fort bien acheter des chargeurs contenant des bandes vierges*» (*Femme pratique,* sept. 1970). *Lecteur* de cassettes. Cassettes pour magnétoscope.* ⇒ **Vidéocassette.**

COMP. **Magnétocassette, minicassette, musicassette** (marque), **vidéocassette.**

CASSEUR, EUSE [kɑsœʀ, øz] n. — 1558; de *casser.*

♦ **1.** Personne qui casse (qqch.). — (Par activité professionnelle). *Un casseur de pierres.*

1 Le livre de leçons de choses avait été (...) l'un des apaisements de mon anxieuse enfance. Le casseur de pierres est content de casser les pierres qui sont sur terre pour devenir des maisons grâce aux maçons (...)
Jacques LAURENT, les Bêtises, p. 443.

(Par accident). *Le casseur, la casseuse d'un objet précieux* (rare; → ci-dessous 3. et 4.).

♦ **2.** Personne qui fait le commerce des pièces en bon état de voitures mises à la casse*. — REM. Dans ce sens, le mot ne semble pas avoir de féminin.

♦ **3.** (N. m.). Fig. *Un casseur d'assiettes.* ⇒ **Fanfaron, querelleur, tapageur.** — *Un casseur. Jouer les casseurs,* les durs*, les violents. *Un casseur de vitres :* un faiseur de scandales.
Un grand casseur de raquettes : un homme solide, vigoureux.
Un casseur de cœur : un séducteur. ⇒ **Casse-cœur.**

♦ **4.** N. m. (Répandu v. 1968). Personne qui, au cours d'une manifestation, endommage volontairement des biens publics ou privés. *Répression des agissements des casseurs* (→ Loi anticasseurs*). *Les casseurs seront les payeurs*.

2 Pas un bruit n'arrive à moi de la ville où les « casseurs » — pas très nombreux — brisent les vitrines, envahissent les épiceries.
J. GREEN, Journal, (Ce qui reste de jour), 10 mai 1970.

♦ **5.** (1885; de 5. *casse*). Argot, puis fam. Cambrioleur. — REM. Dans ce sens, le fém. est virtuel.

3 Les jules donnent aux filles la peur des durs parce qu'ils en ont peur eux-mêmes, qu'ils sont des respecteux, amis des flics, et éprouvent l'horreur du tueur, ou même du casseur. Jacques LAURENT, les Bêtises, p. 158.

4 Je pourrais écrire le Guide du parfait casseur, le bottin des fourgues parisiens, un traité sur la peur et l'envie de courir, les mémoires d'une paire de gants (...)
A. SARRAZIN, la Traversière, p. 225.

♦ **6.** Adj. (Rare). Qui casse par maladresse. *Une employée de maison casseuse.*

5 Elle doit être, sans cesse, sur le dos des gens, à les asticoter de toutes les manières... Et des «savez-vous faire ceci?»... Et des «savez-vous faire cela?...» Ou bien encore : «Êtes-vous casseuse?... Êtes-vous soigneuse?...»
O. MIRBEAU, le Journal d'une femme de chambre, p. 27.

Qui caractérise un casseur (3.). *Un air casseur.*

6 Pas saccager la Tradition ! Si vous prenez l'air capricieux, casseur, versatile, tantôt dans un pub, dans un autre (...) alors (...) les flics vous déferlent sur les os (...)
CÉLINE, Guignol's band, p. 33 (1944).

COMP. **Anticasseur(s).**

CASSIE [kasi] n. f. — 1694; provençal mod. *cacio* «fleur de l'acacia», par aphérèse d'*acacia.*

♦ Bot. Casse* (→ 2. Casse : *cassia, cassier* ou *canéficier*) d'une variété nommée aussi *acacia de Farnèse* et que l'on cultive dans le Midi de la France pour ses fleurs jaunes très odorantes.

Et prenant la fleur de cassie qu'elle avait à la bouche, elle me la lança, d'un mouvement du pouce, juste entre les deux yeux (...) MÉRIMÉE, Carmen.
Parfum extrait de cette plante.

HOM. 1. Cassis, 2. cassis.

1. CASSIER [kasje] n. m. — 1512; de 2. *casse.*

♦ ⇒ **2. Casse.**

2. CASSIER [kasje] n. m. — XIXᵉ (1863, Littré) ; de 3. *casse.*

♦ Techn. Armoire, meuble où l'on range les casses d'imprimerie.

CASSIN [kasɛ̃] n. m. — 1792, Vaud ; de *casser* «meurtrir», et suff. *-in* (lat. *-imen*).

Régional (Suisse).

♦ **1.** Ecchymose, meurtrissure.

♦ **2.** Cal.

CASSINE [kasin] n. f. — 1509, Marot ; ital. (piémontais) *cassina, cascina.*

♦ **1.** (1532, Rabelais). Vx (langue class.). Petite maison* de plaisance au milieu des champs. ⇒ **Casino.**

(...) et là trouvai les plus beaux lieux du monde (...) belles prairies, force vigne et une infinité de cassines à la mode italique par les champs, pleins de délices (...)
RABELAIS, Pantagruel, XXXII.

♦ **2.** Fam. et vx. Maisonnette de pauvre apparence. ⇒ **Baraque, cabane.**

♦ **3.** (1752). Vx. Petite maison isolée, servant de poste d'embuscade, au cours d'un combat.

1. CASSIS [kasis; kɑsi] n. m. — 1552; probablt du lat. *cassia* (→ 2. Casse), avec un *s* final inexpliqué, le cassis ayant été employé au moyen âge pour remplacer la casse comme laxatif.

♦ **1.** Groseillier* noir *(Saxifragacées)* à feuilles odorantes avec les fruits duquel on fabrique une liqueur ayant des propriétés stomachiques. — Syn. rare : *cassissier. Les baies noires du cassis commun.*

(...) une petite pièce (...) que parfumait aussi un cassis sauvage poussé au dehors entre les pierres de la muraille et qui passait une branche de fleurs par la fenêtre entr'ouverte. PROUST, À la recherche de temps perdu, t. I, I, p. 23.
Du flanc de la colline où le cassis bleuit (...)
C. DE NOAILLES, le Cœur innombrable, « Bittô».

♦ **2.** (1860). Le fruit de cette plante. *Cueillir, manger du cassis. Du cassis blanc. Crème, sirop de cassis :* liqueur, sirop fait avec ce fruit (→ ci-dessous 3.).

♦ **3.** ⓐ Liqueur fabriquée avec ce fruit. *Boire du cassis. Un verre de cassis.* — *Un cassis-cognac; un mêlé-cassis* (pop. et vx; ⇒ **Mêlé-casse**), *un blanc-cassis* (abrév. fam. : *blanc-casse;* ⇒ **Kir**). — Fig., fam. *Une voix de cassis-cognac, de mêlé-cassis.* ⇒ **Mêlé-casse.**

ⓑ Sirop fabriqué à partir de ce fruit. *Cassis à l'eau. Boire du cassis avec de la limonade (diabolo*cassis).*

♦ **4.** (1907). Fam. Tête. ⇒ **Citron, poire, pomme.** *Tomber sur le cassis.*

La vieille lui vide sur le cassis toute sa bassine entière de flotte.
CÉLINE, Mort à crédit, p. 670 (1936).

(Comme organe de la pensée). *Il n'a rien dans le cassis.*
— Tu me fais ronfler le cassis avec toutes tes histoires.
R. QUENEAU, les Derniers Jours, p. 166.

COMP. V. **Mêlé-casse.**

2. CASSIS [kasis, kasis ; rare kɑsi] n. m. — 1701; mot dial. (Normandie), 1448; de *casser.*

♦ **1.** Rigole pratiquée en travers d'une route pour l'écoulement des eaux.

♦ **2.** Dépression transversale assez brusque d'une route. *Les cassis et les dos d'âne sont signalés par panneaux.*

Les phares de son automobile creusent les cassis de la route, accusent les bosses du macadam (...) A. ARNOUX, Suite variée, p. 87.
À l'intérieur enfin, le calme étendait son silence, et même aux passages à niveaux ou aux cassis un peu trop bossus (...)
R. QUENEAU, Pierrot mon ami, éd. L. de Poche, p. 132.

CASSISSIER [kasisje] n. m. ⇒ 1. **Cassis.**

CASSITÉRITE [kasiteʀit] n. f. — 1832; grec *kassiteros* «étain».

♦ Minér. Étain oxydé naturel (SnO₂). *La cassitérite, principal minerai d'étain, est exploitée principalement en Asie tropicale.*

CASSOLETTE [kasɔlɛt] n. f. — 1529; de l'anc. franç. *cassole* «petit récipient», de 1. *casse,* plutôt que de l'anc. provençal *casoleta.*

♦ **1.** Réchaud fait d'une boîte de métal au couvercle ajouré dans laquelle on fait brûler des parfums. ⇒ **Brûle-parfum, encensoir.** *Cassolette d'or, d'argent, précieusement ciselée, travaillée.*

(Les parfumeurs) fournissaient (...) les chambres des dames d'eau rose, d'eau de naphe et d'eau d'ange, et à chacune la précieuse cassol(l)ette, vaporante de toutes drogues aromatiques. RABELAIS, Gargantua, LV.

2 (...) et dans les quatre coins *(de la terrasse)* s'élevaient quatre longues cassolettes remplies de nard, d'encens, de cinnamome et de myrrhe.
FLAUBERT, Salammbô, III, p. 48.

3 (...) on eût dit que des mains balançaient en silence des cassolettes dans l'obscurité, pour quelque fête cachée, pour quelque enchantement magnifique et secret.
LOTI, Ramuntcho, XX, p. 169.

♦ **2.** Petite boîte d'orfèvrerie contenant des parfums et que l'on porte en pendentif.

♦ **3.** (1929). Petit récipient utilisé pour cuire un mets au feu ou au four et le présenter sur la table. *Cassolette en terre, en porcelaine à feu. Plat en cassolette.*

4 En fonte, en terre, en grès, en porcelaine, en aluminium, en étain, que de marmites (...) de cassolettes, de soupières (...)
S. DE BEAUVOIR, Mémoires d'une Jeune fille rangée, p. 77.

Par métonymie. Le plat lui-même. *Déguster une cassolette de ris de veau.*

CASSON [kasɔ̃] n. m. — 1359; de *casser*.
Technique.

♦ **1.** Débris de verre destiné à être refondu pour la fabrication du verre.

♦ **2.** Pain de sucre informe. *Sucre en cassons.*

DÉR. **Cassonade.**

CASSONADE [kasɔnad] n. f. — 1574; probablt du provençal *cassonada*. → Casson.

♦ Sucre qui n'a été raffiné qu'une fois, appelé aussi *sucre roux* en raison de sa couleur.

Notre cuisine en hiver : la plus chaude, la plus gaie, la plus fréquentée du quartier (...) Le poêle chauffait à blanc (...) chacune à son tour décollait les gaufres, le saladier de cassonade brute tournait de main en main autour du poêle.
Violette LEDUC, la Bâtarde, p. 52 (1964).

CASSOTON [kasɔtɔ̃] n. m. — 1867, Littré, «casserole en fonte», mot régional ancien, de *cassotte* (Bordeaux 1523), var. de *cassette* de 1. *casse* (anc. provençal *cassa*), mot qui a donné par ailleurs *casserole**.

♦ Régional (Suisse). Poêlon (en fonte, cuivre).

CASSOULET [kasulɛ] n. m. — 1897, mot languedocien, «plat cuit au four», de *cassolo* «terrine», dimin. de *casso* «poêlon»; anc. provençal *cassa*. → 1. Casse.

♦ **1.** Plat de grès dans lequel on prépare le cassoulet (2.).

♦ **2.** Ragoût languedocien ou landais de filets d'oie, de canard, de porc ou de mouton confits avec des haricots blancs, éventuellement diverses charcuteries (saucisses de Toulouse, etc.). *Cassoulet de Castelnaudary. Des cassoulets bien mijotés. — Cassoulet en conserve. Ouvrir une boîte de cassoulet.*

CASSURE [kasyʀ] n. f. — 1333; de *casser*.

♦ **1.** Solution de continuité qui résulte du cassement d'une chose. ⇒ **Arête, brèche, brisure, casse, crevasse, faille, fente, fissure, fracture.** *Cassure d'un membre. Cassure nette, vive.*

♦ **2.** (1831, Balzac). Minér. Fracture dans un terrain rocheux. *Cassure dans les couches géologiques.* ⇒ **Diaclase, faille, joint.**

1 (...) les assises étaient lisses, pas une cassure, pas un relief, la muraille était aussi correctement rejointée qu'une muraille neuve, et Radoub retomba.
HUGO, Quatre-vingt-treize, III, V, 3.

2 Tandis que le plissement peut avoir lieu sans rupture, le gauchissement entraînera généralement la formation de cassures dans les couches tordues.
Émile HAUG, Traité de géologie, t. I, p. 224.

Point où l'on casse un minerai dont on veut étudier la structure. *Cassure vitreuse, schistoïde.*

♦ **3.** (xxᵉ). Abstrait. Coupure, fêlure, rupture. *Une cassure dans une vie, dans une amitié. Querelle qui laisse subsister une cassure.* ⇒ **Brisure, brouille.**

3 (...) mille éléments de tendresse existant en nous à l'état fragmentaire et qu'elle a assemblés, unis, effaçant toute cassure entre eux.
PROUST cité par A. MAUROIS, Études littéraires, t. I, p. 133.

CONTR. **Colmatage, raccommodage, recollage, soudure.**

CASTAGNE [kastaɲ] n. f. — 1898; forme d'oc de *châtaigne*.
Argot.

♦ **1.** Coup de poing. *Donner, filer une castagne à qqn.* ⇒ **Marron.** *Recevoir une castagne, des castagnes.*

♦ **2.** (1932). *La castagne* : échange de coups, bagarre. ⇒ **Baston.** *Aller à la castagne. Aimer, chercher la castagne.*

(...) faut pas être surpris si je me sentais en humeur pour la castagne.
Albert SIMONIN, Touchez pas au grisbi, p. 46.

CASTAGNER (SE) [kastaɲe] v. pron. — D. i.; de *castagne*.

♦ Argot fam. Se battre, se bagarrer.

CASTAGNETTES [kastaɲɛt] n. f. pl. — 1606; *cascagnettes*, 1582; esp. *castañeta*, de *castaña* «châtaigne».

♦ Petit instrument de musique, à percussion, composé de deux pièces de bois ou d'ivoire creusées, réunies par un cordon, et que le joueur s'attache aux doigts pour les faire claquer l'une contre l'autre et pour marquer le rythme d'un air de danse ou de chant. ⇒ **Cliquette.** *Une paire de castagnettes. Jouer des castagnettes. Rythmer un fandango au son des castagnettes. Castagnettes de tzigane. Castagnettes antiques.* ⇒ **Crotale.**

1 J'entendais les castagnettes; le tambour, les rires et les bravos; parfois j'apercevais sa tête quand elle sautait avec son tambour.
MÉRIMÉE, Carmen.

2 On n'entend que le froufrou des robes, et toujours le petit claquement sec des doigts imitant un bruit de castagnettes.
LOTI, Ramuntcho, I, V, p. 68.

3 Deux ou trois hautbois (...) mènent un chœur éperdument joyeux de voix d'hommes, scandé par une trentaine de tambours de basque et par une légion de castagnettes.
LOTI, Figures et Chœurs, « Messe de minuit », p. 98.

Fam. (par compar.). *Claquer des dents de froid en faisant un bruit de castagnettes.*

Au sing. *Une castagnette* : une des deux pièces de bois formant les castagnettes.

CASTAPIANE [kastapjan] n. f. — 1883; orig. incert., p.-ê. altér. de *cataplasme* avec *l* mouillé.

♦ Fam. Blennorragie. ⇒ **Chaude-pisse** (fam.). *« Une vague et ancienne castapiane »* (Verlaine, *Correspondance, in* Cellard et Rey).

CASTE [kast] n. f. — 1659; portugais *casta* «caste hindoue», (xviᵉ); fém. de *casto* «pur», p.-ê. du lat. *castus* «pur, sans mélange».

♦ **1.** Se dit des classes très fermées de la société hindoue (aujourd'hui — et depuis Gandhi — théoriquement abolies). *La caste des prêtres* (⇒ **Brahmane**), *celle des guerriers, celle des bourgeois, celle des artisans, divisions hiérarchiques de la société hindoue. Les castes et sous-castes. Les parias ou intouchables sont hors-caste* (n'appartiennent à aucune caste).

1 Un certain honneur que des préjugés de religion établissent aux Indes, fait que les diverses castes ont horreur les unes des autres (...) il y a tel Indien qui se croirait déshonoré s'il mangeait avec son roi.
MONTESQUIEU, l'Esprit des lois, XXIV, XXII.

♦ **2.** Péj. Classe élevée de la société considérée comme ayant un esprit d'exclusion et désireuse de préserver ses droits ou ses privilèges. ⇒ **Clan, classe.** *La caste de qqn, sa caste. Il a les préjugés de sa caste. Esprit, orgueil, préjugés de caste. Caste nobiliaire.*

2 Il n'y a plus de castes, de races, d'épidermes aristocrates. Il n'y a plus chez nous que des gens riches et des gens pauvres. Aucun autre classement ne peut différencier les degrés de la société contemporaine.
MAUPASSANT, La Vie errante, I, p. 7.

3 (...) les bourgeois d'alors se faisaient de la société une idée un peu hindoue, et la considéraient comme composée de castes fermées où chacun, dès sa naissance, se trouvait placé dans le rang qu'occupaient ses parents, et d'où rien, à moins des hasards d'une carrière exceptionnelle ou d'un mariage inespéré, ne pouvait vous tirer pour vous faire pénétrer dans une caste supérieure.
PROUST, À la recherche du temps perdu, t. I, p. 28.

4 (...) tout orgueil nobiliaire (...) tout fanatisme de caste semble mesquin (...)
Valery LARBAUD, Fermina Marquez, p. 12.

5 En Allemagne aussi, la caste militaire essaie de torpiller la paix.
MARTIN DU GARD, les Thibault, t. IX, p. 267.

Groupe d'individus unis par la même profession, les mêmes intérêts. *La caste médicale. La caste des gens de lettres.*

♦ **3.** Zool. Chez les insectes, Ensemble d'individus spécialisés dans une fonction (reine, ouvrière, soldat...). *La caste chez les abeilles, les guêpes, les fourmis, les termites.*

CASTEL [kastɛl] n. m. — Fin xviiᵉ, Saint-Simon; mot provençal, équivalant au franç. *chastel.* → Château.

♦ Petit château. ⇒ **Gentilhommière.** *Un castel coquet, élégant. Un castel délabré, en ruines.* — REM. Le mot relève d'un style littéraire évocateur.

Elle sentait que le contraste du riche château de Bruyères et du misérable castel de Sigognac devait produire une impression douloureuse sur l'âme du pauvre gentilhomme.
Th. GAUTIER, le Capitaine Fracasse, I, V, p. 120.

CASTILLAN, ANE [kastijã, an] adj. et n. — 1517; de *Castille*, nom d'une province d'Espagne.

♦ De Castille, propre à la Castille. *Orgueil castillan. Fierté castillane.* — N. *Un Castillan, une Castillane.*

Paraissez, Navarrois, Maures et Castillans,
Et tout ce que l'Espagne a nourri de vaillants.
CORNEILLE, le Cid, V, 2.

N. m. *Le castillan* : dialecte espagnol parlé en Vieille Castille et devenu la langue espagnole officielle (comme le francien d'Île-de-France est devenu le français). *Parler castillan* (⇒ **Espagnol**).

CASTILLE [kastij] n. f. — 1456; probablt esp. *castillo* «château».

♦ **1.** Hist. Combat simulant l'attaque d'un château, dans un tournoi.

♦ **2.** Vx. Petite dispute. *Chercher castille à quelqu'un,* chercher querelle (G. Sand, *la Petite Fadette*). — REM. Ce sens se trouve encore chez Gide, La Varende.

DÉR. **Castiller** (se).

CASTILLER (SE) [kastije] v. pron. — 1879, Huysmans; probablt de *castille.*

♦ Rare, vx. Se disputer.

CASTINE [kastin] n. f. — Av. 1603; all. *Kalkstein,* de *Stein* «pierre», et *Kalk* «chaux».

♦ Techn. Pierre calcaire que l'on mélange au minerai de fer pour en faciliter la fusion.

CASTOR [kastɔʀ] n. m. — V. 1130; lat. *castor,* grec *kastôr; a* supplanté l'anc. franç. *bièvre.*

♦ **1.** Mammifère rongeur *(Castoridés),* amphibie, au corps massif, à tête large et museau court, pourvu d'une large queue plate, velue près du corps, écailleuse ensuite. *Les quatre pattes du castor sont armées d'ongles puissants; les pattes postérieures sont palmées. Les castors sont végétariens, bons nageurs. En Norvège, en Mongolie, en Amérique, les castors forment des colonies et bâtissent dans l'eau des digues, des huttes dont les parois sont faites de branches entrelacées, liées par un mortier de boue. Les castors de France vivent par couples dans des terriers. Fourrure de castor. Excrétion du castor.* ⇒ **Castoréum.**

1   Que ces castors ne soient qu'un corps vide d'esprit,
    Jamais on ne pourra m'obliger à le croire.
                              LA FONTAINE, Fables, Disc. à Mme de la Sablière.

1.1 Le grand ingénieur des lacs, le castor qui prévoit la crue des eaux, se fait plusieurs étages où il montera à volonté (...)   MICHELET, l'Oiseau, LVII, p. 209.

♦ **2.** Fourrure du castor. *Manteau de castor. Chaussons de castor.* → Polaire, cit. 2. — Fourrure (de mammifère, voisin du castor). *Castor du Chili :* fourrure du coypou. *Castor du Canada :* fourrure du rat musqué. ⇒ aussi **Castorette.**

♦ **3.** Anciennt. Chapeau d'homme, en feutre fait de poils de castor.

2   Voyez, je vous ferai meilleur marché qu'un autre,
    Des gants, des baudriers, des rubans, des castors.
                              CORNEILLE, la Galerie du palais, I, 7.

♦ **4.** (1695). Argot, vx. Demi-mondaine, de moralité douteuse (dans la série *castor fin, castor* et *demi-castor; ⇒* 2. **Demi-castor**).

♦ **5.** Mar. (vx, fam.). Mousse, novice.

♦ **6.** (1950; au plur.). Fig. Personnes associées pour construire leurs logements, sans faire appel à des entrepreneurs ni à des ouvriers salariés. *Le mouvement des castors.*

DÉR. **Castorette, castoréum, castorine.**
COMP. 1. **Demi-castor,** 2. **demi-castor.**

CASTORETTE [kastɔʀɛt] n. f. — 1925, *in* D.D.L.; de *castor.*

♦ Comm. Peau de faible valeur teinte et traitée de manière à évoquer la fourrure du castor.

(...) il est bien évident qu'il faut une certaine dose d'ingénuité pour ne pas reconnaître, sous des peaux désignées *castorette* (...) *herminette* (...) *chinchillette, visonnette* (...) le plus vulgaire lapin de choux.
                              René THÉVENIN, les Fourrures, p. 123.

CASTORÉUM [kastɔʀeɔm] n. m. — XIIIᵉ; lat. médiéval *castoreum,* de *castor.*

♦ Méd. Excrétion sébacée du castor, utilisée comme remède antispasmodique.

CASTORINE [kastɔʀin] n. f. — 1802; de *castor.*

♦ Vx. Étoffe fine, en poils de castor mêlés à de la laine. *Houppelande de castorine.*
Par métonymie. Vêtement en castorine. *Mettre, porter une castorine.*

CASTRAL, ALE, AUX [kastʀal, o] adj. — 1619; lat. *castralis,* de *castrum.* → Château.

♦ Didact. et rare. Relatif à un château; d'un château.

CASTRAMÉTATION [kastʀametasjɔ̃] n. f. — 1555; lat. médiéval *castrametatio,* du lat. *castra* «camp», et *metari* «mesurer».

♦ Antiq. Art de choisir et de disposer l'emplacement d'un camp. ⇒ **Bivouac, campement, cantonnement.** *Les traités de castramétation des Romains.*

CASTRAT [kastʀa] n. m. — 1749; ital. *castrato* «châtré»; «animal châtré», 1556, comme mot gascon (*in* Huguet); gascon *castrat,* cf. anc. provençal *castrat* (XIVᵉ).

♦ **1.** Méd. Individu mâle qui a subi la castration. ⇒ **Eunuque.**

♦ **2.** (1749; de Brosses). Chanteur qu'on châtrait dans l'enfance pour qu'il conserve une voix de soprano. ⇒ **Sopraniste.** *Les castrats de la Chapelle Sixtine.*

1   Les castrats étaient des chanteurs incomparables. Voués exclusivement, dès l'enfance, à l'étude du chant (...)   Initiation à la musique, p. 125.

2   Quant au castrat lui-même *(Sarrasine, héros de la nouvelle de Balzac),* on aurait tort de le placer de droit du côté du châtré : il est là tâche aveugle et mobile de ce système; il va et vient entre l'actif et le passif; châtré, il châtre (...)
                              R. BARTHES, S/Z, p. 43.

Par métaphore. «*Nous sommes des espèces de castrats moralement*» (Valery Larbaud).

DÉR. **Castrature.**

CASTRATEUR, TRICE [kastʀatœʀ, tʀis] adj. — V. 1930; de *castration.*

♦ **1.** Psychol. Qui provoque un complexe de castration chez quelqu'un. *Une mère castratrice. Une attitude castratrice.*

1   Ils peuvent en faire le tour, l'examiner à loisir : avare; mesquine; bornée; béotienne; lâche qui profite brutalement de sa force; mère dénaturée; *castratrice* (...)   N. SARRAUTE, le Planétarium, p. 55.

♦ **2.** Qui pratique une castration, qui châtre.
Par métaphore :

2   Le texte est en somme un fétiche; et le réduire à l'unité du sens, par une lecture abusivement univoque, c'est *couper la tresse,* c'est esquisser le geste castrateur.
                              R. BARTHES, S/Z, p. 166.

CASTRATION [kastʀasjɔ̃] n. f. — 1380; lat. *castratio.*

♦ **1.** Opération par laquelle on prive un individu, mâle ou femelle, de la faculté de se reproduire. ⇒ **Castrer, châtrer.** *La castration a pour effet la stérilisation. Castration complète, bilatérale. Castration par ablation des deux testicules* (⇒ **Émasculation**), *des deux ovaires* (⇒ **Ovariectomie**), *d'un seul de ces organes (castration incomplète). Castration par atrophie, écrasement, mortification des organes de la génération* (⇒ **Bistournage**). *Billot pour la castration des animaux.* ⇒ **Casseau.**
Dr. *Crime de castration.*

1   Toute personne coupable du crime de castration subira la peine des travaux forcés à perpétuité.
    Si la mort en est résultée avant l'expiration des quarante jours qui auront suivi le crime, le coupable subira la peine de mort.   Code pénal, art. 316.

État d'un individu (notamment, d'un homme) castré; état de castrat*.

♦ **2.** Bot. Ablation des anthères (d'une fleur) pour obtenir la création d'hybrides, après fécondation par le pollen d'une espèce voisine.

♦ **3.** Psychan. *Angoisse de castration,* axée sur le fantasme de castration (→ Castrature, cit.). *Complexe de castration* (→ Nécrophilique, cit.). «*Amour objectal limité par la prédominance du complexe de castration*» (G. Palmade).

2   La structure et les effets du complexe de castration sont différents chez le garçon et chez la fille. Le garçon redoute la castration comme réalisation d'une *menace* paternelle en réponse à ses activités sexuelles (...) Chez la fille, l'absence du pénis est ressentie comme un préjudice subi qu'elle cherche à nier, compenser ou réparer.   J. LAPLANCHE et J.-B. PONTALIS, Voc. de la psychanalyse, art. *Complexe de castration.*

DÉR. **Castrateur.**
COMP. **Autocastration.**

CASTRATURE [kastʀatyʀ] n. f. — 1968, Barthes; de *castrat.*

♦ Didact. Condition de castrat (1. et 2.).

Faire coïncider la *castrature,* condition anecdotique, avec la *castration,* structure symbolique, telle est la tâche réussie par le performateur (*Balzac,* dans Sarrasine).
                              R. BARTHES, S/Z, p. 169.

CASTRER [kastʀe] v. tr. — 1600; lat. *castrare* «châtrer».

♦ **1.** Pratiquer la castration* sur (un individu, spécialt un mâle). ⇒ **Châtrer, émasculer; bistourner, chaponner, hongrer.** *Castrer un chat* (⇒ **Couper**), *un cheval, un taureau, un agneau, un bélier.*

(...) j'ai connu Étendard, un taureau (...) Étendard entrait dans la huitième année quand le grand-père Haudoin se décida à l'engraisser pour la boucherie, et Ferdinand vint tout exprès (...) pour le castrer. Huit jours plus tard (...) il n'y avait plus qu'un bœuf de mardi-gras.   M. AYMÉ, la Jument verte, p. 242.

♦ **2.** Fig. Mutiler, amputer (un texte littéraire, une œuvre artistique) ; affaiblir (un moyen d'expression). ⇒ **Châtrer** (fig.).

CASTRISME [kastʀism] n. m. — V. 1960 ; du nom de Fidel *Castro*, homme d'État cubain.

♦ Mouvement révolutionnaire né de Fidel Castro ; politique qui en découle. *Le castrisme en Amérique latine.*

CASTRISTE [kastʀist] adj. et n. — V. 1960 ; de Fidel *Castro* (→ Castrisme).

♦ Relatif au castrisme, inspiré par le castrisme. *Révolution castriste.* — N. *Un castriste :* un partisan du castrisme. *Politique agraire des castristes.*

CASUALITÉ [kazɥalite] n. f. — xvɪᵉ, en dr. ; lat. *casualitas,* de *casualis* «casuel».

♦ Didact. et rare. Qualité, condition de ce qui est casuel, soumis au hasard.

CASUARINA [kazɥaʀina] n. m. — 1786 ; lat. bot., de *casuaris,* Linné, nom du *casoar* «oiseau», par anal. entre les rameaux de l'arbre et les plumes de l'oiseau.

♦ **1.** Bot. Arbre d'Australie et de Malaisie, ne possédant pas tous les caractères des angiospermes (type du seul genre d'une famille, les *Casuarinacées,* et d'un ordre, les *Casuarinales*), croissant en terrain humide, à bois très serré (dit *bois de fer*), utilisé en menuiserie. ⇒ **Filao.**
C'étaient plus particulièrement des casuarinas et des eucalyptus, dont quelques-uns devaient fournir au printemps prochain une manne sucrée tout à fait analogue à la manne d'Orient. J. VERNE, l'Île mystérieuse, t. I, p. 152.

♦ **2.** Techn. Substance brune extraite de l'écorce de cet arbre, au tanin abondant, qui teint la laine et la soie.

1. CASUEL, ELLE [kazɥɛl] adj. et n. m. — 1370 ; lat. *casualis,* de *casus* «accident». → 1. Cas.

♦ **1.** Didact. Qui peut arriver ou non, suivant les cas. ⇒ **Accidentel, aléatoire, contingent, éventuel, fortuit, occasionnel.** *Impressions casuelles,* dues aux circonstances.

0.1 C'est une affaire privée que la beauté ; l'impression de la reconnaître et ressentir à tel instant est un accident plus ou moins fréquent dans une existence, comme il en est de la douleur, et de la volupté ; mais plus casuel encore.
VALÉRY, Variété III, p. 42.

Dr. *Condition casuelle.*
1 La condition *casuelle* est celle qui dépend du hasard, et qui n'est nullement au pouvoir du créancier ni du débiteur. Code civil, art. 1169.

♦ **2.** N. m. (1669). Profit, revenu incertain et variable d'un office, d'un emploi, qui peut s'ajouter au gain, au revenu fixe. ⇒ **Appoint, complément, supplément.**
2 Moyennant les seize cents francs (...) un fixe mensuel de quinze louis, le casuel, et, de temps en temps, les petits cadeaux inévitables (...)
COURTELINE, Boubouroche, Nouvelle, p. 32.

Spécialt. Honoraires que les fidèles donnent au curé dans certaines occasions telles que baptêmes, mariages, enterrements. *Le casuel d'une cure.*
3 Il a été entendu que je ne toucherai pas mon traitement de l'évêché et que mon faible casuel, mes honoraires de messe, j'en disposerai à mon gré en faveur de mes pauvres et de mes confrères. A. BILLY, Sur les bords de la Veule, p. 119.

CONTR. **Assuré, certain, invariable.** — **Fixe.**
DÉR. **Casuellement.**
HOM. **2. Casuel.**

2. CASUEL, ELLE [kazɥɛl] adj. — V. 1860, Renan ; lat. *casualis,* de *casus* «cas». → 2. Cas.

♦ Ling. Qui comporte des cas. *Langues casuelles,* où des paradigmes d'affixes nominaux expriment les cas.
Relatif aux cas. *Relations, désinences casuelles.* ⇒ **Déclinaison.** *Valeurs casuelles.*
HOM. **1. Casuel.**

CASUELLEMENT [kazɥɛlmã] adv. — 1468 ; de 1. *casuel.*

♦ Vx. D'une manière casuelle.

CASUISME [kazɥism] n. m. — 1843, Balzac ; de *casuiste.*

♦ Péj., rare. Attitude des casuistes (2.).

CASUISTE [kazɥist] n. — 1611 ; esp. *casuista,* du lat. ecclés. *casus* «cas de conscience».

♦ **1.** N. m. Théologien qui s'applique à résoudre les cas ou les difficultés de conscience par les règles de la raison et du christianisme. *Casuiste sévère, subtil. Casuiste complaisant.*

1 (...) quelques religieux relâchés et quelques casuistes corrompus, qui ne sont pas membres de la hiérarchie, ont trempé dans ces corruptions, il est constant (...) que les véritables pasteurs de l'Église, qui sont les véritables dépositaires de la parole divine, l'ont conservée immuablement contre les efforts de ceux qui ont entrepris de la ruiner. PASCAL, Pensées, XIV, 889.
2 Comme il y a un nombre infini d'actions équivoques, un casuiste peut leur donner un degré de bonté qu'elles n'ont point, en les qualifiant telles (...)
MONTESQUIEU, Lettres persanes, 57, *in* LITTRÉ.
3 Le meilleur de tous les casuistes est la conscience ; et ce n'est que quand on marchande avec elle qu'on a recours aux subtilités du raisonnement.
ROUSSEAU, Émile, IV, p. 348.

♦ **2.** Personne qui se plaît à subtiliser, à composer, à transiger avec la conscience. ⇒ **Sophiste.** *C'est une casuiste.*

DÉR. **Casuisme, casuistique.**

CASUISTIQUE [kazɥistik] n. f. — 1829 ; de *casuiste.*
Didactique ou littéraire.

♦ **1.** Relig. Partie de la théologie morale qui s'occupe des cas de conscience. *Casuistique jésuite.* « *Les Jésuites ont beaucoup écrit sur la casuistique* » (Académie).

1 La casuistique qui n'eut ni cœur ni âme n'a point stipulé pour la femme. Mais aujourd'hui c'est l'homme même, dans sa justice généreuse, qui doit plaider pour elle, s'il le faut, contre lui. MICHELET, la Femme, p. 458.
2 La casuistique se fait et sert pour les cas difficiles ; sous son empire, toutes les peccadilles courantes sont à l'aise. TAINE, Philosophie de l'art, t. II, III, ɪɪ, ɪɪɪ.

♦ **2.** (Péj.). Tendance à subtiliser, en morale, souvent de manière complaisante. ⇒ **Sophiste.** *La casuistique du cœur.*

3 L'Antiquité, qui comptait tant de sophistes, n'était pas ignorante des subtilités et des faux-fuyants de la casuistique.
Grand dict. universel du xɪxᵉ siècle, art. *Casuistique.*
4 (...) si nous avons aperçu dans la casuistique des scribes, des moyens détournés pour se débarrasser des préceptes (...)
DANIEL-ROPS, le Peuple de la Bible, IV, p. 368.

♦ **3.** Adj. De la casuistique. *Subtilité casuistique.*

CASUS BELLI [kazysbɛlli] n. m. invar. — Av. 1867 ; lat. *casus,* et *bellum,* «cas de guerre».

♦ Dr. internat. Acte de nature à motiver, pour un gouvernement, une déclaration de guerre. *Des casus belli.*

En effet, depuis huit ou neuf cents ans, Quiquendone avait dans son sac un *casus belli* de la plus belle qualité ; mais elle le gardait précieusement, comme une relique, et il semblait avoir quelques chances de s'éventer et de ne plus pouvoir servir.
J. VERNE, le Docteur Ox, p. 80.

CAT-, CATA- Élément emprunté au grec *kata* «en bas, en dessous, en arrière» ; «contre» ; «en commençant» ; «en achevant». → aussi kata- *(katabatique, katafront).*

CATABOLIQUE [katabɔlik] adj. — 1905, in *Rev. gén. des sc.,* nᵒ 2, p. 71 ; de *catabolisme.*
Didactique.

♦ **1.** Relatif au catabolisme. *La phase catabolique du métabolisme.*

♦ **2.** Chez qui se manifeste le catabolisme. *Organisme catabolique.*

CATABOLISER [katabɔlize] v. tr. — xxᵉ ; de *catabolisme.*

♦ Didact. (physiol.). Transformer une partie de la matière vivante en déchet. «*En outre les cellules musculaires lisses possèdent un récepteur pour les lipoprotéines et peuvent ainsi les reconnaître, les emmagasiner et les cataboliser (les digérer)*» (*Sciences et Avenir,* 1978 ; nᵒ 22, p. 33).

CATABOLISME [katabɔlism] n. m. — 1896 ; de *cata-,* et *(méta)bolisme.*

♦ Didact. (physiol.). Phase du métabolisme qui comprend les processus de dégradation des composés organiques, avec dégagement d'énergie sous forme de chaleur ou de réactions chimiques et élimination des déchets.

À côté des substances favorisant la culture, il faut mentionner les substances inhibitrices qui en retardent ou en arrêtent le développement. Parmi elles se trouvent principalement les substances de déchet qui se produisent du fait même de la vie cellulaire, substances de dégradation produites par ce qu'il est convenu d'appeler le catabolisme. Jean VERNE et Simone HÉBERT, la Culture de tissus, p. 14.

CONTR. **Anabolisme.**
DÉR. **Catabolique, cataboliser, catabolite.**

CATABOLITE [katabɔlit] n. m. — V. 1960 ; de *catabolisme.*

♦ Didact. (physiol.) Substance formée au cours du catabolisme (→ Anabolite).

CATACHRÈSE [katakʀɛz] n. f. — 1557; lat. *catachresis*, grec *katakhrêsis*, même sens.

♦ Didact. Figure de rhétorique qui consiste à détourner un mot de son sens propre. ⇒ **Métaphore**. On dira par catachrèse *ferré d'argent, aller à cheval sur un bâton*.

Il affectait dans l'excitation générale un parler grave et solennel où se chevauchaient d'ahurissantes propositions dans un fatras de catachrèses, antiphrases et prosopopées, le tout à l'état natif.   Jacques PERRET, Bande à part, p. 41.

Spécialt. [a] Métaphore lexicalisée (qui n'est plus sentie comme une figure). Ex. : *les ailes d'un château, d'un moulin*.

[b] Extension de sens d'un signe lexical (mot) par métaphore, métonymie, synecdoque à une notion non désignée dans la langue.

REM. Ces deux notions peuvent coïncider, mais elles sont construites selon des critères différents.

CATACLYSMAL, ALE, AUX [kataklismal, o] adj. — xxᵉ; de *cataclysme*.

♦ Littér. Qui a le caractère d'un cataclysme. ⇒ **Cataclysmique** (2.).

Le froid, la guerre ont fait un signe : c'est assez pour que (...) nous enviions notre semblable qui, sous tous les règnes du froid cataclysmal, se pencha, ramassa le bois mort et en fit jaillir la flamme.   COLETTE, De ma fenêtre, 16 janv. 1941, p. 60.

CATACLYSME [kataklism] n. m. — Av. 1553, *cataclisme*; lat. *cataclysmos*, grec *kataklusmos* « inondation ».

♦ **1.** Bouleversement de la surface du globe, causé par un phénomène naturel destructeur (déluge, tremblement de terre...). ⇒ **Bouleversement, catastrophe, désastre**.

1   (...) si jamais notre planète est victime d'un cataclysme, à ce moment redoutable, il se trouvera des hommes qui, au milieu du bouleversement et du chaos, auront une pensée désintéressée, scientifique (...)   RENAN, Œuvres, t. I, p. 218.

♦ **2.** (1845). Désastre, bouleversement (dans un état, dans une société...) ⇒ **Calamité, crise, fléau**. *Cette révolution fut un vrai cataclysme.*

2   Et si jamais pestes au monde, famines, guerres, orages, cataclysmes, conflagrations et autre malheur advient, ne l'attribuez *(pas)*, ne le référez *(pas)* aux conjonctions des planètes maléfiques, aux abus de la cour romaine, aux tyrannies des rois (...) attribuez le tout à l'énorme, indicible, incroyable et inestimable méchanceté (...)
                    RABELAIS, le Cinquième Livre, 11.

Fam. Brusque mise en désordre.

♦ **3.** Cause d'un désordre; personne qui met en désordre, cause des dégâts par sa maladresse, son agitation, etc. *Ce gosse est un (vrai) cataclysme.*

DÉR. Cataclysmal, cataclysmique.

CATACLYSMIQUE [kataklismik] adj. — 1863; de *cataclysme*. Didactique.

♦ **1.** Géol. Qui fait intervenir le bouleversement causé par un cataclysme. *Théorie cataclysmique de la formation de l'écorce terrestre* (⇒ **Catastrophisme**).

♦ **2.** Qui a le caractère d'un cataclysme. ⇒ **Cataclysmal, désastreux, terrible**. *Un vent d'une violence cataclysmique.* — Par plais. *Un éternuement cataclysmique.*

CATACOMBE [katakɔ̃b] n. f. — 1690; *cathacombes*, fin XIIIᵉ; lat. chrét. *catacumbae* « cimetière souterrain », altér. de **cata-tumbae*; du grec *kata* « en bas », et du lat. chrét. *tumba* « tombe », la dissimilation étant due p.-ê. à l'infl. de *cumbere* « être couché ».

♦ **1.** Souterrain en galerie ayant servi de sépulture (⇒ **Cimetière, hypogée**). *Morts enterrés dans les catacombes. Les catacombes de Rome.*

1   Je vis s'allonger devant moi des galeries souterraines, qu'à peine éclairaient de loin à loin quelques lampes suspendues. Les murs des corridors funèbres étaient bordés d'un triple rang de cercueils placés les uns au-dessus des autres. La lumière lugubre des lampes rampant sur les parois des voûtes, et se mouvant avec lenteur le long des sépultures, répandait une mobilité effrayante sur ces objets éternellement immobiles (...) Je reconnais les catacombes!
                    CHATEAUBRIAND, les Martyrs, t. I, v, p. 214.

2   Le Tibre sépare les deux gloires : assises dans la même poussière, Rome païenne s'enfonce de plus en plus dans ses tombeaux et Rome chrétienne redescend peu à peu dans ses catacombes.   CHATEAUBRIAND, Mémoires d'outre-tombe, II, 2.

3   Les Catacombes de Rome, dont les galeries forment plusieurs étages, sont décorées de peintures symboliques de style pompéien.
                    Louis RÉAU, Dict. d'art et d'archéologie, Catacombes.

Par ext. Excavation où ont été réunis des ossements. ⇒ **Ossuaire**. *Les catacombes de Paris* (dans les anciennes carrières souterraines de la rive gauche).

♦ **2.** Par métaphore. Abîme, dédale, labyrinthe.

4   Plus l'esprit est vigoureux, plus il se perd dans les catacombes de l'incertitude humaine.   A. DE VIGNY, Journal d'un poète, p. 151.

5   On pressent le silence sinistre de ces bureaux inoccupés et de ces archives lam-

brissées : catacombes administratives qu'emplit tantôt un froid de glace, tantôt une chaleur d'étuve (...)
                    COURTELINE, Messieurs les ronds-de-cuir, 1ᵉʳ tableau, II, p. 29.

REM. Le mot semble inusité au singulier.

CATACOUSTIQUE [katakustik] n. f. — 1751; de *cat-*, et *acoustique*.

♦ Phys. Partie de l'acoustique qui a pour objet l'étude de la réflexion du son (⇒ **Écho**).

CATADIOPTRE [katadjɔptʀ] n. m. — Mil. xxᵉ; de *catadioptrique*.

♦ Sc., cour. Cataphote (→ Bicyclette, cit. 0.2).

Elle *(la voiture)* avançait le long des rues avec ses phares allumés, et elle croisait d'autres phares, des feux rouges, des clignotants, des catadioptres, des reflets métalliques. Il y avait tellement de lumières qu'on avait besoin de lunettes noires pour ne pas être aveuglé.   J.-M. G. LE CLÉZIO, les Géants, 1973, p. 83.

CATADIOPTRIQUE [katadjɔptʀik] adj. et n. f. — 1771; croisement de *catoptrique*, et de *dioptrique*. Didactique (physique).

♦ **1.** Adj. Relatif aux phénomènes de réflexion et de réfraction de la lumière; qui comprend des appareils de réflexion et de réfraction. *Télescope catadioptrique.*

♦ **2.** N. f. (Vieilli). Étude de la réflexion et de la réfraction. ⇒ **Optique; catoptrique, dioptrique**.

DÉR. Catadioptre.

CATADROME [katadʀom] adj. et n. m. — xxᵉ; autres sens au xixᵉ; de *cata-*, et grec *dromos* « course ».

♦ Zool. Se dit des poissons qui vivent en rivière et vont frayer en mer (opposé à *anadrome*) — Syn. : *thalassotoque*.

(...) les *Catadromes* ou Thalassotoques se nourrissent dans les rivières, puis descendent vers la mer dans les profondeurs de laquelle a lieu l'acte sexuel; leur type est l'Anguille.   R. et M.-L. BAUCHOT, les Poissons, p. 119.

CONTR. Anadrome, potamotoque.

CATAFALQUE [katafalk] n. m. — XVIIIᵉ; « échafaud », 1690; ital. *catafalco*, du lat. pop. *catafalicum*.

♦ **1.** Estrade décorée sur laquelle on place le cercueil pendant une cérémonie funèbre (le cercueil vide, dans les cérémonies commémoratives). Décoration funèbre qu'on élève au-dessus du cercueil. ⇒ **Chapelle** (chapelle ardente). *Le baldaquin, les cierges d'un catafalque. Dresser un catafalque au milieu d'une église.*

1   Et le prêtre fait à grands pas le tour du catafalque, le brode de perles d'eau bénite, l'encense (...)   HUYSMANS, En route, p. 15.

1.1 Baudelaire disait que l'on reconnaissait toute vraie poésie, harnachée ou non de catafalques, à la métamorphose que lui dispensait la mort; mais après 1860, le siècle même devenait l'objet de cette métamorphose-là.
                    MALRAUX, l'Homme précaire et la littérature, p. 247.

♦ **2.** Fig. Meuble, monument, ensemble massif d'apparence sinistre.

2   Je nomme catafalque, le piano mécanique, ancien, éprouvé par le temps, d'un noir de vieux frac.   COLETTE, la Naissance du jour, p. 206.

CATAGENÈSE [kataʒɛnɛz] n. f. — 1863, Littré, en sc. (vx); de *cata-*, et *-genèse*.

♦ (1907). Philos. Chez Bergson, Évolution régressive.

1. CATAIRE [katɛʀ] ou **CHATAIRE** [ʃatɛʀ] n. f. — 1733; bas lat. *cattaria*, de *cattus* « chat ».

♦ Bot. Plante dicotylédone de la famille des Labiées (⇒ **Népète**), dont l'odeur forte attire les chats (d'où son nom d'*herbe aux chats*).

HOM. 2. Cataire.

2. CATAIRE [katɛʀ] adj. — 1833; du rad. du lat. *cattus* « chat ».

♦ Didact. et rare. Qui a rapport au chat.

(1833). Méd. *Frémissement cataire* : frémissement vibratoire, semblable au ronronnement du chat, qu'une main appliquée sur la poitrine peut percevoir dans le cas de rétrécissement de l'orifice mitral. « *Ce bruit* (n'a jamais lieu) *sans que la main appliquée sur la région précordiale n'y perçoive un frémissement particulier, qu'on a comparé à celui qui accompagne le murmure de satisfaction que font entendre les chats quand on les caresse, et qu'on a en conséquence désigné sous le nom de frémissement cataire* » (*Journal de médecine et de chirurgie pratiques*, 1833; IV, 390).

HOM. 1. Cataire.

CATALAN, ANE [katalɑ̃, an] adj. et n. — 1452, *cathalain*; catalan *català* (xivᵉ), de *Catalunya* « la Catalogne ».

♦ De Catalogne (choses); qui habite ou est originaire de Catalogne (personnes). *Le peuple catalan, la nation catalane. Barcelone, capitale catalane.* — *L'art catalan* (spécialt, art roman de Catalogne). *Une vierge catalane. Littérature, poésie catalane.* — Loc. *Couteau catalan :* couteau à lame étroite et effilée, à cran d'arrêt. — *Méthode catalane* (ancien procédé métallurgique).

Cette réduction se fait en soumettant le minerai en présence du charbon à une haute température, soit par la rapide et facile « méthode catalane », qui a l'avantage de transformer directement le minerai en fer dans une seule opération (...)
J. VERNE, l'Île mystérieuse, t. I, p. 190.

Loc. adj. *À la catalane :* préparé avec du riz, des aubergines à l'huile (viande), des tomates, poivrons, cornichons (thon). Adj. *Du thon catalane.*

N. *Un Catalan, une Catalane. Picasso, Miró, Catalans célèbres.*

N. m. *Le catalan :* langue romane parlée en Catalogne (espagnole et française) et aux îles Baléares. *Parler catalan et espagnol. Parler le catalan. Renaissance du catalan en France.* — Adj. *La grammaire catalane. Dictionnaire catalan-espagnol.*

DÉR. Catalanisme, catalaniste.

CATALANISME [katalanism] n. m. — V. 1930; de *catalan.*

♦ Polit. Autonomisme catalan.

CATALANISTE [katalanist] adj. et n. — 1929, Montherlant; de *catalan.*
Didactique.

♦ **1.** Relatif au catalanisme; partisan du catalanisme. — N. *Un catalaniste convaincu.*

♦ **2.** Spécialiste de la langue et de la civilisation catalanes.

CATALASE [katalaz] n. f. — xxᵉ; de *catal(yse)*, et suff. *-ase.*

♦ Biol. et chim. Enzyme qui active la décomposition de l'eau oxygénée en eau et en oxygène, très importante dans les processus d'oxydation de l'organisme accompagnés de production d'eau oxygénée qui est toxique.

CATALECTIQUE [katalɛktik] adj. — 1644; grec *kataléktikos*, de *katalêgein* « finir ».

♦ Versif. Se dit d'un vers grec ou latin auquel manque une syllabe.

CATALEPSIE [katalɛpsi] n. f. — V. 1580; *catalepse*, 1507; lat. méd. *catalepsis*, grec *katalêpsis* « action de saisir ».

♦ Méd. Suspension complète du mouvement volontaire des muscles et aptitude du tronc et des organes à garder les attitudes qu'on leur fait prendre. ⇒ **Cataplexie, catatonie** (cit. 1), **léthargie, paralysie.** *La catalepsie s'observe dans le sommeil hypnotique* (⇒ **Hypnose**) *et dans la schizophrénie. Accès, attaque de catalepsie.*

Une méditation profonde, une belle extase sont peut-être, dit-il en terminant, des catalepsies en herbe. BALZAC, Louis LAMBERT, Pl., t. X, p. 441.

Cour. *En catalepsie. Être, tomber en catalepsie.*

CATALEPTIQUE [katalɛptik] adj. — Av. 1742; lat. méd. *catalepticus*, de *catalepsis*. → Catalepsie.

♦ Méd. Qui a rapport à la catalepsie. *Accès, état cataleptique. Insensibilité cataleptique. Sommeil cataleptique.*

(...) il avait sombré, pendant deux heures, dans un sommeil cataleptique, d'où il était sorti courbatu, hagard. MARTIN DU GARD, les Thibault, t. VII, p. 135.

N. *Un, une cataleptique.*

CATALOGAGE [katalɔgaʒ] n. m. — 1928; de *cataloguer.*

♦ **1.** Didact. Ensemble des opérations par lesquelles on élabore un catalogue; résultat de ces opérations. *Un catalogage systématique.*

♦ **2.** Fig. et souvent péj. Action de ranger (quelqu'un, quelque chose) dans une catégorie.

Renoncez donc pour moi à ce jeu de catalogage, qui est celui de tous les « partisans ». Parce que je ne suis pas d'un parti, est-ce une raison pour que je sois d'un autre? R. ROLLAND, Journal des années de guerre 1914-1919, p. 1387.

CATALOGNE [katalɔɲ] n. f. — 1635; anc. franç. « couverture de laine », du n. pr. *Catalogne.*

♦ Régional (franç. du Québec). Étoffe dont la trame est faite de bandes de tissus généralement multicolores. *Couverture, tenture de catalogne.* — Spécialt. Tapis fait de cette étoffe.

Déjà admise comme une cliente ordinaire (...) Non pas installée comme une cliente ordinaire. Les bagages à côté du lit, sa catalogne. Les affaires de toilette rangées sur le lave-mains (...) Anne HÉBERT, Kamouraska, 1970, p. 210.

CATALOGUE [katalɔg] n. m. — 1262; bas lat. *catalogus*, grec *katalogos* « liste ».

♦ **1.** Liste méthodique des éléments d'une collection, accompagnée de détails, d'explications. ⇒ **Dénombrement, index, inventaire, liste, nomenclature, recueil, répertoire, rôle, table.** *Dresser un catalogue. Inscrire qqch. au catalogue. Catalogue par ordre alphabétique, par ordre chronologique, par ordre de matières. Catalogue des saints; catalogue des martyrs, de victimes.* ⇒ **Martyrologe.** *Catalogue de plantes. Le catalogue des tableaux d'une exposition.* ⇒ **Livret.** *Catalogue de livres. Catalogue d'une bibliothèque.* ⇒ **Répertoire.** *Catalogue des écrits relatifs à un sujet donné.* ⇒ **Bibliographie, collection, index.** *Catalogue des rubriques d'un ouvrage.* ⇒ **Index, table** (des chapitres, des matières). *Catalogue des livres divinement inspirés.* ⇒ 2. **Canon.** *Catalogue des livres interdits par l'autorité pontificale.* ⇒ **Index.**

Puis il regarda autour de lui, s'orienta, apprit le fonctionnement de cette grande machine *(la Bibliothèque nationale).* Il y avait notamment les catalogues, dont il fallait connaître le maniement, des catalogues nombreux, les uns imprimés, d'autres manuscrits, d'autres encore photographiques, les uns sur fiches les autres pas, par ordre alphabétique ou par ordre de matière : bref tout un apprentissage à faire. Lorsqu'il eut un peu compris, le premier soin de M. G. fut de chercher son nom au catalogue général; il y trouva; ce fut pour lui une bien grande émotion, une joie très vive. R. QUENEAU, Contes et propos, « La petite gloire », p. 31-32.

♦ **2.** Liste, souvent illustrée, de marchandises, d'objets à vendre. *Acheter, feuilleter un catalogue. Un catalogue publicitaire. Catalogue de meubles, de jouets, de vêtements. Vignettes d'un catalogue illustré.*

(...) ce matin encore, Mᵐᵉ de Champcenais a reçu un catalogue de nouveautés d'hiver qu'elle a feuilleté au lit. Les adversaires de la taille fine auraient tort de chanter victoire. Les vignettes montrent qu'elle reste en honneur.
J. ROMAINS, les Hommes de bonne volonté, III, p. 47.

♦ **3.** Fig. Liste, énumération (d'éléments). *Cet article est un simple catalogue.* Loc. *Faire le catalogue de* (et n. au plur.) : énumérer.
Loc. métaphorique. *Rayez cela de votre catalogue :* ne croyez pas cela ; n'y comptez pas.

DÉR. Cataloguer.

CATALOGUER [katalɔge] v. tr. — 1801; de *catalogue.*

♦ **1.** Classer, dénombrer, inscrire par ordre dans un catalogue. *Cataloguer les livres d'une bibliothèque.* — Au p. p. *Les objets non encore catalogués. Énumérer comme dans un catalogue; faire la liste de.*

Presque toutes les personnes dont j'ai parlé dans ces Mémoires ont disparu ; c'est un registre obituaire que je tiens. Encore quelques années, et moi, condamné à cataloguer les morts, je ne laisserai personne pour inscrire mon nom au livre des absents. CHATEAUBRIAND, Mémoires d'outre-tombe, I, VIII.

Dresser le ou les catalogues de. *Cataloguer une collection, une bibliothèque, un musée.*

♦ **2.** (1902). Classer (qqn) en le jugeant de manière définitive. ⇒ **Juger.** *Il l'a catalogué tout de suite : c'est un faux modeste.*

Si l'on nous permet de cataloguer, pour plus de commodité, les journalistes en deux classes : (...) les uns sont imbus de bonne littérature et de culture classique (...) les seconds, à qui ce nom de Baudelaire était peu familier (...)
A. JARRY, Gestes, Le monument de Boulaine, Œ. compl., t. VII, p. 108, 1902.

Au p. p. (construit avec un adj. en apposition) :
En moins de temps qu'il n'en faut pour l'écrire, le neuf devient un nouveau cliché. Il se vulgarise trop vite, parce que, catalogué moderne il est une mode.
A. JARRY, Critique de théâtre, Le cochon, Œ. compl., t. VII, p. 256, 1903.

♦ **3.** Classer, mettre une étiquette sur (qqn, qqch.) ; réduire en classant.

Et qu'est-ce que tu écris ? dis-je.
— On peut appeler ça comme on veut : des nouvelles ou bien des poèmes. Ça ne se laisse pas cataloguer. S. DE BEAUVOIR, les Mandarins, p. 398 (1954).

(...) on m'enfermait à nouveau dans ce monde dont j'avais mis des années à m'évader, où chaque chose a sans équivoque son nom, sa place, sa fonction (...) où d'avance tout est classé, catalogué, connu, compris et irrémédiablement jugé (...)
S. DE BEAUVOIR, Mémoires d'une jeune fille rangée, p. 192.

DÉR. Catalogage, catalogueur.

CATALOGUEUR, EUSE [katalɔgœʀ, øz] n. — 1801; de *cataloguer.*

♦ Rare. Personne qui catalogue (1. ou 2.). *« Ce XIXᵉ siècle, grand éplucheur d'archives, catalogueur de monuments »* (Louis Hourticq, in T. L. F.).

CATALPA [katalpa] n. m. — 1771; *catappas*, 1751; mot angl., de la langue des Indiens de Caroline.

♦ Plante dicotylédone *(Bignoniacées)*, arbre d'origine exotique, de grande taille, à larges feuilles cordiformes, se couvrant d'amples panicules de grandes fleurs blanches ponctuées de rouge. *Le catalpa est cultivé en Europe comme arbre d'agrément.*

Ede laissa donc un écureuil, — qui jamais ne l'intéresserait plus —, se plonger dans un catalpa. GIRAUDOUX, Juliette au pays des hommes, p. 71.

2   Souvent un catalpa, dans une cour, se penchant par-dessus la muraille, envahit la
    rue où pendent ses vertes guirlandes.   Paul MORAND, New-York, p. 159.

CATALYSE [kataliz] n. f. — 1836; angl. *catalysis,* 1836; grec *cata-
lusis* «action de dissoudre».

♦ **1.** Chim. Modification (surtout accélération) d'une réaction chimique sous l'effet d'une substance (⇒ **Catalyseur**) qui ne subit pas
de modification elle-même. On appelait ce phénomène *action de
présence, action catalytique. Catalyse positive,* par laquelle la réaction est accélérée. *Catalyse négative* (ou *inhibition*), par laquelle
la réaction est ralentie. *Catalyse homogène, hétérogène* (ou *de contact*). *Four, poêle à catalyse. Agir par catalyse. Dans les réactions
biochimiques, les enzymes régissent les processus de catalyse.*

♦ **2.** Fig. Action de catalyser (2.).

DÉR. Catalyser, catalytique.
COMP. Autocatalyse.

CATALYSER [katalize] v. tr. — 1838; de *catalyse.*

♦ **1.** Chim. Agir comme catalyseur en provoquant (une réaction). *Le
mercure catalyse l'oxydation de l'aluminium.*

♦ **2.** (V. 1950). Fig. Déclencher (une réaction) par sa seule présence.
Catalyser l'enthousiasme.

Qu'as-tu fait de moi (...)? Rien d'autre que ce que je suis, que ce que j'aurais été
forcé d'être tôt ou tard (...) Tu as catalysé le mal, nettoyé le champ opératoire,
précipité l'inéluctable.   Régis DEBRAY, l'Indésirable, 1975, p. 133.

DÉR. Catalyseur.

CATALYSEUR [katalizœʀ] n. m. — 1884; de *catalyser.*

♦ **1.** Chim. Substance qui provoque la catalyse. *Le catalyseur agit
souvent à dose infime, il se retrouve inaltéré à la fin de la réaction.
La réaction a lieu en présence de tel catalyseur. Activité; sélecti-
vité d'un catalyseur. Enzyme, ferment jouant le rôle de catalyseur*
(⇒ **Biocatalyseur**). *Catalyseur positif* (⇒ **Initiateur; accélérateur**),
négatif (⇒ **Inhibiteur**). — Spécialt. Catalyseur positif. *Désactivation
d'un catalyseur, par «empoisonnement»* (⇒ **Poison**) *ou «encrasse-
ment».*

♦ **2.** Par compar., par métaphore ou fig. Ce qui catalyse (2.), déclenche une réaction, par sa seule présence ou par son intervention.
Jouer le rôle d'un catalyseur; servir de catalyseur.

1   (...) entre temps (...) se produisit ce second fait, une seconde intrusion (...) le prota-
    goniste (...) n'agit en somme que comme une sorte de catalyseur, de révélateur.
                                        Claude SIMON, le Vent, 1957, p. 68.

2   Certains observateurs avaient noté que, pour eux *(les étudiants contestataires),*
    «les Bourgeois» remplissaient la même fonction que les Juifs pour les Nazis : un
    catalyseur de l'agressivité.   Jean-Louis CURTIS, le Roseau pensant, p. 178.

    Adj. masc. *Un agent catalyseur.*

3   (...) l'intervention du masque *(un objet trouvé par hasard)* semblait avoir pour but
    d'aider Giacometti à vaincre (...) son indécision (...)
    Cet essai de démonstration du rôle *catalyseur* de la trouvaille n'aurait à mes yeux
    rien de péremptoire si ce même jour (...) je n'avais pu m'assurer que la cuiller de
    bois *(autre objet de rencontre)* répondait à une nécessité analogue (...)
                                        A. BRETON, l'Amour fou, p. 46-47.

COMP. Biocatalyseur. — V. Catergol.

CATALYTIQUE [katalitik] adj. — 1836; de *catalyse.*

♦ Chim. Relatif à la catalyse. *Action catalytique d'une enzyme.
Réaction catalytique. Pouvoir catalytique d'une substance. Substance, corps, agent catalytique.* ⇒ **Catalyseur.**

Nous n'avons discuté jusqu'à présent que de la première étape d'une réaction enzy-
matique (...) L'étape catalytique elle-même, qui suit la formation du complexe, ne
nous arrêtera pas longtemps (...)
                                        Jacques MONOD, le Hasard et la Nécessité, 1970, p. 80.

CATAMARAN [katamaʀã] n. m. — Mil. xxᵉ; *catimaron* «radeau
des Indes», 1699; mot angl., du tamoul *katta* «lien», et *maram* «bois».

♦ **1.** Vx ou techn. Radeau de la côte de Coromandel, constitué de
troncs d'arbres parallèles, reliés par des traverses.

♦ **2.** Embarcation à voile (et, par ext., à moteur), à deux coques
accouplées. *Les multicoques comprennent les catamarans, trima-
rans...*

♦ **3.** Système de flotteurs d'hydravion. *Flotteurs en catamaran.*

DÉR. V. Trimaran.

CATAMÉNIAL, ALE, AUX [katamenjal, o] adj. — 1863; du
grec *kataménia* «menstrues», de *kata* «par», et *mên* «mois».

♦ Méd. (rare). Qui a rapport aux menstrues. ⇒ **Menstruel.** *Des douleurs cataméniales.*

CATAPHORÈSE [katafɔʀɛz] n. f. — 1893, en méd.; de *cata,* et
phoresis «action de porter».

♦ **1.** Chim. (vieilli). Syn. de *électrophorèse*.*

♦ **2.** Techn. Déplacement de particules colloïdales vers la cathode
par l'action d'un courant électrique (opposé à *anaphorèse*).

CATAPHOTE [katafɔt] n. m. — V. 1931, marque déposée; du grec
kata «contre», et *phos, -otos* «lumière».

♦ Petit appareil réfléchissant la lumière et rendant visible la nuit
le véhicule, l'obstacle qui le porte. ⇒ **Catadioptre, réflecteur.** *Bicyclette munie de cataphote.*

(...) le prix d'une bicyclette garde-boue chromée deux freins sonnette lanterne
avant et cataphote arrière (...)   Tony DUVERT, Paysage de fantaisie, 1973, p. 223.

CATAPHRACTE [katafʀakt] n. et adj. — xɪvᵉ; grec *kataphraktês*
«cuirasse», de *kata* «contre», et *phrasein* «couvrir, protéger».
Didactique.

★ **I.** N. f. ♦ **1.** Antiq. Cuirasse des cavaliers (en Orient, puis chez
les Grecs et les Romains), faite de peau ou de toile recouverte de
lames de métal imbriquées en écaille.

♦ **2.** (1751). Mar. anc. Grand vaisseau de guerre à rames, recouvert
d'un pont.

★ **II.** N. m. Soldat revêtu de la cataphracte. — Adj. :

Par précaution contre les éléphants, Mâtho institua un corps de cavaliers cata-
phractes, où l'homme et le cheval disparaissaient sous une cuirasse en peau d'hippopotame hérissée de clous (...)   FLAUBERT, Salammbô, ɪx, p. 185.

CATAPLASME [kataplasm] n. m. — 1390, *cathaplasme;* lat. *cata-
plasma,* grec *kataplasma* «emplâtre».

♦ **1.** Préparation médicinale pâteuse, appliquée sur la peau.
⇒ **Fomentation.** *Le cataplasme est un topique. Cataplasme de
farine de lin. Cataplasme sinapisé,* à la farine de moutarde. ⇒ **Sinapisme.** *Préparer, appliquer, renouveler un cataplasme sur un abcès.
Cataplasme vésicant, émollient, révulsif, tonique, irritant.*

Ils sont faits de farine et *(de)* poudre mêlées et incorporées avec *(du)* jus ou autre   1
chose humide ; tels emplâtres doivent plutôt être appelés onguents durs ou cataplasmes qu'emplâtres.   Ambroise PARÉ, XXV, 27, in LITTRÉ.

Des cataplasmes d'amidon sur une brûlure : ça ne guérit pas, mais ça soulage à   2
condition de les renouveler tout le temps.   COLETTE, Chéri, p. 153.

Spécialt. Cataplasme sinapisé enfermé dans un linge ou déposé sur
une feuille souple à humecter et que l'on applique sur la peau.
⇒ **Sinapisme.**

Loc. fam. *Un cataplasme sur une jambe de bois :* une mesure inutile, inefficace.

Hortic. Mélange de bouse et de terreau que l'on applique sur les
lésions des arbres. (On dit aussi *onguent de Saint-Fiacre*).

Fam. Aliment épais et indigeste. *Cette purée est un cataplasme, un
cataplasme pour l'estomac.* ⇒ **Emplâtre.**

♦ **2.** Paquet épais (de billets, de feuilles). ⇒ **Matelas.**

(...) Pas un des messieurs corrects, pas un des employés économes n'était dépourvu   3
d'un raisonnable paquet de fonds turcs, ni d'un énorme cataplasme de fonds russes.
                                        J. ROMAINS, les Hommes de bonne volonté, ɪ, p. 32.

CATAPLECTIQUE [kataplɛktik] adj. — 1863, Littré; de *cataplexie.*

♦ De la cataplexie. «*Des modèles animaux ont tenté de recréer
certains aspects de cette maladie, et l'on peut induire un épisode
de type cataplectique en injectant certaines drogues dans le tronc
cérébral* (la Recherche, févr. 1974; nᵒ 42, p. 129).

CATAPLEXIE [kataplɛksi] n. f. — 1752; *cataplexis,* 1747; grec
kataplêxis «stupeur», de *kata* «sur», et *plêssein* «frapper».
Didactique (pathologie).

♦ Affection caractérisée par une perte de tonus musculaire sans
perte de conscience, souvent sous l'effet d'une brusque émotion.
*Sujet en cataplexie. État de cataplexie induit expérimentalement
chez l'animal* (→ Cataplectique).

DÉR. Cataplectique.

CATAPULTABLE [katapyltabl] adj. — 1951; de *catapulter.*

♦ Qui peut être catapulté. *Avion catapultable à partir d'un porte-
avions.*

CATAPULTAGE [katapyltaʒ] n. m. — Déb. xxᵉ; de *catapulter.*

♦ Action de catapulter. — Spécialt. Lancement d'un avion à l'aide
d'une catapulte. *Des dispositifs de catapultage sur les porte-avions.*

CATAPULTE [katapylt] n. f. — 1355 ; lat. *catapulta*, grec *katapeltês*.

♦ **1.** Machine de guerre antique, où un système de poutres et de cordes tordues, formant ressort, projetait au loin de lourds projectiles. ⇒ 1. **Baliste** (cit. 2), **bricole** (1.), **espringale, mangonneau, onagre, scorpion.**
(...) les catapultes, se composaient d'un châssis carré, avec deux montants verticaux et une barre horizontale. FLAUBERT, *Salammbo*, XIII, p. 258.

♦ **2.** (1927, *in* D. D. L.). Poutre métallique, portant un chariot projeté par une charge d'explosif, par l'air comprimé, etc., et qui sert à lancer un hydravion, un avion, une fusée (→ Rampe* de lancement). *Les catapultes d'un cuirassé, d'un porte-avions.*
DÉR. Catapulter.

CATAPULTER [katapylte] v. tr. — Déb. xxᵉ ; de *catapulte.*

♦ **1.** Lancer par catapulte. — Spécialt. Lancer à l'aide d'une catapulte (2.) un avion ou un hydravion sur une aire de décollage réduite. — Au p. p. Avion catapulté.

♦ **2.** Cour. a⃞ Lancer, projeter violemment au loin (qqch.).

b⃞ (Compl. n. de personne). Nommer subitement (qqn) à un poste, généralement plus élevé que précédemment. *Catapulter quelqu'un à la direction d'une affaire.* ⇒ **Élever, porter ; bombarder** (fam.) — Déplacer autoritairement (qqn) dans un lieu éloigné. *Cet ingénieur a été catapulté en province par son ministère.* ⇒ **Parachuter.**
DÉR. Catapultable, catapultage.

1. CATARACTE [kataRakt] n. f. — 1479, au sens 3. ; lat. *cataracta*, grec *kataraktês* «chute d'eau».

♦ **1.** (1549, Estienne). Chute des eaux d'un grand cours d'eau. ⇒ **Cascade.** *Les cataractes du Nil ne sont que des rapides*. Cataractes du Zambèze, du Niagara.* ⇒ **Chute.**
1 (...) quand on a vu la cataracte du Niagara, il n'y a plus de chute d'eau. CHATEAUBRIAND, *Mémoires d'outre-tombe*, IV, II.
2 La neige, tombant comme une écume de cataracte, avait éteint les torches l'une après l'autre. HUGO, *l'Homme qui rit*, I, II, 18.

♦ **2.** (1803). Chute violente (d'eau). ⇒ **Déluge, torrent, trombe.** *Des cataractes de pluie. Les vagues tombaient en cataractes sur le pont. Il tombe des cataractes,* une très forte pluie.
3 (...) des pluies épouvantables, semblables à des cataractes, tombèrent du ciel. BERNARDIN DE SAINT-PIERRE, *Paul et Virginie*, p. 63.
Par comparaison :
4 (...) celui-ci passe en silence comme l'épanchement d'une source ; celui-là attache un bruit à son cours comme un torrent ; celui-là jette son existence comme une cataracte qui épouvante et disparaît. CHATEAUBRIAND, *Mémoires d'outre-tombe*, IV, VI.
Fig. *Des cataractes de larmes. Cataracte de lumière.*
5 (...) des cataractes de soleil. MAUPASSANT, *Notre cœur*, III, I, p. 243.

♦ **3.** (1479). Au plur. Vieilli. Écluses, vannes qui retiennent les eaux du ciel (expression biblique : *le ciel ouvre ses cataractes*). *Les cataractes du ciel se sont ouvertes* (⇒ **Déluge**).
6 Il ouvrit les cataractes du ciel. MASSILLON, *Panégyrique de saint François, in* LITTRÉ.
Loc. (vieilli). *Lâcher les cataractes :* laisser déborder sa colère, son indignation. — Pleurer abondamment.
HOM. 2. Cataracte.

2. CATARACTE [kataRakt] n. f. — 1340 ; lat. médical *cataracta* «chute d'eau», puis «porte qui s'abat, herse», par métaphore, le malade ayant l'impression d'un voile qui s'abat sur lui.
Pathol. Affection de l'œil aboutissant à l'opacité partielle ou totale du cristallin*, ou à celle de la capsule* de Tenon. *Cataracte congénitale, sénile, traumatique, spontanée. Cataracte capsulaire, nucléaire, lenticulaire. Avoir la cataracte. Opération de la cataracte,* par section de la cornée, ouverture de la capsule, ablation du cristallin. *Être opéré de la cataracte.*
Une âme peut être opérée de l'athéisme comme une prunelle de la cataracte. HUGO, *Post scriptum de ma vie*, L'âme, Rêveries sur Dieu.
DÉR. Cataracté.
HOM. 1. Cataracte.

CATARACTÉ, ÉE [kataRakte] adj. — 1752 ; de 2. *cataracte.*
♦ Pathol. Affecté de la cataracte. *Œil, cristallin cataracté.*

CATARRHAL, ALE, AUX [kataRal, o] adj. — 1503 ; de *catarrhe.*
♦ Méd. (vx). Relatif au catarrhe. *Fièvre catarrhale.*

CATARRHE [kataR] n. m. — 1370 ; lat. médical *catarrhus*, grec *katarrhos* «écoulement».

♦ Méd. (vx). Inflammation des muqueuses donnant lieu à une hypersécrétion. *Catarrhe pulmonaire. Catarrhe de la vessie.* — *Catarrhe du nez et des bronches. Catarrhe nasal du cheval.* ⇒ **Morfondure.**
1 Ils apportent leur cœur, leur vertu, leur catarrhe, Et se prosternent, cagneux, devant sa majesté, Leur bassesse avachie en imbécillité. HUGO, *les Châtiments*, VI, 5.
2 (...) des cailloux qui tombaient sur son grabat, où il *(le père Colmiche)* gisait, continuellement secoué par un catarrhe, avec des cheveux très longs, les paupières enflammées (...) FLAUBERT, *Trois contes*, « Un cœur simple », III.
Fam. Gros rhume*.
DÉR. Catarrhal.

CATARRHEUX, EUSE [kataRø, øz] adj. — 1478 ; bas lat. *catarrhosus*, de *catarrhus.* → Catarrhe.

♦ **1.** Sujet au catarrhe (spécialt. au catarrhe des voies respiratoires). *Un vieillard catarrheux.* — *Être un peu catarrheux,* enrhumé chroniquement. — N. *Un catarrheux, une catarrheuse.*

♦ **2.** Du catarrhe, caractéristique du catarrhe. *Toux catarrheuse.*

CATARRHINIENS [kataRinjɛ̃] n. m. pl. — 1821 ; grec *kata* «en bas», et *rhis, rhinos* «nez».

♦ Zool. Sous-ordre de primates *(Simiens*) ;* singes de l'Ancien Monde (cloison nasale dirigée vers le bas ; trente-deux dents ; pas de queue préhensible). Ex. : *babouin, cercopithèque, macaque, nasique.* — Au sing. *Un catarrhinien.*
Les Singes se divisent en deux grands groupes caractérisés par des différences anatomiques et qui se trouvent en même temps séparés par leurs patries respectives : l'Ancien Monde et le Nouveau. Ce sont les Catarrhiniens et les Platyrrhiniens. René THÉVENIN, *les Fourrures*, p. 71.

CATASTROPHE [katastRɔf] n. f. — 1552, Rabelais ; lat. *catastropha*, grec *katastrophê* «bouleversement».

♦ **1.** Didact. Dernier et principal événement (en général funeste) d'un poème, d'une tragédie. ⇒ **Dénouement.**
1 (...) la fin et catastrophe de la comédie approche (...) RABELAIS, *Pantagruel*, IV, 27.
2 La catastrophe de ma pièce est peut-être un peu trop sanglante. RACINE, *Thébaïde*, Préface.
3 Il parle de protase (...) et veut que cette première des quatre parties de la tragédie soit toujours la plus proche de la dernière qui est la catastrophe. RACINE, *Bérénice*, Préface.

♦ **2.** Cour. Malheur* effroyable et brusque. ⇒ **Bouleversement, calamité, cataclysme, coup, désastre, drame, fléau, infortune.** *Affreuse, cruelle, effroyable, épouvantable, horrible, sanglante, terrible catastrophe. Catastrophe brutale, inattendue. Courir à la catastrophe. Toucher à la catastrophe. Provoquer une catastrophe. En cas de catastrophe.*
Spécialt. a⃞ Événement dramatique (sinistre ou accident) causant de nombreux morts (humains). *Catastrophe aérienne, ferroviaire, maritime, minière. Les dispositifs de sécurité ont empêché une catastrophe. Les conséquences funestes d'une catastrophe.* — Appos. *Film-catastrophe,* dont le scénario décrit un événement catastrophique, un sinistre ou un accident grave.
4 (...) un jour de mars 1885, notre marche, jusqu'alors progressive victorieusement, eut un arrêt momentané. Anicroche d'un jour que l'aveuglement, le parti pris, la faiblesse transformèrent en catastrophe. Georges LECOMTE, *Ma traversée*, p. 46.
5 Nous somme arrivés au moment où, si tous font comme toi, si tous laissent les choses aller, la catastrophe est inévitable (...) MARTIN DU GARD, *les Thibault*, t. V, p. 181.
6 La montée lente et l'amplitude croissante des catastrophes qui finissent par abattre Lise Darembert rappellent les effets de certains romans de Balzac (le dénouement final du *Père Goriot,* la déchéance du Baron Hulot). A. MAUROIS, *Études littéraires, Jacques de Lacretelle*, t. II, p. 243.

b⃞ Événement aux conséquences graves et pénibles, atteignant une collectivité. *Une catastrophe économique, financière.* — *Catastrophe écologique.*
Didact. *Réaction de catastrophe* (en psychophysiologie).

♦ **3.** Fam. Événement malheureux, qui porte préjudice ; grave difficulté (⇒ **Désastre** [3.], **drame**). *Son départ en retraite va être une catastrophe pour lui. Ne pleure pas, ça n'est pas une catastrophe !*
7 Sans doute quelque catastrophe m'attend-elle à Paris, en rançon de tout ce bonheur. GIDE, *Journal,* 1ᵉʳ sept. 1930.
Événement inopportun, aux conséquences gênantes (⇒ **Accident, ennui**). *Quelle catastrophe va-t-il encore déclencher ?*
En interj. *Catastrophe ! J'ai oublié ma clef.* — Par hyperbole. *Son dernier film est une catastrophe. Ce collaborateur est une véritable catastrophe.*

♦ **4.** Loc. EN CATASTROPHE : en risquant le tout pour le tout. *Manœuvrer, atterrir, se poser en catastrophe.* — *(Agir) en catastrophe,* d'urgence, pour éviter le pire ou parer au plus pressé. « *Il ne s'agit pas d'évacuer* (le Viêt-nam) *en catastrophe, mais d'adopter*

un calendrier et un plan de compromis » (*l'Express*, 20 oct. 1969).
— Hâtivement, de manière bâclée. *« Voilà... voilà comment se terminent toutes nos émissions, comme ça, en catastrophe (à cause de l'horaire) »* (*O. R. T. F.*, 25 avr. 1970).

♦ **5.** (1972, René Thom). Didact. *Théorie des catastrophes*, des situations physiques où un conflit entraîne des modifications analysables de la stabilité morphologique d'un objet. *Théorie des catastrophes restreintes, étudiant les catastrophes élémentaires* (ex. : la catastrophe « pli »). *Théorie des catastrophes générales. Applications de la théorie des catastrophes (en mécanique, en biologie, en optique...)*.

8   On considère un champ de dynamiques locales définies comme gradient d'un potentiel. Par *catastrophe élémentaire*, on désigne toute situation de conflit entre régimes locaux, minima du potentiel, qui peut se produire de manière stable sur l'espace-temps à quatre dimensions. Par abus de langage, on désignera parfois sous le nom de catastrophe la morphologie qu'elle fait apparaître.
Il y a lieu de distinguer deux types de catastrophes : les catastrophes de *conflit*, et les catastrophes de *bifurcation*[1].
                  René THOM, Modèles mathématiques de la morphogenèse, IV, p. 71.
1. « Situations de conflit entre attracteurs dont un au moins cesse d'être structurellement stable » (p. 72).

CONTR. Bonheur, chance, succès ; heureux (événement).
DÉR. Catastrophé, catastropher, catastrophique, catastrophisme.

CATASTROPHÉ, ÉE [katastʀɔfe] adj. — xxᵉ ; de *catastrophe*.

♦ Fam. Abattu, affligé ou annihilé par une catastrophe. *Il en est tout catastrophé. — Un regard catastrophé.*
Je sens bien que je devrais prendre l'air catastrophé.
                  J. DUTOURD, Mémoires de Mary Watson, p. 212.
REM. Bien que le v. *catastropher* soit attesté antérieurement, l'adj. est plus courant aujourd'hui et n'est pas senti comme le p. p. du verbe.

CATASTROPHER [katastʀɔfe] v. tr. — xxᵉ ; « faire tomber », 1896, Courteline ; de *catastrophe*.

♦ Fam. Rendre (qqn) catastrophé. ⇒ **Abattre, accabler, annihiler, atterrer, confondre.** → Calamiter, cit.

CATASTROPHIQUE [katastʀɔfik] adj. — 1845, répandu xxᵉ ; de *catastrophe*.

♦ **1.** Qui a les caractères d'une catastrophe. ⇒ **Affreux, effroyable, épouvantable.** *Événement catastrophique. Les conséquences catastrophiques de la crise économique. Une épidémie, une famine catastrophique.*

♦ **2.** Qui provoque ou peut provoquer une catastrophe ; dont les conséquences sont graves. *Projet catastrophique. Le gouvernement a pris des mesures catastrophiques.*

♦ **3.** Fam. Qui constitue un événement désagréable, gênant ou inopportun. *J'ai obtenu une note catastrophique à cette épreuve. — Son dernier roman est catastrophique, très mauvais.*

♦ **4.** Didact. *Point catastrophique* : dans la théorie des catastrophes* (5.), point où se produit une perturbation du système, de l'objet étudié.

CATASTROPHISME [katastʀɔfism] n. m. — 1845 ; de *catastrophe*.

♦ **1.** Géol. (vx). Conception théorique des xviiiᵉ et xixᵉ siècles (Cuvier) qui attribuait les changements survenus à la surface de la Terre à des mouvements cataclysmiques *(tectonique instantanée)*.

♦ **2.** (1963, Beauvoir, *in* D.D.L.). Attitude qui consiste à prévoir, à envisager le pire ; pessimisme* outré qui prévoit des catastrophes.

CATATONIE [katatɔni] n. f. — 1888 ; all. *katatonie*, 1874 ; du grec *kata* (→ Cat-) « en-dessous », et *tonos* « tension ».

♦ **1.** Psychiatrie. Syndrome psychiatrique caractérisé par l'inhibition motrice, des perturbations végétatives et endocriniennes. *La catatonie est souvent associée à la schizophrénie.*

1   Qu'est-ce que la catatonie ? Décrit en 1874 par Kahlbaum ce syndrome consiste en quatre grands symptômes cardinaux qui sont ou associés, ou qui alternent d'un moment à l'autre : 1° une tendance à la conservation des attitudes [catalepsie] (...) 2° une raideur et un véritable trouble du tonus musculaire (d'où le nom de catatonie) consistant dans une sorte de résistance active aux mouvements qu'on veut faire faire au malade (...) 3° des mouvements automatiques divers, des gestes, des répétitions rapides dites stéréotypées, et aussi de véritables crises de gesticulation analogues à la crise hystérique (...) 4° de gros troubles organo-végétatifs, salivation, cyanose, troubles vasculaires considérables, etc.
                  H. BARUK, Psychoses et Névroses, p. 21.

♦ **2.** Littér. État d'une personne totalement inactive, immobile.

2   La vacuité totale de la pensée donnait à Hubert une noblesse spiritualisée, presque janséniste. Le crâne duveteux, le long nez d'oiseau revêtirent quelque chose

de monacal ; et l'on eût pu croire qu'à force d'ennui, Hubert allait tomber dans la catatonie de l'extase.   Jean-Louis CURTIS, le Roseau pensant, p. 40.
DÉR. Catatonique.

CATATONIQUE [katatɔnik] adj. et n. — 1903, in *Rev. gén. des sc.*, n° 17, p. 893 ; de *catatonie*.

♦ Psychiatrie. Qui se rapporte à la catatonie. *Syndrome catatonique. Psychose catatonique. — N. Un, une catatonique* : un, une malade atteint de catatonie.

CATAU ou CATEAU [kato] n. f. — 1660, *cateau* ; « fille de salle », 1832 ; prénom, diminutif de *Catherine*.

♦ Fam. et vx. Catin*, prostituée (*in* Zola, Daudet, etc.).
Var. : *cato* (1870).
Cette cato qui tortillait tant son derrière, autrefois, dans sa belle boutique bleue.
                  ZOLA, l'Assommoir, t. II, p. 144 (1877).
HOM. Catho.

CATCH [katʃ] n. m. — 1919, in Höfler ; angl., abrév. de *catch as catch can* « attrape comme tu peux ».

♦ Lutte très libre à l'origine, codifiée aujourd'hui. *Prise de catch. Porter une manchette, au catch. Match, rencontre de catch* : spectacle de cette lutte (aux résultats généralement fixés d'avance). *Catch à quatre. Catch féminin. Ils regardent le catch à la télé.*
La vertu de catch, c'est d'être un spectacle excessif. On trouve là une emphase qui devait être celle des théâtres antiques.   R. BARTHES, Mythologies, p. 13.
DÉR. Catcher.

CATCHER [katʃe] v. intr. — 1952, in Höfler ; de *catch*.

♦ Pratiquer le catch. *Il catche comme professionnel. Savoir catcher.*
DÉR. Catcheur.

CATCHEUR, EUSE [katʃœʀ, øz] n. — 1924, in Petiot ; de *catcher*.

♦ Personne qui pratique le catch. ⇒ **Lutteur**, REM.
Ils se couchent sur le dos pour faire les mouvements abdominaux, on finira par le pont arrière : ça les amuse parce qu'ils se prennent pour des catcheurs. Brunet sent ses muscles qui travaillent, une longue douleur fine lui tire l'aine, il est heureux.   SARTRE, la Mort dans l'âme, p. 251 (1949).

CATÉ [kate] n. m. ⇒ **Catéchisme.**

CATEAU [kato] n. f. ⇒ **Catau.**

CATÉCHÈSE [kateʃɛz] n. f. — 1574 ; lat. *catechesis*, grec *katêkhêsis*.

♦ Didact. Enseignement oral de la religion chrétienne par demandes et réponses.
Eusèbe dit qu'Origène faisait des catéchèses.   FÉNELON, II, 130, *in* LITTRÉ.
Instruction religieuse.
(...) il leur reste de découvrir le Christ directement, sans passer par aucune catéchèse reçue du dehors et enseignée par des étrangers.
                  F. MAURIAC, Bloc-notes, 1925-1975, p. 177.
DÉR. Catéchète. — V. Catéchétique.

CATÉCHÈTE [kateʃɛt] n. m. — 1829 ; de *catéchèse*.

♦ Hist. relig. Celui qui donnait la catéchèse aux premiers chrétiens.

CATÉCHÉTIQUE [kateʃetik] adj. — 1636 ; grec *katêkhêtikos*, de *katêkhêsis*. → Catéchèse.

♦ Didact. De la catéchèse. *Enseignement, école catéchétique.* ⇒ **Catéchistique.**
N. f. ⇒ **Catéchèse.**

CATÉCHINE [kateʃin] n. f. — 1853 ; du lat. sc. *(areca) catechu* (Linné) ; du nom indien du cachou. ⇒ **Cachou.**

♦ Chim., techn. Principe actif du cachou, qu'on obtient par traitement à l'acide acétique. ⇒ **Pyrocatéchine.** — Syn. : *catéchol*.
COMP. Pyrocatéchine.

CATÉCHISATION [kateʃizasjɔ̃] n. f. — 1787 ; de *catéchiser*.

♦ Didact. ou littér. Action de catéchiser (1. ou 2.). ⇒ **Endoctrinement.**

CATÉCHISER [kateʃize] v. tr. — 1583 ; *cathezizier*, 1374 ; lat. chrétien *catechizare*, du grec *katêkhizein*, de *katêkhein*. → Catéchisme.

♦ **1.** Instruire dans la religion chrétienne. *Catéchiser un infidèle, un enfant* (⇒ **Catéchisme**).

1 Elle avait beau être très croyante, jamais elle ne cherchait à imposer aux autres ses façons de voir. Aujourd'hui!... Si vous l'entendiez catéchiser ses malades!...
MARTIN DU GARD, les Thibault, t. IX, p. 55.

1.1 Je *(le dauphin)* suis d'un Ordre nouveau de missionnaire et je viens catéchiser les profondeurs malsaines de l'Océan, là où la Création est encore monstrueuse, sauvage et féroce. Jean CAYROL, Histoire de la mer, p. 165.

♦ **2.** (1694). ⇒ **Endoctriner, prêcher, sermonner.** *Catéchiser un tiède pour le convaincre, l'engager à agir. Il a essayé de la catéchiser, mais en vain.*
Faire une leçon de morale à (qqn, sur sa conduite). ⇒ **Chapitrer, gourmander, morigéner.**

2 Des ministres, des parents, des cagots, des quidams de toute espèce, venaient de Genève et de Suisse, non pas comme ceux de France, pour m'admirer et me persifler, mais pour me tancer et me catéchiser. ROUSSEAU, les Confessions, XII.

DÉR. Catéchisation.

CATÉCHISME [kateʃism] n. m. — 1610 ; *cathezime*, v. 1380 ; lat. *catechismus*, grec *katêkhismos* « instruction orale », de *katêkhein* « faire retenir ».

♦ **1.** Instruction* dans les principes de la foi chrétienne. ⇒ **Credo.** *Faire, enseigner le catéchisme. Leçon de catéchisme. Catéchisme des enfants. Apprendre, réciter le catéchisme. Savoir son catéchisme. Catéchisme par demandes et réponses.* ⇒ **Catéchèse.** — Par ext. *Aller au catéchisme,* au cours de catéchisme. *Assister au catéchisme. On l'avait renvoyée du catéchisme.* → Païen, cit. 6. — *Apprendre son catéchisme,* sa leçon de catéchisme.

1 Il s'en allait avec des gentillesses de petite fille au catéchisme.
RIMBAUD, Une saison en enfer, « Délire », I.

2 (...) ces superstitieuses épouvantes qui vous restent du catéchisme, et s'évanouissent dans la flambée des passions de la jeunesse.
M. VAN DER MEERSCH, l'Élu, p. 244.

Réciter quelque chose comme son catéchisme, par routine.

3 N'allez pas lui dire cela froidement comme son catéchisme.
ROUSSEAU, Émile, IV.

Abrév. fam. **CATÉ** [kate] n. m. (Av. 1930, *in* D. D. L.) *Apprendre son caté. Aller au caté.* — On rencontre la var. *cathé* (1912, *in* D. D. L.).

3.1 Je crispais les poings de rage quand la très mamelue vieille fille qui nous serinait le « caté » nous assenait ces sornettes médiévales en riboulant des yeux (mon frère, très sain, chahutait). J.-L. BORY, Ma moitié d'orange, p. 34.

Par métonymie. Livre contenant l'instruction du catéchisme. *Acheter un catéchisme.*

3.2 — Ces polissons-là! murmura l'ecclésiastique, toujours les mêmes! Et, ramassant un catéchisme en lambeaux qu'il venait de heurter avec son pied :
— Ça ne respecte rien! FLAUBERT, Mᵐᵉ Bovary, II, 6.

♦ **2.** (1773). Exposition abrégée des principes fondamentaux (d'une science, d'une doctrine*). *Le Catéchisme d'agriculture* de l'abbé Bexon (1773).

3.3 Il relut quelques pages des *Nourritures terrestres* (...) Oui, cet ouvrage gardait (...) une curieuse actualité : l'apologie du dénuement (...) le culte de la sensation, le goût de l'errance et de l'aventure : tous les articles du catéchisme hippy!
Jean-Louis CURTIS, le Roseau pensant, p. 268.

(1738). Ce qui est pour quelqu'un article de foi. ⇒ **Dogme.** Spécialt. Livre de chevet. → Bible, 3.

♦ **3.** (1762). Fam. Remontrance, leçon de morale. ⇒ **Sermon.** *Faire le catéchisme à quelqu'un.*

4 Ennuyé de vos longues morales, de vos éternels catéchismes.
ROUSSEAU, Émile, IV.

DÉR. V. Catéchèse, catéchiser, catéchiste, catéchumène.

CATÉCHISTE [kateʃist] n. — 1578 ; lat. *catechista*, grec *katêkhistês*.

♦ Celui, celle qui enseigne le catéchisme. *Le catéchiste de la paroisse.* — Par appos. *Dame catéchiste.*
Dona Marina était la catéchiste *(des Mexicains).*
VOLTAIRE, Essai sur les mœurs, 147.

DÉR. Catéchistique.

CATÉCHISTIQUE [kateʃistik] adj. — 1752, Trévoux ; de *catéchiste.*

♦ Didact. Du catéchisme ; de la catéchèse (⇒ **Catéchétique**). *Pédagogie, sens catéchistique.*

CATÉCHOL [kateʃɔl] n. m. ⇒ **Catéchine.**

CATÉCHUMÉNAT [katekymena] n. m. — Av. 1733 ; de *catéchumène.*

♦ Didact. (relig.). État du catéchumène. Temps durant lequel on est un catéchumène. *Se soumettre au catéchuménat.*

CATÉCHUMÈNE [katekymɛn] n. — 1374, *cathecumin* ; lat. *catechumenus,* grec *katêkhoumenos,* de *katêkhein.* → Catéchisme.
Didactique.

♦ **1.** Relig. Personne qu'on instruit dans la foi chrétienne, pour la disposer à recevoir le baptême. ⇒ **Prosélyte.**

1 Le corps des chrétiens primitifs se distinguait en *croyants* ou *fidèles,* et *catéchumènes.* CHATEAUBRIAND, le Génie du christianisme, IV, III, 2.

(Suisse). Personne qui se prépare à la confirmation, dans la religion protestante.

♦ **2.** (1844). Personne qui aspire à une initiation et que l'on instruit dans une doctrine.

2 Il avait dû néanmoins endurer pendant des mois ce qu'il croyait être le lot des catéchumènes, les épreuves de l'initiation : en fait, cors aux orteils et albuplastes aux talons. Il lui avait fallu sillonner cette ville gigantesque (...) à pieds.
Régis DEBRAY, l'Indésirable, p. 86.

3 Cependant, Jean Paulhan, flanqué de sa muse énigmatique, Dominique Aury, laissait venir à lui les hommages de jeunes catéchumènes.
Claude MAURIAC, le Temps immobile, p. 88.

DÉR. Catéchuménat.

CATÉGORÈME [kategɔRɛm] n. m. — 1555 ; grec *katégorêma,* de *katégoria.* → Catégorie.
Philosophie (Aristote).

♦ **1.** Notion universelle, mode général d'énonciation (genre, espèce, différence ; propre, accident).

♦ **2.** Catégorie (1.)

CATÉGORIE [kategɔRi] n. f. — 1564, Rabelais ; bas lat. *categoria,* grec *katêgoria* « qualité attribuée à un objet ».

♦ **1.** Didact. (philos.). Qualité que l'on peut attribuer à un sujet. ⇒ **Prédicat.** — *Les catégories de l'être* : les attributs généraux de l'être. *Les dix catégories d'Aristote* : substance, quantité, qualité, relation, lieu, temps, situation, avoir, agir, pâtir.

1 (...) Aristote est le premier philosophe qui ait inventé des catégories, où les idées viennent se ranger de force (...)
CHATEAUBRIAND, le Génie du christianisme, I, IV, 2.

(Chez Kant). Concept fondamental de l'entendement. ⇒ **Concept.** *Les douze catégories de Kant. Les quatre grandes classes de catégories* : modalité, qualité, quantité, relation.

2 Les catégories sont les lois premières et irréductibles de la connaissance, les rapports fondamentaux qui en déterminent la forme et en régissent le mouvement.
RENOUVIER, Logique, I, p. 184.

Par ext. (et au plur.). Concept auquel un esprit a l'habitude de rapporter ses jugements, ses pensées. *Nous ne jugeons pas d'après les mêmes catégories.*

♦ **2.** Sc. **a** Ling. (généralt au plur.). Classes à l'intérieur desquelles sont placés, selon des critères sémantiques ou grammaticaux, les éléments d'un vocabulaire. *Catégories logiques, grammaticales* (verbe, nom ; genre ; nombre). *Les catégories du discours.* ⇒ **Partie.**

b (V. 1950). Math. *Théorie des catégories* : théorie qui généralise la théorie des ensembles. *Une catégorie C est définie par la donnée de deux classes, l'une dite des objets, l'autre dite des morphismes de C, et par une opération sur les morphismes vérifiant certaines propriétés. Catégorie d'espaces topologiques, d'espaces métriques ; catégorie algébrique. Catégories de base et sous-catégories.*

2.1 L'idée de « structures » au sens bourbakiste tend aujourd'hui à être complétée ou même supplantée par celle de « catégorie » (un ensemble d'objets et toutes leurs fonctions) dans S. Papert a fait remarquer finalement qu'il y avait là un effort pour remplacer les opérations « de la mathématique » par celles « du mathématicien » et, ici encore, on trouve des racines psychologiques ou « naturelles » assez profondes à l'idée de catégorie.
J. PIAGET, Épistémologie des sciences de l'homme, p. 228.

♦ **3.** Cour. Classe* dans laquelle on range des objets de même nature. ⇒ **Espèce, famille, genre, groupe, ordre, série.** *Ranger des livres par catégories, en plusieurs catégories.* ⇒ **Classer, délimiter, diviser, séparer ; classification.**

3 (...) rois et dieux mettent, quoi qu'on leur dise,
Tout en même catégorie. LA FONTAINE, Fables, V, 18.

4 Il ne faut pas prétendre à des classifications rigoureuses. Partout les catégories voisines se pénètrent. F. BRUNOT, la Pensée et la Langue, I, I, p. 6.

5 Il y a ainsi dans la vie toute une catégorie d'événements, dont l'importance est fort inégale, mais qui ont pour caractère commun de valoir moins par eux-mêmes que comme vérification d'une de nos rêveries.
J. ROMAINS, les Hommes de bonne volonté, t. IV, p. 234.

6 Ce sont évidemment des questions auxquelles on ne doit pas se hâter de répondre. C'est grave d'enfermer dans des catégories rigides, d'étiqueter ce qui est encore fluctuant, changeant (...) N. SARRAUTE, Vous les entendez?, p. 51.

Spécialt. (alimentation). *Morceaux de boucherie de première, deuxième catégorie.*

Techn. Catégorie de travaux : ensemble de travaux appartenant à une famille technique déterminée. *Cette entreprise s'est spécialisée dans la catégorie de la vitrerie de façade.*

♦ **4.** Ensemble de personnes ayant des caractères communs (→ Classe). *Catégorie sociale,* présentant les mêmes caractéristiques sociologiques. *Une catégorie socio-professionnelle* (⇒ **Catégoriel,** 2.).

Sports. Chacune des classes dans lesquelles — selon leur âge, leurs capacités, ou leur poids — sont placés les sportifs. *Championnat du monde toutes catégories.*

Par ext. (souvent péj.). *Ces gens-là sont de même catégorie.* ⇒ **Espèce, nature, race, sorte.** *Nous ne sommes pas de cette catégorie de gens qui...*

DÉR. Catégoriel, catégoriser. — V. **Catégorique.**
COMP. Sous-catégorie.

CATÉGORIEL, ELLE [kategɔʁjɛl] adj. — 1943, Sartre ; de *catégorie.*

♦ **1.** Philos. Des catégories. Par ext. Conceptuel, abstrait. — REM. Dans ce sens on trouve aussi *catégorial, ale, aux* [kategɔʁjal, o] (Merleau-Ponty, Vuillemin).

♦ **2.** Écon. polit. Propre à une catégorie de travailleurs ou de salaires. *« La F. E. N. n'a pas de véritable plate-forme corporative, elle se contente de présenter les mêmes mosaïque de revendications catégorielles »* (*l'Enseignement public,* janv. 1967).

♦ **3.** Ling. *Symbole catégoriel,* représentant une catégorie grammaticale. *Composante catégorielle d'une grammaire générative,* définissant les relations entre les symboles catégoriels (structure profonde) et les systèmes de règles qui les régissent de manière à former les séquences grammaticales.

CATÉGORIQUE [kategɔʁik] adj. — 1542, Rabelais ; n., 1495 ; bas lat. *categoricus,* grec *katêgorikos* « affirmatif ».

♦ **1.** Philos. Qui est relatif aux catégories. ⇒ **Catégoriel.** — *Proposition, jugement catégorique,* qui consiste en une assertion ne renfermant ni condition, ni alternative (par oppos. au jugement *hypothétique* et au jugement *disjonctif*). — *L'impératif catégorique,* dans la philosophie de Kant. ⇒ **Impératif.**

♦ **2.** (1552). Cour. Qui ne permet aucun doute, ne souffre ni discussion ni objection. ⇒ **Absolu, indiscutable.** *Affirmation, réponse catégorique.* ⇒ **Formel.** *Une position catégorique.* ⇒ **Clair, net.**

Je le répète : *la nation* naît de l'effort catégorique — issu de l'instinct de justice — d'une avant-garde décidée à briser la domination impérialiste d'un peuple.
         Jean ZIEGLER, Main basse sur l'Afrique, p. 223.

Par ext. (souvent péj.). *Un ton catégorique,* sans réplique, sans appel. ⇒ **Autoritaire, cassant, coupant, définitif, impératif, péremptoire, tranchant.**

CONTR. Ambigu, confus, équivoque, évasif.
DÉR. Catégoriquement.

CATÉGORIQUEMENT [kategɔʁikmɑ̃] adv. — 1552, Rabelais ; de *catégorique.*

♦ D'une manière catégorique (2.), sans ambages, carrément, franchement. *Refuser catégoriquement une proposition. Trancher catégoriquement.*

Si je suis prêt à endosser les conséquences d'une piqûre mortelle faite par un autre, pourquoi me suis-je si catégoriquement refusé à la faire moi-même ?
         MARTIN DU GARD, les Thibault, t. III, p. 214.

CATÉGORISABLE [kategɔʁizabl] adj. — 1919 ; de *catégoriser.*

♦ Didact. Qu'on peut classer par catégories.

Ni propriétaire, ni fermier, ni journalier, ni commerçant, ni industriel, ni fonctionnaire de l'État, ni rien du tout, Blaireau appartenait à cette classe d'êtres difficilement catégorisables et qui semblent, d'ailleurs, ne pas tenir enthousiastement à occuper une case déterminée sur le damier social.
         A. ALLAIS, l'Affaire Blaireau, p. 21.

CATÉGORISATION [kategɔʁizasjɔ̃] n. f. — 1853, *in* D.D.L. ; de *catégoriser.*

♦ Didact. Classement par catégories, notamment en linguistique, en psychologie sociale.

CATÉGORISER [kategɔʁize] v. tr. — 1845 ; de *catégorie.*

♦ Didact. Classer par catégorie.
Rare. Classer, cataloguer.

(...) un homme a beau être catégorisé civil (...) je prétends que, lorsque chaque soir, à travers le Tibet ou l'Afrique centrale, il a dû assurer son bivouac contre les

surprises (...) il a eu beau ne pas avoir appris beaucoup de petits livres bleus, il est un soldat.
         L.-H. LYAUTEY, Paroles d'action, p. 6.

DÉR. Catégorisable, catégorisation.

CATELLE [katɛl] n. f. — 1582 ; *catale,* Fribourg, 1409 ; var. *caquelle, quaquelle,* 1423 ; adapt. de l'all. suisse *chachel,* all. *kachel* « écuelle », avec dissimilation pour les formes en *t*.

♦ Régional (Savoie, Suisse). Carreau de faïence vernissée. *Poêle, fourneau de catelles, en catelles, à catelles.*

Carreau de faïence. *« Une de ces cuisines (...) où les murs sont habillés de catelles blanches jusqu'au ventre »* (A. Rivaz, Nuages à la main, p. 20).

CATÉNAIRE [katenɛʁ] adj. et n. f. — Fin XIXᵉ ; bot., 1838 ; lat. *catenarius,* de *catena* « chaîne ».

Qui évoque une chaîne ; qui s'enchaîne, dans l'espace ou dans le temps.

★ **I.** Adj. ♦ **1.** Anat. Qui se rapporte à une chaîne ganglionnaire.

♦ **2.** (1928). Didact. Qui se produit en chaîne. *Réaction caténaire.*

♦ **3.** Techn. (ch. de fer). *Suspension caténaire* : système de suspension du fil conducteur qui permet de maintenir celui-ci à distance constante d'une voie.

★ **II.** N. f. ♦ **1.** Math., vx. Chaînette (3.).

♦ **2.** (1951). Suspension caténaire (→ ci-dessus, I., 3.). *La caténaire. Transport de courant électrique par caténaire. La caténaire est maintenue par un antibalançant*.*

CATERGOL [katɛʁgɔl] n. m. — 1948 ; de *cat(alyseur),* et *ergol.*

♦ Chim. Propergol* dont la réaction exothermique exige la présence d'un catalyseur.

CATERPILLAR [katɛʁpilaʁ] n. m. — 1913, *in* D.D.L. ; mot angl., « chenille » (larve du papillon).

♦ **1.** Véhicule à chenilles de la marque de ce nom. — Par ext. et abusivt (vx). Tout véhicule à chenilles.

♦ **2.** (1917). Vx. Chenille (d'un véhicule comportant ce dispositif de traction). *Tracteur à caterpillars.*

CATGUT [katgyt] n. m. — 1871 ; mot angl., « boyau *(gut)* de chat *(cat)* ».

♦ Chir. Fil résorbable dans les tissus de l'organisme, obtenu à partir de la couche sous-muqueuse de l'intestin grêle d'animaux (surtout du mouton et du chat), et utilisé pour les sutures et ligatures.

Les points de catgut qui retiennent les lèvres de mes blessures cèdent en déchirant la peau boursouflée.
         Tony DUVERT, Paysage de fantaisie, p. 160.

CATHARE [kataʁ] n. et adj. — 1688, Bossuet ; lat. médiéval *catharus,* XIIᵉ ; grec *katharos* « pur ». → Catharsis.

♦ Hist. des relig. *Les cathares* : adeptes d'une secte manichéenne du moyen âge (XIᵉ-XIIIᵉ siècles) qui prêchaient une absolue pureté de mœurs. *Les cathares du sud de la France furent appelés* albigeois*.

L'extermination des cathares a été un des plus graves péchés de la France.
         J. GREEN, Journal, 3 nov. 1959, Vers l'invisible, p. 157.

Adj. *L'hérésie cathare. Les sites et châteaux cathares.*

DÉR. Catharisme.
HOM. Catarrhe.

CATHARISME [kataʁism] n. m. — XXᵉ (attesté 1947) ; de *cathare.*

♦ Hist. des relig. Religion, philosophie religieuse des Cathares (→ Occitanien, cit. 1).

Lorsque Guillaume de Nogaret, occitanien et patarin de vieille souche, se mettait au service de Philippe le Bel et allait souffleter le pape Boniface VIII à Anagni, c'était le catharisme tout entier, devenu souterrain, qui, par ce geste extraordinaire, signifiait à l'histoire sa présence capitale, et le pape en mourait.
         Raymond ABELLIO, Ma dernière mémoire, t. I, p. 42.

CATHARSIS [kataʁsis] n. f. — 1897 ; grec *katharsis* « purgation ; purification ».

♦ **1.** Philos. « Purgation* des passions », selon Aristote, éprouvée par les spectateurs d'une représentation dramatique.

♦ **2.** Psychan. Réaction de libération ou de liquidation d'affects longtemps refoulés dans le subconscient et responsables d'un traumatisme psychique. ⇒ **Abréaction** (cit.). *Mécanisme de catharsis. Catharsis hypnotique* : procédé thérapeutique par l'hypnose.

1   En 1893, dans leur ouvrage intitulé *Du mécanisme psychique des phénomènes hystériques* Breuer et Freud écrivaient : « les divers symptômes de l'hystérie sont en étroite connexion avec un trauma provocateur qu'il est possible de retrouver par hypnose et dont la prise de conscience par les malades provoque régulièrement la guérison ». Ils appelaient cette méthode thérapeutique la catharsis, reprenant le terme employé par Aristote (...)
Jean DELAY, *Introd. à la médecine psychosomatique,
Notes et observations, p. 109.*

2   La psychanalyse est sortie de l'hypnose, en passant par les étapes intermédiaires de la catharsis et de la suggestion.   *Daniel* LAGACHE, *la Psychanalyse, p. 104.*

♦ **3.** Didact. Action purificatrice.

DÉR. V. **Cathartique.**

CATHARTIQUE [kataʀtik] adj. — 1598 ; grec *kathartikos* « qui purge, purifie », de *katharsis.* → Catharsis.

♦ **1.** Méd. Qui a des propriétés purgatives. *Médicament cathartique.* ⇒ **Laxatif.** — N. m. *La cascara est un cathartique.*

♦ **2.** (xxᵉ ; au sens de *catharsis,* 1.). Qui purifie, libère des éléments considérés comme impurs. ⇒ **Purificatoire.** *Fonction cathartique.*

1   On doit abandonner l'humain avant d'accéder au divin. C'est dire que les rites cathartiques sont au premier chef des pratiques négatives, des abstentions.
Roger CAILLOIS, *l'Homme et le Sacré, p. 44.*

♦ **3.** (1949). Psychan. *Méthode cathartique,* « où l'effet thérapeutique cherché est une "purgation" (catharsis), une décharge adéquate des effets pathogènes » (Laplanche et Pontalis).

2   Freud abandonna bientôt l'hypnose, dont la valeur cathartique lui parut limitée (...)
Jean DELAY, *Introd. à la médecine psychosomatique,
Notes et observations, p. 109.*

CATHEDRA (EX) [ɛkskatedʀa] loc. adv. ⇒ **Ex cathedra.**

CATHÉDRAL, ALE, AUX [katedʀal, o] adj. — 1180 ; lat. médiéval *cathedralis,* de *cathedra* « siège épiscopal ».

♦ **1.** Rare. Qui est le siège de l'autorité épiscopale. *Église cathédrale.* ⇒ **Cathédrale.** *Chanoine cathédral,* qui siège au chapitre d'une église cathédrale.

1   Dans la paix carolingienne, leurs murailles avaient servi de carrière pour construire les nouveaux bâtiments cathédraux dont l'ampleur avait rejeté dans la périphérie du noyau urbain les activités économiques.
Georges DUBY, *Guerriers et Paysans, p. 134.*

♦ **2.** Didact. et rare. Épiscopal.

2   Le vrai saint cathédral est saint Pierre. Saint Paul est suspect d'imagination, et, en matière ecclésiastique, imagination signifie hérésie.
HUGO, *l'Homme qui rit, II, III, 3.*

HOM. Cathédrale (n. f.).

CATHÉDRALE [katedʀal] n. f. — 1666 ; de *église cathédrale.*

♦ **1.** Église épiscopale d'un diocèse. ⇒ **Église.** *L'évêque a dit la grand'messe à la cathédrale. L'écolâtre, professeur de théologie d'une cathédrale.* — *Cathédrale romane, gothique, renaissance, baroque, moderne. La cathédrale est l'endroit le plus* (cit. 76) *orné... Les grandes cathédrales gothiques. Les cathédrales de Chartres, de Reims, d'Amiens, de Paris ; d'York, de Westminster ; de Mayence, de Cologne ; de Milan, de Florence ; de Tolède, de Burgos. Flèches, tours d'une cathédrale. Vaisseau, nef, bas-côtés, chœur, transept, abside ; tribune, triforium d'une cathédrale. Façade, chevet d'une cathédrale. Sculptures, vitraux d'une cathédrale. L'orgue, les cloches de la cathédrale.* — *La Cathédrale,* roman de Huysmans.

1   J'allai voir la cathédrale, vaisseau gothique à flèche élevée.
CHATEAUBRIAND, *Mémoires d'outre-tombe, IV, 3.*

2   (...) la cathédrale semblait une créature docile et obéissante sous sa main ; elle attendait sa volonté pour élever sa grosse voix ; elle était possédée et remplie de Quasimodo comme d'un génie familier. On eût dit qu'il faisait respirer l'immense édifice.   HUGO, *Notre-Dame de Paris, IV, 3.*

3   (...) lorsque le soleil se couche, elle *(la cathédrale)* se carmine et elle surgit, telle qu'une ·monstrueuse et délicate châsse, rose et verte, et, au crépuscule, elle se bleute, puis paraît s'évaporer à mesure qu'elle violit.
HUYSMANS, *la Cathédrale, p. 356.*

4   Le XIIIᵉ siècle a été la plus grande ère des cathédrales. C'est lui qui les a presque toutes enfantées (...)   HUYSMANS, *la Cathédrale, p. 151.*

Par métaphore. Ce qui, par ses dimensions, son élévation, évoque une cathédrale.

5   Enfin (...) entre deux noires armées de pins qui soufflaient sur lui une haleine d'étuve et dont les milliers de pots emplis de gemme parfumaient comme des encensoirs la cathédrale sylvestre (...)   F. MAURIAC, *le Baiser au lépreux, p. 41.*

♦ **2.** Techn. *Reliure à la cathédrale :* reliure romantique de style néo-gothique.

♦ **3.** Appos. *Verre cathédrale :* verre translucide, de surface inégale.

6   Une bourrasque de novembre siffle aux joints de l'œil-de-bœuf de la salle de bains,

dont les vitres en quart-de-rond, embuées à gros grains, sont aussi opaques que du verre cathédrale.   Hervé BAZIN, *Cri de la chouette, p. 7.*

HOM. Cathédral (adj.).

CATHÈDRE [katɛdʀ] n. f. — XVIᵉ, « chaire » ; lat. *cathedra* « chaise (à dossier) ; chaire ».

♦ Didact. Chaise gothique à haut dossier. *Une cathèdre sculptée.*

Assis devant la table de marbre vert sur les deux cathèdres dorées que leur réserve la munificence municipale, Jeannet et Marie intimidés se tortillent (...)
Hervé BAZIN, *Cri de la chouette, p. 194.*

CATHERINETTE [katʀinɛt] n. f. — 1882 ; de *(sainte) Catherine,* patronne des jeunes filles.

♦ Jeune fille qui fête la Sainte-Catherine (fête traditionnelle des ouvrières de la mode restées célibataires après vingt-cinq ans). *Catherinette qui coiffe* Sainte-Catherine.*

CATHÉTER [katetɛʀ] n. m. — 1538 ; lat. médical *catheter,* grec *kathetêr.*

♦ Méd. Sonde cannelée, creuse ou pleine, servant à explorer ou à dilater un canal, un orifice. ⇒ **Bougie, canule, sonde.** *Cathéter pulmonaire.* « (...) *la progressive augmentation de la pression dans l'artère pulmonaire. Pour faire ces mesures, un cathéter cardiaque est laissé pendant 14 à 18 h dans l'artère pulmonaire, et un enregistrement continu des modifications de pression est réalisé* » (la *Recherche,* 1974, nᵒ 42, p. 125).

CATHÉTÉRISME [kateteʀism] n. m. — 1658 ; lat. médical *catheterismus,* de *catheter.* → Cathéter.

♦ Méd. Introduction d'un cathéter, d'une sonde dans un conduit ou une cavité naturels dans un but diagnostique ou thérapeutique. *Cathétérisme par bougies* (bougirage), *canule* (canulation), *sonde* (sondage), *tube* (tubage). *Cathétérisme utérin, urétral. Cathétérisme cardiaque.* « *Nous enregistrons les modifications de la pression dans l'artère pulmonaire après cathétérisme cardiaque, pendant 14 à 18 h continuellement* » (la *Recherche,* 1974, nᵒ 42, p. 126). *Cathétérisme laryngé.* ⇒ **Intubation.**

CATHÉTOMÈTRE [katetomɛtʀ] n. m. — 1853 ; du grec *kathetos* « vertical », et *metron* « mesure ».

♦ Didact. Appareil servant à mesurer la distance verticale de deux points ou de deux plans horizontaux (⇒ **Nivellement**).

CATHO [kato] n. et adj. — 1920, n. f., *in* D.D.L. ; abrév. de *catholique.* Familier.

♦ **1.** N. f. *(La Catho).* Établissement catholique d'enseignement supérieur (faculté, université, institut).

♦ **2.** Adj. Catholique. « *Une nana vient au micro : "(...) quand je t'entends, t'es à braire, mon vieux. Avec ton ton d'espérance, ton sens du tragique. Si tu es catho, dis-le* » (*Charlie-Hebdo,* 1977, nᵒ 371, p. 3).

N. (1968, *in* D.D.L.). *Un, une catho ; les cathos.* « *Bel et bien dissociée du mariage et de la procréation, la sexualité des jeunes cathos ! Double transgression, consciente et tranquille, de la loi de l'Église...* » (*le Nouvel Obs.,* 1977, nᵒ 682, p. 68). ⇒ aussi (argot scol.) **1. Tala.**

HOM. Catau.

CATHODE [katod] n. f. — 1838 ; angl. *cathode,* Faraday, sur le modèle de *électrode ;* de *cata-* « en bas », et du grec *hodos* « chemin ».

♦ Électrode* de sortie du courant, dans un électrolyseur. *La cathode est la source des électrons captés par l'anode*. Au cours d'une électrolyse, la cathode est reliée au pôle négatif du générateur. Métal déposé à la cathode, lors d'une électrolyse.*

Source primaire d'électrons, dans un tube* électronique (→ Anticathode, cit.). *Tube à cathode incandescente.*

DÉR. Cathodique.
COMP. Anticathode.

CATHODIQUE [katodik] adj. — 1897 ; de *cathode.*

♦ **1.** De la cathode ; qui émane d'une cathode. *Compartiment cathodique d'un dispositif d'électrolyse. Rayons** (cit. 7) *cathodiques* (→ Anticathode, cit.). *Tube* à rayons cathodiques* ou *tube cathodique.*

Techn. *Protection cathodique :* protection contre l'oxydation d'un métal en contact avec l'eau ou exposé à l'humidité, réalisée en créant entre ce métal et une masse à potentiel fixe, qui joue alors le rôle d'une anode, une différence de potentiel qui préserve ce métal en le faisant se comporter comme une cathode. « *Un produit en zinc silicaté (...) qui agit par protection cathodique en se détruisant à la place du fer* » (B. Moitessier, *Cap Horn à la voile*, p. 257).

♦ **2.** Relatif à la visualisation obtenue sur l'écran d'un tube à rayons cathodiques. *Affichage cathodique.*

CATHOLICISANT, ANTE [katɔlisizɑ̃, ɑ̃t] p. prés. et adj. — 1875 ; de *catholiciser.*

♦ Didact. Qui se rapproche du catholicisme. *Écrire un ouvrage catholicisant.*

CATHOLICISER [katɔlisize] v. tr. — XVIIIᵉ, Voltaire ; *catholiser*, fin XVIᵉ ; de *catholique.*

♦ Rendre catholique ; convertir au catholicisme. ⇒ **Christianiser.**

CONTR. et COMP. Décatholiciser.
DÉR. Catholicisant.

CATHOLICISME [katɔlisism] n. m. — 1598, repris 1734 ; de *catholique.*

♦ **1.** Religion chrétienne dans laquelle le pape exerce l'autorité en matière de dogme et de morale. ⇒ **Église** (catholique). — *Le catholicisme s'oppose au protestantisme et à l'Église orthodoxe, à l'intérieur du christianisme**. *Les dogmes, les institutions, les pratiques du catholicisme.* ⇒ **Théologie ; sacrement ; culte ; liturgie.** *Se convertir au catholicisme. Embrasser le catholicisme.*

1 *(Il) apportait au milieu du clergé de Paris, si tolérant et si éclairé, cette âpreté du catholicisme provincial (...)* BALZAC, Une double famille, Pl., t. I, p. 969.

2 *(...) ah ! ce que le catholicisme suscite d'immondes rumeurs lorsque l'on rôde dans ses alentours, sans y entrer (...)* HUYSMANS, En route, p. 43.

3 *(...) un véritable reflux, irrésistible et révélateur, du catholicisme, naguère proclamé « anéanti ».* Louis MADELIN, Hist. du Consulat et de l'Empire, Le Consulat, t. IV, VII.

♦ **2.** Façon dont la doctrine catholique est comprise et appliquée par quelqu'un. *Un catholicisme sincère, étroit, austère.*

CATHOLICITÉ [katɔlisite] n. f. — 1578 ; de *catholique.*
Didactique.

♦ **1.** Conformité d'une doctrine à celle de l'Église catholique. ⇒ **Orthodoxie.** *La catholicité d'une opinion. La catholicité d'un écrivain.*

(...) la religion universelle, bien loin de pouvoir revenir à sa catholicité primordiale, tend à s'absorber, et le genre humain avec elle, dans ses formes particulières. Émile BURNOUF, la Science des religions, p. 286.

♦ **2.** Ensemble des catholiques. ⇒ **Église.** *Le pape est le chef de la catholicité.*

CATHOLICON [katɔlikɔ̃] n. m. — XVIᵉ ; du grec *katholicon*, adj. neutre, « universel ».

♦ Pharm. anc. Électuaire de séné et de rhubarbe que l'on considérait comme un remède universel (⇒ **Panacée**).

CATHOLIQUE [katɔlik] adj. — XIIIᵉ, *chatoliche* ; lat. chrét. *catholicus*, grec *katholikos* « universel ».

★ **I.** ♦ **1.** (1635 ; repris au sens grec). Vx. ou relig. Universel. *Pour le protestant, le christianisme est catholique, au sens d'universel.* ⇒ **Œcuménique.**

0.1 *(...) on devrait bien adopter une langue commune, universelle, catholique, le français ou l'anglais, par exemple, dans laquelle on pût s'entendre.* Th. GAUTIER, Constantinople, p. 329.

Nom masculin :

0.2 *(...) il ne dit pas que Socrate cherchait le général, mais exactement l'universel, le catholique comme nous disons, en traduisant littéralement un mot qui aura toujours deux sens, mais deux sens dont l'un est le principal.* ALAIN, les Passions et la Sagesse, Platon, I, Pl., p. 851.

♦ **2.** Techn., vx. *Fourneau catholique*, qui servait à diverses opérations chimiques. — *Gnomon catholique* : cadran solaire qui indique les heures à une latitude quelconque. — *Remède catholique.* ⇒ **Catholicon.**

★ **II.** (Premier sens attesté). ♦ **1.** Relatif au catholicisme*. ⇒ **Chrétien.** *La religion, la foi, la doctrine catholique. L'Église catholique, apostolique et romaine. Le clergé catholique. Un peuple catholique*, qui fait profession de catholicisme. *Être catholique ; se faire catholique. La hiérarchie catholique.* ⇒ **Pape, évêque, curé ; ordre.**

1 La confession de Bâle dit que l'Église catholique est le saint assemblage de tous les saints. BOSSUET, Hist. des variations des Églises protestantes, 15.

2 Les miracles discernent aux choses douteuses : entre les peuples juif et païen, juif et chrétien ; catholique, hérétique ; calomniés et calomniateurs ; entre les deux croix. PASCAL, Pensées, 841.

Je ne pris pas précisément la résolution de me faire catholique ; mais, voyant le terme encore éloigné, je pris le temps de m'apprivoiser à cette idée (...) 3
ROUSSEAU, les Confessions, II.

Et cette peur du péché, torture que peut seule comprendre une âme catholique, 4 bouleverse en ce moment l'âme douce de Clara. Francis JAMMES, Clara d'Ellébeuse, I.

Qui professe le catholicisme.

Au dehors, la France devenait la première des puissances catholiques, la « fille 5 aînée de l'Église » et c'était une promesse d'influence et d'expansion.
J. BAINVILLE, Hist. de France, III.

Les Rois catholiques : Ferdinand II d'Aragon et Isabelle Iʳᵉ de Castille *(Isabelle la Catholique).* — *L'enseignement catholique. Institut, faculté catholique* (fam. *la Catho**).

♦ **2.** N. *(Un, une catholique ; les catholiques).* ⇒ **Chrétien.** *Un bon catholique.* ⇒ **Croyant, pratiquant.** — Abrév. fam. ⇒ **Catho** (2.).

(...) la plupart des catholiques intelligents, et notamment beaucoup de prêtres cultivés, sont plus ou moins pragmatistes sans le savoir. 6
MARTIN DU GARD, les Thibault, t. IV, p. 310.

Il *(Péguy)* eut des accrochages avec les catholiques et d'autres, plus sérieux, avec 7 les abonnés anticléricaux. A. MAUROIS, Études littéraires, Charles Péguy, t. I, p. 228.

♦ **3.** Fig., fam. ... *pas très catholique* : peu conforme à la morale ; sujet à caution (⇒ **Douteux**). *Tremper dans une affaire pas très catholique. Il a un air pas très catholique.*

Et il y avait encore, pour les filles restées sages comme Nana, un mauvais air à 8 l'atelier, l'odeur de bastringue et de nuits peu catholiques, apportée par les ouvrières coureuses (...) ZOLA, l'Assommoir, t. II, p. 167.

Tout ça ne me paraît pas très catholique, dit le hanvélo *(agent en vélo)* qui 9 causait (...)
— J'ai pourtant fait ma première communion, répliqua Trouscaillon.
— Oh que voilà une réflexion qui sent peu son flic, s'écria le hanvélo qui causait. R. QUENEAU, Zazie dans le métro, p. 171.

DÉR. Catholiciser, catholicisme, catholicité, catholiquement.
COMP. Anticatholique, néo-catholique.

CATHOLIQUEMENT [katɔlikmɑ̃] adj. — XIVᵉ ; de *catholique.*

♦ Didact. D'une manière catholique, selon la doctrine catholique. ⇒ **Chrétiennement** (plus courant).

CATI [kati] n. m. — 1694, La Bruyère ; de *catir.*

♦ Techn. Apprêt qui donne du corps et du lustre aux étoffes. *Donner le cati à du drap.* ⇒ **Catir, catissage, 2. lustre.**

Il a le cati et les faux jours, afin d'en cacher les défauts (...)
LA BRUYÈRE, les Caractères, VI, 43.

CONTR. Décati (1.).
HOM. P. p. de catir.

CATILINAIRE [katilinɛʀ] n. f. — 1808 ; du nom francisé des quatre harangues de Cicéron contre *Catilina.*

♦ Didact. ou littér. Discours véhément, violent, satire très vive contre quelqu'un. ⇒ **Diatribe, philippique, réquisitoire.**

CATILLAC [katijak] ou CATILLARD [katijaʀ] n. m. — 1771 ; origine inconnue.

♦ Régional. Grosse poire d'hiver que l'on mange cuite.

CATIMINI (EN) [ɑ̃katimini] loc. adv. — Fin XIVᵉ ; de *catimini* « menstrues », XIVᵉ ; grec *kataménia* « menstrues » ; → Catéménal, p.-ê. par croisement avec le picard *catimini* « chat », de *cate* « chatte », et *mini*, autre forme de *mine*. ⇒ **Chattemite.**

♦ En cachette, discrètement, secrètement. ⇒ **Cachette** (en), **secret** (en), **tapinois** (en). *S'approcher, faire qqch. en catimini.*

Quelques bons boulets dans le pont-levis et les archers du roi entrent dans le châ- 1 tiau comme ils veulent.
— Voilà maintenant que le frocard fait de la stratégie ! s'écria le duc qui était entré en catimini. R. QUENEAU, les Fleurs bleues, p. 92.

REM. On rencontre *catimini* (n. m. invar.) « façon d'agir secrète, dissimulée ».

C'est très amusant, dit la jeune femme. Cela me rappelle un soir où j'ai sauté par 2 la fenêtre pour aller danser sur la place de Rians. Mon père ne m'interdisait pas de sortir, au contraire, mais, tous les catimini, quelle joie !
J. GIONO, le Hussard sur le toit, p. 318.

CATIN [katɛ̃] n. f. — 1530, Marot ; abrév. fam., puis péj. de *Catherine* ; d'après P. Guiraud, d'abord « fille de campagne, servante », par une assimilation sémantique courante entre « servante » et « putain » (cf. la série *catau, goton, margoton*).

♦ Vieilli. Femme de mauvaises mœurs. ⇒ **Prostituée, putain** (→ Paillard, cit. 3).

(...) il l'a quittée pour des catins, pour des gourgandines, pour des sauteuses, des actrices (...) BALZAC, la Cousine Bette, Pl., t. VI, p. 425.

CATION [katjɔ̃] n. m. — 1866 ; *cathion*, 1838 ; de *cat(hode)*, et *ion*.

♦ Phys. Ion positif, qui, dans une électrolyse, se porte à la cathode (opposé à *anion*).

CATIR [katiʀ] v. tr. — Conjug. *finir*. — XIVᵉ, « frapper ensemble » ; du lat. pop. *coactire, de coactus*, p. p. de *cogere* « rassembler ».

♦ Techn. Donner du lustre à (une étoffe) en (la) pressant. *Catir du drap à chaud, à froid.* — Au p. p. *Laine catie.*

CONTR. et COMP. Décatir.
DÉR. Cati, catissage, catisseur.
HOM. (Du p. p.) Cati.

CATISSAGE [katisaʒ] n. m. — 1838 ; de *catir*.

♦ Techn. Opération par laquelle on catit. — Son résultat. *Le catissage de ce drap a été bien fait.*

CONTR. Décatissage.

CATISSEUR, EUSE [katisœʀ, øz] n. — 1723 ; de *catir*.

♦ Techn. Personne qui catit les étoffes (⟹ aussi **Décatisseur**).

CATO [kato] n. f. ⟹ **Catau.**

CATOBLÉPAS [katoblepɑs] n. m. — 1552 ; grec *katoblepein* « regarder par-dessous ».

♦ Didact. Animal légendaire à long cou grêle dont la tête traîne à terre. *Le catoblépas, symbole littéraire de la bêtise humaine.*

1 Au début, c'était bien une charge à fond contre la bêtise humaine qu'il *(Flaubert)* voulait faire, un écorchement à vif du catoblépas (...) l'idée première de *Bouvard et Pécuchet* remonte à un écrit de jeunesse, presque d'enfance : *Une leçon d'histoire naturelle* qui parut dans *le Colibri* en 1837.
R. QUENEAU, Bâtons, chiffres et lettres, p. 106-107.
2 Il provoquait le plus souvent ces brouilles, ces discordes, semblable au catoblépas, cet animal fantastique qui se dévore lui-même.
René FALLET, Y-a-t-il un docteur dans la salle ?, p. 200.

CATOGAN [katɔgɑ̃] n. m. — 1768 ; coiffure mise à la mode par le général anglais *Cadogan*.

♦ **1.** Nœud ou ruban retenant les cheveux derrière la tête.
1 Sa femme avait une queue de cheval avec un catogan rouge !
Pierre DANINOS, Un certain Monsieur Blot, p. 64.

♦ **2.** Par métonymie. Coiffure caractéristique des soldats d'infanterie, au XVIIIᵉ siècle, puis coiffure de femme où les cheveux sont roulés en une grosse boucle et attachés sur la nuque. *Cheveux noués en catogan. Porter le, un catogan.*
2 Que Madeleine Cazavieilh paraissait épaisse ! Un gros nœud de ruban s'épanouissait sur ses cheveux relevés en « catogan » et qu'Yves comparait à un marteau de porte.
F. MAURIAC, le Mystère Frontenac, p. 57.

♦ **3.** Queue (d'un cheval) dont les crins sont coupés en catogan (2.).
REM. On relève aussi la graphie *cadogan*. Voir ce mot.

CATOPTRIQUE [katɔptʀik] adj. et n. f. — 1584, n. f. ; grec *katoptrikos*, de *katoptron* « miroir ».

♦ Phys. Relatif à la réflexion de la lumière. — N. f. Partie de l'optique qui a pour objet l'étude des phénomènes de réflexion de la lumière. *Consulter un traité de catoptrique.*

COMP. Catadioptrique.

CATTLEYA [katlɛja] n. m. — 1893 ; *cattleye*, 1845 ; lat. bot., formé en angl., du nom de *W. Cattley*.

♦ Plante monocotylédone *(Orchidées)* épiphyte, exotique, à pseudobulbe, à grandes fleurs aux larges pétales mauves. *Les cattleyas sont les seules orchidées odorantes.* — On écrit aussi *catleya.*

1 Elle trouvait à tous ses bibelots chinois des formes « amusantes », et aussi aux orchidées, aux catleyas surtout, qui étaient, avec les chrysanthèmes, ses fleurs préférées, parce qu'ils avaient le grand mérite de ne pas ressembler à des fleurs, mais d'être en soie, en satin. PROUST, À la recherche du temps perdu, t. II, p. 11.

Allusion littéraire :

2 (...) bien plus tard quand l'arrangement (ou le simulacre d'arrangement) des catleyas fut depuis longtemps tombé en désuétude, la métaphore « faire catleya », devenue un simple vocable qu'ils employaient sans y penser quand ils voulaient signifier l'acte de la possession physique (...) survécut dans leur langage (...)
PROUST, À la recherche du temps perdu, t. II, p. 28.

CAUCASIEN, IENNE [kɔkazjɛ̃, jɛn ; kokazjɛ̃, jɛn] adj. et n. — 1554, repris mil. XIXᵉ ; du rad. du lat. *Caucasus* « Caucase ».

♦ Du Caucase, chaîne de montagnes d'Asie. *Les républiques caucasiennes d'U. R. S. S.* (Géorgie, Arménie, Azerbaïdjan). *Les langues caucasiennes. La broderie caucasienne*, broderie de couleurs vives, soulignée de noir. *Les forêts caucasiennes. Le* kéfir, *boisson caucasienne.* — Vx. *Race caucasienne :* la race blanche. — On trouve aussi (vieilli) la forme *caucasique* [kɔkazik ; kokazik]
— N. *(Un Caucasien, une Caucasienne).*

COMP. Transcaucasien.

CAUCHEMAR [koʃmaʀ ; koʃmaʀ] n. m. — 1564 ; *cauchemare, jusqu'au XVIIᵉ ; quauquemaire*, XVᵉ ; mot picard, *cauche*, impér. de *cauchier* « fouler, presser », probablt par croisement de l'anc. franç. *chauchier* et du picard *cauquier*, et de l'anc. picard *mare*, du néerl. *mare* « fantôme nocturne ».

♦ **1.** Rêve pénible dont l'élément dominant est l'angoisse, et qui peut se traduire par une agitation, des gémissements, etc. *Être sujet au cauchemar. Avoir le cauchemar* (vx). — Mod. *Avoir un, des cauchemars* (⟹ **Cauchemarder**). *Un cauchemar horrible. Les cauchemars peuvent être provoqués par une digestion pénible, une mauvaise position dans le lit, une cause psychique... Cauchemars de nerveux, d'hystérique, d'intoxiqué. Cauchemar accompagné de délire. Cauchemar persistant au réveil.* ⟹ **Hallucination.** *Angoisse* (cit. 1) *du cauchemar. Cauchemar et rêve d'angoisse, et terreurs* nocturnes.*

1 (...) mon sommeil fourbu n'assurait pas votre quiétude, car je tombais de rêve en cauchemar, de cauchemar en convulsions nerveuses.
COLETTE, la Paix chez les bêtes, « La chienne trop petite », p. 69.

Par ext. Rêve effrayant. ⟹ **Rêve** (mauvais rêve). *Avoir des cauchemars toute la nuit.*

2 (...) un rêve qui commence par le cauchemar pour finir par le ravissement.
TAINE, Philosophie de l'art, t. II, IV, II, II, p. 146.
3 Il dévisageait l'Anglais avec l'expression d'un enfant qu'on a éveillé en plein cauchemar. MARTIN DU GARD, les Thibault, t. VII, p. 68.

♦ **2.** Fig. Obsession effrayante (qu'il s'agisse d'un événement appréhendé ou d'un souvenir qui hante). *C'est mon cauchemar.* ⟹ **Hantise, tourment.**

4 Chacun, malgré lui, y cherchait obstinément la grande nouvelle *(dans les éditions spéciales) :* que l'absurde cauchemar était enfin dissipé ; qu'on en était quitte pour la peur (...) MARTIN DU GARD, les Thibault, t. VII, p. 277.
5 Dès qu'il parlait, c'était des tranchées, de barbelé, de veille, de macaroni, de barrage, de gaz, de tout ce cauchemar qu'il ne pouvait oublier.
R. DORGELÈS, les Croix de bois, XVI, p. 326.

♦ **3.** Fam. Personne ou chose qui importune, qui obsède, fait peur (comme dans un cauchemar).

6 Les pronoms relatifs ont été le cauchemar de Flaubert.
A. THIBAUDET, Gustave Flaubert, p. 226.
7 La vieille hésite, s'éloigne, se ravise, tourne le loquet. — Qui est là ? — C'est moi, ma fille (...) Mathilde regarde son cauchemar qui avance. Alors, les dents claquantes, elle crie : — Laissez-moi. F. MAURIAC, Génitrix, p. 51.
8 (...) Je crains de ne garder qu'un souvenir confus ; c'est trop étrange. Nous sommes enfin sortis du cauchemar de la forêt. La savane prend l'aspect d'un bois clairsemé (...) GIDE, Voyage au Congo, in Souvenirs, Pl., p. 767.

DÉR. Cauchemarder, cauchemardesque.

CAUCHEMARDANT, ANTE [koʃmaʀdɑ̃, ɑ̃t ; koʃmaʀdɑ̃, ɑ̃t] adj. — 1928 ; de *cauchemarder*.

♦ **1.** Qui donne des cauchemars ; par ext., qui obsède.
La loquacité de chacune de ces deux vieilles abandonnées est cauchemardante. Elles radotent éperdument. GIDE, Voyage au Congo, in Souvenirs, Pl., 838.

♦ **2.** Qui importune, ou ennuie excessivement. *Cet examen est cauchemardant.*

CAUCHEMARDER [koʃmaʀde ; koʃmaʀde] v. — 1840 ; de *cauchemar*.

♦ **1.** V. intr. Faire des cauchemars.
Les contes romantiques (...) ne désemplissent pas de doubles plus ou moins vampiroïdes. Bien jeune, sur la moquette d'aiguilles de pin, j'ai lu, de Chamisso, *Peter Schlemilh ou l'Homme qui a perdu son ombre.* J'en cauchemarde encore.
Jean-Louis BORY, Ma moitié d'orange, p. 50.

♦ **2.** V. tr. (1867). Fam. Fatiguer (qqn) comme un cauchemar ; importuner.

DÉR. Cauchemardant.

CAUCHEMARDESQUE [koʃmaʀdɛsk ; koʃmaʀdɛsk] adj. — Déb. XXᵉ ; *cauchemaresque*, 1881 ; de *cauchemar*.

♦ **1.** De cauchemar ; qui est à la fois fantastique et terrifiant. *Une impression, une vision cauchemardesque.*

1 Même silence. Ce nègre était aussi muet qu'hilare. « Après tout, je m'en moque, me dis-je, en désespoir de cause. Tel qu'il est, je le trouve plus sympathique que M. Le Mesge, avec son érudition cauchemardesque ».
Pierre BENOIT, l'Atlantide, 1919 ; p. 174.

♦ **2.** *Sommeil cauchemardesque*, plein de cauchemars.
REM. On trouve les var. plus rares *cauchemardeux, euse* [koʃmaʀdø, øz], et *cauchemaresque* [koʃmaʀɛsk].

2 (...) si l'insane m'eût étranglé je me serais laissé faire tant sa venue était macabre

et les quelques pas qu'il avait pu parcourir en titubant (...) étaient cauchemaresques (...)   B. CENDRARS, Bourlinguer, p. 222.

CAUDAL, ALE, AUX [kodal, o] adj. — 1792; du rad. du lat. *cauda* «queue».

♦ Didact. Qui appartient à la queue ou à la partie terminale, postérieure, du corps d'un animal. *Plumes caudales. Appendice caudal. Nageoire caudale* (de poisson, de cétacé). — S'oppose parfois à *rostral**.

N. f. *La caudale :* la nageoire caudale.

COMP. Sous-caudal.

CAUDATAIRE [kodatɛʀ] n. m. — 1546, Rabelais; du lat. ecclés. *caudatarius*, lat. class. *cauda* «queue».

Didactique ou littéraire.

♦ **1.** Celui qui, dans les cérémonies, porte la queue de la robe du pape, d'un prélat, d'un roi... Adj. *Gentilhomme caudataire.*

1   Il était en outre accompagné (...) du caudataire revêtu de la croccia, sorte de douillette en laine violette, avec des revers de soie (...)   ZOLA, Rome, p. 90.

2   «Il est perdu! il est perdu!» répétaient les caudataires et les attachés, avec la joie que l'on éprouve charitablement aux mésaventures d'un homme, quel qu'il soit.   CHATEAUBRIAND, Mémoires d'outre-tombe, II, II.

♦ **2.** Homme obséquieux et flatteur. ⇒ **Adulateur, flagorneur, flatteur.** *Les caudataires du dictateur, du tyran.*

CAUDÉ, ÉE [kode] adj. — 1690, en blason; du rad. du lat. *cauda.*

♦ Didact. (dans quelques expressions). Pourvu d'une queue. — Blason. *Étoile caudée d'or.* — Bot. *Graine caudée.* — Anat. *Le noyau caudé du télencéphale.* — Mus. *Note caudée,* et, n. f., *une caudée* (dans la musique grégorienne). ⇒ **Neumé.**

CAUDILLO [kawdijo] n. m. — V. 1940, en franç.; mot esp. «capitaine».

♦ Général espagnol ayant pris le pouvoir (titre pris par le général Franco, en 1936). *Le Caudillo :* le général Franco. — *Un Caudillo :* un dictateur militaire (dans un pays de langue espagnole).

CAUDRETTE [kodʀɛt] n. f. — 1769; mot picard *cauderette,* de *caudière* «chaudière».

♦ Pêche. Filet à crustacés en forme de poche, monté sur un cercle. ⇒ **Balance.** *Pêcher le crabe, le homard, la langouste avec une caudrette.*

CAUL-, CAULI-, -CAULE Éléments, du lat. *caulis* «tige». ⇒ **Acaule, caulescent,** 1. **caulicole, caulinaire.**

CAULESCENT, ENTE [kolesɑ̃, ɑ̃t] adj. — 1783; du rad. du lat. *caulis.* → Caul-.

♦ Bot. Qui est pourvu d'une tige apparente. *Plante caulescente.*

CONTR. Acaule.

CAULICOLE [kolikɔl] adj. — 1863; de *cauli-,* et *-cole.*

♦ Didact. Qui vit sur les tiges des plantes.

HOM. Caulicoles.

CAULICOLES [kolikɔl] n. f. pl. — 1694; *caulicules,* 1547; lat. *cauliculus,* dimin. de *caulis* «tige».

♦ Archit. Tiges sculptées entre les feuilles d'acanthes, qui s'enroulent en volutes (chapiteaux corinthiens).

HOM. Caulicole (adj.).

CAULINAIRE [kolinɛʀ] adj. — 1783, *in* Cottez; du rad. du lat. *caulis* «tige». → Caul-.

♦ Bot. Qui naît sur la tige; qui appartient à la tige. *Feuille caulinaire.*

CAURI [kɔʀi] ou **CAURIS** [kɔʀis] n. m. — 1731; *caury,* 1615; mot tamoul *kauri.*

♦ Didact. (cour. en Afrique noire). Coquillage du groupe des porcelaines. *Les cauris ont servi de monnaie en Afrique orientale et au*

Tchad; on s'en sert encore pour les divinations, comme ornements, parures...

(Afrique) Mon oreille collée sur ton ventre tendu,
j'interroge les dieux,
et scrutant le langage ambigu des cauris,
je cherche à discerner sous les rumeurs contraires
le sûr cheminement
de ton destin.   G. TIROLIEN, Balles d'or, *in* Pages africaines, II, p. 12.

HOM. Kauri.

CAUSAL, ALE [kozal] adj. — 1565; *cauzal* «raison, motif», XIIIe; lat. impérial *causalis.* → Cause.

♦ Qui concerne la cause, lui appartient, ou la constitue (⇒ **Causatif**). *Lien causal. Loi causale. Agent causal d'un phénomène.* — (Rare au masc. plur.). *Ordre causal, enchaînements causaux.* Gramm. *Conjonctions causales* (ou *locutions conjonctives*). *Proposition causale,* donnant la raison de ce qui a été dit.

Toutes les fois que nous trouvons dans le discours ces particules, *parce que, car, puisque,* et les autres qu'on nomme causales, c'est la marque indubitable du raisonnement.   BOSSUET, Traité de la connaissance de Dieu..., I, 13.

DÉR. Causalement, causalisme, causalité.

CAUSALEMENT [kozalmɑ̃] adv. — 1907, Hamelin, *in* T.L.F.; de *causal.*

♦ Didact. Par le principe de causalité.

Il est (...) évident qu'une fois établi un ensemble de lois, n'importe quelle science cherche à les expliquer causalement, c'est-à-dire à en trouver la raison en les déduisant.   J. PIAGET, *in* Encycl. Pl., Logique et Connaissance scientifique, p. 45.

CAUSALGIE [kozalʒi] n. f. — 1864; grec *kausis* «brûlure» (→ Caustique), et *-algie.*

♦ Méd. Vive douleur des extrémités donnant une sensation de brûlure, qui peut être en rapport avec des lésions traumatiques des nerfs.

DÉR. Causalgique.

CAUSALGIQUE [kozalʒik] adj. — 1922; de *causalgie.*

♦ Méd. Qui se rapporte à la causalgie. *Les troubles causalgiques sont augmentés par l'exposition à la chaleur. Manifestations de type causalgique.*

CAUSALISME [kozalism] n. m. — 1864; de *causal.*

♦ Philos. Théorie de la causalité, et, spécialt, de la recherche scientifique des causes, chez Meyerson.

DÉR. Causaliste.

CAUSALISTE [kozalist] adj. — Mil. XXe; de *causalisme.*

♦ Philos. Relatif au causalisme. *Explications causalistes. La pensée mécaniste et causaliste.* ⇒ **Déterministe.**

Certes la vraie connaissance me restait étrangère, qui consiste au contraire et d'abord à détruire toute croyance causaliste dans l'*effet* de la prière.
                          Raymond ABELLIO, Ma dernière mémoire, t. I, p. 171.

Adj. et n. Partisan du causalisme. *Un causaliste.*

CAUSALITÉ [kozalite] n. f. — 1375; de *causal.*

♦ **1.** Rapport de la cause à l'effet qu'elle produit. ⇒ **Relation.** *Lien, rapport de causalité. Les causalités naturelles.* — *Principe* ou *loi de causalité :* axiome fondamental de la pensée en vertu duquel tout phénomène a une cause (⇒ **Causalisme, déterminisme**).

1   Si vous ôtez la causalité nécessaire, vous laissez mon vouloir dans une pleine contingence.   FÉNELON, III, 300.

2   La causalité n'est autre chose que la volonté de Dieu faisant que deux choses se suivent ordinairement.   RENAN, *in* Pierre LAROUSSE.

♦ **2.** Caractère d'une cause, de ce qui agit en tant que cause.

3   Je suis peu à peu arrivé à mettre en doute (...) toute causalité psychologique de l'image poétique.   G. BACHELARD, Poétique de l'espace, p. 156 (1957).

1. CAUSANT, ANTE [kozɑ̃, ɑ̃t] adj. — XVIIe; de 1. *causer.*

♦ Vx. Qui agit comme cause (⇒ **Causal**); a une vertu de cause (⇒ **Causateur**).

Toutes choses étant causées et causantes (...)   PASCAL, Pensées, I, 1.

HOM. 2. Causant.

2. CAUSANT, ANTE [kozɑ̃, ɑ̃t] adj. — 1676; de 2. *causer.*

♦ Fam. Qui parle volontiers; qui aime à causer. ⇒ **Communicatif, loquace** (surtout en emploi négatif). *Elle n'est pas très causante.*

Je ne suis plus si causante qu'à Paris (...)   Mme DE SÉVIGNÉ, 568, 14 août 1676.   1

2 Mouscaillot, qui ne proférait mot de peur de recevoir un coup de gantelet dans les gencives, suivait, monté sur Stéphane, ainsi nommé parce qu'il était peu causant. R. QUENEAU, les Fleurs bleues, p. 15 (1965).

HOM. 1. Causant.

CAUSATEUR, TRICE [kozatœʀ, tʀis] adj. — 1829, Victor Cousin ; de 1. causer.

♦ Didact. Qui a la vertu de cause. ⇒ (vx) 1. Causant. «La volonté est une puissance causatrice» (V. Cousin).

CAUSATIF, IVE [kozatif, iv] adj. — xvᵉ ; bas lat. causativus (casus causativus) de causa. → Cause.

♦ Gramm. Qui annonce ou indique la cause, la raison de ce qui a été dit. ⇒ Causal. Parce que, vu que sont des conjonctions causatives. Verbe causatif. ⇒ Factitif.

CAUSATION [kozasjɔ̃] n. f. — 1829, Victor Cousin ; de 1. causer.

♦ Didact. (philos.). Rapport entre cause et effet ; pouvoir d'agir en tant que cause.

CAUSE [koz] n. f. — xiiᵉ ; lat. causa, aux deux sens de «cause» et de «procès». → Chose.

★ I. Ce qui produit un effet. ♦ 1. (xivᵉ). Philos. et littér. Principe d'où une chose tire son être ; le fait d'un être (⇒ Agent, auteur, créateur), qui modifie un autre être (le détruit ou plus souvent le crée). ⇒ Fondement, moteur, origine, principe ; causal, causalité. La cause suprême, souveraine, universelle : Dieu. Cause première, au delà de laquelle on ne peut en concevoir d'autre. Causes secondes, dérivant, procédant de la première. Cause finale : but pour lequel chaque chose aurait été faite. ⇒ Finalité. Cause déterminante, efficiente, formelle ; immédiate, instrumentale, matérielle, médiate, morale, occasionnelle, occulte, physique, prédisposante, préexistante, suffisante. Des causes analogues produisent de mêmes effets. ⇒ Déterminisme. Analogie de cause à effet. Causes et effets correspondants. ⇒ Corrélation. Enchaînement des causes et des effets. — Connaissance, explication des causes premières. ⇒ Métaphysique. Rechercher, reconnaître, attribuer une cause. ⇒ Étiologie ; analyse.

1 La manière de démontrer est double : l'une se fait par l'analyse ou résolution, et l'autre par la synthèse ou composition. L'analyse montre la vraie voie par laquelle une chose a été méthodiquement inventée, et fait voir comment les effets dépendent des causes (...) DESCARTES, Réponses aux 2ᵐᵉˢ objections.

2 Le ciel règle souvent les effets sur les causes (...) CORNEILLE, Pompée, v, 2.

3 Il pensait que la cause universelle, ordinatrice et première était bonne.
DIDEROT, Opinions des anciens philosophes, Pythagorisme, in LITTRÉ.

4 Un être suprême, intelligent, infini est la cause originaire de tous les êtres.
VOLTAIRE, Traité métaphysique, II.

5 Si une horloge n'est pas faite pour montrer l'heure, j'avouerai alors que les causes finales sont des chimères (...) Toutes les pièces de la machine de ce monde semblent pourtant faites l'une pour l'autre.
VOLTAIRE, Dict. philosophique, Causes finales, 2.

6 Oh ! demain, c'est la grande chose !
De quoi demain sera-t-il fait ?
L'homme aujourd'hui sème la cause,
Demain Dieu fait mûrir l'effet.
HUGO, les Chants du crépuscule, V, «Napoléon», II, 2.

7 Ce qu'il y a de merveilleux dans les affaires humaines, c'est l'enchaînement des effets et des causes. FRANCE, la Rôtisserie de la reine Pédauque, p. 25.

8 Vous me démontriez à la fois avec une dialectique irrésistible que toute hypothèse sur la cause première est un non-sens (...)
Paul BOURGET, le Disciple, IV, II, p. 141.

9 «Je crois», articula Bœhm, «que pour bien expliquer les faits par les causes, la bonne méthode serait d'aller chercher les choses plus avant (...)»
MARTIN DU GARD, les Thibault, t. IV, p. 122.

10 (...) les causes naissent indéfiniment les unes des autres, chaque cause étant l'effet d'une autre cause, et chaque effet, la cause d'autres effets.
MARTIN DU GARD, les Thibault, t. IV, p. 314.

♦ 2. (1170). Cour. Ce par quoi un événement arrive, une action se fait. ⇒ Origine, motif, raison, 1. sujet (2.), et aussi 3. sujet (II.). Il n'y a pas d'effet (de phénomène) sans cause (→ Pas de fumée* [supra cit. 1] sans feu). À petite cause grands effets*. — (La, une cause de...). Ce qui produit, occasionne (qqch.). Cause profonde, réelle ; apparente. Cause de bonheur, de succès, de réussite. La cause qui fait naître un sentiment, une réaction. Cause de douleurs, de maux. Cause de désunion, de division, de troubles (⇒ Semence, source). La cause d'une guerre (⇒ Casus belli). Cause conférant un droit (⇒ Titre). Trouver la cause ; indiquer la cause.

11 La cause de nos maux doit-elle être impunie ? CORNEILLE, Nicomède, V, 6.

12 On demande à Chloris la cause de sa peine :
Elle l'a dit ; ce fut sans s'attirer de haine.
LA FONTAINE, Fables, Appendice, V, «Les Filles de Minée».

13 Plût aux Dieux (...) que votre amant fidèle
Plût avoir de leur haine une cause nouvelle (...) RACINE, la Thébaïde, II, 2, var.

14 (...) ces étoiles extraordinaires dont on ignore les causes, et dont on sait encore moins ce qu'elles deviennent après avoir disparu (...)
LA BRUYÈRE, les Caractères, II, 22.

15 Si les effets matériels de quelques actions sont pareils à diverses époques, les causes qui les ont produits sont différentes.
CHATEAUBRIAND, Mémoires d'outre-tombe, IV, 4.

16 La cause fait naître, elle est proprement efficiente. Le motif meut, pousse à vouloir, sollicite une cause libre à agir (...) Je sais la cause de votre affiction et le motif de votre démarche (...) Les raisons sont des motifs éclairés, des considérations (...) LAFAYE, Dict. des synonymes, Suppl., Cause.

17 On connaît toujours trop les causes de sa peine,
Mais on cherche parfois celles de son plaisir (...)
SULLY-PRUDHOMME, Tendresses et Solitudes, «Joies sans causes».

18 (...) cette anomalie donc dérivait, comme beaucoup d'apparentes singularités sentimentales de causes très simples. Paul BOURGET, Un divorce, III, p. 94.

19 Si grands qu'ils aient été, Cambon et Carnot ont été des administrateurs, non des gouvernants. Ils ont été des effets ; Robespierre était une cause.
JAURÈS, Hist. socialiste..., t. VIII, le Gouvernement Révolutionnaire, p. 178.

20 (...) nous n'avons aucune puissance sur les passions tant que nous n'en connaissons pas les vraies causes. ALAIN, Propos sur le bonheur, p. 7.

21 Aucune action humaine n'a de source unique, les motifs les plus divers se coalisent pour la nécessiter, elle est l'aboutissement de causes dissemblables et multiples, dont on ne voit que la plus sensible ou la dernière.
Edmond JALOUX, Le jeune homme au masque, XIV, p. 225.

22 Je n'ose nommer qu'à présent la cause de ma gêne, de ma rougeur, de ma maladresse (...) elle se nomme timidité. COLETTE, la Naissance du jour, p. 127.

23 Ces réformes-là, elles peuvent atténuer certains effets du mal : elles ne s'attaquent jamais aux causes ! MARTIN DU GARD, les Thibault, t. V, p. 225.

Être cause de.., être cause que... ⇒ 1. Causer, occasionner, provoquer. Vous serez cause, la cause de son bonheur, de sa gloire, de sa douleur, de sa perte, de sa mort. Être la cause involontaire, innocente. Les affaires qui me sont survenues sont cause que je n'ai pu aller vous voir (Académie).

24 (...) Le collier dont je suis attaché
De ce que vous voyez est peut-être la cause.
LA FONTAINE, Fables, I, 5.

25 Approchez ; je suis sourd : les ans en sont la cause.
LA FONTAINE, Fables, VII, 16.

26 Madame, les conquérants, Alexandre et les autres mondes sont causes de notre départ. MOLIÈRE, Dom Juan, I, 3.

27 (...) j'aurais un regret mortel, si j'étais cause.
Qu'il fût à mon cher maître arrivé quelque chose.
MOLIÈRE, le Dépit amoureux, V, 2.

28 Elle en mourra, Phœnix, et j'en serai la cause (...) RACINE, Andromaque, II, 5.

29 Cette disposition acariâtre de la nation fut, il faut l'avouer, la cause de plusieurs des fautes dont on a fait peser la responsabilité sur le gouvernement de la Restauration. RENAN, Philosophie de l'Hist. contemporaine, I.

30 (...) l'argent est cause de tous les maux (...) FRANCE (→ Argent, cit. 47).

POUR CAUSE DE... Fermé pour cause de décès, d'inventaire. Pour cause de santé.

Loc. prép. À CAUSE DE : par l'action, l'influence de. ⇒ fam. Because. À cause de lui : par sa faute. À cause de cela.

31 Le rapport de cause est, dans le langage, intimement lié au rapport de suite dans le temps. Un fait qui s'est développé après un autre apparaît comme le résultat de cet autre. C'est le vieux sophisme : «Après cela, donc à cause de cela».
F. BRUNOT, la Pensée et Langue, XXI, VI, p. 812.

32 «Après cela, donc à cause de cela» est souvent un axiome faux.
A. MAUROIS, Un art de vivre, I, 6, p. 27.

Par ext. Je lui pardonne à cause de son âge. ⇒ Considération (en), raison (en).

33 On est contraint parfois de souffrir leurs mauvaises qualités à cause des bonnes.
MOLIÈRE, le Malade imaginaire, I, 6.

Loc. conj. Vieilli. À CAUSE QUE. ⇒ Parce que.

34 Sa naissance inconnue est peut-être sans tache :
Vous la présumez basse à cause qu'il la cache (...)
CORNEILLE, Don Sanche, I, 1.

35 (...) le portrait, que j'ai laissé à moitié fait, à cause que je m'endormais.
MARIVAUX, la Vie de Marianne, V, p. 192.

♦ 3. Vieilli ou loc. Ce pour quoi on fait quelque chose. ⇒ But, considération, intention, mobile, motif, objet, occasion, prétexte, raison, 3. sujet (II.). Cause grave, juste, légitime. Pour une cause légère, futile. Pour une cause sérieuse. Pour la bonne cause : pour des raisons, des motifs honorables ; (fam.) pour épouser. Vous connaissez la cause qui m'a fait agir. La cause du crime. ⇒ Mobile.

36 S'il fût tombé de l'arbre une masse plus lourde,
Et que ce gland eût été gourde ?
Dieu ne l'a pas voulu : sans doute il eut raison ;
J'en vois bien à présent la cause.
LA FONTAINE, Fables, IX, 4.

37 Pardonnez-moi, mais j'ai certaine cause
Qui me fait demander de récit entre nous.
MOLIÈRE, Amphitryon, II, 2.

38 Mais que, de gaieté de cœur,
On passe aux mouvements d'une fureur extrême,
Que sais-je ? que l'on vienne (...)
MOLIÈRE, Amphitryon, II, 6.

Mod. Sans cause ; non sans cause : non sans raison.

39 De sa mort en ces lieux la nouvelle semée
Ne vous a pas vous seule et sans cause alarmée.
RACINE, Mithridate, V, 4.

Et pour cause : pour des motifs évidents, qu'il n'est pas nécessaire ou opportun d'expliciter.

40 Venez, singe, parlez le premier, et pour cause.
LA FONTAINE, Fables, I, 7.

41 (...) Taisez-vous, et pour cause.
MOLIÈRE, l'École des maris, III, 7.

41.1 Tous ces villages (...) sont à peu près déserts (à cause) de la crainte (...) que les blancs que nous sommes, suivis impitoyablement du commandant me parcourant le pays en vue de réquisitionner des hommes pour le chemin de fer, et de s'emparer d'eux par tous les moyens. Si grande que soit la gentillesse qu'on leur témoigne, ils se méfient, et pour cause. GIDE, Voyage au Congo, in Souvenirs, Pl., p. 791.

♦ **4.** Dr. *Cause d'une convention*, d'une obligation :* but en vue duquel une personne s'oblige envers une autre. ⇒ **Objet.** *Cause licite.*

42   Quatre conditions sont essentielles pour la validité d'une convention :
Le consentement de la partie qui s'oblige ;
Sa capacité de contracter ;
Un objet certain qui forme la matière de l'engagement ;
Une cause licite dans l'obligation.   Code civil, Art. 1 108.

Cause illicite, immorale.

43   La cause est illicite, quand elle est prohibée par la loi, quand elle est contraire aux bonnes mœurs ou à l'ordre public.   Code civil, art. 1 133.

Enrichissement sans cause. ⇒ **Enrichissement.**

★ **II.** ♦ **1.** (V. 1120). Dr. *Affaire*, procès** qui se plaide. *Bonne, mauvaise cause. Cause douteuse, embrouillée. Cause civile, criminelle. Causes célèbres. Appeler, déférer, évoquer une cause devant un tribunal. Liste d'inscription des causes à juger.* ⇒ **Rôle.** *Confier une cause à un avocat* (→ Bien-disant, cit.). *Se charger d'une cause. Plaider, défendre, soutenir une cause. Plaider sa cause. Instruire, juger une cause. Statuer sur une cause. Séparation de deux causes.* ⇒ **Disjonction.** *Gagner une cause. Avoir, obtenir gain de cause, avoir cause gagnée :* avoir l'avantage dans un procès, et, par ext., dans une affaire courante, une discussion. *Donner gain de cause.* — *Perdre une cause. La cause est en état,* prête à être plaidée. *La cause est entendue :* les débats sont clos ; (au fig.) il n'y a rien à ajouter, l'opinion est faite. *Cause non jugée, pendante, remise. En l'état de la cause ; en tout état de cause :* quoi qu'il en soit, de toute manière (→ Assistance, cit. 12), et, par ext., dans tous les cas. *Le besoin de la cause.* — Loc. fig. *Pour les besoins de la cause.* ⇒ **Besoin.**

44   Devant certaine guêpe on traduisit la cause.   LA FONTAINE, Fables, I, 21.
45   Depuis tantôt six mois que la cause est pendante (...)   LA FONTAINE, Fables, I, 21.
46   L'homme, trouvant mauvais que l'on l'eût convaincu,
Voulut à toute force avoir cause gagnée.   LA FONTAINE, Fables, X, 1.
47   Quelques autres (...) ont payé l'amende pour n'avoir pas comparu à une cause appelée.   LA BRUYÈRE, les Caractères de Théophraste, Du débit des nouvelles.
48   Devant elle *(la Justice)* à grand bruit ils expliquent la chose ;
Tous deux avec dépens veulent gagner leur cause.   BOILEAU, Épîtres, 2.

Cour. *Affaire.*

49   (...) Je voudrais m'en coutât-il grand'chose,
Pour la beauté du fait avoir perdu ma cause.   MOLIÈRE, le Misanthrope, I, 1.
50   Achmet plaida avec larmes la cause de la raison, la cause même du simple bon sens (...)   LOTI, Aziyadé, XIX.
51   (...) je vois en lui *(M. de Montalembert)* un orateur des plus distingués, l'avocat ou plutôt le champion, le chevalier intrépide et brillant d'une cause (...)   SAINTE-BEUVE, Causeries du lundi, 5 nov. 1849.
51.1   Je crains que vous ne sachiez vous faire entendre de l'estimable gorille qui préside aux destinées de cet établissement (...) À moins que vous ne m'autorisiez à plaider votre cause, il ne devinera pas que vous désirez du genièvre.   CAMUS, la Chute, p. 7.

Fam. *Un avocat sans causes,* sans clientèle.

EN CAUSE. *Être en cause :* être l'objet du débat, être partie au procès, et, par ext., à l'affaire dont il s'agit. *Mettre en cause :* appeler, citer au débat une personne qui est amenée à se défendre ou à témoigner. ⇒ **Appeler, citer, invoquer ; accuser, attaquer, suspecter** (→ fam. Dans le coup*). *Être mis en cause. Mettre hors de cause :* renvoyer de l'accusation, dégager de toute suspicion. ⇒ **Acquitter, disculper.** *Cela est hors de cause :* il ne saurait en être question. — Figuré :

52   (...) elle disait tout cela avec le détachement d'une personne qui invente un joli conte, mais ne saurait être mise en cause (...)   LOTI, les Désenchantées, XXX, p. 178.
53   La personnalité du lecteur est alors directement mise en cause ; car c'est lui dont le sentiment admettra ou rejettera certains faits, décidera ce qui est histoire et ce qui ne l'est point.   VALÉRY, Regards sur le monde actuel, p. 15.

Remettre en cause (qqch.) : réexaminer de manière critique ; mettre en cause une deuxième fois. ⇒ **Reconsidérer, réexaminer** (→ Chambardement, cit. 1). — Syn. : *remettre en question** (supra cit. 22). — *Se remettre en cause :* accepter de faire la critique de son comportement. — *Remise en cause :* réexamen critique.

53.1   *(Ausonius)* acquiert, sans effort, une patience infinie (...) Il reprend sa besogne, se montre comme toujours serviable et avenant, renonce à se remettre en cause, se dit que dans l'absolu il est aussi digne de considération qu'à ses propres yeux.   Alain BOSQUET, les Bonnes Intentions, p. 307.
53.2   (...) l'affection ne vas pas jusqu'à la remise en cause de leurs propres lois morales. Ils sont conservateurs.   Alain BOSQUET, les Bonnes Intentions, p. 185.

En désespoir de cause : comme dernière ressource, tout autre moyen étant impossible.

En connaissance de cause : en connaissant les faits. *Agir, juger, parler en connaissance de cause, avec connaissance de cause.*

54   Je (...) saurai déchaîner contre *(mes ennemis)* des zélés indiscrets, qui, sans connaissance de cause, crieront en public contre eux (...)   MOLIÈRE, Dom Juan, V, 2.
55   Mon cher Gide, votre générosité vous honore, mais nous n'avons pas besoin de vos avertissements ; nous agissons en toute connaissance de cause ; ce qui vous choque, vous, ondoyant, c'est la droiture de notre ligne de conduite (...)   GIDE, Journal, 7 janv. 1917.

♦ **2.** (1549). Qualifié. Ensemble des intérêts à soutenir, à faire prévaloir. ⇒ **Intérêt, parti.** *La bonne cause. Une cause noble. Une cause injuste. La cause du prochain. La cause du peuple. La cause publique. La cause de l'État. La cause de l'Église, d'un parti. La cause de*

l'humanité, de la justice, de la paix, de la science (→ Autopsie, cit. 2). *Embrasser, épouser, prendre en main une cause. Rallier à une cause. Défendre, favoriser, servir, soutenir la cause de quelqu'un. Combattre, souffrir, mourir pour une cause. Faire triompher une cause.* — *Abandonner une cause. Une cause désespérée, perdue.*

56   Mais je viens de savoir quel étrange malheur
D'un fils victorieux a suivi la chaleur,
Et que son trop d'amour pour la cause publique
Par ses mains à son père ôte une fille unique.   CORNEILLE, Horace, V, 2.
57   Ils ont couvert leurs intérêts de la cause de Dieu (...)   MOLIÈRE, Tartuffe, Préface.
58   Plus n'est question, dans ce monde furieux, de servir hautainement la cause de l'esprit ou celle de l'humanité.   G. DUHAMEL, le Temps de la recherche, XI, p. 149.
59   (...) derrière cette réserve dont elle ne se départait pas, il sentait palpiter une sensibilité sous pression, prête à épouser, et à servir, toute grande cause qui fût vraiment digne d'un sacrifice total.   MARTIN DU GARD, les Thibault, t. VI, p. 225.

Prendre fait et cause (pour qqn), prendre son parti, le défendre, le soutenir avec vigueur.
Faire cause commune (avec qqn), mettre en commun ses intérêts. ⇒ **Accord, association.**

CONTR. Conséquence, effet, produit, résultat.
DÉR. 1. Causer.
COMP. Ayant-cause.
HOM. Formes des v. 1. causer, 2. causer.

1. CAUSER [koze] v. tr. — XIIIᵉ ; de *cause.*

♦ (Sujet n. de personne ou de chose). Être la cause* de. ⇒ **Amener, apporter, attirer, déclencher, entraîner, faire, motiver, occasionner, produire, provoquer, susciter.** *Causer un malheur. Causer un dommage. Causer du scandale. L'orage a causé de graves dommages aux récoltes.* — *Causer de la peine* (contrarier, peiner), *du chagrin* (chagriner), *du dépit* (dépiter), *un choc à qqn. Vous lui avez causé bien des soucis. La situation nous a causé quelque inquiétude. Ça lui a causé beaucoup d'ennuis.* — *Causer le malheur, la mort de qqn. Causer l'enthousiasme, l'indignation... de qqn.* — Vieilli. *Se causer un mal,* le causer à soi-même (→ ci-dessous, cit. 3).

1   La jalousie est le plus grand de tous les maux, et celui qui fait le moins de pitié aux personnes qui le causent.   LA ROCHEFOUCAULD, Maximes, 503.
2   (...) Et voyez, je vous prie,
Quelles rencontres dans la vie
Le sort cause (...)   LA FONTAINE, Fables, VIII, 26.
3   Vous vous êtes causé vous-même tout le mal.   MOLIÈRE, l'Étourdi, IV, 6.
4   (...) il n'aura point regret de causer son bonheur.   MOLIÈRE, l'Étourdi, II, 11.
5   À ceux-ci je n'ai pas causé de si grands tourments, tout au plus des ennuis.   COLETTE, la Naissance du jour, p. 16.
6   Ce qu'il y a toujours de mystérieux, d'inacceptable, dans l'agonie d'un autre être humain, lui causait, en ce moment (...) une angoisse insurmontable.   MARTIN DU GARD, les Thibault, t. III, p. 211.
7   (...) Je voudrais obtenir de vous des associations d'idées naïves et spontanées et non pas des associations contrôlées dont, malgré vous, vous éliminez précisément ces souvenirs odieux qui causent vos cauchemars.   A. MAUROIS, les Discours du Dr O'Grady, XII, p. 121.

Causer préjudice, tort à qqn.

▶ CAUSÉ, ÉE p. p. adj.
Didact. *Les phénomènes causés et leurs causes* (→ 1. Causant, cit.).

CONTR. Dériver, procéder (de), venir (de).
DÉR. 1. Causant, causateur, causation.
HOM. 2. Causer. — Voir aussi 1. Causant, 2. causant ; cause.

2. CAUSER [koze] v. intr. — XIIIᵉ, répandu XVᵉ ; lat. *causari* « faire un procès », « plaider, alléguer ».

♦ **1.** S'entretenir familièrement avec qqn. ⇒ **Parler ; bavarder, converser, confabuler** (vx), **deviser, discuter.** *Nous causons ensemble. Causer avec qqn. Causer poliment* (cit. 1). *Causer librement, longuement. Aimer à* (⇒ 2. **Causant, causeur**). *Causer à bâtons rompus.* — *C'est assez causé. Assez* causé :* n'en parlons plus, brisons là ; agissons.

1   Le duc d'Orléans (...) daigna un jour causer avec moi au bal de l'Opéra ; il me fit un grand éloge de Rabelais.   VOLTAIRE, Lettre à Mᵐᵉ du Deffand, 13 oct. 1759, in Littré.
2   Un jour que quelques conseillers parlaient un peu trop haut à l'audience, M. de Harlay, premier président, dit : « Si ces messieurs qui causent ne faisaient pas plus de bruit que ces messieurs qui dorment cela accommoderait fort ces messieurs qui écoutent ».   CHAMFORT, Caractères et Anecdotes, M. de Harlay et ses conseillers.
3   (...) à cette époque de Louis XIV, toutes les femmes du monde écrivent avec charme ; elles n'ont pour cela qu'à écrire comme elles causent et à puiser dans l'excellent courant d'alentour.   SAINTE-BEUVE, Causeries du lundi, 22 oct. 1849.
4   (...) — Je viens, sans peine et sans rien dire,
M'asseoir sous votre lampe et causer avec vous (...)   A. DE MUSSET, À Ninon.
6   (...) ces tête-à-tête nocturnes, où il monologuait plutôt qu'il ne causait.   MAUPASSANT, Notre cœur, II, VII, p. 222.
7   (...) à Clarke qui, depuis un mois, « causait » avec Yarmouth, on adjoignit Champagny pour « négocier » (...)   Louis MADELIN, Vers l'Empire d'Occident, XIII, Le soulèvement de la Prusse, p. 169.

Fam. *Cause toujours ; cause toujours, tu m'intéresses :* tu peux parler, je ne t'écoute pas !

Allus. littér. *Tu causes, tu causes, c'est tout ce que tu sais faire!*, leitmotiv du perroquet Laverdure, dans *Zazie dans le métro* de R. Queneau.

7.1 «Tu causes... tu causes...» Oui, nous jacassons, nous dont c'est le métier.
F. MAURIAC, le Nouveau Bloc-notes, 1958-1960, p. 311.

V. tr. ind. *Causer de quelque chose,* en parler, en discuter. *Causer longuement d'une affaire. Causer de littérature, de peinture... On en cause :* la chose est connue, on en parle.

7.2 (...) Causant de nous, de notre union, de la douceur de notre sort, et faisant pour sa durée des vœux qui ne furent pas exaucés.   ROUSSEAU, les Confessions, VI.

Fam. *Causer de la pluie et du beau temps :* tenir de vains propos. *Causer de choses et d'autres :* converser sans propos déterminé. — Ellipt. *Causer chiffons.*

8 (...) avec les verbes qui signifient *parler,* il n'y a point de préposition du tout. On dit : causer plans, épigraphie, politique ; — parler avenir, chiffons ; — disserter finances ; — «Il revit un petit café où ils se réunissaient pour fumer et pour causer politique.» (FLAUB., l'Éduc. sent., II, 7.).
BRUNOT, la Pensée et la Langue, X, VIII, p. 399.

8.1 (...) il va se promener sur le boulevard, fume son cigare, entre au cercle pour lire les journaux, cause littérature, cotes de la Bourse, politique ou chemin de fer.
TAINE, Philosophie de l'art, t. I, II, V.

REM. En français contemporain, *causer* employé comme synonyme de *parler,* notamment dans la construction *causer à quelqu'un* est populaire et connote le manque d'éducation ou un usage régional. *Elle cause bien! — Je te cause! :* tu pourrais écouter, faire attention !

8.2 Mais sa fille (...) demandait d'une voix rogue :
— Non, mais c'est pour moi, ce que vous venez de dire?
L'autre se retourna, le visage écarlate, l'œil dangereux, et toisant l'écolière, prononça d'un ton menaçant :
— Cause à ta table, saucisse.   M. AYMÉ, Maison basse, p. 10.

Il n'en était pas de même en français classique :

9 On ne cause pas à quelqu'un ; on cause avec quelqu'un. Pourtant cette manière de parler se trouve dans J.-J. Rousseau, qui n'est pas toujours très pur, et sans doute dans d'autres. La première fois que je la vis elle était à la veille de son mariage ; elle me causa longtemps avec cette familiarité charmante qui lui est naturelle (...)
ROUSSEAU, les Confessions, VII, *in* LITTRÉ, Dict., art. *Causer.*

10 J'avoue que *l'on vous cause,* lequel remonte à Corneille *(Place Royale),* n'est point ce qui heurte le plus dans la déchéance du langage, si l'on admet *parler avec* sur le même plan que *parler à.*
A. THÉRIVE, le Franç. langue morte? p. 90, *in* GREVISSE.

♦ **2.** (1690). Parler trop, inconsidérément, avec indiscrétion, légèreté. ⇒ **Bavarder, jacasser, jaser, papoter.** *Ne lui dites que ce vous voudrez que tout le monde sache, car il aime à causer* (Académie).

11 Hé! voulez-vous, Madame, empêcher qu'on ne cause?   MOLIÈRE, Tartuffe, I, 1.

♦ **3.** (1662). Vx (langue class.). Parler avec malignité. ⇒ **Cancaner, jaser, potiner.** — REM. Si les exemples suivants ont une allure moderne, leur valeur exacte n'est pas perçue :

12 Le monde, chère Agnès, est une étrange chose!
Voyez la médisance, et comme chacun cause!
MOLIÈRE, l'École des femmes, II, 5.

Transitif indirect :

13 J'ai peur (...)
Que de cet incident par la ville on ne cause.   MOLIÈRE, l'École des femmes, IV, 2.

CONTR. Taire (se).
DÉR. 2. Causant, causerie, causette, causeur, causeuse.
HOM. 1. Causer. — Voir aussi 1. Causant, 2. causant ; cause.

CAUSERIE [kozʀi] n. f. — 1545 ; de 2. *causer.*

♦ **1.** [a] *(Une, des causeries).* Entretien familier. ⇒ **Conversation.** *De longues causeries. Causeries à bâtons rompus* (→ Bâton, cit. 18). *Ce sport* (cit. 9) *de la causerie française. Une de ces bonnes et saines causeries* (→ Mûrir, cit. 7).

1 (...) dévorés de noires songeries,
Sans compagnon de lit, sans bonnes causeries.
BAUDELAIRE, les Fleurs du mal, C, «Tableaux parisiens».

2 (...) la leçon dégénérait en causerie.   GIDE, Si le grain ne meurt, V, p. 148.

[b] Rare. *La causerie :* le fait de causer.

3 Ce soir-là, dis-je, nous nous liâmes conversation, car les quelques rapports de causerie, d'officier de marine à simple passager, avaient été fort succints, entre nous, depuis le commencement de la traversée.
VILLIERS DE L'ISLE-ADAM, Tribulat Bonhomet, p. 52.

♦ **2.** *(Une, des causeries).* Discours, conférence sans prétention. *Une causerie littéraire, scientifique. Causerie radiophonique, télévisée.* — *Le président de la République abordera le problème au cours de sa causerie «au coin du feu» retransmise à la télévision.*

CAUSETTE [kozɛt] n. f. — 1790, dialectal ; de 2. *causer.*

♦ Fam. Petite causerie (1.) ; entretien familier. ⇒ **Babillage, bavardage.** — REM. Le mot est souvent complément de *faire. Faire la causette, un brin de causette, une petite causette :* bavarder familièrement.

1 Je rencontrai Adèle dans une maison amie où elle venait, le dimanche soir, prendre le thé et faire la causette.   COURTELINE, Boubouroche, Comédie, I, 2.

2 Et puis voilà le vrai : elle le tripote, elle le caresse, son papier ; elle le taille, un

par un, ses petits coupons (...) Ça l'occupe. Qu'est-ce qu'il lui reste, sauf les causettes après la messe le dimanche et le soir avec moi?
Hervé BAZIN, Cri de la chouette, p. 78.

CAUSEUR, EUSE [kozœʀ, øz] adj. et n. — 1534, Rabelais ; de 2. *causer.*

♦ **1.** Adj. (Rare). Qui aime à causer (2. Causer). ⇒ **Loquace.** *Être d'humeur causeuse. Il n'est guère causeur.* ⇒ 2. **Causant.** «*Elle n'était pas causeuse, d'habitude*» (Zola, *la Joie de vivre,* in T. L. F.).

1 C'était *(Fadette)* un enfant très causeur et très moqueur, vif comme un papillon, curieux comme un rouge-gorge et noir comme un grelet.»
G. SAND, la Petite Fadette, VIII, p. 59.

♦ **2.** [a] Personne qui cause volontiers. *Un aimable, un brillant, un insupportable causeur. Faire taire les causeurs.*

2 Eh mon Dieu, c'est une causeuse qui ne dit pas ce qu'elle pense.
MOLIÈRE, Critique de l'École des femmes, 3.

2.1 Mais aussi il peut se faire que le travail cérébral s'amorçant uniquement dans la solitude pour cette fin spéciale, le langage intérieur suivi par la plume ne s'amorce pas davantage par la conversation, inverse de ce qui arrive pour les grands causeurs qui n'ont plus de talent en écrivant.   PROUST, Jean Santeuil, Pl., p. 486.

REM. Le fém. du subst. est rare, sans doute à cause de l'homonymie avec *causeuse,* n. f.

[b] Vx (langue class). Personne qui bavarde indiscrètement. *Ne lui confiez rien, c'est un causeur.*

3 Ah! vous voilà, Monsieur le babillard, à qui j'avais tant recommandé de ne point parler (...) Vous êtes donc un causeur, et vous allez redire ce que l'on vous dit en secret (...)   MOLIÈRE, George Dandin, II, 5.

CONTR. Silencieux, taciturne.
HOM. (Du fém.) Causeuse.

CAUSEUSE [kozøz] n. f. — 1787 ; de 2. *causer.*

♦ Petit canapé* bas et capitonné (où deux personnes peuvent s'asseoir pour causer, pour bavarder). → Palissandre, cit.

Figurez-vous, me conta-t-elle (...) que j'étais assise là où nous sommes maintenant. (C'était une de ces causeuses qu'on appelait des *dos-à-dos,* le meuble le mieux inventé pour se bouder et se raccommoder sans changer de place).
BARBEY D'AUREVILLY, les Diaboliques, «Le plus bel amour de Don Juan».

HOM. Causeuse (fém. de *causeur*).

CAUSSE [kos] n. m. — 1791 ; mot du Rouergue ; du bas lat. *calcina,* de *calx* «chaux».

♦ Plateau calcaire, dans le centre et le sud de la France. *Les causses du Gévaudan. Le Causse de Gramat. Causse du Quercy. Les avens des causses. Le Causse noir.* — *Les moutons des causses.*

1 Dans le Sud de la France, partout où vous rencontrez le nom de *Causse,* la présence de calcaire est certaine (...)
(...) sur le terrain, il est impossible de n'être pas frappé par l'abord du Causse (...) Le paysan est sensible surtout à l'amaigrissement du sol végétal, troué partout par la roche à nu, et à la sécheresse absolue de la surface, en dehors des gorges profondes de 400 à 500 mètres.
E. DE MARTONNE, Traité de géographie physique, t. II, VI, p. 649-651.

2 (...) je range encore parmi mes plus chers souvenirs, moins telle équipée dans une zone inconnue du Brésil central, que la poursuite au flanc d'un causse languedocien de la ligne de contact entre deux couches géologiques.
Claude LÉVI-STRAUSS, Tristes tropiques, p. 42.

DÉR. Caussenard.

CAUSSENARD, ARDE [kosnaʀ, aʀd] adj. — 1890, mot cévennol ; de *causse.*

♦ Du causse. *Région caussenarde.* — (Personnes). «*Je suis Caussenard*» (Genevoix). — Spécialt. *Mouton caussenard,* et, n. m., *un caussenard :* mouton à cornes atrophiées, à toison épaisse, bien acclimaté sur les causses.

CAUSTICITÉ [kostisite] n. f. — 1738 ; de 1. *caustique.*

♦ **1.** Didact. (chim.). Caractère d'une substance caustique*. ⇒ **Acidité.** *Causticité d'un acide.*

♦ **2.** Littér. ou style soutenu. Tendance à dire, à écrire des choses caustiques, mordantes. ⇒ **Acerbité, aigreur, malignité, mordacité, mordant.** *Sa causticité est naturelle. Sa causticité ne va pas jusqu'à la méchanceté. Elle est d'une causticité froide.*

1 Cependant on causait, on riait. Latouche se révélait étincelant de causticité, adorable de grâce paternelle.   A. MAUROIS, Lélia, III, I, p. 129.

2 (...) une causticité naturelle qui piquait et ne mordait jamais (...)
Louis MADELIN, De Brumaire à Marengo, VIII, Le gouvernement consulaire, p. 116.

Caractère de ce qui est caustique. *La causticité d'une épigramme, d'une satire. Son œuvre est pleine de causticité.* ⇒ **Acrimonie, mordant.**

CONTR. **Bénignité, douceur ; bienveillance.**

CAUSTIFIER [kostifje] v. tr. — Av. 1844 ; de 1. *causti(que)*, et *-fier.*

♦ Chim. Rendre caustique (1. Caustique) ; transformer (une solution aqueuse de carbonate alcalin) en solution d'une base.

♦ Techn. Traiter (les tissus de coton) par la soude caustique.

1. CAUSTIQUE [kostik] adj. et n. m. — 1490 ; lat. *causticus,* grec *kaustikos* « brûlant ».
Didactique ou style soutenu.

♦ **1.** Qui désorganise, attaque, corrode les tissus animaux et végétaux. ⇒ **Acide, brûlant, corrodant, corrosif, cuisant, mordicant.** *Substance caustique. Agent caustique. Soude*, potasse* caustique.* N. m. (1690). *Un, des caustiques. Les caustiques provoquent de l'exulcération. Caustique faible, superficiel ; caustique profond* (⇒ **Escarotique**). *Caustique agissant par brûlure.* ⇒ **Cautère.** *Caustiques acides.* ⇒ **Acide.** *Caustiques alcalins* (⇒ **Ammoniaque, potasse**), *salins (nitrate d'argent...).*

♦ **2.** (1690). Qui attaque, blesse par la moquerie et la satire. ⇒ **Acerbe, moqueur, mordant, narquois, piquant, satirique ; causticité** (2.). *Humeur, esprit, caractère caustique. Propos caustiques.* ⇒ **Acéré, incisif.** *Épigramme, trait, pique, moquerie caustique. Un homme caustique. Caustique sans méchanceté. Être spirituel et caustique.*

1 Le caustique Boileau, que l'envie des critiques et l'étude ont rendu versificateur.
BOILEAU, Esquisse en prose de la satire, IX.
2 Sénèque le père fut d'une humeur caustique.   DIDEROT, Essai sur Claude, I, II.
3 Fier, il était caustique jusqu'à l'impertinence (...)
Louis MADELIN, Talleyrand, II, IX, p. 109.

CONTR. **Bénin, doux, bienveillant, débonnaire.**
DÉR. **Causticité, caustifier, 2. caustique, caustiquement.**
HOM. **2. Caustique.**

2. CAUSTIQUE [kostik] n. f. — 1751, *Encyclopédie* ; de 1. *caustique,* parce que les rayons lumineux brûlent.

♦ Phys. Lieu des intersections des rayons réfléchis (catacaustique) ou réfractés (diacaustique). *La caustique est une surface tangente aux rayons d'un faisceau issu d'un même point-source et ayant traversé (ou ayant été réfléchis par) un instrument d'optique (miroir, etc.) imparfait.*
Adj. *Ligne, surface caustique.*

HOM. **1. Caustique.**

CAUSTIQUEMENT [kostikmã] adv. — 1863 ; de 1. *caustique.*

♦ Littér. ou style soutenu. Avec causticité. *Il l'a attaqué caustiquement.*

CAUTÈLE [kotɛl] n. f. — V. 1265 ; lat. *cautela* « défiance ».

♦ **1.** Littér. Prudence rusée. ⇒ **Défiance, finesse, rouerie, ruse.** *La cautèle paysanne. Intriguer avec cautèle.*

1 Avec la finesse particulière aux gens qui font leur fortune par la cautèle (...)
BALZAC, les Paysans, VI, Pl., t. VIII, p. 99.
2 Né Gascon, mais devenu Normand, il doublait sa faconde méridionale de cautèle cauchoise.   FLAUBERT, Mme Bovary, II, V.
3 Pietro, clown au cirque Médrano, était haut comme ma botte. Il était affranchi, lui aussi, mais dans un genre tapageur, avec pourtant des dessous de cautèle. Aucune vergogne, une malignité véroleuse, et dans son sac des tours sordides.
DRIEU LA ROCHELLE, la Comédie de Charleroi, p. 170.

♦ **2.** (1690). Dr. canon. Réserve. *Absolution à cautèle,* sous condition.

CONTR. (De 1.) **Candeur, droiture, franchise, ingénuité, naïveté.**
DÉR. **Cauteleux.**

CAUTELEUSEMENT [kotløzmã] adv. — 1860 ; de *cauteleux.*

♦ Littér. et rare. D'une manière cauteleuse.

CAUTELEUX, EUSE [kotlø, øz] adj. — Fin XIIIe, *cautileus ;* de *cautèle.*

♦ **1.** Vx. Qui a de la cautèle. ⇒ **Défiant, 2. fin, habile, 2. roué** (B., 2.), **rusé.**

1 Il est fin, cauteleux, doucereux, mystérieux (...)
LA BRUYÈRE, les Caractères, VIII, 61.
2 La femme est un animal fin et cauteleux.
D'ABLANCOURT, Lucien, t. I, Prométhée, *in* LITTRÉ.

♦ **2.** Mod. Littér. ou style soutenu. (Personnes). Qui agit d'une manière hypocrite et habile. ⇒ **Hypocrite, sournois.** — (Choses). Qui

marque la cautèle. *Air cauteleux. Manières cauteleuses.* ⇒ **1. Patelin, mielleux.**

3 (...) il inventait correctement les paroles d'une hypocrisie cauteleuse et prudente.
STENDHAL, le Rouge et le Noir, VIII, p. 72.
4 (...) le Bas-Normand, rusé, cauteleux, sournois et chicaner (...)
MAUPASSANT, Clair de lune, p. 133.
5 Ausonius se dit qu'(*Anneliese*) baigne dans le bonheur, et rien ne le porte à croire qu'elle lui reproche tant de calculs, tant de mesquineries chiffrées, tant d'astuces cauteleuses.   Alain BOSQUET, les Bonnes Intentions, p. 273.

CONTR. **Candide, 1. droit, franc, naïf.**
DÉR. **Cauteleusement.**

CAUTÈRE [kotɛʀ ; kɔtɛʀ] n. m. — Fin XIIIe ; lat. *cauterium,* grec *kautêrion,* de *kaiein* « brûler ».

♦ **1.** Méd. Agent physique ou chimique, destiné à brûler les tissus (⇒ **Moxa ; ustion**). *Cautère actuel :* instrument à pointe chauffable au rouge, servant à brûler les tissus. ⇒ **Électrocautère, galvanocautère, ignipuncture, thermocautère ; pointe** (pointe de feu). *Cautère potentiel* (⇒ **1. Caustique**).
Plaie artificielle que l'on entretient pour obtenir une suppuration. ⇒ **Exutoire ; escarre, ulcération.** *Cautère obtenu avec un caustique. Cautère révulsif. Panser, entretenir, pratiquer un cautère.*

1 Il paraît que le cautère est tout à fait démodé. Pourquoi ? Il garde encore des vertus dans certains cas rares.
G. DUHAMEL, Biographie de mes fantômes, X, p. 185.

Loc. *Un cautère sur une jambe de bois :* un remède, un expédient inutile*. — Syn. : *cataplasme, emplâtre.*

2 (...) j'ai vu que ça ne me faisait pas plus qu'un cautère sur une jambe de bois.
J. VALLÈS, Jacques Vingtras, L'enfant, p. 402.

♦ **2.** Par métaphore ou fig. Ce qui guérit. ⇒ **Exutoire ; remède.**

3 (...) pour parler la langue de Rivarol ou de Chamfort, des deux hommes qui lui ressemblent le moins *(à Proudhon),* je dirai qu'il n'ouvrit aucun cautère à ses convictions.   SAINTE-BEUVE, P.-J. Proudhon, Sa vie et sa correspondance, p. 102.
4 La classe ! mot magique ! cautère moral du troupier.
COURTELINE, le Train de 8 h 47, 1888 ; p. 53.

COMP. **Électrocautère, galvanocautère, thermocautère.**

CAUTÉRISANT, ANTE [koteʀizã, ãt ; kɔteʀizã, ãt] adj. — Déb. XXe ; de *cautériser.*

♦ Méd. Qui rend possible la cautérisation. *Un baume cautérisant. Des substances cautérisantes.*
N. m. *Les antiseptiques et les cautérisants luttent efficacement contre l'infection.*

CAUTÉRISATION [koteʀizasjɔ̃ ; kɔteʀizasjɔ̃] n. f. — 1314 ; lat. médiéval *cauterisatio,* de *cauterizare.* → Cautériser.

♦ Méd. Destruction de tissus à l'aide d'un cautère ou de substances caustiques ayant une action analogue (crayon de nitrate d'argent, par ex.). *La cautérisation d'une plaie.*

COMP. **Électrocautérisation.**

CAUTÉRISER [koteʀize ; kɔteʀize] v. tr. — 1314, *cauterisier ;* lat. *cauterizare,* du grec *kautêriazein* « marquer avec le fer chaud », de *kautêrion.* → Cautère.

♦ **1.** Méd. Brûler les tissus avec un cautère (→ Piquer, cit. 4). *Cautériser une dent,* en brûlant le nerf. *Cautériser une plaie à l'aide d'un caustique, avec des pointes de feu...*

♦ **2.** (XVIe). Par métaphore. **a** Brûler, rendre insensible ; endurcir.

1 Des hommes dont la conscience est cautérisée.   BOSSUET, Hist. des Variations, 11.

b Littér. et vx. Dévaster, comme par le feu.

2 Nature forte, riche, puissamment accidentée, pleine de souvenirs féodaux, verdoyante, mais qui garde en tous lieux les empreintes du fer et du feu. Louis XIV et Turenne ont cautérisé cette sauvage contrée.
BALZAC, l'Auberge rouge, 1831, Pl., t. IX, p. 959.

DÉR. **Cautérisant.**

CAUTION [kosjɔ̃] n. f. — V. 1260, *caucion ;* lat. *cautio* « précaution », de *cavere* « prendre garde ».

★ I. ♦ **1.** Garantie d'un engagement pris pour soi-même ou pour un autre. ⇒ **Cautionnement** (1.) ; **assurance, 2. aval, gage, garantie, sûreté.** *Verser une caution :* verser de l'argent pour servir de garantie (dépôt de garantie).

(Vx). CAUTION BOURGEOISE, sur laquelle on peut compter. Fig. Garantie suffisante.

1 Je la garantis détestable *(la pièce).*
La caution n'est pas bourgeoise.   MOLIÈRE, Critique de l'École des femmes, 5.

SOUS CAUTION : à condition qu'une caution soit versée. *Mettre un inculpé en liberté sous caution* (droit américain).

♦ **2.** Littér. Assurance, garantie.

2 L'honneur acquis est caution de celui qu'on doit acquérir.
LA ROCHEFOUCAULD, Maximes, 270.

3 (...) la lettre de son meilleur ami lui est une caution suffisant (...)
MOLIÈRE, Critique de l'École des femmes, 6.

4 (...) ils ressentent encore moins (...) de quelle nécessité lui devient *(à l'âme)* un être souverainement parfait, qui est Dieu, et quel besoin indispensable elle a d'une religion qui (...) lui en est une caution sûre. LA BRUYÈRE, les Caractères, XVI, 3.

Garantie morale représentée par le soutien d'un personnage notable. ⇒ **Patronage, protection, recommandation.** *Se présenter aux élections avec la caution du chef d'un parti.*

♦ **3.** (Av. 1615). SUJET À CAUTION : sur qui ou sur quoi l'on ne peut compter, faire fond. ⇒ **Douteux, suspect.** *Nouvelle sujette à caution. Témoin sujet à caution.*

5 — (...) crois-tu qu'il m'aime autant qu'il me le dit ?
— Eh, eh! ces choses-là, parfois, sont un peu sujettes à caution.
MOLIÈRE, le Malade imaginaire, I, 4.

6 Sa vie privée restait sujette à caution.
MARTIN DU GARD, les Thibault, t. V, p. 286.

♦ **4.** (1535). La personne qui fournit une garantie, un témoignage. ⇒ **Garant, répondant, témoin.** *Vous serez ma caution.* Loc., vx (encore chez Charles Nodier). *Être caution que...*

7 Je vous suis caution qu'il est très honnête homme. MOLIÈRE, Sganarelle, 1.

★ **II.** Dr. ♦ **1.** Personne qui s'engage envers un créancier pour garantir l'exécution d'une obligation, au cas où le débiteur n'y satisferait pas. ⇒ **Fidéjusseur.** *Se rendre caution de quelqu'un. Se porter caution pour quelqu'un. Garantir la solvabilité d'une caution* (⇒ **Certificateur**). *Caution solvable. Donner, fournir caution* : désigner une personne qui accepte de se porter caution pour une obligation que l'on a contractée.

8 Celui qui se rend caution d'une obligation, se soumet envers le créancier à satisfaire à cette obligation, si le débiteur n'y satisfait pas lui-même.
Code civil, art. 2011.

Caution judicatum solvi, qui s'engage à « exécuter le jugement ».

9 (...) l'étranger qui sera demandeur principal ou intervenant sera tenu de donner caution pour le payement des frais et dommages-intérêts résultant du procès, à moins qu'il ne possède en France des immeubles d'une valeur suffisante pour assurer ce payement. Code civil, art. 16.

Caution judiciaire, fournie en exécution d'un jugement (Code de procédure civile, art. 135, 155, 417). *Caution légale,* fournie en exécution d'une disposition de la loi (Code civil, art. 601, 771, 817, 1613). *Caution solidaire,* qui a renoncé au bénéfice de discussion, ou au bénéfice de division, quand il y a plusieurs créanciers (⇒ **Cofidéjusseur**). *Caution réelle,* qui constitue une sûreté réelle sur un de ses biens.

♦ **2.** Garantie donnée par la caution (personne). ⇒ **Cautionnement.** *Demander, accepter une caution* (peut s'employer aussi au sens 1). — REM. Les expressions ci-dessus *(caution judiciaire,* etc.) peuvent s'entendre aussi dans cette acception.

Par ext. *Caution juratoire* : engagement sous serment.

10 À défaut d'une caution de la part de l'usufruitier *(il)* pourra demander (...) qu'une partie des meubles nécessaires pour son usage lui soit délaissée, sous sa simple caution juratoire, et à charge de les représenter à l'extinction de l'usufruit.
Code civil, art. 603.

DÉR. Cautionner.

CAUTIONNABLE [kosjɔnabl] adj. — 1842 ; de *cautionner.*

♦ Dr. Qui peut recevoir la caution de quelqu'un. *Un contrat cautionnable. La personne dont je vous ai parlé est cautionnable.*

CAUTIONNEMENT [kosjɔnmã] n. m. — 1535 ; de *cautionner.*

♦ **1.** Dr. Contrat, sur lequel la caution s'engage envers le créancier (⇒ **Caution**). *Du cautionnement,* titre XIV du Livre III du Code civil (art. 2011 à 2043). — L'Acte qui constate l'existence de ce contrat. *Signer un cautionnement.*

♦ **2.** Dr. et cour. Dépôt* destiné à servir de garantie à des créances éventuelles. *Déposer une somme d'argent, des valeurs en cautionnement.* ⇒ **Gage, garantie.** *Cautionnement versé pour un objet prêté.* ⇒ **Consigne.** *Cautionnement administratif* : garantie exigée des comptables, des officiers ministériels, des adjudicataires des fournitures de l'État *(caution adjudicatoire).*

(1971). Dr. constit. *Cautionnement électoral* : somme d'argent à déposer par le candidat avant une élection.

CAUTIONNER [kosjɔne] v. tr. — 1360 ; de *caution.*

♦ **1.** Dr. Se rendre caution* pour (qqn). *Cautionner un ami.*

1 Ce caissier que vous avez cautionné et qui vient de faire banqueroute de deux cent mille écus. A.-R. LESAGE, Turcaret, III, 9.

♦ **2.** Cour. Répondre de, se porter garant de (qqn). *Être la caution de (une idée, une action),* en l'approuvant. *Il ne veut pas cautionner cette politique.*

J'en réponds sur sa mine, et je le cautionne. MOLIÈRE, l'Étourdi, V, 1. 2

CONTR. Condamner, dénoncer, désavouer.
DÉR. Cautionnable, cautionnement.

CAVAILLON [kavajɔ̃] n. m. — 1922 ; « déchaussement de la vigne », 1860 ; provençal *cavalhon,* du lat. *caballio.*

♦ Régional. Bande de terre entre les pieds de vigne, que la charrue ne peut labourer.

Une autre solution, dont la mise au point serait souhaitable, serait le traitement aux désherbants du seul cavaillon (bande de terre que les labours ordinaires laissent en place sur la ligne) et le travail à plat de l'interligne.
Louis LEVADOUX, la Vigne et sa culture, p. 104.

COMP. Décavaillonner.

CAVALCADE [kavalkad] n. f. — 1349 ; ital. *cavalcata,* de *cavalcare* « chevaucher ».

A. ♦ **1.** Vx. Marche, promenade à cheval à laquelle participent plusieurs cavaliers ou cavalières.

La duchesse de Bourgogne fit avec le duc de Bourgogne et beaucoup de dames une grande cavalcade au Bois de Boulogne.
SAINT-SIMON, Mémoires, 186, 237, *in* LITTRÉ. 1

Mod. Chevauchée animée.

Puis la joyeuse cavalcade se mit en route, escortée par les enfants à pied, qui couraient en tirant des coups de pistolet et faisaient bondir les chevaux.
G. SAND, la Mare au diable, Appendice III, p. 172. 2

♦ **2.** (1694). Défilé pompeux ou grotesque de cavaliers, de chars. *Une cavalcade historique. Cavalcade de la mi-carême.*

B. Par métonymie. ♦ **1.** Troupe de cavaliers.

♦ **2.** Fam. Troupe désordonnée, bruyante. *Une cavalcade d'enfants dégringolant l'escalier.* ⇒ **Sarabande.**

DÉR. Cavalcader.
HOM. Formes du v. cavalcader.

CAVALCADER [kavalkade] v. intr. — 1824, Balzac ; de *cavalcade.*

♦ **1.** Vx. Chevaucher en groupe.

Voyons, tiens... tu ne montes pas à cheval... Très-important... Si l'on te voyait cavalcader, tu comprends... Ed. et J. DE GONCOURT, Manette Salomon, p. 335. 1

♦ **2.** Mod. Courir en troupe bruyante et désordonnée. *Les enfants cavalcadaient dans toute la maison.* — Fam. Courir de droite et de gauche, à sa fantaisie. ⇒ **Gambader.**

J'ai le temps d'aller faire un tour avant la soupe, buvons et cavalcadons gaîment, je me sens en même temps vidée et lourde de joie.
A. SARRAZIN, la Traversière, p. 85. 2

CAVALCADOUR [kavalkaduʀ] adj. m. — 1549, Rabelais ; orig. incert., soit de l'anc. provençal *cavalgador* « cavalier », soit de l'esp. *cabalgador,* ou de l'ital. *cavalcatore* « cavalier, écuyer ».

♦ Ancien. *Écuyer cavalcadour,* qui avait la surveillance des chevaux et des écuries du roi, des princes.

Péj. (Vx ; usage littéraire des romantiques). Recherché jusqu'à l'affectation, dans un genre poétique ancien (→ Troubadour).

(...) je n'aime pas le rejet
La femme d'un agent
De change.
Agent de change est un seul mot, et d'ailleurs il y a là, ce me semble, un peu trop d'intention de chic ; ça me semble trop espagnol et cavalcadour.
FLAUBERT, À Louis Bouilhet, 19 déc. 1850, *in* Correspondance, t. I, Pl., p. 725.

1. CAVALE [kaval] n. f. — 1552 ; probablt ital. *cavalla,* du lat. *caballa.*

♦ **1.** Poét. Jument de race. *Une cavale sauvage, indomptée. Une belle, une fière cavale. La crinière d'une cavale. Hennir comme une cavale.*

(...) elle était *(Madame de Coislin)* naturellement de la cour, comme d'autres plus heureux sont de la rue, comme on est cavale de race ou haridelle de fiacre (...)
CHATEAUBRIAND, Mémoires d'outre-tombe, III, 4. 1

La voix grêle des cymbales,
Qui fait hennir les cavales (...) HUGO, les Orientales, I, 3. 2

C'était *(la France)* une cavale indomptable et rebelle
Sans frein d'acier ni rênes d'or. BARBIER, Iambes. 3

Par comparaison.

(...) la troisième qui ne livrait pas un coin de sa peau, vêtue d'une robe si étroitement ajustée, qu'elle en était troublante d'indécence, avec sa croupe tendue de cavale. ZOLA, l'Œuvre, p. 385. 4

♦ **2.** Pop. et vx. Grande femme mal bâtie *(in* Littré). ⇒ **Cheval** (un grand cheval).

CONTR. Haridelle, rosse.
DÉR. Cavaler.
HOM. 2. Cavale ; formes du v. cavaler.

2. CAVALE [kaval] n. f. — 1829 ; de *cavaler* « courir ; s'évader ».

♦ Argot. *Être en cavale* : être en fuite. — Évasion. *Faire une belle cavale.* — (Par jeu de mot avec 1. *cavale*) :

Le seul moyen d'échapper au coma, c'est d'enfourcher la cavale, l'évasion comme on dit, et de n'en plus descendre. LA CAVALE cent fois abattue, relevée, c'est le vaccin et le doping, la meilleure recette pour accommoder la taule : en gardant sans cesse, en fond et obsession douce, l'envie de fuir, on se justifie de rester.
A. SARRAZIN, la Cavale, Prière d'insérer.

HOM. 1. **Cavale** ; formes du v. **cavaler.**

CAVALER [kavale] v. intr. — 1575, v. tr., « poursuivre » ; « chevaucher », déb. XVIIᵉ, repris XIXᵉ ; de 1. *cavale.*
Familier.

♦ **1.** Courir*. *Il cavalait à toute vitesse.* — Fuir, s'en aller en courant, s'enfuir. ⇒ **Décamper, détaler.**

1   L'autre répondit :
Je les ai vus, j'ai cavalé.   HUGO, les Misérables, *in* Pierre LAROUSSE.

2   C'est ça, dit Lahrier, cavalez ! je vous ai assez vu.
COURTELINE, Messieurs les ronds-de-cuir, p. 132.

(1821). S'évader de prison. ⇒ 2. **Cavale.**

3   Ma parole de Noël ou rien, pour eux, c'est du kif. Lui juge et préjuge en fonction de ce sacré passé, ces antécédents qui leur font peur. J'ai cavalé, j'ai tenté de re-cavaler ; donc, en bonne logique, je dois re-tenter de re-cavaler.
A. SARRAZIN, la Cavale, 1965, p. 313.

V. pron. (même sens). *Se cavaler.*

Cavaler après qqn, le poursuivre, (spécialt) de ses assiduités (⇒ **Cavaleur**). *Cavaler après une femme,* lui courir* (*supra* cit. 10) après.

4   Mois, il m'a collée avec lui, contre sa table, dans un petit local de trois mètres sur trois (...) Il me coinçait contre les portes. Il me cavalait après toute la journée. Une fois il a même sauté par-dessus ma machine à écrire.
P. GUTH, le Naïf locataire, p. 59 (1956).

♦ **2.** (1890). Absolt. Mener une vie désordonnée. ⇒ **Courir** (*infra* cit. 24.1).

5   C'est pas vrai que j'ai dit dans le train à Croquebol : « Mon salaud, nous allons tirer une bordée et cavaler à Bar-le-Duc ? » C'est pas vrai que dans Bar-le-Duc nous avons fichu une noce à tout casser ?
COURTELINE, le Train de 8 h 45, p. 246 (1888).

♦ **3.** V. tr. (1878). Ennuyer. *Tu nous cavales* (→ pop. Courir).

6   Si ta goinfrerie, tes fanfaronnades, tes brutalités et ta bassesse de cœur ne compromettent pas l'éclat de ton auréole, je n'ai pas à être inquiète pour ma part de paradis. — Ta gueule, ripostait le colérique. Quand tu auras fini de me cavaler ?
M. AYMÉ, le Vin de Paris, « La grâce », p. 92.

DÉR. 2. Cavale, cavaleur.
HOM. V. 1. Cavale, 2. cavale.

CAVALERIE [kavalʀi] n. f. — 1308 ; ital. *cavalleria,* de *cavallo* « cheval ».

♦ **1.** Ensemble de troupes servant à cheval, d'unités de cavaliers. *Division de cavalerie grecque.* ⇒ **Hipparchie.** *Cavalerie romaine. Cavalerie de l'Empire. Combats de cavalerie. Charge de cavalerie. Reconnaissance, patrouille effectuée par la cavalerie. Cavalerie légère* (chasseurs, hussards, spahis). *Cavalerie de ligne* (dragons). *Cavalerie lourde* ou *grosse cavalerie* (cuirassiers). *Corps, unités de cavalerie.* ⇒ **Cavalier.** *Cavalerie allemande, russe, française. Sonnerie de cavalerie* (⇒ **Boute-selle**). *Trompette* de cavalerie. Sabre* de cavalerie, Service fournissant la cavalerie en chevaux.* ⇒ **Remonte.** *Étendard, fanion, guidon, cornette d'une unité de cavalerie.*

1   La cavalerie de Darius était forte de trois cent mille chevaux.
VAUGELAS, Trad. QUINTE-CURCE, III, *in* RICHELET.

Par métaphore ou figuré :

2   Sous la cavalerie effroyable des vents (...)
HUGO, la Légende des siècles, L, « L'élégie des fléaux ».

3   D'un bout des dortoirs à l'autre, des escadrons de gros rats font des charges de cavalerie en plein jour.
Alphonse DAUDET, le Petit Chose, I, VIII.

Fig. *C'est de la grosse cavalerie* : cela manque de finesse ; c'est du tout-venant (dans une vente, un inventaire). *Faire donner la grosse cavalerie* : recourir à un procédé grossier. — Avec un compl. en *de* :

3.1   Chaque fois qu'un spectacle semble immotivé, le bon sens fait donner la grosse cavalerie du symbole.
R. BARTHES, Mythologies, p. 88.

♦ **2.** (1546). L'un des corps (⇒ **Arme,** II., 2. ; **armée,** cit. 14) de l'armée, ne comprenant, à l'origine que des troupes à cheval, et aujourd'hui, des troupes mobiles, motorisées. ⇒ **Blindé, char.** *Division, brigade, régiment, escadron, peloton de cavalerie. Motocyclettes, automitrailleuses, chars d'assaut, camions d'un régiment de cavalerie. Officier de cavalerie. Soldat de cavalerie.* ⇒ **Cavalier.** *Être dans la cavalerie* (→ argot Basane).

♦ **3.** (1866). Anc. Ensemble de chevaux (d'une entreprise, lorsque la traction hippomobile n'avait pas encore été détrônée par l'automobile). ⇒ **Écurie.** *La cavalerie d'une compagnie d'omnibus, d'un déménageur.* — Mod. *La cavalerie d'un cirque.*

♦ **4.** Vx. Fig. et fam. *La cavalerie de Saint-George* : l'argent anglais (les pièces portaient l'image de saint George à cheval). — Spécialt.

L'or dépensé par la diplomatie anglaise pour essayer d'infléchir la politique internationale.

4   La « cavalerie de Saint-George », ainsi que l'on dira, était prête.
Louis MADELIN, l'Avènement de l'Empire, XII,
L'Europe et le Nouvel Empire, p. 171.

♦ **5.** (1935). *Traites, papiers, effets, chèques de cavalerie,* faits par complaisance ou pour couvrir frauduleusement une tractation. ⇒ **Complaisance** (*infra* cit. 10).

5   (...) ce monde invraisemblable de margoulins, (...) de carambouilleurs (...) de requins, de naïfs, de spécialistes du chèque de cavalerie, de pirates (...)
M. DRUON, Rendez-vous aux enfers, p. 299.

Comm. *Effet de cavalerie* : effet de commerce sur un prête-nom, une société fictive, etc., et permettant d'obtenir de l'escompte auprès d'une banque.

CONTR. Infanterie, piétaille.

CAVALEUR, EUSE [kavalœʀ, øz] adj. et n. — 1901, Esnault ; de *cavaler.*

♦ Fam. Personne qui recherche les bonnes fortunes. *Il est un peu cavaleur.* ⇒ **Coureur, dragueur.** *C'est une sacrée cavaleuse.*

J'ai répondu froidement : je ne veux pas établir une complicité de cavaleurs entre moi et ce Pedro aux yeux veloutés. A. SARRAZIN, l'Astragale, p. 118-119.

CAVALIER, IÈRE [kavalje, jɛʀ] n. et adj. — 1470 ; ital. *cavaliere* (→ Chevalier), de *cavallo* « cheval ».

★ **I.** ♦ **1.** (1611). Personne qui est à cheval*, montée sur un cheval. *Cavaliers faisant un tour de manège. Un bon cavalier,* qui monte bien à cheval. *Beau cavalier,* ayant une belle prestance. *C'est une excellente cavalière,* elle est excellente cavalière. *Un mauvais, un piètre cavalier. Cavalier participant à un concours hippique*, à une fête équestre*, à une course de chevaux* (⇒ **Jockey**). *Cavalier de cirque.* ⇒ **Écuyer.** *Cavalier, dans une course de taureau.* ⇒ **Picador.** *Cavalier menant une voiture de poste.* ⇒ **Postillon.** *Une cavalière.* ⇒ **Amazone.** — *Carrousel, cavalcade, fantasia de cavaliers.*

1   (...) elle (*Hélène*) voyait, à droite, les cavaliers dans l'allée sablée.
FRANCE, Jocaste, p. 66.

2   Alors les cavaliers tournaient bride et hâtaient leur galop pour revenir.
LOTI, les Désenchantées, III, p. 33.

3   Vial se cala sur le divan avec le mouvement du cavalier qui s'affermit en selle.
COLETTE, la Naissance du jour, p. 162.

4   (...) un peu aussi comme un cavalier se laisse porter par son cheval, tout en ne cessant pas de l'exciter et de le guider.
J. ROMAINS, les Hommes de bonne volonté, XVII, p. 176.

Les Quatre Cavaliers de l'Apocalypse (Apocalypse de saint Jean, VI, 1 à 8).

Adj. (1923). *Piste, allée cavalière* : sentier réservé aux cavaliers, (dans un parc, une forêt...).

♦ **2.** N. m. [a] Soldat servant à cheval (⇒ **Cavalerie**). *Cavalier romain.* ⇒ **Célères.** *Cavaliers du moyen âge.* ⇒ **Chevalier.** *Cavaliers d'anciennes unités.* ⇒ **Argoulet, carabin, carabinier, cent-gardes, chevau-léger, cravate, éclaireur, estradiot, gendarme, guide, hussard, lancier, mousquetaire.** *Cavaliers allemands* (⇒ **Reître, uhlan**), *russes* (⇒ **Cosaque**), *musulmans* (⇒ **Goumier, mameluk**), *polonais* (⇒ **Polaque**), *turcs* (⇒ **Bachi-bouzouk**). *Corps de cavaliers remplacé par la gendarmerie.* ⇒ **Maréchaussée.** *Équipement, uniforme de cavalier* (ancien). ⇒ **Chabraque, sabretache ; chapska, kolback, shako ; dolman ; porte-manteau,** etc. *Un peloton de cavaliers. Cavaliers placé en sentinelle.* ⇒ **Vedette.** *Cavalier porte-étendard.* ⇒ **Cornette.** *Lance, sabre de cavalier.*

5   Les cavaliers sont froids, calmes, graves, armés,
Effroyables ; les poings lugubrement fermés.
HUGO, la Légende des siècles, XV, « Éviradnus », VIII.

[b] Mod. Militaire servant dans la cavalerie*. ⇒ **Chasseur, cuirassier, dragon, spahi.** *Grades de cavaliers. Cavaliers et fantassins.*

♦ **3.** (1752). Pièce de jeu d'échec* représentant une tête de cheval (autrefois, un cavalier monté). *La marche du cavalier s'effectue du noir au blanc et du blanc au noir, obliquement, en sautant une case. Cavalier blanc, noir. Déplacer un cavalier* (→ Pion, cit. 4).

★ **II.** ♦ **1.** N. m. (Av. 1578). Vx. Homme d'épée (sens tombé en désuétude après le XVIIᵉ s.). — Titre donné par politesse au XVIIᵉ siècle. ⇒ **Chevalier, seigneur.** Cf. esp. Caballero.

6   Dis-moi, me trouves-tu fait en cavalier ? CORNEILLE, le Menteur, I, 1.

7   Ah ! seigneur cavalier, sauvez-moi, s'il vous plaît, des mains d'un mari furieux.
MOLIÈRE, le Sicilien, 14.

Hist. (empr. angl.). Gentilhomme partisan des Stuarts (contr. : *tête ronde,* partisan de Cromwell).

♦ **2.** (V. 1600). *Le cavalier de* (une dame), l'homme qui l'accompagne. *Elle donnait le bras à son cavalier.* — *Elles n'ont pas de cavalier pour danser.* ⇒ **Danseur.** *Servir de cavalier à une dame, être son cavalier.* (Vx). *Cavalier servant,* se dit de celui qui accompagne une dame et lui rend des soins assidus. ⇒ **Chevalier, galant, sigisbée.**

8　Je ne sais qui est plus à plaindre, ou d'une femme avancée en âge qui a besoin d'un cavalier, ou d'un cavalier qui a besoin d'une vieille.
LA BRUYÈRE, les Caractères, III, 28.

N. f. (1900, *in* D.D.L.). *La cavalière d'un danseur,* sa danseuse. *Embrassez vos cavalières.*

Cavalier seul : figure de quadrille où l'homme dansait seul; le pas qu'il exécutait. Fig. *Faire cavalier seul :* agir seul, en isolé; se mettre à l'écart. *Cavalier seul,* pièce d'Audiberti.

9　Nous aussi, nous gravitons les uns autour des autres, sans nous rencontrer, sans nous fondre. Chacun faisant cavalier seul.
MARTIN DU GARD, les Thibault, t. IX, p. 221.

Vx. Homme du monde. *Beau cavalier, galant cavalier. Un cavalier accompli.*

♦ **3.** Adj. (V. 1620). **CAVALIER, IÈRE.**

[a] (Vieilli). Qui est propre au cavalier. — (En parlant des manières). Libre, aisé. *Un air cavalier.* ⇒ **Dégagé.** *Tournure cavalière. Mine cavalière.*

9.1　Il hait la gentillesse à la Cour familière,
N'aime point les ballets, ni l'humeur cavalière,
Se moque avecques moi du mal-fait et du bon,
Sait que tous sont de même à l'ombre du tombeau.
THÉOPHILE DE VIAU, Œuvres poétiques (1620),
I, éd. Droz, p. 201, *in* D.D.L., II, 12.

9.2　Elle entra, cavalière, avec sa chaîne d'or sonnant sur son tablier, ses cheveux nus peignés à la mode, son nœud de gorge, un nœud de dentelle qui faisait d'elle une des reines coquettes des Halles.
ZOLA, le Ventre de Paris, t. I, p. 114.

[b] Mod. Qui manque de considération. ⇒ **Brusque, hardi, hautain.** — (Personnes). *Il a été un peu cavalier avec nous.* — (Actions). *Un procédé cavalier, une réponse cavalière.* ⇒ **Impertinent.** Spécialt. ⇒ **Inconvenant, leste.** *Plaisanterie un peu cavalière.*

[c] Loc. adv. (vx). À LA CAVALIÈRE : en cavalier. *Être vêtu à la cavalière,* librement, sans apprêt.

10　La brutalité de la saison a furieusement outragé la délicatesse de ma voix; mais il n'importe, c'est à la cavalière.　MOLIÈRE, les Précieuses ridicules, 9.

★ **III. ♦ 1.** [a] N. m. (1546). Anciennt. Ouvrage de fortification dominant les retranchements, à l'arrière. ⇒ **Talus.** *Cavaliers de tranchée.*

[b] Adj. (1866). *Perspective cavalière :* vue d'arrière et de haut. *Plan cavalier, vue cavalière,* selon cette perspective.

♦ **2.** N. m. Amas de déblais. ⇒ **Déblai, talus.**

★ **IV.** N. m. Fig. ♦ **1.** (1832). Papier de format intermédiaire entre le carré* et le grand raisin*, de format 0,46 × 0,62 m, qui était marqué à l'origine d'un cavalier.

♦ **2.** (1890). Techn. (objets qui par leur position ou leur forme évoquent un cavalier sur sa monture). Clou, pièce métallique en U. *Balance à cavalier.* — Pièce métallique courbe servant au classement des fiches, des dossiers.

(xxᵉ). Engin de manutention enjambant et soulevant la charge à déplacer.

Cavalier de jonction : élément mécanique permanent d'assemblage de deux ensembles ou sous-ensembles d'un engin spatial.

CONTR. Piéton, fantassin. — Emprunté, respectueux, sérieux.
DÉR. Cavalièrement.

CAVALIÈREMENT [kavaljɛrmɑ̃] adv. — 1613, «généreusement»; sens mod., 1642; de *cavalier,* (II., 3).

♦ D'une manière cavalière*, dégagée et un peu insolente. *Il l'a traité cavalièrement. Il parle, il répond trop cavalièrement.*

Il y en a même, de ceux qui ne sont cavalièrement chrétiens, qui confondent le christianisme avec leurs anciennes superstitions (...)
J.-F. REGNARD, Voyage en Laponie, p. 109 (1731).

CAVAS [kavas] n. m. — 1850, Flaubert; arabe *qāwwās* «archer».

♦ Vx. Policier, gendarme (notamment, attaché à un haut fonctionnaire), dans quelques pays islamiques (Égypte, etc.). — REM. Mot en usage chez les voyageurs, vers 1850-1870 (Fromentin, Nerval...) — Var. : *cawas* [kawas].

(...) une suite nombreuse s'empressait autour de lui, intendant, secrétaires, porte-pipes et autres menus officiers, sans compter les cawas et les domestiques!
Th. GAUTIER, Constantinople, p. 69.

CAVATINE [kavatin] n. f. — 1767, J. J. Rousseau; ital. *cavatina,* de *cavata* «action de tirer un son d'un instrument», de *cavare* «creuser».

♦ Mus. Pièce vocale assez courte, plus brève que l'*air,* dans un opéra. *La cavatine de Don Juan,* dans l'opéra de Mozart.

Lucie entama un air brave sa *cavatine* en *sol* majeur; elle se plaignait d'amour, elle demandait des ailes.　FLAUBERT, Mᵐᵉ Bovary, II, xv.

1. CAVE [kav] n. f. — V. 1170, «trou, caverne»; lat. *cava,* fém. substantivé de *cavus* «creux». → 2. Cave.

♦ **1.** (V. 1250). Local souterrain, ordinairement situé sous une habitation. *Cave voûtée. Cave en galerie. Cave fraîche, froide. Cave obscure, sombre. Cave à provisions. Cave à bois. Cave à charbon. La voûte, les soupiraux d'une cave. Mettre qqch. en cave.* ⇒ **Encaver.**

Un aveugle qui, pour se battre sans désavantage contre un qui voit, l'aurait fait venir dans le fond de quelque cave (...)　DESCARTES, Disc. de la méthode, VI.　1

Il *(le savetier)* retourne chez lui; dans sa cave il enserre
L'argent et sa joie à la fois.　LA FONTAINE, Fables, VIII, 2.　2

Le jour où la table sera au grenier, et moi à la cave, disait George Sand, il y aura du changement ici.　A. MAUROIS, Lélia, VIII, I, p. 420.　3

J'étais dans une sorte de cave, éclairée par un petit soupirail. Il s'ouvrait, en haut, dans une voûte.　H. BOSCO, Hyacinthe, p. 137.　4

Loc. *De la cave au grenier :* de fond en comble, entièrement. *La maison est pleine de la cave au grenier,* entièrement pleine. — Fig. et vieilli. *Aller de la cave au grenier :* écrire de travers; passer du coq à l'âne, extravaguer; passer d'un excès à l'excès opposé.

Poét. et vx. Caverne (→ Aire, cit. 3).

♦ **2.** Cave servant de cabaret, de dancing. ⇒ **Caveau.** *Les caves de Saint-Germain-des-Prés,* à Paris.

J'aimais le bruit de la musique, des danses, des voix, le grand cri unanime de la cave, l'agitation des corps, le cliquetis des glaçons dans l'alcool. Les cheveux des filles pendaient; elles portaient toutes le deuil; les rythmes voulaient que nous les jetions sur nos épaules.　Jacques LAURENT, les Bêtises, p. 259.　4.1

♦ **3.** Fig., fam. RAT DE CAVE. [a] (1649, *in* D.D.L.). Commis des contributions indirectes qui contrôlait les boissons dans les caves.

Je serais dans la suite un conseiller du roi,
Rat de cave ou commis (...)　J.-F. REGNARD, le Joueur, I, 1.　5

[b] (1803). Bougie mince roulée sur elle-même, dont on se sert pour aller dans une cave.

(...) son cadavre de supplicié fut retrouvé avec autour du cou la plaie noirâtre produite par la longue mèche flexible d'un rat de cave consumé!
M. YOURCENAR, le Coup de grâce, p. 181.　5.1

♦ **4.** Spécialt. [a] *Cave à vin,* ou, absolt, *cave.* ⇒ **Cellier, chai; caviste.** *Faire descendre du vin dans la cave* (⇒ **Avalage**). *Avoir du vin en cave. Cave pleine de tonneaux, de casiers à bouteilles, de porte-bouteilles. Cave d'un distillateur, d'un viticulteur* (cave viticole), *d'un marchand de vin.*

En leurs greniers le blé, dans leurs caves les vins (...)
LA FONTAINE, Fables, VII, 6.　6

[b] (1851). *Cave :* les vins conservés dans une cave. *Une bonne, une excellente cave, une cave bien montée, une cave de choix. Se monter une cave. La cave d'un restaurant, d'un hôtel* (⇒ **Caviste, sommelier**).

[c] (1669). *Cave à liqueurs :* boîte, caisse à compartiments où l'on met des vins, des liqueurs.

Il se tourna vers Philippe et dit d'une voix faible :
— Il y a du whisky dans la cave à liqueur : Non : à droite, le petit meuble chinois; là. Tu trouveras aussi des verres. Tu nous sers : tu fais la jeune fille de la maison.　SARTRE, la Mort dans l'âme, p. 126.　7

CONTR. 1. Comble, grenier, toit.
DÉR. Caveau, caviste.
COMP. Encaver.
HOM. 2. Cave, 3. cave; formes des v. 1. caver, 2. caver.

2. CAVE [kav] adj. — V. 1170; lat. *cavus* «creux».
Littéraire ou didactique.

♦ **1.** Littér. Qui présente une cavité, un renfoncement. ⇒ **Creux.** *Des joues caves. Œil cave.*

Tout à coup il releva la tête, son œil cave parut plein de lumière (...)
HUGO, Notre-Dame de Paris, X, 5.　1

Là-haut, les marches vieilles et caves touchent ce ciel songeur qui est le front de toutes choses (...)　Léon-Paul FARGUE, Poèmes, suivi de Pour la musique, p. 29.　1.1

♦ **2.** (1538). Anat. *Veines caves,* amenant le sang veineux à l'oreillette droite du cœur. *Veine cave supérieure,* à laquelle aboutissent toutes les veines de la moitié supérieure du corps (à l'exception des veines cardiaques), et qui résulte de la réunion des deux troncs veineux brachio-céphaliques (dont les affluents sont les veines des membres supérieurs, de la tête, de la face et du cou, du thorax, du rachis). *Veine cave inférieure* ou *ascendante,* à laquelle aboutissent les veines de l'abdomen, celles du bassin et des membres inférieurs.

La veine cave, qui est le principal réceptacle du sang.　2
DESCARTES, Disc. de la méthode, 5.

♦ **3.** (1708). Chron. *Année cave :* année lunaire de 353 jours. *Mois, lune (lunaison) cave,* de 29 jours.

HOM. 1. Cave, 3. cave; formes des v. 1. caver, 2. caver.

3. CAVE [kav] n. — 1690, Furetière; de 2. *caver.*

♦ **1.** N. f. Le fonds d'argent que chaque joueur met devant soi, à certains jeux de cartes. ⇒ **Enjeu, mise.** *Cave de poker. Renouveler sa cave. Épuiser sa cave. Perdre sa cave.* « *La fiche est à un sou et la cave de dix* » (→ 2. Bouillotte, cit. 2).

♦ **2. N. m.** (V. 1882 ; de *cavé* [1835], de 2. *caver*, au sens ancien de « tromper »). Argot, puis fam. Celui qui se laisse duper ; qui n'est pas du milieu* (opposé à *affranchi, homme, mec*).

1   Quand on va voler et que le pistolet du cave est chargé, il ne faut pas l'éveiller (...)
                                                            A. SARRAZIN, la Cavale, p. 162.

2   Moi qui vous cause, j'ai bien souvent gambergé à ces problèmes tandis que vêtu d'un tutu je montre à des caves de votre espèce mes cuisses naturellement assez poilues il faut le dire mais professionnellement épilées.
                                            R. QUENEAU, Zazie dans le métro, Folio, p. 117 (1959).

(Dans un sens étendu). Personne naïve, dupe. *Pauvre cave ! Bande de caves !*

Adj. *Ce qu'elle est cave !* (⇒ **Cavette**).

DÉR. et COMP. (Du sens 1) 1. **Décaver.** (Du sens 2) **Cavette, cavillon.**
HOM. Cave, 2. **cave** ; formes des v. 1. **caver,** 2. **caver.**

CAVEA [kavea] n. f. — 1886, Encycl. Berthelot, art. *Amphithéâtre* ; mot latin.

♦ Archéol. Partie d'un amphithéâtre d'un théâtre antique occupée par les gradins.

On a pu reconstituer les zones de gradins entre lesquelles se répartissait la foule des spectateurs (...) mais la série des rangées, une à une. Les places d'en haut, sur bancs de bois, séparées du reste de la *cavea* par un mur surmonté d'une colonnade, étaient laissées aux gens de peu.
                                            G. CONTENAU et V. CHAPOT, l'Art antique, p. 357.

CAVEAU [kavo] n. m. — XIIIᵉ ; de 1. *cave.*

♦ **1.** Petite cave. *Caveau à vin. Caveau attenant à une cave. Caveau voûté.*

1   « Là », c'était l'ancienne chambre de Jacques, obscurcie déjà par la nuit commençante, pleine d'ombre et de silence comme un caveau.
                                            MARTIN DU GARD, les Thibault, t. III, p. 163.

Par métaphore. *C'est un caveau, que cet appartement !*

♦ **2.** (1729). Cabaret, café où se réunissaient gens de lettres, artistes, au XVIIIᵉ siècle. — (1867). Mod. Se dit de certains cabarets, théâtres de chansonniers... *Les caveaux de Montmartre.*

REM. Le mot évoque les chansonniers, de la fin du XIXᵉ s. à 1950 environ, alors que *cave,* mis à la mode vers 1945 à Saint-Germain-des-Prés, est réservé à la musique, à la danse.

1.1 Nous nous sommes rencontrés dans un caveau maudit
     Au temps de notre jeunesse
     Fumant tous deux et mal vêtus attendant l'aube   APOLLINAIRE, Alcools, p. 67.

♦ **3.** (1680). Construction souterraine pratiquée sous une église, dans un cimetière, et servant de sépulture. ⇒ **Columbarium, enfeu.** *Être enterré dans un caveau. Caveau de famille surmonté d'un mausolée*. Les niches funéraires d'un caveau. Caveau dans une crypte.*

2   (...) des couchettes qui semblaient creusées dans l'épaisseur de la charpente s'ouvraient comme des niches d'un caveau pour mettre les morts.
                                            LOTI, Pêcheur d'Islande, I, I, p. 2.

CAVE CANEM [kavekanɛm] Mots latins signifiant « prends garde au chien », que les Romains inscrivaient à l'entrée d'un vestibule.

CAVECÉ, ÉE [kavse] adj. — 1798 ; de l'anc. franç. *cavèce, cavèche* « tête », esp. *cabeza.* → Cabèche.

♦ Hippol. Se dit d'un cheval dont la tête est d'une autre couleur que celle du corps. *Cheval bai cavecé de noir.*

CAVEÇON [kavsõ] n. m. — 1580 ; ital. *cavezzone,* d'un lat. pop. *capitia « ce qu'on met autour de la tête ».

♦ **1.** Techn. (hippol.). Demi-cercle de métal que l'on met sur les naseaux d'un cheval qu'on veut dompter (⇒ **Mors**). *Pièces du caveçon.* ⇒ **Sous-gorge, têtière.** *Caveçon fixé au chanfrein. Mettre le caveçon à un jeune cheval, à un cheval rétif. Dresser, dompter un cheval à coups de caveçon.*

1   Ce serait une barbarie (...) d'adapter cette espèce de muselière ou caveçon à une bouche si fraîche, si rose et si melliflue (...)
                                            Th. GAUTIER, le Capitaine Fracasse, t. II, p. 165.

2   (...) il *(M. Thibault)* tirait le menton en avant, comme un cheval qu'impatiente le caveçon.   MARTIN DU GARD, les Thibault, t. I, p. 230.

♦ **2.** Loc. fig. (Vx ou littér.). **COUP DE CAVEÇON** : mortification, coup qui force à rabattre de ses prétentions.

3   (...) cette impénétrabilité qui m'impatientait et m'irritait puis encore la certitude que j'eus bientôt des fantaisies à la Catherine II qu'elle se permettait, furent la double cause du vigoureux coup de caveçon que j'eus la force de donner pour sortir des bras tout-puissants de cette femme, l'abreuvoir de tous les désirs !
                                            BARBEY D'AUREVILLY, les Diaboliques, « À un dîner d'athées » (1874).

♦ **3.** (1867). Techn. Muselière pour les agneaux en sevrage.

CAVÉE [kave] n. f. — 1642 ; en picard, 1150 ; de *cave.*

♦ Régional (Nord, Ouest). Chemin creux. *Une cavée dans un bois.*

Bien qu'il ne soit plus guère employé que dans certaines provinces, le mot de cavée est d'excellent français.   G. DUHAMEL, Inventaire de l'abîme, II, p. 23.   1

(...) les brusques passages des ombres étouffées, des cavées aux larges respirations sur la plaine infinie.   Ed. et J. DE GONCOURT, Madame Gervaisais, p. 182.   2

HOM. Formes des v. 1. **caver,** 2. **caver.**

1. CAVER [kave] v. — Av. 1150, au p. p. ; du lat. *cavare,* de *cava.* → 1. Cave.
Vieux ou régional.

♦ **1.** V. tr. Creuser, miner.

Cette eau qui tombe première sur ce rocher, le cave à l'endroit de sa chute (...)
                                            BOSSUET, Traité de la concupiscence, 15.   1

♦ **2.** V. intr. *La rivière a cavé sous la pile du pont.*

Elle ne se fait pas prier ; elle donne du groin en avant et elle « cave », puisque c'est son métier.
                                            COLETTE, la Paix chez les bêtes, « La petite truie de M. Rouzade », p. 177.   2

♦ **3.** V. intr. Escrime. Retirer le corps en portant une botte.

▶ **SE CAVER** v. pron.
Devenir cave*. *Ses yeux se cavent,* se creusent.

COMP. 2. **Décaver.**
HOM. **Cavée,** 2. **caver.** — V. aussi 1. **Cave,** 2. **cave,** 3. **cave.**

2. CAVER [kave] v. — 1642, Oudin ; ital. *cavare* « creuser », puis « tirer de sa poche ».

♦ **1.** V. intr. Faire mise d'une somme d'argent, à certains jeux : poker, bouillotte... ⇒ **Miser.** — Fig. *Caver au plus fort :* porter tout à l'extrême. *Caver au pire :* prévoir le pire, s'y préparer.

♦ **2.** V. tr. Trans. dir. *Caver mille francs.*

Il ne cavait d'abord que trois ou quatre pistoles.
                                            Antoine HAMILTON, Mém. du comte de Grammont, 31.

Trans. indir. *J'ai cavé de mille francs.*

Pron. *Se caver. Il s'est cavé de...*

♦ **3.** Vx. Tromper (au jeu).

CONTR. 1. **Décaver.**
DÉR. (De 3.) 3. **Cave,** 2.
HOM. **Cavée,** 1. **caver.** — V. aussi 1. **Cave,** 2. **cave,** 3. **cave.**

CAVERNE [kavɛʀn] n. f. — 1120 ; lat. *caverna,* de *cavus* « creux ».

♦ **1.** Cavité* naturelle creusée dans la roche. ⇒ **Grotte** (cit. 2.1), **spélonque** (vx). *L'étude, l'exploration des cavernes.* ⇒ **Spéléologie.** *La voûte, les stalactites et stalagmites, les parois, les anfractuosités d'une caverne. Caverne souterraine. Caverne sous-marine.* — *Trouver abri, se réfugier dans une caverne.*

L'animal sauvage se retire dans une caverne
Et se couche dans sa tanière.   BIBLE (SEGOND), Job, XXVII, 8.   1

Une des merveilles de cette caverne, c'était le roc. Ce roc, tantôt muraille, tantôt cintre (...) était par places brut et nu, puis, tout à côté, travaillé des plus délicates ciselures naturelles (...)   HUGO, les Travailleurs de la mer, II, I, 13.   2

Les cavernes du relief karstique. La faune des cavernes. ⇒ **Cavernicole** (cit.).

Les *cavernes* avec leur circulation torrentielle sont un phénomène vraiment caractéristique du terrain calcaire (...) Un développement important des cavités souterraines suppose une roche perméable, soluble et en même temps cohérente sinon massive (...) La dissolution chimique travaille seule au début (...) mais dès que les vides sont assez grands ils forment drain (...) ainsi naissent de véritables cours d'eau souterrains (...) s'attaquant surtout aux ruptures de pente, souvent franchies en cascades, qui séparent des plans où l'eau peut s'étaler en lacs. Des éboulements se produisent et contribuent à élargir les cavités qui finissent par former de véritables coupoles.
Dans les cavernes assez anciennes, le suintement des eaux le long des parois et sur le plafond des galeries donne lieu à des dépôts de carbonate de chaux, qui forment à la longue des pendeloques ou des sortes de draperies flottantes (stalactites), tandis que les gouttes d'eau tombant à la même place sur le plancher de la galerie y édifient des formes ascendantes (stalagmites). Les effets extraordinaires qu'éveille la lumière dans ces profondeurs sont le principal attrait des grottes aménagées pour le tourisme, telles que Padirac, en France, Han-sur-Lesse en Belgique, Machoca en Tchécoslovaquie, etc.   E. DE MARTONNE, Traité de géographie physique, t. II, VI, Le relief calcaire.   3

L'âge des cavernes : l'époque où l'homme s'abritait dans des cavités naturelles, ne construisant pas encore. *L'homme des cavernes. Les cavernes préhistoriques de la Madeleine.* ⇒ **Magdalénien.** — *Habitant des cavernes.* ⇒ **Troglodyte.**

Caverne de brigands, de voleurs. ⇒ **Antre, repaire, tanière.** — Fig. Endroit où ont lieu des transactions louches. *Cette entreprise est une véritable caverne de brigands !*

Jésus entra dans le temple et chassa tous ceux qui vendaient et achetaient dans le temple (...) et il leur dit : « Il est écrit : *Ma maison sera appelée maison de prière* ; mais vous, vous en faites une caverne de voleurs ».
                                            BIBLE (CRAMPON), Évangile selon saint Matthieu, XXI, 12-13.   4

La caverne d'Ali-Baba, où les voleurs avaient accumulé leur butin.

— Par compar. ou métaphore. Accumulation hétéroclite d'objets considérés comme précieux.

4.1 (...) responsable de l'intendance *(il)* régnait sur un magasin débordant de sacs de légumes secs, de boîtes de bœuf, de jambons (...) sans compter les piles de couvertures (...) tout un bric-à-brac robuste et à l'odeur d'une indéchiffrable complexité qui par ces temps de pénurie paraissait opulent comme la caverne d'Ali Baba.
M. TOURNIER, le Roi des Aulnes, p. 258.

Par métaphore :

5 (...) les cavernes ténébreuses de la science.   HUGO, Notre-Dame de Paris, I, v, 2.

6 Il y a des cavernes dans l'hypocrite, ou pour mieux dire, l'hypocrite entier est une caverne.   HUGO, les Travailleurs de la mer, I, vi, 7.

♦ **2.** (1546). Cavité pathologique, le plus souvent d'origine tuberculeuse, formée dans un organe parenchymateux (surtout le poumon) après élimination des tissus nécrosés. *Caverne du poumon* (⇒ **Cavitaire,** 1.). *Caverne cancéreuse.*

CONTR. **Protubérance.**
DÉR. V. **Caverneux, cavernicole.**

CAVERNEUSEMENT [kavɛʀnøzmɑ̃] adv. — 1888 ; de *caverneux.*

♦ Rare. D'une voix caverneuse.

Le ministre répliqua caverneusement (...)   A. ARNOUX, Suite variée, p. 233.

CAVERNEUX, EUSE [kavɛʀnø, øz] adj. — XIIIᵉ, «qui présente des trous» ; lat. *cavernosus, de cavus* «creux».

♦ **1.** Vx. Où il y a des cavernes. *Montagne, pays caverneux.*
Mod. et littér. Qui présente des cavités. ⇒ **Creux.**

1 Dans son tronc caverneux et miné par le temps,
Logeaient, entre autres habitants,
Force souris sans pieds, toutes rondes de graisse.   LA FONTAINE, Fables, XI, 9.

Anat. *Tissu caverneux* (ou *érectile*), qui contient des capillaires dilatés et susceptible de gonfler fortement. *Corps caverneux* (de la verge, du clitoris).

(1546). Pathol. Relatif aux cavernes (notamment, du poumon). *Râle caverneux.* — Qui présente des cavernes. *Poumon caverneux.*

♦ **2.** (1845). Cour. (En parlant d'un son). Qui semble venir des profondeurs d'une caverne. *Voix* caverneuse.* ⇒ 1. **Basse** (cit. 5) ; **grave, profond, sépulcral.**

2 De la chaire, ensuite, tomba la voix grave et caverneuse d'un prêtre.
Edmond JALOUX, Fumées dans la campagne, XXVI, p. 218.

CONTR. **Plein.**
DÉR. **Caverneusement.**

CAVERNICOLE [kavɛʀnikɔl] adj. et n. m. — 1874 ; du rad. du lat. *caverna* «caverne», et *-cole.*

♦ Qui vit de façon permanente dans les cavernes, les grottes, les lieux obscurs. *Batraciens, poissons, insectes cavernicoles.*

(...) quelques vers blancs : c'étaient des poissons : très exactement des poissons cavernicoles. Loin du soleil, ils ont perdu leurs yeux. Ils ont oublié toute couleur, et leurs nageoires ne sont plus que de minuscules appendices vermiformes (...) Dans les cavernes souterraines où stagnent les poches d'eau pure, c'est un silence, une obscurité *(sic)* minérale. On y peut vivre, là aussi. Il y a des vivants, mais quels vivants : ces blanchâtres larves qui prétendent au nom de poissons.
R. QUENEAU, Saint Glinglin, p. 20-21.

CAVET [kavɛ] n. m. — 1545 ; ital. *cavetto, de cavo* «creux».

♦ Archit. Moulure concave dont le profil est d'un quart de cercle (opposé à *quart-de-rond*, convexe). → Bougeoir, cit. 2. *Le cavet d'une corniche. Cavet plat,* dont le quart de cercle a été aplati.

HOM. Formes des v. 1. et 2. **caver.**

CAVETTE [kavɛt] n. f. — 1926, Esnault ; de 3. *cave* (2.), et *-ette.*

♦ Argot fam. Femme qui est «cave» (3. Cave), qui est dupe ; femme qui n'est pas du milieu.

CAVIAR [kavjaʀ] n. m. — 1553 ; *cavyaire,* 1432 ; *caviat,* Rabelais ; ital. *caviale,* vénitien *caviaro,* du turc *khâviâr.* — REM. Le mot russe est *ikra.*

♦ **1.** Œufs d'une variété d'esturgeon (⇒ **Sterlet**) préparés, salés (4 à 6 % de sel), constituant un hors-d'œuvre estimé et très coûteux (→ Assaisonnement, cit. 3). *Une grande partie du caviar provient de la mer Caspienne. Caviar russe, iranien. Caviar de la Gironde. Une tartine de caviar. Caviar et toasts, et blinis. Manger du caviar à la louche,* en abondance. *Boîte, pot de caviar. Caviar accompagné de vodka.*

1 Elle ne voulut point toucher à ces hors-d'œuvre, servis à part, tels que caviar, harengs coupés en petites tranches, eau-de-vie de seigle anisée, destinés à stimuler l'appétit, suivant un usage commun à tous les pays du Nord, en Russie comme en Suède ou en Norvège.   J. VERNE, Michel Strogoff, p. 115.

2 Une boîte de fer, haute d'un pied et pleine de caviar, faisait l'unité du repas.
Paul MORAND, Ouvert la nuit, La nuit turque, p. 79.

Caviar malosol (molosol), «demi-salé». *Caviar sevruga, beluga.*

Caviar «blanc», doré, variétés les plus claires (en fait, gris).
— *Caviar pressé,* réduit en bloc, de qualité moins fine (il est extrait des peaux adhérant aux ovaires, d'où son nom russe *pajusnaya*) et plus salé.

Par ext. (emploi abusif). Œufs d'autres poissons, préparés de manière analogue. *Caviar rouge, caviar de saumon* (œufs plus gros que ceux de l'esturgeon, colorés en rouge orangé). *Caviar de carpe, de mulet, de cabillaud* (pressé, fumé, écrasé...). ⇒ **Poutargue, tarama.**

3 Je me suis offert ce que cet endroit offrait de plus beau : pâté de lapin (...) rôti de veau froid, poutargue, caviar rouge, cornichons à la russe.
J. DUTOURD, Pluche, XI, p. 210.

Succédané de caviar : œufs de lump, artificiellement colorés en noir afin d'imiter le caviar d'esturgeon.

Le caviar, symbole du luxe, de la richesse mondaine ; mets considéré comme le luxe suprême.

♦ **2.** (1877). *Passer au caviar :* noircir à l'encre certains passages d'un écrit pour les rendre indéchiffrables (allusion au procédé appliqué par la censure russe, sous Nicolas Iᵉʳ). ⇒ **Caviarder.** — Loc. Vx. *Caviar blanc :* lignes supprimées par la censure.

4 Les revues paraissent irrégulièrement et depuis quelque temps, avec beaucoup de caviar blanc. Dans tel article il y a plus de blanc que d'imprimerie.
O. LOURIE, Chroniques russes, avr. 1916,
in la Russie en 1914-1917, *in* D. D. L., II, 7.

♦ **3.** (1935). De la couleur sombre du caviar. «*1 500 F.* : veste pied-de-poule, pure laine, gilet caviar, pantalon rayé» (*l'Express,* 24 oct. 1977, nᵒ 1372, p. 49).

DÉR. **Caviarder.**

CAVIARDAGE [kavjaʀdaʒ] n. m. — Déb. xxᵉ ; de *caviarder.*

♦ **1.** Suppression (d'un mot, d'un passage) par oblitération à l'encre noire.

♦ **2.** Fait de censurer, de supprimer (un passage). «*(...) s'il a accompli pour la Pléiade un remarquable travail de bénédictin, Jean Bruneau n'a pas eu de ces pudeurs de moine. Il présente sans caviardage tous les papiers du grand Viking de Croisset* (Flaubert) — *événement d'une rare importance*» (*l'Express,* 7 mai 1973, nᵒ 1139, p. 163).

CAVIARDER [kavjaʀde] v. tr. — 1907 ; de *caviar* (2.).

♦ **1.** Biffer à l'encre noire, afin de rendre illisible.

♦ **2.** Supprimer (un passage) dans une publication, un manuscrit. ⇒ **Censurer.**

Sa rage contre Brichot croissait d'autant plus que celui-ci étalait naïvement la satisfaction de son succès, malgré les accès de mauvaise humeur que provoquait chez lui la censure, chaque fois que, comme il le disait avec son habitude d'employer les mots nouveaux pour montrer qu'il n'était pas trop universitaire, elle avait «caviardé» une partie de son article.
PROUST, le Temps retrouvé, Pl., t. III, p. 792.

DÉR. **Caviardage.**

CAVICORNE [kavikɔʀn] adj. et n. — 1839 ; du lat. *cavus* «creux», et *cornu* «corne».

♦ Zool. Qui a des cornes creuses. — N. m. pl. *(Les cavicornes).* Ruminants bovidés, dont les cornes creuses et persistantes ont pour assise un axe osseux dépendant du crâne (par opposition aux *cervicornes,* dont les cornes sont pleines et tombent chaque année). *Le bœuf, l'antilope, la chèvre, le mouton sont des cavicornes.* — Au sing. *Un cavicorne.*

CAVILLON, ONNE [kavijɔ̃, ɔn] n. et adj. — 1912, *in* Esnault ; dimin. de 3. *cave* (2.).

♦ Argot. Dupe, niais ; petit cave*.

CAVISTE [kavist] n. — Av. 1790, *Année littér.,* d'après Boiste, 1808 ; de 1. *cave* (4.).

♦ **1.** Spécialiste chargé de l'entretien et du vieillissement des vins en cave sous la direction du maître de chai. — Appos. *L'ouvrier caviste colle, filtre et soutire les vins.*

♦ **2.** Employé chargé d'approvisionner en vins la cave d'un restaurant ou qui s'occupe du service des vins. ⇒ **Sommelier.**

CAVITAIRE [kavitɛʀ] adj. — 1838 ; de *cavité.*

♦ **1.** Méd. Relatif à une caverne (2.), dans la tuberculose pulmonaire. *Lésion cavitaire. Signes cavitaires,* qui révèlent l'existence d'une caverne.

♦ **2.** (1904, *in Rev. gén. des sc.,* nᵒ 21, p. 980). Anat. Qui se rapporte à une cavité (normale) ; qui occupe une cavité. *Liquide cavitaire.*

CAVITATION [kavitɑsjɔ̃] n. f. — 1902; mot angl., 1895; du bas lat. *cavitas, -atis.* → Cavité.

♦ **1.** Phys. Formation de cavités (de gaz) dans un liquide en mouvement (quand la pression du liquide devient inférieure à la tension de vapeur).

Les liquides se vaporisent en se dégageant des bulles, mélangées de gaz primitivement dissous, dans les zones où la pression descend (même d'une façon fugitive) au-dessous de la tension de vapeur du liquide à la température du moment.
Les bulles reprennent brusquement la forme liquide initiale lorsqu'elles reviennent dans les zones de pressions plus élevées. D'où variations brutales de volume du liquide qui provoquent de petits coups de marteau dont la répétition constante fait vibrer les machines et finit par dégrader les parois, fixes ou mobiles, du système.
Ce phénomène destructeur porte le nom de *cavitation.*
                                             J. LARRAS, l'Hydraulique, p. 122.

♦ **2.** Méd. Processus de développement de la carie dentaire.

CAVITÉ [kavite] n. f. — XIIIᵉ, *caveté; cauité,* 1549; bas lat. *cavitas,* de *cavus* «creux». → 2. Cave.

♦ **1.** Espace creux, le plus souvent ouvert, à la surface ou à l'intérieur d'un corps solide. ⇒ **Anfractuosité, concavité, creux, enfoncement** (rare), **enfonçure, excavation, trou, vide.** *Les parois, l'orifice, la profondeur d'une cavité. Agrandir, combler, boucher une cavité.* — *Cavité creusée pour abriter une statue.* ⇒ **Niche.** *Cavités d'un rocher, d'un tronc d'arbre. Les cavités d'un gâteau de cire.* ⇒ **Alvéole.** *Cavités naturelles du sol et du sous-sol.* ⇒ **Abîme, aven, bétoire, caverne, chantoir, doline, galerie, gouffre, grotte, poljé, précipice, ravin.**

1   (...) on peut (...) distinguer dans une masse calcaire assez épaisse un niveau supérieur où les cavités sont généralement sèches (au moins les cavités de dimensions notables), une zone intermédiaire où, suivant l'abondance des précipitations, ces cavités sont humides ou asséchées, enfin une zone inférieure en contact avec la couche imperméable ou le niveau de la mer, où tous les vides sont constamment remplis d'eau.   E. DE MARTONNE, Traité de géographie physique,
                                             t. II, VI, Le relief calcaire.
Cavités creusées dans le sol, cavités creusées de main d'homme, avec des machines. ⇒ **Fosse, fossé, puits, tranchée;** et aussi **carrière, excavation, 2. mine; fondations.** — REM. Dans cet emploi général, *cavité* reste un terme abstrait, auquel l'usage courant préfère *trou, creux* et les mots spécifiques.

♦ **2.** (Emplois spéciaux). Didact., anat. *Les cavités du corps. Cavités du cœur.* ⇒ **Oreillette, ventricule.** *Cavités du cerveau.* ⇒ **Aqueduc, ventricule.** *La cavité de l'œil.* ⇒ **Chambre.** *Les cavités de l'oreille.* ⇒ **Barillet, conque.** *La cavité orale, buccale.* ⇒ **Bouche.** *Les cavités du nez.* ⇒ **Narine; cavum, rhinopharynx.** *Cavité utérine. Les cavités des os.* ⇒ **Acétabule, cotyle, glénoïde.** *Les cavités osseuses.* ⇒ **Boîte,** (boîte crânienne), **cage** (cage thoracique), **orbite, pelvis, sinus.** *La cavité abdominale. Cavités entourées d'une membrane.* ⇒ **Alvéole, capsule, citerne, sac, vésicule.** — *Cavités du protoplasme.* ⇒ **Vacuole.** *Cavités entre les fibres des tissus* (→ aussi Articulation, cit. 3; aqueduc, cit. 3).

1.1   Ce qui pouvait être demeuré en *ces* yeux allait m'apparaître en sens inverse, retourné de bas en haut, la cavité située derrière l'iris formant chambre noire.
                                             VILLIERS DE L'ISLE-ADAM, Tribulat Bonhomet, p. 169.

Méd. Creux d'origine morbide, pathologique. *Cavité d'un abcès, d'une tumeur.* ⇒ **Poche; cavitaire.** *Cavités aux poumons, à l'abdomen...* ⇒ **Caverne** (2.). — *Cavité dentaire.* ⇒ **Carie.**

2   (...) il *(un docteur)* découvrit à mon abdomen des cavités inquiétantes et une disposition à enfler (...)   GIDE, Si le grain ne meurt, V, p. 128.

Embryol. *Cavité amniotique* (⇒ **Amnios**). *Cavité de segmentation :* sphère creuse formée par les cellules au cours de la phase de segmentation. ⇒ **Blastocœle.** — *Cavité générale,* ou *cavité cœlomique.* ⇒ **Cœlome.**

Bot. *Cavité renfermant les semences.* ⇒ **Loge.** *Cavités où sont logés les organes de la reproduction chez certains champignons.* ⇒ **Conceptacle.**

Zool. *Cavité centrale des spongiaires.* ⇒ **Atrium.**

Phys. *Cavités dans un liquide.* ⇒ **Cavitation.** *Cavité magnétosphérique* ⇒ **Magnétosphère.**

CONTR. Bosse, crête, éminence, protubérance, saillie.
DÉR. Cavitaire.

CAVOLINE [kavɔlin] n. f. — 1791; ital. *cavolinia,* nom tiré par le naturaliste Gioeni du nom du géologue *Cavolini.*

♦ Zool. Mollusque gastéropode, à très fine coquille calcaire, répandu dans les mers chaudes et tempérées.

CAVUM [kavɔm] n. m. — 1896; mot lat., «trou».

♦ Anat. Rhinopharynx.

CAWAS [kawas] n. m. ⇒ **Cavas.**

CAWCHER [kaʃɛʀ] adj. invar. ⇒ **Kascher.**

CAYENNE [kajɛn] n. m. — 1895; de *(poivre de) Cayenne,* nom de la capitale de la Guyane française.

♦ Poivre rouge, préparé à partir de piments desséchés et réduits en poudre, de saveur très piquante, utilisé comme condiment. *Relever un mets d'une pointe de cayenne.*

CAYEU [kajø] n. m. ⇒ **Caieu.**

Cb [sebe] Symbole chimique du niobium (ou colombium).

C. B. [sibi] n. f. — V. 1975; sigle.

♦ Anglic. Citizen* band (→ Cibiste, ex.).

C. C. P. [sesepe] n. m. Abrév. de *compte courant postal. Je vais faire verser ce mandat à mon C. C. P.*

C. C. R. [seseɛʀ] n. m. — Sigle.

♦ Bourse. Coefficient de capitalisation des résultats, « cœfficient par lequel il convient de multiplier le bénéfice par action pour retrouver le cours coté» (*la Banque des mots,* 2 janv. 1976).

cd Symbole de la candela. — cd/m^2 : symbole de la candela par mètre carré.

Cd [sede] Symbole chimique du cadmium.

1. CE [sə] (masc.), **CET** [sɛt] (devant une voyelle ou un *h* muet au masc.), **CETTE** [sɛt] (fém.), **CES** [se] (plur.) adj. dém. — 842, *cest, ceste;* du lat. pop. *ecce istum,* lat. class. *iste,* «celui-ci».

♦ (Désignant la personne, la chose, l'idée signifiée par le nom qui suit et que le locuteur a présente sous les yeux ou à la pensée). *Regarde cet homme. Ce livre est bien écrit. Ces enfants sont bruyants. Cette femme est bien belle. Ce projet ne vaut rien. Je ne connais pas cet arbre.*

1   De cette nuit, Phénice, as-tu vu la splendeur? (...)
     Ces flambeaux, ce bûcher, cette nuit enflammée,
     Ces aigles, ces faisceaux, ce peuple, cette armée,
     Cette foule de rois, ces consuls, ce sénat,
     Qui tous de mon amant empruntaient leur éclat;
     Cette pourpre, cet or, que rehaussait sa gloire (...)   RACINE, Bérénice, I, 5.

1.1   (...) je restais là des heures entières, entrevoyant de temps en temps cette écume et cette eau bleue dont j'entendais le mugissement à travers les cris des corbeaux et des oiseaux de proie (...)   ROUSSEAU, les Confessions, IV.

1.2   Voir sur ces canaux
     Dormir ces vaisseaux
     Dont l'humeur est vagabonde (...)
                                             BAUDELAIRE, les Fleurs du mal, «Spleen et idéal», LIII.

1.3   «Comment, vous ne connaissez pas ces splendeurs?» me dit la duchesse en me parlant de l'hôtel où nous étions.   PROUST, Sodome et Gomorrhe, Pl., t. II, p. 669.

1.4   Et si vous tenez que je suis fou ou idiot de croire cela, il reste que je suis ce fou et que je suis cet idiot.   F. MAURIAC, le Nouveau Bloc-notes 1958-1960, p. 403.

(Indiquant que le nom qui suit désigne une chose, une personne dont on a parlé ou dont on va parler). *Pourquoi cette question? Qu'est-ce que c'est que cette histoire?*

2   Écoutez ce récit avant que je réponde
     J'ai lu dans quelque endroit (...)   LA FONTAINE, Fables, III, 1.

2.1   (...) la salle de jeu au milieu, avec son pavage illustré, ses trépieds, ses figures de dieux et d'animaux qui vous regardaient, les sphinx allongés aux bras des sièges, et surtout l'immense table en marbre ou en mosaïque émaillée (...) cette salle de jeu me fit l'effet d'une véritable chambre magique.
                                             PROUST, Sodome et Gomorrhe, Pl., t. II, p. 688.

2.2   Si nos cadets tiraient la morale de nos vies (...) Aucun ne le fait — sauf peut-être ce Philippe.   F. MAURIAC, le Nouveau Bloc-notes 1958-1960, p. 132.

(Employé au lieu de l'article, pour présenter ou suggérer avec plus de force la personne ou la chose désignée par le nom, et développée [par un infinitif, une proposition relative, complétive ou consécutive]). ⇒ **Le, un.** *À cette différence que... Rendons-lui cette justice qu'il nous avait prévenus.*

3   (...) il est vrai de dire qu'il *(le sot)* gagne à mourir, et que dans ce moment où les autres meurent, il commence à vivre.   LA BRUYÈRE, les Caractères, XI, 143.

3.1   Passe il faut que tu poursuives
     Cette belle ombre que tu veux   APOLLINAIRE, Alcools, «Clotilde».

Littér. et emphatique. (Avec un sens possessif). ⇒ **Mon.**

4   (...) ce malheureux visage
     D'un chevalier romain captiva le courage (...)   CORNEILLE, Polyeucte, I, 3.

Fam. (Dans une exclamation marquant la surprise, l'indignation). ⇒ **Quel.** *Il veut que je vienne, cette idée!*

(Dans une exclamation elliptique). UN DE CES, UNE DE CES. ⇒ Un. *Il m'a lancé un de ces regards ! Elle a une de ces migraines !*

Renforcé par les particules adverbiales *-ci* et *-là*, placées après le nom. *Ce livre-ci* (marquant la proximité). *Cet homme-là* (marquant l'éloignement). — CE... -CI, CE... -LÀ en corrélation, pour distinguer deux personnes ou deux choses. *Cette affaire-ci me concerne, pas celle-là.* — CE... -LÀ, pour marquer l'étonnement, l'admiration. *Ce garçon-là ira loin !*

(Indiquant la proximité dans le temps, le moment où l'on se trouve). *Le vin est bon, cette année. Ce soir. Ce jour. Cet après-midi. En ce moment.* — Le futur proche. *Où partez-vous pour ces vacances ?* — Le passé immédiat. *Qu'as-tu fait cet après-midi ? Ce midi,* expression contestée, est employée par Gide (*la Symphonie pastorale,* p. 133, *in* Grevisse). — *Un de ces jours :* un des jours à venir. — *Ces jours-ci :* ces jours prochains.

5   Cette nuit, je vous sers, cette nuit je l'attaque.
  — Mais cependant ce jour il épouse Andromaque.
                             RACINE, Andromaque, IV, 3.

6   Ce qu'il vient tôt. Pour moi, il n'a pas dû déjeuner pour mieux croûter ce soir à nos dépens.   R. QUENEAU, Pierrot mon ami, éd. L. de Poche, p. 29-30.

Vx (suivi d'un adj. poss.). *Ce mien cousin.*

COMP. **Ceci, cela.**
HOM. 2. **Ce, se, sept ;** formes du v. **savoir.**

2. CE [sə], C' (devant toute forme du verbe *être* commençant par une voyelle), Ç' (devant *a*) pron. dém. — xᵉ, *ço ;* du lat. pop. *ecce hoc,* de *hoc* «ceci».

Sert à désigner la chose que celui qui parle a dans l'esprit.

★ I. ♦ 1. Suivi du verbe *être* à la 3ᵉ pers., ou des verbes *devoir, pouvoir,* précédant l'infinitif du verbe *être.* C'EST, CE DOIT ÊTRE, CE PEUT ÊTRE, met en valeur un membre de phrase. *C'est lui qui m'a dit cela. C'était le bon temps. Ce sera la première fois. Ce serait, ç'a été...* — *Ce,* servant à identifier (une personne, une chose). *Ce doit être, ce devait être lui. Ce ne peut être cela.* — *Ce,* désignant la situation actuelle. *C'est aujourd'hui. C'est l'hiver.*

0.1   Bientôt ce qui fut ennuyeux, ce fut tout. «C'est si ennuyeux, les belles choses ! Ah ! les tableaux, c'est à vous rendre fou (...) Comme vous avez raison, c'est si ennuyeux d'écrire des lettres !» Finalement ce fut la vie elle-même qu'elle vous déclara une chose rasante, sans qu'on sût bien où elle prenait son terme de comparaison.   PROUST, Sodome et Gomorrhe, Pl., t. II, p. 688.
0.2   Mais c'est Mᵐᵉ de Chaussepierre, vous avez été très impolie.
                  PROUST, Sodome et Gomorrhe, Pl., t. II, p. 673.
0.3   C'était le jeudi. Elle se levait et s'habillait silencieusement pour ne point éveiller Charles (...)   FLAUBERT, Mᵐᵉ Bovary, III, 5.

REM. 1. *Ce* devant le verbe *être* est employé comme sujet. Soit il reprend un sujet déjà exprimé (nom, infinitif, proposition) : *le premier des biens, c'est la santé ; vouloir, c'est pouvoir ; qu'il ne vienne pas, ce serait surprenant ;* — soit il annonce un sujet rejeté en fin de phrase et qui le précise : *c'est beau, la santé ; c'est un trésor que la santé ; c'est gentil d'être venu* (→ ci-dessous, 3., les REM.). Le verbe *être* qui le suit se met généralement au pluriel lorsque l'attribut est au pluriel : *c'est un brave homme ; ce sont de braves gens ; étaient-ce bien eux ? ; c'étaient ceux qui sont partis.* On rencontre fréquemment des exceptions à cette règle (Voltaire, Fénelon, Massillon, *in* Littré ; France, Barrès, Lemaitre *in* Grevisse).

1   Ce n'est pas seulement les hommes à combattre, c'est des montagnes inaccessibles, c'est des ravins et des précipices d'un côté, c'est partout des forts élevés.
              BOSSUET, Oraison funèbre du prince de Condé.
2   Qui racontera ces détails (...) ? Ce n'est pas les journaux.
              CHATEAUBRIAND, De la censure, *in* LITTRÉ.
3   Ce n'est pas des visages, c'est des masques.
      FRANCE, la Rôtisserie de la reine Pédauque, p. 314, *in* GREVISSE.

2. *C'est* reste au singulier devant les pron. *nous, vous. C'est vous, c'était nous.*

3. Pour *ce doit être, ce peut être, ce ne saurait être,* → ci-dessus, REM. 1, emploi de *de* devant le verbe *être. Ce doit être eux* est plus fam. que «*ce doivent être deux Orientaux*» (Proust, *Sodome et Gomorrhe,* II, 1, p. 34, *in* Grevisse).

4. *Être,* ayant pour sujet *ce,* reste au singulier devant une préposition.

4   C'est d'eux seuls qu'on reçoit la véritable gloire   CORNEILLE, Horace, V, 3.
5   C'était bien de chansons qu'alors il s'agissait !   LA FONTAINE, Fables, VII, 9.

5. Suivi de deux ou plusieurs noms attributs au singulier ou dont le premier est au singulier, le verbe *être* se met plutôt au singulier, pour des raisons d'euphonie, sauf s'il s'agit d'une énumération. *Il y a quatre points cardinaux : ce sont le nord, le sud, l'est et l'ouest.*

6   Dans les ouvrages de l'art, c'est le travail et l'achèvement que l'on considère, au lieu que dans les ouvrages de la nature, c'est le sublime et le prodigieux.
         BOILEAU, Réflexions critiques sur... Longin, 30.

Si l'un de ces noms est au pluriel : «*c'est la gloire et les plaisirs qu'il a en vue*», mais : «*ce sont les plaisirs et la gloire qu'il a en vue*» (Littré).

Lorsque les attributs développent un collectif, un pluriel, le verbe *être* se met au pluriel. *Une troupe s'avança, c'étaient des ennemis.*

6. Le verbe *être* est toujours au singulier dans certaines expressions figées : *si ce n'est* (→ Si), *fût-ce* (→ Être) ; dans certaines tournures interrogatives : *sera-ce..., en est-ce..., est-ce là..., qu'est-ce que... ;*

dans l'indication de l'heure, d'une somme considérée comme un tout : *c'est mille francs qu'il me faut ; c'était deux heures qui sonnaient.*

♦ 2. CE dans une phrase interrogative. *Est-ce vous ?* — Avec *qui** ou *que**, → ci-dessous, 3. *Qui est-ce ? qu'était-ce ?...* — *Qu'est-ce-là ? qu'est-ce-ci ?* ⇒ **Ceci, cela.**

Est-ce toi, chère Élise (...) ?   RACINE, Esther, I, 1.   7
Qu'est-ce qu'elle dit, cette morale ?   MOLIÈRE, le Bourgeois gentilhomme, II, 4.   8
Qui peut-ce être ?   MOLIÈRE, l'Avare, IV, 7.   9
Qu'est-ce-ci, mes enfants (...)   CORNEILLE, Horace, II, 7.   10
Et qu'est-ce encore que celle-là ? s'écria Madame de Guermantes.   10.1
               PROUST, Sodome et Gomorrhe, Pl., t. II, p. 673.

(Redoublement de *ce*). *Qu'est-ce que c'est ?*

Qu'est-ce que c'est que cette personne, Basin ? demanda-t-elle (...)   10.2
               PROUST, Sodome et Gomorrhe, Pl., t. II, p. 673.

(Redoublé, dans une proposition subordonnée interrogative indirecte). *Ce que c'est que... Je sais ce que c'est que ce livre.*

Je ne sais pas ce que c'est que Chausse-pierre.   10.3
               PROUST, Sodome et Gomorrhe, Pl., t. II, p. 673.

Vx. *Que c'est :* ce que c'est.

Voyez que c'est d'avoir étudié.   11
      LA FONTAINE, Contes, «La jument du compère Pierre».

♦ 3. (Suivi du verbe *être* et du pronom relatif ou de la conjonction *que*). Le gallicisme C'EST... QUI, C'EST... QUE sert à détacher en tête un élément de pensée. *C'est une bonne idée que vous avez là.*

C'est l'acheter trop cher que l'acheter d'un bien (...)   12
             LA FONTAINE, Fables, IV, 13.
Le moyen essentiel, qu'emploie la langue pour mettre en lumière tout élément qui   13
doit ressortir, c'est l'emploi de la formule *c'est* devant le mot à souligner. — «*Hippolyte ? Grands dieux !* — **C'est toi qui** *l'as nommé!*» (RAC., Phèd., I, 3).
         F. BRUNOT, la Pensée et la Langue, VIII, XVI, p. 282.
C'était chez la mère Rolet qu'il devait envoyer ses lettres.   13.1
               FLAUBERT, Mᵐᵉ Bovary, III, 3.

REM. Lorsque *c'est* est suivi d'un attribut, le nom rejeté en fin de phrase qui reprend l'élément de pensée annoncé par *ce* est précédé de *que,* ou parfois d'une simple virgule. *C'est un grave défaut que l'orgueil ; c'est une grande qualité, l'humilité.*

C'est... annonçant un infinitif. *C'est... que de.*

(...) ce n'est pas une petite peine que de garder chez soi une grande somme   14
d'argent.   MOLIÈRE, l'Avare, I, 4.

Littér. C'EST... QUE (par ellipse de *de*). *Ce serait une erreur que vouloir...*

Et ce n'est pas pécher que pécher en silence.   MOLIÈRE, Tartuffe, IV, 5.   14.1

C'EST... DE (par ellipse de *que*).

C'était lui faire injure de l'implorer.   PASCAL, les Provinciales, 4.   15

C'est que, c'est de donnant une explication, une raison, un motif.

Le marquis de Seignelay ayant demandé au doge de Gênes ce qu'il trouvait de   16
plus singulier à Versailles, il répondit : c'est de m'y voir.
           VOLTAIRE, le Siècle de Louis XIV, 14.
Mais c'est que justement je ne serai pas à Paris, répondit la duchesse au colonel   16.1
de Troberville.   PROUST, Sodome et Gomorrhe, Pl., t. II, p. 683.
C'est que, c'est donc que, qui servent à mettre en relief la cause, le motif, mettent   17
aussi en relief l'effet, la conséquence, la conclusion. Ce sont des formes ordinaires de raisonnement : «*Puisqu'il y a des dissentiments, puisqu'on sent le besoin d'un arbitre,* **c'est que** *la partie n'est pas définitivement perdue pour nous.*» (FEUILL., Morte, 65.)   F. BRUNOT, la Pensée et la Langue, XXII, VIII, p. 840.

REM. *Ce n'est pas que,* suivi du subjonctif, écarte une opinion. *Ce n'est pas que je veuille médire* (Littré). *Ce n'est pas que... ne,* énonce une affirmation (les deux négations se détruisent). *Ce n'est pas que je ne veuille pas y aller, mais...*

Aussi, je refusai le souper. Ce n'est pas que je ne me plusse chez la princesse   17.1
de Guermantes.   PROUST, Sodome et Gomorrhe, Pl., t. II, p. 709-710.

♦ 4. C'EST À... DE... (ou À...) : il appartient à... *C'est à lui de jouer* ou *à jouer.* ⇒ **À** (cit. 2 et 3).

C'est pour ou, plus cour., *c'est à* [sɛta] suivi d'un infinitif : cela mérite* que, c'est de nature à. *C'est pour rire. C'est à pleurer, c'est à mourir de rire.*

C'est à dire. ⇒ **C'est-à-dire.**

C'est pourquoi. ⇒ **Pourquoi.**

♦ 5. C'EST FAIT DE..., C'EN EST FAIT DE... ⇒ **Faire.**

♦ 6. CE explétif. *Ce qui me plaît, c'est son attitude.* Il peut être supprimé : *ce que je crains est d'être surpris* (Littré), sauf si le verbe *être* est suivi d'un substantif pluriel ou d'un pronom personnel. *Ce qui me rassure, ce sont ses idées.*

REM. *C'est,* suivi d'une proposition introduite par *qui* ou *que,* peut rester au présent quel que soit le temps du verbe de cette proposition. *C'est lui qui va, qui ira, qui alla...* Toutefois, *c'est* peut se mettre par attraction au même temps que le verbe de la subordonnée, surtout aux temps simples. *Ce sera lui qui ira, ce fut lui qui alla.* — Dans une subordonnée, *c'est* s'accorde normalement. *Parce que c'est lui. Si c'était lui. Quand ce serait lui.*

Ce devant *être* et un adjectif attribut s'emploie concurremment avec *il** : *il est bon de... C'est évident que...* Usuellement *il* est employé pour annoncer ce qui suit et *ce* pour renvoyer à ce qui précède. *Faut-il en parler ? C'est inutile :* il est inutile d'en parler.

★ II. Suivi d'une des formes du pronom relatif *(qui, que, quoi, dont)* ou de la conjonction *que,* est employé soit comme sujet, soit comme complément ou attribut. *Ce que vous dites est faux. Regarde ce que tu as fait.*

17.2 Ce que l'on conçoit bien s'énonce clairement (...) BOILEAU, l'Art poétique, I.

17.3 Fay ce que vouldras. RABELAIS, Gargantua, LVII.

18 Vous êtes aujourd'hui ce qu'autrefois je fus. CORNEILLE, le Cid, I, 3.

18.1 — Pour qui me prenez-vous?
— Pour ce que vous êtes, pour un grand médecin.
MOLIÈRE, le Médecin malgré lui, I, 5.

19 *Ce* a fini par former avec *que* une locution : *ce que,* dont la destinée a été grande dans la langue moderne. Non seulement elle sert à faire des locutions nominales : *Faites* **ce que** *vous voudrez.* Mais elle entre dans la composition d'une foule de locutions invariables : *parce que, jusqu'à ce que,* etc...
F. BRUNOT, la Pensée et la Langue, VI, VII, p. 193.

19.1 Alors vous tenez à ce que j'aie ma migraine? Vous savez bien que c'est la même chose chaque fois qu'il joue ça. Je sais ce qui m'attend.
PROUST, Du côté de chez Swann, Pl., t. I, p. 189.

Ce qui... ce sont...

20 Ce sont charmes pour moi que ce qui part de vous.
MOLIÈRE, les Femmes savantes, III, 1.

Ce que...sont...

21 Ce que je vous dis là ne sont pas des chansons (...)
MOLIÈRE, l'École des femmes, III, 2.

Vx. *Ce que... :* la personne que.

22 Ce qu'on appelle un fâcheux est celui qui (...)
LA BRUYÈRE, les Caractères de Théophraste, « D'un homme incommode ».

23 Il est doux de faire du bien à ce qu'on aime.
FRANCE, le Génie latin, p. 235, *in* GREVISSE.

Tout ce qui, tout ce que : toutes les choses qui, que.

24 Tout ce que ce palais renferme de mystères. RACINE, Esther, II, 1.

Vx. *Ce que :* tout autant que.

25 Et Pompée est vengé ce qu'il peut l'être ici. CORNEILLE, Pompée, V, 4.

Loc. conj. *À ce que...* ⇒ **Afin** (que), **pour** (que). *À ce que nul n'en ignore.*

Fam. *Ce que* [skə]... ⇒ **Combien, comme.** *Ce que c'est beau !*

26 On n'imagine pas ce que c'est difficile de le voir.
GIDE, les Caves du Vatican, IV, p. 185.

26.1 (...) Et ce que je peux l'énerver, c'est exquis !
Sacha GUITRY, Ils étaient 9 célibataires, p. 25.

26.2 À ce propos, les Chinois disent que la musique européenne est monotone. « Ce ne sont que des marches», disent-ils. En effet, ce qu'on trotte et ce qu'on claironne chez les Blancs. Henri MICHAUX, Un barbare en Asie, p. 152.

Vx. *Ce qui est de* (suivi d'un adj.) : ce qu'il y a de.

27 Ce qui est de réel, est que (...) FÉNELON, XXI, 228, *in* LITTRÉ.

REM. (Emploi de *ce qui* et *ce qu'il* devant une verbe impersonnel). Avec *falloir,* on emploie *ce qu'il. Faire ce qu'il faut.*

Avec *plaire,* il faut employer *ce qu'il* lorsqu'on veut sous-entendre après *plaire* l'infinitif du verbe employé précédemment : *il dira ce qu'il lui plaira* (de dire).

Avec les autres verbes, les deux formes se rencontrent : ... *ce qui me reste à vous dire* (Becque)... *ce qu'il reste à dire* (Le Bidois).

Loc. conj. PAR CE QUE ⇒ **Parce que.**

★ III. REM. En dehors des cas I. et II., *ce* est généralement remplacé par la forme composée (→ Cela, 2.). Par exception :

♦ 1. Vx. Employé comme objet direct, sans être suivi du pronom relatif. *Ce dit-il.*

28 Sortons, ce m'a-t-il dit... MOLIÈRE, les Fâcheux, I, 1.

Employé absolument devant un adverbe. *Ce devant, ce dessus, ce néanmoins, ce pendant* (⇒ **Cependant**).

Quand ce vint... : quand le moment fut venu. *Quand ce vint à payer* (La Fontaine, *Belphégore*).

(Archaïque) *Ce semble :* il* semble. ⇒ **Paraître** (paraît-il). — Mod. *Ce me semble* [səməsåbl]. ⇒ **Sembler.**

Ce lui est, ce vous est : c'est pour* lui, pour vous. — *Ce l'est. Est-ce vrai? Ce l'est.*

♦ 2. Employé absolument, pour résumer, reprendre ce qui a été dit. Vx. *En vertu de ce...* ⇒ **Cela.** — Mod. *Ce faisant* [səfəzå] : en faisant cela. *Ce disant. Ce que voyant, il partit,* ayant vu cela... *Pour ce faire.*

Sur ce [syʀsə] : après cela, ceci étant dit, étant fait, sur ces entre-faites. *Sur ce, je vous quitte.* ⇒ **Là-dessus.**

Et ce..., reprenant ce qui vient d'être dit.

29 Le petit navire dansait si fort qu'une table cabriola les pieds en l'air; désarroi des grands naufrages. Et ce, avec un mètre cinquante de fond.
GIDE, Voyage au Congo, *in* Souvenirs, Pl., p. 828.

HOM. 1. **Ce, se.**

Ce [sœ] Symbole chimique du *cérium.*

CÉANS [seå] adv. — 1140, *çaenz;* de *ça,* et anc. franç. *enz* «dedans», du latin *intus* «à l'intérieur».

♦ 1. Vx. Ici dedans, en parlant du lieu où l'on est lorsqu'on parle. ⇒ **Ici.** *Il n'est pas céans.*

Un ordre de vider d'ici vous et les vôtres. 1
Mettre vos meubles hors (...)
— Moi, sortir de céans ? MOLIÈRE, Tartuffe, V, 4.

REM. Le mot se rencontre encore parfois dans l'usage littéraire et, au moins jusqu'au XIXᵉ s., dans des usages régionaux.

Il est entré céans comme dans une auberge, sans dire bonjour ni bonsoir. 2
G. SAND, François le Champi, XVII, p. 121.

♦ 2. Mod. (avec une nuance plaisante). *Le maître de céans :* le maître du logis, le maître des lieux. *La dame, la maîtresse de céans.* « *Ce médecin de céans* » (Flaubert).

Si pauvres qu'elles fussent, les dames de céans, elles étaient femmes de goût (...) 3
LOTI, les Désenchantées, XIII, p. 107.

HOM. **Séant.**

CÉARA [seaʀa] n. m. — 1927, Gide; de *Ceara,* nom d'un État du Nordeste du Brésil.

♦ Bot. Arbre à caoutchouc des zones tropicales, dit aussi *manioc à caoutchouc.*

CÉBIDÉS [sebide] n. m. pl. — Déb. XXᵉ; *cébiens,* 1846; du lat. *cebus,* nom sav. du sajou, grec *kêbos.*

♦ Zool. Famille de primates, sous-ordre des *Platyrrhiniens* qui comprend les singes d'Amérique à queue prenante ou enroulante : ouistiti, sajou, lagotriche, atèle, hurleur, etc. (onze genres en tout). — Au sing. *Un cébidé.*

CÉBISTE [sebist] n. et adj. ⇒ **Cibiste.**

CECI [səsi] pron. dém. — Fin XIIᵉ; de 2. *ce,* et 1. *ci.*

♦ 1. (Par oppos. à *cela**, pour désigner la chose la plus proche du locuteur, dans l'espace ou dans le temps). *Ceci est tout près, cela est trop loin* (→ aussi cit. 2).

(Pour distinguer nettement deux choses, souvent en valorisant la première). *Ceci est bien, cela est mal. Ceci me plaît, mais pas cela.* ⇒ **Cela.**

♦ 2. Pour présenter ce qui va suivre (*cela* se rapportant habituellement à ce qui précède). *Dites ceci à votre père... Retenez bien ceci... Vous avez raison à ceci près que...*

REM. Dans certaines locutions, *ceci* est synonyme de *cela* et renvoie à ce qui précède : *Ceci dit. Ceci posé. Ceci mis à part. Ceci soit dit en passant.*

♦ 3. (Sans opposition à *cela,* pour indiquer un objet présent, un fait actuel, une chose dont on parle). ⇒ **Cela.** *Ceci est à moi.* ⇒ **À** (cit. 1). *Regarde ceci. Ceci est une autre question.*

REM. 1. Dans la langue parlée, *ceci,* comme *cela* est souvent abrégé en *ça.*

2. Quand *ceci* a un attribut au plur., le verbe *être* est soit au sing., soit au plur. *Tout ceci n'est* ou *ne sont que des balivernes.*

♦ 4. *Ceci, cela :* tantôt une chose, tantôt une autre. *Qu'on dise ceci ou cela, il n'est jamais d'accord.*

L'un n'avait en l'esprit nulle délicatesse; 1
L'autre avait le nez fait de cette façon-là;
C'était ceci, c'était cela (...) LA FONTAINE, Fables, VII, 5.

Allus. littér. *Ceci tuera cela :* ce qui est nouveau fera disparaître l'ancien.

L'archidiacre considéra quelque temps en silence le gigantesque édifice, puis étendant avec un soupir sa main droite vers le livre imprimé qui était ouvert sur sa table et sa main gauche vers Notre-Dame, et promenant un triste regard du livre à l'église :
— Hélas ! dit-il, ceci tuera cela. HUGO, Notre-Dame de Paris, V, 1.

On croit qu'il se passe ceci et c'est cela. On croit faire ceci, et l'on fait cela. Toute 3
action est déception, toute pensée implique erreur.
R. QUENEAU, le Chiendent, p. 326.

(...) un grand ouf, et puis rappel des mots d'ordre, si ceci alors cela, mais si cela 4
alors ceci, une véritable ambiance de fête (...)
S. BECKET, Premier amour, p. 16.

CONTR. **Cela.**
DÉR. **Ci** (comme ci, comme ça).

CÉCIDIE [sesidi] n. f. — 1904, *in Rev. gén. des sc.,* nº 6, p. 317; du grec *kêkis, -idos* «galle».

♦ Bot. Galle des végétaux produite par des parasites animaux ou végétaux.

CÉCIDOMYIE [sesidɔmi] n. f. — V. 1820, Latreille; lat. sc. *cecidomyia,* 1803, Meigen; du grec *kêkis, -idos* «galle», et *muia* «mouche».

♦ Zool. Insecte diptère dont la plupart des espèces sont parasites des plantes.

CÉCITÉ [sesite] n. f. — 1220 ; du lat. *cæcitas*, de *cæcus* « aveugle ».

♦ **1.** État d'une personne privée du sens de la vue. ⇒ **Amaurose**, et aussi **amblyopie** ; **aveugle**. *Être frappé, atteint de cécité. Cécité totale, partielle. Cécité produite par la cataracte*. La cécité de qqn, sa cécité. Une demi-cécité, une quasi-cécité* (→ **Mal voyant**).

0.1 Ce n'était pas de mort, mais de cécité qu'allait être frappé Michel Strogoff. Perte de la vue, plus terrible peut-être que la perte de la vie ! Le malheureux était condamné à être aveuglé. J. VERNE, Michel Strogoff, p. 342.

0.2 Sa vue, déjà naturellement faible, s'était profondément altérée, et bientôt le verdict unanime des médecins l'avait condamné à une cécité précoce. VILLIERS DE L'ISLE-ADAM, Tribulat Bonhomet, p. 60.

Méd. Cécité corticale : cécité due à une lésion des lobes occipitaux sans altération de l'œil.

♦ **2.** Didact. *Cécité mentale* ou *psychique* : incapacité de reconnaître les objets pourtant normalement perçus.

1 La cécité psychique, ou impuissance à reconnaître les objets aperçus (...) H. BERGSON, Matière et Mémoire, p. 91.

Cécité verbale : incapacité de reconnaître le sens des mots écrits ou imprimés (⇒ **Aphasie** ; **alexie**).

♦ **3.** (1374 ; abstrait). Littér. Incapacité de l'esprit à comprendre, du cœur à sentir qqch. ⇒ **Aveuglement.** *Cécité morale, intellectuelle. Cécité à, pour quelque chose.*

2 Grâce à cette absence de raison, je devrais dire à cette cécité, je me plongeai dans les mois qui suivirent, comme si j'étais entré dans un infini. E. FROMENTIN, Dominique, p. 97.

3 J'aime que la cécité pour le mal vienne de l'éblouissement du bien ; sinon vertu est ignorance — pauvreté. GIDE, Journal 1889-1939, Littérature et morale, Pl., p. 88.

CONTR. Clairvoyance, discernement, lucidité, perspicacité.

CÉCOGRAPHIE [sekɔgʀafi] n. f. — D. i. (xxᵉ) ; du lat. *cæcus* « aveugle », et suff. d'orig. grecque *-graphie* (mot mal formé).

♦ Didact. et rare. Méthode d'écriture destinée aux aveugles. ⇒ **Braille.**

CÉCOLLE [sekɔl] pron. pers. ⇒ **Cézigue.**

CÉDANT, ANTE [sedɑ̃, ɑ̃t] adj. — 1672 ; de *céder.*

♦ Dr. Qui cède un droit (⇒ **Cession**). — N. *Le cédant, la cédante.*

Dans le transport d'une créance, d'un droit ou d'une action sur un tiers, la délivrance s'opère entre le cédant et le cessionnaire par la remise du titre. Code civil, art. 1689.

CONTR. Cessionnaire, acquéreur.

CÉDER [sede] v. tr. et intr. — *Je cède, nous cédons ; je céderai* (voir tableau des conjug.). — 1377 ; lat. *cedere* « s'en aller ».

★ **I.** V. tr. ♦ **1.** Abandonner, laisser* (une chose, un droit...) à qqn. ⇒ **Abandonner, accorder, concéder, donner, livrer, passer** (fam.), **transmettre ; refiler** (fam.). *Céder sa place, son tour à qqn. Céder la parole à qqn. Céder le pas à qqn,* s'effacer devant lui ; au fig., reconnaître sa supériorité, s'incliner devant lui. *Céder un objet auquel on tient.*

1 Alexandre, par générosité, lui céda l'objet de ses vœux. MOLIÈRE, le Sicilien, 11.

2 Je leur cède *(aux grands)* leur bonne chère (...) mais je leur envie le bonheur d'avoir à leur service des gens qui les égaient (...) LA BRUYÈRE, les Caractères, IX, 3.

3 Voici Britannicus : je lui cède ma place. RACINE, Britannicus, I, 2.

4 Napoléon s'est bien perdu pour ne pas céder un village. STENDHAL, De l'amour.

5 À la voir debout dans le métro parisien, le plus enragé butor lui céderait une place assise. G. DUHAMEL, Scènes de la vie future, XI, p. 164.

Loc. Céder du terrain : reculer, laisser le terrain à un ennemi qui avance. ⇒ **Battre** (en retraite). — Au fig. Faire des concessions, un compromis. ⇒ **Composer** (→ fam. Mettre les pouces*).

Céder le haut du pavé : laisser la première place (⇒ **Pavé**).

♦ **2.** Dr. (En général sans compl. en à). Transporter* la propriété de (un bien, une chose) à une autre personne. ⇒ **Concéder, dessaisir** (se), **livrer, rétrocéder, transférer, vendre.** *Céder un magasin, un fonds, un bail. Céder ses droits. Céder une créance. Céder l'usufruit d'un domaine.* (⇒ **Cédant** ; **cession ; cessionnaire ; concession**). *Un bien qu'on ne peut céder* (⇒ **Incessible**).

6 Le preneur a le droit de sous-louer, et même de céder son bail à un autre, si cette faculté ne lui a pas été interdite. Code civil, art. 1717.

6.1 Il paraît que tu leur as proposé de leur céder ton appartement (...) N. SARRAUTE, le Planétarium, p. 173.

♦ **3.** Fig. et vieilli. LE CÉDER À QQN, être inférieur à lui, se reconnaître au-dessous de lui. — Sans compl. (Vx). *Le céder en habileté, en grâce, en mérite.* — Mod. *Il ne le lui cède en rien :* il est son égal. « *Il ne le cède à personne en courage* » (Académie).

Il aurait été tenté de nous regarder comme des intelligences supérieures, s'il n'avait éprouvé combien nous lui cédions à d'autres égards (...) 7 DIDEROT, Lettre sur les aveugles, in LITTRÉ.

Le prince Camaralzaman ne voulut pas céder au jardinier en générosité, et ils eurent une grande contestation là-dessus. 7.1 A. GALLAND, les Mille et une Nuits, t. II, p. 149.

★ **II.** V. tr. ind. et intr. ♦ **1.** (Sujet n. de personne). CÉDER À... : s'abandonner* à (qqch. ou qqn), ne plus résister. ⇒ **Acquiescer, consentir, déférer, faiblir, fléchir, incliner** (s'), **obéir, plier** (se), **résigner** (se), **soumettre** (se). *Céder au sommeil, à la fatigue. Céder à une impulsion, à un mouvement du cœur. Céder à la tentation.* ⇒ **Succomber.** *Céder aux circonstances, à la pression. Céder à ses obligations, à son devoir, à la nécessité, à la force, à la raison.* ⇒ **Écouter, obéir.**

8 Je sais ta passion, et suis trop ravi de voir
Que tous ses mouvements cèdent à ton devoir. CORNEILLE, le Cid, II, 2.

9 Une mode (...) est abolie par une plus nouvelle, qui cède elle-même à celle qui la suit (...) LA BRUYÈRE, les Caractères, XIII, 15.

10 (...) nous cédons à des tentations légères dont nous méprisons le danger. ROUSSEAU, les Confessions, II, p. 87.

11 (...) ils *(les hommes d'élite)* domptent la paresse, ils se refusent aux plaisirs énervants, ou n'y cèdent qu'avec une mesure indiquée par l'étendue de leurs facultés. BALZAC, la Muse du département, Pl., t. IV, p. 213.

12 Quand elle *(Thaïs)* cédait à la volupté, il lui semblait tout-à-coup qu'un doigt glacé touchait son épaule nue et, toute pâle, elle criait d'épouvante les bras qui la pressaient. FRANCE, Thaïs, II, p. 105.

13 Il cédait plus volontiers aux impulsions du cœur qu'aux remontrances de la raison (...) G. DUHAMEL, le Temps de la recherche, XVI, p. 107.

Céder à qqn, à ses prières, à ses larmes, à ses menaces, à sa tyrannie. Céder au vainqueur, à un rival. Céder à un enfant. Céder à qqn en qqch. Elle lui cède en tout, toujours.

14 (...) Souvenez-vous que je cède à vos lois (...) RACINE, Bérénice, I, 4.

15 Vous le prenez bien haut, monsieur ! Sachez que quand je dispute avec un fat, je ne lui cède jamais. — Nous différons en cela, monsieur ; moi je lui cède toujours. BEAUMARCHAIS, le Barbier de Séville, III, 5.

16 En venant ce soir, il n'a fait que céder aux sollicitations de la cour d'Annam ; la terreur était telle que, sans lui, les parlementaires n'auraient pas osé se présenter au camp des Français. LOTI, Figures et Choses..., Trois journées de guerre en Annam, IV.

17 (...) après ces quelques jours d'isolement, d'inaction, dans l'état de faiblesse physique où il se trouve, c'est un soulagement pour lui de céder au despotisme du libraire. MARTIN DU GARD, les Thibault, t. VIII, p. 129.

V. intr. ⇒ **Capituler, composer, fléchir, lâcher** (lâcher pied...), **mollir, obéir, reculer, rendre** (se), **renoncer** ; fam. **caler, caner** (cf. Avoir le dessous). *Céder par faiblesse, par lassitude. Il faut céder. Mieux vaut céder que rompre. Il ne cède pas facilement, il se fait tirer l'oreille. Il cède volontiers. Céder sans résister. Il cède toujours ! Céder devant la menace.*

18 Céder sans paraître obéir, voilà, dans les temps de faiblesse, quelle doit être la politique des gouvernements. MIRABEAU, in Louis BARTHOU, Mirabeau, p. 253.

19 (...) j'aurais la plus grande répugnance à entrer dans une famille qui rougirait de moi et ne céderait que par faiblesse et compassion. G. SAND, la Petite Fadette, XXXVI, p. 234.

20 (...) ils avaient cédé par indifférence, oubli des choses matérielles. FLAUBERT, Bouvard et Pécuchet, Pl., p. 144.

21 Une seconde fois, elle résisterait, une troisième, puis elle céderait (...) Paul BOURGET, Un divorce, V, p. 164.

22 Quoi qu'il arrive, c'est fini, je peux vous l'affirmer, je ne sens plus d'animosité pour personne. Je refuse tout nouveau combat. Je cède, vous comprenez, je renonce. Je fais la paix. G. DUHAMEL, Chronique des Pasquier, p. 485.

23 Nous marchandons, et finissons par céder, sans sauver la situation et sans nous faire aimer (...) MAUROIS, le Cercle de famille, p. 292.

Céder sur qqch. Il ne cédera pas sur ce point.

Spécialt. (Le sujet désigne une femme). S'abandonner à un homme. *Elle lui a cédé.*

♦ **2.** (Le sujet est un n. de chose). Ne plus résister à la pression, à la force, s'enfoncer, ployer (choses élastiques) ou rompre. ⇒ **Écrouler** (s'), **enfoncer** (s'), **rompre.** *Une branche qui cède sous le poids des fruits, qui s'affaisse*, ploie* et menace de céder.* ⇒ **Fléchir.** *La porte céda sous la poussée. Céder à la pression, sous la pression. Céder devant une force irrésistible.*

24 (...) il la toucha légèrement sur le haut de sa poitrine ; la chair un peu froide céda avec une résistance élastique. FLAUBERT, Salammbô, XI.

25 (...) la porte de la salle céda ; un brouhaha de séance parlementaire : des étudiants, en grappes, riant, s'interpellant, se pressaient les uns contre les autres (...) MARTIN DU GARD, les Thibault, t. III, p. 275.

26 J'ai l'impression de frapper contre un mur. Le mur ne cède pas encore, mais, à force de m'y acharner (...) MONTHERLANT, les Jeunes Filles, p. 187.

♦ **3.** (Sujet n. de choses abstraites). ⇒ **Cesser, diminuer, tomber.** *La fièvre a cédé aux antibiotiques,* ou, absolt, *a cédé.*

27 Thérèse tremblait de colère. Mais cette irritation céda bientôt pour faire place à un frémissement mystérieux. M. BARRÈS, la Colline inspirée, p. 183.

28 Les vomissements ont enfin cédé à la piqûre de morphine que nous lui avons faite hier soir. GIDE, Voyage au Congo, in Souvenirs, Pl., p. 801.

Céder à qqch., devant qqch. : laisser place à (qqch.).

29 Un orage effrayant se prépare, et l'enchantement cède à la crainte. GIDE, Voyage au Congo, in Souvenirs, Pl., p. 707.

♦ **4.** Absolt. Mus. *Cédez :* retenez le mouvement.

CONTR. Conserver, disputer, garder, réserver (se), retenir. — Acquérir. — Résister. — Cabrer (se cabrer contre), entêter (s'), obstiner (s'obstiner contre), opposer (s'opposer à), repousser, révolter (se), tenir (bon), vaincre.
COMP. Concéder, recéder, rétrocéder.

CÉDÉTISTE [sedetist] adj. et n. — 1973, *le Monde ;* de *C. (F.) D. T.*

♦ Qui concerne la Confédération française démocratique du travail (C. F. D. T.). *« Des métallos cédétistes »* (*le Nouvel Obs.*, 12 juin 1978). — N. Membre de cette confédération. *Un cédétiste. Les cédétistes.*

CEDEX [sedɛks] n. m. — 1966 ; acronyme de *Courrier d'Entreprise à Distribution Exceptionnelle.*

♦ Postes et télécommunications. Système de distribution de courrier qui permet aux entreprises ou organismes importants d'avoir leur courrier tôt le matin, à charge pour eux de le faire prendre au bureau principal de l'arrondissement ou de la ville où ils ont leur siège. *Le cedex fonctionne depuis 1966.* — (Dans une adresse comprenant le n° du code postal départemental). *63102 RIOM CEDEX.*

CÉDILLE [sedij] n. f. — 1655 ; *cerille,* 1606 ; esp. *cerilla* ou *cedilla* « petit c » ; emploi du signe : 1531.

♦ Petit signe* graphique en forme de *c* retourné, que l'on place sous la lettre *c* suivie des voyelles *a, o, u* pour indiquer qu'elle doit être prononcée [s]. *Façade, façon, reçu. Ç est épelé c cédille. Il faut écrire ce mot avec une cédille, un c cédille.*

CÉDRAIE [sedʀɛ] n. f. — Déb. xxᵉ ; de *cèdre.*

♦ Rare. Terrain planté de cèdres.

CÉDRAT [sedʀa] n. m. — 1723 ; *cedras* (plur.), 1556 ; *cédriac,* 1600 ; « cédratier », 1680 ; de l'ital. *cedrato,* dér. de *cedro* « citron », lat. *citrus.*

♦ **1.** Fruit du cédratier, à peau jaune très épaisse, plus gros que le citron. *Des cédrats confits.*

Le *citrus medica* (cédrat) découvert par les Grecs et les Romains en Médie (...) On a cru longtemps que les fameuses pommes d'or du jardin des Hespérides étaient des cédrats (...) Paul ROBERT, les Agrumes dans le monde, p. 23.

♦ **2.** Cédratier.

CÉDRATIER [sedʀatje] n. m. — 1823 ; de *cédrat.*

♦ Plante dicotylédone de la famille des *Aurantiacées* (genre *citrus*), arbre produisant les cédrats (→ Agrume, cit. 2).

CÈDRE [sedʀ] n. m. — Déb. xiiᵉ ; lat. *cedrus,* grec *kedros.*

♦ **1.** Arbre de grande taille *(Conifères ; Abiétinées),* originaire d'Afrique et d'Asie, à rameaux étalés, à feuilles persistantes. *Les cèdres du Liban, célèbres autrefois, ont en grande partie disparu. Cèdre de Singapour* ou *Cedrela. Cèdre nain* (cit. 6). *Plantation de cèdres.* ⇒ **Cédraie.**

1 Les nymphes avaient eu soin d'allumer en ce lieu un grand feu de bois de cèdre, dont la bonne odeur se répandait de tous côtés (...)
  FÉNELON, Télémaque, I, p. 8.
2 (...) le cèdre de la maison forestière, qui allongeait ses palmes noires sur le bleu du ciel. MARTIN DU GARD, les Thibault, t. II, p. 264.
3 Le cèdre, avril venu, étire à la pointe de ses branches de petites flèches d'un vert fragile et pâle. M. GENEVOIX, Forêt voisine, p. 17.

Loc. (Vx). *Depuis le cèdre jusqu'à l'hysope.* ⇒ **Hysope.**

♦ **2.** Bois de cet arbre, utilisé en ébénisterie et, autrefois, dans la construction des navires.

♦ **3.** (En parlant d'autres plantes). *Cèdre* ou *cèdre blanc :* au Canada, Conifère originaire d'Amérique du Nord, appelé *cyprès faux thuya, thuya d'Occident.* — *Cèdre rouge, cèdre de Virginie :* le genévrier de Virginie.

(Au sens de *cédrat*). ⇒ **Aigre-de-cèdre.**

DÉR. Cédraie. — COMP. Aigre-de-cèdre.

CÉDRIÈRE [sedʀijɛʀ] n. f. — 1676 ; mot canadien, de *cèdre* (3.).

♦ Régional (Canada). Terrain planté de cèdres (3.) ou de thuyas.

CÉDULAIRE [sedylɛʀ] adj. — 1796 ; de *cédule.*

♦ Dr. fisc. (Anciennt). Relatif aux cédules. *Impôt cédulaire :* impôt qui atteignait une catégorie de revenus (supprimé en 1948).

CÉDULE [sedyl] n. f. — 1180, *sedule ;* lat. *schedula* « feuillet », de *scheda* « bande de papyrus ».

Vieux ou didactique (droit).

♦ **1.** Vx. Reconnaissance d'une promesse, d'un engagement. ⇒ **Billet.**

La prescription (...) ne cesse de courir que lorsqu'il y a eu compte arrêté, cédule ou obligation, ou citation en justice non périmée. Code civil, art. 2274.

♦ **2.** Dr. Feuillet utilisé pour la déclaration des revenus par catégories d'origine (avant 1949). — Chacune des catégories d'impôts cédulaires sur les revenus. *La cédule des bénéfices commerciaux.*

♦ **3.** Dr. *Cédule de citation :* ordonnance de juge de paix notifiée par huissier, et par laquelle un témoin, un expert est cité à bref délai pour accélérer la marche d'une instance. — Ordonnance transmise par le juge d'instruction au procureur de la République et indiquant les témoins à citer.
Cédule hypothécaire : titre écrit constatant une dette foncière sur un immeuble, remis au propriétaire de l'immeuble et susceptible de négociation.

DÉR. Cédulaire.

CÉGEP [seʒɛp] n. m. — 1965 ; sigle.

♦ Au Québec, Collège d'enseignement général et professionnel, situé entre le secondaire et l'université (⇒ **Collégial,** 2.).

CÉGÉSIMAL, ALE [seʒezimal] adj. — 1933 ; de *C. G. S.*

♦ Du système C. G. S.*.

CÉGÉTISTE [seʒetist] adj. et n. — 1908 ; de *C. G. T.*

♦ Relatif à la Confédération générale du travail ; de la C. G. T. *Mouvement cégétiste.* — Qui appartient à la Confédération générale du travail. *Militant, délégué cégétiste.*

Au cours d'une entrevue à Matignon, Blum présenta cette longue liste aux délégués cégétistes, presque tous communistes, de la fédération du Bâtiment. J'assistai à cette entrevue.
  Raymond ABELLIO, Ma dernière mémoire, t. II, p. 278. 1
N. *Un, une cégétiste ; les cégétistes.*

Les orateurs se succédaient à la tribune. Socialistes, cégétistes, communistes, s'alignaient benoîtement sur le radical (...) M. AYMÉ, Travelingue, p. 223. 2

CEINDRE [sɛdʀ] v. tr. — Conjug. atteindre. — 1080 ; du lat. *cingere* « entourer ».

♦ **1.** Vx ou littér. Entourer ; serrer (le corps, une partie du corps) en entourant.
(Sujet n. de chose). *La ceinture*, le tablier qui le ceignait. Le bandeau qui ceint sa tête.*

Un grand tablier bleu le ceignait, si elle avait lavé la havanaise (...)
  COLETTE, Histoires pour Bel-Gazou, III, « Où sont les enfants ? », p. 24. 1
Fig. *Les lauriers qui ceignent son front.*
(Sujet n. de personne). *Ceindre la taille, les reins, la tête de* (qqn) *avec..., de...* (qqch). *Ceindre ses reins ; se ceindre les reins d'une corde, avec une corde.* ⇒ **Sangler.**
Au fig. *Ceindre ses reins* ou *se ceindre les reins :* se préparer par une vie austère à de grands efforts.

Mettez-vous à nu, ceignez vos reins. BIBLE (SEGOND), Ésaïe, XXXII, 11. 2
J'ai ceint mes reins ; j'ai gardé cette nuit mes sandales.
  GIDE, le Retour de l'enfant prodigue, v. 3

♦ **2.** (Sujet n. de personne). Entourer le corps de (qqn) d'un objet souple. *Ceindre qqn d'une écharpe* (autour de la taille). — Par ext. *Ceindre qqn d'une épée, d'une arme,* lui attacher une épée, etc. à l'aide de qqch. qui le ceint. — *Ceindre qqn d'un turban, d'un diadème* (autour de la tête). *« Ce juste laurier dont vous ceignez les tempes des conquérants »* (Claudel, *in* T. L. F.).

Je vous ceins du bandeau préparé pour sa tête. RACINE, Andromaque, III, 7. 4

♦ **3.** Entourer son propre corps avec (qqch). *Ceindre une armure, une cuirasse.*

a Entourer sa taille. *Ceindre une écharpe.* — Spécialt. *Ceindre l'écharpe municipale :* être élu maire.
Ceindre l'épée, le baudrier. — Au fig. Se préparer au combat.

Que chacun de vous ceigne son épée. BIBLE (SEGOND), Samuel, I, XVII, 39. 5

b Entourer son front. *Ceindre la couronne, le diadème ;* au fig. : devenir roi. *Ceindre la tiare :* devenir pape.

♦ **4.** (Le compl est un n. de chose). *Ceindre une ville de murailles.* ⇒ **Cerner, encercler, enclore, enfermer, entourer, enserrer.** *Les coteaux, les vergers qui ceignent la ville.*

▶ **CEINT, CEINTE** p. p. adj.
Vous mangerez la Pâque les reins ceints. BIBLE (SEGOND), Exode, XII, 11. 6
Le front ceint de... ⇒ **Couronné.**

7 L'Impératrice était habillée de satin blanc (...) le front ceint d'un diadème de perles et de diamants (...)   Louis MADELIN, Hist. du Consulat et de l'Empire, Avènement de l'Empire, XV, Le sacre de Notre-Dame, p. 204.

Vallée, ville ceinte de montagne. ⇒ **Entouré, environné.**

8 La nuit est close quand nous franchissons la porte de la ville, entièrement ceinte de remparts.   GIDE, Voyage au Congo, *in* Souvenirs, Pl., p. 825.

CONTR. Détacher.
COMP. Déceindre, enceindre.
HOM. Formes du v. saigner. — V. aussi **Saint, sein.**

CEINTRAGE [sɛ̃tRaʒ] n. m. — 1687; de *ceintrer.*

♦ Mar. Action de ceintrer un navire.

HOM. Cintrage.

CEINTRE [sɛ̃tR] n. m. — 1831; de *ceintrer.*

♦ Mar. Gros bourrelet de cordages dont on entoure le plat-bord d'une embarcation pour la protéger des chocs (⇒ **Ceinture,** 4.)
HOM. Cintre.

CEINTRER [sɛ̃tRe] v. tr. — 1736, *cintrer;* du bas lat. **cincturare,* avec infl. probable de *ceindre.* → Cintrer.

♦ Mar. Retenir en place les pièces qui tendent à s'écarter de la membrure d'un bâtiment. *Ceintrer des lisses.*

DÉR. Ceintre, ceintrage.
HOM. Cintrer.

CEINTURAGE [sɛ̃tyRaʒ] n. m. — 1867; de *ceinturer.*

♦ Techn. Action d'entourer comme d'une ceinture; résultat de cette action. *Le ceinturage d'une roue, d'un obus.*
Arbor. Fait de marquer un arbre à abattre. — Entaille circulaire au-dessus de la racine d'un arbre, pour qu'il dépérisse et meure. ⇒ **Annélation.**

CEINTURE [sɛ̃tyR] n. f. — 1175; du lat. class. *cinctura,* rac. *cingere* «ceindre».

♦ **1.** Bande de matière souple (étoffe, cuir, caoutchouc...) servant à serrer la taille; partie d'un vêtement qui l'ajuste autour de la taille. *Ceinture de jupe, de pantalon. Boucler, agrafer, attacher, serrer sa ceinture. Desserrer sa ceinture d'un cran. La boucle, la patte, l'agrafe, l'œillet, le cran d'une ceinture. Ceinture du soldat.* ⇒ **Ceinturon.** *Porter des pistolets dans sa ceinture.*

1 Les habitants *(Espagnols)* marchaient gravement avec des grains enfilés et un poignard à leur ceinture.   VOLTAIRE, la Princesse de Babylone, XI.
2 Le Sachem des Onondagas était un vieil Iroquois (...) manteau de peau, ceinture de cuir avec le couteau de scalpe (...)
            CHATEAUBRIAND, Voyage en Amérique..., Les Onondagas.
2.1 En se baissant pour empoigner la manivelle je remarquai la ceinture de cuir, craquelé, mais épais. Une telle ceinture ne pouvait être un ornement comme celle qui tient le pantalon des élégants.   Jean GENET, Journal du voleur, p. 145.

Ceinture de flanelle*. — *Ceinture de crin* (⇒ aussi *Cilice). Ceinture de moine.* ⇒ **Cordelière, cordon.** *Ceinture de personnage officiel.* ⇒ **Écharpe.** — *Ceinture du costume féminin traditionnel, au Japon.* ⇒ **Obi.**

Loc. *Se mettre, se serrer, se boucler, s'attacher la ceinture* : se priver de nourriture, se passer de qqch. ⇒ **Passer** (se), **priver** (se) → fam. Se mettre la tringle*. — Fam. *Faire ceinture* (même sens). — Ellipt. *Ceinture! Il prend tout, et pour nous, ceinture!,* rien du tout. — Vieilli. *S'en mettre plein la ceinture* : manger gloutonnement.

2.2 Je croyais que tu devais quitter Paris pour les vacances...
— Changement de programme. Mon père est fauché. Toute la famille fait ceinture.   H. TROYAT, la Tête sur les épaules, p. 21.
2.3 Ainsi va la vie, de hasard en hasard. Pourquoi ceci plutôt que cela? (...) À vous, tout; les autres, ceinture. On est là dans une profonde injustice (...)
            MONTHERLANT, Pitié pour les femmes, p. 154.

Être toujours pendu à la ceinture de qqn, le suivre constamment.

Fam. et vieilli. *Une femme grosse à pleine ceinture* (Académie), dont la grossesse est avancée.

Spécialt. (Ancient). Longue bourse qui se ceignait autour des reins. *Avoir de l'or dans sa ceinture.* — Prov. *Bonne renommée vaut mieux que ceinture dorée* : une bonne réputation est préférable à la richesse.

Antiq. *Ceinture de vierge* ou *ceinture virginale* : ceinture que portaient les jeunes femmes grecques et romaines, et que le mari dénouait le premier soir des noces. *Dénouer sa ceinture* : se marier.

CEINTURE DE CHASTETÉ : appareil muni d'un cadenas, qui enveloppait tout le bassin et rendait impossibles les relations sexuelles (XIVe-XVe siècles). *Les ceintures de chasteté, « imaginées par la jalousie pour garder les femmes »* (Littré).

Myth. *Ceinture de Vénus* : ceinture que la mythologie attribuait à Vénus et qui avait la vertu de charmer les cœurs.

On dirait que pour plaire, instruit par la nature,
Homère ait à Vénus dérobé sa ceinture.   BOILEAU, l'Art poétique, III.   3

Mod. Bande d'étoffe dont se ceignent ceux qui pratiquent les arts martiaux japonais et les sports de combat qui en dérivent. *Ceintures de diverses couleurs marquant les kyus*, et ceinture noire portée par les titulaires de dans*.* — Par métonymie. *Une* (ou *un*) *ceinture blanche, marron, noire...* : le pratiquant qui porte une ceinture de couleur variable, suivant sa force, sa qualification. *Il est tombé sur un ceinture noire dès le premier tour des éliminatoires.*

Ceinture de natation; (cour.) *ceinture de sauvetage* : sorte de corset fait de plaques de liège, etc., qui permet à une personne de se maintenir à la surface de l'eau.

Méd. *Ceinture orthopédique* : gaine* servant à maintenir en place les muscles abdominaux.

Un certain docteur (...) prescrivit le port d'une ceinture orthopédique (...) pour prévenir mon ballonnement.   GIDE, Si le grain ne meurt, V, p. 128.   4

Ceinture de grossesse : appareil de contention pour les femmes enceintes.

Ceinture de sécurité, et, absolt, *ceinture* : dispositif spécial qui maintient les passagers d'un avion ou d'une automobile attachés à leur siège, et destiné à atténuer les effets d'un choc éventuel (⇒ aussi **Bretelle,** I., 4.). *L'hôtesse lui a demandé d'attacher sa ceinture et de redresser le dossier de son fauteuil.* — Par métaphore et fam. *Attachez vos ceintures!* : prenez des précautions; ou : attention, il va y avoir du danger, de l'action.

♦ **2.** La partie du corps qui peut être serrée par une ceinture (dans des tours indiquant le niveau, la hauteur). ⇒ **Taille.** *Être nu jusqu'à la ceinture. Entrer dans l'eau jusqu'à la ceinture.*
Un homme se présenta, nu jusqu'à la ceinture, comme les masseurs de bains.   5
            FLAUBERT, Trois contes, « Hérodias ».

Loc. fig. *Il ne vous arrive pas à la ceinture* : il est beaucoup plus petit que vous; et aussi : il a moins de mérite que vous (→ *Il ne vous arrive pas à la cheville**).

Frapper au-dessous de la ceinture (coup interdit en boxe); fig. : frapper, attaquer de manière déloyale.

(1899, *in* Petiot; dans la lutte). Sport. « Prise qui consiste à étreindre l'adversaire à la taille, debout (ceinture avant, arrière) ou au tapis (ceinture de côté, en souplesse) pour le déséquilibrer » (Petiot). ⇒ **Prise.**

♦ **3.** Anat. Ensemble des pièces osseuses rattachant les membres au tronc. *Ceinture scapulaire,* composée de l'omoplate, de la clavicule... *Ceinture pelvienne,* composée des os ilion, pubis, ischion.

♦ **4.** Élément, partie qui entoure qqch. ⇒ **Entourer;** 1. autour, encadrement, zone.
Spécialt. [a] Mar. ⇒ **Bauquière.** Bourrelet en filin entourant les hauts d'une embarcation pour la garantir des chocs (⇒ **Ceintre**). — *Ceinture cuirassée* : blindage latéral d'un bâtiment de guerre.

[b] Archit. Petite moulure à la base ou au faîte d'une colonne. — *Ceinture d'un fauteuil* : cadre en bois qui fait le tour du siège, d'où partent les montants du dossier et les pieds, qui retient le bourrage du siège et sur lequel on cloue la tapisserie.

[c] *Ceinture d'un diamant* : limite extérieure d'un diamant taillé.

[d] Techn. *Ceinture d'un obus* : bande de métal malléable qui entoure l'obus. *Ceinture de la bouche d'un canon.*
Élément d'un pneu d'automobile situé sous la bande de roulement (syn. : *frette).*

♦ **5.** Par métaphore. *Une ceinture de murailles, d'arbres, de montagnes.* ⇒ **Enceinte,** 3. **tour.**
J'avais imaginé que la ceinture des Alpes et du mont Jura serait une barrière contre les vents.   VOLTAIRE, Lettre au marquis Albergati, 27 oct. 1762.   6
Chemin de fer de ceinture, qui entoure une ville. *La Ceinture, la grande, la petite Ceinture,* en parlant des lignes de chemin de fer qui entourent Paris; *la Petite Ceinture* : ligne d'autobus desservant le pourtour de Paris.

CEINTURE VERTE : espaces de verdure autour d'une ville.

Astron. *Ceintures de radiations* : les deux couches de radiations situées autour de la Terre, constituées de particules chargées que les lignes de force du champ magnétique terrestre canalisent et retiennent sous forme de courants. *La ceinture intérieure est appelée Ceinture de Van Allen.*

DÉR. Ceinturer, ceinturette, ceinturon.
HOM. Formes du v. ceinturer.

CEINTURER [sɛ̃tyRe] v. tr. — 1549, *ceincturer* «entourer»; de *ceinture.*

♦ **1.** (Sujet n. de personne ou de chose). Entourer d'une ceinture*. ⇒ **Ceindre.** *Ceinturer un enfant. Une corde le ceinturait.* — Au passif :
(...) les magistrats du Tribunal ceinturés d'un large ruban bleu sur leur robe noire à rabat, ce qui constitue leur tenue d'apparat.   1
            Georges LECOMTE, Ma traversée, p. 21.

♦ **2.** (Sujet n. de personne). Prendre (qqn) par la taille, en le serrant de ses bras comme avec une ceinture ; faire une prise de lutte à la ceinture. *Ceinturer un adversaire. Ceinturer un joueur au rugby,* pour le faire tomber.

Fig. *Ceinturer qqn,* le neutraliser.

2   (...) non «le doux royaume de la terre» de Bernanos, mais celui où l'on est guetté et assailli à tous les tournants, où il faut avoir les réflexes rapides, et ceinturer quelquefois pour n'être pas ceinturé.
F. MAURIAC, Bloc-notes 1952-1957, p. 129.

♦ **3.** (Sujet n. de personne). Entourer comme d'une ceinture. *Ceinturer une ville de murailles.*

3   Bernard replia la lettre. Elle était de même format que les douze autres du paquet. Une faveur rose les attachait, qu'il n'avait pas eu à dénouer; qu'il refit glisser pour ceinturer comme auparavant la liasse.
GIDE, les Faux-monnayeurs, I, I, Pl., p. 934.

(Sujet n. de chose). *Les murailles qui ceinturent la ville.* ⇒ **Ceindre, encercler, entourer.**

♦ **4.** Techn. Fait d'entourer d'une ceinture (4.). *Ceinturer une roue, un obus* (⇒ **Ceinturage**).

CONTR. **Desserrer. — Relâcher.**
DÉR. **Ceinturage.**
HOM. V. **Ceinture, ceinturon.**

CEINTURETTE [sɛ̃tyʀɛt] n. f. — XIIIᵉ, *ceinturete ;* de *ceinture.*

♦ Ancienn. Petite ceinture.

Et voici le défilé des articles dans le désordre où les crie le vendeur : ceinturettes, gants pour demoiselles.
Edmond FARAL, la Vie quotidienne au temps de saint Louis, p. 198.

CEINTURON [sɛ̃tyʀɔ̃] n. m. — 1579, Henri Estienne ; de *ceinture.*

♦ Solide ceinture, ordinairement en cuir, et soutenant un équipement (baïonnette, revolver, couteau de chasse...). ⇒ **Baudrier.** *Un ceinturon de soldat, de chasseur, de boy-scout. Sabre, épée, attachée au ceinturon par une bélière, par un pendant.* ⇒ **Porte-épée, porte-glaive.** *Boucle de ceinturon. Boucler son ceinturon.*

(...) le Tyran boucla son majestueux abdomen d'un ceinturon soutenant une longue et solide rapière (...)   Th. GAUTIER, le Capitaine Fracasse, t. II, XI.

Loc. *Boucler son ceinturon.* ⇒ **Partir.**
Loc. Vx. *Quitter le ceinturon :* abandonner le métier des armes.

DÉR. **Ceinturonnier.**
HOM. Forme du v. **ceinturer.**

CEINTURONNIER [sɛ̃tyʀɔnje] n. m. — 1800; de *ceinturon.*

♦ Techn. Celui qui fabrique des ceinturons, des ceintures.

CELA [s(ə)la] pron. dém. — XIIIᵉ; de 2. *ce,* et *là.*

♦ **1.** Indiquant la chose la plus éloignée, par oppos. à *ceci*. Je ne veux pas que vous preniez ceci, mais cela, là-bas sur la table.*
REM. Cette opposition est devenue assez théorique en français actuel, et *cela* tend à se confondre avec *ceci,* au moins dans l'usage familier. Servant à rappeler ce qui précède. *«Que votre ami se tienne tranquille, dites-lui cela de ma part»* (Académie).

♦ **2.** Remplaçant *ce* dans tous les cas où l'on ne peut l'employer (→ Ce) ou bien pour représenter expressément la chose dont on a parlé. *Ne pensez pas à cela.* ⇒ **Ça.** *Ne parlez pas de cela. Cela n'était pas bien. Cela va sans dire.*
REM. 1. Dans tous les cas où il n'y a pas opposition avec *ceci, cela* tend à l'emporter.
2. Pour les règles d'accord du verbe *être* employé après *cela* → Ce.
3. Dans certains cas, *cela,* normalement employé dans la langue classique, serait archaïque. *Pendant cela :* pendant ce temps.

1   (...) Et lui, pendant cela,
    Est disparu (...)   RACINE, les Plaideurs, II, 7.

2   Le partage d'attributions entre *ce* et *cela* a été très délicat. Visiblement, quand il s'agit de représenter expressément une chose dont on a parlé, *cela* est nécessaire : *Nous avons revendiqué l'Alsace-Lorraine,* cela *n'était en aucune façon demander une conquête.* On peut dire assurément *ce n'était pas revendiquer une conquête,* mais *ce* n'est pas là le représentant véritable de ce qui précède; c'est une simple formule.   F. BRUNOT, la Pensée et la Langue, VI, VI, p. 191.

3   *Cela* peut aussi représenter l'idée contenue dans une phrase : *Il s'agenouilla et* cela *devant toute l'armée ; — «La contemplation de cette femme l'énervait comme l'usage d'un parfum trop fort.* Cela *descendit dans les profondeurs de son tempérament.»* (FLAUB., Éduc., I, 119).
F. BRUNOT, la Pensée et la Langue, VII, VII, p. 226.

♦ **3.** Loc. *À cela près*. — Cela ne fait rien.* — Vx. *Point de cela :* je ne veux point de cela. — *Il ne manque* plus que cela. Comme* cela.* ⇒ **Ainsi, donc.** *Comme cela, tu vas partir en voyage?* — Médiocrement. *Comment se débrouille-t-il en ski? Comme cela* (plus souvent : *comme ça ; comme ci, comme ça*).

Pour renforcer une affirmation. *Voilà parler, cela !* (Littré).

Représentant un geste que l'on fait, indiquant une hauteur, exprimant le mépris, etc.

Je vous ai vu que vous n'étiez pas plus grand que cela.   4
MOLIÈRE, le Bourgeois gentilhomme, IV, 5.

Pour moi je m'en soucie autant que de cela.   MOLIÈRE, l'Étourdi, II, 7.   5

Comment cela? marque l'étonnement*.

Cela... que... annonce ce que l'on va dire. *Cela est vrai que...*

Avec cela, avec tout cela (⇒ **Avec,** cit. 31 à 35) : de toute façon, en tout état de cause.

Pour cela : effectivement. *Ah! pour cela, oui!*

Il y a dix ans de cela : dix ans se sont écoulés.

REM. De nombreuses locutions sont plus fréquemment employées, surtout dans la langue parlée, avec la forme contractée (→ **Ça**).

♦ **4.** Fam. En parlant des personnes, avec une nuance de mépris, de commisération, parfois d'affection (→ **Ça**).

Cette petite fille m'a frappé en passant; je lui ai demandé qui étaient ses parents :   6
cela meurt de faim, cela a quatorze ou quinze ans.
SAINT-SIMON, Mémoires, 355, 180.

CONTR. **Ceci.**
DÉR. **Ça.**
HOM. Forme du v. **celer.**

CÉLADON [seladɔ̃] n. m. — 1610; nom d'un personnage de l'*Astrée,* d'Honoré d'Urfé, lat. *Celado,* personnage d'Ovide.

♦ **1.** N. m. et adj. invar. (1617). Couleur vert pâle légèrement bleuté (référence à la teinte du costume de berger revêtu par ce personnage). *Vert céladon. Céladon clair.* — Qui est de cette couleur. *Des rubans céladon.*

♦ **2.** (1686). Fam. et vx. Amoureux, soupirant langoureux, généralement platonique. *C'est un céladon. Faire le céladon.*

♦ **3.** (Du sens 1). *Porcelaine céladon :* porcelaine de Chine recouverte d'un émail craquelé, souvent de couleur vert pâle.

Il y avait une orchidée dans un vase céladon (...)   1
GIRAUDOUX, Juliette au pays des hommes, p. 82.

Ellipt. *Un céladon. Des céladons chinois* (Académie).

(Ausonius) peut rêver à la Corée (...) Il ne caressera pas les céladons verdâtres, ni   2
les jarres gris perdrix de la dynastie Koryo (...)
Alain BOSQUET, les Bonnes Intentions, 1975, p. 124.

CELASTRACÉES [selastʀase] n. f. pl. — 1866, P. Larousse; *celastrinées,* 1834, Landais ; du grec *kelastra* «nerprun», et -*acées.*

♦ Bot. Famille de plantes dicotylédones dialypétales (ordre des *Celastrales*) dont le type est le *fusain.* — Au sing. *Une celastracée.*

CELASTRALES [selastʀal] n. f. pl. — D. i. (XXᵉ); du grec *kelastra* «nerprun», et -*ales.*

♦ Bot. Ordre de plantes angiospermes, dicotylédones dialypétales, comprenant plusieurs familles : celastracées, ilicacées, rhamnacées, vitacées (ampélidacées), généralement arbustives ou arborescentes. — Au sing. *Une celastrale.*

-CÈLE Élément, du grec *kêlê* «tumeur», entrant dans la composition de nombreux mots employés en médecine et désignant presque toujours les tumeurs formées par la hernie d'un organe. ⇒ **Hématocèle, hépatocèle, hydrocèle, kératocèle, néphrocèle, sarcocèle, sphacèle, varicocèle.**

CÉLÉBRANT [selebʀɑ̃] n. m. — V. 1350; p. prés. de *célébrer.*

♦ Relig. Celui qui dit, qui célèbre la messe, ou qui officie. ⇒ **Officiant.** — Adj. *Le prêtre célébrant.*

CÉLÉBRATION [selebʀasjɔ̃] n. f. — XIIᵉ; lat. *celebratio,* de *celebrare.* → Célébrer.

♦ Action de célébrer (une cérémonie, une fête...). *La célébration de l'office divin, des saints mystères, de la messe. La célébration d'un anniversaire.* ⇒ **Anniversaire** (cit. 1), **commémoration.** *Célébration d'un mariage. Célébration solennelle d'une fête. Organiser la célébration d'un bicentenaire.*

Avant la célébration du mariage, l'officier de l'état civil fera une publication par   1
voie d'affiche apposée à la porte de la maison commune (...)
Code civil, art. 63.

La prise de la Bastille, dit l'histoire, ce fut proprement une fête, ce fut la pre-   2
mière célébration, la première commémoration et pour ainsi dire déjà le premier anniversaire de la prise de la Bastille.   Ch. PÉGUY, la République..., p. 360.

Après le culte protestant, la «célébration de l'Eucharistie», comme on parle   3
aujourd'hui pour désigner la messe, nous est offerte par le petit écran.
J. GREEN, Journal, 19 janv. 1970, Ce qui reste de jour, p. 213.

CÉLÈBRE [selɛbʀ] adj. — 1532, Rabelais; du lat. *celeber* «fréquenté».

♦ **1.** (1546). Vx. Solennel, éclatant.

1 Je n'ajouterai rien aux célèbres témoignages qu'elle *(la voix publique)* vous rend.
CORNEILLE, *Épître de Pompée.*

2 Un bruit vient (...) à répandre à ma cour
Le *célèbre* mépris qu'elle fait de l'amour;
On publie en tous lieux que (...)   MOLIÈRE, la Princesse d'Élide, I, 1.

♦ **2.** (1636). Mod. Très connu, dont la réputation est répandue partout. ⇒ **Fameux, glorieux, historique, illustre, immortel, légendaire, notoire, renommé, réputé; célébrité.** — REM. *Célèbre* dit moins que *glorieux* ou *immortel* (→ ci-dessous, cit. 7); il s'emploie en parlant des contemporains, à la différence de *historique* et *légendaire;* mais il suppose une grande notoriété, et est donc plus fort que *connu, notoire, renommé* et *réputé.* — *Porter un nom célèbre. Auteur, personnage célèbre dans le monde entier. Être célèbre par ses actions, son talent. Célèbre pour son courage. Une ville célèbre pour ses musées* (ou *par ses musées*). *Se rendre célèbre. Devenir célèbre. Adage, apophtegme, mot célèbre. Annales célèbres. Événement célèbre. Lieu célèbre. Les amours célèbres.*

3 Il invoque à la fin le dieu dont les travaux
Sont si célèbres dans le monde :
« Hercule, lui dit-il, aide-moi (...) »   LA FONTAINE, Fables, VI, 18.

4 *(La Victoire)* Amante de Louis, suivra partout ses pas.
Ses lauriers nous rendront célèbres dans l'histoire.   LA FONTAINE, Fables, VII, 18.

5 Son nom *(celui d'Ulysse)* fut célèbre dans toute la Grèce et dans toute l'Asie par sa valeur dans les combats et plus encore par sa sagesse dans les conseils.
FÉNELON, Télémaque, I, p. 4.

6 (...) les ouvrages célèbres dès le début gardent leur réputation et sont estimés encore après être devenus inintelligibles.
FRANCE, le Jardin d'Épicure, p. 173.

7 Le 3 février, il *(Mirabeau)* fit imprimer sa réponse. Elle est plus que célèbre : elle est immortelle.   Louis BARTHOU, Mirabeau, p. 141.

8 Mettre à vos pieds ce gage — indigne — d'un amour
Égal à toutes les flammes les plus célèbres
Qui des grands cœurs aient fait resplendir les ténèbres.
VERLAINE, Fêtes galantes, « Lettre ».

REM. En épithète, *célèbre* s'emploie plus rarement que le nom. *Un célèbre homme d'État a dit... Un très célèbre écrivain.* « *Le célèbre moulin de la Galette* » (Ponson du Terrail, in T. L. F.).

(En mauvaise part). *Il s'est rendu célèbre par son étourderie, son ineptie. Date tristement célèbre.* — REM. Ce type d'emploi n'est guère possible si la dépréciation n'est pas explicite (adverbe, etc.); on ne dirait guère, par exemple, *les plus célèbres camps de concentration nazis.*

CONTR. **Ignoré, inconnu, obscur, oublié.**
DÉR. **Célébrissime.**
HOM. Formes du v. **célébrer.**

CÉLÉBRER [selebRe] v. tr. — Conjug. *céder.* — V. 1120; lat. *celebrare* « visiter en foule », de *celeber* « fréquenté ». → Célèbre.

♦ **1.** Accomplir solennellement (une action, une suite d'actions officielles ou publiques). ⇒ **Célébration, cérémonie.** *Célébrer des jeux, un carrousel. On célébrait les jeux olympiques tous les quatre ans. Célébrer un concile. Célébrer des funérailles. Le maire a célébré le mariage.* ⇒ **Procéder** (à).

1 Et que deviendrez-vous, si dès cette journée
Je célèbre à vos yeux ce funeste hyménée?   RACINE, Bajazet, II, 5.

Au passif. *Être célébré* (→ Avoir lieu*, se tenir*).

Spécialt. Accomplir (une cérémonie religieuse). ⇒ **Officier.** *Célébrer le culte. Célébrer la messe, l'office.* ⇒ 1. **Dire.** — Absolt. *Le prêtre n'a pas encore célébré* (Académie).

2 Lorsqu'on croyait encore à quelque chose, on aimait à voir un aumônier dans une tente ouverte, près d'un champ de bataille, célébrer une messe des morts sur un autel formé de tambours.
CHATEAUBRIAND, le Génie du christianisme, IV, I, XI.

♦ **2.** Marquer (un événement) par une cérémonie ou une démonstration. ⇒ **Fêter.** *Célébrer chaque année un événement.* ⇒ **Solenniser.** *Célébrer un anniversaire, un centenaire, une victoire.* ⇒ **Commémorer.** *Célébrer le dimanche.* ⇒ **Sanctifier.** *Célébrer une fête pour le repos.* ⇒ **Chômer.** *Célébrer la venue, le retour de qqn. Pendre la crémaillère pour célébrer son installation dans un nouveau logement.*

3 Vous conserverez le souvenir de ce jour, et vous le célébrerez par une fête en l'honneur de l'Éternel.   BIBLE (SEGOND), Exode, XII, 14.

4 Je viens, selon l'usage antique et solennel,
Célébrer avec vous la fameuse journée (...)   RACINE, Athalie, I, 1.

5 Nous deviendrons pieux en pratique, nous célébrerons ensemble les anniversaires de la mort de ma mère; nous ferons le bien.
SAINTE-BEUVE, Volupté, XIV, p. 127.

6 (...) elle chantait l'*Internationale*, d'une voie rauque et saccadée; elle avait l'air de célébrer son propre triomphe, sa délivrance, la victoire de l'instinct (...)
MARTIN DU GARD, les Thibault, t. VII, p. 64.

♦ **3.** (1180, « honorer »). Vieilli ou littér. Faire publiquement et avec force l'éloge, la louange de (qqn ou qqch.). ⇒ **Chanter, exalter, glorifier,** 1. **louer, prôner, publier, vanter.** *Célébrer la mémoire de qqn. Célébrer les hauts faits, la gloire, les vertus... Célébrer la beauté.*

7 Chantez la gloire de son nom,
Célébrez sa gloire par vos louanges!   BIBLE (SEGOND), Psaumes, LXVI, 2.

8 Je célébrerais ses mérites, et la noblesse de son cœur (...)
COURTELINE, Messieurs les ronds-de-cuir, 4e tableau, III, p. 154.

9 On discute beaucoup des services que Rome rendit au monde; je reprends qui les nie, mais je blâme qui les célèbre.   Ch. MAURRAS, Anthinéa..., p. 225.

10 Du fond de cet abîme de tristesse, Beethoven entreprit de célébrer la Joie.
R. ROLLAND, Vie de Beethoven, p. 60.

11 La presse parisienne tout entière célébrait la radieuse beauté de Suzanne.
G. DUHAMEL, Chronique des Pasquier, IX, IV.

▶ **SE CÉLÉBRER** v. pron. *Les fêtes qui viennent de se célébrer.*

▶ **CÉLÉBRÉ, ÉE** p. p. adj. *Cérémonie célébrée avec faste.*

CONTR. **Abaisser, décrier, déprécier, diminuer, ravaler.**
HOM. V. **Célébrant, célèbre.**

CELEBRET [selebRet] n. m. — 1866; mot lat. signifiant « qu'il célèbre ».

♦ Relig. cathol. Pièce de l'autorité ecclésiastique qui autorise un prêtre à dire la messe en tout lieu. ⇒ **Admittatur.**

(...) il s'était décidé à faire viser son *celebret* au vicariat, il disait sa messe chaque matin à Sainte-Brigitte, place Farnèse (...)   ZOLA, Rome, p. 213.

CÉLÉBRISSIME [selebRisim] adj. — XXe; de *célèbre.*

♦ Fam. ou iron. Extrêmement célèbre.

CÉLÉBRITÉ [selebRite] n. f. — 1578; « fête solennelle », XIVe; lat. *celebritas*, de *celeber.* → Célèbre.

♦ **1.** Vx. Solennité, pompe (⇒ **Célébrer**).

1 Il se moque de la piété de ceux qui envoient leurs offrandes dans les temples aux jours d'une grande célébrité.   LA BRUYÈRE, les Caractères de Théophraste, « De la brutalité ».

♦ **2.** (1636). Mod. Réputation qui s'étend au loin, très grande notoriété. ⇒ **Éclat, notoriété, popularité, renom, renommée, réputation.** *La célébrité d'une personne, d'un nom, d'une œuvre, d'un événement, d'un lieu. L'amour de la célébrité. Rechercher, viser la célébrité. Acquérir la célébrité. Parvenir à la célébrité. Avoir son heure de célébrité.* — (Dans des contextes dépréciatifs). *Honteuse, triste, vaine célébrité.*

2 Les catholiques d'Irlande égorgèrent presque tous les protestants de leur île en 1641; ce massacre n'a pas dans l'histoire des crimes la même célébrité que la Saint-Barthélemy.
VOLTAIRE, in LAFAYE, Dict. des synonymes, Réputation... célébrité.

3 Helvétius, préoccupé de son ambition de célébrité littéraire.
MARMONTEL, Mémoires, VI.

4 Célébrité : l'avantage d'être connu de ceux que vous ne connaissez pas.
CHAMFORT, Maximes et Pensées, VIII.

5 Il est aisé de réduire à des termes simples la valeur précise de la célébrité : celui qui se fait connaître par quelque talent ou quelque vertu se dénonce à la bienveillance inactive de quelques honnêtes gens, et à l'active malveillance de tous les hommes malhonnêtes.   CHAMFORT, Maximes et Pensées, X.

6 Trop souvent, à Paris, dans le désir d'arriver plus promptement que par la voie naturelle à cette célébrité qui pour eux est la fortune, les artistes empruntent les ailes de la circonstance (...)
BALZAC, les Comédiens sans le savoir, Pl., t. VII, p. 47.

7 À Paris, le char d'Apollon est un fiacre. La célébrité s'y obtient à force de courses.
FLAUBERT, Correspondance, t. III, p. 16.

♦ **3.** (1831). Personne célèbre, illustre. ⇒ **Gloire; homme** (grand homme). *Une célébrité. Les célébrités du jour. Les célébrités du monde artistique, de la science.*

CONTR. **Obscurité, oubli. — Inconnu,** 4. (n. m.).

CELER [səle; cour. : sele]. v. tr. — Conjug. *lever.* — V. 1050; du lat. *celare.*

♦ Vx ou littér. Garder, tenir secret. ⇒ **Cacher, dissimuler, taire.** *Celer qqch. à qqn. Celer un projet, un sentiment, un événement. Il cèle son jeu.* ⇒ **Déguiser.** *A ne vous rien celer, pour ne vous rien celer :* pour être tout à fait franc.

1 Pour moi, je vous le cèle point, je souhaite fort que (...)   MOLIÈRE, Dom Juan, V, 3.
2 Je crois voir l'intérêt que vous voulez celer.   RACINE, Mithridate, I, 3.
3 Qui ne sait celer ne sait aimer.   STENDHAL, De l'amour, p. 315.
4 Dites tout, Sylvain, il ne me faut rien celer.
G. SAND, la Petite Fadette, XXXVII, p. 239.

5 Mais qui donc peut longtemps tenir ses amours secrètes? Hélas! amour ne se peut celer!   J. BÉDIER, Tristan et Iseult, VII, p. 74.

REM. Il s'agit ici d'un archaïsme évoquant l'ancien français (le verbe du texte original a été conservé dans la traduction).

6 Son ton était calme, presque indifférent, mais il celait une grande tendresse et un orgueil plus grand encore.   J. KESSEL, l'Équipage, p. 15 (1924).

CONTR. **Divulguer.**
DÉR. et COMP. **Déceler, receler, recel, recèlement, receleur.**
HOM. Formes des v. **sceller, seller.** — V. aussi **Cela, cellier, sel, selon...**

CÉLÈRE [selɛR] adj. — 1520, puis fin XVIIIe; lat. *celer* « rapide ».

♦ Rare (latinisme). Rapide. « *La voiture la plus célère, et rapide comme une voiture de poste...*» (Balzac, *Correspondance, in* T. L. F.).

CÉLÉRETTE [seleʀɛt] n. f. — 1899 ; du lat. *celer* «rapide». → Célérifère.

♦ Anciennt et rare. Petite draisienne.

CÉLERI [selʀi] n. m. — 1651, *seleris ; scellerin*, 1419 ; plur. lombard *seleri* ; du lat. *selinon*, grec *selinon* «ache».

♦ **1.** Plante dicotylédone *(Ombellifères)*, ache améliorée *(apium)*, dont une variété dite *céleri à côtes* (cour. *céleri en branches*), est cultivée pour ses pétioles charnus et tendres, et une autre, dite *céleri-rave*, pour ses racines. ⇒ **Ache**. *Des céleris-raves. Des pieds de céleri. Faire blanchir du céleri. Sucre de céleri.* ⇒ **Mannite**. *Sel de céleri* (assaisonnement).

1 (...) toute la gamme du vert (...) gamme soutenue qui allait en se mourant, jusqu'aux panachures des pieds de céleris et des bottes de poireaux.
ZOLA, le Ventre de Paris, t. I, p. 41.

♦ **2.** Pétiole tendre du céleri à côte *(salade de céleri)* ou racine de céleri-rave. *Du céleri rémoulade*, coupé en fines lamelles et préparé à la sauce rémoulade.

2 (...) ils mangèrent des sardines à l'huile et du céleri rémoulade comme hors-d'œuvre.
G. SIMENON, Maigret et la vieille dame, p. 28.

CÉLÉRIFÈRE [seleʀifɛʀ] n. m. — 1794 ; du rad. du lat. *celer, -eris* «rapide», et *-fère* «qui transporte».
Anciennement.

♦ **1.** Voiture publique rapide.

♦ **2.** Ancien appareil de locomotion composé de deux roues reliées par un cadre de bois (⇒ **Cycle**), que l'on faisait mouvoir par des appuis alternés des pieds sur le sol. *Célérifère muni d'une direction à pivot.* ⇒ **Draisienne**. *Le célérifère, ancêtre lointain de la bicyclette.*

CÉLERI-RAVE [selʀiʀav] n. m. ⇒ **Céleri**.

CÉLÉRITÉ [seleʀite] n. f. — 1358 ; lat. *celeritas*, de *celer* «rapide».

♦ **1.** Littér. ou style écrit. Promptitude dans l'exécution. ⇒ **Activité, empressement, promptitude, rapidité, vélocité, vitesse**. *Agir avec une étonnante célérité.* ⇒ **Diligence** (faire diligence). *Exiger une plus grande célérité.* ⇒ **Accélération, hâte**. «*Cette affaire demande de la célérité, requiert célérité*» (Académie).

1 Dans les cas qui requerront célérité, le président pourra, par ordonnance rendue sur requête, permettre d'assigner à bref délai. Code de procédure civile, art. 72.

2 Ô ses souffles, ses têtes, ses courses : la terrible célérité de la perfection des formes et de l'action !
RIMBAUD, les Illuminations, XL.

♦ **2.** Sc. Vitesse de propagation (d'une onde). *La célérité du son.* — Vitesse de réaction chimique.

3 (...) il ne faut pas confondre la «célérité» qui est la vitesse apparente de propagation des déformations, avec la vitesse effective de déplacement des particules.
J. LARRAS, l'Hydraulique, p. 71.

CONTR. Lenteur.

CÉLESTA [selɛsta] n. m. — 1886 ; de *céleste* ; mot créé par l'inventeur Auguste Mustel.

♦ Instrument de musique à percussion et à clavier. *Tenir le célesta dans un orchestre. Des célestas.*

CÉLESTE [selɛst] adj. — 1050 ; lat. *cælestis*, de *cælum* «ciel».

♦ **1.** Relatif au ciel* (II. ou III.), à l'espace au-dessus de la Terre. ⇒ **Aérien, cosmique**. *Les espaces célestes. Les corps, les globes célestes.* ⇒ **Astre**. — Poét. *Les célestes flambeaux* : les astres. *La voûte céleste* : le ciel, le firmament.

1 (...) le firmament et sa voûte céleste. LA FONTAINE, Fables, IX, 2.

2 (...) je le vois trop bien, à court d'essence et peut-être d'espoir, monter l'un de ses héros, vers quelque champ céleste, tout balisé d'étoiles.
A. MAUROIS, Études littéraires, t. II, Saint-Exupéry, p. 283.

Fig. ⇒ **Élevé, haut**.

3 Il parla longtemps (...) Planant dans les sphères célestes de la philosophie, il lançait la foudre sur les conspirateurs qui rampaient sur le sol.
FRANCE, Les dieux ont soif, p. 144.

(1560). *Couleur bleu céleste.* ⇒ **Azur** (cit. 3). — Chim. (par anal. de couleur). *Eau* céleste.*

♦ **2.** Qui appartient au ciel (IV.), considéré comme le séjour de la Divinité, des bienheureux. *La gloire céleste. La béatitude céleste. La céleste patrie ; la cité, la demeure céleste.* ⇒ **Paradis**. *Les puissances célestes. Les messagers célestes ; l'armée, la milice céleste.* ⇒ **Ange** (cit. 1). *Le Père, l'époux céleste* : Dieu, Jésus.

4 Si donc, méchants comme vous l'êtes, vous savez donner de bonnes choses à vos

enfants, à combien plus forte raison le Père céleste donnera-t-il le Saint-Esprit à ceux qui le lui demandent. BIBLE (SEGOND), Évangile selon saint Luc, XI, 13.

Le Seigneur (...) me sauvera pour me faire entrer dans son royaume céleste. 5
BIBLE (SEGOND), Deuxième épître à Timothée, IV, 18.

Sur ce monde céleste, angélique, innocent, 6
Le matin, murmurant une sainte parole,
Souriait, et l'aurore était une auréole.
HUGO, la Légende des siècles, II, D'Ève à Jésus, Le sacre de la femme, I.

Si Dieu m'accordait le calme céleste, aérien, la prière (...) 7
RIMBAUD, Une saison en enfer, «Mauvais sang», p. 28.

Divin. *Colère, courroux céleste. Feu céleste. Dons célestes.* — *Manne céleste* : nourriture de l'âme. *Pain céleste.* ⇒ **Eucharistie**.

Ceux qui ont été une fois éclairés, qui ont goûté le don céleste, qui ont eu part au 8
Saint-Esprit. BIBLE (SEGOND), Épître aux Hébreux, VI, 4.

Que le plus coupable de nous 9
Se sacrifie aux traits du céleste courroux (...) LA FONTAINE, Fables, VII, 1.

Myth. et littér. *Les célestes lambris* : le palais des dieux. *La troupe céleste* : les dieux de l'Olympe.

Le souverain pouvoir de la troupe céleste (...) CORNEILLE, Horace, IV, 1. 10

N. m. (Jusqu'au XVIIe). Vx. *Un céleste* : un ange, ou habitant du ciel.

♦ **3.** (1534). Littér. ou style soutenu. Merveilleux, surnaturel. *Une beauté céleste. Âme céleste. Un regard céleste.*

Et lorsqu'on vient à voir vos célestes appas (...) MOLIÈRE, Tartuffe, III, 3. 11

Un vague et pur reflet de la lueur des cierges 12
Flottait dans son regard céleste et rayonnant (...)
HUGO, les Contemplations, V, «En marche», XIV.

Détaché de la terre.

Alexis (...) avait voulu contempler le visage d'un mourant à jamais détaché des 13
réalités vulgaires et où ne pouvait plus flotter qu'un sourire héroïquement contraint, tristement tendre, céleste et désenchanté.
PROUST, les Plaisirs et les Jours, I, p. 24.

♦ **4.** Mus. *Jeu, registre, voix céleste*, se dit d'un registre de l'orgue qui produit des sons doux et voilés. ⇒ aussi **Célesta**.

♦ **5.** Loc. LE CÉLESTE EMPIRE : la Chine, l'ancien empereur de Chine étant considéré comme le Fils du Ciel. — N. Fam. et vx. *Les Célestes* : les Chinois.

CONTR. Terrestre. — Humain.
DÉR. Célestement.

CÉLESTEMENT [selɛstəmɑ̃] adv. — 1544, Scève ; de *céleste*.

♦ Littér. D'une manière céleste. «*Une musique célestement mélancolique*» (Goncourt). ⇒ **Divinement**.

CÉLESTIN [selɛstɛ̃] n. m. — XIIIe ; de *Célestin*, nom propre.

♦ **1.** Religieux d'un ordre (règle de saint Benoît) institué vers 1254, par Célestin V. — Adj. *Moine, père célestin.*

♦ **2.** Loc. *À la célestine* [alaselɛstin] : à la façon des célestins. — (1853). *Omelette à la célestine*, composée de beaucoup d'œufs et très épaisse.

CÉLIAQUE [seljak] adj. ⇒ **Cœliaque**.

CÉLIBAT [seliba] n. m. — 1549 ; lat. *cælibatus*, de *cælebs, -ibis* «célibataire».

♦ **1.** État d'une personne en âge d'être mariée et qui ne l'est pas, ne l'a jamais été. ⇒ **Célibataire**. *Vivre le célibat. Choisir le célibat. Rester dans le célibat. Le célibat ecclésiastique*, conséquence du vœu de chasteté* exigé par l'Église catholique, de ses prêtres et de ses religieux. *Garder, observer le célibat.*

Les autres avantages que Saint Paul relève comme d'être dans le célibat plus en 1
état de prier, plus occupé de Dieu seul et moins partagé dans son cœur (...)
BOSSUET, 2e Instruction sur la version de Trévoux.

Quand Luther et Calvin (...) 2
Vinrent du célibat affranchir la prêtrise. BOILEAU, Satires, XII.

L'homme n'est pas fait pour le célibat, et il est bien difficile qu'un état si con- 3
traire à la nature n'amène pas quelque désordre public ou caché.
ROUSSEAU, Julie ou la Nouvelle Héloïse, VI, Lettre VI, p. 309.

(...) plusieurs sectes vantent le célibat et le célibat est si nuisible à l'espèce 4
humaine que, s'il était suivi partout, elle périrait.
ROUSSEAU, Lettre à M. de Beaumont.

On proposait un mariage à M..., il répondit : « Il y a deux choses que j'ai toujours 5
aimées à la folie, ce sont les femmes et le célibat. J'ai perdu ma première passion, il faut que je conserve la seconde ».
CHAMFORT, Maximes et Pensées, «Femmes et Mariage», XVII.

Le mot le plus raisonnable et le plus mesuré qui ait été dit sur la question du céli- 6
bat et du mariage est celui-ci : «Quelque parti que tu prennes tu t'en repentiras».
Fontenelle se repentit dans ses dernières années de ne pas s'être marié. Il oubliait quatre-vingt-quinze ans passés dans l'insouciance.
CHAMFORT, Maximes et Pensées, XVIII.

Le mariage et le célibat ont tous deux des inconvénients ; il faut préférer celui 7
dont les inconvénients ne sont pas sans remède.
CHAMFORT, Maximes et Pensées, XXIV.

Baronius prouve que le vœu de célibat était général parmi le clergé dès le sixième 8

siècle. Un canon du premier concile de Tours excommunie tout prêtre, diacre ou sous-diacre qui aurait conservé sa femme après avoir reçu les ordres.
CHATEAUBRIAND, le Génie du christianisme, I, I, VIII.

9 (...) dans beaucoup de villes grecques la loi punissait le célibat comme un délit.
FUSTEL DE COULANGES, la Cité antique, p. 51.

♦ **2.** (1845). Par euphém. Chasteté, période de chasteté (dans le mariage).

10 Quoique mariée, la prophétesse druidique était astreinte à de longs célibats (...) Quoique *(les prêtresses)* fussent mariées, nul homme n'osait approcher de leur demeure, c'étaient elles qui, à des époques prescrites, venaient visiter leurs maris (...)
MICHELET, Hist. de France, t. I, p. 48.

Vie sans conjoint. *Le célibat d'un veuf, d'une veuve.*

CONTR. Mariage.
DÉR. Célibataire.

CÉLIBATAIRE [selibatɛʀ] n. et adj. — 1711 ; de *célibat*.

♦ **1.** N. Personne qui vit dans le célibat. ⇒ **Garçon, fille.** *Une célibataire qui coiffe (la) sainte Catherine.* ⇒ **Catherinette.** *Une vie de célibataire. Un célibataire endurci. Les Célibataires,* roman de Montherlant. *Ils étaient neuf célibataires,* pièce de Sacha Guitry (et adaptation cinématographique de cette pièce).

1 (...) l'égoïsme raffiné d'un vieux célibataire (...)
FRANCE, Œuvres, t. II, le Crime de Sylvestre Bonnard, p. 275.

2 De ce célibataire qui eut toujours la nostalgie du mariage, ne doutons pas que s'il se fût marié, il aurait eu, porté qu'il était à se torturer, celle du célibat.
A. BILLY, Sainte-Beuve, 45, p. 327.

3 Ils ont l'air si francs, si affectueux... Ils doivent s'entendre si bien... C'est vraiment une chance... Le vieux célibataire endurci que je suis, en vous voyant a parfois des regrets... Si on pouvait être sûr d'avance... J'ai été lâche, je n'ai pas osé courir le risque...
N. SARRAUTE, Vous les entendez?, p. 61.

Appos. *Mère célibataire* (remplace *fille*-mère,* considéré comme péjoratif). ⇒ **Mère** (cit. 11.1, et *supra*).

Par ext. (D'une personne mariée). *Vivre en célibataire,* dans la continence conjugale.

♦ **2.** Adj. **a** Qui vit dans le célibat. *Mes amis célibataires et mes amis mariés. Il, elle est célibataire.* — Propre au célibataire.

4 (...) très tôt j'en vins à aimer la solitude, la vie retirée, la pipe, la société des femmes de maison close lorsque le besoin vous y pousse ; bref, les habitudes célibataires. Je ne me suis jamais marié (...)
R. QUENEAU, Pierrot mon ami, p. 56.

Par ext. (En parlant d'une personne mariée). Séparé(e) de son conjoint. *Je suis célibataire pour quinze jours : mon mari est en voyage.*

Par métaphore. *« Quand je me sens le cœur tout célibataire »* (J. Laforgue).

b Fig. *Électron, nucléon célibataire,* isolé, non apparié.

CÉLIMÈNE [selimɛn] n. f. — 1866 ; nom du principal personnage féminin du *Misanthrope,* comédie de Molière (1666).

Littéraire.

♦ **1.** Rôle de grande coquette dans une comédie. *Jouer les célimènes.*

♦ **2.** Femme d'esprit, coquette et séduisante, qui entend avoir tous les hommes à sa dévotion sans leur accorder quoi que ce soit. ⇒ **Coquette.** *Une célimène qui se joue des cœurs.*

CONTR. Agnès.

CELLA [sɛlla ; sela] n. f. — 1759, Trévoux ; mot lat., « loge ». → Cellule.

Archéologie.

♦ **1.** Lieu du temple (grec, romain) où était la statue du dieu.
(...) si le temple affecte une grande largeur, la *cella,* partie principale du naos, celle qui reçoit la statue de culte, est divisée en plusieurs nefs par des colonnades, qui parfois se présentent en deux files superposées, ménageant ainsi un étage supérieur.
G. CONTENEAU et V. CHAPOT, l'Art antique, p. 165.

Loc. Vx. *Avoir accès à la cella :* être parmi les initiés, les privilégiés.

♦ **2.** Chambre à provisions, cellier. — Plur. *Des cellæ* [sɛlle] didact., ou *des cellas* [sɛlla].

HOM. Formes des v. **celer, seller, sceller.**

CELLE [sɛl] pron. dém. f. ⇒ **Celui.**

CELLÉRIER, IÈRE [seleʀje, jɛʀ] n. — V. 1175 ; du lat. ecclés. *cellarius, cellerarius,* de *cellarius* « chef de l'office », d'après *cellarium* « magasin de vivres ».

♦ Vieilli. Religieux, religieuse préposé(e) dans un couvent au soin du cellier. ⇒ **Économe, intendant.**

Selon la règle suivie dans les monastères bénédictins, les besoins de la communauté étaient classés sous deux rubriques : le *victus,* c'est-à-dire l'approvisionnement en nourriture dont le soin incombait au cellérier, gestionnaire de l'entreprise agricole (...)
Georges DUBY, Guerriers et Paysans, p. 122.

Adj. *Père cellérier. Sœur cellérière.*

CELLIER [sɛlje] n. m. — Déb. XIIe ; lat. *cellarium,* dér. de *cella* « chambre à provisions ». → Cella.

♦ **1.** Lieu aménagé, généralement au rez-de-chaussée d'une maison, pour conserver des provisions, et, spécialt, le vin, le cidre. *Cellier avec pressoir.* ⇒ 1. **Cave, hangar.**

1 Les cuves, le pressoir, le cellier, les futailles, n'attendaient que la douce liqueur pour laquelle ils sont destinés.
ROUSSEAU, Julie ou la Nouvelle Héloïse, V, VII, p. 238.

1.1 Dans un grenier où je fus enfermé à douze ans, j'ai connu le monde, j'ai illustré la comédie humaine. Dans un cellier, j'ai appris l'histoire.
RIMBAUD, les Illuminations, « Vies », III.

2 Du cellier qui sentait le bois et la futaille émanaient des coulées d'air. Il restait dans cette retraite des réserves d'ombre et de fraîcheur (...)
H. BOSCO, le Mas Théotime, I, p. 10.

♦ **2.** Agric. Pièce ou hangar où l'on pressait le raisin, où l'on conserve du vin. ⇒ **Cuvier** (régional : *cuverie, vinée*).

Dans certaines régions (Champagne), Endroit où se fait le travail du vin (mais non pas son vieillissement).

DÉR. Cellérier.
HOM. Sellier ; formes des v. **celer, seller, sceller.**

CELLISTE [selist] n. — 1934 ; angl. *cellist,* de *cello,* ital. *violoncello.* → Violoncelle.

♦ Anglic. Violoncelliste.

Il y avait cinq femmes (...) quatre s'étaient mises en rang pour nous accueillir par ce premier couplet de la chanson, le violon, la celliste, la trompette et la contre-bassiste (...)
B. CENDRARS, Bourlinguer, p. 234.

CELLOPHANE [selɔfan] n. f. — 1914 ; *in* D.D.L. ; marque déposée, mot angl. ; de *cell(ulose), -o-,* et *-phane.* → Diaphane.

♦ Hydrate de cellulose façonné en pellicule transparente. *Viande frigorifiée, fromage sous cellophane,* sous emballage de cellophane.

1 Entre la dame du vestiaire, Madame Belin, avec une branche d'orchidées dans une boîte de cellophane.
Sacha GUITRY, Ils étaient neuf célibataires, p. 285.

2 Ah, là, là ! Ces Américains ! On aurait dû nous les fournir dans des emballages en cellophane ; d'autant que la cellophane, c'est amusant, on peut y mettre le feu et ça fait une belle flamme.
Roger NIMIER, le Hussard bleu, p. 182.

3 Arrachez la peau de votre corps, car ce n'est pas une vraie peau, c'est un tissu de cellophane qui bouche les pores et asphyxie. Ôtez le tissu : ôtez-le.
J.-M. G. LE CLÉZIO, les Géants, p. 57.

CELLULAIRE [selylɛʀ] adj. — 1740, méd. ; de *cellule*.

★ **I.** ♦ **1.** (1855, sens mod.). Biol. De la cellule, relatif à la cellule, aux cellules (→ Cellule, cit. 5.2, 7, 8 et 9). *Membranes cellulaires.* ⇒ **Plasmalemme.** *Organites* cellulaires.* ⇒ **Appareil** (de Golgi), **centrosome, lysosome, mitochondrie, noyau** (et **nucléole**), **plaste** (chloro-, chromo-, leucoplaste), **réticulum** (et **ergastoplasme**). *Division cellulaire* (⇒ **Amitose, méiose, mitose**). *Culture cellulaire* (→ Explant). — *Biologie, physiologie cellulaire* (⇒ **Cytologie, histologie**).

♦ **2.** Disposé en cellules, pourvu de cellules. *Tissu cellulaire.* — Bot. *Enveloppe, tissu cellulaire.* ⇒ **Parenchyme.** *Cryptogames cellulaires* (opposé à *vasculaire*).

♦ **3.** Minér. *Texture cellulaire d'une roche.*

♦ **4.** Techn. Comportant des cellules (aviation). — Formé par des cellules, des alvéoles. *Plastique cellulaire. Réseau cellulaire. Sols cellulaires* ou *polygonaux.*

★ **II.** (1841). *Système, régime cellulaire,* d'après lequel les prisonniers sont enfermés dans des cellules séparées. ⇒ **Réclusion.** *Mettre au régime cellulaire* (par oppos. au *régime en commun*). ⇒ **Secret** (mettre au secret). *Le régime cellulaire imposé en France par la loi du 5 juin 1875. Prison cellulaire. Le régime cellulaire auburnien*.*

1 Le régime des prisons cellulaires étant considéré comme plus dur que celui des prisons non cellulaires, la loi de 1875 a décidé, pour maintenir l'égalité entre les prisonniers, que ceux qui subiraient leur peine dans une prison départementale cellulaire auraient droit à une réduction du quart de la peine (art. 4).
DALLOZ, Nouveau répertoire, t. III, p. 557.

(1845). *Voiture cellulaire :* voiture divisée en compartiments et qui sert à transporter les prisonniers sans qu'ils puissent communiquer entre eux. (→ fam. Panier* à salade.)

2 — Eh bien, vous suivrez cette nuit, à onze heures, une voiture cellulaire qui partira de Mazas.
Louise MICHEL, la Misère, t. III, p. 642.

N. f. *La cellulaire :* la mise en cellule ; le régime cellulaire. ⇒ **Pénitentiaire.**

3 Bonjour, solitude. Je savoure ma première minute de paix depuis un an (...) La cellulaire a ceci de bon : chacune chez elle, dans le même cubage et avec le même matériel vous voir l'utilisation que chacune fait de son oxygène et de son bidet.
A. SARRAZIN, la Cavale, p. 339.

(Un, une cellulaire). Prisonnier en cellule ou qui a fait de la cellule. — REM. Dans ce sens, le fém. semble peu usité (p.-ê. par suite de l'homonymie avec le sens précédent).

4 Quand un compagnon tourneur au front tatoué : « Mort aux vaches » a été accepté,

le bureau de l'embauche et le contremaître ont bien vu sa marque de fabrique. Ils l'ont pris par peur. Des directeurs de service ont tremblé devant des cellulaires.
Pierre HAMP, la Peine des hommes (Moteurs), p. 171.

DÉR. Cellulairement.
COMP. Acellulaire, intercellulaire, intracellulaire, monocellulaire, multicellulaire, pluricellulaire, subcellulaire, unicellulaire.

CELLULAIREMENT [selylɛʀmɑ̃] adv. — 1862; de *cellulaire*.

♦ **1.** Sc. Sous forme de cellules vivantes. — (Hist. des sc.). Conformément à la théorie cellulaire.

♦ **2.** Rare. Selon un régime cellulaire. *« Ces jeunes gens sont enfermés cellulairement »* (Goncourt).

CELLULAR [selylaʀ] n. m. — 1902, *in* Höfler; angl., proprt « cellulaire ».

♦ Tissu à mailles lâches dont on fait des sous-vêtements, des chemises et des vêtements de sport. *Chemise, maillot de corps en cellular.*

En apposition :
Et il tomba la veste, le gilet, la chemise, qu'il jeta eux aussi par terre, resta en gilet cellular. Et il tomba les souliers, resta en chaussettes.
MONTHERLANT, le Démon du bien, p. 275.

CELLULE [selyl] n. f. — 1429; lat. *cellula*, dimin. de *cella* « chambre ».

★ **I.** Petite chambre destinée généralement à abriter une seule personne qui veut être isolée ou qu'on isole de force. *Être reclus* (cit. 3), *confiné dans sa cellule. Une chambre austère qui ressemble à une cellule.* ⇒ **Chambrette, loge.**

1   (...) j'ai vu la Marans dans sa cellule; je disais autrefois dans sa loge.
Mᵐᵉ DE SÉVIGNÉ, 370, 15 janv. 1674.

2   Près de cinq mois bientôt qu'Antoine, confiné dans cette cellule rosâtre, surveillait les fluctuations de son mal et guettait en vain des symptômes nets de guérison.
MARTIN DU GARD, les Thibault, t. VIII, p. 205.

Chambre individuelle (d'un religieux). *Cellule de moine, d'ermite, de religieuse.*

3   (...) dans ce cloître un vieillard l'amena :
Il regarda tomber sa chevelure blonde,
Lui montra sa cellule, — et puis lui pardonna.
A. DE MUSSET, Premières poésies, « Le saule », VII.

Pièce d'une prison où un détenu (quelques détenus) est isolé (sont isolés). *Cellule de prisonnier.* ⇒ **Cachot.** *Être enfermé* dans une cellule. — Détention en cellule.* ⇒ **Cellulaire** (régime cellulaire). *Mettre en cellule.* ⇒ **Encelluler.** *Sortir de cellule. — Cellule disciplinaire de prison.* ⇒ (argot) **Mitard.** — (Dans l'armée). *Avoir huit jours de cellule,* de cachot.

4   Depuis notre retour ici, nous sommes un peu grisées, comme des captives qui sortiraient de cellule pour reprendre la prison simple (...)
LOTI, les Désenchantées, XX, p. 139.

Chambre d'isolement, dans un hôpital psychiatrique. ⇒ **Cabanon.** *Cellule capitonnée.*
Cellule d'un concurrent au prix de Rome pendant la durée du concours, d'un cardinal pendant la durée du conclave. ⇒ **Loge.**

★ **II.** ♦ **1.** (1503). Vieilli. Cavité* isolant ce qu'elle enferme. ⇒ **Case, compartiment, loge.** *Les cellules d'un gâteau de cire.* ⇒ **Alvéole** (→ Abeille, cit. 1; bâtir, cit. 2).

5   Travaillons, les frelons et nous :
On verra qui sait faire avec un suc si doux,
Des cellules si bien bâties,
LA FONTAINE, Fables, I, 21.

(Mil. xxᵉ; techn. nucl.). Spécialt. Enceinte étanche utilisée pour stocker ou manipuler des produits radioactifs.

♦ **2.** (XVIIᵉ). Sc. nat. Petite cavité constitutive (de certains organes animaux ou végétaux). *Les cellules des poumons, du tissu spongieux, des os longs. Cellule d'un fruit.* ⇒ **Loge.** *Cellules renfermant les organes mâles et femelles des végétaux.* ⇒ **Anthéridie, oogone.**

♦ **3.** (1824). Biol. Unité fondamentale, morphologique et fonctionnelle de tout organisme vivant, qui comporte généralement une membrane* périphérique limitant le cytoplasme* au sein duquel se trouvent les organites (⇒ **Noyau**). *Étude de la cellule par la biologie* cellulaire.*

5.1   La cellule (...) constitue l'unité vitale, l'élément fondamental de toute vie, aussi bien végétale qu'animale (...) les êtres les moins élevés en organisation (protozoaires, levures, microbes) sont des cellules isolées, indépendantes, vivant à l'état libre, tandis que tout organisme un tant soit peu complexe se laisse décomposer en une multitude de petits organismes élémentaires, qui sont des cellules. Selon une comparaison consacrée, les cellules forment l'organisme comme les briques forment la maison.
Jean ROSTAND, Esquisse d'une histoire de la biologie, p. 133.

5.2   Le fait que la cellule constitue la base de l'organisation vitale ne fut clairement compris que vers 1839, quand les biologistes allemands Schleiden et Schwann fondèrent la « théorie cellulaire » (...) Le mot cellule avait apparu en 1665 pour la première fois, dans l'ouvrage d'un botaniste anglais, Robert Hooke.
Jean ROSTAND, Esquisse d'une histoire de la biologie, p. 133-134.

REM. *Cellule,* chez Hooke, est pris au sens 2 ci-dessus.

5.3   Une cellule contient de 2 000 à 5 000 espèces de macromolécules (...) De plus, la

nature a produit une immense variété d'organismes différents. Cependant, quand le monde vivant est considéré au niveau cellulaire, on découvre l'unité.
Unité de plan : chaque cellule possède un noyau inclus dans le protoplasme.
Unité de fonction : le métabolisme est essentiellement le même dans toutes les cellules.
Unité de composition : les macromolécules principales de tous les êtres vivants sont constituées par les mêmes petites molécules (...)
André LWOFF, l'Ordre biologique, p. 28-29.

Tous les tissus des organismes sont formés de cellules. ⇒ **Histologie; tissu.** *Organismes formés d'une seule cellule* (⇒ **Unicellulaire; protiste**) *ou de plusieurs cellules* (⇒ **Pluricellulaire; métazoaire**). *Cellules et tissus d'un organisme multicellulaire. Cellule bactérienne,* formant à elle seule un organisme. *Cellules des tissus végétaux.*

6   (...) des corps d'animaux, des corps humains, c'est-à-dire des assemblages de cellules dont chacun par rapport à une seule est grand comme une montagne.
PROUST, À la recherche du temps perdu, t. XIV, p. 95.

Différenciation des cellules (⇒ **Embryologie; histogenèse, organogenèse**). *Cellule embryonnaire* (→ Blaste, cyte). *Cellule nerveuse* (⇒ **Neurone**), *névrogliale* (⇒ **Astrocyte, oligodendrocyte**). *Cellule sensorielle* (⇒ **Récepteur;** → Bâtonnet, cône). *Cellule cartilagineuse* (⇒ **Chondrocyte**), *osseuse* (⇒ **Ostéocyte**). *Cellule du sang.* ⇒ **Globule.** *Cellule migratrice :* cellule (histiocyte*, lymphocyte*, etc.) qui peut pénétrer dans le tissu conjonctif de différents organes. — *Cellules épithéliales .* ⇒ **Endothélium, épithélium.** *Cellules musculaires.* ⇒ **Fibre** (musculaire). — *Cellules sécrétrices .* ⇒ *Cellules sécrétrices :* cellules dispersées ou agencées en unités sécrétrices (⇒ **Glande**) qui excrètent les produits qu'elles ont élaborés (mucus, sébum, enzymes, hormones, etc.). *Cellule hépatique, cellule intestinale. — Cellule-cible,* sensible à l'action de l'hormone circulante.

7   L'organisme est aussi hétérogène dans le temps que dans l'espace. Les types cellulaires se divisent grossièrement en deux classes. Les cellules fixes, qui s'unissent pour former les organes. Et les cellules mobiles, qui voyagent dans le corps entier. Les cellules fixes comprennent la race des cellules conjonctives, et celle des cellules épithéliales, cellules nobles qui forment le cerveau, la peau, les glandes endocrines. Les cellules conjonctives constituent le squelette des organes.
Alexis CARREL, l'Homme, cet inconnu, p. 86.

Vie des cellules. Évolution de la cellule embryonnaire. ⇒ **Embryogénie;** et aussi **ectoderme, endoderme, mésoderme.** *Prolifération des cellules par division directe ou indirecte.* ⇒ **Amitose, méiose, mitose, vx caryocinèse;** et aussi **chromosome, germe.** *Cellule-mère,* celle qui s'est divisée; *cellules-filles,* cellules nées de cette divison. *Cellules reproductrices.* ⇒ **Gamète; ovule, spermatozoïde; anthérozoïde, oogone, oosphère.** *Première cellule d'un organisme.* ⇒ **Œuf, zygote.** *Cellule-souche :* cellule jeune qui s'auto-renouvelle en même temps qu'elle se différencie. ⇒ **Ovogenèse, spermatogenèse.** *Capture de substances par la cellule.* ⇒ **Endocytose;** et aussi **phagocytose, pinocytose.** *Destruction de la cellule.* ⇒ **Cytolyse.** *Réaction d'orientation des cellules.* ⇒ **Tactisme.** *Mouvements des cellules.* ⇒ **Amiboïsme, diapédèse.**

8   (...) on voit, dans les films cinématographiques, le corps cellulaire se secouer violemment, agiter dans tous les sens son contenu, et se diviser en deux parties, les cellules-filles.
Alexis CARREL, l'Homme, cet inconnu, p. 85.

9   L'œuf se divise d'abord en deux cellules : chacune d'elles à son tour, se divise en deux, et ainsi de suite. C'est par ce procédé de bipartition cellulaire, bientôt accompagné de croissance, que se formeront peu à peu les millions de cellules dont se composera le nouvel être.
Jean ROSTAND, l'Homme.

♦ **4.** (1881, *cellule électrique;* probablt adapt. de l'angl. *cell*). Sc., techn. Unité productrice d'énergie.

9.1   (...) l'analyse succincte que nous allons donner d'une conférence faite par ce physicien (*W. de la Rue*), le 28 janvier 1881, dans la salle du *Royal Institution* de Londres, sur les phénomènes des décharges électriques obtenues avec une batterie de 14 000 *cellules* alimentées au chlorure d'argent.
L. FIGUIER, l'Année scientifique et industrielle 1881, p. 95 (1882).

Cellule électrolytique ou d'électrolyse, dans laquelle des réactions électrochimiques se produisent quand on applique un courant électrique (→ Électrolyseur).

(1903, *in Rev. gén. des sc.,* nᵒ 5, p. 285). Cour. *Cellule photoélectrique,* et, absolt, *cellule :* dispositif logé dans une enceinte fermée et transformant le rayonnement lumineux (photons) en courant électrique (libération d'électrons). *Porte à cellule photoélectrique.* ⇒ **Œil** (électrique). *Cellule utilisée en photographie.* ⇒ **Posemètre.** *Cellule au sélénium.*

Cellule solaire, transformant le rayonnement solaire en énergie thermique ou électrique.

Radiotechn. *Cellule de Kerr :* système de modulation de la lumière fondé sur la rotation du plan de polarisation.

9.2   La *cellule de Kerr* est une boîte métallique contenant une solution de nitrobenzène (substance biréfringente) et 2 électrodes; un prisme polarisateur *(nicol)* d'entrée et un nicol de sortie sont disposés sur les deux côtés à la hauteur des deux électrodes (...)
LO DUCA, Technique du cinéma, p. 29.

Élément principal d'un lecteur (tête de lecture) de disques. *Cellules de lecture. Cellule magnétique, magnétodynamique. Cellule phonocaptrice à pointe de diamant. Cellule céramique.*

♦ **5.** (1904). Aviat. Ensemble des structures formant l'aile et le fuselage. *La cellule a été construite en France et les réacteurs en Angleterre.*

★ **III.** Par métaphore ou fig. ♦ **1.** (1883). Élément constitutif. *La famille, cellule de la société* (→ Agréger, cit. 2).

10 (...) si l'on admet que la famille doit rester la cellule première du tissu social ne faut-il pas (...) qu'elle constitue cette (...) aristocratie plébéienne (...) où dorénavant se recrutent les élites ?   MARTIN DU GARD, les Thibault, t. III, p. 257.

♦ **2.** Mus. Élément fondamental d'une structure musicale. *Cellule rythmique, mélodique.*

10.1 *La sonate cyclique.* La cellule est, parmi les figures sonores dont se compose un thème, la plus caractéristique ; par conséquent, celle dont le compositeur fera le plus abondant usage dans la construction de l'œuvre. Elle est, par définition, irréductible : on ne peut la simplifier, en retrancher la moindre note sans, du même coup, lui ôter toute signification.
André HODEIR, les Formes de la musique, p. 107.

♦ **3.** (1920). Dans certains partis politiques, Unité groupant les membres, les militants d'un même lieu, d'une même entreprise, etc. ⇒ **Groupe.** « *Une cellule de nazis, créée dans toute affaire importante...* » (Tharaud, *in* G. L. L. F.).

10.2 En bref, il me proposait d'être le premier d'une nouvelle lignée apostolique, de faire avancer ensemble évangile et révolution et, plus simplement, de former et d'animer des cellules ouvrières dans la banlieue rouge.
Raymond ABELLIO, Ma dernière mémoire, t. II, p. 38.

Cette unité, dans le parti communiste. *Les cellules, section.*

11 À la cellule, c'était elle qui s'était chargée de vendre les brochures (...) On reçoit du centre tant et tant d'exemplaires. Il faut les écouler. Pas qu'on ait peur de l'engueulade à la section s'il vous en reste. Bien qu'à la section, ils voient les choses un peu simplement (...) chaque cellule son paquet, et puis débrouillez-vous !
ARAGON, les Communistes, nov. 39-mars 40, p. 215.

Réunion d'une cellule, séance tenue par une cellule.

12 (...) peut-être, c'est la dernière cellule avant qu'on parte (...)
ARAGON, les Communistes, sept. 1939, p. 179.

DÉR. Cellulaire, celluleux, cellulite, cellulose. — V. aussi **celluli-.**
COMP. Encelluler. — Porte-cellule.

CELLULEUX, EUSE [selylφ, φz] adj. — 1740 ; de *cellule.*

♦ Anat., bot. Divisé en cellules, formé de cellules.

CELLULI-, CELLULO- Premier élément de mots didactiques, signifiant « cellule ». Ex. *celluliforme,* adj. ; (1905, *in Rev. gén. des sc.,* n° 15, p. 707) *cellulo-adipeux, euse,* adj. (en parlant d'un tissu vivant où prédominent les cellules adipeuses) ; *cellulo-graisseux, euse,* adj. (même sens) ; *cellulo-vasculaire,* adj. *(membrane cellulo-vasculaire),* etc. ⇒ **Cellulothérapie.**

CELLULITE [selylit] n. f. — 1873 ; de *cellule.*

♦ Méd. Inflammation du tissu conjonctif cellulaire.

Cour. (Spécialt). Gonflement, par infiltration du liquide séreux, du tissu conjonctif sous-cutané qui donne à la peau un aspect « capitonné », dit *peau d'orange.*

DÉR. Cellulitique.
COMP. Anticellulite.

CELLULITIQUE [selylitik] adj. — 1952, *in* D. D. L. ; de *cellulite.*

♦ Didact. Qui a rapport à la cellulite. *Tissu cellulitique. Infiltration cellulitique.* « *Les substances de diffusion parviennent à chasser certaines accumulations cellulitiques localisées ou généralisées* » (D' Boursay, *in Guérir,* oct. 1967).

CELLULOÏD [selyloid] n. m. — 1877, *in Année sc. et industr. ;* mot angl. créé aux États-Unis en 1869 par les inventeurs, de *cellul(ose),* et *-oïd.*

♦ Substance thermoplastique, inflammable, ester nitrique de la cellulose à 10 % d'azote additionné de camphre. *Le celluloïd est flexible ; il sert à la fabrication de nombreux objets façonnés. Feuilles, plaques, rubans de celluloïd. Cols, peignes, jouets, ouvrages de tabletterie en celluloïd. Le celluloïd, matière des premières pellicules du cinéma* (→ Acétocellulose, cit. 1).

1 Les plaques de celluloïd qui couvrent les murs, les moquettes, les métaux polis, les verres polis, les peintures laquées, tout cela est doux, doux.
J.-M. G. LE CLÉZIO, les Géants, p. 112.

(1929, *in* Höfler). Abrév. fam. : *cellulo.*

2 La femme avait des bottes et un manteau de castor ; le mari, un col de cellulo sur une chemise douteuse.   Francis CARCO, les Belles Manières, p. 11.

Par métonymie. *Un celluloïd :* objet en celluloïd.

CELLULOSE [selyloz] n. f. — 1840 ; de *cellule,* et 1. *-ose.*

♦ Chim., cour. Matière constitutive essentielle de la paroi pectocellulosique (ou membrane squelettique) des végétaux, polymère du glucose ($C_6H_{10}O_5$). → Cellulosique.

Techn. *Produits résultant de l'action de l'acide nitrique sur la cellulose.* ⇒ **Celluloïd, collodion, coton-poudre, pyroxyle, soie** (soie artificielle). *L'acétate de cellulose, produit de base de la fabrication moderne des films cinématographiques.* ⇒ **Acétocellulose.** Cel-

lulose sodique. ⇒ **Viscose.** *Industrie de la cellulose. Ouate* de cellulose.*

Biochim. *La cellulose des aliments végétaux ne peut être digérée par l'appareil digestif humain.*

Or, la cellulose n'est autre chose que le tissu élémentaire des végétaux, et elle se trouve à peu près à l'état de pureté, non seulement dans le coton, mais dans les fibres textiles du chanvre et du lin, dans le papier, le vieux linge, la moelle de sureaux, etc.   J. VERNE, l'Île mystérieuse, t. I, p. 402.

DÉR. Cellulosique.
COMP. Acétocellulose, nitrocellulose.

CELLULOSIQUE [selylozik] adj. — 1878 ; de *cellulose.*

♦ Chim. À base de cellulose, relatif à la cellulose. *Matière cellulosique. Vernis cellulosique. Paroi cellulosique* (ou *pectocellulosique*) : formation extracellulaire enfermant la cellule des végétaux (dont la membrane est phospholipidique et ne renferme pas de cellulose).

CELLULOTHÉRAPIE [selyloteRapi] n. f. — xxᵉ ; de *cellulo-,* et *-thérapie.*

♦ Méd. Traitement par injections d'extraits cellulaires dans un but de revitalisation et de stimulation générale de l'organisme. ⇒ **Opothérapie.**

CELTE [sɛlt] n. m. et adj. — 1732, Trévoux ; lat. *Celtae.*

♦ *Les Celtes :* groupe de peuples indo-européens qui s'établirent en Europe occidentale, particulièrement sur les bords de la Manche, au cours de nombreuses migrations lors des IIᵉ et Iᵉʳ millénaires av. J.-C. ⇒ **Gaulois ; breton, britonnique, celtibère, gaélique, galate.**

Dans son voyage, Pythéas avait reconnu que des deux côtés de la Manche, en Armorique et en Grande-Bretagne, vivaient des peuples de même langue. Les écrivains grecs les appelaient les Celtes ; plus tard, selon les lieux, on les nomma aussi Galates et Gaulois.   Pierre GAXOTTE, Hist. des Français, t. I, p. 41.

N. m. Le celte (syn. : *le celtique*) : la langue des anciens Celtes (en fait, groupe de langues).

Adj. *La langue celte.* ⇒ **Celtique.** *Les peuples celtes. L'art celte.*

DÉR. Celtique, celtisant, celtisme ou **celticisme.** — V. **Celto-.**

CELTIBÈRE [sɛltibɛR] adj. et n. — 1732 ; lat. *celtiber,* de *Celtae* (→ Celte), et *iber* « d'Ibérie ».

♦ Didact. Relatif aux peuples issus des Celtes habitant la péninsule ibérique dans l'Antiquité.

REM. On trouve aussi l'adj. *celtibérien, ienne* [sɛltibeRjɛ̃, jɛn].

CELTICISME [sɛltisism] n. m. ⇒ **Celtisme.**

CELTIQUE [sɛltik] adj. et n. — 1704, *in* D. D. L. ; de *celte.*

♦ Qui a rapport aux Celtes et à leur descendance. *Peuples celtiques.* ⇒ **Celte.** *Le barde, poète celtique. Mythologie celtique. Le cairn, monument celtique. Origine celtique. Langues celtiques :* famille de langues indo-européennes issues de la langue des anciens Celtes et dont certaines sont encore parlées en Europe du Nord-Ouest (syn. : *langues gaéliques*). ⇒ **Breton** (cit. 2), **cornique, gallois,** (ou **kymrique**), **gaulois.**

Les peuples celtiques ont joué un grand rôle dans l'antiquité ; leur langage a laissé une empreinte profonde dans l'Europe occidentale. Linguistiquement, ils sont intermédiaires entre le germanique et l'italique (...)
A. DAUZAT, l'Europe linguistique, p. 46.

CELTISANT, ANTE [sɛltizɑ̃, ɑ̃t] n. — 1866 ; de *celte.*

♦ Didact. Spécialiste de l'étude des Celtes, de leur langue, de leur histoire, de leur civilisation.

CELTISME [sɛltism] n. m. — Fin xixᵉ ; *celticisme,* 1765, *in* D. D. L. ; de *celte.*

Didactique.

♦ **1.** Ensemble des caractères propres aux Celtes.

1 Apollinaire garda toujours du goût pour le celtisme et pour tout ce que ce mot sous-entend de féerique et de merveilleux.   A. BILLY, Apollinaire, p. 21.

♦ **2.** Tendance à faire prévaloir les éléments celtes dans l'analyse des civilisations anciennes des pays de langue celtique, et même de toute la zone indo-européenne. ⇒ **Celtomane.** — REM. Dans ce sens, on emploie aussi *celticisme* [sɛltisism].

2 Ils *(les monuments gallois)* ont été l'objet de beaucoup de systèmes plus patriotiques que certains et, tout ce qu'on a pu faire dans cet ouvrage, a été de se

défendre de ce qu'on appelle le celticisme, qui a voulu que les doctrines précédassent l'observation, et peut-être l'existence même des faits.
CHAMPOLLION-FIGEAC, Résumé complet d'archéologie,
Avertissement, I, VIII, in D. D. L., II, 14.

Connaissance de tout ce qui concerne les Celtes.

♦ **3.** *(Un, des celtismes).* Tour propre à la langue celtique.

CELTO- Premier élément de mots didactiques, signifiant « celte ».

CELTO-BRETON, ONNE [sɛltobʀətɔ̃, ɔn] adj. et n. m. — 1821;
de *celto-*, et *breton*.

♦ Didact. Vx. Breton, en tant qu'issu des Celtes. — N. m. Vx. *Le celto-breton :* le breton (langue).

On y trouve les mots celto-bretons *entré arvein uss,* c'est-à-dire, entre les pierres élevées. D.-L. MIORCEC DE KERDANET, Hist. de la langue des Gaulois, 8,
in D. D. L., II, 10.

CELTOMANE [sɛltɔman] n. et adj. — 1838; de *celto-*, et *-mane*.

♦ Didact. (Anciennt). Érudit qui fait remonter aux Celtes de nombreux faits historiques, dans le domaine gaulois et, même indo-européen. — Adj. *L'École celtomane, au XIXe siècle.*

CELUI [səlɥi] (masc. sing.); **CELLE** [sɛl] (fém. sing.); **CEUX** [sø] (masc. plur.); **CELLES** [sɛl] (fém. plur.) pron. dém. — Xe, *celui,* du lat. pop. **ecce illui; celle,* de *ecce illa(ne); ceux,* de *ecce illos; celles,* de *ecce illas;* en anc. franç. se rencontrent en outre les formes renforcées *icel, icelui,* et les formes *cel, cil;* XVIIe : généralisation du système actuel.

Désigne la personne ou la chose dont il est question dans le discours.

♦ **1.** Suivi de la préposition *de, du, des,* et déterminé soit par un substantif soit par un infinitif introduit par la préposition. *Les paysages d'Europe sont plus variés que ceux d'Asie. Celui de tous ses amis qu'il aime le mieux. Outre ce plaisir, il aura celui de vous voir.*

1   (...) il entre dans les plaisirs des princes un peu de celui d'incommoder les autres.
LA BRUYÈRE, les Caractères, IX, 29.

2   Les amis de ce pays-là
Valent bien, dit-on, ceux du nôtre. LA FONTAINE, Fables, VIII, 11.

Avec un adjectif intercalé entre *celui* et son complément. « *Celle* (la tyrannie), *farouche, de l'argent* » (Duhamel).

Vieilli ou littér. (*Celui* est élidé). « *Tes destins sont d'un homme* » (Voltaire). — Spécialt (dans les énoncés à valeur morale ou générale). *Qui dort dîne.* « *Heureux qui comme Ulysse a fait un beau voyage* » (→ Âge, cit. 2, du Bellay).

♦ **2.** Suivi d'une proposition relative (*qui..., que..., dont...*). *Celui qui vient. Celle dont j'ai parlé. Ceux dont on parle. Celles à qui je m'adresse. C'est celui qu'il préfère. Quel est celui que tu veux? Il est de ceux qui agissent.*

3   Celui qui règne dans les cieux, et de qui relèvent tous les empires (...) est aussi le seul qui se glorifie de faire la loi aux rois (...)
BOSSUET, Oraison funèbre de Henriette-Marie de France.

3.1   (...) ha! toutes sortes d'hommes dans leurs voies et façons (...) celui qui taille un vêtement de cuir, des sandales dans le bois et des boutons en forme d'olives; celui qui donne à la terre ses façons (...) celui qui tire son plaisir du timbre de sa voix (...) et celui qui a fait des voyages et songe à repartir.
SAINT-JOHN PERSE, Anabase, Pl., p. 112.

4   Celui qui fait tout vivre et qui fait tout mouvoir. Louis RACINE, la Religion, I.

Avec un adjectif intercalé entre *celui* et la proposition relative. *Ses arguments et ceux, encore plus convaincants, que tu as invoqués.*

Avec un complément partitif entre *celui* et la proposition relative. *Ceux d'entre vous qui le veulent...*

REM. Le verbe qui suit *celui qui...* s'accorde le plus souvent avec *celui* (3e pers. sing.). *Tu feras celui qui ne sait pas.* On rencontre des exceptions et notamment dans l'énoncé biblique : *Je suis celui qui suis* (Exode, III, 14).

♦ **3.** Nominal, désignant une personne ou un groupe de personnes. « *Ceux qui pieusement sont morts...* » (Hugo, *les Chants du crépuscule,* III), les hommes qui... *Ceux de la ville et ceux de la campagne.*

4.1   (...) ceux qui sont vieux dans le pays le plus tôt sont levés.
SAINT-JOHN PERSE, Éloges, Pl., p. 49.

Spécialt. Désigne la divinité (tour emphatique). → ci-dessus, cit. 3 et 4.

Loc. (souvent péj.). *Faire celui, celle qui... :* agir comme qui... *Il fait celui qui ne sait pas.*

Loc. *C'est à celui, celle qui... :* ils rivalisent pour... *C'est à celui qui criera le plus fort.*

Au plur. souvent précédé de *tout. Tous ceux qui veulent peuvent venir.*

Celui qui, celle qui : quiconque. *Celui qui commet une infraction s'expose à une sanction.*

♦ **4.** (Emplois critiqués). *Celui, celle* devant un participe présent ou un participe passé, un adjectif en apposition, une préposition autre que

de. Les mois passés et ceux à venir. Son discours sur l'origine de l'inégalité et celui sur les arts. Les députés élus et ceux sortants.

Devant un participe présent ou passé :

Les masses les plus nombreuses furent vraisemblablement celles apportées par les courants de l'Est. VALÉRY, Regards sur le monde actuel, p. 121.   5

Devant une préposition autre que *de* :

Mon père et Séraphie avaient comprimé les deux *(passions)* celle pour la chasse (...) devint une véritable fureur.
STENDHAL, H. Brulard, t. I, p. 209, *in* GREVISSE.   6

Devant un adjectif suivi d'une proposition relative ou de tout autre complément :

Les régions dont je parlais ne sont pourtant pas inhabitées : ce sont celles sujettes à d'importantes évaporations (...) celles voisines des embouchures (...)
GIDE, les Faux-monnayeurs, XVII, p. 194.   7

Naturellement, on ne dit pas : *Vous m'offrez deux roses je prends* **celle jaune,** mais *je prends* **la jaune** (...)
Mais ailleurs *celui* supporte très bien la caractérisation.
F. BRUNOT, la Pensée et la Langue, XV, III, I, p. 634.   8

REM. *Celui* est quelquefois prononcé [sɥi] et écrit *çui* pour noter cet usage populaire. *Çui qui vient d'arriver.* → Çuici, çuilà (sous *celui-ci, celui-là*).

COMP. Celui-ci, celui-là.

CELUI-CI [səlɥisi] (XIVe), **CELUI-LÀ** [səlɥila] (XIIIe) pron. dém. masc. sing.; **CELLE-CI** [sɛlsi], **CELLE-LÀ** [sɛlla], fém. sing.; **CEUX-CI** [søsi], **CEUX-LÀ** [søla], masc. plur.; **CELLES-CI** [sɛlsi], **CELLES-LÀ** [sɛlla], fém. plur.). → Celui.

♦ *Celui-ci* désigne en principe ce qui est le plus rapproché; ce dont il va être question; *celui-là,* ce qui est le plus éloigné; ce dont il a été question.

REM. Dans le contexte, *celui-ci* renvoie au nom énoncé le dernier, *celui-là* au nom énoncé le premier.

1   Deux sortes de gens fleurissent dans les cours, et y dominent dans divers temps, les libertins et les hypocrites : ceux-là gaiement, ouvertement (...) ceux-ci finement, par des artifices. LA BRUYÈRE, les Caractères, XVI, 26.

2   Vivaient le cygne et l'oison :
Celui-là destiné pour les regards du maître,
Celui-ci pour son goût (...) LA FONTAINE, Fables, III, 12.

2.1   Étienne et Saturnin ne se décidaient pas à partir.
— Vous ne trouvez pas que le néant imbibe l'être, disait celui-ci à celui-là qui répliquait :
— L'être ne conjugue-t-il pas plutôt le néant?
R. QUENEAU, le Chiendent, p. 417.

Sans indication de proximité ou d'éloignement, pour opposer deux objets quelconques. *Celui-ci est plus beau que celui-là.*

REM. Cette distinction tend à disparaître et la forme *celui-là* à l'emporter lorsqu'il n'y a pas d'opposition.

Celui-ci employé seul désigne une personne ou une chose proche, le moment où l'on parle, la personne ou la chose dont on parle, ce qui va être dit. *Et celle-ci qui ne m'écoute pas! L'autre soir et celui-ci. Il ne m'a donné qu'un conseil, celui-ci : ...*

Celui-là remplace *celui* dans tous les cas où la forme simple ne peut pas être employée : → Celui (*celui-là est meilleur*), et dans les énoncés emphatiques.

Vx ou littér. *Celui-là,* à valeur nominale, antécédent d'une proposition relative (→ cit. 3.1). « *Celui-là qui conquit la toison* » (→ Âge, cit. 2, du Bellay).

3   (...) Ce n'est pas à dire que *celui-ci, celui-là* soient totalement impossibles devant les conjonctifs; quand il y a emphase, opposition, etc., ils reparaissent : « *Puisque* **ceux-là sont morts qui** *brisaient les bastilles* ». (HUGO, Chât., Obéiss. passive). — Ici Hugo se conforme du reste à la règle de Vaugelas : *ceux-là* est séparé de *qui* par un verbe. Toutefois on ne dit plus : « *Un profond somme occupait tous les yeux même* **ceux-là qui** *brillent dans les cieux* ». LA FONT., IV, 37).
F. BRUNOT, la Pensée et la Langue, VI, VII, p. 192.

3.1   Ceux-là qui en naissant n'ont point flairé de telle braise, qu'ont-ils à faire parmi nous? et se peut-il qu'ils aient commerce de vivants?
SAINT-JOHN PERSE, Anabase, Pl., p. 102.

Fam. Pour marquer l'étonnement, l'indignation... *Celui-là* [səlɥila], *celle-là... :* cette chose, cet homme... *Ah, celui-là quel imbécile! Elle est folle, celle-là!*

4   *Celle-là* veut dire : *cette histoire, cette affaire-là :* **celle-là** *est forte;* **celle-là** *est verte; je ne m'attendais pas à* **celle-là.**
F. BRUNOT, la Pensée et la Langue, VI, X, p. 199.

REM. *Celui-ci* est fréquemment prononcé [sɥisi] et *celui-là* [sɥila], et parfois écrits — pour noter cet usage familier oral — *çui-ci, çui-là.*

CEMBRO [sɛmbʀo] n. m. — D. i. (XXe), lat. sc. *cembra (pinus cembra)* de l'all. de Suisse *Zember, Zimber,* de l'anc. germ. *zimbar* « bois » (cf. angl. *timber*).

♦ Pin aux graines comestibles, qui pousse notamment en Suisse, en Savoie, dans les Alpes provençales. — Appos. *Pin cembro.* ⇒ **Arolle** (régional).

CÉMENT [semɑ̃] n. m. — 1573; lat *cæmentum* « moellon ».

♦ **1.** Techn. Substance liquide, solide ou gazeuse qui, chauffée au contact d'un métal, diffuse certains de ses éléments plus ou moins profondément dans le métal (⇒ **Cémentation**).

♦ **2.** (1805). Anat. Revêtement de nature osseuse qui recouvre l'ivoire de la racine, et parfois de la couronne des dents, chez la plupart des mammifères. ⇒ **Dent.**

DÉR. Cémentation, cémenter, cémenteux.

CÉMENTATION [semɑ̃tasjɔ̃] n. f. — 1620 ; cimentation, 1578 ; de cément.

♦ Techn. Traitement par lequel on chauffe à très haute température un métal ou un alliage au contact d'un cément pour en modifier les propriétés. ⇒ **Calorisation.** *On transforme le fer en acier par cémentation, en chauffant dans un four le fer entouré de charbon de bois dur* (⇒ **Aciérer ; trempe**). *Cémentation superficielle. Cémentation électrolytique. Acier de cémentation.*

Or, l'acier est une combinaison de fer et de charbon que l'on tire, soit de la fonte, en enlevant à celle-ci l'excès de charbon, soit du fer, en ajoutant à celui-ci le charbon qui lui manque. Le premier, obtenu par la décarburation de la fonte, donne l'acier naturel ou puddlé ; le second, produit par la carburation du fer, donne l'acier de cémentation.   J. VERNE, l'Île mystérieuse, t. I, p. 202.

CÉMENTER [semɑ̃te] v. tr. — 1675 ; de cément.

♦ Techn. Traiter par cémentation. *Cémenter du fer. —* Au p. p. (Plus cour.). *Acier cémenté.*

CÉMENTEUX, EUSE [semɑ̃tø, øz] adj. — 1845 ; de cément.

♦ Techn. Qui a les caractères du cément. *Matière cémenteuse.*

CÉNACLE [senakl] n. m. — Déb. XIIIe ; du lat. cenaculum « salle à manger », de cena. → Cène.

♦ **1.** Hist. relig. Salle à manger où Jésus-Christ se réunit avec ses disciples quand il institua l'Eucharistie, et où les Apôtres étaient assemblés lorsqu'ils reçurent le Saint-Esprit (⇒ **Cène**).

1 Ce souffle ébranla le cénacle et consterna les disciples.
                    MASSILLON, Panégyrique de saint François.

♦ **2.** (1829). Réunion d'un petit nombre d'hommes de lettres, d'artistes, de philosophes partageant les mêmes idées. ⇒ **Cercle, chapelle, club.** *Cénacle poétique, littéraire, politique. Le cénacle romantique. Fréquenter un cénacle.*

2 Qu'eussions-nous demandé, dans l'ordre temporel, à des hommes qui, la plupart, luttaient encore dans l'ombre, imprimaient parfois leurs livres à leurs frais (...) ne connaissaient enfin que la gloire enivrante mais amère des cénacles ?
                    G. DUHAMEL, Défense des lettres, II, I, p. 108.

3 Le cénacle, c'est un nom ésotérique qui désigne simplement l'entourage d'un poète qui reçoit.   A. THIBAUDET, Hist. de la littérature franç., p. 178.

DÉR. Cénaculaire.

CÉNACULAIRE [senakylɛʀ] adj. — 1891 ; de cénacle.

♦ Didact. Propre à un cénacle.

1 (...) mais cet art (*français*) même et cette littérature, demeurés tout cénaculaires, sont inconnus à nos derviches hurleurs.
                    R. DE GOURMONT, le Joujou patriotisme, 62, in D.D.L. II, 7.

2 (...) un groupe fervent et cénaculaire de jeunes écrivains dispersés maintenant dans les entrecolonnements bréneux de la presse à quinze centimes.
                    Léon BLOY, le Désespéré, p. 12.

CENDRE [sɑ̃dʀ] n. f. — Déb. XIIe ; du lat. cinis, -eris.

♦ **1.** *(La cendre ; les, des cendres).* Résidu pulvérulent de la combustion de certaines matières. *De la cendre de bois, de papier. De la cendre chaude, froide, grise ; des cendres chaudes. Cendre de charbon incomplètement brûlée.* ⇒ **Escarbille, fraisil.** *Odeur de cendre. Secouer, enlever les cendres, la cendre d'un poêle* (⇒ **Cendrier, garde-cendre**). *Couvrir un feu de cendre,* pour l'entretenir, le faire durer. *Le feu couve, dort sous la cendre. Faire cuire des châtaignes sous la cendre.*

1 (...) je me charge de vous le faire cuire sous la cendre sans goût de fumée.
                    G. SAND, la Mare au diable, VIII, p. 70.

2 (...) puis, le dîner étant fini, la vaisselle en ordre et la porte bien close, elle enfouissait la bûche sous les cendres et s'endormait devant l'âtre (...)
                    FLAUBERT, Trois contes, « Un cœur simple », I.

3 (...) la dernière flamme d'un feu sous la cendre, qui avait peut-être attendu ce soir pour achever de mourir.   MARTIN DU GARD, les Thibault, t. VI, p. 160.

4 Ils (*les mathématiciens*) se jettent alors dans l'action parce que la méditation n'a plus à leur narine qu'une odeur de cendre froide.
                    G. DUHAMEL, Chronique des Pasquier, III, IV, p. 44.

Spécialt. *La cendre d'une cigarette, d'un cigare. Attention, ta cendre va tomber. Mets ta cendre dans le cendrier.*

4.1 — Ah ! ah ! s'écria sir Henry Clifton, en secouant, par contenance, avec son petit doigt, la cendre de son cigare.
                    VILLIERS DE L'ISLE-ADAM, Tribulat Bonhomet, p. 55.

Par métaphore, fig. (En parlant d'une passion qui couve). *C'est un feu caché sous la cendre, un feu qui couve sous la cendre.*

Sous les cendres de cette tranquillité, couvait plus d'un tison ardent.   5
                    Th. GAUTIER, Fortunio, La toison d'or, I.

(...) il avait la révélation de ce feu caché sous la cendre, toujours prêt à s'embraser ; et il mesurait la vanité de ses prétentions éducatrices.   6
                    MARTIN DU GARD, les Thibault, t. I, p. 292.

Géol. *Cendres volcaniques :* matières volcaniques analogues aux laves. ⇒ **Lapilli, lave.** *Cendre utilisée en agriculture, comme engrais. Cendre de végétaux terrestres.* ⇒ **Potasse.** *Cendre de végétaux marins, de varech.* ⇒ **Soude ; charrée.** *Cendre de houille,* servant à l'amendement des terres. — Techn. *Cendre noire* (lignite), *cendre bleue* (cuivre azuré), *cendre verte* (carbonate de cuivre) : couleurs. — *Cendre gravelée :* résidu de la combustion du tartre brut ou lie de vin et servant surtout en teinture.

Techn. (orfèvrerie). Matière pulvérulente. *Cendre d'orfèvre :* poussière, débris résultant du travail de métaux précieux. — *Lavage des cendres* pour en extraire les parties solubles. ⇒ **Lixiviation.**

Par anal. *Cendre de plomb :* plomb de chasse très fin. ⇒ **Cendrée.**

Résidu, déchet (radioactif). *Cendres radioactives.* « Les scientifiques veulent ainsi étudier les effets à long terme de l'entreposage, dans le granit, de "cendres" nucléaires... » (*Sciences et Avenir,* no 379, sept. 1978, p. 9).

♦ **2.** [a] EN CENDRES. (En parlant d'une ville, d'un pays). *Mettre, réduire en cendres.* ⇒ **Anéantir, détruire.** *L'incendie a réduit sa maison en cendres.*

Sans lui déjà nos murs seraient réduits en cendre.   RACINE, Alexandre, I, 1.   7

[b] *Les cendres :* les restes d'un édifice détruit par le feu. *Les cendres d'une ville, d'un monument.* ⇒ **Ruine.**

Je traversai ce monceau de ruines et de cendres qui avait été autrefois l'opulent Phanar (...)   LOTI, Aziyadé, Azraël, II, p. 226.   8

[c] Loc. fig. *Renaître de ses cendres* (⇒ **Renaître ; phénix**).

Une autre Rome sort des cendres de la première.   9
                    BOSSUET, Hist., III, 1, in LITTRÉ.

L'État renaît pour ainsi dire de sa cendre.   ROUSSEAU, Du contrat social, II, 8.   10

♦ **3.** (Fin XIIe). *Les cendres.* [a] Ce qu'il reste d'un cadavre* après qu'on l'a incinéré. *Recueillir les cendres de quelqu'un dans une urne* (⇒ **Columbarium**).

Par ext. *Les cendres des morts.* ⇒ **Reste.** *Les cendres de l'Empereur.*

(...) *Les pleurs que son amour aurait dus à ma cendre !*   11
                    RACINE, Mithridate, II, 3.

Thiers proposa tout de suite de ramener de Sainte-Hélène les restes de l'empereur (...) Le retour des cendres ébranla les imaginations.   12
                    J. BAINVILLE, Hist. de France, XIX, p. 466.

[b] Fig. La mémoire (d'un mort). *Honorer les cendres des morts. Paix à ses cendres ! Il ne faut pas remuer, troubler les cendres des morts :* il ne faut pas mettre en cause les actions de ceux qui sont morts.

Par anal. *Les cendres du passé.* ⇒ **Débris, reste.** *Remuer les cendres du passé.* ⇒ **1. Souvenir** (se).

De tout ce qui fut nous presque rien n'est vivant ;   13
Et, comme un las tison s'éteinte et refroidie
L'amas des souvenirs se disperse à tout vent !
                    HUGO, les Rayons et les Ombres, XXXIV.

Il y a dans l'extrême jeunesse des années entières, et de longues années, dont toute la cendre, hélas, tiendrait dans un médaillon de femme.   14
                    E. FROMENTIN, Une année dans le Sahel, p. 84.

♦ **4.** Relig. ou littér. *La cendre :* symbole de la mortification, de la pénitence. *Faire pénitence avec le sac et la cendre* (par allus. à la coutume hébraïque de se répandre de la cendre sur la tête en signe de repentir). ⇒ **Pénitence.**

Tamar répandit de la cendre sur sa tête (...)   15
                    BIBLE (SEGOND), II, Samuel, XIII, 19.

À ces vains ornement, je préfère la cendre (...)   RACINE, Esther, I, 4.   16

Liturg. cathol. *Les Cendres :* symbole de la dissolution du corps, avec lesquelles le prêtre trace une croix sur le front des fidèles le premier jour du carême, le *Mercredi des Cendres. La cérémonie des Cendres.* — REM. Quand *les Cendres* désignent la liturgie, le mot s'écrit avec une majuscule. Quand il désigne matériellement les cendres utilisées dans cette liturgie, avec une minuscule : *recevoir les cendres* (→ **Poussière**). *Les cendres sont obtenues en faisant brûler les linges d'autel, le buis bénit.*

DÉR. Cendré, cendrée, cendrer, cendreux, cendrier, cendrillon.
HOM. Formes du v. cendrer. — 1. Sandre, 2. sandre.

CENDRÉ, ÉE [sɑ̃dʀe] adj. — 1314 ; de cendre.

♦ **1.** Qui a la couleur grisâtre de la cendre. *Un gris cendré.* Qui contient des nuances de gris. *Cheveux cendrés, d'un blond* cendré. Elle a les cheveux blond-cendré.*

Donc votre mari, qui ne l'était pas encore à ce moment-là, préférait à Athénaïs sa femme de chambre d'un blond cendré — car il faut vous dire qu'à ce moment-là il les aimait d'un blond cendré, je peux peut-être me risquer à dire d'un blond fauve, ce ne serait pas exagéré.   PROUST, Jean Santeuil, Pl., p. 467.

(1817). Astron. *Lumière cendrée :* lumière pâle, bleuâtre, éclairant faiblement la partie de la lune qui ne reçoit pas la lumière solaire et correspondant à la réfraction de la lumière renvoyée par la Terre.

♦ **2.** Recouvert de cendrée*. *Piste de stade cendrée.*

♦ **3.** N. m. *Cendré d'Aisy** (fromage affiné à la cendre).

CENDRÉE [sãdʀe] n. f. — Fin XIIᵉ, «cendres du foyer»; de *cendre.*

♦ **1.** Techn. Écume de plomb. ⇒ **Massicot.**

♦ **2.** (1680). Petit plomb pour la chasse du menu gibier, pour le lestage de lignes de pêche. ⇒ **Cendre** (de plomb).

♦ **3.** (1907, *in* Petiot). Mélange de mâchefer et de sable aggloméré revêtant une piste de course *La cendrée est en général remplacée par des revêtements synthétiques* (→ 2. Tartan, rubkor...). *Piste en cendrée.* — Cette piste.

Sa foulée agile, merveille de finesse, si perçante que je l'imaginais laissant sur la cendrée une trace pointue (...)
MONTHERLANT, les Olympiques, 1924, p. 286, *in* T. L. F.

CENDRER [sãdʀe] v. tr. — 1588; de *cendre.*

♦ **1.** Techn. Donner une couleur de cendre; rendre grisâtre, cendré. *Cendrer un mur.*

♦ **2.** (1784). Couvrir de cendre.

CENDREUX, EUSE [sãdʀø, øz] adj. — V. 1210; de *cendre.*

♦ **1.** Qui a l'aspect, la couleur de la cendre. *Un teint cendreux.*

(...) un insecte écarlate, occupé à dévorer ce visage cendreux.
SARTRE, l'Âge de raison, I, p. 20.

♦ **2.** Qui contient de la cendre. *Sol cendreux.*

♦ **3.** Techn. *Métal cendreux,* qui prend mal le poli.

CENDRIER [sãdʀije] n. m. — Av. 1236, «linge contenant des cendres, pour couler la lessive»; sens 1, en 1620; de *cendre.*

♦ **1.** Techn. Partie (d'un four, d'un poêle) généralement mobile, où tombent les cendres du foyer. *Le cendrier d'un poêle, d'une cuisinière,* en forme de tiroir. *Vider le cendrier.* — Spécialt. *Cendrier de foyer :* espace libre, situé au-dessous du foyer d'une locomotive à vapeur, où tombent les escarbilles, les cendres.

♦ **2.** (1890). Cour. Petit récipient ou plateau destiné à recevoir les cendres de cigarettes, de cigares, de pipe. *Cendrier de cristal, de métal, de porcelaine. Cendrier publicitaire, de café. Cendrier de bureau. Cendrier sur pied. Vider les cendriers.*

Puis voyant que M. Guéraud-Houssin ne reprenait pas immédiatement la parole, il alla au cendrier et fit tomber la cendre de sa cigarette pour lui en donner le temps.
PROUST, Jean Santeuil, Pl., p. 717.

CENDRILLON [sãdʀijõ] n. f. — 1697; nom d'une héroïne d'un conte de Perrault qui était obligée de rester près de l'âtre pour faire la cuisine; de *cendre.*

♦ Vieilli. Servante maltraitée; souillon. *C'est la cendrillon de la maison,* en parlant d'une jeune fille, d'une femme qui doit assurer les travaux pénibles d'une maison. *Elle est habillée comme une cendrillon.*

CÈNE [sɛn] n. f. — Fin Xᵉ, «repas du Christ la veille de la Passion»; lat. *cena* «repas du soir».

♦ **1.** Relig. *La Cène :* repas que Jésus-Christ prit avec ses apôtres la veille de la Passion et au cours duquel il institua l'Eucharistie (⇒ **Cénacle**). — Liturgie chrét. Cérémonie du Jeudi saint. *Célébrer la Cène.* ⇒ **Jeudi** (saint); *messe. Au cours de la commémoration de la Cène, l'évêque catholique sert les pauvres après leur avoir lavé les pieds.* — Communion (spécialt, communion sous les deux espèces, dans la liturgie protestante). *Faire la Cène.* ⇒ **Eucharistie.**

♦ **2.** (1704). Arts. Représentation de la Cène. *La Cène de Léonard de Vinci. Une cène* (sans majuscule). — (Rare au plur.). *Des cènes du XVIIᵉ siècle.*

HOM. Saine, scène, seine, sen.

-CÈNE Élément savant, du grec *kainos* «récent» (ex. : *éocène, oligocène*).

CENELLE [sənɛl] n. f. — 1165; orig. obscure, p.-ê. du lat. pop. *acinella,* de *acinus* «baie»; les hypothèses d'une orig. celtique par l'ancien

cornique *kelin* et le breton «houx» ou le moyen irlandais *scian* «couteau», sont loin d'être convaincantes.

♦ Baie rouge de l'aubépine et du houx.

Elle devint rouge comme une cenelle (...)
G. SAND, François le Champi, XXI, p. 147.

DÉR. **Cenellier.**

CENELLIER [sənelje] n. m. — 1878, *cénalé;* 1882, *cinaillier;* de *cenelle.*

♦ Régional (Centre; Canada). Aubépine. — REM. On écrit aussi *senellier.*

CÉNESTHÉSIE [senɛstezi] n. f. — 1838; du grec *koinos* «commun», et *aisthésis* «sensibilité», → -esthésie.

♦ Didact. Impression générale, sentiment global d'aise ou de malaise résultant de l'ensemble des sensations internes, indépendamment de leur spécificité. *La cénesthésie est «la sensation de notre propre existence»* (Richet).

REM. La graphie *cœnesthésie* est archaïque.

En effet, la nécessité, généralement incontestée, de reconnaître aux faits de la vie psychique des corrélations organiques fait souvent donner comme substrat au sentiment de personnalité la cénesthésie, ou sensibilité du corps propre. Qu'à deux moments ou à deux périodes de son existence un individu ait peine à se reconnaître comme le même, c'est sa cénesthésie qui a changé; et cette explication commode a sans doute contribué pour beaucoup, naguère, à faire admettre, et même a fait surgir, la suggestion aidant, les cas aujourd'hui introuvables de double ou triple personnalité.
Henri WALLON, les Origines du caractère chez l'enfant, p. 179-180 (1949). [1]

Il respira un bon coup pour s'équilibrer la cénesthésie et de nouveau la voix se fit entendre; la voix disait :
— Une cigarette, je vous prie.   R. QUENEAU, le Chiendent, p. 332. [2]

DÉR. **Cénesthésique.**
COMP. V. **Cénesthopathie.**

CÉNESTHÉSIQUE [senɛstezik] adj. — 1898, *in* l'Année biol.; de *cénesthésie.*

♦ Didact. Relatif à la cénesthésie. *Sensation cénesthésique* ou *sensation organique.*

(Les illusions, dans les délires d'influence) qu'il paraît possible d'attribuer, comme à leur cause essentielle et immédiate, à des troubles cénesthésiques et sensoriels : voix dans le ventre, dans la poitrine, dans la tête et d'aventure dans les oreilles. Soi-disant hallucinations cénesthésiques ou auditives.
Henri WALLON, les Origines du caractère chez l'enfant, p. 180 (1949).

CÉNESTHOPATHE [senɛstopat] adj. et n. — 1946; de *cénesthopathie.*

♦ Psychiatrie. Qui est atteint de cénesthopathie. — N. *Un, une cénesthopathe.*

CÉNESTHOPATHIE [senɛstopati] n. f. — 1907, Dupré, *in* Garnier-Delamare; du rad. de *cénesthésie,* et -pathie.

♦ Psychiatrie. Trouble de la cénesthésie.

(Dans la cénesthopathie) le malade perd la sensation de l'existence de son corps ou de sa pensée. Il a l'impression d'être mort. Ses membres, sa tête, ou ses organes lui paraissent comme une matière inerte, comme du bois, ou encore il a l'impression que son cerveau est mort, qu'il ne pense plus.
H. BARUK, Psychoses et Névroses, p. 29.

DÉR. **Cénesthopathe, cénesthopathique.**

CÉNESTHOPATHIQUE [senɛstopatik] adj. — XXᵉ; de *cénesthopathie.*

♦ Psychiatrie. De la cénesthopathie. *Troubles cénesthopathiques associés à la mélancolie anxieuse.*

CÉNO- ⇒ Cœno-.

CÉNOBIAL, ALE, AUX [senɔbjal, o] adj. — 1848; lat. chrét. *cœnobialis* «relatif au monastère», de *cœnobia.* → Cénobie.

♦ Didact. Relatif aux monastères, aux cénobites.

CÉNOBIE [senɔbi] n. f. — 1801; lat. ecclés. *cœnobia,* plur. neutre de *cœnobium* «communauté», puis «monastère».

♦ Didact., rare. Lieu où vivent des cénobites.

CÉNOBITE [senɔbit] n. m. — XIIIᵉ; lat. ecclés. *cœnobita,* de *cœnobium* «monastère», grec *koinobion* «vie en commun».

♦ Didact. (relig.). Religieux* qui vit en communauté, en parlant des communautés chrétiennes primitives (opposé à *anachorète, ermite*). ⇒ **Moine** (→ Brume, cit. 5).

1 Anachorètes et cénobites vivaient dans l'abstinence (...)
FRANCE. → Abstinence, cit. 1.

2 Le pauvre petit jetait sur ce lit de cénobite un regard que son hôte comprit, car il l'engagea à se coucher, le couvrit de la soutane et l'arrangea de son mieux, sur l'herbe sèche. Louise MICHEL, la Misère, t. I, p. 83.

Fig. *Vivre en cénobite :* vivre dans la retraite, d'une façon austère; par ext., vivre seul.

DÉR. Cénobitique, cénobitisme.

CÉNOBITIQUE [senɔbitik] adj. — 1586 ; de *cénobite.*

♦ **1.** Didact. (relig.). Relatif aux cénobites (opposé à *anachorétique, érémitique*). *Vie cénobitique. Mœurs cénobitiques.* ⇒ **Ascétique.**

♦ **2.** Fig., littér. (Rare). Austère.

CÉNOBITISME [senɔbitism] n. m. — 1833, G. Sand ; de *cénobite.*

♦ **1.** Didact. (relig.). Genre de vie des cénobites (opposé à *anachorétisme, érémitisme*).

♦ **2.** Fig., littér. (Rare). Vie austère et retirée.

CÉNOCYTE [senɔsit] adj., CÉNOCYTIQUE [senɔsitik] n. m.
⇒ **Cœnocyte, cœnocytique.**

CÉNOMANIEN [senɔmanjɛ̃] n. m. — 1852, d'Orbigny ; lat. *Cenomanni* «Le Mans», capitale des *Cénomans.*

♦ Géol. Étage inférieur du crétacé* supérieur.

CÉNOTAPHE [senɔtaf] n. m. — 1501 ; bas lat. *cenotaphium,* grec *kenotaphion* «tombeau vide», de *kenos* «vide», et *taphos* «tombeau».

♦ Didact. ou littér. Tombeau élevé à la mémoire d'un mort, et qui ne contient pas son corps. ⇒ **Sarcophage, sépulcre, tombeau.** *Élever un cénotaphe.*

CÉNOZOÉCIE [senɔzɔesi] n. f. ⇒ **Zoécie.**

CÉNOZOÏQUE [senɔzɔik] adj. et n. m. — 1924 ; angl. *cœnozoic* (1841) ; de ceno- (→ Cœno-), et *-zoïque.*

♦ Didact. (géol.). *Ère cénozoïque,* réunissant l'ère tertiaire (ou *néozoïque*) et l'ère quaternaire.

CENS [sɑ̃s] n. m. — 1190 ; du lat. *census* «recensement».
Histoire.

♦ **1.** Antiq. rom. Dénombrement* des citoyens romains et évaluation de leur fortune effectués tous les cinq ans par les censeurs en vue de la répartition de l'impôt. *Faire, établir le cens* (→ Censeur, cit. 0.1).

1 Servius Tullius, successeur de Tarquin, établit le cens.
BOSSUET, Disc. sur l'Hist. universelle, I, 7.

♦ **2.** (Sous le régime féodal). Redevance* fixe que le possesseur d'une terre payait au seigneur du fief. ⇒ **Champart** (→ Antiquité, cit. 5). *Relatif au cens.* ⇒ **Censuel.** *Terre assujettie au cens.* ⇒ **Censive.**

2 Les Vaudois prirent à cens les héritages des environs.
VOLTAIRE, Essai sur les mœurs, 138.

3 Les terres sont données à *cens,* c'est-à-dire moyennant un fermage fixe (...)
Pierre GAXOTTE, Hist. des Français, I, IX, p. 313.

♦ **3.** (1830). Quotité d'imposition nécessaire, sous certains régimes, pour être électeur ou éligible (⇒ **Censitaire,** 2.). *Le cens électoral. Élever, abaisser le cens. La révolution de 1848 a supprimé le cens en France.*

4 Sur 800 députés, les républicains avancés ne furent pas une centaine ; la plupart des élus auraient eu le cens requis sous Louis-Philippe pour être candidats.
Pierre GAXOTTE, Hist. des Français, XXV, p. 458.

DÉR. Censier, censitaire. — V. 2. Accense.
COMP. Recensement.
HOM. Sens.

CENSÉ, ÉE [sɑ̃se] adj. — 1611 ; p. p. de l'anc. v. *censer* «censurer, réformer» ; du lat. *censere* «estimer, juger».

♦ Qui est supposé, réputé (suivi d'un infinitif, sauf s'il s'agit du verbe *être,* qui peut être élidé). ⇒ **Présumé.** *Il est censé arriver aujourd'hui :* il est admis qu'il arrive (arrivera) aujourd'hui. *Il est censé réussir :* on suppose, par hypothèse*, qu'il va réussir. «*Celui qui est trouvé avec les coupables est censé complice*» (Académie),

censé être complice. *Il est censé être à Paris. — Tous les chemins sont censés mener à Rome. Je n'étais pas censé, elle n'est pas censée le savoir.*

1 Chacun fut de la foi censé juge infaillible (...) BOILEAU, Satires, 12.

2 (...) le ministre (...) va, deux ans encore, *assister* avec amertume aux événements qu'*il est censé diriger.* Louis MADELIN, Talleyrand, II, XV, p. 165.

3 Nul n'est, en principe, censé ignorer la loi. Autrement dit, la loi régulièrement publiée est réputée connue de tous — hormis les cas de force majeure (...)
DALLOZ, Nouveau répertoire, Loi, 44.
(Cf. l'adage latin *Nemo censetur ignorare legem*).

DÉR. Censément.
HOM. Sensé.

CENSÉMENT [sɑ̃semɑ̃] adv. — 1852 ; de *censé.*

♦ (Le mot est marqué : peu courant, il n'appartient pas toutefois au registre soutenu et son emploi relève la plupart du temps de l'hypercorrection). Selon ce que les apparences permettent de penser ; apparemment. «*C'est vous, censément, qui achetez, mais en réalité, c'est moi*» (Académie).

Il veut aller en Californie.
Et, aujourd'hui, si près du but, il se trouve encore une fois en face d'obstacles censément infranchissables. B. CENDRARS, l'Or, *in* Œ. compl., t. II, p. 155.

HOM. Sensément.

CENSEUR [sɑ̃sœʀ] n. m. — V. 1213 ; lat. *censor.* → Censure.

♦ **1.** Didact. Magistrat romain de l'antiquité chargé d'établir le cens*, et qui avait le droit de contrôler les mœurs des citoyens. *Marcus Porcius Caton, dit « le Censeur ».*

0.1 Les censeurs, au nombre de deux, sont élus pour cinq ans (...) ils ont mission de recenser les citoyens et les biens, de façon à procéder au classement systématique de chacun d'après son «cens», c'est-à-dire sa fortune. Mais ils possèdent aussi une juridiction morale. Ils peuvent noter d'infamie qui ils veulent, en raison de sa conduite privée. Pierre GRIMAL, la Civilisation romaine, p. 130.

♦ **2.** (XVIᵉ). Class. et littér. Personne qui reprend, contrôle, critique, blâme les opinions, les actions des autres. ⇒ **Critique, juge.** *Un censeur sévère, injuste, malveillant, pointilleux. Un censeur équitable. S'ériger en censeur des actions d'autrui. Cette femme est un redoutable censeur ; elle s'érige en censeur.*

1 (...) je n'ai quasi jamais rencontré aucun censeur de mes opinions qui me semblât ou moins rigoureux ou moins équitable que moi-même.
DESCARTES, Discours de la méthode, VI.

2 Je voudrais bien savoir (...)
Ce que ces beaux censeurs en moi peuvent reprendre.
MOLIÈRE, l'École des maris, I, 1.

3 (...) depuis quelques jours, tout ce que je désire
Trouve en vous un censeur prêt à me contredire.
RACINE, Britannicus, III, 9.

Péj. Critique systématique, outrancier.

4 Tout babillard, tout censeur, tout pédant,
Se peut connaître au discours que j'avance (...) LA FONTAINE, Fables, I, 19.

Fig. *La conscience est le censeur du moi.*

♦ **3.** (1704, *censeur des livres*). Personne chargée par un gouvernement d'examiner les livres, les journaux, les revues, les œuvres théâtrales, cinématographiques, avant d'en autoriser la publication ou la représentation (⇒ **Censure**). *Il, elle est censeur. Censeur des journaux. Censeur dramatique :* censeur des pièces de théâtre.

5 (...) je puis tout imprimer librement, sous l'inspection de deux ou trois censeurs.
BEAUMARCHAIS, le Mariage de Figaro, V, 3.

♦ **4.** Fin. Celui qui est chargé de surveiller les opérations d'un établissement financier. *Les censeurs de la Banque de France.*

Syn. de : *commissaire aux comptes d'une Société.*

♦ **5.** (1802). Dans un lycée*, Adjoint(e) au proviseur ou à la directrice, qui est chargé(e) de la surveillance des études, de la discipline. Vieilli. *Censeur des Études. Madame le Censeur.*

REM. Le fém. théorique **censeuse* n'est pas attesté.

CONTR. Adulateur, apologiste.
DÉR. V. Censorat, censorial.
HOM. Senseur.

CENSIER, IÈRE [sɑ̃sje, jɛʀ] adj. et n. — 1190, adj. ; de *cens.*
Droit féodal.

♦ **1.** Qui perçoit ou doit un cens. *Seigneur censier* ou *censier,* (n. m.). *Fermier censier.*

♦ **2.** *Registre censier,* ou, n. m., *censier,* sur lequel étaient inscrites les contributions du cens.

Un mouvement de pulvérisation des cadres anciens de l'exploitation paysanne se mit ainsi lentement en marche, puis s'accéléra pendant le XIIᵉ siècle. Il suffit, pour en mesurer l'ampleur, de comparer en France les censiers, c'est-à-dire les listes des tenures et de leurs charges, établis aux approches de l'an 1200 aux inventaires qu'avaient dressés les administrateurs des IXᵉ et Xᵉ siècles.
Georges DUBY, Guerriers et Paysans, p. 210.

CENSITAIRE [sɑ̃siteʀ] n. m. et adj. — 1718, «censier»; de *cens*.

♦ **1.** N. m. Sous le régime féodal, Celui qui devait le cens* (2.) au seigneur du fief.

♦ **2.** N. m. (1842). Hist. Celui qui paye le cens (3.) pour être électeur ou éligible. — Adj. *Électeur censitaire*. ⇒ **Contribuable.**

(...) les électeurs censitaires étaient moins maniables que d'autres, la candidature officielle ne pouvait rien sur eux (...)
J. BAINVILLE, Hist. de France, XVIII, p. 445.

♦ **3.** Adj. Qui est fondé sur le cens. *Suffrage censitaire.*

CENSIVE [sɑ̃siv] n. f. — 1260; lat. médiéval *censiva* «terre assujettie au cens».

♦ Dr. féodal. Territoire d'un fief assujetti au cens*. — Par ext. Redevance en argent ou en nature due par le fermier censier.

(...) sur les quartiers nouvellement mis en culture aux lisières des terroirs, proliféraient deux nouveaux types de tenures, la censive et la tenure à champart.
Georges DUBY, Guerriers et Paysans, p. 235.

CENSORAT [sɑ̃sɔʀa] n. m. — 1878; de *censeur*, et suff. *-orat*, d'après le lat. *censor*.

♦ **1.** Antiq. rom. Temps d'exercice de la fonction de censeur.

♦ **2.** Mod. Fonction de censeur dans un lycée.

CENSORIAL, ALE, AUX [sɑ̃sɔʀjal, o] adj. — 1760; dér. du rad. du lat. *censorius*, et suff. *-al*, p.-ê. d'après l'angl. *censorial*, de *censor* «censeur».

♦ Didact. Relatif à la censure, aux censeurs. *Loi censoriale.*

CENSUEL, ELLE [sɑ̃sɥɛl] adj. — 1266; lat. *censualis*, de *census*. → Cens.

♦ Dr. féodal. Relatif au cens. — *Terre censuelle*, soumise au cens.
HOM. Sensuel.

CENSURABLE [sɑ̃syʀabl] adj. — 1656, Pascal; de *censurer*.

♦ **1.** Littér. Qui peut être censuré; qui mérite d'être censuré (1.). *Conduite censurable.*

♦ **2.** Qui peut être soumis à la censure, à une censure (3.).

CENSURE [sɑ̃syʀ] n. f. — 1387; lat. *censura* «charge de censeur», de *censor*. → Censeur.

♦ **1.** Antiq. rom. Dignité, charge de censeur*. *La censure de Caton.*

♦ **2.** (Mil. XVIᵉ). Vieilli ou littér. Action de reprendre, de critiquer les paroles, les actions, les ouvrages de qqn. ⇒ **Animadversion, blâme, condamnation, critique, improbation, réprobation** (→ Aigre, cit. 11). *S'exposer à la censure de son entourage.*

1   Tous les autres vices des hommes sont exposés à la censure (...)
MOLIÈRE, Dom Juan, V, 2.

2   La maladresse des louanges que j'ai voulu donner m'a fait plus de mal que l'âpreté de mes censures.   ROUSSEAU, les Confessions, XI, p. 91.

Réprimande publique. ⇒ **Censurer.**

♦ **3.** (1829). Mod. Examen exigé par le pouvoir des œuvres littéraires, cinématographiques, de la presse, des émissions télévisées, avant d'en autoriser la publication, la diffusion. *Établir, abolir la censure. Soumettre à la censure. Censure théâtrale, diplomatique. Censure de guerre. Le contrôle de la censure. Commission de censure. Loi de censure.* ⇒ **Censorial.** *Les ciseaux de la censure*, ou (loc. fam.), *les ciseaux d'Anastasie.*

2.1   La censure est mon ennemie littéraire, la censure est mon ennemie politique. La censure est de droit improbe, malhonnête et déloyale. J'accuse la censure.
HUGO, Correspondance, 1830, p. 465, in T. L. F.

3   La censure de guerre, qui nous a paru si naturelle, faisait, en 1830, crier à un attentat contre la liberté.   J. BAINVILLE, Hist. de France, XVIII, p. 453.

Par métonymie. Ensemble des personnes (⇒ **Censeur**) chargées de délivrer ces autorisations. *Lettre ouverte, arrêtée par la censure. Caviarder* un écrit interdit par la censure.*

(XVIIᵉ). Relig. Condamnation après examen (d'une opinion, d'un texte relatifs au dogme). *Censure ecclésiastique.* ⇒ **Imprimatur.** — Mesure disciplinaire prononcée par l'Église contre un de ses membres. *Encourir les censures ecclésiastiques.* ⇒ **Excommunication, index, interdit, monition, peine** (disciplinaire), **suspense.**

♦ **4.** (XXᵉ). Polit. Sanction défavorable à la politique d'un gouvernement, prononcée par une assemblée par l'intermédiaire d'un vote. Loc. *Voter la censure. Motion* (cit. 3) de censure.

♦ **5.** (1927). Psychan. (selon la théorie freudienne). Refoulement dans l'inconscient des éléments de la vie psychique que la société, les parents (ou leur image; ⇒ **Surmoi**) ne tolèrent pas. *C'est la censure qui empêche qu'on se souvienne de certains rêves.*

La théorie de l'inconscient engendrait celle du *refoulement*, puis celle de la *censure* qui conduisait bientôt leur auteur sur ce qu'il allait nommer «la voie royale de l'inconscient» : le rêve.
4   G. BAUËR, les Billets de Guermantes, Août 1936, p. 84.

CONTR. Adulation, apologie, approbation, éloge, exaltation, flatterie, louange, panégyrique. — Liberté.
DÉR. Censurer.
COMP. Autocensure.

CENSURER [sɑ̃syʀe] v. tr — 1518; de *censure*.

♦ **1.** Vieilli. Reprendre, critiquer (les paroles, les actions des autres). ⇒ **Blâmer, critiquer.** *Censurer la conduite de qqn. Censurer les actions d'autrui* (cit. 3). Rare. *Censurer qqn de qqch.*, le critiquer à propos de qqch.

Socrate un jour faisant bâtir,
Chacun censurait son ouvrage.
L'un trouvait les dedans, pour ne lui point mentir,
Indignes d'un tel personnage;
L'autre blâmait la face, et tous étaient d'avis
Que les appartements en étaient trop petits.   LA FONTAINE, Fables, IV, 17.

(...) La sévérité de ces femmes de bien
Censure toute chose, et ne pardonne à rien (...)   MOLIÈRE, Tartuffe, I, 1.

Je montrai ce barbouillage à Mᵐᵉ de Merveilleux, qui, au lieu de me censurer comme elle aurait dû faire, rit beaucoup de mes sarcasmes (...)
3   ROUSSEAU, les Confessions, IV, p. 218.

♦ **2.** (1656, relig.) Mod. Interdire la publication intégrale de (un livre, un périodique), ou une représentation théâtrale ou cinématographique, une émission de radio, de télévision (le sujet désigne l'autorité administrative chargée de la censure). *Censurer un journal, une pièce de théâtre.* (⇒ **Caviarder, taillader**). — Par ext. Exercer un contrôle sur (un écrit, une œuvre soumise au public). *Les autorités ont prétendu censurer son discours. Le journal ne prendra votre article qu'en censurant, que si vous censurez ce passage.* — Pron. *Il a refusé de se censurer* (→ Autocensure).

(Le sujet désigne l'autorité ecclésiastique). Condamner une personne, une doctrine. ⇒ **Défendre, interdire.** *Censurer un livre, une proposition.*

♦ **3.** (1835). Dans certains corps constitués, Réprimander publiquement. ⇒ **Blâmer.** *Censurer un avocat, un député. La Cour a censuré deux de ses membres* (Académie).
Censurer le gouvernement : voter une motion* de censure (⇒ **Censure**, 4.).

Psychan. Refouler par la censure* (5.).

▶ **CENSURÉ, ÉE** p. p. adj. Vx. *Conduite sévèrement censurée.* Mod. *Journal, pièce, film, émission censuré(e)*, interdit(e) ou modifié(e), coupé(e) par la censure. *Censuré :* mot remplaçant, dans certains cas, le passage supprimé par la censure.

Par ext. *Auteurs censurés.*

CONTR. Aduler, approuver, encenser, exalter, flatter, louanger, louer, préconiser, prôner, vanter.
DÉR. Censurable.

1. CENT [sɑ̃] adj. et n. m. — 1080; du lat. *centum*.
REM. (Phonét.) Le *t* est prononcé quand l'adjectif *cent* est suivi d'un nom commençant par une voyelle (ex. : *cent ans* [sɑ̃tɑ̃]). Il est muet, suivi d'un numéral (ex. : *cent un* [sɑ̃œ̃]).

★ **I.** Adj. numéral cardinal invariable sauf quand il est précédé d'un nombre qui le multiplie et n'est pas suivi d'un autre nombre cardinal. *Cent hommes. Deux cents mètres. Cinq cent trois francs. Deux cent mille. Deux cents milliers.*

♦ **1.** Qui est formé par la réunion de dix dizaines d'unités. ⇒ **Hecto-; hectare, hectogramme, hectolitre, hectomètre, hectopièze, hectowatt.** *Cent kilogrammes.* ⇒ **Quintal.** *Qui vaut cent fois autant* (⇒ **Centuple**), *cent fois plus* (⇒ **Centuple**). *Qui vaut cent fois moins.* ⇒ **Centième.** *Unité cent fois plus petite que l'unité première.* ⇒ **Centi-; centigrade, centigramme, centilitre, centime, centimètre, centipoize, centistoke...** *Qui est divisé en cent parties.* ⇒ **Centésimal.** *Onze cents, treize cents :* mille cent, mille trois cents. *Sacrifice antique de cent animaux.* ⇒ **Hécatombe.** *Durée de cent ans.* ⇒ **Siècle.** *Qui a cent ans, qui revient tous les cent ans.* ⇒ **Centenaire, centennal.** *Des vieux entre soixante-dix et cent ans* (→ Centenaire, cit. 3). *Les Cent-Jours :* règne de Napoléon après son retour de l'île d'Elbe. *Chef, groupe de cent hommes.* ⇒ **Centenier, centurie.** *Membre du collège des cent jurés de l'ancienne Rome.* ⇒ **Centumvir.** *Le Conseil des Cinq-Cents :* assemblée du Directoire.

Nous partîmes cinq cents; mais par un prompt renfort
1   Nous nous vîmes trois mille en arrivant au port (...)   CORNEILLE, le Cid, IV, 3.

La Suède et la Finlande composent un royaume large d'environ deux cents de nos
2   lieues, et long de trois mille.   VOLTAIRE, Hist. de Charles XII, 1.

(...) il est de toutes les contrebandes, aussi bien de celles qui rapportent un salaire
3   convenable que des autres où l'on risque la mort pour cent sous.
LOTI, Ramuntcho, II, IX, p. 264.

Courir un cent mètres, une course (⇒ **Sprint**) sur une longueur de cent mètres. Fam., par ext. *Piquer un cent mètres :* courir très vite sur une courte distance (d'environ cent mètres). → Piquer un sprint*.

♦ **2.** Un grand nombre (indéterminé). → Trente-six, mille. *Cent fois mieux. Cent fois pire. Avoir cent fois raison*, tout à fait raison. *On vous l'a répété cent et cent fois. Il vous contera cent et une histoires. Il y en a plus de cent à qui cela est arrivé. Faire les cent pas* (1. Pas, cit. 7). *Faire les cent coups, les quatre cents coups. Être aux cent coups.* ⇒ **Coup.** — Vieilli. *Je vous le donne en cent :* essayez tant que vous voudrez, vous n'y arriverez pas (⇒ **Mille** : je vous le donne en mille). — *En un mot comme en cent :* sans qu'il soit nécessaire de répéter, d'expliquer. ⇒ **Bref.** — Fam. *Cent sept ans. Durer cent sept ans. Attendre cent sept ans*, très longtemps, indéfiniment.

4   Après avoir tourné le cas
En cent et cent mille manières,
(Les avocats) Y jettent leur bonnet, se confessent vaincus (...)
         LA FONTAINE, Fables, II, 20.

5   (...) En un mot comme en cent,
On ne voit point mon père.   RACINE, les Plaideurs, II, 11.

6   Cent et cent fois j'avais fait, défait et refait la même page. De tous mes écrits, c'est celui *(les Martyrs)* où la langue est la plus correcte.
         CHATEAUBRIAND, Mémoires d'outre-tombe, II, v.

♦ **3.** Adj. numéral ordinal invariable. ⇒ **Centième.** *Page cent :* page centième. *Le numéro quatre cent :* le quatre centième numéro.

Fam. *Le numéro cent*, et, absolt, *le cent :* les cabinets (notamment dans les hôtels, les restaurants de campagne).

Cela est arrivé en mil sept cent : en la mil sept centième année.

★ **II.** N. m. ♦ **1.** Invar. Le nombre cent. *Cent en chiffres arabes* (100), *en chiffres romains* (C). *Compter jusqu'à cent. Les multiples de cent. Le produit de cent multiplié par cent. Cent fois cent. Il y a cent à parier. Parier cent contre un.*

7   (...) il y a toujours cent contre un à parier, en France, qu'une chose quelconque ne durera pas : c'est à l'instant que le gouvernement paraît le mieux assis qu'il s'écroule.   CHATEAUBRIAND, Mémoires d'outre-tombe, IV, 5.

8   D'ailleurs, il y a cent à parier qu'il ne s'y passe rien du tout.
         LOTI, Mme Chrysanthème, VII, p. 61.

POUR CENT : pour cent unités. Abrév. : %. (Précédé d'un nombre cardinal). Escompte, intérêt, profit qui est déterminé par chaque cent francs d'une somme avancée, gagnée, prêtée... ⇒ **Pourcentage.** *Gagner tant pour cent. Gagner cent pour cent sur un objet*, le revendre le double de son prix d'achat (→ Faire la culbute*). *Prêter son argent à cinq pour cent d'intérêt. De la rente à trois*, quatre, *cinq pour cent*, et, ellipt, *Du trois, du cinq pour cent :* nom désignant les rentes inscrites sur le Grand Livre de la Dette publique. *Acheter du trois pour cent.*

(1538). *Pour cent*, indiquant le rapport entre deux grandeurs dénombrables. *Cinquante pour cent des votants.* — REM. Le verbe est dans ce cas au sing. ou au plur. *Cinquante pour cent des présents ont voté ou a voté.* — (En parlant d'une grandeur non dénombrable). *Vingt pour cent de la production nationale.*

Loc. (1924, calqué de l'angl. des États-Unis *one hundred per cent*). (À) **CENT POUR CENT :** complètement, entièrement. — Adj. Complet, total, intégral. *Il est antiaméricain à cent pour cent ; c'est un anti-américain cent pour cent.*

8.1   Faire de ces panthères des brebis, ça, c'était beau ; c'était là qu'il fallait être fakir cent pour cent.   MONTHERLANT, le Démon du bien, p. 192.

8.2   (...) cette puanteur sournoise qui émanait de certains papiers signés par exemple : *Comtesse de X..., catholique cent pour cent.*
         F. MAURIAC, Bloc-notes 1952-1957, p. 63.

(Précédant un adj.). Fam. Complètement, entièrement. *Une production cent pour cent française.*

♦ **2.** Variable au pluriel : *cents.* ⇒ **Centaine.** *Un cent, deux cents d'œufs. Vendre, acheter au cent.* — *Faire un cent de piquet, un cent de dominos :* une partie en cent points.

9   Mais aussi je les vends cent dix sols le cent.
         MOLIÈRE, le Médecin malgré lui, I, 5.

10   *(Elle)* Achetait un cent d'œufs, faisait triple couvée (...)
         LA FONTAINE, Fables, VII, 10.

Vx. *Un cent :* un quintal (Flaubert, in T. L. F.).

Vieilli. *Un cent de soldats.* ⇒ **Centaine.**

Fam. *Avoir des mille et des cents. Gagner des mille et des cents*, beaucoup d'argent.

DÉR. Centile, centime. — V. Centaine, centenaire, centième, etc.
COMP. Cent dix, cent vingt, etc. — V. Centi-; **cent cinquantenaire, cent-gardes, cent-suisses.** — **Cent-millième; cent-millionième; cent-milliardième** adj. et n. Qui vient à cet ordre (cent mille, cent millions, etc.); qui est divisé par cent mille, cent millions, etc. — N. m. :

11   Le Français Paul Villard reconnut, en 1900, que le rayonnement le plus pénétrant était composé d'ondes analogues à celles de la lumière, mais beaucoup plus courtes, puisqu'elles pouvaient descendre jusqu'au cent-milliardième de millimètre. Il fut baptisé *rayonnement gamma.*   Pierre ROUSSEAU, De l'atome à l'étoile, p. 25.

HOM. Sang, sans ; formes du v. **sentir.**

2. CENT [sɛnt] n. m. — 1835 ; mot américain, «centième» (1782), et néerlandais.

♦ Centième partie de l'unité monétaire de divers pays, spécialement

du dollar, aux États-Unis (1786) et au Canada (1853), et du florin, aux Pays-Bas. *Une pièce de cinq, de dix cents, de vingt-cinq cents* (quarter).

On ne paye que pour la boisson : vingt-cinq *cents* (à peu près un franc vingt-cinq centimes).   L. SIMONIN, Voyage en Californie,
         in le Tour du monde, 1862, t. I, p. 7.

REM. Au Canada francophone, on dit aussi (fam.) *sou* et [sɛn] écrit *cenne* ou *cent*, n. f.
Pièce de monnaie valant un cent.

1. CENTAINE [sɑ̃tɛn] n. f. — 1170, *centeine* ; du lat. *centena*, distributif de *centum.*

♦ **1.** Arithm. Groupe de cent unités. *La centaine comprend dix dizaines.* — Unité du troisième ordre dans chaque classe de la numération décimale. *La colonne des centaines dans une addition. Une erreur dans les centaines. Centaine de mille.*

♦ **2.** Groupe de cent personnes ou de cent objets. *Dix francs la centaine. Numéroter la première centaine d'exemplaires.*

Ensemble d'environ cent. *Une centaine d'années. Une centaine de francs. Inviter une centaine de personnes. Une bonne, une petite centaine.*

1   Pour exprimer l'idée de quantité d'une façon approximative, on peut se contenter de prendre un nom tel que *une douzaine, une vingtaine, une centaine*, qui ne signifie pas toujours *douze, vingt, cent ;* ou bien on a recours à un adverbe spécial : *environ.*   F. BRUNOT, la Pensée et la Langue, III, vi. → Environ.

Des centaines : un grand nombre. *Je te l'ai dit des centaines de fois. Des centaines et des centaines de fourmis* (→ Blessé, cit. 6 ; brèche, cit. 3).

Loc. *À la centaine, par centaines :* en grande quantité.

2   Que vouliez-vous donc la belle.
Qu'est-ce donc que vous vouliez ?
Des canons par centaines
Des fusils par milliers
Des canons des fusils par milliers   ARAGON, Chanson du siège de La Rochelle.

Spécialt. *La centaine :* l'âge de cent ans. *Atteindre la centaine.* ⇒ **Centenaire.**

2. CENTAINE [sɑ̃tɛn] n. f. — V. 1170 ; bas lat. *centena*, de *centum* «cent».

♦ Techn. Brin qui lie ensemble tous les fils d'un écheveau.

CENTAURE [sɑ̃tɔʀ] n. m. — Fin XIIᵉ ; lat. *centaurus*, grec *kentauros.*

♦ **1.** [a] Myth. Être fabuleux, moitié homme et moitié cheval. ⇒ **Hippanthrope, hippocentaure,** et aussi **bucentaure.** *Le combat des centaures et des Lapithes.*

1   (...) on chante le combat des centaures avec les Lapithes, et la descente d'Orphée aux enfers pour en retirer Eurydice.   FÉNELON, Télémaque, I, p. 11.

REM. Dans ce sens, on écrit souvent *Centaure* avec la majuscule.

2   Moi le Thessalien, Centaure, homme et cheval
J'ai bu le vin jailli de l'outre qu'on débouche (...)
         H. DE RÉGNIER, Poèmes, « le Centaure ».

Par ext. *Centaure femelle.* ⇒ **Centauresse.**

[b] (XIXᵉ). Fig. et littér. Cavalier habile et infatigable qui fait corps avec sa monture.

Par anal. Motocycliste.

♦ **2.** (1732). Astron. *Le Centaure :* une des constellations de l'hémisphère austral. *Alpha du Centaure.*

DÉR. Centauresse.
COMP. Hippocentaure.

CENTAURÉE [sɑ̃tɔʀe] n. f. — Déb. XIVᵉ ; *centoire* encore au XVIIᵉ ; du lat. *centaurea*, du grec *kentauriê* «plante Centaure» : on attribuait la découverte des vertus des simples au centaure Chiron.

♦ Plante dicotylédone (*Composées*) très répandue qui comprend de nombreuses espèces, dont l'une est appelée *bleuet*. Grande centaurée employée en médecine (⇒ Amer). *Centaurée des montagnes à fleurs violacées. Petite centaurée à fleurs rouges.*

Et tous deux, à pas lents, nous cherchons, à l'aurore,
La pâle centaurée et la pomme de pin.
         H. DE RÉGNIER, Poèmes, « le Centaure ».

CENTAURESSE [sɑ̃tɔʀɛs] n. f. — 1838 ; *centaurelle*, 1732, Trévoux ; de *centaure.*

♦ Myth. Centaure femelle.

Et elle fit signe à une centauresse qui s'en allait vers la mer, et elle la fit enfourcher par Caunos (...)
Caunos effaré se retenait aux épaules et parfois il s'engloutissait sous la monstrueuse chevelure. La centauresse galopait par bonds allongés et puissants ; elle s'enfuyait en ligne droite.   Pierre LOUŸS, Bilitis, I.

CENTAVO [sɛntavo] ; cour. [sɑ̃tavo] n. m. — xxᵉ ; mot espagnol.

♦ Centième partie de l'unité monétaire (⇒ **Centime**) dans des pays d'Amérique du Sud.

CENT CINQUANTENAIRE [sɑ̃sɛ̃kɑ̃tnɛʀ] n. m. — xxᵉ ; de *cent cinquante*. → Cent, d'après *cinquantenaire*.

♦ Cent cinquantième anniversaire.

On a repris récemment, en 1952, à l'occasion du cent cinquantenaire de la naissance de Hugo, la pièce fameuse *(Hernani)*.
F. GREGH, l'Âge de fer, p. 90, *in* GREVISSE.

CENTENAIRE [sɑ̃tnɛʀ] adj. et n. — 1370, *(nombre) centenaire* « de cent » ; lat. *centenarius*.

★ **I.** ♦ **1.** Adj. (1539). Qui a vécu au moins cent ans. *Un chêne centenaire.* ⇒ **Séculaire.**

1 (...) je n'ai jamais connu cette grille que tordue, arrachée au ciment de son mur, emportée et brandie en l'air par les bras invincibles d'une glycine centenaire.
COLETTE, la Maison de Claudine, éd. Flammarion, p. 147.

Qui dure depuis cent ans. *Possession centenaire.*

Par ext. Extrêmement vieux.

♦ **2.** N. (1798). Plus cour. Personne âgée de cent ans. *Le village s'enorgueillit de deux centenaires. Une centenaire encore active.*

2 — Tu viens bien, mon Enfant, lui dit le *Centenaire ;* justement j'en suis au plus hautes, et je sens que mes bras ne veulent plus s'étendre.
RESTIF DE LA BRETONNE, la Vie de mon père, p. 61.

3 (...) il ne se passait rien. Alors, on s'ennuyait. Et comme le temps ne passait pas, les vieillards ne mouraient pas. Il y avait vingt-huit centenaires dans la commune sans compter les vieux d'entre soixante-dix et cent ans, qui formaient la moitié de la population. M. AYMÉ, la Jument verte, p. 8.

♦ **II.** (1867) N. m. Centième anniversaire (d'une personne, d'un événement). *Célébrer un centenaire. Le centenaire de la fondation d'une ville.* ⇒ aussi **Cent cinquantenaire.** *Le centenaire de la mort, de la naissance de X.*

COMP. Bicentenaire, tricentenaire.

CENTENIER [sɑ̃tənje] n. m. — 1284, « centurion » ; 1534, « officier bourgeois » ; lat. *centenarius* « centurion », de *centum*. → 1. Cent.

♦ **1.** Didact. Officier romain qui commandait une troupe de cent hommes. ⇒ **Centurion.** *Jésus-Christ guérit le serviteur du centenier* (cf. Évangile selon St Matthieu, VIII, 5, Segond).

♦ **2.** Hist. Chef de cent hommes de la garde bourgeoise, au xviᵉ siècle.

En une bande de mille hommes y aura dix centeniers, qui auront chacun douze livres par mois.
Édit pour la levée de sept légions d'infanterie, *in* Recueil général des anciennes lois franç., XII, 391 *(in* D. D. L., II, 12.)

CENTENNAL, ALE, AUX [sɑ̃tenal, o ; sɑ̃tɛnnal, o] adj. — 1874 ; du lat. *centum* « cent », et *annus* « année ».

♦ Rare. Qui se fait, revient tous les cent ans. *Exposition centennale.* N. f. *Une centennale :* une exposition centennale. ⇒ **Centenaire, II.**

-CENTÈSE Élément, du grec *kentêsis* « action de piquer », entrant dans la composition de mots employés en médecine. ⇒ **Amniocentèse, paracentèse, thoracentèse.**

CENTÉSIMAL, ALE, AUX [sɑ̃tezimal, o] adj. — 1804 ; dér. sav. du lat. *centesimus.*
Didactique.

♦ **1.** Arithm. Phys. Dont les parties sont des centièmes. *Fraction centésimale. Calcul centésimal.* — *Division, échelle centésimale,* qui contient cent parties ou un multiple de cent. — *Degré centésimal :* chaque division de l'échelle. *Divisions centésimales d'un alcoomètre, d'un thermomètre centigrade. Degrés centésimaux d'une circonférence.*

♦ **2.** Méd. Se dit d'une préparation homéopathique où le rapport entre les quantités de médicament et d'excipient utilisées est de 1/100ᵉ. *Dilution, trituration centésimale* (⇒ **Dilution, trituration**). N. f. *Une centésimale :* une dilution, une trituration centésimale. *CH,* symbole graphique de « Centésimal » (centésimale hahnemannienne).

Soulignons qu'une 9ᵉ centésimale hahnemannienne s'écrit : 0,000000000000000001, soit l'unité précédée de 18 zéros, et qu'à ce degré d'infinitésimalité un très grand nombre de molécules existe encore. Au delà de la 10ᵉ centésimale hahnemannienne, les résultats montrent des fluctuations, puis, rapidement, la disparition de tout élément matériel.
Pierre VANNIER, l'Homéopathie, p. 123.

Par ext. *Procédé, méthode centésimale,* qui applique, dans la préparation du remède, la méthode de dilution ou de trituration centésimale.

CENT-GARDES [sɑ̃gaʀd] n. m. plur. — 1854 ; de *cent*, et *garde.*

♦ Hist. Garde particulière de Napoléon III, sous le Second Empire. *L'escadron des cent-gardes à cheval.* — Au sing. *Un cent-garde :* un soldat de cette garde.

CENTI- Élément de mots composés désignant la centième partie d'une unité (symbole : *c*). ⇒ **Centiare, centigrade, centigramme, centilitre, centimètre, centisthène.** — On peut signaler d'autres noms d'unités en *centi-* : *centibar* [sɑ̃tibaʀ] n. m. « centième du bar » *(cb) ; centipièze* [sɑ̃tipjɛz] n. f. « centième de la pièze » *(cpz) ; centipoise* [sɑ̃tipwaz] n. f. « centième de la poise » *(cPo) ; centistère* [sɑ̃tistɛʀ] n. m. « centième du stère » ; *centistoke* [sɑ̃tistɔk] n. m. « centième du stoke » *(cSt).*

CENTIARE [sɑ̃tjaʀ] n. m. — 1793 ; de *centi-*, et *are.*

♦ Centième partie de l'are*, correspondant à une surface de un mètre carré. *Une parcelle de quelques centiares.*

CENTIÈME [sɑ̃tjɛm] adj. et n. m. — 1170, *çantiesme ;* du lat. class. *centesimus,* adj. ordinal de *centum.*

♦ **1.** Adj. numéral ordinal de cent. Qui a rapport à cent pour l'ordre, le rang. *La centième année. Le centième anniversaire.* ⇒ **Centenaire.** — N. *Être le centième, la centième sur une liste d'admission, le deux centième, le trois centième...* — *La centième partie :* une partie quelconque d'un tout divisé en cent parties.

Par exagér. Avec *fois* (→ Cent). Indique la répétition (→ Dixième, nième). *C'est la centième fois que je le dis. Recommencer pour la centième fois.*

♦ **2.** N. m. *Un centième, un deux-centième :* la centième, la deux centième partie d'un tout.

Par ext. La plus petite partie. *Il n'a pas fait le centième de ce qu'il raconte* (⇒ **Quart**).

♦ **3.** N. f. Centième représentation (d'un spectacle). *Atteindre la centième. La centième d'une opérette* (→ Bouffe, cit. 3).

COMP. V. les comp. de **cent.**

CENTIGRADE [sɑ̃tigʀad] n. m. — 1811, Poisson ; de *centi-*, et *grade.*

♦ **1.** Cour. Adj. Divisé en cent degrés (en parlant d'une échelle de température). *Échelle, thermomètre centigrade.* ⇒ **Centésimal.** *Degré centigrade :* degré de l'échelle centésimale. *La température au sol est de vingt degrés centigrades.* — REM. La Conférence des Poids et Mesures de 1948 a remplacé cet emploi par *degré Celsius.* N. m. *(Un, des centigrades).* Degré centigrade.

Le climat, pourtant, n'est point, à vrai dire, mauvais (...) le thermomètre (j'en ai fait les observations) descend en hiver jusqu'à quatre *degrés*, et dans la forte saison, touche vingt-cinq, trente centigrades tout au plus (...)
FLAUBERT, Mᵐᵉ Bovary, I, II, II.

♦ **2.** N. m. (Sc.). Centième partie du grade (unité d'angle). Symbole : *cgr.*

CENTIGRAMME [sɑ̃tigʀam] n. m. — 1795 ; de *centi-*, et *gramme.*

♦ Cour. Centième partie du gramme (symb. : *cg*). *Peser une substance à un centigramme près.*

Par ext. Poids infime. *Il n'y en a pas, il n'y en a plus un centigramme.*

CENTILE [sɑ̃til] n. m. — 1960 ; probablt angl. *centile*, par aphérèse de *percentile*, de *per cent* « pour cent », et *-ile*, d'après *bissextile, quartile, décile*, etc.

♦ Didact. (statist.). Chacune des cent valeurs de la variable au-dessous de laquelle se classent 1 %, 2 %,..., 99 % des éléments d'une distribution statistique.

Chacune des cent parties d'effectif égal d'un ensemble statistique donné (→ Décile, médiane, quartile).

CENTILITRE [sɑ̃tilitʀ] n. m. — 1800, Boiste ; de *centi-*, et *litre.*

♦ Cour. Centième partie du litre (symb. : *cl*). *Bouteille de soixante-quinze, de quatre-vingt-deux centilitres.*

CENTIME [sɑ̃tim] n. m. — 1793 ; de *cent*, d'après *décime.*

♦ **1.** [a] La centième partie du franc*. *Une pièce d'un centime. Une pièce de cinq centimes* (⇒ **Sou**, anciennt), *de dix, de vingt centimes, de cinquante centimes.*

REM. Depuis la multiplication par cent de la valeur du franc, le *centime* équivaut au *franc* ancien. Pour les petites sommes, l'usage contemporain hésite entre *franc** (ancien usage), *ancien franc* ou *balle* (fam.) et *centime*.

b Fam. Somme infime (dans des expressions). *N'avoir pas un centime. N'avoir plus un centime. Dépenser jusqu'au dernier centime.* ⇒ **Sou.** — *Il y en a pour quelques centimes.* — Fig. *Pas pour un centime* (→ Pas pour un sou*). *Il n'a pas pour un centime de méchanceté.* «*Elle n'a pas pour vingt-cinq centimes d'autorité*» (Colette).

♦ **2.** Pièce de un centime. *Jeter une pluie de centimes par terre.*

♦ **3.** *Centime additionnel, centime le franc.* ⇒ **Additionnel.**

CENTIMÈTRE [sãtimɛtʀ] n. m. — 1793; de *centi-*, et *mètre.*

♦ **1.** Centième partie du mètre (unité physique fondamentale, avec le gramme et la seconde du système C. G. S.). Symb. *cm. Un ruban de vingt-cinq centimètres. Cinquante centimètres* : un demi-mètre. *Centimètre carré* (symb. *cm²*); *centimètre cube* (symb. *cm³*) : respectivement : dix-millième partie du mètre carré; millionième du mètre cube. — *Une 350 cm³* (ou *350 cc*) : une moto de 350 cm³ de cylindrée (abrév. : une 350). *Vitesse de un centimètre-seconde; accélération de un centimètre-seconde par seconde* (gal). — *Mesurer qqch. à un, à dix centimètres près. Dix centimètres de largeur, d'épaisseur. Il y a vingt-cinq centimètres de neige.*
Par ext. Distance, longueur infime. *On n'avance plus d'un centimètre.*

♦ **2.** Ruban gradué en centimètres (⇒ **Mètre**). *Centimètre de couturière. Dérouler son centimètre.*

DÉR. **Centimétrique.**

CENTIMÉTRIQUE [sãtimetʀik] adj. — 1912; de *centimètre.*

♦ Didact. Mesuré, gradué en centimètres; de l'ordre du centimètre. *Ondes centimétriques.* — *Échelle centimétrique.*

(...) il n'est nullement inconcevable que de telles interactions, multipliées et répétées de proche en proche, ne puissent créer ou définir une organisation à l'échelle millimétrique, ou centimétrique par exemple.
Jacques MONOD, le Hasard et la Nécessité, p. 119.

CENTISTHÈNE [sãtistɛn] n. m. — xxᵉ; de *centi-*, et *sthène.*

♦ Phys. Unité de force correspondant à la centième partie du sthène*. Symb. *cSn.*

CENTON [sãtɔ̃] n. m. — 1570; lat. *cento, -onis* «habit fait de plusieurs morceaux».
Littérature.

♦ **1.** Pièce de vers ou de prose composée de vers ou de fragments empruntés à un même ou à divers auteurs.

♦ **2.** Ouvrage littéraire ou musical fait de morceaux empruntés. ⇒ **Pastiche.**

Il venait justement de publier, sous le titre amorphe de *Péché d'amour*, un recueil de centons moraux et psychologiques ramassés partout (...)
Léon BLOY, le Désespéré, p. 199.

♦ **3.** Chacun des fragments empruntés. *Truffer un discours de centons.*

HOM. **Santon**; formes du v. **sentir.**

CENTR- ⇒ Centro-.

CENTRAFRICAIN, AINE [sãtʀafʀikɛ̃, ɛn] adj. et n. — Mil. xxᵉ; de 1. *centre*, et *africain.*

♦ De la république d'Afrique centrale située entre le Congo et le Cameroun, qui porte le nom de *République centrafricaine. L'économie centrafricaine.* — N. *Les Centrafricains.*

CENTRAGE [sãtʀaʒ] n. m. — 1834; de *centrer.*
Action de centrer.

♦ **1.** (Au sens de *centrer*, 1.). *Le centrage d'un titre, d'une illustration, sur une page.*

♦ **2.** Techn. (→ Centrer, 2.). Opération par laquelle on détermine, dans les ateliers d'ajustage, le centre de figure ou le centre de gravité d'une pièce. *Centrage automatique.* → Centreur. *Centrage d'un pneu*, bon positionnement de l'enveloppe sur la jante.
Aéron. *Centrage d'un avion*, détermination du centre de poussée.
Artill. *Centrage des projectiles.*
Opt. (→ Centrer, 2.). Action de centrer (une lunette).

♦ **3.** (→ Centrer, 3.). *Le centrage du ballon.*

♦ **4.** (→ Centrer, 4.). Rare. *Le centrage de l'intérêt sur un thème social* (dans un récit, une œuvre...).

1. CENTRAL, ALE, AUX [sãtʀal, o] adj. — 1377; lat. *centralis*, de *centrum.*

★ **I.** ♦ **1.** Sc. Qui est au centre (d'un cercle, d'une sphère, d'une figure fermée...). *Point central.* — Qui passe par le centre. *Axe central.*
Cour. Qui est près du centre ou contient le centre. *Partie, zone centrale. Le feu central de la Terre* (vx). — *Région centrale d'un organe, du palais.*
Par ext. Phonét. Se dit des voyelles articulées dans la région centrale du palais (ex. : *e* muet en français).
Bot. *Placentation centrale* (opposé à *axile, pariétale*).

♦ **2.** Qui est situé au centre (d'une surface, d'une zone). *L'Asie centrale. L'Europe centrale et orientale. Le Massif central* (en France). *Plateau central.* — (Centre d'une ville). *Un quartier central* (opposé à *périphérique*). → Centré (régional : Suisse). *Je n'aime pas ce quartier, il n'est pas assez central. C'est assez central et très commode.*

Le malaise qu'y crée peut-être une politique confuse impose aux États d'Europe centrale cette police dont la perfection écrase.
Jean GENET, Journal du voleur, p. 122.

(Dans un édifice, une pièce). *La pièce centrale de l'appartement. Un salon central.* «*Deux fauteuils* (...) *à droite et à gauche du guéridon central*» (Maupassant, *in* T. L. F.).

Vx (ou hist.). Relatif aux puissances d'Europe centrale, entre 1867 et 1918. *Les Empires centraux.* «*L'offensive des puissances centrales à l'automne 1915*» (Joffre, *in* T. L. F.). N. m. pl. *Les centraux* : l'Allemagne et l'Empire autrichien. *Les centraux et les alliés*.

Sports. Se dit d'un joueur affecté au centre* du terrain (opposé à *latéral*). *Arrière central.* → Demi-centre.

★ **II.** Qui exerce une action de commande sur les éléments d'un ensemble.

♦ **1.** (1718, en phys., concret). *Force centrale.* Spécialt. *Système nerveux central.* — Par ext. (méd.). Du système nerveux central. *Ataxie centrale. Lésion centrale.*
Chauffage central, distribué à partir d'une seule source de chaleur.

♦ **2.** (Fin xviiiᵉ, en polit.). Qui constitue l'élément directeur; où aboutit et d'où émane l'information; d'où émane la décision, le pouvoir. *Pouvoir central* (opposé à *local*). *Renforcer le pouvoir central.* ⇒ **Centraliser.** *Administration centrale. Siège central* (d'une société). ⇒ **Siège.** *Bureau central de la poste.*

♦ **3.** (1827, Vidocq). MAISON CENTRALE, PRISON CENTRALE : établissement pénitentiaire où sont regroupés les détenus purgeant des peines d'emprisonnement supérieures à un an et un jour. — N. f. *Être prisonnier dans une centrale, en centrale. La centrale de Melun.* ⇒ **Centrouse** (argot).

(1853). *École centrale (des Arts et Manufactures)*, ou (n. f.) *Centrale.* ⇒ 1. **Piston** (argot scol.). *Il, elle a fait Centrale, elle est ingénieur de Centrale.* ⇒ **Centralien.**

Tennis. *Court central*, ou (n. m.) *un central* (⇒ 2. **Court**). *Le central de Roland-Garros.*

♦ **4.** Par métonymie. Qui appartient à un organisme central. *Agent central.*

♦ **5.** Fig. Fondamental (dans un ensemble). *L'œuvre centrale d'un auteur. Les idées centrales d'un essai.* ⇒ **Essentiel.** *C'est tout à fait central dans son raisonnement.*

DÉR. 2. **Central, centrale, centralement, centralien, centraliser, centralisme, centraliste, centralité.** — V. **Centrouse.**
HOM. 2. **Central, centrale.**

2. CENTRAL [sãtʀal] n. m. — 1883; de 1. *central*, adj.

♦ **1.** Organe technique auquel aboutissent les éléments d'un réseau de communication. *Construction d'un nouveau central téléphonique. Tableau annonciateur* d'un central.*

(...) si l'alignement des tableaux d'un central téléphonique est beau, ce n'est pas en lui-même ni par sa relation au monde géographique, car il peut être n'importe où; c'est parce que ces voyants lumineux qui tracent d'instant en instant des constellations multicolores et mouvantes représentent les gestes réels d'une multitude d'êtres humains, rattachés les uns aux autres par l'entrecroisement des circuits. Le central téléphonique est beau en action, parce qu'il est à tout instant l'expression et la réalisation d'un aspect de la vie d'une cité et d'une région (...)
Gilbert SIMONDON, Du mode d'existence des objets techniques, p. 186.
Organisme qui reçoit et transmet les communications d'un même réseau. *Le personnel du central.*

♦ **2.** Par métaphore ou fig. *«New York est le grand central de l'Amérique»* (P. Morand).

HOM. 1. Central, centrale.

CENTRALE [sãtʀal] n. f. — 1927 ; de 1. *central.*

♦ **1.** Usine génératrice d'énergie. *Centrale électrique. Centrale thermique,* produisant de l'électricité par combustion de charbon. *Centrale hydraulique* (⇒ **Barrage**), génératrice d'énergie électrique au moyen de moteurs hydrauliques. *Centrale atomique* ou *nucléaire,* génératrice d'énergie électrique au moyen de réacteurs nucléaires. *Filières* de centrales nucléaires. — Centrale solaire,* transformant l'énergie thermique solaire en électricité. *Centrale éolienne, centrale marémotrice.*

♦ **2.** (1956). Groupement national de syndicats. ⇒ **Confédération.** *Les grandes centrales syndicales. Centrales ouvrières.*

♦ **3.** Comm. **CENTRALE D'ACHAT :** commerce qui centralise les achats de firmes liées entre elles ou ayant les mêmes besoins (⇒ **Monoprix, prisunic**). *C'est aux centrales d'achat que revient l'initiative du choix des fournisseurs et de la sélection de la marchandise.*

♦ **4.** Prison centrale. ⇒ 1. **Central, II., 3. ; centrouse.**

1   Les centrales bandent plus roide, plus noir et sévère, la grave et lente agonie du bagne était, de l'abjection, un épanouissement plus parfait.
Enfin, maintenant gonflées de mâles méchants, les centrales en sont noires comme d'un sang chargé de gaz carbonique.   Jean GENET, *Journal du voleur,* p. 12.

2   — Vous vous êtes évadé ?
— Non, mon vieux. Il n'y a que les substituts pour se figurer qu'on s'évade des centrales.   J. ANOUILH, *Pauvre Bitos,* I, p. 60.

♦ **5.** *Centrale* (majuscule ; sans article) : École centrale. ⇒ 1. **Central, II., 3.**

CENTRALEMENT [sãtʀalmã] adv. — Av. 1582, écrit *centrallement ;* de 1. *central.*

♦ **1.** Rare. D'une manière centrale ; en plein centre, au beau milieu.

1   La balle pénétra dans l'œil si centralement que les paupières ne furent nullement effleurées.   A. JARRY, *Gestes, De la douceur dans la violence, in Œ.* compl., t. VII, p. 115.

♦ **2.** (1778). Didact. ou littér. Essentiellement, fondamentalement.

2   Dans cette Légende d'or de l'histoire de France qu'il s'imaginait toujours entendre chuchoter à son oreille, comme un grand conte plein de prodiges, et qui lui semblait le plus synthétiquement étrange, la plus centralement mystérieuse de toutes les histoires, — rien ne l'avait autant fasciné que cette énorme, terrible et enfantine épopée des temps Mérovingiens.   Léon BLOY, *le Désespéré,* p. 95.

CENTRALIEN, IENNE [sãtʀaljɛ̃, jɛn] n. — xxᵉ ; de *Centrale* «École centrale».

♦ Élève ou ancien(ne) élève de l'École centrale des Arts et Manufactures (⇒ 1. **Piston,** argot scolaire).

CENTRALISATEUR, TRICE [sãtʀalizatœʀ, tʀis] adj. — 1838 ; de *centraliser.*

♦ Qui centralise. *Régime centralisateur. Une politique centralisatrice. — N. Napoléon fut un grand centralisateur.*

CONTR. Décentralisateur.

CENTRALISATION [sãtʀalizasjõ] n. f. — 1794 ; de *centraliser.*

♦ **1.** Didact. ou rare. Action de centraliser. *Centralisation des informations, de l'offre et de la demande.*
Physiol. *Centralisation nerveuse.*

♦ **2.** Polit. et cour. Système d'administration qui consiste à confier les pouvoirs de décision à des services centraux (⇒ **Concentration ; centralisme**). *Centralisation politique et administrative.*

(...) Bonaparte (...) composa les institutions de l'an VIII, fondées sur la centralisation administrative, qui mettent la nation dans la main de l'État et qui sont si commodes pour les gouvernements que tous les régimes qui se sont succédé depuis les ont conservées.   J. BAINVILLE, *Hist. de France,* XVII, p. 394.

CONTR. Décentralisation.

CENTRALISER [sãtʀalize] v. tr. — 1790 ; de 1. *central.*

♦ **1.** Didact. ou rare. Réunir en un même centre. *Centraliser tous les efforts. — (Abstrait). Centraliser ses aspirations sur une personne.*
Spécialt (plus cour.). *Centraliser les commandes. Centraliser les opérations de comptabilité.*

♦ **2.** Réunir dans un même centre, ramener à une direction unique. ⇒ **Concentrer.** *Centraliser les pouvoirs, les services publics. Centraliser des renseignements.*

▶ **CENTRALISÉ, ÉE** p. p. adj. *Forces centralisées.*
Spécialt. Où le pouvoir, les organes de décision sont réunis. *Un pays*

---

fortement centralisé. Administration centralisée (opposé à *décentralisé*).

La France, malgré les lois du 10 août 1871 sur les conseils généraux et du 5 avril 1884 sur les conseils municipaux, qui ont fait une tentative, au reste bien timide, de décentralisation, est restée un pays fortement centralisé.
Léon DUGUIT, *Traité de droit constitutionnel,* t. III, p. 68.

CONTR. Décentraliser, disperser, disséminer.
DÉR. Centralisateur, centralisation.
COMP. Décentraliser.

CENTRALISME [sãtʀalism] n. m. — 1842 ; de 1. *central.*

♦ Système qui produit la centralisation administrative et politique. *« Le centralisme bureaucratique qu'il reproche au programme socialo-communiste »* (J.-F. Revel, *l'Express,* 16 oct. 1972). *Le centralisme démocratique léniniste.*

CENTRALISTE [sãtʀalist] adj. et n. — 1845 ; de 1. *central.*

♦ Qui est partisan du centralisme. *Esprit centraliste. — N. Un centraliste convaincu, « un centraliste enragé »* (J. Lacouture, *le Nouvel Obs.,* 7 août 1972). *Une centraliste.*

CENTRALITÉ [sãtʀalite] n. f. — 1792 ; de 1. *central.*

♦ **1.** Didact. Fait de constituer un centre ; caractère central. — (Concret). *La ligne de la centralité d'une éclipse.* — (Abstrait). *« Une conscience de centralité »* (Bachelard).

♦ **2.** Vx. Caractère centralisé. ⇒ **Centralisation.**

CENTRANTHE [sãtʀãt] n. m. — 1805 ; lat. *kentranthus,* du grec *kentron* «aiguillon», et *anthos* «fleur».

♦ Bot. Plante dicotylédone *(Valérianacées),* herbacée, vivace, appelée communément *valériane rouge* ou *des jardins, barbe de Jupiter* ou *lilas d'Espagne. Le centranthe est cultivé comme plante ornementale.*

HOM. Cent trente.

CENTRATION [sãtʀasjõ] n. f. — 1876 ; de *centrer.*

♦ **1.** Didact. et vx. Fait de centrer. ⇒ **Centrage** (2.).

♦ **2.** Philos. Fait de devenir centré, d'acquérir un centre.
Psychol. Surestimation d'une sensation. *Effet de centration.*

Freud a commencé par expliquer ce symbolisme inconscient par des mécanismes de camouflage dus au refoulement, mais il s'est rallié à la conception plus large de Bleuler qui, avec l'«autisme», expliquait le symbolisme par la centration sur le moi et il a prolongé ses recherches dans la direction des symboles artistiques.   J. PIAGET, *Épistémologie des sciences de l'homme,* p. 355.

CENTRE [sãtʀ] n. m. — 1275 ; lat. *centrum,* grec *kentron* «point central (d'une circonférence)».

★ **I.** ♦ **1.** Point tel que tous les points d'une figure soient symétriques deux à deux par rapport à lui. *Le centre d'un cercle, d'un disque, d'une sphère. Angle au centre. Le centre d'une ellipse. Centre de l'orbite* des planètes. Le centre d'un carré est le centre du cercle inscrit. — Centre de symétrie.* ⇒ **Symétrie.**

(L'univers) C'est une sphère infinie dont le centre est partout, la circonférence nulle part.   PASCAL, *Pensées,* II, 72.   1

Le centre de la terre. — Par exagér. *Profondeurs abyssales. Voyage au centre de la Terre,* roman de Jules Verne.

La raison et le langage ne s'appliquent qu'au fini. Les transporter dans l'infini, c'est comme si l'on prétendait mesurer la chaleur du soleil ou du centre de la terre avec un thermomètre ordinaire.   RENAN, *Dialogues et Fragments philosophiques,* p. 147.   2

J'aurais voulu m'enfoncer, m'étouffer dans le centre de la terre.   ROUSSEAU, *les Confessions,* Folio, p. 127.   2.1

♦ **2.** (xivᵉ). Le milieu (d'un espace quelconque). ⇒ **Milieu ; cœur.** *Le centre d'un pays. Paris est situé au centre d'un bassin* (cit. 9) *tertiaire. Les départements du centre de la France.* Absolt. *Les provinces du centre. — Au centre du fruit, de la cellule.* ⇒ **Noyau.** *— En plein centre de la ville. Les quartiers du centre.* ⇒ **Central.** *Le centre et la périphérie* (cit. 2).

Notre frère Joseph travaillait dans le centre de la ville.   G. DUHAMEL, *Chronique des Pasquier,* III, I, p. 10.   3

(...) il y a au centre du continent une Allemagne, tantôt envahissante et tantôt envahie (...)   André SIEGFRIED, *l'Âme des peuples,* V, 1.   4

Figuré :

Les princes (...) sont nés et élevés au milieu et comme dans le centre des meilleures choses (...)   LA BRUYÈRE, *les Caractères,* IX, 42.   5

Le centre d'une armée, d'une troupe (par oppos. aux *ailes*).

6 (...) chaque division, formant carré, ses bagages au centre, ses canons aux angles, prenait l'aspect d'une forteresse vivante (...)
Louis MADELIN, Hist. du Consulat et de l'Empire, t. II, Ascension de Bonaparte, XVI, p. 238.

Partie centrale (d'un objet, d'un solide). ⇒ **Centrum** (didact.).

Sports (Jeux de ballon). **a** Partie centrale du terrain, le long de son plus grand axe. *Jouer au centre. Le centre et les deux ailes. Passer la balle au centre.* ⇒ **Centrer** (3.).

b Appos. (opposé à *aile*). Rugby. *Trois-quarts centre.* ⇒ 1. **Trois-quarts** (cit.). — (Football, handball). *Avant-centre.* — REM. En composition, sert à désigner des joueurs affectés au centre, dans l'axe du terrain. ⇒ **Avant-centre, centre-avant, demi-centre.**

c Basket (1931, in Petiot). Avant placé près du panier, dont le rôle est de tenter de marquer.

d (1900, in Petiot); déverbal de *centrer*). Coup de pied qui ramène le ballon dans l'axe du terrain. *Réussir un beau centre. L'ailier a fait un centre qui a dérouté la défense adverse.*

♦ **3.** (1829). Polit., cour. *Le centre d'une assemblée* : les bancs, les places en face du président. *Centre droit. Centre gauche.* — Les élus (députés, sénateurs...) qui occupent ces places, les opinions qu'ils soutiennent (⇒ **Centrisme**), généralement modérées, entre la droite* et la gauche*. ⇒ **Modéré.** *Le parti du centre,* et, absolt, *le centre,* par opposition à *la droite, la gauche.* ⇒ **Centrisme.** *Les députés du centre* (⇒ **Centriste**). *Appartenir au centre droit, au centre gauche.* — (En attribut). *Être centre gauche.* — Par ext. *Un centre gauche, un centre droit,* un élu de cette tendance.

6.1 Il nous aura fallu bien des catastrophes pour atteindre enfin à cette terre promise : une majorité et un ministère centre droit.
F. MAURIAC, Bloc-notes 1952-1957, p. 37.

★ **II.** ♦ **1.** (1680). Mécan., phys. Point d'application de la résultante de forces. *« Le centre d'un certain nombre de forces parallèles est le même quelle que soit leur direction, pourvu qu'elles conservent leur parallélisme et leurs intensités relatives »* (Poiré). *Centre de gravité d'un corps* : point d'application de la résultante des forces exercées par la pesanteur sur toutes les parties de ce corps. ⇒ **Barycentre.** Fig. : → ci-dessous, cit. 14 et 15. *Centre de pression d'un liquide sur une paroi plane. Centre de poussée d'un fluide* (sur un corps immergé). *Centre de poussée d'un avion.* → Centrage. *Centre d'oscillation d'un pendule.*

Mar. *Centre de carène* : centre de poussée d'un navire. *Centre de voilure* : point d'application de la résultante des forces exercées par le vent sur le bateau (force aérodynamique).

Astron. *Centre d'attraction* ou *de gravitation.* ⇒ **Attraction, centripète** (force). *Force attractive dirigée vers le centre du Soleil.*

Météor. *Centre de dépression, centre de basses pressions, de hautes pressions.* ⇒ **Dépression, pression.**

♦ **2.** (1845). **CENTRE NERVEUX** : partie du système nerveux constituée de substance grise et reliée par les nerfs aux divers organes. *Centre sensoriel, moteur. Centres encéphaliques, ganglionnaires, médullaires.* — REM. Cet emploi est préparé par des usages spéciaux du sens général de *centre* (→ ci-dessous, II., 3. et II., 5.).

7 Chaque papille nerveuse devient le centre d'une jouissance rayonnante.
BALZAC, Séraphîta, Pl., t. X, p. 486.

8 (*L'organe du sens*) est donc un immense clavier, sur lequel l'objet extérieur exécute tout d'un coup son accord aux mille notes provoquant ainsi, dans un ordre et en un seul moment, une énorme multitude de sensations élémentaires correspondant à tous les points intéressés du centre sensoriel.
H. BERGSON, Matière et Mémoire, p. 138.

Centre vital : organe essentiel à la vie (surtout au plur. : *les centres vitaux*). — Fig. *Les centres vitaux d'un pays* (→ ci-dessous, sens 3).

9 Ce peuple est emporté dans les rouages d'une mécanique dont personne, bientôt, ne connaîtra plus les secrets, les chevilles maîtresses, les zones vulnérables, les centres vitaux.
G. DUHAMEL, Scènes de la vie future, XV, p. 244.

♦ **3.** (Qualifié). Point de convergence ou de rayonnement. *Un centre d'attraction, de rassemblement. Un centre d'action, d'activité. La Bourse est le centre des affaires. Il fit de cette ville le centre de sa domination* (Académie). ⇒ **Base, citadelle, siège** (principal). *Le prytanée d'Athènes, centre religieux de toute l'Attique. Paris fut considéré comme le centre du bon goût par la société française à partir du XVIIᵉ siècle.*

10 (...) Paris est le grand bureau des merveilles, le centre du bon goût, du bel esprit et de la galanterie.
MOLIÈRE, les Précieuses ridicules, 9.

11 (*Christine*) se retira à Rome, où elle passa le reste de ses jours dans le centre des arts (...)
VOLTAIRE, Hist. de Charles XII, 1.

12 L'opéra est le centre de la vie mondaine (*sous la Révolution*)...
Francis DE MIOMANDRE, Danse, Renaissance, p. 32.

Lieu où se concentrent certaines activités. *Un centre industriel, charbonnier, minier, commercial, religieux. Centre urbain.* ⇒ **Ville.**

12.1 Cette évolution anarchique se poursuit encore ou fait encore sentir ses conséquences dans un grand nombre de centres urbains.
A. LEROI-GOURHAN, le Geste et la Parole, t. II, p. 177.

CENTRE COMMERCIAL : grande surface de vente comprenant une gamme variée de commerces et de services et, généralement, un parc de stationnement. *Les boutiques d'un centre commercial*

(→ Boutiquaire). — *Centre commercial de quartier.* — *Centre-auto,* où se vend ce qui concerne l'automobile (proposé pour remplacer l'anglic. *auto-center*).

Centre jardinier, où se vend ce qui concerne le jardin (pour remplacer l'anglicisme *garden-center*).

♦ **4.** **a** Absolt. *Les grands centres* : les grandes villes. ⇒ **Capitale.** *Un petit centre.* ⇒ **Agglomération.**

13 (...) Un centre (*El-ghouat*) où l'on vit pourtant, aussi simplement qu'ailleurs, sans se douter de l'effet qu'on produit à distance, ni de la curiosité qu'on inspire.
E. FROMENTIN, Un été dans le Sahara, p. 101.

b *Centre de* : organisme spécialisé dans (telle activité qu'indique le complément). *Centre de mobilisation* (→ Armée, cit. 13). *Le centre d'un réseau. Centre d'accueil, de soins.*

c Organisme à vocation culturelle, d'enseignement, de recherche. *Centre d'études.* — (En France). *Centre hospitalier universitaire* (C. H. U.). Dans des noms d'organismes. *Le Centre National de la Recherche Scientifique* (C. N. R. S.). — *Centre dramatique* : lieu d'expansion et de popularisation de l'art dramatique. *Création de centres dramatiques régionaux.* — *Centre culturel.* Cf. Maison de la culture. — *Centre nautique et école de voile.*

♦ **5.** Abstrait. Point où des forces dispersées convergent et atteignent leur plus grande action, d'où elles émanent et exercent leur influence. ⇒ **Cœur, foyer, siège.** *Un centre d'influence, de rayonnement. Centre d'intérêt.*

14 Les parties les plus septentrionales de l'établissement romain (...) ont été envahies d'éléments germains, slaves ou mongols, insensibles à l'influence méditerranéenne. Il en est résulté une Europe dont les centres de gravité, les foyers modernes d'efficacité ne relèvent plus principalement de l'influence latine.
André SIEGFRIED, L'Âme des peuples, II, IV, p. 44.

15 Il lui semblait (...) avoir trouvé son vrai centre de gravité, occuper maintenant le cœur de lui-même, être enfin au siège de son identité.
MARTIN DU GARD, les Thibault, t. IV, p. 139.

16 L'Église elle-même est une société secrète (...) On ne peut rien comprendre à l'histoire de l'Europe monarchique sans mettre au centre cette formidable toile d'araignée qu'était la compagnie de Jésus (...)
A. MAUROIS, Études littéraires, t. II, J. Romains, p. 157.

17 Je sens à la douleur que je réveille en appuyant sur ce point précis que là était le centre du mal (...)
A. MAUROIS, Climats, I, 8, p. 64.

♦ **6.** **a** Chose principale, fondamentale. ⇒ **Base, fondement, foyer, nœud, noyau, principe, voûte** (clef de voûte).

18 Ils (*les sages*) ont vu par lumière naturelle que, s'il y a une véritable religion sur la terre, la conduite de toutes choses doit y tendre comme à son centre.
PASCAL, Pensées, VIII, 556.

19 Je vois que dans toutes les affaires, il y a un centre, un point principal contre lequel toutes les chicanes doivent échouer.
VOLTAIRE, Lettre à Delisle, 25 mars 1775.

20 Chez Wagner, la musique est le noyau du drame, le foyer rayonnant et le centre attractif ; elle absorbe tout ; elle est reine absolue.
R. ROLLAND, Musiciens d'aujourd'hui, p. 200.

b (En parlant des personnes). *Il est, il se croit le centre de tout.* ⇒ **Animateur, cerveau, cheville** (cheville ouvrière), **organe** (organe essentiel), **pivot.**

21 Voilà donc M. de Louvois mort, ce grand ministre, cet homme si considérable, qui tenait une si grande place, dont le *moi,* comme dit M. Nicole, était si étendu, qui était le centre de tant de choses !
Mme DE SÉVIGNÉ, 1329, 26 juil. 1691.

c (1856, Flaubert). *Se croire le centre de l'univers, du monde, le centre de tout* : croire que tout gravite autour de soi, rapporter tout à soi-même. ⇒ **Égocentrisme; axe, nombril, ombilic** (se croire le nombril, l'ombilic du monde).

22 L'homme, porté par les illusions des sens à se regarder comme le centre de l'univers, se persuade facilement que les astres influent sur sa destinée, et qu'il est possible de le prévoir par l'observation de leurs aspects au moment de la naissance.
LAPLACE, Exposition du système du monde, V, 1.

23 Je crois que trop grand est aujourd'hui le nombre des gens qui passent leur temps à considérer leur nombril comme s'il était le centre du monde.
PROUST, À la recherche du temps perdu, t. X, p. 118.

♦ **7.** -CENTRE (sert à former des composés; aux sens I, 3, II, 5 et II, 6 de *centre*). Idée-centre. Mot-centre (autour duquel se groupent les mots qui ont entre eux un rapport de sens. → Clef).

CONTR. Angle, bord, bout, circonférence, extrémité, périphérie, pourtour.
DÉR. et COMP. Centrer, centriole, centrisme, centriste; anthropocentrique, concentrique, égocentrique, ethnocentrique, géocentrique, héliocentrique; avant-centre, centre-avant, demi-centre; barycentre; métacentre; centrifuge, centripète; centro-; excentrique, homocentrique. — V. aussi Central; centrifuge, centripète; centro-; excentrique, homocentrique.

CENTRE-AVANT [sɑ̃tʀavɑ̃] n. m. — XXᵉ; de *centre,* et *avant.*

♦ Régional (Belgique). Avant-centre, au football ⇒ **Avant-centre.**

CENTRER [sɑ̃tʀe] v. tr. — 1699; de *centre.*

♦ **1.** Ramener au centre. *Centrer un titre sur une page.* Mettre, placer (qqch.) au centre.

1 (...) l'homme qui calculait la quantité de charbon que la France pouvait économiser chaque année si l'on rendait les ménagères attentives à centrer exactement leurs casseroles sur les brûleurs de leur fourneau.
Raymond ABELLIO, Ma dernière mémoire, t. II, p. 102.

♦ 2. Techn. Déterminer le centre de ; ajuster en fixant l'axe central. *Centrer une roue. Centrer un projectile.* — Opt. *Centrer une lunette* : disposer ses lentilles perpendiculairement à l'axe qui passe par leurs centres (opération dite *centrage* et (vx) *centration*).

♦ 3. (1900, *in* Petiot). Sports (football). Ramener (le ballon) vers l'axe du terrain. *Centrer le ballon,* et, absolt, *centrer.* ⇒ **Centre** (I., 2.). *L'ailier a centré après un débordement sur la gauche.*

♦ 4. (Abstrait). *Centrer qqch. sur...* : donner comme centre (d'action, d'intérêt). *Centrer une recherche sur...* « *Cette pièce était centrée sur le personnage de Minos* » (Montherlant).

2 Je centrais mon récit sur la marche éclair de la Première Armée française des sources du Danube vers Ulm (...) Roger VAILLAND, Bon pied, bon œil, p. 35.

Pron. *Se centrer sur, autour de...*

▶ **CENTRÉ, ÉE** p. p. adj.

♦ 1. *Sujet centré ; image centrée* (→ Cadré).

Par métaphore :

3 Cette loi fatale fait que les vieux résidents en Asie et les personnes les plus mêlées aux Asiatiques, ne sont pas les plus à même d'en garder une vision centrée et qu'un passant aux yeux naïfs peut parfois mettre le doigt sur le centre. Henri MICHAUX, Un barbare en Asie, p. 97.

Roue centrée.

♦ 2. Régional (Suisse). Situé au centre. ⇒ **Central.** *Magasin, appartement bien centré.*

♦ 3. **CENTRÉ SUR** (qqch.). *Récit centré sur un fait.* — (Personnes). *Être centré sur soi-même* : avoir pour centre d'intérêt sa propre personne. ⇒ **Égocentrique.**

4 Il faut courir le risque, tenter sa chance (...) Mais si elle est comme ça, comme vous dites, si centrée sur elle-même (...) N. SARRAUTE, le Planétarium, p. 186.

DÉR. Centrage, centration, centreur.
COMP. Autocentré. — Concentrer, décentrer, excentrer.

CENTREUR [sɑ̃trœr] n. m. — 1842 ; de *centrer.*

♦ Dispositif de centrage pour les machines-outils. — Spécialt. Petite pièce circulaire servant à caler les disques à grand évidement central (disques quarante-cinq tours) sur le plateau d'un électrophone.

CENTRIFUGATION [sɑ̃trifygɑsjɔ̃] n. f. — 1897 ; de *centrifuger.*

♦ Techn. Séparation de substances de densité différente au moyen de la force centrifuge, par rotation rapide. *Écrémer, essorer, décanter, filtrer par centrifugation. Séparation de gaz par centrifugation.*

CENTRIFUGE [sɑ̃trify ʒ] adj. — 1700 ; lat. sav. *centrifuga* (Newton), du lat. *centrum* « centre », et *fuga* « fuite ». → -fuge.

♦ 1. Phys. Qui tend à éloigner du centre. *Force centrifuge,* engendrée par un mouvement de rotation, et qui tend à éloigner le corps en rotation du centre. *Effet centrifuge.* — Par métaphore :
Un sergent de ville qui voulut intervenir fut rejeté hors du tourbillon par la vertu centrifuge de l'ardeur des combattants. R. QUENEAU, Pierrot mon ami, éd. L. de Poche, p. 16.

Techn. **ⓐ** Qui utilise la force centrifuge. *Écrémeuse centrifuge* (n. m. : *un centrifuge*).

ⓑ Qui est obtenu par centrifugation. *Écrémage centrifuge. Tuyaux centrifuges* (pour : *centrifugés**).

♦ 2. Didact. Qui se développe vers la périphérie. *Croissance centrifuge du bois.* « *Dans la tige, le bois est centrifuge* » (Plantefol). *L'influx nerveux centrifuge.*
Phonèmes centrifuges, dans l'articulation desquels la cavité de résonance est plus grande en avant de la partie la plus resserrée qu'en arrière.

CONTR. Centripète.
DÉR. Centrifuger.

CENTRIFUGER [sɑ̃trifyʒe] v. tr. — Conjug. *bouger.* — 1871 ; de *centrifuge.*

♦ 1. Séparer par un rapide mouvement de rotation des éléments de densité différente. ⇒ **Centrifugation.** *Centrifuger du lait. Tubes à centrifuger* (le sang). — Au p. p. *Lait centrifugé.*
On va même maintenant jusqu'à *centrifuger* les gaz pour les séparer et on y arrive pourvu que leurs densités soient assez différentes.
P. POIRÉ, Dict. des sciences, art. *Centrifugation.*

♦ 2. Former par centrifugation. — Au p. p. *Tuyaux, tubes centrifugés.*

DÉR. Centrifugation, centrifugeur, centrifugeuse.

CENTRIFUGEUR [sɑ̃trifyʒœr] n. m. — 1897 ; de *centrifuger.*

♦ Techn. Appareil de laboratoire agissant par centrifugation. — Spécialt. Dispositif d'une centrifugeuse qui effectue la centrifugation

CENTRIFUGEUSE [sɑ̃trifyʒφz] n. f. — 1897, *centrifugeur* ; de *centrifuger.* → Centrifugeur.
Technique.

♦ 1. Appareil muni d'un système de rotation très rapide (⇒ **Centrifugeur**) produisant une force centrifuge suffisante pour séparer deux substances de densité différente. *Centrifugeuse ménagère.*
Appareil de laboratoire permettant d'obtenir des accélérations comparables à celles des avions et des fusées, et d'étudier leurs effets sur l'organisme humain. *Soumettre des astronautes à un test en centrifugeuse.*

♦ 2. Dispositif électrique de séparation des isotopes.

CENTRIOLAIRE [sɑ̃trijɔlɛr] adj. — Av. 1965 ; de *centriole.*

♦ Biol. De structure analogue à celle du centriole*.

CENTRIOLE [sɑ̃trijɔl] n. m. — 1903, *in Rev. gén. des sc.,* nᵒ 11, p. 632 ; de *centre,* et suff. dimin. *-(i)ole.* → Vacuole.

♦ Biol. L'un des corpuscules centraux du centrosome* (cit.).

DÉR. Centriolaire.

CENTRIPÈTE [sɑ̃tripɛt] adj. — 1700 ; lat. sav. *centripeta* (Newton) ; comp. du lat. *centrum* « centre », et *petere* « tendre vers ».

♦ 1. Phys. Qui tend vers le centre, à se rapprocher du centre. *Force centripète. Pression centripète. Accélération centripète.*
C'est la force centripète qui ramène vers la terre les corps qui tombent ; c'est elle aussi qui fait graviter la lune sur la terre, la terre sur le soleil. Dieu a donné à la matière brute la force centripète.
VOLTAIRE, Dialogues et Entretiens philosophiques, 25.

♦ 2. Didact. Qui se développe vers le centre. *Influx nerveux centripète, nerfs centripètes* (⇒ **Afférent**).

CONTR. Centrifuge.

CENTRISME [sɑ̃trism] n. m. — 1936, L. Daudet ; de *centre,* I., 3.

♦ Polit. Position de ceux qui se situent politiquement au centre. « *Des élus venus de tous les horizons du centrisme* » (G. Claisse, *l'Express,* nᵒ 1110, 16 oct. 1972, p. 68).

CENTRISTE [sɑ̃trist] adj. et n. — 1922, L. Daudet ; de *centre,* I., 3.

♦ Qui appartient au centre, à une formation politique du centre. *Les candidats centristes ; les centristes.* ⇒ **Modéré.** *Un ministre centriste.*
REM. Le mot s'est répandu après 1950-60. On le rencontre dans les années 1930 à propos de l'Allemagne (la coalition de Weimar était formée de sociaux-démocrates et de centristes).

CENTRO- Élément initial du lat. *centrum* « centre ». — On peut signaler outre les mots traités ci-dessous : *centrodiérèse,* n. f. (biol.), *centrodesmose,* n. f. ; *centro-lobulaire* adj. (anatomie).

CENTROLÉCITHE [sɑ̃trɔlesit] adj. — 1931 ; de *centro-,* et *lécithe.*

♦ Biol. Se dit de l'œuf dont le plasma germinatif est séparé en deux zones par le vitellus.
Chez les Insectes et beaucoup d'autres Arthropodes (Crustacés, Arachnides, etc.) les œufs sont relativement volumineux (...) il y a aussi une séparation assez complète du vitellus et du cytoplasme, qui forme ici une couche périphérique, tandis que le vitellus forme la partie centrale de l'œuf, dit *centrolécithe.*
Maurice CAULLERY, l'Embryologie, p. 12.
Segmentation centrolécithe, propre à ces œufs.

CENTROMÈRE [sɑ̃trɔmɛr] n. m. — 1973 ; de *centro-,* et *-mère.*

♦ Biol. Constriction localisée du chromosome, et qui fixe celui-ci aux fibres du fuseau* achromatique, lors de l'anaphase. *Chromosomes classés selon leur taille et la place de leur centromère.*
Var. : *centromètre* [sɑ̃trɔmɛtr] n. m. ; d'où *centrométrique,* adj. (R. Husson *et al., Manuel de biologie, in* T. L. F.).

CENTROSOME [sɑ̃tʀozɔm] n. m. — 1894; angl. *centrosome*, ou all.; de *centrum*, et *soma*.

♦ Biol. Organite du cytoplasme cellulaire situé près du noyau, comprenant deux formations tubulaires, les centrioles*, et le cytoplasme qui les entoure, et dont la division précède celle du noyau. *Pendant la mitose, de fins filaments* (⇒ 2. **Aster**) *irradient autour du centrosome.*

(...) une aire claire qualifiée de centrosphère, dans laquelle on distingue parfois un ou deux corpuscules de condensation, les centrioles. Centrioles, centrosphère et aster forment ensemble le centrosome.
                          Albert DALCQ, l'Œuf et son dynamisme organisateur, p. 26.

DÉR. Centrosomique.

CENTROSOMIQUE [sɑ̃tʀozɔmik] adj. — 1903, in *Rev. gén. des sc.*, nº 11, p. 613; de *centrosome*.

♦ Biol. Du centrosome.

CENTROUSE ou **CENTROUZE** [sɑ̃tʀuz] n. f. — 1887; du rad. de *central*, et suff. argotique *-ouse*. → Barbouze, piquouse, partouze, etc.

♦ Argot. Maison centrale (de force, de correction). ⇒ **Centrale, 4.**

CENTRUM [sɑ̃tʀɔm] n. m. — 1890; mot lat., grec *kentron*.

♦ Didact. (anat.). Partie centrale. Spécialt. Corps d'une vertèbre.

(...) la vertèbre *(des Lépospondyles)* est d'une seule pièce, avec un centrum massif en forme de sablier entourant la notocorde persistante.
                          Jean GUIBÉ, les Batraciens, p. 16.

CENT-SUISSES [sɑ̃sɥis] n. m. pl. — 1732; de *cent*, et *suisse*.

♦ Hist. Corps d'infanterie suisse créé par Louis XI, qui faisait partie de la garde royale jusqu'en 1792. — Au sing. *Un Cent-Suisse :* un soldat de ce corps.

CENTUMVIR [sɑ̃tɔmviʀ] n. m. — 1636; mot lat.; de *centum* «cent», et *vir* «homme».

♦ Didact. (antiq. rom.) Membre d'un tribunal composé de cent magistrats qui jugeaient les affaires civiles.

DÉR. Centumvirat.

CENTUMVIRAT [sɑ̃tɔmviʀa] n. m. — 1751; de *centumvir*.

♦ Didact. (antiq. rom.). Dignité, charge de centumvir. — Durée de cette fonction.

CENTUPLE [sɑ̃typl] adj. et n. m. — 1370; empr. au lat. chrét. *centuplus*. → Centupler.

♦ **1.** Adj. Qui égale cent fois une quantité donnée. *Mille est le nombre centuple de dix.*

♦ **2.** N. m. (1643). Quantité qui vaut cent fois une autre. *Le centuple.* — Par ext. Quantité beaucoup plus grande qu'une autre.

1   Et quiconque aura quitté pour moi sa maison, ou ses frères ou ses sœurs, ou son père, ou sa mère, ou sa femme, ou ses enfants, ou ses terres, en recevra le centuple, et il aura pour héritage la vie éternelle.
                          BIBLE (SACY), Évangile selon saint Matthieu, XIX, 29.

2   Dieu, qui rend le centuple aux bonnes actions,
    Pour comble donne encore les persécutions,   CORNEILLE, Polyeucte, V, 2.

Loc. adv. *Au centuple :* cent fois plus; beaucoup plus. *Porter au centuple.* ⇒ **Centupler.** *Être payé, récompensé au centuple.* — Loc. *Rendre qqch. au centuple* (allus. à l'Évangile : Matthieu, XIX, 29). → Charogne, cit. 2. *Multiplier, rapporter au centuple* (⇒ **Valeur**).

3   (...) il y a des terres sèches et pierreuses où la parole tombe inutilement; mais il y a des champs fertiles où elle fructifie au centuple.
                          BOSSUET, Sermon sur l'Église, 3.

CENTUPLER [sɑ̃typle] v. tr. et intr. — Av. 1560; *centuplier*, 1542; du lat. chrét. *centuplicare*, du lat. class. *centuplex, -icis* «centuple».

♦ **1.** V. tr. Porter au centuple. *Il a centuplé sa fortune. Centupler un nombre.*

Par ext. Augmenter de manière considérable. ⇒ **Agrandir, décupler, multiplier.**

1   Dans l'âme d'un grand peintre ou d'un grand poète, l'amour est divin comme centuplant le domaine et les plaisirs de l'art, dont les beautés donnent à son âme le pain quotidien.   STENDHAL, De l'amour, p. 284.

2   (...) le désir physique, cette belle fatalité qui aiguillonne le monde et centuple ses énergies (...)   MICHELET, la Femme, p. 10.

♦ **2.** V. intr. (1878). Être porté au centuple. *La production a centuplé cette année.*

CENTURIE [sɑ̃tyʀi] n. f. — 1284; lat. *centuria* «groupe de cent hommes».

♦ Antiq. rom. Subdivision administrative formée de cent citoyens. *Les comices par centuries* (ou *centuriates*). ⇒ **Assemblée.**
Unité militaire de cent hommes d'armes. *La légion romaine était divisée en 10 cohortes réparties en 60 centuries.* ⇒ **Armée.**

CENTURION [sɑ̃tyʀjɔ̃] n. m. — Fin XIIᵉ; lat. class. *centurio, -onis.*

♦ Antiq. rom. Officier commandant une centurie*. ⇒ **Centenier.** Allus. évang. *Le centurion de l'Évangile* (cit.). *Le Voyage du centurion*, de Psichari.

1   Le centurion et ceux qui, avec lui, gardaient Jésus, voyant le tremblement de terre (...) furent saisis d'une grande frayeur (...)
                          BIBLE (CRAMPON), Évangile selon saint Matthieu, XXVII, 54.

2   Aussi se constitua-t-il une classe de demi-convertis, de «craignant Dieu» (...) le centurion de l'Évangile sera sans doute l'un d'eux.
                          DANIEL-ROPS, le Peuple de la Bible, IV, III, p. 338.

CÉNURE ou **CŒNURE** [senyʀ] n. m. — 1839; lat. zool. *cœnurus*, du grec *koinos* «commun», et *oura* «queue», à cause de la forme de l'animal.

♦ Forme larvaire de certains ténias, parasite du tissu sous-cutané, des muscles et du cerveau chez l'homme et chez quelques mammifères, particulièrement le mouton. *Le cénure, appelé aussi vercoquin, est la cause de la maladie dite* tournis.

CEP [sɛp] n. m. — Déb. XIᵉ; du lat. *cippus* «pieu». → Cippe.

♦ **1.** Pied (de vigne). *Cep de vigne, de treille; cep. Arracher des ceps.* ⇒ **Souche.** *Baguage* des ceps. Provigner* un cep.* — Bois de la vigne.

Elles sont sans feuilles, ces vignes, parce que l'avril n'est pas commencé; on voit leurs ceps énormes se tordre partout sur le sol comme des serpents au corps multiple (...)   LOTI, Jérusalem, III, p. 19.

Par compar. *Noueux, sec, tordu comme un cep, comme un cep de vigne.*

♦ **2.** (1836). Techn. Pièce de bois ou de fer supportant le soc d'une charrue. Var. graphique : *sep* (vx).

♦ **3.** (Déb. XIᵉ). Vx. Pièce de fer servant d'entrave pour des prisonniers. ⇒ **Chaîne.** *Être aux ceps. Mettre qqn aux ceps.* Var. graphique : *sep.*

DÉR. Cépage, cépée.
HOM. 1. Cèpe, 2. cèpe.

CÉPAGE [sepaʒ] n. m. — 1573; de *cep.*

♦ Variété de plant de vigne cultivée. *Noms de cépages :* aligoté, aramon, auvernat, cabernet, carignan, césar, gamay, gouet, grenache, picardan, picpouille, pineau, riesling, sémillon, silvaner ou sylvaner, traminer... ⇒ **Raisin, vigne.** *Cépage blanc, noir. Les cépages de Bourgogne.*

1. CÈPE [sɛp] n. m. — 1798; gascon *cep* «tronc», du lat. *cippus.* → Cep.

♦ Bolet* comestible (⇒ **Champignon**), spécialt. le *bolet cèpe* ou *cèpe de Bordeaux.* — REM. Le mot *cèpe* est plus courant que *bolet*, et s'emploie exclusivement pour le commerce et l'alimentation. — *Aller chercher, cueillir des cèpes. Cèpes à l'ail, à la bordelaise. Omelette aux cèpes. Cèpes frais, en bocaux, en conserve.*

HOM. Cep, 2. cèpe.

2. CÈPE [sɛp] n. f. — XVᵉ, *sepe;* de l'ancien provençal *sepa* «tronc d'arbre», même orig. que *cep.*

♦ Régional. Bûche, souche.

Une grosse cèpe d'olivier s'ouvrit comme une grenade mûre, s'effrita dans le brasier soupirant et ses débris étaient pareils à des roses
                          J. GIONO, Naissance de l'Odyssée, p. 43.

HOM. Cep, 1. cèpe.

CÉPÉE [sepe] n. f. — 1180; de *cep.*

♦ **1.** Agric. Touffe de jeunes tiges de bois, de rejets sortant d'une même souche.

Sur les reliefs perpendiculaires du paysage, des pentes rases ou bouquetées de cépées de hêtres (...)   CHATEAUBRIAND, Mémoires d'outre-tombe, IV, II.

♦ **2.** Taillis d'un à deux ans.

CEPENDANT [s(ə)pɑ̃dɑ̃] adv. et conj. — 1278, écrit *ce pendant;* 1424, *cependant que;* de *ce* (cela), et *pendant*, p. prés. de *pendre* «cela, ceci étant pendant».

♦ **1.** Adv. Vx ou littér. (Exprimant la concomitance). Pendant* ce temps (à ce moment*, au moment même).

1   Cependant il advint qu'au sortir des forêts
     Ce lion fut pris dans des rets (...)   LA FONTAINE, Fables, II, 12.

2   Allez, et cependant au pied de nos autels
     J'irai rendre pour vous grâces aux Immortels.   CORNEILLE, Horace, I, 3.

3   Viens, suis-moi. La Sultane en ce lieu se doit rendre.
     Je pourrai cependant te parler et l'entendre.   RACINE, Bajazet, I, 1.

Loc. conj. (Marquant la simultanéité). *Cependant que... :* pendant que, pendant le temps que... ⇒ **Alors** (que), **durant** (que), **tandis** (que).

4   Le temps s'en va, le temps s'en va, ma Dame,
     (...) Et des amours, desquelles nous parlons,
     Quand serons morts, n'en sera plus nouvelle :
     Pour ce aimez-moi, cependant qu'êtes belle.
        RONSARD, Pièces retranchées, «Continuation des amours», Pl., t. II, p. 814.

5   Cependant que j'ahanne,
     A mon blé que je vanne (...)   DU BELLAY, le Vanneur.

6   Cependant que mon mari n'y est pas, je vais faire un tour (...)
        MOLIÈRE, la Jalousie du Barbouillé, 8.

♦ **2.** Adv. (1541, Calvin). Cour. (Exprimant surtout une opposition, une restriction). ⇒ **Néanmoins, nonobstant, pourtant, toutefois ; malgré** (malgré cela), **regard** (en regard de cela). Cf. aussi Toujours est-il, avec tout cela, n'empêche que.

REM. 1. Du fait que sa place est variable (surtout en début de proposition ou en incise) *cependant* est dit adverbe de liaison plutôt que conjonction de coordination.

6.1   Maman, cependant, était bonne catholique, ou prétendait l'être (...)
        ROUSSEAU, les Confessions, VI.

6.2   Le pigeon est fort timide et difficile à apprivoiser. Cependant je vins à bout d'inspirer aux miens tant de confiance, qu'ils me suivaient partout (...)
        ROUSSEAU, les Confessions, VI.

7   (...) agacé cependant de l'entendre soutenir une erreur avec tant de certitude et de suffisance.   PROUST, À la recherche du temps perdu, t. IX, p. 122.

8   On ne peut sans abuser de l'analyse, essayer de retrouver dans *n'empêche que* le sens et la valeur d'une principale dont dépendrait le reste ; *n'empêche que* veut dire à peu près : *et cependant.*   F. BRUNOT, la Pensée et la Langue, I, XI.

2. *Cependant* est souvent combiné avec une conjonction de coordination, un adverbe, une conjonction de subordination. *Et cependant. Mais cependant. De manière cependant que...*

Littér. *Cependant que...* (exprimant l'opposition). *« L'italien est parfaitement phonétique, cependant que le français (...) possède quatre manières d'écrire k (...) »* (Valéry, in T. L. F.).

CÉPHAL- ⇒ Céphalo-.

CÉPHALALGIE [sefalalʒi] n. f. — 1495, *cephalargie* ; bas lat. *cephalargia* ou *cephalalgia,* grec *kephalalgia,* de *kephalê* «tête», et *algein* «souffrir».

♦ Méd. Douleur de tête, symptôme de nombreux états morbides. ⇒ **Céphalée, migraine** ; cour. **mal** (de tête). *Céphalalgie diffuse, localisée. Céphalalgie interne.*

   Christ! Ô Christ, éternel voleur des énergies,
   Dieu qui pour deux mille ans vouas à ta pâleur,
   Cloués au sol, de honte et de céphalalgies,
   Ou renversés, les fronts des femmes de douleur.
        RIMBAUD, Poésies, «Les premières communions», Pl., p. 92.

DÉR. **Céphalalgique.**

CÉPHALALGIQUE [sefalalʒik] adj. — 1837 ; de *céphalalgie.*

♦ Méd. Relatif à la céphalalgie.

-CÉPHALE Élément final, tiré du grec *kephalê* « tête », et qui sert à former de nombreux mots didactiques et scientifiques. ⇒ **Acéphale, acrocéphale, androcéphale, autocéphale, bicéphale, bothriocéphale, brachycéphale, bucéphale, cynocéphale, dicéphale, dolichocéphale, hydrocéphale, leptocéphale, macrocéphale, mégalocéphale, mésocéphale, microcéphale, platycéphale, pycnocéphale, tricéphale, trichocéphale, trigonocéphale.**

CÉPHALÉ, ÉE [sefale] adj. — 1809, Lamarck ; dér. sav. du grec *kephalê* «tête», et suff. *-é.*

♦ Zool. Muni d'une tête distincte. — N. m. pl. (Vx). *Les céphalés :* les animaux à tête distincte.

HOM. **Céphalée.**

CÉPHALÉE [sefale] n. f. — 1570 ; lat. class. *cephalea,* du grec *kephalaia.*

♦ Méd. Mal de tête. ⇒ **Céphalalgie, migraine.**

HOM. **Céphalé.**

CÉPHALINE [sefalin] n. f. — Av. 1920, Legendre ; de *céphal-,* et *-ine.*

♦ Chim., biol. Substance lipidique phosphatée présente en grande quantité dans le cerveau et le foie, existant également chez certains végétaux et micro-organismes.

CÉPHALIQUE [sefalik] adj. — 1314 ; du bas lat. *cephalicus,* grec *kephalikos,* de *kephalê* «tête». → -céphale, céphalo-.

♦ Anat. Qui a rapport à la tête*. *Artère céphalique.* ⇒ **Carotide.** *Veine céphalique :* grande veine superficielle du bras utilisée autrefois pour les saignées.
Souffle céphalique, perçu chez le nouveau-né, au niveau de la fontanelle. *Douleur céphalique.* ⇒ **Céphalalgie, céphalée.** *Remèdes céphaliques,* contre les maux de tête.

1   Sans vouloir défendre mon mot, dit l'auteur, je vous ferai observer que *Huile Céphalique* veut dire huile pour la tête (...)
        BALZAC, César Birotteau, Pl., t. II, p. 439-440.

Anthropométrie. *Indice céphalique :* rapport du diamètre transversal et du diamètre antéro-postérieur du crâne.

Biol. Relatif à la partie antérieure et supérieure d'un organisme (lorsqu'il ne s'agit pas d'une tête bien distincte). → Céphalon. *Extrémité céphalique des animaux inférieurs. Coiffe céphalique du spermatozoïde.* ⇒ **Acrosome.**

2   Entre la boîte céphalique et le corps (...) à la limite du champ de relation et de la partie locomotrice, se trouve une nageoire pectorale, palette articulée.
        J. VERNE, l'Île mystérieuse, t. I, p. 235.

CÉPHALISATION [sefalizasjɔ̃] n. f. — 1906, in *Rev. gén. des sc.,* nº 15, p. 718 ; de *céphal-,* et suff. *-isation.*

♦ Biol. Développement des structures et des fonctions nerveuses dans la tête ou l'extrémité céphalique. *La céphalisation progressive des hominidés.*

Si nous plaçons sur ce graphique tous les animaux usuels, nous avons une série de points qui semblent répartis au hasard ; en fait ils se groupent tous sur des droites parallèles aux précédentes, et chaque droite correspond à une même famille naturelle (...)
Il est facile de caractériser le niveau de chaque droite, par un chiffre qui indiquera en quelque sorte, la valeur du développement cérébral. Ce chiffre est le *coefficient de céphalisation.*   Paul CHAUCHARD, le Système nerveux..., p. 106.

CÉPHALO-, CÉPHAL- Élément initial de mots savants, du grec *kephalê* «tête». — Outre les termes traités ci-dessous, on peut signaler : *céphalographie* [sefalɔgʀafi] n. f. (vx) «description scientifique de la tête» ; *céphaloïde* [sefalɔid] adj. «en forme de tête» ; *céphalopage* [sefalɔpaʒ] n. m. «monstre double à deux corps soudés par la tête» ; *céphalotomie* [sefalɔtɔmi] n. f. (vx) «craniotomie» ; *céphalotribe* [sefalɔtʀib] n. m. «forceps destiné à broyer la tête du fœtus mort pour faciliter l'expulsion».

CÉPHALOCORDÉS [sefalɔkɔʀde] n. m. pl. — xxᵉ ; de *céphalo-,* et *cordés.*

♦ Zool. Classe d'Agnathes sans encéphale. — Au sing. *L'amphioxus* est un céphalocordé.*

CÉPHALOMÈTRE [sefalɔmɛtʀ] n. m. — 1814 ; de *céphalo-,* et *-mètre.*

♦ Didact. Instrument servant à mesurer les dimensions de la tête et du crâne (⇒ **Craniomètre**).

CÉPHALOMÉTRIE [sefalɔmetʀi] n. f. — Déb. xixᵉ ; de *céphalo-,* et *-métrie.*

♦ Didact. Mesure de la tête (⇒ **Craniométrie**).

DÉR. **Céphalométrique.**

CÉPHALOMÉTRIQUE [sefalɔmetʀik] adj. — 1838 ; de *céphalométrie.*

♦ Didact. De la céphalométrie. (⇒ **Craniométrique**). *Mesures céphalométriques.*

CÉPHALON [sefalɔ̃] n. m. — 1906, in *Rev. gén. des sc.,* nº 3, p. 155 ; du grec *kephalê* «tête». → Céphalo-.

♦ Zool. Extrémité céphalique du corps de certains organismes (arthropodes). *Zone préorale et zone post-orale du céphalon d'un crustacé décapode. Le céphalon et le thorax soudés forment le céphalothorax*.*

CÉPHALOPHINÉS [sefalɔfine] n. m. pl. — 1899, *Nouveau Larousse illustré,* art. *Céphalolophe* ; de *céphalophe* «petite antilope de l'Afrique équatoriale» (1846, Bescherelle, var. *céphalolophe,* 1899 ; lat. sav. *cephalophus,* du grec *kephalê* «tête», et *lophos* «aigrette, touffe

de poils», à cause de la houppe pileuse que l'animal porte au front), et suff. *-inés*.

♦ Zool. Sous-famille de mammifères (petites antilopes) de la famille des *bovidés*, comprenant deux genres : *sylvicapra* et *cephalophus* ou *céphalophe*, type de la sous-famille. — Au sing. *Un céphalophiné*.

CÉPHALOPODES [sefalɔpɔd] n. m. pl. — 1798, Cuvier ; de *céphalo-*, et *-pode*.

♦ Zool. Classe de mollusques* supérieurs caractérisée par un pied à tentacules munis de ventouses, que porte la tête ; par une bouche précédée d'un bec corné ; par des yeux perfectionnés ; par une tête distincte contenant un véritable cerveau ; par un système complexe de locomotion et par la réduction ou l'absence de coquille. *On classe les céphalopodes, d'après le nombre de leurs branchies, en* Tétrabranchiaux (⇒ **Nautile**), *et* Dibranchiaux (Décapodes : ⇒ **Calmar, seiche...** ; Octopodes : ⇒ **Argonaute, pieuvre** (cit.), **poulpe**). *Céphalopodes fossiles* (ex. : les ammonites, les bélennites).
Au sing. *Un céphalopode*.

Ils ne parlaient pas, mais ils réfléchissaient, et cette réflexion dut venir à plus d'un, que quelque poulpe ou autre gigantesque céphalopode pouvait occuper les cavités intérieures, qui se trouvaient en communication avec la mer.
J. VERNE, l'Île mystérieuse, t. I, p. 235.
Adj. *Un mollusque céphalopode*.

CÉPHALOPTÈRES [sefalɔptɛʀ] n. m. pl. — 1809, Geoffroy Saint-Hilaire, *in* Cottez ; de *céphalo-*, et *-ptère*.

♦ Zool. (Vx). Genre de passereaux d'Amérique du Sud (gobe-mouches) portant une huppe. — Au sing. *Un céphaloptère*.

CÉPHALORACHIDIEN, IENNE [sefalɔʀaʃidjɛ̃, jɛn] adj. — 1842, *céphalo-rachidien*, *in* D.D.L. ; de *céphalo-*, et *rachidien*.

♦ Anat. Qui concerne la tête (spécialt, l'encéphale) et la colonne vertébrale (ou *rachis*). ⇒ aussi **Cérébro-spinal**. *Nerfs céphalorachidiens*. — REM. On écrit aussi *céphalo-rachidien*.

CÉPHALOSCOPIE [sefalɔskɔpi] n. f. — 1842 ; de *céphalo-*, et *-scopie*.

♦ Méd. (Vx). Examen de la boîte crânienne.

DÉR. Céphaloscopique.

CÉPHALOSCOPIQUE [sefalɔskɔpik] adj. — 1806, *in* D.D.L. ; de *céphaloscopie*.

♦ Méd. (Vx). Qui a rapport à l'examen des crânes.

CÉPHALOTE [sefalɔt] n. m. — 1838 ; lat. bot. *cephalotus*, grec *kêphalotos* «pourvu d'une tête».

♦ **1.** Bot. Plante d'Australie, aux feuilles formant des réceptacles (analogues à des «têtes»).

♦ **2.** Feuille de cette plante *« Des "céphalotes", espèces de godets (...) qui pendaient aux branches d'arbustes coralliformes »* (J. Verne, *les Enfants du capitaine Grant*).

CÉPHALOTHORACIQUE [sefalɔtɔʀasik] adj. — xxᵉ ; de *céphalothorax*.

♦ Zool. Du céphalothorax. *La « région céphalothoracique »* (Zool., Encycl. Pl., t. 2, p. 265).

CÉPHALOTHORAX [sefalɔtɔʀaks] n. m. — 1843 ; de *céphalo-*, et *thorax*.

♦ Zool. Partie antérieure du corps, formée de la tête (ou céphalon) et du thorax soudés, chez certains invertébrés (crustacés, limules, arachnides).

Le céphalothorax *(des crustacés décapodes)* est formé de segments complètement soudés dorsalement et latéralement de sorte qu'il ne subsiste pas de signe de segmentation externe. Cl. DELAMARE-DEBOUTTEVILLE, les Crustacés, *in* Zoologie, t. II, Encycl. Pl., p. 263.

DÉR. Céphalothoracique.

CÉPHÉIDE [sefeid] n. f. — 1927 ; de *Céphée*, constellation boréale, lat. *cepheus*, grec *Kêpheus* «Cephée», nom d'un personnage mythologique.

♦ Astron. Étoile dont l'intensité lumineuse est variable de façon périodique, avec une courte période de variation d'éclat. Syn. : *étoile variable périodique à courte période. La luminosité absolue des céphéides est fonction de leur période.*

(...) ces belles et curieuses étoiles que sont les *céphéides*, ainsi nommées parce qu'elles ressemblent à l'étoile *Delta* de la constellation de Céphée.
Pierre ROUSSEAU, De l'atome à l'étoile, p. 113.

CÉR- ⇒ **Céri-**.

CÉRAISTE [seʀɛst] n. m. — 1808, Boiste, n. f. ; *céreste, céraste*, déb. xixᵉ ; du lat. bot. *cerastium**, ou du grec *kerastês* «cornu» (avec altération de la deuxième syllabe), à cause de la forme du fruit. → **Céraste**.

♦ Bot. Plante dicotylédone dialypétale herbacée poussant dans les champs et les bois, à tige velue, à feuilles simples opposées, à fleurs blanches ou blanchâtres, régulières, dont chacun des cinq pétales est divisé en deux au sommet (famille des *Caryophyllacées*, n. sc. *cerastium*). *Céraiste des champs* (cerastium arvense). *Céraiste vulgaire* (cerastium vulgatum). *Le céraiste cotonneux* (cerastium tomentosum), appelé aussi *argentine, oreille-de-souris, traînasse*) *est ornemental*.

CÉRAMBYCIDÉS [seʀɑ̃biside] n. m. pl. — xxᵉ ; de *cérambyx*, et *-idés*.

♦ Zool. Famille de coléoptères à corps allongé et longues antennes. Syn. : *longicornes*. — Au sing. *Un cérambycidé*.

CÉRAMBYX [seʀɑ̃biks] n. m. — 1775 ; lat. sc. *cerambyx*, Linné, 1735 ; grec *kerambux* «capricorne».

♦ Zool. Capricorne*, coléoptère type de la famille des *Cérambycidés*.

DÉR. Cérambycidés.

CÉRAME [seʀam] n. m. et adj. — 1751 ; grec *keramon* «vaisselle en argile». → **Céramique**.

♦ **1.** Archéol. Vase grec en terre cuite. — Adj. *Vase cérame*.

♦ **2.** (Adj.). Techn. **GRÈS CÉRAME**, utilisé en céramique. *Des grès cérames*.

CÉRAMIE [seʀami] n. f. — 1820 ; lat. bot. *ceramium*, du grec *keramion* «vase d'argile».

♦ Bot. Algue marine rouge dont le thalle est formé de nombreux axes ramifiés.

CÉRAMIQUE [seʀamik] adj. et n. f. — 1806 ; grec *keramikos* «d'argile», de *keramos* «argile».

★ **I.** Adj. Relatif à la fabrication des vases en terre cuite, des faïences, des porcelaines... *Les arts céramiques. L'industrie céramique. Musée céramique. — Produits céramiques :* faïence, porcelaines (biscuit, etc.), poteries, terres cuites, grès cérames (et aussi verres, émaux). *Carreaux céramiques. Pâte céramique faite d'argile, de kaolin... Battitures, pourrissage de la pâte céramique. Substance qui diminue la plasticité d'une pâte céramique.* ⇒ **Amaigrissant**. *Coulage, modelage, tournage, cuisson au four d'une pièce céramique. Recouvrir une pièce céramique d'un enduit.* ⇒ **Engobage, glaçure, lut**. *Couleurs céramiques*.

★ **II.** N. f. ♦ **1.** Technique du potier. *Étudier la céramique*. Bernard Palissy fut l'un des créateurs de la céramique en France.
Par ext. «Art de peindre la porcelaine, de cloisonner les émaux et même de fabriquer le verre» (Académie).
Spécialt. *Céramique dentaire :* technique de prothèse dentaire utilisant la porcelaine.

♦ **2.** (Plus cour.). Matière (kaolin, argile...) dont sont faits les produits céramiques. *Des carreaux de céramique*.

♦ **3.** *(Une, des céramiques)*. Objet de céramique (vaisselle, carreaux, objets décoratifs). ⇒ **Faïence, porcelaine, terre** (cuite). *Une céramique ancienne. Des céramiques d'art. Collection de céramiques.* — (Collectif). *La céramique :* les objets en céramique.

La surface d'une céramique, suivant qu'il s'agit d'un récipient géant à contenir du grain, d'un récipient à tenir l'eau fraîche ou d'un récipient imperméable, offrira des états de surface variés, grenu, poreux ou lisse, de caractère directement fonctionnel, qui feront appel à des références empruntées à l'esthétique physiologique.
A. LEROI-GOURHAN, le Geste et la Parole, t. II, p. 139.

DÉR. et **COMP. Céramiste, vitrocéramique**. — (Du même rad.) V. **Céramographie, céramographique, céramologie**.

CÉRAMISTE [seʀamist] n. — 1856 ; de *céramique*.

♦ Personne qui fabrique, décore de la céramique. *Une céramiste de grand talent.*
Appos. *Artisan céramiste. Peintre céramiste.*

CÉRAMOGRAPHIE [seramɔgrafi] n. f. — 1866 ; du rad. de *céramique*, et *-graphie*.

♦ Didact. Science de l'art céramique ; traité historique de l'art céramique.

CÉRAMOGRAPHIQUE [seramɔgrafik] adj. — Fin xixᵉ ; «céramique (l.)», 1819 ; du rad. de *céramique*, et *-graphique*.

♦ Didact. Relatif à la céramographie.

CÉRAMOLOGIE [seramɔlɔʒi] n. f. — V. 1960 (1974, Courrier du CNRS) ; du rad. de *céramique*, et *-logie*.

♦ Didact. Étude archéologique de l'art céramique. *«Ainsi a-t-on fait au laboratoire de céramologie de Valence (CNRS) lequel, après s'être intéressé, comme son nom l'indique, à l'analyse des poteries, s'est ensuite tourné vers celle des sculptures»* (*Sciences et Avenir*, nᵒ 404, oct. 1980, p. 95).

CÉRAMOLOGUE [seramɔlɔg] n. — Mil. xxᵉ ; du rad. de *céramique*, et *-logue*.

♦ Didact. Spécialiste de céramologie.

CÉRASTE [serast] n. m. — 1213 ; lat. *cerastes* «vipère à cornes», grec *kerastês* «cornu», de *keras* «corne». → Céraiste.

♦ Zool. Serpent venimeux *(Vipéridés),* vivant en Afrique et en Asie, portant une excroissance au-dessus de chaque œil. — En appos. *Vipère céraste.* Syn. cour. : *vipère cornue, vipère à cornes.* ⇒ **Vipère** (cit. 1).

CERASTIUM [serastjɔm] n. m. — xixᵉ ; lat. bot., du grec *kerastês* «cornu», à cause de la forme du fruit. → Céraste.

♦ Bot. ⇒ **Céraiste.**

CÉRAT [sera] n. m. — 1539 ; lat. *ceratum*, p. p. de *cerare* «frotter avec de la cire».

♦ Pharm. (Vieilli). Médicament externe à base de cire et d'huile, utilisé seul ou additionné de substances médicamenteuses, en dermatologie ou en cosmétologie. *Cérat de blanc de baleine. Cérat à la rose. Soigner des gerçures aux lèvres avec du cérat.*

L'air est tiède, d'une tièdeur moite. Il est chargé d'une odeur fade, d'un goût écœurant de cérat échauffé et de graine de lin bouillie.
Ed. et J. DE GONCOURT, Sœur Philomène, p. 2.

CERATIAS [seratjas] n. m. — Fin xixᵉ ; du grec *keratias* «cornu». → Kérat-.

♦ Zool. Poisson abyssal, portant un appendice lumineux sur la tête et à dents énormes (poisson osseux ; famille des *Cératiidés*).

D'hier aussi, date la connaissance de l'étrange biologie sexuelle des *Ceratias,* les seuls Vertébrés dont les mâles nains se dégradent au point de vivre en parasites sur les femelles, de se souder à elles et de dégénérer presque totalement.
R. et M.-L. BAUCHOT, les Poissons, p. 5.

CÉRATINE [seratin] n. f. — 1820 ; lat. zool. *ceratina*, 1804, Latreille, grec *kêratinos* «en corne».

♦ Zool. Petite abeille solitaire, nichant dans la tige de certaines plantes.

CÉRATITE [seratit] n. f. — 1832 ; grec *kêratitis* «cornu», de *kerastês*. → Céraste.

♦ 1. Paléont. Mollusque ammonoïde fossile du trias.

♦ 2. (1845). Zool. Coléoptère d'Afrique noire à larve xylophage.

CÉRATOGLOSSE [seratoglɔs] adj. — 1701 ; de *cérato-*, var. de *kérato-*, et *-glosse*.

♦ Anat. Se dit d'un muscle fixé à la corne de l'os hyoïde. — REM. On écrit aussi *cérato-glosse* (vx).

CÉRAUNIE [seroni] n. f. — 1838 ; du lat. *ceraunus*, 1125, grec *keraunias* «frappé par la foudre», cette pierre étant, croyaient les Anciens, précipitée sur terre par la foudre.

♦ Minér. Jade d'une variété communément appelée *pierre de foudre.*

CERBÈRE [serbɛr] n. m. — 1576 ; lat. *Cerberus*, du grec *Kerberos*, nom du chien à trois têtes qui gardait l'entrée des enfers.

(...) un chien, dont j'entends la voix, est la seule garde du prince : Cerbère aboie ainsi aux ombres dans les régions de la mort, du silence et de la nuit.
CHATEAUBRIAND, Mémoires d'outre-tombe, IV, VIII.

♦ **1.** Portier brutal, hargneux ; gardien sévère et intraitable. *C'est un cerbère. Un cerbère femelle.*

(...) ce chat exterminateur,
Vrai Cerbère, était craint une lieue à la ronde. LA FONTAINE, Fables, III, 18.
Garde, gardien, concierge.

Une fois cette conviction bien arrêtée dans son esprit, il sut s'informer près des guichetiers ; il avait une façon irrésistible de charmer les cerbères et de leur faire dire ce qu'il voulait savoir, sans qu'ils s'en doutassent le moins du monde.
Louise MICHEL, la Misère, t. III, p. 631.

♦ **2.** Chien de garde hargneux, agressif.

CERCAIRE [serkɛr] n. f. — 1800, Boiste ; lat. sav. *cercaria*, Müller, du grec *kerkos* «queue».

♦ Zool. Larve des vers trématodes appelés *douves**.

Au terme de leur évolution, les cercaires quittent le mollusque (...) Ils vont alors se fixer, à fleur d'eau, sur des brins d'herbe.
E. GARCIN, Guide vétérinaire, 1944, p. 68, in T. L. F.

CERCE [sers] n. f. — 1762 ; *cercle*, «menuiserie entourant une meule de moulin», av. 1105 ; «garniture du bord d'un objet», v. 1270 ; *cherche* «courbe (d'une construction)», 1567 ; probablt de *cerche*, du lat. pop. *circa, fém. de *circus* «cercle», par assimilation progressive, ou p.-ê. d'après *cerceau*.

Technique.

♦ **1.** (*Serche*, 1577). Cercle de bois large et mince servant à monter les cribles et les tamis.

♦ **2.** Menuiserie qui entoure les meules d'un moulin.

♦ **3.** Ustensile d'encastage pour les poteries.

♦ **4.** Patron permettant de profiler une construction d'après une forme donnée. ⇒ **Gabarit.** *Cerce pour établir le bombement d'une chaussée.*

CERCEAU [serso] n. m. — 1120, «anneau, cercle» ; bas lat. *circellus* «petit cercle», de *circus* «cercle».

♦ **1.** Cercle de bois ou en métal.

(V. 1200). Techn. *Cerceaux de tonneaux, de baquets,* maintenant les douves. ⇒ **Feuillard.** *Cerceaux des extrémités d'une futaille.* ⇒ **Sommier.** *Chassoir, davier pour faire entrer les cerceaux sur un tonneau.* — *Cerceaux de jupon, de crinoline,* en acier flexible. *Cercle de brodeur, servant à tendre l'étoffe à travailler. Cerceau d'acrobate, de faiseur de tours,* le plus souvent tendu de papier mince, que traverse l'acrobate. *Crever un cerceau. Cerceau enflammé.*

Dans la plaine les baladins
S'éloignent au long des jardins (...)
Ils ont des poids ronds ou carrés
Des tambours des cerceaux dorés APOLLINAIRE, Alcools, p. 78.

(1835). Jouet que l'on fait rouler en le poussant avec un bâton (→ **Bâton,** cit. 15).

Le cerceau était grand et solide : trop grand pour la taille de Louis (...) Rien qu'à le regarder, on sentait comment il pourrait courir, bondir.
J. ROMAINS, les Hommes de bonne volonté, XVII, p. 175.

♦ **2.** (xvᵉ). Cintre, demi-cercle en bois, en fer. ⇒ **Arceau.** *Cerceaux de voiture,* qui soutiennent la bâche. *Le cerceau d'un berceau d'enfant, d'une tonnelle de jardin.*
Méd. Appareil soulevant le drap et les couvertures au-dessus d'une partie malade. ⇒ **Arceau, archet.**

On garantit le moignon du poids des couvertures au moyen d'un petit cerceau
Ph. BOYER, Traité des maladies chirurgicales, 1847, in D. D. L., II, 8.

(1680). Techn. anc. Balancier servant à porter deux seaux d'eau.
Arceau écartant l'entrée d'un filet. *Les cerceaux d'un carrelet**. Par métonymie. Pêche. Petit filet à écrevisses, poche montée sur un cerceau ou sur des cerceaux. ⇒ **Balance.**

♦ **3.** (Choses naturelles). [a] Arc, arceau. «*Les cerceaux cartilagineux de la trachée»* (E. Perrier, in T. L. F.).

[b] (1393, *serceaulx*). Zool. et chasse (faucon.). Plume du bout de l'aile des oiseaux de proie.

♦ **4.** Cercle ou arc de cercle (forme). *Faire, former un cerceau.* EN CERCEAU : en arc de cercle, courbé, voûté. *Bras en cerceau. Se plier en cerceau, avoir le dos en cerceau.* — *Pattes en cerceau* (chien, cheval). — Méd. *Ventre en cerceau.*

CERCLAGE [serklaʒ] n. m. — 1819 ; de *cercler*.

♦ **1.** Action de cercler ; son résultat. *Cerclage de tonneaux. Un cerclage solide.*

♦ **2.** Méd. Procédé de contention d'une fracture au moyen de lames métalliques réunissant les fragments osseux. — *Cerclage du col utérin,* consistant à fermer le col utérin pour prévenir une expulsion prématurée du fœtus.

CERCLE [sɛʀkl] n. m. — 1160, «objet circulaire»; lat. *circulus,* de *circus* «cercle».

★ **I. ♦ 1.** Cour. (impropre en sc.). Surface plane limitée par une courbe (Cercle, II., 1.) dont tous les points sont à égale distance d'un point appelé *centre du cercle.* ⇒ **Disque.** *Diamètre, rayon d'un cercle. On obtient l'aire d'un cercle en multipliant le carré du rayon par 3,1416 (π). Quart de cercle. Sixième de cercle.* ⇒ **Sextant.** *Huitième de cercle.* ⇒ **Octant.** *Demi-cercle. Portion de cercle comprise entre deux rayons* (⇒ **Secteur** [secteur circulaire]), *entre un arc et une corde* (⇒ **Segment**). *Bord gradué d'un cercle.* ⇒ **Limbe.** *Circonscrire une figure à un cercle. Inscrire une figure dans un cercle. Cercles inscrits dans un autre cercle, ayant le centre commun* (⇒ **Concentrique; homocentre**), *n'ayant pas le même centre* (⇒ **Excentrique**).

(1690). **QUADRATURE DU CERCLE :** problème insoluble consistant à construire un carré dont la surface serait rigoureusement égale à celle d'un cercle donné (problème des grandeurs incommensurables). — Fig. *La quadrature du cercle :* un objet, un but impossible à atteindre. *Chercher la quadrature du cercle.*

♦ **2.** Figure présentant une surface analogue au cercle. ⇒ **Circulaire.** *Un cercle lumineux.* ⇒ **Disque.** — *En forme de cercle, en cercle.* ⇒ **Circulaire.** *Édifices en forme de cercle* (⇒ **Abside, amphithéâtre, cirque**), *de demi-cercle* (⇒ **Hémicycle**). — *Vitrail en forme de cercle.* ⇒ **Rosace.**

Mode de divination utilisant un cercle. ⇒ **Gyromancie.** — *Délimiter un cercle sur le sol. Se mettre dans un cercle.* — *Le Cercle de craie caucasien,* pièce de B. Brecht. — *Cercle magique.*

Sports. Endroit d'où l'on lance (le poids, etc.).

Les cercles de l'enfer : divisions concentriques se succédant de l'entrée au fond du gouffre, dans *l'Enfer* de Dante.

Circonscription territoriale (dans certains pays germaniques). *Le cercle de Souabe.*

0.1 Les Huguenots avaient déjà établi en France des cercles, à l'imitation des Allemands.
VOLTAIRE, le Siècle de Louis XIV, 36, *in* Littré.

★ **II. ♦ 1.** (V. 1265). Géom. La courbe limitant un cercle (au sens I, courant), un disque. ⇒ **Circonférence, courbe, rond.** *Faire, décrire, tracer un cercle. Les trois cent soixante degrés, les quatre cents grades d'un cercle. Degré d'un cercle divisé en soixante minutes. Grand cercle d'une sphère,* qui passe par le centre de la sphère, la partageant en deux parties égales. *Petit cercle d'une sphère,* cercle sécant. *Tangente à un cercle. Cercle tangent aux côtés d'un triangle.* ⇒ **Exinscrit, inscrit.**

1 (...) je trouve que la portion du cercle comprise entre les deux côtés de l'angle est la sixième partie du cercle.
ROUSSEAU, Émile, II.

2 Un géomètre vous démontre qu'entre un cercle et une tangente vous pouvez faire passer une infinité de lignes courbes (...)
VOLTAIRE, l'Homme aux 40 écus.

3 (..) dans l'extrême éloignement, la mer, comme une grande vision diaphane, décrivait son cercle immense et éternel qui avait l'air de tout envelopper.
LOTI, Pêcheur d'Islande, VIII, p. 263.

Arc en segment de cercle. Arc* de cercle. Entourer d'un cercle. ⇒ **Cercler, cerner, encercler.**

Rue, avenue circulaire (cf. angl. *circle*).

Sports. Figure circulaire, en patinage.

Géogr. Lignes circulaires supposées tracées sur la sphère terrestre qui représentent la succession des saisons, les divisions de la sphère. ⇒ **Colure, équateur, horaire** (cercles horaires), **méridien** (longitude), **parallèle** (latitude), **tropique.** *Le cercle polaire arctique, antarctique.* ⇒ **Pôle.** *Partie d'une sphère comprise entre deux cercles parallèles.* ⇒ **Zone.** *Les cercles de la sphère armillaire*.* Astron. Lignes fictives supposées tracées sur la sphère céleste. *Cercles décrivant le mouvement des astres.* ⇒ **Orbe, orbite, écliptique, épicycle; révolution.**

Par ext. Équit. Exercice d'assouplissement latéral exécuté sur une ligne courbe.

(1906, *in* Petiot). *Cercle d'envoi :* demi-cercle tracé devant les buts, au hockey.

♦ **2.** Cour. (par ext.). Ligne circulaire ou courbe fermée voisine du cercle. *Tour, enroulement en cercle.* ⇒ **Circonvolution, rotation.** *Chemin, itinéraire décrivant un cercle.* ⇒ **Circuit, périple.** *Cercles d'un cyclone qui se déplace en tournoyant. Cercles que décrit un oiseau, un avion. Faire des cercles dans l'eau.* ⇒ **Onde, rond.**

4 Il n'ose pas perdre une seconde à lever la tête pour suivre le vol de l'avion, dont le grondement l'assourdit et qui, déjà, décrivant des cercles d'oiseau de proie, semble fondre sur lui pour le cueillir et l'emporter.
MARTIN DU GARD, les Thibault, t. VIII, p. 146.

♦ **3.** Objet, figure ayant la forme approximative d'une circonférence. ⇒ **Anneau, cerne.** *Cercle d'acier, d'argent, d'ivoire.* — (Objet circulaire). *Mettre un cercle à une colonne pour l'empêcher d'éclater. Cercle métallique, pneumatique, entourant une roue.* ⇒ **Ban-**

dage. *Cercle d'un moyeu de roue.* ⇒ **Frette.** *Cercle accouplant les organes d'un appareil, renforçant des pièces, servant à orner...* ⇒ **Bague, bracelet, collier, couronne...** *Cercle autour d'un tuyau.* ⇒ **Collerette.** *Cercle d'une pompe. Cercle d'un cabestan, d'un mât... Cercles d'une futaille, d'un tonneau.* ⇒ **Cerceau.** *Fabricant de cercles de tonneaux.* ⇒ **Cerclier.**

Par métonymie. Tonneau, foudre. *Du vin en cercles.* (Figures, formes circulaires). *Cercle du sein.* ⇒ **Aréole.** *Cercle entourant la tête d'un saint.* ⇒ **Auréole, nimbe.** *Cercle irisé qui entoure la lune.* ⇒ **Aréole, cerne, halo, parasélène.** *Le cercle d'un amphithéâtre*, d'un cirque*.* — *Portions de cercle,* en architecture. ⇒ **Arcade, arceau, cintre, lobe, voûte...**

Spécialt. Instrument formé d'une portion de cercle graduée en degrés, minutes, secondes. *Cercles d'arpenteur.* ⇒ **Demi-cercle, graphomètre.** *Cercle répétiteur, cercle mural.* ⇒ **Théodolite,** et aussi **quart-de-cercle, sextant, octant.**

Régional (notamment, Suisse). Anneau métallique adapté aux ouvertures circulaires d'un poêle, d'une cuisinière à charbon. ⇒ **Rond.**

5 Elle le prit *(le coquemar)* et l'ayant soulevé, lentement et l'un après l'autre, remit les cercles sur le trou.
C. F. RAMUZ, Vie de Samuel Belet, Œ. compl. t. V, p. 210.

♦ **4.** Disposition de personnes ou d'objets rangés de façon à former une circonférence. *Un cercle de chaises. Former un cercle autour de qqn. Faire cercle.* (→ Boute-en-train, cit.). *Un cercle de curieux, d'auditeurs, d'admirateurs. Élargir, former, resserrer, dissoudre le cercle. Entrer dans le cercle.* — *En cercle. En demi-cercle. Ranger en cercle.*

6 Le ton de sa voix semblait dire : c'est inutile qu'on m'interrompe ; je n'écoute jamais que moi. L'admirable, c'est qu'autour de lui l'on faisait cercle.
GIDE, Journal, Feuillets, Pl., p. 352.

7 Des sapins plantés en cercle autour de nous formaient comme un puits vertical et sombre dont la margelle enfermait le ciel bleu.
A. MAUROIS, Climats, II, IV, p. 174.

(1653). Réunion des personnes groupées dans un salon.

8 (...) il va se jeter dans un cercle de personnes graves qui traitent ensemble de choses sérieuses, et les met en fuite.
LA BRUYÈRE, les Caractères de Théophraste, «Du grand parleur».

Le cercle de famille : la réunion de la proche famille.

9 Lorsque l'enfant paraît, le cercle de famille
Applaudit à grands cris (...)
HUGO, les Feuilles d'automne, XIX.

♦ **5.** Groupe de personnes qui ont coutume de se réunir (pour converser, étudier, préparer une action...). *Fréquenter un cercle d'amis. Fonder un cercle d'études, un cercle littéraire. Membre d'un cercle.* ⇒ **Cercleux.** — *Cercle politique.* ⇒ **Club.**

10 Or, de toutes les sortes de liaisons qui peuvent rassembler les particuliers dans une ville comme la nôtre, les cercles forment sans contredit la plus raisonnable, la plus honnête et la moins dangereuse, parce qu'elle ne veut ni ne peut se cacher, qu'elle est publique, permise, et que l'ordre et la règle y règnent.
ROUSSEAU, Lettre à M. d'Alembert, p. 210.

10.1 On assure que la société du «parti de l'opposition», qui se rassemble à l'hôtel de Salm, a pris avant-hier le titre de Cercle constitutionnel.
l'Ami du peuple, 4 messidor an V, *in* AULARD, Paris pendant la réaction thermidorienne, IV, 185 (cité par BRUNOT, Hist. de la langue franç., t. IX, II, p. 822).

10.2 Le comte de Landa, un bon colosse, fier de sa taille et de ses épaules, bien que marié et père de deux enfants, ne se décidait qu'à grand'peine à dîner chez lui trois fois par semaine, et restait au Cercle les autres jours, avec ses amis, après la séance de la salle d'armes.
— Le Cercle est une famille, disait-il, la famille de ceux qui n'en ont pas encore, de ceux qui n'en auront jamais et de ceux qui s'ennuient dans la leur.
MAUPASSANT, Fort comme la mort, éd. 1889, p. 103.

Loc. (Écon.) : *Cercle de qualité :* groupe d'agents de production s'engageant à garantir la qualité de leurs produits (en échange d'avantages).

★ **III.** (Abstrait). ♦ **1.** Ce dont on fait le tour, dont on embrasse l'étendue. ⇒ **Domaine, étendue, limite.** *Parcourir le cercle des connaissances humaines* (⇒ **Encyclopédie**). *Étendre le cercle de ses occupations, de ses relations. Agrandir le cercle de ses idées, de ses connaissances. Un cercle vaste, étroit.*

11 Le petit cercle de ses idées se rétrécit encore (...)
FLAUBERT, Trois contes, «Un cœur simple», IV.

Ce qui entoure, enferme. ⇒ **Étreinte.** *Être enfermé, emprisonné, enserré dans un cercle. Cercle fatidique. Briser, rompre un cercle. Un cercle d'angoisse, de désespoir, d'impuissance.*

12 J'ai d'abord à briser le cercle d'impuissance dans lequel je tourne en désespéré !
J. VALLÈS, le Bachelier, p. 178.

13 Mais il lui fallait tout d'abord rompre, avant qu'il achevât de se souder, le cercle menaçant, qui (...) se formait autour de lui *(Bonaparte).*
Louis MADELIN, Hist. du Consulat et de l'Empire, Le Consulat, VI, La ligue du Nord, p. 77.

♦ **2.** Class., littér. Succession* continue (de choses qui reviennent, se reproduisent). ⇒ **Cycle, retour.** *Le cercle des saisons.*

14 (...) un cercle continuel du péché à la pénitence, et de la pénitence au péché.
FÉNELON, XVII, 73, *in* LITTRÉ.

♦ **3.** Philos. Relation de deux termes pouvant se définir l'un par l'autre, de deux propositions pouvant se déduire l'une de l'autre. **CERCLE VICIEUX** (raisonnement faux). ⇒ **Vicieux.**

DÉR. et COMP. Cercler, cercleux, cerclier. — Encercler ; demi-cercle, quart-de-cercle.

CERCLER [sɛʀkle] v. tr. — Av. 1723 ; av. 1544, « disposer en cercle » ; de *cercle*.

♦ **1.** Entourer, garnir, munir (qqch.) de cercles, de cerceaux. *Cercler un tonneau. Cercler une caisse. Cercler une roue.*

♦ **2.** (Sujet n. de chose). Rare. Entourer comme d'un cercle. ⇒ **Encercler** (cour.). *Arbres qui cerclent un étang.*

▶ **CERCLÉ, ÉE** p. p. adj. (1690). *Tonneau bien cerclé. — Cerclé de... Lunettes cerclées de métal.* Entouré d'un cerne. *Des yeux cerclés de bistre.* ⇒ **Cerné.**

(...) de grandes femmes aux formes viriles, avec des yeux cerclés de noir, le regard un peu louche...   E. FROMENTIN, Un été dans le Sahara, p. 147.

Techn. (vétér.) *Pied cerclé* (d'un cheval), dont le sabot présente une corne défectueuse marquée de rides circulaires.

DÉR. Cerclage.
COMP. Décercler, recercler.

CERCLEUX [sɛʀklø] n. m. — 1895 ; de *cercle*, II., 5.

♦ Fam., vx (mot à la mode à l'époque 1900). Membre d'un cercle. Celui qui fréquente les cercles mondains. ⇒ **Clubiste.**

(...) Il me semblait que Dechambre jouait la sonate de Vinteuil pour Swann quand ce cercleux, en rupture d'aristocratie, ne se doutait guère qu'il serait un jour le prince consort embourgeoisé de notre Odette (...)
        PROUST, Sodome et Gomorrhe, Pl., t. II, p. 894.

REM. Le fém. *cercleuse* est virtuel.

CERCLIER [sɛʀklije] n. m. — 1518 ; de *cercle*, II., 3.

♦ Techn. Ouvrier, artisan qui fabrique des cercles (de tonneaux). *Serpe de cerclier.* ⇒ **Volain.**

CERCO- Premier élément de mots savants, du grec *kerkos* « queue » (⇒ **Cercopithèque** ; et aussi **-cerque**).

CERCOPITHÈQUE [sɛʀkopitɛk] n. m. — 1553, *cercopitheces* ; lat. *cercopithecus*, grec *kerkopithekos*, de *kerkos* « queue », et *pithêkos* « singe ».

♦ Zool. Singe catarrhinien *(Cercopithécidés)*, à longue queue, vivant en Afrique. *Le callitriche, la mone sont des cercopithèques. Avant le XIXᵉ siècle on appelait les cercopithèques « guenons ».* → Guenon.

CERCUEIL [sɛʀkœj] n. m. — 1547 ; xiᵉ, *sarqueu ; sarcou*, 1100 ; *sercueil*, v. 1165 ; du grec *sarkophagos* « pierre (à cercueils) ayant la propriété de consumer la chair ». → Sarcophage.

♦ **1.** Longue caisse dans laquelle on enferme le corps d'un mort pour l'ensevelir. ⇒ **Bière, sarcophage.** *Cercueil de bois, de plomb. Triple cercueil. Cercueil capitonné. Descendre un cercueil dans la sépulture*, dans le tombeau*.* ⇒ **Tombe.** *Estrade sur laquelle on place le cercueil.* ⇒ **Catafalque, chapelle** (ardente). *Cercueil placé dans un mausolée*. Drap couvrant le cercueil.* ⇒ 1. **Poêle.**

1   Un vieux notaire, lequel eut la vanité de se faire enterrer dans un cercueil de plomb.   A. R. LESAGE, le Diable boiteux, 12.

2   Tes os dans le cercueil vont tomber en poussière,
Ta mémoire, ton nom, ta gloire vont périr.   A. DE MUSSET, Lettre à Lamartine.

2.1   Il me semble, bercé par ce choc monotone
Qu'on cloue en grande hâte un cercueil quelque part.
        BAUDELAIRE, les Fleurs du mal, « Spleen et Idéal », LVI, Pl., p. 57.

2.2   — Avez-vous observé que maints cercueils de vieilles
Sont presque aussi petits que celui d'un enfant ?
La Mort savante met dans ces bières pareilles
Un symbole d'un goût bizarre et captivant (...)
        BAUDELAIRE, les Fleurs du mal, « Tableaux parisiens », XCI, Pl., p. 89.

3   (...) un de ces hommes si gros qu'il leur faut un cercueil sur commande.
        Ed. et J. DE GONCOURT, Journal, p. 90.

Fig. *Descendre au cercueil :* mourir. « *Tyrans, descendez au cercueil* » (le Chant du Départ). *Être dans le cercueil :* être mort. *Avoir un pied dans le cercueil* (⇒ **Tombe**) : être près de mourir.

♦ **2.** Fig., littér. Mort. ⇒ **Anéantissement, destruction, fin.** *Du berceau au cercueil :* de la naissance à la mort (⇒ **Tombe**, fig.).

4   Mais quoique ce combat me promette un cercueil,
La gloire de ce choix m'enfle d'un juste orgueil (...)   CORNEILLE, Horace, II, 1.

CONTR. (Du sens 2) Berceau, naissance.

CERDAN, ANE [sɛʀdɑ̃, an] adj. et n. — Attesté xxᵉ, du catalan ; du lat. *ceretanus.*

♦ Rare. De la Cerdagne, région de Catalogne (Pyrénées orientales) partagée entre la France et l'Espagne. *Les vallées cerdanes.* N. *Un Cerdan, une Cerdane. Les Cerdans.*

-CÈRE Élément suffixe servant à former des termes de zoologie, signifiant « corne, antenne ou tentacule », du grec *keras* « corne ».

CÉRÉALE [seʀeal] n. f. — 1835 ; 1792, adj. ; mil. xviᵉ, adj., « de Cérès » ; xviᵉ adj., « relatif au blé » ; lat. *cerealis*, de *Ceres* « déesse des moissons ».

♦ **1.** N. f. Cour. (Souvent au plur.). Plante dont les grains peuvent servir à l'alimentation de l'homme et des animaux domestiques. *Les céréales* (à l'exception du sarrazin) *sont des graminées.* ⇒ **Alpiste** (nom sc. : *phalaris*), **avoine** *(avena)*, **blé** *(triticum)*, **maïs** *(zea)*, **mil** *(pennisetum)*, **mona** *(parricum)*, **orge** *(hordeum)*, **riz** *(oryza)*, **sarrazin** *(polygonum)*, **seigle** *(secale)* ; et **épeautre, froment** (blé), **méteil** (seigle et blé), **millet, sorgho.** *Culture des céréales.* ⇒ **Céréaliculture.** *Développement de l'épi des céréales.* ⇒ **Épiage.** *Arrachage des chaumes de céréales.* ⇒ **Chaumage.** *Engranger, mettre en silos les céréales.* ⇒ **Ensiloter.** *Les grains de céréales sont riches en amidon*. Alcool* de grains de céréales. Usages alimentaires des céréales :* bouillie alimentaire, flocons, gâteau, pain. *Parasites et maladies des céréales* (⇒ **Agrotis, charbon, ergot, ivraie, mélampyre, piétin, rouille...**). *Échauffement, fermentation des céréales. Tige des céréales.* ⇒ **Paille.** *Enveloppe des grains de céréales.* ⇒ **Son.**

Par métonymie. Les graines de ces plantes, leur farine. *Bouillie de céréales.*

Anglic. Flocons (4.) de céréales.

♦ **2.** Adj. (1792). Vx. *Les plantes céréales :* les céréales. *Semences céréales.* ⇒ **Céréalier.**

DÉR. Céréaliculture, céréalier, céréaline.

CÉRÉALICULTURE [seʀealikyltyʀ] n. f. — 1929 ; de *céréale*, et *-culture*.

♦ Didact. Culture des céréales.

CÉRÉALIER, IÈRE [seʀealje, jɛʀ] adj. — xxᵉ ; de *céréale*.

♦ **1.** De céréales. *Production céréalière.*

Indépendamment des tracteurs pour la culture céréalière et betteravière, il existe des tracteurs spéciaux, notamment pour le travail des vignes.
        Tony BALLU, le Machinisme agricole, p. 105 (1951).

♦ **2.** Qui est producteur de céréales. *Régions céréalières. Entreprise, exploitation céréalière.*

N. m. *Un céréalier :* un producteur de céréales. *Les grands céréaliers de la Beauce.*

CÉRÉALINE [seʀealin] n. f. — 1858 ; de *céréal(e)*, et *-ine*.

♦ Chim. Ferment diastasique découvert dans le son.

CÉRÉBELLEUX, EUSE [seʀebelø, øz ; seʀebɛllø, øz] adj. — 1814, Nysten ; du rad. du lat. *cerebellum* « petite cervelle », de *cerebrum* « cerveau ».

♦ Anat. Relatif au cervelet*. *Masse cérébelleuse. Tissus cérébelleux. Pédoncules cérébelleux. Artères, veines cérébelleuses.*

Pathol. Qui a trait à une lésion du cervelet. *Ataxie, atrophie cérébelleuse. Syndrome cérébelleux :* troubles résultant de la lésion du cervelet. ⇒ **Cérébellite.**

Aucune agression toxi-infectieuse ne peut être ici incriminée, mais seulement une dégénérescence cérébrale héréditaire, analogue aux dégénérescences médullaires ou cérébelleuses.   Jean DELAY, la Psycho-physiologie humaine, p. 92.

CÉRÉBELLITE [seʀebelit ; seʀebɛllit] n. f. — Mil. xxᵉ (1965, *in* Garnier-Delamare) ; du rad. du lat. *cerebellum* « petite cervelle », de *cerebrum* « cerveau », et *-ite*.

♦ Méd. Inflammation du cervelet provoquant un syndrome cérébelleux.

CÉRÉBR- ⇒ Cérébri-, cérébro-.

CÉRÉBRAL, ALE, AUX [seʀebʀal, o] adj. — Av. 1615 ; du lat. *cerebrum* « cerveau ».

♦ **1.** Anat. et cour. Qui a rapport au cerveau*. *Structure cérébrale. Artère cérébrale antérieure, artère cérébrale postérieure,* appelées aussi *les cérébrales. Nerfs cérébraux. Hémisphères cérébraux. Lobes cérébraux. — Chirurgie cérébrale.*

Pathol., méd. Qui provient d'une lésion du cerveau. *Troubles cérébraux :* troubles de l'intelligence (⇒ **Aliénation**), de la sensibilité et de la motilité (⇒ **Aphasie, paralysie**)... *Arrêt des fonctions cérébrales.* ⇒ **Apoplexie.** *Congestion cérébrale. Anémie cérébrale. Hémorragie cérébrale. Ramollissement cérébral. Fièvre cérébrale* (⇒ **Méningite**). *Tumeurs cérébrales. — Localisations cérébrales :* localisation des fonctions à l'intérieur de l'écorce grise.

Phonét. (1838). *Phonèmes cérébraux*, que leur articulation situe entre les palatales et les vélaires (→ Cérébralisation).

◆ **2.** (1825). Cour. Relatif à l'esprit, aux idées, à l'intellect. ⇒ **Intellectuel**. *Travail cérébral. Faculté, supériorité cérébrale. Vie cérébrale. Surmenage, épuisement cérébral.*

(...) l'encombrement de la tête humaine, la multiplicité et la contradiction des doctrines, l'excès de la vie cérébrale, les habitudes sédentaires (...)
TAINE, Philosophie de l'art, t. II, IV, II, III, p. 159.

Cette horreur d'agir s'explique par l'excès du travail cérébral qui, trop poussé, isole l'homme au milieu des réalités.   Paul BOURGET, le Disciple, IV, p. 97.

◆ **3.** (Personnes). Qui vit surtout par la pensée, par l'esprit. *Il est trop cérébral.* ⇒ **Intellectuel**. — (Choses psychiques). *Amour cérébral*, intellectuel (opposé à *passionné* ou *sensuel*).

Sans doute était-il réellement plus cérébral que sensuel (...)
Louis MADELIN, Hist. du Consulat et de l'Empire, l'Ascension de Bonaparte, II, p. 25.

N. *C'est un cérébral. Elle est mathématicienne, mais ce n'est pas seulement une cérébrale.*

Ozy disait, en parlant de la pauvreté des moyens amoureux de deux illustres hommes, qui l'avaient aimée : « Ce sont, vous savez, des cérébraux ! »
Ed. et J. DE GONCOURT, Journal, 28 janv. 1885.

DÉR. **Cérébralement, cérébralisation, cérébraliste, cérébralité.**

CÉRÉBRALEMENT [seʀebʀalmɑ̃] adv. — 1857, Michelet; de *cérébral*, 1.

◆ **1.** Didact. Du point de vue du cerveau, en tant qu'organe. *Il est cérébralement mort.*

◆ **2.** Littér. Au plan cérébral (le cerveau étant considéré comme siège de la pensée). ⇒ **Intellectuellement.**

Je suis sûr maintenant que parfois mon être se dédouble, cérébralement et physiquement. Pendant que vous me voyez devant vous, peut-être l'autre *moi* est-il à Melbourne.   A. ALLAIS, Œ. posthumes, « Mysterium », I, in le Chat Noir, 22 janv. 1887, in D.D.L., II, 14).

CÉRÉBRALISATION [seʀebʀalizɑsjɔ̃] n. f. — 1867; de *cérébral*, 1. (phonétique).

◆ Phonét. Caractère cérébral* d'un son du langage, d'un phonème. Fait d'acquérir ce caractère, pour un son qui en est habituellement dépourvu. *Cérébralisation d'une palatale devant yod.*

CÉRÉBRALISME [seʀebʀalism] n. m. — 1888, O. Mirbeau; de *cérébral*, 2.

◆ Intellectualisme.

CÉRÉBRALISTE [seʀebʀalist] adj. et n. — 1867; de *cérébral*, 2.

◆ Rare, didact. Intellectualiste.

Enfin un tempérament : C'est rare au milieu d'une production narcissique et cérébraliste qui regarde le monde à huis-clos.
G. COSTAZ, in Magazine littéraire, n° 70, 47 (in D.D.L., II, 7).

Rousseau, dans le « *Discours sur l'inégalité des hommes* » (1775, p. 103 et suivantes), donne l'un des premiers l'ébauche d'une théorie « cérébraliste » de l'évolution humaine. « L'homme naturel » doué de tous ses attributs actuels, parti du zéro matériel initial, invente peu à peu, en imitant les bêtes et en raisonnant, tout ce qui dans l'ordre technique et social le conduit au monde actuel.
A. LEROI-GOURHAN, le Geste et la Parole, I, p. 19.

DÉR. **Cérébralisme.**

CÉRÉBRALITÉ [seʀebʀalite] n. f. — 1891; de *cérébral*, 2.
Didactique ou littéraire.

◆ **1.** Activité intellectuelle. ⇒ **Intellect**. *Une « frénésie de cérébralité »* (Léautaud, in T.L.F.). *« Des romans de cérébralité »* (Revue Blanche, 1ᵉʳ oct. 1891, p. 71).

Eh bien! Anatole? Eh bien! Anatole? sévère pour le scandale, inquiet pour la cérébralité de l'officieux.   A. ALLAIS, Contes et Chroniques, p. 199.

◆ **2.** Caractère d'une personne cérébrale. *« La froide cérébralité d'une romancière »* (Colette).

CÉRÉBRATION [seʀebʀɑsjɔ̃] n. f. — 1873; angl. *cerebration*, Carpenter, 1853; du lat. *cerebrum* « cerveau », et suff. *-ation*.

◆ Psychol. Activité mentale sous son aspect purement cérébral.

CÉRÉBRI-, CÉRÉBRO- Premier élément préf., du lat. *cerebrum* « cerveau » servant à former des termes médicaux. ⇒ **Cérébrospinal**. On peut signaler aussi : *cérébriforme* [seʀebʀifɔʀm] adj. (1965), qui a la forme du cerveau; *cérébroïde* [seʀebʀɔid] adj. (1878), qui ressemble au cerveau; *cérébro-psychique* [seʀebʀɔpsiʃik] adj., relatif au cerveau et à la constitution psychique; *cérébro-scopie* [seʀebʀɔskɔpi] n. f. (1970), examen du cerveau; *cérébro-méningé* [seʀebʀɔmeneʒe] adj., relatif au cerveau et aux méninges : *infection cérébro-méningée*; *cérébroside* [seʀebʀɔzid] n. m. (1905, in *Rev. gén.*

des sc., n° 17, p. 794), chim., biol. : « substance lipidique complexe du cerveau » (Manuila).

CÉRÉBRO-SPINAL, ALE, AUX [seʀebʀospinal, o] adj. — 1833; de *cérébro-*, et *spinal*.

◆ Méd. Relatif au cerveau et à la moelle épinière. ⇒ **Céphalo-rachidien**. *Axe, appareil cérébro-spinal. Centres cérébro-spinaux. Congestion cérébro-spinale. Méningite cérébro-spinale.*

CÉRÉMONIAIRE [seʀemɔnjɛʀ] n. m. — 1863; de *cérémonie*, 1.

◆ Relig. Prêtre, clerc qui dirige les cérémonies importantes, dans une grande église.

CÉRÉMONIAL, ALE, ALS ou AUX [seʀemɔnjal, o] adj. et n. m. — 1541; *cerimonial*, 1372; lat. *cærimonialis*, de *cærimonia*. → **Cérémonie**.

★ **I.** Adj. Rare. ◆ **1.** Qui a rapport aux cérémonies religieuses. ⇒ **Cérémoniel**. *Loi cérémoniale* (Calvin, Bossuet). *Les préceptes cérémoniaux* (Larousse, T.L.F.).

◆ **2.** Cérémonieux. *« Une emphase cérémoniale »* (J. Gracq, in T.L.F.).

★ **II.** N. m. (xvIIᵉ). Cour. ◆ **1.** (Rare au plur : *des cérémonials*). L'ensemble et l'ordre de succession des usages établis par l'usage ou réglés par une autorité pour célébrer une solennité (mondaine, politique, diplomatique, militaire). ⇒ **Cérémonie, règle**. *Cérémonial de cour.* ⇒ **Étiquette**. *Règle du cérémonial diplomatique.* ⇒ **Protocole, traitement**. *Observer le cérémonial. Se plier au cérémonial. Le cérémonial d'usage pour l'introduction des ambassadeurs.*

Nous partons lundi, après avoir observé toutes les longues et les brèves du cérémonial de Bourbon.   Mᵐᵉ DE SÉVIGNÉ, 1043, 9 oct. 1687.

Ils (*les ambassadeurs de Pologne*) voulurent d'abord faire régler un cérémonial que le roi ne connaissait pas.   VOLTAIRE, Hist. de Charles XII, 2.

Spécialt. Ensemble des règles de déroulement des offices liturgiques (⇒ **Liturgie**).

Par métonymie. Livre contenant les règles liturgiques des cérémonies ecclésiastiques. ⇒ **Rituel**. *Des cérémonials* (plur. usité presque exclusivement en ce sens).

Il y a en elles quelque chose du cérémonial d'un rite religieux, en ce sens qu'elles extirpent de l'esprit de qui les regarde toute idée de simulation, d'imitation dérisoire de la réalité.
A. ARTAUD, Sur le théâtre balinais, le Théâtre et son double, p. 90.

◆ **2.** Ensemble de formules, de règles (de politesse*, de courtoisie, etc.) que les particuliers observent dans leurs relations. ⇒ **Code, décorum, forme, rite, usage**. *Être attaché au cérémonial. Bannir tout cérémonial. Le cérémonial des usages, des convenances.*

Pour lui (...) une telle lettre était vraiment un surcroît inusité de cérémonial.
LOTI, Matelot, XXXII, p. 127.

DÉR. **Cérémonialisme.**

CÉRÉMONIALISME [seʀemɔnjalism] n. m. — 1863; de *cérémonial*.

◆ Didact. ou littér. Attachement aux règles d'un culte.

CÉRÉMONIE [seʀemɔni] n. f. — V. 1226, *ceremonies*; lat. *cærimonia* « respect religieux, cérémonie à caractère sacré », surtout au pluriel.

◆ **1.** Forme extérieure, solennité avec laquelle on célèbre le culte religieux. *Les cérémonies du culte*. *Cérémonies religieuses.* ⇒ **Fête** (liturgique); **cérémonial, liturgie, sacrement; procession**. *Prêtre responsable des cérémonies.* ⇒ **Cérémoniaire**. *La cérémonie du baptême, d'un mariage, d'un enterrement. Cérémonie nuptiale. Cérémonie mortuaire. Cérémonie d'initiation. Prendre part, assister à une cérémonie. La cérémonie du sacre d'un évêque.* ⇒ **Sacre**. *Vêtements de cérémonie.* ⇒ **Ornement**.

Madame, on est prêt pour la cérémonie.   RACINE, Iphigénie, III, 5.

Je désire (...) que la cérémonie mortuaire de Crouy se déroule avec toute la solennité dont il plaira au Conseil d'honorer ma dépouille.
MARTIN DU GARD, les Thibault, t. IV, p. 226.

◆ **2.** (1404). Toute forme extérieure de solennité accordée à un événement, à un acte important de la vie sociale. — **Appareil, gala, pompe**. *Célébrer une fête par de grandes cérémonies.* — Solennité dont les formes sont fixées. *Les cérémonies d'un anniversaire national; les cérémonies de la fête de la victoire.* ⇒ **Anniversaire, commémoration**. *Cérémonie d'investiture. Les cérémonies de la cour. Cérémonie d'étiquette*. *Cérémonie du sacre, du couronnement.* — *En grande cérémonie : avec solennité. Escorter un personnage officiel en grande cérémonie* (⇒ **Cortège; cavalcade, parade**). *La cérémonie de la distribution des prix. Les cérémonies qui ont marqué la visite des souverains étrangers.* ⇒ **Réception**.

3   Il *(le lion)* fit avertir sa province
Que les obsèques se feraient
Un tel jour, en tel lieu ; ses prévôts y seraient
Pour régler la cérémonie.   LA FONTAINE, Fables, VIII, 14.

4   (...) il était décidé par l'université de Coïmbre que le spectacle de quelques personnes brûlées à petit feu, en grande cérémonie, est un secret infaillible pour empêcher la terre de trembler.   VOLTAIRE, Candide, VI.

5   Des cris, des vivats et des fanfares terminèrent cette singulière cérémonie, et tous les assistants, trempés jusqu'aux os, se dispersèrent tumultueusement.   LOTI, Aziyadé, XVII, p. 95.

Tenue, habit de cérémonie. ⇒ **Habit ; uniforme** (grand uniforme).
Maître de cérémonie. ⇒ **Chambellan, protocole** (chef du protocole).

6   Celui-là, c'est le maître de cérémonies, une sorte de chambellan de la mort.   Alphonse DAUDET, le Petit Chose, II, XV.

♦ **3.** (Fin XVᵉ). Témoignage de politesse, de courtoisie, dans les relations sociales (surtout dans : *de cérémonie*). *Faire une visite de cérémonie. Compliment de cérémonie. Recevoir qqn avec cérémonie.* — Vx. *Par cérémonie :* par affectation.

Une, des cérémonies (surtout au plur.). Manifestation excessive de politesse. *Reconduire qqn avec des quantités de, avec mille cérémonies.* ⇒ **Affectation.** *Détester les cérémonies. Ne faites pas tant de cérémonies.*

Fig. *Voilà bien des cérémonies pour si peu de chose.* ⇒ **Complication, formalité ; chinoiserie.** — Loc. *Faire des cérémonies :* faire des manières, des façons* ; être cérémonieux.

7   À quelque temps de là, la cigogne le prie.
Volontiers, lui dit-il, car avec mes amis
Je ne fais point cérémonie.   LA FONTAINE, Fables, I, 18.

8   Mon Dieu ! mettez-vous *(couvrez-vous)* : point de cérémonie entre nous, je vous prie.   MOLIÈRE, le Bourgeois gentilhomme, III, 4.

Fam. Opérations compliquées.

9   L'on m'a appris qu'il fallait bien des (...) cérémonies pour rendre les olives douces.   RACINE, Lettres, 1661.

CONTR. Abandon, laisser-aller, naturel, rondeur, simplicité.
DÉR. Cérémoniaire, cérémoniel, cérémonieux.

CÉRÉMONIEL, ELLE [seʀemɔnjɛl] adj. — 1374 ; de *cérémonie*.

♦ **1.** Littér. Qui concerne les cérémonies. *Des pompes cérémonielles.*

♦ **2.** Vx. Qui a un caractère affecté. ⇒ **Cérémonie,** 3. « *Poésie cérémonielle* » (Sainte-Beuve).

♦ **3.** Sociol. (emploi le plus cour.). Qui concerne les fêtes réglées, les cérémonies (dans un groupe social) ; qui observe les règles en matière de fêtes. *Danses, pratiques cérémonielles. Cycle cérémoniel.*

DÉR. Cérémoniellement.

CÉRÉMONIELLEMENT [seʀemɔnjɛlmɑ̃] adv. — 1892 ; de *cérémoniel.*

♦ Didact. (sociol., etc.). De manière cérémonielle.

CÉRÉMONIEUSEMENT [seʀemɔnjøzmɑ̃] adv. — 1378 ; de *cérémonieux.*

♦ **1.** Vx. Conformément aux règles.

♦ **2.** (1825, *in* D.D.L.). Mod. D'une manière cérémonieuse. *Saluer cérémonieusement qqn. Elle nous a reçus cérémonieusement.*

CÉRÉMONIEUX, EUSE [seʀemɔnjø, øz] adj. — 1458, « qui observe les règles traditionnelles » ; de *cérémonie.*

♦ **1.** Vx ou littér. Qui respecte les formes de la politesse, de la courtoisie. *Attachement, dévouement cérémonieux.*
Il est civil et cérémonieux.   LA BRUYÈRE, les Caractères, XI, 155.

♦ **2.** Mod. Qui fait des cérémonies (3.). ⇒ **Apprêté, formaliste, obséquieux, poli, révérencieux.** *Un personnage cérémonieux et affecté. Un maître d'hôtel très cérémonieux.*

(Choses). Empreint d'affectation. *Un ton, un air cérémonieux.* ⇒ **Solennel.** *Des manières cérémonieuses. Un accueil, un salut cérémonieux.*

CONTR. Familier, libre, naturel, rond, simple. — Sans-façon, sans-gêne.
DÉR. Cérémonieusement.

CÉRÉSINE [seʀezin] n. f. — 1875 ; probablt croisement du lat. *cera* « cire », et de *résine.*

♦ Techn. Cire de paraffine. « *Un hydrocarbure blanc nommé cérésine qui peut remplacer la cire d'abeilles* » (Année sc. et industr. 1895, p. 237).

CÉREUX, EUSE [seʀø, øz] adj. — 1842 ; du rad. de *cérium.*

♦ Chim. Qui contient du cérium trivalent. *Sels céreux.*

HOM. Séreux.

CERF [seʀ] n. m. — 1080 ; du lat. *cervus.*

♦ **1.** ⓐ Mammifère ruminant ongulé (*Cervidés**) de grande taille, vivant en troupeaux dans les forêts d'Europe, d'Asie et d'Amérique (⇒ **Axis, élan, muntjac, orignal, wapiti**).

Spécialt. Cerf d'Europe (nom sc. : *cervus élaphus.* ⇒ **Élaphe**). *Jeune cerf.* ⇒ **Faon, brocard, daguet, hère.** *Cerf mâle, femelle.*
(Dans des noms d'espèces). *Cerf de Virginie, cerf des Andes. Cerf noble :* l'élaphe.

ⓑ Spécialt. Le mâle adulte, qui porte des bois* d'autant plus grands qu'il est plus âgé. *Femelle du cerf.* ⇒ **Biche.** *Les cornes du cerf.* ⇒ **Bois** (cit. 46) ; **andouiller, branchage, cor, corne, dague, empaumure, époi, merrain, paumure, perche, ramure, tête, trochure.** *Le cerf frotte son bois contre les arbres.* ⇒ **Frayer.** — Loc. (vén.). *Cerf dix-cors jeunement,* dans sa sixième année ; *cerf dix-cors bellement,* dans sa septième année. *Grand cerf :* cerf dans sa huitième année ou de 6 à 8 ans. *Grand vieux cerf :* cerf de neuf à douze ans. *Cerf paumé :* vieux cerf dont le merrain aplati forme l'empaumure. *Cerf qui porte chandelier :* très vieux cerf dont les bois deviennent semblables aux branches d'un candélabre. — *Troupe de cerfs.* ⇒ **Harde, harpaille.** *La poitrine du cerf.* ⇒ **Hampe.** *Cuissot de cerf. Larme* de cerf* (⇒ **Larmier**). *Cerf qui rumine.* ⇒ **Ronge** (faire le ronge). *Cri du cerf.* ⇒ **Bramer, raire.** *Nourriture, pâture du cerf.* ⇒ **Saunière ; viandis.** — *La chasse au cerf* (chasse à courre). *Courre, curée, trolle. Époque de la chasse au cerf* ⇒ **Cervaison.** *Courir, forcer un cerf.* ⇒ **Courre ; forlancer ; rembucher.** *Le cerf s'embûche, se rembuche. Traces du cerf.* ⇒ **Abatture, foulée, frayoir, fumée, hardées, marche, menée, route. Rets pour prendre le cerf.** ⇒ **Bricole, toile.** *Cerf aux abois. Air que l'on joue au cours d'une chasse au cerf* (fanfare, hallali...).

1   Dans le cristal d'une fontaine
Un cerf se mirant autrefois
Louait la beauté de son bois (...)   LA FONTAINE, Fables, VI, 9.

2   Le cor sonne, le bois s'effare,
La lune argente les bouleaux ;
À l'eau les chiens ! Le cerf qui brame
Se perd dans l'ombre du bassin (...)   HUGO, les Châtiments, III, 10.

3   (...) le cerf en rut éventre sa biche qui lui résiste.   A. DE MUSSET, la Confession d'un enfant du siècle, I, 5, p. 49.

4   (...) l'art de dresser les chiens et d'affaiter les faucons, de tendre les pièges, comment reconnaître la voie des fumées, le renard à ses empreintes (...)   FLAUBERT, Trois contes, « Légende de saint Julien l'Hospitalier », p. 583.

5   Le cerf courait comme un vrai cerf qu'il était, et une cinquantaine de chiens qu'il avait aux trousses n'étaient pas un médiocre éperon à sa vélocité naturelle.   Th. GAUTIER, Mˡˡᵉ de Maupin, p. 34.

♦ **2.** ⓐ Blason. Figure représentant un cerf ou une tête de cerf. ⇒ **Cimier, massacre.** *Cerf élancé. Massacre de cerf. Rencontre de cerf.*

ⓑ Relig., myth. *Le cerf,* figure symbolique (de la renaissance, de la pureté primordiale, de la longévité, etc.).

6   Le cerf symbolise aussi bien l'Époux divin, prompt et infatigable à la poursuite des âmes ses épouses, que l'âme elle-même recherchant la source divine où se désaltérer.   Dict. des symboles, art. *Cerf.*

DÉR. V. Cervaison, cervidés.
COMP. Cerf-volant.
HOM. Serre, serf, formes des v. serrer et servir.

CERFEUIL [seʀfœj] n. m. — XIIᵉ, *cerfoiz ; cerfuel* 1200 ; du lat. class. *chaerephyllum, cærefolium,* grec **khairephullon* de *khairein* « réjouir », et *phullon* « feuille ».

♦ Plante (herbe aromatique) annuelle (*Ombelliféracées ;* nom sc. : *cerefolium*) cultivée et employée comme condiment. *Cerfeuil commun :* herbe aromatique faisant partie des fines herbes. *Cerfeuil frisé. Cerfeuil musqué. Cerfeuil sauvage.*
Absolt. Cerfeuil commun. *Omelette au cerfeuil.*

1. CERF-VOLANT [seʀvɔlɑ̃] n. m. — 1611 ; de *cerf,* et *volant.*

♦ Cour. Gros coléoptère dont les mandibules dentelées évoquent les bois du cerf. ⇒ **Lucane.** — Au plur. *Des cerfs-volants.*

(...) on entendait seulement passer les hannetons et les cerfs-volants qui traversaient l'air tiède en décrivant des courbes, avec de petits bourdonnements d'été.   LOTI, Mon frère Yves, XLIX, p. 126.

2. CERF-VOLANT [seʀvɔlɑ̃] n. m. — 1669 ; de *cerf,* et *volant,* d'orig. obscure.

♦ Objet fait d'une légère ossature sur laquelle un papier fort (ou une étoffe, etc.) est tendu, et qui peut s'élever très haut en l'air lorsqu'on le tire face au vent à l'aide d'une longue cordelette. ⇒ **Écoufle.** *Lancer un cerf-volant. La queue d'un cerf-volant. Des cerfs-*

volants. Les cerfs-volants les plus simples affectent souvent la forme d'un losange.

1 Il convient d'y ajouter aussi les accords d'un orchestre aérien, composé d'une douzaine de cerfs-volants, qui, tendus de cordes à leur partie centrale, résonnaient sous la brise comme des harpes éoliennes.   J. VERNE, *Michel Strogoff*, p. 334.

2 Libre enfin et sans plus d'attache, semblable au cerf-volant dont on aurait soudain coupé la corde, je culbutai, piquant de l'âme vers le sol où je m'écrasai.
    GIDE, *Journal*, 5 sept. 1938.

3 (...) quelques terrains vagues semés de grosses pierres. Là, à l'époque des vols interplanétaires, des hommes viennent élever des cerfs-volants — exercice dont la splendide futilité m'émerveille.
(...) Le cerf-volant est monté si haut qu'il ne figure plus qu'un minuscule point gris sur l'azur total. Le fil, vous le distinguez bien au départ, exquisément courbé par son poids, mais il s'amincit avec la hauteur, devient imperceptible, infime queue d'un paraphe encore en suspens. Lui, le petit père, le sorcier accroupi sur le gazon jaune, tient le bout de ce fil et lui imprime des saccades étudiées, l'apprivoise ; par ce moyen il converse avec l'aigle de toile qui, là-haut, scrute une étendue considérable et guette de mystérieux signaux.
    André HARDELLET, *Lourdes, lentes...*, p. 179-180.

DÉR. Cerf-voliste.

CERF-VOLISTE [sɛʀvɔlist] n. — Av. 1978 ; de 2. *cerf-volant.*

♦ Rare. Personne qui construit et fait voler des cerfs-volants. *« Des compétitions entre cerfs-volistes »* (*l'Express*, n° 1404, juin 1978, p. 195).

CÉRI-, CÉR- Élément, du lat. *cera* « cire », servant à former des mots savants empruntés au latin ou directement formés en français, tels que *cérat*, 1. *cérifère*, *cérumen*. ⇒ aussi **Céro-.**

1. CÉRIFÈRE [seʀifɛʀ] adj. — 1863 ; de *céri-*, et -*fère.*

♦ Didact. (zool., bot.). Qui produit de la cire. *L'abeille, insecte cérifère. Plante cérifère. Espèces cérifères. Le myrica* cérifère*, ou *cirier de la Louisiane.*

HOM. 2. Cérifère.

2. CÉRIFÈRE [seʀifɛʀ] adj. — 1867 ; du rad. de *cérium*, et -*fère.*

♦ Chim. Qui contient du cérium. *Minerai cérifère.*

HOM. 1. Cérifère.

CÉRIQUE [seʀik] adj. — 1842 ; du rad. de *cérium.*

♦ Chim. Qui renferme du cérium tétravalent. *Métaux, terres cériques. Oxyde cérique, utilisé dans la fabrication des manchons à incandescence.*

HOM. Sérique.

CERISAIE [s(ə)ʀizɛ] n. f. — 1397, *cherisoie* ; de *cerise.*

♦ Lieu planté de cerisiers. *Cerisaie en fleurs. La Cerisaie*, pièce de Tchekhov.

CERISE [s(ə)ʀiz] n. f. — 1190 ; du lat. pop. *ceresia*, plur. neutre, lat. impérial *cerasium*, lat. class. *cerasum*, grec *kerasion* « cerise ».

♦ **1.** Petit fruit charnu, à noyau, à peau lisse brillante, rouge (parfois jaune pâle) à maturité, produit par le cerisier. ⇒ **Bigarreau, cerisette, griotte, guigne, marasque.** *La cerise est une drupe. Cerises de Montmorency. Des cerises sauvages.* ⇒ **Agriote, merise.** *Cerises séchées.* ⇒ **Cerisette.** — *Garnir un gâteau de cerises. Clafoutis, tarte aux cerises. Confiture de cerises. Cerises à l'eau-de-vie. Liqueurs aux cerises* (⇒ **Cerisette, guignolet, kirsch, marasquin**). *Les propriétés diurétiques de la queue de cerise.*

Par compar. *Devenir rouge comme une cerise*, sous le coup de l'émotion, de la confusion. *Avoir la bouche pareille à une cerise*, petite, charnue et très rouge. — *En cerise* : en forme de cerise. *Bouche, sourire en cerise.*

1 (...) nous allâmes dans le verger achever notre dessert avec des cerises. Je montai sur l'arbre, et je leur en jetais des bouquets dont elles me rendaient les noyaux à travers les branches (...) Je me disais en moi-même : Que mes lèvres ne sont-elles des cerises ! comme je les leur jetterais ainsi de bon cœur.
    ROUSSEAU, *les Confessions*, IV.

2 M. de Vendôme disait de madame de Nemours, qui avait un long nez courbé sur des lèvres vermeilles : « Elle a l'air d'un perroquet qui mange une cerise ».
    CHAMFORT, *Caractères et Anecdotes*, p. 255.

3 (...) des cerises
lisses comme la chair qui rit des jeunes filles (...)
    Francis JAMMES, *Prière pour aller au paradis avec les ânes.*

4 (...) une fillette toute dorée de peau et de poil ; sourire en cerise.
    G. DUHAMEL, *Récits des temps de guerre*, IV, p. 69.

5 (...) une jatte de lait reposait sur la table et des cerises noires trempaient (...) dans une terrine d'eau.
    H. BOSCO, *le Mas Théotime*, II, p. 51.

Loc. (vx ; jugement de Mme de Sévigné sur les œuvres de La Fontaine).

C'est un panier de cerises : tout est parfait, agréable (dans cette chose).

Le temps des cerises : le printemps.

5.1 Mais il est bien court, le temps des cerises
Où l'on s'en va deux, cueillir en rêvant
Des pendants d'oreilles...
Cerises d'amour aux roses pareilles,
Tombant sous la feuille en gouttes de sang...
Mais il est bien court, le temps des cerises,
Pendants de corail qu'on cueille en rêvant !
    Jean-Baptiste CLÉMENT, *le Temps des cerises.*

Loc. fam., par plais. (parodie d'un pseudo-parler rural). *Aux cerises :* à l'époque des cerises. *Elle aura huit ans aux cerises,* au printemps prochain.

♦ **2.** Adj. invar. (1792, *in* D.D.L.). De la nuance de rouge propre à la cerise. *Des rubans cerise.*

6 Le soleil était déjà bas (...) un feu d'abord doré, puis vermillon, puis cerise.
    Claude LÉVI-STRAUSS, *Tristes tropiques*, p. 52.

♦ **3.** Ⓐ (Qualifié ; désignant des fruits comparés à la cerise, 1.). *Cerise gommeuse :* fruit du savonnier*. — *Cerise des Antilles :* fruit de la malpighie*. — *Cerise carrée :* fruit d'un giroflier appelé *cerisier de Cayenne.*

Ⓑ Spécialt. *Cerise sèche :* fruit séché du caféier. *Cerise fraîche du café*, et, absolt, (en franç. d'Afrique), *cerise :* fruit frais entier (drupe) du caféier (cit.).

Ⓒ Appos. *Tomate cerise* (dite aussi *tomate cocktail*) : tomate à fruits ronds, de très petite taille ; ce fruit. *Une barquette de tomates cerises.*

♦ **4.** Fam. Tête. *En plein sur la cerise.* ⇒ **Cassis.**

♦ **5.** Argot. *Avoir la cerise :* être toujours en proie à la malchance. ⇒ **Guigne, guignon.** *La Cerise*, roman de A. Boudard.

7 Dudule, c'était un piaf. On avait à la loge un couple de serins qui avait fait des petits. La serine est partie et le mâle a attrapé la cerise : couic, terminé.
    Jean FERNIOT, *Pierrot et Aline*, p. 35.

DÉR. Cerisaie, cerisette, cerisier.
COMP. Laurier-cerise.

CERISETTE [s(ə)ʀizɛt] n. f. — 1310, « petite cerise » ; de *cerise.*

♦ **1.** (1863). Cerise séchée.

♦ **2.** (1907). Boisson rafraîchissante à base de cerise.

♦ **3.** (1867). Régional. Morelle*.

CERISIER [s(ə)ʀizje] n. m. — 1165 ; de *cerise.*

♦ **1.** Arbre fruitier à fleurs en bouquet (genre *prunus*), qui produit le fruit appelé cerise* (famille des *Rosacées* ; nom sc. : *cerasus*). *Variétés de cerisiers.* ⇒ **Bigarreautier, griottier, guignier, mahaleb.** *Cerisier sauvage.* ⇒ **Merisier.** *Cerisier du Japon*, variété ornementale, à belles fleurs. *Gomme des cerisiers.* ⇒ **Bran** (bran d'agace). *Plantation de cerisiers.* ⇒ **Cerisaie.** *Des cerisiers en fleurs.*

1 (...) les cerisiers de la forêt transplantés dans la plaine (...) fleurissaient en quenouilles blanches.   René BAZIN, *les Oberlé*, VII.

2 La gomme coule en larmes d'or des cerisiers.
    Francis JAMMES, *De l'angélus de l'aube...*, « La gomme coule ».

♦ **2.** Bois du cerisier, employé en ébénisterie. *Une salle à manger en cerisier. Meubles en cerisier.*

♦ **3.** (Qualifié ; désignant des arbres dont les fruits ressemblent aux cerises). *Cerisier de Cayenne*, nom d'un giroflier. *Petit cerisier d'hiver.* ⇒ **Piment** (faux piment).

1. CÉRITE ou CÉRITHE [seʀit] n. m. — 1757 ; du lat. sc. *cerithium*, du grec *kērukion* « buccin ».

♦ Zool. Mollusque gastéropode prosobranche (*Monotocardes*), à coquille turriculée portant des côtes ornées de tubercules, et vivant dans les mers chaudes et tempérées. *Cérithes fossiles du tertiaire.*
REM. Le mot était d'abord féminin.

Sous ces végétations se dérobaient et se montraient en même temps les plus rares bijoux de l'écrin de l'océan, des éburnes, des strombes, des mitres, des casques, des pourpres, des buccins, des struthiolaires, des cérites turriculées.
    HUGO, *les Travailleurs de la mer*, II, I, XIII.

HOM. 2. Cérite.

2. CÉRITE [seʀit] n. f. — 1804, Berzelius ; de *cérium.*

♦ Minér. Silicate hydraté de cérium (minerai du cérium).

HOM. 1. Cérite ou cérithe.

CÉRIUM [seʀjɔm] n. m. — 1803, deux ans après la découverte de l'astéroïde *Cérès*, d'où son nom.

♦ Chim. Métal (symb. *Ce*, n° at. 58, p. at. 140,1) de densité autour de 6,2, fondant à 795 °C, le plus abondant du groupe des lanthanides (terres rares). *Silicate de cérium* (⇒ **Cérite**), *phosphate de cérium* (⇒ **Monazite**). *La monazite est le principal minerai de cérium. Alliage pyrophorique de cérium et de fer (ferrocérium des pierres à briquet). Le cérium est utilisé dans la fabrication de verres spéciaux.*

DÉR. 2. Cérite. — V. **Cérique.**

CERNE [sɛʀn] n. m. — 1119, « cercle » ; du lat. *circinus* « compas, cercle », de *circus*.

♦ **1.** Vieilli. **Cercle*.**

1   Il me faut leurs deux noms dans un cerne graver.
                                   H. DE RACAN, les Bergeries..., I, 2.

2   Cette fois-là, c'étaient des moires, rien que des moires changeantes qui jouaient sur la mer ; des cernes très légers, comme on en ferait en soufflant contre un miroir.   P. LOTI, Pêcheur d'Islande, I, v, p. 57.

♦ **2.** Cercle qui entoure qqch. ; trait qui cerne une figure (dessin, peinture). ⇒ **Cernure.** *Cernes noirs autour d'une figure.*

(Mil. XIVᵉ). Cercle livide qui entoure parfois une plaie ou des yeux battus. ⇒ **Bleu, marbrure** ; → **Œil,** cit. 12. *Un cerne bleuâtre, livide, blafard autour des yeux.*

3   Un tendre cerne azuré donnait au regard beaucoup de douceur.
                       G. DUHAMEL, le Temps de la recherche, VI, p. 70.

4   Le colchique couleur de cerne et de lilas
    Y fleurit tes yeux sont comme cette fleur-là
    Violâtres comme leur cerne et comme cet automne
    Et ma vie pour tes yeux lentement s'empoisonne
                       APOLLINAIRE, Alcools, « Les colchiques ».

5   (...) une face livide apparaît, avec des yeux enfoncés dans le cerne des orbites, et des joues creuses, noircies par une barbe de plusieurs jours.
                       A. ROBBE-GRILLET, Dans le labyrinthe, p. 129.

♦ **3.** (1820). Un des cercles concentriques de la tranche d'un arbre coupé, que l'aubier forme chaque année. *On peut estimer l'âge d'un arbre par le nombre de cernes.*

♦ **4.** (1458). Cercle nébuleux qui entoure parfois le disque lunaire. ⇒ **Halo.**

♦ **5.** (1867). Trace laissée sur une étoffe par le contour d'une tache mal nettoyée. ⇒ **Auréole.** *Essayer de nettoyer des cernes.*

DÉR. Cerner.

CERNEAU [sɛʀno] n. m. — Fin XIIIᵉ, *cerniaux* ; de *cerner* (des noix).

♦ **1.** Noix* à demi-mûre tirée de sa coque. *Manger des cerneaux. Extraire au couteau les cerneaux de leur coque.*
Par ext. Noix épluchée.

Alors mon oncle prenait les noix et il les cassait avec un petit marteau très souple. Il mettait les coquilles d'un côté, pour le feu, et dans un panier il jetait les cerneaux.   Jean FERNIOT, Pierrot et Aline, p. 53.

♦ **2.** **VIN DE CERNEAUX** : vin rosé bon à boire à l'époque où l'on mange les cerneaux (août-septembre).

CERNER [sɛʀne] v. tr. — XIIᵉ ; de *cerne*.

★ **I.** ♦ **1.** (Sujet n. de chose). Entourer en formant une zone circulaire distincte (cerne). ⇒ **Encercler, envelopper.**

1   L'horizon qui cerne cette plaine, c'est celui qui cerne toute vie ; il donne une place d'honneur à notre soif d'infini, en même temps qu'il nous rappelle nos limites.
                       BARRÈS, la Colline inspirée, II, p. 10.

2   Le feu du rasoir cernait ses lèvres épaisses.   F. MAURIAC, le Mal, IX, p. 141.

(1858). Dessin, peint. (Sujet n. de personne). Entourer, souligner le contour d'une figure par un trait. *Cerner une figure d'un trait bleu.* — (Sujet n. de ce qui entoure). *Les traits qui cernent une figure.*
Fig. Délimiter nettement.

3   Autant le gros Jourdain est étoffé par la vie, autant le sec Figaro est précisé, limité, cerné par un dessin de la littérature.
                       A. THIBAUDET, Gustave Flaubert, p. 201.

♦ **2.** Spécialt. (Sujet n. de chose ; le compl. désigne les yeux). Entourer d'un cerne. *La fatigue cerne ses yeux.* — Pron. réfl. Devenir cerné. *Yeux qui se cernent.*

♦ **3.** (1328). Techn. (arbor.). Enlever une bandelette circulaire, par une incision. *Cerner un arbre* (→ Bois, cit. 33).

(1403). *Cerner des noix* : faire des cerneaux*. *« Demi-couteaux dont les petits enfants cernent les noix »* (Rabelais, I, 27).

★ **II.** ♦ **1.** [a] Entourer (qqn ; un lieu, et, en particulier, un objectif militaire) pour s'en rendre maître, le réduire par la force. *Plusieurs membres du service d'ordre ont rapidement cerné le perturbateur. Cerner une ville fortifiée.* ⇒ **Assiéger, bloquer, investir.** *Les blindés cernèrent le nid de mitrailleuses.*

[b] (Sujet n. de chose susceptible de mouvement : fluide, eau en particulier, etc.). Entourer en interdisant tout déplacement en dehors d'une aire précisément circonscrite. *La marée a cerné les promeneurs imprudents sur un banc de sable.*

♦ **2.** Fig. *Cerner qqn.* ⇒ **Obséder.** — (Sujet n. de chose). *Les soucis le cernent de toutes parts,* l'assaillent, l'accablent.

Il *(ce malaise)* nous cerne de menaces confuses.
                       COCTEAU, la Difficulté d'être, p. 259.   4

▶ **CERNÉ, ÉE** p. p. adj.

♦ **1.** Entouré d'un cerne. *Avoir les yeux cernés.*

♦ **2.** [a] Entouré et contenu par la force. *Troupes cernées. Fuyard cerné.*

[b] Entouré par qqch. qui interdit tout déplacement. *Riverains de la Garonne cernés par la crue.*

DÉR. Cerneau, cernure.

CERNURE [sɛʀnyʀ] n. f. — 1863 ; *cerneure*, 1562, attestation isolée ; de *cerner*.

♦ Littér. Ce qui cerne, entoure en soulignant.
Spécialt. [a] Cerne autour des yeux.

[b] Dessin, peint. Ligne qui cerne, entoure un contour. ⇒ **Cerne.**

J'ai fait une petite esquisse où on voit bien mieux la cernure de la plage.
                       PROUST, À l'ombre des jeunes filles en fleurs, Pl., t. I, p. 860.
REM. C'est le peintre Elstir qui parle.

CÉRO- Élément préf. tiré du grec *kêros* « cire », servant à former des mots savants, tels que : *céroplastie* [seʀoplasti] ou *céroplastique* [seʀoplastik] n. f. (1808, *in* Cottez, *céroplastique ; empr. au grec kêroplastikos* « qui concerne le modelage de la cire ») : art de modeler la cire ⇒ aussi **Céri-.**

CÉROTIQUE [seʀɔtik] adj. — Mil. XXᵉ ; du grec *kêros, -otis.* → Céro-.

♦ Chim. *Acide cérotique* : acide gras qui se rencontre dans la cire d'abeille et (à l'état d'ester *cérylique*) dans la cire de Chine.

-CERQUE Élément final de mots savants, tiré du grec *kerkos* « queue ». ⇒ **Cerco-.**

CERS [sɛʀs] n. m. — 1605 ; *cyerce*, 1552 ; mot du bas Languedoc, du lat. *cercius « vent du nord-ouest ».

♦ Régional. Vent d'ouest violent soufflant sur le Sud-Ouest de la France et notamment sur le bas Languedoc.

CERTAIN, AINE [sɛʀtɛ̃, ɛn] adj. — 1567 ; *certan,* 1160 ; lat. pop. *certanus,* de *certus* « assuré ». — **REM.** (Phonét.). Devant un nom masculin commençant par une voyelle, on prononce [sɛʀtɛn] (ex. : *un certain espoir* [œ̃sɛʀtɛnɛspwaʀ]).

★ **I.** (Placé après le nom, en épithète). ♦ **1.** Qui ne fait pas de doute ; qui est l'objet d'une adhésion intellectuelle, d'un sentiment assuré de vérité*. ⇒ **Assuré, confirmé, incontestable, indéniable, indiscutable, indubitable, sûr.** *Une chose certaine. Cela est, c'est certain. C'est possible, probable, très probable, mais ce n'est pas certain. Un événement certain est un événement dont la probabilité est égale à 1.* — *Il est certain que... La chose est certaine. C'est un fait certain* (⇒ **Connu, reconnu**). *Regarder une chose comme certaine, prendre, tenir pour certain. La marque certaine d'une chose.*
Cour. Qui ne peut manquer de se produire. ⇒ **Inévitable.** *La victoire est certaine. Son départ est certain. Donner pour certain un événement* (⇒ **Compter**). *S'exposer à un échec certain.* ⇒ **Immanquable.** *Un sort certain.* ⇒ **Inéluctable** ; et aussi **authentique, décisif, évident, flagrant, fondé, formel, infaillible, manifeste, positif.** *Un témoignage certain.* ⇒ **Avéré, inattaquable.** — *Un résultat certain.* ⇒ **Exact.** *Une déduction certaine.* ⇒ **Mathématique, rigoureux.** *Établir le caractère certain d'une chose* (⇒ **Certifier** ; authenticité, exactitude, vérité), *d'une assertion* (⇒ **Véracité**).

(...) Quand le mal est certain,
La plainte ni la peur ne changent le destin ;
Et le moins prévoyant est toujours le plus sage.   LA FONTAINE, Fables, VIII, 12.   1

Il se peut faire qu'il y ait de vraies démonstrations ; mais cela n'est pas certain. Ainsi, cela ne montre autre chose, sinon qu'il n'est pas certain que tout soit incertain, à la gloire du pyrrhonisme.   PASCAL, Pensées, VI, 387.   2

Non, non, je l'ai juré, ma vengeance est certaine (...)
                       RACINE, Andromaque, II, 5.   3

Cette splendeur, cette pourpre mondaine
D'un règne heureux est la marque certaine.   VOLTAIRE, Défense du Mondain.   4

L'absence n'est-elle pas ce qui aime la plus certaine, la plus efficace, la plus vivace, la plus indestructible, la plus fidèle des présences.
                       PROUST, les Plaisirs et les Jours, p. 142.   5

(On remarque que) l'enchaînement des faits est certain, inévitable, à l'aide des locutions adverbiales, qui renferment cette idée de certitude, *sûrement, nécessairement, inévitablement, infailliblement, immanquablement : Vous semez le vent, vous récoltez* nécessairement *la tempête.*
                       F. BRUNOT, la Pensée et la Langue, XXII, VIII, p. 840.   6

6.1 Je ne veux tenir pour certain que ce que j'aurai pu voir moi-même, ou pu suffi-samment contrôler.   GIDE, Voyage au Congo, in Souvenirs, Pl., p. 695.

7 Ce qu'il y a de certain dans la mort est un peu adouci par ce qui est incertain.
                                                                  LA BRUYÈRE, les Caractères, XI, 38.

Un âge certain, avancé (s'oppose à *un certain âge,* ci-dessous, II. A. 2.).

Cour. Qui est considéré comme vrai, conforme au vrai. ⇒ **Réel, vrai.** *Donner la raison certaine de qqch. Une preuve certaine.*
N. m. *Le certain, c'est que... :* ce qui est certain, c'est que... *Quitter le certain pour l'incertain.*

♦ **2.** Dr. (dans des expressions). Qui est déterminé, fixé d'une façon précise et invariable. ⇒ **Constant, déterminé, fixe, invariable, précis.** *Une date* certaine. L'enregistrement donne date certaine. Prix certain, taux certain.*

8 Lorsque les époux apportent dans la communauté une somme certaine (...)
                                                                      Code civil, art. 1511.

N. m. *Le certain :* en terme de Bourse, Contre-valeur en francs d'une devise étrangère. *Procédé du certain.*

♦ **3.** (Personnes. Surtout attribut). Qui considère une chose pour vraie. ⇒ **Assuré, convaincu.** *J'en suis certain. Il affirme comme s'il en était certain* (⇒ **Affirmatif, dogmatique**). — *Être certain de... Être certain que...* (et indicatif futur). *Tu en es sûr? — Certain! Être certain de réussir. Je suis certain qu'il viendra.* → *J'en ai la certitude*, je le crois*, je le parierais*, j'en mettrais ma main au feu*; j'en ai la conviction*.*

9 Madeleine, j'en étais certain, ne pouvait ressentir aucun intérêt pour un étranger que le hasard avait jeté dans sa vie comme un accident.
                                                                  E. FROMENTIN, Dominique, VII.

10 Je ne le *crois* pas, dit-il, j'en suis certain.
                                                                  A. MAUROIS, Terre promise, XXXI, p. 215.

Loc. fam. (redondance critiquée). *Sûr et certain. Il viendra, j'en suis sûr et certain. La chose arrivera bientôt, c'est sûr et certain.*

★ **II. A.** Adj. (Placé avant le susbtantif, en épithète). Exprime une indétermination.

♦ **1.** (Précédé de l'art. indéf.) Désigne une quantité donnée, un moment déterminé, une attitude particulière... mais non précisés. *Un certain nombre de gens. Il restera un certain temps. Une certaine distance. À un certain moment. Il n'aime pas qu'on lui parle sur un certain ton. Un certain regard. Un certain sourire,* roman de Fran-çoise Sagan.

Désigne allusivement un objet, une personne supposés connus mais volontairement non précisés. *Un certain tiroir toujours fermé à clef. Un certain mot malsonnant.* — (Sans article). Littéraire :

10.1 Seil-Kor plaça au pied de la pente abrupte certaine mixture promptement compo-sée avec des pierres crayeuses et de l'eau.
                                              Raymond ROUSSEL, Impressions d'Afrique, p. 60.

10.2 (...) dérobant (...) certaine sacoche qui (...) contenait dans ses divers comparti-ments une pesante charge d'or et de billets.
                                              Raymond ROUSSEL, Impressions d'Afrique, p. 408.

Loc. cour. *D'une certaine manière. À un certain point. À un certain degré. En un certain sens.*

11 Il faut avoir de l'esprit pour être homme de cabale : l'on peut cependant en avoir à un certain point (...)   LA BRUYÈRE, les Caractères, VIII, 92.

Au plur. (Sans article). Désigne une catégorie à l'intérieur d'un ensem-ble. *Certains peuples. Dans certains pays.* ⇒ **Quelque.** — *Certains jours. Dans certains cas. À certains moments.*

Littér. (précédé de l'art. *de*). Marque une imprécision voulue. *Deviner à de certains indices...*

12 (...) il l'embrassait à de certaines heures. C'était une habitude parmi les autres, et comme un dessert prévu d'avance, après la monotonie du dîner.
                                                                  FLAUBERT, Mᵐᵉ Bovary, I, VII.

♦ **2.** Atténuant l'idée exprimée, par l'indétermination. ⇒ **Relatif.** *Il fait preuve d'une certaine audace. Il lui a fallu un certain courage. Un homme d'un certain âge*.*

13 Peut-être faut-il avoir pour produire une certaine suffisance.
                                    Edmond JALOUX, le Dernier Jour de la création, IX, p. 102.

♦ **3.** (1283). *Un certain* (placé devant un nom de personne) : exprime une nuance de dédain, de mépris, une ignorance affectée). *Un certain Durand, un certain Paul Martin vous a demandé. Un certain M. Blot,* ouvrage de P. Daninos.

14 (...) quoiqu'elle ait fait voir de l'amitié pour un certain Léandre.
                                                          MOLIÈRE le Médecin malgré lui, I, 4.

REM. Cet emploi paraît peu en usage au fém. : *une certaine Madame Untel.*

B. Pron. masc. plur. Désigne un nombre indéterminé de personnes, d'objets. *Certains disent, pensent. Certains prétendent.* ⇒ **Aucun** (d'aucuns), **plusieurs, quelqu'un** (quelques-uns), **tel** (tels). *Aux yeux de certains.*

15 Certains aiment en amour l'agitation comme ils aiment en mer la tempête.
                                                        A. MAUROIS, Un art de vivre, II, 4, p. 72.

Certains de... : certains parmi... *Certaines de vos amies.*

(En corrélation avec *d'autres, les autres*). *Certains sont d'accord, les autres non.*

CONTR. Incertain. — Chimérique, conjectural, contestable, controversable, discu-table, douteux, erroné, faux, hasardé, illusoire, problématique, suspect, utopique. — Dubitatif, hésitant, sceptique.
DÉR. Certainement.
COMP. Incertain.

CERTAINEMENT [sɛʀtɛnmɑ̃] adv. — V. 1165 ; de *certain.*

♦ **1.** Vieilli. D'une manière sûre, offrant toutes les garanties. *Vérité certainement établie,* avec certitude. ⇒ **Formellement, exactement, incontestablement, indéniablement, indiscutablement, indubitable-ment.**

♦ **2.** Mod. De manière certaine, indubitable (en parlant d'un événe-ment à venir). *Cela arrivera certainement.* ⇒ **Fatalement, inévitable-ment, infailliblement, nécessairement, sûr** (à coup sûr), **sûrement.**

♦ **3.** Sert à renforcer une affirmation. *Croyez-vous que cela vaille la peine? Certainement. Il est certainement le plus doué.* ⇒ **Assu-rément, certes, clairement, évidemment, franchement, naturellement, nettement, réellement, vraiment ; vérité** (en).
Certainement ! ⇒ **Parfaitement, sûr** (bien sûr).

Voilà certainement d'admirables projets !   MOLIÈRE, les Femmes savantes, III, 2.   1
Certainement que...

Les adverbes tels que *certainement* ont donné lieu à des constructions qui jouent   2
un rôle important : De *il viendra certainement, certainement il viendra,* on est
passé (...) à : **Certainement qu'**il vous écrira, sûrement que vous le verrez.
                                              F. BRUNOT, la Pensée et la Langue, XII, v.

CERTES [sɛʀt] adv. — 1050 ; lat. pop. *certas,* — qui a remplacé le lat. class. *certo,* de *certus.* → Certain.

♦ **1.** (Indiquant ou renforçant une affirmation, positive ou négative). Certainement, assurément, bien sûr. *Oui, certes ! Non, certes ! Ah, certes non ! Certes, je le vois bien.*

Ah ! certes le détour est d'esprit, je l'avoue (...)   1
                                                          MOLIÈRE, les Femmes savantes, I, 4.

REM. Au xviiᵉ s., *certes* vieillissait.

Certes est beau dans sa vieillesse, et a encore de la force sur son déclin (...)   2
                                                    LA BRUYÈRE, les Caractères, XIV, 73.

♦ **2.** (Indiquant une idée de concession, d'opposition). *Certes, je n'irai pas jusqu'à prétendre que...* (Académie).

Souvent en relation avec *mais, néanmoins. Certes je voudrais le croire, mais je ne le peux.*

REM. Sans être archaïque, *certes* est marqué, en français moderne, comme régional ou légèrement affecté ; on emploie plutôt, selon les valeurs, *certainement, sûrement, bien sûr.*

CERTIF [sɛʀtif] n. m. — 1935 ; de *certificat.*

♦ Fam. Certificat (d'études primaires, de licence).

On a beau dire, ce n'est pas rien, le Certificat d'Études Primaires (...) Et Yan-kel souffrait d'entendre ce sale gosse parler irrévérencieusement de «certif». Cer-tif, certif, qu'est-ce que c'est ça! Ça t'arracherait la bouche de prononcer le mot tout entier?... Tchch!...
                                              Roger IKOR, Les Fils d'Avrom, Les eaux mêlées, p. 366.

CERTIFICAT [sɛʀtifika] n. m. — 1380, «écrit attestant un fait» ; bas lat. *certificatum,* p. p. de *certificare.* → Certifier.

♦ **1.** Document écrit qui atteste un fait. ⇒ **Acte** (I., B., 2.), **attesta-tion, constatation, parère.** *Certificat authentique, légalisé. Deman-der, prendre ; délivrer, donner ; fournir, produire un certificat.*
Écrit émanant d'une autorité compétente. *Certificat médical,* établi par un médecin et requis des candidats à certaines fonctions. *(Cer-tificat prénuptial. Certificat de vaccination...).* — *Certificat de vie,* établi par les notaires et les maires et confirmant l'existence d'un individu. *Certificat de résidence*. Certificat d'indigence,* qui cons-tate qu'un individu est privé de ressources. *Certificat de travail,* indiquant la nature et la durée du travail effectué par un salarié. *Certificat de nationalité. Certificat d'origine :* titre justificatif de l'origine d'une marchandise ; se dit aussi du certificat qui établit l'origine de la propriété d'un titre de rente. *Certificat de propriété,* qui reconnaît les droits de propriété ou de jouissance d'une per-sonne sur des valeurs déterminées. *Certificat sur transcription,* don-nant toutes les inscriptions de privilège sur l'hypothèque grevant un immeuble aliéné. *Certificat de carence*.* Mar. *Certificat de visites* ou *de navigabilité,* attestant qu'un navire est en état de naviguer.

S'il y a dans le monde une histoire attestée, c'est celle des vampires ; rien n'y man-   1
que ; procès-verbaux, certificats de notables, de chirurgiens, de curés, de magistrats ; la preuve juridique est des plus complètes ; avec cela, qui est-ce qui croit
aux vampires?   ROUSSEAU, Lettre à l'Archevêque de Paris.

Écrit émanant d'une personne privée, à valeur de témoignage, d'affirmation. *Certificat de bonne vie et mœurs. Certificat de mora-lité. Certificats d'un domestique.* ⇒ **Référence.** *Avoir de bons certi-ficats.*

Certificat de complaisance*. — Par ext. Fig., fam. ⇒ **Assurance, preuve, témoignage.** *Un certificat de longévité.*

2   (...) Je tiens dans mes mains
    Un bon certificat du mal dont je me plains.   MOLIÈRE, Sganarelle, 6.

♦ **2.** (1836). Acte attestant la réussite à un examen ou à un concours ; cet examen, ce concours. ⇒ **Brevet, diplôme.** *Certificat d'études primaires* (C. E. P. [seøpe]). Cour. *Certificat d'études. Il a, il n'a pas son certificat d'études.* Absolt. *Il a son certificat* (abrév. fam. : *certif*). *Certificat d'aptitude professionnelle* (C. A. P. [seape]). Ancienn. *Certificats* (d'études supérieures) *de licence.* ⇒ **Unité** (de valeur), 2. **U. V.** — *Certificat d'aptitude pédagogique* (C. A. P. [seape]). *Certificat d'aptitude au professorat de l'enseignement du second degré* (C. A. P. E. S. [kapɛs]). *Certificat d'aptitude au professorat de l'enseignement technique* (C. A. P. E. T. [kapɛt]). *Titulaire d'un certificat.* ⇒ **Certifié.** — *Certificat d'aptitude à la profession d'avocat* (C. A. P. A. [kapa]).

3   Dans le peuple, l'examen du certificat d'études primaires avait pris, pour clore l'enfance, tous les caractères d'une *consécration* que la première communion avait perdus.   Raymond ABELLIO, Ma dernière mémoire, t. I, p. 141.

CERTIFICATEUR [sɛʀtifikatœʀ] n. m. — 1611 ; lat. médiéval *certificator* « celui qui certifie », du supin de *certificare*. → Certifier.

♦ Dr. Personne qui certifie. — REM. Le fém. virtuel, *certificatrice,* ne semble pas employé. — Spécialt. *Certificateur de caution :* personne qui intervient pour garantir l'engagement pris par la caution elle-même (d'après Capitant, *Voc. juridique*). — Appos. *Notaire certificateur,* qui établit les certificats de vie des rentiers et pensionnés de l'État.

CERTIFICATIF, IVE [sɛʀtifikatif, iv] adj. — XVᵉ ; lat. médiéval *certificativus.*
Didactique ou droit.

♦ **1.** Qui est propre à certifier. *Pièces certificatives.*

♦ **2.** Qui affirme avec force, qui certifie.
L'ancêtre eut son mouvement de tête certificatif qui prenait à témoin ses contemporains de ce temps-là, bustes blancs aux yeux vides, alignés sur des piédestaux autour de la salle.   Alphonse DAUDET, l'Immortel, p. 345.

CERTIFICATION [sɛʀtifikasjɔ̃] n. f. — 1310, *certificacion* ; bas lat. *certificatio,* du supin de *certificare.* → Certifier.

♦ Dr. Assurance donnée par écrit. — Spécialt (t. de banque). *Certification de signatures.* ⇒ **Authentification.**

CERTIFIÉ, ÉE [sɛʀtifje] adj. et n. — V. 1950 ; de *certificat,* d'après *certifier.*

♦ Rare. Titulaire d'un certificat.
Spécialt. **ⓐ** Titulaire du Certificat d'aptitude au professorat de l'enseignement du second degré (C. A. P. E. S.). ⇒ **Capésien.** *Professeur certifié.* — N. *Les certifiés et les agrégés.*
Je ne percevrai mon dernier traitement de certifiée stagiaire que dans trois semaines et mon premier traitement d'agrégée que fin octobre.
                    Yanny HUREAUX, la Prof, p. 35.

ⓑ (Notamment en Afrique). Titulaire du Certificat d'études primaires.

CERTIFIER [sɛʀtifje] v. tr. — V. 1172, *certefier* ; bas lat. *certificare,* de *certus* (→ Certain), et *facere* « faire ».

♦ **1.** Donner (qqch.) pour certain, pour vrai. ⇒ **Affirmer, attester, confirmer, garantir.** *Certifier qqch. à qqn et en témoigner*. Je vous certifie que...* ⇒ **Assurer ;** (fam.) *Affirmation,* cit. 2 ; et (fam.) *Je vous fiche mon billet* que... Je continue à vous le certifier, à vous certifier que...* ⇒ **Maintenir.** *C'est possible, mais je ne peux le certifier, vous le certifier. Je l'ai constaté* moi-même et je puis vous le certifier.*
Je te certifie que je ne m'ennuie jamais avec vous deux (...)
                    G. SAND, François le Champi, VII, p. 67.

♦ **2.** Dr. Garantir par un acte. *Certifier une signature.* ⇒ **Authentifier, légaliser.** — (Avec un compl. qualifié par un adj.). *Certifier (un texte) conforme,* certifier qu'il est conforme à l'original. *Collationner et certifier conforme à l'original.* ⇒ **Vidimer.** — *Certifier une caution,* répondre de sa solvabilité.

▶ **CERTIFIÉ, ÉE** p. p. adj. *Copie certifiée conforme.* — Ellipt. *Copie certifiée.* ⇒ aussi **Certifié,** adj. et n.

CONTR. Démentir, désavouer, infirmer. — Contester, nier.

CERTITUDE [sɛʀtityd] n. f. — 1375 ; lat. *certitudo,* de *certus.* → Certain.

♦ **1.** Vx. Assurance, garantie. « *Je veux quelque certitude de votre dévouement* » (Balzac, *in* T. L. F.).

♦ **2.** Cour. Caractère de ce qui est certain*, indubitable. ⇒ **Évi-**

dence, vérité ; sûreté. *La certitude d'un fait, d'une affirmation. Affirmation sans certitude. La certitude d'un témoignage.* — *(Une, des certitudes).* Chose certaine, indubitable. *Certitude absolue, mathématique. Probabilité qui se change en certitude. Certitude morale, métaphysique* (→ ci-dessous, 3.), *certitude intuitive. Esprit plein de certitudes.*

Il y a contre lui des présomptions terribles, il n'y a pas une certitude absolue.   Paul BOURGET, le Disciple, II, p. 55.   1

(...) désireux *(le savant)* de certitude, il se défend de deviner.   GIDE, le Retour de l'enfant prodigue, p. 23.   2

Ce n'est pas de gaieté de cœur qu'il renonce aux certitudes métaphysiques. Nul défi de mécréant agressif.
                    A. MAUROIS, Études littéraires, t. II, Duhamel, II, p. 90.   3

Quand il y a certitude d'une réalité, les faits sont exprimés, ou bien dans une proposition principale accompagnée ou non d'une affirmation de certitude, ou bien dans l'objet d'une phrase dont la principale exprime la certitude : *le train est arrivé, j'en suis sûr.*   F. BRUNOT, la Pensée et la Langue, XII, III, I, p. 526.   4

Vx ou littér. ⇒ **Stabilité.** *Il n'y a nulle certitude dans les choses du monde.*

Sa certitude d'homme solide sur ses cuisses, sûr de ses muscles, je la voyais s'émietter, se pulvériser, le poudrer d'une douceur qu'il n'avait jamais eue, effriter ses angles rigoureux.   J. GENET, Journal du voleur, p. 49.   4.1

♦ **3.** (1462). État de l'esprit qui ne doute pas (de qqch.), n'a aucune crainte d'erreur (sur qqch.). ⇒ **Assurance, conviction, croyance, opinion.** *La certitude de qqn quant à qqch., sur qqch., à propos de qqch. ; sa certitude. Certitude fondée sur des preuves. J'ai la certitude qu'il viendra. Il a la certitude de réussir.*

Absolt. Philos. Adhésion*, assentiment* de l'esprit à la vérité qu'il est assuré de posséder. *Certitude immédiate, médiate, intuitive, discursive. Certitude de la foi* (→ Croire, cit. 68). *Être incapable de certitude* (→ Bonheur, cit. 11).

Les principales forces des pyrrhoniens (...) sont : que nous n'avons aucune certitude de la vérité de ces principes, hors la foi et la révélation, sinon en *(ce)* que nous les sentons naturellement en nous.   PASCAL, Pensées, VII, 434.   5

La jalousie se nourrit dans les doutes, et elle devient fureur, ou elle finit, sitôt qu'on passe du doute à la certitude.   LA ROCHEFOUCAULD, Maximes, 32, p. 248.   6

(...) c'est la certitude qu'ils tiennent la vérité qui rend les hommes cruels.
                    FRANCE, Les dieux ont soif, p. 11.   7

Je me passai fort bien de certitude dès lors que j'acquis celle-ci, que l'esprit de l'homme ne peut en avoir.   GIDE, les Nouvelles Nourritures, p. 93.   8

Il n'a pas ce besoin de grosse certitude qu'on éprouve quand le doute ou la détresse vous travaillent.   J. ROMAINS, les Hommes de bonne volonté, t. II, p. 14.   9

(...) si ma certitude était à la merci des objections, ce ne serait plus une certitude (...)   MARTIN DU GARD, Jean Barois, III, L'enfant, III, p. 406.   10

La raison d'être d'une foi, c'est d'apporter une certitude.
                    A. MAUROIS, les Discours du Dʳ O'Grady, II, p. 12.   11

Loc. adv. *Avec, sans certitude. En toute certitude.* — Vieilli. *De toute certitude.*

CONTR. Chimère, conjecture, doute, erreur, éventualité, hypothèse, illusion, incertitude, indétermination, probabilité, soupçon, vraisemblance.
COMP. Incertitude, quasi-certitude.

CÉRULÉ, ÉE [seʀyle] adj. — 1516 ; lat. *caeruleus* « bleu (comme le ciel) », de *cælum.* → Ciel.

♦ Littér., rare. D'un bleu d'azur*. ⇒ **Céruléen.** « *Ces oiseaux cérulés qui laissaient pendre leurs ailes* » (Chateaubriand, *in* T. L. F.).

DÉR. Céruléen.

CÉRULÉEN, ENNE [seʀyleɛ̃, ɛn] adj. — 1797 ; de *cérulé.*

♦ Littér. D'une couleur bleue. ⇒ **Cérulé.**

(Des barques) ornées, par paire, d'étranges insignes, de figures multicolores rappelant celles du blason (...) tout cela s'éployait splendidement sur le céruléen tapis de la mer (...)
                    GIDE, Feuillets d'automne, Acquasanta, in Souvenirs, Pl., p. 1107.

COMP. Céruléoplasmine.

CÉRULÉOPLASMINE [seʀyleoplasmin] n. f. — V. 1980, du rad. de *céruléen, plasma,* et suff. *-ine.*

♦ Chim., biol. Protéine du sérum sanguin, de couleur bleue, contenant du cuivre.
La céruléoplasmine est une enzyme très importante à base de cuivre, que l'on trouve dans les espèces mammifères, y compris l'homme. Il s'agit d'une grosse molécule — la masse moléculaire est voisine de 150 000 — contenant huit atomes de cuivre. On ne connaît pas sa fonction de façon précise, mais elle semble contrôler la distribution et la labilité du cuivre dans l'organisme.
                    la Recherche, nᵒ 117, déc. 1980, p. 1371.

CÉRUMEN [seʀymɛn] n. m. — 1726 ; lat. médiéval *caerumen,* du lat. class. *cera* « cire ».

♦ Matière onctueuse et jaune qui est sécrétée par les glandes sébacées du conduit de l'oreille externe. *Bouchon de cérumen. Cure-oreille pour ôter le cérumen.*

Cerumen. — «Cire humaine». Se garder de l'ôter parce qu'elle empêche les insectes d'entrer dans les oreilles.   FLAUBERT, Dict. des idées reçues.

DÉR. **Cérumineux.**

CÉRUMINEUX, EUSE [seʀyminø, øz] adj. — 1735 ; de *cérumen.*

♦ Rare, physiol. Relatif au cérumen. *Follicules cérumineux ou glandes cérumineuses.* — De la nature du cérumen. *Matière cérumineuse.*

CÉRUSAGE [seʀyzaʒ] n. m. — Mil. xxᵉ (attesté 1962) ; de *cérus(e),* et *-age.*

♦ Techn. (ébénisterie). Technique consistant à remplir les pores (d'un bois) d'une matière dure (de céruse, à l'origine).

CÉRUSE [seʀyz] n. f. — xiiiᵉ ; lat. *cerussa.*

♦ Chim. Hydrocarbonate basique de plomb, substance blanche (appelée aussi *blanc de céruse, blanc d'argent* ou *cérusite),* anciennement employée en peinture et dans les fards. *L'utilisation de la céruse a été prohibée en raison de sa très grande toxicité* (→ Badigeon, cit. 2).

1   (...) ce blanc n'est pas toujours du blanc de Candie, fait de coquille d'œufs ; il est souvent composé de magistères de bismuth, jupiter, saturne, de céruse (...)
                                        Ed. et J. DE GONCOURT, la Femme au xviiiᵉ siècle, t. II, p. 141.

2   Nous l'avons regardé enduire son visage de céruse, mettre une perruque, revêtir son kimono, ce qui est une opération longue et compliquée pour laquelle plusieurs habilleurs l'ont aidé.   S. DE BEAUVOIR, Tout compte fait, p. 295.

DÉR. **Cérusage, cérusé, cérusite.**

CÉRUSÉ, ÉE [seʀyze] adj. — xxᵉ (attesté 1952) ; de *céruse.*

♦ Techn. (ébénisterie). Qui a subi le cérusage. *Bois cérusé.*

J'ai renversé un encrier sur mon bureau de chêne cérusé, mon vélo a crevé deux fois aujourd'hui et j'ai perdu dans la rue une paire de bas gagnée à la Loterie.
                                        Benoîte et Flora GROULT, Journal à quatre mains, p. 169.

CÉRUSITE [seʀyzit] n. f. — 1878 ; de *céruse.*

♦ Minér. Carbonate naturel de plomb ($PbCO_3$).

CERVAISON [seʀvezõ] n. f. — Après 1250 ; du lat. *cervus* «cerf*».

♦ Vén. Époque où le cerf est gras et bon à chasser.

CERVEAU [seʀvo] n. m. — 1080, *cervel* ; du lat. *cerebellum* «petite cervelle» diminutif de *cerebrum* «cerveau».

♦ **1.** Anat. et cour. Partie antérieure et supérieure de l'encéphale des vertébrés formée de deux hémisphères cérébraux et de leurs annexes (méninges). *Du cerveau.* ⇒ **Cérébral,** et l'élément **cérébr-.** *Le cerveau est l'organe essentiel du système nerveux central.* ⇒ **Encéphale ; bulbe, cervelet, pédoncule** (pédoncules cérébraux). *Le cerveau est un viscère. Conformation extérieure du cerveau* (⇒ **Hémisphère, lobe ; circonvolution, scissure).** *Enveloppe osseuse du cerveau.* ⇒ **Crâne.** *Membranes du cerveau.* ⇒ **Méninge ; arachnoïde, dure-mère, pie-mère.** *Anatomie du cerveau :* corps calleux, trigone cérébral, cloison transparente (ou septum lucidum), ventricules latéraux et moyens, épendyme, infundibulum, formations choroïdiennes, glande pinéale ou épiphyse, noyaux gris centraux, capsule interne, substance blanche... *Angéiologie du cerveau :* artères cérébrales, choroïdiennes ; veines cérébrales, veines de Galien... *Localisations* sensorielles du cerveau* (⇒ **Sensorium).** — *Cerveau antérieur, moyen, postérieur :* parties du cerveau qui dérivent des vésicules cérébrales (antérieure, moyenne, postérieure) de l'embryon.
Cour. *L'ensemble de l'encéphale.* ⇒ **Tête ; ciboulot** (fam.) ; → 1. Pensée, cit. 14. — Loc. *Transport au cerveau ;* syn. vieilli de congestion cérébrale. *Commotion, congestion, lésion du cerveau* (⇒ **Cérébral).** *Tumeur au cerveau.* — Vx. *Les cases* du cerveau.*

1   (...) le cerveau a la pensée, le cœur à l'amour, le ventre à la paternité et la maternité.   HUGO, Shakespeare, I, II, II, 12.

2   (...) parce qu'un employé de chez vous a commis une extravagance sous le coup d'un transport au cerveau (...)
                                        COURTELINE, Messieurs les ronds-de-cuir, 6ᵉ tableau, II, p. 68.

3   (...) les adversaires mêmes du matérialisme ne voient aucun inconvénient à traiter le cerveau comme un récipient de souvenirs.
                                        H. BERGSON, Matière et Mémoire, p. 68.

4   Le cerveau, dit Bergson, est simplement un organe de transmission entre l'esprit et les organes moteurs.   A. MAUROIS, Études littéraires, t. I, Bergson, II, p. 165.

5   Il a parlé lui-même des *« tiroirs de son cerveau »* qu'il ouvrait l'un après l'autre et dans chacun desquels, presque à volonté, il trouvait ce qu'il cherchait.
                                        Louis MADELIN, De Brumaire à Marengo, VI, Bonaparte, p. 88.

5.1   Il n'est pas exclu que le cerveau soit seulement notre intermédiaire entre l'inconscient et le monde extérieur, qu'il lui prend et lui rend sous forme d'impressions et qu'il lui rend sous forme d'expressions (...)
                                        Jean DELAY, la Psycho-physiologie humaine, p. 61.

Par ext. (Par suite de l'ancienne croyance à une communication entre

---

les fosses nasales et le cerveau). *Rhume de cerveau :* inflammation de la muqueuse nasale (⇒ **Coryza).**
Cerveau d'animal. ⇒ **Cervelle.** *Le cœnure, parasite du cerveau du mouton.*
Par analogie. *Le cerveau endocrinien :* l'hypophyse* (cit. 1).

♦ **2.** (1175, *cervel).* Le siège de la vie psychique et des facultés intellectuelles. ⇒ **Esprit, intelligence, raison, tête ;** cervelle. *Un cerveau étroit, borné, limité, stérile. Un cerveau puissant, bien organisé, bien fait, subtil, productif, inventif. Le cerveau de qqn, son cerveau. Il a un bon cerveau, qui fonctionne bien. Son cerveau travaille.* — Fam. *Avoir le cerveau troublé, dérangé, brouillé, fêlé, timbré :* être fou*. — *Se creuser le cerveau :* chercher avec acharnement, méditer profondément et avec peine (cf. Se casser la tête ; se creuser les méninges). *Faire travailler son cerveau. Bourrer le cerveau de qqn de mensonges.* ⇒ **Crâne ;** → (fam.) **Bourrer*** le mou. *Se dessécher, s'alambiquer le cerveau.* — *Monter* au cerveau :* griser. *Vin qui monte au cerveau. Son succès lui monte au cerveau.* — Loc. *Lavage de cerveau :* action psychologique ou physique sur qqn, et propre à altérer ou annuler son comportement, sa mentalité propres.

Il vous a vue deux fois ; vous êtes demeurée dans son cerveau comme une divinité (...)   Mᵐᵉ DE SÉVIGNÉ, 1220, 28 sept. 1689.   6

Le cerveau brûlé par le raisonnement a soif de simplicité, comme le désert a soif d'eau pure.   RENAN, Souvenirs d'enfance..., Préface, p. 12.   7

(...) le cerveau en feu (...)   M. BARRÈS, la Colline inspirée, II, p. 28.   8

Le cœur, dès qu'il s'en mêle, engourdit et paralyse le cerveau.
                                        GIDE, les Faux-monnayeurs, I, XVIII, p. 203.   9

Nous voulons, tant ce feu nous brûle le cerveau,   9.1
Plonger au fond du gouffre, Enfer ou Ciel, qu'importe ?
Au fond de l'Inconnu pour trouver du *nouveau* !
                                        BAUDELAIRE, les Fleurs du mal, «Tableaux parisiens», CXXVI.

Par métonymie. Désigne la personne elle-même. *C'est un cerveau faible ; dérangé ; un pur cerveau.* — *Cerveau brûlé* (→ Brûler, cit. 56.1 et *supra). Un cerveau creux* :* un visionnaire. — (1586, *in* D. D. L.). Absolt. *C'est un cerveau :* un homme d'une grande intelligence.

Selon les prudents cerveaux,   9.2
Le mari, dans ces cadeaux, *(les repas qu'on donne aux champs)*
Est toujours celui qui paye.   MOLIÈRE, l'École des femmes, III, 2.

♦ **3.** (1808). En référence aux fonctions du cerveau. Organe central, organe de direction. ⇒ **Centre.** *Cet homme est le cerveau de la coalition. C'est le cerveau de la maison. Le cerveau d'une bande de malfaiteurs, d'un gang.* — (Choses). *La capitale est le cerveau du pays.*

L'état-major est vraiment un cerveau sans lequel aucune action des bataillons n'est possible.   A. MAUROIS, les Silences du colonel Bramble, XXIV, p. 242.   10

(1954). Fig. (non scientifique). *Cerveau électronique :* appareil effectuant automatiquement des opérations complexes portant sur de l'information. ⇒ **Ordinateur ; cybernétique,** et l'homonyme **servo-.**

DÉR. et COMP. **Cervelet, écervelé, décerveler. — Arrière-cerveau. — V. Cervelle.**

CERVELAS [seʀvəla ; seʀvəlɑ] n. m. — 1552, *cervelat* ; ital. *cervellato* «saucisse milanaise faite de viande et de cervelle de porc», de *cervello* «cervelle».

♦ **1.** Gros saucisson cuit, fait de chair à saucisse salée et épicée, introduite dans des boyaux de porc. ⇒ **Charcuterie ; saucisson.** *Cervelas à l'ail. Du cervelas à la vinaigrette ; cervelas vinaigrette. Une tranche de cervelas.*

♦ **2.** (Attesté 1845, Bescherelle). Hist. de la mus. Ancien instrument de musique à vent, à anche, court et renflé (en usage au xviiᵉ siècle).

CERVELET [seʀvəlɛ] n. m. — 1611 ; de *cerveau.*

♦ **1.** Anat. et cour. Partie postérieure et inférieure de l'encéphale* ; essentiel à la régulation de la motricité et à l'équilibration. *Du cervelet.* ⇒ **Cérébelleux.** *Sillons, lobes du cervelet. Substance grise, substance blanche, écorce du cervelet. Réseau vasculaire du cervelet. Vermis du cervelet :* parties vermiformes.

♦ **2.** Fig., fam. Intelligence faible ; petit cerveau (2.). *C'est beaucoup pour son cervelet. Avoir un cervelet d'oiseau.*
Cerveau (2.). *Mets-toi ça dans le cervelet.* ⇒ **Cervelle.**

CERVELIÈRE [seʀvəljɛʀ] n. f. — 1230, *cervelire* ; *cerveliere,* 1306 ; de *cervelle.*

♦ Hist. médiévale. Petit casque ouvert que l'on portait sous le heaume ou le bassinet.

Un gros milicien barbu, dessanglé, dort sur un banc, entre sa pique et sa cervelière.   J.-R. BLOCH, la Nuit kurde, p. 112.

CERVELLE [seʀvɛl] n. f. — 1080, *cervele* ; du lat. *cerebella,* plur. de *cerebellum* (→ Cerveau), compris comme fém. singulier.

♦ **1.** Substance nerveuse constituant le cerveau* (à la différence de *cerveau*, le mot n'est pas d'usage scientifique). *L'éclatement du crâne fit jaillir la cervelle.* — Loc. *Brûler la cervelle à qqn,* le tuer d'une balle dans la tête. *Se brûler** (cit. 53.3), *se faire sauter la cervelle.*

Cervelle des animaux (par oppos. au *cerveau* humain). — Cuis. Cerveau des animaux tués, destiné à servir de mets. *Cervelle de veau, d'agneau. Cervelle frite au beurre.*

Par anal. *Cervelle de palmier :* moelle douce et comestible qui se trouve dans le tronc de certains palmiers.

♦ **2.** (1223). Fig., souv. péj. La substance du cerveau en tant que siège des facultés mentales (syn. de *cerveau**). ⇒ **Cerveau** (2.), **esprit, jugement.** *Cervelle creuse, vide, dérangée, malade. La cervelle de qqn, sa cervelle.* — Absolt. *De la cervelle :* de l'intelligence, du raisonnement. *Avoir peu de cervelle. N'avoir ni cœur ni cervelle.*

Tête sans cervelle : esprit déréglé, fou. ⇒ **Écervelé.** — *Avoir une cervelle de lièvre,* ne pas avoir de mémoire. *Une cervelle d'oiseau, d'autruche, de moineau* (cf. Tête de linotte). — Loc. *Se creuser la cervelle* (→ Se creuser le cerveau*). *Cette idée lui tourne, lui trouble la cervelle.* — Fam. *Cela lui trotte dans la cervelle,* il en a l'esprit occupé. — *Se mettre quelque chose, avoir quelque chose dans la cervelle :* avoir une idée bien arrêtée. — *Rompre la cervelle à qqn :* fatiguer par un bruit violent ; syn. : *rompre la tête.* — *Mettre la cervelle de qqn à l'envers,* le bouleverser.

1 (...) si vous avez tant soit peu de cervelle,
Vous prendrez d'autres soins. MOLIÈRE, l'École des maris, II, 2.

2 (...) un mari à qui le vin et la jalousie, ont troublé de telle sorte la cervelle, qu'il ne sait plus ni ce qu'il dit, ni ce qu'il fait (...) MOLIÈRE, George Dandin, III, 7.

3 Pauvre Polichinelle, quelle diable de fantaisie t'es-tu allé mettre dans la cervelle ? MOLIÈRE, le Malade imaginaire, 1er intermède.

4 *Belle tête,* dit-il, *mais de cervelle point.* LA FONTAINE, Fables, IV, 14.

5 Mon traitement consiste à ne plus me tourner la cervelle à l'envers, et à mettre un régulateur à ma sensibilité. LOTI, Aziyadé, Salonique, XVIII, p. 29.

5.1 Que les plus évolués d'entre eux, après le lessivage de leur propre cervelle, y fassent les retouches inspirées par Mao Tsé-toung, il importe peu.
F. MAURIAC, le Nouveau Bloc-notes 1958-1960, p. 215.

Loc. *Avoir du plomb, manquer de plomb* (cit. 19) *dans la cervelle.*

Par métonymie. (1630). La personne elle-même. *C'est une cervelle folle, légère, évaporée, une petite cervelle.* — *Cervelle brûlée* (⇒ **Cerveau**).

6 Si vous n'étiez pas une cervelle folle,
Quand vous avez parlé naguère à votre idole,
Vous auriez aperçu Jeannette sur vos pas (...) MOLIÈRE, l'Étourdi, IV, 6.

7 Corrigez-vous, dira quelque sage cervelle. LA FONTAINE, Fables, II, 14.

♦ **3.** *Cervelle de canut :* fromage blanc battu avec ciboulette hachée, sel, poivre et échalotes (spécialité lyonnaise).

DÉR. Cervelière.

CERVICAL, ALE, AUX [sɛʀvikal, o] adj. — V. 1560 ; du rad. du lat. class. *cervix, icis* «cou, nuque».

♦ **1.** Anat. Qui se rapporte à la région du cou, appartient au cou. *Vertèbres cervicales.* ⇒ **Atlas, axis.** *Colonne cervicale. Nerfs, muscles cervicaux. Ligament cervical.*

♦ **2.** (1865). Relatif à un col*, au col (de l'utérus, de la vessie). *Métrite cervicale* ou *Cervicite. Érosion cervicale.*

♦ **3.** Relatif au collet* (I., 3.) de la dent.

CERVICO- Élément, du lat. class. *cervix, -icis* «cou, nuque», servant de préfixe pour la formation d'adjectifs et de substantifs scientifiques (notamment en anatomie). Ex. : *cervico-brachial, ale, aux,* adj., qui se rapporte au cou et aux bras ; *cervico-utérin, ine,* adj., qui se rapporte au col de l'utérus ; *cervicalgie* [sɛʀvikalʒi] n. f., douleur localisée au cou, à la nuque ; *cervicarthrose* [sɛʀvikaʀtʀoz] n.f., arthrose de la colonne vertébrale. *La cervicarthrose provoque des névralgies irradiant du cou vers les bras.*

CERVIDÉS [sɛʀvide] n. m. pl. — 1886 ; du lat. *cervus* «cerf», et *-idés.*

♦ Zool. Famille de mammifères ongulés artiodactyles ruminants dont les mâles portent des appendices frontaux de nature osseuse (⇒ **Bois,** II., 3.) se renouvelant chaque année. *Principaux types de cervidés :* cerf* ; axis, caribou, chevreuil, daim, élan, muntjac, original, renne, wapiti, etc. — Au sing. *Un cervidé.*

CERVIER [sɛʀvje] adj. m. ⇒ **Loup-cervier.**

CERVOISE [sɛʀvwaz] n. f. — V. 1177 ; *cerveise,* av. 1175 ; du lat. impérial *cerevisia,* d'orig. gauloise. → **Bière,** cit. 1.

♦ Bière d'orge, de blé, etc. en usage chez les Anciens et au moyen âge.

Nulle liqueur au quina n'est contraire :
L'onde insipide et la cervoise amère,
Tout s'en imbibe (...) LA FONTAINE, Poème du Quinquina, II.

Les esclaves de l'Église acquitteront leur tribut conformément à la loi : quinze mesures de cervoise (...) deux mesures de pain (on remarquera que, bière ou pain, les livraisons portent sur des céréales qui, dans la maison de l'esclave, ont été déjà apprêtées pour la consommation (...) Georges DUBY, Guerriers et Paysans, p. 53.

1. CÉRYLE [seʀil] n. m. — 1869 ; du grec *kêrulos* «oiseau de mer».

♦ Zool. Martin-pêcheur de grande taille *(Alcédinidés),* au plumage noir et blanc (martin-pêcheur pie) ou gris-bleu à dessous blanc (martin-pêcheur ceinturé).

HOM. 2. Céryle.

2. CÉRYLE [seʀil] n. m. — 1953 ; du rad. de *cera* «cire», et suff. *-yle.*

♦ Chim. Radical univalent contenu dans l'alcool cérylique.

CÉRYLIQUE [seʀilik] adj. — Mil. xxᵉ ; du rad. de *cera, -yle,* et *-ique.*

♦ Chim. *Alcool cérylique :* alcool $C_{26}H_{53}OH$ existant dans certaines cires (cire de Chine, etc.) à l'état d'ester *(ester cérylique).*

CES [se] adj. dém. pl. ⇒ **1. Ce.**

C. E. S. [seφɛs] n. m. — Sigle.

♦ Collège d'Enseignement Secondaire. « *La Municipalité de Neuilly n'est pas propriétaire des terrains (...) sur lesquels elle se propose d'édifier un C. E. S.* » (l'Express, 19 févr. 1973, p. 59).

CÉSALPINÉES [sezalpine] (vieilli) ou **CÉSALPINIACÉES** [sezalpinjase] n. f. pl. — Mil. xixᵉ ; de *Césalpin* (ital. *cesalpino*), n. d'un botaniste italien.

♦ Bot. Famille de plantes phanérogammes angiospermes, classe de dicotylédones dialypétales, appartenant à la famille des Légumineuses. *Principaux types :* Amherstia, bauhinia, cadie, campêche, caroubier, casse, césalpinie, chicot, copaïer, févier, gainier, tamarinier. — REM. On écrit aussi *Cœsalpinées* (vieilli) et *Cœsalpinacées.*

CÉSALPINIE [sezalpini] n. f. — Mil. xixᵉ ; de *Césalpin.* → Césalpiniacées.

♦ Bot. Plante dicotylédone *(Légumineuses, Césalpiniacées),* arbre fournissant des bois tinctoriaux. — On dit et on écrit aussi *Cœsalpinia* [sezalpinja].

CÉSAR [sezaʀ] n. m. — 1245, *cézar ;* lat. *Cæsar,* surnom de la *gens Julia* et notamment de *Caius Julius Cæsar.*

♦ **1.** Hist. Nom illustré par Jules César, que portèrent les empereurs romains qui lui succédèrent, et qui passa aux empereurs germaniques (⇒ aussi **Kaiser, tsar**).

(Rome) à ses Césars fidèle, obéissante (...) RACINE, Bérénice, II, 2. 1

Ce César l'entendait bien mieux *(que Bonaparte briguant le titre d'empereur).* Il ne prit point de titres usés, mais il fit de son nom même un titre supérieur à celui de roi. P.-L. COURIER, Lettres à M. N., mai 1804. 2

Loc. (où *César* représente le nom propre). *Le mois de César.* ⇒ **Juillet.** *La femme de César* (allusion à la parole de César : *La femme de César ne doit pas être soupçonnée*). — *Le tribut de César :* les taxes et les impôts (allusion à la parole du Christ : *Rendez à César ce qui est à César*).

♦ **2.** (1850). Souverain absolu, despote. ⇒ **Empereur ; dictateur.** « *Le césar d'Allemagne et le sultan d'Asie* » (→ Sultan, cit. 1, Hugo).

Si l'anarchie engendre des Césars parce que l'ordre est un besoin élémentaire des sociétés (...) J. BAINVILLE, les Dictateurs, Conclusion, p. 297. 3

♦ **3.** Roi de carreau. *Tirer, abattre un César au jeu de cartes.*

♦ **4.** Récompense cinématographique française analogue à l'oscar* américain. *La nuit des césars :* la soirée où sont décernés les césars.

♦ **5.** Cépage rouge de l'Yonne. — Syn. : *romain.*

DÉR. (Du sens 2.) **Césarien, césariser, césarisme.**

CÉSARIEN, IENNE [sezaʀjɛ̃, jɛn] adj. — 1527, «relatif à César ou aux empereurs».

♦ **1.** Hist. Qui a rapport à César, qui rappelle César. *Une ambition césarienne.* — Relatif aux Césars, empereurs romains.

♦ **2.** Littér. D'un despote, d'un dictateur. *Régime césarien.* ⇒ **Césarisme.**

CÉSARIENNE [sezaʁjɛn] adj. et n. — Av. 1595, adj.; du lat. *caesar* «enfant mis au monde par incision», de *caedere* «couper».

♦ Chir. Opération chirurgicale qui consiste à inciser l'utérus (→ Hystérotomie) par voie abdominale, pour extraire l'enfant de l'utérus de la mère (soit une femme, soit une femelle de quelques espèces animales — en zootechnie). — N. f. *Une césarienne. Faire, pratiquer une césarienne. Subir une césarienne.* ⇒ **Césariser**, II.

CÉSARISER [sezaʁize] v. — 1590; de *César*.

★ **I.** V. intr. Vx. Agir comme César, en dictateur.

★ **II.** V. tr. (Mil. xxᵉ). Faire subir une césarienne à (une femme). — Passif et p. p. fém. *Être césarisée* : subir, avoir subi une césarienne; porter une cicatrice de césarienne.

CÉSARISME [sezaʁism] n. m. — 1849, Proudhon; de *César*.

♦ **1.** Hist. rom. Mode de gouvernement de César, des Césars.

1 Le Sénat lui-même abdiqua sa puissance devant le conquérant des Gaules. Encore une fois l'aristocratie républicaine était vaincue par la dictature. Le césarisme était né.   J. BAINVILLE, les Dictateurs, p. 54.

♦ **2.** Système politique consistant dans le gouvernement d'un seul homme désigné par le peuple et exerçant le pouvoir absolu. ⇒ **Absolutisme, dictature.** *Le césarisme des Bonaparte.* ⇒ **Bonapartisme.**

2 (...) elle *(la guerre)* a si bien préparé la banqueroute de la Révolution en césarisme (...)   JAURÈS, Hist. socialiste..., t. III, p. 50.

3 (...) la popularité du césarisme fait le plus dangereux aboutissement des démocraties.   Ch. PÉGUY, Notre patrie, *in* Œ. en prose 1898-1908, Pl., p. 806.

3.1 Le désintéressement, c'est ce qui établit la différence entre cette République consulaire telle que je la conçois et le césarisme. Les Bonaparte se servaient de la France, de Gaulle la sert.   F. MAURIAC, le Nouveau Bloc-notes 1958-1960, p. 258.

CONTR. Démocratie, libéralisme.

CÉSIUM [sezjɔm] n. m. — 1861, mot créé en all. par Bunsen et Kirchhoff; lat. *cæsium*, neutre de *cæsius* «bleu», à cause des deux raies bleues de son spectre.

♦ Chim. Métal (symb. *Cs;* n° at. 55; masse at. env. 133) de la famille des alcalins, mou, jaune pâle. *Cellule photo-électrique au césium.*

On a écrit *cæsium.*

CESSANT, ANTE [sesɑ̃, ɑ̃t; sɛsɑ̃, ɑ̃t] adj. — 1666, La Fontaine; p. prés. de *cesser*.

♦ Arrêté, interrompu, suspendu (ne s'emploie que dans les expressions suivantes). — (1632, *in* D.D.L.). *Toutes choses cessantes, toute chose cessante.* — (1666). *Toutes affaires cessantes, toute affaire cessante* : en premier lieu, en interrompant tout le reste.

1 Mon ami, me dit-elle, je pars pour Genève; ma poitrine est en mauvais état, ma santé se délabre au point que, toute chose cessante, il faut que j'aille voir et consulter Tronchin.   ROUSSEAU, les Confessions, IX.

2 Jean fut confondu de cette bonté et qu'un homme de cette importance se fût, toutes affaires cessantes, dérangé ainsi pour lui.   PROUST, Jean Santeuil, p. 728.

CONTR. Incessant.

CESSATION [sesasjɔ̃; sɛsasjɔ̃] n. f. — 1361; lat. class. *cessatio* «lenteur, retard» puis «arrêt», du supin de *cessare.* → Cesser.

♦ Le fait de prendre fin ou de mettre fin (à qqch.). ⇒ **Abandon, arrêt, fin, interruption, suspension.** *La cessation des poursuites. Cessation des hostilités* : armistice, trêve. *Cessation du travail* : chômage, grève. *Cessation de commerce. La cessation momentanée de la douleur.* ⇒ **Apaisement, relâche, rémission, répit, repos.** *Cessation complète de qqch.* ⇒ **Disparition, suppression.** *Continuer sans cessation.* ⇒ **Cesse, interruption.**

1 La cessation subite d'une douleur aiguë (...)   ROUSSEAU, Lettres, 15 janv. 1769.

2 La cessation de la douleur poignante, fille du soupçon (...)   STENDHAL, le Rouge et le Noir, XI, p. 66.

3 Le 22 février 1962 le gouvernement katangais décide de demander à la Belgique la cessation immédiate de l'aide technique sous toutes ses formes.   Jean ZIEGLER, Main basse sur l'Afrique, p. 253.

Comm. *Cessation de paiements* : impossibilité pour un commerçant d'honorer ses engagements. ⇒ **Faillite** (→ Bilan, cit. 2).

CONTR. Continuation, durée, maintien, persistance, poursuite, prolongation, recommencement, reprise.

CESSE [sɛs] n. f. — 1155; de *cesser*.

♦ **1.** Le fait de cesser*. ⇒ **Cessation.** (S'emploie sans article et seulement dans quelques locutions). *Il n'a ni repos ni cesse. Sans cesse ni repos.*

1 Ô cruauté du sort qui n'a jamais de cesse.   H. DE RACAN, les Bergeries..., II, 2, «Lisimandre».

2 Point de cesse, point de relâche.   LA FONTAINE, Fables, V, 6.

N'avoir point, n'avoir pas de cesse que... : ne pas cesser, ne pas interrompre ses efforts avant que..., jusqu'à ce que...

3 L'esprit (...) n'a point de cesse
Qu'il n'ait mis le fil sous la presse,
Tâché de l'aplatir à grands coups de marteau.   LA FONTAINE, Contes, IV, 14.

3.1 Tu n'as pas écrit à Sainte-Croix. Quand j'étais à Bicêtre, tu semblais ne pas avoir de cesse que tu n'aies mon manuscrit. On semblait vouloir le publier, malgré moi.   Germain NOUVEAU, Lettre à sa sœur, 22 févr. 1892, Pl., p. 896.

♦ **2.** (Fin xvᵉ). *Sans cesse;* (vx) *sans fin ni cesse* : sans discontinuer. ⇒ **Continuellement, moment** (à tout moment), **toujours.** *Il ne tarit point sur ce sujet, il en parle sans cesse.*

4 Peut-on haïr sans cesse? et punit-on toujours?   RACINE, Andromaque, I, 4.

5 Vingt fois sur le métier remettez votre ouvrage :
Polissez-le sans cesse et le repolissez (...)   BOILEAU, l'Art poétique, 1.

6 (...) Et je veux raconter et répéter sans cesse
Qu'après avoir juré de vivre sans maîtresse,
J'ai fait serment de vivre et de mourir d'amour.   A. DE MUSSET, la Nuit d'août.

7 Après avoir souffert, il faut souffrir encore;
Il faut aimer sans cesse, après avoir aimé.   A. DE MUSSET, la Nuit d'août.

8 J'ai dit à mon cœur, à mon faible cœur :
N'est-ce point assez d'aimer sa maîtresse?
Et ne vois-tu pas que changer sans cesse,
C'est perdre en désirs le temps du bonheur?   A. DE MUSSET, Premières Poésies, «Chanson».

♦ **3.** (En emploi positif). Vx ou régional. *Avoir cesse* : cesser. *Faire cesse* : s'arrêter, s'interrompre. — *«Dix heures du matin, qui était notre heure de cesse»* (Giono, *Un de Baumugnes*).

CESSER [sese] v. — 1080, *Chanson de Roland;* lat. *cessare,* fréquent. de *cedere* (→ Céder) «tarder, se montrer lent», encore au xviᵉ, d'où «suspendre son activité, s'interrompre».

Ne pas continuer. — REM. Sans être vieilli ni littéraire, le verbe est légèrement marqué par rapport à *arrêter* et *s'arrêter,* plus usuels.

★ **I.** ♦ **1.** V. intr. (Sujet nom de chose). Prendre fin; se terminer, s'interrompre. ⇒ **Arrêter** (s'), **discontinuer, finir, terminer** (se). *Le vent a cessé. La fièvre a cessé.* ⇒ **Disparaître; apaiser** (s'), **calmer** (se), **céder, tomber.** *La douleur cesse par intervalles. L'orage cesse progressivement,* perd de sa force, de son intensité. *Le charme cesse.* ⇒ **Effacer** (s'), **enfuir** (s'), **évanouir** (s'), **mourir.** *Ses pleurs ont cessé.* ⇒ **Tarir** (se). *L'entretien cessa brusquement* (cf. Tourner court). *La lutte, le combat cesse, a cessé. On se demande quand cela cessera.*

1 Désormais, tant que la terre durera, les semailles et la moisson, le froid et le chaud, l'été et l'hiver, le jour et la nuit ne cesseront point.   BIBLE (CRAMPON), Genèse, VIII, 22.

2 Et le combat cessa faute de combattants.   CORNEILLE, le Cid, IV, 3.

3 Le bruit cesse, on se retire (...)   LA FONTAINE, Fables, I, 9.

4 À peine y touchez-vous que le charme cesse.   MASSILLON, Petit carême, prospérité.

5 Là où commence l'action de la justice, là doivent cesser les vengeances populaires.   DANTON, *in* Louis BARTHOU, Danton, p. 105.

6 La vigueur du corps s'entretient par l'occupation physique; le labeur cessant, la force disparaît (...)   CHATEAUBRIAND, Mémoires d'outre-tombe, IV, X.

7 L'influence anesthésiante de l'habitude ayant cessé, je me mettais à penser, à sentir, choses si tristes.   PROUST, À la recherche du temps perdu, t. I, p. 20.

8 Il ne sortait de chez lui qu'à l'heure où la vie cessait, et rentrait quand le petit jour attirait vers la ville les pêcheurs et les maraîchers.   Pierre LOUŸS, Aphrodite, Démétrios, III, p. 40.

9 On invente des vaccins; les microbes s'endurcissent... La lutte de l'homme contre le monde ne cessera jamais...   A. MAUROIS, le Cercle de famille, III, XVIII, p. 333.

10 Ses gémissements *(du chien)* s'espacèrent, puis cessèrent tout à fait.   MARTIN DU GARD, les Thibault, t. II, p. 256.

REM. Quelques grammairiens considèrent que *cesser* se conjugue avec *avoir* pour marquer une action, et avec *être* «quand on veut marquer un état, qui persiste, un fait accompli» (Durrieu). Cependant, dès le xviiiᵉ s. Féraud préférait *avoir* «plus sûr et plus autorisé». La construction avec *avoir* s'impose aujourd'hui dans tous les cas.

♦ **2.** V. tr. ind. (Sujet nom de personne ou de chose). CESSER DE (et l'inf.). ⇒ **Achever, arrêter** (s'). *Cesser d'agir, de parler. Cessons de discuter.* ⇒ **Briser** (brisons là). *Cesser d'avancer* : faire halte, s'immobiliser. *Cesser de travailler* (chômer; se reposer; faire grève*, se mettre en grève...). *Je cesserai désormais de boire, de fumer.* ⇒ **Abstenir** (s'). *Cesser de lutter, de combattre.* ⇒ **Abandonner, lâcher, renoncer.** *Cesser d'être, cesser de vivre* : mourir, s'éteindre, expirer. *Son influence, son action cesse de se faire sentir,* diminue ou disparaît. *Usage qui cesse d'avoir cours.* ⇒ **Passer, tomber** (tomber en désuétude). *La loi abolie a cessé peu à peu d'être observée.* ⇒ aussi **Abolir, abroger.** *Cesser de paraître au lieu de son domicile* (→ Absence, cit. 13). *Cesser d'aimer.* ⇒ **Déprendre** (se), **détacher** (se). *Cesser de penser, de comprendre* → Abîmer, cit. 7. *Cesser d'être... :* ne plus* être...

11 Quand nous aimons trop, il est malaisé de reconnaître si l'on cesse de nous aimer.   LA ROCHEFOUCAULD, Maximes, 553.

12 Cesser d'aimer, preuve sensible que l'homme est borné, et que le cœur a ses limites.   LA BRUYÈRE, les Caractères, IV, 34.

13 Comme on n'est jamais en liberté d'aimer ou de cesser d'aimer, l'amant ne peut se plaindre avec justice de l'inconstance de sa maîtresse, ni elle de la légèreté de son amant.   LA ROCHEFOUCAULD Maximes, 577.

14 Cessez donc de tenir un langage si vain (...)   LA FONTAINE, Fables, IV, 3.

15 Moi cesser d'être amant ! et puis-je être autre chose ?   LA FONTAINE, Élégie, IV.

16 Cesse donc à mes yeux d'étaler un vain titre.   BOILEAU, le Lutrin, II., *in* LITTRÉ.

17 Grand roi, cesse de vaincre, ou je cesse d'écrire.   BOILEAU, Épîtres, VIII, Au Roi.

18 (...) on n'a plus le cœur jeune impunément quand le corps a cessé de l'être.
     ROUSSEAU, les Confessions, X.

19 Ne vaudrait-il pas mieux cesser d'être que d'exister sans rien sentir ?
ROUSSEAU, Julie ou la Nouvelle Héloïse, II, Lettre XI.

20 Non contentes d'avoir cessé d'allaiter leurs enfants, les femmes cessent d'en vouloir faire ; la conséquence est naturelle.   ROUSSEAU Émile, I, 1.

21 Toutes les fois que je suis devenu amoureux d'une femme, je le lui ai dit, et toutes les fois que j'ai cessé d'aimer une femme, je le lui ai dit de même (...)
     A. DE MUSSET, la Confession d'un enfant du siècle, I, 3.

22 La cloche des ateliers ne sonna pas, le puits à roue cessa de grincer (...)
     Alphonse DAUDET, le Petit Chose, I, 1.

Absolt, vx. *Cesse ! Cessez !* ⇒ **Arrêter.**

23 Cesse, cesse, et m'épargne un importun discours.   RACINE, Phèdre, IV, 2.

Mod. *Que (cela, ça...) cesse.*

23.1 Que ces messes
Basses cessent
Je vous prie.   G. BRASSENS, la Marguerite.

(Négatif). NE PAS CESSER DE... *Ne point cesser, ne cesser point de...* (voir *infra* les contraires). *Je n'ai pas cessé de la voir, de lui écrire. Il ne cessera pas de m'importuner avant qu'on lui ait donné satisfaction* (Hanse). *Il ne cessera pas de lutter avant d'avoir atteint son but. La pluie n'a pas cessé de tomber.*

24 (...) durant trois années, nuit et jour, je n'ai point cessé d'exhorter avec larmes chacun de vous.   BIBLE (CRAMPON), Actes des Apôtres, XX, 31.

25 Ne cesseras-tu point de m'être si cruelle ?   MOLIÈRE, Mélicerte, I, 1.

26 Elle avait conscience que sa volonté n'avait pas cessé d'agir sur son destin, et que sa réussite était bien son œuvre.   MARTIN DU GARD, les Thibault, t. V, p. 159.

Avec ellipse de *pas, Ne cesser de...* marque la constance dans l'action. *Il n'a cessé de m'importuner qu'il n'ait obtenu satisfaction. Ils ne cessèrent de marcher qu'ils n'eussent atteint la forêt, que lorsqu'ils eurent atteint la forêt.*

27 Napoléon ne cessa d'accroître la proportion de l'artillerie dans les armées : il eut jusqu'à quatre pièces par mille hommes.
     A. RAMBAUD, Hist. de la civilisation contemporaine en France, p. 152.

28 Les imprécations contre les agioteurs dits aussi « agiotateurs » (...) ne cessèrent *(sous la Révolution)* de pleuvoir comme grêle dans les Assemblées et dans les Clubs.   F. BRUNOT, Hist. de la langue franç., t. IX, II, p. 1 080.

29 (...) le cabinet de Saint-James ne cessera d'attiser ces haines, d'armer ces hostilités.
     Louis MADELIN, Hist. du Consulat et de l'Empire, t. V, XII.

30 Les années qui précèdent l'âge mûr ne cessent d'accroître les ressources intérieures d'un écrivain (...)
     J. ROMAINS, les Hommes de bonne volonté, t. I, préface, p. 6.

◆ **3. V. intr.** (le sujet de *cesser* est un nom de chose, placé après le verbe). FAIRE CESSER : faire qu'une chose cesse (1.) ; mettre fin à ... ⇒ **Arrêter, interrompre, suspendre.** *Faire cesser un phénomène, une évolution. Faire cesser la colère.* ⇒ **Apaiser, calmer ; frein** (mettre un frein à). *Faire cesser l'arrogance, l'orgueil de qqn.* ⇒ **Abattre, briser, rabattre.** *Faire cesser des querelles, des dissensions,* y mettre le holà*. Faire cesser un bavardage.* ⇒ **Couper** (couper court à...). *Faire cesser l'incendie,* l'éteindre. *Le temps fait cesser les illusions.* ⇒ **Dissiper, enlever, ôter, supprimer.** *Faire cesser une interdiction.* ⇒ **Lever.**

31 Le même arrêt invita l'archevêque à faire cesser lui-même le scandale.
     VOLTAIRE, le Siècle de Louis XV, 36, *in* LITTRÉ.

★ **II.** (XIIᵉ) **V. tr.** (Sujet nom de personne). Faire finir. *Cessez ces discours. Cesser ses plaintes, ses cris.* ⇒ **Arrêter, interrompre.** *Cesser tout effort, le travail, ses fonctions.* ⇒ **Abandonner.** *Cesser le combat, les poursuites.* ⇒ **Suspendre.** *Cesser ses paiements. Cesser ses disputes* ⇒ **Taire** (faire).

32 L'Aigle et le Chat-huant leurs querelles cessèrent,
Et firent tant qu'ils s'embrassèrent.   LA FONTAINE, Fables, V, 18.

33 (...) et alors je cessai mes folies, ou du moins j'en fis de plus accordantes à mon naturel.   ROUSSEAU, les Confessions, III.

34 Le généreux vainqueur a cessé le carnage.   VOLTAIRE, Henri VIII, *in* LITTRÉ.

35 Tout commerçant qui cesse ses payements est en état de faillite.
     Code de commerce, art. 437.

CONTR. Continuer, durer, maintenir, persévérer, persister, poursuivre, prolonger, recommencer, reprendre.
DÉR. Cessant, cessation, cesse.
COMP. Cessez-le-feu.

CESSEZ-LE-FEU [seselfø] n. m. invar. — 1948, *in* D.D.L. ; calque de l'angl. *cease(-)fire*, même sens.

◆ Arrêt des combats. *Ligne de cessez-le-feu.*

1 Peut-être que la guerre est finie depuis minuit, dit Charlot en riant d'espoir. Le « cessez-le-feu », c'est toujours à minuit.
     SARTRE, la Mort dans l'âme, p. 47 (1949).

2 Ce ministère avait pour mission d'obtenir d'abord un cessez-le-feu, puis de préparer une paix négociée.   F. MAURIAC, Bloc-notes 1952-1957, p. 224.

CESSIBILITÉ [sesibilite] n. f. — 1845 ; de *cessible.*

◆ Dr. Qualité d'une chose susceptible d'être cédée. *Cessibilité d'un*

droit, d'un bien, d'une action. Cessibilité d'une valeur.* ⇒ **Négociabilité.**

Dr. admin. *Arrêté de cessibilité :* arrêté préfectoral qui, pour raison d'utilité publique, individualise les parcelles d'un terrain objet d'expropriation.

CONTR. Incessibilité.

CESSIBLE [sesibl] adj. — 1607 ; lat. *cessibilis,* de *cedere.* → Céder.

◆ Dr. Qui peut être cédé. ⇒ **Négociable, transférable, vendable.** *Ces actions ne sont pas cessibles avant deux ans.*

CONTR. Incessible.
DÉR. Cessibilité.

CESSION [sesjɔ̃ ; sɛsjɔ̃] n. f. — V. 1266 ; lat. *cessio,* de *cedere.* → Céder.

◆ **1. Dr. civ.** Action de céder* (un droit, un bien) à titre onéreux ou à titre gratuit. ⇒ **Donation, transfert, transmission, transport, vente.** *La cession d'un bien à qqn (par qqn). Faire cession d'un droit, d'un bien (à qqn). Acte de cession. Cession de bail*. Cession d'intérêt d'un titre minier* ⇒ **Amodiation.**

Cession de salaire : paiement direct au créancier d'un employé par prélèvement de tout ou partie du salaire de ce dernier par son employeur. — *Cession de biens volontaire ou judiciaire.* ⇒ **Abandon, abandonnement, délaissement.**

La cession de biens est l'abandon qu'un débiteur fait de tous ses biens à ses créanciers, lorsqu'il se trouve hors d'état de payer ses dettes.
     Code civil, Art. 1 265.   1

Cession de créance. ⇒ **Transport ; cédant, cessionnaire.**

La vente ou cession d'une créance comprend les accessoires de la créance, tels que caution, privilège et hypothèque.   Code civil, Art. 1 692.   2

◆ **2. Dr. internat.** Abandon par un État, au terme d'accords (de tout ou partie d'un territoire) au profit d'un autre État. *La cession par la France de l'Alsace et de la Lorraine à l'Allemagne* (après la guerre de 1870).

CONTR. Achat, acquisition.
DÉR. Cessionnaire.
COMP. Cession-bail.
HOM. Session. — Formes du v. cesser.

CESSION-BAIL [sesjɔ̃baj ; sɛsjɔ̃baj] n. f. — V. 1970 ; de *cession,* et *bail.*

◆ Fin. Mode de crédit où l'emprunteur rachète progressivement, par une formule de location-vente, un bien dont il a cédé la propriété au prêteur (angl. *lease-back*). *Des cessions-bails* (pluriel anormal pour *bail**).

CESSIONNAIRE [sesjɔnɛʀ ; sɛsjɔnɛʀ] n. — 1675 ; « celui qui fait cession », 1520 ; de *cession.*

◆ Dr. Celui, celle à qui une cession a été faite. ⇒ **Bénéficiaire.** *Le, la cessionnaire d'une créance.*

CONTR. Cédant.

C'EST-À-DIRE [sɛtadiʀ] loc. conj. — 1306 ; trad. du lat. *id est.*

◆ **1.** Annonçant une explication ou une précision. ⇒ **Assavoir, dire** (je veux dire, disons), **entendre** (j'entends, entendez), **savoir** (à savoir), **soit, terme** (en d'autres termes). *Un radjah, c'est-à-dire un prince de l'Inde. À la température voulue, c'est-à-dire 14 degrés.* Abrév. : *c.-à-d.* ⇒ aussi *Id est.*

◆ **2.** Annonçant une qualification de l'objet qu'on vient de nommer. *Un livre, c'est-à-dire un ami.*

◆ **3.** Annonçant une rectification (emploi stylistique). *Oui, peut-être... c'est-à-dire non.*

◆ **4.** *C'est-à-dire que...* peut précéder :

[a] L'énoncé d'une conclusion. ⇒ **Conclure** (j'en conclus que), **conséquence** (en). *L'eau ne coule plus, c'est-à-dire que nous allons mourir de soif.*

[b] Au début d'une réponse, l'énoncé d'une atténuation, d'une rectification. ⇒ **Seulement, simplement, surtout.** *Est-ce qu'il me déteste ? C'est-à-dire qu'il en aime une autre.*

[c] Une explication ou un commentaire → ci-dessous, cit.

◆ **5.** Interrogatif (pour demander une explication, un commentaire).

Admets (...) que je sois un sous-traitant.
— C'est-à-dire ?
— C'est-à-dire que je fais une besogne que d'autres signent.
     E. ESTAUNIÉ, l'Ascension de M. Baslèvre, p. 13, *in* T.L.F.

1. CESTE [sɛst] n. m. — xvᵉ; du lat. *cæstus,* même sens, de *caedere* «frapper».

Histoire.

♦ **1.** Courroie parfois garnie de plomb dont les athlètes de l'antiquité s'entouraient les mains pour le pugilat.

Le combat du ceste fut plus difficile. Le fils d'un riche citoyen de Samos avait acquis une haute réputation dans ce genre de combats.
FÉNELON, Télémaque, V, p. 111.

Pugilat au ceste.

♦ **2.** Pugiliste utilisant cette arme.

HOM. 2. Ceste.

2. CESTE [sɛst] n. m. — 1547; lat. *cestus* «ceinture», grec *kestos.*

★ **I.** Myth. Ceinture de Vénus, qui donnait la séduction aux femmes qui la portaient. — REM. On trouve la var. *ceston de Vénus* (Nerval, *in* T. L. F.).

(...) les trois déesses rivales, Héré aux bras de neige, Pallas Athéné aux yeux vert-de-mer, et Aphrodite au ceste magique, posèrent nues devant l'heureux berger.
Th. GAUTIER, Constantinople, p. 65.

Littér., rare. Ceinture.

★ **II.** (1820). Zool. *Ceste* ou *ceste de Vénus,* animal du plancton marin, translucide, en forme de ruban.

HOM. 1. Ceste.

CESTODAIRES [sɛstɔdɛʀ] n. m. pl. — xxᵉ; de *cestode,* suff. *-aires,* lat. *-arium.*

♦ Zool. Classe de vers plathelminthes* hermaphrodites, parasites des poissons et des chéloniens (tortues), au corps formé d'un seul segment. — Au sing. *Un cestodaire.*

Les Cestodaires (...) sont encore souvent considérés comme un ordre de la classe des Cestodes; mais ils en diffèrent par de nets caractères (...) les quelques formes actuelles sont peut-être les restes d'un groupe autrefois plus important qui aurait eu dans le passé une souche commune avec les Cestodes.
Andrée TÉTRY, Plathelminthes, *in* Encycl. Pl., Zoologie, t. I, p. 580.

CESTODES [sɛstɔd] n. m. pl. — 1890, P. Larousse, *Deuxième Suppl.,* altér. de *cestoïde* (1820); du rad. du lat. *cestus,* du grec *kestos* «ceinture» (→ Ceste), et *-oïde.*

♦ Zool. Classe de vers plathelminthes* parasites, dont le corps en forme de ruban allongé est muni de ventouses et de crochets, mais dépourvu d'épiderme, de bouche et d'appareil digestif, et qui se nourrissent par endosmose. → Cestodaires, cit. *Les Cestodes sont des endoparasites des vertébrés; leur corps est formé d'une tête (scolex) portant des organes de fixation, d'une zone de croissance continue et d'anneaux (proglottis) constituant le «strobila»; ils sont hermaphrodites. On compte au moins neuf ordres et environ trente familles de cestodes, dont les bothriocéphales*, les ténias*.*

Au sing. *Un cestode :* un animal ou une classe d'animaux appartenant à cet ordre.

Le plus grand Cestode, le bothriocéphale de l'homme, mesure une dizaine de mètres; les plus petites espèces atteignent à peine le mm. Le nombre des anneaux varie de 4 à 4 000.
Andrée TÉTRY, Plathelminthes, *in* Encycl. Pl., t. I, p. 588.

DÉR. Cestodaires.

CESTREAU [sɛstʀo] n. m. — 1808, Boiste; lat. bot. *cestrum,* d'après le grec *kestron* «bétoine».

♦ Bot. Arbrisseau ou arbuste originaire d'Amérique tropicale *(Solanacées),* dont certaines espèces sont médicinales, tinctoriales (baies), ou cultivées pour la beauté et le parfum de leurs fleurs. *Cestreau à baies noires, utilisé pour la fabrication d'encre à dessin. Cestreau nocturne* (ou *galant de nuit),* espèce dont les fleurs n'exhalent leur parfum que la nuit. *Cestreau à fleurs blanches* (ou *galant de jour). Cestreau vénéneux* (ou *casse-pot),* espèce péruvienne dont le bois produit des éclats en brûlant.

CÉSURE [sezyʀ] n. f. — 1537, Marot; lat. *cæsura* «coupure», de *caedere* «couper».

♦ **1.** En poésie française, Repos à l'intérieur d'un vers après une syllabe accentuée, et en harmonie avec le déroulement de la pensée. *La césure coupe le vers en hémistiches et en marque la cadence.* ⇒ Coupe, hémistiche. *Vers à une césure, à deux césures, à césure mobile.*

1 La rime, au bout des mots assemblés sans mesure,
Tenait lieu d'ornements, de nombre et de césure. BOILEAU, l'Art poétique, I.

2 L'hexamètre, pourvu qu'en rompant la césure
Il montre la pensée et garde la mesure
Vole et marche : il se tort, il rampe, il est debout.
Le vers coupé contient tous les tons, il dit tout. HUGO, Toute la lyre, IV, 14.

♦ **2.** En versifications grecque et latine, Syllabe qui finit un mot et commence un pied.

♦ **3.** Mus. Temps d'arrêt, généralement marqué par un silence, à l'intérieur d'une phrase musicale.

♦ **4.** Interruption, suspension (du discours oral).

Fig., littér. ⇒ Coupure, hiatus.

3
Entre la pluie et le vent
Comme un moment de césure.
ARAGON, le Voyage de Hollande et autres poèmes, p. 14.

C. E. T. [seøte] n. m. — D. i.; sigle.

♦ Collège d'enseignement technique. *«Installé dans un vieux bâtiment du XIᵉ arrondissement, (ce) C. e. t. est unique en France»* (l'Express, 12 févr. 1973).

CÉTACÉ, ÉE [setase] adj. et n. m. — 1542, Du Pinet, trad. de Pline, *poissons cetacees;* lat. zool. *cetaceus,* du lat. *cetus,* grec *kêtos* «gros animal marin». → 1. Céto-.

★ **I.** Adj. Vx. Relatif à de gros animaux marins (telle la baleine*) longtemps assimilés à des poissons. *« Les orkes* (orques), *physeteres ou souffleurs... lamies, sont poissons cetacées »* (Furetière, 1690).

Mod. (et rare). *Les grands mammifères cétacés.*

★ **II.** N. m. (1556, d'abord écrit *cetacée* et désignant les «poissons cetacées». → ci-dessus, I.). Mod. *Les Cétacés :* ordre de mammifères aquatiques au corps pisciforme, de taille moyenne (dauphins) ou très grande (baleines, cachalots). *Cétacés à dents* (sous-ordre des *odontocètes) :* Platanistidæ ⇒ **Dauphin** (d'eau douce), Delphinidæ (⇒ **Dauphin, orque, souffleur),** Phocænidæ (⇒ **Marsouin),** Delphinapteridæ (⇒ **Belouga, narval),** Physeteridæ (⇒ **Cachalot),** Ziphidæ ⇒ **Baleine** (à bec), **hyperoodon;** *cétacés à fanons* (sous-ordre des *mysticètes) :* Balænidæ (⇒ **Baleine),** Balænopteridæ (⇒ **Rorqual).** *Les cétacés comprennent les plus grands animaux connus.*

REM. 1. Les *cétacés* ne sont considérés comme des Mammifères que depuis Linné (1758).

2. Le mot *cétacé* est entré dans la langue courante, mais n'y désigne guère que les très grands animaux de l'ordre : baleines, baleinoptères, cachalots.

Au sing. Animal ou type d'animal appartenant à cet ordre (notamment : baleine, cachalot). *Harponner un cétacé. La baleine franche est le plus grand cétacé.*

Le cétacé, profondément engagé dans la vaste baie de l'Union, la sillonnait rapidement depuis le cap Mandibule jusqu'au cap Griffe, poussé par sa nageoire caudale prodigieusement puissante, sur laquelle il s'appuyait et se mouvait par soubresauts avec une vitesse qui allait quelquefois jusqu'à douze milles à l'heure.
J. VERNE, l'Île mystérieuse, t. I, p. 434.

CÉTANE [setan] n. m. — 1900, *Nouveau Larousse illustré;* de *cét(ène),* et *-ane.*

♦ Chim., techn. Carbure d'hydrogène saturé. *Indice de cétane du gas-oil* (aptitude à l'allumage).

CÉTÈNE [setɛn] n. m. — 1836, dumas et Péligot; lat. *cetus* (→ Spermaceti), grec *kêtos* «baleine», et suff. *-ène.*

♦ Chim. Carbure éthylénique ($C_{16}H_{32}$).

CÉTÉRAC ou **CÉTÉRACH** [seteʀak] n. m. — 1314; lat. médiéval *ceteraceum,* de l'arabe *šîṭrāk.*

♦ Bot. Fougère* *(Polypodiacées),* appelée aussi *herbe à dorer,* qui pousse entre les pierres des vieux murs.

CÉTINE [setin] n. f. — 1816; du même rad. que *cétène.*

♦ Chim. Blanc de baleine.

La *cétine* improprement appelée *blanc de baleine* ou *spermacéti* est produite par un *cétacé,* le cachalot à grosse tête (...)
Charles BOURGEOIS, Chimie de la beauté, p. 30.

1. CÉTO- Élément tiré du grec *kêtos* «gros animal marin», qui entre dans la composition de termes de zoologie ayant un rapport avec les cétacés*. Ex. : *cétodontes* [setodɔ̃t] (1927) n. m. pl. ⇒ **Odontocètes;** *cétographie* [setɔgʀafi] (xxᵉ) n. f. : étude des cétacés; *cétographique* [setɔgʀafik], adj.; *cétologie* [setɔlɔʒi] (xixᵉ) n. f. : étude et histoire des cétacés; *cétologique* [setɔlɔʒik] adj.; *cétologiste* [setɔlɔʒist] ou *cétologue* [setɔlɔg] (xixᵉ) n. m. : spécialiste des cétacés.

2. CÉTO- Préf. chim. indiquant la présence du groupe fonctionnel de la fonction cétone dans une molécule.

CÉTOGENÈSE [setoʒɛnɛz] n. f. — Mil. xxᵉ ; de 2. céto-, et genèse.

♦ Biochim. Ensemble des mécanismes qui aboutissent à l'élaboration des corps cétoniques* par le tissu hépatique.

CÉTOINE [setwan] n. f. — 1790 ; lat. des naturalistes cetonia, d'orig. inconnue ; P. Guiraud propose l'étymon sav. ceton, var. de seton «crin, soie», de seta «soie, poil», d'où l'adj. cetonia «couverte de poils».

♦ Zool. Insecte coléoptère (Scarabéidés) aux vives couleurs métalliques. La cétoine dorée, dite hanneton des roses.

1   Tu te sens tout heureux une rose est sur la table
    Et tu observes au lieu d'écrire ton conte en prose
    La cétoine qui dort dans le cœur de la rose.   APOLLINAIRE, Alcools, p. 12.
2   Il se veut anthropologue, spécialiste de la duchesse comme de l'usurier. Ne met-
    il pas sa valeur d'entomologiste au service du capricorne et de la cétoine ?
                                  MALRAUX, l'Homme précaire et la littérature, p. 120.

CÉTONE [setɔn] n. f. — 1903, in Rev. gén. des sc., nº 1, p. 54 ; abrév. de acétone.

♦ Chim. Nom des corps chimiques de constitution analogue à celle de l'acétone (R – CO – R' : les radicaux carbonés R et R' pouvant être semblables ou non), à propriétés proches des aldéhydes*. Les cétones se déduisent des hydrocarbures par remplacement d'un groupe CH_2 par un groupe CO. L'acétone est la plus simple des cétones. — Appos. Fonction cétone, correspondant au groupe fonctionnel C = O des cétones : fonction analogue à celle des aldéhydes* (hydrogénation en alcools, formation de dérivés azotés), mais qui en diffère par d'autres points. Les glucides, certaines hormones possèdent la fonction cétone. Ose renfermant une fonction cétone. ⇒ Cétose. — Cétone-alcool : corps renfermant une ou plusieurs fonctions cétone et une ou plusieurs fonctions alcool.

DÉR. et COMP. Cétonémie, cétonique, cétonurie, cétose. — Cétogenèse.

CÉTONÉMIE [setɔnemi] n. f. — Mil. xxᵉ ; de cétone, et -émie.

♦ Méd. Présence des corps cétoniques dans le sang. ⇒ Acétonémie. La cétonémie normale, dans l'espèce humaine est de 5 à 20 mg par litre.

CÉTONIQUE [setɔnik] adj. — 1899 ; de cétone.

♦ Chim. Qui possède la fonction cétone. Corps cétoniques, l'acétone et ses précurseurs métaboliques. Les corps cétoniques se forment dans le foie (⇒ Cétogenèse) et passent dans le sang (⇒ Cétonémie). Accumulation de corps cétoniques dans l'organisme. ⇒ Cétose, 2. Acide cétonique. — Syn. Acide cétone.

Le cycle des cétoses est à l'origine de la plupart des synthèses organiques, grâce précisément aux cétoses, car la fonction cétonique donne beaucoup de possibilités chimiques.   Jules CARLES, la Chimie du vin, p. 57.

CÉTONURIE [setɔnyʀi] n. f. — xxᵉ ; de cétone, et -urie.

♦ Méd. Présence de corps cétoniques (surtout acétone) dans l'urine ; taux représentant cette présence. ⇒ Acétonurie.

CÉTOSE [setoz] n. m. — 1903, in Cottez ; de cét(one), et -ose.

♦ 1. Chim. Ose renfermant une fonction cétone (→ Cétonique, cit.). Le fructose est un cétose. Les aldoses* et les cétoses.

♦ 2. Méd. Accumulation dans l'organisme de corps cétoniques. La cétose s'observe notamment dans le diabète et diverses affections digestives ; elle peut mener à l'acidose*.

CEUX [sø] pron. dém. Plur. de celui. ⇒ Celui.

CÉVADILLE [sevadij] n. f. — 1751, cevadilla ; esp. cebadilla, dimin. de cebada «orge».

♦ Bot. Graine du sabadilla, plante monocotylédone du Mexique (Liliacées). Les cévadilles, pulvérisées, sont employées contre la vermine (poudre de capucin), et en médecine (effet calmant et hypotenseur).

CÉVENOL, OLE [sevnɔl] adj. et n. — Av. 1866 ; de Cévennes.

♦ Qui concerne la région, les habitants des Cévennes. Le climat, le patois cévenol. Le pays cévenol. — N. Un Cévenol, une Cévenole : un natif, une native des Cévennes.

CEYLANAIS, AISE [sɛlanɛ, ɛz] adj. ⇒ Cingalais.

CEYLANITE [sɛlanit] ou **CEYLONITE** [sɛlɔnit] n. f. — 1793, ceylanite ; ceylonite, 1841 ; de Ceylan et de l'angl. Ceylon.

♦ Minér. Variété de spinelle*, aluminate de magnésium naturel.

CÉZIGUE [sezig] pron. pers. — 1836, écrit sézigue ; de ses, pron. pers. et zigue (→ Zig). → Mézigue, tézigue.

♦ Argot. Lui, elle. ⇒ Sézigue. — Syn. : cécolle. C'est pour cézigue. Il est un peu taré, cézigue !

Cf [seɛf] Abréviation de l'impératif latin Confer (Compare), invitant le lecteur à se référer à l'indication qui suit.

C. F. A. [seɛfa] adj. et n. — Sigle de (franc de la) Communauté financière africaine.

♦ Se dit de l'unité monétaire (franc), en circulation dans certains États africains (Cameroun, Togo, Sénégal, etc.). Payer en francs C. F. A. (ellipt., en C. F. A.). Réajustement du franc C. F. A. Collectif (en franç. d'Afrique). Du CFA : de l'argent en francs CFA. Faire du CFA : gagner, économiser de l'argent en francs CFA (se dit des Européens).

C. F. D. T. [seɛfdete] n. f. — 1964 ; sigle.

♦ Confédération française démocratique du travail. La C. F. D. T. est issue de la scission de la C. F. T. C. Membre de la C. F. D. T. ⇒ Cédétiste.

C. F. T. C. [seɛftese] n. f. — 1964 ; sigle.

♦ Confédération française des travailleurs chrétiens.

C. G. C. [seʒese] n. f. — 1944 ; sigle.

♦ Confédération générale des cadres.

C. G. S. [seʒeɛs] adj. — Sigle de : centimètre, gramme, seconde.

♦ Se dit du système d'unités physiques dans lequel les trois unités fondamentales sont : le centimètre, le gramme et la seconde (⇒ Mesure). Le système C. G. S., les unités C. G. S. ⇒ Cégésimal. Le système C. G. S. a été remplacé par le système international SI.

DÉR. Cégésimal.

C. G. T. [seʒete] n. f. — xxᵉ ; sigle.

♦ 1. Confédération générale du travail. Membre de la C. G. T. ⇒ Cégétiste.

Le lendemain, je recevais sur papier en-tête de la C. G. T. la plus jolie déclaration de sentiments vifs qui m'ait jamais été adressée par lettre.
                                        F. GIROUD, Si je mens, p. 52.

♦ 2. Compagnie générale transatlantique.

Ch [ʃəvalvapœʀ] Symbole du cheval*-vapeur. ⇒ aussi CV.

CHABANAIS [ʃabanɛ] n. m. — 1852 ; du nom d'une maison de prostitution de la rue Chabanais à Paris.

♦ 1. Fam. Vacarme, scandale. Grand désordre.

(...) est-ce une raison pour faire un chabanais pareil ?
                                        COURTELINE, le Train de 8 h 47, p. 48.

♦ 2. Fam., vieilli. Maison de prostitution. ⇒ Bordel.

CHABICHOU [ʃabiʃu] n. m. — 1877 ; altér. de chabrichou, mot limousin, dér. de chabro, forme dial. de chèvre ; des formes occitanes en c- existent.

♦ Régional. Fromage de chèvre du Poitou. Des chabichous.

1. CHABLER [ʃable] v. tr. — 1386 ; bosc cablé «bois abattu», 1251 ; de l'anc. franç. chaable, du lat. pop. catabola «machine à lancer des pierres», du grec ballein «lancer».

♦ 1. Régional. Battre à coups de gaule. ⇒ Gauler. Faire tomber à coups de gaule. Chabler des noix.

♦ 2. (1883). Fig., fam. Frapper brutalement. — Intrans. Ça va chabler. ⇒ Barder.

DÉR. 1. Chablis.
HOM. 2. Chabler.

2. CHABLER [ʃable] v. tr. — 1680; de *chable,* forme dialectale de *câble,* du bas lat. *capulum.*

♦ Régional. Haler (un bateau), tirer (un fardeau) au moyen d'un câble.

HOM. 1. **Chabler.**

1. CHABLIS [ʃabli] n. m. — 1600, *bois chablis;* de 1. *chabler.*

♦ Arbre, bois* abattu par le vent, ou tombé de vétusté. ⇒ **Chaplis** (régional). — Adj. *Bois chablis.*

HOM. 2. **Chablis.**

2. CHABLIS [ʃabli] n. m. — 1789; 1718, *Chably, in* D.D.L.; nom de lieu, du précédent.

♦ Vin blanc sec de *Chablis,* en Bourgogne.

HOM. 1. **Chablis.**

CHABLON [ʃablɔ̃] n. m. — 1845, Bescherelle, « calibre du potier »; all. *Sehablone* « pochoir ».
Régional (Suisse).

♦ **1.** Pochoir. *Motifs peints au chablon.*

♦ **2.** Fig. Modèle figé, stéréotype. *Des chablons éculés.*

CHABOISSEAU [ʃabwaso] n. m. — 1846, Bescherelle; *chabosseau* mot poitevin, 1484; du lat. pop. **capocius*, de *caput* « tête »; → Chabot.

♦ Régional. Poisson d'eau douce, appelé aussi *chabot.*

CHABOT [ʃabo] n. m. — 1544, *in* D.D.L.; 1380, *cabot* (poisson); 1220, (p.-ê. têtard); de l'anc. provençal *cabotz,* du lat. pop. *capoceus* « poisson à grosse tête », de *caput* « tête ».

♦ Poisson du genre *Cottus* (⇒ **Cotte**) à grosse tête, dont une espèce vit près des côtes rocheuses. On l'appelle aussi *cabot, chaboisseau, têtard, meunier.*

CHABRAQUE ou **SCHABRAQUE** [ʃabRak] n. f. — 1803; de l'all. *Schabracke,* mot turc.

♦ **1.** Ancienn. Couverture, pièce de drap ou peau que l'on mettait sur les chevaux de selle de certaines troupes de cavalerie. *La chabraque en peau de panthère de Murat.*

1 Était-ce un reste de luxe satrapesque *(de satrape)* établi autrefois par cet officier de Chamboran qui avait fait payer au vieil avare, son père, quand son régiment fut licencié, vingt mille francs de peaux de tigre pour ses chabraques et ses bottes rouges. BARBEY D'AUREVILLY, les Diaboliques, « À un dîner d'athées ».

♦ **2.** (1866). Régional. Femme, fille (laide, de mauvaise vie, étourdie, selon les régions).

2 Sa beauté ne diminua pas. Elle résistait à toutes les avanies. Et, cependant, la vie qu'elle menait aurait faire très vite d'elle ce qu'on appelle entre cavaliers une vieille chabraque, si cette vie de perdition avait duré.
BARBEY D'AUREVILLY, les Diaboliques, « À un dîner d'athées ».

Terme d'injure à l'adresse d'une femme (sans signification très précise; → Garce). *Vieille chabraque!*

Variante : *sabraque.*

3 Elle lui montrait la calèche attelée en ayant l'air de dire : « Des beaux chevaux, hein! », mais tout en murmurant : « Quelle vieille sabraque! »
PROUST, Le côté de Guermantes, Pl., t. II, p. 19.

CHABRETTE [ʃabRɛt] n. f. — 1275; dimin. dial. de *chèvre,* corresp. au franç. *chevrette,* même sens.

♦ Régional (Auvergne, Limousin). Cornemuse. ⇒ **Cabrette.**

(...) les musiciens avec leurs chabrettes et leurs violons prenaient la tête du cortège.
Denyse VAUTRIN, le Tourbillon des jours, t. I.

CHABROL [ʃabRɔl] ou **CHABROT** [ʃabRo] n. m. — 1876; mot régional (Périgord, Limousin et Occitan), var. de *chevreau,* lat. *capreolus; fa chabroù* « boire dans son assiette » venant de *beire à chabro* « boire comme la chèvre ».

♦ Régional (Sud-Ouest). Boisson, ou mélange de vin et de bouillon, dans le Sud-Ouest de la France. *Faire chabrol, faire chabrot :* boire ce mélange directement dans l'assiette (notamment après avoir absorbé la quasi totalité d'un potage, d'une soupe).

CHACAL [ʃakal] n. m. — 1686; *ciacale,* 1646; *schakal,* 1655; du turc *tchagâl,* dér. du persan.

♦ **1.** Mammifère carnivore *(Canidés)* d'Afrique et d'Asie ressemblant au renard. *Chacal commun, chacal à dos noir, chacal du*

Sénégal, chacal des savanes, chacal aboyeur. Troupeau de chacals. Les chacals jappent.

1 Là, dans une ombre non frayée,
Grondent le tigre ensanglanté,
La lionne, mère effrayée,
Le chacal, l'hyène rayée,
Et le léopard tacheté. HUGO, les Orientales, XXVII.

2 Il pensait au visage éteint de son ami, que maintenant les chacals avaient peut-être mangé, et il pensait aussi à tous ceux qui étaient morts sur le chemin, abandonnés au soleil et à la nuit. J.-M.G. LE CLÉZIO, Désert, p. 375.

Myth. égyptienne. Symbole d'Anubis, dieu des morts, représenté avec une tête de chacal sur les sarcophages.

♦ **2.** Fig., péj. Homme avide, cruel (⇒ **Loup**) ou rusé (⇒ **Renard**), qui profite des victoires des autres en s'acharnant sur les vaincus.

♦ **3.** Argot milit. (vx). Zouave. *« Pan, pan l'arbi, les chacals sont par ici »* (Chanson militaire du XIXe siècle).

CHA-CHA-CHA [tʃatʃatʃa] n. m. — V. 1955; onomat. d'orig. sud-américaine.

♦ Danse d'origine mexicaine dérivée de la rumba et du mambo*. *Danser, faire un cha-cha-cha.* — Abrév. : *cha-cha.*

En septembre, de Gaulle se rend en Amérique du Sud, ressusciter la latinité. Il y composa un cha-cha-cha célèbre : la mano en la mano *(allus. à un passage en espagnol du discours de de Gaulle à Mexico).*
Claude COURCHAY, La vie finira bien par commencer, p. 17.

CHACHLIK ou **CHACHLYK** [ʃaʃlik] n. m. — 1825, *chislik* (cit.); mot caucasien.

♦ Mouton grillé en brochettes. *Manger un chachlik caucasien dans un restaurant « russe » de Paris.*

Vers le soir, le fiévreux (...) s'était encore amusé le reste de la journée à manger du chislik (...). (Note : Viande de mouton que l'on fait rôtir en petits morceaux au bout d'une baguette.)
Xavier DE MAISTRE, les Prisonniers du Caucase, 30, *in* D.D.L., I, 3.

CHACONNE ou **CHACONE** [ʃakɔn] n. f. — 1653; esp. *chacona,* onomat. [tʃak], bruit des castagnettes.
Musique.

♦ **1.** Danse des XVIIe et XVIIIe siècles, à trois temps, souvent exécutée en finale d'un ballet.

Que font des menuets et des chaconnes dans une tragédie?
ROUSSEAU, Julie ou la Nouvelle Héloïse, I, 23, *in* LITTRÉ.

♦ **2.** Pièce instrumentale dérivant de la chaconne chantée et formée de variations sur un court motif répété à la basse. *Les chaconnes pour clavier de J.-S. Bach. La passacaille* est très voisine de la chaconne.

CHACUN, CHACUNE [ʃakœ̃, ʃakyn] pron. indéf. — 1100, *cascuns; cascune,* adj. fém., 1050; *cadhun,* puis *cheüm,* XIe; du lat. pop. *casquunus,* croisement du lat. *quisqueunis* « chaque un », et *(unum) cata unum* « un par un ».

♦ **1.** Personne ou chose prise individuellement dans un ensemble, un tout. ⇒ **Chaque, un.** *Chacun de nous, chacun d'eux. Chacun d'entre eux. Chacun des deux :* l'un et l'autre. *Chacun des enfants aura sa part. Chacune d'elles s'en alla. — Chacun à son tour, chacun son tour. Ces usines produisent chacune plus que l'année dernière. Retournez chacun à votre place; nous partirons chacun de notre côté. Ils ont bu chacun sa bouteille* ou *chacun leur bouteille. Chacun rentra chez lui, chez soi.*

1 *(Ragotin)* les quitta sans rien dire, tout rouge de dépit et de honte et rejoignit la compagnie, où chacun parlait de toute sa force sans entendre ce que disaient les autres. SCARRON, le Roman comique, I, X, p. 43.

2 (...) que tous les hommes qui peuplent la terre sans exception soient chacun dans l'abondance (...) LA BRUYÈRE, les Caractères, XVI, 48.

3 On l'a vu une fois heurter du front contre celui d'un aveugle (...) et tomber avec lui chacun de son côté à la renverse. LA BRUYÈRE, les Caractères, XI, 7.

4 Chacun en a sa part et tous l'ont tout entier! HUGO, les Feuilles d'automne, I.

5 Les jeunes filles s'apitoyèrent sur ces petits orphelins, et leur donnèrent la becquée chacune à son tour. Th. GAUTIER, Fortunio, « Le nid de rossignols ».

6 Il suffit, bien souvent, de l'addition d'une quantité de petits faits très simples et très naturels, chacun pris à part, pour obtenir un total monstrueux.
GIDE, les Faux-monnayeurs, I, IV, p. 51.

♦ **2.** Absolt. Toute personne. ⇒ **Tout.** *Chacun pense d'abord à soi. Chacun cherche le bonheur. Chacun selon son mérite, selon son dû. — Chacun pour soi.* → ci-dessous, 5.

7 (...) à chacun, n'est-ce pas, son plaisir et sa tâche.
Victor BÉRARD, Trad. HOMÈRE, l'Odyssée, p. 240.

8 Chacun se trompe ici-bas (...) LA FONTAINE, Fables, VI, 17.

9 Chacun son métier,
Les vaches seront bien gardées.
FLORIAN, Fables, I, 12, « Le vacher et le garde-chasse ».

10 *Chacun* a le sens de *tous : « Elle étourdit* chacun de son caquet (MONTFL., Dupe, I, 2)... F. BRUNOT, la Pensée et la Langue, IV, X, p. 131.

♦ **3.** (En relation avec *chacun*). Vx. *Sa chacune,* la femme, la compagne (d'un homme). *Chacun sa chacune :* une femme pour chaque homme. — Mod. *Chacun avec sa chacune, chacun sa chacune :* en formant des couples (répandu par le texte d'une valse-musette).

11   À voir chacun se joindre à sa chacune ici,
      J'ai des démangeaisons de mariage aussi.   MOLIÈRE, l'Étourdi, V, 11.

♦ **4.** Class. (vx) ou littér. **TOUT CHACUN** (rare). *« Cette dépêche que tout chacun affirme avoir lue de ses propres yeux »* (Goncourt, *in* T. L. F.). — **UN CHACUN.** *À la portée d'un chacun. Le sentiment d'un chacun. Être la victime d'un chacun.* En fonction de sujet :

12   Un chacun à soi-même est son meilleur ami.   CORNEILLE, Mélite, II, 4, variante.
13   Je ne te dirai point de mal de ma pauvre mère qu'un chacun blâme et insulte (...)
                                                           G. SAND, la Petite Fadette, XVIII, p. 126.

TOUT UN CHACUN [tutœʃakœ] (forme la plus employée). *Tout un chacun aura son mot à dire. Tout un chacun a sa part de malheur.*

♦ **5.** Loc. prov. *Chacun pour soi et Dieu pour tous :* que chacun veille égoïstement à ses intérêts, laissant à Dieu le soin de l'intérêt général. — *Chacun chez soi, chacun pour soi.* — *Chacun prend son plaisir où il le trouve.*

14   (...) chacun pour soi en pareil cas, on ne prend plus garde à personne.
                                                           LOTI, Mon frère Yves, XXVIII, p. 91.

Chacun le sien n'est pas trop : il est normal que chacun ait tout ce qui lui appartient.

REM. 1. *Chacun* n'a pas de pluriel. Il ne s'emploie plus comme adjectif (→ Chaque).

2. L'adj. possessif avec *chacun :* quand *chacun* n'est pas précédé d'un pluriel, on emploie *son, sa, ses. Chacun fera son possible.* — Lorsqu'il renvoie à un pluriel — *a)* De la 1er ou de la 2e pers., on emploie *notre, votre* devant un nom sing., *nos, vos,* devant un pluriel. *Retournez chacun à votre place. Nous sommes partis chacun de notre côté. Nous avons chacun nos idées — b)* De la 3e pers., on a le choix entre *son, sa, ses,* et *leur, leurs* (de même pour le *sien, le leur).* Cependant, si la partie de phrase précédant *chacun* forme un tout, on emploie plutôt *son, sa, ses. Les hommes doivent être généreux, chacun selon ses moyens.*

15   Voilà des gens à table, ils sont six ; ils ont bu *chacun sa bouteille,* ou ils ont bu *chacun leur bouteille.* Les deux façons de parler sont acceptables.
                                                           F. BRUNOT, la Pensée et la Langue, IV, X, p. 131.

On a la même latitude pour l'emploi de *le, lui,* ou *les, leur. Ils s'en tenaient chacun à l'opinion qui leur* (ou qui *lui*) *paraissait la meilleure.*

3. Emploi de *soi* ou de *lui.* Si *chacun* est indéterminé, on emploie *soi. Chacun pour soi.* S'il représente un cas particulier on emploie plutôt *lui. Après cette rencontre, chacun alla chez lui.* — Si *chacun* se rapporte à un sujet pluriel, on emploie *soi* ou *eux. Ils rentrèrent chacun chez soi, chez eux.*

CONTR. Aucun, nul.
DÉR. Chacunière.

CHACUNIÈRE [ʃakynjɛʀ] n. f. — 1532, Rabelais, *chascunière ;* de chacun.

♦ Vieilli (ou allus. archaïque). Maison (de chacun). *Chacun dans sa chacunière.*

Les filles *(de la Reine)* s'en vont chacune à sa *chacunière,* comme je vous l'ai aussi mandé.   Mme DE SÉVIGNÉ, 357, 15 déc. 1673.

CHADBURN [ʃadbœʀn] n. m. — 1932 ; nom du constructeur.

♦ Mar. Appareil transmetteur d'ordres (de la passerelle aux machines).

1   En même temps, le chadburn sonnait : — En avant toute !
                                                           Roger VERCEL, Remorques, p. 18.
2   Ça *(la mécanique)* se trouvait à l'autre bout du chadburn et du porte-voix, et il suffisait de sonner ou de siffler pour être obéi par les gens d'en bas.
                                                           Albert T'SERSTEVENS, l'Or du « Cristobal », p. 106.

CHADOUF [ʃaduf] n. m. — 1854 ; arabe šādūf, même sens.

♦ Appareil à bascule servant à tirer l'eau d'un puits ou d'un plan d'eau (dans les pays arabes, et, par anal., dans d'autres régions). *Le chadouf et la noria servent à l'irrigation.*

Les fiers nomades préfèrent (...) ne pas avoir à faire marcher le chadouf, l'appareil élévateur d'eau.   DANIEL-ROPS, le Peuple de la Bible, II, III, p. 124.

CHAFOUIN, INE [ʃafwɛ̃, in] n. — 1611 « putois » ; 1508, terme d'injure ; terme dialectal ; de chat, et fouin, masc. de fouine.

♦ **1.** N. Vx. Personne qui a une mine sournoise, rusée. *Une mine de chafouin. Une chafouine.*

♦ **2.** Adj. Mod. Rusé*, sournois*. *Air chafouin. Mine chafouine.*

1   (...) avec sa petite mine chafouine (...) il a trouvé le moyen de se faire aimer de Mme Colbert (...)   Mme DE SÉVIGNÉ, 822, 21 juin 1680.

Le lustre éclairait son front à demi mangé par une frange noire, et son visage chafouin, qui s'amincissait en triangle jusqu'au menton.   2
                                                           MARTIN DU GARD, les Thibault, t. I, p. 14.

DÉR. Chafouinerie.

CHAFOUINERIE [ʃafwinʀi] n. f. — 1855, *in* D. D. L. ; de *chafouin.*

♦ Rare. Ruse, sournoiserie.

CHAGATTE [ʃagat] n. f. — Mil. xxe ; de *chatte* avec suffixe argotique -ga-.

♦ Fam. et érotique. Sexe de la femme.

1. CHAGRIN, INE [ʃagʀɛ̃, in] adj. — 1389 ; p.-ê. de 1. *chagriner* en dépit de l'attestation postérieure du verbe.

♦ **1.** Vieilli. Qui est rendu triste par un événement fâcheux. ⇒ **Affligé, attristé, triste.** *Il est tout chagrin depuis cette aventure.*

      (...) les pauvres sont chagrins de ce que tout leur manque (...)   1
                                                           LA BRUYÈRE, les Caractères, VI, 48.
      Ils *(les marchands)* sont devenus chagrins depuis quelque temps.   2
                                                           Mme DE SÉVIGNÉ, 268, 24 avr. 1672.
      (...) ce rougeot (...) qui était en colère tout le lundi, chagrin le mardi (...)   3
                                                           G. SAND, François le Champi, II, p. 33.

♦ **2.** Littér. Qui est ordinairement d'une humeur, d'un caractère triste, morose. ⇒ **Atrabilaire, bilieux, bourru, colère, grimaud** (vx), **hypocondriaque, inquiet, maussade, mélancolique, misanthrope, morose, sombre.** *Un rabat-joie toujours chagrin. N'en déplaise aux esprits chagrins...*

      Un esprit né chagrin plaît par son chagrin même.   BOILEAU, Épîtres, IX.   4
      Tel a vécu pendant toute sa vie chagrin, emporté (...) qui était né gai, paisible (...) 5
                                                           LA BRUYÈRE, les Caractères, XI, 18.

(Choses, actions...). Qui manifeste cette humeur. ⇒ **Aigre, contrit, dolent, lugubre, mortifié.** *Discours chagrin. Vieillesse chagrine. Visage chagrin. Mine chagrine. Avoir l'air chagrin.* ⇒ **Triste** (faire triste mine). *Avoir qqch. de chagrin dans la mine.* → Méprisant, cit. 1.

      (...) tout ce qu'on prévoit, tout ce qu'on s'imagine,   6
      Forme un nouveau poison pour une âme chagrine.   CORNEILLE, Suréna, I, 1.
      (...) je vous vois l'esprit tout chagrin (...)   MOLIÈRE, les Amants magnifiques, IV, 5. 7

♦ **3.** Par anal. (Choses). Littér. Qui attriste, rend mélancolique. *Un ciel maussade et chagrin. Couleur, teinte chagrine.*

      (...) le ciel est terne ; des couleurs chagrines ont défiguré ce beau pays (...)   8
                                                           E. FROMENTIN, Une année dans le Sahel, p. 107.

CONTR. Aise, content, enjoué, épanoui, gai, gaillard, hilare, jovial, joyeux, radieux, ravi, rayonnant, réjoui, satisfait.
HOM. 2. et 3. Chagrin.

2. CHAGRIN [ʃagʀɛ̃] n. m. — 1450 ; probablt de 1. *chagrin.*

♦ **1.** *(Le chagrin).* État moralement douloureux. ⇒ **Affliction** (cit. 5), **déchirement, déboire, désespoir, désolation, douleur, ennui, mal, malheur, misère, peine, souci, souffrance, tourment, tristesse.** *L'amertume*, la consternation*, la mélancolie*, causées par un chagrin. Chagrin amer, cuisant, cruel, douloureux, mortel. Grand, immense, noir, profond, sombre, violent chagrin. Le chagrin de qqn, son chagrin. Soulager, bercer, apaiser, calmer le chagrin de qqn.*

Absolt. *Le chagrin :* la douleur morale (→ ci-dessous cit. 7, 10, 14, 15). *Avoir, ressentir, vivre dans le chagrin. Se ronger le cœur* de chagrin. Avoir le cœur plein, le cœur gros, gonflé de chagrin. Être abattu, accablé, déchiré, écrasé, ruiné, oppressé par le chagrin. Se consumer de chagrin* (→ fam. Sécher* sur pied). *Mourir de chagrin.*

(Un, des chagrins). Peine ou déplaisir causé par un événement précis. ⇒ **Angoisse, contrariété, déboire, déception, dégoût, dépit, désagrément, désappointement, deuil, inquiétude, mécontentement, regret, remords, tracasserie.** *Un long chagrin. De petits chagrins passagers. Chagrins domestiques. Chagrin d'amour* (→ Amour, cit. 27 ; monocle, cit. 1). *Éprouver un grand, un terrible chagrin. Un gros chagrin* (enfantin). *Causer, donner du chagrin, causer un grand chagrin à qqn* (⇒ **Tuer,** fig.). — REM. Le mot avait un sens assez fort dans l'usage classique (→ Peine, tourment ; et, par ex., les cit. 3, 5 ci-dessous). De nos jours, *chagrin* s'emploie surtout pour parler des peines amoureuses et des peines enfantines (→ cit. 6 à 15) ; dans ce dernier contexte, le mot est usuel, même dans la langue parlée familière : *alors, c'est fini, ce gros chagrin ?*

      (...) cela me causera des chagrins, je souffrirai un temps (...)   1
                                                           MOLIÈRE, le Bourgeois gentilhomme, III, 10.
      (...) tout le chagrin que me donnait le mauvais succès de notre entreprise.   2
                                                           MOLIÈRE, Dom Juan, II, 2.
      Laissons, laissons parler mon chagrin et le vôtre,   3
      Et de nos cœurs l'un à l'autre
      Exhalons le cuisant dépit.   MOLIÈRE, Psyché, I, 1.
      Le chagrin monte en croupe, et galope avec lui.   4
                                                           BOILEAU, Épîtres, V, À Mme de Guilleragues.

5 Enfin depuis deux jours, la superbe Athalie
   Dans un sombre chagrin paraît ensevelie.   RACINE, Athalie, I, 1.

6 (...) ces chagrins d'enfance qui laissent dans l'homme une teinte de sauvagerie difficile à effacer durant le reste de sa vie.   A. DE VIGNY, Journal d'un poète, p. 236.

7 — Ne te fâche pas comme cela, Landry, dit Sylvinet tout abattu de chagrin (...)
                                                       G. SAND, la Petite Fadette, XXVIII, p. 190.

8 (...) chagrin d'enfant et rosée du matin n'ont pas de durée (...)
                                                       G. SAND, François le Champi, IX, p. 82.

9 (...) à la maison, quand j'avais quelques petits chagrins, je les déposais dans le sein
   de mes bons parents (...)   SAINTE-BEUVE, Correspondance, 2, 11 janv. 1819.

10 Prenez garde à la tristesse. C'est un vice, on prend plaisir à être chagrin et, quand
   le chagrin est passé, comme on y a usé des forces précieuses, on en reste abruti.
                                                       FLAUBERT, Correspondance, t. IV, p. 303.

11 Maintenant, voici qu'il était là, devant elle, et dévoré, déchiré par ce chagrin.
                                                       Paul BOURGET, Un divorce, IV, p. 113.

12 Ne réveillez pas le chagrin qui dort.   J. RENARD, Journal, 12 sept. 1901.

13 (...) dans la profondeur de son chagrin, elle vit la réalité de son amour.
                                                       PROUST, les Plaisirs et les Jours, III, p. 118.

14 Il y a dans ce monde où tout s'use, où tout périt, une chose qui tombe en ruines,
   qui se détruit encore plus complètement, en laissant encore moins de vestiges que
   la Beauté : c'est le chagrin.   PROUST, Albertine disparue, p. 365 (éd. La Gerbe).

15 Le chagrin n'est nullement une conclusion pessimiste librement tirée d'un
   ensemble de circonstances funestes, mais la reviviscence intermittente et involontaire d'une impression spécifique, venue du dehors, et que nous n'avons pas choisie.
                                          PROUST, Albertine disparue, p. 23 (éd. La Gerbe).

Loc. Vx ou littér. *Faire chagrin* : faire de la peine. *« Quitter les livres
me fait chagrin »* (E. de Guérin, *in* T. L. F.).

Mod. *Faire du chagrin à qqn,* lui causer de la peine. ⇒ 1. **Chagriner.**

Loc. fam. *Noyer son chagrin dans l'alcool.*

♦ **2.** Vx (au XVIIᵉ). Irritation (contre qqn, qqch.) ; humeur maussade,
chagrine. ⇒ **Bile** (cit. 7), **hypocondrie, mélancolie, morosité ; cafard,
spleen ; humeur** (mauvaise humeur, humeur noire).

16 J'entre en une humeur noire, en un chagrin profond.
                                                       MOLIÈRE, le Misanthrope, I, 1.

17 Quel chagrin vous possède ?
   — Quelle mauvaise humeur te tient ? MOLIÈRE, le Bourgeois gentilhomme, III, 10.

18 L'âge la fit déchoir : adieu tous les amants
   Un an se passe, et deux, avec inquiétude ;
   Le chagrin vient ensuite (...)   LA FONTAINE, Fables, VII, 5.

♦ **3.** Argot. *Aller, revenir, retourner au chagrin,* au travail. Cf. Au
charbon.

CONTR. **Allégresse, contentement, enchantement, enjouement, gaieté*, hilarité,
ivresse, joie, jovialité, jubilation, plaisir, ravissement, satisfaction. — Consolation.**
HOM. **1. et 3. Chagrin.**

3. CHAGRIN [ʃagʀɛ̃] n. m. — XVIᵉ, *sagrin* ; du turc *sâgri*.

♦ Techn. Cuir grenu, fait de peau de mouton, de chèvre ou encore
d'âne, de mulet, de cheval. *Étui, boîte en chagrin. Livre relié en
plein chagrin.*

Le jeune homme (...) témoigna quelque surprise en apercevant au-dessus du siège
où il s'était assis un morceau de *chagrin* accroché sur le mur (...) les grains noirs
du chagrin étaient si soigneusement polis et si bien brunis, les rayures capricieuses
en étaient si propres et si nettes, que, pareilles à des facettes de grenat, les aspérités de ce noir oriental formaient autant de petits foyers qui réfléchissaient vivement la lumière (...)
                             BALZAC, la Peau de chagrin, « Le talisman », p. 37-38 (éd. 1839).

Loc. fig. *C'est une peau de chagrin :* cela ne cesse de se rétrécir (par
allus. au roman de Balzac, *la Peau de chagrin*).

DÉR. 2. **Chagriner**
HOM. **1. et 2. Chagrin.**

CHAGRINANT, ANTE [ʃagʀinɑ̃, ɑ̃t] adj. — D. i. ; p. prés. de
1. *chagriner.*

♦ Qui chagrine, peine, cause du chagrin. *Des propos chagrinants.*
⇒ **Chagrineur.**

(...) Sylvinet s'affligeait, lui faisait reproche de s'obstiner dans une idée si répugnante à leurs parents et si chagrinante pour lui-même.
                                                       G. SAND, la Petite Fadette, XXXI, p. 205.

CONTR. **Réjouissant.**

1. CHAGRINER [ʃagʀine] v. tr. — 1424 ; p.-ê. de *chat* (se plaindre
comme un chat) ou, d'après P. Guiraud, de *cap-* « tête », et *grigner*
« faire la moue ».

♦ **1.** Vx. Irriter, rendre maussade. ⇒ **Fâcher, mécontenter.**

♦ **2.** Mod. Rendre triste, faire de la peine à (qqn). ⇒ **Affecter,
affliger, angoisser, assombrir, attrister, consterner, contrarier, contrister, décevoir, déchirer, dépiter, désenchanter, désespérer, désoler, ennuyer, fendre** (le cœur), **inquiéter, mortifier, oppresser, peiner,
rembrunir, souffrir** (faire souffrir), **tourmenter, tracasser, tuer** (fig.).
Son départ nous chagrine. Il ne voulait pas vous chagriner.
— Passif et p.p. *Être chagriné.*

1 Je ne saurais voir d'honnêtes pères chagrinés par leurs enfants que cela ne
   m'émeuve (...)   MOLIÈRE, les Fourberies de Scapin, II, 5.

Cette mauvaiseté d'enfant chagrina grandement Landry.   2
                                                       G. SAND, la Petite Fadette, VII, p. 47.

▶ **SE CHAGRINER** v. pron.

S'inquiéter, se tourmenter. *Il se chagrine pour un rien.*

(...) j'employai la meilleure partie de la nuit à me chagriner, et à me reprocher   3
l'imprudence que j'avais eue de n'être pas demeurée chez moi, plutôt que d'avoir
entrepris ce dernier voyage.   A. GALLAND, les Mille et une Nuits, t. I, p. 251.

Pierre eut une grosse joie de cette certitude, qui lui arrivait dans la tristesse de   4
ce salon, où, depuis près de deux heures, il se chagrinait et tombait à la désespérance.   ZOLA, Rome, p. 219.

CONTR. **Charmer, contenter, dérider, égayer, enchanter, ragaillardir, réjouir, satisfaire. — Consoler.**
DÉR. 1. **Chagrin, chagrineur.**
HOM. **2. Chagriner.**

2. CHAGRINER [ʃagʀine] v. tr. — 1700 ; de 3. *chagrin.*

♦ Techn. Travailler (une peau) de manière à la rendre grenue. *Chagriner des peaux.* — Au p. p. *Peau chagrinée.* — Par anal. *Papier
chagriné.*

HOM. **1. Chagriner.**

CHAGRINEUR, EUSE [ʃagʀinœʀ, øz] adj. — XVᵉ ; de 1. *chagriner.*

♦ Littér. Qui chagrine, rend chagrin. ⇒ **Chagrinant.**

(...) si je rapporte à Zizi les propos chagrineurs glanés à droite et à gauche, si je
dis que ça ne va pas très fort (...) je sais que sa colère va cliqueter.
                                                       A. SARRAZIN, la Cavale, p. 397.

CHAH [ʃa] n. m. ⇒ **Schah.**

CHAHUT [ʃay] n. m. — 1821 ; de *chahuter.*

♦ **1.** Vx. Danse populaire, agitée et considérée comme indécente, à
la mode entre 1830 et 1850.

♦ **2.** (1837). Mod. Agitation bruyante. ⇒ **Bousin, chambard,
désordre, tapage, tumulte, vacarme.** *Faire du chahut.* ⇒ **Bahuter**
(vieilli), **chahuter.** *Quel chahut !*

Vous allez consoler Zaza... veinard ! quand je lui aurai dit tout ce que je sais sur
son amant, elle fera du chahut, ce sera la grande scène du désespoir !
                                G. DE TÉRAMOND, la Petite Zaza, I, VI, 1898, *in* D. D. L. II, 5.

Spécialt. Tumulte d'écoliers, destiné à protester contre un professeur. *Déclencher, faire un chahut.* — Par ext. Manifestation
bruyante visant à protester contre qqn ou qqch. *Le chahut des
parlementaires lors de l'intervention du ministre.*

CHAHUTER [ʃayte] v. — 1821 ; p.-ê. formation onomat. d'orig.
dial. cf. *cahuer* « huer », *cahuler, cahuter* attestés dans le Centre, de
huer, probablt d'après *chat-huant.* Pour P. Guiraud, il s'agirait d'une
forme de *chuter* « tomber, faire tomber », d'où *chahut(e),* forme dial. de
cheute (lat. *caduta*), correspondant à *chaer,* forme franco-provençale
de *choir.*

★ **I.** V. intr. ♦ **1.** Vx. Danser le chahut* (1.), en s'agitant, en criant.

(...) pas moyen pour lui d'évoquer le souvenir d'une petite Léonie qui aurait cha-   0.1
huté dans un caf'conc'.   R. QUENEAU, Pierrot mon ami, p. 160.

♦ **2.** (1837). Mod. Faire du chahut (2.) dans une classe (→ Catéchisme, cit. 3.1). *C'est un cancre : il passe son temps à dormir ou
à chahuter.*

♦ **3.** *Chahuter avec qqn,* s'amuser, plaisanter de manière vive et
bruyante. *Cesse de chahuter avec les enfants.*

Fig. *Chahuter avec qqch. :* jouer avec qqch. *On ne chahute pas avec
les armes à feu.* — (Le compl. désigne une chose abstraite). *Chahuter avec le règlement.*

♦ **4.** Fam., rare. Renverser, se renverser. *« Son chignon chahute...
lui retombe dans les yeux »* (Céline, *in* T. L. F.).

♦ **5.** Mar. Tanguer violemment. *L'embarcation chahute.*

★ **II.** V. tr. ♦ **1.** *Chahuter un professeur,* faire du chahut pendant
son cours. — Par ext. *Chahuter un orateur,* manifester bruyamment
(pour l'empêcher de parler...). *Se faire chahuter.* — Au p. p. *Un professeur, un orateur chahuté.*

C'est que Poirier était, pour des raisons qui me sont demeurées obscures, le plus   1
« chahuté » de tous les professeurs.
                                          G. DUHAMEL, Biographie de mes fantômes, X, p. 204.

(...) j'avais ainsi au lycée Louis-le-Grand un professeur d'histoire qui, ayant besoin   2
d'être chahuté, comme d'une drogue quotidienne, tendait obstinément aux élèves
mille occasions de charivari : bourdes, naïvetés, mots à double sens, postures ambiguës, etc ; si bien que l'on marquait toutes ces conduites dont il marquait nous-même provocantes ; ce qu'ayant vite compris, les élèves s'abstenaient, certains jours, sadiquement, de le chahuter.   R. BARTHES, Roland Barthes, p. 153.

♦ **2.** *Chahuter qqn,* le taquiner, le plaisanter vivement ; le bousculer. *Une bande de garçons chahute les filles qui passent. Il s'est
fait chahuter par des voyous.* — *Chahuter une chose,* la malme-

ner, la maltraiter. *Prenons garde de ne pas trop chahuter les meubles pendant le déménagement.*

3 Il traversait le Barrio Chino et le Parallelo en chahutant toutes les femmes, tantôt les agaçant, tantôt les caressant, toujours ironique.
Jean GENET, Journal du voleur, p. 66.

♦ **3.** (Le compl. désigne une chose abstraite). Bouleverser, déranger.

4 De quel droit un médiocre vient-il me donner des ordres, en se targuant d'une hiérarchie qu'on peut toujours chahuter ?
DRIEU LA ROCHELLE, la Comédie de Charleroi, p. 92.

5 Au jeu naïf des Orientaux, chahutant les formes, les romans opposent un regard moral et inexorable qui atteint nos troisièmes sous-sols.
Jacques LAURENT, les Bêtises, p. 359.

♦ **4.** Spécialt. *La houle croisée chahutait durement le voilier. Le roulis nous chahute.* — Au p. p. :

6 Les révolutionnaires (...) regagnèrent la vedette : elle se détacha de la coupée, fila vers le quai, sans détour cette fois. Chahutés par le roulis, les hommes changeaient de costume (...)
MALRAUX, la Condition humaine, p. 62.

DÉR. Chahut, chahuteur.

CHAHUTEUR, EUSE [ʃaytœʀ, øz] adj. et n. — 1837; de *chahuter*, I., 2.

♦ **1.** ⓐ Adj. Qui chahute, chahute souvent. *Élèves chahuteurs. Classe chahuteuse.*

ⓑ N. Celui, celle qui chahute. *Un incorrigible chahuteur. Une petite chahuteuse.*
Rare (de trans. → Chahuter, II., 1.). *Le chahuteur d'un professeur.*

♦ **2.** N. Vx. Personne qui danse le chahut*.

CHAI [ʃɛ] n. m. — 1611; *chaiz*, 1482; forme poitevine de *quai*, p.-ê. du gaul. *caio* ou, selon P. Guiraud du lat. médiéval *caius* «barreau».

♦ Magasin situé au rez-de-chaussée, tenant lieu de cave, et où l'on emmagasine les alcools, les vins en fûts. ⇒ **Cave, cellier.** *Visiter les chais d'une coopérative vinicole. Maître de chai,* chargé de l'entretien et de la vente des produits entreposés dans le chai (⇒ aussi **Caviste**). *Vin élevé dans les chais de tel viticulteur.*

Je regardais le toit des chais dont les tuiles ont des teintes vivantes de fleurs ou de gorges d'oiseaux. F. MAURIAC, le Nœud de vipères, p. 19 (éd. Grasset).

CHAILLE [ʃaj] n. f. — D. i. (mil. xxe ?); du régional *chaille* «caillou» (1491 : Suisse, Jura), var. de *caille* (xive). → Caillou.

♦ Argot. Dent (Bernard Clavel, *in* Cellard et Rey).

CHAÎNAGE [ʃɛnaʒ] n. m. — 1605, *chesnage*; de *chaîne* et de *chaîner*.

★ **I.** (De *chaîne*). Opération qui consiste à mesurer un terrain avec la chaîne d'arpenteur. ⇒ **Arpentage; chaîner.**

★ **II.** (De *chaîner*). Archit. (déb. xixe). Dispositif intérieur de bois ou de fer, pour empêcher l'écartement de deux murs.

CHAÎNE [ʃɛn] n. f. — 1080, *chaeine*, Chanson de Roland; du lat. *catena* «chaîne». → Cadenas.

★ **I.** Ensemble, suite d'anneaux de métal entrelacés. ⇒ **Anneau, chaînon, maille, maillon.** *Chaîne de fer. Forger une chaîne. Souder les maillons d'une chaîne. Chaîne forgée. Assembler, relier entre elles deux longueurs de chaîne.* ⇒ **Mailler, maillonner, manille.**

A. Dispositif formé d'anneaux entrelacés, servant à orner, tirer, fermer, mesurer.

(Servant à orner). *Chaînes de bijouterie, de joaillerie, d'orfèvrerie. Chaîne de montre.* ⇒ **Châtelaine** (*chaîne de gilet*), **gourmette** (*chaîne de sûreté*). *La barrette d'une chaîne de montre. Suspendre une breloque à une chaîne de montre.* — *Chaîne à clefs.* ⇒ **Châtelaine, clavier.** — *Chaînes d'or, d'argent, de platine,* servant à la décoration, à la parure. *Chaînes d'huissier. Chaîne portant l'emblème d'un ordre. La chaîne de la Toison d'Or. Chaîne servant de bijou.* ⇒ **Châtelaine, collier** (*chaîne de cou*), **ferronnière** (*chaîne de front*), **jaseran** ou **jaseron, sautoir.** *Chaîne de diamants,* garnie de diamants. *Le coulant d'une chaîne.* ⇒ **Glissoir.**

(Servant à manœuvrer, attacher). *La chaîne d'un puits. Chaîne à godet.* — *Chaîne d'attelage* (cit. 1) *pour un cheval* (⇒ **Gourmette, mancelle**). — Ch. de fer. *Chaîne d'attelage (d'accrochage) des wagons. Chaîne de sûreté.*

0.1 Là, suspendu d'une main entre le wagon des bagages et le tender, de l'autre il décrocha le chaînes de sûreté. J. VERNE, le Tour du monde en 80 jours, p. 266.

Mar. *Chaîne d'abordage :* chaîne munie d'un grappin pour l'abordage. *Chaînes-câbles,* pour l'amarrage des bateaux, le levage des ancres. ⇒ **Câble.** *Chaîne d'ancre*. *Chaîne de bossoir. Chaîne à étais. Chaîne de monte-charge, d'élévateur, de grue, de pont. Chaîne à barbotin.* — *Chaîne de chalut*. *Chaîne de touage.*

⇒ **Touage.** — Mines. *Chaîne flottante, traînante :* dispositif de traction à l'intérieur d'une mine.

Mécan. *Chaîne de transmission, chaîne sans fin (de Galle, Vaucanson) :* suite d'éléments métalliques servant à transmettre un mouvement. *Chaîne en S.* — Cour. *Chaîne de bicyclette, de motocyclette,* qui transmet le mouvement du pédalier, du moteur à la roue. *Le carter abrite la chaîne de bicyclette. Voyous armés de chaînes de vélos* (servant d'arme).

(Servant à barrer, à fermer). *Chaîne de sécurité :* chaîne à laquelle on suspend ses clefs, sa montre; et aussi chaîne qui empêche d'ouvrir complètement une porte. *Chaîne de verrou. Mettre la chaîne intérieure,* dans une chambre d'hôtel. — *Chaîne de rue,* barrant une rue (→ Barricade, cit. 2). — *Chaîne de port :* chaîne de barrage interdisant l'entrée d'un port. ⇒ **Estacade.**

(Servant à mesurer). *Chaîne d'arpenteur,* qui sert à mesurer le terrain dans les opérations d'arpentage. ⇒ **Chaînée; décamètre.**

(Servant à empêcher le glissement). — Au plur. Dispositif formé de chaînes assemblées, qu'on met aux pneus pour éviter de glisser sur la neige, le verglas. *Mettre des chaînes à ses pneus. Pneus à chaînes.*

B. ♦ **1.** Ce dispositif, servant de lien pour attacher un animal ou une personne. *Attacher un animal à une chaîne.* — Loc. *Mettre un chien à la chaîne.* ⇒ **Enchaîner.**

Vx ou littér. *Passer une chaîne aux poignets d'un malfaiteur.* ⇒ **Cabriolet, menottes.** — Ancient. *River un esclave à sa chaîne. Chaînes du bagnard, du forçat, du galérien.* ⇒ **Alganon, cadène, fers.** *Double, triple chaîne,* selon la peine encourue. — Absolt. *La chaîne, les chaînes :* les galères, la peine des galères; le bagne. *Compagnon de chaînes. Les chaînes, symboles de l'asservissement* (→ ci-dessous, locution).

1 Un captif insolent d'avoir brisé sa chaîne. CORNEILLE, Nicomède, v, 9.

2 Tandis que l'Orient dans le lit de ses reines
Voit passer un esclave au sortir de nos chaînes ? RACINE, Bérénice, II, 2.

3 Lorsque dans le silence de l'abjection, l'on n'entend plus retentir que la chaîne de l'esclave ou la croix du délateur (...) l'historien paraît, chargé de la vengeance des peuples. CHATEAUBRIAND, *in* Mercure de France, t. XXIX, juil. 1807.

4 Comme un chien qui s'agite et qui tire sa chaîne.
HUGO, les Châtiments, VI, 13, 9.

5 — Infâme à qui je suis lié
Comme le forçat à la chaîne.
BAUDELAIRE, les Fleurs du mal, «Spleen et Idéal», XXXI.

5.1 (...) ces chaînes tendues à travers l'Histoire. Partout, les chaînes appartiennent au domaine nocturne de l'imagination. Elles ont été celles des cachots; elles l'étaient encore, en Chine, il n'y a pas si longtemps, et leur dessin semble l'idéogramme de l'esclavage. MALRAUX, Antimémoires, éd. Folio, p. 491.

Loc. métaphorique ou fig. (1600). Littér. *Tenir, retenir qqn dans les chaînes. Se donner des chaînes. Vivre dans les chaînes. Traîner sa chaîne. La chaîne éternelle de l'homme.* ⇒ **Asservissement, assujettissement, captivité, dépendance, discipline, engagement, esclavage, gêne, joug, lien, obligation, servitude, sujétion, tyrannie.** *Les chaînes du despotisme. Ôter les chaînes.* ⇒ **Désenchaîner.** *Les chaînes de qqn,* celles qui le contraignent. *Les chaînes d'un engagement, d'un serment,* celles qui viennent d'un engagement, etc. *Briser, rompre, secouer ses chaînes.* ⇒ **Affranchir** (s'), **dégager** (se), **délivrer** (se), **libérer** (se). — *À la chaîne :* enchaîné. → ci-dessous, cit. 9, 10, 12. — Relig. *Les chaînes du péché.* — REM. Ces emplois étaient très usuels dans la langue classique, au moins littéraire.

6 Brisez votre alliance, et rompez-en la chaîne (...) CORNEILLE, Horace, II, 6.

7 Et ces noms, ces respects, ces applaudissements
Deviennent pour Titus autant d'engagements,
Qui le liant, Seigneur, d'une honorable chaîne (...) RACINE, Bérénice, V, 2.

8 Je sais de quels serments je romps pour vous les chaînes (...)
RACINE, Andromaque, III, 7.

9 L'ambition, l'amour, l'avarice, la haine
Tiennent comme un forçat son esprit à la chaîne. BOILEAU, Satires, 8, *in* LITTRÉ.

10 Ils tiennent sous leurs pieds tout un peuple à la chaîne.
VOLTAIRE, Henri VII, *in* LITTRÉ.

11 Il est absurde que la volonté se donne des chaînes pour l'avenir.
ROUSSEAU, Du contrat social, II, 1.

12 Pas un instant de répit, s'écria-t-il, toujours à la chaîne! Je ne peux sortir une minute! Il faut, comme un cheval de labour, être à suer sang et eau! Quel collier de misère! FLAUBERT, Mme Bovary, II, 6.

13 La croyance ou l'opinion des uns ne saurait être une chaîne pour les autres.
RENAN, Souvenirs d'enfance, Préface, p. 15.

14 Ivre de l'amour infini, il *(Jésus)* oubliait la lourde chaîne qui tient l'esprit captif (...) RENAN, Vie de Jésus, Œ. compl., t. IV, XV.

15 (...) une liberté réglée constitue une chaîne plus étroite que l'absence de loi.
RENAN, Questions contemporaines, Œ. compl., t. I, p. 212.

16 Il apercevait bien les chaînes qui le liaient, mais il ne souhaitait pas un instant de les rompre (...) MARTIN DU GARD, les Thibault, t. III, p. 43.

♦ **2.** Fig. Lien d'affection, lien d'habitude qui unit des personnes indépendamment de leur volonté. ⇒ **Alliance, attache, attachement, union.** — Spécialt. Liaison* amoureuse difficile à rompre.

17 Du sang qui vous unit je sais l'étroite chaîne. RACINE, Andromaque, I, 2.

18 (...) des nœuds de chair, des chaînes corporelles (...)
MOLIÈRE, les Femmes savantes, IV, 2.

19 (...) le mariage est une chaîne à laquelle on doit porter toute sorte de respect (...)
MOLIÈRE, Georges Dandin, II, 2.

20 (...) si, ayant été libre jusqu'à cette heure, vous alliez vous charger maintenant de la plus pesante des chaînes. MOLIÈRE, le Mariage forcé, I, 1.

21 (...) ne se désaccoutumera-t-on point de s'attacher à ces vilains mortels? (...) et cependant de quelles chaînes n'y sommes-nous pas attachés! Mme DE SÉVIGNÉ, 1188, 22 juin 1689.

22 (...) tous ses intérêts sont les miens, je tiens à vous et à lui par mille chaînes. Mme DE SÉVIGNÉ, 1039, 25 sept. 1687.

La chaîne de qqn, celle qui le retient; celle par laquelle il ou elle tient qqn d'autre attaché.

23 Quelque fière beauté te retient dans sa chaîne (...) A. DE MUSSET, la Nuit d'août.

Par métonymie. La personne qui enchaîne. ⇒ **Liaison.**

24 (...) Une *vieille maîtresse,* une ancienne et forte liaison, une de ces chaînes qu'on croit rompues et qui tiennent toujours. MAUPASSANT, Clair de lune, l'Enfant.

Littér. Lien de dépendance (sociale, intellectuelle, morale, religieuse) qui unit des personnes à des institutions, des valeurs. *La chaîne de la religion, de la science.*

★ **II.** Objets (concrets ou abstraits) composés d'éléments successifs (⇒ **Succession, suite**) solidement liés (idées de continuité, d'enchaînement, de liaison, de solidité).

A. (Concret). ♦ **1.** (XIIIᵉ). Techn. (tissage) et cour. *La chaîne d'un tissu :* ensemble des fils disposés suivant la longueur du tissu (opposé à *trame*). *Le fil de trame passe entre les fils de chaîne tendus sur deux rouleaux du métier à tisser* (ensouple et rouleau d'appel). *Ourdir la chaîne.* ⇒ **Ourdissage.** *Une étoffe à chaîne de coton et trame de laine.* ⇒ **Trame; armature.** *Les mailles de la chaîne d'un tricot.* ⇒ **Maille.**

♦ **2.** Archit. [a] (1694). Pilastre appareillé incorporé à un mur (généralement construit en matériau plus léger) pour le consolider. *Consolider avec une, des chaînes.* ⇒ **Chaîner.**

25 Les murs extérieurs *(du château de Pouvray)* ont été revêtus de briques avec chaînes de pierre dans le style Louis XIII. A. BILLY, Sainte-Beuve, t. I, 46, p. 328.

[b] Dispositif de consolidation d'une maçonnerie, structure de métal ou de béton solidarisant les différents éléments de la construction — murs porteurs entre eux, murs porteurs et planchers, etc. *Chaînes d'encoignure* (ou *d'angle*) *et chaînes intermédiaires* (dites *jambes*).

Syn. (de a et de b) : *chaînage.*

♦ **3.** Régional (Suisse). *Une chaîne d'oignons :* oignons assemblés en ligne et suspendus. ⇒ **Chapelet.**

♦ **4.** (1680). Cour. Suite d'accidents de relief rattachés entre eux. *Chaîne de montagne* (⇒ **Cordillère**). *La chaîne des Alpes, des Pyrénées. Chaîne principale* (axe), *chaîne secondaire. Les avant-monts, les chaînons, les contreforts d'une chaîne de montagne. La chaîne des Pyrénées. — Des chaînes d'écueils, de rochers.*

26 La chaîne dentelée et toujours bleue des montagnes kabyles ferme par un dessin sévère, ce magnifique horizon de quarante lieues. E. FROMENTIN, Une année dans le Sahel, p. 10.

Par anal. *Chaîne d'étangs.*

♦ **5.** Didact. (sc.). [a] Anat. Succession (d'éléments anatomiques). *Chaînes ganglionnaires* (→ Caténaire). *Chaîne osseuse, nerveuse.*

[b] Chim. Ensemble des atomes de carbone liés les uns aux autres dans les molécules organiques (*chaîne moléculaire,* ou *chaîne carbonée*). *Chaînes ouvertes* (des corps de la série grasse ou acyclique). ⇒ **Aliphatique**), *chaînes fermées* (des corps de la série cyclique). *Composé dont la formule renferme deux chaînes fermées.* ⇒ **Bicyclique.**

[c] Biol., écol. *Chaîne alimentaire, biologique, trophique :* rapport nutritionnel qui existe entre chaque espèce, depuis le végétal jusqu'à l'homme. *C'est par la chaîne alimentaire que toute contamination provoquée par la pollution de la biosphère des espèces les plus élémentaires peut se transformer en contamination de toutes les espèces.*

[d] Géol. *Chaîne des sols :* série des sols étagés de haut en bas d'une pente.

[e] Suite de triangles alignés par les mesures géodésiques. ⇒ **Triangulation.**

♦ **6.** Radio, télév. Ensemble d'appareils assurant la transmission des signaux. [a] Cour. *Chaîne haute-fidélité :* électrophone formé d'éléments séparés : tourne-disque (platine) ou radio (tuner); préamplificateur et amplificateur; haut-parleurs en enceintes acoustiques. *Chaîne hi-fi* (anglic.). *Chaîne compacte,* dans laquelle tous les éléments (excepté les haut-parleurs) sont incorporés dans un même coffret. *Chaîne stéréophonique;* fam. *chaîne stéréo.* — (Non qualifié). *Il a acheté une nouvelle chaîne.*

26.1 Dans leur petit palais de Draveil, très confortable, doté de tous les perfectionnements modernes (la machine à laver la vaisselle vient d'y faire son entrée) y compris une excellente chaîne stéréo, Jacques, sa femme et sa fille, vivent heureux. Jean FERNIOT, Pierrot et Aline, p. 259.

[b] Ensemble d'émetteurs de télévision diffusant un même programme. ⇒ **Réseau** (Au Canada → Canal). *Poste équipé pour la*

deuxième chaîne. Chaîne de radiodiffusion*. La chaîne C. B. S. Les nombreuses chaînes de la télévision américaine, japonaise.

[c] Télécomm. (aéron.). Dispositifs de guidage permettant aux avions de déterminer leur position à tout moment.

[d] Cybern. Ensemble d'éléments qui assurent l'émission, la transmission et la réception de signaux. *Chaîne d'asservissement, de régulation.*

♦ **7.** Industr. et cour. Installation formée de postes successifs de travail et du système conduisant des uns aux autres. *Chaîne de fabrication, chaîne de montage. Chaîne automatisée.* — Loc. *Travail à la chaîne* (libre ou commandée); par ext. : travail fastidieux, monotone. *« Les Temps modernes »,* film de Charlie Chaplin est une satire du travail à la chaîne. Travailleur à la chaîne. — La chaîne :* le travail à la chaîne.

26.2 Ils ne le disent pas tous et ils ne le disent pas forcément avec mes mots, mais ils disent qu'ils ne veulent pas être ouvriers à la chaîne, cadres à la chaîne, bureaucrates à la chaîne, esclaves à la chaîne des ordinateurs-rois, agriculteurs ligotés par les machines et les traites, preneurs de métro à la chaîne, automobilistes à la chaîne, estivants à la chaîne, traverseurs de clous pourchassés par des voitures emprisonneuses-emprisonnées, malades-robots, payeurs pressurés d'impôts-sécurité-sociale-retraite, numéros d'ordre dans le désordre, pointeurs aux heures de pointe, troupeau (...) cela, ils le disent, le rotent (...) Michèle PERREIN, Entre chienne et louve, p. 136.

Loc. prép. (Par anal.). *À la chaîne :* en série, en grande quantité. *Des mariages à la chaîne.*

♦ **8.** (V. 1955). *Chaîne commerciale :* association d'entreprises de diffusion des produits dans les magasins de détail. *Chaîne de vente.*

B. (Abstrait). ♦ **1.** Série, succession d'éléments liés les uns aux autres. *La chaîne des causes, des événements, des faits, des idées, des occupations, du raisonnement...* ⇒ **Enchaînement, série, succession.** *Le premier, le dernier anneau d'une chaîne.* ⇒ **Anneau** (cit. 2 à 5). *La chaîne des associations* (cit. 2.) *d'idées.* — *La chaîne des êtres :* l'organisation hiérarchique de la vie dans l'univers.

27 Ces longues chaînes de raisons toutes simples et faciles, dont les géomètres *(mathématiciens)* ont coutume de se servir pour parvenir à leurs plus difficiles démonstrations (...) DESCARTES, Disc. de la méthode, II.

28 Tenir toujours fortement comme les deux bouts de la chaîne *(des vérités),* quoique on ne voie pas toujours le milieu par où l'enchaînement se continue. BOSSUET, Traité du libre arbitre, 4.

29 Pour rompre la chaîne d'une tradition commencée avec l'Église. BOSSUET, Défense de la tradition sur la communion, II, 43.

30 Ainsi nous allons toujours tirant après nous cette longue chaîne traînante de notre espérance (...) BOSSUET, Sur l'Impénitence finale.

31 (...) une certaine chaîne de petites occupations, qui font qu'on remet toujours à faire ce qu'on veut pourtant faire une fois. Mme DE SÉVIGNÉ, 1151, 16 mars 1689.

32 (...) cette chaîne de rapports et de combinaisons qui accable de ses merveilles l'esprit de l'observateur. ROUSSEAU, les Confessions, XII.

33 (...) je n'ai fait que nouer les uns aux autres tant de beaux noms, en remplissant les vides par mon récit, quand quelques anneaux de la chaîne des présents étaient sautés ou rompus. CHATEAUBRIAND, Mémoires d'outre-tombe, III, 11.

34 (...) marquer avec exactitude tous les anneaux de la chaîne qui lie la cause première à son effet final. TAINE, Philosophie de l'art, t. I, p. 101.

35 Décomposer les idées, noter leurs dépendances, former leur chaîne de telle façon qu'aucun anneau ne manque et que la chaîne entière soit accrochée à quelque axiome incontestable ou à un groupe d'expériences familières (...) TAINE, Philosophie de l'art, t. II, p. 100.

Loc. *En chaîne.* — Sc. et cour. *Réaction* en chaîne :* succession de phénomènes déclenchés les uns par les autres (d'abord en parlant de réactions atomiques).

♦ **2.** Sc. *Structure de chaîne :* structure linéaire. — Ling. *La chaîne du discours, la chaîne parlée :* la succession des éléments d'un énoncé. ⇒ **Séquence.** — *Grammaire en chaîne, de chaîne,* régie par des règles séquentielles.

C. (Personnes). ♦ **1.** (1832). Suite de personnes qui se transmettent qqch. de main en main. — Loc. *Faire la chaîne.*

36 Les matelots (...) font la chaîne (...) pour monter à bord tout ce fragile bagage (...) LOTI, Mme Chrysanthème, II.

Fig. *Chaîne d'amitié, de solidarité;* association d'entraide.

♦ **2.** Spécialt, danse. Figure de contredanse dans laquelle les danseurs se donnent la main. *Chaîne anglaise. Demi-chaîne.*

37 (...) regarder la longue chaîne de la gavotte tournoyer et courir (...) LOTI, Mon frère Yves, XCV.

DÉR. Chaîné, chaîner, chaînette, chaînier, chaîniste, chaînon.
COMP. Casse-chaîne. — Déchaîner, enchaîner.
HOM. Chêne.

CHAÎNÉ, ÉE [ʃene] adj. — XVIIIᵉ; de *chaîne.*

♦ **1.** Techn. Formé de parties attachées bout à bout, comme les maillons d'une chaîne. *Câble chaîné.*

♦ **2.** (XXᵉ). Autom. *Pneu chaîné,* muni de chaînes* antidérapantes.

(...) elle massacrait un paysage de conte d'amour dans un vacarme de moteur, de klaxon, de pneus chaînés.   Maurice BEDEL, *Jérôme 60° latitude Nord*, X, p. 118.

HOM. Chaînée, chaîner.

CHAÎNÉE [ʃene] n. f. — 1836 ; de *chaîner*.

♦ **1.** Techn. Mesure faite au moyen d'une chaîne d'arpenteur.

♦ **2.** Longueur correspondant à celle de la chaîne d'arpenteur (dix mètres).

HOM. Chaîné, adj. ; chaîner.

CHAÎNER [ʃene] v. tr. — 1836 ; de *chaîne*.

♦ **1.** Techn. Mesurer avec la chaîne d'arpenteur. *Chaîner une longueur.*

♦ **2.** Archit. Relier par un chaînage (des murs dont on veut empêcher l'écartement). — Au p. p. *Mur chaîné.*

DÉR. Chaînage, chaîneur.
HOM. Chaîné, chaînée.

CHAÎNETIER [ʃɛntje] n. m. — 1680 ; de *chaînette*.

♦ Vx. Ouvrier qui fait des agrafes et toutes sortes de petites chaînes. ⇒ **Chaîniste.**

CHAÎNETTE [ʃɛnɛt] n. f. — V. 1180 ; *chaanette, chaenete* ; de *chaîne*.

♦ **1.** Petite chaîne (pour attacher, retenir, décorer). *Chaînette de mors, chaînette de bracelet, de montre.* ⇒ **Gourmette.** *Maille d'une chaînette d'acier.* ⇒ **Paillon.**

Pour toute parure, elle a passé autour de son cou une petite chaînette d'or avec une simple croix.
A. ROBBE-GRILLET, *Projet pour une révolution à New York*, p. 76.

♦ **2.** *Point de chaînette :* point dont la disposition évoque les maillons d'une petite chaîne. *Broderie au point de chaînette.* — Reliure. *Couseuse au point de chaînette.* ⇒ **Brochage.**

♦ **3.** a Math., mécan. Courbe caractéristique que forme un fil pesant flexible et homogène, suspendu par ses deux extrémités à deux points fixes, qui représente graphiquement la fonction cosinus hyperbolique.

b Archit. *Voûte en chaînette.*

DÉR. Chaînetier.

CHAÎNEUR [ʃenœʀ] n. m. — 1836 ; de *chaîner*.

♦ Techn. Arpenteur qui mesure à la chaîne. — REM. Le fém. *chaîneuse* est virtuel.

CHAÎNIER [ʃenje] n. m. — 1795 ; de *chaîne*.

Technique.

♦ **1.** Ouvrier qui forge les grosses chaînes.

♦ **2.** (XIXe). Ouvrier qui fabrique des chaînes ornementales. ⇒ **Chaîniste.**
REM. Le fém. *chaînière* est virtuel.

CHAÎNISTE [ʃenist] n. m. — 1853 ; de *chaîne*.

♦ Techn. Ouvrier bijoutier qui fait les chaînes en métal précieux.

CHAÎNON [ʃenɔ̃] n. m. — 1390 ; « corde pour pendre un homme », v. 1200 ; de *chaîne*.

♦ **1.** Élément, anneau* (d'une chaîne*). ⇒ **Maille, maillon.** — Par anal. (vx). Maille (d'un filet).

1   Ronge-maille retourne au Chat, et fait en sorte
    Qu'il détache un chaînon, puis un autre, et puis tant
    Qu'il dégage enfin l'hypocrite.   LA FONTAINE, *Fables*, VIII, 22.

♦ **2.** Fig. Lien intermédiaire ; élément d'une chaîne (II., B.).

2   (...) il n'y a pas de chaînon plus net, ni, aussi, de fil conducteur plus sûr, entre Descartes et Spinoza que le père Malebranche.
    FAGUET, *Études littéraires*, XVIIe s., « Malebranche », II, p. 78.

3   Comment est-ce que ça a commencé ? On ne sait plus : de chaînon en chaînon, on se perd en dédale d'idées sans retrouver l'origine.
    MARTIN DU GARD, *les Thibault*, t. I, p. 77.

♦ **3.** Géogr. Petite chaîne de montagne ou partie d'une chaîne de montagnes. → Chaîne, II., A., 4.

CHAINSE [ʃɛ̃s] n. f. — 1165, Chrétien de Troyes ; anc. franç. *chainsil*, du lat. *camisilis*.

♦ **1.** Hist. (moyen âge). Tunique que l'on portait comme sous-vêtement.

♦ **2.** Régional. Chemise de toile grossière. « *Une fille manante, l'été, c'est une chainse et un jupon lourd* » (J. de La Varende, *in* T. L. F.).

CHAINTRE [ʃɛ̃tʀ] n. f. ou m. — 1405, Du Cange ; variante de *cintre*, dans le Nord et l'Ouest ; cf. Voûte chintrée, Tournai, 1349.

♦ Techn. (agric.). Espace sur lequel tourne la charrue à l'extrémité de chaque raie de labour (⇒ aussi **Tournière**). — Vitic. *Culture en chaintres :* mode de culture de la vigne consistant à laisser courir sur le sol les sarments autour d'une souche centrale.

CHAIR [ʃɛʀ] n. f. — XVe ; *car*, 1080, *Chanson de Roland* ; *charn, char*, XIIe ; du lat. *caro*, à l'accusatif, *carnem* (opposé à *animus*). → Carnage, carnassier, carnation, carne, carnivore, charnel ; acharner.

★ **I.** ♦ **1.** Substance molle du corps* de l'homme ou d'animaux (mammifères, oiseaux...), et particulièrement, tissu musculaire*. *La chair et les os. Os dépouillés de chair.* ⇒ **Décharné.** *La chair et la peau. La chair et le sang. Chair rouge. Fibres de la chair. Tissu pulmonaire prenant l'aspect de la chair* (⇒ **Carnification**). *Lésion des chairs :* blessure, plaie. *Lambeaux de chair. Excroissance de chair* (⇒ **Caroncule**). *Enflure morbide des chairs :* bouffissure, intumescence, tuméfaction. *Chairs baveuses, sanguinolentes, spongieuses, gangrenées, mortes* (⇒ **Gangrène, mortification, sarcome, tumeur**). *Dégénérescence et régénération des chairs. De la chair.* ⇒ **Sarco-.**

1   Les pièces du squelette sont incapables de se déplacer par elles-mêmes, mais la *chair rouge* qui les recouvre — et qui constitue les *muscles* ou *tissu musculaire* — possède la propriété spéciale de se contracter (...) et d'entraîner avec elle les os sur lesquels elle est fixée (...) L'estomac, l'intestin et les autres viscères abdominaux sont formés d'une chair beaucoup plus pâle que les muscles rouges et constituée par une autre espèce de fibres musculaires que l'on qualifie de *fibres lisses* (...)   A. PIZON, *Anatomie et Physiologie humaines*, p. 68 et 71.

2   Et l'homme dit : « Celle-ci cette fois est os de mes os et chair de ma chair ! Celle-ci sera appelée femme, parce qu'elle a été prise de l'homme.
    BIBLE (CRAMPON), *Genèse*, II, 23.

3   Ce peu que sur leurs os *(des vieilles)* les ans laissent de chair.
    MOLIÈRE, *l'Étourdi*, V, 9.

4   Il *(le jeune coq)* a la voix perçante et rude,
    Sur la tête un morceau de chair.   LA FONTAINE, *Fables*, VI, 5.

5   Mais je n'ai plus trouvé qu'un horrible mélange
    D'os et de chair meurtris, et traînés dans la fange,
    Des lambeaux pleins de sang, et des membres affreux
    Que les chiens dévorants se disputaient entre eux.   RACINE, *Athalie*, II, 5.

6   Et cependant du sang de la chair immolée
    Les prêtres arrosaient l'autel et l'assemblée.   RACINE, *Athalie*, II, 2.

6.1 Eh ! qu'importe à sa main toujours créatrice que cette masse de chair conformant aujourd'hui un individu bipède se reproduise demain sous la forme de mille insectes différents ?   SADE, *Justine...*, t. I, p. 845.

7   Pas de cadavre sous la tombe,
    Spectre hideux de l'être cher,
    Comme d'un vêtement qui tombe
    Se déshabillant de sa chair.
    Th. GAUTIER, *Émaux et Camées*, « Bûchers et Tombeaux ».

8   *(Pour les anachorètes)* la chair ne saurait recevoir de plus glorieuses parures que les ulcères et les plaies.   FRANCE, *Thaïs*, I, Le lotus, p. 4.

9   Dans cette société israélite du temps des Rois, menacée des pires maladies spirituelles, les Prophètes vont entrer comme le bistouri dans une chair.
    DANIEL-ROPS, *le Peuple de la Bible*, III, II, p. 222.

Vx ou littér. Viande. *Manger la chair des animaux* (→ ci-dessous, III., 1.). — Techn. (tannerie). *Côté cuir et côté chair d'une peau.*

Loc. *Chair vive,* saine, sensible. *Tailler, trancher dans la chair vive.* → Amputer* (cit. 5), charcuter (fam.). — *En pleine chair,* profondément ; au fig., en plein cœur.

10 Un sursaut presque animal avait mis à la bouche du jeune homme, atteint en pleine chair, les mots qui devaient faire le plus de mal (...)
    Paul BOURGET, *Un divorce*, III, p. 94.

11 Entre le chirurgien qui, toutes ses facultés requises, tranche à même la chair vive, et le parlementaire éloquent qui plaide pour son programme, il n'y a que peu de rapports.   G. DUHAMEL, *Chronique des Pasquier*, VIII, XX, p. 509.

Loc. **ENTRE CUIR** (peau) **ET CHAIR :** sous la peau. *Les chiques pénètrent entre cuir et chair.*

12 (...) la peau semblait par instant onduler, comme si des frémissements nerveux se fussent propagés entre cuir et chair.
    MARTIN DU GARD, *les Thibault*, t. III, p. 208.

Loc. **EN CHAIR ET EN OS :** en personne. — Vx. *En chair et en âme.*

13 Jacques, lui aussi, souriait, envahi soudain par une de ces vagues de tendresse fraternelle qui le soulevaient, malgré tout, chaque fois qu'il retrouvait Antoine, en chair et en os (...)   MARTIN DU GARD, *les Thibault*, t. V, p. 166.

13.1 Un homme (...). Car je ne suis pas une pensée, un rêve, une luciole fugitive, je suis en chair et en os. D'abord en chair et en os.
    DRIEU LA ROCHELLE, *la Comédie de Charleroi*, p. 189.

13.2 (...) c'était la première fois que je le voyais *(Charles Boyer)* en chair et os. J'étais heureux et fier qu'il me parlât, qu'il sût qui j'étais, qu'il me donnât, à moi, un peu de ce charme et de ce prestige qui se dégagent de sa voix, de son regard.
    Claude MAURIAC, *le Temps immobile*, p. 442.

Fig. Ancient. *Marchand de chair humaine :* marchand d'esclaves. *Chair à canon.* ⇒ **Canon.** (cit. 8.1 et *supra*).

14 Est-ce vraiment Napoléon qui aurait lâché l'affreuse expression de «chair à canon», comme l'en accusait Chateaubriand ?
BRUNOT, Hist. de la langue franç., t. IX, p. 965.

15 Elle *(la guerre)* ne fait qu'accroître la condition misérable du travailleur ! Chair à canon, pendant la guerre ; esclave plus durement asservi, après : voilà son lot !
MARTIN DU GARD, les Thibault, t. VII, p. 166.

Être en chair, bien en chair : avoir de l'embonpoint, avoir la chair ferme.

16 C'est une femme vraiment à point. Grande, bien en chair, sans excès.
G. DUHAMEL, Chronique des Pasquier, VII, III, p. 25.

C'est une masse, une grosse masse de chair, en parlant d'un animal, d'une personne très grosse. *Bourrelets de chair.*

17 (...) et l'on m'a assuré qu'elle portait d'ordinaire sur elle, bon an mal an, trente quintaux de chair (...)
SCARRON, le Roman comique, VIII.

♦ **2.** (XIIᵉ). État extérieur du corps humain ; aspect de la peau. ⇒ **Forme, peau.** *Chair avachie, bouffie, gonflée, grasse ; chair molle, flasque. Chair abondante, arrondie, plantureuse, rebondie. Chair épanouie, florissante, saine. Chair ferme, élastique, douce, fraîche, lisse, tendre. Chair éclatante, nacrée, satinée, blanche, pâle, rose, dorée...* ⇒ **Carnation.** « *Ce doux nuage souple de chair émue* (→ Verni, cit. 1, Giono). *Dévoiler, laisser voir la chair :* dénuder.

18 Chair de la femme ! argile idéale ! ô merveille !...
HUGO, la Légende des siècles, «Sacre de la femme», 4. → Argile, cit. 6.

19 La femme nue, ayant les hanches découvertes,
Chair qui tente l'esprit, rit sous les feuilles vertes (...)
HUGO, les Contemplations, VI, «Au bord de l'infini», XVII.

20 Il est des parfums frais comme des chairs d'enfants (...)
BAUDELAIRE, Spleen et idéal, IV, Correspondances. → Parfum, cit. 1.

21 *(Des beautés).* Fruits purs de tout outrage et vierges de gerçures,
Dont la chair lisse et ferme appelait les morsures !
BAUDELAIRE, les Fleurs du mal, Spleen et idéal, V, «Correspondances».

22 De l'épiderme sur la soie
Glissent des frissons argentés,
Et l'étoffe à la chair renvoie
Ses éclairs roses reflétés.
D'où te vient cette robe étrange
Qui semble faite de ta chair,
Trame vivante qui mélange
Avec ta peau son rose clair ?
Th. GAUTIER, Émaux et Camées, «À une robe rose».

23 *(Tiburce)* prenait plaisir à ces formes rebondies, à ces chairs satinées, à ces carnations épanouies comme des bouquets de fleurs, à toute cette santé luxurieuse que le peintre d'Anvers *(Rubens)* fait circuler sous la peau de ses figures en réseaux d'azur et de vermillon.
Th. GAUTIER, Fortunio toison d'or, I.

24 Comme Rubens, ils se sont complu à peindre la chair florissante et saine, la riche et frémissante palpitation de la vie, la pulpe sanguine et sensible qui s'épanouit opulemment à la surface de l'être animé (...)
TAINE, Philosophie de l'art, t. I, II, I, p. 4.

25 Au physique, nous trouvons *(aux Pays-Bas)* une chair plus blanche et plus molle (...)
TAINE, Philosophie de l'art, t. I, III, I, II, p. 227.

26 Et la femme, la maîtresse !... Ce qu'il y avait dans cette chair à plaisir, ce qu'on tirait de cette pierre à feu, de ce clavier où ne manquait pas une note (...) Toute la lyre !...
Alphonse DAUDET, Sapho, III, p. 15.

27 (...) une de ces faces blanches, douces, dont la chair a l'air d'une pâte faite avec du lait.
MAUPASSANT, la Vie errante, éd. Conard, p. 170.

28 Entre ses bas noirs et sa chemise brillait un cercle de chair éclatante.
FRANCE, l'Anneau d'améthyste, XV, p. 197.

29 Madame de Bonmont, les roses de sa chair avivées par la course (...)
FRANCE, l'Anneau d'améthyste, III, p. 56.

30 Je ne pouvais détacher mes yeux de sa chair de magnolia (...)
PROUST, À la recherche du temps perdu, t. X, p. 28.

31 Un fruit de chair se baigne en quelque jeune vasque (...)
VALÉRY, Poésies, «Baignée», p. 23.

32 Mais soudain ce regard glissa jusqu'à la saillie de l'épaule, dont la chair nue, fraîche et grasse, palpitait sous les mailles de la dentelle comme un animal pris dans un filet (...)
MARTIN DU GARD, les Thibault, t. I, p. 47.

Peint. (Au plur.). Parties nues des personnages (→ ci-dessus cit. 23). *Les chairs sont bien rendues* (dans un tableau). *Mollesse et délicatesse des chairs.* ⇒ **Morbidesse.**

♦ **3.** Loc. **CHAIR DE POULE.** *Avoir la chair de poule :* avoir la peau qui se hérisse (sous l'effet du froid, de la frayeur) par l'érection des follicules pileux (réflexe pilomoteur*).

Nom méd. : *réaction ansérine* («d'oie »).

32.1 Lalla regarde les enfants, les femmes, les hommes autour d'elle ; ils ont l'air triste et apeuré, ils ont des figures jaunes, bouffies par la fatigue, les jambes et les bras martelés par le froid ont la chair de poule.
J.-M. G. LE CLÉZIO, Désert, p. 244.

Donner la chair de poule à qqn, exciter sa frayeur, son horreur. ⇒ **Frisson, frissonnement, horripilation.**

33 (...) tout un affreux micmac jurisprudentiel à donner la chair de poule.
COURTELINE, Messieurs les ronds-de-cuir, 5ᵉ tableau, I, p. 170.

34 (...) dès que tombe une pluie fine, la rivière a la chair de poule...
J. RENARD, Histoires naturelles, «Le chasseur d'images».

34.1 J'ai passé l'âge de rougir, pas celui de me troubler, tant mieux. Le genou de Narcisse me donne toujours la chair de poule.
J.-L. BORY, Ma moitié d'orange, p. 43.

♦ **4.** *Couleur de chair* ou (1875, Zola) *couleur chair,* de la couleur rose de la peau dans la race dite «blanche». *Des sous-vêtements, des bas, des chaussettes couleur chair. Une teinte rose chair.*

★ **II.** Fig. LA CHAIR. ♦ **1.** Relig. La nature humaine (⇒ **Créature**), opposée à *la nature divine ;* le corps, opposé à *l'esprit,* à *l'âme,* au *cœur... Le Verbe s'est fait chair* (Évangile selon saint Jean, I, 14). ⇒ **Incarnation.** *Un être de chair et de sang. La résurrection de la chair. — La chair de qqn,* sa nature physique (⇒ **Charnel**). *Souffrir dans sa chair.*

35 Et Yahweh dit : «Mon esprit ne demeurera pas toujours dans l'homme car l'homme n'est que chair (...)»
BIBLE (CRAMPON), Genèse, VI, 3.

36 Et Dieu dit encore à Noé : «Tel est le signe de l'alliance que j'ai établie entre moi et toute chair qui est sur la terre.»
BIBLE (CRAMPON), Genèse, IX, 17.

37 C'est l'esprit qui vivifie ; la chair ne sert de rien.
BIBLE (CRAMPON), Évangile selon saint Jean, VI, 63.

38 Aimer, c'est savourer, aux bras d'un être cher,
La quantité de ciel que Dieu mit dans la chair (...)
HUGO, la Légende des siècles, XXXVI, 22.

39 (...) ce n'est pas la chair qui est le réel, c'est l'âme. La chair est cendre, l'âme est flamme.
HUGO, l'Homme qui rit, II, IX, II.

40 Pour croire à la résurrection de la chair, peut-être faut-il avoir vaincu la chair.
F. MAURIAC, le Nœud de vipères, p. 134.

Ne faire qu'une seule chair. Parents selon la chair, parents biologiques. — Loc. *C'est la chair de sa chair,* son enfant.

41 C'est pourquoi l'homme quittera son père et sa mère, et s'attachera à sa femme, et ils deviendront une seule chair.
BIBLE (CRAMPON), Genèse, II, 24.

42 *À cause de cela, l'homme quittera son père et sa mère, et s'attachera à sa femme, et les deux deviendront une seule chair. Ainsi ils ne sont plus deux, mais une seule chair. Que l'homme ne sépare donc pas ce que Dieu a uni !*
BIBLE (CRAMPON), Évangile selon saint Matthieu, XIX, 5-6.

43 Pour elle, de son côté, il était de nouveau l'enfant qu'elle avait porté dans son sein, la chair de sa chair (...)
Paul BOURGET, Un divorce, VI, p. 205.

♦ **2.** (Relig., littér. ou style soutenu). Les instincts, les besoins du corps ; les sens*. *L'assujettissement de l'esprit à la chair. Mortifier, affliger, crucifier sa chair* (⇒ **Ascétisme, mortification**). *La faiblesse de la chair. Calmer sa chair. Assouvissement de la chair.*

Spécialt. L'instinct sexuel. ⇒ **Concupiscence, luxure, sensualité.** *L'aiguillon, le démon, l'appel de la chair.* ⇒ **Tentation.** *Concupiscence de la chair.* → Péché, cit. 11. *Se livrer aux plaisirs de la chair.* ⇒ **Libidineux.** *Alanguissement de la chair.* — (Relig.). *Œuvre de chair, péché de la chair.* ⇒ **Fornication** (cit. 1).

44 Veillez et priez, afin que vous n'entriez point en tentation. L'esprit est ardent, mais la chair est faible.
BIBLE (CRAMPON), Évangile selon saint-Mathieu, XXVI, 41.

45 Oui, par ses désirs la chair va contre l'esprit.
BIBLE, Épître aux Galates, V, 17.

46 *(Jésus)* les avertit *(ses amis)* que l'esprit est prompt et la chair infirme.
PASCAL, Pensées, VII, 553.

47 Ceux qui croient que le bien de l'homme est en la chair, et le mal en ce qui le détourne des plaisirs des sens, qu'il(s) s'en saoûle(nt) et qu'il(s) y meure(nt).
PASCAL, Pensées, X, 692.

48 Que voulez-vous de moi, flatteuses voluptés ?
Honteux attachements de la chair et du monde,
Que ne me quittez-vous, quand je vous ai quittés ?
CORNEILLE, Polyeucte, IV, 2.

49 On sait que la chair est fragile quelquefois,
Et qu'une fille enfin n'est ni caillou, ni bois.
MOLIÈRE, le Dépit amoureux, III, 9.

50 *(Vous)* considérez, en regardant votre air,
Que l'on n'est pas aveugle et qu'un homme est de chair.
MOLIÈRE, Tartuffe, III, 3.

51 Vous êtes donc bien tendre à la tentation,
Et la chair sur vos sens fait grande impression ?
MOLIÈRE, Tartuffe, III, 2.

52 (...) des nœuds de chair, des chaînes corporelles (...)
MOLIÈRE, les Femmes savantes, IV, 2.

53 Si la chair et le sang, se troublant aujourd'hui,
Ont trop de part aux pleurs que je répands pour lui (...)
RACINE, Athalie, I, 2.

54 Plus d'une fois ma chair s'était émue au passage d'une forme de femme.
HUGO, Notre-Dame de Paris, II, VIII, 4.

55 La chair a ses volontés, ses instincts, ses convoitises, ses prétentions au bien-être ; c'est une sorte de personne inférieure qui tire de son côté, fait ses affaires dans son coin (...)
HUGO, Post-Scriptum de ma vie, I, III, V, p. 28.

56 (...) le cœur plein des félicités de la nuit, l'esprit tranquille, la chair contente, il *(Charles)* s'en allait ruminant son bonheur, comme ceux qui mâchent encore, après le dîner, le goût des truffes qu'ils digèrent.
FLAUBERT, Mᵐᵉ Bovary, I, V, p. 27.

57 (...) elle revint à elle, brisée de joie, la chair heureuse et lasse (...)
FRANCE, le Lys rouge, XXI.

58 (...) l'éveil ardent de son imagination et le travail mystérieux de la chair le jetaient dans un trouble mêlé de désirs et de craintes.
FRANCE, le Lys rouge, I.

59 La chair est triste, hélas ! et j'ai lu tous les livres.
MALLARMÉ, Vers et prose, «Brise marine».

60 Le Christianisme ne fait pas sa part à la chair ; il la supprime.
F. MAURIAC, Souffrances et Bonheur du chrétien, p. 23.

61 Une chair qui s'assouvit accompagne toujours un esprit incapable d'adhérer au surnaturel.
F. MAURIAC, Souffrances et Bonheur du chrétien, p. 56.

62 (...) de médiocres aventures où la chair seule est intéressée.
F. MAURIAC, la Pharisienne, XIII.

63 (...) j'ai (...) horreur du péché et celui de la chair demeure, à mes yeux de tous le plus coupable.
A. MAUROIS, Terre promise, XXXVII, p. 248.

★ **III.** ♦ **1.** Vx ou littér. Partie molle, comestible de certains animaux. ⇒ **Viande** (II., 1.) ; fam. **barbaque, bidoche,** 2. **carne.** *Chair crue, cuite, fraîche. — Ça sent la chair fraîche, dit l'ogre au Petit Poucet. — Chair salée. Chair tendre comme de la rosée. Manger de la chair.* ⇒ **Carnivore ; créophagie, omophagie.** — *Mangeur de chair humaine.* ⇒ **Anthropophage, cannibale.**

64 La viande est la chair préparée dans la boucherie ou dans la cuisine pour la nourriture de l'homme ou des animaux. La chair n'a subi aucune préparation et est l'animal lui-même tel qu'il est après avoir été tué. Les animaux carnivores se nourrissent de chair ; l'homme mange de la viande.
LITTRÉ, Dict., art. Chair.

♦ **2.** Relig. Aliment gras; viande des mammifères et des oiseaux (sauf, parfois les oiseaux aquatiques) par opposition au poisson, aliment maigre. — Relig. (dans les «commandements»). *Vendredi chair ne mangeras :* tu ne mangeras pas de viande le vendredi.

Loc. fig. *N'être ni chair ni poisson :* être sans caractère, indécis, flottant, vague.

♦ **3.** CHAIR À SAUCISSE : préparation de viande hachée. — Absolt. *Deux cents grammes de chair.*

64.1 Derrière eux, Léon hachait de la chair à saucisse, sur le bloc de chêne, à coups lents et réguliers.   ZOLA, le Ventre de Paris, t. I, p. 127 (1875).

CHAIR À PÂTÉ. — Loc. fam. *Hacher menu comme chair à pâté :* mettre en pièces, en menus morceaux.

♦ **4.** (Qualifié). Partie comestible d'animaux (sauf lorsqu'il s'agit de la viande* des mammifères), et de végétaux. *Ces volailles, ce poisson ont une chair délicate. La chair de la dinde, du saumon. La chair du grand gibier. La chair d'un fruit.* ⇒ **Pulpe**; (bot.) **sarcocarpe** (du grec *sarco-* «chair»). *La chair fondante de la poire. Chair de la cerise, de la pêche, du melon. Chair du champignon.*

65 Il (...) cueille artistement cette prune exquise; il l'ouvre, vous en donne une moitié, et prend l'autre : «Quelle chair! dit-il; goûtez-vous cela? (...)»   LA BRUYÈRE, les Caractères, XIII, 2.

CONTR. Squelette; os. — Âme, esprit; cœur.

COMP. V. **Acharner, charcutier, charnel, charnier, charnu, charnure, décharner, écharner.**

HOM. **Chaire, cheire, cher, chère.**

CHAIRE [ʃɛʀ] n. f. — XIᵉ, *chaière;* du lat. *cathedra* «siège à dossier», grec *kathedra.*

♦ **1.** Vx. Siège à bras et à haut dossier. *Chaires sculptées des XIIIᵉ, XIVᵉ et XVᵉ siècles.* ⇒ **Cathèdre.**

Relig. Siège du pontife (de l'évêque du lieu) dans le chœur d'une église. — Par ext. Dignité pontificale (→ Anéantir, cit. 2). *Obtenir la chaire épiscopale.*

La chaire de saint Pierre, la chaire pontificale, celle du pape, et, par ext., la dignité, l'autorité du souverain pontife. ⇒ **Siège** (saint).

♦ **2.** Cour. Tribune élevée, du haut de laquelle un ecclésiastique adresse aux fidèles ses instructions et ses enseignements. *La chaire du prédicateur.* ⇒ **Tribune** (sacrée). *L'escalier, le dais, l'abat-voix, le rebord de la chaire. Chaire de bois sculpté. Une superbe chaire de style baroque. Chaire des anciennes basiliques.* ⇒ **Ambon.** *Monter en chaire. Lire un mandement, une encyclique en chaire.* — (XVᵉ). Loc. fig. *La chaire de vérité,* la chaire de l'Évangile. — (1694). *L'éloquence de la chaire.* ⇒ **Prédication; conférence, homélie, oraison, panégyrique, prêche, prône, sermon** (→ Argumenteur, cit. 2; avocat, cit. 5; avril, cit. 6, et ci-dessous cit. 2 et 4).

1 Le temple de Dieu, chrétiens, a deux places augustes et vénérables, je veux dire l'autel et la chaire.   BOSSUET, Parole de Dieu.

2 L'éloquence de la chaire n'est pas propre au récit des combats et des batailles; la langue d'un prêtre destinée à louer Jésus-Christ le sauveur des hommes ne doit pas être employée à parler d'un art qui tend à leur destruction.   FLÉCHIER, Oraison funèbre de M. de Turenne.

3 (...) il n'est pas donné à tous de monter en chaire et d'y distribuer en missionnaire ou en catéchiste, la parole sainte (...)   LA BRUYÈRE, les Caractères, XVI, 30.

4 L'éloquence n'a plus de tribune; mais la chaire en est une encore pour cette morale sublime que rend plus pure et plus touchante la sainteté de ses motifs.   MARMONTEL, Œuvres, t. I, p. 105, in LITTRÉ.

5 *(Bossuet)* est orateur, c'est-à-dire homme de luttes dans le champ des idées. Sa chaire est une tribune. Il veut instruire, prouver, réfuter, convaincre (...)   Émile FAGUET, Études littéraires, XVIIᵉ s., «Bossuet» III, p. 411.

6 Le Père Lathuile posa la main gauche sur le rebord en velours de la chaire; fit un signe de croix, remua les lèvres. On pensa qu'il priait.   J. ROMAINS, les Copains, VI, p. 196.

Par métonymie. Vx. Fonction de prédicateur*. «*Chaires éminentes de l'église*» (Chateaubriand, in T. L. F.).

♦ **3.** (1269). Tribune* du professeur; spécialt, dans une faculté, une grande école. *Monter sur la chaire, en chaire. Le professeur est en chaire.*

(1636). Le professorat lui-même, la place réservée dans le programme à la branche enseignée. *Être titulaire d'une chaire de droit, de littérature... Professeur* titulaire de chaire. Créer, supprimer une chaire,* un poste de professeur titulaire.

7 Mais comme il voulait concourir plus tard pour une chaire de professeur à l'École (...)   FLAUBERT, l'Éducation sentimentale, I, II, p. 46.

DÉR. V. **Chaise.**

HOM. **Chair, cheire, cher, chère.**

CHAISE [ʃɛz] n. f. — 1420, *chaeze;* forme dial. de *chaire**, qui s'impose vers la fin du XVIIᵉ.

★ **I.** Siège* à dossier et sans bras, pour une personne. *Les chaises et les fauteuils* d'un salon. Chaise de bois, de velours, de tapisserie. Chaise de paille, paillée* (⇒ **Empailler, pailler, rempailler**). *Chaise cannée* (⇒ **Canner, joncer**). *Chaise rembourrée. Chaise métallique. Chaise pliante. Barreau* de chaise, chevillon, dos de*

chaise. — *Chaise de cuisine, de salon, de jardin. Chaise basse* (⇒ **Chauffeuse**). *S'asseoir, se balancer sur une chaise. Avancer, prendre une chaise. Louer des chaises* (⇒ **Chaisière**).

(...) il (...) prit une chaise, la retourna, et se campa dessus à califourchon.   MARTIN DU GARD, les Thibault, t. VII, p. 168.   1

Image d'une chaise (titre d'un célèbre tableau de Van Gogh, représentant une chaise paillée très simple).

La volonté initiale de l'artiste moderne c'est de tout soumettre à son style et d'abord l'objet le plus brut, le plus nu. Son symbole, c'est la *Chaise* de Van Gogh.   MALRAUX, les Voix du silence, in Romans, Pl., p. 117.   1.1

(1710). CHAISE LONGUE : siège long et profond, muni d'un appui pour les jambes, fixe ou pliant, de toile (⇒ **Transatlantique**) ou rembourré. — Par ext. Repos allongé sur une chaise longue. *Faire deux heures de chaise longue.* — *Chaise d'enfant, chaise haute :* siège surélevé muni de bras et souvent d'un abattant en forme de tablette.

(1470). Ancienn. CHAISE PERCÉE : siège percé d'une ouverture et muni d'un récipient, pour satisfaire les besoins naturels. — Mod., fam. et plais. Siège des cabinets* d'aisances. ⇒ **Trône.**

Mais elle n'avait pas de vase de nuit. J'ai une sorte de chaise percée, dit-elle. Je voyais la grand-mère assise dessus, raide comme un piquet et fière (...) c'était une pièce d'époque, elle l'étrennait (...)   S. BECKETT, Premier amour, p. 44.   1.2

Relig. CHAISE DE CHŒUR. ⇒ **Stalle.** — Hist. CHAISE CURULE* : chaise d'ivoire sur laquelle siégeaient les principaux magistrats romains.

Le nouveau dieu n'a sauvé personne; les dieux anciens ne l'auraient pas fait non plus. Ni la déesse Rome, affaissée sur sa chaise curule.   M. YOURCENAR, Archives du Nord, p. 33.   1.3

Dr. CHAISE DE FER (vx) : siège brûlant sur lequel était assis un supplicié. — (1890). Mod. (calque de l'angl. *electric chair*). CHAISE ÉLECTRIQUE : siège électrifié pour l'électrocution des condamnés à mort, aux États-Unis. — Peine capitale infligée au moyen de ce dispositif. *Il risque la chaise électrique ou la chambre* (cit. 12.2) *à gaz.*

(...) au milieu je vis un bon vieux fauteuil de grand-père, en bois : la chaise électrique. Je m'attendais à quelque chose de très martien, tout nickelé, avec des câbles à haute tension et l'on me voiturait cette commodité de la conversation avec Dieu. De larges courroies de cuir noir attendaient les jambes, un buste et une tête...   Paul MORAND, New-York, p. 95.   1.4

Absolt. *La chaise :*

Avait-il envie de tuer Stève? D'abord, cela ne lui servirait à rien, sinon, selon son expression de tout à l'heure, à l'envoyer un jour ou l'autre à la chaise.   G. SIMENON, Feux rouges, p. 70 (1953).   1.5

Fig., fam. *Se trouver, être assis entre deux chaises,* dans une situation incertaine, instable, périlleuse.

N'importe; je m'ingéniais; je faisais de la statistique, je supputais le juste milieu — sans comprendre que les extrêmes se touchent, que qui se couche très tard rencontre qui se lève très tôt, et que qui choisit pour siéger le juste milieu, risque de s'asseoir entre deux chaises.   GIDE, le Prométhée mal enchaîné, in Romans, Pl., p. 308.   1.6

Si je l'avais senti plus tôt, je n'aurais pas souhaité d'occuper cette position qui va probablement devenir très difficile, cette position qui consiste à se tenir sur deux chaises, au risque de n'être assis ni sur l'une, ni sur l'autre et de choir entre les deux.   G. DUHAMEL, Chronique des Pasquier, VI, Les Maîtres, X.   2

★ **II.** Par anal. ♦ **1.** (1656). Ancienn. CHAISE, ou (plus cour.), CHAISE À PORTEURS : véhicule composé d'un habitacle muni d'une chaise et d'une porte, dans lequel on se faisait porter par deux hommes au moyen de bâtons* assujettis sur les côtés. ⇒ **Brouette, filanzane, palanquin, vinaigrette.**

(...) la chaise est un retranchement merveilleux contre les insultes de la boue et du mauvais temps.   MOLIÈRE, les Précieuses ridicules, 9.   3

Loc. fig. *Mener une vie de bâton de chaise.* ⇒ **Bâton.**

Par ext. Ancienn. Voiture à deux ou quatre roues, tirée par un ou plusieurs chevaux. — Syn. : *chaise roulante. Chaise de poste* (→ Arriver, cit. 16).

(...) des chaises de poste faites en perfection.   Mᵐᵉ DE SÉVIGNÉ, Lettre à Moulceau, 2 mars 1689.   4

Le voyage s'effectue rapidement. La chaise de poste brûle les étapes. On couche à Délémont.   B. CENDRARS, l'Or, in Œ. compl., t. II, p. 39.   5

♦ **2.** (XIVᵉ). Techn. Base, charpente faite de pièces assemblées et supportant un appareil. *Chaise servant à exhausser une chèvre, une grue. Chaise d'une meule de rémouleur. Arbres de transmission tournant dans les coussinets d'une chaise.*

(Archit.). Charpente soutenant certaines constructions. *Chaise d'un clocher, d'un moulin.* — Mar. *Chaise-support d'un arbre d'hélice.*

Mar. *Chaise de gabier, de mâture, chaise de calfat :* sangle formant siège où s'assied un matelot travaillant dans la mâture. — *Nœud de chaise :* nœud utilisé pour former une boucle fermée à l'extrémité d'un filin. *Le nœud de chaise ne glisse jamais et ne se souque pas. Nœud de chaise double. Le nœud de chaise sert à s'amarrer, à passer une boucle sur une bitte, etc. Le nœud de chaise est utilisé par les alpinistes sous son ancienne dénomination de* nœud *de bouline.*

CHAISIER, IÈRE [ʃezje, ʃezjɛʀ] n. — 1781; de *chaise.*

♦ **1.** Techn. Celui, celle qui fabrique des chaises.

♦ **2.** N. f. Cour. CHAISIÈRE : loueuse de chaises (à l'église, dans un lieu public).

CHAIX [ʃɛks] n. m. — 1846; n. pr. de l'*indicateur Chaix*.

♦ Indicateur des chemins de fer. *Consulter le Chaix.*

1. CHALAND [ʃalɑ̃] n. m. — 1080, *caland, Chanson de Roland*; du bas grec *khelandion*.

♦ Bateau, allège à fond plat employé sur les fleuves et les rades pour le transport des marchandises. ⇒ **Balandre, bélandre, 2. bette, péniche.** *Chaland ponté utilisé aux travaux de force.* ⇒ **Ponton.** *Chaland pour le curage des fonds.* ⇒ **Drague.** *Chaland à clapet.* ⇒ **Marie-salope.** *Train de chalands tirés par un remorqueur. Ancien chaland à voyageurs.* ⇒ **Coche.** « *Le chaland qui passe* » (Chanson).

> Sur le chaland qui descend la Seine, il y a des hommes à figure patibulaire qui font un petit groupe à part parmi les autres voyageurs.
> B. CENDRARS, l'Or, *in* Œ. compl., t. II, p. 201.

Chaland-citerne, conçu pour le transport de liquides (notamment pétroliers : *chaland pétrolier*).

DÉR. **Chalandage.**
HOM. **2. Chaland.**

2. CHALAND, ANDE [ʃalɑ̃, ɑ̃d] n. — 1190, *chalant* « ami, protecteur »; sens mod. p.-ê. fin XIIIᵉ; p. prés. substantivé de *chaloir* « s'intéresser ». → Nonchalant.

Vieux.

♦ **1.** Acheteur, acheteuse qui va de préférence chez un même marchand. ⇒ **Client, pratique.** *Attirer, faire venir les chalands. Perdre ses chalands. Avoir des chalands** : être achalandé*.

♦ **2.** Prétendant. « *Cette femme est un fort bon parti, elle ne manquera pas de chalands* » (Littré).

DÉR. et COMP. **Achalander, chalandise.**
HOM. **1. Chaland.**

CHALANDAGE [ʃalɑ̃daʒ] n. m. — 1933; de *1. chaland,* et *-age.*

♦ Techn. Mode de transport par chaland.

CHALANDISE [ʃalɑ̃diz] n. f. — 1267, « entente »; de *2. chaland.*

♦ **1.** Vx. Affluence de chalands. ⇒ **Achalandé; clientèle, pratique** (vx).

♦ **2.** Mod. (repris XXᵉ). Comm. Ensemble d'achats effectués par une population à un point donné. *Région, zone de chalandise :* territoire sur lequel se trouvent les clients virtuels d'un magasin (syn. : *zone d'attraction commerciale*).

> (...) relations publiques, actions (...) sur tel ou tel secteur de la population, au niveau de la nation, de la région, de la ville et de sa zone de chalandise.
> Fernand BOUQUEREL, les Études de marchés, p. 10.

CHALAZE [ʃalaz] n. f. — 1792, *Encyclopédie*; du grec *khalaza* « grêlon ».

♦ **1.** Bot. Point d'attache du nucelle au tégument de l'ovule.

♦ **2.** Zool. Point germinatif dans l'œuf d'oiseau. — Par ext. Ligament d'albumine tordu qui maintient suspendu le jaune de l'œuf.

♦ **3.** (1838). Vx. Chalazion.

DÉR. **Chalazion.**

CHALAZION [ʃalazjɔ̃] n. m. — 1538, *chalazium*; de *chalaze.*

♦ Méd. Petite tumeur dure, indolore, au bord des paupières. ⇒ **Orgelet.**

CHALCO- Élément de mots didactiques, du grec *khalkos* « cuivre ».

CHALCOGÈNE [ʃalkɔʒɛn] n. m. — 1940; de *chalco-,* et *-gène.*

♦ Chim. Chacun des quatre éléments chimiques bivalents du début de la sixième colonne de la classification périodique : oxygène, soufre, sélénium, tellure.

CHALCOGRAPHE [ʃalkɔɡraf] n. m. — XVIIᵉ; de *chalco-,* et *-graphe.*

♦ Techn. Graveur sur cuivre, et, par ext., sur métaux.

CHALCOGRAPHIE [ʃalkɔɡrafi] n. f. — 1617, *calcographie*; de *chalco-,* et *-graphie.*

Technique.

♦ **1.** ravure sur métaux.

♦ **2.** (1868). Lieu où l'on fait et où l'on expose des planches gravées par ce procédé, et, par ext., des reproductions d'œuvres d'art. *La chalcographie du Louvre.*

> En bas, vous avez vu, c'est un libraire, avec la chalcographie mon père avait autrefois, et en haut ses magasins... et pour nous, nous ne recevons jamais personne...
> Ed. et J. DE GONCOURT, Madame Gervaisais, p. 6.

DÉR. **Chalcographique.**

CHALCOGRAPHIQUE [ʃalkɔɡrafik] adj. — XVIIIᵉ; de *chalcographie.*

♦ Techn. Relatif à la chalcographie.

CHALCOLITE [ʃalkɔlit] n. f. — 1832, Beudant; de *chalco-,* et *-lithe.*

♦ Chim. Phosphate naturel d'uranium et de cuivre.

CHALCOLITHIQUE [ʃalkɔlitik] adj. — XIXᵉ; de *chalco-,* et *-lithique.*

♦ Préhist. Se dit de la période protohistorique où le bronze* commence à être en usage.

CHALCOPYRITE [ʃalkɔpirit] n. f. — 1753; de *chalco-,* et *pyrite.*

♦ Chim., minér. Sulfure double naturel de fer et de cuivre ($CuFeS_2$).

CHALCOSINE [ʃalkozin] n. f. — 1832, *chalkosine*; de *chalco-,* et *-osine.*

♦ Chim. Sulfure naturel de cuivre (Cu_2S).

CHALDAÏQUE [kaldaik] adj. et n. Vx. ⇒ **Chaldéen.**

CHALDÉEN, ENNE [kaldeɛ̃, ɛn] adj. et n. — XVIᵉ; v. 1501, *caldéien, in* D. D. L.; de *Chaldée.*

♦ **1.** Hist. Qui se rapporte à la Chaldée ou Babylonie, ancien pays de Mésopotamie, ou à ses habitants. *Art chaldéen.*

♦ **2.** N. *Un Chaldéen, une Chaldéenne,* habitant de la Chaldée antique. *Les Chaldéens :* dans la Bible, la caste des savants de Chaldée.

N. m. (Ling.). *Le chaldéen :* langue sémitique qui était parlée par les habitants de la Chaldée (→ Approchant, cit. 4).

Syn., vx : *chaldaïque* [kaldaik].

CHÂLE [ʃal] n. m. — 1663, *chalou; chal,* 1666; *chale,* 1670; *chaale,* 1770; *schal,* 1791; *schall,* 1811; hindi *shal,* d'orig. persane, répandu dans la première moitié du XIXᵉ s. (d'abord *schawl,* 1793) sous l'influence de l'angl. *shawl.*

♦ **1.** Vx. Longue pièce d'étoffe que les Orientaux portent en turban, en ceinture, sur les épaules.

♦ **2.** Mod. Grande pièce d'étoffe carrée ou rectangulaire, tricotée, crochetée ou tissée, d'abord à dessins d'inspiration orientale, que les femmes drapent sur leurs épaules. ⇒ **Fichu, pointe, sautoir.** *Châle de cachemire, de coton, de crêpe, de laine, de soie. Les franges, les dessins d'un châle. Prends ton châle, mets un châle, il commence à faire frais.*

> (...) une petite femme maigre (...) emmitouflée jusqu'aux oreilles dans un châle fané.
> Alphonse DAUDET, le Petit Chose, I, v. [1]

> (...) une brise fraîche s'éleva dans la verdure sombre. René décrocha le châle noir et le mit sur les épaules d'Hélène.   FRANCE, Œuvres, t. II, Jocaste, XI, p. 109. [2]

REM. L'orthographe dominante est *shal* ou *shall* à partir du début du XIXᵉ siècle et pendant au moins la première moitié de ce siècle, époque où le mot et la chose se répandent, évoquant encore l'Orient.

♦ **3.** Par oppos. *Col châle :* col croisé à revers arrondis.

> Ici, à Paris, où tous les schalls sont tellement diminués que pour 150 francs on en a un superbe quasi dans les dessins à la mode.
> Laure SURVILLE DE BALZAC, Lettres, 27 avr. 1834, p. 124. [3]

CHALEF [ʃalɛf] n. m. — 1783; *calaf,* 1694; arabe *hīlāf* « saule d'Égypte ».

♦ Bot. Arbre de la famille des *Elaegnacées,* aussi appelé *olivier de Bohème* et scientifiquement *Elaegnus angustifolia* « chalef à feuilles étroites ».

CHALEIL [ʃalɛj] n. m. ⇒ **Calen.**

CHALET [ʃalɛ] n. m. — 1723, mot dialectal répandu en franç. central par J.-J. Rousseau; *chaletus*, 1328, *chaslet*, 1408, *challet*, 1419 en Suisse romande; mot suisse romand, du lat. *cala* « abri ».

♦ **1.** Maison de bois des pays européens de montagne (Alpes). *Le chalet, habitation paysanne, fut d'abord un abri de berger sur l'alpage et un lieu de fabrication des fromages.* ⇒ **Buron** (régional : Auvergne).

1   Autour de l'habitation principale (...) sont épars assez loin quelques chalets (...) [*en note* : chalet, sorte de maison de bois où se font les fromages et diverses espèces de laitage, dans la montagne].   ROUSSEAU, Julie ou la Nouvelle Héloïse, I, 36.

Maison des Alpes, en bois, caractérisée notamment par un toit faisant fortement saillie. *Chalet savoyard, suisse.*

♦ **2.** Maison de plaisance construite dans le goût des *chalets suisses.*

Au Canada, Maison de campagne située près d'un lac ou d'une rivière. On dit aussi *camp* (d'été).

2   Nous sommes ici dans un pays plat, mais bien ombragé; on a tracé de nombreuses et vastes avenues plantées d'arbres et bordées de gentils chalets. Ces maisons de bois ne prennent pas toujours la forme des chalets suisses, très souvent, elles prétendent à l'imitation des monuments grecs ou romains : grandes colonnes et beaux frontispices.   E. MICHEL, le Canada et les États-Unis, p. 37, *in* le Tour du monde en deux cent quarante jours (1884).

♦ **3.** (1884, *in* D.D.L.) Vx. *Chalet de nécessité, chalet d'aisance :* petit édicule contenant les W. C. ⇒ **Cabinet.**

3   (...) j'ai le temps de faire ma tournée d'inspection dans les chalets de nécessité du quartier.   G. DE TÉRAMOND, la Petite Zaza, I, (1898), *in* D.D.L., II, 6.

♦ **4.** Petite construction de bois, servant d'abri aux baigneurs, sur certaines plages (notamment Nord-Ouest et Nord de la France).

CHALEUR [ʃalœʀ] n. f. — Déb. XIIᵉ, *chalour, chalur;* du lat. *calor, oris,* à l'accusatif *calorem.*

★ **I.** (État de la matière). **A.** Cour. ♦ **1.** État de la matière qui se traduit par une température élevée (par rapport au corps humain); sensation résultant du contact avec un corps dans cet état. ⇒ **Calorique** (vx), **chaud.** *La chaleur d'un fer rouge, de l'eau bouillante.* ⇒ **Brûlure.** *Chaleur d'un brasier. Bouche de chaleur.*

♦ **2.** État de l'air, de l'atmosphère qui donne à l'organisme cette sensation. *La chaleur du soleil. Fournir, donner de la chaleur.* ⇒ **Chauffer, dégourdir, échauder, échauffer, réchauffer.** *Soins par la chaleur.* ⇒ **Héliothérapie, thermothérapie.** *Mûrir des plantes* (⇒ **Août**er); *les brûler*, *les dessécher* (⇒ **Brouir, recroqueviller**) *par la chaleur. Odeur causée par une forte chaleur.* ⇒ **Échauffé, roussi.** *Moiteur, sueur que provoque la chaleur. Douce chaleur. Chaleur modérée.* ⇒ **Tiédeur.** *Afflux subit de chaleur.* ⇒ **Bouffée, coup, vague.** *Chaleur accablante, étouffante, excessive, suffocante, tropicale.* ⇒ **Touffeur; canicule, étuve, fournaise** (fig.). *Être incommodé par la chaleur* (⇒ **Bouillir, brûler, cuire, étouffer, griller, rôtir, suffoquer**). *Chaleur orageuse. Chemin tout blanc de chaleur.* ⇒ **Réverbération** (→ Blanc, cit. 2). — *La chaleur d'une pièce, d'un appartement. Bouche* de chaleur.

0.1 Il était dans le salon où on prenait bien garde de ne pas ouvrir la fenêtre, devant la cheminée où l'on mettait pour plus de chaleur du charbon qui donnait un feu rouge et près de laquelle ceux qui entraient du dehors, ayant laissé leur paletot dans l'antichambre, entraient la figure rouge de froid et, surpris de la bonne chaleur de la pièce, ne pouvaient s'empêcher de sourire, de passer les mains sur leur figure soudain chaude, de se frotter les mains moins de froid que de plaisir (...)   PROUST, Jean Santeuil, Pl., p. 517.

Loc. *Bouche de chaleur,* de chauffage à l'air chaud.

(Plur., 1606). Période, moment où il fait chaud. *La cigale se fait entendre à la saison des chaleurs. Durant les grandes, les fortes chaleurs. Chaleurs de l'été. Fuir les chaleurs.* ⇒ **Estiver, transhumer.** *Engourdissement de certains animaux durant les chaleurs.* ⇒ **Estivation.**

1   (...) en Provence, c'est l'usage quand viennent les chaleurs d'envoyer le bétail dans les Alpes.   Alphonse DAUDET, Lettres de mon moulin, p. 9.

2   En août, dans nos pays, un peu avant le soir, une puissante chaleur embrase les champs.   H. BOSCO, le Mas Théotime, I, p. 9.

3   Quand une longue période de sécheresse et de chaleur a accumulé dans l'air immobile une réserve trop grande d'énergie, il faut un orage.   A. MAUROIS, Bernard Quesnay, XII, p. 81.

B. Sc. ♦ **1.** Phénomène physique (énergie* cinétique de translation, rotation et vibration moléculaires dans une substance) qui se transmet par conduction*, convection* ou radiation* et dont l'augmentation se traduit par l'élévation de la température*, des effets électriques, la dilatation*, les changements d'état (fusion*, sublimation*, évaporation*). ⇒ **Calorifique, thermique; thermodynamique,** et aussi les éléments **calor(i)-, pyro-, therm(o), -therme.** *Quantité de chaleur, et,* absolt, *chaleur :* grandeur physique qui représente cette énergie et ses modifications dans un système matériel (mesure : ⇒ **Calorimétrie; calorie, thermie; degré**). *Chaleur latente :* quantité de chaleur nécessaire pour le changement d'état de 1 g de substance, sans changement de température *(chaleur latente de fusion, de vaporisation, de sublimation). Chaleur spécifique* ou *chaleur*

massique d'un corps : quantité de chaleur nécessaire pour élever de 1 ºC la température de 1 g de substance. *Chaleur spécifique à volume constant, à pression constante. Chaleur atomique d'un corps :* produit de son poids atomique par sa chaleur spécifique. — *Chaleur de réaction* (d'une réaction chimique) : chaleur transférée entre le système réagissant et le milieu extérieur. *Chaleur de réaction à pression constante. La chaleur de réaction est positive pour une réaction endothermique*, négative pour une réaction exothermique*.* — *Transformation d'une unité de chaleur en énergie mécanique* (quantité de travail dite *équivalent mécanique de la chaleur* ou *équiv. Joule*).

♦ **2.** Loc. (Physiol.). **CHALEUR ANIMALE,** produite dans l'organisme des êtres animés, par les réactions du catabolisme. ⇒ **Caloricité, calorification.** — Cour., fam. Chaleur dégagée par le corps de personnes (notamment de personnes rassemblées).
Chaleur végétale : chaleur produite par les végétaux, au cours de certains phénomènes biologiques (respiration, fermentation...).

★ **II.** (Caractère des sensations et sentiments). ♦ **1.** (1220). Sensation comparable à celle que produit un corps chaud, éprouvée dans des malaises physiques. *Sentir une brusque chaleur à la tête. Chaleur se produisant en un point irrité.* ⇒ **Inflammation.** Absolt, dans : *... de chaleur. Coup* de chaleur :* malaise causé par l'excès de chaleur. *Bouffée* de chaleur.*

♦ **2.** (1573). Vx. Ardeur des sens. ⇒ **Amour, ardeur, concupiscence.**

4   Certes je ne sais pas quelle chaleur vous monte : Mais à convoiter, moi, je ne suis pas si prompte (...)   MOLIÈRE, Tartuffe, III, 2.

(1387). Mod. État des femelles de mammifères, quand elles acceptent l'approche du mâle. ⇒ **Rut; chasse** (être en chaleur), **folie.** (Presque toujours dans la construction : *en chaleur*). *Chatte, chienne, jument en chaleur. Entrer en chaleur.* — (En parlant des levrettes : *chaudier,* t. de vénerie). — (1561). *Être en chaleur* (même sens); par anal. (personnes) :

4.1 Je me concentrais sur les cuisses fantastiques de Mᵐᵉ Chantelauze, je me désaltérais avec sa peau de pêche, je rêvais de son teint de rose (...) Était-ce sa faute si elle était en chaleur?   Violette LEDUC, la Folie en tête, p. 427.

♦ **3.** (1549). Fig. Caractère animé des dispositions, de tendances. ⇒ **Animation, animosité, ardeur, effervescence, empressement, enthousiasme, entrain, exaltation, ferveur, feu, fièvre, impétuosité, passion, véhémence, vigueur, violence, vivacité, zèle.** *La chaleur de la jeunesse.* ⇒ **Vie** (plein de). *Geste, regard plein de chaleur.* ⇒ **Chaleureux.** *La chaleur d'un baiser* (→ 2. Baiser, cit. 2, 17). *Acteur plein de chaleur* (→ Brûler les planches). *Embrasser, défendre avec chaleur la cause de qqn. Parler avec chaleur. Chaleur d'éloquence, de style.* ⇒ **Brio, élan** (parler avec élan), **lyrisme, verve.** *Accueillir qqn avec chaleur.* ⇒ **Cordialité.** *Un accueil sans chaleur.*
Vx. *(Une, des chaleurs).* ⇒ **Ardeur** (→ ci-dessous cit. 5).

5   C'est d'un nouveau chrétien la première chaleur.   CORNEILLE, Polyeucte, III, 3.

6   (...) la chaleur qu'ils ont pour les intérêts du Ciel (...)   MOLIÈRE, Tartuffe, Préface.

7   Descartes arrive ainsi, sans y faire le moindre effort et même, évidemment, sans s'en soucier, à la véritable et grande éloquence, où il y a, à la fois, chaleur, mouvement, éclat et magnificence.   Émile FAGUET, Études littéraires, XVIIᵉ s., Descartes, IV, p. 63.

8   (...) la chaleur d'amitié qu'il me marqua durant tout mon séjour chez lui.   G. DUHAMEL, la Pesée des âmes, VIII, p. 200.

9   Il sent dans tous ses gestes, dans ses mots, dans ses intonations quelque chose d'un peu guindé, un apprêt, une outrance, tout cela manque de chaleur, de vie (...)   N. SARRAUTE, le Planétarium, p. 294.

Dans la chaleur de... ⇒ **Fort** (au fort de). *Dans la chaleur du combat, de la dispute, de l'improvisation...*
Loc. vieillie. *Chaleur du sang :* facilité à s'emporter.

♦ **4.** Caractère « chaud » (d'une couleur). *La chaleur d'un coloris, des tons.*

CONTR. Fraîcheur, froid, froidure; tiédeur. — Froideur, glace, indifférence, langueur.
DÉR. Chaleureux.

CHALEUREUSEMENT [ʃalœʀøzmã] adv. — 1360, *chaloureusement;* de *chaleureux.*

♦ Avec chaleur* (II., 3.), ardeur, enthousiasme. ⇒ **Chaudement.** — Spécialt. En témoignant une vive sympathie. *Recommander chaleureusement qqn. Accueillir chaleureusement une personne, un projet.* « *Il eut un moment d'effusion et me serra chaleureusement les deux mains* » (Alphonse Daudet).

CHALEUREUX, EUSE [ʃalœʀø, øz] adj. — 1398; de *chaleur* II., 3; fin XIVᵉ, au sens I de *chaleur.*

♦ **1.** Vx ou littér. Qui réchauffe.

1   Laisse le vieillard jouir de la saison chaleureuse!   CLAUDEL, l'Annonce faite à Marie, IV, 5, p. 167.

Par anal. (emplois sentis comme métaphoriques du sens 2). Qui provoque une impression agréable de chaleur. *Vin chaleureux* (→ Ambre, cit. 5). *Tonalités chaleureuses d'un tableau.*

♦ 2. Qui montre, qui manifeste de la chaleur, de l'animation, de la vie. ⇒ **Ardent, empressé, enthousiaste, fanatique, pressant, zélé.** *Orateur chaleureux. Accueil chaleureux. Ami chaleureux. Applaudissements chaleureux. Paroles, recommandations, protestations chaleureuses. Style chaleureux.* ⇒ **Vif.**

2   De tous nos aînés, Verhaeren était celui qui nous avait fait le plus chaleureux accueil, qui nous avait reconnus et salués comme des porteurs de messages.
             G. DUHAMEL, la Pesée des âmes, VIII, p. 199.

CONTR. **Flegmatique, froid, glacé, glacial, rigide, tiède.**
DÉR. **Chaleureusement.**

CHÂLIT [ʃali] n. m. — 1174, *chaelit* (orth. mod., 1740); du lat. *catalectus*, p.-ê. par croisement de *catasta* «estrade où étaient exposés les esclaves», et *lectus* «lit».

♦ Cadre de lit. *Châlit en bois, en métal.*

Les deux camps où je passai (...) se ressemblent tant, avec leur paille, leurs châlits, les barbelés (...)   Jacques LAURENT, les Bêtises, p. 244.

CHALLENGE [ʃalãʒ] n. m. — 1884; angl. *challenge* «défi», de l'anc. franç. *challenge* «débat, chicane»; forme pop. du lat. *calumnia*. → Calomnie.

Anglicisme.

♦ 1. Sports. Épreuve dans laquelle le vainqueur détient un prix, un titre jusqu'à ce qu'un vainqueur nouveau l'en dépossède. ⇒ **Compétition.** *Challenge de rugby, d'escrime.* — (1892, *in* Petiot). Par ext. L'objet d'art (coupe, etc.) attribué au vainqueur.

♦ 2. (Angl. *challenge,* en emploi général). Défi*, provocation. — REM. Cet emploi récent est un américanisme à la mode comme l'emploi analogue de *défi.*

Vis-à-vis de l'extérieur, il y avait un challenge, un défi à relever, dont je n'ai pas eu conscience d'ailleurs, parce que je savais bien, moi, ce que j'y faisais dans ce journal.   F. GIROUD, Si je mens, p. 170.

DÉR. **Challenger, challengeur.**

1. CHALLENGER [ʃalãʒe] v. tr. — Conjug. *bouger.* — 1913; de *challenge.*

Anglicisme.

♦ Sports. Chercher à enlever le titre au champion.

REM. Céline emploie cet anglicisme au sens de «jouer, parier au jeu».

Baryton excellait aux jeux d'adresse. Parapine lui challengeait régulièrement l'apéritif et le perdait tout aussi régulièrement.
       CÉLINE, Voyage au bout de la nuit, éd. Denoël et Steels, p. 535 (1932).

2. CHALLENGER [ʃalɛndʒœʀ] n. m. — 1900, *in* Höfler; mot angl., de *to challenge.* → Challenge.

Anglicisme.

♦ 1. Challengeur*. — (Francisation graphique plaisante). Par métaphore :

Les mi-lourds de la littérature, les challengeaires des beaux-arts (...)
       Jacques PERRET, Bâtons dans les roues, p. 10.

♦ 2. Fig. Compétiteur, rival. «*M. Mitterrand, l'ancien challenger du général de Gaulle*» (*l'Express,* 23 mars 1974).

CHALLENGEUR [ʃalãʒœʀ] n. m. — 1961; forme francisée de 2. *challenger*; de *challenge.*

Syn. de 2. *Challenger.*

♦ 1. Sports. Boxeur, et, par ext., tout sportif, toute équipe qui cherche à enlever le titre au champion*.

♦ 2. Par ext. (polit., écon.). Compétiteur, rival.

REM. Le fém. *challengeuse* est virtuel.

CHALOIR [ʃalwaʀ] v. impers. défectif — IXᵉ, *chielt,* 3ᵉ pers. sing.; du lat. *calere,* fig., «s'échauffer pour». — REM. Rarissime, sauf à la 3ᵉ pers. du présent de l'indicatif : *chaut.*

♦ 1. Vx (le plus souvent sens négatif ou atténuatif). Importer. «*Peu me chalait de voir tomber la nuit*» (Barbey d'Aurevilly, *in* G.L.L.F.).

0.1   Plus me chaut le faire que son objet.   VALÉRY, Cahiers, t. II, Pl., p. 1022.

(À la forme négative). *Il ne me chaut, point ne m'en chaut,* cela ne m'intéresse pas.

1   (...) quant à moi, du plaisir ne me chaut,
     A moins qu'il soit mêlé d'un peu de peine.   LA FONTAINE, Contes, II, 7.

2   (...) la reine Blanche disait aux siens pendant la minorité de saint Louis : «Point ne me chaut d'attendre.»   CHATEAUBRIAND, Mémoires d'outre-tombe, IV, II.

♦ 2. Loc. mod. *Peu me chaut* [pømøʃo] : peu m'importe.

3   (...) peu me chaut ce que je suis ou ce que je ne suis pas moi-même. Je ne m'arrête plus à cela.   GIDE, Journal, 1902, p. 131.

---

4   Nous posons en postulat la poursuite de l'expansion en raison géométrique : le sens commun et l'expérience humaine le démentent.
Peu nous chaut.   Emmanuel BERL, le Virage, p. 36.

COMP. **Nonchaloir.**

CHALOUPE [ʃalup] n. f. — 1522, *chaloppe*; orig. incert., p.-ê. de *écale, échale* et *(envel)oppe* «coquille de noix».

♦ 1. Embarcation* non pontée, dont on se sert dans les ports et que les grands navires embarquent pour le service du bâtiment. ⇒ **Barge, corailllère, flette, péniche.** *Chaloupe à voile* (ancien), *à rame, à moteur.*

1   Je m'embarquai dans la chaloupe du bâtiment avec le capitaine (...)
       CHATEAUBRIAND, Itinéraire..., I, *in* LITTRÉ.

Chaloupe de sauvetage ou *chaloupe :* embarcation arrimée sur un navire pour servir en cas de naufrage. ⇒ **Canot.**

2   (...) le paquebot avait coulé à pic, en dix minutes. C'est tout juste si une trentaine de passagers, dont les cabines se trouvaient sur le pont, eurent le temps de sauter dans les chaloupes.   G. LEROUX, le Parfum de la dame en noir, p. 10.

(1777, *in* D.D.L.). Anc. *Chaloupe canonnière,* armée de canons.

3   Il fallait bien des capitaines pour trois ou quatre mille rames, chaloupes canonnières, bateaux-plats, bombardes, péniches et bateaux-canonniers.
   E. CORBIÈRE, la Mer et les marins, V, II, p. 213 (1833), *in* D.D.L., II, 14.

♦ 2. Régional (Canada). Petit bateau à rames. ⇒ **Barque, canot.** *Chaloupe de pêche.* ⇒ **Bateau.**

DÉR. **Chalouper, chaloupier.**

CHALOUPÉ, ÉE [ʃalupe] adj. — 1867; p. p. de *chalouper.*

♦ Qui évoque le roulis, le mouvement de balancement régulier imprimé par la houle à une chaloupe, à un navire en mer. *Valse chaloupée.* ⇒ **Chaloupée.** *Tango chaloupé. La démarche chaloupée des vieux loups de mer.*

HOM. **Chaloupée, chalouper.**

CHALOUPÉE [ʃalupe] n. f. — 1910; de valse *chaloupée.* → Chalouper.

♦ Vieilli. Danse (et notamment valse) chaloupée. *Danser la chaloupée.*

Par métaphore (et par référence au sens 2 de *chalouper*).

(...) seuls ses réflexes jouaient. Mais ils jouaient, déclenchés par les surprises de la route, avec une infaillible justesse. La voiture, aux ressorts trop souples, s'enfonçait et se relevait dans une chaloupée incessante. Le jeu des amortisseurs brouillait les chocs, en faisant un balancement qui écœurait.
       Roger VERCEL, l'Île des revenants, p. 246.

HOM. **Chaloupé, chalouper.**

CHALOUPER [ʃalupe] v. intr. — 1858; de *chaloupe.*

♦ 1. Danser la valse chaloupée.

♦ 2. Fam. Se balancer, aller de côté et d'autre. ⇒ **Dandiner** (se), **déhancher** (se).

(...) ils chaloupaient, tête contre tête, entre les passants.   SARTRE, le Sursis, p. 18.

DÉR. **Chaloupé, chaloupée.**

CHALOUPIER [ʃalupje] n. m. — 1834; de *chaloupe.*

Marine.

♦ Matelot de l'équipage d'une chaloupe.

CHALUMEAU [ʃalymo] n. m. — 1464; *chalemel* «roseau», mil. XIIᵉ; du bas lat. *calamellus,* dimin. de *calamus* «roseau».

♦ 1. Vieilli. Tuyau (d'abord de roseau, de paille). *Souffler des bulles de savon dans un chalumeau. Humer, aspirer une boisson avec un chalumeau.* ⇒ **Paille.**

1   Vidalie, dont le système moteur commençait à s'émanciper, essaya vainement de mettre le feu à une poignée de chalumeaux en paille consentie par le barman.
       A. BLONDIN, Monsieur Jadis, p. 79.

♦ 2. Mus. Vx ou didact. Instrument de musique pastorale, flûte champêtre constituée par une simple tige percée de trous. ⇒ **Flûteau, pipeau** (→ Ajuster, cit. 10). — Tuyau de la musette, du biniou, de la cornemuse.

2   On y est isolé de tout, et on n'y entend aucun bruit, si ce n'est, à la tombée du soir, les chalumeaux des bergers qui rassemblent leurs chèvres, dans les montagnes alentour.   LOTI, les Désenchantées, XXV, p. 158.

3   Le silence est revenu encore, plein d'ivresse et de lueurs. Par moments, la musique des chalumeaux s'élançait à nouveau, glissait, puis s'éteignait.
       J.-M. G. LE CLÉZIO, Désert, p. 63.

♦ 3. Chasse. Branches que l'on enduit de glu pour prendre les petits oiseaux. ⇒ **Gluau.**

♦ 4. Techn. Vx. Tube de métal ou de verre dont on se sert pour diriger, au moyen d'un courant d'air, la flamme d'une lampe sur les matières que l'on veut échauffer, fondre, souder. ⇒ **Soudure** (soudure autogène). — Mod. Appareil qui produit et dirige un jet de gaz enflammé. *Chalumeau oxhydrique,* dans lequel on fait passer un courant d'oxygène sur une flamme produite par la combustion de l'hydrogène, ce qui permet d'obtenir des températures assez élevées pour fondre les substances dites réfractaires*. — *Chalumeau oxyocétylénique* (oxygène et acétylène, dit *à acétylène. Découper au chalumeau.* ⇒ **Chalumeur.**

4   (...) on se moque d'un ouvrier qui scie une barre de fer au lieu de l'attaquer au chalumeau.   ALAIN, Pragmatisme, *in* les Passions et la Sagesse, Pl., p. 297.

DÉR. Chalumeur-coupeur.

CHALUMEUR- (ou CHALUMISTE-) COUPEUR

[ʃalymœʀkupœʀ ; ʃalymistkupœʀ] n. m. — 1955, *Dict. des Métiers* ; de *chalumeau,* et *coupeur.*

♦ Techn. Ouvrier qui découpe les métaux au chalumeau. — REM. Le fém. *chalumeuse* est virtuel.

CHALUT

[ʃaly] n. m. — 1753 ; p.-ê. mot de l'Ouest ou de Normandie. P. Guiraud y voit un doublet de *chaloupe* « coquille de noix », et « *bateau* », de *chale* « coquille ».

♦ Pêche et cour. Filet en forme d'entonnoir remorqué par un bateau (⇒ **Chalutier**) pour permettre de pêcher à la traîne sur les fonds *(chalut de fond)* ou entre deux eaux *(chalut pélagique ;* → ci-dessous). *Pêcher la morue, le hareng au chalut* (⇒ **Chaluter**). *Chalut à crevettes. Chaîne de chalut :* chaîne garnie de pointes et enroulée sur la corde de fond pour déloger du sable les poissons plats. *Les ailes d'un chalut :* les deux côtés qui vont s'évasant. *Chalut à vergue, à plateaux. Chalut à perche,* dont la poche s'ouvre au moyen de patins fixés aux extrémités d'une perche en bois. *Chalut à panneaux,* dont la poche est munie de panneaux qui l'écartent par la pression de l'eau (on dit aussi *chalut V. D.* [Vigneron et Dahl] et par anglicisme, *chalut otter-trawl*). — *Chalut bœuf,* tiré par deux bateaux, dits *chalutiers bœufs* et comparés à une paire de bœufs. — REM. Cette désignation vient probablement d'une confusion avec le provençal *(boré)* « coup de filet ». — *Chalut pélagique,* flottant entre deux eaux sans s'approcher du fond. *Chalut semi-pélagique,* pouvant descendre près du fond (jusqu'à 20 cm) sans le racler. — *Jeter, traîner, tirer, ramener le chalut. Réglementation de la pêche au chalut.*

1   (...) le patron commanda de jeter le chalut.
Donc, le grand engin de pêche fut passé par-dessus bord, et deux hommes à l'avant, deux hommes à l'arrière, commencèrent à filer sur les rouleaux les amarres qui le tenaient. Soudain il toucha le fond (...)
       MAUPASSANT, les Contes de la Bécasse, « En mer », p. 150.

2   Et les filets fixes à ralingue, les tramails, la senne qui pourrait t'enfermer dans ton cercle et les terribles chaluts qui draguent le fond, le raclent et ne laissent rien, même pas la plus petite moule et la plus mince des ophiures...
       Jean CAYROL, Histoire de la mer, p. 116.

DÉR. Chaluter, chalutier.

CHALUTABLE

[ʃalytabl] adj. — 1953 ; de *chaluter.*

♦ Techn. (pêche). Où l'on peut pratiquer la pêche au chalut. « *(Les) études des fonds chalutables* (par le Conseil des pêches pour la Méditerranée) » (A. Boyer, *Pêches maritimes,* p. 91).

CHALUTAGE

[ʃalytaʒ] n. m. — 1909 ; de *chaluter.*

♦ Pêche. Pêche au chalut. *Chalutage par l'arrière, par le côté,* selon que le chalut est tiré sur le côté ou par l'arrière (chalutiers à pêche arrière).

CHALUTER

[ʃalyte] v. intr. — 1845 ; de *chalut.*

♦ Pêche. Pêcher au chalut.

DÉR. Chalutable, chalutage.

CHALUTIER

[ʃalytje] n. m. — 1866, Hugo, *les Travailleurs de la mer ;* de *chalut.*

♦ **1.** Bateau armé pour la pêche au chalut. *Les anciens chalutiers à vapeur. Chalutier à moteur. Chalutier maquereautier, chalutier morutier, chalutier sardinier. Chalutier bœuf.* ⇒ **Chalut** (bœuf). *Chalutier congélateur,* équipé pour congeler le poisson en mer. *La cale frigorifique d'un chalutier. Chalutier à chalut arrière, latéral, à chalut pélagique, etc.* (⇒ **Chalut**). *Chalutier à pêche arrière.*

Le chalutier est le bateau de pêche par excellence. Solide à ne craindre aucun temps, le ventre rond, roulé sans cesse par les lames comme un bouchon (...) il travaille la mer, infatigable (...) traînant par le flanc un grand filet qui râcle le fond de l'Océan, et détache et cueille toutes les bêtes endormies dans les roches, les poissons plats collés au fond (...) les crabes (...) les homards (...)
       MAUPASSANT, les Contes de la Bécasse, « En mer », p. 148.

♦ **2.** Marin pêcheur qui pêche au chalut, sert sur un chalutier (I., 2.). — Par appos. *Pêcheur chalutier, marin chalutier.*

CHAMADE

[ʃamad] n. f. — 1570, *chiamade ;* de l'italien piémontais *ciamada* « appel » ; de l'italien central (toscan) *chiamare* « appeler ».

♦ **1.** Anciennt. Appel de trompettes et de tambours par lequel des assiégés informaient les assiégeants qu'ils voulaient capituler. ⇒ **Batterie, sonnerie.** *Battre*, sonner la chamade et hisser le drapeau blanc.*

1   Ils battirent tout à coup la chamade et demandèrent à capituler.
       RACINE, Relation du siège de Namur, V, 329.

♦ **2.** Loc. mod. (en parlant du cœur, siège figuré de l'émotion). **BATTRE LA CHAMADE :** être affolé. ⇒ **Déroute** (être en déroute). — (Emploi exceptionnel, hors de la loc.) : *la Chamade,* roman de Françoise Sagan.

2   (...) son pauvre petit cœur se mit à battre la chamade dans la forteresse de son corsage (...)   Th. GAUTIER, le Capitaine Fracasse, XVI, t. II, p. 195.

3   (...) j'ai l'esprit qui bat la chamade, j'ai l'âme en vrague.
       HUYSMANS, la Cathédrale, p. 358.

4   Mais comme vous êtes émotif ! Votre cœur bat la chamade. Vous avez de l'appréhension.   Jean-Louis CURTIS, le Roseau pensant, p. 163.

CHAMÆROPS

[kameʀɔps] n. m. ⇒ **Chamérops.**

CHAMAILLE

[ʃamɑj] n. f. ⇒ **Chamaillerie.**

CHAMAILLER

[ʃamaje] v. — V. 1300, au sens 2 ; p.-ê. d'un croisement entre l'anc. franç. *chapler* « tailler en pièces », du lat. *cappulare* « couper », et *mailler* « frapper ».
Familier.

♦ **1.** V. intr. (1450). Vx. Se battre, combattre.

♦ **2.** V. tr. (Rare). *Chamailler qqn,* le tourmenter par des disputes (cf. l'emploi transitif de *Disputer*). *Je ne vais pas vous chamailler pour si peu.*

0.5   Je n'enviais pas les familles complètes de mes camarades, chamaillées par des potentats en veston.   Hervé BAZIN, Qui j'ose aimer, II, p. 23.

▶ **SE CHAMAILLER** v. pron.
(1690). Cour. Se disputer bruyamment, en général pour des raisons futiles. ⇒ **Disputer** (se), **quereller** (se). — (Réfl.). *Se chamailler avec qqn.* — (Récipr.) *Cessez de vous chamailler, les enfants !*

1   Depuis trente ans qu'ils étaient mariés, ils se chamaillaient tous les jours.
       MAUPASSANT, Toine, p. 12.

1.1   Ah ! ces Parisiens ! ça se chamaille pour deux liards et ça va boire le fond de sa bourse chez le marchand de vin.   ZOLA, le Ventre de Paris, t. I, p. 25.

2   Il intervenait *(M. Vinteuil)* entre les gamins qui se chamaillaient sur la place, prenait la défense des petits, faisait des sermons aux grands.
       PROUST, À la recherche du temps perdu, t. I, p. 157.

3   — Je vous ai entendu crier. Oui, de ma chambre ! Je ne peux pas vous empêcher de vous chamailler : j'ai trop de choses à faire.
       DUHAMEL, le Voyage de P. Périot, III, p. 51.

4   Que voulez-vous ? Je n'aime pas qu'on se chamaille. Mon seul plaisir est, comme ce soir, de rendre service à tout le monde.
       Francis CARCO, les Belles Manières, p. 38.

DÉR. Chamaille, chamaillerie, chamailleur, chamaillis.

CHAMAILLERIE

[ʃamajʀi] n. f. — 1680 ; de *chamailler.*

♦ Fam. ⇒ **Dispute, querelle.** *Des chamailleries, des chamailleries continuelles.* — REM. Le plus souvent au pluriel. On dit aussi *chamaille* [ʃamɑj], n. f. → Aveugler, cit. 15 et cabrer, cit. 12. ⇒ aussi **Chamaillis.**

1   Il menaça Madeleine de lui clore la bouche d'un revers de main et il l'eût fait si Jeannie, attiré par le bruit, ne fût venu se mettre entre eux sans savoir ce qu'ils avaient, mais tout pâle et déconfit d'entendre cette chamaillerie.
       G. SAND, François le Champi, IX, p. 79.

2   (...) la motocyclette (...) était le plus fréquent prétexte de ses disputes avec Lambert ; mais il ne s'agissait là que de chamailleries sans aigreur.
       S. DE BEAUVOIR, les Mandarins, p. 246.

CHAMAILLEUR, EUSE

[ʃamajœʀ, øz] n. et adj. — 1571 ; de *chamailler.*

♦ Fam. Personne qui aime à se chamailler. ⇒ **Disputailleur, querelleur.**

Adj. *Des enfants chamailleurs.* — (Actions). *Des discussions chamailleuses.*

1   On n'entendait plus autour de soi la rumeur étouffée des relèves, le bourdonnement chamailleur des corvées (...)   R. DORGELÈS, les Croix de bois, XII, p. 240.

2   Il n'était pas comme Romani : il n'avait pas une vieille maîtresse à qui rendre des visites babillardes et chamailleuses.
       G. DUHAMEL, le Voyage de P. Périot, VIII, p. 141.

CHAMAILLIS [ʃamaji] n. m. — 1541, «coup violent», sens mod. mil. xviiie; de *se chamailler*.
Vx ou régional.

♦ **1.** Chamaillerie.

♦ **2.** Littér. Piaillement (des oiseaux) [Pommier, *in* T. L. F.].

CHAMAN ou **SHAMAN** [ʃaman] ou [ʃamɑ̃] n. m. — 1699; pâli *samana* «religieux», la graphie *sha-* vient de l'anglais.
Ethnologie.

♦ **1.** Prêtre-sorcier, à la fois devin et thérapeute dans les civilisations d'Asie centrale et septentrionale. ⇒ **Chamanisme.**

1 On appelle *chamans* les prêtres ou devins des peuplades de Sibérie.
DUPRÉ DE SAINT-MAURE, Anthologie russe, p. 10 (1823).

♦ **2.** Prêtre-sorcier et devin (dans d'autres civilisations). — REM. La graphie adoptée par les spécialistes est *shaman*.

2 Ces trois éléments *(l'expérience de shaman, celle du malade, celle du public)* de ce qu'on pourrait appeler le complexe Shamanistique sont indissociables. Mais on voit qu'ils s'organisent autour de deux pôles, formés, l'un par l'expérience intime du shaman, l'autre par le *consensus* collectif. Il n'y a pas de raison de douter, en effet, que les sorciers (...) ne croient en leur mission.
Claude LÉVI-STRAUSS, Anthropologie structurale, Magie et religion, p. 197.
REM. Le texte concerne les Indiens de la côte nord-ouest du Pacifique.

3 (...) le shaman *(dit Lévi-Strauss)* ne touche pas au corps de la malade *(une parturiente)* et ne lui administre pas de remède; mais en même temps il met explicitement en cause l'état pathologique et son siège; nous dirions volontiers que le chant constitue une manipulation psychologique de l'organe malade (...) Le shaman fournit un langage dans lequel peuvent s'exprimer symboliquement des états autrement informulables.   Guy PALMADE, la Psychothérapie, p. 86.

DÉR. Chamanique, chamanisme.

CHAMANIQUE ou **SHAMANIQUE** [ʃamanik] adj. — Mil. xxe; de *chaman*.

♦ Ethnol. Qui est relatif aux chamans. *Pratiques chamaniques* (ou *chamanistiques**). *Le phénomène chamanique.* ⇒ **Chamanisme.**

CHAMANISME ou **SHAMANISME** [ʃamanism] n. m. — 1801, dans une trad. du russe; de *chaman*. → Chaman.

♦ Ethnol. Religion de certains peuples de Sibérie et de Mongolie occidentale, caractérisée par le culte de la nature, la croyance aux esprits et des pratiques divinatoires et thérapeutiques (du chaman). *Le chamanisme est un ensemble complexe de manifestations centrées sur le personnage socialement reconnu du chaman.*

DÉR. Chamaniste.

CHAMANISTE ou **SHAMANISTE** [ʃamanist] adj. — 1866, P. Larousse; de *chamanisme*.

♦ Ethnol. Relatif au chamanisme. *Rites chamanistes.* — Subst. *Un chamaniste :* un adepte du chamanisme.

DÉR. Chamanistique ou shamanistique.

CHAMANISTIQUE ou **SHAMANISTIQUE** [ʃamanistik] adj. — 1936, Lowie; de *chamaniste* ou *shamaniste*.

♦ Ethnol. Relatif au chamanisme, aux chamanistes. *Cure shamanistique.*

(...) l'*ars magna* de certaine école shamanistique de la côte nord-ouest du Pacifique, c'est-à-dire l'usage d'une petite couche de duvet que le praticien dissimule dans un coin de sa bouche pour l'expectorer tout ensanglanté (...)
Claude LÉVI-STRAUSS, Anthropologie structurale, Magie et religion, p. 193.

CHAMARRAGE [ʃamaraʒ] n. m. — 1828; de *chamarrer*.

♦ Rare. Le fait de chamarrer. — Son résultat. ⇒ **Chamarrure.**

CHAMARRER [ʃamaʀe] v. tr. — 1530; du moy. franç. *chamarre* «longue casaque», xve, repris par Hugo, *Ruy Blas*, I., 2., dér. de l'esp. *zamarra* «vêtement de berger». → Simarre.

♦ **1.** Rehausser d'ornements aux couleurs éclatantes tranchant sur celle du fond. *Chamarrer un costume de galons d'or.* ⇒ **Dorer.** *Chamarrer qqch. de bandes de couleur.* ⇒ **Billebarrer.** — Au p. p. → ci-dessous Chamarré, adj.

0.1 Alors, on apporte la corbeille (...) on chamarre le tout de rubans et de banderoles.
G. SAND, la Mare au diable, p. 213 (T. L. F.).

Péj. Surcharger d'ornements de mauvais goût aux couleurs criardes et mal assorties.

(Sujet n. de chose). «*Les armes qui chamarraient cette reliure magnifique*» (Stendhal, *Lucien Leuwen, in* T. L. F.).

♦ **2.** Fig. et vieilli. Gâter par une accumulation d'ornements hétérogènes. ⇒ **Farcir, saupoudrer.** *Chamarrer ses discours de citations latines.*

♦ **3.** (Sujet n. de chose). Littér. Orner, colorer de chamarrures. ⇒ **Diaprer, panacher.**

1 Les bouquets des cistes pourpres ou blancs chamarraient la rauque garrigue, que les lavandes embaumaient.   GIDE, Si le grain ne meurt, I, II, p. 38.

▶ **CHAMARRÉ, ÉE** p. p. adj.

♦ **1.** (Sujet n. de chose). *Un habit chamarré. Une poitrine chamarrée de décorations.*

2 (...) les superbes étoffes chamarrées d'or et de pierreries (...)
TAINE, Philosophie de l'art, t. II, III, II, II, p. 34.

3 Près du Maître, les Dignitaires s'étageaient, couverts de rubans, de crachats et de plaques honorifiques chamarrées d'emblèmes ridicules.
Laurent TAILHADE, Un souper chez Simon le pharisien.

♦ **2.** (Personnes). Vêtu d'un habit couvert d'ornements. *Un laquais chamarré, des académiciens chamarrés.*

4 (...) le défilé grossissait, les magistrats en robe, les officiers en grande tenue, les fonctionnaires en uniforme, une foule galonnée, chamarrée, décorée, qui piétinait les fleurs dont la place était couverte (...)
ZOLA, Son Excellence Eugène Rougon, t. I, p. 121.

♦ **3.** Bariolé, multicolore. *Un oiseau au plumage chamarré.*

CONTR. (Du p. p.) Sévère, uni. — Simple, sobre.
DÉR. Chamarrage, chamarrure.

CHAMARRURE [ʃamaʀyʀ] n. f. — 1595, Charron; de *chamarrer*.

♦ Assemblage de couleurs voyantes et disparates; ornements dont on chamarre. *Les chamarrures d'un habit, d'un style.*

(...) ces tribunes où étincelaient les costumes officiels, les chamarrures du corps diplomatique (...)   ZOLA, Rome, p. 287.

CHAMBARD [ʃɑ̃baʀ] n. m. — Fin xixe; 1888, dans l'argot de Polytechnique «brimade»; de *chambarder*.

♦ **1.** Bouleversement. ⇒ **Chambardement.**

Elles avaient la passion des chambards domestiques et des déménagements. Il fallait chaque jour porter des huches, déplacer des bahuts, démonter des lits, coltiner du bois de chauffage (...)
G. DUHAMEL, Biographie de mes fantômes, VII, p. 114.

♦ **2.** Vacarme qui laisse supposer quelque manifestation anormale. ⇒ **Bruit, chahut.** Violente protestation, scandale. *Faire du chambard, un chambard de tous les diables.*

CHAMBARDEMENT [ʃɑ̃baʀdəmɑ̃] n. m. — 1855, en argot milit.; 1881, en polit.; de *chambarder*.

♦ Fam. Action de chambarder (concret ou abstrait); changement brusque et complet. ⇒ **Bouleversement, remue-ménage, renversement, révolution, saccage.** — Loc. *Le grand chambardement :* la révolution.

1 — (...) seuls, une révolution, un chambardement général jailli des profondeurs et qui remettra tout en cause, peuvent désintoxiquer le monde de son infection capitaliste (...)   MARTIN DU GARD, les Thibault, t. V, p. 226.

2 Du reste, beaucoup ne sont révolutionnaires qu'en esprit et ne transportent guère l'idée d'un grand chambardement en dehors de la littérature.
M. AYMÉ, le Confort intellectuel, VI, p. 72.

3 La vue de ces prolonges décorées sur le panneau arrière de la faucille et du marteau biffés d'une énorme croix gammée, soulevait l'enthousiasme parmi les ouvriers et plongeait dans une muette consternation le bourgeois qui croyaient découvrir, dans les allées et venues de ces véhicules, les signes avant-coureurs du grand chambardement.   Francis CARCO, les Belles Manières, p. 31.

CHAMBARDER [ʃɑ̃baʀde] v. tr. — 1859; *chamberter*, 1847; orig. obscure; mot dialectal (Bourgogne, Franche-Comté) p.-ê. de *chant* «côté» et *barder* «glisser»; du lat. pop.*barrum «argile». → Chambouler.
Familier.

♦ **1.** Bouleverser de fond en comble. ⇒ **Bouleverser, changer, saccager.** *On a tout chambardé dans la maison.*

1 (...) mes soldats chambardaient les armoires pleines de défroques que des paysannes à court d'argent avaient laissées en gage à l'accoucheuse (...)
M. YOURCENAR, le Coup de grâce, p. 220.

♦ **2.** (Abstrait). Changer brutalement, détruire. ⇒ **Chambouler, renverser, révolutionner.**

2 À les écouter, rien n'est bien et il faudrait chambarder tout : nos vieilles loges, notre façon de travailler, notre manger, et la manière d'élever les enfants.
M. GENEVOIX, Forêt voisine, XIII, p. 176.

3 (...) c'est «l'irrégulier», le «glorieux irrégulier», c'est-à-dire l'initiatif, celui qui «chambarde» les routines et les règlements surannés pour faire place nette aux nouvelles formules nécessitées par l'éternelle évolution.
L.-H. LYAUTEY, Paroles d'action, p. 53.

CONTR. Conserver, garder, maintenir.
DÉR. Chambard, chambardement. — Chambardeur.

CHAMBARDEUR, EUSE [ʃɑ̃baʀdœʀ, øz] n. et adj. — 1886; de *chambarder*.

♦ Qui aime à chambarder; qui chambarde. — Tapageur, chahuteur. — N. *Un chambardeur, une chambardeuse :* une personne chambardeuse.

CHAMBELLAN [ʃãbɛlã ; ʃãbɛllã] n. m. — Mil. xiiᵉ ; du francique **kamerling*, du lat. *camera* « chambre ».

♦ **Anciennt.** Gentilhomme de la cour chargé du service de la chambre du souverain. ⇒ **Camerlingue.** *La clef des chambellans.* — *Le Grand Chambellan,* le plus élevé en dignité. ⇒ **Officier** (Grands officiers de la couronne). *La charge de Grand Chambellan fut rétablie par Napoléon Iᵉʳ.*

C'est donc (...) dans le costume, d'ailleurs somptueux à souhait, de Grand Chambellan — velours rouge, broderies d'or, satin blanc, plumes au chapeau et épée au côté — que le 2 décembre 1804, il *(Talleyrand)* assiste au Sacre de Notre-Dame.
Louis MADELIN, Talleyrand, II, xv, p. 155.

CHAMBERTIN [ʃãbɛʀtɛ̃] n. m. — 1769, *in* D. D. L. ; du nom du vignoble de *Gevrey-Chambertin,* près de Dijon.

♦ Vin de Bourgogne, rouge, très estimé.

(...) il faut un petit intervalle de temps pour que le gourmet puisse dire : Il *(le vin)* est bon, passable ou mauvais. Peste ! c'est du chambertin ! (...)
A. BRILLAT-SAVARIN, Physiologie du goût, t. I, p. 57.

CHAMBOULEMENT [ʃãbulmã] n. m. — xxᵉ ; de *chambouler.*

♦ **Fam.** Bouleversement. ⇒ **Chambardement.** *C'est un chamboulement de toutes nos habitudes.*

(...) son visage accusait le coup, par un imperceptible chamboulement de l'expression, une ombre, un ennui.
A. SARRAZIN, l'Astragale, p. 103.

CHAMBOULER [ʃãbule] v. tr. — 1807 ; d'origine discutée pour le premier élément ; de *chant* « face étroite d'un objet » ou de *chambe* « jambe », et *bouler, sabouler* « tomber ».

♦ **Fam.** Bouleverser, mettre sens* dessus dessous (concret ou abstrait). ⇒ **Chambarder, changer.**

1 (...) la presse d'information montre un attachement sordide aux hiérarchies routinières de l'actualité et beaucoup de lecteurs aimeraient voir un peu chambouler l'échelle des valeurs (...)   Jacques PERRET, Bâtons dans les roues, p. 204.

2 Je ne vais pas chambouler ma vie qui est si bien arrangée pour faire plaisir à Mˡˡᵉ Mignot.   J. DUTOURD, les Horreurs de l'amour, p. 597.

CHAMBOURIN [ʃãbuʀɛ̃] n. m. — 1723 ; origine inconnue.

♦ **Techn.** (vieilli). Verre grossier, de couleur verte.

CHAMBRANLE [ʃãbʀãl] n. m. — 1518 ; croisement de *branler* et de *chambrande* (1313), du lat. *camerare* « voûter » de *camera* « pièce, chambre* ».

♦ Encadrement en bois ou en pierre (d'une porte, d'une fenêtre, d'une cheminée). *Un chambranle soutenu par des consoles. Le chambranle d'une porte. Chambranle mouluré. Chambranle de marbre.*

1 La pesante porte revint s'appliquer hermétiquement sur ses chambranles de pierre sans qu'on vit qui l'avait ouverte ni qui la refermait.
HUGO, l'Homme qui rit, IV, v, p. 414.

2 (...) et sur l'étroit chambranle de la cheminée resplendissait une pendule à tête d'Hippocrate, entre deux flambeaux d'argent plaqué (...)
FLAUBERT, Mᵐᵉ Bovary, I, v, p. 26.

3 Elle n'ouvre pas non plus sa porte davantage, se sentant sans doute plus en sûreté à l'intérieur, tenant le battant d'une main et de l'autre le chambranle, prête à refermer.   A. ROBBE-GRILLET, Dans le labyrinthe, p. 57.

CHAMBRE [ʃãbʀ] n. f. — xiiᵉ ; *cambre,* mil. xiᵉ ; du lat. *camera* « voûte », puis « pièce », grec *kâmara.*

★ **I.** ♦ **1.** Anciennt. (et dans des loc.). Pièce d'habitation. ⇒ **Pièce, salle.** — Vx. *Chambre à toilette ; cabinet de toilette. Chambre de bains.* ⇒ **Salle** (mod.). — *Pièce précédant une chambre.* ⇒ **Antichambre.** *Petite chambre servant de réduit.* ⇒ **Cagibi.** — *Chambre parquetée, planchéiée, lambrissée.*

Régional (Suisse). *Pièce* (d'un appartement, d'une maison). *Maison de six chambres.* — Loc. (Vaud, Neuchâtel). *Chambre à manger :* salle à manger. *Chambre de bain :* salle de bains. *Chambre à lessive :* buanderie.

0.1 Oh ces soupentes glaciales au dessus de la chambre à lessive (...)
Jacques CHESSEX, Portrait des Vaudois, p. 62.

Mod. *Chambre à coucher :* chambre (2.).

Vieilli. Pièce destinée au travail intellectuel. ⇒ **Cabinet.**

0.2 Soit que dans la chambre il médite.   MALHERBE, II, 3, *in* LITTRÉ.

Loc. *Chambre haute :* pièce aménagée sur un toit en terrasse. → Planchéier, cit.

♦ **2.** **Mod.** Pièce où l'on couche. ⇒ Fam. **Cambuse, canfouine** (vx), **carrée, chambrette, crèche, gourbi, piaule, taule, turne.** *Une chambre d'enfants. Chambre de bébé.* ⇒ **Nursery.** *Petite chambre.* ⇒ **Cellule,**

---

chambrette. *Chambre mansardée.* ⇒ **Mansarde ; galetas.** *Chambre en soupente. Chambre avec penderie, garde-robes, placards, cabinet de toilette, salle de bains. L'alcôve d'une chambre. Chambres attenantes, contiguës, communicantes. Chambre indépendante. Chambre au fond d'un couloir. Chambre donnant sur la rue, sur la cour. Habiter, se confiner, vivre dans sa chambre. Nettoyer, balayer, faire sa chambre. La chambre des enfants. Va dans ta chambre ! La chambre des parents.* — *Chambre nuptiale* (vieilli).

1 (...) seule dans ma chambre enfermant mes regrets (...)
CORNEILLE, Polyeucte, II, 2.

2 Mes sœurs, j'entends du bruit dans la chambre prochaine.   RACINE, Esther, II, 8.

3 Ce second terme échu, l'autre lui redemande
Sa maison, sa chambre, son lit.   LA FONTAINE, Fables, II, 7.

4 J'ai découvert que tout le malheur des hommes vient d'une seule chose, qui est de ne savoir pas demeurer en repos dans une chambre.   PASCAL, Pensées, I, 139.

5 (...) la chandelle éclairait la chambre, carrée, à deux fenêtres, que trois lits emplissaient. Il y avait une armoire, une table, deux chaises de vieux noyer (...)
ZOLA, Germinal, I, 2.

6 C'est notre attention qui met des objets dans une chambre, et l'habitude qui les en retire, et nous y fait de la place.
PROUST, À l'ombre des jeunes filles en fleurs, éd. la Gerbe, p. 72.

Spécial. Pièce d'habitation aménagée pour y coucher et considérée comme un logement (opposé à *studio,* à *appartement*). *Chambre à louer. Chambre meublée, garnie. Chambre d'hôtel. Cet hôtel a deux cents chambres et dix appartements (ou suites). Chambre individuelle, chambre pour deux, à un grand lit, à deux lits jumeaux.* — *Louer une chambre à un étudiant. Chambre d'étudiant.* — *Chambres d'un hôpital, à un, deux, trois... lits* (opposé à *salle commune*).

6.1 Te voici à Amsterdam (...)
On y loue des chambres en latin cubicula locanda.
APOLLINAIRE, Alcools, Pl., p. 13.

7 (...) nous voudrions une chambre (...)
— Mais j'ai une chambre à quatre lits. Si ça ne vous gênait pas de coucher dans la même chambre (...)   J. ROMAINS, les Copains, III, p. 108.

7.1 La chambre n'apprit pas grand-chose à Maigret. C'était la chambre type de ce genre d'hôtels, avec son lit de fer, sa vieille commode, son fauteuil à moitié défoncé et sa toilette à eau courante chaude et froide.
G. SIMENON, Maigret chez le ministre, p. 157.

Loc. **CHAMBRE D'AMI, D'AMIS ; CHAMBRE À DONNER :** dans un appartement, Chambre habituellement non occupée et réservée à des invités de passage.

CHAMBRE DE BONNE : dans les appartements bourgeois, Pièce généralement séparée, souvent située en haut de l'immeuble, et destinée à loger les domestiques. *Il possède deux chambres de bonne qu'il loue à des étudiants.* — Mod. *Chambre de service.*

Milit. ⇒ **Chambrée, dortoir.** *Chef de chambre.*

Par métonymie. Mobilier d'une chambre à coucher (lit, sièges, commode...). *Une chambre Louis XV. Acheter un salon et deux chambres dans un magasin de meubles.*

Loc. *Garder la chambre :* ne pas sortir de chez soi, par suite d'une maladie, d'une indisposition.

8 Un mal subit qui le force à garder le lit (...)
(...) Quand je dis le lit, monsieur, c'est la chambre que j'entends.
BEAUMARCHAIS, le Barbier de Séville, III, 2.

Faire chambre à part : coucher dans deux chambres séparées. *Quoique jeunes mariés, ils font chambre à part.*

9 Puis, après une nuit passée dans la même alcôve, ils font chambre à part.
ZOLA, Mademoiselle Férat, *in* T. L. F.

Anciennt. Pièce ou dormait un prince, un grand. *La Chambre :* la chambre du roi, sous l'Ancien Régime (⇒ **Chambellan, chambrier**). *Pages de la chambre.*

Les valets de la chambre du Roi. → aussi Camérier, camérière, camériste.

10 Ce fut un noble, un vicomte, un gentilhomme de la chambre.
P.-L. COURIER, I, 126, *in* LITTRÉ.

(1690). *Musique de la chambre :* musique du petit coucher du roi (d'après l'ital. *camera*).

Loc. (trad. ital.). *Musique de chambre* (au sens 1. de *chambre*). ⇒ **Musique** (cit. 19).

♦ **3.** (Du sens 1). Loc. **EN CHAMBRE :** chez soi.

(1303). *Travailler en chambre,* se dit d'un ouvrier, d'un artisan qui travaille chez lui et ne tient pas boutique. *Ouvrier, artisan en chambre,* travaillant en chambre.

11 Maman, qui a tant cousu dans sa vie, abattait la besogne d'une bonne ouvrière en chambre.   DUHAMEL, la Confession de Minuit, p. 161, *in* T. L. F.

Par plais. *Théorie élaborée en chambre,* par un amateur. *Stratégie en chambre.*

Loc. Fam. et vx. *Mettre une fille, une femme en chambre,* l'installer dans un logement et l'y entretenir. — *Mettre, tenir qqn en chambre.* ⇒ **Chambrer.**

... DE CHAMBRE, qui sert dans l'intimité de la chambre. — *Robe* de chambre. — Pot de chambre. ⇒ **Pot** (cit. 16, 17), **vase** (de nuit).

♦ **4.** (1576, *homme de chambre*). **VALET, FEMME DE CHAMBRE :** domestiques attachés au service personnel. ⇒ **Valet ; camérière, camériste, chambrière.** — Vx. *Fille de chambre.*

♦ 5. (1691, *chambre aux voiles*). Mar. *Chambre de... :* pièce à bord d'un navire. — Absolt. *Chambre :* logement des officiers (par oppos. au *poste d'équipage*). ⇒ **Cabine**). *Passagers de chambre*, que l'on traite comme le capitaine. *Passer à la chambre :* se présenter devant le commandant pour une promotion éventuelle, etc.

12 (...) celui qui commandait ces galères le reçut dans la sienne et le logea dans la chambre de poupe, ravi d'avoir avec lui un homme de sa condition et de son mérite.   SCARRON, le Roman comique, II, XIX, p. 285.

13 La chambre d'une reine ne peut pas être aussi proprement rangée que celle d'un marin (...)   A. DE VIGNY, Servitude et Grandeur militaires, I, V, p. 70.

13.1 Le novice fait le service de la chambre, c'est-à-dire du carré des officiers.
                                        J.-R. BLOCH, Sur un cargo, p. 179.

Chambre des cartes, chambre de navigation. — *Chambre de veille* (sur la passerelle).
Techn. *Chambre de tir d'un canon de marine* (⇒ **Tourelle**). *Chambre des pompes. Chambre des machines.* — (1866). *Chambre de chauffe.* ⇒ **Chaufferie**.

♦ 6. (Qualifié ; dans quelques syntagmes). Pièce spécialement aménagée (et ne servant pas à l'habitation). **[a]** *Chambre de sûreté :* local disciplinaire dans une gendarmerie. ⇒ **Prison**.
Chambre de torture*.

[b] (Attesté 1951, calque de l'angl.). CHAMBRE À GAZ : pièce pour l'exécution des condamnés à mort, dans certains États des États-Unis.

13.2 (...) un peu partout se dressent encore des potences, s'ouvrent des chambres à gaz (...) la chaise électrique comme la statue de la Liberté font partie du mobilier national (...)   J. PRÉVERT, Choses et autres, p. 242.

Pièce réservée à l'extermination collective par des gaz toxiques (dans certains camps* nazis).

[c] (1930). *Chambre froide, chambre frigorifique.*

13.3 (...) nous passons aux chambres froides, salles immenses, désertes, mortelles que nous traversons (...) entre deux haies de bœufs écorchés.
                            G. DUHAMEL, Scènes de la vie future, VIII.

[d] *Chambre forte :* pièce blindée où l'on range des objets de valeur. ⇒ **Coffre**. — *La chambre des coffres d'une banque.*

[e] Techn. (agric.). *Chambre noire :* enceinte obscure, de taille et de situation variables (salle souterraine, hangar fermé, etc. ; aussi : simple châssis aveuglé par un panneau opaque), utilisée pour le forçage de certains végétaux (endives, en particulier). — REM. Autre sens en optique, photographie, etc. ; voir ci-dessous, III, 1.

♦ 7. Mines. Cavité, galerie. *Exploitation par chambres et piliers.*

♦ 8. Vén. Endroit où les cerfs, les biches se reposent pendant le jour. ⇒ **Demeure, reposée**.

★ II. ♦ 1. Salle, ensemble de salles où ont lieu les délibérations d'une assemblée. *La chambre du conseil*, dans un tribunal. — Hist. *La Grande Chambre du Parlement. Chambre d'audience.*
Édifice officiel où siège un parlement. *La Chambre des Députés*, à Paris (ou Palais-Bourbon). — Absolt. *Rendez-vous devant la Chambre.*

♦ 2. ⇒ **Assemblée, corps** (→ Assembler, cit. 28, 35). **[a]** (1388). Dr. Section d'une Cour ou d'un Tribunal judiciaire. *Première, deuxième chambre d'un tribunal. Président de chambre. Chambres de la Cour de cassation : Chambre civile* (statuant sur les pourvois admis par la Chambre des requêtes) ; *Chambre criminelle* (qui statue sur les pourvois en cassation en matière criminelle ou correctionnelle) ; *Chambre des requêtes* (qui examine les pourvois en matière civile). *Chambres réunies*, la Réunion des trois chambres de la Cour de cassation (en matière disciplinaire, elles forment le Conseil supérieur de la magistrature). — *Chambres de la Cour d'appel : Chambre des appels correctionnels ; Chambre d'accusation.* — *Chambre commerciale d'un tribunal civil*, en Alsace. — *Chambre correctionnelle du tribunal.* — *Chambre des vacations :* section du tribunal qui siège pendant les vacances judiciaires. — *Chambres des référés*, où le président juge seul des affaires urgentes.
Ancienn. *Chambre mi-partie. Chambre des comptes. Chambre de justice. Chambre ardente* (→ Ardent, cit. 12). — *Chambre ecclésiastique. Chambre apostolique :* tribunal chargé des affaires concernant le Trésor, les bénéfices* de l'Église. *Président de la chambre apostolique* (⇒ **Camerlingue**).

[b] (1789, chambre ou chambre des communes, d'après l'anglais *chamber* de même orig.). *Assemblée** législative (⇒ **Parlement**). *La Chambre des députés est devenue l'Assemblée nationale. Convoquer les Chambres. Dissoudre la Chambre. La majorité, la minorité, la droite, la gauche de la Chambre. Siéger à la Chambre. Les sessions, les débats de la Chambre.*

14 Le seul souverain (dans la Constitution de 1875) était le Congrès, formé de la réunion des deux Chambres.
                    Ch. SEIGNOBOS, Hist. sincère de la nation franç., XX, p. 454.

Le Parlement britannique est composé de la Chambre basse ou Chambre des communes et de la Chambre haute ou Chambre des pairs, des lords.

[c] (1631, chambre de commerce). Assemblées s'occupant des inté-

rêts ou de la discipline d'un corps. *Chambre d'agriculture :* chambre départementale, régionale, jouant auprès des pouvoirs publics un rôle consultatif de défense des intérêts agricoles. — *Chambre de commerce :* assemblée représentative des commerçants et industriels auprès des pouvoirs publics. — *Chambre de compensation :* réunion des représentants des principales banques (cf. *Clearing house*, anglic.). — *Chambre de discipline ; chambre des avoués, des commissaires-priseurs, des huissiers, des notaires...* — *Chambre de métiers :* corps élu par les représentants d'une profession. — *Chambre syndicale* — (1697). *Chambre du travail.*

★ III. (1414, armement). Cavité, vide, espace naturel ou provoqué à dessein. ⇒ **Alvéole, case, cavité, compartiment**.

♦ 1. (*Chambre close*, 1690). Opt., photogr. CHAMBRE NOIRE : enceinte fermée où une petite ouverture (avec ou sans lentille) fait pénétrer les rayons lumineux et où l'image des objets extérieurs se forme sur un écran. ⇒ **Cliché ; photographie**. *Lentille d'une chambre noire.* — REM. Autre sens en technique (agric.). Voir ci-dessus, I, 6., e. — *Chambre obscure* (calque de *camera obscura*). — CHAMBRE CLAIRE : appareil formé d'un miroir ou d'un prisme et d'un écran, (sur lequel on peut dessiner l'image optique). ⇒ 1. **Caméra** (vx). *Utilisation de la chambre claire pour la cartographie à partir de photographies aériennes.*
Chambre de prise de vues, chambre métrique. — *Chambre pliante d'un appareil photo.* ⇒ aussi **Caméra**.

♦ 2. (1671). Techn. Cavité qui reçoit des explosifs. ⇒ **Fourneau**.
(1414). Boîte mobile destinée à recevoir la charge (gargousse) des pièces d'artillerie.

♦ 3. (1845). Techn. Enceinte (où s'effectue une opération particulière). *Chambre d'explosion, de combustion*, dans une culasse de moteur à explosion. *Chambre de soupape. Chambre de niveau constant* (dans un carburateur, etc.). *Chambre de combustion d'une chaudière. Chambre à vapeur, de vapeur :* espace entre la surface du liquide et le haut de la chaudière. *Chambre à eau.*

♦ 4. (1891). CHAMBRE À AIR : boyau* ou tube contenant l'air dans une enveloppe pneumatique. *Chambre à air en caoutchouc* (⇒ **Pneumatique** ; cf. vx Boudin d'air). *Réparer, mettre une pièce à une chambre à air* (⇒ **Rustine**). *Valve d'une chambre à air. Gonfler une chambre à air.*

♦ 5. (xxᵉ). Phys. *Chambre d'ionisation :* détecteur électronique de radiations (premier instrument qui a permis de mesurer la radioactivité). — *Chambre à étincelles. Chambre de Wilson, chambre à brouillard, chambre à bulles*, enceinte destinée à l'étude photographique de la trajectoire des particules élémentaires électriquement chargées. — *Chambre barométrique*, où règne le vide, dans un baromètre.
Acoust. *Chambre d'écho, chambre de réverbération.* — *Chambre sourde :* dans un laboratoire de mesures acoustiques (moteurs d'avion) ou radioélectriques (mesure des performances des antennes), Local où les parois absorbent partiellement les ondes.

♦ 6. Anat. *Chambres de l'œil :*

15 On désigne sous le nom de *chambres de l'œil* tout l'espace qui se trouve compris entre le cristallin et la cornée. L'iris, placé en avant de ce dernier, divise cet espace en deux parties ; 1ᵒ une partie antérieure, plus grande, appelée *chambre antérieure*, 2ᵒ une partie postérieure, plus petite, appelée *chambre postérieure* (...) les deux chambres communiquent largement entre elles (...) par l'orifice central de l'iris, la pupille. Elles sont remplies l'une et l'autre par l'*humeur aqueuse*.
                    L. TESTUT, Traité d'anatomie, III, I, VIII, III, p. 643.

♦ 7. Sc. nat. *Chambre pollinique :* cavité de l'ovule des gymnospermes. — *Les chambres d'une coquille.* → Chambré, 2.

♦ 8. Techn. Vide accidentel produit à la fonte d'une cloche, d'un canon.

♦ 9. Techn. Espace entre deux portes d'écluse.

DÉR. **Chambrée, chambrer, chambrette, chambrier, chambrière.**

CHAMBRÉ, ÉE [ʃɑ̃bʀe] adj. — D.i. ; de *chambre*, III., 2. et 7.

♦ 1. Techn. *Pièce chambrée*, qui présente des cavités, des chambres. *Un fusil chambré.*

♦ 2. Zool. *Coquille chambrée*, à cavités, à alvéoles.

HOM. **Chambrée, chambrer** (et p. p.).

CHAMBRÉE [ʃɑ̃bʀe] n. f. — 1539 ; fin xɪᵛᵉ, «mesure pour le fourrage » ; de *chambre*.

♦ 1. Ensemble des personnes qui couchent dans une même chambre (dortoir). *Chambrée d'enfants.* — Spécialt. *Une chambrée de soldats. Camarades de chambrée. Plaisanteries de chambrée. Chef de chambrée.*

1 Les grandes chambrées des jeunes Lacédémoniens n'étaient que des écoles de l'amitié.   BERNARDIN DE SAINT PIERRE, Harmonies de la nature, III, De l'amitié.

♦ 2. Pièce où logent les soldats (⇒ **Dortoir**). *Balayer la chambrée. Les chambrées d'une caserne*.*

2 Les soldats (...) vivent gaiement en s'associant par chambrées.
VOLTAIRE, l'Homme aux quarante écus.

3 Cette salle, il le remarque à présent, se distingue par un détail important des véritables chambrées de casernement militaire : il n'y a pas de planche à paquetage, courant le long du mur, au-dessus des lits.
A. ROBBE-GRILLET, Dans le labyrinthe, p. 106.

♦ **3.** (1680). Vx. Personnes rassemblées dans un lieu de réunion, un théâtre (⇒ **Auditoire**). *Une belle, une brillante chambrée* (Académie).

HOM. Chambré, chambrer.

CHAMBRER [ʃɑ̃bʀe] v. intr. et tr. — 1678, «loger ensemble»; de *chambre*.

★ **I.** V. intr. ♦ **1.** (Vx). Habiter la même chambre. ⇒ **Cohabiter.**

1 Plus de façons entre eux; ils chambraient ensemble, et n'eurent qu'un lit et qu'une table.
A.-R. LESAGE, Gil Blas, IX, 8.

♦ **2.** (D'un vin). Prendre la température ambiante. → ci-dessous II., 3. *Faire chambrer du vin.*

1.1 Le champagne, versé à petite quantité pour être tenu glacé et ne point chambrer dans le verre, remuait ses bulles blanches dans de l'or liquide.
Pierre HAMP, la Peine des hommes (Moteurs), p. 100.

★ **II.** V. tr. ♦ **1.** Vx. Tenir (qqn) enfermé dans une chambre, une pièce. ⇒ **Enfermer.**

1.2 Flaubert racontait que pendant ces deux mois, où il est resté chambré, la chaleur lui avait donné comme une ivresse de travail (...)
Ed. et J. DE GONCOURT, Journal, t. V, p. 217.

♦ **2.** Fig. a Tenir (qqn) à l'écart, isoler (qqn) pour mieux circonvenir, convaincre. ⇒ **Endoctriner, envelopper, sermonner.**

2 Les plénipotentiaires de l'Empereur étant enfin arrivés, le 28 novembre, il (*Bonaparte*) les chambra, les pressa, les accula à se compromettre.
Louis MADELIN, l'Ascension de Bonaparte, XIV, p. 207.

3 Tiens, mon marchand de vinasse, s'écria Desmond. Sauve-toi, je vais te chambrer comme un Corton. COLETTE, la Fin de Chéri, p. 37 (→ ci-dessous le sens 3).

b (Fam). *Chambrer* (*qqn*), se moquer de lui en paroles. ⇒ 1. **Charrier** (II., 1.), **railler**; et → **Boîte** (mettre en).

4 T'es beau, toi, Max. Rentrer! Où ça? Je suis virée! Virée? Tu me chambres, ou tu te fais des idées?
A. SIMONIN, Touchez pas au grisbi, p. 125.

♦ **3.** (1877; donné comme expression helvétique de Neuchâtel, *in* Littré, *Suppl.*). *Chambrer du vin*, le laisser réchauffer légèrement, à la température de la pièce où il doit être consommé. *Chambrer un bourgogne*. Par métaphore → ci-dessus, cit. 3; → aussi I., 2., intransitif.

♦ **4.** V. tr. Creuser une cavité, une chambre.

▶ **CHAMBRÉ, ÉE** p. p. adj. *Vin chambré.*

5 Pas tout à fait assez chambré mon Pontet-Canet 1947. Mais quelle année divine! Mes grands-parents avaient une propriété à Pauillac.
Claude MAURIAC, le Dîner en ville, p. 230.

CONTR. Libérer; contact (mettre en contact). — Combler.
HOM. Chambré, adj.; chambrée.

CHAMBRETTE [ʃɑ̃bʀɛt] n. f. — Fin XIIᵉ; de *chambre*.

♦ Petite chambre*. *Une minuscule chambrette décorée du nom de studio.*

Les solitaires de Martaigne ont quatre chambrettes, un petit jardin (...)
SAINT-SIMON, Mémoires, I, 32, *in* LITTRÉ.

CHAMBRIER, IÈRE [ʃɑ̃bʀije, jɛʀ] n. — XIIᵉ, *chamberiere*, au fém. *Erec et Enide*; de *chambre*.

Hist., technique.

♦ **1.** N. m. Hist. Officier de la chambre du roi. — Officier chargé de la garde du trésor royal.

(XIIIᵉ). Trésorier (d'une abbaye).

1 Ainsi la règle bénédictine prévoit-elle sans aucune réticence l'usage du numéraire; elle institue dans les monastères un office particulier, celui du chambrier, à qui revient le maniement de l'argent et qui préside à l'ouverture de l'économie domestique sur l'extérieur et sur les trafics.
Georges DUBY, Guerriers et Paysans, p. 58.

♦ **2.** N. f. Vx. Femme* de chambre. ⇒ **Camérière, camériste.**

2 Il était une vieille ayant deux chambrières. LA FONTAINE, Fables, V, 6.
HOM. (Du fém.) Chambrière.

CHAMBRIÈRE [ʃɑ̃bʀijɛʀ] n. f. — 1678; de *chambre*, dans... *de chambre* «qui sert à l'usage quotidien».

♦ **1.** Techn. Fouet* léger à long manche employé dans les manèges (les cirques, etc.).

♦ **2.** (1803). Techn. Support mobile destiné à soutenir une charrette non attelée. ⇒ **Béquille.**

♦ **3.** Mar. Raban servant à serrer certaines voiles; estrope servant à suspendre une manœuvre levée.

HOM. Fém. de **Chambrier.**

CHAMEAU [ʃamo] n. m. — 1080, *cameil*; du lat. *camelus*, grec *kamêlos.*

★ **I.** Cour. (au sens large). ♦ **1.** Mammifère ongulé possédant une ou deux bosses dorsales, un pelage laineux. *On distingue le chameau à deux bosses, ou chameau d'Asie et le chameau à une bosse ou chameau d'Arabie* (⇒ **Dromadaire** (cit. 1), **méhari**). *La sobriété, l'endurance du chameau. Le chameau est appelé le vaisseau du désert. Transport à dos de chameau. Le chameau, bête de somme des caravanes* (cit. 2). *Du chameau.* ⇒ **Camélien, 1. Camelin.** *Cri du chameau* (⇒ **Blatérer**). *Le chameau baraque* (s'agenouille).

1 Le premier qui vit un Chameau
S'enfuit à cet objet nouveau;
Le second approcha, le troisième osa faire
Un licou pour le Dromadaire. LA FONTAINE, Fables, IV, 10.

1.1 Les chameaux destinés à être tués sont blancs comme la neige, et ne sont jamais ni chargés ni fatigués; leur viande est rouge et très grasse; les chamelles ont une grande abondance de lait; les Bédouins en boivent continuellement (...)
LAMARTINE, Voyage en Orient, Récit de Fatalla Sayeghir (1836), Œ., t. VI, p. 157.

2 Bien que connu pour ma nature obéissante, ponctuelle, et douce, comme Buffon dit du chameau (...) PROUST, À la recherche du temps perdu, t. XII, p. 80.

POIL DE CHAMEAU : tissu en poil de chameau, et, par ext., tissu de laine épaisse. *Manteau, couverture en poil de chameau.*

2.1 Le café s'appelait *Chez Arys.* Il y avait au comptoir un homme très élégant en poil de chameau et Borsalino, qui tenait en laisse un caniche royal gris, taillé comme un jardin de Le Nôtre (...) R. GARY, Clair de femme, p. 13.

Loc. *Vouloir faire passer un chameau par le trou d'une aiguille.* ⇒ **Aiguille.**

♦ **2.** Zool. Chameau à deux bosses (opposé à *dromadaire*). «*Chameau, Dromadaire et Lama ne sont connus qu'à l'état domestique*» (*Zoologie*, t. IV, p. 1125; Encyclopédie Pl.).

2.2 Les bêtes de somme se comptaient par milliers. C'étaient des chameaux de petite taille, mais bien faits, poil long, épaisse crinière leur retombant sur le cou, animaux dociles et plus faciles à atteler que le dromadaire.
J. VERNE, Michel Strogoff, p. 265.

♦ **3.** (1828; insulte envers une femme). Fig. et fam. Terme injurieux de mépris s'adressant à une personne méchante, désagréable, quel que soit son sexe (→ Garce, cochon, salaud...). *C'est un chameau, un vrai chameau, un sale chameau. Quel chameau.* — Appellatif. *Chameau!, sale type!* «*Moi négro* (cit.), (...) *mais toi, chameau!*» (Proust). — N. f. Pop. *Ah, la chameau!* — Adj. *Ce qu'il (elle) est chameau!*

3 Ah! le chameau! répétait la grande Virginie. Qu'est-ce qui lui prend, à cette enragée-là! ZOLA, l'Assommoir, I, p. 28.

★ **II.** ♦ **1.** (1722, du néerl. *kameel* «chameau»). Mar. Combinaison de caissons à air aidant à soulever un navire pour lui faire franchir des hauts fonds.

♦ **2.** Argot. Table d'examen gynécologique (A. Sarrazin, *la Cavale*, *in* Cellard et Rey).

DÉR. Chamelier, chamelle, chamelon.

CHAMELIER, IÈRE [ʃaməlje, jɛʀ] n. m. et adj. — 1430, A. Chartier; de *chameau*.

♦ **1.** Personne qui conduit les chameaux et dromadaires et en prend soin. — REM. Le fém. *chamelière* est virtuel.

1 J'entendis le cri du chamelier qui conduisait une caravane éloignée.
CHATEAUBRIAND, Itinéraire..., t. II, p. 34.

♦ **2.** Adj. *Chamelier, ère.* Qui concerne les chameaux, est utilisé par les chameaux. *Piste chamelière.*

2 Selon Abdallah, le convoi d'armes devait franchir la frontière imprécise et contestée du Sahara marocain anciennement espagnol, entre deux heures et trois heures du matin, en empruntant une piste chamelière abandonnée qui passait très près du puits ensablé de Zaïr. Jean LARTÉGUY, les Prétoriens, p. 644.

CHAMELLE [ʃamɛl] n. f. — XIIᵉ; *camoille*, de *chameau*.

♦ Femelle du chameau (1. ou 2.). *Lait de chamelle. Une chamelle et son chamelon.*

(...) une chamelle qui vient de mettre bas, et qui s'en va vers le campement, suivie de son chamelet que poussent, avec des branches, deux petits Arabes dont la figure n'arrive pas au derrière du petit chameau.
MAUPASSANT, la Vie errante, V, Vers Kairouan, p. 263.

REM. Le mot *dromadaire* étant masculin, on utilise en général le mot *chamelle* pour marquer le sexe, dans toute la famille des camélidés.

CHAMELON [ʃamlɔ̃] ou CHAMELET [ʃamlɛ] n. — 1845, *chamelon*; *chamelet*, 1877; de *chameau*.

♦ Rare ou didact. Petit du chameau et du dromadaire.

On ne voit jamais le chamelon jouer et se divertir, comme font les poulains, les veaux et les autres petits des animaux. Il est toujours grave, mélancolique, marchant lentement et ne hâtant le pas que lorsqu'il est pressé par son maître.
HUC, Souvenirs d'un voyage dans la Tartarie, ..., t. I, p. 332 (1850).

CHAMÉROPS ou **CHAMÆROPS** [kameʀɔps] n. m. — 1615; lat. *chamærops*, grec *khamairôps*, proprement «buisson à terre».

♦ Bot. Plante monocotylédone *(Palmiers)*. *Chamerops humilis*, ou *palmier* nain. Chamærops excelsa*, dont la hauteur peut atteindre une dizaine de mètres.

CHAMITO-SÉMITIQUE [kamitosemitik] adj. et n. m. — xxᵉ; de *chamatique* «du pays de *cham*» (→ Hamitique), et *sémitique*.

♦ Didact. et n. m. Relatif à la famille de langues à laquelle appartiennent l'hébreu, l'égyptien, le phénicien, l'arabe, le berbère, et le «couchitique» (Afrique orientale).

N. m. *Le chamito-sémitique* : l'ensemble de ces langues.

CHAMOIS [ʃamwa] n. m. — 1170, *camois*, «objet en peau de chamois»; du bas lat. *camox*.

♦ **1.** Mammifère ongulé *(Bovidés-Caprinés)*, à cornes recourbées, vivant dans les montagnes. *Les chamois ressemblent à la chèvre, ils vivent par petits troupeaux sur les pentes des hautes montagnes. Chamois des Pyrénées.* ⇒ **Isard.** *L'agilité du chamois. Chasser le chamois.*

1 Corneille est comme les bouquetins et les chamois de nos montagnes, qui bondissent sur un rocher escarpé et descendent dans des précipices.
VOLTAIRE, Lettres à d'Argental, 25 févr. 1763.

2 Les animaux qui fréquentaient ces hauteurs — et les traces ne manquaient pas — devaient nécessairement appartenir à ces races, au pied sûr et à l'échine souple, des chamois ou des isards. J. VERNE, l'Île mystérieuse, t. I, p. 12.

♦ **2.** Peau préparée du chamois. — Par ext. Le côté chair de la peau de mouton, de chèvre, etc., après tannage à l'huile (⇒ **Chamoisage**). — *Gant de chamois.*

Par anal. *Peau de chamois* : tissu duveteux et souple pour frotter l'argenterie, etc. ⇒ **Chamoisine; chamoisette** (régional). — Ellipt. *Faire briller la carrosserie de sa voiture avec un chamois.*

♦ **3.** Adj. invar. *Couleur chamois* : jaune clair. *Une robe, des robes chamois. Papier chamois.* — Syn. : *chamoisé,* 2.

♦ **4.** (1933, in Petiot). Test de performance de l'École de ski français, slalom spécial en temps imposé. — Titre sanctionnant la réussite à ce test, autorisant le port de l'insigne correspondant; cet insigne. *Chamois de bronze, d'argent, de vermeil, d'or. Titre immédiatement inférieur au chamois.* ⇒ **Cabri.**

3 Le Chamois d'or est attribué aux concurrents qui font un temps inférieur à 105 % du temps de base. C'est donc une épreuve difficile que les chamois d'or sont d'excellents skieurs. Jean FRANCO, le Ski, p. 53.
Skieur, skieuse titulaire du chamois. C'est une pente que même un chamois d'argent descendrait avec difficulté.

DÉR. **Chamoiser, chamoisette** (régional), **chamoisine.**

CHAMOISAGE [ʃamwazaʒ] n. m. — 1808; de *chamoiser*.

♦ Techn. Ensemble d'opérations par lesquelles on rend certaines peaux (mouton, chèvre, etc.) aussi souples que la peau du chamois véritable (⇒ **Tannage** : tannage à l'huile). *Opérations de chamoisage :* dessaignage, reverdissage, mise en chaux, débourrage, effleurage, écharnage, mise en confit, foulage, échauffe, remaillage, dégraissage, séchage.

CHAMOISER [ʃamwaze] v. tr. — Fin xivᵉ, *camoisser;* repris en 1780; de *chamois.*

♦ Techn. Préparer par chamoisage* (une peau, de chamois ou d'une autre bête).

▶ **CHAMOISÉ, ÉE** p. p. adj.

♦ **1.** *Cuir, peau chamoisé(e),* traité(e) par chamoisage.

♦ **2.** D'une couleur chamois. «*Un manteau jaune chamoisé*» (Huysmans).

DÉR. **Chamoisage, chamoiserie, chamoiseur.**

CHAMOISERIE [ʃamwazʀi] n. f. — 1723; de *chamoiser.*
Technique.

♦ **1.** Lieu, atelier où s'effectue le chamoisage.

♦ **2.** Industrie, commerce des peaux chamoisées.

CHAMOISETTE [ʃamwazɛt] n. f. — xxᵉ; de *chamois (peau de chamois),* suff. *-ette.*
Régional (Belgique).

♦ Petit chiffon duveteux servant à épousseter ou à astiquer.

Entre les diverses phases de l'opération, savonnage, rinçage, lustrage à la chamoisette, elle rentrait se chauffer les mains. Vera FEYDER, Caldeiras, p. 17 (1982).

CHAMOISEUR [ʃamwazœʀ] n. m. — 1723; de *chamoiser.*

♦ Techn. Ouvrier spécialiste du chamoisage.

CHAMOISINE [ʃamwazin] n. f. — 1952; de *chamois.*

♦ Techn. Pièce de coton duveteux, souvent jaune, servant au nettoyage des surfaces lisses à faire briller (meubles, argenterie; carrosseries). — Syn. cour. : *peau de chamois, chamois;* (Belgique), *chamoisette*.*

Amélie rouvrit son carnet et s'absorba dans la liste des articles à commander au grossiste de Sallanches : savon de Marseille, savon noir, papier hygiénique, chamoisines. H. TROYAT, Tendre et violente Élizabeth, p. 374.

1. CHAMP [ʃɑ̃] n. m. — 1080; du lat. *campus* «plaine, terrain cultivé». → Camp.
Espace ouvert et plat. ⇒ **Campagne, terrain.**

★ **I.** ♦ **1.** Pièce de terre* propre à la culture (et généralement, affectée à une culture particulière). *Sciences relatives à la culture des champs.* ⇒ **Agriculture, agrologie, agronomie.** *Cultiver, labourer, emblaver, semer un champ.* ⇒ **Agricole** (opérations). *Culture d'un champ; un champ de navets, de betteraves, de blé, de pommes de terre, de trèfle, de luzerne.* ⇒ **Culture; aspergerie, câprière, chènevière, emblavure, fougeraie, fourragère, garancière, genêtière, genévrière, guéret, houblonnière, luzernière, melonnière, ravière, rizière, ronceraie, roseraie, tréflière,** et aussi **pâturage, prairie, pré.** *Des champs plantés d'arbres.* ⇒ **Plantation, verger.** *Bornes, lisières d'un champ. Irriguer un champ. Champ toujours humide.* ⇒ **Mouillière.** *Champ moissonné.* ⇒ **Chaume.** *Champ dont on a brûlé les herbes.* ⇒ **Brûlis.** *Champ fertile, stérile, en friche, en jachère. Champ d'expérimentation,* pour les expériences agricoles sur les engrais ou les variétés de plantes. *Superficie* d'un champ, calculée en hectares, en ares.*

1 Nous cultivions en paix d'heureux champs, et nos mains
Étaient propres aux arts ainsi qu'au labourage (...) LA FONTAINE, Fables, XI, 7.

2 Antoine regardait avec ravissement de chaque côté du chemin les champs hersés, déjà verdissants, et, sous le ciel clair de l'horizon (...) les coteaux de l'Oise (...)
MARTIN DU GARD, les Thibault, t. I, p. 158.

Spécialt. *Champ d'épandage*.*

Par métaphore :
3 Dans le champ du public largement ils moissonnent. CORNEILLE, Cinna, II, 1.

♦ **2.** (xiiiᵉ). Au plur. LES CHAMPS : toute étendue rurale, par oppos. à *ville, village, habitation.* ⇒ **Campagne** (III.). Surtout : *aux champs, des champs. La vie des champs; les travaux des champs.* ⇒ **Agreste, agricole, arvicole, champêtre, rural; campagnard, paysan.** — (Dans les syntagmes caractéristiques). *Rat des champs* = campagnol*. *Fleurs des champs,* par oppos. à *fleurs de jardin.* — Loc. fig. *La clé* des champs. Donner à qqn, prendre la clé des champs* : libérer qqn; s'enfuir.
Aux champs. Aller, mener les bêtes aux champs.
Dans les champs. Le champi*, enfant trouvé dans les champs.
Loc. *En pleins champs* : au milieu des cultures. *Marcher, passer la nuit en pleins champs* (aussi, au sing. : *en plein champ*).
Loc. fig. (vx). *Courir les champs* : se promener, errer (cf. Battre la campagne). *Son esprit court les champs. Il est fou à courir les champs.*
À travers champs : hors des chemins. *Couper à travers champs.* — Au fig. *Se sauver à travers champs* : esquiver une question, détourner une conversation.
Poét. Étendue, pays. *Les champs azurés* : l'air.
4 Ô rives du Jourdain, ô champs aimés des Cieux. RACINE, Esther, I, 2.

♦ **3.** (xixᵉ). Qualifié, dans les syntagmes figés. Emplacement, espace plus ou moins étendu, à usage déterminé. *Champ de foire.* ⇒ **Foirail.** — (1914, in D.D.L.). *Champ d'aviation.* ⇒ **Camp, terrain.** *Champ de course.* ⇒ **Hippodrome.** — *Champ des morts; champ de repos.* ⇒ **Cimetière.** — *Champs Élysées* : chez les anciens, Lieu de séjour des ombres vertueuses. — *Champ de Mai, de Mars* : Lieu où se tenaient les assemblées franques de mai, de mars, et, par ext., les Assemblées. *Champ de Mars* (poétique de *Bellone*) : terrain d'exercice. — *Champ de manœuvres, champ de tir,* où les soldats s'entraînent. — *Champ de mines* : obstacle constitué par des mines enfouies. — *Champ de bataille, champ d'honneur* : la guerre. *Choisir son champ de bataille. Rester maître du champ de bataille.* ⇒ **Bataille.** *Mourir, tomber au champ d'honneur.* — *Aux champs,* batterie, sonnerie pour rendre les honneurs. ⇒ **Battre** II., 3.

5 Je pense aux gloires communes des champs de bataille du passé, depuis le siège

d'Orléans que délivra Jeanne d'arc, jusqu'à Valmy où Goethe reconnut qu'une ère nouvelle se levait sur le monde.
> Ch. DE GAULLE, Mémoires de guerre, p. 610, in T. L. F.

Géogr. et cour. Espace caractérisé. *Champ de dunes. Champ de neige, de glace. Champ de pétrole, champ pétrolifère.* — **Géol.** *Champ de fracture* (réseau de cassures du sol).

♦ **4. CHAMP CLOS** : lieu formé de barrières, enceinte où avaient lieu les duels, les tournois... ⇒ **Arène, carrière, lice.** *Se battre en champ clos* (⇒ **Champion**).

6 Il défit, en champ clos, tous ceux qui se proposèrent. Plus de vingt fois on le crut mort.   FLAUBERT, Trois contes, « La légende de St Julien l'Hospitalier », II.

Champ (même sens). Vx, sauf dans quelques emplois. *Ouvrir le champ*, y faire entrer les combattants. *Laisser le champ libre* : se retirer, et, fig., donner toute liberté (cf. Carte blanche). *Prendre du champ* : reculer dans la lice pour prendre de l'élan ; (1939, *sport*) : distancer qqn ; fig. : prendre du recul, du temps.

♦ **5. Blason.** *Champ d'un écu*, le fond. *Lion d'or en champ d'azur.* Par anal. *Le champ d'un tableau, d'une médaille, d'une monnaie*, la face que l'on peint, que l'on creuse, que l'on cisèle. ⇒ **Champlever.**

6.1 Le tableau composé successivement de *pièces de rapport*, achevées avec soin et placées à côté les unes des autres, paraît un chef-d'œuvre et le comble de l'habileté, tant qu'il n'est pas achevé, c'est-à-dire tant que le champ n'est pas couvert : car finir, pour ces peintres qui finissent chaque détail en le posant sur la toile, c'est avoir couvert cette toile.   E. DELACROIX, Journal, avr. 1854, t. II, p. 337.

★ **II. Fig. A.** ♦ **1.** Domaine (où s'exerce une action). ⇒ **Aire, carrière, domaine, matière, occasion, perspectives,** 3. **sujet** (II., 3.), **zone.** *Champ d'action, d'activité.* ⇒ **Sphère.** *Champ d'observation* (cit. 6). *Donner libre champ à son imagination, à sa colère. Le champ immense des hypothèses. Le champ des découvertes. Agrandir le champ de la connaissance humaine.* ⇒ **Cercle.** *Champ d'une science, d'un art.*

7 L'érudition est bien loin d'être un mal : elle agrandit le champ de l'expérience et l'expérience des hommes et des choses est la base du talent.
> Max JACOB, Conseils à un jeune poète, p. 32.

8 Toujours et toujours recommencer les mêmes efforts, dans un champ d'action ridiculement étroit !   MARTIN DU GARD, les Thibault, t. IV, p. 137.

♦ **2. Loc. adv. SUR-LE-CHAMP.** ⇒ **Aussitôt, comptant, délai** (sans délai), **désemparer** (sans désemparer), **heure** (sur l'heure), **immédiatement.** *Partir sur-le-champ. La question fut réglée sur-le-champ.*

9 (...) il fallait parler et parler sur-le-champ, trouver les idées, les tours, les mots au moment du besoin, avoir toujours l'esprit présent, être toujours de sang-froid, ne jamais me troubler un moment.   ROUSSEAU, les Confessions, XII.

À TOUT BOUT DE CHAMP (fam.) : à tout instant. ⇒ **Bout** (cit. 44, 45).

B. Sc., techn. Espace limité (concret ou abstrait) réservé à certaines opérations ou doué de propriétés.

♦ **1.** (1753). *Champ des instruments d'optique** : secteur dont tous les points sont vus dans l'instrument. *Champ d'une lentille, d'un miroir. Angle de champ.* — *Profondeur* de champ* (aussi en photo, cinéma, → ci-dessous). — **Physiol.** *Champ du regard, champ de fixation* : portion de l'espace que l'on peut regarder par rotation de l'œil autour de sa position normale. — *Champ auditif tonal. Champ olfactif.* — *Champ récepteur* : territoire occupé par l'ensemble des récepteurs sensoriels en relation avec une cellule nerveuse.
Cour. CHAMP VISUEL : espace qu'embrasse l'œil immobile, et comprenant une zone centrale, une zone moyenne et une zone périphérique. *Champ de l'accommodation.*

10 (...) elle se détourna, et d'un air indifférent et dédaigneux, se plaça de côté pour épargner à son visage d'être dans leur champ visuel (...)
> PROUST, À la recherche du temps perdu, t. I, p. 192.

(1911). Portion d'espace dont l'image est enregistrée par une caméra, un appareil de photo (en photo, au cinéma, etc.). *Le champ de la caméra. Entrer dans le champ. — Sortir du champ. — Être dans le champ. Une voix hors champ.* ⇒ **Off,** 1. (anglic.). *Un hors-champ* : une prise de vue hors du champ prévu. — Spécialt (par oppos. à *contrechamp**). Prise de vue effectuée dans le sens de la scène filmée. *Champs et contrechamps.*

11 On cadre Gary Cooper qui sort en plan général. Il traverse presque entièrement le champ pour jeter un coup d'œil dans la ville morte et là (plutôt que de faire un contrechamp sur celle-ci, puis un troisième plan de visage de Gary Cooper regardant), un travelling latéral recadre Gary Cooper qui s'est immobilisé face à la ville abandonnée.   J.-L. GODARD, in Cahiers du cinéma, n° 92, févr. 1959, « Man of the west » d'Anthony Mann.

♦ **2.** (1879). **CHAMP OPÉRATOIRE,** ou **CHAMP** : zone dans laquelle on pratique une opération, et, par ext., compresses stériles qui limitent cette zone. *Poser des champs.*

♦ **3. Anat., embryol.** *Champs morphogénétiques de l'embryon.* ⇒ **Territoire.** *Champs du cortex, champs corticaux.*

♦ **4. Phys.** Zone où se manifeste un phénomène magnétique ou électrique, un système de forces ; portion de l'espace où la force appliquée en un point dépend de ce seul point. *Champ électrique, champ magnétique ; champ de force d'un aimant. Champ magnétique terrestre.* ⇒ **Géomagnétisme.** — *Champs de gravitation**. — *Ligne de champ* : ligne de force d'un champ.

♦ **5. Math.** Ensemble des valeurs que les variables d'un système

peuvent prendre (à l'exclusion de tout autre). *Champ scalaire, vectoriel.*

♦ **6. Fig.** *Le champ de la conscience* : contenu de la conscience à un moment donné.

♦ **7. Ling.** Ensemble structuré (de notions, de sens, de mots). *Champ conceptuel, notionnel. Champ sémantique* (d'après l'all. *begriffsfeld,* Just Trier). *Champ lexical.*

12 Si nous considérons le *champ sémantique* global (c'est-à-dire la société entière comme champ de significations, avec des lieux divers, des centres et noyaux disséminés), nous constatons des transformations appréciables.
> Henri LEFEBVRE, la Vie quotidienne dans le monde moderne, p. 120.

DÉR. ou **COMP.** Champart, champi, champlever, échampir, contre-champ.
HOM. Chand, 1. et 2. chant.

2. CHAMP [ʃᾶ] n. m. ⇒ 2. **Chant.**

CHAMP' ou CHAMPE [ʃᾶp] n. m. — 1857, *in* Esnault ; abrév. de *champagne*.

♦ **Argot fam.** Champagne. *Une rouille* (bouteille) *de champ'.*

(...) il apportait du « champe » afin d'arroser mon retour.
> Francis CARCO, Ombres vivantes, p. 207.

1. CHAMPAGNE [ʃᾶpaɲ] n. f. — xe ; du lat. pop. *campania,* de *campus.* → **Campagne.**

♦ **1. Géogr.** Plaine crayeuse ou calcaire. *La champagne de Saintonge.* Gén. Étendue de terre cultivée, ouverte.

Appos. (cour.). *Fine champagne* : eau-de-vie provenant de la *Grande* ou de la *Petite Champagne,* premiers crus de la région de Cognac.

♦ **2.** (1360). **Blason.** Tiers inférieur de l'écu (→ **Plaine**).

2. CHAMPAGNE [ʃᾶpaɲ] n. m. — 1695 ; abrév. de « vin de Champagne ».

♦ **1.** Vin blanc de Champagne, rendu mousseux sans introduction de gaz (⇒ **Champagnisation**). *Champagne d'Ay* (⇒ **Ay**), *de Châlons-sur-Marne, d'Épernay, de Reims... Caves à champagne creusées dans la craie.* ⇒ **Crayère.** *Champagne nouveau fait avec la mère goutte.* ⇒ **Tocane.** *Champagne à mousse peu abondante.* ⇒ **Crémant.** *Champagne léger.* ⇒ **Tisane** (de champagne). *Le secouage des bouteilles de champagnes.* — *Bouteille de champagne* (⇒ **Champenoise**). *Boire une coupe, une flûte de champagne. Sabler** le champagne. Verre de champagne que l'on aspire avec une paille.* ⇒ **Soyer.** *Champagne frappé. Un seau à champagne. Faire sauter un bouchon de champagne. Battre son champagne,* pour en faire partir le gaz carbonique. *Fouet à champagne.* — *Champagne brut* (non sucré), *sec* (⇒ **Dry**), *demi-sec. Champagne rosé.* — Abrév. fam. ⇒ **Champ'.**

(...) oisifs et jouisseurs, engraissés de la sueur du peuple et sablant le champagne avec des filles de joie.   MARTIN DU GARD, les Thibault, t. V, p. 213.   1

Pendant un moment elle battit son champagne en silence (...)   S. DE BEAUVOIR, les Mandarins, p. 53.   2

(Abusif). Vin mousseux préparé selon la méthode champenoise ; vin champagnisé. *Du champagne californien, soviétique* (Crimée).

♦ **2.** Vin de Champagne (en général). *Du champagne rouge de Bouzy.* ⇒ **Bouzy.**

CHAMPAGNE NATURE : vin blanc sec de Champagne, non champagnisé ; ou crémant de Champagne.

♦ **3. Adj. invar.** (1905, *in* D.D.L.). De la couleur du champagne. *Une robe de crêpe champagne. Un diamant champagne,* jaune-brun clair.

Cette femme était vêtue de linon rose à revers jonquille, avec bas de soie champagne brut, ombrelle bleue et blanche.   GIRAUDOUX, les Aventures de Jérôme Bardini, p. 34.   3

DÉR. Champagniser.

CHAMPAGNISATION [ʃᾶpaɲizasjõ] n. f. — 1878 ; de *champagniser.*

♦ Procédé de préparation des vins de Champagne, rendus mousseux par mise en bouteille avant la seconde fermentation (méthode étendue des vins d'autres origines). *Champagnisation par la méthode champenoise.*

CHAMPAGNISER [ʃᾶpaɲize] v. tr. — 1839 ; de 2. *champagne.*

♦ Traiter (les crus de Champagne) pour en faire du champagne (1.). — Traiter (un vin d'autre origine) de manière analogue. — Au p. p. *Vins champagnisés de Californie* (dits abusivt « *champagnes* »).

Champagne non champagnisé : champagne nature (⇒ **Champagne**, 2.).

DÉR. Champagnisation.

CHAMPART [ʃɑ̃paʀ] n. m. — 1270 ; comp. de *champ*, et *part*.

♦ **1.** Hist. Droit féodal* qu'avaient les seigneurs de lever une partie de la récolte de leurs tenanciers.

(...) en France le champart ou la tâche furent spécifiques des tenures créées par défrichement.   Georges DUBY, Guerriers et Paysans, p. 228.

♦ **2.** Vx ou régional. Mélange de froment, de seigle et d'orge. ⇒ **Méteil.**

CHAMPENOIS, OISE [ʃɑ̃pənwa, waz] adj. et n. — V. 1200 ; du rad. de *Champagne.*

♦ De la Champagne, province de France. *La région champenoise. La méthode champenoise de vinification.* ⇒ **Champagnisation.** — *Bouteille champenoise*, ou, n. f., *une champenoise*, bouteille de forme homologuée, au verre épais, utilisée pour les vins de Champagne. *Le magnum* contient deux champenoises, le jéroboam en contient quatre, etc.* (⇒ **Bouteille**).

CHAMPÊTRE [ʃɑ̃pɛtʀ] adj. — xiᵉ ; du lat. *campestris*, de *campus.* → Champ ; campagne.

Vieilli ou littéraire.

♦ Qui appartient aux champs, à la campagne cultivée. ⇒ **Agreste** (cit. 1), **arcadien** (4.), **bucolique, pastoral, rural, rustique.** *Vie champêtre. Travaux champêtres :* travaux des champs. — Mod. *Plaisirs, divertissements champêtres. Bal*, repas* champêtre.*

On s'élève à la ville dans une indifférence grossière des choses rurales et champêtres.   LA BRUYÈRE, les Caractères, VII, 21.

(Dans un contexte mythologique, antique). *Les faunes*, divinités champêtres. Musiques champêtres ; une flûte champêtre* (⇒ **Chalumeau**).

Loc. GARDE CHAMPÊTRE : préposé à la police communale sur le territoire d'une commune rurale.

CHAMPI ou **CHAMPIS, ISE** [ʃɑ̃pi, iz] n. et adj. — 1390, encore vivant au xviᵉ dans l'usage général (par ex., Montaigne) et au xixᵉ dans les parlers régionaux (Berry : G. Sand) ; de 1. *champ.*

Régional et vieux.

♦ Enfant trouvé dans les champs. ⇒ **Bâtard.** *François le Champi,* roman de George Sand (1849).

1   — Un instant, dit mon auditeur sévère, je t'arrête au titre. *Champi* n'est pas français.
— Je te demande bien pardon, répondis-je. Le dictionnaire le déclare *vieux,* mais Montaigne l'emploie et je ne prétends pas être plus Français que les grands écrivains qui font la langue. Je n'intitulerai donc pas mon conte François l'Enfant-Trouvé, François le Bâtard, mais François *le Champi* (...)
                          G. SAND, François le Champi, Avant-propos, p. 20.

Au fém. *Une champi, une champise.*

2   Et tout à coup, dans le ramas d'avortons chassieux, scrofuleux, têtes de misère et de vice, au-dessus de ces malheureuses petites champises, il revoyait sous des cheveux frisés et fins dépassant le triste chapeau de paille, la fière et mélancolique figure.   Alphonse DAUDET, la Petite Paroisse, p. 25.

CHAMPIGNON [ʃɑ̃piɲɔ̃] n. m. — 1398 ; issu, par changement de suffixe, de l'anc. francique *champegnuel* (*campegneus* au xiiᵉ), du lat. pop. (*fungus*, class.) *campaniolus* « champignon des champs ». → Campagnol.

★ **I.** Cour. ♦ **1.** Végétal sans feuilles, formé d'un pied généralement surmonté d'un chapeau, à nombreuses espèces, comestibles ou vénéneuses, et qui pousse rapidement, surtout dans les lieux humides. *Pied, chapeau des champignons. Cueillir, ramasser des champignons. Cultiver des champignons.* ⇒ **Champignonniste.** *Faire sécher, mettre au vinaigre, en conserve des champignons. Champignons lyophilisés* (⇒ **Lyophiliser**). *Manger un plat de champignons. Croûte, sauce, omelette aux champignons. Champignons à la grecque.* — *Champignons comestibles.* ⇒ **Agaric** (cèpe), **amanite** (coucoumelle, oronge), **bolet, chanterelle** (girolle), **clavaire, coprin, coulemelle, farinier, fistuline** (langue, foie-de-bœuf), **helvelle, hérisson, hydne** (bosselé, imbriqué), **lactaire** (délicieux, taché ; oreillette), **morille, mousseron, pleurote, potiron, psalliote** (boule-de-neige), **rousset** (certaines variétés), **russule** (charbonnier), **souchette, truffe.** *Champignon de couche, champignon de Paris :* agaric* champêtre, cultivé sur couches. ⇒ **Champignonnière.** *Semence de champignon de couche.* ⇒ **Blanc** (de champignon). *Champignons mortels, toxiques, vénéneux.* ⇒ **Amanite** (panthère ; tue-mouches ou fausse-oronge ; amanite phalloïde, amanite printanière, amanite vireuse [espèces mortelles], **bolet** (amer, satan), **hypholome, lactaire** (roux, visqueux), **rousset, russule** (émétique, de Quélet), **volvaire...** — *Champignons sylvestres. Champignons des bois, des prés* (⇒ **Rosé-des-prés**), *des sables.*

Nous nous arrêtions dans chaque forêt pour cueillir des champignons, car vous distinguez tous les champignons non vénéneux, du mousseron aux cocherelles.   GIRAUDOUX, Siegfried et le Limousin, p. 234.   0.1

(...) pour peu qu'une tiède averse ait filtré sous l'aiguillée, les champignons soulèvent leur chapeau. Le lactaire délicieux laisse couler son sang, le lactaire poivré gonfle au bord des ornières sa blancheur farineuse et grasse. Violette, la russule au cuir lisse traverse les pâles ronds de sorcières où se plaît l'hydne écailleux. Le marasme épanouit sa minuscule corolle, sur un pied, si aigu qu'il semble une aiguille morte piquée dans l'épaisse jonchée. Roux et blancs, roses, bais, orangés, verdâtres, les champignons dans l'ombre luisent comme des gemmes (...) Il faut les toucher à la main pour sentir leur élasticité vivante et la douceur de leur chair nue, les meurtrir pour respirer leur parfum et fin, où le sous-bois tout entier est enclos. Immobiles, presque minéraux, ils évasent leur conque veinée comme un beau marbre.   M. GENEVOIX, Forêt voisine, VI, p. 62.   1

Loc. fig. *Pousser comme un champignon,* avec une grande facilité, une grande rapidité. ⇒ **Champignonner.** → Pousser, cit. 52. — (1911 in D. D. L.). *Ville champignon,* qui se développe très vite.

Quelques-unes de ces villes tentaculaires devinrent *(au xixᵉ siècle)* des villes géantes comme les grandes capitales modernes. Nulle part les cités n'ont poussé aussi rapidement que les villes-champignons *(mushroom cities)* aux États-Unis (...)
                          Paul REBOUD, Précis d'Économie politique, t. I, p. 121.   2

REM. L'usage courant emploie *champignon* surtout pour désigner les espèces qui comportent la forme caractéristique avec pied et chapeau (d'où le sens 2.) ; mais parfois aussi pour d'autres formes de champignons supérieurs, comestibles (morille) ou non. On ne dirait cependant pas spontanément de la truffe qu'elle est un champignon (alors qu'elle l'est pour le botaniste).

Par anal. d'emploi. Végétal à goût et à emploi culinaire comparable. *Champignons chinois* (algues).

♦ **2.** Fig. **a** (1639). Renflement spongieux d'une mèche qui brûle mal.

b (1931, in Petiot). Fam. Pédale d'accélérateur (à l'origine, tige surmontée d'un chapeau). ⇒ **Accélérateur.** *Appuyer sur le champignon :* accélérer.

c *Champignon d'un portemanteau :* saillie pour accrocher les chapeaux. ⇒ **Portemanteau.** *Mettre son chapeau au champignon.* — *Champignon de modiste.* ⇒ **Forme.**

d Techn. Rond de tôle à l'extrémité d'une cheminée ou d'un tuyau pour en abriter l'orifice. — Sorte de vasque renversée qui fait retomber en nappes les eaux d'une fontaine jaillissante...

e Spécialt. ⇒ **Cairn.**

f *Champignon atomique :* nuage de forme caractéristique (colonne sphérique surmontée d'un nuage hémisphérique) qui s'élève après une explosion atomique.

(...) la forteresse volante *Enola-Gay* du capitaine Paul W. Tibbets qui devait faire surgir (...) le 6 août, à 9 h 15 du matin, un champignon d'une monstrueuse réalité : éclair, nuages, fumées, vent, explosion, pluie diluvienne, flammèches, mort par désagrégation, radiation, irradiation, mort continue, mort lente, lèpre et chancre, plaies, brûlures, crevaison.   B. CENDRARS, Bourlinguer, p. 117.   3

★ **II.** Bot. Classe de plantes cryptogames cellulaires (*Thallophytes*) dépourvues de chlorophylle ainsi que de racines, de tiges et de feuilles et incluant, outre les champignons au sens I., 1., qui sont munis d'un appareil « massif », des formes unicellulaires et filamenteuses. ⇒ **Acotylédone, agame, cryptogame.** *Étude des champignons.* ⇒ **Mycologie.** *L'appareil végétatif du champignon est un thalle* généralement filamenteux cloisonné ou non* (⇒ **Hyphe, siphon**) *constitué par le mycélium*. La partie aérienne* (⇒ **Carpophore**) *de certains champignons supérieurs (ou massue) se présente le plus fréquemment sous la forme d'un parasol ; on y distingue le pied (pédicule ou stipe) portant parfois à la base un renflement (bulbe) entouré parfois d'une vulve*, reste du voile général, et surmonté d'un chapeau (pileus). Le chapeau du champignon, en dôme ou en entonnoir, est garni en dessous de lames (ou feuillets) verticales ou de tubes étroits soudés entre eux ou de piquants. Anneau, bague, collier, collerette du champignon :* reste de la membrane *(voile),* qui, avant le complet développement du chapeau, en recouvre la face inférieure. *Matière cireuse qui saupoudre les champignons.* ⇒ **Pruine.** *Fructification des champignons.* ⇒ **Périthèce, spermogonie.** *Cavité du champignon renfermant les organes de reproduction.* ⇒ **Conceptacle, réceptacle** (pycnide). *Cellules reproductrices des champignons.* ⇒ **Asque, baside,** et aussi **paraphyse, spore** (conidie, sporidie), **thèque ; oospore.** *Symbiose de l'algue et du champignon.* ⇒ **Lichen.** — *Champignons microscopiques.* ⇒ **Moisissure, mycorhize, oïdium, pénicilline.** *Maladies provoquées par des champignons.* ⇒ **Carie, charbon, ergot, mildiou, muguet, mycose, rouille.** *Médicaments qui détruisent les champignons.* ⇒ **Antifongique, antimycosique ; antibiotique.** *Les levures sont des champignons.* ⇒ **Levure ;** *saccharomyces.* *De nombreux champignons sont saprophytes*, symbiontes ou parasites*.* ⇒ **Amadouvier, écidie, empuse, entomophtorée, fuligo, mycorhize, oïdium, pénicillium, polypore, rhizoctone, spumaire.**

Classement des champignons (d'après F. Moreau) :

Champignons primitifs, unicellulaires, à cellules flagellées. Ex. : *Olpidium* (parasite du lin, etc.).

Champignons à cellules mobiles flagellées : a) flagelle postérieur unique : Blastocladiales, Monoblépharidales ; b) deux flagel-

les : Saprolégniales, Péronosporales. Ex. : *Phytophtora, Plasmopora* (parasites, saprophytes).
Champignons sans flagelles (plus évolués) — Zygomycètes (Mucorales, Endogonales, etc.) [saprophytes ou parasites]. — *Champignons supérieurs,* caractérisés par la caryogamie «dangeardienne» (de Dangeard) : a) *Champignons à asques* ou *Ascomycètes** : Aspergillales (ex. : *Aspergillus, Penicillium) ;* Erysiphales (oïdium) ; Pyrénomycétales (ex. *Claviceps,* responsable de l'ergot du seigle) ; Discomycétales (ex. : *Pézizes, Morilles, Helvelles ; Truffes*) ; Ascomycètes sans périthèce (Taphrinales, Endomycétales, Saccharomycétales ou Levures). → aussi Sphériacés ; b) *Champignons à protobasides* (Protobasiomycètes) : Urédinales (parasites, responsables des rouilles) ; Ustilaginales (responsables des «charbons») ; c) *Champignons à basides* ou *Basidiomycètes** (champignons au sens courant ; env. 15 000 espèces).— a) à basides cloisonnées (ex. : *Oreille de Judas ; Trémelles*). — b) à basides non cloisonnées (ou continues). — 1. Hyménomycètes, à hyménium lisse (Clavaires, Chanterelles, Craterelles), à hyménium à pores ou tubes (Polypores, Bolets), à hyménium à piquants (Hydnes), à hyménium à lames (Agarics, Amanites, Lépiotes, Pleurotes, Caprins, Russules, Lactaires, Tricholomes). — 2. Castromycètes à hyménium interne (Lycoperdons, Clathrus, Phallus).

DÉR. (Du sens I.) **Champignonner, champignonnière, champignonniste.**

CHAMPIGNONNER [ʃɑ̃piɲɔne] v. intr. — xxᵉ ; «se boursoufler», 1771 ; de *champignon.*

♦ Rare. Pousser vite et proliférer à la manière des champignons.

(...) le premier Parisien avait été bientôt suivi d'un second, puis d'un troisième ; et à mesure que propriétés, maisons, villas et pavillons champignonnaient sur le plateau, la méfiance, puis l'hostilité étaient nées entre les villageois du cru et les immigrants.   Roger IKOR, les Fils d'Avrom, Prologue, p. 15 (1955).

CHAMPIGNONNIÈRE [ʃɑ̃piɲɔnjɛʀ] n. f. — 1694, Académie ; de *champignon.*

♦ Lieu, généralement souterrain, où l'on cultive les champignons sur couche. — La couche de fumier ou de terreau préparée pour la culture des champignons (de Paris).

CHAMPIGNONNISTE [ʃɑ̃piɲɔnist] n. — 1866 ; de *champignon.*

♦ Didact. Personne qui cultive les champignons (les champignons de Paris, en particulier).

CHAMPION, CHAMPIONNE [ʃɑ̃pjɔ̃ ; ʃɑ̃pjɔn] n. m. et f. — 1080, *campium ; championne,* au xviiᵉ ; bas lat. *campio,* ou germanique **kampjo ;* de *campus* «champ de bataille» ou germanique *kamp* «lieu du combat».

★ **I.** ♦ **1.** N. m. Ancienn. Celui qui combattait en champ clos pour soutenir sa cause ou celle d'autrui. *Choisir, fournir un champion pour un combat singulier. Champions lançant les premiers défis dans un tournoi.* ⇒ **Tenant.**
Par ext. Vx et fam. Au plur. Rivaux qui se battent. ⇒ **Combattant.**

1   Tandis que coups de poing trottaient,
Et que nos champions songeaient à se défendre (...)   LA FONTAINE, Fables, I, 13.

♦ **2.** N. m. et f. Mod. Concurrent, concurrente, dans une lutte sportive. ⇒ **Concurrent.**

2   (...) ils entrent dans l'arène, les *pelotaris,* les six champions parmi lesquels il en est un en soutane, le vicaire de la paroisse.   LOTI, Ramuntcho, I, IV, p. 55.

♦ **3.** (1855, *in* Petiot). Athlète, sportif, sportive qui remporte une épreuve sportive particulière *(championnat*). Il est champion du monde en titre. Champion olympique. Le champion du monde des mi-lourds* (boxe). *Le champion a défendu, sauvé, perdu son titre.* ⇒ **Tenant** (du titre) ; **challengeur** (anglicisme). *La championne d'Europe du cent mètres brasse.* Athlète (homme ou femme) ou équipe titulaire du titre de champion. *L'ancienne championne du cent mètres nage libre dame.*
(1906, *in* Petiot). Appos. *L'équipe champion (du monde, d'Europe) ;* l'équipe championne (plus courant). Athlète de grande valeur (indépendamment des compétitions, des victoires et des records). *Tous les champions du ski sont réunis pour cette épreuve. Collectionner les photos des champions. Ce n'est pas un champion, mais il nage bien. Les champions de tennis.*
Par analogie :

3   Il se mit en tête d'être champion de triage de laines et le fut en quinze jours.   A. MAUROIS, Bernard Quesnay, XXXIV, p. 234.

♦ **4.** Fam. Personne, groupe remarquable dans un domaine. ⇒ **As.** *C'est une championne dans son genre. C'est le champion de la gaffe.* — (Choses). *Ce film est champion au box-office.*
En interj. *Champion ! :* Bravo !
Adj. invar. (personnes et actes). *Pour ce qui est de taper les copains, il est champion !* (on dit aussi : *c'est un champion). Elle est cham-*

pion, cette fille-là ! — C'est champion, c'est un coup champion. — Ellipt. *Ce morceau, mon vieux, champion !,* c'est remarquable.

3.1   (...) qui donc était président de la République ? Deschanel, mais non : c'était sous Millerand, Deschanel déjà depuis deux ans (...) et c'est d'ailleurs cette année-là qu'il meurt, le mois, ça je ne sais pas.
Fait rien. C'est déjà champion. Si on songe à ce que tout le monde sait de l'année vingt-deux !   ARAGON, Blanche..., I, II, p. 33.

★ **II.** (1552). Fig. (de I., 1.) et littér. ⇒ **Défenseur.** *Un champion de la foi. Se faire le champion d'une juste cause.*

4   (...) un orateur des plus distingués, l'avocat ou plutôt le champion, le chevalier intrépide et brillant d'une cause.   SAINTE-BEUVE, Causeries du lundi, 5 nov. 1849. → Avocat, cit. 16.

5   Elle avait *(la France)* d'abord, malgré tout, la sympathie des peuples : elle s'était, en 1789, faite le champion de la liberté : elle avait, en abattant les tyrans, brisé les fers des esclaves.   Louis MADELIN, Talleyrand, IV, XXVIII, p. 298.

DÉR. Championnat.

CHAMPIONNAT [ʃɑ̃pjɔna] n. m. — 1859, *in* Petiot ; de *champion.*

♦ Rencontre, épreuve sportive officielle à l'issue de laquelle un concurrent vainqueur est proclamé champion. *Participer à un championnat. Championnat d'Europe d'athlétisme. Championnat de France, des États-Unis. Championnat annuel ; national, mondial ; championnat junior. Les épreuves éliminatoires, les quarts de finale, les demi-finales, la finale d'un championnat. Les championnats internationaux de France de tennis. — Championnats de club, départementaux, régionaux* (en France). ⇒ aussi **Coupe.**

CHAMPLEVER [ʃɑ̃ləve] v. intr. — 1753, *Encyclopédie ;* comp. de *champ,* et *lever.*

♦ **1.** Techn. Travailler (une surface) en enlevant au burin le champ* autour d'un motif, d'une figure que l'on réserve, pour obtenir des blancs, des reliefs. *Champlever une plaque d'argent, une plaque de bois.*
Spécialt (émaillerie). Pratiquer des alvéoles dans (un support métallique) pour y incruster à chaud de la pâte d'émail.
Au p. p. *Émaux champlevés,* sur support champlevé, par oppos. aux *émaux* dits *cloisonnés*.*

♦ **2.** Former, dessiner (une figure) en champlevant une surface (en particulier, une surface destinée à être émaillée).

CHAMPOING (et dérivés), CHAMPOIN [ʃɑ̃pwɛ̃] ⇒ **Shampoing.**

CHAMPOREAU [ʃɑ̃pɔʀo] n. m. — Mil. xixᵉ ; de l'esp. *champurro* «mélange de liqueurs».

♦ **1.** Ancienn. Boisson chaude à base de café contenant en général de l'alcool.

♦ **2.** Régional. Bouillon additionné de vin rouge.

CHAMSIN [xamsin] n. m. ⇒ **Khamsin.**

CHANÇARD, ARDE [ʃɑ̃saʀ, aʀd] adj. et n. — 1859 ; de *chance,* et suff. *-ard ;* → Veinard.

♦ Fam. Qui a de la chance. ⇒ **Chanceux.** *Il n'est pas très chançard.* N. *Un sacré chançard, une chançarde.* ⇒ **Veinard.**

(...) un de ces déchets comme en laisse derrière elle toute guerre et auprès desquels les morts peuvent se considérer comme des chançards (...)   Claude SIMON, le Vent, p. 138.

CHANCE [ʃɑ̃s] n. f. — Au xiiᵉ, *chéance* «manière dont tombent les dés» ; du lat. pop. *cadentia,* dér. de *cadere* «tomber». → Choir ; cadence.

♦ **1.** Vx. Façon dont tombent les dés. — Loc. *Donner la chance :* jeter le dé le premier ; fig., avoir l'initiative de quelque chose. — *Rompre la chance :* faire manquer une affaire.

♦ **2.** (XIIIᵉ). Mod. (littér. ou style soutenu). Manière (heureuse ou malheureuse) dont les choses, les événements se produisent. ⇒ **Aléa, fortune, hasard, sort.** *La chance des armes. Nous en courrons la chance.* — Cour. *Souhaiter bonne chance,* et, absolt, *Bonne chance !* — *La bonne chance. Une heureuse chance. La mauvaise chance. Faire cesser la mauvaise chance. La chance m'est favorable. Mettre la chance de son côté pour réussir.* ⇒ **Atout** (mettre les atouts dans son jeu).
— Loc. *La chance a tourné :* les choses ont changé.

1   Que si d'un sort affreux la maligne inconstance
Vient par un coup fatal faire tourner la chance (...)   BOILEAU, Satires, IV.
2   La chance peut tourner. Patience et persévérance peuvent beaucoup.
   Louis MADELIN, Hist. du Consulat et de l'Empire,
L'avènement de l'Empire, XVIII, p. 232.

Un concours de chances favorables (→ Circonstance, condition, conjoncture).

3   Tu dis : « Nous étions nés l'un pour l'autre ». Mais pense à ce qu'il dut falloir de chances, de concours, de causes, de coïncidences pour réaliser ça, simplement, notre amour !   Paul GÉRALDY, *Toi et Moi*, p. 36.

3.1   Par une heureuse chance, nous tombons à Sibut le jour du marché mensuel.   GIDE, *Voyage au Congo*, in *Souvenirs*, Pl., p. 718.

♦ **3.** (XVIIIᵉ). Cour. CHANCES : possibilités de se produire par hasard. ⇒ **Éventualité, possibilité, probabilité.** *Calculer ses chances. Les chances pour qu'un événement se produise. Il y a beaucoup de chances pour... il y a des chances* (fam.). *Y a des chances*), c'est probable. *Il y a des chances qu'il réussisse ; il y a peu de chances qu'il y arrive. Vous avez quelques chances de réussir. Les chances sont favorables, défavorables* (⇒ 2. **Auspice**). — Occasionnellement. *Saisir les chances* → ci-dessous (cit. 5).

4   Tous, tant que nous sommes, nous n'avons à nous que la minute présente ; celle qui la suit est à Dieu : il y a toujours deux chances pour ne pas retrouver l'ami que l'on quitte : notre mort ou la sienne. Combien d'hommes n'ont jamais remonté l'escalier qu'ils avaient descendu !   CHATEAUBRIAND, *Mémoires d'outre-tombe*, I, VII.

5   La guerre et le jeu enseignent ces calculs de probabilités qui font saisir les chances sans s'user à les attendre toutes.   FRANCE, *le Jardin d'Épicure*, p. 67.

6   Il y a des chances pour qu'il en soit ainsi et vous voilà à peu près fixés sur un des côtés de la question.   COURTELINE, *Petit historique de Boubouroche*, p. 9.

7   Quant à la jeunesse, — excusez-moi, — toutes les chances de se tromper sont nécessairement avec elle.   VALÉRY, *Mon Faust*, p. 74.

7.1   Ah ! pour ça, monsieur le maire, riait bêtement Parju, y a des chances.   A. ALLAIS, *l'Affaire Blaireau*, p. 24.

♦ **4.** *(La chance).* Résultat heureux, heureux hasard, fortune favorable. ⇒ **Aubaine, bonheur, étoile, fortune** (bonne fortune), **heur** (vx), **veine.** *Avoir de la chance* (cf. Retomber sur ses pieds ; jouer de bonheur ; avoir le vent dans ses voiles). *Avoir beaucoup de chance. Avoir la chance de... Il a eu une sacrée chance de s'en sortir. Avoir une chance de cocu, une chance extraordinaire. Il aura de la chance s'il s'en tire. La chance lui sourit.* → Aimer (être aimé des dieux), coiffer (il est né coiffé ; les fées ont soufflé sur lui), étoile (être né sous une bonne étoile), favorisé... ⇒ **Bonheur** (porter bonheur) ; **porte-chance.** *Avoir la chance de réussir. Il a eu de la chance* (cf. Il est bien tombé). *Il n'a pas de chance,* et, absolt, *pas de chance ! manque de chance !* (fam. *de bol, de pot*). — *Coup de chance :* chance, occasion heureuse et inattendue. *La chance de qqn, sa chance.* — Iron. *Voilà bien ma chance !* (ma malchance).

8   Ce qui tendrait à prouver qu'il n'y a que les choses les plus notoirement folles qui viennent à bonne fin, qu'il y a une chance pour les fous, un Dieu pour les téméraires.   LOTI, *Aziyadé*, III, L, p. 149.

9   (...) vous avez de la chance de n'avoir aucun antécédent pathologique du côté respiratoire !   MARTIN DU GARD, *les Thibault*, t. IX, p. 110.

10   Le bonheur et la chance ont une merveilleuse acoustique (...)   GIRAUDOUX, *Bella*, VII, p. 165.

11   La chance (...) En ce temps-là, on l'a beaucoup attendue, avec Schborn, en courant de rue en rue. Et le soir venu, on l'attendait encore, fidèles (...) On guettait. Le petit brin de veine. Que ça se décide. Ça ne venait pas.   Louis CALAFERTE, *Partage des vivants*, p. 79.

Une chance : une occasion favorable. *Guetter une chance de... C'est une chance, c'est encore une chance.*

CONTR. **Déveine, guignon, malchance.**
DÉR. et COMP. **Chançard ; chanceux.** — **Malchance.**

CHANCEL [ʃɑ̃sɛl] n. m. — Mil. XIIᵉ ; var. *chanseau, chanceau,* XIVᵉ ; → Cancel.

♦ **1.** Archit. Balustrade d'un chœur d'église (syn. vieilli : *cancel*). Partie du chœur contenant le maître autel (entourée par le chancel). *Les ambons*, tribunes de prédication faisant saillie de part et d'autre du chancel.*

(...) et le chaos redoutable au fond entrait dans le chaos de la nuit, obscurant le public si serré, si étouffé contre la barrière du *chancel,* que les prêtres, dans la foule, retournaient avec la langue les pages de leur *Semaine Sainte.*   Ed. et J. DE GONCOURT, *Madame Gervaisais*, p. 102.

♦ **2.** (1845). Hist. ⇒ **Cancel** (2.).

CHANCELANT, ANTE [ʃɑ̃slɑ̃, ɑ̃t] adj. — XIIᵉ ; de *chanceler.*

♦ **1.** Qui chancelle. ⇒ **Chanceler.** *Marcher d'un pas chancelant. Démarche chancelante.* — (D'un objet). Peu solide.

1   Et lorsque, tout fumant d'une vineuse haleine,
Sur vos pieds chancelants vous vous tenez à peine (...)   J. F. REGNARD, *le Distrait*, I, 6.

1.1   Amusante et un peu dangereuse traversée d'une très belle rivière, sur un pont chancelant et demi ruiné.   GIDE, *Voyage au Congo*, in *Souvenirs*, Pl., p. 776.

♦ **2.** Fig. Faible, peu assuré, fragile. ⇒ **Incertain.** *Santé chancelante. Voix chancelante. Autorité chancelante. Empire chancelant. Esprit chancelant. Avoir une foi chancelante ; une vertu, une volonté chancelante.*

2   (...) ces esprits faibles et chancelants, qui se laissent aller inconstamment à pratiquer comme bonnes les choses qu'ils jugent après être mauvaises.   DESCARTES, *Discours de la Méthode*, III.

3   (...) Mon cœur devient faible, et mon corps chancelant.   MOLIÈRE, *Sganarelle*, 10.

4   Si mon écriture est un peu chancelante (...) c'est que j'ai froid aux doigts.   Mᵐᵉ DE SÉVIGNÉ, 591, 23 oct. 1676.

5   J'ai trouvé son courroux chancelant, incertain (...)   RACINE, *Athalie*, III, 3.

6   Je la vis retenir dans ses mains assurées
De l'État chancelant les rênes égarées (...)   VOLTAIRE, *Sémiramis*, II, 4.

7   Ma santé, longtemps chancelante, semblait s'affermir.   G. DUHAMEL, *Biographie de mes fantômes*, V, p. 78.

CONTR. **Assuré, décidé, ferme, fort.**

CHANCELER [ʃɑ̃sle] v. intr. — Conjug. *appeler.* — 1080 ; du lat. *cancellare* « clore d'un treillis » ; évolution de sens obscure.

Littér. ou style soutenu.

♦ **1.** Vaciller sur sa base, pencher de côté, et d'autre comme si on allait tomber. ⇒ **Branler, flageoler, flotter, tituber, trébucher, vaciller** (cf. Affermir, cit. 2). *Il chancelle comme un homme ivre. Chanceler de faiblesse. La bête farouche chancelle.* → Picador, cit. 1.

1   La bouche du juste profère la sagesse
et sa langue exprime la justice.
La loi de son Dieu est dans son cœur ;
ses pas ne chancellent point.   BIBLE (CRAMPON), Psaumes, XXXVII, 30-31.

2   Il frissonne, il chancelle, il trébuche, il expire.   CORNEILLE, *Attila*, V, 6.

2.1   (...) je chancelais, je perdais à tout moment l'équilibre ; il s'extasiait à chacun de mes trébuchements (...)   SADE, *Justine...*, t. I, p. 42.

3   Dès le premier pas, le malheureux chancela et vint tomber sur la croupe de la bête qui fit tête-à-queue.   M. BARRÈS, *la Colline inspirée*, XIII, p. 209.

♦ **2.** Par métaphore ou fig. Être menacé de ruine, de chute. *Le trône chancelle.* ⇒ **Trembler.**
Hésiter. *Sa mémoire, son assurance chancelle.*

4   Le drame de Shakespeare marche avec une sorte de rythme éperdu ; il est si vaste qu'il chancelle ; il a donne le vertige (...)   HUGO, *William Shakespeare*, II, I, V.

5   (...) la pensée de l'Allemagne chancelait et se cherche un lieu où se fixer.   JAURÈS, *Hist. socialiste*, t. V, la Révolution en Europe, p. 115.

6   La France s'élève, chancelle, tombe, se relève, se restreint, reprend sa grandeur, se déchire, se concentre, montrant tour à tour la fierté, la résignation, l'insouciance, l'ardeur, et se distinguant entre les nations par un caractère curieusement personnel.   VALÉRY, *Regards sur le monde actuel*, Images de la France, p. 116.

CONTR. **Affermir** (s'), **dresser** (se), **fixer** (se), **tenir** (bon, ferme)...
DÉR. **Chancelant, chancellement.**

CHANCELIER [ʃɑ̃səlje] n. m. — 1050 ; du lat. *cancellarius* « huissier de l'empereur ».

♦ **1.** Anc. dr. Fonctionnaire royal ayant la garde et la disposition du sceau de France. ⇒ **Justice** (ministre de la Justice) ; **connétable.** *Dignité de chancelier.* ⇒ **Cancellariat ; archichancelier.**

1   Les chanceliers n'étaient pas nobles par leur charge, ils avaient besoin de lettres d'anoblissement.   VOLTAIRE, *Lettre à Damilaville*, 13 févr. 1763.

♦ **2.** Mod. Celui qui est chargé de garder les sceaux. *Le chancelier d'un consulat, d'une ambassade,* celui qui dispose des sceaux, et les appose sur les passeports et pièces diplomatiques. *Le grand Chancelier de l'ordre de la Légion d'honneur :* le chef de l'ordre qui appose le sceau sur les brevets. — *Chancelier de l'Académie française,* celui qui gardait le sceau de l'Académie et qui aujourd'hui préside les séances en l'absence du directeur. — *Chancelier d'un évêché :* ecclésiastique qui dispose du sceau de l'évêque.

♦ **3.** (Angl. *Chancellor*). *Chancelier de l'Échiquier* : en Angleterre, le ministre des Finances.

1.1   (...) si je désire avoir une voix pour l'élection du chancelier de l'Échiquier ou du premier lord de l'Amirauté, je suis un bon citoyen !   A. MAUROIS, *les Silences du colonel Bramble*, p. 35.

♦ **4.** Premier ministre (dans certains pays, Autriche, Allemagne fédérale). *Le chancelier allemand.*

2   (...) le chancelier autrichien a roulé le nôtre, comme il a roulé toutes les chancelleries d'Europe (...)   MARTIN DU GARD, *les Thibault*, t. VII, p. 17.

♦ **5.** *Chancelier de l'Université,* dignité équivalant à celle de recteur*.

REM. Le fém. (→ Chancelière, I.) désignant en principe l'épouse d'un chancelier, on dirait *chancelier* en parlant d'une femme.

DÉR. **Chancelière, chancellerie.**
COMP. **Archichancelier ; vice-chancelier.**

CHANCELIÈRE [ʃɑ̃səljɛʀ] n. f. — 1762 ; sens 1 ; 1611 ; de *chancelier.*

★ **I.** Épouse d'un chancelier.

★ **II.** Vieilli. Boîte ou sac ouvert, fourré à l'intérieur, et servant à tenir les pieds au chaud (équivalent du manchon).

(...) le bûcher qui flambait clair et la cheminée, l'ample chancelière où plongeaient, accotés, les pieds de M. de la Hourmerie (...)   COURTELINE, *Messieurs les ronds-de-cuir*, 1ᵉ tableau, II, p. 32.

CHANCELLEMENT [ʃɑ̃sɛlmɑ̃] n. m. — XIVe ; de *chanceler*.

♦ Le fait de chanceler. *Chancellement dû au vertige.* — Fig. *« Les derniers chancellements de ton âme »* (Gide).

CHANCELLERIE [ʃɑ̃sɛlʀi] n. f. — 1174, « charge de chancelier » ; de *chancelier*.

♦ **1.** Anciennt. Les bureaux, la résidence d'un chancelier. *La grande, la petite chancellerie royale.* — Mod. Services du ministère de la Justice.

♦ **2.** Spécialt. *La chancellerie d'un consulat, d'une ambassade. Lettres expédiées en chancellerie. Droit de chancellerie :* taxe perçue à l'occasion d'un acte qui relève de la compétence du chancelier. — *Style de chancellerie :* style diplomatique.

♦ **3.** *Grande chancellerie :* ensemble des services placés sous l'autorité du grand Chancelier de la Légion d'honneur.

♦ **4.** *La chancellerie du Vatican :* service administratif où l'on délivre les actes concernant le gouvernement de l'Église.

CHANCEUX, EUSE [ʃɑ̃sø, øz] adj. — 1606 ; de *chance*.

♦ **1.** Vx ou régional. (Choses). Qui est soumis au caprice de la chance, du hasard. ⇒ **Aléatoire, aventureux, hasardeux, incertain.** *Une entreprise, une affaire chanceuse et même dangereuse.*

1 Le père n'exigea aucune promesse, sachant bien que ces promesses-là sont chanceuses, et ne voulant point compromettre son autorité (...)
G. SAND, la Petite Fadette, XXIX, p. 192.

♦ **2.** Mod. (Personnes). Qui est favorisé par la chance. — Cour. (franç. du Canada). Qui a de la chance. ⇒ **Favorisé** (du sort), **heureux ;** fam. **chançard, veinard, verni ;** argot, **bidard.**

2 Ainsi George Sand retombait sur ses pieds, comme une chatte adroite et chanceuse. A. MAUROIS, Lélia, VII, VI, p. 413.

3 Vous êtes chanceux de vivre toute l'année dans la beauté des grands bois.
Jean-Yves SOUCY, Un dieu chasseur, p. 64.

CONTR. **Assuré, certain, sûr.** — **Malchanceux.**

CHANCI [ʃɑ̃si] n. m. — 1694, adj. ; de *chancir*.

♦ **1.** Vx. Moisi ; moisissure. *Une odeur de chanci* (Richepin, *in* T. L. F.).

♦ **2.** Techn. Affection des cultures de champignons de couche, due à des moisissures.

♦ **3.** Bx-arts. Détérioration du vernis d'un tableau, due à la présence de moisissures.

CHANCIR [ʃɑ̃siʀ] v. intr. — 1508 ; de l'anc. franç. *chanir* « blanchir » altéré d'après *rancir* ; du lat. *canere*, de *canus* « blanc ».

♦ Rare. Présenter des traces de moisissures*. ⇒ **Gâter** (se), **moisir, pourrir.** On dit dans le même sens *se chancir. Ces confitures chancissent, se chancissent.*

▶ **CHANCI, IE** p. p. adj.
Moisi. *Peinture chancie,* altérée par des moisissures. ⇒ **Chanci,** n. m.

(...) deux ou trois de ces toiles chancies et couvertes d'une fleur de moisissure présentaient des tons de cadavre en décomposition (...)
Th. GAUTIER, le Capitaine Fracasse, t. I, I, p. 8.

DÉR. **Chanci, chancissure.**

CHANCISSURE [ʃɑ̃sisyʀ] n. f. — 1539 ; de *chancir*, d'après *moisissure*.

♦ Rare. Moisissure de ce qui a chanci.

CHANCRE [ʃɑ̃kʀ] n. m. — 1256, *cranche* ; du lat. *cancer* « ulcère ». → Cancer.

♦ **1.** Méd., ancienn. Petit ulcère ayant tendance à ronger les parties environnantes. ⇒ **Ulcère ; phagédénisme.** — Mod. Érosion ou ulcération de la peau ou d'une muqueuse, au premier stade de certaines maladies infectieuses (surtout vénériennes). *Chancre vénérien.* ⇒ **Syphilis.** *Chancre mou.* ⇒ **Chancrelle.** *Chancre induré, infectant. Chancre blennorragique.*

1 Vingt à trente jours après la contamination, apparaît le *chancre,* à l'endroit même où s'est fait le contact infectant, sous l'apparence d'un petit « bobo » très insignifiant. Ce n'est même pas une ulcération, mais plutôt une érosion plane, à peine suintante, arrondie, rouge et indolore.
P. VALLERY-RADOT, le Grand Mystère de la Cellule..., p. 132.

1.1 Il s'agit d'un homme âgé de 51 ans, M......, pilote à bord d'un aéroplane. Dans ses antécédents personnels nous relevons plusieurs accès de paludisme et un chancre syphilitique il y a cinq ans.
B. CENDRARS, Moravagine, *in* Œ. compl., t. IV, p. 255.

Loc. fam. *Manger comme un chancre :* manger avec excès, par comparaison avec un chancre, qui tend à gagner, à « dévorer » les chairs saines. — Par ext. *C'est un vrai chancre, ce mec !* ⇒ **Morfal.**

♦ **2.** Bot. *Chancre des arbres :* plaie vive de l'écorce provoquée par un champignon ascomycète.

♦ **3.** Par métaphore ou fig. Ce qui ronge, dévore, détruit. ⇒ **Fléau, vice.** *La vénalité est un chancre qui dévore ce pays* (Académie).

Nous avons, il est vrai, nations corrompues,
Aux peuples anciens des beautés inconnues :
Des visages rongés par les chancres du cœur (...)
BAUDELAIRE, « Spleen et Idéal », V.

2

DÉR. **Chancrelle, chancreux.**

CHANCRELLE [ʃɑ̃kʀɛl] n. f. — 1861 ; de *chancre*.

♦ Pathol. Maladie vénérienne (aussi appelée *chancre simple* ou *chancre mou*), due à un bacille, et qui se présente sous la forme d'une ulcération assez profonde et molle de la verge ou de la vulve, avec tuméfaction des ganglions de l'aine (bubon chancrelleux).

DÉR. **Chancrelleux.**

CHANCRELLEUX, EUSE [ʃɑ̃kʀɛlø, øz] adj. — 1878 ; de *chancrelle*.

♦ De la nature du chancre simple. *Bubon chancrelleux.*

CHANCREUX, EUSE [ʃɑ̃kʀø, øz] adj. — 1314 ; de *chancre*.

♦ **1.** Qui est de la nature du chancre (1.). *Ulcère chancreux.*

♦ **2.** Qui est atteint par le chancre (2.). *Arbre chancreux.*

CHAND [ʃɑ̃] n. m. — D. i. ; aphérèse de *marchand*.

♦ Fam. et vx. ⇒ **Marchand.** *Chand d'habits ! Chand de vin.*
(...) après vingt minutes d'attente il eut pu voler jusqu'au premier chand de vins.
MONTHERLANT, Pitié pour les femmes, p. 65.

COMP. **Chandail.**
HOM. **Champ, chant** (1. et 2.).

CHANDAIL [ʃɑ̃daj] n. m. — Fin XIXe ; de *chand* (marchand) *d'ail*, nom du tricot porté par les vendeurs de légumes aux Halles.

♦ Gros tricot de laine s'enfilant par la tête et couvrant le torse. *Des chandails. Chandail à col roulé, en V. Chandail à motif Jacquard.* ⇒ **Pull-over, tricot.** — Vx. *Chandail de coureur cycliste.* ⇒ **Maillot.** *Chandail de sport* (→ 1. Barbeau, cit. 2).

Il était habillé, comme la première fois, d'un chandail blanc à col roulé. Un de ces chandails à côtes torsadées, en laine brute qu'en Irlande tricotent les femmes des marins, avec un dessin propre à chaque famille et qui sert à identifier les corps des hommes noyés, que la mer rejette.
Geneviève DORMANN, le Bateau du courrier, p. 87.

CHANDELEUR [ʃɑ̃dlœʀ] n. f. — 1119, *chandelur* ; du lat. pop. *candelarum*, dans *festa candelarum* « fête des chandelles », de *candela*.

♦ Dans la religion catholique, Fête de la Présentation de Jésus-Christ au Temple, et de la Purification de la Vierge Marie. *Au cours de la cérémonie religieuse de la Chandeleur, les fidèles font bénir des cierges. La Chandeleur se fête le 2 février. Les crêpes de la Chandeleur.*

CHANDELIER [ʃɑ̃dəlje] n. m. — 1160 ; de *chandelle*.

★ **I.** ♦ **1.** Support destiné à recevoir les chandelles, les cierges, les bougies. ⇒ **Bougeoir, candélabre, flambeau, girandole, lustre, martinet, torchère.** *Chandelier de cuivre, d'argent, de cristal, de bois. La bobèche* * *d'un chandelier. Chandelier à plusieurs branches. Chandelier d'église.* — Spécialt. *Le chandelier à sept branches* * : dans la religion juive, Chandelier qui servait au culte dans le saint du temple.

Lorsque tu placeras les lampes sur le chandelier, c'est sur le devant du chandelier que les sept lampes donneront leur lumière.
BIBLE (CRAMPON), Nombres, VIII, 2.

1

(...) Les prêtres (...) entretenaient les lumières de dix chandeliers à sept branches (...)
DANIEL-ROPS, le Peuple de la Bible, III, I, p. 196.

2

Loc. (style biblique). *Mettre la lumière sur le chandelier,* la rendre visible pour tous.

Personne n'allume une lampe pour la mettre dans un lieu caché ou sous le boisseau, mais on la met sur le chandelier, afin que ceux qui entrent voient la lumière.
BIBLE (SEGOND), Évangile selon saint Luc, XI, 33.

3

♦ **2.** (XVIIe). Techn. Support, étai. *Chandeliers de tranchée ou de blinde, de batayole :* pieux verticaux dans une tranchée. — Mar. Barre de fer destinée à soutenir les bastingages, les fanaux...

Grâce à un copain équipé d'un poste à souder, j'ai ajouté trois chandeliers sur chaque bord afin de rehausser la filière au voisinage du gouvernail (augmentation de ma sécurité pendant les réglages de la girouette).
Bernard MOITESSIER, Cap Horn à la voile, p. 174.

3.1

♦ **3.** (De *tenir la chandelle**). Vx. Personne sur qui on attire la jalousie de qqn (mari, etc.). ⇒ **Paravent.**

3.2 Et pourquoi à ce personnage ce nom baroque chandelier?
— Eh! Mais, c'est que c'est lui qui porte la...   A. DE MUSSET, le Chandelier, I, 1.

★ **II.** (1294). Vx. *Chandelier, ière.* Celui, celle qui fabrique et vend de la chandelle.

4 (...) Pour moi, j'aime mieux qu'Émile ait des yeux au bout de ses doigts que dans la boutique d'un chandelier.   ROUSSEAU, Émile, II.

CHANDELLE [ʃɑ̃dɛl] n. f. — 1119, *chandeile*; du lat. *candela*, même sens.

♦ **1.** Anciennt. Appareil d'éclairage formé d'une mèche* tressée enveloppée de suif. ⇒ **Bougie, flambeau, oribus**; argot, **calbombe, camoufle.** *Industrie des chandelles. Chandelle à la baguette, au moule. Blanchiment des chandelles. Papier de chandelle, papier chandelle,* papier de mauvaise qualité pour envelopper les chandelles. *S'éclairer à la chandelle. Appareil servant de support à une chandelle.* ⇒ **Chandelier.** *Allumer la chandelle. Souffler la chandelle.* ⇒ **Éteindre; éteignoir.**

1 (...) je crie toujours : «Voilà qui est beau», devant que les chandelles soient allumées.   MOLIÈRE, les Précieuses ridicules, 9.

2 Décidément c'était le jour; elle alla, par économie, souffler sa chandelle et puis revint s'asseoir.   LOTI, Mon frère Yves, LIV, p. 135.

Bout de la mèche d'une chandelle. ⇒ **Lumignon.** *Moucher la chandelle avec une mouchette :* couper l'extrémité de la mèche qui est consumée. *Moucheur de chandelles.*

3 Elle n'était pas laide, quoique si maigre et si sèche qu'elle n'avait jamais mouché de chandelle avec les doigts que le feu n'y prit.   SCARRON, le Roman comique, I, IV, p. 10.

Chandelle d'église. ⇒ **Cierge.** *Bout de chandelle* (voir ci-dessous figuré).

♦ **2.** Loc. fig. *Moucher la chandelle :* remplir des fonctions subalternes; et aussi : moucher un enfant dont le nez coule; → ci-dessous 4. — *Moucher une chandelle à trente pas :* tirer très bien au pistolet.

Brûler, offrir, devoir une chandelle à Dieu, en signe de reconnaissance. — Loc. fig. *Devoir une chandelle à qqn :* avoir des obligations envers celui qui nous a rendu un grand service. *Il lui doit une fière chandelle.*

3.1 — Le fait est que si nous en échappons, nous devrons une belle chandelle à Notre-Dame des Glaces! répondit Aupic.   J. VERNE, Un hivernage dans les glaces, p. 241.

Un bout de chandelle. — Loc. *Faire des économies de bout de chandelles,* des économies sordides, insignifiantes. — *Brûler la chandelle par les deux bouts :* dépenser trop (⇒ **Bout,** cit. 16). — *En voir trente-six chandelles,* se dit des lueurs que l'on aperçoit, de l'éblouissement que l'on ressent à la suite d'un coup violent reçu sur la tête (var. : *cent mille chandelles*).

4 (...) l'hôtesse reçut un coup de poing dans son petit œil qui lui fit voir cent mille chandelles (c'est un nombre certain pour un incertain) et la mit hors de combat.   SCARRON, le Roman comique, II, VII, p. 192.

5 La langue fourmille d'images usées, qui sont demeurées des noms (...) Il n'est que de considérer le mot *chandelle.* C'est un produit presque hors d'usage, au moins dans les villes : on n'en continue pas moins à parler de *brûler la chandelle par les deux bouts, d'économiser sur les bouts de chandelle, de voir trente-six chandelles.* Et tout-à-coup, une de ces expressions pousse un rejeton.   F. BRUNOT, la Pensée et la Langue, I, II, VIII.

Fig. *Se brûler à la chandelle.* ⇒ **Brûler** (se). — *La chandelle brûle :* le temps presse. — *C'est une chandelle qui s'éteint,* une personne qui meurt insensiblement, de vieillesse.

(1835). Fig. et fam. *Tenir la chandelle :* assister en tiers complaisant à une aventure galante (⇒ **Chandelier**).

(XVIᵉ). *Le jeu n'en vaut pas les chandelles* (vx), *la chandelle :* cela n'en vaut pas la peine, en parlant d'une entreprise, d'une affaire hasardeuse.

6 (...) Le jeu, comme on dit, n'en vaut pas les chandelles.   CORNEILLE, le Menteur, I, 1.

Jouer à la chandelle, au mouchoir*.

♦ **3.** *Chandelle romaine :* fusée d'artifice.

♦ **4.** (Par anal. de forme). Morve qui coule d'une narine. *Une chandelle pendait de son nez* (→ loc. fig. 2. Moucher).

♦ **5.** (1900). *En chandelle :* verticalement. *Monter en chandelle,* en parlant d'un avion. — Figuré.

7 Le patron a fait comme tout le monde, mais en plus grand : 14 cylindres. Il préféra l'aventure à l'industrie bourgeoise. Il décolle en chandelle dans la finance pendant que les contremaîtres activent l'usine.   Pierre HAMP, la Peine des hommes (Moteurs), p. 105.

Une chandelle : montée verticale (d'une balle, d'un ballon). — *Faire une chandelle,* au tennis (⇒ **Lob**); au rugby, au football.

DÉR. Chandelier.

1. CHANFREIN [ʃɑ̃fʀɛ̃] n. m. — Fin XIIᵉ, *chanfrin*; l'origine du premier élément est controversée : soit de *chief* «tête» qui n'explique pas

la nasalisation, soit du bas lat. *camus* «muselière», non attesté dans le domaine gallo-roman; et du lat. *frenum.* → **Frein.** Didact. ou technique.

♦ **1.** Pièce d'armure qui couvrait le devant de la tête d'un cheval armé.

♦ **2.** Partie antérieure de la tête du cheval et de certains mammifères, et qui s'étend du front aux naseaux. *La liste* du chanfrein. Partie de la bride qui passe sur le chanfrein.* ⇒ **Muserolle.**

DÉR. 2. Chanfrein.

2. CHANFREIN [ʃɑ̃fʀɛ̃] n. m. — XVᵉ; de *chanfreindre* «tailler en biseau», de *fraindre* «briser, abattre», et de 2. *chant.*

♦ **Techn.** Demi-biseau que l'on forme en abattant l'arête d'une pièce (de bois, de pierre, de métal, etc.). *Tenailles à chanfrein.*

DÉR. Chanfreiner.
HOM. 1. Chanfrein.

CHANFREINER [ʃɑ̃fʀene] v. tr. — 1676; de 2. *chanfrein.*

♦ Tailler en chanfrein.

CHANGE [ʃɑ̃ʒ] n. m. — XIIᵉ; déverbal de *changer.*

★ **I.** Action de changer* une chose contre une autre. ⇒ **Changement, échange, troc.**

♦ **1.** Loc. *Gagner, perdre au change,* à l'échange. ⇒ **Troc.** Didact. Échange, communication. *Change,* titre d'une revue.

♦ **2.** (XIIIᵉ; ital. *cambio*). Action de changer une valeur monétaire contre une valeur équivalente, et particulièrement, échange de deux monnaies de pays différents. *Relatif au change.* ⇒ **1. Cambial.** *Opération de change.* ⇒ **Arbitrage, compensation; cambiste, changeur; banque.** *Marché des changes. Lettre de change.* ⇒ **Lettre; billet** (à ordre), **effet.** *Agent de change.* ⇒ **Agent.** *Change manuel ou local :* change de monnaie, par oppos. à *change tiré :* change de lettre de change. *Contrôle des changes,* effectué par l'État afin d'équilibrer l'offre et la demande des devises* sur le marché des changes. *Bureau de change.*

1 C'est l'abondance et la rareté relatives des monnaies des divers pays qui forment ce qu'on appelle le change.   MONTESQUIEU, l'Esprit des lois, XXII, 10.

1.1 (...) régulièrement tous les huit jours je changeais le billet contre des pièces, des pièces contre un autre billet. On ne perd ni ne gagne au change; c'est une folie circulaire, simplement.   GIDE, le Prométhée mal enchaîné, *in* Romans, Pl., p. 331.

Lieu où se font des opérations de changes.

♦ **3.** Par ext. (fin. et cour.). Valeur de l'indice monétaire étranger en monnaie nationale sur une place déterminée. *Cote des changes. Taux de change* (⇒ **Certain, incertain**). *Parité des changes. Le change est au pair*. Fluctuation, hausse, baisse du change. Le change ne nous est pas favorable.*

2 Puisque le change, dans son cours, éprouve nécessairement des hausses et des baisses alternatives (...)   CONDILLAC, le Commerce et le Gouvernement considérés relativement l'un à l'autre, I, 17.

♦ **4.** Prix demandé pour convertir une monnaie en une autre monnaie. ⇒ **Commission, courtage.**

★ **II.** (XIIᵉ). ♦ **1.** Vén. Substitution d'une nouvelle bête à la place de celle qui a été lancée d'abord. *La bête donne le change,* en fait lever une autre à sa place. *Donner le change aux chiens.*

Les chiens, les chasseurs prennent le change, tournent au change : ils quittent la bête lancée pour courir la nouvelle bête.

2.1 (...) il s'est étouffé de crier après les chiens qui étaient en défaut ou après ceux des chasseurs qui prenaient le change.   LA BRUYÈRE, les Caractères, VII, 10.

♦ **2.** Fig. *Donner le change à qqn,* le tromper, l'induire en erreur en lui faisant prendre une chose pour une autre. ⇒ **Tromper; abuser.**

3 (...) je suis réduit encore à me cacher, à ruser, à tâcher de donner le change (...)   ROUSSEAU, les Confessions, VII.

4 (...) manœuvres dissimulées qui pouvaient donner le change aux autres comédiens, mais n'échappaient pas à la narquoise inquisition de Scapin (...)   Th. GAUTIER, le Capitaine Fracasse, t. I, VI, p. 181.

5 Sans plus les attendre, et pour leur donner le change, j'avais marché vite, je séchais mes pleurs, je reprenais souffle, et composais mon visage.   F. MAURIAC, la Pharisienne, IV, p. 53.

6 Pour donner le change, il s'est mis à inspecter les alentours, à scruter l'horizon, d'un côté, puis de l'autre. Non pas exactement pour donner le change, mais pour bien montrer qu'il attendait quelqu'un et ne se souciait guère de la maison devant laquelle il stationnait ainsi par hasard.   A. ROBBE-GRILLET, Dans le labyrinthe, p. 123-124.

Prendre le change. ⇒ **Tromper** (se). *Faire prendre le change à quelqu'un :* tromper qqn, l'induire en erreur, se montrer adroit pour l'abuser.

7 De telle sorte que le général pouvait être trompé sur le sens du pardon demandé par le Polonais à sa fiancée, mais ni Nicole ni moi ne prenions le change : *Serge allait être acculé à la vraie trahison, et il trahirait!...*   G. LEROUX, Rouletabille chez Krupp, p. 139.

★ **III.** (V. 1980, de *changer* I., 2., → Rechange). *Change, change-complet* : couche-culotte jetable. ⇒ **Couche,** I., 2. *Changes pour malades alités.*

CHANGEABLE [ʃãʒabl] adj. — XIIᵉ, «inconstant»; de *changer.*

♦ Qui peut être changé. ⇒ **Altérable, amovible, échangeable, métamorphosable, modifiable, remplaçable, réversible, transformable.** *Cette décision est changeable en son contraire.*

(...) soyons classiques dans les expressions et les tours; ce sont des choses de convention, c'est-à-dire à peu près immuables ou du moins fort lentement changeables. STENDHAL, Racine et Shakespeare, t. II, p. 250, *in* BRUNOT.

CONTR. **Immuable, inaltérable, irremplaçable.**
CONTR. et COMP. **Inchangeable.**

CHANGEANT, ANTE [ʃãʒã, ãt] adj. — XIIᵉ; de *changer.*

♦ **1.** Qui est sujet à changer, susceptible de changement. ⇒ **Incertain, variable.** *Un temps changeant. La fortune est changeante. Caractère changeant. Humeur changeante.* ⇒ **Inégal.** *Sentiments changeants. Beauté changeante.* ⇒ **Journalier** (vx). *Esprit changeant.* ⇒ **Divers, flottant, inconsistant, mouvant, ondoyant, vacillant.** *Idées changeantes et incertaines.* ⇒ **Inconsistant, oscillant.** *Un politicien à la conscience changeante.* ⇒ **Arlequin, caméléon, opportuniste.** *Aux formes changeantes.* ⇒ **Protéiforme.**

1 Outre le rapport que nous avons du côté du corps avec la nature changeante et mortelle (...) BOSSUET, Oraison funèbre de Henriette-Anne d'Angleterre.

2 La mort ne l'a point changée, si ce n'est qu'une immortelle beauté a pris la place d'une beauté changeante et mortelle. BOSSUET, Oraison funèbre de Marie-Thérèse d'Autriche.

3 Quel fruit lui en revint-il, sinon de connaître par expérience le faible des grands politiques, leurs volontés changeantes (...) BOSSUET, Oraison funèbre de Anne de Gonzague.

(Personnes). *Il est changeant, très changeant et imprévisible.* ⇒ **Capricieux, fantaisiste, fantasque, inconstant, infidèle, instable, léger, mobile, papillonnant, versatile, volage.** *Il est bien changeant dans ses opinions, ses goûts. Il est changeant comme une girouette.*

4 Ce qui nous rend si changeant dans nos amitiés (...) LA ROCHEFOUCAULD, Maximes, 80.

♦ **2.** Dont l'aspect, la couleur change suivant le jour sous lequel on le regarde. *Couleur changeante de la gorge d'un pigeon. Étoffe changeante.* ⇒ **Chatoyant.**

5 (Pigeons) Au col changeant, au cœur tendre et fidèle. LA FONTAINE, Fables, VII, 8.

6 Qui peut nommer de certaines couleurs changeantes, et qui sont diverses selon les divers jours dont on les regarde? LA BRUYÈRE, Fables, VIII, 3.

7 Je promène au hasard mes regards sur la plaine,
Dont le tableau changeant se déroule à mes pieds. LAMARTINE, Premières méditations, I, « L'isolement ».

8 (...) Touraine incessamment changeante, sans cesse rajeunie par les mille accidents du jour, du ciel, de la saison. BALZAC, la Grenadière, Pl., t. II, p. 193.

9 Et, quand il traverse un rayon de lune,
On voit resplendir, d'un reflet changeant,
Sur sa chevelure un casque d'argent. LECONTE DE LISLE, Poèmes barbares, « Les elfes ».

CONTR. **Constant, égal, fidèle, fixe, immuable, inaltérable, inébranlable, invariable, perpétuel, persévérant, persistant, stable.**

CHANGEMENT [ʃãʒmã] n. m. — XIIᵉ, *cangement,* psautier d'Oxford; de *changer.*

★ **I.** Le fait de changer.

♦ **1.** Le fait de ne pas rester le même; modification dans le temps. Absolt, didact., relig. *Le changement* (opposé à la *permanence*). ⇒ **Impermanence.**

1 (Le) Père des lumières, en qui il ne peut y avoir ni changement, ni ombre de vicissitude. BIBLE (SACY), Épître de Jacques, I, 17.

Un changement, des changements, le, un changement dans qqch. : chose, circonstance qui change, évolue. *Changement dans un sens puis dans un autre.* ⇒ **Alternance, alternatif** (mouvement), **balancement, bascule, fluctuation, mobilité, mouvement, ondoiement, oscillation, vacillement.** *Changement de cultures.* ⇒ **Assolement.** *Changement dans les goûts, dans les opinions, les idées, l'humeur, le ton, le langage.* ⇒ **Abandon, caprice, évolution, inconstance, inégalité, infidélité, instabilité, légèreté, palinodie, rétractation, retournement, revirement, saute, versatilité, volte-face, voltigement.** *Changement de mode* (→ Affecter, cit. 5). *Il y a eu des grands changements dans sa vie. Changements de fortune. Changement des choses qui se succèdent.* ⇒ **Vicissitude.**

2 (...) j'ai connu que notre nature n'était qu'un continuel changement, et je n'ai plus changé depuis; et si je changeais, je confirmerais mon opinion. PASCAL, Pensées, VI, 375.

Le changement de qqch., de qqn. Son changement est complet, total. Le changement de notre ami, après sa maladie, nous a surpris.

3 C'est l'apanage de la créature d'être sujette au changement. BOSSUET, Lettres à l'abbesse de Jouane, 72.

♦ **2.** Le fait d'abandonner une chose, une personne pour une autre, de changer de...
En emploi absolu (correspond à *changer,* absolt).

4 (...) tout le plaisir de l'amour est dans le changement. MOLIÈRE, Dom Juan, I, 2.

(Correspond à *changer une chose pour, contre... une autre*). *Le changement d'une chose pour une autre, contre une autre, par une autre.* ⇒ **Échange, remplacement, substitution, troc; abandon, cession.**

CHANGEMENT DE... : fait (pour une personne) de laisser, quitter (qqch.) et d'y substituer une chose du même genre. ⇒ **Changer** II. (changer de...). *Effectuer, faire le changement de qqch. Un rapide changement de lieu. — Changement de voiture. Changement de logement, de résidence.* ⇒ **Déménagement.** *Changement d'adresse. Changement de pays.* ⇒ **Dépaysement, émigration, expatriation, immigration, transplantation.** *Changement de climat. — Loc. Changement d'air. Vous avez besoin d'un changement d'air. — Changement d'heure. — Changement de place, d'ordre, de classement.* ⇒ **Déclassement, déplacement, dérangement, transfert, transport, transposition; interversion, inversion, permutation** (changement réciproque). *Changement de compartiment, de wagon, de train.* ⇒ **Correspondance. — Absolt. À quelle gare est le changement?**

Loc. *Changement de décor* * : le fait, pour qqn, de changer de décor et, fig., de lieu, d'entourage. Voir une autre valeur, ci-dessous 3.

♦ **3.** Modification (d'état, de nature, de situation) qui transforme; fait de changer, de se modifier. ⇒ **Modification, transformation.** *Subir un changement complet, partiel, rapide, progressif. Le changement de qqch.,* le fait qu'elle change; *le, un changement de... :* fait de changer, en ce qui concerne une qualité. *Le changement d'état, de nature, de substance, de forme* (→ Minéralisation, cit.) *de propriétés (de qqch.).* ⇒ **Adultération, allotropie, altération, déformation, déguisement, dénaturation, évolution, falsification, métamorphose, mue, mutation, transfiguration, transmutation, transsubstantiation, travestissement.** *Changements de sens, de valeur, de forme... des mots, des expressions du langage.* ⇒ **Altération, métaplasme, métaphore, métastase, métonomasie, métonymie.** *Changement de sens des mots.* ⇒ **Évolution.** *Changement de ton, de tonalité,* en musique. ⇒ **Modulation, transposition.** *Changement de couleur* *.* ⇒ **Chatoiement, nuance, reflet. — Changement de temps.** ⇒ **Éclaircie, embellie, variation.** *Il y a eu un brusque changement de temps. Des changements de temps continuels. Changement de saison. Changement de lune.* ⇒ **Alternance. — Changement de ministère, de régime. Changement de personnel.** ⇒ **Mutation.** *Changement de programme, changement d'orientation, de direction.* ⇒ **Détour, déviation, diversion, virage.** *Changement de politique. Un changement de situation, de travail, de métier. — Changement de propriétaire* (d'un magasin). *— Changement de fréquence* (d'une émission).

5 (...) J'achevai ce travail tout en en faisant d'autres, et trouvant toujours qu'un changement d'ouvrage est un véritable délassement. ROUSSEAU, les Confessions, IX.

6 (...) il sollicita son changement de résidence (...) A. DUMAS (père), le Comte de Monte-Cristo, t. I, p. 637, *in* T. L. F.

7 Les changements de régime ne changent guère la condition des personnes. Nous ne dépendons point des constitutions ni des chartres, mais des instincts et des mœurs. FRANCE, l'Orme du Mail, XIV, p. 163.

(Un, des changements). Modification. *Apporter, opérer des changements superficiels, profonds dans un texte* (⇒ **Correction, remaniement**), *dans un projet.*

Spécialt. *Changement de décor :* le fait de changer, pour le décor. *Changement à vue,* changement de décor à la vue du spectateur.

♦ **4.** État de ce qui évolue, se modifie, ne reste pas identique (choses, circonstances, états psychologiques). *Un changement* (qualifié); *le, les changement(s) de qqch., de qqn,* évolution, modification. *Changement brusque, total.* ⇒ **Bouleversement, novation, remue-ménage, renouvellement, rénovation, renversement, retournement, révolution.** *Changement imperceptible* (→ Accoutumer, cit. 16), *faible. Changement passager.* ⇒ **Passage, phase. — Changement graduel, progressif.** ⇒ **Évolution, gradation, transition. — Changement en plus.** ⇒ **Augmentation.** *Changement en moins.* ⇒ **Diminution; commutation, réduction.** *Changement en mieux.* ⇒ **Amélioration.** *Changement en mal, en pire.* ⇒ **Aggravation, altération, corruption, perversion.** *Un, des changements dans, en quelque chose.*

7.1 Lorsqu'un grand changement s'opère dans la condition humaine, il amène par degrés un changement correspondant dans les conceptions humaines. TAINE, Philosophie de l'art, t. II, III, II, II.

Absolt. *Le changement :* l'évolution, le caractère changeant (des choses, des êtres, des psychologies). *Aimer, rechercher le changement. Craindre le changement.* (⇒ **Kaïnophobie, misonéisme**). — Spécialt. *Aimer le changement,* les modifications des conditions de vie.

8 Je peux me vanter d'avoir toujours persévéré dans le changement. C'est quand même une des formes de la persévérance. G. DUHAMEL, Chronique des Pasquier, VII, XIX.

♦ **5.** Spécialt. *Changement phonétique :* modification du système phonologique d'une langue. ⇒ **Variation.**

♦ **6.** (Dans l'espace). Modification d'une caractéristique, dans un continuum spatial. *Il y a un brusque changement de niveau*

(⇒ **Dénivellation, inégalité**). *On observe un changement progressif de la nature du sol quand on va vers le sud.*

★ **II.** Par métonymie. Dispositif permettant de changer. — (1889, en *cyclisme; in* Petiot). **CHANGEMENT DE VITESSE.** ⇒ **Vitesse.**

CONTR. **Constance, fixité, immutabilité, invariabilité, persévérance, persistance, stabilité.**

CHANGER [ʃɑ̃ʒe] v. — Conjug. *bouger.* — Au XIIe, *changier; du bas lat. cambiare; lat.* impérial *cambire* « changer, troquer », probablt mot d'orig. celtique.

★ **I.** V. tr. ♦ **1.** (Construit avec un compl. dir. et un compl. second introduit par *contre, pour...*). Abandonner (qqch.) et remplacer par autre chose. ⇒ **Échanger, remplacer, troquer.** *Changer une chose pour une autre, contre une autre. Changer une voiture contre une autre. Changer son cheval borgne contre* (ou *pour*) *un aveugle*. Changer sa position contre une autre. Je ne changerais pas ma place pour la sienne.* ⇒ **Abandonner, céder, donner*, quitter, renoncer.** — Absolt. *Je ne changerais pas avec lui.* ⇒ **Place** (donner, prendre la place).

1 (...) il ne voudrait pas changer sa renommée
Contre tous les honneurs d'un général d'armée.
MOLIÈRE, les Femmes savantes, I, 3.

2 J'ai quelquefois aimé; je n'aurais pas alors
Contre le Louvre et ses trésors,
Contre le firmament et sa voûte céleste,
Changé les bois, changé les lieux
Honorés par les pas, éclairés par les yeux
De l'aimable et jeune bergère (...) LA FONTAINE, Fables, IX, 2.

3 Il y a des maladies qui viennent de ce qu'on change un bon air contre un mauvais.
MONTESQUIEU, Lettres persanes, *in* LITTRÉ.

Spécialt. *Changer un billet contre des pièces de monnaie. Changer des dollars contre des francs.* ⇒ **Change; convertir.** — (Sans compl. second). *Changer de l'argent, des dollars, des devises.*

4 À chaque louis qu'elle changeait, c'était un effort, un arrachement, comme si elle donnait des pierres de son *mas* (...) Alphonse DAUDET, Numa Roumestan, VII.

Absolt. Faire de la monnaie.

4.1 (...) faute de menue monnaie, on peut crever de faim avec cinquante francs dans sa poche — car, dans aucun des villages que l'on traverse l'on ne trouve à changer.
GIDE, Voyage au Congo, *in* Souvenirs, Pl., p. 814.

♦ **2.** (Sans compl. second). *Changer qqch., qqn.* Remplacer* (une chose ou une personne) par une autre de même nature. *Changer sa voiture, son piano. Changer les rideaux de sa chambre. Changer son itinéraire. Changer le personnel d'une administration. Le directeur a été changé.*

5 (...) les nations ne changent ou ne modifient jamais leurs gouvernements que quand l'excès de l'oppression les y contraint (...)
DANTON *in* JAURÈS, Hist. socialiste, t. IV, la République, p. 15.

6 Tout se tient et je sens, entre tous les faits que m'offre la vie, des dépendances si subtiles qu'il me semble toujours qu'on n'en saurait changer un seul sans modifier tout l'ensemble. GIDE, les Faux-monnayeurs, 1, XI, p. 116.

Changer le nom d'un enfant. ⇒ **Débaptiser.** *Changer le titre d'un souverain.*

7 (...) ce qui avait inspiré à Cambacérès, consulté sur l'institution de l'Empire, l'argument : *A quoi bon changer le titre lorsque la chose existe?*
Louis MADELIN, Hist. du Consulat et de l'Empire, l'avènement de l'Empire, VIII, p. 106.

8 Je n'aime pas (...) changer, comme c'est l'usage, le nom des serviteurs.
FRANCE, le Petit Pierre, p. 201.

Changer les draps : mettre des draps propres. *Changer le linge d'un malade.* — Par métonymie. *Changer un malade, un enfant. Changer un bébé.* ⇒ **Change,** III.

9 (...) Moi, je ne voyais que mon fils, je vivais avec mon fils, je ne laissais pas sa gouvernante l'habiller, le déshabiller, le changer.
BALZAC, les Secrets de la princesse de Cadignan, Pl., t. VI, p. 52.

♦ **3.** [a] Changer *qqch., qqn en...,* faire subir à (qqch., qqn) une modification à... (la modification peut concerner la situation ou la nature; → le sens II.). *On ne le changera pas de caractère, d'habitudes.* Cf. Il ne changera (II.) pas de... *Changer une chose de place*, d'endroit,* la mettre ailleurs. ⇒ **Déplacer, déranger, intervertir, inverser, transférer, transplanter, transposer.** *Changer quelqu'un de poste.* ⇒ **Déplacer, muter.**

10 Des pèlerins qui vont y passer quelques heures *(à Notre-Dame de Bétharram),* afin de changer leur piété de place. HUYSMANS, les Foules de Lourdes, p. 7.

[b] Mar. *Changer la barre (de direction) :* mettre le gouvernail dans la direction opposée à celle où il était. ⇒ **Virer.** *Changer les voiles.*

♦ **4.** *Changer qqch.* (Complément abstrait ou indéfini). Rendre autre ou différent. ⇒ **Modifier.** *Changer sa manière de vivre. Changer ses dispositions, ses plans, ses projets. Changer les lois, les institutions, les mœurs, les coutumes. Changer l'ordre, le cours des choses, le destin. Il voudrait changer la face de la terre.* ⇒ **Renouveler.** — (Le compl. est un pronom). *Tout changer. Vouloir tout changer.* ⇒ **Bouleverser, innover, réformer, renouveler, rénover, renverser, révolutionner, transformer.** *Changer qqch. Ne rien changer. Ne changez rien à vos habitudes. Changer les hommes, les cœurs. Cela vous change, ça vous changera.* — (Passif et p. p.). *Être changé.* → ci-dessous Changé, cit. 73, 74. *Tout est changé,*

rien n'est changé. — REM. L'opposition entre *tout est changé* et *tout a changé* (III.), correspond à la distinction des points de vue : résultat d'un procès ou déroulement du procès.

11 — Il me semble que (...) le cœur est du côté gauche, et le foie du côté droit.
— Oui, cela était autrefois ainsi; mais nous avons changé tout cela, et nous faisons maintenant la médecine d'une méthode toute nouvelle.
MOLIÈRE, le Médecin malgré lui, II, 4.

12 Je vous le dis encor, rien ne peut me changer. CORNEILLE, Pertharite, I, 1.

13 Propos, conseil, enseignement,
Rien ne change un tempérament. LA FONTAINE, Fables, VIII, 16.

14 L'autre mois, on l'emploie à changer tous les jours
Quelque chose à l'habit, au linge, à la coiffure. LA FONTAINE, Fables, VI, 21.

15 (...) Quand le mal est certain,
La plainte ni la peur ne changent le destin (...) LA FONTAINE, Fables, VIII, 12.

16 Un moment a changé ce courage inflexible.
Le lion rugissant est un agneau paisible. RACINE, Esther, II, 8.

17 La jeunesse change ses goûts par l'ardeur du sang, et la vieillesse conserve les siens par l'accoutumance. LA ROCHEFOUCAULD, Maximes, 109.

18 (...) un de ces esprits remuants et audacieux *(Cromwell)* qui semblent être nés pour changer le monde. BOSSUET, Oraison funèbre de Henriette-Marie de France.

19 Ils changent leurs habits, leur langage, les dehors, les bienséances; ils changent de goût quelquefois : ils gardent leurs mœurs. LA BRUYÈRE, les Caractères, XI, 2.

20 Il y a des plantes dont la nature est, pour ainsi dire, artificielle et factice. Le blé, par exemple, est une plante que l'homme a changée au point qu'elle n'existe nulle part dans l'état de nature.
BUFFON, *in* LAFAYE, Dict. des synonymes. *Suppl.,* Artificiel...

21 (...) La misère et l'opprobre changent les cœurs (...)
ROUSSEAU, Julie ou la Nouvelle Héloïse, I, XXVIII.

22 Pour changer un esprit, il faudrait changer l'organisation intérieure; pour changer un caractère, il faudrait changer le tempérament dont il dépend.
ROUSSEAU, Julie ou la Nouvelle Héloïse.

23 Il y a des moments où notre destinée (...) se détourne soudain de sa ligne première, telle qu'un fleuve qui change son cours par une subite inflexion.
CHATEAUBRIAND, Mémoires d'outre-tombe, I, VIII.

24 Le retard d'un courrier a rendu l'Angleterre protestante et changé la face politique de l'Europe. Les destinées du monde ne tiennent pas à des causes plus puissantes : une coupe trop large, vidée à Babylone, fit disparaître Alexandre.
CHATEAUBRIAND, Mémoires d'outre-tombe, III, XIII.

25 Que peu de temps suffit pour changer toutes choses !
Nature au front serein, comme vous oubliez!
HUGO, les Rayons et les Ombres, XXXIV.

26 S'il est quelquefois possible à l'homme de changer brusquement ses institutions politiques, il ne peut changer ses lois en son droit privé qu'avec lenteur et par degrés. FUSTEL DE COULANGES, la Cité antique, p. 366.

27 Est-ce que ce n'était pas stupide de croire qu'on pouvait d'un coup changer le monde, mettre les ouvriers à la place des patrons, partager l'argent comme on partage une pomme? ZOLA, Germinal, t. I, IV, 4, p. 267.

28 Tirer le profit le meilleur de ce qui est : s'ingénier à l'améliorer plutôt que de chercher à le changer. GIDE, Journal, 4 juil. 1933.

29 Deux guerres, et quelles guerres, ont, en trente ans, changé la face et l'équilibre du monde (...) rien n'est plus à sa place, la valeur des choses n'est plus la même, les rapports des hommes entre eux sont bouleversés (...)
André SIEGFRIED, l'Âme des peuples, I, p. 6.

30 La volonté change les lignes de nos mains. COCTEAU, le Grand Écart, X, p. 188.

Changer ses batteries, changer de batteries, changer son fusil d'épaule : modifier ses projets.

Changer sa voix pour n'être pas reconnu. ⇒ **Contrefaire, déguiser.** *Changer un texte, en changer le sens. Changer une virgule, un iota à un texte.* ⇒ **Altérer, défigurer, déformer, dénaturer, fausser, truquer.**

30.1 (...) l'article sur Lamennais écrit il y a un siècle et qui aurait pu paraître cette année, pour le centenaire, sans qu'il y ait à y changer une virgule (...)
F. MAURIAC, Bloc-notes 1952-57, p. 128.

Changer la forme de son ouvrage, de son discours. ⇒ **Refondre, remanier, transposer.**

(Sujet n. de chose; compl. n. de personne ou pron.). *Cette nouvelle coiffure vous change, vous change beaucoup,* vous fait paraître différent.

Fam. *Changer les idées à qqn.* ⇒ **Divertir.** *Une promenade lui changera les idées.*

♦ **5.** *Changer qqch.,* rarement *qqn en...* ⇒ **Convertir, métamorphoser, muer, transfigurer, transformer.** *L'Éternel changea en sang les eaux du fleuve. Jésus changea l'eau en vin. Les alchimistes espéraient changer les métaux en or.* ⇒ **Transmuer.** — (Abstrait). *Changer les lamentations en allégresse, la tristesse en joie, un doute en certitude. Changer une défaite en déroute. Changer quelque chose en plus* (⇒ **Agrandir, augmenter...**), *en moins* (⇒ **Diminuer, réduire**). *Changer une peine en une autre.* ⇒ **Commuer.** *Changer qqch. en bien, en mieux* (⇒ **Améliorer**), *en mal, en pire* (⇒ **Aggraver, altérer...**). — Vx. *Changer* (qqch., qqn) *de..., en...*

31 Vieillir n'est pas assagir ni quitter les vices, mais seulement les changer en pire.
Pierre CHARRON, De la sagesse (1601), XXXVI.

32 (...) Ne la changez pas de fière en furieuse. CORNEILLE, Tite et Bérénice, V, 1.

33 Leur intempérance (...) change en poisons mortels les aliments destinés à conserver la vie (...) FÉNELON, Télémaque, XIII.

34 Lorsqu'on ne peut effacer ses erreurs, on les divinise, on fait un dogme de ses torts, on change en religion des sacrilèges (...)
CHATEAUBRIAND, Mémoires d'outre-tombe, II, 3.

35 Narcisse s'aima. Pour ce crime les dieux le changèrent en fleur.
Cette fleur donne la migraine et son oignon ne fait même pas pleurer.
COCTEAU, le Grand Écart, IV, p. 65.

Fam. *Changer qqn en bourrique*.* ⇒ **Tourner.**

♦ **6.** *Changer qqch. à...* modifier un élément de (le compl. est un pron.). *Ne rien changer à ses habitudes. Changer qqch. à sa coiffure. Cela ne change rien à mes résolutions. — Vous n'y changerez rien. Ce que j'ai dit, je n'y changerai rien. Cela ne change rien à l'affaire.*

★ **II.** V. intr. **CHANGER DE.** ♦ **1.** (Sujet n. de personne ou de chose). Abandonner (un lieu, une situation, un milieu...) sans être soi-même modifié. — REM. Ne pas confondre avec I., 3. : *changer qqn, qqch. de...* — *Il refuse de changer d'endroit, de situation, de milieu. Changer de place :* quitter un lieu pour un autre. ⇒ **Déplacer** (se); **bouger, remuer.** *Changer de place avec qqn.* ⇒ **Permuter.** — Fam. *Changer de crèmerie* :* aller ailleurs. *Changer de logement.* ⇒ **Déménager; déloger.** *Changer de résidence. Changer de pays.* ⇒ **Émigrer, expatrier** (s'). *Changer de climat, changer d'air.* ⇒ **Passer** (d'un climat à un autre). — Fam. *Changer d'air :* quitter un lieu (où l'on est menacé, par exemple). → Aérer (s'aérer, 2.). — *Tout a changé d'allure.*

35.1 (...) on ne voit rien de juste ou d'injuste qui ne change de qualité, en changeant de climat.
PASCAL, *Pensées*, v, 294.

35.2 Ne volez plus de place en place;
Demeurez au logis, ou changez de climat :
Imitez le canard, la grue et la bécasse.
LA FONTAINE, *Fables*, I, 8.

35.3 En changeant de pays, la pudeur change de place.
FLAUBERT, *Correspondance*, t. I, p. 226.

Changer de direction, de route. ⇒ **Tourner** (tourner bride, tourner court); **détourner** (se), **dévier.** *Changer de cap* (fig. ⇒ **Cap**). *Changer d'amures.* ⇒ **Virer.** *Changer de côté. Changer de camp* (⇒ **Camp**, cit. 10 et 11).

♦ **2.** (Sujet n. de personne). *Changer de :* abandonner, laisser, quitter (qqch., qqn) pour une chose, une personne du même genre qu'on met, prend à la place. *Changer de cheval, de voiture. Changer de vitesse en conduisant une auto. Changer de gouvernement, de régime. Les voyageurs pour Tours changent de train. Changer de décor. Elle a changé de coiffure. Changer de vêtements, de linge, de chemise... — Changer de disque :* remplacer un disque par un autre sur l'électrophone. Fam. *Changer de sujet de conversation,* cesser de se répéter. (→ Disque, cit. 3).

36 Ah! que j'ai de dépit que la loi n'autorise
À changer de mari comme on fait de chemise!
MOLIÈRE, *Sganarelle*, 5.

37 Pour sortir le matin tu changeas de coiffure!
Edmond ROSTAND, *Cyrano de Bergerac*, III, 6.

Changer d'état, d'occupation, de travail. Il faut un peu changer de lectures. ⇒ **Diversifier, varier.** *Il change sans cesse de sujet.* ⇒ **Papillonner, voltiger.** *Changer de style.* ⇒ **Modifier, prendre** (un autre style).

38 Je changerai de style en changeant de matière.
LA FONTAINE, *Fables*, Appendice, V.

39 (...) il n'est qu'une façon de se reposer, et c'est de changer de travail.
G. DUHAMEL, *la Pesée des âmes*, XII, p. 286.

Changer d'attitude, de caractère, d'humeur, de langage, de manières, de ton. Changer complètement de vie, de conduite. — Fig. *Changer de peau.* ⇒ **Peau** (faire peau neuve). — *Changer d'avis*. Il a changé d'avis, d'idée. Faire changer qqn de résolution.* ⇒ **Retourner, tourner.** *Il change d'opinion à tout moment.* ⇒ **Changeant*, versatile** (cf. *C'est un caméléon, une girouette);* **dédire** (se), **évoluer, fluctuer, raviser** (se), **rétracter** (se), **tourner** (tourner casaque, etc.), **varier, virer, voleter, voltiger...** *Changer brusquement d'appréciation.* Cf. Passer du blanc au noir (souffler le chaud et le froid).

40 Il change à tout moment d'esprit comme de mode :
Il tourne au moindre vent (...)
BOILEAU, *Satires*, VIII.

41 (...) je change de langage en changeant mon humeur chagrine contre une véritable joie.
Mᵐᵉ DE SÉVIGNÉ, 598, 18 nov. 1676.

42 Quelque chose qu'on puisse faire,
On ne saurait le réformer.
Coups de fourche ni d'étrivières
Ne lui font changer de manières (...)
LA FONTAINE, *Fables*, II, 18.

43 Je ne vous dirai pas : changer de caractère
Car on n'en change point, je ne le sais que trop,
Chassez le naturel, il revient au galop.
Ph. DESTOUCHES, *le Glorieux*, III, 5.

44 Ce qui est honteux, c'est de changer d'opinion pour son intérêt, et que ce soit un écu ou un galon qui vous fasse brusquement passer du blanc au tricolore, et vice-versa. HUGO, *Littérature et philosophie mêlées, Journal des idées*, octobre.

45 En ce moment, ma résolution était prise et rien ne pouvait plus m'en faire changer.
FRANCE, *le Crime de S. Bonnard*, II, p. 473.

46 Mᵐᵉ de Fontanin avait changé d'attitude : il y avait une expression de défi sur son front élevé. MARTIN DU GARD, *les Thibault*, t. I, p. 39.

46.1 Quitter tout cela. Changer de peau. Changer de vie.
N. SARRAUTE, *le Planétarium*, p. 288.

Changer d'âme.

47 Jamais un affranchi n'est qu'un esclave infâme;
Bien qu'il change d'état, il ne change point d'âme (...) CORNEILLE, *Cinna*, IV, 6.

48 L'espoir changea de camp, le combat changea d'âme.
HUGO, *les Châtiments*, V, XIII, 2.

♦ **3.** [a] (Sujet n. de chose; compl. en *de,* n. de chose ou de personne). Avoir, recevoir un autre caractère. *La rue a changé de nom. La maison a changé de propriétaire. Changer de possesseur, changer de mains.*

Cet heureux temps n'est plus. Tout a changé de face (...) RACINE, *Phèdre*, I, 1. 49

(...) les seules pierres de ma bâtisse qui n'aient jamais changé d'assise et qui servent toujours. RENAN, *Souvenirs d'enfance...*, IV, 2. 50

Changer de couleur. Des pierres, des étoffes qui changent de couleur. ⇒ **Chatoyer.** *Changer de forme.* ⇒ **Métamorphoser, transformer** (se).

[b] (Sujet n. de personne; valeur passive). *Protée changeait de forme, se métamorphosait de mille manières. Changer de peau, de poil, de voix.* ⇒ **Muer.** — *Changer de couleur, de visage,* sous l'effet d'une émotion. ⇒ **Troubler** (se); **pâlir, rougir.**

J'ai changé de couleur, je me suis écriée (...) CORNEILLE, *Nicomède*, I, 5. 51
(...) Qu'avez-vous? je vous vois tout changé de visage.
MOLIÈRE, *le Mariage forcé*, 2. 52

Vous vous troublez, Madame, et changez de visage. RACINE, *Britannicus*, II, 3. 53
L'homme comme un nuage erre et change de forme (...) 54
HUGO, *la Légende des siècles*, XXXVIII, *Les esprits.*

★ **III.** V. intr. sans compl. Devenir autre, différent, éprouver un changement. ⇒ **Évoluer, modifier** (se modifier, être modifié), **transformer** (se), **varier.** *Tout change en ce monde. Tout change, tout passe* (cit. 71). *Changer en s'adaptant au milieu. Être sujet à changer.* ⇒ **Changeant.** *Les choses ont changé. Dans ce pays, sous ce régime, le gouvernement change tous les trois mois.* ⇒ **Remplacer** (être remplacé). *Le temps va changer. Le vent a changé.* ⇒ **Tourner.** *Changer du tout au tout, du jour au lendemain, brusquement, subitement, à vue d'œil... Changer suivant les circonstances.* — (Personnes). *N'écoutez pas ce qu'il dit, il change sans cesse* (cf. *Les paroles du matin ne sont pas celles du soir; tantôt ceci, tantôt cela). Un inconstant* qui change sans cesse* (cit. 8). *Il ne changera jamais.* — (Évolution physique, biologique). *Il a beaucoup changé depuis sa maladie. Vous n'avez pas du tout changé.* ⇒ **Vieillir.** *Elle n'a pas changé, elle est toujours la même. Elle a changé à son avantage.* — (Au moral). *Il a changé en bien, en mieux.* ⇒ **Améliorer** (s'), **amender** (s'), **corriger** (se). *Changer en mal.* ⇒ **Pervertir** (se). *Changer en pire.* ⇒ **Empirer.** — *Changer en plus.* ⇒ **Augmenter, grandir.** *Changer en moins.* ⇒ **Diminuer, rapetisser.**

Toutes choses changent et se succèdent. PASCAL, *Pensées*, II, 227. 55
Le nez de Cléopâtre : s'il eût été plus court, toute la face de la terre aurait changé. 56
PASCAL, *Pensées*, II, 162.

Mais il n'est pas moins vrai que cet ordre des cieux 57
Change selon les temps comme selon les lieux. CORNEILLE, *Cinna*, II, 1.
Et qui change une fois peut changer tous les jours. 58
CORNEILLE, *la Toison d'or*, IV, 3.

(...) nous changeons imperceptiblement, sans remarquer notre changement (...) 59
LA ROCHEFOUCAULD, *Réflexions, De l'amour.*

(...) son visage a changé (...) ses yeux se sont animés (...) 60
MOLIÈRE, *l'Amour médecin*, III, 6.

Un homme qui serait en peine de connaître s'il change, s'il commence à vieillir, 61
peut consulter les yeux d'une jeune femme qu'il aborde (...)
LA BRUYÈRE, *les Caractères*, III, 64.

Tout est dans un flux continuel sur la terre. Rien n'y garde une forme constante 62
et arrêtée, et nos affections qui s'attachent aux choses extérieures passent et changent nécessairement comme elles. ROUSSEAU, *Rêveries...*, 5ᵉ promenade.

Tout change dans la nature, tout est dans un flux continuel : et vous *(femmes)* vou- 63
lez inspirer des feux constants (...) Gardez donc le même visage, le même âge, la même humeur, soyez toujours la même, et l'on vous aimera toujours, si l'on peut. Mais changer sans cesse, et vouloir toujours qu'on vous aime, c'est vouloir qu'à chaque instant on cesse de vous aimer; c'est n'est pas chercher des cœurs constants, c'est en chercher d'aussi changeants que vous.
ROUSSEAU, *Julie ou la Nouvelle Héloïse*, IV, XIV (note).

L'homme absurde est celui qui ne change jamais. 64
A. M. BARTHÉLEMY, *Ma justification.*

(...) c'est triste de voir les gens qu'on aime changer. 65
FLAUBERT, *Correspondance*, t. III, p. 372.

Plus ça change, plus c'est la même chose. A. KARR, *les Guêpes.* 66

Aussi peu esclave des principes qu'il est possible, il *(Talleyrand)* était réaliste et 67
opportuniste : «Ce n'est pas moi qui ai changé, mais les circonstances», dira-t-il après trente-cinq ans d'étonnants avatars.
Louis MADELIN, *Hist. du Consulat et de l'Empire, Vers l'Empire d'Occident*, III, p. 39.

Ce que je constate surtout, devant un homme, devant un corps vivant d'homme, 68
c'est qu'il change à chaque seconde, qu'incessamment il vieillit. Jusque dans ses yeux, je vois la lumière vieillir. GIRAUDOUX, *Amphitryon 38*, I, 5.

Défions-nous des «premiers plans»; tout ce qui nous y paraît grand change vite. 69
GIDE, *Journal*, 1911, Feuillets.

Loc. iron. (ci-dessus, cit. 66). *Plus ça change, plus c'est la même chose :* rien n'a vraiment changé, en profondeur.

Fam. et iron. *Pour changer :* pour ne pas changer, comme d'habitude. *Et pour changer, il est encore en retard.*

▶ **SE CHANGER** v. pron. (1787).
Changer de vêtement. Vous êtes bien mouillé, changez-vous.

Sens passif. *Se changer en :* se convertir en, être remplacé par, faire place à (→ ci-dessus, I., 5.).

Comment en un plomb vil l'or pur s'est-il changé? RACINE, *Athalie*, III, 7. 70
La seule question qu'on agite aujourd'hui consiste à savoir (...) si tout se divise 71
continuellement, et se change en d'autres éléments.
VOLTAIRE, *Dict. philosophique, Atomes.*

Non, elle *(Mᵐᵉ Récamier)* n'a jamais aimé, aimé de passion et de flamme; mais 72

cet immense besoin d'aimer que porte en elle toute âme tendre se changeait pour elle en un infini besoin de plaire, ou mieux d'être aimée (...)
SAINTE-BEUVE, Causeries du lundi, 26 nov. 1849.

▶ **CHANGÉ, ÉE** p. p. et adj. (passif).

[a] Emplois passifs et participiaux. *Elle est bien changée depuis sa maladie, depuis la mort de son mari.* ⇒ **Méconnaissable.** *Les temps sont changés. Les choses sont bien changées.*

73   Je *(le vieillard)* vous ai dit la vérité sur les temps passés; mais les choses sont bien changées à présent (...)
BERNARDIN DE SAINT-PIERRE, Paul et Virginie, p. 101.

74   Alors Denise comprit que, sous la surface hypocrite et lisse de la vie familiale, rien n'était changé.   A. MAUROIS, le Cercle de famille, I, XI, p. 61.

[b] Emploi adj. Modifié. ⇒ **Autre, indifférent.** *Elle dit, d'une voix changée... Visage changé.* — Spécialt. *Enfant changé,* dont on a changé les langes.

CONTR. Conserver, garder, maintenir, perpétuer, persévérer, persister. — Demeurer, durer, subsister. — Stabiliser.
DÉR. Change, changeable, changeant, changement. — Changeur.
COMP. Inchangé, interchangeable, rechange, rechanger.

CHANGEUR, EUSE [ʃɑ̃ʒœʀ, øz] n. — V. 1205; cangeeur, XIIe; de *changer.*

★ **I.** N. m. et f. Personne qui effectue des opérations de change. ⇒ **Cambiste.** — Spécialt. Banquier qui fait le change des monnaies, moyennant une commission.
Employé d'une maison de jeu chargé de changer les jetons, la monnaie. ⇒ **Croupier** (II.).

★ **II.** N. m. ♦ **1.** Dispositif assurant le changement des disques sur un électrophone. *Table de lecture avec changeur automatique.*

♦ **2.** Techn. Dispositif de changement. *Changeur de fréquence.*

CHANLATTE [ʃɑ̃lat] n. f. — XIIe; de 2. *chant,* et *latte.*

Technique.

♦ **1.** Latte mise en chant, et qui soutient les dernières tuiles d'un toit.

♦ **2.** Pièce de bois mince (planchette, perche, etc.). *Chanlatte d'un métier à broder* (→ Brodeur, cit. 1).

CHANNE [ʃan] n. f. — 1150, chane; 1360, en Suisse; mot d'anc. franç. conservé régionalement; du lat. *canna.* → 2. Canne, canon.

♦ Régional (Suisse). Broc en étain pour servir le vin.

Les quartettes cependant avaient été apportés, et les channes, qui sont des espèces de hauts pots d'étain à couvercle, et les gobelets où on boit.
C.F. RAMUZ, Guerre dans le Haut-Pays, *in* Œ. compl., t. VI, p. 152.

CHANOINE [ʃanwan] n. m. — 1080, canunie; du lat. *canonicus.*

♦ **1.** Dignitaire ecclésiastique membre du chapitre* d'une église cathédrale ou collégiale, ou de certaines basiliques (⇒ **Chapitre, capitulaire**). *Le chapitre des chanoines sert de conseil à l'évêque. Dignité de chanoine.* ⇒ **Canonicat, chanoinie** (vx). *La vie, les règles des chanoines* (⇒ 2. **Canonial, canonical**). *Titres de chanoines.* ⇒ **Chantre** (grand chantre), **doyen, primicier** (ou princier), **théologal.** *Les Génovéfains, les Prémontrés étaient des chanoines. Chanoine titulaire, prébendé. Chanoine expectant; régulier, séculier; majeur, mineur; jubilaire. Chanoine honoraire,* qui a reçu d'un évêque le titre honorifique de chanoine. *Aumusse, camail, chape, mosette, rochet... de chanoine.*

1   Chapitres non de rats, mais chapitres de moines,
Voire chapitres de chanoines.   LA FONTAINE, Fables, II, 2.

2   Ses chanoines vermeils et brillants de santé (...)   BOILEAU, le Lutrin, I.

3   Un de ses bâtards *(de Bernard Van-Gallen)* trouva moyen d'être chanoine d'une collégiale.   VOLTAIRE, Philosophie de l'histoire, II, 419.

3.1   (...) les personnes habituellement réunies chez madame de Listomère lui avaient presque garanti sa nomination à une place de chanoine, alors vacante au chapitre métropolitain de Saint-Gatien (...)   BALZAC, les Célibataires (éd. 1834) p. 35.

Loc. fam. *Mener une vie de chanoine,* une vie douce, paisible et indolente. *Avoir une mine de chanoine, être gras, s'engraisser comme un chanoine* (⇒ **Moine**).

4   Et tu vis là, chez moi, comme un chanoine, comme un coq en pâte, à te goberger!
FLAUBERT, Mme Bovary, III, II.

♦ **2.** Relig. Nom de certains religieux réguliers, dépendant d'une église. *Chanoines prémontrés.*

DÉR. Chanoinesse, chanoinie.

CHANOINESSE [ʃanwanɛs] n. f. — 1264; de *chanoine.*

★ **I.** Relig. ♦ **1.** Anciennt. Fille noble possédant une prébende dans un chapitre de femmes.

♦ **2.** Mod. Religieuse de certaines communautés.

★ **II.** Pâtisserie (appelée plus couramment *nonnette*).

CHANOINIE [ʃanwani] n. f. — XIIe; de *chanoine.*

♦ Relig. (vx). Dignité de chanoine, appartenance à un chapitre de chanoines. ⇒ **Canonicat,** 2.
Le refus que fait l'abbé de Paris de se démettre de sa chanoinie.
RACINE, Lettre à Boileau, 34, *in* LITTRÉ.

CHANSON [ʃɑ̃sɔ̃] n. f. — 1080; du lat. *cantio* à l'accusatif *cationem,* de *cantus* «chant».

★ **I.** ♦ **1.** Composition pour la voix, texte mis en musique, souvent divisé en couplets et refrain. ⇒ 3. **Air,** 1. **chant.** *Chansons anciennes, traditionnelles.* ⇒ **Ballade, barcarolle, berceuse, bergerette, brunette, cantilène, canzonette, cavatine, complainte, lied, mélodie, pontneuf, romance, ronde, vaudeville, villanelle.** *L'air, la musique; les paroles d'une chanson. La reprise, le refrain d'une chanson traditionnelle* (ex. : ô gué! larifla, tire-lire, tra-la-la, turlurette...). ⇒ aussi **Flonflon.** *Vieille chanson folklorique. Chanson italienne.* ⇒ **Canzone,** 2. *Chanson française polyphonique et a cappella du XVIe siècle. Chanson d'histoire ou de toile,* que les femmes chantaient en filant (au moyen âge). *Chansons de trouvères*. La séguedille*, chanson espagnole. Chanson populaire; chanson réaliste*.* → *Complainte; goualante. Chanson d'amour, chanson de charme. Chanson triste. Chanson gaie, badine; chanson grivoise, gaillarde, chanson d'étudiants. Chanson braillée à tue-tête* ⇒ **Beuglante.** *Chanson à danser. Chanson à boire, chanson de table, de cabaret, chanson bachique* (cit. 1 et 2). *Chanson satirique, chanson rosse* (⇒ **Chansonnier**). *Chanson d'enfants.* ⇒ aussi **Comptine.** *Chanson patriotique. Chanson de marche, de route. Chanson de marins. Chanson de bord. Chansons de cow-boys. Chansons américaines traditionnelles.* ⇒ **Folk** (folk-song). — *Chanson ressassée.* ⇒ **Rengaine, ritournelle, scie.** — *Écrire, composer des chansons. Parolier de chansons. Chanter, écouter une chanson. Faire des chansons sur qqn. Mettre* (qqn, qqch.) *en chansons.* ⇒ **Chansonner.** *Récital de chansons. Chanteur qui enregistre des chansons. Les chansons de Mireille et Jean Nohain, de Charles Trenet, de Georges Brassens, de Jacques Brel, de Léo Ferré, de Gilles Vigneault. Auteur* (paroles), *compositeur, interprète de chansons. Mise en scène vidéo d'une chanson.* ⇒ **Clip.**

1   Auparavant, écoute une chanson que je viens de faire... Je portais... — Une chanson, dis-tu? — Je port... — Une chanson à chanter — Chanson amoureuse, peste!
MOLIÈRE, la Princesse d'Élide, IIIe intermède, 2.

2   C'était bien de chansons qu'alors il s'agissait!   LA FONTAINE, Fables, VII, 9.

3   Troie, que les Dieux ont voulu ruiner, afin qu'elle serve de chanson aux siècles futurs.   RACINE, Remarques sur l'Odyssée, VIII.

4   *Chanson.* Espèce de petit poème lyrique fort court, qui roule ordinairement sur des sujets agréables, auxquels on ajoute un air pour être chanté dans les occasions familières (...)   ROUSSEAU, Dict. de musique, Chanson.

5   Ah! ma chanson! Ma chanson est tombée en vous écoutant, courez, courez donc, monsieur! Ma chanson, elle sera perdue!
BEAUMARCHAIS, le Barbier de Séville, I, 3.

6   Vivre est une chanson dont mourir est le refrain.
HUGO, William Shakespeare, I, II, 12.

7   Je ne sais pas, cependant, si je ne préfère pas aux chansons de ceux qui vont se battre et mourir, les chansons de batteur de blé ou de forgeron, qu'un grand mécanicien, qui a l'air doux comme un agneau, mais fort comme un bœuf, chante à pleine voix.   J. VALLÈS, Jacques Vingtras, L'enfant, p. 370.

7.1   Un pauvre homme est entré chez moi
Pour des chansons qu'il venait vendre,
Comme Pâques chantait en Flandre
Et mille oiseaux doux à entendre,
Un pauvre homme a chanté chez moi,
Et c'est pour toute une semaine
Qu'ici mon cœur, sur tous les tons,
Chante les joies de la saison,
Et c'est pour toute une semaine
Où chaque jour a sa chanson.   Max ELSKAMP, Six chansons de pauvre homme.

8   Dans la chanson populaire, les paroles et la musique forment un ensemble souvent parfait; on peut difficilement les dissocier.   Initiation à la musique, p. 147.

8.1   Je voudrais avoir connu le premier homme qui a chanté une chanson (...) Il me semble que, de ce jour seulement, date le règne humain. Se servir de ses doigts est utile, mais faire obéir au dieu intérieur le cri de la bête, voilà qui est la chose divine :   J.-R. BLOCH, la Nuit kurde, p. 147.

Loc. *L'air ne fait pas la chanson* (cf. L'habit ne fait pas le moine). ⇒ **Air.** — *Le ton fait la chanson* : la manière de dire les choses en modifie le sens. — *Comme on dit dans la chanson, comme dit la chanson.*

Allus. littér. (En France). *Tout finit par des chansons* (Beaumarchais, *le Mariage de Figaro,* v, 19, Vaudeville) : les Français sont frivoles.

9 Un homme d'esprit me disait un jour que le gouvernement de France était une monarchie absolue, tempérée par des chansons.
CHAMFORT, Maximes et Pensées, «Sur la politique», XIV.

Spécialt. ⓐ La musique seule. *Siffloter une chanson à la mode. Compositeur de chansons.* — La parti*tion. Acheter une chanson. Éditer des chansons.*

ⓑ Le texte seul; poème mis en chanson. *Une chanson de Prévert, de Queneau. La Chanson de Tessa,* de Giraudoux. — *Texte de chanson. Éditer un recueil des chansons de Brassens.* Collectif. *La chanson :* l'art de composer, de chanter des chansons (de manière professionnelle); ensemble des compositions musicales populaires pour la voix humaine. *La chanson courtoise, au moyen âge. La chanson française, italienne. Histoire de la chanson. Festival de la chanson. La chanson réaliste* (cit. 4.3). *La chanson satirique. La chanson yé-yé. La chanson pour enfants. La chanson rive* gauche, la chanson engagée. Les vedettes de la chanson.*

◆ **2.** Bruit musical. ⇒ **Chant; bruit, murmure.** *La chanson des oiseaux, du rossignol. La chanson du grillon. La chanson du vent dans les feuilles.*

◆ **3.** Fig. et fam. (dans quelques expressions). Propos rebattus. ⇒ **Refrain.** *Il n'a, il ne sait qu'une chanson. C'est toujours la même chanson.* ⇒ **Comédie, histoire.** *Il chante toujours la même chanson. Voilà une autre chanson,* une autre affaire, un nouvel embarras.

10 Comme il continuait cette vieille chanson. Mathurin RÉGNIER, Satires, VIII.
10.1 — Monsieur, je me permets de vous interrompre *(c'est le député).* Le lycée Boucher-de-Perthes n'est pas le seul en France. L'État répartit ses crédits en fonction non seulement des besoins, mais aussi des urgences.
— On connaît la chanson, lance Bébert. Yanny HUREAUX, la Prof, p. 173.

◆ **4.** Vx (généralement au plur.). Propos ou raisons futiles et dont on ne tient aucun compte. ⇒ **Bagatelle, baliverne, conte** (conte en l'air), **sornette.** *Il ne se paye pas de chansons.*

11 Ce sont des chansons que cela : je sais ce que je sais.
MOLIÈRE, le Bourgeois gentilhomme, IV, 2.
12 — Je conte justement ce qu'on verra dans peu.
— Chansons!
Ce que je dis, ma fille, n'est point jeu. MOLIÈRE, Tartuffe, II, 2.

★ **II.** Littér. ◆ **1.** Poème épique du moyen âge, divisé en strophes (⇒ **Laisse).** *Chansons de chevalerie. Chanson de Geste* (⇒ **Geste).** *La Chanson de Roland* (→ Assonance, cit. 1; assoner, cit.). *La Chanson d'Antioche.*

◆ **2.** (Dans des titres). Poème lyrique de style tel qu'il puisse en principe faire l'objet d'une mise en musique sous forme de chanson (style naturel, simple, expressif, structure répétitive). *Les Chansons des rues et des bois,* de Hugo. *La Bonne Chanson,* de Verlaine. *La Chanson des gueux,* de Richepin. *La Chanson du Mal Aimé,* d'Apollinaire.

CONTR. **Sérieux** (chose sérieuse).
DÉR. **Chansonner, chansonnette, chansonnier.**

CHANSONNER [ʃɑ̃sɔne] v. tr. — 1734; 1584, «jouer d'un instrument»; de *chanson.*

◆ Se moquer de (qqn) par des chansons satiriques. ⇒ **Fronder, moquer** (se moquer de), **railler, ridiculiser.** *Chansonner le gouvernement. Le ministre s'est fait chansonner par les chansonniers.*

CHANSONNETTE [ʃɑ̃sɔnɛt] n. f. — XIIᵉ; de *chanson.*

◆ Petite chanson sur un sujet léger.

Plaisants repas, menus devis,
Bon vin, chansonnettes jolies. LA FONTAINE, Poésies mêlées, LXXI.
Collectif. *La chansonnette. Aimer la chansonnette.*
Fig. *Pousser la chansonnette :* débiter une histoire.

CHANSONNIER, IÈRE [ʃɑ̃sɔnje, jɛʀ] n. — XIVᵉ, au sens 1; de *chanson.*

★ **I.** N. m. Littér. Recueil de chansons. *Chansonnier français.* — Spécialt. Recueil de pièces lyriques des trouvères et troubadours.

★ **II.** N. (1571, «personne qui chante souvent»). **CHANSONNIER, IÈRE.**
◆ **1.** (Fin XVIIᵉ). Vx. Compositeur, auteur de chansons. — Spécialt. Personne qui écrit, compose des chansons, surtout des chansons satiriques; personne qui chansonne* quelqu'un.
Les Français sont malins et sont grands chansonniers.
VOLTAIRE, Épître au roi de la Chine, 72.

◆ **2.** (1862, Goncourt). Mod. *Un chansonnier :* celui qui compose ou improvise des chansons, des monologues satiriques, des sketches, et qui se produit sur des scènes spécialisées, dans des cabarets. *Théâtre de chansonniers. Spectacle de chansonniers. Chansonnier dans un cabaret, un caveau. Les chansonniers de Montmartre.*
REM. Le fém. *chansonnière* semble très peu usité.

1. CHANT [ʃɑ̃] n. m. — XIIᵉ, *Psautier d'Oxford* (sens 1); du lat. *cantus.*

◆ **1.** *(Le chant).* Émission de sons musicaux par la voix humaine; technique, art de la musique vocale. *L'art du chant.* ⇒ **Voix; bel canto, musique; accent, appui, attaque, débit, émission, intonation, liaison, modulation, phrasé, timbre, vocalise; déclamation** (lyrique), **sprechgesang.** *École, professeur de chant.* ⇒ **Conservatoire; solfège.** *Exercices de chant* (→ ci-dessous, cit. 4, 6 et 7).
(Un, des chants). Suite des sons émis par une personne qui chante. *Chant mélodieux, harmonieux. Chant discordant, bruyant.* ⇒ **Beuglement, bruit, cacophonie, cri, gueule** (coup de gueule). *Entonner un chant. Interpréter* un chant. Écouter un chant* (→ ci-dessous, cit. 1, 2 et 7.1).
Spécialt. Composition musicale destinée à la voix, généralement sur un texte, un poème (→ ci-dessous, cit. 5). *Chant épique, de guerre. Chant national, patriotique.* ⇒ **Hymne.** *Chant populaire, folklorique* (⇒ **Folklore).** *Chant d'allégresse, de joie. Chant de deuil, de lamentation. Le thrène, les Nénies, chants funèbres grecs. Chant d'adieu. Chant lyrique, chant d'amour. Chants profanes.* ⇒ 3. **Air,** 2. **aria, ariette, arioso, aubade, ballade, barcarolle, bardit, blues, cantabile, cantilène, cavatine, chanson, complainte, couplet, fado, lied, mélodie, mélopée, péan, psalmodie, ranz, récitatif, refrain, rhapsodie, romance, roulade, sérénade, spiritual, tyrolienne, variation, vocero...** *Chants sacrés, liturgiques, religieux. Chants d'Église.* ⇒ **Antienne** (et antiphone), **cantique, hymne, litanie, motet, prose, psaume, répons, séquence; agnus Dei, alléluia, hosanna, magnificat, miserere, noël, requiem, Te Deum...** *Recueil des chants de l'office.* ⇒ **Antiphonaire, hymnaire, psautier.**

Spécialt (qualifié). Forme particulière de musique vocale (→ ci-dessous, cit. 3). *Chant ambrosien*. Chant grégorien :* chant ordinaire de l'Église catholique romaine. ⇒ **Plain-chant; déchant, neume...** — *Chant à une seule voix.* ⇒ **Homophonie, monodie, solo, unisson.** *Chant collectif, chant choral, chant à plusieurs voix.* ⇒ **Polyphonie; canon, choral, chœur; duo, trio;** et aussi **chantrerie, manécanterie, maîtrise, psallette, schola cantorum.** *Chant amébée*; chants alternés. Formes musicales destinées au chant.* ⇒ **Opéra, opéra-comique, opérette, vaudeville; cantate, choral, messe, oratorio...** *Chant sans accompagnement*, a cappella.* — *Morceau de chant. Motif, leitmotiv d'un chant. Paroles, musique, partition d'un chant. Canevas d'un chant.*

1 (...) et quand aux merveilles
Dont votre divin chant vient frapper les oreilles (...) LA FONTAINE, Fables, XI, 5.
2 Elles *(les courtisanes)* chantaient, et leur chant traînait comme la mer, soupirait comme le vent du midi, haletait comme une bouche amoureuse.
Pierre LOUŸS, Aphrodite, II, VI.
3 (...) le chant grégorien semble emprunter au gothique ses lobes fleuris, ses flèches déchiquetées, ses rouets de gaze, ses trémies de dentelles, ses guipures légères et ténues comme des voix d'enfants. HUYSMANS, En route, p. 9.
4 Bref, *tout se passe comme si* musique, chant et danse étaient sortis du même foyer, dans une sorte d'explosion unanime d'allégresse et de jubilation.
Francis DE MIOMANDRE, Danse, Introduction, p. 4.
5 *L'Internationale,* gueulée sans trêve, à pleines voix, déployait son chant puissamment martelé, qui était comme la pulsation de tous ces cœurs.
MARTIN DU GARD, les Thibault, t. VII, p. 62.
6 On peut diviser l'art du chant en cinq chapitres : 1. *La respiration.* 2. *L'émission,* c'est-à-dire la production de la voix (...) 3. *La virtuosité,* qui est l'utilisation musicale de l'instrument vocal. 4. *Le chant avec paroles* (...) 5. *Le chant artistique et expressif,* synthèse des éléments précédents.
Th. SALIGNAC, *in* Encycl. franç., XVI, I, 36, 7.
7 Le chant est une fonction naturelle à l'homme (...) On chante pour rythmer son travail, pour stimuler son plaisir, on chante pour bercer sa peine ou pour épancher sa joie. Et l'on chante le plus souvent sans raison, machinalement, en accomplissant les actes les plus ordinaires (...) Initiation à la musique, p. 119.
7.1 Les rues sont pleines de troupes en armes qui défilent en scandant des chants rythmés, aux intonations basses, plus nostalgiques que joyeuses.
A. ROBBE-GRILLET, Dans le labyrinthe, p. 211-212.

(Dans un titre). *Les Quatre Chants sérieux,* de Brahms. *Le Chant du Départ.* — *Le Chant des chants* (cour. : *le Cantique* des cantiques).*

Loc. fig. *Chant des sirènes* :* discours séduisant et trompeur. *N'écoutez pas le chant des sirènes.*

◆ **2.** Partie mélodique de la musique. ⇒ **Mélodie.** *L'harmonie soutient, étoffe le chant. Le chant est repris par les hautbois.*

◆ **3.** *(Le, un chant de...).* Bruit harmonieux, d'origine musicale ou non. ⇒ **Chanson,** I., 2. *Le chant du violon. Le chant des oiseaux, de l'alouette, de la fauvette, du rossignol.* ⇒ **Gazouillis, ramage.** *Le chant des insectes, de la cigale, du grillon.* ⇒ **Stridulation.** *Le Chant du Monde,* titre d'un roman de J. Giono. *Le Chant de la Terre (Das Lied von der Erde),* de Mahler.

8 L'insecte (...) s'interrompt et va rapidement porter son chant ou sa plainte à un autre point de rappel. G. SAND, François le Champi, Avant-propos, p. 7.
9 Le deuxième Paradis était celui des oiseaux, situé dans un bocage frais où leurs chants ruisselaient sur les feuilles des aulnes qui en devenaient ondulées.
Francis JAMMES, le Roman du lièvre, II.

Au chant du coq : au point du jour.

Fig. *Le chant du cygne :* la dernière et la plus belle composition d'un artiste, d'un poète... d'après la légende antique selon laquelle le cygne, avant de mourir, faisait entendre un chant mélodieux.

10 (...) le chant du cygne, un chant merveilleux tout trempé de pleurs, montant jusqu'aux sommités les plus inaccessibles de la gamme, et redescendant l'échelle des notes jusqu'au dernier degré (...)
Th. GAUTIER, Fortunio..., « Le nid de rossignols ».

♦ **4.** Poésie lyrique ou épique destinée, en principe, à être chantée (→ 2. Carme, vx). *Les chants de Pindare, d'Anacréon. Chant nuptial.* ⇒ **Épithalame.** *Chant guerrier. Chant pastoral. Chant funèbre. Chant Royal :* forme poétique française de cinq strophes et un envoi, chacune des six parties se terminant par un même vers, le refrain.

Spécialt. Chaque division d'un poème épique ou didactique. *Le premier chant de l'Iliade, de l'Odyssée. Les douze chants de l'Énéide. — Les Chants de Maldoror,* de Lautréamont.

♦ **5.** Plur. Littér. La poésie, les poèmes. ⇒ **Poésie.** *Les chants du poète. La muse inspire ses chants. Mes chants rediront tes exploits* (Académie). *Les Chants du crépuscule,* de Hugo.

11 (...) réciter des chants qu'il *(Néron)* veut qu'on idolâtre (...)
RACINE, Britannicus, IV, 4.

12 Les plus désespérés sont les chants les plus beaux,
Et j'en sais d'immortels qui sont de purs sanglots. A. DE MUSSET, la Nuit de mai.

COMP. Contre-chant, déchant, plain-chant.

2. CHANT [ʃã] n. m. — Mil. XIIᵉ ; du lat. *canthus* « bande bordant une jante », var. *champ* par confusion avec *champ*.

♦ **1.** Rare. Face étroite d'un objet, et, spécialt, d'un parallélépipède. *Le chant d'une brique, d'une pierre.*

♦ **2.** Cour. *Mettre, poser de chant (sur chant) une pierre,* de façon que sa face longue soit horizontale et en profondeur (⇒ **Boutisse**).

REM. L'orthographe *champ* (Littré, Académie Septième éd.), qui résulte d'une confusion avec le mot *champ**, a été abandonnée par la plupart des dictionnaires, y compris celui de l'Académie (huitième éd.).

DÉR. Chanteau, 2. **chanterelle, chantignole.**
COMP. Chantourner.
HOM. 1. **Champ, chand.**

CHANTABLE [ʃãtabl] adj. — Déb. XIIᵉ ; de *chanter*.

♦ Qui peut être chanté. *Un air chantable. Ce n'est pas chantable.*

CONTR. Inchantable.

CHANTAGE [ʃãtaʒ] n. m. — 1837, Vidocq ; de *chanter* I., fig. : faire chanter.

♦ **1.** Action d'extorquer* à qqn de l'argent ou quelque avantage sous la menace d'une imputation diffamatoire, de la révélation d'un scandale. ⇒ **Extorsion ; maître-chanteur.** *Le chantage et la tentative de chantage sont punis par l'art. 400 du Code pénal. Pratiquer un chantage. Le marchandage (cit. 3) et le chantage.*

1 (...) pour me liquider, j'ai fait un peu de *chantage.*
— Qu'est-ce que le Chantage ?...
— Le Chantage est une invention de la presse anglaise, importée récemment en France (...) Si l'homme compromis ne donne pas une somme quelconque, le Chanteur lui imprime la tête à l'entamer, à dévoiler ses secrets. L'homme riche a peur, il finance. BALZAC, les Illusions perdues, Pl., t. IV, p. 381.

2 Le chantage suppose des menaces sous conditions pour extorquer des sommes auxquelles on n'a aucun droit. M. BARRÈS, Leurs figures, p. 258.

3 Protos : Le chantage est une sainte institution, nécessaire au maintien des mœurs. GIDE, les Caves du Vatican, Farce, acte III, 15ᵉ tableau.

♦ **2.** Manœuvre de menace ou d'intimidation pour influencer qqn. *Un chantage moral, sentimental. Il me l'a fait au chantage. Exercer sur qqn une pression et un chantage constants.*

CHANTANT, ANTE [ʃãtã, ãt] adj. — 1281 ; de *chanter*.

♦ **1.** Qui chante. *Le Fou chantant* (surnom de Charles Trénet). Qui a un rôle mélodique. *Basse* chantante* (opposé à *basse profonde*).

♦ **2.** Qui est favorable au chant. *Une musique très chantante.*

♦ **3.** *Voix chantante,* mélodieuse. *Langue chantante,* où l'accent tonique produit une sorte de chant. *Accent chantant :* prononciation dont l'intonation se rapproche du chant. *Déclamation chantante.*

♦ **4.** Où l'on chante. *Café* chantant* (vx). ⇒ **Café-concert, goguette, guinguette...** *Les sociétés chantantes du Directoire.*

CHANTEAU [ʃãto] n. m. — 1160, *chantel ;* de 2. *chant*.

♦ **1.** Vx ou régional. Morceau coupé à un grand pain. *Un chanteau de pain. —* Spécialt. *Chanteau de pain bénit,* que l'on envoie à la personne qui doit rendre le pain bénit le dimanche suivant.

(...) il y avait toujours un tonneau de vin rouge dans leur cave, et, dans leur musette de toile, auprès du chanteau de pain, un litre dont le goulot dépassait. M. GENEVOIX, Forêt voisine, XIV, p. 204.

♦ **2.** (1680, *in* D.D.L.). Techn. Pièce d'un violon (ou violoncelle) qui augmente la largeur de la table ou du fond.

CHANTEFABLE [ʃãt(ə)fabl] n. f. — Déb. XIIIᵉ, Aucassin et Nicolette, *cantefable ;* de *chanter,* et *fable.*
Littérature.

♦ **1.** Récit médiéval où alternent la prose (récit) et les vers (chant). *Les chantefables du moyen âge.*

♦ **2.** Mod. Poème lyrique d'un esprit analogue.

Derème était (...) aux antipodes d'un Robert Desnos dont pourtant les chantefables, qui sont des variétés de comptines, sont bien connues.
André BAY, Trésor des comptines, introduction.

CHANTEPLEURE [ʃãt(ə)plœʀ] n. f. — XIIᵉ ; de *chanter,* et *pleurer,* en raison du bruit que fait le liquide en coulant.
Techn. ou régional.

♦ **1.** Entonnoir à long tuyau percé de trous et destiné à transvaser le vin, etc. — Robinet de tonneau mis en perce. — Par ext. Pressoir, cuvier à robinet.

(Les vignes) vont porter cette année pour la première fois. Je languis de mettre la chantepleure. Si toute ma sueur est comptée, ce sera du vin de dieux.
J. GIONO, Naissance de l'Odyssée, p. 125.

♦ **2.** Fente d'un mur de terrasse, pratiquée pour l'écoulement des eaux. ⇒ **Barbacane,** 2.

CHANTER [ʃãte] v. intr. et tr. — Xᵉ, Vie de saint Léger ; du lat. *cantare,* fréquentatif de *canere.*

★ **I.** V. intr. ♦ **1.** Former avec la voix une suite de sons musicaux. ⇒ **Chanson** (cit. 7.1), **chant ; voix.** *Chanter bien, mal ; chanter juste, faux* (actuellement ou habituellement). *L'amusie* rend incapable de chanter. Chanter avec art, avec goût, avec talent, avec brio, avec expression.* ⇒ **Moduler, nuancer ; chant ; barytonner, ténoriser, vocaliser ; jodler.** *Chanter en mesure. Chanter à livre ouvert.* ⇒ **Déchiffrer, lire** (la musique), **solfier.** *Chanter en coulant ses notes, en filant les sons... Chanter doucement, à bouche fermée, à mi-voix, mezza voce, en faux-bourdon.* ⇒ **Bourdonner, chantonner, fredonner.** *Chanter fort, à pleine voix, à pleins poumons, à tue-tête* (→ Pondre, cit. 2). ⇒ par plais. **Beugler, brailler, braire, bramer, crier, égosiller** (s'), **hurler.** *Chanter d'une voix tremblante, trop forte, aiguë et nasillarde ; d'une voix qui sort du ton.* ⇒ **Chevroter, gueuler, miauler ; détonner.** *Faire des canards*, des couacs en chantant. Chanter avec mièvrerie.* ⇒ **Roucouler.** *Chanter sur monotonie, sur une note.* ⇒ **Psalmodier.** *Chanter en solo. Chanter en duo, en trio, en quatuor ; dans un chœur, une chorale. Chanter en chœur, à l'unisson ; a cappella. Chanter pour passer* (cit. 104) *le temps.*

1 — Vous chantiez ? j'en suis fort aise :
Eh bien ! dansez maintenant. LA FONTAINE, Fables, I, 1.

2 Avant d'écrire, chaque peuple a chanté.
NERVAL, la Bohème galante, « Chansons et légendes du Valois ».

3 Continuez de chanter et de souffrir : c'est le plus noble état d'un cœur mortel.
Souffrir sans chanter est trop triste.
Chanter sans souffrir, c'est affaire de gosier.
SAINTE-BEUVE, Correspondance, t. IV.

4 Ils chantent avec un certain effort du gosier, comme les muezzins des mosquées, en des tonalités hautes. LOTI, Ramuntcho, I, IV, p. 49.

5 Et soudain il se prit à chanter, d'une voix grêle et agréable, en s'accompagnant au piano, avec des fantaisies, des accords, des guirlandes et des arabesques (...)
G. DUHAMEL, Chronique des Pasquier, III, p. 325.

5.1 A dix-huit ans Velbar s'était découvert une forte voix de baryton ; pendant des journées entières, occupé sur son échafaudage à peindre quelque enseigne, il chantait à pleins poumons maintes romances à la mode, et les passants s'arrêtaient pour l'entendre, émerveillés par le charme et la pureté de son généreux organe.
Raymond ROUSSEL, Impressions d'Afrique, p. 267.

Spécialt et absolt. Maîtriser la technique du chant. *Apprendre à chanter. Il ne sait pas chanter.*

Par ext. Parler, réciter, lire avec des intonations rappelant le chant. *Un bon orateur ne doit pas chanter* (⇒ **Déclamer**). *Les méridionaux chantent en parlant. Une langue qui chante* (langue chantante*).

♦ **2.** Exécuter la partie mélodique d'un morceau, en parlant d'un instrument.

6 Je récolte en secret des fleurs mystérieuses :
Le soir, derrière vous, j'écoute au piano
Chanter sur le clavier vos mains harmonieuses (...) A. DE MUSSET, À Ninon.

♦ **3.** Crier, pousser le cri, les cris propres à leur espèce (en parlant des oiseaux* et de certains insectes). ⇒ **Gazouiller, ramager** (rare), **siffler.** *L'alouette, le rossignol chantent. Le coq chante.* ⇒ **Coqueriquer.** *Le grillon chante.*

7 La Cigale ayant chanté tout l'été (...) LA FONTAINE, Fables, I, 1.

8 Le chat persan, jeté comme une écharpe de marabout sur le bord de la fenêtre, s'étire et chante (...) COLETTE, la Paix chez les bêtes, Automne, p. 131.

Prov. *Ce n'est pas à la poule à chanter devant le coq :* la femme doit céder à l'homme.

9 La poule ne doit point chanter devant le coq.
MOLIÈRE, les Femmes savantes, V, 3.

Produire un son assez harmonieux pour être comparé à un chant.

La source chantait. La bouilloire chante. La porte chante. ⇒ **Grincer.**

♦ **4.** Loc. fam. *C'est comme si on chantait :* c'est inutile*.
Fig. *Je le ferai chanter sur un autre ton. Il faut qu'il chante sur un autre ton,* qu'il se conduise autrement.

♦ **5.** Littér. Produire un effet poétique. *Les souvenirs chantent dans sa mémoire.*

10 Ce ne sont pas ses pensées, ce sont les nôtres que le poète fait chanter en nous.
FRANCE, le Jardin d'Épicure, p. 73.

11 (...) n'as-tu pas observé, en te promenant dans cette ville, que d'entre les édifices dont elle est remplie, les uns sont muets ; les autres parlent ; et d'autres enfin, qui sont les plus rares, chantent !
VALÉRY, Eupalinos, p. 106.

12 Toute son enfance chrétienne se remit à chanter.
F. MAURIAC, l'Enfant chargé de chaînes, p. 187.

13 Mais n'est-ce pas à ces heures-là que le passé chante indéfiniment comme les flots d'une mer calme ?
F. MAURIAC, l'Enfant chargé de chaînes, p. 127.

Loc. *Les lendemains qui chantent.* ⇒ **Lendemain.**

♦ **6.** *Faire chanter qqn,* exercer un chantage* sur lui.

♦ **7.** Loc. *Si ça (me, te, lui, nous, vous) chante.* ⇒ **Convenir, plaire, sourire** (cf. Si ça me dit). *Cela ne me chante guère. Comme ça vous chante :* comme vous préférez.

14 J'aime (...) à aller et venir comme la tête me chante (...)
ROUSSEAU, les Confessions, XII.

15 Le jeune pianiste jouait, mais seulement si «ça lui chantait», car on ne forçait personne (...)
PROUST, À la recherche du temps perdu, t. I, p. 256.

15.1 Vous mangerez avec nous quand ça vous chantera et ailleurs quand ça vous chantera davantage.
Jacques LAURENT, les Bêtises, p. 33.

♦ **8.** *Pain à chanter :* pain azyme* dont on fait l'hostie. ⇒ **Pain** (cit. 5).

★ **II.** V. tr. ♦ **1.** Exécuter (un morceau de musique vocale). ⇒ **Chanson, chant.** *Chanter un air, une romance, une chanson. Chanter une berceuse* (cit. 2). *Chanter sa partie dans un chœur. Chanter un cantique, une antienne* (cit. 2). *Chanter la messe, les vêpres.*

16 Aujourd'hui, ce qui ne vaut pas la peine d'être dit, on le chante.
BEAUMARCHAIS, le Barbier de Séville, I, 2.

17 Le monde, tant qu'il y aura un monde, la chantera (ce chant, la Marseillaise) à jamais.
MICHELET, Hist. de la Révolution franç., t. I, p. 927.

♦ **2.** Loc. fig. (dans des contextes péjoratifs). *Il chante toujours la même chanson, la même antienne.* ⇒ **Conter, dire, raconter.** *Il chante cela sur tous les tons.* ⇒ **Rabâcher, répéter.**
Loc. vieillies. *Chanter pouilles* à qqn. — Chanter la palinodie*,* se rétracter. — *Chanter à qqn sa gamme,* lui adresser des reproches (cf. Sonner les cloches). — *Chanter magnificat à matines :* faire tout à contretemps.
Régional (Canada). *Chanter matines* (pour un coq) : chanter le matin. Célébrer par des chants. *Chantons Noël, chantons l'An neuf !*

♦ **3.** Fig. et poét. Célébrer, dire, exalter, louer, proclamer, vanter. *Chanter la gloire, les vertus, la patrie, la victoire, les héros. Chanter la joie, l'amour. Homère a chanté les exploits d'Ulysse.* ⇒ **Chantre.**

18 Je chante ce héros qui régna sur la France
Et par droit de conquête et par droit de naissance.
VOLTAIRE, la Henriade, I, 1.

19 Je ne chante ni l'espérance,
Ni la gloire, ni le bonheur,
Hélas ! pas même la souffrance.
A. DE MUSSET, la Nuit de mai.

20 Allons ! Chantons Bacchus, l'amour et la folie ! (...)
Chantons l'or et la nuit, la vigne et la beauté !
A. DE MUSSET, Rolla, III.

Cour., fam. *Chanter victoire :* se glorifier. ⇒ **Crier** (victoire).
Chanter les louanges de qqn : faire de grands éloges de qqn.
Vx. *Chanter fleurette à qqn.* ⇒ **Conter.**

21 (...) elle lui fit entendre que son garçon de moulin était un petit insolent (...) parce qu'il avait eu l'idée de lui chanter fleurette en revenant net par les bois avec elle.
G. SAND, François le Champi, IX, p. 76.

♦ **4.** Fam. et iron. (en interrogative). ⇒ **Dire.** *Que me chantez-vous là ? Qu'est-ce que tu nous chantes encore ?*

♦ **5.** Vx. ⇒ **Chansonner, railler.**

22 L'armée se console de la perte d'une bataille lorsqu'elle a chanté le général.
MONTESQUIEU, De l'esprit des lois, IX, 7.

DÉR. et COMP. **Chantable, chantage, chantant, chantefable, chantepleure,** 1. **chanterelle, chantoir, chantonner. — Déchanter, rechanter. —** V. aussi **Chanson,** 1. **chant, chanteur ; cantabile, cantate, cantatrice, cantique...**

1. CHANTERELLE [ʃɑ̃tʀɛl] n. f. — 1540 ; de *chanter.*

★ **I.** ♦ **1.** Mus. Corde la plus fine, ayant le son le plus aigu, dans un instrument à cordes. *Chanterelle de violon, d'alto, de violoncelle, de guitare. Hausser, baisser la chanterelle.*

À l'étourdissant concert des moineaux gorgés, répond, de tous les coins du jardin, le chant de fifre des oiseaux exotiques, sifflante piaillerie, chanterelle infinie qu'écrase ou déchire tout à coup le beuglement sourd d'un grand bœuf (...)
Ed. et J. DE GONCOURT, Manette Salomon, p. 442.

Fig. *Appuyer sur la chanterelle :* insister* sur un point délicat, pour

convaincre. — *Rabaisser, rabattre, faire baisser la chanterelle à qqn,* le caquet*.
Régional (Canada). *Frotter la chanterelle :* jouer du violon. → Gratter, racler du violon*.

♦ **2.** Par ext. Bouteille de verre mince dont on tire des sons en soufflant dessus.

★ **II.** Chasse. ⇒ 4. **Chanterelle.**

2. CHANTERELLE [ʃɑ̃tʀɛl] n. f. — Mil. XIXᵉ ; de 2. *chant.*

♦ Techn. Vx. Fausse équerre de charpentier.

3. CHANTERELLE [ʃɑ̃tʀɛl] n. f. — 1752 ; du lat. des botanistes *cantharella,* grec *kantharos* «coupe».

♦ Champignon basidiomycète hyménomycète *(Agaricinées)* au chapeau en forme de coupe jaune d'or. *Chanterelle comestible.* ⇒ **Girolle.** *Chanterelle orangée. Fausse chanterelle.* — Spécialt. Champignon de cette espèce, d'une autre variété que la girolle. — Syn. : *jaunotte.*

4. CHANTERELLE [ʃɑ̃tʀɛl] n. f. — 1690 ; de *chanter.*

♦ Chasse. Oiseau femelle servant d'appeau par son chant. — Loc. *À la chanterelle :* en utilisant une chanterelle.

On se sert de la femelle de la perdrix pour prendre le mâle. Cela s'appelle chasser à la chanterelle.
FRANCE, la Vie littéraire, t. III, p. 327.

CHANTEUR, EUSE [ʃɑ̃tœʀ, øz] n. — XIIᵉ, *chantur,* puis *chanteor ;* du lat. *cantorem* accusatif de *cantor.* → Chantre.

♦ **1.** Celui, celle qui chante, et plus spécialement, qui fait métier de chanter ou excelle dans l'art du chant. ⇒ **Chant, voix** (⇒ **registre, tessiture).** *Chanteurs et poètes de l'antiquité et du moyen âge.* ⇒ **Aède, barde, citharède, coryphée, ménestrel, minnesinger, rhapsode, scalde, troubadour, trouvère.** *Chanteur amateur, professionnel. Chanteur ambulant, chanteur des rues. Chanteur populaire. Chanteur de variétés. Chanteur comique.* ⇒ **Comique.** *Chanteuse réaliste** (cit. 4.3). *Chanteuse de beuglant, de café-concert. Chanteur de chansons satiriques.* ⇒ **Chansonnier.** *Chanteur d'église.* ⇒ **Chantre, castrat.** *Chanteur de chorale.* ⇒ **Choriste.** *Les Petits Chanteurs à la croix de bois. Chanteur de concert, d'opéra.* ⇒ **Acteur, artiste, exécutant, interprète, soliste, virtuose.** *Chanteur de duo.* ⇒ **Duettiste.** *Chanteuse d'opéra, chanteuse légère, chanteuse à voix, forte chanteuse.* ⇒ **Cantatrice, diva, vedette.** *Chanteur de blues.* ⇒ **Bluesman** (anglic.). *Chanteur de gospel. Chanteur de jazz.* ⇒ **Vocaliste,** 2. (anglic.). *Chanteur de charme.* ⇒ **Crooner** (anglic.). *Chanteur compositeur. Chanteur interprète* (des chansons écrites par d'autres). *Ce chanteur est auteur*, compositeur, interprète de ses chansons* (au Canada, ⇒ **Bozo).** *Chanteur, chanteuse pop, rock, folk. Chanteur en tournée ; chanteur qui passe dans un music-hall, un cabaret ; qui donne un récital. Les admirateurs, les fans d'un chanteur. Ce chanteur chante* faux, détonne, crie, fait des couacs.*

1 Quand un chanteur met la main sur son cœur, cela veut dire d'ordinaire : je l'aimerai toujours !
BAUDELAIRE, les Curiosités esthétiques, p. 111.

2 L'Allemande Sontag qui, chanteuse dramatique de premier ordre, pouvait aborder, grâce à la souplesse de sa voix, les rôles les plus légers.
Initiation à la musique, p. 130.

Par compar. :

3 La chouette et l'orfraie et leurs accents funèbres,
Voilà les seuls chanteurs que je veuille écouter.
André CHÉNIER, Idylles, «La liberté».

REM. Jusqu'au XVIᵉ s., le fém. *chanteuse* est concurrencé par *chanteresse,* et aujourd'hui par *cantatrice*,* dont l'emploi est restreint au domaine de la musique classique.

♦ **2.** MAÎTRE CHANTEUR, n. m. **[a]** Mus. ⇒ **Maître** (IV., A., 3.).
[b] Fig., cour. Personne qui pratique habituellement le chantage*.

♦ **3.** Adj. **[a]** (Personnes). Rare. Qui chante souvent. «*(Les) races du Midi, si vives et si chanteuses* » (Michelet, *in* T. L. F.).
[b] Se dit d'un animal doué de la faculté de chanter. *Les oiseaux chanteurs.* — N. m. *Le rossignol est un chanteur.*

CHANTIER [ʃɑ̃tje] n. m. — Fin XIIᵉ, *gantier* «pièce de bois, étai» ; du lat. *canterius* «mauvais cheval». Chevalet.

♦ **1.** Techn. Pièce servant de support. — Pièce sur laquelle on pose les tonneaux, dans un cellier, une cave (⇒ **Madrier).** Par ext. *Mettre du vin en chantier, sur le chantier,* dans un tonneau, des tonneaux posé(s) sur des chantiers.
Pièce servant à caler les ballots, etc., sur un navire.
Pièce servant de support à qqch. que l'on façonne, que l'on fabrique. *Poser une pierre sur le chantier pour l'équarrir.* — Loc. *Mettre des matériaux en chantier* (d'où le sens 2.).

Mar. Bloc de bois supportant la quille d'un navire en construction, en radoub. ⇒ **Tin**. *Navire sur le chantier.*

♦ **2.** (1758). Loc. EN CHANTIER, SUR LE CHANTIER (avec des verbes tels que *mettre*). ⇒ **Train** (mettre en train). *Opération en chantier. Mettre une œuvre en chantier.*

0.1   (...) Un Président du Conseil devait, il y a huit mois, déblayer et reconstruire. Son successeur aujourd'hui doit parachever ce qu'il trouve en chantier et maintenir un rythme.   F. MAURIAC, Bloc-notes 1952-1957, p. 161.

♦ **3.** Entassement de matériaux. *Un chantier de bois, de charbon.*

1   La ville (...) l'a louée *(l'aire Saint-Mittre)...* à des charrons du faubourg qui en ont fait un chantier de bois. Elle est encore aujourd'hui encombrée de poutres énormes (...)   ZOLA, la Fortune des Rougon, I, p. 6.

♦ **4.** Mod. et cour. Lieu où sont entassés des matériaux. ⇒ **Atelier, entrepôt.** *Chantier de construction; de démolition. Travailler sur un chantier. Il ne quittait guère le chantier.* → Pierre, cit. 14. *Les ouvriers d'un chantier. Chantier d'exploitation, d'abattage d'une mine. Cantine* d'un chantier.*

2   Les chantiers du métro, qui se dressaient un peu partout comme des forteresses de terre glaise et de planches, armées d'une artillerie de grues, achevaient d'étrangler les rues, de bloquer les carrefours.
                                        J. ROMAINS, les Hommes de bonne volonté, I, p. 29.

Chantier naval (→ Arsenal, cit. 1).
Anciennt. Au Canada, Exploitation forestière. — Habitation pour les bûcherons dans la forêt. *Homme de chantier :* ouvrier forestier. ⇒ **Bûcheron.** *Faire chantier :* abattre et scier des arbres.

♦ **5.** Fam. Désordre, lieu en désordre. *Quel chantier !* ⇒ **Bazar.**

♦ **6.** Hist. *Chantiers de jeunesse :* entre 1940 et 1944, Organisme français d'éducation obligatoire pour la jeunesse, selon les principes du régime de Vichy.

CHANTIGNOLE [ʃãtiɲɔl] n. f. — 1676 ; de l'anc. franç. *chantille ;* de 2. *chant.*
Technique.

♦ **1.** Pièce de bois soutenant les pannes de la charpente d'un toit.

♦ **2.** Brique de demi-épaisseur servant à la construction d'une cheminée.

CHANTILLY [ʃãtiji] n. m. et f. — 1872 ; de *Chantilly*, commune de l'Oise ; *à la chantilly* (1832) désigne une recette de potage.

★ **I.** N. m. Dentelle au fuseau à mailles hexagonales. *Du chantilly. Robe garnie de chantilly.*

C'était Irma Bécot, délicieusement vêtue d'une toilette de soie grise, recouverte de chantilly.   ZOLA, l'Œuvre, p. 334.

★ **II.** (Du château de *Chantilly*). N. f. ou appos. *Crème chantilly, de la chantilly :* crème fouettée, mousseuse et sucrée. *Servir un baba avec de la chantilly, un baba chantilly. Gâteaux à la chantilly :* chou, savarin...

CHANTOIR [ʃãtwaʀ] n. m. — 1547, n. f. ; mot wallon, de *chanter, tchanter,* d'où, en wallon, *tchantwèr.*

♦ Régional (Belgique) et géogr. Orifice, en terrain calcaire, par où s'engouffre un cours d'eau qui réapparaît plus loin. *Ce qui distingue le chantoir de la bétoire*, c'est la résurgence du cours d'eau souterrain.*

1   Et je vis le pauvre *sotai(gnome)* aller se briser contre les rochers aigus du chantoir d'Adseux. Le torrent impétueux, qui se perdait sous terre avec fracas, l'entraîna (...)   M. LA GARDE, le Val de l'Amblève,
                        Le dernier soltai de la grotte de Remouchamps (1858).

2   On ne peut épuiser le caractère légendaire de ce pays de cavernes, de chantoirs et d'eaux vives.   LANCELOT, Nuées orageuses, *in* le Soir, 25 avr. 1983.

CHANTONNEMENT [ʃãtɔnmã] n. m. — 1834 ; de *chantonner.*

♦ **1.** Action, fait de chantonner. *Un chantonnement discret, à bouche fermée.*

1   Son vêtissement et sa toilette ne s'accompagnèrent que de vagues rêveries accompagnées du chantonnement spasmodique de refrains connus.
                                        R. QUENEAU, Pierrot mon ami, p. 113.

♦ **2.** Figuré :

2   (...) le chantonnement du gaz sous la marmite, la fuite susurrante du robinet sur l'évier.   G. DUHAMEL, Chronique des Pasquier, I, X, p. 123.

CHANTONNER [ʃãtɔne] v. — 1538 ; de *chanter.*

★ **I.** V. intr. ♦ **1.** Chanter à mi-voix. ⇒ **Fredonner.**

♦ **2.** Fig. *La bouilloire chantonne sur le feu,* produit un bruit léger et modulé.

★ **II.** V. tr. ♦ **1.** *Chantonner une chanson, un air connu, une rengaine.*

♦ **2.** Figuré :
La bouillotte chantonne sa prière au feu.   J. RENARD, Journal, 22 déc. 1900.

REM. Balzac emploie la var. (dérivée) *chanteronner,* forme régionale du Centre et de l'Ouest.

DÉR. **Chantonnement.**

CHANTOUNG [ʃãtuŋ] n. m. — 1929, var. de *shantung.*

♦ Tissu de soie. ⇒ **Shantung.**
(...) un garçon en veste de chantoung blanc s'approcha d'eux et prit note de la commande.   R. QUENEAU, Loin de Rueil, p. 190.

CHANTOURNEMENT [ʃãtuʀnəmã] n. m. — 1803 ; «mouvement sinueux», 1611 ; de *chantourner.*
Technique.

♦ **1.** Action de chantourner.

♦ **2.** Contour d'une pièce chantournée.

CHANTOURNER [ʃãtuʀne] v. tr. — 1611, «sinuer comme un ruisseau»; 1694, en menuiserie ; de 2. *chant,* et *tourner.*

♦ **1.** Techn. Tailler en dehors, évider en dedans une pièce de bois, de métal, suivant un profil donné. *Scie à chantourner. Les bordures chantournées sont fréquentes dans le style rocaille.*

♦ **2.** Faire apparaître comme saillants certains contours.

▶ **CHANTOURNÉ, ÉE** p. p. adj.
Trois vases qui portent, l'un des orangers, et les deux autres diverses fleurs en confusion, chantournées et découpées à jour.
                                CORNEILLE, la Toison d'or, Décoration du premier acte.

▶ **CHANTOURNÉ** n. m.
Spécialt. Techn. *Chantourné :* pièce de bois travaillée, qui se met entre le dossier et le chevet d'un lit.

DÉR. **Chantournement.**

CHANTRE [ʃãtʀ] n. m. — 1227 ; du lat. *cantor.* → Chanteur.

♦ **1.** Vx (XVᵉ au XVIIᵉ). Celui qui chante. ⇒ **Chanteur.** — Figuré :
(...) Les petits oiseaux,
Ces chantres si doux et si beaux !   RACINE, Poésies diverses.   1

♦ **2.** Littér. (suivi d'un compl. en *de*). Poète* épique ou lyrique. — Loc. *Le chantre de Thrace :* Orphée. *Le chantre d'Ionie, le chantre d'Achille :* Homère. *Le chantre thébain :* Pindare. *Le chantre d'Énée, d'Ausonie, des Géorgiques :* Virgile. *Le chantre de Roland :* l'Arioste.
Que le chantre flatteur du tyran des Romains,
L'auteur harmonieux des douces Géorgiques (...)   VOLTAIRE, Épîtres, LXXVI.   2
Auteur qui célèbre (qqn, qqch.).
(...) Walter Scott, le chantre des races opprimées.
                                        M. BARRÈS, la Colline inspirée, XVIII, p. 301.   3
Par ext. *Les chantres des bois :* les oiseaux. *Le chantre du printemps :* le rossignol.

♦ **3.** Chanteur dont la fonction est de chanter dans un service religieux. *Voix de chantre,* forte et sonore.
Il *(cet enfant)* braille à faire sourd un chantre (...)
                                        HUGO, Notre-Dame de Paris, IV, 1.   4
D'ailleurs, chrétien pratiquant, marguillier de sa paroisse et chantre à voix tonnante.   LOTI, Ramuntcho, I, I, p. 22.   5
Grand chantre : dignitaire maître de chœur, qui préside au chant dans une église cathédrale ou collégiale, dans un chapitre. ⇒ **Cantor ; chanoine.**
Loc. fam. (vx). *Être gras comme un chantre. Une bedaine de chantre.*

DÉR. **Chantrerie** ou **chanterie.**

CHANTRERIE [ʃãtʀəʀi] ou CHANTERIE [ʃãtʀi] n. f. — 1384 ; «réunion de chantres d'église», 1335 ; de *chantre.*
Religion.

♦ **1.** Dignité, bénéfice de chantre (3.).

♦ **2.** (1669). École de chant d'église. ⇒ **Maîtrise, manécanterie.**

CHANVRE [ʃãvʀ] n. m. — 1089, *chenvre* ; lat. vulg. *canapus ; provençal *canebe,* du lat. *cannabis.*

A. ♦ **1.** Plante dicotylédone (Cannabinacées), scientifiquement appelée *Cannabis sativa,* annuelle, dioïque, à tige droite, à feuilles digitées. *Le chanvre est cultivé dans les régions tempérées et subtropicales pour servir de textile*. Chanvre commun. Terrain planté* *de chanvre.* ⇒ **Chanvrière, chènevière.** *Graines de chanvre.* ⇒ **Chènevis.** *Fibre de chanvre.* ⇒ **Chènevotte, étoupe, filasse, teille.**

1 Il arriva qu'au temps que la *(le)* chanvre se sème,
Elle vit un manant en couvrir maints sillons. LA FONTAINE, Fables, I, 8.

2 On distingue à peine la plante qui porte le chanvre d'avec celle qui produit le
lin (...) LA BRUYÈRE, les Caractères, VII, 21.

3 Tout ce fatras fut du chanvre en son temps ;
Linge il devint par l'art des tisserands (...)
VOLTAIRE, Dict. philosophique, Livres 2.

Traitement du chanvre. Extraction des fibres de la tige du chanvre : rouissage, séchage, halage, teillage... *Instruments servant à travailler le chanvre.* ⇒ **Affinoir, brisoir, broie, broyeuse, écang, échanvreur, écouchoir, macque, peigne, regayoir, séran.** *Travailler le chanvre.* ⇒ **Chanvreur, chanvrier.**

♦ **2.** Textile fabriqué à partir de la tige du chanvre. *Filer le chanvre à la quenouille, au rouet, industriellement. Chanvre écru ; chanvre peigné* (⇒ **Peignon**). *Toile de chanvre.* ⇒ **Coutil, cretonne.** *Canevas de chanvre. Cordage de chanvre.* ⇒ **Caret, filin, larderasse.** *Corder du chanvre.*
Loc. *La cravate de chanvre :* la corde de la potence.

♦ **3.** Textile analogue ; plante qui le produit. *Chanvre de Manille,* tiré d'un bananier. ⇒ **Abaca.** *Chanvre de la Nouvelle-Zélande.* ⇒ **Phormium.** *Chanvre de Bengale.* ⇒ **Jute.** — *Chanvre de Guinée :* hibiscus cannabinus.

B. ♦ **1.** *Chanvre indien, chanvre de l'Inde* (n. sc. Cannabis sativa indica. ⇒ **Cannabis**). *Utilisation des propriétés stupéfiantes du chanvre indien.* ⇒ **Haschisch, herbe** (2., c), **kif, marie-jeanne, marijuana, shit.** *Intoxication chronique par le chanvre indien.* ⇒ **Cannabisme, haschischisme.**

4 Le visage de Landry s'est assombri. On ne sortirait décidément pas de ces histoires de stupéfiants. En cette matière, le Liban est la Terre promise ; il est presque aussi facile de s'y fournir de chanvre indien ou de hachisch, que d'acheter un pistolet ou un revolver au Texas. René FLORIOT, La vérité tient à un fil, p. 131.

♦ **2.** Plante comparée botaniquement au chanvre. *Chanvre d'eau.* ⇒ **Eupatoire.**

DÉR. Chanvreur, chanvrier.

CHANVREUR [ʃɑ̃vʀœʀ] n. m. — 1855, G. Sand ; de *chanvre.*

♦ Techn. Ouvrier qui travaille le chanvre. — REM. Le fém. *chanvreuse* est virtuel.

CHANVRIER, IÈRE [ʃɑ̃vʀije, ijɛʀ] n. et adj. — 1283, *in* Arveiller ; de *chanvre.*
Technique.

♦ **1.** N. Personne qui travaille le chanvre.

♦ **2.** Adj. Du chanvre, qui concerne le chanvre. *Industrie chanvrière.*

CHANVRIÈRE [ʃɑ̃vʀijɛʀ] n. f. — 1429 ; de *chanvre.*

♦ Terre où l'on cultive le chanvre. ⇒ **Chènevière.**

CHAO [tʃao] interj. ⇒ **Ciao.**

CHAOS [kao] n. m. — 1377 ; lat. *chaos,* grec *khaos.*

♦ **1.** Relig., myth. Dans les cosmogonies antiques, Vide obscur et sans bornes qui préexiste au monde actuel.
Dans les religions juive et chrétienne, État confus du monde de la matière, avant la création. ⇒ **Tohu-bohu** (étym.). *Le chaos de l'abîme*.

1 De quel chaos l'homme est sorti, tu l'apprendras si tu ne le sais pas encore. Il en est mal sorti ; de tout son poids naïf il y retombe dès que l'Esprit ne le soulève plus au-dessus. GIDE, le Retour de l'enfant prodigue, 3ᵉ tableau.

2 Il *(Dieu)* est l'esprit organisateur qui sort du chaos s'ordonne (...)
DANIEL-ROPS, le Peuple de la Bible, I, III, p. 63.

♦ **2.** (xviᵉ). Cour. Confusion*, désordre complet. *Un chaos d'idées, d'arguments.* ⇒ **Trouble.** *Le chaos des éléments. Le chaos de la foule.* ⇒ **Cohue, mêlée.** *Ses affaires sont dans un chaos épouvantable.* ⇒ **Pêle-mêle.**

3 Et plus mon esprit y repasse,
Moins j'en puis débrouiller le funeste chaos. MOLIÈRE, Amphitryon, III, 1.

4 Quelle chimère est-ce donc que l'homme ? Quelle nouveauté, quel monstre, quel chaos, quel sujet de contradiction, quel prodige ! Juge de toutes choses, imbécile ver de terre ; dépositaire du vrai, cloaque d'incertitude et d'erreur : gloire et rebut de l'univers. PASCAL, Pensées, VII, 434.

5 Un désordre, un chaos, une cohue énorme (...) RACINE, les Plaideurs, II, 3.

6 (...) si jamais notre planète est victime d'un cataclysme, à ce moment redoutable, il se trouvera des hommes qui, au milieu du bouleversement et du chaos, auront une pensée désintéressée, scientifique (...)
RENAN, Réflexions sur l'état des esprits, Œuvres, t. I, p. 218.

7 Les mouvements déréglés, l'agitation effrénée, ne sont pas plus nécessaires au bonheur de l'enfant grandi que le chaos des sensations confuses ne l'a été au nourrisson. MICHELET, la Femme, p. 114.

Anarchie, désordre politique ou social. ⇒ **Bouleversement.** *Le chaos révolutionnaire.*
L'histoire était *(pour l'auteur)* un tissu de drames sans suite, une mêlée, un chaos où l'intelligence ne discernait rien. 8
J. BAINVILLE, Hist. de France, Avant-Propos, p. 1.

♦ **3.** (1796). Entassement confus, désordonné de blocs, de rochers. *Le chaos de Gavarnie. Un surprenant chaos de rochers énormes.* → 1. Rocher, cit. 5.
Le chaos des glaces est maintenant terrible. Imaginez une tempête, avec ses énormes vagues et ses courants contraires, subitement figée. 9
R. FRISON-ROCHE, Peuples chasseurs de l'Arctique, p. 265.

CONTR. Clarté, harmonie, ordre, organisation.
DÉR. Chaotique.
HOM. Cahot. — K. O. (knock-out).

CHAOTIQUE [kaɔtik] adj. — 1838 ; de *chaos.*

♦ **1.** Qui a l'aspect d'un chaos. *Un paysage chaotique* (Académie, 1932). *L'aspect chaotique de cette œuvre.* — *Un amas chaotique de roches* (→ Chaos, 3.).

♦ **2.** Didact. Relatif au chaos (1.) originel.

DÉR. Chaotiquement.

CHAOTIQUEMENT [kaɔtikmɑ̃] adv. — 1928 ; de *chaotique.*

♦ D'une manière chaotique.

CHAOUCH [ʃauʃ] n. m. — 1854, M. du Camp ; *chaoux,* 1547 ; turc *tchaouch* « sergent ».

♦ En Afrique du Nord et dans le Moyen-Orient, Huissier, appariteur. *Des chaouchs.* — REM. Mot de voyageur au xixᵉ s., *chaouch* était courant dans le français d'Algérie, avant l'indépendance.

CHAPARDAGE [ʃapaʀdaʒ] n. m. — 1871 ; de *chaparder.*

♦ Fam. Le fait de chaparder. ⇒ **Maraude.** *Il pratique le chapardage.*
(Un, des chapardages). Petit vol. ⇒ **Larcin.** *Des chapardages aux étalages.*

CHAPARDER [ʃapaʀde] v. tr. — 1858, *in* Esnault ; argot milit., p.-ê. de *chapar* « vol », sabir algérien, ou de *cape,* par l'anc. picard *caper* « prendre » et le provençal *-acapa* « dérober ».

♦ Fam. Dérober, voler (de petites choses). ⇒ **Dérober, marauder, voler.** *Les gosses ont dû chaparder les biscuits.*

Ce type n'est qu'un vulgaire employé de la gare, un brave type qui apportait sans doute un peu de charbon dans son panier, ou des patates, et la vieille a eu peur (...) Et après ? Admettons que ce charbon ait été chapardé ? 1
Francis CARCO, les Belles Manières, p. 103.

Absolt. *Elle chaparde dans les grands magasins.*
Trois négrillons montèrent à bord de *l'Hérétique :* pour la première fois, en Atlantique, j'avais un équipage ! Ils ne laissaient pas d'ailleurs de m'inquiéter, furetant partout, fouillant tout, chapardant à droite et à gauche. 2
Alain BOMBARD, Naufragé volontaire, p. 252.

DÉR. Chapardage, chaparderie, chapardeur.

CHAPARDERIE [ʃapaʀdəʀi] n. f. — 1863 ; de *chaparder.*

♦ Rare. Action, fait de chaparder. ⇒ **Chapardage.**

Tout ce que celui-ci lui disait au sujet de ses chaparderies avait glissé sur cet enfant sans l'émouvoir (...) GIDE, les Faux-monnayeurs, III, xv, Pl., p. 1225.

CHAPARDEUR, EUSE [ʃapaʀdœʀ, øz] adj. et n. — 1858, Esnault ; de *chaparder.*

♦ Qui commet de petits larcins. *Un garçon un peu chapardeur.* — N. Celui ou celle qui chaparde.

Sa main rapide de chapardeuse, habile à filouter naguère les oranges des étalages, a saisi une grosse rose pourpre (...)
COLETTE, la Vagabonde, I, éd. Albin Michel, p. 58.

CHAPARDISE [ʃapaʀdiz] n. f. — xxᵉ ; de *chaparder.* → Gourmandise.

♦ Fam. Activité de chapardeur.

(...) la clientèle enfantine, qui avait du goût pour la mystification et la chapardise (...) R. QUENEAU, Pierrot mon ami, éd. L. de Poche, p. 78.

CHAPARRAL [ʃapaʀal] n. m. — 1894, *chaparal,* Leconte de Lisle ; mot esp., de *chaparro* « plantation de chênes », repris en géogr. par l'angl. des États-Unis.

♦ Géogr. Végétation formée de fourrés d'arbustes et d'arbrisseaux à feuilles persistantes.

CHAPE [ʃap] n. f. — XIᵉ, *Vie de saint Alexis;* du bas lat. *cappa* «capuchon», puis «manteau». → Cape.

♦ **1.** Vx. Cape. — (Après 1250). Liturgie. Long manteau de cérémonie, sans manches, agrafé par devant, et que les ecclésiastiques revêtent pour certains offices. ⇒ **Ornement.** *Chape brodée. Chape de drap d'or. Chape blanche, violette, noire. La chape de l'officiant* (⇒ **Chapier**). — *Chape de cardinal :* habit à capuce doublé d'hermine que portent les cardinaux.

1   (...) et deux grands coquins de bergers drapés dans des manteaux de cadis roux qui leur tombent sur les talons comme des chapes.
    Alphonse DAUDET, Lettres de mon moulin, «Installation», p. 10.
2   Ce fut la dernière fois que Talleyrand coiffa la mitre et officia sous la chape de drap d'or. Louis MADELIN, Talleyrand, I, IV, p. 48.

Loc. prov. *Disputer de la chape de l'évêque :* disputer de choses auxquelles on n'a pas de raison de s'intéresser.

Par ext. *Chape de plomb :* ancien instrument de torture consistant en un manteau de plomb.

♦ **2.** (XVIIᵉ). Objet recouvrant quelque chose. ⇒ **Couvercle, enveloppe, revêtement.** *La chape d'un alambic :* chapiteau de la cucurbite de l'alambic. — *Chape de poulie :* monture, protection de l'axe d'une poulie. *Assemblage de poulies dans une même chape.* ⇒ **Moufle.** — *Chape de bielle :* enveloppe des coussinets. — *La chape d'un moule :* enveloppe de bois, de plâtre qui réunit et maintient les différentes pièces d'un moule. *La chape d'un pneumatique de roue.* ⇒ **Pneu.** *Changer, réparer la chape.* ⇒ **Rechaper.** — Couvercle bombé que l'on met sur un plat pour tenir les mets au chaud. — Futaille de protection dont on entoure un baril de poudre, un tonneau de vin pour le transporter.

Mar. *La chape d'un compas, d'une boussole :* petit cône creux placé au milieu d'une aiguille aimantée, et qui lui permet de tourner dans un plan horizontal.

♦ **3.** (XVᵉ). Trav. publ. Surface imperméable qui protège une voûte, un radier. — Mod. *Chape de béton.*

♦ **4.** Blason. Pièce honorable triangulaire de l'écu. — REM. Dans ce sens, on écrit aussi *chappe.*

♦ **5.** Par métaphore ou fig. (de 1., par ext.). *Une chape de nuages bas. Une chape de plomb* (fig.). — Fardeau moral. *Une chape d'ennui, de tristesse.*

3   (...) nos pensées du sommeil, dérobées par une chape d'oubli, n'ont pas le temps de revenir (...) PROUST, Sodome et Gomorrhe, éd. L. de Poche, p. 382.
4   Réglée comme un mouvement d'horlogerie, notre civilisation écrase tout sous une chape de laideur, sous une écœurante monotonie, modelant les âmes suivant un prototype médiocre, sans aucune échappée.
    Roger NAÏM, l'Ère des truands, p. 191.

DÉR. Chapé, chaperon, chapier.
COMP. Chape-chute, portechape, rechaper, sous-chape.

CHAPÉ, ÉE [ʃape] adj. — 1558; de *chape.*

♦ **1.** Relig. Revêtu de la chape (1.) ecclésiastique.

♦ **2.** Blason. *Écu chapé,* qui s'ouvre en chape* (4.). ⇒ **Chaussé, crénelé, écartelé, enté.** *Chapé de gueules.*

CHAPEAU [ʃapo] n. m. — Déb. XIIIᵉ; *chapel,* fin XIᵉ; du lat. pop. *cappellus,* de *cappa.* → Chape.

★ **I.** Coiffure de forme élaborée, souvent rigide (opposé à *bonnet, coiffe, béret...*) que les hommes et les femmes peuvent porter, généralement pour sortir.

♦ **1.** Coiffure pour hommes, ayant une forme déterminée (variable selon les époques et les modes) en général avec des bords. ⇒ fam. **Bada, bitos, galure, galurin;** argot, **bloum** (vx), **caloquet** (vx), **doulos** (argot). *Chapeaux anciens, du moyen âge, de la Renaissance. Chapeaux à cornes* (notamment au XVIIIᵉ s.). ⇒ **Bicorne, tricorne.** *Chapeaux du XIXᵉ siècle.* ⇒ **Bousingot, manille, tromblon.** *Chapeau de feutre* (⇒ **Feutre;** albanais, bicoquet, borsalino...), *chapeau mou* (le plus courant de nos jours). *Chapeau haut de forme.* ⇒ **Ascot, bolivar, claque, gibus, haut-de-forme, huit-reflets,** tube. Vx. *Chapeau mécanique*. *Chapeau de paille* (cit. 8). ⇒ **Canotier, panama.** *Chapeau à bords roulés. Chapeau melon.* ⇒ **Melon.** *Chapeau à larges bords.* — *Chapeau mexicain.* ⇒ **Sombrero.** *Chapeau de cow-boy. Chapeau texan.* ⇒ **Stetson.** — *Chapeau de gendarme* (au XIXᵉ s.), *de carabinier espagnol. Le petit chapeau de Napoléon* (→ ci-dessous, cit. 1). — *Chapeau de clown. Chapeau pointu.* → Enjoliver, cit. 2.

La forme d'un chapeau. Le fond d'un chapeau. Les bords larges, étroits, roulés d'un chapeau (⇒ **Retroussis**). *La coiffe* d'un chapeau.* ⇒ **Coiffant.** *Chapeau en feutre de poils de castor. Étoffe servant à faire des chapeaux.* ⇒ **Capade, soie** ou **peluche, sparterie, tagal.** *La carcasse ou galette d'un chapeau. La carre* d'un chapeau. Garniture d'un chapeau :* bordé, bourdalou, cocarde, cordon, crêpe, galon, plume, pompon, ruban. *Brosse à chapeau.*

Fabrication des chapeaux. ⇒ **Chapellerie** (→ Secrétage, bastissage, appropriage, arçonnage, sémoussage, caillotage, ponçage, apprêt,

dressage ou mise en forme). *Enformer, bichonner, fouler, lustrer, relustrer, retaper un chapeau* (⇒ **Lustre; conformateur, roulet**). *Porter un chapeau. Mettre, enfoncer, camper son chapeau.* ⇒ **Coiffer** (se), **couvrir** (se). *Flanquer, porter son chapeau sur l'oreille,* avec désinvolture, par fanfaronnade. *Mettre son chapeau en bataille.* ⇒ **Bataille.** *Enlever son chapeau.*

1   — Metternich (retournant le chapeau et l'approchant de la lumière pour lire, au fond, le nom du chapelier)... :
    Je t'ai haï, d'abord, à cause de ta forme,
    Chauve-souris des champs de bataille! chapeau
    Qui semblait fait avec deux ailes de corbeau!
    Edmond ROSTAND, l'Aiglon, III, 8.
2   (...) se découvrant pour présenter ses hommages à la duchesse, avec une si ample révolution du chapeau haut de forme dans sa main gantée de blanc (...)
    PROUST, À la recherche du temps perdu, t. IX, p. 155.
3   Un simple chapeau devient un casque, un boisseau, un tuyau de poêle, un melon, une galette, un camembert; écrasé, c'est un accordéon, etc. (...)
    F. BRUNOT, la Pensée et la Langue, II, VIII, p. 77.

Spécialt. *Chapeaux d'ecclésiastiques* (opposé à *barrette, calotte...*). *Chapeau de cardinal.* — Vx. *Porter le chapeau :* être cardinal. *Obtenir, recevoir le chapeau.*

3.1 (...) il s'acheminait tranquillement vers le cardinalat, certain d'avoir le chapeau, sans se donner d'autre peine que d'apporter les nouvelles, aux heures douces de la promenade. ZOLA, Rome, p. 246.

Blason. Pièce des armes des prélats, représentant un chapeau.

Collectif. *Le chapeau. Porter le chapeau.* Vieilli. *Porter chapeau :* être habillé de manière bourgeoise (le *chapeau* est, au XIXᵉ siècle, opposé à la *casquette* des ouvriers, au *bonnet* des paysans). *«Un monsieur à chapeau»* (Hugo) : un bourgeois. — REM. Le port du chapeau, généralisé dans la classe bourgeoise au XIXᵉ et au déb. du XXᵉ s., tend à devenir exceptionnel.

4   Le chapeau est une coiffure encore moins disgracieuse que disgraciée.
    G. DUHAMEL, Cri des profondeurs, I, p. 9.

Enlever, ôter son chapeau : saluer qqn en soulevant son chapeau. ⇒ **Découvrir** (se). *Tirer son chapeau :* au fig., marquer son admiration, en signe de compliment. *Mettre chapeau bas. Chapeau bas !* (⇒ **Bas,** cit. 74 et 75). *Parler à qqn chapeau bas.* — *Donner un coup de chapeau à qqn* (même sens). — *Coup de chapeau :* salut fait en ôtant son chapeau; fig., témoignage de respect, d'admiration.

5   Ah! dit Creval, que ne ferais-je pas pour l'empêcher de pouvoir mettre son chapeau. BALZAC, Œuvres, t. VI, la Cousine Bette, p. 236.
6   Là, mon petit, il faut tirer le chapeau. Des beautés comme ça, on n'en fait plus.
    COLETTE, la Fin de Chéri, p. 156.
7   Nous, nous avons eu des maîtres, des maîtres qui nous ont suffi, et même qui nous ont comblés (...) des maîtres que nous autres, artistes mûrs et grisonnants, nous n'abordons jamais que chapeau bas et cœur battant.
    G. DUHAMEL, la Défense des lettres, II, I, p. 109.

Ellipt. (fam.). *Chapeau!,* témoigne l'admiration.

7.1 (...) oui, j'ai beau chercher, je ne trouve rien par où je puisse les chopper, ces Chefs-là étaient des petits marles, chapeau (...)
    A. SARRAZIN, la Cavale, p. 343.
7.2 (...) Alors là, chapeau, comme dit Raymond Frôlet. Nous ne pourrons pas descendre plus bas ce soir (...) Claude MAURIAC, le Dîner en ville, p. 135.

Loc. fam. *En baver des ronds de chapeau.* ⇒ **Baver.** — *Travailler du chapeau.* ⇒ **Travailler.**

(1669, *mettre un chapeau sur la tête de qqn,* en médire). Loc. argotique. *Porter le chapeau :* être considéré comme responsable d'une faute, coupable d'un délit. *On lui a fait porter le chapeau.*

7.3 Première question, dit Tolstoï, qui portera le chapeau?
    Vladimir VOLKOFF, le Retournement, p. 329.

♦ **2.** Chapeau de femme. ⇒ (anciens) **Bavolet, cabriolet, calotte, capeline, capote, charlotte, forme;** (modernes) **béret, bibi, feutre, paille, toque.** *Laitonner* un chapeau de femme. La passe* d'un chapeau. Magasin où l'on fabrique, où l'on vend des chapeaux.* ⇒ **Mode; modiste.** *Chapeau de paille, de velours, de satin. Chapeau à plumes. Chapeau cloche. Chapeau de ville, de soleil, de plage; chapeau de pluie, imperméable.* — *Carton à chapeaux.*

8   Au lieu du béguin matelassé de mademoiselle du Guénic, elle portait un chapeau vert dont lequel elle devait aller visiter ses melons; il avait passé, comme eux, du vert au blond; et, quant à sa forme, après vingt ans, la mode l'a ramenée à Paris sous le nom de *bibi.* BALZAC, Béatrix, Pl., t. II, p. 346.
9   Le luxe suprême, pour une femme de chez moi, c'est de porter un chapeau qui soit seul de son modèle dans toute la ville de Paris.
    G. DUHAMEL, Scènes de la vie future, XV, p. 231.

Loc. fam. *T'occupe pas du chapeau de la gamine :* ne t'occupe pas de ce qui ne te regarde pas.

♦ **3.** Allus. littér. *«Dans son chapitre des chapeaux»* (pour rappeler plaisamment qu'il est impossible de donner la référence, la source d'une citation, d'un argument que l'on avance).

10 — Hippocrate dit... que nous nous couvrions tous deux. — Hippocrate dit cela?
    — Oui. — Dans quel chapitre, s'il vous plaît? — Dans son chapitre des chapeaux.
    MOLIÈRE, le Médecin malgré lui, II, 2.

♦ **4.** Coiffure ressemblant à un chapeau. *Faire un chapeau en papier à un enfant. Chapeau de gendarme* (de papier replié).

★ **II.** Par anal. (de forme, de destination).

♦ **1.** Bot. Partie d'un champignon à appareil « massif » (→ Champignon, I.), qui surmonte le pied en forme de dôme ou d'entonnoir et garnie en dessous de lames, de tubes ou de piquants.

♦ **2.** Cuis. *Chapeau d'un pâté, d'un vol-au-vent :* croûte qui recouvre le pâté.

♦ **3.** (1845). Cloche, abri que l'on place au-dessus des plantes pour les protéger du soleil, de la pluie.

♦ **4.** Techn. Partie supérieure (d'une pièce). *Chapeau de coussinet. Chapeau de boîte de graissage... Chapeau d'une roue**, chapeau de roue.* ⇒ **Enjoliveur** (2.). *Prendre un virage sur les chapeaux de roue.*

11 Il a démarré, comme la première fois, sur les chapeaux de roues, et de nouveau, l'automobile a frôlé le portail avant de disparaître.
　　　　　　　　　　　　　Patrick MODIANO, Villa triste, p. 34.
Chapeau d'horlogerie. Chapeau de lucarne. Chapeau d'escalier. — (1268). *Le chapeau d'une épée.*

♦ **5.** Méd. Croûte qui recouvre parfois la tête d'un nouveau-né. *Cet enfant a encore le chapeau.* ⇒ **Coiffe.**

♦ **6.** (1829). Mus. CHAPEAU CHINOIS : instrument de musique formé d'un disque de cuivre garni de clochettes et fixé à un manche. Syn. : *bonnet chinois, pavillon chinois.*

♦ **7.** Ornithol. Partie supérieure du crâne des oiseaux.

♦ **8.** (XXᵉ ; mus., 1753). Presse et typogr. Texte court placé à la suite du titre qui surmonte un autre texte pour le présenter au lecteur. *Le chapeau d'un article de journal.*

♦ **9.** (Métaphore du sens I, 1, p.-ê. avec infl. formelle de *faire chapelle.* → 2. Chapelle). Argot mar. Loc. *Faire chapeau :* chavirer, renverser son bateau (le bateau « fait chapeau » au-dessus du mât qui s'enfonce dans l'eau). → Faire capot*.

★ **III.** Fig. ♦ **1.** Vieilli. Personne qui en « couvre », en protège une autre. *Servir de chapeau à qqn* (cf. la même métaphore avec *chaperon*).

♦ **2.** Mar. (vx). Bonification remise à un capitaine sur le fret. *Chapeau de mérite. Chapeau du capitaine.*

DÉR. Chapeauter ; (de *chapel*) chapelet, chapelier, 2. chapelle, chapellerie.

CHAPEAUTER [ʃapote] v. tr. — 1879, *chapeauté ; de chapeau.*

♦ **1.** Fam. (Sujet n. de personne ou de chose : coiffure). Coiffer (qqn) d'un chapeau. Pron. *Se chapeauter :* mettre un chapeau. — Au p. p. Plus cour. *Une femme bien chapeautée. Habillé de neuf, ganté, chapeauté.*

♦ **2.** (Sujet et compl. n. de chose). Recouvrir comme d'un chapeau. ⇒ **Coiffer.**

1 Elle tourna le robinet d'eau chaude et le vieux chauffe-bain noir, chapeauté de tôle verdie, vrombit, comme prêt à céder sous le choc.
　　　　　　　　　　　　　H. TROYAT, la Tête sur les épaules, p. 9.
2 Deux rangées de fils de fer barbelés chapeautaient la palissade (...)
　　　　　　　　　　　　　R. QUENEAU, le Chiendent, p. 136.

♦ **3.** Présenter (un texte) en le faisant précéder d'un chapeau. — Au p. p. *Texte chapeauté par (d') une courte déclaration.*

♦ **4.** Fig. Exercer un contrôle sur (qqn ou qqch.). *Chapeauter un groupement politique. La confédération chapeaute cinq organisations.* (On emploie aussi en ce sens *chapeautage*, n. m.).

CHAPE-CHUTE [ʃapʃyt] n. f. — 1576 ; v. 1165, *chape chaete* « chapeau tombé, perdu » ; de *chape,* et *choir.*

♦ Vx. Bonne aubaine due à la négligence d'autrui ou à un accident.

— Encore quelque chape-chute, dit Sylvie. Goriot montra soudain une physionomie brillante et colorée de bonheur, qui pouvait faire croire à sa régénération.
　　　　　　　　　　　　　BALZAC, le Père Goriot, éd. 1835, p. 231.

CHAPELAIN [ʃaplɛ̃] n. m. — 1155, Wace, *chapelein ; de chapelle.*

♦ **1.** Ancienn. Bénéficier titulaire d'une chapelle*. *Les chapelains de la Sainte-Chapelle.*

♦ **2.** Prêtre attaché à un prince, à un grand seigneur.

♦ **3.** Prêtre qui dessert une chapelle privée. ⇒ **Aumônier ; capelan.**

DÉR. Chapellenie.

CHAPELER [ʃaple] v. tr. — Conjug. *appeler.* — 1080, *capler* « frapper au combat » ; du bas lat. *capulare* « couper ».

♦ **1.** Ancienn. Couper, taillader en enlevant le dessus de (qqch.). Mod. *Chapeler du pain,* en rogner la croûte. ⇒ **Râper ; chapelure.**

♦ **2.** Régional. Battre le fer de (la faux).

DÉR. Chapelure.

CHAPELET [ʃaplɛ] n. m. — XIIᵉ ; dér. du sens vieilli de *chapel* « couronne de fleurs ». → Chapeau ; et aussi rosaire, pour le sens.

♦ **1.** Objet de dévotion (relig. cathol.) formé de grains enfilés et groupés par dizaines, et que l'on fait glisser entre ses doigts en récitant des Pater et des Ave. *Un grain de chapelet. Long chapelet de quinze dizaines.* ⇒ **Rosaire.** *Porter un chapelet à sa ceinture. Égrener son chapelet. Faire bénir un chapelet. Chapelet de nacre, d'ivoire, d'émail, de bois. Les balises* servaient à faire des chapelets.* — Loc. *Arbre à chapelet.* ⇒ **Mélia** (azédarach). — (Autres religions). *Chapelet des musulmans, des bouddhistes.*

Entre mes mains de cire pâle,　　　　　　　　　　　　　1
Que la prière réunit,
Tournez ce chapelet d'opale
Par le pape à Rome bénit :
Je l'égrènerai dans la couche
D'où nul encore ne s'est levé ;
Sa bouche a dit sur ma bouche
Chaque *Pater* et chaque *Ave.*
　　　　Th. GAUTIER, Émaux et Camées, « Coquetterie posthume », p. 26.
Il y avait les chapelets, des liasses de chapelets pendus le long des murs, des tas　1.1
de chapelets dans les tiroirs, depuis les humbles chapelets à vingt sous la douzaine,
jusqu'aux chapelets de bois odorant, d'agate, de lapis, chaînés d'or ou d'argent (...)
　　　　　　　　　　　　　ZOLA, Lourdes, p. 205.

♦ **2.** Prières récitées que l'on répète en égrenant son chapelet. *Dire, réciter son chapelet. Les cinq dizaines d'un chapelet, séparées par un gros grain sur lequel on dit un Pater. Dire une dizaine de chapelet.*

On y récitait le chapelet ; de pieuses personnes, agenouillées ou assises, marmot-　2
taient les prières ; c'était un murmure, un chuchotement à ras de terre qui ne semblait pas s'élever bien haut.
　　　　　　　　　　　　　Edmond JALOUX, Fumées dans la campagne, XXVI, p. 218.
Loc. fam. *Défiler, dévider son chapelet :* raconter dans le détail et à la suite, sans interruption, ce que l'on a à dire.

♦ **3.** Succession (de choses alignées et souvent liées). *Chapelet d'oignons* (→ régional Chaîne). *Des chapelets de saucisses. Un chapelet de bombes, de torpilles. Choses disposées en chapelet,* à la file (cf. À la queue leu leu). *Un chapelet d'îles.*

Depuis le port de Gênes jusqu'à la pointe de Porto-Fino, c'est un chapelet de vil-　3
les, un égrènement de maisons sur les plages, entre le bleu de la mer et le vert
de la montagne.　　　　　　　　　MAUPASSANT, la Vie errante, III, p. 49.
Bouffioux marche en tête, portant en sautoir un gros chapelet de boules de pain　4
enfilées sur une corde (...)　　　　　R. DORGELÈS, les Croix de bois, V, p. 83.
(...) le crépitement vif et pressé des gousses qui éclatent par centaines, projetant　5
à la volée leur chapelet de petites graines rondes.
　　　　　　　　　　　　　M. GENEVOIX, Forêt voisine, IV, p. 61.
Les bombes lancées en chapelet avaient touché aussi les casernes toutes proches　6
de l'usine.　　　　　　　　　　MALRAUX, l'Espoir, II, VI.
Chapelet de fleurs (initialement : couronne, → étym.).
(Abstrait). *Un chapelet de reproches, de jérémiades, d'injures.* ⇒ **Litanie.** — *Le chapelet des heures.*
Loc. *En chapelet. Éclairs en chapelet.*
Archit. Baguette décorative faite d'une succession de perles, d'olives, de grains ronds.
Mar. Réunion de barriques vides reliées par des amarres et servant à supporter ou à soulever un bâtiment.
(1897). Méd. *Chapelet costal, rachitique, thoracique :* succession de nodosités saillantes observées chez les rachitiques près des cartilages costaux.
Techn. *Chapelet hydraulique :* machine formée d'une chaîne supportant une série de plateaux ou godets, et permettant d'élever l'eau d'un puits lorsque la nature limoneuse de l'eau interdit l'usage d'une pompe. ⇒ **Noria.**

CHAPELIER, IÈRE [ʃapəlje, jɛR] n. et adj. — Fin XIIᵉ ; de *chapel.* → Chapeau.

♦ **1.** Personne qui fait ou vend des chapeaux pour hommes, pour femmes (⇒ **Modiste**).

Claude, pendant deux ans, s'était consumé d'amour pour une apprentie chapelière,
que chaque soir il accompagnait de loin (...)　　　　ZOLA, l'Œuvre, p. 42.

♦ **2.** Adj. Qui concerne les chapeaux. *L'industrie chapelière.* — Vx. *Malle chapelière :* malle à chapeaux. → ci-dessous, 3.

♦ **3.** N. f. CHAPELIÈRE : malle bombée, à compartiments, destinée à recevoir les chapeaux.

1. CHAPELLE [ʃapɛl] n. f. — 1080, Chanson de Roland, *chapele* « oratoire royal » ; du lat. pop. *cappella* (679) désignant d'abord la *cape* ou *chape* (*cappa*) de saint Martin, relique notoire, puis le trésor des reliques de la cour, enfin l'oratoire du palais des Francs où les reliques étaient conservées.

★ **I.** ♦ **1.** (Déb. XIIe). Lieu consacré au culte dans certaines maisons particulières. ⇒ **Oratoire.** *La chapelle d'un collège, d'un hospice, d'une communauté religieuse, d'un château.*

1 A Crouy, la petite chapelle du pénitencier était comble.
MARTIN DU GARD, les Thibault, t. IV, p. 265.

Tenir chapelle : (le sujet désigne le pape) assister à un office solennel, sans le célébrer.

(xve). Vx. Bénéfice attaché à une chapelle.

Loc. *Chapelle ardente** (cit. 4).

♦ **2.** Petite église* n'ayant pas le titre de paroisse. *Chapelle commémorative* (d'un événement). *Les ex-voto d'une chapelle* (⇒ **Martyrium**).
Faire bâtir une chapelle. La chapelle Sixtine, au Vatican, à Rome (ellipt. *la Sixtine*). *Les castrats de la chapelle Sixtine. La Sainte-Chapelle,* à Paris.

2 Ah, les charitables églises du moyen âge, les chapelles moites et enfumées, pleines de chants anciens, de peintures exquises et cette odeur des cierges qu'on éteint, et ces parfums des encens qu'on brûle.
HUYSMANS, En route, p. 36.

♦ **3.** (1405). Partie secondaire d'une église où se dresse un autel, et qui est généralement située dans les bas-côtés. *Chapelles s'ouvrant sur l'enceinte du chœur. La chapelle de la Sainte-Vierge. La chapelle des fonts baptismaux.* ⇒ **Baptistère.** Archit. *Chapelle du transept, du chœur; chapelles rayonnantes; chapelles absidiales.* ⇒ **Absidiole.**

3 (...) une église ravissante où se trouvent le long des bas-côtés une quantité de petites chapelles d'époques différentes jusqu'à la Renaissance.
SAINTE-BEUVE, Correspondance, 11 oct. 1829.

♦ **4.** (1328). Ensemble des objets du culte employés pour célébrer la messe. *Une chapelle de vermeil.* — *Chapelle portative :* réunion dans une mallette portative des ornements et objets cultuels nécessaires à la célébration de la messe.

♦ **5.** [a] (1527). Ensemble des ecclésiastiques desservant une chapelle. — Ensemble des chanteurs et musiciens d'une église. *La chapelle Pontificale.* — *Maître de chapelle :* celui qui est chargé de la direction des chants et de la musique sacrée dans une église. ⇒ **Cantor; chantre** (→ aussi **Chorale**).

[b] Fig. Groupe de personnes soucieuses de demeurer entre soi. ⇒ **Clan, coterie.** *La chapelle des romantiques. Un esprit de clan et de petite chapelle* (→ Avant-garde, cit. 2). — (Au xixe s.). Association mutuelle de secours entre ouvriers.

★ **II.** Techn. Objet dont la forme rappelle la voûte d'une chapelle.

♦ **1.** (1392). Couvercle d'un alambic. ⇒ **Chapiteau.**

♦ **2.** (1332). Techn. Voûte (d'un four de boulanger). — *Enfourner, mettre en chapelle :* enfourner des pièces de poterie sur des plaques de terre cuite disposées en étages.

♦ **3.** Techn. Bâti d'un métier à tisser.

DÉR. Chapelain.

2. CHAPELLE [ʃapɛl] n. f. — 1643; de *chapel.* → Chapeau.

♦ Mar. (vx). *Faire chapelle :* se dit d'un navire obligé brusquement de virer de bord. → Navire, cit. 5.

CHAPELLENIE [ʃapɛlni] n. f. — 1278, *chapelenies;* de *chapelain.*

♦ Didact., relig. Dignité, charge ou bénéfice de chapelain*.

(...) il existait à la fin du XIIe siècle des dynasties patriciennes; mais elles s'étaient pour la plupart éloignées des affaires; elles se souciaient de fonder des chapellenies et de marier leurs fils dans les familles d'ancienne aristocratie.
Georges DUBY, Guerriers et Paysans, p. 289.

CHAPELLERIE [ʃapɛlri] n. f. — 1268; de *chapel.* → Chapeau.

♦ **1.** Fabrication et commerce des chapeaux d'hommes et de femmes (⇒ **Mode**).

♦ **2.** Magasin de vente des chapeaux. *Une chapellerie de luxe.*

♦ **3.** Ensemble d'articles vendus par le chapelier. *La chapellerie et la ganterie.*

CHAPELURE [ʃaplyʀ] n. f. — 1393, *chappeleure;* de *chapeler.*

♦ Pain séché (ou biscotte) râpé ou émietté. *Jambonneau couvert de chapelure. Chapelure servant à paner.* ⇒ **Panure.**

(...) dans une rangée de tiroirs numérotés, s'alignaient les chapelures, la fine et la grosse, les mies de pain pour paner, les épices, le girofle, la muscade, les poivres.
ZOLA, le Ventre de Paris, t. I, p. 126.

CHAPERON [ʃapʀɔ̃] n. m. — 1131; de *chape* au sens de «capuchon».

★ **I.** ♦ **1.** Ancienn. Coiffure* à bourrelet et à queue que portaient au moyen âge les hommes et les femmes.

1 Le dauphin lui-même, couvert de leur sang *(de ses conseillers),* fut coiffé par Étienne Marcel du chaperon rouge et bleu comme Louis XVI le sera un jour du bonnet rouge.
J. BAINVILLE, Hist. de France, VI, p. 95.

Bande d'étoffe que les femmes portaient sur la tête. *Chaperon en pointe. Le petit Chaperon rouge* (par métonymie, l'héroïne du conte, porteuse du chaperon).

Par anal. Petit bourrelet à pendant d'étoffe garni d'hermine placé sur l'épaule gauche de la robe de certains personnages : avocat, juge, professeur de droit. ⇒ **Épitoge.**

♦ **2.** Techn. (fauconn.). Coiffe de cuir dont on couvre la tête des faucons pendant la chasse.

★ **II.** (1690). Fig. Personne d'un âge respectable qui, naguère, accompagnait une jeune fille ou une jeune femme par souci des convenances. ⇒ **Duègne.** *Servir de chaperon à qqn.* ⇒ **Chaperonner.**

Par ext. ⇒ **Protecteur; chapeau,** III, 1. (vx).

1.1 Elle n'avait pas accepté l'offre du bonhomme à l'aventure; elle savait trouver en lui un chaperon, elle pressentait peut-être, dans cette boutique sombre de la rue Pirouette, avec le flair des personnes chanceuses, l'avenir solide qu'elle rêvait (...)
ZOLA, le Ventre de Paris, t. I, p. 74.

★ **III.** Techn. (Ce qui recouvre, protège qqch.). → Chapeau, II. Partie supérieure d'un mur, faite de tuiles, de maçonnerie en dos d'âne, pour l'écoulement des eaux. ⇒ **Abri; crête; toit.**

2 Les murs des jardins, garnis à leur chaperon de morceaux de bouteilles, étaient chauds comme le vitrage d'une serre. FLAUBERT, Mme Bovary, II, III, p. 63.

3 (...) le jeune homme (...) se décida à monter sur la pierre. Le mur était bas; il posa les coudes sur le chaperon. ZOLA, la Fortune des Rougon, I, p. 10.

Assemblage de menuiserie. *Renfort en chaperon.*

DÉR. Chaperonner.

CHAPERONNAGE [ʃapʀɔnaʒ] n. m. — 1867, Goncourt; de *chaperonner.*

♦ Rare. Action de chaperonner (2.) qqn.

CHAPERONNER [ʃapʀɔne] v. tr. — 1174; de *chaperon.*

♦ **1.** (xvie). Couvrir d'un chaperon*. — *Chaperonner un faucon.* — *Chaperonner une muraille.*

♦ **2.** (1835). Accompagner (une jeune fille) en qualité de chaperon. — Au p. p. *Jeune fille chaperonnée par sa tante.*

Nous sommes toutes éreintées, nous, mais qui reconnaîtrait en mademoiselle la duègne qui nous chaperonna ces trois jours?
COLETTE, Claudine à l'école, p. 238 (1900).

Par ext. Guider.

DÉR. Chaperonnage.
COMP. Déchaperonner, enchaperonner.

CHAPIER [ʃapje] n. m. — 1440, sens 3; de *chape.*

♦ **1.** Vx. Clerc qui porte la chape, au cours d'une cérémonie religieuse.

La sentinelle (...) se promenait nonchalamment (...) comme un chapier d'église, à vêpres. BARBEY D'AUREVILLY, le Chevalier des Touches, p. 175.

♦ **2.** Rare. Fabricant de chapes*. — REM. Dans ce sens, le fém. *chapière* est virtuel.

♦ **3.** Techn. (mobilier). Meuble à grands tiroirs servant à serrer les chapes.

CHAPITEAU [ʃapito] n. m. — 1160, *chapitel;* du lat. *capitellum,* de *caput* «tête, sommet».

♦ **1.** Partie élargie et généralement ornée, qui couronne le fût d'une colonne. *Le chapiteau dans l'art antique gréco-romain caractérise l'ordre* auquel appartient la colonne. Chapiteaux grecs.* ⇒ **Corinthien, dorique, ionien.** *Chapiteau composite des Romains,* combinaison de l'ionique avec le corinthien. *Chapiteau byzantin,* en forme de cube, de pyramide tronquée. *Chapiteau perse. Chapiteaux égyptiens : chapiteau campaniforme, hathorique, lotiforme, palmiforme, papyriforme, protodorique; chapiteau copte. Chapiteau roman, toscan, gothique, Renaissance. Chapiteau carré, évasé, renflé.* ⇒ **Campane.** *Plateau* d'un chapiteau.* ⇒ **Abaque, tailloir; architrave.** *Moulure d'un chapiteau.* ⇒ **Annelet, armille, astragale, échine, gorgerin, listel, orle, ove.** *Les volutes* d'un chapiteau :* ornement de feuilles d'acanthe, de fleurs, de corbeilles, de langues de serpent* (→ Acanthe, cit. 1). *La base, la corne d'un chapiteau. Chapiteaux sculptés. Une grande partie de la sculpture romane consiste en chapiteaux.*

1 Du chapiteau d'une colonne corinthienne se décrit un demi-cercle dont la pointe descend sur le chapiteau d'une autre colonne corinthienne (...)
CHATEAUBRIAND, Mémoires d'outre-tombe, IV, VI.

2 Regardez cette colonnette. Autour de quel chapiteau avez-vous vu feuilles plus tendres et mieux caressées du ciseau? HUGO, Notre-Dame de Paris, X, 1.

3 (...) je m'étais installée, stylite, sur le chapiteau d'un des piliers que reliait l'un à l'autre la grille du jardin (...)
COLETTE, Histoires pour Bel-Gazou, VI, « La toutouque », p. 51.

♦ **2.** Ornement d'architecture formant couronnement. *Chapiteau à balustres*. Chapiteau de pilastre*. Chapiteau de niche :* petits dais surmontant une statue.
Ornement formant saillie qui surmonte une armoire, un buffet. ⇒ **Corniche.**

♦ **3.** Techn. ⇒ **Chapeau** (II.), **couvercle ; couronnement.** *Chapiteau d'un alambic,* dans lequel se condensent les vapeurs. ⇒ **Chape, chapelle.** — *Chapiteau d'une ruche :* couvercle qui s'emboîte sur le corps de la ruche. — *Chapiteau d'un canon :* petit couvercle sur la lumière d'un canon. ⇒ **Couvre-lumière.**

♦ **4.** (1905, *in* D.D.L.). Tente d'un cirque. *Monter, démonter le chapiteau. Faire le saut de la mort sous le chapiteau. Le grand chapiteau du cirque X.* Par métonymie. *Le chapiteau :* le cirque.
Tente analogue abritant un spectacle, un concert. *Concert en plein air ou sous chapiteau.*

CHAPITRAL, ALE, AUX [ʃapitral, o] adj. — 1834 ; de *chapitre.*

♦ Didact. (relig.). Relatif à un chapitre de religieux. *Maison chapitrale.*

CHAPITRE [ʃapitr] n. m. — 1119, Ph. de Thaon, *chapitle ;* du lat. *capitulum* « article de loi, chapitre d'un ouvrage », dimin. de *caput.* → **Tête.**

★ **I.** ♦ **1.** Chacune des parties suivant lesquelles est divisé un livre, un traité, un code... ⇒ **Article, livre, partie, question, section, titre.** *Le chapitre premier. Jusqu'au dernier chapitre. Chaque partie de ce traité est divisée en chapitres. Roman divisé en chapitres. Le numéro d'un chapitre. Le titre d'un chapitre.* ⇒ **Intitulé ; lettrine.** *Vignette à la fin d'un chapitre.* ⇒ **Cul-de-lampe.** *Ordonnance, édit divisé en chapitres.* ⇒ 2. **Capitulaire.**

1 (...) au seizième et dernier chapitre (...) où les preuves de Dieu (...) sont apportées (...)
LA BRUYÈRE, Disc. de réception à l'Académie, Préface.

2 Il y a, dans toute œuvre immense, des chapitres qui détonnent.
A. MAUROIS, Études littéraires, t. II, Jules Romains, IV, p. 155.

Allus. *Le chapitre des chapeaux*.*

♦ **2.** Division (d'un budget) groupant les dépenses d'une administration par nature et par destination. *Voter le budget par chapitres. Le chapitre des recettes. Le chapitre des dépenses.*

♦ **3.** Fig. (dans quelques expressions). Sujet dont on parle ; propos que l'on tient sur une question déterminée. ⇒ **Matière, objet, question, sujet.** *Être sévère sur le chapitre de la discipline. Quand il est sur ce chapitre, il est intarissable. Ne traitons pas ce chapitre. En voilà assez sur ce chapitre.*

3 J'ai l'humeur enjouée ... mais ... je suis sérieuse sur de certains chapitres (...)
MOLIÈRE, les Fourberies de Scapin, III, 1.

3.1 Que ne donnerois-je pas pour voir un peu dans votre cœur sur plusieurs chapitres.
Mᵐᵉ DE SÉVIGNÉ, Lettre à Mᵐᵉ de Grignan, 18 mars 1671.

4 (...) vous en savez plus que moi sur ce chapitre.
Mᵐᵉ DE SÉVIGNÉ, 1073, 18 oct. 1688.

♦ **4.** Passage de l'Écriture sainte qu'on lisait au début d'une assemblée religieuse, et, spécialt, partie *(chapitre)* de la règle d'un ordre religieux lue devant la communauté réunie (orig. du sens II).

★ **II.** ♦ **1.** (XIIᵉ). Assemblée de religieux, de chanoines réunis pour écouter la lecture d'un chapitre de la règle, et aussi pour délibérer de leurs affaires (⇒ 1. **Capitulaire, chapitral**). *Tenir chapitre. Présider au chapitre. Chapitre conventuel. Chapitre provincial, général. Dignitaire de certains chapitres.* ⇒ **Primicier.** *Jeton de présence distribué aux membres d'un chapitre.* ⇒ **Méreau.** *La salle du chapitre.*
Ceux qui siègent à cette assemblée. *Assembler, réunir le chapitre.* ⇒ **Chanoine.**
Le lieu où siège le chapitre. *Les bancs du chapitre.*

♦ **2.** Communauté des chanoines (d'une église cathédrale ou collégiale). *Le chapitre de Notre-Dame. Le doyen du chapitre.*

5 (...) cela n'empêchait pas l'archidiacre d'être considéré par les doctes têtes du chapitre comme une âme aventurée dans le vestibule de l'enfer, perdue dans les antres de la cabale, tâtonnant dans les ténèbres des sciences occultes.
HUGO, Notre-Dame de Paris, IV, 5.

Loc. fig., vieilli. *Tenir chapitre :* tenir une réunion pour délibérer gravement et avec affectation.

6 (...) J'ai maints chapitres vus,
Qui pour néant se sont ainsi tenus.
Chapitres non de rats, mais chapitres de moines,
Voire chapitres de chanoines.
LA FONTAINE, Fables, II, 2.

♦ **3.** Loc. mod. *Avoir voix au chapitre :* avoir autorité, crédit, pour prendre part à une délibération, à une discussion, et, par ext., pour se mêler d'une affaire.

7 (...) dans ces occasions-là, les mères n'ont pas beaucoup de voix au chapitre.
Mᵐᵉ DE SÉVIGNÉ, 84, 28 août 1668.

8 Ces « peuples » n'avaient pas, c'est vrai, grande voix au chapitre des trônes et des chancelleries (...)
Louis MADELIN, Talleyrand, IV, XXVIII, p. 298.

DÉR. Chapitral, chapitrer.

CHAPITRER [ʃapitre] v. tr. — 1440 ; de *chapitre.*

♦ **1.** Ancient. Réprimander un religieux en plein chapitre.

♦ **2.** Cour. Réprimander* (qqn), adresser de sévères remontrances à (qqn). ⇒ **Leçon** (faire la leçon à), **morigéner ; catéchiser...** *Chapitrer un mauvais élève. Il a essayé de le chapitrer mais l'autre ne l'a pas écouté.*

1 Demandez-lui un peu quelles belles réprimandes je lui ai faites et comme je l'ai chapitré sur le peu de respect qu'il gardait.
MOLIÈRE, les Fourberies de Scapin, I, 4.

2 En tout cas, c'est elle qui monte la tête à Valorin contre moi, qui le chapitre à longueur de journée.
M. AYMÉ, la Tête des autres, II, 7.

CHAPLINESQUE [ʃaplinɛsk] adj. — Mil. XXᵉ ; de Charles *Chaplin,* acteur et cinéaste anglais, créateur du personnage de *Charlot.*

♦ Qui se rapporte, ou ressemble au comique propre à Chaplin. *Des gags chaplinesques.* « *La grande tradition chaplinesque* » (J. Debrix, *in* N.R.F., 1953).

CHAPLIS [ʃapli] n. m. — XIIᵉ, *chapleiz ;* de l'anc. franç. *chapler* « tailler en pièces ». → Chapelure.

♦ **1.** Archaïsme. Tumulte, désordre bruyant (Gautier, *le Capitaine Fracasse*).

♦ **2.** Régional. Abattis (de branches). ⇒ **Chablis** (bois).

CHAPON [ʃapɔ̃] n. m. — 1150, *chiapun ;* du lat. pop. **cappo,* lat. class. *capo, -onis.* → Capon.

♦ **1.** Vieilli, littér. ou régional. Jeune coq châtré que l'on engraisse pour la table. *Un chapon gras. Une aile, une cuisse de chapon. Chapon du Mans.* ⇒ **Poulet.**

Un citoyen du Mans, chapon de son métier (...) LA FONTAINE, Fables, VIII, 21.

♦ **2.** Agric. Jeune pousse de vigne qui ne produit pas encore de raisin.

♦ **3.** Régional. Morceau de pain trempé dans un bouillon gras, et servi sur un potage maigre.
Chapon (de Gascogne) : croûte de pain frottée d'ail que l'on met dans une salade.

DÉR. Chaponneau, chaponner, chaponnière.

CHAPONNEAU [ʃapɔno] n. m. — 1363 ; de *chapon.*

♦ Vx. Jeune chapon. ⇒ **Coquelet.**

CHAPONNER [ʃapɔne] v. tr. — 1285 ; de *chapon.*

♦ Châtrer (un jeune coq). — Opération dite *chaponnage* [ʃapɔnaʒ] n. m.

CHAPONNIÈRE [ʃapɔnjɛʀ] n. f. — 1680 ; de *chapon.*
Agric. ou régional.

♦ **1.** Lieu où l'on engraisse les chapons.

♦ **2.** Récipient dans lequel on fait un ragoût de chapon.

CHAPPE [ʃap] n. f. ⇒ **Chape.**

CHAPSKA ou **SCHAPSKA** [ʃapska] n. m. — 1842 ; *schapka,* 1836 ; mot polonais.

♦ **1.** Ancient. Coiffure* militaire empruntée aux Polonais et que portaient en France les lanciers, sous le Second Empire. → Casquette, cit. 2.1.

♦ **2.** Régional (Canada). *Schapska :* bonnet de fourrure d'origine polonaise, comportant une visière et un rabat.

CHAPTALISATION [ʃaptalizasjɔ̃] n. f. — Après 1850 ; du nom de Chaptal, chimiste français.

♦ Action d'ajouter du sucre au moût de raisin avant la fermentation. ⇒ **Sucrage ; vinification.**

CHAPTALISER [ʃaptalize] v. tr. — Fin XIXᵉ ; de *Chaptal*.

♦ Techn. Ajouter du sucre au moût avant la fermentation. — P. p. adj. *Des vins chaptalisés.*

DÉR. **Chaptalisation.**

CHAPUS [ʃapy] n. m. — XVᵉ ; de *chapuiser* (vx), bas lat. **capputiare*, de *cappare*. → Chapelure.

♦ Techn. Billot de bois sur lequel on équarrit les ardoises, les douves de tonneaux.

CHAQUE [ʃak] adj. indéf. distributif — XIIᵉ, *chasque* ; du lat. pop. **casquunus*. → Chacun.

♦ **1.** Qui fait partie d'un tout et qui est considéré à part. ⇒ **Tout ; chacun.** *Chaque personne. Chaque pays. Chaque chose. Une place pour chaque chose, chaque chose à sa place. Chaque fois. À chaque instant*. Chaque jour.* — Prov. *À chaque jour suffit sa peine.*

1 N'ayez donc point de souci du lendemain, car le lendemain aura souci de lui-même ; à chaque jour suffit sa peine.
      BIBLE (CRAMPON), Évangile selon saint Matthieu, VI, 34.
2 Mon esprit diminue, au lieu qu'à chaque instant
    On aperçoit le vôtre aller en augmentant   LA FONTAINE, Fables, XII, 1.
3 Chaque instant de la vie est un pas vers la mort.
      CORNEILLE, Tite et Bérénice, V, 1.
4 (...) chaque homme apporte en naissant un caractère, un génie et des talents qui lui sont propres.   ROUSSEAU, Julie ou la Nouvelle Héloïse, V, Lettre III.
5 (...) même dans le tumulte de chaque jour, le besoin d'apprendre ne cessait de me poindre. Et je suis encore ainsi.   G. DUHAMEL, la Pesée des âmes, X.

REM. 1. *Chaque* est invar., et se place devant un nom au singulier. Cependant, on dit dans le langage familier pour marquer la périodicité : *Chaque dix minutes* : toutes les dix minutes. *Chaque trois jours.*
2. Accord avec le verbe : a) Après deux sujets précédés de *chaque*, et non coordonnés, l'usage tend à mettre le verbe au singulier. *Chaque état, chaque âge a ses devoirs* (cf. Hanse).
b) Si les sujets sont coordonnés, le verbe se rencontre au pluriel ou au singulier. *Chaque officier et chaque soldat feront leur devoir.* — Cependant, lorsque le complément ne s'applique pas de la même façon aux deux sujets, il est plus clair de mettre le verbe au singulier. *Chaque professeur et chaque élève fera son travail.*

ENTRE CHAQUE... : dans chaque intervalle de la série considérée. *Entre chaque phrase. Entre chaque morceau. Entre chaque maison.* → Chacun (entre chacun des...).

6 Et, entre chaque ferme, les plaines recommençaient avec d'autres fermes, au loin de place en place.   MAUPASSANT, Une vie, VI, p. 128.

♦ **2.** Chacun. *Ces cravates coûtent cent francs chaque.* — REM. Les puristes considèrent cette construction comme un abus de la langue commerciale.

7 Deux anneaux de nuit, d'une valeur de mille écus chaque (...)
      BALZAC, le Député d'Arcis, I, Pl., t. VII, p. 684.

1. CHAR [ʃaʀ] n. m. — V. 1170 ; du lat. *carrus*.

♦ **1.** (1538). Voiture à deux roues qu'utilisaient les Anciens dans les combats, les jeux, les cérémonies publiques. *Char tiré par deux chevaux attelés de front* (⇒ **Bige**), *par quatre chevaux* (⇒ **Quadrige**). *Course de chars.* ⇒ **Carrière, cirque.** *Conducteur de char dans les courses du cirque.* ⇒ **Aurige** (cit.). *Char du triomphe. Captifs suivant le char du vainqueur.* Fig. *Attacher, atteler* (cit. 3), *enchaîner au char de qqn.* ⇒ **Dominer, soumettre, subjuguer.** *S'attacher au char de qqn,* servir cette personne, se dévouer à elle.

1 Moi-même à votre char je me suis enchaînée.   RACINE, Iphigénie, II, 5.

Myth. *Char d'Apollon, de Diane, de Vénus. Char d'Amphitrite* (→ Amphitrite, étym.).
Poét. *Le char de la Fortune. Le char du soleil, de la lune, de la nuit.*

2 Et le char vaporeux de la reine des ombres
    Monte, et blanchit déjà les bords de l'horizon (...)
      LAMARTINE, Premières méditations, I, « L'isolement ».

Fig. *Le char de l'État.*

3 Le char de l'État navigue sur un volcan.
      Henri MONNIER, Grandeur et Décadence de Joseph Prudhomme, II, 13.
4 Cet épisode de la vie bureaucratique (...) fortifia singulièrement l'estime du tout jeune et passager fonctionnaire que j'étais, pour la valeur morale, l'esprit de justice, la conscience, la dignité simple de la plupart des hommes attelés comme lui au char administratif et qui, malgré les cahots, assurent paisiblement, pour le bien du pays, sa marche régulière.   Georges LECOMTE, Ma traversée, p. 130.

♦ **2.** (XIIᵉ ; spécialisé et réservé au style élevé, XVIIᵉ). Littér. et vieilli. Toute espèce de voiture. *Char rustique.* — (1648). Spécialt. Poét. et vx. Voiture riche ou élégante. ⇒ **Carrosse.**
Loc. Mod. *Char funèbre.* ⇒ **Corbillard.**

♦ **3.** (Surtout dans quelques syntagmes). Voiture rurale, tirée par un animal, à quatre roues et sans ressorts. ⇒ **Chariot, charrette.** *Char à foin. Char de vendange. Char à bœufs,* tiré par des bœufs.

5 Les grands chars gémissants qui reviennent le soir.
      HUGO, les Rayons et les Ombres, XXXIV.

(1764). *Char à bancs* : voiture légère et longue, munie de bancs, fermée parfois par des rideaux de toile.

♦ **4.** Voiture décorée, portant des personnages ou des masques, figurant des scènes... que l'on voit dans les réjouissances publiques. *Char de Carnaval, de la Mi-Carême. Le char du bœuf gras.*

5.1 Défilé de féeries. En effet : des chars chargés d'animaux de bois dorés, de mâts et de toiles bariolés, au grand galop de vingt chevaux de cirque tachetés (...) — vingt véhicules, bossés, pavoisés et fleuris comme des carrosses anciens ou de contes, pleins d'enfants attifés pour une pastorale suburbaine (...)
      RIMBAUD, les Illuminations, XVI.

♦ **5.** (1917, *Larousse mensuel, char d'assaut*). *Char de combat, char d'assaut,* et, absolt, *char* : véhicule automobile blindé et armé, monté sur chenilles. ⇒ **Tank.** *Régiment de chars.* ⇒ **Cavalerie.** *Char léger, moyen, lourd. Tourelle du char. Périscope d'un char.* ⇒ **Stroboscope** (2.). — *Les panzers*, chars de l'armée allemande.*

6 Le char d'infanterie est tout simplement un tracteur sur chenilles, protégé par un blindage, porteur de mitrailleuses et de canons, et qui défend vos fantassins contre les mitrailleuses ennemies (...) Les chenilles lui permettent de franchir les tranchées, sa masse de traverser les réseaux de barbelés (...) Avec les chars, la rupture est possible à peu de frais.   A. MAUROIS, Terre promise, XVII, p. 118.

♦ **6.** (1826). Régional (Canada) et vieilli ou rural (angl. *car*). Voiture automobile. ⇒ **Auto, voiture.**
Vx. Voiture de chemin de fer. ⇒ **Wagon.** *Les chars* : le train (L. Hémon, *Maria Chapdelaine*).
REM. Ces valeurs du mot, dénoncées comme anglicismes, tendent à disparaître au Québec, au moins dans les milieux cultivés.

♦ **7.** *Char à voile* : véhicule sur roues ou patins à glace, muni de voiles, et qui se déplace en utilisant la seule force du vent ; sport pratiqué sur ce véhicule. *Faire du char à voile sur une plage, une piste. Fédération de char à voile.*

DÉR. **Chariot, charretée, charretier, charreton, charrette, charriage, charrier, charrière, charroi, charroyer, charron, charronnage.**
COMP. **Antichar.**

2. CHAR ou **CHARRE** [ʃaʀ] n. m. — 1881, «charriage, vol à l'américaine», Esnault ; dimin. de *charriage,* argot de 1. *charrier,* II.

♦ Argot. Exagération mensongère ; bluff. *Tout ça c'est du char ! Sans char* : sans blague. *Des charres* : des histoires. — *Arrête ton char !* : cesse de raconter des histoires, de bluffer. — REM. Cette expression est comprise comme une métaphore de 1. *char.* — Par plais. *Arrête ton char, Ben Hur !* (allus. à la course de chars des adaptations cinématographiques du roman). — Par identification à 1. *char,* 5. *Arrête ton char, la guerre est finie !*

1 Bah, dis-je, tout ça, c'est du char. Je pleure, oui, parce que je suis bien persuadée de quitter Paris pour cinq ans.   A. SARRAZIN, l'Astragale, p. 17.
2 D'accord, y avait personne, mais tu dois te rendre compte que ça fait pas plaisir à entendre des charres comme ça.   Jean GENET, Querelle de Brest, p. 302.

CHARABIA [ʃaʀabja] n. m. — 1802 ; orig. incert. ; p.-ê. de l'esp. *algarabia* ; arabe *al'arabiya* «langue de l'ouest» : berbère ; ou bien du provençal *charra* «causer», et anc. franç. *barat* «vacarme» ; cf. lyonnais *charabarat* «maquignonnage».

♦ **1.** Vieilli. Patois des Auvergnats (imitation du prétendu chuintement — en réalité, palatalisation du *t,* et non chuintement du *s*).

♦ **2.** Fam. Langage, style incompréhensible et incorrect. ⇒ **Baragouin, cacographie, jargon.**

   Voici vingt-cinq ans que j'habite leur pays, et je n'ai pas encore pu m'y faire, à leur satané charabia !   ZOLA, Rome, p. 45.

Langage spécialisé, technique, difficilement accessible. *Le charabia freudo-marxiste. Charabia diplomatique.*

CHARADE [ʃaʀad] n. f. — 1770 ; provençal *charrado* «causerie», de *charra* «causer».

♦ Énigme où l'on doit deviner un mot de plusieurs syllabes décomposé en parties dont chacune correspond à un mot défini. ⇒ **Devinette.** *Le mot de la charade s'appelle* le tout ou l'entier (mon premier, mon second... mon tout). *Charade où les mots sont exprimés par des figures.* ⇒ **Rébus.** — *Charade en action,* où l'on fait deviner les mots en mimant ce qu'ils expriment. *Jouer aux charades.*

1 Je me rappelle une charade dont le mot était «marabout».
      Ed. et J. DE GONCOURT, Journal, t. I, p. 78.
2 (...) ils ignorent que les conditions (de la «pensée») ne sont pas moins futiles, ni moins fortuites que les conditions d'une charade.
      VALÉRY, Rhumbs, Littérature, p. 212.

Fig. Ce qui est bizarre, difficile à comprendre. *Il veut avoir trop d'esprit, il ne parle que par charades* (Académie).

DÉR. **Charadier.**

CHARADIER [ʃaʀadje] n. m. — 1834, Balzac, *in* D.D.L. ; de *charade.*

♦ Vx. Personne qui fait ou cherche à résoudre une charade.

CHARADRIIDÉS [kaʀadʀiide] n. m. pl. — 1867, *charadriadés ;* du grec *charadrios* « pluvier ».

♦ Zool. Famille d'oiseaux charadriiformes comprenant de « petits échassiers* de rivage ou d'habitudes aquatiques » ou humicoles *(Encyclopédie de la Pléiade).* Types principaux de *charadriidés :* pluvier, huîtrier, tournepierre, vanneau, gravelot, guignard, jacana, rhynchées. — Au sing. *Un charadriidé.*
Sous-ordre de charadriiformes comprenant, outre la famille traitée ci-dessus, les avocettes et échasses *(Recurvirostridæ),* les glaréoles, les thinocores.

CHARADRIIFORMES [kaʀadʀiifoʀm] n. m. pl. — xxᵉ ; → Charadriidés, et suff. *-forme.*

♦ Zool. Ordre d'oiseaux comprenant les Charadriidés* *(Charadrii),* les Laridés *(Lari :* labbes, goélands, mouettes, sternes), les Alcidés* *(Alcæ :* guillemots, pingouins, macareux). — Au sing. *Un charadrii-forme.*

CHARANÇON [ʃaʀɑ̃sɔ̃] n. m. — 1678 ; *charanson,* 1611 ; *charanton,* 1546 ; *charenton,* 1508 ; *charenson,* 1465 ; orig. obscure ; p.-ê. du gaul. **kariantionos* « petit cerf », de *kar-* « cerf » ; P. Guiraud propose l'adj. *carians, -anter,* de *caries* « carie ».

♦ Insecte coléoptère de la famille des *Curculionidés*.*
Par ext. Se dit de plusieurs coléoptères nuisibles, qui rongent divers végétaux. *Charançons rongeant les lentilles, les pois. Charançon du blé, du riz.* ⇒ 2. **Calandre** ; 5. **botte** (régional). *Charançon des plantes cultivées.* ⇒ **Apion.** *Charançon des arbres fruitiers.* ⇒ **Anthonome.** *Charançon du pin, du sapin.* ⇒ **Hylobe.**

DÉR. **Charançonné.**

CHARANÇONNÉ, ÉE [ʃaʀɑ̃sɔne] adj. — 1835 ; *charansonné,* 1611 ; de *charançon,* et *-é.*

♦ Attaqué par les charançons. *Blé charançonné.*

CHARASSE [ʃaʀɑs] n. f. — 1898, *Nouveau Larousse illustré ;* forme régionale d'*échalas.*

♦ Régional. Caisse* à claire-voie, faite avec des lattes.

CHARBON [ʃaʀbɔ̃] n. m. — 1251 ; *charbun,* déb. xiiᵉ ; du lat. *carbo, -onis* « charbon de bois ».

★ **I.** Matière de couleur noire où domine le carbone*, utilisée comme source d'énergie.

♦ **1.** Combustible solide, noir, d'origine végétale. **a** (Déb. xiiᵉ). **Charbon de bois,** obtenu par la combustion lente et incomplète du bois. *Fabrication du charbon de bois* (⇒ **Cuisage**) *en chaudière, en fosse, en four, en meule, en vase clos.* ⇒ **Allumelle, meule.** — (Dans le même sens). Absolt. *Charbon. Lieu où l'on fait le charbon* (⇒ **Charbonnière**), *où on le vend* (⇒ **Chantier**). *Bois à réduire en charbon.* ⇒ **Charbonnette.** *Bois formant un charbon léger ou réduit en charbons ardents.* ⇒ **Braise.** *Charbon incandescent.* ⇒ **Tison.** *Charbon qui fume.* ⇒ **Fumeron.** *Braise, cendre de charbon qui reste dans le foyer. Étouffoir* à charbon.*

1 Tous deux travaillaient en silence et découvraient le charbon rouge, rouge et rose, doré (...) M. GENEVOIX, Forêt voisine, XIII, p. 183 (→ Meule).

b (1251). *Charbon de terre ; charbon minéral* (vieilli), absolt, et cour., *charbon :* roche formée surtout de carbone non cristallisé mélangé à d'autres minéraux (qui produisent les cendres*). ⇒ **Anthracite, houille, lignite, tourbe.** *Exploitation du charbon.* ⇒ **Charbonnage.** *Extraction du charbon de la mine*. Lavage, criblage du charbon. Industrie, chimie du charbon.* ⇒ **Carbochimie.** *Petits morceaux de charbon.* ⇒ **Gailletin** (tête de moineau), **grésillon.** *Poussière de charbon.* ⇒ **Poussier ; escarbille.** *Charbon moulé.* ⇒ **Aggloméré** (1.) ; **boulet, briquette.** — *Panier à charbon.* ⇒ **Rasse.** *Seau à charbon. Banne, benne, soute pleine de charbon. Soute*à charbon.* — *Maladie due à l'inhalation de poussière de charbon.* ⇒ **Anthracose.**

2 Les quatre haveurs venaient de s'allonger les uns au-dessus des autres, sur toute la montée du front de taille. Séparés par les planches à crochets qui retenaient le charbon abattu, ils occupaient chacun quatre mètres environ de la veine ; et cette veine était si mince, épaisse à peine en cet endroit de cinquante centimètres, qu'ils se trouvaient comme aplatis entre le toit et le mur, se traînant des genoux et des coudes, ne pouvant se retourner sans se meurtrir les épaules. Ils devaient, pour attaquer la houille, rester couchés sur le flanc, le cou tordu, les bras levés et brandissant de biais la rivelaine, le pic à manche court.
ZOLA, Germinal, t. I, IV, p. 40.

Sous Dour où songent les charbons
Serrés dans leurs écluses,
Un bois dormant s'effeuille et s'use
Aux coups de pics profonds.
Les plus beaux yeux du monde sont
Tes yeux toujours nocturnes,
Tes yeux bleus poudrés de charbon,
Rêveur aux lourds cothurnes

Géo NORGE, Famines, « La lampe du mineur »,
in Littératures de langue franç. hors de France, p. 276.

2.1

Charbons flambants, mêlés à des hydrocarbures solides. — Vx. *Charbon de cornue.* ⇒ **Coke.** — *Charbon activé,* préparé à partir de la tourbe.
Relatif au charbon. ⇒ **Charbonnier ; charbonnerie ; charbonneux.** *Chauffage* au charbon. Transformation d'un corps en charbon.* ⇒ **Carbonisation.** — *Charbon de forge. Cémentation* du fer entouré de charbon de bois dur. Combinaison de fer et de charbon.* ⇒ **Acier, fonte.** *Revêtement intérieur en argile et charbon des creusets.* ⇒ **Brasque.** *Pôle en charbon d'une pile. Balai de charbon. Charbon de magnéto, de lampe à arc.* — *Procédé au charbon* (pour le tirage des photocopies).

♦ **2.** *(Un, des charbons).* Morceau ou parcelle de charbon. *Charbon incandescent.* ⇒ **Braise.** *Des charbons ardents* (→ ci-dessous, loc. fig.). *Viande grillée sur des charbons.* ⇒ **Carbonnade, charbonnée,** et aussi **barbecue, brasero.** *Avoir un charbon dans l'œil.*
Fig., littér. *Avoir des yeux comme des charbons,* des yeux ardents, étincelants. ⇒ **Braise.** *Qui brille comme un charbon ardent.* ⇒ **Escarboucle** (étym.). — *Accumuler des charbons ardents sur la tête de qqn (Épître aux Romains,* XII, 20), l'inciter au remords. — Loc. cour. *Être sur des charbons ardents :* être extrêmement impatient et anxieux. → *Être sur la braise*. Marcher sur des charbons ardents :* se trouver dans une position délicate, périlleuse.

Tout le monde (...) disait que c'était marcher sur des charbons ardents, sur des rasoirs, que de traiter cette matière (...) Mᵐᵉ DE SÉVIGNÉ, 909, 5 mars 1683.

3

♦ **3.** (1821). **Charbon animal,** et, absolt, **charbon :** produit de réduction par la chaleur des substances animales et qui est employé comme décolorant. ⇒ **Noir** (animal). *Poudre de charbon,* pour nettoyer les dents. *Pastilles de charbon,* employées contre certains maux d'estomac.
Viande trop cuite, calcinée. C'est du charbon. Côtelette en charbon.

♦ **4.** Fusain. *Dessin au charbon.* ⇒ **Crayon, fusain.**
Fard de couleur noire utilisé pour le maquillage.

♦ **5.** Chim. **Charbon actif :** charbon obtenu par calcination de matières carbonées végétales (surtout de la tourbe) ou minérales, et utilisé pour ses propriétés absorbantes en médecine et dans l'industrie chimique.

♦ **6.** Argot. Travail. *Aller au charbon :* aller au travail.

★ **II.** Par anal. (de couleur). ♦ **1.** (1568). Méd., cour. Maladie infectieuse commune à l'homme et aux animaux provoquée par la *bactéridie charbonneuse.* — *Avoir le charbon, la fièvre charbonneuse. Charbon de l'homme.* ⇒ **Pustule** (pustule maligne) ; aussi Anthrax. *Charbon contagieux du mouton, du porc.* ⇒ **Épizootie.** *Le stomoxe, mouche susceptible de transmettre le charbon.*

♦ **2.** (1701). Champignon parasite des plantes *(Ustilago)* qui a l'aspect d'une poussière noire ; la maladie elle-même. ⇒ **Anthracnose, carie, charbouille, nielle, rouille ; ustilaginisme.** *Charbon des graminées, du blé, de la vigne. Attaqué par le charbon.* ⇒ **Charbonné,** II.

DÉR. **Charbonnage, charbonner, charbonnette, charbonneux, charbonnière.** — V. **Charbonnerie, charbonnier.**

CHARBONNAGE [ʃaʀbɔnaʒ] n. m. — 1379, *carbonnage ;* de *charbon,* et *-age.*

♦ **1.** (Fin xivᵉ). Exploitation de la houille, et, spécialt, d'une houillère*. — Par ext. Au plur. Mines de houille. ⇒ **Charbonnière** (I., 3.), **houillère, mine.** *Les charbonnages du Nord. Les Charbonnages de France.*

La crise spéciale des charbonnages anglais, la perte de marchés pendant la guerre (...) A. SAUVY, Croissance zéro ?, p. 54.

♦ **2.** Mar. Vieilli. Action de charbonner (II., 2.).

♦ **3.** Vieilli. Fabrication de charbon de bois.

CHARBONNÉE [ʃaʀbɔne] n. f. — Fin xiᵉ, *charbonede ;* du p. p. de *charbonner.*

★ **I.** Régional. Viande grillée sur des charbons. ⇒ **Carbonade.** *Préparer une charbonnée.*

★ **II.** (1757 ; de *charbonner*, I., 2.). Arts (vx). Dessin, esquisse au charbon.

HOM. **Charbonner.**

CHARBONNER [ʃaʀbɔne] v. — V. 1190 ; de *charbon*, et *-er*.

★ **I.** V. tr. ♦ **1.** Ⓐ (Sujet n. de personne). Noircir avec du charbon. *Charbonner ses joues avec du bouchon brûlé. Se charbonner le visage.* — *Charbonner un mur (d'inscriptions)*, le noircir en griffonnant (des inscriptions).

1 Ainsi tel autrefois qu'on vit avec Faret
Charbonner de ses vers les murs d'un cabaret (...)   BOILEAU, l'Art poétique, 1.

Maquiller de noir, ou, par ext., d'une couleur foncée, d'une manière excessive. *Charbonner ses paupières. Se charbonner les yeux.*

Ⓑ (Sujet n. de chose). Noircir.

2 Elle s'adossa au chambranle, et la lampe qui l'éclairait d'en dessous lui nivelait les lèvres, lui charbonnait l'arête du nez, lui creusait des orbites et des joues de morte.   H. TROYAT, le Vivier, p. 100.

♦ **2.** (1549). Ⓐ Arts (vx). Dessiner avec un fusain, un charbon*. *Charbonner quelques croquis.* — *Se charbonner des moustaches avec un bouchon brûlé.*

Ⓑ Vieilli. Dessiner, esquisser, peindre grossièrement (qqch.).

♦ **3.** (1830). Vx. Réduire en charbon. *Charbonner un rôti.* ⇒ **Calciner** (mod.).

★ **II.** V. intr. ♦ **1.** Se réduire en charbon, sans flamber. *Mèche de lampe* (par métonymie, *lampe*) *qui charbonne. Rôti qui charbonne*, se calcine.

3 Le vent fit charbonner la lampe. Un coq au loin chanta.
BERNANOS, Un crime, in Œ. roman., Pl., p. 733.

Par métaphore (de la lampe qui charbonne). Cesser d'éclairer.

4 Toute cette quinzaine je me suis demandé si, étant donné l'amitié qui nous lie, Tristan *(Bernard)* et moi, j'allais accomplir un acte de courage ou de lâcheté. Je ne suis pas bien fixé. Ma conscience m'éclaire mal. Il y a des moments comme ça où la conscience charbonne.   J. RENARD, Journal, 5 déc. 1905.

♦ **2.** (1911, *in* D.D.L.). Mar. Se ravitailler en charbon. *Le navire charbonne.*

▶ **SE CHARBONNER** v. pron. (1825 ; du sens I, 3). Se transformer en charbon. *Le bois se charbonne dans l'acide sulfurique.*

▶ **CHARBONNÉ, ÉE** p. p. et adj.

★ **I.** ♦ **1.** (1842). Noir ou marqué, barbouillé de charbon, de couleur noire. *Sourcils charbonnés.*
Marqué de noir (naturellement).

5 Un beau matou siamois, amplement fourré de gris et le museau charbonné.
MARTIN DU GARD, les Thibault, La Sorellina, 1928, p. 1207, *in* T.L.F.

Œil charbonné, paupières charbonnées, maquillé(es) de noir de manière excessive. ⇒ **Charbonneux**, I., 2.

♦ **2.** Arts (vx). Dessiné, esquissé grossièrement.

♦ **3.** Réduit en charbon. *Bois charbonné.*

★ **II.** (1732). Attaqué par le charbon (II.). *Blés charbonnés.* ⇒ **Charbonneux**, II., 2.

HOM. et DÉR. **Charbonnée.**

CHARBONNERIE [ʃaʀbɔnʀi] n. f. — 1596 ; *carbonnerie*, 1521 ; de *charbon*, et *-erie*.

★ **I.** (1611). Dépôt, magasin de charbon. — (1521). Fabrique de charbon de bois.

★ **II.** (1838 ; adapt. de l'ital. *carboneria*, de *carbonaro* «charbonnier». → Carbonaro). Hist. Sous la Restauration, Société politique secrète. ⇒ **Carbonaro, carbonarisme.**

1 L'incapacité est une franc-maçonnerie dont les loges sont en tout pays ; cette charbonnerie a des oubliettes dont elle ouvre les soupapes, et dans lesquelles elle fait disparaître les États.   CHATEAUBRIAND, Mémoires d'outre-tombe, IV, IV.

2 (...) de quel droit parler de patrie si tu ne sais pas que n'importe quel laboureur et tout le *basso continuo* des vies modestes la construisent plus solidement, sillon à sillon et pain quotidien à pain quotidien que ne la construisent toutes les charbonneries avec leurs buissons fiévreux et leurs forêts de Christophe Colomb.
J. GIONO, le Hussard sur le toit, p. 192.

CHARBONNETTE [ʃaʀbɔnɛt] n. f. — 1765 ; de *charbon*, et *-ette*.

♦ Techn. (vx). Bois préparé, coupé pour faire du charbon.

CHARBONNEUX, EUSE [ʃaʀbɔnø, øz] adj. — V. 1610 ; de *charbon*, et *-eux*.

★ **I.** (De *charbon*, I.). ♦ **1.** Transformé en charbon. ⇒ **Carbonisé.** *Résidu charbonneux.*

♦ **2.** Ⓐ Qui a la couleur du charbon ou qui est noir de charbon.
(...) un regard charbonneux qui accentuait la blancheur de la tête (...)
Claude LÉVI-STRAUSS, Tristes tropiques, p. 7.

Ⓑ Maquillé de noir, d'une couleur sombre, de manière intense, excessive. *Des yeux charbonneux.* ⇒ **Charbonné** (I., 1.).

★ **II.** (De *charbon*, II.). ♦ **1.** Méd. De la nature du charbon. *Tumeur, fièvre charbonneuse.* — *Mouche charbonneuse*, qui peut transmettre le charbon.

♦ **2.** Bot. Attaqué par le charbon. *Blé charbonneux.* ⇒ **Charbonné** (II.).

CHARBONNIER, IÈRE [ʃaʀbɔnje, jɛʀ] n. et adj. — Fin XIIIᵉ ; *carbonnier*, v. 1230 ; *charboner*, fin XIIᵉ (franco-provençal) ; du lat. class. *carbonarius* «charbonnier ; relatif au charbon».

★ **I.** N. ♦ **1.** Celui, celle qui fait ou qui vend du charbon. ⇒ **Bougnat** (fam.). *Noir comme un charbonnier. Rateau, pelle, sac... de charbonnier.*

N. m. Anciennt. Celui qui faisait du charbon de bois. → Piper, cit. 2. ⇒ **Carbonaro.**

Celui qui travaille dans une mine de charbon. ⇒ **Mineur** (de houille, de charbon).

N. f. Vx. Femme du charbonnier.

1 (...) elle eut une retenue de petite personne avec les filles de la charbonnière qui voulaient jouer avec elle sur le trottoir.
Ed. et J. DE GONCOURT, Sœur Philomène, p. 12.

Loc. prov. *La foi** (cit. 42) *du charbonnier :* la croyance naïve de l'homme simple.

2 Rarement un homme dont la vie fut au total assez malheureuse posséda au départ autant d'atouts de bonheur dans son jeu : une santé de fer, une nature de grand jouisseur, une foi de charbonnier, un métier admirable.
M. TOURNIER, le Vent Paraclet, p. 11.

Loc. (allus. à l'indépendance du charbonnier qui travaillait seul dans la forêt). *Charbonnier est maître dans sa maison, chez soi, chez lui :* chacun vit chez soi comme il l'entend.

♦ **2.** N. m. Hist. Membre d'une charbonnerie, société secrète affiliée au carbonarisme. ⇒ **Carbonaro.**

♦ **3.** N. m. Mar. Cargo destiné au transport du charbon en vrac. *Un charbonnier de fort tonnage.* — Par appos. *Cargo charbonnier.*

★ **II.** Adj. ♦ **1.** (1403). Qui a rapport au commerce, à l'industrie du charbon. ⇒ **Houiller.** *Centres charbonniers. Production charbonnière.*

♦ **2.** (Fin XIIIᵉ). Animaux. Dont le poil, le plumage présente des taches ou des parties d'un noir intense. *Mésange charbonnière.* ⇒ **Charbonnière**, II.

HOM. (Du fém.) **Charbonnière.**

CHARBONNIÈRE [ʃaʀbɔnjɛʀ] n. f. — Après 1250 ; *carboniere*, v. 1375 ; de *charbon*, et *-ière*.

★ **I.** ♦ **1.** (1549). Anciennt. Emplacement d'une forêt où l'on fait le charbon de bois. *Les meules* d'une charbonnière.

♦ **2.** Régional (Belgique). Coffre à charbon.

Partout un poêle ronronne, flanqué de sa charbonnière, du tisonnier et d'une pelle.
G. SIMENON, Pedigree, II, VI (1948).

♦ **3.** Au plur. Charbonnage (1.), mine. «*Mon père était vice-président des charbonnières de Tosk*» (Sartre, les Mains sales, 1948, 3ᵉ tableau, *in* T.L.F.).

★ **II.** Ornithol. et cour. Mésange à tête noire. ⇒ **Charbonnier**, II., 2. (mésange charbonnière).

CHARBOUILLE [ʃaʀbuj] n. f. — 1791 ; de *charbucle*, par substitution du suff. *-ouille* ; du lat. class. *carbunculus* «petit charbon».

♦ Agric., régional. Maladie du froment qui donne aux grains un aspect charbonneux. ⇒ **Charbon** (II., 2.).

CHARCUTAILLE [ʃaʀkytaj] n. f. — 1939 ; du rad. de *charcuterie*, et *-aille*.

♦ Fam. Charcuterie. *Commencer par une solide assiette de charcutaille.* ⇒ **Cochonnaille.** *Des charcutailles d'Auvergne.*

La charcutaille, les tomates en salade (...) et la fourme formaient la matière solide du déjeuner de huit heures.   R. SABATIER, les Noisettes sauvages, p. 123.

CHARCUTER [ʃaʀkyte] v. tr. — Fin XVIᵉ; du rad. de *charcutier*, et *-er*.

♦ **1.** (Fin XVIᵉ). Vx. Découper malproprement de la viande (chair).

♦ **2.** (1690). Pratiquer maladroitement une opération chirurgicale sur (qqn, une partie du corps). *On lui a charcuté une heure le bras pour en extraire la balle* (Littré). *Le mauvais chirurgien qui l'a charcuté.* ⇒ **Taillader.**

Par métaphore. Saccager, abîmer. *Ils ont charcuté mon texte avant de le publier.*

▶ **SE CHARCUTER** v. pron. (XIXᵉ).
Se taillader. *Se charcuter avec un rasoir ébréché. Se charcuter le doigt.*

Un des malades de ce matin, tout jeune encore, a tenté de s'opérer lui-même et s'est abominablement charcuté, lardant de coups de couteau cette poche affreuse, qu'il croyait pleine de pus et espérait pouvoir vider.
GIDE, Voyage au Congo, *in* Souvenirs, Pl., p. 724.

CHARCUTERIE [ʃaʀkytʀi] n. f. — 1671; *chaircuicterie*, 1549; de *charcutier*, et *-erie*.

♦ **1.** (1798). Industrie et commerce de la viande de porc, des préparations à base de porc (⇒ **Cochon, porc**). *Opérations de charcuterie.* ⇒ **Cuisson, découpage, dessiccation, enrobage, fumage, salage.**

♦ **2.** (1802). Se dit de toutes les spécialités alimentaires à base de viande de porc. ⇒ **Charcutaille, cochonnaille; andouille, andouillette, attignole, bacon, boudin, cervelas, chair** (à saucisse), **chorizo, confit** (de porc), **coppa, crépinette, épaule** (de porc), **fromage** (de cochon, d'Italie, fromage de tête), **galantine, jambon, jambonneau, langue, lard, mortadelle, palette, panne, pâté** (de foie, de viande, en croûte), **pied** (de porc), **rillettes, rillons, salami, salé** (petit), **saucisse** (et chair à saucisse), **saucisson, soubressade, terrine.** *Se nourrir de charcuterie. Charcuterie française, auvergnate, bretonne... Charcuterie italienne. Manger de la charcuterie. Un plat de charcuterie. Assiette de charcuterie et de viandes froides.* Cf. Assiette anglaise. *Acheter de la charcuterie pour une choucroute.*

♦ **3.** (1549). Local où la viande de porc et les viandes cuites sont préparées; magasin où elles sont présentées et vendues. — REM. La viande de porc étant aussi vendue en boucherie*, le mot *charcuterie* a tendance à s'appliquer (en France) à des magasins d'alimentation vendant, outre la charcuterie (1.), des plats cuisinés, des produits alimentaires de luxe (avec des interférences avec *épicerie*, *traiteur*...).

Mais Florent n'avait d'attention que pour la grande charcuterie, ouverte et flambante au soleil levant (...) D'abord, tout en bas, contre la glace, il y avait une rangée de pots de rillettes, entremêlés de pots de moutarde. Les jambonneaux désossés venaient au-dessus; les boudins, noirs, roulés comme des couleuvres bonnes filles; les andouilles, empilées deux à deux, crevant de santé; les saucissons, pareils à des échines de chantre, dans leurs chapes d'argent; les pâtés, tout chauds, portant les petits drapeaux de leurs étiquettes; les gros jambons, les grosses pièces de veau et de porc, glacées, et dont la gelée avait des limpidités de sucre candi (...) Enfin, tout en haut, tombant d'une barre à dents de loup, des colliers de saucisses, de saucissons, de cervelas, pendaient, symétriques, semblables à des cordons et à des glands de tentures riches (...)
ZOLA, le Ventre de Paris, t. I, p. 54-55 (1875).

Abrév. fam. *De la charcut', de la charcute* [ʃaʀkyt].

DÉR. V. **Charcutaille.**

CHARCUTIER, IÈRE [ʃaʀkytje, jɛʀ] n. — 1680; *chaircuttier*, 1464; *charcuytier*, 1484; dér. de *chair cuite*.

♦ **1.** (1464). Personne qui apprête et qui vend de la viande de porc frais, de la charcuterie* (et divers plats cuisinés, des conserves). → Charcuterie, REM. *Les préparations du charcutier.* ⇒ **Charcuterie,** *les instruments du charcutier.* ⇒ **Boudinière, couteau, feuille, fondoir, hache-viande, hachoir.** *La charcutière.* → Saindoux, cit. 2. — *Un garçon* charcutier.

1 Quand Gervaise se penchait, elle apercevait encore une boutique de charcutier, pleine de monde, d'où sortaient des enfants, tenant sur leur main, enveloppés de papier gras, une côtelette pannée, une saucisse ou un bout de boudin tout chaud.
ZOLA, l'Assommoir, t. I, II, p. 43.

2 C'était une superbe enfant de cinq ans, ayant une grosse figure ronde, d'une grande ressemblance avec la belle charcutière.
ZOLA, le Ventre de Paris, t. I, p. 58.

Cuis. *À la charcutière* : avec une sauce *(sauce charcutière)* à base d'oignons et de cornichons. *Côtes de porc à la charcutière*; ellipt., *côtes charcutières.*

♦ **2.** (1866). Fam. Chirurgien* maladroit. — Personne qui taille maladroitement dans les chairs de qqn. ⇒ **Boucher.**

Par métaphore. Personne qui abîme, saccage un travail, qqch.

DÉR. V. **Charcuter, charcuterie.**

CHARDON [ʃaʀdɔ̃] n. m. — V. 1200; *cardun*, 1086; du bas lat. *cardo, -onis* (à l'accusatif). → Cardon.

♦ **1.** Plante dicotylédone *(Composacées)*, à feuilles et bractées épineuses. *Les chardons comportent les carduus* (carduus indigène,

fausse carline, bâton du diable, *chardon-Marie) et les cirses* : *chardon laineux, chardon acaule, chardon d'Angleterre, chardon des champs... Le chardon Notre-Dame ou chardon argenté est cultivé pour sa beauté. Le chardon bleu. Tête de chardon. Les têtes du chardon à foulon* (⇒ **Cardère**) *étaient employées autrefois pour carder la laine.* ⇒ **Carde.** — Spécialt. *Le carduus indigène, ou chardon des champs. Nettoyer un champ de ses chardons.* ⇒ **Échardonner; échardonnette, échardonnoir.** *Le chardon, régal des ânes et des bestiaux.*

(...) l'âne se mit à paître.
Il était alors dans un pré
Dont l'herbe était fort à son gré.
Point de chardons pourtant; il s'en passa pour l'heure (...)
LA FONTAINE, Fables, VIII, 17.

Le chardon importun hérissa les guérets (...)   BOILEAU, Épîtres, III.

L'été rit, et l'on voit sur le bord de la mer
Fleurir le chardon bleu des sables.
HUGO, les Contemplations, V, XIII, « Paroles sur la dune ».

Loc. *Bête à manger du chardon* : bête comme un âne. *Hérissé comme un chardon.* — Iron. *Aimable comme un chardon.*

Être sur des chardons, des piquants (attr. probable de *charbons*).

Fig. Difficulté. ⇒ **Cactus** (fam.). *« La vie est semée de chardons »* (T. L. F.).

♦ **2.** (Qualifié). Se dit de plantes dont l'aspect rappelle celui du chardon. *Chardon étoilé.* ⇒ **Chausse-trape** (Centaurée chausse-trape). *Chardon bénit* : nom vulgaire du carthame. ⇒ aussi **Chicaut, kentrophylle.** — *Chardon-Roland.* ⇒ **Panicaut.** — *Chardon-aux-ânes.* ⇒ **Onoporde, onopordon.**

♦ **3.** Image, représentation du chardon.

Blason. Emblème de l'Écosse. *L'ordre du chardon.* — Emblème de la Lorraine.

Archit. Motif ornemental décorant corniches et chapiteaux (XVᵉ s.). *Feuilles, fleurs de chardon.*

♦ **4.** Techn. **a** Pointe de fer destinée à empêcher l'escalade des murs et des grilles.

b Tête d'une carde. *Chardons métalliques.*

♦ **5.** Bonbon fourré d'eau-de-vie, dont la forme rappelle celle d'une fleur de chardon.

DÉR. et **COMP. Chardonné, chardonner, chardonneret, chardonnette, chardonnier, échardonner.**

CHARDONNAY [ʃaʀdɔnɛ] n. m. — D. i.; nom propre de lieu.

♦ Vitic. Raisin blanc, variété de pinot. — Vin fait avec ce raisin.

CHARDONNÉ, ÉE [ʃaʀdɔne] adj. — D. i. (1859, Du Camp, *in* T. L. F.); de *chardon.*

♦ Archit., rare. Orné de chardons peints ou sculptés. *Chapiteau chardonné.*

HOM. Chardonner.

CHARDONNER [ʃaʀdɔne] v. tr. — 1583; de *chardon*, et *-er.*

♦ Techn., vx. Carder (une étoffe) avec des chardons à foulons ou (ancienn) des cardes (chardons métalliques). ⇒ **Carder.**

HOM. Chardonné.

CHARDONNERET [ʃaʀdɔnʀɛ] n. m. — 1479; de *chardon*, et *-(er)et*, cet oiseau étant friand de graines de chardon.

♦ **1.** Zool. et cour. Petit oiseau passériforme conirostre *(Fringillidés)*, scientifiquement appelé *carduelis*, aux couleurs brillantes et variées et au chant agréable. *Chardonneret élégant* ou cardinalin, tarin (2. Tarin), *chardonneret citrinelle* dit aussi linotte, sizerin, cabaret. — *Chardonnerets en cage. Chant du chardonneret. Jeune chardonneret, encore gris.* ⇒ **Griset.**

C'est ainsi que le chardonneret affectionne le chardon, dont il a pris son nom.
BERNARDIN DE SAINT-PIERRE, Études, I, *in* LITTRÉ.

♦ **2.** Pop. et vx (argot faubourien). Gendarme (par référence aux couleurs vives de l'ancien uniforme des gendarmes).

CHARDONNETTE [ʃaʀdɔnɛt] n. f. — 1530; de *chardon*, et suff. *-ette.*

♦ Régional. Artichaut sauvage. *La fleur de chardonnette servait à faire cailler le lait.*

CHARDONNIER [ʃaʀdɔnje] n. m. — Réfection du moy. franc. *cardonnai*, d'après *chardonnière* (1457), terrain où l'on faisait pousser des chardons à foulon; de *chardon.*

♦ Rare. Terrain où poussent des chardons. *Nettoyer un chardonnier.*

CHARENTAIS, AISE [ʃaRɑ̃tɛ, ɛz] adj. et n. — 1866 ; de *Charente*, et *-ais*.

♦ **1.** Adj. (1867). Des Charentes (départements de la Charente et de la Charente-Maritime).
N. (1866). *Un Charentais, une Charentaise* : personne qui habite les Charentes ou en est originaire.

♦ **2.** N. f. (1922, *in* D.D.L.). **CHARENTAISE** : pantoufle en tissu molletonné à carreaux.

Elle redescendait sur la pointe de ses charentaises (...)
         Hervé BAZIN, Qui j'ose aimer, 10, p. 93.

CHARENTONNESQUE [ʃaRɑ̃tɔnɛsk] adj. — 1891 ; de *Charenton*, et *-esque*.

♦ Fam., vx. Digne d'un fou, d'un échappé de Charenton (ancien asile). — REM. On écrit aussi *charentonesque* et on a dit *charentonnais* [ʃaRɑ̃tɔnɛ]. — *Des histoires charentonnesques* (ou *charentonnaises*) : des histoires de fous.

CHARGE [ʃaRʒ] n. f. — 1170 ; *carge*, v. 1130 ; déverbal de *charger*.

★ **I. A.** (Ce qui charge). ♦ **1.** Ce qui pèse sur (qqch., qqn) ; ce que porte ou peut porter un animal, un véhicule, un bâtiment. ⇒ **Faix, fardeau, poids ; capacité.** *Une lourde charge ; charge pesante, excessive, charge légère. Porter une charge sur les épaules, à bras. La charge de qqn, d'un véhicule. Maintenir la charge d'une charrette avec un tortoir. Soulager un porteur de sa charge. Donner une charge, une charge excessive à qqn.* ⇒ **Charger, surcharger.** *La charge d'un âne* (⇒ **Ânée**), *d'un mulet, d'un cheval. La charge d'une brouette, d'une charrette* (⇒ **Brouettée, charretée...**). *Charge d'un wagon. Charge utile d'un véhicule,* poids maximum qu'il peut transporter. *Charge d'une benne, d'un ascenseur.*

1   Deux mulets cheminaient : l'un d'avoine chargé,
   L'autre portant l'argent de la gabelle.
   Celui-ci, glorieux d'une charge si belle (...)   LA FONTAINE, Fables, I, 4.

2   Un homme haut et robuste (...) porte légèrement et de bonne grâce un lourd fardeau (...) un nain serait écrasé de la moitié de sa charge.
       LA BRUYÈRE, les Caractères, XI, 95.

3   Polyphème arrive : il portait une énorme charge de bois sec.
       FÉNELON, Télémaque, 397, *in* LITTRÉ.

3.1   Ce qui ajoute à notre indignation, c'est que les charges laissées aux femmes par nos autres porteurs, sont de beaucoup les plus lourdes.
       GIDE, Voyage au Congo, *in* Souvenirs, Pl., p. 767.

De charge. Bête de charge. ⇒ **Somme** (de somme).
EN CHARGE. *Prendre en charge un passager dans un véhicule. Démarrer en charge,* en étant chargé. *Poids en charge d'un véhicule.* (1380). *La charge d'un navire.* ⇒ **Batelée, cargaison ; lest.** *Capacité de charge d'un navire.* ⇒ **Port** (en lourd). — Loc. *Prendre charge* (d'un navire) : être chargé. *Rompre charge* : décharger des marchandises en vue d'un transport par une autre voie. ⇒ **Transborder.** — *En charge* : chargé (autre sens, → ci-dessous B., 1.). *Navire en pleine charge. Tirant d'eau en charge.* — *Ligne de charge.* ⇒ **Flottaison** (ligne de flottaison).

♦ **2.** Techn. Poussée ; action d'une masse qui pèse sur un élément de construction. *La charge d'un plancher, d'une voûte, d'une charpente. Pilier, contrefort supportant une charge* (⇒ **Poussée**). — *Charge admissible, de sécurité. Charge de rupture. Charge limite d'élasticité. Courbe de charge.* — *Charge d'eau* : hauteur de la colonne d'eau au-dessus d'un point. ⇒ **Pression.**
Dr. *Payer les charges d'un mur* : indemniser le voisin, lorsqu'on bâtit sur le mur mitoyen, à raison de la charge supplémentaire.

♦ **3.** (1268). Quantité déterminée. ⇒ **Mesure, quantité.** *Une charge de blé, de bois.*

4   Paul-Louis amène (...) cinq cents charges de gazon ou terre de bruyère.
       P.-L. COURIER, II, 182, *in* LITTRÉ.

Métall. Quantité de combustible et de minerai que l'on met à la fois dans un fourneau.
Fam., vx. *Une charge de coups de bâton* : forte série de coups de bâton.

♦ **4.** (XVIᵉ ; de *charger*, I., 3.). Quantité de poudre, projectiles que l'on peut mettre dans une arme à feu, dans une mine. ⇒ **Bourre** (cit. 4), **cartouche, poudre, projectile.** *La charge d'un fusil, d'un canon, d'un pistolet ; charge d'une mine. Charge de combat. Il reçut toute la charge* (de l'arme à feu) *dans le corps.* — *Charge d'explosifs.* — Loc. *Charge creuse* : masse d'explosifs évidée d'une cavité conique, augmente la force de pénétration dans un blindage. *Charge coupante* : charge creuse destinée à produire un effet coupant.

5   L'augmentation de force produite par une plus grande charge dans un canon de longueur donnée a des limites très étroites.   CONDORCET, d'Arci, *in* LITTRÉ.

5.1   Le projectile à charge creuse, lorsqu'il explosait sur un blindage, projetait un jet de gaz brûlant sur un noyau de métal en fusion à la vitesse de plusieurs milliers de mètres à la seconde et à la température de plusieurs milliers de degrés. Par le trou du blindage percé, le métal liquide fusait à l'intérieur du char, blessait ou tuait l'équipage, et enflammait les vapeurs de graisse et d'essence en suspension dans l'habitacle.   M. TOURNIER, le Roi des Aulnes, p. 361.

Charge nucléaire, thermonucléaire.

♦ **5.** (1832 ; correspond à *charger*, I., 4.). Phys. Quantité d'électricité à l'état statique. ⇒ **Potentiel.** *Charge électrique, magnétique. La charge d'un condensateur. Perte de charge. Unité de charge.* — *Conducteur en charge.* — *Charge positive, négative. La charge d'une particule. « Charge nue »* (d'un électron). *Charge d'espace,* répartie sur une portion de l'espace. *Charge d'un noyau* : charge électrique totale (positive) portée par un noyau (par les protons). *Charge nucléaire.* — *Accumuler la charge.* → ci-dessous B., 3. (mise en charge, etc.).

♦ **6.** Techn. Substance ajoutée à une matière souple (papier, plastique) pour lui donner du corps.

5.2   Les pâtes sont mélangées intimement dans la pile aux charges, aux colorants et aux colles qui sont nécessaires à la fabrication du papier.
   Les *charges* sont des produits minéraux, tels que le talc, le kaolin, le sulfate de baryum, le carbonate de magnésium et le gypse. La charge moyenne est d'environ le quart du poids de la pâte sèche ; dans le papier à beurre, on va jusqu'à 60 %.
       F. MEYER et L.-J. OLMER, le Papier, p. 49.

5.3   Une charge est en général une substance peu coûteuse que l'on ajoute aux constituants qui doivent former une résine (...)   Jean VÈNE, les Plastiques, p. 39.

♦ **7.** Géogr. Matériaux en dissolution ou en suspension dans un cours d'eau.

♦ **8.** *Charge (alaire)* : poids supporté par l'unité de surface d'une aile d'avion. *Facteur de charge.*

♦ **9.** (Fig. du sens 5, électr.). Psychol. *Charge affective* : possibilité de susciter des réactions affectives. — Cour. *La charge affective d'un texte.*

B. Rare ou spécialt. Action de charger. ⇒ **Chargement.**

♦ **1.** ⓐ (1690). Action de charger un navire (vx, ou dans des loc. : *sabord de charge*). *Vaisseau en charge,* en cours de chargement.

ⓑ Action de prendre un passager. *Le tarif de la prise en charge,* dans un taxi.

♦ **2.** Action de charger (une arme à feu). *La charge en douze temps des anciennes armes.*

♦ **3.** Action d'accumuler la charge (I., A., 5.) électrique, magnétique. *Charge à courant constant, à tension constante* (d'un accumulateur). Rare. *La charge d'une batterie d'accumulateurs.* — Cour. *Mettre en charge, mise en charge. Courant de charge.*

★ **II.** (Abstrait ; correspond à *charger*, II.). Ce qui pèse (sur qqn, qqch.), constitue une gêne, un embarras, une peine...

♦ **1.** Ce qui cause de l'embarras, de la peine. ⇒ **Gêne, incommodité, servitude.** *C'est pour lui une charge pénible. Ce travail n'est pas une charge pour moi. Avoir une lourde charge sur les bras* (cit. 28). → *Traîner un boulet*.

6   (...) la charge épouvantable de sa conscience (...)   BOSSUET, Justice, 2.

7   Aidons-nous mutuellement,
   La charge de nos maux en sera plus légère.   FLORIAN, Fables, I, 20.

Loc. (Avec *à*...). (1170). Loc. *Être à charge à qqn, à sa charge.* ⇒ **Gêner, incommoder.** *La vie lui est à charge. Je ne voudrais pas lui être à charge. Prendre qqn, qqch. à sa charge.*

8   Quoique sa vie languissante lui fût à charge (...)
       FLÉCHIER, Oraison funèbre de la duchesse de Montausier, *in* LITTRÉ.

9   Faut-il toujours être à charge à ceux que l'on aime et torturer ceux qui vous aiment (...)   Edmond JALOUX, Fumées dans la campagne, XXII, p. 185.

♦ **2.** (XIIIᵉ). ⓐ (*Une, des charges*). Ce qui met dans la nécessité de faire des frais*, des dépenses*, d'engager des travaux ; obligation onéreuse (⇒ **Obligation**). — (Souvent au plur.). *Il a plus de charges que de biens, que de revenus. Charges de famille ; charges du mariage, charges d'une succession* (obligations légales). *Charges d'exploitation. Cette dette* est pour lui une lourde charge. *Charges personnelles. Charges locatives.*
Spécialt. *Les charges* : les charges locatives. *Le loyer comprend les charges* (d'entretien de l'immeuble, de chauffage). *Les charges sont en sus du loyer. Augmentation des charges.* — *Les charges de l'État,* sa dette, ses dépenses.

10   (...) on ne peut pas *(faire l'aumône),* on a tant de charges (...)
       BOSSUET, III, Pentecôte, 2, *in* LITTRÉ.

Spécialt. Obligation résultant d'un contrat. *Cahier des charges.* — *Droit réel couvrant un immeuble.* ⇒ **Hypothèque, servitude** (Code civil, 637, 865...). — Obligation imposée à celui qui reçoit une libéralité. *Donation avec charges.* — ⇒ **Imposition, prestation, redevance.** *Charge foncière. Supporter de lourdes charges. Contribution* à une charge. *Charges sociales,* imposées par l'État aux employeurs et destinées à leur protection sociale. *Charges fiscales* : impôt sur les salaires.

11   Les villes de Lycie payaient les charges selon la proportion des suffrages.
       MONTESQUIEU, l'Esprit des lois, IX, 3.

Prov. *Il faut prendre le bénéfice avec les charges,* les avantages et les inconvénients.

ⓑ *La charge, la charge de qqn* (dans quelques constructions).

EN CHARGE. *Prise en charge* (en parlant d'un organisme) : acceptation de verser des prestations à un assuré. *Cure thermale prise en charge par la Sécurité sociale. Prendre en charge* (même sens).

Dr. Volume d'activités fixé à des travaux engagés, aux obligations d'exécuter des travaux (dans : *plan de charge*).

À (LA) CHARGE. *À la charge de* (qqn) : qui doit être payé, réglé par (qqn), qui constitue une obligation pour (qqn). *Les frais, les dépenses sont à sa charge. Les petites réparations sont à la charge du locataire. Être, se mettre, tomber à la charge de qqn,* vivre à ses dépens. *Se rendre à charge à qqn. Il est tombé à sa charge.*

Loc. adj. À CHARGE. *Avoir plusieurs personnes à charge,* plusieurs personnes aux besoins desquelles on subvient. *Enfant à charge :* enfant non émancipé de moins de dix-huit ans, ou poursuivant ses études au delà de cet âge, que l'on a à sa charge.

Loc. fig. *À la charge de...* (vx); *à charge de... :* à condition* de... — Vx. *À la charge que...* (et indic.) : à condition que... — Vx. *Promettre qqch. à charge d'autant, à la charge d'autant.*

12 (...) Mais je te pardonne à la charge que tu mourras.
MOLIÈRE, les Fourberies de Scapin, III, 13.

13 (...) la vie est un bien qu'on ne reçoit qu'à la charge de le transmettre (...)
ROUSSEAU, Julie ou la Nouvelle Héloïse, VI, Lettre IV.

14 Rendez-moi ce service à la charge d'autant.   P.-L. COURIER, I, 175, *in* LITTRÉ.

Mod. *À charge de revanche*.

♦ 3. (V. 1225). Fonction dont qqn a tout le soin; responsabilité assumée (par qqn).

Spécialt. Fonction publique. ⇒ **Dignité, emploi, fonction, ministère, office, place, poste.** *La charge de qqn, sa charge. Les devoirs* de sa charge. Charge d'officier ministériel. Charge d'avoué, de notaire (ou notariale), de greffier. Charge publique. Occuper une charge. Vacance, intérim d'une charge.*

Hist. (Sous l'ancien régime). *Charge de judicature, de finance. Charge militaire, charge dans l'armée, charge d'officier. Acheter, vendre une charge. Vénalité* des charges. Charge onéreuse,* réellement exercée. Charge ne demandant aucun travail.* ⇒ **Sinécure.** *Titre* correspondant à une charge.*

15 Je suis né de parents (...) qui ont tenu des charges honorables.
MOLIÈRE, le Bourgeois gentilhomme, III, 12.

16 *(Ils)* furent obligés de se défaire de leurs charges et de quitter la cour.
VOLTAIRE, le Siècle de Louis XIV, 26.

17 (...) ce petit Charles-Maurice joignait, disait-on (...) des titres personnels à un rapide avancement dans les charges et honneurs ecclésiastiques et peut-être dans les carrières publiques.   Louis MADELIN, Talleyrand, I, I, p. 12.

Ironique :

18 (...) je vous établis dans la charge de rincer les verres, et de donner à boire (...)
MOLIÈRE, l'Avare, III, 1.

Dr. Fonction de la tutelle*.

♦ 4. (1802). Responsabilité. *Toute la charge en tombe, en retombe sur moi. Le chef a la charge de ses hommes.* — **Loc. cour.** *Avoir charge d'âme :* avoir la responsabilité morale de qqn (ou d'un groupe de personnes, d'enfants...).

19 Je n'ai pas charge d'âmes, et c'est trop d'avoir à gouverner tout seul deux fous comme toi et moi.   E. FROMENTIN, Dominique, p. 159.

20 La société a charge d'âme, elle a des devoirs envers l'individu.
RENAN, l'Avenir de la science.

21 (...) il faut gagner la vie de Legrand et la mienne ; j'ai charge d'âme (...)
J. VALLÈS, le Bachelier, p. 110.

Prendre qqn, qqch. en charge, s'en occuper, prendre sous sa responsabilité*.

22 Le chef est celui qui prend tout en charge. Il dit : J'ai été battu. Il ne dit pas : Mes soldats ont été battus.   SAINT-EXUPÉRY, Pilote de guerre, XXV, p. 213.

♦ 5. Fonction que l'on donne à accomplir à qqn. ⇒ **Attribution, commission, mandat, mission, ordre.** *Confier, donner à qqn la charge de* (qqch., faire qqch.). *La charge ne m'en a pas été donnée.* — (Sans article). *On lui a donné charge de...* ⇒ **Charger.** *Il a charge de faire ceci.* — *La charge de qqn, sa charge. Cela est à ma charge :* on m'en a confié le soin. *S'acquitter plus ou moins bien de sa charge.*

23 Elle m'avait donné charge de vous le dire (...)   CORNEILLE, le Menteur, V, 5.

24 Un homme d'État, Dieu merci! n'a pas charge de faire régner la vertu ni de punir les vices, mais de gouverner avec les éléments existants et d'ordonner les forces de son époque.   M. BARRÈS, Leurs figures, p. 330.

Loc. *Femme de charge,* à qui l'on confie les gros travaux de la maison. ⇒ **Femme** (III., 1.); cf. Femme de ménage.

25 Le gros de la besogne était remis aux soins d'une femme de charge (...)
G. DUHAMEL, le Temps de la recherche, XI, p. 154.

♦ 6. (1437). *Une, des charges.* Fait qui pèse sur la situation d'un accusé. ⇒ **Accusation, indice, présomption, preuve.** *Ceci constitue une charge contre le prévenu. Examiner les charges portées, produites contre un accusé. Les charges contre le prévenu sont insuffisantes pour établir sa culpabilité. Charges suffisantes* (Code d'instruction criminelle, art. 231). *Charges nouvelles* (Code d'instruction criminelle, art. 247).

26 Si grandes que soient les charges qui pèsent sur Robert Greslou, elles reposent sur des hypothèses.   Paul BOURGET, le Disciple, II, p. 55.

*La charge de la preuve** (Code civil, art. 1315).

À CHARGE. *Informer, instruire à charge et à décharge. Témoin* à charge,* qui accuse.

♦ 7. (De *charger*, II., 2.). **ⓐ** (1680). Ce qui outre le caractère de qqn pour le rendre ridicule. ⇒ **Caricature** (cit. 2), **imitation.** *Une charge féroce, comique, réussie.* — **Appos.** *Un portrait charge.* Exagération comique. *Cette farce est une charge burlesque. Les étudiants, dans la dernière revue, ont fait la charge de leurs professeurs. C'est une charge du Napoléon de 1812.* → Rhéteur, cit. 2. — *Une charge d'atelier.* ⇒ **Mystification, plaisanterie ; canular.**

26.1 (...) ce mot est absolument de son caractère — il est inventé — il est un peu exagéré — comme une charge de son caractère.   VALÉRY, Cahiers, t. II, Pl., p. 6.

EN CHARGE. *Portrait en charge. Jouer un rôle en charge.*

ⓑ (1753). *La charge :* genre littéraire ou artistique caractérisé par l'outrance.

27 J'aime peu la comédie, qui tient toujours plus ou moins de la charge et de la bouffonnerie.   A. DE VIGNY, Journal d'un poète, p. 91.

28 Toutes ces critiques rentrent dans une seule que je m'étais déjà permis d'adresser à votre talent, l'excès, l'abus de la *force,* et passez-moi le mot, la *charge.*
SAINTE-BEUVE, Correspondance, 34, 13 févr. 1827.

★ III. (1546). **♦ 1.** Action de charger (III.); attaque impétueuse d'une troupe. ⇒ **Assaut, attaque, choc.** *Charge violente, furieuse. Charge de cavalerie. La Charge de la brigade légère* (titre d'un film). *Charge à la baïonnette. Enlever une position par une charge. Charge en ligne de bataille. Charge en fourrageurs. Commander la charge.* — *À la charge !* — **Loc.** *Pas de charge. Marcher au pas de charge.* — **Par métonymie.** Le signal de la charge, de charger (III.). *Sonner, battre la charge.* ⇒ **Batterie, sonnerie.** → ci-dessous, cit. 29, 30.1.

29 L'insecte du combat se retire avec gloire :
Comme il sonna la charge, il sonne la victoire (...)   LA FONTAINE, Fables, II, 9.

30 Ceux des manifestants qui étaient venus (...) dans le quartier des Ternes, s'étaient vus refoulés par les charges brutales de la police.
MARTIN DU GARD, les Thibault, t. VII, p. 76.

30.1 — Jamais, sachez-le bien, les tambours n'ont consenti à battre la charge derrière les colonnes qu'ils devaient entraîner. La tradition l'atteste : au mépris du règlement, on les a vus le plus souvent se ruer à l'ennemi, vibrants au cœur des compagnies comme les cordes d'une lyre.   A. BLONDIN, Monsieur Jadis, p. 77.

Le fait de charger (III., 2.) en parlant d'un animal. ⇒ **Chasse, poursuite.** *La charge d'une bête fauve. La charge furieuse du rhinocéros.*

31 (...) ce grand enfant d'Aouïmer, joyeux comme un cheval qui sent l'écurie (...) poussait des charges à fond de train contre de pauvres lièvres qui (...) prenaient le frais dans l'alfa.   E. FROMENTIN, Un été dans le Sahara, p. 279.

Loc. fig. (1689). *Revenir, retourner à la charge :* insister dans ses démarches, ses prières, ses attaques...

32 Le bonhomme, nanti, n'avait, depuis, cessé de revenir à la charge. Quatre ou cinq fois par an, il se manifestait et toujours pour demander assistance.
G. DUHAMEL, le Voyage de P. Périot, V, p. 96.

♦ 2. (1900, *in* Petiot; football). Sport. Action de heurter un adversaire qui est en possession du ballon. — Boxe :

33 Il se baisse sous les coups d'une charge, et met la tête dans l'épaule de l'adversaire, pour porter deux crochets bien secs (...)
Jean PRÉVOST, Plaisirs des sports, p. 73.

♦ 3. Par métaphore ou fig. Attaque violente, furieuse. *Subir les charges de l'opposition, de la critique.*

CONTR. Allégement. — **Décharge.**

COMP. Décharge, monte-charge, recharge, surcharge.

CHARGEMENT [ʃaʀʒəmɑ̃] n. m. — 1253; de *charger,* au sens I, et *-ment.*

A. ♦ 1. Action de charger (un animal, un véhicule, un navire...). *Chargement d'un mulet; d'un camion; d'un wagon. Navire en chargement.* ⇒ **Charge** (I., B., 1. : *en charge*). *Chargement en grenier. Chargement et arrimage* des marchandises. Parquet de chargement. Plate-forme de chargement.* ⇒ **Appontement.** *Chargement en pontée :* arrimage sur le pont. *Appareils de chargement.* ⇒ **Chargeuse** (cit.); **crône, drop, grue, palan, treuil... ; levage, manutention.** *Cargo à chargement par levage, à chargement vertical ; à chargement horizontal, par roulage. Chargement à la pelle.* ⇒ **Paléage.** *Preuve du chargement par connaissement*.*

♦ 2. (1835). Remise à l'administration des postes d'un pli cacheté, en déclarant les valeurs qu'il contient. — (1906, par métonymie). Paquet ainsi remis. *Bureau des chargements.*

♦ 3. Action de charger, de garnir; opération par laquelle on charge. ⇒ **Charge, garnissage, remplissage.** — (1890). Spécialt. *Chargement d'un four.*

(1874). *Le chargement d'une arme à feu.*

(1946). *Le chargement d'un appareil photographique, d'une caméra.*

B. (Ce qui est chargé). **♦ 1.** (1694). Marchandises chargées. ⇒ **Cargaison, charge.** *Un lourd chargement. Le chargement de ce camion est trop lourd. Chargement mal arrimé. Le chargement du navire est avarié. Estivage* du chargement. Navire à chargement incom-*

plet (⇒ **Lège**). *Un chargement de blé, de bois. Le chargement est avarié.*

♦ **2.** Par métaphore. → Charge, I., A., 9. : *charge affective.*
On a souvent parlé de la couleur et de la saveur des mots. Mais on n'a jamais rien dit de leur tension, de l'état de tension de l'esprit qui les profère, dont ils sont l'indice et l'index, de leur *chargement.*
CLAUDEL, Positions et Propositions, p. 15.

CONTR. Déchargement.

CHARGER [ʃaRʒe] v. tr. — Conjug. *bouger.* — V. 1170, *chargier; carger,* v. 1100; du bas lat. **carricare* «charger», de *carrus* «char».

1 (...) certains verbes changent de sens, suivant le milieu où on les emploie. *Charger* pour un cuirassier, c'est mettre son cheval au galop et sabrer l'ennemi; pour un fantassin ou un artilleur, c'est mettre une cartouche ou une gargousse; pour un cocher, c'est prendre un client; pour un conteur, ou un dessinateur, c'est exagérer; pour un employé des postes, c'est mettre le pli dans les «valeurs déclarées».
F. BRUNOT, la Pensée et la Langue, IX, II, VI, p. 316.

★ **I.** Garnir d'une charge* (I.), faire porter qqch. à (qqn, un animal, un véhicule).

♦ **1.** [a] Mettre sur (un homme, un animal, un véhicule, un bâtiment, etc.) un certain poids d'objets à transporter. *Charger un porteur. Charger un mulet, un cheval. Charger une charrette. Charger une voiture. Charger un camion de bouteilles. Charger un navire* (⇒ **Fréter; arrimer**). *Charger de lest.* ⇒ **Lester**. *On le chargea de paquets. Charger à l'excès.* ⇒ **Accabler, surcharger.**

2 Eh quoi! Charger ainsi cette pauvre bourrique! LA FONTAINE, Fables, III, 1.

[b] *Charger une lettre de valeurs,* et, absolt, *charger une lettre,* y enfermer des valeurs, et, par suite, l'affranchir de manière spéciale.

♦ **2.** (Avec un compl. second introduit par une prép. locative : *sur, dans...*). Placer, disposer pour être porté. ⇒ **Mettre, placer, porter.** *Charger une valise sur son épaule. Charger des pierres sur un tombereau. Charger du charbon sur une péniche. Charger des malles dans un wagon. Charger des meubles dans un camion de déménagement.*

(Sans compl. second). *Les déménageurs sont en train de charger des caisses.*

3 Je vois de grands garçons charger un tonneau de vin. ROUSSEAU, Émile, III.
(Le sujet désigne un véhicule, un navire). Prendre une charge. *Le navire charge sa cargaison,* et, absolt, *le navire charge pour Marseille.* ⇒ **Embarquer.**

4 Oh! mon Dieu, c'était un très modeste petit bateau du port d'Antibes (...) un brick, qui chargeait pour les îles du Levant des jarres de terre cuite fabriquées à Vallauris (...) LOTI, Matelot, v, p. 22.
(Le sujet désigne le conducteur ou le véhicule). *Taxi qui charge un client,* le fait monter, le prend. *J'ai chargé ce client à la station.* → Prise en charge* (I., B., 1.).

♦ **3.** [a] (1564). Mettre (dans une arme à feu) ce qui est nécessaire au tir. ⇒ **Charge** (I., A., 4.), **chargement** (A, 3.). *Charger un fusil, un revolver, des pistolets* (→ 1. Pistolet, cit. 1). *Charger un canon par la culasse. Charger un canon jusqu'à la gueule.* Absolt. *Charger à balles, à mitraille.* — Par ext. *Charger une mine.*

[b] Garnir (qqch.) d'un poids, d'une quantité déterminée. ⇒ **Garnir, remplir.** (Avec ou sans compl. second en *de*). *Charger une bobine de fil. Charger une pipe de tabac. Charger un fourneau, un poêle de combustible.* — *Charger un appareil de photo, une caméra.* — *Charger un stylo* (avec une cartouche d'encre). Techn. *Charger une cuve à teinture* (de colorant). *Charger un pinceau* (de couleur), *une plume d'encre.*

♦ **4.** (1832; correspond à *charge*, I., A., 5.). Phys. *Charger une batterie, une bouteille de Leyde,* y accumuler* suffisamment d'électricité pour l'usage auquel ces appareils sont destinés. ⇒ **Charge,** I., A., 5.

♦ **5.** Littér. CHARGER (qqch.) DE (qqch.) : mettre sous le poids de (une charge), garnir abondamment, avec excès ou avec profusion. ⇒ **Accabler, couvrir, recouvrir; emplir.** *Charger une table de mets. Charger ses mains de bagues. Charger sa poitrine de décorations* (⇒ **Chamarrer**).

5 Telle qu'une bergère, au plus beau jour de fête,
De superbes rubis ne charge point sa tête (...) BOILEAU, l'Art poétique, II.

Fig. *Charger un roman de coups de théâtre, d'incidents. Charger son style de métaphores. Charger d'ornements superflus.* ⇒ **Tarabiscoter.** *Charger un ouvrage de citations.*

6 (Corneille) a aimé (...) à charger la scène d'événements dont il est presque toujours sorti avec succès (...) LA BRUYÈRE, les Caractères, I, 54.
(Compl. n. de personne). *Charger un esclave, un prisonnier de chaînes.* ⇒ **Enchaîner.**
Fig., vx. *Charger un homme de coups.* ⇒ **Battre.**

7 (...) tous trois le chargent de coups (...)
MOLIÈRE, le Bourgeois gentilhomme, II, 3 (jeu de scène).
(Abstrait). Littér., vieilli. *Charger qqn d'injures, d'anathèmes, d'opprobres, de malédictions.*

8 N'allons point nous charger d'une haine immortelle. RACINE, Bérénice, III, 2.

(...) ce blâme public dont ils sont trop chargés. MOLIÈRE, Tartuffe, I, 1. 9
Charger qqn d'honneurs. ⇒ **Combler.**

♦ **6.** (Sujet n. de chose). Constituer une charge, peser sur. *Les bagages chargent cette voiture.* — *Cette poutre charge trop la muraille. La retombée de la voûte charge trop ce pilier.*
Fig. *Cette nourriture est lourde et charge l'estomac.*

★ **II.** (Abstrait). ♦ **1.** (XIIᵉ). CHARGER (qqn, qqch.) DE..., faire porter à... (une responsabilité, une charge; → Charge, II.), considérer comme coupable, comme responsable. ⇒ **Accuser, imputer, taxer.** *Charger qqn de crimes, de torts.*

Ils ne cessaient de le charger tantôt d'avarice, tantôt de trahison. 10
VAUGELAS, QUINTE-CURCE, X, *in* RICHELET.
(...) ce «bouc émissaire», qu'on chargeait de tous les péchés d'Israël par des formules imprécatoires (...) DANIEL-ROPS, le Peuple de la Bible, IV, III, p. 366. 11
(Correspond à *charge*, II., 6.). Dr. *Charger qqn :* aggraver les chefs d'accusation, apporter des preuves ou des indices de la culpabilité de (qqn, un accusé). ⇒ **Déposer** (contre qqn).
Par ext. ⇒ **Calomnier, noircir.**
Chargez-le comme il faut (...) et rendez les choses bien criminelles. 12
MOLIÈRE, l'Avare, v, 5.
(Sujet n. de personne). *Charger la mémoire de qqn de trop de faits.* ⇒ **Encombrer, remplir, surcharger.** *Charger sa tête, son esprit de balivernes. Charger sa mémoire de détails.* — (Sujet n. de chose). *Les détails qui chargent inutilement la mémoire, l'esprit, qui l'encombrent.*

13 (...) tout cet amas d'idées qui reviennent à la même, dont ils chargent sans pitié la mémoire de leurs auditeurs. LA BRUYÈRE, les Caractères, XV, 5.
14 La musique était pour moi une autre passion, moins fougueuse, mais non moins consumante par l'ardeur avec laquelle je m'y livrais, par l'étude opiniâtre des obscurs livres de Rameau, par mon invincible obstination à vouloir en charger ma mémoire, qui s'y refusait toujours, par mes courses continuelles, par les compilations immenses que j'entassais, passant très souvent à copier, les nuits entières, ROUSSEAU, les Confessions, V.
Vx (langue class.). *Charger qqch. de...* ⇒ **Aggraver, augmenter.**
15 Mon courroux n'a déjà une trop de violence,
Sans le charger encor d'une nouvelle offense. MOLIÈRE, Sganarelle, 6.
Établir, imposer (une condition onéreuse, une redevance) à (qqn, un groupe, un bien juridique). ⇒ **Grever, imposer.** *Charger qqn de dettes.* ⇒ **Écraser, obérer.** *Charger le peuple, le pays de taxes.* — *Charger une terre de redevances, une succession d'un legs.*
16 Tout son peuple est heureux avec lui; il craint de charger trop ses peuples.
FÉNELON, Télémaque, VIII.

♦ **2.** (Emplois spéciaux). Amplifier, exagérer. *Charger ses comptes,* y exagérer le montant des frais. *Charger le prix d'une marchandise.*
Spécialt. (Correspond à *charge*, II., 7.). Exagérer (les défauts, les traits saillants), afin de rendre ridicule ou odieux. *Charger un portrait.* ⇒ **Caricaturer.**
Faire (qqch.) avec exagération, en matière artistique. ⇒ **Forcer, outrer.** *Il charge ses descriptions. Cet acteur charge son rôle.*
17 Un comique outre sur la scène ses personnages; un poète charge ses descriptions (...) LA BRUYÈRE, les Caractères, III, 48.
18 On semble exagérer, charger les couleurs, forcer la vérité.
Louis MADELIN, De Brumaire à Marengo, III,
La France de l'An VIII, p. 37.

♦ **3.** (1538). Revêtir (qqn) d'une fonction, d'un office, d'une mission. ⇒ **Charge** (II., 3., 4., 5.); **commettre, déléguer, donner** (donner à faire), **préposer** (à)... *On l'a chargé de faire le compte rendu de la séance. Charger un avocat de la défense de qqn. On l'a chargé de trop de responsabilités. Il fut chargé de les surveiller, de leur surveillance.*
19 Il suffit. Cependant n'as-tu rien négligé
Des ordres importants dont je t'avais chargé? RACINE, Bérénice, I, 3.
20 Je suis encore chargé de grands et lourds devoirs.
G. DUHAMEL, Inventaire de l'abîme, II, p. 19.

★ **III.** (XVIᵉ, «attaquer», battre»). ♦ **1.** Attaquer* violemment, avec impétuosité. ⇒ **Charge** (III.). *Charger l'ennemi.* Absolt. *La cavalerie chargea. Chargez!*
(Animaux). Courir vite pour attaquer. *Le sanglier, l'éléphant chargent.* ⇒ **Foncer.**
21 (...) Une fois que vous aurez fait la brèche, on charge et on va attaquer leurs réserves.
R. DORGELÈS, les Croix de bois, X, p. 193.

♦ **2.** Sports. *Les avants ont chargé.* → Charge, III., 2.

▶ **SE CHARGER** v. pron.

♦ **1.** (Correspond à *charger*, I.). Prendre comme charge pour transporter. *Se charger d'un fardeau.*
(Passif; choses). *Le navire, le camion se charge. Ce canon se charge par la culasse.*
Le ciel se charge, il se couvre de nuages. — Se couvrir. *Se charger de pierreries.*

♦ **2.** Réfl. (Correspond à *charger,* II.). [a] Prendre la responsabilité (de...). — Fig. *Se charger d'une faute, d'un péché, d'une responsabilité.* ⇒ **Assumer, endosser.**

22 Qu'elle semble lourde, aujourd'hui, à nos épaules et à nos bras, cette vérité dont se charge en riant de joie, notre jeunesse fervente !
F. MAURIAC, le Jeune Homme, p. 91.

23 C'était de nos douleurs qu'il s'était chargé (...)
DANIEL-ROPS, le Peuple de la Bible, IV, III, p. 385.

b Prendre le soin, la conduite de qqch. ⇒ **Affaire** (faire son affaire de...), **prendre** (sur soi), **occuper** (s'). *Je me charge de tout. Se charger de qqn*, de son entretien, de sa subsistance. *Laissez-moi faire : je m'en charge.*

24 Et je me chargerais du soin de la défendre ?
RACINE, Phèdre, IV, 5.

25 D'un gendre sans appui voudra-t-il se charger ?
RACINE, Mithridate, III, 1.

Iron. *Se charger de qqn,* en faire son affaire.

▶ **CHARGÉ, ÉE** p. p. adj. et n.

★ **I.** Adj. ♦ **1.** (Personnes, animaux, véhicules). Qui porte une charge. *Être chargé de colis, de bagages, de paquets.* Absolt. *Vous êtes bien chargé, trop chargé, je vais vous aider.* — *Mulet, cheval chargé.* — Fam. (Personnes). *Être chargé comme un âne, comme un mulet.*

26 Les transports arrivent et partent chargés de soldats qui s'en vont en guerre.
LOTI, Aziyadé, Eyoub à deux, XXXVII, p. 125.

26.1 Un camion suit l'auto, chargé de trois caisses de sel pour Bosangoa. Ces caisses sont trop énormes pour être confiées à des porteurs (...)
GIDE, Voyage au Congo, in Souvenirs, Pl., p. 813.

Lettre chargée, paquet chargé, qui contient des valeurs.

♦ **2.** Placé comme une charge. *Marchandises chargées et marchandises déchargées* (sur un navire).

♦ **3.** (Au sens I, 3 de *charger*). Absolt. *Fusil, pistolet chargé. Attention ! il est chargé.*
Électr. *Batterie chargée.*
Appareil de photo, magnétophone chargé.

♦ **4.** Absolt. Alourdi, embarrassé (d'un organe). *Avoir l'estomac chargé.* ⇒ **Lourd.** *La langue chargée,* couverte d'un dépôt blanchâtre (→ Bouillon, cit. 8.1).

♦ **5.** (Correspond à *charger,* I., 5.). **a** *Chargé de...* : plein, rempli de... *Mains chargées de bagues.* — *L'Enfant chargé de chaînes,* roman de Mauriac.

27 (...) Sa main blême, grasse, courte et chargée de bagues.
FRANCE, Jocaste, XI, p. 106.

Fig. *Ciel chargé de nuages. Air chargé de parfums.*

28 La rue déserte se remplissait paisiblement de cette ombre poudreuse et de couleur rousse, ombre palpable, chargée de chaleur, d'odeurs confuses (...)
E. FROMENTIN, Un été dans le Sahara, p. 261.

29 (...) les nuages chargés de neige que roulait le ciel (...)
M. BARRÈS, la Colline inspirée, IX, p. 148.

30 (...) le hâle noir lentement accumulé par l'air chargé de vapeurs, de fumées et de couchants rouges (...) Valery LARBAUD, Amants, heureux amants, p. 11.

Style chargé de métaphores. ⇒ **Fleuri** et ci-dessous (cit. 33).
Manuscrit chargé de ratures.
Vx. *Être chargé d'injures.* — Mod. *Être chargé d'honneurs,* honoré, célèbre. — Loc., littér. *Chargé d'ans.* ⇒ **Vieux.**
Une attente chargée d'espoir. ⇒ **Plein, rempli.**

31 A cette heure chargée d'angoisse, un seul être eût pu comprendre Inès : Zénith, son lévrier. Edmond JALOUX, les Visiteurs, XXX, p. 234.

32 C'est un beau sentiment, vous savez, cette confiance chargée d'espoir qu'on met dans un homme libre. MONTHERLANT, les Jeunes Filles, p. 16.

b Absolt. Compliqué, trop lourd. *Portrait chargé. Description chargée. Décoration chargée,* lourde, compliquée. *Une intrigue trop chargée.* ⇒ **Touffu.**

33 Avec la figure que je viens de peindre, et qui n'est point chargée, M. Simon était galant, grand conteur de fleurettes, et poussait jusqu'à la coquetterie le soin de son ajustement. ROUSSEAU, les Confessions, IV.

Un casier judiciaire chargé (de condamnations, etc.).

c (Concret). Régional (Suisse). Fort et foncé (d'une substance en infusion). *Un café, un thé chargé.* ⇒ **Noir ; fort.**

♦ **6.** (Personnes). *Chargé de...* : responsable (de...). *Être chargé de famille. Être chargé d'une fonction par un titre* (⇒ **Attitré**). *L'avocat chargé de l'affaire... Être chargé de soins, d'intérêts... Mineur chargé de famille. Professeur chargé de cours* (→ ci-dessous, n.).

34 (...) mon cœur sait que tu es chargée d'intérêts et de soins que je ne connais pas et qui te protègent, te prémunissent contre l'obsession dont je meurs.
M. BARRÈS, Un jardin sur l'Oronte, p. 189.

♦ **7.** Blason. Se dit des pièces recouvertes par d'autres. *Chevron chargé de billettes.*

★ **II.** N. (Dans des loc.). **CHARGÉ (ÉE) DE FAMILLE** : personne qui a la charge d'une famille.

N. **CHARGÉ (ÉE) DE COURS** : professeur* délégué dans l'enseignement supérieur. — *Chargé d'enseignement. Une chargé(e) d'enseignement.* — *Chargé de recherche* (au C.N.R.S.). *Elle est chargé de recherche* (cour. mais anormal), *chargée de recherche.*

N. m. **CHARGÉ D'AFFAIRES** : agent diplomatique, représentant accrédité d'un État. *Le chargé d'affaires, dans la hiérarchie diplomati-*

que, vient après les ambassadeurs, les ministres plénipotentiaires et les ministres résidents. — REM. Le fém. normal *chargée d'affaires,* ne semble pas employé. *Mme X, chargé d'affaires de tel pays.*

CHARGÉ(ÉE) DE MISSION (dans l'administration, les services publics) : personne non fonctionnaire, liée par contrat en vue d'une mission déterminée. — REM. Même problème d'emploi au fém. que ci-dessus.

35 (...) chargé de mission, je représente, et suis dès à présent un personnage officiel. GIDE, Voyage au Congo, in Souvenirs, Pl., p. 690.

CONTR. Décharger. — Alléger. — Excuser. — Diminuer, minimiser. — Exonérer. — Fuir. — (De *chargé*) Léger, simple.
DÉR. Charge, chargement, chargette, chargeur, chargeuse.
COMP. Décharger, recharger, surcharger.

CHARGETTE [ʃaʀʒɛt] n. f. — XIXe, in Hatzfeld ; de *charger.*

♦ Techn. Éprouvette métallique servant à déterminer la charge d'une cartouche.

CHARGEUR [ʃaʀʒœʀ] n. m. — 1495 ; *chargeeur,* 1332 ; de *charger.* — REM. Le fém. *chargeuse* n'est pas attesté ; il est virtuel aux sens 1 et 3, a.

♦ **1.** (Personnes). **a** (1332). Personne qui charge des marchandises, etc. Vx. *Chargeur de bois, de charbon.* — Mar. (Appos.). *Commissionnaire chargeur :* celui qui se charge de l'expédition de marchandises par bateau.

b (1753). Négociant qui possède partiellement la cargaison. ⇒ **Affréteur.**

1 On accumule sans ordre et sans arrangement tout ce que les chargeurs apportent. PEYSSONNEL, Traité sur le commerce de la mer noire, II, 218, in LITTRÉ.

c Personne, ouvrier qui garnit (un fourneau, etc.).

♦ **2.** **a** (1495). Personne qui charge une arme à feu, un canon. *Chargeur d'une pièce d'artillerie, de fusil-mitrailleur. Le chargeur et les pourvoyeurs d'une mitrailleuse.*

b (1886). Plus cour. Dispositif permettant d'introduire plusieurs cartouches dans le magasin d'une arme à répétition. *Chargeur de fusil, de revolver, de mitraillette. Bande-chargeur de mitrailleuse. Remplir un chargeur. Vider plusieurs chargeurs en tirant.*

2 L'arme était accrochée au mur, à la tête du lit de Victor. Il y avait un chargeur complet dans un tiroir de la chambre aux outils. M. AYMÉ, la Vouivre, p. 236.

♦ **3.** Techn. Appareil qui charge, garnit (qqch.). *Chargeur mécanique* (d'un four). ⇒ **Chargeuse.**
Appareil, dispositif servant à charger (une batterie d'accumulateurs, etc.). *Chargeur de batterie.*
Magasin à pellicule d'un appareil de photo ou d'une caméra. Chargeur photo, de film. — *Chargeur de magnétophone.* ⇒ **Cassette.**

CHARGEUSE [ʃaʀʒøz] n. f. — 1867, in D.D.L. ; de *charger.* Technique.

♦ **1.** Machine qui distribue automatiquement des charges d'un produit déterminé (ex. : alimentation en métal des fours sidérurgiques). *Chargeuse de fours Martin.* ⇒ **Chargeur,** 3.
(Filature). *Chargeuse mécanique,* utilisée pour régulariser l'alimentation de l'ouvreuse. — Par appos. « *Une machine chargeuse (en verrerie)* » (Meyer et Grivet, le Verre, p. 63).

Mais le chargement restant l'une des tâches les plus pénibles de la mine, on tend à employer, si l'aspect de la mine le permet, des *chargeuses* (...)
Jean ROMEUF, le Charbon, p. 62.

♦ **2.** Appareil de manutention destiné à charger les véhicules de transport. ⇒ **Loader** (anglic.). *Chargeuse à pneus, à chenilles.*

CHARIBOTÉE [ʃaʀibɔte] n. f. — Av. 1908, Richepin, in Encycl. du XXe siècle ; de *chariboter,* d'après *charretée.*

♦ Fam. Grande quantité (avec une idée de désordre ou d'excès). *Il y en avait toute une charibotée.*

— Des monsieur Albert t'en trouveras des charibotées si c'est ça que tu cherches. R. QUENEAU, les Fleurs bleues, p. 266 (1965).

CHARIBOTER [ʃaʀibɔte] v. intr. — 1916 ; « se moquer », 1901 ; probablt de *charrier (cherrer)* et d'un élément *-boter* qui pourrait représenter *bouter* (cf. le dial. *chariboter* « bousculer, renverser ») avec infl. possible de *botte,* exprimant l'intensité.

♦ Fam. Exagérer. ⇒ **Charrier, moquer** (se). *Tu charibotes !*

DÉR. Charibotée.

CHARIOT [ʃaʀjo] n. m. — 1285 ; dér. de *charrier,* et *-ot.*

♦ **1.** (1285). Voiture* à quatre roues, généralement garnie de ridelles, pour le transport des fardeaux. *Chariot de ferme.* ⇒ **Char, char-**

rette, guimbarde. *Chariot à bœufs. Un chariot de foin, de fourrage,* chargé de foin, de fourrage. *Chariot à petites roues.* ⇒ **Berline, binard,** 1. **camion** (anciennt), **fardier, truck.** *Chariot long et couvert.* ⇒ **Fourgon.** *Chariot militaire, chariot d'artillerie.* ⇒ **Caisson, ribaudequin, triqueballe** (vx). *Chariot russe.* ⇒ **Briska** (kibitka). — Mod. Appareil de manutention. *Petit chariot à deux roues basses.* ⇒ **Diable.** *Chariot à bagages ; chariot des libre-service.* ⇒ **Caddie.** *Chariot automoteur, chariot élévateur. Chariot lève-blocs.* ⇒ **Bardeur.** *Conduire un chariot de manutention.* ⇒ **Cariste.** *Chariot cavalier. Transport par chariot.* ⇒ **Charrol.** *Convoi de chariots.*

1 Les chariots sont rentrés chargés de moissons odorantes (...) Chariots pesants, heurtés aux talus, cahotés aux ornières ; que de fois vous me ramenâtes des champs, couché sur des tas d'herbes sèches, parmi les rudes garçons faneurs !
GIDE, les Nourritures terrestres, V, II, p. 114.

2 L'ensemble, en très fin, rappelait ces solides chariots qui servent à rouler malles et ballots sur le quai des gares.
Raymond ROUSSEL, Impressions d'Afrique, p. 53.

Allus. littér. *Le chariot de Thespis :* les acteurs et leur genre de vie.

(1751, *in* D.D.L.). Mines. Petit wagonnet servant à transporter les berlines sur un plan incliné ; berline sans parois frontales. *Chariot pour le transport de la houille.* ⇒ **Berline.**

♦ **2.** (1680). Vx. *Chariot d'enfant, chariot :* appareil roulant pour soutenir les enfants qui commencent à marcher. ⇒ **Promenette.** — Jouet formé d'une caisse montée sur quatre roues et tirée par une ficelle.

Chariot alsacien : berceau* sur roulettes.

Petite table roulante. *Chariot à desserte, chariot à liqueurs. Le chariot des desserts, des fromages... :* table roulante servant à présenter les desserts, les fromages, dans un restaurant.

♦ **3.** (1611). Astron. Les constellations de la grande et de la petite Ourse (qui représentent aussi un chariot). *Le grand, le petit Chariot.*

2.1 Je ne savais pas très bien où j'étais. Je cherchai, parmi les étoiles et constellations, les chariots, mais je ne pus les trouver. Ils devaient cependant y être. C'est mon père qui me les avait montrés le premier. Il m'en avait montré d'autres, mais seul et sans lui je n'ai jamais su retrouver que les chariots.
S. BECKETT, Premier amour, p. 55.

3 Nour regarda au-dessus de lui, à l'endroit où d'ordinaire on voyait les sept étoiles du Petit Chariot, mais il ne vit rien.   J.-M. G. LE CLÉZIO, Désert, p. 38.

♦ **4.** (1838). Techn. Pièce mobile d'une machine qui transporte, déplace l'objet traité. *Chariot de métier à tisser.* — (1877). *Chariot de machine à écrire. Touche de retour du chariot.*
Chariot de machine-outil : pièce mobile à laquelle est fixée, selon le type de machine, soit la pièce à usiner, soit l'outil *(chariot de tour)* et permettant de produire un mouvement déterminé de l'un par rapport à l'autre, qui engendre la forme voulue. *Tour à chariot. Utilisation du chariot pour l'usinage d'une pièce.* ⇒ **Chariotage.**

Mar. Pièce mobile de la barre d'écoute, du rail d'écoute d'un voilier, sur laquelle est fixée l'écoute de la grand-voile. *Chariot de barre d'écoute. Chariot à galets.*

♦ **5.** (1956, *in* D.D.L.). Au cinéma, Véhicule permettant de déplacer la caméra pendant une prise de vues. *Faire un travelling au chariot ou à la grue.*

DÉR. **Chariotage, charioter.**

CHARIOTAGE [ʃaʀjɔtaʒ] n. m. — 1611 ; de *chariot.*

♦ Techn. Opération qui consiste à charioter (une pièce). *Chariotage d'une tige filetée.*

CHARIOTER [ʃaʀjɔte] v. tr. — 1889, *Année sc. et industr.*, p. 490 ; de *chariot.*

♦ Techn. Usiner (une pièce) au moyen du chariot d'une machine-outil ; spécialt., au moyen du chariot d'un tour. *Charioter un cylindre pour produire un épaulement.*

CHARISMATIQUE [kaʀismatik] adj. — 1928 ; de *charisme,* d'après le grec *karismatikos,* et *-ique.*

Didactique.

♦ **1.** Conféré par la grâce divine (→ Charisme, 1.).

1 Dans *le Figaro,* il est question de sept mille partisans du renouveau charismatique à Lourdes.   J. GREEN, Journal, 9 juin 1976, La terre est si belle, p. 15.

♦ **2.** (Personnes). Doué d'une influence, d'un magnétisme exceptionnels. ⇒ **Charisme,** 2. *Pouvoir, autorité charismatique.*

2 Ses discours *(ceux du général de Gaulle),* ses conférences de presse, n'avaient rien de charismatique. Sa force était — est toujours — dans l'autorité, non dans la contagion.   MALRAUX, Antimémoires, Folio, p. 157 (1972).

DÉR. **Charismatisme.**

CHARISMATISME [kaʀismatism] n. m. — 1957 ; du rad. de *charismatique,* et *-isme.*

♦ Théol. Ensemble de dons surnaturels que l'Esprit-Saint confère à chaque croyant.

CHARISME [kaʀism] n. m. — 1879, Renan ; du grec *charisma* « grâce, faveur ».

♦ **1.** Théol. Don particulier conféré par grâce divine. ⇒ **Charismatisme.**

1 (...) charismes et visions des grands mystiques comme en connaîtront un saint Bernard, une Thérèse d'Avila.   DANIEL-ROPS, le Peuple de la Bible, I, III, p. 58.

♦ **2.** (Répandu v. 1960 en polit.). Didact. Influence suscitée par une personnalité exceptionnelle (⇒ **Charismatique,** 2.).

2 Renoir m'a emmené un soir entendre Maurice Thorez, en 36. Il était ensorcelant. C'était Jean Gabin plus la dialectique. Je l'ai revu, dans une entrevue privée alors, vingt ans plus tard (...) Il avait vraiment le charisme.
F. GIROUD, Si je mens, p. 50.

3 (...) les dirigeants de ton Parti n'exerçaient sur toi aucun charisme (...)
Régis DEBRAY, l'Indésirable, p. 188.

DÉR. **Charismatique.**

CHARITABLE [ʃaʀitabl] adj. — V. 1172 ; de *charité,* et *-able.*

♦ **1.** Qui a de la charité pour son prochain, qui donne, pardonne aisément, est indulgent. *Une âme charitable. Vous n'êtes pas très charitable envers lui.*

1 Il est bon d'être charitable ;
Mais envers qui, c'est là le point.   LA FONTAINE, Fables, VI, 13.

2 (...) il était doux, bon, bénin, bénin, bienveillant, bienveillant, charitable, si ce mot chrétien n'offensera pas sa laïcité parfaite (...)
Ch. PÉGUY, la République, p. 188.

Qui fait l'aumône. *Une dame charitable.* Cf. Dame d'œuvre.

♦ **2.** Par ext. Qui se comporte avec bienveillance envers autrui. *Il faut être charitable, ce n'est pas sa faute.* ⇒ **Bienveillant.** — (Actions, propos). *Ce n'est pas très charitable de votre part.* ⇒ **Aimable, gentil.**

♦ **3.** (Après 1250). Qui part d'un principe de charité. ⇒ **Caritatif.** *Avis, conseil charitable. Fondation charitable.*
Qui incite à faire l'aumône. *Maxime charitable.*

CONTR. **Avare, dur, égoïste, impitoyable, inhumain.**
DÉR. **Charitablement.**

CHARITABLEMENT [ʃaʀitabləmɑ̃] adv. — V. 1300 ; de *charitable.*

♦ **1.** D'une manière charitable ; avec charité. *Il l'a recueilli charitablement.*

♦ **2.** D'une manière compatissante ou avec indulgence. *Parler charitablement.*

Iron. Par bonté, par indulgence. *Je vous avertis charitablement que je vais porter plainte.* — Sans indulgence, désagréablement.

(...) les confrères se prodiguent charitablement ces épithètes gracieuses. Condorcet est appelé le faquin littéraire ; Rochon, le paysan parvenu ; Lalande, le chat des gouttières ; Lavoisier, le père éternel des petites maisons ; Cadet, le torche-cul des douairières.   MARAT, les Pamphlets, Les charlatans modernes, 1791, p. 288, *in* T.L.F.

CHARITÉ [ʃaʀite] n. f. — V. 1170 ; *caritet, caritad,* après 950 ; du lat. ecclés. *caritas* « cherté », puis « amour, tendresse », de *carus* « cher ».

♦ **1.** (Après 950). Théol. et morale (chrétienne). La plus grande des trois vertus théologales qui consiste dans l'amour de Dieu et du prochain en vue de Dieu. ⇒ **Amour** (cit. 1). *La charité chrétienne. Agir par pure charité. Relatif à la vertu de charité.* ⇒ **Caritatif.** *Ces trois choses demeurent : la foi, l'espérance, la charité : mais la plus grande de ces choses, c'est la charité (Épître 1, Aux Corinthiens,* XIII, 13).

1 Et quand je distribuerais tous mes biens pour la nourriture des pauvres (...) si je n'ai pas la charité, cela ne me sert de rien.
La charité est patiente, elle est pleine de bonté ; la charité n'est point envieuse ; la charité ne se vante point, elle ne s'enfle point d'orgueil, elle ne fait rien de malhonnête, elle ne cherche point son intérêt, elle ne s'irrite point, elle ne soupçonne point le mal, elle ne se réjouit point de l'injustice, mais elle se réjouit de la vérité ; elle excuse tout, elle croit tout, elle espère tout, elle supporte tout.
BIBLE (SEGOND), 1re Épître aux Corinthiens, XIII, 3 à 7.

2 Ne faites pas seulement l'aumône, faites la charité ; les œuvres de miséricorde soulagent du maux que l'argent (...)   ROUSSEAU, Émile, II, p. 85.

3 Je comprends la signification des devoirs de charité qui m'étaient prêchés. La charité servait Dieu au travers de l'individu. Elle était due à Dieu, quelle que fût la médiocrité de l'individu.   SAINT-EXUPÉRY, Pilote de guerre, XXVI, p. 225.

Par anal. L'amour de Dieu pour l'homme.

3.1 (...) nous ne sentons la distance que vers le bas. Il est beaucoup plus facile de se mettre par l'imagination à la place de Dieu créateur qu'à la place du Christ crucifié. La grandeur de la charité du Christ, c'est la distance entre Dieu et la créature. La fonction de médiation, par elle-même, implique l'écartèlement (...) C'est pourquoi on ne peut concevoir la descente de Dieu vers l'homme ou l'ascension de l'homme vers Dieu sans écartèlement.
Simone WEIL, la Pesanteur et la Grâce, p. 94, *in* T.L.F.

♦ **2.** Didact. Amour* du prochain. ⇒ **Altruisme,** 2. **bien, bienfaisance, complaisance, condescendance, fraternité, humanité, indulgence, miséricorde, philanthropie, pitié...** ; → Politesse, cit. 3. *Charité douce, généreuse. Dévouement plein de charité.*

4 (...) il y a deux principes qui partagent les volontés des hommes, la cupidité et la charité. PASCAL, les Pensées, VIII, 571.

5 (...) la charité ne connaît ni règle ni limite. Elle surpasse toute obligation. Sa beauté est précisément dans la liberté.
V. COUSIN, Du vrai, du beau, du bien, 15ᵉ leçon,
in R. THAMIN et P. LAPIE, Lectures morales, p. 362.

6 Un grand mouvement de pleine charité qui aurait lavé son cœur comme une marée, nivelé toutes les inégalités humaines qui obstruent un cœur mondain, était arrêté par les mille digues de l'égoïsme, de la coquetterie et de l'ambition.
PROUST, les Plaisirs et les Jours, p. 64.

6.1 Il est d'usage de distinguer avec soin la justice de la charité, c'est-à-dire le simple respect des droits d'autrui de tout acte qui dépasse cette vertu purement négative. On voit dans ces deux sortes de pratiques comme deux couches indépendantes de la morale : la justice, à elle seule, en formerait les assises fondamentales ; la charité en serait le couronnement (...) cette conception est peu d'accord avec les faits. En réalité, pour que les hommes se reconnaissent et se garantissent mutuellement des droits, il faut d'abord qu'ils s'aiment, que, pour une raison quelconque, ils tiennent les uns aux autres, et à une même société dont ils fassent partie. La justice est pleine de charité. É. DURKHEIM, De la division du travail, p. 90, in T. L. F.

♦ **3.** (V. 1175). Cour. Bienfait *(une, des charités)* ou comportement bienfaisant *(la charité)* envers les pauvres. ⇒ **Assistance, bienfaisance, secours.** *Faire la charité à qqn.* ⇒ **Aumône, obole, offrande ;** bien ; → Philanthropique, cit. *Mendiant qui demande la charité. Vivre de charités :* subsister au moyen de secours charitables. *Se recommander aux charités de personnes généreuses. Dames de charité,* qui concourent au soulagement des pauvres. *Filles de la charité :* ordre de religieuses fondé par saint Vincent de Paul. *Sœurs, frères de la charité. Œuvres*, vente de charité...* (⇒ **Caritatif**). *Bal de charité, spectacle de charité,* permettant d'obtenir des fonds pour les défavorisés. *Visiter par charité les malades. — L'hôpital de la Charité :* hôpital à Paris, à Lyon (ellipt., *la Charité*).

7 Le second de nos saints choisit les hôpitaux.
Je le loue, et le soin de soulager ces maux
Est une charité que je préfère aux autres. LA FONTAINE, Fables, XII, 24.

8 (...) qu'est-ce qu'une charité qui n'a point de pudeur avec le misérable, et qui, avant que de le soulager, commence par écraser son amour-propre ?
MARIVAUX, la Vie de Marianne, I, p. 22.

Prov. *Charité bien ordonnée commence par soi-même :* on s'occupe de son propre intérêt avant de songer à celui des autres.

♦ **4.** (1662). Bienveillance, complaisance. *Faites-moi la charité de m'écouter. Je vous avertis par pure charité.* ⇒ **Charitablement.**

CONTR. Avarice, cupidité, dureté, égoïsme, misanthropie.
DÉR. Charitable.

CHARIVARESQUE [ʃaʀivaʀɛsk] adj. — 1872 ; de 1. *charivar(i),* et *-esque.*

♦ Vx. Satirique à la manière du journal *le Charivari.* ⇒ **Charivarique.**

1. CHARIVARI [ʃaʀivaʀi] n. m. — V. 1370 ; *chalivali,* 1316 ; orig. incert., l'hypothèse la plus souvent invoquée est le lat. *caribaria* «lourdeur de tête», du grec ; P. Guiraud préfère un composé tautologique, formé sur *varier* (provençal *varai* «remue-ménage»), et le moy. franç. *charrier* «tourmenter» *(charrier-varier).*

♦ **1.** (1316). Vieilli ou ethnol. (folklore). Bruit discordant et tumultueux de poêles, de chaudrons, de sifflets, accompagné de cris et de huées, que font des gens attroupés pour témoigner leur réprobation ou dans certaines circonstances définies par la coutume (mariage, et notamment remariages de veufs et veuves). *Donner, faire un charivari.* ⇒ **Sérénade.**

1 Le bruit que vous entendez, répondit le démon, est un charivari. Une veuve de soixante ans s'est mariée ce matin avec un de ses domestiques qui n'en a pas vingt, et tous les rieurs du quartier se sont ameutés pour célébrer ce mariage par un concert de bassins, de poêles et de chaudrons.
A.-R. LESAGE, le Diable boiteux, VI, p. 80.

2 C'était alors un charivari, pareil à celui que l'on fait, le soir de leurs noces, aux veuves qui se remarient, un tam-tam assourdissant, des cris, des huées, de grands éclats de joie, un vacarme d'arrosoirs, de casseroles et de tonneaux, sur lesquels on frappait comme sur des tambours.
M. BARRÈS, la Colline inspirée, XII, p. 195.

Mod. Manifestation bruyante du public ; concert de sifflets, de cris, etc.

♦ **2.** Cour. Grand bruit collectif. ⇒ **Tapage, tumulte, vacarme.**

3 Ce fut l'écroulement général et de la table, et de la chaise, et de Bourdon, le tout dans un charivari de verres cassés et de bouteilles culbutées (...)
COURTELINE, Messieurs les ronds-de-cuir, 6ᵉ tableau, III.

Fig. Musique discordante. ⇒ **Cacophonie.** *Ce concert est un vrai charivari.*

4 Figurez-vous un charivari sans fin d'instruments sans mélodie, un ronron traînant et perpétuel de basses ; chose la plus lugubre, la plus assommante que j'aie entendue de ma vie, et que je n'ai jamais pu supporter une demi-heure sans gagner un violent mal de tête.
ROUSSEAU, Julie ou la Nouvelle Héloïse, II, Lettre XXIII.

5 En effet (nous avouait-il récemment encore), cette musique seule, depuis qu'il

---

l'avait entendue, l'aidait à supporter les déceptions de la vie et toute autre ne lui semblait plus que du charivari, du «Wagner».
VILLIERS DE L'ISLE-ADAM, Tribulat Bonhomet, p. 13.

REM. Le mot a servi de titre à un célèbre journal satirique.

♦ **3.** (XVᵉ). Querelle accompagnée de cris. *Sa femme lui a fait un beau charivari. Il y a de perpétuels charivaris dans cette maison.*

DÉR. Charivaresque, charivarique, charivariser, charivariste.

2. CHARIVARI [ʃaʀivaʀi] n. m. — 1812 ; empr. (probablt dû aux contacts entre les troupes françaises et autrichiennes) à une langue d'Europe de l'Est : polonais *szarawary,* russe *charovary* «pantalon bouffant», dial. all. de Danzig *Scharriwarry* «pantalon long», du hindi *saravara* «pantalon».

♦ Vx. Pantalon de cavalier garni de cuir dans l'entrejambe, et de boutons sur les côtés, porté sous la Restauration. — Appos. *Pantalon charivari.*

CHARIVARIQUE [ʃaʀivaʀik] adj. — 1839, *in* D. D. L. ; de 1. *charivar(i),* et *-ique.*
Vieux.

♦ **1.** Qui a le caractère du charivari. *Des cris, des huées charivariques.*

♦ **2.** Fig., fam. Discordant. *Un concert passablement charivarique.* — (Domaine visuel) :
(...) si un propriétaire anticoloriste s'avisait de repeindre sa campagne d'une manière absurde et dans un système de couleurs charivariques (...)
BAUDELAIRE, Curiosités esthétiques, III, III, «De la couleur».

♦ **3.** Vx. Qui rappelle le ton satirique du journal *le Charivari.* ⇒ **Charivaresque.**

CHARIVARISER [ʃaʀivaʀize] v. — 1706 ; de 1. *charivari.*

♦ Vx. Faire un charivari à (qqn).

CHARIVARISTE [ʃaʀivaʀist] n. — 1836 ; de 1. *charivar(i),* et *-iste.*

♦ Vx. Personne qui organise un charivari (1. ou 2.), qui y participe.

CHARLATAN [ʃaʀlatɑ̃] n. m. — 1572 ; ital. *ciarlatano* [ʃarlatano], croisement de *cerratano* «habitant de *Cerreto*» (village dont les habitants vendaient souvent des drogues sur les marchés), et de *ciarlare* [ʃarlare] «parler avec emphase».

♦ **1.** Anciennt. Vendeur ambulant qui débitait des drogues, arrachait les dents, sur les places et dans les foires. ⇒ **Camelot, pharmacopole, vendeur, venteur** (d'orviétan, de mithridate). *Les boniments d'un charlatan. Charlatan et arracheurs* de dents. Remède, poudre de charlatan.* ⇒ **Orviétan, poudre** (de perlimpinpin).
Par ext. Guérisseur qui prétend posséder des secrets merveilleux. ⇒ **Empirique, guérisseur, rebouteux.** — Mauvais médecin, imposteur.

1 Charlatans, faiseurs d'horoscope,
Quittez les cours des princes de l'Europe,
Emmenez avec vous les souffleurs d'un temps :
Vous ne méritez pas plus de foi que ces gens. LA FONTAINE, Fables, II, 13.

2 La témérité des charlatans, et leurs tristes succès, qui en sont les suites, font valoir la médecine et les médecins : si ceux-ci laissent mourir, les autres tuent.
LA BRUYÈRE, les Caractères, XIV, 67.

3 Un marchand d'orviétan passa dans le village ; mon père, qui ne croyait point aux médecins, croyait aux charlatans (...)
CHATEAUBRIAND, Mémoires d'outre-tombe, I, II.

♦ **2.** Péj. Personne qui exploite la crédulité publique ou qui recherche la notoriété en se faisant valoir par des promesses, de grands discours. ⇒ **Escroc, hâbleur, imposteur, menteur.** *N'écoutez pas ce charlatan. Cette femme est un charlatan. Un charlatan politique.* ⇒ **Démagogue.** *Faire le charlatan.* ⇒ **Charlataner** (vx).

4 J'ai acheté la vérité dans les livres : ce n'y ai trouvé que le mensonge et l'erreur. J'ai consulté les auteurs ; je n'ai trouvé que des charlatans qui se font un jeu de tromper les hommes sans autre loi que leur intérêt, sans autre dieu que leur réputation (...) ROUSSEAU, Lettre à M. de Beaumont, p. 471.

5 Dans un monde où chacun triche, c'est l'homme vrai qui fait figure de charlatan.
GIDE, les Faux-monnayeurs, III, XI, p. 421.

Il est un peu charlatan. Par appos. « *Une espèce de médecin charlatan* » (Sainte-Beuve).

♦ **3.** En franç. d'Afrique (non péj.). Celui qui a des pouvoirs de devin, de guérisseur. ⇒ **Féticheur, marabout, sorcier.**

DÉR. Charlataner, charlatanerie, charlatanesque, charlatanisme.

CHARLATANER [ʃaʀlatane] v. — 1578 ; de *charlatan.*

♦ **1.** V. tr. Vx, fam. Exploiter la crédulité de qqn par de belles paroles, des promesses.

♦ **2.** V. intr. Rare. Faire le métier de charlatan. Se conduire comme un charlatan. — REM. Balzac (*in* T. L. F.) emploie la var. *charlataniser.*

CHARLATANERIE [ʃaʀlatanʀi] n. f. — 1575 ; de *charlatan*.

♦ Rare. Attitude, façon d'agir, propos d'un charlatan. — Par ext. « *La charlatanerie des moralistes* » (Chamfort).

Il n'avait encore aucune charlatanerie dans le regard, rien de théâtral et d'affecté.
CHATEAUBRIAND, Mémoires d'outre-tombe, II, II.

(*Une, des charlataneries*). Action(s) de charlatan (2.).

CHARLATANESQUE [ʃaʀlatanɛsk] adj. — Av. 1598 ; de *charlatan*, et *-esque*.

♦ Rare. Qui tient du charlatan ; de charlatan.

(...) à entendre le débit charlatanesque de ce marchand d'orviétan et de panacées merveilleuses, un frisson de peur traversa de son froid madame Gervaisais.
Ed. et J. DE GONCOURT, Madame Gervaisais, p. 290.

CHARLATANISME [ʃaʀlatanism] n. m. — 1736 ; de *charlatan*.

♦ **1.** Caractère, comportement du charlatan. ⇒ **Cabotinage, charlatanerie, forfanterie, hâblerie.** *Dévoiler le charlatanisme d'un homme d'affaires, d'un politicien.*

1   Une société où la distinction personnelle a peu de prix, où le talent et l'esprit n'ont aucune cote officielle, où la haute fonction n'ennoblit pas, où la politique devient l'emploi des déclassés et des gens de troisième ordre, où les récompenses de la vie vont de préférence à l'intrigue, à la vulgarité, au charlatanisme qui cultive l'art de la réclame, à la rouerie qui serre habilement les contours du Code pénal, une telle société, dis-je, ne saurait nous plaire.
RENAN, Souvenirs d'enfance et de jeunesse, Préface, p. 14.

♦ **2.** Art d'exploiter la crédulité.

2   De la nécessité politique du journal dans les grandes villes naît la triste nécessité du charlatanisme, seule et unique religion du dix-neuvième siècle.
STENDHAL, Mémoires d'un touriste, I, p. 32.

CHARLEMAGNE (FAIRE) [fɛʀʃaʀləmaɲ] loc. verb. — V. 1800 ; du nom de l'empereur Charlemagne (742-814 ; nom du roi de cœur, dans un jeu de cartes) ; par allusion au fait que Charlemagne était resté en possession de toutes ses conquêtes à la fin de sa vie.

♦ Se retirer du jeu après avoir gagné. — Par métaphore :

Tu as joué avec le danger, tu as joué avec le feu. Tu ne peux pas faire charlemagne, au moment où jamais le jeu n'a été aussi tentant, aussi dangereux. Voici la dernière partie. Quitte ou double.
DRIEU LA ROCHELLE, la Comédie de Charleroi, p. 308.

CHARLESTON [ʃaʀlɛstɔn] n. m. — 1926, *in* Höfler ; le charleston est dansé pour la première fois en France en 1925 à la *Revue nègre* du Théâtre des Champs-Élysées ; mot anglo-amér., de *Charleston*, ville de la Caroline du Sud.

♦ Danse très rapide, d'origine américaine, qui se répandit en Europe dans les années 1920. *Danser le charleston.*

1   Plus tard, leurs revues (...) nous apportèrent d'autres danses encore : le black-bottom et cet endiablé charleston (...) qui introduisait une brisure nouvelle dans un rythme déjà à contre-temps et exigeait une telle dépense nerveuse qu'il y fallut bientôt renoncer et s'en reposer (...)
Francis DE MIOMANDRE, Danse, La danse d'aujourd'hui, p. 61.

2   Maintenant, la mode combinait une inspiration Années folles et une inspiration Western, le folklore du charleston et le folklore de la Prairie américaine.
Jean-Louis CURTIS, le Roseau pensant, p. 94-95.

1. CHARLOT [ʃaʀlo] n. m. — 1611 ; probablt empr. au provençal *charlo(t)* « courlis », du prénom *Charles*. → *Charlottine*.

♦ Régional. Courlis* commun (dit aussi alouette de mer).

2. CHARLOT [ʃaʀlo] n. m. — 1748, nom du bourreau à Paris ; n. commun, 1887 ; d'après le prénom *Charles* porté par différents bourreaux de Paris.

♦ Argot, vx. Bourreau (à Paris). *La bascule à Charlot :* la guillotine.

3. CHARLOT [ʃaʀlo] n. m. — 1900 ; p.-ê. à rattacher à la racine onomatopéique *tch-*, exprimant le bruit du coup reçu.

♦ Argot, vieilli. Œil au beurre noir. ⇒ **Coquard.**

4. CHARLOT [ʃaʀlo] n. m. — Mil. xxe ; du surnom franç. de Charlie (Charles) Chaplin.

♦ Fam. Individu peu sérieux. ⇒ **Guignol, pitre.** *C'est un vrai charlot. On va pas rester là à faire les charlots toute la journée. Une bande de charlots.* — Spécialt. Personnage médiocre et vantard (usuel en argot de la course automobile, par exemple).

1. CHARLOTTE [ʃaʀlɔt] n. f. — 1804 ; du prénom fém. *Charlotte*, pour des raisons inconnues.

♦ Entremets à base de fruits, de biscuits ou de tranches de pain, et de crèmes aromatisées. *Charlotte aux pommes, aux amandes.*

Charlotte au café, au chocolat. Servir une charlotte. — *Charlotte russe,* faite de crème fouettée, garnie de petits biscuits.

2. CHARLOTTE [ʃaʀlɔt] n. f. — 1905, *in* D.D.L. ; du prénom de Charlotte Corday.

♦ Chapeau féminin au bord froncé, garni de rubans et de dentelles.

(...) cloches de paille, bérets, charlottes de lingerie (...)
COLETTE, les Vrilles de la vigne, En baie de Somme, p. 220.

CHARLOTTINE [ʃaʀlɔtin] n. f. — 1869 ; empr. au provençal *charloutino* (→ 1. *Charlot*), avec francisation de la forme d'après *charlotte*.

♦ Régional (Provence). Échassier migrateur à queue noire. ⇒ **Barge.**

CHARMANT, ANTE [ʃaʀmɑ̃, ɑ̃t] adj. — 1550, « qui charme, ensorcelle » ; p. prés. de *charmer*.

♦ **1.** (xviie). Qui exerce un charme (1.). *C'est un homme charmant.* ⇒ **Séduisant, charmeur, ensorcelant.**

1   Charmant, jeune, traînant tous les cœurs après soi.   RACINE, Phèdre, II, 5.

(Vieilli ou iron.). *Un prince charmant :* un jeune homme ayant toutes les qualités dont rêve une jeune fille. *C'est le prince charmant de tes rêves.*

N. m. (Neutre). Ce qui est charmant. *Le charmant de l'affaire c'est que...*

2   Nous verrons après qu'il n'est point de milieu
Entre le charmant et l'utile.   CORNEILLE, Agésilas, III, 4.

REM. Les emplois, dans la langue classique et jusqu'au xixe s., sont très forts. → 2. Charme, REM.

♦ **2.** Cour. (Choses). Qui est très agréable (à regarder, à fréquenter). ⇒ **Agréable, aimable, beau, captivant, intéressant, merveilleux, plaisant, ravissant, séduisant.** *Paysage, site charmant. Séjour charmant. Comédie, scène charmante. Conversation charmante. Style charmant. Un esprit charmant et vif. Des reparties charmantes.* ⇒ **Piquant.**

(Personnes). Qui a du charme (cit. 17.2). ⇒ **Agréable, aimable, gentil, séduisant.** *Un enfant, une jeune fille charmante. Un charmant garçon. De petits êtres gentils (cit. 4), charmants. Il a été tout à fait charmant avec ses invités. Un caractère charmant. Un livre, un récit charmant. Un accueil charmant.* ⇒ **Amène.** *Une soirée charmante.*

3   Charmant séjour au cap d'Antibes, près de Marc Allégret, des René Lefèvre, des Marcel Achard ; puis à Vence, chez Hugues, d'un accueil exquis.
GIDE, Journal, 20 août 1940.

♦ **3.** Iron. Désagréable, ennuyeux. *Charmante soirée ! Il a plu pendant toutes nos vacances : c'était charmant !* ⇒ **Gai, joyeux** (emplois ironiques).

CONTR. Abominable, affreux, blessant, choquant, déplaisant, désagréable, effroyable, ennuyeux, hideux, laid, maussade, rebutant, repoussant.

1. CHARME [ʃaʀm] n. m. — V. 1170 ; du lat. *carpinus*.

♦ **1.** Arbre ou arbrisseau vivace (*Dicotylédones ; Cupuliféracées*) très répandu en France et dont le bois est blanc, dur, à grain fin (nom sc. : *carpinus*). Syn. régional : *faux bouleau. Allée, berceau de charmes.* ⇒ **Charmille.** *Bois de charmes.* ⇒ **Charmeraie, charmoie** (vx).

♦ **2.** Bois de cet arbre. *Le charme est employé en ébénisterie, pour la carrosserie, le charronnage, le chauffage.*

DÉR. Charmeraie, charmille, charmoie. V. 2. Charnier.

2. CHARME [ʃaʀm] n. m. — V. 1160 ; du xiie au xviie au sens de « formule magique » ; du lat. *carmen* « formule magique, incantation ». → 2. Carme.

A. ♦ **1.** Vx ou littér. (ou loc.). Objet ou acte, pratique supposé(e) exercer une action magique. ⇒ **Conjuration, enchantement, ensorcellement, envoûtement, illusion, magnétisme, prestige, sort.** *Charme qui illusionne les sens, change l'ordre naturel. User de charmes. Exercer, jeter un charme. Mettre, tenir qqn sous le charme. Demeurer, être sous le coup d'un charme* (⇒ **Captif ; hypnose**). *Charme maléfique de sorcier.* ⇒ **Sortilège.** *Lever, ôter, rompre un charme. Le charme cesse, le bonheur s'envole.*

1   Cet homme donc, par prières, par larmes,
Par sortilèges et par charmes,
Fait tant qu'il obtient du Destin (...)   LA FONTAINE, Fables, II, 18.

2   Par quel charme, oubliant tant de tourments soufferts,
Pouvez-vous consentir à rentrer dans ses fers ?   RACINE, Andromaque, I, 1.

3   Je (*Calypso*) prie Morphée de répandre ses plus doux charmes sur vos paupières appesanties, de faire couler une vapeur divine dans vous vos membres fatigués et de vous envoyer ses songes légers (...)   FÉNELON, Télémaque, IV, p. 76.

4   Je sentis comment la magie du ciel, le charme des lieux, le prestige de la beauté et de la puissance, pouvaient enivrer (...)
CHATEAUBRIAND, Mémoires d'outre-tombe, IV, III.

5 Mais soudain le mauvais enchanteur (...) a passé sur vous et rompu le charme, et toutes en même temps vous vous éveillez; vous vous éveillez au mal de vivre, à la souffrance de savoir (...) LOTI, les Désenchantées, XIV, p. 116.

6 Mais ils cèdent à ma présence. Ma présence tient lieu des charmes que j'ignore, et c'est parce que je suis là, sans aucune vertu magique, mais porteur d'une double vie, qu'ils sont revenus et qu'ils s'apprivoisent. H. BOSCO, Un rameau de la nuit, p. 180.

Méd. *État de charme :* état second de l'hypnose.

Moyen magique. ⇒ **Philtre, pouvoir.** *Porter un charme sur soi.* — Loc. fig. *Se porter comme un charme :* jouir d'une santé robuste, comme par l'effet d'un charme.

Poét. Influence mystérieuse. ⇒ **Remède.** — Loc. cour. *Le charme opère. Le charme est rompu :* l'illusion est détruite.

(Au sens du lat. *carmen;* → aussi 2. Carme). Littér. Formule d'incantation. *Prononcer des charmes. Charmes,* poèmes de Valéry.

♦ **2.** Cour. Qualité de ce qui attire, captive*, plaît sans qu'on puisse en analyser la cause; effet qu'une telle qualité produit. ⇒ **Agrément, attrait, délice, intérêt, plaisir, séduction.** *Le charme d'une personne, d'un paysage, d'un lieu, d'une musique. Avoir du charme.* ⇒ **Charmant.** *Un charme irrésistible, puissant, indéfinissable, mystérieux, secret. Charme capiteux, sensuel. Charme éclatant, évident. Charme discret. Le Charme discret de la bourgeoisie,* titre d'un film de Luis Buñuel. *Le charme qui atteint, touche, trouble le cœur* (→ Avant-goût, cit. 3). *Un ton agréable, plaisant, vif, qui donne du charme à une conversation. Le charme de la jeunesse, de la nouveauté* (cf. Tout nouveau, tout beau). — REM. Jusqu'au XVIIIᵉ s., le mot garde son sens fort de «séduction mystérieuse, inexplicable, quasi magique» (→ sens 1); cette valeur est encore vivante au XIXᵉ s. (ci-dessous, cit. 13, 17.2).

7 Ce qui fait le charme d'un homme, c'est sa bonté. BIBLE (SEGOND), Proverbes, XIX, 22.

8 Aux Champs Élyséens j'ai goûté mille charmes, Conversant avec ceux qui sont saints comme moi. LA FONTAINE, Fables, VIII, 14.

9 (...) l'or donne aux plus laids certain charme pour plaire. MOLIÈRE, Sganarelle, I, 1.

10 Si une laide se fait aimer, ce ne peut être qu'éperdument; car il faut que ce soit ou par une étrange faiblesse de son amant ou par de plus secrets et de plus invincibles charmes que ceux de la beauté. LA BRUYÈRE, les Caractères, IV, 36.

11 A peine l'eus-je vue que je fus subjugué. Je la trouvai charmante, de ce charme à l'épreuve du temps, le plus fait pour agir sur mon cœur. ROUSSEAU, les Confessions, X.

12 Le succès trop facile ôte bientôt son charme à l'amour : les obstacles lui donnent du prix. STENDHAL, De l'amour, p. 316.

13 Peut-être que si je l'avais revue, l'ensorceleuse, j'aurais encore subi le charme qu'elle exerçait sur mon pauvre moi (...) Alphonse DAUDET, le Petit Chose, II, XIV.

14 (...) cette campagne et ces vieux bois qui ont leur charme à eux, un grand charme *pastoral,* quelque chose qu'il m'est difficile de définir pour vous, charme du passé, charme d'autrefois et des anciens bergers. LOTI, Aziyadé, Mané, Thécel, Pharès, XXX, p. 218.

15 (...) ils s'étaient vite laissé séduire *(les nobles émigrés)* par le charme singulier qui se dégageait de sa personnalité. Louis MADELIN, Talleyrand, I, v, p. 61.

16 Elle zézayait un peu, très peu, juste ce qu'il fallait pour ajouter à son charme redoutable un rien d'ingénu, de rassurant. MARTIN DU GARD, les Thibault, t. III, p. 148.

17 Qui sait s'il n'avait pas subi, à son insu, le charme capiteux de ce jeune corps déjà consacré? MARTIN DU GARD, les Thibault, t. IV, p. 30.

17.1 On me trouvait du charme, imaginez cela ! Vous savez ce qu'est le charme : une manière de s'entendre répondre oui sans avoir posé aucune question claire. CAMUS, la Chute, p. 67.

Vieilli. *Le charme des plaisirs, de la poésie, de l'art.* ⇒ **Délice.** *Ajouter du charme à un discours, à un écrit, par un procédé nouveau. Il y a du charme à faire cette chose.* ⇒ **Plaisir; agrément.**

(1817). Mod. *Avoir du charme :* être attirant, plaisant. *Il a beaucoup de charme. Être plein de charme.*

17.2 C'est une sorte de rayonnement qu'il dégage, comme un fluide, cela coule vers vous de ses yeux étroits, de son sourire de Bouddha, de son silence... elle ne sait pas ce que c'est... c'est son charme... il est charmant : «Ton beau-père a du charme, tu ne trouves pas? moi je trouve qu'il a quelque chose, je ne sais pas... je le trouve très séduisant... Ah, il a dû faire des ravages, autrefois...» N. SARRAUTE, le Planétarium, p. 136.

(D'une situation). *Cela a son charme. C'est ce qui fait le charme. Travail sans charme. Ça n'a pas de charme, cela n'a aucun charme pour moi.*

♦ **3.** *Faire du charme :* avoir des manières séductrices. *Faire du charme à qqn,* chercher à le séduire.

17.3 Pour elle, il «faisait du charme» comme pour n'importe qui, par habitude invétérée. COLETTE, Julie de Carneilhan, p. 42.

...DE CHARME : qui est censé séduire, charmer. — Cour. *Chanteur* de charme.* ⇒ **Crooner** (anglic.). — Par anal. *Un détective de charme.*

♦ **4.** (1694). Au plur. Vieilli ou iron. *Les charmes d'une femme,* ce qui fait sa beauté plastique. ⇒ **Appas, attrait,** et aussi **beauté, chic, élégance, grâce, vénusté.** *Les charmes naturels des formes et du maintien. Des charmes attirants* (cit. 2). *Charmes arrondis du sein* (→ Albâtre, cit. 5). *Charmes qui assiègent les yeux* (→ Absent, cit. 4; assaut, cit. 9). — *On ne peut se défendre de ses charmes. Rien ne résiste au pouvoir de ses charmes* (Académie).

18 Elle pleure en secret le mépris de ses charmes. RACINE, Andromaque, I, 1.

19 Avec tant de charmes trompeurs, elle avait, comme les Sirènes, un cœur cruel et plein de malignité (...) FÉNELON, Télémaque, III, p. 71.

20 Quoiqu'elle eût été belle femme, elle avait quelque chose de si bon et de si raisonnable dans la physionomie, que cela avait dû nuire à ses charmes, et les empêcher d'être aussi piquants qu'ils auraient dû l'être. MARIVAUX, la Vie de Marianne, IV, p. 145.

(D'une chose). *Cela a ses charmes.*

B. (1964; angl. *charm*). Phys. Propriété (des quarks*, et, par ext., des particules — hadrons — qu'ils constituent) qui détermine leur comportement, et ne se conserve que dans les interactions fortes et électromagnétiques. *Nombre quantique de charme,* définissant numériquement cette propriété. «*Quelques détails (...) incitèrent des théoriciens imaginatifs à postuler l'existence d'un quatrième quark, plus lourd que les trois premiers et porteur d'une nouvelle caractéristique qu'ils baptisèrent (...) le "charme"*» (Sciences et Avenir, nº 373, p. 82). ⇒ **Charmé.** *Le charme fait partie des «saveurs»* (types) *des quarks.*

CONTR. Malédiction; raison, science. — Laideur, horreur, monstruosité.
DÉR. Charmer.
HOM. 1. Charme.

CHARMER [ʃaʀme] v. tr. — V. 1150; de 2. *charme.*

♦ **1.** Vx ou littér. Exercer une action magique, un charme* (1.) sur (qqn ou qqch.). ⇒ **Enchanter, ensorceler.** *Charmer qqn par des paroles, par des regards, par un philtre.* — *Charmer un serpent.* ⇒ **Charmeur.**

(...) si tu voulais rester encore à me charmer, le sommeil ne saurait s'abattre sur mes yeux. V. BÉRARD, trad. HOMÈRE, Odyssée, p. 332. 1

Au p. passé :

Il reconnut des yeux dont la douceur exerçait sur lui la puissance du magnétisme, et demeura pendant un moment comme charmé. BALZAC, les Chouans, Pl., t. VII, p. 900. 2

⇒ **Fasciner.** *Le serpent charme l'oiseau.*

♦ **2.** (1560). Littér. (Compl. nom abstrait). Tenir sous le charme, faire céder à une influence magique. *Charmer une douleur, une peine. Charmer l'ennui, les regrets de l'absence.* ⇒ **Adoucir, apaiser, consoler.**

(...) ils prédisent aux hommes qu'ils feront fortune, aux filles qu'elles épouseront leurs amants, consolent les enfants dont les pères ne meurent point, et charment l'inquiétude des jeunes femmes qui ont de vieux maris (...) LA BRUYÈRE, les Caractères, XIV, 69. 3

(...) tous les divertissements qui peuvent charmer les chagrins des plus mélancoliques. MOLIÈRE, les Amants magnifiques, I, 2. 4

Je charmerai ta peine en attendant le jour. LAMARTINE, Méditations, II, 3. 5

Rendre agréable. *Charmer ses loisirs. Charmer la solitude.*

♦ **3.** [a] (Sens fort). Littér. ou style soutenu. Captiver (qqn) par un attrait puissant. ⇒ **Attirer, émerveiller, enjôler, entraîner, ravir, séduire.** *Se laisser charmer par la gloire, la volupté; par un spectacle, un chant... Charmer qqn par des attraits. Cette femme charme tous ceux qui l'approchent.*

Il n'a dit que deux mots, qui m'ont ravie, et votre fille va être charmée de lui. MOLIÈRE, le Malade imaginaire, II, 4. 6

(...) toutes les belles ont droit de nous charmer (...) MOLIÈRE, Dom Juan, I, 2. 7

Il n'est pas sympathique, vous me comprenez? Je veux dire qu'il n'a pas cette espèce d'intérêt qui passionne, ou qui charme, ou qui émeut agréablement. MAUPASSANT, Contes, «Le garde», p. 11. 8

A quoi se passait sa vie? D'abord à écrire des lettres (...) qui caressaient la vanité du destinataire, l'inquiétaient par l'ironie de leurs hyperboles, le tourmentaient par leur méfiance et le charmaient par leur ton. A. MAUROIS, A la recherche de Marcel Proust, III, IV, p. 86. 9

[b] (Sens faible; → Charmant, 2.; 1. charme, 2.). Cour. Plaire extrêmement à... *Ce spectacle, sa beauté nous a charmés.* ⇒ **Donner** (dans l'œil, dans la vue). **parler** (aux yeux). *Ce livre, ce spectacle nous a charmés.* ⇒ **Captiver, délecter, enlever, enthousiasmer, transporter.** *Charmer son auditoire.* — Par ext. *Charmer les yeux, l'ouïe, les sens de qqn.*

(...) ces deux sœurs si pareilles *(la poésie et la peinture)* Charment, l'une les yeux, et l'autre les oreilles. MOLIÈRE, la Gloire du Val-de-Grâce, 68. 10

Mˡˡᵉ Rachel a su charmer le public, parce que dans ce siècle de l'exagéré, elle a su marquer la passion sans l'outrer. STENDHAL, Souvenirs d'égotisme, p. 313. 11

Absolt. *Mieux vaut charmer qu'éblouir* (Académie).

[c] Cour. Causer une grande joie, de la satisfaction à (qqn). *Cette réputation me charme* (⇒ **Flatter**). *Ta lettre m'a charmé* (⇒ **Ravir**).

▶ **CHARMÉ, ÉE** p. p. adj.

A. ♦ **1.** Enchanté, pris par un charme. → ci-dessus, cit. 2.

(...) la fée Viviane enchanta l'enchanteur et le retint charmé dans un buisson d'aubépine. A. FRANCE, Vie de Jeanne d'Arc, 1908, p. 201, *in* T. L. F. 12

♦ **2.** (Au sens 3, b ou c; dans des formules de politesse). *Être charmé :* avoir du plaisir, être très heureux. *Je suis charmé de vous voir, de faire qqch. pour vous. Je suis charmé de votre visite. Votre invitation m'a charmé.* — Ellipt. *Charmé, enchanté !* ⇒ **Enchanté.**

B. Phys. Se dit d'un quark, d'un hadron caractérisé par le charme*. *Les quarks sont dits hauts, bas, étranges et charmés. «Le quark* *charmé* q$_c$ *relayant le quark étrange au tableau des appellations pittoresques»* (*la Recherche,* n° 86, p. 58).

CONTR. Dégriser, désenchanter. — Attrister, blesser, chagriner, choquer, déplaire, heurter, mécontenter, offenser, offusquer, rebuter, répugner, révolter.

DÉR. Charmant, charmeur.

CHARMERAIE [ʃaʀməʀɛ] n. f. — xxᵉ (1938, Genevoix); de 1. *charme.*

♦ Bois de charmes. ⇒ **Charmoie** (vx).

CHARMEUR, EUSE [ʃaʀmœʀ, øz] n. et adj. — Mil. xvᵉ; *charmeresse,* 1279; *charmeor,* xiiiᵉ; de *charmer.*

★ **I.** ♦ **1.** (1279). Vx ou régional. Personne qui exerce une influence magique. *Un dangereux charmeur.* ⇒ **Ensorceleur, magicien.**

1 Il s'asseyait sur la crèche de ses bœufs, et avait peur que la charmeuse ne lui eût ôté le courage, la raison et la santé. G. SAND, la Petite Fadette, XX, p. 144.

1.1 Il croit que son père était «charmeur» et pouvait, en prononçant des paroles magiques, calmer une brûlure, guérir une personne malade.
J. RENARD, Journal, 9 sept. 1901.

Loc. mod. *Un charmeur, une charmeuse de serpent.* ⇒ **Psylle.** — REM. La forme ancienne *charmeresse* se rencontre chez Hugo : *la charmeresse Esmeralda* (*Notre-Dame de Paris,* VIII, 6).

♦ **2.** (1624). Mod. Personne qui plaît, qui séduit les gens. ⇒ **Séducteur.** *C'est un grand charmeur* (souvent iron.). *Impossible de résister à ce charmeur, à cette charmeuse.*

2 Lorsque je suis présenté à Alphonse Daudet, ce charmeur se montre d'une extrême bienveillance pour moi, me parle très favorablement de ma pièce (...)
Georges LECOMTE, Ma traversée, p. 268.

♦ **3.** Adj. *Influence, grâce charmeuse. Un ton, un caractère charmeur.* ⇒ **Charmant.** *«Elle souriait d'un air charmeur»* (Sartre).

★ **II.** N. f. CHARMEUSE. ♦ **1.** N. f. pl. Fam., vieilli. *Les charmeuses :* les moustaches.

3 (...) il cherchait plus à faire le cœur, juste un peu par la moustache, ses charmeuses, qu'il était aimable autrefois! CÉLINE, Guignol's band, p. 58.

♦ **2.** (1909, in D. D. L.). Satin ou soierie ayant un côté brillant et un côté mat.

CHARMILLE [ʃaʀmij] n. f. — 1669; de 1. *charm(e),* et *-ille.*

♦ **1.** Rare. Plant de petits charmes.

♦ **2.** (1732). Allée, haie, palissade de charmes. *Planter, tailler une charmille.* — Par ext. Ensemble d'arbres, d'arbustes taillés (buis, églantier, if). *Des buis taillés en charmille.*

♦ **3.** Cour. Berceau de verdure.

Allons sous la charmille où l'églantier fleurit,
Dans l'ombre où sont les grands chuchotements des chênes.
HUGO, la Légende des siècles, XXXVI, XXI.

CHARMOIE [ʃaʀmwa] n. f. — 1611; *charmoye,* n. de lieu, xiiiᵉ; de 1. *charme.*

♦ Vx. Charmeraie.

CHARMOUTHIEN [ʃaʀmusjɛ̃] n. m. — 1898, *Nouveau Larousse illustré;* de *Charmouth,* ville de Grande-Bretagne.

♦ Géol. Étage du lias (entre le lotharingien et le toarcien).

CHARNAGE [ʃaʀnaʒ] n. m. — V. 1230; *carnage,* déb. xiiiᵉ; de *charn,* anc. forme de *chair**, et *-age.*

♦ Relig., vx. Période pendant laquelle la religion catholique permet de consommer de la viande (souvent opposé à *carême*).

CHARNALITÉ [ʃaʀnalite] n. f. — V. 1300; du lat. chrét. *carnalitas* «faiblesse de la chair, concupiscence», de *caro, carnis* «chair»; → Chair.

♦ Vx. Propriété de ce qui est charnel.

CHARNEL, ELLE [ʃaʀnɛl] adj. et n. — V. 1170; *carnel,* après 950; du lat. *carnalis* «de la chair, corporel, physique», de *caro, carnis* «chair». → Chair.

♦ **1.** (xᵉ). Qui relève de la nature animale, de la chair (par opposition à *l'esprit*). ⇒ **Chair,** II. Qui a trait aux choses du corps. ⇒ **Corporel, naturel.** *Un être charnel,* de chair et de sang.

1 Enfants d'un père charnel, nous naissons tous charnels comme lui.
MASSILLON, Carême, Culte, in LITTRÉ.

2 Je ne puis parler naturellement que pour moi et pour ceux de ma race, spirituelle parmi ceux de ma race charnelle. Ch. PÉGUY, la République..., p. 280.

2.1 Depuis août 1914, quand, dans une seule rafale de mitrailleuses, cinq cents de ses

troupiers en pantalon rouge étaient tombés d'un bloc dans l'herbe, il s'angoissait désespérément sur ce contraste entre le double cri d'appel, sourd et aigu, si charnel, si immédiat de la clique et la mort inhumaine, froide, invisible, qui répondait à cet appel pour le bafouer.
DRIEU LA ROCHELLE, la Comédie de Charleroi, p. 129.

Par anal. Littér. et rare. Qui évoque l'aspect de la chair. *Couleur charnelle :* couleur chair.

♦ **2.** Relig. Du domaine de la matière. ⇒ **Matériel, sensible, tangible.** *Les biens charnels :* les biens de la terre. ⇒ **Mondain, temporel, terrestre.** *Homme, peuple charnel.* ⇒ **Matérialiste.**

3 (...) l'immortel et le corruptible, le spirituel et le charnel, l'ange et la bête en un mot, se sont trouvés tout à coup unis. BOSSUET, Sermon sur la mort.

4 (...) les prophéties ont un sens caché, le spirituel, dont ce peuple était ennemi, sous le charnel, dont il était ami. PASCAL, Pensées, VIII, 571.

5 (...) Dieu a choisi ce peuple charnel, auquel il a mis en dépôt les prophéties qui prédisent le Messie comme libérateur et dispensateur des biens charnels que ce peuple aimait. PASCAL, Pensées, VIII, 571.

N. *Les charnels.*

6 Deux sortes d'hommes en chaque religion (...) Parmi les Juifs, les charnels, et les spirituels, qui étaient les Chrétiens de la loi ancienne. PASCAL, Pensées, IX, 609.

Le charnel : le monde de la matière.

6.1 Le charnel et sa lourde tristesse, tout ce qui s'étale dans les journaux et qui se traduit par des faits divers ou par la politique (...)
J. GREEN, Journal (Vers l'invisible), 24 oct. 1959.

♦ **3.** (V. 1170). Relatif à la chair, aux instincts des sens, et, spécialt, à l'instinct sexuel. *Homme, tempérament charnel,* porté vers les plaisirs des sens. ⇒ **Animal, bestial, impur, lascif, libidineux, lubrique, luxurieux, sensuel.** — *Une beauté charnelle* (cit. 7), qui incite à la sensualité. *Passions, désirs, appétits, instinct, amour charnels.* → 1. **Physique,** cit. 5. *L'aiguillon charnel.* ⇒ **Concupiscence** (→ Aiguillon, cit. 6). *Attrait charnel.* → 1. Physique, cit. 6. *Accalmie charnelle* (→ Bonace, cit. 4). *Union, consommation charnelle; acte, commerce charnel.* ⇒ **Sexuel.**

7 (La Vénus de Syracuse) elle est grasse, avec la poitrine forte, la hanche puissante et la jambe un peu lourde, c'est une Vénus charnelle, qu'on rêve couchée en la voyant debout. MAUPASSANT, la Vie errante, p. 158.

8 Dompte la gourmandise, et plus facilement
Des sentiments charnels tu dompteras le reste.
CORNEILLE, l'Imitation de J.-C., I, 19.

CONTR. Angélique, spirituel. — Platonique. — Désincarné, esprit (pur esprit). — Immatériel, surnaturel. — Idéaliste.

DÉR. Charnellement.

CHARNELLEMENT [ʃaʀnɛlmɑ̃] adv. — V. 1135; de *charnel.*

Religion, littéraire ou style soutenu. D'une manière charnelle.

♦ **1.** Selon la chair, le corps; de façon humaine, matérielle, physique. *Être lié charnellement à un terroir.*

♦ **2.** (V. 1170). Au moyen des sens, de la sensualité physique. *Connaître charnellement qqn :* avoir des rapports sexuels avec qqn.

Elle aimait Daniel comme elle pouvait l'aimer, très tendrement, très charnellement. Elle l'entraînait sur cette pente. Lui, se laissait enivrer du charme de cette chair retrouvée, reconquise. Il eut les emportements ardents, les frénésies d'un renouveau de passion.
VAN DER MEERSCH, Invasion 14, 1935, p. 472, in T. L. F.

1. CHARNIER [ʃaʀnje] n. m. — V. 1100; du lat. *carnarium* «lieu où l'on conserve la viande», de *caro, carnis.* → Chair.

♦ **1.** **a** (V. 1180). Vx. Endroit, récipient où l'on conservait les viandes.

Par métaphore :

1 Mille autres moutons, comme moi,
Pendus aux crocs sanglants du charnier populaire,
Seront servis au peuple roi. André CHÉNIER, Iambes, VIII.

b Par métonymie. Mar. Barrique d'eau douce.

♦ **2.** (V. 1100). Lieu où l'on déposait les ossements des morts. ⇒ **Ossuaire.** *Charnier des Innocents* (→ Bois, cit. 44).

Par métaphore :

2 (...) Voilà le jour qui luit
Sur ces grands charniers de l'histoire (...)
HUGO, la Légende des siècles, LVIII, xxᵉ s., II.

♦ **3.** Rare. Endroit où un animal prédateur (fauve, rapace...) place les restes de ses proies.

3 Comme un vol de gerfauts hors du charnier natal (...)
J.-M. DE HEREDIA, Trophées, «Les conquérants».

♦ **4.** (Av. 1848). Lieu où sont entassés des cadavres. *Les charniers des camps* (cit. 3) *de concentration, d'extermination. Découvrir un charnier.*

4 On s'habitue très bien aux morts, à la vue, à l'odeur des morts, mais les charniers sont les charniers. Une brute y devient lâche, un lâche y pourrit sur place, se liquéfie. BERNANOS, les Grands Cimetières sous la lune, p. 194.

4.1 Avec le calme, la nuit réapparaît sur notre patrie, notre destinée. Cette tranchée qui n'a pas quinze jours d'existence et qui est vieille comme le monde. Sur ces collines, ce ne sont que des débris infects, des corps qui pourrissent. Charnier et marché aux puces. DRIEU LA ROCHELLE, la Comédie de Charleroi, p. 218.

4.2 Nous étions tombés au milieu d'un charnier, d'un tas de cadavres allongés les uns près des autres dans tous les sens, en plein bois (...)
Pierre GASCAR, les Bêtes, Le temps des morts, p. 259.

♦ **5.** (Abstrait). Lieu où qqch. meurt, se décompose. ⇒ **Cloaque.**

5 La Tragédie espagnole *(la guerre civile)* est un charnier. Toutes les erreurs dont l'Europe achève de mourir et qu'elle essaie de dégorger dans d'effroyables convulsions viennent y pourrir ensemble (...) Sincèrement, je ne crois pas utile de tirer de là aucun de ces cadavres. Pour désinfecter un tel cloaque, image de ce que sera demain le monde, il faudrait d'abord agir sur les causes de fermentation.
BERNANOS, les Grands Cimetières sous la lune, p. 153.

2. CHARNIER [ʃaʀnje] n. m. — 1390 ; *chernier*, v. 1260 ; orig. incert. probablt dér. de *charne* (→ Charnière) ou forme de 1. *charme.*

Régional (Centre).

♦ **1.** Échalas.

♦ **2.** Pieu.

CHARNIÈRE [ʃaʀnjɛʀ] n. f. — Fin XVIᵉ ; *carnière*, XIIᵉ ; probablt dér. de l'anc. franç. *charne* «pivot, pilier», du lat. class. *cardo, -inis* «gond, point cardinal, pôle».

♦ **1.** Attache articulée composée de deux pièces métalliques enclavées l'une dans l'autre et réunies par un axe commun autour duquel l'une d'elles au moins peut tourner librement. *Boîte à charnière.* *Charnières de portes et de fenêtres.* ⇒ **Gond, penture.** *Couplet à charnières. Charnière d'applique, de cadenas. Partie de la charnière qui entre dans l'autre.* ⇒ **Mâle.** — *Munir de charnières.* ⇒ **Encharner.**

(...) le cadre de bois à peine plus haut que ma cheville, dans la charnière duquel on avait fait pour l'aération de l'hôtel glisser toutes ensemble les vitres qui se continuaient.
PROUST, le Temps retrouvé, Pl., t. III, p. 874.

Fam. *Nom à charnière* : patronyme comportant la particule nobiliaire *de.* Syn. fam. : *nom qui se dévisse.*

♦ **2.** Anat. Articulation permettant des mouvements de tension et de flexion. ⇒ **Ginglyme.** — (1611). *La charnière du genou.* — (Fin XVIᵉ). Articulation d'un membre artificiel.

(1752). Zool. *Charnière d'une coquille* : muscle de jonction des deux valves.

Géol. Axe (d'un synclinal, d'un anticlinal). *Charnière d'un pli.*

♦ **3.** a (1676). Techn. Outil de graveur sur pierre, servant à percer des trous.

b Reliure. Articulation du dos et des plats dans une reliure.

c Philatélie. Bande de papier collant pliée (pour coller les timbres-poste). *«Les cases* (de l'album) *y sont prévues, (...) et les charnières, petites languettes gommées, servent à fixer les timbres»* (R. Valuet, *le Timbre-poste,* p. 88).

♦ **4.** (Abstrait). a Milit. Point du front où s'articulent deux éléments d'un système stratégique.

b Point délicat et primordial qui conditionne tout le reste ; point de jonction. ⇒ **Articulation.** *Être à la charnière de deux époques.*

(1936). En appos. Intermédiaire. *Œuvre charnière. Date charnière. Événement charnière.*

COMP. Encharner.

CHARNU, UE [ʃaʀny] adj. — V. 1200 ; du lat. pop. *carnutus,* de *caro, carnis* «chair».

♦ **1.** Formé de chair. *Les parties charnues du corps.*

0.1 *Antonin* s'amuse à pétrir fortement les parties charnues du corps de sa victime ; embrasé des bonds qu'elle fait, il se précipite dans la partie offerte à ses plaisirs de choix.
SADE, Justine..., t. I, p. 154.

♦ **2.** (V. 1200). Bien fourni de chair. ⇒ **Chair** (bien en chair). *Lèvres charnues. Bras charnus.* ⇒ **Épais, corpulent, dodu.** *Corps charnu.* — *Elle était assez charnue.* ⇒ **Pulpeux.**

1 Les Finnois ont le corps musculeux et charnu (...)
BUFFON, Hist. nat. de l'homme, *in* LITTRÉ.

2 Si jeunes, et portant en cierge leur queue massive, charnue à la base comme une queue de petit mouton !
COLETTE, la Paix chez les bêtes, La mère chatte, p. 108.

Loc. fam. *Les parties charnues du corps* : les fesses.

Anat. *Colonnes charnues du cœur* : faisceaux musculaires qui font saillie sur la face interne du cœur.

♦ **3.** Bot. *Feuille charnue,* qui a la consistance de la chair.

(1542). *Fruit charnu,* dont la pulpe est épaisse.

♦ **4.** Par métaphore. *Un style charnu, robuste, plein de sève.*

DÉR. Charnure.
CONTR. Osseux. — Décharné, maigre, squelettique.

CHARNURE [ʃaʀnyʀ] n. f. — Fin XIIIᵉ, «carnation» ; dér. de *charn,* anc. forme de *chair,* et *-ure.*

♦ Vx ou littér. Ensemble, consistance des chairs du corps humain.

... mes charnures décomposées... milliers de gouttes qui gonflent mes cellules...
Tony DUVERT, Paysage de fantaisie, p. 161.

CHAROGNARD, ARDE [ʃaʀɔɲaʀ, aʀd] n. — Fin XIXᵉ (1894, au sens 2) ; de *charogne.*

♦ **1.** N. m. (1899). Vautour ; animal qui se nourrit de charogne.

Nous quittons ce triste équipage pour une auto, qui nous mène à six kilomètres de la ville, traversant des terrains vagues que hantent des hordes de charognards.
GIDE, Voyage au Congo, *in* Souvenirs, Pl., p. 685. — 1

Le bouc gisait éventré sur les pierres, et le gésier écarlate et dénudé qui saillait en avant du plumage des charognards disait assez que le festin avait commencé.
M. TOURNIER, Vendredi..., p. 19. — 2

♦ **2.** (1894). Exploiteur, exploiteuse impitoyable des malheurs des autres (rare au fém.). ⇒ **Chacal, vautour** (fig.).

Mais oui ! Mais oui ! Il sait bien ce qu'il fait le gredin ! Il le sait le petit salaud ! Le charognard ! La petite frappe ! Il a pas les yeux dans sa poche ! Il nous a bien vus dépérir ! Il est aussi vicieux que méchant !
CÉLINE, Mort à crédit, 1936, p. 388, *in* T. L. F. — 3

Appellatif injurieux :

Arsène, dont la fureur semblait encore s'échauffer, continuait à la secouer et à invectiver d'une voix sourde. Voleuse. Charognarde.
M. AYMÉ, la Vouivre, p. 204. — 4

♦ **3.** N. m. Milit. Vx (pendant la guerre de 1914). Celui qui récolte à l'arrière les places et les décorations sans les mériter.

CHAROGNE [ʃaʀɔɲ] n. f. — V. 1120 ; du lat. pop. *caronia,* du lat. class. *caro, carnis* «chair».

♦ **1.** (V. 1120). Corps de bête morte en putréfaction, cadavre humain en décomposition. *Charogne puante.* — *Insecte qui dépose ses œufs sur les charognes.* ⇒ **Nécrophore.**

Ne considérons plus un corps comme une charogne infecte.
PASCAL, Lettres, 4, *in* LITTRÉ. — 1

Au détour du chemin une charogne infâme (...)
Les jambes en l'air comme une femme lubrique
Brûlante et suant les poisons,
Ouvrait d'une façon nonchalante et cynique
Son ventre plein d'exhalaisons.
Le soleil rayonnait sur cette pourriture
Comme afin de la cuire à point
Et de rendre au centuple à la grande Nature
Tout ce qu'ensemble elle avait joint.
BAUDELAIRE, les Fleurs du mal, «Une charogne». — 2

L'Église sait pourtant que la charogne du riche purule autant que celle du pauvre et que son âme pue davantage encore.
HUYSMANS, En route, p. 19. — 3

Un homme mort est une charogne qui pue.
Claude MAURIAC, le Temps immobile, p. 41. — 3.1

Patrie, Sacrifice, Héroïsme, Honneur. Le haut lieu de ce culte est l'hôtel des Invalides qui dresse sur Paris sa grosse bulle d'or gonflée par les émanations de la Charogne impériale et des quelques tueurs secondaires qui y pourrissent.
M. TOURNIER, le Roi des Aulnes, p. 84. — 3.2

♦ **2.** (1606, *in* D. D. L.). Fam. (t. d'injure). Individu ignoble. ⇒ **Crapule, saleté.** → Carogne, cit. 2, Proust.

Y en a, ici, qui sont venues de Grenelle en carrosse, tout exprès pour se faire traiter de charognes.
COURTELINE, Messieurs les ronds-de-cuir, VIᵉ tableau, III. — 4

Adjectif :

Les clients pour se le concilier, pour qu'il se montre un peu moins charogne sur la question des renouvellements, s'inquiétaient beaucoup de son état (...)
CÉLINE, Guignol's band, p. 204. — 5

DÉR. Charognard, charogner, charognerie.

CHAROGNER [ʃaʀɔɲe] v. intr. — 1883 ; de *charogne.*

♦ **1.** Se transformer en charogne, pourrir.

♦ **2.** Tuer des proies animales, se nourrir de charognes (en parlant d'un oiseau).

(La rivière en crue) délayant les bouses fraîches, noyant les grillons et les taupes, forçant les corbeaux ou les pies à charogner en vol comme des mouettes (...)
H. BAZIN, Cri de la chouette, p. 10.

♦ **3.** Fig. Se comporter en charogne (2.), comme une crapule.

CHAROGNERIE [ʃaʀɔɲʀi] n. f. — 1861 ; de *charogne.*

♦ Péj. Caractère, comportement, action d'un individu ignoble (⇒ **Charognard,** 2.). ⇒ **Crapulerie.**

CHAROGNEUX, EUSE [ʃaʀɔɲø, øz] adj. — V. 1500; *charoi-gneux*, xvi⁰ ; de *charogne*.

Rare.

♦ **1.** (xvi⁰). Qui se nourrit de charogne, de chair morte.

♦ **2.** Qui contient des charognes, des cadavres animaux.

♦ **3.** (V. 1500). Littér. Qui tient de la charogne. ⇒ **Infect, répugnant.**

(...) l'art vieux est malsain ; malsaine en tout cas devrait être sa contemplation pro-longée dans les nécropoles froides où ses quartiers reposent ; morbide est la délec-tation prise à la vue de son cadavre, le culte rendu à de charogneux restes.
A. PIEYRE DE MANDIARGUES, la Marge, p. 132.

CHAROLAIS, AISE [ʃaʀɔlɛ, ɛz] adj. et n. — 1732 ; dér. de *Charol-les*, nom d'un chef-lieu d'arrondissement de Saône-et-Loire, et *-ais*.

♦ De Charolles ou de Charolais. — (1861). Spécialt. Élevé dans le Charolais (bovins). *Bœuf charolais. Race charolaise.* — N. *Un cha-rolais* : un bovin de cette race. *Des Charolais.*

Les amateurs de côte de bœuf ou de gîte à la noix se gardent d'avoir des yeux pour interroger ceux des charolais musclés, couleur d'aubépine, couleur de terre, couleur de vie, en train de piétiner dans les abattoirs.
Catherine PAYSAN, l'Empire du taureau, p. 116.

CHARPAGNE [ʃaʀpaɲ] n. f. — 1498, *charpaigne* ; orig. discu-tée ; probablt de **carpinea* «corbeille», de *carpineus* «fait de bois de charme», dér. de *carpinus* «charme».

♦ Régional (Nord-Est de la France). Grand panier d'osier en forme de calotte.

CHARPENTAGE [ʃaʀpɑ̃taʒ] n. m. — 1888, Courteline; *carpen-tage*, 1255 ; de *charpenter*.

♦ Techn. Travail, construction de la charpente (maison ; navire). *Le charpentage des vannes d'écluse.* ⇒ **Vannage.**
Charpente (en cours de construction).

Il fallait, premièrement, qu'ils suivissent le canal, puis, parvenus devant le char-pentage d'une église en construction, qu'ils tournassent brusquement à gauche et descendissent tout droit la rue de la Rochelle.
COURTELINE, le Train de 8 h 47, 1888, II, IV, *in* T. L. F.

CHARPENTE [ʃaʀpɑ̃t] n. f. — 1726 ; *charpante*, 1563 ; soit tiré de l'anc. franç. *charpent* «stature, corps», soit déverbal de *charpenter*.

♦ **1.** (1563). Assemblage de pièces de bois (par ext., de métal, de béton) constituant l'ossature, le bâti d'une construction. *Charpente de soutien.* ⇒ **Armature, bâti, carcasse, châssis, ossature.** *Char-pente provisoire.* ⇒ **Boisage, coffrage, échafaudage.** *Charpente de bois. Charpente de fer. Charpente métallique. L'échafaudage d'une charpente. Fondation d'une charpente. La charpente d'un mur, d'un toit* (⇒ **Comble**), *d'une maison, d'une fenêtre* (⇒ **Baie**), *d'un clo-cher, d'un navire, d'un pont, d'un lit* (⇒ **Châlit**). — *Ouvrage et charpente. Pièces de charpente* (termes de charpentier) : ⇒ **Ais-selier, arbalétrier, arc-boutant, archine, arêtier, assemblage, batar-deau, bâti, beffroi, cage, cale, chanlatte, chantier, chantignole, châs-sis, cheneau, chevron, cintre, colombage, comble, contre-fiche, con-treventement, corbeau, corniche, cornier** (poteau cornier), **coyau, croisillon, décharge, doubleau, drome, enrayure, entrait, entremise, entretoise, épi, équerre, étai, étrésillon, étrier, faitage, faiteau, ferme, gable, guette, happe, jambe de force, jambette, jumelle, lambourde, latte, limande, linçoir, linteau, longeron, longrine, moise, montant, noue, noulet, pan, panne, patin, pilier, planche, plancher, plançon, plantage, poinçon, point** (d'appui), **pointal, portée** (de poutre), **poteau, potelet, potence, poutrage, poutre, pylône, racinal, radier, refend** (poteau de refend), **sablière, semelle, sole, solive, sommier, sous-faîte, support, surbout, tasseau, tirant, tournisse, travée, tra-verse, ventrière.** *Travail d'une pièce de charpente.* ⇒ **Rainure, refouillement, ruinure ; rénette.** *Le plan d'une charpente. La charge d'une charpente. Charpente carrée*, mise d'équerre. Emboîtement de deux pièces de charpente. Le cadre, le bâti d'une charpente. Tracer le cadre d'une charpente.*

1 Les os sont, dans l'architecture du corps humain, ce que sont les pièces de bois dans un bâtiment de charpente.
BOSSUET, Traité de la connaissance de Dieu..., II, 7.

1.1 Il leva une dernière fois les yeux, il regarda les Halles (...) L'énorme charpente de fonte se noyait, bleuissait, n'était plus qu'un profil sombre sur les flammes d'incendie du levant.
ZOLA, le Ventre de Paris, t. I, p. 50.

2 (...) des couchettes qui semblaient creusées dans l'épaisseur de la charpente s'ouvraient comme des niches d'un caveau pour mettre les morts.
LOTI, Pêcheur d'Islande, I, I, p. 2.

Fabrication des charpentes. ⇒ **Charpentage, charpenterie.** *Atelier de charpentes.* — *Bois de charpente* : châtaignier, chêne, orme, pin, sapin.

Par métonymie. Matière première destinée à la construction de char-pentes. *Une charpente* : pièce, élément de charpente.

♦ **2.** Ce qui soutient (comme le fait une charpente). *La charpente du corps humain.* ⇒ **Architecture, carcasse, ossature, squelette,**

structure. — *Avoir la charpente solide, avoir une solide charpente.* ⇒ **Charpenter** (être bien charpenté).

Il (Gluck) était grand, gros, très fort, corpulent sans être obèse, de charpente 3
ramassée et musculeuse. R. ROLLAND, les Musiciens d'autrefois, p. 226.

Bot. *La charpente d'une feuille.* ⇒ **Nervure.**

(1924). Hortic. Disposition donnée aux principales branches d'un arbre fruitier. *Charpente à grandes formes* (palmettes), *en cordon.*

♦ **3.** (1726). Abstrait. Plan*, structure* (d'un ouvrage littéraire). *La charpente d'une pièce de théâtre, d'un roman.*

COMP. **Sous-charpentière.**

CHARPENTER [ʃaʀpɑ̃te] v. tr. — V. 1172, *charpanter* ; soit dér. de l'anc. franç. *charpent*, soit du lat. vulg. *carpentare*, de *carpentum* «char à deux roues», soit du rad. de *charpentier*, comme *charcuter* de *charcutier*.

♦ **1.** (V. 1172). Tailler (des pièces de bois) pour faire une charpente. ⇒ **Dégauchir, équarrir, tailler.** *Charpenter une poutre.* — *Charpen-ter un assemblage.* ⇒ **Menuiser ; cintrer, contreventer, enchaîner, lier, soutenir.**

♦ **2.** (1845). Fig. Façonner, construire (un discours, une œuvre litté-raire). *Charpenter habilement son discours* (Académie).

♦ **3.** Par métaphore ou fig. (Sujet n. de chose). Maintenir, soutenir (comme le fait une charpente). *Les os qui charpentent le corps.* — (Abstrait). *Les liaisons qui charpentent le récit.*

▶ **CHARPENTÉ, ÉE** p. p. adj.

♦ **1.** Pourvu d'une charpente.

♦ **2.** Par anal. *Poème bien charpenté,* bien construit. — *Corps soli-dement charpenté,* dont la charpente est forte, équilibrée. — *Bien bâti.* ⇒ **Bâti.**

(...) il avait sous la main une brave fille à peu près de son âge, une enfant du pays, habituée au travail, et crânement charpentée, on peut le dire !...
Alphonse DAUDET, Fromont jeune et Risler aîné, p. 149.

DÉR. **Charpente.**

CHARPENTERIE [ʃaʀpɑ̃tʀi] n. f. — V. 1170 ; de *charpentier*, et *-erie.*

Technique.

♦ **1.** Technique des charpentes de bois. ⇒ **Menuiserie.** *S'initier à la charpenterie.*

♦ **2.** Chantier de charpente. — Atelier de charpentier.

♦ **3.** Ensemble des charpentes utilisées pour la construction (d'une maison, d'un navire, etc.).

♦ **4.** Mar. Endroit où sont déposés les bois de construction dans un port.

CHARPENTIER [ʃaʀpɑ̃tje] n. m. — V. 1175, *carpentier* ; du lat. *carpentarius* «charron». → Charpenter.

♦ **1.** Celui qui taille et assemble des pièces de bois, fait des travaux de charpente. ⇒ **Menuisier** (→ Assujettir, cit. 17 ; boulonner, cit. 1). *Un charpentier habile, expérimenté. Un chef-d'œuvre de charpen-tier.* — Appos. *Maître charpentier. Artisan charpentier.* — *Menui-sier-charpentier.*

Mais là-bas dans l'immense chantier 1
Vers le soleil des Hespérides
En bras de chemise, les charpentiers
Déjà s'agitent (...) RIMBAUD, Poésies, LXXII, « Bonne pensée du matin ».

Un de ses frères était curé, un autre, couvreur ; un de ses neveux charpentier. 2
A. FRANCE, la Vie de Jeanne d'Arc, p. 4, *in* T. L. F.

Outillage de charpentier. ⇒ **Amorçoir, bec** (d'âne), **besaiguë, oiseau, ébauchoir, équerre, gouge, hache, herminette, maillet, piochon, ros-signol, rouanne, rubrique, simbleau, tarière, tenailles, traceret, tra-çoir, vérin...** *Craie de charpentier.* ⇒ **Arcanne.** *Clou de charpentier.*

♦ **2.** Vieilli (pêche). *Charpentier de baleine* : pêcheur de baleine qui la dépèce pour en enlever le lard.

♦ **3.** Personne qui établit le plan, la structure d'une œuvre. « *Ce charpentier de la couleur* (Cézanne) » (Renard, *Journal,* 1904, p. 926, *in* T. L. F.).

REM. Le fém. *charpentière* est virtuel.

DÉR. **Charpenterie.**

CHARPENTIÈRE [ʃaʀpɑ̃tjɛʀ] n. f. — 1845 ; de *charpentier.*

♦ Insecte hyménoptère femelle, qui taraude le bois pour y déposer ses œufs. — Appos. ou adj. *Fourmis charpentières.*

CHARPIE [ʃaʀpi] n. f. — xiii⁰ ; *carpie,* v. 1300 ; déverbal de *charpir* «tailler le bois» (vx).

♦ **1.** (V. 1300). Ancienn. Amas de fils tirés de vieille toile (remplacée par le coton, la gaze), servant à faire des pansements. *Faire de la charpie. Panser les plaies avec de la charpie. Tampon de charpie.* ⇒ **Plumasseau.**

1 Cette eau, cette éponge, cette charpie avec lesquelles vous lavez ou vous recouvrez une plaie y déposent des germes qui (...)
PASTEUR, *in* VALLERY-RADOT, Vie de Pasteur, p. 361.

2 Tandis que les bonnes sœurs réunissaient les tout petits pour faire des montagnes de charpie, les moyens et les plus grands passaient leurs journées entières à polissonner au milieu des soldats (...) M. BARRÈS, la Colline inspirée, p. 286.

Par métaphore, littér. Matière qui rappelle la charpie.

3 La neige tombait, et, comme l'épave ne remuait plus, cette charpie blanche faisait sur le pont une nappe et couvrait le navire d'un suaire.
HUGO, l'Homme qui rit, t. I, 1869, p. 125, *in* T.L.F.

4 (...) les lignes solennelles des sapins sous le ciel où le vent du mauvais été poussait une sombre charpie de nuages, le pas des chevaux et le grincement assourdi de la voiture qui suivait, s'accordaient à la marche silencieuse des béquilles caoutchoutées.
MALRAUX, Antimémoires, Folio, p. 35.

♦ **2.** Loc. *Mettre une chose en charpie,* la déchirer en menus morceaux. — (1300). *Viande (réduite) en charpie :* viande trop cuite. ⇒ **Bouillie** (en bouillie).
Par ext. *Mettre qqn en charpie.* ⇒ **Écharper.** — *S'en aller en charpie :* se dégrader.

CHARPIR [ʃaʀpiʀ] v. tr. — xiᵉ; d'un bas lat. **carpire,* issu par changement de conjugaison de *carpere* «cueillir, arracher».
Vieux.

♦ **1.** Effiler la laine, la toile.

♦ **2.** (1611). Mettre en petits morceaux, en charpie.
REM. Ce verbe est remplacé par une périphrase contenant la loc. *en charpie.*
DÉR. Charpie.

CHARRE [ʃaʀ] n. m. ⇒ 2. **Char.**

CHARRÉE [ʃaʀe] n. f. — V. 1280, *carrée;* dér. d'un terme issu du bas lat. *cathara (aqua)* «(eau) propre, qui purifie».

♦ Ancienn. Cendre de bois employée pour la lessive, et qui servait à l'amendement des terres, ou entrait dans la composition des verres à bouteilles.
Résidu de soude brute.
DÉR. 2. Charrier.

CHARRETÉE [ʃaʀte] n. f. — 1086, *caretede;* de *charrette.*

♦ **1.** Ce que contient une charrette. *Une charretée de foin, de paille, de bois.*

1 Des appels, le bruit d'une pièce de bois ou d'une chaîne de fer tombant sur le pavé, l'éboulement sourd d'une charretée de légumes, le dernier ébranlement d'une voiture buttant contre la bordure d'un trottoir (...)
ZOLA, le Ventre de Paris, t. I, p. 13-14.

2 (...) les paysans avaient fait entrer à Carpentras plus de cinquante charretées de gros melons d'eau. J. GIONO, le Hussard sur le toit, p. 23.

♦ **2.** Fam. Grande quantité. *Une charretée d'injures* (cf. Une bordée, un tas d'injures). *Il y en a des charretées.* ⇒ **Charibotée.** — Loc. *Par charretées, à pleines charretées :* en grande quantité.

CHARRETERIE [ʃaʀtʀi; ʃaʀetʀi] n. f. — Attesté 1877, Flaubert; de *charrette.*

♦ Régional (Ouest). Remise pour les charrettes.

CHARRETIER, IÈRE [ʃaʀtje, jɛʀ] n. et adj. — V. 1273 (n.); de *charrette.*

♦ **1.** N. (V. 1273). Personne qui conduit une charrette tirée par des animaux (chevaux, etc.). *Cris de charretier* (→ Hue, dia, huhau). — Loc. compar. (de la réputation de brutalité des charretiers). *Grossier, brutal comme un charretier. Se conduire comme un charretier. Jurer comme un charretier :* jurer grossièrement.

1 Des querelles, des clameurs, dont le bruit se joint (...) aux jurements des charretiers, au bruit des caissons (...) Ph. P. SÉGUR, Hist. de Napoléon, IV, 7.

Par ext. Homme grossier, rustre. *C'est un vrai charretier.*
En appos. *Garçon charretier. Maître charretier.*

♦ **2.** Adj. (Fin xiiᵉ). Destiné aux charrettes. *Chemin charretier. Porte charretière,* qui permet le passage d'une charrette.

2 (...) des portes charretières restent béantes, montrant des enfilades de cours, très profondes (...) ZOLA, l'Œuvre, p. 77.

3 La porte charretière, tout le village savait comment secouer son gros vantail pour faire tomber, derrière, une lourde barre de fer qui eût dû le verrouiller.
COLETTE, Flore et Pomone, *in* Gigi, p. 151.

Voie charretière : distance entre les roues d'une charrette, généralement déterminée par les règlements de police.

CHARRETON [ʃaʀtɔ̃] n. m. — V. 1173; de *charrette,* et suff. *-on.*

♦ **1.** (Déb. xivᵉ). Petite charrette sans ridelles.

♦ **2.** Voiture à bras.

Il y avait des charretons de tous côtés, chargés de marchandises, derrière lesquels se dissimulaient les femmes aux yeux perçants.
J.-M. G. LE CLÉZIO, le Déluge, p. 78.

Maillat entendit un bruit de roues sur les pavés, et au même instant, un petit charreton, poussé par un biffin, débouchait sur sa droite.
Robert MERLE, Week-end à Zuydcoote, p. 9.

♦ **3.** (V. 1173). Vx. Conducteur de charrette. ⇒ **Charretier.**

1. CHARRETTE [ʃaʀɛt] n. f. — 1080, *Chanson de Roland, carette;* de *char,* et *-ette.*

♦ **1.** Voiture à deux roues et à deux limons, garnie de ridelles, tirée par un ou plusieurs animaux de trait, un ou des hommes, un tracteur, et servant à transporter des fardeaux. ⇒ **Berot, carriole, char, chariot, chartil, gerbière, haquet, surtout, tombereau.** *Les ridelles d'une charrette.* ⇒ **Haussière; trésaille.** *L'aideau* d'une charrette, appuyé sur les ridelles. Lier un fardeau sur une charrette* (⇒ **Liure; pouliot; tortoir**). *Atteler, conduire, mener une charrette.* ⇒ **Charrier; charretier.** *Charger, décharger une charrette.* ⇒ **Charretée** (→ Bolide, cit. 1; bruit, cit. 9). *Fabricant de charrettes.* ⇒ **Charron.** *Remise pour les charrettes.* ⇒ **Charreterie.** *Chemin de charrettes.* ⇒ **Charrière.**

«Aide-toi, le ciel t'aidera.» Pourtant la charrette quelquefois est bien lourde à désembourber. FLAUBERT, Correspondance, t. II, p. 275 (éd. Charpentier).

(1835). **CHARRETTE À BRAS :** petite charrette à brancards tirée par un ou deux hommes. ⇒ **Charreton.**

(1884, *in* D.D.L.). **CHARRETTE ANGLAISE :** voiture légère à deux ou quatre places et généralement à deux roues, tirée par un cheval.
Je n'ai pas d'hôtel, moi, ni de chevaux, ni de charrette anglaise.
Alphonse DAUDET, l'Immortel, p. 33.

La charrette des condamnés : sorte de charrette qui servait à conduire les condamnés à la guillotine pendant la Terreur.

Comme il passait sur le Pont-Neuf, il vit déboucher (...) une charrette qui traînait lentement à la guillotine (...) un ci-devant, le premier condamné du nouveau tribunal révolutionnaire. FRANCE, Les dieux ont soif, III, p. 33.

Fig. Groupe de personnes sacrifiées, licenciées. *«Autant de réductions de personnel. Autrement dit, on prépare des charrettes»* (le *Nouvel Obs.,* 11 déc. 1978).

Par plais. (souvent péj.). Char, chariot. — Fam. Automobile. ⇒ **Bagnole.** *Cette charrette ne veut pas démarrer.*

♦ **2.** Loc. *C'est une charrette mal attelée* (⇒ **Atteler**). — *C'est la cinquième roue de la charrette :* c'est une personne qui ne compte pas, dont le rôle est insignifiant.

♦ **3.** (1925, argot des Beaux-Arts). Fam. Dans les métiers graphiques, Période de travail intensif permettant de mener à bien un projet particulièrement urgent (par allusion aux élèves architectes qui, le jour de l'exposition, transportaient leurs travaux dans une charrette). *Charrette sur concours.* — Loc. *Être en charrette, être charrette :* être pressé; être en retard; avoir beaucoup de travail urgent.

Ce qui l'immobilisait, c'était l'aspect de la salle, au matin de «la nuit de charrette», ainsi que les architectes nomment cette nuit suprême de travail.
ZOLA, l'Œuvre, p. 68.

DÉR. Charretée, charreterie, charretier, charreton.

2. CHARRETTE [ʃaʀɛt] n. f. et interj. — Attesté 1901; altér. de *charogne,* d'après 1. *charrette.*
Régional (Savoie, Suisse).

♦ **1.** N. f. Coquin, canaille (nuance fréquemment positive). *Charrette de X...!* → Sacré* X.

♦ **2.** Interjection.
Il faut abattre la bête! — Charrette! dit l'un d'eux.
A. L. CHAPPUIS, À petit feu, p. 51.

CHARRIABLE [ʃaʀjabl] adj. — V. 1600, repris 1867; «carrossable», xivᵉ; de *charrier.*

♦ Qui peut être charrié (I., 1.). ⇒ **Transportable.** *Ces blocs de pierre sont difficilement charriables à cause de leur volume.*

CHARRIAGE [ʃaʀjaʒ] n. m. — 1240, *kariage;* de 1. *charrier.*

★ **I.** ♦ **1.** (1240). Action de charrier ou d'être charrié. ⇒ **Transport.**
Marguerite prit la chaise par le dossier, et la traîna, renversée, sur les pieds de derrière, qu'un tel charriage usait à la longue.
ZOLA, Au Bonheur des Dames, 1883, p. 636, *in* T.L.F.

Par métonymie. Ce qui est charrié. *«Un charriage lent s'en allait...»* (Zola, la Terre).

♦ **2.** (En parlant d'un cours d'eau). Action d'entraîner qqch. *Le charriage des glaces par un fleuve.*

(1886). Géol. Déplacement des terrains sous l'effet d'une poussée latérale. *Nappe* de charriage.*

★ **II.** Fam. Action de charrier (II.), d'exagérer.

1. CHARRIER [ʃaʀje] v. — V. 1100, *carier ; de char.* → Charroyer.

★ **I.** ♦ **1.** (V. 1100). Transporter* (qqch., qqn, une charge) dans un chariot, dans une charrette. ⇒ **Charroyer.** *Charrier des pierres, du grain, des gerbes.*

1 La campagne (...) est couverte d'hommes (...) qui roulent ou qui charrient le bois du Liban.   LA BRUYÈRE, les Caractères, VI, 78.

Transporter par ses propres moyens. *Charrier du bois sur ses épaules.*

Fig., vx. Absolt. *Charrier droit :* bien se conduire.

♦ **2.** (1600). Sujet n. de chose : cours d'eau. Entraîner, emporter dans son cours, en parlant d'une rivière. *Charrier des glaçons, du sable, du limon.* — (En parlant d'un canal ; le compl. désigne un liquide ou ce qu'il emporte) :

1.1 A la seule idée qu'on pourrait me priver de cette satisfaction, il me semble que mes veines charrient de la bile au lieu de sang, mon pauvre ami !
VILLIERS DE L'ISLE-ADAM, Tribulat Bonhomet, p. 112.

Absolt. Entraîner des glaces. *Le fleuve charrie.* (Le sujet désigne un courant, un mouvement concret ou abstrait). ⇒ **Transporter ; chasser.** *Charrier qqch. avec soi, derrière soi.*

2 L'air était frais ; le ciel charriait des nuages (...)
HUGO, Notre-Dame de Paris, IX, 1.

3 (...) une bise aigre s'était levée, qui charriait de la neige fondue.
MARTIN DU GARD, les Thibault, t. IV, p. 67.

4 L'humeur est bien nommée, car ce sont nos humeurs balancées, avec tout ce qu'elles charrient, selon ce qu'elles lavent, ou obstruent, ou irritent, ce sont nos humeurs qui nous font instables en dépit de nos résolutions.
ALAIN, les Aventures du cœur, p. 107.

4.1 Regardez tout ce qu'une civilisation charrie derrière elle, le bon, le mauvais.
MARTIN DU GARD, les Thibault, La Sorellina, 1928, p. 1237, in T. L. F.

★ **II.** (1877 ; altér. de *cherrer,* sous l'infl. de *charrier,* I.). Pop. puis fam.

♦ **1.** V. tr. Se moquer de (qqn) en lui faisant accroire. ⇒ **Mystifier ; blaguer, chambrer, taquiner ;** → Faire marcher*, mener en bateau*, mettre en boîte*.

♦ **2.** V. intr. Exagérer*, soit en paroles (en se moquant, en mentant, en trompant), soit en actes.

Plaisanter. *Tu charries, non ?* → Sans blague*. *Non, sans charrier ?* ⇒ 2. **Char.**

4.2 On peut charrier tant qu'on veut, mais quand on voit des types comme ça mourir, ça fait vraiment quelque chose.
PROUST, le Temps retrouvé, Pl., t. III, p. 821.

5 — Tu sais qu'il charrie pas, le mec.   Francis CARCO, Jésus-la-Caille, IV, p. 43.

Il commence à charrier. ⇒ **Exagérer.** *Faut pas charrier. Tu charries !* — Loc. *Charrier dans les bégonias* (⇒ vx **Cherrer**).

DÉR. (De I.) **Charriable, charriage, charrieur.** — (De II.) 2. **Char** ou **charre.**

2. CHARRIER [ʃaʀje] n. m. — 1390 ; de *charrée,* par substitution du suff. *-ier.*

♦ Vx. Grosse toile sur laquelle on place la charrée, dans un cuvier*.

CHARRIÈRE [ʃaʀjɛʀ] n. f. — V. 1119 ; de *char,* et *-ière.*

♦ Vx ou régional. Chemin par où passent les charrettes.

CHARRIEUR, EUSE [ʃaʀjœʀ, øz] n. et adj. — 1834 ; de 1. *charrier.*

★ **I.** (1867). Personne qui transporte (certaines choses).

Dans les ténèbres de la vallée, sur le tracé des routes, des chemins et des sentiers de petits points lumineux se déplaçaient : c'était la lanterne des patrouilles, le fanal des brancardiers, la torche des charrieurs de morts en travail.
J. GIONO, le Hussard sur le toit, p. 189.

(Appos. ou adj.). Fig. *« Un grand courant charrieur de faits sociaux et de passions humaines »* (Malègue, *Augustin,* t. I, 1933, p. 92, in T. L. F.).

★ **II.** (⇒ **Charrier,** II.). ♦ **1.** Personne qui exagère, qui se moque (de qqn).

♦ **2.** N. m. (1834). Argot, vx. Voleur, mystificateur.

N. m. et f. Personne qui recrute des clients pour les tripots.

CHARROI [ʃaʀwa] n. m. — Mil. XIIᵉ ; de *charroyer.*

♦ **1.** (1398). Transport par chariot, charrette, tombereau. ⇒ **Charriage, transport.** *Un charroi de bois. Chemin de charroi.* — Milit. ⇒ **Train, transport.** *Le Charroi de Nîmes,* chanson de geste.

Littér. Agitation d'une foule en mouvement. *« Le vivant charroi des villes »* (Saint-Exupéry, in T. L. F.).

♦ **2.** (V. 1200). Groupe de chariots qui se déplacent ensemble.

1 Au fond de l'horizon courait un roulement sourd : le charroi sur la piste de Megalopolis.   J. GIONO, Naissance de l'Odyssée, p. 68.

♦ **3.** (Mil. XIIᵉ). Vx ou régional. Chariot.

Par métonymie. Ce que transporte un chariot. ⇒ **Charretée.**

2 Il cueillait dans ses prés du foin à pleins charrois (...)
G. SAND, la Petite Fadette, I, p. 5.

CHARRON [ʃaʀɔ̃] n. m. — 1268 ; de *char,* et *-on.*

♦ **1.** (1268). Anciennt (ou dans une civilisation artisanale). Celui qui fabrique et répare les chariots, les charrettes, ainsi que les roues de ces véhicules (⇒ **Brouettier**). *Outils du charron :* bec d'âne (bédane), châsse, chèvre, gouge, plane, selle. *Le forgeron et le charron du village.*

En appos. *Apprenti charron.*

REM. Le fém. n'est pas attesté.

♦ **2.** Argot. *Aller au charron, crier au charron :* crier fort, crier au secours (devant un voleur).

DÉR. Charronnage, charronner, charronnerie.

CHARRONNAGE [ʃaʀɔnaʒ] n. m. — 1690, Furetière ; de *charron.*

♦ Anciennt. Métier ou travail du charron. *Bois de charronnage :* bois propre aux ouvrages de charronnage (chêne, érable, frêne, hêtre, orme).

CHARRONNER [ʃaʀɔne] v. tr. — 1904 ; de *charron.*

♦ Vx. Travailler (le bois) comme un charron.

Au p. p. :

(...) des roues *(d'une charrette),* charronnées, puis brisées, réparées au moyen d'éclisses de frêne.   B. VIAN, l'Arrache-cœur, p. 162.

Absolt. Travailler à son ouvrage (en parlant d'un charron).

CHARRONNERIE [ʃaʀɔnʀi] n. f. — 1295, *caronnerie ; de charron.*

Anciennement.

♦ **1.** (1872). Industrie du charronnage. — Ouvrage du charron.

♦ **2.** (1859). Atelier du charron.

CHARROYER [ʃaʀwaje] v. tr. — Déb. XIIIᵉ ; de *char,* et *-oyer.*

♦ Vieilli ou régional. Charrier, transporter (une charge).

Ils charroient le matériel à l'intérieur et renversent le traîneau les patins en l'air.   Jean-Yves SOUCY, Un dieu chasseur, p. 103.

DÉR. Charroi, charroyeur.

CHARROYEUR [ʃaʀwajœʀ] n. m. — 1866 ; de *charroyer.*

♦ Vieilli ou régional. Celui qui charroie. ⇒ **Charretier.** — REM. Le fém. *charroyeuse* est virtuel.

CHARRUAGE [ʃaʀyaʒ] n. m. — XIIIᵉ, au sens 2 ; le sens 1, attesté dans les dict. en 1907, est évidemment très antérieur ; de *charruer.*

Agriculture.

♦ **1.** Labour à la charrue.

Plus d'une l'avait laissé voir, et souvent, quand il s'en allait, à la brune, le corps penché en avant, les pieds raidis par le charruage, suivant le harnais qui rentrait et longeait les « traces » (...)
René BAZIN, le Blé qui lève, 1907, p. 57, in T. L. F.

♦ **2.** (XIIIᵉ). Étendue de terre qui peut être labourée avec une charrue en une journée. — Par ext. Terre labourée.

CHARRUE [ʃaʀy] n. f. — V. 1190 ; du lat. impérial *carruca* « char d'apparat », puis « char gaulois ».

♦ **1.** Instrument servant à labourer la terre (instrument aratoire*) dont la pièce principale est un soc tranchant. ⇒ **Brabant, buttoir, cultivateur, déchaumeuse, défonceuse, fouilleuse, grattoir, ritte, tourne-oreille.** *Remplacer l'araire, la houe par la charrue. Le bâti d'une charrue.* ⇒ **Âge, étançon, entretoise, sep.** *Les pièces travaillantes de la charrue.* ⇒ **Coutre, étrier, soc, versoir.** *Les pièces de réglage et de direction de la charrue.* ⇒ **Mancheron, palonnier, régulateur, timon.** *Pièces accessoires d'une charrue.* ⇒ **Rasette, sellette ; enfouisseur.** *Charrue simple.* ⇒ **Araire ; areau.** *Charrue à support, à sabot, à roulette. Charrue à avant-train,* formée de deux roues. *Charrues à socs multiples. Charrues bissoc, trisoc, polysoc.* ⇒ **Bissoc, trisoc, polysoc ;** et aussi **canadienne.** *Charrue vigneronne,* servant à labourer les vignes. *Charrue-balance,* mue par un treuil (à vapeur ou électrique). — *Charrue à mains,* en horticulture. ⇒ **Binot, ratissoire, sarcloir.** *Le tranchant d'une charrue. Cheville* ouvrière d'une charrue. Crochet d'attelage d'une charrue. Charrue tirée par des bœufs, des chevaux, un tracteur. Nettoyer le soc d'une charrue avec un débouchoir. Retourner la terre, tracer un sillon avec une charrue* (⇒ **Labourer**). *Premier sillon qu'ouvre la charrue dans un champ.* ⇒ **Enrayure.** *Ados formé par la charrue dans une terre labourée.* ⇒ **Billon; tranche** (→ Biner, cit. 1).

0.1 (...) il conduisit les charrues dans les terres; il y fit passer légèrement le soc, et y sema de l'orge mélangé d'avoine, le plus clair possible.
RESTIF DE LA BRETONNE, la Vie de mon père, p. 49.

1 On ne trouve aucun reste de charrue ni d'instrument aratoire, de sorte que l'on peut douter que l'homme connût l'agriculture.
FUSTEL DE COULANGES, Leçons à l'impératrice..., p. 15.

2 Charrues, que des bœufs sur nos champs vous promènent! Creusez la terre comme un boutoir : le soc inemployé dans le hangar se rouille (...)
GIDE, les Nourritures terrestres, V, III, p. 121.

(1868). *Par anal. Charrue à neige :* type de chasse-neige.

♦ **2.** Fig., littér., vx. *Les travaux des champs.* ⇒ **Agriculture.**

3 Il ne sait pas que la charrue est plus noble que le froc.
VOLTAIRE, l'Homme aux 40 écus.

Loc. *Par le fer et par la charrue* (lat. : *ense et aratro*) : maxime de la conquête coloniale (c'était notamment la devise de Bugeaud).

♦ **3.** Loc. fig., fam. (vieilli). *Tirer la charrue :* mener une vie pénible, fatigante. — *C'est une charrue mal attelée*.*

Mod. *Mettre la charrue devant, avant les bœufs :* faire d'abord ce qui devrait être fait ensuite, après.

4 Martial avait mis la charrue devant les bœufs. Il aurait voulu d'abord être sûr que Dieu existe, que la mort n'est pas la mort; et ensuite, fort de cette assurance, il aurait peut-être essayé de vivre un peu mieux (...)
Jean-Louis CURTIS, le Roseau pensant, p. 256.

Loc. vieillie. *Un cheval de charrue :* un homme grossier, stupide. Syn. : *cheval de labour.*

Rare. *Pousser, aider à la charrue :* apporter son aide. → Pousser à la roue*.

5 C'est vrai? demandait Germaine, anxieuse de comprendre, anxieuse d'aider, de pousser à la charrue. F. MALLET-JORIS, le Jeu du souterrain, p. 13.

DÉR. Charruer.

CHARRUER [ʃaʀye] v. tr. — 1339; de *charrue.*

♦ Vx ou régional. Labourer; retourner comme avec une charrue.

1 Le corps de la terre avait été charrué par les griffes de la pluie.
J. GIONO, Naissance de l'Odyssée, p. 73.

2 Nous écorchons les maisons avec nos ramures mélangées. Nous charruons les rues avec nos racines plus puissantes que les serpents sacrés.
J. GIONO, le Hussard sur le toit, p. 220.

DÉR. Charruage.

CHARTE [ʃaʀt] n. f. — Mil. XIᵉ, *chartre; charte,* av. 1338; *chartre,* du lat. class. *chartula* «petit écrit», bas lat. «acte, document», dér. du lat. class. *charta* «feuille de papyrus», d'où «lettre, acte». — REM. La forme *chartre* [ʃaʀtʀ] s'est employée jusqu'au XIXᵉ s.

♦ **1.** Au moyen âge, Titre de propriété, de vente, de privilège octroyé. *Charte de dotation à une abbaye. Les chartes des monastères. Charte octroyée à un serf.* — Spécialt. *Charte d'affranchissement des communes. Bénéficier d'une charte. Concéder une charte. Accorder une charte.*

1 Une charte solennelle (...) fixe par le menu tous les avantages dont les hôtes *(des villes neuves)* bénéficieront à jamais. Plus de servage personnel.
Pierre GAXOTTE, Histoire des Français, I, IX, p. 313.

École nationale des chartes : école instituée pour préparer des spécialistes des documents anciens. ⇒ **Chartiste.**

♦ **2.** Lois constitutionnelles établies par un souverain. — (1771). Hist. *La grande Charte d'Angleterre,* accordée par Jean sans Terre à la nation anglaise *(Magna Carta,* 1215).

2 Les seigneurs anglais, révoltés contre lui *(Jean sans Terre),* l'obligèrent à signer la *grande Charte,* par laquelle il renonçait à tous les abus de son pouvoir; ce fut l'origine des droits des Anglais envers le gouvernement.
Ch. SEIGNOBOS, Essai d'une hist. comparée des peuples..., VII, p. 132.

(1789). *Charte constitutionnelle.* — (1814). *La charte constitutionnelle,* et, ellipt., *la Charte :* Constitution politique de la Restauration octroyée par Louis XVIII en 1814. *La Monarchie selon la Charte.*

3 La Charte pour la plus grande partie de la nation, avait l'inconvénient d'être *octroyée :* c'était remuer, par ce mot très inutile, la question brûlante de la souveraineté royale ou populaire.
CHATEAUBRIAND, Mémoires d'outre-tombe, III, III.

4 D'une Charte imposée, qui l'eût diminué *(Louis XVIII),* qui eût soumis son pouvoir à toutes sortes d'exigences et de capitulations successives, comme il était arrivé à Louis XVI, il fit une Charte accordée, «octroyée».
J. BAINVILLE, Hist. de France, XVIII, p. 431.

♦ **3.** Lois, règles fondamentales d'une organisation officielle. *La charte des Nations unies. Charte d'un syndicat.*

DÉR. Chartisme, chartiste. — (De *chartre*) **Chartrier.**
COMP. Charte-partie.

CHARTE-PARTIE [ʃaʀtpaʀti] n. f. — 1372, *chartre-partie;* de *charte,* et *partie,* p. p. de *partir* «séparer». Cf. Avoir maille à partir.

♦ **1.** Anciennt. Acte dont les deux expéditions étaient faites sur une même feuille qu'on traversait, avant de les séparer, de traits en zigzag, de façon à éviter toute falsification.

♦ **2.** (1606). Mar. Écrit constatant l'existence d'un contrat d'affrètement. ⇒ **Affrètement, nolissement.** *Des chartes-parties.*

Toute convention pour louage d'un vaisseau, appelée *charte-partie, affrètement* ou *nolissement,* doit être rédigée par écrit. Code de commerce, art. 273.

CHARTER [ʃaʀtɛʀ] n. m. — V. 1950; angl. *charter,* nom, du verbe *to charter* «affréter».

♦ Anglic. Avion affrété pour un vol particulier. — T. proposés : *avion* (ou *vol*) *nolisé*, affrété.* — *Aller en charter aux États-Unis. Compagnie de charters,* louant des avions pour un vol (le prix des places étant plus bas, du fait de l'occupation totale).

Trois ans plus tôt, j'étais parti en charter avec Etienne pour la Thaïlande et nous avions poussé jusqu'en Indonésie. Cécil SAINT-LAURENT, la Mutante, p. 271.

En appos. *Avion charter.* « *Toutes ces compagnies "charter"* (sic) *qui tendent à se multiplier* » (*Science et Vie,* n° 593, p. 96). *Vol charter. Billet, prix charter.*

Par anal. *Train charter* (*l'Express,* 14 mai 1973).

REM. Le verbe tiré de *charter* est normalement (en France) *chartériser,* francisable en *noliser* (ex. au p. p. : *un avion chartérisé*); l'exemple suivant ne constitue pas un usage observé, mais probablt un emploi d'auteur :

Au Canada, dix, douze compagnies privées assurent des services réguliers ou «chartent» des avions. Excusez-moi d'employer ce vieux mot français devenu un anglicisme, mais «charter» est vraiment passé ici dans le domaine populaire. N'importe qui peut louer un avion, du plus petit au plus gros, pour son usage personnel et la destination qu'il désire (...)
R. FRISON-ROCHE, Peuples chasseurs de l'Arctique, p. 20.

CHARTIL [ʃaʀtil] n. m. — XIIIᵉ; de *char.* → Chenil, fenil.
Vieux.

♦ **1.** Longue charrette* servant à transporter les gerbes. ⇒ **Gerbière.**

♦ **2.** Hangar servant de remise (aux charrettes, aux instruments aratoires, etc.).

CHARTISME [ʃaʀtism] n. m. — 1846; angl. *chartism* «mouvement réformiste anglais» (1838-1848), de *chart* «charte».

♦ En Angleterre, Union des ouvriers formée vers 1838 en vue d'obtenir une amélioration du sort des travailleurs.

CHARTISTE [ʃaʀtist] adj. et n. — Av. 1824; I., 1. et II. de *charte;* I., 2. empr. à l'angl. *chartist* «partisan du mouvement libéral anglais» (1838-1848).

★ **I.** ♦ **1.** Partisan de la Charte de Louis-Philippe.

♦ **2.** (1840, *in* D.D.L.). Partisan du chartisme* anglais.

(...) en Angleterre les *chartistes* cherchèrent à réunir tous les ouvriers en une *classe,* en lutte contre les autres.
Ch. SEIGNOBOS, Essai d'une hist. comparée des peuples..., XVII, p. 369.

★ **II.** (1899; de *École des chartes*). Élève de l'École nationale des chartes.

CHARTRAIN, AINE [ʃaʀtʀɛ̃, ɛn] adj. — Après 1150; dér. de *Chartres,* n. de ville, et *-ain.*

♦ **1.** Adj. De Chartres. *Le pays chartrain.* « *La plaine chartraine* » (Malraux, *les Voix du silence,* p. 266).
N. Personne qui habite à Chartres ou qui en est originaire.

♦ **2.** Arts. Propre à la cathédrale de Chartres. *L'art chartrain, la sculpture chartraine* (premier âge gothique).

Le langage des formes de Phidias ou du fronton d'Olympie, pour humaniste qu'il fût, avait été aussi spécifique que celui des maîtres chartrains et babyloniens ou des sculpteurs abstraits, parce qu'il avait été celui de la découverte d'une civilisation, non de son illustration. MALRAUX, les Voix du silence, p. 87.

1. CHARTRE [ʃaʀtʀ] n. f. Vx. ⇒ **Charte.**

2. CHARTRE [ʃaʀtʀ] n. f. — XIIᵉ; *cartre,* Xᵉ; du lat. *carcer* «prison».

♦ Vx (ou archaïsme hist.). ⇒ **Prison.** — Loc. *Tenir qqn en chartre privée,* le séquestrer, dans un lieu autre qu'une prison publique.

Elle est par le visage, comme les enfants en chartre (...)
Mᵐᵉ DE SÉVIGNÉ, 262, 6 avr. 1672.

CHARTREUSE [ʃaʀtʀøz] n. f. — V. 1300, *chartrouse*; nom *(La Chartreuse)* d'une localité du Dauphiné où saint Bruno fonda un monastère en 1084; du lat. *Cartusia.*

♦ **1.** Couvent de chartreux*, construit dans un lieu isolé. *La Chartreuse de Pavie. La Grande Chartreuse,* dans les Alpes. — *La Chartreuse de Parme,* roman de Stendhal.

1 La comtesse (...) ne survécut que fort peu de temps à Fabrice qu'elle adorait, et qui ne passa qu'une année dans sa Chartreuse.
STENDHAL, la Chartreuse de Parme, XXVIII, p. 567.

♦ **2.** ⓐ Vx. Petite maison de campagne isolée. ⇒ **Campagne.** *Vivre retiré dans une chartreuse.*

ⓑ Régional (Gironde). Longue maison basse.

♦ **3.** (1857; nom déposé). *La Chartreuse* : liqueur* aux herbes fabriquée par les chartreux. *Chartreuse jaune, verte.*

2 Il s'envoyait des petits verres de vieille chartreuse. Il préférait la verte à la jaune.
B. CENDRARS, Bourlinguer, 1948, p. 75, *in* T. L. F.

♦ **4.** (1755). Par référence au régime sans viande des chartreux. Mélange de légumes (navets, carottes, choux, etc.) souvent servis en entrée.
DÉR. Chartreux.
HOM. Fém. de **chartreux.**

CHARTREUX, EUSE [ʃaʀtʀø, øz] n. et adj. — 1330, *chartroux*; dér. de *chartreuse,* par substitution du suff. *-eux* à *-euse.*

♦ **1.** N. Religieux, religieuse de l'ordre de saint Bruno, menant une vie contemplative et austère. *Scapulaire, cuculle de chartreux. Un ermitage de chartreux.* ⇒ **Cartusien.**

(...) le chartreux fait vœu de n'être jamais que dépendant.
PASCAL, Pensées, VII, 539.

Une vie de chartreux, très austère.

♦ **2.** Adj. (Fig.). *Champignon chartreux, tulipe chartreuse,* de couleur grise. — N. *Un chartreux, une chartreuse.*

(1723). *Chat chartreux,* ou, n. m., *un chartreux* : chat à poil gris cendré.
HOM. (Du fém.) **Chartreuse.**

CHARTRIER [ʃaʀtʀije] n. m. — 1413; *chatrier,* 1370; de 1. *chartre* (→ Charte), et *-ier.*

♦ **1.** Lieu où l'on conservait les chartes* du royaume, d'une abbaye.

(1413). Recueil de ces chartes. ⇒ **Cartulaire.** *Le chartrier de France.*

1 Nous avons trouvé ici les vestiges croulants d'une admirable civilisation, d'un grand passé. Vous m'en restituez les assises, vous lui reconstituez son chartrier (...)
L.H. LYAUTEY, Paroles d'action, p. 341.

2 Il avouait d'ailleurs qu'une pareille affaire était de conséquence, promettant de la mener jusqu'au bout, d'établir la filiation par des documents authentiques, tirés de son propre chartrier.
BERNANOS, Monsieur Ouine, p. 37.

♦ **2.** (1690). Celui qui était préposé à la garde des chartes.

3 Qu'un gros carme
Chartrier
Ait pour arme
L'encrier (...)
HUGO, Ballades, XII, « Pas d'armes du roi Jean ».

CHARYBDE [kaʀibd] n. m. — 1552, Rabelais; lat. *charybdis,* grec *kharybdis,* nom que les Anciens donnaient à un gouffre situé dans le détroit de Sicile, en face d'un écueil appelé *Scylla.*

♦ Loc. *Tomber de Charybde en Scylla* : n'échapper à un mal que pour tomber dans un autre pire encore.

(Employé en relation avec *Scylla*). Écueil. « *Entre le Charybde académique et le Scylla administratif* » (Hugo, *in* T. L. F.). *Des charybdes.*

1. CHAS [ʃa; ʃɑ] n. m. — Déb. XIIIe, *chäas; cas,* XIIIe; orig. incert., p.-ê. du lat. *capsus,* masc. de *capsa* (→ Châsse) ou du lat. *cassus* « creux ».

♦ **1.** Trou (d'une aiguille) par où passe le fil. *Enfiler un fil dans le chas d'une aiguille.*

1 L'aiguille mousse aux doigts, je conduis la laine captive du chas oblong.
COLETTE, l'Étoile Vesper, p. 215.

Loc. *Vouloir faire passer un chameau par le chas d'une aiguille.* → Aiguille.

♦ **2.** Techn. Carré de métal percé d'un trou par où passe un fil à plomb.

♦ **3.** Fig. (au sens érotique de « trou, pertuis » et avec infl. de l'homonyme *chat*) :

C'était là toute une autre affaire que quand la déesse cache son chas ou ses seins, par une pudeur dont personne ne lui sait gré (...)
Léon DAUDET, les Bacchantes, 1931, p. 254.
HOM. 2. **Chas, chat, schah.**

2. CHAS [ʃa; ʃɑ] n. m. — 1606; d'un anc. verbe *chaasser, chasser* « enduire », dér d'un lat. *catapsare* « caresser ».

♦ Techn. Pâte de grain, colle d'amidon dont on se sert pour enduire le fil de la chaîne dans certains tissages, afin qu'il soit plus résistant et qu'il glisse plus facilement.

CHASME [ʃasm] n. m. — 1836, Stendhal; adaptation de l'angl. *chasm,* lui-même adapté du lat. *chasma* [kasma] « gouffre ».

♦ Littér., rare. Gouffre, abîme.

(...) il y a des auberges sur la rive américaine et sur la rive anglaise, des moulins et des manufactures au-dessous du chasme.
CHATEAUBRIAND, Mémoires d'outre-tombe, I, 305.

(1836). Par métaphore. « *Le "chasme" entre ces deux êtres* (Lucien et son père) *était trop profond* » (Stendhal, *Lucien Leuwen,* t. 3, 1836, p. 287, *in* T. L. F.). → Chiasme.

CHASSE [ʃas] n. f. — V. 1175; dér. de *chasser.*

★ **I.** ♦ **1.** (V. 1175). Action de chasser, de poursuivre les animaux* (⇒ **Gibier**) pour les attraper ou les tuer, afin de les manger, de les détruire ou par goût sportif. *Art, technique de la chasse.* ⇒ **Cynégétique; fauconnerie, tenderie, vénerie; chasser, chasseur.** *La chasse, le plus ancien des sports. Saint Hubert, patron des grandes chasses. La chasse et la cueillette, dans les sociétés traditionnelles.*

1 (...) une occupation nouvelle qui l'intéresse par sa nouveauté, qui le tienne en haleine qui lui plaise, qui l'applique, qui l'exerce, une occupation dont il se passionne, et à laquelle il soit tout entier. Or, la seule qui me paraît réunir toutes ces conditions est la chasse. Si la chasse est jamais un plaisir innocent, si jamais elle est convenable à l'homme (...) Émile le voit qu'il faut pour y réussir; il est robuste, adroit, patient, infatigable (...) La chasse endurcit le cœur aussi bien que le corps; elle accoutume au sang, à la cruauté.
ROUSSEAU, Émile, IV.

1.1 Chasse à courre, chasse à tir, tout cela est ignoble et sans excuse. On ne chasse pas pour se nourrir; si c'était une excuse, le seul chasseur excusable serait le braconnier. Celui-là vend son gibier et en vit toute l'année.
J. RENARD, Journal, 1er oct. 1905.

Aller à la chasse, aimer la chasse. — Loc. *Faire bonne chasse* : tuer du gibier.

... DE CHASSE : utilisé pour la chasse (dans des syntagmes figés). *Rendez-vous* de chasse. — *Pavillon* de chasse (⇒ **Muette,** vx). *Terrain de chasse* (sens propre et fig.). — *Partie de chasse* : chasse organisée.

Tableau de chasse : l'ensemble des animaux abattus, parfois présentés devant les chasseurs; la liste des animaux abattus. Fig. ⇒ **Tableau.** — *Droit de chasse. Permis* de chasse. — *Société de chasse,* regroupant des chasseurs sur un territoire de chasse donné. — (Vêtements). *Habit, casquette, veste, culotte, bottes de chasse.* — *Armes de chasse. Fusil* de chasse. *Munitions de chasse.* ⇒ **Balle, cartouche, cendrée, chevrotine, plomb.** *Poudre de chasse.* — *Chiens de chasse* : chiens sélectionnés, dressés pour une forme de chasse : chiens d'arrêt (braque, épagneul, pointer, setter), chiens courants (basset, griffon...), chiens d'équipage ou de meute (⇒ **Meute;** et, ci-dessous, chasse à courre), chiens quêteurs (spaniel), chiens rapporteurs (labrador...), chiens de terrier (fox-terrier, teckel...). ⇒ **Chien.** — *Oiseaux de chasse* (⇒ ci-dessous, c). ⇒ **Fauconnerie.** *Engins, filets de chasse* (→ ci-dessous, c).

2 (...) je (...) m'interdis de ressembler à ces mauvais chiens de chasse qui chassent pour leur propre compte.
Julien BENDA, Lettres à Mélisande.

Prov. *Qui va à la chasse perd sa place* : s'expose à perdre sa place, son emploi, celui qui l'abandonne momentanément.

2.1 Claudiquant, pestant contre sa jambe qui le faisait souffrir, il a gagné la ville haute, non sans entendre, peut-être, sur son passage, tombant d'une fenêtre entrouverte derrière laquelle bougeait l'ombre d'une de ces êtres qui savent tout et jamais rien, dans les petites villes, une chanson ironique du genre « qui va à la chasse perd sa place », ou « quand tu tenais la caille il fallait la plumer ».
Suzanne PROU, la Terrasse des Bernardini, p. 63.

Spécialt. (Formes de chasse). ⓐ CHASSE À COURRE. *Chasse à courre, à cor et à cri* (⇒ **Courre**), dite aussi *chasse à bruit, chasse noble, chasse royale* : chasse avec des chiens, où sont exclus armes et engins. *Chasse à courre du cerf, du chevreuil, du daim...* (⇒ **Vénerie**), *du loup* (⇒ **Louveterie**), *du sanglier* (⇒ **Vautrait**)... *Équipage de chasse à courre* (maître d'équipage, veneur, piqueur, valet de chiens; meute). *Tenue de chasse* (⇒ **Bouton**). *Livrée de chasse* (de valet). ⇒ **Chasseur, II.** — *Chasse* (employé seul, dans ce sens). *Être passionné de chasse.* ⇒ **Vénerie.** — *(Une, des chasses).* Partie de chasse à courre. *Une chasse* (à courre). *Suivre une chasse. Meute*, relais de chiens d'une chasse. Allée, chemin de l'animal de chasse* (⇒ **Voie**), *de chiens* (⇒ **Contre-pied**), *chemin repéré par les veneurs* (⇒ **Brisée**). — *... de chasse. Corne de chasse. Cor de chasse* (expr. abusive). ⇒ **Trompe.** *Air, fanfare*, sonnerie, ton de chasse.* ⇒ **Appel, débucher, hallali...** — Ellipt. *Sonner une chasse. Cri de chasse.* ⇒ **Taïaut.** *Cri des chiens à la chasse* (⇒ **Clatir**). *Péripéties d'une chasse* (à courre). ⇒ **Quêter; débucher, débusquer, dépister, rembu-**

cher, requêter ; lancer ; courir, refuir, relancer ; rabattre, et aussi **battre** (les buissons), **buisson** (faire buisson creux) ; **bien-aller, lancé, nappe, récri, suraller...; piqueur, veneur, trolle.** *Forcer* l'animal de chasse* (⇒ **Abois**), *l'achever* (⇒ **Servir**) *au couteau de chasse, à l'épieu, au pied* (⇒ **Curée**). *La Chasse du Burgrave,* ballade de Hugo (ballade 11).

3 Il tient un livre où il écrit toutes les chasses, depuis le lancer jusqu'à l'hallali avec les ruses, les débuchers, les rembuchers, et à quelle heure juste la curée, et où, et à qui les honneurs et tout. M. GENEVOIX, Forêt voisine, p. 73.

Petite vénerie ou *chasse à courre du lièvre, du lapin, du renard.* — *Grande vénerie* ou *chasse à la grosse bête,* au chamois, à l'ours... ⇒ **Bête** (bête sauvage). *Hure de sanglier coupée à la chasse.*

b **CHASSE À TIR** (vieilli) ou (mod. et cour.) **CHASSE AU FUSIL; CHASSE.** — **REM.** L'emploi du mot non qualifié fait en général référence à ce sens, de nos jours. — *La chasse s'est faite autrefois avec des armes de jet, puis avec l'arbalète*. Arme, carabine, fusil pour la chasse.* ⇒ **Fusil.** *Lieu, à la chasse, aménagé pour le tir* (⇒ **Tiré**), *pour le passage des chasseurs* (⇒ **Layon**). *Chasse en se postant* (⇒ **Affût, poste**), *en parcourant la campagne.* — *Chasse à la billebaude*, sans plan.* — *Chasse organisée.* ⇒ **Battue, traque.** *Phases de la chasse.* ⇒ **Déguiter; bouquer** (faire bouquer), **débouler, déguerpir; ajuster, viser, canarder, tirer** (à l'arrêt, au déboulé*, au vol), **coup** (coup double), **doublé.** *Chasse sans chien.* — *Chasse de nuit aux petits oiseaux.* ⇒ **Fouée.** *Chasse du lapin au furet.* ⇒ **Furetage.** *Chasse au gibier d'eau. Chasse aux canards*. Chasse au moment de la passe* d'un gibier.* — *La cervaison*, période de la chasse au cerf.* — *Artifices pour attirer le gibier à la chasse.* ⇒ **Appât, appeau** (et appeleur), **chanterelle, pipeau, pipée; frouer.** — *Ouverture, fermeture de la chasse. Dîner d'ouverture* (cit. 6) *de chasse. Chasse ouverte, permise, autorisée* (cf. ci-dessus permis de chasse). *Chasse sans autorisation.* ⇒ **Braconnage.** *Revenir bredouille de la chasse. Société de chasse. Accessoires, équipement pour la chasse.* ⇒ **Carnassière, carnier, gibecière...** *Revenir de (la) chasse, rentrer de la chasse. Retour de (la) chasse.*

... **EN CHASSE** (avec quelques verbes). *Partir, se mettre, être... en chasse.*

4 (...) quand on est bien lesté, on se lève, on siffle les chiens, on arme les fusils, et on se met en chasse. Alphonse DAUDET, Tartarin de Tarascon, II, p. 19.

(Une, des chasses). Partie de chasse. *Les chasses au gros gibier en Afrique.* ⇒ **Safari.**

c (Autres formes de chasse). *Chasse avec des oiseaux.* ⇒ **Fauconnerie, volerie.** *Oiseaux dressés pour la chasse* (oiseaux de chasse). ⇒ **Autour, faucon, gruyer, milan...**

Chasse aux engins. ⇒ **Collet, glu, gluau, volant; piège, piégeage, trappe, trappeur, traquet...** *Filets* pour la chasse.* ⇒ **Allier, lacet, lacs, panneau, poche, tendue, tirasse, toiles, tonnelle.** *Chasse au miroir.* ⇒ **Miroir.**

Chasse sous terre, destinée à détruire les animaux nuisibles, par furetage, asphyxie (fumée, gaz...). *Chasse au blaireau.*

d Loc. (Selon le lieu de chasse). *Chasse au bois, au marais, en plaine.*

e *Chasse sous-marine :* sport consistant à plonger pour poursuivre le poisson, pratiqué par des plongeurs (chasseurs* sous-marins) munis d'armes spéciales (fusil* sous-marin, etc.). ⇒ **Pêche** (sous-marine).

♦ **2.** Le fait de rechercher des animaux (autres que le gibier) pour les prendre. *Chasse aux escargots, aux crabes.* — *Chasse aux papillons,* avec un filet.

4.1 Et bras d'ssus bras d'ssous vers les frais bocages
Ils vont la chasse aux papillons. Georges BRASSENS, la Chasse aux papillons.

Chasse à... : recherche de (fruits, légumes sauvages). *Chasse aux champignons.*

♦ **3.** Période où l'on a le droit de chasser. *La chasse est ouverte. Pendant toute la durée de la chasse* (ambigu avec le sens «partie de chasse»).

♦ **4.** Partie d'une terre, d'un domaine, réservée pour la chasse. *Autrefois, le Grand Veneur était chef de la vénerie et les louvetiers* veillaient sur les chasses du roi. Capitaine* des chasses. Posséder une belle chasse, une chasse giboyeuse. Chasse réservée.* ⇒ **Garenne.**

CHASSE GARDÉE. *C'est chasse gardée, ici.* ⇒ **Garde-chasse; garder.** Au fig. Activité qu'on se réserve exclusivement. *Ah non, pas cette fille, chasse gardée !*

♦ **5.** Les personnes (⇒ **Chasseur**) et les chiens qui chassent. *La chasse a passé par là. La chasse s'éloigne. Suivre la chasse.*

♦ **6.** (1635). Le gibier pris ou tué à la chasse. *Une bonne, une mauvaise chasse. Manger la chasse d'un chasseur.*

♦ **7.** Poursuite qu'un animal fait d'un autre.

5 L'aigle donnait la chasse à maître Jean Lapin,
Qui droit à son terrier s'enfuyait au plus vite. LA FONTAINE, Fables, II, 8.

♦ **8.** Loc. **ÊTRE EN CHASSE,** en chaleur (se dit de la femelle de cer-

tains animaux à l'époque où elle recherche le mâle). ⇒ **Rut.** *Chienne en chasse.*

★ **II.** ♦ **1.** Poursuite; action de poursuivre. *Une chasse impitoyable.* Loc. littér. *Faire la chasse, donner la chasse. On donna la chasse à un parti de cavalerie ennemie* (Académie).

6 (...) Que me faudra-t-il faire ?
— Presque rien, dit le chien, donner la chasse aux gens
Portant bâtons et mendiants. LA FONTAINE, Fables, I, 5.

7 La chasse s'activait ; les agents de Desmaret étaient sur les dents, mais on pensait bien que, sous l'effet des plus terribles menaces, toutes les portes se fermeraient devant l'homme pourchassé.

Louis MADELIN, Hist. du Consulat et de l'Empire,
L'avènement de l'Empire, v, p. 50-51.

Loc. mod. *Chasse à l'homme :* poursuite d'un homme (pour le prendre, l'arrêter, le tuer...). — *La chasse aux sorcières*.*
Fig. *Faire la chasse aux abus, au vice.*

♦ **2.** **a** (XVe). Mar. Poursuite (d'un bâtiment ou d'un avion ennemi). Dans quelques expressions verbales : *donner la chasse à un navire, le prendre en chasse; prendre un bombardier en chasse; recevoir la chasse :* être poursuivi; *prendre chasse :* battre en retraite pour éviter le chasseur.

... de chasse (dans des syntagmes nominaux). *Pièces de chasse,* placées à la proue d'un bateau (par opposition aux *pièces de retraite*). — *Pointer un canon en chasse,* pour qu'il tire le plus possible vers l'avant. *Ordre de chasse :* formation d'escadre.

(1936). Loc. cour. *Avion de chasse :* avion très rapide chargé d'intercepter les avions ennemis et de protéger les appareils amis. ⇒ **Chasseur.** — (1931). *Escadrille de chasse. Aviation de chasse.*

b *La chasse :* ensemble des avions de chasse; partie de l'aviation chargée de l'interception des avions ennemis. *Posséder une chasse nombreuse, moderne, bien armée. Éviter la chasse ennemie. La chasse américaine, soviétique. Pilote de chasse,* pilotant un avion de chasse.

8 La chasse fasciste tomba des nuages supérieurs : sept Fiat de face (...) Le groupe le plus élevé de la chasse gouvernementale donna toute sa vitesse et fila à leur rencontre.
(...) Les chasses s'étaient battues à deux kilomètres de là, et, même attaqué, Leclerc eût dû faire son bombardement, parallèlement au barrage : aux chasseurs de combattre. MALRAUX, l'Espoir, p. 652-654.

♦ **3.** (De *chasser*, I., 2.). Recherche ardente, tenace. *(Être) à la chasse à, de... Être à la chasse de livres rares. La chasse aux idées. La chasse aux emplois. Une chasse à l'héritage. Faire la chasse au mari, à la riche héritière.*

★ **III.** (Correspond à *chasser,* I., 3. et II., v. intr.). ♦ **1.** Techn. Écoulement rapide donné à une retenue d'eau pour nettoyer un conduit, dégager un chenal... *Bassin, écluse de chasse.*

(1901, in D. D. L.). Spécialt. Cour. **CHASSE D'EAU :** dispositif entraînant une chasse d'eau, servant à nettoyer la cuvette des waters. *Chasse à réservoir. Actionner la chasse d'eau.* — *Tirer la chasse d'eau, la chasse, la chasse des cabinets :* faire fonctionner la chasse d'eau (à l'origine, on tirait sur une chaîne pour déclencher la chasse).

9 (...) ma main levée cherchait en tâtonnant le bout de la chaîne. La chasse d'eau s'est déclenchée dans un tonnerre de cataracte (...)
M. TOURNIER, le Roi des Aulnes, p. 52.

Rare (autres syntagmes, avec un nom désignant un liquide, un fluide) :

10 (...) le dreyfusisme, comme une chasse d'air, avait fait, il y a quelques jours, voler jusqu'à elle (Mme Sazerat, une antisémite) M. Bloch.
PROUST, le Côté de Guermantes, t. I, Folio, t.p. 347-348.

11 Autour de lui l'on mange beaucoup, l'on boit un peu, et si son ouïe était d'une finesse surhumaine il entendrait un énorme bruit de manducation coupé parfois de fracassantes chasses de vin ou de bière au-dessus de la sourde rumeur de la fonction stomacale. A. PIEYRE DE MANDIARGUES, la Marge, p. 148.

♦ **2.** Techn. **a** Liberté de course laissée à certaines parties de machines pour qu'elles puissent se prêter à des irrégularités de mouvement. ⇒ **Jeu.** *La chasse des roues. Chasse de l'essieu avant. Donner de la chasse à un essieu.* — *Angle* de chasse d'une moto.*

b (Ce qui sert à chasser). Battant du métier à tisser.
Outil utilisé pour refouler un métal.

c (Ce qui est chassé, repoussé). Typogr. Nombre de lignes qu'une page d'impression a de plus qu'un certain modèle donné. — Épaisseur de la lettre.

Reliure. Partie de la couverture qui déborde les livres reliés.
HOM. Châsse.

CHÂSSE [ʃɑs] n. f. — 1680; *casse,* v. 1150; du lat. *capsa.*

♦ **1.** (V. 1150). Coffre, en général précieux, où l'on garde les reliques d'un saint. ⇒ **Fierte.** *Châsse de bois doré, d'or. La Châsse de sainte Geneviève.* — Loc. (1842, in D. D. L.). *Être paré comme une châsse* (→ Attifée, cit. 3) : être richement habillé.

1 En soirée, à Amsterdam, des dames parées comme des châsses, immobiles dans leurs fauteuils, semblaient des statues. TAINE, Philosophie de l'art, t. I, III, I, 1.

Porter qqn ou qqch. comme une châsse, avec beaucoup de soin, de respect.

♦ **2.** Techn. Monture servant d'encadrement. *La châsse d'un verre de lunette, d'un bijou. La châsse d'une balance :* le fer qui soutient le fléau. — (1184). *Châsse d'une lancette,* le manche. — Sorte de marteau de charron.

♦ **3.** (1833). Argot fam. Œil. *Elle a de belles châsses.* ⇒ **Mirettes.**
REM. On trouve souvent le mot au masculin.

2   (...) le cinéma sans couleur doit s'avouer impuissant à rendre la céruléinité *(caractère céruléen, bleu)* de ses châsses.   R. QUENEAU, Loin de Rueil, p. 40.

Loc. *Coup de châsse :* coup d'œil.

3   En trombe, sur la pointe des pieds, j'ai remonté un étage. Au passage, j'ai filé un coup de châsse éclair dans la cabine.
                               Albert SIMONIN, Touchez pas au grisbi, p. 18.

DÉR. Chasseau, châssis.
COMP. Enchâsser.
HOM. Chasse.

CHASSÉ [ʃase] n. m. — 1752 ; de *chasser.*

♦ **1.** Danse. Temps où une jambe exécute un pas glissé tandis que l'autre se rapproche, semblant chasser la première dont elle va occuper la place sur le sol.

♦ **2.** (1905, *in* Petiot). Sports. En boxe française, en savate, « Coup de pied porté par détente directe de la jambe en frappant avec le talon au corps ou à la jambe » (Petiot). — En ski, « Mouvement de translation latérale des skis parallèles à plat, pour amorcer un virage » (Petiot).

COMP. (De 1.) **Chassé-croisé.**

CHASSEAU [ʃaso] n. m. — 1848, Chateaubriand ; de *châsse.*

♦ Techn. ou didact. Niche funéraire.

CHASSE-CLOU [ʃasklu] n. m. — Av. 1850, Balzac ; de *chasser,* et *clou.*

♦ Techn. Outil servant à enfoncer profondément les clous. *Des chasse-clous.* Syn. : *chasse-pointe.*

CHASSÉ-CROISÉ [ʃasekʀwaze] n. m. — 1839 ; de *chassé,* et *croisé.*

♦ **1.** (1863). Danse. Pas figuré où le cavalier et sa danseuse passent alternativement l'un devant l'autre. ⇒ **Chassez-huit.**

1   (...) au coup de cloche suivant un chassé-croisé répartit ces quatre personnes en deux couples hétérosexuels. Petit-Pouce choisit la brune frisée et Paradis prit la décolorée.   R. QUENEAU, Pierrot mon ami, éd. L. de Poche, p. 19.

♦ **2.** Fig. et cour. Échange réciproque et simultané de place, de situation ; démarches réciproques qui se succèdent sans amener un changement sensible. *Des chassés-croisés.*

2   Je ne m'oriente pas toujours à travers ce chassé-croisé de conversations.
                       SAINTE-BEUVE, Correspondance, II, p. 388.

CHASSE-FUSÉE [ʃasfyze] n. m. — Av. 1898 ; de *chasser,* et *fusée.*

♦ Techn. (artill.). Instrument servant à enfoncer les fusées dans un projectile creux. *Des chasse-fusées.*

CHASSE-GALERIE [ʃasgalʀi] n. f. — D.i. ; de *chasser,* et *galerie.*

♦ Régional (Ouest de la France et Canada). Ronde nocturne des sorciers ou des loups-garous. *Des chasse-galeries.* — Par ext. Tapage.

CHASSE-GOUPILLE [ʃasgupij] n. m. — 1842, *in* D.D.L. ; de *chasser,* et *goupille.*

♦ Techn. (armurerie). « Outil qui sert à enfoncer les goupilles ou à les faire sortir de leur logement » (Littré). *Des chasse-goupilles.*

CHASSELAS [ʃasla] n. m. — 1718 ; *chacelas,* 1680, *in* Richelet ; *chasselat,* 1673 ; de *Chasselas* (Saône-et-Loire).

♦ Raisin blanc de table cultivé notamment en treille, en espalier.

Par métonymie. Vin blanc produit par ce cépage.

DÉR. **Chasselatier.**

CHASSELATIER [ʃaslatje] n. m. — Mil. xxe ; de *chasselas.*

♦ Techn. Viticulteur spécialiste du chasselas. *Les chasselatiers du Moissagais, de Thomery.*

C'est en adoptant le palissage vertical individuel de chaque pousse et en proportionnant la hauteur de l'espalier à la vigueur des souches que les chasselatiers de la vallée moyenne de la Garonne peuvent obtenir un feuillage bien réparti et ces grappes bien dégagées sur le cep qui font la renommée du Chasselas doré de Moissac.   Louis LEVADOUX, la Vigne et sa culture, p. 108.

CHASSE-MARÉE [ʃasmaʀe] n. m. invar. — xve ; *cacemaree,* 1260 ; de *chasser,* et *marée.*

♦ **1.** (1260). Voiturier qui apportait le poisson du littoral vers les marchés intérieurs.

(xve). Vx. Voiture rapide pour porter la marée sur les marchés. *Des chasse-marée.* — Fam. *Aller un train* ou *d'un train de chasse-marée :* aller fort vite.

♦ **2.** Mar. Petit bâtiment côtier à deux ou trois mâts servant au cabotage, au transport de la marée. *Bourcet* de chasse-marée.*

CHASSE-MOUCHES [ʃasmuʃ] n. m. invar. — 1555 ; de *chasser,* et *mouche.*

♦ **1.** (1555). Instrument (souvent petit balai fait d'une touffe de crins) pour écarter les mouches. ⇒ **Émouchoir.**

Ils *(les matelots)* prenaient des airs de triomphateurs, sous des parasols magnifiques ; ou bien jouaient négligemment de l'éventail et agitaient des chasse-mouches de plumes.   LOTI, Figures et Choses, Trois journées de guerre..., II, p. 243.

♦ **2.** (1798). Vx. Filet à cordons pendants dont on couvre la tête, les flancs des chevaux pour les garantir des mouches.

♦ **3.** Par métonymie. Rare. Personne chargée de faire fonctionner le chasse-mouches d'un personnage important.

CHASSE-NEIGE [ʃasnɛʒ] n. m. invar. — 1834 ; de *chasser,* et *neige.*

♦ **1.** (1834). Didact. Vent violent qui chasse la neige. ⇒ **Blizzard ;** → Météore, cit. 1.1. *Des terribles chasse-neige.*

1   Mais, aussi terrible que s'il se fût produit sur quelque contrée polaire, ni Cyrus Smith, ni ses compagnons ne purent, malgré leur envie, s'aventurer au-dehors, et ils restèrent renfermés pendant cinq jours, du 20 au 25 août.   J. VERNE, l'Île mystérieuse, t. II, p. 285.

♦ **2.** (Av. 1877, Scholle). Cour. Dispositif en éperon, muni de versoirs, qu'on adapte à l'avant d'une locomotive, d'un camion, pour déblayer les voies ferrées ou les routes obstruées par la neige.

(1873, A. Daudet). Le véhicule ainsi équipé. *Le chasse-neige a dégagé la route. Des chasse-neige.* « *Le chasse-neige* (d'une locomotive) *déblayait aisément un mètre de neige* » (→ Neige, cit. 5).

♦ **3.** (1908, *in* Petiot). Ski. Position de freinage obtenue en écartant les talons des skis et en rapprochant les spatules en V, avec appui sur les carres intérieures. « *Les chasse-neige* (...) *ne doivent être réalisés qu'à vitesse très modérée* » (J. Franco, *le Ski,* p. 28). — En appos. *Virage chasse-neige,* dans lequel les skis gardent cette position. *Virage chasse-neige terminé skis parallèles.* ⇒ **Stem.**

2   Marco, qu'épouvantait la moindre dénivellation, prenait des leçons particulières et, sous prétexte d'acquérir du style, le soir, s'exerçait indéfiniment au chasse-neige.   S. DE BEAUVOIR, la Force de l'âge, p. 293.

CHASSE-PIERRES [ʃaspjɛʀ] n. m. invar. — 1845 ; de *chasser,* et *pierre.*

♦ Techn. anc. Appareil placé à l'avant des locomotives et composé de deux tiges de fer qui arrivent à quelques centimètres des rails afin d'en écarter les obstacles (pierres, etc.).

CHASSEPOT [ʃaspo] n. m. — 1866 ; du nom de l'inventeur (1833-1905).

♦ Fusil de guerre à aiguille utilisé par l'armée française de 1866 à 1874. — En appos. *Fusil chassepot.*

Mais il s'agissait d'une guerre relativement économique et Marx raisonnait en fonction du fusil chassepot qui est une arme d'écolier.   CAMUS, Actuelles I, p. 359.

Allus. hist. « *Les chassepots partiraient* (→ 1. Partir, cit. 27) *d'eux-mêmes* ».

CHASSER [ʃase] v. — V. 1150, *chacier* ; d'un lat. vulg. *captiare,* formé sur le p. p. *captus,* de *capere* « attraper ».

★ **I.** V. tr. ♦ **1.** (1150). [a] Poursuivre (un animal, des animaux) pour le(s) tuer ou le(s) prendre. ⇒ **Chasse.** — REM. L'animal poursuivi étant rarement individualisé, le compl. est généralement construit avec l'article défini à sens général. — *Chasser le lièvre, le perdreau. Chasser le cerf* (à la chasse* à courre). — *Il va chasser le lion, la panthère en Afrique. Chasser des buffles.* ⇒ **Boucaner.** — Par plais. *Chasser la casquette.*

1   Le malheureux déclara formellement qu'il était las de chasser la casquette et qu'il allait, avant peu, se mettre à la poursuite des grands lions de l'Atlas.   Alphonse DAUDET, Tartarin de Tarascon, IX, p. 63.

2   J'ai chassé ainsi des canards, le soir, dont je me moquais bien (...) Je les tirais en parlant d'autre chose : ça ne les dérangeait guère.   SAINT-EXUPÉRY, Pilote de guerre, XX, p. 159.

(Le sujet désigne un animal). Poursuivre (une proie). *Le lion chasse les gazelles, les gnous.*

Absolt. *Il aime chasser. Il est allé chasser :* il est parti à la chasse.

Chien qui chasse pour son compte (→ Chasse, cit. 2).

(Avec un compl. de moyen; avec ou sans compl. direct). *Chasser (le lapin, etc.) au fusil, à la carabine... Chasser à courre.* ⇒ **Chasse; courre.** — *Chasser au chien courant* (avec des chiens courants).

2.1 Tous ces hommes, à l'exception du paysagiste Maldant, professaient pour les champs un mépris profond. Rocdiane et Landa y allaient chasser, il est vrai, mais ils ne goûtaient dans les plaines et dans les bois que le plaisir de regarder tomber sous leurs plombs, pareils à des loques de plumes, les faisans, cailles ou perdrix, ou de voir les petits lapins foudroyés culbuter comme des clowns, cinq ou six fois de suite sur la tête, en montrant à chaque cabriole la mèche de poils blancs de leur queue. Hors ces plaisirs d'automne et d'hiver, ils jugeaient la campagne assommante. MAUPASSANT, Fort comme la mort, éd. 1889, p. 244-245.

Fig., absolt. *Chasser sur les terres d'autrui* (⇒ **Braconner**) : empiéter sur ses droits.

Prov. *Bon chien chasse de race* : par atavisme; fig., c'est héréditairement qu'on a telle ou telle qualité. — *Leurs chiens ne chassent pas ensemble,* se dit de deux personnes qui ne s'entendent pas très bien.

b Trans. ind. *Chasser à...* (le compl. désigne le gibier). *Chasser à la perdrix, aux perdrix, au sanglier.*

c Par ext. (le compl. désigne des animaux qui ne sont pas du gibier). *Chasser les papillons.*

d Par anal., mar. *Chasser un navire,* le poursuivre, lui donner la chasse. ⇒ **Chasse, II., 2.** — *Chasser la terre,* s'en approcher, la reconnaître.

♦ **2.** Rechercher avec ténacité afin d'obtenir pour soi. ⇒ **Chasse, II., 3.** *Chasser les antiquités. Chasser la gloire.* — Fam. *Chasser le mari* : chercher à se marier (en parlant d'une femme).

2.2 (...) il chassa la femme durant trois jours et il eut deux aventures. MONTHERLANT, le Démon du bien, 1927, p. 1368, in T.L.F.

♦ **3.** (V. 1160). Pousser devant soi; faire marcher en avant. ⇒ **Pousser; chasse, III.** *Chasser les vaches aux champs.* — (Sujet n. de chose). *Le vent chasse la neige, les nuages.* ⇒ **Balayer.**

3 Qu'ils soient comme la poudre et la paille légère
Que le vent chasse devant lui. RACINE, Esther, I, 5.

4 Des petites filles bretonnes chassent devant elles des troupeaux de moutons dans les bruyères (...) LOTI, Mon frère Yves, IX, p. 40.

Techn. (Compl. n. de chose; correspond à *chasser,* II., 2., 3., 5.). Pousser, faire glisser à force. *Chasser les cercles des tonneaux.* → Chassoir.

Fig. (Avec un compl. prépositionnel locatif). Diriger, emporter (qqn) dans une direction psychologique.

5 Les obstacles dont sa vie était faite le chassaient dans l'érotisme, non dans l'amour. MALRAUX, la Condition humaine, p. 137.

♦ **4.** (V. 1173). Mettre, pousser dehors (qqn, un animal, qqch.), forcer de sortir. ⇒ **Bouter, débusquer, déloger, dénicher, disparaître** (faire disparaître), **écarter, éliminer, exclure, expulser, forcer, fuir** (faire fuir), **mettre** (dehors, en fuite), **ôter, refouler, rejeter,** et aussi le suff. **-fuge.** *Chasser des mouches importunes. Vermifuge qui chasse les vers. Chasser un poison hors du corps.* ⇒ **Purger; vomir.** (Abstrait). *Chasser un sort.* ⇒ **Conjurer, exorciser.** — (Compl. n. de personne). Vieilli. *Chasser l'ennemi du territoire.* ⇒ **Libérer, vaincre.** — REM. C'est cette valeur du verbe qui a donné le sens III de *chasseur* (soldat). — *Chasser un indésirable.* ⇒ **Congédier, éconduire, reconduire, refouler.** *Chasser qqn hors de son pays.* ⇒ **Bannir, exiler.** *Chasser un hérétique hors de l'Église.* ⇒ **Excommunier.** *Chasser qqn de son trône, de son poste.* ⇒ **Détrôner, démettre, évincer.** *Chasser un domestique, un employé.* ⇒ **Congédier, remercier, renvoyer, séparer** (se séparer de), **vider** (fam.); → Mettre à la porte*. — Passif et p. p. → ci-dessous, cit. 7.

6 Est-ce moi qui vous quitte, ou vous qui me chassez? MOLIÈRE, les Femmes savantes, IV, 2.

7 Ô dieux hospitaliers, que vois-je ici paraître?
Dit l'animal chassé du paternel logis. LA FONTAINE, Fables, VII, 16.

8 Lorsque le Roi, contre elle enflammé de dépit,
La chassa de son trône, ainsi que de son lit. RACINE, Esther, I, 1.

9 (...) Quand j'eus chassé tout ce monde comme une troupe de bêtes galeuses (...) LOTI, Aziyadé, Solitude, XXVII, p. 74.

Fam., par exagér. Faire sortir de sa maison, mettre à la porte. *Les maçons, les peintres me chassent de chez moi.* — Fig. (avec ou sans compl. prépositionnel en *de*). *La nuit nous chassa* (du bois). *Le jour chasse les ténèbres.* ⇒ **Dissiper.** *Chasser une mauvaise odeur.* (Compl. n. abstrait). Écarter. *Chasser le chagrin, l'ennui, les soucis. Chasser une idée, un souvenir, une image de son esprit.*

10 L'amour ordinaire est chassé de la maison par avarice. STENDHAL, De l'amour, p. 316.

11 Un silence, puis un bruit de sièges remués et de voix chassèrent cette vapeur de songe (...) MAUPASSANT, Fort comme la mort, p. 113.

Loc. prov. *La faim chasse le loup du bois* (→ Bois, cit. 20). (1690). *Un clou chasse l'autre,* en parlant d'une personne, d'une chose qui en écarte une autre, lui succède. — *Chassez le naturel, il revient au galop* : on ne perd jamais ses mauvaises habitudes. → Changer, cit. 4.

♦ **5.** Régional (Savoie, Suisse). Pousser (qqn) à travailler beaucoup (le sujet désigne un patron, un contremaître, etc.). — Au passif. *Être chassé,* débordé de travail.

★ **II.** V. intr. Être poussé en avant. ♦ **1.** *Les nuages chassent du nord, du sud,* ils viennent du nord, du sud.

12 (...) le vent chassait du sud-est, et, par conséquent, il les poussait de dos. J. VERNE, l'Île mystérieuse, t. I, p. 84.

♦ **2.** (1678). Mar. *Chasser sur ses ancres,* en parlant d'un navire qui entraîne ses ancres par suite d'une tenue insuffisante du fond. *L'ancre chasse,* elle laboure le fond. *Bâtiment qui chasse à la côte,* qui risque de se jeter à la côte.

♦ **3.** (1688). Typogr. Occuper beaucoup d'espace, en parlant d'un caractère. *Ce caractère chasse plus que tel autre.* ⇒ **Chasse, III., 2., c.**

♦ **4.** Danse. Exécuter un chassé*. *Chassez!*

♦ **5.** (1886; cyclisme, *in* Petiot). Déraper, patiner. — (1906; autom.). *Cette voiture chasse. Les roues chassent.*

13 Le traîneau chasse un peu malgré les efforts de l'homme, patine un instant et enfin atteint les arbres. Jean-Yves SOUCY, Un dieu chasseur, p. 98.

CONTR. Accueillir, admettre, recevoir. — Embaucher, engager. — Quitter. — Cultiver, entretenir, évoquer.

DÉR. Chasse, chasseresse, chasseur, chassoir.

COMP. Pourchasser, rechasser. — Entrechat. — Chasse-clou, chasse-goupille, chasse-marée, chasse-mouches, chasse-neige, chasse-pierres, chasse-pointe, chasse-rivet, chasse-roue. — Chassé-croisé, chassez-huit.

HOM. Chassé (danse).

CHASSERESSE [ʃasʀɛs] n. f. et adj. — Av. 1305, *chaceresse;* de *chass(er),* et *-eresse.*

♦ Poét. Chasseuse. → Chasseur. *Une Diane chasseresse* (→ Archer, cit. 7). — N. f. *Une chasseresse.*

CHASSE-ROUE [ʃasʀu] n. m. — 1842, Stendhal; de *chasse,* et *roue.*

♦ Techn. (ancienn). Borne* ou arc métallique placé à l'angle d'une porte, d'un mur... pour en écarter les roues des voitures. ⇒ **Bouteroue.** *Des chasse-roues.*

CHASSEUR, CHASSEUSE [ʃasœʀ, ʃasøz] n. — Déb. XIIIe; de *chasser.*

★ **I.** ♦ **1.** (Déb. XIIIe). **a** Personne qui pratique la chasse. *Un bon, un mauvais chasseur. Un grand chasseur.* ⇒ **Giboyeur.** *C'est un Nemrod*, un chasseur adroit et infatigable. Une chasseuse enragée (fém. rare). ⇒ aussi **Chasseresse.** *Les chasseurs sont rentrés bredouilles*. Sac de chasseur. ⇒ **Gibecière.** Le chasseur et ses chiens*. Chasseur sans permis. ⇒ **Braconnier.** Chasseur qui tend des collets (⇒ **Colleteur**), qui utilise des trappes (⇒ **Trappeur**), qui traque (⇒ **Traqueur**). Chasseur de bœuf sauvage. ⇒ **Boucanier.** Chasseur de phoques. Chasseur de fourrures : trappeur.*

1 Il fut un vaillant chasseur devant l'Éternel; c'est pourquoi l'on dit : Comme Nimrod *(Nemrod)*, vaillant chasseur devant l'Éternel. BIBLE (SEGOND), Genèse, X, 9.

Par anal. (en parlant des animaux). *Ce chien est un bon chasseur. La balle* (cit. 2.3) au chasseur* : jeu où l'un des joueurs (le chasseur) essaie de toucher les autres avec une balle.

b *Chasseur sous-marin* : plongeur qui pratique la chasse* sous-marine.

Chasseur de papillons. Chasseur de champignons.

c N. f. **CHASSEUSE** : araignée qui ne tisse pas de toile et qui poursuit ses proies.

d Loc. **CHASSEUR DE TÊTES**, se dit d'Indiens d'Amazonie, qui poursuivaient et tuaient leurs ennemis, conservant leurs têtes comme trophées. — Fig., mod. (trad. de l'amér. *headhunter*). Personne chargée du recrutement de cadres dirigeants. *Chasseurs d'hommes.*

Hist. (allus. aux chasses aux sorcières* des puritains américains). **CHASSEUR DE SORCIÈRES** : personne qui participait au mouvement anti-communiste de McCarthy aux États-Unis, dont le but était d'écarter les communistes du pouvoir.

♦ **2.** (De *chasser,* I., 2.). Dans quelques syntagmes. Personne qui recherche avec ténacité à obtenir (qqch.). *Chasseur d'images* : photographe, cinéaste à la recherche d'images, de scènes originales. — *Chasseur de son* : personne à la recherche d'enregistrements sonores originaux. — *Chasseur d'autographes. — Chasseur de millions.* — (Adapt. angl. des États-Unis : *hunter*). *Chasseur de primes* : dans les histoires de l'Ouest, Aventurier qui cherche à obtenir les primes promises pour la capture ou la destruction de criminels. *Chasseur* : homme qui cherche à conquérir les femmes. ⇒ **Dragueur.**

1.1 L'œil critique de maquignon ne se posait plus sur leurs fesses pour en évaluer la consistance, dire *je prends* ou dire *je rejette*. Du mollet à la cuisse ne remontait plus l'œil plissé du chasseur-dragueur. Les seins se baladaient comme bon leur chantait. Les femmes n'étaient plus gibier. Michèle PERREIN, Entre chienne et louve, p. 154.

♦ **3.** Par appos. *Lapin, poulet chasseur :* lapin, poulet cuisiné avec une sauce comprenant des champignons, des échalotes, des herbes hachées et du vin blanc *(sauce chasseur).*

★ **II.** N. m. (1813). Anciennt. Domestique en livrée de chasse (valet de chasse à courre) qui montait derrière la voiture de son maître. Mod. Domestique revêtu d'une livrée et attaché à un hôtel, à un restaurant. ⇒ **Groom** (→ Ascenseur, cit. 1). *Le Chasseur de chez Maxim's,* titre d'une pièce de Y. Mirande et G. Quinson.

★ **III.** ♦ **1.** (1670; de *chasser,* I., 4. → Chasse, II., 1.). Se dit de certains corps de troupes *(les chasseurs)* et des soldats *(un, des chasseurs)* qui les constituent. *Chasseurs d'Afrique :* corps de cavalerie* légère française montée ou motorisée (ancienne). *Un chasseur d'Afrique. — Chasseurs à pieds, chasseurs alpins,* corps d'infanterie. *Un régiment de chasseurs. Le troisième chasseurs :* le troisième régiment de chasseurs. *Béret de chasseur alpin. Le cor de chasse, insigne du chasseur.* — Loc. *Pas de chasseur :* petits pas rapides (→ Allure, cit. 1).

♦ **2.** (1831; correspond à *chasse,* II., 2., a). Mar. Navire de faible tonnage le plus souvent destiné à poursuivre les sous-marins. *Chasseur de sous-marins.* — Petit navire équipé pour la chasse à la baleine ou la liaison avec les flottilles de grande pêche.
(Correspond à *chasse,* II., 2., a et b). Avion léger, rapide et maniable destiné aux combats aériens. — Syn. : *avion de chasse.* ⇒ **Chasse** (cit. 8 et *supra). Chasseur à réaction. Chasseur de nuit. Chasseur d'escorte. Chasseur d'assaut. Chasseur-bombardier.

2   T., mitrailleur à bord de l'appareil, subit une tentative d'attaque de la part d'un chasseur ennemi. Mais le chasseur, ses mitrailleuses s'étant enrayées, fit demi-tour.
                         SAINT-EXUPÉRY, Pilote de guerre, II, p. 27.

CHASSEZ-HUIT [ʃasɥit] n. m. — 1830; composé de la 2ᵉ pers. du plur. de l'impér. de *chasser,* et de *huit.*

♦ Danse. Chassé-croisé exécuté par les quatre couples d'un quadrille, et qui marque souvent la fin de la danse.
(...) la contredanse continua. Au dernier chassez-huit, ma tante Lucie entra dans la chambre de ma mère (...)
               G. SAND, Histoire de ma vie, t. II, 1855, p. 72, *in* T. L. F.

CHASSIE [ʃasi] n. f. — Av. 1105, *chacide; chacie,* 1245; orig. obscure, probablt issu d'un lat. pop. **caccīta,* dér. du rad. de *cacare.* → Chier.

♦ Humeur gluante qui s'amasse sur le bord des paupières. *Une chassie visqueuse* (→ Boue, cit. 3).

1   Il se lava les yeux, pour ôter une épaisse chassie dont ils étaient pleins.
               A.-R. LESAGE, Gil Blas, IV, VII, p. 245.
2   C'est le produit mixte des glandes ciliaires et des glandes de Meibomius qui, en se concrétant, dans certains cas le long du bord libre des paupières, constitue cette matière onctueuse et agglutinante, connue sous le nom de *chassie.*
               L. TESTUT, Traité d'anatomie, t. III, p. 683.
3   Pauvre, mais sale (...) de la chassie aux yeux, au coin des lèvres, des ongles noirs (...)
               J. RENARD, Journal, 26 oct. 1905.
4   (...) les yeux bouchés par la fatigue, agrémentés d'une chassie naissante.
               R. QUENEAU, le Chiendent, p. 66.

DÉR. Chassieux.
HOM. Châssis.

CHASSIEUX, EUSE [ʃasjø, øz] adj. et n. — 1342, *chacieux;* de *chassie.*

♦ Qui a de la chassie. *Paupières, yeux chassieux.* → Pied-de-poule, cit.
Je soulevai ma tête aux yeux chassieux, aux oreilles remplies de cire, ma tête tondue de jeune forçat (...)
               DRIEU LA ROCHELLE, la Comédie de Charleroi, p. 34.
N. (Rare). *Un chassieux, une chassieuse :* personne qui a de la chassie.

CHÂSSIS [ʃasi] n. m. — V. 1160, *chasiz;* de *châsse,* et suff. *-is.*

♦ **1.** Cadre (de bois, de métal...) destiné à maintenir en place les éléments d'une surface assemblée (planches, vitres, tissu, papier...). ⇒ **Bâti, cadre, charpente.** *Coller, poser des châssis. Châssis plaqué sur un autre.* ⇒ **Contre-châssis.** *Châssis garni de toile et occupant le fond d'un cadre.* ⇒ **Carrée.** *Châssis d'une aile de moulin. Le châssis d'un paravent*.* — *Châssis qui maintient une tapisserie au mur.* ⇒ **Porte-tapisserie.**

0.1   (...) ce local qui servait aussi de garage à vélos, encombré de caisses, de cartons vides, à demi occupé par un énorme amoncellement de gravats, et contre un mur deux ou trois de ces grands châssis sur lesquels on colle les affiches des films au-dessus de la porte d'entrée (...)   Claude SIMON, le Vent, p. 86.

Techn. Dispositif de bois sur lequel un vitrier porte ses vitres.
Archit. *Châssis de pierre :* dalle qui en reçoit une autre en feuillure. *Châssis d'un escalier :* bâti de la rampe.

♦ **2.** (V. 1160). Encadrement (d'une ouverture, d'un vitrage); vitrage encadré. *Châssis de verre servant de cloison.* ⇒ **Vitrage.** *Châssis*

des portes* et des fenêtres*. ⇒ **Fermeture.** *Châssis fixe.* ⇒ **Chambranle.** *Châssis à demeure, châssis dormant. Châssis mobile,* se rabattant sur le dormant. *Châssis à fiches. Châssis mouvant, ouvrant. Châssis à croisée*, à guillotine*, à tabatière*.* ⇒ **Fenêtre.** *La battée* d'un châssis de fenêtre. Traverse de châssis d'un vitrail.* ⇒ **Barlotière.** *Châssis d'aérage :* châssis garni de lames mobiles qu'on soulève à volonté pour laisser pénétrer l'air. — *Châssis d'une persienne.*

1   Au-dessus de la rue (...) elle se penchait autant que le permettaient les grilles et les châssis de bois dissimulateurs.   LOTI, les Désenchantées, III, p. 36.

Hortic. (ancienne). Panneau, et, par ext., dispositif d'un abri* vitré. *Châssis de verre. Bâche*, caisse* recouverte d'un châssis. Cultures en serres et sous châssis.*

♦ **3.** (1433). Arts. Cadre sur lequel on fixe la toile par des clous (⇒ **Broquette**) après l'avoir tendue. *Châssis à clefs,* qui permet de régler la tension de la toile. *Formats standardisés des châssis* (figure, paysage, marine, ...).

2   (...) j'avais les mains noires de charbon et toutes les toiles, arrachées de leur châssis, gisaient en vrac, froissées par mes allées et venues insouciantes, allègres, à peine fébriles.   Maurice CLAVEL, le Tiers des étoiles, p. 21.

Châssis de broderie, de dentelle : châssis sur lequel la broderie, la dentelle est tendue.
Théâtre. Panneaux sur lesquels on peint ou on fixe des éléments du décor. → Praticable, cit. 3.

♦ **4.** (1611). Imprim. Cadre dans lequel on serre la composition. *Châssis garantissant les marges et les blancs.* ⇒ **Frisquette.** — *Châssis de presse à bras.* ⇒ **Tympan.**
Techn. *Châssis à mouler. Châssis à couler le plomb.* ⇒ **Éponge.**

♦ **5.** (1866). Photogr. Cadre, panneau, châssis (au sens 1) utilisé au cours du développement.
Châssis-presse ou *positif :* cadre à volets pour l'exposition du négatif à la lumière. *Châssis négatif.*

♦ **6.** Techn. Charpente ou bâti (de machines, de véhicules).
(1864). Spécialt, cour. *Le châssis d'une automobile :* ensemble métallique supportant la carrosserie. *Carrosserie* métallique soudée à un châssis. Châssis intégré.* ⇒ **Coque.** *Châssis poutre.*
Véhicule (hippomobile ou automobile) dépourvu de carrosserie.

3   Là, Mr. Fogg examina un assez singulier véhicule, sorte de traîneau, établi sur deux longues poutres, un peu relevées à l'avant comme les semelles d'un traîneau, et sur lequel cinq ou six personnes pouvaient prendre place.
               J. VERNE, le Tour du monde en 80 jours, p. 280.

Le châssis d'un wagon, d'une locomotive. Châssis de roues (⇒ **Bogie, boggie**). — Vx. *Châssis d'atterrissage d'un avion.* ⇒ **Train.**

Loc. fam. *Un beau châssis :* un beau corps robuste (de femme, en général).

4   Juliette Doucet est grande et a une belle gorge (...) On dit d'elle : quel beau châssis !   Roger VAILLAND, 325 000 francs, p. 13.
5   Mᵐᵉ Clairnette — la belle Didine (...) robuste créature, du modèle *grand châssis* (...)   Francis CARCO, les Belles Manières, p. 19.

♦ **7.** Techn. Charpente destinée à supporter qqch. — Assise de la charpente d'une maison.
Mines. *Le châssis d'un puits, d'une galerie de mine.* ⇒ **Charpente.**
Milit. *Châssis d'un canon.* ⇒ **Affût.**
Pharm. *Châssis de blanchet*.* ⇒ **Carrelet.**

HOM. Chassie.

CHASSOIR [ʃaswaʀ] n. m. — XVᵉ; de *chasser,* I., 3., et *-oir.*

♦ Techn. Instrument servant à chasser, à enfoncer les cercles des tonneaux.

CHASTE [ʃast] adj. et n. — V. 1135; du lat. ecclés. *castus* «exempt de, pur de... ».

♦ **1.** (V. 1135). Relig. ou littér. Qui s'abstient des plaisirs charnels jugés illicites et des pensées impures. ⇒ **Ascétique, continent, pur, sage, vertueux.** *Femme, fille chaste.* ⇒ **Honnête.** *Aussi chaste qu'une vierge* (→ Montaniste, cit.). *La chaste Suzanne. Diane, la chaste déesse* (→ Archère, cit. 7). *Le chaste Hippolyte. Les chastes sœurs :* les Muses.

1   Rends-toi digne du nom de ma chaste moitié.   CORNEILLE, Horace, IV, 7.
2   (...) ce n'est pas toujours par valeur et par chasteté que les hommes sont vaillants et que les femmes sont chastes.   LA ROCHEFOUCAULD, Maximes, I, p. 243.
3   Élevé dans le sein d'une chaste héroïne,
Je n'ai point de son sang démenti l'origine
(...)
J'ai poussé la vertu jusques à la rudesse.
On sait de mes chagrins l'inflexible rigueur.
Le jour n'est pas plus pur que le fond de mon cœur.   RACINE, Phèdre, IV, 2.
4   C'est moi qui sur ce fils chaste et respectueux
Osai jeter un œil profane, incestueux.   RACINE, Phèdre, V, 7.
5   (...) une humanité chaste ignorerait la plupart des maux dont nous sommes accablés (...)   F. MAURIAC, la Pharisienne, XI.

Mod. Qui s'abstient volontairement de toute relation sexuelle. *Des fiancés chastes, totalement chastes.*

N. Rare. *Un, une chaste :* personne qui est chaste.

♦ **2.** Plus cour. (Choses, actions). Conforme à la chasteté, plein de chasteté. ⇒ **Décent, innocent, modeste, pudique, pur ; spirituel.** *Tempérament, cœur, amour chaste. Un chaste baiser. De chastes propos. Les chastes oreilles de qqn.* — Par plais. *Cela blesse, offense vos (nos, ses...) chastes oreilles.* ⇒ **Angélique, innocent ; prude, pudique.**

6 Chastes sont les oreilles
Encor que les yeux soient fripons.   LA FONTAINE, Fables, *in* LITTRÉ.
7 *(Un)* des laquais cria tout haut qu'elles étaient plus chastes des oreilles que de tout le reste du corps.   MOLIÈRE, la Critique de l'École des femmes, III.
8 Ce n'était pas le désir de satisfaire les sens, mais l'amour de la fécondité qui présidait à ces chastes mariages.   BOSSUET, Hist. des Variations, Déf., 1er Disc.
9 Enfin d'un chaste amour pourquoi vous effrayer ?   RACINE, Phèdre, I, 1.
10 Ah! le voici. Grands Dieux! À ce chaste maintien
Quel œil ne serait pas trompé comme le mien ?   RACINE, Phèdre, IV, 2, Variante.
11 (...) un regard tout baigné de chaste amour et de tendresse angélique.
Th. GAUTIER, le Capitaine Fracasse, t. II, p. 50.
12 Et nous sortîmes avec précaution, comme si nous avions craint de déplaire aux yeux chastes du jour naissant.
E. FROMENTIN, Une année dans le Sahel, p. 184.
13 En ce moment, leur étreinte était si chaste, que la grand-mère Yvonne s'étant réveillée, ils demeurèrent devant elle comme ils étaient, sans aucun trouble.
LOTI, Pêcheur d'Islande, V, p. 238.
14 Amour chaste, amour mystique, où leurs deux jeunesses fusionnaient dans le même élan vers l'avenir (...)   MARTIN DU GARD, les Thibault, t. I, p. 84.

Qui cache ce qu'il est inconvenant de montrer. *Des vêtements chastes.*

(Av. 1676). Vx (littér., arts). Qui est pur. *Un style chaste.*

CONTR. **Concupiscent, corrompu, cynique, débauché, dissolu, érotique, immodeste, impudique, impur, incontinent, indécent, lascif, libidineux, licencieux, lubrique, luxurieux, sensuel, vicieux, voluptueux. — Illicite, obscène.**
DÉR. **Chastement.**

CHASTEMENT [ʃastəmɑ̃] adv. — V. 1135 ; de *chaste.*

♦ D'une manière chaste. *Embrasser qqn chastement. Elle a couché avec son cousin, mais chastement.*

1 (...) peu parlent de l'humilité humblement ; peu de la chasteté chastement.
PASCAL, Pensées, VI, 377.
2 L'amour le moins honnête, exprimé chastement,
N'excite point en nous de honteux mouvement (...)
BOILEAU, l'Art poétique, IV.
3 (...) Gaud détourna les lèvres par ignorance de ce baiser-là, et, aussi chastement que le soir de leurs fiançailles, les appuya au milieu de la joue d'Yann, qui était froidie par le vent, tout à fait glacée.   LOTI, Pêcheur d'Islande, IV, VII, p. 256.

CHASTETÉ [ʃastəte] n. f. — 1180 ; du lat. *castitas,* de *castus,* (→ Chaste) ; a remplacé l'anc. franç. *chastée,* dér. de *chaste.*

♦ **1.** (1180). Vertu qui consiste à s'abstenir de tout plaisir charnel jugé illicite (par une religion, une morale sociale) et de toute pensée considérée comme impure ; comportement d'une personne chaste. ⇒ **Ascétisme, continence, pureté, sagesse, vertu.** *La chasteté de qqn, sa chasteté. Une chasteté volontaire, forcée.* — *La chasteté des mœurs.* — *Chasteté féminine.* ⇒ **Honnêteté.** *Chasteté conjugale.* Absolt. *La chasteté* (vertu religieuse). — (V. 1656). *Vœu de chasteté :* vœu qui impose la continence absolue, le célibat aux prêtres. *La vestale* qui avait manqué à son vœu de chasteté était enterrée vivante. Le vœu de chasteté des prêtres et des religieux.* ⇒ **Célibat.**

1 La vie religieuse consiste en trois parties essentielles, pauvreté, obédience, chasteté.   PATRU, *in* LITTRÉ.
2 (...) que dira-t-on qui soit bon? La chasteté? Je dis que non, car le monde finirait.   PASCAL, Pensées, VI, 385.
3 La chasteté eut ses martyrs aussi bien que la foi.
BOSSUET, Hist., I, II, *in* LITTRÉ.
4 Elle porte (...) la chasteté jusqu'au continuel crucifiement de sa chair.
FLÉCHIER, Panégyrique de sainte Thérèse, *in* LITTRÉ.
5 Il y avait autour de la jeune fille un tel parfum de chasteté, un tel charme de vertu que Phœbus ne se sentait pas complètement à l'aise auprès d'elle.
HUGO, Notre-Dame de Paris, II, VII, 8.
5.1 (...) ces mornes accumulations de scènes érotiques et criminelles dont l'aspect figé dans les romans de Sade, laisse paradoxalement au lecteur le souvenir d'une hideuse chasteté.   CAMUS, l'Homme révolté, p. 454.

Loc. *Ceinture* de chasteté.*

Abstinence volontaire de relations sexuelles.

5.2 Tu es trop belle pour prêcher la chasteté.
ÉLUARD, Donner à voir, Man Ray p. 197.

(Une, des chastetés). **a** Manifestations de la chasteté.

5.3 Enfin, après une cérémonie religieuse, où les anges eux-mêmes semblent lui faire fête, l'enfant pieuse, romanesque, ignorante, se trouve livrée à cet homme qui sait ce que c'est que l'amour, lui! Que vont devenir les pudeurs, les rêves, les chastetés de la jeune fille, en retombant du ciel sur la terre?
DUMAS fils, l'Ami des femmes, 1864, IV, 9, p. 173, *in* T. L. F.

b Personne chaste.

Le monde n'est pas aux vicieux, comme se l'imaginent les chastetés torturées.   6
BERNANOS, les Grands Cimetières sous la lune, p. 36.

♦ **2.** Littér. (en parlant d'inanimés). Pureté. *La chasteté du ciel.*
(Av. 1654). Littér., arts (vx). *La chasteté d'un style.*

CONTR. **Concupiscence, corruption, cynisme, débauche, dépravation, dissipation, immodestie, impudeur, impureté, incontinence, indécence, lascivité, licence, lubricité, luxure, sensualité, vice, volupté. — Obscénité.**

CHASUBLE [ʃazybl] n. f. — Fin XIIe ; du bas lat. *casubla* désignant un vêtement, de *casula* «manteau à capuchon».

♦ **1.** (Fin XIIe). Vêtement sacerdotal en forme de manteau à deux pans, que le prêtre revêt par-dessus l'aube et l'étole, pour célébrer la messe. *Chasuble à manches.* ⇒ **Dalmatique.** *Chasuble brodée, chasuble de damas, de soie, de drap d'or. La chasuble, ornement* sacerdotal.*

La paroisse n'avait que trois chasubles : une violette, une noire et une d'étoffe d'or (...) Un agneau d'or y dormait sur une croix d'or, entourée de larges rayons d'or. Le tissu, limé aux plis, laissait échapper de minces houppettes ; les ornements en relief se rongeaient et s'effaçaient.   ZOLA, la Faute de l'abbé Mouret, I, I, p. 3.

♦ **2.** (1893). Vêtement sans manches qui a cette forme. — En appos. *Robe chasuble, manteau chasuble. Elle portait une robe chasuble sur un chemisier.*

DÉR. **Chasublerie, chasublier.**

CHASUBLERIE [ʃazybləʀi] n. f. — 1863, Littré ; de *chasuble.*

♦ Fabrique, commerce de chasubles, d'ornements d'église.

Une bonne fourrure, de saison, n'est vraiment smart qu'égale au vingtième de poids de l'ivrogne. Ainsi les vend-on en notre grande Chasublerie de Saint-Sulpice.
A. JARRY, Almanach du Père Ubu, Pl., p. 538.

CHASUBLIER, IÈRE [ʃazyblije, ijɛʀ] n. — Fin XIIIe ; de *chasuble.*

♦ **1.** Personne qui fabrique, vend des chasubles, des ornements d'église. — En appos. *Maître chasublier.*

♦ **2.** N. m. Armoire d'une sacristie dans laquelle sont rangées les chasubles.

CHAT, CHATTE [ʃa, ʃat] n. — V. 1170 ; du bas lat. *cattus.*

★ **I.** ♦ **1.** Petit mammifère familier à poil doux, aux yeux oblongs et brillants, à oreilles triangulaires, se nourrissant de petits animaux (traditionnellement, de souris qu'il aime à chasser) et de la nourriture que ses maîtres lui servent ; spécialt, le mâle (⇒ **Matou**) adulte. *Chat domestique.* ⇒ (fam.) **Miaou** (enfantin), **minet, minou, mistigri.** *Relatif au chat.* ⇒ **2. Cataire.** *Chat coupé, châtré. Chat blanc, bleu, crème, gris, noir, roux ; écaille, pie ; marbré, tigré. Chat à poil court, à poil long. Chat commun, chat de gouttière. Chat de race :* abyssin, chartreux, siamois ; birman, persan (dit anciennt *chat angora). Les Chats,* poème de Baudelaire *(Fleurs du Mal,* 35 et 52). *Le chat botté,* héros d'un conte de Perrault. *Les griffes, les moustaches, les yeux fendus du chat. Il ne faut jamais couper les moustaches* (cit. 9) *à un chat. La queue du chat. Le chat miaule* (⇒ **Miaou, miaulement**). *Le chat ronronne, fait le gros dos. Le chat fait ses griffes. Le chat rentre ses griffes, fait patte de velours*. La souplesse, l'élégance du chat. Chat souricier, tueur de souris, de rats. Avoir un chat. Le chat de la voisine.* « *C'est la mère Michel Qui a perdu son chat* » (chanson). *Donner du lait, du poisson, du mou à son chat. — Une portée de petits chats* (chattée). — *Boyau de chat.* ⇒ **Catgut.** *Peau de chat. Pelage, fourrure du chat. — Chat retourné à l'état sauvage.* ⇒ **Haret.**

(...) Raminagrobis   1
Fait en tous lieux un étrange ravage.
Ce chat, le plus diable des chats,
S'il manque de souris, voudra manger des rats.
LA FONTAINE, la Ligue des rats.
Mon fils, dit la Souris, ce doucet est un Chat,   2
Qui, sous son minois hypocrite (...)   LA FONTAINE, Fables, VI, 5.
Il y a des chats toujours au guet, malicieux et infidèles, et qui font patte de   3
velours (...)   LA ROCHEFOUCAULD, Maximes, p. 374.
Le chat ne nous caresse pas, il se caresse à nous.   4
RIVAROL, l'Esprit de Rivarol, p. 54.
Les amoureux fervents et les savants austères   5
Aiment également, dans leur mûre saison,
Les chats puissants et doux, orgueil de la maison,
Qui comme eux sont frileux et comme eux sédentaires.
BAUDELAIRE, les Fleurs du mal, Spleen et Idéal, « Les chats ».
(...) ce coquin de chat maigre qui soufflait comme un diable au-dessus de ma tête.   6
Alphonse DAUDET, Lettres de mon moulin, p. 26.
L'idéal du calme est dans un chat assis.   J. RENARD, Journal, 30 janv. 1889.   7
Le chat (...) Quand il a bien joué, il va rêver ailleurs (...) assis dans la boucle de   8
sa queue, la tête bien fermée comme un poing.
J. RENARD, Histoires naturelles, « Le chat ».

CHATTE (n. f.) : femelle du chat. *Une chatte et ses chatons. La chatte a mis bas.* ⇒ **2. Chatonner.**

REM. Le féminin *chatte* est courant, mais on emploie le masc. *chat* dans tous les cas où le sexe n'est pas pertinent, et au pluriel (neutrâlisé).

9 La chatte siamois, tout à l'heure morte d'aise sur le mur tiède, ouvre soudain ses yeux de saphir dans son masque de velours sombre.
COLETTE, *Histoires pour Bel-Gazou*, « Le dernier feu », p. 138.

10 La chatte dehors miaula pour entrer et se dressa contre le grillage abaissé, en le grattant délicatement comme une joueuse de harpe.
COLETTE, *la Naissance du jour*, p. 151.

Loc. *Herbe aux chats* (appréciée par les chats). ⟹ 1. **Cataire, valériane.**

(Lang. enfantin). *Un gros chat :* un félin ressemblant au chat (lion, panthère, tigre...). → ci-dessous, 6.

♦ **2.** Loc. fam. (compar.). **a** *(Chat, chatte). S'étirer, bâiller, se pelotonner comme un chat. Être gourmand comme un chat.* — *Elle est gourmande, friande comme une chatte.* — *Être câlin, caressant comme un chat. Amoureuse, caressante comme une chatte.* — *Être à l'affût, guetter sa proie comme un chat guette la souris.*

b (Seulement au masc.). *Jouer avec sa victime comme un chat avec une souris.* — *Être, vivre comme chien et chat :* éprouver de l'antipathie, de la haine l'un pour l'autre. — *Jouer au chat et à la souris :* s'épier par jeu sans vouloir se rencontrer.

10.1 Mon interlocuteur devenait de plus en plus perplexe. Il commença à jouer au chat et à la souris.
MALRAUX, *Antimémoires*, Folio, p. 227.

Retomber comme un chat sur ses pattes (au fig.) : se tirer adroitement d'une situation difficile. — *Jeter le chat aux jambes de qqn,* lui susciter des embarras.

11 Vous m'allez jeter le chat aux jambes.
RACINE, *Lettres*, 1662.

Courir comme un chat maigre, très vite. — *Passer comme un chat sur la braise :* aller très vite ; (fig.) passer très rapidement sur un fait douteux. ⟹ **Griffonner.**

...DE CHAT. *Des yeux de chat :* des yeux humains qui évoquent ceux du chat (forme, éclat...). → Nyctalope, cit. 2. — (1885). *Une écriture de chat, des pattes de chat :* une écriture très petite et peu lisible (→ Pattes de mouche*). — *Une toilette de chat :* une toilette sommaire. — Fam. *Du pipi de chat :* boisson insipide (→ 1. Pipi, cit. 5).

Loc. fig. (seulement n. m.). *Avoir un chat dans la gorge :* être enroué. *Acheter chat en poche,* sans connaître, sans examiner l'objet qu'on achète. *Vendre chat en poche,* sans montrer ce que l'on vend.

12 N'allez pas acheter chat en poche.
J.-F. REGNARD, *le Bal*, 6.

De la bouillie pour les chats. ⟹ **Bouillie,** cit. 4. — *Il n'y a pas un chat :* il n'y a absolument personne*, le lieu est désert.

13 Pas un chat dans les rues du village ; tout le monde était à la grand'messe.
Alphonse DAUDET, *Lettres de mon moulin*, « le Poète Mistral », p. 153.

C'est le chat !, réponse ironique faite à une excuse à laquelle on ne croit pas. *Ce n'est pas moi qui ai cassé ce vase !* — *Non, c'est le chat !* — *Il n'y a pas de quoi fouetter un chat :* la faute, l'affaire est insignifiante ; ne mérite pas de punition (⟹ **Bagatelle).**

14 (...) il n'y a pas de quoi fouetter un chat dans la petite espièglerie qu'il vient de faire.
D'ALEMBERT, *Lettre à Voltaire*, 4 févr. 1773.

Emporter le chat : partir sans dire au revoir.

Avoir d'autres chats à fouetter, d'autres affaires en tête, plus importantes.

14.1 Pour ma part, dites-le-vous bien, j'ai d'autres chats à fouetter que d'aller me ruer sous les chars !...
CÉLINE, *Guignol's band*, p. 313.

14.2 Il se demanda s'il ne ferait pas mieux de descendre carrément dans les rues par quelque escalier intérieur. « Et puis, après ? se dit-il. En admettant même que les fous qui m'ont poursuivi aient désormais d'autres chats à fouetter, ce qui n'est pas sûr, je vais être en plein dans la mélasse ».
J. GIONO, *le Hussard sur le toit*, p. 135.

Appeler un chat un chat : appeler* les choses par leur nom.

15 J'appelle un chat un chat, et Rolet un fripon.
BOILEAU, *Satires*, 1.

Donner sa langue au chat : s'avouer incapable de trouver une solution.

15.1 Je ne doutai pas un instant que ce ne fût Pierre et préférai donner ma langue au chat.
Maurice CLAVEL, *le Tiers des étoiles*, p. 107.

15.2 Quel est le mot qui révèle aussitôt chez celui qui l'emploie que la chose que le mot désigne lui manque ? Vous donnez votre langue au chat ? Eh bien, c'est le mot goût, ha, ha...
N. SARRAUTE, *Vous les entendez ?*, p. 169.

Prov. *La nuit, tous les chats sont gris :* dans l'obscurité, on confond aisément les personnes, les choses.

16 Hé, monsieur le difficile, ne sais-tu pas bien que la nuit tous les chats sont gris ?
SCARRON, *le Roman comique*, I, 13.

Quand le chat n'est pas là, les souris dansent : quand le maître est absent, les subordonnés s'émancipent.

16.1 Mais on se croit donc tout permis, comme si nous n'étions pas là ... quand le chat n'est pas là les souris dansent ... pour raconter cyniquement ses escapades, révéler ses petites excursions solitaires, s'en vanter.
N. SARRAUTE, *Vous les entendez ?*, p. 134.

Chat échaudé craint l'eau froide : une mésaventure rend prudent.

17 Quoique chat échaudé ait la réputation de craindre l'eau froide (...)
VOLTAIRE, *Lettres en vers et en prose*, 105.

Il ne faut pas réveiller le chat qui dort : il ne faut pas aller imprudemment au devant des difficultés, des dangers. On dit aussi : *ne réveillez pas le chat qui dort.* ⟹ **Réveiller.** — *A bon chat, bon rat :* la défense vaut l'attaque.

18 Mais à bon chat bon rat, et ce n'est pas merveille,
Si les femmes souvent leur rendent la pareille.
J.-F. REGNARD, *le Distrait*, I, 8.

(1672). Appellatif familier et affectueux. *Oui, mon chat* (à un enfant, à une femme). → Chatte, I., 2.

18.1 À moins, ajouta-t-il en se tournant vers sa femme, que tu ne veuilles rester seule, mon petit chat ?
FLAUBERT, *Mme Bovary*, Folio, p. 301.

♦ **3.** (1532). Vx ou archaïsme. CHAT FOURRÉ : juge, magistrat. ⟹ **Fourrer** ; et aussi **grippeminaud.**

♦ **4.** (1852). *Chat, chat perché. Chat coupé, chat sans but :* jeux de poursuite où celui qui poursuit doit toucher un autre joueur, qui prend ce rôle. *Jouer au chat perché* (Académie), *à chat perché. Les buts de chat perché. Crier « chat » en touchant celui qu'on poursuit.*

18.2 Et il n'était pas le moins agile dans ces courses au *chat coupé* de la caserne des Célestins.
Ed. et J. DE GONCOURT, *Manette Salomon*, p. 367.

Le chat : le joueur qui doit poursuivre et toucher les autres joueurs, à ce jeu.

19 Malgré l'étrangeté de la comparaison, tout a lieu exactement comme au jeu de *chat perché.* Celui qui est « chat » *passe* sa qualité en touchant un joueur de la main, mais il doit éviter d'être retouché aussitôt par celui-ci, car il redevient *chat* du fait même. L'homme qui fait maintenir la veuve pour émettre en elle sa semence est strictement comparable à l'enfant qui, au lieu de fuir le joueur *chat,* l'attend de pied ferme et se dispose à lui rendre sans tarder, en le touchant immédiatement après avoir été touché, la qualité spéciale, contagieuse et dangereuse comparable à bien des égards à l'état de souillure que constitue le fait d'être *chat.*
Roger CAILLOIS, *l'Homme et le Sacré*, p. 188.

♦ **5.** (1931). Danse. SAUT DE CHAT : « série de bonds latéraux au cours desquels les jambes s'écartent tout en se repliant (l'une après l'autre) » (M. Bourgat).

♦ **6.** (N. m. seulement). Zool. Mammifère carnivore *(Félidés)* dont le chat (1., *felis domesticus*) est le type. ⟹ **Félin.** *Chat sauvage.* ⟹ **Guépard, ocelot, once, serval.** *Chat-tigre.* ⟹ **Margay.** *Chat-pard.* ⟹ **Lynx.** *Chat cervier. Chat ocellé, tigré.*

REM. On désigne aussi les femelles par le masculin.

★ **II.** Par anal. ♦ **1.** Vx. Instrument à griffes. ⟹ **Grappin.**

(1845 ; adapt. angl. *cat o'nine tails*). CHAT À NEUF QUEUES : fouet à neuf lanières, employé autrefois pour les châtiments corporels, dans la marine anglaise.

Minér. *Œil-de-chat :* chrysobéryl à reflets chatoyants. *Des œils-de-chat.*

20 L'œil-de-chat d'un gris verdâtre, strié de veines concentriques qui paraissent remuer.
HUYSMANS, *À rebours*, 1884, p. 59, *in* T. L. F.

Peint. *Or de chat :* or massif utilisé pour dorer les statuettes. Syn. : *or de Judée.*

Cour. LANGUE DE CHAT : petit gâteau sec. *Manger des langues de chat.*

♦ **2.** Zool. (par référence aux moustaches du chat). *Chat marin :* espèce de phoque. *Poisson chat.* ⟹ **Poisson.**

♦ **3.** Météor. *Queue de chat :* petit nuage blanc allongé.

★ **III.** (Déb. XVIIᵉ, *Parades,* de T. S. Gueulette, *in* Cellard et Rey). Fam., érotique. Sexe de la femme. ⟹ **Chatte, II.**

21 Impossible de ne pas évoquer, comme malgré soi, le petit chat qui dort à la jonction légère de ces lignes de lingerie.
Louis CALAFERTE, *No man's land*, II, p. 138.

DÉR. et COMP. **Chatière, chatte, chaton.** — **Chattemite, chatterie, chattée, chatter. — Chat-huant, chat-pard, chat-tigre.**
HOM. 1., 2. Chas, schah ou shah.

CHÂTAIGNE [ʃɑtɛɲ] n. f. — 1180, *chastaigne* ; du lat. *castanea* « châtaigne, châtaignier ».

♦ **1.** (1180). Fruit du châtaignier, formé d'une masse farineuse enveloppée d'une écorce lisse de couleur brun rougeâtre et renfermée dans une cupule verte, hérissée de piquants. ⟹ **Marron.** *Enveloppe de la châtaigne.* ⟹ **Bogue.** Loc. *Une châtaigne sous bogue*. Manger des châtaignes bouillies, rôties* (→ Biroulade, régional). *Châtaignes grillées.*

1 Pour nous, ce sont des châtaignes qui font notre ornement ; j'en avais l'autre jour trois ou quatre paniers autour de moi ; j'en fis bouillir, j'en fis rôtir, j'en mis dans ma poche ; on en sert dans les plats (...)
Mme DE SÉVIGNÉ, 210, 11 oct. 1671.

♦ **2.** *Châtaigne de, du...,* désignant le fruit d'autres espèces d'arbres. — (1561). *Châtaigne-d'eau.* ⟹ **Macle.** — *Châtaigne de cheval.* ⟹ **Marron.** — *Châtaigne du Brésil* ou *noix du Brésil. Châtaigne de terre :* racine comestible d'une plante *(Bunium bulbocastanum).*

(1564). *Châtaigne de mer :* oursin.

Zool. Plaque cornée des membres du cheval, de l'âne, du mulet, etc.

Couleur châtaigne, couleur de châtaigne. ⟹ **Châtain.** — Appos. (ou adj. invar.). (1925, *in* D.D.L.). *Une robe châtaigne.*

2 (...) une chevelure bouclée, dont notre ornement, aux tons de châtaigne mûre.
G. DUHAMEL, *Biographie de mes fantômes*, III, p. 39.

3 Surtout, que je n'oublie pas, au village, d'acheter des souvenirs. Pour maman, ce

pull châtaigne à grosses côtes, en laine du pays. Pour Jean-Philippe, le chalet-baromètre. Pour papa, peut-être cette blague à tabac, en peau de chamois.
Yanny HUREAUX, la Prof, p. 18.

♦ **3.** (1866). Fam. Coup* de poing. ⇒ **Marron** (pop.). *Il lui a flanqué une châtaigne.* Var. régionale (1895) : *castagne.*

4   Il l'injuriait, cette vulgaire qui n'avait rien trouvé d'autre à dire que « on ne couche pas avec la bonne », après s'être frotté contre lui, tout un soir. Il aurait dû lui mettre une châtaigne, c'est sûr. Il aurait dû profiter de la maison déserte.
Geneviève DORMANN, Je t'apporterai des orages, p. 87.

DÉR. Châtaigner, châtaignier, châtain.

CHÂTAIGNER [ʃateɲe] v. intr. — 1927 ; de *châtaigne* «coup de poing», et *-er.*

♦ Fam. Se battre à coups de poing. ⇒ **Cogner.** *« Ce sont des gosses de 17 à 19 ans. Ils arrivent par bandes et commencent à "châtaigner", pour le plaisir »* (*l'Express*, n° 1135, 9 avr. 1973, p. 97). Par ext. Se battre durement.

— Rien de précis. L'Espagne maintiendra la non-belligérance si l'Italie entre en guerre. La plus grande partie de l'Armée des Flandres est sauvée. Ça a châtaigné dur à Dunkerque où nos troupes se sont embarquées pour l'Angleterre !
Armand LANOUX, le Commandant Watrin, p. 134.

CHÂTAIGNERAIE [ʃateɲʀɛ] n. f. — 1538, *chastaigneraye* ; de *châtaign(ier)*, et *-eraie.*

♦ Lieu planté de châtaigniers, plantation de châtaigniers.

CHÂTAIGNIER [ʃateɲe] n. m. — 1697 ; *chastaignier*, v. 1165 ; de *châtaigne.*

♦ **1.** Arbre de grande taille, vivace, à feuilles dentées *(Cupuliféracées)*, scientifiquement appelé *castanea*, très commun dans les régions tempérées. *Une allée de châtaigniers.*
Par métonymie. Bois de cet arbre. *Le bois de châtaignier. Le châtaignier est employé dans la charpente, la tonnellerie. Treillage en bois de châtaignier. Cercle de tonneau en châtaignier.* ⇒ **Feuillard.**

♦ **2.** (Qualifié ; désignant des espèces voisines). *Châtaignier nain*, ou chincapin. *Châtaignier du Brésil.* ⇒ aussi **Marronnier.**

♦ **3.** [a] (1536). *Pomme de châtaignier* : variété de pomme à chair dure, à peau striée de rouge.

[b] N. f. invar. (1732). Pomme de châtaignier.

(...) les châtaigniers couperosées, les reinettes blondes (...)
ZOLA, le Ventre de Paris, t. II, p. 99.

DÉR. Châtaigneraie.

CHÂTAIN, AINE [ʃatɛ̃, ɛn] adj. et n. — 1839, *châtaine* ; *chastain*, av. 1345 ; *chastaigne*, v. 1300 ; de *châtaigne.*

♦ **1.** Adj. De couleur brun clair, rappelant celle de la châtaigne (ne s'emploie guère qu'en parlant des cheveux, etc.). *Poils, cheveux, sourcils châtains.* — REM. Le fém. *châtaine* (XIXᵉ s.) est admis par Académie, Huitième éd. — *Des nattes châtaines.*
(Personnes). Qui a le poil châtain, les cheveux châtains.

1   Ne te fie pas aux femmes blondes (...) ni aux noires (...) ni aux châtaines.
CLAUDEL, l'Échange, I.

Subst. *Un châtain. Les blondes et les châtaines.*

♦ **2.** N. m. Couleur de la châtaigne. *Cheveux d'un châtain clair, d'un beau châtain.* — Appos. ou adj. invar. *Châtain clair, foncé, cendré, roux* (⇒ **Auburn**).

2   Ses cheveux n'étaient que châtain foncé ; mais à distance, ils brillaient presque noirs en recouvrant la nuque de leur conque épaisse.
Pierre LOUŸS, la Femme et le Pantin, I, p. 21.

CHATAIRE [ʃatɛʀ] n. f. ⇒ 1. **Cataire.**

1. CHÂTEAU [ʃato] n. m. — 1080, *chastel*, in *Chanson de Roland* ; du lat. *castellum*, de *castrum* «camp».

♦ **1.** Demeure féodale fortifiée et défendue par un ensemble de fossés, de constructions. ⇒ **Bastille, citadelle, fort, forteresse.** *Château fort, château féodal* (syntagmes utilisés pour lever l'ambiguïté possible avec les autres sens). *Château fort, en Allemagne* (⇒ **Burg**). *Relatif à un château.* ⇒ **Castral** (didact.). *Les constructions, les parties d'un château* (⇒ **Donjon, muraille, rempart, tour, tourelle ; arbalétrier, barbacane, créneau, échauguette, hourd, mâchicoulis, meurtrière...**). *Enceinte d'un château* (⇒ **Fortification, bastion, courtine, douve, enceinte, fossé, lice**). *La herse, le pont-levis, la sarrasine d'un château. Avant-corps, arrière-corps d'un château. Chapelle d'un château. Cour d'honneur, avant-cour, arrière-cour, corps de garde d'un château. Souterrains d'un château.* ⇒ **Oubliette.** *Ruines d'un château médiéval. Le château de Pierrefonds, de Combourg.*

1   Au fond de la cour, dont le terrain s'élevait insensiblement, le château se montrait entre deux groupes d'arbres. Sa triste et sévère façade présentait une cour-

tine portant une galerie à mâchicoulis, denticulée et couverte. Cette courtine liait ensemble deux tours inégales en âge, en matériaux, en hauteur et en grosseur, lesquelles tours se terminaient par des créneaux surmontés d'un toit pointu, comme un bonnet posé sur une couronne gothique.
(...) Un large perron, raide et droit (...) remplaçait sur les fossés comblés l'ancien pont-levis ; il atteignait la porte du château, percée au milieu de la courtine. Au-dessus de cette porte on voyait les armes des seigneurs de Combourg (...)
(...) Mêlez à cela *(les grandes salles)*, dans les diverses parties de l'édifice, des passages et des escaliers secrets, des cachots et des donjons, un labyrinthe de galeries couvertes et découvertes, des souterrains murés, dont les ramifications étaient inconnues (...) voilà le château de Combourg.
CHATEAUBRIAND, Mémoires d'outre-tombe, I, II.

Par ext. Forteresse. *Le château de Vincennes.*

♦ **2.** (1606). Habitation seigneuriale ou royale (souvent, à l'origine, *château* au sens 1). ⇒ **Palais.** *Le château des Tuileries, de Fontainebleau. Châteaux de la Renaissance. Les châteaux de la Loire. Le château de Versailles.* — Absolt (au XVIIᵉ). *Le Château :* la résidence royale. — (1836). Par métonymie. La cour, le roi.

2   Ces gens (...) ne sortent pas du Louvre ou du Château *(le château de Versailles)*, où ils marchent et agissent comme chez eux (...)
LA BRUYÈRE, les Caractères, VIII, 18.

♦ **3.** Habitation du maître d'une grande propriété ; vaste et belle maison* de plaisance, à la campagne. ⇒ **Castel, demeure, gentilhommière, hôtel, manoir, résidence.** *Acheter un château, un petit château. Le propriétaire du château. Sa maison est un véritable château.*

3   Quand on sait se préserver du poison mortel de l'ennui, on se trouve bien plus à son aise dans son château que dans le tumulte de Paris.
VOLTAIRE, Lettre à Florian, 29 nov. 1764.

4   Sur le revers d'une de ces collines décharnées qui bossuent les Landes, entre Dax et Mont-de-Marsan, s'élevait, sous le règne de Louis XIII, une de ces gentilhommières si communes en Gascogne, et que les villageois décorent du nom de château.
Th. GAUTIER, le Capitaine Fracasse, t. I, p. 1.

Par métonymie. Les habitants d'un château. *Tout le château attendait le visiteur sur le perron.*

Spécialt. *Les châteaux du Bordelais* (qui donnent leur nom à des crus. ⇒ **Bordeaux**). — (1849). Propriété productrice de vins (qu'il y ait ou non un château). *Château-Margaux, Château-Yquem.* — Fam., par plais. *Château-la-Pompe* : eau du robinet.

Mener une vie de château, une vie oisive et opulente. Fam. *C'est la vie de château, pourvu que ça dure !*

♦ **4.** Loc. fig. *Faire, bâtir des châteaux en Espagne* : échafauder des projets chimériques, utopiques. *Un rêveur qui ne fait que bâtir des châteaux en Espagne.*

5   Quel esprit ne bat la campagne ?
Qui ne fait châteaux en Espagne ?
LA FONTAINE, Fables, VII, 10.

6   (...) enchantés de ce projet en apparence, mais au fond le prenant tous pour un pur château en Espagne, dont on cause en conversation sans vouloir l'exécuter en effet.
ROUSSEAU, les Confessions, II.

7   Château de cartes, château de Bohême, château en Espagne (...) telles sont les premières stations à parcourir pour notre poète.
NERVAL, Petits châteaux de Bohême, Troisième château, Pl., t. I, p. 95.

♦ **5.** *Château de cartes.* ⇒ **Carte** (cit. 12).
Château branlant. ⇒ **Branlant** (cit. 2).
Château de sable : construction (en forme de château...) que les enfants font avec du sable humide, au bord de la mer.

7.1 Châteaux de sable qu'il élevait (...) à la marée montante pour lutter contre la lame.
A. FRANCE, les Désirs de Jean Servien, 1882, p. 168, in T. L. F.

♦ **6.** (1704). CHÂTEAU D'EAU. [a] Tour surmontée d'un grand réservoir à eau, fournissant l'eau sous pression.

7.2 (...) je vis tourner la locomotive sur l'extrême plaque tournante, je vis le château d'eau, je vis le chauffeur se laver les mains (...)
J. GIRAUDOUX, Simon le pathétique, p. 187.

[b] Grande fontaine à nombreux bassins.

7.3 Auprès de nous s'ébruitaillait les cascades du château d'eau de la ville.
GIDE, les Nourritures terrestres, 1897, p. 179, in T. L. F.

♦ **7.** (V. 1168). Mar. Superstructure élevée sur le pont supérieur d'un navire. *Château d'avant, d'arrière, château de proue, de poupe. Long château, court château.*

8   Les officiers étaient sur le château de poupe avec les passagers (...)
CHATEAUBRIAND, le Génie du christianisme, I, I, 12.

9   À chaque minute du jour et de la nuit, l'un d'eux devait être à l'écoute, sur le château, entre les embarcations de sauvetage, dans la baraque trapue que surmontait, comme une girouette trop grêle, le losange du goniomètre.
Roger VERCEL, Remorques, p. 24.

♦ **8.** (V. 1275). Blason. *Château fondu*, dont la partie supérieure est seule représentée.

DÉR. Châtelé, châtelet. — V. aussi Castel, châtelain.

2. CHÂTEAU [ʃato ; ʃato] n. m. Abrév. de *châteaubriant.*

CHATEAUBRIAND [ʃatobʀijɑ̃] ou CHÂTEAUBRIANT [ʃatobʀijɑ̃] n. m. — 1856, *châteaubriant*, La Châtre ; *chateaubriand*, 1866 ; orig. incert. ; p.-ê. du nom de l'écrivain Chateaubriand, parce que

l'invention de ce plat serait due à son cuisinier Montmirel ; ou du nom de la ville de Châteaubriant (Loire-Atlantique).

◆ Épaisse tranche de filet de bœuf grillé. ⇒ **Bifteck** (vieilli), **steak**, **tournedos**. *Un châteaubriant, un chateaubriand aux pommes.*

> (...) le cuisinier Montmirel, le grand Montmirel, inventeur (...) du beefsteak Chateaubriand, cuit entre deux tranches d'aloyau (...)
> A. MAUROIS, Chateaubriand, VIII, 2, p. 332.

Sauce chateaubriand : sauce brune qui accompagne le chateaubriand, et, par ext., les grillades.

Abrév. cour. : *un château saignant. Pommes château :* pommes de terre tournées au beurre, servies avec le chateaubriand.

CHÂTELAIN [ʃatlɛ̃] n. m. et adj. — 1155, *chastelain ;* du lat. *castellanus* « celui qui habite un château fort », de *castellum.* → 1. **Château.**

★ **I.** N. ◆ **1.** (1155). Seigneur d'un château féodal.

◆ **2.** Seigneur venant après le baron dans la hiérarchie nobiliaire (→ Baron, cit. 2).

◆ **3.** Celui qui possède un château de plaisance, qui y réside. *Un riche châtelain.*

★ **II.** Adj. ◆ **1.** *Seigneur châtelain.*

> Autrefois les seigneurs châtelains de Picardie n'allaient guère voir les seigneurs châtelains des Allobroges (...) VOLTAIRE, Lettre à Florian, 29 nov. 1764.

(1636). *Juge châtelain :* juge qui rendait la justice pour le seigneur châtelain.

◆ **2.** Rare. Qui ressemble à un château. *Maison châtelaine.* — Qui concerne un châtelain. *Chaîne châtelaine.* ⇒ **Châtelaine, II.**

DÉR. Châtellenie.

CHÂTELAINE [ʃatlɛn] n. f. — V. 1170 ; de *châtelain.*

★ **I.** ◆ **1.** (V. 1170). Femme d'un châtelain.

◆ **2.** (1840). Propriétaire d'un château de plaisance. → Manoir, cit. 2.

★ **II.** (1828 ; de *chaîne châtelaine*). Chaîne de ceinture. — Sautoir à gros chaînons.

CHÂTELÉ, ÉE [ʃatle] adj. — V. 1396, *chastellé ; castellé*, v. 1297 ; de l'anc. franç. *chastel.* → 1. **Château.**

◆ Blason. Chargé de plusieurs châteaux.

CHÂTELET [ʃatlɛ] n. m. — 1155, *chastelet ;* dér. de l'anc. franç. *chastel* (→ 1. **Château**), et *-et.*

◆ **1.** (1155). Ancienn. Petit château fort. — Ancienne forteresse transformée en siège de la justice royale, et dont le cri est sonore. *Le grand, le petit Châtelet. Place du Châtelet :* place de Paris, située sur l'emplacement du grand Châtelet.

◆ **2.** Rare. Petit château (3.). ⇒ **Gentilhommière, manoir.**

◆ **3.** Techn. Réunion des montants verticaux qui soutiennent les hautes lisses de certains métiers à tisser.

CHÂTELLENIE [ʃatɛlni] n. f. — 1260, *chatelenie ;* du rad. de *châtelain,* et *-ie.*

◆ **1.** Histoire. Seigneurie et juridiction d'un seigneur châtelain. *Droit de châtellenie.*

◆ **2.** L'étendue de terres placée sous la juridiction d'un châtelain.

CHAT-HUANT [ʃauã ; ʃayã] n. m. — Fin XIVᵉ ; *chahuan,* v. 1265 ; d'un lat. vulg. *cavannus,* altéré d'après *chat,* et *huer.*

◆ Rapace nocturne (⇒ **Chouette**) possédant deux touffes de plumes (semblables à des oreilles de chat) et dont le cri est sonore. Spécialt. ⇒ **Hulotte.** *Des chats-huants* [ʃayã]. *Le cri du chat-huant.*

> 1   Une souris tomba du bec d'un chat-huant (...)   LA FONTAINE, Fables, IX, 7.
> 2   Le soldat se remit en route au crépuscule,
>   Heure trouble assortie au cri du chat-huant (...)
>   HUGO, la Légende des siècles, X,
>   Le cycle héroïque chrétien, « Le jour des rois », VI.

DÉR. V. Chouan (étymologie).

CHÂTIER [ʃatje] v. tr. — Xᵉ, *castier ;* du lat. *castigare* « corriger ».

◆ **1.** (V. 1170). Littér. ou vieilli. Infliger à (qqn) une peine sévère pour corriger. ⇒ **Corriger, punir.** *Châtier un coupable, un criminel pour faire un exemple. Châtier un enfant corporellement.* ⇒ **Battre.** *Châtier les rebelles. Dieu châtie les hommes. Châtier qqn de* (qqch., une faute), *pour* (une faute, un défaut).

> Car l'Éternel châtie celui qu'il aime,
> Comme un père l'enfant qu'il chérit.   BIBLE (SEGOND), Proverbes, III, 12.   1

> Qui te rend si hardi de troubler mon breuvage ?
> Dit cet animal plein de rage :
> Tu seras châtié de ta témérité.   LA FONTAINE, Fables, I, 10.   2

> Je me souviens qu'une fois que mon père le châtiait *(mon frère)* rudement et avec colère, je me jetai impétueusement entre deux, l'embrassant étroitement.
>   ROUSSEAU, les Confessions, I.   3

> (...) vous êtes le maître à tous ici. Mais, comme cela est contre nature, et que vous y arrivez par des moyens que Dieu réprouve, Dieu vous châtie, vous rendant encore plus malheureux que vous ne le seriez en obéissant au lieu de commander.
>   G. SAND, la Petite Fadette, XXXVIII, p. 243.   4

(V. 1375). Prov. *Qui aime bien châtie bien :* corriger qqn c'est témoigner de l'intérêt, de l'affection qu'on lui porte.

Équit. *Châtier un cheval,* lui donner des coups pour le forcer à obéir.

Fig. *Châtier une faute* (→ Penaud, cit. 2). *Châtier l'audace, l'insolence de qqn.* — (Sujet n. de chose) :

> Le rire châtie certains défauts à peu près comme la maladie châtie certains excès, frappant des innocents, épargnant des coupables, visant à un résultat général et ne pouvant faire à chaque cas individuel l'honneur de l'examiner séparément.
>   H. BERGSON, le Rire, p. 201.   5

◆ **2.** (V. 1130). Relig. ou littér. *Châtier son corps :* imposer à son corps des privations, des souffrances dans un but pratique ou par ascétisme*. ⇒ **Mortifier.**

> Je châtiais allégrement ma chair, éprouvant plus de volupté dans le châtiment que dans la faute — tant je me grisais d'orgueil à ne pas pécher simplement.
>   GIDE, les Nourritures terrestres, I.   6

> C'était (...) un bègue intermittent, en ce sens qu'il avait adopté des disciplines, fait maint et maint exercice, châtié la carcasse et obtenu, finalement, gain de cause.
>   G. DUHAMEL, Biographie de mes fantômes, X, p. 183.   7

Spécialt. *Châtier ses nerfs, sa voix,* les maîtriser.

◆ **3.** (1661). Littér., arts. Rendre plus correct et plus pur (le style). ⇒ **Corriger, épurer, perfectionner, polir, raboter, rectifier, retoucher, revoir.** *Châtier son style.*

> Rubens ne se châtie pas, et il fait bien. En se permettant tout, il vous porte au delà de la limite qu'atteignent à peine les plus grands peintres ; il vous domine, il vous écrase sous tant de liberté et de hardiesse (...)
>   E. DELACROIX, Écrits, t. II, p. 73.   8

▶ **SE CHÂTIER** v. pron.

Réfl. *Se châtier :* châtier (2.) son corps.

▶ **CHÂTIÉ, ÉE** p. p. adj.

(En parlant du style). Qui vise à une correction et une pureté parfaites. ⇒ **Académique, classique, dépouillé, épuré, poli, pur.** *Un style châtié.* — *Un auteur châtié,* qui a un style châtié.

> Son style était plus suivi et plus châtié.
>   BOSSUET, Hist. des Variations, 9, *in* LITTRÉ.   9

CONTR. Récompenser. — Encourager.
DÉR. Châtiment, châtieur.
COMP. (Du p. p.) Inchâtié.

CHATIÈRE [ʃatjɛr] n. f. — V. 1275 ; de *chat.*

◆ **1.** Petite ouverture pratiquée au bas d'une porte pour laisser passer les chats.

> Le chat gris qu'il avait dérangé dans le salon, la nuit passée, mit la tête à la chatière *(sic),* se mit en dépêtrant ses pattes du trou, une après l'autre, et vint se frotter à lui en ronronnant.   J. GIONO, le Hussard sur le toit, p. 118.   1

Par ext. Petite ouverture.

> À cet énorme temple *(d'Angkor)* on accède par une chatière, répétée, bien visible et exaltée, comme un petit trou noir dans le château central.
>   CLAUDEL, Journal, sept.-oct. 1921, Pl., t. I, p. 521.   2

Ouverture secrète pour épier.

> Monsieur le Prince, en arrière du service, regardait par la chatière et s'applaudissait de sa malice noire.   SAINT-SIMON, Mémoires, 75, 227, *in* LITTRÉ.   3

◆ **2.** Techn. Ouverture pratiquée dans un bassin pour permettre l'écoulement des eaux.

(Av. 1755). Trou d'aération dans les combles.

Vx. Dans certains théâtres, Petite porte grillagée de la caisse.

◆ **3.** (1803). Piège pour prendre les chats.

◆ **4.** Passage étroit où l'on ne peut passer qu'en rampant.

> Le franchissement des étroitures présente tous les degrés de difficulté. Se méfier, en particulier, du passage des chatières basses et plus ou moins sinueuses où l'on s'engage et d'où l'on ne peut pas sortir.   Félix TROMBE, la Spéléologie, p. 46.   4

CHÂTIEUR, EUSE [ʃatjœr, øz] n. m. — 1846, Bescherelle ; de *châtier.*

◆ Littér. et vieilli. Personne qui châtie (qqn, un groupe). ⇒ **Punisseur.**

> Cette déplorable façon de gouverner jeta enfin dans le dernier désespoir ce maître de la paix et de la guerre, ce distributeur de couronnes, ce châtieur des nations.
>   SAINT-SIMON, Mémoires, 403, 12, *in* LITTRÉ.

CHÂTIMENT [ʃatimã] n. m. — V. 1170, *chastiement ;* de *châtier.*

◆ Littér. ou style soutenu (le mot neutre est : *punition*). Peine* sévère infligée à une personne que l'on veut corriger, et, par ext., punition. ⇒ **Expiation, pénitence, prix, punition, répression.**

(Un, des châtiments). Châtiment corporel. ⇒ **Correction, coup, peine, supplice.** *Châtiment léger. Châtiment sévère, rigoureux, cruel. Un juste châtiment. Un châtiment exemplaire. Le châtiment d'une offense, d'une injure.* ⇒ **Vengeance.** *Le juste châtiment de sa faute.* ⇒ **Prix, salaire.** *Châtiment de la justice.* ⇒ **Justice** (vindicative). *Châtiment politique.* → 1. Politique, cit. 17. *Châtiment de Dieu. Châtiment de l'enfer.* ⇒ **Dam, damnation.** *Infliger un châtiment. Recevoir, subir un châtiment. Être digne de châtiment.* ⇒ **Corde** (mériter la). — *Les Châtiments,* œuvre de V. Hugo. *Crime et Châtiment,* roman de Dostoïevski.

1   (...) pour faire un châtiment
Qui pût servir d'exemple, et dont toute sa suite
Se souvînt à jamais comme d'une leçon.   LA FONTAINE, Fables, IX, 5.

2   *(Qu'il)* reçoive un juste châtiment de la dureté qu'il a eue pour moi !
MOLIÈRE, George Dandin, III, 6.

3   L'autre est un imposteur digne de châtiment.   MOLIÈRE, Amphitryon, III, 5.

4   (...) ne lui infligez *(à l'enfant)* aucune espèce de châtiment, car il ne sait ce que c'est qu'être en faute.   ROUSSEAU, Émile, II.

5   Voilà comment le luxe, la dissolution et l'esclavage ont été de tout temps le châtiment des efforts orgueilleux que nous avons faits pour sortir de l'heureuse ignorance où la sagesse éternelle nous avait placés.
ROUSSEAU, Disc. sur les sciences et les arts, I, p. 11.

6   (...) tout mène à la récompense ou au châtiment, deux formes de l'éternité.
BAUDELAIRE, les Paradis artificiels, p. 275.

7   Je vous ménage un châtiment exemplaire, si vous allez contre ma volonté.
A. DE MUSSET, les Caprices de Marianne, II, 3.

8   Le châtiment de ceux qui ont beaucoup aimé les femmes est de les aimer toujours.
Joseph JOUBERT, Pensées, V, 52.

9   Pécuchet objecta que les châtiments corporels sont quelquefois indispensables.
FLAUBERT, Bouvard et Pécuchet, Pl., t. II, p. 927.

CONTR. Récompense ; encouragement ; prime.

CHATIVE [ʃativ] n. f. — 1907 ; orig. inconnue ; p.-ê. à rattacher au lat. *captivus.*

♦ Régional (Lorraine). Au plur. Alluvions déposées par les crues de la Moselle.

CHATOIEMENT [ʃatwamã] n. m. — 1819 ; *chatoyement,* av. 1788 ; de *chatoyer.*

♦ **1.** Reflet changeant de ce qui chatoie. ⇒ **Miroitement.** *Le chatoiement d'une soierie.*

Nous irons voir la vitrine d'Hermès, à cause d'un foulard pourpre et gris, d'un large ruban ancien rouge et rose, d'un chatoiement qui assemble, sur un champ violet, le feu assoupi des vieilles fleurs, une grappe de joyaux d'or, écailleux comme des poissons (...)   COLETTE, l'Étoile Vesper, p. 159.

♦ **2.** Fig. et littér. *Le chatoiement d'un style, d'une musique.*

1. CHATON [ʃatɔ̃] n. m. — 1616 ; *chastun,* v. 1165 ; du francique **kasto* « caisse » (cf. all. *Kasten*), ou, d'après P. Guiraud, du lat. *capsa* « châsse ».

♦ **1.** (V. 1165). Tête d'une bague où s'enchâsse une pierre précieuse. *Enchâsser, sertir un brillant dans un chaton.*

(1780). La pierre. *Bague à large chaton plat. Chaton plat d'une chevalière.* ⇒ **Chevalière.**

1   (...) des bagues aux chatons finement travaillés (...)
Th. GAUTIER, le Roman de la momie, II, p. 59.

2   (...) il porte une grosse bague chinoise en pierre dure, dont le chaton, taillé avec art et minutie, représente une jeune femme à demi étendue sur le bord d'un sofa, un de ses pieds nus reposant encore à terre, le buste soulevé sur un coude et la tête renversée en arrière.   A. ROBBE-GRILLET, la Maison de rendez-vous, p. 75.

♦ **2.** **[a]** Anat. *Chaton cricoïdien :* partie postérieure du cartilage cricoïde qui ressemble à une bague avec chaton.

[b] (1704). Bot. Enveloppe verte des noisettes ; partie du gland qui s'y trouve enchâssé. — REM. Ce sens, métaphore du 1., peut être aussi rattaché à 2. *Chaton,* II.

3   Le gland est à demi enchâssé dans un chaton qui le préserve de toute meurtrissure parmi les rameaux d'un arbre.
BERNARDIN DE SAINT-PIERRE, Harmonies de la nature, 1814, p. 95, *in* T. L. F.

DÉR. 1. Chatonner.

2. CHATON [ʃatɔ̃] n. m. — 1261 ; de *chat,* et *-on.*

★ **I.** Jeune chat*. *Une portée de chatons :* une chattée.

0.1   La chatte emporte sans précaution le chaton par la peau du cou. Comme un paquet. Mais le petit chat ronronne de plaisir, car ces apparentes bourrades recouvrent une entente intime et maternelle.
M. TOURNIER, le Roi des Aulnes, p. 340.

★ **II.** (Allus. à la queue d'un chat, à la douceur du poil du chat). ♦ **1.** (1530). Bot. Inflorescence formée de fleurs unisexuées en forme d'épi duveteux. *Chatons de coudrier, de noyer, de saule. Arbres à chatons.* ⇒ **Amentifère.** *Épi en forme de chaton.* ⇒ **Amentiforme.**

Les chatons verdâtres des noisetiers alternent avec les chatons jaunâtres des saules.   Paul BOURGET, le Disciple, IV, p. 224.   1

Autour de chaque chaton semblait flotter une poussière de pollen, une petite clarté blonde que le soleil ne faisait point pâlir.   M. GENEVOIX, Forêt voisine, V, p. 50.   2

Fleurs mâles (de certains conifères). *Un chaton de pin.*

♦ **2.** Fam. Petits amas de poussière d'aspect cotonneux qui s'accumulent sous les meubles. ⇒ **Mouton.**

On a regardé sous le buffet (...) Mais l'on n'en a ramené que de gros chatons de poussière, que l'on était gêné de voir, parce qu'ils semblaient démentir les prétentions bien connues de Mme Maillecottin à la propreté.   3
J. ROMAINS, les Hommes de bonne volonté, V, p. 58.

DÉR. 2. Chatonner.

1. CHATONNER [ʃatɔne] v. intr. — 1832 ; de 1. *chaton.*

♦ Techn. (joaill.). Sertir (une pierre) dans le chaton (1. Chaton) d'une bague.

HOM. 2. Chatonner.

2. CHATONNER [ʃatɔne] v. intr. — 1530 ; « marcher comme un chat », v. 1185 ; de 2. *chaton* « petit chat ».

♦ **1.** Rare. Mettre bas, en parlant d'une chatte.

♦ **2.** (1922, Henri Pourrat). Bot., agric. Se couvrir de chatons, en parlant d'un végétal.

HOM. 1. Chatonner.

CHATOUILLANT, ANTE [ʃatujã, ãt] p. prés. et adj. — XVIIᵉ ; *chatouillard,* XVIᵉ ; de *chatouiller.*

♦ **1.** Rare. Qui produit, par des attouchements, des sensations vives provoquant un rire convulsif (⇒ **Chatouiller**). *Caresses chatouillantes.*

♦ **2.** Fig., littér. Qui chatouille l'amour-propre ; qui plaît, qui flatte.

(Louis) a versé de sa bouche à ses grâces brillantes
De deux précieux mots les douceurs chatouillantes (...)
MOLIÈRE, la Gloire du Val-de-Grâce, 300.

Il y goûtait mille joies chatouillantes, béat (...)   2
ZOLA, le Ventre de Paris, t. I, p. 96.

1. CHATOUILLE [ʃatuj] n. f. — 1787 ; de *chatouiller.*

♦ **1.** Action de chatouiller. *Faire des chatouilles à qqn.* ⇒ **Chatouillement, papouille.** — Sensation qui en résulte. *Détester les chatouilles.*

Lambert et le Blondinet se jettent sur Moûlu, le ceinturent et le clouent sur le sol à la renverse, Gassou lui chatouille les flancs. Moûlu frissonne, râle, bave, rit et soupire : « Arrêtez ! Arrêtez les gars ! Faites pas les cons ! Je peux pas supporter les chatouilles ».   SARTRE, la Mort dans l'âme, 1949, p. 256, *in* T. L. F.

Par ext. ⇒ **Chatouillement** (2.).

♦ **2.** *La chatouille :* l'action de chatouiller. ⇒ **Chatouillement.**

HOM. 2. Chatouille ; formes du v. **chatouiller.**

2. CHATOUILLE [ʃatuj] n. f. — 1552, Rabelais ; probablt altér. par *chat* du moy. franç. *satouille.*

♦ Régional. Larve de la lamproie.

HOM. 1. Chatouille ; formes du v. **chatouiller.**

CHATOUILLEMENT [ʃatujmã] n. m. — 1580 ; *catoullement,* v. 1390 ; de *chatouiller.*

♦ **1.** V. 1390. *(Un, des chatouillements).* Action de chatouiller (qqn). ⇒ **Attouchement, caresse, titillation ; chatouillis.** *Le chatouillement de qqn par qqn* (rare). *Être sensible au chatouillement.* ⇒ **1. Chatouille.** *Craindre, redouter le chatouillement.* ⇒ **Chatouilleux** (→ Chatouiller, cit. 0.1, Proust). — Sensation qui résulte d'un chatouillement.

♦ **2.** (1801). Léger picotement qui se produit sur certaines parties du corps. *Éprouver un chatouillement dans la gorge. Chatouillement énervant, désagréable.* ⇒ **Agacerie, démangeaison, excitation, picotement, prurit.**

♦ **3.** Littér. Action de chatouiller (3.) les organes des sens, les sens. *Le chatouillement du palais, de l'oreille.*

(...) le chatouillement des sens est suivi de si près par la joie, et la douleur par la tristesse, que la plupart des hommes ne les distinguent point (...)
DESCARTES, les Passions de l'âme, 94.

CHATOUILLER [ʃatuje] v. tr. — XIIᵉ ; orig. incertaine.

♦ **1.** Faire à (qqn) des attouchements légers et répétés sur la peau, en produisant (chez lui) des sensations agréables ou pénibles qui provoquent un rire convulsif. *Chatouiller légèrement qqn.* ⇒ **Caresser, titiller, toucher.** *Chatouiller à la plante des pieds* (Académie).

0.1 Car son oncle, par plaisanterie, chatouillait volontiers Jean, supplice qui lui était si atroce qu'il trouvait la mort préférable à une vie où on peut être placé sans défense, même une fois par semaine, à côté d'une personne qui vous chatouille, d'autant qu'il avait sur le chatouillement, parce que sa mère le craignait pour Jean à cause de sa nervosité, des idées obscures qui en faisaient quelque chose peut-être d'obscène et certainement de cruel. PROUST, Jean Santeuil, Pl., p. 349.

(Le compl. désigne une partie du corps). *Il lui chatouillait les flancs* (→ 1. Chatouille, cit.).

Par métaphore (la cit. 1 est en emploi absolu) :

1 Je suis charmé de votre remerciement ; j'en étais même un peu inquiet, je vous l'avoue, car, en chatouillant, on n'est jamais sûr de ne pas trop gratter (...)
SAINTE-BEUVE, Correspondance, t. I, p. 282 (éd. Calmann-Lévy).

2 La mort de millions d'inconnus nous chatouille à peine et presque moins désagréablement qu'un courant d'air. PROUST, le Temps retrouvé, I, éd. La Gerbe, p. 107.

Par euphém. (érotique). *Chatouiller une femme,* la caresser discrètement. ⇒ **Peloter.**

Manège. *Chatouiller un cheval de l'éperon,* le toucher légèrement avec l'éperon.

Loc. *Chatouiller les côtes à qqn,* le battre, le frapper (sujet n. de personne) ; lui donner une sensation de satisfaction (sujet n. de personne ou de chose).

2.1 (...) il *(Jeanlin)* continuait à rire, plein d'un immense dédain pour Lydie et Bébert. Jamais on n'avait vu des enfants si cruches. L'idée qu'ils gobaient toutes ses bourdes, et qu'ils s'en allaient les mains vides, pendant qu'il mangeait la morue, au chaud, lui chatouillait les côtes d'aise. ZOLA, Germinal, 1885, p. 1370, *in* T. L. F.

♦ **2.** Faire subir un léger picotement à (qqn, une partie du corps). ⇒ **Agacer, exciter, picoter.** *Il sent quelque chose qui lui chatouille la gorge* (Hatzfeld). *Ça me chatouille.* ⇒ **Gratter.** *« Est-ce que ça vous chatouille, ou est-ce que ça vous gratouille ? »* ⇒ **Gratouiller** (cit. 3, Romains).

2.2 (...) un frisson de vent, rien qu'un frisson, caresse la mer, fait à peine frémir, en la chatouillant, sa peau bleue et moirée. MAUPASSANT, la Vie errante, p. 28.

♦ **3.** Littér. Exciter doucement (le goût, l'odorat, l'ouïe) par des impressions agréables. ⇒ **Piquer** (→ Âne, cit. 3). *Chatouiller le palais.* ⇒ **Flatter, titiller.** *Parfum qui chatouille l'odorat. Cette musique lui chatouille les oreilles.* ⇒ **Charmer.**

3 (...) Ce mets
Lui chatouillait fort le palais. LA FONTAINE, Contes, XI, « Pâté d'anguille ».

4 (..) si elle lui chatouillait un peu la vue elle ne lui entrait pas pour cela dans le cœur. G. SAND, François le Champi, XVII, p. 122.

(Av. 1625). Exciter doucement (qqn) par un sentiment, une émotion agréable. ⇒ **Émouvoir.** *Chatouiller qqn à l'endroit sensible,* lui faire plaisir. ⇒ **Plaire.** *Chatouiller l'amour-propre de qqn.* ⇒ **Flatter** (→ Aumaille, cit. 1 ; caresser, cit. 21).

5 La louange chatouille et gagne les esprits (...) LA FONTAINE, Fables, I, 14.

6 Ces noms de roi des rois et de chef de la Grèce,
Chatouillaient de mon cœur l'orgueilleuse faiblesse. RACINE, Iphigénie, I, 1.

7 Pourquoi ne conviendrais-je pas que ce jugement *chatouille de mon cœur l'orgueilleuse faiblesse ?* CHATEAUBRIAND, Mémoires d'outre-tombe, III, VI.

8 (...) maintenant que vous êtes vêtu comme un marquis, n'êtes-vous point chatouillé de l'envie d'assister à la toilette d'une fille d'Opéra (...) FRANCE, la Rôtisserie de la reine Pédauque, Œ., t. VIII, p. 92.

▶ **SE CHATOUILLER** v. pron. *Se chatouiller soi-même. Enfants qui se chatouillent.*

Loc. (Réfl.). *Se chatouiller pour se faire rire :* se forcer à rire quand on n'en a pas de sujet ou qu'on n'en a pas envie.

(Récipr.) :

9 La source de la joie est au-dedans, j'en conviens ; et rien n'est plus attristant que de voir des gens mécontents d'eux et de tout, qui se chatouillent les uns les autres pour se faire rire. ALAIN, Propos, 27 déc. 1907, Amitié.

▶ **CHATOUILLÉ, ÉE** p. p. adj. *Des enfants chatouillés qui hurlent de rire. —* (Au sens érotique). *Des rires de filles chatouillées.*
N. *Le chatouilleur et le chatouillé.*

CONTR. Calmer. — Blesser. — Déplaire.
DÉR. Chatouillant, 1. chatouille, chatouillement, chatouilleur, chatouilleux, chatouillis.

CHATOUILLEUR, EUSE [ʃatujœʀ, øz] adj. et n. — 1636 ; repris 1886 ; de *chatouiller.*

♦ Qui chatouille. *Des caresses délicatement chatouilleuses. —* N. *Le chatouilleur et le chatouillé.*

CHATOUILLEUX, EUSE [ʃatujø, øz] adj. — Av. 1564 ; *catoilleux,* 1370, au sens 1 ; *chatoulleux,* av. 1498 ; de *chatouiller.*

♦ **1.** (Avec un n. de personne). Qui est sensible au chatouillement. ⇒ **Sensible ; douillet.**

1 Ah ! de grâce, laissez, je suis fort chatouilleuse. MOLIÈRE, Tartuffe, III, 3.

1.1 Il voulut la saisir à la taille, mais il reçut des chiquenaudes sur les doigts, tandis qu'elle ajoutait :

— Non, pas de jeux de main, s'il vous plaît ! Je suis comme les chevaux, moi ; je suis chatouilleuse (...) ZOLA, Son Excellence Eugène Rougon, t. I, p. 137.
Sensible à un léger picotement (organe). *Gorge chatouilleuse.*
Cheval chatouilleux, sensible à la cravache, à l'éperon. — Par compar. : → ci-dessus, cit. 1.1. *Cheval à la bouche chatouilleuse,* sensible au mors.

♦ **2.** (Avec un n. de chose). Vx. Qui chatouille. ⇒ **Excitant.** *Impression chatouilleuse. Excitation chatouilleuse.*

2 (...) de peur que l'image de cette nudité ne fît une impression trop chatouilleuse dans l'esprit de l'auditeur (...) CORNEILLE, Examen de Polyeucte.

♦ **3.** (1544). Littér., vx. Sensible à des sensations agréables provoquées par d'autres sens que le toucher. *Un palais chatouilleux,* très sensible, fin.

♦ **4.** (Personnes). Qui manifeste de la susceptibilité, se fâche aisément, réagit vivement. *Être très chatouilleux sur le point d'honneur. Un homme chatouilleux.* ⇒ **Irritable, ombrageux, susceptible.**

3 Ce grand seigneur a des sentiments généreux. Il se croit d'une race supérieure, et se dit que noblesse oblige. Il est plus chatouilleux que personne sur le point d'honneur, et risque sans difficulté sa vie pour la moindre insulte (...) TAINE, Philosophie de l'art, t. I, I, II, VII.

4 Il *(Bonaparte)* s'en énervait, — et plus encore, — car il était le plus chatouilleux des hommes, — à l'idée exaspérante que Londres le leurrait, le trompait, se jouait de lui. Louis MADELIN, le Consulat, XIX, La rupture de la paix d'Amiens, p. 308.

4.1 Verrier se gardait bien d'apparaître dans la transaction, mais acceptait volontiers la moitié du courtage. Sindy, lui, n'avait pas les moyens de se montrer chatouilleux. Roger NAÏM, l'Ère des truands, p. 24.

Par ext. *Amour-propre, caractère chatouilleux. Une susceptibilité chatouilleuse* (→ Épiderme* sensible).

5 Je ne vous dis pas que je sois vexé. Dieu merci, je n'ai pas l'amour-propre si chatouilleux. J. ROMAINS, M. Le Trouhadec..., p. 141.

♦ **5.** Vieilli. *Une question chatouilleuse,* de nature à heurter des susceptibilités. ⇒ **Délicat.**

CHATOUILLIS [ʃatuji] n. m. — 1891 ; de *chatouiller,* et suffixe nominal *-is.* → Gratouillis.

♦ Fam. Petit chatouillement.
(...) les miettes impondérables dont il devinait la chute dans sa paume par un léger, presque imperceptible chatouillis (...)
Claude SIMON, la Route des Flandres, p. 64.

CHATOYANT, ANTE [ʃatwajɑ̃, ɑ̃t] adj. — V. 1760 ; p. prés. de *chatoyer.*

♦ **1.** Qui chatoie, a des reflets changeants. ⇒ **Brillant, changeant.** *Étoffe, pierre chatoyante. Reflet chatoyant. Couleurs chatoyantes. Plumage chatoyant.*
(...) cette lumière irisée de reflets chatoyants.
Ed. et J. DE GONCOURT, Journal, 1895, p. 712, *in* T. L. F.

♦ **2.** Fig. et littér. *Style chatoyant,* où les images sont nombreuses, variées et pittoresques. ⇒ **Coloré, imagé.**

CHATOYER [ʃatwaje] v. intr. — Conjug. *noyer.* — 1742 ; de *chat,* et *-oyer,* par image sur les reflets de l'œil du chat, qui brille dans l'obscurité, etc.

♦ **1.** Changer de couleur, avoir des reflets différents suivant le jeu de la lumière. ⇒ **Briller, étinceler, miroiter, pétiller.** *Des pierres précieuses, des étoffes qui chatoient.* ⇒ **Rutiler.**
(...) curieux de voir à la lumière briller et chatoyer sa chaîne d'or (...)
Th. GAUTIER, le Capitaine Fracasse, t. II, p. 33.

Aux lueurs colorées que laissent filtrer les vitraux, toute cette magnificence de conte oriental chatoie, miroite, étincelle dans la pénombre (...)
LOTI, Jérusalem, VIII, p. 94.

♦ **2.** Fig. et littér. Jeter un éclat varié, changeant. *Style qui chatoie.* ⇒ **Briller, séduire.**

DÉR. Chatoyant.

CHAT-PARD [ʃapaʀ] n. m. — 1704 ; *chatpard,* 1690 ; comp. de *chat,* et *pard* « panthère », du lat. class. *pardus* « léopard, panthère ».

♦ Félin au pelage de couleur fauve tacheté de noir, appelé scientifiquement *lynx du Portugal.* ⇒ **Lynx.** *Des chats-pards.*

REM. La forme *chatpard* (voir ci-dessous) n'est plus en usage.

On y trouve *(en Norvège)* aussi des chatpards. J'en ai vu un, entre autres, qu'on avait amené à Copenhague ; il était d'une grandeur monstrueuse.
HUGO, Han d'Islande, Œ. compl., t. VI, p. 162 (1823).

CHÂTRER [ʃɑtʀe] v. tr. — 1121, *chastrer* ; du lat. class. *castrare.* → Castrer.

♦ **1.** (1121). Rendre (un homme, un animal mâle) impropre à la reproduction en mutilant les testicules ; au sens extensif (techn.), rendre (un mâle ou une femelle, un être humain ou un animal) impropre à la reproduction. ⇒ **Castration ; affranchir, émasculer.** *Châtrer un homme.* ⇒ **Castrer ; castrat.** *Châtrer un taureau, un bélier, un cheval.* ⇒ **Bretauder ; bistourner.**

1 Çà qu'on l'attrape, qu'on le grippe,
Çà qu'on le châtre, qu'on l'étripe.   SCARRON, *Virgile travesti*, IV.

2 Elle *(la société chrétienne)* ne sait même pas prendre sur elle de châtrer les dégénérés (...)   GIDE, les *Faux-monnayeurs*, III, XI, p. 420.

♦ **2.** Fig. *Châtrer un livre, un ouvrage littéraire,* le mutiler en retranchant les passages jugés trop forts. ⇒ **Castrer** (fig.). — *Châtrer qqch. de...* (→ ci-dessous, au p.p.).

2.1 Châtrez « désopilant », et vous avez « désolant ».
          J. RENARD, *Journal*, 11 juin 1894.

♦ **3.** Hortic. *Châtrer des fraisiers, des melons, des concombres :* enlever les stolons (tiges souterraines), les fleurs superflues.
(1486). *Châtrer une ruche,* en enlever la cire ou le miel.

▶ **CHÂTRÉ, ÉE** p. p. adj. et n. m.

♦ **1.** *Homme châtré.* — N. m. (vieilli). *Un châtré.* ⇒ **Castrat** (cit. 2), **eunuque.** — Mod. *Une voix de châtré,* aiguë.

3 (...) un petit châtré, organiste d'une église.
          SCARRON, le *Roman comique*, I, XV, p. 104.

4 Nous avons fini par sortir avec un ami de Romain Romain, un céramiste qui a d'assez beaux yeux et une voix de châtré.
          Jacques LAURENT, les *Bêtises*, p. 379.

Animal châtré. Cheval châtré. ⇒ **Hongre** (contr. : *entier*). *Coq châtré.* ⇒ **Chapon.** *Chat châtré.* ⇒ **Coupé.**

♦ **2.** (1690). Fig. Amoindri, mutilé. *Style, livre châtré.*
Rare et littér. *Châtré de (qqch.) :* amputé de (qqch.).

5 (...) la Chine châtrée de ses bois, forêts naines et frisées au fer par ces professeurs de bouquets qui viennent à domicile (...)
          Paul MORAND, *Rien que la Terre*, p. 34.

DÉR. Châtreur, châtron.
HOM. Châtrer.

CHÂTREUR, EUSE [ʃatʀœʀ, øz] n. et adj. — 1416, *castreur* ; *chastreur*, 1585 ; de *châtrer.*

♦ **1.** Rare. Personne dont le métier est de châtrer les bêtes. *Un châtreur de chiens.*

♦ **2.** Castrateur, castratrice.

1 (...) Salomé elle-même, fille implacable et châtreuse (...)
          Michel LEIRIS, l'*Âge d'homme*, p. 108 (1946).

Par métaphore :

2 Il regarda au loin, au-dessus de l'Océan ; il lui sembla distinguer la Tour Eiffel, mais c'était une erreur. L'horizon, châtreur universel, ne laissait rien émerger.
          R. QUENEAU, le *Chiendent*, p. 120-121 (1932).

CHÂTRON [ʃatʀɔ̃] n. m. — 1907 ; de *châtrer,* et *-on,* p.-ê. avec infl. de *chapon.*

♦ Régional. Jeune bœuf.

J'entends sonner dans l'ombre les cornes des châtrons qui heurtent en jouant.
          J. RENARD, *Journal*, 9 août 1907.

CHATTE [ʃat] n. f. — Avant 1250, *chate* ; fém. de *chat.*

★ **I.** ♦ **1.** Femelle du chat (→ Chat, cit. 9, 10 et *supra*).

♦ **2.** Fig. Terme d'affection à l'adresse d'une femme, d'une petite fille (→ Chat, cit. 18.1, et *supra*). *Oui, ma chatte, ma petite chatte.*

♦ **3.** Femme caressante, lascive. *C'est une vraie chatte.*
Adj. *Elle est chatte,* câline. « *Des manières chattes* » (Littré).
⇒ **Chatterie.**

★ **II.** Fam., érotique. Sexe de la femme. ⇒ **Chagatte, chat** (III.) ; **minette.**

1 Je *vois* la chatte de Germaine. La crevasse salée, la source (...) Une goutte baveuse en bas des petites lèvres.   André HARDELLET, *Lourdes, lentes*, p. 28.

2 Mais elle s'est déshabillée ? oui enfin non elle a tout soulevé quoi t'as vu sa chatte ?
          Tony DUVERT, *Paysage de fantaisie,* p. 47.

DÉR. et COMP. Chagatte, chattemite.

CHATTÉE [ʃate] n. f. — 1680 ; de *chat.*

♦ Rare. Portée de chatons.

CHATTEMITE [ʃatmit] n. f. et adj. — 1295, *chatemite* ; comp. de *chatte,* et *mite,* anc. nom populaire du chat.

♦ **1.** N. f. Personne qui affecte des manières douces et modestes pour tromper son entourage. *Faire la chattemite. Un ton de chattemite.*

1 C'était un Chat vivant comme un dévot ermite,
Un Chat faisant la chattemite (...)   LA FONTAINE, *Fables*, VII, 16.

2 Que maudit soit l'amour, et les filles maudites
Qui veulent en tâter, puis font les chattemites !
          MOLIÈRE, le *Dépit amoureux*, V, 3.

3 — (...) Dès les premiers jours j'avais deviné ton manège ! Monsieur faisait la chattemite ! Monsieur distribuait sourires et clins d'yeux et compliments !
          H. TROYAT, le *Vivier*, p. 101.

♦ **2.** Adj. (vieilli). *Des manières chattemites.* Syn. (vx) : *chattemiteux.*

4 (...) son médecin l'aimait mieux auprès de lui qu'à deux cents lieues, car, à deux cents lieues, les chattemites visites à dix francs ne peuvent pas beaucoup se multiplier.   BARBEY D'AUREVILLY, les *Diaboliques*, « Le dessous de cartes... ».

DÉR. Chattemiteux.

CHATTEMITEUX, EUSE [ʃatmitø, øz] adj. — 1893 ; de *chattemite.*

♦ Vx. Syn. de *chattemite* (adj.).

CHATTERIE [ʃatʀi] n. f. — 1558, « ruse, friponnerie » ; de *chat, chatte.*

♦ **1.** Vieilli. Caresse*, câlinerie doucereuse. ⇒ **Cajolerie.** *Faire des chatteries à qqn. Chatterie insinuante, perfide. Chatterie innocente, enfantine.*

1 *(Elle)* lui racontait des histoires, s'entretenait avec lui dans des monologues sans fin, pleins de gaietés mélancoliques et de chatteries babillardes.
          FLAUBERT, *Mme Bovary*, I, I.

2 Il n'était point d'attentions, de délicatesses, de chatteries qu'elle n'eût pour son mari (...)   MAUPASSANT, *Clair de lune*, « Les bijoux ».
Spécialt. Attitude douce et câline destinée à tromper qqn.

♦ **2.** Mod. (surtout au plur.). Choses délicates à manger. ⇒ **Douceur** (des douceurs), **friandise, gâterie.** *Aimer les chatteries. Offrir quelques chatteries.*

3 Je ne savais pas que la liberté n'est pas une récompense, ni une décoration qu'on fête dans le champagne. Ni d'ailleurs un cadeau, une boîte de chatteries propres à vous donner des plaisirs de babines.   CAMUS, la *Chute*, p. 154.

CHATTERTON [ʃatɛʀtɔn] n. m. — 1882, in Rey-Debove et Gagnon, *Dict. des anglicismes* ; *mastic Chatterton,* 1870, in *Année sc. et industr.*, p. 98 ; du nom de l'inventeur.

♦ Ruban isolant et adhésif composé de goudron de colophane, de résine et de gutta-percha. *Recouvrir un fil électrique de chatterton. Un rouleau de chatterton.*

Je n'ai qu'à passer le tortillé dans la bouche et à le rabattre en forme de crochet, puis à tordre le tout dans du chatterton avec ma petite pince et...
          B. CENDRARS, *Moravagine, in* Œ. compl., t. IV, p. 147.

DÉR. Chattertoné.

CHATTERTONÉ, ÉE [ʃatɛʀtone] adj. — 1906 ; de *chatterton.*

♦ Recouvert de chatterton, réparé avec du chatterton. *Fil électrique chattertoné.*

CHAT-TIGRE [ʃatigʀ] n. m. — 1688 ; comp. de *chat,* et *tigre.*

♦ Chat sauvage de grande taille. ⇒ **Ocelot, serval.** *Des chats-tigres.*

Les Arabes nous avertissent de ne pas marcher sans nos armes, et de ne nous avancer qu'avec précaution, parce que ces épais taillis sont le repaire de quelques lions, de panthères et de chats-tigres. Nous n'en vîmes aucun ; mais nous entendîmes souvent dans l'ombre du fourré des rugissements et des bruits semblables à ceux que font les grands animaux en perçant les profondeurs des bois.
          LAMARTINE, *Voyage en Orient*, t. II, 1835, p. 20, in T. L. F.

CHAUD, CHAUDE [ʃo, ʃod] adj., n. et adv. — 1100 ; *chaut,* v. 1170 ; *chauz,* 1165 ; du lat. *caldus, calidus* « chaud ».

★ **I.** Adj. **A.** ♦ **1.** (Opposé à *froid, frais*). Qui est à une température plus élevée que celle du corps humain ; dont la chaleur* donne une sensation particulière (agréable, ou douloureuse : brûlure). *Eau chaude. Eau minérale chaude.* ⇒ **Thermal.** *Établissement de bains chauds* (thermes). *Prendre un bain chaud. À peine chaud.* ⇒ **Tiède.** *Très, trop chaud.* ⇒ **Bouillant, brûlant.** *Rendre chaud.* ⇒ **Chauffage ; attiédir, bouillir, chauffer, échauder, réchauffer.** *Four, poêle chaud. Le radiateur est chaud. Le fer (à repasser) est encore chaud.* — Loc. *Air chaud. Bouche d'air chaud.* — *Soupe chaude. Repas chaud,* comportant des plats chauds. *Manger du pain chaud, un mets tout chaud,* qui sort de cuisson. *Boire du lait tout chaud,* que l'on vient de traire. — Loc. *Ni chaud, ni froid.* ⇒ **Tiède.** — *Avoir les mains chaudes, le front chaud* (la chaleur y est estimée par quelqu'un d'autre ; → ci-dessous, le sens subjectif B.). En parlant de l'atmosphère, du temps. *Les climats* chauds.* ⇒ **Torride ; équatorial, tropical.** *Temps chaud et humide.* ⇒ **Mou.** *Une journée chaude. L'heure la plus chaude du jour.* — Loc. *La saison chaude :* l'été. — *Une chambre chaude.* ⇒ **Étuve, four, serre.** *Une atmosphère de serre* chaude.*

1 Que faisiez-vous au temps chaud ?   LA FONTAINE, *Fables,* I, 1.

2 La nuit était admirable, calme, chaude, ardemment étoilée comme une nuit de canicule.   E. FROMENTIN, *Un été dans le Sahara*, III, p. 224.

Qui réchauffe ou garde la chaleur de l'atmosphère. ⇒ **Chaleur**, et les composés du préfixe **thermo-**. *Un soleil chaud. Le soleil n'est pas très chaud. Vents chauds* (→ Bouffée, cit. 2 et 3). *Un lainage chaud. Manteau bon et chaud. Couverture chaude.*

♦ **2.** (Opposé à *froid, refroidi*). Qui a gardé la chaleur naturelle ou transmise. *Le moteur est encore chaud. Avoir, tenir les pieds chauds. Battre la semelle pour avoir les pieds chauds. Avoir la joue toute chaude, le front chaud de fièvre.* — Par métonymie (→ ci-dessus, cit. 2).

3   *Le soufflet sur ma joue est encore tout chaud.*   RACINE, les Plaideurs, II, 5.
4   *L'air de la nuit donnait à penser que l'on respirait l'haleine d'un grand corps endormi, chaud, oppressant.*   Edmond JALOUX, les Visiteurs, XXVIII, p. 217.

Loc. fam. (Personnes). *Elle est chaude comme une caille.*

Loc. métaphorique ou fig. *Battre le fer pendant qu'il est chaud* (→ Battre, cit. 9 et *supra*). *Apporter une nouvelle toute chaude,* toute récente. *Servir tout chaud, tout bouillant ce que l'on vient d'entendre,* sans délai. *Je viens vous dire tout chaud..., sans tarder. Le rendre tout chaud :* se venger sur-le-champ. *C'est trop chaud, on ne peut y toucher :* c'est une chose délicate, dangereuse.

Le corps, le mort est encore chaud, se dit d'un cadavre qui n'a pas encore pris la rigidité et le froid cadavériques (→ Appliquer, cit. 1).

Spécialt (en parlant d'aliments cuisinés). *Mange tant que c'est chaud. Buffet, repas chaud. Plats chauds. Hors-d'œuvre chauds ; desserts chauds* (les hors-d'œuvre, les desserts étant plus souvent froids). REM. L'emploi de l'antonyme *froid* est plus caractérisé (*viande froide,* par ex., n'a pas d'équivalent avec *chaud*).

♦ **3.** Physiol. *Animaux à sang chaud,* se dit des organismes dont le sang est à température constante. ⇒ **Homéotherme.**

♦ **4.** Phys. nucl. Dont la radio-activité exige des précautions spéciales. *Laboratoire chaud.*

♦ **5.** Loc. fig. *Pleurer à chaudes larmes*. Faire des gorges chaudes. Jouer à main* chaude.*

B. (D'une partie du corps). Qui donne une sensation de chaleur. *Avoir, se sentir le front chaud ; avoir les mains chaudes, brûlantes de fièvre.* ⇒ **Fiévreux.** — Par ext. *Fièvre chaude :* fièvre ardente accompagnée de délire.

5   *Cet hôte était alors dans une chambre à côté de la cuisine, prêt à rendre l'âme d'une fièvre chaude qui lui avait si fort troublé l'esprit qu'il s'était cassé la tête contre une muraille (...)*   SCARRON, le Roman comique, II, VI, p. 183.

C. Fig. ♦ **1.** Qui est ardent, sensuel (s'oppose à *froid*). *Avoir un tempérament chaud.* ⇒ **Amoureux, ardent.** *Être chaud comme braise. Avoir les mains froides et le cœur* chaud. Mains froides, chaudes amours. Avoir le sang* chaud.*

Être chaude, en chaleur*, en rut*, en parlant de la femelle de certains animaux.

Loc. *C'est un chaud lapin*.*

Loc. (1690). Vx. *Être chaud des reins,* paillard. — Loc. mod. (1790, au fém., argot des Halles). *Chaud de la pince.* → Pince (cit. 5.2).

(Adapt. de l'angl. *hot,* du sens « épicé, fort »). Fam. *Quartier chaud,* où se pratique la prostitution, quartier réservé. *Rue chaude.* — REM. Cet anglicisme ne correspond à aucun usage de *froid.*

♦ **2.** Vx. Qui a de la passion, de l'ardeur (s'oppose à *froid*).

6   *Près d'un esprit si chaud et si fort emporté*
Suréna dans ma cour est-il en sûreté ?   CORNEILLE, Suréna, v, 2.

Mod. *Avoir la tête* chaude :* s'emporter facilement. ⇒ **Bouillant, emporté, fougueux, vif.**

7   *Ma femme bien souvent a la tête un peu chaude (...)*   MOLIÈRE, les Femmes savantes, II, 5.
7.1   *Tu seras donc toujours la même tête chaude, et partout impatient comme devant l'ennemi ?*   BARBEY D'AUREVILLY, les Diaboliques, « A un dîner d'athées ».

Par métonymie. *Une tête chaude :* une personne qui s'emporte facilement.

7.2   *Les Français dans l'ensemble ou bien nous détestent ou nous exploitent. Dans le meilleur des cas, ils feignent l'indifférence. Il y a bien trois ou quatre têtes chaudes, qui signent des pétitions en notre faveur : c'est pour se soulager.*   Alain BOSQUET, les Bonnes Intentions, p. 304.

♦ **3.** (Personnes). Qui met de l'animation, de la passion dans ce qu'il fait. ⇒ **Ardent, chaleureux, empressé, enthousiaste, fanatique, fervent, passionné, pressant, zélé.** *De chauds admirateurs. Ne pas être très chaud. Je ne suis pas très chaud pour l'aider, après ce qu'il a dit sur moi. Se montrer peu chaud pour une affaire.* ⇒ **Emballé** (fam.). — *Un chaud partisan de...* ⇒ **Décidé, déterminé.**

8   *(...) J. J. Weiss qui ne passait point pour un chaud partisan du régime, mais dont la compétence était reconnue pour un tel poste.*   Georges LECOMTE, Ma traversée, p. 181.
8.1   *J'en avais parlé à ma femme qui n'était pas chaude, mais qui finalement avait accepté, et j'avais fait ma demande pour partir là-bas.*   Jean FERNIOT, Pierrot et Aline, p. 241.

(Sentiments). *Chaude amitié, chaude conviction.*

♦ **4.** Où il y a de l'animation, de la lutte, de la passion. *La bataille fut chaude.* ⇒ **Âpre, dur, sanglant, sévère.** *La campagne législative*

---

fut chaude. L'alerte fut chaude (→ Alerte, cit. 4). *Chaude alarme. Une chaude discussion.* ⇒ **Animé, vif.**

9   *Remettez-vous, Monsieur, d'une alarme si chaude.*   MOLIÈRE, Tartuffe, v, 7.

(1967 ; souvent par calque de l'angl. *hot*). *Guerre* chaude. Points* chauds. Des mois chauds, un printemps chaud,* marqués par une agitation politique et sociale. *« Chaud ! chaud ! chaud ! le printemps sera chaud ! »,* slogan.

Fam. *Ça devient chaud, trop chaud, filons !* ⇒ **Dangereux, risqué.**

♦ **5.** Qui exprime vivement et donne une impression de chaleur (fig.), de passion. *Un style chaud. Chaude éloquence,* entraînante. *Une voix* chaude.* — Peint. *Tons chauds, coloris chauds,* en parlant de couleurs brillantes, vigoureuses. *Le coloris chaud de Rubens.*

10   *(...) un arsenal de tons chauds à l'usage des coloristes.*   FLAUBERT, Correspondance, t. I, p. 330.
11   *(...) une voix d'homme, chaude et grave, bien timbrée quoique sourde (...)*   MARTIN DU GARD, les Thibault, t. I, p. 174.
11.1   *Labarbe est un homme volumineux, au coffre sonore, à la voix chaude, vibrante et bien timbrée (...)*   GIDE, Voyage au Congo, in Souvenirs, Pl., p. 775.

♦ **6.** Régional (Ouest de la France et Canada). Ivre. *Se mettre chaud :* s'enivrer.

♦ **7.** Fam. (d'abord argotique). Coûteux, difficile (Bruant, *in* Cellard et Rey).

♦ **8.** *Abcès* chaud.*

★ **II.** N. — REM. Cet emploi est moins lexicalisé que celui de *froid* qui y correspond. → 2. Froid.

♦ **1.** N. m. (Employé avec *froid*). *Le chaud :* haute température. ⇒ **Chaleur.** *Craindre, souffrir le chaud et le froid. Craindre le chaud autant que le froid.* — Loc. fig. *Souffler le chaud et le froid :* imposer sa volonté, faire la loi. (Cf. Faire la pluie et le beau temps). — Autre sens. Se montrer tantôt optimiste, tantôt pessimiste, tantôt favorable (à une entreprise, un projet, etc.), tantôt hostile, etc. — *Prendre, attraper un chaud et froid,* un refroidissement.

♦ **2.** AU CHAUD : dans des conditions telles que la chaleur ne se perde pas. *Garder, tenir qqch. au chaud. Mettre un plat au chaud. Être bien au chaud chez soi.*

Fig. et fam. *Avoir, garder, tenir de l'argent au chaud,* disponible.

♦ **3.** Nominal (après un verbe). AVOIR CHAUD. *Avoir chaud, très, trop chaud.* — Vieilli. *On crève de chaud, ici !* — Fig. *Avoir chaud :* échapper de peu à un danger. *On a eu chaud !* (→ On l'a échappé* belle !).

FAIRE CHAUD. *Il fait chaud, assez chaud. Il y fait chaud comme dans un four.* — Fig. *Il y faisait chaud,* en parlant d'un combat violent, d'une affaire sérieuse, d'une discussion vive. *Il fera chaud, quand j'accepterai :* je n'accepterai pas de si tôt.

Tenir chaud. Un vêtement qui tient chaud, qui garde ou augmente la chaleur naturelle.

(Personnes). *Prendre chaud.* ⇒ **Échauffer** (s'), **suer, transpirer.** — REM. *Prendre froid* est plus courant.

12   *Mais non, mon garçon, répondait le savant en s'épongeant car il avait pris chaud dans la course.*   G. DUHAMEL, le Voyage de P. Périot, v, p. 103.

Faire chaud. Fam. *Ça fait chaud :* cela donne une impression de chaleur.

Loc. fig. *Cela ne fait ni chaud ni froid (à qqn) :* c'est indifférent* (à qqn).

13   *Toutes ces belles raisons qui sont l'ornement de votre conscience ne me font ni chaud ni froid.*   M. AYMÉ, la Tête des autres, I, 12.
14   *(...) cette Constitution nouvelle, à ses yeux si dangereuse pour la démocratie, ne m'a fait à moi ni chaud ni froid (...)*   F. MAURIAC, le Nouveau Bloc-notes 1958-1960, p. 133.
15   *Trois agents entrent brusquement. Ils vont peut-être nous emmener au dépôt. Cette perspective ne me fait ni chaud ni froid.*   Patrick MODIANO, les Boulevards de ceinture, p. 103.

(Dans une exclamation). *Chaud ! les marrons !*

Loc. *Chaud devant ! :* exclamation des serveurs de restaurant portant un plat chaud et demandant le passage (« attention devant, c'est chaud ! »).

♦ **4.** Loc. adv. *À chaud :* en mettant au feu, en chauffant. *Marqué à chaud. Soluble à chaud. Étirer un métal à chaud.*

(1906, in *Rev. gén. des sc.,* n° 19, p. 901). Chir. *Opérer* à chaud,* en période de fièvre, de crise, pendant qu'il y a des phénomènes inflammatoires.

Figuré :

16   *La rébellion d'Algérie a éclaté, non par hasard, à ce moment précis, alors qu'au Maroc et en Tunisie il fallait régler « à chaud » le passage d'un état à l'autre, établir des rapports nouveaux (...)*   F. MAURIAC, Bloc-notes 1952-1957, p. 385.

★ **III.** Adv. ♦ **1.** (Du sens I, A, 1). *Servir chaud. Buvez chaud. Manger chaud.*

♦ **2.** Fig. (Rare). ⇒ **Chaudement.**

17   *(Aux courses)* nous faisions des souhaits ardents. On ne prie pas si chaud dans les nefs d'églises.   Henri CALET, la Belle Lurette, p. 162.

♦ **3.** Fam. *Ça coûte chaud.* ⇒ **Cher.**

CONTR. Frais, froid, gelé, glacé. — Calme, flegmatique, indifférent.
DÉR. Chaude, chaudeau, chaudement.
COMP. Chaude-pisse. — Chaud-froid.
HOM. Chaut (forme du v. **chaloir** : peu me chaut) ; **chaux, show.**

CHAUDE [ʃod] n. f. — 1611 ; de *chaud.*

♦ **1.** (1611). Techn. Degré de chaleur qu'on donne au métal, au verre, pour le travailler. *Donner une chaude, deux chaudes au fer. Pour forger un fer à cheval, il faut deux chaudes.*

♦ **2.** (1823). Régional. Feu vif qu'on allume pour se réchauffer promptement. ⇒ **Flambée.** *Faire une chaude, une petite chaude avant de se coucher.*
Loc. prov. *À la chaude, sur la chaude :* sur l'heure, immédiatement.

CHAUDEAU [ʃodo] n. m. — Fin XIIᵉ ; de *chaud,* et *eau.*

♦ **1.** Ancienn. ou régional. Bouillon chaud.

♦ **2.** Lait chaud, sucré et aromatisé (versé sur des œufs, etc.).

CHAUDEMENT [ʃodmã] adv. — V. 1173 ; de *chaud, chaude.*

★ **I.** ♦ **1.** (V. 1173). De manière à conserver sa chaleur. *Être vêtu chaudement, chaudement vêtu. Tu n'es pas habillé assez chaudement.*
Fam. *Aller chaudement :* avoir chaud, trop chaud. *Comment allez-vous ? — Chaudement.*

♦ **2.** (V. 1385). Fig. Avec chaleur*, animation. *Poursuivre chaudement un ennemi. Acclamer, applaudir, féliciter chaudement qqn. Remercier chaudement qqn.* ⇒ **Chaleureusement, vivement.** *Être chaudement appuyé, recommandé.* — Avec passion. *Défendre chaudement la cause, les intérêts, la réputation de qqn.*
Vieilli (sur le plan physiologique) :

1   Quel qu'en soit l'objet de l'homme qui jouit, n'est-il pas de donner à ses sens toute l'irritation dont ils sont susceptibles, afin d'arriver mieux et plus chaudement, au moyen de cela, à la dernière crise (...)   SADE, Justine..., t. I, p. 192.

♦ **3.** Peint. Avec des couleurs chaudes. *Un paysage chaudement coloré.*

♦ **4.** (1544). Rapidement.

2   Monsieur, êtes-vous un homme ?... alors enlevez-moi et chaudement.   E. LABICHE, Si jamais je te pince !, III, 14 (1856).

★ **II.** Rare (sens concret). Avec chaleur.

3   (...) la lumière est couleur soleil, couleur feu de bois (...) Elle sent la fourrure, le poivre et la lavande, la peau d'Afrique, le thym, la terre brûlée, elle fait suer chaudement au grand fauve toutes ses odeurs de brousse.   Georges NAVEL, Travaux, p. 102.

CHAUDE-PISSE [ʃodpis] n. f. — XIIIᵉ ; *chaude-lance,* 1837 ; comp. de *chaude,* et *pisse* « urine ».

♦ Fam. Blennorragie. *Attraper, avoir une chaude-pisse. Soigner des chaudes-pisses dans un service de vénérologie.*
— Tu as donc revu cette bonne Rachel. J'aurais désiré des détails là-dessus. Fais-tu beaucoup d'infamies ? as-tu regobé quelque chaude-pisse.   FLAUBERT, Lettre à Louis Bouilhet, 2 juin 1850, *in* Correspondance, t. I, Pl., p. 633.
REM. La variante *chaude-lance* [ʃodlɑ̃s] (1837, Vidocq ; de *lance* « pluie », d'où « urine ») est plus marquée et donc plus rare.

CHAUDERIE [ʃodʀi] n. f. — 1819, Boiste ; *chaudarie,* 1782 ; *chaveri,* 1711 ; empr. à une langue de l'Inde avec infl. de *chaud, chaude.*

♦ Ancienn. (t. de relations). Auberge qui reçoit gratuitement les voyageurs de passage, en Inde. « *Il admire des danseuses dans une chauderie en respirant du vétiver* » (Balzac, *César Birotteau,* 1837, p. 54, *in* T. L. F.).

CHAUD-FROID [ʃofʀwa] n. m. et adj. — 1863, *Littré ;* comp. de *chaud,* et *froid.*

♦ **1.** N. m. Mets que l'on prépare à chaud, avec de la volaille, du gibier, et que l'on mange froid, entouré de gelée ou de mayonnaise. *Des chauds-froids de poulets. Servir un chaud-froid de volaille.*

♦ **2.** Adj. Qui associe des températures élevées et des températures basses. *Dispositif chaud-froid.* — N. m. *Un chaud-froid.*
Qui associe des couleurs vives et des couleurs ternes. *Contraste chaud-froid.*

CHAUDIÈRE [ʃodjɛʀ] n. f. — V. 1230 ; *caldere,* déb. XIIᵉ ; *jaldiere,* av. 1105 ; du bas lat. *caldaria* « chaudron », de *caldus.* → Chaud.

♦ **1.** (V. 1120). Ancienn. Récipient métallique où l'on fait chauffer, bouillir ou cuire qqch. ⇒ **Chaudron.** *Chaudière de cuisine. Chaudière à teinture. Chaudière de raffineur. Chaudière d'alambic.* ⇒ **Cucurbite.**

1   (...) il est aux enfers des chaudières bouillantes
Où l'on plonge à jamais les femmes mal vivantes.   MOLIÈRE, l'École des femmes, III, 2.

Le contenu d'une chaudière. *Une chaudière de sucre. Une chaudière de lessive.*
Régional (Canada). Seau métallique.

♦ **2.** Récipient où l'on transforme de l'eau en vapeur, pour fournir de l'énergie thermique (chauffage), mécanique ou électrique. — (1831, *in* D. D. L.). *Chaudière à vapeur. La chaudière d'un chauffage central. Chaudière mixte,* qui assure à la fois le chauffage central et la production d'eau chaude sanitaire. *Fabricant de chaudières.* ⇒ **Chauffagiste, chaudiériste.** *Chaudière d'usine. Chaudière de locomotive, de bateau à vapeur* (→ Pression, cit. 1.1). *La, les chaudières d'une chaufferie* (cit. 2). *Chaudière à charbon, à mazout. Surface de chauffe* d'une chaudière. *Chaudière tubulaire. Chaudière multitubulaire, aquatubulaire* (présentant des tubes remplis d'eau autour desquels circulent les gaz chauds), *ignitubulaire* (où les tubes plongés dans l'eau sont parcourus intérieurement par l'air chaud), *sans faisceau tubulaire, à vaporisation instantanée. Pièces et appareils d'une chaudière.* ⇒ **Bouilleur, déjecteur, flotteur, foyer, injecteur, régulateur, reniflard, soupape** (de sûreté), **tube.** *Clapets, manomètres d'une chaudière. Dépôts (calcin, tartre) à l'intérieur des chaudières. Nettoyer une chaudière.* ⇒ **Désencroûter, désincruster, détartrer.** *Réparer une chaudière.* — *Chauffeur* chargé de la chaudière. — *Fabrication de chaudières.* ⇒ **Chaudronnerie.** — *Chaudière qui éclate, qui explose sous la pression de la vapeur.*

2   Pour garder sa pression, il brûlait à quai, immobile, des tonnes et des tonnes de charbon, dans les foyers de ses trois chaudières, devant lesquelles veillaient toujours trois chauffeurs.   Roger VERCEL, Remorques, I, p. 17.

♦ **3.** Géogr. Grand cratère. ⇒ **Caldeira.**

DÉR. Chaudiériste, chaudron, chaudrée.

CHAUDIÉRISTE [ʃodjeʀist] n. m. — 1975, C. I. L. F. ; de *chaudière.*

♦ Techn. Spécialiste de l'étude et de la fabrication des chaudières. ⇒ aussi **Chauffagiste.**

CHAUDRÉE [ʃodʀe] n. f. — XIIIᵉ, *chauderée ;* de *chaudière,* au sens de « bouilloire, marmite, chaudron ».

♦ Régional. Soupe au poisson.

CHAUDRON [ʃodʀɔ̃] n. m. — 1329 ; *chauderon,* au XIIᵉ et encore *in* Académie jusqu'en 1740 ; du rad. de *chaudière,* et *-ron.*

♦ **1.** Petite chaudière généralement en cuivre, à anse mobile, et qui sert aux usages de la cuisine.

1   Gare la cage ou le chaudron !   LA FONTAINE, Fables, I, 8.
2   Les trois sorcières *(dans Macbeth)* arrivent au milieu des éclairs et du tonnerre, avec un grand chaudron dans lequel elles font bouillir des herbes (...)   VOLTAIRE, Lettre à Duclos, 25 déc. 1761.

Par ext. Son contenu. ⇒ **Chaudronnée.** *Un chaudron de soupe.*

3   (...) un petit chaudron noir bouillait doucement sur la braise.   H. BOSCO, le Jardin d'Hyacinthe, p. 68.

Blason. Meuble représentant ce récipient.

♦ **2.** (1893, *in* D. D. L.). Couleur d'un brun cuivré. ⇒ **Chaudronné.** — En appos. (ou adj. invar.). *Un manteau chaudron.*

♦ **3.** (1704). Fig. Mauvais instrument de musique (par allusion au son que rend un chaudron sur lequel on frappe). *Ce piano est un chaudron, un vrai chaudron.* ⇒ **Casserole.** *Battre le chaudron :* faire du bruit.

♦ **4.** Techn. Haute genouillère évasée (de botte). *Bottes à chaudrons.*

4   (...) le premier piqueux était un homme qui commençait à lutter contre l'âge. Droit dans ses bottes boueuses dont le chaudron lui montait à mi-cuisses sous les basques de sa livrée (...)   M. DRUON, la Chute des corps, I, II, p. 21.

♦ **5.** Chasse. Mode de rabat où les chasseurs sont placés en cercle et avancent vers le centre.

DÉR. Chaudronné, chaudronnée, chaudronnerie, chaudronnier.

CHAUDRONNÉ, ÉE [ʃodʀɔne] adj. — 1848 ; de *chaudron.*

♦ Vieilli. Qui a l'aspect, la couleur d'un chaudron.

Prague était niché dans un trou de montagnes qui portaient leur ombre noire sur un tapon de maisons chaudronnées.
     CHATEAUBRIAND, Mémoires d'outre-tombe, t. IV, p. 247, (1848), *in* T. L. F.

CHAUDRONNÉE [ʃodʀɔne] n. f. — 1474 ; de *chaudron*.

♦ Vieilli. Contenu d'un chaudron.

1 S'il nous ennuie, je lui jette une chaudronnée d'eau bouillante dans les jambes et un landier à la tête. G. SAND, François le Champi, XVII, p. 122.

2 (...) sur le poêle bas, enragé de feu, à côté d'une chaudronnée de son pour les cochons, la cafetière soufflait une si bonne odeur qu'Angélo trouva cette pièce toute noire de suie tout à fait charmante.
J. GIONO, le Hussard sur le toit, p. 11-12.

CHAUDRONNERIE [ʃodʀɔnʀi] n. f. — 1611, Cotgrave ; dér. de *chaudron*.

♦ **1.** Industrie, commerce du chaudronnier.

♦ **2.** (1680). Marchandise fabriquée et vendue par le chaudronnier ; récipients en cuivre, en fer ou en acier, chaudières (2.). *Grosse chaudronnerie* : objets destinés à la grande industrie. ⇒ **Distillation** (appareil de). *Petite chaudronnerie* : objets de faibles dimensions réservés aux usages domestiques (ustensiles de cuisine). *Chaudronnerie d'art.* ⇒ **Dinanderie.** — *Opérations de chaudronnerie* : traçage, découpage, perçage, cintrage, emboutissage, assemblage, rivetage, soudure, planage.

♦ **3.** Lieu où se fabrique, où se vend la chaudronnerie. *Une chaudronnerie artisanale, industrielle.*

CHAUDRONNIER, IÈRE [ʃodʀɔnje, jɛʀ] n. — 1277 ; dér. de *chaudron*.

♦ **1.** Artisan qui fabrique et vend des ustensiles de petite chaudronnerie. *Métier, boutique de chaudronnier.* ⇒ **Chaudronnerie.** *Chaudronnier d'art.* ⇒ **Dinandier.** *Cisailles, gouge de chaudronnier.* — En appos. *Maître chaudronnier. Apprenti chaudronnier.*

Par métaphore (au sens de « artisan grossier »).

Un impertinent conseiller désirait qu'il (*l'auteur*) mît au bas des feuillets la traduction de toutes les phrases latines (...) pour l'intelligence (...) de ceux de messieurs les maçons, chaudronniers ou perruquiers qui rédigent certains journaux.
HUGO, Han d'Islande, 1823, p. 12, *in* T. L. F.

♦ **2.** Adj. Qui concerne la chaudronnerie. Qui s'occupe de chaudronnerie. *L'industrie chaudronnière.*

CHAUFFAGE [ʃofaʒ] n. m. — V. 1220 ; de *chauffer*.

♦ **1.** Action de chauffer ; production de chaleur. ⇒ **Chauffe.** *Le chauffage d'un appartement, d'une chaudière.* — *De chauffage* : destiné au chauffage. *Le charme, le chêne, le platane constituent un bon bois de chauffage. Appareils de chauffage.* ⇒ **Aérotherme, brasero, calorifère, chaudière, cheminée, poêle, radiateur, termosiphon, réchaud ; bassinoire, bouillotte, chaufferette, moine.**

Absolt. *Dépenser beaucoup pour le chauffage* (du logement, de l'habitation). *Frais, charges de chauffage. Avoir le chauffage et l'éclairage* : être chauffé et éclairé gratuitement.

♦ **2.** Manière de chauffer. *Un chauffage économique. Chauffage au bois* (cit. 38, et *supra*). *Chauffage au charbon, au gaz, à l'essence, au pétrole, au mazout.* ⇒ **Combustible.** *Chauffage par l'électricité. Chauffage par circulation d'air chaud, d'eau chaude, de vapeur.* ⇒ **Thermosiphon.** *Chauffage par pulsion d'air chaud* (→ Aérotherme). *Chauffage par le plancher. Chauffage par rayonnement direct, par rayonnement infrarouge. Chauffage direct, indirect, par contact, par convexion, par accumulation. Chauffage solaire.* — *Chauffage central,* par distribution de la chaleur provenant d'une source unique pour un immeuble. *Entretien du chauffage central.* ⇒ **Chauffagiste.** *Chauffage individuel. Chauffage urbain, collectif.* — *Chauffage d'appoint.*

(...) Ah, vous pouvez le dire, les Godin (*poêles*), il n'y a rien de tel, ça vaut le chauffage central. Ça ne s'éteint jamais. N. SARRAUTE, le Planétarium, p. 92.

Vx. *(Droit de) chauffage* : droit de couper du bois dans une forêt pour se réchauffer.

♦ **3.** Les installations qui chauffent (chaudière, notamment). *Le chauffage est détraqué, est en panne.*

CONTR. **Réfrigération, refroidissement.**
DÉR. **Chauffagiste.**

CHAUFFAGISTE [ʃofaʒist] n. m. — D. i. (v. 1960-70) ; de *chauffage*, et -*iste*.

♦ Spécialiste du chauffage central (installation, réparation, dépannage). *La chaudière est en panne, il faut faire venir le chauffagiste. Plombier-chauffagiste.*

CHAUFFANT, ANTE [ʃofã, ãt] adj. — xxe ; p. prés. de *chauffer*.

♦ Qui chauffe, produit de la chaleur. *Surface chauffante, plaque chauffante. Couverture chauffante.*

CHAUFFARD [ʃofaʀ] n. m. — 1898, D.D.L. ; de *chauff(eur)*, et suff. péj. -*ard*.

♦ Mauvais conducteur d'automobiles ; automobiliste dangereux. *Il s'est fait écraser par un chauffard. Va donc, eh, chauffard !* (→ Chauffeur du dimanche*).

CHAUFFE [ʃof] n. f. — xive, « combustible » ; déverbal de *chauffer*.

♦ **1.** Fait de chauffer (1. Chauffer, I., 1., techn.) ; entretien du feu, de la pression d'une chaudière. *Conduire la chauffe.* ⇒ **Chauffeur.** — (Surtout dans : ...*de chauffe*). *Contrôle de chauffe.* — (1838). *Surface de chauffe* : la partie d'une chaudière qui est en contact avec la flamme du foyer. *Les tubes de chaudière augmentent la surface de chauffe.* — (1876). *Chambre de chauffe* : compartiment d'un bateau où se trouvent les foyers des chaudières. ⇒ **Chaufferie.** *Parquet de chauffe* : parquet de la chaufferie. — *Bleu de chauffe* : combinaison de chauffeur, de travailleur manuel. *Le bleu de chauffe, vêtement généralisé en Chine populaire maoïste.*

(...) un employé municipal en bleu de chauffe (...)
A. ROBBE-GRILLET, la Maison de rendez-vous, p. 35. [1]

(...) Johnson (...) a juste le temps de sauter à bord, où il se trouve subitement au milieu de la foule silencieuse des petits hommes en bleus de chauffe ou pyjamas noirs qui se rendent à leur travail, bien que le jour ne soit pas encore levé.
A. ROBBE-GRILLET, la Maison de rendez-vous, p. 212. [2]

♦ **2.** (1701). Lieu où le combustible est brûlé, dans un fourneau de fonderie, une chaufferie* de navire. *Porte de chauffe.*

♦ **3.** Techn. ou régional. Fait de chauffer (1. Chauffer, II., intrans.), de se réchauffer à l'excès.

Très tôt, pour éviter la chauffe du lait dans les bouilles, l'aluminium chantait aux croisées des chemins où passent les ramasseurs.
Hervé BAZIN, Qui j'ose aimer, 27, p. 240. [3]

♦ **4.** (1783). Action de distiller. ⇒ **Distillation** — Par métonymie. Le produit qui en résulte.

HOM. Formes des v. 1. chauffer, 2. chauffer.

CHAUFFE- Premier élément de noms composés, tiré du v. 1. *Chauffer.* ⇒ **Chauffe-assiettes, chauffe-bain, chauffe-biberon, chauffe-doux, chauffe-eau, chauffe-la-couche, chauffe-linge, chauffe-lit, chauffe-pieds, chauffe-plats.**

CHAUFFE-ASSIETTES [ʃofasjɛt] n. m. invar. — 1845, Bescherelle ; composé de *chauffe-*, et *assiette*.

♦ Appareil servant à chauffer ou à maintenir chaudes les assiettes. *Chauffe-assiettes électrique.*

D'un geste rapide, Nicolas coupa le courant du four et mit en marche le chauffe-assiettes. Boris VIAN, l'Écume des jours, I, p. 14.

CHAUFFE-BAIN [ʃofbɛ̃] n. m. — 1889-1890, *Année sc. et industr.,* p. 498 ; composé de *chauffe-*, et *bain*.

♦ Appareil qui produit de l'eau chaude, pour les usages d'hygiène. *Des chauffe-bains à gaz, électriques.* ⇒ **Chauffe-eau.**

(...) tu vas passer dans la salle de bains et tâcher de laisser tes regrets sous la douche (...)
Il s'était levé. Elle bondit à sa suite.
— Ne te rhabille pas tout de suite. Dans l'armoire, à droite du chauffe-bain, tu trouveras des burnous (...) des pyjamas (...)
GIDE, les Faux-monnayeurs, I, VII, *in* Romans, Pl., p. 979.

CHAUFFE-BIBERON [ʃofbibʀɔ̃] n. m. — V. 1960 ; de *chauffe-*, et *biberon*.

♦ Petit appareil électrique servant à chauffer les biberons. — Au plur. *Des chauffe-biberons.*

CHAUFFE-DOUX [ʃofdu] n. m. invar. — 1831, Balzac ; composé de *chauffe-*, et *doux* (II., adverbe).

♦ Archéol. Caisse de fer remplie de braise ou de cendre chaude servant de poêle mobile, au moyen âge, dans les maisons et les églises.

CHAUFFE-EAU [ʃofo] n. m. — 1902, *in* D.D.L. ; composé de *chauffe-*, et *eau*.

♦ Appareil producteur d'eau chaude. — Au plur. *Des chauffe-eau ou des chauffe-eaux* (normalisé). *Chauffe-eau instantanés, à accumulation. Chauffe-eau électrique, à gaz. Chauffe-eau solaire,* qui utilise l'énergie solaire. *Chauffe-eau d'une salle de bains.* ⇒ **Chauffe-bain.**

Une armoire à glace. Un buffet-vaisselier pour les livres. Une cuisine sombre, avec chauffe-eau. Claude COURCHAY, La vie finira bien par commencer, p. 24.

CHAUFFE-LA-COUCHE [ʃoflakuʃ] n. m. invar. — 1813 ; composé de *chauffe-*, *la*, et 1. *couche.*

♦ Fam. et vx. Homme qui se laisse mener par les femmes (Goncourt, 1892 ; A. Hermant, 1907 : *« ce qu'on appelait autrefois un chauffe-la-couche »*, in T. L. F.).

CHAUFFE-LINGE [ʃoflɛ̃ʒ] n. m. — 1753, *Encyclopédie ;* de *chauffe-*, et *linge.*

♦ Appareil pour tenir chaud du linge de corps.

CHAUFFE-LIT [ʃofli] n. m. — 1471 ; de *chauffe-*, et *lit.*

♦ Anciennt. Appareil servant à chauffer un lit. ⇒ **Bassinoire, moine** (II., 4.) — Au plur. *Des chauffe-lits.*

CHAUFFE-PIEDS [ʃofpje] n. m. invar. — 1381, repris 1680 ; comp. de *chauffe-*, et *pieds.*

♦ Petit réchaud pour les pieds. ⇒ **Chaufferette.**

CHAUFFE-PLATS [ʃofpla] n. m. invar. — 1890 ; composé de *chauffe-*, et *plat.*

♦ Réchaud pour tenir les plats, les assiettes au chaud pendant le repas. ⇒ **Chaufferette** (2.)

1. CHAUFFER [ʃofe] v. tr. et intr. — Mil. XIIe ; d'un lat. pop. *calefare*, lat. class. *calefacere.* → Caléfaction.

★ **I.** V. tr. ♦ **1.** Élever la température de (qqch.) ; rendre chaud, plus chaud. *Chauffer de l'eau à 100° :* faire bouillir*. *Chauffer des aliments.* ⇒ **Cuire.** *Chauffer qqch. dans une étuve* (⇒ **Étuver**), *à la braise* (⇒ **Braiser**), *au four. Chauffer trop fort une viande.* ⇒ **Brûler, calciner, griller, surchauffer.** *Chauffer ce qui a refroidi.* ⇒ **Réchauffer.** *Le soleil chauffe l'atmosphère.* ⇒ **Embraser.** *Chauffer le four. Chauffer progressivement un four.* ⇒ **Attremper.** *Ce poêle chauffe toute la maison.* — Absolt. *Ce poêle chauffe bien. La houille chauffe plus que le bois.* — *Chauffer des draps.* ⇒ **Bassiner.** *Chauffer un métal, du fer, au rouge, à blanc.* ⇒ **Bleuir ; blanc** (cit. 20, et *supra*), **incandescence.** Au p. p. CHAUFFÉ À BLANC (→ Blanc, cit. 19.2) ; par métaphore (→ ci-dessous, cit. 1) ; fig. (→ ci-dessous, Chauffé, p. p. adj., 2.).

1   Le ciel chauffé à blanc, s'étendait comme un miroir d'étain au-dessus du village, à demi consumé déjà par une demi-journée de soleil sans nuages.
         E. FROMENTIN, Une année dans le Sahel, p. 181.

1.1   La cuisine, la boulangerie, la machine du bateau, chauffaient tellement les faux ponts, que dix des forçats moururent de chaleur.
         ZOLA, le Ventre de Paris, t. I, p. 130.

2   (...) il chauffe les semelles de ses bottes au foyer habitué à rissoler les vôtres (...)
         COURTELINE, Boubouroche, I, 3.

2.1   Ce qu'il chauffe votre poêle, dites-moi... Qu'est-ce que c'est que cette marque ? Un Godin ? Mais ça chauffe le tonnerre, ces machins-là...
         N. SARRAUTE, le Planétarium, p. 91.
   REM. La deuxième occurrence est en emploi absolu, *le tonnerre* ayant une fonction adverbiale.

   Techn. Mettre en service (un appareil qui doit être chauffé). *Chauffer une chaudière, une locomotive.*
   Loc. *Chauffer les oreilles (de qqn)*, l'exaspérer. ⇒ **Échauffer.**

2.2   Nature, marâtre ou mère ? aucune importance : je salue en toi le comble du relatif. Mais ne viens pas me chauffer les oreilles en ramenant ta fraise.
         J.-L. BORY, Ma moitié d'orange, p. 72.

♦ **2.** Régional (Canada ; de *chauffeur*). Conduire (une automobile).

♦ **3.** Fig. et fam. *Chauffer qqn ; chauffer qqn à blanc*, l'exciter, attiser son zèle. — *Chauffer un candidat*, le préparer intensément à un examen. ⇒ **Bachoter.** — *Chauffer une femme :* lui faire une cour pressante, la serrer de près. *Chauffer une affaire*, la mener rondement.

★ **II.** V. intr. ♦ **1.** Devenir chaud. *Le four chauffe. Faire chauffer de l'eau, un bain.* Fig. *Le bain chauffe :* un orage se prépare. *Faire chauffer des aliments* (sans cuire). ⇒ **Réchauffer.** — Loc. fam. *Faites chauffer la colle* !* : il y a de la casse. *La locomotive, le navire chauffe :* les feux sont allumés, le départ est proche. ⇒ **Pression** (être sous pression). (1906). S'échauffer à l'excès, dangereusement. *Le moteur, le palier chauffe ; l'essieu, la roue chauffe*, par suite d'un mauvais fonctionnement. ⇒ **Échauffer** (s').

♦ **2.** Produire de la chaleur. *Cet appareil chauffe bien. Le coke chauffe mieux que le bois.*
Prov. Vieilli. *Ce n'est pas pour vous que le four chauffe :* ce qui se prépare ne vous concerne pas, n'est pas pour vous.

♦ **3.** (1830, in D. D. L.). Fig. et fam. *Ça chauffe, ça va chauffer :* la chose devient grave, sérieuse, vive. ⇒ 3. **Barder** (→ Chaud, I., C., 4.).

♦ **4.** Argot mus. (adapt. franç. de l'angl. *hot* «chaud»). Avoir un rythme excitant. *Ce pianiste de jazz a une bonne technique, mais il ne chauffe pas. Un orchestre qui chauffe. Un chanteur de rock qui chauffe terrible. Une salle qui chauffe*, survoltée, surexcitée.

▶ **SE CHAUFFER** v. pron.

♦ **1.** S'exposer à la chaleur. *Se chauffer au soleil. Se chauffer près d'un radiateur.*
(Faux pron.). *Se chauffer les mains, les pieds :* chauffer ses mains, ses pieds.

3   (...) j'aperçus quelqu'un assis dans mon fauteuil, et qui se chauffait les pieds en me tournant le dos.   MAUPASSANT, les Sœurs Rondoli, p. 112.

   Loc. fig. *Se chauffer le cœur.* ⇒ **Réchauffer, réconforter.**

4   Et pourtant c'eût été si bon, au milieu de tant de deuils et de tristesse, d'avoir un peu d'amour pour se chauffer le cœur !
         Alphonse DAUDET, le Petit Chose, II, XVI.

♦ **2.** Chauffer son logement. *Se chauffer au bois, au charbon. Ils se chauffent à l'électricité.*
Loc. prov. Fig. *Nous ne nous chauffons pas du même bois :* nous n'avons pas les mêmes idées, les mêmes habitudes. — *Montrer de quel bois on se chauffe*, de quoi l'on est capable (→ Bois, cit. 40).

♦ **3.** Se mettre en condition, en train. ⇒ **Échauffer** (s').

♦ **4.** (Avec valeur de passif). *Ce fourneau se chauffe au bois.*

▶ **CHAUFFÉ, ÉE** p. p. adj.

♦ **1.** Rendu, devenu chaud.

♦ **2.** Fig. Excité, encouragé. — Loc. *Chauffé à blanc**, exalté à l'extrême.

   CONTR. Attiédir, glacer, rafraîchir, réfrigérer, refroidir.
   DÉR. et COMP. Chauffage, chauffant, chauffe, chaufferette, chaufferie, chauffeur, 2. chauffeuse, chauffoir, surchauffer. — V. Chauffe- et composés.
   HOM. 2. Chauffer.

2. CHAUFFER [ʃofe] v. tr. — 1840, v. intr., «détrousser les passants» ; probablt de l'ital. pop. *ciuffare* [tʃufare], fourbesque *zuffare*, p.-ê. par le marseillais *tchouffer* ; rattaché à 1. *chauffer* comme une métaphore analogue à celle de *étouffer, griller ;* la paronymie avec *choper* a dû jouer.

♦ Argot, puis fam. Voler, dérober. ⇒ (fam.) **Choper, chouraver, faucher.** *Se laisser chauffer sa montre. Il lui a chauffé ses meilleures idées.*
Vx. Prendre (qqn) sur le fait. *Il s'est fait chauffer.*
   HOM. 1. Chauffer.

CHAUFFERETTE [ʃofʀɛt] n. f. — 1398 ; *chauferete*, 1379 ; dér. de *chauffer.*

♦ **1.** Boîte à couvercle percé de trous, dans laquelle on met de la braise, de la cendre chaude, pour se chauffer les pieds. ⇒ **Brasero, couvet** (vx), réchaud.

   (...) ce Bilboquet pratiquait à son égard la politique des menus soins, que j'appelle encore la politique des chaussons et de la chaufferette.
         G. DUHAMEL, Cri des profondeurs, II, p. 43.

♦ **2.** Petit réchaud de table. ⇒ **Chauffe-plat.**

♦ **3.** Arbor. Appareil utilisé pour lutter contre les gelées dans les vergers.

♦ **4.** Régional (Canada). Appareil de chauffage d'une automobile.

CHAUFFERIE [ʃofʀi] n. f. — 1334 ; de *chauffer.*

♦ **1.** (1334). Rare. Action, fait de chauffer.

♦ **2.** (1723). Techn. Forge où l'on réduit le fer en barres.

♦ **3.** (1873). Mod. Chambre de chauffe d'une usine, d'un navire, où sont placées les chaudières. — Local d'un immeuble où se trouvent les chaudières de chauffage.

   La chaufferie étant ouverte, on entrevoyait d'autres monstres alignés dans l'ombre. Très âcre, il en venait un vieux relent de mâcheur où se mêlait à l'odeur encore écœurante de la graisse.   H. BOSCO, Un rameau de la nuit, II, p. 64.

   Je suis descendu par cinq fois pour recharger la chaudière, obsédé par le souvenir de Nestor dont la mort par asphyxie dans la chaufferie de Saint-Christophe hantait cette veillée ardente.   M. TOURNIER, le Roi des Aulnes, p. 349.

CHAUFFEUR [ʃofœʀ] n. m. — 1680 ; de *chauffer.*

★ **I.** ♦ **1.** Personne qui est chargée d'entretenir le feu d'une forge, d'une chaudière. *Chauffeur-mécanicien de bateau, de locomotive.*

   Là, il s'engagea comme chauffeur à bord d'un navire appelé à longer les côtes occidentales de l'Afrique.   Raymond ROUSSEL, Impressions d'Afrique, p. 236.
   En appos. (Rare). *Ouvrier chauffeur.*

♦ **2.** (1798). Hist. Malfaiteur qui torturait ses victimes en leur brûlant les pieds, pour leur arracher des aveux sur le lieu où elles cachaient leur argent. *La célèbre bande de chauffeurs d'Orgère.*

♦ **3.** Fig. et vx. Celui qui excite, stimule; celui qui excite les femmes (Balzac, *in* T. L. F.).

★ **II.** (1896). **ⓐ** Vieilli. Conducteur (occasionnel) d'une automobile. ⇒ **Automobiliste, conducteur.** *Un bon, un excellent chauffeur. Le chauffeur et les passagers. Un mauvais chauffeur* (⇒ **Chauffard**). Loc. mod. *Un chauffeur du dimanche* : un mauvais conducteur.

ⓑ Mod. Personne dont le métier est de conduire une automobile. *Chauffeur de maître. Il ne conduit pas, il a un chauffeur. Mon chauffeur vous reconduira. Chauffeur en livrée. Casquette de chauffeur. — Louer une voiture avec, sans chauffeur; location de voitures sans chauffeur.*

2 Un chauffeur en manteau de caoutchouc blanc ouvrit la portière d'un beau coupé surbaissé aux longues lignes raides. A. MAUROIS, Bernard Quesnay, XXIV, p. 158.

Plus cour. *Un chauffeur de camion* (⇒ **Camionneur, routier**). — *Chauffeur de taxi.* ⇒ **Taxi**; et aussi **bricolier** (3.) *Le chauffeur du taxi a refusé de nous charger. — Il y a un taxi en station, mais le chauffeur n'est pas là. Elle est chauffeur de taxi.* ⇒ **Taxite**. *Femme chauffeur* (⇒ aussi **Chauffeuse**). — *Un chauffeur d'autobus, de car.* ⇒ **Machiniste** (3.). *Le chauffeur du bus, du car.*

★ **III.** (1894). Techn. Appareil servant à chauffer. *Chauffeur de permanente.*

3 Dans la *(permanente)* tiède, c'est la chaleur du «chauffeur» qui frise (...) elle avait recours au *chauffeur.* Une pince en matière plastique qu'elle laissait chauffer sur les barres d'un appareil à gaz. Pour modérer le *chauffeur,* entre lui et le cheveu elle plaçait le *protecteur.* P. GUTH, le Mariage du naïf, XII, p. 116.

DÉR. **Chauffard, 1. chauffeuse.**

1. CHAUFFEUSE [ʃoføz] n. f. — 1897 ; de *chauffeur.*

♦ Rare. Femme qui conduit une automobile. — Plus cour. Femme qui conduit un taxi, un autobus, un camion (mais on dit plus souvent *chauffeur*).

HOM. **2. Chauffeuse.**

2. CHAUFFEUSE [ʃoføz] n. f. — 1830 ; de *chauffer.*

♦ Chaise basse pour se chauffer près du feu.

Assis bas sur une chauffeuse bancale, les mains en avant, devant l'âtre qui fut celui de Bertine (...) Hervé BAZIN, Cri de la chouette, p. 153.
Petit fauteuil bas sans accoudoirs.

HOM. **1. Chauffeuse.**

CHAUFFOIR [ʃofwaʀ] n. m. — 1680 ; de *chauffer.*

♦ **1.** (1680). Anciennt. Salle commune dans un monastère, un hospice, une prison, où l'on pouvait se chauffer.

1 Si nous récitions nos prières
Dans le crépuscule du soir
Avec des lèvres régulières,
Avant d'allumer les lumières,
Je ne serais pas au chauffoir.
Germain NOUVEAU, Autres poèmes, «Aux saints», Pl., p. 678.

Spécialt. *Chauffoir public* : salle chauffée ouverte aux pauvres.

♦ **2.** Par métonymie. Appareil qui chauffe.

♦ **3.** Techn. Bassin où se fait le début de l'évaporation de l'eau de mer (syn. : *partènement*).

♦ **4.** Fig. et vx. Établissement où les élèves se préparent activement aux examens.

2 (...) demi-pensionnaire seulement. C'est déjà trop (...) sans doute tous ces chauffoirs se valent (...) Je n'y serais pas entré du tout si je n'avais pas eu à rattraper le temps où j'ai été malade. GIDE, les Faux-monnayeurs, I, XII, *in* Romans, Pl., p. 1010.

CHAUFOUR [ʃofuʀ] n. m. — 1311, *chauffour*; *cauffor*, 1248 ; composé de *chaux*, et *four.*

Technique.

♦ **1.** Four à chaux*.

♦ **2.** Par ext. Endroit où l'on serre le bois et la pierre à chaux destinés au four.

DÉR. **Chaufourage, chaufournier.**

CHAUFOURAGE [ʃofuʀaʒ] n. m. — XVIᵉ ; de *chaufour.*

♦ Techn. (vx). ⇒ **Chaulage.**

CHAUFOURNIER [ʃofuʀnje] n. m. — XVIᵉ ; *caufornier,* 1200 ; de *chaufour.*

♦ Techn. (anciennt). Ouvrier qui travaille dans un four à chaux. ⇒ aussi **Chaulier.**

1 Ce n'est pas qu'il songe à coucher dans les carrières de Montmartre, mais il aura de longues conversations avec les chaufourniers. NERVAL, les Nuits d'octobre, p. 101.

2 (...) c'était l'amîn, ou prud'homme, des chaufourniers, homme retors, souvent suspecté de fraude (...) et l'on disait de lui que le soir il attirait les femmes dans son four-à-chaux. ARAGON, le Fou d'Elsa, p. 214.

CHAULAGE [ʃolaʒ] n. m. — 1764 ; dér. de *chauler.*

♦ **1.** Agriculture. Action de chauler (1.); son résultat. *Le chaulage des terres.* ⇒ **Amendement, engrais.** *Le chaulage des graines, des raisins, des arbres. Chaulage par immersion, par aspersion* (→ Binage, cit. 1, Flaubert). — *Un chaulage réussi.*

En dépit des chaulages pernicieux (...) Bouvard, l'année suivante, avait devant lui une belle récolte de froment. FLAUBERT, Bouvard et Pécuchet, Pl., t. II, p. 36.

♦ **2.** Action de chauler (2.). *Le chaulage d'un mur, d'une maison.*

CHAULER [ʃole] v. tr. — 1372 ; on trouve aussi *chauter* et *chauder* jusqu'au XIXᵉ ; dér. de *chaux*, et *-er*, avec consonne intercalaire *l*.

♦ **1.** Agric. Traiter par la chaux. *Chauler des terres,* répandre de la chaux en poudre pour les rendre poreuses et fertiles. ⇒ **Amender.** *Chauler des graines* : passer les semences des céréales au lait de chaux pour les débarrasser de la carie, du charbon. *Chauler des arbres* : enduire le tronc de lait de chaux pour détruire les insectes. *Chauler des raisins,* les arroser de lait de chaux pour empêcher les passants d'en manger.

♦ **2.** Blanchir à la chaux. *Chauler un mur.* ⇒ **Échauder.**
Absolument :

1 J'aveugle les fenêtres au Nord, je nivelle le sol de la porcherie, je restaure les gypseries effritées, j'enduis, gratte, badigeonne, chaule, surélève, dégage. François NOURRISSIER, le Maître de maison, p. 34.

▶ **CHAULÉ, ÉE** p. p. adj.

♦ **1.** Agric. Traité par la chaux.

♦ **2.** Blanchi à la chaux.

2 (...) ce village avec ses maisons basses aux toits de bardeau groupées autour d'une grosse église, trapue, aux murs chaulés (...) M. TOURNIER, le Roi des Aulnes, p. 180.

3 Dans un renfoncement où la peinture, qui fut brune, s'écaille, la porte est à vantaux étroits, garnis de carreaux chaulés dont plusieurs ont été remplacés par du carton. A. PIEYRE DE MANDIARGUES, la Marge, p. 83-84.

DÉR. **Chaulage, chauleuse, chaulier.**
COMP. **Échauler** (syn. de *chauler*), **déchauler.**

CHAULEUSE [ʃoløz] n. f. — 1929 ; de *chauler.*

♦ Agric. Appareil à chauler.

CHAULIER [ʃolje] n. m. — 1610 ; de *chaux*, et *-ier*, avec consonne intercalaire *l*.

♦ Techn. (anciennt). Celui qui exploite un four à chaux. *Ce chaulier emploie plusieurs chaufourniers*.*

CHAULMOOGRA [ʃolmugʀa] n. m. — 1904, *in Rev. gén. des sc.,* nᵒ 9, p. 428; *chaulmoogre,* 1845, Bescherelle; angl. *chaulmoogra,* d'orig. bengali.

♦ Techn. (pharm., etc.). Huile extraite des graines de plusieurs arbres indiens (dont *Taraktogenos kurzii*), utilisée autrefois dans le traitement de la lèpre.

CHAUMAGE [ʃomaʒ] n. m. — 1393 ; dér. de *chaumer.*

Agriculture.

♦ **1.** Action de couper le chaume* qui reste attaché au sol après la moisson.

♦ **2.** (1798). Vx. Temps où se fait cette opération. *À la fin du chaumage.*

HOM. **Chômage.**

CHAUMARD [ʃomaʀ] n. m. — 1846, Bescherelle ; orig. inconnue.

♦ Mar. Élément de l'accastillage de pont destiné à guider les amarres et à les faire travailler selon l'angle convenable en les préservant des frottements contre des arêtes vives. *Chaumard de fonte* (navires), *de bronze, de nylon* (embarcations). *Chaumard avant, arrière; babord, tribord.*

CHAUME [ʃom] n. m. — 1195 ; du lat. *calamus* «tige de roseau, de céréales». → Calame.

♦ 1. (1195). Tige des céréales. ⇒ **Paille.** — Spécialt. Partie de la tige qui reste sur pied après la moisson. ⇒ **Éteule.** *Couper le chaume.* ⇒ **Chaumer, étraper.** *Enterrer le chaume.* ⇒ **Chaumer, déchaumer.** *Brûler le chaume.* ⇒ **Écobuer.**

0.1   Ou la grêle s'abat et fauche la moisson;
    Qu la gelée arrive, et suspend un glaçon
    À chaque grain de blé qui tremble au bout du chaume.
                      A. JARRY, Ontogénie, Pl., t. I, p. 126.

0.2   Il y avait des prés et des chaumes. Dans les prés, des vaches abandonnées par les paysans belges et dans les champs, le blé récemment coupé, encore là, en javelles.
                    DRIEU LA ROCHELLE, la Comédie de Charleroi, p. 23-24.

♦ 2. (Surtout au plur.). Champ où le chaume est encore sur pied.

1   (...) il ne rencontra que le blaireau qui fuyait dans les chaumes, et la chouette qui sifflait sur son arbre.   G. SAND, la Petite Fadette, XXI, p. 152.

2   Puis, au bord du champ, il vit, à trois pas d'intervalle, des perdrix rouges qui voletaient dans les chaumes.
          FLAUBERT, Trois contes, « La légende de saint Julien l'Hospitalier », II.

♦ 3. (1275). Collectif. *(Le chaume, du chaume).* Paille qui couvre le toit des maisons. ⇒ **Glui.** *Un toit de chaume. Anciennes maisons paysannes à toits de chaume.* ⇒ **Chaumière** (1.). *Il vient de faire mettre un toit de chaume à sa villa.* ⇒ **Chaumière** (2.).

3   Les légendes toujours mêlent quelque fantôme
    À l'obscure vapeur qui sort des toits de chaume (...)
           HUGO, la Légende des siècles, XV, « Éviradnus », III.

4   Toujours ce chaume et ce granit brut qui jettent encore dans les villages bretons une note de l'époque primitive.   LOTI, Mon frère Yves, XLVI, p. 115.

(Le chaume ; un chaume). Toit à couverture de chaume.

5   Le pauvre en sa cabane où le chaume le couvre (...)
            MALHERBE, Consolation à M. Du Périer.

6   Le chaume dresse au vent sa plume de fumée (...)
            HUGO, les Châtiments, IV, 10.

7   Les maisons des paysans, coiffées d'un chaume poli par le temps, se confondaient avec les champs voisins (...)
          A. MAUROIS, les Silences du colonel Bramble, I, p. 16.

Littér., vx. *Un chaume :* une maison à toit de chaume. ⇒ **Chaumière.**

8   (...) Les princes verront les chaumes préférés
    Au faîte ambitieux de leurs palais dorés. CORNEILLE, l'Imitation de J.-C., I.

Fig. (poét., vx). *Être né sous le chaume :* être d'humble condition. *Le chaume et le marbre :* la chaumière et le palais*.

♦ 4. Bot. Tige cylindrique, fistuleuse des plantes graminées *(Culmifères).*

Littér. Paille.

9   Dans le sous-sol d'une boulangerie un grillon chante, et on voudrait l'en faire sortir, comme de son trou avec un chaume, en fouillant de la canne dans le soupirail.
          GIRAUDOUX, Simon le pathétique, 1926, p. 242, *in* T. L. F.

♦ 5. (V. 1150 ; du bas lat. *calma* « haut plateau dénudé »). Régional (Vosges). Sommet dénudé d'une hauteur ; pâturage des hauts sommets (surtout au pluriel).

10   Le faîte des collines est dénudé, ou du moins semble couvert d'herbes rases, à la manière des « chaumes » vosgiens (...)
          GIDE, Voyage au Congo, *in* Souvenirs, Pl., p. 698.

REM. Dans ce sens, le mot est parfois féminin.

11   Défense aux gens de passer, comme, aux moutons, de paître sur la chaume. Je l'ai louée pour la saison à une alouette qui vient d'y faire son nid.
          J. RENARD, Journal, 10 mai 1905.

DÉR. **Chaumer, chaumet, chaumier.** — **Chaumière. Chaumine.**
HOM. **Chôme.** — Formes des v. **chaumer, chômer.**

CHAUMER [ʃome] v. tr. et intr. — 1355 ; de *chaume.*
Agriculture.

♦ 1. V. tr. Arracher, couper le chaume* de (un champ) après la moisson. ⇒ **Déchaumer, étraper.** *Chaumer un champ de blé.*

♦ 2. V. intr. *Chaumer dans un champ.*

DÉR. **Chaumage.**
COMP. **Déchaumer.**
HOM. **Chômer.**

CHAUMES [ʃom] n. m. pl. ⇒ **Chaume** (5.).

CHAUMET [ʃomɛ] n. m. — 1863 ; de *chaume.*

♦ Agric. Outil servant à arracher les chaumes.

CHAUMIER [ʃomje] n. m. — 1863 ; de *chaume.*
Agriculture.

♦ 1. Personne qui coupe le chaume. — Ouvrier qui couvre de chaume les habitations.

♦ 2. Tas de chaume.

CHAUMIÈRE [ʃomjɛʀ] n. f. — 1666, Furetière, *Roman bourgeois ;* de *chaume.*

♦ 1. Petite maison traditionnelle rustique et pauvre, couverte de chaume*. *Une chaumière de paysan, de bûcheron.* ⇒ **Cabane, chaumine.** — Poét. *L'humble toit d'une chaumière ; la chaumière et le palais.*

1   (...) la sœur grise court administrer l'indigent dans sa chaumière (...)
        CHATEAUBRIAND, le Génie du christianisme, IV, III, 6.

2   Sur les chaumières dédaignées
    Par les maîtres et les valets,
    Joyeuse, elle *(la nature)* jette à poignées
    Les fleurs qu'elle vend au palais.   HUGO, les Voix intérieures, V, 1.

3   Là-bas, sous les arbres s'abrite
    Une chaumière au dos bossu ;
    Le toit penche, le mur s'effrite,
    Le seuil de la porte est moussu.   Th. GAUTIER, Émaux et Camées, « Fumée ».

4   Une pauvre chaumière isolée, au détour d'un chemin, et c'est tout.
          LOTI, Mon frère Yves, XVII, p. 64.

Loc. *Une chaumière et un cœur,* idéal de l'homme simple et sensible.

5   Je raffole des autocars locaux. Ils me transfigurent. Je deviens naïve, je crois au bonheur. Je suis persuadée que les autres sont heureux. Premier arrêt, un voyageur descend, il s'en va retrouver une chaumière et un cœur.
          Violette LEDUC, la Folie en tête, p. 554.

Loc. fam. *Une histoire qui fait pleurer dans les chaumières :* une histoire très sentimentale. — *La Veillée des chaumières,* titre d'un recueil périodique de récits simples et sentimentaux, destiné en principe à une clientèle rurale. *Un style veillée des chaumières,* naïf.

♦ 2. Mod. Maison d'agrément à toit de chaume (dans ce sens, *chaumière* peut désigner une maison luxueuse).

CONTR. **Palais.**

CHAUMINE [ʃomin] n. f. — 1606 ; adj., *maison chaumine,* 1486 ; dér. de *chaume,* et suff. *-ine.*

♦ Vieilli. Petite chaumière*.

1   *(Un pauvre Bûcheron)* tâchait de gagner sa chaumine enfumée.
          LA FONTAINE, Fables, I, 16.

2   Je fume comme la chaumine
    Où se prépare la cuisine
    Pour le retour du laboureur.
        BAUDELAIRE, les Fleurs du mal, Spleen et Idéal, « La pipe ».

CHAUSSAGE [ʃosaʒ] n. m. — 1435 ; de *chausser.*
Technique ou histoire.

♦ 1. Agric. Action d'entourer de terre (le pied d'un arbre, d'une plante).

♦ 2. Techn. Remise à neuf des bassins d'un marais salant.

♦ 3. Hist. Droit payé au seigneur pour l'entretien des chaussées, au moyen âge.

CHAUSSANT, ANTE [ʃosã, ãt] adj. — 1690 ; p. prés. de *chausser.*
Commerce.

♦ 1. Qui chausse bien. *Ces mocassins sont très chaussants.*

♦ 2. Qui a pour fonction de chausser le pied. *Article chaussant :* pantoufle, sandale (spécialt, à l'exception des *chaussures*).

CHAUSSE [ʃos] n. f. — 1398 ; *chauce,* XIIe ; du lat. vulg. *calcea,* de *calceus* « soulier » ; cf. ital. *calza.* → Caleçon.

♦ 1. (Mil. XIIe). Au plur. Vx ou hist. Partie du vêtement masculin qui couvrait le corps depuis la ceinture jusqu'aux genoux (*haut-de-chausses ;* ⇒ **Culotte, grègue, haut-de-chausses**) ou jusqu'aux pieds (*bas-de-chausses ;* ⇒ 2. **Bas, gamache, guêtre, jambière**). *Une paire de chausses.*

1   Il voit que (...) sa chemise est par-dessus ses chausses.
          LA BRUYÈRE, les Caractères, XI, 7.

Fig. Vx (ou archaïsme littér.). *Être, courir, hurler, aboyer après les chausses de qqn, coller aux chausses de qqn,* le poursuivre, le harceler. ⇒ **Trousse** (être aux trousses). *Tenir qqn au cul et aux chausses,* le harceler, le serrer de près.

2   Ils étaient une douzaine de possédés après mes chausses (...)
          MOLIÈRE, Monsieur de Pourceaugnac, II, 4.

3   (...) l'on n'est point plus ravi que de vous tenir au cul et aux chausses (...)
          MOLIÈRE, l'Avare, III, 1.

4   La meute des envieux ne cessera d'aboyer à tes chausses (...)
          FRANCE, la Vie en fleur, XXVIII, p. 322.

Tirer ses chausses : s'enfuir, partir (→ Se tirer).

5   (...) il m'a fallu tirer mes chausses au plus vite (...)
          MOLIÈRE, la Princesse d'Élide, V, 1.

Faire dans ses chausses : avoir très peur. ⇒ **Culotte** (I., 1.).

C'est sa femme qui porte les chausses, qui commande. ⇒ **Culotte** (I., 1.).

♦ 2. (1740). Bande d'étoffe du costume de cérémonie des membres de l'Université, portée sur l'épaule. ⇒ **Épitoge.**

◆ **3.** (XIVᵉ). Techn. Filtre, entonnoir en étoffe. *Chausse à filtrer.* — (1552). *Chausse d'Hippocrate.*

Tuyau qui s'adapte sous la cuvette des W. C. — Syn. : *botte.*

Pêche. Goulet en forme d'entonnoir (de certains filets).

◆ **4.** Blason. Pièce honorable, chevron plein, retourné pointe en bas (opposé à *chape*).

DÉR. **Chaussette, chausson.**
COMP. **Haut-de-chausse.**
HOM. Formes du v. **chausser.**

CHAUSSÉE [ʃose] n. f. — V. 1135, *chauciee* ; var. *cauchie, chaucie* au XIVᵉ ; lat. vulg. *via calciata* «route (via)», soit «couverte d'un mortier de chaux (calx)», soit «foulée par le talon (calx)».

◆ **1.** Partie principale et médiane d'une voie publique. ⇒ **Route, rue** (→ Macadam, cit. 1). *La chaussée et les bas-côtés* d'une route, et les trottoirs* d'une rue. Chaussée bombée, relevée. Chaussée en déclive. Chaussée empierrée, pavée, goudronnée, asphaltée. L'asphalte, le macadam de la chaussée. Chaussée empierrée recouverte de ciment* (⇒ **Macadam-ciment**). Les couches* (ou assises) d'une chaussée. Les bandes* d'une chaussée ; les lignes blanches d'une chaussée signalisée. Chaussée défoncée, déformée, effondrée, ravinée. Chaussée lisse, glissante. Paver, dépaver, refaire la chaussée. La nivelette permet de niveler les chaussées. Déblayer avec un chasse-neige une chaussée enneigée. Chaussée bordée de ruisseaux, de fossés. Une chaussée romaine, gallo-romaine.* ⇒ **Voie.**

1 Ils occupaient la chaussée et les trottoirs, laissant à peine le passage aux voitures.
                              J. ROMAINS, les Hommes de bonne volonté, XVI, p. 169.

2 Johnson lâche le vieillard et s'éloigne d'un pas vif, pour se mettre bientôt à courir, poursuivi par les cris du Chinois, debout au milieu de la chaussée (...)
                              A. ROBBE-GRILLET, la Maison de rendez-vous, p. 90.

Loc. *Les Ponts et Chaussées.* ⇒ **Pont.**

◆ **2.** (1309, *chaucie*). Techn. Élévation de terre servant à retenir l'eau d'un cours d'eau, d'un étang, etc., et pouvant servir de voie de passage. ⇒ **Digue, levée, remblai, talus.** *Chaussée d'étang, chaussée de retenue. Chaussée dans un marais, un marécage, un pré inondable. Chaussée sur maçonnerie, sur pilotis.* «La chaussée qui joignait l'île (...) à la terre» (H. Malo, *in* T. L. F.).

◆ **3.** Géogr. (Cour. dans des noms propres). Écueil sous-marin de forme allongée, affleurant l'eau. *La chaussée de Sein.*

Loc. (1886). *Chaussée des Géants* : colonnes basaltiques, dont le sommet plus ou moins horizontal évoque un gigantesque pavement. ⇒ aussi **Orgue.**

◆ **4.** (1752). Techn. Pièce (pignon) d'une montre sur laquelle repose l'aiguille des minutes. *Chaussée lanternée,* ajustée à friction sur l'axe.

HOM. Formes du v. **chausser.**

CHAUSSE-PIED [ʃospje] n. m. — 1549 ; de *chausser*, et *pied.*

◆ Lame incurvée façonnée sur la forme du talon et dont on se sert pour faciliter l'entrée du pied dans la chaussure. ⇒ **Corne** (à chaussure). *Chausse-pied en corne, en métal, en matière plastique.* — Au plur. *Des chausse-pieds.*

1 Il avait fini de lacer la chaussure droite ; il restait là, le chausse-pied à la main, l'œil morne et les lacets de la gauche gisaient à terre comme des couleuvres écrasées par un camion.
                              R. QUENEAU, le Chiendent, p. 205.

(1630). Par métaphore et vx. Ce qui aide, ce qui facilite qqch.

2 Une charge était le chausse-pied du mariage.
                              FURETIÈRE, le Roman bourgeois, II, 33.

CHAUSSER [ʃose] v. tr. — 1552 ; *chaucier*, 1155 ; *calcer*, v. 1100 ; du lat. *calceare* «mettre des chaussures».

◆ **1.** Mettre à ses pieds (des chaussures*). *Chausser des pantoufles, des espadrilles, des bottes. Chausser ses plus beaux souliers.*

1 Et il était comme le jardinier devenu roi qui, obligé à chausser les sandales de pourpre, regrette ses sabots lourds de glaise et de pauvreté.
                              Francis JAMMES, le Roman du lièvre, III.

Ellipt. *Chausser du 38, du 40,* porter des chaussures de cette pointure.

(Avec un compl. second en *à*). Mettre aux pieds de qqn. *Chausser des souliers à qqn. Chausser des bottines à un enfant.*

Loc. fig. *Chausser le cothurne*, le brodequin* (→ Brodequin, cit. 2 et 3). Chausser les bottes de qqn,* se mettre à sa place.

Par anal. *Chausser les étriers,* y enfoncer les pieds. — *Chausser les éperons à qqn,* en le recevant chevalier.

2 L'officiant me chaussa les éperons en me donnant l'accolade.
                              CHATEAUBRIAND, Itinéraire..., III, 39.

Chausser des skis, des patins.

Fam. *Chausser des lunettes, des besicles,* les ajuster sur son nez.

3 Il fallait que M. de Janson chaussât mieux ses lunettes.
                              Mᵐᵉ DE SÉVIGNÉ, 1286, 12 juil. 1690.

◆ **2.** (Compl. n. de personne). Mettre une chaussure à (qqn). *Il se fait chausser par son valet de chambre. Il faut chausser cet enfant. Chausser qqn de bottes.* ⇒ **Botter.**

Par anal. *Chausser un cheval,* garnir ses sabots de fers. ⇒ **Ferrer.**

Fournir (qqn) en chaussures. *Ce cordonnier, ce bottier chausse toute ma famille. Il se fait chausser chez X...* — Absolt. *Ce chausseur chausse bien.*

(Au p. p.). Prov. *Les cordonniers sont toujours les plus mal chaussés* (→ ci-dessous).

Fig. et vx. *Il n'est pas facile, pas aisé à chausser,* à contenter, à satisfaire.

◆ **3.** (Sujet n. de la chaussure). Aller* bien ou mal. *Ce soulier chausse bien. Cette botte ne me chausse pas bien.* — *C'est un 38, mais ce modèle chausse petit.*

Fam. et vieilli. *Cela me chausse,* me convient. ⇒ **Botter,** I., 2., b (→ Trouver chaussure* à son pied).

◆ **4.** Entourer le pied de (une plante) de terre, pour faciliter le développement. *Chausser un arbre.* — REM. On dit aussi *enchausser.* ⇒ **Butter.**

◆ **5.** Garnir de pneus (une voiture).

▶ **SE CHAUSSER** v. pron.

◆ **1.** Mettre ses chaussures. *Se chausser avec un chausse-pied. S'habiller, se coiffer et se chausser.* — *Se chausser de sandales.*

◆ **2.** Fig. *Se chausser d'une opinion, d'une idée,* s'entêter dans cette opinion, y être très attaché. ⇒ **Enticher** (s').

▶ **CHAUSSÉ, ÉE** p. p. adj.

◆ **1.** *Être bien, mal chaussé. Il était chaussé de bottines. Pieds chaussés de bandelettes, de chiffons, de sabots,* etc.

4 (...) Ramuntcho cheminait par le sentier de mousse, sans bruit, chaussé de semelles de cordes, souple et silencieux dans sa marche de montagnard.
                              LOTI, Ramuntcho, I, I, p. 4.

Prov. *Les cordonniers sont les plus mal chaussés* : on manque souvent des choses que l'on est en situation d'avoir avec le plus de facilité.

(Le subst. désigne la jambe ou le pied). Vx. *Jambes, pieds chaussés de bas de soie.* ⇒ (par ext.) **Gainer, ganter.**

Loc. *S'enfuir un pied chaussé et l'autre nu* : fuir précipitamment.

◆ **2.** Fig. et vx. *Être chaussé d'une opinion,* entêté, entiché.

5 Chose étrange de voir comme avec passion
Un chacun est chaussé de son opinion !
                              MOLIÈRE, l'École des femmes, I, 1.

◆ **3.** Blason. *Écu chaussé.* — Contr. : *chapé.*

◆ **4.** Équit. *Cheval haut chaussé,* dont les balzanes montent jusqu'au genou ou au jarret.

◆ **5.** (En parlant d'une voiture). Garni de pneus. *Voiture chaussée de pneus neufs.*

CONTR. **Déchausser.**
DÉR. et COMP. **Chaussage, chaussant, chausseur, chaussure, enchausser, rechausser.** — **Chausse-pied.** — V. aussi **Chausse-trape.**
HOM. **Chaussée.**

CHAUSSES [ʃos] n. f. pl. ⇒ **Chausse.**

CHAUSSETIER [ʃostje] n. m. — 1337, *cauchetier* ; *chaucier,* v. 1270 ; de *chaussette,* et *-ier.*

◆ Anciennt. Celui qui fabrique ou vend des bas, des chaussettes, des articles de bonneterie, etc. ⇒ **Bonnetier** (cf. anc. Chaussier, ère : celui, celle qui fabrique des chausses).

— Vos qualités ? (demanda l'huissier). — Chaussetier à l'enseigne des *Trois Chaînettes,* à Gand.
                              HUGO, Notre-Dame de Paris, I, 4.

CHAUSSE-TRAPE ou CHAUSSE-TRAPPE [ʃostʀap] n. f.
— 1430, *chausses trapes* ; *chauchetrepe,* av. 1220 ; *cauketrepe,* v. 1180 ; composé de l'anc. franç. *chauchier* «fouler», et *treper.* → Trépigner.

REM. La graphie *chausse-trape* est ancienne et seule acceptée jusqu'à la décision de l'Académie de préférer *chausse-trappe* pour harmoniser avec *trappe.*

◆ **1.** (V. 1340). Trou recouvert, cachant un piège. ⇒ **Piège** (→ Pénétrable, cit. 1.1). *Prendre des bêtes sauvages dans des chausse-trapes. Tomber dans une chausse-trape.* — Par extension :

1 (...) le demi-homme *(Ragotin)* fut tiré de sa chausse-trape et ne fut pas plutôt sur ses pieds qu'il courut à une épée.
                              SCARRON, le Roman comique, II, VII, p. 194.

1.1 C'était (...) une véritable tonnelle et un endroit plat recouvert de zinc. Malgré sa soif évidente, Angélo attendit d'être arrivé pour boire. Il se méfiait des chausse-trapes et du vertige.
                              J. GIONO, le Hussard sur le toit, p. 124-125.

Fig. ⇒ **Écueil, embûche, piège, ruse.**

2 (..) la destinée est piège et l'homme tombe dans des chausse-trapes.
                              HUGO, l'Homme qui rit, II, VIII, 7.

3 (...) jamais la route n'avait été plus semée de chausse-trapes.
Louis BARTHOU, Mirabeau, p. 236.

3.1 Au cours des années, sans armes, on a dû se défendre de tant de pièges, de chausse-trappes (...) On a vécu comme on a pu, chacun se tire d'affaire à sa manière ; il n'y a ni bien, ni mal. Suzanne PROU, la Terrasse des Bernardini, p. 130.

♦ **2.** (1284 ; *chauche trepe* « foule-trépigne », sorte de chardon). Ancienn. Engin de guerre, formé d'une pièce de fer à quatre pointes, et servant à interdire le passage à la cavalerie. *S'enferrer sur des chausse-trapes.*

4 Louis XI (...) fit semer dix-huit mille chausse-trapes dans les fossés.
DUCLOS, Louis XI, III, 415, *in* HATZFELD.

5 Des bourses, des hameçons, des chausse-trapes, toute sorte d'engins, furent confectionnés.
FLAUBERT, Trois contes, « La légende de saint Julien l'Hospitalier », I.

CHAUSSETTE [ʃosɛt] n. f. — Fin xvᵉ, *chaucete* ; *cauchete*, 1282 ; *chalcette*, mil. xiiᵉ ; de *chausse*.

♦ **1.** Vx. Bas court (d'homme ou de femme). ⇒ **Bas, demi-bas, mi-bas.**

1 (...) et jusqu'à mes chaussettes, je ne puis rien souffrir qui ne soit de la bonne ouvrière. MOLIÈRE, les Précieuses ridicules, 9.

2 Leurs irréprochables chaussettes, à orteil séparé, ne font pas de bruit ; on n'entend, quand elles passent, qu'un froufrou d'étoffe.
LOTI, Mᵐᵉ Chrysanthème, XLIX, p. 254.

Loc. (Vx). *Chaussette en laine* (Fromentin, *in* T. L. F.) : *bas* de laine.

♦ **2.** Mod. Vêtement tricoté qui couvre le pied et le bas de la jambe (hommes, femmes, enfants). *Chaussettes courtes.* ⇒ **Socquette.** *Chaussettes de laine, de fil, de coton, de nylon. Tricoter des chaussettes. Faire des trous à ses chaussettes. Repriser des chaussettes. Support-chaussettes, fixe-chaussettes.* ⇒ **Jarretière,** 1. (vx). *Marcher en chaussettes.* — *Chaussettes russes* : bandelettes enveloppant le pied.

Pop. *Chaussettes à clous,* se dit spécial. des souliers ferrés utilisés comme arme (1909), et de ceux de la police. — Argot (autom.). *Pneu clouté.*

3 Ce sont les chaussettes à clous
Compagnes chéries des humbles gendarmes
Parure en même temps qu'arme
C'est là tout le charme
Des chaussettes à clous. Boris VIAN, la Java des chaussettes à clous.

4 (...) débouchant bruyamment du Parc, où Hans venait une fois de plus de les instruire à coups de chaussette *(sic)* à clous, ses hommes s'avançaient en chantant. Francis CARCO, les Belles Manières, p. 69.

Loc. *Laisser tomber qqn, qqch. comme une vieille chaussette,* comme un objet sans importance.
Retourner qqn comme une vieille chaussette, le faire changer d'opinion sans effort.
(Par jeu de mots avec *chaussure*). *Trouver chaussette à son pied.*

♦ **3.** Par anal. de forme. Filtre (⇒ **Chausse,** 3.) à café en étoffe. *Passer le café dans une chaussette. La chaussette traditionnelle est souvent remplacée aujourd'hui par les filtres en papier.* — Pop. (par un jeu sur les sens 2 et 3.). *Jus de chaussette :* mauvais café.

♦ **4.** Techn. Tube fait d'une étoffe synthétique à laquelle le tissage confère une grande élasticité dans le sens horizontal et une élasticité nulle dans le sens vertical, conçu pour freiner une personne dans sa chute (matériel de sécurité destiné à l'évacuation rapide des bâtiments, notamment en cas d'incendie). *Chaussette d'évacuation.*

DÉR. Chaussetier.

CHAUSSEUR, EUSE [ʃosœR, øz] n. — 1883 ; de *chausser.*

♦ **1.** Fabricant (fabricante), vendeur (vendeuse) de chaussures. Syn. cour. : *marchand de chaussures*.

♦ **2.** Personne qui fournit (qqn) en chaussures, notamment en chaussures faites sur mesure. ⇒ **Bottier.**
REM. Le fém. est rare.

CHAUSSIER, IÈRE [ʃosje, jɛR] n. ⇒ **Chaussetier.**

CHAUSSON [ʃosɔ̃] n. m. — Après 1150 ; de *chausse,* et -*on.*

♦ **1.** (Après 1150). Chaussure (1.) souple, légère, que l'on met à la maison pour être plus à l'aise. ⇒ **Pantoufle, savate.** *Chaussons de feutre.* — (1830, *in* D. D. L.). *Des chaussons de lisière,* fabriqués avec des lisières (cit. 1) de drap. *Chaussons de castor* (→ Polaire, cit. 2). *Chaussons de basane que l'on porte dans les sabots.* ⇒ **Kroumir.**

1 Sur le plancher ciré, les chaussons de feutre ont dessiné des chemins luisants, du lit à la commode, de la commode à la cheminée, de la cheminée à la table.
A. ROBBE-GRILLET, Dans le labyrinthe, p. 12.

2 Sans se retourner, tandis qu'il descend les premières marches, il sait qu'elle le suivra des yeux, avant qu'elle n'aille ailleurs sur ses chaussons de feutre gris qui glissent en silence. A. PIEYRE DE MANDIARGUES, la Marge, p. 15.

Figuré :
(...) la politique des menus soins, que j'appelle encore la politique des chaussons et de la chaufferette. G. DUHAMEL, Cri des profondeurs, II, p. 43.

Vx. *Chaussons de bal :* chaussures légères pour danser.

Chaussette tricotée que l'on met aux nouveau-nés. *Tricoter des chaussons pour la layette d'un bébé.*

Cout. *Point de chausson :* point en ligne brisée pour assembler ou orner.

(1627). Spécialt. Chaussure souple employée pour certains exercices. ⇒ **Espadrille.** *Chausson d'escrimeur.* — Spécialt. *Chausson de danse :* chausson à bout renforcé pour faire des pointes.

♦ **2.** (1844). Fig. Sorte de lutte à coups de pieds. ⇒ **Savate** (3.). *Pratiquer la canne* (1. Canne, cit. 4) *et le chausson.*

Pour le chausson, c'est l'élève de Lozès. Il n'ignore que l'escrime, parce qu'il n'aime pas les pointes (...) NERVAL, les Nuits d'octobre, II.

♦ **3.** (1783). Par anal. Pâtisserie formée d'un rond de pâte feuilletée replié contenant de la compote, de la marmelade, de la confiture. *Chausson aux pommes, aux prunes. Chausson aux pommes à la manière alsacienne.* ⇒ **Strudel.** *Manger des chaussons.*

♦ **4.** Menuis. Pièce métallique ornant le pied de certains meubles.

DÉR. Chaussonnier.
HOM. Formes du v. **chausser.**

CHAUSSONNIER [ʃosɔnje] n. m. — 1841 ; de *chausson,* et -*ier.*

♦ Techn. Fabricant de chaussons, de pantoufles.

La plupart des chaussonniers, qui n'ont pu livrer aux usines le travail de la semaine, travaillent encore (...) O. MIRBEAU, le Journal d'une femme de chambre, p. 63.

CHAUSSURE [ʃosyR] n. f. — 1611 ; *chauceüre,* v. 1174 ; de *chausser,* et -*ure.*

♦ **1.** (V. 1174). Vx ou indéterminé (sens large). *La chaussure.* Partie du vêtement qui entoure et protège les pieds contre le froid, les aspérités du chemin, etc. ⇒ **Babouche,** 2. **botte, bottillon, bottine, brodequin, chausson, cothurne, escarpin, espadrille, galoche, mocassin,** 2. **mule, pantoufle, patin, sabot, sandale, savate, socque, snow-boot, soulier** ; et aussi 2. **bas, chaussette.**

1 Il faut juger de femmes depuis la chaussure jusqu'à la coiffure exclusivement, et à peu près comme on mesure le poisson entre queue et tête.
LA BRUYÈRE, les Caractères, III, 5.

2 Une grande taille ne songe point à se rehausser en exhaussant sa chaussure.
BOSSUET, *in* LAFAYE, Dict. des synonymes, Hausser, exhausser, rehausser.

3 Nous cherchons à agrandir notre figure par des chaussures élevées.
BUFFON, Morceaux choisis, p. 83.

4 Ils n'avaient des chaussures qu'à un pied, pour ne pas glisser si facilement dans la boue. ROLLIN, Hist. ancienne, Œ., III, p. 547, *in* POUGENS.

5 Il quitte sa chaussure légère et prend des souliers ferrés.
Mᵐᵉ DE GENLIS, les Veillées du château, I, p. 503.

6 (...) ils portent (...) des souliers à l'Alcibiade ; c'est une espèce de chaussure dont Alcibiade a donné la première idée. BARTHÉLEMY, Anacharsis, XX, *in* LITTRÉ.

REM. Les citations 3 et 4 où *chaussure* est au pluriel peuvent être interprétées au sens restreint de « soulier », ci-dessous.

♦ **2.** Cour. (sens étroit). Syn. de *soulier.* ⇒ **Ballerine, bottillon, bottine, boots, brodequin, escarpin, mocassin, soulier** (→ fam. Bateau, croquenot, écrase-merde, godasse, godillot, grolle, péniche, pompe, ribouis, sorlot, tatane). — *Parties d'une chaussure.* ⇒ **Bout, carre, claque, contrefort, empeigne, languette, œillet, quartier, semelle, talon, tige, tirant, trépointe.** — *Chaussure d'homme ; de femme. Chaussure montante ; chaussure basse* (⇒ **Richelieu**). *Chaussures à talons hauts, à talons plats. Chaussure décolletée. Chaussure à lacets, à boucle, à crochets, à boutons, à bride, à pattes, à élastiques, à fermeture éclair. Chaussure de cuir, de daim. Chaussure de caoutchouc.* ⇒ **Caoutchouc, snow-boot.** *Chaussures vernies. Chaussures de ville. Chaussure de marche.* ⇒ **Patauga.** *Chaussures de sport. Chaussures de basket,* utilisées par les joueurs de basket-ball. ⇒ **Basket.** *Chaussures de tennis.* ⇒ **Tennis.** *Chaussure de ski,* etc. ⇒ **Après-ski.** *Chaussures à semelle de cuir, de crêpe ; chaussure cloutée, à crampons. Chaussure à bout pointu, à la poulaine. Chaussure orthopédique. Taille d'une chaussure.* ⇒ **Pointure.** — *Cuirs* à chaussures. ⇒ **Box-calf, chevreau, mollèterie, veau...** *Fabriquer, tailler, monter, clouer, piquer, cambrer des chaussures. Fabrication des chaussures.* ⇒ **Cordonnerie.** *Fabricant, marchand de chaussures.* ⇒ **Bottier, chausseur, cordonnier.** *Chaussures sur mesure, de confection.* — *Chaussures neuves. Vieilles chaussures, chaussures usées, éculées, percées, déformées. Ressemeler* ; *rapiécer des chaussures.* ⇒ **Carreler.** — *Chaussures sales, crottées. Cirer, décrotter des chaussures* (⇒ **Cirage, cireur**). *Faire reluire des chaussures. Brosse* à chaussures. — *Mettre, enlever ses chaussures* (⇒ **Chausser, déchausser**). *Porter des chaussures. Pieds* (cit. 2) *un peu rosés par la pression de la chaussure. Mettre des embauchoirs dans ses chaussures. Se servir d'un chausse-pied*, *d'un tire-boutons* pour mettre ses chaussures. *Chaussures qui blessent. Briser* des chaussures.

7 Mes chaussures étaient percées, volontiers hydrophiles.
G. DUHAMEL, Chronique des Pasquier, III, III.

Loc. fig. Vx. *Une chaussure à tous pieds :* une chose banale, admise par tous.

(1611). Mod. *Trouver chaussure à son pied :* trouver, rencontrer ce qui convient, et, spécial, une femme, un mari (→ Marier, cit. 7). *Cet homme a trouvé chaussure à son pied,* il a rencontré la femme qui lui convenait.

8   Excepté quelques vieux hobereaux à l'esprit grand seigneur, qui, comme son parrain, le comte d'Avice, l'avaient vue enfant, et qui, d'ailleurs, ne s'émouvaient pas de grand-chose, regardaient comme tout simple qu'elle eût trouvé une chaussure meilleure à son pied que cette sandale de maître d'armes qu'elle y avait mise, Hauteclaire Stassin, en disparaissant, n'eut personne pour elle.
BARBEY D'AUREVILLY, les Diaboliques, « Le bonheur dans le crime ».

9   Michel a horreur des prostituées : ce qu'il voit dans le salon de cet établissement de province ne lui fait pas changer d'avis (...) Tandis que le brigadier s'éclipse avec l'une des filles, Michel avoue avec embarras à la sous-maîtresse qu'il n'a pas trouvé chaussure à son pied.
M. YOURCENAR, Archives du Nord, p. 256.

♦ **3.** (1938). Industrie, commerce des chaussures. *Les ouvriers de la chaussure. Être, travailler dans la chaussure. Mouvement syndical, grève dans la chaussure.*

CHAUT (peu me chaut) [pǿmǝʃo] ⇒ Chaloir.

CHAUVE [ʃov] adj. — V. 1180, *cauve, chauve,* adj. fém. ; *chals,* adj. masc., v. 1165 ; forme fém. à l'emploi masc., après 1250 ; du lat. *calvus.*

♦ **1.** Qui n'a plus ou presque plus de cheveux. ⇒ **Dégarni, déplumé, pelé** (pop.). *Crâne, tête, front chauve* (→ Boule* de billard). *Être, devenir chauve par alopécie*, pelade* (⇒ **Calvitie**). — Fam. *Il est chauve comme un œuf, comme une bille, comme un genou.* Cf. N'avoir plus un poil sur le crâne, le caillou*, d'alfa sur le ciboulot (vieilli), de cresson sur la fontaine, et aussi avoir la boule à zéro. — *La perruque, les cheveux postiches d'une femme chauve. La Cantatrice chauve,* pièce de Ionesco.

1   Chevelu sur le front, et chauve par derrière.   Mathurin RÉGNIER, Satires, X.
2   Cette couronne de lauriers que mettait César pour empêcher qu'on ne vît qu'il était chauve.   MONTESQUIEU, Correspondance, 2.
3   (...) il était si chauve, qu'il ne lui restait qu'un toupet de cheveux par derrière (...)   A. R. LESAGE, Gil Blas, VII, 2.
3.1 Chauve, quand il se découvre, on croit qu'il ôte sa chemise.   J. RENARD, Journal, 18 juil. 1899.
4   (...) il avait une tête chauve en forme d'œuf.   A. MAUROIS, les Discours du Dr O'Grady, VII, p. 75.

N. *(Un, une chauve).*
Par ext. Dépourvu de poils.

4.1 — (...) Vous avez remarqué les sourcils ?... Elle n'en a plus !... C'est dessiné au crayon à la place !... Si vous frottiez avec le doigt tout partirait !... Il resterait de la peau chauve !...   H. TROYAT, le Vivier, p. 165.

Par anal. Se dit des oiseaux dont la tête est dégarnie de plumes. ⇒ **Déplumé.**

♦ **2.** Fig. et littér. Pelé, dénudé. *Des collines chauves. Une nuit sur le mont Chauve,* poème symphonique de Moussorgsky.

5   (...) des dômes coiffés de glace, des sommets chauves ou conservant quelques rayons de neige comme des mèches de cheveux blancs (...)   CHATEAUBRIAND, Mémoires d'outre-tombe, IV, II.
5.1 Grandes ombres de nuages sur les collines brunes et chauves au loin.   DRIEU LA ROCHELLE, la Comédie de Charleroi, p. 191.

Loc. Vx. *L'occasion est chauve,* rare et difficile à saisir (cf. Saisir la fortune par les cheveux).

6   (...) l'occasion, qui est chauve, ne revient plus.   SAINT-SIMON, Mémoires, 31, 100, *in* LITTRÉ.

COMP. **Chauve-souris.**
HOM. Formes du v. **chauvir** (ils **chauvent,** que je **chauve**).

CHAUVE-SOURIS [ʃovsuri] n. f. — 1180, *chalve suriz* ; comp. de *chauve,* et *souris,* cet animal ayant des poils ras sur la tête ; bas lat. *calva sorices* « souris chauve », altér. de *cawa sorix* « souris chouette ».

♦ **1.** Mammifère à ailes membraneuses soutenues par de très longs doigts (n. sc. : *chiroptère*). *Principaux types de chauves-souris.* ⇒ **Noctule, oreillard, pipistrelle, rhinolophe, rhinopome, roussette, sérotine, vampire, vespertilion.** *Les chauves-souris volent la nuit. Les chauves-souris sont insectivores ou frugivores.*

1   Une Chauve-Souris donna tête baissée
Dans un nid de Belette (...)   LA FONTAINE, Fables, II, 5.
1.1 Nuits assez mauvaises. Gêné par les chauves-souris qui pénètrent dans ma chambre malgré les nattes que je mets devant ma fenêtre (...)   GIDE, Voyage au Congo, in Souvenirs, Pl., p. 820.
2   La chauve-souris aux yeux crevés sait pourtant éviter les fils que l'on a tendus dans la pièce où je la vois qui vole sans s'y heurter.   GIDE, Journal, Feuillets d'automne, nov. 1947.
3   Une chauve-souris vint, de son battement d'ailes précipité et mou, frôler les cheveux de Mᵐᵉ de Fontanin, qui ne put retenir un léger cri.   MARTIN DU GARD, les Thibault, t. II, p. 275.

En appos. Par compar. *Manche chauve-souris :* manche longue à emmanchure très large.

♦ **2.** Par anal. Mar. Ferrure la plus élevée d'un gouvernail, s'étendant en forme d'ailes le long de l'étambot.

CHAUVIN, INE [ʃovɛ̃, in] adj. — 1843 ; du nom de *(Nicolas) Chauvin,* type du soldat enthousiaste et naïf de l'Empire, mis en scène par Cogniard dans *la Cocarde tricolore.*

♦ **1.** Vx. Patriote valeureux, courageux.
1   Je remarque avec attendrissement que vous *(Barbès)* êtes resté chauvin, comme disent nos jeunes beaux esprits de Paris, c'est-à-dire guerrier et chevalier (...)   G. SAND, Correspondance, t. V, 1812-76, p. 163, *in* T. L. F.

REM. Le mot n'a pris sa valeur péj. (2.) que tard dans le cours du XIXᵉ s. ; le sens positif de « patriote » est encore chez Barrès, L. Daudet (1935).

♦ **2.** Qui a ou manifeste un patriotisme fanatique et belliqueux. ⇒ **Cocardier, patriotard.** *Esprit chauvin et borné. Caractère chauvin. Ardeur chauvine. Journal chauvin.*
2   Si Bloch nous avait fait des professions de foi méchamment antimilitaristes une fois qu'il avait été reconnu « bon », il avait eu préalablement les déclarations les plus chauvines quand il se croyait réformé pour myopie.   PROUST, À la recherche du temps perdu, t. XIV, p. 62.

Par ext. Qui a une admiration outrée, partiale et exclusive pour son pays. *Il est chauvin et méprise tous les étrangers.* ⇒ **Xénophobe.**
N. *(Un, une chauvine).*
CONTR. **Impartial, xénophile.**
DÉR. **Chauvinique, chauvinisme, chauviniste.**

CHAUVINIQUE [ʃovinik] adj. — Av. 1865 ; de *chauvin.*

♦ Vx. De caractère chauvin. « *La démocratie s'est faite chauvinique* » (Proudhon, *in* T. L. F.).

CHAUVINISME [ʃovinism] n. m. — 1834 ; de *chauvin.*

♦ Caractère de ce qui est chauvin ; nationalisme*, patriotisme agressif et exclusif. *Donner dans le chauvinisme. Un chauvinisme excessif, outré, absurde, exclusif, à courte vue.* ⇒ **Fanatisme, xénophobie.**
1   (...) cette maladie qu'on nous reprochait autrefois et qu'on appelait le *chauvinisme.*   FUSTEL DE COULANGES, Questions contemporaines, p. 68.
2   Les partisans du drapeau tricolore protestaient contre « les honteux traités de 1815 » ; leur patriotisme (dont la caricature s'appela *chauvinisme*) s'exprimait par une attitude belliqueuse (...) qui devait se prolonger jusqu'à nos jours sous le nom de nationalisme.   Ch. SEIGNOBOS, Hist. sincère de la nation franç., p. 279.

Attitude qui consiste, pour un Français, à ne trouver bon que ce qui est français, jusqu'à la mauvaise foi et au refus de l'évidence.
3   La splendeur du match passa leurs espérances. L'équipe française, hélas, fut battue, trois essais contre deux, l'honneur était sauf. Mais trêve de chauvinisme frivole !   Jean-Louis CURTIS, le Roseau pensant, p. 16.

Attitude intolérante à l'égard des étrangers, dans quelque domaine que ce soit. *Le chauvinisme des spectateurs anglais, français, dans une rencontre sportive.*
Par ext. Esprit de clocher*. — Spécialt. *Le chauvinisme des supporters d'un club sportif.*

CHAUVINISTE [ʃovinist] adj. et n. — 1859 ; de *chauvin.*

♦ **1.** Vx. Chauvin.
♦ **2.** N. m. (calque de l'angl. *male chauvinist*). *Chauviniste mâle :* homme sexiste, phallocrate.

CHAUVIR [ʃovir] v. intr. — Conjug. *partir,* sauf aux personnes du singulier du prés. de l'indic. et de l'impér., comme *finir.* — XIIIᵉ, « faire la chouette » ; probablt du lat. *cavannus* « chouette ».

♦ Littér. *Chauvir des oreilles,* les dresser, en parlant de l'âne, du mulet, du cheval. *Le cheval chauvit, les chevaux chauvent des oreilles.*
1   Ils (...) chauvent des oreilles comme ânes d'Arcadie *(au)* chant des musiciens.   RABELAIS, Pantagruel, III, Prologue.
2   On m'avait donné une jument (...) ombrageuse et pleine de caprices : assez vive image de ma fortune, qui chauvit sans cesse des oreilles.   CHATEAUBRIAND, *in* Pierre LAROUSSE.

HOM. V. **Chauve.**

CHAUX [ʃo] n. f. — 1155 ; du lat. class. *calx, calcis* « chaux ».

♦ **1.** (1155). Oxyde de calcium* (CaO), blanc, obtenu par la calcination du calcaire*, qui s'appelle alors *pierre à chaux* ou *pierre à plâtre.* — REM. On dit aussi *chaux vive* dans ce sens (→ ci-dessous, cit. 1.2). *Chaux hydratée* ou *chaux éteinte :* hydroxyde de calcium $Ca(OH)_2$. *Four à chaux,* où la chaux est calcinée. ⇒ **Chaufour.** *Chaux hydraulique,* qui durcit sous l'eau. *Chaux maigre,* qui n'augmente pas au contact de l'eau (par oppos. à *chaux grasse*). *Eau de chaux :* solution de chaux. *L'eau de chaux est utilisée comme contrepoison et aussi comme remède contre la gastrite.*

Blanc de chaux : enduit composé de chaux éteinte étendue d'eau, utilisé dans le traitement des peaux (⇒ **Plamée ; chamoisage**), en agriculture (⇒ **Chaulage**), dans le blanchiment des murs (⇒ **Échaudage**). *Lait de chaux :* suspension d'hydroxyde de calcium dans l'eau.

1   Dans la Romagne (...) une multitude de villes, avec leurs maisons enduites d'une chaux de marbre, sont perchées sur le haut de diverses petites montagnes comme des compagnies de pigeons blancs.
            CHATEAUBRIAND, Mémoires d'outre-tombe, III, XII.

1.1   La salle d'auberge était longue, aux murs nus, passés à la chaux, au plafond barré de grosses poutres brunes.   H. TROYAT, le Vivier, p. 206.

Chaux vive : oxyde de calcium anhydride (CaO).

1.2   Ces pierres, décomposées par la chaleur, donnèrent une chaux vive, très grasse, foisonnant beaucoup par l'extinction, aussi pure enfin que si elle eût été produite par la calcination de la craie ou du marbre. Mélangée avec du sable, dont l'effet est d'atténuer le retrait de la pâte quand elle se solidifie, cette chaux fournit un mortier excellent.   J. VERNE, l'Île mystérieuse, t. I, p. 169.

Remuer la chaux. ⇒ **Bouler.** *Couler de la chaux. Morceau de pierre dans la chaux.* ⇒ **Pigeon.** *Mélange de chaux et d'argile.* ⇒ **Ciment.** *Mélange de chaux et de sable.* ⇒ **Crépi, mortier** (→ Plâtrer, cit. 1).

2   Le mur du jardin et de la chènevière était crépi à chaux et à sable.
            G. SAND, la Mare au diable, XII, p. 101.

Loc. *Bâtir à chaux et à sable, à chaux et à ciment :* bâtir très solidement. — Fig. *Être bâti à chaux et à sable, à chaux et à ciment :* être d'une constitution robuste*. ⇒ **Bâtir** (cit. 52 et 54).

2.1   C'est à ce fond de robustesse, hérité probablement des Porphyre et d'Hélène, que le débauché, l'ascète, le voyageur durent successivement leur salut. Des frontières de la Chine à l'Indus et à l'Euphrate, les souffrances et les épreuves firent rarement défaut : il fallait être construit à chaux et à sable pour y résister.
            J. D'ORMESSON, la Gloire de l'empire, p. 244.

2.2   Où trouver un coin pour établir un campement, pour édifier à chaux et à sable une demeure provisoire afin d'y exposer l'Arche d'Alliance enfermée dans un container de plomb.   Jean CAYROL, Histoire d'un désert, p. 212.

♦ **2.** Vx. *Chaux sodée :* mélange de chaux et de soude.

Sels de chaux. Carbonate (cit.) *de chaux et de magnésie.* ⇒ **Dolomie.** *Chlorure de chaux.* ⇒ **Chloropicrine.** *Chlorure de chaux en composition avec l'alcool.* ⇒ **Chloroforme.** *Pectate de chaux.* ⇒ **Amphibole.** *Phosphate naturel de chaux.* ⇒ **Phosphorite ; apatite.** *Sulfate, hydrate de chaux.* ⇒ **Gypse.**

3   Une aorte (...) incrustée de sels de chaux, comme dans l'artériosclérose, se trouve exposée à la rupture.   P. VALLERY-RADOT, Notre corps..., p. 41.

DÉR. Chauler, chaulier.

COMP. Échauder, échauler. — Chaufour.

HOM. Chaud, chaut (forme du v. **chaloir**), **show.**

CHAVIRABLE [ʃaviʀabl] adj. — xxᵉ ; de *chavirer.*

♦ Qu'on peut chavirer (II.). *Une embarcation facilement chavirable.*
CONTR. Inchavirable.

CHAVIRAGE [ʃaviʀaʒ] n. m. — 1839 ; de *chavirer.* ⇒ **Chavirement.**

CHAVIREMENT [ʃaviʀmɑ̃] n. m. — 1846 ; de *chavirer.*
Rare.

♦ **1.** Fait de chavirer. — Syn. : *chavirage*.*

♦ **2.** Par ext. Action de renverser, de retourner.

1   (...) les rats des villages écroulés ; les rats de la bataille et des morts, renversés en large eau noire par le chavirement de la terre.
            J. GIONO, le Grand Troupeau, 1931, p. 250, *in* T. L. F.

Figuré :

2   Ce grand chavirement de toutes les valeurs qui demeuraient pour nous des raisons de vivre.   GIDE, Ainsi soit-il, 1951, *in* Souvenirs, Pl., p. 1164.

CHAVIRER [ʃaviʀe] v. intr. et tr. — 1687 ; du provençal *cap vira* « tourner la tête en bas ».

★ **I.** V. intr. ♦ **1.** (1687). En parlant d'un navire, s'incliner de telle sorte que l'eau entre par les ouvertures du pont et le fait se retourner sur lui-même. ⇒ **Basculer, 2. capoter, couler, renverser (se), sombrer.** *La barque, le navire, l'embarcation chavire. La risée* (2. Risée) *a fait chavirer le voilier.* ⇒ **Dessaler** (cf. Faire capot, faire chapeau).

1   Nous fûmes deux fois près de chavirer.   CHATEAUBRIAND, Itinéraire..., 26.

♦ **2.** Se renverser. *Ses yeux chavirèrent.* ⇒ **Révulser** (se). *Un regard chaviré.*

(1830). Par ext. ⇒ **Chanceler, tanguer, trébucher, vaciller.** *Chavirer comme un homme ivre. Tout semblait chavirer autour de lui.*

2   Épouvante ! le paysage chavire.   MARTIN DU GARD, les Thibault, t. VIII, p. 152.

♦ **3.** Fig. S'abîmer, sombrer. *Son esprit, son cœur chavirèrent de douleur. Avoir le cœur, l'estomac chaviré.* ⇒ **Barbouiller.**

3   Ainsi les nations les plus grandes chavirent !
            HUGO, l'Année terrible, Janv. 1871, 13.

4   Ses yeux semblaient promettre un esprit à jamais chaviré sur les eaux malades du regret.   PROUST, les Plaisirs et les Jours, p. 167.

5   (Mᵐᵉ *de Fontanin*) chavirait sous le chagrin.
            MARTIN DU GARD, les Thibault, t. VIII, p. 64.

★ **II.** V. tr. ♦ **1.** (1701). Mar. Faire chavirer. *Chavirer un navire pour le réparer.* ⇒ **Cabaner.** — Par ext. ⇒ **Bousculer, renverser.** *Chavirer l'arrimage* (cit. 2) *d'un navire.*

6   Ils (*des matelots*) entrèrent, chavirant les chaises, en même temps qu'une rafale du vent d'ouest couchait la flamme des lampes.
            LOTI, Mon frère Yves, IV, p. 23.

♦ **2.** (Sujet n. de personne). *Chavirer la tête, les yeux,* les renverser.

7   (...) elle chavirait ses prunelles, combien plus souples que les boutons à bascule, elle essayait de remuer les oreilles, d'aviver ses regards.
            GIRAUDOUX, Églantine, p. 13.

♦ **3.** (1833, *in* D. D. L.). Fig. Émouvoir, perturber (qqn). ⇒ **Renverser, retourner.** *Cela m'a chaviré.* — (Au p. p.). *J'en suis tout chaviré,* ému, retourné.

DÉR. Chavirable, chavirage, chavirement.

CHEAP [tʃip ; prononcé avec un i long] adj. invar. — 1979 ; mot angl. « bon marché, médiocre ».

♦ Anglic. De qualité médiocre. *Cette reliure a un aspect cheap.* « *Des mélodies amples et chantantes, des histoires simples et d'un romantisme un peu "cheap"* » (*l'Express*, nº 1481, 24 nov. 1979). ⇒ **Facile, simplet** (→ De pacotille*).

CONTR. Chic, raffiné, sophistiqué.

CHÉBEC [ʃebɛk] n. m. — 1758, *chebek, chabek* ; ital. *sciabecco* ; esp. *jabeque* ; arabe *šābbāk* « petit bateau à trois mâts ».

♦ Mar. Ancien petit trois-mâts de la Méditerranée, à voiles et à rames.

(...) les étranges chébecs (...) aux formes d'une élégance orientale (...) qui devaient être identiques aux navires des Sarrasins et des Barbaresques.
            VALÉRY, Variété III, p. 238.

CHÈCHE [ʃɛʃ] n. m. — 1866 ; var. *chech,* 1918 ; *sesse,* 1676 ; *seisse,* 1657 ; arabe *šāš* « pièce d'étoffe qu'on roule autour de la calotte du turban » ; du nom ancien de la ville de Tachkent. → Chéchia.

♦ En pays arabe, Longue écharpe de tissu léger, qui peut servir de coiffure, etc. *Le chèche fut adopté par les troupes coloniales françaises d'Afrique du Nord.*

Je veux que vous soyez pour moi comme un chèche. On appelle chèches des écharpes arabes que l'on peut plier dans tous les sens, dont on peut faire tout ce qu'on veut (...)   MONTHERLANT, le Démon du bien, p. 99.

CHÉCHIA [ʃeʃja] n. f. — 1855 ; *chachia,* 1845 ; *chachie,* 1575 ; arabe *šāšiyya,* de *šāš,* anc. nom de la ville de Tachkent, où l'on fabriquait des bonnets au moyen âge. → aussi Chèche.

♦ Coiffure* en forme de calotte, en usage dans certains pays d'islam. ⇒ **Fez.** *Des chéchias rouges. La chéchia remplaçait le bonnet de police, dans les troupes coloniales françaises* (tirailleurs, zouaves...). *Porter la chéchia.*

(...) une petite chéchia rouge, pareille à la calotte des enfants de chœur, garnissait à peine le sommet de leur jolie tête chauve.
            E. FROMENTIN, Une année dans le Sahel, p. 219.

CHECK-LIST [tʃɛklist ; ʃɛklist] n. f. — 1953, *in* Höfler ; mot angl., de *to check* « contrôler », et *list* « liste ».

♦ Anglic. (Aviat., astronaut.). Liste d'opérations successives destinée à vérifier sans omission le bon fonctionnement de tous les équipements vitaux d'un avion, d'un engin, avant son départ. — Équivalent franç. : *(liste de) contrôle ;* aviat. : *pointage.*

CHECK-UP [tʃɛkœp ; ʃɛkœp] n. m. invar. — V. 1960 ; mot angl. « vérification complète », de *to check up* « vérifier ».

Anglicisme.

♦ **1.** Méd. Examen systématique de l'état de santé d'une personne (équivalent français : *bilan* de santé*). Se faire faire un check-up ; se soumettre à un check-up, à des check-up.* — REM. On écrit normalement *des check-up,* mais la francisation de l'emprunt conduit à adopter la marque du pluriel :

Il alla consulter le spécialiste que lui avait indiqué Hubert (...) L'appartement, fruit d'innombrables check-ups, était somptueux.
            Jean-Louis CURTIS, le Roseau pensant, p. 161.

♦ **2.** Vérification, bilan. *Un check-up financier.*

CHÉDAIL [ʃedaj] n. m. — xivᵉ, « capital, patrimoine » ; du lat. *capitale,* comme le franç. *cheptel.*

♦ Régional (Suisse). Matériel d'exploitation d'une ferme (opposé au *bétail*). — Loc. *Mise de chédail* (ellipt. : *mise*) : vente aux enchères du matériel.

> Le chédail étant misé, il s'agit de se montrer plus généreux encore *(pour offrir à boire)* au moment de vendre le cheptel.   A.-L. CHAPPUIS, À petit feu, p. 19.

CHEDDAR [tʃedaʀ ; ʃedaʀ] n. m. — 1895, *in* Höfler ; nom d'un village anglais.

♦ Fromage à pâte dure, fait de lait de vache (forme cylindrique, pâte souvent colorée).

CHEDDITE [ʃedit] n. f. — 1908, *Larousse mensuel*, n° 16 ; du nom de *Chedde*, village de Haute-Savoie où cette substance fut fabriquée pour la première fois.

♦ Techn. Explosif à base de chlorate (de potassium, de sodium) et de dinitrotoluène.

CHEESEBURGER [tʃizbœʀgœʀ] n. m. — 1972 ; mot anglo-amér., de *cheese* «fromage», et de *(ham)burger*.

♦ Anglic. Hamburger au fromage.

CHEF [ʃɛf] n. m. — Fin ɪxᵉ, *chieef* ; du lat. *caput* «tête».

★ **I.** Vx, didact. ou littér. ♦ **1.** (Fin ɪxᵉ). ⇒ **Tête** (→ Couvre-chef).

1 > Sa barbe *(de Charlemagne)* est blanche, et tout fleuri son chef.
>   J. BÉDIER, la Chanson de Roland, VIII, p. 11.
2 > Immolez donc ce chef que les ans vont ravir,
> Et conservez pour vous le bras qui peut servir.   CORNEILLE, le Cid, II, 8.
3 > Par mon chef, c'est un siècle étrange que le nôtre !   MOLIÈRE, l'Étourdi, I, 5.
4 > Le chef orné de longs cheveux en tresses.   VOLTAIRE, l'Ingénu, 1.

Spécialt. Reliquaire* contenant les ossements de la tête d'un saint. *Le chef de saint Jean-Baptiste. Le chef de saint Denis* (en anc. franç. : *le chef saint Denis*).

♦ **2.** Techn. *Le chef d'une étoffe,* l'extrémité par laquelle on a commencé à la fabriquer. *Tisseur* de chefs.*

♦ **3.** Blason. *Chef de l'écu :* pièce honorable qui est en haut de l'écu. ⇒ **Blason** (rebattement des pièces honorables). *Chef bandé, barré, vergeté,* etc.

♦ **4.** Loc. littér. (1643). **DE SON CHEF, DE SON PROPRE CHEF** : en vertu de son autorité propre, de sa propre initiative, de lui-même. *Faire quelque chose de son propre chef. Cette affirmation n'est pas de son chef :* ce n'est pas lui qui le prétend. — (Avec d'autres pronoms). *Je l'ai fait de mon (propre) chef. Ils se sont définis de leur propre chef comme...*

5 > Notre prince a des dépendants
> Qui, de leur chef, sont si puissants
> Que chacun d'eux pourrait soudoyer une armée.   LA FONTAINE, Fables, I, 12.
6 > Je menai votre fils chez toutes les dames de ce quartier (...) il ira bientôt de son chef.   Mᵐᵉ DE SÉVIGNÉ, 1118, 5 janv. 1689.
6.1 > C'était un certain et ci-devant abbé Reniant, — un nom fatidique ! — lequel, dans cette société à l'envers de la Révolution, qui défaisait tout, s'était fait, de son chef, de prêtre sans foi, médecin sans science, et qui pratiquait clandestinement un empirisme suspect et, qui sait ? peut-être meurtrier.
>   BARBEY D'AUREVILLY, les Diaboliques, « À un dîner d'athées ».

Dr. *Venir de son chef :* être appelé en son nom personnel avec les droits attachés à son degré de parenté vis-à-vis du défunt. *Avoir des biens de son chef,* de son côté. *Il possède cette propriété du chef de son père* (→ Apport, cit. 3). — *Du chef de... :* en vertu des droits de...

7 > Les enfants ou leurs descendants succèdent (...) par égales portions et par tête, quand ils sont tous au premier degré et appelés de leur chef : ils succèdent par souche, lorsqu'ils viennent tous ou en partie par représentation.
>   Code civil, art. 745.

♦ **5.** (xɪɪɪᵉ). Littér. Article, point principal d'un exposé, d'une discussion. *Les chefs d'un discours* (surtout dans : *classer sous tel chef*).

8 > On peut la classer *(la littérature)* sous ces trois chefs principaux ; philosophie, histoire, éloquence.   CHATEAUBRIAND, le Génie du christianisme, III, II, 1.

Dr. et cour. Élément distinct d'une action en justice, groupé avec d'autres dans une même procédure. *Statuer sur chacun des chefs d'une demande. Se pourvoir en cassation contre plusieurs chefs d'un arrêt.* — (1614). *Chef d'accusation.* ⇒ *Chef d'une accusation.* Loc. (littér. ou didact.) **AU PREMIER CHEF.** ⇒ **Gravité, importance.** *Il est coupable au premier chef. Il importe, au premier chef, que... :* il est essentiel, capital que... ⇒ **1. Capital.**

★ **II.** Plus cour. ♦ **1.** (V. 1173). Personne qui est à la tête (de qqch.), qui dirige, commande, gouverne, jouit d'un certain pouvoir. ⇒ **Animateur, berger, commandant, conducteur, despote, directeur, dirigeant, dominateur, entraîneur, fondateur, maître, meneur, pasteur, patron, responsable, tête ; -archie, -arque.** *La responsabilité du chef, d'un chef. L'autorité, le pouvoir, les directives, les ordres du chef. La volonté du chef. Chefs hiérarchiques.* ⇒ **Hiérarchie.** *Le chef de qqn,* son chef. ⇒ **Supérieur.** *Respecter ses chefs. Obéir à ses chefs.*

Discuter les ordres du chef (→ Autorité, cit. 43). *Nom donné à des chefs, dans l'histoire, en politique.* ⇒ **Titre ;** suff. **-arque** (polémarque, tétrarque, triérarque) ; et aussi **cinquantenier, doge, dynaste, magistrat ; administrateur, gouverneur.**

9 > Ainsi que la tête est comme le chef du corps,
> Et que le corps sans chef est pire qu'une bête :
> Si le chef n'est pas bien d'accord avec la tête (...)
>   MOLIÈRE, le Dépit amoureux, IV, 2.
10 > Il harangua tout le troupeau,
> Les chefs, la multitude, et jusqu'au moindre agneau.
>   LA FONTAINE, Fables, IX, 18.
11 > (...) le chef, l'animateur, l'entraîneur qu'était Bonaparte.
>   Louis MADELIN, Hist. du Consulat et de l'Empire, t. V, 3.
12 > La discipline exige que le subordonné respecte le chef ; elle exige aussi que le chef soit digne d'être respecté, et que lui-même respecte les lois.
>   A. MAUROIS, Études littéraires, Saint-Exupéry, t. II, p. 258.

Les chefs de l'Église* de la hiérarchie* religieuse ; de l'armée, etc. (→ ci-dessous, 3. et 4.).

Spécialt. Celui qui dirige un groupe social (tribu, etc.). *Le grand chef. Un chef arabe.* ⇒ **Cheik.** *Chef indien.* ⇒ **Cacique, sachem.** Fam. *D'accord, grand chef !*

En Afrique. *Chef coutumier :* notable investi de pouvoirs selon la tradition. *Chef traditionnel* (→ Chefferie, cit. 2 ; et ci-dessous chef de village).

♦ **2.** Personne qui sait se faire obéir. *Un tempérament de chef. La race des chefs. L'Enfance d'un chef,* nouvelle de Sartre.

12.1 > Qu'est-ce qui soudain jaillissait ? Un chef. Non seulement un homme, un chef. Non seulement un homme qui se donne, mais un homme qui prend. Un chef, c'est un homme à son plein ; l'homme qui donne et qui prend dans la même éjaculation.
>   DRIEU LA ROCHELLE, la Comédie de Charleroi, p. 70.

Fam. *Un petit chef :* un chef situé assez bas dans la hiérarchie, et qui affecte de commander comme s'il détenait un grand pouvoir. Loc. *Jouer au petit chef :* exercer une domination excessive, tatillonne, ou faire preuve d'un excès d'autorité.

♦ **3.** Personne qui dirige un groupe de personnes, dans un système réglé par les institutions sociales, et notamment dans un système hiérarchisé. **[a]** Personne (homme, sauf dans les sociétés matriarcales) sur qui repose la responsabilité du groupe familial. ⇒ **Famille ;** et aussi **maison** (maître de maison). — *Le chef de la famille :* celui de qui sont issus les membres de la famille (⇒ **Patriarche,** cit. 3) ; anciennt en dr. franç. : le mari. ⇒ **Famille.** *Chef de la famille et du culte familial.*

13 > C'est moi qui tiens le rang de chef de la famille.
>   MOLIÈRE, les Femmes savantes, V, 2.
14 > De même que dans la famille l'autorité était inhérente au sacerdoce, et que le père, à titre de chef du culte domestique, était en même temps juge et maître, de même, le grand-prêtre de la cité en fut aussi le chef politique.
>   FUSTEL DE COULANGES, la Cité antique, III, 9, p. 206.

Loc. *Chef de famille.*

15 > Sa mère surtout baissa la tête et ne dit plus mot ; elle respectait les volontés de ce fils, de cet aîné qui avait presque rang de chef de famille (...)
>   LOTI, Pêcheur d'Islande, II, IV, p. 98.

[b] Seulement dans **CHEF DE...** : personne qui dirige en titre (dans quelques syntagmes). *Le chef de l'État.* ⇒ **Monarque ; empereur, prince, roi, souverain ; président.** — *Chef d'État. Un, des chefs d'État. Réception réservée aux chefs d'État étrangers.* — *Chef du gouvernement :* Premier ministre* (anglic. : *premier*), président* du Conseil. — *Le chef de cabinet* d'un ministre.*

Chef de service. ⇒ **Directeur ;** et aussi **sous-chef.** *Chef de bureau. Chef de section, de groupe.* — (En Afrique). *Chef de mission* (de la Coopération).

Le chef de l'Église (romaine). ⇒ **Pape.**

Chef de clan, chef de tribu*. Chef de village, chef traditionnel (en Afrique). ⇒ **Chefferie** (→ ci-dessus, II., 1.).

[c] Dans un corps hiérarchisé militaire ou paramilitaire, Celui qui commande (→ ci-dessous, cit. 16 à 18). *Les soldats et leurs chefs.* ⇒ **Officier, sous-officier.** *Le grade d'un chef.* ⇒ **Gradé.** *Obéir à ses chefs. L'exemple des chefs. Le généralissime, chef suprême des armées.* — En appos. *Caporal chef.*

16 > Cette ardeur, qui des chefs passe aux moindres soldats,
> Anime tous les cœurs, fait agir tous les bras.
>   CORNEILLE, Poésies diverses, 231.
17 > On attendait que les chefs de l'armée se déclarassent.
>   FÉNELON, Télémaque, XV.
18 > En Italie les chefs de l'armée et les grands industriels, effrayés par l'agitation communiste parmi les ouvriers, soutinrent le petit parti nationaliste appelé «*fasciste*» (...)   Ch. SEIGNOBOS, Essai d'une hist. comparée des peuples..., XX, p. 448.

CHEF DE... *Les grands chefs d'armées.* ⇒ **Capitaine** (littér.). *Chef d'armée, de corps d'armée, de division, de brigade.* ⇒ **Général.** *Chef d'état-major. Chef d'état-major général. Chef de poste. Chef de bataillon, de groupe, d'escadron.* ⇒ **Commandant.** *Chef de section.* ⇒ **Lieutenant, sous-lieutenant, adjudant.** — REM. La terminologie n'emploie pas de syntagme comportant le mot *chef* pour le colonel (qui commande un régiment), le capitaine (qui commande une compagnie — ou un peloton). *Chef de groupe.* ⇒ **Maréchal** (des logis), sergent. *Chef de pièce, de patrouille, de chambre, de corvée.* ⇒ **Caporal.** — *Chef de musique.*

Mar. *Chef mécanicien. Chef de feu*. Chef de file*. Chef de pièce,* *de quart, de timonerie, de tranche, de nage, de rade, de hune. Chef de gamelle**. — (1856). Sports. *Chef de nage**. — *Chef de bord* (d'un yacht de croisière). ⇒ 1. **Skipper** (3.). — REM. Les officiers de marine (→ Amiral ; commandant ; capitaine, lieutenant, enseigne [de vaisseau]) ne sont pas dénommés par ce mot.

Aviat. *Chef des navigateurs, des pilotes.* — *Chef de bord. Chef pilote. Chef de patrouille* (aérienne).

Chef scout ⇒ **Cheftaine** (→ Scoutmestre). *Chef de patrouille, de sizaine.* — Alpin. *Chef de cordée**.

d Personne qui dirige, commande effectivement (sans que cela corresponde à un titre, mais dans une hiérarchie de fait). *Chef de bande* (brigands, gangsters, vandales). *C'est toi, le chef ? C'est elle le chef. Elle est le chef d'une bande de filles, de garçons.*

Personne que les autres suivent. *Chef de doctrine, d'école, de secte* (artistique, littéraire, religieuse). ⇒ **Coryphée.** *Chef de parti.*

Chef de file. ⇒ **File.**

e Dans la vie professionnelle. CHEF DE..., le compl. désignant une entité (*chef d'entreprise*), un groupe humain (*chef d'équipe*), un matériel ou un lieu de travail (*chef de chantier, de train...*). Personne qui dirige, commande...

Chef d'entreprise. ⇒ **Directeur, patron, P. D. G. ;** fam. **boss, singe** (B., 5.). *Chef d'établissement.* ⇒ **Directeur.** *Chef de clinique.* ⇒ **Patron.** — *Chef d'atelier, chef d'équipe.* ⇒ **Contremaître.** *Chef de chantier.* — (1882, Zola). *Chef de rayon*, dans un grand magasin. *Chef des ventes.*

Chef de gare*. Chef de station (transports en commun). *Chef de dépôt*. Chef de train.* — *Chef de district, de section,* d'un district, d'une section ferroviaire.

(1740). *Chef de cuisine :* cuisinier qui dirige l'ensemble du personnel d'une cuisine (→ ci-dessous, 5.).

19 (...) pour un ambassadeur, un bon chef de cuisine est un auxiliaire peut-être plus précieux qu'un bon chef de cabinet. Louis MADELIN, Talleyrand, V, 37.

20 Pendant trois semaines, j'ai obéi, du matin au soir, à des chefs d'équipes, pareils à des gardes-chiourmes. MARTIN DU GARD, les Thibault, t. VI, p. 226.

REM. En parlant d'une femme, on dit *le chef, un chef* ou *femme chef* ou (→ ci-dessous, 9.) *la chef* (plus marqué ou spécial : cour. en milieu professionnel) ; le fém. morphologique *cheffesse* semble rare.

♦ **4.** (1813, in D. D. L.). CHEF D'ORCHESTRE : personne qui dirige* l'orchestre. ⇒ **Maestro ; directeur** (→ Orchestre, cit. 7, et, fig., cit. 9).

20.1 (...) il n'y a pas eu de chef d'orchestre dans cette guerre (...) chacun est entré dans la danse longtemps après l'autre (...) PROUST, le Temps retrouvé, Pl., t. III, p. 794 (1927).

Absolt. *Le chef et l'orchestre.*

Chef de chœurs. Le chef des chœurs.

♦ **5.** (De : *chef de cuisine,* au sens 3). CHEF CUISINIER, et, absolt (1836), CHEF : cuisinier professionnel. ⇒ **Coq, queux** (maître queux). *Il est chef dans un restaurant. Gâteau, pâté du chef :* dans un menu, Gâteau, pâté... préparé en principe par le chef selon sa recette. — (Appellatif). *Chef, deux steaks saignants !*

♦ **6.** Appos. (Milit.). *Adjudant-chef, sergent-chef, médecin-chef. Gardien-chef.*

(Appellatif). *Chef :* sergent-chef. *Oui, chef !*

(En appos. à un nom fém.). *Infirmière-chef. Gardienne-chef* (→ ci-dessous, 9.).

♦ **7.** Fam. Personne remarquable. ⇒ **As, champion.** *C'est un chef. Bravo, t'es un chef !* — (En appellatif ; à une personne qui n'a pas de statut hiérarchique : client, etc.). *D'accord, chef, on y va !* ⇒ **Patron.**

♦ **8.** Loc. adv. EN CHEF : en qualité de chef ; en premier. *Ingénieur* en chef. Rédacteur* en chef* (abrév. fam. : *rédac chef*). — (1919). *Général en chef.* ⇒ **Généralissime.**

21 Son maître fut réduit à garder les brebis,
Non plus berger en chef comme il était jadis. LA FONTAINE, Fables, IV, 2.

22 En quelques jours, le général en chef a pourvu à tout, assigné à chacun sa tâche. Louis MADELIN, Hist. du Consulat et de l'Empire, t. II, p. 251.

Avoir le commandement en chef (→ Armée, cit. 13).

♦ **9.** N. f. LA CHEF : femme qui porte un titre de chef (surtout : infirmière, gardienne de prison, etc.). ⇒ **Cheffesse** (rare). *Il faut prévenir la chef.*

23 Faut donc que je récupère ces paperasses, profitant de ce que je vais à la fouille pour me réapprovisionner en timbres. Chopper la Chef un matin, à l'heure où elle est encore à jeun. Ouais, plus elle boit, plus elle voit clair, cette femme ! A. SARRAZIN, la Cavale, p. 88.

24 Elle saute sur son vélo, elle est à trois heures à l'hôpital, sa chef est contente d'elle. Violette LEDUC, la Folie en tête, p. 413.

CONTR. **Inférieur, second, soldat, subalterne, subordonné.** — **Collaborateur.**
DÉR. et COMP. **Chef-d'œuvre, chefferie, cheffesse, chef-lieu.** — **Couvre-chef, sous-chef.** — **Permis-chef.**

CHEF-D'ŒUVRE [ʃɛdœvʀ] n. m. — XIIIᵉ ; v. 1268, *chief-d'oevre ;* composé de *chef* (I.), et *œuvre.*

♦ **1.** (V. 1268). Anciennt. Œuvre capitale et difficile qu'un compagnon devait faire pour recevoir la maîtrise dans sa corporation.

Nul artisan n'est agrégé à aucune société (...) sans faire son chef-d'œuvre. 1
LA BRUYÈRE, Disc. à l'Académie, Préface.

Mod. *Le chef-d'œuvre (de qqn) :* la meilleure œuvre (d'un auteur). *C'est son chef-d'œuvre* (→ ci-dessous, par ext., cit. 4).

♦ **2.** (1508). Fig. *Le chef-d'œuvre de... :* œuvre la plus parfaite, la meilleure (de...). → ci-dessous, cit. 2, 4 et 5. — Absolt. Œuvre accomplie en son genre (notamment dans le domaine artistique, littéraire). → ci-dessous, cit. 3, 5.1 et 5.2. — Au plur. *Des chefs-d'œuvre.*

Le chef-d'œuvre de l'esprit, c'est le parfait gouvernement (...) 2
LA BRUYÈRE, les Caractères, X, 32.

(...) les chefs-d'œuvre ne sont jamais que des tentatives heureuses. Console-toi de 3
ne pas faire de chefs-d'œuvre, pourvu que tu fasses des tentatives consciencieuses.
G. SAND, François le Champi, Avant-propos, p. 17.

Le chef-d'œuvre littéraire de la France est peut-être sa prose abstraite, dont la 4
pareille ne se trouve nulle part. VALÉRY, Regards sur le monde actuel, Images de la France, p. 130.

Le trio en si bémol à l'archiduc doit demeurer inscrit parmi les plus hauts chefs- 5
d'œuvre de l'intelligence et de la sensibilité humaines.
Édouard HERRIOT, la Vie de Beethoven, p. 230.

On doit en finir avec cette idée des chefs-d'œuvre réservés à une soi-disant élite, 5.1
et que la foule ne comprend pas (...) A. ARTAUD, le Théâtre et son double,
En finir avec les chefs-d'œuvre, Idées/Gallimard, p. 103.

Ne pas oublier qu'un chef-d'œuvre témoigne d'une dépravation de l'esprit. (Rup- 5.2
ture avec la norme). Changez-le en acte. La société le condamnerait. C'est, du
reste, ce qui se passe d'habitude. COCTEAU, Journal d'un inconnu, p. 210.

♦ **3.** *Un chef-d'œuvre de...* (suivi d'un nom abstrait) : ce qui est parfait en matière de... ⇒ **Prodige.** *Accomplir, déployer des chefs-d'œuvre d'habileté, d'intelligence.* — *Des chefs-d'œuvre de sottise.*

N'oubliez pas tout à fait M. d'Harouys, dont le cœur est un chef-d'œuvre de per- 6
fection. Mᵐᵉ DE SÉVIGNÉ, 281, 30 mai 1672.

Ses manières avec la princesse sa femme, sont un chef-d'œuvre de convenance (...) 7
CHATEAUBRIAND, Mémoires d'outre-tombe, IV, 7.

♦ **4.** (1559). Iron. et vx. *Il a fait là un beau chef-d'œuvre :* il a commis une action maladroite, regrettable.

CONTR. **Ébauche ; navet.**

CHEFFERIE [ʃɛfʀi] n. f. — 1845, Bescherelle ; de *chef,* et *-erie.*

♦ **1.** Admin. Circonscription territoriale placée sous les ordres d'un officier du génie, ou d'un inspecteur des eaux et forêts. ⇒ **Arrondissement.**

Un avant-projet sommaire avait bien été étudié un an auparavant, mais la chefferie 1
de Nice, dont je dépendais, en avait sans doute oublié l'existence.
Raymond ABELLIO, Ma dernière mémoire, t. II, p. 69.

♦ **2.** Territoire sur lequel s'exerce l'autorité d'un chef traditionnel.

♦ **3.** Autorité d'un chef traditionnel (chef de village, de tribu) ; qualité de chef.

« Vous ne serez donc pas des chefs comme moi ?... 2
— Oh ! non », répondis-je...
Le chef parut ulcéré et comme si j'avais paru mépriser ses fonctions, il me demanda agressivement :
« Mais, pourquoi donc ? Pourquoi pas ? Pourquoi, hein ?
— Chef, dis-je en riant, la chefferie est héréditaire, elle ne se donne pas à l'école.
— Ah bon ! », fit-il rassuré. Mongo BETI, Mission terminée, in Pages africaines, III, p. 64.

CHEFFESSE [ʃɛfɛs] n. f. — Av. 1867, au sens 1 ; de *chef.*

♦ **1.** Vx. Femme d'un chef traditionnel ou femme possédant une dignité de chef, dans certaines sociétés. *« Les femmes de la cour, cheffesses ou princesses »* (Loti, 1882, in T. L. F.).

♦ **2.** Pop. et rare. Femme qui dirige (Richepin, in T. L. F.).

♦ **3.** (1960). Rare. Femme qui dirige un service. ⇒ **Chef** (9., la chef).

REM. 1. L'emploi le plus usuel est *chef* au masc. : *c'est elle le chef, elle est chef.*
2. On écrit parfois *chefesse.*

CHEF-LIEU [ʃɛfljø] n. m. — 1257, « château principal » ; composé de *chef,* et *lieu.*

♦ **1.** Vx. Maison centrale, maison mère (d'un ordre religieux).

♦ **2.** (1752). Mod. En France, Ville qui est le centre administratif (d'une circonscription territoriale). *Chef-lieu de département.* ⇒ **Préfecture.** *Chef-lieu d'arrondissement, de canton, de commune.* — Absolt. *Des chefs-lieux. Aller jusqu'au chef-lieu.*

Abordant ensuite la géographie de la France, Laubé demanda le chef-lieu d'une 1
foule de départements cités au hasard.
Raymond ROUSSEL, Impressions d'Afrique, p. 222.

Spécialt. *Aller au chef-lieu,* au chef-lieu du département, à la ville qui est le siège de la préfecture.

Par métaphore. Vx. Lieu où naissent les grandes idées, où ont lieu les grands événements. ⇒ **Centre ; capitale.**

(...) l'on félicitait surtout l'Académie d'avoir préparé le grand œuvre (*la Révolu-* 2
tion), et d'avoir été le chef-lieu, le centre, le mobile de la liberté de penser.
NERVAL, les Illuminés, 1852, p. 333, in T. L. F.

CHEFTAINE [ʃɛftɛn] n. f. — Après 1916 ; de l'angl. *chieftain* « chef de clan, etc. », du moy. angl. *cheftayne*, de l'anc. franç. *chevetaine*, fém. de *chevetain* « capitaine », du lat. *capitaneus*.

♦ Jeune fille, jeune femme responsable d'un groupe de jeunes scouts (louveteaux), de guides, d'éclaireuses. *Cheftaine de louveteaux, de jeannettes.*

(...) j'ai croisé une voiture de la Croix-Rouge qui semblait sur le point de démarrer. Je suis montée au fond entre une infirmière ultra-chic, une demoiselle de Hérédia, et qui ne l'oubliait pas, et une grande cheftaine à lunettes (...)
S. DE BEAUVOIR, la Force de l'âge, p. 464.

REM. Le masc. *cheftain*, modernisation de l'anc. franç. *chevetain*, se rencontre encore chez Chateaubriand (*Mémoires d'outre-tombe*, I) à propos de Chilpéric. On a employé à la même époque (dans une traduction de l'anglais) la forme anglaise *chieftain*, dans ce même sens.

CHEIK, CHEIKH ou **SCHEIK** [ʃɛk] n. m. — 1631 ; *cheque*, 1598 ; *schet*, 1568 ; *seic*, 1309 ; arabe *šayḫ* « vieillard ».

♦ **1.** Chez les Arabes, Homme respecté pour son grand âge, ses connaissances.

♦ **2.** Chef de tribu (dans un pays arabe).

1 Ils jugèrent que mon domestique était le scheik.
CHATEAUBRIAND, Itinéraire..., II, 103.

2 Le cheik de la vallée vint nous visiter, s'excusant d'avoir été retenu (...) dans des pâturages éloignés où gîtaient ses brebis. LOTI, Jérusalem, III, p. 16.

HOM. **Chèque.**

CHÉIL- ou **CHIL-, CHÉILO-** ou **CHILO-** Élément, tiré du grec *kheilos* « lèvre », et entrant dans la composition de mots savants de médecine, de chirurgie, de sciences naturelles. ⇒ **Chéilalgie** ou **chilalgie ; chéilite ; chéilophagie** ou **chilophagie ; chéiloplastie** ou **chiloplastie ; chéiloraphie** ou **chiloraphie.** — **Chéilanthe.** ⇒ aussi **Chéiline.**

CHÉILALGIE [keilalʒi] ou **CHILALGIE** [kilalʒi] n. f. — 1842, *cheilalgie ; chilalgie*, 1892 ; de *chéil-, chil-*, et *-algie*.

♦ Méd. Douleur aux lèvres.

CHÉILANTHE [keilɑ̃t] adj. — 1842 ; de *chéil-*, et *-anthe*.

♦ Bot. Qui a des fleurs labiées.

CHÉILINE ou **CHEILINE** [keilin] n. f. — 1802 ; du rad. du grec *kheilos* « lèvre » (→ Cheil-), d'après le lat. sc. *cheilinus*.

♦ Zool. Poisson acanthoptère *(Labridés)*, vivant dans l'océan Indien, et dont la lèvre supérieure est extensible.

CHÉILITE [keilit] n. f. — 1933 ; de *chéil-* et *-ite*.

♦ Méd. Inflammation des lèvres.

CHÉILO- ou **CHILO-** ⇒ **Chéil-** ou **chil-.**

CHÉILOPHAGIE [keilofaʒi] ou **CHILOPHAGIE** [kilofaʒi] n. f. — 1903, in *Rev. gén. des sc.*, nº 17, p. 893 ; de *chéilo-, chilo-*, et *-phagie*.

♦ Méd. Tic qui consiste à se mordiller les lèvres.

CHÉILOPLASTIE [keiloplasti] ou **CHILOPLASTIE** [kiloplasti] n. f. — 1855, Nysten ; de *chéilo-, chilo-*, et *-plastie*.

♦ Chir. Restauration partielle ou totale des lèvres.

CHÉILORAPHIE [keiloRafi] ou **CHILORAPHIE** [kiloRafi] n. f. — 1933 ; de *chéilo-, chilo-*, et du grec *rhaptô* « je couds ».

♦ Chir. Suture des lèvres (pour assurer provisoirement l'immobilité de la bouche et de la partie inférieure du visage).

CHÉIR- ou **CHÉIRO-** Élément, tiré du grec *kheir, kheiros* « main », et qui entre dans la composition de nombreux mots savants. Ex. : *chéiranthe, chéirolépis.* ⇒ aussi **Chir-** ou **chiro-.**

CHÉIRANTHE [keiRɑ̃t] n. m. — 1845 ; de *chéir-*, et *-anthe*.

♦ Bot. Giroflée (n. scientifique).

CHEIRE [ʃɛR] n. f. — 1886 ; dial. auvergnat, d'une racine préindo-européenne *kar(r)* « pierre ».

♦ Régional (Auvergne). Coulée volcanique qui présente des inégalités (scories). — Syn. : ⇒ **Aa.**

Mais au-dessous une longue cheire boursouflée, un mur de scories (...) tombait droit dans la mer. Hervé BAZIN, les Bienheureux de la Désolation, p. 131.

HOM. **Chair, chaire, cher, chère.**

CHÉIRO- ⇒ **Chéir-.**

CHÉIROLÉPIS [keiRolepis] n. m. — xxᵉ ; *chirolepis*, 1892 ; de *chéiro-*, et du grec *lepis, lepidos* « écaille ».

♦ Zool. Poisson ganoïde fossile de la famille des *Palaconiscidés*.

CHÉIROMYS [keiRɔmis] n. m. — 1842 ; de *chéiro-*, et grec *mus* « rat, souris », à cause de l'aspect des pattes.

♦ Zool. Aye-aye* (nom savant). — REM. On dit, on écrit aussi *chiromys* [kiRɔmis].

CHÉIROPTÈRES [keiRɔptɛR] n. m. ⇒ **Chiroptères.**

CHÉL-, CHÉLI-, CHÉLO- Élément, tiré du grec *khêlê* « pince » et servant à former des composés savants. ⇒ **Chélate, chélateur, chélicère, chéliforme, chéloïde.**

CHÉLATE [kelat] n. m. — Mil. xxᵉ ; de *chél-*, et *-ate*.

♦ Chim. Composé complexe, inactif, en général de couleur vive, constitué par un corps organique et un ion métallique. *Les chélates jouent un rôle dans la précipitation des métaux au cours des analyses chimiques. « (...) voilà dix ans que le professeur Kenneth Raymond et son équipe du laboratoire Lawrence y étudient (à Berkeley) sans relâche des corps aux noms insolites : les "chélates". Ces molécules — du grec* chela *qui sert à désigner les pinces de crabe — ont une particularité : elles enserrent et prennent dans leurs tenailles tous les ions métalliques qui rôdent dans leurs parages »* (le Point, 9 juin 1980, p. 101). ⇒ aussi **Chélateur.**

CHÉLATEUR [kelatœR] adj. et n. m. — Mil. xxᵉ ; de *chél-*, l'atome de métal étant « pincé » entre des atomes électronégatifs, et *-ateur*.

♦ Didact. Relatif aux corps qui ont une affinité élective pour les sels alcalino-terreux et les métaux, avec lesquels ils forment des composés solubles stables, où l'élément associé perd ses propriétés ioniques. *Agent chélateur. « L'agent chélateur forme, avec le métal dont on veut débarrasser l'organisme, un complexe soluble, stable, non ionisé, non toxique, et rapidement éliminé par le rein »* (Garnier, Dict. des termes techn. de médecine).

N. m. *Un chélateur :* substance qui favorise la précipitation des ions métalliques sous forme de composés inactifs. ⇒ **Chélate.** *On utilise des chélateurs dans le traitement des intoxications par les métaux.*

DÉR. **Chélation.**

CHÉLATION [kelasjɔ̃] n. f. — Mil. xxᵉ ; de *chélateur*.

♦ Didact. (phys., biol.). Processus physico-chimique de fixation d'ions positifs multivalents (calcium, plomb, mercure, etc.) par des corps dits *chélateurs* ou *agents chélateurs*. — Application thérapeutique de ce processus au traitement de certaines intoxications. *Guérison par chélation d'une intoxication au plomb, au cobalt.*

CHELEM ou **SCHELEM** [ʃlɛm] n. m. — 1784 ; de l'angl. *slam*, d'orig. obscure.

♦ **1.** Réunion, dans la même main, de toutes les levées dans certains jeux de cartes (boston, whist, bridge...). ⇒ **Capot** (vx). *Faire le chelem. Réussir le petit chelem,* toutes les levées moins une. — (1906, in Höfler). *Le grand chelem.* — REM. On a écrit aussi *schlem* (vx ; 1893).

1 (...) les fusils chômaient, au grand déplaisir du capitaine Hod ; mais deux « schlems », qu'il fit dans une seule soirée, lui rendirent sa bonne humeur habituelle.
J. VERNE, la Maison à vapeur, p. 171.

Adj. *Faire qqn chelem* (var. graphique : *chlemm* ; → Règle, cit. 3).

♦ **2.** (V. 1960). Série complète de victoires, dans un sport de compétition. *L'équipe de France de rugby a gagné, a fait le grand chelem.*

2 (...) Rod Laver (...) cette saison-là, mettait à son actif le « grand chelem », c'est-à-dire la victoire, au cours de la même saison, dans les quatre grands championnats mondiaux (...) Jeux et Sports, p. 1380, 1968, in T. L. F.

CHÉLI- ⇒ **Chél-**.

CHÉLICÉRATES [keliseʀat] n. m. pl. — 1901, Heymons ; de *chélicèr(e)*, et *-ates*.

♦ Zool. Groupe (super-classe ou sous-embranchement) des arthropodes, comprenant tous les animaux munis d'appendices céphaliques en forme de pinces ou crochets (au lieu d'antennes) [⇒ **Chélicère**], à corps segmenté, formé d'un prosome (tête et thorax) et d'un opisthosome (abdomen) [35 000 espèces actuelles]. *Les Mérostomes, Arachnides, Euptérydes, Limules, Scorpions... sont des Chélicérates.* — Au sing. *Un chélicérate.*

CHÉLICÈRE [keliseʀ] n. f. — 1846 ; lat. mod. *chelicera*, Latreille ; de *chéli-*, et *-cère*.

♦ Zool. Appendice céphalique des arachnides, crochet (araignées) ou pince (scorpions).
DÉR. **Chélicérates.**

CHÉLIDOINE [kelidwan] n. f. — V. 1260, *in* D. D. L. ; *célidoine*, déb. XIIᵉ ; lat. *chelidonia*, grec *khelidonia*, de *khelidôn* « hirondelle ».

♦ **1.** Bot. Plante dicotylédone *(Papavéracées)* appelée aussi *grande chélidoine* ou *éclaire*, herbacée, à fleurs jaunes, dont le suc laiteux passait pour guérir les verrues. *La chélidoine est encore appelée herbe aux verrues, aux boucs, herbe de l'hirondelle.*

Quand on a commencé de prescrire le principe actif de la chélidoine, ou chélidonine, dans le traitement du cancer, j'ai songé, naturellement, que, depuis des siècles, les gens de chez moi appliquent le suc jaune de la chélidoine (...) pour détruire les verrues, qui sont des tumeurs bénignes.
G. DUHAMEL, Biographie de mes fantômes, X, p. 185.

♦ **2.** *Petite chélidoine :* ficaire*, plante utilisée, comme la grande chélidoine, pour guérir les verrues.

♦ **3.** Minér. Variété d'agate que l'on trouve sous la forme de petits cailloux roulés.

CHÉLIFORME [kelifɔʀm] adj. — 1863 ; de *chéli-*, et *-forme*.

♦ Didact. Qui a la forme d'une pince.

CHELINGUER [ʃlɛ̃ge] v. intr. ⇒ **Schlinguer.**

CHELLÉEN, ÉENNE [ʃeleɛ̃, eɛn] adj. et n. m. — 1882 ; de *Chelles*, localité de la région parisienne, et *-éen*.
Préhistoire.

♦ **1.** Époque la plus ancienne de l'ère quaternaire. — Syn. : *abbevillien. Débris de l'époque chelléenne retrouvés dans les graviers de Chelles.*
N. m. *Le chelléen.*

♦ **2.** Qui est caractéristique de cette époque. *Instrument chelléen.*

CHÉLO- ⇒ **Chél-**.

CHÉLOÏDE [kelɔid] n. m. — 1818 ; de *chél-*, et *-oïde*.

♦ Méd. Boursouflure fibreuse indurée et ramifiée, formée sur la peau au niveau d'une cicatrice.

Des photos montrent des hommes mutilés, des dos brûlés, des corps couverts de ces affreuses tumeurs cutanées qu'on appelle des chéloïdes.
S. DE BEAUVOIR, Tout compte fait, p. 309.
DÉR. **Chéloïdien.**

CHÉLOÏDIEN, IENNE [kelɔidjɛ̃, jɛn] adj. — 1903, Janet ; de *chéloïde*.

♦ Méd. D'un chéloïde. *Cicatrice chéloïdienne.*

CHÉLON- ou **CHÉLONO-** Élément, tiré du grec *khelônê* « tortue », et qui sert à former des termes de zoologie. Ex. : *chélonée, chélonidés, chéloniens, chélonographe, chélonographie, chélonophage.*

CHÉLONÉE [kelɔne] n. f. — 1800, Agassiz, Cuvier ; de *chélon-*, et *-ée*.

♦ Zool. (vx). Grande tortue de mer, qui vit dans les mers chaudes.
REM. J. Verne (*l'Île mystérieuse*, t. I, p. 308) emploie le mot au sens de *chélonien.*

CHÉLONIDÉS [kelɔnide] n. m. pl. — V. 1950 ; de *chélon-*, et *-idé*.

♦ Zool. Famille de tortues *(Chéloniens)* de grande taille, à carapace plate, à nageoires, vivant surtout dans l'eau. (Ex. : caouane, tortue à écaille [⇒ **Caret**], tortue verte, tortue bâtarde). — Au sing. *Un chélonidé.*

CHÉLONIENS [kelɔnjɛ̃] n. m. pl. — 1799, *in* Cottez ; de *chélon-*, et *-ien*.
Zoologie.

♦ **1.** Ordre de reptiles *(Anapsides)* caractérisés par une carapace de plaques cornées qui enveloppent le corps et d'où émerge la tête, les membres et la queue. ⇒ **Tortue.** *Les Chéloniens se divisent en deux sous-ordres (selon l'axe de la courbe du cou) : les « Cryptodires » (cou replié dans le sens vertical ; cinq super-familles), et les « Pleurodires » (cou replié horizontalement ; deux familles).*

♦ **2.** Adj. *(Chélonien, chélonienne).* Qui ressemble à une tortue. Qui appartient à l'ordre des Chéloniens. *Reptile chélonien.*

CHÉLONO- ⇒ **Chélo-**.

CHÉLONOGRAPHE [kelɔnɔgʀaf] n. m. — 1863, Littré ; de *chélono-*, et *-graphe*.

♦ Didact. Naturaliste qui s'occupe des tortues.

CHÉLONOGRAPHIE [kelɔnɔgʀafi] n. f. — Déb. XXᵉ ; de *chélono-*, et *-graphie*.

♦ Didact. Partie des sciences naturelles qui traite des tortues.

CHÉLONOPHAGE [kelɔnɔfaʒ] adj. — 1898 ; de *chélono-*, et *-phage*.

♦ Didact. Qui mange des tortues.

CHÊMER (SE) [ʃeme] v. pron. — 1441 ; ital. *scemare*, pron. *scemarsi* « s'amoindrir », d'un lat. pop. **exsemare*, du bas lat. *sematum* « à moitié vide ».

♦ Régional (vx). S'affaiblir par consomption. *Cet enfant se chême.*
HOM. V. **Schème.**

CHEMIN [ʃ(ə)mɛ̃] n. m. — 1080, *Chanson de Roland* ; du lat. pop. *camminus*, mot d'orig. celtique.

★ **I. A.** (Abstrait). ♦ **1.** (Après 1150). Direction, voie d'accès. *Prendre le chemin de...* ⇒ **Direction.** *Tenir le chemin de... :* aller vers... — Loc. (1538). *Se mettre en chemin.* ⇒ **Partir.** *Aller son chemin ; poursuivre, passer son chemin :* continuer à marcher, ne pas s'arrêter. ⇒ **Passer** (→ ci-dessous, cit. 1). — Loc. *Aller, poursuivre son petit bonhomme* (cit. 8 et 9) *de chemin. Suivre un chemin, le bon chemin,* celui qui convient pour se rendre où l'on veut aller. *Demander son chemin. Montrer, indiquer à qqn son chemin. Rebrousser chemin :* revenir sur ses pas (→ **Tourner** bride). *Perdre son chemin, s'écarter de son chemin, se tromper de chemin, prendre le mauvais chemin.* ⇒ **Égarer** (s'), **perdre** (se). *Passer par un autre chemin. Barrer le chemin. Couper le chemin. Se frayer un chemin* (⇒ **Passage**). *Ouvrir le chemin d'un lieu.* ⇒ **Accès.**

(1498). Distance*, espace à parcourir pour aller d'un lieu à un autre. ⇒ **Parcours, route, trajet.** *La ligne droite est le plus court chemin d'un point à un autre. Faire, parcourir le chemin qui sépare deux villes. Faire le chemin d'une seule traite, par étapes. Ils ont fait plusieurs fois le chemin d'ici à... Ils ont fait une partie du chemin, la moitié du chemin ; ils sont à mi-chemin. Faire un bout* de chemin avec qqn. Rester à mi-chemin, à moitié chemin. Parcourir, battre les chemins. Être toujours sur les chemins, par voie et par chemin,* en voyage* (→ Par monts et par vaux*). — *Faire du chemin, beaucoup de chemin en une seule étape. Combien de chemin avez-vous fait ?* — Loc. (Vieilli). *Abattre du chemin.* ⇒ **Avancer, marcher.**

Passez votre chemin, la fille, et m'en croyez.			LA FONTAINE, Fables, III, 1.		1
Nos gaillards pèlerins,						2
Par monts, par vaux, et par chemins,
Au gué d'une rivière à la fin arrivèrent.			LA FONTAINE, Fables, II, 10.
Quel chemin a-t-il pris ? la porte ou la fenêtre ?		RACINE, les Plaideurs, II, 7.		3
J'en rends grâces au ciel, qui m'arrêtant sans cesse			4
Semblait m'avoir fermé le chemin de la Grèce.			RACINE, Andromaque, I, 1.
Savez-vous le chemin que ma mule a fait aujourd'hui ?			5
						MOLIÈRE, l'Amour médecin, II, 3.
REM. Cet emploi est ambigu ; *chemin* désigne à la fois la direction et la distance.
J'errai un moment parmi les grands corridors tout noirs, tâtant les murs pour		6
essayer de retrouver mon chemin.		Alphonse DAUDET, le Petit Chose, I, V.
Je marcherai bien comme cela pendant des lieues (...) Nous allons descendre jus-		7
qu'aux prés Sainte-Claire (...) Là (...) nous rebrousserons chemin.
						ZOLA, la Fortune des Rougon, I, p. 26.

8 André Stévenol parvint à grand'peine à se frayer un chemin dans la foule qui bordait des deux côtés la vaste avenue poussiéreuse.
Pierre LOUŸS, la Femme et le Pantin, I, p. 17.

9 Il reprit vaguement son chemin vers la ville, baissant le front sous une inexprimable honte.
Pierre LOUŸS, Aphrodite, V, p. 66.

Loc. *Le chemin des écoliers* : le chemin le plus long (au propre et au figuré).

10 Je leur dis que j'étais un jeune fils de famille (...) qui se rendait chez des parents (...) par le vrai chemin des écoliers (...)
Th. GAUTIER, Melle de Maupin, V, p. 87.

10.1 Monsieur Jadis rentrait chez lui par le chemin qui lui convenait le mieux : celui des écoliers.
A. BLONDIN, Monsieur Jadis, p. 172.

Le chemin de la croix*. Un chemin de croix.

Le chemin de Damas : la route sur laquelle Saint Paul se rendant à Damas fut converti à la suite d'un miracle (Bible, *Actes des Apôtres*, IX, 3-4). — Fig. *Trouver son chemin de Damas :* se convertir*, s'amender.

10.2 Et si la foi fondait sur lui à l'improviste, comme un aigle? S'il rencontrait son chemin de Damas?
Jean-Louis CURTIS, le Roseau pensant, p. 215.

Le chemin de Saint Jacques (de Compostelle) : la route de pèlerinage menant à Saint-Jacques; (fig.) la voie lactée.

Le chemin du Paradis : un chemin étroit, un défilé où l'on ne passe qu'un par un.

Loc. *Chemin faisant :* pendant le trajet. — *En chemin :* en cours de route. *Rester en chemin. Ils l'ont rencontré en chemin.*

11 Il accourait ; un Mont en chemin l'arrêta.
LA FONTAINE, Fables, IX, 7.

12 Parbleu, chemin faisant, je te le veux conter.
MOLIÈRE, les Fâcheux, II, 6.

Temps passé à cheminer. Tromper le chemin : s'occuper pendant la durée du chemin. *Deux heures de chemin.*

♦ **2.** (1343). Espace parcouru par un corps qui se meut, se déplace. *Chemin parcouru par un projectile.* ⇒ **Trajectoire.** *Le chemin du piston dans le cylindre.* ⇒ **Course.** *Les herbes se frayent un chemin à travers les cailloux.*

13 Le germe, hanté par le soleil, trouve toujours son chemin à travers la pierraille du sol.
SAINT-EXUPÉRY, Pilote de guerre, XXIV, p. 206.

Mar. (vx). *Chemin d'un navire.* ⇒ **Cinglage.** *Chemin est.*

B. (Concret). ♦ **1.** (V. 1100). Voie spécialement aménagée dans la campagne (par oppos. à *rue*) pour permettre d'aller sans difficulté d'un lieu à un autre. ⇒ **Route, voie.** — Spécialt. Bande déblayée assez étroite qui suit les accidents du terrain (opposé à *route, allée, avenue...*). ⇒ **Piste, sente, sentier, tortille.** *Chemin montant.* ⇒ **Côte, grimpette, montée, raidillon, rampe.** *Chemin descendant.* ⇒ **Descente.** *Chemin large, étroit. Chemin droit ; sinueux, serpentant, tortueux, en zigzags. Les coudes, les tournants du chemin. Le chemin se sépare en deux.* ⇒ **Bifurcation, embranchement, fourche, patte d'oie.** *Les chemins aboutissent à une demi-lune*. Croisée de chemins.* ⇒ **Carrefour, étoile.** *Chemin ronceux. Chemin boueux, bourbeux, caillouteux, empierré, rocailleux. Chemin enneigé, ensablé. Chemin anfractueux, crevassé, craquelé, escarpé. Les ornières, les fondrières, les cahots du chemin. Les cailloux, les pierres du chemin.* ⇒ **Caillasse.** *Chemin cahoteux, raboteux, dangereux, difficile, pénible* (⇒ **Casse-cou**). — *Chemin impraticable, infréquenté, désert. Chemin carrossable. Chemin fréquenté, battu*.*

Chemin creux : chemin enfoncé entre des parties plus hautes (dans les pays de bocage).

Chemin de terre : chemin non empierré au travers des champs, des bois (→ ci-dessous, cit. 22, 23.1 et 23.2).

Vx. **GRAND CHEMIN** : route de grande communication. — Loc. mod. *Voleur* de grand chemin.*

14 Pour assassiner le monde et pour voler sur les grands chemins.
PASCAL, Récit.

15 Les rivières sont des chemins qui marchent, et qui portent où l'on veut aller.
PASCAL, Pensées, I, 17.

16 Dans un chemin montant, sablonneux, malaisé,
Et de tous les côtés au soleil exposé (...)
LA FONTAINE, Fables, VII, 9.

17 Vu d'en haut, ce chemin ressemble à un ruban plié et replié (...)
CHATEAUBRIAND, Mémoires d'outre-tombe, IV, II.

18 Le chemin, ou plutôt le sentier à peine tracé qu'il suivait, traversait un maquis récemment brûlé.
MÉRIMÉE, Colomba, XVII.

19 Il s'en allait donc par les chemins solitaires.
FRANCE, Thaïs, p. 23.

20 Et, quittant le domaine, elle se trouve sur le chemin craquelé par la chaleur, entre les fougères des talus.
Francis JAMMES, Clara d'Ellébeuse, I.

21 Le chemin qui, venant de Jouy, longe le val de Bièvres sur la rive gauche est étroit et nonchalant.
G. DUHAMEL, Chronique des Pasquier, V, I, p. 9.

22 (...) à la sortie du village, la route se continue par un chemin de terre abrupt, plein de fondrières desséchées.
MARTIN DU GARD, les Thibault, t. VIII, p. 141.

23 Ce chemin qui serpente est bon, et tout parfumé d'herbes sèches, de résines amères.
H. BOSCO, le Jardin d'Hyacinthe, I, p. 18.

23.1 Nous quittâmes le chemin de terre et prîmes un sentier.
DRIEU LA ROCHELLE, la Comédie de Charleroi, p. 20-21.

23.2 Je l'avais croisée pour la première fois dans un chemin de terre où une charrette venait de passer, soulevant une lente poussière blanche qui retombait en fardant les buissons de sorte que Françoise souffla sur les mûres avant de les porter à sa bouche.
Jacques LAURENT, les Bêtises, p. 196-197.

Construire, percer, ouvrir un chemin. Se frayer un chemin à travers des fourrés (→ Machette, cit. 1). *Entretenir un chemin. Viabilité d'un chemin. Chaussée d'un chemin* (⇒ **Chaussée, macadam, pavement**). *Jetée sur un chemin. Élargir un chemin. Garnir de graviers un chemin.* ⇒ **Engraver.** *Impôt, droit de péage, prestation pour l'entretien des chemins.*

(Syntagmes ; admin. et cour.). *Chemin vicinal*. Chemin rural*. Chemin de déblai. Chemin de traverse. Chemin (vicinal) de grande communication. Chemin de montagne. Chemin muletier* (cit. 2). *Chemin forestier.* ⇒ **Cavée, laie, layon, lé.** *Chemin d'exploitation,* servant à l'exploitation rurale. — *Chemin privé.*

(1690). *Chemin de halage, sur une berge*.* ⇒ **Berme, marchepied, tirage.**

Chemin de douane*, chemin des douaniers, de douaniers, par ex., le long du rivage.

Vx. *Chemin salier :* chemin utilisé pour le transport du sel.

Vx. *Chemin ferré :* chemin empierré (encore chez Pesquidoux, 1925, *in* T. L. F.).

Loc. *Vieux comme les chemins :* très vieux.

♦ **2.** (1676). **CHEMIN DE RONDE*** : (ancienn) corridor maçonné construit le long du parapet, au-dessus du fossé ; (mod.) partie du terreplein au-dessus de la banquette.

(1676). *Chemin couvert :* partie de la contrescarpe entre le parapet et le fossé, sorte de galerie*.

24 Ils vous étourdissent (...) de courtines et de chemin couvert (...)
LA BRUYÈRE, les Caractères, XII, 99.

25 Il y a, en dehors des murs, une sorte de chemin de ronde que, chaque soir, je suis dans l'obscurité.
LOTI, Jérusalem, XVIII, p. 211.

Chemin de service : voie aménagée sur un échafaudage.

♦ **3.** Par ext. *Chemin d'escalier :* bande de tapis disposée sur les marches. — *Chemin de table :* bande d'étoffe disposée sur une table.

Espace dégagé formant voie.

25.1 De l'une à l'autre est tracé un étroit chemin de parquet luisant ; un second chemin va de la table jusqu'au lit.
A. ROBBE-GRILLET, Dans le labyrinthe, p. 18 (1959).

Techn. *Chemin de roulement pour billes. Chemin de glissement.*

Tissage :

25.2 *Chemin.* — L'ensemble des fils constituant le motif complet. Ce motif se répète dans le sens de la largeur du tissu ; s'il est repris deux, trois, cinq fois on dit que l'étoffe est à deux, trois, cinq chemins.
Michèle BEAULIEU, les Tissus d'art, Petit glossaire technique, p. 128.

Aviat. *Chemin de roulement (des aéronefs),* sur un aérodrome.

♦ **4.** (D'après l'angl. *railway*). *Chemin de fer.* ⇒ **Chemin de fer.**

★ **II.** Par métaphore ou fig. ♦ **1.** (V. 1360). Conduite qu'il faut suivre pour arriver à un but. ⇒ **Moyen, voie.** *Il n'arrivera pas à ses fins par ce chemin, il n'en prend pas le bon chemin. Sa guérison est en bon chemin, suit le bon chemin. L'affaire est en bon chemin.* ⇒ **Réussir.** *Le bon chemin, le droit chemin. Être dans le droit chemin.* — *Le chemin de... :* le chemin que suit...; le chemin qui mène à... (parfois ambigu). *Le chemin de la vertu, de la perfection. Les chemins de la liberté,* œuvre romanesque de Sartre. *Le droit chemin de la raison* (→ Cabrer, cit. 8). *Le chemin du crime.* — *Le chemin de la vie; le chemin de la gloire. S'avancer sur le chemin de la vie* (→ Avancer, cit. 52 et 53). — *Chemins qui ne mènent nulle part,* titre français d'une œuvre de Heidegger.

26 (...) ceux qui abandonnent les sentiers de la droiture afin de marcher dans des chemins ténébreux, qui trouvent de la jouissance à faire le mal, qui mettent leur plaisir dans la perversité, qui suivent les sentiers détournés, et qui prennent des routes tortueuses (...)
BIBLE (SEGOND), Proverbes, II, 13-15.

27 (...) Vous m'avez au crime enseigné le chemin.
CORNEILLE, Cinna, V, 2.

28 Cher frère, c'est pour moi le chemin du trépas.
CORNEILLE, Rodogune, V, 4.

29 Tant plus le chemin est long *(dans l'amour),* tant plus un esprit délicat sent le plaisir.
PASCAL, Discours sur les passions de l'amour.

30 (...) et ceux qui ne marchent que fort lentement peuvent avancer beaucoup davantage, s'ils suivent le droit chemin, que ne font ceux qui courent et qui s'en éloignent.
DESCARTES, Discours de la méthode, I.

31 Nous ne prenons guère le chemin de nous rendre sages.
MOLIÈRE, l'Impromptu de Versailles, 4.

32 On rencontre sa destinée
Souvent par des chemins qu'on prend pour l'éviter.
LA FONTAINE, Fables, VIII, 16.

33 Quand il sera temps nous remettrons cette affaire en chemin.
Mme de SÉVIGNÉ, 1361, 7 août 1693.

34 (...) lorsqu'il se représentait plus particulièrement sa propre vie, *(elle lui apparaissait)* comme un chemin nettement tracé, une ligne droite, qui menait infailliblement quelque part.
MARTIN DU GARD, les Thibault, t. III, p. 225.

(V. 1360). Vx. *Aller le droit chemin :* agir avec sincérité, droiture, loyauté. — Vieilli. *Prendre des chemins de traverse,* des moyens détournés. ⇒ **Faux-fuyant.** — Loc. vieillie. *Par voie et (par) chemins :* par tous les moyens qui s'offrent.

35 L'ambitieux, ou, si l'on veut, l'avare
S'en va par voie et par chemin.
LA FONTAINE, Fables, VII, 12.

36 Il y a pour arriver aux dignités ce qu'on appelle ou la grande voie ou le chemin battu ; il y a le chemin détourné ou de traverse, qui est le plus court.
LA BRUYÈRE, les Caractères, VIII, 49.

Loc. mod. *Je n'irai pas par quatre chemins :* j'agirai franchement, sans ambages, sans détours ; j'irai droit au but*.

37 (...) je suis rond en affaires et je n'y vais pas par quatre chemins.
GIDE, Robert, I, 9.

37.1 — Monsieur Oriol, je viens causer affaires avec vous. Je n'irai pas d'ailleurs par quatre chemins pour m'expliquer. Voici. Vous avez découvert tantôt une source dans votre vigne (...)
MAUPASSANT, Mont-Oriol, p. 69.

37.2 (...) je me permets de vous accoster en tout bien tout honneur. Je n'irai pas par quatre chemins : vous m'excitez. Violette LEDUC, la Bâtarde, p. 281.

(Personnes ; choses). *Faire du chemin.* ⇒ **Aboutir, aller** (loin), **parvenir, progresser, réussir.** *L'idée a fait son chemin.* — *Faire son chemin. Il fera son chemin :* il fera une belle carrière.

38 (...) celui qui est en faveur (...) se sert d'un bon vent qui souffle, pour faire son chemin (...) LA BRUYÈRE, les Caractères, VIII, 26.

39 (...) je ne désespère pas de lui voir faire un chemin digne de son mérite. ROUSSEAU, Julie ou la Nouvelle Héloïse, II, 9.

39.1 (...) mais cette pensée avait fait son chemin en lui, elle avait déposé un vague sédiment d'inquiétude (...) Jean Louis CURTIS, le Roseau pensant, p. 14.

Ouvrir, tracer, montrer le chemin : donner l'exemple ; agir le premier, entreprendre. ⇒ **Exemple** (donner l'exemple), **voie** (montrer la voie). — *Cela lui facilite le chemin,* lui prépare la voie.

40 Le chemin est encore ouvert au repentir. RACINE, Bajazet, II, 1.

41 Si mon œuvre n'est pas un assez bon modèle,
J'ai du moins ouvert le chemin :
D'autres pourront y mettre une dernière main.
LA FONTAINE, Fables, XI, Épilogue.

Vieilli. Suivre les chemins battus, le grand chemin : suivre les usages établis, ne pas s'écarter de la banalité (⇒ **Routine**). *S'écarter du grand chemin.*

42 (...) il est bien malaisé de trouver quelque chose de nouveau, sans s'écarter un peu du grand chemin. CORNEILLE, Examen de Nicomède.

Prov. Vx. *À chemin battu, il ne croît pas d'herbe :* il n'y a pas de profit dans une affaire où il y a trop de concurrents.

Vieilli. Chemin semé de roses. Chemin fleuri, de fleurs. Chemin de velours : voie facile, agréable pour arriver à un but ; (concret) chemin dessiné sur une pelouse. — *Chemin pierreux, épineux,* difficile, malaisé.

43 Chemin pierreux est grande rêverie ;
Escobar sait un chemin de velours.
LA FONTAINE, Ballade sur Escobar, *in* LITTRÉ.

44 Aucun chemin de fleurs ne conduit à la gloire. LA FONTAINE, Fables, X, 14.

Vx. Aller son grand chemin : accomplir qqch. sans effort, sans y entendre de finesse. — Mod. *Il va son chemin, il va toujours son chemin sans se laisser détourner* (→ Aller, cit. 116).

45 (...) j'irai toujours mon chemin ; je ne suis mal avec personne. Mᵐᵉ DE SÉVIGNÉ, 1174, 9 mai 1689.

46 Je me trouve fort bien d'aller mon grand chemin ; il me semble que je n'ai que dix ans (...) Mᵐᵉ DE SÉVIGNÉ, 453, 6 oct. 1675.

Mod. *Aller son petit bonhomme** (cit. 8, 9 et *supra*) *de chemin.*

EN CHEMIN : en marche, en cours de route, avant d'avoir achevé ce qu'on a commencé. ⇒ **Pendant.**

47 — Eh ! mon ami, la mort te peut prendre en chemin (...) LA FONTAINE, Fables, VIII, 27.

S'arrêter en chemin ; (vx) *en beau* (cit. 60) *chemin.* — *S'arrêter à mi-chemin, à moitié chemin* (→ Arrêter, cit. 30 et 49).

Couper, barrer le chemin à qqn, se mettre en travers de sa route. ⇒ **Empêcher.** *Croiser, traverser** le chemin de qqn,* lui faire obstacle*. ⇒ **Déranger.**

SUR (LE, SON) CHEMIN. *Se mettre sur le chemin de qqn. Menacer qqn de se mettre sur son chemin.*

48 N'admirez-vous point la bizarre disposition des choses de ce monde, et de quelle manière elles viennent croiser notre chemin ? Mᵐᵉ DE SÉVIGNÉ, 279, 23 mai 1672.

49 Tout ce qui vaque est demandé (...) par des familles si désolées, qu'on est honteuse d'aller barrer leur chemin inutilement. Mᵐᵉ DE SÉVIGNÉ, 433, 21 août 1675.

50 Pour couper tout chemin à nous rapatrier (...) MOLIÈRE, le Dépit amoureux, IV, 4.

Trouver qqn, qqch. sur son chemin : trouver une chose, une personne qui s'oppose aux entreprises que l'on a commencées.

51 (...) il faut que vous soyez bien malheureux de trouver en votre chemin un événement si extraordinaire ! Mᵐᵉ DE SÉVIGNÉ, 954, 25 févr. 1685.

52 Il ne faisait pas bon se trouver sur son chemin. Antoine HAMILTON, Mémoires du comte de Grammont, 8.

Vieilli. Trouver une pierre sur son chemin, un obstacle. — Iron. *Mener qqn par un chemin où il n'y a pas de pierres,* le mener rudement, sans ménagements. — (Au sens de «distance»). *Faire la moitié du chemin :* faire des avances* à quelqu'un.

53 Assurez-vous que votre frère fera la moitié du chemin. MASSILLON, Carême, Pardon.

Il a su trouver le chemin de son cœur : il a su se faire aimer de cette personne.

54 Si (...) je pouvais trouver le chemin de son cœur. MOLIÈRE, le Bourgeois gentilhomme, III, 6.

55 Antoine s'inquiète : s'il retrouve la trace de son frère, retrouvera-t-il le chemin de son cœur ? MARTIN DU GARD, les Thibault, t. IV, p. 17.

Faire sortir de son chemin. ⇒ **Dérouter, désorienter, dévoyer.**
Aller, poursuivre son chemin : ne pas se laisser détourner.

Prov. *Tous les chemins vont, mènent à Rome :* on peut arriver au même endroit, au même but, par des voies diverses, des moyens différents.

56 Ils s'y prirent tous trois par des routes diverses :
Tous chemins vont à Rome ; ainsi nos concurrents
Crurent pouvoir choisir des sentiers différents. LA FONTAINE, Fables, XII, 27.

Prov. *Qui trop se hâte reste en chemin.*

♦ **2.** Loc. (sc.). *Chemin critique :* l'un des ensembles d'opérations, de tâches successives dont la durée d'exécution, incompressible, apparaît comme un délai minimal pour l'exécution de la totalité d'un projet.

DÉR. et **COMP.** Acheminer, chemineau, cheminer. — Chemin de fer.

CHEMIN DE FER [ʃ(ə)mɛ̃dfɛʀ] n. m. — 1784 ; 1823, date de la mise en service du chemin de fer de Saint-Étienne à Andrézieux ; trad. de l'angl. *railway.*

♦ **1.** Vx. Chemin formé par deux rails parallèles sur lesquels roulent les trains. ⇒ **Voie.**

De cette époque *(1829)* date une ère nouvelle pour les chemins de fer. Jadis les rails étaient tout ; maintenant ils n'occupent dans le système qu'une place secondaire. Aujourd'hui les chemins de fer ne devraient s'appeler que des chemins à locomotives ou des chemins à vapeur. ARAGO, Rapport de 1838. 1

REM. Peu de temps après l'apparition du terme, *chemin de fer* n'était pas encore lexicalisé et ses éléments pouvaient s'employer séparément.

Sur le fer des chemins qui traversent les monts. A. DE VIGNY, la Maison du berger. 2

♦ **2.** (1866). Le moyen de transport utilisant la voie ferrée ; l'exploitation de ce moyen de transport (⇒ **Ferroviaire**). — *Voie de chemin de fer.* ⇒ **Accotement, ballast, butoir, cavalier, contrecœur, contrerail, coussinet, crémaillère, éclisse, entrevoie, longrine, rail, remblai, sabotage** (des traverses), **tire-fond, traverse, trénail.** *Ligne de chemin de fer.* ⇒ **Infrastructure, ligne, superstructure, voie ; aiguillage, aiguille, barrière, bifurcation, bosse, branchement, coupement, courbe, croisement, embranchement, garage** (voie de garage), **heurtoir, lacet, ouvrage** (d'art), **passage** (à niveau), **plaque** (tournante), **pont, profil** (d'une voie), **raccordement** (voie de raccordement), **rampe, rocade, tracé** (d'une voie), **tranchée, transbordeur, tunnel, viaduc.** *Recharger, empierrer une voie de chemin de fer. Systèmes de sécurité du chemin de fer.* ⇒ **Signalisation ; balisage, block-system, crocodile, disque, enclenchement, sémaphore, serrure** (électrique), **signal.** *Matériel roulant des chemins de fer.* ⇒ **Locomotive, traction, train, voiture, wagon** ; et aussi **autorail, bogie, draisine, fourgon, funiculaire, lorry, micheline, sleeping-(car), tender, tracteur, truck, vistadôme ; convoi,** 4. **rame.** *Chemin de fer à voie normale ; à voie étroite* (→ Tacaud, tortillard). *Chemin de fer à voie unique, double... Chemin de fer d'intérêt local, départemental. Chemin de fer Decauville. Chemin de fer rapide.* ⇒ **Direct, express, rapide.** *Chemin de fer intercontinental. Chemin de fer transsibérien, transandin* (⇒ les comp. de Trans-). *Chemin de fer omnibus**. *Chemin de fer à vapeur.* — (1892). *Chemin de fer électrique. Électrification des chemins de fer.* — *Chemin de fer aérien, souterrain* (⇒ **Téléférique**). *Chemin de fer à crémaillère.* — Vx. *Chemin de fer urbain.* ⇒ **Tramway, métro.** *Chemin de fer métropolitain de Paris.* ⇒ **Métropolitain.** *Chemin de fer de ceinture**. *Chemin de fer circulaire.*

Services des chemins de fer : traction, exploitation, voie et bâtiment. Réseau, compagnie* de chemins de fer.* ⇒ **Locomotion, matériel** (roulant), **traction, voie ; marchandise, trafic** (⇒ **colis, consigne, enregistrement, messagerie**), **voyageur** (et **bagage, billet, carte, contrôle, correspondance, déclassement, tarif**). *Horaire, indicateur des chemins de fer. L'indicateur Chaix des chemins de fer* (→ Chaix, n. m.). — *Station de chemin de fer.* ⇒ **Gare ; débarcadère, quai, terminus, tête** (de ligne). — *Faire un voyage, un trajet en chemin de fer* (→ Accompagnement, cit. 4). *Transport par chemin de fer, par chemin de fer et route.* ⇒ **Ferroutage.** *Le chemin de fer dessert** cette localité. — Employés des chemins de fer.* ⇒ **Aiguilleur, chauffeur, chef** (de dépôt, de district, de gare, de section, de traction, de train), **cheminot, commis, contrôleur, équipe** (homme d'équipe), **facteur, garde-barrière, garde-frein, lampiste, mécanicien, piqueur, serre-frein.** — *Accident de chemin de fer* (⇒ **Dérailler, télescoper ; déraillement, télescopage**).

REM. Au sens concret (ensemble formé par la locomotive et les wagons), *chemin de fer* est vieilli ou du moins d'emploi assez rare : on dit *train**.

Cependant voici que, là-bas derrière moi, quelque chose de laid, de noirâtre, de tapageur, d'idiotement empressé, passe, vite, vite, ébranle la terre, trouble ce calme délicieux par des sifflets et des bruits de ferraille : le chemin de fer (...) LOTI, Figures et Choses, « Instant de recueillement », p. 51. 3

(...) ce train de une heure vingt-deux que je m'étais plu trop longtemps à chercher dans l'indicateur des chemins de fer (...) PROUST, À la recherche du temps perdu, t. IV, p. 59. 4

Ce fut pourtant à une station de chemin de fer, au-dessus d'un buffet, en lettres blanches sur un avertisseur bleu, que je lus le nom de Balbec. PROUST, À la recherche du temps perdu, t. IV, p. 73. 5

La langue populaire abonde en transpositions (...) À priori pourrait-on dire, telle appellation est destinée à être supplantée, ainsi les chemins de fer à voie étroite : *tacauds, tortillards,* remplacent la lourde désignation administrative. F. BRUNOT, la Pensée et la Langue, II, VIII, p. 78. 6

7 Thiers disait que le chemin de fer n'était qu'un jouet. Arago croyait que les voyageurs contracteraient sous les tunnels des fluxions de poitrine et des pleurésies.
Pierre GAXOTTE, Hist. de France, t. II, p. 430.

8 (...) sur la levée du chemin de fer, à l'entrée du pont, se dressa (...) une bonne baraque, bien plantée contre le parapet de pierre. De là partaient les fils d'acier qui, courant le long de la voie, faisaient, très loin, bouger les bras lumineux et les disques de la signalisation, étoilant de leurs feux multicolores les abords de la gare.
H. BOSCO, Antonin, II, p. 164.

REM. Dans cet exemple, le mot retrouve son sens initial de « voie ».

♦ **3.** (1866). Entreprise qui exploite des lignes de chemin de fer. *Les chemins de fer français* (S. N. C. F.). *Employé des chemins de fer.* ⇒ **Cheminot.**

♦ **4.** Chemin de fer en miniature servant de jouet aux enfants. ⇒ **Modèle** (réduit). *Chemin de fer mécanique, électrique. Il a acheté un chemin de fer à son fils.*

♦ **5.** Jeu d'argent, variété de baccara*. *Jouer au chemin de fer dans un casino.*

9 Au Frolics on avait joué un jeu d'enfer
Un vieil homme hésitant sur le seuil apparut
Il avait tiré à cinq au chemin de fer. ARAGON, le Roman inachevé, p. 159.

♦ **6.** (1929). En appos. *Tringle chemin de fer* : tringle à rideaux formée d'un rail métallique.

1. CHEMINEAU [ʃ(ə)mino] n. m. — 1897 ; de *chemin*, et *-eau.*

♦ Celui qui parcourt les chemins à la recherche de travail, et qui vit de petites besognes, d'aumônes ou de larcins. ⇒ **Bohémien** (vx), **clochard, mendiant, ribleur, rôdeur, trimardeur, vagabond.**

Il y a plus de trente ans qu'il a quitté le pays et qu'il marche, chemineau ou mendiant. J. RENARD, Journal, 1905.

REM. Deux formes féminines sont attestées : *cheminaude* [ʃ(ə)minod] (1896, M. Lefèvre, *in* T.L.F.) et *cheminote* [ʃ(ə)minɔt] (M. Schwob, in *Dict. des mots sauvages*).

HOM. 1. Cheminot, 2. cheminot.

2. CHEMINEAU [ʃ(ə)mino] n. m. ⇒ 2. **Cheminot.**

CHEMINÉE [ʃ(ə)mine] n. f. — V. 1170 ; du bas lat. *caminata* « salle pourvue d'une cheminée », puis « cheminée », de *caminus* « âtre », grec *kaminos.*

♦ **1.** (Sens général). Dispositif formé d'un foyer et d'un tuyau qui sert à évacuer la fumée; cheminée considérée seulement dans son foyer. ⇒ **Âtre, foyer.** *Parties d'une cheminée.* ⇒ **Âtre, avaloir, avant-foyer, cadre, capuchon, chambranle** (cit. 2), **chantignole, conduit, contrecœur, croissant, ébrasement, écran, encadrement, enchevêtrure, fond, fronton, fumivore, garde-cendres, garde-feu, grille, hotte, jambage, languette, linteau, manteau, mitre, pare-étincelles, poterie, rideau, soubassement, souche, soupente, tablette, tablier, tabourin, trappe, trémie, trumeau, tuyau.** *Cheminée avec, sans hotte. Allumer du feu, brûler du bois, du charbon, faire une flambée dans la cheminée,* dans l'âtre. ⇒ **Chauffage.** *Passer la soirée devant la cheminée* (→ Au coin* du feu). *Cheminée encrassée par la suie. Tuyau de cheminée coudé.* ⇒ **Dévoiement.** *Ramoner une cheminée. Accessoires disposés dans la cheminée.* ⇒ **Chenet, landier, marmouset, pelle, pincette, soufflet.** *Cheminée qui fume.* ⇒ **Fumée.** *La cheminée ronfle, tire bien.* ⇒ **Tirage.**

Cheminée de cuisine. — (1763, *in* D.D.L.). *Cheminée à la prussienne :* sorte de poêle que l'on adapte à la cheminée. — *Cheminée encastrée* (foyer noyé dans le mur), *demi-encastrée, en épi. Cheminée centrale.* — (Incluant le tuyau). *Une haute cheminée* (→ ci-dessous, 3.).

1 Pourvu que, blasonnée
D'un écusson altier,
La haute cheminée,
Béante, illuminée,
Dévore un chêne entier! HUGO, Odes, V, 25, 4.

2 Je possédais une petite cheminée de fonte émaillée, dite, je ne sais pourquoi, cheminée prussienne. G. DUHAMEL, le Temps de la recherche, VIII, p. 117.

♦ **2.** Partie inférieure de ce dispositif (cheminée, 1.) qui avance dans une pièce et sert d'encadrement. *Cheminée de pierre, de marbre, de plâtre, de briques, de maçonnerie. Cheminée à tablette. Garnir une cheminée de bibelots. Garniture de cheminée.* — (1888, *in* D.D.L.). *Dessus de cheminée.*

3 Une cheminée haute dont les jambages étaient de bois grossièrement cannelé, laissait pendre à une crémaillère, une marmite pleine de pommes de terre.
LAMARTINE, les Confidences, Raphaël, 14.

3.1 Il y a la cheminée, dont il n'a encore presque rien parlé : une cheminée ordinaire, en marbre noir, surmontée d'une grande glace rectangulaire ; son tablier de fer, levé, laisse voir un amas de cendres grises, mais pas de chenets ; sur la tablette repose un objet assez long, pas très élevé (...).
A. ROBBE-GRILLET, Dans le labyrinthe, p. 191.

Fig. et vieilli. *Agir sous la cheminée, sous le manteau de la cheminée.* ⇒ **Manteau** (cit. 17).

Loc. vieillie. *Faire une croix à la cheminée* (pour noter un événement mémorable).

♦ **3.** (V. 1160). Partie supérieure du conduit qui évacue la fumée et qui est visible sur le toit. *Le vent abattit quelques cheminées. Chapeau, champignon de cheminée, surmontant la souche.*
Hirondelle de cheminée, des cheminées : l'hirondelle commune, qui accroche parfois son nid aux cheminées.

Spécialt. *Cheminée de locomotive, de machine à vapeur.* — *Cheminée de navire. Paquebot à trois cheminées. Cheminée carénée.* — *Cheminée d'usine :* tuyau de maçonnerie surmontant un foyer, un fourneau d'usine. *On voyait au loin les cheminées des usines, de la fabrique.*

4 Les cheminées des usines poussaient d'immenses panaches bruns qui s'envolaient par le bout. FLAUBERT, Mme Bovary, III, V.

5 Un groupe d'immenses cheminées d'usines et de fonderies, qu'alimentent chaque jour quatre ou cinq grands vapeurs anglais chargés de charbon, projettent dans le ciel, par leurs bouches géantes, des vomissements tortueux de fumée, retombés aussitôt sur la ville en une pluie noire de suie (...)
MAUPASSANT, la Vie errante, III, p. 37.

Feu de cheminée. ⇒ 1. **Feu.**

Par anal. de forme. *Cheminée des fées :* colonne ou pyramide argileuse coiffée d'un bloc (qui l'a protégée de l'érosion).

Loc. fig. *Coiffure en cheminée :* coiffure de femme en hauteur, au moyen âge.

♦ **4.** (1649). *Cheminée d'un volcan, cheminée volcanique,* par où passent les matières volcaniques.

6 Quant à la cheminée volcanique qui établissait la communication entre les couches souterraines et le cratère, on ne pouvait en estimer la profondeur par le regard, car elle se perdait dans l'obscurité.
J. VERNE, l'Île mystérieuse, t. I, p. 132 (1874).

(1868, *in* Petiot). Alpin. Corridor vertical étroit.

7 Je passe d'une brèche à l'autre par une cheminée rocheuse de dix mètres de hauteur à peine, presque un escalier, et c'est à cet instant que se produit l'incident qui aurait pu ruiner tous nos espoirs. R. FRISON-ROCHE, Nahanni, p. 147.

♦ **5.** Trou, conduit cylindrique. *Cheminée d'aération.*
Cheminée d'appel (d'une mine) : sorte de prise d'air.
Aviat. Dépression de l'air. ⇒ **Trou** (d'air).
Mus. Petit cylindre qui s'adapte à un tuyau d'orgue pour modifier le timbre.

♦ **6.** Techn. *Cheminée d'équilibre :* ouvrage (ou formation naturelle) servant de régulateur de pression dans un système hydraulique.

8 Le gouffre de la Hennemorte fonctionne d'ailleurs encore en *cheminée d'équilibre,* le niveau des eaux passant probablement, en crue, de − 446 à − 346.
Félix TROMBE, la Spéléologie, p. 22.

♦ **7.** Imprim. « Intervalles de mots malencontreusement en regard sur plusieurs lignes successives, donnant à l'œil l'impression d'un long couloir blanc à travers la page » (Voyenne, 1967, *in* T. L. F.). → Escalier.

HOM. Formes du v. **cheminer.**

CHEMINEMENT [ʃ(ə)minmɑ̃] n. m. — V. 1288, *cheminemant ;* de *cheminer,* et *-ment.*

A. (Actif). ♦ **1.** Action de cheminer. ⇒ **Marche.** *Un lent cheminement.* — (V. 1288). Milit. Marche progressive (dans une offensive, dans les travaux offensifs d'un siège...). *Le cheminement des sapeurs s'effectuait sous le feu de l'ennemi.* ⇒ **Approche** (*supra* cit. 13), **progression** (→ ci-dessous, B.).

♦ **2.** Avance lente, progressive (d'une chose). *Le cheminement des eaux.*
Techn. Ch. de fer. *Le cheminement du rail :* déplacement d'un rail dans le sens de la longueur, provoqué par les frottements ou une déformation de la voie. — Horlog. Déplacement angulaire du balancier.
(V. 1460). Fig. *Le cheminement de la pensée, d'une idée.* ⇒ **Avance, marche, progrès.** *Un cheminement lent.*

(...) un moment, et pas davantage, de ce lent et merveilleux cheminement de l'humanité vers plus de bien. MARTIN DU GARD, Jean Barois, II, VI, p. 334.

♦ **3.** (1899). Topogr. Méthode de levée par mesures d'angles successives. *Cheminement au goniomètre, à la planchette déclinée.*

B. Par métonymie. ♦ **1.** Milit. (→ ci-dessus, A., 1.). Itinéraire protégé, dérobé à la vue et au tir direct de l'ennemi. *Suivre un cheminement.*

♦ **2.** Aviat. Route imposée à un avion. « *Lorsqu'un avion de tourisme veut pénétrer dans ces couloirs (...) il doit en demander obligatoirement l'autorisation. S'il l'obtient, il devra suivre des "cheminements" précis* » (*l'Express,* 2 oct. 1978, p. 100).

CHEMINER [ʃ(ə)mine] v. intr. — V. 1168 ; de *chemin.*

♦ **1.** (V. 1168). Faire du chemin, et, spécialt, un chemin long et pénible, que l'on parcourt lentement. ⇒ **Aller, marcher, trimer.** *Cheminer lentement, avec peine. Cheminer pendant des heures, sans trêve.*

1   (...) voit-on que j'aie besoin de carrosse ou de chaise pour cheminer ?
                                        MOLIÈRE, le Mariage forcé, 1.
2   Nous levâmes le camp, et nous cheminâmes pendant une heure et demie avec une
    peine excessive dans une arène blanche et fine.
                                        CHATEAUBRIAND, Mémoires d'outre-tombe, II, IV.
3   (...) dans la plaine, deux imperceptibles voyageurs, qui cheminent en hâte et
    fuient, le dos au vent.   E. FROMENTIN, Un été dans le Sahara, p. 3.
4   (Il) cheminait seul, d'un pas inégal et lent, sous les ormes du Mail.
                                        FRANCE, le Mannequin d'osier, XII, p. 368.
    Par métonymie. Littér. (en parlant d'une voie). S'étendre.
4.1 La route cheminait à perte de vue.   FRANCE, le Lys rouge, 1894, p. 314, in T. L. F.

    ♦ 2. (Sujet n. de choses). Avancer, et, spécialt (mod.), avancer lente-
    ment. L'eau chemine dans le lit du ruisseau.
5   Je vis les vents et les nuées cheminer dessous (sous) mes pieds.
                                        VOITURE, Lettres, 9.
    (Choses abstraites). Fig. L'esprit, la pensée chemine. ⇒ Progresser.
6   (...) sa pensée tantôt chemine avec la sourde lenteur de la taupe, tantôt s'élance
    du vol de l'aigle.   FRANCE, les Opinions de J. Coignard, XII, p. 431.
7   Ainsi, malgré tout, les idées cheminaient, et d'innombrables semences tombaient
    dans les sillons ouverts.
                                        JAURÈS, Hist. socialiste..., t. V, La Révolution en Europe, p. 194.
8   (...) des êtres (...) qui comprennent mal le son des paroles, ayant reçu mission
    d'entendre cheminer les pensées.   COLETTE, la Naissance du jour, p. 230.
    Loc. fig. (Vx). Cheminer droit : ne pas faire d'erreurs. — C'est un
    homme qui cheminera. ⇒ Chemin (faire son).

    ♦ 3. (1863). Milit. Progresser vers une place assiégée, effectuer des
    travaux d'approche, de sape, etc.

    ♦ 4. Topogr. Effectuer une levée par cheminement.

    DÉR. Cheminement.
    HOM. V. Cheminée.

1. CHEMINOT [ʃ(ə)mino] n. m. — 1899 ; chemineau, 1891 ; de chemin (de fer), et suff. -ot, ou extension de chemineau.

    ♦ Employé de chemin de fer. Les cheminots et les traminots*.
    Grève des cheminots.
    Nos sages montent dans un train de luxe (...) Cependant les cheminots bourrent
    le caillou et changent les rails ; le forgeron martelle ; le mineur creuse. Mais qui
    pense à cela ? Il ne s'agit que d'obtenir une place dans le Pullman (...)
                                        ALAIN, Propos, 10 mars 1931, Pl., t. II, p. 994.
    HOM. 1. Chemineau, 2. cheminot.

2. CHEMINOT ou CHEMINEAU [ʃ(ə)mino] n. m. — Av. 1855, Flaubert ; forme normande par attr. de chemin, de l'anc. franç. simenel, du lat. *siminellus, de simila «fleur de farine».

    ♦ Régional (Ouest de la France). Gâteau à pâte lourde.
    Il (Homais) tenait à sa main, dans un foulard, six cheminots pour son épouse.
    Madame Homais aimait beaucoup ces petits pains lourds, en forme de turban, que
    l'on mange dans le carême avec du beurre salé : dernier échantillon des nourritu-
    res gothiques, qui remonte peut-être au siècle des croisades, et dont les robustes
    Normands s'emplissaient autrefois, croyant voir (...) des têtes de Sarrasins à
    dévorer.   FLAUBERT, Mme Bovary, III, VII.
    HOM. 1. Chemineau, 1. cheminot.

CHEMISAGE [ʃ(ə)mizaʒ] n. m. — 1892 ; de chemiser.
    Technique.

    ♦ 1. Action de chemiser ; manière dont une chose est protégée par
    une chemise. ⇒ Revêtement.

    ♦ 2. Par métonymie. Garniture protectrice. Chemisage de maçon-
    nerie.

CHEMISE [ʃ(ə)miz] n. f. — XIe-XIIe ; chamisae, Xe ; du lat. tardif cami-sia, IVe, époque où ce vêtement apparaît.

    ★ 1. ♦ 1. Vêtement léger, couvrant le torse, et porté souvent à
    même la peau. Chemise longue, courte. Chemise à manches lon-
    gues. Chemise à col, sans col. — Chemise d'homme (→ ci-des-
    sous) ; de femme, d'enfant, de bébé (élément de la layette). — Che-
    mise en tissu léger. Chemise de coton, de flanelle, de tricot. Che-
    mise de laine. — Parties d'une chemise. ⇒ Col, corps, empiècement,
    manche, manchette, pan ; jabot, plastron (syntagmes cour. : col de
    chemise, manche de chemise, pan de chemise). Le devant, le der-
    rière de la chemise. — La chemise de qqn, celle qu'il porte. Les
    chemises de qqn, celles qu'il possède. Mettre, enlever sa chemise.
    Passer, enfiler une chemise. Changer de chemise. — Vêtements
    antiques tenant lieu de chemise : chiton, tunique*, etc. Chemises
    anciennes, à guimpe*, à jabot de dentelle, à plastron. — Être
    en chemise : ne rien porter sur sa chemise (→ ci-dessous, c, locu-
    tions).
1   Nous avions de la peine, Thiriot et moi, à ne pas éclater de rire, de voir Voltaire
    en chemise, gambadant de colère et apostrophant le roi de Prusse.
                                        MARMONTEL, Mémoires, IV, in LITTRÉ.
    Ancienn. Chemise de femme : sous-vêtement qui se portait sous le

corset. ⇒ Linge (de corps). Chemise-culotte. ⇒ aussi Combinaison, parure.
    Mod. Chemise américaine : sous-vêtement de tricot.

    a Plus cour. Chemise d'homme, chemise : vêtement léger, qui se
    porte à même la peau ou sur un tricot de corps, et couvre
    le torse. Col de chemise. Chemise à col anglais, sans col, à col
    détachable. Manche de chemise. Se mettre en manches de chemise
    (→ ci-dessous, c). Chemise à manches longues, courtes. ⇒ Chemi-
    sette. — Pan* de chemise. ⇒ Bannière (fam.). Chemise à pans, sans
    pans. — Chemise de ville, chemise habillée, destinée à être portée
    sous le veston. Chemise de cérémonie, de soirée. Chemise de smo-
    king, à plastron, amidonnée, glacée, empesée. — Chemise de sport
    (portée aussi par les femmes).
    Chemise Lacoste (marque de vêtements de sports et d'abord de ten-
    nis). Chemise blanche, claire, de couleur (→ 1. Barbeau, cit. 2),
    à carreaux, à rayures, mille-raies. Chemise blanche, bleue, noire
    (→ aussi 3., ci-dessous, spécialt). Chemise en coton, en popeline,
    en soie, de soie. Chemise en laine, en velours. Elle porte une che-
    mise à carreaux et des jeans, une chemise d'homme et une cravate.
    Chemise de sport.
2   Dans un nuage de batiste
    Elle ébaucha ses fiers contours.
    Glissant de l'épaule à la hanche,
    La chemise aux plis nonchalants,
    Comme une tourterelle blanche,
    Vint s'abattre sur ses pieds blancs.
                                        Th. GAUTIER, Émaux et Camées, «Poème de la femme».
3   Il la blaguait (la repasseuse) sur les chemises d'homme. Alors, elle était toujours
    dans les chemises d'homme... Pourtant, elle continuait (...) elle avait marqué cinq
    grands plis à plat dans le dos, en introduisant le fer par l'ouverture du plastron ;
    elle rabattait le pan de devant et le plissait également à larges coups.
    — Ça, c'est la bannière ! dit-elle en riant plus fort (...)
                                        ZOLA, l'Assommoir, V, t. I, p. 186.
3.1 Enfin paraissaient les chemises, cette mode qui semble être le premier essai et le
    commencement d'audace des modes du Directoire : les chemises à la Jésus, les
    chemises à la Floricourt, les chemises doublées en rose, avec lesquelles les fem-
    mes jouaient la nudité.
                                        Ed. et J. DE GONCOURT, la Femme au XVIIIe s., II, p. 71.
4   Quand nous partîmes d'Irlande, nous emportions chacune, comme la plus chère
    des parures, une chemise blanche comme la neige, une chemise de nuit de noces.
    Sur la mer, il advint qu'Iseut déchira sa chemise, et pour la nuit de noces je lui
    ai prêté la mienne.   J. BÉDIER, Adaptation de Tristan et Iseut, V.
4.1 Les hommes de lettres, ruinés par leurs éditeurs, achetèrent des chemises toutes
    faites dans les magasins de confection, et les rastaquouères eux-mêmes, voyant que
    la vogue l'abandonnait (le pauvre chemisier), allèrent se faire faire des chemises
    à Londres.   Valery LARBAUD, le Pauvre Chemisier, I.
4.2 Colette portait d'ordinaire des chemises Lacoste et des cravates dont elle combi-
    nait les nuances avec hardiesse et bonheur (...)
                                        S. DE BEAUVOIR, la Force de l'âge, p. 164.
4.3 (...) les vêtements ne m'allaient pas aussi bien au commencement qu'à la fin. Sur-
    tout la chemise, dont pendant longtemps je ne pouvais fermer le col, ni par
    conséquent arborer le faux-col, ni réunir les pans, avec une épingle, entre mes
    jambes, comme ma mère me l'avait montré.
                                        S. BECKETT, la Fin, in Nouvelles et textes pour rien, p. 72.

    b CHEMISE DE NUIT : long vêtement de nuit, analogue à une robe,
    porté pour dormir par les hommes (normalement jusqu'au
    début du XXe siècle, plus rarement dans les années 1920 et 1930) et
    par les femmes. Le bourgeois du XIXe siècle en chemise de nuit et
    bonnet de coton. — Elle préfère les pyjamas à la chemise de nuit.
    Une chemise de nuit douillette, chaude. Chemise de nuit courte.
    ⇒ Baby doll (anglic.), nuisette.
4.4 Il enfilait sa chemise de nuit (...) une chemise de nuit classique, comme toutes les
    chemises de nuit d'homme, brodée de rouge.
                                        ARAGON, les Beaux Quartiers, p. 284.

    c Loc. Être en bras, en manches de chemise : ne pas porter de
    veste, de veston (se dit surtout des hommes). Être en gilet et
    en bras de chemise. — REM. L'expression signifie en général «en corps
    de chemise» ; elle date de l'époque où ne porter de veste signa-
    lait une tenue non bourgeoise ou très négligée (dans la bourgeoisie).
4.5 Tout un personnel haletant, suant, en manches de chemise, s'empresse à sa
    besogne (...)   Paul MORAND, New-York, p. 55.
    EN CHEMISE : sans autre vêtement que la chemise longue (chemise
    de nuit, etc.) ou qu'une chemise courte et un vêtement de dessous
    couvrant le bas du corps. (→ ci-dessus, cit. 1). — REM. L'expression
    ne signifie plus jamais «sans veste» ; on dit alors : en bras de chemise.
    — Vx. Nu en chemise.
    Par métaphore. (Vieilli). Pomme de terre en chemise (→ En robe* des
    champs, en robe* de chambre). — Nègre en chemise : entremets
    de chocolat nappé de crème fouettée (la crème blanche est compa-
    rée à une chemise).

    ♦ 2. Ancienn (emplois spéciaux). Chemise de mailles. ⇒ Cotte, hau-
    bert, jaseran (ou jaseron). — Chemise de mortification. ⇒ Cilice,
    haire. — Chemise ardente : chemise enduite de soufre, dont on
    revêtait les condamnés au feu, pour le supplice. Chemise de sou-
    fre, soufrée (Bernanos, in T. L. F.).
5   Les chemises ensoufrées du Saint-Office sont l'étendard contre lequel les protes-
    tants sont à jamais réunis.   VOLTAIRE, Essai sur les mœurs, p. 140.

    ♦ 3. Chemise d'uniforme, caractérisant certaines formations politi-
    ques paramilitaires. — Par ext. Membre d'une telle formation. Les
    chemises rouges. ⇒ Garibaldien. Les chemises brunes. ⇒ Hitlérien,

nazi. *Les chemises noires.* ⇒ **Fasciste.** — Rare (au sing.). *Une chemise brune.*

6 (...) ni les gens de gauche, ni les gens de droite ne sont en mesure de s'affronter réellement. Ils ne réussiront qu'à crever le grand collecteur et l'égout commencera de vomir sa fange, jusqu'à ce que l'étranger, jugeant le niveau atteint, envoie ses égoutiers, chemises brunes ou chemises noires. Avez-vous compris, nigauds !
BERNANOS, les Grands Cimetières sous la lune, I, IV, p. 130.

6.1 Deux chemises noires se sont approchés ; que faisions-nous dehors, à pareille heure ? Notre qualité de touristes nous valut leur indulgence, mais ils nous prièrent fermement de rentrer nous coucher. S. DE BEAUVOIR, la Force de l'âge, p. 161.

♦ **4.** (1791, *in* D.D.L.). Loc. fig. (sur l'idée de vêtement de dessous, qui se change fréquemment). *Changer de qqch. comme de chemise,* constamment (⇒ **Changer,** cit. 36).

6.2 C'est une question de propreté : il faut changer d'avis comme de chemise.
J. RENARD, Journal, 17 oct. 1902.

Se soucier, se moquer d'une chose comme de sa première chemise, n'y accorder aucun intérêt, aucune attention.

6.3 Mais Manuel a beau se moquer de Marx, Lénine et Trotsky comme de sa première chemise (encore qu'il attache une certaine importance à la propreté de la seule et unique qu'il possède), Frank peut l'écouter pendant des heures sans lassitude ni malaise. Régis DEBRAY, l'Indésirable, p. 113-114.

(Sur l'idée de vêtement porté sur la peau, d'intimité). Vx. *Être dans la même chemise que qqn.* Mod. et fam. *Être comme cul et chemise :* être des amis très intimes, inséparables. *« Ces deux-là, c'est cul et chemise »* (Sartre).

Fam. *Je ne suis pas dans sa chemise :* je ne peux pas me mettre à sa place (→ Dans sa peau*).

Vx. *Cacher qqn, qqch. dans sa chemise, entre (sa) peau et (sa) chemise :* dissimuler, cacher (qqn, qqch.) soigneusement (Vidocq, *in* T.L.F.).

Prov. *Entre la chair et la chemise, il faut cacher le bien qu'on fait* (Académie).

(Sur l'idée de vêtement essentiel, de propriété la plus modeste). *Avec sa chemise :* avec pour seuls biens ses vêtements (A. France, *in* T.L.F.). *Donner, jouer, vendre jusqu'à sa (dernière) chemise,* tous ses biens. *Laisser dans une affaire jusqu'à sa dernière chemise,* s'y ruiner. *Vendre sa chemise* (même sens).

7 J'y vendrai ma chemise ; et je veux rien ou tout. RACINE, les Plaideurs, I, 7.

★ **II.** ♦ **1.** (1752). Couverture (cartonnée, toilée) dans laquelle on insère les pièces d'un dossier*. *Ranger des papiers dans une chemise.*

♦ **2.** Housse servant à protéger un meuble.

♦ **3.** Hortic. Couche de paille protégeant les couches de champignons.

♦ **4.** (1753, «partie inférieure du haut fourneau»). Techn. Revêtement de protection. — *Chemise de maçonnerie :* crépi, enveloppe de mortier. *Chemise de cylindres d'automobile. Chemise d'un canon, d'un projectile, d'une machine...* (⇒ **Chemiser**).

DÉR. et COMP. Chemiser, chemiserie, chemisette, chemisier. — Enchemiser.
HOM. Formes du v. **chemiser.**

CHEMISER [ʃ(ə)mize] v. tr. — 1838 ; de *chemise* (II.).

♦ Techn. Garnir d'un revêtement protecteur.

Cuis. Garnir un moule d'un papier beurré pour faciliter le démoulage après la cuisson.

DÉR. Chemisage.
HOM. V. Chemise.

CHEMISERIE [ʃ(ə)mizʀi] n. f. — 1845, Bescherelle ; de *chemise,* et *-erie.*

♦ **1.** Industrie, commerce de la chemise (d'homme), des accessoires (cravates, pochettes), des sous-vêtements masculins (caleçons).
Par métonymie. Ensemble des marchandises que produit cette industrie.

♦ **2.** Magasin d'habillement masculin où l'on vend surtout des chemises. *Tenir une chemiserie.* ⇒ **Chemisier** (I.). *Acheter une chemise, des caleçons et des chaussettes dans une chemiserie.* ⇒ aussi **Bonneterie.**

CHEMISETTE [ʃ(ə)mizɛt] n. f. — V. 1220 ; de *chemise,* et *-ette.*

♦ **1.** Chemise d'homme à manches courtes. — REM. On dit plutôt *chemise.*

♦ **2.** (1869). Petite blouse ou corsage à manches courtes (femmes ; enfants).

1 Dans la même nuance de sentiment qui lui avait fait baiser sa chemisette, et non sa peau, il tenait dans sa main le bord de sa robe.
MONTHERLANT, Pitié pour les femmes, p. 73.

2 La clarté qui vient du couloir, où j'ai allumé la minuterie en passant devant le bou-

ton électrique, fait briller dans la pièce sans lumière les cheveux blonds, la chair pâle et la chemisette de la jeune femme.
A. ROBBE-GRILLET, Projet pour une révolution à New York, p. 15.

♦ **3.** Vx. Devant de chemise d'homme en linge fin.

♦ **4.** Vx. Chemise de femme brodée ou plissée, portée sous une robe décolletée.

CHEMISIER, IÈRE [ʃ(ə)mizje, jɛʀ] n. — 1806 ; n. f., chemisière, 1596 ; de *chemise,* et *-ier.*

★ **I.** N. m. et f. Fabricant ou marchand de chemiserie ; personne qui tient une chemiserie.

1 Il était une fois un pauvre chemisier dont les chemises allaient bien, mais les affaires mal. Valery LARBAUD, le Pauvre Chemisier, I.

2 C'est embêtant qu'il y ait un homme dans la boutique, car elle est gentille, la petite chemisière ! Valery LARBAUD, le Pauvre Chemisier, II.

★ **II.** N. m. (1926). Corsage de femme, à col, fermé par-devant. *Chemisier à manches longues.* — Appos. *Robe chemisier,* dont le haut forme chemisier.

3 Au cinéma, elle ôta son manteau, découvrant sur un chemisier blanc un sweater de laine fine, d'un jaune poussin très recherché, comme on en voit dans les vitrines du faubourg Saint-Honoré. Roger VAILLAND, Bon pied, bon œil, p. 221.

CHÉMORÉCEPTEUR [kemoʀesɛptœʀ] n. m. ⇒ **Chimiorécepteur.**

CHÉMOSIS [kemozis] n. m. — 1846, Bescherelle ; du grec *khêmosis* «inflammation de la conjonctive».

♦ Méd. Bourrelet inflammatoire, rose, formé autour de la cornée de l'œil par la conjonctive tuméfiée.

CHÊNAIE [ʃɛnɛ] n. f. — 1600, *chesnaie; chenaye,* 1542 ; *chesnoie,* 1240 ; var. *casnoit,* 1079 ; de *chêne,* et *-aie.*

♦ Plantation, bois de chênes. ⇒ **Glandaie** (région.).

La femme lui montra sa route qui, de l'autre côté de la vallée, montait dans les chênaies. J. GIONO, le Hussard sur le toit, p. 12.

CHENAL, AUX [ʃənal, o] n. m. — Déb. XIIIᵉ ; réfection d'après *canal,* de l'anc. franç. *chanel,* var. *chenel,* du lat. *canalis.*

♦ **1.** Passage ouvert à la navigation entre un port, une rivière ou un étang et la mer, entre des rochers, des îles, dans le lit d'un fleuve. ⇒ **Canal, passe.** *Aménagement, entretien d'un chenal.* ⇒ **Balisage, dérochement, désobstruction, dragage.** *Chenaux du rivage languedocien.* ⇒ **Grau** (→ Berge, cit. 2). *Suivre un chenal en naviguant.* ⇒ **Chenaler.**

Par métaphore :

« (...) tu seras dans une mer de filles ». « Mer », évidemment, n'est pas le mot qui convient, et plus justement, le Nîmois eût parlé de canal ou de ruisseau, voire de rigole (...) Entre la mendiante et Sigismond l'étroit chenal est plein de gens qui vont et viennent, à cette heure où la ville s'anime de nouveau, comme si elle avait enfin digéré le déjeuner pesant et tardif.
A. PIEYRE DE MANDIARGUES, la Marge, p. 20.

♦ **2.** Courant d'eau établi pour le service d'une usine, le fonctionnement d'un moulin.

♦ **3.** Géol. *Chenal pro-glaciaire :* vallée creusée par les eaux glaciaires.

♦ **4.** (1475). Techn. ⇒ **Chéneau.**

DÉR. Chenaler.
HOM. Formes du v. **chenaler.**

CHENALER [ʃənale] v. intr. — 1674 ; de *chenal.*

♦ Techn. (navig.). Naviguer en suivant les sinuosités d'un chenal.

CHENAPAN [ʃ(ə)napɑ̃] n. m. — 1739 ; *schnaphan,* 1694 ; *snaphaine* «maraudeur», 1551 ; de l'all. *Schnapphahn* «voleur de grand chemin».

♦ **1.** Vx. Individu qui n'a ni règle morale ni délicatesse naturelle. ⇒ **Bandit, vaurien.** *Il n'a pas de conscience, il est capable de tout, c'est un vrai chenapan.*

♦ **2.** Mod. Enfant, adolescent turbulent. ⇒ **Coquin, galopin.** *Sortez d'ici, petits chenapans !*

CHENÂTRE [ʃənɑtʀ] ou CHENASTRE [ʃənastʀ] adj. — 1628 ; de *chenu* «bon», et *-âtre.*

♦ Argot, vx. Bon, beau. ⇒ **Chenu.**

CHENAU [ʃ(ə)no] n. f. — 1402, *chinaul* (Lausanne) ; 1450, *chanaul* ; du lat. *canalis*. → Chenal.

◆ Régional (Suisse). Canal demi-cylindrique fixé au bord inférieur d'un toit pour y recueillir les eaux de pluie. ⇒ **Chéneau, gouttière.** *Une chenau de bois, de fer.* — REM. On écrit aussi *cheneau.*

CHÊNE [ʃɛn] n. m. — Fin XIIIᵉ ; de *chasme,* bas lat. **cassanus,* mot gaulois.

◆ Grand arbre *(Cupuliféracées)* atteignant 25 à 40 m de hauteur, à fleurs monoïques en chatons, à feuilles lobées (caduques), répandu surtout dans l'hémisphère Nord (→ Arbuste, cit.). *Réputé pour sa longévité, le chêne peut vivre plus de cinq cents ans. Fruit du chêne.* ⇒ **Gland.** *Bois, plantation de chênes.* ⇒ **Chênaie, glandaie** (région.). — *Chêne et Chien,* poème de R. Queneau (→ ci-dessous, cit. 7.2). — *Le chêne, arbre sacré dans de nombreuses cultures antiques. Les chênes druidiques, le gui du chêne.* — *Képi à feuilles de chêne des généraux français* (la *couronne de chêne* était une récompense chez les Romains. → Laurier). — *Emploi de l'écorce de chêne en corroyage.* ⇒ **Tan, tanin.** *Bois de chêne,* utilisé pour la charpenterie, l'ameublement, le tonnelage (⇒ **Douvain, merrain**), le charronnage, parfois le chauffage. *Un parquet de chêne.*

1 Il laisserait debout maint chêne et maint sapin
Dont chacun respectait la vieillesse et les charmes.
LA FONTAINE, Fables, XII, 16.

2 Sous un chêne aussitôt il va prendre son somme,
Un Gland tombe : le nez du dormeur en pâtit.
LA FONTAINE, Fables, IX, 4.

3 Une couronne de feuilles de chêne (...) devenait inestimable parmi les soldats, qui ne connaissaient pas de plus belles marques que celles de la vertu, ni de plus noble distinction que celle qui venait des actions glorieuses.
BOSSUET, Hist., III, 6, *in* LITTRÉ.

4 Les chênes pourrissaient autrefois dans les forêts ; ils sont façonnés aujourd'hui en parquet.
VOLTAIRE, Dialogues, 4.

5 Un eubage vêtu de blanc monta sur le chêne et coupa le gui avec la faucille d'or de la Druidesse.
CHATEAUBRIAND, les Martyrs, IX.

6 Souvent sur la montagne, à l'ombre du vieux chêne,
Au coucher du soleil, tristement je m'assieds.
LAMARTINE, Premières Méditations, I, « L'isolement ».

7 Cinq vieux chênes, germant dans ces concavités,
Y penchent en tous sens leurs troncs creux et voûtés (...)
Le plus vieux, suspendu sur l'une des ravines,
La couvre comme un pont de ses larges racines (...)
LAMARTINE, Jocelyn, 2ᵉ époque.

7.1 La diversité des arbres faisait un spectacle changeant (...) Il y avait des chênes rugueux, énormes, qui se convulsaient, s'étiraient du sol, s'étreignaient les uns les autres, et, fermes sur leurs troncs, pareils à des torses, se lançaient avec leurs bras nus des appels de désespoir, des menaces furibondes, comme un groupe de Titans immobilisés dans leur colère.
FLAUBERT, l'Éducation sentimentale, Pl., t. II, p. 356.

7.2 Le chêne lui est noble et grand
il est fort et il est puissant
il est vert il est vivant
il est haut il est triomphant (...)
Du chêne la branche se tend
vers le ciel
R. QUENEAU, Chêne et Chien, p. 82.

Spécialt. *Chêne-rouvre.* ⇒ **Rouvre.** *Chêne gallifère.* ⇒ **Galle.** *Chêne truffier.* — *Chêne-vert* (⇒ **Yeuse**) : chêne à feuillage persistant, propre à la région méditerranéenne. *Les glands de chêne-vert torréfiés fournissent le « café de glands doux ».* — *Chêne-kermès :* chêne méditerranéen dont l'insecte parasite (⇒ **Cochenille, kermès**) donne un colorant rouge. ⇒ aussi **Chêne-liège.**

8 Les pentes sont entièrement couvertes de broussailles, et les sommets se couronnent avec gravité de chênes verts, de chênes-lièges et d'arbres résineux.
E. FROMENTIN, Un été dans le Sahara, I, p. 12.

8.1 L'essence de beaucoup la plus importante qui a dû revêtir presque partout la région *(méditerranéenne)* avant l'apparition de l'homme, est le Chêne-vert *(Quercus Ilex)* ; le Chêne-liège *(Quercus suber)* le remplace dans les terrains siliceux, enfin le Chêne-kermès *(Quercus coccifera)* occupe de sa broussaille naine les sols pierreux et rocailleux ; son nom patois, *garoulia,* en Languedoc, d'où on fait *garrigue,* sert à désigner les espaces déboisés et broussailleux où il domine habituellement avec les Cistes.
E. DE MARTONNE, Traité de géographie physique, t. III, p. 1298.

Loc. fig. *Pousser, être fort comme un chêne.*

9 Aussi poussa-t-il comme un chêne, il acquit de fortes mains, de belles couleurs.
FLAUBERT, Mᵐᵉ Bovary, I, 1, p. 10.

DÉR. **Chênaie, chêneau, chênette.**
COMP. **Chêne-liège.**
HOM. **Chaîne.**

CHENEAU [ʃ(ə)no] n. f. ⇒ **Chenau** (régional).

CHÊNEAU [ʃɛno] n. m. — 1551, *chesneau ; kaisniel,* 1323 ; de *chêne.*

◆ Didact. Jeune chêne. — REM. On trouve régionalement la var. *chêneteau* (A. de Chateaubriant, Genevoix, *in* T. L. F.).

CHÉNEAU [ʃeno] n. m. — 1680 ; *chesneau,* 1459 ; altér. de *chenau,* forme dial. de *chenal.*

◆ Rigole qui longe le toit, recueille les eaux de pluie et les conduit

à la gargouille* ou au tuyau de descente. ⇒ **Gouttière.** *Chéneau en zinc, en plomb, en pierre.*

1 Elle pleurait comme le chéneau du toit.
J. RENARD, Journal, 9 oct. 1896.

2 Cette mansarde meublée d'un seul canapé poussiéreux était un lieu de rêve et de retraite idéal. Quand il pleuvait, l'ensemble des pentes de la toiture avec ses chéneaux et ses gouttières composait une musique complexe et sanglotante que l'on écoutait en regardant tomber la nuit.
M. TOURNIER, le Vent Paraclet, p. 13.

Par ext. Lamelle qui couvre le chéneau. ⇒ **Bavette.**

CHÊNE-KERMÈS [ʃɛnkɛRmɛs] n. m. ⇒ **Chêne ; kermès.**

CHÊNE-LIÈGE [ʃɛnljɛʒ] n. m. — 1600 ; de *chêne,* et *liège.*

◆ Variété de chêne méditerranéen, à feuillage persistant, dont l'écorce fournit le liège. *Une forêt de chênes-lièges.*

CHENET [ʃ(ə)nɛ] n. m. — 1287 ; de *chien,* les chenets ayant figuré, à l'origine, de petits chiens ou autres animaux accroupis.

◆ Chacune des pièces métalliques jumelles, qu'on place à l'intérieur d'une cheminée perpendiculairement au fond et sur lesquelles on dispose les bûches (→ 3. Poêle, cit. 2). *Chenets de cuivre, de fer, de fonte. Chenets à pommes, à têtes. Une paire de chenets.* — *Petits chenets.* ⇒ **Chevrette, marmouset** (ancient). *Grands chenets de cuisine à crochets sur lesquels on place les viandes qu'on veut faire havir*.* ⇒ **Hâtier, contre-hâtier, landier** (ancient).

1 (...) sous le manteau d'une vaste cheminée Renaissance dont on avait enlevé les chenets.
COURTELINE, Messieurs les ronds-de-cuir, 6ᵉ tableau, III, p. 260.

Fig. et vieilli. *Vivre les pieds sur les chenets,* dans un paresseux confort.

2 Les pieds sur les chenets étendus sans façons,
Je pousse la fleurette et conte mes raisons.
J.-F. REGNARD, le Joueur, II, 4, *in* LITTRÉ.

CHÊNETEAU [ʃɛnto] n. m. ⇒ **Chêneau.**

CHÊNETTE [ʃɛnɛt] n. f. — 1855 ; de *chêne.*
Régional.

◆ **1.** Plante médicinale de la famille des *Rosacées,* appelée aussi *thé des Alpes, thé de Suisse* (n. sc. : *dryas*). ⇒ **Dryade** (II.).

◆ **2.** Germandrée*.

CHÈNEVIÈRE [ʃɛnvjɛR] n. f. — 1226, *chanevière ;* du lat. pop. **canaparia,* de **canapus* (→ Chanvre) ; var. *canebière, cannebière,* dans le Sud-Est.

◆ Régional ou vieilli. Champ où croît le chanvre. ⇒ **Chanvrière** (chanvrier, 3.).

1 Quand la chènevière fut verte,
L'Hirondelle leur dit : « Arrachez brin à brin
Ce qu'a produit ce maudit grain,
Ou soyez sûrs de votre perte ».
LA FONTAINE, Fables, I, 8.

2 Chacun a bâti à neuf quelque grange ou quelque pressoir avec jardin, chènevière, saulaie autour de sa demeure.
P.-L. COURIER, Gazette du village, nº 4.

CHÈNEVIS [ʃɛnvi] n. m. — Déb. XIIIᵉ, *chanevis ;* du lat. pop. **canaputium ;* cf. anc. franç. *cheneve* « chanvre ».

◆ Graine de chanvre dont se nourrissent les oiseaux.

Nous avons retenu un litre d'asticots chez notre Barbillon, sur la place (...) Il y a dans cette même maison du pain de chènevis, si le nôtre n'était point arrivé (...) en tout cas je serai prêt à l'aube et ma périssoire à l'eau.
A. JARRY, Correspondance, *in* Œ. compl., Pl., t. I, p. 1066.

CHÈNEVOTTE [ʃɛnvɔt] n. f. — 1461 ; dimin. de *cheneve.* → Chènevis.

◆ Vieilli ou régional. Partie ligneuse du chanvre* dépouillé de son écorce, utilisée pour le chauffage. *Une flambée de chènevottes.*

1 A petit feu de chènevottes
Tôt allumées, tôt éteintes (...)
VILLON, les Regrets de la belle Heaulmière.

2 Elle *(une vieille)* a connu les chènevottes qu'on trempait dans le soufre et qui servaient d'allumettes. Il y en avait toujours dans un pot, sur la cheminée.
J. RENARD, Journal, 6 sept. 1899.

CHENIL [ʃ(ə)ni] ou, plus souvent [ʃ(ə)nil] n. m. — 1387 ; probablt d'un lat. pop. **canile,* dér. de *canis* (→ Chien), d'après *caprile, ouile* (attestés).

★ I. ◆ **1.** Techn. Abri pour les chiens (de chasse).

Au lieu de dogues noirs jappant dans le chenil (...)
HUGO, la Légende des siècles, II, IV, « Les lions ».

Alors seulement ils *(les chiens)* consentent à gagner le chenil, et là tout en lapant leur écuellée de soupe (...)
Alphonse DAUDET, Lettres de mon moulin, « L'installation », p. 11.

♦ **2.** Cour. Lieu où l'on héberge les chiens contre paiement ; où l'on élève, achète et vend les chiens de race.

♦ **3.** Fig. Logement, local sale et en désordre. *C'est un vrai chenil.* ⇒ **Écurie, porcherie.**

Il atteignait le troisième palier, lorsque Ovide, son garçon de bureau, sortit du chenil ténébreux qui l'abritait (...)
COURTELINE, Messieurs les ronds-de-cuir, 1er tableau, II, p. 30.

★ **II.** Régional (notamment Suisse ; prononcé [ʃni]).

♦ **1.** Désordre (concret et figuré).

♦ **2.** Débris, objets de rebut. ⇒ **Détritus.** — *Du chenil :* des objets sans valeur.

Ils *(les vieillards)* entassent du chenil, ils arrivent avec tout leur commerce et il faut tout débarrasser à leur décès.
Jacques CHESSEX, Portrait des Vaudois, p. 174.

CHENILLE [ʃ(ə)nij] n. f. — XIIIe ; lat. pop. *canicula* «petite chienne», d'après la tête de la larve, comparée à celle d'un chien.

★ **I.** Larve des Lépidoptères (papillons*), à corps allongé formé d'anneaux, souvent velu. *La chenille est nuisible aux arbres et aux plantes dont elle ronge les feuilles et les fleurs. La chenille file une enveloppe où elle s'enferme* (⇒ **Cocon**) *et se transforme en papillon* (⇒ **Chrysalide**). *Groupement de chenilles.* ⇒ **Chenillère, peloton** (de chenilles). *Chenilles processionnaires*. — La chenille, les chenilles d'une espèce de papillons, du machaon* (cit.). *Chenille du mûrier.* ⇒ **Bombyx** (ver à soie). *La chenille du blé, dite aussi ver gris, larve de l'agrotis*. Chenille de la vigne.* ⇒ **Pyrale.** *Chenille des arbres fruitiers ou chenille fileuse.* ⇒ **Hyponomeute.** *Chenille du noisetier, du saule, du hêtre, ou chenille arpenteuse.* ⇒ **Géomètre.** *Chenille qui vit dans le tronc des arbres.* ⇒ **Zeuzère.** *Lutte contre les chenilles.* ⇒ **Échenillage, écheniller.** *Insectes, carabes destructeurs de chenilles.*

Si Locke eût réfléchi un moment aux idées innées des animaux, il se fût convaincu que c'est par elles qu'une chenille sortant de son œuf (...) se choisit une retraite sous une branche (...) qu'elle s'y file une coque avec un art admirable.
BERNARDIN DE SAINT-PIERRE, Harmonies de la nature, V.

(...) ils *(les tramways)* répandaient leur charge à même le sol et repartaient vers la ville, l'un touchant l'autre, comme les chenilles processionnaires.
G. DUHAMEL, le Temps de la recherche, VII, p. 94.

Par compar. (vieilli). *Être laid comme une chenille.* — Fig. *C'est une chenille,* une personne repoussante au physique et au moral.

★ **II.** Par anal. ♦ **1.** (1680). Fil fantaisie formé par des petits brins de soie pris dans chaque torsion du fil de coton ou de soie. *Résille de chenille.*

♦ **2.** Crinière de casque, allongée.

♦ **3.** Fusée qui éclate en forme de chenille lumineuse.

♦ **4.** (1922). Élément de transmission articulé, isolant du sol les roues d'un véhicule pour lui permettre de se déplacer sur tous les terrains et de franchir certains obstacles. ⇒ **Caterpillar** (marque). *Véhicule muni de chenilles, véhicule à chenille.* ⇒ **Chenillé ; autochenille, char** (d'assaut), **chenillette, tank, tracteur.** *Roue dentée entraînant la chenille.* ⇒ **Barbotin.**

Le char d'infanterie est tout simplement un tracteur sur chenilles (...) Les chenilles lui permettent de franchir les tranchées, sa masse de traverser les réseaux de barbelés (...)
A. MAUROIS, Terre promise, XVII, p. 118.

Il *(le char)* s'était jeté tout vide, et courait avec son chahut de chenilles sous le fracas des mitrailleuses anti-tanks.
MALRAUX, l'Espoir, II, II, V.

Quelquefois, un morceau de mur résiste. Alors le bulldozer s'arc-boute contre lui (...) Les deux chenilles patinent dans les gravats en jetant des étincelles.
J.-M. G. LE CLÉZIO, les Géants, p. 182.

DÉR. Chenillé, chenillère, chenillette.
COMP. Autochenille, écheniller.

CHENILLÉ, ÉE [ʃ(ə)nije] adj. — XXe ; de *chenille* (II., 4.).

♦ Muni de chenilles. *Véhicule chenillé.*

COMP. Semi-chenillé.

CHENILLÈRE [ʃ(ə)nijɛʀ] n. f. — 1642 ; *chenillière,* déb. XVIIe ; de *chenille.*

♦ Nid de chenilles (I.).

CHENILLETTE [ʃ(ə)nijɛt] n. f. — 1783 ; dér. de *chenille.*

★ **I.** Régional. Plante dont la gousse enroulée ressemble à une chenille (n. sc. : *scorpiure*).

★ **II.** (1951). Petit véhicule automobile sur chenilles. *Chenillettes militaires,* assurant le ravitaillement et les transports dans la zone des combats. *Les chenillettes d'une expédition.*

Nous avons fait à peine une heure de chenillette sur le Slidre Fjord en direction de l'Est, que nos nouveaux compagnons qui fouillent à la jumelle les collines de la péninsule de Fosheim, découvrent un troupeau de bœufs musqués.
R. FRISON-ROCHE, Peuples chasseurs de l'Arctique, p. 366.

CHÉNOPODE [kenɔpɔd] n. m. — 1842 ; lat. bot. *chenopodium,* grec *khênopous* «patte d'oie».

♦ Bot. Plante dicotylédone *(Chénopodiacées),* scientifiquement appelée *chenopodium* ou *ansérine,* croissant dans les régions chaudes et tempérées, herbacée, annuelle ou vivace, commune dans les cultures. *Variétés de chénopodes :* la fausse ambroisie ou thé du Mexique, la patte d'oie des murs, la patte d'oie rouge, l'arroche puante ou vulaire, le *chénopode blanc* (toxique).

DÉR. Chénopodiacées.

CHÉNOPODIACÉES [kenɔpɔdjase] n. f. pl. — 1819, *chénopodées ; de chénopode*.

♦ Bot. Famille de plantes dicotylédones apétales (chénopode, arroche, betterave, bette, épinard). — Syn. : *salsolacées.* — Au sing. *Une chénopodiacée.*

(...) il pouvait se rencontrer quelque utile plante qu'il ne fallait point dédaigner, et le jeune naturaliste fut servi à souhait, car il découvrit une sorte d'épinards sauvages de la famille des chénopodiacées (...)
J. VERNE, l'Île mystérieuse, t. I, p. 331.

CHENU, UE [ʃəny] adj. — 1080, *canu ;* du bas lat. *canutus,* de *canus* «blanc».

♦ **1.** Littér. Dont les cheveux sont devenus blancs de vieillesse. *Tête chenue. Un vieillard chenu et voûté.* — Par ext. *Vieillesse chenue.*

(...) ce petit vieillard frêle *(M. de Freycinet),* menu et chenu, «la souris blanche», comme le surnommaient ses contemporains, avait déjà lu ses journaux du matin (...)
Georges LECOMTE, Ma Traversée, L'habit vert, p. 528.

Je serai un vieux tassé, un vieux chenu. On dira : *c'est le Père Péguy qui s'en va.*
Ch. PÉGUY, Victor-Marie, comte Hugo, XII, 1, 23 oct. 1910, p. 25.

Au bout de cette allée, passait un maître d'hôtel chenu et absorbé qui poussait (...) un chariot chargé de cassolettes.
A. BLONDIN, Monsieur Jadis, p. 164.

Par métaphore :

Mars est un vieux monde qui a des rides — craquelé et lisse comme une vieille porcelaine — une vieille boule chenue et ridée.
CLAUDEL, Journal, 1er mars 1908, Pl., t. II, p. 131.

♦ **2.** Littér. Blanc, blanchi. *Des montagnes chenues.* — Chauve. *Des arbres chenus,* vieux arbres dont la cime est dépouillée.

♦ **3.** (1628, d'après *vin chenu*). Pop. et vieilli. Qui est de qualité supérieure. ⇒ **Excellent, fameux, parfait.** — N. m. *Du chenu :* du bon. *C'est du chenu,* de la bonne qualité. — REM. Dans ce sens, on trouve au XIXe s. (Vidocq, Hugo) l'adv. *chenument.*

CHEPTEL [ʃtɛl] ou, plus souvent [ʃɛptɛl] n. m. — 1762 ; *chatel, chetel,* fin XIe ; *p* ajouté d'après le lat. *capitale* «ce qui constitue le principal d'un bien», de *caput.* → Capital.

♦ **1.** Dr. Contrat de bail «par lequel l'une des parties donne à l'autre un fonds de bétail pour le garder, le nourrir et le soigner, sous les conditions convenues entre elles» (Code civil, art. 1800). *Bail à cheptel. Cheptel simple,* qui accorde la moitié du profit au preneur en lui faisant supporter la moitié de la perte. — *Cheptel à moitié* (chacun des contractants fournit la moitié des bestiaux qui demeurent communs pour le profit et pour la perte). — *Cheptel de fer, cheptel à métayage* (le métayer, à l'expiration du bail, devant laisser des bestiaux d'une valeur égale à celle qu'il a reçue).

S'il n'y a pas de temps fixé par la convention pour la durée du cheptel, il est censé fait pour trois ans.
Code civil, art. 1815.

— Il s'agit d'un bail à cheptel... je n'ai pas besoin de vous dire ce que c'est que le bail à cheptel... Vous avez des connaissances pratiques.
— Dites toujours !
— Nous avons le cheptel simple... le cheptel à moitié et le cheptel de fer.
E. LABICHE, le Baron de Fourchevif, 12.

♦ **2.** (1835). Le bétail qui forme le fonds, dans le contrat de cheptel.

Le preneur doit les soins d'un bon père de famille à la conservation du cheptel.
Code civil, art. 1806.

Cour. Ensemble des bestiaux. *Le cheptel ovin, porcin d'une région.*

♦ **3.** Agric. Capital d'exploitation d'une ferme représenté par les instruments de travail *(cheptel mort)* et par le bétail *(cheptel vif).*

Le bétail d'une ferme constitue le cheptel vivant, c'est une partie importante d'exploitation du cultivateur.
Omnium agricole, p. 116.

CHÉQUARD [ʃekaʀ] n. m. — 1893 ; de *chèque,* et suff. péj. *-ard.*

♦ Hist. Politicien accusé d'avoir accepté de l'argent (des chèques) pour soutenir l'affaire du canal de Panama. — Par ext. Politicien corrompu.

CHÈQUE [ʃɛk] n. m. — 1861, *in* Höfler ; *check*, 1788 ; angl. *check*, de *to check* « contrôler ».

♦ Écrit par lequel une personne (⇒ **Tireur**) donne l'ordre à un établissement financier de remettre, soit à son profit, soit au profit d'un tiers, une certaine somme à prélever sur le crédit (de son compte ou de celui d'un autre). ⇒ **Tiré**. *Chèque bancaire. Formule de chèque. Un carnet de chèques.* ⇒ **Chéquier**. *Un chèque de cent francs. Payer par chèque. Versement par chèque. Tirer, émettre, libeller un chèque. Faire un chèque. Chèque sur telle banque. Chèque sur Paris, sur Londres, payable à Paris, à Londres. Le bénéficiaire d'un chèque. Chèque sans provision*, chèque en bois* (fam.). Chèque de cavalerie ; chèque de complaisance. Mettre son acquit* au verso d'un chèque. La signature d'un chèque* (→ Postdater, cit.). *Endosser un chèque.* ⇒ **Endossement** (ou **endos**). *Toucher un chèque. Faire porter un chèque au crédit de son compte.* ⇒ **Virement.**

1 Le chèque contient : 1° La dénomination de chèque, insérée dans le texte même du titre et exprimée dans la langue employée pour la rédaction de ce titre ; 2° Le mandat pur et simple de payer une somme déterminée ; 3° Le nom de celui qui doit payer (tiré) ; 4° L'indication du lieu où le payement doit s'effectuer ; 5° L'indication de la date et du lieu où le chèque est créé ; 6° La signature de celui qui émet le chèque (tireur).   *Décret du 30 oct. 1935, art. 1er.*

(1953). *Chèque en blanc :* chèque que le tireur a signé sans indiquer la somme que le tiré devra payer. — *Loc. fig. Donner un chèque en blanc à qqn,* le laisser libre de choisir, de décider. (→ **Donner carte* blanche**).

2 Les conseils de travailleurs ne permettraient pas seulement d'écarter les parasites, mais aussi d'éviter la représentation globale, le « chèque en blanc » : lorsque je vote pour un député ou pour un président de la République, sur la base territoriale, je lui délègue et lui aliène en bloc mes responsabilités pour plusieurs points.   *Roger GARAUDY, Parole d'homme, p. 215.*

(1863, *in* Höfler ; attestation isolée, 1858). *Chèque barré,* sur lequel le tireur ou le bénéficiaire a tracé deux barres parallèles dans le but de subordonner le payement du chèque à l'intervention d'une banque, d'un agent de change ou d'un bureau de chèques postaux (→ **Barrer, cit. 8**). *Les dispositions légales en vigueur ont répandu, depuis 1979, l'usage des chèques « prébarrés » à l'impression.*
Chèque documentaire, valable s'il est accompagné de certains documents.
Chèque au porteur, payable au porteur. — *Chèque à ordre*.*
Chèque certifié, sur lequel le tiré certifie que la provision du tireur permet de payer le chèque. ⇒ **Certification**. (Au Canada). *Chèque visé.*
Chèque circulaire, tiré par une banque sur elle-même et payable indistinctement dans toutes ses agences.
(1918). **CHÈQUE POSTAL** : chèque tiré sur l'Administration des Postes qui joue, dans ce cas particulier, le rôle de banquier. *Compte chèque postal* (abrév. : *C. C. P.*). ⇒ **Compte**. — *Chèque postal d'assignation,* dont le montant est remis en espèces au bénéficiaire. — Absolt. *Chèque. Chèque de virement,* dont le montant est porté au compte postal du bénéficiaire. — *Chèque nominatif* ou *chèque de retrait,* établi au profit du tireur lui-même.
(1953 ; de l'angl. *traveller check*). **CHÈQUE DE VOYAGE** : titre permettant au porteur de toucher des fonds dans un autre pays que le pays d'émission. *Des chèques de voyage en dollars, en yens.*
En appos., pour former des composés. *Chèque-essence.* — (1963, *in* Höfler). *Chèque-restaurant :* ticket délivré par un employeur aux employés de son entreprise, qui correspond à une certaine somme dont il règle une partie et qui est destiné à payer les repas pris au restaurant.
DÉR. Chéquard, chéquier.
HOM. Cheik.

CHÉQUIER [ʃekje] n. m. — 1877 ; de *chèque*.

♦ Carnet de chèques. *Faire une demande de chéquier à la banque. La souche d'un chéquier. Un chéquier de vingt-cinq chèques.*

COMP. Porte-chéquier.

CHER, ÈRE [ʃɛʀ] adj. et adv. — 980, *chier* ; du lat. *carus* « aimé, coûteux ».

★ **I. ♦ 1.** (En parlant des personnes). Attribut ou épithète (en général antéposé). Qui est aimé. Pour qui on éprouve une vive affection. *Ses enfants lui sont chers. L'ami le plus cher. Ses chers amis. Se séparer des êtres qui nous sont chers.* ⇒ **Adoré, aimé, chéri**, et aussi *carissime* (rare). *Un être cher.*

1 (...) rien au monde ne m'a été si cher que vous (...)   MOLIÈRE, Dom Juan, IV, 6.
2 Hermione, Seigneur, peut m'être toujours chère ;
   Je puis l'aimer, sans être esclave de son père (...)   RACINE, Andromaque, I, 2.
3 Nos enfants nous sont chers longtemps avant qu'ils puissent le sentir et nous aimer à leur tour (...)   ROUSSEAU, Julie ou la Nouvelle Héloïse, IV, Lettre 1.
4 Aimer, c'est savourer, aux bras d'un être cher,
   La quantité de ciel que Dieu mit dans la chair (...)   HUGO, la Légende des siècles, XXXVI, 22.
5 On n'est jamais si seul dans la vie, que la boue que certains nous jettent n'éclabousse à la fois quelques autres qui nous sont chers.   GIDE, Corydon, p. 23.

♦ **2.** (Épithète, av. le nom). Dans des tournures amicales, des formules de politesse. *Cher Monsieur. Cher ami. Chers Messieurs. Chers frères. Chers auditeurs. Cher lecteur.*

Avec une nuance de familiarité, de bonhomie ou de condescendance. *Mon cher monsieur. Mon cher ami.* — N. *Mon cher, ma chère.* — Avec une pointe de préciosité. *Cher ! Très cher ! Oui, ma chère !*

Mon Dieu ! ma chère, que ton père a la forme enfoncée dans la matière !   6
                    MOLIÈRE, les Précieuses ridicules, 5.
Le lion tint conseil, et dit : « Mes chers amis (...) »   LA FONTAINE, Fables, VII, 1.   7
J'abuse, cher ami, de ton trop d'amitié.   RACINE, Andromaque, III, 1.   8
Il est donc certain, mes chers auditeurs, que (...)   9
                    BOURDALOUE, les Dominicales, 2e dimanche après Pâques.
Je suis un paresseux, mon cher philosophe... je passe des six mois sans écrire à   10
mes amis.   VOLTAIRE, Lettres, 19 juin 1741.
Je me sens très vieux, mon cher. Je suis une machine usée (...)   11
                    MARTIN DU GARD, Jean Barois, III, 3, p. 464.

♦ **3.** (Choses). Que l'on considère comme précieux. ⇒ **Estimable, précieux**. *Sa mémoire nous est chère. Des habitudes qui me sont chères.* — (Par métonymie du sens 1). → ci-dessous, cit. 12, 13 et 14.

J'ignore le destin d'une tête si chère (...)   RACINE, Phèdre, I, 1.   12
(...) sa chère main toute moite des sueurs de l'agonie.   13
                    Alphonse DAUDET, le Petit Chose, II, XV, p. 377.
(...) bonheur de découvrir soudain ce visage si cher parmi les inconnus qui descendaient du train.   A. MAUROIS, Terre promise, XLV, p. 316.   14

En parlant des choses. *Les biens qui nous sont chers.*

Guenille si l'on veut, ma guenille m'est chère.   15
                    MOLIÈRE, les Femmes savantes, II, 7.
La plus soudaine mort me sera la plus chère.   RACINE, Britannicus, V, 7.   16
(...) qu'il vous est cher d'avoir sans cesse devant vous   17
Ce tableau de l'objet de vos vœux les plus doux (...)
                    MOLIÈRE, la Gloire du Val-de-Grâce, 217.
Jamais je n'hésite à voir en face le visage inattendu que nous dévoile chaque heure   18
nouvelle, et à lui sacrifier les images trompeuses, si chères soient-elles, que je
m'en faisais d'avance.   R. ROLLAND, le Voyage intérieur, p. 13.

Fam. (Choses concrètes). *Sa chère voiture. Sa voiture, sa maison lui est chère.*

Que l'on caresse en imagination. *Nos vœux les plus chers. Les chères espérances.*

Spécialt (en parlant du temps*). ⇒ **Précieux**. *Ces instants nous sont chers.*

(...) il faut se hâter, chaque heure nous est chère (...)   RACINE, la Thébaïde, I, 6.   19

★ **II. A.** (XIe). Surtout attribut ; postposé en épithète.

♦ **1.** Qui est d'un prix élevé. ⇒ **Coûteux, onéreux ; prix** (hors de prix) ; **chérot** (fam.). *Ces vêtements sont chers, trop chers.* ⇒ **Inabordable**. *Cela est cher.* ⇒ **Salé ; coup** (de barre, de fusil). *Ce n'est pas cher. C'est pas cher. Devenir plus cher.* ⇒ **Renchérir**. — Fam. *Il y a mieux, mais c'est plus cher.* — *Une voiture chère.*

♦ **2.** Qui exige de grandes dépenses. ⇒ **Dispendieux**. *La vie est chère à Paris. Dans les années chères. La vie devient chère* (⇒ **Enchérir**). *Lutte contre la vie chère.*

♦ **3.** (Personnes, entreprise). Qui fait payer un prix élevé. *Ce marchand est cher. Ce médecin est trop cher. Ces magasins sont chers.*

B. Adv. À haut prix. ⇒ **Chèrement**. *Vendre cher* (cf. Vendre au poids de l'or ; fam. Saler* le client). *Acheter, payer, coûter cher. Acheter cher, pas cher et vendre plus cher. Cela me coûte cher. Il fait cher vivre dans cet hôtel. Ce livre vaut cher.* Fam. *Je l'ai eu pour pas cher.* — *Cela ne vaut pas cher.* Fig. *Il ne vaut pas cher,* en parlant d'une personne d'un caractère peu estimable, ou d'une chose sans valeur. — *Ne pas donner cher (d'une chose),* considérer qu'elle n'a pas grande valeur, ou qu'elle court de grands dangers. *Je ne donne pas cher de ta peau, en ce moment !* — *Il me le payera cher,* se dit pour marquer l'intention de se venger d'une injure reçue (→ **Il s'en repentira***). *Faire payer cher ses services.* — *La victoire a coûté cher,* elle a été obtenue au prix de grands efforts, de grands sacrifices. *Cette expérience lui coûte cher,* elle entraîne pour lui des inconvénients importants. *Vendre sa vie :* se défendre vaillamment jusqu'à la dernière minute. ⇒ **Chèrement**.

Quel que soit le plaisir que cause la vengeance,   20
C'est l'acheter trop cher que l'acheter d'un bien
Sans qui les autres sont rien.   LA FONTAINE, Fables, IV, 13.
C'est un ordre des dieux qui jamais ne se rompt   21
De nous vendre un peu cher les grands biens qu'ils nous font.
                    CORNEILLE, Cinna, II, 1.
Mais que vos yeux sur moi se sont bien exercés !   22
Qu'ils m'ont vendu bien cher les pleurs qu'ils ont versés !
                    RACINE, Andromaque, I, 4.
Le vrai bonheur coûte peu ; s'il est cher, il n'est pas d'une bonne espèce.   23
                    CHATEAUBRIAND, Mémoires d'outre-tombe, I, II.
Le champ de bataille est si étroit, qu'il n'y a pas un pied carré de cette terre,   24
vraiment à nous, car elle nous a coûté cher, qui n'ait recueilli quelques gouttes
d'un sang regrettable.   E. FROMENTIN, Un été dans le Sahara, p. 131.
Il semblait clair, au moins, qu'elle ne retournerait pas vers eux (ses parents) : sa   25
vie était dans la grande maison, elle était une Bernardini : n'avait-elle pas payé
assez cher pour le devenir ?   Suzanne PROU, la Terrasse des Bernardini, p. 109.

CONTR. Désagréable, détestable, odieux. — Dérisoire, insignifiant, négligeable. — Gratuit, marché (bon marché); 2. œil (à l'œil, fam.).
DÉR. Chèrement, chérir, chérot. — V. **Cherrer, cherté.**
COMP. Renchérir.
HOM. Chair, chaire, cheire, chère.

CHERCHER [ʃɛRʃe] v. tr. — XVIᵉ; cerchier, 1080; du bas lat. circare « aller autour », de circum.

♦ **1.** (1210). S'efforcer de découvrir, de trouver ou de retrouver (qqn ou qqch.). ⇒ **Rechercher; recherche; découverte.** *Chercher qqn en explorant, en fouillant un lieu, en furetant. Chercher qqn dans la foule. Je vous ai cherché partout* (→ Frapper* à toutes les portes). *Tiens, vous voilà, justement je vous cherchais.* — *Chercher qqn du regard,* tenter de l'apercevoir parmi d'autres personnes. *Chercher un mot, un renseignement dans le dictionnaire. Je cherche les raisons de...* (→ ci-dessous, cit. 14). *Chercher qqch. dans sa tête* (→ ci-dessous, cit. 15). *Chercher la vérité, la beauté* (→ ci-dessous, cit. 16 et 17). *Chercher des prétextes* (→ ci-dessous, cit. 19). — Loc. prov. *Chercher une aiguille* dans une botte de foin.* — *Chercher la petite bête*.* — *Chercher des poux* dans la tête de quelqu'un.*

1 Un bûcheron perdit son gagne-pain :
  C'est sa cognée ; et, la cherchant en vain,
  Ce fut pitié là-dessus de l'entendre.   LA FONTAINE, Fables, V, 1.
2 (...) Me cherchiez-vous, Madame ?
  Un espoir si charmant me serait-il permis ?   RACINE, Andromaque, I, 4.
3 — (...) Le pompeux appareil qui suit ici vos pas
  N'est point d'un malheureux qui cherche le trépas.
  — Hélas ! qui peut savoir le destin qui m'amène ?
  L'amour me fait ici chercher une inhumaine,
  Mais qui sait ce qu'il doit ordonner de mon sort,
  Et si je viens chercher ou la vie ou la mort ?   RACINE, Andromaque, I, 1.
4 Elle fit mine de chercher sa bourse, qu'elle avait dans sa poche (...)
                         G. SAND, François le Champi, VIII, p. 73.
5 Il avait essayé de boire. Son geste déraillait, cherchait la carafe ailleurs que sur
  la chaise (...)   COCTEAU, les Enfants terribles, p. 215.

♦ **2.** (1538). Essayer de découvrir par un effort de pensée (la solution d'une difficulté, une idée, etc.). *Chercher la solution d'un problème. Chercher une preuve* (→ ci-dessous, cit. 11). *Chercher un moyen, le moyen d'en sortir. Chercher une idée de roman.*

Spécialt. Faire effort pour se souvenir de... *Chercher le nom d'une personne rencontrée. Chercher qqch. dans sa tête, dans sa mémoire, dans ses souvenirs. Chercher des souvenirs dans sa mémoire* (→ ci-dessous, cit. 13). *Chercher ses mots :* hésiter en parlant, ne pas avoir la parole facile (→ ci-dessous, cit. 20). — *Qu'allez-vous chercher là ?* ⇒ **Imaginer, inventer, supposer.** *Chercher midi* à quatorze heures.*

Chercher la vérité. Chercher Dieu (→ ci-dessous, cit. 7, 8 et 10).

Absolt. Se livrer à des recherches, dans le domaine intellectuel et scientifique, ou dans une quête religieuse. *Tu n'as pas assez cherché.* ⇒ **Calculer, examiner, scruter; réfléchir.** *Sans aller chercher si loin* (→ ci-dessous, cit. 12). « *Je ne cherche pas, je trouve* » (Picasso).

6 Demandez et l'on vous donnera ; cherchez et vous trouverez (...)
              BIBLE (CRAMPON), Évangile selon saint Matthieu, VII, 7.
7 (...) c'est ce que l'Écriture nous marque, quand elle dit en tant d'endroits que
  ceux qui cherchent Dieu le trouvent.   PASCAL, Pensées, IV, 242.
8 Il y a trois sortes de personnes : les unes qui servent Dieu, l'ayant trouvé ; les
  autres qui s'emploient à le chercher, ne l'ayant pas trouvé ; les autres qui vivent
  sans le chercher ni l'avoir trouvé.   PASCAL, Pensées, IV, 257.
9 (...) je ne puis approuver que ceux qui cherchent en gémissant.
                                              PASCAL, Pensées, VI, 421.
10 Console-toi, tu ne me chercherais pas, si tu ne m'avais trouvé.
                                              PASCAL, Pensées, VII, 553.
11 Dieu fait bien ce qu'il fait. Sans en chercher la preuve
   En tout cet univers et l'aller parcourant,
   Dans les citrouilles je la treuve.   LA FONTAINE, Fables, IX, 4.
12 (...) et, sans aller chercher si loin (...) l'on a joué de notre temps des pièces saintes
   de M. de Corneille (...)   MOLIÈRE, Tartuffe, Préface.
13 Cela datait de loin, de très loin, c'était perdu dans cette brume où l'esprit semble
   chercher à tâtons les souvenirs et les poursuit, comme des fantômes fuyants, sans
   les saisir.   MAUPASSANT, Contes, « L'infirme », p. 122.
14 Je cherche les raisons de leur conduite sans pouvoir les découvrir.
                              FRANCE, l'Anneau d'améthyste, X, p. 154.
15 Elle cherchait dans sa tête quelque vœu à accomplir.
                                    FLAUBERT, Mᵐᵉ Bovary, I, VI.
16 Réalisme, idéalisme, autant de brumes à travers lesquelles l'homme aveugle cherche la vérité.   J. RENARD, Journal, 17 janv. 1903.
17 La beauté est une chose qu'il est rare d'atteindre quand on la cherche.
                             CLAUDEL, Positions et Propositions, p. 222.
18 Au fond, toute âme humaine est cela (...) Une fragile lumière en marche vers quelque abri divin, qu'elle imagine, cherche et ne voit pas.
                       A. MAUROIS, le Cercle de famille, II, VII, p. 167.
19 Je cherche des prétextes pour me voiler à moi-même la seule raison qui me fait
   agir, qui est la charité.
             MONTHERLANT, le Démon du bien, I, Le journal de Costals, p. 60.
20 (...) Grand qui semblait toujours chercher ses mots, bien qu'il parlât le langage le
   plus simple.   CAMUS, la Peste, p. 29.

♦ **3.** (XVIIᵉ). **CHERCHER À** (et l'infinitif) : essayer de parvenir à. ⇒ **Efforcer** (s'), **évertuer** (s'), **tâcher, tendre, tenter, viser.** *Chercher*

à savoir, à se renseigner, à connaître, à deviner. Chercher à comprendre. Faut pas chercher à comprendre.

21 *(Je)* trottais comme un jeune rat
   Qui cherche à se donner carrière (...)   LA FONTAINE, Fables, VI, 5.
22 *(Il)* Entra dans sa boutique, et, cherchant à manger,
   N'y rencontra pour tout potage (...)   LA FONTAINE, Fables, V, 16.
23 (...) ne cherchez jamais à employer l'autorité là où il ne s'agit que de raison (...)
                        VOLTAIRE, Dict. philosophique, Autorité.
24 (...) un nom qu'on cherche à se rappeler et à la place duquel on ne trouve que du
   néant, un néant d'où une heure plus tard, sans qu'on y pense, s'élanceront d'elles-
   mêmes en un seul bond, les syllabes d'abord vainement sollicitées.
                        PROUST, À la recherche du temps perdu, t. III, p. 128.
25 Une sorte de poésie se dégageait de tout son être, qui venait, je crois, de ce qu'il
   (un camarade russe) se sentait faible et cherchait à se faire aimer.
                                    GIDE, Si le grain ne meurt, I, III, p. 86.
26 (...) un vieux colonel l'y avait pris en amitié et cherchait à le caser.
                        A. MAUROIS, les Discours du Dr O'Grady, XVI, p. 169.

CHERCHER À CE QUE. *Cherchez à ce qu'on soit content de vous.*

♦ **4.** (1538). Essayer d'obtenir. — (Une personne). *Chercher une femme,* et, vieilli, *chercher femme,* pour se marier. — (Une place). *Chercher un emploi, une situation.* — (Une chose). *Chercher un appartement.* — Loc. *Chercher fortune*.* — *Chercher son salut dans la fuite. Chercher du secours.* — Loc. *Chercher querelle* à quelqu'un.* — *Chercher la paix, la solitude.*

27 Ce vizir quelquefois cherchait la solitude (...)   LA FONTAINE, Fables, XI, 4.
28 La gent trotte-menu s'en vient chercher sa perte. LA FONTAINE, Fables, III, 18.
29 Que le bon soit toujours camarade du beau,
   Dès demain je chercherai femme (...)   LA FONTAINE, Fables, VII, 2.
30 Un loup survient à jeun, qui cherchait aventure (...)   LA FONTAINE, Fables, I, 10.
31 Allons, camarade, allons chercher fortune autre part (...)
                                 MOLIÈRE, les Précieuses ridicules, 16.
32 À quoi bon chercher notre bonheur dans l'opinion d'autrui, si nous pouvons le trouver en nous-mêmes ?   ROUSSEAU, Disc. sur les sciences et les arts, II, p. 23.
33 (...) il est bon qu'une femme honnête et sage puisse chercher auprès d'une fidèle
   amie les consolations, les lumières et les conseils qu'elle n'oserait demander à son
   mari sur certaines matières.
              ROUSSEAU, Julie ou la Nouvelle Héloïse, Lettre VII.
34 L'homme cherche, la vierge attend, la femme attire (...)
                        HUGO, La Légende des siècles, XXXIX, L'amour.
35 Évariste s'enfuit et courut chercher auprès d'Élodie l'oubli, le sommeil, l'avant-
   goût délicieux du néant.   FRANCE, Les dieux ont soif, XVIII, p. 184.
36 Mais lui, avec un sourire, chercha les lèvres de sa femme encore et les reprit bien
   vite entre les siennes, comme un altéré à qui on a enlevé sa coupe d'eau fraîche.
                        LOTI, Pêcheur d'Islande, IV, VII, p. 257.

(XVIᵉ). Spécialt. Ne pas éviter (un mal). *Il l'a cherché, c'est bien fait pour lui !*

♦ **5.** (XVIIᵉ). Aller, faire, envoyer, venir prendre (qqn ou qqch.). ⇒ **Prendre, quérir, requérir.** *Venez me chercher ce soir. Allez chercher le médecin.*

37 J'aime : je viens chercher Hermione en ces lieux,
   La fléchir, l'enlever, ou mourir à ses yeux.   RACINE, Andromaque, I, 1.
38 (...) faites-moi chercher, et je serai trop heureuse d'accourir.
                        PROUST, À la recherche du temps perdu, t. I, p. 269.
39 (...) être artiste ou romancier consiste à posséder la lampe du mineur qui permet
   à l'homme d'aller par delà sa conscience claire chercher les trésors obscurs de sa
   mémoire et de ses possibilités.   A. THIBAUDET, Gustave Flaubert, p. 82.
40 Bonheur d'aller le chercher, hier, à Saint-Raphaël.
                              A. MAUROIS, Terre promise, XLV, p. 316.

Fam. *Chercher quelqu'un,* lui chercher querelle, avoir une attitude agressive envers lui. *Si tu me cherches, tu vas me trouver ! :* je suis disposé à me battre.

40.1 (...) quand ils disaient que la France, l'Angleterre et la Russie « cherchaient »
     l'Allemagne, *(ils)* ont rendu possible, au moment d'Agadir, une guerre qui d'ail-
     leurs n'a pas éclaté.   PROUST, le Côté de Guermantes, Pl., t. II, p. 406.
40.2 En revanche, notre ami me reproche d'avoir *attaqué,* dans le « Bloc-Notes », un
     innocent père dominicain, et Bourdet, et Mandouze (...) Si ce père, que je ne
     connaissais pas, ne m'avait pas cherché, il ne m'aurait pas trouvé.
            F. MAURIAC, le Nouveau Bloc-notes 1958-1960, p. 234.

♦ **6.** Pop. ⇒ **Atteindre** (un chiffre, un prix). *Ça va chercher dans les mille francs :* le prix atteindra environ mille francs.

▶ **SE CHERCHER** v. pron.

♦ **1.** (Réfl.). Vx. S'examiner. Mod. et cour. *Chercher sa vraie personnalité.*

41 Maintenant je me cherche, et ne me trouve plus.   RACINE, Phèdre, II, 2.
42 Il se cherchait à travers l'amas de sentiments acquis, que l'éducation impose à
   l'enfant comme une seconde nature.   R. ROLLAND, Jean-Christophe, t. II, p. 57.

♦ **2.** (Récipr.). *Se chercher l'un l'autre, mutuellement :* être à la recherche l'un de l'autre, tendre à l'union. *Regards qui se cherchent.*

43 Nous nous cherchions l'un l'autre (...)   RACINE, Alexandre le Grand, III, 6.
44 Ils *(les matelots)* se cherchent, ils se trient, par âmes à peu près semblables, ou
   seulement par enfants des mêmes villages, tous entraînés aux grandes fatigues
   d'un métier si dur (...)   LOTI, Matelot, XXII, p. 85.

Fam. Se manifester mutuellement une attitude agressive. *Ils sont très querelleurs et passent leur temps à se chercher.*

▶ **CHERCHÉ, ÉE** p. p. adj.

Vx. *Recherché.* « *Des poses étudiées, cherchées* » (Balzac). *Des effets très cherchés, en art.*

CONTR. **Trouver.**
DÉR. **Chercheur.**
COMP. **Recherche, rechercher.**

CHERCHEUR, EUSE [ʃɛʀʃœʀ, øz] n. et adj. — 1636 ; *cercheur,* 1538 ; de *chercher.*

★ **I.** ♦ **1.** (Rare ou loc.). *Personne qui cherche* (qqch.). *Un chercheur,* (rare) *une chercheuse d'aventures. Un chercheur de trésor, de minerais rares.* — Cour. *Chercheur d'or.* ⇒ **Orpailleur.**

1 Quatre chercheurs de nouveaux mondes (...)						LA FONTAINE, Fables, X, 15.

2 Il surveillait les mouvements de la pensée de son frère, comme il eût surveillé les coups de bêche d'un chercheur de trésors.
						M. BARRÈS, la Colline inspirée, III, p. 54.

Par métaphore :

2.1 (...) Je cherche le mot juste (...) Il n'y a que des mots définitifs. Il n'y a pas d'autres mots. J'ai ma fièvre de chercheur d'or pour le trouver ce mot : le diamant d'une ouvrière.						Violette LEDUC, la Folie en tête, p. 72.

♦ **2.** Adj. *Un esprit chercheur,* avide de découvertes. ⇒ **Curieux, investigateur.** — Littér. *Qui quête.* ⇒ **Scrutateur.** *Un regard chercheur.*

2.2 La manière chercheuse, anxieuse, exigeante, que nous avons de regarder la personne que nous aimons (...)
						PROUST, À l'ombre des jeunes filles en fleurs, Pl., t. I, p. 489.

♦ **3.** N. *Un chercheur :* personne qui se consacre à la recherche scientifique. ⇒ **Savant, scientifique.** — REM. Le fém. *chercheuse* semble rare.

3 Par des mesures successives, par des empiétements calculés, l'État assujettit le travail des chercheurs ; non seulement il en oriente l'application, mais il le sollicite et le détermine à l'origine.						G. DUHAMEL, le Temps de la recherche, XI, p. 149.

4 (...) la création de la technique microscopique (...) stimula vivement la curiosité des chercheurs, en même temps qu'elle les exerçait à l'observation patiente, minutieuse, soutenue.						Jean ROSTAND, Esquisse d'une histoire de la biologie, p. 13.

Titre, dans la recherche* scientifique. *Les chercheurs du C. N. R. S. Une équipe de chercheurs et d'ingénieurs du C. N. R. S. Elle est chercheur dans un laboratoire de physique, à telle section. Chercheurs et ingénieurs. Chercheurs et assistants de recherche.*

★ **II.** N. m. (Choses). *Chercheur de télescope* (1889) : petite lunette adaptée à un télescope pour délimiter le point du ciel à observer. *Chercheur de détecteur à galène. Chercheur de fuites,* ou *cherche-fuites :* appareil servant à découvrir des fuites de gaz.
Adj. (*Chercheur, chercheuse*). *Tête chercheuse* (d'une fusée), qui recherche la cible à l'aide d'un système automatique.

CHÈRE [ʃɛʀ] n. f. — 1567 ; *chière,* 1080 ; du bas lat. *cara* « visage », grec *kara* « tête, visage ».

♦ **1.** Vx. *Visage.* — Loc. (vx ou archaïsme littér.). *Faire bonne chère à qqn,* lui faire bon visage, bon accueil. ⇒ **Accueil, réception.** *Il ne sait quelle chère lui faire :* il ne sait comment le recevoir (Académie).

1 (...) elle s'en va à la cour, et cet hiver elle sera si aise, qu'elle fera bonne chère à tout le monde.						Mᵐᵉ DE SÉVIGNÉ, Lettre, date incertaine, I.

1.1 C'était le fils des domestiques qui assumait précédemment les fonctions de chauffeur-cocher-factotum, et Tiffauges ne devait ce changement dans sa vie qu'à l'ordre de mobilisation qui venait d'envoyer le jeune homme sur le front russe. Les parents lui firent d'abord mauvais chère, mais leur hostilité se fatigua vite (...)
						M. TOURNIER, le Roi des Aulnes, p. 209.

♦ **2.** Mod. **FAIRE BONNE CHÈRE :** faire un bon repas. ⇒ **Bombance, ripaille.**
Nourriture. *La chère était délectable, exquise.* ⇒ **Table** (*supra* cit. 6). *Faire maigre chère.*

2 Voilà commencement de chère et de festin ;
Mettons-le en notre gibecière.						LA FONTAINE, Fables, V, 3.

3 Je leur cède *(aux grands)* leur bonne chère (...) mais je leur envie le bonheur d'avoir à leur service des gens qui les égalent.
						LA BRUYÈRE, les Caractères, IX, 3.

4 (...) c'était un ecclésiastique, qui ne songeait qu'à bien vivre, c'est-à-dire qu'à faire bonne chère ; et sa prébende, qui n'était pas mauvaise, lui en fournissait les moyens.						A. R. LESAGE, Gil Blas, I, I, p. 3.

5 Le repas était gai : animés par le vin et la bonne chère (...) les comédiens se livraient aux plus folles espérances.
						Th. GAUTIER, le Capitaine Fracasse, XI. → Animer, cit. 42.

6 Bonne personne d'intérieur (...) experte sur la chère, et l'aimant fine, serrée pour la maison, gaspilleuse pour soi (...)						MONTHERLANT, Pitié pour les femmes, p. 22.

Prov. *Il n'est chère que de vilain :* lorsqu'un avare se décide à donner un repas, il traite ses invités avec un faste excessif.

♦ **3.** Loc. (Vx). *Chère lie.* ⇒ **Lie.**

HOM. **Chair, chaire, cheire, cher.**

CHÈREMENT [ʃɛʀmɑ̃] adv. — 1080 ; de *cher, chère.*

♦ **1.** D'une manière affectueuse et tendre. ⇒ **Affectueusement, ten-**

drement. *Aimer chèrement qqn. Conserver chèrement un souvenir.*
⇒ **Amoureusement, pieusement ; sollicitude** (avec sollicitude).

1 (...) ne sois point rebelle à mon commandement,
Qui te donne un époux aimé si chèrement.						CORNEILLE, le Cid, V, 6.

1.1 (...) elle est favorite de Zobéide, épouse du calife, qui l'aime d'autant plus chèrement, qu'elle l'a élevée dès son enfance, et qu'elle se repose sur elle de toutes les emplettes qu'elle a à faire.						A. GALLAND, les Mille et une Nuits, t. I, p. 378.

Vx. *Affectueusement.*

2 Après cette gronderie toute maternelle, laissez-moi vous embrasser chèrement et tendrement (...)						Mᵐᵉ DE SÉVIGNÉ, 954, 25 févr. 1685.

♦ **2.** À haut prix, d'un prix élevé. ⇒ **Cher** (II.). Vx. *Acheter, payer, vendre chèrement.* — Fig. et mod. *Il paya chèrement son succès,* en consentant de grands sacrifices. — *Payer chèrement un plaisir.*

3 Le prince répondit (...) qu'il n'était ni assez habile, ni assez sot pour payer si chèrement une *passade.*
						VOLTAIRE, Politique et Législation probab. de Justice, in LITTRÉ.

Fig. *Vendre chèrement sa vie,* la défendre vaillamment, jusqu'à la mort.

CHÉRER [ʃeʀe] v. intr. ⇒ **Cherrer.**

CHERFAIX [ʃɛʀfɛ] n. m. — 1867 ; var. dial. de *cerfeuil,* nom pop. donné aussi à ces larves ; cf. les dial. *cherfeuil, cherfen, cherfey,* etc.

♦ Pêche. Larve de phrygane employée comme appât. « *La pêche à la sauterelle et au cherfaix* » (*Au bord de l'eau,* n° 366, p. 22).

CHERGUI [ʃɛʀgi] n. m. — xxᵉ ; arabe maghrébin ; arabe class. *šărqīyy* « qui est relatif à l'Orient ».

♦ Géogr. Vent chaud et sec qui souffle du sud (au Maroc).
⇒ **Sirocco.**

CHÉRIF [ʃeʀif] n. m. — 1552, Rabelais ; *sérif,* 1528 ; ital. *sceriffo ;* arabe *šărīf,* proprt « honnête, noble ».

♦ Didact. Prince descendant de Mahomet par sa fille Fatima.
Par ext. Prince, chez les Arabes. ⇒ **Chérifat.**

DÉR. **Chérifat, chérifien.**
HOM. **Shérif.**

CHÉRIFAT [ʃeʀifa] n. m. — 1842 ; de *chérif.*

♦ Didact. Dignité de chérif. — Territoire gouverné par un chérif.

CHÉRIFIEN, IENNE [ʃeʀifjɛ̃, jɛn] adj. — 1918 ; *chériffien,* 1869 ; de *chérif.*

♦ Vx. Relatif au chérif. — Mod. *L'empire chérifien :* le Maroc. — Par ext. Du Maroc.

Avant toute chose, la puissance chérifienne a été rétablie dans tout son éclat, et nous devons bénir Dieu d'avoir un Sultan qui, le premier, donne à tout son peuple l'exemple de la piété, de la justice et de la bonté (...)
						L.-H. LYAUTEY, Paroles d'action, 1927, p. 195.

CHÉRIR [ʃeʀiʀ] v. tr. — 1155 ; de *cher.*

♦ **1.** (Compl. n. d'animé : personne, animal). Aimer tendrement, avoir beaucoup d'affection pour (une personne, un être vivant...). ⇒ **Affectionner, aimer ; cœur** (porter dans son cœur). *Chérir ses enfants, sa femme. Chérir qqn avec dévouement. Chérir qqn tendrement, follement, éperdument.*

1 Un homme chérissait éperdument sa chatte :
Il la trouvait mignonne, et belle, et délicate (...)						LA FONTAINE, Fables, II, 18.

2 Toutes les affections de celle-ci s'étaient concentrées dans son fils aîné ; non qu'elle ne chérît ses autres enfants, mais elle témoignait une préférence aveugle au jeune comte de Combourg.						CHATEAUBRIAND, Mémoires d'outre-tombe, I, I.

3 (...) si je ne l'aime point, je me sens très capable de le chérir.
						BALZAC, Mémoires de deux jeunes mariées, Pl., t. I, p. 188.

4 Félicité lui en fut reconnaissante comme d'un bienfait, et désormais la chérit avec un dévouement bestial et une vénération religieuse.
						FLAUBERT, Trois contes, « Un cœur simple », III.

5 À force de t'avoir aimée pour que tu n'étais pas, j'ai appris à te chérir pour ce que tu es.						F. MAURIAC, Souffrances et Bonheur du chrétien, I, p. 89.

Chérir le souvenir, la mémoire de qqn. ⇒ **Vénérer.** *Chérir sa patrie.*

♦ **2.** (Compl. n. de chose). S'attacher, être attaché à (qqch.) *Chérir la solitude.* — Se complaire obstinément à. *Chérir son malheur.*

6 Qui chérit son erreur ne la veut pas connaître.						CORNEILLE, Polyeucte, II, 3.

7 Homme libre, toujours tu chériras la mer !
						BAUDELAIRE, les Fleurs du mal, XIV, « L'homme et la mer ».

8 On est incurable quand on chérit sa souffrance.
						FLAUBERT, Correspondance, t. III, p. 178.

9 Le langage de l'affection chérit des formes qui expriment la tendresse. Comme elle dit à son enfant : *ma petite chérie,* la mère dit aussi : *donne ta menotte, tends-moi ton peton,* etc.						F. BRUNOT, la Pensée et la Langue, XVI, II, p. 657.

♦ **3.** Attacher un grand prix à (qqch.). ⇒ **Estimer, préférer, priser.**

10 On ne peut trop chérir votre chère santé (...)   MOLIÈRE, Tartuffe, III, 3.
11 Sensible à l'amitié, il la cultivait avec soin, mais il la voulait modérée ; il en ché-
    rissait les liens, il en aurait redouté la chaîne.   MARMONTEL, Mémoires, XI.
12 (...) la bonne dame, en vraie Normande, chérissait, par-dessus tout, *le bien,* moins
    pour la sécurité du capital que pour le bonheur de fouler le sol vous appartenant.
                                               FLAUBERT, Bouvard et Pécuchet, p. 274.

▶ **SE CHÉRIR** v. pron.

Avoir une affection réciproque. *Des frères qui se chérissent.*

13 Le devoir de se chérir réciproquement n'emporte-t-il pas celui de se plaire ?
                                  ROUSSEAU, Julie ou la Nouvelle Héloïse, IV, Lettre, X.

▶ **CHÉRI, IE** p. p. adj. et n.

♦ **1.** Tendrement aimé. *Enfant chéri de ses parents.*

14 Sur cet enfant chéri j'ai donc jeté la vue.
    C'est mon sang : tout est plein déjà de ses autels.   LA FONTAINE, Fables, XI, 2.
15 La nation chérie a violé sa foi (...)
    Pour rendre à d'autres dieux un honneur adultère.   RACINE, Esther, I, 4.

Figuré :

16 (...) Masséna a une bonne armée, et l'Empereur l'appellera, un jour, « l'enfant chéri
    de la victoire » (...)   Louis MADELIN, l'Avènement de l'Empire, XX, p. 258.

♦ **2.** N. (déb. XIXᵉ). *Le chéri de ses parents.* (Par plais., fam.). *Le chéri
de ces dames.* Fam. *Le chéri à sa maman.* ⇒ **Chouchou.** *Mon chéri,
ma chérie, ma petite chérie, etc.,* expressions familières et affectueuses. ⇒ **Affection** (termes d'affection). — (Sans possessif). *Oui,
chéri.*

17 Il alla d'abord à Henri et lui dit : « Je voudrais parler à ton père. » Henri lui dit :
    « Est-ce encore pour cette stupide affaire, mon chéri ? Que tu es bête de te tour-
    menter pour cela, mon cher petit ! »   PROUST, Jean Santeuil, Pl., p. 688.

CONTR. **Abhorrer, détester, haïr.** — **Mépriser.** — (Du p. p.) **Haïssable.**
DÉR. **Chérissable.**
HOM. (Du p. p.) **Cherry, sherry.**

CHÉRISSABLE [ʃeʁisabl] adj. — 1559 ; de *chérir.*

♦ Vx ou littér. Digne d'être chéri. *Un bien chérissable entre tous.*
« *Un excitant et chérissable chef-d'œuvre* » (*l'Express,* 24 oct. 1977,
p. 35).

CHÉROT [ʃeʁo] adj. m. — 1883, *chéro,* adv. ; de *cher* (II.).

♦ Fam. Trop cher, coûteux.

C'était super et chérot. Bien que Paul soit plein aux as en ce moment, il a fait la
grimace quand il a vu les prix sur le menu.   R. QUENEAU, le Dimanche de la vie, p. 188.

CHERRER ou **CHÉRER** [ʃeʁe] v. intr. — Av. 1883 ; de *cher,*
d'abord « frapper, foncer », puis sens mod., 1915 ; de *cher.*

♦ Argot vieilli. Exagérer. — Se moquer de quelqu'un en exagérant.
⇒ **Charrier.** — Loc. *Cherrer dans les bégonias*.*

CHERRY [ʃeʁi] n. m. — 1891 ; *cherry-brandy,* 1855 ; *cherri-brandy,*
attestation isolée, 1847 ; mot angl. « eau-de-vie de cerise », de *cherry*
« cerise ».

♦ Liqueur de cerise. *Des cherries.*

(...) nous buvions de grandes rasades de Cherry Rocher ; nous avions pour cette
liqueur un goût immodéré (...)   S. DE BEAUVOIR, la Force de l'âge, p. 241.

HOM. **Chéri, sherry.**

CHERTÉ [ʃeʁte] n. f. — V. 1210 ; « affection », Xᵉ ; du lat. *caritas,* de
carus « cher », refait sur *cher* ; de *cher.*

♦ État de ce qui est cher (II.) ; prix élevé. ⇒ **Coût, prix.** *Grande,
excessive cherté des vivres* (Académie). *La cherté des grains*
(→ Ressentir, cit. 2). *Cherté des prix. Cherté du crédit. La
cherté de la vie. La rareté fait la cherté. Entrer dans une période
de cherté.*

1   On parla de la cherté du blé et la mère Blanchet remarqua, comme elle le faisait
    tous les soirs, qu'on mangeait trop de pain.
                                       G. SAND, François le Champi, I, p. 32.
2   C'est la cherté de l'argent et des capitaux qui entretient la misère dans notre pays.
                                       PROUDHON, in P. LAROUSSE.
3   (...) si la cherté d'un objet est une cause d'engouement pour un nombre infime
    d'acheteurs, le nombre de ceux qui l'écarte est tellement supérieur que (...)
                                       COLSON, Traité d'économie politique, t. I, p. 297.
4   L'avilissement de l'argent, la cherté de la vie, conséquence de la guerre et peut-
    être aussi de l'afflux subit de l'or américain, avaient créé du mécontentement *(sous
    Henri II).*   J. BAINVILLE, Hist. de France, VIII, p. 154.

CONTR. **Marché** (bon marché, n. m.).

CHÉRUBIN [ʃeʁybɛ̃] n. m. — 1080 ; lat. ecclés. *cherubin* ; de
l'hébreu *keroûbim,* de *keroûb.*

♦ **1.** Ange de l'Ancien Testament.

Il mit devant le jardin de délices des Chérubins, qui faisaient étinceler une épée   1
de feu, pour garder le chemin qui conduisait à l'arbre de vie.
                                       BIBLE (SACY), Genèse, III, 24.

Représentation de cet ange qui ornait le tabernacle hébreu.

Voulez-vous que d'impurs assassins   2
Viennent briser l'autel, brûler les chérubins.   RACINE, Athalie, V, 2.

♦ **2.** (Dans le christianisme). Ange du second rang de la première
hiérarchie.

Icon. Tête d'enfant, avec des ailes, qui représente cet ange.

♦ **3.** [a] Loc. fig. ou par compar. *Beau, joli, gracieux comme un chérubin. Avoir une face, un teint de chérubin,* un visage rond et des
joues colorées.

[b] Charmant enfant. *C'est un chérubin. Chérubin,* personnage du
Mariage de Figaro, de Beaumarchais. — (Terme d'affection). *Mon petit chérubin.*

Vous savez ce qu'ils viennent de m'apprendre ces deux chérubins, la bouche en   3
cœur ? Qu'ils s'aiment.   J. ANOUILH, la Valse des toréadors, V, p. 231.

REM. Dans ce sens, un fém. *chérubine* est attesté.

CHÉRUSQUE [ʃeʁysk] n. f. — 1811, Mérimée ; orig. obscure.

♦ Hist. Collerette garnie de dentelle tombant sur les épaules (à la
mode après la fraise*).

CHERVIS [ʃeʁvi] n. m. — 1538 ; arabe *harawiya,* du grec *karon,*
avec infl. du lat. *careum.* → Carvi.

♦ Plante dicotylédone *(Ombellifères)* à racine comestible. ⇒ **Cumin.**

CHESTER [ʃestɛʁ] n. m. — 1843 ; de *Chester,* ville d'Angleterre.

♦ Fromage anglais renommé (à pâte pressée et chauffée).

Autour d'elle, les fromages puaient (...) Là (...) s'élargissait un cantal géant,
comme fendu à coups de hache ; puis venaient un chester, couleur d'or (...)
                                       ZOLA, le Ventre de Paris, 1874, t. II, p. 105.

CHÉTIF, IVE [ʃetif, iv] adj. — 1080, *chaitif* « prisonnier » ; du lat.
pop. **cactivus,* croisement du lat. *captivus,* et du gaul. **cactos* « prisonnier ».

♦ **1.** (Animés). De faible constitution ; d'apparence débile. *Enfant
chétif,* de petite taille. ⇒ **Avorton, gringalet, mauviette ; débile,
faible, malingre, rachitique.** *Il est assez chétif. Complexion, mine
chétive.* — (Animaux). *Un chien souffreteux et chétif.* — (Plantes).
Arbre, arbuste chétif. ⇒ **Rabougri.**

La chétive pécore   1
S'enfla si bien qu'elle creva.   LA FONTAINE, Fables, I, 3.
Madeleine était devenue si chétive et fluette que c'était pitié.   2
                                       G. SAND, François le Champi, XVII, p. 123.
Par la suppression des malingres, on supprime la variété rare... les plus belles fleurs   3
étant données souvent par les plantes de chétif aspect.
                                       GIDE, Journal 1889-1939, Feuillets, Pl., p. 99.

N. *(Un, des chétifs).* Personne chétive. *Les chétifs et les malingres*
(rare au fém.).

♦ **2.** (Choses). Littér. Sans valeur, insuffisant. *Une récolte chétive.*
⇒ **Dérisoire, maigre, mauvais, misérable, pauvre, piteux.** *Une récep-
tion, un repas chétif.* ⇒ **Chiche, mesquin.** — *Un écrivain chétif.*
⇒ **Piètre.**

(...) il est par sa gloire *(Jésus-Christ)* tout ce qu'il y a de grand, étant Dieu, et   4
par sa vie mortelle tout ce qu'il y a de chétif et d'abject. PASCAL, Pensées, XII, 785.
M. de Laléande, qui promène (...) une vie médiocre et des rêves chétifs.   5
                                       PROUST, les Plaisirs et les Jours, p. 130.
Vous êtes insatiable ! me dit-il en levant les épaules. Et vous ne me demandez rien   6
que de chétif et de sordide.   G. DUHAMEL, Cri des profondeurs, VIII, p. 157.

CONTR. **Fort, robuste, solide, vigoureux.**
DÉR. **Chétivement, chétivité.**

CHÉTIVEMENT [ʃetivmɑ̃] adv. — V. 1190 ; de *chétif.*

♦ Littér. D'une manière chétive.

CHÉTIVITÉ [ʃetivite] ou **CHÉTIVETÉ** [ʃetivte] n. f. — XIIᵉ,
chaitivité « captivité » ; de *chétif.*

♦ Littér. Fait d'être chétif.

CHÉTOPODES [ketɔpɔd] n. m. pl. — 1846 ; du grec *kête* « crinière », et *pous, podos* « pied ».

♦ Zool. Groupe d'annélides * marins caractérisés par un faisceau de
soies locomotrices sur chaque anneau. — Au sing. *Un chétopode.*

CHEVAGE [ʃəvaʒ] n. m. — 1763 ; de *chever.*

♦ Techn. Action de chever. *Le chevage du verre.*

CHEVAINE [ʃəvɛn] n. f. ⇒ **Chevesne.**

CHEVAL, AUX [ʃ(ə)val, o] n. m. — Fin XIe; du lat. *caballus* «mauvais cheval» (mot gaul.), qui a supplanté le lat. class. *equus*.

★ **I.** ♦ **1.** Grand mammifère à crinière, plus grand que l'âne, domestiqué par l'homme comme animal de trait et de transport. Spécialt. Le mâle (opposé à *jument*); le mâle adulte (opposé à *poulain*). Zool. Mammifère ongulé solipède *(Équidés). L'hipparion*, ancêtre du cheval. Cheval sauvage.* ⇒ **Mustang, tarpan.** *Chevaux redevenus sauvages.* ⇒ **Marron** (cheval marron). *Capturer un cheval au lasso*. Animaux fabuleux à corps de cheval.* ⇒ **Centaure, hippogriphe, licorne, pégase.** *Cheval-cerf :* hippotragus.

1 La plus noble conquête que l'Homme ait jamais faite est celle de ce fier et fougueux animal qui partage avec lui les fatigues de la guerre et la gloire des combats.
BUFFON, Hist. nat. des animaux, Le cheval.

2 Le cheval semble sur son déclin : il a été le plus admirable serviteur de l'homme dont il fut le plus puissant instrument de civilisation : dès qu'il fut ferré et garni d'un collier, il prit à sa charge la plus lourde part de la peine des hommes qui lâchèrent la houe qui les courbait sur la glèbe et posèrent la hotte qui accablait leurs épaules. Le cheval donc les libéra de l'esclavage et du servage et il n'est pas bien sûr que cela, l'homme l'ait nettement compris. Puis le chemin de fer supprima la diligence; l'automobile chassa le cheval de la route; le canon lui enleva la suprématie dans les batailles; l'avion de guerre dispersa ses formations. Enfin le camion le supplanta dans les services de guerre de l'arrière et le tracteur va se charger à sa place des labours et des moissons.
Raymond AMIOT, le Cheval, p. 11.

3 (...) le cheval peut être considéré dans sa race : *normand, percheron;* dans sa nature physique : *cheval, jument, hongre, étalon;* dans sa couleur : *alezan, bai;* dans son emploi : *limonier, sous-verge, cheval d'armes, de selle;* dans sa valeur : *rosse, haridelle.* De la *haquenée* et du *palefroi* au *pur-sang* du *Grand Prix,* quelle revue à faire! Et les mots s'attacheront tout naturellement aux choses.
F. BRUNOT, la Pensée et la Langue, II, VIII, p. 79.

Étude du cheval. ⇒ **Hippologie** (→ le préf. Hippo-, du grec *hippos* «cheval»). *Cheval entier. Cheval reproducteur.* ⇒ **Étalon.** *Cheval châtré.* ⇒ **Hongre.** *Femelle du cheval.* ⇒ **Jument** (cavale; haquenée, poulinière...). *« Ce petit cheval était une jument (...) elle valait* (cit. 2) *son pesant d'or »* (Balzac). *Produits du cheval.* ⇒ **Poulain, pouliche; bardot, mule** (cheval et ânesse); **mulet** (âne et jument). *Cri du cheval.* ⇒ **Hennissement.** *Excréments du cheval.* ⇒ **Crottin, pissat.** *Fumier de cheval.*

Anatomie du cheval (termes spéciaux). ⇒ **Chanfrein, ganache, larmier, naseau, sous-barbe** (tête); **croupe, encolure, garrot, poitrail, trapèze.** *Le dos, les flancs, les pattes du cheval (pattes de devant :* épaule, coude, bras et avant-bras, genou; *de derrière :* cuisse, fesse, gigot, grasset, jambe, jarret, canon). ⇒ **Boulet, couronne, paturon, pied, sabot.** *Partie antérieure et postérieure du cheval.* ⇒ **Avant-main, arrière-main, train.** *Aplombs* du cheval. Concavité du dos chez le cheval.* ⇒ **Ensellure.** *Cheval trop ensellé. Cheval court de reins et vigoureux.* ⇒ **Goussaut.** *Cheval bien gigoté, bien culotté,* dont la cuisse est de bonne épaisseur. *Cheval bien croupé. Cheval arqué, bouleté, brassicourt, cagneux, court-jointé ou long-jointé, désuni, efflanqué, encastelé, épointé, féru, jarreté; large, ouvert ou serré du devant, du derrière; panard, pinçard, rampin, sol-batu... Cheval bégu. Cheval trapu, bouleux, vigoureux. Cheval poussif.*

4 (...) des chevaux aux jambes grêles et tendues, au cou dressé, au mors neigeux d'écume (...)
MAUPASSANT, la Femme de Paul, p. 8.

5 Sur ses prairies fortement vallonnées *(du Boulonnais)* galopent des chevaux à la tête forte, au chanfrein droit, aux yeux petits, à l'encolure contournée, à la crinière double, au poitrail large et musculeux, au dos un peu ensellé, à la croupe charnue.
A. BILLY, Sainte-Beuve, sa vie et son temps, t. I, p. 15.

Crins, poils de cheval (⇒ **Crinière, pelage, robe**). *Couleurs du cheval.* ⇒ **Alezan, arzel, aubère, bai, baillet, balzan, blanc, brun, cavecé, châtain, clair, fauve, gris, isabelle, louvet, marron, miroité, moucheté, noir, pie, pinchard, pommelé, rouan, rubican, saure, souris, tigré, tisonné, truité, zain...** *Un cheval alezan, pie...* (→ 1. Pie, cit. 5 et *supra*). *Particularités de la robe du cheval* (marques, taches...). ⇒ **Balzane** (cit. 1), **épi, frisure, ladre, liste, raie, zébrure.** *Cheval qui boit blanc, dans son blanc*.*

Races de chevaux. — Cheval andalou, anglais, anglo-normand, arabe, ardennais, auvergnat, barbe, belge, berrichon, boulonnais, bourbonnien, breton, camarguais, cauchois, circassien, comtois, corse, danois, flamand, hanovrien, hollandais, hongrois, kabyle, kirghize, klepper, landais, limousin, lorrain, mecklembourgeois, mongol, navarrais, normand, percheron, persan, picard, poitevin, russe, tartare, tcherkess, turc... Cheval d'Espagne. ⇒ **Genet.** *Cheval pur sang,* de race pure. ⇒ **Pur-sang.** *Cheval pur sang d'un an.* ⇒ **Yearling.** *Cheval demi-sang. Cheval de petite taille.* ⇒ **Poney.** *Livres généalogiques des chevaux.* ⇒ **Stud-book.**

Cheval grand et beau. ⇒ **Coursier** (poét.). *Cheval de bataille.* ⇒ **Destrier.** *Cheval d'armes. Armure* (cit. 4) *du cheval de bataille. Un cheval caparaçonné. Chevaux de régiment de cavalerie*. Chevaux de remonte. Cheval de cérémonie.* ⇒ **Palefroi.** *Cheval de parade. Cheval de carrousel, de fantasia. Chevaux de cirque.* ⇒ **Cavalerie.**

Cheval de course, d'une écurie de courses.* ⇒ **Coureur, crack, favori, fond** (cheval de), **mileur, outsider, sauteur, trotteur...** ⇒ aussi **Course, courtine** (argot), **hippique** (concours), **hippisme, hippodrome, turf...** *Faire courir des chevaux, les entraîner, les engager. Ce cheval, monté par tel jockey, a distancé ses concurrents, sauté, franchi l'obstacle* (⇒ **Steeple-chase**). *Performance d'un cheval. Disqualifier un cheval. Ces chevaux sont arrivés tête à tête.* ⇒ **Dead-heat.** *Jouer un cheval gagnant, placé. Cheval de polo*. Cheval de chasse.* ⇒ **Hunter.** *Cheval de selle*.* ⇒ **Équitation; monture.** *Cheval de louage.* ⇒ **Locatis** (vx). *Cheval de bât*, de charge, de somme*. Cheval de trait, de voiture, de fiacre, de carrosse. Équipage* de six chevaux. Atteler, harnacher un cheval.* ⇒ **Attelage, harnachement, harnais.** *Cheval côtier, limonier, porteur, sous-verge, timonier. Atteler* un cheval en arbalète, en flèche, à la volée... Conducteur de chevaux.* ⇒ **Charretier, cocher, conducteur.** *Cheval de poste, de relais. Cheval de ferme, de charrue, de labour. Foulage par les pieds des chevaux* (→ Battage, cit. 1). *Cheval de manège* (→ Besogne, cit. 6). *Cheval de boucherie* (⇒ **Hippophagie**). *Viande de cheval. Peau, cuir de cheval* (⇒ **Chagrin**). *Équarrir un cheval.* ⇒ **Équarrissage.** *Marchand de chevaux.* ⇒ **Maquignon.**

Le cheval de selle doit avoir les épaules plates, mobiles et peu chargées; le cheval de trait, au contraire, doit les avoir grosses, rondes et charnues. 6
BUFFON, Hist. nat. des animaux, Les quadrupèdes, t. I, p. 49.

(Il n'admire) Que les femmes de race et les chevaux de prix! 7
HUGO, les Chants du crépuscule, XII.

Il compara, pour finir, les gens du monde aux chevaux de course qui ne servent à rien, à vrai dire mais qui sont la gloire de la race chevaline. 8
MAUPASSANT, Fort comme la mort, p. 78.

L'état-major réclama ses chevaux : on les mit au piquet dans les allées, les écuries étant insuffisantes. A. MAUROIS, les Discours du Dr O'Grady, I, p. 6. 9

Loc. techn. *Cheval bien mis,* bien dressé. *Cheval à deux fins* (selle et voiture). *Cheval de carrière,* destiné au travail à l'extérieur. — *Cheval de jeu :* cheval de course faisant le jeu d'un autre cheval de la même écurie, estimé meilleur.

Cheval ardent, fougueux, franc du collier, fringant, impétueux, tride, vaillant, vif. Cheval piaffeur. Cheval léger à la main. Cheval obéissant. Cheval ombrageux, récalcitrant, rétif, vicieux. ⇒ **Fingard, guincheur, ramingue.** *Cheval fatigué.* ⇒ **Fortrait, fourbu.** *Mauvais cheval.* ⇒ **Bidet, bique** (vieille), **bourrin, bourrique, canasson, carne, criquet, haridelle, mazette, rossard, rosse, rossinante.** *Cheval bon pour la réforme.* ⇒ **Rancart** (bon à mettre au rancart). — *Le cheval,* en langage enfantin. ⇒ **Dada.** *Crier hue! au cheval pour le faire avancer.* ⇒ **Hue; dia.**

Pour mieux entendre ce que feraient par eux-mêmes des chevaux fougueux, il faut les considérer sans bride et sans conducteur qui les pousse ou qui les retienne. 10
BOSSUET, Traité de la connaissance de Dieu, III, 9.

(...) le cheval est fier, ardent, impétueux. 11
BUFFON, Hist. nat. des animaux, L'âne.

Dressage, élevage, traitement du cheval. ⇒ **Hippotechnie; manège.** *Dresser, confirmer, élever un cheval. Logement, habitat du cheval.* ⇒ **Ferme, haras; écurie, box, litière...** *Alimentation du cheval.* ⇒ **Affenage, avoine, foin, fourrage, paille...; abreuvement, abreuvoir.** *Laver, nettoyer, soigner un cheval.* ⇒ **Aiguayer, bouchonner, brosser, épousseter, étriller, panser** (cit. 1). *Les garçons d'écurie s'occupent des chevaux.* ⇒ **Lad, palefrenier, valet.** *Couverture du cheval.* ⇒ **Chabraque, housse.** *Couper les oreilles* (⇒ **Bretauder**), *la queue* (⇒ **Anglaiser, courtauder**) *d'un cheval; lui couper la corne des sabots avec une bute... Ferrer, déferrer un cheval.* ⇒ **Fer** (à cheval), **ferrure, maréchal** (maréchal-ferrant). *Attacher les chevaux.* ⇒ **Accouer, brider; longe, plate-longe.** *Entraves pour les chevaux.* ⇒ **Abot, billot...** *Castration d'un cheval.* ⇒ **Castrer, châtrer; bretauder, hongrer.**

Maladies, blessures, vices du cheval. ⇒ **Bleime, capelet, colique, cornage, courbature, crapaud, encastelure, enchevêtrure, enclouure, entretaillure, éparvin, éponge, exostose, faimvalle, farcin, fic, fièvre, fortraiture, fourbure, gourme, gras-fondu, immobilité, jarde, javart, lampas, malandre, morfondure, morve, osselet, pousse, râpes, rouvieux, seime, suros, tic, tranchée** (colique), **vertigo, vessigon...** *Cheval couronné, épointé, féru. Médecine des chevaux.* ⇒ **Hippiatrie; hippiatre, vétérinaire; brouillamini** (emplâtre), **cade** (huile de cade)... *Flamme, lancette pour saigner un cheval. Instruments pour assujettir un cheval.* ⇒ **Morailles, serre-nez, tord-nez,** 2. **travail, troussepied.**

Monter sur un cheval. ⇒ **Chevaucher; cavalier, écuyer; équitation, manège, monte, voltige.** *Monter un cheval à califourchon*, en amazone*, en croupe*. (À cheval). Monter à cheval avec un montoir; sans selle, à poil. — Enfourcher son cheval. Se tenir bien à cheval, sur son cheval.* ⇒ **Arçon** (être ferme sur ses arçons), **assiette** (avoir une bonne assiette), **étrier, selle** (être bien en selle). — *Rassembler son cheval. Cravacher, cingler son cheval.* ⇒ **Cravache.** *Éperonner son cheval.* ⇒ **Éperon** (appuyer, serrer l'éperon); **piquer** (piquer des deux). *Pousser, diriger son cheval sur... Tirer brusquement sur les rênes* du cheval.* ⇒ **Saccader.** *Faire faire des caracoles à son cheval.* ⇒ **Caracoler.** *Tenir son cheval en bride. Lâcher, laisser la bride sur le cou du cheval. Promenade, course à cheval, partie de cheval.* ⇒ **Cavalcade, galopade.** *Lancer, pousser son cheval à fond de train. Tomber de cheval.* ⇒ **Arçon** (perdre, vider ses arçons). *Chute de cheval. Fatiguer, harasser son cheval en allant ventre* à terre.* ⇒ **Brûler, claquer, crever, estrapasser, forcer.** *Le cheval est couvert d'écume*, fourbu, fortrait, rendu... Laisser souffler son cheval. Descendre de cheval :* mettre pied à terre. — *Remonter à cheval. Être toujours à cheval.* ⇒ **Selle** (avoir continuellement le cul sur la selle). — *Avoir la passion des chevaux.* ⇒ **Hippomanie.** *Costume, culotte* de cheval,* de cavalier.

Loc. adj. et adv. **À CHEVAL** [aʃval] : sur un cheval (→ d'autres exemples ci-dessus, et ci-dessous, 2.). *Aller à cheval. Gendarmes à cheval. Auberges qui logeaient à pied et à cheval*, les piétons et les cavaliers.

12 Tu me verras souvent à te suivre empressé,
Pour monter à cheval rappelant mon audace,
Apprenti cavalier galoper sur ta trace. BOILEAU, Épîtres, VI.

13 En vain *(il)* monte à cheval pour tromper son ennui :
Le chagrin monte en croupe et galope avec lui. BOILEAU, Épîtres, V.

14 (...) lâchant les rênes à ses chevaux fumants de sueur, *(il)* était tout penché sur leurs crins flottants (...) FÉNELON, Télémaque, V.

15 Un cavalier qui gourmande la bouche de son cheval en fait bientôt une rosse. FÉNELON, Lettres spirituelles, 193.

15.1 Villars détacha d'Aubusson (...) avec cinq cents chevaux. SAINT-SIMON, Mémoires, III, 408.

16 Chez tous les peuples anciens les chevaux n'avaient ni étrier ni selles, et les cavaliers étaient sans bottes. ROLLIN, Hist. ancienne, t. XI, I, p. 391.

17 (...) une chute de cheval m'attendait au début de ma route (...) CHATEAUBRIAND, Mémoires d'outre-tombe, II, IV.

18 Éperonné, botté, prêt à monter à cheval, il attend le boute-selle. P.-L. COURIER, I, 227.

19 Le cheval, qui ne sent ni le mors ni la selle (...) HUGO, les Orientales, XXXIV, « Mazeppa ».

20 Laurence avait une amazone vert-bouteille pour se promener à cheval (...) BALZAC, Une ténébreuse affaire, Pl., t. VII, p. 481.

21 (...) je revins à leur rencontre ventre à terre ; quand je fus près d'eux, je retins mon cheval lancé sur ses quatre pieds et je l'arrêtai court : ce qui est, comme tu le sais ou comme tu ne le sais pas, un vrai tour de force. Th. GAUTIER, Mlle de Maupin, VII, p. 145.

22 (...) il piqua son cheval et s'élança derrière le loup. MAUPASSANT, Clair de lune, « Le loup », p. 55.

23 (...) un peu aussi comme un cavalier se laisse porter par son cheval, tout en ne cessant pas de l'exciter et de le guider. J. ROMAINS, les Hommes de bonne volonté, XVII, p. 176.

Loc. fam. *Je l'emmerde à pied, à cheval et en voiture*, de toutes les façons.

23.1 Naturellement Jacques lui répond sans hésitation qu'il l'emmerde et copieusement même et à pied aussi bien qu'à cheval. R. QUENEAU, Loin de Rueil, p. 150.

Allures du cheval. ⇒ **Allure ; amble, aubin, canter, entrepas, galop, mésair, pas, trac, train, traquenard, trot.**

24 (...) un beau grand cheval *(qu'il)* faisait penader, sauter, voltiger, ruer et danser tout ensemble, aller le trot, l'entrepas, le galop, les ambles, le hobin *(l'aubin)*, le traquenard (...) RABELAIS, Gargantua, XII.

25 Il serait bon d'exercer les chevaux à galoper alternativement sur le pied gauche aussi bien que sur le droit. BUFFON, Hist. nat. des animaux, Les quadrupèdes, t. I, p. 36.

Mouvements et attitudes du cheval. ⇒ **Appui, ballottade, bronchement, cabriole, caracole, coup** (coup de rein)**, courbette, croupade, dérobade, ébrouement, écart, emballement, enchevêtrement, estrapade, foulée, incartade, parade, pétarade, piaffement, regimbement, ruade, saccade, ticage, tortillement, trépignement, trottinement, virevolte, volte.** *Le cheval dresse les oreilles* (⇒ **Chauvir, pointer**), *remue continuellement la queue* (⇒ **Quoailler**), *remue la tête de bas en haut* (⇒ **Encenser**), *ronge son mors, prend le mors aux dents, se cabre, rue, s'emballe, court ventre à terre, désarçonne son cavalier. Recevoir un coup de pied de cheval. Le cheval exécute des courbettes* (⇒ **Falquer**), *traîne une jambe de devant* (⇒ **Faucher**)... *Le cheval boite, fait un faux pas* (⇒ **Broncher, chopper**), *s'enchevêtre dans la longe de son licou. Cheval qui fait une chute, tombe les quatre fers en l'air.*

26 Le cheval (...) reculait toujours, ronflant, soufflant et bronchant comme un cheval effarouché qu'il était. SCARRON, le Roman comique, II, 13.

27 Malheureux laisse en paix ton cheval vieillissant,
De peur que tout à coup, efflanqué, sans haleine,
Il ne laisse en tombant son maître sur l'arène. BOILEAU, Épîtres, X.

28 Des chevaux sautaient, caracolaient, se claraient dans la foule comme des chiens qui caressent leurs maîtres. CHATEAUBRIAND, Mémoires d'outre-tombe, II, 2.

29 Le coup passa si près que le chapeau tomba
Et que le cheval fit un écart en arrière. HUGO, la Légende des siècles, XLIX, « Après la bataille ».

30 Quatre chevaux qu'il ne pouvait retenir accéléraient leur train (...) FLAUBERT, Trois contes, « Un cœur simple », IV.

31 On entend piaffer, sur les pavés dangereux, les chevaux des magnifiques équipages (...) LOTI, les Désenchantées, II, IV, p. 61.

32 Je vagabonde cette nuit autour de Vial à la manière du cheval que l'obstacle importune, et qui fait le gentil, avec mille folâtreries de cheval, devant la barrière. COLETTE, la Naissance du jour, p. 107.

33 (...) le cheval *(de la carriole)*, un énorme cheval gris pommelé, souffla, secoua son collier, puis se mit à attendre, avec cet air las des chevaux de se résigner à tout faire, et même à rester immobile, pour prendre du repos. H. BOSCO, Un rameau de la nuit, IV, p. 126.

34 Joseph donnait des coups de tête, comme un cheval qui encense (...) G. DUHAMEL, Chronique des Pasquier, VIII, X.

Allus. hist. et littér. Mon royaume pour un cheval !, exclamation de Richard III à la bataille de Bosworth, alors qu'il cherchait à s'enfuir (il fut tué par Henri Tudor), dans la pièce de Shakespeare.

Le cheval : l'équitation. *Aimer, adorer le cheval. Faire une heure de cheval chaque jour. Faire du cheval :* monter à cheval. *Parler cheval avec qqn*, hippologie, manège, équitation...

♦ **2.** Loc. adj. et adv. **À CHEVAL** [aʃval] : à califourchon (une jambe d'un côté, et l'autre de l'autre). *Être à cheval sur une branche*

d'arbre. — Fig. *Être à cheval sur les principes*, y tenir rigoureusement. *Il est très à cheval sur la hiérarchie, sur ses prérogatives.*

34.1 L'anglais d'Anouk était une perfection musicale : « J'avais des gouvernantes anglaises (...) mon père est très à cheval sur la qualité d'un accent. » Christine ARNOTHY, Un type merveilleux, p. 73.

Une partie d'un côté, une partie de l'autre. Outil agricole qui travaille à cheval sur les rangées cultivées. Être à cheval sur deux périodes. ⇒ **Chevaucher.** — Figuré :

34.2 La famille Grummer, à cheval sur la Suisse, l'Alsace et le pays de Bade, a poussé une forte branche à Paris. Ils sont anciens, nombreux et en général fort riches. DRIEU LA ROCHELLE, La Comédie de Charleroi, p. 134.

Vx. DE CHEVAL. *Homme de cheval :* cavalier.

Techn. *Huile de cheval*, extraite des tissus adipeux du cheval.

Fig. et fam. *Une fièvre de cheval :* une fièvre violente. *Une purge de cheval.* ⇒ **Drastique, énergique.** *Remède, médecine de cheval.*

35 (...) je vendais souvent aux hommes de bonnes médecines de cheval (...) BEAUMARCHAIS, le Barbier de Séville, I, 2.

(1963, *in* D.D.L.). En grande quantité. *Une dose de cheval.*

♦ **3.** **a** Homme grossier, brutal. *C'est un cheval, un vrai cheval.*

36 C'est un brutal
Un vrai cheval
Franc animal (...) MOLIÈRE, le Bourgeois gentilhomme, Ballet, 1re entrée.

37 Comment ? grand cheval de carrosse. MOLIÈRE, le Bourgeois gentilhomme, II, 2.

Mod. *C'est un vrai cheval de labour*, un travailleur obstiné, infatigable.

Fam. *C'est un grand cheval*, une grande femme d'allure masculine.

37.1 Frau Darn, un grand cheval de femme, toute en jambes, en bras et en nez a manifesté la plus grande méfiance en voyant s'arrêter devant chez elle un cavalier à l'uniforme indéfinissable. M. TOURNIER, le Roi des Aulnes, p. 345.

C'est un vrai cheval, une personne infatigable et qui a une santé de fer.

b Loc. fam. *C'est pas le mauvais cheval :* il n'est pas méchant.

La mort du petit cheval : une chose, une circonstance, une situation extrêmement fâcheuse, dommageable.

c (1829). **CHEVAL DE RETOUR.** ⇒ **Récidiviste.**

37.2 S'ils arrivaient à leurs fins, cherchez les noms des chevaux de retour que nous verrions reparaître au timon (...) F. MAURIAC, Bloc-notes 1952-1957, p. 109.

♦ **4.** Loc. (où *cheval* a le sens 1). **MONTER SUR SES GRANDS CHEVAUX :** s'emporter, le prendre de haut.

38 Je vous loue (...) de n'être point monté sur vos grands chevaux pour-vous plaindre du maréchal d'Estrées. Mme DE SÉVIGNÉ, 883, 24 juin 1681.

39 Ne te mets donc pas en colère. Ne monte plus sur tes grands chevaux. G. DUHAMEL, Chronique des Pasquier, VI.

Cela ne se trouve pas sous le pas (le sabot), dans le pas d'un cheval : c'est une chose difficile à trouver.

40 Croit-il (...) que mille cinq cents livres se trouvent dans le pas d'un cheval ? MOLIÈRE, les Fourberies de Scapin, II, 7.

Fig. (1690). **CHEVAL DE BATAILLE :** argument, sujet favori, auquel on revient. ⇒ **Dada.**

Selle à tous chevaux.

Prov. *Changer son cheval borgne contre un aveugle*. — *On ne change pas de chevaux au milieu du gué*. — *Il n'est si bon cheval qui ne bronche*. — *À méchant cheval, bon éperon :* il faut beaucoup de fermeté dans les affaires difficiles.

♦ **5.** N. m. pl. (vx). **CHEVAUX :** cavaliers, soldats qui combattaient à cheval.

★ **II.** (Emplois analogiques et figurés).

♦ **1.** Représentation plus ou moins sommaire d'un cheval. **CHEVAL DE BOIS**, jouet d'enfant. *Chevaux de bois des manèges, des foires.* Par ext. *Les, des chevaux de bois :* manège* circulaire représentant des animaux (à l'origine des chevaux), mais aussi des avions, voitures, etc. *Aller sur les chevaux de bois.*

41 (...) c'est sur les chevaux de bois de la fête foraine de Gournay-en-Bray que je me retrouve (...) les cuisses nues des petits garçons s'écrasent contre les flancs vernis de leurs montures à demi-cabrées qui menacent le ciel de leurs gueules béantes et de leurs yeux fous. L'escadron puéril plane à un mètre du sol (...) M. TOURNIER, le Roi des Aulnes, p. 81.

Pop., vieilli. *Manger avec les chevaux de bois :* se passer de manger.

(1946). **CHEVAL-ARÇONS, CHEVAL D'ARÇONS :** appareil de gymnastique, gros cylindre rembourré sur quatre pieds, qui sert à des exercices de saut, de voltige.

CHEVAL DE TROIE : cheval de bois gigantesque dans les flancs duquel les guerriers se cachèrent pour pénétrer dans Troie. — Par ext. Moyen secret pour s'introduire chez l'ennemi, chez l'adversaire. — Cf. par jeu de mots, *le Joual de Troie*, texte critique sur le *joual*.

42 (...) les Grecs, qui par mille moyens
Par mille assauts, par cent batailles,
N'avaient pu mettre à bout cette fière cité,
Quand un cheval de bois, par Minerve inventé,
D'un rare et nouvel artifice,
Dans ses énormes flancs reçut le sage Ulysse, LA FONTAINE, Fables, II, 1.

Cheval-jupon, cheval-frou, déguisement en cheval dans les folklores.

(1891). **LES PETITS CHEVAUX** [a] Jeu de hasard simulant une course où l'on fait avancer des marques (petits chevaux) avec des dés.

[b] Jeu de hasard, jeu de casino comparable dans son principe à la roulette et dans lequel les chances sont représentées par des figurines de chevaux en rotation autour d'un axe.

43 (...) il se promit de risquer au jeu les quelques pièces blanches qu'il devait à la générosité de Laubé. Certain casino de Tripoli (...) contenait un jeu de petits chevaux dont la mise pouvait convenir aux bourses les plus modestes.
Raymond ROUSSEL, Impressions d'Afrique, p. 225.

♦ **2.** (1611). *Cheval marin* : hippocampe.

♦ **3.** (1572). *Cheval de frise.* ⇒ **Frise.**

♦ **4.** (1830). **CHEVAL-VAPEUR** (abrév. : *ch*), ou simplement *cheval* : unité de travail équivalant à 75 kilogrammètres par seconde.
Autom., techn. *Une automobile de 45 chevaux au frein* (opposé à *chevaux fiscaux,* ci-dessous).

44 (...) la joie d'être blindé, trente-six chevaux vapeur, des tuyères (...)
J.-M. G. LE CLÉZIO, le Déluge, p. 278.
(1892, *in* T. L. F.). Techn. (par métonymie). *Petit cheval, cheval alimentaire* : petite machine auxiliaire (pompe à vapeur, etc.).
Cour. *Cheval fiscal* (abrév. : *CV*), équivalant à un sixième environ du litre de cylindrée. *Une quatre chevaux* : une voiture de quatre chevaux fiscaux (nom d'un modèle de la marque Renault, très populaire naguère). *Une deux chevaux Citroën.* — On écrit aussi : *deux-chevaux* (abrév. fam : *deuch*'); *quatre-chevaux.*

45 (...) l'enquête sur la jeunesse en 69 (qui avait passionné Robert), son voyage en Auvergne, en 2 chevaux (« sur la piste des anciens volcans ») (...)
F. MALLET-JORIS, le Jeu du souterrain, p. 126.

♦ **5.** (Trad. de l'angl. *horse*). Argot. Héroïne (drogue).
DÉR. Chevaler, chevalet, chevau-légers.

CHEVALEMENT [ʃ(ə)valmɑ̃] n. m. — 1694 ; de *chevaler.*

♦ Assemblage de madriers et de poutres qui supportent un mur, une construction qu'on reprend en sous-œuvre. ⇒ **Étai.** — *Chevalement d'un puits de mine* : chevalet qui porte les poulies sur lesquelles passent les câbles.

Ces constructions, à la lueur indécise de la lune, revêtent des formes spectrales : ce sont les *chevalements* des mines (...)   Louise MICHEL, La Misère, t. III, p. 619.

CHEVALER [ʃ(ə)vale] v. tr. — V. 1420 ; de *cheval.*
Technique.

♦ **1.** (1676). Étayer avec des chevalements. *Chevaler un mur.*

♦ **2.** (1723). *Chevaler les cuirs,* les travailler sur le chevalet.
DÉR. Chevalement.

CHEVALERESQUE [ʃ(ə)valʀɛsk] adj. — 1642 ; adapt. de l'ital. *cavalleresco,* d'après *chevalier* ; *chevalereux,* XVIᵉ.

♦ **1.** Hist. Qui a le caractère d'un chevalier ; digne d'un chevalier. *Règles chevaleresques. Bravoure, courtoisie, générosité chevaleresque. Conduite chevaleresque. Les traditions chevaleresques* (→ Plaisanterie, cit. 8). *Goûts chevaleresques. Littérature chevaleresque,* de chevalerie*.

1 (...) il avait cependant cette espèce d'honneur chevaleresque qui, à l'armée, fait excuser les plus grands excès.   BALZAC, les Marana, Pl., t. IX, p. 793.
2 (...) on vit alors se développer, avec une exagération énorme, une passion inconnue à la grave et mâle antiquité, je veux dire l'amour chevaleresque et mystique.
TAINE, Philosophie de l'art, t. I, I, II, VI.

♦ **2.** Littér. Qui présente des qualités morales analogues à celles qui étaient exigées du chevalier : courage, générosité, dévouement, fidélité. ⇒ **Généreux.** *Un adversaire chevaleresque.*
Cour. D'un dévouement généreux, désintéressé (actes, comportements). *Des façons, des manières chevaleresques.*
DÉR. Chevaleresquement.

CHEVALERESQUEMENT [ʃ(ə)valʀɛskəmɑ̃] adv. — 1836 ; de *chevaleresque.*

♦ Littér. D'une manière chevaleresque.

CHEVALERIE [ʃ(ə)valʀi] n. f. — V. 1165 ; «exploit chevaleresque», 1080 ; de *chevalier.*

A. Hist. ♦ **1.** Institution militaire d'un caractère religieux, propre à la noblesse féodale. *Les règles de la chevalerie étaient la bravoure, la courtoisie, la loyauté, la protection des faibles* (⇒ **Chevalier**). *Les siècles de la chevalerie. Actes de chevalerie.* ⇒ **Chevaleresque.** — *Chevalerie errante* : les chevaliers* errants. — *Romans de chevalerie* : œuvres d'imagination où sont décrits les exploits, les mœurs, les amours des chevaliers. *La bibliothèque bleue comprenait de nombreux romans de chevalerie. Don Quichotte, grand lecteur de romans de chevalerie.*

La chevalerie, à son origine, était une institution sacrée, un ordre qui obligeait ses 1 profès à des vœux solennels, à de nombreuses observances.
OZANAM, *in* Pierre LAROUSSE.

(La chanson de geste) a popularisé en le magnifiant un nouvel idéal de chevale- 2 rie (...)   Pierre GAXOTTE, Hist. des Français, t. I, p. 276.

♦ **2.** Le corps des chevaliers, la cavalerie noble. *L'élite, la fleur, la fine fleur de la chevalerie.*

♦ **3.** Ordre militaire et religieux institué pour combattre les infidèles. → Ordre, cit. 39. *Ordre de chevalerie du Saint-Sépulcre.*

B. Mod. Distinction honorifique (instituée dans divers États). *Être décoré de plusieurs ordres de chevalerie.*

L'anoblissement *(à la fin de l'ancien régime)* peut résulter de la collation d'un 3 ordre de chevalerie, par exemple de la croix de Saint-Louis ; c'est une survivance de la chevalerie du moyen âge.
Fr. OLIVIER-MARTIN, Précis d'hist. du droit franç., p. 376.

CHEVALET [ʃ(ə)valɛ] n. m. — 1429, *quevallet, chevales* ; *cevalet* «petit cheval», XIIIᵉ ; de *cheval,* et suff. *-et.*

♦ **1.** (1559). Anciennt. Instrument de supplice ou de torture.

(...) je parvins ainsi à la hauteur de la fenêtre de la grande salle souterraine (...) 0.1 Ma malheureuse compagne était étendue sur un chevalet, les cheveux épars et destinée sans doute à quelque effrayant supplice où elle allait trouver, pour liberté, l'éternelle fin de ses malheurs (...)   SADE, Justine..., t. I, p. 216 (1791).
Le programme comporte ensuite un divertissement dans le style du Grand-Gui- 0.2 gnol, qui s'intitule «Meurtres rituels» (...) Le décor est resté le même (...) (un vaste cachot voûté [...]); il nécessite seulement quelques accessoires complémentaires tels que roues, croix ou chevalets.
A. ROBBE-GRILLET, la Maison de rendez-vous, p. 99-100.

♦ **2.** (1429). Support qui sert à tenir à la hauteur voulue l'objet sur lequel on travaille. *Chevalet de scieur de bois* (⇒ **Baudet, chèvre**), *de menuisier* (⇒ **Banc,** II.), *de tonnelier* (⇒ **Marotte**). *Chevalet de cardeur, de charpentier. Corroyeur travaillant sur le chevalet.* ⇒ **Chevaler ; chevalement.** *Chevalet d'un puits de mine.*

On se sert pour cela *(broyer le chanvre)* d'une sorte de chevalet surmonté d'un 1 levier en bois, qui, retombant sur des rainures, hache la plante sans la couper.
G. SAND, la Mare au diable, Appendice I, p. 147.

Tréteau de charpente.

♦ **3.** Support, trépied. *Chevalet d'un tableau noir, chevalet de peintre,* qui supporte le tableau, la toile.

(Louise) déballa un objet plié, qui, une fois redressé dans sa position ordinaire, 1.1 formait un chevalet rigoureusement vertical. Une toile neuve, bien tendue sur son cadre intérieur, fut posée à mi-hauteur du chevalet et maintenue solidement par un crampon à vis que Louise abaissa jusqu'au niveau demandé.
Raymond ROUSSEL, Impressions d'Afrique, p. 197.

Tableau de chevalet : tableau de petite dimension.

(...) ses tableaux dits de chevalet, ses esquisses, ses grisailles, ses aquarelles, etc. 2
BAUDELAIRE, Curiosités esthétiques, XII, L'œuvre et la vie de Delacroix, IV.

♦ **4.** (1564). Techn. (mus.). Mince pièce de bois placée d'aplomb sur la table de certains instruments à cordes pour soutenir les cordes tendues. *Chevalet d'un violon.*
HOM. Formes du v. **chevaler.**

CHEVALIER [ʃ(ə)valje] n. m. — V. 1130 ; *chevaler,* 1080 ; du lat. *caballarius,* d'après *cheval.*

★ **I.** ♦ **1.** Antiq. Dans l'ancienne Rome, Membre de l'ordre équestre, intermédiaire entre les patriciens et les plébéiens.

(...) Servius n'abaissa la puissance du patriciat qu'en fondant une aristocratie 1 rivale. Il créa douze centuries de chevaliers choisis parmi les plus riches plébéiens ; ce fut l'origine de l'ordre équestre, qui fut dorénavant l'ordre riche de Rome.
FUSTEL DE COULANGES, la Cité antique, IV, 10, p. 381.

♦ **2.** Hist., cour. Seigneur féodal possédant un fief suffisamment important pour assurer l'armement à cheval.
Noble admis dans l'ordre de la chevalerie. ⇒ **Chevalerie ; paladin, preux.** *Galanterie, vaillance du chevalier. Chevalier loyal, noble. Chevalier discourtois, félon. Jeune noble faisant son apprentissage de chevalier.* ⇒ **Bachelier, page, varlet.** *Écuyer* d'un chevalier. Veillée d'armes d'un chevalier. Armer, recevoir chevalier.* ⇒ **Accolade, adoubement.** *Couronne héraldique de chevalier. Cor des chevaliers* (⇒ **Olifant**). *L'amour courtois, idéal du chevalier.* ⇒ **Cour** (d'amour). *Défi de chevalier à chevalier.* ⇒ **Cartel.** *Combat de chevaliers* (⇒ **Champion, tenant**), *en champ clos* (⇒ **Joute, tournoi**). *Bayard, le chevalier sans peur et sans reproche. Exploits de chevaliers célébrés dans les chansons de geste, les romans de chevalerie*. Le Chevalier au lion, le Chevalier à la charrette,* de Chrétien de Troyes. *Les chevaliers de la Table ronde,* compagnons du roi Arthur.

Des chevaliers français tel est le caractère.   VOLTAIRE, Zaïre, II, 3. 2

Beau chevalier qui partez pour la guerre, 3
Qu'allez-vous faire
Si loin d'ici ?   A. DE MUSSET, Barberine, III.

Le chevalier breton, tout comme le troubadour méridional, se reconnaît le vassal 4 d'une Dame élue.   D. DE ROUGEMONT, l'Amour et l'Occident, p. 22.

Hist. *Chevalier du guet* : commandant d'une garde qui faisait le guet dans les grandes villes.

Loc. *Chevalier errant* : chevalier qui allait par le monde pour redresser les torts, combattre dans les tournois et acquérir du renom.

5 Seigneur aventurier, s'il te prend quelque envie
De voir ce que n'a vu nul chevalier errant,
Tu n'as qu'à passer ce torrent.   LA FONTAINE, Fables, X, 13.

Fig. *Chevalier de la Triste Figure* : homme d'aspect malheureux, par allusion au personnage de Don Quichotte.
Vieilli. *Être un vrai chevalier* : avoir de la noblesse, de la courtoisie dans ses procédés. — **Fig.** *Se faire le chevalier de qqn,* prendre sa défense. *Le chevalier d'une dame,* celui qui lui rend des soins assidus. On dit plutôt, de nos jours, *chevalier servant.*

6 Chevalier servant d'Aziyadé qu'il adore; il est jaloux pour elle, plus qu'elle, et m'épie à son service, avec l'adresse d'un vieux policier.
                                                        LOTI, Aziyadé, VIII, p. 84.

♦ **3.** (1538). Membre d'un ordre honorifique. ⇒ **Chevalerie** (3.). *Les Chevaliers teutoniques. Chevalier de l'Annonciade, de Malte, du Saint-Sépulcre. Templier, chevalier de l'ordre du Temple. Commandeur d'un ordre de chevaliers.*

Membre d'un ordre honorifique, et, spécialt, (dans un ordre où il y a plusieurs grades) personne qui a le grade le moins élevé. *Chevalier de Saint-Michel, du Saint-Esprit. Chevalier de la Toison d'or, de l'ordre de la Jarretière. — Chevalier de l'ordre de la Légion d'honneur, du Mérite agricole* (⇒ **Décoration**). *Porter la croix, la décoration de chevalier.*

♦ **4.** Dans la noblesse, Celui qui est au-dessous du baron*. *Le chevalier des Grieux* (dans *Manon Lescaut*).

♦ **5.** [a] (1633). **Fig.** *Chevalier de l'industrie* (vieilli), *d'industrie* : individu qui vit d'expédients. ⇒ **Aigrefin, escroc.**

7 Je m'associai ensuite avec des chevaliers d'industrie, qui cultivèrent si bien mes heureuses dispositions, que je devins en peu de temps un des plus forts de l'ordre.
                                                        A. R. LESAGE, Gil Blas, V, 1.

8 Eux, des comtes! des vicomtes! Tout au plus des chevaliers d'industrie. Ce sont des escrocs, des gens de basse police, vous dis-je.
                                                        Louise MICHEL, la Misère, t. II, p. 404.

[b] (XVIIIe). **Loc. fam.** *Chevalier de la manchette* : homosexuel.
[c] **Loc. Argot.** *Chevalier du bidet* : souteneur.

★ **II.** Oiseau charadriiforme *(Charadriidés-scolopacinés),* scientifiquement appelé *tringa,* au bec droit, grêle, long et incurvé vers le haut, aux tarses longs et grêles. ⇒ **Bécasson.** *Les chevaliers sont des échassiers migrateurs. — Chevaliers à pieds rouges.* ⇒ **Gambette.** *Chevalier combattant*.

DÉR. Chevalière.

CHEVALIÈRE [ʃ(ə)valjɛR] n. f. — 1821; de *bague à la chevalière.*

♦ Bague à large chaton plat sur lequel sont gravées des armoiries, des initiales.

La boîte contient, en outre (...) une bague, une chevalière en argent ou en alliage de nickel, telle que les ouvriers s'en fabriquent communément à l'usine, qui est marquée « H. M. » (...)   A. ROBBE-GRILLET, Dans le labyrinthe, p. 214.

CHEVALIN, INE [ʃ(ə)valɛ̃, in] adj. — 1119; du lat. *caballinus,* de *caballus* (→ Cheval), d'après *cheval.*

♦ **1.** Qui tient du cheval, qui a rapport au cheval. *Bête chevaline.* ⇒ **Cheval, jument.** *Races chevalines.*

1 J'ai, dit la bête chevaline,
Un apostume sous le pied.   LA FONTAINE, Fables, V, 8.

Boucherie chevaline, où l'on vend de la viande de cheval. ⇒ **Hippophagique.**

♦ **2.** Qui évoque le cheval. *Œil, profil chevalin. Un sourire chevalin,* qui découvre de grandes dents. *Un rire chevalin,* dont la sonorité évoque un hennissement.

2 Dès qu'il s'animait (...) le blanc de son grand œil chevalin s'injectait d'un peu de sang.   MARTIN DU GARD, les Thibault, t. VI, p. 128.

CHEVAL-VAPEUR [ʃ(ə)valvapœR] n. m. ⇒ **Cheval** (II., 4.).

CHEVANCE [ʃəvɑ̃s] n. f. — Fin XIIe ; de *chevir.*

♦ **Vx et dial.** Biens, fortune.

CHEVAUCHANT, ANTE [ʃ(ə)voʃɑ̃, ɑ̃t] adj. — 1808; de *chevaucher.*

♦ Qui chevauche (3.), se recouvre en partie. *Tuiles chevauchantes. Dents chevauchantes.*

CHEVAUCHÉE [ʃ(ə)voʃe] n. f. — 1190; de *chevaucher.*

♦ **1.** (1240). **Dr. anc.** Obligation pour le vassal d'accompagner le suzerain dans de courtes expéditions militaires. — Tournée d'inspection faite par des envoyés du Roi dans les circonscriptions administratives.

♦ **2.** **Littér.** Promenade, course à cheval. *Une longue chevauchée. Faire plusieurs lieues d'une chevauchée.* ⇒ **Traite.** *La chevauchée des Valkyries.*
Par métaphore. ⇒ **Incursion, investigation.**

Ce furent alors de grandes chevauchées à travers les idées (...) Les contradictions qui divisent les grands esprits la tourmentaient et elle cherchait à mettre d'accord ces lumières de diverses couleurs qui voltigeaient autour d'elle.
                                                        A. MAUROIS, Lélia, I, V, p. 58.

♦ **3.** **Par métonymie. Littér.** Troupe de personnes à cheval. ⇒ **Cavalcade.**

HOM. Chevaucher.

CHEVAUCHEMENT [ʃ(ə)voʃmɑ̃] n. m. — 1814; «fait d'aller à cheval», v. 1360; de *chevaucher,* 3.

♦ Croisement de deux objets qui se recouvrent en partie, qui empiètent l'un sur l'autre. *Chevauchement des lettres, des signes.*
Géol. ⇒ **Charriage.**

CHEVAUCHER [ʃ(ə)voʃe] v. — 1080, *chevalchier;* du bas lat. *caballicare,* de *caballus.* → Cavaler.

♦ **1.** **V. intr.** (Vx ou littér.). Aller à cheval. ⇒ **Cavalcader** (vx).

1 Tristan chevauchait avec Iseut, et, par crainte d'une embûche, il avait revêtu son haubert sous ses haillons.   J. BÉDIER, Tristan et Iseut, XI, p. 124.

♦ **2.** **V. tr.** (XIIIe). Être à cheval, à califourchon sur. *Les sorcières chevauchent des manches à balais.*
Figuré :

2 Une paire de lunettes chevauche le nez aux grandes narines membraneuses.
                                                        G. DUHAMEL, Chronique des Pasquier, V, p. 215.

Spécialt. Se placer sur (une femelle, une femme) et la posséder sexuellement (en parlant du mâle, de l'homme). ⇒ **Sauter** (fam.).

♦ **3.** **V. intr.** (1690). **Choses.** Se recouvrir en partie, empiéter, être à cheval l'un sur l'autre. ⇒ **Croiser** (se), **recouvrir** (se). *Tuiles qui chevauchent.* ⇒ **Chevauchant, chevauchement.** *Dent qui chevauche.* ⇒ **Surdent.**

3 Des livres, des paperasses, d'innombrables brochures chevauchaient sur les rayons (...)   P.-J. TOULET, la Jeune Fille verte, p. 241, *in* T. L. F.

Imprim. *Lettres, lignes qui chevauchent,* qui montent l'une sur l'autre. ⇒ **Empiéter, mordre** (sur).

4 Puis, vers la fin de la nouvelle page, les lignes chevauchaient tout à fait.
                                                        LOTI, les Désenchantées, LVI, p. 255.

Pron. *Se chevaucher* (même sens).

5 Les arbres s'enchevêtrent, leurs ronces se chevauchent.
                                                        COCTEAU, la Difficulté d'être p. 16.

DÉR. Chevauchant, chevauchée, chevauchement, chevaucheur.
HOM. Chevauchée.

CHEVAUCHEUR, EUSE [ʃ(ə)voʃœR, øz] n. — XIIIe, *chevocheor;* forme mod. au XVe; enregistré comme vieux aux XVIIe-XVIIIe ; de *chevaucher.*

♦ **1.** **N. m.** (Vx ou littér.). Homme qui chevauche, fait des chevauchées.

♦ **2.** **N. m. et f.** Personne qui chevauche (qqch.). « *Chevaucheur de manche à balai* » (Hugo, *in* T. L. F.).

CHEVAU-LÉGERS [ʃ(ə)voleʒe] n. m. pl. — Fin XVe ; de *cheval,* et *léger.*

♦ **Anciennt.** Corps de cavalerie de la garde du souverain. — Au sing. *Un chevau-léger :* un cavalier de ce corps.

Les bonnes gens s'égayaient de son flamand nasillard, appris chez les chevau-légers du régiment de Cassel, et plus encore de sa taille fine, de ses mollets avantageux, de ses jolies hanches, de son pas dansant.
                                                        BERNANOS, Monsieur Ouine, p. 36.

CHEVÊCHE [ʃəvɛʃ] n. f. — 1530, *chevesse; chevoiche,* XIIIe ; orig. incert., probablt du bas lat. *cavannus.* → Chat-huant.

♦ Oiseau rapace nocturne ou strigiforme, de petite taille, appelé aussi *chouette chevêche,* ou *chouette nocturne, trembleur.*

1 Ils échangent, hulottes et chevêches, effraies et grands-ducs, des rires tremblés, des sanglots, des sifflements doux, et aussi ces cris poignants qu'entendaient seules les nuits.   COLETTE, la Paix chez les bêtes, « Les chats-huants », p. 173.

2 Il n'y a plus qu'une bande plus claire à l'horizon : deux chevêches chuintent aux deux bouts de l'invisible, se répondent de minute en minute, relayées par un hibou plus proche qui hue dans un peuplier.
                                                        Hervé BAZIN, Cri de la chouette, p. 244.

Appos. *Chouette chevêche.*

CHEVELÉ, ÉE [ʃəvle] adj. et n. f. — 1337, *chevellé;* de *chevel, cheveu*.

♦ **1.** Adj. (XVIᵉ). Blason. Dont les cheveux sont d'un émail particulier. *Tête d'argent chevelée de gueules.*

♦ **2.** N. f. (1701). Bot. ⇒ **Marcotte.**

CHEVELU, UE [ʃəvly] adj. et n. m. — XIIᵉ ; de *chevel, cheveu*.*

♦ **1.** Garni de cheveux. *Le cuir chevelu.* ⇒ **Cuir.**

Bot. *Racine chevelue,* terminée par de nombreux filaments. ⇒ **Radicelle.** — N. m. (1690). *Le chevelu :* partie filamenteuse de la racine.

♦ **2.** Qui a de longs cheveux touffus. *Un vieillard chevelu. Des hippies chevelus.* Par métonymie. *La Gaule chevelue :* partie de la Gaule où les habitants portaient de longs cheveux (ainsi nommée par les Romains).

1 D'abord ce sont des chapeaux et puis des turbans et puis des têtes chevelues et puis des têtes rasées.
FONTENELLE, Entretien sur la pluralité des mondes, 1ᵉʳ soir.

Subst. (surtout masc.). *Clodion le chevelu. Une bande de chevelus.*

♦ **3.** Poét. (Choses). *Astre chevelu.* ⇒ **Comète.** *Arbre chevelu, forêt chevelue. Mont chevelu,* couvert d'arbres.

2 J'ai vu la nymphe Écho porter ses doux concerts
Sur les monts chevelus, sur les rochers déserts.
J.-B. ROUSSEAU, Églogue.

3 Les palmiers chevelus, pendant au front des tours,
Semblaient s'en bas des touffes d'herbes.
HUGO, les Orientales, I, VI.

CONTR. Chauve, dénudé, pelé, rasé, tondu.

CHEVELURE [ʃəvlyʀ] n. f. — 1080, *cheveleüre* ; de *chevel, cheveu*,* et suff. collectif *-ure.*

♦ **1.** Ensemble des cheveux*. ⇒ **Perruque.** *Une chevelure maigre, abondante. Une chevelure blanche.*

1 Au niveau de la nuque, la chevelure féminine se termine d'une façon très précise avec deux prolongements latéraux formés de cheveux frisés et parfois un prolongement médian symétrique de la mèche centrale du front.
A. BINET, les Formes de la femme, III, p. 47.

Chevelure détachée du crâne. ⇒ **Scalp.** *Les chasseurs de chevelures :* Indiens qui scalpent* les têtes pour garder la chevelure comme trophée.

Spécialt. Cheveux longs et fournis. *Une belle chevelure. Une chevelure épaisse.* ⇒ **Toison.** *Une longue chevelure.* ⇒ **Crinière** (fam.). *Une chevelure emmêlée.* ⇒ **Tignasse** (fam.). *Chevelure blonde, brune... Chevelure frisée, bouclée, ondulée, ondoyante, flottante... Arranger, peigner sa chevelure. La Chevelure,* poème de Baudelaire.

2 Sur ta chevelure profonde
Aux âcres parfums (...)
BAUDELAIRE, les Fleurs du Mal,
Spleen et Idéal, XXVIII, « Le serpent qui danse ».

3 Oui, une chevelure, une énorme natte de cheveux blonds, presque roux, qui avaient dû être coupés contre la peau, et liés par une corde d'or.
MAUPASSANT, « La chevelure ».

4 (...) l'allure libre, la longue chevelure éparse en crinière, la mise presque élégante, elle allait seule avec lui (...) errer jusqu'à la nuit close.
LOTI, Matelot, XXV, p. 95.

5 Cette chevelure était éclatante et profonde, douce comme une fourrure, plus longue qu'une aile, souple, innombrable, animée, pleine de chaleur.
Pierre LOUŸS, Aphrodite, I, p. 13-14.

6 La masse ciselée de sa chevelure blonde amenuisait sa figure de perle (...)
Edmond JALOUX, le Jeune Homme au masque, II, p. 36.

7 Un large peigne en main, Justin Weill s'efforçait de rejeter en arrière et de lisser en le mouillant un peu sa chevelure couleur de flamme.
G. DUHAMEL, Chronique des Pasquier, VII, V.

♦ **2.** Poét. *La chevelure des arbres,* leur feuillage. *Chevelure d'une racine.* ⇒ **Chevelu.**

8 Il sent la chevelure affreuse des racines,
Entrer dans son cercueil (...)
HUGO, les Contemplations, VI, VI, 11.

9 Et les chevelures des arbres
Frissonneront sous le ciel noir.
HUGO, les Châtiments, I, 1.

10 (...) la moisson blondissante,
Chevelure des sillons.
NERVAL, Poésies, « Les papillons ».

11 (...) il se peut aussi que ce mélange de dénuement et de grandeur, de marches forcées et de chevelures de saules trempant dans les champs inondés par les rivières en crue, de fusillades et de soudains silences (...) c'était pour moi Conrad, et non la guerre, et l'aventure en marge d'une cause perdue.
M. YOURCENAR, le Coup de grâce, p. 230.

Chevelure d'une comète, traînée lumineuse qui la suit.

CHEVER [ʃəve] v. tr. — V. 1170 ; du lat. *cavare.* → Caver.

♦ Techn. Creuser. *Chever du verre,* le rendre concave. — Au p. p. *Un verre de montre chevé.* — (1690). *Chever une pierre précieuse,* la creuser par-dessous pour en éclaircir la teinte.

DÉR. Chevage.

CHEVESNE [ʃəven] n. m. — V. 1220 ; *chevenne,* 1432 ; du lat. pop. *capitinem,* proprt « grosse tête », de *caput, -itis* « tête ». → Chef.

♦ Poisson cyprinidé qui vit dans les eaux douces, à dos brun et ventre argenté, et que l'on appelle aussi *dard, meunier* ou *vandoise.*

Le temps se lève. À huit heures, je m'en vais à la pêche. Le chevesne au sang. En novembre, le chevesne ne veut plus que du sang. 1
Roger VAILLAND, 325 000 francs, p. 223.

(...) un soleil déclinant tamisé par les saules distribuait des ronds de lumière glauque, soluble dans l'eau elle-même parcourue d'orbes molles chaque fois que, par en dessous, la remontée à l'air d'un dyptique, le suçon d'un chevesne en touchaient la surface (...) 2
Hervé BAZIN, Cri de la chouette, p. 225.

REM. Les graphies *chevaine* et *chevenne* sont vieillies.

CHEVET [ʃ(ə)vɛ] n. m. — V. 1450 ; *chevez,* v. 1774 ; du lat. *capitium,* de *caput* « ouverture d'un vêtement par laquelle on passe la tête ».

★ **I.** ♦ **1.** Partie du lit où l'on pose sa tête. ⇒ **Tête** (d'un lit).

Pour les malades, le monde commence au chevet et finit au pied de leur lit. 1
BALZAC, la Peau de chagrin, Pl., t. IX, p. 236.

DE CHEVET. *Image, lampe, table de chevet,* qui sont à la tête du lit.

Il l'aidait à disposer les coussins, à brancher une lampe de chevet sur la prise électrique. 2
MARTIN DU GARD, les Thibault, t. VII, p. 209.

(...) la torpeur dans laquelle son corps au moins se trouvait ; il prend sur le bois de la table de chevet, le bracelet-montre qu'avant de s'étendre il y avait laissé. Presque cinq heures et demie, lit-il au cadran dans le faible jour (...) 2.1
A. PIEYRE DE MANDIARGUES, la Marge, p. 11.

Par ext. *Livre de chevet :* livre de prédilection. ⇒ **Bible, bréviaire.** Fig. (vx). *Épée de chevet :* ce sur quoi l'on s'appuie en toute occasion ; idée fixe, dada.

Voilà leur épée de chevet, de l'argent. MOLIÈRE, l'Avare, III, 1. 3

♦ **2.** AU CHEVET (de qqn). *(Veiller) au chevet d'un malade,* (rester) auprès de lui pour le soigner.

Madeleine ne s'épargna pas et passa trois nuits debout au chevet de sa belle-mère, qui rendit l'esprit entre ses bras. 4
G. SAND, François le Champi, IV, p. 48.

Ils étaient au chevet de cette usine mourante comme à celui d'un malade qui déjà ne peut plus parler. 5
A. MAUROIS, Bernard Quesnay, XVII, p. 108.

♦ **3.** Vx. Coussin allongé, à la tête du lit. ⇒ **Traversin.**

Allons sur le chevet rêver quelque moyen
D'avoir de l'incrédule un plus doux entretien.
CORNEILLE, le Menteur, III, 6. 6

(...) la tête dans les mains, les yeux se dérobant, comme indignes, à la clarté du jour, et le visage caché dans un chevet (...) SAINTE-BEUVE, Volupté, XIX, p. 186. 7

★ **II.** (XIIIᵉ, picard *caveç*). ♦ **1.** Archit. Partie d'une église qui se trouve à la tête de la nef, derrière le chœur. ⇒ **Abside.** *Chevet gothique, roman.*

Un cimetière entoure le chevet de cette église, et plus loin se trouve le presbytère. 8
BALZAC, Séraphîta, Pl., t. X, p. 462.

L'église, extérieurement, du côté du chevet, très ancienne : gothique roman, en pierres de diverses couleurs. 9
E. DELACROIX, Journal, 5 août 1850.

Extérieur du chœur.

♦ **2.** (1842). Minér. Lit d'un filon.

CONTR. Pied (de lit).
HOM. Formes du v. chever.

CHEVÊTRE [ʃəvɛtʀ] n. m. — Déb. XIIᵉ ; du lat. *capistrum* « licou ». Vieux ou technique.

♦ **1.** Vx. Licou (d'une bête de somme).

♦ **2.** (1741). Chir. Bandage utilisé pour les fractures de la mâchoire.

♦ **3.** Mod. Techn. Élément de charpente (bois, acier, béton...) disposé horizontalement et longitudinalement, pour réunir des éléments porteurs, supporter un tablier (pont), etc.

COMP. Déchevêtrer, enchevêtrer.

CHEVEU [ʃ(ə)vø] n. m. — 1080, *chevel* ; du lat. *capillus,* aussi « chevelure ».

♦ **1.** Poil* qui recouvre le crâne de l'homme. ⇒ **Chevelure ; capill-, trich-.** (S'emploie surtout au pluriel : *les cheveux.* ⇒ fam. Cresson, crins, douilles, mousse, persil, plumes, poil, tifs). *Les cheveux sont des phanères*. Partie de la peau où poussent les cheveux.* ⇒ **Cuir** (chevelu). *Ses cheveux sont plantés bas.* ⇒ **Plantation.** *Naissance des cheveux. Les cheveux croissent par la racine.* ⇒ **Bulbe.** *Cheveux fins, gros, vigoureux, secs, gras, ternes, brillants. Cheveux plats, lisses. Cheveux raides (comme des cordes, comme des baguettes de tambour). Cheveux drus, rebelles. Cheveux souples. Cheveux frisés.* ⇒ **Bouclé, crêpelé, crépu, ondé, ondulé.** *Cheveux soyeux. Cheveux laineux* (⇒ **Lanugineux**) *comme de l'étoupe. Cheveux vaporeux.*

(le duc de Bourgogne) avait des cheveux châtains si crépus et une telle quantité qu'ils bouffaient à l'excès. SAINT-SIMON, Mémoires, 822, 211. 1

Dans l'espèce humaine, les cheveux ne deviennent laineux que sur les nègres (...) 2
BUFFON, Hist. nat. des hommes, Suppl., XI.

Ô Corse à cheveux plats, que ta France était belle
Au grand soleil de Messidor ! A. BARBIER, Iambes et poésie, « L'Idole ». 3

(...) ces cheveux ondulés comme la mer et noués négligemment derrière la tête (...) 4
Th. GAUTIER, Mlle de Maupin, IV, p. 56.

Chéri distingua un large dos, le bourrelet grenu de la nuque au-dessous de gros cheveux gris vigoureux (...) COLETTE, la Fin de Chéri, p. 78. 5

Elle penchait, sur des papiers, ses cheveux crêpelés à reflet roux, son joli front d'institutrice. COLETTE, la Fin de Chéri, p. 10. 6

7 Le vent agitait ses cheveux rebelles. F. MAURIAC, le Nœud de vipères, p. 85.

Couleur des cheveux. ⇒ **Pigment.** *Cheveux noirs, d'ébène. Cheveux aile de corbeau,* qui ont des reflets bleus. *Avoir des cheveux bruns* (⇒ **Brunet, brunette**). *Cheveux châtains*. Cheveux roux* (⇒ **Carotte, queue de vache, rouge**). *Cheveux blonds*. Cheveux d'or. La Fille aux cheveux de lin,* prélude de Debussy. *Cheveux gris* (⇒ **Grison; grisonnant**). *Cheveux poivre et sel. Le premier cheveu blanc. Cheveux blancs* (⇒ **Chenu; canitie**), *argentés. Cheveux de neige.* Fig. *Respectez les cheveux blancs :* respectez la vieillesse.

8 Tes cheveux qui d'un or non pareil
Surmontent la blondeur des rayons du soleil. Amadis JAMYN, Poésies, II, 80.

9 (...) d'admirables cheveux noirs vernis et brillants comme l'aile du corbeau (...) Th. GAUTIER, la Toison d'or, I.

10 Les cheveux blancs, drus et courts, avivaient son œil sous d'épais sourcils gris. MAUPASSANT, Fort comme la mort, I, 1.

11 (...) ses cheveux châtains, massés sous un chapeau de feutre noir, luisaient dans la lumière avec des reflets fauves. Paul BOURGET, le Disciple, IV, p. 228.

12 Vous serez l'honneur de ma vieillesse, admirable élève, la gloire de mes cheveux blancs. Ch. PÉGUY, Œ., t. I, p. 379.

13 (...) ses cheveux roux, durs et broussailleux, plantés comme de l'herbe sur son front bas (...) MARTIN DU GARD, les Thibault, t. I, p. 82.

14 (...) la brosse hirsute des cheveux poivre et sel (...) MARTIN DU GARD, les Thibault, t. VI, p. 239.

Changements dans la couleur des cheveux. Cheveux qui deviennent bruns (⇒ **Brunir, brunissage, brunissement; foncer**), *blonds* (⇒ **Blondir; décolorer**), *gris* (⇒ **Grisonner**), *blancs* (⇒ **Blanchir**). *Se décolorer les cheveux.* ⇒ **Oxygéner**. *Se faire éclaircir des mèches de cheveux* (⇒ **Balayage**). *Se teindre les cheveux.* ⇒ **Teinture.** *Se passer les cheveux à la camomille, à la feuille de noyer...*

15 Son crâne aride nourrissait à peine quelques cheveux teints en noir. FRANCE, le Lys rouge, VI, p. 74.

16 Des yeux au henneh, des cheveux au henneh, un trop joli visage, avec un mauvais sourire. LOTI, les Désenchantées, IV, p. 62.

17 (...) le rouge mal réussi de ses cheveux et leurs racines blanchissantes. COLETTE, Chéri, p. 137.

Avoir beaucoup de cheveux. Cheveux abondants, drus, épais. ⇒ **Chevelure; crinière.** *Avoir peu de cheveux. Avoir le cheveu rare.* ⇒ **Clairsemé, maigre.** *Ne pas avoir de cheveux.* ⇒ **Atrichie, calvitie; chauve** (être). *Un flot, une forêt, une masse de cheveux. Une mèche, une touffe de cheveux.* ⇒ **Épi, houppe, toupet.**

18 (...) il était si chauve, qu'il ne lui restait qu'un toupet de cheveux par derrière (...) A. R. LESAGE, Gil Blas, VII, 2.

19 Elle avait une forêt de grands cheveux noirs, naturellement bouclés, qui lui tombaient au jarret (...) ROUSSEAU, les Confessions, IX.

20 (...) il avait rougi jusqu'à l'épi qui étoilait la naissance des cheveux (...) MARTIN DU GARD, les Thibault, t. II, p. 264.

Avoir les cheveux en désordre, en bataille, en broussaille, emmêlés, hirsutes. ⇒ **Décoiffé, dépeigné, ébouriffé, échevelé.** *Cheveux en coup de vent.*

21 La plaintive élégie, en longs habits de deuil
Sait, les cheveux épars, gémir sur un cercueil. BOILEAU, l'Art poétique, II.

22 Une petite aux cheveux ébouriffés en nuage d'or (...) LOTI, Ramuntcho, I, I, p. 16.

23 (...) des saules laissant tomber leurs feuillages sur l'eau comme une femme aux cheveux dépeignés. A. MAUROIS, Climats, I, V, p. 45.

Démêler, coiffer, peigner les, ses cheveux (⇒ **Brosse; peigne**). *Cheveux qui tombent lorsqu'on les peigne.* ⇒ **Démêlure, peignure.** — *Porter les cheveux courts, longs, dans le dos. Cheveux flottant, tombant sur les épaules. Le pli des cheveux,* leur mouvement naturel. *Séparation des cheveux.* ⇒ **Raie.** — *Arranger les cheveux.* ⇒ **Coiffer; coiffeur;** et aussi **ajuster, attacher, cordeler, cordonner, crêper, natter, relever, retrousser, tirer, tordre, torsader, tortiller, tresser.** *Disposition des cheveux.* ⇒ **Coiffure; bandeau** (cit. 3), **chignon, coque, favori, frange, frison, guiche, mèche, natte, queue, rouleau, toupet, torsade, tortillon, tresse.** *Objets qui tiennent les cheveux.* ⇒ **Barrette, épingle, nœud, peigne** (de cheveux), **pince, ruban, serre-tête.** *Filet à cheveux.* ⇒ **Résille, réticule.**

24 Ses cheveux, dont les deux bandeaux noirs semblaient chacun d'un seul morceau, tant ils étaient lisses, étaient séparés sur le milieu de la tête par une raie fine, qui s'enfonçait légèrement selon la courbe du crâne et, laissant voir à peine le bout de l'oreille, ils allaient se confondre par derrière en un chignon abondant, avec un mouvement ondé vers les tempes (...) FLAUBERT, Mme Bovary, II, p. 15.

25 Elle avait des cheveux superbes; plantés rudes et droits sur le front, ils se rejetaient puissamment en arrière, ainsi qu'une vague jaillissante, puis coulaient le long de son crâne et de sa nuque, pareils à une mer crépue, pleine de bouillonnements et de caprices, d'un noir d'encre. Ils étaient si épais qu'elle ne savait qu'en faire. Ils la gênaient. Elle les tordait en plusieurs brins, de la grosseur d'un poignet d'enfant, le plus fortement qu'elle pouvait, pour qu'ils tinssent moins de place, puis elle les massait derrière sa tête. Elle n'avait guère le temps de songer à sa coiffure, et il arrivait que ce chignon énorme, fait sans glace et à la hâte, prenait sous ses doigts une grâce puissante. À la voir coiffée de ce casque vivant, de ce tas de cheveux frisés qui débordaient sur ses tempes et sur son cou comme une peau de bête, on comprenait pourquoi elle allait tête nue, sans jamais se soucier des pluies ni des gelées. ZOLA, la Fortune des Rougon, I, p. 16.

Défaire les, ses cheveux. ⇒ **Dénatter, dénouer, dérouler, détresser.**

Couper les cheveux de qqn, à qqn. ⇒ **Désépaissir, effiler, rafraîchir, tailler, tondre, tonsurer.** *Se couper; se faire couper les cheveux.* — (1822, *in* D. D. L.). *Une coupe de cheveux.* — *Cheveux coupés courts, taillés en brosse...* (⇒ **Coiffure**).

26 Son visage dormant, qu'allongeait un reste de cheveux dressés en brosse autour de la calvitie, accusait la cinquantaine. MARTIN DU GARD, les Thibault, t. I, p. 38.

Friser les cheveux de qqn, ses cheveux (⇒ **Bichonner, boucler, calamistrer, frisotter, onduler, rouler, roulotter**). *Mèche de cheveux frisés.* ⇒ **Boucle, frisette, frison, ondulation.** *Procédés pour friser les cheveux.* ⇒ **Bigoudi, fer** (à friser), **indéfrisable, mise** (en plis), **ondulation, papillotte, permanent** (3. et cit. 6). *Lavage des cheveux.* ⇒ **Shampooing.** *Lustrer les cheveux* (⇒ **Brillantine, cosmétique, pommade**). *Cheveux plaqués, gominés. Poudrer les cheveux. Brosse à cheveux.*

Il se fait mettre des papillotes et fait poudrer ses cheveux en attendant qu'on 27
batte la générale (...) VAUVENARGUES, Thersite.

Miss Bell, n'est-ce pas cette jeune personne qui a l'air, avec ses cheveux jaunes 28
frisottés, d'un petit chien d'appartement? FRANCE, le Lys rouge, I, p. 10.

Maladies des cheveux. ⇒ **Pelade, pellicule, plique** ou **trichome, séborrhée, teigne, trichophytie.** *Décoloration congénitale des cheveux.* ⇒ **Albinisme, leucotrichie.** *Chute des cheveux. Perdre ses cheveux. Cheveux cassants, cheveux fourchus. Parasite des cheveux.* ⇒ **Pou.** *Soin des cheveux.* ⇒ **Capilliculture; brûlage, épointage, lotion** (capillaire).

Faux cheveux. ⇒ **Chichi** (II.), **moumoute, perruque, postiche.**

Cheveux d'Absalon, célèbres pour leur longueur. *Cheveux de Samson :* cheveux dans lesquels résidait la force merveilleuse de Samson, et qui furent coupés à son insu par Dalila.

Collectivt. *Le cheveu :* les cheveux. *Avoir le cheveu rare, fin, épais.*

♦ **2.** Loc. *Cheveux au vent :* cheveux libres de toute attache. EN CHEVEUX : tête nue, sans chapeau (s'est dit au XIXe s. des femmes du peuple, lorsque les bourgeoises comme les aristocrates ne sortaient jamais sans chapeau). *Sortir en cheveux. Femme en cheveux.*

Cependant, parmi la foule plus rare, couraient des femmes en cheveux, redescen- 28.1
dues après avoir allumé le feu, et se hâtant pour le dîner; elles bousculaient le monde, se jetaient chez les boulangers et les charcutiers, repartaient sans traîner (...) ZOLA, l'Assommoir, t. II, p. 234.

Elle avait noué sur sa tête un foulard qui cachait ses cheveux, ses oreilles, ses 29
joues. Un foulard gris. Pourquoi? D'habitude, elle venait en cheveux. H. BOSCO, Hyacinthe, p. 41.

Ainsi, par exemple, dit maman, tu as un chapeau sur la tête (...) — Eh bien, je 29.1
vais enlever mon chapeau; je rêve de ne plus porter de chapeau. — Je déteste les filles en cheveux, dit papa. Ça fait mauvais genre. Benoîte et Flora GROULT, Journal à quatre mains, p. 114.

Loc. fig. *Se prendre aux cheveux :* se quereller, se battre. *S'arracher les cheveux :* être furieux et désespéré (→ Arracher, cit. 50).

Faire dresser les cheveux sur la tête : inspirer un sentiment d'horreur.

Je ne sentis point cette horreur qui fait dresser les cheveux sur la tête et qui glace 30
le sang dans les veines (...) FÉNELON, Télémaque, II.

(1875, *in* D. D. L.). *Avoir mal aux cheveux :* avoir mal à la tête pour avoir trop bu. Cf. Mal de crâne. *Avoir mal aux cheveux et la gueule de bois.*

J'ai mal aux cheveux, fils... Tu n'aurais pas un flacon de raide dans ta voiture? 30.1
SAN-ANTONIO, le Secret de Polichinelle, p. 93.

Se faire des cheveux, des cheveux blancs : se faire du souci. → Poing, cit. 10. — *Tiré par les cheveux :* amené d'une manière forcée et peu logique. — *Saisir l'occasion* aux cheveux, par les cheveux,* la saisir rapidement.

C'est une occasion qu'il faut prendre vite aux cheveux. MOLIÈRE, l'Avare, I, 5. 31

Il y a des figures claires et démonstratives, mais il y en a d'autres qui semblent 32
un peu tirées par les cheveux, et qui ne prouvent qu'à ceux qui sont persuadés d'ailleurs. PASCAL, Pensées, X, 650.

Au sing. *Un cheveu. Fin comme un cheveu :* extrêmement fin : (→ Capillacé, capillaire).

À un cheveu près : à très peu de chose près. *Cela a tenu à un cheveu, il s'en est fallu d'un cheveu :* cela a failli arriver, se réaliser. *Ne pas toucher à un cheveu* (d'une personne), ne pas porter la main sur elle. *Ne pas ôter un cheveu* (à une personne), ne rien lui ôter de son mérite.

Ce que je viens de dire sur les affinités d'imagination et de destinée entre le chro- 33
niqueur de René et le chantre de Childe-Harold n'ôte pas un seul cheveu à la tête du barde immortel *(Byron).* CHATEAUBRIAND, Mémoires d'outre-tombe, I, 9.

Il faut savoir qu'un seul des cheveux de ces hommes *(les internés politiques dans* 33.1
les camps allemands) a plus d'importance pour la France et l'univers entier qu'une vingtaine de ces hommes politiques dont des nuées de photographes enregistrent les sourires. Eux, et eux seuls, ont été les gardiens de l'honneur et les témoins du courage. CAMUS, Actuelles I, La chair, mai 1945, Pl., p. 304.

(1866). Fam. *Il y a un cheveu! :* il y a un ennui.

(...) tout semblait me destiner à la carrière métropolitaine la plus régulière. Pour- 33.2
tant, il y avait un cheveu, j'avais naguère publié dans une revue un article qui n'avait pas eu l'heur de plaire à certains des grands chefs dont dépendait ma destinée. L.-H. LYAUTEY, Paroles d'action, p. 460.

Arriver, venir comme un cheveu, des cheveux sur la soupe : arriver à contretemps, mal à propos.

(Idée de finesse). *Couper les cheveux en quatre :* subtiliser à l'excès. *C'est un coupeur de cheveux en quatre!*

Vous allez dire que je donne dans le rigorisme, que je coupe les cheveux en quatre. 34
J. ROMAINS, Knock, p. 95.

Prov. *On ne peut peigner un diable qui n'a pas de cheveux :* on ne peut tirer quelque chose de quelqu'un qui n'a rien.

♦ **3.** Fêlure très fine (faïence, porcelaine).

Des étrangers, des provinciaux peuvent — de bonne foi — prétendre que Notre- 35
Dame, la Sainte-Chapelle, les tours de Saint-Louis, le Louvre, Saint-Julien-le-

Pauvre, le dôme des Invalides, le Panthéon, l'Arc de Triomphe demeurent tels qu'ils étaient, sans « un cheveu », comme disent les antiquaires, sans une fêlure (...)
Francis CARCO, Nostalgie de Paris, p. 21.

CHEVEUX D'ANGE ⓐ Guirlandes d'arbre de Noël.

ⓑ Vermicelles très fin.

ⓒ Tranches de cédrat*, d'orange ou de citron, confites et coupées en lanières très minces.

Bot. *Cheveu-de-la-Vierge :* fleur de la viorne. *Cheveu-de-Vénus :* adiante ou capillaire.

36 — Mais non, répondit Mᵐᵉ de Villeparisis tout en disposant plus près d'elle le verre où trempaient les cheveux de Vénus que tout à l'heure elle recommencerait à peindre, c'était une habitude à M. Molé, tout simplement.
PROUST, le Côté de Guermantes, éd. Folio, p. 231.

DÉR. **Chevelé, chevelu, chevelure.**
COMP. **Décheveler, écheveler.**

CHEVILLAGE [ʃ(ə)vijaʒ] n. m. — 1808 ; de *cheviller.*

♦ **1.** Action de cheviller.

Malgré toutes ses recherches dans la *Virginie (l'épave),* Robinson n'avait pu trouver ni une vis ni un clou. Comme il ne disposait pas non plus de vilebrequin, l'assemblage des pièces par chevillage lui était également interdit.
M. TOURNIER, Vendredi (...), p. 28.

♦ **2.** Ensemble des chevilles (d'un ouvrage).

CHEVILLARD [ʃ(ə)vijaʀ] n. m. — 1856 ; de *cheville* (I., 3.).

♦ Boucher qui vend la viande à la cheville ; boucher en gros.

CHEVILLE [ʃ(ə)vij] n. f. — V. 1160 ; du lat. pop. **cavicula,* du lat. class. *clavicula* « petite clef ».

★ **I.** ♦ **1.** Tige de bois ou de métal dont on se sert pour boucher un trou, assembler des pièces. *Cheville carrée, ronde. Cheville conique.* ⇒ **Épite.** *Cheville d'assemblage*.* ⇒ **Axe, boulon, clou, dent-de-loup, enture, fenton, goujon, goupille, taquet** *L'atteloire, cheville qui fixe les traits du cheval au timon. Cheville bouchant un trou de tonneau.* ⇒ **Broche, fausset.** *Cheville plate qui maintient une roue sur l'essieu.* ⇒ **Esse.** *Cheville assujettissant les tire-fonds des traverses de voie ferrée.* ⇒ **Trenail.** — Mar. *Cheville d'amarrage*.* ⇒ **Cabillot.** *Cheville de chêne employée dans les constructions.* ⇒ **Gournable.** *Cheville du trou d'écoulement des eaux d'un canot.* ⇒ **Nable.** — *Clou plat traversant une cheville pour la fixer.* ⇒ **Clavette.** *Repoussoir* pour chasser une cheville. Enfoncer, ficher, planter une cheville.*

1 (...) un nœud est une espèce de cheville adhérente à l'intérieur du bois.
BUFFON, Hist. nat., t. VIII, p. 182, *in* LITTRÉ.

CHEVILLE OUVRIÈRE ⓐ (1635). Grosse cheville qui joint l'avant-train avec le corps d'une voiture, d'une charrue, d'un affût... *Lunette de cheville ouvrière d'un canon.*

ⓑ (1700). Fig. Agent, instrument essentiel d'une entreprise, d'un organisme. *Être la cheville ouvrière d'un complot, d'une association, d'une affaire.* ⇒ **Centre, pivot.**

2 (...) ils me choisirent d'une commune voix pour leur chef. Je justifiai bien leur choix par une infinité de friponneries que nous fîmes, et dont je fus, pour ainsi parler, la cheville ouvrière.
A. R. LESAGE, Gil Blas, V. I, p. 323.

3 Vingt ans de suite, effacée, silencieuse, infatigable, elle avait été la cheville ouvrière de la maison (...)
MARTIN DU GARD, les Thibault, t. VIII, p. 202.

3.1 Après des prouesses dans la résistance de Marseille j'étais devenu en Suisse la cheville ouvrière de l'OVS qu'on savait d'obédience communiste (...)
Jacques LAURENT, les Bêtises, p. 234.

Rare. *Cheville maîtresse :* cheville ouvrière. Au fig. ⇒ **Centre,** cit. 9.
Loc. fig. et fam. *Être en cheville avec qqn,* lui être associé.

3.2 (...) entre le vol et la présence à Dorges du mystérieux M. Prosper, on ne pouvait douter qu'une corrélation n'existât. C'était elle que Barnabé avait pour mission d'établir.
— Tous ces mirontons-là m'ont l'air d'être en cheville, songeait-il (...)
Francis CARCO, les Belles Manières, p. 75.

♦ **2.** (1599). Mus. Pièce de bois ou de métal qui sert à donner la tension voulue aux cordes (d'un violon, d'une harpe, d'une guitare, d'un piano).

♦ **3.** (V. 1200). Tenon pour accrocher. *Pendre qqch. à une cheville.*
— Spécialt. *Viande vendue à la cheville,* dépecée et accrochée à des chevilles, qui est revendue en gros et demi-gros aux bouchers (⇒ **Chevillard**).

★ **II.** (XIIᵉ). Saillie des os de l'articulation du pied, formée en dedans par le tibia, en dehors par le péroné (⇒ **Malléole**) ; partie située entre le pied et la jambe. *Se cogner les chevilles en marchant. Se fouler la cheville. Avoir la cheville fine* (⇒ **Attache,** cit. 10 et supra). *Robe qui arrive à la cheville.*

4 Il s'était renversé au fond du fauteuil et fumait : le croisement des jambes découvrait jusqu'à la cheville son pied qu'il balançait indolemment.
MARTIN DU GARD, les Thibault, t. I, p. 123.

Par plaisanterie (→ I., 1.) :

4.1 *7 Novembre.* Une petite fille, avec de jolies chevilles ouvrières.
J. RENARD, Journal, 7 nov. 1887.

Fig. *Ne pas aller, ne pas arriver*, ne pas venir à la cheville de qqn,* lui être très inférieur.

5 (...) ta mère est une femme exceptionnelle. Elle mérite d'être traitée non seulement avec respect, mais avec vénération. Je ne connais pas de femme qui lui vienne à la cheville.
G. DUHAMEL, Chronique des Pasquier, II, XIX, p. 412.

★ **III.** (1609). Terme de remplissage permettant la rime ou la mesure ; expression inutile à la pensée. ⇒ **Redondance,** 1. ; **bourre,** C. ; → **Rime,** cit. 8. *Poésie bourrée de chevilles.*

6 Cheville ! redondance inutile !
ROUSSEAU, Émile, II.

7 *À la face des dieux* est ce qu'on appelle une cheville ; il ne s'agit point ici de dieux et d'autels ; ces malheureux hémistiches qui ne disent rien parce qu'ils semblent en trop dire, n'ont été que trop souvent imités.
VOLTAIRE, Commentaire sur Corneille, Othon, I, 1.

8 Pitoyable Laure, qui aimait Pétrarque à cause de ces sonnets hebdomadaires, pleins de chevilles et dont chacun d'ailleurs n'était qu'une cheville entre deux moments d'oubli !
GIRAUDOUX, les Aventures de Jérôme Bardini, p. 77.

9 (...) les cinq intermédiaires hurlèrent sans trêve de piteux alexandrins, que les spéculateurs (...) improvisaient hâtivement à grands renforts de chevilles.
Raymond ROUSSEL, Impressions d'Afrique, p. 37.

DÉR. **Chevillard, cheviller, chevillette, chevillon.**
HOM. Formes du v. **cheviller.**

CHEVILLER [ʃ(ə)vije] v. tr. — 1155 ; de *cheville.*

♦ **1.** Joindre, assembler (des pièces) avec des chevilles*. *Cheviller une porte, une table.*

♦ **2.** Fig., rare. Remplir de mots inutiles. *Cheviller des vers.* Absolt. *Un poète qui cheville.*

▶ **CHEVILLÉ, ÉE** p. p. adj. *Ouvrage de menuiserie entièrement chevillé.*

1 (...) une fois qu'on avait franchi la porte massive, chevillée de longs clous à tête quadrangulaire, on tombait au milieu d'une troupe de gens d'épée qui se croisaient dans la cour, s'interpellant, se querellant et jouant entre eux.
DUMAS, les Trois Mousquetaires, t. I, p. 36.

Loc. fig. *Avoir l'âme chevillée au corps :* avoir la vie dure.

2 Ces vieux chevaux de labour, ils ont l'âme chevillée au corps !
ZOLA, la Terre, II, p. 128.

DÉR. **Chevillage.**

CHEVILLETTE [ʃ(ə)vijɛt] n. f. — V. 1275 ; de *cheville.*

Vieux ou technique.

♦ **1.** Petite cheville. « *Tire la chevillette, la bobinette cherra* » (Perrault).

♦ **2.** Pièce ronde et longue qui sert à tendre un cordeau.

CHEVILLIÈRE [ʃ(ə)vijɛʀ] n. f. — 1828, à Lyon ; du rad. de *cheveu.*

♦ Régional (Savoie, Lyon, Suisse). Ruban métrique de un ou deux décamètres, s'enroulant dans une boîte de protection.

L'ingénieur s'agitait, déroulait sa chevillière, mesurait à droite, mesurait à gauche.
Maurice ZERMATTEN, la Colère de Dieu, p. 369.

HOM. Formes du v. **cheviller.**

CHEVILLON [ʃ(ə)vijɔ̃] n. m. — 1680 ; « petite cheville en bois », XIIIᵉ ; de *cheville.*

Technique.

♦ **1.** Bâton tourné joignant les montants du dossier d'une chaise.

♦ **2.** Bâton des ourdisseurs.

HOM. Formes du v. **cheviller.**

CHEVIOTTE [ʃəvjɔt] n. f. — 1872 ; angl. *cheviot* (1856) « mouton d'Écosse, élevé dans les monts Cheviot ».

♦ Laine des moutons d'Écosse ; étoffe faite avec cette laine. *Veste de cheviotte.*

REM. La variante *cheviot* [ʃəvjo], n. m., a été en usage au XIXᵉ s. : « *... le cheviot et la toile* » (Verlaine).

CHEVIR [ʃəviʀ] v. tr. ind. — XIIᵉ ; lat. vulg. **capire,* lat. *capere* « prendre ».

♦ Vx. *Chevir de... (qqch., qqn) :* venir à bout de, disposer de...

REM. Le mot a vécu jusqu'au XVIIᵉ s., où il est qualifié de « bas et burlesque » (Trévoux, 1704). Molière le met dans la bouche de M. Dimanche (*Dom Juan*, IV, 3).

DÉR. Chevance.

CHÈVRE [ʃɛvʀ] n. f. — 1675 ; *chièvre*, 1119 ; du lat. *capra*.

★ **I.** ♦ **1.** Mammifère ruminant ongulé (*Bovidés-caprinés*) ; spécialt, individu de l'espèce domestique, issue de la *chèvre de Perse* (*capra hircus*). ⇒ **Bique**. *La chèvre, dotée de cornes arquées, à pelage fourni, est apte à grimper et à sauter. De la chèvre.* ⇒ **Caprin**. — Spécialt. La femelle de cette espèce (opposé à *bouc*) ; la femelle adulte (opposé à *chevreau*). ⇒ fam. **Bique, biquette**. *Chèvre d'Europe, au profil droit, aux oreilles dressées. L'œgagre*, chèvre sauvage d'Europe.* ⇒ **Bouquetin**. *Chèvre naine à poils ras* (en Afrique noire). ⇒ **Cabri** (2.). *Chèvre du Levant.* ⇒ **Menon**. *Chèvre nubienne aux oreilles pendantes et à poil court. Chèvre cachemire, chèvre d'Angora*, à toison longue, fine, épaisse et soyeuse. — La chèvre est cavicorne* (a des cornes creuses). Chèvre sans cornes. Barbe, barbiche de chèvre. Mamelles, pis de la chèvre. Cri de la chèvre* (⇒ **Béguéter, bêler, chevroter**). *Chèvre qui se dresse* (⇒ **Cabrer**), *qui saute* (⇒ **Cabriole**), *qui broute. La réputation de la chèvre a donné lieu à diverses dénominations* (⇒ **Capricant, caprice, capricieux**). — *Mâle de la chèvre.* ⇒ **Bouc**. *Chèvre qui met bas.* ⇒ **Biqueter, chevroter**. *Petits de la chèvre.* ⇒ **Biquet, cabri, chevreau, chevrillon**. *Petite chèvre.* ⇒ **Chevrette**. *Lait de chèvre. Fromage de chèvre. — Cuir de chèvre tanné.* ⇒ **Maroquin**. *Peau de chèvre qu'on mettait sur les chevaux de selle.* ⇒ **Chabraque**. *Tissu en poil de chèvre.* ⇒ **Cachemire, cilice, mohair**. *Fil de suture fait d'intestins de chèvre* (et non plus de boyaux de chat). ⇒ **Catgut**. — *Divinités à tête, à pieds de chèvre.* ⇒ **Ægipan, bouquin, capricorne, capripède, chèvre-pied, satyre**.

1 Dès que les chèvres ont brouté,
   Certain esprit de liberté
   Leur fait chercher fortune (...)
   Un rocher, quelque mont pendant en précipices,
   C'est où ces dames vont promener leurs caprices (...)
                            LA FONTAINE, Fables, XII, 4.
2 La chèvre a quelque chose de tremblant et de sauvage dans la voix, comme les rochers et les ruines où elle aime à se suspendre (...)
                            CHATEAUBRIAND, le Génie du christianisme, t. I, V, 5.
3 La chèvre aux fauves yeux qui rôde au flanc des monts (...)
                            HUGO, la Légende des siècles, LVII, « Petit Paul ».
4 (...) qu'elle était jolie la petite chèvre de M. Seguin ! Qu'elle était jolie avec ses yeux doux, sa barbiche de sous-officier, ses sabots noirs et luisants, ses cornes zébrées et ses longs poils blancs qui lui faisaient une houppelande ! (...) et puis docile, caressante, se laissant traire sans bouger, sans mettre son pied dans l'écuelle.
                            Alphonse DAUDET, Lettres de mon moulin,
                            « La chèvre de M. Seguin », p. 32.

♦ **2.** Par compar. ou par métaphore. *Un visage de chèvre*, allongé et malicieux. — *Sauter, bondir, grimper comme une chèvre*, avec agilité (⇒ **Capricant**). *Sentier, chemin de chèvre*, escarpé et étroit. — *Être fantasque, impatient comme une chèvre* (⇒ **Capricieux**, étymologie).
Loc. fig. *Devenir chèvre* : s'énerver jusqu'à perdre la tête. — *Faire devenir chèvre, faire tourner (qqn) en chèvre* : faire enrager (cf. Faire tourner en bourrique).

4.1 — Alors, maintenant, ces pâtes ? Tu nous les fais porter ou non ? — Mais tout de suite ! dit le gros homme que ce changement d'humeur chez son client réconfortait. Vous n'avez de plaisir qu'à me tourner en chèvre.
                            Francis CARCO, les Belles Manières, 1947, p. 13.
4.2 Brindon me demanda ce que j'avais fait du chat blessé et le lui dis que simplement je l'avais changé en oiseau. « Vous me ferez donc devenir chèvre », me dit-il plaisamment.
                            Robert PINGET, Graal Flibuste, p. 159.
Être amoureux (cit. 9) *d'une chèvre coiffée*, amoureux de n'importe quelle femme.
Ménager la chèvre et le chou : ne pas prendre parti ; réserver sa décision jusqu'à ce qu'un parti l'emporte.

5 (...) il aime à ménager la chèvre et les choux. Il a mal ménagé la chèvre, et ne mangera pas même les choux. Mᵐᵉ DE SÉVIGNÉ, Lettres, 262, 6 avr. 1672.
Loc. prov. *Où la chèvre est attachée, il faut qu'elle broute* : il faut se contenter de son sort.

♦ **3.** Par métonymie. Peau, fourrure de chèvre. — Viande de chèvre. — Fromage de chèvre. Plur. *Des chèvres* ou (invar.) *des chèvre*.

6 (...) y a-t-il un assez grand nombre de fromages ? Ce goût de Bertrand pour les chèvre dont il y a au moins quatre sortes (...) Ce choix des chèvre est magnifique. Ronds et roux, les secs petits crottins de Chavignol et quelques Saint-Marcelin moins dorés voisinent avec les vertes pyramides tavelées des Valençay et de longs, d'onctueux Sainte-Maure marbrés de jaune.
                            Claude MAURIAC, le Dîner en ville, p. 227-228.

★ **II.** (1753). Techn. ♦ **1.** Appareil de levage* composé le plus souvent de trois poutres disposées en faisceau dont le sommet soutient une poulie manœuvrée à l'aide d'un treuil. ⇒ **Bigue, cabre, grue**. *Chèvre à trois pieds. Chèvre à haubans. Chèvre verticale. Chèvre de tranchée. Chèvre à déclic.*
Chevalet* pour soutenir une pièce de bois (que l'on façonne, que l'on scie...). → **Cabre, cabri**.

♦ **2.** *Pied-de-chèvre :* levier de métal dont l'une des extrémités est taillée en pied de chèvre.

DÉR. Chevreau, chevreter, chevrette, chevron.
COMP. Chèvre-pied. — V. aussi Chèvrefeuille.

CHEVREAU [ʃəvʀo] n. m. — V. 1170, *cheverel, chevrel* ; var. anc. *chevrot*, de *chèvre*.

♦ **1.** Le petit de la chèvre. ⇒ 1. **Bicot, biquet, cabri, chevrotin**. *Bondir comme un chevreau. Chevreau têtard* (à la mamelle), *broutard*.

Moi, je me plais auprès de mes jeunes chevreaux.
Je m'occupe à leurs jeux. J'aime leur voix bêlante.
                            André CHÉNIER, Bucoliques, V, « La Liberté ».

♦ **2.** (1841, Balzac, *in* D.D.L.). Peau de chèvre ou de chevreau qui a été tannée. *Chaussures, gants de chevreau.*

DÉR. (Par la forme *chevrot*) **Chevrotain, chevroter, chevrotin.**

CHÈVREFEUILLE [ʃɛvʀəfœj] n. m. — XIIᵉ, *chevrefoil, chevrefueil* ; *chèvrefueil* encore au XVIIᵉ ; bas lat. **caprifolium* « feuille de chèvre, de bouc », de *capra* « chèvre », et *folium* « feuille ».

♦ Plante dicotylédone (*Caprifoliacées*), scientifiquement appelée *lonicera* ; arbrisseau à tige volubile, à feuillage caduc ou persistant, à fleurs élégantes et parfumées. *Les chèvrefeuilles sont mellifères ; certaines variétés sont cultivées comme ornementales.* — *Chèvrefeuille grimpant.* — *Le lai du chèvrefeuille*, poème de Marie de France.

1 Elle (*la reine*) remarque sur le sol la branche de coudrier où le chèvrefeuille s'enlace fortement (...) J. BÉDIER, Tristan et Iseut, XVII, p. 180.
2 Pour le prestige de notre jardin, fallait-il davantage qu'un chèvrefeuille centenaire et infatigable, que la glycine en cascatelles et le rosier cuisse-de-nymphe ?
                            COLETTE, Flore et Pomone, *in* Gigi, p. 152.

CHÈVRE-PIED [ʃɛvʀəpje] adj. et n. m. — 1549, Ronsard ; de *chèvre*, et *pied*.

♦ Vx et littér. Qui a des pieds de chèvre. ⇒ **Capripède**. *Satyre chèvre-pied*, ou *chèvre-pieds*. — N. m. *Des chèvre-pieds.* — Mod. et par plais. Satyre. « *Ce chèvre-pied de Farou...* » (Colette).

CHEVRETER [ʃəvʀəte] — Conjug. *acheter*. — ou CHEVRETTER [ʃəvʀəte] v. intr. — 1573 ; *chievreter*, 1551 ; de *chèvre*.

♦ Rare. Mettre bas, en parlant des chèvres. ⇒ **Chevroter**.

CHEVRETTE [ʃəvʀɛt] n. f. — XIIIᵉ ; de *chèvre*.

★ **I.** ♦ **1.** Petite chèvre. ⇒ **Biquet** (biquette).

♦ **2.** (1611). Femelle du chevreuil. *Des chevrettes et leurs faons* (→ Brocard, cit.).

★ **II.** Techn. ♦ **1.** (1610). Chenet. Trépied métallique qui supporte les casseroles sur le feu.

♦ **2.** Bouteille à huile, à col étroit.

★ **III.** (1551). Régional. Crevette* rose (⇒ **Bouquet**).

Des astéries, des chevrettes, des méduses apparaissaient puis disparaissaient sous les longues franges entrelacées des algues et des mousses vertes.
                            Jean CAYROL, Histoire de la mer, p. 53.

CHEVREUIL [ʃəvʀœj] n. m. — 1690 ; *chevroel*, déb. XIIᵉ, puis *chevreul* jusqu'au XVIIᵉ ; du lat. *capreolus*, de *capra*. → Chèvre.

♦ **1.** Mammifère ongulé (*Cervidés*), scientifiquement appelé *capreolus*, assez petit (0,70 m au garrot), à robe fauve et ventre blanchâtre. *Le bois d'un chevreuil porte rarement plus de deux andouillers*. Premier bois du chevreuil.* ⇒ **Broche**. *Chevreuil gracieux, rapide. Chevreuil d'un an.* ⇒ **Brocard**. *Femelle du chevreuil.* ⇒ **Chevrette**. *Petit chevreuil.* ⇒ **Chevrillard** (cit.), **chevrotin**. *Cri du chevreuil* (⇒ **Bramer, rare**). *Chasse au chevreuil.* ⇒ **Chasse** (à courre). *Courir un chevreuil. La dardière, piège à chevreuil — Cuissot, filet, longe d'un chevreuil. Ragoût de chevreuil.*

1 Là le chevreuil, champêtre et doux,
   Bondit aussi dessus les houx,
   En courses incertaines (...)
                            RACINE, Poésies diverses, Promenades de Port-Royal, III.
2 Le chevreuil laisse des impressions plus fortes et qui donnent aux chiens plus d'ardeur et plus de véhémence d'appétit que l'odeur du cerf.
                            BUFFON, Hist. nat. des animaux, Chevreuil.
3 Une frise de chevreuils roux trottant à la lisière d'un bois, — brocarts, chevrettes et faons à la file —, le col tendu, les oreilles droites, bien détachés les uns des

autres comme pour mieux déployer, sur le fond de feuilles sombres, l'harmonie souple de leurs allures !   M. GENEVOIX, Forêt voisine, x, p. 122.

♦ **2.** (1699). Régional (Canada). Cerf de Virginie.

DÉR. Chevrillard.

CHEVRIER, ÈRE [ʃəvʀije, ɛʀ] n. — 1241, *chavrier*; lat. *caprarius*, de *capra*. → Chèvre.

★ **I.** Celui, celle qui mène paître les chèvres. ⇒ **Berger** (de chèvres). *Des chevriers et leurs troupeaux.*

★ **II.** N. m. Variété de haricot blanc.

CHEVRILLARD [ʃəvʀijaʀ] n. m. — 1739 ; de *chevreuil*.

♦ Petit du chevreuil*. ⇒ **Chevrotin, faon.**

Trois chevreuils bien roux qui, tranchant sur le vert de l'airial, bougeaient (...) Dans l'herbe, caressés par les fougères, broutent le père, la mère, un petit (...) Je les ai bien regardés tout à l'heure, chevreuil, chevrette et chevrillard (...)
     Michèle PERREIN, Entre chienne et louve, p. 484.

CHEVRILLON [ʃəvʀijɔ̃] n. m. — Attesté 1849, G. Sand ; mot régional, dimin. de *chevril*, lui-même dimin. de *chèvre*.

♦ Régional. Petit de la chèvre.

CHEVRON [ʃəvʀɔ̃] n. m. — V. 1210 ; *chevrun*, v. 1160 ; du lat. pop. **caprio* ou **capro, -onis*, de *capra*. → Chèvre.

♦ **1.** Pièce de bois équarri sur laquelle on fixe des lattes qui soutiennent les éléments (ardoises, tuiles...) de la toiture. ⇒ **Charpente** (pièce de); **madrier.** *Chevron de ferme, de long pan. Assemblage de chevrons sur un faîte.* ⇒ **Enfourchement, faîtage.** *Les guigneaux supportent les chevrons entre lesquels passe un tuyau de cheminée. Planche placée à l'extrémité des chevrons d'un comble.* ⇒ **Chanlatte.** *Le chevron est également employé en architecture comme ornement.*

♦ **2.** (V. 1275). Blason. Pièce honorable en forme de V renversé. *Chevron abaissé, alaisé, appointé, brisé, couché, éclaté, enlacé, ondé, ployé, renversé, rompu.*

♦ **3.** (1771). Galon en V renversé porté sur les manches. ⇒ **Brisque ; chevronné.**

(...) mon père,
Fier vétéran âgé de quarante ans de guerre,
Tout chargé de chevrons.   HUGO, Feuilles d'Automne, VI.

(xxᵉ). *En chevron :* dont la disposition rappelle celle d'un chevron. *Motif en chevron :* motif décoratif formant des chevrons successifs, des zigzags. → Arête* de poisson. — *Des chevrons* ou, collectif, *du chevron* (même sens). Appos. *Un complet chevron,* à chevrons. *Tissu à chevrons* (croisé de laine ou coton, à côtes en zigzags). — Techn. *Engrenage à chevrons,* à saillies en V.

DÉR. Chevronner.

CHEVRONNAGE [ʃəvʀɔnaʒ] n. m. — 1838 ; *chevronage*, 1832 ; de *chevronner*.

Technique.

♦ **1.** Action de chevronner.

♦ **2.** Ensemble des chevrons d'un comble. — Ouvrage fait en chevrons.

CHEVRONNÉ, ÉE [ʃəvʀɔne] adj. — XIIIᵉ ; de *chevronner*.

★ **I.** ♦ **1.** Disposé en chevrons ; garni de chevrons. *Étoffe chevronnée.*

♦ **2.** (1228). Blason. Garni de chevron(s). *Écu chevronné.*

★ **II.** ♦ **1.** (1837 ; argot). Qui a des galons d'ancienneté. ⇒ **Briscard** (→ Camp, cit. 2).

[1] (...) Du vieux héros tout chevronné.
     Th. GAUTIER, Émaux et Camées, « Vieux de la vieille ».

♦ **2.** Mod. *Un conducteur chevronné.* ⇒ **Expérimenté.**

[2] Je m'arrache à cette contemplation d'une peinture deux fois mauvaise, et par l'idée qu'elle nous donne de l'art académique, et par les pensées funèbres qu'elle éveille chez un académicien aussi chevronné que je le suis.
     F. MAURIAC, le Nouveau Bloc-notes 1958-1960, p. 342.

CHEVRONNER [ʃəvʀɔne] v. tr. — 1260 ; de *chevron*.

♦ Techn. Garnir de chevrons. *Chevronner un comble.*

DÉR. Chevronnage, chevronné.

CHEVROTAIN [ʃəvʀɔtɛ̃] n. m. — Fin XVIIIᵉ ; de *chevrot*. → Chevreau.

♦ Ruminant de petite taille, sans cornes, à longues canines supérieures formant défenses, vivant en Afrique et en Asie.

Il n'a tué d'abord que des chevrotains (...) Certains avaient bien une poche au ventre, mais elle ne contenait que du musc.
     Henri FAUCONNIER, Malaisie, p. 107.

HOM. Chevrotin.

CHEVROTANT, ANTE [ʃəvʀɔtɑ̃, ɑ̃t] adj. — 1805 ; p. prés. de *chevroter*.

♦ **1.** Qui chevrote. *Voix chevrotante,* tremblante et cassée. — (Personnes). *Un vieillard tout chevrotant.*

Elle la fit chanter et toucher le piano. Elle y fut parfaitement ridicule, n'ayant qu'une voix chevrotante et fausse, une mauvaise méthode, mais en revanche une vanité et une assurance imperturbables.
     STENDHAL, Journal, 1805, t. II, p. 89.

♦ **2.** Vx ou littér. Qui est agité d'un tremblement. *Des mains chevrotantes.*

CONTR. Assuré.

CHEVROTEMENT [ʃəvʀɔtmɑ̃] n. m. — 1542, *chevrottement* ; de *chevroter*.

♦ **1.** Caractère de la voix qui chevrote, tremblement de la voix qui ressemble au bêlement de la chèvre. *Le chevrotement d'un vieillard.* — *Paroles chevrotées. Un, des chevrotements.*

Sa voix, de plus en plus entrecoupée, avait un chevrotement de vieillesse (...)
     LOTI, Matelot, VI, p. 29. [1]

Son, cri semblable à un chevrotement.

(...) tous les bruits secrets de la forêt, frouement d'une dame blanche en chasse, chevrotement d'une hase en rut, tapements de pattes d'un lapin (...)
     M. TOURNIER, le Roi des Aulnes, p. 188. [2]

♦ **2.** Fig. Plainte niaise. ⇒ **Bêlement, jérémiade.**

L'attitude précise, à égale distance du militarisme imbécile et des chevrotements pacifistes, est épineuse à établir.
     J.-R. BLOCH, Deux hommes se rencontrent, p. 92. [3]

CHEVROTER [ʃəvʀɔte] v. — 1566, « mettre bas » (→ Chevreter) ; de *chevrot* « chevreau » ; rad. *chèvre*.

★ **I.** V. intr. ♦ **1.** Mettre bas, en parlant de la chèvre. ⇒ **Chevreter.**

♦ **2.** Bêler*, en parlant de la chèvre.

★ **II.** (Correspond à *chevrotement*). ♦ **1.** V. intr. (1706). Parler, chanter d'une voix tremblotante. *Chanteur qui chevrote. Vieillards dont la voix chevrote.*

Contre la muraille du temple (...) ce sont les lamentations de Jérémie qu'ils redisent tous, avec des voix qui chevrotent en cadence, au dandinement rapide des corps.   LOTI, Jérusalem, XIII, p. 159. [1]

♦ **2.** V. tr. Prononcer, chanter (qqch.) d'une voix chevrotante*.

Le jour passe et renaît. Les vieilles, comme des automates à la mécanique lassée, se couchent et se lèvent, trottent menu, esquissent des gestes lents, chevrotent de petites phrases qui sont toujours les mêmes, ou peu s'en faut.
     Suzanne PROU, la Terrasse des Bernardini, p. 15. [1.1]

Passif et p. p. : *Trilles chevrotés.*

(...) il ne jouait jamais que des airs nationaux, des airs chevrotés par les grand'mères aux veillées (...)   Alphonse DAUDET, Numa Roumestan, I, p. 23. [2]

DÉR. Chevrotant, chevrotement.

CHEVROTIN [ʃəvʀɔtɛ̃] n. m. — 1596 ; *chivrotin* « chevreau », 1277 ; de *chevrot*. → Chevreau.

Technique ou rare.

♦ **1.** Petit du chevreuil (au-dessous de six mois). ⇒ **Chevrillard, faon.** *Chevrette avec son chevrotin.*

♦ **2.** (1367). Techn. Peau de chevreau corroyée. *Gants de chevrotin.* ⇒ **Chevreau.**

♦ **3.** (1802). Petit fromage au lait de chèvre.

DÉR. Chevrotine.
HOM. Chevrotain.

CHEVROTINE [ʃəvʀɔtin] n. f. — 1697 ; de *chevrotin*.

♦ Petite balle* sphérique, gros plomb pour tirer le chevreuil, les bêtes fauves. *Remplir une cartouche de chevrotines. Fusil chargé à chevrotines, de chevrotines pour la chasse au sanglier.*

À ce propos, vous souvenez-vous de la façon dont vous avez déguerpi, la trouille au cul, comme on dit, lorsque mon fils a tiré une balle de chevrotine en l'air ?
     M. DURAS, Un barrage contre le Pacifique, p. 291.

CHEWING-GUM [ʃwiŋɡɔm] n. m. — 1904, *in* Höfler ; de l'angl. *to chew* « mâcher », et *gum* « gomme ».

♦ Anglic. Gomme à mâcher. *Paquet de chewing-gum. Mastiquer* du chewing-gum. *Faire des bulles de chewing-gum.* ⇒ **Bubble-gum** (cit.). — *Plur. Chewing-gums.*

1 Daniel avait sorti de sa poche un paquet de *chewing-gum.*
MARTIN DU GARD, les Thibault, t. IX, p. 27.

Par abrév. : *chewing* [ʃwiŋ] :

2 — Tiens, Marine, sois gentille, fais un saut chez le boulanger. tu garderas un franc pour t'acheter du chewing. (Je déteste la voir mâcher du chewing, mais quand on se sent dans son tort...).
Benoîte et Flora GROULT, Il était deux fois, p. 91.

CHEZ [ʃe] prép. — V. 1150, *chies*; anc. franç. *chiese* «maison», lat. *casa.* — REM. Prononciation : la liaison se fait après *chez* (ex. : *chez elle* [ʃezɛl]).

♦ **1.** Dans la demeure* de, au logis* de. *Venez chez moi. Il est allé, il est parti, il est rentré chez lui. Nous rentrons chez nous. Chacun chez nous. Chacun chez soi. Il reste chez lui. Je vais chez le coiffeur, chez l'épicier, chez le libraire* (forme correcte ; cf. la forme pop. : *aller au coiffeur*). *Faites comme chez vous :* mettez-vous à l'aise, ne vous gênez pas.

1 Venez me voir chez moi, je vous ferai festin.
LA FONTAINE, Fables, IV, 11.
2 N'eussiez-vous pas mieux fait
De le laisser chez vous, en votre cabinet,
Que de le changer de demeure ?
LA FONTAINE, Fables, IV, 20.
3 Un ignorant hérita
D'un manuscrit qu'il porta
Chez son voisin le libraire.
LA FONTAINE, Fables, I, 20.
4 **Chez** signifie proprement : *dans la maison de. Il s'est réfugié* **chez** *ses parents.*
F. BRUNOT, la Pensée et la Langue, III, XI, p. 425.

Comment ça va chez vous ? : comment se porte votre maisonnée, votre famille ?

CHEZ (et le plur.). *Être invité chez des amis.* **CHEZ** (et un nom propre précédé de l'art. défini). *Aller dîner chez les Durand,* chez le couple, dans la famille des Durand.

Avec un pronom. Chez moi, chez toi, chez vous.

Fig. Être partout chez soi, se sentir chez soi : ne pas être gêné, être partout à sa place.

5 Enfin, la beauté strictement physique affiche une façon arrogante d'être partout chez soi.
COCTEAU, le Grand Écart, I, p. 9.

Précédé d'une autre préposition. Je viens de chez moi. Ils passèrent par chez moi. Il habite près de chez son ami. Loin de chez lui. Devant, derrière chez moi.

6 (...) je voudrais que vous passassiez par chez nous.
VOLTAIRE, Lettre à Marmontel, 23 avr. 1766.

N. m. invar. (1690). **CHEZ-MOI** [ʃemwa], **CHEZ-SOI** [ʃeswa] : domicile personnel (avec valeur affective). *Avoir un chez-soi.* ⇒ **Home.** *Mon chez-moi. Il n'y a pas de petit chez-soi, rien ne vaut un chez-soi.*

7 (...) on en aime mieux son chez-soi.
VOLTAIRE, Lettre à Villette, 8 juil. 1765.
8 Été au Petit-Trianon pour pénétrer dans le chez-soi intime de Marie-Antoinette.
Ed. et J. DE GONCOURT, Journal, p. 167.
9 (...) j'entrevois la possibilité de faire un chez-moi de cette case où soufflent tous les vents, et je la trouve moins désolée.
LOTI, Aziyadé, Solitude, XX, p. 61.

Chez nous : dans le pays, la région du locuteur. — Loc. adj. (fam.). *Bien de chez nous :* typiquement français (avec une nuance de chauvinisme satisfait ; souvent repris ironiquement). *Un petit repas bien de chez nous.*

9.1 (...) je me laissais aller aux sensations honnêtes que donnaient le calme de l'ensemble, l'air frais et le ciel bien de chez nous où couraient de petits nuages.
Robert PINGET, Graal Flibuste, p. 32.

♦ **2.** Dans le pays de. ⇒ **Parmi.** *Porter la guerre chez l'ennemi. Chez les Anglais...* — (Temporel). Au temps de. *Chez les Grecs, chez les Romains...* — Fig. *Parmi. L'instinct chez les bêtes, chez les animaux. Il passe chez eux pour un lâche.* ⇒ **Auprès de.**

10 (...) Rodilart passait, chez la gent misérable,
Non pour un chat, mais pour un diable.
LA FONTAINE, Fables, II, 2.
11 (...) la raison, d'ordinaire,
N'habite pas longtemps chez les gens séquestrés.
LA FONTAINE, Fables, VIII, 10.
12 Que de restitutions, de réparations, la confession ne fait-elle pas faire chez les catholiques !
ROUSSEAU, Émile, III.

Chez (et un subst. à valeur collective). ⇒ **Dans.** *Ce phénomène a été observé chez les tribus indiennes...*

♦ **3.** En la personne, dans l'esprit, dans le caractère de qqn. *C'est une réaction courante chez lui. Il y a chez lui une mauvaise volonté invincible.*

13 Châtier en autrui ce qu'on souffre chez soi ?
CORNEILLE, Polyeucte, III, 5.
14 (...) faire entrer chez vous le désir des sciences (...)
MOLIÈRE, les Femmes savantes, III, 4.

♦ **4.** Dans les œuvres de. *On trouve ceci chez Molière, chez Balzac...* ⇒ **Dans.**

15 (...) Sillery (...) s'attache
À vouloir que de nouveau,
Sire loup, sire corbeau,
Chez moi se parlent en rime (...)
LA FONTAINE, Fables, VIII, 13.
16 Vous trouverez dans les poètes, chez l'Arioste, chez Ludovici le Vénitien, chez Pulci, les plus vives attaques contre les moines (...)
TAINE, Philosophie de l'art, II, 4, 1.
17 Vaugelas a condamné la locution : chez Plutarque, chez Platon, pour dire dans Plutarque, dans Platon ; Marg. Buffet et Chifflet sont de son avis ; Th. Corneille

ratifie cette sentence (...) à quoi on répondra d'abord que la locution est ancienne puisqu'elle est dans Montaigne, ensuite qu'elle se justifie, n'étant qu'une extension de *chez,* qui signifie : dans l'esprit de (...)
LITTRÉ, Dictionnaire, art. *Chez.*
CONTR. V. **Hors, dehors.**

CHI [ki] n. m. — Mot grec.

♦ Vingt-deuxième lettre de l'alphabet grec.

CHIADE [ʃjad] n. f. — 1835, «brimade» à Saint-Cyr ; de *chier.*

★ **I.** Trivial et vx. Défécation (Goncourt, *in* T. L. F.).

★ **II.** (De *chiader*). Argot des écoles. Travail acharné, action de chiader*.

Ces examens étaient précédés, chaque fois, d'une période de révision d'une dizaine de jours — le *temps de chiade,* où la vie de l'École s'immobilisait, se concentrait, atteignait à l'extrême de sa compression et de son rendement.
Raymond ABELLIO, Ma dernière mémoire, t. II, p. 19.

CHIADER [ʃjade] v. tr. et intr. — 1863 ; de *chiade,* d'abord «brimade» (v. 1835), de *ça chie (dur)* «l'affaire est poussée» (Esnault).

♦ Argot des écoles, puis fam. Travailler, préparer (un examen, etc.). *Chiader son bac.* — *Chiader une question,* l'étudier spécialement, à fond.

Je parierais que tu vas chiader tes cours pour nos petits génies du Porcien, me lance-t-il en arrachant Prof à la porte de la pâtisserie d'où sort un gosse avec une glace en cornet.
Yanny HUREAUX, la Prof, p. 56-57.

▶ **CHIADÉ, ÉE** p. p. adj.
Bien fait ; aussi : difficile. *Un problème chiadé.*
DÉR. **Chiadeur.**

CHIADEUR, EUSE [ʃjadœR, φz] adj. et n. — 1878 ; de *chiader.*

♦ Argot. Élève, étudiant qui travaille de façon acharnée. ⇒ **Bûcheur.**

CHIALER [ʃjale] v. intr. — 1847 ; de *chiailler,* dimin. de *chier.*

♦ Fam. ⇒ **Pleurer.**

1 Tu vas pas chialer, rapport au temps ? dit-il *(le Corse).*
Francis CARCO, Jésus-la-Caille, III, p. 28.
2 La tête tournée vers le carreau mouillé, je regarde la rue morne, et j'ai envie de chialer par-dessus le balcon, de grossir de mes larmes le caniveau qui tord des eaux grises, je voudrais m'en aller, me liquéfier.
A. SARRAZIN, la Cavale, p. 202.
CONTR. **Rire.**
DÉR. **Chialeur.**

CHIALEUR, EUSE [ʃjalœR, φz] n. et adj. — 1883 ; de *chialer.*

♦ Fam. Personne qui chiale*, pleure. *Quelle chialeuse, cette gamine !* — Adj. *Des gosses chialeurs.* ⇒ **Pleurard.**
REM. On trouve aussi la forme *chialard, arde* [ʃjalar, ard].

CHIANT, CHIANTE [ʃjã, ʃjãt] adj. — 1920 ; de *chier,* 2. : *faire chier.*

♦ Fam., vulg. Qui ennuie ou contrarie, qui fait chier*. ⇒ **Emmerdant, suant.** *C'est chiant ! Ce qu'il peut être chiant !* ⇒ **Ennuyeux.** *Sois pas chiante !* Loc. *Chiant comme la pluie :* très chiant.

Dès le premier jour, imposez-vous comme le voisin bruyant, grincheux, colérique, intolérant. Bref, devenez en peu de temps *le voisin chiant de votre immeuble,* celui auquel chacun évite toute nuisance de peur de se le mettre personnellement à dos. Vous gagnez ainsi votre tranquillité en inspirant la crainte.
Actuel, févr. 1980, p. 97.

Var. *Chiatique* [ʃjatik] adj. (1975, M. Audiard).
CONTR. **Marrant, sympa.**

CHIANTI [kjãti] n. m. — V. 1795, *in* D.D.L. ; région d'Italie.

♦ Vin rouge estimé de la province de Sienne (Italie). *Boire du chianti. Aimer le chianti. Une fiasque de chianti. De bons chiantis* (plur. francisé).

CHIARD [ʃjar] n. m. — 1894 ; «chieur», adj. : *la peur chiarde,* v. 1530 ; de *chier,* et suff. péj. *-ard.*

♦ Pop. Enfant. ⇒ **Môme.** *Une bande de chiards insupportables.*

La voix de la mère de Jean essayait d'être suavement compatissante. Étant la seule femme au déjeuner, c'était à elle de montrer de la sensibilité. Et elle nommait enfant ce que dans la solitude elle appelait *le chiard.*
Jean GENET, Pompes funèbres, p. 111.

CHIASMA [kjasma] ou **CHIASME** [kjasm] n. m. — 1554, repris XIXe ; *chiasmos,* 1821 ; grec *khiasma* «croisement».

★ **I.** CHIASME. Rhét. Figure formée de deux groupes de mots dont l'ordre est inverse. Ex. : *Blanc bonnet et bonnet blanc ; Il faut manger pour vivre et non pas vivre pour manger.*

★ **II.** CHIASMA. (1863). Anat. Structure se présentant sous la forme d'un entrecroisement. — Spécialt. *Chiasma optique :* croisement des fibres des deux bandelettes optiques au-dessus de la selle turcique.

On trouve aussi *chiasme* (rare) :

(...) nous portons le diagnostic de méningite gommeuse basilaire intéressant le chiasme et la région du *tuber cinereum.*
B. CENDRARS, Moravagine, *in* Œ. compl., t. IV, p. 257.

CHIASSE [ʃjas] n. f. — 1611 ; le premier emploi est fig. → Chier (II.). Familier.

★ **I.** ♦ **1.** (1718). Excrément (d'insectes). ⇒ **Chiure.** *Chiasse de mouche.* — Fig. Ce qu'il y a de plus vil.
Pendant que nous sommes la chiasse du genre humain.
VOLTAIRE, Lettre à d'Argental, 4 avr. 1762.

♦ **2.** (1894). Colique. *Avoir la chiasse.* — Fig. Avoir peur.

♦ **3.** Ennui, difficulté. *Quelle chiasse !* ⇒ **Chiotte.**

★ **II.** (1578, *chiace*). Vx. (Hist. des sc.). Écume (des métaux). *Chiasse de fer.*

CHIATIQUE [ʃjatik] adj. — D.i. (xxᵉ) ; de *chiant*, avec un suff. pseudo-scientifique (probablt argot d'une grande école).

♦ Fam. Ennuyeux, chiant*. *« Tu es super chiatique, tonton, quand tu es amoureux »* (→ Yoyoter, cit.).

CHIBOUQUE [ʃibuk] n. — 1831 ; turc *tchiboucq* « tuyau ».

♦ Pipe turque à long tuyau. — REM. On a écrit *chibouk, chibouck.*

1 J'entre et je sors, accoutumé
Aux blondes vapeurs des chiboucks,
Et parmi des flots de fumée (...)
Th. GAUTIER, Émaux et Camées, « Ce que disent les hirondelles ».

2 (...) une étagère hollandaise se dressait devant un ratelier de chibouques (...)
FLAUBERT, l'Éducation sentimentale, I, IV.

3 Te peindre en ton divan et tenant ton chibouk,
Parmi tes tapis turcs (...)
Germain NOUVEAU, Sonnets du Liban, « Kathoum », Pl., p. 546.

CHIBRE [ʃibʀ] n. m. — 1836 ; var. de *chivre*, 1628, dans l'*Argot réformé* ; orig. incert. ; probablt d'une forme dial. de *chèvre*, par allus. au bouc.

♦ Vulg. Pénis. — REM. On trouve chez A. Boudard le dérivé *chibrer* « posséder sexuellement » (*in* Cellard et Rey).

CHIBRELI [ʃibʀəli] n. m. — D. i. ; probablt forme dial. de *chevreau* au fém. (*chivrelle*, anc. lyonnais, *in* F. E. W.) ou de *chievrete* « musette » de même orig., lat. *cabra* (→ Cabrette), à cause des bonds ou de la musique de la danse.

♦ Régional, didact. (folklore). Danse populaire de Bourgogne, du Nivernais.

CHIC [ʃik] n. m. et adj. — 1793 ; *chique*, 1803 ; p.-ê. all. *Schick*, abrév. de *Geschik* « tenue », ou de *chiquer* « donner un petit coup », puis « dessiner rapidement et à grands traits ».

★ **I.** N. m. ♦ **1.** Vx (au xixᵉ). Facilité à peindre des tableaux à effet. — Dans d'autres arts. → Poncif, cit. 3, Baudelaire. — Loc. mod. DE CHIC. *Travailler, peindre de chic*, d'imagination, sans modèle. — *Écrire de chic*, du premier jet. *Il a fait ça de chic, sans brouillon, sans préparation.*

1 Quand le professeur vint jeter les yeux sur ce que j'avais fait, il me dit (...) : « Cela est plein de chic et de ficelles ; vous avez une patte d'enfer (...) »
Th. GAUTIER, les Jeune-France, 351 (1832), *in* MATORÉ.

2 Le chic est l'abus de la mémoire ; encore le chic est-il plutôt une mémoire de la main qu'une mémoire du cerveau.
BAUDELAIRE, Salon de 1846.

2.1 Je pourrais, certes, à l'aide d'un fond de cuisine littéraire, faire de chic le portrait de (...) mes ascendants (...)
M. YOURCENAR, Archives du Nord, p. 166.

♦ **2.** Adresse, facilité à faire qqch. avec élégance. ⇒ **Aisance, désinvolture, habileté, savoir-faire.** *Il a le chic pour faire cela.* — (1821, *in* D.D.L.). *Avoir le chic pour :* réussir parfaitement à. *Tu as le chic pour m'énerver.*

♦ **3.** Élégance* hardie, désinvolte. ⇒ **Caractère, chien, originalité, tournure.** *Il a du chic. Son chapeau a du chic. C'est le grand chic cette année* (⇒ **Mode ;** → Monocle, cit. 1.1). *Il fait ceci par chic* (⇒ **Chiqué**).

3 (...) ce blanc-bec qui, avec tant d'aisance, tant de chic, tant de jeunesse, tenait tête à plus fort que lui (...)
COURTELINE, Boubouroche, Nouvelle, IV.

Chic fut à l'origine un terme militaire ; avoir du *chic* signifia d'abord avoir de la tenue (all. *schick*) à une époque où l'officier allemand passait pour un modèle de maintien, sinon d'élégance.   A. DAUZAT, les Argots, p. 83.

♦ **4.** Vx. Argot des écoles. *Un chic :* une ovation, un ban*.

★ **II.** Adj. invar. ♦ **1.** ⇒ **Élégant.** *Une toilette chic.* ⇒ **Alluré** (fam.). *Elle est très chic,* très bien habillée.
Adv. (1933). *S'habiller chic. Ces escarpins chaussent chic.*
Les gens chic (cf. Les gens bien). *Un dîner, une réception chic.* ⇒ (vieilli) **Sélect, smart.** — (Comportement). *C'est très chic de dire, de penser ça.*

Ah ! c'est beau ! et vous parlez bien, vous. Vous êtes quelqu'un de vraiment (...) vraiment chic, et ce que vous avez de l'éducation !
Luc DIETRICH, le Bonheur des tristes, p. 103.

♦ **2.** (Intensif). Beau, agréable. ⇒ **Bath, beau, chouette.** *On a fait un chic voyage.*

♦ **3.** (Personnes ; actions). Sympathique, généreux, serviable. ⇒ **Bon, brave.** *C'est un chic type, un chic copain.* — *Tu n'es pas chic avec lui. C'est chic de sa part. Ce n'est pas chic.* — REM. Cet emploi tend à vieillir.

C'est une femme mariée, tout ce qu'il y a de sérieuse. Elle lui envoie de l'argent toutes les semaines parce qu'elle a bon cœur. Ah ! c'est une chic femme.
PROUST, le Temps retrouvé, Pl., t. III, p. 813.

♦ **4.** (1970). Loc. BON CHIC BON GENRE (*bon chic* est probablt formé d'après *bon genre**, dans *le chic et le bon genre* et adj. : *il est chic, il est bon genre*) : élégance de bon ton, discrète et traditionnelle. — Adj. *Un restaurant bon chic bon genre. Un jeune cadre bon chic bon genre.* — Abrév. fam. B. C.-B. G. ou B. C. B. G. [besebeʒe].

« B. C.-B. G. : bon chic, bon genre ». L'expression n'est pas toute neuve. Mais elle est de plus en plus fréquemment utilisée. On l'employait avec un petit côté sarcastique, hier, dans les années mai 68, ses jeans et ses cheveux longs. Temps révolu. Le septennat de M. Giscard d'Estaing était, à l'image du président, très B. C.-B. G. (...) Le B. C.-B. G. a cessé d'être « rétro ». Il est sans complexe la marque du jeune cadre, de la jeune fille à marier.
J. PLANCHAIS, *in* le Monde, 7 févr. 1982.

Très vite ton mysticisme lavé, repassé, empesé a débouché sur le B. C. B. G.
P. — Traduis, please.
V. — Bon Chic Bon Genre. Barbie du faubourg Saint-Honoré.
Mariella RIGHINI, la Passion, Ginette, p. 105-106.

★ **III.** Interj. fam. Marquant le plaisir, la satisfaction. *Chic alors !* (Cf. Au poil...).

Nous procédons alors à des allocations supplémentaires d'argent de poche. Les « chic alors ! » qui les accueillent nous rappellent que nous n'avons à faire qu'à des enfants.   François NOURRISSIER, le Maître de maison, p. 221.

CONTR. (Du n.) Difficulté, maladresse. — **Banalité, vulgarité.** — (De l'adj.) Inélégant ; fagoté. — Moche, vache (fam.).
DÉR. Chicard, chiqué, chiquement.

1. CHICA [tʃika] n. f. — D. i. ; mot esp., « petite ».

♦ Danse des Antilles.

2. CHICA [ʃika] n. m. — D. i. ; lat. bot. *chica*.

♦ Teinture extraite du *bignonia chica.*

CHICANDARD [ʃikɑ̃daʀ] ou **CHICOCANDARD** [ʃikɔkɑ̃daʀ] adj. m. — V. 1850, terme alors à la mode ; de *chicard.*

♦ Vx. Chicard, qui a du chic (cf. Flaubert, Labiche, etc.).

CHICANE [ʃikan] n. f. — 1582 ; de *chicaner.*

♦ **1.** Difficulté, incident suscité(e) dans un procès, sur un détail, pour embrouiller l'affaire. ⇒ **Avocasserie, dilatoire** (procédé).

♦ **2.** Péj. Procédure. *Les détours, les interprétations de la chicane.* — (Av. 1664). *Gens de chicane :* ceux qui s'occupent de procédure : avoués, agréés, huissiers..., et aussi : Les gens d'humeur processive.

(...) les braves ont plus d'adresse et d'esprit pour éviter la mort, que les gens de chicane n'en ont pour conserver leur bien.
LA ROCHEFOUCAULD, Maximes, 221.

Là *(dans la grande salle du Palais)*, sur des tas poudreux de sacs et de pratique
Hurle tous les matins une Sibylle étique :
On l'appelle Chicane ; et ce monstre odieux
Jamais pour l'équité n'eut d'oreilles ni d'yeux (...)
BOILEAU, le Lutrin, V.

(Robespierre) ne pouvait se fiare à la sophistique du barreau, aux subtilités de la chicane.   MICHELET, Hist. de la Révolution franç., t. I, p. 479.

♦ **3.** (Av. 1654). Objection captieuse, contestation faite de mauvaise foi. ⇒ **Argutie, artifice, contestation, contradiction, contrariété, équivoque, ergoterie, subtilité.** — Controverse où l'on dispute sur des mots. ⇒ **Logomachie.** *Les chicanes des sophistes.*

♦ **4.** Querelle. ⇒ **Altercation, bisbille, dispute, ergotage, tracasserie.** *D'interminables chicanes entre voisins.* ⇒ **Discussion ; chipotage.** — *Chercher chicane à qqn. Esprit de chicane.*

4   L'admiration que je vous ai vouée percera, j'espère, à travers les petites chicanes que je me suis permis de vous faire sur des détails.
               SAINTE-BEUVE, Correspondance, 14 oct. 1835, t. I, p. 553.

5   (...) les *Provinciales,* œuvre de discussion subtile, de chicane habile et retorse, de raillerie froide, d'ironie mesurée et précise (...)
               Émile FAGUET, Études littéraires, XVIIᵉ s., Pascal, p. 182.

6   (...) la forme voulant primer le fond, la lettre cherchant chicane à l'esprit.
               H. BERGSON, le Rire, I, 1, p. 40.

♦ **5.** (Concret). Passage en zigzag qu'on est obligé d'emprunter. *Chicanes d'un barrage de police.*

Dans un circuit automobile, Passage en zigzag matérialisé destiné à réduire la vitesse des voitures.

(1931). Ski. Figure d'un slalom, comprenant 3, 4 portes ou plus, verticales ou obliques.

Passage en zigzag destiné à laisser passer certains éléments. *Chicanes d'une position retranchée, protégeant contre les tirs adverses.* Passage tortueux.

7   Promenade (...) aux Endless Caverns (...). L'intérieur exfolié du rocher, replis de coquille, conduits, détours, corridors, chicanes, tout un travail souterrain.
               CLAUDEL, Journal, 20 avr. 1928, Pl., t. I, p. 814.

EN CHICANE : en zigzag ; en disposition irrégulière.

Techn. Dispositif en zigzag permettant de modérer l'écoulement d'un fluide. *Établissement de chicanes (chicanage, n. m.).*

CONTR. Droiture, loyauté. — Accord, conciliation, entente.

CHICANER [ʃikane] v. — V. 1460 ; orig. obscure, p.-ê. croisement d'un rad. expressif *tšikk-* exprimant la petitesse (→ Chicot, 1. chiche, esp. *chico*), et suff. d'après *ricaner.* Pour P. Guiraud, il s'agit d'un fréquentatif de *chiquer* «donner un petit coup», d'un doublet de *chicoter, chicailler,* le suff. étant une altér. de *-ener (*chiquener)* d'après *hagner* «critiquer qqn, mordre».

♦ **1.** V. intr. User de chicane dans un procès. ⇒ **Avocasser, contester ; incident** (provoquer, soulever des incidents).

1   On en vient au partage, on conteste, on chicane.
    Le juge sur cent points tour à tour les condamne.
               LA FONTAINE, Fables, IV, 18.

♦ **2.** V. intr. *Chicaner sur, à propos de...* Élever des contestations mal fondées, chercher querelle sur des vétilles. ⇒ **Chipoter, contester, disputer, épiloguer, ergoter, objecter, pointiller, vétiller ;** cf. Chercher la petite bête, noise, des poux... *Chicaner sur tout.* ⇒ **Arguer, argumenter, discuter.**

2   Vous chicanez donc inutilement sur le principe, lorsque vous êtes obligé de vous taire sur les conséquences.
               PASCAL, Réfutation de la réponse à la 12ᵉ lettre, *in* LITTRÉ.

2.1   Ne chicanons pas sur les mots. Haïr ou aimer, dans votre langue, c'est tout un.
               BERNANOS, Monsieur Ouine, *in* Œ. roman., Pl., p. 1424.

♦ **3.** V. tr. Chercher querelle à (qqn). *Chicaner qqn sur (pour) qqch., à propos de qqch.*

3   Il ne faut point s'amuser à chicaner les poètes pour quelques changements qu'ils ont pu faire dans la fable (...)   RACINE, Andromaque, 2ᵉ Préface.

4   Si l'auteur m'émeut, s'il m'intéresse, je ne le chicane pas, je ne sens que le plaisir qu'il m'a donné.   VOLTAIRE, Lettre à Laharpe, déc. 1775.

Mar. *Chicaner le vent :* serrer le vent de trop près, sur un voilier ; ralentir le bateau en cherchant à faire un près trop serré (faute de barre).

Vieilli. *Chicaner qqch. (à qqn),* contester mesquinement (⇒ **Lésiner, marchander**).

5   (...) un sous-officier de l'ex-Garde impériale à qui l'on chicanait sa pension de retraite.   BALZAC, les Paysans, Pl., t. VIII, p. 130.

6   Oh ! qui t'eût dit *(à toi Napoléon)...*
    Qu'un jour à cet affront il te faudrait descendre
    Que trois cents avocats oseraient à ta cendre
    Chicaner ce tombeau !   HUGO, les Chants du crépuscule, II, «À la colonne», I.

7   Mais qu'on nie son génie musical *(de Berlioz)* (...), qu'on puisse chicaner cette force prodigieuse (...) est lamentable et risible.
               R. ROLLAND, Musiciens d'aujourd'hui, p. 24.

♦ **4.** Fam. Causer du tourment à (qqn). *Cela me chicane :* cela m'inquiète, me tracasse.

▶ **SE CHICANER** v. pron. récipr. ⇒ **Chamailler** (se), **disputer** (se), **taquiner** (se).

CONTR. Accepter ; accord (donner son accord ; être, tomber d'accord), céder ; paix, repos (laisser en).
DÉR. Chicane, chicanerie, chicaneur, chicanier.

CHICANERIE [ʃikanʀi] n. f. — XVᵉ, *chiquanerie* ; de *chicaner.*

♦ Fait de chicaner. ⇒ **Chicane, ergotage, ergoterie.**

1   Monsieur, je ne m'entends à la chicanerie.
               Mathurin RÉGNIER, Satires, VIII, v. 114.

2   (...) toute l'inanité des chicaneries de mauvaise foi.
               COURTELINE, Messieurs les ronds-de-cuir, 6ᵉ tableau, I.

3   Sans verser dans la chicanerie ou les conversations mondaines, il vote chaque fois qu'il le juge inévitable : à quoi bon nier l'existence de la République, si l'on veut en réformer les mœurs (...)   Alain BOSQUET, les Bonnes Intentions, p. 130.

CHICANEUR, EUSE [ʃikanœʀ, øz] n. et adj. — V. 1460 ; de *chicaner.*

♦ **1.** N. Personne qui chicane, qui aime à chicaner. ⇒ **Plaideur, procédurier.** *Chicaneau, le chicaneur des « Plaideurs »* (de Racine). *Une chicaneuse.*

1   Des chicaneurs viendront nous manger jusqu'à l'âme,
    Et nous ne dirons mot ! Mais, s'il vous plaît, Madame,
    Depuis quand plaidez-vous ?   RACINE, les Plaideurs, I, 7.

2   Un chicaneur de profession, un effronté, et qui se mêle de toutes sortes d'affaires.
               LA BRUYÈRE, les Caractères de Théophraste, « De l'image d'un coquin ».

♦ **2.** Adj. (1564). *Juge, plaideur, procureur chicaneur.* ⇒ **Chicanier** — *Gent chicaneuse.* ⇒ **Avocassier.** *Humeur chicaneuse.* ⇒ **Processif.** — *Esprit chicaneur.* ⇒ **Pointilleux, vétilleux.**

3   Qu'on se garde surtout de me mettre trop près
    De quelque procureur chicaneur et mauvais ;
    Il ne manquerait pas de me faire querelle ;
    Ce serait tous les jours procédure nouvelle (...)
               J.-F. REGNARD, le Légataire universel, IV, 6.

CONTR. Arrangeant, conciliant, facile.

CHICANIER, IÈRE [ʃikanje, jɛʀ] n. et adj. — Av. 1573 ; de *chicaner.*

♦ Personne qui chicane sur les moindres choses. ⇒ **Coupeur** (de cheveux en quatre), **disputailleur, ergoteur, vétilleur.** Adj. *Une personne chicanière.* ⇒ **Chicaneur.** Par ext. *Procédé chicanier.*

1   (...) le Bas-Normand, rusé, cauteleux, sournois et chicanier (...)
               MAUPASSANT, Clair de lune, p. 133.

2   (...) nos pauvres chicaniers de village avec leurs griefs de clocher, leurs querelles de clan, leurs haines inexpiables, leurs préjugés, leurs chimères ?
               G. DUHAMEL, la Défense des lettres, II, v, p. 157.

CONTR. Arrangeant, conciliant, facile.

CHICARD, ARDE [ʃikaʀ, aʀd] adj. et n. m. — 1840 ; de *chic.* Vieux.

♦ **1.** Fam. Qui a du chic. *«Un restaurant chicard»* (Corbière). ⇒ **Chicandard** ou **chicocandard** (à la mode mil. XIXᵉ).

♦ **2.** N. m. Déguisement de carnaval, plus ou moins grotesque.

DÉR. Chicandard ou chicocandard.

CHICHA [ʃiʃa ; tʃitʃa] n. f. — 1893, Hérédia ; *vin de chiche,* 1545 ; esp. *chicha* (1521), d'un mot indien de Panama.

♦ Maïs fermenté ; boisson préparée avec ce maïs (psychotrope). *Le peyotl, le mescal, la chicha mastiquée n'ont pas beaucoup d'effet sur moi.*
               J.-M. G. LE CLÉZIO, Haï, p. 7.

1. CHICHE [ʃiʃ] adj. — V. 1165 ; p.-ê. d'un rad. onomatopéique *tšikk-* exprimant l'idée de petitesse (→ Chicaner), ou du lat. *ciccum* «reste, chose de rien».

♦ **1.** Vieilli. (Personnes). Qui répugne à dépenser ce qu'il faudrait. ⇒ **Avare, ladre, parcimonieux, serré.** Prov. *Il n'est festin que de gens chiches* (→ Chère : il n'est chère que de vilain).

1   D'une casaque donc fort riche,
    Grand luxe qu'il n'était pas chiche,
    Cloanthus il rémunéra.   SCARRON, Virgile travesti, v.

2   Il la tua *(la poule aux œufs d'or),* l'ouvrit, et la trouva semblable
    À celles dont les œufs ne lui rapportaient rien,
    S'étant lui-même ôté le plus beau de son bien.
    Belle leçon pour les gens chiches !
               LA FONTAINE, Fables, V, 13.

Fig. et mod. *Être chiche de ses paroles, de ses regards, de compliments.*

3   *(La belle)* N'était chiche de ses regards (...)
               LA FONTAINE, Contes, III, VII, « Nicaise. »

Il est un peu chiche, trop chiche de compliments. Il n'a pas été chiche de conseils.

♦ **2.** Littér. Peu abondant. *Une chiche récompense.* ⇒ **Chétif, mesquin.**

4   Lui, au contraire, observait la vieille paysanne, admirant que (...) des révolutions, des guerres, de tant d'histoire, elle n'eût rien connu, hors le cochon qu'elle nourrissait une fois l'an et dont la mort à chaque Noël, humectait de chiches larmes ses yeux chassieux.   F. MAURIAC, le Baiser au lépreux, p. 11.

CONTR. Généreux, large, libéral, prodigue. — Abondant, copieux, riche.
DÉR. Chichement.
HOM. 3. Chiche.

2. CHICHE (POIS) [pwaʃiʃ] ⇒ **Pois.**

3. CHICHE [ʃiʃ] interj. et adj. — 1866 ; probablt de 1. *chiche.* Familier.

♦ **1.** Exclamation de défi : je vous prends au mot. *Tu n'oserais jamais.* — *Chiche !* — *Chiche que j'y arrive ! :* je parie que j'y arrive !

1 Une bonne oreille sert à tout (...) je reconnais les modèles des armes, les yeux bandés, rien qu'à en écouter une rafale. — Allons! Vous n'allez pas me faire croire (...) — Chiche! On fera l'expérience un jour (...)
Régis DEBRAY, l'Indésirable, p. 159.

♦ **2.** Adj. (seulement attribut). *Être (ne pas être) chiche de faire qqch.* : être (ne pas être) capable de... *T'es pas chiche de lui parler!*

2 (...) On s'en prend une, de récré, demain? (...) T'es chiche de sécher? — ANNE : Moi? Justement, j'ai un enterrement demain, alors la maîtresse, elle pourra rien dire. Benoîte et Flora GROULT, Il était deux fois, 1968, p. 439.

CHICHE-KEBAB [ʃiʃkebab] n. m. — Mil. xxᵉ; mot turc. → Kebab.

♦ Brochette de mouton, d'agneau à l'orientale. ⇒ **Kebab.** — Au plur. *Des chiche-kebabs,* ou (invar.), *des chiche-kebab.* «*Damas : les garçons en livrée servent de somptueux chiche-kebab aux familles de commerçants, d'industriels et de fonctionnaires...* » (*le Nouvel Obs.,* sept. 1972, nᵒ 410, p. 32).

On y mangeait du riz et des boulettes de viande en brochette dans une grande épingle. Elle appelait cela du chiche-kebab. R. SABATIER, Alain et le Nègre, p. 71.

CHICHEMENT [ʃiʃmã] adv. — 1539; de 1. chiche.

♦ Vieilli ou littér. D'une manière chiche. *Vivre chichement,* pauvrement, mesquinement. ⇒ **Modestement, parcimonieusement, petitement.**

1 Le galant pour toute besogne,
Avait un brouet clair; il vivait chichement. LA FONTAINE, Fables, I, 18.

2 Les malades (...) à qui l'on mesure si chichement une nourriture choisie (...)
BALZAC, le Cousin Pons, Pl., t. VI, p. 537.

3 (...) au milieu de petites cours chichement ombragées.
Ch. MAURRAS, Anthinéa..., p. 36.

4 Tout ce monde vivait chichement et s'habillait à petits frais rue Saint-André-des-Arts, chez Latreille, fripier en renom. G. DUHAMEL, Chronique des Pasquier, IV, VII, p. 132.

CONTR. Généreusement, largement ; copieusement.

CHICHETÉ [ʃiʃte] n. f. — Mil. xiᵉ; de 1. chiche.

♦ Vx. Économie sordide. ⇒ **Ladrerie, lésine.**

CHICHI [ʃiʃi] n. m. — 1886; redoublement du rad. onomatopéique *tšikk-,* ou de *chiche.*

★ **I.** ♦ **1.** Comportement qui manque de simplicité; manières affectées. ⇒ **Affectation, mignardise, minauderie.** *Faire des chichis.* ⇒ **Cérémonie, embarras, façon, girie** (pop.), **manière, simagrée.** — *Pas tant de chichis!* — Collectif. *Du chichi.*

1 Courteline trouve que tous ces gens font bien du chichi.
J. RENARD, Journal, 6 nov. 1894.

2 Son habileté avait été de lui accorder sans chichis tout ce qu'elle n'eût accordé une femme facile, et pour le reste d'être ce qu'elle était : une petite un peu vieux jeu.
MONTHERLANT, le Démon du bien, p. 42.

♦ **2.** Déploiement de cérémonie, souci exagéré du protocole. *En voilà un chichi! Gens à chichi.*

★ **II.** (1897). Boucle frisée de cheveux postiches. *1900, époque des chichis.*

CONTR. Simplicité, franquette (bonne).
DÉR. Chichiteux.

CHICHITEUX, EUSE [ʃiʃitø, øz] adj. — 1920; de chichi.

♦ Fam. Qui aime à faire des chichis, des manières. *Elle est un peu chichiteuse.* ⇒ **Pimbêche.**

(En parlant d'une chose). Prétentieux, d'un raffinement qui paraît efféminé.

(...) elle distribuait à l'ameublement quelques mauvaises notes : Ravissant citronnier dix-huit-cent-trente! Un peu chichiteux pour un homme (...)
COLETTE, Julie de Carneilhan, p. 49.

CHICLÉ [tʃikle] n. m. — 1922; mot esp., de l'aztèque tzictli.

♦ Latex qui découle notamment du sapotier*. *Le chiclé est utilisé dans la préparation des chewing-gums.*
On rencontre la var. *chicle* [ʃikl], nom féminin.

CHICOCANDARD [ʃikokãdaʀ] adj. m. ⇒ Chicandard.

CHICON [ʃikõ] n. m. — 1651; var. de chicot «trognon».

♦ **1.** Variété de laitue. ⇒ **Romaine.**

♦ **2.** Régional (Belgique). Endive (dite aussi *chicorée de Bruxelles* ou *Witloof*).

CHICORACÉES [ʃikɔrase] n. f. pl. — 1835; de chicorée.

♦ Bot. Sous-famille des *Composacées*, comprenant notamment la chicorée, le pissenlit, le salsifis. — Au sing. *Une chicoracée.*

Harbert ne revenait guère d'une excursion sans rapporter quelques végétaux utiles. Un jour, c'étaient des échantillons de la tribu des chicoracées, dont la graine même pouvait fournir par la pression une huile excellente; un autre, c'était (...)
J. VERNE, l'Île mystérieuse, t. I, p. 410 (1874).

CHICORÉE [ʃikɔre] n. f. — xiiiᵉ, cikoré; du lat. médiéval cicorea, lat. cichoreum, grec kikkorion.

♦ **1.** Plante herbacée *(Composacées)* dont les feuilles se mangent en salade. *Chicorée sauvage,* à fleurs bleues : barbe de capucin, mignonnette, witloof (dite improprement *endive** et, régional, *chicon**). — *Chicorée à café,* dont la racine torréfiée donne un succédané du café. — *Chicorée cultivée :* chicorée frisée, scarole (ou escarole).

♦ **2.** Feuilles de chicorée cultivée, qui se mangent en salade. *Assaisonner une chicorée.*

♦ **3.** Racine torréfiée de la chicorée. Infusion de cette racine. *Boire une tasse de chicorée. Mélange de chicorée et de café.*

♦ **4.** (1694; repris xixᵉ). Habillement. Ruche froncée ou plissée.

Le col? Il n'y en a pas, de col! C'est ouvert en V devant et derrière, entouré d'une chicorée de mousseline de soie et fermé par un chou de ruban rouge.
WILLY (COLETTE), Claudine à l'école, p. 219.

Archit. Ornement sculpté imitant la feuille découpée de la chicorée. *Volutes, oves, fleurons et chicorées.*

DÉR. Chicoracées.

CHICORER (SE) [ʃikɔre] v. pron. — Mil. xxᵉ; 1975, Michel Audiard, in Cellard et Rey; orig. incert.; p.-ê. de chiquer (1821), avec attr. de chicorée, au fig. «ivresse», 1855.

♦ Pop. Se battre. — Trans. (seulement factitif). *Il s'est fait chicorer.* — REM. Le déverbal *chicore* [ʃikɔr] n. f., «coup; rixe», est attesté (Audiard, Guillo, in Cellard et Rey).

CHICOT [ʃiko] n. m. — 1581; cicot, 1553; du rad. expressif tšikk- exprimant la petitesse. → Chique.

♦ **1.** Reste d'une branche, d'un tronc brisé ou coupé. (Se dit aussi en terme de blason). *Les chicots des genévriers.* → Préambulaire, cit.

En cinq minutes Mathieu abat et débite deux chicots secs et une épinette verte.
Jean-Yves SOUCY, Un dieu chasseur, p. 86.

♦ **2.** Petit morceau de bois cassé.

♦ **3.** (1611). Plus cour. Morceau qui reste d'une dent; dent cassée, usée ou cariée.

Il était là celui-là, avec son sourire crénelé par les chicots (...)
A. BLONDIN, Un singe en hiver, p. 131.

♦ **4.** Littér. Moignon, tronçon (par métaphore de 1., 2. ou 3.).

(...) le village apparaissait complètement en ruines; il ne restait que des chicots de murs. J. GIONO, le Hussard sur le toit, p. 366.

DÉR. Chicote ou chicotte, 1. chicoter.

CHICOTE ou CHICOTTE [ʃikɔt] n. f. — 1840, chicote; chicotte, 1921; port. chicote, de chicot.

♦ Rare (sauf en franç. d'Afrique). Fouet à lanières nouées (peau de buffle, d'hippopotame...), servant notamment à infliger des punitions corporelles.

Des gardes, s'ils *(les récolteurs de caoutchouc)* tombaient, les relevaient à coups de chicote. GIDE, Voyage au Congo, 1927, in Souvenirs, Pl., p. 741.

Ils me traitaient de sale «pato» et vantaient les mérites de mes aïeux : eux, au moins, savaient se servir de la chicote. Jean LARTÉGUY, les Prétoriens, p. 519.

CHICOTEMENT [ʃikɔtmã] n. m. — Mil. xxᵉ; de 2. chicoter.

♦ Rare. Cri de la souris. ⇒ **Couinement.**

Et je ne parle pas des chicotements nocturnes, des sarabandes au ras des plafonds dans les faux-greniers! Hervé BAZIN, Cri de la chouette, 1972, p. 229.

1. CHICOTER [ʃikɔte] v. tr. — xviiᵉ; chiquoter, 1611; de chicot.

♦ Vx. Couper de manière à laisser un chicot; déchiqueter. *Chicoter le cou* (1851) : couper le cou.
HOM. 2. Chicoter.

2. CHICOTER [ʃikɔte] v. — 1583; p.-ê. de chicaner, et suff. -oter.

★ **I.** ♦ **1.** V. intr. Vx. Se quereller pour des vétilles. ⇒ **Chicaner.**

♦ **2.** V. tr. «*Elle pourrait nous chicoter* » (Huysmans).

★ **II.** (1845 ; « marmotter », 1829). Rare. Pousser son cri, en parlant de la souris. ⇒ **Couiner.**

DÉR. Chicotement.
HOM. 1. Chicoter.

CHICOTIN [ʃikɔtɛ̃] n. m. — 1564 ; *cicotrin*, 1478 ; *cicotin*, xvᵉ ; altér. de *socotrin*, de *Socotora*, nom de l'île d'où cet aloès est originaire.

♦ Vx. Suc très amer extrait d'un aloès ; poudre amère que l'on extrait de la coloquinte. — Mod. *Amer comme chicotin :* très amer.

CHICOTTE [ʃikɔt] n. m. ⇒ **Chicote.**

CHIÉE [ʃje] n. f. — 1834 ; de *chier.*

♦ Fam., vulg. Grande quantité. ⇒ **Tapée.**
Ce qui fait un peu désordre (...) c'est son blaze, une chiée de noms pas commodes à (...) retenir (...) A. SARRAZIN, la Cavale, p. 28.

CHIÉMENT [ʃiemɑ̃] adv. — D. i. (mil. xxᵉ ?) ; de *chié.*

♦ Fam., vulg. D'une manière remarquable. « *Elle est chiéement* (sic) *bien* » (Tony Duvert, *in* Cellard et Rey).

CHIEN, CHIENNE [ʃjɛ̃, ʃjɛn] n. — 1080, *chen* ; du lat. *canis.*

★ **I. A. ♦ 1.** Mammifère domestique *(Carnivores ; Canidés),* d'une espèce dont il existe de nombreuses races (→ ci-dessous) élevées pour remplir certaines fonctions auprès de l'homme ; individu et, spécialt, mâle (opposé à *chiot, petit*) de cette espèce. ⇒ **Canin,** et préf. *cyno-. Un chien, une chienne.* ⇒ fam. **Cabot, chienchien, toutou ; clébard, clebs.** *Chien de race ; chien bâtard. Chiens perdus sans collier* (par métaphore, titre d'un roman de G. Cesbron). *Un grand chien, un petit chien. Un jeune chien. Un vieux chien. Chien errant, trouvé. Chien savant, dressé. Chien méchant.* — N. m. (Collectif). *Le chien, ami, compagnon fidèle de l'homme.* — REM. On emploie le masc., *un chien,* chaque fois que le sexe n'est pas pertinent ou qu'on l'ignore. Dans les syntagmes *(chien de garde, de chasse, d'agrément...),* le fém. semble rare.

1 Cependant l'*Exaudiat* avançait toujours chemin, lorsque dix ou douze chiens, qui suivaient une chienne de mauvaise vie, vinrent à la suite de leur maîtresse se mêler parmi les jambes des musiciens (...) SCARRON, le Roman comique, I, XV.

2 Le chien est le seul animal dont la fidélité soit à l'épreuve ; le seul qui entende son nom et qui reconnaisse la voix domestique. BUFFON, Hist. nat. des animaux, Le chien.

3 Le Chien meurt en léchant le maître qu'il chérit. VOLTAIRE, Discours en vers sur l'homme, IV.

4 Les plus zélés partisans du chien doivent confesser que cet animal a de l'audace dans les yeux ; que plusieurs sont hargneux ; qu'ils mordent quelquefois des inconnus en les prenant pour des ennemis de leurs maîtres (...) Ce sont là probablement les raisons qui ont rendu l'épithète de *chien* une injure (...) VOLTAIRE, Dict. philosophique, Chien.

5 On dit que, lorsqu'on rencontre un chien furieux, si on a le courage de marcher gravement, sans se retourner, et d'une manière régulière, le chien se contente de vous suivre pendant un certain temps en grommelant entre ses dents ; tandis que, si on laisse échapper un geste de terreur, si on fait un pas trop vite, il se jette sur vous et vous dévore ; car, une fois la première morsure faite, il n'y a plus moyen de lui échapper. A. DE MUSSET, la Confession d'un enfant du siècle, I, II.

6 Le chien (...) est un animal religieux. Sauvage, il adore la lune et les clartés flottantes sur les eaux. Ce sont ses dieux, et il leur adresse, la nuit, de longs hurlements. Domestique, il se rend favorables, par ses caresses, les génies puissants qui disposent des biens de la vie, les hommes. FRANCE, l'Anneau d'améthyste, VI, Œ., t. XII, p. 102.

7 On y est accueilli par de braves chiens aux yeux de reconnaissance humaine, d'humbles chiens de rue (...) LOTI, Suprêmes visions d'Orient, I, p. 18.

Relatif au chien. ⇒ **Canin.** *Exposition de chiens. Généalogie d'un chien.* ⇒ **Pedigree.** *Accouplement du chien et de la chienne.* ⇒ **Chaleur** (être en chaleur), **chasse** (être en chasse) ; **chienner.** *Croiser des chiens.* ⇒ **Mâtiner.** *Petit du chien.* ⇒ **Chiot.** *Une portée de petits chiens.* ⇒ **Aboyer** (cit. 1), **clabauder, clatir, glapir, gronder, hurler** (à la lune, à la mort), **japper...** *Chien qui fait le beau, happe le morceau qu'on lui jette, lèche. Le chien lape sa soupe. Odorat, flair* du chien.* — *Art de chasser avec des chiens.* ⇒ **Cynégétique, vénerie.**

8 Le chien ne perd pas l'objet de sa poursuite ; il voit, de l'odorat, tous les détours du labyrinthe, toutes les fausses routes où on a voulu l'égarer. BUFFON, Hist. nat. des animaux, Le chien.

9 Les hommes en général ressemblent aux chiens qui hurlent quand ils entendent de loin d'autres chiens hurler. VOLTAIRE, Fragments historiques, III.

10 Les chiens au chenil aboyèrent tous, et l'éclat de leurs voix retentissant qu'il parût personne. FLAUBERT, Mᵐᵉ Bovary, III, VIII.

Robe, soie, poil long ou *ras d'un chien. Couleur du dos d'un chien.* ⇒ **Mantelure.** *Chien truité,* marqueté, tacheté. *Gueule, museau du chien. Canines, crocs du chien.* ⇒ **Dentée, morsure.** *Oreilles droites* ou *tombantes d'un chien. Nez du chien.* ⇒ **Truffe.** *Queue de chien en balai, en trompette, en fouet. Chien puni qui se sauve la queue entre les jambes, la queue basse, l'oreille basse. Chien dont on a coupé la queue et les oreilles.* ⇒ **Courtaud ; essoriller.** *Pattes du chien. Chien à jambe droite, à jambe torse. Chien à grosses pat-*

tes. ⇒ **Pataud, pattu.** *Ergot du chien.* ⇒ **Éperon.** *Chien épointé, dont l'os de la cuisse est cassé. Jarret du chien.*

11 (...) un petit chien tout parfumé, d'une beauté extraordinaire, des oreilles, des soies, une haleine douce, petit comme Sylphide, blondin comme un blondin (...) Mᵐᵉ DE SÉVIGNÉ, 467, 13 nov. 1675.

12 (...) puis les chiens tout suants, avec des langues jusqu'à terre (...) Alphonse DAUDET, Lettres de mon moulin, « Installation », p. 10.

13 C'était un grand chien des hautes terres, à longs poils, avec des crocs durs et un air de franchise au combat qui rassurait. H. BOSCO, l'Âne Culotte, p. 162.

Dressage, élevage, traitement du chien, des chiens. Chien attaché (⇒ **Accouple, chaîne, harde, laisse ; collier, muselière**). *Les chiens sont muselés* (cit. 1). *Logement du chien.* ⇒ **Chenil, loge, niche.** *Mettre un chien à la fourrière*. Museler, démuseler un chien. Siffler un chien pour le faire venir. Faire coucher un chien. Donner la soupe, la pâtée à un chien. Le chien ronge son os. Pains de chiens.* ⇒ **Creton.** *Épucer, essoriller, tondre un chien. Tondeur de chiens. Caresser un chien.*

14 Comment ! disait-il en son âme,
Ce chien, parce qu'il est mignon,
Vivra de pair à compagnon
Avec monsieur, avec madame,
Et j'aurai des coups de bâton ? LA FONTAINE, Fables, IV, 5.

15 Jusqu'au chien du logis il s'efforce de plaire. MOLIÈRE, les Femmes savantes, I, 3.

16 Il en usa comme les dresseurs de chiens : il employa la faim, la bastonnade (...) SAINT-SIMON, Mémoires, 231, 87.

17 (...) les bons chiens qu'on était habitué à voir rôder partout, inoffensifs et courtois, toujours si touchés de la moindre caresse. LOTI, Suprêmes visions d'Orient, I, p. 20.

N. m. *Chien de chasse,* sélectionné et éventuellement dressé pour la chasse. → **Chasse.** *Femelle du chien de chasse.* ⇒ **Lice.** *Action du chien à la chasse.* ⇒ **Arrêter, barrer, bourrer, brailler, briller, chasser, curée, flairer, halener, piller, quêter, quoailler, rabattre. — Ameuter, coupler, découpler, harder, déharder, relayer les chiens. Rompre* les chiens** (→ infra, sens figuré). *Appuyer*, effiler*, exciter, rebaudir les chiens. Valet de chiens.* ⇒ **Piqueur ;** → Piqueux, cit. *Voiture pour transporter les chiens de chasse.* ⇒ **Dog-cart.** *Meute*, harde, houraillis de chiens. — Chien couchant ou chien d'arrêt,* qui lève le gibier en plaine et le ramène quand il est abattu. *Chien qui chasse à vue, par l'odorat. Chien qui va le nez au vent.* ⇒ **Flairer.** *Chien courant,* qui donne de la voix quand il est sur la piste du gibier. → Piste, cit. 2. — *Chien ratier*.* — Vx. *Chiens dévorants.*

18 Des lambeaux pleins de sang, et des membres affreux
Que des chiens dévorants se disputaient entre eux. RACINE, Athalie, II, 5.

19 Le caractère naturel du Français est composé des qualités du singe et du chien couchant. Drôle et gambadant comme le singe, et dans le fond très malfaisant comme lui ; il est, comme le chien de chasse, né bas, caressant, léchant son maître qui le frappe, se laissant mettre à la chaîne, puis bondissant de joie quand on le délie pour aller à la chasse. CHAMFORT, Maximes et pensées, III, p. 87.

20 Gondran passe sa bêche dans la courroie du carnier et se charge. Au bas des escaliers, il siffle son chien. Labri, qui dormait sous un rosier, sort, s'étire, bâille, renifle la besace, suit, et Gondran écoute joyeusement le grignotis des petites pattes onglées, derrière lui. J. GIONO, Colline, p. 45.

21 Une heure plus tard il est seul dans le bois, bien seul, suivant Acteur *(le chien)* qui mène, la truffe au ras des feuilles mortes. Le chien, à cinq mètres devant, raidi à plein collier la longue laisse de cuir ; et Daguet *(le piqueur),* cependant, un peu incliné en arrière, le maintient d'une poigne tranquille, tandis que derrière lui, bien en vue, il espace les brisées. M. GENEVOIX, Forêt voisine, IX, p. 116.

Chien d'agrément. Chien d'appartement. Chien de manchon : très petit chien, que les femmes pouvaient abriter dans leur manchon. — *Chien de garde** (→ Paisible, cit. 3). *Le chien de garde veille...* (⇒ **Cerbère**). *Lâcher les chiens. Chien guidant un aveugle. Chien policier. Chiens de surveillance.* — *Maître* chien* (dresseur). *Chien de l'armée. Chien sanitaire. Chien de trait,* qu'on attelle au traîneau. *Chiens groënlandais, esquimaux. Chien de berger surveillant son troupeau.*

22 Il était un berger, son chien et son troupeau.
Quelqu'un lui demanda ce qu'il prétendait faire
D'un dogue de haute taille, à l'ordinaire
Était un pain entier (...) LA FONTAINE, Fables, VIII, 18.

23 Mais le plus touchant encore ce sont les chiens, ces braves chiens de berger, tout affairés après leurs bêtes et ne voyant qu'elles dans le *mas.* Alphonse DAUDET, Lettres de mon moulin, « Installation », p. 11.

Maladies du chien. ⇒ **Hydrophobie, rage ; gale, rouvieux, tique...** *Blessures du chien.* ⇒ **Aggravée, butture, décousure...** *Un chien pelé, galeux.*

24 Un vieux chien, galeux, infirme, qui pataugeait dans les flaques de cambouis (...) MARTIN DU GARD, les Thibault, t. II, p. 255.

Races, types de chiens. ⇒ **Airedale, barbet, basset, beagle, berger, bichon, bleu** (d'Auvergne), **bouledogue, boxer, braque,** 3. **briquet, bull-terrier, caniche, carlin, chou-pille, chow-chow, clabaud, cocker, colley, collie, corneau, dalmatien, danois, dobermann, dogue, épagneul, fox-hound, fox-terrier, griffon, havanais, houret, king-charles, levrette, lévrier, limier, loulou, malinois, mastiff, mâtin, pékinois, pointer, poitevin, ratier, retriever, roquet, saint-bernard, setter, shetland, skye, sloughi, teckel, terre-neuve, terrier, vautre.**

REM. La nomenclature des races de chiens est plus abondante, elle comprend de nombreux emprunts (notamment des anglicismes) et des syntagmes formés avec *chien* ou avec le nom d'une race (*berger, lévrier...*). On classe les chiens en groupes : *chiens de berger, chiens de garde et de protection, chiens de trait, terriers, teckels, chiens cou-*

rants, *chiens de chasse* et *chiens d'arrêt, chiens d'agrément* et *de compagnie, lévriers.* — Les *chiens de chasse* (au sens large) se divisent en *chiens d'arrêt, chiens courants, chiens d'équipage, chiens quêteurs, chiens rapporteurs* et *chiens de terrier.*

(1690). *Le Grand Chien, le Petit Chien* (constellations). ⇒ **Canicule.**

♦ **2.** Tout animal de l'espèce des *Canidés. Chien, chienne sauvage.* ⇒ **Dingo, otocyon.**

B. (Emplois fig.). N. m. (sauf au sens 4., où *chienne* est possible).
♦ **1.** (1866). Fig. Charme, attrait (surtout des femmes). *Elle a du chien.* ⇒ **Allure ; →** Piment, cit. 5.

25   (...) l'habit bleu lui donnait beaucoup de chien.
                        G. DUHAMEL, Récits des temps de guerre, XXXVI, p. 135.
25.1   La jeune personne à laquelle je pense est d'une bonne et ancienne maison de
       l'Artois (...) Brune, belle, et même mieux que belle : elle a du chien.
                        M. YOURCENAR, Archives du Nord, p. 284.

♦ **2.** (1883). À LA CHIEN. *Coiffure, cheveux à la chien,* avec une frange lisse disposée sur le front. *Se coiffer à la chien.*

25.2   La femme du jeune notaire d'X... n'avait pas froid aux yeux. Elle se permettait les
       décisions brusques et gamines d'une femme qui copiait les robes de « ces dames
       du château », chantait en s'accompagnant elle-même et portait les cheveux à la
       chien.   COLETTE, la Maison de Claudine, p. 105.
25.3   Nous avions treize, quatorze ans, l'âge du chignon prématuré, de la ceinture de
       cuir bouclée au dernier cran, du soulier qui blesse, des cheveux à la chien
       qu'on a coupés (...) à l'école, pendant la leçon de couture, d'un coup de
       ciseaux à broder.
       COLETTE, la Maison de Claudine, Ybanez est mort, éd. L. de Poche, p. 111-112.

Loc. Vx. *Oreilles* (cit. 41) *de chien* (mèches plates).

♦ **3.** Loc. DE CHIEN. *Avoir, éprouver un mal de chien :* rencontrer bien des difficultés. *Un métier, un travail de chien,* très pénible. — *Vie de chien,* misérable, difficile. — *Temps de chien :* très mauvais temps, temps détestable. — Loc. *Il fait un temps à ne pas mettre un chien dehors,* un temps exécrable. — *Quel chien de temps !* ⇒ **Sale. Chienne de vie !**

26   Et il me faut reconnaître, sinon par expérience personnelle, du moins par raison-
       nement, que cette chienne de vie (le mot est de Madame de Sévigné) a quelque-
       fois du bon, bien que je ne m'en sois pas aperçu.
                        FRANCE, la Vie en fleur, XXVIII, p. 319.
27   Travellini sortit de la pluie avec sa gravité habituelle, et, sans manifester le
       moindre étonnement de nous rencontrer, par ce temps de chien, dans ces lieux de
       désolation, il nous parla (...)   H. BOSCO, Un rameau de la nuit, II, p. 54.
27.1   Père Ubu : Ah ! le chien de temps, il gèle à pierre fendre et la personne du Maître
       des Finances s'en trouve fort endommagée.   A. JARRY, Ubu roi, IV, 5 (1896).
Mar. *Coup de chien :* coup de gros temps (grain, coup de vent, etc.).
27.2   Il (...) se posait en homme dangereux » disait qu'il fallait guillotiner la moitié
       de ces gredins *(les hommes politiques)* et déporter l'autre moitié « au prochain
       coup de chien ».   ZOLA, le Ventre de Paris, t. I, p. 95.

♦ **4.** Péj. (et terme d'injure). Vx, littér. ou allus. hist. Personne méprisable. ⇒ **Canaille.** *Ah, le chien, la chienne !* ⇒ **Chienne, II., 1.**
28   Je suis un chien, un traître, un bourreau détestable (...)
                        MOLIÈRE, l'Étourdi, V, 6.

Chien de... *Chiens de chrétiens !* (formule prêtée aux musulmans). *Fils de chien !*
29   Je te ferai changer de note, chien de philosophe enragé.
                        MOLIÈRE, le Mariage forcé, 5.
30   (...) ce chien de tailleur-là (...)   MOLIÈRE, le Bourgeois gentilhomme, II, 4.
31   Il en sort tous les jours de nouveaux, de ces chiens d'Allemands, de leur damnée
       forteresse.   A. DE MUSSET, Lorenzaccio, I, 2.
31.1   Si je n'avais pas fait l'enfant tout à l'heure (...) j'aurais encore deux coups à tirer,
       alors qu'il ne m'en reste qu'un, se dit-il (...) désormais je ne peux tirer qu'un seul
       de ces chiens.   J. GIONO, le Hussard sur le toit, p. 103.

(En emploi adjectif). Mod. Dur, méchant ; avare. *C'est un bon bougre, il n'est pas trop chien.* — Rare. *Elle est un peu chienne. « Prendre sa tête la plus chienne »,* dur, revêche (Goncourt, *in* T. L. F.).
31.2   Ah ! non, pour sûr, ces rapiats n'étaient pas larges des épaules, et toutes ces mani-
       gances venaient de leur rage à vouloir paraître pauvres. Eh bien ! On leur donne-
       rait une leçon, on leur prouverait qu'on n'était pas chiens.
                        ZOLA, l'Assommoir, t. I, p. 258.
31.3   Comme le garçon avait l'air d'hésiter, la chanteuse dit :
       Oui, allez, ce n'est pas pour la boîte, ça. C'est moi qui paie.
       Et elle ajouta :
       Ce qu'ils peuvent être chiens, ici !
                        M. DRUON, les Grandes Familles, II, IV, p. 63.

Loc. mod. *Chien de quartier :* adjudant (⇒ **Cabot**). — *Le chien du commissaire :* le secrétaire du commissaire de police.

Traiter (qqn) comme un chien, très mal, sans égard ni pitié.
32   Pour ses employés, pour ses domestiques, et ils sont nombreux, il les traite comme
       des chiens et les décourage toujours.
                        G. DUHAMEL, Chronique des Pasquier, VIII, V, p. 332.

Tuer qqn comme un chien, de sang-froid, sans aucune pitié.
33   Cet homme a été mon ami ; aujourd'hui je ne me ferais aucun scrupule de le tuer
       comme un chien.   CHATEAUBRIAND, Mémoires d'outre-tombe, I, V.

Mourir comme un chien, sans soin, sans secours, abandonné. *Enterrer qqn comme un chien,* sans aucune cérémonie.
33.1   Alors, stupide, il s'arrêta (...) Une grande lâcheté l'envahissait (...) À cette heure,
       il était seul, il pouvait crever, sur le pavé, comme un chien perdu.
                        ZOLA, le Ventre de Paris, t. I, p. 50.

Fig. (argot hippique). Cheval de course de très mauvaise qualité, sans valeur. → Veau, II., 2.

Loc. fig. et fam. *C'est (ce sera) le chien pour... :* on a (on aura) du mal à...

Mais c'est plutôt le chien pour trouver un coin tranquille. Partout si fréquenté de   33.2
nos jours.   ARAGON, Blanche..., I, I, p. 14.

♦ **5.** Loc. fig. *Garder à qqn un chien de sa chienne,* lui garder rancune et se promettre de se venger de lui. — *Leurs chiens ne chassent pas ensemble.* → Chasser.

Recevoir qqn comme un chien dans un jeu de quilles, le recevoir très mal. *Arriver, venir comme un chien dans un jeu de quilles,* mal à propos.

J'ai maintes fois remarqué que vous aviez un fâcheux penchant à vous jeter étour-   34
diment dans les entretiens sérieux comme un chien dans un jeu de quilles.
                        FRANCE, la Rôtisserie de la reine Pédauque, Œ., t. VIII, p. 17.

Se regarder en chiens de faïence, se considérer avec méfiance.

Chacun s'était assis avec les siens, en deux groupes séparés, les guérilleros d'un   34.1
côté, les militants de la ville de l'autre (...) On commençait à se regarder en chiens
de faïence.   Régis DEBRAY, l'Indésirable, p. 269.

Rompre les chiens : interrompre un entretien* mal engagé.

(...) craignant des questions plus précises (...) il rompit délibérément les chiens.   35
                        MARTIN DU GARD, les Thibault, t. III, p. 188.

S'entendre, vivre comme chien et chat, en se disputant constamment (→ Chat).

Bien ensemble, maman et la Bonne-Mère ? (...) Comme chien et chat, oui !...   36
                        LOTI, Ramuntcho, I, VII, p. 85.

Ne pas être bon à jeter aux chiens : ne pas valoir grand-chose. On dit dans le même sens, *ne pas valoir les quatre fers d'un chien :* ne rien valoir (les chiens n'ayant pas de fers, à la différence des chevaux). — Vx. *Agir comme un chien fouetté,* de fort mauvaise grâce. — *Jeter, donner sa langue au chien* (cf. Donner sa langue au chat, plus cour.). — *Avoir du crédit comme un chien à la boucherie* : n'avoir aucun crédit. *Cela n'est pas fait pour les chiens,* on peut, on doit s'en servir, l'utiliser.

J'oubliais un détail typique : la fruitière de madame la capitaine vint donner cette   36.1
note de morale : — C'est le devoir de tous les honnêtes gens de prévenir le mari
quand il est ridicule : le divorce n'est pas fait pour les chiens !
                        GORON, l'Amour à Paris, t. I, p. 48.

Être comme un chien à l'attache : n'avoir aucune liberté.

Faire le chien couchant : être flatteur, obséquieux, lâche, veule.

On se trompait ; on en fut pour les frais de courage : on avait compté sur ma   37
platitude, sur mes pleurnicheries, sur mon ambition de chien couchant, sur mon
empressement à me déclarer moi-même coupable, à faire le pied de grue auprès
de ceux qui m'avaient chassé : c'était mal me connaître.
                        CHATEAUBRIAND, Mémoires d'outre-tombe, III, IX.

(...) pourquoi ne se rebiffe-t-il pas davantage, au lieu de prendre ces airs de chien   38
couchant ?   PROUST, À la recherche du temps perdu, t. X, p. 113.

Faire le jeune chien ; être bête comme un jeune chien, être étourdi, folâtre, par analogie avec les mouvements désordonnés des jeunes chiens. *Faire le chien fou, le chien enragé.*

Le chien-chien à sa mémère (allus. au langage bêtifiant adressé aux chiens).

Avoir un caractère de chien, un mauvais caractère.

Il a un caractère de chien, mais les autres n'ont pas de caractère du tout.   39
                        A. MAUROIS, Terre promise, XXII, p. 147.

C'est un chien qui aboie à la lune, en parlant d'une personne présomptueuse. *Les chiens aboient, la caravane* passe. *Faire comme le chien du jardinier qui ne mange pas de choux et ne laisse pas les autres en manger :* empêcher autrui d'utiliser ce qui lui rendrait service, mais dont on ne veut pas.

Entre chien et loup : au crépuscule, quand la nuit commence à tomber et que l'on ne saurait distinguer un chien d'un loup. Cf. la féminisation (emploi d'auteur) : *Entre chienne et louve,* titre d'un ouvrage de M. Perrein.

Je crains l'entre chien et loup quand on ne cause point (...)   40
                        Mme DE SÉVIGNÉ, 467, 13 nov. 1675.

Le Point-du-jour : quartier au nom qui pourrait susciter l'image plutôt riante de   40.1
l'approche de l'aurore, mais auquel le mépris qu'avaient en ce temps-là les gens
d'Auteuil pour ce quartier plus pauvre que le leur contribuait à donner une allure
indécise d'entre chien et loup, une teinte de grisaille légèrement patibulaire.
                        Michel LEIRIS, Biffures, p. 33.

Littér. *Entre loup et chien :* à l'aube.

On atteignait l'heure entre loup et chien où les gens sensibles se confient, où les   40.2
criminels avouent, où les plus silencieux eux-mêmes luttent contre le sommeil à
coup d'histoires ou de souvenirs.   M. YOURCENAR, le Coup de grâce, p. 135.

Interj. *Nom d'un chien !* juron familier. → Nom, cit. 26.

Oh ! nom d'un chien de nom d'un chien ! y va s'étaler dans le fromage (...)   40.3
                        COURTELINE, les Gaîtés de l'escadron, p. 75.

Merci, mon chien ! (se dit à un enfant qui dit « merci » sans appellatif, pour l'inciter à en ajouter un plus convenable).

♦ **6.** (*Chien,* au sens 1.). Prov. *Bon chien chasse de race,* il est bon chasseur de naissance (→ Chasser). *Chien en vie vaut mieux que lion mort :* il vaut mieux vivre misérablement que d'être mort après avoir été puissant.

Car pour l'homme qui est parmi les vivants, il y a de l'espérance ; mieux vaut un   41
chien vivant qu'un lion mort.   BIBLE (CRAMPON), l'Ecclésiaste, IX, 4.

Qui veut noyer son chien l'accuse de la rage : tout prétexte est bon quand on veut se débarrasser de qqn ou de qqch.; on invente des torts à ceux qu'on veut sanctionner.

42 Qui veut noyer son chien l'accuse de la rage.
MOLIÈRE, les Femmes savantes, II, 5.

Autant vaut être mordu d'un chien que d'une chienne : il est inutile de fuir un mal pour en rencontrer un autre qui n'est pas moindre. *Tous les chiens qui aboient ne mordent pas :* les personnes qui crient le plus ne sont pas le plus à craindre. *Chien hargneux a toujours l'oreille déchirée :* le querelleur ne se retire jamais indemne. — *Un chien regarde bien un évêque :* nul ne doit se fâcher d'être regardé; la différence de rang autorise cependant les relations. — *Qui m'aime aime mon chien.*

Allus. hist. *C'est le chien de Jean de Nivelle, il s'enfuit quand on l'appelle,* en parlant d'une personne qui se dérobe quand on a besoin d'elle. — *C'est Saint Roch et son chien,* se dit de deux personnes qui ne se quittent jamais.

♦ **7. Loc. fig. LES CHIENS ÉCRASÉS :** les faits divers de peu d'importance, en journalisme. *Il fait les chiens écrasés.*

★ **II.** Seulement n. m. ♦ **1.** *Chien de mer :* squale. ⇒ **Aiguillat; roussette.** — *Chien-dauphin.* ⇒ **Lamie.**

♦ **2.** (Fin XVIᵉ). Pièce coudée de certaines armes à feu qui portait le silex et de nos jours guide le percuteur. *Chien d'un fusil de chasse.* (1585, *in* D.D.L.). *Abattre le chien.*

43 C'était un fusil à piston. Je le pris et fis jouer le chien, la gâchette. Comme il y avait encore une capsule, je retins le déclic et le chien se reposa doucement.
H. BOSCO, Hyacinthe, p. 59.

Par anal. *Être couché en chien de fusil,* les genoux ramenés sur le corps. *Ramassé en chien de fusil :* le corps courbé sur les genoux.

44 Antoine, ramassé derrière elle en chien de fusil, se redressa (...) et s'accouda confortablement.
MARTIN DU GARD, les Thibault, t. III, p. 21.

45 Elle se tourna, en chien de fusil, le front contre le mur. Mais elle ne retrouva pas son agréable demi-somme (...)
COLETTE, Julie de Carneilhan, p. 75.

♦ **3. Loc.** *Chien-assis* [ʃjéasi]. Voir ce mot.

♦ **4. Jeux.** Talon du jeu, au tarot. *Faire le chien. Il y a six cartes dans le chien.*

DÉR. Chenet, chenil. — Chiénage, chienchien, chiennaille. — Chiennée, chienner, chiennerie. — Cf. aussi les dér. du lat. *canis* (cagne, canaille, caniche, canidés, canin) et du grec *kunos* (préf. cyn- : cynégétique, cynique, cynisme, cynocéphale, cynodrome, cynoglosse; cyon).
COMP. Chien-assis, chiendent, chien-loup, tue-chien (V. Colchique).

CHIÉNAGE [ʃjenaʒ] n. m. — Mil. XIXᵉ; de *chien*.

♦ **Hist.** Droit du seigneur et obligation du vassal à nourrir un certain nombre de chiens de chasse.

CHIEN-ASSIS [ʃjéasi] n. m. — 1929; de *chien*, et *assis*.

♦ **Techn.** Lucarne en charpente, en saillie sur la couverture d'une maison, et servant à donner du jour à un comble. *Des chiens-assis* [ʃjéasi].

CHIENCHIEN [ʃjéʃjé] n. m. — 1875, *chien-chien, in* D.D.L.; redoublement enfantin de *chien*.

♦ **Fam., iron.** Petit chien. *C'est le chienchien à sa mémère.* — Var. : *chien-chien (des chiens-chiens; des chienchiens).*

1 (...) Eugénie soupire de la manière lasse, désabusée, bruyante qui lui est familière, tandis que Bertrand opine avec un air poli et que l'autre idiote participe pour une fois à la conversation, son chienchien, vous pensez.
Claude MAURIAC, le Dîner en ville, p. 248.

2 — Devant *la Régalade* poursuit Hélène : Il lui faut du croissant cuit au feu de bois à mon chien-chien. Je te jure, quel poème, ce Gilbert !
Yanny HUREAUX, la Prof, p. 81.

CHIENDENT [ʃjédɑ̃] n. m. — 1551; de *chien*, et *dent*.

♦ **1.** Herbe vivace *(Graminées)*, à racines développées, nuisible aux cultures. *Chiendent à balai.* ⇒ **Andropogon.** *Chiendent pied de poule,* aussi appelé *patte de poule. Chiendent ruban. Chiendent des Canaries.* ⇒ **Alpiste.** *Chiendent des chiens. Le chiendent rampant est utilisé en médecine pour préparer une tisane diurétique.*

♦ **2.** Racine de chiendent séchée. *Brosse de chiendent.*

♦ **3.** (1690). Fig. et fam. (Collectif). ⇒ **Difficulté, embarras.** *Voilà le chiendent.* → Cactus (un, des cactus).

CHIENLIT [ʃjɑ̃li] n. f. — 1534; de *chier*, *en*, et *lit*.

♦ **1.** Vieilli ou littér. Masque de carnaval.

1 L'hypocrisie et le mensonge grouillaient partout. Les mots et les gestes les plus quotidiens étaient des masques, des déguisements, des chienlits.
Marie CARDINAL, les Mots pour le dire, p. 316.

REM. Le sens de «masque de carnaval bizarrement accoutré» est attesté en 1740; selon P. Larousse, l'évolution de sens est la suivante. Le mot *chie-en-lit* aurait désigné le «bout de chemise malpropre qui

sort par la fente postérieure de la culotte d'un enfant», puis un «morceau de chiffon ou de papier que l'on attache par plaisanterie au vêtement de quelqu'un». Mais ces acceptions sont hypothétiques.

2 La bacchanale, jadis couronnée de pampres (...) aujourd'hui avachie sous la guenille mouillée du Nord, a fini par s'appeler la chie-en-lit.
HUGO, les Misérables, *in* P. LAROUSSE.

Par ext. Chanson, air de carnaval qui accompagnait les cris de «*à la chie-en-lit !*» (attesté en 1832).

3 Cet être braille, raille, gouaille, bataille (...) psalmodie tous les rythmes depuis le De Profundis jusqu'à la Chie-en-lit (...)
HUGO, les Misérables, III, I, III.

(V. 1860). *Un, des chie-en-lit.* Invar. Personne habillée d'une manière excentrique. «*Les chie-en-lit qu'on appelle les* petites dames...» (P. Larousse).

♦ **2. N. f.** (1862). Mascarade tumultueuse et désordonnée.

4 On en est à la chienlit, monsieur (...) On en est à la mascarade au corso carnavalesque. On se déguise en pierrot, en arlequin, colombine ou en grotesque pour échapper à la mort.
J. GIONO, le Hussard sur le toit, p. 270.

Fig. Mascarade, déguisement grotesque.

Désordre. ⇒ **Pagaïe.** «*La réforme, oui ; la chienlit, non*» (mots attribués au général de Gaulle, en mai 1968).

CHIEN-LOUP [ʃjélu] n. m. — 1775; trad. angl. *wolf-dog*; de *chien*, et *loup*.

♦ Chien qui ressemble au loup. ⇒ **Berger** (allemand). *Des chiens-loups.*

CHIENNAILLE [ʃjɛnɑj] n. f. — XIIᵉ; de *chien*, et suff. *-aille.*

Vieux.

♦ **1.** Troupe de chiens.

1 J'ai fini par surprendre, malgré les cris de la chiennaille, un pas humain, des bruits humains.
G. DUHAMEL, les Maîtres, p. 306.

♦ **2. Fig.** Canaille (collectif).

2 Messire, répondit-il d'une voix rauque, s'il se trouve en toute cette chiennaille... Il désignait de la main ouverte l'assemblée des prévôts.
M. DRUON, la Reine étranglée, p. 180.

CHIENNE [ʃjɛn] n. f. — Fém. de *chien*.

★ **I.** Femelle du chien. ⇒ **Chien,** I., A.

★ **II. Fig.** ♦ **1.** (Au sens B, 4 de *chien*). Rare. Terme d'injure à l'égard d'une femme. — Adj. *Elle est chienne.* «*Madame me l'avait donné, Madame n'est pas chienne comme vous*» (Zola, *in* T.L.F.).

♦ **2.** Plus cour. (par compar. ou fig.). Femme lubrique. *C'est une chienne, une chienne en chaleur.*

Vous savez, je ne suis pas une chienne. Je ne me mets pas les pattes en l'air quand on siffle !
ZOLA, l'Assommoir, Pl., t. II, p. 681.

CHIENNÉE [ʃjene] n. f. — 1611; de *chien*.

♦ **Rare.** Portée de petits chiens, de chiots.

CHIENNER [ʃjene] v. intr. — 1492; de *chien*.

♦ **Rare** (en parlant d'une chienne). Mettre bas.

CHIENNERIE [ʃjenʀi] n. f. — V. 1210; de *chien*.

♦ **1. Vx.** Ensemble de chiens.

Péj. Comportement humain comparé à celui d'un chien (→ Cynique), d'une chienne.

♦ **2.** (V. 1450). **ⓐ** Impudeur (d'une femme, comparée à une chienne en chaleur). *Une, des chienneries :*

1 Qu'il est difficile d'être une femme. Je me sens concernée et diminuée par les chienneries de toutes ces femmes qui sont d'abord des femelles avant d'être des êtres humains.
Benoîte et Flora GROULT, Journal à quatre mains, p. 138.

ⓑ **Littér.** Attitude cynique quant à l'amour.

2 (...) faute de pouvoir se donner la morale et les valeurs dont il a clairement senti la nécessité, on sait assez que Breton a choisi l'amour. Dans la chiennerie de son temps, et ceci ne peut s'oublier, il est le seul à avoir parlé profondément de l'amour.
CAMUS, l'Homme révolté, *in* Essais, Pl., p. 507.

♦ **3.** (1669). Fig. Dureté; ladrerie (vieilli). — Péj. et mod. *Cette chiennerie de métier.* ⇒ **Chien.**

CHIER [ʃje] v. — XIIIᵉ; du lat. *cacare*, esp. *cagar*. → Caguer; chiader, chialer.

Familier et vulgaire.

★ **I. V. intr.** ♦ **1.** Se décharger le ventre des excréments. ⇒ **Faire.** *Aller chier. Avoir envie de chier.*

1 Guy déjà à l'émouvante attitude d'un chien qui chie. Il pousse, son regard est

fixe, ses quatre pattes sont rapprochées sous son corps arc-bouté; et il tremble, de la tête à l'étron fumant. Jean GENET, Journal du voleur, p. 238.

2 (...) ce qui me fait penser que chier ne convient pas pour quelqu'un comme le cheval qui a la défécation sèche, poudreuse, filandreuse, parce que chier, qu'on le veuille ou non, ça suppose du glissant, du giclant, du liquide, enfin moi je trouve (...) Jacques LAURENT, les Bêtises, p. 269.

REM. En franç. d'Afrique, le v. peut s'employer sans connotation vulgaire (I. F. A.).

♦ **2.** Fam. **FAIRE CHIER** (qqn), l'embêter, le contrarier. ⇒ **Emmerder, suer** (faire suer); **tartir** (argot). *Tu nous fais chier! Il commence à me faire chier, ce type!*

3 Il n'était pas rentré parce qu'il ne savait pas l'adresse! (...)
— Je vais te le faire tatouer sur la poitrine! répète : 44, avenue de Saxe.
— Merde, me dit-il. Me fais pas trop chier tout de même.
Je plongeai dans le silence. Oui. Il ne fallait pas exagérer, n'est-ce pas.
Christiane ROCHEFORT, le Repos du guerrier, I, IV, p. 92.

4 Pourquoi que tu veux l'être, institutrice?
— Pour faire chier les mômes, répondit Zazie.
R. QUENEAU, Zazie dans le métro, p. 29.
Ça me fait chier : ça m'ennuie, ça m'est désagréable. — *On se fait chier, ici :* on s'ennuie. ⇒ **Emmerder** (s'). — *Se faire chier à faire qqch.,* se donner du mal pour le faire.

5 On peut même lui dire qu'on s'est fait chier, qu'on a même fini par faire nos devoirs tellement c'était le sombre dimanche. Joseph JOFFO, Baby-foot, p. 20.
Envoyer chier qqn, l'envoyer promener*.

♦ **3.** Loc. fam. (métaphore du sens 1). *Chier dans sa culotte, dans son froc :* avoir peur. — *Chier dans les bottes de quelqu'un,* lui jouer un tour impardonnable. — *Chier dans la colle :* exagérer, dépasser la mesure. — *Chier dans la main de quelqu'un,* manifester une ingratitude profonde à son égard.
Chier sur (qqn, qqch.) : mépriser, témoigner du mépris pour.

6 N'oublie pas de chier sur *la Renaissance,* journal littéraire et artistique, si tu le rencontres. RIMBAUD, Lettre à Ernest Delahaye, juin 1872, Pl., p. 269.
Envoyer chier (qqn) : rembarrer (qqn). ⇒ **Paître, promener** (envoyer*). *Va chier!*
En chier : être dans une situation difficile, pénible, désagréable. *T'as signé, c'est pour en chier!* (apostrophe traditionnelle aux engagés, dans l'armée; employé souvent par plais. à l'adresse de qqn qui ne peut pas se dérober à une obligation, à une contrainte pénible).
Y a pas à chier : c'est inévitable; c'est évident.

7 Parfaitement, elle ne vous a pas dénoncé, il n'y a pas à chier. Elle vous savait pendant quatre ans dans cette cave aux Champs-Élysées comme Juif, elle ne vous a pas dénoncé par amour. É. AJAR (R. GARY), l'Angoisse du roi Salomon, p. 282.

♦ **4.** Impers. *Ça chie, ça va chier :* les choses se gâtent, vont se gâter. — *Ça (ne) chie pas :* cela n'a pas d'importance.

★ **II.** V. tr. ♦ **1.** Expulser (des excréments). Loc. *Chier des cordes :* évacuer péniblement des excréments durcis.

♦ **2.** Mettre au monde un enfant (J. Genet, *in* Cellard et Rey).

♦ **3.** Mépriser (qqn). *«Marre? Je les chie, tu veux dire»* (Georges Arnaud, *in* Cellard et Rey).

▶ **CHIÉ, ÉE** p. p. adj.
Fig. Réussi. *C'était chié!*
Loc. *Tout chié :* absolument ressemblant. ⇒ **Craché.** *C'est le portrait de son père, tout chié!*

DÉR. Chiément, chienlit, chierie. — Chiant, chiard, chiée, chieur, chiotte.

CHIERIE [ʃiʀi] n. f. — XVIᵉ, «déjections»; de *chier.*

♦ Fam., vulg. Chose très ennuyeuse, contrariante ou contraignante. ⇒ **Emmerdement.** *Quelle chierie!*

1 Ô Nature! ô ma mère!
Quelle chierie! et quels monstres d'innocince *(sic),* ces paysans. Il faut, le soir, faire deux lieues et plus, pour boire un peu. La *mother* m'a mis là dans un triste trou. RIMBAUD, Lettre à Ernest Delahaye, mai 1873, Pl., p. 271-272.

2 Maintenant elle revoulait plus partir! Ah là! la chierie! (...) Elle réclame son petit vulnéraire!... sans ça elle part pas! Chantage! CÉLINE, Guignol's band, p. 110.

CHIEUR, CHIEUSE [ʃjœʀ, ʃjøz] n. — XXᵉ; de *(faire) chier.*

♦ Fam., vulg. Qui embête, contrarie qqn. ⇒ **Emmerdeur.** *Quel chieur, ce type!*

CHIFFE [ʃif] n. f. — 1611; dial. (Nord, Ouest) *chipe* «chiffon», 1306; du moy. angl. *chip* «petit morceau», avec infl. du moy. franç. *chiffre* «objet sans valeur».

♦ **1.** Rare. Étoffe de mauvaise qualité. ⇒ **Chiffon.** *C'est de la chiffe.*
Loc. compar., cour. *Il est mou comme une chiffe, plus mou qu'une chiffe.* → 1. Mou, cit. 11, 17.

♦ **2.** Fig. Personne sans caractère. *C'est une chiffe molle* (⇒ **Mou, veule**).

D'ailleurs, il n'aura pas même le courage d'y aller, à la police. Je le connais, moi, c'est une chiffe, une poule mouillée, il se dégonfle toujours.
B. CENDRARS, Moravagine, *in* Œ. compl., t. IV, p. 133.

CONTR. Dur, énergique.
DÉR. Chiffon.

CHIFFON [ʃifɔ̃] n. m. — 1607; de *chiffe* (1.).

♦ **1.** Morceau de vieille étoffe. *Vieux chiffons. Garder, ramasser, vendre des chiffons. Chiffons de laine, de soie. Effilocher des chiffons* (⇒ **Bourre, charpie**). *Commerce des chiffons.* ⇒ **Chiffonnier.** *Industrie des chiffons :* triage ou délissage, tricage, carbonisage... *Chiffons de lin, de coton vendus aux fabricants de papier, de carton.* ⇒ **Drille, peille, pilot.**

1 Les portes de l'armoire à glace béaient sur un fouillis de lingeries et de chiffons. VAN DER MEERSCH, l'Élu, p. 70.

Chiffon à meuble, à poussière, à chaussures : morceau de toile, de laine, de coton servant à enlever la poussière. — Régional. *Chiffon de parterre.* ⇒ **Serpillière.**

♦ **2.** Collectif. **LE CHIFFON.** *Récupération du chiffon pour la fabrication du papier.* — Par métonymie. *Du chiffon, du pur chiffon :* papier d'excellente qualité, fait avec du chiffon.

♦ **3.** Vêtement froissé, fripé, détérioré (⇒ **Chiffonner**). *Ta chemise est un vrai chiffon!*
EN CHIFFON : chiffonné. *Plier, mettre des vêtements en chiffon,* les disposer sans aucun soin.

2 Du blanc, un peu de rouge, un chiffon de rabat (...)
Mathurin RÉGNIER, Satires, XI.

♦ **4.** **CHIFFON DE PAPIER :** papier froissé; mauvais papier. — (1752). Document sans valeur, sans importance; traité qu'on signe sans avoir l'intention de le respecter (expression attribuée au chancelier allemand Bethmann-Hollweg, qui l'aurait appliquée en 1914 au traité garantissant la neutralité de la Belgique).
Vx. *Un chiffon :* un papier de mauvaise qualité.

3 Excusez le chiffon sur lequel je vous écris; rien n'est plus rare que le papier en ce pays-ci. P.-L. COURIER, Lettres, I, 172.

♦ **5.** Fam. (Plur.). Vêtements de femme, objets de parure. ⇒ **Fripe, nippes.** *Ne s'occuper que de chiffons.* — Loc. *Parler chiffons.*

4 (...) Les deux parisiens parlent politique. Les jeunes personnes, qui s'ennuient un peu, s'entretiennent de chiffons et de leurs amoureux de l'an dernier (...)
M. YOURCENAR, Archives du Nord, p. 107.

DÉR. Chiffonner, chiffonnier.

CHIFFONNADE [ʃifɔnad] n. f. — 1832; *chifonade,* 1750; de *chiffonner.*

♦ Cuis. Préparation de salade (laitue, oseille), coupée en fines lanières, fondue au beurre et assaisonnée. *Chiffonnade de laitue au cerfeuil.*

CHIFFONNAGE [ʃifɔnaʒ] n. m. — 1835; fig., «contrariété», 1740; de *chiffonner.*

♦ **1.** Action de chiffonner. État de ce qui est chiffonné.

♦ **2.** (Par antiphrase). Petit travail d'aiguille qui demande de l'habileté, du goût (→ Chiffonner, II.).

Mᵐᵉ Cygne aînée dit qu'il ne s'agit pas de flûte pour l'instant mais de chiffonnage, et que sa sœur n'a jamais su tenir une aiguille dans ses doigts.
Suzanne PROU, la Terrasse des Bernardini, p. 106.

CHIFFONNEMENT [ʃifɔnmɑ̃] n. m. — 1845; de *chiffonner.*
Rare.

♦ **1.** Action de chiffonner; état de ce qui est chiffonné.

♦ **2.** Fig. Contrariété, léger ennui (⇒ **Chiffonner,** I., 2.).

(...) elle m'a trop souvent voulu aux ténèbres pour accepter sans chiffonnement de me voir briller comme une vedette harcelée par les demandes d'interviews.
Pierre DANINOS, Un certain Monsieur Blot, p. 168.

CHIFFONNER [ʃifɔne] v. tr. — 1673; «lutiner (une femme)», 1657; de *chiffon.*

★ **I.** ♦ **1.** Froisser, mettre en chiffon. ⇒ **Bouchonner, friper, froisser, plisser; tapon** (mettre en). *Chiffonner une robe, un vêtement.* Pron. *Tissu qui se chiffonne,* qui garde les faux plis.
Par ext. *Chiffonner un papier, une lettre.* ⇒ **Froisser.**

1 Quelque lettre qu'il déchire ou chiffonne un moment après.
ROUSSEAU, Julie ou la Nouvelle Héloïse, II, 2.

1.1 Le vieux Gisors chiffonna le morceau de papier mal déchiré sur lequel Tchen avait écrit son nom au crayon, et le mit dans la poche de sa robe de chambre.
MALRAUX, la Condition humaine, Pl., p. 47.

Littér. (Sujet n. de chose) :

2 Le vent à chiffonner les fougères s'amuse (...)
HUGO, la Légende des siècles, XXVI, «Le groupe des Idylles», XXI.

♦ **2.** Vieilli. *Chiffonner qqn,* le bousculer, déranger le bon ordre de ses vêtements. Fam. *Chiffonner une femme,* déranger sa toilette en prenant des libertés avec elle.

3 C'est un badin qui la chiffonne.   GOMBAUD, Épîtres, livre I, dans RICHELET.

♦ **3.** (Abstrait ; sujet n. de chose). Mod. ⇒ **Chagriner, contrarier, ennuyer, intriguer, taquiner.** *Cette nouvelle le chiffonne. Cette histoire me chiffonne un peu, ça me chiffonne.* — Passif et p. p. *Être chiffonné par quelque chose.*

4 (...) tu es une fille discrète, nous avons des secrets ensemble, je puis te dire ce qui me chiffonne l'esprit (...)   BALZAC, Albert Savarus, Pl., t. I, p. 825.

★ **II.** Intrans. S'intéresser aux chiffons (5.), s'occuper à de petits travaux de couture. *Elle aime à chiffonner.* ⇒ **Chiffonnage, 2.**

4.1 Quand un homme n'a plus rien à construire ou à détruire, il est très malheureux. Les femmes, j'entends celles qui sont occupées à chiffonner et à pouponner, ne comprendront sans doute jamais bien pourquoi les hommes vont au café et jouent aux cartes.   ALAIN, Propos, 29 janv. 1909, L'ennui.

REM. On rencontre ce verbe, en emploi d'auteur, au sens de «faire commerce de chiffons» (→ Brocanter, cit. 1.1).

▶ **CHIFFONNÉ, ÉE** p. p. adj.

♦ **1.** Froissé. *Étoffe toute chiffonnée.* ⇒ **Fripé.**

♦ **2.** (XVIIIe). Fig. *Figure, mine, minois chiffonné :* visage fatigué. Dont les traits sont peu réguliers mais agréables.

5 C'était un petit minois éveillé, chiffonné.   ROUSSEAU, les Confessions, V.
6 (...) sa figure *(de l'abbé Delille),* laide, chiffonnée, animée par son imagination, allait à merveille à la nature coquette de son débit, au caractère de son talent et à sa profession d'abbé.   CHATEAUBRIAND, Mémoires d'outre-tombe, I, VIII,
7 (...) un nez chiffonné de trottin parisien (...)   Valery LARBAUD, Fermina Marquez, V, p. 37.

♦ **3.** Fig. Contrarié, tracassé. *Il semble tout chiffonné.*

CONTR. Défroisser, repasser.
DÉR. Chiffonnade, chiffonnage, chiffonnement.

CHIFFONNIER, IÈRE [ʃifɔnje, jɛʀ] n. — 1640 ; de *chiffon.*

★ **I.** ♦ **1.** Personne qui ramasse les vieux chiffons pour les vendre (⇒ **Biffin, chineur,** et aussi 3. **biffe,** 1. et 2. **chine**). *La hotte, le crochet du chiffonnier.*

1 Un comptoir immense partage en deux la salle, et sept ou huit chiffonnières, habituées de l'endroit, font tapisserie sur un banc opposé au comptoir (...) Mon compagnon m'avertit qu'il fallait payer une tournée aux chiffonnières pour se faire un parti dans l'établissement en cas de dispute.   NERVAL, les Nuits d'Octobre.
2 Les chiffonniers de l'Abbé Pierre surgissaient alors, sollicitant la charité dans un climat persuasif de hold-up.   A. BLONDIN, Monsieur Jadis, p. 74.

♦ **2.** Par compar. *Se disputer, se battre comme des chiffonniers,* d'une manière âpre et bruyante. — *Vêtu comme un chiffonnier :* fripé, sale. ⇒ **Vagabond.**

★ **II.** N. m. (1800 ; *chiffonnière,* 1759). Meuble haut, à nombreux tiroirs superposés, servant aux femmes pour serrer leurs «chiffons» (5.), les travaux d'aiguille, des bijoux, des papiers. ⇒ **Commode.** *Chiffonnier à sept tiroirs.* ⇒ **Semainier.**

REM. La *chiffonnière* (n. f.) est un petit meuble semblable au *chiffonnier,* mais moins haut.

3 Je savais (...) qu'elle ne quittait jamais sa mère ; — qu'elle travaillait habituellement près d'elle, à la même chiffonnière, dans l'embrasure de cette salle à manger, qui leur servait de salon.   BARBEY D'AUREVILLY, les Diaboliques, «Le rideau cramoisi».

CHIFFRABLE [ʃifʀabl] adj. — 1875, in Littré, Suppl. ; de *chiffrer.*

♦ Qu'on peut chiffrer, exprimer par des chiffres, coder selon un chiffre, etc.

CONTR. Inchiffrable.

CHIFFRAGE [ʃifʀaʒ] n. m. — 1853 ; de *chiffrer.*

♦ **1.** Mus. Le fait de chiffrer ; manière dont une basse, un accord son chiffrés.

♦ **2.** (1866). Chiffrement*.

♦ **3.** (1877). Notation par des chiffres. Évaluation en chiffres.

CHIFFRE [ʃifʀ] n. m. — XVe, «écriture secrète» ; *cifre* «zéro», 1220 ; ital. *cifra* «signe numérique» ; lat. médiéval *cifra* «zéro» ; arabe *sifr* «vide», d'où «zéro».

★ **I.** ♦ **1.** Chacun des caractères servant à représenter les nombres. *Les chiffres arabes (1, 2, 3, 4, 5, 6, 7, 8, 9, 0). Les chiffres romains (I, V, X, L, C, D, M). Un nombre* de deux, de trois, de plusieurs *chiffres. Écrire un nombre en chiffres ou en lettres* (⇒ aussi **Alphanumérique**). *Une colonne de chiffres. Aligner des chiffres.* ⇒ **Calculer.** *Chiffres astronomiques*. Le chiffre d'une date. Chiffre d'une fraction. Chiffres décimaux.* — Fig. *C'est un zéro en chiffre,* en parlant d'une personne qui n'a aucune valeur.

Par ext. *Les chiffres, la science des chiffres.* ⇒ **Mathématique(s) ; arithmétique ; calcul.**

1 Il s'était rencontré avec M. Leibniz (...) sur l'idée singulière d'une arithmétique qui n'aurait que deux chiffres, au lieu que la nôtre en a dix.   FONTENELLE, Lagny.

(Sing. collectif) :

1.1 Il y a des prodiges du chiffre. Évariste Gallois, Rimbaud des mathématiques, mort à vingt ans (le 29 mai 1832) victime des pédagogues, après avoir écrit soixante pages qui ouvrent encore des perspectives inconnues aux hommes de science.   COCTEAU, Journal d'un inconnu, p. 170.

♦ **2.** Cour. Nombre représenté par les chiffres. *Le chiffre des dépenses.* ⇒ **Montant, somme, total.** *Chiffre rond*. En chiffres ronds. Le chiffre du budget. Le chiffre des naissances, des décès, de la population. Chiffre exprimant un rapport.* ⇒ **Indice, taux.**

(1891, in D. D. L.). Comm. **CHIFFRE D'AFFAIRES** : total des ventes effectuées pendant la durée d'un exercice commercial. Abrév. ⇒ **C. A.,** 1. *Déterminer le chiffre d'affaires d'une entreprise. Chiffre d'affaires faible, important. Taxe sur le chiffre d'affaires.* — Ellipt. *Chiffre :* chiffre d'affaires. *Chiffre net. Chiffre brut. Faire du chiffre :* avoir une politique d'augmentation du chiffre d'affaires.

♦ **3.** Mus. Caractère numérique placé au-dessus ou au-dessous des notes de la basse pour indiquer les accords (tierce, quinte...) qu'elle comporte. ⇒ **Chiffré.**

★ **II.** ♦ **1.** Caractère numérique ou d'écriture de convention employé dans une écriture secrète (⇒ **Cryptographie**). *Écrire en chiffres* (opposé à *écrire en clair*). — Par anal. Signe de convention servant à correspondre secrètement. — (Collectif) *Le chiffre,* l'ensemble de ces signes. ⇒ **Code.** *Faire un chiffre. Changer de chiffre. Avoir le secret du chiffre.* — *La clef du chiffre,* ce qui permet de comprendre ou de chiffrer des dépêches secrètes. ⇒ **Chiffrer, déchiffrer ; chiffrement, déchiffrement, grille.** *Service du chiffre :* bureau civil ou militaire où l'on chiffre et déchiffre les dépêches secrètes. *Être affecté au chiffre.*

2 Je trouvai des tas de dépêches, tant de la cour que des autres ambassadeurs, dont il n'avait pu lire ce qui était chiffré, quoiqu'il eût tous les chiffres nécessaires pour cela.   ROUSSEAU, les Confessions, VII.
3 J'ai avec Caulaincourt un chiffre et un signe convenus par lesquels il m'avertira, par exemple, si l'empereur accepte ou non les propositions de paix.   TALLEYRAND, in Louis MADELIN, Talleyrand, III, XXVI, p. 269.
3.1 Vous ne connaissez pas la nouvelle technique : le surcodage en lettres ? Des cryptogrammes anodins (...) — Je vais immédiatement lancer un appel radio, au Q. G. qu'ils préviennent tout de suite le service du Chiffre, à l'Intérieur.   Régis DEBRAY, l'Indésirable, p. 309.

Chiffre d'une serrure, d'un coffre-fort : ensemble des caractères dont la composition conditionne l'ouverture de la serrure. ⇒ **Combinaison.**

♦ **2.** Entrelacement de lettres initiales. ⇒ **Marque, monogramme.** *Marquer de l'argenterie, du linge au chiffre de qqn. Faire graver son chiffre (sur un cachet...).*

4 En 1747 nous allâmes passer l'automne en Touraine, au château de Chenonceaux, maison royale sur le Cher, bâtie par Henri second pour Diane de Poitiers, dont on y voit encore les chiffres (...)   ROUSSEAU, les Confessions, VII.
5 La fleur capucine (...) brode de ses chiffres de pourpre les murs sacrés.   CHATEAUBRIAND, le Génie du christianisme, III, V, 2.

DÉR. Chiffrer.

CHIFFREMENT [ʃifʀəmɑ̃] n. m. — Déb. XVIIe ; de *chiffrer.*

♦ Opération par laquelle on chiffre (II.) un message (codage).

CHIFFRER [ʃifʀe] v. — 1515 ; de *chiffre.*

★ **I.** (→ Chiffre, I.). ♦ **1.** V. intr. Vx. Utiliser les chiffres pour calculer. ⇒ **Compter.**

1 Je l'ai vu calculer, nombrer, chiffrer, rabattre.   J.-B. ROUSSEAU, Rép. à Chaul., in LITTRÉ.

♦ **2.** V. tr. Numéroter*, dénombrer à l'aide de chiffres. *Chiffrer les pages d'un registre.*
Évaluer* en chiffres. *Chiffrer ses revenus, ses dépenses annuelles. Chiffrer (qqch.) à :* calculer précisément en chiffres (qqch.).
(Pron. passif). *Ses dépenses se chiffrent à tant par mois. Chiffrer (qqch.) par :* évaluer de façon vague (qqch.). *Opération qui se chiffre par plusieurs millions de déficit, de bénéfice.*
Mus. Noter au moyen de chiffres. *Chiffrer un accord.* — Au p. p. *Basse chiffrée.*

♦ **3.** V. intr. S'additionner. *Ça finit par chiffrer !,* par coûter cher.

★ **II.** (→ Chiffre, II.). ♦ **1.** Écrire, noter en chiffre, en un code conventionnel et secret. *Chiffrer une correspondance secrète, un télégramme.* — Au p. p. *Message chiffré.*

1.1 Dans ma poche le petit carnet où leurs noms sont chiffrés est doué de puissance consolatrice.   Jean GENET, Journal du voleur, p. 266.

♦ **2.** Orner d'un chiffre. — Au p. p. *Papier, linge chiffré.*

2 Dans un portefeuille chiffré d'une couronne de comte, les photographies de Mme de

Fontanin, de Daniel, de Jenny, voisinaient avec celles, dédicacées, d'une chanteuse viennoise.   MARTIN DU GARD, les Thibault, t. VI, p. 69.

▶ **CHIFFRÉ, ÉE** p. p. adj. Voir ci-dessus.

DÉR. Chiffrable, chiffrage, chiffrement, chiffreur.

CHIFFREUR, EUSE [ʃifʀœʀ, øz] n. m. — 1529, *chyfreux*; de *chiffrer*.

♦ **1.** Rare. Personne qui note, transcrit en chiffres.

♦ **2.** Employé, employée du chiffre (II.) qui fait le chiffrement*.

CHIGNARD, ARDE [ʃiɲaʀ, aʀd] adj. et n. — 1877; de *chigner*.

♦ Fam., vieilli. Qui a l'habitude de chigner, de pleurnicher. ⇒ **Pleurard, pleurnichard.** *Un môme chignard.*

CHIGNER [ʃiɲe] v. intr. — 1807; *chignant*, av. 1794; de *rechigner*. Voir ce mot.

♦ Fam. (Vieilli). ⇒ **Grogner, pleurer, pleurnicher.**

DÉR. Chignard.

CHIGNOLE [ʃiɲɔl] n. f. — 1753; anc. franç. *ceoignole*, XIIᵉ; du lat. pop. *ciconiola* «petite cigogne», de *ciconia*. → Cigogne.

♦ **1.** Techn. Dévidoir de passementier.

♦ **2.** (1905). Fam. Mauvaise voiture (à cheval, puis automobile). → Tacot. — Par ext. Toute automobile. *Je vais te montrer ma nouvelle chignole.*

♦ **3.** Perceuse à main, ou, rare, électrique. *Acheter une chignole et quelques forets.* ⇒ **Perceuse.**

Ensemble, nous nous rendons sur les lieux, équipés de chignoles à main et de masques. Une heure plus tard, une dizaine de trous de 5 mm sont percés en demi-plongée, pour mesurer l'épaisseur des tôles avant de prendre une décision (...)   Bernard MOITESSIER, Cap Horn à la voile, p. 83.

CHIGNON [ʃiɲɔ̃] n. m. — 1611; *chaaignon, chaignon* «nuque», XIIᵉ; du lat. pop. *catenio, -onis* «chaîne des vertèbres», de *catena*. → Chaîne.

♦ **1.** Vx. Partie postérieure du cou. ⇒ **Nuque.**

1   Les emboîtements les plus remarquables *(des os)* sont ceux de l'épine du dos qui règne depuis le chignon du cou jusqu'au croupion.   BOSSUET, Traité de la connaissance de Dieu..., in LITTRÉ.

♦ **2.** (1725). Partie de la chevelure* relevée et groupée derrière ou sur la tête (disposition réservée en principe aux femmes, dans les cultures occidentales, mais pratiquée par les hommes dans de nombreuses civilisations). *Chignon uni, natté, frisé. Petit chignon,* ou *tortillon. Cheveux tordus en chignon. Se coiffer en chignon. Se faire un chignon. Défaire son chignon. Un faux chignon* (→ fam. Cache-peigne).

2   Car sur sa nuque d'ambre fauve
Se tord un énorme chignon
Qui, dénoué, fait dans l'alcôve
Une mante à son corps mignon.   Th. GAUTIER, Émaux et Camées, «Carmen».

3   Virginie venait de sauter à la gorge de Gervaise. Elle la serrait au cou, tâchait de l'étrangler. Alors, celle-ci, d'une violente secousse, se dégagea, se pendit à la queue de son chignon, comme si elle avait voulu lui arracher la tête.   ZOLA, l'Assommoir, t. I, I, p. 32.

4   Ils *(les Annamites)* secouent leurs robes bleues (...) tordent leurs longues chevelures, rajustent leurs chignons comme des femmes.   LOTI, Figures et Choses..., V, p. 272.

Crêper le chignon d'une femme, tirer ses cheveux. — Fig. *Se crêper le chignon* : se battre, se disputer.

CHIHUAHUA [ʃiwawa] n. m. — De *Chihuahua,* ville du Mexique.

♦ Très petit chien à museau pointu, le plus souvent à poils courts, originaire du Mexique. *Une (chienne) chihuahua. Des chihuahuas.*

Sur la table, devant lui, il y avait une nichée de *chihuahuas,* plus grands que des souris et qui paraissaient faits de gélatine rose. Il était en train de les nourrir au compte-gouttes.   R. GARY, Chien blanc, p. 114.

CHIISME [ʃiism] n. m. — D. i.; de *chiite,* et suff. *-isme.*

♦ Doctrine religieuse des chiites*.

REM. On écrit aussi *chi'isme, shiisme* et *shi'isme.*

CHIITE [ʃiit] adj. et n. — 1765, *Encyclopédie; schiaite* et *schiite,* 1740; *schiah,* 1697, Herbelot; *schai,* 1653; proprt «sectaire», de l'arabe *šiyĕi* «sectateur, parti».

♦ Relatif à la secte musulmane des partisans d'Ali et de ses descendants, et à l'islamisme particulier qu'ils professent (thème de la Passion de Hussein, du retour de l'imam après sa mort, etc.). *Les*

musulmans iraniens sont en majorité chiites. Doctrines, groupes, mouvements chiites (druzes, duodécimains, ismailiens...). *Chef religieux chiite.* ⇒ **Ayatollah.** — N. *Des chiites.* — REM. On écrit aussi *chi'ite, shiite,* et *shi'ite.*

(...) ce sont deux mondes religieux différents qui vont s'établir et s'affronter : l'islam sunnite, pour lequel la prophétie de Mahomet a scellé à tout jamais la révélation, et pour qui les califes ne sont que les *« commandeurs des croyants »* investis, par les hommes, de pouvoir politiques, militaires et religieux; l'islam chiite, qui, au contraire, se situe dans la continuité d'une révélation devant être transmise par les Imams.   Pierre BLANCHET, in le Nouvel Observateur, 25 nov. 1983, p. 49.

CHIL- ⇒ Chéil-.

CHILE [tʃile] n. m. — Attesté mil. xxᵉ; mot espagnol.

♦ Piment* fort, en usage en Amérique latine comme assaisonnement *(du chile).* — Loc. *Chile* (ou *Chili) con carne* [tʃilekɔnkaʀne] n. m. Ragoût pimenté (au *chile*) de viande *(carne)* hachée, de haricots rouges, parfois de tomates, d'oignons, etc. (plat mexicain).

CHILIEN, IENNE [[ʃiljɛ̃, jɛn] adj. et n. — Av. 1740; de *Chili.*

♦ Du Chili. *L'économie chilienne. Un poète chilien.* — N. Habitant ou originaire du Chili. *Les Chiliens.*

Spécialt. De l'espagnol parlé au Chili. *Idiotisme chilien* ou *chilénisme* [ʃilenism] n. m.

CHILIENNE [ʃiljɛn] n. f. — xxᵉ; de *chilien,* adj.

♦ Chaise longue en toile, sans accoudoirs.

CHILO- ⇒ Chéil-.

CHIMÉRAL, ALE, AUX [ʃimeʀal, o] adj. — xxᵉ; de *chimère.*

♦ Biol. Relatif aux chimères (4.).

(...) vous allez jusqu'à composer des organes de structure mixte ou chimérale en amalgamant des tissus de poulet avec des tissus de souris (...)   Jean ROSTAND, Réponse au discours de réception à l'Acad. franç. de M. E. Wolff, 19 oct. 1972, in le Monde, 20 oct. 1972.

CHIMÈRE [ʃimɛʀ] n. f. — XIIIᵉ; du lat. *chimæra,* grec *khimaira* «la Chimère», monstre mythologique.

♦ **1.** Myth. Monstre fabuleux qui a la tête et le poitrail d'un lion, le ventre d'une chèvre, la queue d'un dragon, et qui crache des tourbillons de flamme. *Sur l'ordre de Iobatès, Bellérophon tua la Chimère.* — Fig. Assemblage monstreux (vx).

1   Quelle chimère est-ce donc que l'homme? Quelle nouveauté, quel monstre, quel chaos, quel sujet de contradiction, quel prodige!   PASCAL, Pensées, VII, 434.

2   Rabelais surtout est incompréhensible : son livre est une énigme, quoi qu'on veuille dire, inexplicable; c'est une chimère; c'est le visage d'une belle femme avec des pieds et une queue de serpent, ou de quelque autre bête plus difforme; c'est un monstrueux assemblage d'une morale fine et ingénieuse, et d'une sale corruption.   LA BRUYÈRE, les Caractères, I, 43.

♦ **2.** (1538). Littér. (ou langue écrite). Vaine imagination; projet irréalisable. ⇒ **Fantasme, fantôme, folie, idée, illusion, imagination, mirage, rêve, songe, utopie, vision; chimérique.** *Se repaître de chimères. Caresser une chimère, sa chimère. Se forger, se créer des chimères. Bayer aux chimères.* ⇒ **Rêver.** *Le pays des chimères :* l'Eldorado. *De vaines, de folles, de vagues chimères. Quittez ces chimères.* — Fam. *C'est là sa chimère,* son rêve, son idée fixe. — *Les Chimères,* sonnets de G. de Nerval.

3   Quelles chimères ne tombent point dans l'esprit des hommes pendant qu'ils dorment!   LA BRUYÈRE, les Caractères, VIII, 68.

4   Mes douces chimères me tenaient compagnie, et jamais la chaleur de mon imagination n'en enfanta de plus magnifiques.   ROUSSEAU, les Confessions, IV.

5   (...) l'imagination ne pare plus rien de ce qu'on possède; l'illusion cesse où commence la jouissance. Le pays des chimères est en ce monde le seul digne d'être habité; et tel est le néant des choses humaines, que hors l'Être existant par lui-même, il n'y a rien de beau que ce qui n'est pas.   ROUSSEAU, Julie ou la Nouvelle Héloïse, VI, VIII.

6   Ô chimères! dernières ressources des malheureux!   ROUSSEAU, Julie ou la Nouvelle Héloïse, II, XXIV.

7   *(Napoléon)* mêlait les idées positives et les sentiments romanesques, les systèmes et les chimères, les études sérieuses et les emportements de l'imagination, la sagesse et la folie.   CHATEAUBRIAND, Mémoires d'outre-tombe, III, I.

8   (...) je caressais une folle chimère.   A. DE MUSSET, Poésies nouvelles, «Une soirée perdue».

9   (...) la chimère capricieuse et farouche, toujours prête à déployer ses ailes inquiètes (...)   Th. GAUTIER, la Toison d'or, II.

10   Le sac de la Ville Éternelle (...) effraya l'Europe comme un présage (1527). Peut-être la chrétienté, lointain souvenir de l'unité romaine, était-elle déjà une illusion. Elle ne fut plus qu'une chimère.   J. BAINVILLE, Hist. de France, VIII, p. 145.

11   Admettre dès le principe que la raison n'expliquera pas tout, c'est renoncer d'avance et c'est donner prise à la chimère (...)   G. DUHAMEL, Chronique des Pasquier, VI, III.

♦ **3.** (1808; par anal. avec le monstre de la mythologie). Poisson chondroptérygien holocéphale (ou chimériforme) au corps allongé et nu avec livrée d'argent. *La chimère est aussi appelée rat de mer.*

♦ **4.** (xxᵉ). Biol. Organisme (animal, plante créée artificiellement par greffe) composé de tissus de type génétiquement différents (appartenant à des génotypes différents). *Des chimères.* ⇒ **Chiméral.** « *Les chimères sont des animaux dont le corps est formé d'un mélange de cellules de constitution génétique différente, provenant de deux embryons ou plus, différents* » (la Recherche, 1975 ; nᵒ 94, p. 978). — *Des souris-chimères.*

CONTR. Fait, raison, réalité, réel.
DÉR. Chiméral, chimérique.

CHIMÉRIQUE [ʃimeʀik] adj. — 1580 ; de *chimère.*

♦ **1.** Qui est produit par l'imagination (comme la chimère de la mythologie). ⇒ **Imaginaire.** *Un être chimérique.* ⇒ **Monstre.** *La coquecigrue, animal chimérique.* ⇒ **Inexistant.** *Songes, imaginations, rêves chimériques.* ⇒ **Fabuleux, fantastique, fou, illusoire, imaginaire, impossible, invraisemblable, irréalisable, irréel, utopique, vain** ; → 1. Roman, cit. 6. — Spécialt. Qui tient du mythe, est irréalisable, impossible à faire, à obtenir... *Projet, conception chimérique.* ⇒ **Vue** (vue de l'esprit) ; **billevesée...** Cf. Châteaux en Espagne (bâtir des). *Opinions chimériques. La quadrature du cercle, problème chimérique. Espérance chimérique.* ⇒ **Ombre.**

1 (...) Étant de ces gens-là qui sur les animaux
Se font un chimérique empire. LA FONTAINE, Fables, VII, 1.

2 Je n'estime pas que l'homme soit capable de former (...) un projet plus vain et plus chimérique, que de prétendre (...) échapper à toute (...) critique.
LA BRUYÈRE, Disc. sur Théophraste.

3 Je m'aperçus bientôt que tous ces auteurs étaient entre eux en contradiction presque perpétuelle, et je formai le chimérique projet de les accorder, qui me fatigua beaucoup et me fit perdre bien du temps. Je me brouillais la tête, et je n'avançais point. ROUSSEAU, les Confessions, VI.

4 (...) si on peut dire qu'il y a une part d'illusion dans des espérances trop hâtives, du moins elles n'ont rien de chimérique. JAURÈS, Hist. socialiste..., t. VIII, p. 69.

5 (...) la stupidité du père Soupe atteignait (...) aux limites les plus reculées du chimérique et de l'irréel. COURTELINE, Messieurs les ronds-de-cuir, 2ᵉ tableau, II.

♦ **2.** (1669). Qui se complaît dans les chimères. *Homme chimérique.* ⇒ **Rêveur, romanesque, utopiste, visionnaire.** *Esprit chimérique.* ⇒ **Creux, faux.**

6 Cet homme a un esprit chimérique qui se repaît de vaines imaginations.
FURETIÈRE, Dictionnaire, art. *Chimérique.*

7 Enfant d'un vain orgueil son esprit chimérique (...)
BOILEAU, l'Art poétique, III, in LITTRÉ.

8 Bouillon était l'homme le plus chimérique qui ait jamais vécu en nos jours, et le plus susceptible des chimères les plus folles en faveur de sa vanité.
SAINT-SIMON, Mémoires, 45, 17, in LITTRÉ.

9 Ce sont bien, eux aussi *(les esprits chimériques),* des coureurs qui tombent et des naïfs qu'on mystifie, coureurs d'idéal qui trébuchent sur les réalités, rêveurs candides que guette malicieusement la vie. H. BERGSON, le Rire, I, II.

CONTR. Positif, réel, solide, vrai.
DÉR. Chimériquement.

CHIMÉRIQUEMENT [ʃimeʀikmɑ̃] adv. — 1662 ; de *chimérique.*

♦ Littér. D'une manière chimérique.

CHIMICAGE ou CHIMIQUAGE [ʃimikaʒ] n. m. — 1895, *Année sc. et industr.*, p. 227 ; de (allumette) *chimique.*

♦ Techn. Opération par laquelle on trempe les allumettes dans le bain chimique.

CHIMIE [ʃimi] n. f. — 1554, *chymie* ; lat. médiéval *chimia*, de *alchimia.* → Alchimie.

♦ **1.** Science qui a pour objet l'étude de la constitution des divers corps, de leurs transformations et de leurs propriétés. *Chimie pure : chimie générale, chimie descriptive. Chimie minérale. Chimie organique**. *Chimie biologique.* ⇒ **Biochimie.** *Chimie nucléaire, chimie physique**, *chimie quantique. Chimie analytique. Branches spécialisées de la chimie.* ⇒ **Cristallochimie, électrochimie, magnétochimie, photochimie, radiochimie, stéréochimie, thermochimie.** *Chimie appliquée : chimie agricole* (⇒ **Agrochimie**), *animale* (⇒ **Zoochimie**), *médicale, pharmaceutique* (⇒ **Pharmacie**). *Chimie industrielle* (industries du bois, de la cellulose, de la céramique, des colorants, des combustibles, des corps gras, des engrais, des explosifs, des métaux, des matières plastiques, des parfums, du verre ; industries de synthèse). → Carbochimie, pétrolochimie (ou pétrochimie). *Histoire de la chimie.* ⇒ aussi Alchimie, iatrochimie. — *Un monde dominé par la biologie et la chimie.* → 1. Pouvoir, cit. 30.
Méthodes employées en chimie (⇒ **Analyse, synthèse ; expérience, observation**). *Notation** *en chimie.* ⇒ **Formule, symbole ; élément, radical, dérivé ; chaîne, cycle, fonction, série, substituant** (en chimie organique). *Les lois de la chimie. La nomenclature, la terminologie de la chimie.* — *Étudier, apprendre la chimie. Professeur de chimie ; cours, leçon, travaux pratiques de chimie.*

1 Je me souviens que, voulant donner à un enfant du goût pour la chimie, après lui avoir montré plusieurs précipitations métalliques, je lui expliquais comment se faisait l'encre. ROUSSEAU, Émile, III.

2 (...) les sciences qui ne s'occupent que des propriétés des corps voient vieillir dans un instant leur système le plus fameux. En chimie, par exemple, on pensait avoir une nomenclature régulière ; et l'on s'aperçoit maintenant qu'on s'est trompé. Encore un certain nombre de faits, et il faudra briser les cases de la chimie moderne. CHATEAUBRIAND, le Génie du christianisme, III, II, 2.

3 *(On peut définir)* la chimie comme ayant pour but général d'*étudier les lois des phénomènes de composition et de décomposition qui résultent de l'action moléculaire et spécifique des diverses substances, naturelles ou artificielles, agissant les unes sur les autres.* A. COMTE, Philosophie positive, II, VIII.

4 La division de la chimie en *inorganique* et en *organique* ne peut pas être conservée (...) la chimie organique présente un caractère bâtard, moitié chimique, moitié biologique. A. COMTE, Philosophie positive, II, VIII (cf. ch. VIII à XIII).

5 C'est ici que votre chimie intervient avec ses souveraines clartés (...) Bunsen et d'autres (...) ont démontré cette vérité capitale : la chimie du soleil est la même que celle de la Terre (...) La chimie dès lors cesse d'être une science terrestre, comme la géologie ; c'est une science qui domine au moins tout le système solaire, et qui très probablement s'étend au delà (...) La Chimie (...) nous fait atteindre une époque de l'histoire où la distinction des systèmes de mondes n'existait pas.
RENAN, Lettre à Berthelot, Août 1863, Œ. compl., t. I, p. 641.

6 Avec la chimie s'introduisent (...) les notions d'être ou de substance individuelle. La plupart des vieilles formules de la métaphysique y sont en quelque sorte réalisées sous une forme concrète. BERTHELOT, Réponse de Berthelot à Renan, in RENAN, Œ. compl., t. I, p. 668.

Vocabulaire de la chimie.

1. *Constitution et état des corps.* ⇒ **Atome ; isotope, isomère** (nucléaire). — **Ion ; anion, cation.** — **Molécule** (mono-, di-..., polyatomique ; macromolécule). — **Électron** (doublet, octet), **neutron, proton.** — **Liaison** (chimique). — **Énergie, masse** (atomique, moléculaire), **nombre** (atomique, quantique : spin), **orbitale, spectre** (atomique, moléculaire ; continu, discontinu). — **Gaz** (parfait, réel), **liquide, solide.** — **Colloïde** (gel, sol), **cristalloïde.**

Absorbant	Hydrophile
Absorbat	Hydrophobe
Accepteur (d'hydrogène, d'oxygène)	Impureté
	Indicateur (coloré)
Activateur	Initiateur (de polymérisation)
Additif	Intermédiaire (instable)
Adsorbant	Isomère
Adsorbat	Liqueur
Agent (dispersant, siccatif)	Mélange
Catalyseur	Micelle
Coagulant	Monomère (polymère, copolymère)
Concentré	
Condensat	Oxydant
Culot	Oxydo-réducteur
Dépôt	Précipité
Diluant	Produit
Dissolvant	Phase (dispersante, dispersée)
Distillat	Réactif (sélectif, spécifique)
Donneur (d'hydrogène, d'oxygène)	Réducteur
	Résidu
Échantillon	Soluté
Électrolyte	Solution (molaire, normale, saturée, tampon)
Éluant	
Émulsion	Solvant
Entraîneur	Stabilisateur (ou stabilisant)
Esprit	Sublimé
Essence	Substrat
Excès	Surnageant
Extrait	Suspension
Filtrat	Système (chimique)
Fixateur	Traceur (radioactif)
Fluide	Vapeur (insaturée, saturée, sursaturée)
Fondant	

2. *Propriétés des corps :*

Absorptivité (absorption)	Degré (d'oxydation, d'ionisation)
Acidité	Densité
Activité	Désorption
Adsorption	Effet (inducteur ; tampon ; isotopique)
Affinité	
Alcalinité	Efflorescence
Allotropie (anisotropie, isotropie)	Électronégativité
Atomicité	Équivalence (chimique, électrochimique)
Basicité	
Calorifique (pouvoir calorifique)	Eutexie
Causticité	Facteur (stérique)
Chélation	Fluorescence
Chimiluminescence	Fugacité
Coagulabilité	Fusibilité
Coefficient (d'activité, d'absorption)	Hydratation
	Indice (d'acidité, etc.)
Cohésion	Inflammabilité
Combustibilité (combustible, comburant)	Ionisation
	Isomérie
Conductibilité	Isomorphisme
Constante (radioactive ; de dissociation...)	Luminescence
	Mésomérie
Coordinence	Métamérie
Covalence	Miscibilité

Molarité
Molécularité (d'une solution; équimolécularité)
Mouillabilité
Normalité
Passivité
Passivation
pH
Phosphorescence
pOH
Poids (atomique, moléculaire, spécifique)
Point (de condensation, de congélation, de fusion, d'ébullition, eutectique, fixe, isoélectrique)
Polarité
Polymérie
Potentiel (d'oxydo-réduction, d'ionisation...)
Pureté
Radioactivité (artificielle, naturelle)
Réactivité
Résonance
Rf
rH
Saturabilité
Solubilité

Spécificité
Stabilité
Stéréoisomérie
Structure (moléculaire : primaire, secondaire, tertiaire, quaternaire)
Température (de fusion...)
Titre
Valence
Viscosité
Volatilité
Volume (atomique, moléculaire...)

Voir aussi :

Atome-gramme
Chaleur (atomique, de dissolution, de formation, de neutralisation, de réaction, spécifique)
Endothermique
Enthalpie
Entropie
Équilibre (chimique)
Exothermique
Mole
Molécule-gramme
Vitesse (de réaction...)

3. *Opérations et processus chimiques :*

Activation (d'une réaction)
Addition (→ Réaction)
Agrégation
Analyse (→ Procédés d'analyse, ci-après)
Barbotage
Calcination
Carbonisation
Catalyse
Centrifugation
Clivage
Coagulation
Combinaison
Combustion
Composition
Concentration
Condensation
Congélation
Cristallisation
Décantation
Décomposition
Déconcentration
Dédoublement
Défécation
Déflegmation
Dépolymérisation
Désactivation
Désagrégation
Déshydratation
Désintégration
Désoxydation
Dessiccation (exsiccation)
Désubstitution
Désursaturation
Détection
Digestion
Dialyse
Dilution
Dissociation
Dissolution
Distillation (fractionnée)
Dosage
Ébullition
Échange (→ Réaction)
Échauffement
Électrolyse
Élimination (→ Réaction)
Élution
Essai
Évaporation (fractionnée)
Explosion
Extraction
Fermentation
Filtration
Fixation
Floculation
Fluidification
Fractionnement
Fusion

Hydratation
Identification (→ Analyse)
Isomérisation
Lavage
Lessivage
Liquation
Liquéfaction
Lixiviation
Lyophilisation
Manipulation
Mélange
Mesure
Méthode (chimique, physico-chimique)
Minéralisation
Neutralisation
Oxydation
Oxydo-réduction
Pasteurisation
Percolation
Permutation
Pesée
Photosynthèse
Polymérisation
Précipitation
Préparation
Procédé
Pulvérisation
Purification
Pyrogénation
Réaction
Réactivation
Rectification
Réduction
Refroidissement
Rinçage
Saturation
Séchage
Sédimentation
Séparation (électrochimique)
Siphonnage
Solidification
Stabilisation
Stérilisation
Sublimation
Substitution (→ Réaction)
Sursaturation
Synérèse
Synthèse
Tamponnage
Test
Titrage
Traitement (chimique)
Transmutation
Transvasement
Transposition (→ Réaction)
Tri
Volatilisation

Procédés d'analyse :

Calorimétrie
Chromatographie
Colorimétrie
Coulométrie
Cristalloscopie
Cryométrie
Docimasie
Ébulliométrie
Électrodialyse
Électrographie
Électrophorèse
Fluorimétrie

Gazométrie
Gravimétrie
Hétérométrie
Microscopie
Néphélométrie
Polarographie
Polarovoltrie
Potentiométrie
Spectroscopie
Thermogravimétrie
Tonométrie
Volumétrie

Opérations spécifiques :

Alcoylation
Aldolisation
Anhydrisation

Bromuration
Carboxylation
Cétolisation

Chloruration
Cyclisation
Décarboxylation
Dénitrification
Désacidification
Désamination
Déshydrogénation
Désoxydation
Désulfuration
Énolisation
Estérification
Éthérification
Fluoration

Halogénation
Hydrogénation
Ioduration
Méthylation
Nitrification
Nitrosation
Nitruration
Phosphorylation
Saccharification
Saponification
Sulfonation
Sulfuration

Réactions de dégradation, de destruction (⇒ **-lyse**) :

Acidolyse
Alcoolyse
Ammoniolyse
Hydrolyse

Photolyse
Pyrolyse
Radiolyse
Thermolyse

Procédés techniques et industriels :

Ablation
Acétification
Adoucissement (d'eau)
Amalgamation
Berginisation
Cémentation
Chloration
Coupellation

Cracking (Craquage)
Cyanuration
Dénaturation
Lévigation
Pyrogénation
Raffinage
Revivification
Vulcanisation

4. *Appareils utilisés en chimie :*

Agitateur
Alambic
Aludel
Ampoule
Aspirateur
Autoclave
Balance
Ballon (gradué, jaugé, de mesure)
Barboteur
Bécher
Bougie (filtre)
Burette
Capsule
Centrifugeuse
Cloche
Colonne (de distillation, etc.)
Compte-gouttes
Compteur (de radio-activité)
Condenseur
Cornue
Coupelle
Creuset
Cristallisoir
Cuve (à électrolyse, à réaction)
Cuvette
Défécateur
Dessiccateur
Dialyseur
Digesteur
Échangeur
Électrode
Électrolyseur
Entonnoir
Éprouvette
Épuiseur
Étuve
Eudiomètre
Évaporateur
Filtre
Fiole

Flacon
Hotte
Humecteur
Matras
Mélangeur
Mortier
Moufle
Paillasse
Pipette
Pissette
Pompe (à eau, à mercure...)
Pulvérisateur
Retorte
Siphon
Stérilisateur
Thermomètre
Tube (à essai)
Tuyau
Vase (à réaction)

Voir aussi :

Arc (électrique)
Bain-marie
Bec
Brûleur
Chalumeau
Four
Fourneau
Goupillon
Lampe
Microburette
Micropipette
Pince (à creusets)
Porte-éprouvette
Scintillateur
Tamis
Thermobalance
Trépied
Trompe (à eau)
Ultracentrifugeuse
Ultrafiltre

⇒ aussi les suffixes **-graphe, -mètre, -scope**.

Corps chimiques :

a *Corps simples ou éléments :*

Hydrogène (H). — Alcalins (métaux alcalins : Li, Na, K, Rb, Cs, Fr). — Alcalino-terreux (Be, Mg; et, appelés parfois *alcalino-terreux vrais :* Ca, Sr, Ba, Ra). — Métaux de transition (Sc, Ti, V, Cr, Mn, Fe, Co, Ni, Cu, Zn, Y, Zr, Nb, Mo, Tc, Ru, Rh, Pd, Ag, Cd, Hf, Ta, W, Re, Os, Ir, Pt, Au, Hg; lanthanides ou *terres rares :* La, Ce, Pr, Nd, Pm, Sm, Eu, Gd, Tb, Dy, Ho, Er, Tm, Yb, Lu; actinides : Ac, Th, Pa, U et transuraniens : Np, Pu, Am, Cm, Bk, Cf, Es, Fm, Md, No, Lr). — Bore (famille du bore : les éléments constituant le sous-groupe de la troisième colonne du tableau de la classification périodique : B, Al, Ga, In, Tl). — Carbone (famille : C, Si, Ge, Sn, Pb). — Azote (famille : N, P, As, Sb, Bi). — Chalcogènes (O, S, Se, Te, Po). — Halogènes (F, Cl, Br, I, At). — Gaz rares (He, Ne, Ar, Kr, Xe, Rn).

b *Corps composés :*

1. *Inorganiques.* ⇒ **Métal, métalloïde** (semi-métal), **non-métal; alliage.** Acide (monoacide, diacide, triacide; hydracide, oxacide), anhydride. — Base (et hydrate [alcali], hydroxyde). — Ampholyte. — Sel. — Oxyde (bioxyde, peroxyde, protoxyde, sesqui-oxyde). ⇒ aussi : **Accepteur** (d'électron [acide], de proton [base]), **donneur** (d'électron [base], de proton [acide]); **complexe** (molécule, ion [ammonium, hydronium, oxonium...]), **ligant** (coordinat); **bromo-, chloro-, iodo-, nitro-...; -ique, -eux, -hydrique; -ate, -ite, -ure,** etc.

2. *Organiques* (composés du carbone*. ⇒ **Carbure, hydrocarbure;**

iso-, cyclo- ; méta-, ortho-, para- ; mono-, di-, tri-... poly- ; super-, etc.).

I. *Hydrocarbures saturés* (⇒ -ane, -yle).
A. *Acycliques* (ou *aliphatiques*). ⇒ **Alcane** (paraffine) [méthane, éthane, propane, butane ; pentane, hexane, heptane], **alcoyle** (alkyle) [méthyle, éthyle, propyle, butyle, amyle].
B. *Cycliques.* ⇒ **Cyclane** (cyclopropane, cyclobutane).
II. *Hydrocarbures insaturés.*
A. *Éthyléniques.* ⇒ **-ène-** [-adiène, -atriène-], **-ènyle** [butènyle ; vinyle, allyle] : a) *Acycliques.* ⇒ **Alcène** (oléfine) [éthylène, propylène, propène], **butylène** (butène) ; b) *Cycliques.* ⇒ **Cyclène** (cyclohexène ; pinène).
B. *Acétyléniques.* ⇒ **-yne** (-adiyne, -atriyne) : a) *Acycliques.* ⇒ **Alcyne** (acétylène) ; b) *Cycliques.* ⇒ **Cycloalcyne.**
C. *Diéthyléniques.* ⇒ **Diène** (allène, butadiène, isoprène ; → Buna, caoutchouc, élastomère, gutta-percha).
III. *Hydrocarbures aromatiques* (⇒ **Arène, aryle**).
A. *Benzéniques.* ⇒ **Benzène** (benz[o]-, phényl-).
B. *À chaînes latérales.* ⇒ **Benzyle** (toluène), **benzylidène.**
C. *À noyaux complexes.* ⇒ **Naphtalène ; anthracène, phénanthrène ; anthraquinone, pyrène** ; et aussi **stér-** (-ane, -ide, -ique...).
IV. *Dérivés des hydrocarbures.*
A. *Halogénés* (⇒ **Chloroforme, iodoforme ; néoprène, fréon**) *et organométalliques*.*
B. *Hydroxylés.* ⇒ **Hydroxyle** (oxhydrile) ; **alcool** (hydroxy-, -ol) [méthanol, éthanol, propanol, butanol], **alcoolate ; polyalcool** (polyol) [glycérol] ; **phénol** (phénol-) [crésol, naphtol].
C. *Éther-oxydes.* ⇒ **Alcoxyle** (-oxy-), **époxyde.**
D. *Thioalcools* (thiols). ⇒ **-thiol, mercapto-** (mercaptan).
E. *Azotés.* ⇒ **Amine** (-amine, amin[o]-), **arylamine ; imine ; imide** (imido-) ; **diazoïque.**
F. *Carbonylés.* ⇒ **Carbonyle** (carbonyl-, oxo-) ; **aldéhyde** (-al) [méthanal (formol)], **éthanal, propénal** (acroléine), **aldol ; cétone** (-one) [propanone, butanone, acétone], **cétol ; quinone.**
G. *Fonction carboxyle et ses dérivés.* ⇒ **Carboxyle** (carboxy-, -[oï]que [acrylique, benzoïque, caprique, maléique, malonique]) ; **acyle** (acétyle, acéto-) ; **cétène ; ester** (céride, stéride) ; **amide** (-amide) ; **nitrile** (-carbonitrile, cyano-).
N. B. Certains dérivés jouant un rôle important dans les échanges biologiques ont été regroupés ci-dessous : VI.
V. *Composés hétérocycliques :* furan(n)e, thiophène, pyrrol(e), indol ; pyridine, quinoléine, acridine, pipéridine.
VI. *Composés importants dans les échanges biologiques.*
A. *Glucides.* ⇒ **Sucre ; ose** (-ose) [aldose, cétose ; arabinose, glucose (gluc[o]-), mannose, xylose] ; **oside** : saccharose (sacchar-), lactose (lact[o]-) ; amidon, cellulose, glycogène.
B. *Lipides.* ⇒ **Lipo- ; butyrique, laurique ; stéarique.**
C. *Acides nucléiques.* ⇒ **ADN, ARN ; nucléo-** (-side, -tide) ; **purique** (adénine, guanine), **pyrimidique** (cytosine, thymine, uracile) ; **ribose, désoxyribose** ; et aussi **AMP, ADP, ATP.**
D. *Protides.* ⇒ **Amino-acide** (alanine, arginine, aspartique, glutamique, histidine, lysine) ; **créatine, noradrénaline, adrénaline ; peptide, protéine** (albumine, globuline ; thrombine, actine, myosine ; collagène, kératine ; hémoglobine, chlorophylle ; caséine) ; **enzyme** (-ase) [coagulase, invertase, pectase, peptidase], **hormone** (insuline, ocytocine, vasopressine).
E. *Stérols et stéroïdes* (cholestérol ; androstérone, testostérone ; folliculine, progestérone).
F. *Vitamines* (pyridoxine, riboflavine, thiamine).
G. *Antibiotiques* (auréomycine, pénicilline, streptomycine, tyrothricine).
H. *Alcaloïdes :* apomorphine, atropine, cocaïne, héroïne, LSD (acide lysergique), morphine, nicotine, réserpine, théophylline.

♦ **2.** Fig., littér. Transformation profonde, secrète. ⇒ **Alchimie.** *La chimie de l'art. Une chimie subtile.*

Les arbres, à peu près à la moitié du tronc pour les plus grands, baignaient dans la lumière du soleil couchant qui par une chimie mystérieuse semblait volatiliser leurs branches brunes, leurs feuilles vertes, en un vague feuillage d'or, et la réalité rustique du jardin devenait à cette hauteur un tableau céleste.
PROUST, Jean Santeuil, Pl., p. 780.

DÉR. Chimique, chimisme, chimiste, chimiluminescence, chimisorption, chimiosynthèse, chimiotactisme, chimiotaxie, chimiothérapie.
COMP. Agrochimie, astrochimie, biochimie, carbochimie, cosmochimie, cristallochimie, cytochimie, électrochimie, géochimie, magnétochimie, pétrolochimie, photochimie, radiochimie, stéréochimie, thermochimie, zoochimie.
HOM. Shimmy.

CHIMIO- Premier élément de substantifs composés, dérivé de *chimie.*

CHIMIORÉCEPTEUR [ʃimjoʀesɛptœʀ] n. m. — Av. 1970 ; de *chimio-,* et *récepteur.*

♦ Physiol. Récepteur* sensible aux stimulations chimiques. On dit aussi *chémorécepteur* [kemoʀesɛptœʀ]. *Réflexes respiratoires et vasculaires déclenchés par le chimiorécepteur carotidien.*

CHIMIOSYNTHÈSE [ʃimjosɛ̃tɛz] n. f. — Mil. xxe ; d'abord en all., Pfeffer, déb. xxe ; de *chimio-,* et *synthèse.*

♦ Biochim. Synthèse de substances organiques, réalisée par des bactéries utilisant l'énergie de diverses réactions exothermiques.
Le médicament moderne, au lieu de se récolter ou de se cultiver, *se construit,* et se construit rationnellement (...) Il a fallu isoler le germe, chercher des espèces voisines plus prolifiques, provoquer des mutations, puis définir les structures chimiques et enfin réaliser par chimiosynthèse des dérivés actifs pour obtenir la gamme actuelle d'antibiotiques, très riche et très différenciée.
A. LE GALL et R. BRUN, les Malades et les Médicaments, p. 37.

CHIMIOTACTIQUE [ʃimjotaktik] adj. — 1903, in *Rev. gén. des sc.,* no 1, p. 52 ; de *chimiotactisme.*

♦ Didact. Du chimiotactisme. *Pouvoir chimiotactique* (→ Chimiotactisme, cit.).

CHIMIOTACTISME [ʃimjotaktism] n. m. — 1903, in *Rev. gén. des sc.,* no 16, p. 851 ; *chimiotaxie,* 1897 ; de *chimio-,* et *tactisme.*

♦ Didact. Orientation des déplacements cellulaires, selon les substances chimiques du milieu.
Prenons l'exemple de l'afflux leucocytaire déclenché dans certains cas et pas dans d'autres en vertu d'un pouvoir chimiotactique positif ou négatif des bactéries. En réalité, le chimiotactisme ne dépend pas exclusivement des bactéries, il dépend tout autant de certaines constantes biologiques appartenant à la victime.
V. VIC-DUPONT, la Maladie infectieuse, p. 41.

DÉR. Chimiotactique.

CHIMIOTHÉRAPEUTE [ʃimjoteʀapøt] n. — Mil. xxe ; de *chimiothérapie.*

♦ Didact. Spécialiste en chimiothérapie. *Importance du chimiothérapeute dans les traitements antinéoplasiques. Une chimiothérapeute.*

CHIMIOTHÉRAPIE [ʃimjoteʀapi] n. f. — 1911 ; de *chimio-,* et *-thérapie.*

♦ Didact. Traitement par des substances chimiques. *Abus de la chimiothérapie en psychiatrie.*
J'ai vu la chimiothérapie ou thérapeutique par les agents chimiques presque complètement délaissée dans le traitement des infections (...)
G. DUHAMEL, Biographie de mes fantômes, x, p. 185.

DÉR. Chimiothérapeute, chimiothérapique.

CHIMIOTHÉRAPIQUE [ʃimjoteʀapik] adj. — 1922 ; de *chimiothérapie.*

♦ Didact. Qui concerne la chimiothérapie*.

CHIMIOTROPISME [ʃimjotʀopism] n. m. — 1899 ; de *chimio-,* et *tropisme.*

♦ Didact. Tropisme de nature chimique.

CHIMIQUAGE [ʃimikaʒ] n. m. ⇒ **Chimicage.**

CHIMIQUE [ʃimik] adj. — 1556 ; de *chimie.*

♦ **1.** Relatif à la chimie*, aux corps qu'elle étudie. *Notation, formule, symbole chimique. Propriétés chimiques d'un corps. Opération, réaction chimique. Analyse chimique. Énergie chimique. Éléments chimiques. — Nomenclature chimique.*

♦ **2.** *Produits chimiques* : corps obtenus à l'aide de procédés chimiques. *Industrie chimique.*
(...) de l'eau (...) un liquide, sans odeur ni couleur, transparent, bon à boire (...) ; du groupe énorme des caractères ou propriétés physiques et chimiques qui s'accompagnent et constituent l'eau, je ne sais pas quire chose.
TAINE, De l'intelligence, IV, I, 1, 3.

Vx. *Allumettes chimiques* : allumettes au phosphore qui s'allument par frottement.

♦ **3.** Cour. Produit par une synthèse chimique (et non pas naturel ou biologique).

DÉR. Chimiquement.
COMP. Biochimique, électrochimique.

CHIMIQUEMENT [ʃimikmɑ̃] adv. — 1610 ; de *chimique.*

♦ D'après les lois, les formules de la chimie. *De l'eau chimiquement pure. Obtenir un produit chimiquement.*

CHIMIQUER [ʃimike] v. tr. — Mil. xxᵉ ; de *(allumette, bain) chimique.*

♦ Techn. Pratiquer le chimicage de...

DÉR. **Chimicage** ou **chimiquage.**

CHIMISME [ʃimism] n. m. — 1838 ; de *chimie.*

♦ **1.** Didact. Ensemble de propriétés ou de phénomènes considérés du point de vue de la chimie. *Chimisme gastrique :* composition du suc gastrique étudiée lors d'épreuves physiologiques spéciales.

1   Ainsi, j'étais mon maître. C'était mon plus cher désir. Je pouvais continuer mes travaux sur le chimisme pathogénique.
       B. CENDRARS, Moravagine, *in* Œ. compl., t. IV, p. 69.

♦ **2.** Littér. Processus considéré comme analogue à une transformation chimique.

2   Ainsi, par le chimisme même de son mal, après qu'il avait fait de la jalousie avec son amour, il recommençait à fabriquer de la tendresse, de la pitié pour Odette.
       PROUST, Du côté de chez Swann, Pl., t. I, p. 304.

CHIMISTE [ʃimist] n. — 1548 ; de *chimie.*

♦ Personne qui s'occupe de chimie, pratique et étudie la chimie. ⇒ **Biochimiste.** *Chimiste expert. Chimiste de laboratoire. Ingénieur chimiste. Une chimiste.*

1   Les chimistes et tous ceux qui emploient leur temps à faire des expériences.
       MALEBRANCHE, De la recherche de la vérité, II, II, VIII, 4.

2   Les physiciens et les chimistes viennent avec leurs balances, leurs thermomètres, leurs machines électriques, leurs instruments d'optique, leurs cornues, leurs réactifs (...)
       TAINE, De l'intelligence, IV, I, 1, 3.

CHIMONANTHE [kimɔnɑ̃t] n. m. — Mil. xixᵉ (1846, Bescherelle) ; la plante a été introduite en Europe en 1766 ; lat. bot. *chimonanthus* (Lindley), du grec *kheimôn* « hiver », et suff. *-anthe.*

♦ Bot. Arbuste originaire d'Orient *(Calycanthacées),* importé du Japon en Europe, fleurissant l'hiver, dont les fleurs blanches et rouges dégagent une odeur agréable.

   (...) j'aurai des chimonanthes l'hiver, au lieu de daphnés. Le chimonanthe, fleur de décembre, a autant de couleur et d'éclat qu'un petit copeau de liège. Son mérite est unique, et le révèle. En un lieu limousin, où j'ignorais sa présence, par temps de neige je l'ai guetté, cherché, trouvé dans un air glacé où me guidait sa fragrance. Grisâtre, terne sur sa branche, mais doué d'un grand moyen de séduire, — quand je pense au chimonanthe, je pense au rossignol.
       COLETTE, Flore et Pomone, *in* Gigi, p. 181.

CHIMPANZÉ [ʃɛ̃pɑ̃ze] n. m. — 1738, *quimpezé ;* d'une langue d'Afrique occidentale.

♦ Singe* anthropoïde, arboricole, de grande taille, qui vit en Afrique. *Le chimpanzé se nourrit surtout de fruits. L'intelligence du chimpanzé.*

Par compar. *Grimper comme un chimpanzé. Avoir une allure de chimpanzé.*

   Seul, le portier égaie la situation, de sa tête de chimpanzé officiel qu'écrase l'ampleur phénoménale d'une casquette officielle aussi.
       COURTELINE, Messieurs les ronds-de-cuir, I, II.

CHINAGE [ʃinaʒ] n. m. — 1753 ; de *chiner.*

♦ **1.** Le fait de chiner (1.).

♦ **2.** ⇒ **Chinure.**

Fig. Bigarrure.

   (...) une variété d'œillets laquelle n'était pas moitié aussi belle, aussi « panachée » de « chinages » (...) que celles qu'ils avaient obtenues depuis longtemps (...)
       PROUST, le Côté de Guermantes, Pl., t. II, p. 437.

CHINCHARD [ʃɛ̃ʃaʀ] n. m. — 1875, *in* D.D.L. ; *chincara,* 1785 ; apparenté à l'esp. *chicharro.*

♦ Poisson comestible de la famille des *Carangidés* (nom sc. : *Trachurus trachurus*). *Conserves de chinchards.* « *Les classifications par taille du chinchard varient de manière sensible selon le port où il est pêché et d'où il est expédié vers les lieux de consommation* » (AFNOR, norme V 45-039 ; déc. 1967).

CHINCHILLA [ʃɛ̃ʃila] n. m. — 1789 ; *chinchille,* 1598 ; mot esp., de *chinche* « punaise ; mammifère puant » ; du lat. *cimex, icis.*

♦ **1.** Petit mammifère rongeur *(Chinchillidés)* qui vit au Pérou et au Chili.

♦ **2.** Sa fourrure gris perle (une des plus chères). *Une garniture de chinchilla. Toque de chinchilla.*

   Elle avait dans une figure rondelette des yeux noirs et souriants et ne manquait ni du boa de chinchilla, ni du carnet de visites, ni de la montre à la poignée de l'ombrelle, ni des paroles sur l'influenza, sur le nombre des soirées, sur la mort qui venait d'emporter tant de jeunes femmes du grand monde « qu'elle avait souvent vues chez une cousine ».
       PROUST, Jean Santeuil, Pl., p. 784.

Appos. (par compar. avec la fourrure de chinchilla). *Chat persan chinchilla.*

1. CHINE [ʃin] n. m. — xixᵉ ; « plante », 1572 ; nom du pays.

♦ **1.** (1866). Papier de luxe. *Du chine et du japon.*

♦ **2.** (1855). N. m. Porcelaine de Chine. *Un vase en vieux chine.* Ellipt. *Un chine :* une pièce de porcelaine de Chine.

   Si, pourtant, je ne suis pas surpris de ne pas lui avoir demandé alors avec qui elle descendait les Champs-Élysées (...) je le suis un peu de ne pas avoir raconté à Gilberte qu'avant de la rencontrer ce jour-là, j'avais vendu une potiche de vieux chine pour lui acheter des fleurs (...)
       PROUST, le Temps retrouvé, Pl., t. III, p. 695.

2. CHINE [ʃin] n. f. — 1873 ; de 2. *chiner.*
Fam. (assez rare).

♦ **1.** Brocante. — Ensemble des chineurs*.

♦ **2.** Vente de porte à porte. *Vente à la chine.*

1. CHINER [ʃine] v. tr. — 1753 ; de *Chine,* pays d'où vient le procédé.

♦ Faire alterner des couleurs sur les fils de chaîne avant de tisser une étoffe, de manière à obtenir un dessin, le tissage terminé. *Chiner une étoffe.*

▶ **CHINÉ, ÉE** p. p. adj. Plus cour. *Un tissu, un écheveau chiné. Une robe beige chinée de bleu.*

1   En dépit de ses cheveux rejetés en arrière, de son costume chiné, de sa chemise de soie grise, son visage gardait quelque chose de 1900, de sa jeunesse.
       MALRAUX, la Condition humaine, Pl., p. 68.

Par métaphore, littéraire :

2   Printemps. Le talus chiné de neige se reflétant dans l'eau verte avec les mille baguettes des arbustes dépouillés. L'air froid et le soleil chaud.
       CLAUDEL, Journal, mars 1909, Pl., t. I, p. 87.

DÉR. **Chinage, chinure.**

2. CHINER [ʃine] v. tr. — 1847 ; probablt altér. d'*échiner* « travailler dur », proprt « fatiguer les reins », les colporteurs portant leur marchandise sur l'échine.

♦ **1.** Chercher des occasions (chiffonnier, brocanteur, amateur d'objets). ⇒ 2. **Chine, chineur.** — Vendre de porte à porte de menus objets.

1   Se réveillant le lendemain matin, n'ayant plus le sou (...) Va ramasser à la Madeleine de vieilles fleurs pour chiner.
       A. JARRY, les Jours et les Nuits, Pl., p. 802.

♦ **2.** (1889 ; de « duper le client »). Critiquer sur le ton de la plaisanterie ironique. ⇒ **Moquer, plaisanter, railler, taquiner** (cf. fam. Mettre en boîte).

2   Ce n'est pas pour chiner ; mais vrai ! (...) vous êtes gai les jours d'enterrement !
       COURTELINE, Messieurs les ronds-de-cuir, VI, II.

♦ **3.** (Par attr. de *chigner*). Protester. ⇒ **Râler, rouspéter.**

3   Émile croit que je me moque de lui comme les autres. Il se détourne, chine plus fort et du pied râpe la terre.
Philippe agacé le secoue.
« Si tu ne te tais pas, dit-il, je vas te flanquer une paire de calottes. Au moins tu sauras pourquoi tu pleures. »   J. RENARD, Bucoliques, *in* Œ., Pl., t. II, p. 196.

DÉR. 2. **Chine, chineur.**

CHINETOQUE ou **CHINETOC** [ʃintɔk] n. — 1918, argot de la marine ; de *chinois,* et suff. pop. sur *toc, toqué.*

♦ Fam. et péj. (mot raciste). Chinois, Chinoise. *Les Chinetoques.*

   Le vaccin, répéta François. On a commencé par les nègres, les chinetoques. Y en a qu'étaient malades ; même à bord, tu peux pas descendre sans qu'on t'ait piquousé.   Francis CARCO, Brumes, p. 42.

CHINEUR, EUSE [ʃinœʀ, øz] n. — 1847 ; de 2. *chiner.*

♦ **1.** N. m. Brocanteur. — On dit aussi *chinois,* par plaisanterie.

1   (...) la maison du chineur où Renée et lui allaient chercher des plats d'étain et des fixés. Les jours où le couple (...) s'adorait, une nostalgie de plats d'étain (...) le poussait vers ce vieux brocanteur, et tous deux revenaient heureux vers la maison, elle, portant les étains, tout alourdie, lui, portant les fixés, tout léger (...)
       GIRAUDOUX, les Aventures de J. Bardini, p. 43.

♦ **2.** N. Personne qui chine (→ 2. Chiner, 2.) ; moqueur.

2   Et comme j'avais ajouté à demi ironiquement : « J'ai souffert toutes les tortures de la jalousie », Albertine, usant du langage propre soit au milieu vulgaire d'où elle était sortie, soit au plus vulgaire encore qu'elle fréquentait : « Quel chineur vous faites ! Je sais bien que vous n'êtes pas jaloux. D'abord vous me l'avez dit, et puis ça se voit, allez ! »   PROUST, la Prisonnière, Pl., t. III, p. 332.

CHINOIS, OISE [ʃinwa, waz] adj. et n. — 1610 ; *chinese,* 1602 ; de *Chine.*

★ **I. A.** Adj. ♦ **1.** De Chine ; relatif à la Chine. ⇒ **Sino-.** *Le* *peuple chinois. L'économie, la société chinoise. La population chinoise est la plus importante du monde.* — *L'ancien empire chinois.* ⇒ **Céleste** (céleste empire). *Les anciens fonctionnaires chinois.* ⇒ **Mandarin.** *La république chinoise de Sun-yat-sen. La république populaire chinoise. L'histoire chinoise. Les dynasties chinoises. La diaspora chinoise dans le monde.* — *Mots désignant des réalités traditionnelles chinoises* (croyances, philosophies, religions). ⇒ **Confucianisme, tao, taoïsme; yin** (et yang). *Le bouddhisme* chinois. Bonzes chinois. Mandarins chinois. Pagode chinoise.* — *La sapèque, le taël, anciennes monnaies chinoises. Monnaie chinoise moderne* (République populaire de Chine). ⇒ **Yenmin-piao,** et aussi **yuan.** *Anciennes mesures chinoises : li, yu. Mots français d'origine chinoise :* kaolin, nankin, poussah, thé. *« Perdre la face », « tigre de papier », expressions calquées de formules chinoises.* — *L'art chinois ancien, moderne. Musique chinoise. Le théâtre, l'opéra chinois* (traditionnel). — *La médecine traditionnelle chinoise, basée sur l'acupuncture*, l'application de moxas... La gymnastique chinoise.* — *Étude de la civilisation chinoise.* ⇒ **Sinologie.** *Traits particuliers à la culture chinoise.* ⇒ **Sinité.** *La langue chinoise.* → *ci-dessous le chinois. La Pensée chinoise,* ouvrage de M. Granet.

1 Je ne sais quels lettrés de nos climats se sont effrayés de l'antiquité de la nation chinoise (...) Laissez tous les lettrés chinois, tous les mandarins, tous les empereurs reconnaître *Fo-hi* pour un des premiers qui donnèrent des lois à la Chine.
VOLTAIRE, Dict. philosophique, Chine.

Spécialt **ⓐ** Peuplé de Chinois. *Le quartier chinois de San Francisco.*

ⓑ De la langue chinoise. → *ci-dessous, C., le chinois. Grammaire chinoise. L'écriture chinoise. Les caractères chinois.* ⇒ **Caractère, idéogramme; clé** (ou radical), **trait.** *Mots chinois monosyllabiques, dissyllabiques* (écrits en un ou deux caractères). *Caractères chinois simples, complexes.* — *Calligraphie, poésie chinoise.*

ⓒ Favorable à la Chine populaire, à sa politique. ⇒ **Maoïste, prochinois.** — N. *La Chinoise,* film de J.-L. Godard.

♦ **2.** Qui vient de Chine ou rappelle le style, les manières, les mœurs de Chine, d'Extrême-Orient. ⇒ **Chinoiserie.** *Bronze, dragon, magot* chinois. Lanterne chinoise. Paravent chinois. La laque chinoise,* vernis renommé.

2 Il s'y voyait mille choses étranges et charmantes, des magots chinois, des écrans de soie, des paravents de laque (...) FRANCE, le Petit Pierre, XVI, p. 103.
La cuisine chinoise (pékinoise, cantonaise, du Seu-Tchouan). *Plats chinois* (potage aux « nids d'hirondelle », aux ailerons de requins, pâté impérial, canard et porc laqué*, riz cantonais, etc.), *soupe chinoise. Cuisine chinoise à la vapeur.* — *Restaurant chinois* (hors de Chine) : restaurant extrême-oriental.
Loc. *Pavillon chinois :* petit kiosque à toit pointu et découpé. — *Chapeau chinois, bonnet* (cit. 3) *chinois* ou *pavillon chinois* (instrument de musique). ⇒ **Chapeau,** II., 6. — *Boulier chinois.* — *Broderie chinoise,* de soie rehaussée d'or. — *Jeux chinois :* exercices, tours d'adresse propres aux troupes chinoises.
Loc. fig. *Supplice chinois,* très cruel, raffiné. *Casse-tête chinois.* ⇒ **Casse-tête.** — *Ombres chinoises.* ⇒ **Ombre** (cit. 40).
Bot. *Bigaradier chinois* (qui produit les chinois, II., 1.).

♦ **3.** Fig. (par allus. à l'écriture chinoise). *C'est assez chinois,* bizarre et compliqué (→ ci-dessous, C., 2.).

B. N. ♦ **1.** N. m. et f. *Un Chinois, une Chinoise :* habitant(e) ou personne originaire de la Chine; spécialt, de l'ethnie majoritaire en Chine, les Hans. *Les yeux « bridés » des Chinois. Les Chinois de Chine populaire. Les Chinois de Taïwan.* ⇒ **Formosan** (vieilli), **taïwanais.** *Les Chinois de Californie. La minutie, l'impassibilité, la politesse attribuées traditionnellement aux Chinois. La langue des Chinois :* le chinois (ci-dessous).

2.1 La seconde manière *(d'écrire)* est de représenter les mots et les propositions par des caractères conventionnels, ce qui ne peut se faire quand la langue est tout à fait formée et qu'un peuple entier est uni par des lois communes, car il y a déjà ici double convention : telle est l'écriture des Chinois, c'est là véritablement prendre les sons et parler aux yeux. ROUSSEAU, Essai sur l'origine des langues, v.

3 Le caractère des Chinois forme un autre mélange, qui est en contraste avec le caractère des Espagnols. Leur vie précaire fait qu'ils ont une activité prodigieuse, et un désir si excessif du gain, qu'aucune nation commerçante ne peut se fier à eux. MONTESQUIEU, l'Esprit des lois, XIX, 10.

(En parlant de non-Chinois). *Il a une tête de Chinois,* d'un Jaune d'Extrême-Orient, d'un Asiatique.

4 Antoine (...) considérait (...) cette figure de Chinois blond et ces lunettes d'or derrière lesquelles deux petits yeux bridés papillotaient sans cesse avec une expression joyeuse. MARTIN DU GARD, les Thibault, t. I, p. 160.

♦ **2.** (1820, *in* D. D. L.). Fig. Individu à l'allure bizarre dont on se méfie. *Qui est ce Chinois-là?* — Personne qui subtilise à l'excès. *Quel Chinois !* ⇒ **Chinoiserie.**

C. N. m. ♦ **1.** (1616, *in* D. D. L.). *Le chinois :* langue parlée en Chine par 90 % des Chinois (les Hans), sous des formes dialectales variées, et écrite de manière unifiée au moyen d'idéogrammes. *Chinois ancien, moderne. Les tons du chinois. Écrire le chinois. Le chinois cantonais* (le cantonais) *ou* yue ; *le chinois officiel ou putonghua* (langue parlée commune), *ou guoyu* (langue nationale), *issu du dialecte mandarin** (Chine du Nord). *Transcription officielle du chi-*

nois *en caractères latins.* ⇒ **Pinyin.** *Le chinois littéraire traditionnel* (seulement écrit) *ou* wenyan.

Ce qu'on appelle «langue commune» *(putonghua)* est la langue officielle de la 4.1 République populaire de Chine, définie par référence à l'usage, relativement homogène, du nord du pays — la prononciation étant plus précisément calquée sur le parler de la capitale, Pékin —, et dont les règles grammaticales sont celles observées dans les écrits du style réaliste et familier qu'on appelle *baihua.*
Mais dans les provinces maritimes du Sud-Est, on parle des dialectes *(fangyan),* fort différents entre eux et aussi éloignés du mandarin que peuvent l'être le toscan ou le provençal du français. La langue commune est, là, véritablement une seconde langue qu'on apprend à l'école. Les différences ne portant pas seulement sur la prononciation, mais aussi sur le vocabulaire et la grammaire. Les écarts dans ce domaine vont parfois très loin ; par exemple, le système de la négation n'est pas le même en mandarin et en cantonais.
On peut considérer néanmoins qu'il existe un vaste ensemble doué d'une homogénéité réelle, le «chinois», qui inclut les formes anciennes, la langue commune et les dialectes, par opposition aux langues des peuples voisins, birman, vietnamien, thai, etc.
Bien que ces langues «étrangères» aient subi l'influence du chinois (prestige technique), influence manifeste par des apports massifs de vocabulaire, l'opposition reste nette entre un dialecte chinois comme le cantonais ou le *minyu* et une langue non chinoise, même fortement sinisée comme le vietnamien.
Viviane ALLETON, Grammaire du chinois, p. 5-6.

♦ **2.** (1790, *in* D. D. L.). Fig. *C'est du chinois :* c'est incompréhensible (par allus. à l'écriture chinoise). → **Hébreu).** ⇒ **Chinoiser, chinoiserie.**

Mais une femme en colère, à quoi bon l'écouter? Je vois bien vite que c'est du chi- 5 nois absolument ; je n'y comprendrai rien de grand, rien de beau, rien d'humain, aucune pensée, enfin pour tout dire. ALAIN, Propos, «Savoir écouter», 6 nov. 1913, Pl., p. 166.

★ **II.** ♦ **1.** N. m. (1832). Petite orange amère (fruit du *bigaradier chinois*) que l'on cueille, généralement verte, pour la faire confire. *L'écorce du chinois sert dans la fabrication du curaçao.*

♦ **2.** Petite passoire fine, conique (comme un chapeau chinois).

Le tout a mijoté quarante minutes avant de passer au chinois, et j'ai poivré cinq 6 minutes avant de servir. Pierre ACCOCE, le Polonais, p. 74.

DÉR. Chinoiser, chinoiserie.

CHINOISER [ʃinwaze] v. — 1841, Balzac ; de *chinois.*

★ **I.** V. tr. Vx. Rendre chinois ; donner des caractères chinois à... ⇒ **Siniser.** — Au p. p. :
Les habitants du Toumet occidental, comme bien on peut se l'imaginer, ont complètement perdu l'originalité du caractère mongol. Ils se sont tous plus ou moins *chinoisés,* et on en rencontre beaucoup parmi eux qui n'entendent pas un mot de la langue mongole. É.-R. HUC, Souvenirs d'un voyage... Chine, t. I, p. 146.

★ **II.** V. intr. (1896, «parler argot» ; de *chinois* I., C., 2. ; → Chinoiserie, 2.). Discuter de façon pointilleuse. ⇒ **Ergoter.** *Il est toujours à chinoiser !*

CHINOISERIE [ʃinwazʀi] n. f. — 1839 ; de *chinois.*

♦ **1.** Bibelot qui vient de Chine ou qui est dans le goût chinois. *Une étagère garnie de chinoiseries.*
Objet d'art venu de Chine, apprécié en Occident.

Vous admirez mes chinoiseries? Tous ces vases, que mon grand-père a rapportés 1 du Tonkin (...) Vous en emportez deux aujourd'hui. Alain BOSQUET, les Bonnes Intentions, p. 206.

(Sing. collectif) :
Le goût de la chinoiserie et de la japonaiserie, ce goût nous l'avons eu des pre- 2 miers. Ed. et J. DE GONCOURT, Journal, t. III, p. 180.

Hist. des arts. Décor ou élément de décor inspiré par la Chine et l'Orient, dans le style du XVIIIe siècle occidental (baroque).

Les dessinateurs attitrés du manufacture s'attachèrent (...) à copier littérale- 3 ment les perses et les indiennes venues d'Orient (...) Les compositions à personnages furent souvent confiées à des artistes du dehors qui peuplèrent d'un monde artificiel des paysages d'opéra-comique. J.-B. Huet dessina de nombreuses chinoiseries d'une légèreté et d'une fantaisie charmantes.
Michèle BEAULIEU, les Tissus d'art, p. 102.

♦ **2.** (1845 ; de *chinoiser*). Fig. Complication inutile et extravagante. *Des chinoiseries administratives.*

Toutes ces chinoiseries de forme, toutes ces subtilités de mandarin déliquescent 4 me semblent bien vaines. PROUST, À la recherche du temps perdu, t. III, p. 60.

Mais elle répondait vaillamment, riait à son tour des heures que lui-même perdait 5 à l'École Normale, à propos de chinoiseries pédagogiques.
ZOLA, Paris, t. II, p. 54.

CHINOOK [ʃinuk] adj. et n. m. — 1925 ; *chinouk,* 1878, pour désigner le jargon fait de *chinook* et d'angl. ; mot indien d'Amérique, par l'anglais.

Didactique.

★ **I.** Relatif à une ethnie indienne d'Amérique du Nord (Oregon, côte du Pacifique). — N. m. La langue de ces populations.

(...) dans son ouvrage sur le *Langage* (...) Vendryes a montré également que la syntaxe du français moderne se rapprochait étrangement de celle du chinook (...) Pour revenir à la syntaxe chinook, celle-ci met ensemble dans une phrase, aussi bien les morphèmes (indications grammaticales), l'échafaudage, la structure syntaxique) et de l'autre, tous les sémantèmes (données concrètes). Pour reprendre l'exemple même de Vendryes, on ne dira pas : « *Le gendarme a-t-il jamais rattrapé son voleur?* » mais : « *Il l'a-t-il jamais attrapé, le gendarme le voleur?* » R. QUENEAU, Bâtons, chiffres et lettres, p. 79-80.

★ **II.** N. m. Géogr. Vent chaud et sec des Montagnes Rocheuses.

CHINTZ [ʃints] n. m. — 1933, *in* Höfler; *chint*, 1753; mot angl., altér. de *chint(s)*; du hindi.

♦ Toile de coton imprimée, souvent glacée, et utilisée surtout pour l'ameublement. *Rideau de chintz.*

1 Herbert, tu tiens beaucoup à ce chintz? On ne t'a jamais dit que le chintz noir et rose t'allait comme un sautoir de perles à un bouledogue?
COLETTE, Julie de Carneilhan, p. 48.

2 (...) Amples housses de chintz aux teintes passées. Pois de senteur dans les vieux vases. Des chardons rougeoient, des bûches flambent dans les cheminées (...)
N. SARRAUTE, Vous les entendez?, p. 8.

CHINURE [ʃinyʀ] n. f. — 1819; de 1. *chiner*.

♦ Aspect de ce qui est chiné. *La chinure d'une étoffe.*

CHIONIS [kjɔnis] n. m. — 1828; 1798, «bec de cet oiseau», *in* D.D.L.; lat. *chionis*, du grec *chiôn, onos* «neige».

♦ Zool. Échassier, de la famille des chionidés, à plumage blanc et au bec fort et conique, qui vit sur les rivages des mers australes.

L'unique oiseau antarctique qui n'a pas les pattes palmées est le chionis alba, de la taille d'un pigeon, au corps blanc, avec les paupières lie de vin et le bec jaune verdâtre.   ROUCH, les Régions polaires, p. 192, *in* D.D.L., II, 3.

CHIOT [ʃjo] n. m. — Fin XIXe; *chiau*, 1551; forme dial. de l'anc. franç. *chael*; du lat. *catellus.*

♦ Jeune chien. *Une chienne et ses chiots. Une portée de chiots.* ⇒ **Chiennée.**

On lui confiait les petits chats à lécher, les chiots des lices étrangères.
COLETTE, Hist. pour Bel-Gazou, VI, «La Toutouque».

CHIOTTE [ʃjɔt] n. f. — 1885, au plur., *in* D.D.L.; de *chier*. Familier, vulgaire.

A. Au plur. Cabinet d'aisance. ⇒ **Cabinet.** *Aller aux chiottes. Où sont les chiottes? — La corvée de chiottes,* à la caserne.

1 Je double la file et, mon ange aux fesses, je gravis les marches que je connais bien, car le chemin des chiottes est le même que celui du cabinet. Du cabinet du juge d'instruction, je veux dire.   A. SARRAZIN, la Cavale, p. 305.

Aux chiottes!, exclamation pour conspuer qqn. *Aux chiottes, l'arbitre!*

2 J'avais mal dormi, le poil de mon menton râpeux grattait douloureusement sous ma paume, un dépôt verdâtre encrassait mes dents (...) J'ai crié : «Quelle gueule! Mais quelle gueule! Allez, aux chiottes!» tandis que mes deux mains enserraient mon cou et faisaient le geste de dévisser ma tête.
M. TOURNIER, le Roi des Aulnes, p. 52.

B. Au sing. ♦ **1.** (Rare). Cabinet d'aisance.

3 (...) dans une petite chiotte où le papier de soie est comme ailleurs mais où tout à l'heure, en peignoir de satin et mules roses, dépeignée, dépoudrée et poudreuse viendra débourrer lourdement quelque demoiselle d'honneur; dans une petite chiotte d'où les gardes solides ne m'arrachent pas avec brutalité, car y chier devient un acte important qui a sa place dans la vie où le roi m'a convié.
Jean GENET, Journal du voleur, p. 93.

REM. Dans ce sens, on dit aussi *un chiotte* (n. m.).

♦ **2.** (1918). Voiture automobile. ⇒ **Chignole.**

♦ **3.** Fig. Ennui, désagrément (souvent dans des tours exclamatifs). *Quelle chiotte! C'est la chiotte!* ⇒ **Chierie.**

CHIOURME [ʃjuʀm] n. f. — 1635; *chourme*, déb. XIVe; ital. *ciurma*, du lat. *celeusma* «chant de galériens». Vx ou didactique.

♦ **1.** Anciennt. Ensemble des forçats et des hommes libres qui ramaient sur une galère.

1 Rien n'est plus inhumain que de prolonger l'état d'un galérien au delà du terme prescrit; ne dites pas qu'on manquerait d'hommes pour la chiourme si on observait cette justice; la justice est préférable à la chiourme.
FÉNELON, Direction pour la conscience d'un roi, *in* LITTRÉ.

♦ **2.** Didact. ou littér. Ensemble des condamnés d'un bagne. ⇒ **Bagnard, forçat.**

2 Il *(Jean Galmot)* était l'homme de l'aventure : et l'aventure n'est pas ce qu'on imagine, un roman. Elle ne s'apprend pas dans un livre. Elle n'est faite ni pour les romantiques attardés ni pour les chiourmes. L'aventure est toujours une chose vécue, et pour la connaître, il faut avant tout être à la hauteur pour la vivre (...)
B. CENDRARS, Rhum, p. 49.

COMP. Garde-chiourme (plus cour.).

CHIP [ʃip] n. m. — V. 1980; angl. «copeau, pastille». → Chips.

♦ Anglic. Techn. (électron.). Petite pastille de silicium (non encapsulé). — Équivalent franç. : *puce. Les chips d'un microprocesseur. «Au royaume des semiconducteurs et de leurs applications à la microélectronique, le silicium est roi. On ne parle que des chips, des circuits intégrés, etc., en silicium»* (la Recherche, mai 1980, p. 580).

1. CHIPER [ʃipe] v. tr. — XVIIIe; de l'anc. franç. *chipe* «chiffon».

♦ Techn. (anciennt). Tanner (des peaux) en les cousant et en les remplissant de tan. (On dit aussi *auvergner*).

2. CHIPER [ʃipe] v. tr. — 1759; anc. franç. *chipe* «chiffon». → Chipoter.

♦ **1.** Fam. (légèrement vieilli ou langage enfantin). Prendre, dérober par surprise (qqch. de peu de valeur). ⇒ **Voler; barboter, choper, piquer;** → Pickpocket, cit. 1.

1 (...) deux voleurs qui m'ont «chipé» la moitié de mon argent.
Serge BOURGOGNE, Mémoires, p. 285, *in* BRUNOT, Hist. de la langue franç., IX, p. 997.

2 Ce qui me chagrine, c'est qu'on va t'empaumer, on va te chiper tout ce que tu as.
STENDHAL, la Chartreuse de Parme, IV, p. 76.

Par extension :

3 L'Allemagne pense à rompre son encerclement; l'Angleterre à anéantir la marine germanique, et à chiper aux Allemands leur commerce et leurs colonies.
MARTIN DU GARD, les Thibault, t. VII, p. 89.

♦ **2.** Vx (avec un sujet et un compl. de personne). Prendre sur le fait, arrêter. *Se faire chiper.*

3.1 Dans les cellules à deux, les défiants se dépêchaient de clouer une couverture entre leur toile et le camarade pour n'être pas chipés.
Ed. et J. DE GONCOURT, Manette Salomon, p. 57.

▶ **CHIPÉ, ÉE** p. p. et adj. *Portefeuille chipé.* — Vx. Fig. (Personnes). *Être chipé.* ⇒ **Amoureux, épris.**

4 J'sais pas si t'es chipée pour un autre, mais, sans boniment, ça se vaut.
Francis CARCO, Jésus-la-Caille, II, IV, p. 107.

DÉR. Chipeur.

CHIPEUR, EUSE [ʃipœʀ, øz] n. et adj. — 1829; de 2. *chiper.*

♦ Fam. (lang. enfantin, etc.). Qui chipe, dérobe.

Hardi et chipeur comme un gamin de Paris.
BALZAC, la Maison Nucingen, 1838, Pl., t. V, p. 607.

HOM. Shipper.

CHIPIE [ʃipi] n. f. — 1821, *chipi*; p.-ê. de 2. *chiper*, et de *pie*; ou, d'après P. Guiraud, déverbal de **chipier* «vétiller, chicaner», doublet de *chipoter*, ou de **chiepie*. Cf. Grippe-pie.

♦ Femme, fille acariâtre, difficile à vivre. ⇒ **Mégère, pimbêche.** *C'est une chipie, une vieille chipie.* — En interj. *Vieille chipie! Sale chipie!*

CHIPOLATA [ʃipɔlata] n. f. — 1742; ital. *cipollata* [tʃipollata], de *cipolla* «oignon». → Ciboule.

♦ **1.** Anciennt. Ragoût à l'oignon.

♦ **2.** Mod. Saucisse longue et mince (abrév. fam. : *chipo* [ʃipo]).

♦ **3.** Fig. et pop. (vulg.). Sexe de l'homme.

CHIPOTAGE [ʃipɔtaʒ] n. m. — 1671, Mme de Sévigné; de *chipoter.*

♦ Action de chipoter. — Marchandage, discussion mesquine.

(...) J'ai toujours eu horreur des chipotages (...) qui énervent, font perdre du temps et empêchent de travailler.   Georges LECOMTE, Ma traversée, p. 294.

CHIPOTER [ʃipɔte] v. intr. — 1561; de *chipe* «chiffon, lambeau». → Chiper.

♦ **1.** (1704). Manger par petits morceaux, du bout des dents, et sans plaisir. ⇒ **Grignoter.**

♦ **2.** Fig. Travailler, agir avec lenteur, en s'arrêtant à des vétilles. ⇒ **Hésiter, tatillonner.** — Spécialt. Marchander mesquinement. ⇒ **Barguigner** (vx), **chicaner.** — Discuter sur des riens.

1 Vivent les gens faciles en affaires! la vie est trop courte pour chipoter.
VOLTAIRE, Lettre à Chauvelin, 3 oct. 1760.

▶ **SE CHIPOTER** v. pron.

Fam. Se disputer à propos de vétilles. ⇒ **Chamailler** (se). *Ces enfants passent leur temps à se chipoter.*

▶ **CHIPOTÉ, ÉE** p. p. adj.

2 (...) Édouard Estaunié (...) à qui je venais d'épargner une élection chipotée et humiliante (...)   Georges LECOMTE, Ma traversée, p. 414.

REM. Cet emploi suppose un emploi transitif du verbe : *chipoter une élection.*

DÉR. Chipotage, chipoteur.

CHIPOTEUR, EUSE [ʃipotœʀ, øz] n. et adj. — 1585; de *chipoter.*

♦ Personne qui chipote (1. ou 2.). ⇒ **Chicaneur, ergoteur.** — REM. La forme *chipotier, ière* [ʃipɔtje, jɛʀ], recommandée par l'Académie, semble aujourd'hui tombée en désuétude.

Depuis qu'il avait mis les pieds chez nous, tout changeait. Céline était devenue méconnaissable : douce, affectée, chipoteuse.
Geneviève DORMANN, le Chemin des dames, p. 35.

CHIPPENDALE [ʃipɛndal] adj. invar. — 1922, *in* Höfler; de *T. Chippendale,* ébéniste anglais.

♦ Didact., techn. Qui appartient à un style de mobilier anglais du XVIIIᵉ siècle. *Des commodes chippendale.* — N. m. invar. Style chippendale. *Se meubler en chippendale.*

(...) un enfant déguisé en marquis qui avait fui un intérieur en chippendale (...)
GIRAUDOUX, les Aventures de Jérôme Bardini, p. 178.

CHIPS [ʃips] n. m. pl. — 1920; *chip,* n. f., 1911, *in* Höfler; mot angl. « copeau(x) ». → Chip.

♦ Pommes de terre frites en minces rondelles. *Un sachet de chips.*

1 Au Ritz (...) se heurter devant le bar à (...) ma psychanalyste (...) qui se croit obligée d'accepter le verre que je suis obligé de lui offrir. — « Où en êtes-vous? me demande-t-elle en dévorant les olives et les chips, où en sont vos problèmes? Vos culpabilités? »
Jacques LAURENT, les Bêtises, p. 465.

Adj. ou appos. *Pommes chips.* — Rare. *Pommes de terre chips.*

2 Nous possédâmes un hôtel peint en bleu, un bistrot où les pommes de terre chips craquaient plus qu'ailleurs, le cinquième banc d'un square.
A. BLONDIN, les Enfants du bon Dieu, p. 153.

1. CHIQUE [ʃik] n. f. — 1792; « petite boule », 1573; p.-ê. all. *schicken* « envoyer »; P. Guiraud y voit une orig. dial., probablt le provençal *chico* « morceau », ou le normand *chique* « morceau de pain », du lat. *cicca.*

♦ **1.** Morceau de tabac à mâcher. ⇒ **Carotte.** *Mâcher, mastiquer sa chique.* ⇒ **Chiquer.**

1 Glapisson ôta sa chique, la mit dans le turban de son bonnet de police (...)
E. SUE, le Colonel de Surville, I.

1.1 C'était un vieillard (...) Il avait un visage racorni comme une noix. Il chiquait avec des lèvres noires en mouvement (...) — « C'est surtout le diable pour avoir un peu de tabac. Ils ont mis la chique à prix d'or. Ça coûte, les vices ! »
J. GIONO, le Hussard sur le toit, p. 326-327.

Loc. fam. *Jus de chique :* liquide noirâtre. — *Mou comme une chique :* sans énergie (d'une personne). — (Av. 1865). *Couper la chique à qqn,* l'interrompre brutalement (cf. Couper le sifflet). — (Compl. n. de chose) :

1.2 Aller en enfer, c'est la grâce que je demande, et là continuer à les maudire, et eux qu'ils me voient de là-haut et m'entendent, ça pourrait lui couper la chique à leur félicité.
S. BECKETT, Têtes-mortes, p. 19.

(1894). *Avaler sa chique :* mourir. — (1833). *Poser, déposer sa chique :* se taire par obligation; céder sa place, s'effacer (cf. Abandonner, lâcher le morceau).

2 (...) l'homme qui n'a pas le cœur de déposer sa chique quand le moment en est venu, et de céder sa place aux autres, est un égoïste et un lâche !
COURTELINE, Messieurs les ronds-de-cuir, 4ᵉ tableau.

♦ **2.** Régional (Belgique; Wallonie liégeoise). Fam. Bonbon. ⇒ aussi **Boule.**

♦ **3.** (1901). Fam. Enflure de la joue.

♦ **4.** (1753, *Encyclopédie*). Petit cocon peu fourni en soie; la soie de ce cocon.

DÉR. 1. **Chiquer.**
HOM. **Chic.**

2. CHIQUE [ʃik] n. f. — 1640; du précédent, à cause de la boule formée par l'insecte sous la peau.

♦ Insecte (*Dermatophilus penetrans*) dont la femelle peut s'enfoncer sous la peau et y déterminer des abcès.

1 Extraction pénible d'une chique monstre, qui me laisse le pied tout endolori.
GIDE, Voyage au Congo, *in* Souvenirs, Pl., p. 725.

2 Les chiques du Congo n'étaient rien. Ici elles surabondent. Elles respectent un peu nos pieds blancs et ceux, particulièrement cornés, je suppose, de nos porteurs; mais ceux de nos pauvres boys, encore que chaussés, en sont couverts. Et je n'avais vu (...) la chique qu'enkystée; mais Zézé nous appelle pour nous en montrer quatre, cinq, six, courant sur son pied, à la recherche d'une gerçure ou d'un endroit tendre.
GIDE, Retour du Tchad, VIII, *in* Souvenirs, Pl., p. 997.

HOM. **Chic.**

CHIQUÉ [ʃike] n. m. — 1834, « chic », puis péj.; de *chic.*

♦ Fam. Affectation*. ⇒ **Bluff, épate, esbroufe.** *Faire du chiqué :* prendre, se donner des airs; aussi : feindre, simuler. ⇒ **Manière** (faire des); **frimer.** *C'est du chiqué ! — Au chiqué. Il fait ça au chiqué.*

1 On sentait le chiqué, comme dans les livres des auteurs qui s'efforcent pour parler argot.
PROUST, À la recherche du temps perdu, t. XIV, p. 161.

2 Je ne prétends pas non plus le faire à la populaire, après tout ; Péguy, il ne faut

pas qu'il la ramène (comme il aurait dit dans ses bons moments) : il le fait drôlement à la populaire, et souvent; le chiqué ne manque pas chez lui.
R. QUENEAU, Bâtons, chiffres et lettres, p. 55.

CONTR. **Naturel, simplicité.**

CHIQUEMENT [ʃikmɑ̃] adv. — 1858; de *chic.*

♦ **1.** Fam. Avec chic, élégance. *Elle était chiquement fringuée.*

♦ **2.** Fam. D'une manière chic, amicale et généreuse. *Il m'a très chiquement proposé de l'argent.*

Là-dessus, les deux garçons (...) apportent un gâteau (...) Et il est de taille, le gâteau ! Y en aura pour tout le monde (...) — Eh bien, madam' Belhôtel, dit Ernestine, vous avez chiquement fait les choses. Pour une noce, c'est une noce.
R. QUENEAU, le Chiendent, p. 280.

REM. Sans être vieux, cet adv. n'est plus à la mode.

CHIQUENAUDE [ʃiknod] n. f. — 1530, *chicquenode*; p.-ê. du rad. onomatopéique *tšikk-* exprimant la petitesse, et la finale de *baguenaude* (les gousses de baguenaudier qui éclatent font partir les graines en tous sens); pour P. Guiraud, le mot est rattaché à *chiquer* « donner un petit coup » et finale *-aude* par double suffixation diminutive (*-ine, -ole, -otte*).

♦ **1.** Coup donné avec un doigt que l'on a plié contre le pouce et que l'on détend ensuite brusquement. ⇒ **Pichenette.** *Donner, recevoir une chiquenaude. Chiquenaude au visage* (⇒ **Croquignole,** vx), *au nez* (⇒ **Nasarde,** vx). *Projeter une boulette de pain d'une chiquenaude.*

1 Il ne lui faisait pas plus (...) mal que *(vous ne)* feriez *(en)* baillant une chiquenaude sur une enclume de forgeron.
RABELAIS, Pantagruel, II, 29.

2 (...) je vais t'épousseter le nez avec des chiquenaudes.
HUGO, Notre-Dame de Paris, X, 3.

3 La lucarne du coucou évolua hors de son cadre, comme sous la poussée d'une chiquenaude (...)
COURTELINE, Messieurs les ronds-de-cuir, 5ᵉ tableau, II.

♦ **2.** Fig. Légère impulsion.

4 Je ne puis pardonner à Descartes; il aurait bien voulu, dans toute sa philosophie, pouvoir se passer de Dieu; mais il n'a pu s'empêcher de lui faire donner une chiquenaude, pour mettre le monde en mouvement; après cela, il n'a plus que faire de Dieu.
PASCAL, Pensées, II, 77.

5 La chiquenaude de Descartes, les choses vues à l'envers. Il n'y a eu un appel produit par un vide, le vide causé par la nomination de la chose.
CLAUDEL, Journal, avr.-mai 1930, Pl., p. 910.

DÉR. **Chiquenauder.**

CHIQUENAUDER [ʃiknode] v. intr. — XIXᵉ, Ch. Cros; de *chiquenaude.*

♦ Rare. Faire des chiquenaudes.

1. CHIQUER [ʃike] v. tr. et intr. — 1792; de 1. *chique.*

♦ **1.** Mâcher (du tabac, une substance thérapeutique, excitante...). → 1. Chique, cit. 2. *Tabac à chiquer. Chiquer du bétel, de la kola.*

1 Les femmes tapent avec un bâton sur les fruits du palmier doum afin d'amollir la pulpe ligneuse que l'on chique comme du bétel.
GIDE, Voyage au Congo, *in* Souvenirs, Pl., p. 827.

♦ **2.** (1798). Pop. et vx. *Chiquer le légume, les légumes* (ou : *la légume,* pop.), et, absolt, *chiquer :* manger. *Il n'y a rien à chiquer, ici !*

2 Allons, Finot, à table ! Chiquons les légumes !
BALZAC, César Birotteau, Pl., t. V, p. 442.

3 Tous ces poilus-là (...) i'leur faut ses aises. I's préfèr't mieux aller s'installer chez une mouquère de l'endroit, à une table exprès pour eux, pour chiquer la légume, et la rombière leur carre dans leur buffet leur vaisselle, leurs boîtes de conserve et tout leur bordel pour le bec (...)
H. BARBUSSE, le Feu, t. II, p. 49.

DÉR. **Chiqueur.**

2. CHIQUER [ʃike] v. tr. et intr. — 1823; de *chiqué.* → Chic.

♦ **1.** Argot vieilli. Faire, dessiner, exécuter (une œuvre, un travail) avec adresse. — Placer habilement, de manière à produire un bel effet.

1 Et à la place de la Diane, nous chiquerons un Maillol. Dame ! les cuisses seront plus larges et les tétons moins jolis.
J. ROMAINS, les Hommes de bonne volonté, t. XXII, p. 227.

♦ **2.** (1873). Fam. et vx. Faire du chiqué, du bluff.

♦ **3.** Loc. mod. *Il n'y a pas (y a pas) à chiquer :* il n'y a pas à se faire d'illusion; il n'y a pas à hésiter.

2 Chalumot la lut attentivement, l'examina recto verso, et dit à Comparois, dans un sourire glorieux :

— Y a pas à chiquer, ce sont de vrais soldats ! La permission est tout c'qu'il y a d'réglementaire. Yves GIBEAU, Allons z'enfants, p. 161.

DÉR. Chiqueur.

CHIQUEUR, EUSE [ʃikœʀ, øz] n. — 1793, Hébert ; de 1. et 2. *chiquer.*

♦ **1.** Personne qui chique du tabac. *Les fumeurs et les chiqueurs.*

♦ **2.** (1866). Vx. Personne qui fait du chiqué.

— Chiqueur ! sale tante ! eh ! lope ! éclata-t-elle en se renversant de rage sur l'oreiller. Francis CARCO, Jésus-la-Caille, II, IV, p. 107.

CHIRAGRE [kiʀagʀ] n. f. et adj. — 1560 ; *cyragre*, 1360 ; grec *kheiragra*, formé d'après *podagra* (→ Podagre), par remplacement de *pod-* « pied » par *kheir* « main ». → Chir(o)-.

Médecine.

♦ **1.** N. f. Goutte* localisée aux mains. — Goutte des pattes (oiseaux).

♦ **2.** Adj. et n. Qui souffre de chiragre. — N. *Un, une chiragre.* — Par ext. Impotent (⇒ aussi **Podagre**).

Lorsqu'on me questionne à ce sujet, je fais la bête. Je m'efforce de passer pour un chiragre ! Et je concentre mes délices en songeant comme j'assombrirais les visages si je disais ce que mes instruments m'ont laissé entrevoir de surprenant et d'inexploré ! (...) VILLIERS DE L'ISLE-ADAM, Tribulat Bonhomet, p. 45.

CHIRO- Élément, tiré du grec *kheir, kheiros* « main », et qui entre dans la composition de nombreux mots savants. Ex. : *Chirognomie, chirographie, chirographique, chirologie, chiromancie, chiromégalie, chiromètre, chiroplaste, chiropraxie, chiroptères, chiroteuthis.*
REM. → aussi Cheir- ou cheiro-.

CHIROGNOMONIE [kiʀɔgnɔmɔni] n. f. — 1843 ; de *chiro-*, et *(physio)gnomonie*, par substitution de l'élément préfixe.

♦ Didact. et vx. Étude du caractère par l'étude de l'aspect des mains.

CHIROGRAPHAIRE [kiʀɔgʀafɛʀ] adj. — 1532 ; lat. impérial *chirographarius.*

♦ Dr. Qui ne se fonde que sur un acte sous seing privé. *Créance, obligation chirographaire. Créancier chirographaire* (⇒ **Créancier**).

(Aux créanciers *gagistes* et *hypothécaires*) on oppose les *créanciers chirographaires* (*créanciers cédulaires* ou *céduliers*, dans l'ancienne langue), qui sont porteurs d'un titre de créance ordinaire (*chirographum, cedula*)... ils sont réduits à *une pure action personnelle* contre le débiteur. M. PLANIOL, Traité élémentaire de droit civil, t. II, p. 814.

CONTR. Hypothécaire.

CHIROGRAPHE [kiʀɔgʀaf] n. m. — XIIIe ; *cyrographe*, 1172 ; lat. *chirographum*, grec *kheirographon* « engagement écrit ».

♦ Didact. Acte diplomatique revêtu d'une signature autographe.

CHIROGRAPHIE [kiʀɔgʀafi] n. f. — Av. 1845, « expression de la pensée par les mains » ; de *chiro-*, et *-graphie.*

♦ Didact. et vx. Étude des lignes de la main. ⇒ **Chiromancie.**

CHIROGRAPHIQUE [kiʀɔgʀafik] adj. — Av. 1845 ; de *chiro-*, et *-graphique.*

♦ Didact. et vx. Relatif à la chirographie.

CHIROLOGIE [kiʀɔlɔʒi] n. f. — 1755 ; de *chiro-*, et *-logie.*
Didactique.

♦ **1.** Vx. Art de s'exprimer par des signes faits avec la main.

♦ **2.** Mod. Étude des caractéristiques de la main, susceptible de donner des indications sur le caractère d'une personne.
REM. L'adj. *chirologique* [kiʀɔlɔʒik] est virtuel.

CHIROMANCIE [kiʀɔmɑ̃si] n. f. — 1419, *cyromancie* ; de *chiro-*, et *-mancie.*

♦ Art de deviner l'avenir, le caractère de qqn par l'inspection de sa main, des lignes* de la main. ⇒ **Chirographie** (vx). *Faire de la chiromancie :* lire dans les lignes de la main. — Par ext. (l'origine du mot n'étant plus perçue). Divination.

Il suffira de dire qu'il s'est mêlé de deviner, sans exprimer si c'est par la chiromancie ou par un pacte avec le démon. PASCAL, les Provinciales, 10.

DÉR. Chiromancien.

CHIROMANCIEN, IENNE [kiʀɔmɑ̃sjɛ̃, jɛn] n. — 1546, *chiromantien* ; de *chiromancie.*

♦ Personne qui pratique la chiromancie. — (XIXe). Par ext. Diseur, diseuse de bonne aventure. *Une chiromancienne.* ⇒ **Voyante.** — Appos. ou adj. *Des gitanes chiromanciennes.*

L'on souffre dans la république les chiromanciens et les devins (...) LA BRUYÈRE, les Caractères, XIV, 69.

Avant d'accomplir aucun projet, Flore, très superstitieuse, consultait toujours la mère Angelique, vieille intrigante familière et bavarde, à la fois tireuse de cartes, chiromancienne, astrologue et prêteuse sur gages (...) Raymond ROUSSEL, Impressions d'Afrique, p. 271.

CHIROMÉGALIE [kiʀomegali] n. f. — Mil. xxe ; de *chiro-*, et *-mégalie.*

♦ Didact. Hypertrophie des mains.

CHIROMÈTRE [kiʀɔmɛtʀ] n. m. — 1892 ; de *chiro-*, et *-mètre.*

♦ Techn. Instrument utilisé par les gantiers pour mesurer la main.

CHIROMYS [kiʀɔmis] n. m. ⇒ **Cheiromys.**

CHIRONOMIE [kiʀɔnɔmi] n. f. — 1753 ; grec *kheironomia* « pantomime » ; de *kheir* « main ». → Chiro-.
Didactique.

♦ **1.** Antiq. Art des gestes (mains, bras, etc.) dans la comédie et la chorégraphie antiques.

♦ **2.** Mus., rare. Art de diriger (un orchestre ou des chœurs), de battre la mesure.

CHIROPLASTE [kiʀɔplast] n. m. — 1845 ; de *chiro-*, et *-plaste.*

♦ Vx. Machine adaptée à un clavier de piano pour donner une position correcte aux doigts de l'apprenti instrumentiste.

CHIROPRACTEUR [kiʀɔpʀaktœʀ] n. m. — 1937 ; angl. *chiropractor* (1904), de *chiropractic.* → Chiropraxie.

♦ Méd. et cour. Praticien de la chiropraxie. — REM. Le fém. régulier est *chiropractrice ;* il semble inusité.
Recomm. off. : *chiropraticien, ienne.* — Abrév. fam. : *chiro* [kiʀo] (1975, R. Beauvais, *le Français kiskose*).

CHIROPRAXIE [kiʀɔpʀaksi] ou **CHIROPRACTIE** [kiʀɔpʀakti] n. f. — 1938, *chiropraxie*, in Höfler ; *chiropractie*, 1950 ; angl. *chiropractic* (1903), de *chiro-*, et *practic* « pratique ».

♦ Méd. et cour. Traitement médical par manipulations effectuées sur diverses parties du corps (notamment la colonne vertébrale. ⇒ **Vertébrothérapie**). — REM. Recomm. off., au Québec : *chiropratique* [kiʀɔpʀatik] (1927, in Höfler).

CHIROPTÈRES [kiʀɔptɛʀ] ou **CHEIROPTÈRES** [keiʀɔptɛʀ] n. m. pl. — 1797 ; de *chiro-* (ou *chéiro-*), et *-ptère.*

♦ Zool. Ordre de mammifères placentaires, dont les membres antérieurs allongés portent des phalanges très développées soutenant une membrane formant aile ; ils sont insectivores ou frugivores. ⇒ **Chauve-souris.** — Au sing. *Un chiroptère, un cheiroptère*

CHIROTEUTHIS [kiʀɔtøtis] n. m. — 1892 ; de *chiro-*, et grec *teuthis* « calmar » ou « seiche ».

♦ Zool. Mollusque céphalopode, type d'une famille (*Décapodes, Dibranches*) possédant deux longs tentacules munis à leur extrémité d'un organe visuel et portant des filets gluants (tentacules transformés).

CHIRURGICAL, ALE, AUX [ʃiʀyʀʒikal, o] adj. — 1370, *cirurgical* ; lat. *chirurgicalis.*

♦ Relatif à la chirurgie*. *Science chirurgicale. Techniques chirurgicales. Opération* (cit. 5), *intervention chirurgicale. Acte chirurgical* (→ Opération, cit. 7). *Antenne* chirurgicale d'un service de santé. Ambulance chirurgicale* (→ Autochir). *Instruments chirurgicaux.* ⇒ **Chirurgie.**

DÉR. Chirurgicalement.
COMP. Électrochirurgical, psychochirurgical.

CHIRURGICALEMENT [ʃiRyRʒikalmɑ̃] adv. — 1844 ; de *chirurgical*.

♦ **1.** D'une manière chirurgicale ; du point de vue chirurgical. *Traiter un ulcère, un cancer chirurgicalement.*

♦ **2.** Par la chirurgie.

Polie, menue, ronde, c'était une tête blessée, couchée sur sa litière. Une tête pour ainsi dire détachée chirurgicalement du reste du corps, et que la respiration traversait à la manière d'un souffle étranger.   J.-M. G. LE CLÉZIO, le Déluge, p. 105.

CHIRURGIE [ʃiRyRʒi] n. f. — 1171, *cirurgie* ; lat. méd. *chirurgia*, grec *kheirourgia* « opération manuelle ».

♦ **Méd.** Partie de la thérapeutique médicale qui comporte une intervention manuelle et instrumentale (intervention sanglante ou manœuvre externe) sur l'organisme humain (→ Opération, cit. 6). *Apprendre, enseigner, exercer la chirurgie. Manuel, traité de chirurgie. École, société, académie de chirurgie. — Petite chirurgie :* opérations simples (plâtres, ponctions, sondages, petites incisions, etc.). *Chirurgie générale ; chirurgie cardio-vasculaire, digestive, gynécologique, neurologique* (⇒ **Neurochirurgie, psychochirurgie**), *orthopédique* (⇒ **Orthopédie, traumatologie**), *pulmonaire, urinaire ; chirurgie de l'œil* (⇒ **Ophtalmologie**), *de l'oreille* (⇒ **Oto-rhino-laryngologie**). *Chirurgie plastique et esthétique :* chirurgie des formes. *Chirurgie néonatale, infantile. Chirurgie expérimentale, scientifique. Chirurgie des infections, chirurgie physiologique, chirurgie de transplantation. Chirurgie préventive, conservatrice, réparatrice. Chirurgie sous microscope* (⇒ **Microchirurgie**). *Chirurgie du cœur, chirurgie cardiaque. Chirurgie à cœur* ouvert, à cœur fermé. — Les services de chirurgie d'un hôpital. —* Abrév. fam. : *chir* (1979, in *Dico-plus* [D. D. L.], mais très antérieur. → Autochir).

1 La connaissance des processus de réparation a donné naissance à la chirurgie moderne. Sans l'existence des fonctions adaptives, le chirurgien serait incapable de traiter une plaie. Il n'agit pas sur les mécanismes de la guérison. Il se contente de les guider. Il s'efforce, par exemple, de placer les bords d'une plaie, ou les extrémités d'un os brisé, dans une position telle que la régénération puisse se faire sans cicatrice défectueuse et sans déformation. Pour ouvrir un abcès profond, suturer un os fracturé, faire une opération césarienne, extirper un utérus, une portion de l'estomac ou de l'intestin, soulever la voûte du crâne et enlever une tumeur du cerveau, il doit faire de longues incisions, de vastes plaies. Les sutures les plus exactes ne suffiraient pas à fermer ces plaies si l'organisme ne savait pas se réparer lui-même. La chirurgie moderne est basée sur l'existence de ce phénomène.
      Alexis CARREL, l'Homme, cet inconnu, v, p. 943.

2 Sans doute, l'évocation de la chirurgie n'est plus aussi terrifiante que jadis : il y a une centaine d'années, l'acte chirurgical était encore un épouvantail, un suprême recours, quand il devait s'attaquer aux viscères et ne pas se borner aux amputations de membres ou aux indispensables réparations de blessures. C'était l'extrême urgence, et presque le désespoir, qui avaient alors l'initiative des opérations. Mais comme la chirurgie a, depuis cette époque, grandi presque démesurément en puissance, en hardiesse et en moyens et en résultats, la fréquence et la sûreté de son intervention ont, dans la même proportion, modifié le sentiment public à son égard.
      VALÉRY, Variété V, Discours aux chirurgiens, p. 44.

3 Quant au nez de Cléopâtre, c'est une affaire de chirurgie esthétique assez banale en somme. On eût un peu enlaidi cette pernicieuse beauté, et la face du monde y eût peut-être gagné.   VALÉRY, Variété V, Discours aux chirurgiens, p. 45.

Lexique de la chirurgie.
Actes chirurgicaux :

Ablation	Curage
Abouchement	Curetage
Abrasion	Débridement
Abscis(s)ion	Décanulement
Affrontement	Décapitation
Amputation	Décapsulation
Anastomoser	Déclampage
Ancrage	Décollement
Appareiller	Décortication
Aspiration	Dédolation
Attrition	Dénudation
Avancement	Dérivation
Avivement	Désinfection
Avulsion	Désobstruction
Bandage	Détersion
Badigeonnage	Détubage
Biopsie	Dévascularisation
Bloc	Dialyse
Blocage	Diathermocoagulation
Bougirage	Diérèse
Bourrage (plaie)	Dilatation
Boutonnière	Discission
Brèche	Dissection
Brisement (forcé)	Divulsion
Brochage	Drainage
Canulation	Écarter
Capitonnage	Éclisser
Cathétérisme	Écraser
Cautérisation	Électrocoagulation
Cerclage	Élongation
Circoncision	Enchevillement
Clampage	Enclouage
Clivage	Engrènement
Clouage	Entaille
Coaptation	Énucléation
Confection (d'un moignon)	Épluchage
Contention	Éradication
Contre-extension	Étincelage
Contre-incision	Éversion
Contre-ouverture	Évidement
Couture	Éviscération
Coupure	Évulsion
Cryoapplication	Excavation

Excision	Taille
Excoriation	Tamponnement
Exentération	Taxis
Exérèse	Thermocautérisation
Exploration	Thermocoagulation
Expression	Transfixion
Exsufflation	Transfusion
Extension	Transposition
Extirpation	Trépanation
Extraction	Tubage
Fenestration	Tunnellisation
Filipuncture	Vissage
Fistule	
Forage	*Voir aussi :*
Forcipressure	Analgésie
Galvanocautérisation	Anaplastie
Garrottage	Anesthésie
Gouger	Anesthésiste
Grattage	Antisepsie
Hémostase	Asepsie
Hydrotomie	Autogreffe
Immobilisation	Autoplastie
Implantation	Autotransfusion
Incision	Autotransplantation
Inclusion	Banque* (d'organes, du sang,
Injection	d'artères, d'os, de peau...)
Insensibilisation	Choc (opératoire)
Insufflation	Circulation* (collatérale, croisée
Intubation	[vieilli], extracorporelle...)
Irrigation	Codex
Ligature	Donneur* (d'organes,
Meulage	du sang...)
Mobilisation	Greffe
Néostomie	Greffon
Nœud (de chirurgien)	Hétérogreffe
Occlusion	Hétéroplastie
Opacification	Homogreffe
Pansement	Homoplastie
Paracenthèse	Hypotension
Parage (d'une plaie)	Hypothermie
Perforation	Implant
Perfusion	Instrumentiste
Péritomie	Intervention (chirurgicale)
Pexie	Isogreffe
Photocoagulation	Lambeau
Ponction	Narcose
Raclage	Néoplastie
Ramisection	Neurochirurgien
Râper	Opérateur
Reconstitution	Opération* (aveugle, à chaud, à
Réduction	froid...)
Réimplantation	Opéré
Remodelage	Opérer
Résection	Organoplastie
Revascularisation	Plasticien
Saignée	Pompiste
Scarification	Prémédication
Section	Prothèse
Sondage	Réanimation* (pré-, per-,
Stéréotaxie	postopératoire)
Subincision	Rejet (greffe)
Surjet	Réopérer
Stypage	Transplant
Suture	Voie* (d'abord, opératoire...)

Matériel et instruments chirurgicaux :

Agrafe	Ciseaux* (courbés, à énucler,
Aiguille	pointus, à point mousse, à
Aiguillon	os, à pansement, à plâtre...)
Alêne	Clamp
Amorceur	Clip
Anse	Clou
Appareils de contention	Cœur-poumon (artificiel)
(→ Bandage ; extenseur,	Coin
fixateur ; pansement ; plâtre),	Compresse
de maintien (→ Corset), de	Corset
soutien (→ Stéréotaxique).	Coton (hydrophile)
Appareillage	Couteau* (à amputation,
Arceau	interosseux, lancéolaire, à
Artériodème	sous-astragalienne...)
Aspirateur	Crampon
Attelle* (à extension continue,	Crânioclaste
métallique, plâtrée...)	Crochet* (mousse, à os, petit, à
Bandage	strabisme, tranchant...)
Bande	Cryocautère
Bistouri	Cryode
Bougie* (à boule, conductrice,	Cuiller (à cataracte)
dilatante, élastique,	Cuirasse (orthopédique)
exploratrice, filiforme,	Curette* (à adénoïdes, à os,
rigide...)	tranchante, utérine...)
Brayer	Davier
Brise-pierre (→ Lithoclaste)	Défibrillateur
Broche	Dilatateur
Brouteur	Dispositif
Burin	Drain
Canule	Écarteur
Cadre	Éclisse
Capeline	Écraseur
Cataplasme	Élargisseur
Catgut	Électrolyseur
Cathéter	Emplâtre
Cautère	Endoprothèse
Ceinture (orthopédique)	Érigne
Champ (opératoire)	Érisiphake
Charpie	Étrier
Chevêtre	Explorateur
Cisailles	Extension
Ciseau	Extracteur

Fil (de suture)	Porte-bougie
Forceps	Porte-fil
Forcipressure	Porte-greffe
Foret	Porte-lacs
Fraise	Porte-tampon
Galvanocautère	Pose-ligatures
Garrot	Psychrophore
Gaze	Râpe
Gouge	Rasoir
Goutte-à-goutte	Respirateur
Gouttière	Retracteur
Grattoir	Rugine
Harpon	Scalpel
Insufflateur	Scarificateur
Lacs	Scialytique
Lame	Scie
Lancette	Seringue
Laser	Serre-fil
Lime	Serre-fine
Lithoclaste (→ Brise-pierre)	Serre-nœud
Litholabe	Serretelle
Lithotriteur	Séton
Marteau	Sonde
Masque	Sparadrap
Matériel (de suture)	Spatule
Mèche	Spéculum
Meule	Stripper
Microinstrument*	Stylet
(microaiguille, microciseaux,	Table (d'opération ;
microclamp,	pop. Billard)
micromanipulateur, porte-	Tampon
microaiguille...)	Tenaculum
Minerve	Tenaille
Monitoring	Tenette
Ostéosynthèse	Thermocautère
Ouate	Tire-balles
Ouvre-bouche	Tire-fond
Pansement	Tourniquet
Pêche-fil	Transforateur
Perce-crâne	Trépan
Perceuse	Tréphine
Perforateur	Trilabe
Phacoémulsificateur	Trocart
Pince* (à agrafes, chirurgicale,	Trousse (de chirurgien)
courbe, à griffes, droite,	Urétreurynter
hémostatique, à	Valve
forcipressure...)	Ventouse
Porte-aiguille	Vis

Voir aussi les éléments : **-scope, -stat, -tome, -tribe.**

Explorations chirurgicales (→ -scopie, -graphie) :

Amnioscopie	Gastrobiopsie
Antroscopie	Gastrofibroscopie
Aortographie	Gastroscopie
Artériographie	Laparoscopie
Arthroscopie	Lymphographie
Cardioscopie	Médiastinoscopie
Cavernoscopie	Myélographie
Cavographie	Œsophagoscopie
Cérébroscopie	Œsofibroscopie
Cœlioscopie	Péritonéoscopie
Colofibroscopie	Phlébographie
Colposcopie	Pleuroscopie
Culdoscopie	Portographie
Cystoscopie	Pyélographie
Discographie	Radiographie
Échoencéphalographie	Rectoscopie
Échotomographie	Rectosigmoïdoscopie
Électroencéphalographie	Scanographie
Électrocardiographie	Scintigraphie
Électrocorticographie	Thermographie
Encéphalographie	Tomographie
Endodiascopie	Urétrocystographie
Endofibroscopie	Urétrocystoscopie
Endoscopie	Urétroscopie
Fibroscopie	Ventriculographie
Galactographie	Xérographie

Interventions thérapeutiques :

Adénectomie (ou	Colpohystérectomie
Adénoïdectomie)	Colpostricture
Amygdalectomie	Commissurotomie
Angiotomie	Crânioclasie
Anoplastie	Cystectomie
Aponévrectomie	Cysticolithotripsie
Appendicectomie	Dénervation
Artériectomie	Dépériostage
Artériotomie	Dermatoplastie
Arthrodèse	Désarticulation
Arthrolyse	Désinsertion
Arthroplastie	Désinvagination
Arthrostomie	Duodénoplastie
Arthrotomie	Embolectomie
Blépharorraphie	Embryectomie
Bronchotomie	Endartériectomie
Cœcoplicature	Endectomie
Capsulectomie	Énervation
Cardiolyse	Entéro-anastomose
Cardiopuncture	Entéro-cystoplastie
Cardiotomie	Entérotomie
Castration	Épiphysiodèse
Céphalotomie	Érisiphaque
Césarienne	Éveinage
Cholécystectomie	Exarticulation
Cœliotomie	Excochléation
Colectomie	Gangliectomie
Coloplication	Gastrectomie
Colpocléisis	Glossotomie

Hémisphérectomie	Péricardectomie
Hémorroïdectomie	Périnéorraphie
Hépatectomie	Phacoérisis
Hernioplastie	Pharyngectomie
Hystérectomie	Pharyngoplastie
Hystérocolpectomie	Phlébotomie
Hystéro-ovariectomie (cour. :	Platinectomie
	Pleurotomie
Hystérotomie	Plombage
Iliectomie	Pneumothorax
Iriodésis	Pneumotomie
Kératotomie	Pollicisation
Laminectomie	Polypectomie
Laparotomie	Posthectomie (cour. :
Laryngotomie	circoncision)
Laryngotrachéotomie	Prostatectomie
Lifting	Pyélotomie
Ligamentoplastie	Rectotomie
Lipectomie	Rhinoplastie
Lithoclastie	Rithydectomie (cour. : face-lift
Lithectomie	ou lifting)
Lithopaxie	Salpingoplastie
Lithotomie	Scalénotomie
Lithotritie	Sclérectomie
Lobectomie	Séquestrectomie
Lobotomie	Spéléotomie
Lombotomie	Sphinctéroplastie
Mammoplastie	Splénectomie
Manchonnage	Staphyloplastie
Mastoïdectomie	Stomatoplastie
Méatostomie	Stripping
Médullectomie	Surrénalectomie
Méloplastie	Sympathectomie
Méniscectomie	Synovectomie
Mésopexie	Tarsectomie
Myélotomie	Ténolyse
Myomectomie	Ténotomie
Myoplastie	Thoracentèse
Néphrectomie	Thoracolaparotomie
Néphrolithotomie	Thoracoplastie
Neurotomie	Thoracotomie
Névrotomie	Thyroïdectomie
Œsophagoplastie	Thyrotomie
Oncotomie	Topectomie
Ophtalmoplastie	Trachéostomie
Orbitotomie	Trachéotomie
Orchidectomie	Tringlage (plus cour. :
Orthomorphie	stripping)
Ostéoplastie	Turbinectomie
Ostéotomie	Tympanoplastie
Otectomie	Urétérolithotomie
Ovariectomie	Uranoplastie
Pallidectomie	Vagotomie
Parathyroïdectomie	Valvuloplastie
Pariétectomie	Varicotomie
Parotidectomie	Vasoligature
Patellectomie	Vasotomie

Éléments suffixaux :

-clasie	(ex. : *cränioclasie*)
-clastie	(ex. : *lithoclastie*)
-cléisis	(ex. : *colpocléisis*)
-désis	(ex. : *iriodésis*)
-ectomie	(ex. : *aponévrectomie*)
-érisis	(ex. : *phacoérisis*)
-ligature	(ex. : *vasoligature*)
-lyse	(ex. : *arthrolyse*)
-morphie	(ex. : *orthomorphie*)
-paxie	(ex. : *lithopaxie*)
-pexie	(ex. : *mésopexie*)
-plastie	(ex. : *arthroplastie*)
-plication	(ex. : *coloplication*)
-plicature	(ex. : *cœcoplicature*)
-puncture	(ex. : *cardiopuncture*)
-rraphie	(ex. : *blépharorraphie*)
-stomie	(ex. : *arthrostomie*)
-tomie	(ex. : *artériotomie*)
-tripsie	(ex. : *cysticolithotripsie*)
-tritie	(ex. : *lithotritie*)
-stricture	(ex. : *colpostricture*)

Chirurgie dentaire, chirurgie bucco-dentaire. ⇒ **Dentisterie, odontotostomatologie, odontologie, orthodontie, stomatologie ; dent, dentiste ; abrasion, alvéolectomie, apectomie, appareil** (dentaire), **arracher, avulsion, bridge, couronne, dentier, détartrage, excavation, extraction, gingivectomie, inlay, obturation, onlay, plombage, prothèse, pulpectomie, râtelier ; cautère, clef** (à dents), **davier, digue, drille, élévateur, équarrissoir, excavateur, fouloir, fraise, levier** (dentaire), **miroir** (dentaire), **obturateur, pied-de-biche, pince** (à dents), **roulette, tire-racine, tour...**

COMP. Électrochirurgie, microchirurgie, psychochirurgie.

CHIRURGIEN, IENNE [ʃiʀyʀʒjɛ̃, jɛn] n. — 1175, *cirugien,* n. m. ; du lat. *chirurgia,* du grec (emprunt) *kheirourgía.*

♦ **1.** Spécialiste en chirurgie (⇒ **Opérateur, praticien**). *Le chirurgien opère avec l'aide de ses assistants.* ⇒ **Assistant ; opérer.** *Mauvais chirurgien* (⇒ fam. **Boucher, charcutier**). — *Matériel, trousse, instruments du chirurgien.* ⇒ **Chirurgie.** *Calotte, bavette, casaque* *de chirurgien. Chirurgien-major*, dans l'armée. Profession de chirurgien. La vie de chirurgien.* → Matériel, cit. 3.

1 Tout ceci demande un si riche recueil de facultés, une mémoire si prompte et si pleine, une science si sûre, un caractère si soutenu, une présence d'esprit si vive, une résistance physique, une acuité sensorielle, une précision des gestes si peu communes, que la coïncidence de tant de ressources distinctes, dans un individu, fait du chirurgien un cas tout à fait peu probable à observer, et contre l'existence duquel il serait prudent de parier.
VALÉRY, Variété V, Discours aux chirurgiens, p. 48.

2 Les chirurgiens ont, pour leur ministère, une passion jalouse, ce qui les amène à juger avec un peu de rigueur certains d'entre eux (...)
Il *(un chirurgien)* ne se contentait certes pas de toucher la peau à l'iode et de faire des expéditions *(de blessés)* vers la province : il débridait largement, laissait les plaies ouvertes, drainait, nettoyait, étalait le mal au grand jour (...)
J'ai vu, de près, évoluer la chirurgie des traumatismes et la lutte contre l'infection des plaies. Ce patient travail des praticiens de chez nous m'a, d'années en années, inspiré de l'admiration. G. DUHAMEL, la Pesée des âmes, I, p. 45-46.

3 En 1890, l'asepsie est adoptée partout. Le temps ne fera qu'y apporter quelques améliorations. Aujourd'hui, les mêmes procédés de stérilisation sont utilisés, le chirurgien se nettoie les mains puis enfile des gants de caoutchouc stériles comme en 1890. On sait qu'il y a ajouté l'emploi d'une « casaque » stérile, qu'il revêt avant l'opération, ainsi qu'une « calotte », une « bavette », qui lui permettent de parler et respirer sans véhiculer de germes ; enfin des « bottes », qui lui évitent d'introduire avec ses chaussures des souillures venant de l'extérieur.
Cl. D'ALLAINES, Histoire de la chirurgie, p. 90.

Elle est chirurgien. — REM. La forme fém. *chirurgienne* [ʃiʀyʀzjɛn] ne paraît guère en usage ; recomm. off., au Québec.

4 Aurait-elle été potière ? Architecte ? Ciseleuse ? Chirurgienne ? Ou jardinière ?
Marie CARDINAL, les Mots pour le dire, p. 322.

Abrév. fam. : *chirurgo* (cf. Thérame, 1974, *in* D.D.L.).

♦ **2.** (1728). N. m. *Chirurgien dentiste.* ⇒ **Dentiste.** Abrév. fam. (argot de métier) : *chirdent* [ʃiʀdɑ̃t].

COMP. Psychochirurgien.

CHISTERA [ʃistera] n. f. ou m. — 1891, *in* Höfler ; mot basque *xistera*, par la graphie espagnole ; lat. *cistella.*

♦ Instrument d'osier en forme de gouttière recourbée, qui prolonge le bras du joueur, et sert à lancer la balle à la pelote* basque. *Grande, petite chistera.*

CHITINE [kitin] n. f. — 1821 ; du grec *chitôn* « tunique », et suff. *-ine.*

♦ Didact. Substance organique de structure semblable à celle de la cellulose (polysaccharide), constituant de la cuticule des insectes et des crustacés, et de la membrane de certains champignons.
DÉR. Chitineux.

CHITINEUX, EUSE [kitinø, øz] adj. — 1876 ; de *chitine.*

♦ Didact. Relatif à la chitine. *Couche, enveloppe chitineuse.*

CHITON [kitɔ̃] n. m. — 1753, *chitonisque ;* mot grec. → Chitine. Didactique.

★ **I.** Antiq. grecque. Tunique.
Au mois d'Hécatombéon, mon peuple entier se portait vers moi *(Minerve)*, conduit par ses magistrats et par ses prêtres. Puis s'avançaient en robes blanches avec des chitons d'or, les longues files des vierges, tenant des coupes, des corbeilles, des parasols. FLAUBERT, la Tentation de saint Antoine, 1874, Pl., t. I, p. 165.

★ **II.** Zool. Mollusque *(Amphineures*)* type d'une famille *(Chitonidés),* connu à l'état fossile depuis le cambrien et encore répandu dans toutes les mers du globe. *La face dorsale des chitons est protégée par des plaques calcaires articulées.*

CHIURE [ʃjyʀ] n. f. — 1642, *chieüre ;* de *chier.*

♦ Fam. Excrément (d'insectes, de mouches). ⇒ **Chiasse.** *Des chiures de mouche.*

1 (...) deux glaces, pleines de chiures de mouches. ZOLA, l'Assommoir, t. I, p. 104.
Excrément (de petits animaux).

2 Mais de même que dans les coquilles d'escargots la chiure appréciée des gourmets demeure jusqu'au fin fond (...) R. QUENEAU, Loin de Rueil, p. 144.

CHI VA PIANO VA SANO [kivapjanovasano]. — Mots italiens.

♦ (Prov. italien). Qui va lentement va sûrement. On ajoute parfois la fin du proverbe, *Chi va sano va lontano* [kivasanovalɔ̃tano] : qui va sûrement va loin (cf. *Qui veut voyager loin ménage sa monture,* Racine, *les Plaideurs,* I, 1).

CHLAMYDE [klamid] n. f. — Av. 1502, *clamide ;* du grec *khlamus, mudos* « tunique ».

♦ Didact. (Antiq.). Manteau court et fendu, agrafé sur l'épaule, que portaient les cavaliers grecs et que les Romains adoptèrent par la suite.

1 Au bas de la montagne, au moment qu'elle allait être décollée, voyant tomber l'agrafe de la chlamyde du bourreau, elle dit *(la martyre de Verceil)* à cet homme :

« Voilà une agrafe d'or qui vient de tomber de ton épaule ; ramasse-là, de crainte de perdre ce que tu n'as gagné qu'avec beaucoup de travail ».
CHATEAUBRIAND, Mémoires d'outre-tombe, III, I.

2 Toute d'argent vêtue, une sorte de chlamyde courte avec des plis de manches (...)
VALÉRY, Cahiers, t. II, Pl., p. 473.

CHLAMYDOMONAS [klamidɔmɔnas] n. f. — 1845, sous la forme *chlamydomonade ;* lat. sc., du grec *khlamus, udos* (→ Chlamyde), et *monas* « unité » (→ Monade).

♦ Biol. Protiste flagellé, unicellulaire qui vit dans les eaux polluées.
« Les chlamydomonas sont des algues unicellulaires, pourvues d'un grand chloroplaste et donc vertes, capables de photosynthèse. Au contraire de la plupart des plantes dont la génétique est encore rudimentaire, les chlamydomonas se prêtent assez bien à l'analyse génétique » (la Recherche, juin 1982, p. 768).

CHLASS [ʃlas] adj. ⇒ 1. **Schlass.**

1. CHLEUH [ʃlø] adj. et n. — 1891 ; *Chellouh,* 1866 ; mot berbère.

♦ Se dit de populations berbères du Maroc occidental, de leur culture et de leur langue. — N. m. *Le chleuh.*

2. CHLEUH, CHLEU ou **SCHLEU** [ʃlø] adj. et n. — 1939, chanson de Pierre Dac « Je vais me faire chleuh » (*in* Jacques Plessis, *Pierre Dac,* p. 86-87) ; « soldat des troupes territoriales (argot des soldats, au Maroc) », 1914 ; « frontalier ne parlant pas le français : comtois ou alsacien », 1936. → 1. Chleuh.

♦ Fam. et péj. Allemand, Allemande (en tant qu'ennemi, pendant la Deuxième Guerre mondiale). → Boche, cit. 2. *Un avion schleu.*

1 On a fauché des tablettes de phosphore aux Schleus dans le maquis (...)
S. DE BEAUVOIR, les Mandarins, p. 562 (1954).

2 Les Chleuhs cherchaient Raymond Guyot, le communiste, ils sont venus faire une perquisition chez ma belle-mère, ils ont tout saccagé, éventré les matelas, etc.
Jean FERNIOT, Pierrot et Aline, p. 216.

3 Un bout de robe dépasse d'une ruine : une chleu s'est fait descendre, justice !
Alain BOSQUET, les Bonnes Intentions, p. 10.

CHLINGUER [ʃlɛ̃ge] v. ⇒ **Schlinguer.**

CHLOASMA [klɔasma] n. m. — 1855 ; du rad. du grec *khloazein* « être de la couleur vert pâle des jeunes pousses ».

♦ Méd. Taches pigmentées irrégulières du visage, observées surtout pendant la grossesse *(masque de grossesse).*

CHLOR-, CHLORO- Élément, du grec *khlôros* « vert », entrant dans la composition de nombreux mots savants où il indique soit la présence de chlore*, soit la couleur verte. Voir à l'ordre alphabétique.

CHLORAGE [klɔʀaʒ] n. m. — 1891 ; de *chlor(er).*

♦ Techn. Opération qui consiste à soumettre à l'action du chlore (des matières textiles ou des tissus). *Le chlorage rend la laine irrétrécissable, permet de faciliter la teinture ou l'impression des textiles.*
(...) l'impression n'est vraiment nette que lorsque la laine a été préalablement chlorée. Le chlorage (...) s'effectue soit par action du chlore gazeux, soit par un passage rapide du tissu dans une cuve contenant une solution d'hypochlorite alcalin acidulée par l'acide chlorhydrique ou par l'acide sulfurique (...) La pièce (...) lavée et séchée (...) passe alors dans une machine à imprimer.
Charles MARTIN, la Laine, p. 83.

CHLORAL [klɔʀal] n. m. — 1831 ; de *chlore,* et *al(cool)*.*

♦ Chim. Aldéhyde* du chlore (CCl_3-CHO), incolore, huileux, d'une odeur piquante, d'une saveur caustique, qui bout à 97°. *Le chloral hydraté* ou *hydrate de chloral,* solide blanc utilisé comme soporifique.
M. Jérôme démasqua ses batteries : il resterait au lit. C'était sa manière d'ignorer les obsèques et les noces de son entourage. En ces conjonctures solennelles, il avalait un cachet de chloral et tirait ses rideaux.
F. MAURIAC, le Baiser au lépreux, p. 58.

DÉR. Chloralisme.

CHLORALISME [klɔʀalism] n. m. — XXe ; de *chloral.*

♦ Méd., pathol. Troubles provoqués par l'abus du chloral (apathie et confusion mentale, ou au contraire état d'agitation et nervosité).

CHLORAMINE [klɔʀamin] n. f. — XXe ; de *chlor-,* et *amine.*

♦ Chim. Substance antiseptique et stérilisante dérivée du chlore.

CHLORAMPHÉNICOL [klɔʀãfenikɔl] n. m. — 1947; nom déposé, du rad. de *chlore*.

♦ Pharm. Antibiotique actif sur un grand nombre de bactéries (staphylocoques, streptocoques, bacilles de la typhoïde, de la coqueluche, du typhus exanthématique).

CHLORATE [klɔʀat] n. m. — 1816; de *chlor-*, et *-ate*.

♦ Chim. Sel de l'acide chlorique. *Chlorate de soude, de potasse.*
DÉR. **Chloraté.**

CHLORATÉ, ÉE [klɔʀate] adj. — Mil. xixᵉ; de *chlorate*.

♦ Chim., techn. Qui contient un chlorate. *Désherbant chloraté.*

CHLORATION [klɔʀasjɔ̃] n. f. — 1922; de *chlor-*, et *-ation*.

♦ Techn. Traitement de l'eau par le chlore pour la stériliser (→ Javellisation).

CHLORE [klɔʀ] n. m. — 1815; grec *khlôros* «vert, d'un jaune verdâtre».

♦ Chim. et cour. Corps simple, métalloïde (symb. : Cl; masse at. : 35,5; nº at. 17), jaune verdâtre, d'odeur suffocante, dangereux à respirer, de densité 2,5, assez facile à liquéfier et assez soluble dans l'eau. *Le chlore ne se trouve pas dans la nature à l'état pur, on l'extrait en général du chlorure de sodium par électrolyse. — Propriétés oxydantes, décolorantes, antiseptiques du chlore. — Utilisation du chlore, des composés du chlore, comme narcotiques ou anesthésiants.* ⇒ **Anesthésie; chloral, chloroforme, éthyle** (chlorure d'), **méthyle** (chlorure de); *comme gaz asphyxiants* (⇒ **Chloropicrine, phosgène**) *et comme produits de blanchiment, de nettoyage, de désinfection.* ⇒ **Chlorure** (chlorures décolorants), **javel** (eau de).

Il va assainir, purifier l'âme d'un mourant, quoi de plus simple! C'est jeter du chlore dans une maison où vient de s'achever une maladie infectieuse.
M. BARRÈS, la Colline inspirée, XV, p. 254.

Corps de la famille du chlore. ⇒ **Halogène.**
Composé hydrogéné du chlore : acide chlorhydrique* ou (vx) muriatique (Cl H).
Composés oxygénés du chlore : anhydride et acide hypochloreux (Cl_2O et $HClO$; sels : hypochlorites), anhydride et acide chloreux (Cl_2O_3 et $HClO_2$; sels : chlorites), peroxyde ou bioxyde de chlore, acide chlorique ($HClO_3$; sels : chlorates), acide perchlorique ($HClO_4$; sels : perchlorates).
DÉR. **Chloral, chloré, chlorure.** — V. aussi les éléments **Chlor-** et **chloro-**.

CHLORÉ, ÉE [klɔʀe] adj. — 1838; de *chlore*.

♦ Chim. et cour. Qui contient du chlore. *Eau chlorée d'une piscine.*
DÉR. **Chlorer.**

CHLORELLE [klɔʀɛl] n. f. — 1929; du grec *khlôros* «vert». → Chlor-.

♦ Bot. Algue verte unicellulaire d'eau douce. *Les chlorelles sont utilisées en laboratoire pour l'étude de la photosynthèse. La chlorelle pourrait servir d'aliment humain. Culture des chlorelles.*

CHLORER [klɔʀe] v. tr. — Fin xixᵉ (*chloré* est antérieur); de *chloré*.

♦ **1.** Techn. Transformer en chlorure. ⇒ **Chlorurer.**

♦ **2.** Cour. Mêler de chlore. *Chlorer l'eau d'une piscine.*
DÉR. **Chlorage.**

CHLORHYDRATE [klɔʀidʀat] n. m. — 1848; de *chlorhydrique*.

♦ Chim. Sel hydraté (surtout sel organique) de l'acide chlorhydrique.

CHLORHYDRIQUE [klɔʀidʀik] adj. — 1834; de *chlor-*, et *-hydrique*.

♦ Chim. *Gaz chlorhydrique :* chlorure d'hydrogène (HCl). *Acide chlorhydrique, ou* (vx) *muriatique :* solution de gaz chlorhydrique dans l'eau, liquide incolore, fumant, corrosif. — Syn. cour. : *esprit-de-sel. Le suc gastrique renferme une certaine proportion d'acide chlorhydrique* (⇒ **Hyperchlorhydrie, hypochlorhydrie**). *Sels de l'acide chlorhydrique :* chlorhydrates, chlorures.
DÉR. **Chlorhydrate.**
COMP. (Du rad.) **Anachlorhydrie, hyperchlorhydrie, hypochlorhydrie.**

CHLORIQUE [klɔʀik] adj. — 1814; de *chlor-*, et *-ique*.

♦ Chim. *Acide chlorique* ($HClO_3$).

CHLORITE [klɔʀit] n. m. — 1831; de *chlor-*, et *-ite*.

♦ Chim. Sel de l'acide chloreux ($HClO_2$).

CHLORO- ⇒ **Chlor-.**

CHLOROBENZÈNE [klɔʀobɛ̃zɛn] n. m. — 1869; de *chloro-*, et *benzène*.

♦ Chim. Dérivé monochloré du benzène (C_6H_5Cl).
COMP. **Dichlorobenzène, paradichlorobenzène.**

CHLOROCALCITE [klɔʀokalsit] n. f. — 1899; de *chloro-*, et *calcite*.

♦ Chim. Chlorure de calcium, avec sodium et potassium à symétrie cubique.

CHLOROCARBONATE [klɔʀokaʀbɔnat] n. m. — Déb. xxᵉ; de *chloro-*, et *carbonate*.

♦ Chim. Sel ou ester de l'acide chlorocarbonique $MCO_2 - Cl$.

CHLOROFORME [klɔʀofɔʀm] n. m. — 1834; de *chloro-*, et du rad. de *(acide) formique*.

♦ Liquide incolore ($CHCl_3$), dérivé du méthane, de densité 1,51, d'une saveur sucrée, d'une odeur éthérée, employé en chimie comme solvant, en chirurgie et en médecine comme anesthésique*. *Endormir qqn au chloroforme. Tampon de chloroforme.*

Le médecin, quand il suppose que c'est le chloroforme qui a endormi la victime, fait une conjecture (...) ALAIN, De l'hypothèse et de la conjecture, *in* les Passions et la Sagesse, Pl., p. 1125.

DÉR. **Chloroformer.**

CHLOROFORMER [klɔʀofɔʀme] v. tr. — 1856; *chloroformiser*, 1847; de *chloroforme*.

♦ **1.** Anesthésier, endormir au chloroforme. *Chloroformer un malade.*

♦ **2.** Fig. *Chloroformer les consciences, les esprits* (⇒ **Anesthésier, endormir**, fig.).

Les journaux, suivant leur criminelle habitude, n'ont cherché qu'à chloroformer le pays. GIDE, Journal, 10 mai 1918. [1]
(...) sauvés par l'accoutumance peut-être, chloroformés par l'habitude, abrutis, endormis contre le sein de la famille maternelle et toute-puissante. [2]
F. MAURIAC, Thérèse Desqueyroux, X, p. 176.

▶ **CHLOROFORMÉ, ÉE** p. p. adj. «*Des victimes chloroformées*» (Giraudoux). — *Une opinion chloroformée.*
Qui contient du chloroforme. *Eau chloroformée.*
REM. En emploi trans. comme au p. p., on a employé au xixᵉ s. la var. *chloroformiser* [klɔʀofɔʀmize].
CONTR. **Réveiller.**
DÉR. **Chloroformisation.**

CHLOROFORMISATION [klɔʀofɔʀmizasjɔ̃] n. f. — 1847; de *chloroformiser*, var. de *chloroformer : chloroformisé*, 1850.

♦ Méd. Action de chloroformer, anesthésie par le chloroforme.

CHLOROPHYCÉES [klɔʀofise] n. f. pl. — 1890; de *chloro-*, et grec *phukos* «algue» (→ Phyco-).

♦ Bot. Ordre d'algues, dites «*algues vertes*» (parce que chez elles la chlorophylle n'est pas combinée avec un autre pigment) qui vivent dans l'eau douce ou salée, les lieux humides et qui se multiplient par œufs ou par spores. ⇒ **Algue.** — Au sing. *Une chlorophycée.*

CHLOROPHYLLE [klɔʀofil] n. f. — 1817; de *chloro-*, et *-phylle*.

♦ **1.** Bot. et cour. Matière colorante verte des plantes, présente dans les feuilles, à structure moléculaire proche de celle de l'hémoglobine, jouant un rôle essentiel dans la synthèse des glucides à partir du gaz carbonique. ⇒ **Photosynthèse; pigment** (2.) *La lumière, facteur nécessaire à la production de la chlorophylle. Décoloration des plantes, due à l'absence de chlorophylle.* ⇒ **Albinisme** (2.), **chlorose** (3.).

♦ **2.** Les plantes vertes ; la verdure. *« Les océans de chlorophylle »* (Cendrars, *in* T. L. F.).

DÉR. **Chlorophyllien.**

CHLOROPHYLLIEN, IENNE [klɔʀɔfiljɛ̃, jɛn] adj. — 1874 ; de *chlorophylle*.

♦ Bot. De la chlorophylle, qui a trait à la chlorophylle. *Assimilation, fonction chlorophyllienne* : action propre à la chlorophylle et qui consiste, sous l'action de la lumière, à fournir de l'énergie pour les réactions de synthèses organiques qui se marquent par l'absorption de dioxyde de carbone et le rejet d'oxygène. — *Les plantes chlorophylliennes sont autotrophes**.

Les végétaux la nuit.
L'exhalaison de l'acide carbonique par la fonction chlorophyllienne, comme un soupir de satisfaction qui durerait des heures, comme lorsque la plus basse corde des instruments à cordes, le plus relâché possible, vibre à la limite de la musique, du son pur, et du silence.   Francis PONGE, le Parti pris des choses, p. 85.

CHLOROPICRINE [klɔʀɔpikʀin] n. f. — 1878 ; de *chloro-*, du rad. de *(acide) picrique*, et suff. *-ine*.

♦ Chim., techn. Liquide huileux et incolore, obtenu en traitant l'acide nitrique par le chlorure de chaux, très toxique et dégageant un gaz suffocant et lacrymogène que l'on utilise pour la destruction d'animaux nuisibles (insectes, rats...). *La chloropicrine a été employée comme gaz de combat.*

CHLOROPLASTE [klɔʀɔplast] n. m. — 1890, *chloroplastide* ; de *chloro(phylle)*, et *-plaste* (→ Plaste).

♦ Biol. Organite* (grain de chlorophylle) qui assure la photosynthèse chez les végétaux verts.

CHLOROPRÈNE [klɔʀɔpʀɛn] n. m. — Mil. xxᵉ ; de *chloro-*, et *-prène* (→ Néoprène).

♦ Chim., techn. Dérivé du butadiène qui donne par polymérisation un caoutchouc synthétique, le néoprène.

CHLOROSE [klɔʀoz] n. f. — 1753 ; *chlorosis*, 1694 ; lat. médiéval *chlorosis* ; du grec *khlôros* « vert, d'un jaune verdâtre », d'où « pâle ».

♦ **1.** Méd. Maladie (appelée anciennt *les pâles couleurs* ou *anémie essentielle des jeunes filles*) caractérisée par la teinte jaune verdâtre que prend la peau et qui est une anémie par carence en fer.

Mangée de chlorose, trop grande pour ses douze ans, elle avait la laideur molle et bouffie, les cheveux rares et décolorés de son sang pauvre (...)
                ZOLA, la Terre, p. 50.

♦ **2.** Par métaphore ou littér. Étiolement, anémie. *La chlorose d'une société.*

♦ **3.** Bot. Étiolement des plantes caractérisé par leur décoloration (due à l'absence de chlorophylle). ⇒ aussi **Albinisme,** 2.

CHLOROSULFURE [klɔʀɔsylfyʀ] n. m. — 1846 ; de *chloro-*, et *sulfure*.

♦ Chim. Sel ou mélange de sels renfermant, entre autres, du chlore et du soufre.

CHLOROTIQUE [klɔʀɔtik] adj. — 1766 ; lat. méd. *chloroticus*, de *chlorosis*. → Chlorose.

Médecine ou littéraire.

♦ **1.** Qui a rapport à la chlorose, est affecté de chlorose.

Julie-Marie s'épuisait en corvées pour soulager sa mère ; la fillette en devenait chlorotique, mais ne relâchait pas l'effort (...)
                Herbert LE PORRIER, le Luthier de Crémone, p. 106.

N. *Un, une chlorotique.*

Par métaphore : *« Ces pêches chlorotiques »* (Colette, *in* T. L. F.). *« Vertus chlorotiques »* (Mounier, *in* T. L. F.).

♦ **2.** Dû à la chlorose. *Pâleur chlorotique.*

Je le fumais comme je pouvais et je pissais dessus quand il faisait sec. Ce n'était peut-être pas ce qu'il fallait. Il verdit, mais il n'y eut jamais de fleur, rien qu'une tige flasque garnie de feuilles chlorotiques.   S. BECKETT, Nouvelles, p. 83.

CHLORPROMAZINE [klɔʀpʀɔmazin] n. f. — 1952, P. Charpentier et collaborateurs, aussi *chloropromazine* ; de *chlor-*, et *prom(eth)azine*. — REM. Dénomination commune internationale.

♦ Pharm. Poudre cristalline blanche ($C_{17} H_{19} Cl N_2 S$) soluble dans l'eau et l'alcool, à propriétés pharmacologiques multiples, qui notamment exerce une action sédative, hypnotique et anticonvulsive sur le système nerveux central, et inhibe l'action du système sympathique. *La chlorpromazine est un neuroleptique.*

La chlorpromazine (Largactil) en est le prototype *(des phénothiazines)*. Produite par les Laboratoires Rhône-Poulenc-Specia, elle fut introduite en thérapeutique en 1952. D'abord utilisée par H. Laborit et coll., dans la composition de leur « cocktail lytique » (...) destiné à la pratique de l'hibernation artificielle, ces auteurs avaient mentionné que le médicament utilisé seul produisait un effet de « désintéressement » et qu'il était appelé à des applications psychiatriques (...) Avec J. Delay et coll., dans une série de communications présentées de mai à juillet 1952, nous avons pris les principes de la cure neuroleptique — ou traitement prolongé continu systématiquement appliqué avec la chlorpromazine seule (...)
                Pierre DENIKER, la Psychopharmacologie, p. 68-69.

Dans les asiles l'introduction des tranquillisants majeurs, la *chlorpromazine* (plus célèbre en France sous le nom de *largactyl*) ou la *réserpine* a transformé l'atmosphère. Ces « camisoles chimiques » ont relégué les autres au magasin des accessoires, donné aux maisons de fous le calme des hôpitaux ordinaires. L'agitation disparaît ; l'anxiété, la confusion sont considérablement réduites. Leur emploi est tel que, dans toute l'Europe, je n'ai pas trouvé un seul établissement où sous divers noms, la chlorpromazine ne figurât pas sur le cahier des soins ou le plateau du soigneur. La France seule, en 1957, en a consommé deux tonnes et demie !
                Hervé BAZIN, la Fin des asiles, p. 39.

CHLORURAGE [klɔʀyʀaʒ] n. m. — 1864, *Année sc. et industr.*, p. 394 ; de *chlorurer*.

♦ Didact., techn. Opération par laquelle on chlorure (une substance).

CHLORURE [klɔʀyʀ] n. m. — 1815 ; de *chlore*.

♦ **1.** Chim. Composé du chlore, sel résultant de la combinaison de l'acide chlorhydrique avec une base. — *Chlorure de sodium* ($NaCl$). ⇒ **Sel** (marin). → ci-dessous, cit. *Chlorure de potassium.* ⇒ **Sylvine.** *Chlorure cuivreux* ($CuCl$), *chlorure cuivrique* ($CuCl_2$). *Propriétés caustiques, antiseptiques du chlorure de zinc** ($ZnCl_2$). *Emploi du chlorure d'éthyle*, du chlorure de méthyle* comme anesthésiques. Chlorure de polyvinyle.* — *Protochlorures : chlorures les moins riches en chlore.* ⇒ **Calomel ; mercure** (protochlorure de). *Perchlorures : chlorures les plus riches en chlore.*

♦ **2.** Techn. *Chlorures (décolorants)* : mélanges industriels de chlorures et d'hypochlorites alcalins, utilisés à des fins de blanchiment, nettoyage, désinfection. ⇒ **Javel** (eau de). — *Chlorure de chaux* ($CaOCl_2$) : mélange de chlorure de calcium et d'hypochlorite de chaux, employé comme désinfectant et utilisé dans la préparation du chloroforme* et de la chloropicrine.

De ce chlorure de sodium, qui n'est autre que le sel marin, Cyrus Smith avait facilement extrait la soude et le chlore. La soude, qu'il fut facile de transformer en carbonate de soude, et le chlore, dont il fit des chlorures de chaux et autres, furent employés (...) précisément au blanchiment du linge.
                J. VERNE, l'Île mystérieuse, t. II, p. 777 (1874).

DÉR. et COMP. **Chlorurer, chloruré. — Déchlorurer. — Perchlorure, protochlorure.**

CHLORURÉ, ÉE [klɔʀyʀe] adj. — 1831 ; de *chlorure*.

♦ Didact. Transformé en chlorure, ou qui contient un chlorure. *Roches chlorurées.*

CHLORURER [klɔʀyʀe] v. tr. — 1863 ; de *chlorure*.

♦ Didact., techn. Combiner avec le chlore (un corps autre que l'oxygène et l'hydrogène) pour obtenir un chlorure. — On dit plutôt *chlorer.*

DÉR. **Chlorurage.**

CHNOQUE ou CHNOCK [ʃnɔk] n. et adj. ⇒ **Schnock.**

CHOANES [kɔan] n. f. pl. — 1546 ; grec *khoanê* « entonnoir ».

♦ Anat. Orifices postérieurs des fosses nasales, dans l'arrière-nez.

Le phylum des Choanata, caractérisé par la présence de sacs nasaux communiquant avec l'arrière-bouche (narines internes), réunira tous les animaux porteurs de choanes, c'est-à-dire quelques poissons (...) et tous les Tétrapodes.
                A. TÉTRY, *in* Encycl., Pl., Zoologie, t. I, p. 47.

DÉR. **Choanichtyens.**

CHOANICHTYENS ou CHOANICHTHYENS [kɔaniktjɛ̃] n. m. pl. — Mil. xxᵉ ; de *choane(s)*, et *-ichtyens*.

♦ Zool. Poissons à choanes ouverts (une des grandes divisions des poissons*).

Chez les Choanichthyens, les sacs olfactifs font communiquer la cavité buccale avec l'extérieur ; cette structure est réalisée chez tous les Tétrapodes. D'autre part, les nageoires paires acquièrent une disposition de leurs pièces squelettiques telle que l'on a été conduit à y voir une étape vers le membre marcheur des Tétrapodes. Mais cela n'est pas suffisant pour faire des Choanichthyens les poissons les plus évolués : un grand nombre d'autres caractères sont restés primitifs.
On divise les Choanichthyens en Crossoptérygiens, dont on a longtemps connu que des exemples fossiles, et en Dipneustes, ou poissons à double respiration.
                R. et M.-L. BAUCHOT, les Poissons, p. 64.

CHOC [ʃɔk] n. m. — 1521 ; déverbal de *choquer*.

♦ **1.** Entrée en contact de deux corps solides qui se rencontrent violemment ; ébranlement qui en résulte. ⇒ **Collision, coup, heurt, percussion.** — REM. Le verbe correspondant est plutôt *heurter* que *choquer. Choc brusque, violent. Le choc et le bruit d'une explosion. Le choc de qqch., que produit qqch. en se déplaçant et en heurtant. Le choc de qqch. sur, contre qqch. Le choc du marteau sur l'enclume.* ⇒ **Martèlement.** *Le choc des gouttes de pluie contre la vitre.* ⇒ **Battement.** *Le choc des verres, des épées.* ⇒ **Cliquetis.** *Choc de navires* (⇒ **Abordage**), *de voitures* (⇒ **Carambolage, collision**), *de deux trains* (⇒ **Tamponnement, télescopage**). ⇒ aussi **Accident.** *Choc d'une boule qui en touche deux d'un coup.* ⇒ **Carambolage.** *Choc des vagues qui brisent sur le rivage.* ⇒ **Ressac.** *Dispositif destiné à garantir des chocs, à les amortir, à les recevoir* (⇒ **Amortisseur, borne, butée, butoir, pare-chocs, tampon**). *Mouvement communiqué par un choc.* ⇒ **Impulsion.** *Rendre un son sous le choc :* résonner, claquer... *Produire un choc. Renverser, culbuter qqch. au premier choc. Vaciller, tituber, bondir sous le choc. Souffrir d'un choc. Choc terrible, sanglant, meurtrier. Meurtrissures, contusions, blessures, lésions dues à un choc. Commotion à la suite d'un choc. Choc qui renverse, disperse, bosselle, déforme, aplatit, écrase, fêle, brise, fracasse, met en pièces, broie, réduit en morceaux...* (→ Acier, cit. 9). *Résister au choc.* — Sc. *Onde* de choc.*

1 Les vaisseaux anglais, beaucoup plus petits que ceux des Espagnols, ne devaient pas résister au choc de ces citadelles mouvantes *(l'Invincible Armada).*
VOLTAIRE, Essai sur les mœurs, 166.

2 Toutes les glaises se durcissent au feu, et peuvent même y acquérir une si grande dureté qu'elles étincellent par le choc de l'acier.
BUFFON, Hist. nat. des minéraux, t. I, *in* LITTRÉ.

3 Et Jacques *(le mécanicien),* d'une pâleur de mort, vit tout, comprit tout, le fardier en travers *(de la voie),* la machine lancée, l'épouvantable choc (...) tandis qu'il avait déjà dans le los os la secousse de l'écrasement (...) Et la Lison *(la locomotive),* fumante, soufflante, dans ce rugissement aigu qui ne cessait pas, vint taper contre le fardier, du poids énorme des treize wagons qu'elle traînait.
ZOLA, la Bête humaine, X, p. 328-329.

4 Il y avait comme une sorte de flux et de reflux de sons *(de la cloche)* ; d'abord, le choc formidable contre l'airain du vase, ensuite une sorte d'écrasement de sons qui se diffusaient (...) HUYSMANS, Là-bas, XXII, p. 302.

Bruit, ébranlement résultant d'un choc. *On entendait des chocs sourds.*

5 Le navire roule et geint affreusement. L'être à l'être se cramponne et on perçoit le battement d'angoisse d'un cœur unique, les coups sourds de la machine qui cogne et lutte contre la mer, les chocs rythmés, et de plus en plus durs et violents, de cette mer démontée contre la coque. VALÉRY, Autres rhumbs, p. 24.

♦ **2.** Rencontre violente (d'hommes). *Le choc de deux armées ennemies* (⇒ **Bataille, combat, lutte**). *Soutenir, supporter le choc de l'adversaire. Tenir bon devant le choc. Résister au choc. Succomber, plier sous le choc* (→ Abandonner, 3.). — Vx. *Le choc d'une arme.*

6 Mourir d'un coup de lance ou du choc d'une pique.
Mathurin RÉGNIER, Satires, VI.

7 (...) des baïonnettes tordues par la violence du choc.
Ph.-P. SÉGUR, Hist. de Napoléon, VI, 8, *in* LITTRÉ.

8 La pâle mort mêlait les sombres bataillons.
D'un côté c'est l'Europe et de l'autre la France.
Choc sanglant !... HUGO, les Châtiments, V, XIII, II.

9 Ô France, tous les jours c'était quelque prodige,
Chocs, rencontres, combats (...)
On battait l'avant-garde on culbutait le centre (...)
On allait ! en avant ! HUGO, les Châtiments, II, VII, I.

DE CHOC. **ⓐ** *Troupes, unités de choc :* qui sont toujours en premières lignes. ⇒ **Commando.** *Armes de choc.*

9.1 (...) il préparait l'insurrection (...) ces quartiers atroces (...) — ceux où les troupes de choc étaient les plus nombreuses, — palpitaient du frémissement d'une multitude à l'affût. MALRAUX, la Condition humaine, *in* Romans, Pl., p. 19 (1933).

ⓑ (Dans un combat idéologique, intellectuel ou social). *Patron de choc* (ou *de combat*). *Un nationaliste de choc.*

9.2 (...) quel évêque de choc nous rappellera que la France ne peut être à la fois consacrée à saint Michel et au Manitou esséfiot [1], que l'hérésie fondamentale est la démocratie (...) Jacques PERRET, Bâtons dans les roues, p. 267.
1. Cf. S.F.I.O.

9.3 Il s'agit, on le sait sans doute, d'un beau docker indolent et légèrement brute (Marlon Brando), dont la conscience s'éveille peu à peu grâce à l'Amour et à l'Église (donnée sous forme d'un curé de choc, de style spellmanien).
R. BARTHES, Mythologies, p. 67.

♦ **3.** (Abstrait). Rencontre violente, brutale. *Le choc des opinions, des caractères, des passions, des intérêts.* ⇒ **Conflit, opposition, rencontre.** *Un choc d'opinions. Du choc des idées jaillit la lumière. Sentir en soi le choc des pensées, des sentiments,* les sentir affluer et remuer en soi. — Émotion brutale. *Choc psychologique.* ⇒ **Stress, traumatisme.** *Éprouver un choc,* une émotion inattendue. ⇒ **Émotion.** *Cela m'a donné un choc. Les chocs de l'existence.* ⇒ **À-coup, cahot, revers, vicissitude.** *Ce choc a ébranlé sa santé, sa raison.* — (Domaine social, collectif). *Le choc des cultures. Le choc des langues* (français et anglais) *au Québec.*

10 Tel on l'avait vu dans tous ses combats, résolu, paisible, occupé sans inquiétude de ce qu'il allait faire pour les soutenir, tel fut-il à ce dernier choc *(l'article de la mort).* BOSSUET, Oraison funèbre du prince de Condé.

11 Il *(l'homme)* tourne au moindre vent, il tombe au moindre choc,
Aujourd'hui dans un casque et demain dans un froc. BOILEAU, Satires, VIII.

12 (...) et comme chacun songe à son intérêt, personne au bien commun, et que les intérêts particuliers sont toujours opposés entre eux, c'est un choc perpétuel de brigues et de cabales, un flux et un reflux de préjugés, d'opinions contraires, où les

plus échauffés, animés par les autres, ne savent presque jamais de quoi il est question.
ROUSSEAU, Julie ou la Nouvelle Héloïse, II, XIV.

13 (...) ces chocs mystérieux que notre âme, dégagée en quelque sorte des liens terrestres et retirée dans ce qu'elle a de plus immatériel, reçoit sans presque en avoir la conscience (...) E. DELACROIX, Écrits, t. II, p. 82.

14 Il a été prouvé que, chez les natures très nerveuses et très surexcitées, quand un sens reçoit un choc qui l'émeut trop fortement, l'ébranlement de cette impression se communique, comme une onde, aux sens voisins qui le traduisent à leur manière.
MAUPASSANT, la Vie errante, II, p. 21.

15 *(Antoine)* devinait le choc des pensées sur cette lecture pouvait suggérer à Jacques (...) MARTIN DU GARD, les Thibault, t. IV, p. 56.

16 À l'origine de tout amour, il y a *un choc,* provoqué soit par l'admiration, soit par quelque accident qui a révélé une entente ou fait naître un désir.
A. MAUROIS, Un art de vivre, II, 2.

→ aussi Amplitude, cit. 3 ; atténuer, cit. 5 ; brutalité, cit.7.

(Avec des connotations positives). Effet violent, efficace (propagande, publicité). → **-choc** (élément). *« Le poids des mots, le choc des photos »* (slogan publicitaire d'un hebdomadaire parisien). *« Chic et choc »* (autre slogan).

♦ **4.** (1865 ; trad. angl. *shock*). *Choc opératoire, traumatique, anesthésique. État de choc* (⇒ **Choquer,** 4). *Choc anaphylactique* ; choc amphétaminique*.*

♦ **5.** (1842). CHOC EN RETOUR : ensemble des phénomènes parfois provoqués par la foudre à un endroit éloigné de celui où elle est tombée. — Par ext. Contrecoup* d'un choc, d'un événement sur la personne qui l'a provoqué ou sur le point d'où il est parti. ⇒ **Boomerang, retour** (effet en retour), **ricochet.**

17 En Magie, tout acte connu, publié, est perdu. Quant au choc en retour, il faut également être avisé, le prévoir, sans être tout d'abord atteint, refouler les sorts sur la personne qui les dépêche. HUYSMANS, Là-bas, XX, p. 270.

18 La plupart des gens nouveaux que j'ai rencontrés m'ont écrit parce qu'ils aimaient mes livres : les relations qui se sont créées entre nous, c'est moi qui les ai provoquées par une sorte de choc en retour.
S. DE BEAUVOIR, Tout compte fait, p. 45.

COMP. **Antichoc, électrochoc, pare-chocs.**

-CHOC Élément final de noms composés, signifiant « qui provoque un choc psychologique (surprise, intérêt, émotion...) ». *Discours-choc. Des mesures-choc.*

CHOCARD [ʃɔkaʀ] n. m. — 1803, Boiste ; var. de *choucas.*

♦ Régional. Oiseau noir à bec jaune, voisin de la corneille.

(...) Martin, levant la tête, vit un carrousel de chocards, qui planaient en deux cercles contrariés. Corinna BILLE, Vénus, p. 211-212.

CHOCHOTTE [ʃɔʃɔt] n. f. — 1901 ; p.-ê. var. de *cocotte* I., 1.

♦ Fam. et péj. Qui est maniéré, prétentieux (souvent allus. à l'homosexualité masculine). *Chochotte, va !* — Adj. *« Une garden-party un peu chochotte... »* (le Nouvel Obs., 11 mars 1974). ⇒ **Snob.**

CHOCOLAT [ʃɔkɔla] n. m. — 1634, in D.D.L. ; *chocolate,* 1598 ; esp. *chocolate, chocollatl,* lui-même empr. au nahuatl, langue indienne du Mexique.

♦ **1.** Substance alimentaire (pâte solidifiée) faite d'amandes de cacao grillées, broyées, avec du sucre, de la vanille ou d'autres aromates. ⇒ **Cacao.** — Abrév. fam. (1894, *in* D.D.L.) : *choco. Du choco. Fabrication du chocolat :* triage des amandes de cacao, grillage, décorticage, broyage, mélange avec le sucre, réduction de la pâte en boudins dans une boudineuse, dépôt dans des moules, refroidissement, extraction, pliage dans du papier d'étain... *Une tablette, une bille* (régional) *de chocolat.* ⇒ **Plaque ; barre,** 2. **bille, tablette.** *Chocolat au lait, aux noisettes. Chocolat fondant, praliné. Du chocolat suisse. Chocolat blanc. Petit pain au chocolat. Chocolat en poudre, granulé,* pour la cuisson. *Acheter du chocolat chez l'épicier.* — *Entremets, mousse, soufflé, bavaroise, gâteau, éclair, chou, bûche, petit four, glace, sorbet au chocolat. Ellipt. Une glace chocolat.* — *Chocolat liégeois :* chocolat glacé avec de la crème Chantilly.

(1901, *in* D.D.L.). *Un, des chocolats.* Bonbon au chocolat. ⇒ **Bouchée, croquette, crotte, truffe.** *Offrir des chocolats. Acheter des chocolats dans une confiserie.*

Boisson faite de poudre de chocolat ou de cacao délayée dans du lait ou de l'eau. *Une tasse de chocolat. Chocolat viennois :* chocolat liquide chaud, avec de la crème Chantilly. *Servir le chocolat dans une chocolatière* (→ Bassin, cit. 2). *Faire mousser le chocolat.* ⇒ **Moussoir.** *Aimer le chocolat mousseux, onctueux, crémeux, velouté, vanillé, parfumé.* — *Tasse, consommation de chocolat. Un chocolat fumant. Commander un thé et un chocolat. Un grand chocolat et deux croissants.*

1 Je pris avant-hier du chocolat pour digérer mon dîner, afin de bien souper ; et j'en ai pris hier pour me nourrir et pour jeûner jusqu'au soir : voilà de quoi je le trouve plaisant ; c'est qu'il agit selon l'intention.
Mᵐᵉ DE SÉVIGNÉ, *in* Pierre LAROUSSE.

2 Les dames espagnoles du nouveau monde aiment le chocolat jusqu'à la fureur, au point que, non contentes d'en prendre plusieurs fois par jour, elles s'en font quelquefois apporter à l'église (...) et le révérend père Escobar, dont la métaphysique

fut aussi subtile que sa morale était accommodante, déclara formellement que le chocolat à l'eau ne rompait pas le jeûne (...)
A. BRILLAT-SAVARIN, Physiologie du goût, t. I, p. 142.

3 Des pyramides de chocolat de la compagnie coloniale (...) garnissaient les planches de l'étalage. GONCOURT, Germinie Lacerteux, VII, *in* LITTRÉ.

4 La grosse araignée (...) quittait le plafond au bout d'un fil, droit au-dessus de la veilleuse à huile où tiédissait, toute la nuit, un bol de chocolat. Elle (...) empoignait de ses huit pattes le bord de la tasse, se penchait tête première et buvait jusqu'à satiété. Puis elle remontait, lourde de chocolat crémeux, avec les haltes, les méditations qu'impose un ventre trop chargé.
COLETTE, la Maison de Claudine, Ma mère et les bêtes, p. 68.

♦ **2.** *Couleur chocolat*, ou, ellipt., *chocolat* (appos. ou adj. invar.) : de couleur brun rouge plus ou moins foncé. *Des visages, des teints chocolat.*

♦ **3.** (1886, *faire le chocolat* «faire le naïf», probablt des clowns *Footit* et *Chocolat*, ce dernier grimé en nègre, de manière naïvement raciste). Fam. *Être chocolat* : être frustré, privé d'une chose sur laquelle on comptait. *Ils sont chocolats.* «*Elle a peur de repartir chocolat*» (Paul Bourget, *in* T. L. F.).

DÉR. Chocolaté, chocolaterie, chocolatier.

CHOCOLATÉ, ÉE [ʃɔkɔlate] adj. — 1771 ; de *chocolat.*

♦ Parfumé au chocolat. ⇒ **Cacaoté.** *Bouillie chocolatée. Lait chocolaté. Milk-shake chocolaté.*

CHOCOLATERIE [ʃɔkɔlatʀi] n. f. — 1835 ; de *chocolat.*

♦ Fabrique de chocolat.

CHOCOLATIER, IÈRE [ʃɔkɔlatje, jɛʀ] n. — 1694 ; de *chocolat.*

♦ **1.** Personne qui fabrique, qui vend du chocolat. ⇒ **Confiseur.**

♦ **2. N. f.** (1671). Récipient où l'on verse le chocolat avant de le servir.
Le chocolat vous remettra ; mais vous n'avez point de chocolatière, j'y ai pensé mille fois ; comment ferez-vous ?
Mᵐᵉ DE SÉVIGNÉ, Lettre à Mᵐᵉ de Grignan, 11 févr. 1671.

CHOCOTTE [ʃɔkɔt] n. f. — 1882 ; p.-ê. du rad. de *chicot* ou de *choquer* (dents choquées).

♦ Argot anc. *Les chocottes* : les dents. «*Brosse à chocottes*» (*in* Esnault). — Au sing. (moins cour.). *Une chocotte.*

1 (...) il chevrotte... il crisse... c'est son rire... toutes ses chocottes qui s'entrecognent... ses mâchoires qui claquent... comme un tic qui le prend... une crise... et puis il s'arrête (...) CÉLINE, le Pont de Londres, p. 174.

(1916, argot milit.). Loc. fam. *Avoir les chocottes* : avoir peur (claquer des dents ; cf. Avoir les jetons). *Les chocottes* : la peur.

2 (...) saturé de la morne angoisse des bombes atomiques (...) il s'est bien régalé d'un subtil relent de trouille ancestrale, de ces bonnes vieilles chocottes qui resserrent le clan (...) Jacques PERRET, Bâtons dans les roues, p. 200.

CHOÉPHORE [kɔefɔʀ] n. — 1838 ; grec *koêphoros*, de *phoros* «porteur», et *khoê* «libation».

♦ Didact. (antiq.). Celui, celle qui, chez les Grecs, portait les offrandes destinées aux morts. *Les Choéphores*, tragédie d'Eschyle.

CHŒUR [kœʀ] n. m. — 1568, *cœur, chore* ; *quer, cuer*, v. 1120 ; lat. *chorus* ; grec *khoros.*

★ **I.** ♦ **1.** (1568). Troupe de personnes qui dansent et chantent ensemble.

1 Chœur de pasteurs et de bergères qui dansent (...) Quatre bergers et deux bergères (...) se prenant par la main, chantèrent cette chanson à danser, à laquelle les autres répondirent. MOLIÈRE, la Princesse d'Élide, Intermède, VI.

Spécialt. *Chœur de théâtre grec* ou *imité de la tragédie grecque* : ensemble de choreutes* qui déclament en dansant les vers lyriques destinés à présenter ou à commenter l'action. *Celui qui organise les danses du chœur.* ⇒ **Chorège.** *Le chef du chœur.* ⇒ **Coryphée.**

2 C'est elle *(Salomith)* qui introduit le chœur chez sa mère. Elle chante avec lui, porte la parole pour lui, et fait enfin les fonctions de ce personnage des anciens chœurs qu'on appelait coryphée. J'ai aussi essayé d'imiter des anciens cette continuité d'action qui fait que leur théâtre ne demeure jamais vide, les intervalles des actes n'étant marqués que par des hymnes et par des moralités du chœur, qui ont rapport à ce qui se passe. RACINE, Préface d'Athalie.

3 La scène ouvre dans Sophocle par un chœur de Thébains prosternés aux pieds des autels. VOLTAIRE, Œdipe, 3ᵉ lettre.
Ce que récite, chante un chœur. *Les chœurs de Sophocle. La poésie des chœurs d'Esther, chez Racine.*

♦ **2.** (1760). Vx. Ensemble de danseurs qui exécutent une même danse. ⇒ **Ballet** (corps de). *Dame, fille de chœur :* danseuse qui ne danse que dans les chœurs.

4 J'aimerais mieux avoir affaire à des filles de chœur d'opéra qu'à des philosophes ; elles entendraient mieux raison. VOLTAIRE, Lettre à d'Argental, 14 juil. 1760.

5 (...) Un chœur dansant de jeunes filles. HUGO, les Orientales, XVIII, «L'enfant grec».

---

6 (...) c'est un chœur dansant d'Océanides qui vient consoler Prométhée sur son rocher. Francis DE MIOMANDRE, la Danse, p. 10.

♦ **3. Mod.** Réunion de chanteurs (⇒ **Choriste**) qui exécutent un morceau d'ensemble. ⇒ **Chorale.** *Un chœur d'enfants. Faire partie des chœurs de l'Opéra.* → Orchestre, cit. 5. *Être soprano dans un chœur. Chœur et orchestre sous la direction de...*
Ensemble des personnes qui chantent la messe. ⇒ **Chantre.** *Le chœur répond au célébrant.* ⇒ **Répons.** — Ensemble de dignitaires ecclésiastiques. ⇒ **Chapitre.**

7 Moi, dit le cheffecier, je suis maître du chœur ; qui me forcera d'aller à matines ? LA BRUYÈRE, les Caractères, XIV, 26.

♦ **4.** (1704). Composition musicale destinée à être chantée par plusieurs personnes. ⇒ **Choral, hymne.** *Chœur à l'unisson. Chœur à quatre parties. Chœur à trois voix.* ⇒ **Chant.** *Les chœurs de Haendel.*

8 Deux ou trois hautbois (...) mènent un chœur éperdument joyeux de voix d'hommes, scandé par une trentaine de tambours de basque et par une légion de castagnettes. LOTI, Figures et Choses, «Messe de minuit», p. 98.

♦ **5.** (1690). Théol. Nom donné à certaines hiérarchies. *Le chœur des anges* (⇒ **Ange,** cit. 10), *des saints, des martyrs.*

♦ **6.** (1869). Fig. *Le chœur, un chœur de...,* réunion de personnes qui ont une attitude commune, un but commun. *Le chœur des flatteurs. Le chœur des rieurs, des mécontents. Un chœur de mécontents.*
Par métaphore littéraire. Harmonie d'une troupe organisée.

9 Et vous... étoiles...
(Qui) cadençant vos pas à la lyre des cieux,
Nouez et dénouez vos chœurs harmonieux (...) LAMARTINE, Méditations, II, 8.

10 Ce chœur de suppliantes vint se former en ligne et s'arrêta pour reprendre haleine. A. MAUROIS, Bernard Quesnay, IV, p. 27.
Bruit d'ensemble. ⇒ **Concert, orchestre, symphonie.** *Le chœur des élèves qui font la lecture. Le chœur des grillons.*

11 (...) l'aurore se levait, rougissante d'être nue parmi les chœurs des oiseaux dont hésitaient à se moduler les sifflements, tant leurs ailes étaient accablées d'amour et de rosée. Francis JAMMES, le Roman du lièvre, II.

♦ **7. EN CHŒUR** : ensemble, unanimement. ⇒ **Chorus** (faire), concert (agir de). *Chanter en chœur. Reprendre un refrain en chœur. S'ennuyer en chœur. Tous en chœur !*

12 Dans Upsal, où les Jarls boivent la bonne bière
Et chantent, en heurtant les cruches d'or, en chœur (...)
LECONTE DE LISLE, Poèmes barbares, «Le cœur de Hialmar».

12.1 Et c'est en chœur à présent, récitant avec ensemble le même texte tous les trois, de la même voix neutre et saccadée où aucune syllabe ne dépasse, qu'ils donnent la conclusion de l'exposé (...)
A. ROBBE-GRILLET, Projet pour une révolution à New York, p. 41.

★ **II.** (1367 ; *quer,* v. 1140). Partie de la nef (d'une église) située devant le maître-autel, où se tiennent les chantres* et le clergé pendant l'office divin. *Le chœur d'une église, d'une cathédrale. Le chœur a été construit avant la nef. Allée qui tourne autour du chœur.* ⇒ **Déambulatoire.** *Extrémité de la nef située derrière le chœur.* ⇒ **Chevet, choréa.**

13 Les garçons à droite, les filles à gauche, emplissaient les stalles du chœur ; le curé se tenait debout près du lutrin (...)
FLAUBERT, Trois contes, «Un cœur simple», III.

14 Au murmure des litanies, qui se chantent à demi-voix dans le lointain du chœur, une impression étrangement funèbre se dégage de cet amas de femmes (...)
LOTI, Figures et Choses, «Messe de minuit», p. 95.

Loc. *Enfant de chœur.* ⇒ **Enfant.**

CONTR. Seul, solo, récital.
COMP. Avant-chœur.
HOM. Cœur.

CHOFAR ou SCHOFAR [ʃɔfaʀ] n. m. — 1920 ; mot hébreu.

♦ Didact., relig. hébraïque. Corne de bélier que les juifs utilisent comme instrument à vent (le jour de l'an et dans les occasions solennelles). *Le chofar (schofar) du grand rabbin.*

L'heure solennelle vient venue où allait retentir le son rauque du schofar, de la corne de bélier, qui résonna pour la première fois sur le mont Sinaï au milieu des éclairs et du tonnerre, et par laquelle, en ce premier jour de l'année (...) le Saint des Saints (...) rassemble devant lui l'immense troupeau de ses Juifs.
Jérôme et Jean THARAUD, l'Ombre de la croix, II, p. 67.

CHOIR [ʃwaʀ] v. intr. — *Je chois, tu chois, il choit* (les autres personnes manquent au présent) ; *je chus, nous chûmes ; chu, chue,* au p. p. — Les autres formes sont vieillies : *je choirai* ou *cherrai, nous choirons* ou *cherrons ; je choirais* ou *cherrais, nous choirions* ou *cherrions.* — Se conjugue avec *avoir.* — 1080, *cheoir ; cadit* «il chut», Xᵉ ; lat. *cadere* «tomber».

♦ **1.** Vx ou littér. Être entraîné de haut en bas. ⇒ **Tomber, écrouler** (s'). → Angoisse, cit. 2 ; apprehension, cit. 3 ; astrologue, cit. 1 ; bœuf, cit. 1 ; bouse, cit. 2. *C'est tout un de choir ou de trébucher* (in Cotgrave). *Choir dans le vide* (→ Adverse, cit. 2). *Se laisser choir dans un fauteuil. Il a chu :* il est tombé. — Vieilli. *Laisser choir ce qu'on porte.*

1 Las! Voyez comme un peu d'espace,
Mignonne, elle a dessus la place,
Las, las! ses beautés laissé choir. RONSARD, À Cassandre.

2 Pour dernier accablement, son adversaire, en le quittant, lui donna un coup de pied, au haut de la tête, qui le fit aller choir sur le cul au pied des comédiennes, après une rétrogradation fort précipitée. SCARRON, le Roman comique, X, p. 43.

3 Un jeune enfant dans l'eau se laissa choir,
En badinant sur les bords de la Seine. LA FONTAINE, Fables, I, 19.

4 (...) Est-ce que l'on doit choir,
Après avoir appris l'équilibre des choses? MOLIÈRE, les Femmes savantes, III, 2.

5 Tire la bobinette et la chevillette cherra.
Ch. PERRAULT, Contes, « Le petit chaperon rouge ».

6 (...) les enfants ont trouvé, au pied de l'if, un petit nid chu à terre (...)
GIDE, Journal, 31 mars 1916.

7 L'arbre (...) chut dans une autre direction.
Edmond JALOUX, la Chute d'Icare, p. 2, *in* GREVISSE.

8 Pendant une bouffée de silence, épaisse comme une brume, je viens d'entendre choir sur la table voisine les pétales d'une rose qui n'attendait, elle aussi, que d'être seule pour défleurir. COLETTE, l'Étoile Vesper, p. 40.

9 (...) si l'averse choit soudain en rideau déroulé.
COLETTE, la Paix chez les bêtes, Bel-Gazou et Buck.

10 Elle avait laissé choir sa valise. MARTIN DU GARD, les Thibault, t. IV, p. 167.

♦ **2.** Cour. et fam. *Laisser choir.* ⇒ **Abandonner, plaquer.** *Après de belles promesses, il nous a laissé choir* (⇒ **Oublier**). *Il a menacé de tout laisser choir* (fam. : laisser tomber).

DÉR. et **COMP. Chape-chute, chute. — Déchoir, échoir.** — Cf. **Méchant.**
HOM. Choie *(de choyer).*

CHOISIR [ʃwaziʀ] v. tr. — Déb. XIIe; gotique *kausjan* «éprouver, goûter»; cf. all. *Kiesen* «choisir».

♦ **1.** Prendre* de préférence, faire choix de... ⇒ **Dévolu** (jeter son dévolu sur...); **adopter, élire, préférer.** — (Compl. n. de personne). *Choisir ses amis. Choisir un mari, une femme. Choisir une carrière.* ⇒ **Embrasser.** *On l'a choisi pour ce poste.* ⇒ **Désigner, distinguer, nommer.** — (Compl. n. de chose). *Choisir ses lectures.* ⇒ **Sélectionner.** *Choisir un livre dans sa bibliothèque. Choisir ses mots. Choisir des meubles. Choisir un bibelot parmi d'autres. Je l'ai choisi entre mille. Choisir de l'œil, d'un coup d'œil. Il faut lui choisir les morceaux. Choisir qqch. avec soin, avec discernement.* ⇒ **Trier** (sur le volet).

1 Quand il fut jour, il *(Jésus)* appela ses disciples, et il choisit douze d'entre eux, à qui il donna le nom d'apôtres (...)
BIBLE (CRAMPON), Évangile selon saint Luc, VI, 13. (→ Apôtre, cit. 1.).

2 Parmi vingt veaux je veux choisir
Le plus gras et t'en faire offrande. LA FONTAINE, Fables, VI, 2.

3 (...) Je crois qu'il est bon de pourvoir Henriette,
De choisir un mari (...) MOLIÈRE, les Femmes savantes, II, 8.

4 Il est utile à l'homme de connaître tous les lieux où l'on peut vivre, afin de choisir ensuite ceux où l'on peut vivre le plus commodément. ROUSSEAU, Émile, V.

5 Il ne faut choisir pour épouse que la femme qu'on choisirait pour ami, si elle était homme. Joseph JOUBERT, Pensées, VIII, 9.

6 (...) Je t'ai choisi
Entre mille, entre tous,
Comme choisit l'amour,
Comme une cime est choisie de la foudre,
Je t'ai choisi. VALÉRY, Poésies, « Amphion ».

7 Le rôle du corps n'est pas d'emmagasiner les souvenirs, mais simplement de choisir (...) le souvenir utile (...) H. BERGSON, Matière et Mémoire, p. 197.

8 À partir d'un certain âge, on ne choisit plus tant ses amis, que l'on est choisi par eux. GIDE, Journal, 28 oct. 1944.

9 (...) je dispose de plusieurs chemins que j'aime également et que je choisis tour à tour selon la couleur du ciel ou la couleur de mon âme.
G. DUHAMEL, le Temps de la recherche, X, p. 134.

10 Pourquoi, parmi des milliers d'hommes et de femmes rencontrés, choisissons-nous tel être plutôt que tel autre pour en faire le centre de nos pensées?
A. MAUROIS, Un art de vivre, II, I, p. 51.

Absolt. *« Devine si tu peux et choisis si tu l'oses »* (Corneille).

♦ **2.** Se décider* entre deux ou plusieurs partis ou plusieurs solutions en adoptant (l'une d'elles). *Choisir une chose ou une autre.* → ci-dessous, cit. 1. ⇒ **Engager (s'), opter, prononcer (se), trancher.** *Choisir de deux choses l'une.* Vx. *Choisir de deux choses.* → cit. 13. *Choisir si l'on part, si l'on reste. — Choisir de...* (et inf.). *Il a choisi de partir, de rester, de se marier...* Absolt (ou intrans.). → ci-dessous, cit. 12, 14, 15, 16, 18. *Choisir parmi plusieurs choses. Il n'ose pas, ne peut pas choisir. Il faut choisir.* ⇒ **Décider** (se), **trancher, parti** (prendre parti). Cf. Il faut qu'une porte soit ouverte ou fermée. *Choisir, c'est renoncer.*

11 C'est à vous de choisir mon amour ou ma haine. CORNEILLE, Rodogune, III, 4.

12 Puisqu'il faut choisir, voyons ce qui nous intéresse le moins. Vous avez deux choses à perdre : le vrai et le bien, et deux choses à engager : votre raison et votre volonté, votre connaissance et votre béatitude; et votre nature a deux choses à fuir : l'erreur et la misère. PASCAL, Pensées, III, 233.

13 Vous n'avez qu'à trancher, et choisir de nous deux.
MOLIÈRE, le Misanthrope, V, 2.

14 Mais nous ne choisissons pas. Notre destin choisit. Et la sagesse est de nous montrer dignes de son choix, quel qu'il soit. R. ROLLAND, le Voyage intérieur, p. 141.

15 La nécessité de l'option me fut toujours intolérable; choisir m'apparaissait non tant élire, que repousser ce que je n'élisais pas.
GIDE, les Nourritures terrestres, IV, I, p. 69.

16 Choisir n'est pas exclure, ni préférer sacrifier. Ch. MAURRAS, Anthinéa..., p. 9.

La quiétude... C'est le bien de ceux qui ont à jamais choisi une part de leur destin, et rejeté l'autre. COLETTE, la Paix chez les bêtes, « Jardin zoologique ». 17

L'homme qui refuse de choisir parce que tout le séduit invoque souvent sa « nature artistique ». Comme si un Dante, un Wagner, un Rodin n'avaient pas su choisir, prendre un parti, et renoncer aux autres. 18
Julien BENDA, la France byzantine, p. 34.

Prov. — *Souvent qui choisit prend le pire. — De deux maux, entre deux maux, il faut choisir le moindre.*

▶ **SE CHOISIR** v. pron.

(Faux pron.). Choisir pour soi. *Se choisir un avocat. Se choisir une compagne. Se choisir qqch.* : choisir qqch. pour soi.

Je conseille à un auteur né copiste, et qui a l'extrême modestie de travailler d'après quelqu'un, de ne se choisir pour exemplaires que ces sortes d'ouvrages (...) 19
LA BRUYÈRE, les Caractères, I, 64.

Ils employèrent quelques jours à se choisir une demeure. 20
LOTI, Matelot, XVIII, p. 65.

Récipr. *Ils se sont choisis :* ils ont fait choix l'un de l'autre.

▶ **CHOISI, IE** p. p. adj. (XVIIe).

♦ **1.** Vx. Pris de préférence. *Israël, le peuple choisi de Dieu.* ⇒ **Appelé, élu, prédestiné.**

(...) il y avait toujours au cœur de la Judée des hommes choisis qui prédisaient la venue de ce Messie, qui n'était connu que d'eux. PASCAL, Pensées, IX, 613. 21

♦ **2.** Qui a été choisi parmi d'autres. *Œuvres choisies. Poésies choisies. Des morceaux choisis.* ⇒ **Anthologie.**

(...) il m'a chargé de t'apporter un cadeau. Regarde. Les œuvres complètes de Victor Hugo. Reliées en cuir de Russie. — Ce sont des morceaux choisis, fis-je observer. — Choisis, tu te rends compte! s'exclama Gustave avec un peu de mélancolie. 21.1
M. AYMÉ, le Vin de Paris, L'indifférent, p. 21.

♦ **3.** (1664). Excellent. → De choix (5.). *Parler un langage choisi.* ⇒ **Châtié, correct.** *Un langage choisi et fleuri.* ⇒ **Précieux.** *S'exprimer en termes choisis.* ⇒ **Élégant.** *Société choisie, la plus choisie :* bonne société. ⇒ **Élite** (→ fam. Crème, fleur). *Des vins choisis.*

Je l'ai entendu (...) il a une voix de crécelle et il parle en termes choisis (...) 22
FRANCE, le Crime de S. Bonnard, Œ., t. II, p. 403.

(...) un être absolument privilégié, recherché, adulé par la société la plus choisie (...) PROUST, À la recherche du temps perdu, t. IX, p. 122. 23

CONTR. Abstenir (s'), **attendre, hésiter, réserver** (se), **temporiser.**
DÉR. Choix.

CHOIX [ʃwa] n. m. — 1155; de *choisir.*

♦ **1.** Action de choisir, décision par laquelle on donne la préférence à une chose, une possibilité en écartant les autres. ⇒ **Option,** cit. 2; **adoption, sélection.** *Faire un bon, un mauvais choix. Un choix éclairé. C'est un choix digne de vous. Le choix de qqn, son choix :* le choix qu'il ou elle fait. *Faire son choix. Son choix est fait.* ⇒ **Décision, résolution.** *Fixer, arrêter son choix. Porter son choix sur (qqn, qqch.).* ⇒ **Choisir.** — *Le choix de qqn, de qqch.* (par qqn), le choix qui porte sur... *Faire choix de qqn.* ⇒ **Désignation, nomination.** — *Désapprouver un choix. Influencer le choix de qqn. Le choix d'un député par les électeurs.* ⇒ **Élection.** *« Le bon choix »* (formule de propagande électorale). *Un choix politique difficile. Le choix d'une carrière. Le choix d'un mobilier. Le choix des mots.*

(...) je ne sais si le style 1
Pourra vous en paraître assez net et facile,
Et si du choix des mots vous vous contenterez. MOLIÈRE, le Misanthrope, I, 2.

L'on voit les amants vanter toujours leur choix; 2
Jamais leur passion n'y voit rien de blâmable,
Et dans l'objet aimé, tout leur devient aimable. MOLIÈRE, le Misanthrope, II, 4.

Albe de trois guerriers a-t-elle fait le choix? 3
— Je viens pour vous l'apprendre. — Eh bien! qui sont les trois?
CORNEILLE, Horace, II, 2.

Avant que tous les Grecs vous parlent par ma voix, 4
Souffrez que j'ose ici me flatter de leur choix (...) RACINE, Andromaque, I, 2.

Le choix de la nourrice importe d'autant plus que son nourrisson ne doit point avoir d'autre gouvernante qu'elle. ROUSSEAU, Émile, I, p. 34. 5

M. Bourais l'éclaira sur le choix d'un collège. Celui de Caen passait pour le meilleur. Paul y fut envoyé (...) FLAUBERT, Trois contes, « Un cœur simple », II. 6

Il y a dans certaines destinées des hasards qui ressemblent à un choix. 7
Louis BARTHOU, Danton, p. 26.

« Allons... » soupira-t-elle, comme si le choix de ce restaurant à quarante-cinq kilomètres de Paris n'était qu'une concession de plus aux caprices d'un despote. 8
MARTIN DU GARD, les Thibault, t. VI, p. 12.

Spécialt, psychan. *Choix de la névrose* (⇒ **Névrose**) : « Ensemble de processus par lesquels un sujet s'engage dans la formation de tel type de psychonévrose plutôt que de tel autre » (Laplanche et Pontalis). — *Choix de l'objet.* ⇒ **Objet.**

♦ **2.** Pouvoir, liberté de choisir (actif); existence de plusieurs partis entre lesquels choisir (passif). *On lui laisse le choix. Choix entre deux partis.* ⇒ **Alternative, dilemme.** *Choix impératif. Imposer un choix à qqn* (cf. Mettre le marché en mains; c'est à prendre ou à laisser...). — (Dans des expressions). *Avoir le choix. Vous avez le choix. — C'est à votre choix. À son choix :* à sa guise, à son gré, à sa volonté, comme il lui plaira. — *N'avoir que l'embarras* du choix.*

(...) il y a abondance de sujets, seulement c'est l'embarras du choix. 9
LOTI, Aziyadé, Solitude, XXV, p. 67.

10 Tout choix est effrayant, quand on y songe : effrayante une liberté que ne guide plus un devoir. GIDE, les Nourritures terrestres, p. 18.

11 Je crois maintenant que l'homme est incapable de choix et qu'il agit toujours cédant à la tentation la plus forte. GIDE, Journal, Feuillets, 1893.

Acheter qqch. au choix. Au choix ! Avancement, promotion au choix, sur proposition (opposé à *à l'ancienneté*).

Vx et littér. *Sans choix :* sans discernement, sans goût. *Acheter sans choix. Travailler sans méthode, sans choix. Ne faire preuve d'aucun choix.*

12 Du reste, aucun choix dans ses relations. Sa facile humeur, la vivacité de son caprice le jetaient à la tête du premier venu et le reprenaient aussi lestement. Alphonse DAUDET, Numa Roumestan, III, p. 51.

♦ **3.** (xviie ; concret). Ensemble de choses parmi lesquelles on peut choisir. *Ce magasin offre un très grand choix d'articles.* ⇒ **Assortiment, collection, éventail, réunion.** *Vous avez du choix. Ce rayon manque de choix. Le choix est limité.*

13 Nous avions de l'italique et, en outre, un assez bon choix de caractères accessoires : médicis, égyptienne, antique (...) G. DUHAMEL, Chronique des Pasquier, v, VIII.

♦ **4.** Ensemble de choses choisies pour leurs qualités. ⇒ **Sélection.** *Un choix éclectique*, excellent... Un choix de livres. Choix de poésies* (ou *morceaux choisis**). ⇒ **Anthologie, recueil.** *Un heureux choix de mots.*

♦ **5.** (1675). Le meilleur d'une marchandise. **DE CHOIX :** de prix, de qualité. ⇒ **Choisi,** 3. *Un morceau de choix* (cf. Morceau de roi). *Une marchandise de choix, de premier choix* (⇒ **Surchoix**). *Un candidat de choix :* un bon candidat.

14 Gaud se sentit un peu rassurée en voyant qu'ils étaient tous ainsi à bord de cette Léopoldine, qui avait vraiment un équipage de choix. LOTI, Pêcheur d'Islande, v, II, p. 273.

CONTR. **Abstention, hésitation, temporisation.** — **Obligation.** — (De *de choix*) **Médiocre.**
COMP. **Surchoix.**
HOM. Formes des verbes **choir, choyer.**

CHOKE-BORE [tʃokbɔʀ ; ʃokbɔʀ] n. m. — 1878 ; mot angl., de *to choke* « étrangler », et *bore* « âme d'une arme à feu ».

♦ Anglic. Étranglement à l'extrémité du canon de certains fusils de chasse pour regrouper les plombs.
DÉR. **Choke-bored.**

CHOKE-BORED [tʃokbɔʀd ; ʃokbɔʀd] adj. invar. — 1890 ; mot angl., de *choke-bore.*

♦ Anglic. Qui est muni d'un choke-bore.

CHOL- ou **CHOLÉ-** Élément, du grec *kholê* « bile », qui entre dans la composition de mots de médecine. Voir à l'ordre alphabétique.

CHOLAGOGUE [kɔlagɔg] adj. — 1560 ; de *chol-,* et grec *agein* « conduire ».

♦ Physiol., méd. Se dit des substances qui facilitent l'évacuation de la bile. *Remède cholagogue.* — N. m. *Un cholagogue.*

CHOLÉCYSTITE [kɔlesistit] n. f. — 1838 ; de *cholé-,* et *cystite.*

♦ Méd. Inflammation de la vésicule biliaire.

CHOLÉCYSTOTOMIE [kɔlesistotɔmi] n. f. — 1891 ; de *cholé-,* et *cystotomie.*

♦ Méd. Incision de la vésicule biliaire. — REM. Ne pas confondre avec *cholécystostomie* [kɔlesistostɔmi] (n. f. ; attesté xxe) : abouchement de la vésicule biliaire à la peau, et avec *cholécystectomie* [kɔlesistektɔmi] (n. f. ; attesté en 1893) : ablation de la vésicule.

CHOLÉDOQUE [kɔledɔk] adj. m. — 1560 ; lat. méd. *choledochus,* grec *kholêdokhos ; de *kholê* « bile », et *dekhestai* « recevoir ».

♦ Anat. *Canal cholédoque,* qui conduit la bile dans le duodénum. N. m. *Le cholédoque.*

CHOLÉMIE [kɔlemi] n. f. — 1859 ; de *chol-,* et *-émie.*
Médecine.

♦ **1.** Passage d'éléments de la bile dans le sang. ⇒ **Jaunisse.**

♦ **2.** Taux de la bile dans le sang.

CHOLÉRA [kɔleʀa] n. m. — 1546, *cholere ;* lat. *cholera ;* grec *kholera* « choléra ».

♦ **1.** Très grave maladie épidémique caractérisée par des selles fréquentes, des vomissements, des crampes, un grand abattement. *Choléra asiatique,* le « vrai choléra », causé par le *vibrion cholérique. Un cas de choléra foudroyant.* → Cholérique, cit. 1. *Choléra atténué.* ⇒ **Cholérine.** *Vaccination contre le choléra.* ⇒ **Anticholérique.** — *Le choléra s'est appelé familièrement (jusqu'au XIXe s.) « trousse-galant ».* — *Choléra morbus* [kɔleʀamɔʀbys] ou *choléra nostras* [kɔleʀanɔstʀas], ou, absolt, *choléra :* gastro-entérite (généralement salmonellose*, dont les manifestations rappellent celles du choléra vrai. *Le bacille virgule, agent du choléra.*

Mon père m'a conté comment un de ses camarades mourut du choléra par persuasion. ALAIN, Magie, *in* les Passions et la Sagesse, Pl., p. 81.

Loc. fam. *Choisir entre la peste et le choléra,* entre deux maux également redoutables, entre deux désagréments équivalents.

♦ **2.** Par métaphore. Influence néfaste, dévastatrice, mortelle. ⇒ **Épidémie, peste.** *« Cet égoïsme (...) c'est le pire des choléras »* (Lamartine, *in* T. L. F.).

♦ **3.** Fam. et vieilli. *(Un, des choléras).* Personne méchante, nuisible (⇒ **Peste**). *C'est un vrai choléra, cette bonne femme !*
DÉR. **Cholériforme, cholérine.**

CHOLÉRÉTIQUE [kɔleʀetik] adj. et n. m. — Mil. xxe ; de *chol-,* et grec *airetikos* « qui prend ».

♦ Méd. Se dit de médicaments stimulant la sécrétion de la bile. ⇒ **Cholagogue.** — N. m. *Le boldo est un cholérétique.*

CHOLÉRIFORME [kɔleʀifɔʀm] adj. — 1844 ; du rad. de *choléra,* et *-forme.*

♦ Méd. Qui a l'apparence du choléra. *Diarrhée cholériforme.*

CHOLÉRINE [kɔleʀin] n. f. — 1831 ; du rad. de *choléra.*

♦ Méd. Forme atténuée de choléra, caractérisée par une forte diarrhée.

CHOLÉRIQUE [kɔleʀik] adj. et n. — 1806 ; grec *kholerikos* « relatif au choléra ».

♦ Méd. Qui concerne le choléra. *Vibrion cholérique. Diarrhée cholérique.* Qui est atteint du choléra.

1 Il y eut un cas de choléra foudroyant. Le malade fut emporté en moins de deux heures (...) Son faciès était éminemment cholérique (...) ses joues se décharnèrent à vue d'œil, ses lèvres se retroussèrent sur ses dents pour un rire infini ; enfin il poussa un cri qui fit fuir tout le monde. J. GIONO, le Hussard sur le toit, p. 222.

N. *Un, une cholérique. Soigner les cholériques.*

2 Il avait parié qu'il coucherait dans les draps d'un cholérique. ALAIN, Magie, *in* les Passions et la Sagesse, Pl., p. 81.

COMP. **Anticholérique.**
HOM. **Colérique.**

CHOLESTÉROL [kɔlɛsteʀɔl] n. m. — 1829 ; de *cholestér(ine),* et *-ol,* de *stérol.*

♦ Biochim. et cour. Substance grasse (stérol) qui se trouve dans la plupart des tissus et humeurs de l'organisme (cerveau, plasma sanguin — environ 1 g par litre —, bile), provenant des aliments et synthétisée par l'organisme (foie, cortico-surrénale). *Le cholestérol peut former des calculs biliaires et provoquer l'artériosclérose.* (→ Athérosclérose, cit. 1). *Taux de cholestérol* (ellipt. *surveiller son cholestérol*).

De fait, l'état général était à la limite du délabrement. Large excédent de cholestérol. Traces d'albumine. Trace d'urée (...) Jean-Louis CURTIS, le Roseau pensant, p. 163.

Syn. (vieilli) : *cholestérine* [kɔlɛsteʀin] n. f. (1816 ; t. dû à Chevreul ; de *cholé-,* grec *stereos* « solide », et *-ine*).
DÉR. **Cholestérolémie.** — V. **Stérol.**

CHOLESTÉROLÉMIE [kɔlɛsteʀɔlemi] ou **CHOLESTÉRINÉMIE** [kɔlɛsteʀinemi] n. f. — 1878, *cholestérémie ;* de *cholestérol, cholestérine,* et *-émie.*

♦ Méd. Présence dans le sang de cholestérol ; taux de cholestérol. *Dosage de la cholestérolémie.*

(...) chez le grand vieillard, la cholestérolémie n'est pas supérieure à celle de l'adulte ; à un certain âge, on note même un fléchissement. Léon BINET, Gérontologie et Gériatrie, p. 47.

CHOLÉTHÉRAPIE [kɔleteʀapi] n. f. — xxe ; de *cholé-,* et *-thérapie.*

♦ Méd. Emploi de la bile comme médicament.

CHOLIAMBE [kɔljãb] n. m. — 1829 ; grec *khôliambos*, de *khôlos* «boiteux», et *iambos* «jambe».

♦ Didact. Vers iambique, trimètre terminé par un iambe suivi d'un spondée. → Choriambe.

CHOLINE [kɔlin] n. f. — 1870 ; de *chol-*, et *-ine*.

♦ Biochim. Matière azotée (amine-alcool), présente dans les tissus vivants (animaux ou végétaux) surtout sous forme d'esters, qui joue un rôle important dans l'utilisation des lipides par le foie et dont les sels exercent une action stimulante sur le système nerveux. ⇒ **Acétylcholine**.

COMP. Cholinergie. — V. **Cholinergique**.
HOM. Colline.

CHOLINERGIE [kɔlinɛRʒi] n. f. — Av. 1959 (*in* Garnier et Delamare) ; de *choline*, et *-ergie*, d'après *cholinergique*.

♦ Physiol. Libération d'acétylcholine. *La transmission synaptique du système nerveux central est réglée par la cholinergie.*

CHOLINERGIQUE [kɔlinɛRʒik] adj. — Av. 1959 (*in* Garnier et Delamare) ; angl. *cholinergic*, H. H. Dale, 1934, de *cholin(e)* «choline», et du grec *ergon* «travail». → *-ergie*.

♦ Physiol. Qui libère de l'acétylcholine ; qui est stimulé par l'acétylcholine. *Nerfs cholinergiques et nerfs adrénergiques.*

CHOLURIE [kɔlyRi] n. f. — 1907 ; de *chol-*, et *-urie*.

♦ Méd. Présence dans l'urine des éléments de la bile.

CHÔMABLE [ʃomabl] adj. — xvᵉ, *chommable* ; de *chômer*.

♦ Qui peut ou doit être chômé (1.). *Fête chômable. Jour chômable. Ce jour n'est pas chômable.*

CONTR. Ouvrable.

CHÔMAGE [ʃomaʒ] n. m. — 1273 ; de *chômer*.

♦ 1. Vx. Action de chômer* (1.), de ne pas travailler (volontairement). *Le chômage des dimanches, des jours de fête. Se reposer un jour de chômage.*

♦ 2. Vieilli. Interruption du travail. *Industrie exposée au chômage. Le chômage d'une usine, d'une mine.* Temps passé sans travailler.

0.1 (...) il ne faut pas oublier que l'hiver arrive et que, par les grands froids, le bois est difficile à travailler. Comptons donc sur quelques semaines de chômage (...)
               J. VERNE, l'Île mystérieuse, t. II, p. 768.

♦ 3. (Répandu xixᵉ). Mod. Inactivité forcée due au manque de travail, d'emploi. *Ouvriers en chômage. Réduire des ouvriers au chômage en fermant une usine. Allocation, indemnité, secours de chômage. Assurance*-chômage. Chômage résultant d'une crise économique, de reconversions industrielles. Chômage structurel. Chômage frictionnel*. Chômage saisonnier ; partiel (par réduction des horaires). Chômage technique :* chômage partiel avec réduction imposée des horaires de travail. — «(Le) *secrétaire général adjoint au syndicat C. F. D. T. de Renault, a brutalement durci le ton (...) En clair, la C. F. D. T. annonce qu'à toute mesure de chômage technique elle est prête à répondre par l'occupation*» (le Nouvel Obs., mars 1975, nº 540, p. 38). *Lutter contre le chômage. Mesure, politique contre le chômage* (dite «antichômage»). — Var. fam. : *chômedu*, n. m. (signifie aussi «chômeur»). *Être au chômedu.*

1 Le chômage, c'est-à-dire l'interruption de travail par suite du renvoi de l'ouvrier et de la difficulté pour lui de s'embaucher ailleurs — renvoi causé soit par la morte-saison, soit par une crise économique entraînant la suspension ou le ralentissement de la production, soit par la fermeture d'atelier à la suite d'événements tels qu'incendie, faillite, décès du patron, etc. — constitue le plus fréquent, et, disons aussi, le plus incompréhensible de tous les risques pour le salarié.
               Charles GIDE, Économie politique, t. II, p. 396.
2 Le chômage engendre le chômage.   A. MAUROIS, B. Quesnay, XXV, p. 162.
3 Il y a en Amérique, comme en tout pays, un chômage endémique et même avant la crise (*de 1929*), on comptait environ deux millions de chômeurs.
               A. MAUROIS, les Chantiers américains, p. 21.

Par métonymie. Ensemble des chômeurs. *L'importance du chômage. Administration qui s'occupe des personnes en chômage. S'inscrire au chômage. Aller pointer au chômage.*

CONTR. Activité, occupation, travail.
HOM. Chaumage.

CHÔMÉ, ÉE [ʃome] adj. — 1690 ; de *chômer*, 1., trans.

♦ Où l'on doit cesser le travail (⇒ **Chômer** 1.). *Fête chômée. Jour chômé et payé.*

CHÔMER [ʃome] v. intr. et tr. — xiiᵉ ; du bas lat. d'orig. grecque *caumare* «se reposer durant la chaleur». → Calme.

♦ 1. Vx. ⓐ V. intr. Suspendre son travail pendant les jours fériés. *Chômer entre deux jours fériés.* ⇒ **Pont** (faire le pont).

ⓑ V. tr. (Compl. désignant une durée). *Chômer la fête d'un saint,* et, ellipt., *chômer un saint.* ⇒ **Fêter**. *Les jours que l'on chôme.*

Laissons venir la fête avant que la chômer. MOLIÈRE, le Dépit amoureux, I, 1.
Le mal est que dans l'an s'entremêlent des jours
Qu'il faut chômer, on nous ruine en fêtes. LA FONTAINE, Fables, VIII, 2.
On *chôme* en cessant de travailler ou en se reposant. On peut *fêter* un jour sans le *chômer*, et la preuve, c'est qu'il y a des *fêtes chômées* et d'autres qui ne le sont pas. *Les jours chômés* ou les *fêtes chômées* diminuent les gains de l'ouvrier en l'obligeant à rester oisif. LAFAYE, Dict. des synonymes, Suppl., p. 150.

♦ 2. V. intr. (1333, en parlant d'un moulin, «cesser son activité» ; répandu au xixᵉ). Mod. Cesser le travail par suite de l'absence d'emploi, de l'inactivité économique (→ Chômage, cit. 1). *Chômer une semaine sur deux. Chômer pendant la morte saison. Chômer par suite d'une crise économique. Cet ouvrier chôme depuis trois mois.* ⇒ **Chômeur**. *L'industrie textile chôme. Usine, moulin qui chôme.*

♦ 3. (xiiiᵉ). Fig. Être improductif. *Laisser chômer son argent. Les capitaux chôment. La politique chôme :* la vie politique est calme. Cour. (négatif). *Son esprit ne chôme pas,* reste actif.

Je m'attends à tout, et au pire, et mon imagination ne chôme pas.
               GIDE, Journal, 20 janv. 1943.

Spécialt. *Laisser les terres chômer,* en jachère, pour qu'elles se reposent.

♦ 4. V. tr. ind. (Vx). CHÔMER DE (qqch.) : manquer de qqch. *Chômer de besogne. Chômer d'argent, d'amour... Ne pas chômer d'ouvrage. N'épargnez pas le bois, vous n'en chômerez point, on ne vous en laissera pas chômer.*

CONTR. Travailler. — Occuper (s'occuper, être occupé). — Avoir (à profusion).
DÉR. Chômable, chômage, chômeur.
HOM. Chaumer.

CHÔMEUR, EUSE [ʃomœR, øz] n. — 1876 ; de *chômer*.

♦ Personne qui est sans travail (⇒ **Sans-travail**). *C'est un chômeur, il est chômeur en ce moment. Des chômeurs à la recherche d'un emploi. Le nombre des chômeurs est fonction inverse de l'activité économique. Indemnité allouée aux chômeurs* (indemnité de chômage). — Spécialt, admin. Personne qui est considérée comme au chômage (selon les critères administratifs en cours). *Le nombre des chômeurs a augmenté, diminué.* ⇒ aussi **Demandeur** (d'emploi). — Au fém. *Elle est chômeuse. Une chômeuse.* — Var. fam. : *chômedu* (signifie aussi «chômage»). *Il est chômedu.*

Dans une lettre à Fouché, il déclarera (*Bonaparte*) qu'aucun ouvrier ne doit avoir un prétexte à chômer et que tout chômeur doit trouver son emploi aux chantiers ouverts. Louis MADELIN, le Consulat, XIII, La restauration du travail, p. 213.
Ce fut probablement (*en 1930, aux États-Unis*) le temps de la plus grande souffrance des chômeurs ; car c'était celui où personne ne s'occupait d'eux. Ils n'avaient pas le droit d'exister (...) Vers la fin de 1931 les plus aveugles durent reconnaître que des millions de gens souffraient et que la charité privée était tout à fait incapable de suffire à une tâche gigantesque.
               A. MAUROIS, les Chantiers américains, p. 22.
Khule Vamp de Brecht qui n'eut qu'un médiocre succès ne nous enthousiasma pas non plus ; on y retrouvait, en chômeuse, l'adorable Herta Thill, et le film était «engagé» d'une façon si virulente que von Papen le fit interdire (...)
               S. DE BEAUVOIR, la Force de l'âge, p. 148.

CHONDR- ou **CHONDRO-** Élément, du grec *khondros* «cartilage», qui entre dans la composition de mots savants de zoologie et d'anatomie. Voir à l'ordre alphabétique.

CHONDRICHTYENS [kõdRiktjɛ̃] n. m. pl. — Mil. xxᵉ ; de *chondr-*, *ichty-* (grec *ikhthus* «poisson» ; → Ichty(o)-), et *-ens*.

♦ Zool. Poissons cartilagineux (opposé à *ostéichtyens*, osseux). — Au sing. *Un chondrichtyen.*

CHONDRIFIÉ, ÉE [kõdRifje] adj. — Mil. xxᵉ ; de *chondr-*, et *-ifié*.

♦ Zool. *Tissus chondrifiés,* minéralisés et parvenus à l'état de cartilage.

CHONDRIOME [kõdRijom] n. m. — 1924 ; du grec *khondrion* «granule», et *-ome*.

♦ Biol. Ensemble des chondriosomes* de la cellule.

CHONDRIOSOME [kõdRijozom] n. m. — 1931 ; du grec *khondrion* «granule», et *-some*.

♦ Biol. Organite cellulaire de structure complexe, formant des corpuscules isolés (*mitochondries*), des chapelets (*chondriomites*) et des bâtonnets *(chondriocontes)*, jouant un rôle important dans le métabolisme cellulaire.

CHONDRITE [kɔ̃dʀit] n. f. — 1855, Nysten ; de *chondr-*, et *-ite*.

♦ Méd. Inflammation d'un cartilage.

COMP. Ostéochondrite.

CHONDRO- ⇒ **Chondr-.**

CHONDROBLASTE [kɔ̃dʀoblast] n. m. — 1897 ; de *chondro-*, et *-blaste*.

♦ Biol. Cellule du cartilage.

CHONDROCOSTAL, ALE, AUX [kɔ̃dʀokɔstal, o] adj. — 1878 ; de *chondro-*, et *costal*.

♦ Anat. Qui se rapporte aux cartilages costaux et aux côtes.

CHONDROÏTINE [kɔ̃dʀoitin] n. f. — 1899, *Nouveau Larousse Illustré* ; de *chondroït(ique)*, et *-ine*.

♦ Biochim. Polysaccharide azoté présent dans le cartilage sous forme d'acide chondroïtine-sulfurique. (On a dit aussi *acide chondroïtique*). *La chondroïtine a pu être isolée à partir de la cornée de bœuf.*

CHONDROÏTIQUE [kɔ̃dʀoitik] adj. — 1890, P. Larousse, *Deuxième Suppl.* ; de *chondr(o)-*, *-ite* (suff. servant à former les noms d'une série de sucres), et *-ique*, d'après l'all. *chondroitsäure* «acide chondroïtique», 1861.

♦ Biochim. ⇒ **Chondroïtine.**

CHONDROLOGIE [kɔ̃dʀoloʒi] n. f. — 1762 ; de *chondro-*, et *-logie*.

♦ Didact. Partie de l'anatomie* qui traite des cartilages.

CHONDROSTOME [kɔ̃dʀostom] n. m. — 1842 ; de *chondro-*, et *-stome*.

♦ Zool. Poisson physostome *(Cyprinidés)*, appelé aussi *hotu* (I.) et *nase*.

CHOPE [ʃɔp] n. f. — 1845 ; 1842, *choppe* ou *schoppe* (Gautier) ; all. *schoppen*. → Chopine.

♦ **1.** Récipient cylindrique destiné à boire la bière. *Chope en étain, en grès, en verre. L'anse d'une chope. Chope à couvercle de métal.*

1 Des deux côtés de la lourde chope où il engloutissait son nez, les yeux de Boubouroche flambaient comme des yeux d'ours.
                              COURTELINE, Boubouroche, Nouvelle, p. 38.

♦ **2.** Le contenu d'une chope. *Boire une chope de bière.* ⇒ **Chopine.**

2 Ô pauvre vieux, tu vis en paix, tu bois ta chope.   HUGO, les Années funestes, XII.

CHOPER [ʃɔpe] v. tr. — 1800 ; var. de *chiper*, d'après *chopper*.

Populaire et familier.

♦ **1.** Voler (qqch.). ⇒ **Chiper.** *Il a chopé une montre.*

♦ **2.** Arrêter, prendre (qqn). *Le voleur s'est fait choper.*

Ce ne serait pas toi, des fois ?
— Moi ! fit Simon.
— Naturellement ! On te choperait la main dans le sac, tu dirais non.
                              Francis CARCO, les Belles Manières, p. 77.

♦ **3.** Attraper. *J'ai chopé un bon rhume. Il a chopé une contravention.*

DÉR. Chopin.
HOM. Chopper.

CHOPIN [ʃɔpɛ̃] n. m. — 1815 ; «mauvais tour», v. 1179 ; de *choper*.

♦ Pop. Aubaine, occasion, profit.

— Tu dois m'en vouloir, dit *(Popo)*, je t'éloigne de tes pénates, mais c'est un tel chopin de te rencontrer !...   A. BLONDIN, Monsieur Jadis, p. 33.

Spécialt. *Faire, trouver un chopin, un beau chopin :* trouver un homme ou une femme dont on tire de l'argent.

CHOPINE [ʃɔpin] n. f. — XIIᵉ ; de l'all. *schoppen* (→ Chope), et suff. *-ine*.

♦ **1.** Ancienne mesure de capacité contenant la moitié d'un litre.

Mod. (Canada). Mesure de capacité pour les liquides valant une demi-pinte*, ou deux demiards*, soit 0,568 litre.

♦ **2.** Cour. Mesure d'un demi-litre. *Boire une chopine de vin, de bière. Payer chopine.*
Fam. Bouteille, verre (de vin). *Tu nous payes la chopine ?* (surtout rural). ⇒ 3. **Canon.**

(...) tous les trois passèrent dans l'autre salle d'où le père Jules surveillait son cheval en vidant une chopine de blanc.
                              Francis CARCO, les Belles Manières, p. 115.

DÉR. Chopiner.

CHOPINER [ʃopine] v. intr. — 1482, *choppiner* ; de *chopine*.

♦ Fam. Boire à l'excès (du vin).

(...) profitant des réserves de vieilles bouteilles accumulées dans la cave du presbytère (...) elle se mit à chopiner, et à chopiner avec tel manque de discernement qu'elle piquait parfois du nez dans les bassines.
                              G. CHEVALLIER, Clochemerle, p. 52.

1. CHOPPER [ʃope] v. intr. — V. 1175, *çoper* ; orig. incert., probablt d'un rad. onomatopéique *tsopp-* (cf. esp. *zopo*, ital. *zoppo* «boîteux»), p.-ê. avec infl. de *choquer* pour l'initiale.

Vieux ou littéraire.

♦ **1.** Heurter du pied contre qqch. ⇒ **Achopper, broncher, buter, trébucher ; pas** (faire un faux pas). *Chopper sur une pierre* (→ Achoppement, cit. 3). *Chopper à un obstacle. Ce cheval choppe en marchant.*

Pourquoi l'ai-je frappé ? répétait-il, parlant toujours à voix basse. Il fallait que je   0.1
fusse hors de moi ! Sa pensée choppait à ce seul obstacle.
                              BERNANOS, l'Imposture, in Œ. roman., Pl., p. 359.

♦ **2.** Vx ou littér. Se tromper grossièrement. *Il a choppé lourdement.*

(...) Toi dont la trahison   1
A fait si lourdement chopper notre raison,
Approche, scélérat (...)   CORNEILLE, Clitandre, v, 4, variante.

Tout-le-monde, pour les habiles et les gens d'esprit, c'est un pauvre homme de   2
bien, qui n'y voit guère, heurte, choppe, qui barbouille, ne sait trop ce qu'il dit.
                              MICHELET, Hist. de la Révolution franç., t. I, p. 285.

Cette petite victoire est de grand sens. Elle me montre que mon instrument est   3
encore de bon service, à la condition, toutefois, qu'on ne le laisse pas chopper.
                              G. DUHAMEL, Inventaire de l'abîme, v, p. 70.

2. CHOPPER [(t)ʃopœʀ] n. m. — 1937, *in* Höfler ; mot angl., de *to chop* «couper en morceaux, hacher».

Anglicisme.

★ **I.** Didact. (préhist.). Instrument préhistorique issu d'un galet et destiné à couper.

Dès l'apparition du percuteur, du chopper, des bois de cervidés taillés, les opéra-   1
tions de section, de broyage, de modelage, de grattage, de fouissement émigrent
dans l'outil.   A. LEROI-GOURHAN, cité *in* la Recherche, nº 52, janv. 1975.

★ **II.** (1974). Moto. Moto de sport d'origine américaine, avec un guidon aux branches relevées et une roue avant petite au bout d'une fourche longue et très oblique. *Moto montée en chopper* (ou *chopperisée* [(t)ʃoperize]). — Abrév. fam. : *un chop* (1973, *in* D. D. L.).

Drôle de machine (...) La selle très basse, en forme de canapé tortueux. Le gui-   2
don en «T», très haut. Roue arrière énorme, roue avant petite et grêle, sans garde-
boue, loin devant, au bout d'une fourche interminable, profil coupant, plus fin que
celui des motos normales, d'où le nom de *chopper* — hachoir en anglais.
                              le Nouvel Obs., 27 juil. 1974, p. 42,
                              in REY-DEBOVE et GAGNON, Dict. des anglicismes.

CHOP SUEY [ʃopswi ; ʃopsɥɛ] n. m. — Répandu v. 1960 ; mot chinois cantonais, «morceaux mêlés», empr. par l'anglais (1888, aux États-Unis ; *in* Oxford Suppl.).

♦ Plat chinois de viande (morceaux de bœuf, poulet) avec des légumes, frit à l'huile de sésame ; l'accompagnement de légumes. *Poulet chop suey.* — REM. La graphie *shop-suey* est aberrante.
Les endroits de nuit fréquemment vous servent un plat chinois, *shop-suey* ou *chow-mien*.   Paul MORAND, New York, p. 150.

CHOQUABLE [ʃokabl] adj. — Mil. XIXᵉ ; de *choquer*.

♦ Rare. Qui se choque, est choqué facilement. *C'est un individu peu choquable. Elle n'est pas facilement choquable.*
C'est sur ce public choquable et scandalisable à gogo que Balzac a lancé son trouffion physiquement amoureux d'une panthère (...)
                              Jean-Louis BORY, Ma moitié d'orange, p. 62.

CONTR. Inchoquable.

CHOQUANT, ANTE [ʃokɑ̃, ɑ̃t] adj. — 1650 ; de *choquer*.

♦ **1.** Qui étonne désagréablement (vieilli ; ⇒ **Désagréable**), et, spécialt (mod.), Qui heurte la délicatesse, la bienséance. ⇒ **Déplacé, grossier, inconvenant, malséant, rebutant, révoltant ; fort** (2. Fort : c'est trop fort). Cf. aussi angl. *shocking. Un ton choquant. Des pro-*

pos choquants. ⇒ **Cru, cynique.** *Paroles, attitudes, manières choquantes.*

1 Je trouve le mariage une chose tout à fait choquante (...)
MOLIÈRE, les Précieuses ridicules, 5.

2 Mais je ne lui veux point la passion choquante
De se rendre savante afin d'être savante.   MOLIÈRE, les Femmes savantes, I, 3.

3 Qu'y a-t-il donc de plus choquant, de plus contraire à l'ordre, que de voir un enfant impérieux et mutin commander à tout ce qui l'entoure et prendre impudemment le ton de maître avec ceux qui n'ont qu'à l'abandonner pour le faire périr ?
ROUSSEAU, Émile, II.

(Dans le domaine intellectuel). Une erreur choquante.

4 Que la comparaison n'ait rien de choquant prouve que la tentative est digne de respect.   A. MAUROIS, Études littéraires, J. Romains.

♦ **2.** Rare. Anglic. Qui peut provoquer des troubles du psychisme, un ébranlement grave sur l'organisme humain. *Une intervention chirurgicale choquante.*

CONTR. **Agréable, attrayant, bienséant, charmant, complaisant, conciliant, engageant, harmonieux, séduisant.**

CHOQUER [ʃɔke] v. tr. — Déb. XIIIᵉ ; néerl. *schokken,* ou angl. *to chock* « heurter », onomatopée.

♦ **1.** Vx. Donner un choc plus ou moins violent à, contre (qqn, qqch.). ⇒ **Heurter ; choc, secousse.** *Choquer un passant, un meuble. Le navire choque le quai. Le taureau choque la muraille de ses cornes.* ⇒ **Buter, frapper.**
Pron. *Se choquer.*

1 Parfois, malgré les précautions, les bateaux se choquaient et les mariniers échangeaient des injures ou se frappaient de leurs rames.
Th. GAUTIER, le Roman de la momie, p. 67.

Pron. Spécialt (vieilli). Se dit de la rencontre et du combat de deux armées. *Quand les deux armées vinrent à se choquer* (Académie). ⇒ **Choc.** — Vx. *S'aller choquer :* aller se choquer.

2 Des armées qui se vont choquer.   RACINE, Traductions.

Mod. *Les épées se choquent,* se heurtent. ⇒ **Entrechoquer** (s').
(Sujet n. de personne). Faire se heurter (des choses). *Choquer des barres de fer, des cymbales. Choquer une chose contre une autre.* Spécialt. Mod. *Choquer les verres.* ⇒ **Boire** (cit. 20), **trinquer, toaster.**

2.1 Elle remplit sa tasse, la choqua contre celle de Phémie.
BERNANOS, Un crime, in Œ. roman., Pl., p. 728.

Absolt et vx. *Voulez-vous choquer ? Choquons.* ⇒ **Trinquer.**

3 Les vieux choquaient l'épée, enfants, choquons les verres.   HUGO (in LITTRÉ).

♦ **2.** (1640). Contrarier ou gêner (qqn) dans ses goûts, sa susceptibilité, etc. (⇒ **Atteindre, déplaire, rebuter, révolter**) et, spécialt, en agissant contre les bienséances (⇒ **Blesser, effaroucher, heurter, offenser, offusquer, scandaliser**). *Vous l'avez choqué par vos propos déplacés. Il a dit cela pour me choquer. Cette façon d'agir me choque. Ce qui me choque en lui, c'est son air d'être revenu de tout. Sa vulgarité me choque. Le comportement de cet acteur a choqué l'opinion.* ⇒ **Indigner, soulever.** — *Ça me choque.* — (Passif et p. p.). *Être choqué par qqch. Elle est facilement choquée.* ⇒ **Choquable.**

4 Il y a une sorte de politesse qui est nécessaire dans le commerce des honnêtes gens : elle leur fait entendre raillerie, et elle les empêche d'être choqués et de choquer les autres par de certaines façons de parler trop sèches et trop dures, qui échappent souvent sans y penser, quand on soutient son opinion avec chaleur.
LA ROCHEFOUCAULD, Maximes, De la société.

5 Le voyageur anglais Burney (...) est choqué, à chaque pas *(en Allemagne)* par la grossièreté des exécutions musicales (...)
R. ROLLAND, Voyage musical au pays du passé, p. 208.

(Compl. nom abstrait). Agir, aller contre, être opposé à qqch. ⇒ **Contrarier.** *Choquer la bienséance, le bon sens, la raison. Choquer l'honneur, la vérité. Choquer l'amour-propre, la susceptibilité, la vanité de quelqu'un.*

6 Si on soumet tout à la raison, notre religion n'aura rien de mystérieux et de surnaturel ; si on choque les principes de la raison, notre religion sera absurde et ridicule.   PASCAL, Pensées, IV, 273.

7 Avec ces Français, il n'est pas permis de dire la vérité quand elle choque leur vanité.   STENDHAL, la Chartreuse de Parme, II, p. 72.

8 Il suffirait qu'une pensée fût extraordinaire, qu'elle choquât le sens commun, pour que je m'en fisse aussitôt le champion, au risque d'avancer les sentiments les plus blâmables.   A. DE MUSSET, la Confession d'un enfant du siècle, II, IV, p. 111-112.

9 Nulle crainte de choquer la sensibilité physique : il *(Rubens)* va jusqu'au bout de l'horrible, à travers les tortures de la chair suppliciée et tous les soubresauts de l'agonie hurlante. Nulle crainte de choquer la délicatesse morale ; il fera de sa Minerve une mégère qui sait se battre, de sa Judith une bouchère accoutumée à saigner, de son Pâris un goguenard expert et un amateur friand.
TAINE, Philosophie de l'art, t. II, III, II, p. 53.

10 Le cynisme triste des êtres qui l'entouraient choquait son puritanisme ancestral *(de Quesnay).*   A. MAUROIS, Bernard Quesnay, VII, p. 49.

♦ **3.** Faire une impression désagréable sur (un sens, l'organe d'un sens). ⇒ **Frapper.** *Cette couleur criarde choque la vue. Bruits, sons, musiques qui choquent l'oreille.* ⇒ **Écorcher.** *Ces propos choquent les oreilles chastes. Le mot me choque.* ⇒ **Sonner** (mal).

11 Une robe toujours m'avait choqué la vue !   RACINE, les Plaideurs, II, 6.

Absolt. *Sa voix criarde choque. Ce spectacle choque.*
Étonner, surprendre désagréablement. *Le baroque, l'étrange choquent souvent.*

♦ **4.** (Adapt. de l'angl. *to shock* ; surtout passif et p. p.). Faire subir un choc, un traumatisme à (qqn). *Il a été choqué par son échec.*

12 Dîner et réception au Min(istère) des A(ffaires) Étr(angères). Abondance de gens vieux, malades, choqués et branlants.   CLAUDEL, Journal, 27 août 1928.

♦ **5.** Mar. Diminuer la raideur d'un cordage tendu. *Choquer une écoute,* la laisser filer, lui donner du mou. — Par ext. *Choquer une voile.*

13 Si le bateau lofe, Françoise choquera vite l'artimon. S'il abat, Françoise bordera à mort et choquera immédiatement après l'embardée.
Bernard MOITESSIER, Cap Horn à la voile, p. 166.

▶ **SE CHOQUER** v. pron.

♦ **1.** → ci-dessus, 1. (vx ou vieilli).

♦ **2.** (Au sens 2.). *Il, elle se choque facilement.*

CONTR. **Charmer, complaire, concilier, engager, flatter, plaire, séduire.**
DÉR. **Choc, choquable, choquant.**
COMP. **Entre-choquer** (s').

CHORAGIQUE [kɔraʒik] adj. — 1811, Chateaubriand ; grec *khoregikos,* d'après le lat. *choragus.* → Chorège.

♦ Didact. Du chorège* ou de la chorégie. ⇒ **Chorégique.**

CHORAL, ALE, AUX [kɔral, o] adj. et n. m. — 1827, in D. D. L. ; *choraux* « enfants de chœur », 1743 ; du rad. du lat. *chorus* « chœur ».

♦ **1.** Adj. Qui a rapport aux chœurs* (I., 3.). *Une société chorale* (⇒ **Orphéon**). *Des chants chorals,* ou (rare), *choraux.*

1 Je me souvenais fort bien des classes de chant choral où nos instituteurs, pour la fête de la Victoire, en 1919, nous avaient entraînés à *La Marseillaise* et au *Chant du départ,* mais *L'Internationale,* non.
Raymond ABELLIO, Ma dernière mémoire, t. II, p. 13.

♦ **2.** N. m. (Plur. : *chorals*). Chant religieux interprété par un chœur. *Le choral de Luther,* premier hymne des protestants.

2 C'est à Luther qu'on doit l'invention du choral, chant populaire religieux, simple et austère à la fois, auquel il donna une allure lyrique et biblique inconnue jusqu'alors.   Initiation à la musique, p. 374.
Composition pour orgue sur le thème d'un choral. *Écrire un choral. Les chorals harmonisés par Pachelbel, par J.-S. Bach.*

HOM. **Chorale, corral.**

CHORALE [kɔral] n. f. — V. 1926 ; → Choral.

♦ Société musicale qui exécute des œuvres vocales, des chœurs. ⇒ **Chœur.** *Il chantait dans la chorale du quartier. Il dirige la chorale* (→ Chef* de chœurs).

HOM. **Choral, corral.**

CHORBA [ʃɔrba] n. f. — XXᵉ ; mot arabe d'Algérie.

♦ Soupe algérienne.

La vieille Daïba (tout en surveillant sa chorba qui mijotait)... racontait des départs précipités sur des chevaux ailés (...) Elle soulevait le couvercle de sa marmite de terre, dégageant à chaque fois une fameuse odeur de menthe et d'épices (...)
Marie CARDINAL, les Mots pour le dire, p. 125-126.

CHORDAL, ALE, AUX [kɔrdal, o] adj. — 1904, in *Rev. gén. des sc.,* nº 21, p. 974 ; *cordal,* 1897 ; de *chorde.*

♦ Didact. (embryol.). De la chorde dorsale, qui concerne la chorde (ou corde) dorsale.

CHORDE [kɔrd] n. f. — Fin XIXᵉ ; lat. sc. *chorda (dorsalis).*

♦ Didact. (embryol.). *Chorde dorsale,* syn. de *corde dorsale.* ⇒ **Corde** (IV., 3.).

Ainsi la première ébauche déterminée, la chorde dorsale, induit la différenciation d'une nouvelle ébauche, le système nerveux, dont l'emplacement et la destinée sont définitivement fixés.   E. WOLFF, in Sciences, nº 1, p. 9.

DÉR. **Chordal.**

CHORÉA [kɔrea] n. f. — D. i. (XXᵉ) ; du lat. *chorus* « chœur ».

♦ Didact. (archit.). Ensemble des chapelles disposées en demi-cercle derrière le chœur d'une église. ⇒ **Chevet** (II., 1.).

1. CHORÉE [kɔʀe] n. m. — 1753; *corée*, 1644; lat. *choreus*, du grec *khoreios*.

♦ ⇒ **Trochée.**

HOM. 2. **Chorée.**

2. CHORÉE [kɔʀe] n. f. — 1827; «danse», 1558; dér. du lat. *chorea*, grec *khoreia* «danse».
Médecine.

♦ **1.** Maladie nerveuse microbienne appelée aussi *danse de Saint-Guy* parce qu'elle se manifeste par des mouvements rappelant ceux de la danse, accompagnés de convulsions brèves de certains muscles (⇒ **Choréique**).

1   Aline : «J'avais été sérieusement malade, une chorée, disent les médecins, une maladie des nerfs».   Jean FERNIOT, Pierrot et Aline, p. 41.

♦ **2.** Ensemble de manifestations pathologiques caractérisé par des contractions des muscles. *Chorée gesticulatoire,* à contractions lentes. *Chorée électrique,* à contractions rapides. *Chorée fibrillaire,* accompagnée de vives douleurs, de troubles psychiques. *Chorée héréditaire. Grande chorée, chorée hystérique :* accès hystériques. *Chorée molle* ou *paralytique.*

2   (...) un grand écrivain allemand (...) qui, atteint d'une affreuse chorée, tirait la langue en marchant, de façon spasmodique, comme s'il gobait des mouches.   M. DRUON, Rendez-vous aux enfers, III, XIII, p. 256.

♦ **3.** *Chorée mentale :* instabilité mentale des enfants, souvent accompagnée de retards psychiques.

DÉR. **Choréique.**
HOM. 1. **Chorée.**

CHORÈGE [kɔʀɛʒ] n. m. — XVIᵉ; *chorague,* av. 1543; admis Académie, 1798; grec *khorêgos,* de *khoreia* «danse». → 2. Chorée.
Didactique.

♦ **1.** Dans la Grèce antique, Citoyen chargé d'organiser à ses frais un chœur de danse pour une représentation théâtrale (⇒ **Chorégie, choragique**).

♦ **2.** Rare. Personne qui dirige une troupe d'acteurs.

DÉR. **Chorégie.**

CHORÉGIE [kɔʀeʒi] n. f. — 1832; de *chorège.*

♦ Antiq. Fonction de chorège; charges attachées à cette fonction.

CHORÉGIQUE [kɔʀeʒik] adj. — XIXᵉ; de *chorège, chorégie.*

♦ Antiq. Qui appartient à la chorégie. *Monument chorégique,* consacré au dieu par le chorège gagnant d'un concours dramatique.

CHORÉGRAPHE [kɔʀegʀaf] n. — 1786; aussi *choréographe* au XVIIIᵉ; dér. de *chorégraphie.*

♦ Personne qui règle les pas et les figures des danses destinées à la scène. *Le chorégraphe des ballets de Stravinsky. Une remarquable chorégraphe.*

Le chorégraphe s'inspire d'une œuvre littéraire, musicale ou picturale, pour composer un thème dansant qui s'apparentera à la production initiale. Il en bâtit les phases, en détaille les nuances, dans des combinaisons de lignes et de mouvements expressifs.   Marcelle BOURGAT, Technique de la danse, p. 37.

CHORÉGRAPHIE [kɔʀegʀafi] n. f. — 1701; aussi *choréographie* au XVIIIᵉ; comp. du grec *khoreia* «danse», et *graphein.* → -graphie.
Didact. ou littéraire.

♦ **1.** Vx. Technique de description des danses (sur le papier) au moyen de signes spéciaux. — On dit aujourd'hui *notation chorégraphique,* ou, absolt, *notation.*

♦ **2.** Arts. Art de composer des ballets, d'en régler les figures* et les pas*. *Régler un ballet, régler une chorégraphie.*

CHORÉGRAPHIQUE [kɔʀegʀafik] adj. — 1832; de *chorégraphie.*
Didact. ou littéraire.

♦ **1.** Qui a rapport à la chorégraphie. *Signe, notation chorégraphique.*

♦ **2.** Qui a rapport à la danse.

(...) cet équilibre sur les *pointes* qui constitue le *nec plus ultra* de la virtuosité chorégraphique (...)   Francis DE MIOMANDRE, Danse, p. 31.

CHORÉGRAPHIQUEMENT [kɔʀegʀafikmɑ̃] adv. — 1863; de *chorégraphique.*

♦ Didact. et rare. Relativement à la chorégraphie, à la danse.

(...) l'une de nos préoccupations était, chorégraphiquement, d'attraper le frémissement d'épaule qui constituait le fin du fin pour danser le *shimmy.*   Michel LEIRIS, l'Âge d'homme, p. 192.

CHORÉIQUE [kɔʀeik] adj. — 1833, *Journal de méd. et de chir. pratiques,* in D. D. L.; de *chorée.*

♦ Didact. (méd.). Relatif à, atteint de chorée. *Des convulsions choréiques. Accidents, troubles choréiques.*

N. *(Un, une choréique).* Malade atteint de chorée.

CHOREUTE [kɔʀøt] n. m. — 1866; du grec *khoreutês.*

♦ Antiq. Membre d'un chœur, dans le théâtre grec. ⇒ **Chœur.**

L'agilité des acrobates qui se risquèrent dans l'arène après que les choreutes, les danseuses, puis les lutteurs eussent cédé la place.   GIDE, Thésée, in Romans, Pl., p. 1423.

CHORIAL, ALE, AUX [kɔʀjal, o] adj. — 1878; du rad. de *chorion.*

♦ Didact. Du chorion. *Plaques, villosités choriales.*

REM. On trouve également la forme *chorional, ale, aux* [kɔʀjɔnal, o], adj. (1906, in *Rev. gén. des sc.,* nº 10, p. 461).

CHORIAMBE [kɔʀjɑ̃b] n. m. — 1644, terme de métrique; lat. *choriambicus,* grec *khoriambos,* de *khoreia* «trochée», et *iambos.* → Iambe.

♦ Didact. (métrique gréco-latine). Pied* composé d'un trochée* et d'un iambe* (→ Choliambe).

CHORIAMBIQUE [kɔʀjɑ̃bik] adj. — 1636; du lat. *choriambicus.* → Choriambe.

♦ Didact. Où figure le choriambe. *Un vers, un poème choriambique.*

CHORION [kɔʀjɔ̃] n. m. — 1541; grec *khorion,* même sens.

♦ **1.** Embryol. Membrane extérieure de l'œuf fécondé. Membrane externe du trophoblaste (mammifères) qui assure le contact avec les tissus maternels (muqueuse utérine) et joue un rôle dans la nutrition de l'embryon. *Du chorion* (⇒ **Chorial**).

♦ **2.** Histol. Couche superficielle, hérissée de papilles, du derme cutané. — Couche conjonctive profonde d'une membrane muqueuse ou séreuse.

DÉR. **Chorial.**
COMP. **Amnio-chorion.**

CHORISTE [kɔʀist] n. — 1359; lat. ecclés. *chorista,* du lat. class. *chorus.*

♦ **1.** Membre d'un chœur. *Choriste d'un chœur antique.* ⇒ **Choreute.**

♦ **2.** Mod. Personne qui chante dans les chœurs*. *Les choristes de l'Opéra.*

Au signal répété, les choristes se retournent vers l'image du soleil éternel, et font voler des roses effeuillées sur son passage.   CHATEAUBRIAND, le Génie du christianisme, IV, 1, 7.

N. m. Chantre du chœur (d'une église). ⇒ **Chantre.**

HOM. **Coryste.**

CHORIZO [ʃɔrizo] ou, à l'espagnole, [tʃoriso] n. m. — Mil. XIXᵉ (in Gautier, *Voyage en Espagne*); répandu XXᵉ; mot espagnol.

♦ Saucisse espagnole très pimentée, de faible section, de consistance dure (à la différence de la *soubressade,* dont la recette est voisine).

Un des principaux comestibles que l'on tire du cochon est le chorizo, c'est-à-dire un certain saucisson fait de viande de porc, de viande de veau hachée, fortement épicée, fumée, et conservée comme le jambon.   A. DUMAS père, Grand dict. de la cuisine.

CHOROGRAPHE [kɔʀɔgʀaf] n. — 1863; de *chorographie.*

♦ Vx. Spécialiste de chorographie; géographe topographe.

CHOROGRAPHIE [kɔʀɔgʀafi] n. f. — 1547; lat. *chorographia,* du grec *khôra* «contrée», et *graphê* «description».

◆ Vx. Partie de la géographie consacrée à la description d'un pays. ⇒ **Géographie, topographie.**

DÉR. Chorographe, chorographique.

CHOROGRAPHIQUE [kɔʀɔgʀafik] adj. — 1567 ; de *chorographie.*

◆ Vx. Qui est relatif à la chorographie. *Description, carte chorographique.* ⇒ **Topographique.**

CHOROÏDE [kɔʀɔid] n. f. — 1538 ; grec *khoroeidês,* de *khorion* «membrane», et *eidos* «aspect» (→ -oïde).

◆ Anat. Membrane interne qui tapisse la partie postérieure de l'œil. *La choroïde est située entre la sclérotique et la rétine. Couche pigmentaire de la choroïde.* ⇒ **Uvée.** — (En emploi apposé). *Membrane, plexus choroïde.*

DÉR. Choroïdien, choroïdite.

CHOROÏDIEN, IENNE [kɔʀɔidjɛ̃, jɛn] adj. — 1839 ; de *choroïde.*

◆ Anat. Qui a rapport à la choroïde. *Glande choroïdienne.*

CHOROÏDITE [kɔʀɔidit] n. f. — 1858 ; de *choroïde,* et *-ite.*

◆ Méd. Inflammation de la choroïde.

CHOROLOGIE [kɔʀɔlɔʒi] n. f. — Mil. xxᵉ ; du grec *khôra* «contrée, espace», et suff. *-logie.*

◆ Didact. (biogéographie). Science qui étudie les aires de répartition des espèces vivantes ; cartographie de cette répartition.

CHORONYMIE [kɔʀɔnimi] n. f. — V. 1960, au Québec ; du grec *khôra* «contrée» (→ Chorographie), et *-onymie.*

◆ Didact. (géogr.). Étude de la dénomination des surfaces et zones (englobant la toponymie* et incluant d'autres systèmes désignatifs : rues, voies, etc.).

CHORTEN [ʃɔʀtɛn] n. m. — xxᵉ ; tibétain *mch'od-rten.*

◆ Didact. Monument religieux des pays de bouddhisme lamaïque (Népal, marches tibétaines, Tibet, Chine) formé d'une base le plus souvent cubique surmontée de gradins de surface décroissante, d'un dôme bulbeux parfois redoublé et achevé par une flèche annelée. *Dérivé du stoûpa indien, le chorten symbolise la doctrine bouddhique.*

CHORUS [kɔʀys] n. m. — xvᵉ ; lat. *chorus* «chœur». → Chœur.

◆ **1.** Vx. Reprise en chœur* et à l'unisson d'un solo de chant (surtout dans : *faire chorus*).

1 J'y ferais chorus au refrain d'une vieille chanson.   ROUSSEAU, *Émile,* IV.

Bruit d'ensemble. ⇒ **Chœur, concert.**

2 (...) un chorus universel de haine et de proscription.
                    BEAUMARCHAIS, le Barbier de Séville, II, 3 (→ Calomnie, cit. 5.).

Mod. *Faire chorus :* se joindre* à d'autres pour dire comme eux ; être du même avis. ⇒ **Approuver.**

3 Je n'aurais pu paraître «en train» qu'à condition de faire chorus avec eux *(Valéry et Cocteau)* et déjà je me reprochais assez d'être venu pour les entendre.
                                                                        GIDE, Journal, 3 nov. 1920.

◆ **2.** (Mil. xxᵉ ; angl. *chorus* «refrain»). Jazz. Durée des harmonies qui forment le thème, utilisée de manière personnelle par un (solo) ou plusieurs instrumentistes. *Prendre un chorus. Un chorus de trompette.*

4 La large part d'improvisation accordée au soliste (les «chorus») et la coutume qui veut que chaque groupement mette lui-même au point un «arrangement» original sur le thème choisi font qu'il importe peu dans le jazz de savoir ce que l'on joue du moment où l'on sait quels sont ceux qui jouent.
                                                        Lucien MALSON, les Maîtres du jazz, p. 14.

CHOSE [ʃoz] n. f. — xiiᵉ ; *cosa,* 842 ; du lat. *causa* qui a pris le sens de *chose* en lat. jurid., après avoir éliminé *res.*

★ **I.** Ce qui existe de manière identifiable et isolable ; être (concret ou abstrait, réel ou apparent, connu ou inconnu). ⇒ **Être, événement, objet.** *L'auteur, le créateur de toutes choses. La chose que je redoute le plus, c'est...* ⇒ **Ça, ce, ceci, cela, cet** (ce que, tout ce que). *C'est une chose bien agréable que de rencontrer un ami. Toutes choses égales d'ailleurs. Avant toute* chose : *premièrement. Chaque** chose.

1 Ce qu'on appelle humeur est une chose trop négligée parmi les hommes (...)
                                                        LA BRUYÈRE, les Caractères, XI, 9.

---

2 S'il fallait toujours employer chaque chose selon ses principales propriétés, peut-être ferait-on moins de bien que de mal aux hommes.
                                    ROUSSEAU, Julie ou la Nouvelle Héloïse, V, II.

3 Ce que décident ici-bas les plus petites choses, ce que les objets et les circonstances en apparence les moins importants amènent de changements dans notre fortune, il n'y a pas, à mon sens, de plus profond abîme pour la pensée.
                    A. DE MUSSET, la Confession d'un enfant du siècle, II, 1.

3.1 Et Ève s'en alla, docile à son Seigneur,
En son bosquet de roses,
Donnant à toutes choses
Une parole, un son de ses lèvres de fleur :
Chose qui fuit, chose qui souffle, chose qui vole...
                        Charles VAN LERBERGHE, La Chanson d'Ève, 1904,
                                        «C'est le premier matin du monde».

◆ **1.** *Les choses :* le réel, par oppos. à l'apparence. ⇒ **Fait, phénomène, réalité.** *Les choses parleront d'elles-mêmes. Les choses telles qu'elles sont. Il faut bien voir les choses. Regarder les choses en face :* ne pas craindre d'affronter la réalité. *Aller au fond des choses, jusqu'au bout des choses. Je n'aime pas sa façon de présenter les choses.*

(Opposé à *idée, mot*). Spécialt. *(La chose, les choses). Le mot (le nom) et la chose. Les Mots et les Choses,* titre d'un ouvrage de M. Foucault. *L'idée et la chose. Le projet et la chose. Appeler les choses par leur nom :* parler franchement. *Le nom ne fait rien à la chose,* ne change rien à la réalité qu'il exprime.

4 Chacun se dit ami ; mais fol qui s'y repose :
Rien n'est plus commun que ce nom,
Rien n'est plus rare que la chose.   LA FONTAINE, Fables, IV, 17.

5 (...) le chemin est long du projet à la chose.   MOLIÈRE, Tartuffe, III, 1.

6 L'emportement de la satire est inutile ; il suffit de montrer les choses telles qu'elles sont. Elles sont assez ridicules par elles-mêmes.
                                                        J. RENARD, Journal, 23 juil. 1898.

7 Le propre de l'intuition cartésienne, c'est de porter non sur une chose mais sur un acte.   L. BRUNSCHVICG, Descartes, Rieder, p. 24.

8 Les choses tiennent la place des êtres. Les objets ne déçoivent pas ; ils donnent toujours exactement le plaisir que l'on attend d'eux. Les objets ne trahissent pas (...)   A. MAUROIS, Terre promise, XLVI, p. 320.

Philos. *La chose en soi :* l'être en tant qu'il existe indépendamment des conditions de perception et des circonstances, par oppos. à *phénomène.* ⇒ **Noumène, substance.** (Chez Hegel). *La chose même (die Sache selbst) :* l'absolu.

◆ **2.** Plus cour. Réalité matérielle non vivante (souvent opposable à *être*). ⇒ **Objet** ; fam. **bidule, machin, truc.** *Les actes, les événements et les choses. Les êtres (vivants) et les choses.*

Cour. Objet concret indéterminé ou non spécifié. *Offrir quelques petites choses.* ⇒ **Babiole, bagatelle.** *Un tas de choses.* ⇒ **Attirail.** *Il faudrait beaucoup de choses pour meubler cet appartement. Le prix des choses.* — *Il aime les bonnes choses,* les mets savoureux.

9 J'ai quelques petites choses à vous envoyer.   RACINE, Lettres.

(Désignant une réalité qui a été vivante) :

10 Gilieth aperçut, roulée sur la neige, une chose décharnée et sans tête, le corps de Mulot torturé par les Riffains.   P. MAC ORLAN, la Bandera, XVII, p. 208.

Dr. Objet matériel susceptible d'appropriation. ⇒ **Bien ; capital, patrimoine, possession, propriété, richesse.** *Les personnes et les choses. Choses consomptibles**. *Choses fongibles**. *Choses communes**. *Choses hors du commerce**. *Chose léguée**. *Chose mobilière.*

Loc. (en parlant de personnes). *Être la chose de qqn,* être sous sa dépendance, lui appartenir corps et biens.

11 Il n'osait plus la manier brutalement, la saisir, la frapper, la pétrir comme sa chose mauvaise et rétive, mais sa chose à lui.   FRANCE, le Lys rouge, XXI.

Loc. **LEÇON DE CHOSES** : enseignement dispensé pour donner aux enfants des notions élémentaires à partir de l'observation d'objets usuels et de produits de la nature. — Par ext. Expérience décisive.

11.1 Ma femme de chambre ne voulait pas rester non plus, il y a eu des scènes homériques. Malgré tout, j'ai tenu ferme le gouvernail, et c'est une véritable leçon de choses qui n'aura pas été perdue pour moi.
                    PROUST, À l'ombre des jeunes filles en fleurs, Pl., t. I, p. 597.

◆ **3.** (Surtout plur.). Ce qui a lieu, ce qui se fait, ce qui existe. ⇒ **Affaire, circonstance, condition, événement, fait.** *Les choses de la terre. Les choses humaines. Les choses de ce monde. Les choses d'ici-bas.* — *Les Choses de la vie,* titre d'un roman de Paul Guimard. *L'ordre des choses. Tout ceci est dans l'ordre des choses :* tout ceci est normal. *Le cours naturel des choses. La réalité des choses. La nature des choses. Par la force des choses. Il se passe ici des choses bizarres. C'est une chose commune.* ⇒ **Banalité.** *Faire de grandes choses, des choses admirables, héroïques, incroyables.* ⇒ **Acte, action.** *Dans cet état de choses :* dans cet ensemble de circonstances, d'événements. ⇒ **Conjoncture.** *Laisser aller les choses. Les choses vont, tournent mal. Les choses se corsent, se gâtent, n'iront pas loin. Il ne faut pas brusquer, précipiter, accélérer les choses. Il y a (ce sont) des choses qui marquent.* — Loc. *Ce sont des choses qui arrivent**. — *Faire bien les choses :* traiter ses invités avec largesse. *Le hasard fait bien les choses. Ne pas faire les choses à moitié, à demi.* ⇒ **Rien** négliger. — (1632, *in* D.D.L.). *Toutes choses cessantes* (cf. Toutes affaires cessantes). — *De deux choses l'une, ou bien..., ou bien...* ⇒ **Alternative, choix, possibilité...** — *Juger d'une chose comme un aveugle des couleurs,* en mal juger. *La moindre chose l'ennuie. On ne peut lui demander la plus petite chose. Aucune, nulle chose ne l'étonne* (⇒ **Rien**).

12 En toute chose il faut considérer la fin. LA FONTAINE, Fables, III, 5.

13 Mes amis, dit le solitaire,
Les choses d'ici-bas ne me regardent plus (...) LA FONTAINE, Fables, VII, 3.

14 Mais que fait ce discours aux choses d'aujourd'hui? MOLIÈRE, Tartuffe, V, 3.

15 C'est un homme (...) qui ne fait les choses que pour la gloire et pour la réputation. MOLIÈRE, le Sicilien, X.

16 La présence et la réputation de ce prince achevèrent de rétablir toutes choses. RACINE, les Campagnes de Louis XIV.

17 Mon ami, me dit-elle, je pars pour Genève; ma poitrine est en mauvais état, ma santé se délabre au point que toutes choses cessantes il faut que j'aille voir et consulter Tronchin. ROUSSEAU, les Confessions, IX.

18 Quand on n'a point d'argent, on est dans la dépendance de toutes choses et de tout le monde. CHATEAUBRIAND, Mémoires d'outre-tombe, IV, 1.

19 Rêve de grandes choses, cela te permettra d'en faire au moins de toutes petites. J. RENARD, Journal, 9 mai 1894.

20 Les grandes choses sont accomplies par des hommes qui ne sentent pas l'impuissance de l'homme. Cette insensibilité est précieuse. VALÉRY, Regards sur le monde actuel, II, p. 68.

21 Qui s'intéresse à beaucoup de choses, beaucoup de choses lui sont données. CLAUDEL, Feuilles de Saints, sainte Thérèse, p. 67.

22 (...) elle n'a jamais l'idée que les choses puissent tourner mal. MARTIN DU GARD, les Thibault, t. IV, p. 288.

22.1 Quelle belle nuit nous avons passée! Dans un petit cabaret où nous échouâmes par hasard (dans notre amitié le hasard fait bien les choses) (...) Claude MAURIAC, le Temps immobile, p. 314.

22.2 Je te faisais remarquer que c'était dans l'ordre des choses et qu'on ne pouvait exiger de ces trusts américains d'engrais chimiques qu'ils facilitent le travail des artisans du Front (...) Régis DEBRAY, l'Indésirable, p. 166.

Loc. *C'est la moindre des choses :* c'est le moins qu'on puisse faire.

22.3 — Le vice-président du Conseil, tout de même... Lorsque je l'ai vu filer comme un voleur j'ai été me présenter à lui. C'était la moindre des choses... Claude MAURIAC, le Temps immobile, p. 437.

♦ **4.** *La chose :* ce dont il s'agit. ⇒ **Objet, sujet; affaire.** *Je vais vous expliquer la chose. La chose parle d'elle-même,* elle est évidente, elle se passe de commentaires. — *La chose est d'importance. C'est la même chose :* il s'agit du même cas (opposé à *c'est autre chose*). — *Comment a-t-il pris la chose? Prendre une chose à cœur**. *Qu'est-ce que cela fait à la chose? La chose est décidée. La chose est faite. C'est chose faite,* réglée, convenue. *Considérez la chose en son entier. La chose a changé de face. La chose alla mieux qu'on ne pensait. Convenez de la chose avec lui. Il faut apporter un remède à la chose. La chose ne lui a pas beaucoup plu.* — *Les choses* (même valeur). *Mettre les choses au point* (→ 1. Point, cit. 17).

23 Et les choses n'iront que jusqu'où vous voudrez. MOLIÈRE, Tartuffe, IV, 4.

24 (...) s'il est vrai que ce soit chose faite. MOLIÈRE, le Dépit amoureux, III, 8.

25 Ayant ainsi raccommodé la chose, la grosse Catherine alla faire sa soupe et n'y pensa plus. G. SAND, François le Champi, V, p. 57.

26 Le fermier, qui connaissait ces sortes d'affaires, voulut prendre la chose en plaisanterie. Il prétendit que son péché n'était pas si grave, puisqu'il ne consistait qu'en paroles (...) G. SAND, la Mare au diable, XIV, p. 124.

27 (...) Dieu merci, vous ne connaîtrez jamais chose pareille! E. FROMENTIN, Un été dans le Sahara, II, p. 134.

28 Une chose semble sûre : c'est que toutes les mesures d'ordre purement politique ne doivent pas aboutir à grand'chose. G. DUHAMEL, Récits des temps de guerre, IV.

Les choses : les événements. *Les choses n'iront pas loin :* cela ne durera pas. *Les choses ne pressent pas. Les choses se passaient il y a longtemps. Comment vont les choses, ici?*

29 Tandis que ces choses se passaient dans le Pays-Bas. RACINE, les Campagnes de Louis XIV.

♦ **5.** (Désignant l'objet du discours ou du jugement). *C'est une chose étrange, effrayante, inouïe, incroyable, incomparable, importante, sérieuse... C'est une bien triste chose. Chose étonnante, il est venu. Voilà une chose inattendue.*

Spécialt. Ce qu'on isole pour le considérer, pour en juger. *Il y a de belles choses* (vieilli : *des beautés*), *des choses intéressantes dans ce livre, dans ce film. J'ai relevé quelques petites choses désagréables dans cet article.*

(Avec *dire, répéter,* etc.). Paroles, discours. *Dire des choses choquantes. Il lui a dit des choses désobligeantes. Dire de bonnes choses,* de bonnes paroles. *Dites-lui bien des choses de ma part :* faites-lui mes compliments. *Dire bien des choses (de, sur qqn),* dire des choses (agréables ou désagréables). *Dites lui bien des choses de ma part* (→ Faites lui mes amitiés*). *Ce n'est pas une chose croyable. Ne dire qu'une seule chose. Dire ceci est une chose, dire cela en est une autre. Parlons de choses sérieuses. Il lui répète cent fois la même chose. Il a raconté une chose amusante. Veux-tu que je te dise une chose? Tu n'es pas sérieux.*

30 Je te dis toujours la même chose, parce que c'est toujours la même chose. MOLIÈRE, Dom Juan, II, 1.

31 Les choses que dit un enfant ne sont pas pour lui ce qu'elles sont pour nous; il n'y joint pas les mêmes idées. ROUSSEAU, Émile, II.

32 Peut-être chacun de nous n'a-t-il qu'une seule chose à dire dans sa vie, et ceux qui ont tenté de parler plus longtemps furent de grands ambitieux. Pierre LOUŸS, Aphrodite, III, II, p. 144.

33 Elles n'avaient presque rien dit, que des choses enfantines ou quelconques (...) LOTI, les Désenchantées, XI, p. 100.

34 (...) il en bavait, tant la chose lui paraissait exorbitante (...) COURTELINE, Messieurs les ronds-de-cuir, 5e tableau, 2.

(...) il y a des choses que l'on peut dire aux autres; et d'autres, qu'on ne peut dire qu'à soi-même... Et d'autres, qu'on ne peut même pas se dire à soi-même. 35
VALÉRY, l'Idée fixe, p. 48.

(1840). Ellipt. (formule de politesse), fam. *Bien des choses à votre femme.*

♦ **6.** Dr. Cause. *La chose jugée :* ce qui a été décidé par le juge pour mettre fin à un procès. *Jugement passé en force de chose jugée. L'autorité de la chose jugée.* ⇒ **Autorité** (cit. 30).

♦ **7.** (1372; lat. *res publica.* → République). *La chose publique :* ensemble des questions relatives aux intérêts généraux d'un pays, d'une collectivité régionale ou locale. ⇒ **Public, république; État.**

♦ **8.** Vieilli. Désignant une personne :

Un grand seigneur méchant homme est une terrible chose (...) 35.1
MOLIÈRE, Dom Juan, I, 1.

★ **II.** Loc. ♦ **1.** **AUTRE CHOSE.** *Ceci est autre chose, tout autre chose :* c'est une autre affaire. ⇒ **Différent.** *N'avez-vous pas autre chose à dire?* — Loc. littér. *Autre chose... autre chose... :* c'est une chose..., c'est une chose toute différente... *Autre chose de dire ceci, autre chose de faire cela. Je vais vous dire, vous montrer autre chose. Ne pourriez-vous pas parler d'autre chose? Elle pensait à autre chose. C'était autre chose, bien autre chose, tout autre chose que ce qu'il avait prévu. J'ai autre chose à faire que de vous attendre. Voilà autre chose!,* pour marquer qu'un événement inattendu se produit. — Fam. (oral). *Tiens, v'là aut'chose!*

N'avez-vous, Nicomède, à lui dire autre chose? CORNEILLE, Nicomède, II, 3. 36

Je ne veux point d'autre chose pour témoigner qu'elle *(cette comédie)* ne vaut rien. 37
MOLIÈRE, Critique de l'École des femmes, 5.

Autre chose d'agir avec un père, autre chose de répondre devant un juge. 38
BOSSUET, Pénitence, 1.

Sur le bord de la fosse, ils étaient en train de faire des discours à n'en plus finir, si je peux m'exprimer ainsi. Soudain, je dis à mon collègue ici présent : « Tiens! voilà autre chose. » Ce monsieur-là venait de basculer entre deux tombes. 39
A. BLONDIN, Monsieur Jadis, p. 86.

REM. *Autre chose,* expression composée, n'entraîne pas le féminin. *Je cherche autre chose d'aussi beau* (Hanse).

♦ **2.** **QUELQUE CHOSE.** Loc. composée indéfinie, masc. (abrév. : *qqch.*). *Posséder quelque chose. Manquer de quelque chose. Chercher, trouver quelque chose :* chercher, trouver un emploi. *Je vais préparer quelque chose. Voulez-vous prendre quelque chose?,* un peu de nourriture, une boisson. *Faire quelque chose.* ⇒ **Occuper** (s'occuper à). *Faites quelque chose au lieu de vous lamenter! Il est malheureux, il faut faire quelque chose,* lui venir en aide. *Avez-vous quelque chose à faire, à dire? Faites, dites quelque chose.* → N'importe (2. Importer, 3.) quoi. *Quelque chose de grand, d'étonnant, d'ennuyeux. C'est quelque chose, c'est déjà quelque chose :* c'est mieux que rien. — (Exclam.). *C'est quelque chose! :* c'est un peu fort! *Il est arrivé à quelque chose :* il a réussi.

Quelque chose qu'on puisse faire, 40
On ne saurait le *(le naturel)* réformer. LA FONTAINE, Fables, II, 18.

De loin c'est quelque chose, et de près, ce n'est rien. 41
LA FONTAINE, Fables, IV, 10.

J'estime toutefois qu'il ne nous est pas défendu d'y ajouter quelque chose, pourvu qu'il ne détruise rien de ces vérités dictées par le Saint-Esprit. 42
CORNEILLE, Examen de Polyeucte.

Il me faut suer sang et eau pour faire quelque chose qui mérite de vous l'adresser. 43
RACINE, Lettres.

Il la traite sérieusement *(une affaire de rien),* et comme quelque chose qui est capital. LA BRUYÈRE, les Caractères, VIII, 61. 44

Aimer est quelque chose, et le reste n'est rien. 45
A. DE MUSSET, Poésies nouvelles, « Idylle ».

Elle ne broncha que lorsque j'inventai que je n'avais pas dîné; elle s'affola comme une mère. Il n'était pas trop tard pour qu'elle allât chercher quelque chose. Elle se chargeait de courir à deux pas jusqu'au café-épicerie dont elle connaissait une porte dérobée. Jacques LAURENT, les Bêtises, p. 100. 45.1

Compter pour quelque chose : avoir du prix, du mérite. *Votre opinion compte pour quelque chose.* — *Il est pour quelque chose dans cette affaire,* il y a pris part, il y contribue.
Il lui est arrivé quelque chose, un accident, un ennui. *Il a quelque chose, mais n'en veut pas parler.* ⇒ **Difficulté, embarras, ennui.**
Absolt et par euphém. *Il est arrivé quelque chose à votre oncle, il a eu un accident, il est mort. Mon Dieu, serait-il arrivé quelque chose? J'ai arrangé mes affaires pour le cas où il m'arriverait quelque chose.*

À la maison, on ne s'apercevait de rien; mais moi, je voyais bien que Jacques avait quelque chose. Alphonse DAUDET, le Petit Chose, I, IV. 46

Il y a quelque chose, un mystère, du louche. *Il y a quelque chose entre eux.* ⇒ **Malentendu; désaccord...; intrigue.**

Il y a quelque chose comme une semaine : il y a environ une semaine. ⇒ **Environ.**

Il y a quelque chose comme 4 000 cafés ultra-modernes à Tokyo, où l'on vous sert à boire et la compagnie d'une « serveuse ». 46.1
Henri MICHAUX, Un Barbare en Asie, p. 209.

Se croire quelque chose : se prendre pour quelqu'un d'important. ⇒ **Quelqu'un.**

Pour être plus qu'un roi, tu te crois quelque chose. CORNEILLE, Cinna, III, 4. 47

Être quelque chose : avoir une fonction importante. → Être quelqu'un* (C., 1.).

REM. Dans l'expression *quelque chose que...,* équivalente à *quelle que soit la chose que..., chose* demeure au féminin. *Quelque chose que je lui aie dite, il n'aurait pas dû s'en formaliser.*

♦ **3.** *Grand-chose.* ⇒ **Grand-chose.**

♦ **4.** PEU DE CHOSE **:** une chose (acte, objet) peu importante. ⇒ **Peu.** *Ne me remerciez pas, c'est peu de chose. Il faut peu de chose pour que je me sente bien.*

★ **III.** ♦ **1.** N. m. (Substituable à n'importe quel autre nom que l'on ne peut se rappeler, ou dont on veut éviter l'emploi). ⇒ **Bidule, machin, truc, trucmuche.** *Ce Monsieur... chose était bien ennuyeux. Le Petit Chose,* roman d'A. Daudet. *Donnez-moi un... chose.*

48   (...) dis eh chose tu m'en files un bout ?
            Tony DUVERT, Paysage de fantaisie, p. 34.

49   — Non... Une danseuse ! je crois qu'elle me trompe !
      — Oh ! ça...
      — Ce n'est pas pour la chose... mais c'est humiliant...
            E. LABICHE, la Chasse aux corbeaux, II, 5.

♦ **2.** Par euphém. **ⓐ** *Dire des choses, faire des choses* (que la décence oblige de taire). — *Faire des choses :* faire l'amour. → Faire ça* (1. Ça, 6.).

50   Il n'était pas tout à fait vierge, ayant fait des choses incomplètes avec une lycéenne à l'issue du concours général (...)   Jacques LAURENT, les Bêtises, p. 17.

51   (...) les putains ne sentent rien. Chaque mot est une passe. Adjectif, tu viens ? Dis, tu viens, chéri ? Je te ferai des choses, adjectif, tu monteras au ciel.
            Violette LEDUC, la Folie en tête, p. 586.

ⓑ *La chose :* l'acte sexuel. ⇒ 1. Ça (6.). — Loc. *Être porté sur la chose.* ⇒ **Porter** (cit. 16.1).

Organe sexuel. *« Coupez-vous la chose aux enfants ? Il serait Monsieur sans queue »* (Rabelais ; → Queue, cit. 6).

★ **IV.** (1739). En valeur d'adjectif. ♦ **1.** TOUT CHOSE. *Être tout chose,* alangui. *Elle était toute chose.*

52   (...) moi je donne des coups de langue dans l'oreille, vous devenez sourde et vous êtes toute chose disait la langue gourmande de Fernande dans l'oreille de Juliette. Elles s'aimèrent toutes les trois un long moment (...)
            Violette LEDUC, la Folie en tête, p. 132.

Fam. *Se sentir tout chose :* éprouver un malaise difficile à analyser, se sentir bizarre. ⇒ **Souffrant ; décontenancé, désappointé, interdit..., triste.**

♦ **2.** Fam. *Être un peu chose,* un peu niais, stupide.

CONTR. Rien.

DÉR. **Choser, chosette, chosifier, chosisme, chosiste.**

CHOSER [ʃoze] v. tr. — 1752 ; de *chose.*

♦ Pop. et régional. S'occuper de (qqch.) ; faire. *« J'ai mon fait à choser »* (Hugo, *les Travailleurs de la mer, in* T. L. F.).

CHOSETTE [ʃozɛt] n. f. — XIIIᵉ ; de *chose.*

♦ Fam. et vx. Petite chose ; petit objet ou ouvrage agréable. *« Une amusante chosette à écrire »* (J. Renard). — *La chosette :* l'amour physique (⇒ **Chose,** III., 2.).

CHOSIFICATION [ʃozifikasjɔ̃] n. f. — 1831 ; de *chosifier.*

♦ Didact. Le fait de rendre semblable aux choses ; de réduire (l'homme) à l'état d'objet. ⇒ **Réification.**

Aucun contact humain, mais des rapports de domination, et de soumission qui transforment (...) l'homme indigène en instrument de production.
À mon tour de poser une équation.
Colonisation = Chosification.   Aimé CÉSAIRE, Disc. sur le colonialisme, p. 21.

CHOSIFIER [ʃozifje] v. tr. — XXᵉ (1943, Sartre, *l'Être et le Néant*) ; de *chose,* et *-ifier.*

♦ Didact. (philos.). Rendre semblable à une chose. ⇒ **Réifier.**

DÉR. **Chosification.**

CHOSISME [ʃozism] n. m. — 1936, Sartre, *l'Imagination* ; de *chose,* et *-isme.*

♦ Didact. (philos.). Le fait de considérer (des objets de connaissance) comme des choses.

CHOSISTE [ʃozist] adj. — 1943, cit. 1 ; de *chose,* et *-iste.*

♦ Philos. Qui concerne ou soutient le chosisme.

1   L'angoisse (...) s'oppose à l'esprit de sérieux qui saisit les valeurs à partir du monde et qui réside dans la substantification rassurante et chosiste des valeurs.
            SARTRE, l'Être et le Néant, I, I, 5, p. 77.

2   Il y a dans toute situation médicale un double aspect :
      1° *Un aspect technique, objectif, « chosiste ». « Madame,* dit le médecin, les résul-

tats des investigations cliniques, radiologiques, histologiques sont concluants : vous avez un cancer du sein ».
            C. KOUPERNIK, Un traitement d'exception, *in* la Nef, nº 31, p. 156.

CHOTT [ʃɔt] n. m. — 1849, *in* D. D. L. ; arabe d'Algérie, arabe class. *šāṭṭ* « bord d'un fleuve ».

♦ Lac salé (en Afrique du Nord). ⇒ **Sebkha.**

Les *chotts* du Sahara et des Hauts-Plateaux Algériens sont des cuvettes générale-   1
ment vides d'eau, couvertes de pareilles croûtes (croûtes salines) et qui se remplissent pour peu de temps après des pluies occasionnelles.
            E. DE MARTONNE, Traité de géographie physique, t. I, p. 444.

Il veut faire entrer le désert dans l'ère de la guérilla.   2
Attaques, attentats, tentatives de meurtre, usage de faux, soulèvement des sables, occupation des chotts (...)   Jean CAYROL, Histoire d'un désert, p. 47.

CHOU [ʃu] n. m. — XIIᵉ, *chol, chou* ; du lat. *caulis.*

♦ **1.** Bot. Plante dicotylédone *(Crucifèracées),* scientifiquement appelée *brassica,* annuelle, bisannuelle ou vivace, cultivée comme potagère (rare dans cet emploi général).

Cour. Une des espèces comestibles de cette plante, en particulier (quand le mot est employé sans qualificatif), le *chou cabus* ou *pommé,* à gros bourgeon terminal. *Planter des choux* (→ Agir, cit. 1). *Feuilles de chou. Cœur* du chou. Le trognon*, les côtes d'un chou.* — Partie comestible et consommée du chou. *Soupe aux choux. Chou farci. Perdrix aux choux* (→ 2. Bisque, cit. 1). — *Variétés de choux. Choux pommés : choux cabus*, à feuilles lisses, choux de Milan, à feuilles cloquées.* ⇒ **Pommé ; pommeler** (Se pommeler, cit.1). *Chou d'York. Chou frisé d'Écosse.*

J'ai vu, dit-il, un chou plus grand qu'une maison.   1
Et moi, dit l'autre, un pot aussi grand qu'une église.
Le premier se moquant, l'autre reprit : « Tout doux :
On le fit pour cuire vos choux ».   LA FONTAINE, Fables, IX, 1.

Astiqués, encaustiqués, métalliques, gorgés de tout le suc qu'ils vont, avec leur   2
grande racine froide, puiser au fond de la terre, les choux forment, au bout du potager, un bataillon vigoureux (...) Ils sont si gras, si musclés, si trapus que leur seul aspect signifie : « C'est nous les choux, les choux de la soupe aux choux, les choux au gras, les choux farcis, les choux au gros cœur, à l'odeur puissante ».
            G. DUHAMEL, les Plaisirs et les Jeux, III, 9.

Tout le long de la rue du Pont-Neuf, on déchargeait, les tombereaux acculés aux   2.1
ruisseaux, les chevaux immobiles et serrés, rangés comme dans une foire. Florent s'intéressa à une énorme voiture de boues, pleine de choux superbes, qu'on avait eu grand'peine à faire reculer jusqu'au trottoir (...)
            ZOLA, le Ventre de Paris, t. I, p. 22.

Chou rouge, que l'on consomme cru, en salade ou macéré dans le vinaigre. *Chou de Bruxelles,* à longues tiges donnant des bourgeons comestibles. — *Chou cabus, chou quintal,* qui sert à préparer la choucroute. — *Chou cultivé pour son inflorescence hypertrophiée.* ⇒ **Chou-fleur ; brocoli.** *Chou cultivé pour ses racines.* ⇒ **Chou-rave, chou-navet, turneps.** — *Chou rutabaga*. Choux fourragers,* pour l'alimentation du bétail : *chou vert,* ou *cavalier, chou branchu, chou moellier ; chou de Chine. Chou cultivé pour ses graines oléagineuses.* ⇒ **Colza, navette.**

Passez-moi encore des choux rouges, demanda à la gauche de Rouletabille la petite   2.2
cousine... et versez-moi de la sauce.   G. LEROUX, Rouletabille chez Krupp, p. 199.

♦ **2.** *Chou palmiste :* bourgeon terminal du palmier. ⇒ **Arec.**

Les navires qui venaient s'y approvisionner *(à Más à Tierra)* en eau, choux pal-   2.3
mistes et viandes battaient pavillon espagnol (...)
            M. TOURNIER, le Vent Paraclet, p. 209.

Chou de chien. ⇒ **Mercuriale.** — *Chou de mer.* ⇒ **Crambe.**

♦ **3.** Loc. fam. *Feuille de chou :* papier, écrit, journal* de peu de valeur.

Bête comme chou. ⇒ **Simple, enfantin.** *Le problème est bête comme chou,* facile à comprendre. *Être bête comme un chou,* très bête*.

Être dans les choux, dans l'embarras ; être dans une mauvaise situation, subir un échec, être mis hors du jeu, etc.

Vous venez du golf, Octave ? (...) Ça a-t-il bien marché ? (...) — Oh ! ça me   2.4
dégoûte, je suis dans les choux, répondit-il.
            PROUST, À l'ombre des jeunes filles en fleurs, Pl., t. I, p. 878.

Cependant, Théocrate VI *(un cheval)* avait perdu son avance et finissait dans les   2.5
choux.   M. AYMÉ, le Passe-muraille, p. 36.

Entrer dans le chou : attaquer, donner des coups*, et aussi, entrer en collision avec... — *Faire chou blanc :* ne pas réussir une affaire (⇒ **Échouer**) ; faire un coup nul. — N. m. (Rare). *Un chou blanc :* un échec.

Comment ! ... moi ! ... je pourrais épouser... après dix-sept choux blancs... ?   2.6
nom d'un petit bonhomme !   E. LABICHE, Un monsieur qui prend la mouche, 9.

Faire ses choux gras : tirer profit d'une affaire avantageuse.

S'y entendre comme à ramer des choux : ne rien savoir faire puisque les choux ne se rament pas.

Aller planter ses choux : se retirer à la campagne. *Envoyer qqn planter ses choux,* le destituer, le renvoyer.

(Il) se fit partout des querelles, reçut des affronts qu'un valet n'endurerait pas et   3
finit, à force de folies, par se faire rappeler et renvoyer planter ses choux.
            ROUSSEAU, les Confessions, VII.

Ménager la chèvre et le chou (⇒ **Chèvre,** cit. 5 et *supra*).

♦ **4.** (1752, *in* D. D. L.). *Mon chou, mon petit chou* (fém. : *choute**).

Expressions de tendresse. ⇒ **Chouchou.** *Vous êtes un vrai chou. Mon chou, mon petit chou.*

4 — Alors, mon chou, je t'ai fait peur?
— C'est bien elle! s'écria le chou joyeusement.
— Tu as parlé à papa?
— Oui, dit le chou. R. QUENEAU, les Fleurs bleues, p. 80.

Adj. (invar.). Gentil, mignon, charmant. *Ce qu'elle est chou!* (ou *choute**). ⇒ **Gentil, joli.**

5 Vous allez être tout à fait chou, vous allez dédicacer quelques livres : ces dames sont des admiratrices passionnées. S. DE BEAUVOIR, les Mandarins, p. 266.

N. m. Ce qui est gentil, charmant.

6 Avec double torsade rose et noire, spécifia le couturier. C'est d'un chou! Francis CARCO, les Belles Manières, p. 69.

Un bout* de chou : un petit enfant.

♦ **5.** (1689). Nœud, rosette de ruban ou d'étoffe dont la forme rappelle celle du chou. ⇒ **Bouffette, choupette.** *Un bonnet de nuit orné de choux.*

♦ **6.** *Chou à la crème :* pâtisserie* légère et soufflée. *Petit chou fourré.* ⇒ **Profiterolle.** — *Pâte à choux,* dont on fait les choux.

♦ **7.** Argot (par anal. de forme). Tête. — Fam. *Ne rien avoir dans le chou :* être stupide.

7 À un point tels qu'ils n'ont, alors que le loufiat s'apporte avec le soufflé Rothschild, qu'à échanger un regard pour comprendre qu'une pensée commune vient, simultanément, de leur traverser le chou (...)
A. SIMONIN, Hotu soit qui mal y pense, p. 48, 1971.

COMP. **Chouchou.**

CHOUAN [ʃwɑ̃] n. m. — 1793; de Jean *Chouan,* surnom de Jean Cottereau, l'un des chefs des insurgés de l'Ouest, qui avait comme signe de ralliement le cri du *chouan,* forme régionale de *chat-huant.*

♦ Insurgé royaliste de l'Ouest qui faisait la guerre de partisans contre la Révolution. *Les Chouans,* roman de Balzac (1829).

DÉR. **Chouanner, chouannerie.**

CHOUANNER [ʃwane] v. intr. — 1794; de *chouan.*

♦ Vx. Faire la guerre à la façon des chouans.

Peut-être chouannait-il pour chouanner.
BARBEY D'AUREVILLY, le Chevalier des Touches, p. 78.

CHOUANNERIE [ʃwanʀi] n. f. — 1794; de *chouan.*

Histoire.

♦ **1.** Insurrection des chouans.

♦ **2.** Ensemble des chouans; leur mouvement.

CHOUCAS [ʃuka] n. m. — 1530, selon Bloch; p.-ê. formation onomatopéique.

♦ Oiseau passeriforme *(Corvidés),* scientifiquement appelé *coloens,* et, régionalement, *grole*. Le choucas a la taille d'un pigeon, un plumage noir; il se nourrit de grains et d'insectes. Choucas vivant en colonies dans les clochers, les ruines.* ⇒ **Corneille.**

1 J'allais tirer les choucas qui nichaient dans les pierres du vieux château.
FRANCE, la Vie en fleur, XI, p. 155.

2 Une femme avec deux petits enfants disait : «Croa-croaca croa-croa-croa crô crô...» Ça, c'était un choucas. J.-M. G. LE CLÉZIO, les Géants, p. 156.

CHOUCHOU, OUTE [ʃuʃu, ut] n. — 1780, *in* D.D.L., t. d'affection; de *chou.*

♦ Favori, préféré. *Le petit chouchou. C'est sa chouchoute.*

1 Certains professeurs, si prompts à étiqueter leurs têtes de Turc ou leurs chouchous, passaient parfois plusieurs semaines sans mettre un nom sur mon visage.
Pierre DANINOS, Un certain Monsieur Blot, p. 15.

2 Et ce dont tu rêves, pauvre idiote! c'est d'aller faire ta chouchoute là-bas, de profiter du fric des gogos dont ton père ravale le portrait.
Hervé BAZIN, Madame Ex, p. 182.

DÉR. **Chouchouter.**
HOM. **Chow-chow.**

CHOUCHOUTAGE [ʃuʃutaʒ] n. m. — 1951, Montherlant; de *chouchouter.*

♦ Action de chouchouter.

Le chouchoutage de Franck avait instantanément déclenché de furieuses jalousies. Sauf Fiona, la petite Anglaise. Et ça avait été bien pire après la collection, quand José, un soir, était devenue la coqueluche de tout le monde.
Geneviève DORMANN, Je t'apporterai des orages, p. 100.

CHOUCHOUTER [ʃuʃute] v. tr. — 1842; de *chouchou.*

♦ Dorloter, gâter. *Elle chouchoute trop ses enfants. Il se fait chouchouter par le prof.*

DÉR. **Chouchoutage.**

CHOUCROUTE [ʃukʀut] n. f. — 1768; *sorcrote,* 1739; empr. de l'alsacien *sûrkrût,* all. *Sauerkraut,* de *sûr* «aigre», et *krût* «herbe», avec adapt. par attr. de *chou* et de *croûte.*

♦ Mets préparé avec des choux débités en fins rubans que l'on fait légèrement fermenter dans une saumure. *Choucroute fraîche, en tonneaux.* — Plat fait de choucroute accompagnée de charcuteries. *Charcuterie d'une choucroute garnie :* plat de côte, jarret de porc, saucisses, lard... *Choucroute alsacienne, d'Alsace. Boire de la bière avec la choucroute.* — *Choucroute en conserve. Ouvrir une boîte de choucroute.*

(...) des garçons (...) commençaient à servir, accompagné de demis de bière enrhumés, une choucroute pouacre parsemée de saucisses paneuses, de lard chanci, de jambon tanné et de patates germées, apportant ainsi à l'appréciation inconsidérée de palais bien disposés la ffine efflorescence de la cuisine ffransoueze.
Zazie, goûtant au mets, déclara tout net que c'était de la merde (...)
— Notre choucroute alsacienne ne plaît pas à la petite demoiselle? demanda le vicieux loufiat (...) R. QUENEAU, Zazie dans le métro, XII, Folio, p. 130-131.

---

1. CHOUETTE [ʃwɛt] n. f. — 1175; dimin. de l'anc. franç. *choue,* d'un lat. vulg. *cawa,* francique* *kawa.* → Chat-huant.

♦ **1.** Oiseau rapace nocturne de la famille des strigidés *(Strigiformes)* ne portant pas d'aigrettes sur la tête (à la différence des *hiboux*). Chouette blanche.* ⇒ **Harfang.** *Chouette chevêche* ou *chouette noctuelle.* ⇒ **Chevêche, chevêchette.** *Chouette des bois.* ⇒ **Hulotte.** *Chouette des clochers.* ⇒ **Effraie, strix.** *L'ægolie, chouette pattue. Chouette épervière.* — *Les gros yeux ronds de la chouette. Cri de la chouette.* ⇒ **Chuinter, huer.** *Le chuintement lugubre de la chouette.*

1 Le caractère distinctif de ces deux genres *(hibou* et *chouette),* c'est que tous les hiboux ont deux aigrettes de plumes en forme d'oreilles droites de chaque côté de la tête, tandis que les chouettes ont la tête arrondie, sans aigrettes et sans aucune plume proéminente. BUFFON, Hist. nat. des oiseaux, t. II, p. 104.

2 (...) il a le retrait de la face et les broussailles effilées de la chouette.
André SUARÈS, Trois hommes, «Ibsen», III, p. 106.

♦ **2.** Fig. *Une vieille chouette :* vieille femme laide, acariâtre. *Avoir des yeux de chouette,* de gros yeux ronds.

Argot. Femme.

3 À chaque étreinte qu'il la serre elle me cligne, tortille, elle me refait de l'œil! à chaque bécot! elle a le diable au fingue *(sic)* la chouette!
CÉLINE, Guignol's band, p. 370.

---

2. CHOUETTE [ʃwɛt] adj. — 1830; p.-ê. emploi fig. du précédent; déjà dans Rabelais : *jolie comme une belle petite chouette;* cf. aussi ital. *civetta* «chouette», et «femme coquette».

♦ Fam. ⇒ **Agréable, beau, élégant, joli.** *Une chouette fille. Un chouette chapeau. C'est chouette :* c'est digne d'admiration, d'éloge. ⇒ **Bath, épatant.** *Elle est chouette. Une chouette voiture. C'est drôlement chouette. Il est pas chouette, ton copain. Il s'est acheté une bagnole très chouette.* — Pop. *Une chouette de bagnole.*

1 Monsieur Bluette est un brave homme, toi tu es un bon garçon, les camarades sont des chouettes types. A. ALLAIS, l'Affaire Blaireau, p. 46.

2 (...) il cherchait une place. Seulement, ayant de chouettes extras pour l'instant, il ne se pressait pas d'en trouver.
O. MIRBEAU, le Journal d'une femme de chambre, p. 163.

3 (...) et l'époux qui aidant, à l'heure du Jugement dernier, sa jeune femme à sortir du tombeau lui appuie la main contre son propre cœur pour la rassurer et lui prouver qu'il bat vraiment, est-ce aussi assez chouette comme idée, assez trouvé? PROUST, À l'ombre des jeunes filles en fleurs, Folio, p. 499.

(Sur le plan moral). ⇒ **Chic, sympa.** *Il a été très chouette avec nous. Allez, sois chouette!*

Interj. *Ah, chouette alors! Chouette!* ⇒ **Chic.**

4 Arrivé là, Rouletabille ne fut pas maître de dissimuler un mouvement de satisfaction :
«Chouette! dit-il entre ses dents. On entre par la porte B...»
G. LEROUX, Rouletabille chez Krupp, p. 181.

Var. fam. : *chouettos* [ʃwɛtos], (vx) *chouettard, arde* [ʃwɛtaʀ, aʀd] (1846, *in* D.D.L.).

DÉR. **Chouettement.**

CHOUETTEMENT [ʃwɛtmɑ̃] adv. — 1843; de 2. *chouette.*

♦ Fam. De façon chouette. ⇒ **Épatamment.** «Le type le plus chouettement mis» (Morand).

CHOU-FLEUR [ʃuflœʀ] n. m. — 1611; de *chou,* et *fleur,* pour traduire l'ital. *cavolofiore.*

♦ **1.** Chou d'une variété dont les inflorescences forment une masse blanche, charnue et comestible. ⇒ aussi **Brocoli.** *Des choux-fleurs. Préparer du chou-fleur au gratin.*

Sur le carreau de la rue Rambuteau, il y avait des tas gigantesques de choux-fleurs, rangés en piles comme des boulets, avec une régularité surprenante. Les chairs blanches et tendres des choux s'épanouissaient, pareilles à d'énormes roses, au milieu des grosses feuilles vertes (...)   ZOLA, le Ventre de Paris, t. I, p. 28.

♦ **2.** (Par anal. de forme). Botte de muguet composée de 500 à 1 000 brins.

♦ **3.** Loc. fam. *Avoir les oreilles en chou-fleur* : avoir les oreilles boursouflées (à la suite de coups, par exemple).

CHOUÏA ou CHOUYA [ʃuja] n. m. et adv. — 1866; arabe maghrébin *chouïa*, arabe class. *šǎysǎn fǎšǎysǎn* «petit à petit», puis «un peu».

Familier.

♦ **1.** Loc. adv. *(Un chouya, un chouïa).* Un petit peu. *Tu veux de la gnole? — Un chouïa.*

1 Dis donc, Gil, t'as pas picolé un chouïa?
— T'en fais pas, gosse. C'est avec mon pognon.
    Jean GENET, Querelle de Brest, p. 244.

Devant un adjectif :

2 (...) il sortit de cet endroit un chouïa lugubre en utilisant une porte sur laquelle on avait écrit *Entrée...*   R. QUENEAU, le Dimanche de la vie, p. 83.

♦ **2.** Adv. (1935). *Chouya* : beaucoup (en phrase négative). *Il n'y en a pas chouya.*

3 On a du rhum, dit Dandieu. Pas chouya : juste une gorgée pour chacun.
    SARTRE, la Mort dans l'âme, p. 172 (1949).

4 La beauté, moi je peux t'en causer. La beauté, ça ne veut souvent pas dire chouïa. Celui qui voudrait juger sur la mine...
    M. AYMÉ, le Vin de Paris, «Traversée de Paris», p. 58.

CHOULEUR [ʃulœʀ] n. m. — 1954; de *chouler* (t. de mar.) «charrier un chargement».

♦ Techn. Appareil monté sur chenilles ou sur pneus, muni d'une benne mécanique, et destiné à charger des matériaux.

CHOU-NAVET [ʃunavɛ] n. m. — 1732; de *chou*, et *navet*.

♦ Chou dont la racine a l'apparence d'un gros navet. *Le chou-navet s'apparente au rutabaga*. *Des choux-navets.*

CHOUPETTE [ʃupɛt] n. f. — Déb. xxᵉ; probablt de *chou* «coque de rubans». → Chou (5.).

♦ Fam. Houpe, houpette. — Nœud, chou* de ruban qu'on met dans les cheveux des petites filles.

Quand j'ai vu Micheline, toute pomponnée, avec une choupette, les yeux brillants, j'ai dit : «On dirait une chinoise».   Jean FERNIOT, Pierrot et Aline, p. 84 (1973).

CHOU-PILLE [ʃupij] n. m. — xviiᵉ; comp. de *chou*, cri du chasseur pour exciter son chien, et *pille*, impér. de *piller*.

♦ Vén. Chien d'arrêt qui ne quête que sous le fusil.

CHOUQUE [ʃuk] ou CHOUQUET [ʃukɛ] n. m. — 1835, *chouque; chouquet*, 1678; «petite souche, billot», 1381; forme normanno-picarde de *souche*.

♦ Mar. Gros billot de bois servant à assembler un mât supérieur avec la tête du mât inférieur. *Le bas-mât est uni au mât de hune par le chouquet* (Académie, 1835).
Anciennt. Billot où un condamné à la décapitation posait sa tête.

CHOU-RAVE [ʃuʀav] n. m. — xviᵉ; de *chou*, et *rave*.

♦ Variété de chou cultivée pour ses racines. *Des choux-raves.*

HOM. Formes du v. **chouraver.**

CHOURAVER [ʃuʀave] v. tr. — 1938, Esnault; romani *tchorav*, même sens.

♦ (Répandu dans l'usage fam., étudiant, etc., v. 1960). Argot. Voler, prendre.

Qui c'est qui a vu ma gamelle, bonsoir? Marquée A. L. Qui a chouravé ma gamelle?   A. SARRAZIN, la Cavale, p. 145.

Abrév. (*chouraver* étant traité comme un javanais infixé en *-av-*) : *chourer* (même sens). *Il s'est fait chourer son crapautard.*

CHOURIN [ʃuʀɛ̃] n. m. Vx. ⇒ Surin.

CHOURINER [ʃuʀine] v. tr. — 1828; var. de *suriner*.

♦ Argotique et vx. Tuer ou blesser à coups de couteau. ⇒ Suriner.

CHOURINEUR [ʃuʀinœʀ] n. m. — 1842; var. de *surineur*.

♦ Argotique et vx. Assassin qui tue au couteau (mot répandu par E. Sue, dont un personnage porte ce nom, dans *les Mystères de Paris*). Var. : *surineur.*

1 Ainsi ce boucanier, ainsi ce chourineur
A fait d'un jour d'orgueil un jour de déshonneur. HUGO, les Châtiments, VI, 11.

2 (...) le couteau eût mieux valu, sans doute, le rudimentaire couteau du chourineur filial!   Léon BLOY, le Désespéré, p. 9.

CHOUROUN [ʃuʀun] n. m. — Syn. régional de *aven* (cit. 1).

CHOUTE [ʃut] adj. et n. f. — xxᵉ; fém. pop. de *chou* pris adjectivement. → Chou.

♦ Fam. Mignonne, gentille. *Ce qu'elle est choute! — N. f. Oui, ma choute.*

Sur deux tréteaux noirs assez bas reposait le petit cercueil où sa fillette était enfermée.
— Elle dort, la pauvre choute.   Jean GENET, Pompes funèbres, p. 62.

HOM. Shoot; formes du v. **shooter.**

CHOUYA [ʃuja] n. m. et adv. ⇒ **Chouïa.**

CHOW-CHOW [ʃoʃo; ʃuʃu] n. m. — 1898; *in* Höfler; mot angl., du jargon anglo-chinois.

♦ Chien d'origine chinoise, à abondant pelage uni, et dont le sens de l'orientation est remarquable. *Des chows-chows.*

HOM. Chouchou.

CHOYER [ʃwaje] v. tr. — Conjug. *noyer.* — 1541; *chuer, chouer,* xiiiᵉ, d'orig. obscure; on a proposé le gallo-roman *cavicare, caucare,* de *cavere* «prendre garde», l'anc. franç. *choe* «chouette», en raison de la tendresse maternelle de cet oiseau; P. Guiraud évoque l'anc. wallon *chouer* «essuyer», du lat. *exsucare.*

♦ **1.** Soigner avec tendresse, entourer de prévenances, de soins. ⇒ **Cajoler, combler, entourer, mignarder, mignoter, soigner.** *Elle choie ses enfants. Choyer à l'excès.* ⇒ **Gâter.**

1 Je t'ai toujours choyé, t'aimant comme mes yeux. LA FONTAINE, Fables, VIII, 22.

2 Il prétendait n'être aimé de personne, lui qu'on avait toujours choyé et gâté plus que tous les autres dans la famille. G. SAND, la Petite Fadette, XXXI, p. 206.

Avoir de grands égards pour (qqn), chercher à plaire à (qqn). *Il le choie pour gagner son amitié.* ⇒ **Caresser.**

♦ **2.** (Compl. n. de chose concrète). S'occuper avec grand soin de (qqch.). *Il choie sa collection de médailles, sa bibliothèque.*

3 De peur de voir finir mon argent, je le choie. ROUSSEAU, les Confessions, I.

♦ **3.** (Compl. n. de chose abstraite). Entretenir avec tendresse, complaisance (une idée, un sentiment, un état). ⇒ **Cultiver, entretenir.** *Choyer un préjugé, une idée, une théorie.*

4 Et comment détruire *l'absurde,* — que nous choyons et cultivons — quand il nous est délicieux? VALÉRY, l'Idée fixe, p. 14.

▶ **SE CHOYER** v. pron.
Se soigner.

5 (...) la colère fait mal;
Et je veux me choyer, quoi qu'enfin il arrive. MOLIÈRE, l'Étourdi, II, 7.

▶ **CHOYÉ, ÉE** p. p. adj. *Enfant choyé, gâté.* — Littér. *Rêve choyé.*

HOM. Formes du v. **choir.**

CHRÉMATISTIQUE [kʀematistik] adj. — 1839; du grec *krêmatistikê* «science de la richesse», de *khrêmata* «les richesses».

♦ Didact. Relatif à la production des richesses. *Conception chrématistique de l'économie,* qui prône la production intensive des biens de consommation, sans considération de leur utilité.

N. f. Partie de l'économie politique qui traite de la production des richesses.

Toute la chrématistique se résume à rechercher une production abondante et à peu de frais (...)   René GONNARD, Histoire des doctrines économiques, VI, III.

CHRÊME [kʀɛm] n. m. — xviᵉ; *cresme,* v. 1140; lat. ecclés. *chrisma,* du grec *khrisma* «onction, huile».

♦ Liturgie. Huile consacrée, employée pour les onctions dans certains sacrements, certaines cérémonies des Églises catholique et orthodoxe. ⇒ **Huile, onction, onguent; sacrement.** *Le saint chrême est formé d'huile d'olive mêlée de baume.*

Baissez la tête, enfant, pour que le chrême y tombe!
    LAMARTINE, Jocelyn, V, p. 182.

Loc. (Vx : langue class.). *Renier chrême et baptême : être poussé à bout, amené à des excès par impatience, etc.*

HOM. Crème; formes du v. **crémer.**

CHRÉMEAU [kʀemo] n. m. — V. 1175 ; de *chrême.*

♦ Vx. Bonnet dont on coiffe l'enfant après l'onction du baptême.
— Oui, répondit celui-ci. C'est madame de Liorents qui portait le chrémeau. Il dut donner des détails. Le chrémeau était le bonnet de baptême. Ni l'un ni l'autre de ces messieurs ne savaient cela ; ils se récrièrent.
    ZOLA, Son Excellence Eugène Rougon, t. I, p. 115.
Toile qui recouvre un autel nouvellement consacré.

-CHRÈSE Élément, du grec *khrêsis* « usage », entrant dans la composition de mots savants. ⇒ **Antichrèse, catachrèse.**

CHRESTOMATHIE [kʀɛstɔmati] n. f. — 1623, repris 1806 ; du grec *khrêstomatheia* « recueil de textes utiles », de *khrêstos* « utile », et *manthanein* « apprendre ».

♦ Didact. Recueil de morceaux choisis tirés d'auteurs classiques. ⇒ **Anthologie, florilège.** *Chrestomathie grecque ; arabe. Chrestomathie médiévale* (française).

CHRÉTIEN, IENNE [kʀetjɛ̃, jɛn] adj. et n. — XIIᵉ, *chrestien*; *christian,* 842 ; lat. ecclés. *christianus,* grec *khristianos,* du grec *khristos.* → Christ.

★ **I.** Adj. ♦ **1.** (Personnes). Qui professe la foi en Jésus-Christ. *Le monde chrétien. Le peuple chrétien* (→ Catholique, cit. 2). *Une âme chrétienne.*

1   Le peuple juif, moqué des gentils ; le peuple chrétien persécuté.
    PASCAL, Pensées, XI, 704.

2   J'eusse été près du Gange esclave des faux dieux,
    Chrétienne dans Paris, musulmane en ces lieux.   VOLTAIRE, Zaïre, I, 1.
Le Roi Très Chrétien, titre pris par les rois de France. *Sa Majesté très chrétienne.*

2.1   Les rois très chrétiens ne l'ont été que par antiphrase (...)
    F. MAURIAC, Bloc-notes 1952-1957, p. 398.

♦ **2.** (Choses). Qui appartient, est propre au christianisme (⇒ **Christianisme**). *La foi, la morale* (cit. 4), *la religion chrétienne. L'Église chrétienne. Recevoir le baptême chrétien. Confirmation chrétienne.* ⇒ **Communion.** *Religions chrétiennes. Rite chrétien d'Espagne.* ⇒ **Mozarabe.** *Mener une vie chrétienne,* conforme à la doctrine du christianisme. *La charité, vertu chrétienne. — L'ère chrétienne,* qui commence à l'année présumée de la naissance de Jésus-Christ, et dans laquelle on compte les années à partir de cette date. — *L'art chrétien.*

3   La vie chrétienne que je vous propose, si pénitente, si mortifiée, si détachée des sens et de nous-mêmes (...)
    BOSSUET, Sermon pour la profession de Mlle La Vallière.
Qui est empreint d'influence chrétienne, témoigne de cette influence. *Traditions chrétiennes. Morale, civilisation, culture chrétienne. Humanisme chrétien.*

4   Je n'ai pas la foi religieuse. Je suis, présentement, ce que j'appelle, pendant les heures d'amertume, un agnostique désespéré, ce que j'appellerai plus tard, ayant pesé les idées et les mots, un agnostique chrétien.
    G. DUHAMEL, les Espoirs et les Épreuves, I, p. 10.
Spécialt. Qui est conforme à la générosité du parfait chrétien. ⇒ **Bon, charitable, généreux.** — *Vous n'exprimez pas là un sentiment chrétien. —* Qui s'accorde avec la justice, la morale. ⇒ **Honnête.** *C'est un moyen peu chrétien pour s'enrichir.*

Régional (Canada). Humain. *Ce que vous faites n'est pas chrétien.*
REM. Les emplois fig. de *catholique* sont de nature très différente.

★ **II.** N. ♦ **1.** Personne qui professe le christianisme*. ⇒ **Brebis, ouaille ; élu, fidèle ; catholique, orthodoxe, protestant, réformé** (→ Persécuter, cit. 1). *Les premiers chrétiens. Une jeune chrétienne. Mourir en chrétien, en bon chrétien. Un vrai chrétien :* un chrétien authentique, par oppos. aux *chrétiens du dimanche* (fam.), qui ne pratiquent leur foi que le dimanche. — *Chrétien jacobite.* ⇒ **Copte.** *Nom que l'arabe donne au chrétien.* ⇒ **Roumi.**

5   Ce fut à Antioche que, pour la première fois, les disciples furent appelés chrétiens.
    BIBLE (SEGOND), Actes des Apôtres, XI, 26.

6   Il y a peu de vrais Chrétiens, je dis même pour la foi. Il y en a bien qui croient, mais par superstition ; il y en a bien qui ne croient pas, mais par libertinage : peu sont entre deux.
    PASCAL, Pensées, IV, 256.

7   (...) nous confessons l'amour que Dieu a pour nous ; c'est là toute la foi des chrétiens (...)
    BOSSUET, Oraison funèbre de Anne de Gonzague.

8   Faire de son devoir son mérite par rapport à Dieu, son plaisir par rapport à soi-même, et son honneur par rapport au monde, voilà en quoi consiste la vraie vertu de l'homme et la solide dévotion du chrétien.   BOURDALOUE, Pensées, t. I, p. 397.

9   Ma conviction religieuse, en grandissant, a dévoré mes autres convictions ; il n'est ici-bas chrétien plus croyant que moi.
    CHATEAUBRIAND, Mémoires d'outre-tombe, IV, X.

10   Il *(Paul)* reçut le baptême presque aussitôt. Les doctrines de l'Église étaient si simples qu'il n'eut rien de nouveau à apprendre. Il fut sur-le-champ chrétien, et parfait chrétien.   RENAN, les Apôtres, Œ. compl., t. IV, p. 583.

11   Le chrétien navigue à contre-courant ; il remonte les fleuves de feu : concupiscence de la chair, orgueil de la vie. L'humaniste, lui, s'épuise à ne pas les descendre trop vite, à interrompre le glissement.
    F. MAURIAC, Souffrances et Bonheur du chrétien, p. 159.

Polit. *Chrétiens progressistes :* chrétiens qui collaborent avec les partis de gauche pour mener leur action politique. *Chrétiens de gauche. Chrétiens traditionalistes, conservateurs.*

Fam. et vx. Chez les peuples chrétiens, Homme, individu.

12   (...) jamais je ne vis un plus hideux chrétien.   MOLIÈRE, l'École des femmes, II, 3.
Il fait un temps à ne pas laisser un chrétien dehors : il fait un temps de chien*. — Vx. Parler chrétien :* parler un langage intelligible.

13   Il faut parler chrétien, si vous voulez que je vous entende.
    MOLIÈRE, les Précieuses ridicules, 6.

♦ **2.** Fig. et rare. *(Un chrétien).* ⇒ **Bon-chrétien** (variété de poire).

CONTR. Agnostique, athée, gentil, hérétique, infidèle, païen.
DÉR. Chrétiennement.
COMP. Antichrétien ; démocrate-chrétien, social-chrétien. — Étouffe-chrétien.

CHRÉTIENNEMENT [kʀetjɛnmɑ̃] adv. — XVIᵉ ; de *chrétien.*

♦ D'une manière chrétienne. *Vivre, mourir chrétiennement.*

CHRÉTIENTÉ [kʀetjɛ̃te] n. f. — V. 1050, *cristientet* « loi chrétienne » ; d'après le lat. ecclés. *christianitas,* de *christianus.*

♦ **1.** Ensemble des peuples chrétiens, et des pays où le christianisme domine. *La chrétienté primitive. Chrétienté divisée par l'hérésie, menacée par l'infidèle.*

1   Ce grand temple de la paix dans lequel toutes les nations de la chrétienté doivent entrer.   VOITURE, Lettres, 186, in LITTRÉ.

2   (...) si (...) la chrétienté était restée ce qu'elle était, une communion, si le christianisme était resté ce qu'il était, une religion du cœur.
    Ch. PÉGUY, Notre jeunesse, p. 133.

♦ **2.** Vx. Communauté chrétienne. *Les chrétientés orientales.*

CHRISCRAFT [kʀiskʀaft] n. m. — 1958, *in* Höfler ; mot angl., marque déposée, avec la finale *craft* « embarcation ».

♦ Anglic. Canot à moteur de la marque de ce nom. — Par ext., abusivt. Canot automobile dont le moteur est à l'intérieur de la coque (par opposition au hors-bord), quelle que soit sa marque.

1   Pour comble de malchance, ils ont fait connaissance d'autres jeunes gens à chriscraft. Et je suis resté seul sur la plage avec ce damné canot pneumatique tandis que les enfants étaient invités à bord d'un coursier pétaradant.
    Pierre DANINOS, Un certain Monsieur Blot, p. 109.

2   Dans l'entre-deux guerres, la construction américaine avait largement répandu un type de canot glisseur rapide dit *runabout* identifié sous sa marque « Chriscraft », équivalent sur l'eau de la *Buick* ou de la *Ford.* Jean GIORDAN, le Yachting, p. 24.

CHRISMAL, ALE, AUX [kʀismal, o] n. m. et adj. — Av. 1732, Fleury, *in* Trévoux ; lat. chrét. *chrismal, chrismalis.*
Liturgie.

♦ **1.** N. m. Vase contenant l'huile du sacrement de l'extrême-onction.

♦ **2.** Adj. Relatif au saint chrême*.

CHRISME [kʀism] n. m. — 1819 ; grec *khrismon.*

♦ Didact. Monogramme du Christ formé des deux premières lettres grecques de son nom. *Le chrisme se rencontre sur des monuments, des édifices chrétiens. Poisson, symbolisant un chrisme du Christ.* ⇒ **Ichthys ;** et aussi **inri.** *Étendard marqué du chrisme.* ⇒ **Labarum.**

CHRIST [kʀist] n. m. — Xᵉ ; lat. ecclés. *christus,* du grec *khristos* « oint », trad. de l'hébreu *mâschiâkh.* → Messie.

♦ **1.** Titre attribué à un envoyé de Dieu, oint* pour sauver le peuple, dans le judaïsme.

0.1   (...) ce n'est point cette parenté qui fait de lui un christ, titre déjà donné à Cyrus, et qui lui transmet son autorité comme fondateur de religion (...)
    E. BURNOUF, la Science des religions, p. 172.

1   (...) ceux qui avaient reçu une onction sainte, par exemple les rois comme David ou des Grands Prêtres, portaient le titre d'*oint* du Seigneur, en araméen *Meschiah,* messie, en grec *Christos.* C'est de ce terme qu'on désignera tout naturellement le mystérieux médiateur qui viendra, au nom de Dieu, assurer la « rédemption d'Israël » et le jugement.   DANIEL-ROPS, Histoire sainte, IV, III, p. 378.

Dans le christianisme, Nom donné à Jésus de Nazareth qui s'unit sans se confondre au Père et au Saint-Esprit dans la Sainte-Trinité. *Le christ Jésus. Jésus le Christ* ou *Jésus-Christ* [ʒezykʀi] (abrév. : *J.-C.*), et, absolt, *Christ* (usage des chrétiens de l'Église réformée). *Jésus-Christ, le Verbe. Le Christ, Rédempteur, Sauveur, Seigneur* (→ Antéchrist, cit. 2 ; assoupissement, cit. 9). *La parole du Christ* (⇒ **Christique**).

2   Je sais que le Messie doit venir (celui qu'on appelle Christ) ; quand il sera venu, il nous annoncera toutes choses. Jésus lui dit : Je le suis, moi qui te parle.
    BIBLE (SEGOND), Évangile selon saint Jean, IV, 23.

Fam. Avoir une figure de Christ, une figure rappelant celle que la tradition et les arts attribuent au Christ.

♦ **2.** Image représentant Jésus-Christ. *Christ en croix*.* ⇒ **Crucifix.** *Un christ d'ivoire. Baiser un christ, le christ* (Académie). *Les christs des chemins de croix, des vitraux d'église. Une tête de Christ ceinte de la couronne d'épines. Christ sur un calvaire*. Christ ceint d'une auréole. Christ en gloire*, en majesté** (⇒ **Amande, mandorle**). — *Le Christ mort,* tableau de Mantegna.

3   Aux carrefours, les vieux christs qui gardaient la campagne étendaient leurs bras noirs sur les calvaires, comme de vrais hommes suppliciés (...)
                                                        LOTI, *Pêcheur d'Islande,* III, XII, p. 188.

CONTR. **Antéchrist.**
DÉR. **Christique.**

CHRISTE-MARINE [kʀist(ə)maʀin] n. f. — xvᵉ, *crete marine ;* adapt. du lat. sc. *cretanus marinus,* altér. du lat. *crista,* du grec *khrêtmos* «fenouil de mer».
REM. On trouve aussi la graphie *criste-marine.*

♦ **1.** Crithme maritime *(Ombellifères)* dont la tige est comestible (confite au vinaigre).

♦ **2.** Inule faux-crithmum *(Composacées).* ⇒ **Crithme.**

CHRISTIANIA [kʀistjanja] n. m. — 1906 ; mot norv., anc. nom d'Oslo.

♦ Ski. Virage ou arrêt exécuté skis parallèles, par opposition aux techniques (⇒ **Chasse-neige, stem**) dans lesquelles les skis convergent. *Christiania léger. Christiania amont* et *christiania aval. Christiania arrêt.* — REM. Sans être à proprement parler vieilli, le mot tend à sortir de l'usage. On dit plus volontiers aujourd'hui *virage parallèle* (pour *skis parallèles*).

CHRISTIANISATION [kʀistjanizasjɔ̃] n. f. — 1843 ; de *christianiser.*

♦ Action de christianiser ; état de ce qui est christianisé.
On mesure ainsi combien récente, à l'Est de l'Elbe et surtout de l'Oder, est la christianisation de l'Allemagne.
                                                        André SIEGFRIED, *l'Âme des peuples,* V, I, p. 114.

CHRISTIANISER [kʀistjanize] v. tr. — Fin xviᵉ ; grec *khristianizein,* de *khristianos.* → Chrétien.

♦ Rendre chrétien. ⇒ **Évangéliser ;** et aussi **Catholiciser.** — Au p. p. *Pays païen christianisé par l'action de missionnaires.*

1   Ces prêtres implantés dans des lieux saints plus antiques qu'eux-mêmes font songer aux protestants utilisant, après les avoir dénudées, les cathédrales, ou aux chrétiens christianisant les temples de Rome.
                                                        M. YOURCENAR, *Archives du Nord,* p. 29.

▶ **SE CHRISTIANISER** v. pron.
Se convertir au christianisme. *Les peuples d'Afrique du Nord ne se sont pas christianisés.* S'imprégner de sentiments, d'idées empruntés au christianisme.

2   C'est l'abstraction barbare, que l'Islam seul civilisera sans la perdre. De l'art byzantin elle acceptera l'écriture, non la transcendance hantée. L'art ne se christianise pas en glissant le visage du Christ dans les entrelacs des nomades.
                                                        MALRAUX, *les Voix du silence,* p. 226.

CONTR. **Athéiser, paganiser.**
DÉR. **Christianisation.**

CHRISTIANISME [kʀistjanism] n. m. — xiiiᵉ ; lat. ecclés. *christianismus,* grec *khristianismos* de *khristianos.* → Chrétien.

♦ Doctrine religieuse fondée sur l'enseignement, la personne et la vie de Jésus-Christ ; religion chrétienne. *Le Dieu du christianisme.* ⇒ **Trinité ; monothéisme.** *Christianisme primitif.* ⇒ **Judéo-christianisme.** *Christianisme universaliste de saint Paul.* ⇒ **Paulinisme.** *Les apôtres*, premiers propagateurs du christianisme. Convertir qqn au christianisme. Les commandements du christianisme se résument en l'amour de Dieu et du prochain. La Bible, texte essentiel du christianisme. Défense du christianisme.* ⇒ **Apologétique.** *Dogmes du christianisme.* ⇒ **Coexistence, communion** (des saints), **confession, consubstantialité, consubstantiation, incarnation, monothéisme, rémission** (des péchés), **résurrection, transsubstantiation, trinité, vie** (éternelle). *Cf.* rôle de Jésus-Christ prophète, roi et sacrificateur. *Sacrements* du christianisme. Principales fêtes du christianisme.* ⇒ **Annonciation, Ascension, Circoncision, Nativité, Noël, Passion, Vendredi-Saint, Pâques, Résurrection, Transfiguration.** *Religions* qui pratiquent le christianisme.* ⇒ **Catholicisme ; orthodoxe** (Église) ; **protestantisme, réforme.** *Schismes* qui ont détruit l'unité du christianisme.* ⇒ **Hérésie ; arianisme, donatisme, gnose, particularisme ; réforme** (→ Docétisme). *Christianisme orthodoxe, libéral. Christianisme étroit, puritain, sectaire. Christianisme large, tolérant.* — *Le Génie du christianisme,* œuvre de Chateaubriand.

Que ses douleurs l'ont rendue savante dans la science de l'Évangile, et qu'elle   1
a bien connu la religion et la vertu de la croix, quand elle a uni le christianisme
et les malheurs !   BOSSUET, *Oraison funèbre de la reine d'Angleterre.*

Des églises dont les ferveurs ne le cèdent en rien à celles du christianisme naissant.   2
                                        BOURDALOUE, *Panégyrique de saint François Xavier.*

L'instituteur divin du christianisme, vivant dans l'humilité et dans la paix, prêcha
le pardon des outrages ; et sa sainte et douce religion est devenue, par nos fureurs,
la plus intolérante de toutes, et la plus barbare.
                                                        VOLTAIRE, *Essai sur les mœurs,* 7.

Le christianisme est une religion toute spirituelle, occupée uniquement des choses   4
du ciel ; la patrie du chrétien n'est pas de ce monde. Il fait son devoir, il est vrai,
mais il le fait avec une profonde indifférence sur le bon ou mauvais succès de ses
soins. Pourvu qu'il n'ait rien à se reprocher, peu lui importe que tout aille bien ou
mal ici-bas. Si l'État est florissant, à peine ose-t-il jouir de la félicité publique ; il
craint de s'enorgueillir de la gloire de son pays : si l'État dépérit, il bénit la main
de Dieu qui s'appesantit sur son peuple.
                                                        ROUSSEAU, *Du contrat social,* IV, VIII, p. 332.

Le christianisme a été prêché par des ignorants et cru par des savants, et c'est en   5
quoi il ne ressemble à rien de connu.
                                                        J. DE MAISTRE, *Considérations sur la France,* V.

Ce ne serait rien connaître que de connaître vaguement les bienfaits du christia-   6
nisme : c'est le détail de ses bienfaits, c'est l'art avec lequel la religion a varié ses
dons, répandu ses secours, distribué ses trésors, ses remèdes, ses lumières : c'est
ce détail, c'est cet art qu'il faut pénétrer.
                                            CHATEAUBRIAND, *le Génie du christianisme,* IV, VI, 1.

Le christianisme est parfait ; les hommes sont imparfaits.   7
Or, une conséquence parfaite ne peut sortir d'un principe imparfait.
Le christianisme n'est donc pas venu des hommes.
S'il n'est pas venu des hommes, il ne peut être venu que de Dieu.
S'il est venu de Dieu, les hommes n'ont pu le connaître que par révélation.
Donc le christianisme est une religion révélée.
                                            CHATEAUBRIAND, *le Génie du christianisme,* IV, VI, 13.

Les origines du christianisme, en effet, doivent être placées au moins sept cent   8
cinquante ans avant Jésus-Christ, à l'époque où apparaissent les grands prophètes,
créateurs d'une idée entièrement nouvelle de la religion.
                                        RENAN, *Discours et Conférences,* Œ. compl., t. I, p. 910.

Ceux qui ont fait la légende de Jésus ont une part presque égale à la sienne dans   9
l'œuvre du christianisme ; celui qui a fait la légende de l'Église primitive a pesé
d'un poids énorme dans la création de la société spirituelle où tant de siècles ont
trouvé le repos de leurs âmes.   RENAN, *les Évangiles,* Œ. compl., t. V, p. 304.

Le christianisme *(à l'époque pré-moyenâgeuse)* reposait non sur des croyances ou   10
des traditions populaires, mais sur la révélation d'une vérité absolue contenue dans
des livres saints destinés à l'humanité entière.
                                        Ch. SEIGNOBOS, *Hist. sincère de la nation franç.,* III, p. 69.

Il n'est pas douteux que le christianisme ait été une transformation profonde du   11
judaïsme. On l'a dit bien des fois : à une religion qui était encore essentiellement
nationale se substitua une religion capable de devenir universelle. À un dieu qui
tranchait sans doute sur tous les autres par sa justice en même temps que par sa
puissance, mais dont la puissance s'exerçait en faveur de son peuple et dont la
justice concernait avant tout ses sujets, succéda un dieu d'amour, et qui aimait
l'humanité entière.
                            H. BERGSON, *les Deux Sources de la morale et de la religion,* III, p. 254.

(...) ce que l'Église préparait, au milieu de la désagrégation du monde, c'était une   12
civilisation fondée sur l'homme, une société dont la raison déterminante fût la personne... En renouvelant les bases mêmes de l'homme, en rendant leur sens à ses
valeurs, le christianisme se trouvait donc rassembler les éléments de la cité future.
La cité future, c'est la fraternité chrétienne, où chacun se sent aimé, soutenu,
où chacun trouve la liberté spirituelle et la possibilité de l'épanouissement moral.
Cette représentation grandiose d'une humanité neuve sera l'idée-force du christianisme au moment de la grande débâcle du monde antique.
                                            DANIEL-ROPS, *l'Église des apôtres,* p. 673.

CONTR. **Agnosticisme, antichristianisme, athéisme, paganisme.**

CHRISTIQUE [kʀistik] adj. — Mil. xxᵉ ; de *Christ.*

♦ Qui a rapport à la personne du Christ. « *Il existe deux films sur Lourdes (...) on en a fait un troisième (...) boitillant sans cesse entre la religion de l'auteur et l'irréligion du réalisateur, à la mystique moins christique que sacristique (de sacristie)* » (*le Nouvel Obs.,* 15 nov. 1957, p. 37).

Le jeune clergé veut accomplir la véritable mission de l'Église ; il veut réaliser
dans le monde la parole christique : *Mihi fecisti,* ce que vous avez fait à ce pauvre,
c'est à moi que vous l'avez fait.   Jean-Louis CURTIS, *le Roseau pensant,* p. 259.

CHRISTMAS [kʀismas] n. m. — 1837, Vigny ; mot angl., de *mass* «messe», et *Christ.*

♦ Fête de Noël, dans les pays anglophones. ⇒ **Noël.** « *Nous avons eu ici l'autre jour notre petit christmas d'enfants pauvres* » (Hugo, *Correspondance,* in T. L. F.).

Les préparatifs du dîner de Christmas occupèrent longtemps Aurelle et le Padre.
Ce dernier trouva chez un fermier une dinde digne des tables royales (...)
                                        A. MAUROIS, *les Silences du colonel Bramble,* p. 121.

CHRISTOLOGIE [kʀistɔlɔʒi] n. f. — 1836 ; de *Christ,* et *-logie.*

♦ Théol. Partie de la théologie chrétienne qui étudie la personne et la doctrine du Christ. *La christologie du Nouveau Testament.*

CHRISTOPHORE [kʀistɔfɔʀ] n. m. — 1866 ; grec *khristophoros ;* de *Khristos* (→ Christ), et *-phore.*

♦ Didact. (relig.). Celui qui porte le Christ, symboliquement (comme saint *Christophe* porte l'enfant Jésus).

CHROM-, CHROMO- Élément, du grec *khrôma, -atos* « couleur » (⇒ aussi **Chromat-**, ou **chromato-**, et le suff. **-chrome**), qui entre dans la composition de nombreux mots savants. Voir à l'ordre alphabétique.

CHROMAGE [kʀɔmaʒ] n. m. — xxᵉ; de *chromer*.

♦ Action de chromer; son résultat. *Le chromage d'un pare-chocs.*

CHROMAT-, CHROMATO- ⇒ **Chrom-**.

CHROMATE [kʀɔmat] n. m. — 1797; de *chrom(e)*, et *-ate*.

♦ Chim. Sel formé par la combinaison de l'acide chromique et d'une base. *Chromate neutre. Chromate oxydant.* ⇒ **Bichromate.** *Chromate jaune* (de potassium). *Chromate de plomb* ou *jaune de chrome. Chromate rouge :* bichromate de potassium.

DÉR. **Chromaté.**
COMP. **Bichromate.**

CHROMATÉ, ÉE [kʀɔmate] adj. — 1808, Cuvier; de *chromate*.

♦ Chim. Qui contient un sel de chrome. *Fer chromaté.*

CHROMATICITÉ [kʀɔmatisite] n. f. — xxᵉ; de *chromatique*.

♦ Phys. Ensemble des caractères physiques qui contribuent à la sensation colorée propre à une lumière.

CHROMATIDE [kʀɔmatid] n. f. — xxᵉ; de *chromat-*, et *-ide*.

♦ Biol. Chacune des deux parties d'un chromosome* résultant de sa division longitudinale (par division des centromères) au cours de la méiose. *« (...) la duplication a eu lieu, les chromatides apparaissent avant que se séparent les chromosomes analogues qui, néanmoins, conservent des points de jonction qu'ils conservent tandis que se forme un fuseau vers les pôles opposés »* (*Sciences et Avenir*, nᵒ 418, déc. 1981, p. 65).

CHROMATINE [kʀɔmatin] n. f. — 1896; de *chromat-* (→ Chrom-), et *-ine*.

♦ Biol. Matière chimiquement assimilable à l'ADN, et qui, dans le noyau des cellules, fixe les colorants. *La chromatine, constituant des chromosomes*. L'hétérochromatine* (1935, Heitz), *variété de chromatine ne disparaissant pas, comme la chromatine normale* (ou *euchromatine*) *du noyau lors de la télophase.*

[1] C'est Flemming qui désigne sous le nom de chromatine la substance dont sont faites les particules colorantes du noyau, et qui montre, en 1880, que, lors de la division cellulaire, la division des particules se fait dans le sens de la longueur.
Jean ROSTAND, Esquisse d'une histoire de la biologie, p. 175.

[2] On sait (...) que la plupart des chromosomes possèdent les deux sortes de chromatines en quantité variable et qu'il y a des régions euchromatiques et d'autres hétérochromatiques. Au repos, les régions hétérochromatiques ont tendance à s'agglomérer : elles forment ainsi le *chromocentre* des cellules salivaires, chez la Drosophile. Raymond HOVASSE, *in* Encycl. Pl., Biologie, p. 235.

DÉR. **Chromatinien.**

CHROMATINIEN, IENNE [kʀɔmatinjɛ̃, jɛn] adj. — V. 1920; de *chromatine*.

♦ Biol. Relatif à la chromatine; constitué de chromatine. *« Les services doivent disposer d'un laboratoire de cytogénétique développant les trois méthodes principales d'étude des aberrations chromosomiques : la recherche du corpuscule chromatinien de Barr par analyse des frottis d'épithélium buccal (...) »* (la Recherche, juin 1970, p. 126).

CHROMATIQUE [kʀɔmatik] adj. et n. f. — xivᵉ; lat. *chromaticus*, du grec *khrôma* « couleur, ton musical ».

★ **I.** Mus. et cour. Qui procède par demi-tons consécutifs (par oppos. à *diatonique*). *Gamme, échelle chromatique. Succession chromatique ascendante, descendante.* — *Demi-ton chromatique,* formé par deux notes qui portent le même nom, mais dont l'une est altérée. ⇒ **Apotome.**

[1] L'appel commença en tons et demi-tons, comme une gamme chromatique.
P. MAC ORLAN, la Bandera, XIII, p. 159.

Vx (langue class.). *Musique chromatique,* et, n. f., *la chromatique :* musique douce, langoureuse. ⇒ **Bémol** (*supra* cit. 3).

[2] Il y a de la chromatique là-dedans. MOLIÈRE, les Précieuses ridicules, 9.

★ **II.** Didact. ♦ **1.** Relatif aux couleurs. *Construction chromatique. Fonction chromatique de certains animaux* (tel le caméléon). — *Couleur chromatique,* comportant une longueur d'onde spécifique. *Ton chromatique.*

Opt. *Aberration* chromatique, due à une réfraction inégale des différentes couleurs d'une lumière complexe. *Objectif corrigé de l'aberration chromatique.* ⇒ **Apochromatique**; et aussi **achromatique.**

N. f. Vx. Partie de l'optique traitant de la dispersion et de la recomposition de la lumière, des raies spectrales, de la théorie des couleurs.

♦ **2.** Arts. Relatif à la couleur, en peinture. *Qualités chromatiques d'une toile. Génie chromatique et génie plastique.* — *Abstraction* chromatique : peinture abstraite basée sur l'utilisation de la couleur.

★ **III.** (1897). Didact. (biol.). Du chromosome. ⇒ **Chromosomique.** *Réduction chromatique :* réduction du nombre de chromosomes dans la méiose. — De la chromatine*, qui a rapport à la chromatine.

[3] Van Beneden fait une autre constatation capitale, à savoir que le noyau des cellules reproductrices mûres contient *deux fois moins* de chromosomes que le noyau des cellules germinales qui leur donnent naissance. Boveri, en 1887, confirmera cette importante découverte de la loi de *réduction chromatique.*
Jean ROSTAND, Esquisse d'une histoire de la biologie, p. 175.

CONTR. **Achromatique.**
DÉR. (Du I.). **Chromatiquement.** — (Du II.). **Chromaticité.**
COMP. **Apochromatique, isochromatique.**

CHROMATIQUEMENT [kʀɔmatikmɑ̃] adv. — 1552; de *chromatique*.

♦ Mus. D'une manière chromatique, par demi-tons.

CHROMATISER [kʀɔmatize] v. tr. — 1877; grec *khrômatizein* « colorer », de *krôma*. → Chromatique.

★ **I.** Didact. Donner une teinte irisée à...

★ **II.** Mus. Rendre chromatique. *Chromatiser une gamme.*

CHROMATISME [kʀɔmatism] n. m. — 1829; grec *khrômatismos* « coloris », de *khrôma* « couleur ».

★ **I.** Didact. ou littér. ♦ **1.** Ensemble de couleurs. ⇒ **Coloration, couleur.**

[1] (...) les chromatismes légendaires, sur le couchant.
RIMBAUD, Illuminations, « Soir historique ».

♦ **2.** Palette d'un peintre, couleurs qu'il utilise de préférence; ensemble des couleurs d'une œuvre picturale. ⇒ **Tonalité.**

[2] Et le chromatisme des seigneurs des chasses voisines de ces baigneuses, malgré une palette curieusement proche de celle de Doura, n'a rien de commun avec celui d'aucun portrait de saint (...) MALRAUX, la Métamorphose des dieux, p. 128.

★ **II.** (1899; de *chromatique*, I., d'après *chromatisme*, I.). Mus. Caractère de ce qui est chromatique.

COMP. V. **Isochromatisme.**

CHROMATO- ⇒ **Chrom-**.

CHROMATOGÈNE [kʀɔmatɔʒɛn] adj. — 1852; de *chromato-* (→ Chrom-), et *-gène*.

♦ Didact. (biol.). Qui produit une substance colorante (dans un organisme).

On a encore décrit, ou plutôt supposé, dans l'épaisseur du derme, d'autres glandes destinées à la sécrétion de l'épiderme (appareil kératogène) et à la sécrétion de la matière colorante contenue dans l'épiderme (appareil chromatogène).
J. BÉCLARD, Éléments d'anatomie générale, p. 213 (1852).

CHROMATOGRAMME [kʀɔmatɔgram] n. m. — Mil. xxᵉ; le mot aurait été forgé en russe par Tswett (1906); de *chromato(graphie)*, et *-gramme*.

♦ Didact. Tableau obtenu par la chromatographie.

La chromatographie appliquée aux divers fromages a du reste révélé que chaque sorte présentait son chromatogramme particulier et qu'il y avait donc une relation entre la présence de telles ou telles substances, avec la saveur caractéristique de la variété considérée. André ECK, le Lait et l'Industrie laitière, p. 57.

CHROMATOGRAPHIE [kʀɔmatɔgrafi] n. f. — 1949; de *chromato-* (→ Chrom-), et *-graphie*.

♦ Didact. Méthode d'analyse chimique par absorption sélective des constituants d'un mélange par une matière pulvérulente (les couches obtenues peuvent être diversement colorées). — REM. Le procédé lui-même date de 1906 (→ Chromatogramme).

DÉR. Chromatographique. — V. Chromatogramme.

CHROMATOGRAPHIQUE [kʀɔmatɔgʀafik] adj. — 1955 ; de *chromatographie.*

♦ Qui a rapport à la chromatographie. *Analyse chromatographique.*

CHROMATOPHILE [kʀɔmatɔfil] adj. et n. ⇒ **Chromophile.**

CHROMATOPHORE [kʀɔmatɔfɔʀ] n. m. et adj. — 1872 ; *chromophore,* 1838 ; de *chromato-* (→ Chrom-), et *-phore.*

♦ Biol. Cellule du derme de certains animaux, riche en pigment, qui peut se dilater ou se rétracter.

(...) l'animal peut, à volonté, étaler ses chromatophores noirs, rouges, verts, bleus... et ainsi éteindre ou modifier instantanément sa couleur, comme nous changeons celle de nos lampes électriques en intercalant un verre coloré.
CLAUDEL, Journal, nov. 1927.

Adj. *Tissu chromatophore.*

CHROMATOPSIE [kʀɔmatɔpsi] n. f. — 1948 ; de *chromat-,* et *-opsie.*

Didactique.

♦ **1.** Physiol. Vision des couleurs.

♦ **2.** Pathol. Trouble de la perception des couleurs caractérisé par l'impression de voir colorés des objets incolores, ou par la perception de couleurs différentes des couleurs réelles. ⇒ **Daltonisme.**

CHROME [kʀom] n. m. — 1797, Vauquelin ; *crome* (mus.) « dièse », 1562 ; lat. *chroma,* par le grec *khrôma* « couleur », à cause des composés très colorés du métal.

♦ **1.** Métal gris, brillant, très dur (symb. *Cr ; n*° at. 24 ; p. at. 51,996 ; dens. 7,18 à 7,20 ; temp. de fusion 1 890 °C). *On obtient le chrome par réduction de l'oxyde par l'aluminium. Minerais contenant du chrome : fer chromé ou chromite ; chromate de plomb (jaune de chrome). Composés oxygénés du chrome : protoxyde, oxyde de chrome ; sesquioxyde de chrome (utilisé dans la fabrication de colorants pour la porcelaine) ; anhydride chromique. Les hydrates de chrome donnent des colorants (vert de chrome...). Sels de chrome.* ⇒ **Chromate** (sels oxygénés : sels chromeux, sels chromiques). *Alliages au chrome :* fer, chrome, charbon *(ferrochrome)* ; fer, nickel, chrome *(nichrome)* ; aciers au chrome *(aciers inoxydables). Le chrome peut prendre un très beau poli. Le chrome sert de catalyseur dans de nombreuses réactions.*
Loc. *Rouge, brun de chrome. Alun de chrome,* utilisé en teinture, tannerie.

♦ **2.** Pièce métallique en acier chromé (spécialt, dans la carrosserie d'une automobile). *Nettoyer les chromes de sa voiture.*
De fait nous avons un peu vagué autour *(de la voiture),* plutôt pour ne pas nous attraper, tandis que sans rien voir elle cajolait les chromes !
Maurice CLAVEL, le Tiers des étoiles, p. 172.

DÉR. Chromate, chromer, chromique.

-CHROME, -CHROMIE Éléments tirés du grec *khrôma, -atos* « couleur », et qui entrent dans la composition de nombreux mots savants. ⇒ **Achromatine, achromatique, achromatisme, achromatopsie, achromie, aluchromie, autochrome, dichroïsme, dichromatique, héliochromie, isochromatique, lithochromie, métallochromie, monochrome, orthochromatique, panchromatique, photochromie, polychrome, stéréochromie, trichrome, trichromie, typochromie...** ⇒ aussi **Chrom-.**

CHROMER [kʀome] v. tr. — xxᵉ ; *chromé,* xixᵉ, Lachâtre ; de *chrome.*

♦ Recouvrir (un métal) de chrome. *Chromer un acier.* — Tanner (un cuir) à l'alun de chrome.

▶ **CHROMÉ, ÉE** p. p. adj. *Acier chromé.* — *Cuir chromé, veau chromé.*
N. m. *Du chromé :* du métal chromé.
(...) figure-toi qu'ils ont été mettre sur cette porte en chêne massif une plaque de propreté et une poignée de porte en chromé (...)
N. SARRAUTE, le Planétarium, p. 29.

DÉR. Chromage.

CHROMIQUE [kʀomik] adj. — 1797 ; de *chrome.*

♦ Chim. *Acide chromique* (H_2CrO_4), *anhydride chromique* (CrO_3) : composés oxygénés du chrome. — *Chlorure chromique* ($CrCl_3$).

CHROMISTE [kʀomist] n. m. — V. 1880 ; du rad. de *chromo(lithographie).*

♦ Techn. Ouvrier spécialisé dans le choix et l'emploi des encres de couleur, en lithographie. — Ouvrier retoucheur en photogravure, héliogravure, offset.

CHROMO [kʀɔmo ; kʀomo] n. m. — 1872 ; abrév. de *chromolithographie.*

♦ Image lithographique en couleur. — Péj. Toute image en couleur (avec une idée de mauvais goût, de vulgarité). *Un chromo naïf. Le bariolage d'un chromo. Des chromos complètement kitsch.*

(...) partout des dorures communes, des « chromos » vulgaires (...)   LOTI, Jérusalem, IV, p. 46.   1
Les bourgeois n'ont que le goût du chromo.   Paul LÉAUTAUD, Passe-temps, p. 81.   2
(...) les murs couverts de papier à ramages grossiers (...) les chromos (...) les fleurs   2.1
artificielles émergeant des vases japonais gagnés à la foire (...)
N. SARRAUTE, le Planétarium, p. 104.

Par ext. (à propos d'une peinture, d'une description, etc.). Tableau, représentation de mauvais goût. *Tomber dans le chromo.*

— Donc Barrès décrit le ciel liquéfié se réfléchissant dans la lagune (...)   2.2
— Je vois d'ici le chromo !
— Mais non, attendez (...)   Cl. MAURIAC, le Dîner en ville, p. 230.
REM. L'emploi de *chromo* au fém. (sur *chromolithographie*) est très peu fréquent. Cependant, certains auteurs s'y tiennent.
Entre le fer du lit, qui forme médaillon décoratif, et la chromo (...)   3
GIDE, Journal, Voyage en Andorre, 1910.

DÉR. V. Chromiste.

CHROMO- ⇒ **Chrom-.**

CHROMODYNAMIQUE [kʀomodinamik] n. f. — D. i. (v. 1980) ; de *chromo-,* d'après *électrodynamique.*

♦ Phys. *Chromodynamisme quantique :* théorie quantique des interactions fortes, fondée sur les nombres quantiques d'un « champ de couleur » (considérés comme analogues aux quanta de l'électrodynamique quantique pour les interactions électromagnétiques). *La chromodynamique étudie notamment les interactions entre quarks ponctuels par l'intermédiaire de gluons*.*

CHROMOGÈNE [kʀomoʒɛn] adj. et n. m. — 1863 ; de *chromo-,* et *-gène.*

♦ **1.** Adj. Susceptible de produire un pigment ou de permettre la pigmentation. *Substance, facteur chromogène.*

♦ **2.** N. m. Biol. Substance incolore susceptible de produire un pigment. — (Génétique). Facteur responsable de la pigmentation.
Chim. Molécule organique colorée.

CHROMOGRAPHE [kʀomogʀaf] n. m. — Attesté 1932 ; de *chromo-,* et *-graphe.*

♦ Techn. Instrument permettant de tirer un dessin à plusieurs exemplaires.

CHROMOLITHOGRAPHIE [kʀomolitogʀafi] n. f. — 1837 ; de *chromo-,* et *lithographie.*

Technique.

♦ **1.** Impression lithographique en couleur. ⇒ **Lithographie.**

♦ **2.** Image obtenue par la chromolithographie. ⇒ **Chromo.**
Ah ! Ah ! Le décor change : ce sont les dahlias qui sont géants : rouges, blancs, disposés comme pour une chromolithographie (...)
Max JACOB, le Cornet à dés, p. 85.

DÉR. Chromo. — V. Chromiste.

CHROMOPHILE [kʀomofil] adj. et n. — 1903, in *Rev. gén. des sc.,* n° 21, p. 1102 ; de *chromo-,* et *-phile.*

♦ Didact. (biol.). Se dit des éléments histologiques qui possèdent une grande affinité pour les matières colorantes. *Cellules chromophiles.*
REM. On dit aussi *chromatophile* [kʀɔmatɔfil].

CHROMOPHOTOGRAPHIE [kʀomofotogʀafi] n. f. — 1892 ; de *chromo-,* et *photographie.*

♦ Vx. Photographie en couleurs.

CHROMOSCOPE [kʀomoskɔp] n. m. — 1896 ; de *chromo-,* et *-scope.*

♦ Techn. Appareil optique pour la vision des clichés orthochromatiques.

CHROMOSOME [kʀomozom] n. m. — 1888 ; mot all., du grec *khrôma* « couleur » (→ Chromo-), et *sôma* « corps » (→ -some).

♦ Biol. et cour. Chacun des éléments essentiels du noyau cellulaire, de forme déterminée et en nombre constant (presque toujours pair) pour chaque espèce (46 chez l'homme), formés de chaînes d'A. D. N. organisées en gènes* et porteurs des facteurs déterminants de l'hérédité. *Les chromosomes furent rendus visibles par des colorants au cours de la division cellulaire grâce à la chromatine* qu'ils renferment* (d'où leur nom). ⇒ **Gène ; chromatique, chromosomique** (→ Chromatine, cit. 2). *Chromosome géminé, bivalent* (ou *diade*). *Paires de chromosomes. Nombre haploïde, nombre diploïde de chromosomes. Chromosomes identiques* (⇒ **Autosome**) *et paire de chromosomes sexuels dissemblables* (mâle XY ; femelle XX ; ou mâle X, femelle XX). ⇒ **Caryotype.** *Centromère* d'un chromosome. Étude, carte des chromosomes. Remaniement de la structure des chromosomes par translocation.*

(...) nous savons que l'héritage vital réside essentiellement dans la région plus dense de la cellule qui porte le nom de *noyau*, et, plus précisément, dans des particules qu'on appelle *Chromosomes* parce qu'elles absorbent électivement certaines matières colorantes (...) Les chromosomes (...) sont de minuscules filaments à peine gros comme des microbes (...) Ils sont en nombre fixe dans chaque espèce vivante.
                                    Jean ROSTAND, l'Homme, III, p. 47.

DÉR. **Chromosomique** ou **chromosomien.**
COMP. **Hétérochromosome.** — V. **Allosome, autosome, gonosome.**

CHROMOSOMIQUE [kʀomozomik ; kʀɔmɔzomik] ou (rare) **CHROMOSOMIEN, IENNE** [kʀomozomjɛ̃, jɛn ; kʀɔmɔzɔmjɛ̃, jɛn] adj. — 1931 ; de *chromosome.*

♦ Didact. (biol.). Relatif aux chromosomes, aux facteurs héréditaires dont ils sont le support. *Analyse, examen chromosomique.* ⇒ **Chromatique.** *Évolution chromosomique d'une espèce. Carte chromosomique d'une espèce. La constitution chromosomique des « mongoliens » est anormale.*

Ses observations *(de Van Beneden)* portent sur un ver nématode, parasite de l'intestin du cheval, l'*Ascaris megalocephala*, qui, en raison du très petit nombre de ses chromosomes, se prêtait tout particulièrement à la numération chromosomique.
                    Jean ROSTAND, Esquisse d'une histoire de la biologie, p. 175.

CHROMOSPHÈRE [kʀomosfɛʀ] n. f. — 1873 ; de *chromo-*, et *sphère.*

♦ Astron. Couche moyenne de l'atmosphère solaire, entre la photosphère et la couronne solaire, visible seulement lors des éclipses totales.

DÉR. **Chromosphérique.**

CHROMOSPHÉRIQUE [kʀomosfeʀik] adj. — Av. 1877 ; de *chromosphère.*

♦ Astron. Qui concerne la chromosphère. *Des éruptions chromosphériques. Réseau chromosphérique* (formé par les spicules* sur le pourtour des supergranules).

CHROMOTHÉRAPIE [kʀomoteʀapi] n. f. — Mil. xxᵉ ; de *chromo-*, et *-thérapie.*

♦ Didact. « Emploi des propriétés sédatives ou excitantes des couleurs dans un but thérapeutique (peinture des murs et du mobilier, éclairage coloré, etc.) » (Manuila).

CHROMOTYPOGRAPHIE [kʀomotipoɡʀafi] ou **CHROMOTYPIE** [kʀomotipi] n. f. — 1866, chromotypographie ; chromotypie, 1884 ; de *chromo-*, et *typographie, -typie.*

♦ Techn. Impression typographique en couleurs ; épreuve obtenue par ce procédé.

CHRONAXIE [kʀonaksi] n. f. — 1909, Lapicque, t. de psychol. ; de *chron(o)-*, et grec *axia* « valeur ».

♦ Physiol. Temps minimum d'excitation ; spécial, temps pendant lequel un courant électrique doit parcourir un nerf, un muscle, pour l'exciter.

Sur l'animal normal, éveillé, en bon état, les centres changent la chronaxie des nerfs (moteurs, sensitifs, organiques) ; certains ont alors une chronaxie supérieure, d'autres, une chronaxie inférieure à la chronaxie de constitution : ce sont là des

chronaxies qui traduisent la *subordination* des nerfs aux centres (*chronaxie de subordination* de L. Lapicque).
                    Paul CHAUCHARD, le Système nerveux et ses inconnues, p. 65.

DÉR. **Chronaxique.**

CHRONAXIQUE [kʀonaksik] adj. — 1937 ; de *chronaxie.*

♦ Physiol. De la chronaxie.

-CHRONE ⇒ Chrono-.

CHRONICITÉ [kʀonisite] n. f. — 1835, Académie ; de 2. *chronique.*

♦ Didact. (d'abord méd.). État de ce qui est chronique. *Chronicité d'une maladie, d'un phénomène.*

1. CHRONIQUE [kʀonik] n. f. — 1213 ; lat. *chronica, -orum*, grec *khronika (biblia)* « annales ».

♦ **1.** Recueil de faits historiques, rapportés dans l'ordre de leur succession. ⇒ **Annales, histoire, mémoires, récit.** *Les chroniques de Froissart, de Commynes.*

Histoire d'une famille ancienne et noble. *Les chroniques de Louis XI, de Charles VIII.* — Spécialt. *Le Livre des Chroniques,* dans l'Ancien Testament. ⇒ **Paralipomène.**

Sous le nom d'histoire de l'Europe, je ne voyais qu'une collection de chroniques parallèles qui s'entremêlaient par endroits.
                    VALÉRY, Regards sur le monde actuel, Avant-propos, p. 14.   1

Récit qui met en scène des personnages réels ou fictifs et évoque des faits sociaux, historiques, authentiques. *Les Chroniques italiennes,* de Stendhal.

♦ **2.** Ensemble des nouvelles qui circulent sur les personnes. ⇒ **Bruit.** — (1690). *Chronique scandaleuse.* ⇒ **Calomnie, cancan, médisance, ragot.** — *Défrayer la chronique :* occuper le centre des propos. *Son absence prolongée a défrayé la chronique. Chronique mondaine.* ⇒ **Potin.** — REM. L'emploi au pluriel, dans ce sens, est archaïque.

Ces histoires de morts lamentables, tragiques,
Dont Paris tous les ans peut grossir ses chroniques.   2
                    BOILEAU, Satires, X, in LITTRÉ.

(...) la chronique scandaleuse de tous les consuls français.   3
                    CHATEAUBRIAND, Itinéraire..., 30, in LITTRÉ.

♦ **3.** (1812). Cour. Article de journal ou de revue, émission de radio, de télévision, consacrés à certaines nouvelles et à leurs commentaires. ⇒ **Article, courrier, nouvelle.** *Chronique artistique, théâtrale, littéraire, musicale. Chronique politique, diplomatique, financière. Chronique mondaine. La chronique des tribunaux. Chroniques judiciaires* (→ Pitoyable, cit. 2.1).

J'ai été bien coupable d'attendre si longtemps de vous remercier du plaisir que m'ont fait vos belles chroniques.   4
                    SAINTE-BEUVE, Correspondance, t. I, 69, 31 mai 1829.

DÉR. 1. **Chronique, chroniquer, chroniqueur.**

2. CHRONIQUE [kʀonik] adj. — xivᵉ ; de 1. *chronique.*

♦ **1.** Méd. Se dit de maladies qui durent longtemps et se développent lentement. ⇒ **Chronicité.** *Maladie, affection chronique. Entérite chronique. Bronchite passée à l'état chronique.* ⇒ **Invétéré.**

(...) je trouve que votre fille a une maladie chronique et qu'elle peut péricliter si on ne lui donne du secours (...)   1
                    MOLIÈRE, l'Amour médecin, II, 5.

♦ **2.** Qui dure (en parlant de ce qui est dommageable, fâcheux). *Chômage, mévente chronique.*

Ce que cette sorte de *perpétuelle menace* pesant sur les hommes qui avaient la charge de gouverner, cet état presque chronique de crise, ces marchandages (...) auront pu coûter au pays est proprement incalculable.   2
                    Ch. DE GAULLE, Mémoires de guerre, p. 264, in T. L. F.

CONTR. Aigu.
DÉR. **Chronicité, chroniquement.**

-CHRONIQUE, -CHRONISME Éléments, du grec *khronos* « temps », qui entrent dans la composition de nombreux mots, le plus souvent didactiques. ⇒ **Anachronique, anachronisme, isochronisme, parachronisme, prochronisme, synchronique, synchronisme, tautochronisme.** ⇒ aussi **Chrono-.**

CHRONIQUEMENT [kʀonikmã] adv. — 1835 ; *croniquement,* astron., xivᵉ ; de 2. *chronique.*

♦ De façon chronique. « *Ses doigts chroniquement frémissants* » (Colette).

CHRONIQUER [kʀɔnike] v. — xive ; de 1. *chronique.*

♦ **1.** V. tr. Traiter sous forme de chronique.

♦ **2.** V. intr. (1866). Faire des chroniques.

1   S'il est difficile de dire ce que c'est qu'une bonne chronique, il n'est pas difficile de constater que les chroniques mauvaises en tant que chroniques pullulent (...) Bien chroniquer, si l'on veut m'autoriser à fabriquer ce mot, c'est bien saisir ce qui se passe (...)
Léon-Paul FARGUE, Commentaire, *in* G. BAUËR, les Billets de Guermantes, p. 13.

2   (...) véritable héros de la curiosité, de l'information, de l'inédit, de l'inconnu, de l'impossible, c'était un de ces intrépides observateurs qui écrivent sous les balles, « chroniquent » sous les boulets, et pour lesquels tous les périls sont des bonnes fortunes.   J. VERNE, l'Île mystérieuse, t. I, p. 15.

CHRONIQUEUR, EUSE [kʀɔnikœʀ, øz] n. — xve ; de 1. *chronique.*

♦ **1.** N. m. Auteur de chroniques historiques. ⇒ **Historien, mémorialiste.** *Les grands chroniqueurs du moyen âge.*

1   *(De l'avènement des Valois jusqu'à l'époque de la Renaissance)* la chronique (...) a tout envahi. On « chronique » en vers, et on chronique en prose. Chroniqueur Eustache Deschamps, et chroniqueur Georges Chastelain. La très sage Christine de Pisan, et Froissard lui-même (...) ne sont également que des chroniqueurs.
F. BRUNETIÈRE, Hist. de la littérature franç., t. I, 3, p. 29.

♦ **2.** N. m. (qu'il s'agisse d'un homme ou d'une femme). Rare. Personne qui rapporte des nouvelles, vraies ou fausses, répandues sur certaines personnes.

♦ **3.** N. (1811). Celui, celle qui est chargé(e) d'une chronique dans un journal, une émission de radio, de télévision. *Un chroniqueur parlementaire. Une chroniqueuse littéraire, dramatique, judiciaire* (→ Accréditif, cit.). *Il est chroniqueur sportif dans un grand journal du soir.*

2   Comment ! on t'offre une place de chroniqueur dans un bon journal de Paris, et tu as l'aplomb de refuser (...)
Alphonse DAUDET, Lettres de mon moulin, « La chèvre de M. Seguin ».

3   (...) les rédactrices en chef des grandes revues féminines étaient assises de droit au premier rang. Derrière elles (...) étaient placées les chroniqueuses de mode des journaux (...)   M. DRUON, Rendez-vous aux enfers, II, III, p. 107.

REM. On utilise aussi la forme *chroniqueur* pour le féminin. *Elle est chroniqueur judiciaire.*

CHRONO [kʀɔno] n. m. Fam. ⇒ **Chronomètre, chronométreur.**

CHRONO-, -CHRONE Éléments, du grec *khronos* « temps » (ex. : *chronomètre ; isochrone, synchrone*). — Outre les mots savants traités dans le présent dictionnaire, on peut signaler des formations littéraires, du type :

Je sais trop moi-même, à mon humble niveau, ce que c'est que de défendre désespérément ses journées contre les dévorateurs de temps, les chronophages.   F. MAURIAC, le Nouveau Bloc-notes 1958-1960, p. 226.

CHRONOBIOLOGIE [kʀɔnobjɔlɔʒi] n. f. — V. 1970 ; de *chrono-*, et *biologie.*

♦ Didact. (biol.). Étude des rythmes* biologiques, ou biorythmes. « *La photographie d'une cellule hépatique du rat change complètement d'aspect, selon qu'elle est prise à 6 heures du matin ou à 18 heures (...) Autrement dit, les fonctions de la même cellule changent selon l'heure de la journée. Ce genre d'observation a conduit à la naissance d'une discipline à part entière : la chronobiologie* » (*Sciences et Avenir*, juin 1982, p. 19).

CHRONOGRAMME [kʀɔnogʀam] n. m. — 1752 ; de *chrono-*, et *-gramme.*

♦ **1.** Inscription, souvent en latin, qui concerne un événement célèbre et dont les lettres numérales fournissent une date.

C'est ordinairement du vers latin qu'on se sert pour écrire les chronogrammes ; ainsi dans ce vers latin : *FranCorVM tVrbIs sICVLVs fert fVnera vesper*, les lettres numérales ainsi rangées MCCLVVVVVVII (1282), donnent l'année des vêpres siciliennes.   LITTRÉ, Dictionnaire, art. *Chronogramme.*

♦ **2.** (1956). Statist. Graphique ou diagramme représentant les séries ordonnées dans le temps (s'oppose à *histogramme*).

CHRONOGRAPHE [kʀɔnogʀaf] n. m. — 1849 ; de *chrono-*, et *-graphe.*

♦ Techn. Instrument enregistreur des durées. ⇒ **Chronomètre** (cour.). *Chronographe mécanique* (à aiguilles) ; *à quartz. Utilisation des chronographes en médecine* (asthmomètre, pulsomètre...), *en physique, pour le sport...*

CHRONOGRAPHIE [kʀɔnogʀafi] n. f. — Mil. xxe ; « historiographie de l'ordre chronologique », av. 1505 ; de *chrono-*, et *-graphie.*

♦ Biol. Mesure de la durée d'un phénomène ou d'une action.

CHRONOLOGIE [kʀɔnolɔʒi] n. f. — 1579 ; grec *khronologia*, de *khronos* « temps », et *logos* « discours ».
Didactique et courant.

♦ **1.** Science de la fixation des dates des événements historiques. ⇒ **Histoire ; annales** (cit. 2), **calendrier, éphéméride, fastes.** *Erreur de chronologie.* ⇒ **Anachronisme, parachronisme, prochronisme.** *La chronologie des temps modernes se base sur les annales, calendriers, éphémérides.*

1   Ils *(Paul et Virginie)* ne connaissent (...) d'autre chronologie que celle de leurs vergers (...)   BERNARDIN DE SAINT-PIERRE, Paul et Virginie, p. 59.

2   Pour juger un homme, au moins faut-il être dans le secret de sa pensée, de ses malheurs, de ses émotions ; ne vouloir connaître de sa vie que les événements matériels, c'est faire de la chronologie, l'histoire des sots !
BALZAC, la Peau de chagrin, Pl., t. IX, p. 84.

3   La chronologie et la géographie, a-t-on dit, sont les deux yeux de l'histoire.
FRANCE, le Petit Pierre, VIII, p. 37.

Œuvre rédigée pour présenter dans leur déroulement des événements datés. *Composer une chronologie.*

♦ **2.** Succession des événements dans le temps. ⇒ **Diachronie, histoire.** *Établir la chronologie d'une époque, d'une vie* (→ ci-dessus, cit. 1).

DÉR. Chronologique, chronologiste.
COMP. Dendrochronologie.

CHRONOLOGIQUE [kʀɔnolɔʒik] adj. — 1584 ; de *chronologie.*

♦ Didact. et cour. Relatif à la chronologie. *Table, abrégé chronologique. Liste chronologique. Respecter l'ordre* chronologique. *Rétablir le déroulement chronologique des faits.*

(...) rien n'est plus difficile dans cette grave histoire que de garder respect à l'ordre chronologique.   STENDHAL, Souvenirs d'égotisme, p. 15.

DÉR. Chronologiquement.

CHRONOLOGIQUEMENT [kʀɔnolɔʒikmɑ̃] adv. — 1827, *in* D.D.L. ; de *chronologique.*

♦ Didact. et cour. Selon l'ordre chronologique. *Histoire racontée chronologiquement.*

CHRONOLOGISTE [kʀɔnolɔʒist] n. — 1637 ; « chroniqueur », 1560 ; de *chronologie.*

♦ Didact. Spécialiste de chronologie.

CHRONOMÉTRAGE [kʀɔnometʀaʒ] n. m. — 1894 ; de *chronométrer.*

♦ Détermination précise de la durée (d'une action, d'un processus...). « *Un nouveau système de chronométrage va être expérimenté demain, au Vélodrome d'Hiver, pendant la séance d'entraînement* » (*l'Écho de Paris*, p. 4, 12 déc. 1895).

Comme tu es mécanicien, on a pensé que tu pourrais nous dépanner. Tu expropries et tu vérifies le moteur (...)
— C'est pour tout de suite ?
— Non, on a encore des chronométrages à faire (...)
Régis DEBRAY, l'Indésirable, p. 291.

CHRONOMÈTRE [kʀɔnometʀ] n. m. — 1701 ; de *chrono-*, et *-mètre.*

♦ **1.** ⓐ Didact. Instrument servant à mesurer le temps. ⇒ **Chronographe.**

ⓑ Cour. Montre de précision, techniquement appelée *chronographe.* ⇒ **Montre.** *Chronomètre à échappement libre, avec balancier compensateur et échappement isochrone. Cadran, aiguilles, barillet, ressort, pignons, fusée d'un chronomètre. Chronomètre en or.* — Abrév. : *chrono* [kʀɔno]. — Fam. *Faire du 120* (km/h) *chrono*, mesurés au chronomètre (opposé à *au compteur*).

1   Tout en pilotant mon tréteau à cent trente chrono sur l'autoroute de l'Ouest, je fais le point de la situation.   SAN-ANTONIO, le Secret de Polichinelle, p. 161.

(Sports). *Un chrono :* un temps chronométré.

REM. Dans le langage sportif, *chrono* tend à remplacer *chronomètre.*

2   Il faisait beau quand il est venu repérer les lieux. Et quand il est venu faire ses essais à bord d'une petite Fiat, chrono en main, à peu près vers la même heure.
Régis DEBRAY, l'Indésirable, p. 301.

Spécialt. Montre de précision ayant obtenu un « bulletin officiel de marche ». *Chronomètre de marine* (de poche, de bord). *Chronomètre étalon. État absolu d'un chronomètre :* correction donnant l'heure moyenne de Greenwich. *Marche diurne d'un chronomètre :* variation de l'état absolu en un jour.

♦ **2.** Fig. *Réglé comme un chronomètre.* ⇒ **Exact, régulier.**

DÉR. Chronométrer, chronométrie (2.).

CHRONOMÉTRER [kʀɔnometʀe] v. tr. — Conjug. *céder.* — 1893 ; de *chronomètre.*

♦ Mesurer avec précision, à l'aide d'un chronomètre, la durée de (un événement, en sports, industrie, etc.). *Chronométrer une épreuve sportive, une course.*

DÉR. Chronométrage, chronométreur.

CHRONOMÉTREUR, EUSE [kronometrœr, øz] n. — 1885, *in* Höfler ; de *chronométrer.*

♦ **1.** Personne qui chronomètre, est chargée de chronométrer la durée d'une épreuve sportive.

Eugène sommeille en escaladant l'Aubisque où il passe en tête. Les chronométreurs signalent qu'eu égard à son avance il est virtuellement maillot jaune.
            J. CAU, la Pitié de Dieu, p. 223.

♦ **2.** Techn. Technicien, technicienne chargé(e) d'apprécier la conformité du travail des ouvriers aux normes de temps, de qualité. *Chronométreur analyseur,* capable d'analyser les stades d'une fabrication, les mouvements d'une opération, etc. — Abrév. fam. : *chrono* (1936, *in* D. D. L.).

Chronométreurs, démonstrateurs luttaient contre l'ouvrier. En l'observant travailler, montre en main, le chronométreur paraissait compter loyalement le temps nécessaire à l'usinage d'une pièce. Après quoi, il fixait le temps valable pour toute la série.   Georges NAVEL, Travaux, p. 62.

CHRONOMÉTRIE [kronometri] n. f. — 1838 ; de *chrono-,* et *-métrie.*

♦ **1.** Didact. Science de la mesure du temps.

♦ **2.** (1899 ; de *chronomètre*). Techn. Fabrication des chronomètres.

DÉR. Chronométrique.

CHRONOMÉTRIQUE [kronometrik] adj. — 1832 ; de *chronométrie.*

♦ **1.** Didact. Du chronomètre ; relatif à la mesure exacte. *Des observations chronométriques.*

♦ **2.** Cour. Rigoureusement calculé (en parlant d'un temps). *Une exactitude, une précision chronométrique.*

DÉR. Chronométriquement.

CHRONOMÉTRIQUEMENT [kronometrikmã] adv. — 1873 ; de *chronométrique.*

♦ Didact. D'une façon chronométrique, par un chronomètre.

Déjeunant, dînant au club à des heures chronométriquement déterminées, dans la même salle, à la même table, ne traitant point ses collègues, n'invitant aucun étranger, il ne rentrait chez lui que pour se coucher, à minuit précis, sans jamais user de ces chambres confortables que le Reform-Club tient à la disposition des membres du cercle.   J. VERNE, le Tour du monde en 80 jours, p. 5.

CHRONOPATHOLOGIE [kronopatoloʒi] n. f. — V. 1970 ; de *chrono-,* et *pathologie.*

♦ Didact. (méd.). Altération morbide des rythmes biologiques. « *On groupe, actuellement, sous le nom de chronopathologie les altérations morbides de biorythmes intéressant un nombre plus ou moins grand de fonctions. Le domaine le plus étudié, et le moins malconnu, concerne les altérations de rythmes consécutifs à une détérioration anatomo-physiologique définie* » (*la Recherche,* mars 1971, p. 250).

DÉR. Chronopathologique.

CHRONOPATHOLOGIQUE [kronopatoloʒik] adj. — V. 1970 ; de *chronopathologie.*

♦ Didact. Relatif à la chronopathologie.

CHRONOPHOTOGRAPHE [kronofotograf] n. m. — 1899 ; de *chrono-,* et *photographe.*

♦ Didact. Appareil destiné à prendre des photographies successives d'un objet en mouvement. *Le chronophotographe ou pistolet photographique est l'ancêtre du cinéma*.*

CHRONOPHOTOGRAPHIE [kronofotografi] n. f. — 1882 ; de *chrono-,* et *photographie.*

♦ Didact. Analyse du mouvement par des photographies répétées.

DÉR. Chronophotographique.

CHRONOPHOTOGRAPHIQUE [kronofotografik] adj. — 1895 ; de *chronophotographie.*

♦ Didact. Relatif à la chronophotographie. *Un appareil chronophotographique.* « *Inventeur incontesté de la chronophotographie, Marey avait eu, en effet, un rôle capital dans l'avènement du ciné-*

matographe, ce procédé que le tout premier brevet pris par Louis Lumière décrit comme "un appareil servant à l'obtention et à la vision des épreuves chronophotographiques" » (*Sciences et Avenir,* juin 1980, p. 95).

CHRYS-, CHRYSO- Élément, du grec *khrusos* « or », entrant dans la composition de mots savants.

CHRYSALIDE [krizalid] n. f. — 1593 ; du lat. *chrysal(l)is, -idis,* du grec *khrusos* « or », en raison de l'aspect de certaines chrysalides.

♦ **1.** Nymphe des lépidoptères, forme intermédiaire entre le stade de chenille et le stade de papillon. ⇒ **Nymphe.** *Les chrysalides sont dites emmaillotées* (recouvertes d'une enveloppe). *Chrysalide nue, aérienne ou enterrée. Chrysalide enfermée soit dans un abri de feuilles liées par des fils de soie, soit dans un cocon* formé par un fil de soie continu. Chrysalide du ver à soie.*

Ver, chrysalide et papillon, l'insecte rampa sur l'herbe, suspendit son œuf d'or aux forêts, ou trembla dans le vague des airs.
       CHATEAUBRIAND, le Génie du christianisme, I, IV, 5.

Enveloppe de l'insecte à l'état de chenille, avant qu'il ne devienne papillon. *Insecte qui sort de sa chrysalide.*

(...) le grand fracas insaisissable de la chrysalide rompue, l'aile humide et ployée, la première patte qui tâte un monde inconnu, l'œil féerique dont les facettes reçoivent le choc de la première image terrestre (...)
       COLETTE, Flore et Pomone, *in* Gigi, p. 140-141.

♦ **2.** Loc. métaphorique ou fig. (1814). *Sortir de sa chrysalide :* sortir de l'obscurité, prendre son essor. — *Cette institution, cette entreprise est encore dans sa chrysalide* (cf. Encore dans l'œuf).

CHRYSANTHÈME [krizãtɛm] n. m. — 1750 ; *chrysanthemon,* 1543 ; du grec *khrusos* « or », et *anthemon* « fleur ».

♦ Plante dicotylédone *(Composacées)* annuelle ou vivace, cultivée comme ornementale, et dont les premiers spécimens connus étaient jaunes. *Chrysanthème simple ou double. Chrysanthème des moissons* (dit aussi *marguerite colorée*). *Chrysanthème des prés* ou *grande marguerite. Chrysanthème d'automne. Le chrysanthème est cultivé pour ses variétés multicolores comme plante ornementale. Chrysanthèmes de la Toussaint.*

Fleur composée, sphérique, de cette plante.

Comme des feux arrachés par un grand coloriste à l'instabilité de l'atmosphère et du soleil, afin qu'ils vinssent orner une demeure humaine, ils m'invitaient, ces chrysanthèmes, et malgré toute ma tristesse, à goûter avidement pendant cette heure du thé ces plaisirs si courts de novembre dont ils faisaient flamber près de moi la splendeur intime et mystérieuse (...)
    PROUST, À l'ombre des jeunes filles en fleur, Pl., t. III, p. 234.

CHRYSÉLÉPHANTIN, INE [krizelefãtɛ̃, in] adj. — 1863 ; de *chrys-,* grec *elephas, -antos* « ivoire », et suff. *-in, -ine.*

♦ Didact. (antiq.). *Sculpture chryséléphantine,* dans laquelle on employait l'or et l'ivoire. *La statue chryséléphantine de Minerve par Phidias.*

Les parcelles d'or et d'ivoire ne retiendraient point la beauté de la statue chryséléphantine.   ALAIN, Platon, *in* les Passions et la Sagesse, Pl., p. 868.

Les navires passaient en entrant sous une gigantesque allégorie chryséléphantine du soleil qui a donné naissance, par contamination, à la légende du colosse de Rhodes.   J. D'ORMESSON, la Gloire de l'Empire, t. II, p. 410.

CHRYSIDÉS [krizide] n. m. plur. — Fin xixᵉ ; de *chrys-,* et *-idés.*

♦ Zool. Famille d'insectes hyménoptères (sous-ordre des *Apocrites,* super-famille des *Béthyloïdes*), à larves parasitaires d'Hyménoptères, aux vives couleurs métalliques. — Nom cour. : *guêpe-coucou* ; nom sc. : *chrysis.* — Au sing. *Un chrysidé.*

CHRYSO- ⇒ Chrys-.

CHRYSOBÉRYL [krizoberil] n. m. — 1834 ; de *chryso-* (→ Chrys-), et *béryl.*

♦ Didact., techn. Pierre précieuse constituée par de l'aluminate naturel de béryllium. — Syn. : *cymophane. L'alexandrite*, chrysobéryl de couleur verte.* — REM. La graphie *chrysobéril* (cf. Gautier, Constantinople, p. 128) semble archaïque.

CHRYSOCALE [krizokal] ou CHRYSOCALQUE [krizokalk] n. m. — 1823, *chrysocale* ; *chrysocalque,* 1819 ; *crisocane,* 1372 ; de *chryso-* (→ Chrys-), et grec *khalkos* « cuivre ».

♦ Techn. Alliage de cuivre, étain et zinc, qui imite l'or.

Une velléité de fausse élégance lui faisait porter cependant des boucles d'oreilles de mauvais goût et une chaîne de chrysocale.
       A. DE MUSSET, les Deux Maîtresses, III.

2 Nous regardions la mer et je faisais remarquer à Jeanne le faisceau lumineux sur l'eau, comme un éclat d'or. « C'est du chrysocale » m'avait-elle répondu.
François-Marie BANIER, la Tête la première, p. 140.

CHRYSOCARPE [kʀizɔkaʀp] adj. — 1863 ; de chryso- (→ Chrys-), et -carpe.

♦ Bot. Qui a des fruits de couleur d'or.

CHRYSOCOLLE [kʀizɔkɔl] n. f. — 1690 ; grec khrusokolla « soudure d'or », de khrusos « or ».

♦ Didact. Silicate de cuivre hydraté, de couleur jaune pâle, que les Anciens employaient pour souder l'or.

CHRYSOLITHE [kʀizɔlit] n. f. — 1598 ; crisolite, 1121 ; lat. chrysolithus ; du grec khrusos « or », et lithos « pierre ».

♦ Vx. Pierre précieuse de teinte dorée (comme le péridot, la topaze). — On écrit parfois chrysolite.

CHRYSOLOGUE [kʀizɔlɔg] adj. — 1846 ; de chryso- (→ Chrys-), et -logue.

♦ Vx. Qui parle avec éloquence. Plusieurs pères de l'Église grecque sont dits chrysologues. Pierre Chrysologue, archevêque de Ravenne, au Ve siècle. ⇒ **Chrysostome.**

CHRYSOMÈLE [kʀizɔmɛl] n. f. — 1789 ; de chryso- (→ Chrys-), et -mèle.

♦ Zool. Insecte coléoptère au corps épais, brillant (famille du doryphore : Chrysomélidés). Les larves de la chrysomèle se nourrissent d'arbrisseaux divers.

CHRYSOPÉE [kʀizɔpe] n. f. — Attesté 1846 ; de chryso- (→ Chrys-), et grec poiein « faire ».

♦ Alchim. Art (prétendu) de faire de l'or.

CHRYSOPRASE [kʀizɔpʀaz] n. f. — XIIe ; lat. chrysoprasus ; de chrysos (→ Chrys-), et grec prason « poireau » (plante d'un vert tendre).

♦ Didact. Variété de calcédoine* d'un vert pâle.

(...) quand les hiboux dans leurs simarres, aux yeux d'espoir, aux yeux menteurs, dans leurs simarres chamarrées, soulevant leurs ailes d'emphase, dardent leurs yeux de chrysoprase vers le ciel noir.
A. JARRY, les Minutes de sable mémorial, in Œ. compl., t. I, Pl., p. 233.

CHRYSOSTOME [kʀizɔstɔm] adj. — 1740 ; de chryso- (→ Chrys-), et -stome.

♦ Qui a la bouche* d'or. ⇒ **Chrysologue.** — Épithète donnée à quelques pères de l'Église en raison de leur éloquence. Saint Jean Chrysostome.

CHRYSOTHÉRAPIE [kʀizɔteʀapi] n. f. — XXe ; de chryso- (→ Chrys-), et -thérapie.

♦ Didact. Utilisation d'or colloïdal ou de sels d'or dans un but thérapeutique. Inflammations buccales traitées par chrysothérapie. — REM. On dit aussi aurothérapie.

CH'TIMI [ʃtimi] n. et adj. — Av. 1914 ; expr. patoise ; probablt de ch'ti « chétif », et mi « moi » ; cf. Pauvre de moi.

♦ Fam. Français de la région du Nord. Les ch'timis. — Le ch'timi : le patois des ch'timis.

1 Le voisin est sûrement du Nord, blond, pas trop petit, avec une peau de lait (...) Et alors ? dit le ch'timi. SARTRE, la Mort dans l'âme, p. 200.

2 Permanence inconsciente d'appartenance régionale ou, plus précisément, d'appartenance à une culture au sens large du terme, qui trouve son expression maximale quand la région a gardé sa langue : breton, provençal, basque, plat-deutsch des Alsaciens ou même ch'timi...
Planète, no 4, févr. 1969, Pourquoi les régions ?, p. 21.

Adj. Un accent ch'timi.

3 Son accent « chtimi » m'amuse. Je pense à nouveau à Fabienne, féroce d'être maintenue à Béthune. Je pousserai la table près de la fenêtre. Je vais vivre au faîte de ces marronniers. Yanny HUREAUX, la Prof, p. 62.

CHTONIEN, IENNE [ktɔnjɛ̃, jɛn] adj. — 1819 ; trad. du lat. chtonius ; du grec khthôn, khthonos « terre ».

♦ Myth. Surnom de plusieurs divinités infernales, que l'on supposait résider dans les cavités de la terre. Les puissances chtoniennes.

1 Tout ce que l'on peut dire, c'est qu'en deçà de la vie, à sa limite abstraite, une chaleur qui n'est que chaleur est d'essence chtonienne, et appartient aux ténèbres extérieures, ainsi qu'il convient à la fonction de ce sein protecteur où nous fûmes

tous enfermés et couvés, et dont il nous fallut à tout prix sortir pour trouver notre être avant d'affirmer l'Être. Raymond ABELLIO, Ma dernière mémoire, t. I, p. 21.

2 (...) on dirait qu'elle sort de dessous un masque (ainsi, dit-on, les masques de la tragédie grecque avaient une fonction magique : donner à la voix une origine chtonienne, la déformer, la dépayser, la faire venir de l'au-delà souterrain).
R. BARTHES, Fragments d'un discours amoureux, p. 132.

REM. La graphie étymologique (du grec), chthonien, tend à disparaître.

CHTOUILLE [ʃtuj] n. f. — 1889 ; altér. de jetouille, de jeter « émettre une humeur par un orifice du corps », et finale -ouille.

♦ Argot. Maladie vénérienne (blennorragie [⇒ **Chaudepisse**], syphilis).

Je la vois d'ici, la femme. Encore heureux s'il n'a pas attrapé la chtouille.
ARAGON, les Beaux Quartiers, p. 374.

C. H. U. [seaʃy] n. m. — 1958 ; abrév. de Centre hospitalier universitaire.

♦ Centre hospitalier universitaire. « Les C.h.u. (...) ne disposent que de 180 000 lits ? Il n'y a qu'à en créer d'autres. Et si l'on décidait d'enseigner la médecine dans les hôpitaux dits de deuxième catégorie, où passent toutes sortes de malades, le nombre d'étudiants serait multiplié et la formation donnée serait bien meilleure que dans les C.h.u., trop spécialisés » (Paris-Match, no 1278, 3 nov. 1973, p. 51). — REM. La graphie ci-dessus est propre à la presse hebdomadaire.

CHUCHETER [ʃyʃte] v. intr. — 1752 ; « chuchoter », XIVe ; de l'onomat. tchutch- → Chuchoter.

♦ Rare. Crier (en parlant du moineau). ⇒ **Gazouiller.**

CHUCHOTAGE [ʃyʃɔtaʒ] n. m. — 1782 ; de chuchoter.

♦ Rare. Bruit d'une conversation à voix basse. ⇒ **Chuchotement.**

CHUCHOTEMENT [ʃyʃɔtmɑ̃] n. m. — 1579 ; de chuchoter.

♦ **1.** Action de chuchoter*. ⇒ **Murmure, susurrement.** Percevoir un léger chuchotement. Les chuchotements d'une conversation. On entendait un léger chuchotement. ⇒ **Chuchotis.** Cris et Chuchotements, film d'Ingmar Bergman.

1 (...) de longs chuchotements de jeunes filles, des rires étouffés (...)
LAMARTINE, Graziella, IV, XXX, p. 149.

(Animaux). → Bas, cit. 83.

2 (...) tous les jours, on entend arriver du sud d'innombrables chuchotements d'oiseaux. E. FROMENTIN, Un été dans le Sahara, II, p. 86.

♦ **2.** Bruit léger et confus. Le chuchotement du feuillage, de l'eau.

3 Mille petits bruits, imperceptibles chuchotements de la solitude (...)
Th. GAUTIER, le Capitaine Fracasse, t. I, p. 10.

3.1 Il attendit avec résignation les paroles malveillantes qu'elle venait sans doute lui adresser. Mais elle ne disait rien. Il entendait seulement le plancher pourri qui grinçait sous ses pas et le chuchotement de sa robe. H. TROYAT, le Vivier, p. 79.

♦ **3.** Par ext. (du sens 1). Conversation chuchotée ; paroles chuchotées. ⇒ **Chuchoterie.**

4 (...) un couple, étroitement penché au-dessus d'une table, perdu dans un chuchotement insaisissable. COLETTE, la Fin de Chéri, p. 107.

CONTR. Silence. — Fracas.

CHUCHOTER [ʃyʃɔte] v. — 1611 ; chucheter, XIVe ; onomatopée.

♦ **1.** V. intr. Parler bas, indistinctement, en remuant à peine les lèvres. ⇒ **Murmurer, susurrer.** Des élèves chuchotent en classe. Parler en chuchotant. ⇒ **Bas** (parler bas, dire des messes basses). Chuchoter à l'oreille de qqn. ⇒ **Souffler.** — Voix qui chuchote.

1 Laurent entendit une voix presque enjouée, presque gaie qui chuchotait (...)
G. DUHAMEL, Chronique des Pasquier, VIII, V, p. 330.

2 Ils me soignent silencieusement et bien. Mais jamais jusqu'ici ils ne m'ont adressé la parole. Quand ils se trouvent ensemble dans la chambre, ils ne se parlent pas. Avant d'entrer, ils chuchotent parfois derrière la porte.
H. BOSCO, Hyacinthe, p. 163.

♦ **2.** V. tr. Dire (qqch.) à voix basse. Chuchoter quelques mots à l'oreille de qqn. ⇒ **Souffler.**

♦ **3.** Produire un bruit confus, indistinct. ⇒ **Bruire** (→ Caqueter, cit. 2).

3 Le sang chuchotait à ses oreilles comme si, dans une coquille, elle eût écouté la mer. F. MAURIAC, Génitrix, p. 104.

4 (...) ce poste de T.S.F. invisible, qui chuchotait comme un jet d'eau.
SARTRE, l'Âge de raison, XIV, p. 237.

CONTR. Taire (se). — **Crier, hurler.**

DÉR. Chuchotage, chuchotement, chuchoterie, chuchoteur, chuchotis.

CHUCHOTERIE [ʃyʃɔtʀi] n. f. — 1650; de chuchoter.

♦ Fam. et vx. Conversation, entretien de personnes qui chuchotent, qui affectent le mystère dans leurs bavardages. ⇒ **Chuchotement, susurration.** *De secrètes et continuelles chuchoteries.*

C'était, avec mes amis, des chuchoteries continuelles; tout était mystère et secret pour moi dans mon ménage, et pour ne pas m'exposer sans cesse à des orages, je n'osais plus m'informer de ce qui s'y passait. ROUSSEAU, les Confessions, VIII.

REM. Le mot est le plus souvent employé au pluriel.

CHUCHOTEUR, EUSE [ʃyʃɔtœʀ, øz] adj. et n. — 1694; chucheteur, 1653; de chuchoter.

♦ (Personne) qui chuchote. *Des fillettes chuchoteuses. — Des voix chuchoteuses. — Un chuchoteur, une chuchoteuse.*

CHUCHOTIS [ʃyʃɔti] n. m. — 1895; de chuchoter.

♦ **1.** Léger chuchotement. *Le silence était rompu par quelques chuchotis.*

♦ **2.** Bruit très léger et confus. *Les chuchotis de l'eau.*

On dirait que le chuchotis de l'eau dans les arbres et le tic tac de cette montre sont la voix même du silence plutôt qu'un bruit qui le trouble. J. GREEN, Journal (1941-1943), p. 165, 27 oct. 1941.

CHUINTANT, ANTE [ʃɥɛ̃tɑ̃, ɑ̃t] adj. et n. f. — 1819; de chuinter.

♦ **1.** Qui chuinte.

1 La foule envahit la route et les champs, dense, tenace, implacable : une inondation. Pas un bruit sauf le frottement chuintant des semelles contre la terre. SARTRE, la Mort dans l'âme, p. 22.

2 Un verre se vide, un autre se remplit, un troisième avale par mégarde un mégot qui, en touchant le liquide, jette un cri chuintant. Alain BOSQUET, les Bonnes Intentions, p. 176-177.

♦ **2.** Adj. et n. f. Phonét. Se dit d'une consonne fricative articulée comme une sifflante, mais avec la langue plus creusée et avec la projection des lèvres en avant (ex. : ch-, j- [ʃ, ʒ], en français). — N. f. *Une chuintante* : une consonne chuintante.

CHUINTEMENT [ʃɥɛ̃tmɑ̃] n. m. — 1873; de chuinter.

♦ **1.** Action de chuinter. — Rare. Son d'une consonne chuintante*. — Vice de prononciation consistant dans la substitution du son *ch* [ʃ] au son *s* [s].

♦ **2.** Bruit continu et assourdi (d'une chose). ⇒ aussi **Sifflement.** *Le chuintement de la vapeur. Chuintement des pneumatiques d'une voiture sur la chaussée humide.*

1 Le silence était prodigieux. Je pensais au bruit des machines, au chuintement de la vapeur comme à des chansons anciennes (...) G. DUHAMEL, Cri des profondeurs, v, p. 88.

2 Son guide, devant lui, porte des semelles en caoutchouc à ses souliers de daim gris; le chuintement de ses pas est à peine perceptible. A. ROBBE-GRILLET, Dans le labyrinthe, p. 101.

3 La porte jubile, et même la serrure, d'habitude grincheuse, a des chuintements délicieux. Alain BOSQUET, les Bonnes Intentions, p. 272.

CHUINTER [ʃɥɛ̃te] v. intr. — 1776; onomatopée.

♦ **1.** Pousser son cri (en parlant de la chouette). *La chevêche (cit. 2) chuinte.*

♦ **2.** Prononcer les consonnes sifflantes (*s* [s] et *z* [z]) comme des chuintantes* (*ch* [ʃ] et *j* [ʒ]). *Chuinter en parlant.*

♦ **3.** (Choses). Faire entendre un sifflement, un chuintement. ⇒ **Siffler.** *Jet de vapeur qui chuinte.*

DÉR. Chuintant, chuintement.

CHURRIGUERESQUE [ʃyʀigeʀɛsk] adj. — 1893; mot esp., churriguer esco, du nom de l'architecte Churriguera.

♦ Hist. des arts. Style baroque espagnol de la fin du XVIIᵉ et du début du XVIIIᵉ siècle (analogue au *plateresque**).

Cet art churrigueresque mérite d'être reconnu pour une étape nouvelle du baroque européen. V.-L. TAPIÉ, le Baroque, p. 103.

CHUT [ʃyt] interj. et n. m. — Av. 1550; onomatopée.

♦ **1.** Interj. Se dit pour avertir de faire silence. ⇒ **Silence, taire** (taisez-vous). *Faire chut ! en mettant un doigt sur la bouche.*

1 Après que la reine eut dit chut,
Chacun prit un siège et se tut. SCARRON, Virgile travesti, II.

2 Une femme, âgée de quatre-vingt-dix ans, disait à M. de Fontenelle, âgé de quatre-vingt-quinze : « La mort nous a oubliés. » — « Chut ! » lui répondit M. de Fontenelle en mettant le doigt sur sa bouche. CHAMFORT, Caractères et anecdotes, p. 210.

La radio au début n'existait pas. Puis un jour, papa a construit un poste à galène, avec un casque. Il ne fallait pas faire de bruit, chut chut taisez-vous. Jean FERNIOT, Pierrot et Aline, p. 30.

♦ **2.** N. m. *Des chuts énergiques. Il voulut parler malgré les chuts.*

CONTR. Fort (plus fort).
DÉR. 2. Chuter.
HOM. Chute, formes des v. 1. chuter, 2. chuter.

CHUTE [ʃyt] n. f. — 1360, cheute; réfection de cheoite (XIIᵉ), p. p. fém. de choir; du lat. pop.* cadecta, p. p. substantivé au fém. de cadere. → Choir.

★ **I.** Fait de choir, de tomber*. **A.** (Concret). ♦ **1.** (Choses). Fait de ne pas rester droit, de s'écrouler. ⇒ **Croulement, écrasement, effondrement.** *La chute d'un pan de mur.* ⇒ **Écroulement.** *La chute d'une masse de terrain.* ⇒ **Éboulement.** *Ce mur est proche de sa chute.* ⇒ **Chancelant.** *Les alpinistes ont été ensevelis par la chute d'une masse de neige.* ⇒ **Avalanche.** *Soutenir, étayer qqch. pour en éviter la chute. Arrêter la chute de quelque chose.*

1 (Ma foi) si ferme à présent, si loin de chanceler,
Que la chute du ciel ne pourrait l'ébranler. CORNEILLE, Cinna, v, 3.

2 Longtemps après sa chute (de la bombe), on voit fumer encore
La bouche du mortier, large, noire et sonore. HUGO, Odes, III, 6.

♦ **2.** (Choses). Fait de tomber plus bas, faute d'un support. *Une chute de cinq mètres.* — (XVIIᵉ). Sc. *Lois de la chute des corps.* ⇒ **Pesanteur.** *Chute libre,* dans laquelle l'espace parcouru est proportionnel au temps. *Tomber en chute libre. Chute uniformément accélérée.* ⇒ **Accélération** (cit. 2), **mouvement.** *La chute d'un météore. La chute d'une bombe. Le point de chute,* point atteint par le projectile à la fin de sa trajectoire, et, fig. (av. 1945, *in* D.D.L. II, 20), endroit où l'on s'arrête, après avoir exercé une activité, après un voyage, etc.

2.1 Elle eut le geste de quelqu'un qui laisse là sa couture, parce que son lait se sauve. Le dé tomba, l'aiguille tomba et la chemise sur le tout. Pourquoi ces chutes l'une après l'autre ? André BAILLON, Délires, « La montre ».

2.2 Entendez par là : trois semaines dans une propriété du Midi, une croisière sur un yacht d'armateur qui héberge une clientèle surréaliste et, comme point de chute, quelque chasse de Sologne, avec ce petit château Louis XIII. Pierre DANINOS, Un certain Monsieur Blot, p. 207.

Théâtre. La chute du rideau : le baisser du rideau, et, par ext., la fin du spectacle, quand le rideau tombe. *Ce critique est parti avant la chute du rideau.*

♦ **3.** (1671). **CHUTE D'EAU** ou **CHUTE** : déplacement vertical d'une masse d'eau produit par la différence de niveau entre deux parties consécutives d'un cours d'eau. *Des chutes d'eau naturelles.* ⇒ **Cascade, cataracte, saut.** *Les chutes du Niagara. Chute artificielle. La chute d'un barrage. Le mur* de chute d'une écluse.

3 (...) quand on a vu la cataracte du Niagara, il n'y a plus de chute d'eau. CHATEAUBRIAND, Mémoires d'outre-tombe, IV, II.

4 (...) la chute d'un jeu d'eau donnait à un bassin l'effervescence du lait qui bout. Edmond JALOUX, les Visiteurs, v, p. 49.

Chute de pluie, de neige. ⇒ **Précipitation.** *Abondantes chutes de neige sur les Alpes.*

♦ **4.** *La chute du jour :* le moment où la nuit arrive. ⇒ **Crépuscule, tombée** (de la nuit); **fin** (du jour).

♦ **5.** (1534). Action de se détacher (de son support naturel), de devenir caduc. *La chute des cheveux, des poils.* ⇒ **Alopécie.** *La chute des dents, des ongles.*

Bot. *La chute des feuilles* (⇒ **Défoliation**), et, par métonymie, l'automne. — *La chute de l'écorce des arbres* (⇒ **Exfoliation**), *des fleurs* (⇒ **Défloraison**).

♦ **6.** Méd. Affaissement, abaissement (d'un organe). ⇒ **Descente, prolapsus, ptôse.** *La chute de la luette, de la matrice.*

♦ **7.** (Personnes). Fait de tomber, de perdre l'équilibre, soit en allant au sol, soit en allant plus bas, si le sol ou un support manque (→ ci-dessus, sens 2). *Faire une chute.* ⇒ **Tomber; bûche, pelle; cabriole, culbute, glissade, 2. plané, trébuchement.** *Une chute de cheval, de bicyclette.* ⇒ **Accident.** *Une mauvaise chute. Il s'est foulé le pied dans sa chute.* — *Chute à pic, chute de cinq mètres.* ⇒ **Plongeon.**

4.1 (...) un peu étourdie de ma chute, je fus quelques instants avant de me relever (...) SADE, Justine..., t. I, p. 218.

Fait de tomber dans le vide. ⇒ **Descente** (en chute libre).

5 (Il) éprouvait la vertigineuse horreur de la chute mêlée d'attirance qu'inspire la suspension au-dessus d'un gouffre. Th. GAUTIER, le Capitaine Fracasse, t. II, XVII, p. 223.

(1819, in Höfler). Réception du corps sur le sol, après un saut. *Chute contrôlée d'un parachutiste.* ⇒ **Roulé-boulé.**

B. (Abstrait). ♦ **1.** (XIVᵉ). Personnes. Fait de passer dans une situation plus mauvaise, d'échouer. ⇒ **Déconfiture, défaite, échec, faillite, insuccès.** *La chute de Napoléon. Entraîner qqn dans sa chute. La chute suit de près le triomphe.* ⇒ **Capitole** (supra cit. 3). *Plus dure sera la chute. Il ne resta pas longtemps en cour, sa chute fut rapide.* ⇒ **Disgrâce.** *Ses malversations provoquèrent sa chute.*

6 Il te peut, en tombant, écraser sous sa chute. CORNEILLE, Cinna, I, 1.

7   J'avais prévu ma chute en montant sur le faîte.
Je m'y suis trop complu ; mais qui n'a dans la tête
Un petit grain d'ambition ?   LA FONTAINE, Fables, X, 9.

La chute d'un auteur, et, par ext., *la chute d'une pièce de théâtre.*
⇒ (fam.) **Four.**

8   La surprise des œuvres nouvelles provoquant une rupture entre les coutumes de
l'esprit et la nouveauté qu'on lui soumet, le public trébuche. Il y aura donc chute
et rire.   COCTEAU, la Difficulté d'être, Du rire, p. 182.

    ◆ **2.** (1587 ; en parlant des institutions, du gouvernement). Fait de suc-
comber à une opposition, à une résistance, etc. ⇒ **Culbute, renversement.** *La forte opposition à la politique sociale du ministère
amena sa chute. La chute d'un cabinet, du gouvernement.* ⇒ **Crise.**
La lente chute d'un régime. ⇒ **Décadence, écroulement, ruine.** *La
chute de l'Empire romain. S'acheminer vers sa chute.*

9   Je te dirai que, depuis la chute du ministère Villèle, je vois les choses comme
ceci : quoique le nouveau ministère soit mou (...) il n'est pas mauvais (...)
          SAINTE-BEUVE, Correspondance, t. I, 60, 3 janv. 1829.

10   Mais la chute du Cabinet dont il faisait partie *(M. Édouard Herriot)* rendit caduc
son projet de loi qui ne fut pas repris par son successeur.
          Georges LECOMTE, Ma traversée, p. 370.

11   Devant l'écroulement si brutal de l'œuvre royale, qui, de chutes en chutes, de crises en crises, ira à sa totale désagrégation (...)
          DANIEL-ROPS, Histoire sainte, III, II, p. 213.

    ◆ **3.** Fait de tomber, d'être pris, de capituler, de se rendre. *La chute
d'une place forte, d'une ville assiégée.* ⇒ **Capitulation, reddition.** *La
chute de la Bastille.* ⇒ **Prise** (→ Bruit, cit. 39).

    ◆ **4.** (1680). Action de tomber moralement, de perdre une situation
meilleure, de déchoir. ⇒ **Déchéance, faute, péché.** — Relig. *La chute
des anges,* punissant la faute des anges révoltés contre Dieu. *La
Chute d'un ange,* poème de Lamartine. — *La chute d'Adam,* et,
absolt, *la chute.* ⇒ **Péché** (originel). *Se relever de sa chute par la
pénitence. Être une occasion de chute, de péché pour les autres.*
⇒ **Scandale.**

12   Dans le crime il suffit qu'une fois on débute ;
Une chute toujours attire une autre chute.   BOILEAU, Satires, X.

13   Il me fit sentir que l'enthousiasme des vertus sublimes était peu d'usage dans la
société, qu'en s'élançant trop haut on en était sujet aux chutes (...)
          ROUSSEAU, les Confessions, III.

14   (...) il ne manque à l'amour que la durée pour être à la fois l'Eden avant la chute
et l'Hosanna sans fin.   CHATEAUBRIAND, Mémoires d'outre-tombe, I, VIII.

    Littér. et vx. Spécialt. Faute contre la chasteté (le plus souvent en
parlant d'une femme). ⇒ **Déchéance, faute, pas** (faux pas).

    ◆ **5.** Écon. *La chute d'une monnaie,* dépréciation. ⇒ **Dévaluation,
effondrement.** *La chute des assignats. La chute du mark, du franc.
Chute des cours en Bourse. Chute des prix.* ⇒ **Baisse.**

15   La chute du franc, commencée depuis 1916, devenait de mois en mois plus sensible. Chaque jour, le prix de tous les articles nécessaires à la vie s'élevait quelque
peu.   G. DUHAMEL, les Espoirs et les Épreuves, II, p. 34.

    ◆ **6.** Brusque diminution de valeur (d'une variable). *Chute de
potentiel, de pression, de tension. En une nuit, la chute de température fut très importante.* ⇒ **Baisse.** — (Abstrait). *La chute du moral
des troupes.*

    ◆ **7.** Ling. Disparition (d'un phonème, d'un groupe de phonèmes).
⇒ **Aphérèse, apocope, syncope.**

    ★ **II.** Par métonymie. ◆ **1.** Partie où une chose se termine, s'arrête,
cesse. ⇒ **Extrémité, fin.** *La chute d'un toit,* sa pente. *Chute en
pente.* — *La chute des reins* : le bas du dos.

16   La duchesse de Bourgogne revint les épaules, les bras, les seins découverts, la
chute des reins bien marquée.   SAINT-SIMON, Mémoires, 2, 235.

    ◆ **2.** Mar. *La chute d'une voile.* — *Chute au mât* : distance entre
le milieu de la ralingue d'envergure et celui de la ralingue de bordure. *Chute au point* : longueur de la ralingue de côté.

    ◆ **3.** Littér. et rare. *La chute des temps* : la fin des temps.

17   (...) à la chute des temps, le Juge viendra, dans le hourra des foudres, châtier le
monde.   HUYSMANS, En route, p. 15.

    ◆ **4.** (1654, en littérature). Didact. (prosod.). *La chute d'une période,
d'une phrase musicale* : la partie finale sur laquelle tombe la voix.
⇒ **Cadence.** *La chute d'un vers. La chute d'un madrigal,* le trait
qui la termine.

18   — La chute en est *(du sonnet)* jolie, amoureuse, admirable.
    — La peste de ta chute ! Empoisonneur du diable,
En eusses-tu fait une à te casser le nez !   MOLIÈRE, le Misanthrope, I, 2.

19   Il n'y a pas longtemps qu'ils *(les prédicateurs)* avaient des chutes ou des transitions ingénieuses.   LA BRUYÈRE, les Caractères, XV, 5.

    ◆ **5.** Archit. *Chute de festons, d'ornements* : sculpture de fruits, de
fleurs pendant en bouquets.

    ◆ **6.** Morceau d'étoffe, de cuir, de pellicule, etc., qui reste après
une coupe et est inutilisé. *Les chutes d'un atelier de coupe. Les chutes.* ⇒ **Déchet.** *Jeter les chutes aux chiffons. Des chutes de film.
Des chutes de métal.*

    ★ **III.** Par métonymie. Endroit, espace où une chose, un animal
tombe. ◆ **1.** (Chasse). Lieu où certains oiseaux migrateurs s'arrêtent à la tombée du jour. *La chute des canards, des bécasses.*

    ◆ **2.** (Astrol.). Signe dans lequel une planète est dite avoir le
moins d'influence.

CONTR. Ascension, croissance, levée, montée, pousse, triomphe. — Relèvement.
DÉR. 1. Chuter.
COMP. Chape-chute.
HOM. Chut, formes des v. 1. **chuter,** 2. **chuter.**

1. CHUTER [ʃyte] v. intr. — 1823 ; de *chute.*

    ◆ **1.** Fam. Faire une chute. ⇒ **Tomber ; choir.** — Fig. et littér. Pécher.

    Et si je chute, continue-t-il, je me relève et je vais quand même vers le Seigneur !   1
         J. GREEN, Ce qui reste de jour, 14 oct. 1969, p. 190.

    ◆ **2.** Fig. **a** À certains jeux de cartes, Ne pas effectuer les levées
prévues.

    b (Sports). Subir une défaite. *Malgré une défense très vive,
l'équipe nationale a chuté.*

    ◆ **3.** Fig. Régional et fam. Échouer.

    Qu'est-ce qu'il se passait au juste en 1922 ? Essayez de poser la question à d'autres   2
pour voir. De quoi faire chuter les candidats à la radio.
         ARAGON, Blanche..., I, II, p. 30.

    Tomber (au théâtre). ⇒ 1. **Tomber** (I., 3.).

    On cause de la pièce des DEUX SŒURS, jouée hier, et absolument chutée, et que   3
la princesse, dans un sentiment de bienveillance pour Girardin, soutient mordicus,
et contre tous, être un succès (...)   Ed. et J. DE GONCOURT, Journal, t. II, p. 223.

    ◆ **4.** Fig. Baisser. *La surproduction a fait chuter les prix.* — Dimi-
nuer. *Le nombre des candidats a chuté ces dernières années.*

2. CHUTER [ʃyte] v. — 1834 ; de *chut.*
Rare.

    ◆ **1.** V. intr. Crier, faire chut. *La pièce commençait ; pour faire taire
quelques spectateurs, on chuta.*

    ◆ **2.** V. tr. *Chuter (qqn, qqch.)* : accueillir (qqn, qqch.) par des
chuts. *Chuter une pièce, des acteurs.*

CHUTNEY [ʃœtnɛ] n. m. — 1964 ; mot angl., de l'hindi *chatni.*

    ◆ Condiment d'origine indienne composé de fruits, de légumes (plus
rarement, de produits de la mer : crevettes) confits avec du piment,
des herbes aromatiques, des épices diverses, dans du vinaigre sucré.
Chutney à la mangue, à la tomate.

CHVA [ʃva ; ʃwa] n. m. ⇒ **Schwa.**

CHYLE [ʃil] n. m. — V. 1360, *chile* ; du lat. méd. *chylus,* grec *khu-
los* « SUC ».

    ◆ Physiol. Liquide laiteux résultant de la transformation dans
l'intestin des aliments mélangés aux sucs digestifs et absorbé par
les vaisseaux lymphatiques. ⇒ **Chylifère ; fibrine.** *Le chyle passe,
par les villosités intestinales, dans les vaisseaux chylifères* (veines
lactées) *qui le portent dans le sang. Le canal thoracique porte le
chyle dans la veine sous-clavière.*

    Quand elles *(les nourrices)* ont des nourrissons bourgeois, on leur donne des pots-   1
au-feu, persuadé que le potage et le bouillon de viande leur font un meilleur
chyle et fournissent plus de lait.   ROUSSEAU, Émile, I.

    Sous le nom de chyle, elles *(les substances nutritives)* forment un liquide blan-   2
châtre absorbé par la paroi intestinale, où plongent les veinules qui les amènent
au foie par la veine porte. L'eau et les sels solubles qui figurent parmi les substances rapidement absorbées suivent la voie veineuse, avec les hydrates de carbone
et les albuminoïdes, tandis que la plus grande partie des graisses passe par les chylifères intestinaux.   P. VALLERY-RADOT, Notre corps, VII, p. 94.

DÉR. Chyleux, chylifère, chylification.
COMP. (Du même rad.) Achylie.

CHYLEUX, EUSE [ʃilø, øz] adj. — 1546 ; de *chyle.*

    ◆ Physiol. Qui appartient au chyle. Qui contient du chyle. *Épan-
chement chyleux. Pleurésie chyleuse.*

CHYLIFÈRE [ʃilifɛʀ] adj. et n. m. — 1665 ; de *chyle, -i-* de liaison,
et *-fère.*

    ◆ Physiol. Qui transporte le chyle. *Les vaisseaux chylifères,* ou, n.
m., les *chylifères* : vaisseaux lymphatiques des villosités intestinales
qui absorbent le chyle.

CHYLIFICATION [ʃilifikɑsjɔ̃] n. f. — Attesté 1932 ; de *chyle.*

    ◆ Physiol. Formation du chyle dans l'intestin grêle et dans les vais-
seaux chylifères.

CHYME [ʃim] n. m. — XVᵉ ; du lat. méd. *chymus,* grec *khumos*
« humeur ».

♦ Physiol. Bouillie que forme la masse alimentaire au moment où elle passe dans l'intestin après avoir subi l'action de la salive et du suc gastrique.

D'acide qu'il était dans l'estomac, le chyme devient alcalin au contact du grêle, et subit l'action de multiples ferments.
P. VALLERY-RADOT, Notre corps, VII, p. 93.

DÉR. Chymification.
COMP. Chymotrypsine.

CHYMIFICATION [ʃimifikasjɔ̃] n. f. — 1811 ; de *chyme, -i-* de liaison, et *-fication* (→ -fier).

♦ Rare. Transformation des aliments en chyme. ⇒ **Digestion** (stomacale).

CHYMOTRIPSINE [ʃimotʀipsin] n. f. — Mil. XXᵉ ; de *chyme,* et *tripsine.*

♦ Chim., biol. Enzyme pancréatique qui intervient dans la digestion des protéines.

CHYPRE [ʃipʀ] n. m. — Déb. XIVᵉ ; du nom de l'île de *Chypre.*

♦ **1.** (1798 ; *chipré,* 1795). Anciennt (le *chypre* n'est plus guère connu en France depuis environ 1850). Vin que l'on récolte à Chypre. *Une bouteille de chypre.*

♦ **2.** (1771). Parfum composé de diverses essences (bergamote, santal).

(...) cette fougère et ce chypre dont Renée avait parfumé pour toujours, par lotions et par pâtes, leur union (...)   GIRAUDOUX, les Aventures de Jérôme Bardini, p. 9.

CHYPRIOTE [ʃipʀijɔt] adj. et n. — 1685, *chypriot ; cypriote,* 1721 ; de *Chypre.*

♦ Habitant ou personne originaire de l'île de Chypre. *Des enfants chypriotes.* — N. *Des Chypriotes.*
Relatif à cette île. *L'art chypriote.*
N. m. Dialecte grec parlé dans cette île. *Le (dialecte) chypriote.*
REM. La graphie *cypriote* [sipʀijɔt], la plus commune au XIXᵉ s., semble aujourd'hui n'être utilisée que quand on parle de l'antiquité.

CHYTRIDIALES [kitʀidjal] n. f. pl. — XXᵉ ; du grec *khutris* « vase », et suff. *-ales.*

♦ Bot. Champignons* unicellulaires, microscopiques, primitifs, dont certaines espèces vivent en saprophytes dans le sol, dans l'eau, la plupart étant parasites d'organismes (algues, champignons, plantes supérieures, animaux). — Au sing. *Une chytridiale.*
REM. La forme *chytridinées* [kitʀidine] n. f. pl., est archaïque.

Ci [sei] Symbole du curie (2. Curie).

1. CI [si] adv. — XIIᵉ ; abrév. de *ici.*

♦ **1.** Dr. Ici (opposé à *là*). *Les témoins ci-présents.* — Loc. *Ci-gît :* ici est enterré. ⇒ **Gésir.**

1 *Ci* a disparu au XVIᵉ s. comme adverbe, sauf dans l'expression *ci-gît,* et dans quelques composés : *ci-après, ci-contre, ci-joint, par-ci par-là, de-ci de-là.*
F. BRUNOT, la Pensée et la Langue, III, XI, II, p. 423.

Comptab. (*Ci* se met avant la somme totale qu'il annonce). *Deux mètres de drap à 50 francs, ci 100 francs.*
REM. Sauf dans cette expression de comptabilité, *ci* est toujours suivi ou précédé d'un trait d'union.

♦ **2.** Cour. Placé immédiatement devant un adjectif ou un participe, *ci* marque la proximité dans l'espace. *Ci-inclus, use* [siɛ̃kly, yz] : contenu dans cet envoi. — *Ci-joint, jointe* [siʒwɛ̃, ʒwɛ̃t], *ci-annexé, ée* [sianɛkse] : joint, annexé au présent document. *La copie ci-incluse.*
REM. Quand des adjectifs ou participes ainsi construits précèdent le nom, l'usage est de les laisser invariables. *Vous trouverez ci-joint les documents. Vous trouverez ci-inclus une copie de ma première lettre. Ci-annexé les pièces justificatives.*
Joint aux noms précédés de l'adj. démonstratif *ce, cette, ces* (→ 1. Ce, cit. 4 et *supra*) et aux pronoms démonstratifs *celui, celle, ceux, celles* (→ Celui-ci), *ci* ajoute une idée d'actualité, de proximité. *Cet homme-ci. Ce livre-ci. À ces heures-ci. Ces jours-ci.*
Ci, employé par opposition à *là,* permet de distinguer deux personnes ou deux choses.

♦ **3.** Loc. adv. Avec les prépositions *dessus, dessous, devant, après, contre, ci* forme des locutions adverbiales qui marquent ce qui précède ou ce qui suit. *Ci-dessus :* plus haut, supra ; *ci-dessous :* plus bas, infra ; *ci-après :* un peu plus loin ; *ci-contre :* en regard, vis-à-vis. *Ci-devant :* précédemment.

Spécialt (sous la Révolution). *Un ci-devant noble.* — (Emploi absolu, devenu courant pendant la période révolutionnaire). *Un ci-devant* (n. m.) : un gentilhomme, un noble. *Les ci-devant.*

Talleyrand, ci-devant noble, ci-devant prêtre, ci-devant évêque, avait trahi les deux   2
ordres auxquels il appartenait.
Louis MADELIN, De Brumaire à Marengo, VIII, p. 118.

Au fém. *Une ci-devant.*

Constance porte la robe sombre et le grand fichu de l'ère révolutionnaire (*...ses*   3
yeux) nous regardent avec une froide bienveillance dans laquelle il entre de l'amusement et de la bonté. Les lèvres rentrées répondent faiblement au sourire des yeux. Cette ci-devant n'a pas l'air sot.   M. YOURCENAR, Archives du Nord, p. 92.

De-ci de-là : de côté et d'autre. ⇒ **Côté ; bric** (de bric et de broc).
Par-ci par-là : en divers endroits, de côté et d'autre. — Fig. À diverses reprises ; de temps à autre.

HOM. 2. **Ci,** 1. **si,** 2. **si,** 3. **si, six, scie.**

2. CI [si] pron. démonstratif. — XIXᵉ ; abrév. de *ceci.*

♦ *Cette chose-ci :* ceci. ⇒ **Ceci ; voici.** — (Employé avec *ça*). Demander *ci et ça,* telle chose, telle autre. *Faire ci, faire ça.*

Tout le temps derrière son vieux : «— Il t'a fait ci, il t'a fait ça !»   Roger VERCEL, Remorques, p. 135.

Loc. adv. Fam. *Comme ci comme ça :* tant bien que mal. ⇒ **Comme.** — Forme fam. : *couci-couça* [kusikusa]. «*Comment vous portez-vous? comme ci comme ça* ».
N. Pop. (*Un ci et un ça ; une ci et une ça*). Personne remplie de défauts (que l'on préfère ne pas énumérer, ou que l'on ne peut énumérer).

HOM. 1. **Ci,** 1. **si,** 2. **si,** 3. **si, six, scie.**

CIAO [tʃao] interj. — V. 1950 ; mot ital., de *schiavo* « esclave » puis « serviteur », employé comme exclam. de départ.

♦ Fam. Au revoir !, adieu ! — REM. Cet emprunt à la mode a remplacé *bye bye !,* vieilli.

(*Elle*) raflait son sac à main, soupirait et disait : «Bon, j'y vais ! Ciao !»   1
J. CAU, la Pitié de Dieu, p. 135 (1961).

Enfin, du moment que tu es contente... dit Marina sans trop de conviction — Ciao !   2
F. MALLET-JORIS, le Jeu du souterrain, p. 113.

On écrit aussi, phonétiquement, *tchao !* ou *chao !*

Il se leva, vint vers Marcou et lui tendit la main : «Chao !» dit-il.   3
CAMUS, les Muets, *in* l'Exil et le Royaume, p. 89.

CIBARRE [sibaʀ] n. m. — 1728 ; dér. d'une forme altérée de *cible, cibe,* avec un suff. empr. à un patois.

♦ Régional (Suisse). Marqueur* (2.) à la cible. — REM. On écrit parfois *cibare.*

Si le festival des vieilles cibles a un côté folklorique, il puise son essence principale dans la lutte sportive que se livrent les cibarres pour s'attribuer le titre tant envié de roi du tir.
Nouvelliste et Feuille d'avis du Valais, 23 août 1977, p. 9.

CIBICHE [sibiʃ] n. f. — 1881 ; de *ci(garette),* et suff. libre *-biche.*

♦ Fam. (semble vieilli). Cigarette. *Tu veux une cibiche?*

CIBISTE [sibist] n. et adj. — 1980 ; de l'amér. *C.B.* [sibi], sigle de *Citizen's Band* « fréquence réservée au public ».

♦ Américanisme. Personne qui communique avec une autre au moyen d'un émetteur de radio amateur. ⇒ **Citizen band.** «*Jusqu'à présent, l'utilisation d'appareils CB, en vente libre en France, était interdite à bord des véhicules. La "CB" n'en a pas moins connu un essor considérable en France depuis quelques mois : les "cibistes" émettaient de manière "sauvage" sur 27 MHZ avec une puissance de 4 watts et sur une quarantaine de canaux* » (*Libération,* 20 nov. 1981, p. 24). — On a recommandé d'employer *bépiste* [bepist] (de *B. P.,* bande publique). Le *Journal officiel* préconise le terme *cébiste* (24 juin 1982), mais *cibiste* semble seul courant.
Adj. *Le code cibiste.*

CIBLE [sibl] n. f. — 1693, à côté de *cibe ;* alémanique suisse *schîbe,* all. *Scheibe* « disque, cible ».

♦ **1.** But que l'on vise et contre lequel on tire avec une arme lançant un projectile (arme de jet : arc, etc. ; arme à feu, etc.). *Cercles concentriques d'une cible. Prendre qqch. pour cible,* le viser avec précision ; le viser, tirer dessus. *Tirer à la cible. Atteindre le disque noir au centre de la cible.* ⇒ **Mouche** (faire mouche). *Il a manqué, touché la cible.* — *Cible fixe, mobile. Cible pivotante.* ⇒ **Quintaine.** *Figure d'oiseau servant de cible.* ⇒ **Papegai.** *Les cibles d'un pas de tir. Marqueur à la cible.* ⇒ **Cibarre** (régional), **marqueur.**

Avec la certitude et la rapidité   1
Du javelot cherchant la cible (...)   HUGO, la Légende des siècles, LVIII, II.

♦ **2.** Fig. Point de mire, objet de critiques (dans quelques expressions). *Servir de cible aux railleries de qqn. Être la cible des quolibets.* ⇒ **Butte** (être en). *Prendre qqn pour cible,* l'attaquer. *Je ne tiens pas à être la cible de ses attaques, de ses méchancetés.*

2 En Italie et en Allemagne, les Français sont la raison de tous les malheurs, la cible de toutes les balles (...)　　　　BALZAC, le Cousin Pons, Pl., t. VI, p. 576.

3 Ces *Fils,* leurs prénoms anglo-saxons, leurs naïves préséances, seront, dans ses premiers livres, l'une des cibles que Mauriac percera de flèches très aiguës.
　　　　A. MAUROIS, Études littéraires, François Mauriac, t. II, p. 14.

♦ **3.** Objectif visé (en publicité, en étude de marché, etc.); partie du public que l'on veut atteindre. ⇒ **Cibler.**

(Trad. de l'angl. *target*). Appos. *Langue cible,* celle dans laquelle on doit traduire la langue «source» (notamment en traduction automatique).

♦ **4.** Sc. (phys.). Corps exposé à un bombardement de particules; son support.

(Météor.). Appos. *Ballon cible,* équipé d'un réflecteur métallisé qui permet son repérage.

DÉR. Cibler, ciblerie.

CIBLER [sible] v. tr. — V. 1970; de *cible* (3.).

Techn. (publicité, etc.).

♦ **1.** Chercher à faire correspondre (un produit) à une cible (3.), à un public. — Passif et p. p. *Ce produit a été mal ciblé. Produit mal ciblé. Cibler une campagne publicitaire,* en définir l'objectif, la cible.

♦ **2.** Délimiter, circonscrire en tant que cible (3.). *Cibler la clientèle d'un produit.* — Par ext. *Cibler un public,* le viser par une action publicitaire.

CIBLERIE [sibləʀi] n. f. — 1866; de *cible.*

♦ Techn. ou régional (Suisse). Emplacement où se trouvent les cibles; abri des cibles et des marqueurs (→ Cibarre, cit.).

CIBOIRE [sibwaʀ] n. m. — XIIᵉ, *civoire;* lat. ecclés. *ciborium,* grec *kibôrion* «fruit du nénuphar d'Égypte» (dont on faisait des coupes).

♦ **1.** (1382, *cibore*). Vase sacré en forme de coupe où l'on conserve les hosties consacrées pour la communion des fidèles (→ Nourriture, cit. 8). *Le saint ciboire. Ciboire doré, d'argent. Enfermer le ciboire dans le tabernacle. Linge qui recouvre le ciboire.* ⇒ **Pavillon.**

1 Le ciboire renferme les saintes hosties, la nourriture de l'âme.
　　　　FRANCE, l'Orme du mail, Œ., t. XI, p. 112.

2 Les ciboires se remplissaient, se vidaient sans cesse, les mains des prêtres se fatiguaient à distribuer le pain de vie (...)　　　　ZOLA, Lourdes, p. 15.

♦ **2.** Autre forme pour *ciborium**.

CIBORIUM [sibɔʀjɔm] n. m. — V. 1850; empr. du lat. → Ciboire.

♦ Archéol. Baldaquin qui couvrait le tabernacle du maître-autel des basiliques chrétiennes.

CIBOULARD [sibulaʀ] n. m. ⇒ **Ciboulot.**

CIBOULE [sibul] n. f. — XIIIᵉ; *cibole,* 1180; provençal *cebola,* du lat. *cæpulla,* dimin. de *cæpa* «oignon».

♦ **1.** Plante monocotylédone *(Liliacées),* vivace, à bulbe allongé brun rouge, dont les feuilles fistuleuses sont employées dans les assaisonnements, comme condiment... ⇒ **Ciboulette, cive.** *La ciboule est une variété d'ail.*

(...) j'occupe deux clercs (...) Voici le premier... quant à l'autre, dans ce moment, il plante des ciboules!　　　　E. LABICHE, Un monsieur qui a brûlé une dame, 4.

♦ **2.** Pop. et vieilli. Tête. *Tu n'as rien dans la ciboule.* ⇒ **Ciboulot.**

DÉR. Ciboulette, ciboulot.

CIBOULETTE [sibulɛt] n. f. — 1486; de *ciboule.*

♦ Plante *(Liliacées)* voisine de la ciboule, à petits bulbes réunis par les racines en une masse compacte, dont les feuilles creuses et pointues sont employées comme condiment. *La ciboulette a une saveur plus douce que la ciboule.* ⇒ **Civette.**

CIBOULOT [sibulo] n. m. — 1883; de *ciboule* «oignon», d'après *boule* «tête».

♦ Pop. Tête; crâne. *Avoir une idée dans le ciboulot.* ⇒ **Cabèche, caberlot, caboche.** — On dit parfois *ciboulard* [sibulaʀ] (1893).

CICATRICE [sikatʀis] n. f. — 1314; du lat. *cicatrix, -icis.*

♦ **1.** Marque laissée par une plaie après la guérison; tissu fibreux qui remplace une perte de substance ou une lésion inflammatoire. ⇒ **Stigmate.** *Cicatrice de coupure, d'écorchure, de blessure, de brûlure* (cit. 1), *de fracture. Cicatrice à la face.* ⇒ **Balafre.** *Un visage couvert de cicatrices. Les cicatrices de variole font le visage en écumoire. Cicatrice du cordon ombilical.* ⇒ **Nombril.** *Cicatrice indélébile. Avivement d'une cicatrice pour la suturer. L'inodule, élément du tissu de cicatrice.*

1 Enfin la cicatrice fait une fort bonne mine de vouloir s'avancer, et pour la presser encore davantage, nous ôtons l'huile (...) et nous mettons de l'onguent noir (...) qui ne nuira pas à la poudre de sympathie, pour fermer entièrement la boutique (...)
　　　　Mᵐᵉ DE SÉVIGNÉ, 951, 4 févr. 1685.

2 Leurs officiers étaient dignes d'eux ou le devenaient; car, pour conserver l'ascendant de son grade sur de pareils hommes, il fallait avoir à leur montrer des cicatrices et pouvoir se citer soi-même.　　　　Ph.-P. SÉGUR, Hist. de Napoléon, III, 3.

3 Il avait sur le front, entre les sourcils, une petite cicatrice assez profonde, qui souvent, de bleuâtre qu'elle était, devenait noire (...)
　　　　A. DE VIGNY, Servitude et grandeur militaires, III, II, p. 181.

4 Vous rappelez-vous des signes franchement caractéristiques? Grain de beauté? Tache de vin? Marques de petite vérole? Cicatrices?
　　　　J. ROMAINS, les Hommes de bonne volonté, t. II, XIII, p. 136.

5 Une cicatrice définitive se forme. Cette cicatrice est obtenue par la collaboration de deux tissus, le tissu conjonctif qui remplit la plaie, et les cellules épithéliales qui viennent de ses bords.
　　　　Alexis CARREL, l'Homme, cet inconnu, VI, IV, p. 242.

Cicatrice, cicatrice tribale : scarification pratiquée sur les enfants, dans certaines ethnies africaines. ⇒ **Scarification.**

Bot. *Cicatrice (foliaire) :* marque que laissent les différentes parties d'un végétal, une fois tombées, sur l'organe qui les portait.

Géol. Point de rupture d'une avalanche.

♦ **2.** (XVIIᵉ). Traces laissées par un événement destructeur (guerre, catastrophe, etc., déprédations); ruines à peine relevées. ⇒ **Brèche, lézarde,** (fig.) **mutilation.**

6 Ce pays *(la Vendée)* portait, comme un vieux guerrier, les mutilations et les cicatrices de sa valeur. Des ossements blanchis par le temps et des ruines noircies par les flammes frappaient les regards.
　　　　CHATEAUBRIAND, Mémoires d'outre-tombe, II, II.

7 Les maisons arabes ont tant de cicatrices, qu'on ne peut reconnaître, et ici moins qu'ailleurs, si c'est le temps, la négligence ou la main d'un ennemi qui les a faites.
　　　　E. FROMENTIN, Un été dans le Sahara, II, p. 117.

♦ **3.** Trace d'une blessure, d'une souffrance morale. *Les cicatrices du cœur, de l'âme.*

8 Le cœur endurci par les cicatrices mêmes des coups qu'on lui a portés, est devenu plus insensible, on arrive aisément à cet état d'indifférence, à cette quiétude indolente dont on aurait rougi quelques années auparavant.
　　　　BUFFON, Disc. sur la nature des animaux, *in* LITTRÉ.

9 Quiconque aima jamais porte une cicatrice;
Chacun l'a dans le sein, toujours prête à s'ouvrir;
Chacun la garde en soi, cher et secret supplice,
Et mieux il est frappé, moins il en veut guérir (...)
　　　　A. DE MUSSET, Poésies nouvelles, «Lettre à Lamartine».

10 Tout mon cœur te bénit, bonté consolatrice!
Je n'aurais jamais cru que l'on pût tant souffrir
D'une telle blessure, et que sa cicatrice
Fût si douce à sentir.　　　　A. DE MUSSET, Poésies, «Souvenir».

11 La vie avait raison de tout; pas de plaie qui ne devienne cicatrice.
　　　　MARTIN DU GARD, les Thibault, t. III, p. 229.

DÉR. Cicatriciel.

CICATRICIEL, IELLE [sikatʀisjɛl] adj. — 1845, cit. 1; de *cicatrice.*

♦ Pathol. Qui se rapporte ou est dû à une cicatrice. *Bourrelet, rétrécissement, tissu cicatriciel. Lésion, suture cicatricielle.*

1 Il ne reste plus tard aucune trace des solutions de continuité, c'est à l'absorption du tissu cicatriciel, qui tend toujours à disparaître, que l'on doit de ne plus rencontrer de substance intermédiaire entre les parties divisées.
　　　　A. JAMAIN, Manuel de petite chirurgie, p. 361 (1845).

2 Coupures, brûlures, estafilades, callosités, tavelures indélébiles et bourrelets cicatriciels racontaient la lutte opiniâtre qu'il avait menée si longtemps pour en arriver à ce petit bâtiment trapu et ailé.　　　　M. TOURNIER, Vendredi..., p. 35.

CICATRICULE [sikatʀikyl] n. f. — 1501, «petite cicatrice»; lat. méd. *cicatricula,* de *cicatrix.* → Cicatrice.

♦ (1743). Biol. Disque germinatif de l'œuf.

CICATRISABLE [sikatʀizabl] adj. — 1845; attestation isolée, XVᵉ; de *cicatriser.*

♦ Qui peut se cicatriser. *Blessure cicatrisable.* — Fig. *C'est une douleur difficilement cicatrisable.*

CONTR. Incicatrisable.

CICATRISANT, ANTE [sikatʀizɑ̃, ɑ̃t] adj. et n. m. — XVᵉ; de *cicatriser.*

♦ Qui favorise, accélère la cicatrisation. *Baume, pansement cicatri-*

sant. Action, propriété cicatrisante. ⇒ **Épulotique.** — N. m. *Un cicatrisant.*

Quel admirable cicatrisant que les années qui coulent sur une plaie !
René FALLET, Y a-t-il un docteur dans la salle ? p. 301.

CICATRISATION [sikatʀizɑsjɔ̃] n. f. — 1314 ; de *cicatriser.*

♦ **1.** **a** Processus par lequel sont réparées diverses lésions (plaies, blessures, etc.). ⇒ **Guérison, néoformation, reconstitution, régénération, réparation** (→ Chirurgie, cit. 1).

1   Le caractère adaptif de la cicatrisation s'observe clairement dans les plaies superficielles. Ces plaies sont exactement mesurables. Elles se réparent à une vitesse calculable par les formules de du Noüy. Elles nous permettent ainsi d'analyser la marche de leur cicatrisation. On remarque d'abord qu'une plaie ne se cicatrise que si sa cicatrice est utile.
Alexis CARREL, l'Homme, cet inconnu, VI, III, p. 241.

b Zool. Faculté régénératrice propre à certains animaux, pouvant aller jusqu'à la reproduction d'un membre.
Arbor. Processus de régénération après un greffage, une blessure. ⇒ **Recouvrement.**

♦ **2.** (Abstrait). Consolation, réconciliation (→ Cicatriser, cit. 2 et 3). *Cicatrisation d'une blessure morale.* ⇒ **Adoucissement, apaisement.**

2   Combien facilement la vie se reforme, se referme. Cicatrisations trop faciles. Laisser-aller à ce bonheur médiocre qui est le plus grand ennemi du vrai bonheur.
GIDE, Journal, 16 sept. 1914.

CONTR. **Avivement, saignement. — Exaspération.**

CICATRISER [sikatʀize] v. — 1314 ; du lat. méd. *cicatrizare,* de *cicatrix.* → Cicatrice.

★ **I.** V. tr. ♦ **1.** Faire guérir, faire se refermer (une plaie). *Cicatriser une plaie, une brûlure.* — Par ext. (le complément désigne la partie du corps où siège la plaie). *Le traitement a cicatrisé sa jambe.*
Absolt. *Le repos cicatrise.*

1   Le caporal (...) allait mieux. Sa blessure n'était point grave. Il léchait la plaie comme un chien pour la cicatriser plus vite.
P. MAC ORLAN, la Bandera, XVII, p. 209.

♦ **2.** Fig. Faire oublier (les souffrances de l'âme). ⇒ **Cicatrice** (3.). *Cicatriser une blessure d'amour-propre, une plaie causée par un deuil, une séparation, une déception...,* en adoucir la douleur. ⇒ **Apaiser, consoler, fermer, guérir.**

2   (...) il irait se cacher dans une solitude où il finirait peut-être par cicatriser ses plaies et ne plus sentir que les sourdes douleurs dont tressaillent jusqu'à la mort les mutilés.
MAUPASSANT, Notre cœur, II, VI, p. 203.

Absolument :

3   J'ai longtemps, pour mon compte, tenu ma plaie à l'état vif et presque à dessein (...) Puis je me suis dit par moments que c'était une séparation bien définitive ; qu'il était trop simple à moi de penser à un retour, que rien chez vous ne saignait de mon côté et qu'il fallait songer à cicatriser aussi.
SAINTE-BEUVE, Correspondance, t. I, 308, 21 août 1833.

★ **II.** V. intr. Se cicatriser. *C'est une blessure longue à cicatriser.*

▶ **SE CICATRISER** v. pron.

♦ **1.** Se fermer. *Sa plaie se cicatrise, s'est cicatrisée. La blessure ne se cicatrise pas, saigne toujours.* — Syn. : *cicatriser* (intransitif).

♦ **2.** (Blessure morale). S'apaiser.

4   Les pauvres femmes n'osent pas même avouer qu'elles ont éprouvé ce supplice cruel *(la jalousie),* tant il leur donne de ridicules. Une plaie si douloureuse ne doit jamais se cicatriser entièrement.
STENDHAL, De l'amour, XXXVII, p. 141.

5   Cette blessure qu'il ne faut pas laisser se cicatriser, mais qui doit demeurer toujours douloureuse et saignante, cette blessure au contact de l'affreuse réalité.
GIDE, Journal, 15 août 1934.

CONTR. **Aviver, ouvrir, rouvrir. — Saigner, vif** (être à vif).
DÉR. **Cicatrisable, cicatrisant, cicatrisation.**

CICER [siseʀ] n. m., ou CICEROLE [siseʀɔl] n. f. ⇒ **Pois** (chiche).

CICÉRISME [siseʀism] n. m. — Mil. xxᵉ ; de *cicer* « pois-chiche ».

♦ Méd. Intoxication alimentaire par des pois-chiches ou des légumes analogues.

CICÉRO [siseʀo] n. m. — 1550 ; de *Cicero,* forme lat. de *Cicéron,* ce genre de caractère ayant été adopté pour la première édition des œuvres de Cicéron en 1458.
Technique.

♦ **1.** Hist. des techn. Caractère d'imprimerie de douze points typographiques (points Didot), soit 4,5 mm.

♦ **2.** Mod. Unité de mesure typographique de 4,5 mm. ⇒ **Douze** (n. m.).

CICÉRONE [siseʀɔn] n. m. — 1753 ; ital. *cicerone,* emploi figuré du nom de l'orateur romain *Cicéron,* par allus. à la verbosité des guides.

♦ Vieilli ou plais. Guide* appointé qui explique aux touristes les curiosités d'une ville, d'un musée, d'un monument. *Des cicerones* (Académie) ou (plus cour.) *des cicérones.*

1   Le *cicerone* du lieu nous montra, dans une ravine noire, la copie d'un temple dont je devais admirer le modèle dans la brillante vallée du Céphise.
CHATEAUBRIAND, Mémoires d'outre-tombe, I, IX.

1.1   La visite commence peu après. Je suis le guide, buvant ses moindres paroles. Après nous avoir fait traverser une immense salle du Moyen Âge, aux vastes cheminées, il nous montre un petit escalier. C'est celui que prenaient les accusés pour se rendre au Tribunal révolutionnaire (...)
Je m'engage dans l'étroit escalier qui a vu tant de choses. Mais déjà notre cicérone s'éloigne.
Claude MAURIAC, le Temps immobile, p. 159.

Le cicérone de qqn, personne qui, bénévolement, assume, dans une certaine occasion, les fonctions de cicérone. *La maîtresse de maison a été notre cicérone.*

2   L'Attaché, *avec un étonnement respectueux (à Metternich) :* Quoi ! vous daignez être mon cicérone ?
Edmond ROSTAND, l'Aiglon, IV, 1.

CICÉRONIEN, IENNE [siseʀɔnjɛ̃, jɛn] adj. — xivᵉ ; du lat. *ciceronianus,* de *Cicero* « Cicéron ».

♦ De Cicéron, qui a rapport à Cicéron, qui rappelle la manière de Cicéron. *Éloquence cicéronienne ;* fig. et fam. (vx), manière pompeuse de s'exprimer.

CICINDÈLE [sisɛ̃dɛl] n. f. — 1548, « ver luisant » ; sens actuel, 1754 ; du lat. *cicindela,* rac. *candere* « briller ».

♦ Insecte coléoptère carnassier, aux couleurs bariolées *(Cicindélidés). « Les cicindèles exhalent une odeur de rose très caractéristique »* (Poiré, *Dict. des sciences).*

CICONIIDÉS [sikɔniide] n. m. pl. — 1846, *ciconinées ;* lat. *ciconia* « cigogne ».

♦ Zool. Famille d'oiseaux échassiers dont le type est la cigogne. ⇒ **Cigogne, marabout, ombrette.** — Au sing. *Un ciconiidé.*

CICUTAIRE [sikytɛʀ] n. f. — 1555 ; du lat. *cicuta* « ciguë ».

♦ Didact. et vx. ⇒ **Ciguë.**

CICUTINE [sikytin] n. f. — 1843 ; du lat. *cicuta* « ciguë ».

♦ Didact. (chim., pharm.). Alcaloïde extrait de la ciguë, utilisé comme calmant antispasmodique. — On l'appelle aussi *conicine* [kɔnisin], ou *conine* [kɔnin].

-CIDE Suffixe, du lat. *-cida* (n. d'agents) et *-cidium* (n. d'actions), de *-cid-,* forme en composition de la racine de *caedere* « tuer » (cf. *decidere* → Décider), et suff. *-a* et *-(i)um* respectivement. Il entre dans la composition de nombreux adjectifs et noms. — Ex. : *autruicide, bactéricide, coricide, déicide, fongicide, fratricide, homicide, infanticide, insecticide, lapicide, liberticide, matricide, microbicide, parasiticide, parricide, pesticide, régicide, suicide, tyrannicide, vermicide.*

CI-DESSOUS [sid(ə)su], CI-DESSUS [sid(ə)sy] adv. ⇒ **1. Ci.**

CI-DEVANT [sid(ə)vɑ̃] adv. et n. ⇒ **1. Ci.**

CIDRE [sidʀ] n. m. — xiiiᵉ, *sidre, cisdre ; sizre* « boisson forte », mil. xiiᵉ ; du lat. ecclés. *sicera* « boisson enivrante », grec ecclés. *sikera,* de l'hébreu *chekar.*

♦ **1.** Boisson obtenue par la fermentation alcoolique du jus de pomme. *Cidre de Normandie, de Bretagne, du Havre. Un bol, une bolée de cidre. Pommes à cidre* (opposées aux *pommes à couteau,* fruits de table). *Opérations de la fabrication du cidre :* triage, lavage et broyage des pommes ; cuvage de la pulpe ; pressurage et trempage (remiage) du marc ; fermentation (ou bouillaison) du moût ; mise en barriques, en citernes, en bouteilles. *Le bouillage ou première fermentation du cidre. Le durcissement, la fleur, le noircissement, la graisse, le verdissement, maladies du cidre. Cidre tué,* atteint de noircissement. *Cidre mannisé,* aigri sous l'influence d'un ferment qui transforme son sucre en mannise*. — Cour. *Cidre pur jus,* fabriqué sans addition d'eau. *Petit cidre,* qui renferme moins de 3,5° d'alcool ou moins de 12 g par litre de matières minérales. *Eau-de-vie de cidre.* ⇒ **Calvados.** *Cidre bouché :* cidre qu'on garde dans des bouteilles analogues à celles du champagne. *Cidre mousseux,* champagnisé à un degré moindre. *Cidre doux,* moelleux et sucré. *Un cidre doux, bien frais, limpide, ambré, doré, étincelant, pétillant, mousseux, bouqueté, fruité, savoureux. Du cidre nouveau* (cit. 5).

1 Le cidre doux en bouteilles poussait sa mousse épaisse autour des bouchons (...)
FLAUBERT, Mme Bovary, I, IV.

2 Le cidre jaune luisait, joyeux, clair et doré, dans les grands verres.
MAUPASSANT, les Contes de la Bécasse, « Farce normande », p. 103.

3 Voyons, et notre cidre, comment le trouvez-vous ? demanda la femme du sonneur. Il est un peu vert, hein ?
— Non, il est de saveur gamine mais de lampée franche, répondit Durtal.
HUYSMANS, Là-bas, XXII, p. 302.

4 Après m'avoir offert dans un cabaret du faubourg deux moques d'un cidre très dur, qui me fit mal à la tête, il m'emmena dans sa carriole au village de Saint-Pierre (...)
FRANCE, la Vie en fleur, XI, p. 152.

♦ **2.** (Qualifié). Vx. Boisson préparée avec le jus fermenté d'autres fruits. *Cidre de pommes et de poires.* ⇒ **Halbi.** *Cidre de poire.* ⇒ **Poiré.**

DÉR. Cidrerie, cidricole, cidrier.

CIDRERIE [sidʀəʀi] n. f. — 1872 ; de *cidre.*

♦ **1.** Industrie du cidre. *La cidrerie et la brasserie.*

♦ **2.** Usine ou local où l'on fabrique le cidre. *Une cidrerie industrielle.*

CIDRICOLE [sidʀikɔl] adj. — 1907 ; de *cidre.*
Technique.

♦ **1.** Relatif au cidre, à sa production. *Industrie cidricole.*

♦ **2.** Producteur de cidre. *Une région cidricole.*

CIDRIER, ÈRE [sidʀije, ɛʀ] adj. — xxe ; de *cidre.*

♦ Techn. Qui a rapport au cidre. ⇒ **Cidricole.** *Industrie cidrière.* — N. (rare au fém.). Producteur de cidre. *Ce cidrier fabrique son calvados.* ⇒ **Bouilleur** (de cru).

Cie [kõpaɲi] — Abréviation.

♦ (Écrit). Compagnie. ... *et Cie* (et compagnie), après un nom de personne, dans une raison sociale, dans le nom d'une entreprise. — Titre d'un roman de Jean-Richard Bloch.

CIEL, CIEUX, CIELS [sjɛl, sjø, sjɛl] (Le pluriel *ciels* désigne une multiplicité réelle ou une multiplicité d'aspects ; *cieux* est un pluriel collectif qui comporte souvent une nuance affective, et qui est remplaçable par le singulier, sauf dans l'expression *sous d'autres cieux*). n. m. — ixe ; du lat. *cœlum.*

★ **I.** Didact. (hist. des idées, antiq., etc.). Chacune des sphères transparentes concentriques à la terre et tournant autour d'elle, auxquelles les astres étaient supposés être accrochés et qui en expliquaient les mouvements. — Plur. : *ciels. Les Anciens n'étaient pas d'accord quant au nombre des ciels. Le ciel de Mars. Le ciel des étoiles ou huitième ciel. Ciel le plus éloigné de la terre où habitaient les dieux.* ⇒ **Empyrée.** *Fluide subtil qui emplissait le ciel au-delà de l'atmosphère terrestre.* ⇒ **Éther.** — Myth. *Atlas condamné à porter le ciel.*

1 Je connais un homme (...) qui fut ravi (...) jusqu'au troisième ciel (...)
BIBLE (SACY), 2e épître aux Corinthiens, XII, 2.

2 Si l'on avait demandé à Homère dans quel ciel était allée l'âme de Sarpédon, et où était celle d'Hercule, Homère eût été bien embarrassé ; il eût répondu par des vers harmonieux.
VOLTAIRE, Dict. philosophique, XXVI, p. 101.

Loc. cour. *Être au troisième* (vx), *au septième ciel,* dans le ravissement.

3 Cette prédilection l'emporte ; elle la ravit au troisième ciel, ou elle la fait descendre jusqu'à cette fureur vernale, où la convoitise de l'homme s'adresse à l'enfance.
André SUARÈS, Trois hommes, « Dostoïevski », IV, p. 238.

★ **II.** (Plur. *cieux*). ♦ **1.** Apparence de l'espace extra-terrestre, vu de la terre ; voûte où semblent se mouvoir les astres. *Copernic donna la première explication du ciel. La gravitation des astres dans le ciel. Zone du ciel qui contient les douze constellations parcourues par le soleil.* ⇒ **Zodiaque.** *Points projetés dans le ciel par la verticale d'un observateur.* ⇒ **Nadir, zénith.**
Rare et littér. Espace où se meuvent les astres. ⇒ **Cosmos.** *La terre et le ciel, les cieux. L'infini des cieux.*

4 Les cieux racontent la gloire de Dieu, et l'étendue manifeste l'œuvre de ses mains.
BIBLE (SEGOND), Psaumes, XIX, 2.

5 Le soleil semble s'être oublié dans les cieux (...)
MOLIÈRE, le Dépit amoureux, V, 2.

6 L'homme (...) dont l'art audacieux
Dans le tour d'un compas a mesuré les cieux ?
BOILEAU, Satires, VIII.

7 Puisque la révolution diurne du ciel n'est qu'une illusion produite par la rotation de la terre.
LAPLACE, Exposition du système du monde, II, 1.

8 Quand (*l'homme*), descendant du dôme où s'égaraient ses yeux, Atome, il se mesure à l'infini des cieux !
LAMARTINE, Harmonies..., II, 4.

9 (...) il faudra partir, quand la Grande Ourse se sera renversée dans le ciel immense. Nous suivons chaque nuit son mouvement régulier (...)
LOTI, Aziyadé, Salonique, XX, p. 31.

♦ **2.** Vx et didact. Ensemble des étoiles et des planètes. ⇒ **Univers.** *Étude du ciel.* ⇒ **Astronomie, cosmographie, urano-, uranographie, uranomètre...**

Eh ! qui guide les cieux et leur course rapide ?
LA FONTAINE, Fables, IX, Discours à Madame de La Sablière. **10**

Loc. fig. (Mod.). *Remuer ciel et terre :* mettre tout en œuvre.

J'ai remué ciel et terre pour vos intérêts. RACINE, Lettres, Œ., t. VII, p. 172. **11**

♦ **3.** Astrol. Disposition des astres considérée du point de vue de leur influence sur la destinée de l'homme. — *Influence du ciel.* ⇒ **Astrologie, carte** (du ciel), **thème** (astral). *Lire dans les cieux.*

Je ne suis pas un grand prophète, **12**
Cependant je lis dans les cieux
Que bientôt ses faits glorieux
Demanderont plusieurs Homères (...) LA FONTAINE, Fables, XII, 9.

S'il ne sent point du ciel l'influence secrète, **13**
Si son astre en naissant ne l'a formé poète (...)
BOILEAU, l'Art poétique, 1.

★ **III.** ♦ **1.** Cour. Partie du ciel (II.) visible, qui est limitée par l'horizon (plur. : *cieux*). *L'étendue du ciel. La voûte du ciel.* ⇒ **Firmament ; calotte, coupole, dôme** (du ciel). *Points du ciel où le soleil touche l'horizon.* ⇒ **Occident, orient.** *L'aspect changeant du ciel. Un ciel étoilé, parsemé d'étoiles. Pan du ciel* (→ 1. Pan, cit. 6). *L'état du ciel* (et → ci-dessous, 4.).

La gentille alouette, avec son tire-lire, **14**
Tire l'ire à l'iré, et, tire-lirant, tire
Vers la voûte du ciel. DU BARTAS, *in* LAROUSSE du XXe s., art. *Tire-lirer.*

Tombe sur moi le ciel pourvu que je me venge ! CORNEILLE, Rodogune, V, 2. **15**

Souffrez que ma vertu dans mon cœur rappelée **16**
Vous consacre une foi lâchement violée
Mais si ferme à présent, si loin de chanceler,
Que la chute du ciel ne pourrait l'ébranler. CORNEILLE, Cinna, V, 3.

(...) Celui de qui la tête au ciel était voisine. **17**
LA FONTAINE, Fables, I, 22, « Le chêne et le roseau ».

Les horizons de mer, légèrement vaporeux se confondaient avec ceux du ciel. **18**
CHATEAUBRIAND, Itinéraire..., I, *in* LITTRÉ.

(...) le grand ciel de cristal élargissait sa voûte sur la plaine immense de la mer (...) **19**
TAINE, Philosophie de l'art, t. II, IV, I, IV.

Ce fut un coup terrible. Il me sembla que le ciel croulait. **20**
Alphonse DAUDET, le Petit Chose, I, I.

Les fascistes arrivaient sur le groupe des trois multiplaces (...) Pas un avion de **21**
chasse républicain dans le ciel. MALRAUX, l'Espoir, p. 804.

Loc. *Sous le ciel :* ici-bas, au monde. *Sous le ciel de Grenade :* à Grenade. *Sous d'autres cieux :* dans un autre, en d'autres pays. — *À ciel ouvert :* en plein air. *Une piscine à ciel ouvert.* — *Entre ciel et terre :* en l'air, et à une certaine hauteur. *Au ciel. Lever les yeux, les bras, les mains au ciel,* les lever vers le ciel, en haut. — Fig. *Élever qqn au ciel,* exalter son mérite, l'admirer. ⇒ **Nues** (porter aux). — *Du ciel. Tomber du ciel :* arriver à l'improviste, comme par miracle. — Par ext. Être stupéfait, ne rien comprendre. *Avoir l'air de tomber du ciel* (cf. Tomber de la lune, des nues).

Il leur tomba du ciel un roi tout pacifique. LA FONTAINE, Fables, III, 4. **22**

On ne voit rien de si beau sous le ciel. MOLIÈRE, Mélicerte, I, 5. **23**

Triste, levant au ciel ses yeux mouillés de larmes (...) RACINE, Britannicus, II, 2. **24**

Jeunes et tendres fleurs, par le sort agitées, **25**
Sous un ciel étranger comme moi transplantées (...) RACINE, Esther, I, 1.

(...) loué, exalté, et porté jusqu'aux cieux par de certaines gens qui se sont pro- **26**
mis de s'admirer réciproquement. LA BRUYÈRE, les Caractères, I, 24.

La bombe tomba, et, comme si elle eût projeté la terre contre l'avion, tous reçu- **27**
rent la neige dans le ventre. Pujol sauta de son siège, et ce souvient tout à coup.
MALRAUX, l'Espoir, p. 807.

Peint. Partie (d'un tableau, d'un décor) représentant le ciel. *Les ciels de Van Gogh.*

♦ **2.** Châssis fixé au-dessus d'un lit et auquel on suspend des rideaux. ⇒ **Baldaquin, dais.** *Des ciels de lits.*

Lauren est allongée sur le couvre-lit de fourrure, entre les quatre colonnes soute- **27.1**
nant le ciel qui forme au-dessus d'elle comme un dais.
A. ROBBE-GRILLET, la Maison de rendez-vous, p. 214.

♦ **3.** Techn. Voûte, plafond (d'une carrière). *Ciel d'une carrière. Carrière à ciel ouvert,* exploitée à découvert.

À plus forte raison sont-ils incapables de vous dire si le terrain ne repose pas sur **28**
un ciel de carrière.
J. ROMAINS, les Hommes de bonne volonté, t. IV, Éros de Paris, IV.

Loc. cour. *À ciel ouvert :* en plein air. — Fig. Au grand jour. *Mettre à ciel ouvert des dossiers compromettants.*

♦ **4.** (Qualifié, selon son aspect dû au temps* ; plur. : *des ciels*). État de l'atmosphère. *Ciel bleu, ciel d'azur ; ciel gris, sombre. Ciel clair, pur, transparent, calme, serein. Ciel vaporeux, brumeux, embrumé, brouillé, pommelé, nuageux, chargé, couvert, pluvieux, orageux. Ciel changeant, tourmenté, menaçant. Ciel bas, ciel lourd, ciel de plomb. Ciel se couvre, s'assombrit.* ⇒ **Nuage.** *Ciel qui s'éclaircit.* ⇒ **Éclaircie, embellie ; échappée, trouée** (de ciel). *La luminosité du ciel. Couleurs qui illuminent le ciel après l'orage.* ⇒ **Arc-en-ciel.** *L'eau du ciel.* ⇒ **Pluie.** — Poét. (style bibl.). *Le feu du ciel.* ⇒ **Foudre.** *Ciel d'airain,* qui ne donne pas d'eau (→ Airain, cit. 10).

Les cieux par lui fermés et devenus d'airain (...) RACINE, Athalie, I, I. **29**

(...) peut-être le ciel se sera mis au beau. RACINE, Lettres. **30**

31 Jamais deux yeux plus doux n'ont du ciel le plus pur
Sondé la profondeur et réfléchi l'azur.
                              A. DE MUSSET, Poésies nouvelles, « Lucie ».

32 Quand le ciel bas et lourd pèse comme un couvercle
Sur l'esprit gémissant en proie aux longs ennuis (...)
                              BAUDELAIRE, les Fleurs du mal, LXXVIII.

33 Les soleils mouillés
De ces ciels brouillés (...)   BAUDELAIRE, les Fleurs du mal, LIII.

34 Nous avancions avec peine dans une terre sablonneuse, écrasés sous un ciel
de plomb.   E. FROMENTIN, Un été dans le Sahara, p. 106.

35 (...) le ciel d'azur qui répand sur la baie de Naples sa sérénité lumineuse.
                              FRANCE, le Crime de S. Bonnard, Œ., t. II, p. 418.

36 Le ciel est par-dessus le toit
Si bleu, si calme.   VERLAINE, Sagesse, III, 6.

37 Dans le ciel très couvert, très épais, il y avait çà et là des déchirures, comme
des percées dans un dôme, par où arrivaient de grands rayons couleur d'argent
rose.   LOTI, Pêcheur d'Islande, I, I, p. 12.

38 Le ciel pleut lourdement sur l'eau feuillue des douves.
                              Francis JAMMES, Élégie seconde, IV.

39 (...) c'était comme le ciel encore empourpré du matin où partout pointe et
brille l'or.   PROUST, À l'ombre des jeunes filles en fleurs, t. III, p. 168.

40 (...) un ciel pâle et comme lavé — un ciel strié par les vols de martinets.
                              F. MAURIAC, l'Enfant chargé de chaînes, p. 96.

41 (...) les étoiles se détachaient avec éclat sur un ciel d'un bleu de velours sombre.
                              A. MAUROIS, les Silences du colonel Bramble, XVII, p. 169.

Espace qui n'est pas masqué par les nuages. *Échappée, trouée de
ciel,* de ciel bleu, dégagé. ⇒ **Éclaircie, embellie.**

Prov. *Ciel pommelé et femme fardée ne sont pas de longue durée :*
la beauté artificielle, chez une femme, est aussi éphémère qu'un
ciel pommelé (lequel annonce le plus souvent l'arrivée prochaine du
mauvais temps).

Climat. *Le ciel clément de la Touraine.*

♦ **5.** (1844, *in* D.D.L.). *Bleu ciel, bleu de ciel :* bleu clair rappelant
la couleur du ciel. ⇒ **Bleu ; azuré, azuréen, azurin, cérulé.** — (1898, *in*
D.D.L.). Absolt. Appos. ou adj. invar. *Cravate de soie ciel. Des
robes ciel.*

41.1 Ces fleurs sont d'un rose vraiment céleste, dit Legrandin, je veux dire *couleur de
ciel rose.* Car il y a un *rose* ciel comme il y a un *bleu* ciel.
                              PROUST, le Côté de Guermantes, I, 1920, p. 213, *in* T.L.F.

★ **IV.** ♦ **1.** (Opposé à *la Terre*). *Le ciel, les cieux :* le séjour des
dieux. ⇒ **Au-delà, céleste** (séjour), **là-haut.** *Satan fut précipité du
haut du ciel. « Notre père qui êtes aux cieux... »* (premiers mots
de la prière *Notre père*). *Le royaume des cieux. Son âme est allée
au ciel. Monter au ciel.* ⇒ **Ascension, assomption.** *Préférer les joies
de la terre à celles du ciel. Les saints du ciel. La reine du ciel.*
⇒ **Vierge.** *Messager du ciel.* ⇒ **Ange ; mercure.** *Ciel des dieux grecs.*
⇒ **Olympe.** *Fils du ciel.* ⇒ **Chinois.**

42 En ces jours-là parut Jean le Baptiste, prêchant dans le désert de Judée et disant
« Repentez-vous, car le royaume des cieux est proche ».
                              BIBLE (CRAMPON), Évangile selon saint Matthieu, III, 1-2-3.

43 Celui qui règne dans les cieux, et de qui relèvent tous les empires (...)
                              BOSSUET, Oraison funèbre de la reine d'Angleterre.

44 La déesse Discorde ayant brouillé les dieux,
Et fait un grand procès là-haut pour une pomme,
On la fit déloger des cieux.   LA FONTAINE, Fables, VI, 20.

45 Moi, qui suis, comme on sait, en terre et dans les cieux,
Le fameux messager du souverain des Dieux.   MOLIÈRE, Amphitryon, Prologue.

46 « Fils de Saint Louis, montez au ciel », dit le prêtre qui assistait Louis XVI au
baptême du sang.   CHATEAUBRIAND, Mémoires d'outre-tombe, IV, 9.

47 Entends du haut des cieux le cri de nos besoins.   LAMARTINE, Méditations, I, 16.

48 Deux êtres que dans l'ombre unit un saint mystère
Passent en s'aimant sur la terre,
Comme deux exilés du ciel !   HUGO, Odes, IV, 2.

Fig. Lieu surnaturel, divin. *« Les beaux arts ouvrent la porte du
ciel... »* (→ 1. Porte, cit. 27).

♦ **2.** Séjour des bienheureux, des élus à qui est accordée la vie éternelle. ⇒ **Paradis, patrie** (céleste). *Mériter le ciel. Aspirer à la béatitude du ciel.* — Fig. *Être au ciel :* être parfaitement heureux.

49 Je prétendais autant qu'aucun autre à gagner le ciel.
                              DESCARTES, Discours de la méthode, I, 11.

50 Entre nous, et l'enfer ou le ciel, il n'y a que la vie entre deux, qui est la chose
du monde la plus fragile.   PASCAL, Pensées, II, 213.

51 (...) un avant-goût de la béatitude du ciel.   BOURDALOUE, Pensées, t. I, p. 376.

♦ **3.** Par métonymie (en général au sing. : *le ciel*). La divinité ; la providence. *La justice, la clémence du ciel. Un coup du ciel. Un présent du ciel. Les biens du ciel. C'est une bénédiction du ciel. Le
feu du ciel.* ⇒ **Colère, courroux, foudre, vengeance** (divine). — Bibl.
Nourriture du ciel. ⇒ **Manne.** — Loc. *C'est le ciel qui t'envoie. Le
ciel m'est témoin ; j'en atteste le ciel.* — *Menacer le ciel ; remercier, bénir le ciel. Rendre grâce, rendre grâces au ciel.*

52 J'en rends grâces au ciel, qui m'arrêtant sans cesse
Semblait m'avoir fermé le chemin de la Grèce (...)
                              RACINE, Andromaque, I, 1.

53 Si le ciel t'eût, dit-il, donné par excellence
Autant de jugement que de barbe au menton.   LA FONTAINE, Fables, III, 5.

54 Ne trouves-tu pas (...) quelque chose du Ciel, quelque effet du destin, dans l'aventure inopinée de notre connaissance ?   MOLIÈRE, le Malade imaginaire, I, 4.

55 (...) Le sort, les démons, et le Ciel en courroux
N'ont jamais rien produit de si méchant que vous.
                              MOLIÈRE, le Misanthrope, IV, 3.

56 Le ciel défend, de vrai, certains contentements (...)
                              MOLIÈRE, Tartuffe, IV, 5 (→ Accommodement, cit. 2).

57 C'est un dédommagement que le ciel leur accorde *(aux aveugles).*
                              Joseph JOUBERT, Pensées, V, XVIII (→ Aveugle, cit. 38).

Spécialt (dans l'anc. Chine). *Le fils du ciel :* l'empereur (→ L'empire
céleste*).

Interj. *Ciel !, cieux !,* marquant la surprise, la crainte, la joie, etc.
Ciel ! Ô ciel ! Cieux ! Ô cieux ! Juste ciel ou *justes cieux !*

58 (...) Oh ! juste Ciel, je tremble !   MOLIÈRE, le Dépit amoureux, III, 3.

58.1 Ciel ! que mon destin est bizarre et cruel.
                              A. GALLAND, les Mille et une Nuits, t. II, p. 21.

(Formules de remerciement). *Béni soit le ciel ! Le ciel soit loué !* —
(Formules de souhait). *Plût au ciel... ! Fasse le ciel... !* — (Formule
de malédiction). *Que le ciel te confonde !*

59 Loué soit le Ciel !   MOLIÈRE, le Mariage forcé, 10.

60 Plût au Ciel que je fusse capable de (...)   MOLIÈRE, George Dandin, I, 6.

61 Homme, ou qui que tu sois,
Diable, conclus ; ou bien que le ciel te confonde !   RACINE, les Plaideurs, III, 3.

Au nom du ciel ! (formule de supplication). *Au nom du ciel, essayez
de tenir votre langue !* — Syn. : *je vous en prie, s'il vous plaît,
par pitié !*

62 Et qui donc, au nom du ciel, s'est jamais avisé que Montherlant avait mis
Dieu dans sa poche ?   A. MAUROIS, les Silences du colonel Bramble, p. 224.

Prov. *Aide-toi, le ciel t'aidera* (cit. 5 et 22).

CONTR. Terre. — Ici-bas. — Enfer. — Diable.
COMP. Arc-en-ciel.

CIERGE [sjɛʀʒ] n. m. — XIIᵉ ; du lat. *cereus,* adj. pris subst., de
cera « cire ».

♦ **1.** Chandelle* de cire, longue et effilée, en usage dans le culte
d'un grand nombre d'Églises chrétiennes, qui en font l'objet d'une
bénédiction liturgique et lui confèrent une signification symbolique.
*L'Église catholique exige que deux cierges au moins brûlent sur
l'autel pendant la célébration de la messe. Cierges qu'on allume
pour une cérémonie religieuse.* ⇒ **Luminaire.** *Cierges de la Chandeleur*. Cierge pascal,* que l'on bénit le Samedi saint et que l'on
allume pendant le temps pascal. *Cierge pontifical,* qu'on allume à
Rome sur l'autel où se célèbre la messe pontificale. *Cierge de premier communiant. Tenir un cierge à la procession. Brûler un cierge
à un saint,* en remerciement dans une chapelle dédiée à ce saint,
devant sa statue, ou près de sa châsse. *Elle brûle un cierge à
saint Antoine pour retrouver son porte-monnaie. Allumer des cierges
autour d'un catafalque. Cierge postiche auquel on ajuste une cire.*
⇒ **Rouloir.** *Appareils sur lesquels on place les cierges.* ⇒ **Candélabre, chandelier, herse, torchère** (→ Abside, cit. 2). *Ustensile
pour éteindre les cierges.* ⇒ **Éteignoir.** *Rayonnement des cierges*
(→ Assoupir, cit. 8). *La lueur jaune, clignotante, tremblotante
des cierges.*

1 La lampe brûlait jaune et jaune aussi les cierges.
                              SAINTE-BEUVE, Poésies, « Les rayons jaunes », *in* LITTRÉ.

2 Dans toutes les églises du royaume, le Saint-Sacrement demeure exposé nuit et
jour et de grands cierges brûlent pour la guérison de l'enfant royal.
                              Alphonse DAUDET, Lettres de mon moulin, « Ballades en prose », I, p. 127.

3 Et enfin, on pénètre comme un flot dans l'obscurité de l'église, embaumée
d'encens, où des cierges brûlent, au fond, devant les vieux tabernacles étincelants
d'or.   LOTI, Figures et Choses..., « Passage de procession », p. 114.

Fig. *Brûler, devoir un cierge à qqn,* lui manifester sa reconnaissance,
être son obligé. *Devoir un beau, un fameux cierge à qqn,* lui
devoir une grande reconnaissance (→ Devoir une fière chandelle*
à qqn).

Être droit comme un cierge, très droit, raide.

♦ **2.** Argot (vx). Agent de police (car il se tient droit, raide).

♦ **3.** [a] Plante dicotylédone *(Cactées)* d'Amérique tropicale, scientifiquement appelée *cereus* ou *cirinosum,* qui forme de hautes colonnes verticales.

[b] Plante dont la forme pyramidale rappelle celle d'un chandelier d'église. *Cierge amer* ou *laiteux.* ⇒ **Euphorbe** (amer).
Cierge de Notre-Dame. ⇒ **Molène.**

DÉR. Ciergier.

CIERGIER [sjɛʀʒje] n. m. — Fin XVᵉ ; de *cierge.*

♦ Techn. Fabricant ou marchand de cierges. — REM. Le fém. *cier-
gière* [sjɛʀʒjɛʀ] est virtuel.

C. I. F. [seiɛf] Abrév. ⇒ **C. A. F.**

CIGALE [sigal] n. f. — XVᵉ, *sigalle ;* provençal *cigala,* du lat. *cicada.*

♦ **1.** Insecte hémiptère-homoptère *(Rhynchotes-Cicadidés)* dont les
quatre ailes sont membraneuses. *La cigale suce la sève des végétaux ; sa larve passe quatre années dans le sol. Le timbale, organe
stridulant de la cigale mâle. La cigale chante, craquette, stridule.
La stridulation des cigales. Être assourdi par le crépitement, le*

grincement des cigales. La cigale, « avant-courrière des chaleurs » (R. Belleau).

1   La Cigale, ayant chanté
Tout l'été (...)   LA FONTAINE, Fables, I, 1, « La cigale et la fourmi ».

2   Rien que la vibration de l'air chaud et le cri strident des cigales, musique folle, assourdissante, à temps pressés, qui semble la sonorité même de cette immense vibration lumineuse (...)
       Alphonse DAUDET, Lettres de mon moulin, « Les deux auberges », p. 185.

Fig. (par référence à la fable de La Fontaine ; → ci-dessus, cit. 1). Personne imprévoyante.

♦ **2.** *Cigale de mer :* squille* (crustacé).

♦ **3.** Techn. (mar.). Anneau, organeau d'une ancre* ou d'un grappin.

DÉR. Cigalière, cigalon. — V. **Cigalier.**

CIGALIER [sigalje] n. m. — 1878 ; provençal *cigalié,* nom des membres d'une société d'hommes de lettres et d'artistes, fondée à Paris en 1876.

♦ Hist. Membre de la société littéraire *la Cigale.*

Pour parler net, le livre m'a paru un évanouissement. Entendons-nous : Que le garçon jette au diable cette « Daudeterie » (il imite Daudet), qu'en tous cas, il ne m'ait pas l'air d'un provençal (?) ou d'un cigalier (...)
       J. VALLÈS, Lettre à G. Puissant, 1878, p. 202, *in* D.D.L., II, 5.

CIGALIÈRE [sigaljɛʀ] n. f. — 1876 ; de *cigale.*

♦ Régional. Terrain inculte où abondent les cigales.

CIGALON [sigalɔ̃], **CIGALOU** [sigalu] n. m. — 1694, *cigalon; cigalou,* 1877 ; mot provençal, var. dial. de *cigale.*

♦ Régional (Provence). Cigale.

1. CIGARE [sigaʀ] n. m. — 1775 ; *cigarro,* 1688 ; esp. *cigarro,* d'orig. incert., p.-ê. du maya *zicar* « fumer », ou encore de l'esp. *cigarra* « cigale » (lat. *cicada*), par comparaison.

♦ **1.** Petit rouleau de feuilles de tabac que l'on fume. *Cigares de La Havane.* ⇒ **Havane, londrès, panatella, trabuco** (vx). *Cigares de Manille. Fumer un gros cigare, un cigare de gros module* (cf. fam. *Barreau de chaise). Petit cigare rappelant la cigarette.* ⇒ **Cigarillo, ninas, senoritas.** *Instrument pour couper les cigares* (⇒ **Coupe-cigares**), *pour les fumer* (⇒ **Fume-cigare, porte-cigare**). *Allumer un cigare avec une allumette, un allumoir, un briquet, un allume-cigare. Un cigare fort. Odeur du cigare. La fumée, la cendre d'un cigare. Fabrication de cigares à la main* (⇒ **Cigarière**), *avec des moules, à la machine. Poupée du cigare, constituée par l'intérieur* ou *tripe,* et *la sous-cape* ou *première enveloppe. Cape* ou *robe du cigare, qui entoure la poupée.* — *Bague d'un cigare. Offrir une boîte de cigares.*

1   Le cigare est le complément indispensable de toute vie oisive et élégante.
       G. SAND, *in* Pierre LAROUSSE.

2   Le patio était plein de légionnaires entrevus comme des fantômes dans la fumée des pipes, des cigares et des cigarettes.   P. MAC ORLAN, la Bandera, XVI, p. 191.

3   Le relieur, qui n'a pas fumé depuis des années, voudrait tenir un gros cigare entre ses lèvres, présenter aux passants qu'il rencontre cette saillie orgueilleuse du visage, et ce petit feu rougeâtre qui respire en même temps que sa poitrine.
       J. ROMAINS, les Hommes de bonne volonté, t. III, Les amours enfantines, VI, p. 97.

4   (...) la main brune sortant d'une manchette elle aussi immaculée et élimée, tenant entre deux doigts un de ces petits cigares noirs, à peine plus gros qu'une cigarette (...)   Claude SIMON, le Vent, p. 50.

Fumée, odeur de cigare. On sentait dans le salon le cigare froid.

Par anal. (Qualifié). Petit rouleau de feuilles d'une plante autre que le tabac. *Un cigare d'eucalyptus.*

♦ **2.** Régional (Belgique). Remontrance. ⇒ **Engueulade.** *Donner, passer un cigare à qqn* (→ *Passer un savon*, sonner les cloches*).

DÉR. Cigarette, cigarière. — V. 2. **Cigare.**
COMP. Allume-cigare.

2. CIGARE [sigaʀ] n. m. — 1926, *y aller du cigare* « risquer la peine de mort» ; de l'argot *coupe-cigare* «guillotine», où *cigare* désigne le bout du corps, la tête.

♦ Pop. Tête. *Avoir mal au cigare. Recevoir un coup sur le cigare.* — Esprit.

J'ai un puzzle dans le cigare, ça faisait déjà un moment que je gambergeais (...)
       A. SARRAZIN, la Cavale, p. 69.

CIGARETTE [sigaʀɛt] n. f. — 1831 ; encore *cigaret* en 1834 ; rare av. 1840 ; de 1. *cigare.*

♦ **1.** Petit rouleau de tabac haché et enveloppé dans un papier fin. ⇒ (fam.) **Cibiche, clope** (n. m.), **pipe, sèche, tige, tronc.** *Un paquet de cigarettes ; une cartouche de cigarettes. Feuille de papier à cigarette. Rouler une cigarette. Cigarette opiacée. Filtre d'une cigarette. Il ne fume que des cigarettes à bout filtre* (ou, ellipt., *des*

---

cigarettes filtre). *Nocivité, taux de goudron, de nicotine d'une cigarette. Offrir, prendre une cigarette. Allumer* (cit. 0.1) *une cigarette. Fumer*, *brûler, griller* *une cigarette. Secouer une cigarette pour en faire tomber la cendre.* ⇒ **Cendrier.** *Éteindre sa cigarette. Rejeter au loin le bout de sa cigarette. Un vieux bout de cigarette.* ⇒ **Clope** (n. m.), **mégot** (cit. 1). —*Accessoires du fumeur de cigarettes.* ⇒ **Allumette** ; **allumoir, briquet, porte-cigarette.** *Cigarette roulée à la main* (→ fam. *Une roulée*). *Cigarette industrielle* (→ fam. *Une cousue*, une toute cousue). *Cigarette blonde* (⇒ **Blonde,** n. f.), *brune* (⇒ **Brune,** n. f.), *française* (gauloise, gitane...), *américaine* (n. f. : *une américaine*), *anglaise. Cigarettes russes. Cigarette de tabac du Levant.* ⇒ **Khédive** (cit.). — Loc. *La cigarette du condamné*.

0.1   Parfois, elle roulait une cigarette, soufflait du coin des lèvres des jets de fumée minces, devenait plus attentive.   ZOLA, le Ventre de Paris, t. I, p. 226.

1   L'étui d'argent brilla entre ses doigts ; elle en reconnut le claquement sec, et ce tic qu'il avait de tapoter la cigarette sur le dos de sa main avant de la glisser sous la moustache.   MARTIN DU GARD, les Thibault, t. I, p. 122.

2   Il prit la cigarette offerte, l'alluma au briquet tendu. Il l'enfonçait dans sa bouche, la mouillait d'une salive abondante (...)
     M. GENEVOIX, Forêt voisine, VII, p. 77.

3   Un amant plus attentif eût remarqué les cigarettes jetées à peine allumées, ce perpétuel mouvement de l'index pour faire tomber la cendre (...)
     F. MAURIAC, le Mal, XI, p. 171.

4   (...) il lui demandait où elle avait caché le trésor ou l'avait déjà enterré c'était des boîtes de coco des rouleaux de réglisse des cigarettes filtre (...)
     Tony DUVERT, Paysage de fantaisie, p. 49.

♦ **2.** (Qualifié). Petit rouleau d'une plante autre que le tabac, hachée et enveloppée dans une feuille de papier. *Des cigarettes de belladone, d'eucalyptus.*

♦ **3.** Gaufrette, gâteau roulé en forme de cigarette. *Achète donc des cigarettes pour manger avec la glace* (on dit aussi, dans ce sens, *cigarette russe*). — *Cigarette en chocolat :* friandise formée d'un cylindre de chocolat enveloppé de papier à cigarettes.

DÉR. V. Cibiche.

CIGARIÈRE [sigaʀjɛʀ] n. f. — 1863 ; de 1. *cigare.*

♦ Ouvrière qui fabrique des cigares (⇒ **Robeuse**), et, par ext., qui travaille dans une manufacture de tabacs. *Les cigarières de Cuba.*

CIGARILLO [sigaʀijo] n. m. — V. 1929 ; *cigarille,* 1866 ; mot esp., « cigarette », dimin. de *cigarro.* → Cigare.

♦ Petit cigare de faible diamètre.

1   (...) les objets variés dont le tiroir était plein (...) cartes postales, boîtes d'allumettes italiennes, paquet de cigarillos *La Nueva Habana* (...)
     J.-M. G. LE CLÉZIO, le Déluge, I, p. 48.

2   Mme Léonie Prouillot, enveloppée dans une robe de chambre sino-japonaise, était assise jambes croisées dans un fauteuil, et fumait un cigarillo.
     R. QUENEAU, Pierrot mon ami, éd. L. de Poche, p. 167.

CIGLER ou **SIGLER** [sigle] v. tr. — 1925 ; de *sigle,* argot, « pièce de 20 ou 24 F » (1836), selon Esnault.

♦ Argot. Payer. *Cigler son loyer.*

Et mes factures... c'est vous autres qu'allez les cigler?... Pas deux sacs, je vous avancerai!... pas un... pas vingt-cinq cigues!... pas une thune!
     A. SIMONIN, Hotu soit qui mal y pense, p. 128.

CIGOGNE [sigɔɲ] n. f. — 1113 ; provençal *cegonha; du lat. ciconia;* a remplacé l'anc. franç. *soigne, ceoigne.*

♦ **1.** Oiseau ciconiiforme (*Échassiers, Ciconiidés*) scientifiquement appelé *ciconia,* aux longues pattes, au bec rouge, long, droit, fendu jusque sous les yeux. *La cigogne blanche fait son nid sur les toits ; elle se nourrit de grenouilles, lézards, serpents, poissons, insectes, petits rongeurs... La cigogne noire niche dans les forêts. Les cigognes sont des oiseaux migrateurs. Cri de la cigogne.* ⇒ **Claqueter, craqueter, glottorer.**

1   La cigogne au long bec n'en put attraper miette (...)   LA FONTAINE, Fables, I, 18.

2   On attribue à la cigogne des vertus morales dont l'image est toujours respectable : la tempérance, la fidélité conjugale, la piété filiale et paternelle.
     BUFFON, Hist. nat. des oiseaux, La cigogne.

3   Plus d'une d'entre ses rêveries allait s'y percher, comme les cigognes sur les toits d'Alsace.
     J. ROMAINS, les Hommes de bonne volonté, t. IV, Éros de Paris, XXI, p. 227.

REM. La cigogne est un oiseau traditionnel de l'Alsace, l'une des branches terminales de sa migration et où il est devenu d'une extrême rareté (alors qu'il est courant, par exemple, au Maroc).

Loc. fam., vieilli. *Une mère cigogne,* en parlant d'une femme très maternelle (cf. *Mère poule*). — *Cou de cigogne :* cou très long.

Cigogne à sac. ⇒ **Marabout.**

♦ **2.** (Par anal. de forme avec le cou, le bec de la cigogne). Techn. Dispositif de levage (levier, etc.) à forme recourbée.

DÉR. Cigogneau.

CIGOGNEAU [sigɔɲo] n. m. — 1555 ; *cegoignal, cegoignel,* XIIᵉ ; *cigoigneau,* XIIIᵉ ; de *cigogne.*

♦ Rare. Petit de la cigogne.

REM. On trouve parfois les formes *cicognat* [sikɔna], *cicon(n)eau* [sikɔno], *cicogneau* [sikɔɲo] n. m.

CIGUË [sigy] n. f. — 1611 ; *ceguë,* XIIᵉ ; anc. franç. *ceüe,* refait d'après le lat. *cicuta.*

♦ **1.** Plante des chemins et des décombres *(Ombelliféracées),* très toxique. *Ciguë aquatique,* appelée scientifiquement *cicuta virosa* (cicutaire vénéneuse, vireuse). — *Petite ciguë,* appelée scientifiquement *æthusa* (éthuse-ciguë ou faux persil). — *Grande ciguë,* appelée scientifiquement *conium,* et communément *ciguë tachetée* ou *ciguë de Socrate.* — *Ciguë d'eau,* appelée scientifiquement *phellandrium* (œnanthe phellandre, ou phellandre). *Le maceron est voisin de la ciguë. Alcaloïde de la grande ciguë.* ⇒ **Cicutine.**

♦ **2.** Poison extrait de la grande ciguë. *Socrate fut condamné à boire la ciguë.*

CI-INCLUS [siɛ̃kly], **CI-JOINT** [siʒwɛ̃] ⇒ 1. Ci (1.).

CIL [sil] n. m. — XIIᵉ ; du lat. *cilium.*

♦ **1.** Poil qui garnit le bord libre des paupières et protège le globe oculaire. *Cil palpébral. Avoir de longs cils. Battre des cils. Battement de cils.* ⇒ **Cillement ; ciller, cligner.** *Frange des cils. Ombre des cils* (→ Azuré, cit. 3). *Qui concerne les cils, un cil.* ⇒ **Ciliaire.**

1 (...) ses yeux *(de Paul),* qui étaient noirs, auraient eu un peu de fierté, si les longs cils qui rayonnaient autour comme des pinceaux, ne leur avaient donné la plus grande douceur. BERNARDIN DE SAINT-PIERRE, Paul et Virginie, p. 28.

2 L'ombre des cils palpitait sur ses joues. MARTIN DU GARD, les Thibault, t. V, p. 234.

Faux-cils, élément de maquillage des yeux (que l'on adapte au bord des paupières).

3 *(Une brune)* aux grands yeux verts enchâssés d'immenses faux cils (...) S. DE BEAUVOIR, les Belles Images, p. 151.

♦ **2.** Biol. Filament fin, mobile, du cytoplasme de certains organismes unicellulaires (bactéries, protozoaires), qui assure leur déplacement. *Cils vibratiles des protozoaires.* ⇒ **Ciliés.**

Zool. *Cils des mollusques.* ⇒ **Cirre.**

Histol. Prolongement cytoplasmique (des cellules épithéliales de certaines muqueuses : bronches, intestin). ⇒ **Flagelle.**

♦ **3.** Bot. Poils soyeux bordant certaines parties des plantes. *Cils d'une feuille.*

DÉR. Ciller. — (Du lat. cilium) V. **Ciliaire, cilié.** — V. **Sourcil.**
HOM. Sil.

CILIAIRE [siljɛʀ] adj. et n. m. — 1665 ; du lat. *cilium.*
Didactique.

♦ **1.** Qui appartient aux cils. *Zone ou corps ciliaire de l'œil. Procès ciliaires :* replis saillants de la choroïde en arrière de l'iris. *Artères, veines, glandes ciliaires. Muscles, nerfs ciliaires.*

Si je faisais jouer le nerf ciliaire ?... pensai-je. — Mais je rejetai bien vite cette idée inutile, — oiseuse, même.
VILLIERS DE L'ISLE-ADAM, Tribulat Bonhomet, p. 168.

N. m. *Ciliaire :* nerf ciliaire.

♦ **2.** Qui est garni de cils. *Bord ciliaire des paupières.*

CILICE [silis] n. m. — XIIIᵉ, *ciliz, celice* ; lat. ecclés. *cilicium* « étoffe en poil de chèvre de Cilicie ».

♦ Chemise, ceinture de crin ou d'étoffe rude que l'on porte sur la peau par pénitence, mortification religieuse. ⇒ **Haire.** *Porter, prendre le cilice.*

1 Mais d'où vient cet air sombre, et ce cilice affreux ?
   Et cette cendre enfin qui couvre vos cheveux ? RACINE, Esther, I, 3.

2 Il se fit un cilice avec des pointes de fer. Il monta sur les deux genoux toutes les collines ayant une chapelle à leur sommet.
FLAUBERT, la Légende de saint Julien l'Hospitalier, III.

3 Tous gardaient la continence, portaient le cilice et la cuculle, dormaient sur la terre nue après de longues veilles (...) accomplissaient chaque jour les chefs-d'œuvre de la pénitence. FRANCE, Thaïs, p. 4.

Fig., vieilli. Épreuve longue et douloureuse. *L'inconduite de son fils a été pour elle un cilice.*

HOM. Silice.

CILIÉ, ÉE [silje] adj. et n. m. — 1786, *Encyclopédie* ; lat. sc. *ciliatus,* de *cilium* « cil ».

♦ **1.** Qui est garni de poils, de cils. — REM. On trouve, en parlant des yeux de l'homme, la forme *cillé de. De grands yeux cillés de noir.* — Sc. nat. *Feuille, graine ciliée. Poil, stigmate cilié. Aile, membrane ciliée.*

(...) tel un aliment tout à fait semblable à une boule de chair descendant doucement le long de l'œsophage, sur le tapis vivant de cellules ciliées.
J.-M. G. LE CLÉZIO, la Fièvre, p. 124.

♦ **2.** N. m. pl. Embranchement de protozoaires pourvus de cils vibratiles *(fouets* ou *flagellums)* qui servent à la locomotion et à la nutrition. *Les ciliés,* appelés (vieilli) infusoires, *se multiplient par division ; on les classe en* ciliés (proprement dits) *et en* tentaculifères. ⇒ **Infusoire.** — Au sing. *Un cilié.*

CILLEMENT [sijmɑ̃] n. m. — 1530 ; de *ciller.*

♦ Action de ciller. *Avoir un continuel cillement d'yeux.*

(...) pendant toute la journée, pas un cillement n'avait démenti son apparente indifférence. S. DE BEAUVOIR, les Mandarins, p. 288.

CILLER [sije] v. — 1121, intrans. ; de *cil.*

♦ **1.** ⓐ V. tr. Littér. ou style soutenu. Fermer rapidement (les yeux) en rapprochant les cils des deux paupières jusqu'à ce qu'ils se touchent. ⇒ **Cligner.** *Ciller les yeux, les paupières* (vx), *des yeux.*

ⓑ V. intr. *Une grande lumière, un grand bruit inattendu font ciller.*

Il n'a même pas vu remuer les lèvres de l'homme, assis à la table sous l'unique ampoule restée allumée dans la salle ; la tête n'a pas eu le moindre hochement, les yeux n'ont même pas cillé ; et la bouche est restée toujours close.
A. ROBBE-GRILLET, Dans le labyrinthe, p. 30.

♦ **2.** Fig. V. intr. (Négatif). *Ne pas ciller :* rester immobile, ferme. *Elle se mit brusquement à crier, mais il ne cilla pas.* — *Personne n'ose ciller devant lui :* tout le monde a peur, personne ne bouge. ⇒ **Broncher.**

♦ **3.** Techn. (à propos des vieux chevaux). *Ciller* ou *se ciller :* avoir les sourcils qui blanchissent.

CONTR. Ouvrir. — **Écarquiller.**
DÉR. Cillement.

CIMAISE [simɛz] n. f. — XIIᵉ, *cimese* ; empr. du lat. *cymatium,* grec *kumation* « petite vague », de *kuma* « vague ». — REM. La graphie *cymaise* se rencontre encore au XXᵉ s., mais elle est archaïque.

♦ **1.** Techn. (archit.). Moulure qui forme la partie supérieure d'une corniche.

♦ **2.** Moulure à hauteur d'appui sur les murs d'une chambre. *Cimaise qui couronne le lambris.* — Peint. Moulure à hauteur d'appui sur laquelle on place la première rangée des tableaux d'une exposition. *Avoir les honneurs de la cimaise.*

1 L'ambition des peintres qui exposent aux Salons est d'obtenir les honneurs de la cymaise, c'est-à-dire d'avoir leurs tableaux bien en vue, au niveau de l'œil des spectateurs. Louis RÉAU, Dict. d'art, art. Cymaise.

2 La peinture d'histoire agonise au XVIIIᵉ siècle, bien qu'elle seule ait droit à la cimaise à côté du portrait. Rien ne retient le glissement de la peinture, à travers les rêves et les ballets de Watteau, vers la scène de genre et la nature morte.
MALRAUX, les Voix du silence, p. 98.

CIME [sim] n. f. — XIIᵉ, *cyme* ; du lat. *cyma* « pousse » et, en lat. médiéval, « pointe d'arbre », du grec *kuma* « vague », proprt « ce qui est gonflé ».

♦ **1.** Extrémité pointue (d'un arbre, d'un rocher, d'une montagne). ⇒ **Sommet.** *Grimper jusqu'à la cime d'un sapin.* — Par métonymie. *La cime d'un bois, de la forêt. Les cimes neigeuses d'une chaîne de montagnes. Des cimes neigeuses. Cimes inaccessibles. La cime d'un clocher, d'une maison.* ⇒ **Faîte.** *Cime anguleuse et saillante.* ⇒ **Arête.** — *La cime d'un casque.* ⇒ **Cimier.** *La cime des vagues, des flots.* ⇒ **Crête.**

1 (...) *cime* (...) signifie un *sommet* aigu ou la partie la plus élancée d'un corps terminé en pointe (...) Les deux mots sont usités en parlant des montagnes ; mais le sommet est la partie qui les termine en haut, de quelque manière que ce soit, par un plateau, par exemple, et la cime est cette même partie, quand elle est pointue, ou en forme de pyramide. LAFAYE, Dict. des synonymes, Sommet, cime...

2 D'un talus à l'autre, les cimes des premiers pins se rejoignaient et, sous cet arc, s'enfonçait la route mystérieuse. F. MAURIAC, Thérèse Desqueyroux, I, p. 47.

Vx et poét. *La double cime, le mont à double cime :* le Parnasse.

♦ **2.** Abstrait. Littér. Ce qu'il y a de plus élevé, de plus grand, de plus noble. ⇒ **Faîte, summum.** *La cime des honneurs. Voler, courir de cime en cime.*

3 L'esprit humain a une cime
   Cette cime est l'idéal.   HUGO, W. Shakespeare, I, II, II.

4 Déliées de toute adhérence humaine, deux âmes s'élèvent sans effort jusqu'à la
   dernière cime de l'amour, s'étreignent subtilement en Dieu.
                        MARTIN DU GARD, Jean Barois, Le goût de vivre, I, V, p. 37.

CONTR. Bas, base, pied, racine.
DÉR. 1. Cimier, 2. cimier.

CIMENT [simɑ̃] n. m. — Fin XIIᵉ ; du lat. *cæmentum* «pierre natu-
relle».

◆ **1.** Matière solide, à base de silicate et d'aluminate de calcium,
obtenue par cuisson et qui, mélangée avec un liquide, forme une
pâte durcissant à l'air ou dans l'eau. ⇒ **Mortier.** *Le ciment industriel est à base d'argile et de calcaire.* ⇒ **Calcaire, chaux.** *Fabrique de ciment.* ⇒ **Cimenterie.** *Pierre à ciment.* ⇒ **Craie.** *Fabrication
du ciment : mélange à sec ou par délayage, lévigation, malaxage,
dessiccation, cuisson* (en fours rotatifs), *mouture ou pulvérisation,
dépoussiérage. Sac de ciment.* — Techn. *Ciment à prise* lente,
à prise rapide. Ciment Portland, ciment métallurgique, ciment de
laitier,* contenant du laitier de haut-fourneau. *Ciment mixte :
mélange de ciment Portland, de sable, etc. Ciment blanc :* chaux
hydraulique contenant du ciment. *Ciment magnésien, alumineux.
Ciment hydraulique, ciment romain,* durcissant dans l'eau.
Matériaux agglomérés par du ciment. ⇒ **Aggloméré.** *Mélange de
ciment, de sable, de cailloux.* ⇒ **Béton.** *Mélange de ciment et
d'amiante.* ⇒ **Amiante-ciment, fibrociment.** *Construction, mur,
pilier en ciment. Enduire de ciment ; lier des pierres avec du
ciment ; sceller au ciment. Revêtement en ciment. Empierrement
d'une chaussée lié au moyen de ciment.* ⇒ **Macadam-ciment.** *Remplir un joint de ciment.* ⇒ **Jointoyer.**

1 Qu'on me loue enfin ce tombeau, blanchi à la chaux avec les lignes du ciment en
   relief — très loin sous terre.   RIMBAUD, Illuminations, «Enfance», v.

2 Les grands projecteurs (...) cessèrent d'épandre du haut des pylônes en ciment leur
   triste clarté rougeâtre (...)   VAN DER MEERSCH, l'Élu, p. 83.

Ciment armé, dans lequel on a noyé une armature métallique.
— REM. On emploie souvent (inexactement) l'expression *ciment armé*
pour *béton armé.* ⇒ **Béton.**

3 Par exemple il était prêt à défendre l'emploi redondant du ciment armé et du fer,
   soit en invoquant la nature, qui adore ce genre de procédés (les organismes sont
   pleins de détails de structure qui font double emploi), soit en rappelant que le
   ciment armé lui-même est déjà un mariage du ciment et du fer. «Moi, je le
   mélange à un degré au-dessus. Dans mon ciment je noie des tiges. Dans mon
   ciment armé, je noie des poutrelles».
              J. ROMAINS, les Hommes de bonne volonté, t. V, Les superbes, XXVII, p. 287.

Ciment volcanique : mélange de brai et d'huiles lourdes.

3.1 L'étanchéité des terrasses est obtenue par superposition de trois à quatre feuilles
     de carton goudronné collées entre elles par un mélange brai-huile anthracénique
     appelé *ciment volcanique.*   Jean BECK, le Goudron de houille, p. 67.

◆ **2.** Matière durcissante servant à l'obturation des cavités dentaires et à la rétention des prothèses fixes. ⇒ **Amalgame.**

3.2 Comme il lui était interdit d'arrêter de sourire, d'un sourire de chez le dentiste,
     ne fermez pas la bouche avant que le ciment ait pris, surtout !
                              ARAGON, Blanche..., I, IV, p. 72.

*Produit adhésif utilisé en orfèvrerie, bijouterie. Mise en ciment
d'une pièce.*

3.3 Les pièces travaillées au ciselet, lorsqu'elles sont en métal mince, offrent une élas-
     ticité qui fait rebondir l'outil à chaque coup. Afin d'éviter cet inconvénient on les
     met en ciment, c'est-à-dire qu'on les garnit d'un produit spécial adhérent et à la
     fois résistant et plastique. Il offre un appui au métal, évitant les vibrations et per-
     mettant l'enfoncement des parties qui doivent être *descendues.*
                              Luc LANEL, l'Orfèvrerie, p. 17.

◆ **3.** Sc. **a** Histol. Substance qui lie les cellules épithéliales.

b Géol. Substance qui lie, agrège certaines roches. *Ciment des
grès, des schistes.*

◆ **4.** Par compar. ou par métaphore. Ce qui sert de lien, de moyen
d'union. ⇒ **Lien ; mortier** (fig.). *Une œuvre, une amitié dure comme
du ciment.* — Fig. Ce qui est durable, solide.

4 Il sentait chaque jour le ciment qui le liait à son compagnon se solidifier davantage.   P. MAC ORLAN, la Bandera, VII, p. 84.

Loc. *Fait, bâti à chaux et à ciment,* solidement. ⇒ **Chaux.**

DÉR. Cimentaire, cimenter, cimenterie, cimentier.
COMP. Amiante-ciment, fibrociment, macadam-ciment.

CIMENTAGE [simɑ̃taʒ] n. m. — 1877 ; de *cimenter.*

Technique.

◆ **1.** Action de cimenter ; résultat de cette action. ⇒ **Cimentation.**

◆ **2.** En joaillerie, Opération par laquelle l'ouvrier fixe la gemme
qui doit être travaillée.

CIMENTAIRE [simɑ̃tɛr] adj. — 1877 ; de *ciment.*

◆ **1.** Techn. (bâtiment). Rare. Qui est propre au ciment. *Mélange
cimentaire.*

◆ **2.** Biol. (histol.). Qui caractérise le ciment unissant les cellules épithéliales.

CIMENTATION [simɑ̃tasjɔ̃] n. f. — 1845 ; *cémentation,* XVIᵉ ;
de *cimenter.*

◆ **1.** Techn. Action de cimenter ; processus par lequel s'effectue
cette action. ⇒ **Cimentage.**

◆ **2.** Géol. Processus par lequel se forme le ciment qui lie certaines
roches. *La cimentation des schistes.*

CIMENTER [simɑ̃te] v. tr. — Fin XIIIᵉ ; de *ciment.*

◆ **1.** Réunir, assembler avec du ciment ; enduire de ciment. *Cimenter des pierres. Cimenter un bassin.* — Au p. p. *Sol cimenté,
rue cimentée.*

1 Dans les chambres, on entendait un brouhaha de voix, un fracas de crosses de
   fusil qui retombaient une à une sur le sol cimenté.
                              P. MAC ORLAN, la Bandera, XV, p. 186.

Par ext. Consolider (qqch.) en se solidifiant. ⇒ **Amalgamer, consolider ;** et aussi **lier, unir.**

2 (...) les arbres déracinés s'assemblent sur les sources. Bientôt les vases les cimen-
   tent, les lianes les enchaînent, les plantes y prenant racine de toutes parts, achèvent de consolider ces débris.   CHATEAUBRIAND, Atala, Prologue, p. 38.

2.1 Il n'était pas vraisemblable, non plus, que les assiégeants eussent barré le fleuve en
     amont d'Irkoutsk, puisqu'ils savaient que les Russes ne pouvaient attendre aucun
     secours par le sud de la province. Avant peu, d'ailleurs, la nature aurait elle-même
     établi ce barrage, en cimentant par le froid les glaçons accumulés entre les deux
     rives.   J. VERNE, Michel Strogoff, p. 429.

◆ **2.** (XVIᵉ). Abstrait. Rendre plus ferme, plus solide. ⇒ **Affermir,
consolider, lier, raffermir, sceller, unir.** *Cimenter la paix par une
alliance* (Littré). *Cimenter une amitié.*

3 Mais depuis un long temps l'Église eut, aux yeux des mortels,
   De son sang en tous lieux cimenté ses autels (...)   BOILEAU, le Lutrin, VI.

4 (...) un attachement (...) qui ne s'est cimenté que par une estime réciproque.
                              ROUSSEAU, les Confessions, IX.

5 (...) l'idée de voir ainsi soudainement changées toutes ces douces relations de vie
   et de cœur qui s'étaient établies et comme cimentées à notre insu entre elle et
   moi (...)   LAMARTINE, Graziella, IV, IX, p. 115.

6 Parfois le plaisir cimente des unions que la raison ni le cœur ne comprennent.
                              A. MAUROIS, Lélia, II, I, p. 75.

Pron. Prendre consistance. *Leur amitié se cimente.*

CONTR. Délier, désagréger, desceller, desserrer, désunir, ébranler, saper.
DÉR. Cimentage, cimentation.

CIMENTERIE [simɑ̃tri] n. f. — XXᵉ (attesté 1953) ; de *ciment.*

◆ **1.** *(La cimenterie).* Industrie du ciment.

◆ **2.** *(Une, des cimenteries).* Usine où se fabrique le ciment.

CIMENTIER [simɑ̃tje] n. m. — 1680 ; *cymentier,* fin XVᵉ ; de *ciment.*

◆ Techn. Ouvrier qui travaille dans une cimenterie, et, par ext., qui
emploie le ciment. *Boucharde de cimentier.*

(...) l'homme savant se défait bien vite de cette partie du savoir qui est contemplation, enviant aussitôt la dextérité du maçon ou du cimentier (...)
                              ALAIN, le Monde humain, *in* les Passions et la Sagesse, Pl., p. 84.

REM. Le fém. *cimentière* [simɑ̃tjɛr] est virtuel.

CIMETERRE [simtɛr] n. f. — XVᵉ ; ital. *scimitarra,* du persan.

◆ Sabre oriental, à lame large et recourbée. ⇒ **Épée, sabre ; bade-
laire, yatagan.** *Cimeterre turc.*

1 (...) il s'élève sur ses étriers et veut frapper à son tour Codadad de son redoutable
   cimeterre.   A. GALLAND, les Mille et une Nuits, t. II, p. 429.

2 Ali sous sa pelisse avait un cimeterre (...)   HUGO, les Orientales, XIII.

CIMETIÈRE [simtjɛr] n. m. — XIIIᵉ ; *cimetire,* XIIᵉ ; du lat. ecclés.
coemeterium, grec *koimêtêrion* «lieu où l'on dort».

◆ **1.** Lieu où l'on enterre les morts. ⇒ **Camposanto** (cit. 1), **champ**
(des morts), **charnier** (vx), **columbarium, nécropole, ossuaire** (cf. fam.
Le boulevard des allongés). *Cimetière souterrain.* ⇒ **Catacombe,
crypte.** *Cimetière militaire. Porter un mort au cimetière.* ⇒ **Enterrement, inhumation ; crémation, crématoire** (four), **incinération.** *Le
gardien, les fossoyeurs d'un cimetière. Les tombes d'un cimetière.* ⇒ **Caveau, sépulture, tombe.** *Les mausolées, la lanterne des
morts d'un cimetière. Les morts qui reposent dans les cimetières.*
⇒ **Cadavre, corps,** 3. **mort.** *Feux* follets du cimetière. Les cimetières appartiennent aux communes. Concession temporaire, perpétuelle dans un cimetière.* — *Le Cimetière marin,* poème de Valéry.
Les Grands Cimetières sous la lune, ouvrage de Bernanos.

Le mot de dormir ne se peut approprier qu'aux corps, dont est venu le mot de
cimetière, qui vaut autant comme dormitoire.
                              CALVIN, Institution de la religion chrétienne, 803.

2 Il approuve avec douleur l'enseigne d'un marchand hollandais qui, ayant mis pour titre *À la paix perpétuelle*, avait fait peindre dans le tableau un cimetière.
FONTENELLE, Leibniz, *in* LITTRÉ.

3 Il faudrait qu'on ne recueillît rien de ce qui croît dans nos cimetières, et que leur herbe même eût une inutilité pieuse.   Joseph JOUBERT, XIII, 34.

4 On eût dit, en voyant ces morts mystérieux
(...) Que, dans le cimetière où le cyprès frissonne,
(...) Tous ces assassinés s'éveillaient brusquement (...)
HUGO, les Châtiments, « Nox », v.

5 Mes chers amis, quand je mourrai,
Plantez un saule au cimetière (...)
Et son ombre sera légère
À la terre où je dormirai.   A. DE MUSSET, Poésies nouvelles, « Lucie ».

6 Au pied de la chapelle, sur l'un des côtés, l'on a rangé les restes du cimetière (...)
André SUARÈS, Trois hommes, I, « Pascal », p. 19.

7 Il a déjà fait achat de la concession, au cimetière de Nesles, car il veut reposer, plus tard, dans le village de ses pères.
G. DUHAMEL, Chronique des Pasquier, VI, X, p. 366.

8 Je pénétrai dans le petit cimetière avoisinant. Il restait là quelques pierres tombales envahies de ronces et deux croix de fer qui chaviraient. Dans le fond de l'enclos, contre la muraille, on voyait une tombe fraîche, avec un pot de porcelaine blanche posé à même la terre mouillée.   H. BOSCO, Hyacinthe, p. 216.

Lieu solitaire, désert, désolé, calme comme un cimetière.
Loc. (Fam.). *Envoyer, expédier qqn au cimetière,* le faire mourir. — (Vieilli). *Rendre les cimetières bossus*.* — *Aller droit au cimetière,* à la mort.

♦ **2.** Lieu où beaucoup de personnes sont mortes. *Le champ de bataille, la ville après le siège, n'étaient plus que de vastes cimetières.*

♦ **3.** (Qualifié ; adj. ou compl. en *de*). Lieu où l'on rassemble les restes d'animaux, les objets hors d'usage. *Un cimetière de voitures.* — (1964). *Cimetière radioactif :* lieu aménagé pour recevoir des déchets radioactifs. — Absolt. « *Les scientifiques veulent ainsi étudier les effets à long terme de l'entreposage, dans le granit, de "cendres" nucléaires, pour voir si un tel environnement constituerait un cimetière convenable* » (*Sciences et Avenir,* sept. 78, p. 9).
Fig. *Le cimetière d'une civilisation disparue.* « *Les musées* (cit. 3), cimetières des arts ».

9 (...) cette retraite jusqu'où ne parviennent pas les rumeurs et les fracas de la grande ville moderne. C'est le cimetière d'un peuple et d'une civilisation.
G. DUHAMEL, Scènes de la vie future, XI, p. 169.

CONTR. **Berceau, naissance** (lieu de).

CIMEX [simɛks] n. m. — D. i. (xxᵉ ?) ; lat. *cimex, -icis.*

♦ Zool. Punaise.

DÉR. Cimicaire.

CIMICAIRE [simikɛʀ] n. f. — 1866 ; du lat. *cimex* « punaise ».

♦ Bot. Renonculacée dont l'odeur passe pour chasser les punaises, dite aussi *actée** ou *chasse-punaises.*

1. CIMIER [simje] n. m. — XIIᵉ ; de *cime.*

♦ **1.** Ornement (panache, animal, etc.) qui forme la partie supérieure, la cime (d'un casque.)
Son casque est enfoui sous les ailes d'une hydre (...)
Au moment du départ, l'archevêque de Vienne
A béni son cimier de prince féodal.
HUGO, la Légende des siècles, X, Le cycle héroïque, « Le mariage de Roland ».
Par ext. (Littér. et vx). Celui qui mène le combat.

♦ **2.** Blason. Pièce que l'on met au-dessus du timbre du casque surmontant l'écu.

2. CIMIER [simje] n. m. — 1665 ; « queue du cerf », XIIᵉ ; de *cime* « pousse, touffe d'arbre ».

♦ Techn. (boucherie). Pièce de viande sur le quartier de derrière du bœuf, du cerf, du chevreuil. *Un cimier de chevreuil.*

CIMMÉRIEN, IENNE [simeʀjɛ̃, jɛn] adj. et n. — 1732, *ténèbres cimmériennes ; cymmerien,* 1559 ; du lat. *Cimmerii,* grec *Kimmerioi,* nom d'un peuple mythique de l'Antiquité.

♦ Didact. (myth.). Qui a rapport aux habitants d'un pays obscur et froid, qu'Homère situait près du séjour des morts. — N. *Les Cimmériens,* habitants de ce pays.
Littér. et rare. *Ténèbres cimmériennes, froid cimmérien,* propres au pays des Cimmériens.

CINABRE [sinabʀ] n. m. — 1394, *sinabre ; cenobre,* XIIIᵉ ; du lat. *cinnabaris,* grec *kinnabari.*

♦ **1.** Chim. Sulfure de mercure (Hg S) de couleur rouge, d'où l'on tire ce métal. *Des troncs d'arbre barbouillés de cinabre* (→ Piédestal, cit. 2).

1 La mauvaise vapeur et qualité du soufre et vif-argent, dont le cinabre est composé.
Ambroise PARÉ, XXVI, 14.

2 (...) ce rouge ne se tire pas seulement de matières animales ou végétales, (...) mais aussi de minéraux comme le cinabre, le *minium* (...)
Ed. et J. DE GONCOURT, la Femme au XVIIIᵉ s., II, p. 141.

♦ **2.** (1552). Littér. Couleur rouge de ce sulfure. ⇒ **Vermillon.**

CINCHONINE [sɛ̃kɔnin] n. f. — 1820 ; du lat. bot. *cinchona,* nom donné au quinquina par Linné.

♦ Chim. Alcaloïde extrait du quinquina et utilisé en thérapeutique contre la malaria. *La cinchonidine est un stéréo-isomère de la cinchonine.*

CINCLE [sɛ̃kl] n. m. — 1780 ; du grec *kigklos.*

♦ Oiseau passereau *(Turdidés),* qui plonge dans les cours d'eau pour chercher sa nourriture. — Par appos. « *Bécasseaux cincles* » (*la Chasse,* nº 229, p. 57).

CINÉ [sine] n. m. — 1905 ; abrév. de *cinéma.*

♦ Fam. ⇒ **Cinéma.** *On va au ciné.* ⇒ **Cinoche, kino.**

1 À nous la vie de palace ! fit Mulot, en crachant par la portière. On ira bouloter chez Térésa (...) Qu'est-ce qu'on donne au ciné ?
P. MAC ORLAN, la Bandera, VI, p. 71.

2 On imagine très bien (...) ce machinal accompagnement qu'exécutait le pianiste dans les premières salles de ciné durant la projection d'un film.
Francis CARCO, Nostalgie de Paris, p. 43.

1. CINÉ- Élément, tiré de *cinéma,* même sens. — Ex. : *ciné-club, cinéphile,* etc. Voir à l'ordre alphabétique.

2. CINÉ- Élément tronqué tiré du grec *kinêma, -atos* « mouvement » (⇒ **Cinéma**), parfois combiné avec des mots français (⇒ **Cinétir**).

CINÉASTE [sineast] n. — 1922 ; de *ciné,* d'après l'italien.

♦ Personne qui exerce une activité créatrice et technique ayant rapport au cinéma*. ⇒ **Metteur** (en scène), **opérateur, réalisateur.** *Une cinéaste de talent.*

CINÉ-CLUB [sineklœb] n. m. — 1920 ; de 1. *ciné-,* et *club.*

♦ Club d'amateurs de cinéma, où l'on organise des projections de films de qualité, où l'on étudie la technique, l'histoire du cinéma. *Des ciné-clubs.*
Par ext. Salle où ont lieu les projections, les débats.
Je n'irai plus au Ciné-Club du foyer socio-éducatif, seule sortie que je m'accordais, le jeudi.   Yanny HUREAUX, la Prof, p. 168.

CINÉGRAPHE [sinegʀaf] n. — 1929 ; de *cinégraphie.*

♦ Vx. Personne qui s'occupe de cinégraphie.

CINÉGRAPHIE [sinegʀafi] n. f. — 1917 ; de 1. *ciné-,* et *-graphie.*

♦ Vx (dans le langage de la critique, v. 1930). Art cinématographique.
(...) l'œuvre capable de briser avec les routines du cinéma commercial et de lancer la cinégraphie dans une voie nouvelle (...)
A. ARTAUD, À propos du cinéma, Œ. compl., t. III, p. 83.

DÉR. Cinégraphe, cinégraphier, cinégraphique.

CINÉGRAPHIER [sinegʀafje] v. tr. — 1917 ; de *cinégraphie.*

♦ Vx. Prendre en film. ⇒ **Cinématographier, tourner.**
À l'origine, les frères Lumière se contentaient de cinégraphier la vie pure et simple.   P. HENRY, les Cahiers du mois, 1925, nº 16-17, p. 199, *in* D. D. L., II, 6.

CINÉGRAPHIQUE [sinegʀafik] adj. — 1917 ; de *cinégraphie.*

♦ **1.** (1929). Vx. Du cinéma, en tant qu'art. ⇒ **Cinématographique.**
D'un geste large et cinégraphique (...)
R. QUENEAU, Pierrot mon ami, éd. L. de Poche, p. 70.

♦ **2.** Vx. Qui a trait aux scénarios ou à la critique de films. *Critique cinégraphique.*

CINÉMA [sinema] n. m. — 1893, abrév. de *cinématographe.*

♦ **1.** Procédé permettant d'enregistrer photographiquement et de projeter des vues animées. ⇒ **Photographie.** *Prises de vue de cinéma.* ⇒ **Caméra** (différentes parties : boîtes-magasins ; couloir ; fenêtre ; griffe, came, croix de Malte d'entraînement ; objectifs, tourelle, plate-forme, trépied). — *Film de cinéma.* ⇒ **Bande** (et bande

son), **film, pellicule, piste ; celluloïd, émulsion ; image, photogramme, vue.** — *Projection de cinéma.* ⇒ **Projecteur ; écran.** — *Invention du cinéma par les frères Lumière.* ⇒ **Cinématographe.** *Ancêtres du cinéma.* ⇒ **Chronophotographe, kinétoscope, lanterne** (magique), **ombre** (ombres chinoises), **phénakistoscope, phonoscope, praxinoscope, stroboscope, zootrope.**
Cinéma sonore, parlant. Prise de son de cinéma. ⇒ **Enregistrement, sonorisation ; doublage, post-synchronisation.** *Reproduction du son d'une bande sonore de cinéma* (par galvanomètre, oscillographe ou cellule photo-électrique ; amplificateur ; microphone). *Cinéma en noir et blanc ; cinéma en couleurs.* ⇒ **Trichromie ; tétrachromie... technicolor...** *Cinéma en format réduit, en huit millimètres.* ⇒ aussi **Super-huit.** *Cinéma en format professionnel. Cinéma en polyvision*, en grand format.* ⇒ **Cinémascope, cinérama.** — *Cinéma en relief.* ⇒ **Anaglyphe ; stéréoscope.**

♦ **2.** Art de composer et de réaliser des films cinématographiques (le seul adj. correspondant est *cinématographique*). *Le cinéma est appelé septième art. Cinéma d'animation** (3.). *Réaliser un film de cinéma.* ⇒ **Filmer, mise** (en scène), **réaliser** (réalisation), **tourner ; cadrage, champ, contre-champ, off, panoramique, plongée** (et contreplongée), **travelling ; plan** (plan général, moyen, américain, premier plan, gros plan) ; **détail, intérieur**(s), **extérieur**(s) ; **ouverture** (et fermeture) ; **fondu** (et fondu enchaîné) ; **zoom ; claquette, grue, panoramique.** *Plateau, studio de cinéma.* ⇒ **Plateau, studio ; rampe, réflecteur, spot, sunlight ; casserole ; perche** (à son ; girafe). *Scénario d'un film de cinéma.* ⇒ **Scénario ; découpage, dialogue, synopsis.** *Effet comique de cinéma.* ⇒ **Gag.** *Le montage donne au cinéma son rythme.* ⇒ **Montage, monter, monteur** (monteuse) ; **collure, moviola, mixer, rush ; flash-back.** *Trucage de cinéma.* ⇒ **Accéléré, ralenti, surimpression, transparence, truc.** *Personnel du cinéma.* ⇒ **Cinéaste ; cameraman, opérateur ; metteur** (en scène), **réalisateur ; scénariste ; acteur, comédien, star, vedette ; documentariste ; scripte, script-girl ; décorateur, maquilleur, électricien, ingénieur** (du son), **perchman, régisseur ; monteur.** *Faire du cinéma :* jouer dans un film ; ou encore, mettre en scène un film ; exercer un des métiers du cinéma. — *Aimer le cinéma* (→ Acétocellulose, cit. 2). *Amateur de cinéma.* ⇒ **Cinéphile ; ciné-club, cinémathèque.** *Critique de cinéma. Histoire du cinéma ; théorie du cinéma. Revues de cinéma.*

1   Les événements extérieurs, les accidents, les traumatismes, appartiennent au cinéma ; il sied que le roman les lui laisse.
GIDE, les Faux-monnayeurs, 1re part., VIII, p. 97.

2   Il est certain que les ressources du cinéma, arrivé à l'âge adulte, sont venues répondre (...) au besoin qu'éprouve l'esprit moderne d'exprimer le dynamisme et le foisonnement du monde où il plonge.
ROMAINS, les Hommes de bonne volonté, t. I, Le 6 octobre, Préface, p. XV.

3   C'est (...) parce que le cinéma est encore dans l'enfance qu'il importe de l'éclairer, de le guider, de discuter sur sa nature, ses moyens et ses tendances (...) Je sais que de jeunes hommes font un effort admirable pour arracher le septième art (...) à la routine, à la calembredaine, à la série industrielle.
G. DUHAMEL, Manuel du protestataire, v, p. 142-143.

4   La description (...) de cette technique *(du cinéma)* nous laisse espérer que, par elle, le public se rendra compte des qualités spéciales du cinéma ; nous ne parlerons plus d'esthétique, mais ce sera la technique même qui prouvera (...) que le cinéma n'est ni théâtre, ni peinture, ni roman, ni abstraction. L'*outillage* du cinéma montrera la gamme infinie ouverte à l'esprit inventif du spectacle ; la *réalisation,* par des exemples de scénarios et par le rôle du metteur en scène, de l'acteur, de la musique, etc., montrera ce qui est cinéma et ce qui n'est qu'enregistrement cinématographique. La *diffusion* montrera comment on atteint le public, de la réclame à la critique, en passant par les salles de projection.
LO DUCA, Technique du cinéma (P. U. F.), Introd., p. 5.

5   Un art est né sous nos yeux (...) il s'est assimilé rapidement des éléments pris à tout le savoir humain. Ce qui fait la grandeur du cinéma, c'est qu'il est une somme, une synthèse aussi de beaucoup d'autres arts. Le cinéma est encore une industrie (...) Avant de montrer une bobine d'un grand film moderne, il faut au préalable dépenser plusieurs millions (...)
G. SADOUL, Hist. d'un art, Le cinéma, Préf., p. 5-6.

Cinéma professionnel, cinéma d'amateur. — *Applications du cinéma : cinéma scientifique.* ⇒ **Microcinéma.** — *Le cinéma documentaire* (→ Audiovisuel, cit. 2). — *Le cinéma d'aventures, le cinéma politique, comique... Les classiques du cinéma.* ⇒ **Film.** *Cinéma pour enfants.* — *Le cinéma français, italien, américain, etc.,* ensemble des œuvres produites par cet art en France, en Italie, etc. — (Styles) *Cinéma expressionniste, réaliste, vériste... Le cinéma hollywoodien.* — *Cinéma-vérité :* conception dérivée du *ciné-œil** de Dziga Vertov, selon laquelle on peut atteindre plus de réalisme en modifiant les procédés du film de fiction commercial au profit d'une plus grande spontanéité. *Cinéma d'auteur.* ⇒ aussi **Caméra** (stylo).
L'industrie du cinéma ; l'économie du cinéma. ⇒ **Producteur, distributeur, exploitant ;** et aussi **circuit** (de salles, de programmation). *Être dans le cinéma.* ⇒ aussi **Coproduction, festival, festivalier, série, star-system.** *Hautes récompenses du cinéma.* ⇒ **César, oscar.** *Cinéma en coproduction internationale. Les grandes firmes américaines de cinéma. Cinéma parallèle :* production à budget limité, indépendant, conçue comme solution de rechange au cinéma commercial traditionnel.

♦ **3.** Projection cinématographique (dans *séance de cinéma*).

♦ **4.** *(Un, des cinémas).* Salle de spectacle où l'on projette des films cinématographiques. *Un grand cinéma. Programmation d'un cinéma. Cinéma d'art, d'essai, d'exclusivité. Cinéma de quartier.*

Cinéma permanent. Cinéma à plusieurs salles. ⇒ **Complexe** (cinématographique). *Ouvreuses de cinéma. Des cinémas. Aller au cinéma.* ⇒ fam. **Ciné, cinoche.**

Dans le centre de cette ville (...) les cinémas sont nombreux (...) Ils donnent le spectacle « permanent » (...)   G. DUHAMEL, Manuel du protestataire, v, p. 139.

♦ **5.** Fig. et fam. (Péj.). *C'est du cinéma :* c'est invraisemblable. *Toute cette histoire, c'est du cinéma !,* du bluff, du roman (fig.). — *Tu as vu ça au cinéma,* réplique pour signifier qu'on ne croit pas à une histoire. — *Il nous a fait tout un cinéma,* une démonstration affectée, toute une mise en scène (fig.). Cf. Faire son cirque. ⇒ **Cabotiner.** *Les gestes, les effets, rien n'y manquait, quel cinéma :* quelle comédie. ⇒ **Chiqué.** — Loc. fam. *Se faire (un) du cinéma :* se monter la tête, s'imaginer les choses comme on souhaiterait qu'elles soient. *Il se fait son cinéma personnel, son petit cinéma intérieur.*

(...) le bout des choses, qu'est jamais beau, qu'est jamais gai, dès qu'on consent à être un peu plus clairvoyant, à pas se faire de cinéma.
A. SIMONIN, Touchez pas au grisbi, p. 114.

Il a le chic pour convaincre les gens que leurs tuyaux et leurs intestins vont être bientôt tapissés de tartre et de calcaire, empierrés comme des routes ! Quel cinéma il peut leur faire, oui oui pardon, je m'égare.
F. NOURRISSIER, le Maître de maison, p. 58.

DÉR. Ciné, cinoche.
COMP. Cinémascope, microcinéma.

CINÉMA-

♦ **1.** Élément, du grec *kinêma, kinêmatos,* « mouvement ». — Ex. : *cinématographe.* → 2. Ciné.

♦ **2.** Élément, tiré de *cinéma(tographe).* — Ex. : *cinémathèque.* → 1. Ciné.

CINÉMASCOPE [sinemaskɔp] n. m. — 1953 ; de *cinéma* (2.), et *-scope ;* marque déposée.

♦ **1.** Procédé de cinéma sur écran large par déformation de l'image (anamorphose) restituée à la projection. *Écran de cinémascope.* — Par abrév. : *scope. Film en cinémascope.*

Pour une raison purement technique d'ailleurs, la profondeur de champ en cinémascope (qui ne peut se permettre d'utiliser un objectif d'une focale plus courte que 50 mm) s'obtient grâce à l'accentuation des contrastes (...)
J.-L. GODARD, Cahiers du cinéma, n° 68, févr. 1957, *in* Collection des Cahiers, p. 62.

♦ **2.** Représentation d'un film sur écran large.

(...) Zazie lui demandait s'ils avaient la tévé.
— Non, dit Gabriel, j'aime mieux le cinémascope, ajouta-t-il avec mauvaise foi.
— Alors, tu pourrais m'offrir le cinémascope.
R. QUENEAU, Zazie dans le métro, 1959, p. 31.

DÉR. Cinémascopique.

CINÉMASCOPIQUE [sinemaskɔpik] adj. — 1957 ; de *cinémascope.*

♦ **1.** Projeté sur écran de cinémascope ; tourné pour le cinémascope.

♦ **2.** Digne d'un film de cinémascope.

(...) il regardait la mer, la plage lugubre (pas cette espèce de décor cinémascopique de la côte d'Azur, avec pins repiqués et rochers repassés au rouge minium chaque début de saison)...   Cl. SIMON, le Vent, p. 223.

CINÉMATHÈQUE [sinematɛk] n. f. — 1921 ; de *cinéma-* (2.), et suff. *-thèque.*

♦ Endroit où l'on conserve les films de cinéma.

Par ext. Organisme par les soins duquel sont présentés périodiquement les films conservés ; salle de cinéma où les projections ont lieu (absolt. : *la Cinémathèque française,* à Paris). *Aller voir un film ancien à la Cinémathèque ou dans un cinéma d'essai.*

(...) dans les petites salles de quartier où il avait repéré des programmes alléchants ; nous n'allions pas là seulement pour nous divertir, nous y apportions le même sérieux que les jeunes dévots d'aujourd'hui quand ils entrent dans une cinémathèque.
S. DE BEAUVOIR, la Force de l'âge, p. 53.

CINÉMATIQUE [sinematik] n. f. et adj. — 1834, Ampère ; mot tiré du grec *kinêmatikos,* de *kinêma* « mouvement ». Didactique.

♦ **1.** N. f. Partie de la mécanique qui étudie les mouvements, indépendamment des causes qui les produisent et de la nature des mobiles. ⇒ **Mécanique, mouvement.** «*On distingue la cinématique du point qui introduit les notions de trajectoire, vitesse et accélération et la cinématique du solide qui s'intéresse à la répartition des vitesses des différents points du solide mobile*» (Bouvier et George). *Application de la cinématique.* ⇒ **Dynamique.**

♦ **2.** Adj. Relatif au mouvement, à son étude scientifique. *Formule cinématique. Viscosité cinématique d'un fluide.*

Disons un mot, à présent, du processus cinématique qu'implique une promenade en forêt. Ce processus est fort simple. Il consiste, dans le chef du promeneur, à

opter pour l'une des mille façons de coordonner entre eux, par la marche, les intervalles d'une certaine quantité de troncs contigus (...)
Paul COLINET, Éléments initiatiques aux promenades en forêt,
in Phantomas, n° 14, mai 1959.

CINÉMATOGRAPHE [sinematɔgʀaf] n. m. — 1895 ; attesté 1892 ; comp. sav. du grec *kinêma, kinêmatos* « mouvement », et *-graphe*. Didactique.

♦ **1.** Hist. Appareil capable de reproduire le mouvement par une suite de photographies, inventé par les frères Lumière. ⇒ **Cinéma.** *L'invention, les perfectionnements du cinématographe Lumière.*

♦ **2.** Vx ou didact. Cinéma. — REM. Certains utilisent le mot pour insister sur des connotations artistiques et l'opposer à *cinéma*, plus industriel et vulgaire (c'est le cas de Robert Bresson, après Cocteau).

1   Le cinématographe a cinquante ans (...) Fort peu pour une Muse qui s'exprime par l'entremise de fantômes et d'un matériel encore en enfance si on le compare à l'usage de l'encre et du papier.   COCTEAU, la Difficulté d'être, p. 74.
2   Le cinématographe est un art. Il se délivrera de l'esclavage industriel dont les platitudes ne l'incriminent pas plus que les mauvais tableaux et les mauvais livres ne discréditent la peinture et les lettres.   COCTEAU, la Difficulté d'être, p. 78.

DÉR. **Cinéma, cinématographie, cinématographier, cinématographique.**

CINÉMATOGRAPHIE [sinematɔgʀafi] n. f. — 1895 ; de *cinématographe*.

♦ Didact. Le cinéma en tant que technique ou art. ⇒ **Cinéma** (2.), **cinématographe** (2.).

CINÉMATOGRAPHIER [sinematɔgʀafje] v. tr. — 1897 ; de *cinématographe*.

♦ Vieilli. Prendre en film. ⇒ **Filmer, tourner.** — Au p. p. *Scène cinématographiée.*

Quantité de métiers à tisser, occupés le plus souvent par des enfants. Marc cinématographie un de ceux-ci, tout jeune encore, d'une habileté prodigieuse.
GIDE, Voyage au Congo, *in* Souvenirs, Pl., p. 823.

CINÉMATOGRAPHIQUE [sinematɔgʀafik] adj. — 1896 ; de *cinématographe*.

♦ Qui se rapporte au cinéma. *Art, technique cinématographique. Pellicule, film cinématographique* (→ Acétocellulose, cit. 1). *Industrie cinématographique. Film, spectacle, séance cinématographique. Complexe* cinématographique. Institut des hautes études cinématographiques* ou *I.D.H.E.C.* [idɛk]. — REM. Cet adjectif, à la différence de *cinématographe*, est resté usuel en l'absence d'un adjectif correspondant à *cinéma*.

Quelques-uns voulaient que le roman fût une sorte de défilé cinématographique des choses. Cette conception était absurde.
PROUST, le Temps retrouvé, Pl., t. III, p. 882.

DÉR. **Cinématographiquement.**

CINÉMATOGRAPHIQUEMENT [sinematɔgʀafikmɑ̃] adv. — 1907 ; de *cinématographique*.

♦ Didact. ou vieilli. D'une manière cinématographique.

La vie de partout se précipite, se bouscule, animée d'un mouvement fou (...) et disparaît cinématographiquement comme les arbres, les haies, les murs, les silhouettes qui bordent la route (...)   O. MIRBEAU, la 628-E8, le Départ, p. 7.

CINÉMOGRAPHE [sinemɔgʀaf] n. m. — Mil. xxᵉ ; de *cinémo-*, du grec *kinêma* « mouvement » (→ Cinéma-, 1.), et *-graphe*.

♦ Techn. Instrument qui mesure et enregistre les vitesses.

CINÉMOMÈTRE [sinemɔmɛtʀ] n. m. — 1904, in *Rev. gén. des sc.*, n° 3, p. 158 ; de *cinémo-*, du grec *kinêma* « mouvement » (→ Cinéma-, 1.), et *-mètre*.

♦ Techn. Indicateur de vitesse.

CINÉ-ŒIL [sineœj] n. m. — 1928 ; calque du russe *kino-glass*, de *kino* « cinéma », et *glass* « œil ».

♦ Didact. (hist. du cinéma). Théorie d'un groupe de cinéastes russes, visant à reproduire la vie le plus objectivement possible. « *Dans l'un de ses fracassants manifestes, paru en 1923, Vertov s'écriait, lyrique : " Je suis le ciné-œil. Je suis l'œil mécanique. Je suis la machine qui vous montre le monde comme elle seule peut le voir "* » (*l'Express*, 24 janv. 1972, p. 45). *Le ciné-œil est proche du cinéma*-vérité contemporain.*

CINÉ-PARC [sinepaʀk] n. m. — V. 1970 ; mot québécois, de 1. *ciné-*, et *parc*.

♦ (Au Québec). Cinéma en plein air (équivalent franç. de l'angl. *drive-in*). *Des ciné-parcs.*

CINÉPHILE [sinefil] adj. et n. — 1912 ; de 1. *ciné-*, et *-phile*.

♦ Didact. Amateur et connaisseur en matière de cinéma. *Les cinéphiles qui fréquentent les ciné-clubs* lisent les revues de cinéma. C'est une cinéphile enragée.*

Au dossier que des cinéphiles ont consacré au cinéma hitlérien, il y a ce nouvel élément à verser : la production nazie était arrivée à fabriquer une œuvre qui enchanta la matinée de deux Juifs.   Joseph JOFFO, Un sac de billes, p. 95.

CINÉRAIRE [sineʀɛʀ] adj. — 1732 ; du lat. *cinerarius*, de *cinis, cineris* « cendre ».

★ **I.** Qui renferme ou est destiné à renfermer les cendres d'un mort. *Vase, urne cinéraire.*

La lune, se levant dans un ciel pur, entre deux urnes cinéraires à moitié brisées.   1
CHATEAUBRIAND, René.

(...) Maint rêve vespéral brûlé par le Phénix   2
Que ne recueille pas de cinéraire amphore.
MALLARMÉ, Plusieurs sonnets, III, Pl., p. 68.

★ **II.** (1807 ; *cineraria*, 1803). Plante dicotylédone *(Composacées)* aux fleurs colorées, aux feuilles cendrées. *Cinéraire des jardins. Cinéraire maritime.*

Souvent, ayant vu à la boutonnière de M. de Montesquiou une fleur et l'ayant   3
remarquée, ce connaisseur consomma des beautés artistiques de la nature d'un mot l'enflamma d'amour pour la rose mousseuse, le calice de la gentiane dont le bleu est si profond, l'admirable couleur des cinéraires.
PROUST, Jean Santeuil, Pl., p. 332.

CINÉRAMA [sineʀama] n. m. — 1912, *Cinérama-Théâtre* ; marque déposée reprise à l'angl., du faux suff. *-rama* pour *-orama* ; cf. *Cinéorama*, en français, 1896.

♦ Procédé de cinéma sur plusieurs grands écrans juxtaposés (trois projecteurs ; trois images), par analyse et reconstitution de l'image (à la différence de la polyvision).

(...) il voyait deux images nettement décalées dans le sens de la hauteur. Comme la jointure floue du Cinérama, mais en plaçant un écran plus bas. Diplopie.
Claude COURCHAY, La vie finira bien par commencer, p. 83.

CINÉRITE [sineʀit] n. f. — 1845 ; du lat. *cinis, cineris* « cendre ».

♦ Géol. Dépôt de cendres volcaniques stratifiées.

CINÉROMAN [sineʀɔmɑ̃] n. m. — 1918 ; de 1. *ciné-*, et *roman*.

♦ Hist. du cinéma. Film à épisodes (1920-1930). — Film qui donne la primauté au récit et à une action mouvementée. « *Le nouveau cinéroman d'Arthur Bernède, mis en scène par M. Jean Kemm, retrace la période la plus mouvementée et la plus émouvante de la vie du célèbre ex-bagnard* » (*l'Écho de Paris*, 23 févr. 1923).
Mod. Roman populaire (en dessins, en photos), tiré d'un film.
REM. On écrit aussi *ciné-roman*.

-CINÈSE Élément, du grec *kinêsis* « mouvement ». ⇒ aussi **-cinésie.**

CINÉ-SHOP [sineʃɔp] n. m. — 1971 ; de 1. *ciné-*, et angl. *shop*.

♦ Anglic. Boutique de vente de matériel (disques, livres, affiches, etc.) en rapport avec le cinéma. « *Depuis un an, une vingtaine de ciné-shops ont ouvert dans six salles parisiennes* » (*l'Express*, 6-12 nov. 1972).

-CINÉSIE ou **-KINÉSIE** Élément, du grec *-kinêsia* « faculté de se mouvoir », de *kinein* « mouvoir ». — Ex. : *bradycinésie*. ⇒ aussi **-cinèse.**

CINÉTHÉODOLITE [sinetɔdɔlit] n. m. — 1973 ; de 1. *ciné-*, et *théodolite*.

♦ Didact. (sc.). Instrument de visée mesurant sur un film cinématographique les variations des angles de gisement et de site d'un axe optique maintenu sur le mobile dont on veut restituer la trajectoire.

CINÉTIQUE [sinetik] adj. et n. f. — 1877 ; du grec *kinêtikos* « qui met en mouvement ; qui se meut », de *kinêtos* « mobile ». → *-cinésie*. Didactique.

♦ **1.** Qui a le mouvement pour principe. *Théorie cinétique des gaz, de la matière. Énergie cinétique :* moitié de la force vive d'un point matériel en mouvement ($1/2 \, m \, v^2$).
(1920). *Art cinétique :* forme d'art plastique fondée sur le caractère

changeant d'une œuvre par effet optique (mouvement réel ou virtuel).

♦ **2.** N. f. *Cinétique chimique :* étude de la vitesse et du mécanisme des réactions chimiques.

Théorie expliquant un ensemble de phénomènes par le mouvement de la matière.

♦ **3.** Sémiologie. ⇒ **Kinésique,** 2.

COMP. Électrocinétique.

CINÉ-TIR [sinetiʀ] n. m. — Mil. xxᵉ ; de 2. *ciné-,* et *tir.*

♦ Techn. (milit.). Tir sur un objectif mobile.

CINÉTOGENÈSE [sinetoʒɛnɛz ; sinetoʒənɛz] n. f. — 1897 ; de *cinéto-,* du grec *kinêtos* « mobile », et *-genèse.*

♦ Biol. Développement des organes sous l'effet du fonctionnement répété.

CINGALAIS, AISE ou **CINGHALAIS, AISE** [sɛ̃galɛ, ɛz] adj. et n. — 1751, *chingulais ;* tamoul *cingala,* par l'anglais.

♦ Se dit des habitants d'origine indo-européenne et de religion bouddhiste de la partie sud et ouest de Ceylan (Sri-Lanka).

REM. L'adjectif géographique de Ceylan est *ceylanais, aise* [sɛlanɛ, ɛz], de l'angl. *ceylanese.* Les *Cinghalais, les Veddas aborigènes, les Tamouls, etc., forment la population ceylanaise.*

N. *Le cingalais :* la langue indo-aryenne parlée par les Cingalais.

1. CINGLAGE [sɛ̃glaʒ] n. m. — 1762 ; *singlage,* 1340 ; de 1. *cingler.*

♦ Mar. (Rare et vx). Chemin que fait ou peut faire un navire en vingt-quatre heures.

2. CINGLAGE [sɛ̃glaʒ] n. m. — 1827 ; de 2. *cingler.*

♦ Techn. Opération métallurgique qui consiste à faire disparaître les pores du métal (par compression ou choc). ⇒ **Cingleur.**

CINGLANT, ANTE [sɛ̃glã, ãt] adj. — Av. 1850 ; *chinglant* « flexible », v. 1375 ; de 2. *cingler.*

♦ **1.** Qui cingle. *Il courut sous une pluie cinglante.*

Durtal le connaissait, ce moment délicieux où l'on reprend haleine, encore abasourdi par ce brusque passage d'une bise cinglante à une caresse veloutée d'air.
HUYSMANS, la Cathédrale, p. 7.

♦ **2.** Abstrait. (Plus cour.). Qui blesse. ⇒ **Blessant, cruel, sévère, vexant.** *Une remarque, une leçon cinglante. Il répondit avec une ironie cinglante.*

CONTR. Affable, aimable, amène, doux.

CINGLÉ, ÉE [sɛ̃gle] adj. et n. — 1836, « ivre » ; du p. p. de 2. *cingler.*

♦ Fam. Un peu fou. ⇒ **Cinoque, cintré, dingue, toqué.** *Il est à moitié cinglé. Non, mais ça va pas, tu es complètement cinglé, de faire ça ! Ce gosse va me rendre cinglée.*

1 — Je suppose que vous n'avez pas besoin du conseil d'un avocat pour savoir ce que vous avez à faire.
— Mais si. Je n'y vois plus clair, moi ! Je deviens cinglé !...
H. TROYAT, la Tête sur les épaules, p. 125.

N. *Un, une cinglé(e).*

2 (...) tous les agités, tous les anxieux, tous les cinglés qui composent le plus clair de nos sociétés. G. DUHAMEL, Cri des profondeurs, II, p. 34.

3 Causer avec papa la moitié de la journée et soigner des cinglés pendant l'autre moitié, tu parles d'une existence ! S. DE BEAUVOIR, les Mandarins, p. 61.

HOM. 1. Cingler, 2. cingler.

1. CINGLER [sɛ̃gle] v. intr. — xvᵉ ; *sigler,* xiiᵉ ; *singler,* xivᵉ, par attraction de 2. *cingler ;* empr. au scandinave *sigla.*

♦ Mar. Faire voile* dans une direction. ⇒ **Avancer** (s'), **marcher, naviguer, progresser** (faire). *Le navire cingle vers Le Cap.* —
REM. En t. de marine, *cingler* s'applique à « la route d'un navire sous voiles » (Gruss, qui note que le terme est tombé en désuétude).

1 (...) si j'étais libre, le premier navire cinglant aux Indes aurait des chances de m'emporter. CHATEAUBRIAND, Mémoires d'outre-tombe, IV, VI.

Fig. et littér. ⇒ **Voguer.**

2 Il y a des gens qui gagnent à être extraordinaires ; ils voguent, ils cinglent dans une mer où les autres échouent et se brisent (...)
LA BRUYÈRE, les Caractères, XI, 96.

3 Le 10 juin, Sieyès dit, en entrant dans l'assemblée : « Coupons le câble, il est temps ». Depuis ce jour, le vaisseau de la Révolution, malgré les tempêtes et malgré les calmes, retardé, jamais arrêté, cingla vers l'avenir.
MICHELET, Histoire de la Révolution franç., t. I, p. 99.

À cinq heures du matin, l'ancre fut levée. Pencroff prit un ris dans sa grande voile 4
et mit le cap à l'est-nord-est, de manière à cingler directement vers l'île Lincoln.
J. VERNE, l'Île mystérieuse, t. II, p. 507.

CONTR. Arrêter (s'), **ancre** (jeter l'ancre, être à l'ancre).
DÉR. 1. Cinglage.
HOM. Cinglé, 2. cingler.

2. CINGLER [sɛ̃gle] v. tr. — xivᵉ ; *singler,* xiiiᵉ et jusqu'au xviiᵉ ; altér. de *sangler* « donner des coups de sangle », problablt d'après une forme régionale ; cf. le lat. *cingula* « ceinture ».

★ **I.** ♦ **1.** (Sujet n. de personne). Frapper fort (qqn, un animal, une partie du corps...) avec un objet mince et flexible. ⇒ **Baguette, cravache, corde, cordelette, fouet, lacet, lanière, sangle, verge...** *Il lui cingla les jambes d'un bon coup de fouet.* ⇒ **Battre, cravacher, flageller, fouailler, fouetter...** *Cingler un cheval.* — (Sujet n. de la chose qui cingle). → ci-dessous, cit. 1.

1 Le fouet du postillon cingla les quatre chevaux d'attelage, et la voiture se mit à rouler vers Paris. E. FROMENTIN, Dominique, IV, p. 63.

2 Le capitaine à tête de fleuve les sépara en les cinglant tous deux avec une lanière en cuir d'hippopotame. LOTI, Mon frère Yves, LXXXVII, p. 208.

Au participe passé :

3 (...) je l'ai vue saisir sa cravache qui était sur une chaise et vlan ! un grand coup cinglé à travers la figure de Hirsch !
MARTIN DU GARD, les Thibault, t. III, p. 75.

Absolt. *Coup de fouet qui cingle.* ⇒ **Cinglon** (vx).

(1765). Spécialt. Techn. Marquer d'une ligne (une surface) au moyen d'une corde tendue, enduite de craie, de charbon, qu'on écarte et qu'on laisse revenir brusquement.

♦ **2.** Par anal. Frapper, fouetter (le sujet désigne le vent, la pluie, la neige... ; le compl. désigne une chose, une partie du corps). *Le vent cingle le visage. Le sable cinglant leurs jambes.* — Absolt. → ci-dessous, cit. 4. *Le vent cingle.* ⇒ **Couper, fouetter.**

4 Une grosse pluie, qui était venue, passait aussi tout en biais, horizontale, et ces choses ensemble sifflaient, cinglaient, blessaient comme des lanières.
LOTI, Pêcheur d'Islande, II, I, p. 77.

5 (...) de temps en temps, un vol de pluie ou de grêle venait cingler les carreaux.
G. DUHAMEL, Chronique des Pasquier, VII, XXVII, p. 247.

Cingler le visage de qqn.

6 Le vent était glacial. Il me cinglait la figure, me coupait la peau. J'avançais, tête basse. H. BOSCO, le Jardin d'Hyacinthe, Sidonie, IV, p. 109.

♦ **3.** Fig. Exciter (les nerfs, le désir, une pulsion...). ⇒ **Attiser.**

7 Les éclairs se succédaient sans interruption, cinglant les nerfs.
MARTIN DU GARD, les Thibault, t. VII, p. 283.

8 (...) ce fut comme un coup de fouet qui cingla son désir.
MARTIN DU GARD, les Thibault, t. II, p. 118.

♦ **4.** Attaquer* violemment (qqn) avec des paroles qui n'admettent pas de réponse. ⇒ **Blesser, critiquer, fouailler, moucher** (fam.), **vexer.**

9 La joie de crâner, tu comprends, de cingler quelqu'un d'une réplique.
R. DORGELÈS, les Croix de bois, XV, p. 282.

★ **II.** (1765). Techn. Battre (le fer) au sortir des fours. ⇒ **Corroyer, forger.**

10 (...) le résultat définitif fut une loupe de fer, réduite à l'état d'éponge, qu'il fallut cingler et corroyer, c'est-à-dire forger, pour en chasser la gangue liquéfiée.
J. VERNE, l'Île mystérieuse, t. I, p. 201.

DÉR. 2. Cinglage, cinglant, cinglé, cingleur, cinglon, cinglure.
HOM. Cinglé, 1. cingler.

CINGLEUR [sɛ̃glœʀ] n. m. — 1866 ; de 2. *cingler.*
Technique (métallurgie).

♦ **1.** Marteau-pilon utilisé pour le cinglage du fer. ⇒ 2. **Cinglage,** 2. **cingler** (II.).

♦ **2.** *Cingleur,* ou, en appos., *ouvrier cingleur :* ouvrier chargé du cinglage du fer.

En face de chaque four et lui correspondant, un marteau-pilon, mis en mouvement par la vapeur d'une chaudière verticale logée dans la cheminée même, occupait un ouvrier « cingleur ». Armé de pied en cap de bottes et de brassards de tôle, protégé par un épais tablier de cuir, masqué de toile métallique, ce cuirassier de l'industrie prenait au bout de ses longues tenailles la loupe incandescente et la soumettait au marteau. J. VERNE, les 500 Millions de la Bégum, p. 70.

CINGLON [sɛ̃glɔ̃] n. m. — Av. 1799, « singlon » ; de 2. *cingler.*

♦ Vx. Coup (de fouet) qui cingle.

(...) il me donne une vingtaine de coups depuis le milieu du ventre jusqu'au bas des cuisses, puis me les faisant écarter, il frappa rudement dans l'intérieur de l'antre que je lui ouvrais par mon attitude. — Voilà, dit-il, l'oiseau que je veux plumer : quelques cinglons ayant, par les précautions qu'il prenait, pénétré fort avant, je ne pus retenir mes cris. SADE, Justine..., t. I, p. 183.

CINGLURE [sɛ̃glyʀ] n. f. — V. 1950 ; de 2. *cingler.*

♦ Rare. Action de cingler, et, fig., blessure morale.

CINGULUM [sɛ̃gylɔm] n. m. — 1843, t. de bot.; mot. lat., «ceinture».

♦ Didact. Partie de la couronne dentaire des incisives et des canines, présentant un bourrelet de l'émail près du sillon lingual.

CINNAME [sinam] n. m. — XIIIᵉ, cename; du lat. cinnammum, du grec kinnammon. → Cinnamome.

♦ Vx ou littér. Cinnamome (2.). Arbre à cinname.

Camphriers, arbres à cinname à fruits mousseux comme des savons (...)
Paul MORAND, Rien que la Terre, p. 205.

DÉR. Cinnamique.

CINNAMIQUE [sinamik] adj. — 1834; de cinname.

♦ Chim. Se dit de l'acide ($C_9H_8O_2$) ou de l'aldéhyde (C_9H_8O) extraits du baume du Pérou.

CINNAMOME [sinamɔm] n. m. — 1636; chinnamome, XIIIᵉ; du lat. cinnamomum, du grec kinnamômon, de kinnammon. → Cinname.

♦ **1.** Bot. Genre d'arbrisseau aromatique (Lauracées) originaire des régions chaudes de l'Asie. Cinnamome camphre (cinnamomum camphora). Cinnamome cannelier*.

♦ **2.** Didact. ou littér. Aromate tiré du cinnamome cannelier (Cinnamomum zeynalicum, de Ceylan) utilisé par les Anciens. ⇒ **Cannelle** (→ Cassolette, cit. 2).

Quand il (Tétrarque) entra dans sa chambre (celle de Hérodias), du cinnamome fumait sur une vasque de porphyre (...) FLAUBERT, Trois contes, « Hérodias », II.

CINOCHE [sinɔʃ] n. m. — 1935, Esnault; du rad. de cin(éma), et suff. argotique -oche.

♦ Pop. Cinéma. Aller au cinoche. ⇒ **Ciné.**

(...) il avait mis un moment à s'apercevoir, se rendre compte (...) qu'elle était non seulement une femme mais la femme la plus femme qu'il eût encore jamais vue, même en imagination : « Même au cinoche, dit-il. Mince ! »
Claude SIMON, la Route des Flandres, p. 119.

CINOQUE [sinɔk] adj. et n. — 1930, Chautard; de cinoquet, argot, «tête».

♦ Pop. (Vieilli). Fou. ⇒ **Cinglé, cintré, toqué, zinzin.** Elle est un peu cinoque. — Un, une cinoque.

Tu ne me feras pas croire qu'il y a tant de cinoques dans cet immeuble. — Mon singe (le gérant) s'occupe de vingt immeubles à Paris. C'est partout comme ça. Aujourd'hui la plupart des gens sont cinglés.
P. GUTH, le Naïf locataire, p. 85.

CINQ [sɛ̃k] adj. et n. m. — 1080, cinc; du lat. pop. cinque, lat. class. quinque.

★ **I.** Adj. (Prononcé [sɛ̃] devant consonne; [sɛ̃k] dans les autres cas).

♦ **1.** Adjectif numéral cardinal, invariable. Quatre plus un. Les cinq doigts de la main. Les cinq sens. Étoile à cinq branches. Tragédie en cinq actes. Une pièce de cinq francs. ⇒ **Thune** (pop.). Cinq cents, cinq mille. Cinq dixièmes.

1 Il quitte libéralement cent millions d'or et il fait le sévère pour cinq sous.
BOSSUET, Sermons, Satisfaction..., 2.

2 Je répondis en lui couvrant la face de mes cinq doigts. VOLTAIRE, le Pauvre Diable.

3 L'orchestre composé de cinq artistes de banlieue (...)
MAUPASSANT, la Femme de Paul, p. 26.

4 Ceux qui ont cinq enfants légitimes (...) Code civil, art. 436.

Le conseil des Cinq-Cents. ⇒ **Conseil.**

Ensemble de cinq choses de même nature. ⇒ **Penta-, quinqua-, quinte.** Cinq fois. ⇒ **Quintuple; quintupler.** Cinquante, ou cinq fois dix. Cinq enfants jumeaux. ⇒ **Quintuplé.** Gouvernement à cinq chefs. ⇒ **Pentarchie.** Cinq musiciens jouant ensemble. ⇒ **Quintette.** Réunion de cinq villes. ⇒ **Pentapole.** Ensemble de cinq exercices d'athlétisme. ⇒ **Pentathlon.** Cinq numéros d'un jeu. ⇒ **Quine.** Cinq cartes qui se suivent. ⇒ **Quinte.** Figure à cinq côtés. ⇒ **Pentagone.** Polyèdre à cinq faces. ⇒ **Pentaèdre.** Cinquain, strophe de cinq vers. ⇒ **Quintil.** Vers de cinq syllabes. ⇒ **Pentamètre.** Intervalle de cinq notes. ⇒ **Quinte.** Corolle à cinq pétales. ⇒ **Pentapétale.** Les cinq premiers livres de la Bible. ⇒ **Pentateuque.** Les cinq parties du monde. — Espace de cinq ans. ⇒ **Lustre.** Chose qui dure cinq ans ou se reproduit tous les cinq ans. ⇒ **Quinquennal.**

Quatre ou cinq, cinq ou six : un petit nombre de...

5 Ils demandaient fort peu, certains que le secours
Serait prêt dans quatre ou cinq jours. LA FONTAINE, Fables, VII, 3.

6 Cinq ou six coups de bâton (...) ne font que ragaillardir l'affection.
MOLIÈRE, le Médecin malgré lui, I, 2.

Ellipt. Passez me voir demain, je serai là de deux à cinq, de deux heures à cinq heures. — Fam. (pour main). Tu en veux cinq (doigts) sur la figure?

J'aimerais être seul cinq minutes. Dans cinq minutes : très bientôt.

Cinq minutes ! : Attendez ! — Ellipt. Fam. Le train part à cinq, cinq minutes passé l'heure. Il était moins cinq : cinq minutes de plus et cela arrivait. LES CINQ LETTRES, euphémisme pour le juron « merde ». Je lui ai dit les cinq lettres.

6.1 (Cela) lui parut une provocation appelant l'insolence. — Vous, répondit-il, je vous dis cinq lettres. M. AYMÉ, le Passe-muraille, p. 136.

♦ **2.** Adjectif numéral ordinal, invariable. ⇒ **Cinquième, quinto.** Numéro cinq. Chambre cinq. Tome cinq. Charles cinq. ⇒ **Quint.** Prendre le thé à cinq heures (cf. Five o'clock, anglic.). — Ellipt. Fam. Le cinq heures : le goûter (plus souvent : le quatre heures).

Ellipt. Le cinq avril. Partir le cinq. Tous les cinq du mois. Il est cinq ou sixième.

★ **II.** N. m. [sɛ̃k]. ♦ **1.** Nombre premier. Le nombre cinq. Cinq et quatre font neuf. Cent trente-cinq. Nombre divisible par cinq. ⇒ **Quinaire.** Un virgule cinq : un et demi. Compter de cinq en cinq. Ils sont venus tous les cinq. Objets placés cinq par cinq. ⇒ **Quinconce.** Cinq pour cent* : cinq centièmes. Prêter à cinq pour cent. — Vx. De l'argent au denier cinq, qui rapporte vingt pour cent.

7 Cent francs au denier cinq combien font-ils? — Vingt livres. BOILEAU, Satires, VIII.

8 Trois et deux font cinq, et cinq font dix. MOLIÈRE, le Malade imaginaire, I, 1.

Un cinq à sept, réception de « petit soir » entre cinq et sept heures; (plus cour.) rendez-vous, rencontre érotique dans l'après-midi. Carte à jouer marquée de cinq points. Le cinq de pique. Double cinq : domino marqué de dix points.

Loc. pop. Cinq et trois font huit, se dit d'un boiteux. — (Loc. fam.). En cinq sec : très rapidement.

9 Les efforts qu'il avait multipliés, avec son air de ne pas y toucher pour empêcher Joseph Pasquier de se débarrasser, en cinq sec, de cette affaire impossible (...)
G. DUHAMEL, Chronique des Pasquier, X, X, p. 456.

Un, deux... sur cinq (fractions). — Loc. Je vous reçois cinq sur cinq, parfaitement (langage des télécommunications militaires).

♦ **2.** Chiffre qui représente ce nombre (5). Le cinq romain. Le cinq arabe. Il fait ses cinq comme des S. Linge marqué d'un cinq.

10 (...) Des bouts de fumée en forme de cinq
Sortaient drus et noirs des hauts toits pointus.
VERLAINE, Poèmes saturniens, « Eaux fortes », I.

DÉR. Cinquième.
HOM. Ceint, sain, saint, sein, seing.

CINQUANTAINE [sɛ̃kɑ̃tɛn] n. f. — XIIIᵉ, cinquantene; de cinquante.

♦ Nombre de cinquante ou d'environ cinquante. Une cinquantaine d'enveloppes. — (1694). Spécialt. Approcher de la cinquantaine (de cinquante ans), en parlant de l'âge de qqn. ⇒ **Quinquagénaire.**

1 Il porte gaillardement sa cinquantaine (...)
MARTIN DU GARD, les Thibault, t. III, p. 22.

2 « Je vais avoir la cinquantaine, » écrivait Stendhal (par un choix étrange) sur la ceinture de son pantalon, et le même jour il établissait avec soin la liste des femmes qu'il avait aimées. A. MAUROIS, Un art de vivre, V, 1, p. 193.

DÉR. Cinquantenier.

CINQUANTE [sɛ̃kɑ̃t] adj. et n. m. — 1080; du lat. pop. cinquaginta, lat. class. quinquaginta.

★ **I.** ♦ **1.** Adjectif numéral cardinal, invariable. ⇒ **Quinqua-.** Cinquante pages. Cinquante francs. Cinquante mille. Un demi-siècle ou cinquante ans. Une personne de cinquante ans. ⇒ **Cinquantenaire, quinquagénaire.** Celui qui dirige cinquante hommes. ⇒ **Cinquantenier.** Ensemble de cinquante choses de même nature. ⇒ **Cinquantaine.**

1 Alors, Dieu dit à Noé (...) la longueur de l'arche sera de trois cents coudées, sa largeur de cinquante coudées (...) BIBLE (CRAMPON), Genèse, 6, 13.

2 Le bel âge est à plus de cinquante ans, et moins de soixante : tout y est tragique, la mort est derrière la toile pour faire le dénouement.
André SUARÈS, Trois hommes, « Ibsen », VI, p. 146-147.

3 L'empereur Charles VI mourut au mois d'octobre 1740, à l'âge de cinquante ans. VOLTAIRE, le Siècle de Louis XIV, 5.

Cinquante endroits, cinquante fois... : un grand nombre de... ⇒ **Trente-six, cent.** Je ne vous le répéterai pas cinquante fois.

4 Il y a sans exagérer cinquante endroits (...)
BOSSUET, les Nouveaux Mystiques, 4.

5 J'appartiens à un peuple de paysans qui cultivent avec amour, depuis des siècles, cinquante prunes différentes et qui trouvent à chacune un goût délicieusement incomparable. G. DUHAMEL, Scènes de la vie future, XV, p. 231.

♦ **2.** Adjectif numéral ordinal, invariable. ⇒ **Cinquantième.** Numéro cinquante. La page cinquante.

★ **II.** N. m. Le nombre cinquante. Cinq fois dix font cinquante. Cent cinquante. Cinquante-sept. Cinquante pour cent* : la moitié. Deux virgule cinquante : deux et demi.

(Valeur ordinale). *Le cinquante :* le numéro cinquante (d'une voie). *Il habite dans l'avenue, au cinquante.*

DÉR. **Cinquantaine, cinquantième, cinquantenaire.**

CINQUANTENAIRE [sɛ̃kɑ̃tnɛʀ] adj. et n. — 1775 ; de *cinquante,* d'après *centenaire.*

♦ **1.** Rare. Qui a cinquante ans d'âge. *Cet homme est cinquantenaire. Un monument cinquantenaire.* — N. m. et f. Personne qui a cinquante ans, quinquagénaire. *Un, une cinquantenaire.* ⇒ **Quinquagénaire.**

♦ **2.** N. m. Cinquantième anniversaire. *Le cinquantenaire de son entrée en fonction.* ⇒ **Jubilé.** *Le cinquantenaire du cinéma.*

CINQUANTENIER [sɛ̃kɑ̃tənje] n. m. — XIIIᵉ ; de *cinquantaine.*

♦ Hist. médiévale. Celui qui commandait une compagnie de cinquante hommes.

CINQUANTIÈME [sɛ̃kɑ̃tjɛm] n. et adj. — XIIIᵉ ; de *cinquante.*

★ **I.** Qui succède au quarante-neuvième.

♦ **1.** Adjectif numéral ordinal. *Le cinquantième chapitre. Article cinquantième.* ⇒ **Cinquante.** *Mettre un cachet aux cinquantièmes pages des livres. Cinquantième année d'une fonction.* ⇒ **Jubilé.** *Cinquantième anniversaire.* ⇒ **Cinquantenaire.** *Le cinquantième jour avant Pâques.* ⇒ **Quinquagésime.**

♦ **2.** N. m. et f. *Il est le, elle est la cinquantième de sa classe. Le trois cent cinquantième jour.*

★ **II.** Se dit d'une fraction d'un tout divisé également en cinquante.

♦ **1.** Adj. *La cinquantième partie des revenus.*

♦ **2.** N. m. *Le cinquantième d'une quantité ; d'un bénéfice. Je n'en ai pas encore fait le cinquantième : je n'ai presque rien fait.*

CINQUIÈME [sɛ̃kjɛm] adj. et n. — 1175, *cinquisme ;* de *cinq.*

★ **I.** Qui succède au quatrième.

♦ **1.** Adjectif numéral ordinal. ⇒ **Quint** (vx). *La cinquième rue à gauche. Le cinquième étage,* et, ellipt. (n. m.), *le cinquième. Il habite au cinquième, au cinquième (à) droite, (à) gauche. Cinquième édition. Cinquième acte. Être dans la cinquième classe,* ou, ellipt., *en cinquième. Monter de cinquième en quatrième. Professeur de cinquième. L'auriculaire. Cinquième doigt de la main. Cinquième jour de la décade républicaine.* ⇒ **Quintidi.**

Je voudrais être à un cinquième étage avec une vieille servante et 1 500 livres de revenu.
D'ALEMBERT, Art. du Card. Dubois, X, p. 97, *in* LITTRÉ, Dict., art. *Étage.*

Loc. *Être la cinquième roue du carrosse.* ⇒ **Roue.**

♦ **2.** N. m. et f. *Se présenter le cinquième. Être le vingt-cinquième d'une liste. Elle est née la cinquième.*

★ **II.** Se dit d'une fraction d'un tout divisé également en cinq.

♦ **1.** Adj. *La cinquième partie d'un héritage.*

♦ **2.** N. m. *Consacrer un cinquième du budget au loyer. Les trois cinquièmes des gens...,* un peu plus de la moitié. *Je n'en crois pas le cinquième : je n'en crois presque rien.*

DÉR. **Cinquièmement.**

CINQUIÈMEMENT [sɛ̃kjɛmmɑ̃] adv. — 1550 ; de *cinquième.*

♦ En cinquième lieu. ⇒ **Cinq, quinto.**

CINTRAGE [sɛ̃tʀaʒ] n. m. — 1869 ; mar., 1694 ; de *cintrer.*

♦ Techn. Opération par laquelle on cintre une pièce. ⇒ **Courbure.** *Le cintrage d'un ouvrage en ciment armé. Cintrage au four des feuilles de verre.* ⇒ **Bombage.**

HOM. **Ceintrage.**

CINTRE [sɛ̃tʀ] n. m. — 1300 ; de *cintrer.*

♦ **1.** Courbure hémisphérique concave de la surface intérieure (d'une voûte, d'un arc). ⇒ **Arc, arceau, cerceau, voûte.** *Cintre en anse* de panier.*
Archit. Figure en arc de cercle. *La tablette du cintre d'une arcade.* ⇒ **Imposte.** *Les claveaux* d'un cintre.*

1 Au dehors *(du château),* le claveau du cintre offrait encore l'écusson des Soulanges (...)
BALZAC, les Paysans, Pl., t. VIII, p. 32.

(1676). PLEIN CINTRE : cintre dont la courbure est un demi-cercle. *Voûte, arcade en plein cintre, de plein cintre. Voûte romane* en*

---

plein cintre. — (N. m.). *Le plein cintre* (opposé à *arc brisé*). — Vx. *Le cintre :* le plein cintre.

Ils s'en vont raisonnant de l'ogive et du cintre.
HUGO, les Feuilles d'automne, XXVIII.

Je suis allé une fois à Oxford, où j'ai admiré la chapelle du collège de Christ-Church, où il y a de l'architecture saxonne, à piliers massifs, à pleins cintres et à ornements à *zigzags* (...)
SAINTE-BEUVE, Correspondance, t. I, 51, 26 août 1828, p. 103.

Cintre surbaissé, dont la courbure elliptique repose sur le grand axe. *Cintre surmonté,* dont la courbure elliptique repose sur le petit axe.

♦ **2.** (1549). Techn. (charpenterie). Échafaudage en arc de cercle sur lequel on construit les voûtes. *Poser, lever les cintres.* ⇒ **Armature, coffrage.**

♦ **3.** (1753). Techn. (théâtre). Le rang de loges le plus élevé. *Loges du cintre.* — Partie du théâtre située au-dessus de la scène, entre le décor et les combles.

♦ **4.** (1900). Cour. Dispositif en bois, en métal ou en matière plastique servant à suspendre les vêtements. ⇒ **Porte-manteau ; pince-jupe, porte-jupe.**

♦ **5.** (Sports). Partie incurvée d'un guidon (de vélo de course).

HOM. **Ceintre.**

CINTRÉ, ÉE [sɛ̃tʀe] adj. — XXᵉ, de *cintrer.*

♦ Fam. et vieilli. Un peu fou, «tordu». ⇒ **Cinglé, dingue.** *Il est un peu cintré.*

HOM. **Ceintrer, cintrer.**

CINTRER [sɛ̃tʀe] v. tr. — XVᵉ ; en wallon, *voûte chintrée,* 1349 ; du lat. pop. **cincturare,* de *cinctura* «ceinture».

♦ **1.** Archit. Bâtir en cintre* ; donner la forme du cintre à (qqch.). *Cintrer une galerie, une porte.*

♦ **2.** Techn. et cour. Rendre courbe, concave ou convexe (ce qui était droit ou plan). ⇒ **Bomber, cambrer, courber.** *Cintrer des plaques de métal. Cintrer une barre, un rail, un tuyau.* — Absolt. *Machine, presse à cintrer. Cintrer à la vapeur.*

♦ **3.** (1611 ; du sens «entourer, ceindre»). Cour. Rendre (un vêtement) ajusté à la taille. *Cintrer une redingote.*

♦ **4.** Argot scol. (vieilli). ⇒ **Coller, tordre.** *Il s'est fait cintrer à son examen.*

▶ CINTRÉ, ÉE p. p. adj. *Fenêtre cintrée. Toit cintré. Veste bien cintrée,* ajustée, serrée à la taille.

(...) la chapelle, d'un style pauvre et maussade, lourdement coiffée de tuiles, présentait son pignon nu, percé d'un œil de bœuf et d'une porte cintrée (...)
FRANCE, Les dieux ont soif, p. 142.

Vx. *Dos cintré* (→ Bastonnade, cit. 2). ⇒ **Courbé.**

CONTR. **Décintrer, redresser.**
DÉR. **Cintrage, cintre, cintré, cintreuse.**
HOM. **Ceintrer, cintré.**

CINTREUSE [sɛ̃tʀøz] n. f. — 1927 ; de *cintrer.*

♦ Techn. Machine qui effectue le cintrage des tubes. *Cintreuse pour tôles.*

CIPAL [sipal] n. m. — Av. 1848 ; abrév., par aphérèse, de *(garde) municipal.*

♦ Pop., vx. Garde municipal. ⇒ **Municipal.** «*Des flics, des cipaux, un peu de populo* (cit. 2) *désœuvré*» (Romains).

Aussitôt, tous trois se laissèrent glisser à terre en prenant bien soin de ne se relever qu'après que la voiture se fut éloignée, à cause du cipal qui était derrière.
L. FORTON, les Aventures des Pieds-Nickelés, *in* l'Épatant, 1908, p. 15.

Mené par les longs couloirs sombres du Palais, Crainquebille ressentit un immense besoin de sympathie. Il se tourna vers le garde de Paris qui le conduisait et l'appela trois fois :
— Cipal !... Cipal !... Hein ? cipal !... (...) Cipal, vous trouvez pas qu'ils parlent trop vite ?
Mais le soldat marchait sans répondre ni tourner la tête.
A. FRANCE, Crainquebille..., III.

CIPAYE [sipaj] n. m. — 1768 ; *sepay,* 1750, et aussi *cipay ;* venu de l'Inde par l'intermédiaire du portugais, du mot persan *sipahi* «cavalier». → Spahi.

♦ Ancienn. (Hist.). Soldat hindou au service d'une armée européenne.
En 1857, la grande révolte des cipayes éclata. Le prince Dakkar en fut l'âme. Il organisa l'immense soulèvement.
J. VERNE, l'Île mystérieuse, t. II, p. 804.

CIPOLIN [sipɔlɛ̃] n. m. — 1693 ; *cipollini,* 1676 ; empr. graphique de l'ital. *cipollino* [tʃipollino], de *cipolla* «oignon».

♦ Techn. Marbre dont les veines gris-vert, jaune-vert rappellent la coupe de l'oignon. *Les cipolins sont des calcaires cristallisés renfermant des lamelles de mica, de silicates lourds...*

(...) et le maire, barré de tricolore, déjà campé derrière une table de marbre vert, incrustée de griotte et de cipolin. H. BAZIN, Cri de la chouette, p. 93, 1972.

CIPPE [sip] n. m. — 1718; lat. *cippus* «colonne».

♦ Didact. (archéol.). Petite colonne sans chapiteau ou colonne tronquée qui servait de borne, de monument funéraire... ⇒ **Stèle**. *Tombeau surmonté d'un cippe. Inscription d'un cippe.* — REM. Gautier emploie le mot au féminin :

Une chapelle souterraine, assez négligée, renferme les sépultures de Villiers de l'Ile-Adam *(sic)*, de la Valette et d'autres grands maîtres couchés dans leurs armures sur des cippes armoriées, soutenues par des lions, des oiseaux et des chimères (...) Th. GAUTIER, Constantinople, p. 32.

CIRAGE [siRaʒ] n. m. — 1554; de *cire*, et suff. d'action *-age*.

♦ **1.** Rare. Action de frotter à la cire, au cirage (2.) (les parquets, les cuirs, etc.) pour faire briller. Résultat de cette action. *Le cirage d'un parquet. Un cirage brillant, glissant.*

1 Ce pauvre diable, du matin au soir et, s'il le faut, du soir au matin, cire tous les souliers de tous les voyageurs, apportant à ce service tout le soin et toute la régularité désirable. Le lustre de son cirage est si beau que nous en faisons compliment à l'hôte rubicond. Rodolphe TÖPFFER, Voyages en zigzag, 1837, 16ᵉ journée, p. 59.

♦ **2.** (1680). Cour. Composition dont on se sert pour rendre les cuirs brillants. *Cirage acajou, blanc, jaune, noir. Cirage incolore. Cirage crème, liquide. Brosse* à cirage. Mettre trop de cirage sur ses chaussures. Enduire ses souliers de cirage.* ⇒ **Cirer**.

2 L'étonnement de Macaire sur ce point était dû à la qualité spéciale des cuirs, aux teintures dont on les imprègne en cordonnerie fine, ainsi qu'à l'abondance et à la diversité du cirage. J. ROMAINS, les Hommes de bonne volonté, t. IV, Éros de Paris, VIII, p. 77.

3 J'ai sous mon armoire une petite caisse pleine de brosses de dureté variables, de chiffons de vraie laine et surtout de boîtes de cirage de teintes diverses, du noir pur au blanc incolore en passant par toute la gamme des fauves. J'aime faire varier de jour en jour la couleur d'une paire de chaussures en la traitant avec des crèmes aux teintes savamment dosées. M. TOURNIER, le Roi des Aulnes, p. 54.

Fig., fam. *Noir comme du cirage* : très noir.

♦ **3.** Fam. (D'abord argot des aviateurs). *Être dans le cirage* (en parlant d'une visibilité mauvaise) : ne plus rien voir (cf. Pot au noir). — (1935). Par ext. Ne plus rien comprendre, ne plus savoir où on en est. ⇒ **Brouillard** (être dans le brouillard).

4 (...) qu'est-ce que tu fais maintenant ? — Je suis dans le cirage, dit Pierrot avec résolution. R. QUENEAU, Pierrot mon ami, éd. L. de Poche, p. 51.

(1950). *Être dans le cirage, en plein cirage* : être ivre (cf. Être noir).

♦ **4.** Techn. (valeur active, comme 1.). Action de préparer les toiles cirées.

CIRCADIEN, IENNE [siRkadjɛ̃, jɛn] adj. — 1968, Larousse; du lat. *circa diem* «presque un jour».

♦ Sc. Se dit des phénomènes biologiques cycliques selon une alternance de 20 à 24 heures. *Rythme* circadien* (au-dessous, on parle de rythme *ultradien**). *L'alternance veille-sommeil est une des manifestations fondamentales des rythmes circadiens.* «*Pour chaque animal, toutes les périodes d'enregistrement sont réalisées à la même heure de la journée, afin de contrôler les facteurs de variation circadienne*» (la Recherche, déc. 1979, p. 1188).

CIRCAÈTE [siRkaɛt] n. m. — 1820; comp. du grec *kirkos* «faucon», et *aetos* «aigle».

♦ Zool. Oiseau rapace diurne *(Aquilidés)*, de taille moyenne, au corps robuste. *Le circaète est encore appelé aigle Jean le Blanc, milan blanc, offroy.*

CIRCASSIEN, ENNE [siRkasjɛ̃, ɛn] adj. et n. — 1584; de *Circassie*, région du Caucase septentrional.

♦ **1.** De la Circassie. ⇒ **Tcherkesse**. *Langue circassienne. Cheval circassien. Le kama, grand poignard circassien.* — Originaire de cette région. *Populations circassiennes.* — N. *Un, une Circassien(ne).*

♦ **2.** N. f. (1838). Vx. Tissu de laine et coton.

♦ **3.** (1789). Vx. Robe, souvent en gaze, à la mode au XVIIIᵉ siècle.

(...) et de là bientôt la vogue universelle des *polonaises*, des *circassiennes* (...) adopté(e)s par les femmes de toutes les conditions, appropriées à chaque rang et dont le perpétuel changement vidait la bourse de tous les maris. Ed. et J. DE GONCOURT, la Femme au XVIIIᵉ s., II, p. 67.

CIRCÉE [siRse] n. f. — 1572; du lat. *circæa*, de *Circé*, célèbre magicienne.

♦ Bot. Plante dicotylédone *(Onagrariées)*, vivace, communément appelée *herbe aux sorcières* ou *herbe à la magicienne*.

CIRCINÉ, ÉE [siRsine] adj. — 1863, *in* Littré, «qui est roulé sur soi-même»; du lat. *circinatum* «disposé en cercle».

♦ Méd. Se dit des lésions de la peau disposées en segments de cercle. *Impétigo circiné.*

CIRCON- Élément correspondant au lat. *circum* «autour». ⇒ **Circoncision...**; et aussi **circum-**.

CIRCONCIRE [siRkɔ̃siR] v. tr. — Conjug. *suffire*, sauf p. p., *circoncis, ise.* — 1190; lat. ecclés. *circumcidere* «couper *(cidere)* autour».

♦ **1.** Enlever rituellement le prépuce de (un enfant mâle) par excision. ⇒ **Circoncision**. *Les juifs, les mahométans font circoncire leurs enfants mâles* (Académie). — Passif. *Être circoncis.* ⇒ **Circoncis**. — Pron. *Se circoncire*, au fig. : devenir juif ou musulman.

Vous vous circoncirez; et ce sera un signe d'alliance entre moi et vous. À l'âge de huit jours, tout mâle parmi vous sera circoncis (...) Un mâle incirconcis, qui n'aura pas été circoncis dans sa chair, sera exterminé du milieu de son peuple : il aura violé mon alliance. BIBLE (SEGOND), Genèse, XVII, II, 12, 14. [1]

Il *(Dieu)* veut qu'Abraham accepte de se circoncire, lui et les siens. DANIEL-ROPS, le Peuple de la Bible, p. 25. [2]

♦ **2.** Méd. Exciser le prépuce de (un homme). — Exciser* (une femme).

DÉR. Circoncis.

CIRCONCIS, ISE [siRkɔ̃si, iz] adj. et n. m. — XIIᵉ; de *circoncire*.

♦ **1.** Sur qui on a pratiqué la circoncision. *Musulman circoncis.* — REM. Le fém. s'emploie (rarement) pour *excisée.*

♦ **2.** N. m. (1690). Celui qui a subi la circoncision. *Un circoncis.* — Fig. et de religion juive ou musulmane. — Péj. Nom donné (par les chrétiens) aux musulmans et aux juifs.

Ainsi opinait l'auteur de ma vie, juif, fils de juif, procréateur de juifs, héritier et ancêtre, aboutissant et origine de deux lignées de circoncis. A. ARNOUX, Carnet de route du Juif errant, p. 10.

CONTR. Incirconcis.

CIRCONCISION [siRkɔ̃sizjɔ̃] n. f. — 1190; du lat. ecclés. *circumcisio*, de *circumcidere*. → Circoncire.

★ **I.** ♦ **1.** Ablation rituelle du prépuce pratiquée sur les jeunes garçons juifs et musulmans. *La circoncision de Jésus-Christ,* et, absolt, *la Circoncision,* fête chrétienne le 1ᵉʳ janvier.

(...) Dieu donna à Abraham l'alliance de la circoncision ; et ainsi, Abraham, ayant engendré Isaac, le circoncit le huitième jour (...) BIBLE (SEGOND), Actes des Apôtres, VII, 8. [1]

La circoncision n'était qu'un signe, *Gen.* XVII, 11. PASCAL, Pensées, IX, 610. [2]

Il n'est point extraordinaire que Dieu, qui a sanctifié le baptême si ancien chez les Asiatiques, ait sanctifié aussi la circoncision (...) On a déjà remarqué qu'il est le maître d'attacher ses grâces aux signes qu'il daigne choisir. VOLTAIRE, Dict. philosophique, Circoncision. [3]

Je revois une circoncision... Qui n'a pas assisté à cette scène n'a rien vu du nerf profond de l'existence... Le bébé mâle, dans son berceau, bien paré... La famille, les amis, les témoins... L'arrivée du rabbin opératoire, souple, à son affaire... Avec son petit barda pharmacie... L'agitation angoissée des femmes... Au bord de l'évanouissement ou de la curiosité soufflée... Les hommes avec leurs chapeaux sur la tête... La Passe... Le grand passage... «Hébreu» veut dire «passeur»... Sortie d'Égypte... Incision de l'hiéroglyphe à vif... Ph. SOLLERS, Femmes, p. 213. [3.1]

♦ **2.** Ablation chirurgicale du prépuce. *Un phimosis traité par la circoncision.*

★ **II.** (1660). Fig. (langue mystique). *Circoncision du cœur, des lèvres* : retranchement des mauvais désirs, des passions, des mauvaises paroles.

(...) saint Paul est venu apprendre aux hommes que (...) la circoncision du corps était inutile, mais qu'il fallait celle du cœur (...) PASCAL, Pensées, X, 670. [4]

★ **III.** Techn. Incision annulaire pratiquée sur les branches des arbres. *Circoncision de la vigne.*

CONTR. (Du sens I, 1). **Incirconcision.**

CIRCONFÉRENCE [siRkɔ̃feRɑ̃s] n. f. — V. 1265; du lat. *circumferentia*, de *circumferre* «faire le tour». → Périphérie.

♦ **1.** Ligne courbe plane et fermée dont tous les points sont à égale distance d'un point intérieur au centre; pourtour d'un cercle. *La circonférence est divisée en 360 degrés* ou en 400 grades*. Portion de circonférence.* ⇒ **Arc.** *Surface inscrite entre deux circonférences concentriques.* ⇒ **Couronne.**

Didact. (géom.). Longueur du cercle. *La circonférence est égale au produit du diamètre du cercle par π (pi) ou du rayon par 2π.* — REM. Pour les autres courbes fermées, on dit *longueur, périmètre.*

(...) le cercle que Saturne décrit a plus de six cents millions de lieues de diamètre, et par conséquent plus de dix-huit cents millions de lieues de circonférence (...)
　　　　　　　　　　LA BRUYÈRE, les Caractères, XVI, 43.

♦ **2.** Littér. Tour, pourtour (d'une chose de forme approximativement circulaire). *Embrasser la circonférence d'un arbre. La circonférence d'une ville.* ⇒ **Enceinte, périphérie.**

DÉR. Circonférentiel.

CIRCONFÉRENTIEL, IELLE [siʀkõfeʀɑ̃sjɛl] adj. — 1858; de *circonférence.*

♦ Didact. Qui concerne la circonférence, la longueur du cercle. *La vitesse circonférentielle de la roue.*

CIRCONFLEXE [siʀkõflɛks] adj. et n. m. — 1550; *circonflect,* 1529; lat. *circumflexus* (trad. du grec *perispômenê* «sinueux»), de *flexus* «courbé».

♦ **1.** Se dit d'un signe d'accentuation grecque (~), et, par anal., d'un signe français en forme de V renversé (ˆ) placé sur certaines voyelles longues et spécialement sur celles qui ont été allongées par la chute de l'une des deux consonnes qui la suivaient (*pâte* pour *paste*), ou comme signe diacritique.
Un accent* circonflexe (par ext., voyelle allongée correspondant à une lettre voyelle française s'écrivant avec cet accent; → ci-dessous, cit. 1). — N. m. Absolt. *Un circonflexe.* — Par ext. *Un ô circonflexe* (→ Binôme, cit.).

1　Et elle appuie bien fort sur les accents circonflexes (...)
　　　　　　　　　　LOTI, Mme Chrysanthème, XLVI, p. 234.
1.1　L'accent circonflexe est l'hirondelle de l'écriture.
　　　　　　　　　　J. RENARD, Journal, 8 mai 1901.

♦ **2.** Par plais. En forme d'accent circonflexe (formant un angle). — Vx. *Jambes circonflexes.* ⇒ **Tortu, travers** (de). — Mod. *Avoir des sourcils circonflexes.*

2　(...) La jambe torte et circonflexe.　BEAUMARCHAIS, le Barbier de Séville, II, 13.
3　(...) des sourcils circonflexes et dont le poil se rebroussait en virgule (...)
　　　　　　　　　　Th. GAUTIER, le Capitaine Fracasse, t. I, VIII, p. 279.

CONTR. Droit, rectiligne.

CIRCONLOCUTION [siʀkõlɔkysjõ] n. f. — XIIIe; lat. *circumlocutio,* de *circum* «autour», et *locutio* (→ Locution), trad. du grec. *periphrasis* (→ Périphrase).

♦ Didact., littér. ou style soutenu. Manière d'exprimer sa pensée d'une façon indirecte. ⇒ **Ambage** (cit. 1), **détour, périphrase.** *Faire des circonlocutions.* ⇒ **Phraser** (→ fam. Tourner autour du pot). *Parler par circonlocutions. Faire des circonlocutions pour annoncer une mauvaise nouvelle. Après de longues circonlocutions... Évitons les circonlocutions et allons droit au but.*

1　(...) il n'était pas nécessaire de parler si longtemps et de faire tant de circonlocutions (...)　Ch. PÉGUY, Œuvres, t. XII, p. 434.
2　Ces charitables circonlocutions dont on use pour annoncer à la famille une nouvelle pénible, effrayante, dont on redoute que l'esprit, la raison, ne la supportent pas.　Claude SIMON, le Palace, p. 93.

CONTR. Clarté, franchise, netteté.

CIRCONSCRIPTIBLE [siʀkõskʀiptibl] adj. — Fin XIVe; lat. *circumscriptus,* de *circumscribere.* → Circonscrire.

♦ Géom. Se dit d'une figure que l'on peut circonscrire. *Tout polygone régulier est circonscriptible à un cercle.* ⇒ aussi **Inscriptible.**

CIRCONSCRIPTION [siʀkõskʀipsjõ] n. f. — Fin XIIe; lat. *circumscriptio,* du supin de *circumscribere.* → Circonscrire.

♦ **1.** Vx. Limite qui borne l'étendue d'un corps. ⇒ **Circonférence.**

♦ **2.** (1648). Géom. Action de circonscrire une figure à une autre. *Circonscription d'une circonférence à un polygone régulier.*

♦ **3.** (1835). Mod. Division d'un pays, d'un territoire. *Circonscription territoriale. Secteurs d'une circonscription. Circonscriptions administratives françaises.* ⇒ **Département, préfecture; arrondissement, canton, commune;** et aussi (dans d'autres pays) **canton, échevinage, province, district;** *Ancienne circonscription financière.* ⇒ **Généralité.** *Ancienne circonscription huguenote.* ⇒ **Cercle.** *Circonscription de l'antiquité romaine.* ⇒ **Ethnarchie, exarchat.** *Circonscription hongroise* (⇒ **Comitat**), *grecque* (⇒ **Monarchie, nome**), *turque* (⇒ **Sandjak, vilayet**), *algérienne* (⇒ **Willaya**). *Circonscriptions ecclésiastiques.* ⇒ **Diocèse, paroisse; consistoire; éparchie, patriarchat.** *Circonscription militaire.* ⇒ **Région, division, subdivision;** et aussi **capitainerie, chefferie...** — Spécialt. *Circonscription électorale* ou *circonscription.* ⇒ **Collège.** *Faire le tour de sa circonscription.*

(...) le député d'Orléans est exactement le délégué d'Orléans à soutenir les intérêts orléanais *contre* les délégués des autres circonscriptions, qui eux-mêmes en font autant.　Ch. PÉGUY, Œuvres, t. I, p. 382.

CIRCONSCRIRE [siʀkõskʀiʀ] v. tr. — Conjug. *écrire.* — 1361; du lat. *circumscribere,* de *circum,* et *scribere* «écrire».

♦ **1.** Décrire une ligne qui borne, qui limite tout autour. *Circonscrire un espace. Circonscrire sa propriété.*
Géom. Tracer une figure dont les côtés sont tangents à une circonférence. — *Circonscrire un polygone à un cercle :* tracer une circonférence qui passe par les sommets de tous les angles du polygone. ⇒ **Exinscrit.**

♦ **2.** Abstrait. Renfermer en de certaines bornes. ⇒ **Borner, limiter.** *Circonscrire son sujet. Circonscrire le domaine de ses investigations. Circonscrire une question.* — Pron. *Le débat se circonscrit autour de cette idée.* ⇒ **Délimiter** (se).
(Le compl. désigne un phénomène concret qui menace de s'étendre). *Circonscrire une épidémie, un incendie,* l'empêcher de dépasser une limite. ⇒ **Enrayer, freiner, juguler, restreindre.**

1　(...) elle se targuait (*l'Allemagne*) follement de pouvoir, en temps voulu, circonscrire le brasier, faire la part du feu !
　　　　　　　　　　MARTIN DU GARD, les Thibault, t. VII, p. 160.

▶ **CIRCONSCRIT, ITE** p. p. adj. *Courbe circonscrite à un polygone. Ville circonscrite par des remparts.* ⇒ **Entouré.**

2　Ce bourg est le chef-lieu d'un canton populeux circonscrit par une longue vallée.　BALZAC, le Médecin de campagne, Pl., t. VIII, p. 317.
Incendie rapidement circonscrit.
3　(...) comme ici l'eau surabonde, l'incendie a vite été circonscrit, puis maté.
　　　　　　　　　　GIDE, Journal, La marche turque, 1914.
Méd. Dont les limites sont bien marquées. *Inflammation, tumeur circonscrite.*
4　Au-dessus du poignet, un phlegmon superficiel, bien circonscrit, semble déjà collecté.　MARTIN DU GARD, les Thibault, t. III, p. 112.
(Abstrait). *Désirs, besoins circonscrits,* bien délimités. *L'esprit humain est circonscrit,* enfermé (dans les limites), borné.
5　Je savais, en méditant sur ces matières, que l'entendement humain, circonscrit par les sens, ne les pouvait embrasser dans toute leur étendue; je m'en tins donc à ce qui était à ma portée, sans m'engager dans ce qui la passait.
　　　　　　　　　　ROUSSEAU, Rêveries..., 3e promenade.
6　Il y a certains désirs, parfois circonscrits à la bouche, qui, une fois qu'on les a laissés grandir, exigent d'être satisfaits (...)
　　　　　　　　　　PROUST, À la recherche du temps perdu, t. XII, p. 131.

CONTR. Élargir, étendre.
DÉR. (Du même rad.) V. **Circonscriptible, circonscription.**

CIRCONSPECT, ECTE [siʀkõspɛ(kt), ɛkt] adj. et n. — XIVe; lat. *circumspectus,* de *circum,* et *specere* «regarder». → Circonspection.

♦ Qui prend bien garde à ce qu'il dit et fait. ⇒ **Attentif, avisé, discret, prudent, réfléchi, réservé, sage.** *Un diplomate circonspect. Être trop circonspect. Il n'est pas assez circonspect dans le choix de ses amis.*

1　Imprudents et peu circonspects (...)　LA FONTAINE, Fables, XII, 1.
2　M. de Villèle écoutait, résumait et ne concluait point : c'était un grand aideur d'affaires; marin circonspect, il ne mettait jamais en mer pendant la tempête (...)
　　　　　　　　　　CHATEAUBRIAND, Mémoires d'outre-tombe, III, VII.
3　(...) Antoine (...) sous ce masque débonnaire, veillait, circonspect, résolu à temporiser, mais prêt à tout.　MARTIN DU GARD, les Thibault, t. IV, p. 49.
4　Le jeune homme est souvent sot et timide. L'homme mûr, trop poli, trop circonspect.
　　　　　　　　　　J. ROMAINS, les Hommes de bonne volonté, t. V, Les superbes, XXIII, p. 198.
N. Littér. *Les circonspects ont égard aux circonstances, au milieu.*
(Choses; actes). Qui marque de la circonspection. *Il tient un langage circonspect. Conduite, démarche circonspecte.*
5　Il est des amitiés circonspectes qui, craignant de se compromettre, refusent des conseils dans les occasions difficiles, et dont la réserve augmente avec le péril des amis.　ROUSSEAU, Julie ou la Nouvelle Héloïse, II, Lettre V, p. 194.
REM. Sans être du registre littéraire, l'adj. est surtout employé dans un style écrit ou soutenu.

CONTR. Aventureux, étourdi, imprévoyant, imprudent, inattentif, inconsidéré, léger, téméraire. — Confiant.

CIRCONSPECTION [siʀkõspɛksjõ] n. f. — XIVe; lat. *circumspectio,* de *circum* «autour», et *specere* «regarder».

♦ Surveillance prudente que l'on exerce sur ses paroles, ses actions, en prenant garde à toutes les circonstances. ⇒ **Discrétion, réflexion, réserve, retenue, sagesse.** *Avoir de la circonspection.* ⇒ **Observer** (s'). *Il agit avec circonspection.* ⇒ **Attention, considération, discernement, précaution, prudence.** *User de circonspection. Apporter, mettre beaucoup de circonspection dans le règlement d'une affaire.* ⇒ **Diplomatie, mesure, modération.** *Parler avec circonspection, avec ménagement.* ⇒ **Sobriété.** *Circonspection fière et distante.* ⇒ **Quant-à-moi, quant-à-soi.** *Sans circonspection. La circonspection vient avec l'âge. Faire preuve de maturité et de circonspection. Il est d'une circonspection excessive, c'est un timide, un trembleur.*

1　Il faut procéder avec circonspection, et ne rien faire, comme on dit, à la volée (...)
　　　　　　　　　　MOLIÈRE, l'Amour médecin, II, 5.

2 Je me résolus d'aller si lentement, et d'user de tant de circonspection en toutes choses que, si je n'avançais que fort peu, je me garderais bien au moins de tomber.
DESCARTES, Disc. de la méthode, II.

3 Il *(Danton)* avait cet instinct du grand qui fait le génie, et cette circonspection silencieuse qui fait la raison (Garat).
BARTHOU, Danton, p. 12.

4 (...) cette circonspection, cette réserve, qui sont, dans la jeunesse, les signes ordinaires de l'orgueil (...)
G. DUHAMEL, le Temps de la recherche, VIII, p. 108.

CONTR. Étourderie, imprévoyance, imprudence, inattention, légèreté, témérité. — Confiance.

CIRCONSTANCE [siʀkɔ̃stãs] n. f. — 1260 ; du lat. *circumstantia*, de *circumstare* « se tenir *(stare)* autour ».

♦ **1.** (Souvent au plur.). Particularité qui accompagne et conditionne un fait, un événement, une situation. ⇒ **Accident, climat, condition, détermination, donnée, modalité, particularité.** *Étudier, examiner, observer, peser, remarquer les circonstances d'une situation, d'un événement* (→ Examiner, voir la face des choses). *Tenir compte des circonstances.* ⇒ **Opportunisme.** *Cela dépend des circonstances. C'est une circonstance particulière dont il ne faut pas tenir compte. Rapporter toutes les circonstances d'un événement. Exposer un fait jusque dans ses moindres circonstances* ⇒ **Détail.** *Des circonstances défavorables, mauvaises, fâcheuses, pénibles* (cit. 5) ; *favorables, inespérées. Être placé dans de bonnes circonstances. Selon la nature des circonstances* (→ La couleur du temps*).

1 Il y a de légères et frivoles circonstances du temps qui ne sont point stables, qui passent, et que j'appelle des modes : la grandeur, la faveur (...) les joies, la superfluité.
LA BRUYÈRE, les Caractères, XIII, 31.

2 La noblesse de soi est bonne (...) mais elle est accompagnée de tant de mauvaises circonstances, qu'il est très bon de ne s'y point frotter.
MOLIÈRE, George Dandin, I, 1.

3 Vous pouvez imaginer quelle douleur et quel agrément pour un commerce rempli de toute l'amitié et de toute la confiance possible (...) Ajoutez-y la circonstance de leur mauvaise santé, qui les rendait nécessaires l'un à l'autre.
Mme DE SÉVIGNÉ, 797, 5 avril 1680.

4 *(Dans ces lois)* on distingue avec finesse le cas, on y pèse les circonstances.
MONTESQUIEU, l'Esprit des lois, XXX, 19.

5 L'expérience ne sert de rien ; un même fait ne se reproduit jamais dans les mêmes circonstances.
Pierre LOUŸS, les Aventures du roi Pausole, IX, p. 66.

6 Les circonstances dans lesquelles nous sommes placés, la pression des événements, la tension de nos âmes qui lui répond, ont, parmi bien d'autres effets, l'effet de nous faire sentir de plus en plus énergiquement notre intime participation à une existence plus grande que la nôtre, qui est celle de la France.
VALÉRY, Regards sur le monde actuel, Pensée et art français, p. 176.

7 Il n'y a pas toujours pensé, parce qu'une pensée d'homme politique avant de s'orienter définitivement, est soumise aux sollicitations des circonstances.
J. ROMAINS, les Hommes de bonne volonté, t. V, Les superbes, XXIV.

Gramm. *Complément de circonstance,* servant à préciser les rapports de temps, de lieu, de manière, de cause, de condition. ⇒ **Circonstanciel.** *Conjonction, adverbe de circonstance.*

Dr. *Circonstances aggravantes* : ensemble des faits explicitement visés par la loi et en considération desquels le juge doit prononcer une peine plus sévère que celle prévue comme sanction normale. ⇒ **Culpabilité, responsabilité. —** Par ext. *Circonstances atténuantes** (cit. 1 et 2). *Bénéficier des circonstances atténuantes.*

8 Saint Paul n'est saint qu'avec des circonstances atténuantes. Il n'est entré au ciel que par la porte des artistes.
HUGO, l'Homme qui rit, II, III, 3.

Circonstances et dépendances : dans les actes notariés, Accessoires d'un bien immeuble. *Vendre une maison avec toutes ses circonstances et dépendances.*

♦ **2.** Ce qui constitue, caractérise le moment présent. ⇒ **Actualité, conjoncture, état** (des choses), **événement, heure** (heure actuelle), **moment, situation, temps. —** LES CIRCONSTANCES, ou (collect. et plus rare) LA CIRCONSTANCE (→ ci-dessous, cit. 11) : la situation. *Étant donné les circonstances. Dans les circonstances actuelles, présentes :* de nos jours. ⇒ **Aujourd'hui** (→ À l'heure actuelle, par le temps qui court). — *Des circonstances impérieuses, urgentes, difficiles. Traverser des circonstances critiques* (→ Être dans une position difficile, dans une mauvaise passe...). *C'est une circonstance regrettable.* ⇒ **Accident, incident.** *Les diverses circonstances de la vie.* ⇒ **Épisode.** *Un concours* de circonstances. ⇒ **Cas, coïncidence, éventualité, hasard, incidence** (→ ci-dessous, cit. 13). *Obéir, se soumettre, se plier aux circonstances. Agir selon, suivant, d'après les circonstances. En raison, du fait des circonstances. Être forcé d'agir par les circonstances. Tenir compte de ce qu'exigent les circonstances* (ou *la circonstance*). *Quand les circonstances s'y prêtent, le demandent. Profiter des* (ou *de la*) *circonstance(s). Il y a des circonstances où il vaut mieux... En pareille circonstance. C'est une circonstance exceptionnelle.* ⇒ **Chance.** *Circonstance opportune. Des circonstances imprévues, imprévisibles.* ⇒ **Contingence.** *Se montrer à la hauteur des circonstances.*

DE CIRCONSTANCE : qui est fait ou est utile pour une occasion particulière (→ ci-dessous, cit. 12). *Un ouvrage, un discours, une repartie de circonstance.* ⇒ **À-propos, opportunité.** *Prendre une mesure de circonstance. Un habit de circonstance. Une figure de circonstance* (spécialt, grave et triste). *Ce n'est pas de circonstance* (→ Ce n'est pas de saison). *C'est l'homme de la circonstance :* c'est l'homme qu'il faut.

9 Nous attendons toujours, pour nous exécuter, l'instant où nous sommes forcés par les circonstances.
MIRABEAU, Collection, t. IV, p. 70.

10 Il est, dit-on, des circonstances où on tait la vérité par délicatesse.
É. DE SENANCOUR, De l'amour, p. 159.

11 (...) les artistes empruntent les ailes de la circonstance, ils croient se grandir en se faisant les hommes d'une chose, en devenant les souteneurs d'un système, et ils espèrent changer une coterie en public.
BALZAC, les Comédiens sans le savoir, Pl., t. VI, p. 47 (→ Célébrité, cit. 6).

12 (...) avec leurs instruments ornés de longs rubans flottants, et jouant une marche de circonstance.
G. SAND, la Mare au diable, Appendice, I, p. 145.

13 Un étonnant concours de circonstances, et de volontés, et d'audaces, avait réuni là (...) ces hôtes qui (...) semblaient voués par leur destinée première à ne se rencontrer jamais.
LOTI, les Désenchantées, XXXIV, p. 197.

14 Pausole connaissait l'art d'échapper à tous les regrets en changeant la définition du bonheur sous la dictée des circonstances.
Pierre LOUŸS, les Aventures du roi Pausole, II, p. 80.

15 Rien ne m'a plus frappé que l'aptitude des vivants à s'accommoder et à se donner les formes qui conviennent aux circonstances.
VALÉRY, Variété IV, Disc. en l'honneur de Gœthe, p. 104.

16 (...) Talleyrand (...) sacrilège du fait des circonstances.
Louis MADELIN, Talleyrand, XXXIX, p. 424 (→ Blasphémateur, cit.).

17 (...) si vous dites à un criminel que sa faute ne tient pas à sa nature ni à son caractère, mais à de malheureuses circonstances, il vous en sera violemment reconnaissant... Pourtant, il n'y a pas de mérite à être honnête, ni intelligent, ni de naissance. Comme on n'est sûrement pas plus responsable à être criminel de nature qu'à l'être de circonstance.
CAMUS, la Chute, p. 96.

♦ **3.** Événement particulier (considéré comme l'occasion de qqch.). *Pour (dans) la circonstance, vous pouvez compter sur lui.* ⇒ **Occasion, occurrence.** *Dans cette circonstance exceptionnelle...*

DÉR. Circonstancié, circonstanciel, circonstancier.

CIRCONSTANCIÉ, ÉE [siʀkɔ̃stãsje] adj. — 1468 ; de *circonstance.*

♦ **1.** Vieilli. Didact., littér. ou style soutenu. Exposé avec toutes les circonstances. *Événements circonstanciés.*

1 Des faits récents, connus et circonstanciés.
LA BRUYÈRE, les Caractères, XIV, 53.

♦ **2.** Mod. Qui comporte de nombreux détails. *Un rapport circonstancié,* détaillé. — Vx. *Faire un détail circonstancié,* minutieux.

2 (...) ces directeurs spirituels inépuisables en doux conseils, qui, du fond de leur cellule ou à travers la grille des confessionnaux, vieillards vierges en cheveux gris, sondaient si avant les particularités de la vie secrète et des plus circonstanciés détours (...)
SAINTE-BEUVE, Volupté, IV, p. 29.

CIRCONSTANCIEL, IELLE [siʀkɔ̃stãsjɛl] adj. — 1747 ; de *circonstance.*

♦ **1.** Gramm. Se dit des mots ou des propositions qui apportent une détermination secondaire de circonstance. *Complément circonstanciel de temps, de lieu, de but, de manière, etc. Proposition circonstancielle* (aussi, n. f., *une circonstancielle*).

♦ **2.** Qui indique une, des circonstance(s) ; qui est en rapport avec les circonstances. *Une déclaration purement circonstancielle,* d'opportunité.

CIRCONSTANCIER [siʀkɔ̃stãsje] v. tr. — 1632 ; de *circonstance.*

♦ Didact. Exposer (un fait) en détaillant les circonstances. ⇒ **Détailler, préciser. —** Établir en détaillant la description des circonstances. *Circonstancier un rapport.*

Au p. p. ⇒ **Circonstancié.**

CIRCONVALLATION [siʀkɔ̃valasjɔ̃] n. f. — 1640 ; du lat. *circumvallare* « entourer d'un retranchement », de *vallus* « pieu, palissade ».

♦ Techn. (fortif.). Tranchée garantie de palissades et de parapets qu'établissent les assiégeants autour de la place assiégée pour lui couper ses communications. ⇒ **Fortification ; contrevallation, redoute.** *Ligne de circonvallation. Les circonvallations d'une place forte.*

Mais une fois qu'ils eurent franchi la ligne de circonvallation et qu'ils se trouvèrent en plein air, d'Artagnan, qui ignorait complètement ce dont il s'agissait, crut qu'il était temps de demander une explication.
DUMAS, les Trois mousquetaires, t. II, p. 527.

CIRCONVENIR [siʀkɔ̃vniʀ] v. tr. — Conjug. *venir.* — 1355, au sens 1 ; du lat. *circumvenir* « venir autour, assiéger, accabler ».

♦ **1.** Vx ou littér. Entourer (qqn, qqch.) de tous côtés.

Par ext. Délimiter les contours de (un objet).

♦ **2.** Abstrait. Vx. Établir les limites de (un sujet, une question).

♦ **3.** (V. 1370). Mod. (Compl. n. de personne). Agir sur (qqn) avec ruse et artifice, pour parvenir à ses fins, obtenir ce que l'on souhaite. *Circonvenir ses juges.* ⇒ **Tromper ; abuser,** (fam.) **emberlificoter, emberliner, emboîner, emmitonner, endormir, entortiller.** *Circonvenir son auditoire. Je l'ai circonvenu comme il faut.* ⇒ **Endoctriner ;** et aussi **entreprendre** (sur).

0.1 Madame Alban circonvint la famille Brinchanteau (...)
M. JOUHANDEAU, la Jeunesse de Théophile, p. 189.

(Compl. n. de chose). Littéraire :

1 La marche de l'étatisme, ses progrès, son empire chaque jour grandissant, voilà des phénomènes inquiétants et qui s'efforcent de circonvenir cette belle et pure liberté dont jadis parlaient nos maîtres.
G. DUHAMEL, le Temps de la recherche, XI, p. 149.

▶ **CIRCONVENU, UE** p. p. adj.
Concilié, séduit.

2 J'ai sujet d'appréhender de me voir supplanté par un tel rival et que Madame ne soit circonvenue par la qualité de Vicomte.
MOLIÈRE, la Comtesse d'Escarbagnas, 5.

3 L'humilité trempe les forts. Adroitement circonvenue, il arrive qu'elle épargne aux médiocres les affres de l'humiliation (...)
BERNANOS, les Grands Cimetières sous la lune, p. 260.

CIRCONVOISIN, INE [siʀkɔ̃vwazɛ̃, in] adj. — 1387 ; du lat. médiéval *circumvicinus*, de *circum* « autour », et *vicinus* « qui est près de... ».

♦ Didact. ou littér. (Souvent au plur.). Qui est situé autour, tout près de. ⇒ **Avoisinant, proche, voisin.** *Les lieux circonvoisins.* ⇒ **Alentours.** *Villages circonvoisins. Communes circonvoisines.*

CONTR. Éloigné, lointain.
DÉR. Circonvoisiner.

CIRCONVOISINER [siʀkɔ̃vwazine] v. — XXᵉ ; de *circonvoisin*, d'après *voisiner*.

♦ Littér. Être circonvoisin, se trouver autour de (un lieu).

(...) dans les quartiers vieux ou les baraquements tout neufs qui circonvoisinent les ports (...)
B. CENDRARS, Bourlinguer, p. 263.

CIRCONVOLUTION [siʀkɔ̃vɔlysjɔ̃] n. f. — Fin XIIIᵉ ; du lat. *circumvolutus* « roulé autour », de *circum*, et *volutus*, de *volvere*.

♦ **1.** Enroulement, sinuosité autour d'un point central. *Décrire des circonvolutions* : faire des cercles autour d'un point. — *Les circonvolutions d'une coquille.* ⇒ **Spire.**

♦ **2.** Spécialt (chose enroulée). *Les circonvolutions intestinales* : l'enroulement des intestins dans l'abdomen. — *Les circonvolutions cérébrales* : les saillies sinueuses à la surface du cerveau et du cervelet.

1 Le cerveau (...) présente une surface plissée partagée par des sillons ou scissures en un certain nombre de lobes, dont les nombreux replis forment les circonvolutions cérébrales.
P. VALLERY-RADOT, Notre corps..., p. 112.

2 Son cerveau s'est endommagé sans doute à la circonvolution de Broca, en laquelle réside la faculté de discourir. Cette circonvolution est la troisième circonvolution frontale à gauche en entrant. Demandez au concierge (...)
A. JARRY, Ubu cocu, V, 3, Pl., t. I, p. 513.

3 Hyperpolis était un visage, un corps. Un cerveau aussi, et la jeune fille Tranquillité circulait le long de ses méandres, à l'intérieur du labyrinthe des circonvolutions.
J.-M. G. LE CLÉZIO, les Géants, p. 53.

♦ **3.** Fig., vx. Paroles détournées. *Parler en usant de circonvolutions* : tourner autour de son sujet, sans le traiter directement. ⇒ **Circonlocution, circuit** (→ Tourner autour du pot).

CIRCUIT [siʀkɥi] n. m. — 1257 ; *circuite*, fém., 1220 ; du lat. *circuitus*, de *circuire*, *circumire* « faire le tour ».

♦ **1.** Distance à parcourir pour faire le tour d'un lieu, d'un espace déterminé. ⇒ **Cercle, circonférence, contour, pourtour, tour.** *Le circuit d'une ville.* ⇒ **Enceinte.** *Avoir quatre kilomètres de circuit. Boucler le circuit.*

1 Cette ville (...) qui prétendait égaler Paris même par la grandeur de son circuit.
RACINE, les Campagnes de Louis XIV.

♦ **2.** Chemin* (en général long et compliqué) parcouru pour atteindre un lieu déterminé. *Faire un long circuit pour parvenir chez qqn.* ⇒ **Détour.**

2 Il mène souvent à la terre de promesse par les circuits arides du désert.
MASSILLON, Myst. Soum., *in* LITTRÉ.

EN CIRCUIT FERMÉ : en revenant à son point de départ. — Selon un ordre, un système fermé.

2.1 Jusqu'à l'achèvement de l'industrie, les hommes travaillent en circuit fermé, indéfiniment renouvelable, l'engrais naturel et les déchets reviennent à la terre, le mot pollution n'a à peu près aucun sens.
A. SAUVY, Croissance zéro ?, p. 20.

(1932). Parcours organisé au terme duquel on revient généralement au point de départ. ⇒ **Parcours, périple, promenade, randonnée, tour, trajet, voyage.** *Le circuit des lacs. Faire le circuit des châteaux de la Loire.*

3 Nous adoptions un circuit à la fois fantaisiste et raisonnable ; et nous nous mettions en route.
J. ROMAINS,
les Hommes de bonne volonté, III, Amours enfantines, XXIII, p. 316.

(1902, *in* Petiot). Itinéraire de course organisé sur un parcours en boucle, qui aboutit généralement à son point de départ. ⇒ **Tour.** *Le circuit du Tour de France. Les étapes du circuit.* — Spécialt (courses automobiles). *Le circuit de Paris. Le circuit des Vosges.*

⇒ **Course ; rallye.** — Piste spéciale destinée à l'étude des automobiles, ou aux compétitions automobiles. ⇒ **Autodrome.** *Circuit automobile. Le circuit de Monthléry.*
L'épreuve sportive elle-même. *Participer au circuit du Mans.*
Parcours fait d'éléments emboîtables, sur lequel on peut faire circuler des automobiles miniatures. *Il préfère les circuits aux trains électriques.*
Parcours imposé aux avions se présentant pour atterrir, au-dessus d'un aérodrome (*circuit d'attente**, ou *circuit*).

♦ **3.** Fig., vx. Ensemble de paroles dites avant de venir au fait. *Faire un long circuit de paroles.* ⇒ **Circonlocution, circonvolution, périphrase.** *Un long circuit de raisonnements.*

4 La persuasion artificielle de la philosophie, quoique formée lentement par de longs circuits (...)
FONTENELLE, Éloge des Académiciens, Louis Carré.

5 Ce monsieur me déclare, après plusieurs circuits, que j'avais inspiré de l'intérêt à madame Montgicourt la veuve !
E. LABICHE, le Clou aux maris, 4.

♦ **4.** Suite ininterrompue de conducteurs électriques. *Circuit fermé*, permettant le passage du courant. *Couper le circuit.* ⇒ **Bouton** (4.), **commutateur, coupe-circuit, interrupteur, relais.** *Circuit ouvert*, dans lequel le courant ne passe plus. *Rétablir, fermer le circuit. Circuit perturbé par un court-circuit.* ⇒ **Court-circuit.** *Mettre une lampe en circuit. L'intercaler dans un circuit. Mise en circuit. Mettre hors circuit* : supprimer un conducteur d'un circuit. — *Circuit magnétique**. — *Circuit d'entrée d'un amplificateur.*

Électron. et cour. CIRCUIT IMPRIMÉ : circuit où les fils sont remplacés par des impressions linéaires de substance conductrice sur une plaque isolante.

CIRCUIT INTÉGRÉ : circuit électronique constitué d'un ensemble de diodes, de résistances, de transistors intégrés sur une pastille de matériau semi-conducteur (en général du silicium), et assurant une fonction électronique complexe. ⇒ **Microprocesseur, puce** (II., 1.). *Fiabilité des circuits intégrés.*

6 Comme l'indique leur nom, ils (*les circuits intégrés*) « intègrent » en un même fragment de matière tous les composants traditionnels d'un circuit électronique : les transistors, qui contrôlent et amplifient le courant électrique, les diodes, qui transforment en courant alternatif un courant continu, les capacités, qui emmagasinent, et les résistances, qui le bloquent.
l'Express, 8-14 mai 1967.

Cybern. Réseau constitué par l'ensemble des chaînes d'action et de réaction. ⇒ **Boucle** (6.).

Loc. fig. Être HORS CIRCUIT : ne pas (ne plus) être impliqué dans une affaire (→ Ne pas être dans le coup*, dans la course*).

♦ **5.** Écon. et cour. Succession d'opérations, d'actions qui aboutissent au point de départ. *Circuit suivi par des capitaux.* ⇒ **Circulation.**
Mouvement qui relie les entrepreneurs au marché des services et des produits, et vice versa.
Circuit de distribution (⇒ **Canal**, III., 4.), *de commercialisation.* — *Circuit court*, qui comporte des relations directes entre le producteur et le consommateur. *Circuit long*, qui comprend l'intervention d'un ou de plusieurs intermédiaires entre le producteur et le détaillant. — *Circuit de gros, de détail.*

7 Les circuits de distribution des savons et détergents se subdivisent en trois grandes catégories : le circuit de gros, le circuit de détail, le circuit intégré.
Emmanuel MAYOLLE, les Industries du savon et des détergents, p. 93.

(V. 1970). *Circuit parallèle* : voies d'écoulement de marchandises, d'informations, etc., qui ne suivent pas les canaux commerciaux classiques.

(1936). Cin. *Circuit de salles* ou *circuit* : ensemble de salles de cinéma appartenant au même propriétaire. *Circuit de programmation* : ensemble de salles de cinéma appartenant à la même entreprise de programmation.

♦ **6.** Ensemble de tuyauteries, vannes ou autres dispositifs assurant l'écoulement d'un fluide. *Circuit d'alimentation. Circuit de circulation** *d'eau.* — *Circuit de refroidissement** (d'un réacteur nucléaire) : système permettant de faire circuler un fluide caloporteur en vue d'extraire la chaleur d'une source de chaleur primaire telle que le cœur d'un réacteur nucléaire. ⇒ **Boucle** (6.). *Circuit primaire, circuit secondaire du circuit de refroidissement.*

COMP. (Du 4.) Court-circuit, microcircuit.

CIRCULABILITÉ [siʀkylabilite] n. f. — V. 1965 ; de *circulable*.

♦ Didact. Fait d'être circulable. *« Toute cité devrait être conçue en fonction de la plus grande circulabilité et communicabilité »* (*Planète*, nᵒ 4, févr. 1969, p. 42).

CIRCULABLE [siʀkylabl] adj. — Av. 1868 ; Proudhon, *in* P. Larousse, « qu'on peut mettre en circulation » ; de *circuler*.

♦ Rare. Où l'on peut circuler. *Espace circulable.*

DÉR. Circulabilité.

CIRCULAIRE [siʀkylɛʀ] adj. et n. — 1314 ; *circulere*, v. 1265 ; lat. *circularis*, de *circulus*. → Cercle.

★ **I.** ♦ **1.** Qui décrit un cercle. *Mouvement circulaire.* ⇒ **Giratoire, rotatoire.** *Révolution circulaire d'un astre.*

1 Ce fut dans l'antiquité une opinion générale que le mouvement uniforme et circulaire, comme étant le plus parfait, devait être celui des astres.
LAPLACE, Exposition du système du monde, V, 2, *in* LITTRÉ.

Fonction circulaire : fonction d'une ligne trigonométrique ou de l'arc de cercle correspondant.

Qui décrit des courbes fermées. *Le vol circulaire des hirondelles.*

(En parlant d'un geste). Qui décrit un arc de cercle. *Un regard circulaire.*

1.1 La face enflammée, les yeux dardés, elle trépignait sur place, ouvrait les bras au ciel, tel un énorme oiseau poussif qui cherche à prendre son essor, tournait sur elle-même, dans un envol circulaire de la jupe (...) H. TROYAT, le Vivier, p. 117.

Fig. Qui embrasse un domaine. *Jeter un regard circulaire sur le cinéma américain.*

♦ **2.** Qui a ou rappelle la forme d'un cercle. *Figure, surface, forme circulaire. Construction de forme circulaire.* ⇒ **Cirque, rotonde...**

2 (...) De l'astre au front d'argent la face circulaire. LA FONTAINE, Fables, XI, 6.

Loc. *Scie* circulaire.*

Anat. *Canaux demi-circulaires :* petits canaux osseux situés en arrière du vestibule de l'oreille interne. — N. m. *Circulaire du cordon :* enroulement du cordon autour du cou du fœtus.

Chemin de fer circulaire. ⇒ **Ceinture.** — (1885). *Voyage circulaire,* dont l'itinéraire ramène au point de départ. ⇒ **Circuit.** *Billet circulaire,* pour un circuit, un voyage circulaire.

3 Si vous allez à Naples ce soir, disposez donc de ce billet circulaire.
GIDE, les Caves du Vatican, II, 12e tableau.

♦ **3.** (Abstrait). ⓐ (1678). *Raisonnement circulaire :* raisonnement dans lequel la conclusion ramène aux prémisses. ⇒ **Cercle** (vicieux).

ⓑ Méd. (Vx). *Folie circulaire :* folie intermittente, périodique, cyclique.

ⓒ *Définitions circulaires :* énoncés définitoires tels que le premier renvoie au second et le second au premier (ex. : *Grand : qui n'est pas petit ; Petit : qui n'est pas grand*). *Raisonnement circulaire :* cercle* vicieux. ⇒ **Circularité.**

★ **II.** N. f. (1787 ; de *lettre circulaire,* 1654). Lettre reproduite à plusieurs exemplaires et adressée à plusieurs personnes à la fois. *Circulaire polycopiée, imprimée. Envoyer une circulaire. Circulaire administrative. Circulaire ministérielle,* qui contient les instructions d'un ministre.

4 Il est vrai qu'en France, en dépit de décrets et de circulaires absurdes, tout va plutôt mieux qu'ailleurs. A. MAUROIS, les discours du Dr O'Grady, XVII, p. 187.

DÉR. Circulairement.

CIRCULAIREMENT [siʀkylɛʀmɑ̃] adv. — V. 1370 ; de *circulaire.*

♦ D'une manière circulaire. *Se mouvoir circulairement.*

1 (...) l'émouchet qui planait circulairement dans le ciel.
CHATEAUBRIAND, Mémoires d'outre-tombe, I, 7.

2 La serveuse, du reste, n'a pas découvert de sujet d'intérêt dans ce secteur et son regard achève de balayer circulairement la salle (...)
A. ROBBE-GRILLET, Dans le labyrinthe, p. 173.

CIRCULANT, ANTE [siʀkylɑ̃, ɑ̃t] adj. — 1745 ; de *circuler.*

♦ Didact. ou littér. Qui est en circulation, qui se déplace d'un lieu à un autre. *Exposition circulante.* ⇒ **Ambulant.** — (1849). Vieilli. *Bibliothèque circulante,* dont les livres passent aux divers abonnés.

1 Ce fut une convulsion terrible pendant cent ans, accompagnée d'un infiniment inutile et lamentable rappel des âmes. Notre circulante sphère parut rouler au travers des autres planètes comme un arrosoir de sang.
Léon BLOY, le Désespéré, p. 140.

Physiol. *Anticoagulant circulant.*

(Abstrait). *Capitaux circulants. Espèces circulantes.*

2 On désigne sous le nom de capitaux *circulants* ceux qui ne peuvent servir qu'une seule fois, parce qu'ils doivent disparaître dans l'acte même de production, par exemple le blé qu'on sème (...)
Charles GIDE, Cours d'économie politique, p. 192.

CIRCULARITÉ [siʀkylaʀite] n. f. — 1611 ; attestation isolée, XVIe ; du lat. *circularis* «circulaire», et suff. *-ite.*

Didactique.

♦ **1.** Caractère de ce qui est circulaire.

1 (...) cette circularité du temps demeurait le secret des dieux, et ma courte vie était pour moi un segment rectiligne dont les deux bouts pointaient absurdement vers l'infini (...) M. TOURNIER, Vendredi..., p. 218.

♦ **2.** (Abstrait). *La circularité d'un raisonnement,* qui constitue un cercle* vicieux. *La circularité d'une série de définitions.*

2 Comme toute «science», le marxisme ne dessina jamais qu'un *modèle codé,* et sa nationalité artificielle fut ensuite attribuée, par une circularité vicieuse, au processus historique particulier qui l'avait rendu possible, en sorte que ce modèle, un jour, dès qu'à mes yeux l'histoire se compliqua, perdit pour moi son sens et ses prises. Raymond ABELLIO, Ma dernière mémoire, t. II, p. 27.

CIRCULATEUR [siʀkylatœʀ] n. m. — 1668 ; lat. *circulator* «celui qui forme cercle autour de lui», de *circulari,* «former un groupe» (dans ce sens au XVIe).

♦ **1.** Vx. (Méd.). Partisan de la théorie de la circulation du sang (lorsque celle-ci était controversée, au XVIIe siècle).

♦ **2.** Techn. Dispositif de contrôle du débit de l'eau de chauffe dans une installation de chauffage. *Circulateur d'eau.*

CIRCULATION [siʀkylasjɔ̃] n. f. — 1361 ; lat. impérial *circulatio,* du supin de *circulare.* → Circuler.

♦ **1.** Vx. Mouvement circulaire. *La circulation des planètes.* ⇒ **Révolution.**

♦ **2.** (1667, Pascal). *La circulation du sang, la circulation sanguine,* mouvement du sang qui part du cœur vers toutes les parties du corps au moyen des vaisseaux et revient vers le cœur après s'être purifié au niveau des poumons. ⇒ **Sang.** *Circulation artérielle, capillaire, cardiaque, veineuse. Petite circulation* (pulmonaire). *Grande circulation* (générale). *Souffrir d'une mauvaise circulation. Troubles de la circulation. Atrophie de la circulation.* — *La circulation lymphatique.* ⇒ **Lymphe.**

1 Nulle souffrance errante dans le corps. L'impression d'une circulation aisée, et d'un très léger spasme viscéral, qu'un nerveux ne peut guère éviter quand il atteint le seuil de l'allégresse physique.
J. ROMAINS, les Hommes de bonne volonté, IV, Éros de Paris, XX, p. 215.

2 Déjà les mouvements nerveux s'atténuaient : la circulation reprenait son cours.
MARTIN DU GARD, les Thibault, t. IV, p. 149.

3 Le sang effectue donc un double circuit : l'un court, allant du ventricule droit aux poumons et à l'oreillette gauche, l'autre très étendu, entre le ventricule gauche, les organes et l'oreillette droite. C'est à ces deux circuits qu'on donne le nom de petite et grande circulation, correspondant à la circulation pulmonaire et à la circulation générale. P. VALLERY-RADOT, Notre corps..., p. 40.

CIRCULATION CROISÉE : technique chirurgicale dans laquelle un individu en bonne santé « prête » son cœur et ses poumons à l'opéré, pour assurer une circulation suffisante à ce dernier pendant une opération à cœur ouvert. *La circulation croisée fut remplacée par les appareils de circulation extra-corporelle.*

Par anal. *La circulation de la sève* dans les plantes. Circulation ascendante* (sève brute). *Circulation descendante* (sève élaborée).

(XIXe). Mouvement des fluides (liquides, gaz). *Circulation de l'air :* mouvement par lequel l'air se renouvelle dans un lieu fermé. ⇒ **Aération, courant** (d'air).

Techn. *La circulation d'eau :* le mouvement de l'eau en circuit fermé. *Un circuit de circulation d'eau chaude.*

Biol. Transformations subies par les molécules chimiques constitutives de la cellule vivante.

Techn. (météor.). Ensemble des configurations des mouvements atmosphériques.

♦ **3.** (Personnes, véhicules). Cour. Action d'aller et de venir en utilisant les voies de communication. *La circulation des piétons, des passants, des voitures. La circulation automobile.* — *La circulation aérienne.* — Absolt. *La circulation,* celle des véhicules. *Circulation intense. Circulation routière, circulation urbaine. Gêner, arrêter, interrompre, entraver la circulation. Agent qui règle la circulation. Les accidents* de la circulation, les embarras de la circulation.* ⇒ **Bouchon, embouteillage, encombrement, ralentissement.** *Livrer une route à la circulation. Détourner la circulation.* ⇒ **Bifurcation, détour.** *Circulation à sens unique ; circulation alternée. Circulation réglementée.* — *Voie à grande circulation. Couloir* de circulation.*

4 C'était pourtant dans ce Paris menacé d'étouffement que la circulation atteignait alors la plus grande rapidité qu'on lui ait connue.
J. ROMAINS, les Hommes de bonne volonté, XVIII, p. 203.

5 L'industrie de l'automobile est désormais dominée par les problèmes conjoints de la circulation, du stationnement et de la stabulation.
G. DUHAMEL, Manuel du protestataire, p. 130.

5.1 La Circulation entre parmi les fonctions sociales et se classe au premier rang. Ce qui entraîne la priorité des parkings, des accès, de la voirie adéquate. Devant ce «système», la ville se défend mal.
Henri LEFEBVRE, la Vie quotidienne dans le monde moderne, p. 191.

La circulation des trains. ⇒ **Chemin de fer, trafic.** *Circulation à voie unique, à voie double. Mettre un nouveau matériel en circulation.* ⇒ **Service** (en). — *Circulation des voyageurs. Permis de circulation. Carte de circulation :* titre qui autorise qqn à se déplacer dans certaines conditions. ⇒ **Coupe-file, laissez-passer, passeport.**

Ensemble des véhicules qui circulent. *Détourner la circulation. On entendait le bruit de la circulation.*

Loc. fig., fam. *Disparaître de la circulation :* ne plus donner signe de vie. *Cela fait bien trois mois qu'il a disparu de la circulation.*

♦ **4.** (1694). Ensemble des échanges économiques, des transactions indispensables pour fournir des biens aux producteurs et pour transférer les produits aux consommateurs. ⇒ **Commerce, échange, transaction, transport.** *La circulation des biens. Droit de circulation :* impôt qui se perçoit à l'occasion du transport de certaines marchandises, de boissons.

6   Les échanges déterminant une double circulation : une circulation idéale de droits qui changent de titulaire, une circulation matérielle réalisée par un transport des biens dans l'espace.
> Paul REBOUD, Précis d'économie politique, I, IV, 1, p. 319.

Circulation de l'argent, des effets de commerce, des capitaux. ⇒ **Roulement.** *Circulation monétaire* (cit.). — *Mettre des espèces, des billets, des marchandises en circulation, lancer dans la circulation.* ⇒ **Émission; cours.** *Retirer une monnaie de la circulation.*

7   Cependant, c'est un fait que les 53 milliards de lingots entassés à la Banque de France ont pour contre-partie le gonflement de notre circulation de billets, qui atteint cette semaine *(le 12 janv. 1931)* le chiffre record de 79 milliards (...)
> J. BAINVILLE, la Fortune de la France, p. 260.

Droit de circulation : impôt perçu à l'occasion du transport des boissons.

Par ext. (Personnes). Mouvement (des savants, des techniciens, des spécialistes) entre plusieurs pays.

♦ **5.** EN CIRCULATION (emplois spéciaux mentionnés plus haut). *Mettre un livre, un écrit en circulation, le faire passer de main en main, le répandre, le livrer au public.* ⇒ **Diffusion, lancement.** *Mise en circulation de fausses nouvelles,* propagation. ⇒ **Transmission.**

8   L'amie de ma femme a la franchise de lui transmettre ce potin en circulation.
> Georges LECOMTE, Ma traversée, p. 519.

Lancer dans la circulation, mettre en circulation (un produit, une nouvelle...), *les répandre dans le public.*

CIRCULATOIRE [siʀkylatwaʀ] adj. — 1549; de *circuler*, et suff. *-atoire.*

♦ Relatif à la circulation du sang. *L'appareil circulatoire.* ⇒ **Angiologie; artère, cœur, sang, vaisseau, veine.** *Le mouvement circulatoire. Fonction circulatoire. Appareil circulatoire :* ensemble des vaisseaux qui assurent la circulation du sang et de la lymphe.

Assurer la vie de nos tissus, c'est-à-dire leur apporter à la fois l'oxygène et la nourriture dont ils ont besoin, emporter leurs déchets, tel est le rôle de l'appareil circulatoire.
> P. VALLERY-RADOT, Notre corps, p. 34.

CIRCULER [siʀkyle] v. intr. — 1361; du lat. *circulare,* de *circulus.* → Cercle.

♦ **1.** Vx. (Choses). Se mouvoir circulairement.

1   La terre est une des planètes qui circulent autour du soleil.
> LAPLACE, Exposition du système du monde, II, Préface.

♦ **2.** Par ext. (Fluides). Passer dans un circuit. *Le sang circule dans le corps.* ⇒ **Circulation** (1.). *Le chyle circule dans les vaisseaux. La sève circule dans les plantes.*

♦ **3.** (Personnes). Aller d'un lieu à un autre; se déplacer sur les voies de communication (quelle que soit la direction suivie). ⇒ **Circulation** (2.). *Les passants circulent.* ⇒ **Passer, promener** (se). *Les automobiles circulent lentement dans cette rue. Faire circuler. Défense de circuler. Le droit de circuler. Circulez!,* ordre que les agents de police donnent à la foule de se disperser, de ne pas stationner. *Allons, circulez, il n'y a rien à voir.*

2   Les passants sont rares et circulent le fanal à la main (...)
> LOTI, Aziyadé, Mané, Thécel, Pharès, XII, p. 206.

3   (...) j'ai eu moins de mal à circuler avec ma bagnole (...)
> ROMAINS, les Hommes de bonne volonté, V, Les Superbes, XXVIII, p. 292.

4   Tous les bons observateurs se demandent avec angoisse : « Où mettra-t-on ces voitures? Comment pourront-elles circuler? » Les villes sont, dès maintenant, impraticables.
> G. DUHAMEL, Manuel du protestataire, p. 129.

4.1   Paradis faisait circuler pour qu'on n'ait pas la vue bouchée au premier rang.
> R. QUENEAU, Pierrot mon ami, p. 13.

♦ **4.** (Le sujet désigne un fluide : air, fumée...). Se renouveler par une circulation.

5   L'air de la nuit circulait librement par les hautes et larges fenêtres et répandait une délicieuse fraîcheur en agitant une gerbe d'eau, jaillie d'un bassin de marbre au centre de la pièce.
> M. BARRÈS, Un jardin sur l'Oronte, p. 18.

6   Mais sur le jardin du Luxembourg l'horizon blêmissait ; des vapeurs circulèrent dans l'avenue et enveloppèrent d'ouate les touffes noires des cimes.
> MARTIN DU GARD, les Thibault, t. I, I, p. 63.

♦ **5.** (1719). Choses. Passer, aller de main en main. *L'argent, la monnaie, les capitaux circulent. Faire circuler des effets de commerce.* ⇒ **Circulation** (3.). — *Faire circuler qqch. :* spécialt, faire passer autour d'une table. *On fit circuler les plats, les vins.*

♦ **6.** (Av. 1778; le sujet désigne des nouvelles, des idées, etc.). Se répandre. ⇒ **Courir, propager** (se). *Ce bruit circule dans la ville.* — Trans. *Faire circuler une histoire.* ⇒ **Colporter.** *Faire circuler un écrit, un livre, un pamphlet. Il fit circuler qu'il abandonnait son poste.*

7   Sophie faisait encore circuler d'autres bruits particulièrement alarmants (...)
> MÉRIMÉE, Hist. du règne de Pierre le Grand, p. 11.

(En tournure impersonnelle). *Il circule (un bruit, une rumeur, des ragots, etc.).*

8   Aussi hors des milieux socialistes, il circule à son sujet beaucoup de plaisanteries.
> J. ROMAINS, les Hommes de bonne volonté, Éros de Paris, IX, p. 89.

♦ **7.** Décrire des courbes. *La route circulait sur le flanc de la colline.*

DÉR. **Circulable, circulant, circulatoire.**

CIRCUM- Préposition latine signifiant «autour», qui entre dans la composition de nombreux mots. ⇒ **Circumduction...**; et aussi **circon-.**

Cette circumambulation enferme les énergies bienfaisantes du dedans et, en même temps, forme barrière contre les assauts redoutables du dehors.
> Roger CAILLOIS, l'Homme et le Sacré, p. 62.

CIRCUMDUCTION [siʀkɔmdyksjɔ̃] n. f. — 1562, *circonduction;* du lat. *circumductio,* de *circumducere* «conduire *(ducere)* autour».

♦ (1830). Sc., sports. Mouvement de rotation autour d'un axe ou d'un point central. *Circumduction du tronc, du bras.*

CIRCUMLUNAIRE [siʀkɔmlynɛʀ] adj. — Mil. XXᵉ; de *circum-,* et *lunaire.*

♦ Didact. Qui existe, se produit autour de la Lune. *Le lancement d'un satellite circumlunaire.*

CIRCUMNAVIGATION [siʀkɔmnavigasjɔ̃] n. f. — 1788, *circonnavigation;* de *circum-,* et *navigation.*

♦ Didact. Voyage maritime autour d'un continent ou du globe. ⇒ **Périple.**

Que faisait pendant cette traversée l'inspecteur Fix, si malencontreusement entraîné dans un voyage de circumnavigation?
> J. VERNE, le Tour du monde en 80 jours, 1873, p. 128.

CIRCUMPOLAIRE [siʀkɔmpɔlɛʀ] adj. — 1752, *circonpolaire;* *circumpolaire,* 1700; *circompolaire,* 1838; de *circum-,* et *polaire.*

♦ Didact. Qui est ou a lieu autour d'un pôle. *Expédition circumpolaire.*

Pour employer une comparaison moins ambitieuse qu'on ne croirait, puisque nous sommes tous faits de la même matière que les astres, ces êtres bougent dans le temps, inversant leurs positions comme les étoiles circumpolaires au cours de la nuit, ou, comme les constellations du Zodiaque (...)
> M. YOURCENAR, Archives du Nord, p. 343.

REM. On a écrit *circompolaire.*

CIRCUMTERRESTRE [siʀkɔmtɛʀɛstʀ] adj. — 1878; de *circum-,* et *terrestre.*

♦ Didact. Qui est situé autour de la Terre. *Un mouvement circumterrestre.*

CIRE [siʀ] n. f. — 1080; du lat. *cera.*

★ **I.** Substance grasse sécrétée par certains animaux (notamment les abeilles) ou extraite de quelques végétaux (résine) et utilisée par l'homme. *Qui produit de la cire.* ⇒ **Cérifère, cirier;** et aussi **cér(i)-, céro-.** *Qui a l'apparence de la cire.* ⇒ **Cireux.** *L'ambre* a la consistance de la cire.*

♦ **1.** **a** (Début XIIᵉ). Matière molle, jaunâtre et fusible, élaborée par les abeilles *(cire d'abeille).* Alvéoles de cire d'une ruche. *Ruche à cadres munis de cire gaufrée. Gâteau de cire.* ⇒ **Gaufre, rayon.** *Pain de cire.* ⇒ **Marquette.** *Cire vierge :* cire naturelle. *Séparer le miel de la cire.* ⇒ **Démieller.** *Blanchiment de la cire. Grêloir pour l'égouttage de la cire. Combustion de la cire. La cire fond vers 63°. Utilisation de la cire. Incorporation de la cire à une substance.* ⇒ **Incération.** *Onguent, emplâtre à base de cire.* ⇒ **Cérat.** *Cold-cream*, cosmétique* à la cire.*

b Substance plastique à base de cire d'abeille. *Objets en cire. Couler de la cire dans un moule. Cierge, bougie en cire, de cire. Médaille en cire, bénite par le pape.* ⇒ **Agnus dei** (II.). *Poupée, figurine de cire. Les personnages en cire du musée Grévin. Cire à modeler.* ⇒ **Céroplastique, modelage.** *Tablettes de cire sur lesquelles écrivaient les Romains. Cire à épiler.*

1   Après que les ruches sans miel
N'eurent plus que la cire, on fit mainte bougie.   LA FONTAINE, Fables, IX, 12.

2   (...) les poses d'une femme qui envoûte, qui enfonce une épingle dans une figurine de cire.   COCTEAU, les Enfants terribles, p. 205.

2.1   (...) elle contemple un instant la jeune femme de cire, vêtue d'une robe identique en soie blanche, ou bien son propre reflet dans la vitre, ou bien la laisse en cuir tressé que le mannequin tient de la main gauche (...)
> A. ROBBE-GRILLET, la Maison de rendez-vous, p. 14.

Spécialt (prothèse dentaire). *Cire dentaire :* cire d'abeille alliée à diverses matières grasses organiques pour la confection de maquettes d'essayage. *Cire à inlays.* — *Cires d'articulés :* maquettes en cire.

Par métonymie. (Une, des cires) Objet en cire. *Musée de cires, cabinet de cires.* — *Bougie, cierge de cire. Collectif. La cire :* le luminaire, l'ensemble des cierges d'une église. « *Les funérailles ont coûté tant pour la cire* » (Académie).

♦ **2.** Substances analogues. ⓐ *Cire de cochenille. Cire de suint de mouton.*

ⓑ *Cire végétale* : résine analogue à la cire des abeilles et qui coule de certains arbres. *Arbre à cire.* ⇒ **Myrica.** *Palmier à cire.*

ⓒ *Cire minérale. Cire fossile.* ⇒ **Ozocérite.**

ⓓ Mélange d'hydrocarbures saturés, plus fin que la paraffine.

♦ **3.** Préparation (de cire — animale ou végétale — et de solvants — essence de térébenthine, etc.) pour l'entretien des parquets. ⇒ **Cirage, encaustique.** *Un parquet enduit de cire.* ⇒ **Cirure.** *Frotter un parquet avec de la cire.* ⇒ **Cirer.** *Une cire douce et odorante.*

♦ **4.** Techn. Mélange à base de cires (animales, végétales), pour la gravure initiale sur disques phonographiques. — Par métaphore (littér.). Le disque lui-même.

2.2   Non fièvre de l'or, comme au Far West, mais fièvre de la cire. Nos romanciers, nos poètes devraient la chanter. Il y a de l'épopée là-dedans.
P. GUTH, Lettre ouverte aux idoles, Sheila, p. 94.

♦ **5.** Par anal. Cour. (non scientifique). Sécrétion jaunâtre qui se fait dans les oreilles (⇒ **Cérumen**), au bord des paupières (⇒ **Chassie**). *Bouchon de cire.*

♦ **6.** Loc. (Déb. XIIIᵉ ; du sens 1, a). *Être jaune comme cire* : avoir un teint très jaune. ⇒ **Cireux.** — (Du sens 1, b). *Un caractère de cire,* très malléable. — Loc. (1688). *C'est une cire molle ; on la manie comme de la cire.* — *Un cœur de cire.*

3   Si elle (*Pauline*) n'a pas été bien élevée, c'est à vous à raccommoder toute cette cire, qui est encore assez molle pour prendre la forme que vous voudrez.
Mᵐᵉ DE SÉVIGNÉ, 1126, 21 janv. 1689.

4   (...) dès que la présence sacramentelle s'évanouit, le cœur charnel, cire vivante, en garde l'empreinte (...)   F. MAURIAC, Souffrances et Bonheur du chrétien, p. 101.

Comme la cire au feu, se dit de qqch. qui disparaît très vite.

5   Comme la cire se fond au feu,
Les méchants disparaissent devant Dieu.   BIBLE (SEGOND), Psaumes, LXVIII, 3.

6   Sembat avait raison : les démocraties ne sont pas faites pour la guerre : elles s'y fondent comme cire au feu.   MARTIN DU GARD, les Thibault, t. IX, p. 124.

♦ **7.** *Cire, cire à cacheter, cire d'Espagne* : substances qui s'amollissent à la chaleur, composées de gomme laque et de résine diversement colorée. *Cacheter une lettre, un paquet à la cire. Cachet de cire* (→ Apposer, cit. 2). *Bâton* de cire. Cire à sceller*. Scellés fixés à la cire molle. Sceau à la cire.*

♦ **8.** Arts. (Du sens 1, b). *Moulage à cire perdue* : procédé consistant à mouler de l'argile autour d'un modèle en cire, qui fond lorsqu'on coule le métal dans le moule. *Coulée à cire perdue.* — *Cire perdue* : objet obtenu suivant ce procédé.

★ **II.** (1284). Zool. Membrane molle qui recouvre la base du bec chez les oiseaux. *La cire, appelée aussi ceroma, s'étend chez les échassiers et les palmipèdes sur presque tout le bec. Les narines sont percées dans la cire.*

DÉR. Cirer, cireux, cirier.
COMP. Ciroplaste.
HOM. Cirre, formes du v. **cirer, sire.**

CIRÉ [siʀe] n. m. — 1896, *Année sc. et industr.*, p. 475 ; de *cirer.*

♦ Vêtement imperméable de tissu huilé (anc.) ou plastifié (mod.). *Un ciré de marin. Porter un ciré jaune.*

1   Tous les hommes portaient le ciré des marins, capuchon rabattu sur leur uniforme.
MALRAUX, la Condition humaine, p. 60.

2   Dans l'angle rentrant de l'immeuble d'en face, je viens de voir distinctement le ciré noir, rendu plus brillant encore par la pluie, qui luit dans la clarté jaune du proche réverbère.
A. ROBBE-GRILLET, Projet pour une révolution à New York, p. 43.

HOM. Cirer.

CIRER [siʀe] v. tr. — Fin XIIᵉ ; de *cire.*

♦ **1.** Enduire, frotter de cire. *Cirer un parquet, des meubles, pour les nettoyer, les faire reluire.* ⇒ **Briller** (faire briller), **encaustiquer, frotter.** — Techn. *Cirer une étoffe.* ⇒ **Glacer.**

♦ **2.** Enduire de cirage. *Cirer des souliers, un objet de cuir.*

1   Assis à la terrasse d'un café, place d'Espagne, Fernando Lucas suivait avec ravissement les mouvements du jeune Arabe qui lui cirait ses souliers jaunes de fantaisie.   P. MAC ORLAN, la Bandera, IX, p. 101.

♦ **3.** Loc. fam. *Cirer les bottes à qqn,* le flatter par bassesse. ⇒ **Lécher.**

▶ **CIRÉ, ÉE** p. p. adj.

Enduit de cire. *Parquet ciré. Chaussures bien cirées.*

2   (...) ils sont heureux de sentir que leurs habits sont neufs, leurs parquets cirés, leurs vitres luisantes.   TAINE, Philosophie de l'art, t. II, V, III, v, p. 307.

3   (...) il s'agit bien, en effet, de Salvador Dali, vêtu de son habitude avec une extra-

---

vagante élégance, — gilet printanier, constellé de fleurs à la Botticelli, canne au pommeau serti de pierre, — et la moustache cirée et le teint cireux.
Claude MAURIAC, le Temps immobile, p. 441.

Par ext. *Toile* cirée,* enduite d'un vernis qui la rend imperméable. — Vx. *Manteau ciré.* ⇒ **Ciré, n. m.**

CONTR. Crotter, salir.
DÉR. Cirage, ciré, cireur, cirure.
HOM. Ciré.

CIREUR, EUSE [siʀœʀ, øz] n. — 1837 ; de *cirer.*

♦ **1.** Personne qui cire. *Une cireuse de parquets.*

N. m. Spécialt. Celui dont le métier est de cirer les chaussures. *Un cireur de bottes. Un petit cireur* (cf. ital. *sciuscià*).

1   (...) il y a tout un monde de mioches à la peau noire, métis de kabyles, d'arabes, de nègres et de blancs, fourmilière de cireurs de bottes, harcelants comme des mouches (...)   MAUPASSANT, Au soleil d'Alger, p. 27.

2   Serait-il possible qu'elle eût marché pieds nus, en exhibant ces jolis pieds à côté des boîtes des cireurs qui sont en leur habituel lieu, devant les tables du bar?
A. PIEYRE DE MANDIARGUES, la Marge, p. 157.

♦ **2.** N. f. (1925, *in* D.D.L.). Appareil ménager qui cire les parquets. *Une cireuse-décapeuse.*

CIREUX, EUSE [siʀø, øz] adj. — Déb. XVIᵉ ; de *cire.*

♦ **1.** Qui a la consistance de la cire. *Matière cireuse.*

♦ **2.** (1856). Qui a l'aspect blanc jaunâtre de la cire. *Visage, teint cireux* (→ Ciré, cit. 3). *Il était d'une pâleur cireuse.*

1   (...) sans rien pour cacher leurs visages bouffis ou cireux, leurs pauvres faces violacées, qu'on eût dit barbouillées avec la lie de vin.
R. DORGELÈS, les Croix de bois, VII, p. 149.

2   Car son teint cireux unifiait le visage et les cheveux blancs (...) et la barbiche, également blanche (...)   Claude LÉVI-STRAUSS, Tristes tropiques, p. 7.

CIRIER [siʀje], **CIRIÈRE** [siʀjɛʀ] n. — Fin XIIᵉ ; de *cire.*

♦ **1.** Personne qui travaille la cire ; qui vend des cierges, des bougies. — REM. Dans ce sens, le fém. *cirière* est virtuel.

Vanhoenacker, le cirier, marguillier de sa paroisse de Valenciennes, le bon centurion de réserve résigné à être guerrier (...)
A. LANOUX, le Commandant Watrin, p. 42-43.

♦ **2.** N. f. (1771). Bot. Arbre à cire. ⇒ **Myrica.** — Appos. *Arbre cirier.*

♦ **3.** N. f. (1845). Zool. *Cirière* : abeille ouvrière produisant la cire (→ Abeille, cit. 5). — Appos. *Abeille cirière.*

CIRON [siʀɔ̃] n. m. — XIIIᵉ ; *seiron,* après 1050 ; altér. de *suiron,* empr. à l'anc. haut all. **seuro.*

♦ **1.** ⓐ Insecte aptère qui vit dans les aliments, les détritus (acarien du fromage).

Littér. Insecte minuscule.

0.1   (...) cette lourde citerne d'eau stagnante où couraient les cirons et les moustiques (...)   J.-M. G. LE CLÉZIO, la Fièvre, p. 114.

ⓑ Petite vésicule de la gale.

♦ **2.** Fig., vx. Symbole de l'extrême petitesse.

1   Qu'un ciron lui offre (*à l'homme*) dans la petitesse de son corps des parties incomparablement plus petites (...)   PASCAL, Pensées, II, 72.

2   Dame fourmi trouva le ciron trop petit,
Se croyant, pour elle, un colosse.   LA FONTAINE, les Fables, I, 7.

3   (...) nos triangles, multipliés même à l'échelle des fourmis et des cirons, et même des cirons de cirons, ne seront jamais que des références, par rapport auxquelles nous dresserons la carte de la chose (...)
ALAIN, Entretiens au bord de la mer, IV, *in* les Passions et la Sagesse, p. 1297.

CIROPLASTE [siʀoplast] n. m. — D. i. ; de *cire,* et suff. *-plaste.*

♦ Vx. Sculpteur sur cire ou sur une matière molle.

(...) aussi agiles que ces ciroplastes qui font un buste devant nous en cinq minutes, les quelques mots que l'inconnue va nous dire préciseront cette forme (...)
PROUST, À l'ombre des jeunes filles en fleurs, Folio, p. 536.

CIRQUE [siʀk] n. m. — V. 1355 ; du lat. *circus.*

♦ **1.** Vaste enceinte où les Romains célébraient les jeux publics (courses de chars, combats de gladiateurs, naumachies, etc.). ⇒ **Amphithéâtre, arène, carrière.** *Cirque de forme ovale. Gradins*, arène*, méta*, podium*, vomitoire* d'un cirque antique. Jeux du cirque.* ⇒ **Belluaire, char** (course de chars, de chevaux), **gladiateur ; naumachie.**

1   Les jeux par excellence, c'étaient ceux du cirque : *circenses.* Ils ne se conçoivent pas en dehors des édifices dont ils tiennent leur nom et qui, bâtis exprès pour eux, déployèrent des dimensions variables sur le plan uniforme d'un long rectangle dont les petits côtés s'incurvent en hémicycles.
J. CARCOPINO, la Vie quotidienne à Rome..., III, 3, p. 245.

♦ **2.** (1832). Cour. Lieu de spectacle comportant une piste circulaire où ont lieu des exercices (d'équitation, de domptage, d'équilibre...), des exhibitions, des pantomimes, etc.; ensemble du matériel et du personnel nécessaire à ce genre de spectacle. *Cirque ambulant, forain. La caravane d'un cirque. Tente, mâts, gradins, piste, tremplin d'un cirque. Le chapiteau du cirque.* ⇒ **Chapiteau.** *Personnel d'un cirque. Les gens du cirque,* dits *gens du voyage.* ⇒ **Acrobate, clown** (et **auguste**), **dompteur, écuyer, équilibriste, gymnaste, pitre** (cf. Homme-canon, homme-obus). *Orchestre d'un cirque. Musique de cirque.* — Fig. *Musique tapageuse. Cavalerie, ménagerie d'un cirque. Garçon de cirque chargé du soin des bêtes.* ⇒ **Belluaire** (2.). *Spectacle d'un cirque.* ⇒ **Équitation, gymnastique; voltige.** —*Aller au cirque. Emmener des enfants au cirque.*

2 (...) les cinq mille places assises du Cirque Royal étaient toutes occupées, mais les travées étaient pleines de manifestants debout (...)
  MARTIN DU GARD, les Thibault, t. VII, p. 51 (→ Battement, cit. 3).

3 On peut voler à ton âge
  Le cirque est un cerf-volant
  Sur ses voiles, sur ses cordages,
  Volent les voleurs d'enfants.   COCTEAU, Poèmes, p. 164.

Entreprise qui organise ce genre de spectacle. *Le cirque Un Tel. Un grand cirque allemand.* — Absolt. *Le cirque. Aimer le cirque. L'Opéra chinois tient à la fois du théâtre, de la musique et du cirque.*

REM. R. Queneau (*Pierrot mon ami*, p. 120) forge l'adj. *cirqueux,* substantivé au sens de «celui qui appartient au personnel d'un cirque» (2.), probablt d'après le n. fam. *théâtreux.*

♦ **3.** Fig., fam. [a] Comportement outrancier plus ou moins affecté et bouffon. ⇒ **Comédie, séance.** *Arrêtez ce cirque, ça ne prend pas!* ⇒ **Cinéma.**

4 Il marmonnait : «Je vais bien te forcer à remonter, moi, tu vas voir, petite imbécile. Qu'est-ce que c'est que ce cirque, je vous demande un peu!»
  J. DUTOURD, les Horreurs de l'amour, p. 656.

5 Ils entrèrent dans le bistrot. Des journalistes à la poursuite de Pinero. Puig, très à son aise, leur indiqua l'hôtel, là-bas, qui dominait le village. Les types démarrèrent en trombe. «Manquait plus que ça, dit Puig. Ça va être un vrai cirque. C'est vraiment un si grand peintre que ça?»   H.-F. REY, les Pianos mécaniques, p. 212.

[b] Activité désordonnée. — Endroit où une telle activité se donne cours, lieu où règnent la confusion, la gabegie. *Quel cirque, cette boîte!*

♦ **4.** (Fin XVIIIᵉ). Géol. et cour. Amphithéâtre de parois abruptes, entourant un fond accidenté de roches moutonnées, avec lacs ou marécages, et fermé le plus souvent par une barre qui ressemble à un verrou (De Martonne). *Le cirque de Gavarnie.*

Par anal. Dépression circulaire de la surface de la Lune, de Mars. *Cirque lunaire. Le cirque Hipparque.*

CIRRE ou **CIRRHE** [siʀ] n. m. — 1545; du lat. *cirrus* «filament».

♦ **1.** Zool. Appendice fin faisant saillie sur des parties variables du corps de certains animaux (pattes des cirripèdes, barbillons des poissons, certaines plumes dépourvues de barbes chez les oiseaux). *Cirres de mollusques, de vers.* ⇒ **Cil.**

♦ **2.** Bot. Filament grêle constituant l'organe de fixation des plantes grimpantes à leur support. ⇒ **Vrille.**

DÉR. V. Cirripèdes.
HOM. Cire, sire.

CIRRHOSE [siʀoz] n. f. — 1805; du grec *kirros* «roux», et suff. *-ose.*

♦ **1.** Méd. Affection du foie caractérisée par des granulations d'un jaune roux qui empêchent les fonctions de l'organe. ⇒ **Hépatite.** *Cirrhose graisseuse, pigmentaire. Cirrhose alcoolique. Cirrhose paludéenne.* — Cour. (pléonasme). *Cirrhose du foie.* — Spécialt. Cour. Cirrhose alcoolique du foie. *Arrête de boire, ou gare la cirrhose!*

Mais il mourut, trois ans plus tard, victime de la cirrhose qui terrassait, l'un après l'autre, tous les champions de la chopine.
  G. CHEVALLIER, Clochemerle, p. 412.

♦ **2.** Sclérose diffuse (de certains organes). *Cirrhose pancréatique, rénale.*

DÉR. Cirrhotique.

CIRRHOTIQUE [siʀɔtik] adj. et n. — 1892; de *cirrhose.*

♦ Méd. (à propos d'un organe). Qui est atteint de cirrhose. *Un foie cirrhotique.* Qui est la manifestation d'une cirrhose. *Une sclérose cirrhotique.* — N. (1904, in *Rev. gén. des sc.*, nᵒ 6, p. 320). *Un, une cirrhotique :* une personne atteinte de cirrhose.

CIRRIPÈDES [siʀipɛd] n. m. pl. — Déb. XIXᵉ; du lat. *cirrus* «filament», et *-pède.*

♦ Zool. Ordre d'animaux arthropodes antennifères, de la classe des crustacés entomostracés, marins, au corps recouvert de plaques calcaires soudées ensemble, ou libres. *Les cirripèdes possèdent en*

général trois ou six paires de pattes. Ils vivent dans la coquille des mollusques ou en parasites sur l'abdomen d'autres crustacés. Types principaux des cirripèdes.* ⇒ **Anatife, balane, sacculine.** — Au sing. *Un cirripède.*

CIRROCUMULUS [siʀokymylys] n. m. — 1830, Bailly de Merlieux, *Résumé complet de météorologie;* de *cirrus,* et *cumulus.*

♦ Didact. (météor.). Nuage en flocons séparés (ciel moutonné). — REM. On écrit aussi *cirro-cumulus.*

Lorsqu'ils *(les cirrus)* se transforment en cirro-cumulus, nuages soyeux, *sans ombre,* ressemblant à des friselis sur un lac, c'est que le quelque chose tend à se confirmer.   Bernard MOITESSIER, Cap-Horn à la voile, p. 235.

CIRROSTRATUS [siʀostʀatys] n. m. — 1830 (→ Cirrocumulus); de *cirrus,* et *stratus.*

♦ Didact. (météor.). Nuage élevé, en voile blanchâtre presque translucide. — REM. On écrit aussi *cirro-stratus.*

CIRRUS [siʀys] n. m. — 1830, cit.; du lat. *cirrus* «filament».

♦ Didact. (météor.). Nuage élevé (10 km) et léger qui s'effiloche.

Cirrus. Nuage ressemblant à une touffe de cheveux ou de plumes, à lignes parallèles, ondulées ou divergentes, mal terminées dans la direction de leur mouvement. Cette espèce de nuage est toujours la moins dense et occupe les régions les plus élevées; quelquefois elle couvre le disque du soleil d'un voile transparent, et d'autres fois forme des groupes distincts de traînées parallèles ou de lignes sinueuses.
  C. BAILLY DE MERLIEUX, Résumé complet de météorologie, 1830, p. 118.

COMP. Cirrocumulus, cirrostratus.

CIRSE [siʀs] n. m. — 1793; *cirsion,* XVIᵉ; lat. bot. *cirsium.*

♦ Bot. Plante de la famille des Composées, groupant une partie des chardons (chardon laineux, acaule, crépu, lancéolé, penché...). *Les cirses* (ou *cirsium*) *et les carduus sont appelés* chardons.

Il marcha sur la droite de la route frappant les cirses (...) à coups de bâton vigoureux.   Robert SABATIER, les Noisettes sauvages, p. 142.

CIRURE [siʀyʀ] n. f. — 1645; de *cirer.*

♦ Vx. Enduit de cire préparée. *Une bonne cirure, une mauvaise cirure* (Académie).

CIS- Préfixe latin signifiant «en deçà» (⇒ **Citérieur**) et entrant dans la composition de mots savants. ⇒ **Cisalpin, cisjuran, cispadan, cisrhénan.**

CONTR. Trans-.

CISAILLAGE [sizajaʒ] n. m. — Mil. XXᵉ; de *cisailler.*

♦ Techn. Action de cisailler (une feuille de métal) suivant un tracé donné.

1. CISAILLE [sizaj] n. f. — 1214, «ciseau pour couper le tissu»; du lat. pop. **cisaculum,* lat. class. *cæsalia* «ciseau».

♦ **1.** (Souvent au plur.). Gros ciseaux servant à couper les métaux en feuilles, à élaguer les arbres (⇒ **Élagueur**), à couper de grosses épaisseurs de papier, etc. *Les cisailles ordinaires se manœuvrent à la main. Cisailles à batterie pour tailler les haies. Cisailles d'horticulteur, de jardinier.* ⇒ **Sécateur; cueilloir.** — *Cisailles de chirurgien.*

♦ **2.** (Souvent au sing.). Appareil à deux lames, dont l'une est mobile, servant à découper des tôles, du carton fort, etc. *Cisaille de zingueur, de chaudronnier. Cisaille de tôlier.* ⇒ **Cisoires.** *Cisaille d'établi. Cisaille de ferblantier,* dont l'une des branches est fixe, l'autre se mouvant à la main. *Cisaille à guillotine,* formée de deux lames coupantes dont l'une est fixe et l'autre animée d'un mouvement de va-et-vient vertical. *Cisaille circulaire,* dont les lames coupantes sont deux disques au bord tranchant. *Cisaille à vapeur, hydraulique. Cisaille de relieur.* — *Couper des têtes de boulon à la cisaille.*

DÉR. Cisailler.
HOM. 2. Cisaille.

2. CISAILLE [sizaj] n. f. — 1324; subst. verb. de *cisailler.*

♦ Rognure de métal. *De la cisaille d'argent.* — Spécialt. Rognure qui provient de la fabrication des monnaies. *Fondre de la cisaille.*

CISAILLEMENT [sizajmã] n. m. — 1635; de *cisailler.*

♦ **1.** Action de cisailler. ⇒ **Cisaillage.**

♦ **2.** Rupture de deux pièces de métal contiguës par suite de forces entraînant le déplacement de l'une par rapport à l'autre. *Rivets, boulons rompus par cisaillement. Résistance au cisaillement.*

♦ **3.** Fig. Action d'interrompre brutalement la continuité de (qqch.). ⇒ **Cisailler** (4.).

Le cisaillement des communications ferroviaires, suivant le tracé général : Limoges - Clermont-Ferrand - Le Puy - Albi - Foire, en vue (...) d'isoler la zone sud-ouest.   Ch. DE GAULLE, *Mémoires de guerre*, t. II, p. 690.

♦ **4.** (V. 1967). Techn. Croisement à niveau de deux courants de circulation (routes, rues...). — Ch. de fer. Croisement de deux voies ferrées.

CISAILLER [sizaje] v. tr. — 1450 ; de 1. *cisaille.*

♦ **1.** (Sujet n. de personne). Couper* (qqch.) avec une ou des cisaille(s). *Cisailler la brochure d'un livre.* ⇒ **Ébarber.** *Cisailler les branches d'un arbre.* ⇒ **Élaguer.** *Cisailler des fils de fer barbelés.* Spécialt. Couper, avec des cisailles, des pièces de monnaie fausses ou de rebut.

♦ **2.** (Sujet n. de chose). Techn. User (qqch.) par cisaillement (2.). *Le frottement cisaille les boulons.*

♦ **3.** (Sujet n. de personne). Couper, entailler avec un instrument tranchant. ⇒ **Taillader.**

(...) il s'est mis, par en-dessous, à me marteler le visage. Il m'a porté ainsi quatre coups (...) le troisième m'a cisaillé la joue (...)   Paul VIALAR, *Risques et Périls, La mort est un commencement*, p. 28.

Fig. Censurer (un texte).

♦ **4.** Fig. Interrompre la continuité d'une chose, et, spécialt. rompre une ligne de défense ennemie. *Cisailler l'arrière d'une ligne.*

♦ **5.** Fig. *Cisailler qqn*, le stupéfier, le rendre incapable d'agir. *Toutes ces nouvelles m'ont cisaillé.*

♦ **6.** (1937). Autom. «(...) prendre un virage en vitesse, en braquant légèrement plusieurs fois et en rendant la main entre chaque braquage» (Petiot).

DÉR. Cisaillage, cisaillement.

CISALPIN, INE [sizalpɛ̃, in] adj. — 1596 ; de *cis-*, et *alpin.*

♦ Situé en deçà des Alpes. *Gaule cisalpine* : région occupée par des populations celtiques et située en deçà des Alpes par rapport aux Romains, c'est-à-dire au-delà des montagnes qui séparent la France de l'Italie (Lombardie-Piémont).

1   (...) les écrivains latins (...) distinguaient entre la Gaule cisalpine et la Gaule transalpine, la première sur le versant oriental des Alpes (...)   Pierre GAXOTTE, *Hist. des Français*, I, p. 44.

Hist. *République cisalpine*, fondée par Bonaparte en 1797, au nord de l'Italie.

2   Il fallait (...) profiter de la défaite de l'Autriche, de l'abattement de Pitt qui (...) se montrait disposé à reconnaître les conquêtes de la Révolution (...) la République cisalpine d'Italie, annexe de la République française.   J. BAINVILLE, *Hist. de France*, p. 383.

CONTR. Transalpin.

CISEAU [sizo] n. m. — V. 1160, var. anc. *cisel* ; du lat. pop. **cisellus*, altér. de **cæsellus*, de *cæsus*, de *cædere* «couper».

★ **I.** (Sing. et plur.). Outil d'acier, tranchant à l'une de ses extrémités, et servant à travailler le bois, le fer, la pierre... *Ciseau à bout droit, à bout rond. Ciseau mousse* de serrurier. Le manche d'un ciseau. Affûter, émoudre un ciseau. Travailler, tailler au ciseau.* ⇒ **Sculpter.** *Ouvrage de ciseau*, de sculpture. *Ciseau de sculpteur.* ⇒ **Bouchard, riflard, rondelle.** *Ciseau de graveur.* ⇒ **Berceau, burin, ciselet, gouge, grattoir, matoir, pointe, repoussoir.** *Ciseau d'orfèvre.* ⇒ **Ciselet, cisoir.** *Ciseau de menuisier, de charpentier.* ⇒ **Bédane, besaiguë, biseau, ébauchoir, fermoir, gouge, gougette, plane, poinçon.** *Ciseau de marbrier.* ⇒ **Ognette.** *Ciseau à déballer*, ou *ciseau à froid*, dont l'extrémité n'est pas tranchante, et qui sert de levier...

1   Et Yahweh dit à Moïse : « (...) Si tu m'élèves un autel de pierre, tu ne le construiras point en pierres taillées, car en levant ton ciseau sur la pierre, tu la rendrais profane (...) »   BIBLE (CRAMPON), *Exode*, XX, 24-25.

2   Un bloc de marbre était si beau
Qu'un statuaire en fit l'emplette :
« Qu'en fera, dit-il, mon ciseau ?
Sera-t-il dieu, table ou cuvette ? »   LA FONTAINE, *Fables*, IX, 6.

2.1   (...) la longueur des nuits favorisait encore un peu mes démarches : depuis deux mois je les préparais sans qu'on s'en fût douté ; je sciais peu à peu avec un mauvais ciseau que j'avais trouvé, les grilles de mon cabinet ; déjà ma tête y passait aisément (...)   SADE, *Justine...*, t. I, p. 215.

3   Comment fais-tu, Michel-Ange, pour couper le marbre par tranches, ainsi qu'un enfant qui sculpte un marron ? de quel acier étaient faits tes ciseaux invaincus ?   Th. GAUTIER, *Mlle de Maupin*, VI, p. 118.

Ciseau de calfat : outil de fer servant à enfoncer l'étoupe dans les coutures des bordages.

Fig. Travail, manière du sculpteur. *On reconnaît là le ciseau de Michel-Ange.* — Par ext. Personne qui travaille au ciseau, particult. sculpteur.

★ **II. CISEAUX** (plur.). ♦ **1.** (XIIe). Instrument formé de deux branches d'acier, tranchantes sur une partie de leur longueur (lame), réunies et croisées en leur milieu sur un pivot (entablure). *Les anneaux d'une paire de ciseaux. Trancher d'un coup de ciseaux. Ciseaux de couturière, de tailleur, de coupeur. Ciseaux de brodeuse. Ciseaux à ongles.* ⇒ **Onglier.** *Ciseaux à papier, à carton.*

4   Et, soudain, avec un bruit crissant et glouton, les ciseaux mordaient le drap.   G. DUHAMEL, *Chronique des Pasquier*, I, p. 56.

4.1   Sur le drap blanc qui recouvre la table pliante effilée, spécialement conçue pour un tel usage, elle a posé en outre une paire de grands ciseaux de couturière, en acier chromé, dont elle vient de se servir pour couper un fil qui dépassait, à la couture de l'ourlet inférieur ; les deux lames aiguës, ouvertes en V, brillent dans la lumière d'une lampe à col de cygne dont elles renvoient de multiples rayons.   A. ROBBE-GRILLET, *Projet pour une révolution à New-York*, p. 79.

Techn. *Ciseaux de chirurgien, ciseaux de Richter... Ciseaux coudés*, dans lesquels la lame et la branche forment un angle. *Ciseaux à cuiller*, à lames courbées. *Ciseaux de jardinier.* ⇒ **Cueille-fleurs, sécateur.** *Ciseaux servant à couper la mèche d'une chandelle.* ⇒ **Mouchette.** *Ciseaux servant à tondre la laine des moutons.* ⇒ **Forces.** *Grands ciseaux utilisés dans l'industrie.* ⇒ 1. **Cisaille.**

REM. Quant à la désignation, le français ne peut distinguer l'objet unique (appelé *des ciseaux*) de la pluralité ; on dira : *une paire, des paires de ciseaux.*

Myth. *Les ciseaux de la Parque* : les ciseaux avec lesquels Atropos coupe le fil de la vie.

5   C'était un grand homme (*le docteur Sangrado*) sec et pâle, et qui, depuis quarante ans pour le moins, occupait le ciseau des Parques.   A.-R. LESAGE, *Gil Blas*, II, II, p. 76.

Fig. *Faire un livre à coups de ciseaux, avec des ciseaux et de la colle*, le composer en empruntant largement à d'autres livres. ⇒ **Compiler, piller, plagier.**

Fig. *Les ciseaux de la censure* : l'action des censeurs (qui effectuent des coupures dans un livre, un article, un film, etc.).

♦ **2. EN CISEAUX** : par une disposition croisée.

a Mar. *Mettre les voiles en ciseaux* : mettre les voiles de l'avant d'un bord et celles de l'arrière de l'autre bord.

6   Chichester était arrivé à la conclusion que *Gipsy-Moth II* ne marchait pas plus vite au «grand largue presque vent arrière», qu'au plein vent arrière avec les voiles en ciseaux, c'est-à-dire grand-voile sur un bord et génois tangonné sur l'autre.   Bernard MOITESSIER, *Cap Horn à la voile*, p. 96.

b (1906, *in* Petiot). Sports. *Sauter en ciseaux* (→ Rouleau, cit. 6), *en donnant un coup de ciseaux* : sauter en levant l'une après l'autre les jambes, comme les lames d'une paire de ciseaux. *Le saut en ciseaux.*

♦ **3.** *Un ciseau* : un mouvement effectué en ciseaux. — Spécialt. Saut en ciseaux. — Prise de lutte ou de catch où les jambes enserrent l'adversaire. — (1819, *in* Petiot). Mouvement de gymnastique au sol qui consiste à croiser les jambes en ciseaux.

DÉR. V. Ciselet.

CISELAGE [sizlaʒ] n. m. — 1611 ; de *ciseler.*

♦ ⇒ **Cisellement.**

CISELER [sizle] v. tr. — Conjug. *geler*. — Déb. XIIIe ; de *ciseau.*

♦ **1.** Travailler avec un ciseau (des ouvrages de métal, de pierre...). *L'orfèvre qui a ciselé ce bijou. Ciseler un détail de sculpture.* ⇒ **Sculpter.** *Ciseler une statue. Art de ciseler l'ivoire, le métal.* ⇒ **Toreutique.**

♦ **2.** (1860). Fig. Travailler minutieusement, dans le moindre détail. ⇒ **Parfaire, polir.** *Ciseler son style. Ciseler des vers.*

♦ **3.** Cuis. Inciser (une pièce) pour qu'elle ne se déchire pas à la cuisson ou pour en faciliter la cuisson. *Ciseler une viande, un poisson.*

♦ **4.** Vitic. Pratiquer le cisellement de (une grappe, des grappes d'une vigne).

▶ **CISELÉ, ÉE** p. p. adj. *Vaisselle ciselée*, ornée de ciselures.

1   Un candélabre tout couvert de fleurs ciselées brûlait au fond, et chacune de ses huit branches en or portait dans un calice de diamants une mèche de byssus.   FLAUBERT, *Salammbô*, VII, p. 127.

Fig. *Un visage délicatement ciselé. — Coiffure ciselée*, apprêtée avec art.

2   La masse ciselée de sa chevelure blonde amenuisait sa figure de perle (...)   Edmond JALOUX, *le Jeune Homme au masque*, II, p. 36.

CONTR. (Du sens 2). **Bâcler.**

DÉR. Ciselage, ciseleur, cisellement, ciselure.

CISELET [sizlɛ] n. m. — 1491 ; dimin. de *cisel*, *ciseau*.*

♦ Techn. Petit ciseau, le plus souvent sans tranchant (bronziers, orfèvres, graveurs). *Finissage au ciselet.* ⇒ **Ciselure.**

(...) là encore *(dans l'opération de la ciselure)* le marteau est l'instrument principal. Mais cette fois, léger et flexible, il agit sur le métal par l'intermédiaire de petits outils d'acier, sorte de ciseaux émoussés, longs de douze à treize centimètres, appelés *ciselets,* que l'ouvrier tient de la main gauche, perpendiculairement à la surface du métal et sur lesquels il frappe à petits coups rapides.
Luc LANEL, l'Orfèvrerie, p. 15.

CISELEUR [sizlœʀ] n. m. — XVIe ; de *ciseler.*

♦ **1.** Personne dont le métier est de ciseler. ⇒ **Bijoutier, orfèvre.** *Un ouvrier ciseleur.*

1 (...) du marbre, de la pierre, du bronze et du bois sculptés par des mains géniales, ou bien de l'or, de l'argent, de l'ivoire et du cuivre, vagues matières métamorphosées en chefs-d'œuvre sous les doigts de fées des ciseleurs.
MAUPASSANT, Notre cœur, II, VII, p. 220.

2 (...) des ouvrages sur l'art de l'argenterie, sur les poinçons des vieux ciseleurs.
PROUST, À la recherche du temps perdu, t. XII, p. 206.

♦ **2.** Fig., rare. Écrivain délicat, qui cisèle son style.
REM. Le fém. *ciseleuse* [sizlφz] est virtuel.

CISELIN [sizlɛ̃] n. m. — D. i. ; mot savoyard, du piémontais *sigilin,* dimin. d'un dér. du lat. *situla* « seau », qui a donné *seille* en français.

♦ Régional. Récipient métallique.
Une bonne vieille nettoyait les ciselins de tôle sous le jet violent du bachal.
R. FRISON-ROCHE, Premier de cordée, p. 183 (1941).

CISELLEMENT [sizɛlmã] n. m. — 1876 ; de *ciseler.*

♦ Vitic. Action de couper les grains défectueux d'une grappe de raisins, pour favoriser la croissance des autres.

CISELURE [sizlyʀ] n. f. — 1307 ; de *ciseler.*

♦ **1.** Techn., arts. Art du ciseleur. ⇒ **Argenterie, bijouterie, gravure, laque, orfèvrerie.** *Ciselure sur fondu :* finissage au ciselet des objets dont la forme a été obtenue par la coulée du métal fondu. *Ciselure repoussée,* dans laquelle le ciseleur crée lui-même la forme. *Ciselure prise sur pièce,* ou sculpture du métal dans la masse. *Outils nécessaires à la ciselure* (burin, ciselet, échoppe, gouge, grattoir, marteau, masque, matoir, molette, ognette, recingle ou ressing, rifloir).

♦ **2.** (1611). Cour. Ornement ciselé. ⇒ **Glyphe, gravure.** *Ciselure délicate.* — Figuré :
Une des merveilles de cette caverne, c'était le roc. Ce roc, tantôt muraille, tantôt cintre (...) était par places brut et nu, puis, tout à côté, travaillé des plus délicates ciselures naturelles (...) HUGO, les Travailleurs de la mer, II, I, 13.

♦ **3.** (1840). Fig. et littér. Art minutieux de l'écrivain.

CISJURAN, ANE [sisʒyʀã, an] adj. — 1818, *Corresp.* de Sainte-Beuve, *in* T. L. F. ; de *cis-,* et *juran,* de *Jura.*

♦ Didact. Situé en deçà du Jura (opposé à *transjuran*).

CISOIR [sizwaʀ] n. m. — XIVe ; du lat. *cisorium,* de *cæsus,* de *cædere* « couper », comme *ciseau.*

♦ Techn. Ciseau d'orfèvre.
HOM. Cisoires.

CISOIRES [sizwaʀ] n. f. plur. — XIIIe ; du bas lat. *cisoria.*

♦ Techn. Cisaille de chaudronnier, de tôlier, dont le manche est monté sur un pied.
HOM. Cisoir.

CISPADAN, ANE [sispadã, an] adj. — D. i. ; de *cis-,* et *padan* « du Pô », d'après l'italien.

♦ Didact. Situé en deçà du Pô (opposé à *transpadan*).

CISRHÉNAN, ANE [sisʀenã, an] adj. — D. i. ; de *cis-,* et *rhénan**.

♦ Didact. Situé en deçà du Rhin (opposé à *transrhénan*).

CISTACÉES [sistase] n. f. pl. — XXe ; lat. *cistus* « ciste », et suff. *-acées.*

♦ Bot. Famille de plantes spermatophytes angiospermes (ordre des Pariétales) comprenant des arbrisseaux répandus dans la zone méditerranéenne ; ils ont soit cinq carpelles (⇒ **Ciste**), soit trois (⇒ **Hélianthème**). — Syn. anc. : *cistinées.* — Au sing. *Une cistacée.*

1. CISTE [sist] n. m. — 1572 ; *cisthe,* 1555 ; du grec *kisthos.*

♦ Arbrisseau des régions méditerranéennes *(Cistacées),* dont les

jeunes pousses sécrètent une résine visqueuse appelée *ladanum,* employée en parfumerie. *Des feuilles de ciste.*
Les bouquets des cistes pourpres ou blancs chamarraient la rauque garrigue, que les lavandes embaumaient. GIDE, Si le grain ne meurt, I, II, p. 38.
REM. On trouve aussi la graphie *cyste.*
HOM. 2. Ciste.

2. CISTE [sist] n. f. — 1771 ; du lat. *cista,* grec *kistê* « panier ».

♦ **1.** Antiq. Corbeille qu'on portait en pompe dans les mystères de Cérès, de Bacchus, de Cybèle, et qui contenait les objets affectés au culte de ces divinités.

♦ **2.** (1876). Archéol. Construction funéraire (« coffre de pierre »), de forme rectangulaire, d'époque mégalithique.
On rattache parfois aux monuments mégalithiques, les *cistes,* ou *cists (stone cists* en anglais, *kistvaen* en breton, *hällkista* en suédois), du latin *cista* — corbeille, coffres rectangulaires, généralement enterrés, tout juste assez spacieux, au moins en France, pour servir de tombeau à une personne. Ils constituent des diminutifs de dolmens, mais la distinction reste parfois indéterminée.
Fernand NIEL, Dolmens et Menhirs, p. 12.
HOM. 1. Ciste.

CISTERCIEN, IENNE [sistɛʀsjɛ̃, jɛn] adj. et n. m. — 1447 ; *cistericien,* 1403 ; de *Cistercium,* n. lat. de *Cîteaux.*

♦ Qui appartient à l'ordre religieux de Cîteaux. *Moine cistercien. Abbaye cistercienne.* — Arts. *L'art cistercien,* forme d'art roman pratiquée pour les constructions de l'ordre de Cîteaux, au moyen âge.
Promenade à Logum Kloster, ancien monatère cistercien au milieu de la triste lande Slesvigoise. CLAUDEL, Journal, 22 mars 1920.
N. m. *Un cistercien :* un religieux de cet ordre, fondé au XIe siècle par l'abbé Robert, et réformé au XIIe siècle par saint Bernard. ⇒ **Trappiste.**

CISTINÉES [sistine] n. f. plur. Vx. ⇒ **Cistacées.**

CISTOLE [sistɔl] n. f. — 1856 ; *cisticole,* 1866 ; p.-ê. réduction de *cisticole,* de *ciste* « panier ».

♦ Régional. Petite fauvette dont une espèce commune vit dans le Midi de la France.
HOM. Systole.

CISTRE [sistʀ] n. m. — 1527, *citre ;* devenu *cistre* par confusion avec *sistre ;* de l'ital. *citara.* → Cithare.

♦ Didact. (hist. de la mus.). Instrument de musique à cordes, analogue à la mandoline et qui était en usage aux XVIe et XVIIe siècles. ⇒ **Luth.**
HOM. Sistre.

CISTRON [sistʀõ] n. m. — 1957, Benzer ; de *cis-,* et *-tron,* selon le modèle des mots scientifiques en *-tron.*

♦ Biol. Unité fonctionnelle d'un gène intervenant dans les phénomènes de mutation et de recombinaison des gènes.

CISTUDE [sistyd] n. f. — 1775 ; lat. zool. *cistudo,* de *cistus* « corbeille », et *testudo* « tortue ».

♦ Zool. Reptile chélonien, tortue palustre scientifiquement appelée *émys,* qui vit surtout dans la vase.

CITADELLE [sitadɛl] n. f. — 1495 ; de l'ital. *citadella* « petite cité », de *citta* « ville, cité ».

♦ **1.** Forteresse* commandant une ville. ⇒ **Château-fort, fortification, oppidum.** *Le Capitole, citadelle de Rome. La citadelle d'Anvers. Citadelles au Maghreb.* ⇒ **Casbah.** *Citadelle avancée, postée sur une éminence, sur un promontoire. Les citadelles grecques étaient bâties sur les acropoles**. *La Cadmée, citadelle de Thèbes. Casemates, enceinte, fossés, remparts, créneaux d'une citadelle. Se réfugier, s'enfermer, être bloqué dans la citadelle. La citadelle, dernier réduit de la défense. Serrer de près, assiéger, investir, attaquer, occuper, démolir, raser une citadelle. Citadelle prise d'assaut, à revers, par surprise. Citadelle imprenable, inexpugnable. Chasser, expulser de la citadelle la garnison ennemie. Citadelle à court de vivres, de munitions, qui capitule, ouvre ses portes. Livrer les clefs de la citadelle. Planter, arborer son drapeau sur la citadelle. Citadelle menaçante, qui tient la ville sous ses canons. Interner un prisonnier dans une citadelle.*
(...) il entreprend de s'emparer de Porto-Bello (...) ville très forte munie de canons et d'une garnison considérable. Il arrive sans artillerie, monte à l'escalade de la citadelle sous le feu du canon ennemi ; et, malgré une résistance opiniâtre, il prend la forteresse. VOLTAIRE, Essai sur les mœurs, CLII, p. 431.

2 On le conduisit *(le duc du Maine, après la conspiration de Cellamare)* dans la citadelle de Dourlans où il fut gardé par un officier (...) qui le traita avec toute l'impolitesse et la dureté d'un véritable geôlier.
Mᵐᵉ DE STAAL DE LAUNAY, Mémoires, *in* LITTRÉ.

3 Du sommet, par le mois de mai où le siège commença, le regard s'étend sur deux paysages et comme sur deux mondes différents (...) Gergovie est la citadelle avancée qui garde les sentiers du haut pays et qui surveille les routes et les moissons d'en bas.
Camille JULLIAN, Vercingétorix, XIII, IV, p. 196.

4 Le parc des Buttes-Chaumont fait penser à des clairons, à des fanfares d'assaut, à une bataille qui rampe victorieusement au flanc d'une citadelle.
J. ROMAINS, les Hommes de bonne volonté, IV, VI, p. 47.

Spécialt. Forteresse servant de prison. *La « citadelle de Parme »* (où Fabrice est conduit en prison dans *la Chartreuse de Parme* de Stendhal, chap. XV et suivants).

Par compar. ou par anal. Littér. *Une citadelle mouvante, flottante :* un grand navire de combat (→ Choc, cit. 1). *Se retrancher dans un abri comme dans une citadelle.*

5 Contre les assauts d'un Renard
Un arbre à des Dindons servait de citadelle,
Le perfide ayant fait tout le tour du rempart,
Et vu chacun en sentinelle (...)
LA FONTAINE, les Fables, XII, 18.

♦ 2. Fig., littér. Centre où l'on défend des idées. *La citadelle d'une doctrine, d'un idéal,* lieu d'où ils se concentrent, rayonnent. ⇒ **Boulevard, capitale, ralliement** (point de ralliement). *Rome, citadelle du catholicisme. Genève, citadelle du calvinisme.*

6 De toutes les tribus et de toutes les cités belges et celtiques, on se rend en masse dans la ville éduenne. Elle devint pour quelques jours la tête et la citadelle de la Gaule entière (...) L'enthousiasme populaire étouffa tous les égoïsmes (...)
Camille JULLIAN, Vercingétorix, XV, IV.

♦ 3. Par métaphore, littér. (en parlant d'un cerveau, d'une intelligence). *Une citadelle de connaissances,* qui possède un « arsenal » de connaissances.

7 (...) une vaste et forte tête, un crâne puissant, le front haut, large, droit, une forteresse de doctrine, une citadelle d'érudition et de théologie.
André SUARÈS, Trois hommes, II, « Pascal », p. 21.

Par métaphore. (Littér. ou plais.). Lieu, chose qui est en butte aux intrigues, aux assauts, aux convoitises.

8 Le pouvoir est une citadelle constamment assiégée par la servilité, la flatterie, l'obséquiosité, l'ambition, le besoin.
É. DE GIRARDIN, *in* Pierre LAROUSSE.

Par plais. (en parlant d'une femme). *Une citadelle qui capitule.*

CITADIN, INE [sitadɛ̃, in] adj. et n. — XIIIᵉ ; de l'ital. *cittadino,* de *citta* « cité ».

♦ 1. Adj. De la ville, qui a rapport à la ville. ⇒ **Urbain.** *Populations, habitudes citadines.*

1 Un lieu à la fois citadin et rustique.
J. ROMAINS, les Hommes de bonne volonté, IV, XXI, p. 226.

2 Le jeu entre le temps et l'espace libres et le temps et l'espace domestiques est resté assez large jusque tout récemment, sauf en milieu urbain où le cadre totalement humanisé a toujours été le gage de l'efficacité du dispositif citadin.
A. LEROI-GOURHAN, le Geste et la Parole, t. II, p. 185.

(1828). Anciennt. *Voiture citadine :* voiture publique analogue au fiacre. — N. f. (1830, *in* D.D.L.). *Une citadine.*

♦ 2. N. (le fém. semble rare). Habitant d'une ville. *Un citadin. Un citadin de...* ⇒ **Citoyen** (3.).

Hist. (en Italie). Habitant qui n'appartenait pas à la noblesse.

CONTR. Campagnard, champêtre, paysan, rustique.

CITATEUR, TRICE [sitatœʀ, tʀis] ou **CITEUR, EUSE** [sitœʀ, øz] n. — 1696, *citateur* ; *citeur,* av. 1688 ; de *citer.*

♦ Celui, celle qui cite (qqn, un texte), qui a l'habitude de faire des citations. *Le citateur de ce passage a fait une erreur.*

CITATION [sitasjɔ̃] n. f. — V. 1355 ; lat. *citatio, -onis* « citation en justice », du supin de *citare.* → Citer.

♦ 1. Dr. Sommation de comparaître en justice, signifiée par huissier ou par lettre recommandée du greffier, à une personne jouant le rôle de témoin ou de défendeur. *Notifier, recevoir une citation. Citation pour contravention.*

Spécialt. Sommation de comparaître devant le juge de paix, le tribunal de simple police ou le tribunal correctionnel. — *Citation devant les tribunaux civils ou de commerce.* ⇒ **Ajournement, assignation.**

Citation directe, signifiée par exploit d'huissier et par laquelle, en matière de simple police ou correctionnelle, le prévenu ou la personne civilement responsable sont sommés de comparaître devant la juridiction compétente.

1 Les citations pour contraventions de police seront faites à la requête du ministère public ou de la partie qui réclame, et, en matière forestière, à la requête des agents forestiers.
Code d'instruction criminelle, art. 145.

Citation en conciliation. ⇒ **Conciliation.**

2 La citation, assujettie aux mêmes formes que les citations ordinaires, doit énoncer sommairement l'objet de la conciliation.
DALLOZ, Nouveau répertoire, n° 24, art. *Conciliation.*

Cédule de citation. ⇒ **Cédule.** *Acte de citation. Donner, notifier une citation.*

Acte notifiant une citation. *Les témoins doivent présenter leur citation au tribunal.*

♦ 2. Cour. Action de citer, de prélever et de réutiliser un fragment de texte ; fragment emprunté à un texte authentifié, utilisé dans un autre texte, dans une intention didactique ou esthétique, pour illustrer ou appuyer ce qui est écrit. *La citation d'une phrase de Shakespeare* (action de citer). — *(Une, des citations).* ⇒ **Bribe, exemple, extrait, passage, texte** (→ Revendicateur, cit. 2). *Citation orale, écrite. Chercher une citation. Tirer une citation d'un ouvrage faisant autorité. Prendre, relever une citation dans un livre. Donner la référence d'une citation. Justifier ses citations. Multiplier les citations. Émailler, entrelarder, farcir, hérisser, illustrer, larder, orner, remplir, saupoudrer, truffer un discours de citations. Une citation à l'appui d'une opinion. Citation abrégée, déformée, tronquée. Citation textuelle, authentique. Mettre une citation entre guillemets. Citation en tête d'un ouvrage.* ⇒ **Épigraphe.** *Citation aphoristique.* ⇒ **Maxime, sentence.** *« Un dictionnaire* (cit. 3) *sans citation est un squelette »* (Voltaire). *Exemples* et citations littéraires d'un dictionnaire. Dictionnaire, recueil de citations françaises, étrangères.* ⇒ **Anthologie, florilège.**

3 Je vous ai dit que cette citation avait été tronquée, et que deux ou trois phrases littéraires, très circonspectes, du commencement, avaient été mises de côté.
SAINTE-BEUVE, Correspondance, t. I, 8 déc. 1832, p. 266.

4 Le premier point du « *Sermon sur la mort* », cet admirable premier point, qui contient les plus brûlantes paroles qui soient, parties des lèvres de Bossuet, se termine par des citations d'Arnobe et du Psalmiste (...)
Émile FAGUET, Étude littéraires, XVIIᵉ s., Bossuet, p. 413.

5 Une citation est une référence : Danton se suffit à lui-même. Il s'appuie sur les vérités d'expérience.
Louis BARTHOU, Danton, p. 12.

6 Ses naïves confessions sont pleines de bonne humeur, de drôlerie, d'exubérance : il les farcit de citations dans toutes les langues, de vers de son invention, de morales de mirliton.
R. ROLLAND, Voyage musical au pays du passé, p. 108.

7 Aucune prose plus que la sienne *(celle de Péguy),* sauf peut-être celle de Montaigne et de Rabelais, n'est hérissée de citations.
A. MAUROIS, Études littéraires, Charles Péguy, t. I, p. 235-236.

Loc. **FIN DE CITATION :** locution orale par laquelle on signale que des paroles qu'on rapporte (et qu'on n'assume pas) se terminent et que l'on va parler pour son propre compte. ⇒ **Sic** (→ Fermer les guillemets*).

♦ 3. Mention honorable d'un militaire, d'une unité, distingués par une action d'éclat. *Citation à l'ordre du jour. Citation à l'ordre du régiment, de la division, de l'Armée. Il a obtenu plusieurs citations.* — Par ext. Texte de cette mention.

Par anal. *Citation d'un élève au tableau d'honneur.* ⇒ **Inscription.**

CITÉ [site] n. f. — XIᵉ, *citet* ; du lat. *civitas, -atis.*

♦ 1. Didact. (hist. antique). Fédération autonome de tribus groupées sous des institutions religieuses et politiques communes. *Athènes, cité démocratique. Sparte, cité aristocratique. Les rivalités des cités grecques* (→ Assujettir, cit. 14). *La religion de la cité* (→ Attribut, cit. 4 ; autorité, cit. 16). *Les dieux, le culte, la constitution, les magistrats, les colonies de la cité. Héros fondateur de cité.* ⇒ **Éponyme** (héros). — *La Cité antique,* ouvrage de Fustel de Coulanges.

1 A l'instant, au lieu de la personne particulière de chaque contractant, cet acte d'association produit un corps moral et collectif, composé d'autant de membres que l'assemblée a de voix, lequel reçoit de ce même acte son unité, son *moi* commun, sa vie et sa volonté. Cette personne publique, qui se forme ainsi par l'union de toutes les autres, prenait autrefois le nom de *cité* (...)
ROUSSEAU, Du contrat social, I, VI, p. 244.

2 (...) la cité a été une confédération de groupes constitués avant elle (...) Cité et ville n'étaient pas des mots synonymes chez les anciens. La cité était l'association religieuse et politique des familles et des tribus ; la ville était le lieu de réunion, le domicile et surtout le sanctuaire de cette association (...) Le don du droit de cité à un étranger était une véritable violation des principes fondamentaux du culte national, et c'est pour cela que la cité, à l'origine, en était si avare.
FUSTEL DE COULANGES, la Cité antique, p. 148-151 et 229.

DROIT DE CITÉ : droit d'accomplir les actes, de jouir des privilèges réservés aux membres de la cité. — Ellipt. *La cité. Accorder la cité à un groupe d'hommes. — Privation du droit de cité* (atimie).

Loc. (1829). *Avoir droit de cité :* avoir un titre à être admis, à figurer.

2.1 (...) tout relève de l'art ; tout a droit de cité en poésie.
HUGO, les Orientales, Préface.

2.2 (...) il y a beau temps que le roman a mis en scène des personnages d'homosexuels, un sel l'homosexuel n'a pas encore droit de cité dans la société civile, dans la société romanesque c'est chose faite.
M. TOURNIER, le Vent Paraclet, p. 256.

♦ 2. Par métonymie. Territoire, capitale de la cité. *Cité de peu d'étendue. L'acropole*, l'enceinte sacrée, le prytanée, les temples, les théâtres d'une cité grecque.*

3 Quelquefois ils *(les Romains)* abusaient de la subtilité des termes de leur langage. Ils détruisirent Carthage, disant qu'ils avaient promis de conserver la cité et non pas la ville.
MONTESQUIEU, Grandeur et décadence des Romains, VI, p. 139.

♦ 3. Mod. (Didact. ou littér. ; du sens 1). *La cité :* l'État considéré sous son aspect juridique, la communauté politique. ⇒ **État, nation, république.** *Les lois de la cité, le dévouement, l'obéissance à la cité. La famille et la cité.* ⇒ **Patrie.**

♦ **4.** Cour. (du sens 2). Ville importante considérée spécialement sous un aspect de personne morale, mais parfois sous un aspect concret. *Les échevins, les institutions, les annales de la cité. Une cité intellectuelle, commerçante.* « *Une cité plus grosse que Paris* » (La Fontaine, *Fables*, V, 10). *Les carrefours, artères, faubourgs, monuments de la cité. Bourdonnement de la cité* (→ Bourdonner, cit. 2). — *Cité maritime, lacustre, sur pilotis. Les cités mortes.* ⇒ **Ville** (ville morte).

4   Pleure, Jérusalem, pleure, cité perfide (...)
    Le Seigneur a détruit la reine des cités.   RACINE, *Athalie*, III, 7.

5   (...) aucun Moscovite ne se présente ; aucune fumée du moindre foyer ne s'élève ;
    on n'entend pas le plus léger bruit sortir de cette immense et populeuse cité.
                                        Ph.-P. SÉGUR, Hist. de Napoléon, VIII, 4, *in* LITTRÉ.

6   Loin de moi les cités et leur vaine opulence !
    Je suis né parmi les pasteurs.   LAMARTINE, Nouvelles méditations, Préludes.

7   Que la vieille cité, devant moi, sur sa couche
    S'étende ; qu'un soupir s'échappe de sa bouche,
    Comme si de fatigue on l'entendait gémir !
                                        HUGO, les Feuilles d'automne, XXXV, II.

8   Et dans l'énervement des nuits chaudes et calmes,
    Berçant ta gloire éteinte, ô Cité, tu t'endors
    Sous les palmiers, au long frémissement des palmes.
                            J.-M. DE HÉRÉDIA, les Trophées, « À une ville morte ».

Cité sainte : centre religieux, lieu de pèlerinage important, lieu d'origine d'une religion (notamment : Jérusalem).

♦ **5.** (XIVᵉ). Partie la plus ancienne d'une ville (correspondant souvent à une forteresse, à une enceinte fortifiée). *L'île de la Cité,* berceau de Paris. *Les remparts de la Cité de Carcassonne. La Cité de Londres,* vieux quartier des affaires, qui embrasse sous son vocable le monde de la finance, le haut commerce londoniens.

9   Paris est né, comme on sait, dans cette vieille île de la Cité qui a la forme d'un berceau. La grève de cette île fut sa première enceinte, la Seine son premier fossé.
                                        HUGO, Notre-Dame de Paris, III, II.

10 Au lendemain du traité *(d'Amiens)*, la Cité de Londres, elle-même, restait sur une plus grande réserve ; elle avait naguère beaucoup pesé sur Addington en faveur de la paix ; elle y avait vu la perspective enchanteresse de milliers de ballots de coton et de milliers de machines s'écoulant au delà de la Manche, sans parler des denrées coloniales (...) mais les lampions s'éteignaient à peine que le monde des affaires lui-même commençait à déchanter.
                                        Louis MADELIN, le Consulat, XVII, p. 274.

Archéol. *Cité lacustre :* village construit sur pilotis.

♦ **6.** Agglomération de pavillons et de jardins tirant son unité soit de sa situation à l'abri d'une clôture, en retrait d'une grande artère (*cité Bergère, cité Trévise,* à Paris...), soit de sa destination en faveur d'un groupe particulier de personnes. — Loc. (1848). CITÉ OUVRIÈRE (cit. 14) : lot de logements économiques destinés aux familles ouvrières. — *Cité agricole.* — CITÉ-JARDIN : cité renfermant des espaces libres. *Des cités-jardins.* — CITÉ UNIVERSITAIRE, pour loger les étudiants à proximité d'une faculté. — CITÉ-DORTOIR (ou *ville-dortoir*), pour loger les personnes à proximité de leur travail. « *(...) l'ennui planant sur les rares rescapés qui, dans la journée, sillonnent la cité-dortoir vide* » (*l'Express,* p. 42, 14 août 1972). — *Des cités-dortoirs. Cité de transit, cité d'urgence :* ensemble d'habitations provisoires, de construction légère, servant à l'hébergement de personnes sans abri (personnes réfugiées, déplacées, sinistrées, etc.). — À Québec, *Cité parlementaire :* ensemble des bâtiments du parlement.

11 J'ai, par suite, applaudi de grand cœur à la construction des cités universitaires où les jeunes gens sont délivrés de mille soucis exhaustifs, où la vie est saine, facile, bien réglée et quand même libre.
                                        G. DUHAMEL, Biographie de mes fantômes, XI, p. 222.

11.1 Ces cités-jardins, étalées le long de la route, forment un décor sans épaisseur.
                                        GIDE, Voyage au Congo, *in* Souvenirs, Pl., p. 722.

Par anal. *La cité des abeilles* (cit. 14) : la ruche. *La cité des fourmis :* la fourmilière.

♦ **7.** (Av. 1630 ; littér. ou dans des titres). Fig. Se dit de toute construction idéale. *La cité d'Utopie. Bâtir la cité nouvelle :* refaire le monde sur d'autres bases. *La Cité des dames,* ouvrage féministe de Christine de Pisan.

Spécialt (relig. cathol.). *La cité future :* le paradis. *La cité de Dieu :* l'Église (sur terre), l'assemblée des saints, le Paradis (au ciel). *La Cité de Dieu,* ouvrage de Saint-Augustin. *La Cité sainte :* l'Église.

12 Cité sainte dont toutes les pierres sont vivantes (...) Cité qui se répand par toute la terre et s'élève jusqu'aux cieux pour y placer ses citoyens.
                                        BOSSUET, Oraison funèbre de Marie-Thérèse d'Autriche.

CONTR. Campagne, désert.
DÉR. Citoyen.
HOM. Citer.

CITER [site] v. tr. — Mil. XIIIᵉ ; du lat. *citare* « convoquer en justice ».

♦ **1.** [a] Sommer (qqn) à comparaître en justice. ⇒ **Ajourner, appeler** (en justice), **assigner, convoquer, intimer, traduire** (en justice). *Citer qqn devant un tribunal, en police correctionnelle, devant le juge de paix. On l'a fait citer comme témoin à charge. Citer un débiteur en conciliation.* ⇒ **Citation.**

1   L'ange rassemblera les débris de nos corps ;
    Il les ira citer au fond de leur asile.   LA FONTAINE, Odes, VI, 8.

Les Capétiens purent citer à leur cour de justice des princes plus puissants qu'eux 2 comme les Plantagenets.   J. BAINVILLE, Hist. de France, V, p. 58.

[b] (Attesté 1903 ; esp. *citar*). Taurom. Faire venir (le taureau) en l'appelant.

Alban alla droit vers le taureau, le cita. Il fut un peu saisi quand la bête arriva 2.1 sur lui.   MONTHERLANT, les Bestiaires, p. 421 (1926).

♦ **2.** Rapporter (qqch.) selon un texte, à l'appui de ce que l'on avance ; utiliser un passage écrit de (qqn). ⇒ **Citation** (2.). *Citer la loi. Citer un passage d'un auteur. Le prédicateur cite une phrase de l'Évangile. Citer une autorité pour s'en prévaloir.* ⇒ **Alléguer.** *Il a cité fidèlement un long passage de la pièce. Je me suis borné à citer vos propos.* — *Citer faux, juste, textuellement, exactement* (qqch.). *Citer un texte par allusion.* ⇒ **Viser.** — Absolt. Faire des citations. *Il a la manie de citer.*

Il citait des références, dictait des notes bibliographiques.   3
                        J. ROMAINS, les Hommes de bonne volonté, IV, XV, p. 146.

Au p. p. *Un passage bien, mal cité. Les ouvrages cités.* ⇒ **Référence.** *Ouvrage (déjà) cité,* dont on a déjà indiqué le titre. — REM. *Op. cit.,* abrév. du lat. *opere citato* « dans l'ouvrage cité », sert à indiquer un ouvrage déjà cité.

Citer un auteur, un fragment de ses écrits. *Il cite souvent Hugo.* — Par ext. *Citer qqn,* rapporter ses paroles.

Il l'admire à tous coups, le cite à tout propos.   MOLIÈRE, Tartuffe, I, 2.   4

♦ **3.** Reproduire (des paroles déjà prononcées ou écrites). ⇒ **Alléguer, mentionner, produire, rappeler, rapporter.** *Citer les paroles de qqn.* — Par ext. *Citer son auteur, ses sources, ses références :* désigner celui de qui on tient une nouvelle, un fait. *Citer un fait important.*

Citer quelques exemples, pour prouver ce que l'on prétend. *Citer un exemple à l'appui.* — Spécialt. *Citer un fait dans un procès-verbal.* ⇒ **Consigner, indiquer.**

Ce que je sais, Iris, c'est qu'en ces animaux   5
Dont je viens de citer l'exemple,
Cet esprit n'agit pas, l'homme veut son temple.
                        LA FONTAINE, Fables, IX, Disc. à Mᵐᵉ de La Sablière.

Et Thibaudet cite, à l'appui, une lettre de je ne sais quel collègue suggérant (...) 6
                        GIDE, Journal, 15 juil. 1922.

♦ **4.** Désigner (une personne, une chose) comme digne d'attention. ⇒ **Évoquer, indiquer, invoquer, nommer, signaler.** *Citer un beau trait d'intelligence, de caractère. Citer qqn pour sa bravoure. Citer un exploit. Citer une femme pour son élégance.*

On peut trouver encor quelque femme fidèle   7
Sans doute, et dans Paris, si je sais bien compter,
Il en est jusqu'à trois que je pourrais citer.   BOILEAU, Satires, X.

Non... D'abord, même si vous me citiez nommément les faits et les personnes, je 8 serais probablement déjà très embarrassé.
                        J. ROMAINS, les Hommes de bonne volonté, III, XXII, p. 292.

Citer (qqn) en exemple : donner en exemple.

♦ **5.** Milit. Décerner une citation* militaire à (qqn). *Citer un soldat, un officier, une unité à l'ordre de l'armée. Il a été deux fois cité et décoré. Les sous-officiers cités.*

▶ **SE CITER** v. pron. réfl. (au sens 2).

Rien n'est plus désagréable qu'un homme qui se cite lui-même à tout propos.   9
                        LA ROCHEFOUCAULD, Réflexions diverses, 173, 6, *in* LITTRÉ.

DÉR. Citateur ou citeur.
COMP. Précité.
HOM. Cité.

CITÉRIEUR, EURE [siteʀjœʀ] adj. — XVᵉ ; du lat. *citerior.*

♦ Didact. (géogr.) et rare. Qui est en deçà d'un point donné. ⇒ **Cis.** *L'Inde citérieure est en deçà du Gange. La Gaule citérieure.*

CONTR. Ultérieur.

CITERNE [siteʀn] n. f. — XIIᵉ, *cisterne* ; du lat. *cisterna,* de *cista* « coffre ».

♦ **1.** Réservoir dans lequel on recueille et conserve les eaux de pluie. *Citerne creusée dans le roc. Une citerne de maçonnerie. Le trop-plein d'une citerne. Vider le trop-plein d'une citerne dans un puisard. Eau de citerne. Citerne à purin.*

(...) Nous courons follement   1
Chercher des sources bourbeuses
Ou des citernes trompeuses
D'où l'eau fuit à tout moment.   RACINE, Poésies diverses, 59.

Une source qui, pendant les mois de chaleur, coulait faiblement, permettait de 2 tenir la citerne toujours pleine.   P. MAC ORLAN, la Bandera, X, p. 116.

Fig., littér. Ce qui recueille des renseignements, des idées. ⇒ **Puits.** *Une citerne d'informations.*

♦ **2.** [a] Cuve fermée (contenant un carburant, un liquide). *Citerne à mazout, à vin,* destinée à contenir du mazout, etc. *Une citerne de, pleine de...* — Contenu d'une citerne.

Compartiment contenant la cargaison à bord des pétroliers.

En composition. *Camion-citerne* (⇒ **Camion**) ; *semi-remorque*

citerne. Navire-citerne (⇒ **Navire**), *bateau-citerne, cargo-citerne.*
⇒ **Avion-citerne, wagon-citerne.**

b (Désignant le véhicule ; le navire). Mar. *Citerne flottante :* petit navire servant à porter l'eau douce aux bâtiments en rade.
Rare. Camion-citerne (⇒ **Camion**), wagon-citerne.

♦ **3.** Anat. (Qualifié : adj. ou compl. en *de*). Partie du corps considérée comme un réservoir de fluide lymphatique. *Citerne de Pecquet :* dilatation lombaire du canal thoracique. *Citernes basales de l'encéphale,* qui contiennent du liquide céphalo-rachidien.

DÉR. Citerneau.
COMP. Avion-citerne, wagon-citerne.

CITERNEAU [sitεʀno] n. m. — V. 1600 ; de *citerne.*

♦ Techn. Petit réservoir où l'eau de pluie s'épure avant de passer dans la citerne.

Je courus jusqu'au fond du jardin ; là, dans un petit citerneau du potager, je trempai mon mouchoir, l'appliquai sur mon front (...)
GIDE, la Porte étroite, I, *in* Romans, Pl., p. 500.

CITEUR, EUSE [sitœʀ, øz] n. ⇒ **Citateur.**

CITHARE [sitaʀ] n. f. — 1361 ; *kitaire,* XIIIᵉ ; lat. *cithara,* grec *kithara* « lyre ». → Cistre, guitare.
Musique.

♦ **1.** Instrument antique analogue à la lyre. *Joueur de cithare.* ⇒ **Citharède.**

[1] Tandis qu'il gardait les troupeaux de son père, David aimait à composer des poèmes, en s'accompagnant de la cithare. DANIEL-ROPS, Histoire sainte, III, I, p. 173.

[2] Il prit au passage une courtisane chinoise (...) À côté de lui dans l'auto, les mains sagement appuyées sur sa cithare, elle avait l'air d'une statuette Tang (...)
MALRAUX, la Condition humaine, p. 193-194.

♦ **2.** Mod. Instrument de musique à cordes parallèles grattées ou frappées, sans manche. *La table d'harmonie d'une cithare. Cithare ennéacorde*. Cithare utilisée par les musiciens tsiganes, hongrois.*
REM. On trouve une forme *kitaire* (XIIIᵉ), esp. *quittarah,* arabe *qîtârāh,* même sens.

DÉR. V. Citharède, cithariste.
HOM. Sitar.

CITHARÈDE [sitaʀεd] n. m. — 1562 ; lat. *citharœdus,* grec *kitharôdos,* de *kithara.* → Cithare.

♦ Antiq. (Grèce). Chanteur qui s'accompagnait à la cithare (lyre).
REM. Le fém. est virtuel.

CITHARISTE [sitaʀist] n. — 1220, *cistariste ;* lat. *citharista,* grec *kitharistês,* de *kithara.* → Cithare.

♦ Mus. Joueur de cithare (2.).

Le Hongrois Skarioffszky, cithariste de grand talent, qui, habillé en tzigane, exécutait sur son instrument cent vingt ans de prodigieuses acrobaties, payées à prix d'or dans les deux mondes par les organisateurs de concerts.
Raymond ROUSSEL, Impressions d'Afrique, p. 218 (1932).

CITIZEN BAND [sitizənbãd] n. f. — 1977, amér. *citizens band* « fréquence réservée au public ».

♦ Américanisme. Bande de fréquence radio utilisable par les automobilistes pour des conversations de hasard. ⇒ **C. B., cibiste.** « *La prochaine législation de la "Citizen band", annoncée mercredi par le secrétariat d'État aux P. T. T., devrait constituer un compromis entre quelque cent vingt mille "cibistes" et les pouvoirs publics* » (*Libération,* 20 nov. 1981, p. 24).
REM. L'équivalent francisé usité au Québec est *bande* publique* ou *B. P.* [bepe].

CITOLE [sitɔl] n. f. — Après 1150 ; du rad. du lat. *cithara* « cithare », avec un élément terminal d'orig. obscure.

♦ Hist. de la mus. Au moyen âge, Instrument de musique à cordes pincées, à corps allongé et à manche très court.

CITOYEN, ENNE [sitwajɛ̃, ɛn] n. — XVIᵉ, « concitoyen » ; *citeien,* XIIᵉ ; de *cité.*

♦ **1.** N. m. (XVIIᵉ). Hist. Dans l'antiquité, Celui qui appartient à une cité* (1.), en reconnaît la juridiction, est habilité à jouir, sur son territoire, du droit de cité et est astreint aux devoirs correspondants (→ Attribut, cit. 4 ; bâtard, cit. 2). *Les prérogatives attachées au titre de citoyen romain.*

[1] On reconnaissait le citoyen à ce qu'il avait part au culte de la cité, et c'était de cette participation que lui venaient tous ses droits civils et politiques (...) La participation au culte entraînait avec elle la possession des droits. Comme le citoyen

pouvait assister au sacrifice qui précédait l'assemblée, il y pouvait aussi voter. Comme il pouvait faire les sacrifices au nom de la cité, il pouvait être prytane et archonte. Ayant la religion de la cité, il pouvait en invoquer la loi et accomplir tous les rites de la procédure.
FUSTEL DE COULANGES, la Cité antique, XII, p. 226 et 230.

♦ **2.** N. m. et f. (1751). Mod. Personne considérée comme personne civique (⇒ **Ressortissant**) ; se dit particulièrement des nationaux d'un pays qui vit en république, et (suivi d'un nom de ville), de toute personne qui remplit les conditions requises pour avoir le droit de cité (aujourd'hui purement honorifique) dans cette ville (→ Abus, cit. 3 ; agent, cit. 8 ; anachorète, cit. 1 ; antérieur, cit. 2 ; arbitraire, cit. 9 ; attentat, cit. 9 ; attroupement, cit. 12 ; brutalité, cit. 5 ; capacité, cit. 8). *Un citoyen français, une citoyenne française et un sujet britannique. Jean-Jacques Rousseau, le citoyen de Genève. La Déclaration des droits de l'homme et du citoyen. Accomplir son devoir de citoyen.* ⇒ **Voter.** *Aux armes, citoyens !,* refrain de la Marseillaise. *Admettre un étranger au nombre des citoyens.* ⇒ **Naturaliser.** *Citoyen d'honneur* d'une ville. Simple citoyen,* qui ne remplit aucune charge honorifique.

Personne qui respecte les libertés démocratiques. *Agir en citoyen.* ⇒ **Démocrate, républicain.** *Un bon, honorable citoyen. Un vrai citoyen, une âme de citoyen :* une personne qui met le bien de l'État au premier rang de ses préoccupations. ⇒ **Patriote.** *Un grand citoyen,* qui a rendu d'éminents services à son pays. — (XVIIᵉ ; repris XXᵉ). *Citoyen du monde, de l'univers,* qui met l'intérêt de l'humanité au-dessus du nationalisme.

[2] Celui-là se pouvait dire citoyen du monde avec autant de droit que cet autre des Athéniens qui s'en vantait. VOITURE, Lettres, 126, *in* LITTRÉ.

[3] Ces mots de *sujet* et de *souverain* sont des corrélations identiques dont l'idée se réunit sous le seul mot de citoyen. ROUSSEAU, Du contrat social, III, 13.

♦ **3.** (1790). Hist. (Révolution franç.). *Citoyen, Citoyenne,* appellation qui remplaça Monsieur, Madame, Mademoiselle. *La citoyenne Tallien.* — Personne. *La jeune citoyenne. Ce citoyen se distingue par son ardent patriotisme.*

(Dans certains pays socialistes). *Camarades ! citoyens !*

Adj. *Un roi citoyen,* démocrate. *Louis-Philippe, le roi citoyen. Soldat citoyen,* qui faisait partie de la garde civique.

[4] Je me rendis (*à son retour d'émigration*) chez Ginguené (...) On lisait encore sur la loge de son concierge : « *Ici on s'honore du titre de citoyen, et on se tutoie. Ferme la porte, s'il vous plaît.* »
CHATEAUBRIAND, Mémoires d'outre-tombe, II, I.

♦ **4.** Vieilli. Habitant d'une ville. *Être pour quelques semaines citoyen de...* — Fig. et par plais. (poét.). *Citoyen de l'enfer, de l'Olympe, des bois...* — (En parlant d'animaux). *Les citoyennes des étangs :* les grenouilles.

[5] Un citoyen du Mans, chapon de son métier (...)
LA FONTAINE, les Fables, VIII, 21.

♦ **5.** (1694). Fam. *Un drôle de citoyen :* un individu bizarre, déconcertant. *Qu'est-ce que c'est que ce citoyen-là ?* ⇒ **Individu, oiseau** (fam.), **type, zèbre** (fam.). *Pauvre comme le citoyen Job* (→ Aristocrate, cit. 3).

[6] Quelle joie, en effet (...)
De voir autour de soi croître dans sa maison,
Sous les paisibles lois d'une agréable mère,
De petits citoyens dont on croit être père !
BOILEAU, Satires, X.

[7] Drôle de citoyen, Tesson. Il a passé quinze années en Indochine, il ne s'est installé ici qu'en 55. Alors, là-bas, vous savez... Tous ces types-là ils ont pris des habitudes.
François NOURISSIER, le Maître de maison, p. 219.

CONTR. Barbare, étranger. — Sujet.
DÉR. Citoyenneté.
COMP. Concitoyen.

CITOYENNETÉ [sitwajεnte] n. f. — 1783 ; de *citoyen* (2.).

♦ Qualité de citoyen. *Acquérir la citoyenneté française.* — *Avoir la double, la triple citoyenneté :* être reconnu juridiquement comme citoyen de deux, trois pays.

Partisan de la majorité à dix-huit ans (puisqu'à cet âge il y a des filles qui ont déjà des enfants et des garçons susceptibles de se faire tuer : ce qui dans les deux cas mérite bien la citoyenneté) j'ai toujours dit aux enfants que je les émanciperais à la première requête. Hervé BAZIN, Cri de la chouette, p. 190.

CITRAL [sitʀal] n. m. — 1906, in *Rev. gén. des sc.,* nᵒ 8, p. 389 ; du lat. *citrus.*

♦ Didact. (chim.). Aldéhyde de plantes odorantes utilisé en parfumerie (notamment dans la préparation de l'ionone).

CITRATE [sitʀat] n. m. — 1782 ; du rad. du lat. *citrus* « citron », et suff. *-ate.*

♦ Chim. Sel de l'acide citrique. *Papier au citrate d'argent.*

CITRE [sitʀ] n. m. — 1600, « espèce de citrouille » ; « fruit du cédratier », XIIIᵉ ; du lat. médiéval *cetrus* « fruit du cédratier », ou du bas lat. *citrum.*

♦ Régional. Pastèque à chair blanche.

CITRIN, INE [sitʀɛ̃, in] adj. et n. f. — Mil. xiiᵉ; lat. médiéval *citrinus*, du lat. *citrus* «citron».

♦ **1.** Adj. Littér. De la couleur du citron. ⇒ **Citron** (1.).

1 Le ciel à l'aube était parfaitement pur, d'une pâleur citrine, d'une acidité attendrie (...) GIDE, Carnets d'Égypte, *in* Souvenirs, Pl., p. 1055.

♦ **2.** N. f. (Fin xiiᵉ). Minéral. *(Pierre) citrine* : pierre semi-précieuse, dite aussi *fausse topaze.*

2 (...) un collier de topazes — qui doivent être des citrines, mais qui font de l'effet. Hervé BAZIN, Cri de la chouette, p. 195.

♦ **3.** *Amanite citrine* ou *citrine* : champignon vénéneux au chapeau d'un jaune citron.

HOM. (Du fém.) **Citrine.**

CITRINE [sitʀin] n. f. — 1832; du lat. *citrus.*

♦ Biochim. Substance à propriétés vitaminiques (vitamine C), isolée du citron.

HOM. Citrine (fém. de *citrin*).

CITRIQUE [sitʀik] adj. — 1782; du lat. *citrus.*

♦ Chim. *Acide citrique* : triacide-alcool que l'on peut extraire du jus de citron, de groseille, etc.

CITRON [sitʀɔ̃] n. m. et adj. invar. — 1398; du lat. *citrus* «citronnier», *citreum* «citron», p.-ê par croisement avec *limon.*

★ **I.** ♦ **1.** Fruit du citronnier (⇒ **Citrus**), de couleur jaune clair et de saveur acide. ⇒ **Agrume, limon, poncirus.** *Écorce, zeste de citron. Rondelle, rouelle, tranche, tailladin de citron. Jus de citron. Presser, épreindre* (vx) *un citron. Citron pressé* : boisson rafraîchissante faite de jus de citron naturel (éventuellement sucré). *Boissons au citron, au jus de citron.* ⇒ **Citronnade, limonade; grog, punch.** *Thé au citron. Liqueur à base de citron.* ⇒ **Citronnelle.** *Bonbons au citron. Glace au citron. Essences aromatiques du citron* (utilisées en parfumerie, dans la fabrication de l'eau de Cologne, de cosmétiques, de savons...). *Crème au citron. Poulet au citron.* — *Sauce africaine au citron.* ⇒ **Yassa.** *Le citron est un antiscorbutique, un antirhumatismal.*

1 L'écorce du citron contient une huile essentielle avec laquelle on prépare des liqueurs et des parfums; on l'utilise *(le citron)* en confiserie; sa pulpe sert à fabriquer l'acide citrique, le citrate de chaux, etc., son jus, à assaisonner certains aliments et à confectionner un grand nombre de boissons (citronnade, limonade, etc.). Paul ROBERT, les Agrumes dans le monde, p. 26.

2 Si tu as soif, l'alcarazas est là dehors, et les citrons. COLETTE, la Naissance du jour, p. 150.

3 (...) la claire salive qui salue le citron frais coupé, l'oseille crue, la mordante pimprenelle. COLETTE, Flore et Pomone, *in* Gigi, p. 159.

4 Ils étaient arrivés sur le port. Alberte et Théo les attendaient.
Ce jeune garçon buvait en silence un citron pressé; le nez dans son verre, il suçotait ses pailles; le deuxième volume des *Misérables* traînait dans le sucre et l'eau de Seltz. R. QUENEAU, le Chiendent, p. 193.

Loc. fig. Être jaune comme un citron : avoir le teint très jaune. — *Presser qqn comme un citron.* ⇒ **Pressurer.**

4.1 L'existence perdait toute valeur; les choses toute signification (...) L'univers pressé comme un citron ne lui apparaissait plus que comme une épluchure méprisable (...) R. QUENEAU, le Chiendent, p. 206.

♦ **2.** Pop. Tête. ⇒ **Cassis.** *Se presser le citron* : faire beaucoup d'efforts pour comprendre quelque chose.

5 Soudain il s'arrêta simultanément de rire et de marcher et se tapa sur le citron. R. QUENEAU, le Dimanche de la vie, p. 104.

♦ **3.** Argot milit. Grenade offensive.

6 Foutez-moi des grenades plein vos poches et en bas!... Y en a qui ont bien hésité trois secondes (...) mais j'avais mes anciens dans le tas, et ils étaient déjà sur mes talons à se bourrer de citrons. Les autres ont suivi (...) Roger VERCEL, Capitaine Conan, XIV, p. 242.

★ **II.** Adj. invar. Qui est de la couleur du citron. *Couleur citron. Une robe citron. Étoffes citron.*

7 Demain, je mettrai ma robe citron et tu me reconnaîtras de loin. J. CAU, la Pitié de Dieu, p. 20.

DÉR. **Citronné, citronnelle, citronnier.**

CITRONNADE [sitʀɔnad] n. f. — 1856, Lachâtre; de *citron*, et suff. *-ade.*

♦ Boisson faite de jus de citron et d'eau sucrée.

CITRONNÉ, ÉE [sitʀɔne] adj. — 1621, *in* D.D.L.; de *citron.*

♦ Qui sent le citron. *Odeur citronnée.* — Où l'on a mis du jus de citron. *Tisane, eau citronnée.*

CITRONNELLE [sitʀɔnɛl] n. f. — V. 1601; de *citron.*

♦ **1.** [a] Plante contenant une huile essentielle à odeur citronnée *(armoise citronnelle* ou *aurone, mélisse, verveine odorante).*

[b] (En Afrique). Graminée des jardins *(Cymbopogon citratus)* à odeur citronnée, utilisée en infusions.

Des deux côtés bordée de citronnelles, la route semble une allée de parc. GIDE, Voyage au Congo, *in* Souvenirs, Pl., p. 722.

♦ **2.** (1740). Liqueur préparée avec des zestes de citron dans l'eau-de-vie (appelée autrefois *eau des Barbades).*

CITRONNIER [sitʀɔnje] n. m. — 1486; de *citron.*

♦ **1.** Arbre du genre Citrus *(Citrus limonium;* Aurantiacées), qui produit le citron. *Une plantation de citronniers.*

♦ **2.** Bois de cet arbre utilisé en ébénisterie. *Un petit meuble en citronnier.*

CITROUILLE [sitʀuj] n. f. — 1549; *citrole*, 1256; du lat. *citreum* «citron», par anal. de couleur.

♦ **1.** Courge* arrondie et volumineuse d'un jaune orangé *(cucurbita pepo). Un potage à la citrouille.* — *La citrouille des contes de fées,* transformée en carrosse.

Une citrouille ressemble à un carrosse. ALAIN, De la métaphore, *in* les Passions et la Sagesse, Pl., p. 101.

♦ **2.** Pop. ⇒ **Tête.** *Recevoir un coup sur la citrouille.*

CITRUS [sitʀys] n. m. pl. — 1869; mot latin.

♦ Bot. Arbre *(Aurantiacées;* ordre des *Rutales)* qui produit les fruits appelés agrumes*. ⇒ **Oranger; citronnier; mandarinier...** *Un, des citrus.*

CIVADIÈRE [sivadjɛʀ] n. f. — 1525; du provençal mod. *civadiero.*

♦ Mar. anc. Voile carrée du mât de beaupré.

CIVE [siv] ou **CIVETTE** [sivɛt] n. f. — Fin xiiᵉ, *chive; civette*, 1549; du lat. *cæpa* «oignon». → Ciboule.

♦ Régional. Ciboule; ciboulette.

HOM. 2. **Civette.**

CIVELLE [sivɛl] n. f. — 1753, *Encyclopédie;* «espèce de lamproie», 1555; du rad. lat. *cæcus* «aveugle».

♦ Didact. Jeune anguille qui arrive de la mer des Sargasses pour remonter les rivières. ⇒ **Pibale.** *Récolte des civelles pour l'élevage.*

Il faut voir cette multitude de Civelles, grosses comme des vers de forte taille, remonter par millions le courant de la Somme et de la Loire (...) Paul VIVIER, la Pisciculture, p. 97.

CIVELOT [sivlo] n. m. — Av. 1927, cit.; de *civil*, n. m. abrégé en *cive*, et suff. *(el)ot.*

♦ Fam. Civil (opposé à *militaire*).

Qu'est-ce qu'ils avaient comme pétoche, ici, les culs-terreux (...)
— Vous ne vous battiez pas : c'était tout de même pas aux civelots à commencer. SARTRE, la Mort dans l'âme, p. 169 (1949).

CIVET [sivɛ] n. m. — xiiᵉ, *civé; civet*, 1636, selon Bloch, «ragoût aux cives». → Cive.

♦ Ragoût (de lièvre, de lapin, de gibier) cuit avec du vin, des oignons, etc. *Civet de lapin, de lièvre. Civet de chevreuil. Civet de marcassin. Manger du civet, un civet.*

Le marquis, justement, s'interrogeait avec une certaine angoisse, mais c'était sur la question du civet de lièvre. J. ROMAINS, les Hommes de bonne volonté, III, XI, p. 154.

1. CIVETTE [sivɛt] n. f. ⇒ **Cive.**

2. CIVETTE [sivɛt] n. f. — 1467; ital. *(gatto) zibetto;* de l'arabe *zābād* «sorte de musc produit par la civette».

♦ **1.** Mammifère carnivore *(Viverridés)* dont le corps atteint soixante-quinze centimètres, au pelage gris jaunâtre taché de noir. ⇒ **Genette, zibeth.** *La civette ressemble à la martre; elle possède une poche sécrétant une matière odorante.*

♦ **2.** Matière onctueuse et odorante sécrétée par la civette; parfum que l'on en extrait.

(...) ils apportaient des étoffes très riches de différents pays (...) du musc, de l'ambre gris, du camphre, de la civette (...)
A. GALLAND, les Mille et une Nuits, t. II, p. 152.

♦ **3.** Fourrure de civette. *Étole en civette.*

CIVIÈRE [sivjɛʀ] n. f. — XIIIᵉ ; orig. incert. ; p.-ê. d'un lat. pop. *cibaria* «véhicule pour le transport des provisions», du lat. *cibus.*

♦ **1.** Dispositif muni de bras (⇒ **Brancard**), destiné à être porté par des hommes et à transporter des fardeaux. ⇒ **Bard, bayart, brancard.** *Charger des pierres, du fumier sur une civière. Civière à mortier.* ⇒ **Oiseau.**
Brissac me mit sur une civière à fumier et il me fit porter par deux paysans.
RETZ, IV, 324, *in* LITTRÉ.

♦ **2.** Cour. Ce dispositif, pour transporter les malades, les blessés. *Charger un malade, un blessé, un mort sur une civière.* ⇒ **Litière.** *Porteur de civière.* ⇒ **Brancardier.**

CIVIL, ILE [sivil] adj. et n. m. — 1290 ; lat. *civilis,* de *civis.* → Citoyen.

★ **I.** ♦ **1.** (XVIᵉ). Vieilli (ou dans des expressions). Relatif à l'ensemble des citoyens*. *La vie, la société civile.* — Loc. cour. *Guerre* civile : guerre entre les citoyens d'un même État (cf. Guerre intestine). *Les barricades, les émeutes d'une guerre civile.* ⇒ **Révolution.** — Littér. *Troubles civils. Discorde civile.*
1 (...) la guerre civile est le règne du crime (...) CORNEILLE, Sertorius, I, 1.
2 Un parti qui causa quelque émeute civile (...) MOLIÈRE, l'Étourdi, IV, 1.
Vx. *L'ordre civil, les lois civiles, les vertus civiles,* propres à la vie en société organisée. ⇒ **Civique.**
3 Les vertus civiles, qui font toute la douceur et toute l'harmonie de la société.
MASSILLON, Conty, *in* LITTRÉ.
4 Je veux chercher si, dans l'ordre civil, il peut y avoir quelque règle d'administration légitime et sûre (...) ROUSSEAU, Du contrat social, I.
Mod. *Droits civils,* que la loi civile garantit à tous les citoyens. *L'exercice, la jouissance des droits civils. — Liberté civile,* liberté d'exercer ces droits. *Privation des droits civils* (dite *mort* civile), abolie en 1854. *Les droits civils et les droits politiques.* — Le *droit civil* (opposé à *droit criminel, commercial, public, constitutionnel...*). ⇒ **Droit.** *Étude du droit civil ; professeur* (⇒ **Civiliste**), *cours de droit civil. À l'intérieur du droit privé, le droit civil se distingue de la procédure et du droit commercial* (cf. Planiol, *Droit civil,* Introd., p. 10).
5 Le droit civil étant ainsi devenu la règle commune des citoyens (...)
ROUSSEAU, De l'inégalité parmi les hommes, II.
6 Solon donna donc au peuple les droits civils et non les droits politiques.
FUSTEL DE COULANGES, Leçons à l'impératrice..., p. 55.
7 L'exercice des droits civils est indépendant de l'exercice des droits politiques, lesquels s'acquièrent et se conservent conformément aux lois constitutionnelles et électorales. Code civil, art. 7 (Loi du 26 juin 1889).
État civil. Officier de l'état civil. Acte (cit. 12) *de l'état civil. Registre de l'état civil.* ⇒ aussi **État.**
Liste civile. ⇒ **Liste.**
Année civile, jour civil, adoptés pour les actes de la vie civile (opposé à *astronomique*). ⇒ **Année, jour.**

♦ **2.** (1290). Dr. Relatif aux rapports entre les individus (opposé à *criminel*). Relatif aux infractions aux lois. *Code* civil. *Matière civile ; procédure* civile. *Procès* civil, *tribunal* civil (opposé à *tribunal correctionnel*). *Chambre* civile. *Audience civile.*
(1611). **PARTIE CIVILE.** — (En matière criminelle). *Se constituer, se porter, se rendre partie civile :* demander des dommages-intérêts pour un préjudice causé, en dehors de la peine entraînée par le délit.
Intérêts civils : dédommagement que demande la partie civile. *Requête* civile (*Code de procédure civile,* Première partie, L. IV, titre 2, art. 480 et suivants).
8 Toute personne qui se prétendra lésée par un crime ou délit pourra en rendre plainte et se constituer partie civile (...) Code d'instruction criminelle, art. 63.
N. m. *Le civil et le criminel. Poursuivre qqn au civil,* devant le tribunal civil.
9 (...) Juge du civil comme du criminel. RACINE, les Plaideurs, II, 13.

♦ **3.** (1718). Qui n'est pas militaire. *Un emploi civil. Ingénieur civil. Les autorités civiles. Un vêtement civil. Retourner à la vie civile.*
10 La vie civile n'est pas clémente pour les anciens légionnaires.
P. MAC ORLAN, la Bandera, VII, p. 84.
11 Ses habits civils lui semblaient tissés en toile d'araignée et ses souliers pouvaient se comparer à des ailes. P. MAC ORLAN, la Bandera, XIX, p. 229.
11.1 C'est un soldat encore, ou plutôt la moitié d'un soldat, car il est vêtu d'un calot et d'une vareuse militaires, mais avec un pantalon civil de couleur noire et des souliers en daim gris. A. ROBBE-GRILLET, Dans le labyrinthe, p. 96-97.
N. m. Homme qui n'est ni militaire, ni religieux. *Les militaires et les civils.* ⇒ **Bourgeois, pékin.** *S'habiller en civil. Dans le civil :* dans la vie civile. *Que fait-il dans le civil ?*
11.2 Car nous voyons passer ces hommes qui, même quand ils portent le déguisement

des civils, sont plus que ce qu'ils ont l'air d'être et, comme des dieux qui prenaient des formes d'hommes, sont «les militaires en civil».
PROUST, Jean Santeuil, Pl., p. 653.
Les civils : les personnes qui n'appartiennent pas à l'armée.
12 Il n'avait pas l'intention de heurter le patriotisme des civils ; et personnellement il ne répugnait pas à la perspective d'une guerre (...)
J. ROMAINS, les Hommes de bonne volonté, III, XIV, p. 188.
N. m. *Le civil :* la vie civile. — *Dans le civil :* hors de la situation définie (par le contexte), appartenance à un groupe, etc., assimilé à l'armée.
12.1 — Qu'était Borodine, demande Méry, «dans le civil», je veux dire : hors du Parti ? — Journaliste, je crois. MALRAUX, Antimémoires, Folio, p. 451.

♦ **4.** Qui n'est pas religieux. *Mariage civil,* contracté devant l'autorité civile. *Enterrement civil,* effectué sans cérémonie religieuse.

★ **II.** (1460). Vieilli. Qui observe les usages de la bonne société. ⇒ **Affable, aimable, courtois, empressé, galant, honnête, poli ; civilité.** *Un homme civil ayant du savoir-vivre*. Il n'a pas été très civil à mon égard.
13 Autrefois le rat de ville
Invita le rat des champs,
D'une façon fort civile,
A des reliefs d'ortolans. LA FONTAINE, Fables, I, 9.
14 (...) les vieillards sont galants, polis et civils (...)
LA BRUYÈRE, les Caractères, VIII, 74.

CONTR. (Du sens I) Naturel, sauvage... — Politique (droit). — Astronomique (année). — Criminel, commercial. — Militaire. — Religieux. — (Du sens II). Brutal, grossier, discourtois, impoli, malhonnête, rustre.
DÉR. Civilement, civiliser, civiliste, civilité.

CIVILEMENT [sivilmɑ̃] adv. — XIVᵉ ; de *civil.*

★ **I.** ♦ **1.** Dr. En matière civile* (I., 2.). *Poursuivre, juger qqn civilement,* selon la voie civile. *Être civilement responsable :* être responsable du dommage provoqué par des personnes dont on a légalement la charge (par ex., des enfants mineurs).
Vx. *Être mort civilement :* avoir perdu ses droits civils.

♦ **2.** (Opposé à *religieusement*). *Se marier civilement,* sans cérémonie religieuse, à la mairie. *Il avait demandé à être enterré civilement.*

★ **II.** Littér. ou vieilli (correspond à *civil,* II.). Avec civilité. ⇒ **Gracieusement, honnêtement, poliment.** *Traiter qqn civilement. Agir, parler civilement.*
1 Mais je vois Jupiter, que fort civilement
Reconduit l'amoureuse Alcmène. MOLIÈRE, Amphitryon, I, 2.
2 A-t-elle écouté, pour sa fille, votre proposition ?
— Oui, fort civilement. MOLIÈRE, l'Avare, IV, 3.
CONTR. Impoliment, incivilement.

CIVILISABLE [sivilizabl] adj. — Fin XVIIIᵉ ; de *civiliser.*

♦ Qui peut être civilisé. *Des peuplades difficilement civilisables, à peine civilisables.*
CONTR. Incivilisable.

CIVILISATEUR, TRICE [sivilizatœʀ, tʀis] adj. et n. — 1829 ; de *civiliser.*

♦ Qui transmet, qui répand la civilisation. *Peuple civilisateur. Rôle civilisateur. Religion, philosophie civilisatrice. Puissance, force civilisatrice de l'art, de la littérature.*
1 L'art émeut. De là sa puissance civilisatrice.
HUGO, Post-scriptum de ma vie, Utilité du beau.
N. *Un grand civilisateur.*
2 S'il y a lieu de faire confiance aux possibilités d'adaptation, la distorsion existe pourtant et la contradiction est présente entre une civilisation aux pouvoirs presque illimités et un civilisateur dont l'agressivité est restée la même qu'au temps où tuer le renne avait le sens de survivre.
A. LEROI-GOURHAN, le Geste et la Parole, t. II, p. 259.

CIVILISATION [sivilizasjɔ̃] n. f. — 1756, Mirabeau ; «acte de justice», 1732 ; de *civiliser.*

♦ **1.** Rare. Fait de se civiliser ou d'être civilisé. ⇒ **Avancement, évolution, progrès.** *La civilisation progressive des peuplades d'Océanie. Obstacles opposés à la civilisation d'un pays.*
1 Au commencement de la civilisation (...)
TURGOT, Pensées et fragments, *in* LITTRÉ.
1.1 La Religion est sans contredit le premier et le plus utile frein de l'humanité ; c'est le premier ressort de la civilisation.
MIRABEAU, l'Ami des hommes, I, VIII (1756), *in* D.D.L., II, 11.

♦ **2.** (1808). Cour. (*La civilisation*). Ensemble des caractères communs aux vastes sociétés les plus cultivées, les plus évoluées de la terre ; ensemble des acquisitions des sociétés humaines (opposé à *nature, barbarie*).
2 Civilisation ! grand mot dont on abuse, et dont l'acception propre est ce qui rend

civil. Il y a donc civilisation par la religion, la pudeur, la bienveillance, la justice ; car tout cela unit les hommes. Joseph JOUBERT, Pensées, XVIII, 1.

3 Les Français, en traversant Rome, y ont laissé leurs principes : c'est ce qui arrive toujours quand la conquête est accomplie par un peuple plus avancé en civilisation que le peuple qui subit cette conquête (...)
CHATEAUBRIAND, Mémoires d'outre-tombe, III, XII.

4 L'amour est le miracle de la civilisation. On ne trouve qu'un amour physique et des plus grossiers chez les peuples sauvages ou trop barbares (...)
STENDHAL, De l'amour, XXVI, p. 93.

5 Je ne doutais plus que la civilisation comme on la nomme, ne fût une barbarie savante et je résolus de devenir un sauvage.
FRANCE, le Jardin d'Épicure, p. 229.

6 Des restes de barbarie traînent encore, dit M. Bergeret, dans la civilisation moderne. FRANCE, le Mannequin d'osier, Œ., t. XI, p. 360.

7 Jamais, et nulle part, dans une aire aussi restreinte et dans un intervalle de temps si bref, une telle fermentation des esprits, une telle production de richesse n'a pu être observée.
C'est pourquoi et par quoi s'est imposée à nous l'idée de concevoir l'étude de la Méditerranée comme l'étude d'un dispositif, j'allais dire d'une machine, à faire de la civilisation. VALÉRY, Regards sur le monde actuel, p. 317.

8 (...) les préjugés sont les pilotis de la civilisation.
GIDE, les Faux-monnayeurs, I, II, p. 17.

9 La civilisation n'est autre chose que l'acceptation, par les hommes, de conventions communes. A. MAUROIS, Un art de vivre, II, VII, p. 136.

10 Tout peut, tout doit toujours être perfectionné. C'est la loi de la civilisation : la loi même de la vie (...) Mais, par étapes !
MARTIN DU GARD, les Thibault, t. V, p. 224.

11 (L'homme) apprenant à maîtriser les forces matérielles, à discipliner ses instincts et à user de sa raison, créant de toutes pièces les industries et les techniques, les sciences et les arts, les philosophies, les lois et les morales, il s'est écarté toujours davantage de ses humbles origines. Tout ce que l'homme a, de la sorte, ajouté à l'Homme, c'est ce que nous appelons en bloc la civilisation.
Jean ROSTAND, l'Homme, IX, p. 129.

11.1 (...) la civilisation c'est de la culture qu'on applique et qui régit jusqu'à nos actions les plus subtiles, l'esprit présent dans les choses ; et c'est artificiellement qu'on sépare la civilisation de la culture et qu'il y a deux mots pour signifier une seule et identique action.
A. ARTAUD, le Théâtre et son double, Préface, Idées/Gallimard, p. 11.

♦ **3.** (Une, des civilisations). Ensemble de phénomènes sociaux à caractères religieux, moraux, esthétiques, scientifiques, techniques, communs à une grande société ou à un groupe de sociétés. ⇒ **Culture** (II., 2. et 3.). La civilisation chinoise, égyptienne, grecque. Les civilisations pré-colombiennes d'Amérique. La civilisation méditerranéenne. Civilisation occidentale. — Cet ensemble caractérisé par un trait fondamental dominant. La civilisation du bronze, du fer. La civilisation industrielle a triomphé au XXe siècle. La civilisation des loisirs. — Aire de civilisation : surface géographique sur laquelle s'étend l'influence d'une civilisation.

12 La civilisation antique, après sa destruction, a encore puissamment contribué à la civilisation moderne par les monuments écrits et figurés qui sont restés d'elle, et que la Renaissance étudia.
RENAN, Dialogues et Fragments philosophiques, II, Œ. compl., t. I, p. 593.

13 Nous autres civilisations, nous savons maintenant que nous sommes mortelles.
VALÉRY, Variété I, La crise de l'esprit, p. 1.

14 Je crois bien, Messieurs, que l'âge d'une civilisation se doit mesurer par le nombre des contradictions qu'elle accumule, par le nombre des coutumes et des croyances incompatibles qui s'y rencontrent et s'y tempèrent l'une l'autre ; par la pluralité des philosophies et des esthétiques qui coexistent et cohabitent si souvent dans la même tête. VALÉRY, Variété I, IV, p. 35.

15 Une civilisation est un héritage de croyances, de coutumes et de connaissances, lentement acquises au cours des siècles, difficiles parfois à justifier par la logique, mais qui se justifient d'elles-mêmes, comme des chemins, s'ils conduisent quelque part, puisqu'elles ouvrent à l'homme son étendue intérieure.
SAINT-EXUPÉRY, Pilote de guerre, XIV, p. 104.

16 L'Égypte, les pays du Levant, la Grèce, l'Italie et l'Afrique du Nord avaient produit des civilisations d'abord différentes et parfois adverses qui, finalement, s'étaient unies en une civilisation que l'on pouvait dire méditerranéenne et qui s'était, par la suite, associé toute l'Europe, pays fertile en génie.
G. DUHAMEL, la Défense des lettres, IV, I, p. 276.

17 C'est, pour les Toulon, comme pour bien d'autres Français, de situation modeste, la découverte du monde et l'entrée dans ce qu'on appelle la «civilisation des loisirs». Jean FERNIOT, Pierrot et Aline, p. 203.

CONTR. Barbarie, incivilisation, sauvagerie. — Nature (état de nature).

CIVILISER [sivilize] v. tr. — 1568 ; de civil (II.).

♦ **1.** Faire passer (une collectivité, ses membres) à un état social plus évolué (ou considéré comme tel), dans l'ordre moral, intellectuel, artistique, technique. ⇒ **Civilisation ; affiner, améliorer** (cit. 1), **dégrossir, éduquer, policer.** Les Grecs ont civilisé l'Occident. — Pron. Un peuple, une nation qui se civilise.

1 L'art civilise par sa puissance propre.
HUGO, Post-scriptum de ma vie, Utilité du beau.

REM. L'emploi de ce mot relève d'une conception exclusive et généralement ethnocentrique de la «civilisation», jugée du point de vue de la culture qui s'exprime.

♦ **2.** Fam. Rendre (qqn) plus poli, plus affable. ⇒ **Apprivoiser, polir.** Il faut civiliser ce butor. — Pron. Il se civilise à votre contact.

▶ CIVILISÉ, ÉE p. p. adj. et n.
Doté d'une civilisation, d'une culture élaborée ou jugée telle. ⇒ **Cultivé, éduqué, poli, policé.** Peuple, pays civilisé. L'homme civilisé.

2 Le Sauvage n'a que des sentiments, l'homme civilisé a des sentiments et des idées.
BALZAC, la Cousine Bette, Pl., t. VI, p. 165.

3 Il y a chez le Slave un côté enfant, comme chez tous les peuples primitivement sauvages, et qui ont plutôt fait irruption chez les nations civilisées qu'ils ne se sont réellement civilisés. BALZAC, la Cousine Bette, Pl., p. 331.

3.1 (...) il peut foutre
Debout comme un singe avisé ;
Il est donc très-civilisé.
BAUDELAIRE, Amœnitates belgicæ, «La civilisation belge».

4 Il (Gœthe) naît dans une époque, dont nous savons aujourd'hui qu'elle fut délicieuse. Il s'élève dans ce siècle de plaisirs et d'encyclopédie ; où, pour la dernière fois, les conditions les plus exquises de la vie civilisée se sont trouvées réunies.
VALÉRY, Variété IV, p. 101.

5 Comme dans toutes les nations du monde, moins les gens sont civilisés, plus ils méprisent les étrangers. Valery LARBAUD, Amants, heureux amants, p. 127.

N. (rare au fém.). Un civilisé. Les civilisés.

6 La Russie c'est la seconde «bête noire» de Talleyrand : il a pour les Russes une sorte d'horreur de civilisé raffiné pour un «peuple de barbares».
Louis MADELIN, Talleyrand, II, IX, p. 106.

CONTR. Abrutir, animaliser, bestialiser. — Barbare, brut, inculte, primitif, sauvage. — (Du p.p.). Incivilisé.
DÉR. Civilisable, civilisateur, civilisation.

CIVILISTE [sivilist] n. — XIXe ; de (droit) civil.

♦ Didact. (dr.). Spécialiste du droit civil (jurisconsulte, professeur, étudiant spécialisé). C'est une brillante civiliste de la faculté de droit de Paris.

CIVILITÉ [sivilite] n. f. — 1361 ; lat. civilitas, de civilis. → Civil.

♦ **1.** Vieilli. Observation des convenances, des bonnes manières en usage dans un groupe social. ⇒ **Civil** (II.) ; **courtoisie, politesse ; affabilité, amabilité, honnêteté, sociabilité.** Formule de civilité. Les règles de la civilité. ⇒ **Manière** (bonnes manières), **usage.** Manquer de civilité.

1 Le mot de civilité ne signifiait pas seulement parmi les Grecs la douceur et la déférence mutuelle qui rend les hommes sociables (...)
BOSSUET, Disc. sur l'Hist. universelle, III, 5.

2 (...) un neveu de Mme de Challeux qui lui faisait entendre, par manière de civilité, qu'il la trouvait bien faite. RACINE, Lettre XXXII à son fils, in LITTRÉ.

3 Que vous avez peu de civilité de ne pas saluer les gens quand vous les approchez !
MOLIÈRE, George Dandin, I, 4.

4 La politesse flatte les vices des autres, la civilité nous empêche de mettre les nôtres au jour. MONTESQUIEU, l'Esprit des lois, XIX, 16.

4.1 Elle reconnut le roi ; mais sans en témoigner la moindre surprise, sans même se lever pour lui faire civilité et pour le recevoir, comme s'il eût été la personne du monde la plus indifférente, elle se remit à la fenêtre comme auparavant.
A. GALLAND, les Mille et une Nuits, t. II, p. 274.

Vieilli. La civilité puérile et honnête : les règles élémentaires du savoir-vivre (par allus. au titre d'anciens traités des bons usages).

♦ **2.** (Littér. ou style soutenu). Une, des civilités, démonstration, de civilité, de politesse. Présenter ses civilités. ⇒ **Baisemain** (faire ses baisemains, vx), **chose** (dire bien des choses), **compliment, devoir, hommage, salutation.** Faire des civilités ; combler, accabler qqn de civilités. Agréez mes civilités. Civilités excessives. ⇒ **Cérémonie.**

5 La différence qu'il y a de leurs manières brusques (des maris) aux civilités des galants. MOLIÈRE, l'Impromptu de Versailles, 1.

6 Je lui ai rendu toutes les civilités qui sont dues à un homme de son mérite.
Charles DE SÉVIGNÉ, 1423, 9 juil. 1695.

Loc. Vx. Faire civilité de qqch. à qqn, présenter par politesse.

7 — Cela n'est pas civil, d'aller voir un homme que vous avez tué.
— Au contraire, c'est une visite dont je lui veux faire civilité.
MOLIÈRE, Dom Juan, III, 5.

CONTR. Grossièreté, impolitesse, incivilité, insolence, malhonnêteté, rusticité. — Injures.

CIVIQUE [sivik] adj. — 1504, couronne civique (des Romains) ; lat. civicus.

♦ **1.** (Av. 1781). Mod. Relatif au citoyen. Droits, devoirs civiques. — Dégradation* civique (→ Arbitraire, cit. 9). — Garde civique (vieilli) : garde national(e).

♦ **2.** Propre au bon citoyen. Courage, vertu(s) civique(s). ⇒ **Patriotique.** — Instruction civique, portant sur les devoirs du citoyen. Sens civique. ⇒ **Civisme** (2.).

L'objet et l'institution générale d'une bonne et civique éducation.
TURGOT, Œuvres, t. III, p. 534.

Antiq. Couronne civique, décernée au soldat romain qui avait sauvé un citoyen. — Hist. Carte civique : certificat de civisme délivré sous la Révolution.

CONTR. Antipatriotique.
COMP. et CONTR. Anticivique, incivique.
DÉR. Civisme.

CIVISME [sivism] n. m. — 1770 ; de civique.

♦ **1.** Vx. Dévouement, zèle du citoyen pour sa patrie. ⇒ **Patriotisme.**
Hist. Certificat de civisme, délivré pendant la Révolution française aux citoyens considérés comme irréprochables.

♦ 2. Mod. Sens des devoirs collectifs au sein d'une société. *Le civisme et l'individualisme peuvent entrer en conflit. Avoir du civisme, manquer de civisme. Faire qqch. par civisme.*

Ce civisme (...) ce dévouement à la chose publique, en vertu desquels chacun, tout en revendiquant son quant-à-soi, estime devoir s'encadrer dans la communauté et collaborer à la vie sociale.   André SIEGFRIED, l'Âme des peuples, IV, II, p. 96.

COMP. Anticivisme, incivisme.

Cl [seɛl] Symbole chimique du *chlore.*

cl Abréviation de *centilitre.*

CLABAUD [klabo] n. m. — Fin xvᵉ ; du rad. onomat. de *clapper.*

♦ 1. Rare. Chien courant à oreilles pendantes, qui aboie furieusement. — Par ext. Chien qui aboie mal à propos. ⇒ **Aboyeur.**

♦ 2. Fig., vx. Personne qui crie beaucoup et sans raison.

DÉR. Clabauder.
HOM. Clabot.

CLABAUDAGE [klabodaʒ] n. m. — 1560 ; de *clabauder.*

♦ 1. Rare. Aboiements forts et répétés. *Le clabaudage des chiens.*

♦ 2. (1614, *in* D.D.L.). Fig., littér. Fait de crier à tort et à travers. — Spécialt. Fait de rapporter des médisances ; paroles malveillantes. ⇒ **Clabauderie.**

Le clabaudage de la petite ville m'a été évité pendant dix mois, environ. C'est tout ce que je voulais (...)   J.-R. BLOCH, Deux hommes se rencontrent, p. 63.

CLABAUDER [klabode] v. intr. — 1564 ; de *clabaud.*

♦ 1. Rare. Aboyer* fort et souvent (→ Basset, cit. 1).
1 Des chiens, dans le jardin galeux, clabaudaient à l'écho de leur voix (...)
          G. DUHAMEL, Chronique des Pasquier, III, VI, p. 64.
Vén. Aboyer mal à propos, hors de la voie (en parlant des chiens de chasse).

♦ 2. Fig., littér. Crier sans motif ; protester, faire des reproches sans sujet et d'une façon malveillante. ⇒ **Aboyer, criailler.** — *Clabauder contre tout le monde. Clabauder sur qqn. On clabaude.* ⇒ **Cancaner, critiquer, dénigrer, médire, rouspéter.**
2 On me laissa clabauder, on m'encouragea même, on faisait *chorus ;* mais l'affaire en resta toujours là, jusqu'à ce que, las d'avoir toujours raison et jamais justice, je perdis enfin courage, et plantai là tout.   ROUSSEAU, les Confessions, VII.
3 J'habite à trop de milliers de mètres d'altitude au-dessus des bas-fond où clapotent et clabaudent de tels sales papotages, pour que je puisse être éclaboussé par les plaisanteries d'une Verdurin.
          PROUST, À la recherche du temps perdu, t. II, p. 96.
REM. D'abord considéré comme familier, ce sens est aujourd'hui littéraire ou relève du style soutenu.

CONTR. Taire (se). — Louer.
DÉR. Clabaudage, clabauderie, clabaudeur.

CLABAUDERIE [klabodʀi] n. f. — 1611 ; de *clabauder.*

♦ Littér. Clameur(s), criaillerie(s). *Une, des clabauderies.* — Médisance de personnes qui clabaudent. ⇒ **Cancan, commérage, potin, ragot.**
1 Les écrivains, qui sont souvent les artisans de la renommée dont ils manient la trompette, se font la part assez belle dans ce festin de clabauderie.
          G. DUHAMEL, Défense des lettres, II, xv, p. 218.
2 Heureusement, il n'y avait que lui pour savoir ménager la chèvre et le chou. On en était bien sûr en haut lieu et voilà pourquoi il était maintenu malgré les clabauderies de la presse.   Louise MICHEL, la Misère, t. I, p. 122.

CLABAUDEUR, EUSE [klabodœʀ, øz] adj. et n. — 1554 ; de *clabauder.*
Rare ou littéraire.

♦ 1. Se dit d'un chien, d'un animal dont le cri est bruyant.

♦ 2. Personne qui clabaude (2.).

CLABOT [klabo] ou **CRABOT** [kʀabo] n. m. — 1927, clabot ; crabot, 1929 ; du rad. germ. **krappa* « crampon, crochet ».

♦ Techn. Accouplement de deux pièces mécaniques (arbres, etc.) par saillies et rainures. Dent d'un embrayage à griffes.

DÉR. Clabotage.
HOM. Clabaud.

CLABOTAGE [klabotaʒ] ou **CRABOTAGE** [kʀabotaʒ] n. m. — 1929 ; autre sens, xixᵉ ; de *clabot.*
Technique.

♦ 1. Fait d'assembler par un clabot. Assemblage par clabot.

♦ 2. Spécialt (surtout *crabotage*). Embrayage par clabot, utilisé dans certains véhicules automobiles, pour obtenir un rapport entre l'arbre moteur et les roues, donnant plus de puissance à ces dernières ; ce rapport. *Employer le crabotage pour se tirer d'un terrain boueux, franchir un obstacle.*

Les roues patinent, puis calent. Le chauffeur passe le crabotage. Les quatre roues motrices hésitent, puis se décident.   Roger BORNICHE, le Ricain, p. 209.

CLABOTER [klabote] v. intr. — 1899 ; p.-ê. var. de *claquer* « mourir ». → Clamser.

♦ Pop. Mourir.
Ceux qui ne sont pas arrachés par les éclats sont assommés par le vent du machin, ou clabotent asphyxiés sans avoir le temps de souffler ouf.
          H. BARBUSSE, le Feu, t. II, II, XIX, p. 14.

CLAC [klak] — V. 1480 ; onomatopée.

♦ Interjection imitant un bruit sec, un claquement. ⇒ **Clic, clic-clac.**
HOM. Claque.

CLACKSON [klakson ; klaksɔ̃] n. m.

♦ ⇒ **Klaxon.** — REM. On trouve aussi des variantes en *cs*- de *klaxonner.*
À midi moins le quart, le chauffer clacsonnait devant la porte (...)
          M. AYMÉ, Travelingue, p. 50.

CLACTONIEN, IENNE [klaktɔnjɛ̃, jɛn] adj. et n. m. — D.i. ; de *Clacton-on-sea,* ville de l'Essex.

♦ Didact. (géol., paléont.). Se dit de l'industrie préhistorique du paléolithique inférieur *(Acheuléen),* caractérisée par des éclats de silex de facture grossière. *Éclat clactonien. La civilisation clactonienne est plus évoluée que l'abbevillienne, sa contemporaine.* — N. m. La période de cette industrie. *Le clactonien.*

CLADE [klad] n. m. — V. 1960 ; grec *klados* « rameau ».

♦ Sc. nat. Groupement de plusieurs embranchements de plantes ou d'animaux ayant une même organisation et une évolution phylétique commune (identifié parfois au *phylum*). *Le clade des Protostoniens groupe la majorité des invertébrés.*

CLADO- Élément, du grec *klados* « rameau ».

CLADONIE [kladɔni] ou (vx) **CLADONE** [kladɔn] n. f. — D.i. ; lat. sc. *cladonia.*

♦ Bot. Lichen, dont une espèce sert de nourriture aux rennes, et qui servait de remède contre les aphtes.

CLAFOUTI (rare) ou **CLAFOUTIS** [klafuti] n. m. — Répandu xixᵉ (1869) ; mot du Centre ; de *clafir* « remplir, fourrer » ; lat. *clavo figere.*

♦ Gâteau cuit au four et composé de farine, de lait, d'œufs et de fruits. *Clafoutis aux cerises. Clafoutis berrichon, limousin.*

CLAIE [klɛ] n. f. — 1306 ; *cleie,* 1155 ; du bas lat. **cleta,* mot gaulois.

♦ 1. Ouvrage en osier formant un treillis à claire-voie. *Claie servant à égoutter les fromages* (⇒ **Caget, clayon, clisse, éclisse, volette**), *à trier des graines* (⇒ **Crible, sas**), *à faire sécher des fruits. Claie de pâtissier.* ⇒ **Clayon.** *La volette, claie sur laquelle on épluchait la laine.*

♦ 2. Treillage en bois ou en fer. — (Pour cribler). *Cribler, passer* de la terre, du sable, sur une claie.* ⇒ **Sas, tamis.** — (Pour servir de clôture). *Claie métallique.* ⇒ **Grille, treillage.** — *Claie de parc à bestiaux, de pâturage.* ⇒ **Clôture.** *Claie faite de branches d'arbre entrelacées. Claie de branchages servant d'obstacle sur un champ de course. Claie qui sert d'abri en horticulture.* ⇒ **Abri, brisevent.** — (Pour servir de séparation). *Claie utilisée à la pêche.* ⇒ **Bordigue, nasse.** *L'écrille, claie qui bouche un étang pour y retenir le poisson. Claie servant de parapet, bouchant un fossé...* ⇒ **Fascine.** *Claie de portage :* armature d'un sac à dos ; ce sac.

Anciennt. *Traîner sur la claie (un corps) :* traîner sur une claie le corps d'un suicidé, d'un supplicié, par une peine infamante. — Loc.

vieillie. *Traîner qqn sur la claie,* le traiter publiquement d'une façon outrageante. ⇒ **Conspuer, vilipender ; maltraiter.**

Nous nous nommons le peuple, et sommes une plaie.
Le genre humain saignant est traîné sur la claie.
HUGO, la Légende des siècles, « La vision de Dante », VII.

♦ **3.** Au plur. Reliure. Bandes de toile, de peau collées entre les rubans sur les dos et les gardes.

DÉR. Clayère, clayette, clayon, clayonnage, clayonner.

CLAIR, CLAIRE [klɛʀ] adj., n. m. et adv. — xive ; *clar,* xe (d'où *clarine,* etc.) ; *cler,* xiie ; du lat. *clarus.*

★ **I.** Adj. (en général placé après le n., en épithète).

A. Concret. ♦ **1.** Qui a l'éclat du jour, de la lumière. ⇒ **Éclatant, lumineux.** *Un jour clair. La lune est claire* (Académie). *L'argent est un métal clair. Un feu clair. Le bois sec fait un feu très clair.* — (Antéposé). *Le clair soleil* (littéraire).

1 Adieu donc, clairs soleils si divins et si beaux (...)   Mathurin RÉGNIER, Plainte.
2 Du côté asiatique, une grande lune claire commence de monter ; comme d'habitude, elle change peu à peu le Bosphore en coulée de vermeil et d'argent.
LOTI, Suprêmes visions d'Orient, p. 42.

(1690). Qui reçoit beaucoup de lumière (en parlant d'un lieu). *Une église claire. Galerie claire. Cette chambre est assez claire, très claire.*

3 (...) au pied du mont solitaire et clair, encore baigné de lumière, s'étalait à présent la vallée, les plaines peuplées, fertiles, noyées de brume, endeuillées par le soir.   VAN DER MEERSCH, l'Élu, p. 218.

Chambre* claire.

Temps clair, sans nuage. ⇒ **Lumineux, serein.** *Espace clair.* ⇒ **Éclaircie.** *Il fait clair.*

4 Tous les jours se levaient clairs et sereins pour eux.   RACINE, Phèdre, IV, 6.

♦ **2.** (1690). Qui est d'une teinte peu foncée, qui est faiblement coloré. *Couleur claire. Étoffe claire. Des yeux bleu clair. Un regard clair. Cheveux châtain clair. Clair-brun ; clair-brunes.*

Teint clair. Avoir le teint clair, le teint frais, pur ou pâle et rosé (opposé à *mat, chaud).* — Peint. *Des tons clairs. Une nuance claire. Vert clair. Rouge clair.*

5 Et voici les yeux, qui sont toute la vie. Clairs, pâles, de vieille ardoise (...)
André SUARÈS, Trois hommes, « Dostoïevski », II, p. 210.
6 Les doubles rideaux sont tirés, et leurs gros plis luisent dans la lumière, luisent d'un reflet sans couleur spéciale, celui des étoffes claires et veloutées.
J. ROMAINS, les Hommes de bonne volonté, IV, Éros de Paris, XV, p. 165.

Vieilli. ⇒ **Brillant, luisant, net, poli.** *Des armes claires. Vaisselle claire,* que rien ne macule. *Parquet clair,* propre.

♦ **3.** (xiie). Peu serré. *Un tissu clair,* qui laisse passer le jour. *Une toile trop claire,* à tissage trop lâche. *De la gaze bien claire. Un bois clair,* peu touffu. ⇒ **Clairsemé, rare.** *Une chevelure claire,* peu fournie. *Les blés sont clairs.*

Vx. *Claire voie.* ⇒ **Claire-voie.**

Peu dense, peu épais. *Un bouillon clair. Un clair brouet* (→ Apprêt, cit. 1). *Une purée, une sauce trop claire,* d'une consistance trop légère. ⇒ **Léger.** *Un vin clair.* ⇒ **Clairet.**

Un œuf clair, qui garde sa transparence, n'étant pas fécondé.

♦ **4.** Pur et transparent. *Un ruisseau très clair,* très limpide. *De l'eau claire :* de l'eau pure, qui n'est troublée par rien. *Une claire fontaine. Vitres claires.* ⇒ **Net.**

7 Le long d'un clair ruisseau buvait une colombe.   LA FONTAINE, Fables, II, 12.

Loc. fam. *Faire de l'eau claire :* ne pas réussir.

♦ **5.** (xiie). Sons. Qui est net et pur. ⇒ **Aigu, argentin.** *Son, timbre clair. Note claire du clairon** (→ Buccinateur, cit.). *Sonnette claire du bétail.* ⇒ **Clarine.** *Caisse claire :* tambour à son clair. *D'une voix claire.*

8 (...) et là, d'une voix claire,
Devant quatre témoins assistés d'un notaire.   RACINE, les Plaideurs, II, 4.

B. Abstrait. ♦ **1.** (xive). Aisé, facile à comprendre. ⇒ **Explicite, intelligible, lumineux, net.** *Style clair. Termes clairs et concis. Des idées claires et précises. Savoir s'exprimer d'une façon claire.* « *Est-ce clair ? avez-vous saisi ?* » *Il n'y a rien de plus clair. C'est très clair, peu clair.* — *Poésie peu claire.* — *Cet auteur n'est pas clair.*

9 Ce qui n'est pas clair n'est pas français.
RIVAROL, De l'universalité de la langue française.
10 Cela est si clair, qu'il me semble aussitôt prouvé que dit.
P.-L. COURIER, Œuvres, p. 7.
11 (...) il est fort difficile de rendre clair par les mots ce qui est obscur encore dans notre pensée.   FLAUBERT, Correspondance, t. II, p. 72.
12 Il faut qu'une phrase soit si claire, qu'elle fasse plaisir au premier coup, et pourtant, qu'on la relise à cause du plaisir qu'elle a fait.
J. RENARD, Journal, 16 mai 1903.
12.1 Ce qu'il y a de latin, c'est ce besoin de se servir des mots pour exprimer des idées qui soient claires. Car pour moi les idées claires sont, au théâtre comme partout ailleurs, des idées mortes et terminées.
A. ARTAUD, le Théâtre et son double, Idées/Gallimard, p. 59.
13 Il arrive que cette expérience même, qui devrait le mieux nous renseigner, nous

embrouille, et que nous n'avons jamais moins d'idées claires que là justement où nous devrions en avoir davantage.
J. PAULHAN, Entretien sur des faits divers, I, Un portrait de Briand.

♦ **2.** (Fin xiiie ; dr.). Manifeste, sans équivoque. ⇒ **Apert** (littér.), **apparent, certain, évident, manifeste, net, sûr.** *La chose est claire. C'est clair :* cela tombe sous le sens. *Clair pour tout le monde.* ⇒ **Notoire, palpable.** *La conclusion en est claire. Conséquence, raison très claire.* — *Ces procédés sont peu clairs. Sa conduite n'est pas claire. Cette affaire n'est pas claire,* elle est embrouillée, suspecte.

14 Vous déguisez en vain une chose trop claire.   CORNEILLE, Horace, I, 2.
15 (*Voyons de quel air*) Vous voulez soutenir un mensonge si clair.
MOLIÈRE, le Misanthrope, IV, 3.

Il est clair que... C'est clair. Il s'est fichu de nous, c'est clair.

16 Il est trop clair, d'ailleurs, que les nouvelles formes de société qui s'ébauchent aujourd'hui ne font pas de l'existence du luxe intellectuel une de leurs conditions essentielles.
VALÉRY, Regards sur le monde actuel, Notre destin et les Lettres, p. 208.
17 (...) il est évident, sûr, certain, avéré, manifeste, clair, acquis, établi, reconnu (...) qu'elle a toujours fait son devoir.
BRUNOT, la Pensée et la Langue, p. 500-501 (→ Affirmation, cit. 2).

Fam. *Son affaire est claire :* il ne peut échapper ; il sera puni (→ Son compte* est bon).

♦ **3.** (1694). *Avoir l'esprit clair :* avoir beaucoup de clairvoyance*, de jugement*. ⇒ **Délié, lucide, pénétrant, perspicace, sûr.** *Une intelligence claire et vive* (→ Audacieux, cit. 6).

♦ **4.** Calme, doux, paisible, heureux, serein. *Les heures claires de la vie. Les Heures claires,* ouvrage de Verhaeren.

18 Les visiteurs sont innombrables dans les grandes heures claires ou sombres de la vie ; mais ils s'éloignent quand celle-ci dure trop longtemps.
Edmond JALOUX, les Visiteurs, XXXI, p. 244.
19 (...) je soupçonne (...) ces sentiments, clairs et calmes, de flotter sur un monde de ténèbres ou de feux assoupis.   H. BOSCO, Un rameau de la nuit, p. 177.

Loc. fig. *Clair comme de l'eau de source, comme de l'eau de roche, comme du cristal, du cristal de roche ; clair comme le jour :* très net, très clair (concret et abstrait). *Sa déclaration est claire comme de l'eau de roche* (→ Candeur, cit. 5).

20 Un vivier vous attend, plus clair que fin cristal.   LA FONTAINE, Fables, X, 10.

★ **II.** N. m. (1553). ♦ **1.** Vx. Clarté, jour. — Mod. *Il fait clair :* il fait jour. — Loc. *Au clair. Mettre (le) sabre au clair,* hors du fourreau, au grand jour. ⇒ **Dégainer.**

CLAIR DE LUNE. *Un beau clair de lune. Il y a clair de lune.* «*Au clair de la lune* » (chanson populaire). « *Tout ça n'vaut pas Un clair de lune à Maubeuge* » (chanson).

21 Ces jeux se célébraient au clair de lune.   RACINE, Remarques sur Pindare.
22 Elle avait un éclat d'une blancheur lumineuse ; elle me faisait penser à un beau diamant, brillant au clair de lune.   A. MAUROIS, Climats, I, 7, p. 62.

Clair de Terre : clarté que la Terre renvoie dans l'espace (visible, par ex., de la Lune).

22.1 Le crépuscule n'était pas le crépuscule, c'était le clair de Terre sur la Lune, s'épanchant d'un disque cinquante fois plus gros que celui dont il avait l'habitude.
Colette AUDRY, l'Autre Planète, p. 78.

♦ **2.** Peint. Partie éclairée (d'un tableau).

22.2 J'étais incertain dans l'ombre davantage, ou si je mettrais des clairs plus vifs.   E. DELACROIX, Journal, 10 juin 1847, t. I, p. 320.
23 (...) l'opposition des clairs et des noirs est, dans le même tableau, plus ou moins forte et plus ou moins ménagée.
TAINE, Philosophie de l'art, t. II, V, IV, IV, p. 335.

Les clairs d'une tapisserie : les laines, les soies d'une couleur claire.

♦ **3.** Techn. Partie peu serrée, qui laisse passer le jour. *Les clairs d'une étoffe, d'un bas :* les endroits où les fils à demi-usés laissent passer le jour sans qu'il y ait de trou.

♦ **4.** Loc. techn. *Tirer au clair :* clarifier, filtrer (un liquide).

Cour. *Tirer une affaire au clair.* ⇒ **Éclaircir, élucider.**

24 (...) elle n'avait jamais tiré au clair quelles étaient les attributions de Jérôme.
MARTIN DU GARD, les Thibault, t. V, p. 257.

Être au clair (sur, à propos de...) : être éclairé, avoir une idée claire.

24.1 Le reste... Il est trop tard pour s'en tenir aux impressions, trop tôt pour dominer la réflexion. Je suis loin d'être au clair sur tout cela.
F. GIROUD, Si je mens, p. 272.

♦ **5.** *Dépêche en clair :* dépêche en langage ordinaire, par opposition au langage chiffré (⇒ **Chiffre**). — **EN CLAIR :** exprimé clairement. — *Mettre (mise) au clair :* mettre (mise) au propre, au net.

♦ **6. LE PLUS CLAIR... :** la partie la plus importante ; la plus grande partie. *Passer le plus clair de son temps à... Il a dépensé le plus clair de ses économies.* — *Le plus clair de l'affaire, c'est que... :* ce qui est le plus certain...

25 Cette crainte éternelle qu'ils avaient de se perdre faisait le plus clair de leur amour.   Alphonse DAUDET, le Petit Chose, II, XII.
26 Le plus clair de nos pensées, aux instants de loisir, allait naturellement vers les choses de l'amour.   G. DUHAMEL, Biographie de mes fantômes, II, p. 31.

★ **III.** Adv. ♦ **1.** (xiiie). D'une manière claire. ⇒ **Clairement.** *Voir clair :* distinguer par la vision. *Ne pas voir clair :* être aveugle ; être dans le noir, l'obscurité, au propre et au fig. *Commencer à voir* *clair dans une affaire :* commencer à savoir, à comprendre. — *Y voir très clair :* être très pénétrant, avisé; connaître parfaitement une question. *Voir clair dans l'esprit de quelqu'un.*

27 On voit clair au travers de mes paroles, et je ne veux mettre aucun voile au-devant des sentiments que j'ai pour vous.   Mᵐᵉ DE SÉVIGNÉ, 160, 24 avr. 1671.

28 Vous parlez devant un homme (...) qui peut aisément voir clair dans l'histoire que vous ferez.   MOLIÈRE, l'Avare, V, 5.

29 Je commence à voir clair dans cet avis des Cieux.   RACINE, Athalie, II, 6.

30 J'avais toujours un extrême désir d'apprendre à distinguer le vrai d'avec le faux pour voir clair en mes actions et marcher avec assurance en cette vie.
                                                      DESCARTES, Discours de la méthode, I.

31 On les admire *(les biographes qui jugent Sainte-Beuve)* d'y voir si clair dans une âme si contradictoire et d'y faire si bien la part du bien et du mal — du mal préférablement.   A. BILLY, Sainte-Beuve, sa vie et son temps, t. I, p. 201.

♦ **2.** *Parler clair,* avec une voix nette, sonore. — Fig. Parler sans réticence, sans ménagement, sans détour. ⇒ **Franchement, nettement.** *Parler clair et net. Haut et clair* (même sens).
Clair et net : tous frais déduits. *Cela lui rapporte clair et net tant par mois.*

CONTR. Abscons, abstrus, ambigu, confus, difficile, embrouillé, énigmatique, hermétique, incompréhensible, inintelligible, fumeux, obscur. — Brumeux, couvert, nébuleux, nuageux, noir. — Foncé, opaque, sombre. — Grave, rude. — Compact, consistant, dense, épais, trouble. — Douteux, équivoque, louche, ténébreux.

DÉR. Claire, clairement, clairet, clairière, clairon, clarine. — V. Clarinette.
COMP. Claire-voie, clair-obscur, clairsemé, clairvoyance.
HOM. Claire, clerc.

CLAIRANCE [klɛʁɑ̃s] n. f. — 1973; adapt., d'après *clair,* de l'angl. *clearance.*

♦ **1.** Biol. Coefficient d'épuration, correspondant à l'aptitude d'un tissu, d'un organe, à éliminer une substance d'un fluide organique (recomm. off.).

♦ **2.** Aviat. Autorisation donnée par le contrôle pour l'exécution d'une phase d'un plan de vol.
REM. Recomm. off. pour remplacer l'anglais *clearance.*

CLAIRE [klɛʁ] n. f. — Av. 1708; de *clair.*

♦ **1.** Techn. Bassin peu profond dans lequel se fait l'affinage des huîtres. *Dans les claires, les huîtres se nourrissent des organismes microscopiques en suspension dans l'eau, notamment la navicule* bleue qui donne leur couleur verte aux marennes. Claire où le ver-dissement des huîtres ne se fait pas. ⇒ **Bouder** (I., 2.). — *(Plus cour.). Huître de claire,* qui a subi l'affinage dans une claire. *Fine de claire :* huître qui a séjourné en claire plusieurs semaines; *spéciale de claire,* qui a séjourné en claire plusieurs mois.

Les huîtres naissent dans la mer. Elles demeurent quelques années dans les parcs sur le rivage, puis elles font un séjour dans les claires où elles prennent leur teinte verte et je crois plus de saveur. Elles doivent ces vertus au mélange de l'eau de mer et de l'eau douce qui suinte des marais, et aussi à une algue inconnue. C'est une culture très simple, mystérieuse, et qui n'a pas changé depuis l'antiquité.
                                J. CHARDONNE, les Destinées sentimentales, p. 378.

♦ **2.** Huître de claire. *Manger des claires. Une douzaine de claires.*
HOM. Clair, clerc.

CLAIREMENT [klɛʁmɑ̃] adv. — XIIᵉ, *clerement*; de *clair.*

♦ **1.** (Concret). D'une manière claire. ⇒ **Distinctement, nettement, précisément.** *Distinguer clairement les virages de la route. Entendre clairement les paroles d'une chanson.*

1   Mais supposons ici que, d'un lieu qu'on peut prendre,
    On vous fit clairement tout voir et tout entendre.   MOLIÈRE, Tartuffe, IV, 3.

♦ **2.** (Abstrait). D'une manière claire à l'esprit. ⇒ **Détour** (sans détour), **explicitement, intelligiblement, nettement, simplement.** *Expliquer clairement une histoire. Envisager clairement une situation. Avouer clairement son opinion.* ⇒ **Franchement.** *Clairement et simplement.*

2   Ce que l'on conçoit bien s'énonce clairement,
    Et les mots pour le dire arrivent aisément.   BOILEAU, l'Art poétique, I.

3   Si le Ciel me donne un avis, il faut qu'il parle un peu plus clairement, s'il veut que je l'entende.   MOLIÈRE, Dom Juan, V, 4.

4   Il me les avait racontés naïvement, clairement, et je l'avais écouté avec intérêt.
                                              G. SAND, la Mare au diable, II, p. 25.

CONTR. Confusément, indistinctement, obscurément.

CLAIRET, ETTE [klɛʁɛ, ɛt] adj. et n. m. — XIIᵉ, *claret*; de *clar, clair.*

♦ Qui est d'une couleur ou d'une consistance un peu claire. *Du vin clairet,* et, ellipt., *du clairet :* vin rouge léger.
(...) en moins d'un quart d'heure, la grosse boiteuse réussit à leur servir une ome-lette de bonne mine, du pain bis et du vin clairet.
                                              G. SAND, la Mare au diable, VII, p. 59.
Fig. *Une voix clairette,* aiguë. ⇒ **Aigrelette, perçante.**

CONTR. Épais, foncé, fort. — Grave (voix).
DÉR. Clairette.

CLAIRETTE [klɛʁɛt] n. f. — 1846; *clarette,* 1829; de *clairet.*

♦ Cépage blanc du Midi; vin mousseux qu'il produit. *Clairette de Limoux, de Die.* ⇒ **Blanquette.**

CLAIRE-VOIE [klɛʁvwa] n. f. — 1344, *clere voye*; de *clair,* et *voie.*

♦ **1.** Clôture à jour. ⇒ **Barrière, claie, grillage, grille, treillage, treil-lis ; gril** (techn.). *Regarder par une claire-voie. Les jours*, les trous d'une claire-voie.* — Au plur. *Des claires-voies.*

Le taureau avait acculé Félicité contre une claire-voie (...)   1
                                        FLAUBERT, Trois contes, « Un cœur simple », II, p. 20.

Quinette, enhardi par cette première démarche, traversa de nouveau la rue, poussa   2
la claire-voie (...)   J. ROMAINS, les Hommes de bonne volonté, II,
                                                          Le crime de Quinette, VII, p. 74.

Archit. Rangée de fenêtres situées en haut des nefs des églises gothi-ques.

♦ **2.** Loc. À CLAIRE-VOIE : qui présente des vides, des jours. *Porte, fenêtre à claire-voie.* → Pousser, cit. 7. *Volet à claire-voie.* ⇒ **Per-sienne.** *Plancher à claire-voie. Clôture, palissade à claire-voie. Parc* (cit. 2) *à claire-voie. Caisse à claire-voie.* ⇒ **Cageot, claie ; embal-lage.** *Panier à claire-voie.*

(...) le gros loquet poussé sur la petite porte à claire-voie (...)   3
                                Alphonse DAUDET, Lettres de mon moulin, « Installation », p. 11.

Tissu à claire-voie, qui n'est pas tissé serré. — *Semer à claire-voie :* semer en espaçant beaucoup les graines.

Par métaphore :

Quant aux vérités que l'intelligence — même des plus hauts esprits — cueille à   4
claire-voie, devant elle, en pleine lumière, leur valeur peut être très grande (...)
                                              PROUST, le Temps retrouvé, Pl., t. III, p. 898.

CONTR. Fermé, opaque, plein ; serré.

CLAIRIÈRE [klɛʁjɛʁ] n. f. — 1660, *clarière*; de *clair.*

♦ **1.** Endroit dégarni d'arbres dans un bois, une forêt. ⇒ **Clair, échappée, éclaircie, trouée ; clairsemé.** *Déboucher au grand jour dans une clairière. Une clairière ensoleillée. Chercher une clairière pour y dresser le camp, pour y allumer du feu.*

La maison forestière était un peu à l'écart de la route, dans une petite clairière   1
que prolongeait au fond et à gauche une longue trouée entre les arbres, comme
une piste pour cavaliers.
              J. ROMAINS, les Hommes de bonne volonté, t. V, Les superbes, XXIII, p. 202.

Je débouchai sur le bord d'une clairière éblouissante creusée dans un affaisse-   2
ment du sol et tout entière entourée d'arbres.   H. BOSCO, l'Âne Culotte, p. 44.

Par compar. ou métaphore :

Penser, c'est chercher des clairières dans une forêt.   3
                                              J. RENARD, Journal, 28 mars 1894.

Ton sourire est pareil aux clairières des bois (...)   4
                          Francis JAMMES, la Jeune Fille nue, *in* Choix de poèmes, p. 124.

♦ **2.** Techn. Endroit d'une toile tissé peu serré.

CONTR. Futaie. — Cœur (de la forêt), fond (des bois).

CLAIR-OBSCUR [klɛʁɔpskyʁ] n. m. — 1668; adapt. de l'ital. *chia-roscuro,* employé en franç., 1596; de *clair* et *obscur.*

♦ **1.** Peint. Effet de contraste produit par les lumières et les ombres des objets représentés. — Au plur. *Des clairs-obscurs.*

Les Italiens ignoraient l'art de la perspective et du clair-obscur.   1
                                              VOLTAIRE, Essai sur les mœurs, 121.

Ensemble de lumières et d'ombres douces, fondues et nuancées. *Les clairs-obscurs de Rembrandt.*

Ses blancheurs de marbre et de neige   2
Se fondent amoureusement
Comme, au clair-obscur du Corrège,
Le corps d'Antiope dormant.   Th. GAUTIER, Émaux et Camées, « La nue ».

Un reflet tempérait par sa lueur argentée ce que l'ombre, baignant les chairs et le   3
vêtement, aurait eu de trop noir, et produisait cet effet magique si recherché des
peintres, qu'ils appellent « clair-obscur » en leur langage.
                          Th. GAUTIER, le Capitaine Fracasse, t. II, XIII, p. 120.

♦ **2.** Lumière tamisée et douce. ⇒ **Pénombre.** *Le clair-obscur d'un sous-bois. Je circulais dans ce clair-obscur* (→ Peinture, cit. 14).

Dans le frais clair-obscur du soir charmant qui tombe.   4
                                              HUGO, les Contemplations, I, « Aurore », III.

Clair-obscur aimable d'un salon d'entresol; deux lampes allumées au mur; la   5
nappe, les couverts espacés (...)
                  J. ROMAINS, les Hommes de bonne volonté, t. V, Les superbes, XII, p. 92.

Par métaphore ou fig. ⇒ **Ambiguïté, doute, incertitude, vague.**

O divin clair-obscur du langage enfantin !   6
                    HUGO, la Légende des siècles, XXXVI, « Le groupe des idylles », XXII.

La création, la vie, le destin, ne sont pour l'homme qu'un immense clair-obscur.   7
                                HUGO, Post-scriptum de ma vie, « Tas de pierres », III.

CONTR. Teinte (plate). — Clarté, netteté. — Certitude. — Ténèbres.
DÉR. Clair-obscuriste.

CLAIR-OBSCURISTE [klɛʀɔpskyʀist] n. — 1876 ; de *clair-obscur*.

♦ Rare. Peintre spécialiste des clairs-obscurs.

CLAIRON [klɛʀɔ̃] n. m. — XIIIᵉ, *cleron* ; de *cler*, *clar*, *clair**, dans *un son clair*.

♦ **1.** Instrument à vent (cuivre) analogue à la trompette, sans pistons ni clés, à son clair et puissant. *Son, sonnerie de clairon. Sonner, jouer du clairon* (⇒ **Claironner**). *Le clairon est en usage dans l'infanterie* (→ Trompette* de cavalerie).

1 L'air est pur, la route est large,
Le clairon sonne la charge (...)
Paul DÉROULÈDE, les Chants du soldat, « Le clairon ».

2 En tête, la musique jouait la marche du régiment, et, à la reprise victorieuse des clairons, il me sembla que les dos las se redressaient.
R. DORGELÈS, les Croix de bois, XI, p. 236.

3 D'un fort lointain venait, limpide et précise, une sonnerie de clairon.
G. DUHAMEL, Chronique des Pasquier, III, VII, p. 83.

♦ **2.** Personne, soldat qui sonne du clairon. *Les clairons du régiment, de la clique*, d'une fanfare. Le clairon X.* — Appos. *Matelot clairon.* ⇒ **Biniou** (argot milit.).

3.1 À peine un futur clairon s'exerçait-il dans les jardins lumineux sur un clairon d'argent. Tout dormait entre Rhin, Atlantique et Pyrénées (...)
GIRAUDOUX, Siegfried et le Limousin, p. 290.

4 En passant devant le colonel, les clairons s'arrêtèrent de sonner et, le visage tourné vers le chef, ils saluèrent avec leurs instruments en décomposant un mouvement de parade assez compliqué. P. MAC ORLAN, la Bandera, VI, p. 66.

♦ **3.** Mus. Dans un orgue, Jeu d'anche à l'octave de la trompette.

♦ **4.** Zool. Insecte coléoptère *(Cléridés)*, appelé aussi *trichode*.
DÉR. **Claironner**.

CLAIRONNANT, ANTE [klɛʀɔnɑ̃, ɑ̃t] adj. — Av. 1914, au fig. ; p. prés. de *claironner*.

♦ **1.** Qui est comparable au son du clairon (en parlant de la voix, d'un cri). *Une voix claironnante*, forte et aiguë.

1 (...) disant de cette voix impersonnelle, soumise et claironnante dont il annonçait les commandes : « Si Señor ! » (...) Claude SIMON, le Palace, coll. 10/18, p. 20.

♦ **2.** Qui claironne (2.), proclame avec éclat ou affectation qqch.

2 Ce raisonnement très logique m'inspirait plus de confiance dans la victoire de l'armée française que toutes les lignes Maginot et tous les discours claironnants de nos chefs bien-aimés. R. GARY, la Promesse de l'aube, p. 234.

CLAIRONNEMENT [klɛʀɔnmɑ̃] n. m. — Fin XIXᵉ ; *cleronnement*, 1578 ; de *claironner*.

♦ Action de claironner. *Le claironnement d'une voix, de qqn.* — *(Un, des claironnements).* Phrase claironnée (P. Guth, *in* D. D. L.).

CLAIRONNER [klɛʀɔne] v. — 1559 ; de *clairon*.

♦ **1.** V. intr. (Vx). Jouer du clairon. ⇒ **Sonner**.

1 (...) Des trompes et clairons, qui d'un haut accord sonnent
Qui dégoisent leurs voix, qui cornent et claironnent.
BUTTET, Épithalame du duc de Savoie, p. 371, *in* HUGUET.

Mod. Parler, s'exprimer d'une voix aiguë et forte.

♦ **2.** V. tr. (XIXᵉ). Mod. Fig. Annoncer avec éclat, affectation. *Claironner son succès, sa victoire.* ⇒ **Publier**.

2 (...) je courais de l'avant, et, quittant les sentiers, fouillais, de-ci de-là, le taillis, la campagne, claironnant mes découvertes.
GIDE, Si le grain ne meurt, I, I, p. 34.

DÉR. **Claironnant, claironnement**.

CLAIRSEMÉ, ÉE [klɛʀsəme] adj. — 1175 ; de *clair*, et *semé*.

♦ **1.** Qui est peu serré, répandu de distance en distance. ⇒ **Éparpillé, épars, espacé**. *Les arbres clairsemés d'une clairière. Blé clairsemé. Une tête aux cheveux très clairsemés*, presque chauve.

♦ **2.** Fig. Peu dense. ⇒ **Rare**. *Population clairsemée. Les beautés clairsemées d'un ouvrage. Spectateurs clairsemés dans une salle.*

C'était une vraie foule, bien qu'elle fût un peu clairsemée, elle cheminait lentement, un lourd destin de foule semblait l'écraser.
SARTRE, l'Âge de raison, IX, p. 133.

CONTR. **Compact, dense, nombreux, pressé, serré**.

CLAIRSEMER [klɛʀsəme] v. tr. — 1579, Du Bartas ; de *clairsemé*, d'après *semer*.

♦ Rare. Rendre clairsemé. ⇒ **Éclaircir**. — Pronominal :
La banlieue se clairsème en îlots de cultures maraîchères (...)
Robert PINGET, Graal Flibuste, p. 12.

CLAIRVOYANCE [klɛʀvwajɑ̃s] n. f. — 1580 ; de *clairvoyant*.

♦ Vue exacte, claire et lucide des choses. ⇒ **Acuité, discernement, finesse, flair** (fam.), **lucidité, nez** (fam.), **pénétration, perspicacité**. *Rien n'échappe à sa clairvoyance, c'est un Argus*. *Analyser la situation avec clairvoyance. Faire preuve de clairvoyance.*

1 Quoiqu'il *(Danton)* eût une grande clairvoyance, qui sondait l'avenir, il était impulsif. Louis BARTHOU, Danton, p. 162.

2 J'avais pris l'habitude d'analyser les propos d'Odile avec une redoutable clairvoyance (...) A. MAUROIS, Climats, I, XII, p. 96.

CONTR. **Aveuglement**.

CLAIRVOYANT, ANTE [klɛʀvwajɑ̃, ɑ̃t] adj. — 1121, *clerveant* ; de *clair*, et *voyant*.

♦ **1.** Vieilli. Qui voit clair, qui a la vue bonne (opposé à *aveugle*). ⇒ **Voyant**.

1 Je deviens à peu près aveugle, Monsieur. Un petit garçon qui passe pour être plus aveugle que moi, et qui vous a servi comme s'il était clairvoyant, s'est un peu mêlé des affaires de Ferney. VOLTAIRE, Lettre à Chauvelin, 13 févr. 1763.

N. *Les aveugles et les clairvoyants.*

1.1 Ivan Ogareff s'était relevé, et, croyant avoir bon marché de l'aveugle, il se précipita sur Michel Strogoff.
Mais, d'une main, l'aveugle saisit le bras du clairvoyant, et de l'autre, détournant son arme, il le rejeta une seconde fois à terre.
J. VERNE, Michel Strogoff, p. 486.

♦ **2.** Fig. Qui a de la clairvoyance. *Esprit clairvoyant.* ⇒ **Fin, intelligent, lucide, pénétrant, perspicace, sagace**. *Un œil clairvoyant.* (Cf. Avoir les yeux ouverts).

2 Pour l'œil clairvoyant, la modestie n'est guère qu'une forme, plus visible, de la vanité. J. RENARD, Journal, 23 mai 1904.

3 Le moi sait justifier toutes ses démarches, parce qu'au fond il n'en justifie aucune : aveugle et brutal, il ne s'en soucie point ; clairvoyant et dans la pleine possession de son génie, il en sait le ridicule (...)
André SUARÈS, Trois hommes, « Ibsen », VII, p. 163.

Nom :

4 Les mystères de cour souvent sont si cachés
Que les plus clairvoyants y sont bien empêchés. CORNEILLE, Nicomède, III, 4.

Par métaphore. *Un clairvoyant : un médium.* ⇒ **Extra-lucide**.

CONTR. **Aveugle**.
DÉR. **Clairvoyance**.
COMP. **Inclairvoyant**.

CLAM [klam] n. m. — 1803 ; mot anglo-amér. ; p.-ê. de *clamp* « pince ».

♦ Mollusque bivalve marin, coquillage comestible (n. sc. : *venus mercenaria*). — Équivalent normalisé, au Canada : *palourde américaine*.

1 Le *Clam (Venus mercenaria)* est un coquillage importé d'Amérique et acclimaté depuis quelques années dans la région de la Seudre (...) Ce mollusque vit enfoncé dans la vase un peu molle à 10 cm de profondeur. On le pêche au râteau en France. Il se mange cru, au naturel ou avec quelques gouttes de citron. En Amérique, il est servi dans sa coquille avec une sauce rouge (tomate et piment).
Louis LAMBERT, les Coquillages comestibles, p. 92.

2 (...) quelques vieux wagons sans roues, engravés dans le sable, à l'intérieur desquels les noctambules viennent manger des palourdes, des *clams*.
Paul MORAND, New York, p. 71.

3 Robinson ce matin-là glanait, sur la grève fraîchement découverte par le jusant, des espèces de clams à la chair un peu ferme mais savoureuse qu'il pouvait conserver toute la semaine dans une jarre remplie d'eau de mer.
M. TOURNIER, Vendredi..., p. 56.

CLAMECER [klamse] v. tr. ⇒ **Clamser**.

CLAMER [klame] v. tr. — XIIᵉ ; lat. *clamare* « crier ».

♦ Manifester (ses sentiments, ses convictions) en termes violents, par des cris. ⇒ **Crier, hurler**. *Clamer son indignation, son mécontentement, sa douleur. Clamer son innocence.* ⇒ **Proclamer, publier**. *Clamer des vers.* ⇒ **Déclamer**.

1 (...) élan de ces foules qui, envers et contre tout, clamaient, par toute l'Europe, leur volonté de paix. MARTIN DU GARD, les Thibault, t. VII, p. 83.

Absolt. Pousser des cris, hurler.

2 (...) il reçut violemment au visage le cri, le cri délirant de la foule, dont le grouillement énorme, en bas, clamait toujours. ZOLA, Rome, p. 290.

CONTR. **Taire** (se).
COMP. **Acclamer, déclamer, proclamer**.

CLAMEUR [klamœʀ] n. f. — V. 1050 ; du lat. *clamor*, accusatif *clamorem* « cri ».

Littéraire ou style soutenu.

♦ **1.** Ensemble de cris confus et sonores. ⇒ **Bruit, cri, tumulte, vacarme**. *Une bruyante clameur. Une clameur tumultueuse. Une immense clameur. Les clameurs d'une assemblée. Les clameurs de la foule.* ⇒ **Cri, hurlement, tumulte, vocifération**. *Clameur de haro.* ⇒ **Haro**.

1 Dom pourceau criait en chemin
Comme s'il avait eu cent bouchers à ses trousses.
C'était une clameur à rendre les gens sourds.   LA FONTAINE, Fables, VIII, 12.

2 À ce nom *(Bonaparte)*, une immense clameur s'éleva ; sur tous les bancs, conservateurs, modérés, jacobins, anarchistes, les députés s'étaient, d'un seul mouvement, levés aux cris de *Vive la République !*
                    Louis MADELIN, Hist. du Consulat et de l'Empire, t. II, XXII, p. 308.

3 Périot, comme il gravissait les marches, entendit venir vers lui et vers ceux qui l'accompagnaient, une clameur fervente, mêlée de battements de mains, de trépignements.   G. DUHAMEL, le Voyage de P. Périot, II, p. 37.

♦ **2.** Fig. (souvent au plur.). Vieilli. *Braver les clameurs des sots. Les clameurs des mécontents.* ⇒ **Clabauderie, critique, injure, protestation, réclamation, réprobation, tollé.**

4 Que de voix vont s'élever contre moi ! J'entends de loin les clameurs de cette fausse sagesse qui nous jette incessamment hors de nous, qui compte toujours le présent pour rien (...)   ROUSSEAU, Émile, II.

CONTR. Calme, paix, silence.

CLAMP [klãp] n. m. — 1856 ; «pièce de bois», 1643 ; mot angl., d'orig. germanique, désignant de nombreux appareils servant à serrer, fermer.

♦ Chir. Pince à deux branches, servant à comprimer un conduit (spécialt, un vaisseau), une cavité ou des tissus qui saignent. Syn. : *pinces occlusives. Clamp aortique.*

(...) il posa délibérément deux pinces sur l'aorte, arrêtant complètement le sang (...) puis coupa le canal artériel. Quinze minutes plus tard la suture était faite, les clamps pouvaient être enlevés.   Claude D'ALLAINES, Chirurgie du cœur, p. 45.

DÉR. Clamper.

CLAMPAGE [klãpaʒ] n. m. — 1953 ; de *clamper.*

♦ Chir. Interruption (d'un conduit naturel) par serrage au moyen de pinces (clamps).

(...) tout le reste de l'organisme supportant sans dommage cette absence de circulation, ce manque d'oxygène pendant les 20 minutes que durait l'interruption (le «clampage») de l'aorte.   Claude D'ALLAINES, Chirurgie du cœur, p. 44.

CLAMPER [klãpe] v. tr. — V. 1950 ; de *clamp,* et pour traduire l'angl. *to clamp ;* le franç. a eu les comp. *reclamper, acclamper,* du sens ancien de *clamp.*

♦ Chir. Interrompre en serrant (un conduit naturel, notamment un conduit sanguin) au moyen de pinces occlusives (clamps).

CONTR. et COMP. Déclamper.
DÉR. Clampage.

CLAMPIN [klãpɛ̃] n. m. — XVIIᵉ ; orig. incert. ; p.-ê. var. de *clopin.* → Clopin-clopant.

♦ **1.** Régional. Celui qui reste en arrière des autres au cours d'une marche. ⇒ **Retardataire, traînard.** *Ce clampin est toujours à musarder, à flâner.* « *Ces "clampins" acharnés à casser du bois* » (en ski) » *(le Nouvel Obs.,* nᵒ 733, p. 75 ; 27 nov. 1979).

♦ **2.** Fam., vieilli. Paresseux, fainéant.

REM. Le fém. n'est pas attesté.

Allez, oust (...) au boulot, le clampin ! Tu as ton papier ?
                                        ARAGON, les Beaux Quartiers, p. 496.

♦ **3.** Mod., fam. Individu quelconque ; type, bonhomme. *Qu'est-ce que c'est que ce clampin ? Il y avait à tout casser trois malheureux clampins.*

CLAMSER, CLAMECER [klamse] ou **CLAMPSER** [klãpse] v. intr. — 1876 ; orig. incert., p.-ê. d'orig. onomatopéique, de radicaux expressifs concurrents *kla-* ou *kra-,* ou de *crampe* «convulsion d'agonie», les finales *m* et *p* + *ser* demeurant obscures.

♦ Pop. Mourir. ⇒ **Calancher, claboter.** *Il est clamsé :* il est mort.

1 Hier encore elle n'allait pas plus mal, mais elle a passé aujourd'hui vers midi. Ce n'est pas de veine. Juste à présent qu'on arrête le vaccin, elle clampse.
                                        Francis CARCO, Brumes, p. 138.

2 (...) de la voir rigoler ça m'a chamboulé ; tout comme si son mari venait d'être tué d'hier — mais quoi ! Y a une paye qu'il est clamsé, le pauv' gars.
                                        H. BARBUSSE, le Feu, t. I, I, XII, p. 69.

REM. On trouve de nombreuses variantes à la fin du XIXᵉ s. : *cramser* (1878), *crampser* (1883), *crapser* (1867), etc.

CLAN [klã] n. m. — 1746 ; angl. *clan,* du gaélique *clann* «famille».

♦ **1.** Tribu écossaise ou irlandaise, formée d'un certain nombre de familles ayant un ancêtre commun. *Le tartan d'un clan.*

♦ **2.** (1746, Prévost, *Hist. générale des voyages*). Ethnol. Groupe formé d'un ou de plusieurs lignages*. ⇒ **Horde, tribu ;** → Phratrie, cit. — *Unité religieuse du clan.* ⇒ **Totem.** *Vie familiale du clan. Mariage entre membres de clans différents* (→ Exogamie). *Chef de clan. Clan patrilinéaire, matrilinéaire :* groupe composé de

parents ayant à l'origine un ancêtre unique en ascendance masculine (⇒ **Patriclan**), féminine (⇒ **Matriclan**). ⇒ **Lignée ;** et aussi **clanique.**

1 Les membres d'un clan sont généralement incapables d'établir leur lien généalogique avec l'ancêtre éponyme, ce qui distingue ce groupe du lignage qui est un ensemble de parents entre lesquels on peut toujours tracer des liens généalogiques.
                                        M. PANOFF et M. PERRIN, Dict. de l'ethnologie, p. 61.

2 Les mœurs y furent celles des clans, jaloux les uns des autres ; nulle unité ; ni le sens de l'État, ni l'audace d'une pensée originale ; point d'art : car la Cité est le premier étage du bel ordre où l'église de l'art se fonde.
                                        André SUARÈS, Trois hommes, I, « Ibsen », p. 73.

♦ **3.** *Clan de scouts :* groupement de boy-scouts aînés. ⇒ **Routier.**

♦ **4.** (1808, *in* Höfler). Cour. Petit groupe formé de personnes qui ont des idées, des goûts communs. ⇒ **Association, bande, caste, classe, coterie, parti.** *Former un clan. Esprit de clan.* ⇒ **Chapelle** (esprit de chapelle). → Avant-garde, cit. 2.

3 Pour faire partie du «petit noyau», du «petit groupe», du «petit clan» des Verdurin, une condition était suffisante mais était nécessaire : il fallait adhérer tacitement à un credo (...)   PROUST, Du côté de chez Swann, Pl., t. I, p. 188.

Vx. *Un clan de brigands,* une bande organisée.

♦ **5.** Opposition de deux groupes qui ont des points de vue différents. ⇒ **Camp.** *La réunion devenait houleuse : la salle s'était divisée en deux clans.*

DÉR. (Du sens 2) **Clanique.**
COMP. Matriclan, patriclan.

CLANDÉ [klãde] n. m. — 1948, *in* Esnault ; dimin. de *clandestin.*

Argot.

♦ **1.** Maison de prostitution clandestine (depuis la suppression officielle des maisons de tolérance, en 1946). ⇒ **Bordel.**

♦ **2.** (1953, Esnault). Tripot clandestin.

♦ **3.** Loc. adv. *En clandé :* clandestinement.

(...) on te montera tes repas, tu auras la radio, tu seras peinarde : toute une chambre pour toi. Avant, tu sais, ils faisaient un peu hôtel aussi...
— Et ils continuent en clandé, au prix fort ?   A. SARRAZIN, l'Astragale, p. 52.

CLANDESTIN, INE [klãdɛstɛ̃, in] adj. et n. — V. 1355 ; lat. *clandestinus,* de *clam* «en secret».

♦ **1.** (Choses ; actions...). Qui se fait en cachette et qui a (généralement) un caractère illicite. ⇒ **Secret, subreptice.** *Journal, écrit clandestin. La réunion clandestine d'un conventicule*. Démarche clandestine. Commerce, trafic, marché clandestin.* ⇒ **Contrebande ; noir** (marché noir), **prohibé.** *Maison, lieu clandestin. Maison de jeu clandestine.* ⇒ **Clandé.** *Exercice clandestin de la médecine.* ⇒ **Marron** (médecin marron). — *Mariage clandestin,* contracté en dehors des conditions de publicité prescrites par la loi.

1 Tu as l'insolence, fripon, de t'engager sans le consentement de ton père, de contracter un mariage clandestin ?   MOLIÈRE, les Fourberies de Scapin, I, 3.

2 Sa façon d'entrer, l'air préoccupé qu'elle gardait, mêlé à son sourire, laissaient assez voir qu'elle n'avait pas la pratique des rendez-vous clandestins.
                                        J. ROMAINS, les Hommes de bonne volonté, t. III, XX, p. 275.

N. m. *Avoir horreur du clandestin et de l'illégal.*

♦ **2.** (Personnes). Qui vit en marge des lois par nécessité ; qui se soustrait à la procédure normale. Loc. *Passager clandestin,* embarqué en cachette sans titre de transport. *Travailleurs (immigrés) clandestins :* travailleurs qui ont passé illégalement une frontière pour leur travail.

N. *Un clandestin.* — Spécialt. Résistant pendant la Seconde Guerre mondiale (⇒ **Clandestinité**). — REM. Dans cet emploi, le féminin est virtuel.

CONTR. Autorisé, avoué, légal, licite, public, reconnu.
DÉR. Clandestinement, clandestinité.

CLANDESTINEMENT [klãdɛstinmã] adv. — 1398 ; de *clandestin.*

♦ D'une manière clandestine. ⇒ **Cachette (en), manteau (sous le), secrètement, subrepticement ;** → (argot) En clandé (3.). *Se marier clandestinement. Voyager clandestinement* (⇒ **Incognito**). *Déménager clandestinement* (→ Sans tambour* ni trompette ; à la cloche de bois).

1 (...) de petits journaux clandestinement imprimés, dont il m'arrivait des exemplaires, me signalaient à l'animadversion des écoles.
                                        SAINTE-BEUVE, Correspondance, I, p. 323-324.

2 Il y avait quinze ans de cela, quinze ans qu'elle était revenue, clandestinement, à une tombée de nuit pareille à celle-ci.   LOTI, Ramuntcho, I, I, p. 11.

3 (...) trois grands nègres autour d'une table jouent aux dés ; clandestinement, car les jeux d'argent sont interdits.
GIDE, Voyage au Congo, *in* Souvenirs, Pl., p. 699.

CONTR. Jour (au grand jour), **librement.**

CLANDESTINITÉ [klɑ̃dɛstinite] n. f. — Fin xvıᵉ ; de *clandestin.*

♦ **1.** Caractère de ce qui est clandestin. *Vivre, travailler dans la clandestinité.*

♦ **2.** Dr. Vice d'une chose faite en secret, contrairement à la loi. *La clandestinité empêche la validité du mariage.*

♦ **3.** État de ceux qui mènent une existence clandestine. *Entrer dans la clandestinité. Beaucoup de résistants ont vécu dans la clandestinité pendant l'occupation allemande de 1940 à 1944.* → Risque, cit. 4. — *La clandestinité :* ensemble des personnes vivant clandestinement (notamment, de 1940 à 1944). ⇒ **Résistance.**

CLANGUEUR [klɑ̃gœʀ] n. f. — Av. 1527, « son éclatant » ; lat. *clangor* « cri retentissant d'oiseau ».

♦ Littér. ou didact. Cri retentissant (de certains oiseaux). *La clangueur de l'oie.*

CLANIQUE [klanik] adj. — 1935 ; de *clan.*

♦ Sociol. Du clan (2.). *Organisation clanique.*

Cette qualité qui affecte dans son essence la personnalité de chacun est inscrite dans sa chair par le tatouage et manifestée aux autres par le nom clanique.
Roger CAILLOIS, l'Homme et le Sacré, p. 90.

CLAP [klap] n. m. — 1952, *in* I.G.L.F. ; mot angl, de *to clap* « choquer ».

♦ Anglic., cin. Petit tableau sur lequel est numérotée chaque prise de chaque séquence d'un film, muni d'un claquoir signalant le commencement de chaque tournage de plan ; ce claquoir. ⇒ **Claquette, 1.** — Bruit fait par le claquoir. *Attention, on commence au clap !*

CLAPER [klape] v. intr. — 1917 ; de *clapet* « bouche ».

♦ Argot. Manger (⇒ **Becter**).

Elle surveille du coin de l'œil l'invité. Il se tient rudement bien. Foutre ! Quelle distinction ! Il a dû claper dans le monde, probable.
R. QUENEAU, Pierrot mon ami, éd. L. de Poche, p. 31.

CLAPET [klapɛ] n. m. — 1516 ; de *clapper.*

♦ **1.** Soupape en forme de couvercle à charnière. ⇒ **Obturateur, soupape, valve.** *Clapet d'aspiration, de refoulement d'une pompe à liquide. Clapet de condenseur* ou *clapet de pied ; clapet de tête* ou *de bâche d'une pompe à air. Clapet de retenue, de sûreté,* pour empêcher le retour en arrière d'un fluide. *Clapet sphérique, hémisphérique, annulaire.* — *Clapet de cheminée ; de ventilation.*

1 Quant au clapet, c'était une plaque de bois articulée par une charnière en cuir et doublée d'un joint découpé dans un vieux sac à main. Cet ensemble surprenant ressemblait à un bricolage à la Dubout, mais ça crachait l'eau gros comme ça !
Bernard MOITESSIER, Cap Horn à la voile, p. 84.

Par anal. Petit volet mobile.

2 Sous la vitre horizontale, le billard *(électrique)* étalait sa petite ville : couloirs avec lumière rouge (...) Champignons jaunes, champignons rouges, pastilles vertes et rouges. Espèces de parapets blancs, montés des ressorts, clapets de métal.
J.-M. G. LE CLÉZIO, le Déluge, 1966, p. 87.

♦ **2.** (1907, *boîte à clapet*). Fam. Bouche (qui parle). *Ferme ton clapet :* tais-toi. *Celle-là, elle a un de ces clapets !,* elle est très bavarde.

CLAPIER [klapje] n. m. — 1395 ; *glapier,* 1365 ; du provençal *clapier* « pierreux, caillouteux », de *clap* « tas de pierres », d'un rad. préroman **klappo-* « roche ».

♦ **1.** Vx. Ensemble des terriers d'une garenne*. — Par ext. Mod. Réduit, abri où l'on élève les lapins. *Clapier en ciment, sous hangar. Le râtelier, la mangeoire, la litière d'un clapier. Lapin de clapier :* lapin élevé dans un clapier.

1 Prends-moi dans mon clapier trois lapins de garenne,
Et chez mon procureur porte-les ce matin.
RACINE, les Plaideurs, I, 6.
Un clapier : un lapin de clapier.

2 En lapins de garenne ériger nos clapiers.
BOILEAU, Satires, 3.

♦ **2.** Fig. Petit logement malpropre ; endroit insalubre. *Leur logement dans le quartier ancien est un vrai clapier.*
Vx. Lieu de prostitution.

---

3 Par le Seigneur lui-même (...) cette terre fut nommée un clapier de p...
P.-L. COURIER, la Gazette du village, nº 4, *in* LITTRÉ.

♦ **3.** (1707). Méd. Vx. Foyer d'infection. *Un clapier purulent.*

♦ **4.** Alpin. Amoncellement de roches (en montagne).

DÉR. V. 1. **Clapir** (se).

1. CLAPIR (SE) [klapiʀ] v. pron. — 1727 ; du rad. de *clapier.*

♦ Rare. Se cacher dans un trou, en parlant d'un lapin. ⇒ **Blottir** (se), **tapir** (se). — Au p. p. : *Un lapin clapi dans son terrier.*

HOM. 2. Clapir.

2. CLAPIR [klapiʀ] v. intr. — 1701 ; var. de *glapir.*

♦ Rare. Crier, en parlant du lapin.

HOM. 1. Clapir (se).

CLAPOT [klapo] n. m. — 1886 ; déverbal de *clapoter.*

♦ Mar. Succession de vagues courtes et irrégulières qui ne se forment pas en lames (à la différence de la houle). *Le clapot de la Méditerranée, des raz de la Manche.* « *Les virements de bord sont étonnamment faciles, même dans le clapot* » (*Bateaux,* nº 100, p. 75). ⇒ **Clapotis.**

Il *(le mistral)* reste irrégulier mais maniable — force 4 à 5 — pendant une heure, ce qui donne le temps de rouler ou de se mettre à l'abri. Il ne soulève qu'un violent clapot qui mouille, mais « chahute » peu sauf au bout de deux ou trois jours, ce qui est rare en été.
Jean GIORDAN, le Yachting, p. 82.

CLAPOTAGE [klapotaʒ] ou **CLAPOTEMENT** [klapotmɑ̃] n. m. — Déb. xvıııᵉ, *clapotage ; clapotement,* 1832 ; de *clapoter.*

♦ **1.** Fait de clapoter ; bruit d'un liquide qui clapote. ⇒ **Clapotis.** *Le clapotement (le clapotage) de la mer, des vagues.*

♦ **2.** Petit bruit semblable à celui de l'eau qui clapote. — REM. Dans ce sens, *clapotage* semble rare. *Le clapotement des voix.*

1 Antoine est d'abord assourdi par le clapotement des voix.
FLAUBERT, la Tentation de saint Antoine, II, p. 29.

2 (...) le clapotement des semelles sur la glaise.
J. ROMAINS, les Hommes de bonne volonté, t. II, xx, p. 224.

3 (...) il entendait le clapotement des rames qui dominait à intervalles réguliers le léger ressac de l'eau contre les berges.
MALRAUX, la Condition humaine, p. 129.

4 Le martèlement des pas se changea en clapotement, puis reprit : les soldats s'étaient arrêtés et repartaient dans une autre direction.
MALRAUX, la Condition humaine, p. 108.

♦ **3.** (1905, *in Rev. gén. des sc.,* nº 20, p. 910). Méd. *Clapotage :* bruit produit dans un estomac, un intestin dilaté par de petites secousses pratiquées sur la paroi abdominale. *Clapotage gastrique.*

REM. *Clapotage* a été supprimé dans Académie, Huitième éd., 1932, mais semble toujours employé, notamment au sens médical.

CLAPOTANT, ANTE [klapotɑ̃, ɑ̃t] adj. — 1866 ; de *clapoter.*

♦ Qui clapote. ⇒ **Clapoteux.** *Des vagues clapotantes.*

CLAPOTER [klapote] v. intr. — 1611, *clapeter ;* de *clapper,* et suff. *-oter.*

♦ **1.** En parlant d'une surface liquide légèrement agitée, se couvrir d'ondes, de vagues qui font un bruit caractéristique en s'entrechoquant (⇒ **Clapotis**). *La mer, le lac clapotaient.*

♦ **2.** Produire de petits bruits semblables à un clapotis.

1 L'herbe givrée mouillait ses souliers ; il entendait sous ses pas clapoter la vase.
F. MAURIAC, le Mal, VIII, p. 107.

(...) une partie du liquide retomba dans l'assiette en clapotant.
SARTRE, le Sursis, p. 95.

Par métaphore :

3 J'habite à trop de milliers de mètres d'altitude au-dessus des bas-fonds où clapotent et clabaudent de tels sales papotages, pour que je puisse être éclaboussé par les plaisanteries d'une Verdurin...
PROUST, À la recherche du temps perdu, t. II, p. 96.

DÉR. Clapot, clapotage ou **clapotement, clapotant, clapoteux, clapotis.**

CLAPOTEUX, EUSE [klapotø, øz] adj. — 1730 ; de *clapoter.*

♦ Rare. Se dit d'une étendue liquide agitée de clapot. ⇒ **Clapotant.** *Une mer clapoteuse.*

1 Le vent, le courant, le peu d'étendue du bassin rendaient les eaux clapoteuses.
Th. GAUTIER, Constantinople, p. 69.

2 Les 2 jours suivants, Mer du Nord assez clapoteuse. Vue de la côte du Danemark le lundi à 5 h. Skagerrak.
CLAUDEL, Journal, juil.-août 1919.

CLAPOTIS [klapoti] n. m. — 1792 ; de *clapoter*.

♦ Bruit et mouvement de l'eau qui clapote. *Le clapotis des vagues, de la marée.*

(...) l'eau captive dans le bassin du port ne faisait entendre qu'un clapotis confus (...)   MARTIN DU GARD, les Thibault, t. III, p. 101.

Mar. Agitation de la mer produite par la rencontre de houles de sens contraire. ⇒ **Clapot.**

CLAPPEMENT [klapmɑ̃] n. m. — 1834 ; *clapement*, 1831 ; *clap'ment*, 1801, in D. D. L. ; de *clapper*.

♦ Action de clapper (→ Badigoince, cit. 2).

CLAPPER [klape] v. intr. — 1834 ; « frapper », XIIᵉ ; d'un rad. onomatopéique *klapp-*.

♦ Produire un bruit avec la langue en la détachant brusquement du palais. *Clapper de la langue. — Faire clapper sa langue.*

1   Blazius, clappant de la langue, proclama le vin bon et se versa de nombreuses rasades (...)   Th. GAUTIER, le Capitaine Fracasse, t. II, p. 49.

Produire un bruit analogue à un clappement de langue.

2   Les battements d'ailes, la criaillerie des femmes, leur raucité donnaient un accompagnement sonore qui devint vite intolérable : le désert clappait, claquetait, clapotait ; on aurait dit des pas de géants sur la vase ou dans la boue.
                        Jean CAYROL, Histoire d'un désert, p. 107.

DÉR. Clapet, clapoter, clappement.

CLAQUADE [klakad] n. f. — Mil. XXᵉ ; de 1. *claquer*.

♦ **Méd.** Technique de massage qui comporte des percussions répétées de masses musculaires avec le plat de la main.

CLAQUAGE [klakaʒ] n. m. — 1901 ; de 1. *claquer*.

♦ **1.** (1895, in Petiot). **Méd.**, sports. « Accident musculaire (déchirement, élongation) dû au surentraînement ou à un effort excessif » (Petiot). *Le coureur, victime d'un claquage, a dû abandonner.*

1   La plante des pieds lui faisait toujours mal et le haut des cuisses, tout près des hanches, mais il n'avait ni blessure ni claquage musculaire, quelques ampoules seulement (...)   A. LANOUX, le Commandant Watrin, p. 33.

♦ **2.** Fam. Effondrement provoqué par une fatigue extrême.

2   Quelque temps après son ami était tombé mystérieusement malade. Il avait trop travaillé. Ses recherches n'avançaient pas. Claquage, anémie cérébrale.
                        Maurice CLAVEL, le Tiers des étoiles, p. 165.

♦ **3.** Électr. Destruction d'un matériau sous l'effet d'un champ électrique ou de la chaleur. *Claquage d'un condensateur. Claquage thermique.*

CLAQUANT, ANTE [klakɑ̃, ɑ̃t] adj. — XXᵉ ; de 1. *claquer*.

♦ **1.** Qui claque (1.), fait un bruit sec et fort. *Un volet claquant, une porte claquante.* ⇒ **Battant.**

1   Passé la nuit, blottis contre une île, entre les touffes de papyrus ; un peu à l'abri — ce qui n'a pas empêché le navire de chahuter toute la nuit, avec un vacarme de chaînes, de baleinières cognées, de portes claquantes.
                        GIDE, Voyage au Congo, in Souvenirs, Pl., p. 845.

Brusque, tranchant. *Un ton claquant.*

2   Vous n'avez pas entendu que j'ai promis le secret à mon indicateur, me dit-il d'une voix claquante.   PROUST, le Côté de Guermantes, Pl., t. II, p. 560.

♦ **2.** Fam. Qui fatigue, éreinte. ⇒ **Crevant.** *Une marche claquante. Ce boulot est complètement claquant.*

1. CLAQUE [klak] n. f. — 1306 ; de 1. *claquer*.

★ **I.** ♦ **1.** Coup* donné avec le plat de la main. *Donner, recevoir ; ficher, flanquer, foutre* (fam.)*, allonger une claque sur la joue.* ⇒ **Baffe** (fam.)*, **calotte** (fam.)*, **gifle, soufflet ; emplâtre** (fam.)*. Donner des claques sur les fesses d'un enfant.* ⇒ **Fessée.** *Il lui administra une claque retentissante. Sa mère lui a donné une paire de claques.* ⇒ **Taloche** (fam.)*. Une bonne petite claque.*

1   (...) la cloison mitoyenne (...) permettait aux échos de filtrer, à savoir : lancé de chaussures d'un bout à l'autre de la pièce par le vide des libres espaces (...) silences interminables et inquiétants, coupés de claques retentissantes (...)
                        COURTELINE, Petite histoire de Boubouroche, p. 20.

1.1   Je passe devant une chambre, et j'entends des claques. Autre chambre, autres claques. Le *Raffles* était devenu le refuge des colères de tous les couples de Singapour.   MALRAUX, Antimémoires, Folio, p. 471.

Loc. fam. *Figure, tête à claques :* personne déplaisante, agaçante.

♦ **2.** (1801). *La claque :* les personnes payées pour applaudir un spectacle. ⇒ **Claqueur.** *La claque s'efforça de soutenir la pièce. Chef de claque. Faire la claque.*

1.2   La claque permet à l'auteur de faire comprendre au public comment il a voulu son drame. C'est une soupape de sûreté afin que des enthousiasmes maladroits ne crépitent point quand il faut se taire. Mais la claque est une direction de foule :

dans un théâtre qui soit un théâtre et où on joue une œuvre qui, etc., nous ne croyons après M. Maeterlinck, qu'à l'applaudissement du silence.
                        A. JARRY, Ubu roi, Pl., p. 414-415.

Par jeu sur les sens I, 1 et I, 2 :

1.3   J'écrivis l'*Étoile au Front* que je fis répésenter au Vaudeville. Nouveau tumulte, nouvelle bataille, mais où mes partisans étaient cette fois beaucoup plus nombreux. Au troisième acte l'effervescence devint telle qu'il fallut, au milieu d'une scène, baisser le rideau pour ne le relever qu'au bout d'un certain temps. Pendant le second acte, un de mes adversaires ayant crié à ceux qui applaudissaient : « Hardi la claque », Robert Desnos lui répondit : « Nous sommes la claque et vous êtes la joue. »
                        Raymond ROUSSEL, Comment j'ai écrit certains de mes livres, p. 36.

♦ **3.** (1877). Fam. *En avoir sa claque :* être exténué, et, fig., être dégoûté de qqch. ⇒ **Marre** (en avoir marre). *Je ne vous écoute plus, j'en ai ma claque.* Cf. La mesure est pleine ; en avoir par-dessus la tête.

2   (...) j'en ai assez de toi à m'aimer (...) j'en ai ma claque.
                        Francis CARCO, Jésus-la-Caille, V, p. 52.

3   J'en avais ma claque, non des films, mais des gens qui s'agitent autour.
                        Jean-Louis BORY, Ma moitié d'orange, p. 119.

♦ **4.** Fig., fam. Préjudice plus ou moins humiliant. *Il a pris une bonne claque à la Bourse,* il a fait une grosse perte.

★ **II.** ♦ **1.** ⓐ N. f. plur. (1743). Vx ou régional (Canada). Sorte de socques qui protégaient les souliers d'hommes des intempéries. « *Des claques en caoutchouc* » (Flaubert, *l'Éducation sentimentale*, in T. L. F.). — REM. Au Québec, on dit *claques* ou *caoutchoucs** ; *couvre-chaussure* désignant une chaussure de protection plus complète.

ⓑ Régional (Bretagne). Sabot* à empeigne et contrefort de cuir.

♦ **2.** (1830). Fam. *Prendre ses cliques et ses claques.* ⇒ **Clique.**

♦ **3.** (1890). Techn. Partie de la chaussure qui entoure le pied. ⇒ **Empeigne.**

★ **III.** ♦ **1.** (1750). Anciennt. *Chapeau à claque* (vieilli)*, chapeau claque,* ou, absolt, *un claque :* chapeau cylindrique (haut-de-forme) qui s'aplatit et qu'on peut mettre sous le bras.

♦ **2.** Anciennt. Bicorne ou tricorne utilisé dans certains corps (armée, administration) et qui peut s'aplatir. — En appos. *Des « tricornes claques »* (Hugo, *les Misérables*, in T. L. F.).

HOM. 2. Claque.

2. CLAQUE [klak] n. m. — 1883, Macé, au sens 1 ; mot argotique d'orig. obscure ; cf. *claqueur* « souteneur », 1828, et *claquedent*, même sens, 1879.

♦ **1.** Fam. et vulg. Maison de tolérance. ⇒ **Bordel.**

1   D'aller à la messe n'interdit pas d'aller au claque ; Simon ne s'en faisait pas faute, avec les copains ; prudent du reste, à cause des maladies, mais décidé.
                        Roger IKOR, les Fils d'Avrom, Les eaux mêlées, p. 439.

2   J'ai rencontré dans les claques, pardon : dans les maisons, des... disons, en employant un mot suranné pour ne pas vous effaroucher : des catins, qui ne manquaient pas de...   Claude MAURIAC, le Dîner en ville, p. 222.

♦ **2.** (1886, Macé). Vx. Maison de jeux. ⇒ **Tripot.**

HOM. 1. Claque.

CLAQUE- Premier élément de mots (substantifs) composés, souvent fam. ou argotiques, tiré du verbe 1. *claquer*.

CLAQUEDENT [klakdɑ̃] n. m. — Déb. XVIᵉ ; 1450, n. propre ; de *claque-*, et *dent*.

♦ **1.** Fam., vx. Gueux, misérable (qui tremble de froid et claque des dents). — REM. On a dit aussi *claque-faim* (1866)*, *claque-soif* (1866)*, *claque-patin* ou *claque-patins* (autre métaphore).

♦ **2.** Vx, fam. Maison de jeux. — (1879). Maison de prostitution. ⇒ **2. Claque.**

CLAQUEMENT [klakmɑ̃] n. m. — 1552 ; de 1. *claquer*.

♦ **1.** Action, fait de claquer ; choc, bruit qui en résulte. ⇒ **Claque ; clic, clac.** — (De 1. *claquer*, A., intrans.). Fait de claquer. *Claquement des dents,* sous l'effet du froid, de la peur (⇒ **Tremblement**). — (De 1. *claquer*, A., 2.). Fait, pour qqn, de claquer (des dents, des mains). *Claquement de langue.* ⇒ **Clappement.** *Les claquements de mains du public.* ⇒ **Applaudissement.** *Claquement des doigts* (→ Castagnette, cit. 2). — Spécial. Bruit de ce qui claque. *Le claquement d'un fouet, d'une porte, d'une portière de voiture. Claquement sec, bref, rapide, répété, sourd.*

1   Mais les charretiers grognèrent à peine, détournèrent un regard maussade, et firent des hu-hau et des claquements de fouet.
                        J. ROMAINS, les Hommes de bonne volonté, t. V, XXVII, p. 290.

2   On entendit le claquement sec des crans de sûreté des couteaux ouverts tout d'un coup.   P. MAC ORLAN, la Bandera, VII, p. 81.

Rare. (De 1. *claquer*, B., trans.). *Le claquement de la porte* (par qqn).

♦ **2.** Sports. *Claquement d'un muscle.* ⇒ **Claquage, déchirure, froissement.** *Claquement tendineux.*

♦ **3.** Méd. Bruit sec que l'on entend en auscultant différentes régions du cœur. *Claquement d'ouverture, de fermeture de la mitrale.*

CLAQUEMURER [klakmyʀe] v. tr. — 1644 ; p.-ê. de *aclaquemur* «dans un endroit si étroit que le mur claque». Pour P. Guiraud, *claquemur* représente **calquemur*, du provençal *calcar* «presser, serrer», d'où *a calquemur* «comprimé par le mur», la métathèse du *l* étant due à une confusion avec *claquer*.

♦ **1.** Enfermer (qqn) comme dans une prison étroite. ⇒ **Cloîtrer, emprisonner, enfermer ; boucler** (fam.).

1 Vous nous accusez de l'avoir claquemuré, scellé même avec des pierres et du plâtre ! BALZAC, Une ténébreuse affaire, Pl., t. VII, III, p. 607.

♦ **2.** Enfermer (qqn) à l'étroit. — (Sujet n. de chose abstraite). *Les troubles claquemuraient les gens chez eux.*

▶ **SE CLAQUEMURER** v. pron.
(Réfl.). Se tenir enfermé chez soi.

▶ **CLAQUEMURÉ, ÉE** p. p. adj. *Rester claquemuré chez soi,* enfermé. *Des gens claquemurés.*

2 Je pouvais rentrer à l'aube ou lire au lit toute la nuit, dormir en plein midi, rester claquemurée vingt-quatre heures de suite, descendre brusquement dans la rue. S. DE BEAUVOIR, la Force de l'âge, p. 16.

CONTR. Délivrer, libérer.

1. CLAQUER [klake] v. — 1508 ; onomat. → Clac.

A. V. intr. ♦ **1.** (Sujet n. de chose). Produire un bruit sec et assez fort. *Faire claquer ses doigts, ses lèvres, sa langue. Un fouet qui claque.* — Fig., vx. *Faire claquer son fouet :* faire le fier, se donner de l'importance, vouloir faire preuve d'autorité (→ Autre, cit. 49). — *Un drapeau qui claque au vent. Une porte, un volet qui claque.* ⇒ **Battre.** *Faire claquer la porte,* la fermer violemment. *Attention, ne fais pas claquer la porte ! Le courant d'air fait claquer les portes.* — Fig. → ci-dessous, B., Claquer la porte.

1 Le mal dont j'ai parlé m'envahissait aussi, peu à peu. Je le sentais gronder en moi, comme de grandes eaux lointaines ! — Allons ! allons ! disons la chose ! Mes dents se mirent à claquer follement ! la sueur coula sur mes tempes. VILLIERS DE L'ISLE-ADAM, Tribulat Bonhomet, p. 62 (1887).

2 Le gourmet venait de lamper un trait de vin et reposait sa timbale. Il fit claquer sa langue (...) G. DUHAMEL, Chronique des Pasquier, VII, III, p. 21.

3 (...) les balles miaulent au-dessus de la tranchée, très bas, et plusieurs claquent sur le parapet, comme des coups de fouet. R. DORGELÈS, les Croix de bois, V, p. 100.

4 — (...) il claque de peur quand il parle au roi maintenant.
— Comment : il claque de peur ?
— Je veux dire : il claque des dents, de peur du roi. GIDE, Saül, III, 1.

5 Ses dents claquent, tout son corps tremble. Oh ! qu'il fait froid sous le gros édredon rouge ! Jérôme et Jean THARAUD, l'Ombre de la croix, VIII, p. 195.

5.1 Cyrus Smith et ses compagnons furent comme atterrés en voyant que, sous l'empire d'une terrible émotion, ses dents claquaient comme celles d'un fiévreux. J. VERNE, l'Île mystérieuse, t. II, p. 530 (1874).

5.2 Le vent faisait claquer l'été sur les places comme un drapeau. Maurice CARÊME, la Grange bleue, «Le retour du Moi».

♦ **2.** (Sujet n. de personne ; compl. en *de* désignant une partie du corps). *Claquer des doigts :* faire claquer ses doigts. — *Claquer des dents :* avoir les dents qui claquent (de froid, de peur, etc.) ; fig. avoir froid, peur. ⇒ **Grelotter, trembler ;** → ci-dessus, cit. 4.
Loc. fam. *Claquer du bec* (au sens 1 de *bec*). *Oiseau qui claque du bec.* Fig. (Au sens 2 de *bec*). Avoir faim, soif ; être privé.

5.3 (...) la fièvre me faisait claquer du bec comme une cigogne au bord d'un marécage (...) Th. GAUTIER, le Capitaine Fracasse, p. 109.

♦ **3.** (Sujet n. de chose). Fam. Se casser, se rompre ; éclater. ⇒ **Péter** (fam.). *Un verre, un joint qui claque.*
Fig., fam. Échouer. *L'affaire lui a claqué dans les mains, les doigts.* ⇒ **Péter.**

5.4 J'ai fait tout ce que j'ai pu, j'ai tenté l'impossible. Tout m'a claqué dans les mains... Je ne vous demande que quinze jours. René FLORIOT, La vérité tient à un fil, p. 29.

♦ **4.** (1842). Fam. (Sujet n. de personne ou d'être animé). Mourir. ⇒ **Crever.** *Il a claqué, il vient de claquer.*

6 (...) je refusais la direction de l'infirmerie, convaincu que ces pauvres bougres allaient claquer dans leur cave si on ne les évacuait pas sur-le-champ. MARTIN DU GARD, les Thibault, t. IX, p. 244.

B. V. tr. ♦ **1.** (1648). Compl. n. de personne. Donner une claque à (qqn) ; frapper (qqn) d'une claque. ⇒ **Gifler.** *Arrête, ou je te claque !*

♦ **2.** (Compl. n. de chose). Faire claquer, mouvoir avec violence de manière à produire un claquement. — Fig. *Claquer la porte au nez de qqn :* refuser de voir, de recevoir qqn. *Il n'a rien voulu écouter et est parti en claquant la porte.* — *Claquer la langue,* produire un bruit sec en la détachant du palais.

Comme il y avait du courant d'air, j'ai dû laisser l'impression que j'avais claqué la porte extrêmement fort. G. DUHAMEL, Chronique des Pasquier, VIII, XIII, p. 429.

♦ **3.** (1732, *in* D. D. L.). Vx. *Claquer un acteur, un spectacle,* l'applaudir en battant des mains. ⇒ **1. Claque** (I., 2.).

♦ **4.** (1861, argot). Fam. *Claquer de l'argent,* le dépenser. ⇒ **Dissiper, gaspiller, manger** (fam.). *Claquer un héritage, sa fortune. Il a claqué cinq cents francs en une soirée. Il a tout claqué.*

♦ **5.** (xxᵉ). Fam. (Compl. n. d'être animé). Fatiguer à l'excès. ⇒ **Éreinter, fatiguer.** *Claquer un cheval.* — Pron. *Il se claque pour préparer son examen.* — (Sujet n. de chose). *Cette excursion les a claqués.* — Au p. p. *Je suis complètement claqué.*

7 (...) nous étions ruinés, claqués d'énervement et de fatigue (...) GIDE, Journal, 1ᵉʳ janv. 1910.

Fam. (Même sens que A., 4.). *Il est claqué,* mort.

♦ **6.** Fam., sports. *Claquer un muscle, un tendon. Se claquer un muscle, un tendon,* le déchirer par un effort trop brutal. ⇒ **Déchirer** (se), **froisser** (se) ; **claquage.**

♦ **7.** Fam., rare. Mettre (qqch.) hors d'usage. ⇒ **Casser.** — Au p. p. *Le mécanisme est claqué.*

8 Quelle heure est-il, demanda Van, ma montre est claquée.
— Sept heures, pile. Armand LANOUX, le Commandant Watrin, p. 15.

DÉR. Claquade, claquage, claquant, 1. claque, claquement, claquet, claquette, claquoir. — (Du sens B, 3). **1. Claque** (I., 2.), **claqueur.**
HOM. 2. Claquer.

2. CLAQUER [klake] v. tr. — 1863, Littré ; de 1. *claque,* II., 3.
♦ Techn. Garnir (une bottine) d'une claque (II., 3.).
HOM. 1. Claquer.

CLAQUET [klakɛ] n. m. — V. 1460 ; de 1. *claquer.*
♦ **1.** Techn. (anciennt). Petite latte placée sur la trémie d'un moulin, et qui claque continuellement. *Le bruit du claquet.*

♦ **2.** Vx, fam. *Sa langue va, lui va comme un claquet de moulin,* en parlant d'une personne bavarde.
DÉR. Claqueter.

CLAQUÈTEMENT [klakɛtmã] n. m. ⇒ **Claquettement.**

CLAQUETER [klakte] ou **CLAQUETTER** [klakete] v. intr. — Conjug. *jeter.* — 1530 ; de 1. *claquer,* suff. *-eter.*
♦ Rare. Faire une série de claquements de bec (cigogne) ; glousser, caqueter (poule).
DÉR. Claquettement.

CLAQUETTE [klakɛt] n. f. — 1539, «crécelle» ; de 1. *claquer,* ou déverbal de *claqueter.*

♦ **1.** Petit instrument formé de deux planchettes réunies par une charnière, et servant à donner un signal. *La claquette d'un cérémoniaire dans un office religieux.*
(1834). Au cinéma, Dispositif formé de deux planchettes solidaires d'un tableau, qui permet de synchroniser le son et l'image au début d'une séquence filmée. *Claquette portant le numéro du plan tourné.* Syn. : *clap* (anglic.), *claquoir.*

Au moment où scénario, prise de vue et de son, éclairage, plans et trucs sont prêts à entrer en action, au moment où les magasins ont leur charge de film vierge, on entend sur le plateau le bruit sec d'une *claquette* : il s'agit de deux planchettes à charnière qu'on frappe l'une contre l'autre devant la caméra, au début de toute prise de vue ; enregistrée à la fois par la caméra et par le micro, la claquette assure la synchronisation du film. On tourne. Lo DUCA, Technique du cinéma, p. 64.

♦ **2.** Instrument de musique formé de deux bandes de cuir garnies de grelots.

♦ **3.** Spécialt (au plur.). *Danseur à claquettes,* dont les semelles portent des lames de métal qui permettent de marquer le rythme. *Faire des claquettes, en dansant :* produire des claquements rythmiques avec ses semelles, sur le plancher.
Par ext. Ce type de danse. *Pratiquer les claquettes. Faire des claquettes. École de danse et de claquettes.*

CLAQUETTEMENT [klakɛtmã] n. m. — 1538, «claquement de dents» ; de *claqueter.*
♦ Rare. Son émis par la cigogne ou la poule qui claquette. — REM. On écrit aussi *claquètement.*

De Rabat, je me rappelle surtout le claquettement des cigognes perchées sur des tours crénelées, couleur de pain brûlé, parmi les lauriers-roses. S. DE BEAUVOIR, la Force de l'âge, p. 338.

CLAQUETTER [klakete] v. intr. ⇒ **Claqueter.**

CLAQUEUR [klakœʀ] n. m. — 1781 ; de 1. *claquer.*

♦ Vx. Personne engagée pour applaudir un artiste, un spectacle. ⇒ 1. **Claque** (I., 2.). *Un succès de claqueurs.* — Par ext. (vx). Personne qui approuve avec excès.

Bergotte, comme un claqueur chargé quand on rappellera Sarah Bernhardt de dire : « Non, tous tous », disait : « Non, tout, tout. »
PROUST, Jean Santeuil, Pl., p. 799.

REM. Le fém. *claqueuse* est virtuel.

CLAQUOIR [klakwaʀ] n. m. — Fin XIXᵉ ; de 1. *claquer.*

♦ (1931). Cin. ⇒ **Claquette,** 1. « *Comment on repère, par tableau et par claquoir, le début de chaque scène au point de vue image et au point de vue son* » (*l'Illustration*, p. 21, 2 mai 1931).

CLARIFIANT, ANTE [klaʀifjɑ̃, ɑ̃t] adj. et n. m. — XXᵉ ; de *clarifier.* Didactique, technique ou littéraire.

♦ **1.** Adj. Qui clarifie. *Des propos clarifiants.*

Il y a le monde, l'histoire, et l'homme. Il y a l'imaginaire, et le symbolisme, et l'écriture clarifiante. L'emploi de toutes les puissances du discours ne va pas sans une double dissolution du langage littéraire et courant.
Henri LEFEBVRE, la Vie quotidienne dans le monde moderne, p. 11.

♦ **2.** N. m. Techn. Agent qui permet de clarifier un liquide quelconque (moût, bière, vin, etc.). *En brasserie, on utilise des clarifiants obtenus avec de la colle de poisson.*

CLARIFICATION [klaʀifikasjɔ̃] n. f. — Déb. XVᵉ, fig. ; de *clarifier.*

♦ **1.** (1690). Concret. Action de clarifier (un liquide). ⇒ **Décantation, défécation, épuration, purification.** *Clarification par ébullition, par englobement, par entraînement, par filtration, par décantation. La clarification de l'eau, d'un sirop.*

♦ **2.** Abstrait. ⇒ **Éclaircissement.** *La clarification d'une situation. Une clarification logique. Cela demande quelques clarifications, cela demande clarification.*

CLARIFIER [klaʀifje] v. tr. — XIIᵉ, « glorifier » ; du lat. ecclés. *clarificare* « glorifier » ; du lat. *clarus* « illustre ». → **Clair.**

♦ **1.** (XVIᵉ). Vx. Rendre clair ou plus clair (un liquide trouble). *Clarifier du vin de copeaux*, *clarifier du lait.* ⇒ **Couler.** *Clarifier de l'eau.* — Au p. p. :

1 Plus, le vingt-huitième, une prise de petit-lait clarifié, et dulcoré, pour adoucir (...) et rafraîchir le sang de Monsieur (...) MOLIÈRE, le Malade imaginaire, I, 1.

♦ **2.** Mod. Rendre pur (un liquide) en éliminant les suspensions étrangères. ⇒ **Décanter, déféquer, épurer, filtrer, purifier.** *Clarifier un sirop, une liqueur. Clarifier du sucre.* — Pron. *Le vin rouge se clarifie plus rapidement que le vin blanc.* — Au p. p. *Vin clarifié.*

♦ **3.** (1393). Abstrait. Rendre plus clair, plus aisé à comprendre. ⇒ **Éclaircir, élucider.** *Clarifier une situation embrouillée. Clarifier ses idées. Il a rapidement clarifié le problème. Aérer un exposé pour le clarifier.*

2 (...) il louait au contraire la littérature française de clarifier, de « filtrer » les idées.
A. MAUROIS, Études littéraires, Jacques de Lacretelle, t. II, p. 210.

Pron. *Se clarifier* : devenir clair. *Depuis son intervention, la situation se clarifie.*

CONTR. Embrouiller, épaissir, louchir, troubler.
DÉR. Clarifiant, clarification.

CLARINE [klaʀin] n. f. — XVIᵉ ; de *clair* sous la forme *clar.*

♦ Littér. ou régional. Sonnette attachée au cou du bétail lorsqu'il paît dans les forêts, les montagnes. *Clarines des vaches, des béliers.* ⇒ **Campane, sonnaille.**

1 On entendait, sur toute la montagne, sonner, de-ci, de-là, les clarines des bestiaux qui somnolaient dans les alpages.
G. DUHAMEL, Biographie de mes fantômes, XII, p. 240.

2 C'est pourquoi, à la fin du jour, on rencontre par les chemins tant de petits troupeaux qui se dirigent vers les collines. En pleine nuit, très tard, on entend quelquefois leurs clarines tinter, au loin (...) H. BOSCO, l'Âne Culotte, p. 120.

3 (...) au temps où les caravanes traversaient encore la grand-place d'Ispahan (précédées de leur petit âne-guide au collier de perles bleues, dans le bruit des clarines (...) MALRAUX, Antimémoires, Folio, p. 86.

CLARINETTE [klaʀinet] n. f. — 1753 ; de *clarin* « hautbois », mot provençal ; du lat. *clarus.* → **Clair.**

♦ **1.** Instrument de musique à anche ajustée sur un bec, et dont le tuyau est terminé par un pavillon peu ouvert. *Les clefs d'une clarinette. Clarinette basse.* ⇒ **Basset.** *Clarinette ordinaire. Petite clarinette. Registre d'une clarinette* : chalumeau, médium, clairon,

---

aigu. *Clarinette alto, basse, contrebasse. Concerto pour clarinette et orchestre.*

Par ext. Technique de cet instrument. *Apprendre la clarinette et le saxo soprano.*

♦ **2.** Personne qui joue de cet instrument. ⇒ **Clarinettiste.** — REM. Ne s'emploie guère qu'en attribut. *Être clarinette dans un orchestre. Cet homme était clarinette solo à l'Opéra de la ville.*
J. GIONO, le Hussard sur le toit, p. 334 (1951).

♦ **3.** Loc. fam. et vulg. *Clarinette baveuse* : sexe de l'homme.
DÉR. Clarinettiste.

CLARINETTISTE [klaʀinetist] n. — 1821, in D. D. L. ; de *clarinette.*

♦ Personne qui joue de la clarinette. ⇒ **Clarinette,** 2. *Le répertoire des clarinettistes. Clarinettiste classique, de jazz. Une excellente clarinettiste d'orchestre.*

CLARISSE [klaʀis] n. f. — 1631 ; du nom de sainte *Claire*, fondatrice de cet ordre, au XIIIᵉ s.

♦ Religieuse de l'ordre de Sainte-Claire. *Couvent de clarisses. Entrer chez les clarisses.*

CLARTÉ [klaʀte] n. f. — 1080, Chanson de Roland, *clartet* ; *claritet* ; v. 1000 (Saint Léger) ; l'orthographe *clarté, clairté* date du XVIᵉ ; du lat. *claritas*, dér. de *clarus.* → **Clair.**

A. Concret. ♦ **1.** Lumière qui rend les objets visibles d'une façon nette et distincte. ⇒ **Lumière.** *Une clarté bleuâtre, laiteuse, froide, blafarde. Douce clarté. Clarté diffuse. Faible clarté.* ⇒ **Lueur, nitescence.** *Clarté de l'aurore, du crépuscule.* ⇒ **Demi-jour.** *Répandre de la clarté.* ⇒ **Éclairer.** *La clarté intense du soleil. Très vive clarté.* ⇒ **Éclat, embrasement.** *Une trop grande clarté éblouit. Clarté de la lune.* ⇒ **Clair,** II. *Mélange de clarté et d'ombre.* ⇒ **Clair-obscur.** *Une clarté artificielle.* — « *La clarté déserte de ma lampe...* » (→ Papier, cit. 15, Mallarmé).

Cette obscure clarté qui tombe des étoiles 1
Enfin avec le flux nous fit voir trente voiles (...) CORNEILLE, le Cid, IV, 3.
Le soleil nous luit tous les jours, 2
Tous les jours sa clarté succède à l'ombre noire (...) LA FONTAINE, Fables, II, 13.
Cependant sur la tour, dans les bois antiques, 3
L'ardent foyer jetait des clartés fantastiques (...) HUGO, Ballades, VIII.
(...) c'était au milieu de l'ombre, une clarté très douce, baignant les objets d'une 4
lueur diffuse et tendre. ZOLA, le Dʳ Pascal, I, p. 5.
Toute la ville était éclairée par un petit nuage éblouissant qui s'était arrêté sur la 5
lune, et le ciel était adouci de clarté (...) Pierre LOUŸS, Aphrodite, III, p. 39.
Qu'est-ce qu'il y a de plus mystérieux que la clarté ? (...) Quoi de plus capricieux 6
que la distribution, sur les heures et sur les hommes, des lumières et des ombres ?
VALÉRY, Eupalinos, p. 68.
(...) quand on la regarde, cette peau, au plein jour de là-bas, quand la lumière 7
frise l'épaule ou la hanche, il y a, sur cette soie mordorée, des clartés bleues (...)
comme une impalpable poudre d'acier, comme un perpétuel reflet de lune (...)
MARTIN DU GARD, les Thibault, t. III, p. 42.
Ce n'est pas la même lumière et elle n'éclaire pas directement l'endroit où le sol- 7.1
dat se tient, qui reste dans la pénombre. C'est, à l'autre bout du corridor, une
clarté artificielle, jaune et pâle, qui provient de la branche droite du couloir transversal. Un rectangle lumineux se découpe ainsi dans la paroi.
A. ROBBE-GRILLET, Dans le labyrinthe, p. 59.

À la clarté de : sous l'éclairage de. *Il lisait le soir à la clarté d'une lampe à pétrole.*

Littér. Vx. *Jouir de la clarté du jour, de la clarté* : vivre. *Revoir la clarté du jour, revoir la clarté. Perdre la clarté du jour, perdre la clarté* (Académie). — Au plur. :

Qui de nous des clartés de la voûte azurée 8
Doit jouir le dernier ? LA FONTAINE, Fables, XI, 8.

Vx. Flambeau. *Apporter une clarté.*

Littér. (au plur.). Source de lumière. *Les clartés de la nuit, de l'aurore.*

♦ **2.** (1538). Qualité de ce qui est clair, transparence, limpidité. *La clarté du verre. Clarté de l'eau.* ⇒ **Limpidité.** — Par anal. *La clarté du teint*, netteté, éclat. — *La clarté d'une vaisselle bien lavée, d'une pièce d'argenterie.*

B. (1268, « renommée, caractère illustre »). Abstrait. ♦ **1.** (1580, Montaigne). Caractère de ce qui est intelligible, se comprend sans effort excessif. ⇒ **Netteté, perspicuité, précision.** *La clarté d'une phrase, d'un texte, d'un discours. S'exprimer, parler avec clarté.* ⇒ **Clairement.** *Écrit, récit, discours plein de clarté. Clarté d'un style pur et élégant.* ⇒ **Atticisme** (cit. 4). *poète* (cit. 2). *Il résuma les faits avec un grand souci de clarté. La solution apparut avec toute la clarté possible. La clarté d'une démonstration.*

La clarté est la bonne foi des philosophes. 9
VAUVENARGUES, Réflexions et Maximes, 372.
(...) la syntaxe française est incorruptible. C'est de là que résulte cette admi- 10
rable clarté, base éternelle de notre langue. Ce qui n'est pas clair n'est pas
français (...) RIVAROL, Disc. sur l'universalité du reflet de lux, p. 26.
Ne pas oublier que la seule qualité à rechercher dans le style est la clarté. 11
STENDHAL, Journal, p. 25.
La *clarté*, comme l'exactitude, tient aux choses et naît de la distinction des idées ; 12

la *perspicuité*, comme la correction, tient à l'expression et naît des bonnes qualités du style.   LAFAYE, *Dict. des synonymes*, Clarté.

13   La clarté est la politesse de l'homme de lettres.
     J. RENARD, *Journal*, 7 oct. 1892.

14   Quoi qu'il en soit, notre langue (...) est justement fameuse pour la clarté de sa
structure, qui jointe à un goût fréquent chez nous des définitions et des précisions abstraites, fit concevoir et réaliser tant de chefs-d'œuvre d'organisation verbale, — des pages d'une perfection d'architecture telle qu'elles semblent exister
et s'imposer indépendamment de leur sens, des images ou des idées qu'elles portent, et même de leurs vertus sonores (...)
     VALÉRY, *Regards sur le monde actuel*, Pensée et art français, p. 183.

15   (...) besoin de rigueur, horreur du vague et de cette apparente clarté dont se contentent presque tous les hommes, et, conséquence de ce besoin de rigueur, besoin
de remettre en question le langage et d'exiger des mots un contenu précis.
     A. MAUROIS, *Études littéraires*, t. I, Valéry, III, p. 21.

16   La clarté des textes est un signe de l'honnêteté des esprits.
     A. MAUROIS, *Études littéraires*, t. II, Duhamel, IV, p. 111.

Qualité de ce qui est sans ambiguïté. *Avoir de la clarté dans
l'esprit, dans les idées. Clarté d'esprit.* ⇒ **Lucidité.**

♦ **2.** Vieilli ou littér. Vérité lumineuse. *Ses recherches ont projeté
quelque clarté sur ce sujet.* ⇒ **Lueur, lumière.**

17   Étrange aveuglement !
    — Éternelles clartés !   CORNEILLE, *Polyeucte*, IV, 3.

18   C'est ici que votre chimie intervient avec ses souveraines clartés.
     RENAN, *Dialogues et Fragments philosophiques*, Œ. compl., t. I, p. 170.

Loc. *En pleine, en toute clarté* : très clairement.

♦ **3.** Vieilli (au plur.). Connaissances d'un certain niveau de culture.
⇒ **Connaissance, idée, notion.** *Avoir des clartés sur un sujet donné.
Avoir des clartés de tout.*

19   Je consens qu'une femme ait des clartés de tout ;
Mais je ne lui veux point la passion choquante
De se rendre savante afin d'être savante (...)
     MOLIÈRE, *les Femmes savantes*, I, 3.

CONTR. Nébulosité, obscurité, ombre. — Ambiguïté, confusion, trouble.
— Ambage, chaos.

CLASE [klaz] n. f. — D. i. ; du grec *klasis* « action de briser ».

♦ Géol. Fracture de l'écorce terrestre ; faille dans une masse minérale (→ *Clastique*).

CLASH [klaʃ] n. m. invar. — 1962, in Höfler ; angl. *clash* « fracas ».

♦ Américanisme. Conflit, désaccord violent. *« Il y a, aux États-
Unis, un risque de clash social qui n'avait jamais existé jusqu'ici »*
(*l'Express*, 21 août 1972, p. 70).

CLASIE [klazi] n. f. — Mil. XXᵉ ; du grec *klasis* « action de briser ».
→ aussi Clase.

♦ Didact. (méd.). Rupture. *« Celle-ci* (la paradentose ou pyorrhée)
étant une lyse et non une clasie » (P.-L. Rousseau, *les Dents*,
p. 114).

-CLASIE Élément, du grec *klasis* « action de briser ». → -claste.

1. CLASS ou CLAS [klas] adv. — 1901 ; arabe *khlas* (il a fini) « pas
du tout » (adv.), « fin » (n. f.), selon Esnault.

♦ Argot. Assez. — REM. S'emploie comme *marre. En avoir clas.
C'est clas.*

J'en avais clas et reclas d'excuser éternellement tout le monde. Qui me pardonnait,
à moi ? Personne !   Albert SIMONIN, *Touchez pas au grisbi*, p. 138.

HOM. 2. Class, classe.

2. CLASS [klas] adj. — 1979 ; de *classe*, II., B., 3.

♦ Fam. Qui a de la classe. ⇒ **Chic.** *Un bar très class. Tu es très
class, ce soir !* — REM. On écrit parfois *classe. On voit tout de suite
le mec classe.*

HOM. 1. Class, classe.

CLASSABLE [klasabl] adj. — 1888, Verlaine ; *inclassable* est anté-
rieur ; de *classer*, et *-able*.

♦ Qu'on peut classer, répartir en classes. *Objets classables en
catégories ; difficilement classables. Ce personnage n'est pas classable.*

1   Cependant, j'ai aimé ou j'aimerai plusieurs fois dans ma vie. C'est donc que
mon désir, tout spécial qu'il soit, s'accroche à un type ? Mon désir est donc
classable ?   R. BARTHES, *Fragments d'un discours amoureux*, p. 43.

N. m. *Le classable* : ce qu'on peut classer.

---

2   L'intraitable manie qui consiste à ramener l'inconnu au connu, au classable, berce
les cerveaux. Le désir d'analyse l'emporte sur les sentiments.
     A. BRETON, *Manifeste du surréalisme*, p. 16.

CONTR. Inclassable.

CLASSAGE [klasaʒ] n. m. — 1906, Alain-Fournier, *Correspon-
dance ; de *classer*.

♦ **1.** Rare. Action de classer. ⇒ **Classement, classification.**

♦ **2.** Techn. Séparation des fibres (cellulose, matières textiles) en
catégories de longueur, solidité, etc., par une machine appelée *clas-
seuse*.*

CLASSE [klas] n. f. — V. 1355 ; du lat. *classis* « classe de citoyens ».

★ **I.** Dans un groupe social, Ensemble de personnes qui ont en
commun une fonction, un genre de vie, une idéologie, etc., et qui
sont envisagées comme un sous-ensemble distinct et important de
la société. ⇒ **Caste, catégorie, clan, état, gent, groupe, ordre.** *Hiérarchie des classes.* → Armature, cit. 2.

1   Toute société est composée de groupes de personnes rapprochées par leur fonction
sociale et par le genre de vie qu'elles ont adopté ; on appelle ces groupes des classes. Ces classes se forment spontanément. La seule question qui se pose est celle
de savoir si le droit doit tenir compte de l'existence des classes pour définir la
situation juridique de leurs membres.
     O. MARTIN, *Précis d'hist. du droit franç.* nº 127.

♦ **1.** Hist. Dans l'ancienne Rome, Chacune des catégories, entre lesquelles les citoyens étaient répartis (d'après le montant de leur fortune).

2   Servius Tullius établit le cens ou le dénombrement des citoyens distribués en certaines classes.   BOSSUET, *Hist.*, I, 7, *in* LITTRÉ.

3   La cité antique, comme toute société humaine, présentait des rangs, des distinctions, des inégalités. On connaît, à Athènes, la distinction originaire entre les Eupa-
trides et les Thètes ; à Sparte, on trouve la classe des Égaux et celle des Inférieurs ; en Eubée, celle des chevaliers et celle du peuple. L'histoire de Rome est
pleine de la lutte entre les patriciens et les plébéiens (...)
     FUSTEL DE COULANGES, *la Cité antique*, IV, 1.

4   Au plus bas degré, il y a les humbles, les *humiliores*, la plèbe des petites gens (...)
Au-dessus d'eux, se tiennent les gens comme il faut, les *honestiores*, les « bourgeois » de ce temps (...) Ceux-ci, d'ailleurs, se subdivisent en plusieurs catégories :
la plus infime (...) ne saurait prétendre à servir l'État (...) et, par conséquent, ne
mérite pas le beau nom de classe : *ordo.* La notion d'*ordo* n'intervient que plus
haut encore. D'abord, à la base, avec l'ordre équestre (...) Ensuite, au sommet,
avec l'ordre sénatorial (...)
     J. CARCOPINO, *la Vie quotidienne à Rome...*, I, II, I, 1, p. 72.

Sous l'Ancien Régime, Catégorie sociale déterminée à laquelle on
appartenait soit par la naissance, soit par la vocation (clergé). *Les
clercs, les nobles, les roturiers et les serfs, classes du moyen âge.
Noblesse, clergé, tiers état, classes de l'Ancien Régime. Classes privilégiées.* ⇒ **Aristocratie.**

4.1   (...) tu veux que perpétuellement soumis et dégradés, pendant que cette classe qui
nous maîtrise a pour elle toutes les faveurs de la fortune, nous ne nous réservions
que la peine, l'abattement et la douleur, que le besoin et que les larmes, que les
flétrissures et l'échafaud !   SADE, *Justine...*, t. I, p. 37.

♦ **2.** (1788). *Classe ou classe sociale* : ensemble des personnes de
même condition ou de niveau social analogue, qui ont une certaine
conformité d'intérêts, de mœurs. — Vx. *Hautes classes.* ⇒ **Élite**
(→ fam. Crème, gratin). *Basses classes.* ⇒ **Populace ; pègre.** — Mod.
Classes moyennes. ⇒ 1. **Moyen**, cit. 4, 5, 6, 6.1. *Classe dirigeante*
(→ Pragmatique, cit. 2), *gouvernante, dominante. Classe bourgeoise.* ⇒ **Bourgeoisie.** *Classe industrielle, agricole... Classe
ouvrière* (cit. 15.1). — (1791). *La classe laborieuse.* ⇒ **Peuple,
plèbe, prolétariat.**

(Mil. XIXᵉ). Spécialt. Dans les théories socialistes, et notamment,
marxistes, L'un des deux groupes, opposé par la détention du capital (pour le groupe dominant) et la production de la plus-value
du travail (pour le groupe dominé). *Classe dominante, capitaliste*
(identifiée ou non à la *classe bourgeoise*). *Classe exploitée.* ⇒ **Prolétariat.** *Lutte des classes.* ⇒ **Lutte,** (cit. 6.1, 8 et *supra*). *Société
sans classes* : le communisme*, où, après le stade socialiste de la
« dictature du prolétariat », l'opposition engendrée par le capitalisme
aurait disparu. — REM. Les cit. suivantes prennent en général le mot
dans un sens plus large que cette acception.

5   On dit souvent qu'il n'y a plus de classes et qu'il faut même éviter de prononcer
ce mot. Le mot de classe n'implique pourtant en soi qu'une idée de classification.
Nous ne le prenons point ici dans un sens agressif, mais seulement (...) comme
exprimant (...) une certaine communauté de conditions sociales et par suite une
communauté d'intérêts (...)
Le socialisme d'aujourd'hui ne voit que deux classes en lutte : ceux qui possèdent
et ceux qui ne possèdent pas, c'est-à-dire le Capital et le Travail, et, d'après eux,
cette lutte séculaire ne tardera pas à se dénouer par la victoire du Travail (...)
comme il n'y aura plus de classes, évidemment il n'y aura plus de lutte de classes.
     Charles GIDE, *Cours d'économie politique*, II, II, p. 198.

6   (...) il n'est pas du tout certain que la paix sociale soit jamais établie par l'écrasement bourgeois de la classe bourgeoise sous la classe prolétarienne.
     Ch. PÉGUY, Œ. compl., t. XI, p. 53 à 57.

7   Toute division de l'humanité en deux groupes ou, comme on dit encore, en deux
« classes » est dangereuse, et en somme artificielle.
     A. MAUROIS, *Un art de vivre*, III, 3, p. 114.

8   (...) le tragique du conflit des classes lui échappait dans un pays où le plus pauvre
est propriétaire, n'aspire qu'à l'être davantage ; où le goût commun de la terre, de

la chasse, du manger et du boire, crée entre tous, bourgeois et paysans, une fraternité étroite. F. MAURIAC, Thérèse Desqueyroux, VI, p. 106.

9 Ce qu'il veut, c'est ne pas moisir dans la condition de travailleur. Il ne sait pas encore ce que c'est que les classes sociales; mais il a déjà l'idée de changer de classe. J. ROMAINS, les Hommes de bonne volonté, t. XXIV, p. 281.

9.1 Pourtant effacez : *parti communiste, Front populaire;* inscrivez à la place : classe ouvrière, et vous tenez le mot de notre destin. La classe ouvrière divisée, le fascisme gagne. F. MAURIAC, le Nouveau Bloc-notes 1958-1960, p. 58.

9.2 (...) il n'est pas d'erreur plus profonde et plus mortelle pour l'avenir, que de confondre sous la même étiquette de classes moyennes, des réalités sociales absolument hétérogènes telles que les « classes moyennes traditionnelles » (petits paysans, artisans et commerçants) en constante régression et affolées par l'absence pour elles de perspective d'avenir, et les couches en pleine expansion, d'ingénieurs, de cadres, de techniciens de toute nature (...) Roger GARAUDY, Parole d'homme, p. 220.

... DE CLASSE. *Intérêts de classe. Conscience de classe :* conscience d'appartenir à une classe et notamment à la classe exploitée (dans l'optique d'une prise de conscience à implications politiques).

9.3 La classe ouvrière ne peut pas ne pas être profondément déçue. La première parmi les couches et classes sociales, elle éprouve cette frustration. Sa « conscience de classe » se rétablit difficilement et cependant ne peut disparaître. Elle devient « malentendu » des classes mais est présente à ce titre, en toute revendication. Henri LEFEBVRE, la Vie quotidienne dans le monde moderne, p. 175-176.

★ **II. A.** (Sans idée de hiérarchie). ♦ **1.** (XVIIᵉ). Ensemble (d'individus ou d'objets) qui ont entre eux des caractères communs). ⇒ **Catégorie, division, espèce, série, sorte; classification.** *Diviser les hommes, les choses en classes nettes, tranchées. Livre qui s'adresse à toutes les classes de lecteurs. Ranger qqch. par classes.* ⇒ **Classer, étiqueter.** *Appartenir à une classe, faire partie de la classe des... — Navires de même classe,* du même type. *— Former une classe à part* (→ Amitié, cit. 12).

10 (...) il est de la classe de ces avocats dont le proverbe dit qu'ils sont payés pour dire des injures. LA BRUYÈRE, les Caractères, XIV, 49.

10.1 Vous le concevez donc, *Thérèse,* il n'est aucun pouvoir, de quelque nature que vous puissiez le supposer, qui puisse parvenir à vous arracher de nos mains, et il n'y a ni dans la classe des choses possibles, ni dans celle des miracles, aucune sorte de moyen qui puisse réussir à vous faire conserver plus longtemps cette vertu dont vous êtes si fière (...) SADE, Justine..., t. I, p. 147.

11 La ressemblance est une qualité bien secondaire (...) ce qui est intéressant, ce n'est pas l'individu, c'est le type, c'est la synthèse de toute une race et de toute une classe. A. MAUROIS, les Discours du Dʳ O'Grady, XVI, p. 173.

Les cinq classes de l'Institut : les cinq académies de l'Institut* de France.

♦ **2.** Spécialt, didact. ⓐ Log. Ensemble d'objets de connaissance réunis par la présence de caractères communs et correspondant à un concept* ou notion. *Chaque concept de la logique en compréhension correspond à une classe en extension.*

ⓑ (1733). Sc. Grande division du règne animal ou végétal, immédiatement inférieure à l'embranchement*. ⇒ **Classification.** *Les poissons, les oiseaux, les mammifères sont des classes de l'embranchement des vertébrés. La classe des mammifères se subdivise en ordres, groupes, familles.* ⇒ **Sous-classe.**

ⓒ (1903, in *Rev. gén. des sc.,* nº 18, p. 859). Math. *Classe d'équivalence :* dans un ensemble où l'on a défini une relation* d'équivalence R, sous-ensemble qui contient tous les éléments équivalents à un élément x de cet ensemble (*classe d'équivalence de x modulo R ;* ⇒ **Modulo**). *L'élément x est le représentant de la classe d'équivalence modulo la relation R. Classe de congruence :* classe d'équivalence dont la relation d'équivalence est une congruence*.

ⓓ Statist. Groupe d'unités présentant une caractéristique dont la valeur se situe entre certaines limites déterminées. *Classes d'âge :* répartition d'une population selon les âges. *Classes creuses :* classes nettement moins nombreuses que celles qui les encadrent, du fait d'événements (guerres, crises économiques) ayant contrarié la natalité.

ⓔ Ling. Répartition des unités linguistiques selon leur fonction, leur sens. *Classe grammaticale, lexicale. Classe d'adjectifs, de substantifs. Classe fonctionnelle de mots.* ⇒ **Catégorie** (grammaticale). *Classe ouverte, fermée.*

ⓕ Techn. (autom.). Ensemble des voitures comprises entre deux cylindrées limites.

B. (Avec l'idée de hiérarchie). ♦ **1.** Grade, rang attribué (à certaines personnes ou à certaines choses en fonction de leur importance, de leur valeur ou de leur qualité) selon un jugement. *Appartenir à la classe la plus haute. — Loc. Première, deuxième classe. Ingénieur de première classe. Soldat de première classe, de deuxième classe,* appartenant à des échelons les plus bas dans la hiérarchie militaire. Ellipt. *Un deuxième classe. Préfecture de première classe. Hors classe* (en général, au-dessus de la première classe). Degré de confort dans certains moyens de transport (chemin de fer, avions, bateaux). *Wagon de première, de deuxième classe,* ou, ellipt., *wagon de première, de seconde. Voyager en seconde classe. Prendre une seconde classe. — Enterrement de première classe.* ⇒ **Enterrement.**

11.1 Ce steam-boat, d'ailleurs, était fort bien aménagé, et les passagers, suivant leur condition ou leurs ressources, y occupaient trois classes distinctes. Michel Strogoff

avait eu soin de retenir deux cabines de première classe, de sorte que sa jeune compagne pouvait se retirer dans la sienne et s'isoler quand bon lui semblait. J. VERNE, Michel Strogoff, p. 94 (1876).

Malgré la différence des classes, la vie nous emporte tous ensemble, à grande vitesse, dans un seul train, vers la mort. COCTEAU, le Grand Écart, IX, p. 172. 12

♦ **2.** Valeur, qualité (surtout dans : *... de classe*). *Il est d'une tout autre classe; ils n'ont pas la même classe.* ⇒ **Carrure.** *Un coquin de première classe, de grande classe. — Des produits de première classe,* de première qualité, de premier choix; *de seconde classe,* d'une qualité moyenne. — Absolt. *De classe :* de grande qualité. *Un immeuble, un appartement de classe.* ⇒ **Standing.**

Loc. *Hors classe :* au-dessus de ce qui est classé.

Sports. Ensemble des qualités personnelles, physiques et morales, d'un athlète.

♦ **3.** Absolt. *La classe :* la distinction, l'élégance (selon la hiérarchie des jugements de valeur d'une société, d'un groupe). *Il, elle a de la classe, une classe folle. Ça, c'est le style, la classe !* ⇒ fam. **Class** (adj.).

★ **III.** ♦ **1.** (XVIᵉ). Division des élèves d'un établissement scolaire d'enseignement primaire ou secondaire, selon les degrés d'études. *Classe primaire. Classes de l'enseignement secondaire.* ⇒ **Cycle.** *La classe de philosophie, de première. Être en seconde classe,* et, ellipt., *en seconde. Hautes classes,* ou *classes supérieures,* par oppos. à *petites classes. Classes de sixième, de cinquième, de quatrième. Classes élémentaires. Classes nouvelles,* où l'enseignement est donné par des méthodes actives. *Maître chargé de telle classe. Camarade de classe. Être admis, passer dans la classe supérieure. Redoubler une classe. Sauter une classe. Il tient la tête de la classe. Il est le premier de sa classe* (→ Distribution, cit. 1). *— Classe préparatoire* aux grandes écoles :* chacune des deux classes supérieures des lycées, où l'on prépare aux concours d'entrée aux grandes écoles. *Classes préparatoires littéraires* (lettres supérieures ou hypokhâgne*, première supérieure ou khâgne*), *classes préparatoires scientifiques* (mathématiques* supérieures ou hypotaupe*, mathématiques spéciales ou taupe*). *Élèves des classes préparatoires aux grandes écoles.* (⇒ argot, scol. **Carré, cube, bicarré**).

Il ouvrait les yeux, il battait des paupières, comme un enfant à qui le maître d'école vient de proposer un problème « de la classe au-dessus ». 13 J. ROMAINS, les Hommes de bonne volonté, t. II, IV, p. 50.

Ensemble des élèves qui suivent le même programme. *Une classe turbulente. Classe studieuse, forte,* où il y a beaucoup de bons élèves. *Donner congé à une classe. Des classes trop nombreuses.*

♦ **2.** L'enseignement qui est donné en classe; la durée de cet enseignement. ⇒ **Cours, leçon.** *Une classe d'histoire, de chant... Avant, pendant, après la classe. Troubler la classe. Suivre la classe. Faire, finir ses classes,* en parlant d'un élève qui fait ses études. *Faire la classe,* en parlant d'un maître qui enseigne. *Ce professeur fait bien la classe. Préparer sa classe.* ⇒ **Cours, leçons.** *Je n'aime pas qu'on parle pendant la (ma) classe.*

D'ordinaire, au commencement de la classe, il se faisait un grand tapage qu'on 14 entendait jusque dans la rue : les pupitres ouverts, fermés, les leçons qu'on répétait très haut, tous ensemble, en se bouchant les oreilles pour mieux apprendre, et la grosse règle du maître qui tapait sur les tables. Alphonse DAUDET, Contes du lundi, « La dernière classe ».

Les classes venaient de finir; les externes étaient sortis, les autres s'amusaient dans 15 une cour éloignée. LOTI, Matelot, III, p. 10.

Mon père (...) dirigeait à la fois le Cours Supérieur, où l'on préparait le brevet 16 d'instituteur, et le Cours Moyen. Ma mère faisait la petite classe. ALAIN-FOURNIER, le Grand Meaulnes, I, p. 1.

REM. Cet exemple peut aussi être compris au sens 1.

Plur. *La rentrée des classes :* le commencement de l'année scolaire.

Spécialt. *Classe de neige :* enseignement donné l'hiver, dans un lieu où les sports de montagne sont praticables; école où se fait cet enseignement. *— Classes vertes*, classes de mer,* à la campagne, à la mer, pour les enfants des villes.

♦ **3.** ⓐ Salle de classe. *Une classe de dessin, de musique,* spécialement équipée pour cette sorte d'enseignement. *Entrer dans la classe. Garçon de classe* (ancien). *— Le mobilier de la classe. Se faire mettre à la porte de la classe. La classe d'un instituteur, d'un professeur, sa classe. La classe d'un élève, sa classe. Ma classe est plus grande, plus belle que la tienne.*

(...) M. Hamel immobile dans sa chaire et fixant les objets autour de lui, comme 17 s'il avait voulu emporter dans son regard toute sa petite maison d'école (...) depuis quarante ans, il était là, à la même place, avec sa cour en face de lui et sa classe toute pareille. Seulement les bancs, les pupitres s'étaient polis, frottés par l'usage. Alphonse DAUDET, Contes du lundi, « La dernière classe ».

ⓑ *La classe :* l'école. — Loc. *Aller en classe, être en classe,* à l'école, au lycée. *Elle ne va pas encore en classe, on la met à la crèche. Demain, il y a classe :* l'école est ouverte, l'enseignement se donne.

ⓒ (Plur.). Ensemble des études. ⇒ **Scolarité.** — Fig. *Faire ses classes :* acquérir de l'expérience.

La IVᵉ République doit, pour une large part, la suite ininterrompue de ses désas- 17.1 tres et sa ridicule fin, à un personnel politique mal préparé, qui n'avait pas fait ses classes. F. MAURIAC, le Nouveau Bloc-notes 1958-1960, p. 115.

★ **IV.** (Fin xviiie). ♦ **1.** Contingent militaire ou naval des conscrits nés la même année. *La classe de 1980 ;* (cour.) *la classe 1980. Appeler une classe sous les drapeaux* (→ Caporal, cit. 2). *Classes de recrutement. Classe de mobilisation :* effectifs réellement appelés. — Fam. *Être bon pour la classe,* apte au service militaire.

♦ **2.** *Être de la classe,* du contingent qui doit être libéré dans l'année où l'on est.
La libération. *Vive la classe !* ⇒ **Quille.**

18   La classe ! mot magique ! cautère moral du troupier.
                             COURTELINE, le Train de 8 h. 47, p. 53.

♦ **3.** *Faire ses classes :* recevoir l'instruction militaire, en parlant d'une recrue.

DÉR. 2. Class, classer.
COMP. Sous-classe, superclasse.
HOM. 1. Class, 2. class. — Formes du v. **classer.**

CLASSEMENT [klɑsmɑ̃] n. m. — 1784 ; de *classer.*

★ **I.** ♦ **1.** Action de distribuer en classes, de distinguer dans une pluralité des ensembles caractérisés par des traits communs, de les répartir selon un ordre* ; résultat de cette action. ⇒ **Arrangement, classification** (cit. 1), **ordre** (mise en), **taxinomie.** *Un classement approximatif, provisoire, définitif, rigoureux. Classement alphabétique, alphanumérique. Un classement méthodique, logique. Classement des idées suivant un plan. Classement par ordre de matières, par catégories, par genres. Divisions, subdivisions d'un classement.* ⇒ **Partie, section, série.** *Classement de personnes* (→ Caste, cit. 2). *Classement judiciaire de créanciers.* ⇒ **Collocation.** *Classement des faits sociaux pour leur étude.* ⇒ **Statistique.** *Classement de mots.* ⇒ **Nomenclature.** *Classement de nombres.* ⇒ **Numériclature.** *Tableau* permettant le classement des détails d'un tout. Le classement de papiers dans un classeur*, de livres dans une bibliothèque.* ⇒ **Rangement ; catalogue, fiche, index, répertoire.** *Marque du classement des pièces dans un inventaire.* ⇒ **Cote.**

1   Sur des fiches, des bandes de carton grosseur moyenne, rangées alphabétiquement par noms d'auteurs. C'est le seul classement pratique.
                             Antoine ALBALAT, l'Art d'écrire, III, p. 30 (→ 1. Fiche).

Classement des routes : répartition des routes en nationales, départementales et chemins vicinaux.

♦ **2.** Attribution d'une place, d'un rang à qqn ou à qqch (selon le mérite, la valeur). *Prendre la tête d'un classement, du classement. Le classement final d'un concours*. Le classement des concurrents. Classement des candidats admis à un examen. Donner à des élèves leur classement trimestriel. Avoir un bon classement :* être bien classé. *Classement de fonctionnaires en vue de l'avancement au choix. Classement hiérarchique.* ⇒ **Hiérarchie, rang.**

2   Je cherche ici non à me moquer mais à nous mettre en garde, les uns et les autres, contre ces classements dont nous avons pris le pli au collège avec les manuels de littérature : chaque poète y recevait sa place définitive et sa note éternelle.
                             F. MAURIAC, Bloc-notes 1952-1957, p. 348.

Spécialt (sports). *Un classement par équipes, par points.*
Fait d'inclure un hôtel, un restaurant dans une catégorie de l'hôtellerie ; son résultat. *Classement deux étoiles, trois étoiles.*

★ **II.** (De *classer,* II.). Décision administrative ou judiciaire qui met fin à l'instruction d'une affaire. *Le classement d'une affaire.*

CONTR. Confusion, déclassement, désordre, enchevêtrement, fouillis (fam.).
COMP. Surclassement.

CLASSER [klɑse] v. tr. — 1756 ; de *classe.*

★ **I.** ♦ **1.** (Le compl. désigne une pluralité). Diviser et répartir (des éléments*) en classes* (II.), en catégories. ⇒ **Classement, classification, taxinomie ; différencier, diviser, répartir, séparer.** *Classer des plantes, des insectes.*

1   Il osa former le projet de décrire et de classer tous les êtres de la nature.
                             CONDORCET, Linné, in LITTRÉ.

♦ **2.** (Le compl. peut être au sing.). Placer dans une classe, ranger dans une catégorie. *On classe les mandariniers dans le genre citrus.* ⇒ **Grouper.** *Classer par séries* (⇒ **Sérier**), *par catégories* (⇒ **Catégoriser**). *Classer qqch., un objet suivant le genre, le type, la qualité... Classer sous des chefs* (cit. 8), *des rubriques... variées. Classer une personne dans tel groupe social.* ⇒ **Cataloguer.** — (Sujet n. de chose). *Ce détail vous classe dans telle catégorie.*
Pron. *Le lapin se classe parmi les rongeurs.* — REM. Dans ce sens, le mot comporte souvent l'idée d'un classement* hiérarchisé.

2   Certaines toilettes, à Paris, par le fini de leur détail et la ligne de leur ensemble, classent une femme aussi certainement qu'un officier son uniforme et ses galons.
                             Paul BOURGET, Un divorce, I, p. 3.

3   Je hais les classifications, je hais les classificateurs ! Sous prétexte de vous classer, ils vous limitent, ils vous rognent, on sort de leurs pattes amoindri, mutilé, avec des moignons !   MARTIN DU GARD, les Thibault, t. IV, p. 97.

Mettre au nombre, au rang (de). *Classer qqn parmi, dans...* — Pron. *Se classer :* être classé. *Se classer parmi les meilleurs, les pires.* — *On peut classer ce tableau parmi les chefs-d'œuvre.* ⇒ **Élever** (au

rang, au niveau). *Classer un édifice comme monument historique,* le faire entrer dans la catégorie des monuments historiques.

♦ **3.** (Avec l'idée d'une hiérarchie). *Classer des étudiants, des écoliers,* leur attribuer une place dans une liste, de manière à sanctionner leur travail. *Classer un élève, le classer troisième sur huit. Classer un vin, un cru,* le faire entrer dans la catégorie des vins d'appellation contrôlée.
Sports. Faire figurer (qqn, une équipe) dans un classement.
Fam. Placer dans une classe peu appréciée. *Classer un individu,* le juger définitivement. *Je l'ai tout de suite classé.*

♦ **4.** Mettre (des choses, des personnes) dans un certain ordre ; mettre à sa place dans un classement. ⇒ **Arranger, ordonner, placer, ranger, trier.** *Classer des archives.* ⇒ **Archiver.** *Classer des papiers. Classer, ficher, répertorier des documents. Classer par ordre alphabétique, chronologique, numérique, par ordre de grandeur.* — Pron. passif. → ci-dessous, cit. 4, 5.

4   La pensée est une terre vierge et féconde dont les productions veulent croître librement, et, pour ainsi dire, au hasard, sans se classer, sans s'aligner en plates-bandes comme des bouquets dans un jardin classique de Le Nôtre, ou comme les fleurs du langage dans un traité de rhétorique.
                             HUGO, Odes et Ballades, Préface, 1826.

5   Les amis, à la longue, finissent par se classer dans l'ordre de la délicatesse de leur tact.   VALÉRY, Autres rhumbs, p. 185.

6   Après-midi, achevé de ranger mes papiers, c'est-à-dire de classer par séries les pages d'anciens carnets qui me paraissent valoir d'être conservées, et déchirer tout le reste.   GIDE, Journal, 5 mars 1916, p. 546.

7   Je tâcherai de l'intéresser au travail, en l'obligeant à me les classer *(des carrés de papier peint)* par ordre de prix, par types de motifs, par couleurs, que sais-je ?
                             J. ROMAINS, les Hommes de bonne volonté, t. II, IX, p. 100.

Compl. au sing. Insérer, placer dans un classement. *Cette fiche n'a pas été classée. Veux-tu classer ce papier.*

★ **II.** Fig. *Classer une affaire,* ranger son dossier, la considérer comme terminée. — Fam. *Classer une question,* ne plus vouloir y revenir.

▶ **CLASSÉ, ÉE** p. p. adj.

♦ **1.** a Mis en ordre selon des critères déterminés.
Plantes classées, distribuées par classes scientifiques.
Réparti selon un ordre de mérite. *Cru, vin classé.* — *Un candidat bien classé.* — *Sportif correctement classé ; mal classé* (surclassé ou sous-classé).
Fam. *Cet individu est définitivement classé,* mal considéré, classé au bas de la hiérarchie.

7.1 (...) pas moyen de s'expliquer. On est classé une fois pour toutes.
                             CAMUS, la Chute, p. 57.

Un château classé (dans la catégorie des monuments historiques), *un site classé* (soumis à une réglementation destinée à préserver un environnement présentant un intérêt historique, archéologique, etc.).

b Rangé dans un ordre déterminé. *Fiches classées.*

8   J'y vis les fiches, rigoureusement classées, qui contenaient le passé et l'avenir des Thibault.   A. MAUROIS, Études littéraires, t. II, Martin du Gard, I, p. 167.

♦ **2.** (Du sens II). Réglé définitivement. *L'affaire est classée. Affaire classée.*

9   L'affaire du Collège de Navarre n'était nullement « classée ». Un des larrons que Colin et François s'étaient adjoints avait été saisi, conduit à la torture où il avait parlé. La police recherchait Villon.
                             Francis CARCO, Nostalgie de Paris, p. 91.

CONTR. Brouiller, déclasser, déranger, embrouiller, enchevêtrer, mêler. — **Achever, poursuivre, terminer.**
DÉR. Classable, classage, classement, classeur.
COMP. Déclasser, interclasser, reclasser, surclasser. — (Du p. p.) **Inclassé.**

CLASSEUR, EUSE [klɑsœR, øz] n. — 1811 ; de *classer.*

♦ **1.** Personnes. a (1902). Rare. Personne spécialisée dans le classement des dossiers « *Polyglotte, rédactrice, classeuse ?* » (Giraudoux, *l'Apollon de Bellac*).

b Techn. *Classeur-assortisseur de peaux.* ⇒ **Assortisseur** (assortisseur-classeur).

♦ **2.** N. m. Cour. Portefeuille ou meuble à compartiments qui sert à classer des papiers. *Cartons*, casiers* d'un classeur.* ⇒ **Cartonnier.** *Classeur horizontal, vertical. Classeur contenant des chemises, des dossiers.*
Meuble, casier, boîte de rangement. *Classeur pour diapositives.*

♦ **3.** Reliure à feuillets mobiles destinée au classement de papiers, de documents. *Classeur à anneaux, à tirettes. Ranger ses notes de cours dans un classeur. Intercalaires pour classeurs.*

♦ **4.** N. f. Techn. Appareil destiné au classage* (2.) de la cellulose, de la pâte à papier, etc.
Machine de bureau qui permet de classer des pièces comptables et d'en totaliser les montants.

CLASSICISANT, ANTE [klasisizɑ̃, ɑ̃t] adj. — xxᵉ ; de *classique*, *classicisme*, et *-isant*.

◆ Didact. Qui a des affinités avec le classicisme, des tendances classiques. *Un maniérisme « où apparaissent (...) les premiers signes d'une réaction* classicisante » (V.-L. Tapié, *le Baroque*, p. 110).

CLASSICISME [klasisism] n. m. — V. 1825 (opposé à *romantisme*) ; de *classique*.

◆ **1.** Vx. Doctrine des partisans exclusifs de la tradition classique* (I., 3. ou I., 4.) dans la littérature et dans l'art. *Classicisme et romantisme.*

1 (...) il y a ici une recrudescence de classicisme, de siècle de Louis XIV, de goût pour *Esther* et de dilettantisme académique.
SAINTE-BEUVE, Correspondance, t. II, p. 337.

2 Et si l'on a pu dire enfin que le romantisme avait pris en tout le contre-pied du classicisme, la grande raison en est que le classicisme avait fait de l'impersonnalité de l'œuvre d'art l'une des conditions de sa perfection.
BRUNETIÈRE, Manuel de l'hist. de la littérature franç., III, p. 425.

◆ **2.** Ensemble des caractères propres aux œuvres littéraires et artistiques de l'antiquité et du XVIIᵉ siècle, telles qu'elles ont été définies, jugées par les théoriciens de la fin du XVIIᵉ siècle (en France). *L'union « du cartésianisme et de l'art dans le classicisme »* (Lanson).

3 C'est par ce rationalisme *(en littérature)* que se définit essentiellement, selon nous, le classicisme français.
R. JASINSKI, Hist. de la littérature franç., t. I, p. 257, note.

4 Dans la littérature et l'art le classicisme, qui a donné ses plus beaux fruits, se prolonge encore (vers 1680). Véritable « Père de l'Église », Bossuet oppose aux ennemis du catholicisme la pure doctrine de la tradition. Racine fait jouer *Esther* (1689) et *Athalie* (1691). La Fontaine publie son XIIᵉ livre de *Fables* (1694).
R. JASINSKI, Hist. de la littérature franç., p. 275.

Spécialt (théâtre). Caractère d'une pièce qui respecte la règle des trois unités.

◆ **3.** Caractère classique (I., 7.). *Un tailleur d'un classicisme strict.*

CONTR. Romantisme ; réalisme ; modernisme. — Individualisme, originalité.
DÉR. Classiciste.

CLASSICISTE [klasisist] n. — 1926, Bremond ; de *classicisme*.

◆ Didact. Partisan du classicisme.

CLASSIFICATEUR, TRICE [klasifikatœʀ, tʀis] adj. et n. — 1816, *in* D.D.L. ; de *classifier*, d'après *classification*.

Didactique, littéraire ou technique.

◆ **1.** (Personne). Qui établit des classifications, range par classes. ⇒ (didact.) **Taxinomiste.**
Adj. *Un goût classificateur, une rage classificatrice.*

◆ **2.** N. m. Ling. Élément morphologique qui marque l'appartenance à une classe d'une unité du lexique. ⇒ **Indice** (de classe).

◆ **3.** N. m. Appareil qui isole les particules trop grosses de minerai et les renvoie dans le broyeur.

CLASSIFICATION [klasifikasjɔ̃] n. f. — 1763, selon Bloch ; de *classe* ou de *classifier*, du lat. *classis*. → Classe.

◆ Action de distribuer par classes, par catégories ; résultat de cette action. ⇒ **Classement, délimitation.** *Science des classifications.* ⇒ **Systématique, taxinomie, typologie.** *Les divisions d'une classification. Places, rangs d'une classification.* ⇒ **Hiérarchie.** *Classification dichotomique*, hiérarchique. Classification méthodique, rigide, rigoureuse* (→ Accommoder, cit. 15 ; classer, cit. 3). Classification naturelle ou génétique,* utilisant un ensemble de caractères. *Unité de classification.* ⇒ **Taxon.** *Une classification qui se fonde sur un seul caractère arbitrairement considéré est artificielle. La classification des lois, des sciences, des mots, des idées. Classification des maladies.* ⇒ **Nosologie.**

1 Le classement est l'action de ranger effectivement d'après un certain ordre : le classement des papiers. La classification est l'ensemble des règles qui doivent présider au classement effectif ou qui déterminent idéalement un ordre dans les objets.
LITTRÉ, Dict., art. *Classification.*

2 Il ne faut pas prétendre à des classifications rigoureuses. Partout les catégories voisines se pénètrent.
F. BRUNOT, la Pensée et la Langue, I, I, p. 6.

3 (...) la sélection, la classification, l'expression des faits qui nous sont conservés ne nous sont pas imposées par la nature des choses ; elles devraient résulter d'une analyse et de décisions explicites (...)
VALÉRY, Regards sur le monde actuel, Avant-propos, p. 14.

4 (...) une sorte de hiérarchie, une classification des ouvrages des hommes selon la durée qu'on présumait attachée à leur action.
VALÉRY, Regards sur le monde actuel, Notre destin et les lettres, p. 207.

Sc. nat. *Classification des animaux* (⇒ **Zootaxie**), *des minéraux, des végétaux.* ⇒ **Règne.** *Classification en botanique et en zoologie.* ⇒ **Classe, embranchement, espèce, famille, genre, ordre, tribu, type, variété.**

Classification décimale, fondée sur la numérotation décimale. *Clas-*

sification décimale universelle (C. D. U.), utilisée en bibliographie. *La classification périodique des éléments,* en chimie.

DÉR. Classificatoire.

CLASSIFICATOIRE [klasifikatwaʀ] adj. — 1874, Littré, *Suppl.* ; du rad. de *classification.*

Didactique.

◆ **1.** Qui constitue une classification ou y contribue. ⇒ **Classificateur.**

Enfin, l'évolution des travaux sur ou contre le totémisme a mis au premier plan le système *classificatoire* décrit dans le chapitre *L'organisation du monde.*
Roger CAILLOIS, l'Homme et le Sacré, p. 5.

◆ **2.** Ethnol. *Parenté classificatoire,* basée sur des critères de rapports sociaux, neutralisant la distinction entre parents directs et collatéraux (père-oncle, etc.).

CLASSIFIER [klasifje ; klɑsifje] v. tr. — V. 1500 ; d'après un lat. fictif *classificare,* formé de *classis* «classe», et *ficare* «faire». → Classification.

◆ Didact. ou style soutenu. Répartir selon une classification. *Classifier les sciences.* — Absolt. Faire, établir des classifications.

DÉR. Classificateur. — V. Classification.

CLASSIQUE [klasik] adj. et n. — 1548 ; lat. *classicus* «de première classe», de *classis.* → Classe.

★ **I.** Adj. ◆ **1.** (XVIᵉ-XVIIIᵉ). Vx. Qui mérite d'être imité. — (1611). Mod. Qui est considéré comme un modèle, qui fait autorité en quelque matière. *« L'ouvrage de ce jurisconsulte, de ce médecin est devenu classique »* (Académie). *La terre classique de la liberté.*

◆ **2.** (1680). Qu'on enseigne dans les classes. *Les auteurs classiques du programme.* → ci-dessous, Les classiques (II., 2.).

1 Au sens littéral du terme, est «classique», tout auteur étudié dans les classes et digne de former les esprits. Les Romantiques sont aujourd'hui devenus «classiques».
R. JASINSKI, Hist. de la littérature franç., t. I, p. 255.

2 Vous me faites grand plaisir en m'apprenant que l'Académie va rendre à la France et à l'Europe le service de publier un recueil de nos auteurs classiques, avec des notes qui fixeront la langue et le goût.
VOLTAIRE, Lettre à Duclos, 10 avr. 1761.

◆ **3.** (XVIIIᵉ). Qui appartient à l'antiquité gréco-latine, considérée comme la base de l'éducation et de la civilisation. *Langues classiques :* le grec et le latin. *Études classiques. Il a entrepris des études de lettres classiques* (opposé à *lettres modernes*).

2.1 Il n'y a pas d'enseignement qui soit par lui-même démocratique ou aristocratique. Taine a vu dans l'enseignement classique et dans les vieilles humanités la source de l'esprit révolutionnaire.
A. THIBAUDET, Réflexions sur la littérature, p. 250 (1936).

◆ **4.** (1802 ; d'après l'all.). Qui appartient aux grands auteurs du XVIIᵉ siècle et à leur époque, considérés comme exprimant un idéal de raison, de sentiment du beau, de naturel, lié au respect de lois tirées de la littérature antique. (S'emploie surtout par oppos. à *romantique*). *Théâtre, poésie, littérature classique.*

3 On prend quelquefois le mot classique comme synonyme de perfection. Je m'en sers ici dans une autre acception, en considérant la poésie classique comme celle des anciens, et la poésie romantique comme celle qui tient de quelque manière aux traditions chevaleresques.
Mᵐᵉ DE STAËL, De l'Allemagne, II, XI.

4 (...) certains critiques sont convenus d'honorer désormais du nom de *classique* toute production de l'esprit antérieure à notre époque, tandis que la qualification de *romantique* serait spécialement restreinte à cette littérature qui grandit et se développe vers le dix-neuvième siècle.
HUGO, Préface des Odes, 1824.

5 (→ cit. 1). Mais l'épithète s'est spécialement attachée aux grands auteurs du XVIIᵉ siècle et à leurs continuateurs. «École», a-t-on dit après coup, en faisant abstraction des particularités d'époques et de personnes. L'«école classique» s'est définie en quelque sorte rétrospectivement, au XIXᵉ siècle, par opposition avec les novateurs romantiques. Elle est apparue comme ayant si pleinement continué les chefs-d'œuvre gréco-latins, fleur des humanités scolaires et modèles littéraires impérissables, comme ayant en même temps porté à un si haut degré de plénitude les vertus de l'esprit français, qu'à son tour elle semblait atteindre la perfection suprême et fixer le plus pur de notre tradition.
R. JASINSKI, Hist. de la littérature franç., t. I, p. 255.

Répertoire classique, qui ne comprend que des œuvres classiques. Qui a les caractères esthétiques (mesure, raison, respect des règles, division par genres, etc.) de la période classique. *Style classique* (opposé à *romantique,* puis à *baroque* et *archaïque*). *Suivre les traditions classiques. «Un souci de styliste classique »* (→ Arcadien, cit.). — *Période classique, pré-classique et post-classique. Pseudo-classique :*

6 Une imitation froide et servile des modèles antiques est qualifiée de pseudo-classique.
Louis RÉAU, Dict. d'art, art. *Classique.*

◆ **5.** *Musique classique,* d'une période arbitrairement limitée (XVIIIᵉ siècle), dont J.-S. Bach est le principal représentant (en musicologie ; cour. : musique des grands auteurs de la tradition musicale occidentale (opposé à *folklorique, légère, de variété*). — Syn. : *grande musique. Il préfère le jazz à la musique classique. Concert classique,* ne comportant que des œuvres classiques. → ci-dessous, II., 3. : Le classique.

Danse classique : ensemble de pas et de mouvements qui servent de base à la danse enseignée dans les écoles de danse traditionnelles (opposé à *danse moderne*). *Apprendre la danse classique à l'Opéra.*

Peint., sculpt. Qui s'inspire des modèles antiques. *La peinture classique du premier Empire.*

Par anal. *Beauté classique,* conforme aux modèles antiques (→ Apollinien, 2.).

♦ **6.** Écon. *École classique,* nom donné à un groupe d'économistes anglais et français considérés comme les fondateurs de l'économie politique (fin du XVIIIᵉ siècle, début du XIXᵉ siècle).

♦ **7.** [a] (Objets concrets). Qui est conforme aux usages, ne s'écarte pas des règles établies, de la mesure... *Un veston de coupe classique.* ⇒ **Sobre, traditionnel.**

[b] (Abstractions). Qui est conforme aux habitudes. ⇒ **Habituel.** — Péj. Qui ne s'écarte pas de la banalité. ⇒ **Banal, ordinaire.** Fam. *C'est le coup classique.* ⇒ **Courant.**

7 La petite ville roupillait éperdument, sous un semis d'étoiles. Le train classique lança son cri connu.   R. QUENEAU, Pierrot mon ami, éd. L. de Poche, p. 147.

★ **II.** N. m. ♦ **1.** Auteur classique (→ ci-dessus I., 2., 3., 4.). *Les grands classiques. Il connaît ses classiques par cœur. Les classiques et les romantiques.* → Perruque, cit. 5. Peintre, musicien classique.

♦ **2.** Ouvrage classique (au sens 2). *Collection des classiques latins, français.* — Par ext. Ouvrage classique (au sens 1). *C'est un classique du genre.*

♦ **3.** Musique classique. *Il aime le classique.* Par anal. (Cin.). Film considéré comme un modèle du genre. *Cette salle ne projette que des classiques.*

♦ **4.** Fam. (cour. au Canada). *Un classique* : une chose normale, habituelle dans une situation donnée.

♦ **5.** N. f. et adj. (1896, *in* Petiot). *Une classique* (ou *une épreuve classique*) : épreuve sportive importante et que la tradition a consacrée. *Cette année, il a remporté toutes les classiques.*

CONTR. Moderne, romantique. — Baroque. — Original, excentrique. DÉR. Classicisme, classiquement.

CLASSIQUEMENT [klasikmɑ̃] adv. — 1809 ; de *classique.*

♦ **1.** De manière classique. *Une œuvre construite classiquement.*

♦ **2.** Habituellement (⇒ **Classique,** I., 7.).

Ces fugues sont fréquentes. Ça se termine classiquement par une rentrée au bercail.   ARAGON, les Beaux Quartiers, p. 402.

-CLASTE Suffixe tiré du grec *klastos* « brisé ». ⇒ **Iconoclaste.**

CLASTIQUE [klastik] adj. — 1834 ; anat., 1822 ; du grec *klastos* « brisé ».

♦ **1.** Géol. Qui provient de la fragmentation d'une autre roche (→ Clase). *Roches clastiques* (⇒ **Détritique**).

Les roches clastiques comme le silex ou les quartzites, soumises à un choc violent, libèrent des éclats qui présentent sur leur plan d'éclatement une surface conchoïdale, le bulbe de percussion.   A. LEROI-GOURHAN, le Geste et la Parole, t. I, p. 130.

♦ **2.** Anat. Se dit de pièces anatomiques artificielles et démontables.

♦ **3.** Psychol., psychiatrie. Se dit d'actes, de comportements violents marqués par le bris d'objets. *Geste clastique. Crise clastique.*

DÉR. et COMP. Pyroclastique.

CLASTO- Élément, du grec *klastos* « brisé ». ⇒ **-claste.**

CLATHRE [klatʀ] n. m. — 1778, Lamarck ; *clathrus,* 1753 ; mot du lat. sc. créé par Micheli, 1729, de *clatri, clatrorum* « barreaux », du grec.

♦ Bot. Champignon gastromycète à partie aérienne découpée et ajourée, formant une sorte de cage arrondie à orifices polygonaux.

CLATIR [klatiʀ] v. intr. — 1690 ; altér. de *glatir* par attract. de *clapir.*

♦ Rare. En parlant d'un chien de chasse, pousser des cris aigus et répétés. ⇒ **Glapir.** *Les chiens clatissent pour annoncer la prise du gibier.*

CLAUDE [klod] n. m. — 1752, prénom.

♦ Fam. et vx. Sot, niais (encore chez A. France, 1907, *in* T. L. F.).

CLAUDÉLIEN, IENNE [klodeljɛ̃, jɛn] adj. — D. i. (xxᵉ) ; du nom de Paul *Claudel,* dramaturge français (1868-1955).

♦ Littér. De Claudel. *La dramaturgie claudélienne.* — Qui évoque Claudel, l'art de Claudel. *Versets claudéliens.* → Védique, cit. Malraux.

CLAUDICANT, ANTE [klodikɑ̃, ɑ̃t] adj. — xivᵉ, repris au xixᵉ ; p. prés. du lat. *claudicare* « boiter ».

♦ **1.** Littér. Qui révèle une claudication. ⇒ **Boiteux.** *Une marche claudicante.*

(...) de son pas claudicant, « Autun » descendait de la tribune.   Louis MADELIN, Talleyrand, I, III, p. 41.   1

C'était un petit avorton au teint allumé, à l'œil fripon, à la démarche claudicante (...)   GIDE, Si le grain ne meurt, II, p. 62.   2

Par anal. *Un rythme claudicant.*

♦ **2.** Fig. Mal fait, mal formé. *Des arguments claudicants.* ⇒ **Boiteux.**

CLAUDICATION [klodikasjɔ̃] n. f. — xiiiᵉ ; lat. *claudicatio,* de *claudus* « boiteux ».

♦ **1.** Littér. Action de boiter. ⇒ **Boiter ; boiterie.** *La claudication de qqn. Une claudication légère.* — Infirmité d'une personne qui boite. *Byron était atteint de claudication.*

Bonami étant bel homme, ayant surtout ce qu'on appelle du chic, et où une démarche traînante (causée ici par ce pied de bois) peut entrer comme un élément important, sa légère claudication, son coquet pied de bois ne détourna pas la sympathie des femmes (...)   PROUST, Jean Santeuil, Pl., p. 738.

♦ **2.** Méd. *Claudication intermittente* : irrégularité de la démarche avec sensation de crampe au mollet, due à une insuffisance circulatoire artérielle *(artérite).*

CLAUDIQUER [klodike] v. intr. — V. 1880 ; de *claudicant.*

♦ Littér. ou par plais. Boiter.

Nous nous sommes mis en marche. C'est à ce moment que je me suis aperçu que Pérez claudiquait légèrement.   CAMUS, l'Étranger, in Récits et nouvelles, Pl., p. 1133.   1

Casque de fer, jambe de bois,
Le roi revenant de la guerre,
Jambe de bois, casque de fer,
Il claudiquait, mais chantait clair
À la tête de ses soldats.
   Maurice CARÊME, la Grange bleue, « Le retour du roi » (1961).   2

CLAUSE [kloz] n. f. — xivᵉ ; « vers, rime », fin xiiᵉ ; bas lat. *clausa,* de *claudere* « clore », employé avec le sens du lat. class. *clausula.*

♦ **1.** Dr. et cour. Disposition particulière (d'un acte). ⇒ **Condition, convention, disposition.** *Les clauses d'un contrat, d'un testament, d'une loi. Les clauses du traité d'Utrecht. Insérer une clause. Respecter, violer une clause. Il y a une clause qui stipule que... Ce n'est pas stipulé dans les clauses. Clause expresse, clause tacite. Clause soumise à arbitrage.* ⇒ **Compromissoire** (clause compromissoire). *Clause dont la violation annule l'acte.* ⇒ **Commissoire** (clause commissoire). *Le réméré, clause spéciale d'une vente. Clause résolutoire*. Clause destinatoire,* qui indique la destination. *Clause conditionnelle, casuelle, restrictive* : clause soumise à des conditions. *Clause de style* : clause que l'on retrouve habituellement dans tous les contrats de même nature. *Les clauses de style et les clauses particulières. Clauses pénales*.*

La clause pénale est celle par laquelle une personne, pour assurer l'exécution d'une convention, s'engage à quelque chose en cas d'inexécution.   Code civil, art. 1226.   1

(...) le traité de paix est accepté avec ses clauses les plus dures (...)   LOTI, Figures et Choses..., V, p. 276.   2

Je ne suis liée que pour deux ans ; et, en principe, les clauses multiples de mon contrat me protègent.   J. ROMAINS, les Hommes de bonne volonté, t. II, p. 116.   3

Entre Volat et Tancogne existait un pacte tacite, aux clauses multiples et délicates, de ces clauses qu'un papier officiel ne pourra jamais mentionner.   M. GENEVOIX, Raboliot, II, 1, p. 66.   4

♦ **2.** Loc. cour. CLAUSE DE STYLE : formule insérée dans un texte par habitude ; fig. : disposition toute formelle, sans importance.

CLAUSTRA [klostʀa] n. f., ou **CLAUSTRE** [klostʀ] n. m. — Mil. xxᵉ ; lat. *claustra* « clôture ».

♦ Cloison légère et décorative constituée d'éléments, soit non jointifs, soit évidés. *Une claustra de tuiles creuses. Des claustras* ou *des claustres.* « *Quand deux filles partagent la même chambre, elles aiment à avoir chacune un coin bien à elle. C'est facile grâce à cette séparation légère et décorative, une* claustra *en grillage brodé* » (*Femmes d'aujourd'hui,* 7 oct. 1970). — REM. La forme *claustre* semble très rare. Seul *claustra* est usuel en franç. d'Afrique. *Mur en claustras* (I. F. A.). *Claustra boîte aux lettres* (à fentes étroites, I. F. A.).

CLAUSTRAL, ALE, AUX [klostʀal, o] adj. — 1394 ; lat. médiéval *claustralis*, de *claustrum* «cloître».

♦ **1.** Didact. ⓐ Relig. Relatif au cloître. *La vie claustrale. La discipline, les rigueurs claustrales. Les offices claustraux.* — *Bâtiments claustraux.* → ci-dessous, 2.

ⓑ Fig. Qui rappelle la vie du cloître. ⇒ **Ascétique, monacal, monastique, religieux.**

(...) par ces après-midi paisibles où le chant des cigales, quelques gammes de piano animent seuls le silence claustral de la ville (...)
Alphonse DAUDET, Numa Roumestan, IV, p. 71.

♦ **2.** N. m. pl. *Les claustraux* : les bâtiments qui dépendent d'un cloître, en particulier le dortoir, le réfectoire, etc.

DÉR. **Claustration, claustrer.**

CLAUSTRATION [klostʀasjɔ̃] n. f. — 1791, méd. ; dér. de *claustra*.

♦ **1.** Didact. Action d'enfermer dans un cloître, et résultat de cette action. *Achever sa vie dans la claustration.*

♦ **2.** (1842). Littér. État de celui qui est enfermé dans un lieu clos, isolé du monde. ⇒ **Emprisonnement, isolement** (→ Brimade, cit. 2).

1 Il *(Danton)* préférait les lectures dans les bois et dans les champs à la monotonie de la claustration scolaire. Louis BARTHOU, Danton, p. 9.

2 Je renonçai à mes courses et me confinai à la Commanderie. Cette claustration ne me pesait point, au conraire. Elle offrait à mes divagations toute l'étendue d'une oisiveté monotone. H. BOSCO, Hyacinthe, p. 84.

CONTR. **Liberté.** — **Libération.**

CLAUSTRE [klostʀ] n. m. ⇒ **Claustra.**

CLAUSTRER [klostʀe] v. tr. — 1845 ; mot refait sur *claustral* ou sur le lat. *claustrare*, de *claustra* «cloître».

♦ **1.** Littér. et vx. Enfermer dans un cloître (→ le doublet *cloîtrer*).

♦ **2.** Enfermer, isoler dans un endroit clos. ⇒ **Cloîtrer, emprisonner, séquestrer.** Rare, sauf au p. p. : *Il reste claustré chez lui.*

▶ **SE CLAUSTRER** v. pron.
S'enfermer. ⇒ **Retirer** (se retirer du monde). — Fig. ⇒ **Murer** (se). *Se claustrer dans le silence.*

Rendu à sa mauvaise humeur, le jeune homme se claustra en un farouche mutisme. COURTELINE, Messieurs les ronds-de-cuir, 2e tableau, II, p. 71.

CONTR. **Libérer.**

CLAUSTROPHOBE [klostʀofɔb] adj. et n. — Fin XIXe ; de *claustrophobie*.

♦ Didact. Atteint de claustrophobie. — Par exagér. Qui n'aime pas à être enfermé dans un lieu clos. Abrév. fam. : *il, elle est claustro* [klostʀo].

CLAUSTROPHOBIE [klostʀofɔbi] n. f. — 1880 ; de *claustrer*, et *-phobie*.

♦ Didact. Phobie des lieux clos ; angoisse d'être enfermé (mot médical qui tend à passer dans le langage courant, comme *claustrophobe*).

1 Crainte (...) des espaces : agoraphobie, claustrophobie.
Th. RIBOT, Physiologie des sentiments, II, p. 221.

2 — C'était épouvantable, dit Martial. Je me voyais enfermé dans un cercueil.
— Claustrophobie, dit Hubert, péremptoire. Tu dois être atteint d'une légère claustrophobie. Jean-Louis CURTIS, le Roseau pensant, p. 138.

Abrév. fam. : *claustro* [klostʀo] (1972, *in* D. D. L.). *Faire de la claustro.*

CLAUSULE [klozyl] n. f. — 1541 ; *clausele* «condition», 1323 ; bas lat. *clausula*, de *clausa*. → Clause.
Didactique

♦ **1.** Dernier membre (d'une strophe, d'une période oratoire, d'un vers).

♦ **2.** Mus. Étendue de chaque ton ou mode, du grave à l'aigu.

CLAVAGE [klavaʒ] n. m. — 1872, Viollet-le-Duc ; de *claveau*, par un verbe *claver*, et suff. *-age*.

♦ Archit. Mise en place de la clef (d'un arc, d'une voûte). — Ensemble des claveaux.

CLAVAIRE [klaveʀ] n. f. — 1778, Lamarck ; lat sc. *clavaria* (1697), de *clava* «massue».

♦ Champignon basidiomycète hyménomycète *(Clavariées)*, charnu, simple ou rameux, dont certaines variétés sont comestibles, d'autres

non. *La clavaire raide est vénéneuse. Clavaire cendrée. Clavaire jolie* ou *clavaire menotte.*

-CLAVE Suffixe, du lat. *clavis* «clef», entrant dans la composition de plusieurs mots. ⇒ **Autoclave, conclave, enclave.**

1. CLAVEAU [klavo] n. m. — 1380, Godefroy ; *clavel, claveau* «goupille», v. 1160 ; du lat. *clavellus*, dimin. du lat. *clavis*. → Clef, II., 2.

♦ Archit. Pierre taillée en coin, utilisée dans la construction des linteaux, des voûtes, des corniches. ⇒ **Voussoir.** *Mise en place du claveau.* ⇒ **Clavelage.** *Les claveaux d'une arcade.* ⇒ **Clef** (de voûte), **sommier.** *Les faces d'un claveau :* extrados, intrados, lit, tête. *Claveau droit, engrené, dérobé. Claveau à crossettes.*

Au dehors *(du château des Aigues)*, le claveau du cintre offrait encore l'écusson des Soulanges (...) BALZAC, les Paysans, Pl., t. VIII, II, p. 32.

HOM. **2. Claveau.**

2. CLAVEAU [klavo] n. m. — Déb. XIIIe, *clavel* ; du bas lat. *clavellus* «pustule», dimin. de *clavus* «clou».
Médecine vétérinaire.

♦ **1.** Clavelée.

♦ **2.** Matière purulente qui apparaît dans les boutons de la clavelée et qu'on utilise comme vaccin. — Virus de la clavelée.

HOM. **1. Claveau.**

CLAVECIN [klavsɛ̃] n. m. — 1680 ; *clavessin*, 1611 ; du lat. médiéval *clavicymbalum* ; de *clavis* (→ Clé), et *cymbalum* «cymbale».

♦ Instrument de musique à un ou plusieurs claviers, et à cordes métalliques pincées (à la différence du piano*, du clavicorde*). *Jouer du clavecin. Instruments voisins du clavecin.* ⇒ **Épinette, virginal.** *Languette de bois d'un clavecin* (⇒ **Sautereau**).

Un soir, nous étions seuls, j'étais assis près d'elle,
Elle penchait la tête, et sur son clavecin
Laissait, tout en rêvant, flotter sa blanche main.
A. DE MUSSET, Poésies nouvelles, «Lucie».

(Le clavecin est un) instrument à clavier — généralement double — et à cordes pincées, ce qui le distingue net du piano dont les cordes sont frappées par des martelets feutrés. Le pincement est obtenu par des becs de plume ou de cuir durci, fichés dans des planchettes que les touches du clavier actionnent et que l'on nomme *sautereaux*. Initiation à la musique, p. 171.

Méthode de clavecin. — *Le Clavecin bien tempéré,* œuvre de J.-S. Bach.

DÉR. **Claveciniste.**

CLAVECINISTE [klavsinist] n. — 1694 ; de *clavecin*.

♦ Celui, celle qui joue du clavecin. *La grande claveciniste Wanda Landowska.*

CLAVELÉ, ÉE [klavle] adj. ⇒ **Claveleux.**
HOM. **Clavelée.**

CLAVELÉE [klavle] n. f. — V. 1460 ; *clavel*, 1379 ; du bas lat. *clavellus*, de *clavus* «clou», et suff. *-ée*.

♦ Maladie contagieuse, due à un virus filtrant et qui atteint spécialement les ovidés. (On dit aussi *claveau*). ⇒ **Épizootie.** *La clavelée est caractérisée par une éruption de pustules sur la peau et les muqueuses. La clavelée est appelée aussi variole du mouton. Inoculer la clavelée.* ⇒ **Claveliser.**

DÉR. V. **Claveliser.**

CLAVELEUX, EUSE [klavlø, øz] adj. — 1448 ; de *clavel*. → 2. Claveau.
Médecine vétérinaire.

♦ **1.** Qui est atteint de la clavelée (on dit aussi *clavelé, ée*). *Des moutons claveleux.*

♦ **2.** Relatif à la clavelée. *Fièvre claveleuse.* — (1903, *in* Rev. gén. des sc., no 12, p. 684). *Virus claveleux.*

CLAVELISATION [klavlizasjɔ̃] n. f. — 1890 ; de *claveliser*.

♦ Vétér. Action de claveliser.

CLAVELISER [klavlize] v. tr. — 1832 ; du rad. de *clavelée*.

♦ Vétér. Inoculer le virus de la clavelée pour préserver un animal de cette maladie. *Claveliser les moutons.*

DÉR. **Clavelisation.**

CLAVETAGE [klavtaʒ] n. m. — 1892 ; de *claveter.*

♦ Techn. Assemblage de deux pièces au moyen de clavettes. — (1938, *in* D. D. L.). Chir. Opération qui consiste à introduire un greffon osseux en clavette, entre le tibia et l'astragale.

CLAVETER [klavte] v. tr. — Conjug. *jeter.* — 1907 ; *claveté*, 1861 ; de *clavette.*

♦ Techn. Fixer par une clavette. *Claveter une poulie sur un arbre de transmission.* — Chir. Fixer par clavetage.

DÉR. **Clavetage.**

CLAVETTE [klavɛt] n. f. — 1160, « petite clef » ; de *clef.* → Clef.

♦ Petite cheville plate que l'on passe dans l'ouverture d'un boulon, d'une grosse cheville pour l'immobiliser (⇒ **Assemblage**). *Clavette de boulon, d'essieu. Clavette de sûreté. Clavette d'arrêt d'une scie.*

(...) une mécanique parfaite (...) où tous les mouvements s'enchaînaient naturellement, par le seul jeu des bielles pivotant sur des axes (...) de clavettes d'acier, de vis sans fin.   J.-M. G. LE CLÉZIO, la Fièvre, p. 111.

Chir. *Greffon osseux en clavette.* → Clavetage.

DÉR. **Claveter.**

CLAVICEPS [klavisɛps] n. m. — Fin XIXᵉ ; mot lat. sav., de *clava* « massue », et *caput* « tête » ; d'abord adj. masc. « qui a la tête en forme de massue » (zool.).

♦ Bot. Champignon ascomycète *(Pyrénomycètes)*, parasite des graminées. *Le claviceps détermine la maladie appelée ergot de seigle* (formation de sclérotes).

CLAVICORDE [klavikɔrd] n. m. — 1776, Encyclopédie, *Suppl. ; clavicordium*, 1514 ; lat. *clavis* « clé », et *cordium* « corde ».

♦ Didact. Instrument à clavier et à cordes frappées (à la différence du clavecin*), ancêtre du piano-forte.

Indolence, musique, siestes, babillages de dames, entre maris et cavaliers servants, parmi une nuée d'amis, de parasites, de joueurs de clavicorde, dont aucun ne quitte de l'œil les tables, où les pyramides de vaisselle d'étain attendent l'arrivée des plats.   Paul MORAND, Venises, p. 108.

CLAVICORNES [klavikɔrn] n. m. pl. — Déb. XIXᵉ ; de *clava* « massue », et *corne*.

♦ Zool. Groupe de familles d'insectes coléoptères hétérogastres à antennes épaissies à leur extrémité en forme de massue. *Les dermestes et les hétérocères appartiennent au groupe des Clavicornes.* — Au sing. *Un clavicorne.*

CLAVICULAIRE [klavikylɛr] adj. — V. 1560 ; de *clavicule.*

♦ Anat. Qui appartient à la clavicule. *Os claviculaire.*

COMP. **Sous-claviculaire.**

CLAVICULE [klavikyl] n. f. — 1541 ; du lat. *clavicula* « petite clef », de *clavis.* → Clé.

♦ Anat. Os long, en forme d'*S* allongé, formant la partie antérieure de la ceinture scapulaire (⇒ **Épaule**). *Chacune des deux clavicules s'arc-boute sur le sternum pour rejoindre l'omoplate. Fracture de la clavicule. Creux derrière la clavicule.* ⇒ **Salière.**

1   Rappelons que le membre supérieur s'articule avec le tronc par l'intermédiaire de l'omoplate, reliée elle-même au sternum par la clavicule.
P. VALLERY-RADOT, Notre corps..., p. 24.

2   On voyait en effet sur la radio l'appareillage des clavicules, fracturées à plusieurs reprises, le cal des côtes brisées et ressoudées.
Joseph PEYRÉ, Sang et Lumières, p. 219.

DÉR. **Claviculaire, claviculé.**
COMP. **(Du rad.) Sous-clavier.**

CLAVICULÉ, ÉE [klavikyle] adj. — 1805 ; de *clavicule.*

♦ Didact. Qui est pourvu de clavicules. *Les animaux claviculés.*

CLAVIER [klavje] n. m. — V. 1160, « gardien des clefs » ; mod., 1419 ; du lat. *clavis* « clé ».

★ I. ♦ 1. (XIIᵉ). Vx. Personne qui garde des clés.

♦ 2. (1580). Vx. Anneau de métal réunissant des clés.

♦ 3. Régional (Midi). Chaîne que les femmes portent à la ceinture pour attacher des ciseaux.

★ II. Mod. et cour. ♦ 1. Ensemble des touches* de certains instruments de musique (piano, clavecin, orgue...), sur lesquelles on appuie les doigts pour obtenir les sons. *Simple clavier. Les claviers d'un orgue, d'un clavecin. Accordéon à clavier. Clavier transpositeur*. Clavier de plusieurs octaves. Mettre les doigts sur le clavier. Se mettre au clavier. Posséder, savoir son clavier* : être familiarisé avec toutes les touches de l'instrument.

1   Selon les diverses façons que l'organiste remue les doigts sur le clavier (...)
DESCARTES, l'Homme, *in* LITTRÉ.

2   Elle frappait sur les touches avec aplomb, et parcourait du haut en bas tout le clavier sans s'interrompre.   FLAUBERT, Mᵐᵉ Bovary, I, VII.

Mus. Instrument à clavier. *Musique pour le clavier.*

♦ 2. (1857). Ensemble des touches permettant d'actionner (un appareil). *Le clavier d'une machine à écrire, d'une machine à calculer, d'une linotype (⇒* **Claviste***), du terminal d'un ordinateur.*

♦ 3. (1768 ; du sens II, 1). Ensemble des sons que peuvent émettre un instrument, une voix. *Le clavier d'un instrument, d'une voix.* ⇒ **Étendue, portée, registre, tessiture.**

♦ 4. Fig. Ensemble des possibilités d'une personne (dans un domaine donné). *Le clavier des sentiments, des caractères, des sensations.* ⇒ **Gamme ; ensemble, série** (→ Chair, cit. 26). — Ensemble des moyens dont dispose un artiste. ⇒ **Registre.** *Cet écrivain a un vaste clavier.*

3   (l'organe du sens) est donc un immense clavier, sur lequel l'objet extérieur exécute tout d'un coup son accord aux mille notes provoquant ainsi, dans un ordre et en un seul moment, une énorme multitude de sensations élémentaires correspondant à tous les points intéressés du centre sensoriel.
H. BERGSON, Matière et Mémoire, p. 138.

DÉR. **Claviste.**

CLAVISTE [klavist] n. — XIXᵉ ; de *clavier* (de linotype).

♦ Techn. (imprim.). Personne chargée de la composition d'un texte (monotypiste, linotypiste, photocompositeur). ⇒ **Compositeur.** *C'est une ancienne dactylo ; elle est devenue une excellente claviste.*

CLAYÈRE [klɛjɛr] n. f. — 1856, Lachâtre ; de *claie.* → Cloyère.

♦ Techn. Parc à huîtres fermé de claies et rempli par la mer à marée haute. ⇒ **Vivier.**

CLAYETTE [klɛjɛt] n. f. — XXᵉ ; autre sens, XIXᵉ (Littré, 1863) ; de *claie.*

♦ 1. Emballage à claire-voie utilisé pour le transport des denrées périssables. ⇒ **Cageot.** — Petite claie. ⇒ **Clayon.**

(...) l'étuve où les fromages moites, les légumes blessés s'abandonnent sur les clayettes, attendant d'être remis au froid pour se resserrer, reprendre forme et couleur pour la présentation du lendemain.
A. SARRAZIN, la Traversière, p. 94 (1966).

♦ 2. Support réglable à claire-voie d'un réfrigérateur. *Clayette à volet. Clayettes réglables, rabattables.*

CLAYMORE [klɛmɔr] n. f. — 1823 ; mot angl., « épée ».

♦ Hist. Grande et large épée* des guerriers écossais, maniée à deux mains. ⇒ **Espadon.**

CLAYON [klɛjɔ̃] n. m. — 1642 ; *claon*, déb. XIVᵉ ; de *claie.*
Technique ou régional.

♦ 1. Petite claie*. — Syn. : *clayette.* — Spécialt. Petite claie servant à égoutter les fromages, à faire sécher les fruits. — Petite claie ronde de pâtissier.

♦ 2. Élément de clôture.

Devant lui deux clayons de genêt rétrécissaient encore le sentier, que barrait complètement, entre eux, la trappe d'un assommoir.
M. GENEVOIX, Raboliot, p. 282.

DÉR. **Clayonnage, clayonner.**

CLAYONNAGE [klɛjɔnaʒ] n. m. — 1694 ; de *clayon.*
Technique.

♦ 1. Assemblage de pieux et de branches d'arbres en forme de claie, destiné à soutenir des terres, à défendre contre les eaux les bords d'une rivière, à abriter une terrasse. — Par ext. Clôture faite d'un assemblage de branches.

♦ 2. Préparation et pose d'un tel ouvrage. *Faire du clayonnage.*

CLAYONNER [klɛjɔne] v. tr. — 1845 ; de *clayon*, ou dér. régressif de *clayonnage.*

♦ Techn. Garnir de clayonnages. *Clayonner un talus, une tranchée, un fossé.* — P. p. adj. *Un auvent clayonné.*

(...) Rossi s'en était allé trouver en douce le colonel pour se plaindre que les tranchées n'étaient pas à sa taille et lui demander de les faire approfondir, rehausser les parapets et clayonner les boyaux pleins d'eau (...)
B. CENDRARS, la Main coupée, in Œ. compl., t. X, p. 10.

CLÉ [kle] n. f. ⇒ Clef.

CLEAN [klin] adj. — 1981 ; mot angl., «propre, net».

♦ Anglic. Fam. Qui a un air propre, soigné. *Elle est clean. Aspect, allure clean.* « *La mode clean se caractérise par les cheveux courts, les lofts déserts meublés de tables métalliques, les murs blancs et les néons roses ou bleus* » (*Lire,* sept. 1982).

CLEARING [kliRiŋ] n. m. — 1912 ; *clearing-house* «chambre de compensation», 1865 ; mot angl., «compensation».

♦ Anglic. Comm., fin. *Opérations, accord de clearing :* procédé de compensation des créances et des dettes entre les banques (⇒ **Compensation**) ; accord de compensation, le plus souvent bilatéral, selon lequel le produit des exportations d'un pays est utilisé pour le règlement de ses importations, de manière à atteindre l'équilibre des échanges avec ses partenaires.
Clearing-house : chambre de compensation.

CLÉBARD [klebaR] n. m. — 1934, *in* Esnault ; de *cleb(s),* et suff. *-ard.*

♦ **1.** Fam. Chien. ⇒ **Clebs.** *Un petit clébard, un vieux clébard.*

1   Un clébard passant crottant lui permit d'essayer son ustensile *(un balai)* sur le bout du trottoir (...)
R. QUENEAU, le Dimanche de la vie, p. 215.

2   — On les a attendus, déclara Gilles en entrant. On leur a expliqué que leur clébard nous avait attaqués. Ils étaient sceptiques, mais ils ne savaient pas quoi dire. Ils l'ont emporté. Vous avez eu peur ? demanda-t-il à Jeanne.
Jacques LAURENT, les Bêtises, p. 80.

♦ **2.** Argot milit. Caporal.

CLEBS [klɛps] n. m. — 1920 ; *cleb,* 1863 ; arabe maghrébin *kläb,* arabe class. *kïläb* «chiens» (pluriel).

♦ Pop. Chien. ⇒ **Cabot, clébard.** → Morganer, cit. 1.

1   Il était magnifiquement propre, le poil souple et luisant, la truffe brillante, déjà bien retapé par les bonnes pâtées (...) Plus rien de commun avec le misérable clebs sauvé de la strangulation par le père Raimondet. C'est un autre chien (...)
J. DUTOURD, Pluche, XII, p. 196.

Var. graphique : *klebs.*

2   Il revint escorté d'un chien perdu qu'il avait ramassé sur la route. Il disait, en faisant claquer sa langue contre son palais : « Viens, Klebs, viens Toutou de mon cœur. »
G. DUHAMEL, Chronique des Pasquier, V, VII.

La forme *cleb* est archaïque.

3   Jean de Pierrefeu, qui vient de mourir, avait recueilli un de ces chiens errants ou plutôt c'était cet animal qui trouvant le gîte à son goût, avait fini par l'adopter (...) Toto s'était réservé — dans le contrat tacite qui le liait à son nouveau maître — de sortir et de rentrer aux heures qu'il s'était promises (...)
— Où va cette bête ? se demandait Pierrefeu que ces sorties hebdomadaires étonnaient par leur régularité. Drôle de cleb !
Francis CARCO, Nostalgie de Paris, p. 141.

DÉR. Clébard.

CLÉDAR [kledaR] n. m. — 1716 ; *clédat,* Genève, 1636 ; probablt du provençal *cledas, cledat,* assimilé avec les dér. en *-ard* du rad. gaulois **clēta.* → Claie.

♦ Régional (Suisse, Savoie, Jura). Porte à claire-voie, fermant l'entrée d'un pâturage, d'un jardin, etc. — Var. : *clédal (in* Toepffer), *clédat (in* Littré, *Suppl.).*

CLEF ou CLÉ [kle] n. f. — 1080, *clef,* plur. *clez ;* du lat. *clavis.* REM. La forme *clef* reste fréquente, surtout dans la langue littéraire, mais elle recule devant *clé.*

★ **I.** (Ce qui sert à ouvrir). ♦ **1.** Instrument de métal servant à faire fonctionner le mécanisme d'une serrure*. ⇒ **Carouble** (argot). *Clef bénarde*. Clef forée* (⇒ **Broche**). *Clef de sûreté. Clé passe-partout*. Clef diamant. Clef à béquille. La clef d'une porte, d'une armoire, d'une malle, d'un coffre-fort, d'un cadenas. Des clefs de voiture. Les différentes parties d'une clef.* ⇒ **Anneau, branche** (ou tige), **panneton ; bouterolle, canon, dent, forure.** *Un jeu de clefs. Trousseau de clefs.* ⇒ **Porte-clefs ; clavier.** *Vous prendrez la clé chez la concierge. Mettre, introduire, tourner, essayer la clef dans la serrure. Clé tordue, faussée.* — *Une double clef :* un double de la clef. — *La bonne (la mauvaise) clef,* celle qui correspond (ou non) à la serrure que l'on veut ouvrir ou fermer. *Vous vous êtes trompé, ce n'est pas la bonne clef.*

1   Dans le silence, le trousseau de clefs qu'il avait tiré de sa poche tinta gaiement.
MARTIN DU GARD, les Thibault, t. IV, p. 197.

Le garçon de nuit ouvre les draps, remet la clef dans la serrure fatiguée, tire la   2
porte en s'en allant.
J. ROMAINS, les Hommes de bonne volonté, t. III, VI, p. 102.

À CLÉ, À CLEF. *Une porte qui ferme à clef,* qui est munie d'une serrure. *Porte fermée à clef.*

Je me reculai vers la porte qui donnait directement sur le palier. Mais elle était   3
fermée à clef.
H. BOSCO, Hyacinthe, p. 190.

Loc. fig. *Tenir la clé de... :* avoir seul le libre accès au contenu de qqch. — Fig. *Avoir la clé de la situation.*

Vous avez la serrure, nous avons la clef (clé) : vous avez beau faire, nous obtiendrons ce que nous voulons.

Donner un tour de clé. Louer une maison clefs (clés) en main : jouir immédiatement de la location.

(1902, *in* D.D.L.). *Clés en main :* prêt à l'usage. *Acheter une usine clés en main.*

Laisser la clé sur la porte, dans la serrure. — *Mettre la clé sous la porte.* Au fig. Partir furtivement, disparaître, déménager ; faire faillite.

SOUS CLÉ, SOUS CLEF : dans un endroit fermant et fermé à clef. *Mettre qqn sous clé,* le tenir enfermé. ⇒ **Verrou** (sous les verrous). *Il est sous clé.*

Clé de contact (d'une voiture automobile) : la clé qui permet de mettre en marche ou d'arrêter le moteur. *Les clés d'une voiture* (de contact, des portes, etc.). *Je te prête la voiture : voilà les clés.*

Fausse clé : clef fabriquée sans la permission du possesseur de la serrure et destinée à ouvrir celle-ci irrégulièrement, clandestinement, etc. ⇒ **Crochet, passe-partout, rossignol.** *Forcer, fausser une clé. Clé spéciale, destinée à ouvrir plusieurs serrures.*

Sont qualifiés fausses clefs tous crochets, rossignols, passe-partout, clefs imitées,   4
contrefaites, altérées, ou qui n'ont pas été destinées par le propriétaire, locataire, aubergiste ou logeur, aux serrures, cadenas, ou aux fermetures quelconques auxquelles le coupable les aura employées.
Code pénal, art. 398.

(...) M. du *Harpin* me remit deux fausses clefs dont l'une devoit ouvrir l'apparte-   4.1
ment du voisin, l'autre son secrétaire dans lequel était la boîte en question (...)
SADE, Justine..., t. I, p. 31.

Vx (surtout écrit *clef*). *Les clefs d'une ville :* les clefs utilisées pour ouvrir ou fermer les portes dans une ville fortifiée. — *Présenter, remettre les clefs de la ville (à un vainqueur) :* se soumettre, se rendre. ⇒ **Capituler** (cit. 2).

On apportait au Roi (...) les clefs des places.   5
RACINE, les Campagnes de Louis XIV.

Remettre, présenter les clefs de la ville (à un hôte) : donner les clefs en signe de bienvenue.

Blason (écrit *clef*). *Clefs posées en pal, en sautoir. Clefs couchées, adossées.*

♦ **2.** (1268). Souvent écrit *clef.* Fig. Place forte, position stratégique qui commande l'entrée d'un pays, d'une région déterminée. *Les Thermopyles étaient la clef de la Grèce. Sedan est une des clefs de la France.*

Il livra le Havre de Grâce, c'est-à-dire la clef du royaume.   6
BOSSUET, Défense de la tradition...

Par ext. *Occuper une position clé,* une position essentielle. *Industrie clé,* de laquelle dépendent beaucoup d'autres industries. — REM. On écrit *industrie-clé, position-clé,* etc. → -clef ou -clé.

♦ **3.** (XIVᵉ ; fig. du sens 1). Loc. *La clef (clé) des champs :* la liberté. *Avoir la clef des champs :* être libre d'aller où l'on veut (cf. Avoir les coudées franches). *Donner la clé des champs à qqn. Prendre la clé des champs.* ⇒ **Champ.**

Dès que j'eus la clef des champs, je ne demandai pas mon reste (...)   7
A. R. LESAGE, Don Guzman..., III, 1.

(Surtout écrit *clef*). *Les clefs de saint Pierre, du pape :* l'autorité du Saint-Siège. — *Les clefs du royaume des Cieux, les clefs du Paradis :* clefs symboliques qui ouvrent (ou ferment) l'accès au Paradis. — *Les Clefs du royaume,* trad. du titre d'un roman de A. J. Cronin. — *Le pouvoir des clefs :* le pouvoir que l'Église romaine reconnaît aux prêtres de lier et de délier les fidèles de leurs péchés. ⇒ **Confession.**

Et je te donnerai les clefs du royaume des Cieux : tout ce que tu lieras sur la terre   8
sera lié dans les cieux et tout ce que tu délieras sur la terre sera délié dans les cieux.
BIBLE (CRAMPON), Évangile selon saint Matthieu, XVI, 19.

L'allusion aux clefs est encore plus profondément sémite : aujourd'hui, en pays   9
arabe, on rencontre des propriétaires qui pour manifester leur superbe, s'en vont, ayant pendues à chaque côté de l'épaule, de grosses clefs (...)
DANIEL-ROPS, Jésus en son temps, p. 294.

♦ **4.** (1680). Ce qui donne accès ; ce qui permet d'aborder un problème, une science. ⇒ **Introduction.** *La philosophie est la clef de la théologie. Les mathématiques sont la clé de toute science.*

Les langues sont la clef ou l'entrée des sciences, et rien davantage (...)   10
LA BRUYÈRE, les Caractères, XII, 19.

La clef de toutes les sciences est sans contredit le point d'interrogation, nous   11
devons la plupart des grandes découvertes au : Comment ? et la sagesse dans la vie consiste peut-être à se demander à tout propos : Pourquoi ?
BALZAC, la Peau de chagrin, Pl., t. IX, p. 225.

De l'algèbre qui procède tout entière du dynamisme de l'intelligence, Descartes   12
disait qu'elle est «la clé de toutes les autres sciences».
L. BRUNSCHVICG, Descartes, p. 61.

(Dans des titres). *Clés (clefs) pour... Clefs pour la Chine,* ouvrage de Claude Roy.

♦ **5.** Ce qui explique, ce qui permet de comprendre. ⇒ **Explication, secret, sens, signification.** *La clef, la clé du mystère. La clé d'un système :* le point capital qui éclaire tout le système. ⇒ **Capital.** *La clé d'une affaire.* ⇒ **Solution.**

13 Il me faut, comme vous dites, la carte et la clef de vos sentiments (...)
Mme DE SÉVIGNÉ, 1260, 1er févr. 1690.

14 Cette doctrine donne la clef des mondes divins, explique l'existence par des transformations où l'homme s'achemine à de sublimes destinées (...)
BALZAC, le Lys dans la vallée, Pl., t. VIII, p. 812.

15 (...) c'est lui *(Sainte-Beuve)* bien souvent, dans une étude, dans un portrait, qui donne la clef de ce qui, ailleurs, reste inexpliqué ou obscur.
J. BAINVILLE, Hist. de France, Avant-propos, p. 9.

16 Un enfant rêve à la clé de tous les livres, et les amours enfantines n'y manquent pas, et les premiers baisers, et la première solitude, tout ce que j'ai chéri dans la musique de Mozart.
F. MAURIAC, Discours prononcé à Stockholm, (Remise du prix Nobel 1952).

(1919, *in* D.D.L.). Spécialt. *Roman, livre à clef, à clefs (à clé, à clés) :* ouvrage qui met en scène des personnages et des faits réels, mais déguisés par l'auteur.

17 Dans ce livre, où il n'y a pas un seul fait qui ne soit fictif, où il n'y a pas un seul personnage «à clefs», où tout a été inventé par moi selon les besoins de ma démonstration (...)
PROUST, À la recherche du temps perdu, t. XIV, p. 183.

18 (...) à la vérité s'était-elle vengée *(Mme de Staël)* à sa façon, en écrivant *Delphine,* roman à clé où chacun avait reconnu Talleyrand simplement travesti.
Louis MADELIN, Talleyrand, V, XL, p. 444.

La clef (clé) du chiffre : la connaissance du code utilisé pour rédiger des messages secrets, permettant de les déchiffrer. ⇒ **Chiffre.**

19 Toute musique dont on ne sent point la mesure ressemble, si la faute vient de celui qui l'exécute, à une écriture en chiffres dont il faut nécessairement trouver la clef pour en démêler le sens. ROUSSEAU, Lettre sur la musique française.

La clef des songes : ce qui permet d'expliquer les rêves; ouvrage qui prétend donner cette explication.

Didact. Bot. *Clé de détermination (ou clé dichotomique) :* procédé que l'on emploie dans une flore pour aider le lecteur à trouver le nom d'une espèce, et qui consiste à lui demander de choisir entre deux caractères, à de nombreuses reprises, pour qu'il détermine la plante (se dit aussi en zoologie, notamment en parasitologie).

♦ **6.** (Av. 1407). Mus. Signe mis au commencement d'une portée et qui indique, par sa forme et sa position sur la ligne de la portée, le nom de la note placée sur cette ligne. *Clef (ou clé) de sol, de fa, d'ut. Mettre un bémol, un dièse à la clé. L'armature de la clé donne la tonalité.* ⇒ **Armature.**

20 On voit que, pour rapporter une clef à l'autre, il faut les rapporter toutes deux sur le clavier général, au moyen duquel on voit ce que chaque note de l'une des clefs est à l'égard de l'autre (...) ROUSSEAU, Dict. de musique, Clef.

Loc. fig. *À la clef, à la clé :* avec qqch. à la fin de l'opération. *Nous avons dîné avec du champagne à la clé.*

21 (...) on avait échangé des énigmes avec enjeu à la clef (...)
DANIEL-ROPS, le Peuple de la Bible, III, I, p. 191.

Ling. Dans l'écriture chinoise, Élément d'un caractère complexe, correspondant à une classe à l'origine sémantique, à une «rubrique destinée à faciliter (...) une recherche pratique dans les lexiques et, sans doute, un apprentissage plus aisé de l'écriture» (Marcel Granet, *la Pensée chinoise,* p. 47). *La clé se place dans différentes positions.*

22 *(Les caractères chinois sont)* formés d'un élément pris phonétiquement et d'un autre élément indiquant en gros l'ordre d'idées auquel le mot se rapporte. Le premier élément est le «phonétique» et le second la «clef». Ainsi *sãng* «gosier» est formé de *sãng* «mûrier» pris phonétiquement avec addition de la clef *kŏu* «bouche».
P. PELLIOT, *in* Notices sur les caractères étrangers anciens et modernes, 1927, cité par Viviane ALLETON, l'Écriture chinoise, p. 34.

★ **II.** Par anal. ♦ **1.** (1401). Techn. (écrit *clef* ou *clé*). Outil servant à serrer ou à démonter certaines pièces (écrous, boulons...). *Clef de serrage. Clef plate, double. Clef crocodile. Clef en tube. Clef à griffes, à douille, à mâchoires dentées. Clefs tricoises*. Clef à molette.* — (1898). *Clef (clé) anglaise ou à mâchoires mobiles. Clé universelle. — Clé dynamométrique,* permettant d'effectuer un serrage réglé en m/kg. — *Clé à bougie,* servant à démonter les bougies d'un moteur à explosion.
Clef de pressoir. — Clef d'un robinet. ⇒ **Manette.** *Clef d'un poêle :* disque à l'intérieur du tuyau pour activer ou ralentir le tirage. — *Clef de montre, de pendule,* servant à remonter le ressort ou à faire pivoter les aiguilles. — *Clef d'un ressort. — Clé servant à ouvrir les boîtes de conserves* (⇒ **Ouvre-boîte**) *; fam. Clé à sardines :* instrument formé d'une tige métallique dont une extrémité est fendue et l'autre recourbée en poignée, au moyen duquel on ouvre certaines boîtes de conserve (en particulier, les boîtes de sardines) par enroulement du couvercle (parfois, par enroulement d'une bande métallique scellant circulairement le couvercle à la boîte). — *Clef de dentiste* ou *clef de Garengeot. Clef de chirurgien. — Clef de barrage,* utilisée pour ouvrir une bouche d'incendie, une plaque d'égout.

Techn. Interrupteur ou inverseur (dans un appareil électrique). Commande manuelle à deux positions.

Mus. *Clef d'accordeur.* ⇒ **Accordoir.**

(1611). *Clef de charpente :* pièce de bois servant à serrer les moises d'un assemblage.

♦ **2.** (XIIIe). Écrit *clef.* Archit. CLEF DE VOÛTE (ou *clef*) : pierre en forme de coin placée à la partie centrale d'une voûte et servant à maintenir en équilibre les autres pierres. *Clef d'archivolte*. Clef de plate-bande. Clef d'arcade.* ⇒ **Claveau.** *Clef en pointe de diamant. Clef à bossage*, à crossette*. Clef pendante.*

Fig. *La clef de voûte d'une argumentation, d'un système philosophique :* le point important, la partie essentielle, capitale du système, qui commande l'équilibre et la logique du raisonnement. ⇒ **Voûte.**

Mar. *Clef de gouvernail :* cale en fer fixée dans la lanterne du gouvernail, et servant à empêcher l'enlèvement accidentel de ce dernier. — *Clef de mât :* pièce de fer qui traverse la caisse d'un mât.

♦ **3.** (XIIIe, en parlant de la corde d'une arbalète). Mus. *Clef d'un instrument à vent,* qui commande les trous du tuyau de l'instrument. *Les clefs d'une clarinette. — Clef de violon, de piano, de harpe :* chevilles qui permettent de tendre ou de détendre les cordes de ces instruments.

♦ **4.** Sports (lutte, judo, 1906, *in* Petiot). Prise par laquelle on immobilise l'adversaire. *Il lui a fait une clé au bras.*

23 Je bondis en arrière trois ou quatre bras m'enlacent on me fait une clef autour du cou je mords une main j'ai le goût de doigts sales sur les lèvres.
Tony DUVERT, Paysage de fantaisie, p. 109.

COMP. Demi-clef. — Porte-clefs.

-CLEF ou (plus souvent) **-CLÉ** Élément de formation signifiant «qui est très important, dont le reste dépend». *Position-clé des troupes. Les postes-clés d'une administration. Un problème-clé. Les mots-clés d'un texte, d'une époque.*

1 Parce qu'à notre époque
De productivité
Il faut des spécialistes à tous les postes-clés (...)
Boris VIAN, Textes et Chansons, «Les pirates».

2 Remplaçons maintenant le mot fiction par celui de fantastique. On retombe alors sur l'une des réflexions-clé d'André Bazin dans le premier chapitre de *Qu'est-ce que le cinéma?*
J.-L. GODARD, Jean-Luc Godard, *in* Coll. des Cahiers du cinéma, p. 213.

3 C'est assez dire qu'en définissant un certain nombre de mots-clés, en les rendant suffisamment clairs aujourd'hui pour qu'ils soient demain efficaces, nous travaillons à la libération et nous faisons notre métier.
CAMUS, Actuelles I, *in* Essais, Pl., p. 1583.

(Avec un nom désignant une personne). *Le témoin-clé* (*in* P. Gilbert).

CLÉISTO- Élément, du grec *kleistos* «fermé» (→ -clasie).

CLÉISTOGAME [kleistogam] adj. — D.i. (xxe); de *cléisto-,* et *-game.*

♦ Bot. Se dit des fleurs qui, à maturité, restent closes, et dont la fécondation se fait par autogamie. ⇒ **Autogame.**

CLÉMATITE [klematit] n. f. — 1572; *clematide,* 1556; lat. *clematitis,* grec *klêmatitis,* de *klêma* «sarment».

♦ Plante dicotylédone *(Renonculacées),* vivace, à tige herbacée ou ligneuse et grimpante, à fleurs en bouquets (n. sc. : *clematis);* ces fleurs. *Tonnelles, treillages garnis de clématites. Clématite des haies* ou *berceau de la Vierge, herbe aux gueux. Clématite cultivée,* à fleurs blanches, roses ou violettes.

La clématite, chargée de ses étoiles blanches relevées au cœur par le bouquet jaune de ses étamines frisées, encadrait l'appui.
BALZAC, le Curé de village, Pl., t. VIII, p. 623.

CLÉMENCE [klemãs] n. f. — 1268; *clementia,* xe; du lat. *clementia,* de *clemens.* → Clément.

♦ **1.** Littér. Vertu qui consiste, de la part de celui qui dispose d'une autorité, à pardonner les offenses et à adoucir les châtiments. ⇒ **Bonté, douceur, générosité, humanité, indulgence, magnanimité, miséricorde.** *La clémence du ciel, de Dieu. La clémence des rois. La clémence de Titus. Un trait, un acte de clémence. User, faire preuve de clémence. Implorer la clémence de ses juges, la clémence du vainqueur. Une clémence aveugle.*

1 La clémence des princes n'est bien souvent qu'une politique pour gagner l'affection des peuples.
LA ROCHEFOUCAULD, Maximes, 15, p. 245.

2 Une jeune Souris, de peu d'expérience,
Crut fléchir un vieux Chat, implorant sa clémence (...)
LA FONTAINE, Fables, XII, 5.

3 (...) la clémence est la plus belle marque
Qui fasse à l'univers connaître un vrai monarque. CORNEILLE, Cinna, IV, 3.

4 (...) qu'est-ce que la générosité, la clémence, l'humanité, sinon la pitié appliquée aux faibles, aux coupables, ou à l'espèce humaine en général?
ROUSSEAU, De l'inégalité parmi les hommes, I, p. 59.

5 Je t'ai crié : — Par où faut-il que je commence?
Et tu m'as répondu : — Mon fils, par la clémence! HUGO, Hernani, IV, 5.

6 (...) la clémence est la seule lumière qui puisse éclairer l'intérieur d'une grande âme. La clémence porte le flambeau devant toutes les autres vertus.
HUGO, Notre-Dame de Paris, X, 5.

7 Toute juste cause se gagne, Monsieur, et je bénis la clémence du ciel.
COURTELINE, Messieurs les ronds-de-cuir, 6e tableau, II.

♦ **2.** (1893 ; de *clément*, 2.). Fig. Douceur du climat, des éléments. *La clémence de la température, du temps.* ⇒ **Douceur.**

8 (...) il se dit que le printemps est, à Paris, plein de clémence (...)
COURTELINE, Messieurs les ronds-de-cuir, 4e tableau, II.

CONTR. **Inclémence ; cruauté, rigueur, sévérité.**

CLÉMENT, ENTE [klemɑ̃, ɑ̃t] adj. — 1213 ; du lat. *clemens.*

♦ **1.** Littér. Qui manifeste de la clémence. ⇒ **Exorable, généreux, humain, indulgent, magnanime, miséricordieux.** *Le Dieu clément. Roi clément. Se montrer clément.* ⇒ **Épargner.**

1 Je viens à vous, Seigneur ! confessant que vous êtes
Bon, clément, indulgent et doux, ô Dieu vivant !
HUGO, les Contemplations, IV, xv, « À Villequier ».

Porté à la douceur, tranquille. *Il est d'une humeur clémente.* ⇒ **Bienveillant, bon, doux.**
(Choses). Exempt de rigueur.

2 La vie civile n'est pas clémente pour les anciens légionnaires.
P. MAC ORLAN, la Bandera, VII, p. 84.

♦ **2.** (Av. 1850). Fig. et cour. (en parlant du climat, du temps). Doux. *Un ciel clément. Une température clémente. Un hiver clément,* peu rigoureux.

CONTR. **Cruel, inclément, inexorable, inflexible, rigide, rigoriste, rigoureux, sévère.**

CLÉMENTINE [klemɑ̃tin] n. f. — 1902 ; du nom du moine de Misserghin, le Père *Clément.* → Clémentinier, cit.

♦ Fruit du clémentinier, voisin de la mandarine, à peau fine.

DÉR. **Clémentinier.**
HOM. **Clémentines.**

CLÉMENTINES [klemɑ̃tin] n. f. pl. — Av. 1539 ; du nom du pape *Clément V.*

♦ Hist. relig. Décrétales rédigées par le pape Clément V et publiées par le pape Jean XXII.

HOM. **Clémentine.**

CLÉMENTINIER [klemɑ̃tinje] n. m. — xxe ; de *clémentine.*

♦ Bot. Plante dicotylédone *(Aurantiacées),* hybride du bigaradier et du mandarinier.

Parmi les hybrides du mandarinier, signalons le *clémentinier* qu'obtint le Père Clément, de la Trappe de Misserghin (Oranie), par croisement d'un oranger amer et d'un mandarinier.
Paul ROBERT, les Agrumes, p. 25.

CLENCHE [klɑ̃ʃ] n. f. — xiiie, *clenque ;* mot picard, du francique **klinka* « levier oscillant », cf. all. *Klinke.*

♦ **1.** Techn. Petit bras de levier dans le loquet* d'une porte, et qui prend appui sur le mentonnet. *Lever, abaisser la clenche* (⇒ **Déclencher, enclencher**). *Porte fermée à la clenche.*

Pas d'erreur, c'est un bistrot encore ouvert. Saturnin appuie sur la clenche, pousse et, provoquant un carillon, entre.
R. QUENEAU, le Chiendent, p. 98 (1932).

♦ **2.** Régional (Belgique). Poignée de porte.

DÉR. **Clenchette.**

CLENCHETTE [klɑ̃ʃɛt] n. f. — D. i. (Bachelard, 1957, *in* T. L. F.) ; de *clenche.*

♦ Régional. Petite clenche.

CLEPHTE ou KLEPHTE [klɛft] n. m. — Déb. xixe ; *klefth,* 1827 ; grec *klephtès, kleptès* « voleur ». → Kleptomane.

♦ Didact. Montagnard de l'Olympe et du Pinde, qui tirait ses ressources du brigandage.

Un klephte a pour tous biens (...)
Un bon fusil bronzé par la fumée, et puis
La liberté sur la montagne.
HUGO, les Orientales, XXI.

CLEPSYDRE [klɛpsidʀ] n. f. — 1566 ; *clepsidre,* xive ; lat. *clepsydra,* grec *klepsydra* « qui vole l'eau ».

♦ Didact. Horloge* qui servait à mesurer le temps en faisant écouler de l'eau d'un vase dans un autre muni d'une échelle horaire.

1 Quoique les clepsydres ou horloges à eau, si usitées chez les anciens, aient été entièrement abolies parmi nous par les horloges à roues infiniment plus justes et plus commodes (...)
FONTENELLE, Amontons, *in* LITTRÉ.

Après quelques tâtonnements, il choisit de confectionner une manière de clepsydre assez primitive. C'était simplement une bonbonne de verre transparent dont il avait percé le cul d'un petit trou par où l'eau fuyait goutte à goutte dans un bac de cuivre posé sur le sol.
M. TOURNIER, Vendredi..., p. 66.   2

CLEPTOMANE ou KLEPTOMANE [klɛptoman] n. — 1906, *cleptomane ; kleptomane,* 1896 ; du grec *kleptês* « voleur », et suff. *-mane.*

♦ Personne qui a une tendance pathologique à voler des objets sans utilité pour elle.

Il s'agissait du prince Savellini, cleptomane incorrigible qui, malgré son immense fortune, hantait les gares de chemins de fer et en général tous les lieux encombrés par la foule, faisant chaque jour, avec la plus miraculeuse habileté, une abondante moisson de montres et de porte-monnaie.
Raymond ROUSSEL, Impressions d'Afrique, p. 342.   1

Mon nom, mes références, ma seule adresse du Carlton auraient prouvé que je ne suis pas un voleur, mais un kleptomane.
Valery LARBAUD, Barnabooth, Journal, p. 191.   2

CLEPTOMANIE ou KLEPTOMANIE [klɛptomani] n. f. — 1872, *cleptomanie ; kleptomanie,* 1906 ; du grec *kleptês* « voleur », et suff. *-manie.*

♦ Tendance morbide du cleptomane ; fait de voler par une impulsion.

CLERC [klɛʀ] n. m. — xe ; du lat. ecclés. *clericus* « membre du clergé », puis « lettré », grec *cleros.*

♦ **1.** Celui qui est entré dans l'état ecclésiastique (⇒ **Clergé**) par réception de la tonsure*. *Clerc tonsuré. — Clerc régulier,* lié aux règles d'un ordre religieux. *Clerc minoré.* → 1. Minoré.

1 Un clerc mondain ou irréligieux, s'il monte en chaire, est déclamateur.
LA BRUYÈRE, les Caractères, XV, 24.

Vx. Celui qui étudie pour devenir ecclésiastique.
(À Rome). *Clerc de la Chambre :* prélat officier de la chambre apostolique.

♦ **2.** **a** Vx. Personne instruite. ⇒ **Lettré, savant.** *C'est un clerc, il est clerc. C'est un grand clerc.*

2 Un loup quelque peu clerc prouva par sa harangue
Qu'il fallait dévouer ce maudit animal (...)
LA FONTAINE, Fables, VII, 1.

3 Pardieu, les plus grands Clercs ne sont pas les plus fins.
Mathurin RÉGNIER, Satires, III.

4 Il *(l'homme)* aurait aimé, jadis, de réunir les mérites de l'athlète et du clerc, d'avoir des membres puissants aux ordres d'une cervelle ingénieuse.
G. DUHAMEL, Chronique des Pasquier, VIII, I, p. 264.

b Loc. mod. GRAND CLERC. *Être grand clerc. Il est grand clerc en la matière.* ⇒ **Compétent, expert.** *Il ne faut pas être grand clerc pour savoir...*

Mod. (littér.). Intellectuel. *La Trahison des clercs,* ouvrage de J. Benda (1927).

♦ **3.** (1275). Employé des études d'officiers publics et ministériels, et, particulièrement, stagiaire se préparant aux fonctions de notaire, d'avoué, d'huissier. *Clerc de notaire* (syntagme le plus cour., dans ce sens, le mot employé seul étant ambigu, de par sa brièveté et ses homonymes). *Clerc d'avoué.*

Les avocats reconnaissent aussitôt celui qui fut d'abord clerc d'avoué.   4.1
ALAIN, le Travail enfantin, *in* les Passions et la Sagesse, Pl., p. 109-110.

Anciennt. *Clerc de procureur.*
Absolt. (désigne surtout le *clerc de notaire*). *Maître clerc, premier clerc, clerc principal. Un clerc copiste. Un clerc chargé de bordereaux* (→ Commissaire*-priseur, cit.). *Petit clerc :* jeune clerc chargé de menus travaux, de courses. ⇒ **Saute-ruisseau.**

Loc. fig. PAS DE CLERC : faute, erreur, maladresse par inexpérience, ignorance, imprudence. ⇒ 1. **Pas,** cit. 22.

5 Ma langue, en cet endroit,
A fait un pas de clerc (...)
MOLIÈRE, le Dépit amoureux, I, 4.

6 (...) il *(Haugwitz)* comprenait, du coup, l'effroyable erreur où l'on était à Berlin quand on croyait pouvoir dicter la loi à Paris, et le pas de clerc qu'il venait de faire.
Louis MADELIN, Hist. du Consulat et de l'Empire, IX, p. 116.

CONTR. (Du 1.) **Laïque.** — (Du 2.) **Béotien, ignorant, inculte.**
DÉR. **Clergeon, clergie.**
HOM. **Clair, claire.**

CLERGÉ [klɛʀʒe] n. m. — xe, *clergié ;* du lat. ecclés. *clericatus,* de *clericus.* → Clerc.

♦ Ensemble des ecclésiastiques (d'une église, d'un pays, d'une ville). ⇒ **Église.** *Relatif au clergé.* ⇒ **Clérical.** *Le clergé catholique. Le clergé romain. Le clergé de France. Le clergé du diocèse de Paris. Le clergé de la paroisse. Clergé séculier.* ⇒ **Séculier ; curé, évêque.** *Clergé régulier.* ⇒ **Régulier ; abbé, moine, ordre** (ordres religieux), **règle, religieux.** *Les membres du clergé. Être opposé à l'intervention du clergé dans les affaires publiques.* ⇒ **Anticlérical.**

1 Baronius prouve que le vœu de célibat était général parmi le clergé dès le sixième siècle.
CHATEAUBRIAND, le Génie du christianisme, I, I, VIII. (→ Célibat, cit. 8).

2 *(Il)* apportait au milieu du clergé de Paris, si tolérant et si éclairé, cette âpreté du catholicisme provincial (...)   BALZAC, Une double famille, Pl., t. I, p. 969.

3 Le clergé, bien que soumis à des règles immuables, se recrutait dans la société laïque et ne pouvait éviter de se transformer en même temps qu'elle.
Ch. SEIGNOBOS, Essai d'une hist. comparée des peuples... IX, p. 170.

Spécialt. Ensemble des ecclésiastiques de la religion catholique romaine. *L'Assemblée du clergé. Le haut clergé. Le bas clergé.* ⇒ **Prêtraille.** *Distinctions honorifiques du clergé.* ⇒ **Cardinal, chanoine, prélat.** *La sécularisation des biens du clergé* (⇒ **Séculariser**). *Le clergé, premier ordre du Royaume de France.*

4 On avait dépossédé le clergé *(sous la Révolution)*, en partie pour qu'il fût moins fort. On devait redouter qu'il restât fort parce qu'on l'avait dépossédé.
J. BAINVILLE, Hist. de France, XVI, p. 339.

CLERGEON [klɛʀʒɔ̃] n. m. — XIVᵉ; «petit clerc», XIIᵉ; de *clerc*, *g* d'après *clergé*.

♦ **1.** Fam. et vieilli. Enfant de chœur.

(...) tous purent entendre distinctement le bruissement de soie de sa jupe sur le tas de terre et les sanglots étouffés des clergeons.
BERNANOS, Monsieur Ouine, p. 175 (1946).

♦ **2.** Vx. Petit clerc de procureur.

CLERGIE [klɛʀʒi] n. f. — 1190; de *clerc*, *g* d'après *clergé*.

♦ Vx. Condition de clerc. Instruction, science des clercs. — *Bénéfice, privilège de clergie :* privilège en vertu duquel les clercs d'autrefois étaient jugés par la juridiction ecclésiastique.

CLERGYMAN [klɛʀʒiman] n. m. — 1844; attestation isolée, 1815; mot angl., de *clergy* «clergé», et *man* «homme».

♦ **1.** Pasteur anglo-saxon. — Plur. *Des clergymen* [klɛʀʒimɛn]. *Habit, col de clergyman.*

1 (...) la seule et vraie cause de sa conversion à rebours était la fuite de sa femme avec le clergyman du village...
A. MAUROIS, les Silences du colonel Bramble, p. 191.

♦ **2.** Anglic. Vêtement ecclésiastique qui ressemble à un costume civil et est porté par le clergé anglican et catholique. *Porter un clergyman.*

2 Ajoutons que ce mot de *clergyman* (...) tend à prendre chez nous la valeur non pas de «membre du clergé», mais de «costume ecclésiastique». Au lieu de dire «tel prêtre est habillé *en clergyman*», on dira «il porte *un clergyman*». On le dit déjà couramment dans le milieu professionnel des tailleurs : «Oui, nous vendons des clergyman *(sic)*»... Ici, l'abus est caractérisé (...) L'équivalent que suggère le Conseil *(Conseil linguistique de l'Office du Vocabulaire français)* est complet ecclésiastique.
Lettre de l'Office du Voc. franç., *in* Vie et Langage, 1962, p. 490.

CLÉRICAILLE [kleʀikaj] n. f. — Attesté 1899; du rad. du lat. *clericus* (→ Clerc), et suff. *-aille.*

♦ Péj., vx. Le clergé. «*Toute la boulange* (les boulangistes) *et toute la cléricaille*» (Clemenceau, *in* T. L. F.).

CLÉRICAL, ALE, AUX [kleʀikal, o] adj. — XIIᵉ; lat. *clericalis*, de *clericus.* → Clerc.

♦ **1.** Qui est relatif au clergé. *Fonctions cléricales. La vie cléricale. Ordres cléricaux.*

♦ **2.** (1815). Qui a rapport à l'influence du clergé en politique; qui est favorable à cette influence. *Parti clérical.* ⇒ **Cléricalisme.** *Opinion cléricale. Journal clérical* (→ Calotte, cit. 3.1). — N. (rare au fém.). *Un clérical; les cléricaux :* les partisans du cléricalisme. ⇒ fam. **Calotte, calotin.**

1 Même dans vingt, dans trente ans, il restera la preuve vivante que la plus haute culture moderne, reçue à l'abri de toute influence cléricale, non seulement n'est pas incompatible avec la foi, mais peut y ramener.
J. ROMAINS, les Hommes de bonne volonté, t. V, XVII, p. 122.

2 Une bonne part du clergé de France n'est plus cléricale et le sera de moins en moins.   F. MAURIAC, Bloc-notes 1952-1957, p. 207.

CONTR. Laïc.
DÉR. Cléricaliser, cléricalisme.
COMP. et CONTR. Anticlérical.

CLÉRICALISER [kleʀikalize] v. tr. — 1873; de *clérical.*

♦ Vieilli. Rendre clérical, plus clérical (2.).

CLÉRICALISME [kleʀikalism] n. m. — 1855; de *clérical.*

♦ Opinion de ceux qui sont partisans d'une immixtion du clergé dans la politique. *Cléricalisme et anticléricalisme.*

Et je ne fais que traduire les sentiments intimes du peuple de France en disant du cléricalisme ce qu'en disait un jour mon ami Peyrat : Le cléricalisme? voilà l'ennemi!   GAMBETTA, Disc. à la Chambre des députés, 4 mai 1877.

CONTR. et COMP. Anticléricalisme (plus courant).

CLÉRICATURE [kleʀikatyʀ] n. f. — 1429; du lat. médiéval *clericatura*, de *clericus.* → Clerc.
Didactique.

♦ **1.** État, condition des clercs, des ecclésiastiques. ⇒ **Clergie.** *Entrer dans la cléricature.*

Après quatre ans de théologie faits comme ils peuvent l'être par obéissance, il quitta la cléricature, et par pitié et par amour pour les mathématiques (...)
FONTENELLE, Ozanam, *in* LITTRÉ.

♦ **2.** (1781). Vx. État, condition de clerc de notaire ou d'officier ministériel.

CLÉROMANCIE [kleʀɔmɑ̃si] n. f. — 1740, *cléromance*, Trévoux; comp. du grec *klêros* «sort», et *manteia* «divination».

♦ Didact. Art de prédire l'avenir par le tirage au sort.

CLÉROUQUE [kleʀuk] n. m. — Mil. XIXᵉ; du grec *klêroukhos*, de *klêros* «lot», et *ekhein* «avoir».

♦ Didact. Colon grec de l'antiquité, qui restait citoyen de la mère patrie.
DÉR. Clérouquie.

CLÉROUQUIE [kleʀuki] n. f. — 1877; de *clérouque.*

♦ Didact. Colonie de clérouques.

CLIC [klik] interj. et n. m. — XVᵉ; onomatopée. → Clique.

★ **I.** Onomatopée symbolisant un claquement sec. ⇒ **Clac, clic-clac, cloc.** — N. m. :

Il le reprit *(le calibre seize)*, fit jouer les verrous; l'arme s'ouvrit avec un joli «clic», et il regarda la lampe à travers les canons.
M. PAGNOL, la Gloire de mon père, t. I, p. 189.

★ **II.** (*Klik*, 1866, Larousse). Phonét. Phonème articulé par une double occlusion du passage buccal sans participation de la respiration (ex. : le son noté *ts-ts*, en français). — REM. On écrit aussi *click. Langues à clics*, où les clics ont valeur de phonème. *Le hottentot est une langue à clics.*
HOM. Clique, cliques.

CLIC-CLAC [klikklak] interj. — 1836; onomat. par redoublement, du type *tic-tac*, etc. → Clac, clic.

♦ Bruit provenant d'un claquement sec et répété. *Clic-clac!*
N. m. *Le clic-clac d'un fouet.*

1 Les socques de la vieille Marthe claquaient déjà sur les marches — clic, clac — et plus sourds, dans l'herbe humide — floc, floc.
BERNANOS, Sous le soleil de Satan, *in* Œ. roman., Pl., p. 238.

2 (...) grand-mère toujours présente (j'entends d'ici sa radio dans les intervalles du clic-clac de ma machine) (toujours ma chère vieille Hermès, depuis 1938 ou 1939)...   Claude MAURIAC, le Temps immobile, p. 263.

1. CLICHAGE [kliʃaʒ] n. m. — 1809; dér. de 1. *clicher.*

♦ Typogr. Opération par laquelle on fait un cliché pour la reproduction. ⇒ **Stéréotypage, stéréotypie.** *Clichage d'un livre, d'une gravure. Clichage par électrolyse.* ⇒ **Galvanoplastie, électrotypie.**
HOM. 2. Clichage.

2. CLICHAGE [kliʃaʒ] n. m. — 1866; du wallon *cliche*, var. de *clique*, désignant un loquet, un taquet.

♦ Techn. Appareil placé à l'orifice d'un puits de mine, et qui retient les cages par un système de taquets.
HOM. 1. Clichage.

CLICHE [kliʃ] n. f. — 1836; de *clicher* «foirer» (1536), en dial. normand; onomat. → 1. Clicher.

♦ Fam. Diarrhée. ⇒ **Colique.** *Avoir la cliche.*

1 (...) des filles (...) qui défilent avec des gueules crispées comme si elles avaient la cliche.   Geneviève DORMANN, Je t'apporterai des orages, p. 100.

Par ext. Peur intense. ⇒ **Frousse, trouille; pétoche.**

2 (...) je la ferais valoir, cette cliche-là, parce que ce n'est pas la colique, c'est la frousse, mais la frousse-maladie qui vous fait s'en aller un bonhomme en eau (...)
Roger VERCEL, Capitaine Conan, XII, p. 193.

CLICHÉ [kliʃe] n. m. — 1809; admis Académie 1878; p. p. de 1. *clicher.*

♦ **1.** Techn. (typogr.). Plaque portant en relief la reproduction d'une page de composition, d'une gravure ou d'une image, et permettant le tirage de nombreux exemplaires sans détériorer l'original. *Reproduction* avec un mastic formant un cliché.* ⇒ **Polycopie, polytypie.** *Cliché en alliage, en plomb. Cliché en cuivre.* ⇒ **Galvano; électrotype.** *Cliché en caoutchouc, en plastique* (⇒ **Offset,** et aussi **plastotypie**). *Cliché en bois.* ⇒ **Xylographie.** *Cliché en papier composé à la main ou à la machine à écrire.* ⇒ **Stencil.** *Cliché d'une planche d'imprimerie, servant pour les rééditions.* ⇒ **Stéréotype; impression.** *Cliché d'une page, d'un dessin. Cliché au trait* (⇒ **Zincogravure**), *à teintes plates* (⇒ **Similigravure**). *Cliché pour l'impression des étoffes. Cliché métallique d'une photographie* (⇒ **Héliogravure, photogravure, phototypogravure**). *Cliché monté.*

♦ **2.** (1865, *Rev. des Cours sc.,* II, p. 119). Cour. Image négative d'une photo obtenue à la chambre noire. ⇒ **Épreuve** (négative), **négatif, pellicule, phototype;** → Photographie, cit. 3. *Tirer des épreuves positives d'après un cliché. Un cliché net, vigoureux. Retoucher un cliché. Agrandir des clichés photographiques. Copie d'un cliché.* ⇒ **Contretype.** — Par ext. Photo. *De beaux clichés.* — *Des clichés radiographiques. Prendre des clichés d'une fracture.*

♦ **3.** Idée ou expression trop souvent utilisée. ⇒ **Banalité, lieu** (commun), **poncif, redite.** *C'est un vieux cliché. Une conversation pleine de clichés. « Cheveux d'or », « lèvres vermeilles », « teint de rose », « aurore aux doigts de rose » sont des clichés de style. Éviter les clichés* (→ Accent, cit. 5). *Il ne pense que par clichés.*

1 Il *(La Bruyère)* tâche d'éviter tous les clichés : clichés de vocabulaire, clichés de construction et de mouvement. Gustave LANSON, l'Art de la prose, p. 124.
2 Le cliché est un mot de passe commode en conversation pour se passer de sentir. Max JACOB, Conseils à un jeune poète, p. 19.
3 Quelle erreur de croire que c'est en se laissant aller à soi qu'on est ou devient le plus personnel ! car qui vous vient d'abord et naturellement à l'esprit, ce sont des lieux communs, des clichés (...) GIDE, Journal, 24 nov. 1928.
4 À vouloir reprendre les clichés et les phrases patriotiques d'une époque où l'on est arrivé à irriter les Français avec le mot même de patrie, on n'apporte rien à la définition cherchée *(de ce que veut la France).* CAMUS, Actuelles I, *in* Essais, Pl., p. 267.

CONTR. Épreuve (positive). — **Invention, nouveauté, originalité, personnel** (idée), **trouvaille.**

CLICHEMENT [kliʃmã] n. m. — 1836; de 2. *clicher.*

♦ Didact. Défaut de prononciation qui se caractérise, pour les chuintantes, par une expiration de l'air sur les côtés de la langue ou, pour les sifflantes, par une application imparfaite des bords de la langue contre les dents inférieures.

1. CLICHER [kliʃe] v. tr. — Fin XVIIIᵉ; onomat. d'après le bruit de la matrice tombant sur le métal en fusion.

♦ **1.** Techn. (typogr.). Faire le cliché* de..., en coulant une matière fondue dans l'empreinte qu'on a prise d'une forme à reproduire. ⇒ **Stéréotyper.** *Clicher une page. Clicher un fleuron, une vignette. Empreinte servant à clicher les planches d'imprimerie.* ⇒ **Flan.** Absolt. *Cet ouvrier sait clicher* (⇒ **Clicheur**).

♦ **2.** Fig. et littér. Reproduire fidèlement; imiter.
La connaissance intellectuelle, en tant qu'elle se rapporte à un certain aspect de la matière inerte, doit au contraire nous en présenter l'empreinte fidèle, ayant été clichée sur cet objet particulier. H. BERGSON, l'Évolution créatrice, p. VIII (1907).

▶ **CLICHÉ, ÉE** p. p. adj. *Des pages bien (mal) clichées.* — *Des phrases, des formules clichées,* stéréotypées. ⇒ **Cliché** (n. m.) 3.
DÉR. 1. **Clichage, cliché, clicherie, clicheur.**

2. CLICHER [kliʃe] v. intr. — 1836; orig. onomatopéique, le mot évoquant le défaut de prononciation.

♦ Didact. Prononcer de façon défectueuse les chuintantes ou les sifflantes. ⇒ **Clichement.**
DÉR. **Clichement.**

CLICHERIE [kliʃRi] n. f. — 1866; de 1. *clicher.*

♦ Atelier de clichage (1. Clichage).

CLICHEUR [kliʃœR] n. m. — 1835, Académie; de 1. *clicher.*

♦ Typogr. Ouvrier chargé de faire les clichés. — Par appos. *Ouvrier clicheur. Monotypiste clicheur.* — REM. Le fém. *clicheuse* est virtuel.

CLICK [klik] n. m. ⇒ **Clic.**

CLIENT, ENTE [klijã, ãt] n. — 1437; *clienton,* 1345; lat. *cliens, clientis.*

★ **I.** (Le plus souvent au masc.). ♦ **1.** Hist. de l'antiq. À Rome, Plébéien qui se mettait sous la protection d'un patricien appelé *patron. Les clients devaient le dévouement personnel à leur patron* (→ Attacher, cit. 68).
1 Cette admirable institution des patrons et des clients fut un chef-d'œuvre de politique et d'humanité. ROUSSEAU, Du contrat social, IV, 4.

♦ **2.** (1538). Par anal. (vx). Personne qui se place sous la protection de qqn. ⇒ **Protégé.**
2 (...) la foule innombrable de clients ou de courtisans dont la maison d'un ministre se dégorge plusieurs fois le jour (...) LA BRUYÈRE, les Caractères, IX, 51.

★ **II.** ♦ **1.** Personne qui requiert des services moyennant rétribution. *Le client d'un homme d'affaires,* celui qui le charge de défendre ses intérêts. *Le client, la cliente d'un notaire, d'un avocat, d'un officier ministériel... Gérer la fortune d'un client. Gagner le procès d'une cliente.*
3 Quelqu'un a besoin de lui dans une affaire qui est facile; il va le trouver (...) Le client sort, reconduit, caressé (...) LA BRUYÈRE, les Caractères, IX, 48.
4 Le nom d'un pareil avocat fera bien de l'honneur à son client. VOLTAIRE, Lettre à d'Argental, 15 juin 1765.
5 Vous êtes avocat ! Vous avez le devoir au contraire de recourir à toutes les ruses pour défendre vos clients. GIRAUDOUX, la Folle de Chaillot, II, p. 142.
Client, cliente d'un médecin*, d'un dentiste... : personne qui confie sa santé à un praticien. ⇒ **Malade, patient.** *Soigner un client. Le docteur ne reçoit les clients que sur rendez-vous.*
6 Le médecin qui déclare la guerre à ses clients, et leur tourne le dos, l'excellente idée ! André SUARÈS, Trois hommes, « Ibsen », VI, p. 156.
(En parlant de services analogues à ceux des commerçants ; → ci-dessous, 2.). *Le client, la cliente d'un coiffeur, d'un couturier, d'un cordonnier ; client d'un hôtel, d'un taxi.* ⇒ **Pratique** (vx).

♦ **2.** (1826). Personne qui achète. ⇒ **Acheteur.** *Client qui traite des affaires.* ⇒ **Acquéreur, amateur, preneur.** *Être client pour un fonds de commerce, pour des actions... Un client sérieux.*
7 (...) six étages largement assis (...) avec deux bonnes boutiques dans le bas ; de quoi intéresser, à l'occasion, un client en quête d'un placement tranquille. J. ROMAINS, les Hommes de bonne volonté, t. IV, IV, p. 22.
8 Avant la guerre, les clients, êtres augustes dont on ne parlait qu'avec une terreur respectueuse, imposaient sans efforts leurs caprices cruels à des industriels divisés et toujours affamés de travail. A. MAUROIS, Bernard Quesnay, VI, p. 38.
Absolt (cour.). Personne qui achète dans un magasin, consomme dans un lieu public. ⇒ **Chaland, pratique** (vx). *Magasin plein de clients.* ⇒ **Achalandé.** *Attendre le client :* ne rien vendre. *Vendeur occupé à servir un client. Être aimable, empressé envers les clients. Un client difficile, exigeant. Attirer les clients par la publicité, les remises, les soldes, les primes. Client de passage* (opposé à *habitué*). *Un client, une cliente assidu(e), fidèle* (→ ci-dessous, absolt, 3.). *Les clients d'un bar, d'un restaurant.* — Collectif. *Le client a toujours raison* (principe de l'art de vendre).
9 Il poussa la porte d'un petit café, à cette heure complètement vide de clients. P. MAC ORLAN, la Bandera, I, p. 13.
Abrév. fam. ⇒ **Clille.**

♦ **3.** (1832). Personne qui se sert toujours au même endroit. ⇒ **Habitué; fidèle.** *Il est client de la banque X. Être cliente de tel coiffeur, de tel marchand. Servez-le bien, c'est un client. Ménager un client, une cliente. La maison ne fait crédit qu'aux clients. Perdre un client. Faire un nouveau client. Agent qui visite les clients* (⇒ **Démarcheur, représentant**).

♦ **4.** Écon. N. m. ⇒ **Consommateur, importateur.** *La Belgique est un très gros client de la France sur le marché automobile.*
Adj. (aussi au fém.). *Les pays clients. Les sociétés clientes.*
10 Quoi qu'il en soit, nous pourrons identifier, sans difficultés, les entreprises clientes ou non. Cette liste devra être établie pour plusieurs années, ce qui permettra de souligner les variations de notre clientèle en tant qu'entreprise et non en tant que volume d'affaires traitées. Fernand BOUQUEREL, les Études de marchés, p. 38.

♦ **5.** Fam. et péj. Individu. ⇒ **Type.** *C'est un drôle de client !* — REM. Cet emploi ne semble pas reçu au féminin.

♦ **6.** (Souvent au plur.). Fam. Personne qui défend des intérêts collectifs. *Les clients d'un parti politique.* ⇒ **Clientèle** (II., 3.).
CONTR. Patron. — **Commerçant, fournisseur, marchand, vendeur.**

CLIENTÈLE [klijãtɛl] n. f. — 1352; du lat. *clientela,* de *cliens, clientis.*

★ **I.** Didact. Hist. de l'antiq. Ensemble des clients d'un patricien (⇒ **Client,** I., 1.). — Institution par laquelle les prolétaires se mettaient sous la dépendance des citoyens riches.
(1516). Relation qui existe entre protecteur et protégé. *Les rapports de clientèle entre patron et employé.*

★ **II.** ♦ **1.** Ensemble de clients qui recourent, moyennant rétribution, aux services d'une même personne et qui s'adressent habituellement à elle. *La clientèle d'un avocat, d'un notaire. Vendre la clientèle avec l'étude*. Clientèle d'un médecin. Clientèle d'une agence. Se faire une clientèle.*

1 Sa réputation de guide, quelquefois amusant, lui attirait la clientèle des grands hôtels. P. MAC ORLAN, la Bandera, XX, p. 249.

♦ **2.** (1832). Ensemble d'acheteurs. *Avoir une grosse clientèle. Clientèle provinciale, étrangère. Clientèle de choix. Avoir la clientèle des éditeurs. Ils ne se font pas concurrence car ils n'ont pas la même clientèle. Les caprices de la clientèle. Fournir une clientèle.* ⇒ **Achalandage.** *Visiter la clientèle.* ⇒ **Prospection.** *Indemnité de clientèle :* indemnité que doit verser le patron au démarcheur dont il résilie le contrat. *La clientèle d'un magasin, d'un marchand. Attirer la clientèle. Clientèle d'habitués. La clientèle de passage est aussi bien servie que les habitués.*

2 De rétribution, il n'en acceptera aucune pour le moment, mais je lui donnerai mon linge à blanchir et je lui procurerai la clientèle de mes camarades de la *Triomphante.* LOTI, Mme Chrysanthème, III, p. 37.

3 Ils ont trouvé une nouvelle formule : travailler pour une clientèle franchement populaire, que les autres dédaignaient plus ou moins.
J. ROMAINS, les Hommes de bonne volonté, t. II, VI, p. 57.
Ensemble de clients habitués. *La clientèle d'un restaurant.*

♦ **3.** Fig. (ou par référence occasionnelle au sens I). Ensemble des gens qui soutiennent un parti politique, qui fréquentent habituellement un milieu. ⇒ **Adepte, public.** *Une clientèle d'admirateurs. La clientèle d'un parti politique. Une clientèle électorale.*

4 (...) un fonctionnarisme sans cesse accru, immense, avide, malfaisant, en qui la République croit s'assurer une clientèle et qu'elle nourrit pour sa ruine.
FRANCE, l'Orme du mail, Œ., t. XI, p. 151.

♦ **4.** Fait d'être client, d'acheter. *Il voulait obtenir la clientèle de cette riche famille.* — Écon. *La clientèle d'un marché commercial.* ⇒ **Marché.** *S'assurer la clientèle de l'Amérique du Sud.*

CLIFOIRE [klifwaʀ] n. f. — 1694 ; *cliquefoire*, 1611 ; de *clique*, de l'anc. v. *cliquer* (→ Clique), et *foire* «diarrhée».

♦ Régional (Centre, Ouest). Vieilli (cf. cependant A. Arnoux, 1946, *in* T. L. F.). Jouet en forme de seringue, que les enfants fabriquent avec une tige de sureau et dont ils se servent pour lancer de l'eau. ⇒ **Canonnière.**

CLIGNANT, ANTE [kliɲɑ̃, ɑ̃t] adj. — 1866 ; de *cligner*.
Littéraire.

♦ **1.** Qui cligne (œil).

1 Je le regardais avec ses yeux clignants, encore un peu suintants au soleil, et je me disais qu'après tout il n'était pas sympathique Robinson.
CÉLINE, Voyage au bout de la nuit, p. 353.

2 Ça tournait à des tabagies à tout découper au couteau... Que tout le monde en pleurnichait ferme les yeux piqués et tout clignants, rouges, brûlants au poivre à la suie... à bien d'autres fumées encore, plus âcres, qui filtraient de partout du fleuve (...) CÉLINE, Guignol's band, p. 140.

♦ **2.** Qui s'allume et s'éteint. *Des lumières clignantes.* ⇒ **Clignotant.**

CLIGNEMENT [kliɲmɑ̃] n. m. — V. 1560 ; *cloignement* au XIIIe ; de *cligner*.

♦ **1.** Action de cligner. *Clignement d'yeux dû à la surprise, à une lumière trop vive.*

1 (...) sa prunelle franche regardait bien, quoique troublée par ce clignement que donne aux pêcheurs la réverbération des vagues.
HUGO, les Travailleurs de la mer, I, I, VI.

♦ **2.** Battement rapide des paupières (en signe d'intelligence, pour attirer l'attention). ⇒ **Cligner,** II., B. *Faire un clignement d'œil* (ou, rare, *d'yeux*) *à l'adresse de qqn.* ⇒ **Clin d'œil, coup** (d'œil), **œillade.** → Air, cit. 9.

2 Déconcerté par le sourire complice et le clignement d'œil qu'Antoine lui décochait, il hésita une seconde (...) MARTIN DU GARD, les Thibault, t. IX, p. 33.

3 (...) et dans un malin clignement d'œil qui rendait un hommage discret à sa finesse (...) COURTELINE, Messieurs les ronds-de-cuir, 4e tableau, III, p. 157.

4 Quelques rares lumières, pareilles à des clignements d'yeux qui vont s'éteindre, rougissaient çà et là des lucarnes sur les toits (...)
HUGO, les Travailleurs de la mer, III, I, I, p. 445.

♦ **3.** Fig. et littér. Action de briller par intermittence. ⇒ **Clignotement, scintillement.**

5 (...) le clignement de quelques éclairs lointains blêmissait par instants le ciel.
MARTIN DU GARD, les Thibault, t. II, p. 154.

CONTR. Fixité.

CLIGNE-MUSETTE [kliɲmyzɛt] n. f. — 1662 ; *cligne-musse*, 1462 ; de l'impér. de *cligner*, et *musette*, de l'anc. franç. *musser* «cacher».

♦ Vx. Jeu de cache-cache au cours duquel un enfant ferme les yeux pendant que d'autres se cachent. ⇒ **Cache-cache.**

CLIGNER [kliɲe] v. — 1155 ; p.-ê. d'un bas lat. *cludiniare*, de *cludinare*, de *cludere* «fermer».

★ **I.** V. tr. (Sujet n. d'être animé). ♦ **1.** Fermer à demi (les yeux) pour rétrécir le champ visuel, afin de mieux distinguer l'objet précis qu'on regarde. *Les myopes clignent les yeux pour mieux accommoder*. Scruter la foule en clignant les yeux* (→ Auréole, cit. 2).

1 (...) dans la lucarne carrée, au-dessous de la poulie à fourrage, n'eût-elle pas aperçu, en clignant des yeux, ces deux taches pâles dans le foin (...)
COLETTE, Histoires pour Bel-Gazou, III, Où sont les enfants? p. 22.

♦ **2.** Fermer et ouvrir rapidement (les yeux), sous l'influence d'une émotion vive, d'une lumière trop forte, etc. *Cligner les yeux en regardant une vive lumière. Cligner un œil.* — *Cligner les paupières.* ⇒ **Ciller, clignoter.**

2 Quelquefois le soleil traversant les nuages la forçait à cligner ses paupières, pendant qu'elle regardait les voiles au loin et tout l'horizon (...)
FLAUBERT, Trois contes, «Un cœur simple», III, p. 49.

★ **II. A.** ♦ **1.** V. intr. (Le sujet désigne les yeux, les paupières). Se fermer et s'ouvrir de manière instinctive, ou sous l'influence d'une émotion, d'une lumière trop forte. *Ses yeux clignaient. La lumière vive faisait cligner ses yeux.*

3 (...) sur ses prunelles éblouies ses paupières commencèrent de cligner.
FRANCE, l'Orme du mail, Œ., t. XI, p. 144.

4 Un nouveau tic faisait sans cesse cligner l'œil gauche.
MARTIN DU GARD, les Thibault, t. VIII, p. 80.

♦ **2.** Littér. S'allumer et s'éteindre par intermittence (source lumineuse). ⇒ **Clignoter** (cour.), **scintiller.** *Des lumières clignaient dans le port.*

B. V. tr. ind. (Sujet n. de personne). *Cligner des yeux. L'hypnotiseur ne doit pas cligner des yeux lorsqu'il endort son sujet. Il a reçu la gifle sans cligner des yeux* (ou, intr.), *sans cligner.* ⇒ **Broncher.** Spécialt. *Cligner de l'œil :* fermer et ouvrir rapidement un œil pour faire un signe, pour aguicher. ⇒ **Clin d'œil, coup** (d'œil), **œillade.**

5 Alors, l'Espagnol qui le regardait faire, cligna de l'œil dans la direction des filles.
P. MAC ORLAN, la Bandera, III, p. 35.

▶ **CLIGNÉ, ÉE** p. p. adj.

(En parlant des yeux). Plissés, fermés à demi par un clignement.

6 Belette s'arrêta au bord du bois, les yeux clignés sur les lointains et, en écoutant les voix, la vie lui parut plus heureuse. M. AYMÉ, la Vouivre, p. 251.

7 (...) deux petits yeux gris clair, entourés de rides fines et perpétuellement clignés, qui lui donnaient un air de malice, tantôt dure et tantôt cordiale.
G. CHEVALLIER, Clochemerle, p. 8.

DÉR. Clignant, clignement, clignoter.
COMP. Cligne-musette. — Clin d'œil.

CLIGNOTANT, ANTE [kliɲɔtɑ̃, ɑ̃t] adj. et n. m. — 1546 ; p. prés. de *clignoter*.

♦ **1.** Qui clignote. *Des yeux clignotants.*

(1805). Vx. *Membrane clignotante des oiseaux.* ⇒ **Nictitant.**

♦ **2.** Fig. Qui s'allume et s'éteint par intermittence. ⇒ **Scintillant, intermittent, vacillant.** *Une lumière clignotante.*

1 (...) en plein soleil, se tenait un cercle de gens accroupis (...) avec des yeux clignotants sous l'éclat du jour et qu'on eût dit fermés.
E. FROMENTIN, Un été dans le Sahara, I, p. 28.

2 Moi, j'allais, rêvant (...)
Sous l'œil clignotant des bleus becs de gaz.
VERLAINE, Poèmes saturniens, «Eaux-fortes», I.

3 Les lampadaires de la place de la Concorde elle-même ne ponctuaient de vaste espace que de clignotantes lueurs. Georges LECOMTE, Ma traversée, p. 67.
Feu clignotant. → ci-dessous, 3.

♦ **3.** N. m. (V. 1950). Dispositif lumineux à lumière intermittente, servant à indiquer la direction que va prendre un véhicule. ⇒ **Clignoteur.** *La commande des clignotants est au volant. Répétiteur de clignotants.* ⇒ aussi **Feu** (feux lumineux).

4 Jacques fait ses appels de phares mais voilà l'autre qui met son clignotant et qui tourne pour prendre une route sur notre gauche.
Jean FERNIOT, Pierrot et Aline, p. 235.

Les clignotants : les feux de signalisation (lorsqu'ils s'allument et s'éteignent régulièrement). — Au sing. *Un clignotant. Tu tourneras à droite au clignotant.*

5 (...) une place vers le soir, quand il ne fait déjà plus jour et pas tout à fait nuit, et que les clignotants, verts et rouges, ont l'air de chats qui s'éveillent à l'ombre.
ARAGON, Blanche..., I, VIII, p. 133.

♦ **4.** N. m. (1965). Fig. Écon. Signal de dépassement fréquent d'une valeur, au-delà d'un seuil, et dont l'apparition signale un danger (dans un plan, un programme économique) ; par ext., l'indice lui-même. «*Les clignotants, grande innovation du IVᵉ Plan*» (in *la Clé des Mots*, 1973).

CONTR. Fixe.

CLIGNOTEMENT [kliɲɔtmɑ̃] n. m. — 1546; de *clignoter*.

♦ **1.** Action de clignoter. *Le clignotement des yeux.* ⇒ **Battement** (des paupières, des cils). *Un clignotement d'yeux continuel.*

♦ **2.** (1823). Action de se produire par intermittence (lumière). ⇒ **Scintillement, vacillement.** *Le clignotement des lumières de la ville.*

CLIGNOTER [kliɲɔte] v. — Fin xvᵉ; *cligneter* au xiiiᵉ; dér. de *cligner*.

A. V. intr. ♦ **1.** Cligner coup sur coup rapidement et involontairement. *Ses yeux, ses paupières clignotent. Le besoin de sommeil lui fait clignoter les yeux.* ⇒ **Battre** (des paupières, des cils).

1 Ses petits yeux noirs clignotaient, brûlés par les larmes et l'insomnie.
    MARTIN DU GARD, les Thibault, t. VII, p. 218.

♦ **2.** (1869). Fig. Éclairer et s'éteindre alternativement à très brefs intervalles. ⇒ **Scintiller.** *La lampe clignote et va s'éteindre.* ⇒ **Trembloter.**

2 Une heure plus tard, il entra en contact avec la nuit criblée d'étoiles. Elles clignotaient par milliers au-dessus de sa tête.
    P. MAC ORLAN, la Bandera, XX, p. 255.

3 Les caractères qui clignotent, qui brillent ou simplement qui sont illuminés sur l'autre bord du Paralelo se présentent à Sigismond avec plus d'acuité que les mots espagnols, allemands, anglais, français ou italiens qu'ils composent.
    A. PIEYRE DE MANDIARGUES, la Marge, p. 99.

B. V. tr. ind. (Sujet n. de personne). *Clignoter des yeux.*

DÉR. Clignotant, clignotement, clignoteur.

CLIGNOTEUR [kliɲɔtœʀ] n. m. — Attesté 1948; de *clignoter*.

♦ En franç. de Belgique. Feu clignotant. ⇒ **Clignotant, 3.**

CLILLE [klij] n. — 1931; abrév. phonétique de *client*.

♦ Argot fam. Client, cliente.

CLIMAT [klima] n. m. — xiiᵉ; lat. *climatis*, du grec *klima* «inclinaison (d'un point de la terre par rapport au soleil)».

♦ **1.** Ensemble des circonstances atmosphériques et météorologiques (d'une région, d'un lieu du globe). *Éléments du climat d'un lieu.* ⇒ **Aridité, humidité, précipitation, pression** (atmosphérique), **saison, sécheresse, température, vent.** — Absolt. *Facteurs du climat :* altitude, latitude, situation par rapport à la mer, relief. *Influence du climat sur les êtres vivants* (⇒ **Bioclimat**). — *Un, des climats. Variation des climats.* ⇒ **Glaciaire** (périodes glaciaires), **glaciation.** *Science des climats.* ⇒ **Climatologie.** *Classification des climats suivant qu'ils sont* inter-tropicaux (*équatoriaux* et *tropicaux*), classés suivant le régime des pluies et toujours chauds sauf le climat dit «*chinois*»; *subtropical* (ou *désertique*); *extra-tropicaux*, classés suivant la température en *climats tempérés* (méditerranéens, océaniques, polonais), *froid* (russo-sibérien), *glacial* (polaire). — *Modifications apportées à un climat, suivant qu'il est maritime, continental, climat de moussons, de montagne.* — REM. *Un adjectif tiré du nom d'une région-type s'applique à tout climat du même type : le climat méditerranéen du Cap, de Valparaiso, le climat alpin des Pyrénées, le climat chinois de la Floride.* — *Climat spécifique d'une petite région.* ⇒ **Microclimat, mésoclimat.**

1 Le climat est un *ensemble de phénomènes* qui se tiennent. Température, vent, humidité, pluie, sont dans une corrélation étroite et donnent à chaque pays une physionomie reflétée généralement par la végétation.
    E. DE MARTONNE, Traité de géographie physique, t. I, II, I, p. 108.

Changer de climat. ⇒ **Déclimater.** *Accoutumer à un nouveau climat.* ⇒ **Acclimater.** — *Se faire, résister, succomber à un climat, au climat; s'accommoder, se trouver bien, souffrir, être victime du climat. Être fatigué, abattu, éprouvé par le climat. Bon, mauvais climat. Climat morbide, insalubre, pernicieux, malsain, anémiant, déprimant, débilitant, pénible, accablant, épuisant, meurtrier, à fièvres, à malaria, à paludisme... Climat salubre, sain, excellent, tonifiant, vivifiant, remontant, revigorant. Climat désagréable, rude, sévère, brûlant, torride, glacé, humide, brumeux, pluvieux. Climat doux, trop doux, amollissant. Climat agréable, heureux, frais, ensoleillé, lumineux, délicieux, printanier, paradisiaque. Climat uniforme, fixe. Climat variable, instable, contrasté, capricieux.* — (Adj. avant le nom). *Un très désagréable climat. Un excellent, un bon, un meilleur climat.* — *Comment est le climat, ici? Le climat est médiocre, il fait* souvent mauvais. Bienfaits, avantages, méfaits, inconvénients, dangers, surprises d'un climat.* — *Influences du climat sur la végétation, sur les êtres, leur conformation* (→ 2. Canon, cit. 3), *les coutumes* (→ Arabe, cit. 1), *les croyances, le culte, la morale, les arts, la littérature, les lois.*

Des lois dans le rapport qu'elles ont avec la nature du climat.   2
    MONTESQUIEU, l'Esprit des lois, XIV.

♦ **2.** (Fin xivᵉ; souvent au plur.). Par métonymie (vieilli). Le lieu où règne le climat. *Avoir visité tous les climats.* — Dans des loc. littér. Contrée, pays, région... *Sous ces climats, dans nos climats.*

(...) on ne voit rien de juste ou d'injuste qui ne change de qualité en changeant   3
de climat. Trois degrés d'élévation du pôle renversent toute la jurisprudence, un
méridien décide de la vérité (...) Plaisante justice qu'une rivière borne! Vérité au
deçà des Pyrénées, erreur au delà.   PASCAL, Pensées, V, 294.

♦ **3.** (Mil. xixᵉ). Fig. Atmosphère morale, conditions de la vie. ⇒ **Ambiance, milieu.** *Trouver son climat, le climat qui convient. Climat social, politique. Le climat d'une réunion. Climats,* roman d'André Maurois.

Je demande à l'amour un climat tiède, caressant, que la famille m'a refusé (...)   4
    A. MAUROIS, Climats, II, v, p. 180.

J'éprouve, près de vous, la sensation d'être enfin dans mon vrai climat!   5
    MARTIN DU GARD, les Thibault, t. VI, p. 222.

Les gens de mon âge ont entendu parler de la guerre pendant toute leur vie. Ce   6
n'est pas un climat favorable à l'activité commerciale et industrielle.
    G. DUHAMEL, Cri des profondeurs, V, p. 79.

Pour un «jeune», à l'époque, on imagine mal le nombre de difficultés qu'il devait   7
surmonter avant — non pas d'être célèbre — mais admis dans les quelques salons
plus ou moins littéraires où se fondent les réputations. Celui de Rachilde, en dépit
du «climat» qu'y avait préparé Jarry au moment d'*Ubu roi* et de la bonne humeur
de celle que nous appelions «la patronne», n'était point ouvert à tout le monde.
    Francis CARCO, Ombres vivantes, p. 201.

DÉR. Climatique, climatiser, climatisme.
COMP. Acclimater, bioclimat, bioclimatologie, climatologie, climatothérapie, climatron, déclimater. — Mésoclimat, microclimat.

CLIMATÈRE [klimatɛʀ] n. m. — 1546; lat. *climacter*, grec *klimaktêr*, proprt «étape, échelon à franchir», de *klima*. → Climat.

♦ Didact. (méd.). Étape de la vie (appelée aussi *âge critique*) marquant la fin de la période génitale active chez la femme (⇒ **Ménopause**) et un ralentissement de l'activité sexuelle chez l'homme (⇒ **Andropause**).

CLIMATÉRIQUE [klimatɛʀik] adj. — 1554, du grec *klimaktêrikos*, dér. de *klimaktêr* «échelon, degré». → Climatère.

♦ **1.** Vx (t. d'antiq.). Adj. ou n. f. Se dit des années de la vie humaine échelonnées suivant des multiples de 7 ou de 9, en particulier de la 49ᵉ, de la 81ᵉ, et surtout de la 63ᵉ, ou *grande climatérique,* ces années étant considérées comme difficiles à franchir.

Il épouse une vieille antique   1
Qui compte plus de vingt printemps
Après son an climatérique.   MAYNARD, Poésies, in LITTRÉ.

N. f. Année climatérique.

J'avais dû changer depuis mon expulsion du sous-sol. Le visage notamment avait   1.1
dû atteindre sa climatérique. Le sourire humble et naïf ne venait plus, ni l'expression de misère candide, contenant les étoiles et les fuseaux.
    S. BECKETT, Nouvelles, p. 95.

Se dit d'une période qui présente un caractère dangereux (⇒ **Critique**). *L'année climatérique de la femme, de l'homme.*

Les États ont leurs années climatériques aussi bien que les hommes.   2
    VOLTAIRE, in P. LAROUSSE.

♦ **2.** (1812, selon Bloch-Wartburg; utilisé par Gautier, Proudhon, etc.; l'adjectif *climatique* n'apparaît pas avant la fin du xixᵉ s., *climatérique,* malgré la condamnation des puristes — Littré, qui signale et condamne aussi *climatorial* — s'est employé normalement dans ce sens au xixᵉ s.). Vieilli. ⇒ **Climatique.** — REM. Malgré l'Académie (huitième éd.) qui l'a autorisé (*les conditions climatériques d'un pays*), cet usage est souvent condamné.

Déjà, à cette époque, les froids s'étaient fait sentir. Ainsi qu'il arrive sur ce ter-   3
ritoire, soumis à des conditions climatériques particulières, l'automne paraissait
devoir s'absorber dans un précoce hiver.   J. VERNE, Michel Strogoff, p. 414.

CLIMATIQUE [klimatik] adj. — V. 1870-80, E. Reclus; de *climat*.

♦ Qui a rapport au climat. *Influence, modification climatique.* ⇒ **Climatérique, 2.** (vieilli). — (1912). *Station climatique,* où l'on envoie les malades à cause des vertus curatives du climat. *Lycée climatique,* situé dans une station climatique, et accueillant en internat des élèves de santé fragile (ou de jeunes sportifs se destinant à la compétition de haut niveau). — N. *Un, une climatique :* un, une malade soigné(e) dans une station climatique.

DÉR. Climatiquement. — V. Climatisme.

CLIMATIQUEMENT [klimatikmɑ̃] adv. — D. i. (xxᵉ); de *climatique*.

♦ Rare. Du point de vue du climat. «*On savait déjà (...) que l'évolution des espèces est très rapide dans les zones géologiquement et climatiquement instables que constituent les archipels*» (*Sciences et Avenir*, nº 38, 1982, p. 72).

CLIMATISATION [klimatizɑsjɔ̃] n. f. — V. 1920, M. Vinot; de *climatiser*.

♦ Moyens employés pour obtenir, dans une pièce, une atmosphère constante (température, humidité), à l'aide d'appareils. Plus généralement, «Réalisation d'une atmosphère synthétique dans les locaux habités» (M. Vinot). ⇒ **Climatiseur**, et aussi l'anglic. **conditionnement** (d'air).

Le mot «Climatisation» est usité aujourd'hui pour désigner l'ensemble des dispositifs de conditionnement de l'air visant à réaliser automatiquement une atmosphère salubre et agréable dans les locaux habités. Cette heureuse expression est due à M. Maurice Vinot et ne nous vient pas d'Amérique, contrairement à ce que beaucoup s'imaginent : c'est une justice à rendre à l'un des techniciens qui ont contribué le plus au développement de cette science nouvelle.
IZARD, Mémento de physique industrielle, p. 134 (1921).

CLIMATISER [klimatize] v. tr. — 1935, au p. p., probablt antérieur (→ Climatisation); de *climat*.

♦ **1.** Maintenir (un lieu) à une température agréable et à un taux d'humidité convenable. *Climatiser un hôtel.*

♦ **2.** Équiper (un local) de la climatisation.

REM. Comme l'usage du chauffage de locaux et son expression linguistique sont antérieurs, on dit alors *chauffage, chauffer. Climatiser* et ses dérivés s'emploient surtout pour «entretenir à une température fraîche». *L'Amérique a été qualifiée de « cauchemar climatisé »* (air-conditioned nightmare).

▶ **CLIMATISÉ, ÉE** p. p. adj.
Dont l'air est maintenu à une température agréable (et, spécialt, fraîche) par les procédés de la climatisation*. *Appartement, restaurant climatisé. — Voiture climatisée. — Par ext. Air climatisé.*

1 Ils me confinaient dans des hôtels surchauffés, des restaurants climatisés, des bureaux solennels, des appartements de luxe et ça n'était pas facile de leur échapper. S. DE BEAUVOIR, les Mandarins, p. 302.

2 Je hais cette eau stérilisée, fade, qui me coule dans la gorge. Je hais cette fenêtre fermée et cet air climatisé. Je hais le bambou et les fétiches nègres à deux dollars. Je hais les voyages et les paysages tropicaux. F. SAGAN, les Merveilleux Nuages, p. 28.

3 La petite pendule de Senghor sonne un coup dans le bureau climatisé de Dakar, et l'air chaud tremble derrière les fenêtres. MALRAUX, les Chênes qu'on abat, p. 234.

DÉR. **Climatisation, climatiseur.**

CLIMATISEUR [klimatizœʀ] n. m. — 1955; de *climatiser*.

♦ **1.** Appareil de climatisation (→ Aérateur).

Géronimus découvrit ce qu'il recherchait : une jeep des sables ayant déjà servi pour un film, d'un jaune paille, basse sur roues, légère, avec climatiseur, sièges réglables en continu, insensible au vent latéral, phares escamotables, arceau de sécurité (...) Jean CAYROL, Histoire d'un désert, p. 28.

♦ **2.** Professionnel qui assure la climatisation de locaux. — REM. Dans cet emploi, le féminin est virtuel.

CLIMATISME [klimatism] n. m. — 1945, *in* D.D.L.; de *climat, climatique,* d'après *thermalisme*.

♦ Didact. Ensemble des questions d'ordre thérapeutique, administratif et social que soulève l'existence des stations climatiques. *C'est un expert en matière de climatisme.*

CLIMATOLOGIE [klimatɔlɔʒi] n. f. — 1834; de *climat,* et *-logie.*

♦ Didact. Étude de l'action des phénomènes climatiques et météorologiques sur les différentes parties du globe, de leur réactions mutuelles et des différents climats. *La climatologie biologique; la climatologie météorologique* (→ Bioclimatologie, biométéorologie; météorologie).

Si dans ces sortes de colonisations on arrive assez facilement à vaincre les difficultés d'ordre matériel qui se présentent chaque jour et à imposer par un travail acharné et une volonté de fer, dûment outillés, un ordre nouveau aux lois séculaires de la nature, au point de transformer pour toujours l'aspect d'un pays vierge et la climatologie d'une contrée, il n'est pas aussi aisé de maîtriser l'élément humain. B. CENDRARS, l'Or, *in* Œ. compl., t. II, p. 172.

DÉR. **Climatologique, climatologiste** ou **climatologue.**
COMP. **Écoclimatologie.**

CLIMATOLOGIQUE [klimatɔlɔʒik] adj. — 1838; de *climatologie.*

♦ Didact. Qui se rapporte à la climatologie. *Cartes climatologiques* (⇒ Isobare, isotherme).

CLIMATOLOGISTE [klimatɔlɔʒist] ou **CLIMATOLOGUE** [klimatɔlɔg] n. — V. 1950; de *climatologie.*

♦ Didact. Personne qui s'occupe de climatologie (géophysicien spécialisé).

(...) les chutes de neige posent un autre problème auquel le climatologue doit réserver toute son attention : il s'agit des conditions atmosphériques dans lesquelles la neige tombe. Ch.-P. PÉGUY, la Neige, p. 10.

CLIMATOTHÉRAPIE [klimatoteʀapi] n. f. — 1876; de *climat,* et *-thérapie.*

♦ Méd. Traitement des divers troubles de l'organisme et des maladies par utilisation des propriétés propres aux divers climats.
DÉR. **Climatothérapique.**

CLIMATOTHÉRAPIQUE [klimatoteʀapik] adj. — 1953, Quillet; de *climatothérapie.*

♦ Méd. De la climatothérapie.

CLIMATRON [klimatʀɔ̃] n. m. — 1967; de *climat,* et suff. de *phytotron, cyclotron,* etc.

♦ Sc. Appareil simulant les différentes conditions de climat du globe.

CLIMAX [klimaks] n. m. — 1753, au sens I; grec *klimax* «échelle; gradation».

★ I. Rhétor. Figure par laquelle le discours s'élève ou s'abaisse progressivement.

★ II. (Angl. *climax,* v. 1900, du grec). Sc. Terme, point culminant (dans une progression). — Spécialt :

[a] Biogéographie. État de saturation.

[b] Méd. Intensité maximale (d'une maladie).

[c] Physiol. et cour. Orgasme.

CLIN [klɛ̃] n. m. — XIIe; dér. de l'anc. franç. *cliner,* lat. *clinare* «incliner».

♦ **1.** Mar. Disposition des bordages d'une embarcation se chevauchant l'un l'autre au lieu d'être joints bord à bord. *Assemblage à clins; embarcations à clins. Border à clins.* «*Autre problème technique important : celui de la construction dite "à clin". On sait que ce type de construction, où les bordages se recouvrent, était caractéristique des navires scandinaves*» (*Sciences et Avenir,* n° 388, juin 1979, p. 80).

♦ **2.** Techn. Panneau à recouvrement partiel dans un revêtement extérieur. «*Les constructions légères* (de murs) *sont généralement composées : d'une ossature* (...) *d'un revêtement extérieur* (en bois massif : clins ou frises verticales, en contre-plaqué...)» (J.-C. Reggiani, *Industrie et commerce du bois,* p. 86).

CLIN D'ŒIL [klɛ̃dœj] n. m. — Mil. XVe, *cling d'un œil;* déverbal de *cligner.*

♦ **1.** Mouvement rapide de la paupière par lequel l'œil se ferme et s'ouvre aussitôt. ⇒ **Clignement.** — Au plur. *Des clins d'œil, d'yeux.* — Spécialt. *Faire un clin d'œil à qqn,* lui faire signe de l'œil. ⇒ **Cligner; coup** (d'œil), **œillade.** *Un clin d'œil amusé, complice. Un clin d'œil provocant.* ⇒ **Œil** (faire de l').

Non, non, point de clin d'œil et point de raillerie. MOLIÈRE, l'Étourdi, III, 4. 1

(...) sa confiance, son naturel, les demi-sourires et clins d'œil dont il soulignait certaines saillies (...) MARTIN DU GARD, les Thibault, t. III, p. 128. 2

♦ **2.** (XVIe). Fig. EN UN CLIN D'ŒIL, et, plus rare, D'UN CLIN D'ŒIL, DANS UN CLIN D'ŒIL : en un temps très court. *S'habiller en un clin d'œil. Disparaître en un clin d'œil.*

Votre service est médiocre, c'est l'affaire d'un clin d'œil; il s'agit de frotter et nettoyer trois fois la semaine cet appartement de six pièces (...) SADE, Justine..., t. I, p. 29 (1791). 2.1

(...) toute apparence de respect et même d'urbanité disparut en un clin d'œil. STENDHAL, la Chartreuse de Parme, II, p. 247. 3

Et, en un clin d'œil, tous les petits se sauvèrent, penauds et confus (...) LOTI, Pêcheur d'Islande, XVI, p. 211. 4

CLINFOC [klɛ̃fɔk] n. m. — 1792; empr. à l'all. *klein Fock* «petit (klein) foc».

♦ Mar. Voile* très légère amurée sur un bout-dehors, à l'extrémité du bout-dehors du granc foc.

(...) j'entendis bien le grincement de la bôme et le claquement sec de la grande voile (...) Une brise légère la gonfla et Guénolé ajouta un clinfoc au foc déjà tendu. P. MAC ORLAN, l'Ancre de miséricorde, p. 71.

CLINICAT [klinika] n. m. — 1866; de *clinique.*

♦ Didact. Fonction de chef de clinique. — Concours qui donne accès à cette fonction.

CLINICIEN, IENNE [klinisjɛ̃, jɛn] adj. et n. — 1838; de *clinique.*

♦ Didact. (mais répandu). Médecin* qui étudie les maladies et établit ses diagnostics par l'examen direct des malades. ⇒ **Praticien.** — Adj. ou appos. *Un médecin clinicien. Psychologue clinicien.* — Figuré :

Quand on voulait des pronostics sur le XXᵉ siècle finissant, il fallait toujours consulter les Américains : ils étaient, de loin, les meilleurs cliniciens de l'époque.
                                        Jean-Louis CURTIS, le Roseau pensant, p. 294.

REM. Le masc. et le fém. sont en concurrence en parlant d'une femme : *Madame X est une excellente clinicienne ; elle est clinicienne. Le docteur Suzanne X est un bon clinicien.*

CLINIQUE [klinik] adj. et n. f. — 1586 ; n. f., 1626 ; lat. *clinicus,* adj. et n., du grec *klinikos,* de *klinein* «être couché».

♦ **1.** Adj. Didact. Qui concerne le malade au lit ; qui observe directement, au lit des malades, les manifestations de la maladie. *Médecine clinique ; descriptions, leçons cliniques* (→ Cas, cit. 15). *Examens cliniques,* et, absolt, *les cliniques :* épreuves pratiques que doivent passer les futurs médecins.

1   Quand il eut passé les ultimes examens que l'on nomme « les cliniques », dans le langage de l'École, mon père forma le projet de s'établir à Paris.
                                        G. DUHAMEL, Inventaire de l'abîme, x, p. 145.

Par anal. *Psychologie clinique,* qui étudie les conduites.

♦ **2.** N. f. Didact. Méthode qui consiste à faire un diagnostic par l'observation directe. *La clinique est souvent opposée aux méthodes du laboratoire. Pratiquer la clinique.* — (1808). Enseignement médical qu'un patron donne à ses élèves au chevet des malades, et ensemble des connaissances acquises de cette manière. *Professeur de clinique.* — Par ext. Local où est donné cet enseignement.

♦ **3.** N. f. (1814). Service hospitalier où est donné l'enseignement d'une discipline médicale. *Clinique ophtalmologique.* — Loc. *Chef de clinique :* médecin qui assure un enseignement dans un service de clinique.

Cour. Établissement public ou privé, dirigé par un médecin *chef de clinique,* et dans lequel les malades sont opérés ou soignés. ⇒ **Maison** (de santé), **polyclinique.** *Accoucher dans une clinique. Clinique d'accouchement. Clinique infantile. Clinique privée.* — *La clinique est plus onéreuse que l'hôpital* (→ Beau, cit. 35).

2   Les accoucheurs, et ils ont certes raison, engagent les femmes en mal d'enfant à se rendre dans des *cliniques* où sont réunies toutes les conditions propres à résoudre une conjoncture difficile, à pratiquer au besoin quelque opération délicate.   G. DUHAMEL, les Espoirs et les Épreuves, IV, p. 53.

CONTR. **Empirique, théorique.**
DÉR. **Clinicat, clinicien, cliniquement.**
COMP. **Anatomoclinique.** — **Policlinique, polyclinique.**

CLINIQUEMENT [klinikmɑ̃] adv. — 1852 ; de *clinique.*

♦ Didact. Du point de vue clinique. *C'est cliniquement vrai, cliniquement prouvé.*

« Il n'y a rien », disait-il, « vous voyez, je suis allé regarder moi-même, car je n'aime pas m'en laisser accroire, rien que je n'aie moi-même mille fois déjà étudié cliniquement, catalogué et expliqué ».   N. SARRAUTE, Tropismes, p. 76.

CLINO- Élément, du grec *klinein* «pencher» et «être couché». ⇒ **Clinomètre.**

CLINOMÈTRE [klinɔmɛtR] n. m. — 1846 ; mot angl., 1811 ; du grec *klinein* «être couché» (→ Clino-), et *metron* (→ -mètre).

♦ Didact. Instrument destiné à mesurer l'inclinaison d'un plan, d'une route par rapport à un plan horizontal. *Le clinomètre d'un navire, d'un avion. Clinomètres utilisés en géomorphologie, en volcanologie, en sismologie.* « *Les clinomètres font eux aussi appel à une bille, suspendue cette fois au bout d'un fil très fin, en quartz (...) Ces appareils, comme leur nom ne l'indique pas d'une manière absolument limpide, mesurent les inclinaisons* » (*Sciences et Avenir,* nᵒ 375, mai 1978, p. 81).

REM. On trouve aussi la forme *clinoscope.*

DÉR. **Clinométrie.**

CLINOMÉTRIE [klinɔmetRi] n. f. — XXᵉ ; de *clinomètre.*

♦ Didact. Étude des inclinaisons, des pentes, au moyen des clinomètres.

CLINO-RHOMBIQUE [klinɔRɔ̃bik] adj. ⇒ **Monoclinique.**

1. CLINQUANT, ANTE [klɛ̃kɑ̃, ɑ̃t] adj. — XIVᵉ ; de *clinquer,* rad. onomatopéique *klink-.* → Clinquant, n. m.

♦ **1.** Régional. Qui clinque, sonne (bruit métallique). ⇒ **Clinquer** (régional).

1   Et leurs chevaux libérés, étriers fous et clinquants, galopaient à vide et dévalaient vers nous de très loin (...)   CÉLINE, Voyage au bout de la nuit, p. 35.

♦ **2.** (XIVᵉ ; repris XIXᵉ). Qui brille d'un éclat trop voyant, dont l'éclat est vulgaire. *Des bijoux clinquants. Une décoration trop clin-*

---

quante. ⇒ **Tapageur ;** et aussi 2. **Clinquant.** — Qui brille mais est sans valeur.

Ici tout est bon marché, clinquant et camelote, sauf les boutiques d'objets religieux.   Paul MORAND, New York, p. 87.   2

(...) son bavardage même, son débit de trouvailles, cet ordre calculateur d'une profusion pas chère, tout cela fonde une Poésie clinquante et économique (...)   3
                                        R. BARTHES, Mythologies, p. 159.

CONTR. **Discret, silencieux.**

2. CLINQUANT [klɛ̃kɑ̃] n. m. — XVIᵉ ; mil. XVᵉ, *clicquant ;* p. prés. de l'anc. v. *clinquer, cliquer* «faire du bruit». → Clique.

♦ **1.** Lamelle brillante, d'or ou d'argent, dont on rehausse certaines parures et broderies. — Par ext. Lamelle de cuivre doré ou argenté qui imite le vrai clinquant. *Le papillotage du clinquant. Un habit passementé de clinquant.*

(...) il n'y a que la pauvre noblesse qui se pare de clinquant usé et de peluche pelée.   1
                                        GUEZ DE BALZAC, Lettres, in LITTRÉ.

♦ **2.** (1680). Par anal. Mauvaise imitation de métaux, pierreries, bois précieux. ⇒ **Camelote, faux, quincaillerie, simili, verroterie.** *Le faux éclat, le mauvais goût du clinquant. Meubles, bijoux de clinquant.*

Son mari, que choquait un peu cet amour du clinquant, répétait souvent : « Ma chère, quand on n'a pas le moyen de se payer des bijoux véritables, on ne se montre parée que de sa beauté et de sa grâce, voilà encore les plus rares joyaux ».   2
                                        MAUPASSANT, Clair de lune, « Les bijoux », p. 175.

Spécialt. Techn. Métal en feuilles très minces. *Clinquant de laiton, d'aluminium.*

♦ **3.** (1667). Fig. Éclat trompeur, tapageur. — En matière de style, Abus de figures de rhétorique, d'effets faciles et de mauvais goût. *Le clinquant de l'esprit.*

À Malherbe, à Racan, préférer Théophile,   3
Et le clinquant du Tasse à tout l'or de Virgile (...)   BOILEAU, Satires, 9.

Il faut éviter, dans l'appareil des solennités, le clinquant, le papillotage (...)   4
                        ROUSSEAU, Considérations sur le gouvernement de la Pologne.

(...) la pompe, le clinquant, le brio des courses *(de taureaux)* espagnoles.   5
                                        Alphonse DAUDET, in LITTRÉ, *Suppl.*

CLINQUER [klɛ̃ke] v. intr. — XXᵉ, formes dialectales ; du rad. onomatopéique *klink- ;* même racine que *quincailler, clinquant.*

♦ Régional. Sonner, cliqueter (objets métalliques).

(...) voici les esclaves qui tressaillent un peu, on a du mal à les faire se tenir, ils reniflent, ils s'ébrouent et font clinquer leurs chaînes.
                                        CÉLINE, Voyage au bout de la nuit, p. 273.

DÉR. 1. **Clinquant** (1.).

1. CLIP [klip] n. m. — 1932, *in* Höfler ; mot angl. «attache, agrafe».

♦ **1.** Cour. Petit bijou* monté sur une pince, qui se porte en boucle d'oreille ou s'agrafe sur un vêtement. ⇒ **Attache.** (Var. abusive : *un clips*).

Les femmes avaient des manteaux de zibeline, de pesants bracelets d'or, de gros brillants, des clips.   Francis CARCO, les Belles Manières, p. 120.

♦ **2.** Chir. Agrafe chirurgicale (pour pincer un vaisseau, servir de repère, etc.). ⇒ 2. **Clipper.**
Pince à dénuder (utilisée en électronique).

DÉR. (Du sens 2). 2. **Clipper.**
HOM. 2. **Clip.**

2. CLIP [klip] n. m. — 1983 ; mot amér., proprt «extrait».

♦ Anglic. Film vidéo utilisant des effets spéciaux et réalisé pour promouvoir une chanson, un disque, un groupe. *Mettre en scène, tourner un clip* (→ Vidéaste). « *Le clip, c'est le cinéma issu de la musique. Ça n'a plus rien à voir avec le récit linéaire traditionnel. Ce sont des images, des rêves. C'est l'émotion que procure la musique qui te donne l'image.* » (le Nouvel Obs., nᵒ 971, 17 juin 1983, p. 53). « *Il arrive aussi que les chanteurs français tournent leurs clips en France. Le désert national du clip était si aride que Jack Lang a dû l'arroser d'une manne ministérielle pour voir fleurir quelques productions* » (l'Express, nᵒ 1702, 17 févr. 1984, p. 89).

REM. On dit aussi *vidéoclip,* n. m., ou *clip vidéo.*

La société du spectacle a généré le clip vidéo. (...) Depuis sa naissance il y a trois ans, le vidéoclip a beaucoup évolué. D'expérimental et de branché qu'il était à ses débuts, il semble bien être devenu la forme la plus populaire de communication, le champ d'application idéal (parce que le plus percutant et le plus immédiat) des trucages sophistiqués et avant gardistes de la vidéographie, le lieu privilégié, enfin, de l'expression musicale contemporaine en même temps qu'un outil promotionnel de tout premier plan.   Libération, 7 nov. 1983.

HOM. 1. **Clip.**

1. CLIPPER [klipœR] n. m. — 1848 ; angl. *clipper* «qui coupe (les flots)», de *to clip.*
Vieilli ou marine.

♦ **1.** Voilier* fin de carène capable d'une vitesse relativement élevée. ⇒ **Navigation.** — Var. graphique (vx) : *klipper.*

1 Les clippers eux-mêmes de New York et de Boston, jaugeant plus de deux mille tonneaux, débarquent leurs marchandises à quai. Ces clippers, à la coupe élégante et élancée, viennent souvent en trois mois des ports des États-Unis sur l'Atlantique, alors que nos navires mettent encore cinq à six mois pour arriver à San Francisco.
L. SIMONIN, Voyage en Californie, *in* le Tour du monde, 1862, t. I, p. 6.

♦ **2.** (1854). Canot de plaisance, de forme effilée.

♦ **3.** (1939). Vieilli. Avion de transport transocéanique.

2 Jusqu'aux Clippers et aux Caravelles, l'avion n'est pas discuté, Concorde l'est, non sans motifs.
Emmanuel BERL, le Virage, p. 55.

2. CLIPPER [klipe] v. tr. — Mil. xxᵉ ; de 1. *clip,* 2.

♦ Chir. Serrer, maintenir avec un, des clips.

CLIQUART [klikaʀ] n. m. — 1499, *in* D.D.L. ; de *clique.*

♦ **1.** Géol. Mince couche de gypse.

♦ **2.** Techn. Variété de pierre à bâtir.

CLIQUE [klik] n. f. — xivᵉ ; de l'anc. franç. *cliquer* « faire du bruit ». → Clic.

★ **I.** ♦ **1.** (1694). Fam. Coterie, groupe de personnes peu estimables. ⇒ **Bande, cabale.** *Un chef de bande et sa clique. Toute la clique était là.*

1 Puzzini ameute sa clique, me dénonce au ministre, arme l'autorité pour me persécuter.
P.-L. COURIER, Lettres, II, 14.

1.1 Gervaise avait installé dans son appartement sa sœur Agathe et ses deux frères Claude et Justin, tous trois aussi envieux qu'elle-même ; cette clique infernale faisait la loi, criant et gesticulant du matin au soir.
Raymond ROUSSEL, Impressions d'Afrique, p. 326-327.

♦ **2.** Polit. (Péj.). Groupe d'intérêts.

1.2 Pourtant, la clique dirigeante accepte la formation de couches de la population qui ne sont pas encore des classes, mais qui pèsent sur la politique communiste (...)
MALRAUX, Antimémoires, Folio, p. 553.

★ **II.** (1883). Ensemble des tambours et des clairons d'une musique militaire. ⇒ **Fanfare.** *La clique du régiment. Défiler clique en tête.*

2 Le réveil fut sonné en fanfare, par toute la clique et la musique rassemblées devant la tribune dans la grande cour du camp.
P. MAC ORLAN, la Bandera, VIII, p. 98.

3 Le pupitre, c'était lui *(mon grand-père),* car le chef de la clique militaire disposée sur la place du village l'avait choisi parmi les enfants du premier rang des badauds pour porter sa partition.
M. TOURNIER, le Vent Paraclet, p. 250.

DÉR. Cliquart.
HOM. Clic, cliques. — Formes du v. **cliquer.**

CLIQUER [klike] v. intr. — 1306 ; onomatopée → Clic.

♦ Vx. Faire un bruit sec (⇒ **Cliqueter**).

CLIQUES [klik] n. f. pl. — 1866 ; du régional *cliques* « jambes », d'après les onomatopées *clic* et *clac.*

♦ Régional. Sabots de bois. — Fig. et fam. *Prendre ses cliques et ses claques :* s'en aller, en emportant ce que l'on possède.

(...) on ne tue pas une femme même si elle vous emmerde ; ensuite, on ne sait pas où cela peut mener. Je n'ai pas envie de monter sur l'échafaud en vue de donner ma tête au son. Aussi ai-je pris mes cliques et mes claques et me voilà ici (...)
R. QUENEAU, le Vol d'Icare, p. 166.

HOM. Clic, clique.

CLIQUET [klikɛ] n. m. — 1230 ; de l'anc. franç. *cliquer.* → Clique.

♦ **1.** Taquet mobile autour d'un axe, et servant à empêcher une roue dentée de tourner dans le sens contraire à son mouvement (⇒ **Encliqueter**). *Le cliquet d'arrêt d'un compteur.*

♦ **2.** Techn. Pièce de fermoir d'un bracelet.

CLIQUETANT, ANTE [kliktɑ̃, ɑ̃t] adj. — 1555 ; de *cliqueter.*

♦ Qui produit un cliquetis.

Une suite d'os s'accrochant et s'emboîtant bizarrement les uns dans les autres, une suite de vieux ustensiles grinçants et cliquetants, voilà ce qu'était un squelette (...)
Claude SIMON, la Route des Flandres, p. 60.

CLIQUÈTEMENT ou **CLIQUETTEMENT** [klikɛtmɑ̃] n. m. — 1542 ; xvᵉ, *clicquettement* ; de *cliqueter.*

♦ Bruit de ce qui cliquette. ⇒ **Cliquetis** (plus courant).

Les boutons tournèrent rapidement en faisant un petit cliquettement clair.
Boris VIAN, l'Écume des jours, XXIX, p. 100 (1946).

CLIQUETER [klikte] v. intr. — Conjug. *jeter.* — 1230 ; de l'anc. franç. *cliquer.* → Clique.

♦ Produire un cliquetis* (→ Bracelet, cit. 1). *Faire cliqueter des clés. Le moteur de la voiture cliquette.*

C'était un train composé de vieux wagons démodés et sans couloirs. Il craquait de toute sa charpente et cliquetait de toutes ses vitres.
G. DUHAMEL, Chronique des Pasquier, IX, VIII, p. 92.

DÉR. Cliquetant, cliquètement, cliquetis.

CLIQUETIS [klikti] n. m. — xiiiᵉ, *cliketis* ; de *cliqueter.*

♦ **1.** Suite de bruits secs et brefs que produisent certains corps sonores qui s'entrechoquent. ⇒ **Bruit.** *Cliquetis de chaînes, de verres, de vaisselle. Cliquetis d'armes, d'épées. Le cliquetis d'une machine à écrire.*

1 J'entendais le cliquetis des clefs et des chaînes, le bruit des sergents de ville et des espions, le pas des soldats, le mouvement des armes, les cris, les rires, les chansons dévergondées des prisonniers mes voisins (...)
CHATEAUBRIAND, Mémoires d'outre-tombe, IV, II.

2 (...) on entendait un cliquetis de voix, l'air sentait le parfum et la malveillance (...)
S. DE BEAUVOIR, les Mandarins, p. 342.

♦ **2.** (1752). Fig. *Un cliquetis de mots, d'images,* etc. : assemblage de mots, d'images, etc., qui réussissent plus à éblouir qu'à convaincre. ⇒ **Verbiage.** *Un cliquetis d'arguments, d'antithèses.*

CLIQUETTE [klikɛt] n. f. — 1230 ; de l'anc. franç. *cliquer.* → Clique.

♦ **1.** Vx. Claquette ; crécelle, heurtoir. *Jouer des cliquettes. « Secouant ses écus comme un ladre* (lépreux) *sa cliquette »* (Gautier, *le Capitaine Fracasse,* p. 138).

1 Des ombres convergent vers une lumière d'autrefois, coupée de ruelles où les lumignons tremblent au fond de la Chine éternelle. Le dernier marchand s'enfonce, son bambou sur l'épaule, au son décroissant de sa cliquette.
MALRAUX, Antimémoires, Folio, p. 405.

Bruit de cliquette : bruit analogue à celui d'une cliquette. ⇒ **Cliquetis.**

2 (...) aux quatre coins de l'horizon s'élève le même bruit de cliquette des autres mécaniques toutes pareilles à la sienne *(des faucheuses-lieuses).*
B. CENDRARS, Bourlinguer, p. 165.

♦ **2.** Régional. Petit levier pour fixer une persienne.

3 (...) vers cinq heures, à la tombée du jour, les enfants qui s'en revenaient de la classe, traînant leurs sabots sur le trottoir, frappaient tous avec leurs règles la cliquette des auvents, les uns après les autres.
FLAUBERT, Mᵐᵉ Bovary, Folio, p. 281.

CLIQUETTEMENT [klikɛtmɑ̃] n. m. ⇒ **Cliquètement.**

CLISSAGE [klisaʒ] n. m. — 1866 ; de *clisser.*

♦ **1.** Techn. Action de clisser (une bouteille). — Enveloppe d'osier qui protège une bouteille, un récipient fragile.

♦ **2.** (1909). Chir. Action de clisser (un membre fracturé).

CLISSE [klis] n. f. — 1160, *clice* ; p.-ê. croisement de *claie,* et *éclisse.*

♦ Techn., régional. Petite claie d'osier servant à faire égoutter les fromages, à protéger des verres, des bouteilles... ⇒ **Éclisse.**

DÉR. Clisser.

CLISSER [klise] v. tr. — 1461 ; de *clisse.*

♦ **1.** Techn. Garnir (une bouteille) de clisses. — Au p. p. (plus cour.). *Bouteilles clissées.*

♦ **2.** Chir. Mettre des éclisses autour de (un membre fracturé).

DÉR. Clissage.

CLITORIDECTOMIE [klitɔʀidɛktɔmi] n. f. — Mil. xxᵉ ; de *clitoris,* et *-ectomie.*

♦ Didact. Ablation du clitoris. ⇒ **Excision.**

CLITORIDIEN, IENNE [klitɔʀidjɛ̃, jɛn] adj. — 1764, cit. 1 ; de *clitoris.*

Didactique.

♦ **1.** Relatif au clitoris. *Le gland ; le capuchon clitoridien. Orgasme clitoridien. Sensibilité, sexualité clitoridienne.*

1 Outre la masturbation manuelle, il est une autre souillure qu'on pourroit appeler *clitoridienne,* dont l'origine connue remonte jusqu'à la seconde *Sapho.*
M. TISSOT, l'Onanisme, dissertation sur les maladies produites par la masturbation, Marc Chapuis et Cᵢᵉ, Lausanne, 1764, p. 64.

♦ **2.** Adj. et n. f. (Personnes : femmes). Opposé à *vaginale.* Dont la sexualité clitoridienne est développée.

2 Auparavant, je regardais une bonne femme pour voir si elle me plaisait ; mainte-

nant, je la regarde et je me demande : et si ce n'est pas une clitoridienne ? Si c'est une vaginale ?
R. GARY, Au-delà de cette limite, votre ticket n'est plus valable, p. 25.

CLITORIS [klitɔʀis] n. m. — 1611 ; grec *kleitoris*.

♦ Anat. et cour. Petit organe érectile situé à la partie antérieure de la vulve*, à la jonction de l'extrémité supérieure des petites lèvres. ⇒ (fam). **Berlingot, bouton, haricot.** *Le gland, le frein du clitoris. Érection du clitoris.* — Abrév. fam. : *clito* (1972, *in* D. D. L. ; antérieurement *cli-cli,* 1953 ; aussi *clit,* d'après l'anglais).

1 (...) Sous son capuchon
Folichon
Le clitoris s'abrite
Rose ermite.
Th. GAUTIER, l'Épouseur de famille, *in* ZWANG, le Sexe de la femme.

2 Le clitoris est un organe érectile impair et médian, situé à la partie supérieure et antérieure de la vulve. Il est, chez les femmes, l'homologue considérablement réduit du pénis de l'homme. L. TESTUT, Traité d'anatomie, t. V, p. 442.

DÉR. Clitoridien.
COMP. Clitoridectomie.

CLIVABLE [klivabl] adj. — 1838 ; de *cliver.*

♦ Qui peut être clivé. *Des lamelles clivables.*

CLIVAGE [klivaʒ] n. m. — 1753 ; de *cliver.*

♦ **1.** Action de cliver, de se cliver. *Le clivage des ardoises. Le clivage des diamants par le joaillier.*
Propriété (des substances cristallisées) de se réduire en lames suivant certaines directions planes.
Loc. *Plan de clivage :* plan suivant lequel on peut cliver une pierre précieuse (un diamant, en particulier).
Séparation par niveaux. Biol. *« Peu de temps après l'ovulation et la fertilisation, l'œuf de souris subit une division ou clivage dans l'oviducte »* (la Recherche, p. 981, nov. 1978).

♦ **2.** (1932). Abstrait. Séparation par plans, par niveaux. *Problème, point sur lequel se fait un clivage politique. Le clivage des opinions, entre des opinions. Clivages idéologiques.*

1 (...) toutes sortes de choix individuels et de clivages de destinées.
J. ROMAINS, les Hommes de bonne volonté, t. I, p. 207.
2 Un nouveau clivage social prenait vie sous son regard.
J. GRACQ, le Rivage des Syrtes, p. 316.
3 Le clivage se situe ailleurs : entre les livres qui ne modifient pas ma position de sujet et ceux qui m'arrachent à moi-même.
S. DE BEAUVOIR, Tout compte fait, p. 166.

♦ **3.** Psychan. *Clivage du moi :* coexistence, au sein du moi, de deux attitudes psychiques contradictoires vis-à-vis de la réalité extérieure.

CLIVER [klive] v. tr. — 1723 ; 1582, *clivé* ; du néerl. *klieven* « fendre » ; cf. all. *klieben,* angl. *to cleave.*

♦ **1.** Fendre (un corps minéral, un diamant) dans le sens naturel de ses couches lamellaires. — Pron. *Le mica se clive en fines lamelles* (clivures). — Au p. p. *Un corps minéral clivé.*

♦ **2.** Fig. Séparer un ensemble en parties. *Cliver les éléments d'une démonstration.*

DÉR. Clivable, clivage, cliveur.

CLIVEUR [klivœʀ] n. m. — 1892 ; de *cliver.*

♦ **1.** Techn. Ouvrier qui opère le clivage. *Cliveur de diamants.* — REM. Dans ce sens, le féminin *cliveuse* est virtuel.

♦ **2.** Chir. Instrument tranchant qui permet de prélever des greffons ou de scinder tissus ou organes.

CLOACAL, ALE, AUX [klɔakal, o] adj. — 1838 ; de *cloaque.*

♦ **1.** Didact. Du cloaque, relatif au cloaque (4.). *Orifice cloacal des oiseaux, des reptiles.*

♦ **2.** Littér. Qui évoque un cloaque (1., 2.), qui tient du cloaque (par la saleté, ou par la situation, l'obscurité, etc.). — Fig. (correspondant au sens 3 de *cloaque*). *Une littérature immonde et cloacale.*

Le phare de l'île de Bran est un phare obscur, souterrain et cloacal, comme après avoir trop regardé le soleil. Des vagues n'y déferlant point, on ne s'y guide non plus par le bruit. A. JARRY, Gestes et opinions du Dr Faustroll, Pl., p. 676-677.

CLOAQUE [klɔak] n. m. — 1355 ; du lat. *cloaca,* grec *kluzein* « nettoyer ».

♦ **1.** Lieu destiné à recevoir les immondices. ⇒ **Bourbier, décharge, égout, sentine.** *Tomber dans un cloaque.* — Spécialt, n. f. ou n. m.

La grande cloaque ou *le grand cloaque de Rome :* égout bâti par les Tarquins (*cloaca maxima,* en latin).

1 Il y en a d'autres *(d'autres maux)* cachés et enfoncés comme des ordures dans un cloaque, je veux dire ensevelis sous la honte (...) et dans l'obscurité (...)
LA BRUYÈRE, les Caractères, X, 7.
2 Il *(Napoléon)* proclame (...) que désormais Moscou n'est plus qu'un amas de décombres, qu'un cloaque impur et malsain, sans importance politique et militaire.
Ph. P. SÉGUR, Hist. de Napoléon, IX, 6.
2.1 Si le lac de Genève devient un cloaque, le Rhône deviendra un égout et les habitants de Vienne n'en souffriront pas moins que ceux de Lausanne.
Emmanuel BERL, le Virage, p. 32-33.

♦ **2.** Endroit où croupissent des eaux sales, des ordures. — Lieu malpropre, malsain. *Ces logements sont des cloaques.*

3 (...) l'infirmerie (...) était devenue un cloaque immonde, où bouillonnaient deux pieds d'eau boueuse et noire, avec des fioles brisées, des odeurs de tous les remèdes répandus. LOTI, Mon frère Yves, XXVII, p. 88.

♦ **3.** Fig. et littér. Foyer de corruption (morale ou intellectuelle). *Un cloaque d'impureté, de vices, d'erreurs.* ⇒ **Bas-fonds, boue.**

4 Quelle chimère est-ce donc que l'homme ? Quelle nouveauté , quel monstre, quel chaos, quel sujet de contradiction, quel prodige ! Juge de toutes choses, imbécile ver de terre ; dépositaire du vrai, cloaque d'incertitude et d'erreur : gloire et rebut de l'univers. PASCAL, Pensées, VII, 434.
4.1 Dès qu'une nouvelle fille est arrivée dans ce cloaque impur, dès qu'elle y est à jamais soustraite à l'univers, on en réforme aussitôt, à voilà chère fille, voilà le complément de nos douleurs (...) SADE, Justine..., t. I, p. 172-173.
5 On en était arrivé aux mœurs des anthropophages de la Nouvelle-Zélande, à l'abrutissement ignoble des Calédoniens et des Papous, au plus bas fond du cloaque humain (...) TAINE, Philosophie de l'art, t. I, I, II, VI, p. 78.

♦ **4.** (1746). Zool. Chez les oiseaux, les reptiles, les marsupiaux, Orifice commun des cavités intestinale, urinaire et génitale. *La paroi, les muscles, l'intérieur du cloaque.*

DÉR. Cloacal.

CLOC [klɔk] interj. et n. m. — Onomatopée, sur *clac* et *clic,* d'après l'alternance vocalique normale.

♦ Onomatopée imitant un bruit sec, la chute d'une goutte d'eau, une détonation légère, etc. — N. m. :

Parlez-moi au contraire du soupir victorieux des iris en travail, de l'arum qui grince en déroulant son cornet, du gros pavot écarlate qui force ses sépales verts un peu poilus avec un petit « cloc », puis se hâte d'étirer sa soie rouge sous la poussée de la capsule porte-grains, chevelue d'étamines bleues !
COLETTE, Flore et Pomone, *in* Gigi, p. 140.

1. CLOCHARD, ARDE [klɔʃaʀ, aʀd] n. — 1895 ; de 2. *clocher* « boiter ». → 2. Cloche.

♦ Personne socialement inadaptée, qui n'a pas de domicile, erre sans but, et n'a d'autre ressource que la mendicité. ⇒ 2. **Cloche, clodo, clopinard, mendiant, vagabond** ; → 2. Cloche, cit. 3. *Clochard des villes, des grands chemins.* ⇒ **Chemineau.** *Une clocharde avec son litron. Les truands* du moyen âge, ancêtres de nos clochards. L'argot des clochards.*

1 (...) un clochard mélancolique dont l'occupation principale est de suivre l'image des nuées sur le flot souillé de la Seine (...)
G. DUHAMEL, Cri des profondeurs, I, p. 9.
2 — C'est quand même des trucs pas permis. Vous avez des filles-mères qui deviennent putes pour élever leur fille et puis la fille se fait belle et riche et la mère devient une vieille clocharde et meurt de froid dans la rue. Merde.
É. AJAR, (R. GARY), l'Angoisse du Roi Salomon, p. 223.

DÉR. Clochardiser.
HOM. 2. Clochard.

2. CLOCHARD [klɔʃaʀ] n. f. — V. 1975 ; orig. inconnue.

♦ Variété de pomme reinette. *Une clochard.* — (Collectif). *De la clochard. Elle est belle, ma clochard !* — Appos. *Des pommes clochards.*

HOM. 1. Clochard.

CLOCHARDISATION [klɔʃaʀdizasjɔ̃] n. f. — 1957, G. Tillion ; de *clochardiser.*

♦ Fait de se clochardiser, pour une personne ou un ensemble de personnes ; transformation (d'un groupe social), telle que les personnes qui le composent se trouvent privées de travail, d'abri et de stabilité et peuvent être comparées ou assimilées à des clochards. ⇒ **Paupérisation.**

Il y a la destruction du temps, qui fait, de la torture au ralenti, la condition humaine elle-même ; le corps devenu le plus insidieux ennemi, le terrible réveil qui rend au malheur toute sa nouveauté, la suppression de tout signe individuel, la clochardisation et les coups incessants dans un monde qui appelle la mort. MALRAUX, Antimémoires, Folio, p. 604-605.

CLOCHARDISER [klɔʃaʀdize] v. tr. — 1957, G. Tillion ; de *clochard.*

♦ Réduire (une personne, un groupe social) à l'état de clochard, à une situation misérable. *L'aggravation de la situation économique clochardise une partie de la population mondiale.* — Pron. *Se clochardiser.*

Le produit *(le haschich)* peut gravement handicaper l'avenir des adolescents anxieux, à la personnalité fragile, qui connaissent des difficultés sexuelles ou affectives. Beaucoup se retrouveront à vingt-cinq ans avec les problèmes qu'ils auraient dû régler entre seize et dix-neuf, et les risques sont réels de les voir se clochardiser.
Claude OLIVENSTEIN, Il n'y a pas de drogués heureux, p. 289.

DÉR. Clochardisation.

1. CLOCHE [klɔʃ] n. f. — Déb. xiiᵉ; du bas lat. *clocca,* mot d'orig. celtique.

♦ **1.** Instrument creux, évasé, en métal sonore, dont on tire des vibrations retentissantes et prolongées en en frappant les parois, de l'intérieur avec un battant* ou de l'extérieur avec un marteau* (⇒ **Timbre**). *Grosse cloche.* ⇒ **Bourdon**; (poét.) *airain, bronze. Petite cloche.* ⇒ **Campane, clochette, sonnette.** *Petite cloche suspendue au cou du bétail.* ⇒ **Clochette**; *bélière, campane* (vx), *clarine, sonnaille, sonnette*; → Prairie, cit. 2. *Parties d'une cloche.* ⇒ **Anse, battant, bélière, brayer, cerveau, faussure, gorge,** 2. **hune, œil** (du battant), **panse.** *Fonte d'une cloche.* ⇒ **Coulée, diapason, fonderie, moulage, tracé.** *Montage d'une cloche.* ⇒ **Mouton, sommier.** *Tour où sont suspendues les cloches.* ⇒ **Beffroi, campanile, clocher, clocheton.** *Le sonneur de cloches. Le balancement des cloches.* ⇒ **Branle, brimbalement, volée.** *Sons assourdissants, bourdonnement des cloches sur la place, le parvis de l'église. La voix lointaine, affaiblie, grave, émouvante, argentine, harmonieuse des cloches dans la campagne. Ensemble de cloches accordées.* ⇒ **Carillon.** *Donner un coup de cloche. Frapper une cloche d'un seul côté.* ⇒ **Copter, piquer.** *Piquer l'heure sur une cloche. La cloche de l'hôtel de ville sonnait le couvre-feu, le tocsin. La cloche du château annonce les repas, la cloche du collège, du monastère, les différents exercices. Les cloches de l'église appellent les fidèles aux offices, égrènent leurs sons pour l'angélus, tintent pour le glas, carillonnent, sonnent à toute volée pour les baptêmes* (→ Carillon, cit. 3), *les mariages. Les cloches se taisent du jeudi au samedi saint* (on dit qu'elles sont à Rome). *Le retour des cloches. Les cloches de Pâques. Le baptême des cloches. Être parrain, marraine d'une cloche. La date, la devise, le nom gravés sur une cloche. Le caractère religieux, liturgique, symbolique, poétique des cloches.*

1 Oh! quel cœur si mal fait n'a tressailli au bruit des cloches de son lieu natal (...)
CHATEAUBRIAND, René.

2 (...) le sourd tintement des cloches suspendues
Au cou des chevreaux dans les bois.
LAMARTINE, Nouvelles méditations, « Les préludes ».

3 D'abord la vibration de chaque cloche monte droite, pure, et pour ainsi dire isolée des autres, dans le ciel splendide du matin (...)
HUGO, Notre-Dame de Paris, I, III, 2.

4 (...) penché *(de l'intérieur d'une des tours de Saint-Sulpice)* sur le précipice, il discernait maintenant, sous ses jambes, de formidables cloches pendues à des sommiers de chêne blindés de fer, des cloches au vase de métal sombre, des cloches d'un airain gras, comme huilé, qui absorbait sans les réfracter les rayons du jour.
(...) une cloche (...) entrait en branle. Et tout à coup, elle sonna, prit son élan, et son battant, semblable à un gigantesque pilon, broya des bronze du mortier des sons terribles. La tour tremblait, la margelle sur laquelle il se tenait trépidait comme le plancher d'un train; un grondement, continuel, énorme, roulait brisé par le fracassant éclat des coups.
HUYSMANS, Là-bas, III, p. 30.

4.1 Puis cloches sonnant
Les messes premières,
À rire dans l'air
Ainsi qu'envolés (...)
Max ELSKAMP, la Rue Saint-Paul.

5 — Ça vient du côté de la gare.
D'autres cloches et clochettes, des timbres de vélos, des trompes d'autos, et même des casseroles accompagnaient maintenant la cloche.
MALRAUX, l'Espoir, I, I, p. 638.

Fig. *Déménager* à la cloche de bois. — Vx. *Donner un coup de cloche à qqn,* un avertissement. — Mod. (fam.). *Sonner la cloche, les cloches à qqn,* le réprimander énergiquement. *Il s'est fait sonner les cloches par son père.*

6 Richard était furieux. Il n'aimait pas recevoir de reproches pour une question de service (...) Il allait retourner rue de la Pompe, voir la jolie concierge qui l'avait mystifié. L'enfant de chœur allait lui sonner les cloches.
René FLORIOT, La vérité tient à un fil, p. 162.

Prov. *Le Bon Dieu lui-même a besoin de cloches* : il est nécessaire de se faire connaître, d'asseoir sa renommée. — *Qui n'entend qu'une cloche n'entend qu'un son* : on ne peut juger d'une affaire quand on n'a pas entendu toutes les parties.

Loc. *Son de cloche* : opinion (sur un événement). *Je voudrais entendre un autre son de cloche.* — Vx. *Fondre la cloche* : prendre une décision.

♦ **2.** (1538). Objet creux qui recouvre, protège. **a** Appareil industriel ou de laboratoire, coupe en dôme utilisée dans des expériences de chimie, de physique, etc. *Cloche de verre d'une machine à vide. Cloche à oxygène,* utilisée en médecine.

b *Cloche* (1675), *cloche à melon* : coupe en verre de forme hémisphérique que l'on retourne sur les melons (et, plus généralement, sur les plantes fragiles, les jeunes pousses, etc.) pour les protéger du froid. *Mettre des melons, des concombres sous cloches. Retourner ses cloches pour la nuit.*

(xixᵉ). *Cloche à fromage,* sous laquelle on place le fromage pour

l'empêcher de se dessécher. — *Cloche en métal pour tenir les plats au chaud.* ⇒ **Dessus-de-plat.**

♦ **3. EN CLOCHE** : en forme de cloche. — (1706). Bot. *Fleurs en cloche,* fleurs monopétales dont la corolle évoque la forme d'une cloche. *La campanule, le volubilis, fleurs en cloche.* ⇒ **Clochette.**

(xxᵉ). *Courbe en cloche* : courbe de Gauss, correspondant à la distribution statistique la plus fréquente.

♦ **4.** (1678). **CLOCHE À PLONGEUR** : dispositif à l'abri duquel on peut séjourner sous l'eau (il se forme une bulle d'air en dessous). — Mod. Caisson sous pression.

♦ **5.** Méd. (vieilli). Ampoule séreuse due à un frottement, à une brûlure. ⇒ **Cloque.**

♦ **6.** N. m. (1904, *in* D.D.L.). Chapeau de femme de forme hémisphérique, sans bords. *Un cloche.* — Appos. (ou adj.). *Des chapeaux cloches.*

Quand j'ai connu Blanche, elle portait un petit chapeau de feutre, cloche, très enfoncé, d'un feutre extraordinairement tendre, léger, mou (...)
ARAGON, Blanche..., II, II, p. 199.
7

Paletot cloche, qui n'est pas serré à la taille. *Jupe cloche.*

♦ **7.** (1902, Berthelot). Zool. Vésicule natatoire. — *Cloches natatoires* : méduses craspédotes en forme de cloche, dépourvues de manubrium, et constituant un appareil locomoteur des Siphonophores*.

♦ **8.** Pop. (vieilli). Tête. — (1819). Loc. mod. (fam.). *Se taper la cloche* : bien manger, se régaler; faire un repas plantureux.

DÉR. 1. Clocher, 3. clocher (v.), **clochette.**

2. CLOCHE [klɔʃ] n. f. — 1898; *être à la cloche,* 1882 (→ Clochard); *cloche* (n. m.) « boiteux », v. 1300; du v. *clocher*, avec infl. de 1. *cloche.*

♦ **1.** Fam. Personne incapable, niaise et maladroite. *Quelle cloche! C'est une vieille cloche.* — Adj. *Il, elle est vraiment trop cloche.* — (Choses). Bête, niais. *Un discours un peu cloche.*

« Dépêche-toi de te faire faire une robe, ma pauvre mère, tu es quand même trop cloche », me dit-elle en me jetant dans mes bras un tissu duveteux aux riches couleurs d'automne.
S. DE BEAUVOIR, les Mandarins, p. 161.
1

Rentrer, rentrer, que tout éclate et qu'elle en crève! Je consolerais l'architecte! Entre-temps je faisais attendre ma réponse et elle semblait s'angoisser, la cloche!
Maurice CLAVEL, le Tiers des étoiles, p. 75.
2

♦ **2.** Fam. **a** *La cloche* : l'ensemble des clochards; la situation des clochards. « *Filer la comète* (cit. 3.1) *et la cloche* » (Bruant).

C'est nous les mômes,
Les mômes de la cloche,
Clochard's qui s'en vont,
Sans un rond en poche;
C'est nous les paumées (...)
Édith PIAF, les Mômes de la cloche.
3

b Clochard. ⇒ **Clodo, clopinard.**

Un individu comme moi, un pané, autant dire une cloche, pas sortable, habillé aux puces, qu'est-ce que c'est pour un sous-préfet?
M. AYMÉ, le Vin de Paris, « La bonne peinture », p. 194.
4

CLOCHEMENT [klɔʃmã] n. m. — 1363; de 2. *clocher.*

♦ Rare. Fait d'être bancal. — Fig. Mauvais fonctionnement.

CLOCHE-PIED (À) [aklɔʃpje] loc. adv. — V. 1400; de 2. *clocher,* et *pied.*

♦ En tenant un pied en l'air et en sautant sur l'autre. *Aller, sauter à cloche-pied. Jeu où l'on saute à cloche-pied.* ⇒ **Marelle.**

L'enfant passa à cloche-pied sur le trottoir.
M. DURAS, Moderato cantabile, p. 33.

1. CLOCHER [klɔʃe] n. m. — xiiᵉ; de 1. *cloche.*

♦ **1.** Bâtiment élevé qui fait partie d'une église et dans lequel on place les cloches. *La flèche, l'aiguille, le coq, les clochetons, les abat-son, l'empoutrerie, l'horloge du clocher. Clocher de pierre, de marbre, de granit, de tuiles, d'ardoise, de bois; roman, gothique, Renaissance; pointu, bulbeux, rond, carré, polygonal, pyramidal, massif, trapu, aplati, bas, pointu, élevé, élancé, effilé, élégant, svelte, uni, dentelé, sculpté, fouillé, croulant, moussu. Les clochers à jour de Bretagne. Clocher séparé.* ⇒ **Campanile.** *Le clocher d'un beffroi. Clocher en forme de tour.* ⇒ **Tour** (d'église).

Et si nous montons sur la cathédrale (...) qu'a-t-on fait de ce charmant petit clocher qui s'appuyait sur le point d'intersection de la croisée, et qui non moins frêle et non moins hardi que sa voisine la flèche (...) de la Sainte-Chapelle, s'enfonçait dans le ciel plus avant que les tours, élancé, aigu, sonore, découpé à jour?
HUGO, Notre-Dame de Paris, III, I.
1

C'était, dans la nuit brune,
Sur le clocher jauni,
La Lune,
Comme un point sur un i.
A. DE MUSSET, Premières poésies, « Ballade à la Lune ».
2

3 (...) le clocher de Creizker, le géant des clochers bretons, baignant dans le ciel bleu, en pleine lumière, ses fines découpures grises marbrées de lichens jaunes.
LOTI, Mon frère Yves, II, p. 11.

Spécialt (vx ; adapt. de l'angl. *steeple chase*). *Course au clocher :* course à cheval à travers champs, à qui arrivera le premier à un but désigné, en franchissant tous les obstacles comme si l'on allait droit à un clocher.

4 Avez-vous jamais vu les courses d'Angleterre ?
On prend quatre coureurs, — quatre chevaux sellés ;
On leur montre un clocher, puis on leur dit : Allez !
Il s'agit d'arriver, — n'importe la manière.
A. DE MUSSET, Premières poésies, « À quoi rêvent les jeunes filles », I, IV.

Prov. *Il faut placer le clocher au milieu de la paroisse,* mettre à la portée de tous ce qui sert à tous.

Allus. hist. *L'aigle volera de clocher en clocher jusqu'aux tours de Notre-Dame,* phrase qui figure dans la proclamation de Napoléon au retour de l'île d'Elbe, et que l'on cite pour signifier que le succès escompté sera foudroyant.

♦ **2.** Par métonymie. Paroisse, commune (où se trouve le clocher, l'église). *N'avoir jamais quitté son clocher.* — *... DE CLOCHER. Querelles, compétitions, rivalités de clocher,* purement locales, insignifiantes. *Esprit de clocher :* attachement étroit à son village, au milieu dans lequel on vit. ⇒ **Chauvinisme**. *Patriotisme* (cit. 4) *de clocher.*

5 Il n'est ni le « député », chargé de lutter à tout prix contre le pouvoir central pour faire triompher, au détriment même des intérêts généraux, les intérêts de clocher des régions qu'il administre (...)   L.-H. LYAUTEY, Paroles d'action, p. 13.

6 — Quoi qu'il en soit, consacrer un tiers du journal à cette élection de Nancy, c'est faire la part trop belle à la politique intérieure, qui reste, en France, une politique de clocher, comme il y a cinquante ans.
Jean-Louis CURTIS, le Roseau pensant, p. 298.

DÉR. **Clocheton**.
HOM. 2. **Clocher,** 3. **clocher.**

2. CLOCHER [klɔʃe] v. intr. — V. 1120 ; du lat. pop. *cloppicare,* de *cloppus* « boiteux ».

♦ **1.** Vx. Marcher en boitant. ⇒ **Boiter, claudiquer, clopiner**. *Clocher du pied droit, gauche, des deux pieds.* — Prov. *Il ne faut pas clocher devant les boiteux.* ⇒ **Boiteux.**

1 (...) C'est grand'honte
Qu'il faille voir ainsi clocher ce jeune fils (...)   LA FONTAINE, Fables, III, 1.

♦ **2.** (XIIIᵉ). Mod. (Abstrait). Être défectueux ; aller de travers. *Raisonnement, combinaison qui cloche.* ⇒ **Défectueux**. *Il y a qqch. qui cloche,* qui ne va pas. *Vers qui cloche,* qui ne répond pas à la mesure.

2 (...) ceux qui veulent gloser, doivent bien regarder chez eux s'il n'y a rien qui cloche.   MOLIÈRE, les Fourberies de Scapin, II, 1.

3 (...) quand j'avais presque fini de manger, je m'arrêtais avec le même air ; alors lui de recommencer à chercher ce qui clochait sans jamais faire quelque chose d'utile, modifiant la position de la salière par rapport à l'huilier, et la cuillère à dessert par rapport à l'assiette (...)
Henri MICHAUX, Un barbare en Asie, p. 56.

DÉR. 1. **Clochard, clochement.**
COMP. **Cloche-pied** (à).
HOM. 1. **Clocher,** 3. **clocher.**

3. CLOCHER [klɔʃe] v. — Mil. XVIᵉ ; de 1. *cloche.*

★ **I.** Vx. ♦ **1.** V. intr. Sonner avec une cloche, des cloches.

♦ **2.** V. tr. Annoncer (un événement) à la cloche, et, spécialt, annoncer l'arrivée ou le départ d'un train à coups de cloche.

★ **II.** V. tr. (de 1. *cloche,* 2.). Hortic. Mettre sous cloche. *Clocher des melons.*

HOM. 1. **Clocher,** 2. **clocher.**

CLOCHETER [klɔʃte] v. intr. — Conjug. *jeter.* — Fin XIIIᵉ ; de *clochette.*

♦ Vieilli. Faire sonner une clochette (G. Sand, *in* T. L. F.).

CLOCHETON [klɔʃtɔ̃] n. m. — Fin XVIIᵉ ; « clochette », 1526 ; de 1. *clocher,* d'après *clochette.*

♦ **1.** Petit clocher. *Un clocheton d'ardoise.*

♦ **2.** Ornement en forme de petit clocher pyramidal, décorant les contreforts, la base des flèches, les angles d'un édifice. *Clocheton élancé, élégant, frêle, délicat, dentelé, sculpté, ciselé, fouillé. Les clochetons ouvragés du gothique tardif.*

(...) levant mes yeux émerveillés sur ces clochetons qui semblent des fusées parties vers le ciel et sur tout cet emmêlement incroyable de tourelles, de gargouilles, d'ornements sveltes et charmants (...)
MAUPASSANT, Clair de lune, la Légende du Mont Saint-Michel.

♦ **3.** Blason. *Clochetons de contre-vair.*

CLOCHETTE [klɔʃɛt] n. f. — XIIᵉ ; de 1. *cloche.*

♦ **1.** Petite cloche. ⇒ **Campane** (vx). *Clochette pour appeler ou avertir.* ⇒ **Sonnette**. *Clochette frappée par un marteau.* ⇒ **Timbre**. *Clochette en forme de boule.* ⇒ **Grelot**. *Clochettes d'un chapeau chinois.* Substitution de la crécelle* à la clochette liturgique, du jeudi au samedi saint. *Clochettes suspendues au cou du bétail.* ⇒ **Bélière, campane, clarine, sonnaille, sonnette.**

1 Le silence n'est interrompu autour de moi que par le tintement de la clochette de deux génisses restées dans l'étable voisine (...)
CHATEAUBRIAND, Mémoires d'outre-tombe, IV, II.

2 (...) les clochettes se mirent à tintinnabuler le plus joyeusement du monde avec leurs petites voix grêles, argentines et cuivrées (...)
Th. GAUTIER, le Capitaine Fracasse, t. II, XI, p. 63.

♦ **2.** Fleur dont la corolle évoque par sa forme une petite cloche (→ Campaniforme). *Les clochettes du liseron, du muguet.* — (Qualifié, dans les noms de plantes portant ces fleurs). *Clochette des bois* (⇒ **Jacinthe**), *des blés* (⇒ **Liseron**), *des murs* (⇒ **Campanule**), *d'hiver* (⇒ **Perce-neige**).

3 Des plantes grimpantes, balançant des clochettes de toutes couleurs et accrochant leurs vrilles à un treillage solide (...)
Th. GAUTIER, le Capitaine Fracasse, t. II, XXII, p. 331.

DÉR. **Clocheter.**

CLODO ou CLODOT [klɔdo] n. m. — 1926 ; de *clo(chard),* et l'élément *-dot,* de *(cra)dot.*

♦ Fam. Clochard. *Un repaire de clodos. Il a l'air d'un clodo avec ce costume.*

1 (...) ça peut pas durer comme ça, tu vas finir clodo, faudrait voir à ce que tu ramasses un peu de pognon.   J. CAU, la Pitié de Dieu, p. 45.

2 (...) une charmante église *(Saint-Médard)* restée très rustique dans son bouquet de verdure avec à l'air d'un jardin de curé gracieusement ouvert aux clodos et joueurs de bille.   Jacques PERRET, Bâtons dans les roues, p. 259.

Appos. « *La mode clodo, jean rapiécé et veste du père destinée à la poubelle, voilà un autre objet de fiction* » (*F Magazine,* nᵒ 25, mars 1980, p. 52).

Adj. (Rare) :
3 (...) mon air de plus en plus clodo et fatigué fait carte de priorité et je finis par m'asseoir.   A. SARRAZIN, la Cavale, 1965, p. 18.

CLOISON [klwazɔ̃] n. f. — 1160, « enceinte fortifiée » ; du lat. pop. *clausio, -ionis,* dér. de *clausus* « clos ».

♦ **1.** (1538). Paroi qui limite une pièce et l'isole du reste de la maison. ⇒ **Mur**. *La charpente d'une cloison. Les ais, l'entrevous d'une cloison.* ⇒ **Colombage, galandage, hourdage** (ou **hourdis**). *Cloison de planches jointives.* ⇒ **Jointive**. *Cloison de bois, de brique, de maçonnerie. Vitrage servant de cloison. Minceur, épaisseur, résistance d'une cloison. Cloisons qui étouffent les sons. Écouter derrière la cloison. Abattre, percer une cloison. Boxes, cases séparées par des cloisons qui n'atteignent pas le plafond.* — Archit. *Mur de cloison* ou *mur de refend* (opposé à *gros mur*).

0.1 (...) je suis près le pas de *Rosalie,* elle me place près d'une cloison assez mal jointe, pour laisser entre les planches qui la forment, plusieurs jours suffisans à distinguer tout ce qui se passe dans la chambre voisine.
SADE, Justine..., t. I, p. 106.

1 Un bruit de voix et de rires, étouffé par les cloisons, les portes et les tentures, parvenait jusque dans la paix à demi ténébreuse de l'escalier.
G. DUHAMEL, Chronique des Pasquier, VII, VI, p. 45.

Cloison coulissante des maisons japonaises. ⇒ **Shoji**. *Cloison en planches protégeant les spectateurs d'une course de taureau.* ⇒ **Talanquère.**

♦ **2.** Mar. Séparation (sur un navire). *Cloisons en planches.* ⇒ **Bardis**. *Cloisons métalliques. Cloison étanche,* construite en sorte qu'elle résiste à la pression extérieure de l'eau. *Cloison d'abordage, d'incendie.*

♦ **3.** ⓐ (1732). Ce qui divise naturellement l'intérieur d'une cavité, détermine des cases, des compartiments, des loges.

Bot. Lames séparant les loges à l'intérieur de certains fruits. ⇒ **Membrane**. *Cloisons interpositives,* entre deux feuilles opposées. ⇒ aussi **Médiastin**. — Anat. ⇒ **Diaphragme, luette, médiastin, ménisque** (cloison). *Cloison des fosses nasales. Cloisons du cœur.*

2 Le diaphragme, qui est une cloison charnue dans son tour et membraneuse à son centre (...)   BOSSUET, Traité de la connaissance de Dieu, II, 2.

3 Cette silique est composée de deux valvules posées l'une sur l'autre, et séparées par une cloison fort mince appelée médiastin.
ROUSSEAU, Lettre élémentaire sur la Botanique.

ⓑ Ce qui divise un objet fabriqué. *Les cloisons d'un émail cloisonné*.*

(Armurerie). Partie pleine qui sépare deux rayures, à l'intérieur du canon d'une arme à feu.

♦ **4.** (Abstrait). Ce qui divise (des personnes, des groupes sociaux). ⇒ **Barrière, division, séparation**. *Cloison entre des êtres, des castes. Une cloison étanche les séparait.*

4 (...) rien qui pût faire tomber une bonne fois ces cloisons que la vie, que leurs natures, que leur fraternité peut-être, élevaient entre eux !
MARTIN DU GARD, les Thibault, t. VI, p. 81.

5 Entre la masse des travailleurs et elle, jeune bourgeoise de 1914, les cloisons de classes étaient aussi étanches que celles qui séparaient les castes de la civilisation antique (...) MARTIN DU GARD, les Thibault, t. VI, p. 229.

6 (...) la Province n'a jamais su abattre les cloisons.
F. MAURIAC, la Province, p. 8.

DÉR. Cloisonnage, cloisonné, cloisonnement, cloisonner.

CLOISONNAGE [klwazɔnaʒ] n. m. — 1505, « cloison » ; de *cloison*.

♦ Techn. Action de poser des cloisons (⇒ **Compartimentage**) ; ensemble de cloisons.

CLOISONNÉ, ÉE [klwazɔne] adj. et n. m. — 1752 ; de *cloison*.

♦ **1.** Divisé par des cloisons. *Thalle cloisonné. Coquille cloisonnée. Émaux cloisonnés,* où de minces arêtes de métal figurent le dessin et sertissent la pâte d'émail (opposé à *champlevé**).
N. *Un beau cloisonné.*

1 Il a cassé les potiches du prince Korisky, des vieux cloisonnés dont les morceaux se revendraient bien encore cinq louis, l'un dans l'autre. En supposant qu'elle *marche* pour le même prix, elle y perd toute la différence des cloisonnés entiers.
A. JARRY, l'Amour en visites, Pl., t. I, p. 854-855.

♦ **2.** (Abstrait). Séparé d'une manière arbitraire. *Des enseignements cloisonnés.*

2 Elle *(l'ouverture au réel)* se rencontre à l'état accompli chez ces génies à directions multiples, comme Léonard de Vinci, Leibniz, Goethe, qui se meuvent à l'aise dans les catégories de l'esprit habituellement les plus cloisonnées.
E. MOUNIER, Traité du caractère, p. 643.

DÉR. Cloisonnisme.

CLOISONNEMENT [klwazɔnmã] n. m. — 1845 ; de *cloison*.

♦ **1.** Manière dont une chose est cloisonnée (division, séparation). ⇒ **Cloisonnage.**

♦ **2.** (Abstrait). Division entre des personnes, des choses. *Le cloisonnement des partis politiques.*

Nous avons mis entre parenthèses le problème de notre espèce et envisagé la catastrophe probable de notre civilisation, sans nous demander si elle ne pourrait pas avoir, sur l'espèce elle-même des effets que ses sœurs défuntes n'avaient pas eus. Le monde est devenu un, et nos esprits accoutumés aux cloisonnements ne s'en rendent pas compte. Emmanuel BERL, le Virage, p. 31 (1972).

CONTR. Décloisonnement.

CLOISONNER [klwazɔne] v. tr. — 1803 ; de *cloison*.

♦ **1.** Diviser, séparer par des cloisons. *Cloisonner une pièce.* ⇒ **Compartimenter.**

♦ **2.** Abstrait (de *cloison*, 4.). Séparer, diviser en groupes distincts.
La différence des grades ne cloisonne plus leurs rapports.
COCTEAU, Journal d'un inconnu, p. 72.

▶ CLOISONNÉ, ÉE p. p. adj. Voir à l'ordre alphabétique.
CONTR. Décloisonner.

CLOISONNISME [klwazɔnism] n. m. — Mil. xxᵉ ; de *cloisonné*, et *-isme*.

♦ Hist. de l'art. Style de peinture où les zones de couleurs par à-plats sont cernées.

(...) principes redevables à Gauguin : le *cloisonnisme* et le *synthétisme*. Le premier, imitant les émaux « cloisonnés » ou les vitraux sertis de plomb, cerne d'arabesques sinueuses et fortement appuyées des surfaces de couleurs pures juxtaposées sans transition. Ce qui va entraîner une mise en page et une composition nouvelles : remontée de la ligne d'horizon, suppression de la perspective et de l'espace naturalistes. Maurice GIEURE, la Peinture moderne, p. 27-28.

CLOÎTRE [klwɑtʀ] n. m. — 1165, *clostre* « enceinte » ; du lat. *claustrum* « enceinte » ; l'*i* est dû à l'attraction de *cloison*.

♦ **1.** Partie d'un monastère interdite aux profanes et fermée par une enceinte (⇒ **Clôture**). *Le cloître des chartreux.*
Le monastère lui-même. ⇒ **Abbaye, couvent** (→ Asile, cit. 20 ; cadet, cit. 3 ; cellule, cit. 3). *Se retirer, se jeter, s'ensevelir, finir ses jours dans un cloître. Enfermer, emprisonner, murer dans un cloître.* ⇒ **Claustrer, cloîtrer, encloîtrer.** *Les grilles du cloître. Du cloître.* ⇒ **Claustral.**

1 Un cloître est l'époux qu'il me faut. LA FONTAINE, Fables, VI, 21.

2 Cloîtres silencieux, voûtes des monastères,
C'est vous, sombres caveaux, vous qui savez aimer !
Ce sont vos froides nefs, vos pavés et vos pierres,
Que jamais lèvre en feu n'a baisés sans pâmer.
A. DE MUSSET, Poésies nouvelles, « Rolla », IV.

♦ **2.** Par métonymie. Le fait de vivre dans un cloître ; la règle, la vie du cloître. ⇒ **Claustration, réclusion.** *Les austérités du cloître.* Par ext. ⇒ **Retraite.**

Mon impression, à moi, que je garde, est le désir d'être de plus en plus retiré du monde et dans un cloître d'études et d'oubli.
SAINTE-BEUVE, Correspondance, I, p. 27.

♦ **3.** Lieu situé à l'intérieur d'un monastère, ou contigu à une église cathédrale ou collégiale, et comportant une galerie à colonnes qui encadre une cour ou un jardin carré (⇒ **Préau**). *Le cloître de St-Trophime, à Arles. Logis de chanoines donnant sur le cloître de la cathédrale. Le cloître, promenoir des moines, propice à la méditation.*

Comment peut-on ne pas adorer les cloîtres, ces lieux tranquilles, fermés et frais, inventés, semble-t-il, pour faire naître la pensée (...) pendant qu'on va à pas lents sous les longues arcades mélancoliques ?
Comme elles paraissent bien créées pour engendrer la songerie, ces allées de pierre, ces allées de menues colonnes enfermant un petit jardin qui repose l'œil sans l'égarer, sans l'entraîner, sans le distraire !
MAUPASSANT, la Vie errante, « La Sicile », p. 105.

♦ **4.** (Vx) par anal. Enceinte fermée, réservée aux demeures des chanoines. *Le cloître Notre-Dame, le cloître Saint-Merry, à Paris.*
DÉR. Cloîtrer, cloîtrier.

CLOÎTRER [klwɑtʀe] v. tr. — 1623 ; de *cloître*.

♦ **1.** Faire entrer comme religieux (religieuse) dans un monastère fermé. *Cloîtrer une jeune fille.*

♦ **2.** Relig. *Cloîtrer un couvent :* décréter qu'un couvent observera la clôture.

♦ **3.** Fig. Enfermer, mettre à l'écart (qqn).

▶ SE CLOÎTRER v. pron.

♦ **1.** Faire profession dans un monastère fermé.
Ce fut le 8 juillet 1866 que Bernadette quitta Lourdes. Elle partait pour se cloîtrer, à Nevers, au couvent de Saint-Gildard, la maison mère des Sœurs qui desservaient l'Hospice, où elle avait appris à lire, où elle vivait depuis huit ans.
ZOLA, Lourdes, p. 272.

♦ **2.** Vivre à l'écart du monde. ⇒ **Enfermer** (s'), **retirer** (se). *Se cloîtrer dans ses occupations, ses idées,* s'abstraire de tout ce qui y est étranger.
(...) j'ai été si suis affairé à achever un second volume de roman, lequel est dans un train d'idées si différent de la politique ou des choses de dehors que j'ai dû m'y cloîtrer pour ainsi dire, afin de ne pas trop perdre l'inspiration.
SAINTE-BEUVE, Correspondance, t. I, 15 déc. 1833, p. 409.

▶ CLOÎTRÉ, ÉE p. p. adj.
Se dit des religieux qui vivent à l'intérieur d'un cloître (⇒ **Cloître,** 1.) ou de la partie du monastère qui se trouve en deçà de la clôture.
Fig. Qui vit à l'écart du monde.

(...) une obstination de femme cloîtrée au fond de ses devoirs.
ZOLA, Pot-Bouille, p. 234.

Le jour suivant, cloîtrés par une pluie fine et persistante, les deux enfants durent renoncer à leur promenade quotidienne.
Raymond ROUSSEL, Impressions d'Afrique, p. 230.

COMP. Encloîtrer.

CLOÎTRIER, IÈRE [klwɑtʀije, ijɛʀ] n. et adj. — V. 1170 ; de *cloître*.

♦ Vx. (Personnes). Qui vit dans un cloître. — N. *Un cloîtrier, une cloîtrière.*

CLONAGE [klɔnaʒ] n. m. — V. 1970 ; de *cloner*.

♦ Biol. Reproduction d'un individu (végétal ou animal) à partir d'une de ses cellules ; technique permettant d'obtenir un ensemble de cellules à partir d'une seule. *Plante obtenue par clonage.* → (fam.) Plante-éprouvette. « (Le) *clonage devrait permettre de produire un individu complet, non plus à partir de la fusion de deux cellules sexuelles, mais à partir de n'importe quelle cellule normale du corps* » (la Recherche, nov. 1970, p. 524).

Le plus bel exemple de ce « miroir bionique » et de cette « nécrose narcissique » : le clonage, forme limite de l'auto-séduction : du Même au Même sans passer par l'Autre. J. BAUDRILLARD, De la séduction, p. 227.

CLONAL, ALE, AUX [klɔnal, o] adj. — 1961 ; de *clone*. → Clone.

♦ Biol. Relatif à un clone, aux clones, au clonage. *Sélection clonale.*

CLONE [klɔn] n. m. — 1953 en biol. ; répandu v. 1980 ; angl. *clon* (1903) puis *clone* (1905 ; C.L. Pollard), d'abord en botanique ; du grec *klôn* « pousse ».

♦ Biol. Descendance d'un individu par multiplication végétative (bourgeonnement, etc.), ou par parthénogénèse (espèce animale) ; individu de cette descendance.

La catégorie systématique que nous propose la botanique, c'est le *clone* qui représente la population issue par voie apomictique d'une même plante. Ceci dit, un cépage peut être défini comme une collection de clones suffisamment apparentés

entre eux pour qu'il soit permis au vigneron de les confondre sous un même nom. Ce qui reste indéterminé, c'est le nombre de clones qui composent un cépage (...)
Louis LEVADOUX, la Vigne et sa culture, p. 25.

2 S'il se matérialise, c'est la mort imminente — c'est cette proposition fantastique qui est aujourd'hui littéralement réalisée dans le clonage : le clone est la figure même de la mort, mais sans l'illusion symbolique qui fait son charme.
J. BAUDRILLARD, De la séduction, p. 228.

Cour. (non scientifique). Individu obtenu par clonage (notamment dans les récits d'anticipation).

Fig. « *Le disque de musique classique a limité son horizon : être un clone presque parfait du concert, une reconstitution clinique* » (*Libération*, 16 mars 1984).

DÉR. Clonal, cloner.

CLONER [klɔne] v. tr. — 1979, probablt antérieur (→ Clone); de *clone*, pour traduire l'angl. *to clone* (1959).

♦ **Biol.** Procéder au clonage* de (une cellule, une substance organique, un individu); reproduire par clonage. « *C'est l'une de ces hormones (...) que vient de cloner l'équipe américaine (...) les chercheurs (...) ont identifié et isolé les gènes qui dirigent la production dans les cellules humaines, de ces deux hormones. Ils ont ensuite intégré ces gènes dans des cellules qui, ainsi génétiquement transformées, se sont mises à synthétiser ces structures biologiques.* » (*le Monde*, 28 févr. 1984, p. 13).

Fig. (non scientifique). Reproduire d'une manière strictement conforme à un modèle. — Au p. p. «*Une foule de petites beautés d'HLM, clonées sur le look* Champs-Élysées... » (*Libération*, 16 mars 1984).

DÉR. Clonage.

CLONIQUE [klɔnik] adj. — 1808; dér. du grec *klonos* «agitation ».

♦ **Méd.** Caractérisé par des convulsions nombreuses et violentes. *Stade clonique de l'hystérie.*

CLONUS [klɔnys] n. m. — 1862; du grec *klonos* «agitation».

♦ **Méd.** Succession de contractions rythmées déclenchées par la traction brusque de certains muscles, traduisant une exagération des réflexes. ⇒ **Clonique.** *Clonus de la rotule, du pied, de la main.*

CLOPE [klɔp] n. — 1902, *piquer un clope*, Esnault; *ciclope*, 1899, *in* Chautard; de *ci(garette)*, par substitution d'élément.

♦ **1. N. m. Pop.**, puis **fam.** Bout de cigare, de cigarette. *Ramasseur de clopes* : ramasseur de bouts de cigarettes (G. Sandry, *Dict. de l'argot moderne*).

Je triturais dans ma poche le mégot de la Gauloise que le routier m'avait donnée (...) J'avais un vrai clope de Gauloise, et j'étais libre de le jeter ou de l'émietter. J'avais laissé là-haut mon papier à rouler et mes allumettes. Rolande, Rolande, j'ai un beau mégot et je ne peux pas le fumer (...)
A. SARRAZIN, l'Astragale, p. 23.

♦ **2. N. f. Fam.** Cigarette. *Passe-moi une clope. Acheter un paquet de clopes.*

♦ **3.** *Des clopes!* rien dû tout (cf. La peau!). ⇒ **Clopinettes.** *Il gagne des clopes* : il ne gagne pas grand-chose.

DÉR. V. Clopinettes.

CLOPINARD [klɔpinaʀ] n. m. — 1947; de *clopiner*, *clopin* (→ Clopin-clopant), par la même image que *clochard*.

♦ **Pop.** Clochard. ⇒ 2. **Cloche, clodo.**

Ce matin, dans mon atelier, deux hommes sont entrés sur leurs pieds, deux tordus, deux paumés, deux clopinards de la mistoufle qui crevaient de faim et des figures de déterrés. M. AYMÉ, le Vin de Paris, « La bonne peinture », p. 206.

CLOPIN-CLOPANT [klɔpɛ̃klɔpɑ̃] loc. adv. — 1668; de l'anc. franç. *clopin* «boiteux», et *clopant*, p. prés. de *cloper* «boiter».

♦ **1. Fam.** En clopinant. ⇒ **Clopiner.** *Aller clopin-clopant.*

1 Mes gens s'en vont à trois pieds,
Clopin-clopant, comme ils peuvent,
L'un à l'autre jetés,
Au moindre hoquet qu'ils treuvent *(trouvent).*
LA FONTAINE, Fables, V, 2.

2 (...) elle avait eu la force de se relever et, clopin-clopant, se sauvait avec son bâton.
LOTI, Pêcheur d'Islande, VI, p. 161.

♦ **2. Fig. et fam.** D'une manière irrégulière. ⇒ **Cahin-caha, couci-couça.** *Le commerce va clopin-clopant.*

CLOPINER [klɔpine] v. intr. — V. 1330; *clopigner*, 1155; de l'anc. franç. *clopin* «boiteux».

♦ **Fam.** Marcher avec peine, en traînant le pied. ⇒ **Boiter, clocher.** *Clopiner avec des béquilles* (cit. 1).

1 Des groupes de petits blessés clopinaient vers l'ambulance (...)
G. DUHAMEL, Récits des temps de guerre, t. I, p. 69.

2 Cette fois, j'étais vraiment clopinant, supputant déjà l'art d'accommoder la défaite. L'Arc de triomphe sur ma gauche, les Invalides à droite épaulaient le décor de l'épopée dont j'accomplissais en clopinant le dernier parcours.
A. BLONDIN, Monsieur Jadis, p. 45 (1970).

DÉR. Clopinard.

CLOPINETTES (DES) [deklɔpinɛt] n. f. pl. — 1925; étym. obscure, p.-ê. de *clope* «mégot».

♦ **Pop.** Rien. *Ils ont eu des clopinettes.* — Loc. adv. Rien du tout (cf. Des clous!, des clopes!). — *Des clopinettes!* : vous pouvez toujours attendre!

Vous êtes un faux frère, lui dit-il. Signez un papier.
— Transigeons, dit l'abbé. Quinze jours d'indulgence?
— Des clopinettes, dit le gardien.   Boris VIAN, l'Automne à Pékin, p. 35.

CLOPORTE [klɔpɔʀt] n. m. — 1538; *choplote*, XIIIe; origine incertaine.

♦ Animal crustacé malacostracé *(Isopodes)* qui vit sous les pierres, dans les lieux sombres et humides. *Le cloporte se nourrit de débris organiques. Cloporte des murs. Cloporte de mer* (⇒ **Ligie**). *Cloporte roulé en boule sous une pierre.*

1 (...) plus fourmillant de cloportes et d'insectes dégoûtants qu'une pierre posée sur le terrain humide d'une cave.   Th. GAUTIER, Mlle de Maupin, VI, p. 109.

2 (...) vos théologiens et vos philosophes raisonnant comme des cloportes de Versailles ou des Tuileries qui croiraient que l'humidité des caves est faite pour eux et que le reste du château n'est point habitable.
FRANCE, la Rôtisserie de la reine Pédauque, Œ., t. VIII, p. 106.

♦ **2. Fig.** *Vivre comme un cloporte*, confiné chez soi.

3 Si nous avions reçu beaucoup d'amis, si nous ne nous étions pas terrés comme des cloportes sous une pierre (...)
Edmond JALOUX, Fumées dans la campagne, XVIII, p. 147.

♦ **3. Pop.** Concierge.

CLOQUAGE [klɔkaʒ] n. m. — 1866; de *cloquer.*

♦ **Techn.** Apparition ou présence de cloques sur une surface peinte ou vernie (⇒ aussi **Bullage**).

CLOQUE [klɔk] n. f. — 1750; forme picarde de *cloche*, ayant le sens de «bulle».

♦ **1.** Maladie qui attaque les feuilles de certains arbres, et particulièrement celles du pêcher.

♦ **2.** (1866). Cour. Petite poche de la peau, pleine de sérosité. ⇒ **Ampoule, bulle, phlyctène;** → Bubon, cit. 2. *Il est couvert de cloques. Percer des cloques. Appliquer de l'acide picrique sur une brûlure* pour empêcher la formation de cloques.

1 Au milieu des taches, des points plus ardents se créent, autour de ces points, la peau se soulève en cloques comme des bulles d'air sous l'épiderme d'une larve, et ces bulles sont entourées de cercles (...)
A. ARTAUD, le Théâtre et son double, « Le théâtre et la peste », Idées/Gallimard, p. 26.

2 (...) elle pouvait éclore, développer son œuf, écraser la chair inerte, se vautrer dans la boue, polluer les couleurs distinctes, troubler l'eau de l'air, tordre n'importe quel point de l'espace et gonfler sa cloque née de l'action d'un fer rouge.
J.-M. G. LE CLÉZIO, le Déluge, p. 18.

♦ **3.** Boursouflure dans l'épaisseur d'un matériau de revêtement (peinture, papier peint...). ⇒ aussi **Bulle, II., 1.**

♦ **4.** (1901). Loc. fam. *Être en cloque*, enceinte*. *Mettre (une femme) en cloque*, la rendre enceinte.

3 Demain, il faudra mentir encore, dire à Babouchka qu'il faut manger alors que le mieux serait qu'elle cesse de nourrir son agonie, penser au petit Genêt qui se développe dans la petite Cartier, téléphoner à la mère du coupable pour lui dire que nous sommes en cloque et que ce qu'elle avait prédit est arrivé.
Benoîte GROULT, Il était deux fois, p. 408.

DÉR. Cloqué. — Cloquer.

CLOQUÉ, ÉE [klɔke] adj. — 1832; de *cloque.*

♦ **1.** Qui présente des cloques, des boursouflures. *Feuilles cloquées. Peinture cloquée.*

♦ **2.** (1929). *Étoffe cloquée*, gaufrée. — N. m. *Du cloqué.*

CLOQUER [klɔke] v. — XVIIIe; de *cloque.*

♦ **1. V. intr.** Se soulever par places en formant des cloques. ⇒ **Boursoufler.** *Peinture qui cloque. Sa peau cloque.* — Pron. *Se cloquer.*

La peinture jaune s'était déjà cloquée au milieu du panneau.
H. TROYAT, la Malandre, p. 7.

♦ 2. V. tr. *Cloquer une étoffe*, y imprimer des dessins en relief. ⇒ **Gaufrer.**

DÉR. Cloquage.

CLORE [klɔʀ] v. tr. — Usité seulement aux formes suivantes : *je clos, tu clos, il clôt*; rarement *ils closent*; *je clorai*, etc.; *je clorais*, etc.; *que je close*, etc.; *clos* (impér.); *clos, close* (p. p.). — Av. 1150; du lat. *claudere.*

♦ 1. Vx ou littér. Boucher ce qui est ouvert pour empêcher l'accès. ⇒ **Fermer.** *Clore avec une barrière* (⇒ **Barrer**), *un mur* (⇒ **Murer**), *un fossé, une haie...* (→ Balustrade, cit. 3). *Clore un passage. Clore la porte, les persiennes d'une chambre*, les fermer hermétiquement (→ Argent, cit. 59; cendre, cit. 2). — Absolt. *Cette porte ne clôt pas.*

1   On *ferme* proprement une porte ou ce qui a une porte, et par conséquent un objet de peu d'étendue (...) *Clore*, comme *clôture*, qu'il sert à former et qu'il rappelle, suppose quelque chose de plus vaste (...) Ce qui est *fermé* l'est dans le moment, car il est destiné à se *fermer* et à s'ouvrir alternativement ; mais ce qui est *clos* est *fermé* à jamais ou pour longtemps, d'une manière fixe et constante (...) *Fermer* est moins rigoureux que *clore.* Pour qu'une porte soit *fermée*, il suffit que les portes et les fenêtres aient cessé d'être ouvertes; pour qu'elle soit *close*, il faut de plus qu'il n'y ait aux portes et aux fenêtres aucun passage donné à l'air et au froid. LAFAYE, Dict. des synonymes, Clore.

1.1   Dans la principale chambre était au milieu une grande table fixée en terre, pour manger ou pour travailler; trois autres portes revêtues de fer closaient cette chambre; point de ferrures de notre côté; d'énormes verrous de l'autre. SADE, Justine..., t. I, p. 157.

Clore l'œil, la paupière. ⇒ **Dormir.** *Clore les yeux de qqn* : assister à la mort de qqn; abaisser les paupières d'un mourant qui expire. Fig. et mod. *Clore la bouche, le bec à qqn*, l'empêcher de parler; fig., le faire taire par un argument irréfutable (→ Bec, cit. 8).

2   Il menaça Madeleine de lui clore la bouche d'un revers de main (...) G. SAND, François le Champi, IX, p. 79.

Clore la marche : être le dernier d'une troupe en marche.

♦ 2. (Fin XIIᵉ). Vieilli. Entourer d'une enceinte. ⇒ **Enclore, enfermer.** *Une ligne de fortification clôt la ville. Clore un jardin, un terrain, un vignoble.* — *Se clore* : entourer sa propriété de barrières, de murs... ⇒ **Clôture.**

♦ 3. Fig. et littér. Mettre un terme à (qqch.). ⇒ **Achever, arrêter, finir, terminer.** *Clore une négociation, un marché.* ⇒ **Contracter; contrat** (passer un contrat). *Clore un inventaire, un procès-verbal. Clore un compte**.

3   (...) je vais voir l'élection du chef de la chrétienté; ce spectacle est le dernier grand spectacle auquel j'assisterai dans ma vie; il clora ma carrière. CHATEAUBRIAND, Mémoires d'outre-tombe, III, XII.

4   Mais qui peut espérer de clore jamais un dictionnaire de langue française? É. LITTRÉ, Comment j'ai fait mon dictionnaire, p. 31.

Cour. Déclarer terminé. *Clore un débat, une discussion. Clore la séance d'une assemblée. Clore un incident.*

▶ CLOS, CLOSE p. p. adj. (V. 1130).

♦ 1. Fermé. *Espace clos.* ⇒ **Enceinte.** *Champ* (cit. 5) *clos.* ⇒ **Clos, enclos;** camp. Spécialt. *Combat singulier, tournoi en champ** *clos.* — *Maison bien close, hermétiquement close. Volets clos. Trouver porte close* : ne trouver personne. *Huis clos.* ⇒ **Huis.** — (1886). Chim. *Un vase clos.* ⇒ **Vase,** cit. 5 et supra. — Loc. *Vivre en vase clos*, confiné.

5   Son âme est comme un vase clos : nulle crainte n'y peut entrer. GIDE, Œdipe, I.

6   (...) il avait laissé les volets hermétiquement clos (...) MARTIN DU GARD, les Thibault, t. IV, p. 275.

7   Le domaine (...) était clos de murs sur environ un kilomètre, et pour le surplus, de haies très épaisses, ou d'un treillage, ou parfois de deux. J. ROMAINS, les Hommes de bonne volonté, t. V, p. 75.

(1931, *in* D.D.L). *Maison close*, de prostitution. ⇒ **Bordel.**

Yeux mi-clos. Avoir les yeux clos : être mort. — Fig. *Agir les yeux clos*, en toute confiance; et aussi, à l'aveuglette. *Avoir la bouche close* : garder le silence, un secret. (Cf. Bouche cousue).

8   Le raisonneur parti, l'aventureux se lance,
Les yeux clos, à travers cette eau. LA FONTAINE, Fables, X, 13.

9   Le cœur lui battait comme dans les plus fortes fièvres, et son visage aux yeux clos était inondé de rose et de moiteur. J. ROMAINS, les Hommes de bonne volonté, t. V, p. 269.

Clos et couvert : à l'abri des intempéries. *Le propriétaire doit tenir son locataire clos et couvert.* — Subst. *Assurer le clos et le couvert.*

Clos et coi : dans l'expectative; ou tranquillement chez soi. *Se tenir clos et coi.*

10   Dans les visites qui sont faites,
Le renard se dispense et se tient clos et coi. LA FONTAINE, Fables, VIII, 3.

Fig. *À la nuit close* : quand la nuit est complètement tombée.

10.1   Nous repartons vers sept heures du matin, pour n'arriver à Kinchassa qu'à la nuit close. GIDE, Voyage au Congo, *in* Souvenirs, Pl., p. 690.

Testament mystique clos, cacheté et scellé (cf. Code civil, Art. 976). *Lettre close* : ordre du roi, scellé et secret. — Fig., vieilli. Chose qui demeure incompréhensible. *C'est pour moi lettre close.*

11   Le fond de cette intrigue est pour moi lettre close (...) MOLIÈRE, le Dépit amoureux, II, 1.

♦ 2. Achevé, terminé. *La séance, la session est close* (→ Assise, cit. 8). — *L'incident est clos. Compte, exercice clos. Pâques closes.* Se dit du dimanche de Quasimodo qui termine les fêtes pascales.

CONTR. Déboucher, déclore, dégager, écarter, ouvrir, percer. — Commencer.
DÉR. et COMP. Clos, déclore, éclore, enclore, forclore. — V. Clôture.
HOM. Chlore, clause (close).

CLOS [klo] n. m. — 1150; p. p. substantivé de *clore.*

♦ Terrain cultivé et clos de haies, de murs, de fossés. *Clos d'arbres fruitiers* (→ Attenant, cit. 1). *Un clos normand.*

Le parfum de l'enfer flottait sur ce clos mi-bourbonnais mi-auvergnat. GIRAUDOUX, Juliette au pays des hommes, p. 22.

(Surtout dans des noms propres). Terre plantée de vignes (⇒ **Vignoble**) et close de murs. *Le clos Vougeot donne un bourgogne** *réputé.*

DÉR. Closeau, closerie, closier.
HOM. Clos (adj.). — V. **Clore.**

CLOSEAU [klozo] n. m. — 1309, *closel*; de *clos.*

♦ Vieilli. Petit clos. — Régional (Ouest). Pièce de terre spécialisée pour les plantes sarclées.

CLOSE-COMBAT [klozkɔ̃ba] n. m. — 1966; mot angl., «combat rapproché».

♦ Anglic., milit. Combat corps à corps.

(...) le coup sur la nuque est le *b, a, ba* du close-combat, la première chose qu'on enseigne aux membres des commandos et des services secrets. Michel DÉON, les Poneys sauvages, p. 395.

CLOSERIE [klozʀi] n. f. — 1449; de *clos.*

♦ 1. Petit clos qui comprend une maison d'habitation. — Petite parcelle de vigne.

À peine le groupe s'est-il pelotonné pour jouir de la sécurité et du repos que la défaillance d'une cloison de toile, de la closerie de branchage, l'oblige à s'arracher à la candeur de la niche pour affronter le cinglant et le tranchant avant de réintégrer la fragile tanière pour y attendre une nouvelle alerte. Jacques LAURENT, les Bêtises, p. 525.

♦ 2. (À Paris). Au XIXᵉ siècle, Jardin consacré à des amusements publics. *La Closerie des lilas.*

CLOSIER, IÈRE [klozje, jɛʀ] n. — V. 1225; de *clos.*

♦ Vieilli. Fermier, fermière d'une closerie.

Ma pauvre Germaine, voilà mon départ encore retardé. Règle les closiers. À bientôt des nouvelles. Alphonse DAUDET, l'Immortel, p. 181.

CLÔTURE [klotyʀ] n. f. — XIIᵉ; d'un lat. pop. *clausitura, pour *clausura*, rac. *claudere*. → Clore.

♦ 1. Ce qui sert à obstruer le passage, à enclore un espace. ⇒ **Barrière, enceinte, fermeture.** *La clôture d'un jardin, d'un parc, d'un terrain, d'une propriété. Propriété sans clôture. Clôture de haies vives, de fossés**. *Clôture à claire-voie**. *Clôture en ronce** *artificielle.* ⇒ **Barbelé.** *Clôture faite de pieux fichés en terre les uns à côté des autres.* ⇒ **Palissade.** *Clôture métallique.* ⇒ **Grille, herse.** *Clôture imitant les mailles d'un filet.* ⇒ **Treillage, treillis.** *Pointes qui empêchent l'escalade d'une clôture.* ⇒ **Artichaut.** *Clôture dont on entourait les places fortes, les champs** *clos.* ⇒ **Lice.** *Clôture qui, dans une église, isole le chœur.* ⇒ **Balustre, cancel.** *Clôture interdisant l'entrée d'un parc. Clôture de champ, de pâturage.* ⇒ **Claie, échalier, haie** (→ Bocage, cit. 3). *Clôture endommagée. Brèche dans une clôture. Rupture faite avec violence dans une clôture.* ⇒ **Bris.**

1   Est réputé *parc* ou *enclos*, tout terrain environné de fossés, de pieux, de claies, de planches, de haies vives ou sèches, ou de murs de quelque espèce de matériaux que ce soit, quelles que soient la hauteur, la profondeur, la vétusté, la dégradation de ces diverses clôtures (...) Code pénal, art. 351.

2   Quiconque aura, en tout ou en partie, comblé des fossés, détruit des clôtures, de quelques matériaux qu'elles soient faites, coupé ou arraché des haies vives ou sèches (...) Code pénal, art. 456.

(1344). Enceinte d'un monastère, interdite aux laïcs, où les religieux vivent cloîtrés. ⇒ **Cloître,** 1. — Fig. Obligation de garder le cloître*. *Vœu de clôture. Violer la clôture monastique.*

3   (...) je vous ai dérobée à la clôture d'un couvent (...) MOLIÈRE, Dom Juan, I, 3.

4   Une retraite profonde, une clôture impénétrable, une obéissance entière. BOSSUET, Oraison funèbre de Mᶫᶫᵉ La Vallière, *in* LITTRÉ.

5   (...) il lui semblait qu'elle avait jusqu'alors vécu cloîtrée, et que les limites de sa clôture, reculant soudain, lui découvraient un horizon insoupçonné. MARTIN DU GARD, les Thibault, t. VI, p. 221.

♦ 2. Rare. Action de clore. ⇒ **Fermeture** (courant).

5.1   Inhospitalier de nature, le Français soigne d'une manière défensive ses abords

immédiats, s'entoure d'églantier, d'épine noire et de genévrier ; il barbèle au besoin son jardin, et sa première débauche d'imagination est pour la clôture.
COLETTE, *Flore et Pomone, in Gigi,* p. 181.

...DE CLÔTURE : qui sert à clore. *Mur*, porte* de clôture* (→ Barricader, cit. 4).

♦ **3.** (1415). Action de terminer, d'arrêter définitivement une chose, ou de la déclarer terminée. ⇒ **Conclusion, fin.** *La clôture d'un compte, d'un inventaire, d'un procès-verbal. Clôture d'une séance.* ⇒ **Levée.** *Séance de clôture. Clôture d'une délibération, d'une discussion, des débats. Clôture d'une session parlementaire.* ⇒ **Achèvement.** *Demander la clôture. Parler pour, contre la clôture. Vote de clôture. Ouverture, clôture d'un scrutin. Prononcer la clôture à la majorité.*

6 M. de Champcenais avait donc pris l'habitude de ne considérer comme du gain que les sommes liquides dont il pouvait disposer à la clôture d'un exercice, sans gêner en rien la marche de son affaire.
J. ROMAINS, *les Hommes de bonne volonté,* t. III, XIII, p. 180.

Suspension temporaire. *Dernier jour de vente avant la clôture.*

Didact. Fait de clore, d'arrêter, de terminer (un ensemble dynamique).

CONTR. **Dégagement, ouverture, percée. — Commencement, début.**
DÉR. **Clôturer.**

CLÔTURER [klotyʀe] v. tr. — 1787 ; de *clôture.*

♦ **1.** (1795). Fermer, entourer* avec une clôture. ⇒ **Clore, enclore, fermer.** *Clôturer un jardin, un champ.*

♦ **2.** Fig. Déclarer terminé, clos ; mettre fin à (qqch, un processus). ⇒ **Clore,** 3. ; **achever, terminer.** *Clôturer un compte. Clôturer les débats, la discussion. Clôturer la séance.* ⇒ **Lever.** *Clôturer la session des Chambres. Clôturer une fête, une saison théâtrale.*

1 Il clôtura la discussion d'un *«Fort bien»* qui puait le fiel à plein nez (...)
COURTELINE, *Messieurs les ronds-de-cuir,* 4e tableau, III, p. 159.

2 (...) les parlementaires observent que *clôturer* un débat, ce n'est pas le clore, mais «prononcer la clôture», idée sensiblement différente.
A. DAUZAT, *Études de linguistique franç.,* p. 14.

(Abstrait). Didact. Rendre complet, clos.

▶ **SE CLÔTURER.** v. pron.
Spécialt. S'enfermer à l'intérieur d'une clôture.

CLOU [klu] n. m. — 1080 ; du lat. *clavus.*

★ **I.** ♦ **1.** Petite tige de métal à pointe et le plus souvent à tête, qui sert à fixer, assembler, suspendre... *La tête, la pointe d'un clou. Clou à tête.* ⇒ **Broquette, pointe.** *« La tête grimaçante d'un maître clou »* (→ Anneau, cit. 0.2). *Clou à tête plate, ronde. Clou à tête ouvragée servant d'ornement.* ⇒ **Bossette, cabochon.** *Clou sans tête.* ⇒ **Clavette, cheville, chevillette.** *Étêter un clou. Clou à crochet. Clou en U à deux pointes.* ⇒ **Cavalier, crampillon.** *Clou en cuivre, en bronze ; clou doré. Clou de tapissier. Clous à ardoises. Clous à souliers.* ⇒ **Bequet, caboche, semence.** *Clous à chevaux. Blesser un cheval avec un clou de ferrure.* ⇒ **Enclouer.** *Clou à large tête qu'on enfonce à la main.* ⇒ **Punaise.** *— Clous et rivets, et vis. — Boîte à clous* ou *cloutière. Enfoncer, fixer un clou avec un marteau. Planter des clous.* ⇒ **Clouer ; clouage, clouement, cloutage.** *Percer un trou à l'aide d'une vrille avant d'enfoncer un clou* (⇒ **Avant-clou**). *Rabattre, river un clou.* ⇒ **River.** *Arracher les clous avec un pied de biche, des tenailles, un tire-clou.* ⇒ **Déclouer, désenclouer.** *Meuble monté à clous. Fermer le couvercle d'une caisse avec des clous. Objet accroché, suspendu à un clou* (→ Cage, cit. 4). *Souliers à clous. Une porte bardée de clous. Fabrication des clous.* ⇒ **Clouterie.** *Instrument qui coupe à longueur les tringles de métal servant à la fabrication des clous.* ⇒ **Bistoquet.**

1 Il y porte une corde, et veut avec un clou
Au haut d'un certain mur attacher le licou.
LA FONTAINE, *Fables,* IX, 16.

2 Aussitôt de longs clous il prend une poignée :
Sur son épaule il charge une lourde coignée (...)
BOILEAU, *le Lutrin,* II.

3 (...) les objets auxquels je tenais un peu étaient restés suspendus ou fixés, comme les meubles, aux panneaux des murs par des clous et des cornières de fer.
LOTI, *Mon frère Yves,* XXIX, p. 95.

4 Ferdinand se mit à planter des clous et Claire à défaire ses bagages.
G. DUHAMEL, *Chronique des Pasquier,* IV, XI.

Par métaphore :

5 Ah ! malheur à celui qui laisse la débauche
Planter le premier clou sous sa mamelle gauche !
A. DE MUSSET, *Premières poésies,* « La coupe et les lèvres », IV, 1.

Loc. *Être maigre comme un clou,* très maigre. *Être comme un clou.*
Chir. Tige métallique, pointue à une extrémité, servant à maintenir les fragments osseux dans certaines fractures.

♦ **2.** *Tête de clou :* ornement figurant la tête d'un clou. Techn. *Caractères typographiques en têtes de clou. — Garniture de clous.* ⇒ **Cloutage.**

5.1 (...) les chaussures, en changeant plusieurs fois de position, ont tassé la neige dans leurs alentours immédiats, laissant par endroit des taches plus jaunes, des morceaux durcis à demi soulevés, et les marques profondes des têtes de clous rangées en quinconces.
A. ROBBE-GRILLET, *Dans le labyrinthe,* p. 18 (1959).

♦ **3.** Spécialt (au plur.). Fam. *Les clous :* le passage que les piétons doivent emprunter pour traverser la chaussée (délimité naguère par les têtes de fort diamètre de clous spéciaux, progressivement remplacés aujourd'hui par des bandes peintes sur le sol). ⇒ **Clouté** (passage). *Traversez dans les clous ! Prenez les clous !*

♦ **4.** Loc. fig. Vx. *Ne tenir ni à fer ni à clou,* ou *ni à clou ni à cheville :* être peu solide. — Vx. *Compter les clous de la porte :* attendre très longtemps.
Vieilli. *Ne pas donner un clou de qqch,* considérer comme sans valeur. Mod. *Ça ne vaut pas un clou :* cela ne vaut rien.

6 (...) je ne donnerais pas un clou de tout l'esprit qu'on peut avoir.
MOLIÈRE, *les Précieuses ridicules,* IX.

Fam. *Faire qqch. pour des clous,* pour rien. — *Ne pas en faire (ficher, foutre) un clou :* ne rien faire. — (1886). *Des clous ! :* réponse négative et ironique à une demande (*tu n'auras que des clous,* sous-entendu). Cf. Des clopes !, des clopinettes !

7 Boris eut un rire bref : — Des clous ! dit-il simplement.
SARTRE, *l'Âge de raison,* 11.

7.1 — Tu lui avais tout de même bien promis qu'elle hériterait de ton commerce.
— Des clous !
R. QUENEAU, *le Dimanche de la vie,* p. 57.

River son clou à qqn. ⇒ **River.**
Un clou chasse* l'autre.

★ **II.** Fig. ♦ **1.** (1823). Fam. Mont-de-piété (où l'on accroche les objets gagés). *Il a porté sa montre au clou.* ⇒ **Gage** (mettre en).

8 — Tiens, porte ça au clou.
— Tu ne veux pas que je porte aussi les enfants ? demanda-t-elle. Hein ! si l'on prêtait sur les enfants, ce serait un fameux débarras !
ZOLA, *l'Assommoir,* t. I, p. 13.

9 Nous avons d'abord payé mes dettes, puis nous en sommes arrivés à mettre « au clou » les diamants de Mme Daudet. Elle tenait ses comptes en bonne ménagère, mais le mot de mont-de-piété lui faisait peur, elle inscrivait sur son livre : Là-bas.
J. RENARD, *Journal,* 25 févr. 1891.

Argot, vx. Poste de police, prison. *Passer la nuit au clou.*

♦ **2.** (1878 ; du *clou* auquel on accroche qqch. pour attirer l'attention). *Le clou du spectacle, de la soirée... :* ce qui accroche le plus l'attention, la meilleure attraction*.

9.1 (...) le clou de la soirée est sans conteste un long monologue, joué par Lady Ava elle-même, seule en scène depuis le début jusqu'à la fin de l'acte.
A. ROBBE-GRILLET, *la Maison de rendez-vous,* p. 100.

♦ **3.** (1908). Mauvais véhicule (bicyclette, automobile). ⇒ **Bagnole, guimbarde.** *Sa bicyclette est un vieux clou.*

10 Quand le curé entra sur son clou dans la cour de Voiturier, celui-ci était encore en conversation avec les gendarmes de Sénecières qui tenaient leurs vélos à la main.
M. AYMÉ, *la Vouivre,* p. 190.

11 En attendant, nous serions bien heureux d'avoir des vélos pour ne pas user nos galoches d'Aurillac. On ne trouve plus un seul vélocipède à Paris. Je couve mon vieux clou comme une Rolls.
Benoîte et Flora GROULT, *Journal à quatre mains,* p. 78.

★ **III.** ♦ **1.** (1170). Fam. Petit furoncle. — Méd. *Clou hystérique, phtisique... :* douleur qui rappelle la piqûre d'un clou. — Méd. vétér. *Clou de rue :* blessure de la région plantaire due à un corps étranger pointu, et fréquente chez les bêtes de somme.

♦ **2.** (XIIIe). *Clou de girofle :* bouton du giroflier, utilisé comme épice. ⇒ **Girofle.**

DÉR. **Clouer, clouter, cloutière.**
COMP. **Avant-clou.**

CLOUAGE [kluaʒ] ou (rare) CLOUEMENT [klumɑ̃] n. m. — 1611, *cloiiage,* de *clouer.*

♦ **1.** Techn. Action, manière de clouer. *Bois qui fend au clouage.*

♦ **2.** Jeu d'échecs. *Clouage :* situation d'une pièce clouée ; coup par lequel on cloue une pièce adverse.

CLOUER [klue] v. tr. — 1138, *cloer ;* de *clou.*

♦ **1.** Fixer, assembler avec des clous. *Clouer une caisse, un tapis. Clouer une gravure au mur. Clouer le couvercle d'une caisse ;* par ext. *clouer une caisse* (⇒ **Fermer**).

1 (...) je n'aime pas à faire souffrir une grenouille, à arracher les pattes à une guêpe et à clouer une chauve-souris vivante contre un arbre.
G. SAND, *la Petite Fadette,* XVIII, p. 129.

Mar. *Clouer le pavillon,* le fixer au mât avec des clous pour montrer la ferme intention de ne pas se rendre.

♦ **2.** (1773, *in* D.D.L.). Fixer avec un objet pointu. ⇒ **Ficher.** *Clouer qqch. avec une flèche, une lance... Il le cloua au sol d'un coup d'épée.*

Clouer qqn dans son cercueil, fixer le couvercle du cercueil. — (Passif). *Être cloué entre quatres planches* (cit. 7).

2 (...) à sa mort on le cloue (*l'homme*) dans une bière (...)
ROUSSEAU, *Émile,* I, p. 13.

♦ **3.** (1680). Fig. Réduire à l'immobilité, maintenir sur place. ⇒ **Fixer, immobiliser, retenir.** *Une maladie l'avait cloué au lit. La* *suprise le cloua sur sa chaise.* — Passif (plus cour.). *Être cloué, rester cloué sur place* (par la peur, l'émotion, la stupeur, etc.).

3   Il faut que je reste là cloué sur une chaise ou debout, planté comme un piquet, sans remuer ni pied ni patte, n'osant point courir, ni sauter, ni chanter, ni crier, ni gesticuler quand j'en ai envie (...)   ROUSSEAU, les Confessions, XII.

4   L'on s'empare de Napoléon par trahison, les Anglais le clouent dans une île déserte de la grande mer, sur un rocher élevé de dix mille pieds au-dessus du monde.
                                    BALZAC, le Médecin de campagne, Pl., t. VIII, p. 469.

5   Ta gouvernante, la pauvre créature, est aujourd'hui clouée dans son lit par un rhumatisme rigoureux.   FRANCE, le Crime de S. Bonnard, Œ., t. II, II, p. 449.

Spécialt. *Jeu d'échecs. Clouer (une pièce adverse),* la mettre dans une situation telle qu'elle ne puisse plus faire mouvement sans que le roi de même couleur ne soit en échec, ou l'une des pièces majeures en prise. *Clouer un cavalier, un fou, une tour.*

♦ **4.** Loc. *Clouer (qqn, qqch.) au pilori**, signaler à l'indignation publique.

6   (...) quoi, ces émigrés honnis cloués au pilori, «vomis par la nation», ces aristocrates restés de purs royalistes, on les ferait maintenant rentrer en masse !
                    Louis MADELIN, le Consulat, XI, Les «masses de granit», p. 167.

♦ **5.** Loc. fig. (Fam.). *Clouer le bec à qqn :* le réduire au silence. → *Cadenasser** le bec, rabattre le *caquet**, en boucher un *coin**, river* le clou.

7   (...) il ergote volontiers, ne cherchant du reste pas à convaincre l'adversaire, mais à lui clouer le bec et à avoir le dernier mot (...)
                                    GIDE, Journal, 13 janv. 1943, p. 79.

8   Il me traitait de folle avec Dicky. Il a fallu que je le lui apporte empaillé pour lui prouver qu'il existait et lui clouer le bec.
                                    GIRAUDOUX, la Folle de Chaillot, II, p. 108.

▶ **CLOUÉ, ÉE** p. p. adj.

♦ **1.** Fixé, assemblé avec des clous. *Une caisse clouée.*
N. m. *Du cloué :* montage à clous (d'une chaussure), par opposition au montage cousu.

♦ **2.** Par compar. Fixé comme avec des clous.

9   Enjolras, traversé de huit coups de feu, resta adossé au mur comme si les balles l'y eussent cloué.   HUGO, les Misérables, V, I, XXIII.

♦ **3.** Immobilisé (→ ci-dessus à l'actif, sens 3). — Spécialt. Jeu d'échecs. *Pièce clouée.*

♦ **4.** Blason. Se dit d'une figure dont les clous sont d'un émail particulier.

CONTR. Déclouer, désenclouer.
DÉR. Clouage ou (rare) clouement, cloueur.
COMP. Déclouer, enclouer, reclouer.

CLOUEUR, EUSE [kluœR, øz] n. — 1611 ; de *clouer*.

♦ **1.** Ouvrier, ouvrière qui, dans la peausserie, fixe les peaux sur une planche pour qu'elles prennent leur forme.

♦ **2.** N. f. (xxᵉ). Appareil automatique à clouer les caisses.

CLOUTAGE [klutaʒ] n. m. — Fin xixᵉ ; de *clouter*.

♦ **1.** Action de clouter ; résultat de cette action. *Le cloutage d'un pneu.*

♦ **2.** Disposition de clous décoratifs.

CLOUTARD, ARDE [klutaR, aRd] n. — 1940 ; de *(Saint-)Cloud.*

♦ Fam. Élève ou ancien élève de l'École normale supérieure de Saint-Cloud. *Les cloutards et les sévriennes.*

CLOUTÉ, ÉE [klute] adj. — xvɪᵉ ; p. p. de *clouter*.

♦ **1.** Garni de clous. *Une ceinture cloutée. Des chaussures cloutées. Des pneus cloutés.*

1   Une lourde porte de bois, arrondie dans le haut et cloutée comme une porte de presbytère, était à demi ouverte.
                                    ALAIN-FOURNIER, le Grand Meaulnes, XIII, p. 76.

♦ **2.** PASSAGE CLOUTÉ : passage de la chaussée limité par des grosses têtes de clous et réservé aux piétons (actuellement remplacé par des bandes peintes). ⇒ **Matérialiser** ; et aussi **clou.**

1.1   Il y eut un feu rouge ; la voiture s'immobilisa devant le passage clouté et les silhouettes des gens défilèrent rapidement.
                                    J.-M. G. LE CLÉZIO, le Déluge, p. 96 (1966).

♦ **3.** Fig. et littér. Dont le dessin rappelle une garniture de clous. *Un ciel clouté d'étoiles.*

2   Mais le radieux paon-de-jour, en velours cramoisi, frappé d'yeux bleuâtres, clouté de turquoises (...) attend, confiant, la main qui l'emprisonne.
                                    COLETTE, la Paix chez les bêtes, «Les papillons», p. 185.

CLOUTER [klute] v. tr. — Déb. xvɪɪᵉ ; *cluter*, 1290 ; mot refait, de *clou*, d'après 1. *cloutier*.

♦ Garnir de clous. *Clouter la coque d'un bateau* (⇒ **Mailletage**). — Au p. p. *Passage clouté**.
DÉR. Cloutage, clouté.

CLOUTERIE [kluṭRi] n. f. — 1486 ; *cloueterie*, déb. xɪɪɪᵉ ; de *clou* ou de 1. *cloutier*.

♦ Techn. Fabrication, commerce des clous. — Atelier où sont fabriqués les clous.

CLOUTIER, IÈRE [klutje, jɛR] n. — xɪɪɪᵉ ; *clouetier*, de *clouet*, dimin. de *clou*.

♦ Techn. Personne qui fabrique, vend des clous.
DÉR. Clouter, clouterie.

CLOUTIÈRE [klutjɛR] n. f. — 1771 ; de *clou*.
Technique.

♦ **1.** (Fin xɪvᵉ, *clouyère*). Pièce de fer percée de trous, utilisée pour former les têtes des clous, des vis.
REM. On trouve aussi les formes *clouière, cloutère, clouvière.*

♦ **2.** Boîte à compartiments, dans laquelle on range les clous selon leur grosseur.

CLOVISSE [klɔvis] n. f. — 1838 ; *clouïsse*, 1611 ; provençal *clauvisso*, de *claure* «fermer». → Clore.

♦ Régional. (Provence). Coquillage comestible du genre Vénus (*Venerupis* ; sous-genre *Tapes*). ⇒ **Palourde.**

Kep est réputé pour ses fruits de mer (...) Un public cossu se régalait de moules marinières, de clovisses et de crabes farcis.
                    Claude COURCHAY, La vie finira bien par commencer, p. 227.
DÉR. Clovissière.

CLOVISSIÈRE [klɔvisjɛR] n. f. — xxᵉ ; de *clovisse*.

♦ Techn. Râteau à long manche muni d'un filet, pour la pêche aux clovisses.

CLOWN [klun] n. m. — 1823 ; *claune*, 1817 ; angl. *clown* «rustre, farceur».

♦ **1.** Vx (ou hist.). Personnage grotesque de la farce anglaise. ⇒ **Bouffon.** *Le rôle des clowns chez Shakespeare.*

♦ **2.** Mod. Comique de cirque qui, très maquillé (jusqu'à être méconnaissable) et habillé de manière grotesque, fait des pantomimes et des scènes de farce. ⇒ **Bouffon** (cit. 2), **paillasse, pitre.** *Le personnage appelé couramment clown est en termes techniques de cirque un auguste. Cabrioles, contorsions, grimaces de clown. Lazzis, facéties, farces, tours d'un numéro de clown. Types de clowns : clowns blancs, augustes et excentriques. Un clown triste. Clowns musiciens. Le maquillage, le grimage du clown.*

1   La maréchale entraîna Frédéric, Hussonnet faisait la roue, la Débardeuse se disloquait comme un clown, le Pierrot avait des façons d'orang-outang (...)
                                    FLAUBERT, l'Éducation sentimentale, II, I.

2   Elle se donnait ainsi des airs de maîtresse de maison animée, presque pétulante ; comme le clown qui du milieu de la piste envoie des serpentins à un cercle d'écuyères.
                                    J. ROMAINS, les Hommes de bonne volonté, II, XIV, p. 185.

Spécialt (techn. : cirque). *Clown blanc*, et, absolt, *clown* (opposé à l'*auguste* et aux autres pitres) : personnage à la face blanche, à la coiffure tronconique, aux habits pailletés. *Des clowns et des augustes.*

REM. Certains écrivains ont introduit la graphie *cloune.*

3   Je le rejoignis quinze jours plus tard et m'y fis engager comme cloune.
                                    R. QUENEAU, Loin de Rueil, p. 71.

♦ **3.** (1858). Personne dont les gestes ou les paroles ressemblent au comportement d'un clown. ⇒ **Farceur.** *Quel clown !* ⇒ **Pitre.** *Faire le clown.* ⇒ **Charlot, guignol.** — Personne qu'on ne peut prendre au sérieux, à cause de son incompétence ou de son inconsistance. ⇒ **Fantoche, marionnette, pantin.** *Prendre qqn pour un clown.*
Adj. *Être un peu clown,* un peu ridicule.

4   L'un (*un porteur*) en particulier, une sorte de grand diable, l'air d'un Mohican (...) dégingandé, un peu clown, blagueur.
                                    GIDE, Voyage au Congo, in Souvenirs, Pl., p. 771.
DÉR. Clownerie, clownesque, clownesse.

CLOWNERIE [klunRi] n. f. — 1842, *in* Höfler ; de *clown*.

♦ **1.** Vieilli. Farce, tour de clown.

♦ **2.** Pitrerie. *Arrête tes clowneries !*

♦ **3.** Mod. Pitrerie verbale (⇒ **Pirouette**), et, par ext., mauvaise plaisanterie. *Faire des clowneries.* ⇒ **Facétie, singerie.** *Des clowneries politiques.*

(...) l'action est si bien déterminée par une éducation rigide, que la clownerie verbale d'un Shaw reste une acrobatie inoffensive (...)
A. MAUROIS, les Discours du D^r O'Grady, XIII, p. 140.

CLOWNESQUE [klunɛsk] adj. — 1878 ; de *clown*.

♦ **1.** Qui a rapport au clown.

♦ **2.** Digne d'un clown.
Lu en wagon *le Grand Écart* de Jean Cocteau (...) durant le premier quart du livre, suis arrivé, par bon vouloir, à me donner le change, amusé d'autre part par l'extrême ingéniosité des images et la brusquerie clownesque de certaines présentations.   GIDE, Journal, 18 mai 1923.

CLOWNESSE [klunɛs] n. f. — 1884, Huysmans ; de *clown*.

♦ Rare et littér. Femme clown (au sens de « clown blanc »).
(...) d'ordinaire, le clown soliloque ou dialogue. Vous, Annie *(Cordy)*, vous êtes une clownesse impérieuse. Vous menez toute une troupe non à la baguette mais à la vitalité.   P. GUTH, Lettre ouverte aux Idoles, Annie Cordy, p. 118.

CLOYÈRE [klwajɛʀ] n. f. — 1771 ; de *cloye, cloie,* var. de *claie.*

♦ Techn. Panier servant à expédier du poisson, et particulièrement des huîtres. ⇒ **Bourriche.** *La cloyère contient généralement vingt-cinq douzaines d'huîtres.*

1. CLUB [klœb] n. m. — 1702, en parlant de l'Angleterre ; 1733, en France ; angl. *club* « réunion, cercle ».

♦ **1.** Société où l'on s'entretenait de questions politiques. *Le club des Cordeliers, des Jacobins.* — (1790). *Club monarchique.*

1   Des admissions faciles, d'hommes ardents, impatients, avaient renouvelé le club *(des Jacobins).*   MICHELET, Hist. de la Révolution franç., t. I, p. 510.

1.1 Quand les journées de février ensanglantèrent Paris, il fut navré, il courut les clubs, demandant le rachat de ce sang « par le baiser fraternel des républicains du monde entier ». Il devint un de ces orateurs illuminés qui prêchèrent la révolution comme une religion nouvelle, toute de douceur et de rédemption.
        ZOLA, le Ventre de Paris, t. I, p. 69-70.

(Mil. xxᵉ). Par anal. Organisation politique différente des partis. « *Le débat atteignait son apogée avec l'intervention des clubs politiques (club Jean Moulin par exemple)* » (J.-P. Courthéoux, *Politique des revenus,* p. 27).

♦ **2.** Cercle* où des habitués (membres*) viennent passer leurs heures de loisir, pour bavarder, jouer, lire. *Aller au club. Passer la soirée à son club. Inviter un ami à dîner au club.*

2   (...) j'ai mon club. C'est là que je traite mes amis, que je lis les journaux et les magazines, que je fume et me repose.   G. DUHAMEL, Scènes de la vie future, IX, p. 142.

3   Ses relations anglaises venaient le chercher à l'hôtel, le conduisaient à quelque restaurant des alentours de Leicester Square. On l'avait reçu une fois dans un club de Piccadilly.   J. ROMAINS, les Hommes de bonne volonté, V, XXVI, p. 247.

3.1 Pour nous créer une source d'occupations et d'amusements, Julliard émit alors la pensée de fonder, au moyen d'un groupement d'élite, une sorte de club étrange dont chaque membre serait tenu de se distinguer soit par une œuvre originale, soit par une exhibition sensationnelle.   Raymond ROUSSEL, Impressions d'Afrique, p. 292.

Vieilli. *Club de nuit.* ⇒ **Boîte** (de nuit).
Spécialt. Lieu de plaisir réservé à des membres inscrits.

♦ **3.** Société constituée pour aider ses membres à exercer diverses activités désintéressées (sport, voyage...). ⇒ **Association.** *Le club alpin. Le touring-club. Club sportif. Club nautique. Club d'automobilistes* (→ Automobile*-club).

4   Des jeunes gens en sweaters et coiffés de casquettes anglaises discutaient, autour du « monument au footballeur inconnu », les dernières nouvelles des grands clubs de la région.   P. MAC ORLAN, la Bandera, II, p. 21.

Organisation vendant des marchandises ou des services à des personnes, moyennant une adhésion de principe (qui est en fait un acte commercial).

♦ **4.** (1934, *in* Höfler). Large et profond fauteuil de cuir. — (1953). Appos. *Fauteuil club.*

5   Voilà, n'est-ce pas, deux fauteuils de cuir très ordinaires en apparence, le genre « clubs » anglais comme il y en a dans certaines salles de cinéma.   N. SARRAUTE, le Planétarium, p. 105.

♦ **5.** Appos. *Cravate club,* à rayures obliques.
DÉR. Clubiste.
COMP. Aéro-club.

2. CLUB [klœb] n. m. — 1882 ; mot angl., « gros bâton ».

♦ Anglic. Crosse de golf. *Le caddie* transporte les clubs des joueurs au long du parcours. Club à face ouverte.* ⇒ **Spoon.**

1   Une de ces inconnues poussait devant elle (...) sa bicyclette ; deux autres tenaient des « clubs » de golf (...)   PROUST, À l'ombre des jeunes filles en fleurs, Pl., t. I, p. 788.

2   Il y avait aussi de temps en temps un beau golf, où femmes et hommes se livraient des batailles conduites par assauts successifs (...) mission (...) qui convenait le mieux à leur esprit, à leur ambition : poser une balle de bois par terre et taper dessus avec un club !   GIRAUDOUX, les Aventures de Jérôme Bardini, p. 124.

CLUBISTE [klybist] n. m. — 1784 ; de 1. *club.*

♦ **1.** Hist. Membre d'un club politique (sous la Révolution).

♦ **2.** (1784). Vx. Membre d'un club (2.). ⇒ **Cercleux.**

♦ **3.** Membre d'une association sportive.

CLUBMAN [klœbman] n. m. — 1784 ; de *club,* sur le modèle de *sportsman, tennisman.*

♦ Vieilli. Habitué des cercles, des clubs (2.). — REM. On emploie *clubiste** pour désigner les membres des clubs politiques.

1   Si cette conscience lui adressait quelque reproche, c'était d'avoir, deux ans après le commencement de sa liaison avec Desforges, trompé ce charmant homme avec un clubman très à la mode, qu'elle avait enlevé à l'époque des courses de Deauville à une des femmes de son intimité.   Paul BOURGET, Mensonges, p. 168.

2   La baronne Otto Butzinghen et son ami, le vicomte Lahyrais, clubman, sportsman, joueur et tricheur.   O. MIRBEAU, le Journal d'une femme de chambre, p. 208.

CLUE [kly] n. f. — 1956 ; mot provençal, de même origine que *cluse*.*

♦ Géogr. et régional (rare). Cluse en canyon. *Les clues de Haute-Provence.*

CLUNISIEN, IENNE [klynizjɛ̃, jɛn] adj. — 1864 ; de *Cluny.*

♦ Arts, hist. relig. Relatif à l'ordre de Cluny et à l'architecture monastique (style roman) qu'il promut.

1   Le premier grand travail dont il ait été chargé a été la restauration de l'église de Vézelay (...) chef-d'œuvre des architectes clunisiens (...)
    SAINTE-BEUVE, Nouveaux lundis, Viollet-le-Duc, t. VII, p. 196.

2   (...) Cluny est l'âme de ce moyen âge mobile qui se déplace et se propage par ondes continues sur les chemins, vers Saint-Jacques-de-Compostelle et vers l'oratoire Saint-Michel du mont Gargano. Ce n'est pas dire, loin de là, que l'art roman est tout clunisien, qu'il faille chercher à Cluny même l'origine historique de ses principales manifestations (...)   Henri FOCILLON, l'Art d'Occident, p. 57-58.

CLUPÉIDÉS [klypeide] n. m. pl. — 1846 ; *clupéide,* 1838 ; lat. *clupea* « alose ».

♦ Zool. Famille de poissons téléostéens abdominaux, au corps oblong, couvert d'écailles lisses. *Types principaux des Clupéidés :* alose, brévoortia, clupea, élops, mégalops ou tarpon, étruméus, hareng, harengule, mélette ou sprat, ilisha, lutodéira, pomalobus, sardine, sardinelle. — Au sing. *Un clupéidé.* — REM. On rencontre une forme francisée de *clupea* : « *petits animaux articulés, gades, scombres, clupées...* » (J. Cayrol, *Histoire de la mer,* p. 114).

CLUSE [klyz] n. f. — 1832 ; « défilé », 1538 ; lat. *clusa,* var. de *clausa,* de *claudere* « fermer ».

♦ Géogr. et régional. Coupure étroite et encaissée creusée perpendiculairement à une chaîne de montagnes. (⇒ aussi **Clue**). *Une cluse. La cluse de Nantua. Cluse vive :* cluse empruntée par un cours d'eau. *Cluse morte,* qui n'est plus traversée par une rivière.

1   Ce réseau est constitué par des tracés longitudinaux parallèles aux plis (...) et des tracés obliques ou transversaux, correspondant à des sections généralement encaissées (vallées appelées *cluses*).
    E. DE MARTONNE, Traité de géographie physique, II, p. 704.

2   Il se trouvait dans une prairie doucement vallonnée, coupée de cluses et de talus que couvrait un pelage d'herbes de section cylindrique — comme des poils — et de couleur rosâtre.   M. TOURNIER, Vendredi ..., p. 127.

CLUSIACÉES [klyzjase] n. f. pl. — 1869 ; de *clusie,* et -*acées.*

♦ Bot. Famille de plantes phanérogames angiospermes, classe des *Dicotylédones dialypétales,* appelées aussi *guttifères,* comprenant des arbres ou arbrisseaux exotiques. *Types principaux de Clusiacées :* clusie ; allanblackia, calaba, canella, garcinia, mesua, pentadesma. — Au sing. *Une clusiacée.*

CLUSIE [klyzi] n. f. — 1850 ; de *Clusius,* nom d'un botaniste.

♦ Bot. Plante dicotylédone (*Clusiacées ;* n. sc. : *clusia*), arbre ou arbrisseau grimpant et épiphyte, et qui produit de la gomme-gutte.
DÉR. Clusiacées.

CLYPÉASTRE [klipeastʀ] n. m. — 1869 ; du lat. *clypeus* « bouclier », et *aster* « astre ».

♦ Zool. Animal échinoderme de la classe des *Échinides.* ⇒ **Oursin.**

CLYSOIR [klizwaʀ] n. m. — 1834 ; dér. du grec *kluzein* « laver ».

♦ Méd. anc. Long tube dont une extrémité est munie d'une canule et l'autre évasée en entonnoir, et servant à prendre des lavements (⇒ **Clystère**). *Clysoir à pompe* ou *clysopompe.*

CLYSOPOMPE [klizopɔ̃p] n. m. — 1836 ; de *clyso-*, tiré du grec *kluzein* « laver », et *pompe*.

♦ Méd. anc. Clysoir* à pompe (pour donner les clystères).

(...) le jeune homme, un brun à barbe noire et à lunettes, promenant éternellement dans les escaliers de l'hôtel le cylindre d'un clysopompe (...)
Ed. et J. DE GONCOURT, *Journal*, t. III, p. 111.

CLYSTÈRE [klistɛʀ] n. m. — 1256 ; du grec *kluzein* « laver ».

♦ Vx (ou hist. méd.). Lavement, injection médicamenteuse dans le rectum. ⇒ **Lavement**. *Administrer un clystère. Seringue à clystère.* ⇒ Clysoir, clysopompe.

(...) un petit clystère (...) pour amollir, humecter, et rafraîchir les entrailles de Monsieur. MOLIÈRE, *le Malade imaginaire*, I, 1.

Cm [seɛm] Symbole chimique du *curium*.

cm Symbole de *centimètre*. — *cm²* : centimètre carré. — *cm³* : centimètre cube.

CNÉMIDE [knemid] n. f. — 1788 ; du grec *knêmis* « jambière ».

♦ Didact. Chaussure montante portée par les soldats grecs, pour se protéger le bas des jambes. — REM. L'Académie (Huitième éd.) écrit *cnémides*.

1   Toutes les figures disparaissaient à moitié dans la visière des casques ; des cnémides en bronze couvraient toutes les jambes droites (...)
FLAUBERT, *Salammbô*, VIII.

Var. graphique : *knémide*. → Fustanelle, cit.

2   (...) il avait les plus belles knémides piquées, brodées, historiées et floconnées de houppes de soie rouge qu'il soit possible d'imaginer (...)
Th. GAUTIER, *Constantinople*, p. 41.

CNIDAIRES [knidɛʀ] n. m. pl. — Av. 1884, trad. Claus ; lat. zool. *cnidarius*, grec *knidê* « ortie ».

♦ Zool. Embranchement d'animaux diploblastiques à symétrie radiaire, à appareil digestif fermé, pourvus de cellules urticantes (*cnidoblastes* ou *nématocystes*). *On distingue six classes chez les cnidaires* (anciennt *Cœlentérés*) : hydraires, hydrocoralliaires, siphonophores, automéduses (hydrozoaires), alcyonaires (ou octocoralliaires) et hexacoralliaires. ⇒ **Corail, coraux** (anthrozoaires). *Phase fixée* (⇒ **Polype**) *et phase libre* (⇒ **Méduse**) *des cnidaires. Les cnidaires et les cténaires*. — Au sing. L'acalèphe est un cnidaire.*

CNIDOBLASTE [knidɔblast] n. m. — 1878, Larousse, *Suppl.* ; de *cnido-*, du grec *knidé* « ortie », et *-blaste*.

♦ Didact. (zool). Cellule des *cnidaires*, formée d'une enveloppe protoplasmique et d'une capsule remplie d'un liquide urticant, dite *cnidocyste. Les cnidoblastes de certaines espèces de méduses* (cuboméduses) *peuvent provoquer des troubles entraînant la mort chez l'homme.*

Co [seo] Symbole chimique du *cobalt*.

CO- Préfixe tiré du lat. *co*, variante de *cum* « avec », et qui indique la réunion, l'adjonction, la simultanéité. Il sert à former un grand nombre de mots composés : *coaccusé, coacquéreur*, etc.

(...) un assez grand nombre de noms français commencent par *co*, qui y apporte l'idée d'un accompagnement, d'une simultanéité : *cohéritier*, qui hérite en même temps. D'instinct *co* s'ajoute à des noms pour leur donner une signification analogue : *coéquipier, cofermier, coinculpé, copropriétaire, colistier*.
F. BRUNOT, *la Pensée et la Langue*, II, V, p. 60.

Le préfixe fonctionne quasi librement, avec des noms désignant une fonction juridique partagée, un titre, un rôle (politique et social), un métier, une activité, une condition commune. En science, il forme des noms désignant un processus (*co-agglutination, co-polymérisation*) ou une substance, des adjectifs et des verbes exprimant une action commune.

COACCUSÉ, ÉE [kɔakyze] n. — 1734, *in* D.D.L. ; de *co-*, et *accusé*.

♦ Dr. Personne qui est accusée en même temps qu'une autre.

COACERVAT [kɔasɛʀva] n. m. — Mil. xxᵉ ; dér. sav. du lat. *coacervatum*, de *coacervare* « mettre en tas » ; cf. moy. franç. *coacerver* « amasser » (J. Bouchet, 1517).

♦ Biol. Système liquide formé de couches de solutions colloïdales de concentrations différentes.
Système formé de deux phases en équilibre qui « sont toutes deux

des solutions isotropes, de concentrations différentes » (E. Mayolle, *les Industries du savon et des détergents*, p. 50).

DÉR. **Coacervation.**

COACERVATION [kɔasɛʀvasjɔ̃] n. f. — Mil. xxᵉ ; de *coacervat*.

♦ Biol. Formation d'un coacervat. « *Sur le plan industriel, un certain nombre de techniques sont exploitées depuis plusieurs années : la polymérisation interfaciale (...) la coacervation ou séparation de phase* » (*Sciences et Avenir*, nº spécial, 1979, p. 82).

COACH [kotʃ] n. m. — 1832, « diligence » ; mot angl., du franç. *coche*. Anglicisme.

♦ **1.** Vx. Grande voiture fermée à deux portes latérales. *Des coaches.*

Sur les trottoirs, au milieu de la chaussée, sur les rails des tramways, malgré le passage incessant des coaches et des omnibus (...)
J. VERNE, *le Tour du monde en 80 jours*, p. 217.

♦ **2.** (1929, *in* Höfler). Vieilli. Automobile fermée, à deux portes et quatre glaces, dont les dossiers avant se rabattent pour permettre d'accéder aux places arrières.

♦ **3.** (1932, *in* Petiot). Mod. Sports. Personne chargée de l'entraînement d'une équipe, d'un sportif. ⇒ **Entraîneur.**

COACQUÉREUR [kɔakeʀœʀ] n. m. — 1805 ; *coacqueresse*, 1617 ; de *co-*, et *acquéreur*.

♦ Dr. Personne qui acquiert en même temps qu'une autre le même bien en commun.

COACTIF, IVE [kɔaktif, iv ; kɔaktif, iv] adj. — 1282 ; lat. *coactivus* « forcé », puis « contraignant » (sens actif de *cogens*).

♦ Didact. Qui a le droit ou le pouvoir de contraindre. *Autorité coactive.*

COACTION [kɔaksjɔ̃ ; kɔaksjɔ̃] n. f. — xiiiᵉ ; lat. *coactio*, de *cogere* « contraindre ».

♦ Didact. Action de priver de la liberté de choix. ⇒ **Contrainte.**

DÉR. (De *cogere*) **Coactif.**

COADAPTATEUR ou **CO-ADAPTATEUR, TRICE** [kɔadaptatœʀ, tʀis] n. — V. 1965 ; de *co-*, et *adaptateur*.

♦ Cin., télév. Personne qui, en collaboration avec une autre, adapte une œuvre pour le cinéma, la radio, la télévision.

COADJUTEUR, TRICE [kɔadʒytœʀ, tʀis ; kɔadʒytœʀ, tʀis] n. — V. 1265 ; bas lat. *coadjutor* « celui qui aide », de *co-*, et *adjuvare* « aider ». → Adjuvant.

♦ **1.** N. m. Relig. Ecclésiastique nommé pour aider un prélat à remplir ses fonctions et généralement destiné à lui succéder. *Coadjuteur d'un évêque, d'un archevêque.*

Religieux qui a des fonctions d'adjoint. — Appos. *Frère coadjuteur.*

♦ **2.** N. f. (1680). Relig. Religieuse adjointe à une abbesse, à une prieure, à la supérieure d'un couvent et destinée à lui succéder.

♦ **3.** (N. m. et f.). Par ext. Rare. Personne qui aide ou remplace qqn. ⇒ **Adjoint, aide, assesseur, auxiliaire, suppléant.**

Maurice Barrès et Henri de Régnier, qui étaient pour ainsi dire les coadjuteurs de Stéphane Mallarmé à la présidence.
Georges LECOMTE, *Ma traversée*, p. 207.

DÉR. **Coadjutorerie.**

COADJUTORERIE [kɔadʒytɔʀʀi ; kɔadʒytɔʀʀi] n. f. — 1680 ; *coadjuterie*, 1617 ; du rad. lat. de *coadjuteur*.

♦ Relig. Qualité, charge de coadjuteur, de coadjutrice.

COADMINISTRATEUR, TRICE [kɔadministʀatœʀ, tʀis] n. — 1862, Flaubert ; de *co-*, et *administrateur*.

♦ Dr., admin. Personne qui administre en même temps que d'autres. *Elle est coadministratrice d'une société.* — On écrit aussi *co-administrateur, trice.*

COAGULABILITÉ [kɔagylabilite] n. f. — 1837, *in* D.D.L. ; de *coagulable*.

♦ Didact. Fait d'être coagulable, de pouvoir se coaguler. *Coagulabilité du lait, du sang. Durée de coagulabilité.*
COMP. **Hypercoagulabilité, hypocoagulabilité.**

COAGULABLE [kɔagylabl] adj. — Fin XVIᵉ ; de *coaguler.*
♦ Didact. Qui peut coaguler, être coagulé. *Des liquides organiques coagulables.*
DÉR. **Coagulabilité.**
COMP. **Incoagulable.**

COAGULANT, ANTE [kɔagylɑ̃, ɑ̃t] adj. et n. m. — 1827 ; p. prés. de *coaguler.*
♦ Didact. Qui coagule. — N. m. (1845). Substance qui favorise la coagulation. *La présure est un coagulant du lait.* ⇒ **Coagulase, coagulateur.**
COMP. **Anticoagulant.**

COAGULASE [kɔagylaz] n. f. — 1906, *Nouveau Larousse Illustré, Suppl.* ; de *coaguler,* et *-ase.*
♦ Didact. (chim., biol.). Diastase coagulante.
(...) à son niveau *(du furoncle)* les staphylocoques sécrètent une coagulase qui provoque dans les petites veines au contact une thrombose extensive.
V. VIC-DUPONT, la Maladie infectieuse, p. 48.

COAGULATEUR, TRICE [kɔagylatœʀ, tʀis] adj. — 1854 ; de *coaguler.*
♦ Didact. Qui produit la coagulation. *Action coagulatrice de l'alcool. Effet coagulateur de substances coagulantes*.*

COAGULATION [kɔagylasjɔ̃] n. f. — 1360 ; de *coaguler.*
Didactique et courant.
♦ **1.** Processus par lequel un fluide organique (sang, lait) se transforme en masse solide (⇒ **Coagulum**), qui laisse sourdre un liquide transparent. — Méd. *Temps de coagulation :* temps que le sang met à coaguler (dans un tube, une éprouvette, etc.). ⇒ **Agglutination, floculation, prise.** *Substance qui s'oppose à la coagulation du sang.* ⇒ **Anticoagulant.**
Rare et vieilli. État d'un liquide coagulé. ⇒ **Caillebotis, coagulum.**
♦ **2.** Fig. Processus par lequel des intérêts, des sentiments, etc., se figent, se cristallisent.
(...) partout où elle *(la mort)* se présente, il se forme comme une coagulation d'intérêt, de curiosité (...) Edmond JALOUX, les Visiteurs, XXX, p. 231.
CONTR. **Liquéfaction.**
COMP. **Électrocoagulation.**

COAGULER [kɔagyle] v. — XIIIᵉ ; lat. *coagulare.* → Cailler.
A. V. tr. ♦ **1.** Transformer (une substance organique liquide) en une masse solide de consistance plus ou moins molle. ⇒ **Caillebotter** (vx), **cailler, figer, grumeler, solidifier.** *Coaguler un liquide par le froid.* ⇒ **Congeler.** *Coaguler du sang, une solution d'albumine. La présure coagule le lait.*
1 L'eau y est *(dans les pays chauds)* d'un usage admirable ; les liqueurs fortes y coaguleraient les globules.   MONTESQUIEU, l'Esprit des lois, XIV, 10.
♦ **2.** Fig. Faire prendre. « *Coagulant les votes des minorités ethniques, des Noirs, des ouvriers et des pauvres, mobilisant les forces militantes des syndicats* (les démocrates américains...)» (*le Nouvel Obs.,* 13 nov. 1978, nᵒ 731, p. 49).
B. V. intr. Se transformer en coagulum. — Syn. : *se coaguler.*

▶ **SE COAGULER** v. pron. (Du trans.).
♦ **1.** Se transformer par coagulation. ⇒ **Prendre.** *Partie du sang qui se coagule.* ⇒ **Cruor.**
2 Montesquieu parle d'un lent épaississement de la sève, qui progressivement se coagule, devient opaque (...)   GIDE, Journal, 12 févr. 1929.
♦ **2.** Fig. Se figer, se cristalliser.
3 (...) mais les sentiments gardés trop longtemps au dedans de nous semblent s'y coaguler, et on ne les fait plus refouler, même en les aspirant par la blessure qu'on a faite.   BARBEY D'AUREVILLY, Une histoire sans nom, p. 71.

▶ **COAGULÉ, ÉE** p. p. adj. *Sang coagulé.* ⇒ **Coagulum, caillot.** — Fig. *Foule coagulée.*
CONTR. **Fondre, liquéfier.**
DÉR. **Coagulable, coagulant, coagulase, coagulateur, coagulation.**

COAGULUM [kɔagylɔm] n. m. — 1743 ; *coagule,* fin XVIᵉ ; lat. *coagulum,* de *coagulare.* → Coaguler.
Didactique (sciences).

♦ **1.** Masse de substance coagulée. ⇒ **Caillot, coagulation.** — Au plur. *Des coagulums* (rare : *coagula*).
Tenez : voilà l'aspect visqueux de la plèvre, vous voyez ? Et le ventricule gauche contracté ; et le ventricule droit plein d'un coagulum noirâtre (...)
J. GIONO, le Hussard sur le toit, p. 34.
♦ **2.** Substance coagulante. *La présure est un coagulum.*

COALESCENCE [kɔalesɑ̃s] n. f. — 1537 ; du lat. *coalescere* « se souder ».
Didactique ou littéraire.
A. ♦ **1.** Biol. Soudure de deux surfaces tissulaires en contact (par ex., les lèvres d'une plaie). ⇒ **Conglutination.**
♦ **2.** Chim. Réunion de particules liquides en suspension en particules plus grosses. *La coalescence de gouttelettes.*
♦ **3.** Ling. Contraction de deux ou plusieurs éléments phoniques en un seul.
B. Fig. Réunion, fusion d'éléments proches.
(...) la perception complète ne se définit et ne se distingue que par sa coalescence, avec une image-souvenir que nous lançons au-devant d'elle.
H. BERGSON, Matière et Mémoire, p. 136.
DÉR. **Coalescent.**

COALESCENT, ENTE [kɔalesɑ̃, ɑ̃t] adj. — 1850, Bescherelle ; de *coalescence.*
♦ Didact. Réuni à un élément proche.
(...) les voix qui vont, viennent, s'effacent, se chevauchent ; on ne sait qui parle ; cela parle, c'est tout : plus d'image, rien que du langage. Mais l'autre n'est pas un texte, c'est une image, une et coalescente.
R. BARTHES, Fragments d'un discours amoureux, p. 129.

COALISER [kɔalize] v. — 1791 ; dér. de *coalition,* correspondant au lat. *coalescere.*
★ **I.** SE COALISER v. pron. ♦ **1.** Former une coalition*. ⇒ **Allier** (s'), **liguer** (se), **unir** (s'). *Ces deux partis se sont coalisés. Les puissances européennes se coalisèrent contre Napoléon.*
♦ **2.** S'unir pour mener une action commune. ⇒ **Concerter** (se), **joindre** (se). *Les ouvriers se coalisent pour poser des revendications.*
♦ **3.** Fig. et littér. Se mêler.
Les amours-propres alarmés, les envies surprises par le début heureux d'un auteur, se coalisent et guettent la seconde publication du poète, pour prendre une éclatante revanche (...)   CHATEAUBRIAND, Mémoires d'outre-tombe, II, v.
★ **II.** V. tr. COALISER : faire se coaliser. ⇒ **Ameuter, grouper, réunir.** *Il a coalisé tout le monde contre nous. Coaliser les nations contre un ennemi commun.*

▶ **COALISÉ, ÉE** p. p. adj. et n. (Fin XVIIIᵉ ; → Coaliser).
Uni dans une coalition. *Les puissances coalisées.* — N. m. *Les coalisés.* ⇒ **Allié.**
Fig. « *L'ignorance et la mauvaise foi coalisées* » (Littré).
CONTR. **Brouiller, désunir, opposer, rompre, séparer.**

COALITION [kɔalisjɔ̃] n. f. — 1544, relig. ; dér. du lat. *coalitus,* de *coalescere* « s'unir » ; rare jusqu'au XVIIIᵉ où le mot est repris à l'angl. *coalition* (1718).
♦ **1.** Réunion momentanée (de puissances, de partis ou de personnes) dans la poursuite d'un intérêt commun. ⇒ **Alliance, association, confédération, entente, ligue.** *Une coalition de... Coalition politique.* ⇒ **Bloc, front.** *Ministère, gouvernement de coalition,* comprenant des membres de plusieurs groupes parlementaires. — Hist. *Les sept coalitions des puissances européennes contre la Révolution française et Napoléon 1er.*
1 (...) la Ligue des Nations devra être, avant toutes choses, un moyen de prolonger après la guerre, par une institution stable, la coalition du monde civilisé contre l'Allemagne et l'Autriche.   MARTIN DU GARD, les Thibault, t. IX, p. 234.
2 (...) à Vienne, on cherchait déjà à nouer, contre la France, une nouvelle coalition et on était résolu à rompre le traité.
Louis MADELIN, l'Ascension de Bonaparte, XV, Le séjour à Paris, p. 225.
♦ **2.** (1836). Anciennt. Entente* (entre ouvriers [⇒ **Syndicat**], patrons, commerçants, ou industriels) dans un but économique, professionnel ... *Le délit de coalition a été abrogé en 1864. Coalition en vue d'une grève*, d'un lock-out. Les meneurs, les organisateurs d'une coalition.*
♦ **3.** Fig. (souvent péj.). Union, association. *La coalition des intérêts, des passions.*
3 Il y eut alors entre artistes une coalition de cervelles, une fonte d'âmes.   HUYSMANS, En route, p. 8.
CONTR. **Discorde, rupture, scission.**
DÉR. **Coaliser.**

COALTAR [koltaʀ] n. m. — 1850 ; de l'angl. *coal* « charbon », et *tar* « goudron ».

♦ Anglic. Techn. Goudron obtenu par la distillation de la houille. *Le coaltar est utilisé pour imprégner les bois* (par injection, enduit) *et en thérapeutique, comme désinfectant et antiseptique.*

1 J'étais dans le secteur, occupé à repeindre au coaltar un bout de canalisation.
Pierre GASCAR, les Bêtes, p. 103.

2 Leur vieux bateau. Il a besoin d'être écopé, l'eau affleure le caillebotis. Mais le fond a été repassé au coaltar, le bordé repeint, les tolets graissés (...)
Hervé BAZIN, Cri de la chouette, p. 159.

Appos. (1917, *in* Esnault). Pop. *Rouge coaltar : vin rouge de mauvaise qualité.*
Loc. fam. (1958, *in* Esnault). *Être dans le coaltar :* être dans une situation difficile ; être hébété, ahuri, inconscient, etc. (→ Être dans le brouillard, le cirage).
DÉR. Coaltarer ou **coaltariser.**

COALTARER [koltaʀe] ou **COALTARISER** [koltaʀize] v. tr. — 1866 ; de *coaltar*.

♦ Techn. (vx). Enduire, imprégner de coaltar.

COAPTATION [koaptasjɔ̃] n. f. — 1834, Landais ; « adjonction, proportion », Bersuire, xɪvᵉ ; lat. *coaptatio*, de *coaptare* « ajuster ».
Didactique.

♦ **1.** Chir. Rapprochement et ajustement des bords d'une plaie, des fragments d'un os fracturé ou de deux extrémités articulaires luxées.

1 Gédéon Spilett expliqua alors à Cyrus Smith qu'il croyait devoir, avant tout, arrêter l'hémorragie, mais non pas fermer les deux plaies, ni provoquer leur cicatrisation immédiate (...).
Cyrus Smith l'approuva complètement, et il fut décidé qu'on panserait les deux plaies sans essayer de les fermer par une coaptation immédiate.
J. VERNE, l'Île mystérieuse, t. II, p. 688.

♦ **2.** (V. 1930, Cuénot). Biol. Dispositif organique formé de parties séparées et agencées fonctionnellement.

2 Enfin fréquents sont aussi les exemples frappants de dispositifs spéciaux offrant un agencement de parties comparable à celui d'outils conçus par l'homme. C'est ce que CUÉNOT a appelé des *coaptations*. Elles se trouvent réalisées de toutes pièces chez l'individu, au cours du développement, préalablement à tout usage.
M. CAULLERY, les Étapes de la biologie, p. 118.

DÉR. **Coapteur.**

COAPTEUR [koaptœʀ] n. m. — xxᵉ ; du rad. de *coaptation*.

♦ Chir. Appareil permettant d'opérer une coaptation. — Spécialt. Attelle métallique pour maintenir réunis les deux fragments d'un os fracturé.

COARCTATION [koaʀktasjɔ̃] n. f. — 1838 ; du lat. *coarctare*.

♦ Didact. (méd., etc.). Rétrécissement d'un conduit naturel, spécialt. de l'isthme de l'aorte. *La coarctation aortique est une très grave malformation congénitale.*

COARCTÉ, ÉE [koaʀkte] adj. — 1478 ; lat. *coarctatus*, de *coarctare*, de *co-*, et *arctare*, de *arctus* « serré, étroit ». Cf. moy. franç. *coarcter* « réprimer », 1547. → Coarté.

♦ Didact. Qui présente une coarctation.
(1805, Cuvier). Zool. *Chrysalide coarctée,* dont la larve est entièrement enfermée.

COARTÉ, ÉE [koaʀte] adj. — 1946, Mounier, all. *koartiert,* 1921, Rorschach ; du lat. *coartatus,* p. p. de *coartare* « serrer ensemble, resserrer, contraindre », de *co-* « avec », et *artare* « serrer, resserrer », de *artus* « serré, étroit ». → Coarcté.

♦ Psychol. (dans l'interprétation du test de Rorschach). Dont l'expression est limitée par une forte inhibition affective. *Les sujets coartés ne se déclarent ni comme introversifs* ni comme extratensifs*.* ⇒ aussi **Ambiéqual.** « *Il* (Rorschach) *y ajoute le type coarté (qui n'interprète ni par couleur ni par mouvement) : maniaque ou dépressif, et le type ambiéqual (interprète par la couleur autant que par le mouvement)* » (Mounier, *Traité du caractère,* 1946, p. 16, *in* T. L. F.). — N. *Un coarté, une coartée.*

COASSEMENT [koasmɑ̃] n. m. — 1600 ; de *coasser.*

♦ **1.** Cri de la grenouille, du crapaud.

1 Pas d'autre bruit que le coassement rythmé des grenouilles.
GIDE, Journal, 31 mai 1949.

2 Et soudain, presque sous nos pieds, un grave coassement de grenouille montait en

bulle, et crevait mollement, nous arrêtait, anxieux d'une fondrière, d'un marécage aux traîtres profondeurs.
M. GENEVOIX, Forêt voisine, p. 87.

♦ **2.** (1832). Fig. et littér. Propos désagréables, malveillants.
REM. Ne pas confondre avec *croassement*.

COASSER [koase] v. intr. — xvɪᵉ, *coaxer* ; du lat. *coaxere*, grec *koax*, onomatopée.

♦ **1.** Pousser son cri (en parlant de la grenouille, du crapaud).
REM. La confusion avec *croasser** a été faite par La Fontaine (*Fables,* II, 4) et par Voltaire (*in* Littré).

Des grenouilles coassaient « Paris-Beurre », des corbeaux croassaient « Paris-Beurre »... Je me reprenais, je luttais, j'allais chercher mes dernières forces sur les mains jointes des trafiquants assis dans les camions.
Violette LEDUC, la Folie en tête, p. 29 (1970).

♦ **2.** (Déb. xvɪɪɪᵉ). Fig. et littér. Tenir des propos désagréables. ⇒ **Cabaler, clabauder, criailler.** *Les envieux coassent contre lui.*
DÉR. **Coassement.**

COASSOCIÉ, ÉE [koasɔsje] n. — Fin xvɪᵉ ; de *co-*, et *associé.*

♦ Écon., dr. Personne associée à d'autres (dans une entreprise financière, commerciale, industrielle). — REM. On écrit aussi *co-associé.*

COASSURANCE [koasyʀɑ̃s] n. f. — 1876 ; de *co-*, et *assurance.*

♦ Dr. Assurance par plusieurs assureurs en commun (ou *coassureurs,* représentés par un apériteur). — REM. On écrit aussi *co-assurance.*

COATI [koati] n. m. — 1558 ; du tupi, par l'intermédiaire du portugais.

♦ Zool. Mammifère carnivore *(Procyonidés)* au corps allongé, au museau terminé en groin. *Le coati vit en Amérique du Sud. Des coatis* [koati].

COAUTEUR [kootœʀ] n. m. — 1863 ; de *co-*, et *auteur.*

♦ **1.** Personne qui a collaboré à une œuvre littéraire écrite par plusieurs auteurs (⇒ **Collaborateur**). *Le professeur X et ses coauteurs, et les coauteurs du traité.*

♦ **2.** Dr. Auteur d'un crime en même temps que d'autres (se distingue de *complice*).
REM. On écrit aussi *co-auteur.*

COAXIAL, IALE, IAUX [koaksjal, jo] adj. — 1911 ; de *co-*, et *axial.*

♦ Techn. Qui a le même axe qu'un autre objet. *Fiche mâle à deux conducteurs coaxiaux.* ⇒ **Jack.** *Câble coaxial,* ou, n. m. (1976), *un coaxial :* câble formé de deux conducteurs concentriques isolés. *Hélices coaxiales.*

À petite distance on se sert du câble coaxial ; celui adopté en France est formé d'un cylindre intérieur de 5 millimètres de diamètre enveloppé d'un cylindre extérieur de 18 millimètres de diamètre. Entre les deux disques de 2 millimètres d'épaisseur placés à 25 millimètres les uns des autres maintiennent le centrage du conducteur intérieur.
P. GRIVET et P. HERRENG, la Télévision, p. 99.

1. COB [kɔb] n. m. et adj. — 1880 ; mot anglais.

♦ Techn. (Élevage, équitation, etc.). Cheval demi-sang, à l'encolure épaisse et courte, dont la queue est coupée. — Adj. (→ aussi Ponette, cit. Colette).

Le brave Gilou, ses fesses larges posées sur une jument cob, avait pris l'air maussade et irritable du vieux veneur dès que le cerf est attaqué.
M. DRUON, la Chute des corps, II, X, p. 178.

2. COB [kɔb], **COBA** [kɔba], **COBE** [kɔb] n. m. ⇒ **Kob.**

COBALT [kɔbalt] n. m. — 1723 ; all. *Kobalt,* var. de *Kobold* « lutin ». → Nickel, étymologie.

♦ Corps simple (symb. *Co* ; p. at. 59 env. ; nº at. 27), métal dur, blanc-gris à reflets, de densité 8,9, fondant difficilement, peu malléable, que l'on trouve allié au fer ou au nickel dans les météorites, et dans les minerais arséniés (smaltite) ou sulfoarséniés. *Le cobalt sert à préparer un certain nombre de colorants. Bleu de cobalt* (⇒ **Safre**). *Alliages du cobalt, à propriétés magnétiques remarquables. Dépôt électrolytique de cobalt.* ⇒ **Cobaltage.** *Sels bleutés du cobalt.*

1 Le ciel était d'un bleu de cobalt pur (...)
E. FROMENTIN, Un été dans le Sahara, p. 105.

2 Tons de *cobalt* apparaissant dans les masses de verdure du fond et parfois doré des devants.
E. DELACROIX, Journal, 10 oct. 1849.

Cobalt radioactif ou *radiocobalt* (dont le *cobalt 60*), source de rayons γ, utilisé en thérapeutique. *Bombe* au cobalt* (irradiations médicales). ⇒ 1. **Bombe.**

DÉR. **Cobaltage, cobalteux, cobaltique, cobaltite.**
COMP. **Cobalthérapie** ou **cobaltothérapie, cobamide.**

COBALTAGE [kɔbaltaʒ] n. m. — 1890 ; de *cobalt.*

♦ Techn. Opération qui consiste à recouvrir un métal d'une couche de cobalt pour le protéger de l'oxydation.

COBALTEUX, EUSE [kɔbaltø, øz] adj. — 1900 ; de *cobalt.*

♦ Chim. Se dit des composés du cobalt bivalent.

COBALTHÉRAPIE [kɔbalteʀapi] ou COBALTOTHÉRA-PIE [kɔbaltoteʀapi] n. f. — V. 1960 ; de *cobalt,* et *-thérapie.*

♦ Méd. Utilisation thérapeutique du rayonnement du cobalt radioactif (bombe* au cobalt). « *Utiliser des injections intraveineuses d'un peroxyde huileux (...) en même temps que la radiothérapie et la cobalthérapie* » (*Science et Vie,* n° 592, p. 118).

COBALTIQUE [kɔbaltik] adj. — 1845 ; de *cobalt.*

♦ Chim. Se dit des composés du cobalt trivalent.

COBALTITE [kɔbaltit] n. f. — Mil. xxᵉ ; de *cobalt.*

♦ Minér. Carbonate naturel de cobalt.

COBAMIDE [kɔbamid] n. m. ou f. — V. 1960 ; de *cob(alt),* et *amide.*

♦ Chim., biol. Noyau de la vitamine B_{12} porteur du cobalt, à six fonctions amide. *Le* (ou *la*) *cobamide joue dans l'organisme un rôle de coenzyme.*

COBAYE [kɔbaj] n. m. — 1820 ; du lat. zool. *cobaya* (1775), du tupi-guarani, par le portugais.

♦ **1.** Mammifère rongeur (*Caviidés ;* n. sc. : *cavia*), au pelage à fond blanc taché de roux ou de noir. — Syn. : *cochon d'Inde. Le cobaye est élevé pour sa chair, comme animal d'agrément et pour servir de sujet d'expériences dans les laboratoires* (physiologie, médecine). *Les cobayes d'une animalerie.*

♦ **2.** Loc. *Servir de cobaye :* être utilisé comme sujet d'expérience. Par ext. *Cobaye :* sujet d'expérience.

1 Vous êtes des cobayes, chers hommes, et des cobayes fort mal utilisés, puisque les épreuves que vous subissez ne sont infligées, variées, répétées qu'au petit bonheur.
VALÉRY, Regards sur le monde actuel, p. 201.
2 (...) une expérience psychologique dont vos livres tireraient profit. Je serais votre cobaye, et une espèce de cobaye particulièrement rare et précieuse : le cobaye lucide. MONTHERLANT, les Jeunes Filles, *in* Romans, Pl., t. I, p. 1017.

COBÉA ou COBÆA [kɔbea] n. f. — 1801 ; lat. bot. *cobæa,* mot créé en l'honneur du missionnaire *Cobo.*

♦ Bot. Arbrisseau originaire d'Amérique tropicale, à tige grimpante (liane) et à grandes fleurs bleues (famille des *Polémoniacées ;* dicotylédone). — Var. francisée : *cobée* [kɔbe] n. f.

(...) un perchoir de treillage pour la cobée violette à langues de dragon (...) COLETTE, Flore et Pomone, *in* Gigi, p. 180.

COBELLIGÉRANT, ANTE [kɔbeliʒeʀɑ̃, ɑ̃t ; kɔbɛlliʒeʀɑ̃, ɑ̃t] n. m. et adj. — 1794, *co-belligérant, in* D.D.L. ; de *co-,* et *belligérant.*

♦ Didact. Pays qui est en guerre en même temps qu'un allié contre un ennemi commun. ⇒ **Allié, coalisé.** *Un, des cobelligérants.* — Adj. *Les nations cobelligérantes.*

COBITIDÉS [kɔbitide] n. m. pl. — 1846, *cobitide,* Bescherelle ; dér. sav. du lat. sc. *cobitis* (1839, Boiste, *Suppl.*).

♦ Zool. Famille de poissons téléostéens physostomes abdominaux. *Types principaux de cobitidés :* acanthopsis ou cobitis, misgurne. ⇒ **Loche.** — Au sing. *Un cobitidé.*

COBLA [kɔbla] n. f. — V. 1960 ; mot esp., « ensemble de musiciens jouant des sardanes ».

♦ Hispanisme. Troupe de musiciens catalans.

Je suis venue ici, il y a deux ans. Réginald avait donné une fête pour un anniversaire de je ne sais plus lequel. Devant la maison, il faisait danser tout le village avec la cobla du pays. C'était très joli.
H.-F. REY, les Pianos mécaniques, p. 165.

COBOL [kɔbɔl] n. m. — 1967, *in* Höfler ; acronyme de l'angl. *co(mmon) b(usiness) o(riented) l(anguage).*

♦ Inform. Langage de programmation évolué, utilisé surtout pour l'écriture des programmes de gestion.

COBRA [kɔbʀa] n. m. — 1856 ; sous la forme *cobra capel,* 1587, puis 1670, et *cobra de capello,* 1701 ; du port. *cobra de capello* « couleuvre *(cobra)* chapeau ».

♦ Reptile ophidien *(Protéroglyphes),* scientifiquement appelé *naja,* remarquable par la dilatabilité de son cou, qui forme un capuchon orné d'un motif rappelant des lunettes (d'où le nom de *serpent à lunettes*) et par la toxicité de son venin. ⇒ **Naja.** *Le cobra d'Arabie* ou *aspic de Cléopâtre.*

1. COCA [kɔka] n. — 1568 ; mot espagnol, *coca, cuca,* d'une langue du Pérou.

♦ **1.** N. m. ou f. Plante dicotylédone, arbrisseau d'Amérique dont les feuilles contiennent un alcaloïde, la *cocaïne* (famille des *Linacées,* nom sc. : *erythroxylon coca*). → Bétel, cit. 2. — Syn. (rare) : *cocaïer,* n. m.

♦ **2.** N. f. *La coca :* la substance extraite de la feuille du coca. *La coca est un stimulant et un aliment d'épargne. Vin de coca. Boisson à la coca* (⇒ **Coca-cola**). « *Une trentaine de jeunes toxicomanes péruviens, consommateurs de "pâte de coca", une drogue assez répandue en Amérique du Sud.* » (*la Recherche,* n° 151, janv. 1984, p. 8).

2. COCA [kɔka] n. m. ⇒ **Coca-cola.**

3. COCA [kɔka] n. f. ⇒ **Cocaïne.**

COCA-COLA [kɔkakɔla] n. m. invar. — Répandu en France v. 1945 ; nom de marque américain, 1886, date de son lancement à Atlanta (États-Unis) ; nom déposé.

♦ Boisson gazéifiée (initialement fabriquée à base de coca*) comportant des grains de cola aux vertus stimulantes. → Bulleux, cit. 1. *Une bouteille de coca-cola. Un coca-cola :* une bouteille de coca-cola. *Des coca-cola.*

Des pasteurs, du coca-cola et des voitures... C'est toujours à ça que ça revient, la démocratie occidentale. 1
Boris VIAN, l'Équarrissage pour tous, *in* Théâtre, p. 321.
Brogan ne tenait pas en place ; il allait chercher au comptoir une bouteille de coca-cola, il glissait un nickel puis un autre dans la boîte à disques... 2
S. DE BEAUVOIR, les Mandarins, p. 313 (1954).

Abrév. (1966). COCA, n. m. *Du coca. Une bouteille de coca.* — *Un coca :* un verre de coca-cola. *Un coca rondelle,* servi avec une rondelle de citron.

On se réunit 3
Avec les amis
Tous les mercredis
Pour faire des snobisme-parties
Il y a du coca
On déteste ça (...)
Boris VIAN, Je suis snob, *in* Textes et Chansons, p. 28-29.

Altération plaisante : *caco-calo* (R. Queneau, *Zazie dans le métro*).

REM. On rencontre aussi l'abréviation américaine *coke,* n. m. (1909 aux États-Unis), qui tend à se répandre, notamment au Canada. « *Des jeunes de tous âges, et même des moins jeunes, dialoguaient avec des machines en sirotant des "cokes"* » (*le Nouvel Obs.,* n° 995, 2 déc. 1983, p. 95).

COCAGNE [kɔkaɲ] n. f. — Fin xⁱⁱᵉ ; orig. incert., mot méridional : provençal, ital. Pour P. Guiraud, il s'agit d'un mot roman, p.-ê. de **cocca* « coquille, objet rond » ou de *coquera* « faire cuire ». *Coucagno* est attesté en provençal au sens de « pain de pastel », et *coco* au sens de « brioche ».

♦ **1.** Vx, littér. Réjouissance.

Je vois des cocagnes pour un peuple immense, des feux d'artifice (...) 1
VOLTAIRE, Lettre à Catherine II, 147.

♦ **2.** Loc. mod. *Pays de cocagne :* pays imaginaire où l'on a tout en abondance. → Macaronique, cit. 1. *Vie de cocagne.*

Paris est pour le riche un pays de cocagne. BOILEAU, Satires, VI. 2
Le pays de Cocagne est sans aventures, merveille par soi-même. Le merveilleux, comme le sacré dont il semble le domaine mineur, appartient au Tout-Autre, à un monde parfois consolant et parfois terrible, mais d'abord différent du réel. 3
MALRAUX, les Voix du silence, p. 512.

♦ **3.** Loc. *Mât de cocagne :* mât de section circulaire, dressé dans les fêtes publiques et au sommet duquel sont suspendus des objets ou des friandises qu'il faut aller détacher en grimpant.

COCAÏER [kɔkaje] n. m. ⇒ 1. **Coca**, 1.

COCAÏNE [kɔkain] n. f. — 1856, Lachâtre ; de *coca*, suff. *-ine*.

♦ Chim. Alcaloïde ($C_{17}H_{21}NO_4$) extrait des feuilles du coca ou produit par synthèse. *Sel, sulfate de cocaïne. Utilisation thérapeutique du chlorhydrate de cocaïne.* ⇒ **Cocaïnisation.** — Substance préparée à partir de la cocaïne (ou d'un sel de cet alcaloïde), à propriétés médicales (anesthésiques, analgésiques, toniques...) et qui peut agir comme stupéfiant*. *Poudre de cocaïne. Injection de cocaïne. Prise de cocaïne.* ⇒ (argot) **Ligne, sniff.** *Toxicomanies par cocaïne.* ⇒ **Cocaïnisme, cocaïnomanie.**

Abrév. fam. ⇒ 5. **Coco.** On rencontre aussi *coca*, n. f., et *coke*, n. f. (plus cour.) : « *Contrairement aux U.S.A., la coke reste en France confinée au petit milieu des nuiteux élitistes* » (*Libération*, 22 déc. 1983).

DÉR. Cocaïnique, cocaïnisation, cocaïnisme.
COMP. Cocaïnomane, cocaïnomanie.

COCAÏNIQUE [kɔkainik] adj. — 1891, *in* D.D.L. ; de *cocaïne*.

♦ Chim. De la cocaïne. *Assuétude cocaïnique.* ⇒ **Cocaïnisme.**

COCAÏNISATION [kɔkainizɑsjɔ̃] n. f. — 1896 ; de *cocaïn(e)*, et *-isation*.

♦ Méd. Emploi thérapeutique du chlorhydrate de cocaïne en solution.

COCAÏNISME [kɔkainism] n. m. — 1897 ; de *cocaïne*.

♦ Méd. Intoxication par la cocaïne.

COCAÏNOMANE [kɔkainɔman] n. — 1897 ; de *cocaïne*, et *-mane*.

♦ Personne intoxiquée par un usage fréquent de cocaïne. ⇒ **Toxicomane.** *Un, une cocaïnomane.*

COCAÏNOMANIE [kɔkainɔmani] n. f. — 1890 ; de *cocaïne*, et *manie*.

♦ Toxicomanie* par la cocaïne.

COCARD [kɔkaʀ] n. m. ⇒ **Coquard.**

COCARDE [kɔkaʀd] n. f. — 1530 ; de l'anc. franç. *coquart, coquard*, de *coq* « sot, vaniteux ».

★ I. ♦ 1. Anciennt. Insigne* de forme et de couleur variables que l'on portait sur la coiffure. ⇒ **Emblème.** *Cocarde militaire. Cocarde tricolore, noire, rouge.*

(1789). Hist. *Cocarde tricolore* ; (1790) *cocarde nationale* : insigne des partisans de la Révolution, puis emblème des républicains. *Cocarde blanche*, insigne des royalistes légitimistes.

Loc. Vx. *Prendre la cocarde* : se faire soldat.

Par ext. Vx. Nation, parti (dont la cocarde est l'emblème).

♦ 2. Insigne aux couleurs nationales. *Cocarde tricolore.*

(...) il s'était (...) orné de tricolore, portant à son « chapeau rond » une énorme cocarde « de six pouces carrés » (...)
Louis MADELIN, Talleyrand, V, XXXVII, p. 403.

♦ 3. (1835). Vx. Ornement en ruban, plumet, pompon garnissant les chapeaux de femme. *Un chapeau avec une cocarde de rubans.*

♦ 4. Dans certaines courses de taureaux ou de vaches (landaises), Rosace qu'il faut placer sur la tête de l'animal (Landes) ou arracher de son front (Provence).

★ II. (1858). Fam. et vx. ⇒ **Tête.** Loc. *Taper sur la cocarde*, en parlant de l'effet enivrant d'un vin. — (1861). Vx. *Avoir sa cocarde* : être ivre (→ Se cocarder).

DÉR. Cocardeau, cocarder (se), cocardier.

COCARDEAU [kɔkaʀdo] n. m. — 1843 ; de *cocarde*.

♦ Régional. Giroflée.

COCARDER (SE) [kɔkaʀde] v. intr. — 1877 ; de *avoir sa cocarde*, II.

♦ Pop., vx. ⇒ **Boire, enivrer (s'), griser** (se).

COCARDIER, IÈRE [kɔkaʀdje, jɛʀ] adj. — 1858 ; de *cocarde*.

♦ 1. Qui porte la cocarde (4.), en parlant d'un taureau. *Taureau cocardier.* — N. m. *Un cocardier* : un taureau cocardier.

♦ 2. Fig. a (Personnes). Vieilli. Qui aime les décorations, les uniformes.

b (Personnes ; choses). Mod. D'un patriotisme exalté, chauvin, militariste. ⇒ **Chauvin, patriotard.** *Il est un peu cocardier.* ⇒ **Nationaliste.** *Un article cocardier ; une déclaration cocardière.*

Je ne sais pas ce que j'ai. Je ne suis pourtant pas cocardier, mais ça me fait plaisir de voir un officier Prussien. J. RENARD, Journal, 6 mai 1902. [1]

(...) si tu as pensé au sabre, c'est simplement par goût de la gloriole parce que tu sais s'en servir d'une façon merveilleuse (...) parce que tu ne pourras jamais te guérir de tes façons cocardières qui t'ont déjà rendu maintes fois ridicule. J. GIONO, le Hussard sur le toit, p. 140. [2]

N. *Être un cocardier intransigeant.* ⇒ **Chauvin.**

Le choléra est une saloperie, mais le reste est une saloperie encore pire. Ne faites pas le cocardier. J. GIONO, le Hussard sur le toit, p. 102. [3]

COCASSE [kɔkas] adj. — 1742 ; de *coquard* (→ Cocarde) avec changement de suffixe.

♦ Fam. Qui est d'une étrangeté bouffonne, qui étonne et fait rire. ⇒ **Amusant, bouffon, comique, drôle, risible.** *Un homme cocasse.* ⇒ **Original.** *Histoire cocasse. C'était tout ce qu'il y a de plus cocasse. Des gloussements cocasses* (→ Redire, cit. 5).

En mettant tout pour le mieux, disait la plus âgée, d'une voix cocasse et suraiguë qu'elle cherchait vainement à adoucir (...) ALAIN-FOURNIER, le Grand Meaulnes, p. 90. [1]

(...) le détraquement cérébral de Letondu apparaissait prodigieusement farce et cocasse. COURTELINE, Messieurs les ronds-de-cuir, 3e tableau, p. 106. [2]

N. m. Caractère de ce qui est d'un comique absurde. Ensemble des traits risibles d'une personne, d'une situation, etc.

Le cocasse, nuance nouvelle du rire et du comique, diffère du rire classique, de l'ironie, de l'humour. Ni la situation ni l'action ne font rire ; il n'y a pas de situation ni d'action bien définies ; dans le cocasse il n'en est pas besoin. Cette question reste un problème. La « crédibilité » du récit ne fait pas problème. Ce qui donne un grand sentiment d'aisance, de liberté langagière. S'il subsiste un terrain, un lieu commun, c'est le quotidien, que l'on quitte sur les ailes du langage. Le rire vient des mots et seulement des mots. C'est un comique langagier, formel : la *vis comica* des jeux de mots, calembours, contrepèteries, allitérations et assonances, utilisés méthodiquement. Henri LEFEBVRE, la Vie quotidienne dans le monde moderne, p. 261. [3]

CONTR. Sérieux.
DÉR. Cocassement, cocasserie.

COCASSEMENT [kɔkasmɑ̃] adv. — 1894, Bloy ; de *cocasse*.

♦ D'une manière cocasse. *Il se moque du gouvernement assez cocassement. Il est cocassement solennel.*

COCASSERIE [kɔkasʀi] n. f. — 1836 ; de *cocasse*.

♦ 1. (*Une, des cocasseries*). Action, parole cocasse. *Débiter des cocasseries.* ⇒ **Baliverne, calembredaine.** — Situation, chose cocasse.

♦ 2. (*La cocasserie*). Caractère cocasse. ⇒ **Bouffonnerie, drôlerie.** *La cocasserie d'une situation, du style. Une bande dessinée d'une cocasserie désopilante.* ⇒ **Cocasse** (n. m.).

COCCACÉES [kɔkase] n. f. pl. — xxe, *in* Larousse, 1929 ; lat. sc. de *coccus* « grain », suff. *-acées*, lat. *-aceus*.

♦ Bot. Groupe de plantes cryptogames protophytes bactériacées comprenant celles qui présentent des éléments ronds, sphériques ou ovoïdes. ⇒ **Bactérie.** — Au sing. *Une coccacée.*

COCCI-, COCCO- Premier élément de mots didactiques, du lat. *coccus* « grain », grec *kokkos*.

COCCIDÉS [kɔkside] ou **COCCIDES** [kɔksid] n. m. pl. — 1898 ; du grec *kokkos* « graine », et *-idés*.

♦ Zool. Famille d'insectes hémiptères (ordre des Homoptères), dont le type est le coccus. ⇒ **Coccus, cochenille.** — Au sing. *Un coccidé, un coccide.*

COCCIDIE [kɔksidi] n. f. — 1890, *in* Encycl. Berthelot ; 1846, en bot. ; lat. sc. *coccidium*, du lat. *coccus*, grec *kokkos* « grain ».

♦ Didact. Protozoaire (*Sporozoaires*) parasite des cellules de l'épithélium de nombreux animaux invertébrés et de certains organes (intestin, foie, rein) d'animaux supérieurs (surtout le lapin).

DÉR. Coccidien, coccidiose.

COCCIDIEN, IENNE [kɔksidjɛ̃, jɛn] adj. — 1906, *in Rev. gén. des sc.*, no 15, p. 677 ; de *coccidie*.

♦ Didact. Des coccidies; provenant des coccidies. *Troubles cocci-diens.*

COCCIDIOSE [kɔksidjoz] n. f. — 1901, *in* D.D.L.; de *coccidi(e)*, et *-ose*.

♦ Didact. Affection hépatique extrêmement grave, due aux cocci-dies, et qui atteint les ruminants, le porc, le lapin, les oiseaux.

-COCCIE ⇒ **-coque.**

COCCIFORME [kɔksifɔʀm] adj. — 1903, in *Rev. gén. des sc.*, n° 22, p. 1130; de *cocci-*, et *-forme*.

♦ Didact. Qui a la forme d'un grain. *Bactéries cocciformes.* ⇒ **Coc-cus; coccobacille.**

COCCINELLE [kɔksinɛl] n. f. — 1754; lat. mod. *coccinella*, du lat. *coccinus* «écarlate», de *coccum* «cochenille».

♦ Cour. Insecte coléoptère *(Coccinellidés)* au corps hémisphérique, aux couleurs vives, communément appelé *bête à Bon Dieu* (la variété la plus caractéristique a des élytres orangés à points noirs).

Un point rouge qui se meut en haut de son flanc gauche, c'est une coccinelle qui s'est posée sur le revers de son veston, sans qu'il l'ait vue venir (trop absorbé par l'image évoquée). Il prend entre deux doigts, délicatement, le petit coléoptère qui ressemble à une minuscule tortue décorée au pinceau dans le goût suisse alle-mand (...)   A. PIEYRE DE MANDIARGUES, la Marge, p. 163.

Fam. Nom d'une voiture populaire (modèle de Volkswagen).

COCCO- ⇒ **Cocci-.**

COCCOBACILLE [kɔkobasil] n. m. — 1891; de *coccus*, et *bacille*, d'après l'allemand.

♦ Hist. méd. Nom donné par Pfeiffer (1891) au virus de la grippe. Vx. Petit bacille court de forme ovale.

COCCOLITE [kɔkɔlit] n. f. — D. i.; de *cocco-*, et *-lite* (→ *-lithe*).

♦ Minér. Plaque calcaire enveloppant certaines algues du groupe des chrysophycées, dites *coccolithophoracées*, constituant un élément im-portant du plancton marin. *Coccolites fossiles des vases pélagiques.*

COCCUS [kɔkys] n. m. — 1752, bot.; du lat. *coccum* «grain rouge».

♦ **1.** Bot., vx. Kermès.

♦ **2.** Zool. Insecte hyménoptère *(Coccidés)* vivant sur une cactée.

♦ **3.** (1896). Bactérie de forme arrondie (streptocoque, etc.). ⇒ **-coque.**

Plur. : *des coccus* ou *des cocci* [kɔksi].

COCCYGIEN, IENNE [kɔksiʒjɛ̃, jɛn] adj. — 1753; de *coccyx*.

♦ Anat. Du coccyx, de la région du coccyx. *Vertèbres coccygiennes.*
COMP. **Sacro-coccygien.**

COCCYX [kɔksis] n. m. — 1541; grec *kokkux* «coucou», en raison de l'analogie de forme avec le bec de l'oiseau.

♦ Anat. Petit os situé à l'extrémité inférieure de la colonne verté-brale, articulé avec le sacrum. *Du coccyx.* ⇒ **Coccygien.**

Le sacrum et le coccyx sont unis l'un à l'autre par un ligament interosseux et des ligaments périphériques.   L. TESTUT, Traité d'anatomie, t. I, p. 523.

Euphém. plais. *Se faire mal au coccyx,* au derrière.

DÉR. **Coccygien.**

1. COCHE [kɔʃ] n. f. — 1175; p.-ê. du lat. pop. **cocca* (ital. *cocca*), de *coccum*. → Coccus.

♦ **1.** Vx ou régional. Entaille faite dans un corps solide (le plus sou-vent, le bois). ⇒ **Encoche.** *La coche d'une arbalète, d'une flèche. Faire une coche sur un bâton.*

Par ext. Entaille.

Cette vallée est une coche de deux mille pieds de profondeur entaillée dans un plein bloc de granit.   CHATEAUBRIAND, Mémoires d'outre-tombe, IV, II.

♦ **2.** ⇒ **Marque.** *Faire une coche sur un carnet.* ⇒ **Cocher.**

DÉR. **2. Cocher, cochoir.**
COMP. **Décocher, encoche.**

2. COCHE [kɔʃ] n. f. — XIIIᵉ; de *cochon*.

♦ **1.** Vx ou régional. Femelle du cochon. ⇒ **Truie.**

♦ **2.** Fig. et pop. (Vx). Femme grosse et vulgaire.

3. COCHE [kɔʃ] n. m. — 1283; fém. jusqu'au XVIᵉ; anc. néerl. **cogge*, du bas lat. *caudica* «sorte de bateau» avec infl. de 4. *coche* à partir du XVIᵉ.

♦ Ancienn. **COCHE D'EAU** : grand chaland de rivière, halé par des chevaux, et qui servait au transport des voyageurs.

Le *Burchiello* était jadis le seul moyen de transport, celui de Montaigne, du Pré-sident De Brosses, de Goethe, et de Casanova dont les Mémoires s'ouvrent par une si jolie description de ce coche d'eau dont le musée Correr possède une maquette d'époque (...)   Paul MORAND, Venises, p. 106.

4. COCHE [kɔʃ] n. m. — 1545; all. *Kutsche*, soit du hongrois *kocsi*, de *Kocs* (n. de ville), soit du tchèque *cotchi* (1440?), de *Košice* (n. de ville).

♦ **1.** Ancienn. Grande voiture tirée par des chevaux, qui servait au transport des voyageurs. *La diligence a succédé au coche. Conduc-teur de coche.* ⇒ 1. **Cocher.**

Dans un chemin montant, sablonneux, malaisé,   1
Et de tous les côtés au soleil exposé,
Six forts chevaux tiraient un coche.   LA FONTAINE, Fables, VII, 9.

Loc. (Par allus. à la fable de La Fontaine). *Être, faire la mouche* du coche.*

♦ **2.** Loc. fig. *Manquer le coche ; louper, rater le coche* (fam.) : perdre l'occasion de faire une chose utile, profitable.

Petit-Pouce estima qu'il était de son intérêt de coller aux chausses du grand patron   2
afin de ne pas louper le coche.
                              R. QUENEAU, Pierrot mon ami, éd. L. de Poche, p. 97.
À un ensemble de sentiments complexes s'ajouta celui d'un dernier coche qu'il ne   3
fallait pas manquer.   Emmanuel BERL, le Virage, p. 111.

DÉR. 1. **Cocher, cochère.**

COCHELET [kɔʃlɛ] n. m. — D. i.; var. de *coquelet*, de *coq*.

♦ Vx, régional. Jeune coq. ⇒ **Cochet.**

COCHENILLAGE [kɔʃnijaʒ] n. m. — 1723; de *cocheniller*.

♦ Techn. Bain de teinture de cochenille.

COCHENILLE [kɔʃnij] n. f. — 1578; *cossenille*, 1567; esp. *cochi-nilla* «cloporte», de *cochino* «cochon», appliqué au XVIᵉ (au Mexique) à la cochenille.

♦ **1.** Insecte hémiptère *(Homoptères ; Coccidés)* dont une espèce (cochenille du nopal) fournit une teinture rouge écarlate. *Coche-nille du nopal, de l'oponce. Cochenille sylvestris. Cochenille de Pologne.*

♦ **2.** La teinture elle-même. *Teindre en cochenille.*

(...) ce rouge ne se tire pas seulement de matières animales ou végétales comme la cochenille, le santal rouge, le bois de Fernambouc, mais aussi de minéraux comme le cinabre, le minium de minéraux de plomb, de soufre et de mercure calcinés au feu de réverbère.   Ed. et J. DE GONCOURT, la Femme au XVIIIᵉ siècle, II, p. 141.

♦ **3.** N. f. pl. **COCHENILLES.** Vx. Une des trois divisions formant avec les aleurodes et les pucerons ou *aphidiens* le sous-ordre des insec-tes hémiptères phytophtires. — Au sing. *Une cochenille.*

DÉR. **Cocheniller.**

COCHENILLER [kɔʃnije] v. — 1671; de *cochenille*.

♦ **1.** V. intr. Récolter la cochenille.

♦ **2.** V. tr. Plonger (une étoffe) dans un cochenillage.

DÉR. **Cochenillage.**

1. COCHER [kɔʃe] n. m. — 1560; de 4. *coche*.

♦ Personne qui conduit une voiture de maître ou une voiture publi-que hippomobile. ⇒ **Conducteur; automédon** (par plais.), **postillon.** *Cocher de grande maison. Cocher de fiacre.* ⇒ (vx) **Colignon** (cit.), **voiturin.** Loc. vx. *Avoine** (4.) *des cochers.*

Est-ce à votre cocher, Monsieur, ou bien à votre cuisinier, que vous voulez parler?   1
car je suis l'un et l'autre.
— C'est à tous les deux.   MOLIÈRE, l'Avare, III, 1.
(...) un vieux cocher à carrick, qui conduisait une haridelle (...)   2
                    FRANCE, la Vie en fleur, XXIX, p. 337. (→ Canasson, cit. 1).
En cette fin de 1908, les cochers raillent encore les pannes d'automobiles : les arrêts 3
inopinés en pleine côte (...)
                    J. ROMAINS, les Hommes de bonne volonté, t. III, XII, p. 164.

Vx et fam. *Fouette, cocher !* : ordre donné au cocher de fouetter ses chevaux pour partir. — Fig., mod., par plais. *Fouette, cocher !* : Allons ! En avant !

Mythol. *Le cocher céleste, le cocher du soleil* : le conducteur du char du soleil. ⇒ **Phaéton** (étym.). *La constellation du Cocher* (Auriga).

REM. En parlant d'une femme, on dit (ou on disait) : *elle est cocher; femme-cocher.* La forme *cochère*, n. f., signalée in *Larousse mensuel* 1907, p. 22, semble rare.

HOM. 2. **Cocher.**

2. COCHER [kɔʃe] v. tr. — Déb. XIVᵉ; de 1. *coche.*

♦ **1.** Vx. Faire une coche, une entaille à (qqch.).

♦ **2.** Par ext. Marquer d'un trait, d'un repère. *Cocher des noms sur une liste.* ⇒ **Noter.** — Au p. p. (par métaphore, littéraire) :

La pensée la plus inquiète avait son reflet parfait et paisible, et la route blanche, cochée jusqu'à l'infini de ses bornes, était la seule mesure humaine de tout ce repos. GIRAUDOUX, Simon le pathétique, p. 146.

HOM. 1. **Cocher.**

CÔCHER [koʃe] v. tr. — 1680; altér. de l'anc. franç. *chauchier* (déb. XIIIᵉ), *caucher*; du lat. *calcare* «presser, fouler».

♦ Rare. Couvrir la femelle (en parlant des oiseaux).

REM. On trouve aussi la forme *cocher*, sans accent.

COCHÈRE [kɔʃɛʁ] adj. f. — 1611 ; de 4. *coche.*

♦ *Porte cochère* : porte dont les dimensions permettent l'entrée d'une voiture dans la cour d'une maison. *Une maison à porte cochère.* «*Entrée cochère*» (Colette). *Porte cochère et porte piétonne.*

1 Richelieu avait été réduit à taxer les portes cochères de Paris (...)
VOLTAIRE, le Siècle de Louis XIV, 2.

2 (...) chaque fois que la porte cochère s'ouvrait, la concierge appuyait sur un bouton électrique qui éclairait l'escalier (...)
PROUST, À la recherche du temps perdu, t. IX, p. 166.

Loc. fig. *Ouvrir les yeux comme des portes cochères,* les garder très ouverts (sous l'effet d'une émotion).

COCHERELLE [kɔʃʁɛl] n. f. — 1836 ; de *coche,* forme régionale de *coque,* désignant des champignons de forme arrondie (coulemelle, etc.).

♦ Coulemelle élevée (champignon comestible).

COCHET [kɔʃɛ] n. m. — Déb. XIIIᵉ ; de *coq.*

♦ Vieilli. Jeune coq. ⇒ **Cochelet ; coquelet.**

COCHEVIS [kɔʃvi] n. m. — 1327 ; *coquevil,* 1289 ; origine obscure ; p.-ê., selon P. Guiraud, de *coq* «crête» et de l'anc. franç. *chevier* «lever la tête».

♦ Oiseau passeriforme (*Passereau, Alaudidés*) scientifiquement appelé *galérida.* ⇒ **Alouette** (*alouette cochevis* ou *alouette huppée*). *Le cochevis est plus grand que le moineau et a la tête ornée d'une huppe érectile.*

COCHINCHINOIS, OISE [kɔʃɛ̃ʃinwa, waz] n. et adj. — 1721, in D.D.L. ; de *Cochinchine,* partie méridionale du Viêt-nam.

♦ De Cochinchine. ⇒ **Vietnamien.**

Spécialt. *Race cochinchinoise* : race de gallinacés originaire de la Cochinchine.

COCHLÉAIRE [kɔkleɛʁ] adj. — 1805; du lat. *cochlea* «escargot».

♦ Spiralé comme la coquille de l'escargot. — Anat. *Appareil, organe cochléaire* : partie de l'oreille interne qui communique avec le limaçon (cochlée). *Nerf cochléaire* : ensemble des fibres nerveuses qui transmettent les impressions auditives au cerveau.

COCHLÉARIA [kɔkleaʁja] n. m. ou **COCHLÉAIRE** [kɔkleɛʁ] n. f. — 1599, *cochlearia* ; *cochléaire,* 1669 ; lat. bot. → Cuiller.

♦ Bot. Plante des lieux humides (*Cruciféracées*), à feuilles incurvées en forme de cuiller, dont une variété, dite *herbe-aux-cuillers, herbe-au-scorbut,* était cultivée pour ses propriétés antiscorbutiques. ⇒ **Cranson.** *Une espèce de cochléaire* (Cochlearia armoracia) *sert de condiment.* ⇒ **Raifort.**

Jasper Hobson s'était muni d'une certaine quantité de graines qu'il comptait semer quand la saison serait venue. C'étaient principalement des graines d'oseille et de cochlearias, dont les propriétés antiscorbutiques sont très appréciées sous ces latitudes. J. VERNE, le Pays des fourrures, II, XIV, p. 190.

COCHLÉE [kɔkle] n. f. — 1845; du lat. *cochlea* «escargot», suff. *-ée.*

♦ Anat. Conduit de l'oreille interne, de forme hélicoïdale. ⇒ **Limaçon.**

COCHOIR [kɔʃwaʁ] n. m. — XVIIIᵉ ; de 1. *coche.*

♦ Techn. (ancienn). Hache de tonnelier, à lame recourbée.

COCHON [kɔʃɔ̃] n. m. — V. 1270, E. Boileau; comme nom propre, 1091; orig. incert. Signifie en anc. franç. «jeune porc»; on a proposé l'onomat. *kos, kos* servant à appeler les porcs, ainsi que le bas lat. *cutio* «cloporte»; P. Guiraud rapproche *coche* «truie» de *coche* «cénelle, fruit de l'églantier», suggérant une forme *coccum* «cochenille»; il propose aussi le roman *codica* «souche», suff. *-on.*

★ **I.** ♦ **1.** Animal domestique, porc élevé pour l'alimentation (le plus souvent châtré; opposé à *verrat**). ⇒ **Goret, porc, pourceau.** *Engraisser, élever des cochons.* — *Cochon de lait* : petit cochon non sevré. ⇒ **Cochonnet, porcelet.** *Cochon à l'engrais,* en train d'être engraissé. *Cochon gras, bon à tuer. Femelle du cochon.* ⇒ 2. **Coche, truie.** *Une truie et ses petits cochons.* ⇒ **Cochonnée; porcelet.** *Le cochon se vautre dans la fange, fouille la terre de son groin. Cri du cochon.* ⇒ **Grognement, grogner.** *Vendre un cochon. Marchand de cochons. Tuer un cochon, le cochon. Saler un cochon. Soies du cochon.*

Par ext. La viande de cet animal. ⇒ **Porc.** *Manger de la viande de cochon, manger du cochon.* ⇒ **Charcuterie, cochonnaille** (fam.). *Groin, oreilles, pieds, queue de cochon. Graisse du cochon.* ⇒ **Panne.** *Peau du cochon.* ⇒ **Couenne.** — *Fromage de cochon* : pâté fait avec la chair de la tête (joues) du cochon. (On dit plus souvent *fromage de tête*).

1 Après donc qu'elle *(Circé)* leur eut donné à boire, elle les frappa d'une baguette *(les compagnons d'Ulysse),* et les renferma dans un toit à cochon ; et ils prirent tous la figure de cochon, la tête, la voix, le corps et le poil.
RACINE, Remarques sur l'Odyssée d'Homère, X.

2 Nous sommes juifs comme vous, ne mangeant point de cochon, point de boudin.
VOLTAIRE, Philosophie, III, 174.

3 Je nommai le cochon par son nom ; pourquoi pas ?
HUGO, les Contemplations, I, 7.

4 (...) un fort cochon, bon à tuer, rond comme une bedaine de chantre.
ZOLA, la Faute de l'abbé Mouret, p. 466.

5 À l'extrémité du camp, les cochons, noirs comme des sangliers, grognaient rageusement en donnant de la tête contre la porte des soues, car l'heure de leur souper approchait. P. MAC ORLAN, la Bandera, VII, p. 82.

Par ext. *Cochon sauvage.* ⇒ **Sanglier.** — *Cochon d'Amérique, cochon noir.* ⇒ **Pécari.**

♦ **2.** (Qualifié). Autres mammifères. *Cochon d'Inde* (cour.), ou *cochon de Barbarie.* ⇒ **Cobaye.** — *Cochon des blés.* ⇒ **Hamster.** *Cochon de mer.* ⇒ **Marsouin.**

♦ **3.** Loc. compar. adv. (péj.; intensif des idées de saleté, grosseur, abjection, négligence...). *Être gros, gras comme un cochon. Sale comme un cochon.* — *Écrire comme un cochon,* très mal, salement. *Manger comme un cochon,* malproprement. — *Soûl comme un cochon* : très ivre. — *Bête comme cochon, comme trente-six cochons* : très bête.

Avoir des yeux, de petits yeux de cochon, petits et enfoncés.

Loc. fam. *Nous n'avons pas gardé les cochons ensemble* : nous n'avons rien de commun (se dit pour indiquer à qqn que sa familiarité est déplacée).

5.1 — Vous d'v'nez sourd, père Taupe.
— Un moment. D'abord, j'vous permets pas de m'appeler père comme ça, on n'a pas gardé les cochons ensemble. Hein. R. QUENEAU, le Chiendent, p. 337.

Fam. *Ils sont copains, camarades comme cochons* : ils sont dans des rapports de grande familiarité, de familiarité excessive.

Fam. *Un cochon n'y retrouverait pas ses petits* : c'est un très grand désordre.

Fam. *Il a une tête de cochon, un caractère de cochon,* un mauvais caractère, très entêté. ⇒ **Obstiné;** → Tête de lard*.

Fam. *Se demander, ne pas savoir si c'est du lard* ou *du cochon.*

Loc. prov. *Des perles* aux cochons; de la confiture aux (pour les) cochons.

★ **II.** N. et adj. (1611). COCHON, ONNE [kɔʃɔ̃, ɔn].

♦ **1.** Personne malpropre, sale. ⇒ **Porc.** —*Petite cochonne! Regarde comme tu manges! tu es un vrai cochon!*

Adj. *Il est vraiment trop cochon.* (Choses). *Des manières cochonnes.*

♦ **2.** Personne d'une sexualité grossière (rare au fém.). — Vx. *Mener une vie de cochon.*

Adj. *Ce qu'il est cochon! Taisez-vous, vieux cochon! Ce cochon de Morin,* nouvelle de Maupassant. ⇒ **Débauché, dégoûtant, dépravé, vicieux.**

♦ **3.** Personne grossière et immorale. *Quel cochon! Ah la cochonne!*

5.2 «Non, voyez-vous, conclut-elle, c'est une cochonne.» Une telle expression était rendue possible à Mme de Guermantes par la pente qu'elle descendait du milieu des Guermantes agréables à la société des comédiennes, et aussi parce qu'elle greffait cela sur un genre XVIIIᵉ siècle qu'elle jugeait plein de verdeur, enfin parce qu'elle se croyait tout permis.   PROUST, le Temps retrouvé, Pl., t. III, p. 1028.

Cochon qui s'en dédit !, formule pour renforcer une promesse, un serment. → Parier, cit. 3.1.

Jouer un tour de cochon à qqn, le desservir, le trahir. ⇒ **Cochonnerie, tour** (sale tour).

6   Quel est (...) ce gros cochon qui me disait tant de mal de la pièce (...)
                              VOLTAIRE, Candide, XXII.

7   Il ne faut pas que ce cochon meure, car avant de mourir, il serait capable de me « donner ».   P. MAC ORLAN, la Bandera, XVI, p. 200.

♦ **4.** (Sans contenu précis). → Salaud ; saleté. — Loc. (1926, *in* D. D. L.). *Les cochons de payants :* les clients. — (Choses). *Encore ce cochon de brouillard ! Un cochon de métier :* un métier pénible. → Un métier de chien*.

8   (...) son ciel trop bleu, ses rues ramonées par ce cochon de vent du nord deux cent soixante-cinq jours de l'année et les cent autres suintants d'humidité (...)
                              Claude SIMON, le Vent, p. 112.

♦ **5.** Adj. (Choses). Libidineux, grossier dans le domaine sexuel (personnes ou, plus souvent, choses). *Des histoires cochonnes.* ⇒ **Égrillard, paillard ; cochonceté, cochonnerie.** — Spécialt. *Cinéma, film cochon,* pornographique.

9   J'aime bien entendre des choses cochonnes (...) mais je n'aime pas en lire (...)
                              O. MIRBEAU, le Journal d'une femme de chambre, p. 75.

10   L'Européen veut pouvoir toucher. L'air de ses tableaux est épais. Ses nus sont presque toujours cochons, même dans les sujets tirés de la Bible. La chaleur, le désir, les mains s'y tripotent.   Henri MICHAUX, Un barbare en Asie, p. 182.

11   Il a signé deux ou trois manifestes en faveur d'un assassin condamné à mort ou d'un film cochon interdit par la censure.   J. DUTOURD, Pluche, XI, p. 170.

♦ **6.** Loc. fam. *C'est pas cochon, pas cochon du tout :* c'est réussi, c'est beau, agréable, bon, etc. (→ C'est pas sale, pas dégueulasse...).

CONTR. Propre, pur.

DÉR. 2. **Coche, cochonceté, cochonnaille, cochonnée, cochonnement, cochonner, cochonnerie, cochonnet.**

COCHONCETÉ [kɔʃɔ̃ste] n. f. — 1884, *in* D. D. L. ; de *cochon,* d'après *saleté.*

♦ Fam. Cochonnerie (2.) ; action ou propos déshonnête.

1   Sur ce qu'il n'y a pas de cochoncetés dans son roman, dit Zola, Magnard aurait été tenté de publier son roman dans le *Figaro,* mais il a eu peur de cette publicité !
                              Ed. et J. DE GONCOURT, Journal, t. VIII, p. 206.

2   Merde de merde, je veux pas dans ma maison d'une petite salope qui dise des cochoncetés comme ça.   R. QUENEAU, Zazie dans le métro, Folio, p. 21.

COCHONNAILLE [kɔʃɔnaj] n. f. — 1772 ; de *cochon.*

♦ Fam. Charcuterie (avec l'idée d'abondance et de préparations simples, campagnardes). ⇒ **Charcutaille.** *Manger de la cochonnaille, des cochonnailles.*

(Les fèves) sont contenues dans un plat de terre à feu presque pareil et (...) sont garnies presque des mêmes cochonnailles.
                              A. PIEYRE DE MANDIARGUES, la Marge, p. 206.

COCHONNÉE [kɔʃɔne] n. f. — 1642 ; de *cochonner.*

♦ Agric. Portée d'une truie.

COCHONNEMENT [kɔʃɔnmɑ̃] adv. — 1833, Baudelaire, *Correspondance* ; de *cochon.*

♦ Rare. D'une manière sale, « cochonne ». → Cochon, II., 1.

COCHONNER [kɔʃɔne] v. — 1403 ; de *cochon.*

★ **I.** V. intr. (Rare). Mettre bas (en parlant de la truie).

★ **II.** V. tr. Fam. ♦ **1.** (1808). Faire (un travail) salement. *Cochonner un ouvrage, un devoir.* ⇒ **Saloper.**

Je recommence, et peu à peu, tout en lui cochonnant la pièce que je ne me rappelle même pas, je la lui fais sentir (...)   J. RENARD, Journal, 12 nov. 1901.

♦ **2.** Salir. *Cochonner son pantalon.* ⇒ **Maculer, souiller, tacher.** *Ta chemise est complètement cochonnée.*

COCHONNERIE [kɔʃɔnʀi] n. f. — 1688, « action indécente » ; fin XVIIᵉ, titre d'un texte de Vauban consacré à l'élevage des porcs ; de *cochon.*

A. *(La cochonnerie).* Malpropreté. *Il est d'une cochonnerie répugnante.*

B. *(Une, des cochonneries).* ♦ **1.** Chose sale ou mal faite, cochonnée*. Chose sans valeur, de mauvaise qualité. *Il ne vend que des cochonneries. C'est de la cochonnerie.* — Par antiphrase. *Ce n'est pas mauvais du tout, cette petite cochonnerie !*

1   Elle sortait de la charcuterie.
     — Elle est polie, cette grande bête de Quenu ! s'écria-t-elle, heureuse de se soulager. Est-ce qu'elle ne vient pas de me dire que je ne vendais que du poisson

pourri ! Ah ! je vous l'ai arrangée (...) En voilà une baraque, avec leurs cochonneries gâtées qui empoisonnent le monde !   ZOLA, le Ventre de Paris, t. I, p. 118.

♦ **2.** Action, propos obscène. ⇒ **Cochon,** II., 2. *Dire, raconter des cochonneries.* ⇒ **Cochonceté, obscénité.**

2   Je me disais bien qu'au bout du compte vous alliez me débiter des cochonneries.
                              R. QUENEAU, Zazie dans le métro, Folio, p. 126.

♦ **3.** Action méprisable. *Vous avez fait une belle cochonnerie en ne me prévenant pas de leur arrivée.* ⇒ **Cochon** (un tour de cochon), **entourloupette, vacherie.**

COCHONNET [kɔʃɔnɛ] n. m. — XIIIᵉ ; de *cochon.*

♦ **1.** Rare. Petit cochon, cochon de lait. ⇒ **Porcelet.**

♦ **2.** Techn. Dé à douze faces marquées de un à douze.

♦ **3.** (1534). Cour. Petite boule servant de but aux joueurs de boule. *Jeu de boules comportant un cochonnet.*

Quand on est bien éreinté par dix heures d'exercice, et quelquefois plus, on garde la force de se laver, d'aller boire un bock frais et de commencer d'interminables parties de cochonnet.   J.-R. BLOCH, Deux hommes se rencontrent, p. 314.

♦ **4.** Techn. Partie visible d'un bâti de porte (ou d'un dormant de fenêtre).

COCHYLIS [kɔkilis] ou CONCHYLIS [kɔ̃kilis] n. m. — Av. 1844, *in* d'Orbigny ; *conchyle* « coquillage », 1765 ; lat. sc. *conchylis,* du grec *kogkulion* « coquille, pourpre ».

♦ Zool. Papillon dont la chenille dévore les feuilles de la vigne (→ Eudémis, cit.).

COCKER [kɔkɛʀ] n. m. — 1863 ; mot angl., ellipse de *woodcocker* « bécassier ».

♦ Petit chien de chasse voisin de l'épagneul, à longues oreilles tombantes.

(...) je voyais les bonnes gens du quartier tirer le cordon de sonnette du « père Chéron » en tenant sous leur bras un fox, un vieux cocker, ou un matou malade.
                              Francis CARCO, Nostalgie de Paris, p. 142.

COCKNEY [kɔknɛ] adj. et n. — 1750, « Londonien » ; mot angl. *cocken-ey,* pour *cocken-egg* « œuf de coq », sobriquet du Londonien.

♦ Londonien caractérisé par son langage populaire (celui de l'East End). — REM. Le fém. n'est pas attesté par les dictionnaires, mais rien ne s'oppose à ce qu'on dise : *une cockney.*

1   Cela prouve que l'ami dont j'ai fait la rencontre est un de ces *badauds* enracinés que Dickens appellerait cockneys, produits assez communs de notre civilisation et de la capitale.   NERVAL, les Nuits d'octobre, II, Pl., t. I, p. 100.

N. m. (1933, *in* Höfler). Variété d'anglais parlé par les cockneys. — Adj. (1927). *Accent cockney.*

2   Son anglais qui avait paru excellent à l'Université le laissait démuni en présence du cockney des rues.   M. YOURCENAR, Archives du Nord, p. 261.

COCKPIT [kɔkpit] n. m. — 1889 ; angl. *cockpit,* proprt « fosse pour le combat de coqs ».

♦ **1.** Mar. Creux à ciel ouvert dans le pont d'un yacht à voiles (Gruss).

Les exigences de la longue croisière et le désir de pouvoir embarquer nos enfants me faisaient souhaiter un volume intérieur important avec une cabine arrière protégeant le cockpit central.   Bernard MOITESSIER, Cap Horn à la voile, p. 39.

(1966). Autom. *Le cockpit d'une voiture de course.*

♦ **2.** (1939). Aviat., astronaut. Habitacle du pilote. ⇒ **Cabine.**

COCKTAIL [kɔktɛl] n. m. — 1860 ; emploi isolé, 1822 ; *cock-tail* « homme abâtardi », 1755 ; mot anglo-amér. « queue de coq », n'existant pas dans cet emploi ; évolution de sens obscure.

♦ **1.** Mélange de boissons dans la composition duquel entre l'alcool. *Cocktail au gin, au whisky, au cognac, au champagne. Préparer un cocktail dans un shaker.*

1   Heureusement qu'avant chaque banquet à l'eau froide (c'était le temps de la prohibition), il y avait le cocktail qui en Amérique, est une nécessité impérieuse, un cordial indispensable.
                              CLAUDEL, l'Élasticité américaine, *in* Œ. en prose, Pl., p. 1207.

♦ **2.** (1929, *in* Höfler). Réunion où l'on boit des cocktails. *Inviter des amis à un cocktail* (→ Buffet, lunch). — REM. On trouve parfois la graphie francisée *coquetèle.*

2   (...) la vie des hommes de Lettres est une fête perpétuelle et se passe à courir les banquets, les générales, les inaugurations et les coquetèles mondains.
                              M. AYMÉ, Travelingue, p. 179.

♦ **3.** (V. 1950). **COCKTAIL MOLOTOV :** bouteille emplie d'un mélange inflammable, employée comme explosif. *Des cocktails Molotov.*

2.1 El Medico fourra son poing sous le nez du jeune lieutenant. « Et celui-là, tu sais

comment il parle ? Il parle comme les gars de Teruel qui faisaient sauter les chars boches avec des bouteilles d'essence, les cocktails Molotov ! »
A. LANOUX, le Commandant Watrin, p. 184.

3 Aujourd'hui, c'est du napalm que l'adulte met dans la tête des enfants et il est étonnant qu'il s'étonne quand l'enfant fabrique des cocktails molotov même avant d'être adolescent. J. PRÉVERT, Choses et autres, p. 159 (1972).

♦ **4.** (1928, *in* Höfler). Fig. Mélange. *Un cocktail d'idées empruntées. Un curieux cocktail politique.*

1. COCO [kɔko ; koko] n. m. — 1525, *cocho* ; *noix de coco*, 1610 ; de l'ital., puis espagnol, portugais *coco* «croquemitaine», d'après l'aspect de la noix.

♦ **1.** Fruit du cocotier*, plus souvent appelé *noix de coco* (sauf en franç. d'Afrique, où *coco* est seul usuel). *Lait, eau de coco. Amande de coco.* ⇒ **Coprah.** *Huile de coco. Beurre de coco. Fibre de coco. Cordages, tapis en fibre de coco.*

1 J'aperçois un canot vide sur le rivage, emplissons-le de cocos, jetons-nous dans cette petite barque, laissons-nous aller au courant (...) VOLTAIRE, Candide, XVII.

2 (...) ici, il faut douze cocos pour obtenir un litre d'huile. En Indochine il en fallait seulement dix, ils étaient plus gros : on presse la pulpe râpée dans un linge pour extraire le lait, puis on fait bouillir. L'eau s'évapore, l'huile reste.
Bernard MOITESSIER, Cap Horn à la voile.

Noix* de coco. — Loc. fig. *À la noix de coco.* → À la noix.

♦ **2.** (1808 ; d'après le «lait» de coco). Boisson faite avec de l'eau et du jus de réglisse. *Marchand de coco. Boire un verre de coco.*

♦ **3.** Fam. et vx. Boisson alcoolisée (vin, eau-de-vie) médiocre.
DÉR. (Du sens 1) **Cocotier.**

2. COCO [kɔko ; koko] n. m. — XIXᵉ ; de 1. *coco*. Familier.

♦ **1.** Tête. *Il a le coco fêlé*, l'esprit dérangé. *Dévisser le coco :* étrangler.

♦ **2.** Ventre, estomac. → Cacheter, cit. 3. *Se remplir le coco. En avoir plein le coco. Mets-toi ça dans le coco.*

(...) il faut manger avant de boire. Nous avons marché avec juste un peu de thé dans le coco. Soyez bien contente d'avoir du maïs. D'ailleurs je vais faire la polenta au vin blanc. Ça coupe la fatigue. J. GIONO, le Hussard sur le toit, p. 350.

3. COCO [kɔko ; koko] n. m. — 1821 ; réduplication onomatopéique de *coque* «coquille (d'œuf)», et onomat. → Cot, cot, cocorico.

♦ **1.** Fam. (langage enfantin). Œuf*. *Tu veux un coco?*

♦ **2.** (Orig. inconnue ; p.-ê. du sens 1, par un usage analogue à «ma poule», «ma poulette»...) Terme d'affection adressé à un enfant, ou, plus rarement, à un adulte. *Mon petit coco.* ⇒ **Cocotte.**

T'as encore touché à ton bandage, enfant d'veau, verminard ! tonitrue-t-il. J'vas te l'refaire parce que c'est toi, mon coco, mais, si tu y r'touches, tu verras ce que je te ferai ! H. BARBUSSE, le Feu, t. II, II, XXI, p. 45.

♦ **3.** N. m. pl. (1872). Variété de haricots dont le grain a la forme d'un œuf. *Écosser des cocos.*
DÉR. V. **Cocotte.**

4. COCO [kɔko ; koko] n. m. — 1790 ; orig. incert., peut-être anti-phrase des emplois hypocoristiques : *mon coco.* → ci-dessus, 3. Coco.

♦ Fam. Individu, personnage bizarre, antipathique, dangereux. ⇒ **Type, zèbre...** *Un vilain coco, un drôle de coco. C'est un joli coco !*

1 Il y a des cocos, dont nous nous servons, qui ne sont pas à prendre avec des pincettes. J. ROMAINS, les Hommes de bonne volonté, t. II, p. 208.

1.1 (...) un coco capable de refuser une proposition comme ça en vous racontant je ne sais quelle histoire à dormir debout (...) Claude SIMON, le Vent, p. 25.

2 En France, tu peux toujours appeler le type à qui tu t'adresses : «Monsieur le président.» En France, un coco quelconque est toujours président de quelque chose (...) G. DUHAMEL, Chronique des Pasquier, IV, I.

5. COCO [kɔko ; koko] n. f. — 1922, cit. ; abrév. de *cocaïne.*

♦ Fam. Cocaïne*. *Prendre de la coco.* — REM. on trouve aussi l'abrév. *coc* (1970, *in* D.D.L.).

1 (...) une affectation, une prétention vulgaires que nous détestons tellement, comme par exemple les gens qui croient spirituel de dire «de la coco» pour «de la cocaïne». PROUST, le Temps retrouvé, Pl., t. III, p. 752.

2 — On a vu un inspecteur de la Mondaine, tout à l'heure.
— Il vient d'arrêter une équipe qui trafiquait avec la drogue... Au fait, Silien, c'est un peu ton truc, je crois, l'héroïne, ... la coco ? J.-P. MELVILLE, le Doulos (scénario), *in* l'Avant-Scène, 1963, p. 23.

6. COCO [koko ; koko] n. et adj. — 1941, *in* T.L.F. ; de *communiste.*

♦ Fam. et péj. Communiste. *Les cocos.* — Adj. *La presse coco. Il, elle est coco.*

«Le conformisme, ça ne lui va pas, même teint en rouge». Julien ricana : «Tu vas te faire si bien étriller par les cocos que tu n'auras plus envie de chanter dans leurs chœurs». S. DE BEAUVOIR, les Mandarins, p. 365.

7. COCO [kɔko ; koko] adj. — 1879 ; aphérèse de *rococo*, avec infl. des emplois péj. de *coco*.

♦ Fam. et vieilli. Vieillot et un peu ridicule.

Il y a quelque quinze ans, quand M. Paul Géraldy faisait représenter *Les Noces d'argent*, une des héroïnes de cette pièce (...) disait :
«Ah ! les soirs italiens... la douceur des lacs... oui, je sais, cela est devenu «coco» aujourd'hui...» «Coco» : si seulement ce n'était que cela (...)
G. BAUËR, les Billets de Guermantes, avr. 1938, p. 246.

COCODÈS [kɔkodɛs] n. m., **COCODETTE** [kɔkodɛt] n. f. — V. 1845 ; onomat., d'après le cri de la poule.
Vx (à la mode de 1850 à 1900 environ).

♦ **1.** N. m. Gandin aux manières excentriques, d'une élégance ridicule.
Je n'arrive pas à croire que ce vieux cocodès a trempé dans le vol de mon Fabergé. DUTOURD, Mémoires de Mary Watson, p. 214.

♦ **2.** N. f. COCODETTE : femme provocante, de mœurs légères.

COCON [kɔkɔ̃] n. m. — 1600, *coucon* ; du provençal *coucoun*, de la même rac. que *coque.*

♦ **1.** Enveloppe formée par un long fil de soie enroulé, dont les chenilles de nombreux insectes (notamment les lépidoptères) s'entourent pour se transformer en chrysalide.

Spécialt. Cocon du ver à soie. ⇒ **Soie ; magnan, magnanerie.** *Cocon parfait ; cocon défectueux, étranglé, ouvert... Dévider un cocon.*

1 (...) un flocon
Retors et fin comme la soie
Que l'on dévide du cocon. Th. GAUTIER, Émaux et Camées, «Diamant du cœur».

2 (...) cette substance dont se décharge le ver à soie en fabriquant son cocon l'empoisonnerait s'il la gardait en lui. GIDE, Journal, 1947.

Enveloppe soyeuse dans laquelle certaines araignées déposent leurs œufs.

♦ **2.** Loc. fig. *S'enfermer, se retirer dans son cocon :* s'isoler, se retirer dans la solitude (→ Rentrer dans sa coquille*).

♦ **3.** Ce qui enveloppe, entoure comme un cocon. «*La jeune étoile est formée au sein d'un épais «cocon» de matière opaque...* » (la Recherche, mai 1979, p. 565). — *Mise sous cocon d'une centrale atomique* (par isolement du circuit primaire, etc.).
DÉR. **Coconner, coconnière.**

COCONNAGE [kɔkɔnaʒ] n. m. — 1866 ; de *coconner.*

♦ Techn. Formation des cocons dans une magnanerie.

COCONNER [kɔkɔne] v. intr. — 1845 ; de *cocon.*

♦ (En parlant du ver à soie). Filer un cocon. *Les vers commencent à coconner.*
DÉR. **Coconnage.**

COCONNIÈRE [kɔkɔnjɛʀ] n. f. — 1767 ; de *cocon.*

♦ Techn. Lieu de stockage des cocons. ⇒ **Magnanerie.**

COCONTRACTANT, ANTE [kokɔ̃tʀaktɑ̃, ɑ̃t] n. — XVIᵉ ; de *co-*, et *contracter.*

♦ Dr. Chacune des personnes qui sont parties à un contrat.

COCORICO [kɔkɔʀiko] n. m. — 1862 ; *coquerycoq*, 1547 ; onomat. du chant du coq.

♦ Cri du coq. *Pousser un cocorico.* — Fig. *Chanter cocorico :* crier victoire. Spécialt. Avoir une attitude triomphaliste d'un nationalisme naïf (allus. au coq gaulois, symbole de la France). — REM. On trouve aussi la forme *coquerico* [kɔkəʀiko].

Un porteur d'hebdomadaires singeait à la fois le caquètement de la poule pondeuse et le cocorico du coq victorieux (...) René FALLET, le Triporteur, p. 352.

COCOTER ou **COCOTTER** [kɔkɔte] v. intr. — 1900 ; *gogoter*, 1881 ; origine obscure, p.-ê. de 1. *cocotte*, I., 3.

♦ Fam. Sentir mauvais. ⇒ **Puer.** *Cocotter du bec :* avoir mauvaise haleine. — *Ça cocotte, ici !*

COCOTERAIE [kɔkɔtʀɛ] n. f. — 1929 ; du rad. de *cocotier*, et *-aie*, sur le modèle de *bananeraie.*

♦ Rare. Plantation de cocotiers.

Le paiement se fait en nature : sur deux sacs de coprah, il y en a un pour O'Conor, un pour le propriétaire de la cocoteraie. Bernard MOITESSIER, Cap Horn à la voile, p. 150.

COCOTIER [kɔkɔtje] n. m. — 1677 ; de 1. *coco*.

♦ **1.** Plante monocotylédone ; arbre (palmier*) élevé, au tronc élancé surmonté d'un faisceau de feuilles et portant des fruits disposés en grappes. *Fruit du cocotier.* ⇒ 1. **Coco** (ou *noix de coco*). *Plantation de cocotiers.* ⇒ **Cocoteraie.** *Cocotier de Guinée,* de petite taille. *Cocotier des Seychelles, des Maldives.*

1   (...) le cocotier, si abondant sur les archipels du Pacifique, semblait manquer à l'île, dont la latitude était sans doute trop basse.
«Quel malheur! dit Harbert, un arbre si utile et qui a de si belles noix!»
           J. VERNE, l'Île mystérieuse, t. I, p. 153.

♦ **2.** Loc. fam. (d'après la coutume attribuée aux peuplades océaniennes de faire monter les vieillards dans les cocotiers et de sacrifier ceux qui n'ont pas la force de s'y maintenir). *Faire monter au cocotier :* abandonner, priver de ressources (les vieillards). *Secouer le cocotier :* se débarrasser de personnes à charge (notamment des vieillards) ; fig. tenter de modifier des habitudes (dans un groupe). *S'agripper, se cramponner au cocotier* (d'un vieillard ; d'un homme d'un certain âge, par rapport à de plus jeunes) : se défendre contre l'injustice des jeunes et, par ext., s'accrocher à ses privilèges, défendre une position acquise.

2   Le hasard — un hasard dirigé, j'imagine — dans un dîner par petites tables me fait asseoir entre Nathalie Sarraute et Alain Robbe-Grillet. Si mon premier mouvement fut de me cramponner au cocotier, je sus très vite que je pouvais lâcher les mains.   F. MAURIAC, le Nouveau Bloc-notes 1958-1960, p. 210.

DÉR. Cocoteraie.

1. COCOTTE [kɔkɔt] n. f. — 1808 ; orig. incert., probablt onomat. → 3. Coco.

★ **I. ♦ 1.** Poule* (dans le langage enfantin).
COCOTTE EN PAPIER : carré de papier plié de manière à figurer sommairement une silhouette d'oiseau. *Faire des cocottes* (distraction traditionnellement prêtée aux bureaucrates oisifs).

1   L'épais ruissellement des velours s'arrête devant le bec surpris d'une cocotte en papier!   MALRAUX, l'Homme précaire et la Littérature, p. 253.

♦ **2.** Fig. Terme d'affection familier. *Ma petite cocotte* (avec la valeur de fém. de 3. *coco,* 1.). ⇒ **Poule, poulette.**

♦ **3.** ⓐ (1789). Fam., vieilli. Fille, femme de mœurs légères. ⇒ **Courtisane, demi-mondaine, poule** (fam.). *Une grande cocotte.*

2   Les terrasses du Weber, du café de la Paix, du «Napo» servaient de lieux d'exhibition aux gloires du Journalisme, de la Politique, de la Banque, du Théâtre. On se montrait des actrices, des «cocottes» célèbres, des financiers illustres ou décavés.   Francis CARCO, Nostalgie de Paris, p. 123.

ⓑ *Sentir, puer la cocotte,* le parfum bon marché, de qualité médiocre.

♦ **4.** Terme d'encouragement adressé à un cheval. *Hue, cocotte !*

★ **II.** (Orig. obscure). Vx. Blépharite, gonorrhée. — Fièvre aphteuse des bovins :

3   Ses bêtes ont la cocotte. Il les fait lever d'un coup de pied entre les fesses, ou, avec la pointe de son couteau, il les pique sur le dos.
           J. RENARD, Journal, 16 sept. 1901.

DÉR. (Du sens I, 3) Cocotterie, cocotteux, cocottisme.

2. COCOTTE [kɔkɔt] n. f. — 1807 ; p.-ê. de *cocasse, coquasse* «marmite», altér. de l'anc. franç. *coquemar* ; pour P. Guiraud, *cocotte* et *coquasse* sont tous deux issus de *coque* «coquille».

♦ Marmite faite d'un matériau épais, qui permet des cuissons prolongées à feu doux. *Cocotte en fonte.* — (En appos.). *Poulet cocotte,* cuit à feu doux dans une cocotte. — *Œufs cocotte,* cuits au four dans un récipient spécial, pour que le jaune reste liquide.
Cocotte-minute (marque déposée). ⇒ **Autocuiseur.**

(...) la salle de bains de Franck est en fait une moitié de placard dans lequel on peut trouver une sorte de récipient grand comme deux cocottes-minute qu'il honore en général du nom de baignoire.   Joseph JOFFO, Baby-Foot, p. 188.

3. COCOTTE [kɔkɔt] n. f. — 1886, dans les Vosges ; de 1. *cocotte.*

♦ Régional (Canada). Pomme de pin. — Aussi écrit *cocote.*

COCOTTERIE [kɔkɔtʀi] n. f. — 1866 ; de 1. *cocotte,* I., 3.

♦ Fam., vx. Ensemble, monde des cocottes. ⇒ **Demi-monde.**

(...) chaque jeudi, la haute cocotterie passait par là, se rendant au Casino, au grand train de ses roues fragiles et de ses postillons d'emprunt.
           Alphonse DAUDET, Fromont jeune et Risler aîné, p. 189.

COCOTTEUX, EUSE [kɔkɔtø, øz] adj. — 1878, Goncourt ; de 1. *cocotte,* I., 3.

♦ Fam., vx. Propre aux cocottes, au demi-monde.

COCOTTISME [kɔkɔtism] n. m. — 1878 ; de 1. *cocotte,* I., 3.

♦ Fam., vx. Goût pour les cocottes (1. Cocotte, I., 3.).

COCRÉANCIER, IÈRE [kɔkʀeɑ̃sje, jɛʀ] n. — 1753 ; de *co-,* et *créancier.*

♦ Rare. Personne qui, en même temps que d'autres, a une créance sur un même débiteur.

COCTION [kɔksjɔ̃] n. f. — 1560 ; lat. *coctio, coctionis.* → Cuisson, décoction.

Didactique ou littéraire.

♦ **1.** Action de la chaleur sur les matières organiques. ⇒ **Cuisson.**

♦ **2.** Digestion* des aliments dans l'estomac.

1   La coction, comment se ferait-elle en l'estomac, si le cœur n'y envoyait de la chaleur par les artères?   DESCARTES, Discours de la méthode, 5.

♦ **3.** Figuré et littéraire.

2   Il ignorait le plaisir qu'on peut prendre à le retarder, et toutes les saveurs que développe cette coction de la concupiscence.
           J. ROMAINS, les Hommes de bonne volonté, t. V, VIII, p. 70.

COCU, UE [kɔky] n. et adj. — XIVe ; on suppose traditionnellement une var. de *coucou,* la femelle de cet oiseau pondant ses œufs dans le nid d'autres oiseaux, mais le coucou n'est pas «cocu», il fait les autres «cocus» ; P. Guiraud suppose un sémantisme analogue à celui de *dupe* ; le *cocu* est «coiffé» métaphoriquement, c'est-à-dire trompé ; or le *coucou* est une fleur arrondie, et la *coque* une «coquille».

Familier.

♦ **1.** ⓐ N. m. Homme dont la femme est infidèle ; mari ou amant trompé*. ⇒ **Cornard** (fam). — Loc. (1558). *Cocu en herbe,* celui qui est menacé de l'être. *Cocu en gerbe,* celui qui l'est après son mariage. — *Sganarelle* ou le *Cocu imaginaire,* comédie de Molière. *Le Cocu magnifique,* pièce de Crommelynck. — (Formule). *Les cocus au balcon*! «Si tous les cocus avaient des clochettes...» (chanson).

ⓑ Adj. m. *Il est cocu.* «*Il est cocu, le chef de gare...*» (chanson).

1   (...) elle ne vous tiendra foi ni loyauté conjugale, ains (*mais*) à autrui s'abandonnera, et vous fera cocu (...)
Il dit par Dieu vrai, tu seras cocu, homme de bien, je t'en assure, tu auras de belles cornes (...)   RABELAIS, Pantagruel, III, 14.

2   Il n'est (...) cocu qui veut. Si tu es cocu, *ergo* ta femme sera belle (...) *ergo* tu auras des amis beaucoup (...)   RABELAIS, Pantagruel, III, 28.

3   Et quant à moi, je trouve, ayant tout compassé,
Qu'il vaut mieux être encor cocu que trépassé.   MOLIÈRE, Sganarelle, 17.

4   Si n'être point cocu vous semble un si grand bien,
Ne vous point marier en est le vrai moyen.
           MOLIÈRE, l'École des femmes, v, 9.

5   Pourquoi me marierais-je ? Le mieux qui puisse m'arriver, en me mariant, est de n'être pas cocu, ce que j'obtiendrai encore plus sûrement en ne me mariant pas.
           CHAMFORT, Caractères et Anecdotes, p. 257.

ⓒ Fém. (rare). *Cocue :* femme dont le mari, l'amant est infidèle. — Adj. *Elle est cocue.*

♦ **2.** Fig. Trompé. *Son associé l'a fait cocu. Après cette décision de leur parti, les militants se sentent complètement cocus.* — Au fém. :

6   (...) le mot de Mme d'Osmont abîmant la duchesse de Berry, lors de son arrestation en Vendée, et à laquelle on demandait pourquoi elle était si dure pour la princesse et qui répondait : «Elle nous a fait toutes cocues!»
           Ed. et J. DE GONCOURT, Journal, t. I, p. 303.

♦ **3.** Loc. *Une chance, une veine de cocu,* extraordinaire (d'après la croyance représentée par le dicton : heureux au jeu, malheureux en amour).

♦ **4.** Terme d'injure sans contenu précis. *Va donc, eh, cocu ! Bande de cocus, minables !*

7   Tas de cocus, débrouillez-vous tout seuls! Moi, je vous fous ma démission! Mais vous me regretterez!
           M. AYMÉ, le Passe-muraille, «les Bottes de sept lieues», p. 191.

DÉR. Cocuage, cocufier.

COCUAGE [kɔkɥaʒ ; cour. kɔkyaʒ] n. m. — XVe ; de *cocu.*

♦ Fam. Fait d'être cocu ; état de celui, de celle qui est cocu(e).

1   Quand on prend comme il faut cet incident fatal
Cocuage n'est point un mal.   LA FONTAINE, Contes, II, 17.

2   Leur condition de célibataire écartait les gars des joies du cocuage réciproque et colonial.   Claude COURCHAY, La vie finira bien par commencer, p. 150.

COCUFIER [kɔkyfje] v. tr. — 1660, Molière, *Sganarelle* ou le *Cocu imaginaire* ; de *cocu,* d'après les verbes en *-fier,* lat. *-ficare.*

Familier.

♦ **1.** Faire cocu. ⇒ **Tromper ; actéoniser** (vx), **coiffer.**

1 Les femmes ne deviennent désintéressées en matière d'amour que plus tard, quand leur affaire est faite et qu'elles ont l'esprit libre pour cocufier leurs maris.
J. ROMAINS, les Hommes de bonne volonté, t. IV, XV, p. 148.

♦ **2.** Fig. Duper, tromper.

2 Si les hommes ne craignaient pas d'être volés, assassinés, cocufiés et opprimés, il n'y aurait point de morale, et pas de Dieu, ou un Dieu *tout autre, — et proba-blement plus pur, plus vraisemblable, plus profond* (...)
VALÉRY, Cahiers, t. II, Pl., p. 602.

▶ **COCUFIÉ, ÉE** p. p. adj. *Des hommes cocufiés.* — N. *Un cocufié.*

CODA [kɔda] n. f. — 1821, *in* D.D.L.; mot ital., proprt « queue ».

♦ **1.** Fin, conclusion (d'un morceau de musique). *La coda d'une fugue. Des codas.*

1 Quant au final, c'est trop fin et trop rapide pour être facilement saisi par la masse des auditeurs; et sans la coda gigantesque qui le termine, aujourd'hui même le public du Conservatoire en serait peu frappé.
BERLIOZ, Beethoven (1834), *in* D.D.L., II, 12.

2 (...) Beethoven avait saisi tout le mouvement, d'un seul trait, concevant, du même coup, le début et la coda (...)
R. ROLLAND, le Chant de la résurrection, p. 495.

♦ **2.** Dernière partie (d'un pas de deux).

♦ **3.** Par anal. (littér.). Partie terminale (d'un écrit).

3 (...) plus d'un lecteur n'a vu dans le roman *(les Météores)* que l'histoire d'Alexan-dre et a été déçu par sa mort qui, se situant aux deux tiers du livre, laisse une immense et incompréhensible coda. M. TOURNIER, le Vent Paraclet, p. 250.

CODAGE [kɔdaʒ] n. m. — Mil. XXᵉ; de *coder.*

♦ **1.** Techn. Transformation d'un message (texte en clair, etc.) selon un code (4.).

♦ **2.** Organisation (d'un message) selon un code. ⇒ **Encodage.**

CONTR. Décodage.

CODANT, ANTE [kɔdɑ̃, ɑ̃t] adj. — V. 1970; p. prés. de *coder.*

♦ Didact. Qui met en code (des informations). *« Il n'existe aucune relation stérique directe entre le triplet codant et l'acide aminé codé »* (Jacques Monod, *le Hasard et la Nécessité,* p. 43).

CODE [kɔd] n. m. — 1220; du lat. jurid. *codex* « planchette, recueil ».

♦ **1.** Recueil de lois, de textes ayant force de loi. ⇒ **Législation, loi.**
Spécialt. En parlant des Codes romains. *Le code théodosien. Le code de Justinien,* et, absolt, *le Code. Le Code et le Digeste*.*
Recueil d'ordonnances royales, sous l'Ancien Régime. *Le code Louis,* contenant les ordonnances de Louis XIV.
Mod. Ensemble des lois et dispositions légales relatives à une matière spéciale et réunies par le législateur. *Livre, article d'un code. Commentaires sur le code.*
CODE CIVIL, rédigé de 1800 à 1804, connu sous le nom de *Code Napoléon,* et traitant de l'effet et de l'application des lois (Introd.), des personnes (L. I), des biens (L. II), de l'acquisition de la pro-priété (L. III).

1 En comparant la Chartreuse, pour prendre le ton je lisais chaque matin deux ou trois pages du Code civil, afin d'être toujours naturel.
STENDHAL, Lettre à Honoré de Balzac, 30 oct. 1840.

2 (...) ce *Code civil* qui, préparé, discuté et voté en si peu d'années reste, après plus d'un siècle et quart, le fondement du droit non seulement en France, mais dans une grande partie des nations civilisées.
Louis MADELIN, le Consulat, XII, La dernière « masse », p. 183.

3 Ce n'est (...) point par une plate flatterie, mais par le plus juste hommage que le Code civil devait recevoir le nom de *Code Napoléon* sous lequel il a passé à la postérité. Louis MADELIN, le Consulat, XII, p. 203.

Code de procédure civile. — *Code de commerce,* voté en 1808, modifié par la suite, et traitant du commerce en général (L. I), du commerce maritime (L. II), de la faillite et de la banqueroute (L. III), des tribunaux de commerce (L. IV).
Code pénal (1810) traitant des peines (L. I), des personnes punis-sables (L. II), des crimes et délits (L. III) et des contraventions de police (L. IV). — *Code d'instruction criminelle* (1809), traitant de la police judiciaire et de la justice en matière criminelle. — *Codes de justice militaire. — Code forestier. — Code rural. — Le Code du travail.*
Par ext. Toute édition d'un code. *Ouvrir, consulter le code. Code annoté.*
Absolt. *Le Code :* un code (civil, pénal...) selon les contextes; les lois. *Se tenir dans les marges du code. Connaître le code,* les lois, le droit. *C'est dans le code :* c'est légal.

♦ **2.** Décret ou loi étendue, réglant un domaine particulier. — (1922). **CODE DE LA ROUTE,** et, absolt, **LE CODE,** décret du 31 déc. 1922 réglant les conditions du roulage des voitures. *Apprendre le code de la route pour passer le permis de conduire. Prendre des leçons de code dans une auto-école.* — *Préparer, pas-ser le code,* l'épreuve de code de la route du permis de conduire.

3.1 Je connais le code de la route, moi. R. QUENEAU, Zazie dans le métro, p. 144.

(1941, P. Morand, *l'Homme pressé*). *Phares code :* phares de puis-sance réduite, prescrits par le code de la route dans certaines cir-constances. Absolt. *Se mettre en code.*

3.2 Elle effleurait à peine la pédale de frein. Code, phare, code. Première, seconde.
Max GALLO, la Baie des Anges, III, p. 286.

♦ **3.** Ensemble de règles, de préceptes, de prescriptions. ⇒ **Règle-ment.** *Le code de la morale, du goût. Le code de l'honneur.* ⇒ **Caté-chisme, évangile** (fig.). *Un code d'honneur.*

4 (...) le code de la politique *(au XVᵉ s.)* était rédigé par Machiavel, ce code qui per-mettait tout aux souverains, même l'assassinat; tout excepté de ne pas réussir.
FUSTEL DE COULANGES, Leçons à l'Impératrice sur les origines de la civilisation française, p. 221.

5 Tu devrais bien (...) écrire une sorte de manuel qui apprendrait aux femmes à vivre en paix avec l'homme qu'elles aiment, un code de la vie à deux (...)
COLETTE, la Naissance du jour, p. 34.

6 Il n'avait pas oublié le code de la politesse britannique (...)
A. MAUROIS, les Discours du Dʳ O'Grady, XIX, p. 205.

♦ **4.** (1866). Système ou recueil de conventions constituant un ensemble de signes. *Code international des Signaux :* dictionnaire des signaux, signes Morse, pavillons et flammes employés dans la marine, avec leur signification. — *Code télégraphique.* — (1972). *Code postal* (à cinq chiffres), permettant de coder les adresses, pour faciliter la mécanisation du tri du courrier. — *Code secret,* per-mettant d'échanger des informations secrètes, le code n'étant connu que de quelques personnes. ⇒ **Chiffre.** — *Code à barres* (ou *code-barres)* : code imprimé sur l'emballage de certains produits (alimen-taires, notamment), composé d'une série de fines barres groupées par zones, et qui permet d'identifier ces produits par lecture opti-que. *Le code à barres est utilisé dans les processus automatisés de stockage, de tri, d'expédition,* etc.
EN CODE : selon un code. *Communiquer en code ou en lan-gue naturelle.*

7 (...) cinq ans sur les chalutiers de Terre-Neuve où il faut être aussi toujours à l'affût, afin de capter les indications que se donnent, en code, les bateaux concurrents. Roger VERCEL, Remorques, p. 23.

♦ **5.** Sc. En français, cet emploi vient de l'extension du sens 4 : *code secret, code de signaux;* dans son sens strictement technique, il cal-que l'anglais *code,* employé par Shannon et Weave (*Théorie de l'infor-mation).* Tout système rigoureux de correspondance entre ensembles de signes. ⇒ **Codification, conversion.**

8 Le texte que j'écris en ce moment — c'est un « message » — est dactylographié, mais destiné à la typographie. Le passage de l'un des instruments à l'autre exige quelques précautions : La typographie possède un clavier plus riche (des caractè-res *italiques,* par exemple) ; pour conserver à la traduction toute sa rigueur, je dois donc me servir d'un « code » : une méthode pour désigner, avec le clavier dactylo-graphique, ce que je désire voir ultérieurement réaliser par le clavier typographi-que. Ainsi je soulignerai ce qui devra être composé en italique.
On pourrait multiplier les exemples : il suffit de voir qu'on peut toujours établir un système de conventions (ou code) qui permette des traductions fidèles entre claviers inégalement fournis (...) G.-T. GUILBAUD, la Cybernétique, p. 51.

Théorie de l'information, cybern. Organisation d'un système de signes susceptibles de transmettre de l'information. *C'est la permanence du code qui permet la communication au moyen de messages* (formés de signes sélectionnés et ordonnés). *Code alphanumérique. Code détecteur d'erreurs.*
(Av. 1916, Saussure). Ling. Le système de signes qui permet la pro-duction de messages (énoncés, phrases) dans une langue naturelle. ⇒ **Langue.** *Le code comprend la grammaire de la langue et les uni-tés indispensables du lexique. Le code met en forme le contenu à transmettre.* ⇒ **Coder, encodage, encoder.** *Interpréter un message selon son code.* ⇒ **Décodage, décoder.** — (Dans les autres systèmes informationnels, appelés métaphoriquement *langages). Le code gestuel, le code graphique. Codes visuels. Codes et canaux.* — *D'un code.* ⇒ **Codique.**

9 Il convient de distinguer *(dans la « parole » opposée au système de la « langue ») :* 1° les combinaisons par lesquelles le sujet parlant utilise le code de la langue en vue d'exprimer sa pensée personnelle (...)
F. DE SAUSSURE, Cours de linguistique générale, Introd., II, p. 31.

10 La langue apparaît réglée par un code; or ce code est lui-même une règle écrite, soumise à un usage rigoureux, l'orthographe.
F. DE SAUSSURE, Cours de linguistique générale, Introd., VI, p. 47.

Biol. **CODE GÉNÉTIQUE :** ensemble des arrangements nucléo-tidiques du matériel génétique qui permet la transmission de l'« informa-tion » génétique déterminant la spécificité des protéines synthéti-sées. ⇒ aussi **Codon.**

11 Les *caractères héréditaires* de la cellule sont contenus dans les *chromosomes* qui sont eux-mêmes constitués par des *gènes,* lesquels contiennent en majeure par-tie de l'*ADN.*
Ce sont des molécules d'acide désoxyribonucléique qui représentent le « Code » des caractères héréditaires.
Le Code ne comprend que quatre lettres qui représentent les quatre bases : Adé-nine, Guanine, Thymine, Cytosine. Cet alphabet très restreint permet cependant un grand nombre de combinaisons (...)
La disposition des plans Adénine-Thymine et Guanine-Cytosine peut varier dans leur succession. A. GOUDOT-PERROT, Cybernétique et Biologie, p. 15.

12 La structure et les propriétés d'une protéine sont définies par la séquence *(l'ordre linéaire)* des radicaux amino-acides dans le polypeptide. Cette séquence est déter-minée par celle des nucléotides dans un segment de fibre de l'ADN. Le code généti-

que *(sensu-stricto)* est la règle qui associe, à une séquence polynucléotidique donnée, une séquence polypeptidique.
Jacques MONOD, le Hasard et la Nécessité, p. 238.

DÉR. Coder, codifier, codique, condon.
COMP. Décoder, encoder. — Sous-code.

CODÉBITEUR, TRICE [kodebitœR, tʀis] n. — 1611 ; de *co-*, et *débiteur*.

♦ Dr. Personne qui doit une somme en même temps que d'autres, à une même personne.

CODÉINE [kɔdein] n. f. — 1832 ; dér. du grec *kôdeia* «pavot» ; suff. *-ine*.

♦ Chim. Alcaloïde extrait de l'opium ou préparé par synthèse à partir de la morphine. *La codéine a des propriétés narcotiques et est utilisée comme sédatif de la toux.*

CODEMANDEUR, ERESSE [kodmãdœR, ʀɛs] n. et adj. — 1771 ; de *co-*, et *demandeur*.

♦ Dr. Qui est demandeur en même temps que d'autres, dans une même action. *La codemanderesse.*

CODÉPUTÉ [kodepyte] n. — xixᵉ ; de *co-*, et *député*.

♦ Rare. Personne qui est député conjointement avec d'autres.

CODER [kɔde] v. tr. — Mil. xxᵉ ; de *code*.

♦ **1.** Sc. Mettre en code (4.) ; procéder au codage de... ⇒ **Encoder.**

♦ **2.** Produire selon un code (5.). ⇒ **Encoder.**

▶ **CODÉ, ÉE** p. p. adj.
Qui appartient à un code (4. ou 5.). *Éléments codés.* — Spécialt, ling. Qui fait partie du code de la langue, n'est pas formé librement. *Les mots composés, les expressions et syntagmes lexicalisés*, les locutions... sont codés.*
Qui est mis en code. → Codant.

DÉR. Codeur.

CODÉTENTEUR, TRICE [kodetãtœR, tʀis] n. — xviᵉ ; de *co-*, et *détenteur*.

♦ Dr. Personne qui détient avec d'autres (un bien, une succession).

CODÉTENU, UE [kodetny] n. — 1828 ; de *co-*, et *détenu*.

♦ Personne qui est détenue en même temps qu'une ou plusieurs autres personnes. *Les codétenus d'une prison, d'une cellule. Le condamné et ses codétenus. Une codétenue.*

Accusé du meurtre d'un gardien, il se prépare à affronter avec deux de ses codétenus, un procès : mais il sait que sa vie est en danger.
S. DE BEAUVOIR, Tout compte fait, p. 168.

CODEUR [kɔdœR] n. m. — V. 1960 ; de *coder*.

♦ Techn. Dispositif servant à coder une information ou à changer son code (5.). *Codeur-décodeur.*

CODEX [kɔdɛks] n. m. — 1651 ; mot lat. → Code.

♦ **1.** Pharm. Recueil de formules pharmaceutiques et de médicaments autorisés par les organismes compétents. ⇒ **Formulaire.** *Les formules, les médicaments du Codex.*

♦ **2.** Didact. (sens du lat. *codex*). Dans l'Antiquité ou au moyen âge, Ensemble de feuilles écrites cousues ensemble, comme les tablettes enduites de cire, et reliées (par oppos. au *volumen*, enroulé). Plur. *Des codices* [kɔdisɛs] ou [kɔdikɛs].

CODICILLAIRE [kɔdisilɛR] adj. — xviᵉ ; de *codicille*.

♦ Didact. Contenu dans un codicille. *Clause, legs codicillaire.*

CODICILLE [kɔdisil] n. m. — 1269, *codicelle* ; lat. *codicillus* «tablette», de *codex*. → Code.

♦ Didact. (dr., etc.). Acte postérieur à un testament le modifiant, le complétant ou l'annulant.

1 Je le lui donne par un codicille, révoquant à cet effet tous les testaments antérieurs. VOLTAIRE, Lettre à d'Argental, 17 janv. 1763.
2 *(Il)* s'inquiète et voudrait faire à son testament je ne sais quel codicille pour avantager son petit-fils. GIDE, Journal, mai 1905.

(...) ceci n'est pas mon testament. Mon testament est déjà fait et déposé chez un 3 notaire. Ceci est un codicille. Je vous désigne comme mon héritier.
R. QUENEAU, Pierrot mon ami, éd. L. de Poche, p. 180.

DÉR. Codicillaire.

CODICOLOGIE [kɔdikɔlɔʒi] n. f. — 1961 ; de *codex, codicis*, et suff. *-logie*.

♦ Didact. Étude scientifique des documents manuscrits (en tant qu'objets archéologiques). ⇒ **Paléographie.**

C'est tout récemment que l'archéologie du livre manuscrit s'est constituée en discipline autonome. M. Charles Samaran lui a donné (...) l'appellation un peu rébarbative, mais commode, de codicologie, sous laquelle elle est aujourd'hui couramment désignée (...)
La codicologie étudie les matériaux servant à la confection du livre manuscrit, et leur mise en œuvre.
Gilbert OUY, les Bibliothèques, *in* Encycl. Pl., l'Histoire et ses méthodes, p. 1088.

DÉR. Codicologue.

CODICOLOGUE [kɔdikɔlɔg] n. — 1961 ; de *codicologie*, par substitution de *-logue* à *-logie*.

♦ Didact. Spécialiste de codicologie. ⇒ **Archiviste, bibliothécaire, paléographe.** *L'existence de catalogues de manuscrits datés «fourniront aux codicologues des termes de comparaison»* (Gilbert Ouy, in *l'Histoire et ses méthodes*, Encycl. Pl., p. 1089).

CODIFICATEUR, TRICE [kɔdifikatœR, tʀis] n. et adj. — 1846 ; de *codifier*.

♦ Didact. ou littér. Personne qui codifie (qqch.). *Les codificateurs de cette législation.* — Fig. *Les codificateurs des habitudes sociales.* — Adj. *Une action codificatrice et normalisatrice.*

CODIFICATION [kɔdifikasjɔ̃] n. f. — 1819 ; de *codifier*.

♦ **1.** Action de codifier ; résultat de cette action. *La codification des lois.*

♦ **2.** Inform. Correspondance entre un élément d'information et une combinaison d'un «langage». ⇒ **Codage ; assignation** (sémantique). *Codification* (ou *code*, 5.) *binaire.*

♦ **3.** Fig. *La codification de la langue.* ⇒ **Normalisation.**

CODIFIER [kɔdifje] v. tr. — 1831 ; de *code*.

♦ **1.** Réunir des dispositions légales dans un code. *Codifier la législation du travail ; le droit aérien.*

♦ **2.** Par ext. Rendre rationnel ; ériger en système organisé, cohérent. ⇒ **Normaliser, systématiser.**

Le premier effort des grands Français du xviᵉ siècle a été d'enrichir et de codi- 1 fier la langue. G. DUHAMEL, Défense des lettres, IV, I, p. 281.
On codifiait un petit lot de principes. Georges LECOMTE, Ma traversée, III, p. 81. 2

DÉR. Codificateur, codification.

CODIQUE [kɔdik] adj. — V. 1965 ; de *code*.

♦ Didact. (cybern., ling., etc.). Du code, d'un code (5.).

CODIRECTEUR, TRICE [kodiʀɛktœR, tʀis] n. et adj. — 1842 ; de *co-*, et *directeur* ; d'abord écrit *co-directeur*.

♦ Personne qui est directeur en même temps qu'une autre et avec les mêmes droits.

(...) je devais prendre un poste (...) Je cherchai un moyen de m'y fixer. Le riche cousin influent qui avait autrefois aidé mon père me recommanda à une des codirectrices de l'Europe nouvelle, Mᵐᵉ Poirier (...)
S. DE BEAUVOIR, la Force de l'âge, p. 57.

CODIRECTION [kodiʀɛksjɔ̃] n. f. — 1866 ; de *co-*, et *direction*.

♦ Direction commune (par plusieurs codirecteurs). *Assumer la codirection d'un journal.*

CODOMINANCE [kodɔminãs] n. f. — V. 1970 ; de *co-*, et *dominance*.

♦ Biol. Absence d'une relation dominance-récessivité entre deux gènes alléomorphes, se traduisant par la manifestation simultanée des caractères qu'ils portent. *La codominance forme un nouvel individu d'un type intermédiaire par rapport à ceux dont il provient.*

CODON [kɔdɔ̃] n. m. — 1968 ; de *code* (génétique).

♦ Biochim. Triplet de nucléotides* voisins d'un acide nucléique, désigné par les initiales des noms des trois bases respectives, et dont l'ordre séquentiel constitue l'information qui commande et spécifie la synthèse cellulaire des acides aminés. ⇒ **Ribonucléique, ribosome.** « *La construction de la chaîne de protéines (...) s'arrête dès que le ribosome rencontre sur son trajet les codons de terminaison* » (*la Recherche*, juin 1970). *Codon et anticodon**.

COMP. Anticodon.

CODONATAIRE [kodɔnatɛʀ] n. — 1762 ; de *co-*, et *donataire*.

♦ Personne qui reçoit une donation avec une ou plusieurs autres. *Une codonataire.*

CODONATEUR, TRICE [kodɔnatœʀ, tʀis] n. — Mil. xixᵉ ; de *co-*, et *donateur*.

♦ Dr. Personne qui fait une donation, avec une ou plusieurs autres.

COÉCHANGISTE [koeʃãʒist] n. — D.i. ; de *co-*, et *échangiste*, 1.

♦ Dr. Personne qui fait un échange avec une autre, par rapport à cette dernière. Syn. : *copermutant.*

COÉDUCATION [koedykasjɔ̃ ; kɔedykasjɔ̃] n. f. — 1877 ; de *co-*, et *éducation*.

♦ Éducation, dans un même établissement, de garçons et de filles. ⇒ **Mixité.**

COEFFICIENT [kɔefisjã] n. m. — 1750 ; de *co-* « avec », et *efficient*.

♦ **1.** Sc. Nombre qui multiplie la valeur d'une quantité algébrique. ⇒ **Facteur.** *Affecter une quantité d'un coefficient. Les coefficients d'un polynôme, d'une équation* * *algébrique.* — Cour. Valeur relative d'une épreuve d'examen. *Les mathématiques ont un fort coefficient.* — Écon. Facteur appliqué à une valeur. *Coefficient des prix, des salaires. Coefficient du coût de la vie.*

1 (...) nous avons un système de relèvement automatique des salaires quand le coefficient du prix de la vie augmente.
A. MAUROIS, Bernard Quesnay, XXXVI, p. 243.

♦ **2.** Phys. Nombre caractérisant une propriété. *Coefficient de dilatation* (accroissement de l'unité de volume d'un corps quand la température est élevée d'un degré). *Coefficient d'écrasement, d'élasticité. Coefficient de frottement. Coefficient angulaire. Coefficients calorimétriques d'un corps.*

♦ **3.** Cour. Facteur, pourcentage. *Coefficient d'erreur :* pourcentage d'erreur possible (dans une mesure, etc.). *Il faut prévoir un coefficient d'erreur.*
Fig. Facteur constitutif (d'un événement, d'un phénomène).

2 Le temps me semble de plus en plus le facteur universel, le grand coefficient de l'éternel « devenir ».
RENAN, Dialogues et Fragments philosophiques, Œ. compl., t. I, p. 155.

♦ **4.** (T. d'art dentaire). *Coefficient masticatoire :* chiffre conventionnel indiquant la valeur fonctionnelle des dents antagonistes.

CŒLACANTHE [selakãt] n. m. — 1890, Encycl. Berthelot ; lat. zool. *cœlacanthus*, 1842, Agassiz ; du grec *koilos* « creux », et *akantha* « épine ».

♦ Grand poisson osseux, très primitif *(Crossoptérygiens)*, connu depuis qu'on l'a découvert vivant (1935) : on le croyait seulement fossile.

CŒLENTÉRÉS [selãteʀe] n. m. pl. — 1890 ; grec *koilos* « creux », et *enteron* « intestin ».

♦ Zool., anciennt. Cnidaires. — REM. Certains spécialistes utilisent ce terme et emploient *Cnidaires* dans un sens plus restreint :
Les Cœlentérés se divisent en deux embranchements :
Les *Cnidaires*, pourvus de cellules urticantes spéciales, les *cnidoblastes*.
Les *Cténaires*, dépourvus de cnidoblastes, mais possesseurs de *colloblastes*, de *palettes ciliées* et d'un organe des sens particulier : le *statocyste aboral*.
O. TUZET, Cœlentérés, in Encycl. Pl., Zoologie, t. I, p. 467.

CŒLIAQUE [seljak] adj. — 1560 ; *celiaque*, 1545 ; grec *koilia* « ventre, intestin ».

♦ Anat. Qui a rapport aux intestins. *Artère cœliaque. Maladie cœliaque. Tronc cœliaque :* grosse artère née de l'aorte abdominale. Var. (rare) : *céliaque.*

CŒLIO- Premier élément de mots didact. (anat., physiol., méd.) tiré du grec *koilia* (→ Cœliaque).

CŒLIOSCOPIE [seljɔskɔpi] n. f. — V. 1970 ; de *cœlio-*, et *-scopie*.

♦ Didact. Examen endoscopique de la cavité abdominale. ⇒ **Laparoscopie, péritonéoscopie.**

CŒLIOTOMIE [seljɔtɔmi] n. f. — 1901, *in* D.D.L. ; de *cœlio-*, et *-tomie*.

♦ Didact. Opération chirurgicale consistant à ouvrir la cavité abdominale.

CŒLOMATES [selɔmat] n. m. pl. — 1890, → Acœlomates ; de *cœlome*, et suff. *-ates*.

♦ Didact. (zool.). Animaux qui possèdent un cœlome, donc des tissus de type conjonctif et des organes différenciés provenant du mésoderme. ⇒ **Cœlome.** — Au sing. *Un cœlomate.* — Appos. ou adj. *Vers cœlomates.*

CONTR. Acœlomates.

CŒLOME [selɔm] n. m. — Av. 1878, Larousse, *Suppl.* ; mot créé en all. par Haeckel ; grec *koilôma* « partie creuse », de *koilos* « creux ».

♦ Didact. (embryol.). Cavité comprise entre les deux feuillets du mésoderme et qui forme la cavité générale du corps de l'embryon. On dit aussi *cavité cœlomique.* Formé au sein du mésoderme, le cœlome donne naissance, chez les mammifères, aux cavités péritonéale et pleuro-péricardique.
(...) le fond de la cavité de l'archentéron s'amincit bientôt et se dilate en une vésicule aplatie, qui s'isole en une cavité indépendante, *l'entérocœle*, ébauche de la future *cavité générale* de l'embryon, ou *cœlome*, et elle forme ainsi un troisième feuillet blastodermique, compris entre les deux premiers et appelé *mésoderme*.
Maurice CAULLERY, l'Embryologie, p. 31.

DÉR. et COMP. Acœlomates, cœlomates, cœlomique.

CŒLOMIQUE [selɔmik] adj. — 1893 ; de *cœlome*.

♦ Didact. Du cœlome. *Cavité cœlomique. Parois cœlomiques. Liquide cœlomique.*

CŒLOSTAT [selɔsta] n. m. — 1895, *Année sc. et industr.* 1896, p. 27 ; de *cœlo-*, var. de *cœlio-*, et *-stat*.

♦ Didact. Appareil permettant de ramener la lumière émise par un objet céleste (en mouvement par rapport à l'observateur) sur un point fixe. *Cœlostat adapté à un spectographe. Cœlostat pour l'observation d'une éclipse en avion.*

COEMPTION [koãpsjɔ̃ ; kɔãpsjɔ̃] n. f. — 1788 ; du lat. *coemptio*.

♦ Dr. rom. Achat réciproque.

CŒNESTHÉSIE [senɛstezi] n. f. ⇒ **Cénesthésie.**

CŒNO- Premier élément de mots didact. (sc. nat.), du grec *koinos* « commun », désignant la présence simultanée de plusieurs éléments dans un même organe (ex. : *cœnogamète*, n. m., « gamète à plusieurs noyaux ») ou encore signifiant « de même nature » (ex. : *cœnogénétique*, adj., « se dit de l'embryologie "condensée" des espèces sans formes larvaires, où l'embryon a déjà la forme adulte »). Var. : *céno-.*

CŒNOCYTE ou **CÉNOCYTE** [senɔsit] n. m. — xxᵉ ; de *cœno-*, et *-cyte*.

♦ Biol. Tissu formé d'un cytoplasme continu, avec plusieurs noyaux. ⇒ **Syncytium**, plasmode (cit.). *Cellules anastomotiques d'un cœnocyte.* ⇒ **Énergide.** *Le tissu cardiaque est un cœnocyte.*

DÉR. Cœnocytique.

CŒNOCYTIQUE ou **CÉNOCYTIQUE** [senɔsitik] adj. — xxᵉ ; de *cœnocyte*.

♦ Biol. D'un cœnocyte ; formé par un cœnocyte. ⇒ **Syncytial.** *Phase de développement cœnocytique de l'ovule de l'if, précédant la phase cellulaire. Thalle cœnocytique de champignons inférieurs.*

CŒNOZOÉCIE ou **CÉNOZOÉCIE** [senozɔesi] n. f. ⇒ **Zoécie.**

CŒNURE [senyʀ] n. m. ⇒ **Cénure.**

COENZYME [koãzim ; kɔãzim] n. m. ou f. — 1922 ; de *co-*, et *enzyme*.

♦ Biochim. Substance complexe, molécule organique attachée à une enzyme*, et qui la rend active. ⇒ aussi **Apoenzyme**.

COMP. Acétylcoenzyme.

COÉQUATION [kɔekwasjɔ̃ ; kɔekwasjɔ̃] n. f. — xvıᵉ ; lat. *cœqua-tio*, de *co-*, et *æquatio*, de *æquare* «rendre égal».

♦ Vx. Répartition* proportionnelle de l'impôt entre les contribuables.

COÉQUIPIER, IÈRE [kɔekipje, jɛʀ ; kɔekipje, jɛʀ] n. — 1892, *co-équipier*; de *co-* «avec», et *équipier*.

♦ Personne qui fait équipe avec une autre dans une course, un rallye.

La balle leur paraît lente, leurs adversaires et leurs co-équipiers plus gauches encore. Mais ils en sourient : que d'exploits possibles sur ce terrain!
Jean PRÉVOST, Plaisirs des sports, p. 142.

Par ext. ⇒ **Équipier**.

COERCIBILITÉ [kɔɛʀsibilite] n. f. — 1838 ; de *coercible*.

♦ Phys. Caractère de ce qui est coercible.

COERCIBLE [kɔɛʀsibl] adj. — 1798 ; lat. *coercere* «contraindre», et suff. *-ible*.

♦ **1.** Phys. Qui peut être comprimé. ⇒ **Compressible**. *Gaz coercible*.

♦ **2.** Rare. Qui peut être maîtrisé (dans des constructions négatives ou restrictives). *Un rire à peine coercible*.

CONTR. Dilatable, incoercible, incompressible.
DÉR. Coercibilité.
COMP. et CONTR. Incoercible.

COERCITIF, IVE [kɔɛʀsitif, iv] adj. — 1559 ; de *coercitus*, p. p. de *coercere*. → Coercible.

♦ **1.** Didact. ou littér. Qui exerce une contrainte, une coercition. *Pouvoir, moyen coercitif. Force coercitive*.

♦ **2.** Phys. *Champ coercitif* : champ magnétique capable de détruire l'aimantation d'un barreau aimanté. *Force coercitive*.

DÉR. (Du sens 2) Coercitivité.

COERCITION [kɔɛʀsisjɔ̃] n. f. — 1529, *coërcition*; *cohercion*, 1255 ; lat. *coercitio, coercitionis* de *coercere*.

♦ Didact. et littér. Pouvoir, action de contraindre. ⇒ **Contrainte ; coercitif**. *Le droit de coercition est un moyen légal de contrainte pour assurer l'exécution d'une obligation. Exercer une coercition*.

COERCITIVITÉ [kɔɛʀsitivite] n. f. — D. i. (mil. xxᵉ) ; de *coercitif*, 2.

♦ Phys. Caractère d'un aimant qui résiste à l'action d'un champ magnétique, garde ses propriétés magnétiques.

COESRE ou **COÈRE** [kwɛʀ] n. m. — 1596 ; orig. inconnue.

♦ Argot anc. *Le grand coesre* : le «roi» des gueux, des mendiants, dans certaines associations secrètes du moyen âge.

COESSENTIEL, ELLE, ELS [kɔesɑ̃sjɛl] adj. — 1585 ; de *co-*, et *essentiel*.

♦ Didact. Qui a la même essence.

COÉTERNEL, ELLE [kɔetɛʀnɛl] adj. — 1611, *coéternel*; *coeter-nal*, emploi isolé, v. 1170 ; lat. *cœternus*, de *co-*, et *æternus*.

♦ Théol. Qui existe de toute éternité avec un autre. *Le Fils, coéternel au Père*.

En parlant (...) avec son Fils, il *(Dieu)* parle en même temps avec l'Esprit tout-puissant, égal et coéternel à l'un et à l'autre.
BOSSUET, Disc. sur l'hist. universelle, II, 1.

CŒUR [kœʀ] n. m. — 1508 ; *cuer*, v. 1130 ; *quors*, v. 1050 ; du lat. *cor, cordis*.

★ **I. A.** ♦ **1.** Organe central de l'appareil circulatoire. Chez l'homme, Viscère musculaire situé entre les deux poumons et dont la forme est à peu près celle d'une pyramide triangulaire à sommet dirigé vers le bas, en avant et à gauche. ⇒ **Cardiaque ; -carde, cardi-** ; fam. **battant, palpitant**. *En forme de cœur*. ⇒ **Cardioïde**. *Enveloppes du cœur*. ⇒ **Endocarde, péricarde**. *Muscle du cœur*. ⇒ **Myocarde**. *Cavités du cœur*. ⇒ **Oreillette, valvule, ventricule**. — Spécialt (méd. ; inconnu de l'usage courant). *Cœur droit* (oreillette et ventricule droits), où circule le sang veineux ; *cœur gauche* (oreil-

lette et ventricule gauches), où circule le sang artériel. — *Mouvements du cœur*. ⇒ **Battement ; battre, palpitation, pulsation**. *Contraction* (⇒ **Systole**), *dilatation* (⇒ **Diastole**) *du cœur. Lésions du cœur* : angiocardite, cardite, coronarite, endocardite, myocardite, péricardite. *Troubles cardiaques* : angine de poitrine, arythmie, bradycardie, cardialgie, collapsus, cyanose, dyspnée, souffle, tachycardie. — Loc. *Radiographie du cœur*. ⇒ **Angiocardiographie ; cardiographie**. *Opération chirurgicale à cœur ouvert*, à l'intérieur du cœur. *À cœur fermé* (rare) : qui n'exige pas l'ouverture des parties du cœur. — *Greffe du cœur* : transplantation* cardiaque. — Littér. *Percer le cœur* : tuer.

(...) je me percerais le cœur de mille coups, si j'avais eu la moindre pensée de vous trahir. MOLIÈRE, Dom Juan, II, 2. | 1

C'est peu de vouloir, sous un couteau mortel, / Me montrer votre cœur fumant sur un autel (...) RACINE, Iphigénie, III, 6. | 2

Dans ce récit de 1924, je racontais l'opération d'un garçon nommé Rossignol, qui portait une plaie du cœur et que nous avions guéri. J'écrivais donc ces mots : «Si tu vis encore, dans ton hameau natal, rappelle-toi, Rossignol, que j'ai tenu, entre mes mains, ton cœur glissant et musclé comme un poisson.» G. DUHAMEL, la Pesée des âmes, XIII, p. 310. | 3

Le cœur, organe central de l'appareil circulatoire, est un muscle creux jouant à la fois le rôle d'une pompe aspirante ou foulante, appelant dans ses cavités le sang qui circule dans les veines, le chassant d'autre part dans les deux artères aorte et pulmonaire et, par l'intermédiaire de celles-ci, dans tous les réseaux capillaires de l'organisme. L. TESTUT, Traité d'anatomie, t. II, p. 4. | 4

(...) appuyons le doigt au-dessous et en dedans du mamelon, au niveau du cinquième espace intercostal gauche. Là, nous sentirons battre la pointe du cœur. Appliquons l'oreille à cet endroit. Nous entendons distinctement deux bruits : l'un à la pointe, sourd et prolongé, l'autre à la base, plus clair, plus bref, comme les bruits d'une montre (...) P. VALLERY-RADOT, Notre corps..., p. 43. | 5

(...) les efforts musculaires, les maladies fébriles, les émotions, la colère, accélèrent les battements du cœur, tandis que le sommeil le ralentit. Sous l'influence de causes diverses, en particulier une mauvaise nouvelle, ou un coup violent porté à l'estomac, le cœur peut s'arrêter pendant quelques instants, en même temps que la respiration : la syncope est réalisée. P. VALLERY-RADOT, Notre corps..., p. 46. | 6

(...) s'arrêtant toutes les deux marches, reprenant souffle, attendant que se calment un peu les battements précipités de son cœur (...) GIDE, Journal, 18 août 1930. | 7

Tant que mon cœur battra : tant que je vivrai.

L'absence ni le temps ne sont rien quand on aime. / Tant que mon cœur battra, / Toujours il te dira : / Rappelle-toi. A. DE MUSSET, Poésies nouvelles, «Rappelle-toi». | 8

♦ **2.** (xııᵉ). La poitrine, surtout dans : *sur, contre le, mon, son... cœur. Il la pressa, la serra tendrement sur son cœur, contre son cœur. Mettre, appuyer la main sur son cœur. La main sur le cœur* : dans une attitude théâtrale.

Quand un chanteur met la main sur son cœur, cela veut dire d'ordinaire : je l'aimerai toujours! BAUDELAIRE, Curiosités esthétiques, Salon de 1846, X, «Du chic et du poncif». | 9

(Il) portait sur son cœur, soulevé de terre, un enfant presque endormi de giration, qui laissait baller sa tête, et pendre ses bras (...) COLETTE, la Naissance du jour, p. 210. | 10

♦ **3.** Estomac (dans quelques expressions). *J'ai encore mon dîner sur le cœur. Avoir mal au cœur* : avoir des nausées. ⇒ **Haut-le-cœur**. *Avoir le cœur sur le bord des lèvres* : être prêt à vomir. *Avoir le cœur barbouillé. Un mal, des maux de cœur. Fam. Le mal au cœur*.

J'ai quelquefois des maux de cœur. MOLIÈRE, le Malade imaginaire, III, 10. | 11
Quelque mal de cœur que me causât le balancement de la voiture (...) MARMONTEL, Mémoires, II. | 12

Fig. *Soulever le cœur (de qqn)*. ⇒ **Dégoûter, écœurer**.

(...) ces flatteurs insipides (...) dont toutes les flatteries ont une douceur fade qui fait mal au cœur à ceux qui les écoutent? MOLIÈRE, l'Impromptu de Versailles, 4. | 13

Et la satiété, qui succède au désir, / Amène un tel dégoût quand le cœur se soulève, / Que je ne sais, au fond, si c'est peine ou plaisir. A. DE MUSSET, Poésies nouvelles, «Idylle». | 14

(Choses). *Rester sur le cœur*. Fig. *Avoir, garder une injure sur le cœur* (→ fam. Je ne l'ai pas digéré).

(...) Je ne mâche point ce que j'ai sur le cœur. MOLIÈRE, Tartuffe, I, 1. | 15
J'ai ce soufflet fort sur le cœur. MOLIÈRE, le Sicilien, 12. | 16
Le silence de cet homme injuste me resta sur le cœur (...) ROUSSEAU, les Confessions, VIII. | 17
(...) grâce à elle, j'ai pu voir le ministre lui-même, tout à loisir, déballer mes dossiers — et tout ce que j'avais sur le cœur (...) MARTIN DU GARD, les Thibault, t. IX, p. 120. | 18

B. Par anal. ♦ **1.** (xvıᵉ). Ce qui a la forme ou rappelle la forme du cœur humain (forme traditionnelle assez arbitraire, deux quarts de cercles accolés terminés en pointe vers le bas). *Cœur suspendu à un collier* : bijou en forme de cœur. *Cœur à la crème* : fromage à la crème en forme de cœur.

C'était tout petit, Pornichet, un petit peu sauvage, mais il y avait le facteur, des pêcheurs, des marchands de cœurs à la crème (...) J. PRÉVERT, Choses et autres, p. 30. | 18.1

Fam., fig. *Faire la bouche en cœur* : affecter l'amabilité. ⇒ **Minauder**.

Aux cartes, Une des quatre couleurs, dont les points sont figurés par des cœurs. *As de cœur. Couper à cœur* (→ ci-dessous, cit. 47).

19 Et par un six de cœur, je me suis vu capot.   MOLIÈRE, les Fâcheux, II, 2.

Bot. *Cœur de Marie, Cœur de Jeannette.* ⇒ **Diélytre.**

Techn. Forme de taille à facettes du diamant.

♦ **2.** (XIIIᵉ). La partie centrale (de qqch.). ⇒ **Centre, milieu.** *Le cœur d'une laitue, d'un fruit.* ⇒ **Trognon.** *Cœur d'artichaut*. Cœur de palmier*. Le cœur du bois.* ⇒ **Aubier, duramen ;** → Arbre, cit. 19.

20 Les vieilles souches *(de vigne)* sont pourries jusqu'au cœur, et le fruit n'en vaut guère.   P.-L. COURIER, I, 272, *in* LITTRÉ.

21 (...) son tourment qui le rongeait comme un ver au cœur d'une amande (...)
                    P. MAC ORLAN, la Bandera, XVIII, p. 219.

Spécialt. Partie centrale (d'un fromage). *« Le cœur dur du Saint-Paulin (...) offre l'aspect (à la coupe) d'un camembert jeune... »* (A. Eck, *le Lait et l'Industrie laitière*, p. 59). — Loc. *À cœur,* se dit des fromages dont la pâte est *faite* dans toute l'épaisseur. *Un camembert fait à cœur* (→ À point).

21.1 (...) s'introduire sous la cloche à fromage où se font à cœur les doctrines double crème.
                    Jacques PERRET, Bâtons dans les roues, p. 191 (jeu de mot sur *fromage*, fig., « occupation lucrative »).

Le cœur d'une ville. ⇒ **Centre.**

22 Voilà *(l'ennemi)* dans le cœur du royaume (...)
                    LA BRUYÈRE, les Caractères, X, 11.

23 Le pays des golfes endormis, où la mer pénètre au cœur des montagnes, s'y frayant un chemin de ruisseau (...)
                    André SUARÈS, Trois hommes, « Ibsen », I, p. 71.

Cœur d'un réacteur nucléaire, sa partie active. *Cœur réactif, nucléaire.*

Cœur de croisement, de traversée (en chemin de fer).

♦ **3.** Fig. *Au cœur de l'hiver, de l'été, de la nuit :* au plus fort de l'hiver, de l'été, de la nuit.

24 On était au cœur d'un hiver extrêmement rude.
                    Antoine HAMILTON, Mém. du comte de Grammont, 8.

25 De midi à une heure c'est le cœur du jour.
                    H. BOSCO, Un rameau de la nuit, IV, p. 164.

Le cœur du sujet, de la question : le point essentiel, capital. *Le cœur du débat.* ⇒ **Vif.** *Le cœur d'une cible* (en publicité).

★ **II.** (XIᵉ). ♦ **1.** Par métaphore. Le siège des sensations et émotions.

26 Les sentiments que nous éprouvons sont toujours accompagnés par des actions réflexes du cœur ; c'est du cœur que viennent les conditions de manifestation des sentiments, quoique le cerveau en soit le siège exclusif.
                    Cl. BERNARD, cité par Paul CHAUCHARD, le Cœur et ses maladies.

Agiter, faire battre le cœur. ⇒ **Émouvoir.** *Les palpitations* (cit. 1 et 2) *du cœur. Serrement, pincement* (cit. 2) *de cœur. L'angoisse au cœur. Une douleur, un chagrin, qui arrache, brise, crève, fend, gonfle, perce, serre le cœur. Avoir le cœur gros. Avoir la rage au cœur.* Prov. *Cœur qui soupire n'a pas ce qu'il désire.* — *L'effroi, la crainte glace, transit le cœur. Avoir la joie au cœur. Le cri* du cœur.*

27 Le cœur gros de soupirs et frémissant d'horreur.
                    CORNEILLE, Rodogune, III, 1.

28 À te revoir, j'ai de la joie au cœur.
                    MOLIÈRE, Amphitryon, I, 1.

29 Je sens d'aise mon cœur tressaillir par avance.
                    MOLIÈRE, les Femmes savantes, III, 2.

30 Je me sens tout tribouiller le cœur quand je te regarde.
                    MOLIÈRE, George Dandin, II, 1.

31 Le voici. Vers mon cœur tout mon sang se retire.
    J'oublie, en le voyant, ce que je viens lui dire.   RACINE, Phèdre, II, 5.

32 Il devrait y avoir dans le cœur des sources inépuisables de douleur pour certaines pertes.   LA BRUYÈRE, les Caractères, IV, 35.

33 Ce spectacle nous fendit le cœur.
                    LAMARTINE, Graziella, « Épisode », XIX, p. 51.

34 (...) à cet instant où mon cœur est brisé par un abandon si cruel et une trahison si basse... *(s'écrie Bettine, abandonnée par son amant).*
                    A. DE MUSSET, Bettine, 18.

35 (...) tâchons d'apaiser ce pauvre cœur qui saute comme un petit oiseau (...)
                    G. SAND, la Mare au diable, VI, p. 55.

36 Le Petit Chose, perché sur le haut de la diligence, sentit, en entrant dans la ville, le froid le saisir jusqu'au cœur.   Alphonse DAUDET, le Petit Chose, I, v.

37 J'avais le cœur serré et toutes les peines du monde à retenir mes larmes (...)
                    Alphonse DAUDET, le Petit Chose, I, III.

38 Et pourtant c'eût été si bon, au milieu de tant de deuils et de tristesse d'avoir un peu d'amour pour se chauffer le cœur !
                    Alphonse DAUDET, le Petit Chose, II, XVI.

39 Du coup son cœur bondit ; ses yeux s'allument (...)
                    Alphonse DAUDET, le Petit Chose, II, XVI.

40 Il pleure dans mon cœur
    Comme il pleut sur la ville.
    Quelle est cette langueur
    Qui pénètre mon cœur ?   VERLAINE, Romances sans paroles, III.

41 Elle *(ma mère)* me les reprochait *(mes torts et mes fautes)* avec un accent si douloureux que j'en avais le cœur déchiré.   FRANCE, le Petit Pierre, I, p. 11.

42 L'appartement était grand et froid. L'horrible silence qui y régnait me glaçait le cœur.   FRANCE, le Petit Pierre, IX, p. 54.

43 Il revenait en désarroi, le cœur en tumulte et en détresse.
                    LOTI, Ramuntcho, II, II, p. 209.

44 Une immense joie dilatait son cœur (...)
                    GIDE, les Faux-monnayeurs, III, XI, p. 410.

45 Le cerveau vidé, le cœur dans un étau (...)
                    MARTIN DU GARD, les Thibault, t. VIII, p. 152.

46 Épousez-moi, Line chérie, je ne peux vous regarder sans que le cœur me saute dans la gorge.   G. DUHAMEL, Chronique des Pasquier, VIII, XII, p. 422.

47 Tu as dit : « Il nous fend le cœur » pour lui faire comprendre que je coupe à cœur. Et alors il joue cœur, parbleu !   M. PAGNOL, Marius, III, 1.

♦ **2.** Loc. (Le cœur, siège du désir, de l'humeur). *Accepter, avouer, consentir... de bon cœur, de grand cœur, de tout cœur, de gaieté de cœur.* ⇒ **Plaisir** (avec), **volontiers.**

48 — La foi que vous m'avez donnée publiquement ? — Moi ? je ne vous l'ai point donnée de bon cœur, et vous me l'avez arrachée.
                    MOLIÈRE, George Dandin, II, 2.

49 J'accepte de grand cœur pour jeudi votre bonne invitation en vous demandant seulement la permission de ne venir qu'après 5 heures.
                    SAINTE-BEUVE, Correspondance, 335, 27 nov. 1833, t. I, p. 403.

50 Ce n'est pas de gaieté de cœur qu'il renonce aux certitudes métaphysiques. Nul défi de mécréant agressif.
                    A. MAUROIS, Études littéraires, t. II, Duhamel, II, p. 90.

De tout son cœur : de toutes ses forces.

51 Je hais de tout mon cœur les esprits colériques (...)   MOLIÈRE, Sganarelle, 17.

52 Je t'écoute de tout mon cœur.   GIDE, les Nouvelles Nourritures, p. 11.

Si le cœur vous en dit : si vous en avez le désir, l'envie, le goût. *Avoir, prendre qqch. à cœur,* y prendre un intérêt passionné. *N'avoir de cœur à rien.* ⇒ **Enthousiasme, entrain, goût, intérêt, zèle.** *Je n'ai pas le cœur à rire.*

53 (...) vous prenez la chose fort à cœur.   MOLIÈRE, les Précieuses ridicules, 1.

54 (...) Si le cœur vous en dit ?   MOLIÈRE, le Dépit amoureux, v, 3.

55 Cette femme, que je comblais d'attentions, de soins, de petits cadeaux, et dont j'avais extrêmement à cœur de me faire aimer.
                    ROUSSEAU, les Confessions, VIII.

56 Je n'ai plus deux jours de suite de bonne santé ; cela me fait enrager, car je n'ai cœur à rien au milieu de mes souffances.
                    CHATEAUBRIAND, Mémoires d'outre-tombe, III, XIII.

57 Bien qu'on ait du cœur à l'ouvrage,
    L'Art est long et le temps est court.
                    BAUDELAIRE, les Fleurs du mal, XI, « Guignon ».

58 Pour moi qui n'ai rien tant à cœur que d'y voir clair, je reste ahuri devant l'épaisseur de mensonge où peut se complaire un dévot.
                    GIDE, les Faux-monnayeurs, I, XII, p. 138.

59 Si je pensais que cette civilisation fût le prolongement de celle qui, depuis trente ou quarante siècles, a (...) enrichi, orné, ennobli le patrimoine de l'espèce, de quel cœur ne chanterais-je pas ses louanges.
                    G. DUHAMEL, Scènes de la vie future, XV, p. 248.

À cœur joie : avec délectation, jusqu'à satiété. *S'en donner à cœur joie.*

60 Il s'enfonça à cœur joie dans les mauvaises pensées, et, à mesure qu'il y plongeait plus avant, il sentait éclater en lui-même un rire de Satan.
                    HUGO, Notre-Dame de Paris, IX, 1.

61 On entend les hirondelles chanter à cœur joie ; on devine que dehors le printemps resplendit (...)   LOTI, les Désenchantées, IV, p. 51.

D'un cœur léger : avec insouciance et plaisir (→ Accepter, cit. 10).

62 Cet argent suffit à payer notre retour, et nous nous embarquons le cœur léger, et la bourse aussi.   LOTI, Aziyadé, LXIV, p. 173.

Tenir au cœur (vx), *tenir à cœur :* être considéré comme très important.

63 Diantre ! l'amour vous tient au cœur de bon matin.   RACINE, les Plaideurs, I, 6.

64 Une beauté me tient au cœur.   MOLIÈRE, Dom Juan, I, 2.

65 Cette galère lui tient au cœur.   MOLIÈRE, les Fourberies de Scapin, II, 7.

66 Insistant sur un sujet qui lui tenait à cœur, il reprit (...)
                    FRANCE, Histoire comique, I, p. 10.

♦ **3.** Le siège de l'affectivité (sentiments, passions). *Les sentiments que le cœur éprouve, ressent.* ⇒ **Sensibilité ; sentiment ; affection, attachement, inclination, passion, tendresse.** *Engourdir son cœur dans l'oubli* (→ 1. Pouvoir, cit. 32). — *Le cœur de qqn, son cœur. Écouter son cœur. Avoir un cœur tendre, sensible, fidèle. Un cœur débordant de tendresse. Porter qqn dans son cœur.* — (Spécialt. ⇒ **Amour.**) *Un cœur ardent, embrasé, enflammé d'amour. Un cœur blessé qui saignera toujours.* → Plein, cit. 17. *Cœur épris. Cœur fidèle. Cœur volage* (fam. *Cœur d'artichaut**). *Offrir, refuser son cœur. Épouser selon son cœur,* par amour. *Union des cœurs.* — Prov. *Loin des yeux, loin du cœur.*

67 Je me sens un cœur à aimer toute la terre (...)   MOLIÈRE, Dom Juan, I, 2.

68 On disait l'autre jour (...) que la vraie mesure du mérite du cœur, c'était la capacité d'aimer.   Mme DE SÉVIGNÉ, 255, 9 mars 1672.

69 Cesser d'aimer, preuve sensible que l'homme est borné, et que le cœur a ses limites.   LA BRUYÈRE, les Caractères, IV, 34.

70 L'amour (...) n'est que le roman du cœur : c'est le plaisir qui en est l'histoire.
                    BEAUMARCHAIS, le Mariage de Figaro, V, 7.

71 Mon cœur, lassé de tout, même de l'espérance,
    N'ira plus de ses vœux importuner le sort (...)
                    LAMARTINE, Premières méditations, VI, « Le vallon ».

72 Le cœur d'un homme vierge est un vase profond.
    Lorsque la première eau qu'on y verse est impure,
    La mer y passerait sans laver la souillure,
    Car l'abîme est immense, et la tache est au fond.
                    A. DE MUSSET, Premières poésies, « La coupe et les lèvres », IV, 1.

73 Ah ! Barberine, loin des yeux, loin du cœur.   A. DE MUSSET, Barberine, I, 1.

74 Voici des fruits, des fleurs, des feuilles et des branches
    Et puis voici mon cœur qui ne bat que pour vous.
    Ne le déchirez pas avec vos deux mains blanches
    Et qu'à vos yeux si beaux l'humble présent soit doux.
                    VERLAINE, Romances sans paroles, Aquarelles, « Green ».

75 Autrefois on rêvait de posséder le cœur de la femme dont on était amoureux ; plus

tard sentir qu'on possède le cœur d'une femme peut suffire à vous en rendre amoureux.   PROUST, À la recherche du temps perdu, t. I, p. 266.

75.1 Et toutes ces lèvres qui m'avaient embrassé, ces cœurs qui m'avaient aimé (c'est bien avec le cœur que l'on aime, n'est-ce pas, ou est-ce que je confonds avec autre chose?), ces mains qui avaient joué avec les miennes (...)   S. BECKETT, Premier amour, p. 17.

Loc. ... *de cœur. Ami de cœur :* ami très cher. *Affaire de cœur,* d'amour.

Jeunesse de cœur : fraîcheur de sentiments. *Un cœur toujours jeune.* → Adieu, cit. 11; affection, cit. 1; âge, cit. 19; aimer, cit. 40; appétit, cit. 23.

76 (...) on n'a plus le cœur jeune impunément quand le corps a cessé de l'être.   ROUSSEAU, les Confessions, X.

77 Jeunesse de visage et jeunesse de cœur.   A. DE MUSSET, Poésies nouvelles, « Lucie ».

78 Un sentiment nouveau, une flamme de tendresse, embrasait son vieux cœur.   MARTIN DU GARD, les Thibault, t. III, p. 252.

Spécialt (quant à la sensibilité morale, aux capacités de compassion). *Le cœur de qqn, son cœur. Son cœur est sensible, dur.* — Loc. métaphorique. *Un cœur d'acier, de pierre* (cit. 2). *Un cœur, son cœur dur, dur comme de la pierre* (cit. 3.1). — Par métonymie. La personne, quant à sa sensibilité. *C'est un cœur dur, impitoyable, un cœur d'acier* (vx ; → ci-dessous, cit. 80).

79 (...) si ton cœur sensible
A la compassion peut se rendre accessible (...)   CORNEILLE, Médée, IV, 5.

80 Quoi? dans leur dureté ces cœurs d'acier s'obstinent!   CORNEILLE, Horace, III, 2.

81 Pour attendrir mon cœur, on a recours aux larmes?   RACINE, Iphigénie, III, 6.

♦ **4.** Bonté, sentiments altruistes (dans quelques expressions). *Avoir du cœur.* ⇒ **Altruisme, bienveillance, charité, compassion, délicatesse, dévouement, générosité, pitié, sensibilité.** *Avoir un cœur d'or.* — *Homme, femme de cœur.* — *Être sans cœur, manquer de cœur. C'est un sans-cœur.* ⇒ **Sans-cœur.**

82 (...) au moins doit-on à soi-même de rendre honneur à l'humanité souffrante ou à son image, et de ne point s'endurcir le cœur à l'aspect de ses misères.   ROUSSEAU, Julie ou la Nouvelle Héloïse, V, II.

Par métaphore du sens propre :

83 Mon cœur ne bat que par sympathie ; je ne vis que par autrui (...)   GIDE, les Faux-monnayeurs, I, VIII, p. 93.

BON CŒUR : altruisme spontané. *Il a bon cœur* (quasi syn. de *il a du cœur,* ci-dessus). *Bon cœur et mauvais caractère.* — Par métonymie. *C'est un bon (un excellent) cœur.* — Loc. *À votre bon cœur,* formule destinée à solliciter la générosité de qqn.

Fam. *Avoir le cœur sur la main :* être généreux.

84 Les natures au cœur sur la main ne se font pas l'idée des jouissances solitaires de l'hypocrisie, de ceux qui vivent et peuvent respirer, la tête lacée dans un masque.   BARBEY D'AUREVILLY, les Diaboliques, « Le dessous de cartes... ».

85 Saurai-je jamais rien dire des êtres ruisselants de vertu et qui ont le cœur sur la main? Les « cœurs sur la main » n'ont pas d'histoire ; mais je connais celle des cœurs enfouis et tout mêlés à un corps de boue.   F. MAURIAC, Thérèse Desqueyroux, Prologue, p. 8.

À cœur ouvert. Recevoir qqn à cœur ouvert, avec une sympathie chaleureuse.

86 Nous étions reçus à cœur ouvert partout, et toujours il fallait manger et boire.   LOTI, Mon frère Yves, XXI, p. 72.

S'adresser, parler au cœur. Un artiste qui chante, joue avec son cœur. Lettre pleine de cœur. ⇒ **Sensibilité, sentiment.**

87 (...) l'écrivain *(Lamennais)* s'adresse au cœur par toutes les tendresses, à l'esprit par tous les artifices, à l'âme par tous les enthousiasmes.   HUGO, Littérature et Philosophie mêlées, p. 68.

88 Elle disait, en effet, qu'on ne joue bien qu'en jouant avec son cœur.   FRANCE, Histoire comique, II, p. 30.

89 (...) des mélodies spontanées, qui parlent simplement au cœur.   R. ROLLAND, Musiciens d'autrefois, p. 233.

Mots qui viennent du cœur.

90 L'huile et les parfums réjouissent le cœur ; telle la douceur d'un ami dont le conseil vient du cœur.   BIBLE (CRAMPON), Proverbes, XXVII, 9.

91 (...) certains mots venus du cœur toucheraient le lecteur davantage que tous ces raisonnements plus ou moins captieux, c'est précisément pour cela que, ces mots, je ne les ai point prononcés.   GIDE, Journal, 1918, Feuillet 2.

Toucher le cœur. Aller au cœur, droit au cœur. ⇒ **Émouvoir.**

92 *(Ce poète)* alla droit au cœur, il eut des soupirs, pour échos et des larmes pour applaudissements.   LAMARTINE, Premières méditations, Préface.

♦ **5.** (XIIᵉ). Littér. Source des qualités de caractère, siège de la conscience. *Avoir un cœur bien né, haut placé.* — *Noblesse, bassesse, petitesse de cœur.* ⇒ **Âme.**

93 Ramenez cet ingrat tremblant à mes genoux,
Le repentir au cœur, les pleurs sur le visage.   CORNEILLE, Pertharite, II, 1.

94 Le bon cœur est chez vous compagnon du bons sens (...)   LA FONTAINE, Fables, XII, 23.

95 Le jour n'est pas plus pur que le fond de mon cœur.   RACINE, Phèdre, IV, 2.

96 Un noble cœur ne peut soupçonner en autrui
La bassesse et la malice
Qu'il ne sent point en lui.   RACINE, Esther, III, 9.

97 Le vers se sent toujours des bassesses du cœur.   BOILEAU, l'Art poétique, IV.

98 La Feuillade (...) un cœur corrompu à fond, une âme de boue.   SAINT-SIMON, Mémoires, III, 196.

99 L'instruction fait tout ; et la main de nos pères
Grave en nos faibles cœurs ces premiers caractères.   VOLTAIRE, Zaïre, I, 1.

100 À tous les cœurs bien nés que la patrie est chère !   VOLTAIRE, Tancrède, III, 1.

L'égalité, notre passion naturelle, est magnifique dans les grands cœurs, mais, pour les âmes étroites, c'est tout simplement de l'envie.   101
    CHATEAUBRIAND, Mémoires d'outre-tombe, t. V, p. 444.

Il accepte, comme l'hostie, la mort avec un cœur simple et obéissant.   102
    CLAUDEL, Feuilles de saints, IX.

Dostoïevski, le cœur le plus profond, la plus grande conscience du monde moderne.   103
    André SUARÈS, Trois hommes, « Dostoïevski », V, p. 272.

Cet ennemi des siens, ce cœur dévoré par la haine et par l'avarice, je veux qu'en   104
dépit de sa bassesse vous le preniez en pitié.   F. MAURIAC, le Nœud de vipères, Avant-propos.

Vx. *Avoir du cœur,* de l'honneur, de la fierté. ⇒ **Courage.**

Rodrigue, as-tu du cœur?   CORNEILLE, le Cid, I, 5.   105

Un orgueil noble et juste, et digne d'une reine   106
Qui soutient son cœur et magnanimité
L'honneur de sa naissance et de sa dignité.   CORNEILLE, Pompée, III, 1.

Cette fille a du cœur, et dans l'adversité   107
Elle sait conserver une noble fierté (...)   MOLIÈRE, l'Étourdi, I, 4.

Mod. *Le cœur lui manqua et il s'enfuit. Il n'aura pas le cœur de faire cela. Donner, avoir du cœur à l'ouvrage.*

Mais je n'aurais jamais le cœur   108
De pouvoir préférer l'un de vous deux à l'autre.   MOLIÈRE, Psyché, I, 3.

Le cœur me manque.   MOLIÈRE, la Critique de l'École des femmes, 3.   109

(...) pour fortifier mon cœur et mon esprit contre les amertumes de la vie.   110
    Mᵐᵉ DE SÉVIGNÉ, 593.

Loc. (où *cœur* est plutôt compris au sens II, 1).

Quand on se vante d'avoir la tête solide, le cœur bien accroché, les nerfs à toute   111
épreuve.   G. DUHAMEL, Chronique des Pasquier, V, X.

♦ **6.** Par métonymie. La personne considérée dans ses sentiments, ses affections, notamment amoureuses. *Conquérir, gagner les cœurs. Bourreau* des cœurs.*

Je vous offre mon bras. Puis-je espérer encore   112
Que vous accepterez un cœur qui vous adore?   RACINE, Andromaque, I, 4.

Charmant, jeune, traînant tous les cœurs après soi.   RACINE, Phèdre, II, 5.   113

Réunissons trois cœurs qui n'ont pu s'accorder.   RACINE, Andromaque, V, 5.   114

On sentait qu'une multitude de cœurs pensaient à vous, une multitude de cœurs   115
inconnus, chauds comme le dessous d'un édredon.   G. DUHAMEL, Récits des temps de guerre, IV, p. 21.

T. d'affection. *Mon cœur, Mon cher cœur, Mon petit cœur.* ⇒ **Amour.**

Il faut que je l'appelle et Mon cœur et M'amie.   116
    MOLIÈRE, les Femmes savantes, II, 9.

Quelle joie en effet, quelle douceur extrême,   117
De se voir caresser d'une épouse qu'on aime!
De s'entendre appeler « petit cœur », ou « mon bon ».   BOILEAU, Satires, X.

Loc. *Joli comme un cœur.*

Faire le joli cœur, le beau, le galant.

C'est alors que, soudain, je vis Matigot. Tué, bien tué, net, pâle, pur (...) Matigot   117.1
était garçon boucher, mauvais coucheur, joli cœur. Naturellement, la mort lui donnait le charme de la noblesse.   DRIEU LA ROCHELLE, la Comédie de Charleroi, p. 44.

♦ **7.** La vie intérieure ; la pensée intime, secrète (de qqn). *Renfermer qqch. dans son cœur. Du fond de son cœur, dans le secret de son cœur :* dans son for intérieur. ⇒ **Dedans, fond.** — Loc. *Sonder les cœurs, les reins* et les cœurs.*

C'est moi qui suis le Seigneur qui sonde les cœurs, et qui éprouve les reins (...)   118
    BIBLE (SACY), Jérémie, XVII, 10.

Je sais comme je parle, et le Ciel voit mon cœur.   MOLIÈRE, Tartuffe, I, 6.   119

(Parfois) Il est bon de cacher ce qu'on a dans le cœur.   120
    MOLIÈRE, le Misanthrope, I, 1.

La constance des sages n'est que l'art de renfermer leur agitation dans leur cœur.   121
    LA ROCHEFOUCAULD, Maximes, 20.

Roxane dans son cœur peut-être vous pardonne.   RACINE, Bajazet, II, 5.   122

(...) pendant que la bouche accuse, le cœur absout.   A. DE MUSSET, Bettine, XVII.   123

Ce que la bouche s'accoutume à dire, le cœur s'accoutume à le croire.   124
    BAUDELAIRE, Œuvres, t. II, p. 424.

Ton nom est dans mon cœur comme dans un grelot.   125
    Edmond ROSTAND, Cyrano de Bergerac, III, 6.

(...) en exact analyste, j'avais cru bien connaître le fond de mon cœur.   126
    PROUST, À la recherche du temps perdu, t. XIII, p. 8.

Loc. *En avoir le cœur net :* savoir exactement ce qui en est, ne plus avoir de doute.

(...) je me dis qu'aujourd'hui même je vais non pas les épier, mais parler à Yves   127
bien franchement, pour en avoir le cœur net (...)   LOTI, Mᵐᵉ Chrysanthème, XLVIII, p. 250.

Épancher, ouvrir son cœur. ⇒ **Avouer, confier** (se), **livrer** (se). *Parler à cœur ouvert,* avec effusion. *La voix* du cœur.*

Son cœur transparent comme le cristal ne peut rien cacher de ce qui s'y passe.   128
    ROUSSEAU, 2ᵉ dialogue.

C'est du fond du cœur que je parle.   MOLIÈRE, Monsieur de Pourceaugnac, I, 3.   129

(Je veux que) Le fond de notre cœur dans nos discours se montre.   130
    MOLIÈRE, le Misanthrope, I, 1.

On ne lâche aucun mot qui ne parte du cœur.   MOLIÈRE, le Misanthrope, I, 1.   131

(...) vous pouvez confirmer ici mes sentiments,   132
Souffrez qu'à cœur ouvert, Monsieur, je vous embrasse.   MOLIÈRE, le Misanthrope, I, 2.

La sincérité est une ouverture de cœur.   LA ROCHEFOUCAULD, Maximes, 62.   133

Le cœur sent rarement ce que la bouche exprime.   CAMPISTRON, Pompeia, II, 5.   134

Je n'aurais pas moins dit quand je n'aurais rien promis, car un continuel besoin   135
d'épanchement met à tout moment mon cœur sur mes lèvres.   ROUSSEAU, les Confessions, IV.

136 (...) le silence est pénible lorsque le cœur déborde.
GIDE, Pages de journal, 30 oct. 1939.

137 (...) c'est bon, une fois par hasard, de pouvoir parler à cœur ouvert.
MARTIN DU GARD, les Thibault, t. IX, p. 57.

♦ **8. PAR CŒUR** : de mémoire. *Apprendre, connaître, savoir, retenir, réciter par cœur.*

138 Et cent autres babioles que je sais quelquefois par cœur.   Mme DE SÉVIGNÉ, 346.

139 (...) on retient par cœur malgré soi et voilà pourquoi nous disons retenir par cœur, car ce qui touche le cœur se grave dans la mémoire.
VOLTAIRE, Dict. philosophique, Art dramatique.

140 Qui de nous, Lamartine, et de notre jeunesse,
Ne sait par cœur ce chant, des amants adoré,
Qu'un soir, au bord du lac, tu nous as soupiré ?
A. DE MUSSET, Poésies nouvelles, « Lettre à Lamartine ».

141 (...) les petites rues descendaient, montaient, s'enlaçaient comme pour égarer le passant attardé (...) mais André en savait par cœur les détours.
LOTI, les Désenchantées, XVII, p. 130.

141.1 Ils évoquèrent le souvenir d'autres matches fameux. Ils en connaissaient par cœur le déroulement, comme on sait par cœur des poèmes.
J.-L. CURTIS, le Roseau pensant, p. 20.

Par ext. Connaître qqn par cœur, connaître parfaitement son caractère, sa vie.

142 (...) votre homme arrive ; je l'ai étudié une bonne grosse demi-heure, et je le sais déjà par cœur.   MOLIÈRE, Monsieur de Pourceaugnac, I, 2.

Fam., vieilli. Dîner par cœur : se passer de dîner.

♦ **9. Absolt. LE CŒUR** : le sentiment, l'intuition mêlée d'affects. — Opposé à *raison, esprit* (analytique). — Avec la même valeur : *son cœur et son esprit ; un cœur soumis à la raison.*

143 Le cœur a ses raisons, que la raison ne connaît point.   PASCAL, Pensées, IV, 277.

144 Un sait par cœur prendre et ne se raisonne pas.   MOLIÈRE, Tartuffe, III, 3.

145 L'esprit est toujours la dupe du cœur.   LA ROCHEFOUCAULD, Maximes, 102.

146 L'homme croit souvent se conduire lorsqu'il est conduit et pendant que par son esprit il tend à un but, son cœur l'entraîne insensiblement à un autre.
LA ROCHEFOUCAULD, Maximes, 43.

147 Hippocrate arriva dans le temps
Que celui qu'on disait n'avoir raison ni sens
Cherchait dans l'homme et dans la bête
Quel siège a la raison, soit le cœur, soit la tête.   LA FONTAINE, Fables, VIII, 26.

148 Quelle mésintelligence entre l'esprit et le cœur !
LA BRUYÈRE, les Caractères, XI, 91.

149 Oserai-je dire que le cœur seul concilie les choses contraires et admet les incompatibles.   LA BRUYÈRE, les Caractères, XI, 73.

150 On dit bien quand le cœur conduit l'esprit.
Mme DE TENCIN, Correspondance avec Richelieu, p. 384.

151 Les grandes pensées viennent du cœur.
VAUVENARGUES, Réflexions et Maximes, p. 127.

152 La raison ne connaît pas les intérêts du cœur.
VAUVENARGUES, Réflexions et Maximes, 124, p. 43.

153 Au lieu d'écouter son cœur, qui la menait bien, elle écouta sa raison, qui la menait mal.   ROUSSEAU, les Confessions, V.

154 L'art ne fait que des vers, le cœur seul est poète.   André CHÉNIER, Élégies, XXI.

155 Ah ! frappe-toi le cœur, c'est là qu'est le génie.
C'est là qu'est la pitié, la souffrance et l'amour (...)
A. DE MUSSET, À mon ami Édouard B.

156 On n'écrit pas avec son cœur, mais avec sa tête encore une fois, et si bien doué que l'on soit, il faut toujours cette vieille concentration qui donne vigueur à la pensée et relief au mot.   FLAUBERT, Correspondance, t. II, p. 136.

157 Mon cœur, si ma raison lui donne tort de battre, c'est à lui que je donne raison.   GIDE, les Nouvelles Nourritures, p. 32.

158 Le cœur, dès qu'il s'en mêle, engourdit et paralyse le cerveau.
GIDE, les Faux-monnayeurs, I, XVIII, p. 203.

159 Ce que nous appelons mouvements du cœur n'est que le bousculement irraisonnable de nos pensées.   GIDE, Journal, 2 avr. 1929.

160 Il cédait plus volontiers aux impulsions du cœur qu'aux remontrances de la raison (...)   G. DUHAMEL, le Temps de la recherche, XVI, p. 225.

Spécialt. Intuition. L'intelligence du cœur. Le cœur me le dit. ⇒ **Pressentiment.**

161 C'est le cœur qui sent Dieu, et non la raison ; voilà ce que c'est que la foi : Dieu sensible au cœur, non à la raison.   PASCAL, Pensées, IV, 278.

162 Nous connaissons la vérité non seulement par la raison *(le raisonnement)* , mais encore par le cœur : c'est de cette dernière sorte que nous connaissons les premiers principes (...) C'est sur ces connaissances du cœur et de l'instinct qu'il faut que la raison s'appuie, et qu'elle y fonde tout son discours.   PASCAL, Pensées, IV, 282.

163 Je n'ai point cédé, j'en conviens, à de grandes lumières surnaturelles : ma conviction est sortie du cœur, j'ai pleuré et j'ai cru.
CHATEAUBRIAND, le Génie du christianisme, 1re Préface.

164 Le cœur n'apprend que par la souffrance, et je crois, comme Kant, que Dieu ne s'apprend que par le cœur.   RENAN, Souvenirs d'enfance..., Appendice.

165 L'intelligence et le cœur sont deux régions sympathiques et parallèles ; l'une ne s'élargit pas sans que l'autre s'agrandisse ; l'une ne se hausse pas sans que l'autre s'élève.   HUGO, Post-scriptum de ma vie, p. 6.

166 (...) si tu *(lecteur)* n'as jamais eu le cœur mordu — mordu jusqu'à crier — par le pressentiment des choses futures (...)   Alphonse DAUDET, le Petit Chose, II, XV.

167 Les vérités découvertes par l'intelligence demeurent stériles.
Le cœur est seul capable de féconder ses rêves.
FRANCE, les Opinions de J. Coignard, ŒE., t. VIII, p. 510.

168 L'intuition est une vue du cœur dans les ténèbres.
André SUARÈS, Trois hommes, « Dostoïevski », V, p. 261.

169 C'est vers les ressources du cœur que se tourne notre espoir. Trahis par cette intelligence savante dont les œuvres formidables ont parfois le visage même de la bêtise, nous aspirons au règne du cœur : tous nos désirs vont vers une civilisation

morale, seule capable de nous exalter, de nous assouvir, de nous protéger, d'assurer l'épanouissement réel de notre espèce.
G. DUHAMEL, Possession du monde, X, 2, p. 228.

DÉR. V. **Courage.**

COMP. Accroche-cœur, brise-cœur, cache-cœur, casse-cœur, cœur-poumon, contre-cœur (à), crève-cœur, écœurer, haut-le-cœur.

DÉR. et **COMP.** (Du lat. *cor, cordis*) Accord, cardia, cardialgie, cardiaque, cardiotonique, cardite, concorde, cordial, cordiforme, discord, miséricorde, précordial.

HOM. Chœur.

CŒUR-POUMON [kœʀpumɔ̃] n. m. — V. 1970 ; de *cœur,* et *poumon.*

♦ Chir. Mécanisme, appareillage destiné à suppléer l'arrêt momentané de la circulation centrale, notamment au cours d'une opération à cœur ouvert ; le sang, prélevé dans les veines caves, s'écoule dans un *réservoir veineux,* passe dans un *oxygénateur,* puis après passage dans divers appareils, est refoulé au moyen d'une *pompe artérielle* dans l'artère fémorale. *Le cœur-poumon permet d'établir une circulation extra-corporelle.*

COEXISTENCE [kɔɛgzistɑ̃s] n. f. — 1554 ; de *co-,* et *existence.*

♦ **1.** Existence* simultanée. *La coexistence des trois personnes divines.*

Le mystère de la Trinité, c'est l'éternelle coexistence de trois personnes.   BOSSUET, 6e avertissement à Jurieu, I, 1.   1

(1801.) ⇒ **Concomitance.**

La coexistence en un même esprit d'un poète, d'un philosophe, d'un mémorialiste et d'un romancier était nécessaire pour que fût écrite la Comédie Humaine d'une des époques les plus confuses et les plus tristes de l'histoire.   2
A. MAUROIS, Études littéraires, Jules Romains, t. II, V, p. 160.

♦ **2.** (1953.) Polit. **COEXISTENCE PACIFIQUE** : principe de tolérance réciproque de l'existence du groupe adverse de nations (entre nations et « blocs » socialistes et capitalistes). *La coexistence pacifique est un premier pas vers la détente.*

Plus la coexistence pacifique s'établira et se renforcera, et plus aussi une guerre   3
de type colonial deviendra insupportable aux deux grands Empires réconciliés.
F. MAURIAC, le Nouveau Bloc-notes 1958-1960, p. 251.

Fig. Accord, absence de rivalité ou d'hostilité réciproque sans élément positif.

Là-dessus, nous sommes tout à fait d'accord : à chacun ses occupations et son   4
milieu.
— Une espèce de coexistence pacifique ?
— Si tu veux.   S. DE BEAUVOIR, les Belles Images, p. 250.

CONTR. Incompatibilité. — Guerre (froide).

COEXISTER [kɔɛgziste] v. intr. — 1771 ; de *co-,* et *exister.*

♦ Exister* ensemble, en même temps. *Qualités qui coexistent avec des défauts chez un même homme.*

Donc ces hantises ont dû coexister ensuite avec mes tourments religieux, leur donnant des prétextes, nourrissant la nuée des scrupules secondaires.
J. ROMAINS, les Hommes de bonne volonté, IV, VII, p. 63.

(Avec l'idée, pour les personnes, de se supporter). *Ils n'arrivent pas à coexister.* → Cohabiter.

▶ **COEXISTANT, ANTE** p. prés. et adj.
Qui coexiste.

CONTR. Précéder, préexister ; succéder, suivre.

COEXTENSIF, IVE [kɔɛkstɑ̃sif, iv ; kɔɛkstɑ̃sif, iv] adj. — 1893 ; de *co-,* et *extensif.*

♦ Log. Qui possède ou est capable de posséder la même extension*. *Concepts coextensifs. Coextensif à...*

COEXTRUSION [kɔɛkstʀyzjɔ̃] n. f. — V. 1970 ; de *co-,* et *extrusion.*

♦ Techn. Extrusion* par plusieurs extrudeurs simultanément, permettant de réaliser des matériaux composites.

COFFERDAM [kɔfɛʀdam] n. m. — 1891 (*Année sc. et industr.* 1892, p. 147) ; de l'angl. *coffer* « coffre », et *dam* « digue ».

♦ Techn. (mar.). Séparation formée par deux cloisons transversales entre un compartiment à cargaison et la chambre des machines... (Gruss).

COFFIN [kɔfɛ̃] n. m. — XIIIe ; du bas lat. *cophinus,* grec *kophinos* « panier ». → Couffin.

♦ Techn. (agric.). Étui que le faucheur remplit d'eau et porte à la ceinture pour mettre sa pierre à aiguiser.

COFFINER [kɔfine] v. intr. — 1660 au p. p. ; de *coffin, couffin* « corbeille ».

♦ Techn. Se cintrer dans le sens de la largeur (planche, panneau de bois). *Lame de parquet qui coffine.*

COFFIO ou **COFFIOT** [kɔfjo] n. m. — 1948 ; des formes dialectales sans *r* (famille de *coffin*, lat. *cophinus*) qui ont plusieurs dérivés en *-ot, -eau : coffineau, coffiniau* (Bourges, 1840), *coffinias* ; la forme dialectale la plus proche est *coufiot* « petit coffre ».

♦ Argot, puis fam. (vieilli). Coffre-fort.

Y a du photographe d'anthropométrie, un légiste alerté au pied levé, des brancardiers, et, plus précieuse attention de Monsieur le Contrôleur, un serrurier spécialiste de l'ouverture des coffiots (...)
Albert SIMONIN, Hotu soit qui mal y pense, p. 211.

COFFRAGE [kɔfʀaʒ] n. m. — 1838 ; de *coffre*.

♦ **1.** Charpente qui maintient les terres d'une tranchée, d'une galerie de mine. — Dispositif qui moule et maintient le béton que l'on coule. ⇒ **Banchage.** *Planches de coffrage. Enlever le coffrage après que le ciment a pris.*

Les surfaces les plus atteintes par la corrosion (à l'emplacement de l'ancienne cuisine et des W.-C.) avaient reçu un coffrage en ciment, coulé par l'intérieur.
Bernard MOITESSIER, Cap Horn à la voile, p. 86.

♦ **2.** Action de poser des coffres. *Procéder au coffrage.*

CONTR. **Décoffrage.**

COFFRE [kɔfʀ] n. m. — Fin XIVᵉ ; *cofre*, v. 1165 ; du bas lat. *cophinus*. → Coffin.

♦ **1.** Meuble de rangement en forme de caisse qui s'ouvre en soulevant le couvercle. *Cases, compartiments d'un coffre. Fermoir, ferrures d'un coffre. Coffre droit, bombé. Coffre à bois, à outils, à linge, à jouets.* Meubles en forme de coffre. ⇒ **Huche, layette, malle, pétrin, saloir.** *Petit coffre.* ⇒ **Boîtier, cassette, coffret, écrin.**

1 Il n'y avait là qu'un seul meuble, mais monumental : un coffre.
Plus haut que moi, avec deux serrures de bronze, une à chaque battant, et, aux deux angles, des bêtes sculptées, des aigles (...) En largeur surtout et en profondeur, il affirmait sa force. Ses panneaux de noyer aux bizarres figures sournoisement luisaient. H. BOSCO, Un rameau de la nuit, IV, p. 135.

♦ **2.** (1291). Caisse où l'on range de l'argent, des choses précieuses. Spécialt. ⇒ **Coffre-fort** ; argot **coffiot.** *Les coffres des banques. Avoir un coffre à la banque. La chambre des coffres. Percer un coffre.*

2 Demain, vous irez louer une case de coffre dans une banque (...)
J. ROMAINS, les Hommes de bonne volonté, t. II, VIII, p. 37.

Fig. *Les coffres de l'État* : le Trésor public. *Ce haut fonctionnaire est accusé d'avoir puisé dans les coffres de l'État.*

♦ **3.** (1690). Espace aménagé pour le rangement, souvent à l'arrière d'une voiture (⇒ **Malle**). *Le coffre arrière de cette voiture est spacieux et peut recevoir un volume important de bagages. Ferme le coffre à clé.*

♦ **4.** Élément ayant la forme de coffre. *Le coffre d'un piano,* la caisse. *Coffre d'un orgue.* ⇒ **Buffet, cabinet.** — *Le coffre d'une brouette,* la caisse que l'on charge.

Mar. *Coffre d'un navire,* la coque. ⇒ **Arcasse.** *Coffre d'amarrage :* grosse bouée destinée à l'amarrage des bâtiments sur rade.

♦ **5.** (XVIᵉ). Fam. Thorax. ⇒ **Poitrine ; buffet, caisse.** *Avoir du coffre :* avoir une solide carrure, avoir du souffle. *Il a un coffre impressionnant. Quel coffre !*

Avoir le coffre solide : avoir une bonne constitution.

3 Cette aventure m'arriva mal à propos pour ma santé, qui depuis quelque temps s'altérait sensiblement. Je ne sais d'où venait qu'étant bien conformé par le coffre et ne faisant d'excès d'aucune espèce, je déclinais à vue d'œil.
ROUSSEAU, les Confessions, V.

4 (...) je ne porte pas de flanelle, je n'attrape aucun rhume, le coffre est bon !
FLAUBERT, Mme Bovary, II, XI, p. 118.

5 Si tu avais eu un vélo convenable, tu m'aurais suivi... — Non. Je n'ai pas ton coffre. Je suis sûr que tu battrais Maroussel au sprint (...)
H. TROYAT, la Tête sur les épaules, p. 33.

Fig. *Avoir du coffre,* de l'audace, du courage.

6 La maison appartenait à un vendeur d'esclaves. Ah ! On ne cachait pas son jeu, en ce temps-là ! On avait du coffre, on disait : « Voilà (...) je vends de la chair noire. » CAMUS, la Chute, p. 53.

Boucherie. Ensemble formé par les deux carrés et les deux poitrines (cage thoracique).

DÉR. Coffrage, coffrer, coffret.
COMP. Coffre-fort, encoffrer.

COFFRE-FORT [kɔfʀəfɔʀ] n. m. — 1543 ; de *coffre,* et *fort.*

♦ Coffre métallique à parois renforcées (blindées, etc.), à fermeture complexe, destiné à recevoir de l'argent, des valeurs, des objets précieux... ⇒ argot **Coffiot.** *Serrure de sûreté d'un coffre-fort. Chiffre, combinaison secrète d'un coffre-fort. Des coffres-forts.*

Le coffre-fort contenait quelques titres, mais surtout d'anciens registres de comptes et tout ce qui concernait la gestion de la fortune.
MARTIN DU GARD, les Thibault, t. IV, p. 224.

COFFRER [kɔfʀe] v. tr. — 1544, « mettre dans un coffre » ; de *coffre.*

♦ **1.** Fam. (Sujet et compl. n. de personne). ⇒ **Emprisonner.** *Faire coffrer un voleur. Se faire coffrer.*

1 S'il ne me paye aujourd'hui, je le ferai coffrer demain.
J.-F. REGNARD, le Retour imprévu, 12, *in* LITTRÉ.

2 — Je vais te faire coffrer pour mendicité, dit l'agent.
SARTRE, l'Âge de raison, I, p. 9.

♦ **2.** (Compl. n. de chose). Techn. Poser un coffrage sur... *Coffrer une dalle de béton.*

CONTR. **Libérer ; décoffrer.**

COFFRET [kɔfʀɛ] n. m. — V. 1265 ; de *coffre.*

♦ **1.** Petit coffre*, généralement orné, où l'on serre des objets précieux, des documents. *Coffret de tabletterie. Coffret ciselé, sculpté. Cadenas d'un coffret. Coffret à bague* (⇒ **Baguier**), *à bijoux* (⇒ **Écrin**), *à reliques* (⇒ **Reliquaire**).

(...) je les avais tous *(vos portraits),* dormant au fond d'un coffret secret, dans un sachet de satin ! LOTI, les Désenchantées, XIX, p. 136.

Par anal. Emballage élégant et luxueux. *Ce parfum vous sera offert dans un coffret raffiné.* — *Coffret de disques :* série de disques présentés en coffret. → Album.

♦ **2.** Techn. Petit coffre. *Coffrets en matière isolante pour branchements électriques (coffrets de sécurité). Coffret de manœuvre.*

COFFREUR [kɔfʀœʀ] n. m. — 1955 ; de *coffrer* « poser un coffrage ».

♦ Techn. Ouvrier qui fabrique et met en place les coffrages des ouvrages en béton armé.

COFIDÉJUSSEUR [kɔfideʒysœʀ] n. m. — 1753 ; de *co-,* et *fidéjusseur.*

♦ Dr. Chacune des personnes qui cautionnent un même débiteur, pour une même dette.

COFUSION [kɔfyzjɔ̃] n. f. — D. i. (XXᵉ) ; de *co-,* et *fusion.*

♦ Techn. Fusion simultanée de plusieurs matières.

COGÉRANCE [koʒeʀɑ̃s] n. f. — 1869 ; de *co-,* et *gérance.*

♦ Dr. Gérance en commun (par des *cogérants*).

COGÉRANT, ANTE [koʒeʀɑ̃, ɑ̃t] n. — XXᵉ ; de *co-,* et *gérant.*

♦ Dr. Gérants d'une cogérance.

COGÉRER [koʒeʀe] v. tr. — Conjug. *céder.* — Mil. XXᵉ ; de *co-,* et *gérer.*

♦ Dr. Gérer en commun, dans une cogérance* ou une cogestion*. — Au p. p. *Usine cogérée.*

COGESTION [koʒɛstjɔ̃] n. f. — 1945 ; de *co-,* et *gestion.*

♦ Dr. Administration, gestion en commun ; spécialt, gestion de l'entreprise, assurée en commun par le chef d'entreprise et les salariés. ⇒ **Autogestion, participation** (à la gestion).

COGITATION [kɔʒitasjɔ̃] n. f. — XIIᵉ ; lat. *cogitatio,* de *cogitare* « penser ».

♦ **1.** Didact. et vx. Action de fixer sa pensée sur un objet. ⇒ **Penser, réfléchir.** — REM. Signalé comme « vieux langage » dans Académie, *Compl.,* en 1842, le mot est repris en philosophie vers la fin du XIXᵉ s.

♦ **2.** (Déb. XIXᵉ : 1833, P. Borel). Par ext. (fam.). Pensée, réflexion.

Mes cogitations récentes, continua Pigeon, m'incitent au contraire à affirmer que nous ne sommes pas d'accord sur le dernier point.
Boris VIAN, Vercoquin, p. 75.

COGITER [kɔʒite] v. — 1450 ; repris comme archaïsme, 1869 ; lat. *cogitare.*

♦ V. intr. Fam., par plais. Réfléchir. *Ne le dérange pas ; il cogite.*
V. tr. *Qu'est-ce que tu cogites ?*

COGITO [kɔʒito] n. m. — 1834, Vigny ; de *cogito, ergo sum,* mots latins signifiant *« je pense, donc je suis ».*

♦ Argument philosophique sur lequel Descartes, dans le *Discours de la méthode,* construit son système. *Le cogito cartésien. L'apo-dicticité** (cit. 1 et 2) *du cogito.*

Les penseurs du XIXᵉ siècle ont été, en quelque sorte, éblouis et hypnotisés par le *Cogito.* Ils s'y sont attachés et ils s'y sont enfoncés de toutes leurs forces et ils n'ont tiré des conséquences, des inductions, des théories et toute une philosophie que du *Cogito* et du principe d'évidence dont le *Cogito* est la formule (...)
On rétrécit Descartes à le renfermer dans le Cogito.
    Émile FAGUET, *Études littéraires,* XVIIᵉ s., p. 67-68 (→ Assurer, cit. 43).

Par ext. Expérience subjective de la pensée rationnelle (dans quelque philosophie que ce soit).

COGNAC [kɔɲak] n. m. — 1806 ; *coignac,* 1754, *in* D.D.L. ; de *Cognac,* ville de Charente.

♦ **1.** Eau-de-vie de raisin réputée de la région de Cognac. *Le cognac est le produit de la distillation du vin par brouillis et repasses*. Qualités des cognacs suivant la nature du sol qui a produit les raisins :* Fine Champagne* (⇒ **Fine**), Grande Champagne, Petite Champagne ; Borderies. — Par métonymie. *Boire, humer un cognac. Il en est à son cinquième cognac.*

1   Un petit verre de cognac est près de lui, sur une petite table approchée suffisamment pour qu'il puisse le boire et faire éprouver à son gosier une sensation différente et aussi forte sans avoir à se déranger.   PROUST, Jean Santeuil, Pl., p. 287.

Abrév. pop. (vx) : *cogne,* n. m. (1866, Delvau).

♦ **2.** Adj. invar. De la couleur orangée du cognac.

2   Il est sensible à toutes les nuances qui séparent un lainage tabac d'un pull cognac.   S. DE BEAUVOIR, Tout compte fait, p. 183.

COGNAGE [kɔɲaʒ] — xxᵉ, argot parisien, *in* Wartburg, « rixe, coups et blessures » ; de *cogner.*

♦ Rare. Action de cogner ; échange de coups.

Les premiers combats de boxeurs sans gloire ne furent que du cognage disgracieux, mais les hommes y allaient à toute force, ne se ménageant pas.
   Pierre HAMP, la Peine des hommes (Moteurs), p. 164.

COGNASSE [kɔɲas] n. f. — 1561 ; *coignasse,* 1534 ; de *coing.*

♦ Rare. Fruit du cognassier non greffé.

DÉR. Cognassier.

COGNASSIER [kɔɲasje] n. m. — 1571 ; *coignassier,* 1558 ; de *cognasse.*

♦ Arbre fruitier *(Rosacées)* qui produit les coings. — *Cognassier du Japon :* arbuste ornemental *(Rosacées),* aux fleurs rouges ou orangées.

(...) un brasier de cognassiers du Japon (...)
   COLETTE, Flore et Pomone, *in* Gigi, p. 158.

COGNAT [kɔɡna] n. m. — XIIIᵉ ; lat. *cognatus,* de *co-* « avec », et *gnatus,* pour *natus* « né ».

♦ Dr. Parent par parenté naturelle, en particulier par les femmes (⇒ **Cognation**). *Agnats** et *cognats.*

Parmi les cognats, il y a les agnats, liés par le sang du côté des mâles *(a patre cognati),* il y a aussi les parents par les femmes.
   GIFFARD, Précis de droit romain, nº 302.

COGNATION [kɔɡnasjɔ̃] n. f. — 1520 ; « la parenté, les parents », v. 1170 ; lat. *cognatio,* de *cognatus.* → Cognat.

♦ **1.** Dr. rom. Parenté naturelle reposant sur la consanguinité sans distinction de lignes, paternelle ou maternelle.

♦ **2.** Ethnol. Parenté par les femmes (⇒ **Agnation,** cit.).

DÉR. Cognatique.

COGNATIQUE [kɔɡnatik] adj. — xxᵉ ; du rad. de *cognation.*

♦ Didact. De la cognation.

1. COGNE [kɔɲ] n. m. — 1800, argot ; déverbal de *cogner.*

♦ Pop. Agent* de police, gendarme. ⇒ 2. **Bourre, flic.**

1   Le Parisien policé — ou « cogné » (ô étymologie !) a-t-il conscience du droit que lui donne la loi :
« Nul n'est obligé à prendre plaisir à être cogné et à ne rouspéter point, s'il n'est cogné par des « cognes » en uniforme. »
   JARRY, Spéculations, « L'arme prohibée », Œ. compl., t. VII, p. 83 (1902).

2   Or, sous tous les cieux sans vergogne,
C'est un usag' bien établi,
Dès qu'il s'agit d'rosser les cognes
Tout l'monde se réconcili'.
   Georges BRASSENS, Hécatombe, *in* Poèmes et Chansons, p. 19.

2. COGNE [kɔɲ] n. f. — 1887, Zola ; déverbal de *cogner.*

♦ Fam. Fait de cogner, bagarre. *« C'est pas des bagarres (...) on va attaquer un autre groupe (...) C'est déjà arrivé qu'on aille chercher la cogne »* (entretien avec un « rocker », févr. 1978 ; *in le Nouvel Obs.,* 16 oct. 1978, p. 81).

Vx. *La cogne :* la police. ⇒ **Cognerie.**

COGNÉE [kɔɲe] n. f. — V. 1100, *cuignée* ; du lat. pop. **cuneata,* de l'adj. *cuneatus* « en forme de coin », de *cuneus* « coin ».

♦ Grosse hache* à biseau étroit utilisée pour abattre les arbres, fendre le gros bois... *Cognée de bûcheron, de charpentier. Cognée bien emmanchée* (→ Bois, cit. 43). *Petite cognée.* ⇒ **Hachereau.**

1   Un bûcheron perdit son gagne-pain :
C'est sa cognée (...)   LA FONTAINE, Fables, V, 1.

2   L'empereur (...) comme un arbre en proie à la cognée.
   HUGO, les Châtiments, V, « L'expiation ».

3   (...) il manque assurément des cyprès ; une cognée barbare et imbécile a été mise dans le bois des Ombres.   LOTI, Suprêmes visions d'Orient, I, p. 17.

Fig. *Mettre la cognée à l'arbre, au pied de l'arbre.* ⇒ **Entreprendre.**

Loc. *Jeter le manche après la cognée :* se décourager par lassitude, dégoût. ⇒ **Abandonner, renoncer.**

4   Alors, c'est déjà fini, tes beaux projets ? Tu jettes le manche après la cognée (...)
   F. MALLET-JORIS, le Jeu du souterrain, p. 85.

HOM. Cogner.

COGNEMENT [kɔɲmɑ̃] n. m. — Av. 1907 ; de *cogner.*
Rare.

♦ **1.** Le fait de cogner. ⇒ **Heurt.**

♦ **2.** Bruit de ce qui cogne ; bruit de coups. — Spécialt. Bruits sourds dans un moteur.

COGNER [kɔɲe] v. — XIIIᵉ ; « coincer », fin XIIᵉ ; du lat. *cuneare* « enfoncer un coin », de *cuneus* « coin ».

A. V. tr. dir. ♦ **1.** Vx ou fam. Heurter, frapper sur (qqch.). *Cogner un clou. Se cogner la tête :* cogner sa tête. *Cogner involontairement un meuble.*

1   (...) quels sont ses outils ? est-ce le coin ? Sont-ce le marteau ou l'enclume ? où fend-il, où cogne-t-il son ouvrage ?   LA BRUYÈRE, les Caractères, XII, 20.

Mod. (avec un compl. indirect). « *Quelqu'un cogne ses sabots sur le seuil* » (Alain-Fournier, *in* T.L.F.). « *Contre les vitres un arbre cognait ses branches* » (P.-J. Toulet, *in* T.L.F.).
Fig. *Se cogner la tête contre les murs* (face à un problème) : se heurter à des difficultés insurmontables.

♦ **2.** Pop. (Compl. n. de personne ou d'animé). Battre, rosser. *Arrête, ou je te cogne !*

♦ **3.** Fam. ou régional. Heurter à la porte de (qqn).

B. V. tr. ind. *(Cogner à, contre, sur...).* Frapper fort, à coups répétés (contre, sur).

2   C'était comme un clou sur lequel il ne cessait de cogner.
   P. MAC ORLAN, la Bandera, XV, p. 185.

Cogner à (contre, sur) la porte. ⇒ **Heurter.** *Cogner au mur, au plafond,* pour faire cesser le bruit chez les voisins.

3   Nanon vint cogner au mur pour inviter son maître à descendre.
   BALZAC, Eugénie Grandet, p. 117.

4   Un pauvre homme passait dans le givre et le vent.
Je cognai sur ma vitre ; il s'arrêta devant
Ma porte, que j'ouvris d'une façon civile.
   HUGO, les Contemplations, V, « En marche », IX.

(Sujet n. de choses). *Un volet qui cogne contre le mur.* ⇒ **Taper.**

C. V. intr. ou absolu. ♦ **1.** Frapper, heurter. *J'entends qqch. qui cogne. Quelle émotion ! mon cœur cogne,* bat violemment.

♦ **2.** Fam. Porter des coups. *Cogner dur, comme un sourd. Ce type ne sait que cogner.*

5   (...) il aimait cogner, lui aussi : même qu'il cognait dur !
   MARTIN DU GARD, les Thibault, t. III, p. 75.

6   Il la repousse brutalement *(une femme),* et l'on croit qu'il va cogner.
   GIDE, Voyage au Congo, *in* Souvenirs, Pl., p. 702.

♦ **3.** Spécialt (en parlant d'un moteur). Faire entendre des bruits sourds (⇒ **Cognement**).

7   Trois mille pistons. Six mille soupapes. Tout ce matériel grince, racle et cogne.   SAINT-EXUPÉRY, Pilote de guerre, Pl., p. 320.

(En parlant d'un tir d'artillerie) :

8   Le secteur venait de se calmer : une canonnade de routine, peu de lueurs dans un ciel sombre. C'était au loin vers l'Argonne que ça cognait dans le noir (...)
   DRIEU LA ROCHELLE, la Comédie de Charleroi, p. 298-299.

♦ **4.** Fig., fam. Sentir mauvais. ⇒ **Cocotter.** *Ouvrez la fenêtre, ça cogne ici !* — REM. Un dér. *cognotter,* dans ce sens, est attesté (Y. Gibeau, Allons z'enfants, p. 489).

9   Et puis alors l'odeur terrible !... comme ça quand il bouge... Il lui monte des

bouffées du corps... des os enfin... de la carcasse... il cogne de partout... quelque chose à pas croire !... CÉLINE, le Pont de Londres, p. 177.

▶ **SE COGNER** v. pron.

♦ **1.** Se heurter. *Il est maladroit ! Il se cogne partout. Se cogner à (contre) quelque chose.*

♦ **2.** (1834). Se battre. *Se cogner avec qqn.* — (Récipr.). *Ils se sont violemment cognés,* entrebattus. — Spécialt, vx. Se battre (à la guerre).

♦ **3.** Fig. *Se cogner au mur :* se heurter à des difficultés.

10 Dans la nuit où nous sommes tous, le savant se cogne au mur, tandis que l'ignorant reste tranquillement au milieu de la chambre.
FRANCE, le Jardin d'Épicure, p. 62.

DÉR. **Cognage,** 1. **cogne,** 2. **cogne, cognement, cognerie.**
HOM. **Cognée.**

COGNERIE [kɔɲʀi] n. f. — 1953 ; « rixe, bagarre où l'on cogne », 1883 ; de *cogner,* populaire.

♦ Argot vieilli. Gendarmerie, ensemble des « cognes* ».

COGNITIF, IVE [kɔgnitif, iv ; kɔɲitif, iv] adj. — 1541 ; attestation isolée v. 1370 ; du lat. *cognitum,* supin de *cognoscere* « connaître ».
Didactique.

♦ **1.** Qui est capable de connaître. *Faculté cognitive.* ⇒ **Cognition.**

♦ **2.** Qui concerne la connaissance. *L'activité cognitive.*

L'extraction brusque du colt hors de la veste dans une parabole impeccable ne signifie nullement la mort, car l'usage indique depuis longtemps qu'il s'agit d'une simple menace, dont l'effet peut être miraculeusement retourné : l'émergence du revolver n'a pas ici une valeur tragique, mais seulement cognitive.
R. BARTHES, Mythologies, 1957, p. 72.

Ling. *Fonction cognitive* (dans la communication, le langage). ⇒ **Référentiel.**

COGNITION [kɔgnisjɔ̃ ; kɔɲisjɔ̃] n. f. — XIVᵉ, *connission ;* lat. *cognitio.*

♦ Philos. Acte de connaître. Connaissance*, en général.

COGNOSCIBILITÉ [kɔgnɔsibilite] n. f. — 1900 ; de *cognoscible.*

♦ Didact. Caractère de ce qui peut être connu. *La cognoscibilité de l'Univers.*

COGNOSCIBLE [kɔgnɔsibl] adj. — 1878 ; bas lat. *cognoscibilis,* de *cognoscere* « connaître » ; cf. anc. provençal *conoisible.*

♦ Didact. Accessible à la connaissance ; qui peut être connu. ⇒ **Connaissable.**

DÉR. **Cognoscibilité.**
CONTR. **Incognoscible.**

COHABITANT, ANTE [kɔabitɑ̃, ɑ̃t] adj. et n. — XVIIIᵉ ; p. prés. de *cohabiter* (cf. cit.).

♦ (Personnes). Qui cohabite. — Var. anc. : *co-habitant.* — N. :

Ce succès jamais démenti, lui concilia singulièrement le respect et la confiance, non seulement de ses Co-habitants, mais encore de tous ceux des Bourgs circonvoisins. RESTIF DE LA BRETONNE, la Vie de mon père, p. 217.

COHABITATION [kɔabitasjɔ̃ ; kɔabitɑsjɔ̃] n. f. — 1704 ; *choabitacion,* attestation isolée, XIIIᵉ ; lat. *cohabitatio,* du supin de *cohabitare.* → Cohabiter.

♦ **1.** Situation de personnes qui vivent, habitent ensemble ; d'une personne qui habite avec une ou plusieurs autres. — Par euphém. Concubinage.

♦ **2.** (1836). Voisinage, fréquentation.

COHABITER [kɔabite ; kɔabite] v. intr. — 1541 ; « vivre comme époux », fin XIVᵉ ; lat. *cohabitare.* → Habiter.

♦ **1.** Habiter, vivre avec une autre personne, ensemble. ⇒ **Cohabitation.** *Cohabiter avec qqn. La crise du logement les oblige à cohabiter.*

Ce qu'il me faudrait, ce sont des journées planes, et si vides (...) Pour cela, il faut ne dépendre de personne, ne cohabiter avec personne, n'avoir pas d'affaires.
MONTHERLANT, le Démon du bien, p. 24.

♦ **2.** Fig. Coexister. *Des théories hétéroclites cohabitent dans son esprit.*

DÉR. **Cohabitant.** — (Du lat.) V. **Cohabitation.**

COHÉRENCE [kɔeʀɑ̃s] n. f. — 1524 ; lat. *cohærentia,* de *cohærens.* → Cohérent.

♦ **1.** (1585). Didact. Union* étroite des éléments. ⇒ **Adhérence, agrégation, cohésion, connexion, homogénéité.** *La cohérence des éléments, des parties.*

Dans le bois, la cohérence longitudinale est bien plus considérable que l'union transversale. BUFFON, Expérience sur les végétaux, *in* LITTRÉ. [1]

Les choses ou les parties, entre lesquelles il y a *cohérence,* sont jointes ou unies l'une *avec* l'autre ; les choses ou les parties entre lesquelles il y a *adhérence,* sont simplement jointes ou unies l'une *à* l'autre. C'est-à-dire qu'il y a connexion entre les premières, elles forment un tout ; et liaison seulement, jonction entre les dernières, elles ne sont qu'attachées l'une à l'autre (...) [2]
LAFAYE, Dict. des synonymes, p. 145.

♦ **2.** Cour. Liaison, rapport étroit d'idées qui s'accordent entre elles. « Absence de contradiction et de disparate entre les parties d'un argument, d'une doctrine, d'un ouvrage. » (Lalande). *S'exprimer avec cohérence.* ⇒ **Logique.** *Son raisonnement manque de cohérence. Cohérence entre divers éléments. Cohérence des idées, des parties d'un ensemble. Mettez un peu plus de cohérence dans tout cela.*

Puisque maintenant il est bien entendu qu'il ne s'agit que d'une fin d'ivresse, la cohérence et la vraisemblance strictes importent peu. [3]
J. ROMAINS, les Hommes de bonne volonté, t. V, XXIV, p. 233.

Caractère cohérent (d'un ensemble). La grande cohérence de ce parti. ⇒ **Unité.**

CONTR. **Décohérence, désagrégation.** — (Du sens 2) **Confusion, incohérence.**

COHÉRENT, ENTE [kɔeʀɑ̃, ɑ̃t] adj. — 1524 ; lat. *cohærens,* de *cohærere* « adhérer ensemble ».

♦ **1.** Didact. Qui présente de la cohérence*, de l'homogénéité. ⇒ **Homogène.** *Roche cohérente sinon massive* (→ Caverne, cit. 3).

Spécialt (phys.). Dont le déphasage ne varie pas dans le temps, dont les radiations sont en synchronie (syn. : *en phase*). *Lumière, sources lumineuses cohérentes.* — *Oscillateur cohérent* (fam. : un *coho*), en radar.

♦ **2.** (1798). Cour. (abstrait). Qui se compose de parties liées et harmonisées entre elles. ⇒ **Harmonieux, logique, ordonné, rationnel.** *Idées cohérentes. Discours cohérent dans toutes ses parties. Conduite cohérente. Un programme cohérent.*

Cette mère n'avait jamais eu rien de cohérent avec sa fille ; elle ne sut deviner aucune des véritables difficultés qui l'obligeaient à ne pas profiter des avantages de la Restauration, et à continuer sa vie solitaire. [1]
BALZAC, le Lys dans la vallée, Pl., t. VIII, p. 848.

Réserve faite quant au fond, je dois reconnaître que ses lettres forment un tout, parfaitement cohérent. MARTIN DU GARD, les Thibault, t. IX, XVI, p. 190. [2]

(Personnes). *Une équipe cohérente.* ⇒ **Homogène.** *Un groupe cohérent. Un amalgame peu cohérent de mécontents.*

CONTR. V. **Incohérent.**
DÉR. **Cohérer.**

COHÉRER [kɔeʀe] v. — Conjug. *céder.* — 1897 ; de *cohér(ent),* et suff. verbal.

♦ **1.** V. intr. Phys. Devenir cohérent (1.). « *Les molécules s'ordonnent, se pressent, cohèrent...* » (*Année sc. et industr.* 1898, p. 50, 1897).

♦ **2.** V. tr. Rendre cohérent. *Cohérer divers éléments, des arguments.*

COHÉREUR [kɔeʀœʀ] n. m. — 1890 ; dér. sav. du lat. *cohærere* « adhérer avec ».

♦ Phys., anciennt. Détecteur d'ondes hertziennes (inventé par Branly).

Le rêve est production de *ce qu'il faut* pour que la sensation (isolée) (généralement de la sensibilité générale) soit, *par le plus court possible, par les moyens de fortune de l'état d'absence,* — par le zig-zag de l'étincelle et non par système de cohéreurs ordonnés — (probabilité) — perçue.
VALÉRY, Cahiers, t. II, Pl., p. 153.

COHÉRITER [koeʀite ; kɔeʀite] v. intr. — 1866 ; de *co-,* et *hériter.*

♦ Dr. Hériter avec d'autres personnes (d'un même héritage).

COHÉRITIER, IÈRE [koeʀitje, jɛʀ ; kɔeʀitje, jɛʀ] n. — 1411 ; de *co-,* et *héritier.*

♦ Dr. Personne qui hérite en même temps que d'autres, dans un même héritage.

COHÉSIF, IVE [kɔezif, iv] adj. — Av. 1866 ; dér. du lat. *cohæsum*, supin de *cohærere* « adhérer ensemble ».

Didactique.

♦ **1.** Qui joint, unit, resserre. *Force cohésive. « Termes cohésifs entre eux »* (Dubos, *in* T. L. F.).

♦ **2.** Qui est formé d'éléments qui adhèrent ensemble.

Leur matière grasse et cohésive avait permis aux machines d'y couper comme dans une monstrueuse pâtisserie, n'y laissant ni protubérances, ni sillons, ni ombres portées. Jean RAY, les Derniers Contes de Canterbury, p. 120.

COHÉSION [kɔezjɔ̃] n. f. — 1740 ; lat. *cohæsio, cohæsionis*, de *cohærere* « adhérer ensemble ». → Cohérent.

♦ **1.** Force* par laquelle les molécules homogènes des corps adhèrent entre elles. ⇒ **Adhérence, agrégation, cohérence** (cit. 2) ; et aussi **inhérence.** *Force de cohésion qui rapproche.* ⇒ **Attraction.** *Résultat de la cohésion des parties d'un tout.* ⇒ **Ensemble.** *Contact par contiguïté, par cohésion. Cohésion des mortiers, du plâtre...*

1 La *cohérence* résulte de la *cohésion* : l'une marque l'état, l'autre la force. Si les corps perdaient leur *cohérence*, si Dieu suspendait l'action de la force de *cohésion*, tout serait réduit en poussière (BUFF.). LAFAYE, Dict. des synonymes, p. 191.

Résistance d'une pellicule protectrice (lubrifiant, etc.) à l'écrasement.

♦ **2.** (1823). Caractère d'unité dans les parties (d'un ensemble). ⇒ **Cohérence, connexion.** *Maintenir, renforcer la cohésion d'un groupe. La cohésion nécessaire des parties d'un État.*

2 Il faut le dire, dans ce grand corps (*l'Allemagne*), beaucoup de choses habituées ensemble par une longue cohésion, quoiqu'en réalité hétérogènes, paraissaient faire unité. MICHELET, Extraits historiques, Histoire du XIXe siècle, p. 386.

3 Une force de direction constante, qui est à l'âme ce que la pesanteur est au corps, assure la cohésion du groupe en inclinant dans un même temps les volontés individuelles. H. BERGSON, les Deux Sources de la morale et de la religion, IV, p. 283.

4 (...) la cohésion de l'armée, en face de l'armée ennemie, est faite de l'équilibre heureux où se maintiennent — émules et non rivales, non sujettes l'une de l'autre, mais secourablement dépendantes — les forces de ces chefs valeureux. GIDE, Ajax, 1.

♦ **3.** (1832). Cohérence, unité logique (d'une pensée, d'un exposé, d'une œuvre...). *Ce récit a une cohésion parfaite.* ⇒ **Harmonie, logique.**

5 L'histoire doit avoir pour objet l'unité vivante de l'esprit humain. Elle doit donc maintenir la cohésion de toutes ses pensées. R. ROLLAND, Musiciens d'autrefois, p. 8.

6 Il attirait à lui une nuée d'idées éparses et partielles, leur donnant sens et cohésion. J. ROMAINS, les Hommes de bonne volonté, t. III, IX, p. 133.

CONTR. **Confusion, décohésion, désagrégation, dispersion, incohésion.**

COHOBATION [kɔɔbasjɔ̃] n. f. — 1615 ; de *cohober*.

♦ Chim. Action de cohober ; son résultat (concentration par distillations répétées).

COHOBER [kɔɔbe] v. tr. — 1620 ; lat. des alchimistes *cohobare* ; de l'arabe *qŭhbāh* « couleur brunâtre ».

♦ **1.** Chim. Distiller à plusieurs reprises pour obtenir un liquide plus concentré.

♦ **2.** Fig. Condenser. — Au p. p. *« Le suc cohobé » d'un roman* (Huysmans).

DÉR. **Cohobation.**

COHORTE [kɔɔrt] n. f. — 1213 ; lat. *cohors, cohortis*.

♦ **1.** Antiq. rom. Corps d'infanterie qui formait la dixième partie de la légion romaine. *La cohorte était composée de centuries*. Cohortes prétoriennes, plus fortes que les cohortes des légions.*

1 La légion de Fer et la Foudroyante occupaient le centre de l'armée de Constance. En avant de la première ligne paraissaient les Vexillaires (...) Ils tenaient levés les signes militaires des cohortes, l'aigle, le dragon, le loup, le minotaure (...) CHATEAUBRIAND, les Martyrs, VI.

♦ **2.** Littér. et vx. Troupe de combattants. *De vaillantes cohortes. Rallier ses cohortes. La cohorte des Anges. Célestes cohortes.*

2 N'y reste-t-il que vous et vos saintes cohortes ? RACINE, Athalie, III, 7.

Mod. et fam. Troupe* de gens, d'individus. *Une joyeuse cohorte. Cohorte nombreuse. La cohorte des gens de lettres. S'avancer, défiler en cohorte.* ⇒ **Cortège, groupe.**

3 Il fut tout étonné d'ouïr cette cohorte
Le proclamer monarque au lieu de son roi mort. LA FONTAINE, Fables, X, 13.

4 La Société des Gens de Lettres défila donc en tête du cortège, derrière une vaste pancarte établie par les organisateurs pour indiquer à la foule, compacte sur les trottoirs, le caractère de notre cohorte, très nombreuse parce que la plupart de nos sociétaires et adhérents avaient répondu à mon appel. Georges LECOMTE, Ma traversée, p. 395.

Littér. (Choses). *« La cohorte des religions et des métaphysiques »* (Gautier).

♦ **3.** Démogr. Ensemble des individus ou des couples ayant vécu un événement semblable pendant la même période de temps.

COHUE [kɔy] n. f. — 1235, « halle » ; « siège d'une assemblée de justice, en Normandie », 1318 ; p.-ê. d'un verbe *cohuer, de *huer* « appeler » ; le sens médiéval est parfois repris en histoire.

♦ **1.** (1638). Assemblée nombreuse et tumultueuse. ⇒ **Foule, multitude.** *Cohue grouillante. Se faufiler dans la cohue* (→ Agile, cit. 5). *Une cohue de combattants.* ⇒ **Mêlée.**

1 (...) une cohue officielle (...) remplit (car il y a eu bousculade) d'un brouhaha peu conforme à la solennité du lieu et du moment (...) Louis MADELIN, l'Avènement de l'Empire, XV, Le sacre de Notre-Dame, p. 205.

2 (...) une cohue de soldats qui jouaient des coudes et s'écrasaient les pieds. R. DORGELÈS, les Croix de bois, II, p. 25.

♦ **2.** (Av. 1660). Cour. Bousculade, confusion, désordre, tumulte qui règnent dans une assemblée nombreuse. *Il y avait trop de cohue à ce bal. Quelle cohue ! Fuir la cohue, les hordes.*

3 Un désordre, un chaos, une cohue énorme (...) RACINE, les Plaideurs, III, 3.

4 La voilà arrivée dans la cohue de ce grand magasin sans qu'elle se soit aperçue du moment où elle décidait d'y venir. J. ROMAINS, les Hommes de bonne volonté, t. IV, XVII, p. 191.

Une cohue de voitures. — Fig., littér. *Une cohue « de lueurs »* (Huysmans), *« de vagues »* (Queffelec, *in* T. L. F.). — (Abstrait). *Une cohue d'idées extravagantes. « Une cohue d'intérêts et de passions contraires »* (A. France).

♦ **3.** Rare (sens étym.). Foire, marché.

CONTR. **Calme, silence.**

COI, COITE [kwa, kwat] adj. — 1080, *quei* ; fém., 1798 ; du lat. pop. *quetus, lat. class. *quietus*. → Quiet.

♦ Vx et littér. Qui se tient tranquille, immobile et silencieux. — Loc. mod. *Se tenir coi, coite. Demeurer, rester coi. En rester coi.* ⇒ **Abasourdi, muet, sidéré, stupéfait** (→ fam. En être comme deux ronds de flan*). *Rester coi devant des arguments* (→ Aligner, cit. 3).

1 Avec cela, sans être malade, j'ai des jours de souffrance qui me font rester coi et farouche. SAINTE-BEUVE, Correspondance, 321, 10 oct. 1833.

2 Le peuple obéit à sa voix (*le prophète Nathan*) ;
Moi-même, devant lui, comme un enfant, je me tiens coi (...) GIDE, Bethsabée, 1.

Vx. *En rester clos et coi.*

REM. Le fém. est rare.

CONTR. **Agité, bavard, bruyant, tourmenté.**

HOM. **Quoi.**

COIFFAGE [kwafaʒ] n. m. — 1849, G. Sand, « ensemble de la coiffure » ; de *coiffer*.

♦ **1.** Action de coiffer (qqn).

♦ **2.** Action de recouvrir (qqch.).

Spécialt (chir. dent.). *Coiffage de la pulpe, coiffage pulpaire*, par lequel on recouvre la pulpe dentaire (ou ce qui en est conservé) d'une substance non irritante.

COIFFANT, ANTE [kwafɑ̃, ɑ̃t] adj. — xxe ; de *coiffer*.

♦ Qui coiffe bien. *Un chapeau coiffant.* ⇒ **Seyant.** *Coupe (de cheveux) coiffante.*

La ligne Romance est très coiffante. Elle est d'inspiration romantique (...) Des bandeaux cernent l'ovale du visage (...) Dans la nuque, les cheveux sont très courts et relevés. P. GUTH, le Mariage du naïf, XII, p. 111.

N. m. Caractère de ce qui coiffe bien. *Avec sa coupe étudiée, ce chapeau vous assure un coiffant jeune.*

COIFFE [kwaf] n. f. — 1080 ; du bas lat. *cofea*, VIe ; du germanique *kufia « casque ».

♦ **1.** Coiffure* féminine en tissu faisant partie des costumes régionaux traditionnels, portée aujourd'hui encore à la campagne. ⇒ **Bavolet, béguin, bigouden, capeline, colinette.** *Coiffe des dames du XVe siècle. Coiffe paysanne. Coiffe de Boulonnaise, de Hollandaise. Les coiffes bretonnes. Une coiffe empesée. Le fond, la passe, les barbes, les ailettes d'une coiffe.*

1 Pour moi, je riais sous ma coiffe. Mme DE SÉVIGNÉ, 159, 22 avr. 1671.

2 Une coiffe, un bout de ruban sont pour les filles autant d'affaires importantes. FÉNELON, XVII, 83.

3 (...) elle était presque charmante avec son corsage de drap brodé, sa coiffe blanche à grandes ailes, et sa large collerette rappelant les fraises à la Médicis. LOTI, Mon frère Yves, XXXVIII, p. 107.

4 Elle se levait, massive, la tête auréolée par sa coiffe paysanne plaquée derrière l'occiput, ronde et blanche comme fromage frais. M. GENEVOIX, Raboliot, II, 3, p. 97.

Coiffe des religieuses. ⇒ **Cornette.**

Par anal. *Coiffe de cuir enveloppant la tête des oiseaux de fauconnerie.* ⇒ **Chaperon.**

♦ 2. (1680). Doublure (d'un chapeau, d'un casque, d'un képi). ⇒ **Calotte.**

5 Elle agitait le chapeau de paille de son mari, qui ne se retournait pas. Le chapeau de paille était vieux, la coiffe craqua dans ses mains.
GIRAUDOUX, les Aventures de Jérôme Bardini, p. 29.

♦ 3. ⓐ (1690). Vx. Portion des membranes fœtales entraînées par la tête de l'enfant lors de l'accouchement (⇒ **Coiffé**).

ⓑ Biol. *Coiffe céphalique* (du spermatozoïde). ⇒ **Acrosome, capuchon.**

ⓒ Membrane qui enveloppe les intestins des animaux de boucherie, du porc. ⇒ **Mésentère ; crépine.**

♦ 4. (1704). Bot. Enveloppe de la capsule (des mousses). — *Coiffe d'une racine,* sorte de capuchon qui la termine.

♦ 5. Techn. Partie qui couvre (chape, rebord). — Rebord du dos d'un livre relié.
Enveloppe d'un métal flexible, de cire, qui recouvre le bouchon (d'une bouteille). *Ouvrir la coiffe au couteau avant de déboucher.*
Extrémité profilée (d'une fusée, d'un lanceur), destinée à la protection de la charge utile. *Coiffe éjectable, largable, ouvrante.*

DÉR. Coiffer.

COIFFER [kwafe] v. tr. — V. 1280 ; de *coiffe.*

★ I. ♦ 1. (Sujet et compl. n. de personne).

ⓐ Couvrir la tête de (qqn). *Coiffer qqn d'une casquette. Coiffer qqn, se coiffer (d'un chapeau).* ⇒ **Chapeauter.** *Coiffer d'un casque* (⇒ **Casquer**), *d'un capuchon* (⇒ **Encapuchonner**). — Orner, parer la tête (de qqn). *Coiffer un enfant d'une couronne de fleurs.* ⇒ **Couronner.** — Au p. p. *Être coiffé d'un feutre.*

1 Oriante revint, coiffée d'un diadème, les cheveux sur les épaules, à la fois reine et suppliante, brûlante de désespoir et de fierté.
M. BARRÈS, Un jardin sur l'Oronte, p. 108.
2 Quand il fut prêt, il se coiffa d'un feutre gris dont le bord était rabattu par-devant.
P. MAC ORLAN, la Bandera, I, p. 10.
3 Ils étaient coiffés d'un fez arrondi, de couleur rouge, et surmonté d'une petite queue, comme celle d'un melon.
P. MAC ORLAN, la Bandera, VI, p. 73.
Le chapeau qui le coiffe. Absolt. *Cette toque coiffe bien.* ⇒ **Coiffant.**
Fig., fam. *Coiffer son mari (de cornes),* le tromper.

ⓑ Rare. (Ambiguïté avec le sens III). Fournir (qqn) de couvre-chefs. *La modiste qui la coiffe.* — Pron. *Se coiffer chez un grand chapelier.*

♦ 2. Mettre sur sa tête. *Coiffer un chapeau, un casque.*

4 Il se trouva dehors (...) sans presque avoir su qu'il revêtait un imperméable léger, coiffait un chapeau mou.
COLETTE, la Fin de Chéri, p. 141.
Fig. *Coiffer la couronne, la mitre, la tiare :* être élevé à la dignité de roi, d'évêque, de pape.
5 Ce fut la dernière fois que Talleyrand coiffa la mitre et officia sous la chape de drap d'or.
Louis MADELIN, Talleyrand, I, IV, p. 48.
(1840, *in* D.D.L.). Loc. fam. *Coiffer sainte Catherine,* se dit à propos d'une jeune fille encore célibataire à vingt-cinq ans. ⇒ **Catherinette.**
5.1 Jouandon se trouvait en butte aux manœuvres d'une intrigante nommée Gervaise, qui, ayant coiffé sainte Catherine à cause de sa laideur et de sa pauvreté, s'était mis en tête d'épouser le planteur opulent.
Raymond ROUSSEL, Impressions d'Afrique, p. 326.

♦ 3. Recouvrir (qqch.), surmonter de (qqch.). *Coiffer une bouteille. Coiffer une lampe d'un abat-jour de soie.*
(Sujet n. de chose). Recouvrir. *Navire qui se fait coiffer par une vague.* ⇒ **Capeler.**
6 La neige coiffait les collines et traînait en plaques à demi fondues dans les creux d'un sol calciné.
MARTIN DU GARD, les Thibault, t. IV, p. 43.
7 (...) il faut espérer qu'on n'aura pas besoin des casemates avant que les coupoles ne les coiffent.
ARAGON, les Communistes, mai 1940, I.

★ II. Fig. ♦ 1. Vx. Séduire (qqn) en le coiffant d'une idée (en la lui mettant dans la tête). — Pron. (1599). *Se coiffer de (qqn, qqch.) :* s'enticher, s'éprendre de (qqn, qqch.).

8 Fille se coiffe volontiers
D'amoureux à longue crinière.
LA FONTAINE, Fables, IV, 1.
9 Si on n'y songe pas assez *(à son ouvrage),* si on y songe trop, on s'entête, et on s'en coiffe.
PASCAL, Pensées, VI, 381.
10 (...) elle était au lit, belle et coiffée à coiffer tout le monde.
Mme DE SÉVIGNÉ, 539, 19 mai 1676.
11 (...) au milieu de ses disputes et de ses enragements contre François, elle s'était coiffée de lui tout doucement et sans se méfier du tour que lui jouait le diable.
G. SAND, François le Champi, XXII, p. 158.

♦ 2. (1906, *in* Petiot). Dépasser d'une tête à l'arrivée d'une course. — (1939). *Coiffer un concurrent,* le dépasser. *Se faire coiffer (au, sur le poteau) :* être battu (au dernier moment, sur la ligne d'arrivée).

♦ 3. Vén. Attraper l'animal poursuivi aux oreilles (en parlant du chien). *Meute qui coiffe le cerf.* — Fig. et vieilli. Prendre, attraper (qqn).

Disons le mot, votre mère était une femme entretenue, madame ! qui a fini sordidement, comme toutes ses pareilles quand elles ne réussissent pas à coiffer un imbécile à temps. 11.1
J. ANOUILH, la Valse des toréadors, IV, p. 195.

♦ 4. (1954). Réunir sous son autorité, être à la tête de. ⇒ **Chapeauter** (fig.). *Le directeur coiffe les services commerciaux.*

★ III. (Fin XIIIe). Arranger les cheveux de (qqn). ⇒ **Peigner.** *Coiffer qqn.* — Pron. *Se coiffer* (→ Après, cit. 58). *Elle est en train de se coiffer. Se faire coiffer par une amie. Se coiffer en brosse*.

12 (...) voir se coiffer, le soir,
Lise, une épingle entre les lèvres,
Éblouissement d'un miroir.
HUGO, la Légende des siècles, LVI, « Rupture avec ce qui amoindrit ».

Absolt. *Savoir coiffer. Aller se faire coiffer :* se rendre chez le coiffeur.

▶ **SE COIFFER** v. pron. → ci-dessus I., 1. ; II., 1. ; III.

▶ **COIFFÉ, ÉE** p. p. adj.

♦ 1. Qui porte une coiffe, une coiffure. *Une femme coiffée d'un béret* (→ Aigrette, cit. 3). ⇒ **Chapeauté.**

13 Ils échangeaient des rigolades avec des colons robustes coiffés de grands chapeaux de feutre noir.
P. MAC ORLAN, la Bandera, XIX, p. 232.
Spécialt. *Un enfant coiffé,* né avec une partie des membranes fœtales lui couvrant la tête. ⇒ **Coiffe,** 3., a. — Loc. fig. *Être né coiffé :* avoir de la chance.
14 (...) puisque tu n'as quitté ta patrie que pour chercher quelque bon poste, il faut que tu sois né coiffé, pour être tombé entre nos mains.
A.-R. LESAGE, Gil Blas, I, IV, p. 15.
14.1 Il prenait un petit peu de champ pour me contempler mieux à l'aise...
— Vous êtes coiffé !... J'avais pas de chapeau.
— Coiffé ! Coiffé du Destin ! Parfaitement ! Et là ! L'Aura ! là, je la vois ! (...) Il me la voyait ! Il me la décrivait dans l'air ! un petit cercle autour de ma tête !...
CÉLINE, Guignol's band, p. 321.

♦ 2. (Animaux, choses). Recouvert, surmonté.

15 Les bœufs attelés, indolents et forts — coiffés tous de la traditionnelle peau de mouton couleur de bête fauve qui leur donne l'air de bisons ou d'aurochs — traînaient ces chariots lourds (...)
LOTI, Ramuntcho, II, II, p. 213.
16 La maison était coiffée d'un grenier haut.
COLETTE, Histoires pour Bel-Gazou, III, « Où sont les enfants ? », p. 17.
17 La Copine disposa le café, une lampe à opium coiffée de son chapeau de verre (...)
COLETTE, la Fin de Chéri, p. 168.

♦ 3. (Personnes). Épris (de qqn), entiché (de qqch.). *Il en est coiffé !*

18 Et que de son Tartuffe elle paraît coiffée !
MOLIÈRE, Tartuffe, I, 2.

♦ 4. Dont les cheveux sont en ordre. *Elle est toujours bien, mal coiffée. Être coiffée en chignon, avec des nattes.*

♦ 5. Loc. fam. (au sens 1 de *coiffé*). *Chien coiffé, chèvre coiffée :* personne très laide. *Il serait amoureux d'une chèvre coiffée :* il aime toutes les femmes, jusqu'aux plus laides. — *Le premier chien coiffé (venu) :* n'importe qui.

19 C'est délicieux ! En sorte que je suis à la merci du premier chien coiffé venu (...)
COURTELINE, Boubouroche, 2, p. 155.

CONTR. Décoiffer ; décoiffé.
DÉR. Coiffage, coiffant, coiffeur, coiffure.
COMP. Décoiffer, recoiffer.

COIFFEUR, EUSE [kwafœR, φz] n. — 1669, *coifeur, coifeuse* ; de *coiffer,* III.

♦ Personne qui fait le métier de soigner et d'arranger les cheveux. ⇒ **Artiste** (capillaire), **capilliculteur, figaro** ; (fam.) **merlan** (cit. 2, 3). *Coiffeur pour hommes,* celui qui coiffe et fait la barbe. ⇒ (anciennt) **Barbier, perruquier.** *Apprenti, garçon coiffeur. Allez chez le coiffeur. Se faire couper, rafraîchir les cheveux par le coiffeur. Shampooing, friction, mise en plis, permanente, teinture exécutée par le coiffeur. Ciseaux, peigne, rasoir, tondeuse, séchoir de coiffeur. Tête en bois sur laquelle le coiffeur présente une coiffure, une perruque.* ⇒ **Marotte.**

1 Sur un signe affirmatif de la jeune femme elle lui peigna ses cheveux blonds tout en désordre (...) en noua les boucles soyeuses avec des nœuds de velours et s'acquitta de sa besogne en coiffeuse qui sait son métier.
Th. GAUTIER, le Capitaine Fracasse, t. II, p. 201.
2 Il s'habilla donc à la hâte et s'en alla se faire raser et peigner chez son coiffeur qui le reconnut.
P. MAC ORLAN, la Bandera, XIX, p. 233-234.
3 Au coiffeur avait succédé la manucure.
J. ROMAINS, les Hommes de bonne volonté, t. III, X, p. 136.

REM. Le fém. *coiffeuse* désigne plus souvent l'employée d'une maison de coiffure qu'une femme coiffeur.

Des minutes de coiffeur : de longs moments (d'attente).

4 Voilà. Mais i m'semble qu'ça fait bien cinq minutes que j'parle. — Cinq minutes de coiffeur même, dit Saturnin poliment. — Alors j'me dépêche.
R. QUENEAU, le Chiendent, p. 303.

COIFFEUSE [kwafφz] n. f. — 1901, *in* D.D.L. ; de (se) *coiffer,* III.

♦ Petite table de toilette munie d'une glace devant laquelle les femmes se coiffent, se fardent... *Une coiffeuse en acajou.*

1   Germaine avait ajouté une belle psyché Directoire, une coiffeuse Louis XVI, deux fauteuils de la même époque, et des bibelots.
      J. ROMAINS, les Hommes de bonne volonté, t. II, XI, p. 108.

2   Elle va s'asseoir sur un petit siège rond (...) devant la coiffeuse à miroir. Elle s'observe dans la glace avec une lente attention (...) puis commence à se démaquiller avec application (...)   A. ROBBE-GRILLET, la Maison de rendez-vous, p. 102.

COIFFURE [kwafyʀ] n. f. — 1718; *coeffure*, 1538; *coeffeure*, av. 1528; de *coiffer*.

★ I. (→ Coiffer, I.). **♦ 1.** Vieilli. *La coiffure* (collectif), parfois opposé à *la chaussure.* Ce qui sert à couvrir la tête ou à l'orner.

1   L'autre mois, on l'emploie à changer tous les jours
Quelque chose à l'habit, au linge, à la coiffure.
Le deuil enfin sert de parure,
En attendant d'autres atours.   LA FONTAINE, Fables, VI, 21.

♦ 2. *(Une, des coiffures).* Objet fabriqué servant à couvrir la tête (pour abriter, protéger, orner...). ⇒ **Couvre-chef** (vx); **béret, bonnet, calotte, chapeau, coiffe, toque; couronne, diadème.** *Mettre, porter une coiffure.* ⇒ **Coiffer** (se). *Enlever sa coiffure.* ⇒ **Découvrir** (se). *Coiffure de tissu arrangée sur la tête.* ⇒ **Crêpe, fanchon, madras, mantille, marmotte, mouchoir, serre-tête, turban, voile; filet, résille, réticule.** *Coiffure servant à porter des objets sur la tête.* ⇒ **Bourrelet, tortillon.** *Coiffure traditionnelle des femmes russes.* ⇒ **Kakochnik.** *Coiffe, bords, bride, jugulaire, visière d'une coiffure. Armature soutenant une coiffure* (→ **Arcelet**). *Coiffures antiques* (pschent), *anciennes* (atour, attifet, hennin; fontange, garcette), *orientales* (⇒ **Chéchia, fez, keffieh, kippa, tarbouch, turban**). *Coiffures militaires* (⇒ **Béret, 1. bob, bonnet, calot, casque, casquette, chapska, képi, shako**), *ecclésiastiques* (⇒ **Barrette, calotte, chapeau, mitre, tiare; cornette**), *de magistrat* (⇒ **Mortier, toque**).

2   Je veux une coiffure, en dépit de la mode,
Sous qui toute ma tête ait un abri commode.   MOLIÈRE, l'École des maris, I, 1.

3   Plus de coiffures élevées jusqu'aux nues, plus de casques, plus de rayons, plus de bourgognes, plus de jardinières.   Mme DE SÉVIGNÉ, 1321, 15 mai 1691.

4   Elle paraît ordinairement avec une coiffure plate et négligée, en simple déshabillé (...)   LA BRUYÈRE, les Caractères, III, 73.

5   (...) elles portent une haute coiffure rigide, pailletée d'argent ou d'or, qui est un peu comme le hennin de notre moyen âge occidental et que recouvre un voile « à la Vierge » (...)   LOTI, Jérusalem, IV, p. 42.

5.1   Deux hommes parurent (...) ils s'assirent, à la même minute, sur le même banc. Pour s'essuyer le front, ils retirèrent leurs coiffures que chacun posa près de soi; et le petit homme aperçut, écrit dans le chapeau de son voisin : Bouvard; pendant que celui-ci distinguait aisément dans la casquette du particulier en redingote le mot : Pécuchet.   FLAUBERT, Bouvard et Pécuchet, Pl., t. II, p. 713.

REM. *Coiffure* a un sens très général; on lui préfère souvent des mots plus précis (*chapeau, bonnet,* etc.) à cause de la confusion que font naître les deux sens du mot. On l'emploie chaque fois qu'on ne peut ou ne veut déterminer l'objet.

★ II. (1694, *coeffure à boucles;* → Coiffer, III.). **♦ 1.** Arrangement particulier des cheveux*. ⇒ aussi 2. **Coupe** (A., 4.). *Une coiffure apprêtée. Une coiffure négligée, en coup de vent. Coiffure raide, coiffure bouclée.* ⇒ **Anglaise, boucle.** *Coiffure à raie; sans raie. Coiffure à cheveux longs.* ⇒ **Natte, torsade, tresse.** *Coiffure à cheveux réunis derrière la tête.* ⇒ **Catogan, chignon, queue.** *Coiffure ornant les oreilles.* ⇒ **Aile** (de pigeon), **bandeau, macaron.** *Coiffure relevée, roulée.* ⇒ **Coque, rouleau.** *Coiffure qui descend sur le front.* ⇒ **Accroche-cœur; frange.** *Coiffure à mèche bombée au-dessus du front.* ⇒ **Banane.** *Coiffure à cheveux courts. Coiffure en brosse*, à la Bressant. Coiffure à la Titus :* coiffure en casque plate et sans raie. *Coiffure afro*; coiffure rasta* (composée de petites nattes). *Coiffure à la chien. Coiffure à la caniche, à l'Aiglon,* bouclé très court et sans raie. *Coiffure à la Jeanne d'Arc,* courte et raide, avec une frange. *Épingles, peignes, rubans, ornements qui tiennent une coiffure. Une coiffure seyante. Défaire une coiffure.* ⇒ **Cheveu.** *Elle change souvent de coiffure. Spécialiste de la coiffure.* ⇒ **Coiffeur.**

6   Sa coiffure lui seyait à ravir : ses cheveux, nattés en petites tresses comme ceux d'une odalisque ou d'une médaille de Sabine, se festonnaient en bandeau des deux côtés du front.   CHATEAUBRIAND, Mémoires d'outre-tombe, IV, IV.

7   (...) d'épaisses nattes de cheveux roulés en colimaçon au-dessus des oreilles — coiffure conservée des temps très anciens et qui donne encore un air d'autrefois aux femmes paimpolaises.   LOTI, Pêcheur d'Islande, I, III, p. 21.

8   Ses cheveux de soie jaune, comme on en met aux poupées, se partageaient en drôles de petites mèches, rebelles aux coiffures.   LOTI, Figures et Choses..., Passage d'enfant, p. 8.

9   La miniature représente une jeune dame à coiffure trilobée — une grosse coque en haut, une grappe de boucles, genre chipolatas, sur chaque tempe.   COLETTE, l'Étoile Vesper, p. 98.

♦ 2. Métier, technique du coiffeur (⇒ **Capilliculture**). *Travailler dans la (haute) coiffure. La coiffure est un métier fatigant. Salon de coiffure :* atelier de coiffeur. *École de coiffure.*

COIN [kwẽ] n. m. — XIIe; du lat. *cuneus* «coin à fendre».

★ I. ♦ 1. Pièce de bois ou de métal, de forme prismatique triangulaire, utilisée pour fendre des matériaux, serrer et assujettir certains objets, certaines parties d'objets. *Le bondieu, l'ébuard, coins pour fendre les bûches. Coin pour tailler les blocs d'ardoise.* ⇒ **Alignoir.** *Assujettir avec des coins* (⇒ **Coinçage, coincement**). *Coin de fer pour affermir le manche d'un outil. Coin utilisé dans la boisage*

des puits de mines. ⇒ **Picot.** *Coin pour caler un meuble boiteux.* ⇒ 3. **Cale,** 3. *Ôter les coins.* ⇒ **Décoincer.** *Coin de calfat.* ⇒ **Patarasse.**

1   (...) quels sont ses outils? est-ce le coin? sont-ce le marteau ou l'enclume?   LA BRUYÈRE, les Caractères, XII, 20.

En forme de coin. ⇒ **Cunéiforme** (écriture). *Os de la boîte crânienne inséré en coin.* ⇒ **Sphénoïde.** *Se rétrécir en (forme de) coin.*

Techn. *Coin (ou pièce de coin) d'un conteneur. Coins de toiture, de plancher.*

♦ 2. Morceau d'acier gravé en creux qui sert à frapper les monnaies et les médailles. *Monnaie à fleur de coin,* que le frottement n'a pas encore usée et qui est aussi nette qu'à sa sortie de dessous le coin (par opposition à la *monnaie fruste,* usée par le frottement).

1.1   Le traiteur se retira fort content d'avoir été payé en belles pièces d'or à fleurs de coin : on n'en voyait pas d'autres dans le palais du calife.   A. GALLAND, les Mille et une Nuits, t. III, p. 28.

1.2   Si l'on considère qu'un coin pouvait battre environ quinze mille pièces avant d'être remplacé, on peut estimer la valeur de ces émissions à quelque 120 000 livres.   Georges DUBY, Guerriers et Paysans, p. 149.

*Poinçon** de garantie pour marquer les bijoux, les pièces d'argenterie et d'orfèvrerie.*

Fig. ⇒ **Empreinte, marque, sceau.** Loc. *Cela est frappé, est marqué à tel coin :* on y reconnaît tel caractère, tel cachet. *Une réflexion marquée au coin du bon sens. — Marqué au coin de l'auteur, de l'ouvrier* (cit. 11).

2   *(Des vers)* marqués au coin de l'immortalité!   BOILEAU, Épîtres, X.

★ II. ♦ 1. Angle rentrant ou saillant formé par la rencontre de deux ou trois lignes, de deux ou trois surfaces. *Figure géométrique à quatre coins* (⇒ **Carré, quadrilatère**). *Coin d'une feuille de papier replié.* ⇒ **Corne.** *Marquer la page en repliant le coin. Coins de métal, de cuir qui garnissent les angles d'un registre, d'un livre. — Manger sur le coin d'une table. Le coin d'un mouchoir, d'un tapis. Coins datés* (d'une feuille de timbres).

3   À terre, un coin du tapis est relevé, le milieu du tapis forme un pli disgracieux, et le dessin usé cache à peine la corde.   J. ROMAINS, les Hommes de bonne volonté, t. V, XXI, p. 165.

Les quatre coins d'une chambre, les quatre angles. ⇒ **Encoignure, renfoncement;** fam. **coinstot.** — *Punir un enfant en le mettant au coin.*

3.1   Quand on n'était pas sage, on allait au coin avec une queue d'artichaut dans la bouche pour bien comprendre l'amertume de la faute.   J. PRÉVERT, Choses et autres, p. 35.

Étagère, meuble de coin, de forme triangulaire. ⇒ **Écoinçon, encoignure.** — Par ext. *Au coin du feu. — Coin-de-feu :* siège carré à dossier angulaire; vêtement d'intérieur. — Fig. *Ne pas quitter le coin de son feu,* son chez-soi.

4   C'était un temps à garder le coin du feu.   Mme DE SÉVIGNÉ, 1248, 1er janv. 1690.

5   Nous passâmes cette première soirée chez nous, assis au coin du feu comme en hiver.   Alphonse DAUDET, le Petit Chose, II, XIV.

6   Il revoit le divan, le coin où il s'est mis, les coussins où il s'est appuyé.   J. ROMAINS, les Hommes de bonne volonté, t. II, X, p. 104.

Les coins d'un compartiment de wagon. Retenir une place de coin, un coin. Coin fenêtre, coin couloir. — S'asseoir, se chauffer au coin de la cheminée, à l'angle de la cheminée.

6.1   Julie l'accompagna, elle lui avait retenu un coin fenêtre de troisième classe (...)   R. QUENEAU, le Dimanche de la vie, p. 70.

Le coin de la rue : l'endroit où deux rues se coupent.

7   Envoyez des soldats à chaque coin des rues.   CORNEILLE, Héraclius, III, 4.

Fam. *Allez donc chez le marchand du coin,* le plus proche. *Le marchand, le bistrot, l'épicier... du coin :* le premier (marchand, bistrot, etc.) venu.

7.1   Montrez-lui quelque chose de très simple (...) n'importe quoi, un objet quelconque, un homme, une œuvre d'art, il juge souvent plus mal, plus faux que l'épicier du coin (...) il ne comprend absolument rien (...)   N. SARRAUTE, le Planétarium, p. 306.

Rencontrer qqn au coin d'une rue, par surprise. *Le coin d'un bois :* l'endroit où une route coupe un bois; la corne* que fait l'orée d'un bois. — Fig. *Mourir au coin d'un bois, d'une haie,* sans secours et sans assistance. *Avoir une mine à demander l'aumône au coin d'un bois :* avoir une mine patibulaire. *On n'aimerait pas le rencontrer au coin d'un bois* (même sens). ⇒ **Bois.**

8   (...) si jamais je le rencontre au coin d'un bois, il passera un mauvais quart d'heure.   A. JARRY, Ubu roi, I, 1.

Par ext. *Le coin de la bouche, des lèvres.* ⇒ **Commissure.** *Coins de la bouche qui montent jusqu'aux oreilles* (→ **Bouche,** cit. 4, et aussi cit. 5 et 7). — *Le coin des yeux. — (Au, du coin...). Avoir des rides au coin de l'œil. Regarder* du coin de l'œil. Regarder en coin,* imperceptible et railleur.

9   (...) ma belle-fille regarde les Rochers du coin de l'œil, comme moi, mourant d'envie d'aller s'y reposer.   Mme DE SÉVIGNÉ, 1175, 11 mai 1689.

10   M. Morin avait la face pleine et de grosses lèvres dont les coins retroussés rejoignaient les favoris poivre et sel.   FRANCE, le Petit Pierre, XVI, p. 94.

10.1   Moi, je rêvais d'en être *(de la police).* Je m'en ouvris à Sieffer, un inspecteur de

la mondaine que j'avais eu la chance de rencontrer. Il m'écouta, sourire en coin mais avec une sollicitude paternelle et voulut bien me prendre dans son service.
> Patrick MODIANO, les Boulevards de ceinture, p. 149.

Jeu des quatre coins ; les quatre coins : jeu où les quatre joueurs qui occupent les angles d'un quadrilatère doivent changer de coin tandis qu'un cinquième joueur essaye d'occuper un coin libre. *Jouer aux quatre coins.* — Par compar.

10.2 Quantité de gros lézards gris fuient devant nos pas et regagnent le tronc de l'arbre le plus proche, comme à un jeu des quatre coins.
> GIDE, Voyage au Congo, *in* Souvenirs, Pl., p. 687.

♦ **2.** Petit espace (d'une maison, d'un pays) ; portion de champ, de domaine. *Être logé dans un petit coin. Se retirer dans un coin.* — Loc. *Coin de terre. Posséder, cultiver un coin de terre.*

11 (...) cachée en un coin de ce vaste édifice (...)   RACINE, Athalie, v, 1.
12 Elle (*Mme de la Tour*) résolut de cultiver avec son esclave un petit coin de terre (...)   BERNARDIN DE SAINT-PIERRE, Paul et Virginie, p. 16.
13 (...) le réchaud à repasser, équipé en gril à braise, encombrait un coin de la terrasse (...)   COLETTE, la Naissance du jour, p. 60.
13.1 Ce petit coin de forêt nous paraît plus beau que tout ce que nous avons vu dans notre longue promenade aux environs d'Eala.
> GIDE, Voyage au Congo, *in* Souvenirs, Pl., p. 706.

Fureter dans les coins.

14 Mon chameau de concierge est censé me faire mon ménage trois jours par semaine. Je ne suis pas sur son dos. Je vous dirai que j'aime autant qu'elle ne furète pas trop dans les coins.
> J. ROMAINS, les Hommes de bonne volonté, t. V, XXI, p. 166.

Au figuré :

15 Chez Mauriac, le renouvellement n'est pas dans le décor, ni dans la troupe, mais dans l'analyse des passions. Il creuse toujours le même coin de terre, mais chaque fois plus profondément.
> A. MAUROIS, Études littéraires, F. Mauriac, t. II, v, p. 60.

Par ext. *Apercevoir un coin de ciel bleu.* (Avec un subst. en appos.). *Salle de séjour avec coin cuisine. Coin repas. Coin bureau.*

♦ **3.** Endroit retiré, peu exposé à la vue ou peu fréquenté. ⇒ fam. **Coinstot.** *Jetez cela dans un coin. Se cacher dans un coin. Chercher qqch. dans tous les coins et recoins.* — *Vivre dans un coin de province. Un coin retiré dans la campagne. Acheter une maison dans un petit coin tranquille. Je ne suis jamais allé dans ce coin-là.* — *C'est un coin idéal pour la pêche. Pêcheur qui a ses coins* (→ ci-dessous, cit. 20.1).

16 Je vous plains : car pour moi, dans ce péril extrême,
Je saurai m'éloigner, ou vivre en quelque coin,   LA FONTAINE, Fables, I, 8.
17 Il se cache en un coin, respire et prend courage.   LA FONTAINE, Fables, IV, 21.
18 Qu'heureux est le mortel qui, du monde ignoré,
Vit content de soi-même en un coin retiré.   BOILEAU, Épîtres, VI.
19 Dans quelque coin du monde que j'achève ma vie, soyez sûr, Monseigneur, que je ferai continuellement des vœux pour vous.
> VOLTAIRE, Au roi de Prusse, 26 août 1736.
20 C'est si bien le coin que je cherchais, un petit coin parfumé et chaud, à mille lieues des journaux, des fiacres, du brouillard (...)
> Alphonse DAUDET, Lettres de mon moulin, « Installation ».
20.1 L'ancien bras de la Filature, où ne stagnait d'ordinaire qu'un peu d'eau croupie sous les ronces, coulait à plein, comme autrefois, avant 1914. Deux ou trois vieux du pays en parlaient encore comme du meilleur coin pour les grosses truites — et l'eau courait sous mes yeux, indubitable.
> André HARDELLET, Lourdes, lentes..., p. 157.

Emplacement réservé (à des objets, une activité). *Le coin des livres, des disques. C'est le coin des balais. Le coin du bricolage.* — Partie (d'un espace) que l'on réserve à son usage personnel. *Ici, c'est mon coin.* Fig. *Rester dans son coin.*

Par euphém. **LE PETIT COIN :** les cabinets. *Aller au petit coin.*
Rubrique réservée à une activité (dans un périodique). *Le coin des philatélistes, du bricoleur.* ⇒ **Rubrique.**

♦ **4.** Loc. *Les quatre coins de...* ⇒ **Bout, extrémité.** *Les quatre coins du pays, du monde. Chercher aux quatre coins de la ville.* ⇒ **Partout.**

21 Cet esprit de discorde et de défiance qui soufflait la guerre aux quatre coins de l'Europe.   RACINE, Disc. à l'Académie.
22 (...) comme des appels successifs de trompe pour un rassemblement qui doit se faire aux quatre coins de l'horizon.
> J. ROMAINS, les Hommes de bonne volonté, t. IV, XXIII, p. 253.

♦ **5.** Partie infime (d'une surface).

23 Je vis d'elle (*Bella*) le seul coin de chair qui fût fatigué, qui portât trace de la vie, ses paupières.   GIRAUDOUX, Bella, II, p. 43.

Fig. Petite partie ou endroit reculé. *Avoir une idée dans le coin de la tête. Garder un souvenir dans le coin de sa mémoire. Fouiller les coins de sa conscience.*

24 Il fallait ramasser dans tous les coins de ma conscience un tas de vieux péchés qui traînaient là depuis sept ans.   Alphonse DAUDET, le Petit Chose, I, I.

♦ **6.** Loc. (Idée de lieu retiré, difficile d'accès). *Connaître une question dans les coins,* parfaitement.

25 Oh ! nous continuerons d'écrire (...) Vous dites : « Souveraines et vastes chimères », et nous ne comprenons pas. Nous remuons la tête avec un sourire, car nous la connaissons, celle-là, et dans les coins.   J. RENARD, Journal, avril 1896.

(1859). Loc. fig. *Blague dans le coin* (⇒ 2. **Blague,** cit. 1.2) : blague laissée de côté ; sérieusement. → 1. Plante, cit. 1.

En boucher un coin à qqn, le remplir d'étonnement. ⇒ 1. **Boucher** (cit. 2.2, 2.3 et *supra*).

CONTR. Centre, milieu.
DÉR. et COMP. Coincer, coinstot, écoinçon, encoignure, recoin, rencogner. — V. Cogner.
HOM. Coing, coint.

COINÇAGE [kwɛ̃saʒ] n. m. — 1863 ; de *coincer*.

♦ Le fait de coincer. — Spécialt (ch. de fer). Action de serrer les rails avec des coins.

COINCEMENT [kwɛ̃smɑ̃] n. m. — V. 1890 ; de *coincer*.

♦ **1.** État de ce qui est coincé. — Spécialt. Blocage dans le fonctionnement d'une pièce mécanique.

(1927, *in* Petiot). Alpin. Mouvement d'escalade où l'on coince son pied, sa jambe, son poing..., le poids du corps assurant la solidité de la prise. ⇒ **Verrou.**

Il atteint l'endroit où la fissure se resserre jusqu'à ne plus permettre que le coincement précaire d'un genou et d'un bras.   1
> R. FRISON-ROCHE, Premier de cordée, p. 63.

♦ **2.** Fig. Blocage dû à une difficulté qui survient.

Il en était à ce moment où, sommé soudain de fonctionner dans une nouvelle langue, l'esprit s'exposait à des coincements et blocages de mécanismes.   2
> J. ROMAINS, les Hommes de bonne volonté, t. V, XXVI, p. 250.

COINCER [kwɛ̃se] v. — Conjug. *placer.* — 1773, *coinser* ; de *coin.*

★ **I.** V. tr. ♦ **1.** Assujettir, fixer avec des coins (I., 1.). *Coincer des rails.* — Par ext. ⇒ **Bloquer, immobiliser, serrer.** *Coincer un mécanisme, un organe mécanique avec une clavette, une cheville.* — Immobiliser (un dispositif mobile) par accident. *Elle a coincé sa fermeture éclair.*

Pron. *Se coincer :* se bloquer sous l'action d'un agent extérieur, cesser de fonctionner. *Ce mécanisme se coince, s'est coincé.*

Loc. fam. *Coincer la bulle.* ⇒ 1. **Bulle** (cit. 5.2 et *supra*) ; 2. **buller.**

♦ **2.** [a] Immobiliser, serrer dans un espace étroit. *Les motards ont coincé la voiture du chauffard contre le trottoir. Il nous a coincé dans une encoignure pour nous raconter ses malheurs.*

[b] Fam. Rendre impraticable. *La foule coinçait le passage, la sortie.* ⇒ **Bloquer.** — *La glace coince les tuyaux.*

♦ **3.** Fig. et fam. (Compl. n. de personne). Mettre dans l'impossibilité de se mouvoir, retenir. *Se faire coincer :* se faire prendre. *On a coincé le voleur.* ⇒ **Pincer.**

Hier, si je l'avais coincé, je l'étranglais comme une gerboise.   1
> P. MAC ORLAN, la Bandera, VII, p. 86.

Réduire à l'impuissance. *Il l'a coincé sur cette question.*

Ni avec vous ni sans vous... « Plus qu'aucun intellectuel communiste, Sartre aura été coincé entre ces deux impossibilités. »   1.1
> F. MAURIAC, le Nouveau Bloc-notes, 1958-1960, p. 360.

★ **II.** V. intr. (syn. de *se coincer*). ♦ **1.** Être coincé, bloqué. *Dispositif qui coince.*

♦ **2.** Fam. (Personnes). Être bloqué, incapable d'avancer, de fonctionner. *Il coince sur les maths.*

▶ **COINCÉ, ÉE** p. p. adj.

♦ **1.** Fixé ; bloqué, immobilisé.

J'ai mis longtemps à ouvrir la porte, parce qu'une pièce du loquet était rouillée et coincée.   J. ROMAINS, les Hommes de bonne volonté, t. III, XIX, p. 270.   2

Retenu par des agents extérieurs.

Coincée, heurtée, précipitée, c'est merveille si la caisse arrive entière.   3
> GIDE, Voyage au Congo, *in* Souvenirs, Pl., p. 688.

♦ **2.** Fam. Pris, réduit à l'impuissance. *Être coincé comme un rat.*

Il s'était retrouvé avec une dizaine de fournisseurs aux trousses qui le tenaient pour responsable, et lui avaient coupé tout crédit. Il était absolument coincé.   4
> Roger NAÏM, l'Ère des truands, p. 18.

♦ **3.** Fam. Inhibé, incapable de s'exprimer. *Elle est timide et coincée. Il est complètement coincé.* — *Un petit sourire coincé.*

DÉR. Coinçage, coincement, coinceur. — V. Coincher.

COINCETOT [kwɛ̃sto] n. m. ⇒ **Coinstot.**

COINCEUR [kwɛ̃sœʀ] n. m. — Après 1950 ; de *coincer,* et suff. *-eur.*

♦ Alpin. En escalade artificielle, Instrument que l'alpiniste coince dans les fissures. *Coinceurs emboîtables. Coinceur pour fissures larges, pour fissures ouvertes.*

COINCHER [kwɛ̃ʃe] v. tr. — Av. 1928, au p. p., Genevoix; p.-ê. forme régionale (normande, picarde) de *coincer*.

♦ Régional. Contrer (à la belote, la manille).

▶ **COINCHÉ, ÉE** p. p. adj.

Où l'on peut coincher. *Belote, manille coinchée.* — N. f. «*J'aime bien (...) faire une petite coinchée au café du coin*» (*l'Express,* 12 déc. 1977, p. 187).

Le patron (...) y organisait de gigantesques parties de billard, de belote, de coinchée et de «tout atout sans atout». R. SABATIER, les Allumettes suédoises, p. 83.

COÏNCIDENCE [kɔɛ̃sidɑ̃s] n. f. — 1464, *coincidance* «similitude»; de *coïncider.*

♦ **1.** (1753). Géom. Propriété qu'ont des lignes, des surfaces, de se recouvrir exactement quand on les superpose. *Coïncidence de figures homologues.*

♦ **2.** (1791). Cour. Fait de se produire en même temps. ⇒ **Correspondance, simultanéité, synchronisme.** *La coïncidence entre deux faits, d'un fait et d'un autre.*

1 La vertu n'amène pas le bonheur, le crime n'amène pas le malheur; la conscience a une logique, le sort en a une autre; nulle coïncidence. HUGO, les Travailleurs de la mer, III, III, II.

Électron. *Montage en coïncidence.*

♦ **3.** Événements qui arrivent ensemble par hasard. ⇒ **Rencontre.** *Par une coïncidence.* ⇒ **Concours** (de circonstances). *Coïncidence curieuse, étonnante, remarquable. Quelle coïncidence!*

2 Oh! je suis entré bien par hasard. Ou plus exactement, par une assez curieuse coïncidence. J. ROMAINS, les Hommes de bonne volonté, t. II, XI, p. 110.

CONTR. **Différence, divergence, opposition; succession.**

COÏNCIDENT, ENTE [kɔɛ̃sidɑ̃, ɑ̃t] adj. — 1534; de *coïncider.*

♦ Didact. Qui coïncide (dans l'espace ou dans le temps). *Surfaces coïncidentes. Symptômes coïncidents d'une maladie.* — *Des faits coïncidents.* ⇒ **Simultané.**

CONTR. **Divergent, opposé; précédent, suivant.**
HOM. (P. prés. de *coïncider*) **Coïncidant.**

COÏNCIDER [kɔɛ̃side] v. intr. — V. 1370; lat. médiéval *coincidere* «tomber ensemble», de *co-*, et *incidere*; → Incident.

♦ **1.** (1753). Géom. Se recouvrir exactement sur tous les points. *Deux cercles de même rayon coïncident.*

♦ **2.** (1794). Arriver, se produire en même temps. *Sa venue coïncide avec l'événement. Les deux faits coïncidèrent. Faire coïncider quelque chose avec (et) quelque chose.* ⇒ **Accorder.** *Coïncider ensemble.*

1 (...) cet anachronisme qui empêche si souvent le calendrier des faits de coïncider avec celui des sentiments. PROUST, Sodome et Gomorrhe, I.

♦ **3.** (XIXᵉ). Correspondre exactement. ⇒ **Accorder** (s'), **confondre** (se), **recouper** (se). *Les deux témoignages coïncident. Ses qualités coïncident avec les vôtres.*

2 L'idéal du critique, dit Thibaudet, est de coïncider avec l'esprit créateur du romancier. Julien BENDA, la France byzantine, p. 42.

CONTR. **Diverger.** — **Précéder, suivre.**
DÉR. **Coïncidence, coïncident.**

COIN-COIN [kwɛ̃kwɛ̃] onomat. et n. m. invar. — 1748, Fontenelle; onomat. relativement arbitraire pour évoquer le grognement du porc (G. Sand, 1858), le cri du canard, etc. (d'autres langues ont des formes différentes pour les mêmes sons).

♦ Onomat. *Faire coin-coin.* — N. m. *Faire, pousser des coin-coin.*
Var. *Un couin* (pour éviter l'homographie avec *coin*).

(...) l'avocat d'Albin Fage, ce terrible ricaneur de Margery dont le «couin» nasillard fait pouffer, rien qu'à l'entendre, la salle et le tribunal. Alphonse DAUDET, l'Immortel, p. 357.

CO-INCULPÉ, ÉE ou **COÏNCULPÉ, ÉE** [kɔɛ̃kylpe; kɔɛ̃kylpe] n. — 1869; de *co-* «avec», et *inculpé.*

♦ Dr. Personne inculpée en même temps que d'autres, pour le même délit.

J'avoue être coupable de tout ce dont on m'incrimine. J'ajoute que tous les co-inculpés ont participé à tous mes... disons forfaits, ou qu'ils en ont eu connaissance. ARAGON, Anicet, XV, p. 196.

COING [kwɛ̃] n. m. — 1552; *cooing,* v. 1170, le *g* d'après *cognassier; cooin,* 1138; lat. *cotoneum,* grec *Kudonia (mala)* «pomme de Cydonea».

♦ Fruit du cognassier* greffé, âpre et astringent. ⇒ **Cognasse.** *Les coings ne se consomment que cuits. Confiture de coings.* ⇒ **Cotignac.** *Gelée, pâte de coings. Sirop de coing employé en médecine*

comme édulcorant. *La bandoline était préparée avec des pépins de coings.*

1 Noué rouillé comme un falot
Et cahotant comme un éclair
Le coing réserve sa saveur. ÉLUARD, le Livre ouvert, II, *in* Pl., t. I, p. 1085.

Fig. et fam. *Être jaune comme un coing :* avoir le teint très jaune.

2 (...) une petite femme maigre, souffreteuse, jaune comme un coing (...) Alphonse DAUDET, le Petit Chose, I, V.

DÉR. **Cognasse.**
HOM. **Coin, coint.**

COINSTOT [kwɛ̃sto] n. m. — 1901; de *coin.*

♦ Fam. Coin (encognure ou endroit). *Il (n') y a personne dans le coinstot.*

(...) on a fait exprès d'en semer sur la route, des gens qui ont vécu dans ce coinstot. R. QUENEAU, Pierrot mon ami, éd. L. de Poche, p. 141.

REM. On écrit aussi *coincetot.*

COINT, COINTE [kwɛ̃, kwɛ̃t] adj. — Mil. XIᵉ; lat. *cognitus* «connu», d'où «sage, habile».

♦ Archaïsme médiéval. Joli, charmant.

HOM. (Du masc.) **Coin, coing.**

COINTREAU [kwɛ̃tro] n. m. — XXᵉ; nom propre, marque déposée.

♦ Liqueur à base d'orange de la marque *Cointreau. Du Cointreau.* — Par métonymie. *Un Cointreau.*

Un vermouth cassis, Ernest, et un Cointreau. Le Cointreau, c'est excellent pour la santé. Ça tonifie. ARAGON, Anicet, XV, p. 190.

COÏT [kɔit] n. m. — 1575; *cohit,* 1304; lat. *coitus,* de *coire* «aller ensemble».

♦ Accouplement du mâle avec la femelle. ⇒ **Copulation.** *Coït interrompu* (ou didact. *coitus interruptus*) : interruption du coït, opérée par l'homme avant d'atteindre l'orgasme (pratiquée dans un but contraceptif; syn. : *rapport réservé*).

Par métaphore :

O ruffians! bâtards de la fortune obscène,
Nés du honteux coït de l'intrigue et du sort! HUGO, les Châtiments, I, V.

DÉR. **Coïter.**

COITE ou **COITTE** [kwat] n. f. ⇒ 1. **Couette.**

COÏTER [kɔite] v. intr. — 1850, Flaubert; de *coït.*

♦ Didact. S'accoupler; faire l'acte sexuel, faire l'amour*.

Brunelleschi, lui, est tout à fait enraciné à la terre, et c'est terrestrement et sexuellement qu'il désire Selvaggia. Il ne pense qu'à coïter. A. ARTAUD, l'Ombilic des limbes, *in* Œ. compl., t. I, p. 57.

COITUS INTERRUPTUS [kɔitysɛ̃tɛʀyptys] n. m. ⇒ **Coït** (interrompu).

COJOUISSANCE [kɔʒwisɑ̃s; kɔʒwisɑ̃s] n. f. — 1835; de *co-*, et *jouissance.*

♦ Dr. Le fait de jouir en même temps du même bien; jouissance (2. ou 3.) simultanée.

1. COKE [kɔk] n. m. — 1816; *coak,* 1797; *coucke,* 1758; mot anglais.

♦ Résidu solide de la carbonisation ou de la distillation de certaines houilles* grasses. *Production du coke.* ⇒ **Cokéfaction.** *Four à coke. Fabrique de coke.* ⇒ **Cokerie.** *Coke métallurgique,* servant au chauffage des hauts fourneaux. *Coke de gaz :* résidu de la fabrication du gaz d'éclairage, enlevé par délutage*. *Semi-coke* ou *coalite. Coke de pétrole,* tiré de brai de pétrole. *Usage domestique du coke en agglomérés*. *Coke en stock,* titre d'un album de Hergé.

1 Le coke a concentré tout le carbone de la houille, le combustible solide; sous un moindre poids, il donne une plus grande chaleur : il en faut donc moins jeter dans la fournaise; nouvel avantage d'employer le coke au lieu de la houille crue. L. SIMONIN, le Creusot et les Mines de Saône-et-Loire, *in* le Tour du monde, 1867, t. I, p. 182.

2 Je l'entendis qui soupirait en remuant le coke dans le poêle. H. BOSCO, Un rameau de la nuit, p. 52.

DÉR. **Cokéfier, cokerie.**
HOM. **Coq, coque.**

2. COKE [kɔk] n. f. ⇒ **Cocaïne,** 2.

3. COKE [kɔk ; kok] n. m. ⇒ **Coca-cola.**

COKÉFACTION [kɔkefaksjɔ̃] n. f. — 1921 ; de *cokéfier.*

♦ Techn. Transformation de la houille en coke (par la chaleur).

COKÉFIABLE [kɔkefjabl] adj. — 1923 ; de *cokéfier.*

♦ Techn. Qui peut être transformé en coke. *Charbon, houille cokéfiable.*

COKÉFIER [kɔkefje] v. tr. — 1911 ; de 1. *coke.*

♦ Techn. Transformer en coke. *Charbon qui peut être cokéfié* (⇒ **Cokéfiable**).

DÉR. Cokéfaction, cokéfiable.

COKERIE [kɔkʀi] n. f. — 1882 ; de 1. *coke.*

♦ Techn. Usine où l'on produit, où l'on traite le coke.

COL [kɔl] n. m. — 1080 ; du lat. *collum.* → Cou.

★ I. ♦ **1.** Vx ou littér. Cou.

1   Je devais vous avoir dépeint (...)
La posture du Dieu ; son col était penché (...)   LA FONTAINE, Psyché, I, p. 83.

2   Grand, maigre de la maigreur des antiques, avec les bras musculeux, le col et la carrure d'un athlète (...)   LOTI, Mon frère Yves, III, p. 15.

3   Est-ce une cangue, est-ce un carcan
Qui lui tient le col de la sorte ?   Laurent TAILHADE, Au pays du mufle, « À marier ».

4   (...) la duchesse se tenait à gauche de l'escalier, déjà enveloppée dans son manteau à la Tiepolo, le col enserré dans le fermoir de rubis (...)   PROUST, Sodome et Gomorrhe, II.

♦ **2.** (Mil. XIVᵉ). Partie étroite, rétrécie (d'un récipient). *Col de bouteille.* ⇒ **Goulot.** *Le col d'une cornue, d'un matras, d'un vase. Col d'une tuyère.*

5   En un vase à long col et d'étroite embouchure.   LA FONTAINE, Fables, I, 18.

♦ **3.** (1478). Anat. *Col de la vessie* (ou *col vésical*) : zone de jonction entre la vessie et la partie postérieure de l'urètre. *Col de l'utérus* (ou *col utérin*) : partie inférieure de l'utérus, reliée au corps de cet organe par l'isthme, et s'ouvrant dans le vagin (→ Museau* de tanche). *Examen du col de l'utérus au colposcope, permettant le dépistage des états cancéreux.* ⇒ **Colposcopie.** — Partie la plus étroite (de certains os). *Col du fémur, de l'humérus, du péroné, du radius. Fracture du col du fémur.*

★ **II.** (1635). Dépression formant passage entre deux sommets montagneux. ⇒ **Brèche, défilé, détroit, gorge, pas, port.** *Les cols des Alpes, des Pyrénées. Le col du Simplon. Enneigement d'un col. Col praticable, accessible aux véhicules. Traversée, passage d'un col. — Le comportement d'un cycliste dans les cols.*

6   (...) parvenu au col qui attache les deux principaux sommets du mont Ganghour (...)   CHATEAUBRIAND, Mémoires d'outre-tombe, t. II, p. 383.

★ **III.** (XIIᵉ). ♦ **1.** Partie du vêtement qui entoure le cou (⇒ **Collet, collerette, fraise, gorgette** ; et aussi **cravate, guimpe, rabat**). *Col de chemise. Col mou, souple. Chemise à col tenant. Pied, pointes d'un col. Col anglais, italien, français, formes de cols de chemises d'homme. Col ouvert, col boutonné. Col baleiné. Col empesé, col dur ; col en celluloïd* (vieilli). *Boutons de col. Faux col, col amovible.* — (1871, Zola). *Col cassé* (fam.). *Col à manger, à bouffer de la tarte). Col droit. Col chinois :* col officier fait d'une bande étroite et droite. Syn. cour. : *col Mao* (et *col Nehru,* d'après l'angl.). — *Col rabattu,* comportant un rabat important. → Lavallière, cit. 1 ; mourir, cit. 47 ; poisson, cit. 12. — *Col de robe,* (de) chemisier. *Col châle*. Col Claudine, col Danton, col Médicis...,* formes de cols de vêtements de femme. *Col de dentelle, de guipure, de velours.* — *Col d'une veste, d'un manteau, d'un pardessus* (cit.). *Col de fourrure, col d'astrakan, de vison. Chandail à col roulé, à col cheminée* (formé d'une bande de tricot à côtes repliée sur elle-même). — *Cols d'ecclésiastiques. Col romain, gallican, jésuite.*

7   (...) M. Cottrau, grand jeune peintre à moustaches, à chapeau de paille, à blouse, au col de chemise rabattu, au costume bizarre.   CHATEAUBRIAND, Mémoires d'outre-tombe, t. V, p. 404.

8   (...) les plis de son menton se pinçaient à tout instant entre les pointes de son col (...)   MARTIN DU GARD, les Thibault, t. I, p. 13.

9   L'homme (...) avait en effet (...) un long pardessus de drap noir à col de loutre (...)   J. ROMAINS, les Hommes de bonne volonté, t. V, p. 36.

10   (...) une blouse à grand col marin (...) Le bleu du col est très clair, très lavé (...)   J. ROMAINS, les Hommes de bonne volonté, t. III, p. 59.

11   Son cou puissant apparut, bien dessiné dans l'échancrure de la chemise kaki dont le col souple retombait sur celui de la vareuse en drap léger.   P. MAC ORLAN, la Bandera, VI, p. 76.

(L'enfant) porte à présent un pantalon (...) que recouvre jusqu'aux hanches un gros tricot de laine à col roulé.   A. ROBBE-GRILLET, Dans le labyrinthe, p. 90.   12

(1881, *in* D. D. L. ; t. de mode). *Col marin*.*

COL BLEU (fam.) : |a| *Le col bleu des marins de l'État.* — Par métonymie. Marin de l'État. *Un col-bleu. « Quand on est dans les cols-bleus On n'a jamais froid aux yeux »* (chanson : *C'est nous les gars de la Marine*).

|b| (Par oppos. au *col blanc,* ci-dessous). Ouvrier de l'industrie. (1957, *in* D. D. L.). COL BLANC (trad. de l'angl. *white collar*). Employé (de bureau, de magasin). *Les cols blancs et les ouvriers.*

♦ **2.** Loc. *Le faux col d'un verre de bière,* la mousse. *Un demi sans faux col.*

CONTR. Évasement. — Mont, sommet.
DÉR. et COMP. Col-de-cygne, collet, coltiner, décolleter. — V. Cou.
HOM. -cole (suff.), colle.

COL- ⇒ Con- (lat. *cum*).

COLA [kɔla] n. m. et f. — 1610. → Kola.

♦ **1.** Kola, graine comestible du kolatier. *Cola* ou *noix de cola.* ⇒ **Kola.**

♦ **2.** Boisson à base de kola. ⇒ **Coca-cola** (marque déposée).

COLAS [kɔlɑ] n. m. — 1721 ; prénom, de *Nicolas.*

♦ Vx. Homme niais, stupide. — Adj. Imbécile.
Loc. (*Colas,* nom propre). *La vache à Colas :* les protestants.

COLASPIDÈME [kɔlaspidɛm] n. m. — V. 1890 ; lat. zool., du grec *kolos* « tronqué », et *aspis, aspidos* « bouclier ».

♦ Zool. Insecte coléoptère appelé aussi *babotte, négril,* nuisible à la luzerne et aux plantes fourragères.

COLATEUR [kɔlatœʀ] n. m. — 1866 ; dér. sav. du lat. *colare* « filtrer ».

♦ Techn. Canal d'écoulement des eaux d'irrigation.

COLATURE [kɔlatyʀ] n. f. — XIVᵉ ; dér. du lat. *colare* « filtrer ». Didactique.

♦ **1.** Action de filtrer (un liquide). ⇒ **Filtration.**

♦ **2.** Liquide obtenu en pharmacie galénique par divers procédés (décoction, infusion).

COLBACK [kɔlbak] n. m. — 1799 ; altér. de *kalepak,* 1653 ; turc *qalpâq* « bonnet de fourrure ».

♦ **1.** Ancienne coiffure militaire, sorte de bonnet à poil en forme de cône tronqué, orné à sa partie supérieure d'une poche conique en drap (⇒ **Flamme**) garnie d'un gland. *Colback noir, tigré.* — On écrit parfois *colbac, colbaque* et *kolback ;* nombreuses variantes anciennes *(kalpack, kalpak).*

1   (...) de l'étoffe dans laquelle se taillaient les maréchaux à cette époque, le fils Mesnilgrand avait fait les guerres de l'Empire, ayant sur son colback tous les panaches de l'espérance ; mais le tonnerre final de Waterloo avait brûlé jusqu'à ras de terre ses dernières ambitions.   BARBEY D'AUREVILLY, les Diaboliques, « À un dîner d'athées ».

1.1   Le cavalier Bobislas se souleva légèrement sur ses étriers et, d'un mouvement aisé, se tournant vers saint Pierre avec une inclination du colback, répondit d'une voix mâle et pleine d'assurance :
— C'est la catin du régiment !   M. AYMÉ, le Passe-muraille, « Légende poldève ».

♦ **2.** (1899 ; par attr. de *col*). Fam. Col, collet. *Il l'a attrapé par le colback.*

2   ... Hop ! Je le saisis au colbac... Ah ! mon petit mariole !... je l'emporte dans une encoignure comme ça tout vif le poisson !... à mon poing gauche suspendu !   CÉLINE, Guignol's band, p. 278 (1951).

COLBERTISME [kɔlbɛʀtism] n. m. — 1797 ; de *Colbert.*

♦ Hist. de l'écon. Système économique pré-industriel préconisé par Colbert, basé sur le protectionnisme et le développement des manufactures.

COLCHICINE [kɔlʃisin] n. f. — 1838 ; mot all. (Geiger et Hesse), du lat. bot. *colchicum.* → Colchique.

♦ Chim., biol. Alcaloïde extrait des graines de colchique, employé dans le traitement de la goutte, et en biologie pour inhiber la mitose (en thérapeutique, pour neutraliser les cellules proliférantes, cancéreuses ou non, verrues, condylomes, etc.).

1   La colchicine, alcaloïde extrait du Colchique automnal, est un poison extrêmement violent pour les animaux à sang chaud.
> Jean ROSTAND, Idées nouvelles de la génétique, p. 52 (en note).

2   En traitant par la colchicine les anthères au moment de la maturation, on obtient des grains de pollen diploïdes (...) Les premières expériences concernant les propriétés polyploïdisantes de la colchicine ont été effectuées sur le Datura (...)
> Jean ROSTAND, Idées nouvelles de la génétique, p. 53.

DÉR. Colchiciner.

COLCHICINER [kɔlʃisine] v. tr. — xxᵉ ; de *colchicine*.

♦ Chim., biol. Traiter à la colchicine. *Cellules colchicinées* (J. Rostand, *Idées nouvelles de la génétique*, p. 55).

COLCHIQUE [kɔlʃik] n. m. — 1680 ; *colchicon*, 1545 ; lat. *colchicum*, grec *kolkhikon*, plante de *Colchide*, pays de l'empoisonneuse Médée.

♦ Plante vivace *(Liliacées)* herbacée, bulbeuse, vénéneuse, à fleurs rose tendre ou mauves. (On l'appelle aussi *flamme nue*, *narcisse d'automne*, *safran bâtard*, *tue-chien*, *veilleuse*, *veillotte*). *Les Colchiques*, poème d'Apollinaire (→ Cerne, cit. 4).

1   (...) les sveltes colchiques déroulent frileusement leurs pétales de gaze mauve.
> Laurent TAILHADE, les Noces de Messidor, VI.

2   Il y a encore le colchique d'automne, vénéneuse veilleuse, qui empoisonne les prairies de son mauve distingué (...)
> COLETTE, l'Étoile Vesper, p. 21.

3   (...) une lisière où les premiers colchiques mettaient des touches mauves (...)
> M. TOURNIER, le Roi des Aulnes, p. 183.

DÉR. Colchicine.

COLCOTAR [kɔlkɔtaʀ] n. m. — 1492, var. ancienne *colcothar* ; arabe *qûlqûṭâr*.

♦ Oxyde ferrique artificiel (Fe₂O₃) utilisé pour le polissage (dit commercialement : *rouge d'Angleterre*). — Variété d'oxyde ferrique naturel.

COLD-CREAM [koldkʀim] n. m. — 1857 ; *cold cream*, 1827 ; mot angl. « crème froide ».

♦ Anglic. Crème pour la peau obtenue par émulsion d'eau (ou d'eau de rose) dans un mélange de blanc de baleine, cire d'abeille et huile d'amandes douces.
> À force d'eau tiède, de savon, de pierre ponce, de peignes fins et de cold-cream, on tanne les enfants tout vifs, et on leur rend l'épiderme d'une pureté, d'un grain, d'une transparence inimaginables.
> Th. GAUTIER, Pochades, Caprices et zigzags (1845), p. 176, *in* MATORÉ.

COL-DE-CYGNE [kɔldəsiɲ] n. m. — 1832 ; de *col* (cou) *de cygne*.

♦ 1. Robinet ou conduit à double courbe. *Des cols-de-cygne.*
REM. On dit également *un robinet à col de cygne*, et (vieilli) *un cou* de cygne*.

♦ 2. Techn. Pièce cintrée à double courbe.
> Cette traverse tenait lieu de la barre courbe qui, dans les berlines suspendues sur des cols de cygne, rattache les deux essieux l'un à l'autre.
> J. VERNE, Michel Strogoff, p. 132-133 (1876).

-COLE Élément, du lat. *colere* « cultiver ; habiter », et servant à former des adjectifs relatifs à la culture, à la production ; ou à l'habitat. ⇒ notamment **Aéricole, agricole, apicole, aquicole, arboricole, arénicole, arvicole, avicole, calcicole, cavernicole, déicole, floricole, gallicole, herbicole, ignicole, lignicole, orbicole, ostréicole, piscicole, rupicole, salicole, séricicole, sylvicole, terricole, tubicole, vinicole, viticole.**

COLECTOMIE [kɔlɛktɔmi] n. f. — 1890 ; 1882, en angl. ; de *côl(on)*, et *-ectomie*.

♦ Chir. Ablation partielle ou totale du côlon.
> On appelle *colectomie* l'opération qui consiste à enlever un segment du gros intestin. En théorie, l'opération paraît très simple. L'abdomen ouvert, le segment envisagé est coupé, puis les deux sections rapprochées par des points de suture. Après quoi, la brèche abdominale est refermée.
> Cl. D'ALLAINES, Histoire de la chirurgie, p. 117.

COLÉGATAIRE [kɔlegatɛʀ] n. — 1596, *collegataire* ; de *co-*, et *légataire*.

♦ Dr. Personne qui reçoit un legs en même temps que d'autres.

COLÉOPTÈRE [kɔleɔptɛʀ] n. m. — 1754 ; grec *koleopteros*, de *koleos* « étui », et *pteron* « aile ».

♦ Zool. et cour. Insecte à quatre ailes, dont deux (⇒ **Élytre**) sont cornées à reflets brillants (carabes, scarabées...).

Par compar. *« Une espèce de casque de coléoptère monstrueux... »* (L. Bloy).

N. m. pl. Les Coléoptères : ordre d'insectes *(Ptérygotes)* à élytres cornées, à antennes, à pièces buccales broyeuses.

1   Il collectionnait des insectes rares, des lépidoptères et des coléoptères qu'il préparait adroitement avant de les fixer par de longues épingles dans des boîtes à fond de liège.
> P. MAC ORLAN, la Bandera, V, p. 53.

2   L'ordre des Coléoptères groupe des Insectes d'aspect souvent très différent, mais ayant tous les caractères communs suivants : métamorphoses complètes, pièces buccales broyeuses, quatre ailes dissemblables, les deux ailes antérieures, ou élytres, étant cornées et contiguës à l'état de repos, les deux postérieures étant membraneuses et repliées au repos.
> Les larves (...) Leur tête est bien distincte et porte des antennes formées de trois ou quatre articles (...)
> On connaît environ 300 000 espèces de Coléoptères, mais un très grand nombre d'espèces est encore inconnu et il est certain que leur nombre réel est très largement supérieur au million.
> A. VILLIERS, *in* Zoologie, t. II, Encycl. Pl., p. 696.

On divise les Coléoptères en quatre sous-ordres : Hétérogastres (bostryches, buprestes, cantharides, capricornes, charançons, chrysomélides, clavicornes, coccinelles, dermestes, élatarides, malacodermes, scolytes, ténébrions) ; Haplogastres (histers, hydrophiles, scarabées, staphylins) ; Adéphages et Archostémates (abdomen à « arceau vertical ») ; carabes, dytiques, gyrins ; Cupédides.

COLÈRE [kɔlɛʀ] n. f. — 1416, *collere* ; du lat. *cholera*, du grec *khôlê* « bile », et fig. « colère ».

★ I. ♦ 1. Mécontentement violent et passager qui s'accompagne d'agressivité dans le comportement ou le discours. ⇒ **Courroux** (littér.), **emportement, exaspération, fureur, furie, irritation, rage, rogne.** *Propension à la colère.* ⇒ **Irascibilité, irritabilité, susceptibilité, violence.** *Franc jusqu'à la colère.* → Pousser, cit. 18. *Accès, crise, mouvement de colère. Être rouge, blême de colère ; suffoquer, trembler, trépigner de colère. Parler avec colère* (→ Bougonner, crier, injurier, jurer, pester). *Être dans une colère noire, bleue, terrible. Être dans une colère blanche :* éprouver une colère froide qui fait pâlir le visage. *La colère de qqn, sa colère. S'abandonner à sa colère. Laisser exploser sa colère* (→ Décharger sa bile*, sortir de ses gonds*). *Sentir la colère monter* (→ Sentir la moutarde* monter au nez). *Passer sa colère sur qqn, sur qqch. Rentrer, retenir sa colère* (→ Serrer les poings*).

EN COLÈRE. *Être en colère :* manifester sa colère. ⇒ **Hors** (de soi) ; fam. **bisquer, fulminer, fumer, maronner, rager, râler, rogner.** *Se mettre en colère* (→ cit. 2). ⇒ **Éclater, fâcher** (se), **irriter** (s'). *Il est constamment en colère :* il ne décolère* pas. *Mettre qqn en colère* (⇒ **Agacer, courroucer, crisper, énerver, exaspérer, fâcher, irriter**).

1   Agréable colère !
> Digne ressentiment à ma douleur bien doux !
> Je reconnais mon sang à ce noble courroux (...)
> CORNEILLE, le Cid, I, 5.

2   — Sire, répond l'agneau, que Votre Majesté
> Ne se mette pas en colère (...)
> LA FONTAINE, Fables, I, 10.

3   La colère du roi, comme dit Salomon,
> Est terrible, et surtout celle du roi lion (...)
> LA FONTAINE, Fables, VIII, 14.

4   (...) je suis contre elle dans une colère épouvantable.
> MOLIÈRE, l'Amour médecin, I, 3.

5   On ne fait point de distinction dans les espèces de colères, bien qu'il y en ait une légère et quasi innocente, qui vient de l'ardeur de la complexion, et une autre très criminelle, qui est, à proprement parler, la fureur de l'orgueil.
> LA ROCHEFOUCAULD, Maximes supprimées, 601.

6   Je n'ai jamais vu un pareil regard : quand la colère y montait, la prunelle étincelante semblait se détacher et venir vous frapper comme une balle.
> CHATEAUBRIAND, Mémoires d'outre-tombe, VII, p. 26.

7   Je sortis indigné, le cœur gros de colère et de haine.
> FRANCE, le Petit Pierre, VII, p. 34.

8   Une profonde colère, froide et secrète, le dévorait (...)
> André SUARÈS, Trois hommes, I, « Pascal », p. 13.

8.1   Quand un petit enfant pleure et crie, il se produit un phénomène physique que lui-même ne soupçonne pas (...) Ses cris lui font mal à lui-même et l'irritent encore plus. Les menaces, les éclats de voix, grossissent encore l'avalanche. C'est la colère même qui entretient la colère.
> ALAIN, Propos, 8 mai 1913, Effervescence.

8.2   (...) une femme en colère, à quoi bon l'écouter ? (...) Un homme en colère n'offre pas un texte plus clair. Quand un homme jure après ses bottes, ou après son bouton de col, ce discours ne vaut pas qu'on l'écoute. Ce qui est juste à dire, c'est que la femme en colère a peut-être plus de volubilité ; elle est insensée plus ingénuement (...) Ce n'est toujours que du bruit.
> ALAIN, Propos, 6 avr. 1913, Savoir écouter.

9   Ni ce matin ni ce soir, trancha madame Brigitte, blême de colère.
> F. MAURIAC, la Pharisienne, IX, p. 124.

10   Elle joue un peu féroce, s'exaspère vite et semble savourer sa colère comme un plaisir (...)
> COLETTE, la Paix chez les bêtes, « La Shâh », p. 37.

11   La colère me rend malade, elle m'empoisonne. Je respire mal, mon cœur bat au hasard, mes articulations sont pleines de sable, je me sens l'estomac houleux (...)
> G. DUHAMEL, Chronique des Pasquier, VI, VI, p. 318.

12   Je t'écris dans le feu d'une colère où je ne peux me rendre maître.
> G. DUHAMEL, Chronique des Pasquier, III, VI.

13   (...) Clemenceau, lui, est orateur comme certaines femmes sont belles. Par sursauts. Il faut qu'on le foute en colère.
> J. ROMAINS, les Hommes de bonne volonté, t. V, XXIV, p. 216.

Absolt. *La colère est l'un des sept péchés capitaux.*

♦ 2. *(Une, des colères).* Accès, crise de colère. ⇒ **Crise.** *Avoir des* *colères terribles, fréquentes, faciles* (→ Être soupe* au lait). Fam. *Piquer, prendre, faire une colère. Cet enfant pique des colères incompréhensibles.*

14 Berthe Sammécaud partit, là-dessus, dans une de ces colères, où l'éducation disparaît soudain comme un maquillage dans la sueur.
J. ROMAINS, les Hommes de bonne volonté, t. V, x, p. 150.

15 Le seul défaut de caractère qu'on lui trouve, c'est une disposition à des colères violentes, quand on le contrarie sur un détail quelquefois infime.
J. ROMAINS, les Hommes de bonne volonté, t. V, x, p. 160.

16 Papa se mit à sourire, son calme devint effrayant et nous comprîmes tous qu'il était parti, sans retour, pour une colère majuscule, une colère telle qu'un homme n'en fait pas trois d'aussi belles dans sa vie.
G. DUHAMEL, Chronique des Pasquier, XIX, p. 208.

♦ **3.** Relig. et littér. *La colère céleste, la colère divine. Jour de colère* (lat. *Dies iræ*). *Les enfants de colère* (Bible, Épître de saint Paul aux Éphésiens II, 3), qui sont réprouvés par la colère divine.

17 Pressé de toutes parts des colères célestes (...)   CORNEILLE, Pompée, I, 1.

18 Ô Satan (...)
Père adoptif de ceux qu'en sa noire colère
Du paradis terrestre a chassé Dieu le Père.
BAUDELAIRE, les Fleurs du mal, « Révolte », CXX.

Poét. Déchaînement violent des éléments. ⇒ **Fureur, tempête.** *La colère du vent, des flots.*

★ **II.** Adj. (1505; vx). Vieilli ou régional. Porté, par tempérament, à la colère. *Il, elle est colère.*

19 (...) je lui dis que sa femme, c'était la plus difficile, la plus méchante, la plus colère du monde (...)   Mᵐᵉ DE SÉVIGNÉ, 433, 21 août 1675.

19.1 *(Kirilov, chez Dostoïevski)* est puéril et colère, passionné, méthodique et sensible.
CAMUS, le Mythe de Sisyphe, in Essais, Pl., p. 184.

Vx, littér., ou avec une intention d'archaïsme plaisant. Qui dénote la colère. *Un regard, une voix colère.* — Qui est en colère. *Bébé est colère.*

20 La vanité ne me donnait que trop de penchant à cette humeur colère.
ROUSSEAU, Émile, IV.

21 Le passereau est l'oiseau de tous les pays du monde; nous l'avons trouvé partout (...) et toujours avec son caractère vif, pétulant et querelleur, toujours avec son piaulement incisif et colère.
É.-R. HUC, Souvenirs d'un voyage dans la Tartarie..., t. I, p. 293.

CONTR. **Calme, douceur, modération.**
DÉR. et COMP. **Colérer, coléreux, colérique.** — **Décolérer, encolérer.**

COLÉRER [kɔleʀe] v. — Conjug. *céder.* — 1541; de *colère.*

♦ **1.** V. tr. Vx. Mettre (qqn) en colère. « *Ce qui attristait et colérait lord Byron* » (Balzac, *in* T. L. F.).
Pron. Se mettre en colère.
Je me colérais contre moi-même, je m'adressais les plus durs reproches (...)
Th. GAUTIER, Mˡˡᵉ de Maupin, VIII, p. 192.

♦ **2.** V. intr. Régional. *Passer son temps à colérer contre la lenteur des choses.*

COLÉREUSEMENT [kɔleʀøzmɑ̃] adv. — 1863, Goncourt; de *coléreux, euse.*

♦ Avec colère. ⇒ **Agressivement, furieusement, violemment.**

COLÉREUX, EUSE [kɔleʀø, øz] adj. — 1574, repris XIXᵉ (Goncourt, etc.); on disait dans la langue soutenue : *colère,* adj., ou *colérique; de colère.*

♦ **1.** Qui est prompt à se mettre en colère. ⇒ **Agressif, atrabilaire, bilieux, emporté, hargneux, irascible, violent;** fam. **râleur, rouspéteur.** *Un enfant coléreux. Caractère, tempérament coléreux.*

1 *Coléreux* n'est pas français. Ne dites pas, *Cet homme est coléreux, fort coléreux.*
J.-F. MICHEL, Dict. des expressions vicieuses, 1807.

2 On s'entretient de la colère (...)
Et l'un des enfants, assez prompt à remarquer les faiblesses d'autrui, de dire : « C'est Michel (...) qui est coléreux. Hier, il poursuivait André, tenant dans sa main une grosse pierre (...) »   ALAIN, Propos, 31 janv. 1914, Le signe de la croix.

Par anal. « *Deux ou trois poules, piailleuses, coléreuses...* » (Gide, *Si le grain ne meurt,* Pl., p. 446).

N. « *Un vieux coléreux qui rossait les domestiques...* » (P. Morand, *Louis et Irène*). *Une grande coléreuse.*

♦ **2.** Qui dénote la colère. *Voix coléreuse.* ⇒ **Furieux.**

♦ **3.** Empreint de colère. *Inquiétude, joie coléreuse.*

CONTR. **Calme, doux, tranquille.**
DÉR. **Coléreusement.**

COLÉRIQUE [kɔleʀik] adj. — 1256; de *colère.*

♦ **1.** Vx. Bilieux, atrabilaire.

♦ **2.** (1370). Mod. Coléreux. *Un homme colérique. Un tempérament colérique.* ⇒ **Irascible.**

1 Je hais de tout mon cœur les esprits colériques,
Et porte grand amour aux hommes pacifiques (...)   MOLIÈRE, Sganarelle, 17.

On ne peut nier, en effet, que malgré un caractère colérique, il n'ait eu ce qu'on appelle la bonté, et qui est plutôt la tendresse.
MICHELET, Hist. de la Révolution franç., p. 294.   2

N. *Un, une colérique.* — Spécialt en caractérologie : émotif, actif, primaire.

CONTR. **Calme.**
HOM. **Cholérique.**

COLETA [kɔleta] n. f. — Av. 1927, A. Arnoux; mot esp., « natte ».

♦ Tauromachie. Petit chignon postiche porté par les toreros.
Il n'est jusqu'à la *coleta,* petit chignon (aujourd'hui postiche) que les *toreros* portent comme signe de leur profession, qui ne rappelle la tonsure des prêtres.
Michel LEIRIS, l'Âge d'homme, p. 81 (1946).

COLÉUS [kɔleys] n. m. invar. — 1866; lat. sc. *coleus,* grec *koleos* « étui ».

♦ **1.** Bot. Plante dicotylédone *(Labiacées)* des régions tropicales, cultivée en serre, en appartement et en jardin pour son feuillage richement coloré, rose ou pourpre (et dans les hybrides, jaune, vert, violet), avec de nombreuses taches.

♦ **2.** Techn. Matière colorante rouge qu'on tire d'une variété de cette plante (on emploie aussi l'orthographe latine *coleus,* sans accent).

Je me souviens d'une *(jeune fille)* au teint roux de coleus, aux yeux verts, aux deux joues rousses (...)   PROUST, Sodome et Gomorrhe, Pl., t. II, p. 839.

COLIBACILLAIRE [kɔlibasilɛʀ] adj. — 1921; de *colibacille.*

♦ Méd. Qui est causé ou aggravé par la présence du colibacille. *Une salpingite colibacillaire.*

COLIBACILLE [kɔlibasil] n. m. — 1895; grec *kôlon* « gros intestin », et *bacille.*

♦ Biol., méd. et cour. Bacille vivant normalement dans le système intestinal, où il peut être responsable d'infections. ⇒ **Colibacillose.** *Utilisation du colibacille comme matériel d'expérience en urologie.*

DÉR. **Colibacillaire, colibacillose.**

COLIBACILLOSE [kɔlibasiloz] n. f. — 1897; de *colibacille.*

♦ Méd. et cour. Toute infection causée par le colibacille. *Colibacillose intestinale, urinaire.*

COLIBRI [kɔlibʀi] n. m. — 1640; mot d'orig. obscure, qui ne semble pas provenir du caraïbe des Antilles.

♦ **1.** Oiseau passeriforme *(Trochilidés),* de très petite taille, à livrée brillante, à long bec, vivant dans les régions tropicales. *Les colibris sont appelés aussi oiseaux-mouches ou avicules* (vx). *Colibris d'Amérique. Colibris d'Asie, d'Afrique. L'améthyste, colibri d'Amazonie.*

(...) des colibris étincellent sur le jasmin des Florides (...)   1
CHATEAUBRIAND, Atala, Prologue, p. 41.

Le vert colibri, le roi des collines (...)   2
LECONTE DE LISLE, Poèmes barbares, « Le colibri ».

♦ **2.** En franç. d'Afrique. Souïmanga *(Nectariniidés).*

COLICHEMARDE [kɔliʃmaʀd] adj. f. — 1838; altér. de *Kœnigsmark,* homme de guerre suédois (XVIIᵉ), l'inventeur supposé.

♦ Anciennt. *Lame colichemarde :* lame d'épée, large dans sa première moitié, puis brusquement effilée en carrelet. — N. f. *Une colichemarde.*

Un Schell (...) Parle d'escrime et démontre, prend une colichemarde et enseigne le coup infaillible, un roulement de contre de quarte, le bras étendu en marchant (...)   J. RENARD, Journal, 4 nov. 1893.

COLICINE [kɔlisin] n. f. — Mil. XXᵉ; de *coli(bacille),* et élément final de *(streptomy)cine.*

♦ Méd. Antibiotique produit par des bactéries (colibacilles, etc.) et dont l'action porte sur les bactéries analogues.

COLICITANT, ANTE [kɔlisitɑ̃, ɑ̃t; kɔlisitɑ̃, ɑ̃t] n. m. et adj. — 1835; de *co-,* et lat. *licitans* « qui enchérit ».

♦ Dr. Chacun de ceux au profit desquels se fait une vente par licitation*. — Par ext. *Avoué colicitant.*

COLIFICHET [kɔlifiʃɛ] n. m. — 1640; altér. de *coeffichier*, ornement de lingerie au xvᵉ, «ce qu'on fichait sur la coiffe», de *coeffe* «coiffe», et *ficher*.

♦ **1.** Petit objet de fantaisie, sans grande valeur. ⇒ **Babiole, bagatelle, bimbelot, brimborion, frivolité, futilité, rien...** *Des colifichets de femme* (→ Babiole, cit. 5).

1 Colifichets dont certaines femmes sont si passionnées.
FÉNELON, De l'éducation des filles, 11.

2 Comment se peut-il que vous soyez si fidèle et si généreux, après n'avoir pas eu de honte de me vendre des colifichets quatre fois au-dessus de leur valeur?
VOLTAIRE, Vision de Babouc.

Par métaphore. Ornement d'un goût mesquin; surcharge décorative de mauvais goût. «*Église du xvᵉ siècle et portail de la renaissance, roman contrefait, avec des colifichets en sculpture*» (Michelet, *Journal*, 1842, in T. L. F.).

♦ **2.** Par anal. (avec la légèreté des colifichets).

a (1803). Biscuit léger que l'on donne aux oiseaux.

b (1828). Céramique. Support de cuisson destiné à rendre le plus léger possible le point de contact avec la poterie.

COLIGNON ou **COLLIGNON** [kɔliɲɔ̃] n. m. — 1856; du nom d'un cocher parisien, qui assassina un de ses clients.

♦ Fam. et péj. (vx). Cocher de fiacre.

Un brave homme de cocher que j'avais l'habitude de prendre, me disait chaque fois que j'arrivais à la station : «Monsieur peut monter sans crainte; elle a eu son avoine.» *Elle*, c'était sa jument, une pouliche de robe acajou, bien soignée, qui répondait au prénom d'Élisa.
J'avais gagné la sympathie du colignon en le priant un soir d'arrêter sur le pont Caulaincourt pour ne point fatiguer Élisa et j'étais descendu de voiture.
Francis CARCO, Nostalgie de Paris, p. 227.

COLIMAÇON [kɔlimasɔ̃] n. m. — 1529, *colimasson*; *caillemasson*, 1390; altér. d'un normanno-picard *calimaçon*, de *ca-*, et *limaçon*. → Limace.

♦ **1.** Escargot. ⇒ **Limaçon.**

♦ **2.** Loc. adv. **EN COLIMAÇON** : en hélice. *Escalier, rampe en colimaçon.*

1 Il descendait le petit escalier en colimaçon qui faisait communiquer l'entresol avec la salle du café (...) MARTIN DU GARD, les Thibault, t. V, p. 285.

♦ **3.** (1928). Escalier en colimaçon.

2 Couloir. Escalier. Femme qui monte en courant d'étage en étage, tout au long de l'étroit colimaçon où son tablier gris tournoie en spirale. Porte.
A. ROBBE-GRILLET, Dans le labyrinthe, p. 96.

REM. On rencontre un fém. plaisant *colimaçonne* (Franc Nohain, 1898).

1. COLIN [kɔlɛ̃] n. m. — 1380; altér. d'après *Colin* (Nicolas), du moy. franç. *cole*, néerl. *kool (visch)*, angl. *coal (fish)* «poisson-charbon», en raison de la couleur du dos.

♦ Poisson de mer à chair estimée, aussi appelé *lieu* noir* ou parfois *merlan noir*. — REM. *Colin* est également le nom donné dans la région parisienne notamment, au *merlu**. *Tranche, darne de colin.*

DÉR. Colineau.

2. COLIN [kɔlɛ̃] n. m. — 1759; «grèbe», 1611; «espèce de goéland», 1555; de *Colin*, abrév. de *Nicolin*, de *Nicolas*.

♦ Petit oiseau d'Amérique (*Colin de Californie, de Virginie*), voisin des cailles et des perdrix.

COLINÉAIRE [kɔlineɛʀ; kɔlinéɛʀ] adj. — xxᵉ; de *co-*, et *linéaire*.

♦ Math. Situé sur une même droite. *Points, vecteurs colinéaires.*

COLINEAU ou **COLINOT** [kɔlino] n. m. — Mil. xxᵉ; de 1. *colin*.

♦ Jeune colin, de petite taille. *Une tranche de colineau.*

COLINETTE [kɔlinɛt] n. f. — 1771; de *Colin*, nom propre.

♦ Ancienn. Coiffe* de femme que l'on utilisait comme bonnet* de nuit.

COLIN-MAILLARD [kɔlɛ̃majaʀ] n. m. — 1532; de *Colin*, et *Maillard*, noms de personnes.

♦ Jeu où l'un des joueurs, les yeux bandés, doit chercher les autres à tâtons, en saisir un et le reconnaître. *Jouer à colin-maillard, au colin-maillard.*

1 Le roi de Pologne joue presque tous les soirs à colin-maillard : on dit qu'on le fait jouer de peur qu'il ne s'endorme. RACINE, Notes historiques, XXXV.

Fig. *Jouer à colin-maillard* : se livrer à une recherche à l'aveuglette.

2 On connaît cet univers où ne cesse de se jouer un jeu de colin-maillard sinistre,

où l'on avance toujours dans la fausse direction, où les mains tendues griffent le vide, où tout ce qu'on touche se dérobe (...)
N. SARRAUTE, l'Ère du soupçon, p. 45.

COLIN-TAMPON [kɔlɛ̃tɑ̃pɔ̃] n. m. — 1573; de *Colin*, nom propre, et *tampon* (d'après tambour).

♦ **1.** Vx. Batterie de tambour des Suisses.

♦ **2.** (1695). Fam., vieilli. *Je m'en moque comme de Colin-Tampon* : je n'en ai pas le moindre souci (→ fam. et mod. Je m'en *tamponne*, je m'en *tape*).

Colin-Tampon est le nom d'une batterie de tambour des soldats suisses et le surnom de ces soldats, donné, dit-on, après la bataille de Marignan (mais le mot écrit n'est attesté qu'en 1573). *Colin* (variante de *Colas, Nicolas*) entre dans de nombreux surnoms péjoratifs; *tampon* ou *tambour* représente le déverbal de *tamponner* («celui qui cogne, tape, bourre») avec l'influence de *tambour*. Au XVIIᵉ s., un *colin-tampon* ou un *tampon* est un «gros homme ridicule» (idée de «bourre») et le surnom est devenu une désignation comique et péjorative sans grand rapport avec les tambours suisses (...) l'expression a sans doute dû son succès au mot *tampon* qui véhicule le sémantisme de «enfoncer, bourrer» (et en général tous les verbes reliés à la sexualité masculine) et correspond à «être indifférent» (...)
Mais qu'il soit Dreyfusard ou non, cela m'est parfaitement égal puisqu'il est étranger. Je m'en fiche comme de colin-tampon.
(M. PROUST, À la recherche du temps perdu, t. II, p. 678.)
Alain REY et Sophie CHANTREAU, Dict. des locutions.

1. COLIQUE [kɔlik] n. f. — Mil. xɪɪɪᵉ; lat. *colica*, de *colicus* «qui souffre de la colique», grec *kôlikos*, de *kôlon*. → Côlon.

♦ **1.** Méd. et cour. (souvent plur.). Douleur, survenant sous forme d'accès violent, ressentie au niveau des viscères abdominaux. ⇒ **Colite, entérite, tranchée.** *Souffrir de coliques. Être en proie, sujet à des coliques. Coliques spasmodiques* (⇒ **Entéralgie**), *flatulentes* (⇒ **Borborygme, flatuosité**). *L'élixir parégorique, remède analgésique des coliques.*

1 Sa fièvre est augmentée avec une colique dans les boyaux.
Mᵐᵉ DE SÉVIGNÉ, 334.

2 Des coliques aiguës leur donnant des convulsions (...) ROUSSEAU, Émile, 1.

3 Avouez qu'il est plaisant que j'aie attrapé ma soixante et seizième année en ayant tous les jours la colique (...) VOLTAIRE, Lettre à Thiriot, 9 août 1769.

Douleur abdominale due à la contraction d'un organe creux. *Coliques utérines. Coliques menstruelles.* ⇒ **Dysménorrhée.** — *Colique appendiculaire.*

Colique hépatique, vésiculaire, due à l'obstruction des canaux biliaires par un calcul. — *Colique néphrétique,* due à l'obstruction des uretères par un calcul.

Loc. méd. *Colique de plomb, de cuivre* : intoxication par le plomb (⇒ **Saturnisme**), le cuivre. — *Colique de miserere,* produite par un étranglement intestinal. ⇒ **Occlusion, péritonite.**

♦ **2.** Cour. (au sing.). Diarrhée. ⇒ **Chiasse** (vulg.). *Avoir la colique.*

(1852). Fig. *Avoir la colique* : avoir peur. ⇒ **Trouille.** *Donner la colique (à qqn)* : faire peur. — *Père la colique* : poltron.

♦ **3.** Personne, chose ennuyeuse. *Quelle colique, ce type-là!*

2. COLIQUE [kɔlik] adj. — 1627; *colique passion* «souffrance du côlon, colique», 1475; lat. *colicus*. → 1. Colique.

♦ Méd. Du côlon. *Artères coliques.*

COLIS [kɔli] n. m. — 1723; ital. *colli* (plur. de *collo* «cou») «charges portées sur le cou». → Coltiner.

♦ **1.** Objet destiné à être expédié, remis à qqn et préparé, enveloppé à cet effet. ⇒ **Bagage, ballot, charge, fardeau, paquet, sac.** *Faire, ficeler, plomber un colis. Trimballer de nombreux colis. Envoyer, expédier un colis.* ⇒ **Envoi, expédition.** *Arrimage* des colis. Les colis des prisonniers. Acheminer un colis par route, par chemin de fer, en grande, en petite vitesse. Colis envoyé par bateau, par avion. Colis léger, lourd, encombrant. Groupage, manutention des colis. Déposer ses colis à la consigne. Porter, transporter des colis. Dédouaner un colis. Retirer un colis à la poste, à la gare. Qu'est-ce qu'il y a dans ce colis?* — (1880). *Colis postal,* expédié

1 Il est aisé de gagner Archambault, où nous attend Marcel de Coppet, par une route beaucoup plus courte, et plus aisée surtout; c'est celle que suivent les colis postaux et les gens pressés (...)
GIDE, Voyage au Congo, in Souvenirs, Pl., p. 733.

♦ **2.** Fig. et fam. Personne encombrante, ou que l'on peut manipuler comme un colis. ⇒ **Paquet.**

2 (*Le condamné à mort*) n'est plus un homme, mais une chose qui attend d'être maniée par les bourreaux (...) Quand les fonctionnaires, dont c'est le métier de tuer cet homme, l'appellent un colis, ils savent ce qu'ils disent. Ne pouvoir rien contre la main qui vous déplace, vous garde ou vous rejette, n'est-ce pas, en effet, être comme un paquet ou une chose (...)
CAMUS, Réflexions sur la guillotine, in Essais, Pl., p. 1040.

COLISTIER, IÈRE [kɔlistje, jɛʀ] n. — 1926, n. m. ; de *co-*, et *liste*.

♦ Personne qui est candidate sur la même liste qu'une autre, dans le scrutin de liste.

> Je manque d'expérience, en matière de roublardises électorales...
> — Non... Vous n'êtes pas si naïf que ça... Il y a la question de vos colistiers.
> Ça ne vous amuse pas de tirer la voiture encadré d'une paire d'imbéciles.
> J. ROMAINS, les Hommes de bonne volonté, t. XXII, p. 81.

COLITE [kɔlit] n. f. — 1824 ; du grec *kôlon* « gros intestin ». → Colique.

♦ Méd. Inflammation du côlon (⇒ **Intestinal**). *Colite catarrhale, ulcéreuse, muco-membraneuse. Souffrir, être atteint de colite.*

DÉR. Colitique.
COMP. Entéro-colite.

COLITIGANT, ANTE [kɔlitigã, ãt] n. — 1481, *collitigant ;* de *co-*, et *litigant* « celui qui a un procès ».

♦ Dr. Chacun des plaideurs engagés dans un procès à sujets multiples.

COLITIQUE [kɔlitik] adj. — 1934 ; de *colite*.

♦ Méd. Relatif à la colite. *Inflammation colitique.* — (Personnes). Sujet à une colite. — N. (1965). « *Les colitiques, sujets à des accès de diarrhée* » (Dr Néfert, in *Guérir*, oct. 1967).

COLLABO [kɔ(l)labo] n. — V. 1940 ; 1865, in *Dico-plus*, au sens 1 de *collaborateur ;* abrév. de *collaborateur*.
Familier.

♦ **1.** Collaborateur* (2.).

1 (...) le virus s'était infiltré en lui à son insu. Quand il fulminait contre les Boches et les collabos, il croyait faire comme tout le monde ; en réalité, ses motifs n'étaient pas ceux de tout le monde, et c'est un peu une querelle personnelle qu'il avait avec les Boches et les collabos.
Roger IKOR, les Fils d'Avrom, Les eaux mêlées, p. 662.

2 L'éternelle querelle des amis d'Odette n'obtint que mon attention la plus lâche. On disputa des collabos à Paris, des attentistes vichyssois, des nuances de la Résistance (...) Jacques LAURENT, les Bêtises, p. 217.

♦ **2.** Partisan de la collaboration avec l'ennemi, avec un régime contesté.

3 (...) Pablo Neruda, alors en exil, l'un de ceux qui avaient dénoncé avec la plus grande fermeté les « collabos » chiliens de l'époque.
Roger GARAUDY, Parole d'homme, p. 115.

COLLABORATEUR, TRICE [kɔ(l)labɔʀatœʀ, tʀis] n. — 1755 ; dér. du lat. *collaborare*. → Collaborer.

♦ **1.** Personne qui travaille avec une ou plusieurs autres personnes à une œuvre commune. ⇒ **Adjoint, aide, associé, collègue, coopérateur, second.** *Les collaborateurs d'une publication littéraire. Engager un collaborateur. Remercier ses collaborateurs* (→ Bref, cit. 6 ; bourreau, cit. 6).

1 (...) nous travaillerons ensemble, comme deux collaborateurs bien d'accord (...)
LOTI, les Désenchantées, XXIII, p. 153.

2 — Quand on les prend jeunes, on peut en faire les compagnes les plus dévouées, les collaboratrices les plus sûres, continua-t-il.
M. DURAS, Un barrage contre le Pacifique, p. 210.

Adj. (Rare). *Une activité collaboratrice.*

♦ **2.** Au cours de l'occupation allemande dans plusieurs pays d'Europe (1939-1945), Partisan d'une collaboration politique, économique, voire militaire avec l'Allemagne. (On a dit aussi *collaborationniste*). ⇒ **Collabo** (fam.).

3 (...) le retour des collaborateurs qui se trouvaient maintenant dans les prisons où ils avaient tenu les autres (...) G. DUHAMEL, Cri des profondeurs, XI, p. 208.

Par ext. Personne qui collabore avec un ennemi (politique, social).

COLLABORATION [kɔ(l)labɔʀasjõ] n. f. — 1829 ; « travaux d'un couple », 1753 ; du lat. *collaborare*. → Collaborer.

♦ **1.** Action de travailler en commun (avec qqn). Résultat de cette action. *La collaboration d'un spécialiste à une revue, à un journal. Apporter sa collaboration à une œuvre.* ⇒ **Aide, appui, concours, coopération, participation.** *Demander la collaboration de qqn, d'un groupe.*

1 (...) j'allai le trouver rue des Canettes, près de l'église Saint-Sulpice, aux bureaux de cette Revue où, bien entendu, toute collaboration était gratuite et bénévole.
Georges LECOMTE, Ma traversée, p. 232.

2 Ça suppose le contrôle, la collaboration prolongée, permanente, de spécialistes.
J. ROMAINS, les Hommes de bonne volonté, t. V, XIV, p. 106.

En collaboration : par plusieurs collaborateurs. *Ils ont écrit ce traité en étroite collaboration avec X. Ouvrage en collaboration.* ⇒ **Collectif.**

♦ **2.** (1940). Attitude des personnes qui, durant l'occupation allemande (1939 à 1944-1945), désiraient appliquer une politique

favorable à l'« Europe nouvelle » dominée par les nazis, en coopération avec l'Allemagne (notamment en France). *Avoir milité dans la collaboration. Être accusé de collaboration.* ⇒ **Collaborateur** (2.).

DÉR. Collaborationnisme, collaborationniste.

COLLABORATIONNISME [kɔ(l)labɔʀasjɔnism] n. m. — 1920, in D. D. L. ; de *collaboration*.

♦ Rare. Le fait de collaborer avec qqn, un groupe, de manière systématique. « *Collaborationnisme de classes* » (J. Maxe, in D. D. L.). — Attitude des collaborationnistes.

COLLABORATIONNISTE [kɔ(l)labɔʀasjɔnist] adj. et n. — 1929, sens général, in D. D. L. ; de *collaboration*.

♦ Qui est partisan d'une politique de collaboration (spécialt, v. 1940, du sens 2). ⇒ **Collabo, collaborateur** (2.).

> Parfois en flânant dans la rue, il lui semblait reconnaître un trafiquant du noir à l'insolence de son ventre, ou un collaborationniste à la lueur perverse d'un regard et il sentait à son poing frémir le glaive d'un archange.
> M. AYMÉ, le Vin de Paris, « Le faux policier », p. 161.

COLLABORER [kɔ(l)labɔʀe] v. tr. ind. — 1830 ; bas lat. *collaborare*, de *co-*, et *laborare* « travailler ».

♦ **1.** *Collaborer à (qqch.) :* travailler en collaboration. *Collaborer à une revue, à un journal.* ⇒ **Coopérer, participer** (à). *Seconder qqn en collaborant à son œuvre. — Collaborer avec qqn (à qqch.). Ils ont collaboré pour ce projet.*

1 Certes, il n'ignorait pas que dans les affaires de contre-espionnage la police collabore avec les militaires (...)
J. ROMAINS, les Hommes de bonne volonté, t. IV, XIX, p. 206.

2 Plus tard, elle avait longtemps collaboré à la petite correspondance des journaux de modes (...) MONTHERLANT, les Jeunes Filles, p. 70.

♦ **2.** Absolt. Agir en tant que collaborateur (2.).

COLLAGE [kɔlaʒ] n. m. — 1544 ; de *coller*.

★ **I.** ♦ **1.** Action de coller. *Le collage d'une affiche par un colleur d'affiche.* — État de ce qui est collé. *Un collage résistant.*

♦ **2.** Arts. Composition picturale faite de papiers découpés et collés sur la toile, éventuellement intégrés à une partie peinte. ⇒ **Papier** (collé). *Les collages de Braque, de Picasso.* — Le procédé par lequel on fait de telles compositions.

1 L'imagier, désormais, surtout par le procédé du collage, en juxtaposant des éléments empruntés isolément à des ensembles innocents, s'ingénie à inventer des rencontres saugrenues d'objets disparates (...)
Roger CAILLOIS, Esthétique généralisée, III, p. 34.

Fig. Œuvre d'art, ou récit composé d'éléments disparates juxtaposés.

2 Quand j'eus l'idée de cet ouvrage où se trouvent confrontés souvenirs d'enfance, récit d'événements réels, rêves et impressions effectivement éprouvées, en une sorte de collage surréaliste ou plutôt de photomontage (...)
Michel LEIRIS, l'Âge d'homme, p. 15.

♦ **3.** Techn. Assemblage par adhésion. — Adhérence d'un véhicule au sol.

♦ **4.** Fig. et fam. (souvent péj.). Situation d'un homme et d'une femme qui vivent ensemble sans être mariés. ⇒ **Concubinage ;** → Être à la colle.

3 Je me suis marié jeune, avec 40 000 francs de dette, par amour et par raison, par crainte de la noce et du collage. J. RENARD, Journal, février 1891.

4 Mais tu ne peux donc pas écrire un livre qui ne soit d'amour, d'adultère, de collage mi-incestueux, de rupture ? COLETTE, la Naissance du jour, p. 28.

★ **II.** Techn. Addition de colle dans la préparation (de qqch.). *Le collage du papier, des étoffes, dans l'industrie.* ⇒ **Apprêt.** — *Collage des vins :* opération qui a pour but de clarifier le vin en précipitant les matières en suspension qu'il contient, par coagulation d'une matière organique. *Collage du champagne. Collage du vin avec du blanc d'œuf, de la gélatine.*

CONTR. (Du sens 1) Décollage.
COMP. Décollage, recollage, surcollage.

COLLAGÈNE [kɔlaʒɛn] adj. et n. m. — 1869, adj. ; 1873, n. m. ; de *colle*, et *-gène*.

♦ Chim., biol. *Substances collagènes*, susceptibles de devenir solubles en se transformant en des corps ayant l'apparence et les propriétés générales de la colle de poisson ou de la gélatine. *Fibres collagènes qui composent l'armature protéinique.*

> En règle générale, la masse totale de tissu interstitiel *augmente régulièrement* avec l'âge, alors que la masse totale des parenchymes actifs diminue. Les fibres collagènes paraissent plus épaisses et plus compactes.
> Léon BINET, Gérontologie et Gériatrie, p. 29.

N. m. Protéine de la substance intercellulaire du tissu conjonctif, qui se transforme en gélatine par cuisson.
DÉR. Collagénose.

COLLAGÉNOSE [kɔlaʒenoz] n. f. — 1956; de *collagène.*

♦ Méd. Maladie caractérisée par une dégénérescence du collagène de diverses structures organiques. *La sclérodermie est une collagénose.*

COLLANT, ANTE [kɔlɑ̃, ɑ̃t] adj. et n. m. — 1572; p. prés. de *coller.*

♦ **1.** Qui adhère, qui colle. ⇒ **Adhésif, conglutinant, gluant, poisseux, visqueux.** *Marcher difficilement dans une boue collante.* — Loc. *Papier collant* (→ Appui, cit. 17) : papier enduit de colle sèche sur une de ses faces, qui adhère si on la mouille. — N. m. Ruban adhésif (terme proposé pour remplacer *scotch**). ⇒ aussi **Adhésif; autocollant.**

♦ **2.** (Vêtements). Qui s'applique exactement sur une partie du corps. ⇒ **Ajusté, étroit, serré.** *Un pantalon collant. Une robe collante moulait son corps.*

1   (...) ces femmes en robe collante, aux joues découvertes, aux beaux yeux fixes, accoutumées aux hardiesses du regard, semblent toutes singulières dans ce monde universellement voilé.   E. FROMENTIN, Une année dans le Sahel, p. 31.

N. m. (1860, *in* D. D. L.). *Un collant :* pantalon, maillot collant. *Danseuse en collant.*
Sous-vêtement, vêtement composé d'une culotte et de bas en une seule pièce. *Le collant, entre 1950 et 1970, a progressivement remplacé la gaine, les jarretelles.*

2   Il est là, en train de se passer le collant de skis (sic) de Marie-Noire. Elle le lui a prêté. Comme ça il aura bien chaud.   ARAGON, Blanche..., II, VII, p. 291.

3   Il s'excite, ce siècle, par voie d'affiches, de livres, de films, d'articles de journaux, de mini-jupes, de bottes, de collants.   P. GUTH, Lettre ouverte aux idoles, Sheila, p. 89.

♦ **3.** Fam. (Personnes). Qui est importun, indiscret et ennuyeux, dont on ne peut se débarrasser. ⇒ **Importun.** *Ce qu'il est collant !* (→ Pot de colle). *Il est collant comme la glu* (→ Poisse, colle de pâte).

4   (...) il y a des tas de types qui viennent vous faire du plat, sous prétexte de s'amuser avec cet ustensile.
— Ça c'est vrai. Il y en a qui sont collants... Pas moyen de s'en débarrasser. Et bêtes par-dessus le marché... Et bêtes...   R. QUENEAU, Pierrot mon ami, éd. L. de Poche, p. 22.

5   (...) c'est affreux de connaître tant de gens, ils surgissent à chaque instant de partout, obséquieux, anxieux, collants, regards qui s'accrochent, mains tendues (...)   N. SARRAUTE, le Planétarium, p. 165.

CONTR. Sec. — Bouffant, large. — Discret.
COMP. Autocollant.

COLLANTE [kɔlɑ̃t] n. f. — 1900; de *coller* «recaler».

♦ Fam. (Argot scol.). Convocation pour un examen. *J'ai reçu ma collante, je passe lundi.*

COLLAPSOTHÉRAPIE [kɔlapsoteʀapi] n. f. — 1910; de *collapsus,* et -*thérapie.*

♦ Méd. Méthode thérapeutique qui consiste à mettre le poumon au repos en provoquant un collapsus (2.), afin de permettre la cicatrisation des lésions.

COLLAPSUS [kɔlapsys] n. m. — 1785; mot lat., p. p. substantivé de *collabi* «s'affaisser».

Médecine.

♦ **1.** État pathologique caractérisé par un malaise soudain, intense (avec ou sans perte de connaissance), une baisse de la tension, une accélération du pouls, des sueurs froides (→ Algidité). *Collapsus cardio-vasculaire. Tomber en collapsus.*

(...) je vous parie qu'il y en a (*des malades, atteints du choléra*) d'étendus sous les genêts. Mais en cas de collapsus foudroyant, ils vont se fourrer dans des endroits dont vous n'avez pas idée.   J. GIONO, le Hussard sur le toit, p. 51.

Littér. Lassitude extrême, faiblesse absolue.

♦ **2.** Affaissement d'un organe, dû à une compression d'origine pathologique. *Collapsus pulmonaire,* dû à un épanchement pleural, une tumeur. — *Collapsus thérapeutique du poumon.* ⇒ **Collapsothérapie.**

DÉR. et COMP. Collapsothérapie.

COLLARGOL [kɔlaʀgɔl] n. m. — 1903, *in Rev. gén. des sc.;* marque déposée; de *coll(oïde), arg(ent),* et suff. -*ol.*

♦ Chim., méd. Argent colloïdal. *Le collargol, remède contre les maladies d'origine infectieuse.*

COLLATAIRE [kɔlatɛʀ] n. m. — XVIIIᵉ; du rad. de *collateur.*

♦ Dr. relig. Celui que le collateur pourvoyait d'un bénéfice. ⇒ **Bénéficiaire.**

COLLATÉRAL, ALE, AUX [kɔlateʀal, o; kɔlateʀal, o]. adj. — Déb. XIVᵉ, *colateral;* lat. médiéval *collateralis,* de *latus, lateris* «côté».

♦ **1.** Didact. Qui est latéral par rapport à quelque chose; situé sur le côté. **[a]** Sc. nat., anat. *Artère collatérale :* artère presque parallèle à celle dont elle est issue. — N. f. *Les collatérales.*

L'aorte d'abord thoracique, puis abdominale, fournit un tronc commun pour l'irrigation de l'estomac, du foie et de la rate, l'intestin et les reins recevant des collatérales directes.   P. VALLÉRY-RADOT, Notre corps..., p. 37.   1

Qui est placé de part et d'autre d'une structure. *Sillon collatéral du bulbe, de la moelle.*

[b] Archit. *Nef collatérale :* nef latérale d'une église, par rapport à la nef centrale. ⇒ **Bas-côté.** — (1526). *Chapelles collatérales.*
N. m. *Un collatéral :* une nef collatérale. *Les collatéraux sont moins hauts que la nef centrale.*

[c] (1740). Géogr. *Points collatéraux :* points qui sont au milieu de deux points cardinaux. ⇒ **Rose** (des vents). *Les quatre points collatéraux :* Nord-Est, Nord-Ouest, Sud-Est, Sud-Ouest.
N. m. *Les cardinaux et les collatéraux.*

♦ **2.** (V. 1275, n. m. pl.). Dr. *Parents collatéraux :* membres d'une même famille descendant d'un auteur commun. *Les frères, les sœurs, les oncles, les cousins sont des parents collatéraux.* — N. *Les collatéraux.* — *Ligne collatérale :* ligne formée par les parents collatéraux, par oppos. à *ligne directe. Héritier collatéral. Succession collatérale.*

Il n'y a que ceux qui ont eu de vieux collatéraux, ou qui en ont encore, et dont il s'agit d'hériter, qui puissent dire ce qu'il en coûte.   LA BRUYÈRE, les Caractères, V, 42.   2

(...) la porte ouverte toute grande aux chicanes des collatéraux (...)   COURTELINE, Messieurs les ronds-de-cuir, 5ᵉ tableau, I.   3

♦ **3.** (Abstrait). Qui est secondaire et parallèle (idées, etc.). *Les idées centrales et collatérales.*

CONTR. Central. — Indirect.
DÉR. Collatéralement.

COLLATÉRALEMENT [kɔlateʀalmɑ̃; kɔlateʀalmɑ̃] adv. — 1585; de *collatéral.*

♦ Dr. En ligne collatérale.

COLLATEUR [kɔlatœʀ] n. m. — V. 1460; lat. ecclés. *collator,* de *conferre* «conférer».

♦ Dr. relig. Celui qui avait le droit de conférer un bénéfice ecclésiastique. → Collatif, cit.

Si on donne un bien temporel pour un bien spirituel non pas comme prix, mais comme un motif qui porte le collateur à le donner, est-ce simonie?   PASCAL, les Provinciales, 12.

DÉR. Collatif.

COLLATIF, IVE [kɔlatif, iv] adj. — 1461; du rad. de *collateur,* et suff. -*if.*

♦ Dr. Qui peut être conféré. *Bénéfice collatif. Dignité collative.*

En effet, si certains bénéfices étaient encore attachés à la fonction (bénéfices «à charge d'âmes») et d'autres électifs, la plupart étaient «collatifs», c'est-à-dire reportés autoritairement. Le premier collateur était le roi, mais d'autres autorités laïques disposaient de la collation : les «patrons», héritiers des fondateurs ou donateurs d'églises, les officiers du Parlement, par droit d'indult.   Alain REY, Antoine Furetière..., *in* FURETIÈRE, Dict., p. 23.

COLLATION [kɔlasjɔ̃] n. f. — 1276; lat. médiéval *collatio,* le lat. classique n'a que le sens II «comparaison, confrontation»; de *collatus,* p. p. de *conferre.*

★ **I.** ♦ **1.** (1276; le lat. médiéval *collatio* a ce sens au XIIᵉ s.). Anc. dr. Action de conférer (à qqn un titre, un bénéfice ecclésiastique). *La collation d'un bénéfice* (→ Collatif, cit.). *Le dévolu, dénonciation d'une collation irrégulière.* — Droit de nommer à un bénéfice. *Avoir la collation de l'ordinaire.*

♦ **2.** Action de conférer (un grade universitaire). *La collation d'une licence, d'un doctorat.*

★ **II.** (1361; lat. class. *collatio,* spécialisé dans ce sens). Action de comparer entre eux (des manuscrits, des textes, des documents). ⇒ **Confrontation, examen...** (On dit aussi *collationnement*).

Les clercs de la vie commune, aux Pays-Bas, s'occupaient de la collation des originaux dans les bibliothèques (...)   CHATEAUBRIAND, le Génie du christianisme, IV, VI, V.   1

J'avais dépassé quarante ans; la médecine grecque m'occupait entièrement, sauf quelques excursions littéraires qu'accueillaient des journaux quotidiens et des   2

revues. Je donnais chez M. J.-B. Baillière une édition d'Hippocrate, texte grec, avec collation de tous les manuscrits que je pus me procurer (...)
                                    É. LITTRÉ, Comment j'ai fait mon dictionnaire, p. 1.

★ **III.** (XIIIᵉ ; lat. chrét. *collatio* « conférence, discussion »). ♦ **1.** Vx. Action de conférer avec qqn. — (1287). Spécialt. Anciennt. Dans des monastères, courte conférence qui se tenait le soir et après laquelle les moines prenaient quelque nourriture.

♦ **2.** (1595). Dîner léger que prennent les catholiques les jours de jeûne. *Faire collation. Prendre une légère collation.*

♦ **3.** (1453, « léger souper »). Mod. et cour. Repas léger, pris le plus souvent au cours de l'après-midi ou de la soirée. ⇒ **En-cas, goûter, lunch, quatre heures** (fam. et enfantin), **souper.**

3   *(Il)* nous a donné la collation où nous avons mangé des fruits ... et bu du vin (...)
                                    MOLIÈRE, les Fourberies de Scapin, II, 7.

4   La collation vient, composée de quelques laitages, de gaufres, d'échaudés, de merveilles, ou d'autres mets du goût des enfants et des femmes.
                                    ROUSSEAU, Julie ou la Nouvelle Héloïse, IV, Lettre X, p. 65.

5   Ensuite, je veux qu'on m'apporte une collation bien servie, composée de choses japonaises raffinées.   LOTI, Mᵐᵉ Chrysanthème, III, p. 25.

DÉR. Collationner.

COLLATIONNEMENT [kɔlasjɔnmɑ̃] n. m. — 1865 ; t. de télécommunications, 1861 ; de *collationner.*

♦ Action de collationner ; son résultat. ⇒ **Collation,** II. *Le collationnement de ces deux textes est méticuleusement fait.*

COLLATIONNER [kɔlasjɔne] v. — XIVᵉ ; de *collation.*

★ **I.** V. tr. ♦ **1.** Comparer* (des manuscrits, des textes et leurs reproductions). ⇒ **Confronter, examiner, réviser, vidimer.** *Collationner un écrit avec l'original,* vérifier la concordance des formes entre les deux textes. *Collationner deux manuscrits, deux éditions.*

Spécialt. Vérifier la conformité de (une dactylographie, une épreuve d'imprimerie) avec l'original.

1   (...) l'ennui d'un long travail me donne des distractions si grandes, que je passe plus de temps à gratter qu'à noter *(la musique),* et que si je n'apporte la plus grande attention à collationner mes parties, elles font toujours manquer l'exécution.
                                    ROUSSEAU, les Confessions, IV.

2   (...) il achevait de s'abîmer la vue en collationnant des textes pour une publication de *Documents sur le Protestantisme* (...)
                                    MARTIN DU GARD, les Thibault, t. VI, p. 41.

♦ **2.** Vérifier l'ordre des cahiers, des feuillets (d'un livre), des éléments (d'une liste).

★ **II.** V. intr. (1549 ; vieilli). Prendre une collation* (III., 3.). ⇒ **Manger ; casser** (la croûte).

DÉR. Collationnement, collationneur.

COLLATIONNEUR, EUSE [kɔlasjɔnœr, øz] n. — Mil. XXᵉ ; de *collationner,* I.

♦ **1.** Personne qui collationne (I., 1. ou 2.).

♦ **2.** N. f. Machine qui compte et collationne des données.

COLLE [kɔl] n. f. — 1268, *cole* ; lat. pop. **colla,* grec *kolla.*

♦ **1.** Substance (naturelle ou de synthèse) permettant de lier par adhérence deux matières, deux objets. *Colle obtenue par dessiccation de la gélatine animale ou végétale* (⇒ **Colloïde**). ⇒ **Empois, glu, poix.** *Bouteille de colle. Tube, pot, bâton de colle. Pinceau à colle. Enduire de colle une affiche. Badigeonner qqch. de colle. Faire fondre la colle.* — Loc. cour. *Colle forte.* — Techn. *Colle de peaux* ou *de baquet, colle-matières* : colle animale préparée avec des déchets d'abattoirs, de tannerie. *Colle minérale. Colle au caoutchouc. Colle gomme*. Colle à la gutta-percha. Colle d'amidon.* — *Colle de poisson,* préparée avec les vessies natatoires de certains poissons. ⇒ **Ichtyocolle.** *Colle d'esturgeon.* — *Colle liquide* : colle dissoute dans l'eau. *Colle de bureau.* — *Colle pâteuse extraforte* : mélange de colle de poisson et de silicate de soude. *Colle à porcelaine. Colle à bois.* ⇒ **Futée, oreillons.** — *Colle à bouche, colle blanche* : colle additionnée de sucre, de glycérine, de citron... — *Colle végétale, colle de pâte,* préparée avec de la gélatine végétale obtenue à partir d'algues marines. ⇒ **Agar-agar, gélose.** *Colles synthétiques* (à base d'élastomères*). *Colles contact. — Préparation industrielle des colles. Échaudage, soutirage, moulage, séchage, découpage des colles.*

1   Ces filets sont de fil de chanvre, qu'ils achètent des marchands. Ils les frottent souvent d'une certaine colle rouge, qu'ils font avec de l'écaille de poisson séchée à l'air.   J.-F. RÉGNARD, Voyage en Laponie, p. 147 (1731).

(Utilisations autres que l'adhérence). *Peinture à la colle* : peinture à laquelle on ajoute de la colle pour mieux fixer les couleurs (⇒ **Détrempe**). *Enduit à la colle, de colle.* — *Apprêt* à la colle* (étoffes, etc.). ⇒ **Encollage.**

Il ne lui donne point l'enduit de colle, cet enduit ne se donnant que pour empêcher les impressions à l'huile de passer au travers d'une toile grasse et claire.
                                    DIDEROT, Peinture en cire, Œ, t. XV, p. 344.   2

Colle végétale ou animale utilisée pour faciliter la précipitation des matières en suspension dans un liquide et le clarifier. ⇒ **Collage.**

Spécialt. Colle séchée qui enduit une surface de papier pour le rendre adhésif, collant*. *Humecter la colle d'un timbre-poste.*

Loc. fam. *Faites chauffer la colle !* (allus. aux anciennes colles, qu'il fallait faire chauffer avant l'emploi) : quelque chose vient d'être cassé, brisé.

♦ **2.** Par compar. ou métaphore. Matière gluante, visqueuse, qui adhère. *Ce terrain est argileux ; quand il pleut, c'est de la vraie colle, c'est de la colle.*

Spécialt (plus cour.). Se dit de pâtes, de riz, de féculents trop cuits, qui adhèrent.

Et il verse dans mon assiette une sorte de colle immangeable.   3
                                    GIDE, Feuillets, *in* Journal 1889-1939, Pl., p. 349.

Techn. *Mettre, remettre en colle* : former une solution épaisse.

La cuisson est effectuée après avoir rendu au savon son homogénéité par addition   4
d'eau, ce qui, en terme de métier, s'appelle *remettre en colle.*
                                    Emmanuel MAYOLLE, les Industries du savon et des détergents, p. 57.

♦ **3.** Fig. et fam. Vieilli. Chose ennuyeuse, qui embarrasse. « *Quelle colle et quelle poisse !* » (Colette, *in* T. L. F.). ⇒ **Poisse.** — Vx. Attitude ou parole trompeuse (qui « englue »).

Loc. fam. **POT** (cit. 10.1) **DE COLLE** : personne dont on ne peut se débarrasser. ⇒ **Collant.** *C'est un véritable pot de colle ! Quel pot de colle !* — (En fonction d'adj.). *Ce que tu peux être pot de colle !* ⇒ **Collant.**

♦ **4.** Loc. adv. (1880 ; de *se coller*). Pop. À **LA COLLE.** *Être, vivre à la colle,* en concubinage. ⇒ **Collage** (I., 4.).

Quand on me demandait si j'étais marié, je n'avais pas de mots vrais pour répon-   5
dre. Rien que des mots faux. On trouvait pour moi : *Tu vis à la colle.*
                                    Georges NAVEL, Travaux, p. 97.

Ils se sont rencontrés. Mon père, sur l'instant, se fit tatouer un cœur allégorique,   5.1
traversé d'une flèche, sous le biceps gauche, parce qu'il était amoureux. Ils se sont
mis « à la colle », c'est l'expression de ce temps, je suis venu, et on est parti tous
les trois.   Henri CALET, la Belle Lurette, p. 9.

♦ **5.** (1840 ; spécialisation du sens 2). Argot scol. Exercice d'interrogation préparatoire aux examens, aux concours. *Passer une colle, une colle blanche.*

Question embarrassante (posée à un candidat ou non) qui exige des connaissances, de l'astuce. *Poser une colle.* ⇒ **Problème, question.**

Reste de se poser des colles et d'essayer de les résoudre. De se faire une idée   6
d'un tableau possible, de copier cette idée jusqu'à ce que le tableau lui ressemble. D'organiser une rencontre entre l'abstrait et le concret.
                                    COCTEAU, Journal d'un inconnu, p. 117.

Vous méritez qu'on vous pousse *(sic)* une colle : dites-moi, je vous prie, quels sont   7
ces bruits que vous prétendez entendre si bien.
                                    MONTHERLANT, Pitié pour les femmes, p. 90 (1936).

(1880). Punition qui contraint un élève à venir en classe en dehors des heures de cours. ⇒ **Consigne, retenue.** *Avoir une colle le jeudi de 2 à 4 heures. Faire sa colle.*

Ils te chahutaient ?   8
— Pas vraiment. Au début, je les tenais à coup de colles (...) Je leur ai dit un
jour, faites ce que vous voulez, mais je ne veux pas de bruit (...) Si j'entends un
bruit, je vous colle.   J.-M. G. LE CLÉZIO, le Déluge, VIII, p. 163.

DÉR. Coller, colleur.
HOM. V. Col.

COLLECTAGE [kɔlɛktaʒ] n. m. — 1517 ; *coletage,* v. 1410 ; de *collecter.*

♦ Action de collecter. ⇒ **Ramassage.**

COLLECTE [kɔlɛkt] n. f. — Déb. XIIIᵉ, *collete* ; lat. *collecta,* de *colligere* « placer ensemble, recueillir ».

♦ **1.** Liturg. Courte prière* que le prêtre lit à la messe entre le Gloria et l'Épître, et dont le texte varie avec l'office du jour. ⇒ **Oraison.**

♦ **2.** (1395). Anciennt. Levée des impositions. *Collecte de la taille, de la capitation.*

♦ **3.** (1690). Action de recueillir des dons, des objets divers au profit d'une œuvre, d'une personne. ⇒ **Quête.** *Faire une collecte pour, au profit d'une œuvre. Organiser une collecte pour l'érection d'une statue. Participer à une collecte. Le produit d'une collecte.*

On dîne, et après le repas, on fait une collecte pour les pauvres.   1
                                    VOLTAIRE, Phil., II, 43, *in* LITTRÉ.

Des dîners de bienfaisance ont lieu tous les deux mois, avec collectes en gants   2
blancs et tenues de soirée (...)   Alain BOSQUET, les Bonnes Intentions, p. 129.

Action de recueillir, de ramasser des produits, chez le producteur ou en vue d'un traitement approprié. ⇒ **Collectage.** *La collecte des œufs, du lait, dans les fermes.* ⇒ **Ramassage.** *La collecte des ordures ménagères.*

Inform. *Collecte des données** : processus de transfert de données d'un ou plusieurs points vers un point central.
DÉR. Collecter.

COLLECTER [kɔlɛkte] v. tr. — 1557 ; 1320, passif, « être assujetti à une contribution » ; de *collecte.*

♦ **1.** Réunir par une collecte. *Collecter des fonds, des dons.*

♦ **2.** Ramasser en se déplaçant (le compl. est au plur. ou désigne une substance de manière « non comptable »). *Collecter le lait.*
Réunir (des éléments dispersés). *Collecter les vieilles bouteilles pour recycler le verre.*
(...) il désignait la rigole. Devant la porte de la remise, elle collectait et canalisait vers un ruisseau lointain les eaux sanglantes (...)
                                        Pierre GASCAR, les Bêtes, p. 63.

▶ **SE COLLECTER** v. pron. passif (1869).
Pathol. Se rassembler en une accumulation purulente. *Le pus se collecte en un unique furoncle.* — Au p. p. *Abcès collecté.*
DÉR. Collectage.

COLLECTEUR, TRICE [kɔlɛktœʀ, tʀis] n. et adj. — 1315, *in* D. D. L. ; bas lat. *collector,* de *colligere.*

★ **I.** N. ♦ **1.** Personne qui collecte (qqch.). — N. m. Anciennt. Celui qui était chargé de la collecte de la taille. (On dit encore *collecteur d'impôts.* ⇒ **Percepteur**).

♦ **2.** N. m. Organe ou dispositif qui recueille ce qui était épars.
(1898). Électr. Ensemble d'éléments conducteurs (lames) destinés à recueillir le courant induit. *Collecteur en cylindre d'une dynamo**. ⇒ **Inducteur, induit.** *Moteur à collecteur.*
Radio. *Collecteur d'ondes* (antenne, cadre).
Techn. *Collecteur de chaudière* : partie cylindrique des chaudières tubulaires, remplies d'eau ou de vapeur. *Collecteur d'admission, d'alimentation, d'échappement.* — Ensemble de conduits coudés où le gaz abandonne le goudron, dans la distillation de la houille (on dit aussi *tuyaux d'orgue*). — Tuyère conique dont le rétrécissement accélère le mouvement du fluide qui la traverse. ⇒ **Convergent.**
(1877). Support artificiel (de roche, de bois, etc.) aménagé pour que se fixent les embryons d'huîtres, le naissain de moules (⇒ **Bouchot**). « *Éviter que les jeunes huîtres, trop serrées sur les collecteurs, ne se déforment* » (A. Boyer, *les Pêches maritimes,* p. 80).
Inform. *Collecteur de données**.

♦ **3.** N. m. Spécialt (trav. publ.). Conduite qui recueille le contenu d'autres conduites. *Collecteur d'eau pluviales.* ⇒ **Drain.** *Collecteur principal.*

1 Le collecteur général de la rive gauche, du même type que le collecteur secondaire des quais de la rive droite (...) De ce collecteur secondaire partent un certain nombre d'égouts principaux (...)
                    L. FIGUIER, l'Année scientifique et industrielle 1875, p. 291 (1874).

★ **II.** Adj. Qui recueille. — (1862). *Égout collecteur.* — Électr. *Barre collectrice* (de courant).

2 Plantations de derricks, pompes à balanciers alignées en quinconce, stations collectrices flottantes, service de pompage, réservoirs sont regroupés en isolats (...)
                                        Régis DEBRAY, l'Indésirable, p. 71.

COLLECTIF, IVE [kɔlɛktif, iv] adj. et n. — XIIIᵉ ; lat. *collectivus* « ramassé », du supin de *colligere.* → Collecte.

★ **I.** Adj. ♦ **1.** Qui comprend ou concerne un ensemble de personnes ou de choses. *Travail collectif.* ⇒ **Équipe** (en), **groupe** (en). *Les auteurs d'un ouvrage collectif. Œuvre, entreprise collective. Faire une démarche, une réclamation collective. Démission collective. Contrat* collectif. *Convention collective. Responsabilité collective. Morale collective. La psychologie collective. Tendances collectives. L'âme collective. Conscience collective,* du groupe social, de la collectivité. ⇒ **Social.** *L'inconscient collectif étudié par Jung.* — *Comportement collectif. Enthousiasme, peur, angoisse collective. Punition collective.*

1 Les particuliers meurent, mais les corps collectifs ne meurent point. Les mêmes passions s'y perpétuent, et leur haine ardente, immortelle comme le démon qui l'inspire, a toujours la même activité.   ROUSSEAU, Rêveries..., 1ʳᵉ Promenade.
2 (...) l'immense être humain appelé France (...) s'était affronté en une gigantesque querelle collective avec cet autre immense conglomérat d'individus qu'est l'Allemagne.   PROUST, À la recherche du temps perdu, t. XIV, p. 94.
3 L'esprit du régime nouveau qui partout se répand sur le monde relève de la série remplaçant la qualité, de l'action collective se substituant à l'initiative de chacun (...)   André SIEGFRIED, l'Âme des peuples, III, I, p. 52.
4 Il n'y avait plus alors de destins individuels, mais une histoire collective (...)   CAMUS, la Peste, p. 187.

Propriété collective. ⇒ **Collectivisme.** — *Billet collectif* (de groupe). — *Antenne collective.*

♦ **2.** Log. Se dit d'un terme singulier et concret représentant un ensemble d'individus. *Le Sénat, l'Académie, la pègre sont des termes collectifs.* — Par ext. *Proposition collective* : proposition ayant

pour sujet un terme collectif. — *Sujet collectif, pris au sens collectif* : sujet représenté par un terme pluriel ou par plusieurs termes réunis, lorsque la proposition est indivise (opposé à *distributif*). *Donner à un mot un sens collectif. Considérer un terme d'une manière collective.* — N. m. *Un collectif* : un mot collectif. — Gramm. *Nom collectif* : terme singulier représentant un ensemble d'individus. *Peuple, foule, ensemble... sont des collectifs.* — REM. Accord des collectifs, selon qu'on insiste sur la notion d'ensemble ou sur les éléments qui le composent. Ex. : « *Une multitude de sauterelles a infesté ces campagnes* » (Littré). « *Une foule de gens diront qu'il n'en est rien* » (Académie).

★ **II.** N. m. ♦ **1.** Ensemble des dispositions d'un projet de loi de finance. *Le collectif budgétaire. La vignette** de l'impôt sur les voitures, le timbre des permis de chasse, font partie du collectif budgétaire.*
Collectif d'indépendants (surface de vente).

♦ **2.** N. f. Sports. Course, sortie collective (alpinisme).

♦ **3.** N. f. UNE COLLECTIVE : un groupement d'intérêts, un syndicat de producteurs (en matière de publicité). *La publicité collective est parfois « assurée par des collectives de labels* » (B. de Plas et H. Verdier, *la Publicité,* p. 15).
CONTR. Individuel, particulier. — Distributif, partitif.
DÉR. Collectivement, collectiviser, collectivisme, collectivité.

COLLECTION [kɔlɛksjɔ̃] n. f. — 1371, méd. ; lat. *collectio* « action de réunir », du supin de *colligere.* → Collecte.

★ **I.** ♦ **1.** (Sens gén.). Didact. ou littér. Réunion d'objets, concrets ou abstraits. ⇒ **Accumulation, amas, assemblage, assortiment, ensemble, groupe, réunion.** *Une collection d'objets divers.* ⇒ **Quantité, variété.** *Toute une collection.* ⇒ **Appareil, attirail.** *Une collection d'individus.* ⇒ **Foule, nombre** (un grand nombre).

1 Au Palais-Bourbon, le psychologue trouve une collection complète d'individus propres à lui rendre intelligible, région par région, la nationalité française.   M. BARRÈS, Leurs figures, p. 16.
2 (...) les peuples, en tant qu'ils ne sont que des collections d'individus (...)   PROUST, À la recherche du temps perdu, t. X, p. 236.
3 Il comptait avoir dans ce local non un véritable dépôt, mais une collection de rouleaux-spécimens.   J. ROMAINS, les Hommes de bonne volonté, t. II, IX, p. 95.

Fam. *Une belle collection d'imbéciles.*

♦ **2.** (1755). Cour. Réunion d'objets ayant un intérêt esthétique, scientifique, historique, ou une valeur provenant de leur rareté. *Une belle, une riche collection. Les collections du Louvre. Collection publique : privée* (ou *particulière*). *Les collections d'un musée. La collection Durand,* donnée ou léguée par M. Durand. *Pièce de collection. Faire collection de... Faire des collections.* ⇒ **Collectionner, colliger.** *Collection d'amateur. Collections de curiosités, de bibelots.* ⇒ **Bibelotage, vitrine.** *Collection de tableaux, de peintures.* ⇒ **Galerie, pinacothèque.** *Collection d'images, de portraits* (⇒ **Iconographie**), *de photographies* (⇒ **Album**), *de livres* (⇒ **Bibliothèque**), *de disques* (⇒ **Discothèque**), *de timbres* (⇒ **Philatélie**), *de cartes postales* (⇒ **Cartophilie**). *Collection de médailles* (⇒ **Numismatique**). *Collection de jouets* (⇒ **Joujouthèque, ludothèque**), *de films* (⇒ **Cinémathèque**), *de documents sur l'information* (⇒ **Médiathèque**), *etc.* (⇒ le suff. *-thèque*). *Collection d'insectes, de papillons, de coquillages* (coquillier), *de plantes* (herbier), *d'animaux aquatiques* (aquarium, 2.)*... — Avoir le goût, la manie de la collection* (⇒ **Collectionnisme**). *Faire collection d'objets préhistoriques.*

4 Sa collection de timbres est estimée par lui à soixante mille francs.   GIDE, Journal, 14 janv. 1943.
5 À la faveur de diverses courses, j'ai, ces temps derniers, eu la chance de revoir deux grands musées de notre Ile-de-France et de réfléchir, une fois de plus, sur le goût de la collection, sur l'avenir de la collection, sur la place que pourrait occuper la collection, dans les sociétés futures.   G. DUHAMEL, Manuel du protestataire, II, p. 60.

Fig. et fam. *Faire collection de... :* avoir, recueillir beaucoup de... ⇒ **Collectionner,** 2. *Il fait collection de contraventions.*

Fam. et iron. *Ne pas déparer la collection :* être aussi affecté que les autres d'un défaut physique ou moral.

♦ **3.** (1680). Série d'ouvrages, de publications ayant une unité. *Ouvrage publié dans telle collection. Directeur de collection. Collection pour la jeunesse.* ⇒ aussi **Bibliothèque.**
Spécialt. Recueil des numéros d'une publication. *La collection reliée de tel hebdomadaire.*

♦ **4.** Ensemble de modèles présentés en même temps. *Collection de jouets d'un voyageur de commerce. Présenter sa collection.* — Spécialt (haute couture). *La sortie des collections d'été, d'hiver. Robe de collection. Collection de prêt**-à-porter.*

★ **II.** Méd. Amas de pus. *Collection purulente.*
CONTR. Individu.
DÉR. Collectionner, collectionneur.

COLLECTIONNABLE [kɔlɛksjɔnabl] adj. — 1939 ; de *collectionner.*

♦ Rare. Digne d'être collectionné ; qui peut être collectionné.

COLLECTIONNER [kɔlɛksjɔne] v. tr. — 1840 ; de *collection.*

♦ **1.** Réunir pour faire une collection (2.). ⇒ **Accumuler, amasser, assembler, grouper, réunir.** *Collectionner des objets d'art. Collectionner des bibelots.* ⇒ **Bibeloter.** *Collectionner des livres.* ⇒ **Bibliophilie.** *Collectionner de vieux papiers, des objets divers, des souvenirs* (→ Bric-à-brac, cit.). *Les enfants collectionnent des coquillages, des cailloux.*

Il collectionnait des insectes rares, des lépidoptères, et des coléoptères qu'il préparait adroitement avant de les fixer par de longues épingles dans des boîtes à fond de liège.   P. MAC ORLAN, la Bandera, V, p. 53.

Absolt. → Collectionneur, cit. 2.

♦ **2.** Fig., fam. *Il collectionne les contraventions, les échecs,* il en a beaucoup. ⇒ **Accumuler.** — *Collectionner les aventures. Elle collectionne les amants. Cet acteur américain collectionne les femmes.*

Avec un compl. d'objet au sing. Littér., rare. « *Elle collectionne le bonheur* » (Gide, *in* T. L. F.).

DÉR. Collectionnable, collectionnisme.

COLLECTIONNEUR, EUSE [kɔlɛksjɔnœʀ, øz] n. — 1828 ; de *collection.*

♦ Personne qui fait une, des collections. ⇒ **Amateur ; bibliophile, numismate, philatéliste** (→ Artiste, cit. 10). *Un collectionneur de tableaux. C'est un collectionneur enragé.* — Spécialt. Collectionneur d'objets ou d'œuvres d'art. *L'importance des grands collectionneurs dans la diffusion de l'art cubiste. Collectionneur qui expose, lègue ses collections.*

1 (...) ces échanges, bonheur ineffable des collectionneurs ! Le plaisir d'acheter des curiosités n'est que le second ; le premier, c'est de les brocanter.
                                            BALZAC, le Cousin Pons, Pl., t. VI, p. 532.
2 Les collectionneurs qui collectionnent pour collectionner, ces maniaques, et il n'en manque pas, qui dépensent une fortune pour ranger sous vitrines aussi bien des boutons de culotte que des livres rares, peu importe.
                                            B. CENDRARS, Bourlinguer, p. 342.

Fig. et fam. *C'est un collectionneur d'aventures (galantes), une collectionneuse d'amants. La Collectionneuse,* film d'É. Rohmer.

Adj. (en attribut). *Elle est très collectionneuse.*

COLLECTIONNISME [kɔlɛksjɔnism] n. m. — XXᵉ ; de *collectionner.*

♦ Pathol. Habitude considérée comme pathologique, qui consiste notamment à rassembler des objets quelconques sans valeur objective.

COLLECTIVEMENT [kɔlɛktivmɑ̃] adv. — 1568 ; de *collectif.*

♦ De façon collective ; ensemble. *Collectivement et solidairement. Il les a remercié collectivement.* — Gramm. *Cheveu est pris collectivement dans* il a le cheveu noir.

COLLECTIVISATION [kɔlɛktivizasjɔ̃] n. f. — 1871 ; de *collectiviser.*

♦ Didact. Le fait de collectiviser (des moyens de production). *La collectivisation de l'industrie. Collectivisation forcée.* — Son résultat. *Collectivisation partielle des terres.*

Le dialogue du capital et du travail est faux parce qu'il est au passé. La collectivisation des moyens de production ne peut opérer une réduction de l'aliénation par elle-même ; elle ne peut l'opérer que si elle est la condition préalable de l'acquisition par l'individu humain de l'intelligence de l'objet technique individuel.
                Gilbert SIMONDON, Du mode d'existence des objets techniques, p. 119.

COLLECTIVISER [kɔlɛktivize] v. tr. — Fin XIXᵉ ; de *collectif.*

♦ **1.** Didact. (polit. écon.). Mettre (les moyens de production) aux mains de la collectivité. *Collectiviser des terres, l'industrie.* ⇒ **Collectivisation.** *Collectiviser en mettant aux mains de l'État* (⇒ **Étatiser**), *des travailleurs.*

♦ **2.** Rare. Rendre collectif.

On a beaucoup insisté sur la critique radicale à laquelle Freud avait soumis la religion, comparant la liturgie à un rituel obsessionnel collectivisé (...)
                D. ANZIEU, le Moment de l'apocalypse, *in* la Nef, n° 31, p. 130.

DÉR. Collectivisation.

COLLECTIVISME [kɔlɛktivism] n. m. — 1836 ; de *(propriété) collective.*

♦ **1.** Socialisme non étatiste et non centralisateur. *Le collectivisme allemand au XIXᵉ siècle.*

Le socialisme marxiste révolutionnaire, en France, à la fin du XIXᵉ siècle. ⇒ **Communisme, socialisme.**

♦ **2.** Régime social et doctrine de la propriété des moyens de production (et d'échange) par la collectivité. ⇒ **Communisme, marxisme** (→ aussi Mutuellisme). *Collectivisme étatique, autogestionnaire.*

0.1 — Mais enfin, expliquez-moi, qu'est-ce que c'est que votre collectivisme ? — Le collectivisme, c'est la transformation des capitaux privés, vivant des luttes de la concurrence, en un capital social unitaire, exploité par le travail de tous (...) Imaginez une société où les instruments de la production sont la propriété de tous, où tout le monde travaille selon son intelligence et sa vigueur, et où les produits de cette coopération sociale sont distribués à chacun, au prorata de son effort.
                                            ZOLA, l'Argent, p. 42 (1891).
1 Le collectivisme *(c'est)* la substitution nécessaire et progressive de la propriété sociale (soit nationale, soit municipale) à la propriété capitaliste.
                MILLERAND, le Socialisme réformiste français, p. 25-27, *in* LALANDE.
2 Le collectivisme, pour se distinguer de tous les autres systèmes socialistes qui l'ont précédé, s'intitule *socialisme scientifique.*
                            Charles GIDE, Cours d'économie politique, II, p. 182.

CONTR. Capitalisme, libéralisme.
DÉR. Collectiviste.

COLLECTIVISTE [kɔlɛktivist] n. et adj. — 1869 ; de *collectivisme.*

♦ **1.** N. Partisan du collectivisme ; qui professe le collectivisme. ⇒ **Communiste, socialiste ; partageux** (fam. et vx).

1 Nous savons ce que pensent les mutuellistes et les collectivistes de la propriété ; nous ne pouvons pas ignorer que la liquidation sociale serait à l'ordre du jour (...)
                                            Journal des débats, 27 oct. 1869.
2 (...) les collectivistes (...) déclarent que leur but n'est point d'étendre indéfiniment les fonctions de l'État, mais de les supprimer successivement (...) Socialisation ne veut donc pas dire étatisation.
                            Charles GIDE, Cours d'économie politique, II, p. 181.

♦ **2.** Adj. Qui a rapport au collectivisme. *Doctrine collectiviste.* ⇒ **Socialiste.** — Qui est régi selon le collectivisme. *Une société collectiviste.*

3 (...) nous, Occidentaux, auxquels les robots socialistes chinois, portés par la révolution collectiviste et culturelle la plus radicale, c'est-à-dire la plus grande vague de fraternité jamais connue, viendront rapprendre le Christ.
                            Raymond ABELLIO, Ma dernière mémoire, t. I, p. 57.

COLLECTIVITÉ [kɔlɛktivite] n. f. — 1836 ; de *collectif.*

♦ **1.** Ensemble d'individus groupés naturellement ou pour atteindre un but commun. ⇒ **Communauté, groupe, société.** *La collectivité nationale.* ⇒ **Nation.** *Les collectivités professionnelles.* ⇒ **Association, syndicat.** *La collectivité et l'individu.*

1 Le problème consiste à ménager l'individu, tout en reconnaissant qu'il doit s'intégrer dans la collectivité. La France n'en a pas encore trouvé la solution.
                            André SIEGFRIED, l'Âme des peuples, III, III, p. 62.
2 Il existe des bandits à la Légion comme il en existe dans toutes les collectivités d'individus qui ne sont sélectionnés que par l'estimation de leur force physique, de leur courage et de leur mépris pour la mort violente.
                                            P. MAC ORLAN, la Bandera, V, p. 54.

Spécialt. Circonscription administrative dotée de la personnalité morale. *Le budget des collectivités locales.*
Les collectivités publiques : l'ensemble des établissements publics.

♦ **2.** Possession en commun. *La collectivité des moyens de production* (⇒ **Collectivisme ; nationalisation, propriété**).

♦ **3.** Vx. Caractère collectif (de qqch.).

COLLÈGE [kɔlɛʒ] n. m. — 1308 ; du lat. *collegium* «groupement, confrérie ».

★ **I.** ♦ **1.** Corps de dignitaires ; confrérie religieuse. — Antiq. rom. *Le collège des artisans, des marchands.* ⇒ **Corporation.** — Corps de personnes revêtues d'une même dignité, de fonctions sacrées. *Le collège des pontifes, des augures* (cit. 1).

Relig. *Un collège de chanoines.* ⇒ **Chapitre ; collégial.**

(1546). Mod. *Collège des cardinaux. Le Sacré collège.*

1 Il *(le pape)* reçut l'adoration du sacré collège.   RETZ, Mémoires, An 1665.

♦ **2.** (1812). *Collège électoral,* ou, ellipt, *collège :* ensemble des électeurs d'une circonscription. *La convocation du collège électoral. Président d'un collège (électoral).*

★ **II.** ♦ **1.** (1549 ; *colliege,* 1462). Établissement d'enseignement. — Spécialt. Ⓐ (1795). **COLLÈGE DE FRANCE,** établissement d'enseignement supérieur, fondé par François Iᵉʳ *(Collège royal). Professeur au Collège de France. Suivre un cours au Collège de France.*

Ⓑ (1848). Établissement d'enseignement du premier cycle du second degré. *Aller au collège. Collège moderne, technique. Collège d'enseignement secondaire* (C. E. S.). *Collèges d'enseignement technique* (C. E. T.), *remplacés depuis 1975 par les lycées d'enseignement professionnel* (L. E. P.). — *Les années de collège. Amitié, ami de collège.* — *Collège libre* (établissement privé). ⇒ **École, institution.** *Un collège de jésuites, d'oratoriens. Professeur de* *collège. Être en pension dans un collège. Mettre un enfant au collège.*

2 Je la passai *(l'année)* hélas! (...) au collège où je débutais sans le moindre brio (...)
LOTI, Figures et Choses..., « Vacances de Pâques », I, p. 27.

3 « Ce prolongement déguisé du collège!... » reprit Jacques. « Ces cours, ces leçons, ces gloses à l'infini!... »
MARTIN DU GARD, les Thibault, t. IV, p. 91.

c (Angl. *college*). Établissement scolaire dépendant de certaines universités étrangères. *Les collèges d'Oxford, de Cambridge.*

4 Le voisinage, signalé par le prospectus, du fameux collège d'Eton y répandait même une ombre des plus aristocratiques.
J. ROMAINS, les Hommes de bonne volonté, t. V, XXVI, p. 244.

♦ **2.** Par métonymie. L'ensemble des collégiens. *La rentrée du collège.*

♦ **3.** Fig., péj. Vieilli. *De collège :* d'école. *Tragédie, poésie de collège.* ⇒ **Scolaire.**

DÉR. **Collégial, collégien.**

COLLÉGIAL, ALE, AUX [kɔleʒjal, o] adj. — 1350 ; de *collège.*

♦ **1.** Qui a rapport à un collège (de chanoines). *Chapitre collégial. Église collégiale :* église qui, sans être cathédrale, possède un chapitre de chanoines. — N. f. (1663). *Une collégiale.*
Un de ses bâtards trouva le moyen d'être chanoine d'une collégiale.
VOLTAIRE, Philosophie, II, 419, *in* LITTRÉ.

♦ **2.** Qui est exercé par un groupe, collectivement. *Pouvoir collégial. Direction collégiale* (⇒ **Collégialité**).

♦ **3.** (Au Québec). *Cours collégial,* ou, n. m., *un collégial :* cours de formation générale et professionnelle, situé entre le secondaire et l'université. ⇒ **Cegep.**

♦ **4.** Rare. Du collège (II.), de l'école.

DÉR. **Collégialité.**

COLLÉGIALITÉ [kɔleʒjalite] n. f. — Av. 1961, Larousse ; de *collégial.*

♦ Polit. Caractère d'un pouvoir collégial.

COLLÉGIEN, IENNE [kɔleʒjɛ̃, jɛn] n. et adj. — 1743 ; de *collège,* II.

♦ **1.** Élève d'un collège. ⇒ **Écolier, lycéen.**
Dans les rues de Winchester, les collégiens sortent en veste rouge, coiffés d'un chapeau de paille, genre canotier.
J. GREEN, Journal, 22 mai 1976, La terre est si belle.

♦ **2.** Jeune personne sans expérience (→ Enfant de chœur*). *Se conduire en collégien, en collégienne. Traiter qqn en (comme un) collégien.* « *Aimer en collégien* » (Balzac, *in* T. L. F.).

♦ **3.** Adj. Vieilli. De collège, de l'école. « *Persécutions collégiennes* » (Maurois, *in* T. L. F.).

COLLÈGUE [kɔlɛg ; kɔllɛg] n. — Av. 1520 ; lat. *collega.* → Collège.

♦ **1.** Personne qui exerce une fonction officielle, par rapport à ceux qui exercent une fonction analogue. ⇒ **Confrère.** *Le, les collègues de qqn ; des collègues. Mon collègue au Conseil d'État. Un futur collègue* (→ Aspic, cit. 5) . *C'est ma collègue. Mon cher collègue. Ses collègues du bureau, du ministère.*

1 Collègue se dit de ceux qui sont revêtus des mêmes fonctions ou qui ont une même mission : on est collègue dans un collège, au sénat, au corps législatif, dans un conseil municipal, etc. Confrère se dit de ceux qui appartiennent à une même société, à un même corps, sans avoir à faire de particulier au point de vue de cette société. On est confrère à l'Académie et dans toutes les sociétés académiques. Les hommes revêtus des mêmes grades, comme les avocats entre eux, les médecins entre eux, les marchands qui vendent les mêmes objets, par exemple, les libraires entre eux, se traitent de confrères.
LITTRÉ, Dict., art. *Collègue.*

2 Que cet oisillon jaseur fasse sa thèse et la soutienne. Il trouvera mon collègue Quicherat ou quelque autre professeur de l'école pour lui montrer son béjaune.
FRANCE, le Crime de S. Bonnard, II, IV, *in* Œ., t. II, p. 377.

3 Les autres assistants *(à l'enterrement de Félix)* devaient être des voisins ou des collègues. Une couronne portait l'inscription : « À notre collègue regretté ».
Jean-Louis CURTIS, le Roseau pensant, p. 83.

Par ext. Se dit de personnes qui exercent le même type d'activité. *Vous jouez du violon? Mais alors, nous sommes collègues.*

♦ **2.** (1872). Fam. et régional (Sud de la France). Camarade. *Comment ça va, collègue?* (équivalant à « mon vieux »).

COLLENCHYME [kɔlɑ̃ʃim] n. m. — 1866 ; du grec *kolla* « colle », et *enkuma* « épanchement ».

♦ Bot. Tissu de soutien de certains végétaux, formé de cellulose.

COLLER [kɔle] v. — 1320 ; de *colle.*

★ **I.** V. tr. **A.** ♦ **1.** Faire adhérer (qqch.); joindre et fixer (deux,

plusieurs choses) à l'aide de colle. **a** (Deux compl.). *Coller une étiquette sur une bouteille,* faire adhérer sa surface à celle de la bouteille. *Coller un timbre sur une enveloppe, des vignettes sur un album. Coller un prospectus au mur* (rare), *sur le mur, sur un mur. Coller du papier de tapisserie au mur* (⇒ **Tapisser**). — *Coller deux pièces de bois, deux surfaces l'une à l'autre. Je les ai collés l'un sur l'autre.*

b (Un compl. au plur.). Faire adhérer (deux, plusieurs choses). *Coller deux pièces de bois ensemble. Coller des lamelles de bois pour faire du contreplaqué*.*

c (Un compl.). *Il colle des affiches.* ⇒ **Colleur.** *Coller du papier, des rouleaux de papier pour tapisser.*

0.1 Avec une équipe de la section socialiste, je passai une partie de mes nuits à coller des affiches.
Raymond ABELLIO, Ma dernière mémoire, t. II, p. 116.

Coller les éléments de (qqch.). Coller un film, au montage. ⇒ **Monter.** Absolt. *Presse à coller.* ⇒ **Colleuse, 2.**

♦ **2.** (XVIᵉ). Techn. Enduire, imprégner de colle. *Coller une toile,* pour lui donner de l'apprêt. ⇒ **Encoller.** *Coller du papier,* pour l'empêcher de boire.

(1376). Clarifier (du vin) avec de la colle (⇒ **Collage**).

1 Je croyais savoir coller le vin (...)
ROUSSEAU, les Confessions, VI.

♦ **3.** (Sujet n. de chose). Faire adhérer ; par ext., rendre gluant (le compl. est unique). *Le sang avait collé ses cheveux.* « *La sueur colle la peau* » (T. L. F.). *Paupières collées par le sommeil.*

2 Sans voir la porte, en deux sauts, il a été dehors. Il avait encore les yeux collés de sommeil.
J. GIONO, Regain, II, p. 57.

3 (...) lorsque l'affreuse soif des nuits de dèveine colle la langue des joueurs (...)
Laurent TAILHADE, le Paillasson, III, p. 35.

♦ **4.** Par ext. *Coller* (le corps, qqn, une partie du corps) *contre, sur, à* (qqch.) : appliquer étroitement (contre, sur...). ⇒ **Appuyer.** *Coller son visage contre la vitre. Coller son oreille à une porte,* pour écouter. *Coller son corps contre un mur.* ⇒ **Plaquer.**

4 La senora pourtant, contre sa jalousie,
Collant son front rêveur à sa vitre noircie (...)
A. DE MUSSET, Premières poésies, « Don Paez », IV.

5 Elle collait son oreille à la porte de communication, et ne perdait pas un mot de l'entretien.
J. ROMAINS, les Hommes de bonne volonté, t. III, XVIII, p. 245.

Fig. *Coller qqn au mur* (pour le fusiller).

5.1 En octobre, deux officiers allemands ayant été descendus, l'un à Nantes, l'autre à Bordeaux, quatre-vingt-dix-huit Français furent collés au mur (...)
S. DE BEAUVOIR, la Force de l'âge, p. 512 (1960).

Fig. *Coller son regard*, son œil*, ses yeux sur qqn, sur qqch.* ⇒ **Fixer, regarder.**

6 Le duc eut sans cesse les yeux collés sur moi pendant que je lui parlai (...)
SAINT-SIMON, Mémoires, I, 114.

B. Fam. ♦ **1.** (1844, Vidocq). *Coller une chose à qqn,* la lui remettre d'autorité, l'obliger à l'accepter. ⇒ **Donner ; ficher, flanquer, mettre** (fam.). *Coller une gifle à qqn.* ⇒ **Envoyer.** — *Coller la, sa main quelque part,* flanquer, mettre. → Panier, cit. 10.

7 Moyennant le partage de la commission, la concierge essayait de coller à ses locataires quelques flacons de parfum, ou d'eau de Cologne.
J. ROMAINS, les Hommes de bonne volonté, III, XXIII, p. 313.

Vx (sans compl. second en à) :

7.1 Mettons dix-huit cents francs qu'on mangeait (oh! pas plus!) du 1ᵉʳ janvier à la Saint-Sylvestre. Donc, collez dix-huit mille balles, et ça y est.
J. VALLÈS, l'Insurgé (1950), *in* D. D. L., II, 1.

♦ **2.** (Forme pron.). *Se coller qqch.,* se l'imposer, se l'infliger.

7.2 (...) nous avions été retrouver le chef de Kongourou, nous collant ainsi six kilomètres supplémentaires.
GIDE, Voyage au Congo, 1927, *in* Souvenirs, Pl., p. 735.

Se coller (qqch.) : se donner, se mettre à soi-même. ⇒ **Ficher** (se), **flanquer** (se), **foutre** (se). *Il s'est collé une indigestion.* — Loc. fam. (Avec un second compl.). *Se coller un petit verre derrière la cravate, dans le gosier, dans le fusil*. S'en coller plein la lampe. Se coller qqch. dans la tête.* « *Colle-toi ça dans le fusil* (cit. 8) ».

♦ **3.** Fam. ⇒ **Mettre ; ficher, flanquer.** *Collez ça dans un coin! On l'a collé en prison.*

8 Et le préfet, l'administrateur, le chef de cabinet, tous, je les colle en prison, aussi sec. Vous m'avez compris?
M. AYMÉ, la Tête des autres, IV, 5.

8.1 Je le vois ces temps-ci parce qu'il m'a confié... il faudrait dire « collé » sa femme, au bureau, pour l'occuper, et qu'il vient à l'occasion lui rendre visite.
M. CLAVEL, le Tiers des étoiles, p. 43.

♦ **4.** (1832, *in* D. D. L.). Fam. *Coller un élève,* lui poser une question à laquelle il ne peut répondre. ⇒ **Colle** (→ Faire sécher). — (1853, *in* D. D. L.). Infliger une retenue, une « colle » à. ⇒ **Consigner, punir ;** Colle, cit. 8.

Coller un candidat, le refuser à un examen. ⇒ **Ajourner, refuser.** — (Passif et p. p.). *Il a été collé à son examen.* ⇒ **Échouer.** *Je suis collé* (opposé à *reçu*).

♦ **5.** Fam. *Coller qqn,* rester obstinément avec lui. *Il me colle!* ⇒ **Collant** (3.).

★ **II.** V. intr. et tr. ind. ♦ **1.** Adhérer fortement (d'une substance enduite de colle : *ça colle bien,* ou plus souvent, d'une substance gluante, adhésive...). *Ce papier colle. Langue qui colle (au palais).* Adhérer (au fond d'un ustensile de cuisine). → Téflon, cit. 2.

♦ **2.** (1829). Fig. Être ajusté, collant. *Un pantalon qui colle.*

♦ **3.** Spécialt. **COLLER À...** *Voiture qui colle à la route,* qui a une excellente adhérence à la chaussée. — *Coller à la roue,* se dit d'un cycliste qui suit de très près son entraîneur, ou un autre concurrent (intr., 1895, *in* Petiot, art. *Coller*).

Fig. *Coller à :* s'adapter étroitement. *Coller à la pensée de qqn,* s'y appliquer étroitement pour la comprendre. *Mot qui colle à une idée,* qui la traduit exactement.

9   Les œuvres les plus belles sont celles où il y a le moins de matières ; plus l'expression se rapproche de la pensée, plus le mot colle dessus et disparaît, plus c'est beau.
                      FLAUBERT, Correspondance, t. II, p. 71.

Loc. *Coller à la peau :* faire partie intégrante du caractère ; pénétrer profondément (qqn). *Le fatalisme « qui lui colle à la peau et peut-être à l'âme »* (Colette). — Par métaphore :

9.1   Peur de vieillir, d'être trahie, de souffrir (...) Cette peur-là, c'est le cilice qui colle à la peau de l'Amour naissant et se resserre sur lui, à mesure qu'il grandit.
                      COLETTE, la Vagabonde, éd. Albin Michel, p. 286 (1910).

♦ **4.** (1906, F. de Chirac). Intrans., impers. ⇒ **Aller.** *Ça colle :* cela va bien. ⇒ **Bicher, boumer.** *Qu'est-ce qui ne colle pas ?*

Spécialt. *Ça colle ! :* d'accord*.

9.2   Ah ! ça, c'est une chouette idée, répondirent en chœur Ribouldingue et Filochard, sûrement, on va rigoler, allons-y, ça colle !
                      L. FORTON, les Aventures des Pieds-Nickelés, *in* l'Épatant, 1908, p. 24.

▶ **SE COLLER** v. pron.

♦ **1.** (Personnes, choses). S'appliquer étroitement contre. *Se coller à une porte. Se coller contre qqn.* ⇒ **Serrer** (se).

10   (...) n'avoir pas le loisir de se coller à un mur pour lui faire place *(à un prince qu'on a rencontré).*   LA BRUYÈRE, les Caractères, XI, 7.
11   Ce moyen ne réussit qu'à les préserver d'une chute de cheval, car le brouillard rampait et semblait se coller à la terre humide.
                      G. SAND, la Mare au diable, VII, p. 62.
12   Gisèle ne lâchait toujours pas la main de son Jacquot et elle se collait silencieusement contre lui, avec la sensualité d'un animal jeune.
                      MARTIN DU GARD, les Thibault, t. I, p. 271.

Par métaphore :

13   C'était comme une végétation d'angoisse et d'ennui qui recouvrait les murs, envahissait les escaliers, les corridors, se collait aux carreaux des fenêtres (...)
                      Edmond JALOUX, les Visiteurs, XX, p. 157.

♦ **2.** (Personnes). **ⓐ** Rester obstinément fixé à un endroit ; imposer à qqn une présence importune. *L'enfant se collait aux jupes de sa mère.*

13.1   Cela lui apprendra à être plus discrète (...) Elle n'a pas besoin de venir fourrer son nez partout. Pourquoi se colle-t-elle à nous sans qu'on lui demande ?
                      PROUST, À l'ombre des jeunes filles en fleurs, Folio, p. 554 (1918).

ⓑ Fam. *Se coller avec qqn.* ⇒ **Collage** (3.).

13.2   Ma concierge (...) s'est collé, un mois plus tard, avec un faraud à belle voix. Il la cognait (...) Mais rien ne prouve qu'ils ne s'aimaient pas.
                      CAMUS, la Chute, p. 44 (1956).

ⓒ Fam. *Se coller à, s'y coller :* commencer (à travailler...) ; accepter (qqch.). *C'est une corvée, mais il faut s'y coller.*

♦ **3.** (Passif). Choses. Être, rester collé. *Ça se colle tout seul* (⇒ **Autocollant**).

▶ **COLLÉ, ÉE** p. p. adj.

♦ **1.** Fixé par de la colle. *Timbre collé* (sur une enveloppe). *Feuilles collées* (l'une à l'autre). — *Le papier collé sur le mur.* → Colleur, cit.

Loc. **PAPIERS COLLÉS.** ⇒ **Papier** (cit. 17 et *supra*). — *Vin collé.*

Par ext. *Visage collé à, contre une vitre.*

13.3   (...) les escargots aiment la terre humide. *Go on,* ils avancent collés à elle de tout le corps.   Francis PONGE, le Parti pris des choses, p. 51.

Par métaphore :

14   Elle *(Solange)* était collée à lui comme une ventouse, et elle ne se décollerait que le jour où il l'arracherait et la jetterait, quitte à la briser.
                      MONTHERLANT, le Démon du bien, p. 253.

♦ **2.** *Élève collé.* — N. *Les collés :* les consignés.

♦ **3.** Fam. *Ils sont collés* (ensemble). → ci-dessus Se coller, 2., b.

CONTR. Arracher, décoller, déprendre, détacher. — Écarter (s'). — Désintéresser (se).
DÉR. Collage, collant, colleur.
COMP. Décoller, recoller.
HOM. (De formes conjuguées). Collet. — Colley.

COLLERETTE [kɔlʀɛt] n. f. — 1309 ; de *collier.*

♦ **1.** Anciennt. Tour de cou généralement plissé que les hommes portaient à l'époque d'Henri IV. ⇒ **Collet, fraise.**

♦ **2.** Petit collet de linge fin porté parfois par les femmes. ⇒ **Gorgerette.** *Collerette de batiste, de tulle.* — *Collerette de Pierrot.*

♦ **3.** Techn. Cercle autour d'un tuyau. ⇒ **Collet.**
Étiquette allongée mise sur les bouteilles au-dessus de la grande étiquette (étiquette de corps). — Étiquette circulaire (sur une bobine, etc.).

♦ **4.** Bot. Involucre des ombellifères. — Partie du chapeau adhérant au stipe (chez les champignons supérieurs).

COLLET [kɔlɛ] n. m. — Fin XIᵉ, «cou» ; dimin. de *col.*

★ **I.** (« Petit cou »). ♦ **1.** (1393). Partie d'une bête de boucherie entre la tête et les épaules. ⇒ **Cou.** *Collet de veau, de mouton.*

♦ **2.** (V. 1550). Nœud coulant pour prendre certains animaux (au cou). ⇒ **Lacet, lacs.** *Braconnier qui tend des collets à lapin.*

0.1   (...) des centaines de petits animaux, semblables à des lapins, s'enfuirent dans toutes les directions (...) Mais le reporter était bien résolu à ne pas quitter la place avant d'avoir capturé au moins une demi-douzaine de ces quadrupèdes (...) Avec quelques collets tendus à l'orifice des terriers, l'opération ne pouvait manquer de réussir.   J. VERNE, l'Île mystérieuse, t. I, p. 255 (1874).

Par ext. Chasse, pêche au collet. *Le collet est prohibé.*

♦ **3.** Didact. ou techn. (de *col* ou de *cou*). Partie en saillie autour d'un objet circulaire, d'une pièce mécanique). → Collier. *Collet d'une bouteille :* bourrelet autour du goulot. *Collet du palier de butée* (d'un arbre de transmission). *Collet d'une ancre,* où les bras s'assemblent à la verge. *Collet d'un tuyau, d'un tube.*

(1704). Sc. nat. (bot.). Anneau ou partie circulaire entre la racine et la tige (point de départ de la tige ; syn. : *nœud vital*). — Anat. *Collet de l'uretère.*

Spécialt (plus cour.). Partie (d'une dent) entre l'émail et le cément, qui touche la gencive. *Le collet de la dent* (⇒ **Cervical,** 3).

1   Le collet, intermédiaire à la couronne et à la racine, est nettement délimité, du côté de la couronne, par une ligne irrégulière qui répond à la limite même de l'émail.   L. TESTUT, Traité d'anatomie, t. IV, p. 56.

★ **II.** (Partie du vêtement qui entoure le cou). ♦ **1.** (XIIIᵉ). Vx ou loc. ⇒ **Col, collerette.** *Un collet de dentelle, de fourrure. Les collets d'un carrick*. Collet montant, rabattu.*

2   (...) un grand collet, une épée, et des dentelles (...)   MOLIÈRE, Tartuffe, 2ᵉ placet.
3   (...) un grand manteau déplié qui a un collet de velours brodé d'un galon d'argent.
                      FLAUBERT, Mᵐᵉ Bovary, II, I, p. 48.
4   (...) le collet du paletot dressé jusqu'au lobe des oreilles.
                      COURTELINE, Messieurs les ronds-de-cuir, 5ᵉ tableau, III.

Collet d'ecclésiastique. ⇒ **Rabat.** Loc. métonymique. Vx. *Un petit collet.* ⇒ **Abbé.**

♦ **2.** En loc. **ⓐ** Loc. adj. **COLLET MONTÉ :** qui affecte l'austérité, la pruderie (comme les femmes qui avaient un collet très haut). *Ils sont trop collet monté.* ⇒ **Affecté, guindé.**

4.1   — Il faut se mettre en tenue pour l'oncle Hubert ? — Non. Ce que j'en dis... Moi, je te trouve très bien comme ça. Mais l'oncle Hubert est un peu collé monté.
                      Jean-Louis CURTIS, le Roseau pensant, 1971, p. 30.

ⓑ **AU COLLET.** *Prendre qqn au collet, lui sauter au collet, mettre la main au collet de qqn,* saisir violemment. ⇒ **Colleter.**

5   (...) il *(le marquis)* se mit à ricaner d'une façon si méprisante, que j'eus le geste de le prendre au collet pour le faire sortir de son banc (...)
                      Alphonse DAUDET, le Petit Chose, I, IX.

Fig. Arrêter, faire prisonnier. — *Se prendre au collet* (pour se battre). ⇒ **Colleter** (se).

DÉR. Colleter, colletin, coltin.
HOM. Colley.

COLLETAGE [kɔltaʒ] n. m. — 1874 ; de *colleter.*

♦ Rare. Action, fait de se colleter (propre et fig.).
Nul comme lui n'avait connu l'odieux colletage avec la phrase récalcitrante, le mot qui se défend.   COURTELINE, le Train de 8 h 47, I, p. 32 (1888).

COLLETER [kɔlte] v. tr. — Conjug. *jeter.* — 1580, *coleter* ; de *collet.*

♦ **1.** Rare. Saisir qqn au collet* pour lui faire violence. ⇒ **Attaquer.** *Colleter rudement son adversaire.* → ci-dessous Se colleter (cour.).

♦ **2.** Rare. Prendre avec un collet. *Colleter des lapins.* Absolt. *Braconnier qui collette la nuit.*

♦ **3.** Littér. (Sujet n. de chose). Entourer le cou de (qqn). *« Le ruban vert dont elles sont colletées »* (Colette, *in* T. L. F.).

▶ **SE COLLETER** v. pron. ⇒ **Affronter** (s'), **battre** (se), **lutter.** *Se colleter avec qqn. Se colleter comme des voyous.*

1   (...) quelques-uns d'entre eux *(des ennemis)* se colletèrent même avec quelques-uns de nos officiers.   RACINE, Lettres, 88, 3 avr. 1691.
2   (...) je n'ai nulle envie de me colleter avec vous *(le commissaire et ses hommes),* je vais me lever et vous suivre : donnez-vous, je vous prie, la peine de vous asseoir.
                      CHATEAUBRIAND, Mémoires d'outre-tombe, t. V, p. 352.

Fig. *Se colleter avec la misère, avec mille difficultés.* ⇒ **Débattre** (se), **empoigner** (s').

3 (...) c'était le temps surtout où il colletait avec ses vices (...)
HUYSMANS, En route, p. 177.

4 Il la considérait vraiment comme incapable de se colleter avec la vie (...)
F. SAGAN, la Chamade, p. 104.

▶ **COLLETÉ, ÉE** p. p. adj.
Blason. Se dit d'un animal dont le collier est d'un émail différent de celui du corps.

DÉR. Colletage, colleteur.

COLLETEUR [kɔltœʀ] n. m. — 1752 ; de *colleter*.

♦ Celui qui tend des collets pour prendre du gibier. ⇒ **Braconnier.**
— REM. Le fém. est virtuel.

COLLETIN [kɔltɛ̃] n. m. — Fin XVIᵉ ; de *collet*.

♦ **1.** Anciennt. Pièce d'armure qui protégeait le cou et les épaules.

♦ **2.** (1580, « pourpoint sans manche » ; dial. — Vosges — « gilet »). Gilet ou courte veste des terrassiers.

1 C'était un fort, un beau garçon de vingt-deux ans au plus, rasé, ne portant que de petites moustaches, l'air gaillard, avec son vaste chapeau enduit de craie et son colletin de tapisserie, dont les bretelles serraient son bourgeron bleu.
ZOLA, le Ventre de Paris, t. I, p. 31.

2 Un petit colletin noir sur leur chandail, ils *(les terrassiers)* partaient orner de leurs belles silhouettes l'autobus, le trottoir, le métro (...) J'admirais les terrassiers, assez fiers de leur métier pour en porter le costume en ville. De la poche de leur colletin dépassait un journal, *l'Humanité*, le plus souvent, *le Populaire, le Libertaire.*
Georges NAVEL, Travaux, p. 168.

COLLEUR, EUSE [kɔlœʀ, øz] n. — 1544 ; de *coller*.

♦ **1.** Personne qui fait le métier de coller (du papier de tapisserie, des affiches). *Colleur d'affiches.*
— Il y a des défauts dans le papier collé sur le mur. Ce n'est pas ton père qui aurait fait ça. Il était ceci et cela, mais comme colleur de papier il n'avait pas son pareil. À Limoges, il avait posé dans le salon une frise de la longueur d'un rouleau en un seul morceau, sans un accroc.
MONTHERLANT, les Lépreuses, in Romans, Pl., p. 1464.

♦ **2.** Argot des écoliers. Professeur qui interroge les élèves en vue d'un examen, qui fait passer une colle (2.).

♦ **3.** Fam. et rare. Importun. ⇒ **Collant** (adj.).

COLLEUSE [kɔløz] n. f. — Déb. XXᵉ ; de *coller*.
Technique.

♦ **1.** Machine à coller les étoffes.

♦ **2.** Appareil servant à coller les films (photographie, montage cinématographique).

COLLEY [kɔlɛ] n. m. — 1877 ; angl. *collie.*

♦ Chien de berger écossais.
(...) deux colleys blancs, courtois, qui ressemblent à leur maître.
COLETTE, la Vagabonde, p. 43.

HOM. Collet.

COLLIER [kɔlje] n. m. — 1268, *colier ; coler,* v. 1170 ; lat. *collarium,* de *collum.* → Cou.

♦ **1.** (1389). Parure qui se porte autour du cou (⇒ **Bijou**). *Collier très long, tombant sur la poitrine.* ⇒ **Sautoir** (en). *Collier serré autour du cou* (fam. *collier de chien*). *Collier à chaînons.* ⇒ **Chaîne.** *Collier de perles.* ⇒ **Rang.** *Collier de corail, d'ivoire, d'ambre, de coquillages, de fleurs. Collier de diamants.* ⇒ **Rivière.** *Collier en or. Collier de fantaisie. Collier antique.* ⇒ **Torque.** *Enfiler, défiler un collier. Le fil, les perles, le fermoir d'un collier* (→ Carcan, cit. 3 ; boîte, cit. 1).

1 (...) je lui faisais *(à Atala)* des colliers avec des graines rouges d'azalea (...)
CHATEAUBRIAND, Atala, « Les chasseurs ».

2 Elle portait des colliers de perles fausses, des bracelets en similor (...)
MAUPASSANT, Clair de lune, « Les bijoux », p. 175.

3 *(Elles)* ont des sequins enfilés pour colliers, et, pour coiffure, des catogans de soie verte.
LOTI, Aziyadé, Salonique, X, p. 16.

4 Ce collier que j'ai mis à ton cou
Tous mes serviteurs le connaissent ;
Chacun d'eux obéit à celui qui le porte ;
C'est le collier du roi (...)
GIDE, le Roi Candaule, II, 1.

Chaîne que portent les chevaliers de certains ordres. *Porter une décoration en collier. Collier de l'Ordre du Saint-Esprit.* — Fig. et vx. *Un grand collier* : personnage important, influent.

5 (...) il parvint, malgré des concurrents très jaloux, à être élu définiteur de sa province, ou, comme on dit, un des grands colliers de l'ordre.
ROUSSEAU, les Confessions, V.

♦ **2.** Par anal. Marque circulaire sur le cou. *Collier de Vénus,* se dit des légers sillons que certaines femmes ont au cou (v. aussi autre sens *infra* cit. 7).

6 Ajoutons, pour compléter la morphologie du cou féminin, l'existence de plusieurs plis cutanés circulaires qui sont des plis de flexion, et semblent être un attribut de beauté puisqu'on les désigne sous le nom de collier de Vénus.
Paul RICHER, Nouvelle anatomie artistique, « La femme », p. 159.

7 (...) ce triple collier de Vénus qu'une main invisible enfonce, chaque jour, un peu plus dans ma chair (...)
COLETTE, la Vagabonde, I, p. 45.

(Autre sens). *Collier de Vénus* (allus. à *vénérien*) : papules qui marquent le haut de la poitrine, autour du cou (symptôme de syphilis).

Collier de barbe : barbe courte taillée régulièrement et rejoignant les cheveux des tempes (→ Batifoler, cit. 4 et 8). Syn. : *barbe en collier, barbe collier.* Absolt. *Il porte le collier.*

8 Pas un poil ne dépassait la ligne de son collier blond, qui, contournant la mâchoire, encadrait comme la bordure d'une plate-bande sa longue figure terne (...)
FLAUBERT, Mᵐᵉ Bovary, II, I.

(1694). Poils, plumes du cou d'une couleur différente (du pelage ou du plumage) : *pigeon à collier ; chat noir avec un collier blanc.*
— Figuré :

9 *(Ils)* s'assirent sur un banc de pierre, devant un bassin rond, entouré de roses jaunes qui lui formaient un collier d'ambre (...)
Edmond JALOUX, le Jeune Homme au masque, I, p. 2.

♦ **3.** ⓐ Cercle en matière résistante qu'on fait porter à certains animaux pour pouvoir les attacher. *Collier de chien ; collier à chien. Collier en cuir, à cabochon, à grelots. Anneau, plaque d'identité d'un collier de chien. Collier des limiers.* ⇒ 2. **Botte, 4.** *Tirer un chien par le collier* (⇒ **Laisse**). *Chiens perdus sans collier* (roman de Cesbron).

10 (...) le collier dont je suis attaché (...)
LA FONTAINE, Fables, I, 5.

11 Tout chien circulant sur la voie publique, en liberté ou même tenu en laisse, doit être muni d'un collier portant, gravés sur une plaque de métal les nom et demeure de son propriétaire.
Décret du 6 octobre 1904, art. 9.

Collier de force : collier muni de pointes en dedans, servant au dressage des chiens d'arrêt.
Courroie, corde qui sert à attacher par le cou les bêtes aux champs, à l'étable. *Collier de vache ; chèvre au collier.*

Spécialt. Partie du harnais qui entoure le cou des bêtes attelées. *Le collier d'un cheval est composé des coussins et des attelles. Courroie joignant les attelles du collier.* ⇒ **Mancelle.** *Peau de mouton recouvrant le collier.* ⇒ **Bisquain.** *Cheval de collier* : cheval de trait.
— *Collier de chasse,* ensemble de lanières remplaçant le collier et pouvant être tenues d'une seule main.

Loc. **FRANC DU COLLIER.** *Cheval franc du collier* : qui tire avec énergie. — Fig. *Être franc du collier* : agir franchement et hardiment.

12 (...) il pourrait bientôt vivre en repos et *franc du collier.*
.NERVAL, la Bohème galante, « La main enchantée », p. 33.

Loc. **COUP DE COLLIER.** *Donner un coup de collier* : fournir un effort énergique mais momentané pour mener à bien une entreprise déjà commencée.

13 Que d'un coup de collier le genre humain s'en tire !
HUGO, les Années funestes, VIII.

14 (...) la continuité qui seule mène à bonne fin les grandes besognes. Les coups de collier intermittents, quelque énergiques qu'ils soient, y valent peu ; ce qui y vaut, c'est l'assiduité qui ne s'interrompt jamais.
LITTRÉ, Comment j'ai fait mon dictionnaire..., p. 22.

À plein collier : sans ménager ses efforts.

ⓑ Cercle de métal, assujetti autour du cou (d'un esclave, d'un prisonnier). ⇒ **Carcan.**

Loc. fig. *Être sous le collier.* ⇒ **Joug.** *Collier de misère, collier* : travail pénible et assujettissant. ⇒ **Chaîne** (cit. 12). *Prendre, reprendre le collier.*

15 (...) la pauvre servante fidèle qui est capable de mourir sous le collier comme un bon cheval (...)
G. SAND, François le Champi, XX, p. 144.

16 Moi, j'ai repris depuis longtemps mon collier habituel, mon cercle d'occupations et d'études (...)
SAINTE-BEUVE, Correspondance, 493, 28 sept. 1835, t. I, p. 545.

♦ **4.** Techn. Cercle qui sert de renfort. → Collerette, 3. ; collet, I., 3. *Collier de serrage* : bague métallique réglable pour serrer certains objets cylindriques. *Collier de tuyau* : cercle qui permet de maintenir un tuyau contre un mur, un toit, etc.

DÉR. Collerette.

COLLIGATION [kɔ(l)ligasjɔ̃] n. f. — 1866 ; 1313, « alliance » ; lat. *colligatio* « liaison », de *colligere.* → Colliger.

♦ Log. Le fait de colliger des abstractions pour une induction ou pour une synthèse.

COLLIGER [kɔ(l)liʒe] v. tr. — Conjug. *bouger.* — 1539 ; lat. *colligere* « réunir ». → le doublet Cueillir.
Littéraire.

♦ **1.** Réunir en un recueil. ⇒ **Recueillir.** — Faire une collection. *Colliger des meubles, des livres.*

Quand Jeannot sera roi, il promulguera plus d'édits en un an que n'en colligea dans tout son règne l'empereur Justinien.
FRANCE, les Opinions de J. Coignard, Œ., t. VIII, p. 392.

♦ **2.** (1548). Log. Relier (des abstractions) en vue d'une synthèse. Exposer, développer, juger, colliger (...)
S. DE BEAUVOIR, la Force de l'âge, p. 229.

DÉR. Colligation.

COLLIGNON [kɔliɲɔ̃] n. m. ⇒ Colignon.

COLLIMATEUR [kɔlimatœʀ] n. m. — 1864, Année sc. et industr., p. 96 ; de collimation.

♦ **1.** Partie d'une lunette qui assure la collimation. *Collimateur de visée.*

♦ **2.** Aviat. Dispositif de visée au moyen duquel on ajuste le tir des armes de bord, sur un avion de chasse. — Loc. fig. *Avoir, prendre, garder (qqn) dans son collimateur,* le surveiller très étroitement ; se préparer à l'attaquer.
Donc, nous laissons provisoirement s'agiter tout ce joli monde, en le gardant dans notre collimateur.
Pierre NORD, Miss Péril jaune, p. 43.
Collimateur de pilotage : dispositif de visualisation présentant les indications d'un groupe d'instruments de vol dans le champ de vision normal du pilote.

COLLIMATION [kɔlimasjɔ̃] n. f. — 1646 ; lat. collimare, pour collineare.

♦ Didact. (astron.). Orientation d'un instrument d'optique dans une direction précise, pointage.

DÉR. Collimateur.

COLLINAIRE [kɔlinɛʀ] adj. — 1838 ; de colline.
Didactique.

♦ **1.** Où se trouvent des collines. *Un paysage collinaire.*

♦ **2.** Qui pousse sur les collines. *Plantes collinaires.*

COLLINE [kɔlin] n. f. — 1555 ; bas lat. collina, de collis «colline».

♦ Petite élévation de terrain en pente douce, de forme arrondie. ⇒ **Éminence, hauteur, relief.** *Les collines du Perche. Petite colline.* ⇒ **Butte, coteau** (→ régional 2. Aspre, baou...). *Les géographes considèrent que la limite entre colline et montagne correspond à une hauteur moyenne de 500 m. Colline très arrondie.* ⇒ **Mamelon.** *Le sommet, le pied d'une colline. Penchant d'une colline* (⇒ **Flanc, versant**)*. Collines qui ondulent à l'horizon* (→ Bossuer, cit. 1). *Les sept collines de Rome.* — Poét. *La double colline.* ⇒ **Parnasse.** *La Colline inspirée,* de Barrès (1913).
1 Sur le penchant de quelque agréable colline bien ombragée j'aurais une petite maison rustique (...)
ROUSSEAU, Émile, IV.
2 Au delà s'élève une double rangée de collines dorées, derniers mouvements du sol, qui, douze lieues plus loin, vont expirer dans la plaine immense et plate (...)
E. FROMENTIN, Un été dans le Sahara, p. 5.
3 (...) la Sierra s'incline en collines décoratives jusqu'à la plaine de Madrid (...)
MALRAUX, l'Espoir, p. 489.
4 L'épaule des collines soulevait la brume, la déchirait.
F. MAURIAC, le Nœud de vipères, p. 73.
5 Ces « montagnes » palestiniennes, sont plutôt de grosses collines, tantôt arrondissant l'échine, tantôt découpant un relief vigoureux sur l'horizon des petites plaines.
DANIEL-ROPS, le Peuple de la Bible, II, p. 119.

DÉR. Collinaire, collinette.
HOM. Choline.

COLLINETTE [kɔlinɛt] n. f. — 1596 ; de colline.

♦ Régional. Petite colline.

COLLISION [kɔlizjɔ̃] n. f. — 1480 ; lat. collisio, du supin de collidere «frapper contre».

♦ **1.** Choc de deux corps qui se rencontrent. ⇒ **Impact.** *Collision entre deux wagons de chemin de fer.* ⇒ **Accident, télescopage.** *Collision entre deux avions, deux voitures ; de deux voitures, d'une voiture et d'une moto. Entrer en collision (avec...).* — *Collision de particules élémentaires dans un accélérateur. Anneaux* de collision.*

♦ **2.** Lutte (de deux groupes, de deux partis qui en viennent aux mains). ⇒ **Échauffourée, rencontre.** — *En collision. Les grévistes entrèrent en collision avec la police.*
1 (...) à cette époque de la Restauration, des collisions sanglantes avaient eu lieu, sur plusieurs points du royaume (...) BALZAC, les Paysans, Pl., t. VIII, p. 152.
Fig. Conflit. ⇒ **Désaccord, heurt, opposition.** *La collision des intérêts.* — REM. Ne pas confondre avec *collusion.*

Cette cohabitation dans une même personne de deux entités qui ne vont guère ensemble se faisait chez lui sans collision trop sensible (...)
RENAN, Souvenirs d'enfance..., V, 1, p. 200.

CONTR. Entente.
DÉR. Collisionner.

COLLISIONNER [kɔlizjɔne] v. tr. — 1901 ; de collision.

♦ Rare ou iron. Heurter par collision. — Au p. p. *Voiture collisionnée par un autobus.* Absolt :
Et s'il ne l'a pas fait exprès *(le bateau),* collisionnant en d'involontaires zigzags et tenant bâbord pour tribord, alors c'est (...) le bateau ivre.
A. JARRY, Gestes, Naufrageurs, in Œ. compl., t. VII, p. 106 (1901).

COLLOBLASTE [kɔloblast] n. m. — 1929 ; du grec kolla «colle», et -blaste «cellule».

♦ Zool. Cellule adhésive des cténophores (→ Cténaires) servant à capter les proies.
La proie engluée par quelques colloblastes se débat et provoque le déclenchement des colloblastes voisins.
Paul BOUGIS, le Plancton, p. 34.

COLLOCATION [kɔ(l)lɔkasjɔ̃] n. f. — 1411 ; attestation isolée, XIVe ; lat. collocatio «placement», du supin de collocare. → Colloquer.

♦ **1.** (1690). Dr. Classement des créanciers dans l'ordre que la loi a assigné pour leur paiement.
Classement.

♦ **2.** Régional (Belgique). Dr. Internement, emprisonnement. ⇒ 1. **Colloquer,** 3. *« Les médecins avaient personnellement vu et examiné l'habitant de Liernu avant d'appliquer la mesure de collocation »* (Le bourgmestre d'Eghezée et deux médecins inculpés, le Soir, 11 oct. 1982).

♦ **3.** Sc. (log., ling.). Position (d'un objet, d'un élément) par rapport à d'autres ; proximité dans une chaîne.

DÉR. 1. Colloquer.
HOM. Colocation.

COLLODION [kɔlɔdjɔ̃] n. m. — 1848 ; grec kollôdês «collant», de kolla «colle».

♦ Techn. Dissolution de coton-poudre dans de l'éther alcoolisé, utilisée en chirurgie et en photographie. *Le collodion est un agglutinatif*. Panser une petite plaie avec des bandelettes enduites de collodion.*
Cet appareil *(photographique),* muni d'un puissant objectif, était très complet. Substances nécessaires à la reproduction photographique, collodion pour préparer la plaque de verre (...) J. VERNE, l'Île mystérieuse, t. II, p. 564-565.

DÉR. Collodionné.

COLLODIONNÉ, ÉE [kɔlɔdjɔne] adj. — 1869 ; de collodion.

♦ Techn. Qui contient du collodion ; enduit de collodion. *Plaque collodionnée.*

COLLOÏDAL, ALE, AUX [kɔlɔidal, o] adj. — 1855 ; de colloïde.

♦ Chim. Des colloïdes. *État colloïdal :* état d'une substance dispersée dans un solvant lorsque ses molécules sont groupées en micelles* pouvant porter une charge électrique de même signe (la substance ne peut traverser une membrane semi-perméable). *Systèmes colloïdaux :* aérosols, émulsions, solutions, suspensions, fumées. *La rupture de l'état colloïdal produit l'agglomération des micelles et constitue la floculation*.*

COLLOÏDE [kɔ(l)lɔid] n. m. — 1845, méd. ; angl. colloid, du grec kolla «colle», et -oïd. → -oïde.

Chimie.

♦ **1.** (1863). Corps à l'état colloïdal*, qui a l'apparence de la colle, de la gelée. ⇒ **Aérogel.** *La plasticité, l'élasticité des colloïdes* (opposé à *cristalloïdes*).

♦ **2.** Solution dans laquelle la substance introduite dans l'excipient reste en suspension, non dissoute (par suite de l'état colloïdal de ses éléments).

Adj. *Substance colloïde* (biol.).

Chaque vésicule comprend une seule couche de cellules épithéliales qui limitent une cavité remplie d'une matière homogène, la *substance colloïde*, qui représente la sécrétion de la glande.   Pierre REY, les Hormones, p. 18.

Méd. Gélatineux; caractérisé par des productions gélatineuses.

DÉR. Colloïdal, colloïdo-.

COLLOÏDO- Premier élément de mots de sciences (chim., biol.), en relation avec les colloïdes ou l'état colloïdal. Ex. : *colloïdothérapie*, n. f.

COLLOQUE [kɔ(l)lɔk] n. m. — 1495 ; lat. *colloquium* « entretien », de *col- (cum)*, et *loqui* « parler ».

♦ **1.** Vieilli ou littér. Entretien entre deux ou plusieurs personnes. *Un bref, un court colloque. Tenir un colloque amical.* ⇒ **Dialogue, entretien.** *Le Colloque sentimental* (1869), de Verlaine.

1   Un couple, occupé de lui-même, ne connaît pas de brefs colloques.
COLETTE, la Naissance du jour, p. 186.

Spécialt et iron. Entretien secret qui a l'apparence d'une grave discussion (→ Brasser, cit. 3). *Ne troublons pas leur colloque.*

2   Puis, observant les colloques particuliers qui tendaient à se former autour des verres de porto, et les airs un peu empêchés que prenaient les gens, Haverkamp s'avisa qu'il ne serait pas maladroit de s'éclipser quelques minutes.
J. ROMAINS, les Hommes de bonne volonté, t. V, XXII, p. 190.

♦ **2.** Débat entre plusieurs personnes sur des questions de doctrine. ⇒ **Conférence, discussion.** *Un colloque scientifique, économique.* Spécialt. Débat organisé, avec moins de participants que le congrès*. ⇒ **Séminaire, symposium, table** (ronde). *Participer à des colloques internationaux.*

DÉR. 2. Colloquer.

1. COLLOQUER [kɔ(l)lɔke] v. tr. — XIIᵉ, « placer » ; lat. *collocare*, de *col- (cum-)*, et *locus* « lieu ». → Coucher.

♦ **1.** Vx. Placer tant bien que mal. ⇒ **Reléguer.** *Colloquer un ami sous les combles.*
(Compl. n. de chose). Donner pour se débarrasser. *Je lui ai colloqué tous ces vieux bibelots.*

♦ **2.** (1690). Dr. *Colloquer des créanciers,* les inscrire dans l'ordre prescrit par la loi pour leur paiement.

♦ **3.** Régional (Belgique). Incarcérer ; interner. ⇒ **Collocation,** 2. *« Didier nous dit (...) qu'il a été colloqué pendant plus d'une année dans un hôpital psychiatrique »* (« Le goût de vivre », *les Sans-Logis,* bulletin liégeois, n° 12, 1976).

2. COLLOQUER [kɔ(l)lɔke] v. intr. — 1850 ; attestation isolée, v. 1520 ; de *colloque.*

♦ Rare et iron. Faire des colloques. ⇒ **Converser, discuter, entretenir** (s'). *Colloquer avec qqn. Ils ont colloqué ensemble.*

COLLU [kɔly] n. m. — 1941 ; pris aux dialectes de Savoie, var. dial. de *couloir,* fréquente dans l'Est de la France (l'Ouest a des formes en *coul-*), aussi avec le sens d'« égouttoir pour le fromage », etc. ; du lat. *colare* « couler ».

♦ Régional. Couloir de montagne.
Le couloir Whymper n'est pas à proprement parler un véritable collu, bien délimité comme celui de la face nord. C'est plutôt un large cirque en éventail (...)
R. FRISON-ROCHE, Premier de cordée, p. 304 (1941).

COLLURE [kɔlyʀ] n. f. — 1611, *colleure* « collage » ; de *coller.*

♦ Action de coller ; son résultat. — (1936). Cin. Soudure de plusieurs parties d'une pellicule cinématographique (⇒ **Montage, raccord**) ou d'une bande magnétique.
(...) voici des plans lisses et ronds abandonnés sur l'écran comme un galet sur le rivage (...) Puis, comme une vague, chaque collure vient y imprimer et effacer le mot souvenir, le mot bonheur, le mot femme, le mot ciel (...) La mort aussi (...)
J.-L. GODARD, Jean-Luc Godard (à propos de « Méditerranée », de J.-D. Pollet), *in* Coll. des Cahiers du cinéma, p. 340.

HOM. Colure.

COLLUSION [kɔ(l)lyzjɔ̃] n. f. — 1321 ; lat. *collusio,* de *colludere ;* de *col- (cum),* et *ludere* « jouer ».

♦ **1.** Dr. et cour. Entente secrète entre adversaires au préjudice d'un tiers. ⇒ **Complicité.**

♦ **2.** ⇒ **Accord, arrangement, entente, intelligence ; manœuvre** (en général péj.). *Collusion entre des associés.* — *Collusion d'intérêt. « Elle m'accuse de collusion et de combine avec l'apothicaire »* (A. Arnoux, *in* T. L. F.).

Faut-il se parler, faut-il s'écrire, est-il besoin de pacte ou de serments pour former cette collusion ?   LA BRUYÈRE, les Caractères, XIV, 60.

DÉR. Collusoire.

COLLUSOIRE [kɔ(l)lyzwaʀ] adj. — 1336 ; de *collusion,* d'après les adj. en *-oire.*

♦ Dr. Qui est fait par collusion. *Arrangement, fraude collusoire.*

COLLUTOIRE [kɔ(l)lytwaʀ] n. m. — 1803 ; dér. du lat. *colluere* « laver ».

♦ Médicament de consistance semi-liquide destiné à agir sur les gencives et les parois de la cavité buccale (Garnier). *Badigeonner les gencives avec un collutoire. Appliquer un collutoire au fond de la gorge avec un porte-coton.*

COLLUVION [kɔ(l)lyvjɔ̃] n. f. — 1959 ; de *co-,* et *alluvion.*

♦ Géol. Fin dépôt résultant d'un remaniement voisin.

DÉR. Colluvionnement.

COLLUVIONNEMENT [kɔ(l)lyvjɔnmɑ̃] n. m. — V. 1960 ; de *colluvion.*

♦ Géol. Formation d'une colluvion (sur un sol). *Le colluvionnement des terres cultivées, des steppes.*

COLLYRE [kɔliʀ] n. m. — 1120, *collire ;* lat. *collyrium,* grec *kollurion* « onguent ».

♦ Médicament en général liquide, qui s'applique sur la conjonctive de l'œil. *Collyre en pommade, en hydrolé. Collyre sec.*
Vx. Produit de beauté pour souligner les yeux.

COLMATAGE [kɔlmataʒ] n. m. — 1845 ; de *colmater.*
Action de colmater ; le fait de se colmater.

♦ **1.** Comblement (d'une dépression) par des dépôts limoneux. ⇒ **Alluvionnement.** *Le colmatage d'une lagune.*

♦ **2.** Obturation (d'une couche poreuse ou fibreuse, ou d'un appareil) par dépôt de particules solides ou liquides.

♦ **3.** Fig. Milit. Le fait de combler en rétablissant des lignes de défense rompues par l'adversaire. *Le colmatage d'un front.*

COLMATER [kɔlmate] v. tr. — 1820 ; ital. *colmata,* de *colmare* « combler ».

♦ **1.** Exhausser (un bas-fond), modifier la nature de (un sol) en y faisant séjourner de l'eau riche en limon, qui se dépose. *Colmater un sol raviné, infertile.*

♦ **2.** Obturer. ⇒ **Boucher, fermer, luter.**
(...) une jonque si pourrie qu'au milieu de l'océan Indien, le navigateur devait plonger pour colmater les plus grosses voies d'eau.
Bernard MOITESSIER, Cap Horn à la voile, p. 11.
Fig. *Colmater une brèche, une lacune,* la combler en arrangeant les choses (peut être compris comme fig. du sens 3).

♦ **3.** Fig. Milit. Réduire (une percée, une avance locale de l'ennemi) en rétablissant la continuité d'un front. *Colmater une brèche.*

DÉR. Colmatage.

COLO [kɔlo ; kolo] n. f. ⇒ **Colonie,** 5. (colonie de vacances).

1. COLOBE [kɔlɔb] n. m. — XIIIᵉ ; franco-provençal *colobion,* bas lat. *colobium,* mot grec, « tunique sans manches », même étym. que *2. colobe.*

♦ Ancientt. Longue tunique sans manche, au moyen âge. ⇒ **Dalmatique.**

2. COLOBE [kɔlɔb] n. m. — 1834 ; lat. sc. *colobus,* Illiger, 1811 ; grec *kolobos* « tronqué », le singe n'ayant pas de pouce antérieur.

♦ Zool. Singe cercopithèque d'Afrique, dont les poils dorsaux sont utilisés en fourrure. *Colobe noir, colobe bai. Colobe magistrat,* dit *singe noir, capucin.*

DÉR. Colobidés.

COLOBIDÉS [kɔlɔbide] n. m. pl. — 1949 ; de *2. colobe.*

♦ Zool. Famille des singes appelés colobes. — Au sing. *Un colobidé.* ⇒ **2. Colobe.**

La famille des Colobidés a été l'objet dans les débuts de ce siècle d'une vogue dont elle se serait bien passée et qui lui a valu une destruction presque complète (...) Le point de départ de cet engouement ne s'explique avec quelque vraisemblance que si l'on considère l'animal vivant lui-même et notamment le magnifique COLOBE CAUDATUS d'Afrique orientale, dont le corps, couvert de poils noirs brillants, porte sur les épaules et les flancs d'amples franges d'un blanc pur que prolonge sur la queue un long panache de même couleur (...)
René THÉVENIN, les Fourrures, p. 72.

COLOBOME [kɔlɔbom] n. m. — xxᵉ ; du grec *kolobôma* « partie tronquée ».

♦ Pathol. Malformation congénitale des structures de l'œil ayant l'aspect d'une fissure, due à un défaut de fermeture des fentes fœtales. *Colobome de l'iris, du cristallin, de la paupière.*

COLOCASE [kɔlɔkaz] n. f. — 1547, *colocasse* ; lat. des bot. *colocasia* ; arabe *qûlqâs,* du grec.

♦ Plante tropicale monocotylédone *(Aroïdées)* dont la racine est riche en fécule. — On l'appelle aussi *taro**.
Que tirais-je à la gourde de colocase ?
Quelque liqueur d'or, fade et qui fait suer.
RIMBAUD, Poèmes, « Larme », Pl., p. 149.

COLOCATAIRE [kɔlɔkatɛʀ] n. — 1834 ; de *co-,* et *locataire.*

♦ Personne qui est locataire avec d'autres dans le même immeuble.

COLOCATION [kɔlɔkasjɔ̃] n. f. — Mil. xxᵉ ; de *co-,* et *location.*

♦ Location commune avec d'autres locataires* *(colocataires),* dans un même immeuble. *Être en colocation.*
HOM. Collocation.

COLOGARITHME [kɔlɔgaʀitm ; kɔlɔgaʀitm] n. m. — 1891 ; de *co-,* et *logarithme.*

♦ Math. Logarithme de l'inverse d'un nombre (colog a = log $\frac{1}{a}$ = − log a). — Abrév. : *colog* [kɔlɔg].

COLOMBAGE [kɔlɔ̃baʒ] n. m. — 1340 ; de 2. *colombe.*

♦ **1.** Archit. Système de charpente* en pan de mur, dont les vides sont garnis d'une maçonnerie légère (⇒ **Hourdis**). *Le colombage des maisons alsaciennes, normandes. Solive de colombage.* ⇒ 2. **Colombe.**

♦ **2.** Cour. (souvent au plur.). La charpente apparente. *Maison à colombages.*
De-ci de-là on aperçoit encore d'anciennes maisons à colombages, aux fenêtres encorbellées, décorées de bois sculpté (...)
S. DE BEAUVOIR, Tout compte fait, p. 250.

COLOMBAIRE ou **COLUMBAIRE** [kɔlɔ̃bɛʀ] n. m. — D. i. ; francisation du lat. *columbarium.*

♦ ⇒ **Columbarium.**
(...) on ne saurait oublier les colombaires, tombeaux collectifs pour gens modestes, constitués par de vastes chambres (...)
G. CONTENAU et V. CHAPOT, l'Art antique, p. 341.

1. COLOMBE [kɔlɔ̃b] n. f. — V. 1120, *columbe* ; *colomb,* ixᵉ ; lat. *columba.*

♦ **1.** ⓐ Littér. Pigeon*, considéré comme le symbole de la douceur, de la tendresse, de la pureté, de la paix. *La colombe gémit, roucoule. La tendre, la fidèle, la pure colombe. La blanche colombe. La colombe, oiseau de Vénus. Dans l'iconographie chrétienne la colombe est le symbole de l'âme, du Saint-Esprit. La colombe de l'Arche,* symbole de la paix (→ Rameau d'olivier*).

1   *(Noé)* lâcha de nouveau la colombe hors de l'arche, et la colombe revint vers lui sur le soir, et voici, une feuille d'olivier toute fraîche était dans son bec ; et Noé reconnut que les eaux ne couvraient plus la terre.
BIBLE (CRAMPON), Genèse, IV, VII, 10-11.
2   Le long d'un clair ruisseau buvait une colombe (...)   LA FONTAINE, Fables, II, 12.
3   (...) une colombe rauque
Gémit tout doucement dans un peuplier glauque.
Francis JAMMES, Élégie première, Choix de poèmes, p. 89.

Par comparaison :
4   Ce toit tranquille, où marchent des colombes (...)   VALÉRY, le Cimetière marin.
La colombe eucharistique. ⇒ **Péristère.**

ⓑ Par métaphore. Être faible, sans défense.
4.1   Depuis quelques jours j'ai mon fils avec moi (...) je ne pouvais plus laisser cette colombe à la portée des vautours français ; je voyais arriver la conscription (...)
J. DE MAISTRE, Correspondance, 1786-1805, *in* T. L. F.
(Trad. de l'angl. ; 1967). Partisan d'une politique de détente, d'apaisement (par oppos. à *faucon**).

♦ **2.** Zool. Nom de certaines espèces du genre pigeon. ⇒ **Colombidés** ; biset, colombin, ramier.

♦ **3.** Fig., vx. Jeune fille pure, candide. Être pur, innocent. — Loc. plais. *La bave du crapaud n'atteint pas la blanche colombe.*
5   C'est lui *(Louis XIV)* qui rassembla ces colombes timides,
Éparses en cent lieux, sans recours et sans guides.   RACINE, Esther, Prologue.
T. d'affection. *Oui, ma colombe.*
En parlant d'amoureux (Labiche). ⇒ **Pigeon.**
DÉR. **Colombelle, 1. colombier, colombophile.**

2. COLOMBE [kɔlɔ̃b] n. f. — 1334 ; doublet de *colonne,* par confusion entre *columna* et *columba.*
Technique.

♦ **1.** Solive de colombage.

♦ **2.** (1611). Outil de tonnelier servant à raboter les douves. ⇒ **Varlope.**
DÉR. **Colombage, 2. colombier.**

COLOMBELLE [kɔlɔ̃bɛl] n. f. — V. 1250 ; de 1. *colombe.*

♦ Poét. Petite, jeune colombe.

COLOMBICULTURE [kɔlɔ̃bikyltyʀ] n. f. — 1920 ; lat. *columba,* et *culture.*

♦ Didact. Élevage des pigeons. — On emploie aussi *colombiculteur, trice,* n., éleveur, éleveuse de pigeons.

COLOMBIDÉS ou **COLUMBIDÉS** [kɔlɔ̃bide] n. m. pl. — 1863 ; de *colombe,* et suff. *-idé.*

♦ Zool. Famille d'oiseaux comprenant les pigeons*, les tourterelles*. — Syn. : *colombins, pigeons.* — Au sing. *Un columbidé.*

1. COLOMBIER [kɔlɔ̃bje] n. m. — V. 1120, *columbier* ; de 1. *colombe.*
Vieux ou littéraire.

♦ **1.** Construction souvent élevée, destinée à loger des pigeons. ⇒ **Fuie, pigeonnier.** *Les boulins* (cit.) *d'un colombier. Colombier à pied,* garni de boulins jusqu'à la base. *Colombier pour l'élevage des pigeons voyageurs. La rue du Vieux-Colombier, à Paris.*
1   Cette famille habitait une métairie, qui n'attestait sa noblesse que par un colombier.
CHATEAUBRIAND, Mémoires d'outre-tombe, t. I, p. 76.
2   (...) il y avait pour Landry et la petite Fadette un bon refuge dans la tour à Jacot, qui est un ancien colombier de redevance, abandonné des pigeons depuis de longues années (...)   G. SAND, la Petite Fadette, XXVI, p. 176.
3   Il y eut ensuite (ou peut-être en même temps) une odeur qui ressemblait (mais en plus vaste) à celle des colombiers mal tenus, de la fiente des pigeons qui a un acide si âcre.   J. GIONO, le Hussard sur le toit, p. 219.

♦ **2.** Vx. Galerie supérieure d'un théâtre, située sous les combles (⇒ **Poulailler**, mod.).

2. COLOMBIER [kɔlɔ̃bje] n. m. — 1808 ; de 2. *colombe.*

♦ Mar. Pièce en bois verticale d'un berceau (⇒ **Ber**). *Les colombiers sont attachés d'un bord à l'autre par des cordages qui les serrent contre la quille du navire.*

3. COLOMBIER [kɔlɔ̃bje] n. m. — 1739 ; nom du fabricant.

♦ Grand format de papier. *Colombier commercial* (0,90 m × 0,63 m).

1. COLOMBIN, INE [kɔlɔ̃bɛ̃, in] adj. et n. m. — V. 1227, *columbin* ; lat. *columbus,* de *columba.* → 1. Colombe.

♦ **1.** Vx. Relatif à la colombe, au pigeon. — (xvᵉ). Spécialt, vieilli. Qui est de la couleur dite « gorge de pigeon ». *Soie colombine.*

♦ **2.** *Pigeon colombin,* ou, n. m., *un colombin.*
DÉR. (et HOM. au fém.) **Colombine.**

2. COLOMBIN [kɔlɔ̃bɛ̃] n. m. — 1844 ; orig. douteuse, p.-ê. de 2. *colombe* (« poutre »).

★ **I.** Techn. Rouleau de pâte servant à la fabrication de poteries.

★ **II.** ♦ **1.** Techn. ⇒ **Colombine.**

♦ **2.** (1867, dans l'argot des comédiens ; avec infl. de *colombine*). Fam. Étron.

Par métaphore :

1 (...) les vieilles selles de l'histoire (...) Partout où le temps a fait un beau colombin dégoûté vous verrez nos patriotes, accroupis, reniflant, le visage enflammé.
S. BECKETT, *Premier amour*, p. 27.

Avoir les colombins : avoir peur.

2 Et y a aussi ce salaud d'obus nouveau qui pète après avoir ricoché dans la terre et en être sorti et rentré une fois ou deux, sur des six mètres... Quand j'sais qu'y en a en face, j'ai les colombins. H. BARBUSSE, *le Feu*, t. II, II, XIX, p. 15.

HOM. 1. Colombin.

COLOMBINE [kɔlɔ̃bin] n. f. — 1701 ; de 1. *colombin.*

♦ Techn. Fiente de pigeon. *La colombine est un excellent engrais.* ⇒ **Guano.**

HOM. Fém. de 1. **Colombin.**

COLOMBIUM ou COLUMBIUM [kɔlɔ̃bjɔm] n. m. ⇒ **Niobium.**

COLOMBO [kɔlɔ̃bo] n. m. — 1791 ; *columbé*, 1768 ; bantou *kolumb*, refait d'après *Colombo*, capitale de Sri Lanka (Ceylan).

♦ Bot. Plante à tiges grimpantes, à fruits charnus, à racines jaunâtres, qui pousse en Afrique tropicale et à Madagascar. *La racine de colombo était employée en médecine pour ses effets apéritifs, toniques dus à la colombine. — Sirop, vin, teinture de colombo.*

COLOMBOPHILE [kɔlɔ̃bɔfil ; kɔlɔ̃bofil] adj. et n. — 1855, *le Charivari, in* D. D. L. ; du lat. *columbus* « pigeon », et grec *philos* « ami ».

♦ Qui élève, dresse des pigeons voyageurs. ⇒ **Péristéraphile ; colombiculture.** *Société colombophile.*

1 (...) je déclare qu'avant de continuer la discussion, la Chambre doit discuter la loi sur les pigeons voyageurs. Les députés étaient presque tous colombophiles (...)
MALRAUX, *Antimémoires*, Folio, p. 455.

Centre colombophile, d'élevage de pigeons voyageurs.

2 Ce jeune homme accomplissait à cette époque son service militaire et j'avais reçu de lui (...) une lettre timbrée de Sfax, portant le cachet du centre *colombophile* auquel il était détaché. A. BRETON, *l'Amour fou*, IV, p. 87.

N. *Un, une colombophile.*

3 Ce travail extrêmement pacifique (je ne vois que les colombophiles, s'il y en a encore dans l'armée, pour avoir une fonction plus douce et plus poétique).
S. DE BEAUVOIR, *la Force de l'âge*, p. 440.

DÉR. Colombophilie.

COLOMBOPHILIE [kɔlɔ̃bɔfili ; kɔlɔ̃bofili] n. f. — 1878 ; de *colombophile.*

♦ Élevage, dressage des pigeons voyageurs. ⇒ **Colombiculture.**

1. COLON [kɔlɔ̃] n. m. — V. 1310 ; du lat. *colonus*, de *colere* « cultiver ».

♦ **1.** Dr. Cultivateur d'une terre dont le loyer est payé en nature. ⇒ **Fermier, métayer.** — (1748). *Colon partiaire :* cultivateur, agriculteur qui partage avec le propriétaire le produit de la récolte. ⇒ **Colonage.** *Le marayon qui exploite un marais salant est un colon partiaire.*
Hist. Personne libre attachée au sol qu'elle exploitait. *La condition des colons du moyen âge était supérieure à celle des serfs*.* ⇒ **Colonat.**

0.1 Cette même mobilité a d'autre part rompu la coïncidence entre le statut du manse et celui des agriculteurs qui l'exploitent : des manses libres sont tenus par des esclaves, des manses serviles par des «colons», c'est-à-dire des travailleurs réputés libres. Georges DUBY, *Guerriers et Paysans*, p. 99.

♦ **2.** Vx. Cultivateur.

1 Les inondations du Nil durent, pendant des siècles, écarter tous les colons d'une terre submergée quatre mois de l'année.
VOLTAIRE, *Essai sur les mœurs*, Introd.

2 Plusieurs colons laissent leurs héritages en friche.
VOLTAIRE, *in* Pierre LAROUSSE.

♦ **3.** (1663). Mod. Personne qui est allée peupler, exploiter une colonie. *Les colons grecs de Sicile. Les premiers colons d'Amérique.* ⇒ **Pionnier.** *Les colons anglais d'Australie. Les colons français d'Algérie, d'Afrique noire. La vie rude des colons du bled. Concession* accordée à un colon. Une femme colon.*

3 (...) cette bonne femme d'Alsace jetée sur un sol de feu où il ne pousse pas un chou. Comme elle devait souvent penser au pays perdu (...)
En me quittant, elle ajouta : «Savez-vous si on donnera des terres en Tunisie? On dit que c'est bon par là. Ça vaudra toujours mieux qu'ici (...)»
Tous nos colons installés au delà du Tell en pourraient dire à peu près autant.
MAUPASSANT, *Au soleil*, p. 44.

4 Il considère les buveurs, ses clients, de l'œil dont un colon du bled considère les indigènes. J. ROMAINS, *les Hommes de bonne volonté*, t. IV, III, p. 18.
Habitant d'une colonie ; ressortissant de la métropole qui ne vit pas sur le territoire de celle-ci (opposé à *indigène*, et à *métropolitain*).

♦ **4.** Membre d'un groupe d'individus de même origine, fixés dans un autre lieu (⇒ **Colonie,** 5.).

5 Un mois est passé depuis mon départ de Paris, et il n'en reste plus qu'un bien court jusqu'à ce que je revoie les colons de la rue Blanche.
SAINTE-BEUVE, *Correspondance*, t. I, 10, 14 sept. 1822.

6 Nous aimons, colons éparpillés sur la côte, les dîners impromptus, parce qu'ils nous réunissent pour une heure ou deux. COLETTE, *la Naissance du jour*, p. 195.

Enfant d'une colonie (de vacances ; pénitentiaire).

7 Mon séjour à Mettray *(une colonie pénitentiaire)* ne paraît avoir été qu'une longue noce coupée de drames sanglants où j'ai vu des colons se cogner, faire d'eux des tas de chair saignante (...) J. GENET, *Miracle de la rose*, p. 108.

CONTR. Autochtone, indigène.

DÉR. Colonage, colonat. — V. Colonie, coloniser.

2. COLON [kɔlɔ̃] n. m. — 1890 ; abrév. de *colonel.*

♦ Fam. Colonel. *Le colon passera le régiment en revue.*
Par ext. *Mon colon! Ben, mon colon!,* exclamation ironique ou admirative.

CÔLON [kolɔ̃] n. m. — 1314 ; lat. *colon*, grec *kôlon.*

♦ Anat. Portion moyenne du gros intestin. *Le côlon ascendant :* partie de l'intestin faisant suite au cæcum ; à la face intérieure du foie, il se coude (coude droit) et devient le *côlon transverse ;* au niveau de la rate, après le coude gauche ou splénique, le *côlon descendant* gagne la fosse iliaque qu'il parcourt obliquement *(côlon iliaque) ;* dans le petit bassin, le *côlon pelvien* aboutit au rectum. — *Inflammation du côlon.* ⇒ **Colique, colite.** *Accumulation d'air dans le côlon.* ⇒ **Aérocolie.** *— Examen du côlon au côloscope*.*

Le côlon (...) s'étend du cæcum au rectum. Il est ainsi appelé du mot grec *koluo,* j'arrête, parce que c'est principalement dans l'intérieur du côlon que séjournent les matières fécales avant leur expulsion (...)
L. TESTUT, *Traité d'anatomie*, t. IV, I, 8, p. 433.

DÉR. et COMP. V. Aérocolie. — Colique, colite. — Côloscope.

COLONAGE [kɔlɔnaʒ] n. m. — 1800 ; de 1. *colon.*

♦ Dr. Exploitation du sol par un colon. *Bail à colonage partiaire* ou à partage de fruits. ⇒ **Métayage.**

COLONAT [kɔlɔna] n. m. — 1811 ; de 1. *colon.*

♦ Hist. Condition du colon romain ou médiéval. — État de colon ; ensemble des colons.

(...) l'expression *colonica* pour qualifier les tenures englobées dans la *villa* exprime la filiation qui relie ce mode d'exploitation au colonat du Bas-Empire.
Georges DUBY, *Guerriers et Paysans*, p. 50.

COLONEL, ELLE [kɔlɔnɛl] n. — 1556 ; *colonnel*, av. 1544 ; ital. *colonnello*, de *colonna* « colonne d'armée ».

♦ **1.** N. m. Officier supérieur qui commande un régiment, ou une formation, un service de même importance (⇒ 2. **Colon**). *Un colonel d'infanterie, d'artillerie. Colonel d'aviation. Colonel d'intendance. Colonel d'état-major,* qui ne commande pas un régiment. *Les cinq galons d'un colonel. Le grade de capitaine* de vaisseau dans la marine correspond à celui de colonel. — Le Colonel Chabert,* roman de Balzac. *Le colonel Fabien, héros de la Résistance.*

1 Près du poste de garde, le colonel faisait les cent pas entre son capitaine adjudant-major et un colonel français des tirailleurs nord-africains.
P. MAC ORLAN, *la Bandera*, VI, p. 66.

♦ **2.** N. f. [a] (1689, Mᵐᵉ de Sévigné). Vieilli. La femme d'un colonel. *Madame la colonelle.*
[b] Femme ayant le grade de colonel.

♦ **3.** (En fonction d'adj.). Hist. *Compagnie colonelle :* première compagnie d'un régiment, commandée par un *colonel général* (⇒ **Général**), sous l'Ancien Régime.
Littér. Propre à un officier supérieur.

2 Il n'avait jamais dans le regard cette menace indécise, ni dans la voix cette dureté colonelle, qui s'associent chez la plupart des hommes d'une façon étrangement gênante. M. AYMÉ, *Travelingue*, p. 208.

COMP. Lieutenant-colonel.

COLONIAL, ALE, AUX [kɔlɔnjal, o] adj. et n. — 1776 ; dér. du lat. *colonia.* → **Colonie.**

♦ **1.** Adj. Relatif aux colonies*. *Régime colonial ; expansion coloniale* (⇒ **Colonialisme, impérialisme**). *Le système dit du pacte* (cit. 4) *colonial. Législation coloniale, droit colonial. Banque coloniale. Comptoir colonial. Marchandises, denrées coloniales, produits coloniaux,* provenant des colonies. — Anciennt. *Armée coloniale, troupes coloniales* (→ Armée, cit. 11), depuis 1961 : *troupes de marine. École coloniale. — Casque* colonial.*

0.1 C'est à mon second séjour à Madagascar, en 1900, que je fis mon vrai début dans le rôle de Chef colonial, exerçant une action politique, administrative, économique, tout autant que militaire, éloigné du pouvoir central, faisant l'apprentissage

des responsabilités et des décisions, ayant charge de populations indigènes nombreuses et diverses, et de Colonies françaises et étrangères.
L.-H. LYAUTEY, *Paroles d'action*, p. 34.

1 Les raisons qui ont, jadis, engagé la France dans cette grande aventure dite, par les historiens, de l'expansion coloniale sont infiniment trop complexes pour qu'il soit possible et juste de les ramener à l'idée de profit, ou encore à l'idée de volonté de puissance.   G. DUHAMEL, *Consultation aux pays d'Islam*, p. 120.

2 Il pensait à ce camarade d'enfance, officier au Maroc, qui avait fait toute une carrière coloniale, et qui parlait des «indigènes».
J. ROMAINS, *les Hommes de bonne volonté*, t. I, XVI, p. 171.

♦ **2.** N. m. Militaire de l'armée coloniale. *Un colonial. Un vieux colonial à la barbe fauve.* → Recrue, cit. 2.
Habitant des colonies. ⇒ **Colon.**

3 Mer assez houleuse. Nombreux malades. De vieux coloniaux se plaignent : «journée terrible; vous n'aurez pas pire».
GIDE, *Voyage au Congo*, 1927, *in Souvenirs*, Pl., p. 685.

♦ **3.** N. f. Les troupes coloniales. *Servir dans la coloniale.*

4 Une fois ou deux, alors qu'elle rentrait à l'Hôtel Central, des soldats de la coloniale l'avaient abordée. Mais c'était sans doute à cause des robes de Carmen parce que les soldats de la coloniale n'abordaient que les putains.
M. DURAS, *Un barrage contre le Pacifique*, p. 223.

CONTR. **Métropolitain.**
DÉR. **Colonialisme, colonialiste.**
COMP. **Anticolonial.**

COLONIALISME [kɔlɔnjalism] n. m. — 1902, Péguy; de *colonial*.

♦ **1.** Système d'expansion coloniale. ⇒ **Colonisation.**

♦ **2.** Système politique qui préconise la mise en valeur et l'exploitation de territoires dans l'intérêt du pays colonisateur. ⇒ **Impérialisme.** *La lutte des pays du tiers monde contre le colonialisme et le racisme. La fin des colonialismes classiques.* ⇒ **Décolonisation.**
Aussi bien l'actuelle déroute des colonialismes ou plutôt leur camouflage subtil et redondant (...) ne peut-elle apparaître que comme le produit et le sommet ambigus de cette révolte du sang, ainsi gros d'une révolution et d'une intégration qu'il serait bien futile de motiver par un désordre économique et social (...)
Raymond ABELLIO, *Ma dernière mémoire*, t. I, p. 102.

Par ext. *Colonialisme économique.*

COMP. **Anticolonialisme, néo-colonialisme.**

COLONIALISTE [kɔlɔnjalist] adj. et n. — 1903, Péguy; *coloniste*, 1776; de *colonial*.

♦ **1.** Adj. Relatif au colonialisme. *Politique colonialiste.*

♦ **2.** N. Partisan du colonialisme. *Colonialistes hostiles à la décolonisation.*
Qui prône l'expansion coloniale. *« Les romans colonialistes d'avant-guerre... »* (Sartre, *in* T. L. F.).

CONTR. et COMP. **Anticolonialiste.**

COLONIE [kɔlɔni] n. f. — 1579; à propos de l'Antiquité, 1308; lat. *colonia*. → Colon.

♦ **1.** Vx ou hist. Réunion, groupe de personnes parties d'un pays pour aller en habiter, en exploiter un autre. ⇒ **Peuplement, émigration.** *Envoyer une colonie outre-mer. Les colonies grecques s'établirent autour de la Méditerranée.*

1 L'effet ordinaire des colonies est d'affaiblir les pays d'où on les tire, sans peupler ceux où on les envoie.   MONTESQUIEU, *Lettres persanes*, 122.

2 Environ deux siècles après la guerre de Troie, une colonie de ces Ioniens fit un établissement sur les côtes de l'Asie, dont elle avait chassé les anciens habitants.
BARTHÉLEMY, *Anacharsis*, 72.

♦ **2.** Mod. La population qui se perpétue à l'endroit où se sont fixés les fondateurs (⇒ 1. **Colon, 2.**). *La colonie prospère, s'accroît.*

♦ **3.** (1635). Le lieu où vivent les colons. *Une colonie vaste, étendue. Colonie fertile, aride.* — Au plur. Ensemble des territoires colonisés (→ ci-dessous, 4.). *Vivre aux colonies, habiter les colonies.*

3 M. Ulloa arriva dans la colonie avec quatre-vingts hommes de sa nation; la prise de possession devait, dans les règles ordinaires, suivre son débarquement.
G.-T. RAYNAL, *Hist. philosophique...*, XVI, 2.

4 (...) un valet tel qu'on en trouve beaucoup sur les côtes d'Espagne et dans les colonies; c'était un quart d'Espagnol né d'un métis (...)   VOLTAIRE, *Candide*, XIV.

♦ **4.** Établissement fondé par une nation appartenant à un groupe dominant dans un pays étranger à ce groupe, moins développé, et qui est placé sous la dépendance et la souveraineté du pays occupant dans l'intérêt de ce dernier (⇒ aussi **Mandat, protectorat, tutelle**). *Ensemble de colonies* (⇒ **Empire, union**). *L'administration, les fonctionnaires d'une colonie* (⇒ **Gouverneur, résident**). *Les colonies anglaises* (⇒ **Commonwealth, dominion**), *espagnoles, françaises. Colonie de peuplement, d'exploitation. L'émancipation, l'indépendance des colonies.* ⇒ **Décolonisation.** *Colonies assimilées à des départements* (cf. Département d'outre-mer).

5 Leurs terres où ils fondent une colonie.   BOSSUET, *Hist.*, I, 8, *in* LITTRÉ.

6 C'est une grande querelle que celle de l'Angleterre avec ses colonies : savez-vous, mon ami, par où nature veut qu'elle finisse? Par une rupture.
DIDEROT, *Sur les lettres d'un fermier.*

---

7 (...) des colonies peuvent être parfois à peu près complètement assimilées à des provinces ou des départements, comme c'est le cas pour quelques-unes de nos vieilles colonies françaises; mais le plus souvent, les colonies sont soumises à un régime tout à fait particulier qui ne ressemble en rien à celui des communes ou des provinces de la métropole.   LE FUR, *Précis de droit international public*, n° 150.

♦ **5.** [a] (1859). COLONIE PÉNITENTIAIRE : établissement spécial pour jeunes délinquants. Anciennt. Territoire colonial où les condamnés aux travaux forcés purgeaient leur peine.

[b] (1879, *colonie d'enfants;* de l'all.). COLONIE DE VACANCES : groupement d'enfants des villes que l'on fait séjourner à la campagne. ⇒ aussi **Camp** (de vacances).

7.1 Il a été tenté en Saxe, en 1879, dans les écoles du pays, un essai dont parle la *Gazette d'Augsbourg*, essai qui, d'après ce journal, a parfaitement réussi, et qui, pour cette raison, doit être continué à l'avenir. Il s'agit de colonies d'enfants pendant les vacances scolaires.
(Le) président d'une Société d'hygiène (...) eut l'idée d'essayer ce qu'il appela des *colonies d'enfants*, à établir pendant les vacances scolaires. D'après son plan, des enfants pauvres et chétifs des écoles de la ville devaient être, pendant les grandes vacances, envoyés à la campagne.
L. FIGUIER, *l'Année scientifique et industrielle* 1880, p. 337 (1879).

Abrév. fam. COLO, n. f. *« La "colo" est revenue comme chaque année avec l'été dans ce coin de Bretagne (...) Plougasnou, c'est un peu la capitale des "colos" »* (*le Nouvel Obs.*, 23 juil. 1973, p. 36).

♦ **6.** (1835). Ensemble des personnes d'une même nationalité, d'une même région ou d'une même ville, qui habitent un autre pays, une autre région ou ville. *La colonie russe de Paris. La colonie française de Londres. La colonie auvergnate, bretonne de Paris.* — Groupe d'hommes vivant en communauté. *Une petite colonie de bohèmes, d'artistes.* ⇒ **Communauté.**

8 M. Lenormant m'a donné des nouvelles de la colonie de Dieppe et de l'agréable vie que vous y menez (...)
SAINTE-BEUVE, *Correspondance*, 482, 15 juil. 1835, t. I, p. 531.

9 (...) la grande salle qui servait de cuisine et de lieu de réunion à toute la famille, il faudrait dire la colonie, car la longueur de la table indiquait le séjour habituel d'une quarantaine de personnes.
BALZAC, *le Médecin de campagne*, Pl., t. VIII, p. 382.

♦ **7.** (1767). Réunion (d'animaux) vivant en commun. *Colonie d'abeilles* (cit. 1). ⇒ **Essaim, ruche.** *Une colonie de castors.*

Sc. nat. Réunion d'individus d'une même espèce, nés les uns des autres par bourgeonnement, scissiparité et restant unis. *Colonie de protozoaires, d'hydraires, de coralliaires* (⇒ **Corail, hydre**). — Biol. *Colonie microbienne* : ensemble de bactéries d'une même espèce ou variété, entretenues au laboratoire pendant plusieurs générations (⇒ **Culture**).

CONTR. **Métropole.** — **Individu.**

COLONISABLE [kɔlɔnizabl] adj. — 1838; de *coloniser.*

♦ Qui peut être colonisé. *Territoires colonisables.*

COLONISATEUR, TRICE [kɔlɔnizatœʀ, tʀis] adj. et n. — 1835; de *coloniser.*

♦ **1.** Qui colonise. *Nation colonisatrice.* — N. *Les colonisateurs :* ceux qui colonisent, fondent ou exploitent une colonie (opposé à *colonisé*). → Colonisation, cit. 0.1.

♦ **2.** Adj. Sc. *Cellule colonisatrice.*

COLONISATION [kɔlɔnizasjɔ̃] n. f. — 1769; angl. *colonization* (1770), de (to) *colonize*. → Coloniser.

♦ **1.** Le fait de peupler de colons; de transformer en colonie. *La colonisation de l'Amérique, puis de l'Afrique, par l'Europe.*

0.1 En posant la question terriblement actuelle de la colonisation et du droit qu'un continent croit avoir d'en asservir un autre, (*la conquête du Mexique*) pose la question de la supériorité, réelle, celle-là, de certaines races sur d'autres (...) elle oppose la tyrannique anarchie des colonisateurs à la profonde harmonie morale des futurs colonisés.   A. ARTAUD, *le Théâtre et son double*, Idées/Gallimard, p. 192.

♦ **2.** Mise en valeur, exploitation des pays devenus colonies. ⇒ **Colonialisme, impérialisme.**

1 La colonisation agricole (*de l'Algérie*) allait, en peu d'années, mais au prix d'efforts héroïques, transformer les plaines et les villes. En 1847, on comptait déjà plus de cent mille colons (...)   Pierre GAXOTTE, *Hist. des Français*, t. II, p. 452.

2 On a souvent opposé la colonisation de *mise en valeur* à celle de *peuplement* en soutenant que la grande propriété était la plus avantageuse pour la valorisation du sol et la petite pour l'accroissement de la population française.
Paul ROBERT, *les Agrumes dans le monde*, p. 11.

Fait d'annexer, d'utiliser à des fins publicitaires, mercantiles. *La colonisation des sites.*

♦ **3.** Sc. Occupation d'un terrain (plantes), d'une zone de l'organisme (germes).

CONTR. Décolonisation.

COLONISER [kɔlɔnize] v. tr. — 1790; de *colonie*, probablt d'après l'angl. *to colonize*, 1622.

♦ **1.** Peupler de colons.

1 Notre histoire coloniale est la plus glorieuse qu'ait jamais eue un peuple européen; mais nous n'avons vraiment colonisé (au XVIIIe s.), c'est-à-dire peuplé de notre race, que les régions du Canada, les Antilles, les îles de la Réunion et Maurice.
            A. RAMBAUD, Hist. de la civilisation franç., t. II, p. 253.

♦ **2.** Faire d'un pays une colonie (3.). *Coloniser un pays pour le mettre en valeur, en exploiter les richesses.*

1.1 Pourquoi cette Europe, qui a conquis les cinq parties du monde, a-t-elle honte de les avoir colonisées? Nous nous reprochons d'avoir bâti Casablanca, alors que les Romains étaient tout fiers d'avoir détruit Carthage.
            Emmanuel BERL, le Virage, p. 59.

Réduire (un peuple, un groupe social) à l'état d'habitants d'une colonie. *Coloniser les tribus indiennes.*

♦ **3.** Fig. Envahir, occuper.
Sc. Occuper (un terrain, une zone de l'organisme), en parlant de plantes, de micro-organismes. — Passif et p. p. :

2 (...) elle serait restée (...) debout (...) pendant dix heures consécutives, plutôt que de poser sa jupe sur ce siège colonisé par les microbes!
            MARTIN DU GARD, les Thibault, t. III, p. 263.

▶ **COLONISÉ, ÉE** p. p. adj. et n.
Qui subit la colonisation. — N. *Un colonisé* (opposé à *colonisateur*). *Les colonisés :* les peuples colonisés.

3 Les sacrifices consentis, les souffrances endurées par nos amis les colonisés depuis un quart de siècle n'auront pas été vains. Bientôt, rien, à leurs yeux, ne viendra ternir l'éclat de la civilisation française, puisqu'elle ne leur sera plus imposée par un occupant étranger et qu'ils pourront l'aimer librement.
            Daniel GUÉRIN, Au service des colonisés, Préface, p. 23-24.

CONTR. et COMP. Décoloniser.
DÉR. Colonisable, colonisateur.

COLONNADE [kɔlɔnad] n. f. — 1740; *colomnade*, 1694; *colonnate*, 1675; de *colonne*.

♦ **1.** File de colonnes sur une ou plusieurs rangées, décorant un édifice ou formant un ensemble architectural. *Les colonnades des temples grecs. La colonnade du Bernin, à Saint-Pierre de Rome. La colonnade du Louvre due à Perrault.*

C'est une grande galerie voûtée et enrichie intérieurement d'une colonnade qui règne de droite et de gauche.   DIDEROT, Salon de 1767.

♦ **2.** Littér. Rangée (d'éléments longs et verticaux) formant un alignement. *La colonnade des arbres de part et d'autre d'une allée.*

COLONNAIRE [kɔlɔnɛʀ] adj. — 1556, *colomnaire*; *columpnaire*, v. 1380; lat. *columnaris*, de *columna*. → Colonne.

♦ Rare. Qui a la forme d'une colonne.
Spécialt (métall.). Qualifie une structure cristalline formée dans les couches externes de lingots métalliques.

COLONNE [kɔlɔn] n. f. — Déb. XIIIe; *columpne*, XIIe; du lat. *columna* «colonne», d'après l'ital. *colonna*.

★ **I.** ♦ **1.** Archit. Support vertical, ordinairement de section circulaire, dans un édifice (⇒ **Montant, pied-droit, pilastre, pilier**). *Petite colonne.* ⇒ **Colonnette.** *Colonne de marbre, de pierre, de métal, de bois* (⇒ **Poteau**). *Colonne monolithe, à tambours. Parties d'une colonne.* ⇒ **Base, piédestal, socle, soubassement, stylobate ; contracture, escape, fût, tambour, tige, tronc ; abaque, architrave, chapiteau, tailloir.** *Calibre, diamètre, galbe d'une colonne* (⇒ **Module**). *Le demi-diamètre du fût de colonne servant de module* aux Grecs. Ornements, moulures d'une colonne.* ⇒ **Armille, astragale, bague, bande, boudin, canal, cannelure, congé, côte, enroulement, hélice, griffe, listel, pampre, plinthe, rudenture, scotie, strie, tore, volute.** — *Colonne adossée, engagée,* partiellement intégrée dans un mur, un pilier (⇒ **Demi-colonne, dosseret, pilastre**). *Colonne accostée, flanquée de pilastres. Colonne feinte, en trompe-l'œil. Colonne annelée, baguée, cannelée, crucifère, hermétique, incrustée, moulée, rudentée, serpentine, striée, torse, unie. Colonne cylindrique, fuselée, galbée, renflée, tronquée. Colonne simple ; colonnes accolées, accouplées, adossées, doublées, en faisceau, gémellées, géminées, groupées, jumelées, liées. Colonne cornière.* — *Styles de colonnes : colonne égyptienne, assyrienne, perse, attique, dorique, ionique, corinthienne, composite, toscane. Colonnes d'une église romane, gothique, Renaissance, classique. Colonne sculptée. Les statues-colonnes des portails de Chartres. Statue jouant le rôle de colonne.* ⇒ **Atlante, cariatide, télamon.** — *Rangée de colonnes.* ⇒ **Colonnade ; arcature, balustrade, galerie, péristyle, portique, propylée.** *Les colonnes d'une arcade*, d'un cloître*, d'une galerie*. Espace entre*

deux colonnes. ⇒ **Entrecolonnement.** *Colonnes en ordonnance systyle.* — *Colonnes supportant un balcon*, un plafond* (⇒ **Hypostyle**), *une voûte. Édifice à colonnes.* ⇒ suff. **-style** (hypostyle, péristyle...) et **-ptère** (monoptère, périptère...).

1 Les Grecs ont tourné l'élégante colonne corinthienne avec son chapiteau de feuilles sur le modèle du palmier.
            CHATEAUBRIAND, le Génie du christianisme, III, I, 8.

2 Elles *(les âmes du moyen âge)* aspirent au gigantesque (...) amoncellent les colonnes en piliers monstrueux (...)
            TAINE, Philosophie de l'art, I, II, VI, 4.

3 Le fond de l'église sombre était tout de vieux ors étincelants, avec une profusion de colonnes torses, d'entablements compliqués (...)
            LOTI, Ramuntcho, I, III, p. 31.

4 Douces colonnes, aux
Chapeaux garnis de jour
Ornés de vrais oiseaux
Qui marchent sur le tour,
Douces colonnes, ô
L'orchestre de fuseaux !
            VALÉRY, Charmes, «Cantique des colonnes».

5 Des colonnes aux fûts minces, aux bases minutieusement ouvrées, aux chapiteaux formés de deux avant-trains de taureaux soudés (...)
            DANIEL-ROPS, le Peuple de la Bible, IV, I, p. 286.

Par compar. ou métaphore (poét.) :

6 Ses jambes sont des colonnes d'albâtre,
posées sur des bases d'or pur.
Son aspect est celui du Liban,
élégant comme le cèdre.   BIBLE (CRAMPON), Cantique des Cantiques, v, 15.

♦ **2.** Monument formé d'une colonne isolée. ⇒ **Aiguille, cippe, obélisque, stèle.** *Colonne commémorative, funéraire, rostrale, triomphale. La colonne Trajane, la colonne Vendôme.* — Fig. et vx. *Élever* une colonne à la gloire de qqn,* le célébrer.
Colonne milliaire : fût de colonne servant de borne sur les voies romaines. — *Colonne gnomonique*.*
Par ext. *Colonne Morris :* édicule cylindrique, où l'on affiche les programmes de spectacles, etc., à Paris (→ Lunettes, cit. 3.1).

6.1 Les théâtres jouaient à bureaux fermés. Ils commençaient à trois heures de l'après-midi. Les colonnes Morris affichaient plus de trente pièces différentes. *Le Vieux Colombier* donnait *Huis clos.*
            D. LAPIERRE et L. COLLINS, Paris brûle-t-il ?, t. II, p. 18.

♦ **3.** Montant, pied cylindrique soutenant une table, un ciel de lit. *Lit à colonnes.*

♦ **4.** Par métaphore. *Les Colonnes d'Hercule :* les deux montagnes du détroit de Gibraltar.

♦ **5.** (XVIe). Fig., littér. ⇒ **Soutien, support.** *Les colonnes de l'État.*

7 (...) du plus ferme empire ébranlant les colonnes (...)   RACINE, Alexandre, II, 2.

★ **II.** Par anal. Se dit d'objets qui se dressent, ou dont la forme allongée évoque une colonne.

♦ **1.** (1797). **COLONNE VERTÉBRALE :** l'ensemble formé par la suite des vertèbres et le canal vertébral qu'elles forment, où passe la moelle* (cit. 8) épinière (chez tous les vertébrés). ⇒ **Échine, épine** (dorsale), **rachis.** → Dorsal, cit. 1 ; flexion, cit. ; squelette, cit. 3. *Déviation de la colonne vertébrale.* ⇒ **Cyphose, lordose, scoliose** (→ Difforme, cit. 3). *Se rompre, se casser la colonne vertébrale.*

8 S'étant brisé la colonne vertébrale à la chasse, elle passait la majeure partie de son temps étendue.
            A. BILLY, Sainte-Beuve, sa vie et son temps, I, Le romantique (33, p. 233.

9 Le squelette de l'homme est constitué par un axe central, la colonne vertébrale, véritable clef de voûte de l'édifice, terminée par le sacrum et le coccyx.
            P. VALLERY-RADOT, Notre corps..., p. 23.

♦ **2.** (1694). *Colonne d'air, d'eau, de mercure :* masse (de fluide) dans un tube vertical. *Colonne barométrique.* — Par ext. *Une colonne de fumée, de feu.* — *La colonne positive d'un tube à gaz.*

Figuré :

10 Puis, tout à coup, voyez, car il semble qu'en certains instants l'oreille aussi a sa vue, voyez s'élever au même moment de chaque clocher comme une colonne de bruit, comme une fumée d'harmonie.   HUGO, Notre-Dame de Paris, I, III, 2.

♦ **3.** (Av. 1615). L'une des sections qui divisent verticalement une page manuscrite ou imprimée. *Ce livre est imprimé sur deux, trois colonnes. Cet article se trouve en quatrième colonne du journal. Titres sur deux, trois colonnes. Titre sur cinq colonnes à la une,* occupant la largeur de cinq colonnes en tête de la première page (toute la largeur de la page lorsque le journal est composé sur cinq colonnes, ce qui était naguère le cas pour les quotidiens). — *Colonne de chiffres. La colonne des unités, des dizaines.* — *Graphique en colonnes. Les colonnes d'un graphique.*

11 Mais, au-dessous, écrit avec un autre stylo quelques jours plus tôt, couvrant les deux colonnes, en lettres larges : TOLÈDE (...)   MALRAUX, l'Espoir, p. 531.

Inform. Ensemble des emplacements rangés sur une même verticale.

♦ **4.** (1680). Corps de troupe disposé sur peu de front et beaucoup de profondeur. *Colonne d'infanterie, d'artillerie. Marcher en tête de colonne. Compagnie marchant colonne par deux, colonne par quatre. Défiler colonne par huit. Colonne serrée. Armée disposée en trois colonnes.* — *Colonne d'attaque. Colonne d'observation.* — (1795). *Colonne mobile :* corps de troupe se déplaçant pour surveiller une région, y réprimer des rébellions, etc. — *Colonne de camions, de chars d'assaut.* ⇒ **File.**

12 En colonne par quatre, les légionnaires fourbus, les yeux hors de la tête et la bouche sèche gravirent péniblement le raidillon qui accédait au fort (...)
P. MAC ORLAN, la Bandera, XI, p. 135.

13 (...) ils allaient tenter de défendre contre les colonnes motorisées des Italiens leur village de cailloux.
MALRAUX, l'Espoir, p. 778.

Loc. (trad. de l'esp.; de la *cinquième colonne*, qui de l'intérieur soutint les *quatre colonnes* qui attaquaient Madrid, en 1936). CINQUIÈME COLONNE : les services secrets d'espionnage ennemi sur un territoire.

13.1 « La Cinquième Colonne, une fameuse trouvaille, hein ? », le type à tête de maître d'école le regardant de nouveau (...) disant : « Tu ne crois pas à la Cinquième Colonne ? »
Claude SIMON, le Palace, p. 25.

Par anal. Troupe, groupe (d'hommes, de véhicules, d'animaux), qui affecte une forme allongée. ⇒ **File.**

14 La colonne *(des manifestants)*, endiguée entre de sombres façades, avançait toujours, d'un glissement lent, implacable.
MARTIN DU GARD, les Thibault, t. VII, p. 65.

15 Leur interminable colonne *(des voitures des maraîchers)* bringuebalait sur les pavés avec un grincement de café qu'on moud.
MARTIN DU GARD, les Thibault, t. V, p. 264.

16 Ce n'était qu'une colonne de moutons qui rentrait au douar.
P. MAC ORLAN, la Bandera, XV, p. 185.

♦ **5.** Formation géologique en forme de colonne. *Colonnes basaltiques* (⇒ **Orgue**).

♦ **6.** (xxᵉ). *Colonne montante*, groupant les canalisations (gaz, électricité) d'un immeuble. — *Colonne à plateaux* (de distillation). — *Colonne de direction :* arbre de commande de la direction (d'un véhicule automobile).

CONTR. Front, ligne (milit.).
DÉR. et COMP. Colonnade, colonnette. — Entrecolonnement.

COLONNETTE [kɔlɔnɛt] n. f. — 1546; de *colonne*.

♦ Petite colonne*. *Les colonnettes d'un triforium, d'une architrave. De fines colonnettes. Chapiteau* (cit. 2) *d'une colonnette.*

1 De hautes colonnettes, minces comme des roseaux, supportaient la voûte des coupoles, décorées de reliefs imitant les stalactites des grottes.
FLAUBERT, Trois contes, « Légende de saint Julien l'Hospitalier ».

2 Le plafond très bas est supporté par d'innombrables colonnettes métalliques, creuses, dont les quatre faces sont ajourées de dessins à fleurs, datant d'une époque révolue. A. ROBBE-GRILLET, Projet pour une révolution à New York, p. 30.

COLOPHANE [kɔlɔfan] n. f. — 1704; *colofaigne*, 1580; *colaphonie, colofonie*, XIIIᵉ; lat. *colophonia*, grec *kolophônia*, proprt « résine de Colophon », Kolophon, ville de Lydie.

♦ Résine dont on frotte les crins de l'archet d'un instrument à cordes. ⇒ **Arcanson**. *La colophane résulte de la distillation de la térébenthine. L'acide abiétique*, *acide carboxylique qui est le constituant essentiel de la colophane. Un succédané de colophane s'obtient par la combinaison de l'aldéhyde formique avec le phénol.*

Quand il s'apercevait qu'on était loin derrière lui, il s'arrêtait à reprendre haleine, cirait longuement de colophane son archet, afin que les cordes grinçassent mieux (...) FLAUBERT, Mᵐᵉ Bovary, Folio, p. 53.

COLOPHANER [kɔlɔfane] v. tr. — 1932; au p. p., 1910; de *colophane*.

♦ Techn. (mus.). Enduire de colophane. *Colophaner le crin d'un archet.*

COLOPHON [kɔlɔfɔ̃] n. m. — 1888; grec *kolophôn* « achèvement, couronnement ».

♦ Didact. Note finale d'un ouvrage écrit, fournissant les références de cet ouvrage et donnant les indications relatives à son impression.

COLOQUINTE [kɔlɔkɛ̃t] n. f. — 1372; *colloquintide*, v. 1300 (lat. *colloquinthida*); lat. *colocynthis*, grec *kolokunthis*.

♦ **1.** Plante dicotylédone (*Cucurbitacées*) scientifiquement appelée *Citrullus collocynthis. Les fruits de la coloquinte, presque ronds, de la taille d'une orange, de coloris variés, répandent une odeur désagréable et possèdent une saveur très amère.* ⇒ **Chicotin**. *La coloquinte était employée comme purgatif.*

1 une maisonnette de garde-barrière bardée de coloquintes, de roses trémières et de dahlias (...) COLETTE, Flore et Pomone, in Gigi, p. 159.

♦ **2.** Fruit non comestible de cette plante, parfois utilisé comme élément ornemental d'appoint dans la composition des coupes de fruits, les décorations florales, etc.

2 Quantité de gourdes parfaitement rondes, comme des coloquintes, de la grosseur d'un œuf d'autruche, jonchent le sol (...)
GIDE, Voyage au Congo, 1927, in Souvenirs, Pl., p. 725.

♦ **3.** (1809). Fam. Tête. *Recevoir un coup sur la coloquinte. Loc. Taper sur la coloquinte. Le soleil nous tapait sur la coloquinte.*

COLORABLE [kɔlɔʀabl] adj. — 1873, Wurtz; de *colorer*.
Didactique.

♦ **1.** Qui est susceptible de fixer les colorants. *La structure colorable du chromosome.*

♦ **2.** Littér. Qui peut se colorer (Proust, *in* T. L. F.).

COLORAGE [kɔlɔʀaʒ] n. m. — 1842, Michelet; de *colorer*.
Technique.

♦ **1.** Vx. Teinture.

♦ **2.** Mod. Opération par laquelle on colore (un produit alimentaire, etc.) par addition de colorant.

COLORANT, ANTE [kɔlɔʀɑ̃, ɑ̃t] adj. et n. m. — 1690; de *colorer*.

♦ **1.** Adj. Qui colore. *Substances, matières colorantes. Plonger une étoffe dans un bain colorant. La chlorophylle, l'oxyhémoglobine, principes colorants.* — *Shampooing colorant.*

1 Elle pilait du henné dans un petit mortier de cuivre. Ses talons nus étaient barbouillés de la pâte colorante qui ressemblait à de la bouse de vache.
P. MAC ORLAN, la Bandera, XII, p. 139.

♦ **2.** N. m. *(Un colorant).* Substance colorée qui peut se fixer à une matière pour la teindre. ⇒ **Couleur, teinture.** *Colorants utilisés en peinture*, *en teinture. Colorants chromophores et colorants chromogènes. Colorants végétaux (bois de teinture, décoctions de plantes...), animaux (insectes : cochenille...), minéraux (métalloïdes : charbon, soufre; métaux : argent, cobalt, cuivre, vanadium...). Colorants artificiels, synthétiques dérivant de carbures de la série de l'anthracène, du benzène. L'acide azotique, l'acide picrique, servent à préparer des colorants. Colorant acide, basique. Chimie, industrie des colorants. Colorants utilisés dans l'industrie alimentaire (colorants alimentaires). Exiger des bonbons sans colorants artificiels, sans colorants.* — *Principaux colorants.* ⇒ **Alizarine, aniline, carthamine, cobalt, cochenille, coralline, curcuma, éosine, érythrosine, fluorescéine, fuchsine, garancine, hématoxyline, indigo, indophénol, induline, mauvéine, méthylène** (bleu de), **naphtalène, nerprun, purpurine, quercitrine, rocou, rosaniline, safran, sépia, stil-de-grain, thionine, tournesol, xylidine...** *Colorants alimentaires :* curcumine, lactoflavine, cochenille, amarante, érythrosine, indigotine, chlorophylle, caramel, caroténoïdes, xanthophylle, anthocyanes, certains métaux (argent, aluminium...).

2 (...) Sigismund a pris son petit déjeuner (...) il s'est défié de la gelée pourpre qui sur le plateau demeure et qui pourrait être de la courge agrémentée de tomate ou d'un colorant chimique.
A. PIEYRE DE MANDIARGUES, la Marge, p. 117.

CONTR. et COMP. Décolorant.

COLORATION [kɔlɔʀasjɔ̃] n. f. — 1370; de *colorer*.

♦ **1.** Rare. Action de colorer (qqch.). *La coloration des métaux.* ⇒ **Métallochromie.** — Spécialt (biol.). Imprégnation par un colorant. Techn. (coiffure). Teinture. *Se faire faire une coloration* (après une décoloration du cheveu).

♦ **2.** État de ce qui est coloré. ⇒ **Couleur.** *Une coloration brillante, éclatante, vive. Coloration des fruits. La coloration de la peau, du teint.* ⇒ **Carnation, pigmentation.** *Coloration maladive de la peau dans diverses affections (cyanose, jaunisse...).* — *Coloration naturelle des bois, des liquides, des métaux, des pierres. Coloration artificielle des étoffes. La coloration que donne la lumière solaire, la lumière électrique.* ⇒ **Éclat.**

Puis l'exiguïté, les colorations, l'éclairage de la pièce conseillaient les propos intimes, et semblaient leur promettre la plus douillette discrétion.
J. ROMAINS, les Hommes de bonne volonté, t. III, XV, p. 193.

♦ **3.** Fig. *La coloration d'un sentiment*, son aspect particulier (⇒ **Colorer**, 3.). *Coloration vocale.* ⇒ **Coloris**, cit. 6. *Coloration acoustique.*

CONTR. Décoloration.

COLORATUR [kɔlɔʀatyʀ] adj. et n. f. invar. — Mil. xxᵉ; all. *Koloratur*, de l'italien.

♦ Mus. Se dit d'une chanteuse qui pratique la *coloratura. Soprano coloratur.* — N. f. *Une coloratur :* une virtuose du bel canto à vocalises. — Plur. *Des coloratur.*

Des dames hautes à forte poitrine, c'est-à-dire à voix de koloratur *(sic)*, de petits hommes gros, c'est-à-dire des ténors (...)
GIRAUDOUX, Siegfried et le Limousin, p. 84.

COLORATURE [kɔlɔʀatyʀ] ou COLORATURA [kɔlɔʀatyʀa] n. f. — Mil. xxᵉ; all. *Koloratur* ou ital. *coloratura*, de *colorare* « colorer ».

♦ Mus. Musique vocale ornée de vocalises, trilles, portando, etc. ⇒ **Bel canto.**

-COLORE Élément tiré du lat. *color* «couleur», qui entre dans la composition de nombreux mots. ⇒ **Bicolore, ignicolore, incolore, multicolore, omnicolore, quadricolore, tricolore, unicolore, versicolore...**

COLORER [kɔlɔʀe] v. tr. — 1160; dér. anc. de *couleur*, refait sur le lat. *colorare*.

♦ **1.** Revêtir de couleur; donner une certaine teinte à (qqch.). ⇒ **Teindre, teinter; bleuir, brunir, jaunir, rougir, verdir.** *Le soleil colore le couchant. L'hémoglobine colore le sang. Colorer qqch. en bleu, en rouge... avec des colorants, avec de la peinture.* ⇒ **Colorier, peindre.** *Colorer en brun doré* (⇒ **Mordorer**), *en gris* (⇒ **Cendrer**)... *Colorer avec du nitrate d'argent* (⇒ **Nitrater**). *Colorer un produit alimentaire. Colorer une matière plastique, du verre, un tissu.* — Absolt (→ ci-dessous, cit. 3). — Pron. *Les raisins commencent à se colorer. Ses joues se coloraient légèrement* (⇒ **Rosir**). → ci-dessous, cit. 2 et 4.

1   Colorer, c'est donner une couleur naturelle ou artificielle, mais sans autre intention que cette couleur même. Colorier, c'est apposer avec art des couleurs sur quelque chose. Un verre coloré est un verre qui a une teinte de couleur quelconque comme un verre bleu, un verre rouge, et en général les vitraux de nos églises; un verre colorié est un verre qui représente quelque dessin qu'on a tracé dessus (...)
                      LITTRÉ, Dict., art. *Colorer*.

2   (...) sa joue tout à coup se colore, ses beaux yeux errent et se troublent, un flot de vie a monté, et comblé son jeune sein. Elle est femme (...)
                      MICHELET, la Femme, p. 183.

3   A peu d'exceptions près, on peut établir comme règle que l'orange colore, le vert neutralise, le violet ombre.
          Henri GUERLIN, l'Art enseigné par les maîtres, p. 91.

4   (...) de légers nuages passaient sur elle *(la mer)*, mais ils se coloraient alors de nuances bleues dont la pâleur était profonde comme la gelée d'une méduse ou le cœur d'une opale.   PROUST, les Plaisirs et les Jours, p. 194.

♦ **2.** (Surtout pron.). Abstrait. Donner un aspect particulier, caractéristique à (qqch.). ⇒ **Empreindre.**

5   La passion colore et empoisonne les moindres mouvements de l'âme.
          G. DUHAMEL, Entretiens dans le tumulte, I.

6   (...) cette tendresse attentive que je voue naturellement aux objets de mon étude et qui se colore de curiosité, de piété, de scepticisme, d'ironie, selon les heures.
         G. DUHAMEL, Chronique des Pasquier, I, I.

♦ **3.** (XIIIᵉ). Littér. Donner une belle apparence à (qqch.), présenter sous un jour, sous un aspect favorable. *Colorer une action par une explication, une excuse.* — Vx (langue class.). *Colorer un acte d'une excuse, d'un prétexte.* — (Sans compl. second). *Colorer une faute, un mensonge, une lâcheté.* ⇒ **Farder, orner, revêtir.**

7   L'ingrat, d'un faux respect colorant son injure (...)   RACINE, Britannicus, I, 1.

8   Quelle excuse pouvons-nous trouver pour colorer nos rébellions?
                BOSSUET, Purification, 2.

9   On y apprend à plaider avec art la cause du mensonge, à ébranler à force de philosophie tous les principes de la vertu, à colorer de sophismes subtils ses passions et ses préjugés, et à donner à l'erreur un certain tour à la mode selon les maximes du jour.   ROUSSEAU, Julie ou la Nouvelle Héloïse, II, Lettre XIV, p. 228.

⇒ **Embellir.** *L'imagination colore tout.* — Rare (avec un compl. indirect). *L'imagination lui colorait tout en rose.* — *Colorer son style,* lui donner de la couleur, de la force, de l'éclat, le rendre vivant. *Colorer un récit.*

▶ **COLORÉ, ÉE** p. p. adj.

♦ **1.** Qui présente de vives couleurs, de la couleur. *Horizon coloré par l'aurore.* — *Avoir le teint* coloré,* rouge et vermeil. ⇒ **Enluminé, poupin.** — *Vin coloré,* très rouge; d'un rouge noir.

10   Le peintre dispose sur un plan des pâtes colorées dont les lignes de séparation, les épaisseurs, les fusions et les heurts doivent lui servir à s'exprimer.
                VALÉRY, Variété I, p. 238.

♦ **2.** Fig. **COLORÉ DE...** ⇒ **Empreint.**

11   Le sourire froid, détaché, railleur, le sourire qui m'a, si longtemps, donné du malaise, est soudain coloré d'une sorte de tendresse.
          G. DUHAMEL, Chronique des Pasquier, III, V.

♦ **3.** Fig. Animé, expressif. *Conversation colorée,* pittoresque. *Style* coloré. Récit coloré,* abondant en expressions vivantes, imagées. ⇒ **Imagé, vivant.**

12   Lors même que la pensée est colorée par l'imagination ou animée par le sentiment, elle nous frappe d'autant plus qu'elle est plus spirituelle, c'est-à-dire plus vive, plus finement saisie, et d'une combinaison à la fois plus juste et plus nouvelle dans ses rapports.   MARMONTEL, Œuvres, t. IX, p. 416.

13   (...) il bourrait une pipette de bois, qu'il *(A. Daudet)* fumait en animant de sa parole colorée et pittoresque, aux intonations tour à tour gaies, tendres, la conversation.   Georges LECOMTE, Ma traversée, p. 273.

CONTR. Décolorer. — Pâle.
DÉR. Colorable, colorage, colorant, coloration.
COMP. Décolorer, recolorer.

COLORIAGE [kɔlɔʀjaʒ] n. m. — 1830; de *colorier*.

♦ **1.** Action de colorier; son résultat. *Un mauvais coloriage, trop vif.*

(...) ce vieil enfant n'avait qu'une passion au monde : la passion du coloriage.
         Alphonse DAUDET, le Petit Chose, I, XIV.

(Un, des coloriages). Image à colorier, coloriée. *Album de coloriages pour les enfants.*

♦ **2.** Couleurs vives, heurtées. ⇒ **Bariolage.**

COLORIER [kɔlɔʀje] v. tr. — 1550; de *coloris*.

♦ Appliquer des couleurs* sur (une surface; spécialt, du papier). ⇒ **Enluminer.** *Colorier une carte, une estampe, une gravure. Colorier un verre* (⇒ **Colorer,** cit. 1). — Absolt. *Manière de colorier aux crayons de couleur, à l'encre, à la peinture à l'eau.* ⇒ **Lavis.** *Colorier avec du carmin.* ⇒ **Carminer.** *Album à colorier. Images à colorier.* ⇒ **Coloriage.**

1   Colorier est un terme de peinture, c'est donner à un objet, par un assortiment *(sic)* convenable de *couleurs,* l'éclat, l'air, l'apparence qu'il doit avoir.
          LAFAYE, Dict. des synonymes, Couleur, coloris.

▶ **COLORIÉ, ÉE** p. p. adj. *Carte coloriée. Planche coloriée.* — Fig. Qui a de l'éclat.

2   Nos historiens ne songent qu'à faire des portraits fortement coloriés (...)
               ROUSSEAU, Émile, IV.

DÉR. Coloriage.

COLORIMÈTRE [kɔlɔʀimɛtʀ] n. m. — 1855; de *color* «couleur», et *mètre* «mesure».

♦ Didact. Instrument servant à mesurer l'intensité de coloration d'un liquide.

DÉR. Colorimétrie, colorimétrique.

COLORIMÉTRIE [kɔlɔʀimetʀi] n. f. — 1891; de *colorimètre.* → -métrie.

Didactique.

♦ **1.** Mesure de l'intensité de coloration de certains corps (liquides, verres teintés, etc.).

♦ **2.** Chim. Utilisation d'indicateurs colorés pour déterminer le pH d'une solution.

COLORIMÉTRIQUE [kɔlɔʀimetʀik] adj. — 1875; de *colorimètre.*

♦ Didact. Qui concerne la colorimétrie. *Analyse, dosage colorimétrique.*

COLORIS [kɔlɔʀi] n. m. — 1615; adj., XVIᵉ; ital. *colorito,* de *colorire* «colorier».

♦ **1.** Effet visuel qui résulte du choix, du mélange et de l'emploi des couleurs dans un tableau. ⇒ **Couleur.** *Les coloris, le coloris dominant d'une peinture. Coloris chaud, vif, vigoureux. Coloris frais, tendre, éteint* (→ Blanchâtre, cit. 1). *Beauté, perfection, vigueur d'un coloris. Ce tableau pèche par le coloris. Gamme de coloris d'un décorateur.*

1   Malgré leurs efforts, il manquait
  Le coloris de la nature;
  Sous ses yeux, des Amours badins
  Ranimaient ces touches savantes
  Avec un pinceau que leurs mains
  Trempaient dans les couleurs brillantes
  De la palette de Rubens.   VOLTAIRE, le Temple du goût.

2   La vigueur et l'éclat du coloris sont deux choses diverses; on est éclatant sans vigueur, et vigoureux sans éclat.
      DIDEROT, Salon de 1767, t. XIV, p. 323, *in* POUGENS.

♦ **2.** Couleur (du visage, des fruits). ⇒ **Carnation.** *Le coloris d'une pêche. Vivacité du coloris. Le coloris des joues.* ⇒ **Teint.**

3   Quand j'ai bu du vin de Champagne, j'ai, le lendemain, le coloris obscur, les nuances brouillées et des erreurs au teint qui me vieillissent de dix années.
      J.-F. REGNARD, Critique du Légataire universel, 8, *in* LITTRÉ.

♦ **3.** Caractère vivant et imagé (du style). ⇒ **Éclat.** *Coloris du style. Ce style manque de coloris.*

4   Je lis avec grand plaisir un morceau de Montaigne, que je n'avais pas lu depuis deux ans. Son style peint supérieurement son caractère. C'est peut-être le style français qui a le plus de coloris. STENDHAL, Journal, p. 89.

5   Entre autres conseils remarquables, et qu'il faut retenir pour se rendre compte du style, Buffon recommande «qu'on ajoute le *coloris* à *l'énergie* du dessin». Il veut qu'on donne à chaque objet une forte lumière; il exprime le désir que *chaque pensée soit une image.*   Antoine ALBALAT, l'Art d'écrire, IV, p. 48.

♦ **4.** Musique :

6   Le *coloris,* comme le mot lui-même l'indique, est la coloration vocale que l'on donne à ce qu'on interprète; selon la musique et les paroles qu'on chante, le *coloris* de la voix doit varier (...) Tantôt sombre, tantôt lumineux, tantôt monotone et tantôt changeant, le *coloris* de la voix doit refléter l'état d'âme que le musicien a voulu traduire.   Initiation à la musique, p. 141.

DÉR. Colorier, coloriste.

COLORISATION [kɔlɔʀizasjɔ̃] n. f. — 1863; «changement de couleur survenant dans certaines substances», 1690; dér. du lat. *color, coloris* «couleur».

♦ Techn. Application de couleurs sur un corps par un procédé technique. *Colorisation électro-magnétique.*

COLORISTE [kɔlɔʀist] n. — 1660 ; de *coloris.*

♦ **1.** Peintre remarquable dans le coloris. → Mélange, cit. 1 ; peintre, cit. 2. *« C'est dans les écoles vénitienne et flamande qu'on trouve les meilleurs coloristes »* (Littré).

1   Les meilleurs tableaux du Douanier *(H. Rousseau)* sont d'un grand coloriste, à mille lieux de la couleur naïve.   MALRAUX, les Voix du silence, p. 506.

Absolt. Peintre qui donne une importance essentielle à la couleur, par opposition au dessinateur qui s'attache à la ligne des objets. *Les coloristes et les dessinateurs.*

2   Sur tout cet ensemble d'hommes et d'animaux (...) les cèdres et les pins, disposés par larges bouquets, jetaient une ombre fraîche, brisée çà et là par quelque trouée de rayons solaires. Rien de plus pittoresque que ce tableau, pour lequel le plus violent des coloristes eût épuisé toutes les couleurs de sa palette.
                    J. VERNE, Michel Strogoff, p. 265.

Adj. *Être plutôt coloriste que graphiste.*

3   Dans presque tous les peintres qui ne sont pas coloristes, on remarque toujours des vides (...)   BAUDELAIRE, Salon de 1846, IV, Delacroix.

Fig. Écrivain dont le style est imagé. *Ce brillant coloriste brosse dans son roman une vaste fresque historique.*

♦ **2.** N. Personne qui colorie des estampes, des cartes. ⇒ **Enlumineur.**

♦ **3.** Spécialiste de la couleur, en matière de décoration, d'esthétique industrielle. *C'est « de l'esthétique industrielle que se réclament les* coloristes-conseils »* (D. Huisman et G. Patrix, *l'Esthétique industrielle,* p. 41).

♦ **4.** Spécialiste de la coloration en matière capillaire (anciennt : *teinturière*).

REM. Le fém., *une coloriste,* semble rare aux sens 1 et 2.

CÔLOSCOPE [kɔlɔskɔp] n. m. — V. 1970 ; grec *kôlon,* et *-scope.*

♦ Méd. Instrument flexible et pourvu d'un appareillage optique destiné à l'examen visuel de l'intérieur du côlon.

DÉR. **Côloscopie.**

CÔLOSCOPIE [kɔlɔskɔpi] n. f. — V. 1970 ; de *côloscope.*

♦ Méd. Examen visuel de l'intérieur du côlon avec un côloscope.

COLOSSAL, ALE, AUX [kɔlɔsal, o] adj. — Av. 1596 ; de *colosse.*

♦ **1.** (Concret). Extrêmement grand*. ⇒ **Démesuré, énorme, formidable, gigantesque, herculéen, immense, impressionnant, majestueux, monstrueux** (péj.), **monumental, titanesque.** *Taille colossale. Une statue colossale* (→ Balustrade, cit. 1). *Proportions colossales* (→ Arche, cit. 9). *Des monuments colossaux. Voûte colossale.*

1   *(Florent)* en vint à éprouver une véritable amitié pour la Normande (...) mais jamais il n'alla plus loin (...) Elle lui semblait colossale, très lourde, presque inquiétante, avec sa gorge de géante (...)   ZOLA, le Ventre de Paris, t. I, p. 211.

REM. L'Académie considère que le masc. pluriel n'est guère usité ; on le rencontre cependant :

2   (...) les ossatures gigantesques, les tailles et les carrures herculéennes, les muscles rouges et colossaux, les têtes barbues et truculentes (...)
                    TAINE, Philosophie de l'art, t. II, III, II, III, p. 56.

Ordre colossal : style architectural où les colonnes se prolongent sur deux étages (ou plus).

Techn. (arts). *Statue colossale :* représentation humaine sculptée plus grande que nature (échelle supérieure à 1).

♦ **2.** (Abstrait). Énorme, immense. *Un État d'une puissance colossale. Ressources colossales. Un pouvoir colossal.* ⇒ **Extraordinaire.** *La colossale richesse d'un magnat de la finance.* ⇒ **Fabuleux, fantastique.**

♦ **3.** N. m. *Le goût, la manie du colossal.*

3   On n'écrit plus kolossal qu'avec un k, mais au fond, ce devant quoi on s'agenouille c'est bien du colossal.   PROUST, le Temps retrouvé, Pl., t. III, p. 779.

REM. Le mot, parfois écrit *kolossal,* donne lieu à plaisanteries par allusion à ses emplois en allemand, comiques en français *(kolossale finesse !).* L'influence de l'allemand est sensible dans cet emploi :

4   Ah ! quel repas ! quel charme de situation, de spectacle, de bien-être ! Quelle colossale satisfaction d'appétits colossaux, au moyen de ce colossal saucisson, si bien approprié à cette colossale nature !!!
                    Rodolphe TÖPFFER, Voyages en zigzag, 1837, 18e journée, p. 69.

CONTR. **Infime, lilliputien, minuscule ; microscopique, petit.**
DÉR. **Colossalement.**

COLOSSALEMENT [kɔlɔsalmã] adv. — 1833, Gautier, *in* D.D.L. ; de *colossal.*

♦ D'une manière colossale (surtout en emploi abstrait). *Il est colossalement riche.* ⇒ **Immensément ; formidablement.**

COLOSSE [kɔlɔs] n. m. ou (rare) f. — 1495, *collosse ;* lat. *colossus,* grec *kolossos.*

♦ **1.** N. m. Statue d'une grandeur extraordinaire. *Le colosse de Rhodes.*

Techn. (arts). Statue colossale (échelle supérieure à 1).

♦ **2.** (1615, *in* D.D.L.). Homme, animal de haute et forte stature, d'une grande force apparente. *Cet homme est un véritable colosse.* ⇒ **Géant, hercule.**

1   Dame fourmi trouva le ciron trop petit,
    Se croyant, pour elle, un colosse.   LA FONTAINE, Fables, I, 7.

2   (...) le corps tassé, bien d'aplomb sur ses jambes, il *(Jaurès)* s'immobilisa, face au public, il semblait un colosse trapu qui tend le dos (...)
                    MARTIN DU GARD, les Thibault, t. VII, p. 55.

(En parlant d'une femme). Rare :

3   La sixième était du même âge ; grosse comme une tour, grande à proportion, de beaux traits, un vrai colosse dont les formes étaient dégradées par l'embonpoint (...)   SADE, Justine..., t. I, p. 145.

Adj. *Une femme colosse.* ⇒ **Colossal.**

N. f. Rare. *Une colosse.*

4   Certes, je rencontrai beaucoup de pauvres filles cherchant aventures, mais elles étaient (...) maigres à geler sur pied si elles s'étaient arrêtées. J'ai un faible, vous le savez, j'aime les femmes nourries. Plus elles sont en chair, plus je les préfère. Une colosse me fait perdre la raison.   MAUPASSANT, Mlle Fifi, p. 169.

♦ **3.** N. m. (1666). Personne ou institution considérable, très puissante. *Le colosse américain.* — Loc. *Colosse aux pieds d'argile :* puissance dont la base est fragile (→ Argile, cit. 8). *Renverser, terrasser un colosse. Chute du colosse.*

Fam. Personne qui domine (dans un certain domaine). ⇒ **Géant.** *Les colosses de la littérature.*

CONTR. **Lilliputien, myrmidon, nabot, nain, pygmée.**

COLOSTRUM [kɔlɔstʀɔm] n. m. — 1585 ; *colostre,* 1564 ; mot latin.

♦ Physiol. Premier lait d'une accouchée. *Le colostrum, légèrement purgatif, favorise l'expulsion du méconium.*

COLP-, COLPO- Élément de mots savants, du grec *kolpos* « creux, giron », pris au sens de « vagin », utilisé pour former des mots désignant des maladies, des examens, des traitements et des opérations du vagin. — Ex. : *colpectomie,* n. f. (ablation) ; *colpite,* n. f. (inflammation du vagin et du col de l'utérus) ; *colpocèle,* n. f. (prolapsus) ; *colpocléisis,* n. m. (fermeture du canal vaginal) ; *colpocystogramme,* n. m. (examen radiologique) ; *colpopathie,* n. f. (affection du vagin) ; *colpoplastie,* n. f. (création d'un vagin artificiel) ; *colpotomie,* n. f. (incision). ⇒ **Colposcope, colposcopie,** et l'élément **vagino-.**

COLPORTAGE [kɔlpɔʀtaʒ] n. m. — 1723 ; de *colporter.*

♦ **1.** Action de colporter. Métier du colporteur. *Règlements sur le colportage. — Littératures de colportage,* se dit des ouvrages populaires diffusés par colporteurs, du XVIe au XIXe siècle.

♦ **2.** Fig. *Le colportage des idées, d'une doctrine.* ⇒ **Divulgation, propagation.**

COLPORTER [kɔlpɔʀte] v. tr. — 1539 ; de l'anc. franç. *comporter ;* lat. *comportare* « transporter », de *com- (cum-),* et *portare* (→ Porter) ; refait d'après *cou-col.* → Coltiner.

♦ **1.** Transporter avec soi (des marchandises) pour vendre. *Colporter son bagage sur le dos, sur une petite voiture. Colporter des marchandises, des livres* (→ Article, cit. 15).

1   Les contrebandiers en amorces devaient les colporter chez les filles (...)
                    P. MAC ORLAN, la Bandera, XI, p. 126.

♦ **2.** Transmettre (une information) à de nombreuses personnes (souvent péj.). ⇒ **Divulguer, propager, rapporter, répandre.** *Colporter une histoire scandaleuse,* la raconter à l'un et à l'autre. *Colporter de faux bruits*, des cancans*. Comptez sur lui pour colporter la nouvelle, il est discret comme une trompette* (très indiscret).

2   Jusqu'au soir, de bureau en bureau, il fut colporter la nouvelle.
                    COURTELINE, Messieurs les ronds-de-cuir, 5e tableau, I, p. 172.

3   Nous savions par cœur ses vers. On colportait des traits de lui, on citait ses mots.
                    MARTIN DU GARD, les Thibault, t. IV, p. 93.

DÉR. **Colportage, colporteur.**

COLPORTEUR, EUSE [kɔlpɔʀtœʀ, øz] n. — 1533 ; adj., 1388 ; de *colporter.*

♦ **1.** (Fém. rare). Marchand ambulant qui vend ses marchandises de porte en porte. ⇒ **2. Camelot.** *Colporteur qui parcourt les campagnes, va de ville en ville. Colporteur d'articles de mercerie, de toiles, de livres. Le ballot d'un colporteur.* ⇒ **2. Balle,** 2.

1 Tout de suite, Alexis Abéli quitta la terre pour prendre le métier de son beau-père, qui était colporteur et partit sur les grands chemins.
Raymond ABELLIO, Ma dernière mémoire, t. I, p. 83.

Adj. *Un marchand colporteur.*

2 (...) ils choisirent tous deux la même cravate lilas au mercier colporteur qui promenait sa marchandise de porte en porte sur le dos de son cheval percheron (...)
G. SAND, la Petite Fadette, II, p. 15.

♦ **2.** *Fig. Un colporteur de nouvelles,* celui qui propage les nouvelles autour de lui. *Elle est très bavarde ; c'est une terrible colporteuse de cancans. Des colporteurs d'idées, de doctrines.* ⇒ **Propagateur.**

COLPOSCOPE [kɔlpɔskɔp] n. m. — xxᵉ (*in* Larousse, 1960) ; de *colpo-,* et *-scope.*

♦ *Méd.* Appareil comportant une source lumineuse et un système optique grossissant, destiné à l'examen visuel du vagin et du col de l'utérus. ⇒ **Colposcopie.**

COLPOSCOPIE [kɔlpɔskɔpi] n. f. — Mil. xxᵉ (*in* Manuila, 1970) ; de *colpo-,* et *-scopie.*

♦ *Méd.* Examen visuel du vagin et du col de l'utérus au moyen d'un colposcope*. *Pratiquer une biopsie cervicale au cours d'une colposcopie.*

COLT [kɔlt] n. m. — 1862, *le Tour du monde,* p. 6 ; *revolver colt,* 1867, J. Verne ; nom de l'inventeur ; marque déposée.

♦ Revolver de la marque Colt (courant dans les histoires de l'Ouest américain). *Le cow-boy tira son colt. Des colts.* — Abusivt. Revolver, quelle qu'en soit la marque.

(En parlant d'un jouet) :

1 il emporte le revolver un vrai Colt modèle 1851 que Claude lui avait promis avec quatre rouleaux d'amorces c'est on tire vingt coups de suite. Tony DUVERT, Paysage de fantaisie, p. 211.

Mod. Pistolet automatique américain (11,43 mm) de la marque Colt.

2 Vingt secondes plus tard, le premier coup de flingue. Au son, j'ai reconnu le Colt de Fifi-le-Dingue. Albert SIMONIN, Touchez pas au grisbi, p. 19.

COLTIN ou **COLLETIN** [kɔltɛ̃] n. m. — 1577, *colletin* « pourpoint en cuir » ; *coltin* « gilet des forts des Halles », 1866 ; de *collet.*

♦ **1.** *Anciennt.* Pourpoint, souvent en cuir, destiné à supporter la cuirasse, les épaulières et le casque à gorge.

(1870, *in* D. D. L.). *Par anal.* Gilet des portefaix, protégeant les épaules et le dos.

♦ **2.** (xixᵉ). Grand chapeau de cuir des coltineurs*, des forts des Halles, servant à protéger la tête et le cou.

(1954). *Par métonymie. Argot vieilli.* Besogne pénible. *Il ne renâcle pas devant le coltin.* → Coltiner.

COLTINAGE [kɔltinaʒ] n. m. — 1878 ; de *coltiner.*

♦ Action de coltiner. — Fig., fam. (correspond à *se coltiner*). *Le coltinage d'une corvée.*

COLTINER [kɔltine] v. tr. — 1835 ; « prendre au collet », 1790 ; pour *colletiner,* de *collet,* de *cou* « cou ».

♦ **1.** a Porter (un fardeau) sur le cou, les épaules (la tête étant protégée par un coltin*).

b Porter (une charge). ⇒ **Transbahuter.**

1 Comme il était vigoureux, quand il apportait un paquet, même lourd et encombrant, il le coltinait tout seul. G. DUHAMEL, Chronique des Pasquier, X, IV, p. 350.

2 Musgrave décida avec courage que les travailleurs n'auraient pas de repos et se contenteraient de prendre, tout en coltinant, un léger repas sur le pouce.
A. MAUROIS, les Discours du Dr O'Grady, VII, p. 79.

♦ **2.** *V. pron. Fam.* **SE COLTINER** (qqch.). ⇒ **Exécuter ; faire.** *Je ne vais pas me coltiner seul tout ce travail. On s'est coltiné un sacré boulot.* ⇒ **Taper** (se).

DÉR. Coltinage, coltineur.

COLTINEUR, EUSE [kɔltinœr, øz] n. — 1824, *colletineur* ; de *coltiner.*

♦ **1.** *Vx.* Personne qui coltine. — N. m. *Anciennt.* Portefaix* coiffé du coltin et qui porte de lourds fardeaux sur la tête, les épaules. ⇒ **Porteur.** *Coltineurs qui déchargent une voiture. Coltineurs de charbon* (⇒ **Docker**). *« Les champignons coiffés comme des coltineurs »* (J. Renard, *Journal*).

♦ **2.** *Pop., vx.* Ouvrier, ouvrière médiocre (Huysmans, *in* T. L. F.).

COLTIS [kɔlti] n. m. — 1769 ; p.-ê. altér. de *colletis,* de *collet,* dans un sens techn. ancien « partie de la charpente du navire ».

♦ *Mar.* Le premier couple* d'un navire, à l'avant.

COLUBRIFORMES [kɔlybriform] n. m. pl. — 1900 ; du lat. *coluber, colubri* « couleuvre », et *-forme.*

♦ *Zool.* Groupe de reptiles ophidiens dépourvus de crochets à venin. *Types principaux de colubriformes.* ⇒ **Boa, couleuvre, élaphis, eunecte, python.** — Au sing. *Un colubriforme.*

COLUBRIN, INE [kɔlybrɛ̃, in] adj. — 1501, « rempli de serpents » ; lat. *colubrinus,* de *colubra* « couleuvre, serpent ».

♦ (1863). *Didact. et rare.* Relatif à la couleuvre.

COLUMBARIUM [kɔlɔ̃barjɔm] n. m. — 1752, antiq. ; lat. *columbarium,* proprt « colombier ».

♦ **1.** *Antiq. rom.* Bâtiment sépulcral qui contenait des niches propres à recevoir des urnes mortuaires.

♦ **2.** *Mod.* Édifice où l'on place les urnes cinéraires (dans les cimetières où se pratique l'incinération). *Le columbarium du Père-Lachaise. Au plur. Des columbaria* ou (plus cour.) *des columbariums.* — REM. On dit parfois aussi *colombaire** ou *columbaire* (rare).

COLUMELLE [kɔlymɛl] n. f. — 1611 ; « luette », 1546 ; lat. *columela,* dimin. de *columna* « colonne ».

Didactique.

♦ **1.** Petite colonne.

♦ **2.** (1755). *Zool.* Axe de la coquille des gastéropodes. — Axe calcaire de certains polypiers (coraux).

Anat. Axe central conique du limaçon de l'oreille interne.

COLUMNAIRE [kɔlymnɛr] adj. — xvᵉ, *columpnaire* ; lat. *columnaris,* de *columna.* → Colonne.

Didactique.

♦ **1.** En forme de colonne.

♦ **2.** Concernant une colonne. *« Inscription columnaire, ou verticale... »* (Baudelaire, *in* T. L. F.).

COLURE [kɔlyr] n. m. — V. 1360 ; lat. *colorus,* du grec *kolouros.*

♦ *Astron.* Chacun des deux grands cercles de la sphère qui se coupent à angles droits aux deux pôles et qui passent, l'un par les points solsticiaux (*colure des solstices*), l'autre par les points équinoxiaux (*colure des équinoxes*). *Les colures marquent les quatre saisons de l'année.*

HOM. Collure.

COL-VERT ou **COLVERT** [kɔlvɛr] n. m. — 1611, *cou-vert* ; de *col,* et *vert.*

♦ Canard sauvage commun. *Des cols-verts.* On écrit aussi *colvert* (*des colverts*). *« Il faut bien peu d'eau pour attirer sarcelles et colverts... »* (*la Chasse,* nᵒ 229, p. 20).

(...) la pièce d'eau, jamais curée, rétrécie au midi par la grande roselière, asile chéri des cols-verts (...) Hervé BAZIN, Cri de la chouette, p. 159.

COLZA [kɔlza] n. m. — 1762 ; *colzat,* 1664, *in* D. D. L. ; néerl. *coolzaad,* littéralt « semence (*zaad*) de chou (*kool*) ».

♦ Variété de choux (*Cruciféracées*), plante à fleurs jaunes, cultivée comme engrais vert, comme plante fourragère, ou pour en tirer une huile propre à l'éclairage et au graissage, et, purifiée, à l'alimentation. *Le colza est aussi appelé* grosse navette. *Champ de colza.* — *Huile de colza.*

Les blés étaient verts ; ils s'étendaient au loin dans la plaine onduleuse (...) où les colzas éblouissaient la vue comme des carrés d'or.
E. FROMENTIN, Dominique, III, p. 51.

DÉR. Colzatier.

COLZATIER, IÈRE [kɔlzatje, jɛr] n. — Mil. xxᵉ ; de *colza.*

♦ Agriculteur, agricultrice qui cultive le colza.

Sur la fleur (de colza) éclose et chimiquement empoisonnée, l'abeille a puisé un suc mortel qui décime les ruchers d'alentour. On me dit que les apiculteurs font aux colzatiers un procès (...) Jacques PERRET, Bâtons dans les roues, p. 277.

COM- Élément, du lat. *cum* «avec». ⇒ **Con-**.

1. COMA [kɔma] n. m. — 1658; grec *kôma* «sommeil profond».

♦ État pathologique caractérisé par une perte de conscience, de sensibilité et de motilité, avec conservation relative des fonctions végétatives. *Entrer, être dans le coma. Coma profond.* — Méd. *Coma dépassé :* coma très profond et total où la survie est assurée uniquement par des moyens artificiels (respiration artificielle, stimulateur cardiaque, perfusion intraveineuse). *Coma diabétique, hépatique, urémique. Mettre un malade atteint de tétanos en coma provoqué.*

1 L'état n'empire pas (...) Certains symptômes semblent indiquer que le coma est moins profond.   MARTIN DU GARD, les Thibault, t. V, p. 265.

2 Nous eûmes la chance que le diagnostic du médecin fût rapide et sûr : il s'agissait d'une crise de coma hypoglycémique, due à une trop forte piqûre d'insuline.
                                          R. GARY, la Promesse de l'aube, p. 174.

Par anal. *Le coma de l'ivresse.*

DÉR. Comateux.
HOM. Comma.

2. COMA [kɔma] n. f. — Av. 1953 (*in* Quillet); angl. *coma,* même sens et «pourtour nébuleux du noyau d'une comète», lat. *coma,* grec *komê* «chevelure (d'une comète)». → Comète.

♦ Opt. Aberration géométrique d'un système optique centré qui donne une image en aigrette des objets situés hors de son axe. *La coma résulte de l'astigmatisme.*

DÉR. V. Comatique.

COMAC [kɔmak] adv. et adj. — D. i. ; de *comme* aco.

♦ Argot. Très bien. Exceptionnel, remarquable. *Un mec comac.* — Var. : *comaco.*

COMANDANT, ANTE [kɔmãdã, ãt] n. — 1878, P. Larousse ; de *co-,* et *mandant.*

♦ Dr. Personne qui, en même temps qu'une ou plusieurs autres, donne mandat à qqn.

COMATEUX, EUSE [kɔmatø, øz] adj. — 1616; du lat. méd. *coma,* et suff. *-eux.*

♦ **1.** Qui a rapport au coma. *État comateux.*
Par ext. Caractérisé par l'évanouissement, le sommeil profond.

Mammouth engloutit le contenu en deux gigantesques gorgées d'une demi-pinte chacune et sombra dans le néant d'une nuit comateuse.
                                          René FALLET, le Triporteur, p. 313.

♦ **2.** Qui est dans le coma. — N. *Un comateux, une comateuse.*

♦ **3.** Qui évoque le coma, l'abrutissement. *Il avait un air ahuri, à moitié comateux.*

DÉR. Comatogène.

COMATIQUE [kɔmatik] adj. — Av. 1961 (*in* G. L. E.); formation savante, du grec *koman* «être chevelu», d'après 2. *coma.*

♦ Opt. Qui présente la coma*. *Image comatique donnée d'une étoile par un miroir parabolique.*

COMATOGÈNE [kɔmatɔʒɛn] adj. — V. 1970 ; de *comat(eux), -o-,* et *-gène.*

♦ Méd. Qui détermine le coma. *L'insulinothérapie est comatogène* (coma hypoglycémique).

COMBAT [kõba] n. m. — 1538; déverbal de *combattre.*

♦ **1.** Action de deux ou de plusieurs adversaires armés, de deux armées..., qui se battent; phase d'une bataille. ⇒ **Action, assaut, baroud** (fam.), **choc, engagement, mêlée, rencontre.** *Les combats d'un conflit.* ⇒ **Conflit, guerre, lutte** (armée). *Combat défensif. Combat offensif. Petit combat.* ⇒ **Échauffourée, escarmouche.**

1 La *bataille* a lieu entre deux armées : elle suppose un grand déploiement de troupes, et d'artillerie, elle est plus décisive. Il faut moins de combattants et d'appareils pour qu'il y ait *combat :* il n'y en avait que quelques-uns dans le combat des Horaces, et il suffit qu'il y en ait deux dans le combat singulier (...) Dans une bataille, on peut quelquefois distinguer plusieurs combats comme ceux de la cavalerie et de l'infanterie (...)   LAFAYE, Dict. des synonymes, Bataille, combat.

Combat terrestre. Combat d'avant-garde, d'arrière-garde* (ou d'avant-gardes, d'arrière-gardes). Combat à découvert*. Combat d'artillerie, de cavalerie, d'infanterie. Combat à l'arme blanche.* ⇒ **Corps** (corps à corps). — *De combat :* de guerre. *Groupe de combat :* subdivision fonctionnelle d'une section d'infanterie en action. — *Char de combat.* ⇒ **Char.** *Gaz de combat. Avion de combat. Bâtiment, navire de combat. Tenue de combat.* ⇒ **Battle-dress** (anglic.);

tenue (*supra* cit. 9). — *Combat aérien. Combat naval. Branle-bas* de combat. Position de combat.* ⇒ **Ligne** (de bataille). → Artillerie, cit. 2. *Marcher au combat. Offrir le combat.* — Littér. *Livrer combat.* — *Commencer, ouvrir le combat.* ⇒ **Assaillir, attaquer.** *Soutenir le combat. Art de conduire, de mener le combat.* ⇒ **Tactique.** — *Combat acharné, opiniâtre, désespéré. Combat sanglant.* ⇒ **Massacre.** *Au fort du combat. La chaleur* du combat.* — Loc. **Être mis HORS DE COMBAT,** dans l'impossibilité de poursuivre la lutte, que l'on soit désarmé, ou que l'on soit blessé ou fait prisonnier. *Ennemis hors de combat.* — *Mourir en plein combat. Remporter l'avantage du combat.* ⇒ **Vaincre; victoire.** *Se retirer sans combat. Perdre le combat.* ⇒ **Défaite.** *Fuir le combat. Faire cesser le combat.* ⇒ **Cessation** (des hostilités, etc.).

Et le combat cessa faute de combattants.   CORNEILLE, le Cid, IV, 3.   2

Toi-même tu l'as vu courir dans les combats,   3
Emportant après lui tous les cœurs des soldats,
Et goûter, tout sanglant, le plaisir et la gloire
Que donne aux jeunes cœurs la première victoire.   RACINE, Bajazet, I, 1.

Les combats ne font pas toujours le succès de la guerre, et il est pour les géné- 4
raux un art supérieur à celui de gagner des batailles.
                                     ROUSSEAU, Disc. sur les sciences et les arts, II, p. 18.

Les plus grands obstacles sont franchis sans doute, mais vous avez encore des com- 5
bats à livrer, des villes à prendre, des rivières à passer (...)
                              BONAPARTE, Proclamation du 7 floréal à l'Armée d'Italie.

Le soir tombait; la lutte était ardente et noire.   6
Il avait l'offensive et presque la victoire (...)
Sa lunette à la main, il observait parfois
Le centre du combat, point obscur où tressaille
La mêlée, effroyable et vivante broussaille (...)
                              HUGO, les Châtiments, V, XIII, L'expiation, II.

Car qui oserait préférer à la gloire d'aller pour la Patrie souffrir de la faim, souf- 7
frir de la soif, s'enliser dans les boues, mourir, la perspective de rester loin du
combat dans la nourriture et la tranquillité (...)
                                     GIRAUDOUX, Amphitryon 38, p. 29.

(...) Soult est entré sans combat à Augsbourg (...)   8
                              Louis MADELIN, l'Avènement de l'Empire, XXII, p. 276.

Combat individuel. Techniques de combat. Combat rapproché, expression proposée pour remplacer l'anglic. *close combat*.*
Au moyen âge. *Combats de chevalerie*. Combat singulier.* ⇒ **Duel.** — *Combat judiciaire,* dont l'issue décidait entre l'accusateur et l'accusé ou leur champion. — *Combat en champ* clos. Combat courtois*,* d'homme à homme. ⇒ **Joute, tournoi.** *Combat à outrance,* qui se terminait par la mort de l'un des adversaires, par opposition au *combat à plaisance,* pour le divertissement des dames. *Se défier au combat.* ⇒ **Défi, provocation.**

La loi salique ne permettait point la preuve par le combat singulier.   9
                              MONTESQUIEU, l'Esprit des lois, XXVIII, 14.

Malgré les clameurs des ecclésiastiques, l'usage du combat judiciaire s'étendit tous 10
les jours en France (...)   MONTESQUIEU, l'Esprit des lois, 17.

Combat légendaire des dieux et des géants. ⇒ **Gigantomachie.**

♦ **2.** Le fait de se battre. ⇒ **Bagarre, bataille, rixe.**

Mulot, surpris sans la fureur de son grand copain, qui debout au milieu 11
du combat, semblait le génie même de la catastrophe, attrapa Lucas par un bras
et le mit dehors, tandis que Gilieth, une chaise de fer à la main, marchait résolument sur le groupe provocateur.   P. MAC ORLAN, la Bandera, VII, p. 81.

Fig. Dispute, querelle.

J'ai, pour les querelles de famille, une très profonde aversion. Comme je n'ai pas 12
une horreur moindre pour la dissimulation et la lâcheté, force m'est, parfois, de
relever le gant et d'accepter le combat.
                              G. DUHAMEL, Chronique des Pasquier, X, VI, p. 389.

A la vérité, elle montrait avec Michèle assez de patience et presque toujours, 13
c'était elle qui fuyait le combat devant la petite fille agressive.
                              F. MAURIAC, la Pharisienne, II, p. 21.

♦ **3.** Littér. (au plur.). *Les combats :* la guerre.

Je chante les combats (...)   BOILEAU, l'Art poétique, III, *in* LITTRÉ.   14
Le Dieu que nous servons est le Dieu des combats (...)   RACINE, Esther, I, 5.   15

♦ **4.** Antiq. Exercice, jeu de lutte où les champions disputaient un prix. *Lieu du combat.* ⇒ **Arène** (cit. 11 et *supra*). *Combats d'athlètes*. Sports* de combat. Combat du ceste*. Combat à la course. Combat à coups de poing.* ⇒ **Pugilat.** *Les combats du cirque*. Combat contre les bêtes féroces. Les combats de gladiateurs.* ⇒ **Hoplomachie.** *Combat naval.* ⇒ **Naumachie.**

Le premier combat fut celui de la lutte; un Rhodien d'environ trente-cinq ans sur- 16
monta tous les autres qui osèrent se présenter à lui.   FÉNELON, Télémaque, V.

Mod. *Combat de boxe*, de catch*.* — Absolt. *Le combat :* la boxe, le catch, la lutte... *Les arts du combat.* ⇒ **Martial** (arts martiaux).

(...) il essaye de me surprendre un peu de travers, esquisse une attaque, et fuit. 16.1
Je vais vers lui ; j'aime le combat à bonne portée, et je cherche ses yeux (...)
                              J. PRÉVOST, Plaisirs des sports, 1925, p. 83.

Action violente (d'animaux qui se battent ou que l'on fait se battre). *Combat de coqs. Coqs de combat.*

Longtemps entre nos coqs, le combat se maintint.   LA FONTAINE, Fables, VII, 13.   17

Lutte de l'homme contre (un animal). Loc., vx. *Combat de taureaux.* ⇒ **Course** (de taureaux), **tauromachie.**

♦ **5.** Fig., littér. *Combat de... :* lutte, opposition dans le domaine de..., en ce qui concerne... *Un combat d'esprit, de générosité.* ⇒ **Antagonisme, émulation; assaut.**

(...) leurs guerres d'esprit *(des auteurs),* et leurs combats de prose et de vers. 18
                              MOLIÈRE, la Critique de l'École des femmes, 6.

19 Dans les combats d'esprit, savant maître d'escrime,
Enseigne-moi, Molière, où tu trouves la rime.   BOILEAU, Satires, II.

Lutte (d'une personne, de sentiments) contre les obstacles, les difficultés ; lutte (des sentiments, des passions). *Combat des sentiments de l'âme.* ⇒ **Débat** (de conscience). *Combat (de l'homme, de qqn) contre les passions. Prendre parti après bien des combats. Les combats qui se livrent dans son cœur. Livrer combat à...* — *L'agonie, ultime combat de la nature contre la mort.*

20 O rigoureux combat d'un cœur irrésolu (...)   CORNEILLE, Cinna, IV, 2.

21 Chaque assaut à mon cœur livrait mille combats (...)
                                                    RACINE, la Thébaïde, II, 1.

Spécialt. Action vive (pour convaincre, influencer).

22 Il a fallu bien des combats pour la faire résoudre à porter des habits fort simples et fort modestes.   RACINE, Lettres.

(Sans compl.). *La vie est un combat.* ⇒ **Lutte.** *Une vie de combat.*

23 La vie d'un homme de lettres est un combat perpétuel, et on meurt les armes à la main.   VOLTAIRE, Lettre à d'Argental, 3 nov. 1766.

24 Cette vie est un combat perpétuel, et la philosophie est le seul emplâtre qu'on puisse mettre sur les blessures qu'on reçoit de tous côtés.
                                        VOLTAIRE, Lettre à Mme du Deffand, 3 oct. 1764.

25 (...) il n'y a point de bonheur sans courage, ni de vertu sans combat.
                                                    ROUSSEAU, Émile, V.

26 Je suis un révolté (...) Mon existence sera une existence de combat.
                                                    J. VALLÈS, le Bachelier, p. 204.

27 L'existence tout entière est un combat ; la vie, c'est de la victoire qui dure (...)
                                    MARTIN DU GARD, Jean Barois, Le goût de vivre, I, I, p. 23.

Lutte (de qqn) contre une catégorie de personnes.

28 (...) il vit qu'il lui fallait demeurer obscur, ou perdre ses forces dans un combat misérable contre les sots et une nuée d'absurdes ennemis.
                                        André SUARÈS, Trois hommes, II, « Ibsen », p. 88.

Combattre, soutenir le bon combat (lat. *certa* [combats] *bonum certamen fidei* [le bon combat de la foi]) : lutter pour la bonne cause.

29 J'ai combattu le bon combat.   BIBLE (SEGOND), 2e Épître à Timothée, IV, 7.

(Avec deux n. de choses). *Le combat de la vie et de la mort, de l'art et de la nature.* — (1879). Loc. **DE COMBAT.** ⇒ *De choc*. (Fréquent, notamment dans la langue du journalisme, depuis 1960). *Une littérature de combat. Un homme de combat.* ⇒ **Combatif.** *Un patron de combat.*

COMBATIF, IVE [kɔ̃batif, iv] adj. — 1893 ; de *combattre.*

♦ **1.** Qui est porté au combat, à la lutte. ⇒ **Agressif, bagarreur, pugnace** (littér.). *Esprit, instinct combatif. Humeur combative.* — *Un vendeur combatif ; un athlète combatif.* ⇒ **Accrocheur.**

(...) Jacques avait l'habitude de la tenir *(la tête)* rejetée en arrière, dans une attitude un peu arrogante ou, pour le moins, combative.
                                        MARTIN DU GARD, les Thibault, t. IV, p. 55.

N. *C'est un combatif.* ⇒ 3. **Battant.**

♦ **2.** Quant au combat. *Valeur combative d'une armée, d'une troupe.*

REM. On écrit parfois *combattif.*

COMBATIVITÉ [kɔ̃bativite] n. f. — 1839 ; de *combattre.*

♦ **1.** Penchant, goût du combat. *La combativité d'une troupe,* son ardeur belliqueuse (⇒ **Moral**).

1 (...) dans l'exaltation présente de sa force et de sa combativité, il ne connaît plus d'entraves morales ni de scrupules (...)   LOTI, Ramuntcho, II, IX, p. 271.

2 (...) dans une guerre de positions, la troupe qui est traitée avec trop de ménagements perd toute combativité et finit par tomber en proie à l'adversaire.
                                        G. DUHAMEL, la Pesée des âmes, X, p. 252.

♦ **2.** (1897, *in* Petiot). Esprit de lutte. *Ce syndicat sait faire preuve de combativité. La combativité d'un polémiste.* ⇒ **Agressivité.**

COMBATTANT, ANTE [kɔ̃batɑ̃, ɑ̃t] n. et adj. — XIIe ; p. prés. de *combattre.*

★ **I.** N. (le fém. est rare). ♦ **1.** Personne (le plus souvent : homme) qui prend part à un combat, à une guerre. ⇒ **Guerrier, soldat.** *Une armée de cent mille combattants.* ⇒ **Homme.** *Le moral des combattants. Les amazones, farouches combattantes.*

1 Thèbes pouvait faire sortir ensemble dix mille combattants par chacune de ses portes.   BOSSUET, Hist., III, 3, *in* LITTRÉ.

Spécialt. *Les combattants d'une armée,* ceux qui se battent, par opposition aux *non-combattants* (de l'Intendance, du Service sanitaire, etc.). *Le nombre des combattants était égal de part et d'autre. La vaillance, l'intrépidité des combattants. Les combattants, les combattantes d'une révolution, de la Résistance...* (⇒ aussi **Guérillero**)

2 Nommons les combattants pour la cause commune (...)
                                                    CORNEILLE, Horace, I, 3.

3 Allez, vils combattants, inutiles soldats ;
Laissez-là ces mousquets trop pesants pour vos bras (...)   BOILEAU, Épîtres, IV.

4 La guerre, ce n'est pas l'acceptation du risque. Ce n'est pas l'acceptation du combat. C'est, à certaines heures, pour le combattant, l'acceptation pure et simple de la mort.   SAINT-EXUPÉRY, Pilote de guerre, XVIII.

Loc. *Parcours** (cit. 3.1) *du combattant.*

ANCIENS COMBATTANTS : combattants d'une guerre, groupés en associations après la fin de cette guerre.

♦ **2.** Adj. Qui combat effectivement. *Troupes combattantes. Unité combattante. Les personnels des armes combattantes et les assimilés**. — *Chevalier combattant* (oiseau) ; *poisson combattant.* → ci-dessous, II.

♦ **3.** Fam. Personnes qui se battent. ⇒ **Adversaire, antagoniste, rival.** *Séparer les combattants.*

5 C'est à coups de crosses de fusil que l'on calmait les combattants avant de les emmener cuver leur vin dans les locaux disciplinaires.
                                                    P. MAC ORLAN, la Bandera, VI, p. 75.

Fig. et fam. *Le combat cessa faute de combattants* (allus. au vers du *Cid.* ⇒ **Combat,** cit. 2), se dit par plaisanterie quand tout le monde se retire d'une discussion, d'une réunion.

★ **II.** N. m. Zool. ♦ **1.** (1775). Oiseau charadriiforme échassier *(Charadriidés),* scientifiquement appelé *philomachus,* ou *machète,* et communément *chevalier combattant.* — *Le combattant, oiseau migrateur, niche dans les marécages et les prairies, se nourrit de petits animaux et de plantes ; le mâle se bat au printemps, contre d'autres mâles.*

♦ **2.** Poisson d'Extrême-Orient, aux vives couleurs. — Adj. *Poissons combattants.*

COMBATTIF, IVE [kɔ̃batif, iv] adj. ⇒ **Combatif.**

COMBATTRE [kɔ̃batʀ] v. — Conjug. *battre.* — 1080, *cumbatre* ; du lat. pop. **combatere,* bas lat. *combattuere,* de *cum* « avec », et *battuere.* → Battre.

★ **I.** V. tr. ♦ **1.** Se battre, lutter* contre (qqn), notamment avec des armes. ⇒ **Battre** (se) ; **assaillir.** → Être aux prises* avec. *Combattre un adversaire. Combattre l'ennemi.* — *Combattre les bêtes féroces.* — Par ext. Faire la guerre à. *Napoléon combattit l'Europe.*

1 Je te donne à combattre un homme à redouter :
Je l'ai vu, tout couvert de sang et de poussière,
Porter partout l'effroi dans une armée entière.   CORNEILLE, le Cid, I, 5.

2 Lorsque la série des révolutions eut amené l'égalité entre les hommes et qu'il n'y eut plus lieu de se combattre pour des principes et des droits, les hommes se firent la guerre pour des intérêts.
                                    FUSTEL DE COULANGES, la Cité antique, XII, p. 397.

♦ **2.** (Compl. n. de personne ou de chose). S'opposer à, lutter contre. *Combattre les contradicteurs, un argument.* ⇒ **Attaquer, contredire, réfuter.** *Combattre une hérésie. Combattre la passivité, la lâcheté.*

3 Je tiens aussi difficile de combattre un ouvrage que le public approuve, que d'en défendre un qu'il condamne.   MOLIÈRE, les Fâcheux, Préface.

4 Car enfin ce n'est rien d'avoir à combattre l'indifférence ou les rigueurs d'une beauté qu'on aime (...)   MOLIÈRE, le Sicilien, 2.

5 Je n'aurais pas eu chaque matin à pallier des fautes, à combattre des erreurs.   CHATEAUBRIAND, Mémoires d'outre-tombe, t. II, p. 97.

6 Il n'est pas en matière de littérature une seule opinion qu'on ne combatte aisément par l'opinion contraire.   FRANCE, le Jardin d'Épicure, p. 177.

7 La plupart répugnent visiblement à attaquer le mal dans ses racines, à combattre franchement l'esprit de subordination des masses allemandes devant la chose militaire (...)   MARTIN DU GARD, les Thibault, t. V, p. 75.

8 (...) cet habile manœuvrier renouvela contre les deux associés la manœuvre favorite de l'Empereur et, pour les combattre, les divisa.
                                        A. MAUROIS, Bernard Quesnay, XXX, p. 201.

♦ **3.** Aller contre, s'efforcer d'arrêter (un mal, un danger). *Combattre un incendie. Combattre le froid.* — (Sujet n. de chose). *Médicaments qui combattent avec succès telle maladie. Les moyens pour combattre la misère.* — Domaine psychologique. (Sujet n. de personne ou de chose). *Combattre ses penchants, ses habitudes. Penchant qui en combat un autre.*

9 (...) le propre de la miséricorde est de combattre la paresse en exhortant aux bonnes œuvres (...)   PASCAL, Pensées, VII, 497.

10 Jamais (...) je ne croirai que vous ne pourriez pas combattre votre jalousie, si vous le vouliez.   G. SAND, la Petite Fadette, XXXVIII, p. 244.

★ **II.** V. tr. ind. (construction : *contre, avec*) et v. intr.

♦ **1.** Livrer combat. *Combattre contre, avec son ennemi. Combattre avec ses alliés contre un ennemi.* — Absolt ou intrans. Faire la guerre. ⇒ **Battre** (se) ; **barouder** (argot milit.). *Combattre pied à pied. Combattre corps à corps. Combattre en bataille rangée. Combattre sur terre, sur mer, dans les airs* (→ Chasse, cit. 8). *Combattre avec de grandes forces. Combattre avec une poignée d'hommes. Combattre à armes égales.* — *Combattre avec acharnement, courage, énergie, vaillance.* — *Combattre sans ruse.* — *Combattre pour une cause, un idéal* (en faisant la guerre, etc.).

11 On ne vainc qu'en combattant.   ROTROU, Saint Genest, V, 1.

12 Mon Dieu ! j'ai combattu soixante ans pour ta gloire.   VOLTAIRE, Zaïre, II, 3.

13 Vos hommes savent se battre, mais ils ne savent pas combattre.
                                                    MALRAUX, l'Espoir, p. 26.

♦ **2.** Lutter contre (un obstacle physique ou moral, un danger, un mal). *Combattre contre les tentations. Combattre contre la faim, la* *maladie, la mort. Combattre pour une cause.* — *Combattre pour triompher de difficultés, vaincre une passion.*

14 Pour ne la plus aimer j'ai cent fois combattu! (...)   RACINE, *Bérénice*, V, 7.

15 (...) elle *(ma mère)* avait combattu pouce à pouce, usant la patience des uns, désarmant la brusquerie des autres, rayonnant de bonne foi, de volonté, savante aussi, et bonne calculatrice. G. DUHAMEL, *Chronique des Pasquier*, II, XII, p. 345.

(Sujet n. de chose). *Combattre pour qqn, un groupe,* en faveur de. — Dans le contexte de la guerre :

16 Les maladies qui désolèrent l'armée ennemie combattirent pour Louis XIV.
                                                  VOLTAIRE, *le Siècle de Louis XIV*, 21.

▶ **COMBATTU, UE** p. p. adj. *L'ennemi combattu pied à pied ne progresse plus.* — Fig. *La thèse combattue (par l'orateur). Une passion combattue.*

17 Les agitations d'un cœur combattu par la tendresse et le repentir.
                                                  VOLTAIRE, *Lettre à Cailleau* (1772).

18 Les coups continuaient dans la porte. Une voix cria : « Claude! Claude! ». Lui, ne bougeait toujours point, combattu pourtant, les lèvres blanches, les yeux à terre.
                                                  ZOLA, *l'Œuvre*, p. 132.

CONTR. **Apaiser, concilier, pacifier.** — **Approuver, appuyer, soutenir.**
DÉR. **Combat, combatif, combativité, combattant.**

COMBE [kɔ̃b] n. f. — Fin XIIᵉ; repris XVIIIᵉ; du gaul. **cumba* « vallée ».

♦ **Régional.** Dépression en forme de coupure dans une montagne. ⇒ **Ravin, vallée.** *Les combes du Jura sont des entailles dans l'anticlinal d'un plissement.*

1 Combe est un mot très-français qui signifie une vallée étroite et courte, creusée entre deux montagnes (...) Il n'y a pas un village dans tout le royaume où cette expression ne soit parfaitement intelligible; mais on l'a omise dans le Dictionnaire, parce qu'il n'y a point de combe aux Tuileries, aux Champs-Élysées et au Luxembourg.   Charles NODIER, *Contes*, « La combe de l'homme vert », p. 383.

2 Ce n'était pas la même combe de forêt, mais elle ressemblait tant à l'autre, par sa longue pente veloutée de feuilles sèches, par sa lumière libre et dorée, qu'on la reconnaissait quand même.   M. GENEVOIX, *Forêt voisine*, XIII, p. 191.

Petite vallée encaissée.

3 *(Angélo)* trouva Giuseppe et sa troupe installée dans un lieu charmant. C'était une haute combe tapissée d'herbe drue sous d'immenses chênes. Une source fraîche coulait en fontaine dans un vieux pétrin enfoncé dans la terre.
                                                  J. GIONO, *le Hussard sur le toit*, p. 226 (1951).

DÉR. **Combette.**

COMBETTE [kɔ̃bɛt] n. f. — 1615; de *combe*.

♦ Rare, régional. Petite combe.

COMBIEN [kɔ̃bjɛ̃] adv. (interrog. et exclam.). — XIᵉ; de l'anc. franç. *com* « comme », et *bien*.

♦ **1.** Dans quelle mesure, à quel point. ⇒ **Comme.** *Si vous saviez combien je l'aime! J'ai constaté combien il faut agir vite. Vous verrez combien le monde est méchant.* ⇒ **Si.** — *Combien il a changé!* ⇒ **Que** (fam. Ce que).

1 Que ton amour a de charme, ma sœur fiancée!
   Combien ton amour est meilleur que le vin,
   Et l'odeur de tes parfums, que tous les aromates!
                                    BIBLE (CRAMPON), *Cantique des cantiques*, IV, 10.

2 Combien le trône tente un cœur ambitieux!   RACINE, *Bajazet*, V, 4.

3 On ne voit point mieux le ridicule de la vanité, et combien elle est un vice honteux, qu'en ce qu'elle n'ose se montrer (...)
                                                  LA BRUYÈRE, *les Caractères*, XI, 66.

Littéraire :

3.1 Combien me plaît cet homme modeste, dont l'œuvre admirable montre ce que pourrait obtenir une administration intelligente et suivie.
                                    GIDE, *Voyage au Congo*, 1927, *in* Souvenirs, Pl., p. 714.

4 *Combien tu es lourd!* est remplacé en langue populaire par : *ce que tu es lourd!*
                                    F. BRUNOT, *la Pensée et la Langue*, XVII, V, p. 691.

REM. Dans le style soutenu, *combien* peut précéder directement l'adjectif ou l'adverbe. *Combien rares sont ceux qui ont la foi!*

4.1 (...) aucun d'eux *(les arbres inconnus)* n'est sensiblement plus haut que nos arbres d'Europe, mais quelles ramifications puissantes, et combien largement étalées!
                                    GIDE, *Voyage au Congo*, *in* Souvenirs, Pl., p. 846.

5 On mesure ainsi combien récente, à l'Est de l'Elbe et surtout de l'Oder, est la christianisation de l'Allemagne.
                                    André SIEGFRIED, *l'Âme des peuples*, V, I, p. 114.

♦ **2. COMBIEN DE** (dans une phrase interrog.) : quelle quantité, quel nombre. *Combien a-t-il de livres? Depuis combien de temps, de jours, êtes-vous ici?*

6 Combien aviez-vous d'années lorsque nous fîmes connaissance?
                                                  MOLIÈRE, *le Mariage forcé*, 1.

7 Il vous faudra combien de temps pour vous remettre en forme? — Je crois quelques heures.   MALRAUX, *l'Espoir*, p. 475.

8 Combien de troupes, Martial, en plus du train blindé? — Deux mille hommes de police et une brigade d'infanterie.   MALRAUX, *la Condition humaine*, p. 221.

REM. Lorsque *combien* est suivi d'un nom au pluriel, l'accord se fait au pluriel. *Combien d'heures s'écoulèrent : je ne sais plus. Combien de fleurs a-t-il cueillies?* (mais : *combien a-t-il cueilli de fleurs?*).

Absolt. Quelle quantité (distance, temps, prix, etc.). *Combien y a-t-il d'ici à la mer? Combien cela coûte-t-il? Combien vous dois-*

je? Combien? Ça fait combien? (fam.). *Combien sont-ils?* — REM. L'accord se fait avec le nom sous-entendu.

Pop. (faute). *Combien qu'ils sont?*

Exclam. Une grande quantité, un grand nombre. *Combien de fois ne lui a-t-on pas répété! Combien en a-t-on vus! On l'a averti depuis qui sait combien (de temps)!,* depuis longtemps. *Je ne sais combien de,* beaucoup.

9 Il y a je ne sais combien *(de temps)* que je vous dis de me la chasser.
                                                  MOLIÈRE, *le Malade imaginaire*, I, 6.

10 Combien dans cet exil ai-je souffert d'alarmes!
11 Combien à vos malheurs ai-je donné de larmes (...)   RACINE, *Andromaque*, I, 1.
    Combien voit-on de gens austères pour les autres, doux pour eux-mêmes!
                                                  FLÉCHIER, I, p. 196.

12 Oh! combien de marins, combien de capitaines,
    Qui sont partis joyeux pour des courses lointaines (...)
                                    HUGO, *les Rayons et les Ombres*, XLII, Oceano nox.

13 Mais sa *(la France)* force de cramponnement est effroyable. Elle fait songer au mot de Valéry : « Combien de gens meurent dans les accidents, pour ne pas lâcher leur parapluie. »   GIDE, *Journal*, 25 janv. 1931.

14 A cinquante kilomètres, elle *(la locomotive)* attrape je ne sais combien de balles : on n'en parle plus — du mécanicien non plus.   MALRAUX, *l'Espoir*, p. 474.

15 Si tu vends, tu risques de rester je ne sais pas combien de temps avec tes disponibilités sur les bras, à regarder grimper les cours (...)
                                    N. SARRAUTE, *le Planétarium*, p. 279.

♦ **3.** N. m. *Le combien.* ⇒ **Quantième.** — REM. *Combien* devrait s'employer pour le nombre, et *quantième* (vx) pour le rang (*le quantième êtes-vous? Je suis le sixième*); toutefois l'usage exige : *Le combien êtes-vous? Le sixième.* — *Le combien sommes-nous?* ne peut plus être considéré comme familier, *quantième* étant inusité dans la langue parlée.

16 Il me paraissait que la scène (...) était située (...) pendant des vacances. Les enfants rêvent toujours vacances. Le combien sommes-nous?
                                                  ARAGON, *Blanche...*, III, I, p. 353.

Tous les combien? Tous les combien passe l'autobus?, interrogeant sur la fréquence, est critiquable d'un point de vue normatif, mais difficilement remplaçable.

♦ **4. Ô combien!** (Souvent en incise). Avec la valeur de « beaucoup; très ». *Un personnage équivoque, ô combien!* (construction très fréquente dans la langue des médias). — (Sans *ô*). « *L'installation combien symbolique de Yasser Arafat à Tunis* » (A. Fontaine, *in le Monde*, 16 sept. 1982, p. 3).

♦ **5.** Loc. conj. **COMBIEN QUE.** Vx ou littér. ⇒ **Bien** (que), **encore** (que).

17 Car c'est la grand-nuit que par toutes les routes
    Les chrétiens sont en marche vers Bethléem
    Et nous, combien que peu nombreux nous faisons notre peloton.
                                    CLAUDEL, *Corona benignitatis anni dei*, 1915, éd. Seghers, p. 153.

DÉR. **Combientième.**

COMBIENTIÈME [kɔ̃bjɛ̃tjɛm] adj. — XXᵉ; de *combien*.

♦ Pop. (faute). Qui est à un rang (qu'on ignore). ⇒ **Quantième.** N. *C'est le, la combientième?* — REM. On dit aussi *combienième* [kɔ̃bjɛ̃njɛm].

(...) j'aime mieux être le premier à Rueil que le je ne sais combienième à Paris.
                                    R. QUENEAU, *Loin de Rueil*, éd. Gallimard, p. 31.

COMBINABLE [kɔ̃binabl] adj. — 1781, *in* D. D. L.; de *combiner*.

♦ Qui peut être combiné.

La personnalité est par là comparable, combinable avec toute chose connaissable — Et le Moi est inconnaissable.   VALÉRY, *Cahiers*, t. II, Pl., p. 295.

COMBINAISON [kɔ̃binɛzɔ̃] n. f. — 1669; altér. de *combination*; bas lat. *combinatio*, de *combinare* « combiner ».

♦ **1.** Assemblage d'éléments dans un arrangement déterminé. ⇒ **Arrangement.** — *La combinaison harmonieuse de divers éléments. Des combinaisons de dessins qui s'entrecroisent, s'entrelacent. Combinaison de couleurs, de lignes, de mouvements.* ⇒ **Composition, constitution, disposition, mosaïque, organisation.**

1 Toutes les combinaisons sont possibles avec le mouvement; donc dans ce mouvement éternel, il fallait absolument que la combinaison de l'univers actuel eût sa place (...)   VOLTAIRE, *Philosophie, Homélies*, I, Sur l'athéisme.

Le style byzantin est une combinaison du style gréco-latin et de l'inspiration orientale, avec l'inspiration orientale. ⇒ **Alliance, amalgame, mélange, réunion.** *Combinaison de sons.* ⇒ **Accord, contrepoint, harmonie.** *Les idées naissent de la combinaison des mots.* ⇒ **Association.**

2 (...) le talent ne consiste pas à se servir sèchement des mots, mais à découvrir les nuances, les images, les sensations qui résultent de leurs combinaisons.
                                    Antoine ALBALAT, *l'Art d'écrire*, IV, p. 39.

3 (...) il y a lieu de se souvenir qu'on ne parle et qu'on n'écrit pas par mots isolés, simples ou composés, mais par groupes de mots, qui entrent en combinaison suivant les besoins de l'idée.   F. BRUNOT, *la Pensée et la Langue*, I, I, p. 4.

4 Il *(Wagner)* se plaît à des combinaisons de contrepoint qui sont des merveilles d'ingéniosité.   Henri LICHTENBERGER, *Richard Wagner*, p. 193.

5 (...) le faux est susceptible d'une infinité de combinaisons; mais la vérité n'a qu'une manière d'être.
ROUSSEAU, Discours sur les sciences et les arts, II, p. 13.

6 Que d'amours commencent par la crainte ou la haine; et l'horreur, c'est la combinaison de la crainte et de la haine, élevées à leur plus haute puissance, dans les âmes timides révoltées.
BARBEY D'AUREVILLY, Une histoire sans nom, p. 124-125.

Fig. Arrangement, plus voulu que fortuit (de faits, d'événements, voire d'objets). *Faire, échafauder une combinaison de...* ⇒ **Écha-faudage** (fig.). *Épuiser les combinaisons. Juste combinaison des forces.* ⇒ **Équilibre.** *Combinaison en chaîne.* ⇒ **Enchaînement** (→ aussi 3.).

7 (...) il échafauda une combinaison de mensonges qui lui permit de s'absenter, d'accompagner Rachel jusqu'au bateau.
MARTIN DU GARD, les Thibault, t. III, p. 92.

8 Toute machine suppose combinaison, arrangement de parties tendant à un même but. DIDEROT, Recherches philosophiques, Œ., t. II, p. 443.

(1845). *Combinaison ministérielle :* réunion de ministres qui composent un ministère déterminé. ⇒ **Composition; équipe.**

9 Ce qu'il a promis hier, aussi nettement que sa manière le comporte, c'est un portefeuille dans une prochaine combinaison.
J. ROMAINS, les Hommes de bonne volonté, t. V, XXVIII, p. 302.

Math. Chacune des manières de grouper une collection d'objets; choix d'un nombre déterminé d'objets différents parmi un nombre plus grand. *Combinaison de n objets pris p à p (p < n). Calcul des combinaisons.* ⇒ **Combinatoire;** et aussi **probabilités.**

♦ **2.** (1671). Chim. Union chimique de plusieurs corps pour en former un nouveau. ⇒ **Synthèse.** *La combinaison de deux volumes d'hydrogène et d'un volume d'oxygène donne de l'eau. Corps permettant la combinaison de deux autres.* ⇒ **Catalyseur.** *Lois de combinaison des corps. Tendance des corps à former une combinaison.* ⇒ **Affinité.** — Corps résultant de cette opération. ⇒ **Combiné, composé.**

10 Le sulfate de mercure doux forme une combinaison stable et n'est pas décomposé par l'eau. BERTHELOT, Institut Mémoire Science, t. III, p. 231.

Figuré :

11 Désagrégée et finie, cette combinaison d'atomes qui avait donné momentanément son petit sourire et l'expression de ses yeux.
LOTI, Figures et Choses..., « Passage d'enfant », p. 25.

♦ **3.** (1763). Fig. Organisation précise (de moyens) en vue d'assurer le succès d'une entreprise. ⇒ **Agencement, arrangement, mise** (en œuvre), **moyen; combine** (fam.). *Combinaison financière, politique. Combinaison politique louche* (cf. ital. *combinazione*). *Il a inventé toute une combinaison pour venir sans qu'on le sache.* ⇒ **Artifice, calcul, machination, manœuvre, manigance, stratagème.** Fam. *Trouvez une combinaison pour en sortir !* ⇒ **Système, truc.**

12 — Mon Dieu, c'est une petite combinaison pas trop mauvaise et pas gênante, que Lafeuille a mise sur pied.
J. ROMAINS, les Hommes de bonne volonté, t. V, XXV, p. 237.

13 On gagne bien sa vie. Vous pensez, j'étais en combinaison avec un schipchandler.
P. MAC ORLAN, la Bandera, IV, p. 42.

Pop. *En voilà une combinaison !* ⇒ **Complication.**

♦ **4.** (1895; adapt. de l'angl. *combination garment* ou *combination,* 1884). **[a]** Sous-vêtement féminin en tissu léger, descendant jusqu'aux genoux, comportant un haut remplaçant la chemise et une partie tenant lieu de jupon. ⇒ **Combine** (fam.); **fond** (de robe). *Elle était en combinaison.*

[b] (1920, *in* D.D.L.). Vêtement de travail ou de combat réunissant en une seule pièce la veste et le pantalon. ⇒ **Bleu.** *Combinaison de parachutiste, de pilote; de mécanicien.* ⇒ **Salopette.** — *Combinaison spatiale; combinaison de vol* (des astronautes). *Combinaison anti-g* (cit.). — *Combinaison de plongée :* vêtement enveloppant le corps, qui protège les plongeurs sous-marins des effets de l'immersion. *Combinaison de planche à voile. Combinaison isotherme.* — *Combinaison de ski.*

14 Il portait une combinaison d'aviateur en toile bleue déteinte dans laquelle il était nu; le col ouvert laissait voir un thorax velu et décharné.
MARTIN DU GARD, les Thibault, t. VIII, p. 80.

15 (...) Ceux qui portaient les combinaisons de mécanicien à fermeture éclair, devenues l'uniforme des milices (...) MALRAUX, l'Espoir, p. 460.

♦ **5.** Système d'ouverture (d'un coffre-fort ou d'une serrure) qui ne fonctionne que par suite d'une manipulation déterminée; arrangement d'éléments (chiffres, lettres) permettant l'ouverture d'un tel système. *Connaître la combinaison du coffre.*

CONTR. **Analyse, décomposition, dissolution.**
DÉR. **Combine.**

COMBINANT, ANTE [kɔ̃binɑ̃, ɑ̃t] adj. — XXᵉ; de *combiner.*

♦ Didact. Qui combine, effectue des combinaisons. *Une langue « analysante »* (cit., M. Foucault) *et combinante ».*

COMBINARD, ARDE [kɔ̃binaʀ, aʀd] adj. — 1920; de *combine.*

♦ Fam. et péj. Qui utilise des combines. ⇒ **Astucieux, débrouillard,**

madré, malin, resquilleur, roué. *C'est un garçon combinard, rien ne lui est impossible.* — N. *Un combinard, une combinarde.*

CONTR. **Direct, rond** (en affaires).

COMBINAT [kɔ̃bina] n. m. — 1939; russe *kombinat,* de même orig. que *combiner.*

♦ Didact. (écon.). En U.R.S.S. (et, par anal., dans d'autres pays socialistes), Groupement de plusieurs industries connexes (par intégration*). ⇒ **Complexe.**

COMBINATEUR, TRICE [kɔ̃binatœʀ, tʀis] n. et adj. — Déb. XVIIIᵉ, Saint-Simon; de *combiner,* et suff. *-ateur* (→ *-eur*).

♦ **1.** Vx. (Personnes). Qui fait des combinaisons, qui combine des éléments. — N. *Un combinateur, une combinatrice.*
Adj. ⇒ **Combinatoire.**

♦ **2.** N. m. (1877, *Année sc. et industr.,* p. 129). Mod. Techn. Appareil coordonnant les circuits de moteurs électriques. — *Combinateur à billes :* appareil simulant les combinaisons de voies nécessaires à la marche d'un wagon.

COMBINATOIRE [kɔ̃binatwaʀ] adj. et n. — 1732, philos.; de *combiner,* et suff. *-atoire.*

♦ **1.** Adj. (1819). Relatif aux combinaisons, à leur dénombrement et leur mise en ordre; qui procède par combinaison d'éléments.
Math. *Analyse combinatoire :* calcul traitant des arrangements, permutations et combinaisons (utilisé dans le calcul des probabilités*).
Qui combine.

1 (...) associer le travail suivi de l'esprit et de ses forces combinatoires au délice poétique. VALÉRY, Variété III, p. 12.

♦ **2.** N. f. Arrangement d'éléments selon un certain nombre de combinaisons.

2 Pour fonder les genres, Tournefort a choisi comme caractère la combinaison de la fleur et du fruit. Non pas comme Césalpin, parce que c'étaient les parties les plus utiles de la plante, mais parce qu'ils permettaient une combinatoire qui était numériquement satisfaisante (...) Linné a calculé que les 38 organes de la génération, comportant chacun les quatre variables du nombre, de la figure, de la situation et de la proposition, autorisent 5 776 configurations qui suffisent à définir les genres. Michel FOUCAULT, les Mots et les Choses, I, v, 4, p. 153.

Analyse systématique des combinaisons possibles. *La combinatoire logique de divers facteurs.* — Ensemble de combinaisons possibles. *Une riche combinatoire.*

COMBINE [kɔ̃bin] n. f. — Fin XIXᵉ; abrév. de *combinaison.*
Familier.

♦ **1.** Moyen astucieux et souvent déloyal employé pour parvenir à ses fins. ⇒ **Combinaison, système, tour, tuyau, truc.** *Tu connais la combine pour entrer sans payer ?* (⇒ **Resquille**). *Il a obtenu le poste par combine.* ⇒ **Favoritisme, piston.** *Il a la bonne combine.* ⇒ **Planque.** *Qui utilise des combines.* ⇒ **Combinard.**

1 L'argent c'est le vol, la combine, je le déteste, je ne mange pas de ce pain-là(...)
GIRAUDOUX, la Folle de Chaillot, p. 145.

2 Ils attendent que les tanks ennemis arrivent. Doit y avoir une combine.
MALRAUX, l'Espoir, p. 717.

3 — Que veux-tu que ça me foute ! avait-il répondu à Pilate. Je gagne suffisamment de pognon pour m'embarquer, sans y avoir mon pied *(ma part),* dans ta combine de jeux. Francis CARCO, les Belles Manières, p. 33.

♦ **2.** (De *combinaison,* 4.). Vieilli. Combinaison (4.) de femme.
DÉR. **Combinard.**

COMBINÉ, ÉE [kɔ̃bine] adj. et n. m. — 1752, milit., p. p. de *combiner.*

★ **I.** Qui forme une combinaison. ⇒ **Combiner,** p. p. adj.

★ **II.** N. m. ♦ **1.** Chim. Composé.

♦ **2.** (1905, *in Rev. gén. des sc.,* nᵒ 5, p. 190). Cour. Partie mobile d'un appareil téléphonique réunissant écouteur et microphone. *Reposer le combiné sur son support.*

1 Hartog (...) parlait dans un combiné excentrique muni d'un cadran à la base et d'un très long fil tire-bouchonné. J.-P. MANCHETTE, Folle à tuer, 7, p. 37.

2 Le jeune Texan semble endormi dans la cabine; le combiné pend dans le vide; quelqu'un parle encore; des «allô» fusent.
Christine ARNOTHY, Un type merveilleux, p. 218.

Appareil réunissant récepteur-radio, tourne-disque, etc. *Combiné radio-pick-up.*

♦ **3.** Techn. (aviat.). Appareil volant réunissant les caractères de l'avion, de l'hélicoptère.

♦ **4.** (1960, *in* D.D.L.). Sous-vêtement féminin formé d'une gaine-culotte et d'un bustier.

♦ **5.** Sports. Épreuve complexe. — En ski, Descente et slalom. *Le combiné quatre épreuves* (descente, slalom, fond* et saut). — Classement obtenu dans cette épreuve. *Le combiné descente-slalom :* classement par addition des places obtenues dans la descente et le slalom. *Combiné alpin :* épreuve formée de la descente et du slalom (épreuve organisée en 1924). *Combiné nordique :* fond et saut (1928).

3   Le *combiné nordique* est le classement général des coureurs qui se sont mesurés à la fois en fond et en saut, en fonction des résultats obtenus dans chacune de ces deux épreuves.   François GAZIER, les Sports de la montagne, p. 119.

(En parachutisme). Épreuve qui combine la précision d'atterrissage et la voltige.

CONTR. Simple.

COMBINER [kɔ̃bine] v. tr. — XIIIe ; du bas lat. *combinare* « unir deux choses ensemble », de *com- (cum)*, et *bini*. → Binaire.

♦ **1.** (1361). Assembler (deux ou plusieurs éléments), le plus souvent dans un arrangement déterminé. ⇒ **Arranger, assembler, associer, composer, disposer, ordonner, réunir, unir.** *Combiner des signes, des mouvements* (→ Chorégraphie, cit.), *des sons... Combiner des couleurs.* ⇒ **Assortir, marier.** *Combiner des mesures.*

1   Il *(Mallarmé)* aima les mots pour leur sens possible plus que pour leur sens vrai et il les combina en des mosaïques d'une simplicité raffinée.   R. DE GOURMONT, le Livre des masques, p. 59.

2   Le soir dans ma chambre d'hôtel, j'allume toutes les lumières, je combine divers jeux de miroirs, je me cherche, tour à tour, de face, de profil, de dos, de trois-quarts.   G. DUHAMEL, Scènes de la vie future, XI, p. 173.

Combiner des idées. ⇒ **Construire, spéculer.** *Combiner des sentiments, des désirs, des efforts.* ⇒ **Associer.**

3   Il *(Montalembert)* a cessé de voir les questions par un seul aspect ; il unit deux choses contraires, il combine.   SAINTE-BEUVE, Causeries du lundi, 5 nov. 1849, p. 90.

♦ **2.** (1762). Chim. Unir (des corps simples) pour obtenir une combinaison. *Combiner du chlore avec du sodium.*

♦ **3.** (Av. 1789). Organiser en vue d'un but précis. ⇒ **Agencer, calculer, concerter, élaborer, méditer, organiser, préparer.** *Combiner un voyage, une réunion. Combiner des projets. Combiner un mauvais coup.* ⇒ **Machiner, magouiller** (fam.), **manigancer, ourdir, trafiquer, tramer.**

4   (...) penché sur le billard, il est en train de combiner un magnifique effet de recul (...)   Alphonse DAUDET, Contes du lundi, « La partie de billard ».

5   Nous venons d'imaginer et de combiner un tas de délicieux projets pour nous revoir.   LOTI, les Désenchantées, XXVI, p. 164.

6   (...) quand je voyais qu'Albertine avait combiné à mon insu, en se cachant de moi, le plan d'une sortie que j'eusse fait tout au monde pour lui rendre plus facile et plus agréable si elle m'en avait fait le confident (...)   PROUST, À la recherche du temps perdu, t. IX, p. 111.

▶ **SE COMBINER** v. pron.
Entrer dans une combinaison (1.). *Des couleurs qui se combinent.* ⇒ **Marier** (se). *La haine se combine à l'amour.* — (→ Combinaison, 2.). *Les métaux se combinent avec les acides.*

7   (...) l'art du législateur est de savoir fixer le point où la force et la volonté du gouvernement, toujours en proportion réciproque, se combinent dans le rapport le plus avantageux à l'État.   ROUSSEAU, Du contrat social, III, II, p. 278.

8   Lorsqu'un acide et un oxyde se combinent ils se neutralisent en totalité ou en partie (...)   THÉNARD, Traité de chimie, t. II, p. 280, *in* POUGENS.

9   (...) il est absurde de vouloir ramener les sentiments à des formules identiques ; en se produisant chez chaque homme, ils se combinent avec les éléments qui lui sont propres, et prennent sa physionomie.   BALZAC, la Vieille Fille, Pl., t. IV, p. 317.

▶ **COMBINÉ, ÉE** p. p. adj.
Qui forme une combinaison. *Tant de gentillesse et de malveillance combinées sont inconcevables.*

10   Cette accélération et ce retardement du mouvement de la lune sont un effet de l'attraction du soleil combinée avec l'attraction de la lune.   CONDILLAC, l'Art de raisonner, III, 7.

11   (...) nos cœurs, qui sont faits intimement d'une énorme injustice et d'une petite justice combinées.   VALÉRY, Monsieur Teste, Lettre d'un ami, p. 83.

12   (...) ce regard peureux, traqué que donnent l'inquiétude et la fatigue combinées.   GIDE, Feuillets, *in* Journal 1889-1939, Pl., p. 353.

Milit. *Opérations combinées,* faites par plusieurs armées.

CONTR. Disperser, isoler, séparer ; décomposer. — (Du p. p.) **Seul, simple.**
DÉR. Combinable, combinant, combineur. — V. **Combinaison, combinatoire.**

COMBINEUR, EUSE [kɔ̃binœR, øz] n. et adj. — 1888, Daudet ; de *combiner*.
Péjoratif et rare.

♦ **1.** (Personnes). Qui combine (qqch.). — N. « *Un combineur d'affaires* » (A. Daudet).

♦ **2.** Vieilli. ⇒ **Combinard.**

(...) les autres, en payant cinquante pour cent, reçoivent de l'argent à travers des surveillants combineurs.   Henri CHARRIÈRE, Papillon, p. 236.

COMBISME [kɔ̃bism] n. m. — 1910, Péguy ; du nom de Émile *Combes* (1835-1931), président du Conseil français, partisan de la séparation de l'Église et de l'État.

♦ Hist. Ensemble des idées politiques anticléricales semblables à celles d'Émile Combes, concernant notamment les relations de l'Église et de l'État. ⇒ **Anticléricalisme.**

— Vous avez scellé le nom de Dieu au cœur du pauvre, dit *(le curé de Fenouille).* — L'image est belle, observa le docteur (...) mais ce n'est qu'une image et rien d'autre. À peine eût-elle signifié quelque chose au temps révolu du combisme.   BERNANOS, Monsieur Ouine, éd. Plon, p. 189.

DÉR. Combiste.

COMBISTE [kɔ̃bist] adj. — V. 1910 ; de *combisme.*

♦ Hist. Qui est caractérisé par le combisme, l'anticléricalisme de Combes.
Il faudrait faire des vœux pour que notre patrie soit anéantie, si cela était utile au reste du monde (Ernest Renan). Le style est digne de la pensée. Sous le régime combiste la France reconnaissante a donné le nom de Ernest Renan à un croiseur.   CLAUDEL, Journal, 19 mai 1940, Pl., t. II, p. 313.

COMBLANCHIEN [kɔ̃blɑ̃ʃjɛ̃] n. m. — 1881 ; nom de village.

♦ Techn. Calcaire dur utilisé en construction. *Façade en comblanchien.*

1. COMBLE [kɔ̃bl] n. m. — 1175, « tertre » ; du lat. *cumulus* « amoncellement ». → Cumuler.

★ **I.** ♦ **1.** Rare. Surcroît qui peut tenir au-dessus des bords d'une mesure déjà pleine. ⇒ **Supplément, surplus, trop-plein.** *Le comble d'un boisseau.*

♦ **2.** Abstrait. Cour. LE COMBLE DE : le plus haut degré de. ⇒ **Apogée, apothéose, faîte, maximum, pinacle, sommet, summum, zénith.** *Le comble du ridicule. C'est le comble de la difficulté, de la réussite.* ⇒ **Triomphe.** *Être au comble de la joie.* → Être au septième ciel*. *C'est le comble du malheur.* — Ellipt. *C'est le comble, c'est un comble !* : il ne manquait plus que cela (se dit d'une chose désagréable). → C'est complet*, c'est trop fort*, cela dépasse* la mesure. — *Mettre le comble à :* apporter un surplus, un excès de. *Ses sarcasmes ont mis le comble à ma confusion.* — *Pour comble, il pleuvait à verse.* Cf. Brochant sur le tout (vx), par surcroît. — *La mesure est à son comble :* la patience, les forces sont à bout. ⇒ **Limite** (la patience a des limites).

Dieux ! ce comble manquait à mon affliction.   CORNEILLE, la Veuve, IV, 3.   1
Je suis au comble de la joie !   LA FONTAINE, Fables, XI, 3.   2
(...) pour comble de gloire et de magnificence (...)   RACINE, Esther, II, 5.   3
(...) lire deux actes de *Britannicus,* en s'étonnant chaque fois davantage de ce comble de perfection.   E. DELACROIX, Journal, 5 oct. 1854.   4
Le dévouement, qui peut-être est chez la femme le comble de l'amour (...)   BALZAC, la Recherche de l'absolu, Pl., t. IX, p. 495.   5
(...) il se pâmait d'aise en me voyant, et même m'a-t-on assuré, en ne me voyant pas, ce qui est le comble de la tendresse.   A. JARRY, Ubu Roi, V, I, p. 152.   6

★ **II.** (1260 ; d'après le sens pop. de *cumulus,* pour *culmen* « sommet »).

♦ **1.** Construction surmontant un édifice et destinée à en supporter le toit*. ⇒ **Châssis, charpente, ferme.** *Comble métallique, comble en bois. Poutres qui forment un comble.* ⇒ **Arbalétrier, chevron, faîtage, panne, poinçon, sablière, semelle, tirant.** *Couverture d'un comble sur laquelle on pose les tuiles, les ardoises...* ⇒ **Lattis.** *Tuiles recouvrant les arêtes d'un comble.* ⇒ **Tanchis.** *Pans inclinés d'un comble.* ⇒ **Égout.** *Comble à un pan* (⇒ **Appentis**)*, à deux pans* (⇒ **Bâtière**)*. Portion du mur latéral comprise entre les deux pans d'un comble.* ⇒ **Pignon.** *Pans latéraux d'un comble.* ⇒ **Croupe.** *Comble pyramidal,* ou *en pavillon.* ⇒ **Aiguille, flèche.** *Comble plat.* ⇒ **Terrasse.** *Comble brisé* ou *à la Mansart,* dont les deux inclinaisons sur un même versant permettent de ménager des fenêtres dans le toit. *Versant inférieur d'un comble brisé.* ⇒ **Brisis.** *Comble à pans incurvés. Comble en poivrière* pour les toits coniques, *en coupole,* pour les dômes. *Faux comble* ou *comble perdu :* partie du comble dans laquelle on ne peut aménager de logement. *Pièces de charpente à la jointure de deux combles contigus.* ⇒ **2. Noue.**

♦ **2.** Plus cour. *Le comble* ou *les combles :* partie la plus haute d'une construction. ⇒ **Couronnement, faîte, haut, sommet, toit** (→ Bâtir, cit. 6). *Aménager les combles en grenier, en appartement.* ⇒ **Attique, mansarde.** *Lucarne, chatière pratiquée dans un comble.* — Loc. *Sous les combles :* au dernier étage, sous les toits. *Il loge sous les combles,* dans une chambre de bonne.

(...) la petite chambre sous les combles où l'on étouffait (...)   Alphonse DAUDET, le Petit Chose, II, III, p. 194.   7
Le vent pénétrant dans les combles par quelque lucarne mal jointe souleva l'immense peuple des tuiles dont le cliquetis doux se propagea tout au long des greniers.   H. BOSCO, Hyacinthe, p. 196.   8

Figuré :

9 La mer, la mer toujours recommencée ! (...)
O mon silence ! (...) Édifice dans l'âme,
Mais comble d'or aux mille tuiles, Toit ! VALÉRY, Poésies, « Le cimetière marin ».

♦ **3.** Loc. (1680). **DE FOND EN COMBLE** : depuis le haut jusqu'en bas. → De la cave au grenier. *Remuer la maison de fond en comble pour retrouver un objet. Détruire qqch. de fond en comble*, complètement. *Cet événement change mes projets de fond en comble*, complètement.

♦ **4.** Fig., littér. Point culminant, plus haut degré. — REM. L'emploi figuré de ce mot n'est pas distingué dans l'usage de celui du sens I, *le comble d'une mesure* et *le comble d'un édifice* se prêtant aux mêmes comparaisons.

10 Quoi ? des ambassadeurs que Bérénice envoie
Viennent ici, dis-tu, me témoigner sa joie,
M'apporter son hommage et me féliciter
Sur ce comble de gloire où je viens de monter ?
　　　　　　　　　　CORNEILLE, Tite et Bérénice, II, 1.

CONTR. **Bas, base, cave, fondation. — Minimum.**
DÉR. **Combler.**

2. COMBLE [kɔ̃bl] adj. — Fin XIIᵉ ; de *combler*.

♦ **1.** Qui est rempli par-dessus les bords. *Une mesure comble.* — Loc. fig. (1671). *La mesure est comble* : on ne peut rien ajouter, rien supporter de plus.

♦ **2.** (1817). Rempli de monde. ⇒ **Plein.** *Impossible d'entrer dans la salle qui était comble.* Loc. *Faire salle comble* : attirer assez de spectateurs pour remplir une salle de spectacle. → en argot du spectacle, Bourrer, II., B., 3.). — *Restaurant comble.* → Plein, cit. 10. *L'autobus est comble.* ⇒ **Bondé, bourré, complet.**
A Crouy, la petite chapelle du pénitencier était comble.
　　　　　　　　　　MARTIN DU GARD, les Thibault, t. IV, p. 265.

CONTR. **Désert, vide.**

COMBLEMENT [kɔ̃bləmɑ̃] n. m. — 1552 ; « action de compléter », 1515 ; de *combler.*

♦ **1.** Le fait de combler, de boucher. *Le comblement d'un puits, d'un lac.*
Géol. *Terrain de comblement,* formé par des matières qui ont occupé un espace vide.
Météor. *Le comblement d'une dépression.*

♦ **2.** (En parlant de qqn). Le fait d'être comblé (5.).
Le comblement est donc une précipitation : quelque chose se condense, fond sur moi, me foudroie. Qu'est-ce qui m'emplit ainsi ? Une totalité ? Non. Quelque chose qui, partant de la totalité, en vient à l'excéder : une totalité sans reste, une somme sans exception, un lieu sans rien à côté.
　　　　　　　　　　R. BARTHES, Fragments d'un discours amoureux, p. 65.

COMBLER [kɔ̃ble] v. tr. — V. 1150 ; du lat. *cumulare* « amonceler ».
→ 1. Comble, I.

♦ **1.** Rare. Remplir par-dessus les bords. *Combler une mesure.* ⇒ **Surcharger.**
Loc. fig. (V. 1585). **COMBLER LA MESURE** (cit. 21) : commettre une dernière action qui fait cesser la patience et l'indulgence des autres. ⇒ **Attiger** (pop.), **dépasser** (les bornes), **exagérer, passer** (la mesure...) ; → fam. Charrier, y aller* fort. *Il a comblé la mesure en ne répondant pas à ma lettre. Ses bêtises ont comblé la mesure.*

1 Mes crimes désormais ont comblé la mesure. RACINE, Phèdre, IV, 6.
2 Vous avez comblé la mesure de vos calomnies. PASCAL, les Provinciales, 16.

♦ **2.** (1564). Compl. n. de personne. *Combler qqn de...* : donner à (qqn) qqch. à profusion. ⇒ **Abreuver, accabler, charger, couvrir, gorger.** Vx. *Combler qqn de maux, d'horreur.* Mod. *Combler qqn de cadeaux, de bienfaits, de gloire. Son arrivée me comble de joie.*

3 J'étais lasse d'un trône où d'éternels malheurs
Me renouvelaient chaque jour de nouvelles douleurs. CORNEILLE, Rodogune, II, 3.
4 Tu trahis mes bienfaits, je les veux redoubler ;
Je t'en avais comblé, je t'en veux accabler (...) CORNEILLE, Cinna, V, 3.
5 (...) elle *(votre lettre)* me comble d'une joie si vive, qu'à peine mon cœur (...) la peut contenir. Mᵐᵉ DE SÉVIGNÉ, 370, 15 janv. 1674.
6 (...) les amitiés dont M. et Mᵐᵉ de Luxembourg me comblaient (...)
　　　　　　　　　　ROUSSEAU, les Confessions, XI.
7 L'érudition de son employé le comblait d'aise (...)
　　　　　　　　　　COURTELINE, Messieurs les ronds-de-cuir, 3ᵉ tableau, I, p. 92.
REM. L'usage tend à ne donner au mot *combler* que les compléments qui expriment un avantage (par attraction de « vous me comblez », → ci-dessous, 5.).

♦ **3.** Concret. (Compl. n. de chose ; sujet n. de personne ou de chose). Remplir (un vide, un creux). ⇒ **Boucher.** *Les cantonniers, les terrassiers comblent les creux de la route.* ⇒ **Remblayer.** *Matériau qui sert à combler une route.* ⇒ **Remblai.** *Combler une vallée, un fossé, une ornière.* ⇒ **Aplanir, niveler.** *Combler un lac, une lagune, un puits, un port. Combler un jour, un interstice.* ⇒ **Obturer.**

8 L'année prochaine, ce sillon sera comblé et couvert par un sillon nouveau.
　　　　　　　　　　G. SAND, la Mare au diable, II, p. 26.

9 La neige est partout : elle comble les mille vallées creusées dans la puissante échine des montagnes, comme la moelle dans les vertèbres.
　　　　　　　　　　André SUARÈS, Trois hommes, I, « Ibsen », p. 69.

♦ **4.** (Abstrait). *Combler une lacune, un manque. Combler un vide moral, un besoin.*

9.1 (...) je ne savais plus ni comment expliquer ma venue, ni comment combler tout à coup ce vide énorme de deux années qui mettait entre nous comme un abîme de secrets, de réticences, et d'obscurités. E. FROMENTIN, Dominique, p. 247.
10 Les historiens du XIXᵉ siècle, plutôt que d'avouer leur ignorance *(sur certains faits historiques antérieurs au XVIᵉ siècle)*, ont tenu à constituer un exposé complet. Ils ont comblé les lacunes de nos connaissances soit par des légendes, soit par des conjectures sans fondement, soit par des raisonnements fondés sur des généralisations imprudentes. Ch. SEIGNOBOS, Hist. sincère de la nation franç., p. 6.

Combler un déficit, le faire cesser par des apports de fonds.
Combler les silences, *les vides** (dans une conversation).

10.1 Lui non plus ne comprenait pas un mot de ce bavardage didactique, mais il affichait un air intéressé de spécialiste. Il hochait la tête, émettait des grognements importants, comblait les silences par des exclamations prudentes :
— Bien sûr !... Le contraire m'eût étonné !... Parbleu !...
　　　　　　　　　　H. TROYAT, le Vivier, p. 67.

♦ **5.** Spécialt. **a** *Combler les vœux de qqn,* les exaucer.
b (Compl. n. de personne ; sujet n. de personne ou de chose). Satisfaire. *Cette relation, cette personne ne le (la) comble pas. Vous me comblez ! :* vous êtes trop aimable. ⇒ **Gâter.** — (Sujet n. de chose). *Sa réussite ne suffit pas à le combler.* — Passif. *Être comblé.* → ci-dessous, p. p., 3.

11 Il est triste d'aimer sans une grande fortune et qui nous donne les moyens de combler ce que l'on aime (...) LA BRUYÈRE, les Caractères, IV, 20.
12 Vous êtes trop et trop peu dans ma vie (...)
Trop peu pour me combler et me satisfaire.
　　　　　　　　　　MONTHERLANT, les Jeunes Filles, *in* Romans, t. I, Pl., p. 1016.
13 Le spectacle de la relève de la garde, à Saint-James, les combla tellement qu'ils y retournèrent trois matins de suite, comme à un office.
　　　　　　　　　　J. ROMAINS, les Hommes de bonne volonté, t. V, XXVI, p. 262.

▶ **COMBLÉ, ÉE** p. p. adj.

♦ **1.** Qui est totalement rempli. ⇒ **Plein.** *Une vallée comblée.* — REM. Dans l'usage moderne, ne s'emploie que si le remplissage est solide.
(...) les arches du Pont-Neuf sont quasi comblées *(par la crue des eaux).*
14 　　　　　　　　　　Mᵐᵉ DE SÉVIGNÉ, 127, 16 janv. 1671.

♦ **2.** Fig. (Personnes). *Il revint comblé d'honneurs.* ⇒ **Accablé, abreuvé, chargé, couvert.** *Être comblé de dons.*

15 Mon petit naturaliste enorgueilli veut babiller, mais sur-le-champ je lui ferme la bouche, et l'emmène comblé d'éloges. ROUSSEAU, Émile, III.
16 Un jeune homme *(Alexandre le Grand),* comblé de tous les dons que puissent accorder à la fois la beauté, la force, le génie et l'intelligence (...)
　　　　　　　　　　DANIEL-ROPS, Hist. sainte, IV, p. 314.

♦ **3.** (Personnes). Sans compl. *Je suis comblé.* ⇒ **Gâté, heureux, satisfait.**

CONTR. **Creuser, vider. — Nuire.**
DÉR. **2. Comble, comblement.**

COMBOURGEOIS, OISE [kɔ̃buʁʒwa, waz] n. — 1313 ; de *com-, con-,* et *bourgeois ;* adapt. lat. médiéval *comburgensis,* 1249 à Fribourg.

♦ Hist. (notamment, en Suisse). Personne qui possédait le droit de bourgeoisie en même temps que d'autres. ⇒ **Bourgeois.**

COMBRIÈRE [kɔ̃bʁijeʁ] n. f. — 1681 ; provençal mod. *coumbriero* d'orig. obscure, cf. le moy. franç. *combres* « engin pour retenir le poisson », apparenté à *décombres* (rad. gaulois).

♦ Régional. Filet servant à pêcher le thon, et certains autres poissons de grande taille.

COMBUGER [kɔ̃byʒe] v. tr. — 1687 ; mot du Sud-Ouest, de *com-*(lat. *cum-*), et d'une forme correspondant à *buer.* → Buée.

♦ Techn. et régional. Imbiber d'eau (une futaille) pour gonfler les douves disjointes par la sécheresse.

COMBURANT, ANTE [kɔ̃byʁɑ̃, ɑ̃t] adj. — 1789 ; lat. *comburens,* p. prés. de *comburere* « brûler ». → Comburer.

♦ Techn., chim. Se dit d'un corps qui, en se combinant avec un autre corps, opère la combustion de ce dernier (le combustible*). — N. m. *L'oxygène, le soufre sont des comburants.*

COMBURER [kɔ̃byʁe] v. tr. — 1412 ; *comburir,* XIᵉ ; lat. *comburere.*

♦ **1.** Littér. et vx. Brûler, consumer.

♦ **2.** (1866 au p. p.). Sc. (Le sujet désigne le comburant*). Se combiner avec, de manière à permettre la combustion* de (un corps).

L'oxygène permet de comburer les graisses de l'organisme. — Passif et p. p. *Corps comburé.* ⇒ **Combustible.**

COMBUSTIBILITÉ [kɔ̃bystibilite] n. f. — 1571 ; de *combustible*.

♦ Didact. Propriété qu'ont les corps d'être combustibles.
CONTR. Incombustibilité.

COMBUSTIBLE [kɔ̃bystibl] adj. et n. — 1390 ; de *combustion*.

★ **I.** Adj. ♦ **1.** Didact. Qui a la propriété de brûler. *Matière combustible.* — *Corps combustible* : corps qui a la propriété de se combiner avec un comburant* en dégageant de la chaleur (⇒ **Combustion**). — *Ce bois est à peine combustible, tant il est vert.*

♦ **2.** (1762). Fig. et rare. Qui s'enflamme facilement. ⇒ **Ardent, enflammé, inflammable.** *Caractère, tempérament combustible.*

1 Comment se pouvait-il qu'avec des gens si combustibles, avec un cœur tout pétri d'amour, je n'eusse pas du moins une fois brûlé de sa flamme pour un objet déterminé ?   ROUSSEAU, les Confessions, IX.

★ **II.** N. m. ♦ **1.** (1793). Corps utilisé pour produire de la chaleur. *Puissance calorifique d'un combustible* : nombre de calories dégagées par la combustion de 1 kg de ce combustible (⇒ **Calorifique**). *Classification des combustibles. Combustibles solides naturels.* ⇒ **Anthracite, argol, bois** (de chauffage), **houille, lignite, tourbe.** *Combustibles solides artificiels.* ⇒ **Boghead, boulet, briquette, charbon** (de bois), **coke, métaldéhyde.** *Combustibles liquides.* ⇒ **Alcool, essence, goudron, huile** (minérale, lourde), **mazout, naphte, pétrole.** *Combustibles gazeux.* ⇒ **Acétylène, butane, gaz, méthane, propane.** *Combustibles fossiles.* ⇒ **Houille, pétrole.** — *Combustible nucléaire* : l'élément qui entretient la réaction en chaîne. *Combustible naturel,* en partie fissile. *Combustible pur. Combustible composé* (ex. : uranium enrichi).

♦ **2.** Fam. Argent. → **Carbure.**

2 Suce-la-Glace affirme qu'il a tout juste de quoi s'offrir le cinéma vendredi soir et que sa petite amie restera à la porte faute de combustible.   René FALLET, le Triporteur, p. 50.

DÉR. Combustibilité.
COMP. Bicombustible, incombustible.

COMBUSTION [kɔ̃bystjɔ̃] n. f. — 1150 ; lat. *combustio,* du supin de *comburere* «brûler».

♦ **1.** Didact. ou littér. Le fait de brûler entièrement par l'action du feu. ⇒ **Calcination, ignition, incendie, inflammation.** *Mettre qqch. en combustion. Combustion des morts.* ⇒ **Incinération.** Vx. Le fait de brûler, incendie.

(1753). Chim., phys. Combinaison d'un corps (⇒ **Combustible**) avec un comburant* (souvent, l'oxygène) ; réaction énergétique qui en résulte. *Combustion vive,* l'oxydation se faisant avec un dégagement de lumière et de chaleur (→ ci-dessus, le sens 1). *Combustion instantanée* : explosion. *Combustion d'un gaz dans un brûleur, un chalumeau. Moteur à combustion interne.* — *Ancienne explication chimique de la combustion* (vive). ⇒ **Phlogistique.** — *Combustion lente,* l'oxydation se faisant lentement et sans dégagement appréciable de chaleur. *La rouille* est une combustion lente.* — *Gaz, produits, résidus* (cendres*) *de combustion.* — Biol. *Combustion de l'air dans les poumons. Combustion des graisses.*

Combustion nucléaire : transformation nucléaire d'atomes, provoquée par le fonctionnement d'un réacteur. *Combustion massique* : énergie totale libérée par la combustion nucléaire et rapportée à l'unité de masse du combustible (exprimée en mégawatt-jours par tonne).

♦ **2.** (1559). Par métaphore ou fig. (du sens 1). Littér. Le fait de se consumer, de consumer.

1 Parfois, un infime instant, j'ai une impression fulgurante de présence et, au même moment d'immédiate absence, de combustion du temps, d'anéantissement.   Claude MAURIAC, le Temps immobile, p. 516.

En combustion. ⇒ **Conflagration, effervescence.** «*Mettre la France en combustion*» (Green, *in* T. L. F.).

2 (...) je ne veux point la contrarier, ni lui parler de moutons quand elle a la tête tout en combustion pour le mariage.   G. SAND, François le Champi, XXIII, p. 166.

COME-BACK [kɔmbak] n. m. — 1961, *in* Höfler ; mot angl., de *to come* «venir», et *back* (idée de retour).

♦ Anglic. Retour d'une personnalité politique ou sportive, d'une vedette, dans l'actualité, après une période de relatif oubli. *Ce n'était qu'un has-been, mais il a eu un vrai come-back.*

COMÉDIE [kɔmedi] n. f. — 1361 ; du lat. *comœdia* «pièce de théâtre».

★ **I.** (Sens large). **A.** ♦ **1.** Chez les Grecs, *Comédie ancienne* : pièce

de théâtre où l'on représentait sur la scène les citoyens d'Athènes avec leurs noms. *Comédie moyenne,* celle où les citoyens n'étaient pas nommés. *Comédie nouvelle,* celle où l'on ne met plus en scène que des personnages d'imagination. *Thalie, la muse de la Comédie.*

1 Des succès fortunés du spectacle tragique
Dans Athènes naquit la comédie antique.   BOILEAU, l'Art poétique, III.

Chez les Romains, *Comédie latine,* celle que les Romains imitèrent de la comédie grecque, spécialement de la comédie nouvelle.

♦ **2.** (XVIIᵉ). Vx. Pièce de théâtre. ⇒ **Pièce, spectacle ; comique,** I., 1.

2 (...) faisant de cet ouvrage *(les Fables)*
Une ample comédie à cent actes divers
Et dont la scène est l'univers.   LA FONTAINE, Fables, v, 1.

3 On sait bien que les comédies ne sont faites que pour être jouées (...)   MOLIÈRE, l'Amour médecin, Au lecteur.

4 Racine a fait une comédie qui s'appelle Bajazet (...)   Mᵐᵉ DE SÉVIGNÉ, 237, 13 janv. 1672.

5 Corneille (...) est inégal. Ses premières comédies (...) ne laissaient pas espérer qu'il dût ensuite aller si loin ; comme ses dernières dont on s'étonne qu'il ait put tomber de si haut.   LA BRUYÈRE, les Caractères, I, 52.

Le théâtre. «*Un esprit de comédie...* ». → Acteur, cit. 9.

♦ **3.** Vieilli. *La Comédie française* : la comédie illustrée par Molière, Regnard, etc. — (1677). Lieu où se joue la pièce de théâtre. ⇒ **Théâtre.** *Aller à la comédie.* — Loc. (1688). Vx. *Portier de comédie,* celui qui se fait payer pour ouvrir la porte, et, par ext., toute porte.

6 Pour moi, quand je ne les accompagnais point, je m'allais exercer dans toutes les salles des tireurs d'armes, ou bien j'allais à la comédie : ce qui est cause peut-être de ce que je suis passable comédien.   SCARRON, le Roman comique, I, xv, p. 86.

7 Je m'offre à vous mener l'un de ces jours à la comédie, si vous voulez (...)   MOLIÈRE, les Précieuses ridicules, 9.

8 Voilà un homme (...) que j'ai vu quelque part (...) Est-ce (...) aux Tuileries dans la grande allée, ou dans le balcon à la comédie ?   LA BRUYÈRE, les Caractères, VII, 13.

Vx. La troupe des comédiens. *Toute la comédie paraît dans la cérémonie du* Malade imaginaire.

Mod. *La Comédie-Française* : le Théâtre français.

♦ **4.** Représentation d'une pièce ; fait de jouer. *Jouer la comédie.* ⇒ **Comédien.** *Il joue très bien la comédie. Donner la comédie.*

B. Fig. ♦ **1.** (1666). Vieilli. *Donner la comédie* : se faire remarquer, se donner en spectacle par des manières originales et souvent ridicules (⇒ **Cabotiner**). Mod. (Enfants). Attitude insupportable, désagréable. ⇒ **Caprice.** *Cessez votre comédie !* — *Jouer la comédie* : affecter, feindre (des sentiments, des pensées que l'on n'a pas), se composer une attitude. ⇒ **Mentir, tromper.** *Tout cela est pure comédie.* ⇒ **Déguisement, feinte, hypocrisie, invention, mensonge, plaisanterie, simulation.** *Sa vie n'est qu'une comédie. C'est une comédie, une vraie comédie. Quelle comédie !, en parlant d'un événement qu'on juge peu digne d'être pris au sérieux.* — Fam. Manœuvres contraignantes. *Quelle comédie pour trouver un taxi, aux heures de pointe !* ⇒ **Affaire, histoire.** — Loc. Vieilli ou littér. *Se donner la comédie (de qqch.)* : se livrer au jeu de (qqch.).

9 (...) la véritable comédie qui se fait ici, c'est celle que vous jouez (...)   MOLIÈRE, la Comtesse d'Escarbagnas, 8.

10 Ce serait avoir une idée bien fausse de la nature humaine que de croire que cette religion des anciens était une imposture et pour ainsi dire une comédie.   FUSTEL DE COULANGES, la Cité antique, III, VII, p. 194.

11 Il est assez rare que la société des femmes ne nous contraigne aimablement à la comédie ; et c'est pourquoi nous préférons parler avec des hommes, à moins que nous ne préférions la comédie.   VALÉRY, Autres rhumbs, p. 221.

12 Le propre de la passion est de hausser la voix, de demander à toutes ses émotions un registre plus sonore, de former un centre de violence exemplaire ; et si elle y échoue, elle préfère encore la simulation à la certitude de sa défaillance. Il n'y a point d'amour sans une part de comédie.   Edmond JALOUX, les Visiteurs, III, p. 29.

13 Mais cette comédie du sport avec laquelle on berne et fascine toute la jeunesse du monde, j'avoue qu'elle me semble assez bouffonne.   G. DUHAMEL, Scènes de la vie future, XII, p. 184.

14 Si tu n'aimes pas ton mari «physiquement» (...) mais si tu tiens à lui sentimentalement, affectueusement, joue-lui la comédie du désir (...) C'est si facile ! (...)   A. MAUROIS, Terre promise, XXVIII, p. 195.

14.1 Martial était découragé (...) quant à se donner la comédie de la dévotion, de la ferveur *(religieuse),* il n'y fallait pas songer : «Je suis trop prompt à la moquerie pour me berner ainsi moi-même».
Jean-Louis CURTIS, le Roseau pensant, p. 266.

♦ **2.** Littér. *La comédie humaine* : l'ensemble des actions humaines considéré comme se déroulant suivant des normes, pour atteindre à un dénouement. *La Comédie humaine,* œuvre de Balzac. *La Divine Comédie* (ital. *Commedia*), œuvre de Dante.

15 Le dernier acte est sanglant, quelque belle que soit la comédie en tout le reste : on jette enfin de la terre sur la tête, et en voilà pour jamais.   PASCAL, Pensées, II, 210.

16 Dans un grenier où je fus enfermé à douze ans j'ai connu le monde, j'ai illustré la comédie humaine.   RIMBAUD, Illuminations, « Vies ».

★ **II.** (1552). Mod. (Sens étroit ; en relation avec *comique**).

♦ **1.** Pièce de théâtre ayant pour but de divertir en représentant les travers, les ridicules des caractères et des mœurs d'une société (au début, elle dépeint les bourgeois). *Les comédies d'Aristophane* (⇒ **Parabase**). *La tragédie et la comédie antiques* (→ **Socque**). *La comédie et le drame* bourgeois, au XVIIIe siècle. Les comédies de Molière. La comédie des* Précieuses ridicules. *L'intrigue, le nœud, le dénouement d'une comédie. Les acteurs, les personnages d'une comédie.* — Hist. littér. *La haute comédie,* celle par laquelle l'auteur se proposait d'étudier les mœurs, les caractères. Mod. *Comédie de mœurs. Comédie de caractères. Comédie d'intrigue, de situation. Comédie de cape* et d'épée. Comédie héroïque,* qui met en scène des personnages d'un rang élevé. *Comédie pastorale,* qui met en scène des bergers.

Une courte comédie. ⇒ **Proverbe, saynète**; **farce**; **sketch**. *Comédie de boulevard*. Pièce ayant la forme d'une tragédie et le dénouement heureux d'une comédie.* ⇒ **Tragi-comédie.** *Adapter une comédie au, pour le cinéma.*

17 (...) ce sujet est mêlé avec une espèce de comédie en musique et ballet (...) Notre nation n'est guère faite à la comédie en musique.
MOLIÈRE, le Grand Divertissement royal, I.

18 La comédie larmoyante qui, à la honte de la nation, a succédé au seul vrai genre comique, porté à sa perfection par l'inimitable Molière.
VOLTAIRE, Lettre à Somarokof, 26 févr. 1769.

19 (...) plus la comédie est agréable et parfaite, plus son effet est funeste aux mœurs.
ROUSSEAU, Lettre à M. d'Alembert, p. 148.

20 Une tragédie qui ne sera pas fondée sur un grand sujet ne sera jamais qu'une comédie (...)
Émile FAGUET, Études littéraires, XVIIe s., Corneille, p. 145.

Comédie larmoyante (→ ci-dessus, cit. 18) : genre en honneur au XVIIIe siècle, proche du drame* bourgeois.

Comédie italienne, issue de la *commedia dell'arte* (francisé par Stendhal : *comédie dell'arte*).

Vieilli. *Comédie à couplets,* à ariettes (cit. 2). ⇒ **Vaudeville.** — *Comédie-ballet*.* (1930). **COMÉDIE MUSICALE** (théâtre, cinéma) : spectacle où se mêlent la musique, le chant, la danse et un texte, sur une base narrative suivie (à la différence du music-hall). Spécialt (genre filmique). *La comédie musicale américaine.*

♦ **2.** Le genre comique, au théâtre. *Préférer la comédie à la tragédie.*

21 Comme l'affaire de la comédie est de représenter en général tous les défauts des hommes (...)
MOLIÈRE, l'Impromptu de Versailles, 4.

22 J'aime peu la comédie qui tient toujours plus ou moins de la charge et de la bouffonnerie.
A. DE VIGNY, Journal d'un poète, p. 91.

23 (...) la comédie, qui est l'école des nuances.
FLAUBERT, Bouvard et Pécuchet, p. 149.

24 La comédie à la même hauteur que la tragédie, en fait supérieure même à la tragédie, voilà le premier point à quoi tient Molière.
Émile FAGUET, Études littéraires, XVIIe s., Molière, p. 269.

♦ **3.** Fig. *Un personnage de comédie :* une personne qu'on ne prend pas au sérieux. ⇒ **Comique.** *Valet de comédie. Roi de comédie.*

CONTR. Tragédie. — Sincérité. — Sérieux (chose sérieuse).
DÉR. Comédien.
COMP. Comédie-ballet (V. Ballet).
REM. On rencontre d'autres formes composées : **comédie-bouffe, comédie-farce, comédie-parade, comédie-vaudeville.** — V. aussi **Tragi-comédie.**

COMÉDIEN, IENNE [kɔmedjɛ̃, jɛn] n. et adj. — V. 1500, *comediain; de comédie.*

♦ **1.** Personne qui joue la comédie* (I.), fait du théâtre : spécialt, acteur professionnel au théâtre et, par ext., au cinéma, à la télévision. ⇒ **Acteur, artiste, mime.** *Une troupe de comédiens. L'art du comédien. Une comédienne de talent. Mauvais comédien.* ⇒ **Cabot, cabotin, ringard.** *Sous le personnage* (cit. 8) *se laisse encore deviner le comédien. Anciens comédiens ambulants.* ⇒ **Baladin; histrion.** *Se faire comédien* (→ littér. et vx. Chausser le socque et le cothurne). *Le Paradoxe sur le comédien,* de Diderot.

1 La condition des comédiens était infâme chez les Romains et honorable chez les Grecs : Qu'est-elle chez nous? On pense d'eux comme les Romains, on vit avec eux comme les Grecs.
LA BRUYÈRE, les Caractères, XII, 15.

2 Qu'est-ce que le talent du comédien? L'art de se contrefaire, de revêtir un autre caractère que le sien, de paraître différent de ce qu'on est, de se passionner de sang-froid, de dire autre chose que ce qu'on pense, aussi naturellement que si l'on le pensait réellement et d'oublier enfin sa propre place à force de prendre celle d'autrui.
ROUSSEAU, Lettre à M. d'Alembert, p. 186.

3 On a dit que les comédiens n'avaient aucun caractère, parce qu'en les jouant tous ils perdaient celui que la nature leur avait donné, qu'ils devenaient faux, comme le médecin, le chirurgien et le boucher deviennent durs.
DIDEROT, Paradoxe sur le comédien, Pl., p. 1067.

4 (...) toutefois, comme le mensonge est la première nature des comédiens, ils y sont bien plus sincères (...)
André SUARÈS, Trois hommes, « Ibsen », II, p. 87.

REM. Alors que *acteur, actrice* est du langage très usuel, que *artiste* est plutôt populaire dans cette acception, *comédien, comédienne* est d'usage dans les milieux de théâtre.

♦ **2.** (1673). Fig. Personne qui se compose une attitude, feint, « joue la comédie ». ⇒ **Hypocrite.** *Il est très bon comédien. Quel comédien!*

5 Les grimaces d'amour ressemblent fort à la vérité; et j'ai vu de grands comédiens là-dessus.
MOLIÈRE, le Malade imaginaire, I, 4.

6 Le Pape (...) leva ses yeux en haut et dit, avec un soupir paisible (...)
— Commediante!
Bonaparte sauta de sa chaise et bondit comme un léopard blessé (...)

— Comédien! Moi! Ah! je vous donnerai des comédies à vous faire tous pleurer comme des femmes et des enfants.
A. DE VIGNY, Servitude et Grandeur militaires, III, v, p. 207.

Adj. (1687). Personnes. *Elle est un peu comédienne.* ⇒ **Cabotin.**

Littér. (et rare). *Manières comédiennes.* ⇒ **Affecté, feint, moqueur.**

7 Il faut empêcher les enfants de contrefaire les gens ridicules; car ces manières moqueuses et comédiennes ont quelque chose de bas et de contraire aux sentiments honnêtes.
FÉNELON, XVII, 18.

♦ **3.** (Opposé à *tragédien*). [a] Acteur comique. *Il est meilleur comédien que tragédien.*

[b] Rare. Auteur de comédies (Valéry, *in* T. L. F.).

CONTR. Sincère, vrai.

COMÉDON [kɔmedɔ̃] n. m. — 1855; dér. du lat. *comedere* « manger ».

♦ Didact. Petite accumulation de matière sébacée, à sommet noirâtre, qui bouche un pore de la peau. ⇒ **Acné, séborrhée** (syn. cour. : *point noir*). *Instrument pour extraire les comédons.* ⇒ **Tire-comédon.**

COMESTIBILITÉ [kɔmɛstibilite] n. f. — 1825, Brillat-Savarin; de *comestible.*

♦ Didact. Caractère de ce qui est comestible.

COMESTIBLE [kɔmɛstibl] adj. et n. m. pl. — 1390; dér. du lat. *comestus,* p. p. de *comedere* « manger ».

★ **I.** Adj. ♦ **1.** Qui peut servir d'aliment à l'homme. *Denrées comestibles. Champignons comestibles.* ⇒ **Consommable, mangeable.** *Ce champignon est comestible, mais assez insipide. Sa cuisine est à peine comestible.*

♦ **2.** Par métaphore ou fig. Fam. Qui excite le désir. ⇒ **Séduisant, tentant.**

1 Mais l'intéressant, c'est que Christiane paraissait décidée à parler. Le printemps lui réussissait. Elle s'était débrouillée pour se faire dorer, déjà, et dans son chemisier blanc, elle était tout à fait comestible.
Claude COURCHAY, La vie finira bien par commencer, p. 79.

♦ **3.** Par métaphore (rare, littér.). Utilisable, acceptable, supportable; (fam.) buvable.

2 (...) l'incantatoire magie du langage, des mots inventés dans l'espoir de rendre comestible — comme ces pâtes vaguement sucrées dans lesquelles on dissimule aux enfants les médicaments amers — l'innommable réalité (...)
Claude SIMON, la Route des Flandres, p. 156.

★ **II.** N. m. pl. (1772). ⇒ **Aliment, alimentation.** *Boutique de comestibles. Marchands de comestibles,* de denrées alimentaires.

CONTR. Immangeable, incomestible, vénéneux.

COMÉTAIRE [kɔmetɛʀ] adj. — 1749, Buffon; de *comète.*

♦ Astron. Des comètes. *Système cométaire.* — *L'astronomie cométaire,* qui étudie les comètes.

COMÈTE [kɔmɛt] n. f. — V. 1140; lat. *cometa,* grec *komêtès* « astre chevelu ».

♦ **1.** Astre présentant un noyau brillant (tête) et une traînée gazeuse (chevelure et queue), qui décrit une orbite parabolique. *Les grandes comètes (comète de Halley, Encke, Fraye, Biéla, Brook...) sont observées périodiquement.*

1 (...) le passage prodigieux de ces étoiles incendiées qu'on appelle comètes (...)
HUGO, William Shakespeare, V, II.

Loc. *L'année de la comète,* où l'on observe une comète très visible. *Le vin de la comète,* d'une telle année. — *Mode à la comète* (au XVIIIe siècle).

2 En 1742, l'apparition d'une comète amène toute une mode à la comète.
Ed. et J. DE GONCOURT, la Femme au XVIIIe s., II, p. 58.

♦ **2.** Loc. fig. *Tirer des plans sur la comète :* faire des projets chimériques (→ Des châteaux* en Espagne).

3 (...) il disait avec un rire sympathique, parlant des Allemands : «Ça doit chauffer, notre vieux Joffre est en train de leur tirer des plans sur la comète.»
PROUST, le Temps retrouvé, Pl., t. III, p. 750.

REM. Le personnage ignore le sens de l'expression.

(1872, « vagabonder »). Vx. *Filer la comète :* être sans logis (→ Dormir à la belle étoile*), sans le sou.

3.1 Mais ça peut pas durer toujours,
Après la saison des amours
C'est la mistoufe et, ben souvent,
Faut s'les caler avec du vent (...)
Filer la comète et la cloche,
À la Bastoche.
A. BRUANT, Dans la rue, « À la Bastoche ».

♦ **3.** Techn. Tranchefile* à l'usage des relieurs. — Petit ruban de satin, employé en garniture.

♦ **4.** Blason, icon. Étoile à huit rayons et à queue ondoyante.

DÉR. Cométaire.

COMIC BOOK [kɔmikbuk] n. m. — Mil. xxᵉ ; expr. amér. (1940), de *comics* « bande dessinée », et *book* « livre ».

♦ Anglic. Petit livret de bandes* dessinées (distinct de l'album* et des « bandes » au sens strict publiées dans la presse. ⇒ 2. **Strip**). *Des comic books. « Lors de l'explosion du comic-book, au début des années 40, les récits de science-fiction furent le fer de lance du mouvement. Superman, le héros n° 1, est doté de super-pouvoirs et est originaire d'une planète autre que la Terre »* (*Magazine littéraire, n° 95, déc. 1974, p. 23*).

COMICE [kɔmis] n. m. — V. 1355 ; du lat. *comitium* « assemblée du peuple ».

★ **I.** N. m. pl. **COMICES.** ♦ **1.** Antiq. rom. Assemblée* du peuple, pour l'élection des magistrats et pour d'autres affaires publiques. *Comices par curies, par centuries.*

1 Pour que les comices fussent légitimement assemblés, et que ce qui s'y faisait eût force de loi, il fallait trois conditions : la première, que le corps ou le magistrat qui les convoquait fût revêtu pour cela de l'autorité nécessaire ; la seconde, que l'assemblée se fît un des jours permis par la loi ; la troisième que les augures fussent favorables.   ROUSSEAU, Du contrat social, IV, IV, p. 318.

♦ **2.** (1789). Hist. Assemblée populaire appelée à voter sur un plébiscite (cit. 1). *Le peuple, convoqué dans ses comices.*

★ **II.** N. m. (1760). **COMICE AGRICOLE,** ou, au plur., **COMICES AGRICOLES** : réunion, assemblée des cultivateurs d'une région qui se proposent de travailler au perfectionnement, au développement de l'agriculture. *Les concours, les prix, les récompenses d'un comice agricole, des comices.*

2 Appliquez-vous surtout à l'amélioration du sol, aux bons engrais, au développement des races chevalines, bovines, ovines et porcines ! Que les comices soient pour vous comme des arènes pacifiques (...)   FLAUBERT, Mᵐᵉ Bovary, VIII, p. 97.
REM. Il s'agit du texte du discours du préfet.

DÉR. Comicial.

COMICIAL, ALE, AUX [kɔmisjal, o] adj. ⇒ **Comitial.**

COMICO- Premier élément d'adjectifs composés familiers, signifiant « à la fois comique et... ». Ex. : *comico-dramatique, comico-érotique, comico-policier.*

COMICS [kɔmiks] n. m. pl. — 1940, in Höfler ; mot amér., de l'adj. *comic,* dans *comic strips* « bandes (dessinées) comiques », substantivé au pluriel.

♦ Anglic. Série de dessins légendés formant récit. L'équivalent franç. est *bande dessinée* ou *dessins d'humour.* ⇒ aussi **Comic book.**

Est-ce qu'on se permet de vous forcer à (...) écouter dans le tintamarre les airs d'une délectable vulgarité diffusés par les juke-boxes ? (...) À lire des comics ?   N. SARRAUTE, Vous les entendez ?, p. 127.

COMIQUE [kɔmik] adj. et n. m. — xivᵉ ; lat. *comicus,* grec *kômikos.*

★ **I.** (Domaine du spectacle, du théâtre). ♦ **1.** Littér. ou vx. De la comédie (I.), du théâtre, des comédiens. ⇒ **Théâtral.** *Ballet comique* (xviᵉ-xviiᵉ siècles). *Le Roman comique,* de Scarron, qui met en scène des comédiens. *Histoire comique,* d'A. France. Vx. *La muse comique :* Thalie.

♦ **2.** Qui appartient à la comédie (II.). *Le génie comique. Pièce comique. Le genre, le style comique* (⇒ aussi **Héroï-comique, tragi-comique**). *Opéra-comique.* ⇒ **Opéra.** *Auteur comique.*

1 Mais quoi ! je chausse ici le cothurne tragique !
Reprenons au plus tôt le brodequin comique (...)   BOILEAU, Satires, X.

2 Un homme de ce caractère entre sans masque dans une danse comique (...)   LA BRUYÈRE, les Caractères de Théophraste, De l'image d'un coquin.

3 Il nous suffira d'appuyer sur le mot, de le grossir et de l'épaissir pour le voir s'étaler en scène comique.   H. BERGSON, le Rire, p. 109.

Acteur, chanteur, interprète comique.

♦ **3.** N. Acteur, actrice qui est habituellement chargé de jouer des personnages comiques. ⇒ **Bouffon, clown, mime, pitre.** *C'est un bon comique. Jouer les comiques. Tenir l'emploi de comique. Un comique de music-hall. Comique troupier**. — REM. Le fém. *une comique* est normal.

4 Il restait là, taciturne et triste comme sont les grands comiques, l'oreille fermée à toutes les trivialités qui bourdonnaient à ses côtés.   Alphonse DAUDET, le Petit Chose, II, XII, p. 333.

Loc. *C'est le comique de la troupe,* en parlant de quelqu'un qui, dans un groupe, distrait ordinairement les autres par ses bouffonneries. ⇒ **Boute-en-train.**

Fam. (ne semble pas employé au fém.). Personne qui suscite la dérision par son absence de sérieux. ⇒ **Fantaisiste, charlot, rigolo.** *C'est un comique, ce mec-là ! Dis-donc, toi, le comique !* (1561). Auteur comique.

♦ **4.** N. m. *Le comique :* le genre comique, et, par ext., la comédie (au théâtre, au cinéma, etc.). Fig., vx. ⇒ **Brodequin, socque.** *Le haut comique. Le comique de caractère, de situation. Le comique burlesque.* ⇒ **Burlesque.** *Le comique de boulevard.* ⇒ **Boulevard.**

★ **II.** (Sans idée de théâtre). ♦ **1.** N. m. Le principe du rire ; ce qui fait rire.

Le comique, la puissance du rire est dans le rieur, nullement dans l'objet du rire.   BAUDELAIRE, Curiosités esthétiques, p. 172.   5

Le comique est vite douloureux quand il est humain.   FRANCE, le Jardin d'Épicure, p. 30.   6

Comme Lamartine, il *(mon père)* riait rarement, n'avait nul sens du comique, ne pouvait souffrir la caricature et ne goûtait ni Rabelais, ni La Fontaine.   FRANCE, le Petit Pierre, I, p. 9.   7

(...) il faut distinguer entre le comique que le langage exprime et celui que le langage crée.   H. BERGSON, le Rire, p. 104.   8

Le comique défait les passions et même les sentiments ; la frivolité les guette à leur naissance et les dissout dans son tourbillon.   ALAIN, les Aventures du cœur, p. 35.   9

♦ **2.** Adj. (1680). Qui provoque le rire. ⇒ **Amusant, bouffe, bouffon, burlesque, cocasse, désopilant, drôle, facétieux, hilarant, inénarrable, plaisant, risible ;** fam. **bidonnant, boyautant, crevant, fendant, gondolant, impayable, marrant, pissant, pliant, poilant, rigolo, roulant, tordant.** *Histoire comique. Situation comique. Visage, tête comique. C'est assez comique.* — (Comique volontaire). *Une histoire comique. Film comique.* — (Comique involontaire). ⇒ **Dérisoire, grotesque, ridicule, risible.** *Il est comique avec ses grands airs :* il prête à rire.

Adultère ! ... Il se représenta soudain tout ce que ce mot contenait d'usuel, de domestique, de ridicule, de gauchement tragique ou de platement comique, de saugrenu, de biscornu (...)   FRANCE, le Mannequin d'osier, Œ., t. XI, p. 299.   10

Est comique tout arrangement d'actes et d'événements qui nous donne, insérées l'une dans l'autre, l'illusion de la vie et la sensation nette d'un agencement mécanique.   H. BERGSON, le Rire, p. 69.   11

Il me montrait un visage si écarquillé, ouvert à toutes les conjectures, et si comique par sa nouveauté que (...) je ne pus garder mon sérieux.   COLETTE, la Naissance du jour, p. 99.   12

N. m. *Le comique de l'histoire, c'est que... Une situation du plus haut comique.*

CONTR. Dramatique, grave, imposant, pathétique, sérieux, touchant, tragique, triste.
DÉR. Comiquement.
COMP. Héroï-comique, opéra-comique, tragi-comique.

COMIQUEMENT [kɔmikmɑ̃] adv. — 1546 ; de *comique.*

♦ **1.** D'une manière comique (II., 2.), risible. *Prendre un air effaré et rouler comiquement les yeux. Il s'agitait comiquement.*

♦ **2.** Rare. D'une manière comique (I., 2.), en comique. *Jouer une scène très comiquement.*

CONTR. Dramatiquement, gravement, sérieusement, tragiquement, tristement.

COMITADJI [kɔmitadʒi] n. m. — Déb. xxᵉ ; grec mod., comp. des mots grecs tirés de *comité* et *agitation.* → Agit-prop.

♦ Hist. Combattant macédonien luttant contre la domination turque, au début du xxᵉ siècle, et faisant partie d'un « comité d'agitation ».

COMITARD [kɔmitaʀ] n. m. — 1911, in D. D. L. ; de *comité,* et suff. péj. -*ard.*

♦ Péj. Membre d'un comité politique ou sportif.

COMITAT [kɔmita] n. m. — 1866 ; mot hongrois, du lat. *comitatus* « fief d'un comte » (*comes, -itis*).

♦ Hist. Subdivision administrative, dans l'ancienne Hongrie.

COMITE [kɔmit] n. m. — xiiiᵉ ; ital. *comito.*

♦ Vx. Chef de nage sur une galère.

Est-ce que la marche d'une galère, son équilibre, sa vitesse, ne sont pas à la garde du comite ? Il y a des moments où l'effort de la chiourme et le souffle de la tramontane me soûle comme un grand coup de vin (...) Je suis le maître de la cadence.   M. AYMÉ, Vogue la galère, I, II, p. 15.

COMITÉ [kɔmite] n. m. — 1690 ; attestation isolée, *committé,* 1650 ; angl. *committee,* de *to commit* « confier » ; du lat. *committere.* → Commettre.

♦ **1.** Réunion de personnes prises dans un corps plus nombreux (assemblée, société...) pour s'occuper de certaines affaires, donner un avis. ⇒ **Commission.** *Nommer, élire, désigner un comité. Rôle,* *attributions, fonctions d'un comité. Réunions, délibérations, travaux, décisions du comité. Rapport du comité. Les membres, le président, le secrétaire d'un comité.* — *Comité consultatif; comité exécutif. Comité de conciliation* (→ Arbitrage, cit. 4); *comité d'action. Comité de bienfaisance, de patronage. Comité paritaire*.*

1 Le régent me dit qu'il formerait un comité (car on ne parlait plus qu'à l'anglaise) de quelques-uns du conseil de régence.
SAINT-SIMON, Mémoires, 466, 116, *in* LITTRÉ.

2 Lui, c'est un philanthrope ; il est des comités
De secours, d'indigence ; il régit des hospices (...)
ÉTIENNE, les Deux Gendres, I, 1.

(1945, *in* Höfler). **COMITÉ D'ENTREPRISE** : dans une entreprise, privée ou publique, Comité comprenant des délégués du personnel en vue de participer à la vie de cette entreprise. → Ouvrier, cit. 15. Abrév. : *C. E.* [se]. — *Comité central d'entreprise.* Abrév. : *C. C. E.* [seseə]. « *La direction de Peugeot a annoncé au comité central d'entreprise la cession de ses parts (...)* » (*l'Humanité*, 6 janv. 1984, p. 6).

Comité de censure. — *Comité électoral.*

(1835, *in* Höfler). Spécialt. **COMITÉ DE LECTURE,** chargé de lire, retenir ou rejeter les textes proposés pour l'édition, les pièces de théâtre proposées pour la scène.

(1757, *in* Höfler). **COMITÉ SECRET,** formé pour les délibérations secrètes d'une assemblée ordinairement publique. *Se constituer, se former en comité secret.*

Écon. *Comité de gestion. Comité économique et social,* organisme régional créé en 1972.

Hist. *Comité de salut public,* qui groupa en 1793 tout le pouvoir exécutif (désignation reprise en Algérie). — *Comité français de Libération nationale,* constitué à Alger en 1943.

REM. Le mot *comité* entre dans de nombreux syntagmes, pendant la période révolutionnaire : *comités civils, comité de discipline, de gouvernement, des domaines, des finances, des rapports, des recherches, des subsistances, des transports...* — *Comité général* (1791) : forme que pouvait prendre un conseil ou le corps législatif, pour discuter d'une question. *Comité militaire. Comités révolutionnaires.* Polit. *Comité central d'un parti. Le comité central du parti communiste.*

♦ **2.** (1710). **PETIT COMITÉ** : réunion formée seulement d'intimes, de personnes choisies. *Dîner, réception en petit comité, en comité restreint.*

COMP. **Sous-comité.**

COMITIAL ou **COMICIAL, ALE, AUX** [kɔmisjal, o] adj.
— V. 1355 ; lat. *comitialis,* de *comitium.* → Comices.

♦ **1.** Qui a rapport aux comices. *Vote comicial* (ou *comitial*).

♦ **2.** (1576). Méd. *Mal comicial :* épilepsie. (À Rome, l'assemblée des Comices se séparait lorsque quelqu'un souffrait d'une attaque d'épilepsie.) *Attaque, crise comitiale,* d'épilepsie.

COMP. **Anticomitial.**

COMMA [kɔma] n. m. — 1552 ; lat. *comma,* grec *komma* « membre de phrase », de *koptein* « couper ».

♦ **1.** Mus. Intervalle musical, non appréciable pour l'oreille, qui sépare deux notes enharmoniques (do dièse et ré bémol, mi dièse et fa...).

Les musiciens entendent par comma la huitième ou la neuvième partie du ton, la moitié de ce qu'ils appellent un quart de ton (...) pour des oreilles comme les nôtres un si petit intervalle n'est appréciable que par le calcul.
ROUSSEAU, Dict. de musique, Comma.

♦ **2.** Rare. Signe graphique et typographique appelé « deux points » (:).

♦ **3.** Vx. Pause, arrêt (dans une phrase).

HOM. **Coma.**

COMMAND [kɔmɑ̃] n. m. — 1262 ; « commandement », v. 1050 ; déverbal de *commander.*

♦ Dr. L'acheteur réel d'un bien, qui n'est pas nommé sur l'acte de transmission. — (1509). *Déclaration de command :* déclaration par laquelle on nomme le véritable acquéreur. — Par ext. ; abusif. Déclaration par laquelle l'avocat (ancienn., l'avoué), dernier enchérisseur dans une vente d'immeubles, nomme le véritable adjudicataire.

HOM. **Comment.**

1. COMMANDANT, ANTE [kɔmɑ̃dɑ̃, ɑ̃t] n. — 1671 ; « chef (d'un parti) », 1661 ; p. prés. de *commander.*

♦ **1.** Celui qui a un commandement militaire. ⇒ **Chef ; capitaine, général.** — REM. Dans cet emploi, le mot est qualifié (en franç. mod.) pour éviter l'ambiguïté avec le sens 2. — *Le centurion* romain, com-*

mandant d'une compagnie de cent hommes. (Vieilli). *Commandant de place, commandant d'armes :* dans une ville de garnison, L'officier le plus ancien dans le grade le plus élevé. *Le commandant de la 1ʳᵉ armée.* Syn. : *le général commandant* (verbe) *la 1ʳᵉ armée. Commandant de régiment, de division, de corps d'armée* (⇒ **Général**). *Commandant en chef ; commandant en second. Commandant de région*. Commandant de compagnie* (⇒ **Capitaine**).

1 Il m'a demandé si je voulais devenir l'ordonnance du nouveau commandant de la compagnie.
P. MAC ORLAN, la Bandera, VI, p. 68.

REM. Le fém. est rare.

♦ **2.** Titre donné aux chefs de bataillon, d'escadron, de groupe aérien et à tous les officiers dont les insignes de grade sont quatre galons. *Être promu, passer commandant. Le commandant est le moins élevé en grade des officiers supérieurs.* — *Commandant de gendarmerie,* (ancienn) *de la garde nationale. Le commandant X. Le Commandant Watrin,* roman de A. Lanoux. — (Appellatif). *Mon Commandant* (les personnes n'appartenant pas à l'armée disent : *commandant*).

2 A-t-on jamais entendu répondre autre chose, chez nous, que : « Bien mon Commandant. Oui mon Commandant. Merci mon Commandant. Entendu mon Commandant. »
SAINT-EXUPÉRY, Pilote de guerre, p. 13.

♦ **3.** Officier qui commande un navire, quel que soit son grade. *Commandant de navire, dans l'antiquité grecque.* ⇒ **Navarque.** — *Commandant d'escadre. Le commandant est sur la passerelle.* Aviat. *Commandant de bord*.* ⇒ **Pilote** (chef pilote).

REM. Dans la marine, l'appellatif est *Commandant,* et non pas : *mon Commandant.*

HOM. 2. **Commandant** (p. prés. de **commander**).

2. COMMANDANT, ANTE [kɔmɑ̃dɑ̃, ɑ̃t] adj. — Av. 1694 ; p. prés. de *commander.*

♦ **1.** Littér. Qui aime à donner des ordres, à commander. ⇒ **Autoritaire, impérieux.** *Elle est un peu commandante.* — *Voix sèche et commandante.*

♦ **2.** Rare. Qui commande (I., C.). — Fig. « *La place la plus haute et la plus commandante* » (Giono).

HOM. 1. **Commandant.**

COMMAND-CAR [kɔmɑ̃dkaR] n. m. — V. 1945 ; mots angl., « voiture (*car*) de commandement ».

♦ Anglic. Milit. Véhicule de commandement d'une unité blindée. *Des command-cars.*

Quand il connut la nouvelle, le capitaine Raymond Dronne, du régiment de marche du Tchad, donna calmement ses ordres de départ à ses hommes. Puis, il décrocha le rétroviseur de son command-car et l'attacha à une branche de pommier. Et il entreprit de tailler sa florissante barbe rousse.
D. LAPIERRE et L. COLLINS, Paris brûle-t-il?, p. 250.

COMMANDE [kɔmɑ̃d] n. f. — 1213, « protection, dépôt » ; déverbal de *commander.*

★ **I.** (De *commander,* I., A. et B.). ♦ **1.** (1625). Ordre par lequel un client, consommateur ou commerçant, demande une marchandise ou un service à fournir dans un délai déterminé (⇒ **Achat, ordre**). *Faire, passer une commande au fournisseur, à un artisan, à un commerçant. Recevoir, accepter, refuser une commande. Le garçon de restaurant prend les commandes des clients, des consommateurs.* — *Livre, carnet, bon de commandes.* — *Travail fait, exécuté sur commande,* sur demande de l'acheteur (→ ci-dessous, 2.). *Marchandise payable à la commande.*

1 (...) des commandes de cartes de visite, qu'elle ramassait dans sa clientèle, et qu'elle faisait exécuter dans la maison où je travaillais.
J. ROMAINS, les Hommes de bonne volonté, t. II, v, p. 51.

2 Il (*le serveur*) prenait parfois cinquante commandes, au vol, disparaissait dans les profondeurs odorantes de la gargote (...)
G. DUHAMEL, Inventaire de l'abîme, v, p. 65.

2.1 Un gracieux serviteur porte la carte (*le menu*), part sans attendre la commande. Ce n'est qu'au maître (*d'hôtel*), signalé par son frac noir, évidemment, qu'il appartient d'enregistrer les faims et les désirs.
A. PIEYRE DE MANDIARGUES, la Marge, p. 146-147.

La marchandise, le travail commandé. Nous avons bien reçu notre commande. Livrer une commande.

Ouvrage de commande, exécuté spécialement pour une personne qui en a donné l'ordre, qui en a fait la demande.

3 (...) j'ai ajouté à ces tableaux, qui étaient de commande (*dans son discours à l'Académie*), les louanges de chacun des hommes illustres qui composent l'Académie française (...)
LA BRUYÈRE, Disc. à l'Acad., Préface.

Dr. *Contrat de commande,* par lequel un auteur s'engage à créer une œuvre, puis à la livrer ou à en concéder quelques droits moyennant une rémunération.

♦ **2.** (Dans des loc.). Demande, ordre ou obligation.

SUR COMMANDE : à la demande ou sur ordre. *Faire, réaliser qqch. sur commande ou spontanément.*

4 (...) il a beau tenir bon, et protester qu'il n'écrira pas sur commande, il vit de sa plume (...) André SUARÈS, Trois hommes, « Dostoïevsky », III, p. 217.

Par ext. Inspiré et conduit par qqn d'autre.

4.1 La grève est réglementée et s'accomplit sans colère, sans cette fureur qui emporte tout. Mais que vaut une révolte sur commande ? F. MAURIAC, Bloc-notes 1952-1957, p. 66.

♦ **3. DE COMMANDE.** ⓐ Vx. Obligatoire, prescrit. *Fêtes, jeûnes de commande.* ⇒ **Imposé.**

5 L'hospitalité n'est point de commande aux musulmans envers les infidèles. VOLTAIRE, Charles XII, 6.

ⓑ Mod. Qui n'est pas sincère. ⇒ **Affecté, artificiel, feint, simulé.** *Rire, sourire de commande. Enthousiasme, zèle de commande. Larmes de commande* (→ Larmes de crocodile*). *Douleur de commande* (opposé à *sincère*).

6 La duègne, pour se conformer à la douleur de sa maîtresse, n'épargna pas les grimaces : elle laissa couler quelques pleurs de commande (...) A.-R. LESAGE, le Diable boiteux, V, p. 63.

♦ **4.** Dr. ecclés. Vx. **EN COMMANDE,** se disait d'un bénéfice ecclésiastique accordé à vie, en dépôt*, en garde.

★ **II.** (De *commander* I., D.). ♦ **1.** Mise en action ; fait de commander (un mécanisme). *La commande d'une machine, d'un ascenseur. La commande et la reprise. Commande à distance.* ⇒ **Télécommande.** *Commande manuelle, mécanique, hydraulique, électrique, automatique. Commande à programme.* — *Organe, câble, levier, manette, système de commande* (→ ci-dessous, 2. : *une commande*). *Organe de commande d'un dispositif d'asservissement*. Poste de commande.*

♦ **2.** (1494, « câble »). Par métonymie. ⓐ Cordage, câble d'amarrage.

ⓑ (1861). Organe capable de déclencher, d'arrêter, de régler des mécanismes. — *Commandes manuelles* (bouton, clé, manettes), *commandes au pied* (pédale). *Commande des freins.* Inform. *Clé permettant l'action externe d'un opérateur sur un calculateur. Le pupitre de(s) commande(s). Commande en boucle fermée, en chaîne ouverte... Commande chronométrique, numérique. Commande à programme. Commande optimale. Moteur à commande électrique. Commande par excentrique.* — Aviat. *Commande de direction, de profondeur* (→ Manche à balai). *Prendre les commandes. Être aux commandes.* — *Commande de vol* (spécialt, pilotage assisté). — *Commandes croisées.* — *Doubles commandes* : duplication des organes de commande.

7 (...) je m'efforce (...) de débloquer mon palonnier gelé (...) Et je pèse de tout mon poids sur les commandes rigides. SAINT-EXUPÉRY, Pilote de guerre, p. 57.

Loc. *Tenir les commandes* : diriger, avoir en main une affaire. Cf. *Tenir la barre, le gouvernail. Passer les commandes (de qqch.) à qqn* : confier la direction (de qqch.) à qqn. *Reprendre les commandes (de qqch.)* : assumer à nouveau la direction, la gestion de. *S'emparer des commandes, se mettre aux commandes.*

8 — Empêcher les salauds de reprendre les commandes du pays, refuser de se commettre avec eux, ça nous regarde tous. S. DE BEAUVOIR, les Mandarins, p. 287.

(*Levier, poste de commande, commande* au sens II., 1.). Fig. *S'emparer, disposer des leviers de commande (d'un pays, d'une affaire),* avoir la haute main sur. *Se ménager l'accès au poste de commande, aux postes de commande.*

9 Les technocrates sont aux leviers de commande. Les programmes des ordinateurs (...) ont une plus forte incidence sur l'évolution historique que n'importe quel programme électoral. Jean-Louis CURTIS, le Roseau pensant, p. 270.

Action d'un opérateur humain sur une machine. ⇒ **Instruction.**

★ **III.** Fig., rare. Direction, contrôle. *La commande des événements.*

HOM. **Commende.**

COMMANDEMENT [kɔmɑ̃dmɑ̃] n. m. — V. 1050 ; du verbe *commander,* au sens I.

A. (De *commander,* I., A.). ♦ **1.** ⓐ Vieilli. Action de commander (qqn). *Le commandement d'un supérieur (à ses subordonnés), son commandement.* — Le fait de commander, d'ordonner qqch. ; ordre par lequel on commande. ⇒ **Injonction, ordre, prescription.** *Commandement verbal, écrit. Donner, transmettre un commandement. Obéir à un commandement. N'attendre que le commandement pour partir.*

1 À quelle heure (...) êtes-vous parti ? (...) À huit heures trois quarts, Madame, comme votre commandement me l'avait ordonné. MOLIÈRE, la Comtesse d'Escarbagnas, 6.

2 On a toujours la gloire d'avoir obéi vite aux commandements *(des rois).* MOLIÈRE, l'Impromptu de Versailles, 1.

3 *(Ils)* N'attendent pour partir que vos commandements. RACINE, Bérénice, I, 3.

ⓑ Mod. *Avoir un ton, une attitude de commandement. Avoir le commandement rude, bref. L'habitude du commandement. Aptitude au commandement.*

ⓒ (Dans l'armée). Ordre bref, donné à voix haute pour faire exécuter certains mouvements. *Un commandement bref, impératif. À mon commandement.* — Par ext. *Commandement au sif-*

flet. Commandement au geste, à la voix. — *Commandements en marine, en sports.*

4 Des commandements criés d'une voix inconnue et gutturale montaient le long des maisons qui semblaient mortes et désertes (...) MAUPASSANT, Boule de suif, p. 9.

4.1 Au premier commandement, l'émotion redouble ; au second, je me souviens machinalement de gonfler la poitrine et de me soulever un peu. Au coup de feu, je pars, trop tard. Jean PRÉVOST, Plaisirs des sports, p. 108.

ⓓ Hist. Ordre écrit (d'une autorité civile). *Commandement du roi au Parlement. Lettre de commandement.* ⇒ **Jussion.**

♦ **2.** (1539). Dr. Acte d'huissier, mettant un débiteur en demeure de satisfaire aux obligations résultant d'un acte authentique (Code de procédure civile, art. 593 ; 636, 673). ⇒ **Injonction, sommation.** *Faire commandement à qqn de payer.*

5 La saisie immobilière sera précédée d'un commandement à personne ou domicile ; en tête de cet acte, il sera donné copie entière du titre en vertu duquel elle est faite. Code de procédure civile, art. 673.

♦ **3.** (V. 1175), Relig. Règle de conduite édictée par l'autorité de Dieu, d'une Église. ⇒ **Loi, précepte, prescription, règle.** *Les dix commandements.* ⇒ **Décalogue** (Bible : *Exode,* XX ; *Deutéronome,* V). *Les six commandements de l'Église catholique. Observer les commandements. Violer un commandement.*

6 (*Yahweh dit à Moïse*) Mais toi, reste ici avec moi, et je te dirai tous les commandements, les lois et les ordonnances que tu leur enseigneras, pour qu'ils les mettent en pratique (...) BIBLE (CRAMPON), Deutéronome, V, 28.

7 « (...) si tu veux entrer dans la vie (*éternelle*), observe les commandements ». Il lui dit : « Lesquels ? » Jésus dit : « C'est : Tu ne tueras point ; tu ne commettras point l'adultère ; tu ne déroberas point ; tu ne porteras point de faux témoignages ; honore ton père et ta mère, et : tu aimeras ton prochain comme toi-même. » BIBLE (CRAMPON), Évangile selon saint Matthieu, XIX, 17-18-19.

Par ext. *Les commandements de la morale, de la foi.* ⇒ **Devoir, impératif, obligation.**

♦ **4.** (V. 1616). Pouvoir, droit de commander. ⇒ **Autorité, direction, pouvoir, puissance ;** et les suff. **-archie, -archique.** *Avoir le commandement sur...* ⇒ **Commander.** *Aspirer au commandement. Donner, accepter, recevoir, prendre le commandement. L'expérience du commandement. Exercer le commandement. Priver qqn d'un commandement* (⇒ **Casser, dégrader, démettre, destituer ;** (fam.) **débou-lonner, limoger)** *Le commandement d'une armée, d'une troupe, d'un régiment, d'une compagnie ; d'une escadre, d'un navire. Commandement en chef. Poste de commandement.* (⇒ 2. **P.C.**). *Tourelle de commandement.* — *Bâton* de commandement.*

8 Le pouvoir le flatte moins que le commandement et sa publicité. GIRAUDOUX, Bella, II, p. 47.

9 Dès que ce chef paraît, dès que le commandement devient énergique et précis, l'ordre succède au désordre (...) Sans commandement, point d'action militaire, point de vie nationale, point de vie sociale. A. MAUROIS, Un art de vivre, IV, I, p. 146.

10 Manuel n'était discipliné ni par goût de l'obéissance ni par goût du commandement, mais par nature et par sens de l'efficacité. MALRAUX, l'Espoir, p. 121.

11 Mettez-vous en tenue, Gilieth, équipez-vous, avec vos armes et vous prendrez le commandement d'une patrouille. P. MAC ORLAN, la Bandera, XI, p. 131.

Avoir une troupe à son commandement. — Fig., vieilli. *Avoir à son commandement :* pouvoir se servir à volonté de...

12 Vous savez donc l'hébreu ? — L'hébreu ? parfaitement :
J'ai dix langues, Cliton, à mon commandement. CORNEILLE, le Menteur, IV, 3.

13 (...) sa figure se voila sous cette réserve impénétrable que toutes les femmes, même les plus franches, semblent avoir à commandement. BALZAC, la Cousine Bette, Pl., t. VI, p. 138.

♦ **5.** (1636). Par métonymie. Autorité militaire qui détient le commandement des forces armées. *Le haut commandement des armées.* ⇒ **État-major.** *Commandement suprême. Le commandement de l'air, de la marine.* — Ensemble des officiers généraux responsables d'une armée.

Territoire sur lequel s'exerce un commandement militaire. Commandement de région, de division territoriale.

♦ **6.** (1902, *in* Petiot). Sport (course). Place en tête. *Il a pris le commandement. Il est au commandement :* il mène.

14 Il se piquait au jeu, et dans les lignes droites se mit à courir au même niveau que son rival, pour le priver du commandement de l'allure. Jean PRÉVOST, Plaisirs des sports, p. 184.

(1934). *Groupe de commandement :* peloton* de tête. « *Le groupe de commandement commença à voir ses effectifs s'effriter* » (les *Sports,* 1955, *in* D. D. L.).

B. (De *commander,* I., C.). Rare. Le fait de commander. *Le commandement de la plaine par une position.*

CONTR. **Défense, interdiction.** — **Obéissance, soumission.** — **Faiblesse, impuissance.**

COMMANDER [kɔmɑ̃de] v. — 1080 ; *comander* « donner en dépôt », Xe ; lat. pop. *commandare,* de *commendare* « confier, recommander », de *com-,* et *mendare.*

★ **I.** V. tr. **A.** Ordonner. ♦ **1.** ⓐ (Sujet n. de personne). *Commander qqch. à qqn* : enjoindre qqch. à qqn. ⇒ **Enjoindre, imposer, ordonner, prescrire.** *Il lui commande le silence. Faites ce que l'on vous* *commande.* — (Sans compl. second). *Il commandait l'attention. Arrêtez-vous, commanda-t-il.*

1 Puisqu'enfin ma prière a si peu de pouvoir,
Vous avez entendu ce que je vous demande,
Madame : je le veux, et je vous le commande. RACINE, Iphigénie, III, 1.

2 (...) le rapport entre l'objet secondaire et le mot auquel il est rattaché varie suivant le sens de l'objet et suivant le sens du mot complété. Les nuances sont infinies (...) Verbes qui signifient commander : *ordonner, enjoindre, contraindre, obliger, conseiller, persuader, suggérer, recommander, souhaiter : **je vous commande** un mouvement et vous en faites un autre;* — **ordonner à un malade** *une cure à Vichy;* — **on lui a recommandé** *cette maison;* — *je vous souhaite le bonjour.*
F. BRUNOT, la Pensée et la Langue, X, VI, p. 391-392.

(Le sujet désigne le regard, la voix, le geste de la personne qui commande).

3 Obéissant au regard énergique de Rouletabille qui lui commandait l'immobilité (...) G. LEROUX, Rouletabille chez le tsar, p. 54, *in* T. L. F.

Commander (à qqn) *de* (et inf.). *Il lui a commandé de venir, de faire cela.* — (Compl. n. de chose). Vieux :

4 Commander à vos yeux de garder le secret RACINE, Andromaque, III, 1.

b (Sujet n. de chose). Rendre absolument nécessaire, obliger. *Faire ce que les circonstances commandent.* ⇒ **Appeler, exiger, nécessiter, réclamer.** *Sa conduite commande l'admiration.* ⇒ **Attirer, imposer, inspirer.** *Son attitude commande l'attention.* ⇒ **Requérir.**

5 C'est une erreur de croire que le salut public puisse commander une injustice.
CONDORCET, cité par MICHELET, Hist. de la Révolution franç., t. II, p. 227.

6 (...) je lui dis avec cet accent qui commande l'attention (...)
BALZAC, le Lys dans la vallée, Pl., t. VIII, p. 829.

(Construit avec *de* et inf., *que* et subj., avec ou sans un compl. en *à*). *La raison commande d'attendre, qu'on attende. La raison nous commande de...* — (Sujet n. de personne ou de chose). *Commander une action, un sentiment à qqn.* ⇒ **Inspirer.**

c (Sujet n. de chose). *Commander qqch., commander de* (et inf.); *commander que* (et subj.) *de qqn,* exiger qqch. de qqn.

7 Et non seulement il *(le chef du Gouvernement)* doit se servir des bons éléments existants, mais son devoir et son intérêt lui commandent d'en créer de nouveaux.
A. MAUROIS, Un art de vivre, IV, 4, p. 170.

♦ **2.** *Commander qqn :* exercer son autorité sur (qqn) en lui dictant sa conduite. ⇒ **Contraindre, obliger.** *Il n'aime pas qu'on le commande.* ⇒ **Conduire, diriger, dominer, mener.** *Il commande ses subordonnés à la baguette.*

8 Ne saurais-tu juger, que, si je nomme un roi,
C'est pour le commander, et combattre sous moi ? CORNEILLE, Rodogune, II, 2.

9 Je me souviens toujours que j'étais né pour les commander *(les femmes).*
MONTESQUIEU, Lettres persanes, 9.

(Sujet n. de chose) :

9.1 La raison nous commande bien plus impérieusement qu'un maître; car en obéissant à l'un on est malheureux, et en désobéissant à l'autre on est un sot.
PASCAL, Pensées, VI, 345.

♦ **3.** (XVIᵉ). Diriger dans le combat, dans l'action (ceux sur qui le sujet a un pouvoir hiérarchique).

10 Aimez ceux que vous commandez. Mais sans les leur dire.
SAINT-EXUPÉRY, Vol de nuit, p. 63.

11 *Commander ses hommes* et *commander à des hommes* sont aussi séparés par une fine nuance. Le premier signifie les *diriger vraiment.*
F. BRUNOT, la Pensée et la Langue, IX, II, VII, p. 321.

a Avoir l'autorité hiérarchique sur (qu'on l'exerce par des ordres ou non). *Commander un régiment.* — Au p. prés. *Le général commandant la Région, commandant la 1ʳᵉ armée.* ⇒ 1. **Commandant,** 1.

12 Ce kan de la petite Tartarie ne commandait point les armées du grand seigneur.
VOLTAIRE, Hist. de l'Empire de Russie, II, 1.

b (Commandement effectif). *Commander une troupe au feu.* ⇒ **Conduire, mener.** (Vieilli). *Commander une troupe, des soldats pour l'attaque,* leur donner l'ordre de se tenir prêts pour l'attaque.

13 Par exemple, en Allemagne, il y a plus d'*énergie* dans un seul des régiments qui seraient commandés pour rétablir l'ordre que dans toute la social-démocratie.
J. ROMAINS, les Hommes de bonne volonté, t. IV, XVI, p. 176.

Spécialt (par politesse). Vx ou pop. *Sans vouloir vous commander :* sans vouloir vous donner un ordre. *Vous n'avez (n'aurez) qu'à me commander :* il vous suffit de me donner l'ordre (d'agir, de venir...).

13.1 Monsieur, si je vous puis être utile en quelque chose, vous n'avez qu'à me commander.
MOLIÈRE, les Fourberies de Scapin, I, 4.

♦ **4.** *Commander qqch. :* donner l'ordre de; prescrire d'une manière autoritaire. *Commander une attaque, la retraite.* — Diriger (une action). *Commander la manœuvre.*

B. (1675). *Commander une marchandise, un objet,* en faire la commande. *Commander un meuble, un costume* (⇒ **Acheter**). *Commander un repas, une bouteille de vin.* ⇒ **Procurer** (se), **livrer** (se faire). *Commander qqch. par lettre, par téléphone.* — *Commander un travail, un service (à qqn),* lui en demander l'exécution.

14 *(Ce n'est qu')* un petit impromptu (...) Il est le plus précipité de tous ceux que Sa Majesté m'ait commandés. MOLIÈRE, l'Amour médecin, Au lecteur.

15 Bien qu'elle eût une mémoire honorable, elle avait commandé deux plats (un poisson de belle taille, et des ris de veau garnis de quenelles dans une sauce aux champignons). J. ROMAINS, les Hommes de bonne volonté, t. III, X, p. 135.

De son côté, Juan Moratin s'assit en face de son sauveteur et il commanda un pichet de vin pour donner de la valeur à ses remerciements. 16
P. MAC ORLAN, la Bandera, XX, p. 248.

C. (Sujet et compl. n. de chose). ♦ **1.** (1653). Fortif. Être en mesure de battre par l'artillerie. *Le fort, cette position d'artillerie commande la plaine* (⇒ **Clef** : position clef). — Par ext. Se dit d'un lieu plus élevé qu'un autre (⇒ **Dominer**).

(...) ce lieu qui commandait une vue immense. CHATEAUBRIAND, Atala. 17

♦ **2.** Constituer un lieu de passage obligé pour accéder à un autre endroit.

Le palier, très étroit, commandait de petits couloirs surélevés. 18
J. ROMAINS, les Hommes de bonne volonté, t. II, VI, p. 54.

D. (Sujet et compl. n. de chose). Techn. Faire fonctionner. *Ce mécanisme commande l'ouverture des portes. Levier, pédale commandant les freins.* ⇒ **Commande** (II.).

★ **II.** ♦ **1.** V. tr. ind. COMMANDER À (**qqn**) : avoir, exercer une autorité sur (qqn). *Commander à qqn. Il leur commande durement, à la baguette.* — REM. La construction avec *à* avait dans la langue classique un équivalent avec *sur.*

Sur cent peuples nouveaux Bérénice commande. RACINE, Bérénice, II, 2. 19
O vous qui commandez avec tant d'expérience sur des peuples innombrables. 20
FÉNELON, Télémaque, XX.
Il faut savoir souvent obéir à la femme pour avoir le droit de lui commander quelquefois. HUGO, Post-scriptum de ma vie, L'âme, Tas de pierres, VI. 21

Commander à qqch. : imposer sa loi à qqch.

(...) jamais il *(Bonaparte)* ne parut à ce point commander aux événements (...) 22
Louis MADELIN, l'Avènement de l'Empire, XX, p. 252.

♦ **2.** Absolt ou intrans. Exercer son autorité; donner des ordres et les faire exécuter. *Il ne sait pas commander. Qui est-ce qui commande ici ? Quand je commande, on obéit !*

Qui n'a fait qu'obéir saura mal commander. CORNEILLE, Pulchérie, 548. 23
Douce, familière, agréable, autant que ferme et vigoureuse, elle savait persuader 24
et convaincre aussi bien que commander.
BOSSUET, Oraison funèbre de la reine d'Angleterre, *in* LITTRÉ.
Quand vous commanderez, vous serez obéi. RACINE, Iphigénie, IV, 4. 25
J'étais maître en ces lieux, seul j'y commande encore (...) 26
VOLTAIRE, Alzire, V, 7.
Le droit de commander n'est plus un avantage 27
Transmis par la nature, ainsi qu'un héritage (...) VOLTAIRE, Mérope, I, 3.
(...) celui qui a bonne tête et bon cœur commande partout (...) 28
G. SAND, François le Champi, XVIII, p. 133.
Il y a les hommes d'orgueil, qui ne peuvent souffrir d'égaux, qui veulent toujours 29
commander et dominer.
F. DE LAMENNAIS, Paroles d'un croyant, XXXIV, p. 140.
Manuel avait appris de Ximenès comment on commande, il apprenait maintenant 30
comment on dirige. MALRAUX, l'Espoir, p. 160.
Gouverner et commander sont, en temps de paix, deux arts distincts. Commander, 31
c'est conduire un groupe d'êtres humains, soumis au chef par une discipline, vers
un but défini (...) Le dictateur est comme un chef d'armée; il commande plutôt
qu'il ne gouverne. A. MAUROIS, Un art de vivre, IV, 5, p. 175.

♦ **3.** V. tr. ind. (1564). Fig. COMMANDER À (un sentiment, une réaction, une idée) : gouverner, maîtriser. *Commander à ses membres.*

a (Concret, physiologique) :

Commander à ses pleurs en cette extrémité, 32
C'est montrer, pour le sexe, assez de fermeté. CORNEILLE, Horace, I, 1.
Léontine ne pouvait commander à ses jambes; elles se dérobaient. 33
Francis CARCO, l'Homme traqué, p. 85.

b (Abstrait, psychologique). *Commander à ses sentiments, à soi-même. Commander à son émotion.* ⇒ **Dominer.**

Notre volonté est une force qui commande à toutes les autres, lorsque nous la 34
dirigeons avec intelligence. BUFFON, Hist. nat. des minéraux, Introd.
Vous commandez à tout ici, hors à vous-même. 35
BEAUMARCHAIS, le Mariage de Figaro, V, 12.
L'intelligence chez lui *(Gœthe)* commande au sentiment (...) 36
Édouard HERRIOT, la Vie de Beethoven, p. 295.

▶ **SE COMMANDER** v. pron.

♦ **1.** (Récipr.). *Se commander l'un l'autre, l'un à l'autre.*

Ces chefs fiers et du même âge (...) n'étaient guère propres à se commander l'un à 37
l'autre. Ph. P. SÉGUR, Hist. de Napoléon, VI, 16.

♦ **2.** (Réfl.). ⇒ **Maîtriser** (se). « *Il se commanda et contint son émotion* » (Littré).

Dans les choses de peu, si tu ne te commandes, 38
Dis, quand te pourras-tu surmonter dans les grandes ?
CORNEILLE, l'Imitation de J.-C., I, 11.

♦ **3.** (Passif). Être obtenu par le commandement, par la volonté. *La sympathie ne se commande pas,* elle ne dépend pas de la volonté. ⇒ **Décréter** (se).

La religion se persuade et ne se commande point. 39
FLÉCHIER, Hist. de Théodose, II, 22.

♦ **4.** (Correspond à I., C.; passif; concret). *Les pièces de cet appartement se commandent.* ⇒ **Communiquer.**

Dans l'appartement de ma grand-mère, toutes les pièces se commandaient (...) 40
GIDE, Si le grain ne meurt, I, II, p. 40.

▶ **COMMANDÉ, ÉE** p. p. adj. *Soldats bien, mal commandés.* — *Exercice commandé.* — Loc. *Service* commandé.*

N. (fém. rare). *Les commandés :* ceux qui reçoivent des ordres.

CONTR. Défendre, empêcher, interdire. — Accomplir, exécuter, obéir, observer (un ordre), obtempérer, servir. — Décommander.
DÉR. Command, 1. et 2. commandant, commande, commandement, commanderie, commandeur.
COMP. Décommander, recommander.

COMMANDERIE [kɔmɑ̃dʀi] n. f. — 1387, *commenderie ; de commander,* I., A.

Histoire.

♦ **1.** Bénéfice affecté à certains ordres militaires. *Commanderie de Templiers. Commanderie de Malte. Titulaire d'une commanderie.* ⇒ **Commandeur.** *Améliorissement* fait par le commandeur à sa commanderie.*

♦ **2.** Résidence du commandeur.

1   Les chevaliers de Malte menèrent Zizin dans une de leurs commanderies.
           VOLTAIRE, Essai sur les mœurs, 107.

♦ **3.** Rare. Dignité de commandeur (d'un ordre).

2   Il avait ainsi, voilà quelques années, en égarant à dessein des papiers, échappé à la commanderie du Mérite agricole.   GIRAUDOUX, Églantine, p. 21.

COMMANDEUR [kɔmɑ̃dœʀ] n. m. — 1260, *commandeor ;* 1167, *comandere* «chef»; de *commander.*

♦ **1.** Hist. Chevalier d'un ordre militaire ou hospitalier, pourvu d'une commanderie. *Commandeur de Malte, de l'Ordre teutonique. Dom Juan invita à souper la statue du commandeur qu'il avait tué* (Molière, *Dom Juan,* III, 7). — Fig. *La statue du commandeur :* l'instrument du destin, qui fait justice d'un crime.

♦ **2.** (1814). Grade honorifique dans un ordre de chevalerie. *Être commandeur de la Légion d'honneur* (grade au-dessus de l'officier). *Cravate de commandeur.*

♦ **3.** (Av. 1704, Galland). Hist. **COMMANDEUR DES CROYANTS :** titre que prenaient les califes.

   Je te répète que je suis le commandeur des croyants et le vicaire, sur la terre, du maître des deux mondes.   A. GALLAND, les Mille et une Nuits, t. II, p. 493.

♦ **4.** Vx. Contremaître qui surveillait les esclaves, dans une plantation (Chateaubriand, *les Natchez, in* T. L. F.).

COMMANDITAIRE [kɔmɑ̃ditɛʀ] n. — 1752, n. m.; de *commandite.*

♦ **1.** Dr. Bailleur de fonds dans une société en commandite. *Les commanditaires et le commandité.* Par appos. *Associé(e) commanditaire.*

♦ **2.** Cour. (abusif en dr.). Personne qui finance une entreprise (même s'il ne s'agit pas d'une commandite). ⇒ **Bailleur** (de fonds).

   Je vous ai envoyé mon travail préparatoire au scénario du *Maître de Ballantrae.* Il est suffisant tel quel pour indiquer la ligne tant spirituelle qu'objective du scénario. Il est suffisant en conséquence pour permettre à un commanditaire de se décider. Que le commanditaire lise le roman.
        A. ARTAUD, Lettre à Mᵐᵉ Yvonne Allendy, 19 avr. 1929, *in* Œ. compl., Pl., t. III, p. 162.

REM. Ne pas confondre avec *commendataire.*

COMMANDITE [kɔmɑ̃dit] n. f. — 1673; ital. *accomandita* «dépôt, garde», avec infl. de *commande.*

♦ **1.** Société formée de deux sortes d'associés, les uns solidairement tenus des dettes sociales (*commandités* ou *gérants*), les autres tenus dans les limites de leur apport (*commanditaires* ou *bailleurs de fonds*). *Commandite par actions,* où l'apport des commanditaires consiste en titres négociables (⇒ **Action,** V.).

1   M. Thénezay objecta qu'il faudrait de toute façon limiter, donc spécifier, l'objet de cette commandite; puisqu'elle ne pouvait évidemment pas s'étendre à l'ensemble des affaires de l'agence.
        J. ROMAINS, les Hommes de bonne volonté, t. V, XII, p. 93.

♦ **2.** Fonds, capital versé par chaque membre d'une société en commandite.

1.1   Moïse en reçut une description dithyrambique et doubla par télégramme sa commandite...   GIRAUDOUX, Églantine, p. 157.

♦ **3.** *Travail en commandite :* salaire aux pièces collectif. *Ouvriers typographes travaillant en commandite.*

2   Le patron traite avec un groupe, une équipe d'ouvriers, qui se charge d'exécuter un certain travail moyennant un prix que ces ouvriers se répartissent entre eux comme bon leur semble. Cela s'appelle (...) la *commandite d'atelier.*
        Charles GIDE, Cours d'économie politique, II, p. 339.

Par métonymie. *Une commandite :* association coopérative de typographes.

DÉR. Commanditaire, commandité, commanditer.

COMMANDITÉ, ÉE [kɔmɑ̃dite] n. — 1809; de *commandite.*

♦ Dr. Personne commanditée pour gérer les fonds apportés par les commanditaires.

COMMANDITER [kɔmɑ̃dite] v. tr. — 1836; de *commandite.*

♦ **1.** Dr. Fournir des fonds à une société en commandite sans participer à sa gestion (⇒ **Financer**). *Commanditer une entreprise.*

♦ **2.** Financer. — REM. Le mot pourrait servir d'équivalent franç. à l'anglic. *sponsoriser.*

1   *(Jérôme)* jouait à la Bourse, spéculait, commanditait des inventions nouvelles (...)
        MARTIN DU GARD, les Thibault, t. III, p. 50.

2   Naturellement, je ne le signe pas... d'autant plus que j'y fais mon éloge... Et puis, comme on finira bien par découvrir que c'est moi qui la commandite, cette revue, je préfère qu'on ne sache pas trop vite que j'y collabore.
        GIDE, les Faux-monnayeurs, *in* Romans, Pl., p. 962.

COMMANDO [kɔmɑ̃do] n. m. — 1945; mot angl. «unité tactique de l'armée Boer», 1824, *Revue des Deux Mondes, in* D. D. L.; «groupe de malfaiteurs», 1902; le mot angl. est empr. à l'afrikaans, lui-même du port., de *commandar* «commander».

♦ **1.** Groupe de combat employé pour des opérations rapides, isolées ou pour la subversion. *Commando de parachutistes derrière les lignes ennemies. Un raid de commandos. Commando de terroristes.*

1   Le 29 août un Boeing de la T. W. A. reliant Los Angeles à Tel-Aviv, est détourné par un commando sur Damas.   Alain BOSQUET, les Bonnes Intentions, p. 297.

   Par plais. Groupe, essaim (agressif).

2   (...) Augustin s'aperçut qu'il *(le chien)* était mort. Un commando de mouches s'en échappa en bourdonnant.   G. CESBRON, Je suis mal, p. 160.

♦ **2.** Membre d'un commando. *C'est un ancien commando.*

COMME [kɔm] adv. et conj. — Xᵉ, *com ; cum,* 842; lat. *quomodo* «de quelle façon», auquel on a ajouté les sens de *cum.*
REM. *Comme* est conjonction lorsqu'il introduit une proposition subordonnée. Ex. : *Agis comme tu le veux.* Il est adverbe lorsqu'il modifie le sens du verbe ou de l'adjectif. Ex. : *Comme il pleut! Il est comme égaré.*

★ **I.** Conj. **A.** Comparaison. ♦ **1.** De la même manière, au même degré que. ⇒ **Également.** *Il a réussi comme son frère.* ⇒ **Instar** (à l'instar), **moins** (non moins que). — Loc. prov. *Comme on fait son lit, on se couche. Il écrit comme il parle.* — (Comparaison de circonstances). *Il agit comme s'il avait vingt ans* (condition); *elle faisait des signes comme pour nous appeler* (but); *nous nous écrirons comme lorsque nous étions séparés* (temps).

1   Quand donc tu fais l'aumône, ne fais pas sonner de la trompette devant toi, comme font les hypocrites dans les synagogues et dans les rues (...)
     BIBLE (CRAMPON), Évangile selon saint Matthieu, VI, 2-3.
2   Jean s'en alla comme il était venu.   LA FONTAINE, Épitaphe d'un paresseux.
3   Une sorte de bras dont il s'élève en l'air
   Comme pour prendre sa volée (...)   LA FONTAINE, Fables, VI, 5.
4   Il faut quelquefois couper la narration, comme quand elle est odieuse.
        RACINE, Livres annotés.
5   J'espère qu'il vous rendra aussi bon compte des vies de ce roi et de Louis XII (...) comme il a fait de celle de Louis onzième (...)
        LA BRUYÈRE, Lettre à Condé, 14 avr. 1685.
6   L'absence diminue les médiocres passions, et augmente les grandes, comme le vent éteint les bougies, et allume le feu.   LA ROCHEFOUCAULD, Maximes, 276.
7   Elle se laissait aller au bercement des mélodies et se sentait elle-même vibrer de tout son être comme si les archets des violons se fussent promenés sur ses nerfs.
        FLAUBERT, Mᵐᵉ Bovary, II, XV, p. 144.

REM. On intercale la préposition *de* entre *comme* et un infinitif : *rien n'est reposant comme de regarder la mer.*

8   C'est un métier que de faire un livre, comme de faire une pendule : il faut plus que de l'esprit pour être auteur.   LA BRUYÈRE, les Caractères, I, 3.
9   C'est comme de mourir : vous ne voyez personne qui ne sache se tirer de ce dernier rôle.   Mᵐᵉ DE SÉVIGNÉ, 437, 28 août 1675.

(Par ellipse du verbe de la subordonnée). Dans des comparaisons intensives. *Il est bavard comme une pie* (est bavarde), très bavard. *Ils se ressemblent comme deux gouttes d'eau. Riche comme Crésus.* — (Comparaison de circonstances). *Entrer dans une maison comme dans un moulin*. Il fait doux comme au printemps. Faire comme si.*

10   (...) elle est amère comme l'absinthe, aiguë comme un glaive à deux tranchants.
        BIBLE (CRAMPON), Proverbes, V, 4.
11   Un honnête homme peut être amoureux comme un fou, mais non pas comme un sot.   LA ROCHEFOUCAULD, Maximes, 353.
12   Tous ces hommes qui m'ont sacrifiée, qui ont disposé de moi comme d'un accessoire dans leur vie.   Mᵐᵉ DE STAËL, Delphine, V, 6.
13   Il est entré céans comme dans une auberge, sans dire bonjour ni bonsoir.
        G. SAND, François le Champi, XVII, p. 121.

13.1 Le mot le plus exaltant dont nous disposons est le mot COMME, que ce mot soit prononcé ou *tu*. C'est à travers lui que l'imagination humaine donne sa mesure et que se joue le plus haut destin de l'esprit. Aussi repousserons-nous dédaigneusement le grief ignare qu'on fait à la poésie de ce temps d'abuser de l'*image* et l'appellerons-nous, sous ce rapport, à une luxuriance toujours plus grande.
A. BRETON, Signe ascendant, p. 10.

TOUT COMME : exactement comme. *Il sera médecin tout comme son père. C'est tout comme* : c'est la même chose. *Ils ne sont pas divorcés mais c'est tout comme.*

14 Toinette! Drelin, drelin, drelin : tout comme si je ne sonnais point.
MOLIÈRE, le Malade imaginaire, I, 1.

15 C'est justement tout comme...
MOLIÈRE, l'École des femmes, II, 3.

16 Et je faisais claquer mon fouet tout comme un autre !
RACINE, les Plaideurs, I, 1.

16.1 Il ne pleut pas, mais c'est tout comme; un brouillard épais nous enveloppe et nous mouille.
Rodolphe TÖPFFER, Voyages en zigzag, 1839, 14ᵉ et 15ᵉ journée, p. 181.

17 (...) il (*le protestant*) ne voyait dans le mal que l'absence du bien, tout comme dans l'ombre l'absence de lumière.
GIDE, Dostoïevsky, p. 228.

COMME TOUT. Superlatif adjectival (fam. à l'orig.). ⇒ **Extrêmement.** *Ses cours sont ennuyeux comme tout. Elle est jolie comme tout.*

18 Il est maigre comme tout, ce paroissien-là.
HUGO, les Misérables, IV, VI, 2.

18.1 Il pense à Célestin : bon garçon, farce comme tout, casé maintenant, déménageur chargé de la surveillance (...)
G. NOUVEAU, le Manouvrier, Pl., p. 446.

♦ 2. Ainsi que, et. — REM. Par affaiblissement de sens, *comme* peut prendre une simple valeur copulative. *J'oublierai cela comme le reste. Ils sont paresseux, le père comme le fils. «Sur la terre comme au ciel».*

19 (*Pierre le Grand*) voulut accoutumer son peuple à la gloire comme aux travaux.
VOLTAIRE, Hist. de l'Empire de Russie, I, 8.

20 Les enfants ont une disposition qui les porte à tellement égayer comme à grandir ce qui les entoure (...)
E. FROMENTIN, Dominique, III.

21 Le Saint et l'artiste sont amenés, l'un comme l'autre, après les tentations et les luttes, à se faire une vie d'ascèse.
A. MAUROIS, À la recherche de Marcel Proust, VI, 4.

B. Manière. ♦ 1. De la manière, de la façon que. *Riche comme il est, il pourra vous aider. Comme il vous plaira* : selon votre désir (trad. franç. de *As you like it*, comédie de Shakespeare).

22 J'aime (...) à aller et venir comme la tête me chante (...)
ROUSSEAU, les Confessions, XII.

Comme on dit, comme je pense, comme il le prétend... (présente une opinion, une citation). ⇒ **Ainsi** (que).

23 Mais il n'est, comme on dit, pire eau que l'eau qui dort (...)
MOLIÈRE, Tartuffe, I, 1.

24 Je ne suis pas rendu. Mais vous, comme je vois,
Vous plaidez.
RACINE, les Plaideurs, I, 7.

25 (...) je retins mon cheval lancé sur ses quatre pieds et je l'arrêtai court : ce qui est, comme tu le sais ou comme tu ne le sais pas, un vrai tour de force.
Th. GAUTIER, Mˡˡᵉ de Maupin, VII, p. 145.

Comme de juste (fam.), *comme de raison* (littér.) : comme il est juste, comme il est raisonnable.

COMME IL FAUT [kɔmilfo], fam. [kɔmifo] : bien. *Faites votre travail comme il faut.*

26 (...) appuyer comme il faut le dernier vers (...)
MOLIÈRE, l'Impromptu de Versailles (→ Approbation, cit. 7).

Adj. (1750). Fam. *Une personne comme il faut.* ⇒ **Bien, convenable, distingué, rangé, respectable.** *Il est très comme il faut.*

26.1 Ils (*les Brissotins*) sont les honnêtes gens, les gens comme il faut de la république; nous sommes les sans-culottes et la canaille.
ROBESPIERRE, Disc. du 28 oct. 1792, in Œuvres, IX, 59.

27 Quand nous eûmes déjeuné tous deux dans l'auberge la plus comme il faut (...)
LOTI, Mon frère Yves, X, p. 40.

♦ 2. Pour ainsi dire. *C'est quelque chose comme un paquet,* une sorte de paquet. *Cela fait quelque chose comme dix mille francs,* à peu près, approximativement.

Loc. (fam.). **COMME QUI DIRAIT** : en quelque sorte. *C'est comme qui dirait un petit château, une espèce de gentilhommière.*

28 C'est comme qui dirait trois fois plus grand.
MOLIÈRE, le Dépit amoureux, II, 6.

Ellipt. (Atténuatif). *Il était comme fou. Elle resta comme morte, par terre.*

29 (...) les feuilles (*de l'argentine*) sont comme argentées à leurs renvers (*revers*).
O. DE SERRES, 607.

30 (...) il a comme assassiné de son *babil* chacun de ceux qui ont voulu lier avec lui quelque entretien.
LA BRUYÈRE, les Caractères de Théophraste, Du grand parleur.

31 Cet homme au premier abord un peu fermé ou plutôt comme enseveli au fond de lui-même.
Ed. et J. DE GONCOURT, Journal, p. 143.

32 On dit aussi : *quelque chose comme...* ou simplement *comme : c'est comme des élancements qui me donnent dans toute la mâchoire;* — *la Seine étroite...* quelque chose comme *une miniature du Rhin.*(DAUDET, *Jack*, 525); — *ils jetaient comme une lueur* (BALZAC, Les Paysans, 240).
F. BRUNOT, la Pensée et la Langue, I, II, IX, p. 81.

33 (...) on se sert des caractérisations ordinaires, en les faisant précéder de *comme : il resta* comme *étourdi;* — *il semblait* comme *impatient de ma présence;* — *C'est cela... fit le prisonnier* comme *se parlant à lui-même* (DUMAS, Tul., 9).
F. BRUNOT, la Pensée et la Langue, IV, XVI, VII, p. 671.

♦ 3. COMME QUOI. a Vieilli. Disant que. *Faites-lui un certificat comme quoi son état de santé nécessite du repos.*

b Mod. (et fam.). D'où il s'ensuit que, ce qui prouve que... *Elle*

---

a quitté la région : comme quoi il est impossible que tu l'aies rencontrée.

♦ 4. COMME CELA, COMME ÇA. ⇒ **Ainsi.** *Comme ça, tout le monde sera content. N'agissez pas comme cela.*

34 Attendez. Cela ne va pas comme ça. J'ai amené des gens pour vous habiller en cadence (...)
MOLIÈRE, le Bourgeois gentilhomme, II, 5.

35 (...) j'aimerais un homme qui m'écrirait comme cela.
MOLIÈRE, la Comtesse d'Escarbagnas, 4.

35.1 (...) il est content de sa taille, content de sa peau, content comme ça.
Rodolphe TÖPFFER, Voyages en zigzag, 1838, 1ʳᵉ journée, p. 82.

Fam. *Comme ci, comme ça* : ni bien ni mal. *Comment allez-vous? Comme ci, comme ça.* ⇒ **Couci-couça.**

35.2 — Dermuche, lui demanda le président, regrettez-vous votre crime? — Comme ci comme ça, Monsieur le Président, répondit Dermuche, je regrette sans regretter.
M. AYMÉ, le Vin de Paris, « Dermuche », p. 117.

Pop. *Comme ça,* soulignant une action ou un état.

35.3 — Alors, te v'là comme ça, Claudius ! — Comme ça, me v'là !
G. CHEVALLIER, Clochemerle, p. 159.

Loc. exclam. *Comme ça!* : remarquable, épatant. *Une bagnole comme ça!*

Argot. *Comme aco, comme ac* : comme ça. Var. : *comac*, comaco* (adv. ou en valeur adj.).

★ II. Adv. (interrog. et exclam.). **♦ 1.** (En concurrence avec *comment*). *Tu sais comme il est,* comment il est. *Regardez comme il court!* — REM. Cette construction est archaïque, sauf avec quelques verbes.

36 Vous a-t-on point dit comme on le nomme?
MOLIÈRE, l'École des femmes, I, 4.

37 Comme tu vas, bon Dieu ! ne peux-tu marcher droit?
LA FONTAINE, Fables, XII, 10.

38 — Et comme vous allez vous-même ! dit la fille.
Voyez comme elle abaisse cette tête auguste devant laquelle s'incline l'univers.
BOSSUET, Oraison funèbre de Marie-Thérèse d'Autriche.

Loc. adv. (péj.). *Dieu sait comme* : d'une manière que l'on ignore. *Ce travail a été fait Dieu sait comme. Dieu sait comme il l'interprétera.* — *Il faut voir* (fam. *faut voir*) *comme* (comment) est employé emphatiquement pour mettre en évidence. *Il lui a répondu, faut voir comme!,* d'une manière remarquable (→ Et comment* !).

38.1 Alors maman s'énerve : «Tu es folle, ce gosse est resté trois mois avec sa tante qui s'en est occupée faut voir comme, c'est normal qu'il ne veuille pas la lâcher comme ça!»
Jean FERNIOT, Pierrot et Aline, p. 173.

REM. Fréquent jusqu'au XVIIIᵉ s., l'emploi de *comme* (au sens de *comment*) dans l'interrogation directe ou indirecte est aujourd'hui littér. ou vieilli, à moins qu'il ne soit employé pour respecter l'euphonie.

♦ 2. (En concurrence avec *tel que*). *Je n'ai jamais rencontré d'intelligence comme la sienne. Un anniversaire comme celui-ci doit être fêté.*

39 Lui doit-on déclarer la chose comme elle est?
MOLIÈRE, le Misanthrope, I, 1.

40 Vous imaginez-vous, monsieur Oronte, qu'un homme comme moi soit si affamé de femme?
— Vous imaginez-vous, monsieur de Pourceaugnac, qu'une fille comme la mienne soit si affamée de mari?
MOLIÈRE, Monsieur de Pourceaugnac, II, 5.

Spécialt. Introduisant un exemple :

41 Les arbres résineux, comme le sapin, sont rarement endommagés par les grandes gelées.
DUHAMEL et BUFFON, Hist. naturelle des végétaux, 4 (→ Résineux, cit. 1).

♦ 3. Marque la qualité, l'attribution (devant un nom, un adjectif). — REM. *Comme* tend alors à ne plus guère présenter de valeur sémantique analysable. — *On le considère incapable de ce travail. Comme directeur, il est efficace. Mieux vaut l'avoir pour amie que comme ennemie.* ⇒ **En, pour, tant** (en tant que).

42 Ils la traitent en reine, et nous comme ennemis.
RACINE, Andromaque, V, 5.

43 Aussi ne viens-je pas ici comme Cléante et sous l'apparence de son amant, mais comme ami de son maître de musique (...)
MOLIÈRE, le Malade imaginaire, II, 1.

44 L'argent, comme métal, a une valeur comme toutes les autres marchandises.
MONTESQUIEU, l'Esprit des lois, XXII, 10.

45 Il aurait été tenté de nous regarder comme des intelligences supérieures.
DIDEROT, Lettre sur les aveugles.

46 Est considéré comme armateur (...)
Loi du 13 déc. 1926 (→ Armateur, cit.).

47 Il a agi **comme tuteur** des enfants. **Comme représentant** de ma maison, il avait droit à plus d'égards; — **comme chaperon,** vous m'avouerez que c'est un peu mince.
F. BRUNOT, la Pensée et la Langue, IV, XVI, X, p. 676.

♦ 4. Marque l'intensité (en concurrence avec *combien*). *Comme c'est cher!* ⇒ **Que.** *Si vous saviez comme c'est long !*

48 Comme à ce mot s'augmente sa douleur!
MOLIÈRE, l'Étourdi, II, 3.

49 Vous ne sauriez croire comme elle est affolée de ce Léandre.
MOLIÈRE, le Médecin malgré lui, III, 7.

50 Comme tes lettres sont gentilles !
FLAUBERT, Correspondance, I, p. 298.

★ III. Conj. ♦ 1. Marquant la cause (de préférence placé en tête de phrase avec une valeur d'insistance). ⇒ **Parce que, puisque.** *Comme il refusera, il est inutile de compter sur lui. Comme elle arrive demain, il faut préparer une chambre. Je l'ai chassé comme trop insolent.*

51 Comme l'intention seule en forme le prix (...)
CORNEILLE, le Menteur, I, 2.

52 Mais, comme il n'y pouvait atteindre :
Ils (*les raisins*) sont trop verts, dit-il (...)
LA FONTAINE, Fables, III, 11.

53 (...) nous rappelons le passé, pour l'arrêter comme trop prompt.
    PASCAL, Pensées, t. II, II, 172 (→ Anticiper, cit. 1).

54 Comme elle ne pouvait emmener son chien Dick, affreux bâtard de caniche et de barbet, Dundas en accepta gravement la garde.
    A. MAUROIS, les Discours du Dr O'Grady, III, p. 38.

♦ **2.** Marquant le temps (simultanéité). ⇒ **Alors** (que), **moment** (au moment où), **tandis** (que). *Nous arrivâmes comme il partait. Comme je commençais à m'endormir, j'entendis du bruit dans la maison.*

55 C'est, mon papa, qu'il est venu un homme dans la chambre de ma sœur comme j'y étais.   MOLIÈRE, le Malade imaginaire, II, 8.

56 (...) comme Antisthène levait un bâton pour le frapper s'il ne se retirait : Frappe, lui dit Diogène, en lui présentant la tête (...)
    RACINE, Traductions, La vie de Diogène, p. 507.

57 La malle-poste arriva comme il faisait l'indifférent. Il y avait deux places libres.
    STENDHAL, le Rouge et le Noir, II, I, p. 227.

CONTR. Contrairement. — Contre (par contre).

COMMEDIA DELL'ARTE [kɔmedjadɛlaʀte] ou [kɔmedjadɛlart]
n. f. — Déb. XVIIe ; mots italiens, signifiant « comédie de fantaisie ».

♦ Genre particulier de comédie dans laquelle, le scénario étant seul réglé, les acteurs improvisaient (francisé par Stendhal : *comédie dell'arte*).

Ce sont les premières idées de cette même police (...) qui ont privé l'Italie de ce beau genre de littérature indigène, la *comedia* (sic) *dell'arte*, celle qu'on jouait à l'impromptu, et que Goldoni crut remplacer par un plat dialogue.
    STENDHAL, Vie de Rossini, XVI, p. 42-43 (1823).

COMMÉMORAISON [kɔ(m)memɔʀezɔ̃] n. f. — 1386 ; de *commémorer*, ou du lat. *commemorare*. → Commémoration.

♦ Liturgie. Mention que l'Église catholique fait d'un saint le jour de sa fête lorsque celle-ci est mise en concurrence avec une fête plus importante. ⇒ **Mémoire ; commémoration.** *La commémoraison d'un saint, par la lecture d'une oraison, au cours de la messe.*

COMMÉMORATIF, IVE [kɔ(m)memɔʀatif, iv] adj. — 1598 ; du rad. de *commémoration*.

♦ Qui rappelle le souvenir d'une personne, d'un événement. *Fête commémorative. Monument commémoratif. Plaque commémorative* (→ Apposer, cit. 1). *Timbre commémoratif,* émis pour commémorer un événement.

COMMÉMORATION [kɔ(m)memɔʀasjɔ̃] n. f. — 1262, relig. ; 1581, sens général ; lat. *commemoratio,* de *commemorare.* → Commémorer.

♦ **1.** Cérémonie destinée à rappeler le souvenir (d'une personne, d'un événement). ⇒ **Anniversaire** (cit. 2), **fête.** *La commémoration de la fête nationale, d'un armistice.* — Relig. *La commémoration des morts :* la fête que l'Église catholique célèbre le jour des morts (le 2 novembre). *La messe, commémoration du sacrifice de la croix.*

1   La solennité que nous célébrons n'est point comme les autres fêtes de l'année, une simple commémoration, mais le mystère même de la descente du Saint-Esprit.
    BOURDALOUE, Mystère de la Pentecôte, t. I, p. 429.

2   Le Christianisme, en choisissant pour la commémoration des trépassés l'heure ténébreuse de l'équinoxe d'automne, n'a pas peu contribué à saturer d'angoisse les esprits désenchantés.
    Louis TAILHADE, Contes et poèmes en prose, « Mélancolies d'automne ».

Spécialt (relig.). Mention que le prêtre fait des morts au cours de la prière du Canon, à la messe. ⇒ **Mémento.**

♦ **2.** (Vx, sauf dans : *en commémoration de*). Mémoire, souvenir. *Garder un objet en commémoration de quelqu'un.*

COMMÉMORER [kɔ(m)memɔʀe] v. tr. — 1355, relig. ; sens général, 1675 ; lat. *commemorare,* de *com- (cum-),* et *memorare.* → Mémorable.

♦ Rappeler par une cérémonie le souvenir de (une personne, un événement). ⇒ **Fêter ; commémoraison** (relig.), **commémoration.** *Commémorer la victoire. Commémorer une naissance, une mort.* ⇒ **Célébrer.** *Commémorer la réalisation d'un vœu par un ex-voto.*

(...) une rencontre si parfaite m'est singulièrement glorieuse, puisque j'ai devancé le chantre immortel *(Byron)* au rivage où nous avons vu les mêmes souvenirs, et où nous avons commémoré les mêmes ruines.
    CHATEAUBRIAND, Mémoires d'outre-tombe, t. II, p. 148.

DÉR. Commémoratif.

COMMENÇANT, ANTE [kɔmɑ̃sɑ̃, ɑ̃t] adj. et n. — 1470 ; « qui est au début », v. 1500 ; p. prés. de *commencer.*

♦ **1.** Adj. Qui commence, débute, est dans son premier développement. *Une science commençante. La matinée commençante.* — (Spatial). *Ligne commençante.*

♦ **2.** N. Vieilli (par rapport à *débutant*). Personne qui en est encore aux premiers éléments d'un art, d'une science, d'une technique. ⇒ **Débutant.** *Un commençant inexpérimenté.* ⇒ **Novice ; →** fam. Bleu. *Encourager un commençant. Méthode d'anglais pour les commençants.*

Cette forme de leçon était plus propre à encourager les commençants, qu'il faut sans cesse distraire de ce que l'étude a de pénible par quelque attrait de curiosité (...)   CONDORCET, Bucquet.   1

Il s'animait puérilement : — Si vous vouliez me permettre (...) de rédiger cet ouvrage (...) Bien sûr je ne suis qu'un commençant et c'est une besogne très délicate (...) mais j'ai tellement pénétré vos enseignements !
    H. TROYAT, le Vivier, p. 90.   2

Grand commençant : débutant d'un âge scolaire déjà avancé. *Cours du soir pour grands commençants.*

CONTR. Expérimenté, expert, vétéran.

COMMENCEMENT [kɔmɑ̃smɑ̃] n. m. — 1119 ; de *commencer.*
Le fait de commencer ; ce qui commence.

♦ **1.** Ce qui vient d'abord (dans une durée, un processus) ; première partie. ⇒ **Début.** — Proverbe :

La crainte de l'Éternel est le commencement de la sagesse ;
Tous ceux qui l'observent ont une raison saine.
    BIBLE (SEGOND), Psaumes, CXI, 10.   1

Le commencement du siècle, de l'année, du mois, de la semaine. Le commencement du printemps (⇒ **Apparition, arrivée**), *du jour* (⇒ **Aube, aurore, matin**). — *Le commencement du monde.* ⇒ **Origine ; création.** *Le commencement de la vie.* ⇒ **Naissance ; enfance.** *Un commencement de vie.* ⇒ **Bourgeon ; embryon, germe.**

Les plus grands risques de la vie sont dans son commencement ; moins on a vécu, moins on doit espérer vivre.   ROUSSEAU, Émile, II.   2

Spécialt. Le fait (pour une chose) d'être à l'origine de..., de précéder normalement... → ci-dessus cit. 1.

(...) la justice qui est le commencement de la charité, et la charité qui est la consommation de la justice.   F. DE LAMENNAIS, Paroles d'un croyant, p. 48.   3

Le commencement des hostilités. ⇒ **Déclenchement, ouverture.** *Commencement d'un règne.* ⇒ **Avènement.** *L'heureux commencement d'une entreprise.* ⇒ **Prémice.** *Le commencement de la cérémonie, du spectacle.* — *Le commencement d'une institution, d'une idée.*

Des coups de pistolet, tirés par les jeunes gens et les enfants, annoncèrent le commencement de la noce.   G. SAND, la Mare au diable, Appendice, I, p. 145.   4

Il est naturel que l'idée morale ait eu son commencement et ses progrès comme l'idée religieuse.   FUSTEL DE COULANGES, la Cité antique, II, 9.   5

Un bon, un mauvais commencement. ⇒ **Départ.** *Le commencement d'un travail, d'une action.* ⇒ **Train** (mise en train). *Commencer par le commencement :* prendre les choses à leur début, partir de zéro.

Eh bien, Monsieur Cyrus, par où allons-nous commencer ? demanda le lendemain matin Pencroff à l'ingénieur ? — Par le commencement, répondit Cyrus Smith. Et en effet, c'était bien par le « commencement » que ces colons allaient être forcés de débuter.   J. VERNE, l'Île mystérieuse, t. I, p. 160.   5.1

Mais le commencement et la mise en train de la paix sont plus obscurs que la paix même, comme la fécondation et l'origine de la vie sont plus mystérieuses que le fonctionnement de l'être une fois fait et adapté.
    VALÉRY, Variété I, La crise de l'esprit, p. 23.   6

Le commencement d'un discours (⇒ **Exorde, préambule, prologue**), *d'un livre* (⇒ **Introduction, préface**). *Commencement d'un raisonnement* (⇒ **Axiome, postulat, prémisse, principe**).

Sans compl. *Il ne sait que le commencement. « Ce que je sais le mieux, c'est mon commencement »* (Racine, *les Plaideurs*).

De quel cœur j'emboucherais la trompette en l'honneur de M. le Président du Conseil, si jamais il nous donnait sujet de nous réjouir ! Cela est possible après tout. Ce qu'il savait le moins bien, c'était le commencement.
    F. MAURIAC, Bloc-notes 1952-1957, p. 214.   6.1

Loc. fam. *Le commencement de la fin :* l'arrivée imminente d'une catastrophe, d'une déchéance.

(...) il voyait venir avec une sourde joie les événements qui seraient pour Napoléon, disait-il *(Talleyrand)* « le commencement de la fin ».
    Louis MADELIN, Talleyrand, III, XXIV, p. 250.   7

Loc. *Il y a un commencement à tout :* on ne peut réussir parfaitement quelque chose dès le premier essai. *Dès le commencement. Depuis le commencement. Du commencement à la fin.* ⇒ **Bout** (de bout en bout). *Au commencement de sa vie,* et, absolt, *au commencement. Au commencement, les choses allaient bien.* Spécialt. *Au commencement :* avant toutes choses.

Au commencement Dieu créa le ciel et la terre.
    BIBLE (CRAMPON), Genèse, I, 1.   8

Au commencement était le Verbe, et le Verbe était auprès de Dieu, et le Verbe était Dieu.   BIBLE (CRAMPON), Évangile selon saint Jean, I, 1.   9

(...) il y avait cependant des saints, comme Énoch, Lamech et d'autres, qui attendaient en patience le Christ promis dès le commencement du monde.
    PASCAL, Pensées, IX, 613.   10

Spécialt (théol.). Premier principe, cause première. ⇒ **Fondement, principe, source.** *Dieu est le commencement et la fin de toutes choses.*

Je suis l'alpha et l'oméga, le premier et le dernier, le commencement et la fin.
    BIBLE (CRAMPON), Apocalypse de saint Jean, XXII, 13.   11

♦ **2.** Partie qui se présente, que l'on voit avant les autres (dans l'espace). ⇒ **Bord, bout, extrémité.** *Le commencement d'une rue, d'un couloir.* ⇒ **Entrée.**

♦ **3.** Existence partielle. — Dr. *Commencement de preuve,* ce qui fournit, sans certitude, la présomption (d'une vérité, d'un fait...). *Commencement de preuve par écrit.* ⇒ **Testimonial.** *Commencement d'exécution.*

♦ **4.** LES COMMENCEMENTS : les premiers développements, les débuts. *Les commencements de l'empire napoléonien. Ses commencements ont été pénibles. Avoir, connaître des commencements difficiles.* ⇒ **Apprentissage, début(s).** *Les commencements d'une technique nouvelle.* ⇒ **Balbutiement, bégaiement.**

11.1   — Ah? ça me fait plaisir, ce que vous me dites là... On est si honteuse de soi dans les commencements...   Ed. et J. DE GONCOURT, Sœur Philomène, p. 114.

(1538). Spécialt. Les premières leçons, les premières notions, dans une science, un art. ⇒ **A. B. C., B. a.-ba, élément, rudiment(s).**

12   (...) presque en toutes choses les commencements sont rudes (...)   ROUSSEAU, les Confessions, III, p. 125.

CONTR. Aboutissement, achèvement, but, conclusion, fin, issue, péroraison, terme.

COMMENCER [kɔmɑ̃se] v. — Conjug. *placer.* — V. 1100; *commencier,* xᵉ; du lat. pop. **cominitiare,* de *com- (cum),* et *initium* «commencement». → Initier.

★ **I.** V. tr. ♦ **1.** Faire la première partie de (qqch., une action, une activité...); donner un commencement à (qqch.). ⇒ **Amorcer, attaquer, débuter, démarrer, ébaucher, entamer, entreprendre, esquisser.** *Commencer un travail. Commencer une affaire, une entreprise.* ⇒ **Créer, fonder, former.** *Commencer une coutume.* ⇒ **Instituer.** *Commencer bien ou mal une affaire.* ⇒ **Emmancher** (fam.), **engrener.** → Se lancer* dans... *Commencer un discours. Commencer un débat, une discussion.* ⇒ **Ouvrir.** *Commencer un chant.* ⇒ **Entonner.** *Commencer les hostilités.* ⇒ **Déclencher, ouvrir.** *Commencer le combat.* ⇒ **Engager.** *Commencer un procès long et difficile.* ⇒ **Embarquer** (s'embarquer dans). *Commencer un livre,* en entreprendre la lecture; et aussi, commencer de l'écrire.

1   Soit, ne commençons point un discours inutile.   MOLIÈRE, le Dépit amoureux, III, 4.

2   Je commence aujourd'hui cette lettre (...) par vous dire que je viens de recevoir la vôtre (...)   Mᵐᵉ DE SÉVIGNÉ, 1233, 25 juin 1690.

3   Nous continuâmes notre voyage aussi allègrement que nous l'avions commencé.   ROUSSEAU, les Confessions, III.

4   D'une voix retentissante, le prêtre commence la prière des agonisants.   Alphonse DAUDET, Lettres de mon moulin, « L'agonie de la Sémillante ».

5   Nous pouvons dès la semaine prochaine commencer les travaux d'un établissement hydrominéral, dernier cri, sans avoir rien eu à payer que le prix du terrain.   J. ROMAINS, les Hommes de bonne volonté, t. V, XXII, p. 180.

Vieilli. (Compl. n. d'être animé). *Commencer un élève,* lui donner les premières leçons, les premiers rudiments d'une discipline. ⇒ **Initier.** *Commencer un cheval, un chien,* entreprendre de le dresser.

Absolt. *Tu as fini? Non, je n'ai même pas commencé! Quand est-ce qu'on commence?* ⇒ **Mettre** (s'y mettre).

♦ **2.** Être au commencement de. — (Relativement à l'étendue; sujet n. de chose). *C'est cette maison qui commence la rue. Le mot qui commence la phrase.* — (Relativement à la durée; sujet n. de personne ou de chose). *Nous commençons l'année aujourd'hui.* ⇒ **Inaugurer, ouvrir.** *Il ne fait que commencer ses études. Les événements qui ont commencé l'année.*

♦ **3.** Trans. ind. COMMENCER DE (et l'inf.; sujet n. de personne) : entreprendre; être aux premiers instants (de l'action indiquée par le verbe). *L'orateur commence de parler* (→ REM.). — REM. Selon l'Académie, *commencer de* indiquerait une action qui aura de la durée et qui n'en est qu'à ses débuts, ce qui distinguerait l'emploi de *commencer à.* Cette distinction, négligée depuis Vaugelas, se fait désormais uniquement pour éviter un hiatus. Ex. : *La foule commença d'arriver* (pour *commença à arriver*).

6   Et déjà mon rival commence de paraître (...)   MOLIÈRE, Dom Garcie, V, 3.

7   Puisque j'ai commencé de rompre le silence (...)   RACINE, Phèdre, II, 2.

8   Aujourd'hui encore, un verbe comme *commencer* hésite entre *à* et *de* : « Je commence à avoir envie d'écrire » (FLAUBERT, *Lettre* à G. SAND, CXVI).   F. BRUNOT, la Pensée et la Langue, II, IX, XIV, p. 338.

9   La chose la plus difficile, quand on a commencé d'écrire, c'est d'être sincère.   GIDE, Journal, 31 déc. 1891, p. 27.

COMMENCER À... (même sens). *Il commençait à dormir lorsqu'on l'éveilla. Il commence enfin à comprendre. Commençons à manger.* — Absolt. *Nous allions commencer sans vous.* — Fam. *Tu commences à nous ennuyer. Je commence à en avoir assez :* j'en ai assez. — (Sujet n. de chose). Manifester le début d'un état, d'une action. *Ces fruits commencent à s'abîmer. Le remède commence à agir.* — Impers. *Il commence à pleuvoir.* — *Ça commence à devenir dangereux.* — Fam. *Ça commence à bien faire* !* → Ça suffit* !

10   Les Français, sous Louis XIII, commencèrent à se rendre recommandables par les grâces et les politesses de l'esprit; c'était l'aurore du bon goût.   VOLTAIRE, Essai sur les mœurs, 176.

11   Mais quand le nœud social commence à se relâcher et l'État à s'affaiblir (...)   ROUSSEAU, Du contrat social, IV, 1.

---

12   Les montagnes commençaient à se couvrir de bouquets de bois.   CHATEAUBRIAND, Itinéraire..., 68.

13   (...) malgré ma confiance en mon noble guide, je commençais à croire que je m'étais abusé.   SAINTE-BEUVE, Volupté, V.

14   On commence alors à comprendre qu'il y a d'autres devoirs que les devoirs envers l'État, d'autres vertus que les vertus civiques.   FUSTEL DE COULANGES, la Cité antique, V, I, p. 423.

Spécialt. Avoir une activité pour la première fois. ⇒ **Essayer.** *Un enfant qui commence à parler, à lire.*

♦ **4.** COMMENCER (qqch.) PAR (qqch.). *Commencer son travail par la fin.* — (Sans compl. dir.). COMMENCER PAR (qqch.). *Par où allez-vous commencer? Il faut commencer par le commencement. On commence par toi?*

15   Ciel! Que lui vais-je dire, et par où commencer?   RACINE, Phèdre, I, 3.

★ **II.** V. intr. ♦ **1.** COMMENCER PAR (qqch.) : débuter par. *La revue commença par un ballet.*

16   Qu'une vie est heureuse quand elle commence par l'amour et finit par l'ambition!   PASCAL, Disc. sur les passions de l'âme.

COMMENCER PAR, suivi de l'infinitif :

17   On commence par être dupe,
 On finit par être fripon!   Mᵐᵉ DESHOULIÈRES, le Désir de gagner au jeu.

♦ **2.** Entrer dans son commencement (durée). *L'année commence au 1ᵉʳ janvier. Cela, ça commence bien, mal.* ⇒ **Partir.** *Dépêchez-vous, ça va commencer sans vous! Le spectacle a commencé, il y a dix minutes.*

18   (...) j'ai arrêté encore un maître de philosophie, qui doit commencer ce matin.   MOLIÈRE, le Bourgeois gentilhomme, I, 2.

19   Là où commence l'action de la justice, là doivent cesser les vengeances populaires.   DANTON, in BARTHOU, Danton, p. 105.

(Espace). *La plaine commence juste après la rivière.*

▶ SE COMMENCER v. pron. réfl. *Ce travail doit se commencer tout de suite.*

CONTR. Aboutir, accomplir, achever, compléter, conclure, continuer, couronner, finir, poursuivre, terminer. — Terminer (se).
DÉR. Commençant, commencement.
COMP. Recommencer.

COMMENDATAIRE [kɔmɑ̃datɛʁ] adj. et n. — 1468, *commandataire;* lat. *commendatarius,* de *commenda.* → Commende.

♦ Ancienn. Qui possède un bénéfice en commende. *Abbé commendataire.* — N. masculin :

Les revenus d'une telle communauté *(Saint-Pierre Grigny),* administrée sur place par un prieur claustral, allaient souvent à un «commendataire».   Alain REY, A. Furetière, imagier de la culture classique, p. 23.

REM. Ne pas confondre avec *commanditaire.*

COMMENDE [kɔmɑ̃d] n. f. — Fin XVIᵉ; *commande,* 1461; lat. ecclés. *commenda,* de *commendare* «confier».
Religion.

♦ **1.** Administration temporaire d'un bénéfice ecclésiastique, confiée à un séculier en attendant la nomination d'un titulaire.

♦ **2.** Par ext. Concession (⇒ **Collation**) d'un bénéfice à un ecclésiastique séculier ou à un laïque nommé par le roi. *Abbaye en commende.*

1   (...) la papauté confia volontiers à des clercs séculiers des abbayes ou des prieurés (...) C'est le système de la *commende.* D'abord simple expédient, il devint bientôt une source d'abus : les abbayes étaient délaissées et leurs revenus enrichissaient les hauts dignitaires de l'Église.   Fr. OLIVIER-MARTIN, Précis d'hist. du droit franç., nº 791, p. 280.

2   Ces bénéfices séculiers et réguliers n'étaient plus attachés à de véritables fonctions et, de par la *commende,* ils pouvaient aller à des clercs séculiers, et même à des laïques. La commende permettait de confier en garde, presque à n'importe qui, un bénéfice régulier, avec dispense de régularité et de résidence. Cette institution fut pour le pouvoir royal un moyen de répartir à sa guise les revenus d'un capital qui lui échappait et ainsi de faire pression sur la noblesse, plus tard sur la bourgeoisie montante.   Alain REY, A. Furetière, imagier de la culture classique, p. 23.

DÉR. Commendataire.
HOM. Commande.

COMMENSAL, ALE, AUX [kɔmɑ̃sal, o] n. — 1418; lat. médiéval *commensalis,* de *com- (cum),* et *mensa* «table».

♦ **1.** Didact. (rare au sing.). Personne qui mange habituellement à la même table qu'une ou plusieurs autres. ⇒ **Hôte.** *Nous sommes commensaux. Les commensaux de qqn* (spécialt, ses invités à table).

1   (...) l'un singe et l'autre chat,
 Commensaux d'un logis (...)   LA FONTAINE, Fables, IX, 17.

2   Peu à peu, venant passer la soirée, arrivaient des invités, hommes et femmes, des dîners précédents qui seraient aussi les commensaux des dîners ultérieurs.   Georges LECOMTE, Ma traversée, p. 274.

Par ext. Hôte, familier (se dit de personnes ou d'animaux domestiques).

3   J'aidai donc ce garçon robuste et réservé, d'humeur parfois ombrageuse mais plein

de franchise, et j'en fus remercié par de fréquentes invitations à la villa de la rue Maignan, où je tins bientôt le rang de commensal familier.

Raymond ABELLIO, *Ma dernière mémoire*, t. I, p. 177.

♦ **2.** (1880). Biol. Organisme qui vit en commensalisme.

DÉR. (De 1.) **Commensalité.** — (De 2.) **Commensalisme.**

COMMENSALISME [kɔmɑ̃salism] n. m. — 1874 ; de *commensal*.

♦ Biol. Association d'organismes d'espèce différente, profitable pour l'un d'eux et sans danger pour l'autre (différant du *parasitisme**). → Mutualisme, symbiose.

COMMENSALITÉ [kɔmɑ̃salite] n. f. — 1549 ; de *commensal*.

♦ Didact. Qualité de commensal (1.).

COMMENSURABILITÉ [kɔmɑ̃syRabilite] n. f. — 1740 ; *commensurableté*, Oresme, v. 1370 ; de *commensurable*.

♦ Didact. Qualité de ce qui est commensurable.

CONTR. Incommensurabilité.

COMMENSURABLE [kɔmɑ̃syRabl] adj. — V. 1375 ; bas lat. *commensurabilis*, de *commensurare* «mesurer avec», de *com*- «avec», et *mensurare* «mesurer», dénominatif de *mensura* «mesure». → Mesure, mensuration.

♦ Didact. Se dit d'une grandeur qui a, avec une autre grandeur, une commune mesure (spécialt, une partie aliquote commune). ⇒ **Comparable**. *Lignes, volumes commensurables. Nombres commensurables.*

(...) c'est par la monnaie que les biens d'espèces diverses deviennent commensurables, et peuvent se comparer. ROUSSEAU, *Émile*, III.

CONTR. Incommensurable, incomparable.
DÉR. Commensurabilité.
COMP. V. **Incommensurable.**

COMMENT [kɔmɑ̃] adv. et n. m. invar. — 1080 ; de l'anc. franç. *com* «comme».

De quelle manière ; par quel moyen.

★ **I.** Adv. interrog. ♦ **1.** (Interrogation directe). *Comment allez-vous? Comment faire? Comment cela? :* expliquez mieux. *Comment donc, comment diable, s'est-il enfui?* Fam. *Comment dites-vous? Comment t'as dit? — Comment?,* interrogation qui invite à répéter. ⇒ **Hein?, pardon?, plaire** (plaît-il?), **quoi?** *Comment dire, dirais-je?* (pour qu'on me comprenne). — **REM.** Cette expression est souvent en incise et sans point d'interrogation.

1   — Chut! — Comment? — Paix! — Quoi donc?
MOLIÈRE, *George Dandin*, I, 2.

2   Avec cette blessure au cœur, comment le gouvernement du roi Louis-Philippe fit-il face aux difficultés nombreuses qui l'assaillirent dès les premiers jours?
RENAN, *Philosophie de l'hist. contemporaine*, II.

3   Or, comment l'historien juge-t-il qu'un fait est notable ou non? Il en juge arbitrairement, selon son goût et son caprice, à son idée, en artiste enfin!
FRANCE, *le Crime de Sylvestre Bonnard*, Œ., t. II, p. 499.

4   Allo Avila? Comment ça va chez vous? MALRAUX, *l'Espoir*, I, I, p. 419.

4.1 Mais elle n'a jamais eu pour Georges ni pour moi de ces, comment je dirais, de ces transports d'une grand-mère. Jean FERNIOT, *Pierrot et Aline*, p. 60.

Ellipt. *Quand, où, comment* (cela se produira-t-il)?

4.2 Le cas était véritablement embarrassant (...) Il était évident que les colons finiraient par réintégrer leur domicile et en chasser les intrus, mais quand et comment? voilà ce qu'ils n'auraient pu dire.
J. VERNE, *l'Île mystérieuse*, t. I, p. 377.

Comment se peut-il que vous osiez me faire des reproches?, et, ellipt., *comment ose-t-il me faire des reproches?* → Possible (est-il possible).

5   Comment jugerais-je un homme que je n'ai vu qu'une après-midi.
ROUSSEAU, *in* BESCHERELLE.

6   Comment Wagner ne comprendrait-il pas admirablement le caractère sacré, divin du mythe, lui qui est à la fois poète et critique?
BAUDELAIRE, *Œuvres*, t. II, p. 495.

7   Comment pouvez-vous faire le moindre cas du délire d'un rêveur?
SUPERVIELLE, *Shéhérazade*, II, VIII.

Pour quelle raison. *Comment ça se fait?* (fam.). ⇒ **Pourquoi.** *Comment voulez-vous que je lui pardonne?*

8   *Comment* peut interroger sur la cause : «**Comment** ne lui avait-il pas écrit depuis trois mois qu'il était sans nouvelles?» (DAUDET, *Jack*, 628).
F. BRUNOT, *la Pensée et la Langue*, V, XXI, II, p. 805.

9   (...) comment voulez-vous que j'aime ce qui ne peut plus que m'attrister?
VALÉRY, *Mon Faust*, p. 76.

10   Comment n'êtes-vous pas avec les autres?
MALRAUX, *la Condition humaine*, V, p. 372.

♦ **2.** (Interrogation indirecte). *Il ne sait comment elle prendra la chose.* ⇒ **Comme.** — Ellipt. *J'ai agi ainsi sans savoir ni comment ni pourquoi.*

REM. Entrant dans une tournure exclamative, *comment* peut perdre sa valeur interrogative initiale et être utilisé comme simple adverbe de manière, notamment dans la loc. (1576, *in* D. D. L.) *je ne sais comment. C'est fait je ne sais comment!* — Fam. (loc. adj. → ci-dessous cit. 13). *Il était tout je ne sais comment. Il faut voir comment! Dieu sait comment!* ⇒ **Comme.**

11   L'analyse montre la vraie voie par laquelle une chose a été méthodiquement inventée, et fait voir comment les effets dépendent des causes.
DESCARTES, *Réponses aux 2es objections*.

12   (...) vous ne sauriez croire comment l'erreur s'est répandue, et de quelle façon chacun est endiablé à me croire habile homme.
MOLIÈRE, *le Médecin malgré lui*, III, 1.

13   Vous voilà je ne sais comment. MOLIÈRE, *le Malade imaginaire*, I, 6.

14   (...) tu ne sais comment assouvir ta rage impuissante.
BOSSUET, *Oraison funèbre de Marie-Thérèse d'Autriche*.

15   Par l'astronomie, la science humaine (...) arrive à entrevoir comment la terre s'est formée dans le système solaire.
RENAN, *Dialogues et fragments philosophiques*, p. 167.

N'importe comment : d'une manière quelconque ; (euphém.) mal, sans soin.

16   (...) pour échapper, n'importe comment, avant qu'elle ait atteint son paroxysme, à cette souffrance dont l'étau se resserre!
MARTIN DU GARD, *les Thibault*, t. III, p. 105.

16.1 (...) incapables de comprendre les questions posées par le juge, mais que toujours ils traduisent quand même, très vite et n'importe comment (...)
GIDE, *Voyage au Congo*, *in* Souvenirs, Pl., p. 693.

★ **II.** N. m. invar. (Fin XVIIe, Saint-Simon). La manière, la façon. *Chercher le pourquoi et le comment :* chercher la cause et le mécanisme (d'un fait, d'une chose). *Cessez de toujours analyser les pourquoi et les comment de vos actions!*

17   Voilà deux victoires en un jour ; la seconde est sans mérite, il faudrait en deviner le comment. STENDHAL, *le Rouge et le Noir*, I, X, p. 62.

18   Dans la question de l'immortalité de l'âme, on voit le pourquoi, on ne voit pas le comment. HUGO, *Post-scriptum de ma vie*, Tas de pierres, VI.

19   Remplacer, chaque fois qu'il se peut le «pourquoi?» par le «comment?» c'est faire un grand pas vers la sagesse. GIDE, *Journal*, 29 juil. 1934.

★ **III.** Adv. exclam. ♦ **1.** Marquant l'étonnement, l'indignation. ⇒ **Quoi.** — **REM.** Dans les sens 1 et 2, *comment* est souvent employé seul. — *Comment! c'est ainsi que tu me parles? Comment, tu es encore ici!*

20   Quoi? châtier mes gens n'est pas en ma puissance? — Comment vos gens? (...) — Hé bien! C'est mon valet. — C'est maintenant le nôtre. — (...) Et comment donc est le vôtre? MOLIÈRE, *l'Étourdi*, III, 4.

21   Comment, pendard? tu as l'audace d'aller sur mes brisées?
MOLIÈRE, *l'Avare*, IV, 3.

22   Comment! on t'offre une place de chroniqueur dans un bon journal de Paris et tu as l'aplomb de refuser (...)
Alphonse DAUDET, *Lettres de mon moulin*, «La chèvre de M. Seguin».

♦ **2.** Marquant l'approbation. *Mais comment donc!* ⇒ **Évidemment, sûr!** (bien sûr!). *Puis-je entrer? Mais comment donc!* — Fam. *Et comment!* (→ Je te crois*! tu parles*! Je veux*!).

23   — C'était faux?
— Et comment! MALRAUX, *les Conquérants*, I, p. 32.

24   Tu préférerais le contraire? — Et comment! dit le cycliste sans sourire. Et comment! que je préférerais le contraire!
Robert MERLE, *Week-end à Zuydcoote*, p. 210.

★ **IV.** COMMENT QUE. ♦ **1.** Loc. conj. Vx ou littér. De quelque façon que.

25   Toutes ces gardes, comment qu'elles soient établies, ne sont point difficiles à passer. P.-L. COURIER, II, 186, *in* LITTRÉ.

♦ **2.** Loc. adv., interrog. ou exclam. (Pop. et fautif). *Comment que ça va* (qu'ça va)? *Comment qu'on l'a remis à sa place! Comment qu'i' cause?*

26   «Comment que tu viens si tard?» demanda le jeune homme de vingt-deux ans au chauffeur. PROUST, *le Temps retrouvé*, Pl., t. III, p. 815.

27   «Une robe aussi. Pourquoi pas?», et en se tournant cette fois vers la fillette : *Comment que tu la veux?* (...)
Claude SIMON, *le Vent*, p. 52.

HOM. Command.

COMMENTAIRE [kɔmɑ̃tɛR] n. m. — Av. 1577 ; pl., «mémoires», 1485 ; du lat. *commentarius*, de *commentari*. → Commenter.

♦ **1.** Ensemble des explications, des remarques, des observations faites à propos d'un texte. ⇒ **Exégèse, explication, glose, note.** *Faire le commentaire d'un texte. Commentaire littéraire, didactique* (→ Explication* de textes). *Commentaire juridique, biblique. Commentaire d'Évangile. Commentaire précis, clair. Commentaire diffus, superficiel, paraphrastique.*

1   (...) faire périr le texte sous le poids des commentaires (...)
LA BRUYÈRE, *les Caractères*, XIV, 72.

Commentaire critique, destiné à établir le meilleur texte d'un auteur.

♦ **2.** (1675). Addition, explication apportée sur un sujet. *Appeler, nécessiter un commentaire*, un éclaircissement. — Fam. *Cela se passe de commentaire(s) :* c'est évident.

Spécialt. Opinion et interprétation que donne un journaliste (presse, radio, télévision) sur l'information qu'il rapporte. *Résumé des commentaires de l'étranger.*

2 La plupart *(des journaux)* d'ailleurs — et ce devait être un ordre, — s'abstenaient de tout commentaire *(sur la remise à la Serbie d'une note autrichienne).*
          MARTIN DU GARD, les Thibault, t. VI, p. 59.

Loc. fam. (souvent péj.). *Sans commentaire ! :* la chose se suffit à elle-même.

♦ **3.** (1690). Interprétation généralement malveillante que l'on donne au sujet des actions ou des propos de qqn. ⇒ **Bavardage, commérage, glose, médisance.** *Sa conduite donne lieu, prête à bien des commentaires.*

3 Il fit courir ma lettre dans tout Paris, avec des commentaires de sa façon ; qui pourtant n'eurent pas tout le succès qu'il s'en était promis.
          ROUSSEAU, les Confessions, IX.

4 Et voilà comment les plus modestes des hommes (...) ne peuvent bouger sans encourir les commentaires lancés par d'innombrables bouches (...)
          Paul BOURGET, le Disciple, I, p. 41.

Fam. *Pas de commentaire ; on vous épargne vos commentaires ! :* vos observations, vos explications sont inutiles !

♦ **4.** N. m. pl. COMMENTAIRES : chroniques, mémoires historiques (dans un titre). *Les* Commentaires *de César, de Monluc.*

5 Alors l'ennui de six mois d'hiver (...) lui paraissait son plus grand ennemi, et, pour le combattre, cet autre César y eût dicté ses commentaires.
          Ph. P. SÉGUR, Hist. de Napoléon, X, 6.

6 Au livre III des *Commentaires* de César sur la guerre des Gaules, il est raconté qu'après la défaite de Viridovix par G. Titulius Sabinus, le chef des Calètes fut mené devant César (...)
          Maurice LEBLANC, l'Aiguille creuse, p. 156.

COMMENTATEUR, TRICE [kɔmɑ̃tatœʀ, tʀis] n. — 1361 ; lat. commentator, de commentari. → Commenter.

♦ **1.** Personne qui est l'auteur d'un commentaire littéraire, historique, philosophique, juridique. *Les commentateurs de la Bible.* ⇒ **Annotateur, glossateur.** *Averroès, le commentateur d'Aristote. Le commentateur d'une édition critique.* — REM. Dans ce sens, le fém. est virtuel.

1 Que tous les disciples d'Aristote assemblent tout ce qu'il y a de fort dans les écrits de leur maître ou de ses commentateurs.
          PASCAL, Traité de la pesanteur de l'air..., Conclusion.

2 (...) vous n'êtes arrêté dans la lecture que par les difficultés (...) où les commentateurs et les scoliastes eux-mêmes demeurent court (...)
          LA BRUYÈRE, les Caractères, XIV, 72.

♦ **2.** N. (1904). Personne qui assure le commentaire d'une émission, notamment d'une émission d'actualités, à la radio, à la télévision. ⇒ **Éditorialiste, présentateur, speaker.**

COMMENTER [kɔmɑ̃te] v. tr. — 1314 ; lat. commentari «réfléchir, étudier» ; de com- (cum), et mens, mentis «esprit».

♦ **1.** Expliquer (un texte) par un commentaire*. ⇒ **Gloser.** *Commenter un poème.*

Par métonymie. *Commenter un philosophe* (→ Bourgeois, cit. 12), commenter son œuvre, une de ses œuvres.

♦ **2.** (1675). Vieilli. Donner une interprétation de (souvent, une interprétation malveillante). *Commenter les faits et gestes de ses voisins.*

♦ **3.** Faire des remarques, des observations sur (des faits) pour expliquer, exposer. *Commenter les nouvelles.*

1 (...) ils *(des Basques)* discutent les chances, commentent la force des joueurs et arrangent entre eux de gros paris d'argent. LOTI, Ramuntcho, I, IV, p. 52.

2 (...) une demi-douzaine de consommateurs commentaient les nouvelles du quartier, qui avait été le théâtre de plusieurs échauffourées sérieuses.
          MARTIN DU GARD, les Thibault, t. VI, p. 284.

Journaliste qui commente l'actualité (radio, télévision). ⇒ **Commentateur,** 2.

▶ **COMMENTÉ, ÉE** p. p. adj. *Texte commenté.* — *Nouvelles commentées.*

COMMÉRAGE [kɔmeʀaʒ] n. m. — 1761 ; «baptême», Rabelais, 1546 ; de commère, et suff. -age (cit.).

♦ Bavardage malveillant. ⇒ **Cancan, potin, racontar.** *Des commérages futiles, malveillants* (⇒ **Ragot**). *Recueillir, colporter des commérages. Ce ne sont que des commérages, des faux bruits.*

À Paris, chaque ministère est une petite ville d'où les femmes sont bannies ; mais il s'y fait des commérages et des noirceurs comme si la population féminine s'y trouvait. BALZAC, la Cousine Bette, Pl., t. VI, p. 370.

COMMERÇABLE [kɔmeʀsabl] adj. — V. 1715 ; de commercer.

♦ **1.** Vieilli. Qui peut se négocier dans le commerce. ⇒ **Négociable ; bancable.** *Effet, billet commerçable* (→ Agent, cit. 13 ; banque, cit. 2).

♦ **2.** Rare. Qui peut être mis en vente dans le commerce. *Des denrées commerçables.*

COMMERÇANT, ANTE [kɔmeʀsɑ̃, ɑ̃t] adj. et n. — 1695 ; de commercer.

★ **I.** Adj. ♦ **1.** (1756). Vieilli. Qui commerce. *Un peuple, un esprit commerçant.*

1 Ce fut comme nation rivale, et non comme nation commerçante, qu'ils *(les Romains)* attaquèrent Carthage. MONTESQUIEU, l'Esprit des lois, XXI, 14.

♦ **2.** Mod. Où se trouvent de nombreux commerces. *Cette rue est très commerçante.*

♦ **3.** (XXᵉ ; personnes, attitudes). Qui manifeste le don du commerce. *Elle est vraiment très commerçante et sait retenir la clientèle. Il montre une amabilité toute commerçante.*

Qui fait prédominer l'aspect commercial d'une question. *Il est plus commerçant que gestionnaire, que financier.*

★ **II.** N. ♦ **1.** Personne qui fait du commerce (spécialt, du commerce de détail) par profession. ⇒ **Marchand, négociant.** *Corps, corporation des commerçants. Un commerçant honnête, scrupuleux. Commerçant avide* (⇒ **Mercanti**), *malhonnête* (⇒ **Trafiquant**). — *Commerçant en gros* (⇒ **Grossiste**), *en demi-gros, en détail* (⇒ **Détaillant**). *Un gros commerçant. Défendre les intérêts des petits commerçants. Boutique, magasin d'un commerçant.* ⇒ **Boutiquier** (péj.). *Se fournir chez le même commerçant.* ⇒ **Fournisseur.** — *Les clients, les concurrents d'un commerçant.* — *Syndicat, association de commerçants.*

2 Sont commerçants ceux qui exercent des actes de commerce et en font leur profession habituelle. Code de commerce, art. 1.

3 Le parfumeur venait d'être élu juge au tribunal de commerce. Sa probité, sa délicatesse connue et la considération dont il jouissait lui valurent cette dignité qui le classa désormais parmi les notables commerçants de Paris.
          BALZAC, César Birotteau, Pl., t. V, p. 353.

4 On appelle plus particulièrement *commerçants* les entrepreneurs qui achètent des objets pour les revendre sans les avoir transformés ; c'est dans ce sens que l'on oppose leur profession à celle des *industriels* et des *agriculteurs,* qui fabriquent ou tirent du sol des produits dont eux aussi, d'ailleurs, vendent la majeure partie. Les observateurs superficiels considèrent souvent ces derniers comme des *producteurs,* tandis que les négociants ne seraient que des *intermédiaires.* Or, la fonction des uns ne se distingue de celle des autres que par une différence de *degré* dans l'importance des transformations que chacun d'eux fait subir aux produits qu'il a achetés pour en augmenter l'utilité avant de les revendre.
          COLSON, Cours d'économie politique, t. IV, p. 5.

5 (...) les commerçants sont, dans l'économie moderne, extrêmement nombreux ; mais en outre, ils sont de plus en plus étroitement spécialisés.
          PIROU et BYÉ, Traité d'économie politique, t. I, II, p. 207.

♦ **2.** Par ext., didact. Personne dont l'activité aboutit à un produit commercialisable. → Commerce, cit. 2, Valéry.

Péj. *Ce metteur en scène (cet écrivain, ce musicien,* etc.) *n'est qu'un commerçant,* il fait passer l'aspect commercial de son activité avant les autres aspects.

COMMERCE [kɔmeʀs] n. m. — V. 1370 ; commerque ; du lat. commercium, de com- (cum), et merx. → Marchand.

★ **I.** ♦ **1.** Didact. (sens très général). Opération qui a pour objet la vente d'une marchandise, d'une valeur ou l'achat de celle-ci pour la revendre après l'avoir transformée ou non. *Acte, opération de commerce.* ⇒ **Échange ; achat, vente ; négoce, trafic ; circulation, transit, transport ; banque, change.**

1 Dès qu'on s'écarte du régime primitif et patriarcal où chaque groupe familial produit directement ce qui est nécessaire à sa consommation, toute entreprise industrielle ou agricole a pour but final la vente de la totalité ou de la majeure partie de ses produits, vente qui constitue une opération commerciale, sinon au point de vue légal, du moins au point de vue économique (...) En réalité, toute production qui n'a pas pour objet exclusif de satisfaire les besoins propres du producteur et de sa famille est liée à des opérations de commerce ; d'autre part, tout commerce est production puisque son but est d'accroître la valeur des biens et des services qui en font l'objet en les mettant à la disposition du public dans des conditions telles qu'ils répondent mieux qu'auparavant à ses besoins.
          COLSON, Cours d'économie politique, t. IV, p. 5 et 7.

2 Si «l'acte de commerce» est d'acheter dans l'intention de revendre, commerçant est l'artiste ou auteur qui ne regarde, ne voyage, ne lit, et presque n'existe, que dans le dessein de produire — remettre sur le marché son impression.
          VALÉRY, Rhumbs, p. 142-143.

Cour. Activité qui a pour objet la vente, la mise sur le marché de services (opposé à *agriculture* et *industrie*). *Travailler, être dans le commerce. Faire du commerce.* ⇒ **Marchand,** cit. 1. *École de commerce. Les nouvelles études, techniques et stratégies du commerce (études de marché et de motivation, stratégies de communication, études de prix,* etc.). ⇒ **Commercialisation, marketing** (anglic.), **mercatique, merchandising** (anglic.). — Fam. *Avoir la bosse du commerce.*

Écon. Partie du secteur tertiaire* qui consiste en opérations sur des marchandises. *Commerce et services.*

3 Comparé à l'agriculture et à l'industrie, le commerce nous ouvre de nouvelles perspectives. Tandis que l'industriel se livre sur les choses à des transformations matérielles, tandis que l'agriculteur demande à la nature d'opérer elle-même ces transformations, l'œuvre du commerçant commence lorsque l'objet a reçu sa forme définitive et qu'il ne reste plus qu'à le mettre à la disposition du consommateur dans des conditions susceptibles d'éveiller ses désirs et de satisfaire ses besoins.
          PIROU et BYÉ, Traité d'économie politique, t. I, II, p. 191.

Dr. Activité ayant pour objet «la spéculation* ou l'entremise dans la circulation des produits ou de l'argent» (Capitant). *Acte de commerce : acte juridique donnant lieu à l'application des lois commerciales, soit pour toutes les personnes qui y sont parties, soit pour certaines d'entre elles seulement (actes mixtes)* (Capitant). Cf. art. 632 et 633 du Code de commerce.

4 La loi répute actes de commerce :
Tout achat de denrées et marchandises pour les revendre, soit en nature soit après les avoir travaillées et mises en œuvre, ou même pour en louer simplement l'usage;
Toute entreprise de manufactures, de commission, de transport par terre ou par eau (...) Code de commerce, art. 632.

Emblème du commerce. ⇒ **Caducée.** *Commerce avantageux, lucratif.* — *Faire le commerce de* (une denrée). *Professions de commerce.* ⇒ **Acheteur, agent, commerçant, commettant, commissionnaire, consignataire, correspondant, courtier, expéditeur, intermédiaire, mandataire, marchand, négociant, placier, transitaire, transporteur, vendeur ; et aussi représentant, voyageur** (de commerce). *Registre du commerce. Employé* de commerce.* ⇒ **Caissier, commis, emballeur, expéditeur, facteur, livreur...** — *Maison de commerce.* ⇒ **Compagnie, comptoir, factorerie, firme, filiale.** *Commerce intérieur, extérieur, international.* ⇒ **Exportation, importation.** *Balance du commerce. Convention, traité de commerce. Liberté* (⇒ **Libre-échange**), *réglementation du commerce extérieur* (⇒ **Protectionnisme**). *Marine, navire, port de commerce. Commerce en gros, de gros* (→ Marché, cit. 21), *de détail. Commerce maritime* (cit. 1). *Cela ne se trouve plus dans le commerce. Marchandise hors commerce. Prix, tarifs ; bénéfice, déficit, faillite d'une maison de commerce.*

Loc. (vx). *Être en commerce avec... :* commercer* avec... *Faire le commerce d'une ville, d'un pays,* assumer (notamment) les transports commerciaux.

5 Les Phéniciens sont en commerce avec tous les peuples.
FÉNELON, Télémaque, IX.

6 Les Anglais et encore plus les Hollandais faisaient, par leurs vaisseaux, presque tout le commerce de la France (...) VOLTAIRE, le Siècle de Louis XIV, 29.

7 Je suis bien persuadé avec vous que le pays où le commerce est le plus libre sera toujours le plus riche et le plus florissant.
VOLTAIRE, Lettre à Roubaud, 1er juil. 1769.

8 Pas un instant, il est vrai, il ne s'était douté qu'une grande guerre moderne pût favoriser le commerce des pétroliers, faire d'eux les fournisseurs éminents des armées, et de leur monopole un pilier intangible de la patrie.
J. ROMAINS, les Hommes de bonne volonté, III, XIII, p. 182.

Livres* de commerce : registres de comptabilité, livres de caisse. ⇒ **Journal ; brouillard, brouillon ; copie** (de lettres et d'inventaires). *Effet de commerce.* ⇒ **Effet.** *Tribunal de commerce :* tribunal statuant sur les litiges commerciaux. *Agréé* près le tribunal de commerce. Consul jouant à l'étranger le rôle de tribunal de commerce. Arbitre* du commerce* (ou arbitre rapporteur). — *Code* de commerce. Ministère du Commerce.* — *Bourse de commerce.* ⇒ 2. **Bourse.** — *Chambre* de commerce.*

♦ **2.** (1798). *Le commerce :* le monde commercial, le corps des commerçants. *Le haut commerce* (vieilli) : l'ensemble des grands commerçants. *Le petit commerce.*

♦ **3.** *Fonds de commerce :* entreprise qui a pour objet le commerce (1.). ⇒ **Boutique, débit, magasin.** *Ouvrir, tenir un commerce. Gérance* d'un commerce. Quitter, fermer son commerce.* ⇒ **Fermer** (boutique). *Enseigne* d'un commerce. Pratiques d'un commerce.* ⇒ **Achalandage, clientèle.** *Faire l'inventaire de son commerce.* ⇒ **Assortiment, réassortiment.** *Commerce à céder. Les commerces d'une ville.* — Collectif. Ensemble d'entreprises commerciales. *Un commerce concentré, intégré. Le commerce de gros, de détail..., le commerce indépendant. Le petit commerce.*

♦ **4.** Fig. et péj. **a** Vieilli. Trafic (de choses morales, ou qui ne sont pas négociables). *Faire un mauvais* (vx : *un méchant, un vilain*) *commerce :* se mêler de quelque affaire malhonnête ou douteuse. *Commerce honteux, infâme.*

9 Que vois-je autour de moi, que des amis vendus (...)
Qui choisis par Néron pour ce commerce infâme
Trafiquent avec lui des secrets de mon âme ? RACINE, Britannicus, I, 4.

b *Loc. Faire commerce de... :* vendre. *Faire commerce de son corps, de ses charmes :* se prostituer.

♦ **5.** Régional (Suisse). Ensemble de choses disparates. ⇒ **Attirail ;** (régional) **chenil** (cit. 4).

★ **II.** ♦ **1.** (1540). Vx ou littér. Relations que l'on entretient dans la société. ⇒ **Fréquentation, rapport ; relation.** *Avoir, entretenir un commerce d'amitié* (cit. 13) *avec qqn. Commerce de galanterie. Rompre tout commerce avec qqn. Fuir le commerce des hommes. Aimer le commerce des livres.* — *Le Nouveau Commerce* (titre de revue).

10 Le commerce des hommes y est merveilleusement propre *(à former le jugement),* et la visite des pays étrangers (...) pour frotter et limer notre cervelle contre celle d'autrui. MONTAIGNE, Essais, I, XXV, De l'institution des enfants.

11 Nous plaisons plus souvent dans le commerce de la vie par nos défauts que par nos bonnes qualités. LA ROCHEFOUCAULD, Maximes, 90.

12 Je vous déclare que je romps commerce avec vous.
MOLIÈRE, le Malade imaginaire, III, 5.

La flatterie est un commerce honteux qui n'est utile qu'au flatteur. 13
LA BRUYÈRE, les Caractères de Théophaste, De la flatterie.

Nous avions un commerce intime, sans vivre dans l'intimité. 14
ROUSSEAU, les Confessions, IX.

Même dans l'isolement et dans la province, il est bien des commerces consolateurs qui sont à votre main. Vous aimez l'étude, la poésie ; la lecture seule des Anciens, des philosophes ou poètes, vous serait, j'en suis sûr, d'un grand charme. 15
SAINTE-BEUVE, Correspondance, 508, 18 déc. 1835.

Mais, dans le commerce ordinaire de la vie, il *(mon père)* se montrait grave et parfois sombre. FRANCE, le Petit Pierre, I, p. 9. 16

Mais le commerce de personnages incomparables, — d'un philosophe avec un homme de guerre, d'un poète avec un prélat, d'un historien avec un auteur de romans ou de comédies, d'un diplomate avec un linguiste, n'engage pas les amours-propres et se développe dans toute l'étendue qui font deux curiosités croisées entre deux univers. Ce sont ici les différences qui rapprochent. 17
VALÉRY, Regards sur le monde actuel, p. 294.

(...) il faut, dans le commerce avec ses semblables, être plus conciliante et plus agréable. A. MAUROIS, le Cercle de famille, II, I, p. 134. 18

♦ **2.** (Dans : *... de, d'un commerce,* et adj.). Manière de se comporter à l'égard d'autrui. ⇒ **Comportement, sociabilité.** *C'est un homme d'un commerce sûr :* c'est un homme discret. — Loc. mod. *Être d'un commerce agréable.*

Vit-on jamais prince d'un commerce plus aisé, plus libre, plus commode ? 19
BOSSUET, Condé.

C'était un homme de commerce aimable chez qui était resté beaucoup de l'esprit lettré du précédent siècle. MAUPASSANT, Contes de la bécasse, « La bécasse ». 20

♦ **3.** Vx ou littér. (Qualifié ou dans un syntagme verbal). Relations charnelles. *Commerce adultère. Commerce incestueux. Avoir commerce, ne pas avoir de commerce avec...*

Elle *(la prostituée chinoise)* lui a néanmoins proposé ses services, pour lui faire oublier son malheur, mais il l'a repoussé avec des airs de vertu outragée, disant (...) qu'il ne voulait plus d'ailleurs avoir de commerce avec aucune femme (...) 21
A. ROBBE-GRILLET, la Maison de rendez-vous, p. 120.

DÉR. Commercer, commercial.

COMMERCER [kɔmɛʀse] v. intr. — Conjug. *placer.* — 1405, commerser ; de *commerce.*

♦ **1.** Faire du commerce. *Commercer avec qqn dans un pays. La France commerce avec de nombreux pays.*

De même, c'est vers 1075 que l'abbé de Reichenau concède à tous les « paysans » de l'un de ses villages «le droit de commercer... afin qu'eux-mêmes et leurs descendants soient des marchands ». Georges DUBY, Guerriers et Paysans, p. 203.

♦ **2.** (1748). Fig. et vieilli. Avoir des relations (avec autrui). *Commercer amicalement. On est parvenu à amener les sourds-muets à pouvoir commercer avec les autres hommes* (→ Art, cit. 35).

DÉR. Commerçable, commerçant.

COMMERCIAL, ALE, AUX [kɔmɛʀsjal, o] adj. et n. — 1749 ; de *commerce.*

♦ **1.** Qui a rapport au commerce. *Droit commercial. Activité, affaire, entreprise commerciale. Nom commercial. Opérations, relations commerciales.* — *L'appareil commercial ; les services commerciaux d'une entreprise.*

Si l'on considère tout cela sous le jour des affaires, sous le jour commercial, votre projet ne tient pas debout. G. DUHAMEL, Chronique des Pasquier, V, v, p. 72.
Directeur commercial, qui, dans une entreprise, s'occupe des aspects commerciaux de l'activité.
Attaché*, conseiller commercial : agent, à l'étranger (auprès d'une ambassade), de l'expansion économique d'un État.
Dr. *Dette commerciale.* → Commercialité* d'une dette.

♦ **2.** **a** Où sont groupés de nombreux commerces. *Centre, quartier commercial.*

b Qui est en vente dans le commerce. *Produits commerciaux.*

♦ **3.** Péj. Qui est conçu, exécuté dans une intention lucrative, commerciale et pour plaire au plus grand public possible. *Une musique commerciale. C'est du jazz commercial. Il fait une peinture purement commerciale et non pas de qualité* (→ C'est un commerçant).

♦ **4.** N. f. *Une commerciale :* une voiture automobile légère, transformable en véhicule utilitaire. ⇒ **Break, fourgonnette.**

♦ **5.** N. Personne chargée des relations commerciales dans une entreprise. *« Les "commerciaux" se distinguent des "créatifs" en ce qu'ils portent une cravate »* (le Nouvel Obs., 10 avr. 1978, p. 52).

DÉR. Commercialement, commercialiser, commercialité.
COMP. Anticommercial.

COMMERCIALEMENT [kɔmɛʀsjalmɑ̃] adv. — 1829 ; de *commercial.*

♦ **1.** Sur le plan du commerce. *Produit commercialement rentable.*

♦ **2.** D'une manière propre au commerce ; comme un bon commerçant. *C'est une manière de diriger la société qui est plus valable* *commercialement que financièrement. Il accueille très commercialement la clientèle.*

COMMERCIALISABLE [kɔmɛʀsjalizabl] adj. — 1955 ; de *commercialiser.*

♦ Qui peut être commercialisé. *Une denrée commercialisable.* « *Un autre phénomène intéressant est apparu tout récemment avec la création de nombreuses compagnies commerciales qui font appel à des chercheurs très qualifiés pour développer une recherche privée à but lucratif. Ainsi de nombreuses entreprises ont été créées (...) pour produire des anticorps monoclonaux commercialisables* » (*Fondamental,* juil. 1981, nº 11, p. 23).

COMMERCIALISATION [kɔmɛʀsjalizɑsjɔ̃] n. f. — 1904, in *Rev. gén. des sc.,* nº 1, p. 43 ; attestation isolée, 1845 ; de *commercialiser.*

♦ Action de commercialiser (1. et 2.). → Avilir, cit. 13. ⇒ **Marchéage, marketing** (anglicisme). — Figuré :
La réussite lui pèse : (...) il voudrait se persuader qu'un certain degré de malédiction serait préférable à cette commercialisation des bons sentiments (...)
    Alain BOSQUET, les Bonnes Intentions, p. 143.

COMMERCIALISER [kɔmɛʀsjalize] v. tr. — 1872 ; attestation isolée, 1845 ; de *commercial.*

♦ **1.** Dr. Rendre commercial. *Commercialiser une dette.*

♦ **2.** Cour. Rendre (qqch.) l'objet d'un commerce. *Commercialiser un brevet d'invention.* ⇒ **Exploiter.** — Mettre (qqch.) dans le circuit commercial. *L'étude de ce produit est terminée ; il peut être commercialisé.*

DÉR. Commercialisable, commercialisation.

COMMERCIALITÉ [kɔmɛʀsjalite] n. f. — 1866 ; de *commercial.*

♦ Dr. Qualité de ce qui est régi par le droit commercial. *La commercialité d'une dette.*

COMMÈRE [kɔmɛʀ] n. f. — V. 1275, « marraine » ; lat. ecclés. *commater* « mère *(mater)* avec ».

♦ **1.** Vx. La marraine (d'un enfant), par rapport au parrain (⇒ **Compère**) et aux parents.
1 Il s'avisa de me prier de lui tenir un enfant, et me donna Mᵐᵉ Coccelli pour commère.   ROUSSEAU, les Confessions, V.

♦ **2.** Vieilli ou régional. Terme d'amitié donné à une femme, entre voisins et gens qui ont des relations fréquentes. ⇒ **Cousine.** — Figuré :
2 Ma commère la carpe y faisait mille tours
  Avec le brochet son compère.   LA FONTAINE, Fables, VII, 5.
Théâtre. Un des deux personnages principaux d'une revue. *La commère donne la réplique.* ⇒ **Animatrice.**

♦ **3.** Mod. Femme qui sait toutes les nouvelles et les colporte. ⇒ **Bavard.** *Les commères du quartier* (→ Caqueter, cit. 1). *Propos de commère.* ⇒ **Commérage.** — Par ext. *Cet homme est une vraie commère.* ⇒ **Concierge** (fig.).
3 (...) au seuil des portes, les commères causaient et riaient sur un diapason de dispute.   MARTIN DU GARD, les Thibault, t. I, p. 100.

♦ **4.** Vx. Femme hardie, qui a de la tête, que rien ne rebute. *Une fine commère. Une maîtresse commère.*

DÉR. Commérage, commérer.

COMMÉRER [kɔmeʀe] v. intr. — Conjug. *céder.* — 1823 ; autre sens, 1611 ; de *commère.*

♦ Rare. Faire des commérages. ⇒ **Bavarder ;** → Papoter, cit. 1.
Et il se mit à commérer, par métier et par plaisir.   ZOLA, Paris, t. I, p. 93.

COMMETTAGE [kɔmɛtaʒ] n. m. — 1752 ; de *commettre,* 5.

♦ Mar. Confection d'un cordage par la réunion de brins, de torons tordus ensemble.

COMMETTANT, ANTE [kɔmɛtɑ̃, ɑ̃t] n. — XVIᵉ ; de *commettre,* 3.

♦ Dr. Personne qui confie à une autre le soin de ses intérêts. ⇒ **Mandant.**

COMMETTRE [kɔmɛtʀ] v. tr. — Conjug. *mettre.* — XIIIᵉ ; du lat. *committere* « mettre ensemble », de *com- (cum),* et *mittere.* → Mettre.

♦ **1.** Accomplir, faire (une action blâmable). *Commettre une maladresse, une inconvenance, des distractions, des imprudences. Com-*

mettre une injustice à l'égard de qqn. Commettre un délit, une erreur, un impair. Commettre une infidélité, une ingratitude, une lâcheté, un sacrilège, une trahison... Commettre des coquineries, des déprédations, des fraudes (⇒ **Frauder**), *des horreurs, des cruautés. Commettre un péché.* ⇒ **Fauter, tomber** (dans le péché). *Commettre un attentat, un crime, un meurtre.* ⇒ **Consommer, perpétrer.** — Passif. *Le crime qui vient d'être commis.*
Le fermier,   1
Laissant ouvert son poulailler,
Commit une sottise extrême.   LA FONTAINE, Fables, XI, 3.
(...) qui commet la faute en porte la peine !   2
    A. DE MUSSET, Théâtre, André del Sarto, p. 27.
(...) votre erreur n'est pas un crime, mais elle vous en fait commettre un ; car elle 3
vous entraîne à prêcher la guerre, qui est le plus grand de tous les crimes.
    F. DE COULANGES, Questions contemporaines, p. 109.
Mais M. de Lommérie est un catholique sincère, qui se préoccupe de la condition 4
du peuple, et ne voudrait commettre ni le péché de dureté, ni celui d'injustice.
    J. ROMAINS, les Hommes de bonne volonté, t. V, XXVIII, p. 294.
Fam. et iron. Se rendre responsable de. *Il a commis un roman déplorable !*
(...) Je vis reparaître (...) Conrad (...) Il avait gardé une innocence d'enfant, une 4.1
douceur de jeune fille, et cette bravoure de somnambule qu'il mettait autrefois à
grimper sur le dos d'un taureau ou d'une vague : et ses soirées se passaient à commettre de mauvais vers dans le goût de Rilke.
    M. YOURCENAR, le Coup de grâce, p. 148.

♦ **2.** *Commettre qqn à... :* mettre (qqn) dans une charge. ⇒ **Charger** (de), **employer, préposer.** *Commettre qqn à un emploi, au soin de qqch.* — Vx. *Commettre qqn pour un travail.*
(...) Dieu (...) a commis tout un peuple pour la garde de ce livre (...) 5
    PASCAL, Pensées, t. III, IX, 622 (→ Authentique, cit. 10).
Je vous commets au soin de nettoyer partout (...)   MOLIÈRE, l'Avare, III, 1. 6
Le roi commit des membres de son conseil d'État pour vider les procès en dernier 7
ressort.   VOLTAIRE, le Siècle de Louis XV, 36.
Dr. ⇒ **Désigner, nommer.** *Commettre un rapporteur, un huissier.*
Le juge (...) ordonne au bas de la requête que les parties comparaîtront devant lui 8
au jour et à l'heure qu'il indique, et commet un huissier pour notifier la citation.
    Code civil, art. 235.

♦ **3.** Vieilli. *Commettre à* (qqn) ; *commettre au soin, à la garde de qqn :* remettre (qqn, qqch.) aux soins, à la garde de... ⇒ **Confier, remettre.** *Commettre des enfants au soin de qqn. Commettre à qqn le soin de blessés, la garde d'un dépôt...*
Je vous rends le dépôt que vous m'avez commis.   RACINE, Athalie, II, 7. 9

♦ **4.** (1552). Vieilli. Exposer, mettre en danger. ⇒ **Aventurer, compromettre, exposer, risquer.** *Commettre l'avenir de qqn. Commettre sa réputation* (→ ci-dessous *se commettre*).
Aux affronts d'un refus craignant de vous commettre (...) 10
    RACINE, Iphigénie, II, 4.
(...) il aime mieux passer pour un voleur, et s'exposer à perdre la vie que de com- 11
mettre l'honneur de sa dame.   A.-R. LESAGE, le Diable boiteux, VII, p. 86.
Henri IV *(d'Allemagne)* ne fit que commettre son autorité en écrivant au pape 12
qu'il déposait.   VOLTAIRE, Essai sur les mœurs, 46.

♦ **5.** (1752). Techn. Confectionner (un cordage) en tordant ensemble plusieurs brins ou torons (⇒ **Commettage**). *Commettre des aussières en grelin.*

▶ **SE COMMETTRE** v. pron. (XVIIᵉ ; du sens 4).

♦ **1.** Avoir lieu (le sujet désigne un acte répréhensible). *Péchés qui se commettent dans l'ombre. Il se commit des excès* (→ Abolir, cit. 3).

♦ **2.** Littér. ou style soutenu. Compromettre sa dignité, son caractère, ses intérêts. *Se commettre avec des gens méprisables. Vous ferez bien de ne vous pas commettre avec lui, c'est un homme dangereux* (Académie).
Il y a des gens d'une certaine étoffe ou d'un certain caractère avec qui il ne 13
faut jamais se commettre (...)   LA BRUYÈRE, les Caractères, V, 28.
Ces agaceries dont les femmes savent user sans se commettre (...) 14
    ROUSSEAU, les Confessions, VI.
⇒ **Exposer** (s').
(...) on ne doit point risquer l'affaire, et ce sont des suites fâcheuses, où je 15
n'ai garde de me commettre.   MOLIÈRE, l'Avare, IV, 3.
Je ne me dissimule pas qu'une crainte assez basse de m'engager à fond contribuait 15.1
à ma prudence à l'égard de la jeune fille ; j'ai toujours eu horreur de me commettre, et quelle est la femme amoureuse avec laquelle on ne se commet pas ?
    M. YOURCENAR, le Coup de grâce, p. 176.

▶ **COMMIS, ISE** [kɔmi, iz] p. p. adj.

♦ **1.** Fait, exécuté (en parlant d'une action condamnable). *Un crime commis depuis peu.*

♦ **2.** Nommé à une charge, préposé (⇒ **Commis,** n. m.). — Spécialt. *Huissier commis,* celui qui est désigné par un juge pour certaines opérations.
Les plus sages vieillards furent commis pour examiner ses actions. 16
    FÉNELON, Télémaque, VIII.

♦ **3.** Confié, remis.
(...) parmi tous les enfants commis à ses soins, elle n'en avait jamais rencontré 17
dont les dispositions fussent aussi mauvaises que les miennes.
    BALZAC, le Lys dans la vallée, Pl., t. VIII, p. 773.

♦ **4.** Vx ou littér. Compromis, exposé. *Réputation commise.* — Engagé, impliqué.

18 Il y a de tels projets, d'un si grand éclat (...) que toute la gloire et toute la fortune d'un homme y sont commises. LA BRUYÈRE, les Caractères, XII, 115.

CONTR. Abstenir (s'). — Démettre, retirer. — Respecter.
DÉR. (Du sens 5) Commettage. — (Du sens 3) Commettant. — Commis, commise.

COMMINATION [kɔminasjɔ̃] n. f. — Mil. XIIᵉ; repris 1704; lat. *comminatio, onis,* de *comminari.* → Comminatoire.

Didactique.

♦ **1.** Vx. Menace, annonce de malheurs futurs. — Relig. Menace de châtiment (à l'égard du pécheur).

♦ **2.** Rhét. Figure (« figure de pensée ») par laquelle on menace, on effraie le destinataire.

Au contraire du séducteur, qui excite le désir et l'espoir, l'intimidateur tend à provoquer l'aversion et la crainte. À l'influence caractéristique de ce rôle semble convenir, en général, la *commination,* qui est « la menace ou l'annonce d'un malheur plus ou moins horrible, par l'image duquel on cherche à porter le trouble et l'effroi dans l'âme de ceux contre qui l'on se sent animé par la haine, la colère, l'indignation ou la vengeance ». On remarque que, d'après les termes de cette définition, il ne s'agit pas d'une menace conditionnelle, d'un avertissement destiné à détourner l'adversaire d'une entreprise (...) Dans la commination, l'intimidation est une fin en soi. Son but est de faire souffrir à l'adversaire, par anticipation, les maux qui l'attendent et qui lui sont présentés comme inévitables.
Cl. BREMOND, le Rôle d'influenceur, *in* Communications, 16, 1970, p. 67.

COMMINATOIRE [kɔminatwaʀ] adj. — 1517; lat. médiéval *comminatorius;* de *com- (cum),* et *minari* « menacer ».

♦ **1.** Dr. Qui renferme la menace d'une peine légale, en cas de contravention. *Arrêt, disposition, jugement, sentence comminatoire. C'est suivant les circonstances qu'une sanction comminatoire est mise à exécution ou non. — Formuler en style comminatoire.* ⇒ **Comminer.**

1 Aucune des nullités, amendes et déchéances prononcées dans le présent Code n'est comminatoire. Code de procédure civile, art. 1029.

♦ **2.** Cour. (mais style soutenu). Qui constitue une mise en demeure, un avertissement ou une menace. *Propos comminatoire. Ton comminatoire. Lettre comminatoire.*

2 C'est à Florence que j'ai reçu la lettre comminatoire de Claudel que la page 478 des *Caves* a déclenchée. GIDE, Journal, 28 mars 1914.

(Personnes). Littéraire :

3 Elle est redevenue douce tout à coup. Elle est près de Pierre, plus que jamais près de Pierre. Comminatoire mais prudente.
M. DURAS, Dix heures et demie du soir en été, p. 129.

COMMINER [kɔmine] v. tr. — D. i.; lat. *comminari.* → Comminatoire.

♦ En franç. de Belgique. Dr. Formuler (qqch.) en style comminatoire.

COMMINUTIF, IVE [kɔminytif, iv] adj. — 1824, *in* D. D. L.; dér. du lat. *comminuere* « briser ».

♦ Chir. *Fracture comminutive,* comportant de petits fragments d'os.

COMMIS [kɔmi] n. m. — 1675; adj., en picard, en wallon, v. 1320; du p. p. de *commettre.*

♦ **1.** Vieilli ou admin. Agent subalterne (administration, banque, bureau, maison de commerce). ⇒ **Agent, employé.** *Commis d'un ministère. Commis des Douanes. Commis d'un grand magasin.* ⇒ **Vendeur.** *Commis d'un magasin de nouveautés.* ⇒ **Calicot** (vx). *Commis d'un banquier d'une maison de jeu.* ⇒ **Croupier.** *Premier commis. Commis expéditionnaire. Commis aux écritures* (⇒ **Facteur).**

1 Le *commis* a une *commission,* l'*employé* de l'*emploi;* le *commis* a un *committant* dont il suit les instructions, l'*employé* un chef dont il exécute les ordres. *Commis* annonce quelque chose de plus relevé et de plus important : le *commis* a la confiance de celui qui lui *commet* le soin de ses affaires, et, pour s'en acquitter, il jouit d'une certaine indépendance, et peut faire preuve de beaucoup de talent (...)
LAFAYE, Dict. des synonymes, Commis, employé.

2 On y voit des commis,
mis
comme des princes,
qui jadis sont venus,
nus,
de leurs provinces. PANARD, *in* Pierre LAROUSSE.

3 Elle le comparait avec d'autres, avec trois ou quatre freluquets de Paris, commis, écrivassiers ou je ne sais quoi (...) LOTI, Pêcheur d'Islande, I, V, p. 46.

3.1 Par son mariage, Thomas devint très riche, mais, toute sa vie, il conserva son emploi, commis peu payé, exact, discret, respecté, où l'on apercevait dans le bureau des employés, assis auprès d'un coffre-fort, sa tête blanche dépassant une pile de registres. J. CHARDONNE, les Destinées sentimentales, I, p. 15.

Hist. *Premier commis :* fonctionnaire supérieur d'un ministère ou d'une administration. — Loc. mod. *Les grands commis de l'État.* ⇒ **Administrateur.**

3.2 On voit dans les Mémoires de Saint-Simon de ces grands commis qui partent pour les Flandres ou pour l'Italie, marquant en chemin les étapes, créant des magasins, laissant provision chez les banquiers (...) et faisant le chemin d'une armée. Mais il

saute aux yeux que de tels hommes, puissants pour exécuter, ne le sont point du tout pour décider si l'on entreprendra ou non.
ALAIN, Propos, 29 juil. 1923, Administration et gouvernement.

♦ **2.** *Commis-greffier :* adjoint d'un greffier qui le supplée. *« Un commis-greffier, espèce de secrétaire judiciaire assermenté »* (Balzac). — Mar.*Commis aux vivres,* chargé du service des vivres à bord d'un navire.

♦ **3.** (1792). Vieilli. **COMMIS VOYAGEUR,** qui voyage pour placer les marchandises d'une maison de commerce dont il est l'employé. ⇒ **Représentant, voyageur** (de commerce); → V. R. P. *Boîte à échantillons de commis voyageur. Histoires de commis voyageur :* histoires plaisantes, sans finesse.

4 Le Commis voyageur, personnage inconnu dans l'antiquité, n'est-il pas une des plus curieuses figures créées par les mœurs de l'époque actuelle?
BALZAC, l'Illustre Gaudissart, Pl., t. IV, p. 11.

DÉR. 2. Commise.

1. COMMISE [kɔmiz] n. f. — 1315; de *commettre.*

♦ **1.** Dr. féod. Confiscation par le suzerain du fief d'un vassal qui n'a pas rempli les obligations auxquelles il était tenu. *Fief tombé en commise.*

♦ **2.** Vieilli. Confiscation de marchandises de contrebande.

2. COMMISE [kɔmiz] n. f. — 1931, Pagnol; de *commis;* une première fois av. 1900, Robida, le Vingtième Siècle. → Boursicotier, cit. 1.

♦ Régional (sud de la France). Vendeuse (Pagnol, Audiberti, *in* T. L. F.). *« Une commise de librairie »* (Mauriac, cité par Hanse).

COMMISÉRATION [kɔmizeʀasjɔ̃] n. f. — V. 1160; lat. *commiseratio,* de *com- (cum),* et *miserari* « avoir pitié ».

♦ Littér. ou style soutenu. Sentiment de pitié qui fait prendre part à la misère des malheureux. ⇒ **Compassion, miséricorde.** *Élan de commisération.* ⇒ **Apitoiement, attendrissement.** *Éprouver, avoir de la commisération pour qqn. Sa commisération pour les malheureux. Témoigner de la commisération à qqn. Air, ton de commisération. Un mot de commisération.* → Plaindre, cit. 3. *Exciter la commisération de qqn, chez qqn.*

1 La *compassion* fait compatir, c'est-à-dire souffrir avec ceux qui souffrent, avec les affligés; la *commisération* fait prendre part à la misère, ou intéresse aux misérables, aux malheureux. La *compassion* (...) est plus douloureuse et plus vive; la *commisération* est plus modérée parce qu'elle correspond à des maux moins sensibles; elle a même des douceurs.
LAFAYE, Dict. des synonymes, Pitié, compassion..., miséricorde.

2 L'homme qui ne connaîtrait pas la douleur ne connaîtrait ni l'attendrissement de l'humanité ni la douceur de la commisération.
ROUSSEAU, *in* LAFAYE, Dict. des synonymes, Pitié..., commisération, miséricorde.

3 Elle m'a toujours paru aussi peu sensible pour autrui que pour elle-même : et quand elle faisait du bien aux malheureux, c'était pour faire ce qui était bien en soi, plutôt que par une véritable commisération.
ROUSSEAU, les Confessions, II.

4 Les autres habitants s'associaient à l'affliction de cette famille respectable par une sincère et pieuse commisération qui donnait à tous les visages la même expression, et qui monta jusqu'à l'effroi...
BALZAC, le Curé de village, Pl., t. VIII, p. 614.

5 (...) ce visage où ne se lit aucune commisération, aucun attendrissement devant la souffrance humaine, aucune crainte de la heurter, et qui est le visage sans douceur, le visage antipathique et sublime de la vraie bonté.
PROUST, À la recherche du temps perdu, t. I, p. 116.

CONTR. Dureté, indifférence, insensibilité.

COMMIS-GREFFIER [kɔmigʀefie] n. m. ⇒ Commis.

COMMISSAIRE [kɔmiseʀ] n. m. — 1310; du lat. médiéval *commissarius,* de *committere* « préposer ». — REM. Le mot est masculin; on l'emploie en parlant des femmes, mais rien n'empêche de dire et d'écrire : *une, la commissaire.*

★ **I.** Personne chargée de fonctions spéciales et temporaires.

♦ **1.** *Commissaire du gouvernement :* technicien désigné par le gouvernement pour soutenir un projet de loi devant une assemblée législative. — Officier du ministère public près de certains tribunaux. *Commissaire du gouvernement près du conseil de guerre, du Conseil d'État.* — Hist. *Commissaires de la Convention. Commissaires de la République,* qui étaient envoyés avec pleins pouvoirs par le gouvernement de la IIᵉ République, et aussi par le gouvernement provisoire de la IVᵉ République, dans les départements. — *Haut-commissaire,* titre donné aux parlementaires qui, dans certains gouvernements, ont la direction de grands départements. *Le commissaire, le haut-commissaire au Plan, au Tourisme. Haut-commissaire à l'Énergie atomique.*

Représentant d'un État auprès d'un autre État protégé, associé, occupé... *Le haut-commissaire de France en... Madame X est haut-commissaire de...*

♦ **2.** *Commissaire des comptes* (vieilli); *commissaire aux comptes :* agent de surveillance nommé par l'assemblée générale d'une société anonyme pour vérifier les comptes des administrateurs. *Elle est commissaire aux comptes.* — Expert-comptable qui, dans les sociétés ou les associations, centralise et révise les comptes.

♦ **3.** (1845).Vx. *Commissaire d'un bal, d'un banquet, d'une fête :* celui qui est chargé de régler les préparatifs et d'en faire les honneurs.

(1858, *in* Petiot). Mod. (Sports). Personne qui vérifie qu'une épreuve sportive se déroule régulièrement.

♦ **4.** (1866). Absolt. Membre d'une commission. *Être commissaire d'une commission parlementaire. Commissaires de la commission financière d'une société. L'Académie nomma une commission de cinq membres : les commissaires firent leur rapport* (Académie). *Plusieurs des commissaires sont des femmes.*

★ **II.** Titre de fonctionnaires ou titulaires de charges permanentes.

♦ **1.** COMMISSAIRE DE POLICE; absolt, COMMISSAIRE : officier de police judiciaire chargé de faire observer les règlements de police et de veiller au maintien de la paix publique. *Faire, porter sa plainte devant le commissaire, au commissaire.* ⇒ **Commissariat, 3.** (cit.). *Le commissaire d'un arrondissement, d'un quartier, d'une petite ville.* — *Le commissaire est bon enfant,* comédie de Courteline. *Commissaire divisionnaire*, principal* (le divisionnaire, le principal). *Commissaire central,* sous les ordres duquel sont placés les autres commissaires d'une même ville.

1   (...) je m'en vais faire ma plainte au commissaire du quartier (...)
                   MOLIÈRE, le Mariage forcé, 5.

2   On n'a pas encore importé en Turquie le commissaire de police français, qui vous dépiste en trois heures; on est libre d'y vivre tranquille et inconnu.
                   LOTI, Aziyadé, XI, p. 191.

♦ **2.** COMMISSAIRE-PRISEUR : officier ministériel chargé de l'estimation des objets mobiliers et de leur vente aux enchères.

3   La salle se remplit lentement d'intéressés et de curieux, et après une demi-heure de retard le commissaire-priseur armé de son marteau d'ivoire, le clerc chargé de bordereaux, l'expert avec son catalogue et le crieur muni d'une sébile fixée au bout d'une perche, prirent place sur l'estrade avec une solennité bourgeoise.
                   FRANCE, le Crime de S. Bonnard, Œ., t. II, p. 330.

♦ **3.** Mar. *Commissaire de la Marine, de l'Air :* officiers chargés de la comptabilité, de travaux administratifs. — *Commissaire du bord :* sur les paquebots, Administrateur des services des passagers et du ravitaillement.

4   Un commissaire, cela jauge, pèse, compte, répartit, en un mot : mesure. On ne plaisante pas avec les poids et les volumes. Il y faut être exact, prévoyant, raisonnable. Drot, qui l'avait été, pendant plus de quarante années, respirait, même à la retraite, l'exactitude, la prévoyance et le bon sens professionnel.
                   H. BOSCO, Un rameau de la nuit, p. 45.

♦ **4.** Dans d'autres pays que la France. — (Adapt. du russe *narodnye kommissar*). *Commissaire du peuple,* ancienn : en U.R.S.S., Personnalité assurant des fonctions ministérielles. ⇒ **Ministre.**

(En franç. du Zaïre). *Commissaire d'État :* ministre. *Commissaire du peuple :* membre du conseil législatif. *Commissaire politique. Commissaire urbain :* maire.

COMMISSARIAT [kɔmisaʀja] n. m. — 1752; de *commissaire.*

♦ **1.** (1789). Qualité, emploi de commissaire; fonction de commissaire. *Obtenir un commissariat.* — *Haut-commissariat :* dignité de haut-commissaire.

Par ext. Ensemble des services dépendant d'un haut-commissaire. *Le (haut-)commissariat à la jeunesse et aux sports. Commissariat à l'Énergie atomique* (C.E.A.).

♦ **2.** *Commissariat maritime :* corps administratif de la marine. — *Commissariat de la marine,* fonction de commissaire (II., 3.) de la marine.

♦ **3.** Bureau d'un commissaire de police. *Commissariat d'arrondissement. Commissariat central. Aller au commissariat.*

J'ai été témoin de la scène (...) l'agent s'était mépris : il n'avait pas été insulté (...) L'agent maintint le marchand en état d'arrestation et m'invita à le suivre au commissariat (...) Je réitérai ma déclaration devant le commissaire.
                   FRANCE, Crainquebille, III.

COMMISSION [kɔmisjɔ̃] n. f. — XIIIᵉ, mot du nord de la France; lat. *commissio,* de *committere* «préposer». → Commettre.

★ **I.** Charge, mandat. ⇒ **Attribution, délégation, mission.** *Donner une commission. Charger d'une commission. Exécuter, faire, remplir une commission. S'acquitter fidèlement de sa commission. Outrepasser sa commission.*

♦ **1.** Acte de l'autorité donnant charge et pouvoir pour un temps déterminé.

---

1   (...) Félix, qui avait la commission de l'Empereur pour faire exécuter ses édits contre les chrétiens.   CORNEILLE, Examen de Polyeucte.

2   (...) quelques-uns d'entre eux n'osèrent accepter la commission de plénipotentiaires (...)   RACINE, Notes historiques, XXXVI.

Hist. Titre ou brevet qui conférait un emploi, un grade dans l'armée... ⇒ **Patente.** *Commission d'officier.*

Mod. (Dr.). *Commission rogatoire :* délégation faite par un tribunal ou un juge à un autre tribunal, à un juge d'une autre juridiction ou à un officier de police judiciaire pour accomplir un acte de procédure ou d'instruction.

2.1   Eh bien! dit le juge (...) Nous allons vous établir une commission rogatoire (...) Au troisième coup de sonnette, une jeune femme est venue ouvrir (...) — Entrez, je vous prie. Invitation inutile : quand un policier a dans sa poche une commission rogatoire, il est partout chez lui.
                   René FLORIOT, La vérité tient à un fil, p. 60.

♦ **2.** Dr., comm. Charge qu'une personne (⇒ **Commettant**) confère à une autre (⇒ **Commis, commissionnaire**) pour que celle-ci agisse au nom du commettant. *Contrat de commission.*

(1606). Ordre qu'un négociant donne d'agir pour son compte à une autre personne. *Donner commission de... Avoir commission d'acheter des étoffes.*

Activité d'une personne qui se charge de l'achat, du placement de marchandises pour le compte d'un tiers, soit au nom de celui-ci (⇒ **Mandat**), soit en son nom personnel (⇒ **Commissionnaire**). *Faire la commission. Courtier, représentant à la commission. Maison de commission.*

♦ **3.** (1675). Pourcentage qu'un intermédiaire perçoit pour sa rémunération. ⇒ **Courtage, ducroire, prime, remise, rémunération.** *Toucher quinze pour cent de commission sur des marchandises. Droits de commission. Commission d'un commis voyageur. Commission qu'un banquier retient sur des effets.* ⇒ **Agio.**

3   Moyennant le partage de la commission, la concierge essayait de coller à ses locataires quelques flacons de parfum, ou d'eau de Cologne.
               J. ROMAINS, les Hommes de bonne volonté, t. III, XXIII, p. 313.

Une commission secrète. ⇒ **Pot-de-vin, pourboire** (→ Dessous-de-table).

4   Bien qu'il eût indiqué lui-même plusieurs des entrepreneurs, dont la Société étudiait les propositions (...) il ne leur avait soutiré aucune commission secrète, et avait épluché leurs devis très sévèrement.
               J. ROMAINS, les Hommes de bonne volonté, t. V, XXVII, p. 289.

♦ **4.** (1690). Cour. (surtout au plur.). Marchandise achetée, message transmis, service rendu..., pour autrui. ⇒ **Course, emplette, message.** *Faire les commissions de qqn. Faire faire, envoyer faire une commission par un enfant. Garçon de courses, qui fait les commissions.* ⇒ **Chasseur, coursier.**

5   Je me charge des commissions importantes, des longues trottes, d'aller chez le pharmacien ou le médecin.
    «De votre côté, vous courez le village aux menues provisions».
               J. RENARD, Poil de Carotte, Le programme.

(Au pluriel). Très cour. Provisions, denrées achetées pour un usage quotidien. *Faire la liste des commissions. Faire les commissions :* faire les courses nécessaires à l'approvisionnement quotidien. ⇒ **Course** (II., 1., faire les courses), **emplette** (2.). *Revenir, rentrer des commissions.*

6   Sur le seuil de l'épicerie, Jean relut la liste de ses *commissions,* toucha d'une main la poche gonflée de son manteau, et, portant un paquet sous le bras, monta chez Ségur.   J. CHARDONNE, les Destinées sentimentales, II, p. 225.

6.1   Quand je rentre des commissions, ils s'approchent de moi tous les quatre, voir ce que j'apporte dans mon sac.   M. AYMÉ, le Passe-muraille, p. 256.

Lang. enfantin. *La grosse, la petite commission :* les fonctions d'excrétion. → Caca, pipi.

6.2   (...) elle m'expliqua :
    — Nous autres, les filles, nous devons nous arrêter pour faire les deux commissions. Les chevaux, les vaches font la grosse tout en courant (...) Au contraire, les garçons s'arrêtent pour faire la grosse, mais font pipi tout en courant.
               B. CENDRARS, Bourlinguer, 1948, p. 130.

★ **II.** Réunion de personnes (⇒ **Commissaire**) déléguées pour étudier un projet, préparer ou contrôler un travail, prendre des décisions dans une affaire déterminée... ⇒ **Bureau, comité, sous-commission.** *Être membre d'une commission. Le président, le rapporteur de la commission. Commission nommée, désignée, élue par une assemblée. Rapport, conclusion, vœux de la commission. Amendement proposé par la commission. Renvoi à la, en commission.* — *Commissions parlementaires. Commission permanente, spéciale. Commission administrative, exécutive. Commission du budget. Commission des dommages, des bénéfices de guerre. Commission départementale,* qui contrôle l'action préfectorale dans l'intervalle des sessions du conseil général. *Commission d'enquête. Commission d'arbitrage. Commission paritaire*. Commission d'examen. Commission de développement économique régional* (C.O.D.E.R.), en France.

7   On m'assure qu'à Genève, on s'est occupé de la question, je veux dire qu'on a formé une commission, laquelle on a désigné un rapporteur.
               Léon DAUDET, la Femme et l'Amour, III, p. 88.

8   Depuis longtemps, maintes expériences faites, je ne fonde que des espoirs modestes sur ce qu'on appelle les travaux des commissions.
               G. DUHAMEL, Manuel du protestataire, VI, p. 147.

Tribunal d'exception qui juge de faits graves. *Commission militaire* : tribunal militaire jugeant rapidement et sans recours.

(Au Canada). *Commission d'enquête* : commission dont les membres sont nommés par le gouvernement pour faire l'étude d'une question spécifique.

Hist. *Commission de police, commission consulaire exécutive, commission des émigrés, commission exécutive, législative, militaire, populaire, révolutionnaire* (sous la Révolution française).

DÉR. Commissionnaire, commissionner.
COMP. Sous-commission.

COMMISSIONNAIRE [kɔmisjɔnɛʀ] n. — 1583 ; *commissionere*, 1506 ; de *commission*.

♦ **1.** Comm. Personne qui agit pour le compte d'autrui (⇒ **Commettant**) en matière commerciale (⇒ **Intermédiaire, mandataire**). — Spécialt. Personne qui agit pour le compte d'un commettant mais en son nom personnel. *Commissionnaire de vente et d'achat. Remettre des marchandises en dépôt* ou en consignation* à un commissionnaire. Commissionnaire exportateur, importateur, répartiteur. Commissionnaire en douanes.* ⇒ **Transitaire.** *Commissionnaire aux halles centrales de Rungis.* ⇒ **Mandataire.** *Commissionnaire de transport.* ⇒ **Chargeur, expéditeur.**

1   Le commissionnaire est celui qui agit en son propre nom ou sous un nom social pour le compte d'un commettant. Les devoirs et les droits du commissionnaire qui agit au nom d'un commettant sont déterminés par le Code civil, livre III, titre XIII.
                                                                   Code de commerce, art. 94.
2   Dans tous les pays de grande consommation, le négociant reste dans son comptoir et agit par des commissionnaires qui sont quelquefois eux-mêmes des négociants très considérables.   J.-B. SAY, Cours, 1840, *in* LITTRÉ.

♦ **2.** (1708). Vieilli. Personne qui fait une commission, une course pour qqn. *Un bon commissionnaire. Prendre un enfant comme commissionnaire.*
Personne dont le métier est de faire les commissions du public. ⇒ **Coursier, porteur.** *Donner un message, un paquet à un commissionnaire. Commissionnaire d'hôtel, de restaurant.* ⇒ **Chasseur, groom.**

COMMISSIONNER [kɔmisjɔne] v. tr. — 1462 ; de *commission*.

♦ **1.** Dr. Attribuer une fonction, conférer un pouvoir à (qqn). ⇒ **Commission.** *Le gouvernement l'a commissionné pour...* — Au p. p. *Agent commissionné.*

♦ **2.** Comm. Donner commission d'acheter ou de vendre.

♦ **3.** En franç. d'Afrique. **a** V. tr. Charger (qqn) de faire une commission, des démarches. ⇒ **Mandater.**

b V. intr. Faire des achats, des commissions.

COMMISSOIRE [kɔmiswaʀ] adj. — XIIIᵉ ; lat. *commissorius*.

♦ Dr. Qui entraîne l'annulation d'un contrat. *Clause commissoire,* qui a pour effet de résilier un contrat quand elle n'est pas exécutée. *Pacte commissoire* : contrat de gage où le créancier devient propriétaire de la chose engagée si le débiteur ne paie pas au terme fixé. *Le pacte commissoire est interdit comme usuraire.*

COMMISSURAL, ALE, AUX [kɔmisyʀal, o] adj. — 1846 ; de *commissure*.

♦ Anat. Relatif à une commissure. *Affection commissurale.*

COMMISSURE [kɔmisyʀ] n. f. — 1314 ; lat. *commissura*, de *committere* «joindre ensemble». → Commettre.

♦ **1.** Anat. Point de jonction de deux ou plusieurs parties. *Commissure blanche, grise de la moelle. Commissures du cerveau.* — *Commissures des paupières.*

♦ **2.** Spécialt (cour.). *Commissures des lèvres,* aux angles de la bouche.

1   On peut lire dans les yeux bien ouverts, bien vifs et bien arqués, et dans la commissure un peu ironique des lèvres, cette pointe de malice et de moquerie (...)
                            A. BILLY, Sainte-Beuve, sa vie et son temps, I, Le romantique, p. 19.
2   Deux rides profondes se creusent de part et d'autre de sa bouche dont les commissures s'abaissent et se tordent.
                            G. DUHAMEL, Chronique des Pasquier, VI, XII, p. 397.

DÉR. Commissural, commissurotomie.

COMMISSUROTOMIE [kɔmisyʀɔtɔmi] n. f. — Mil. XXᵉ ; de *commissure*, et *-tomie*.

♦ Méd. Section des commissures d'un orifice mitral rétréci, effectuée par dilatation de l'orifice ou à l'aide d'un instrument spécial (*commissurotome*, n. m.).

Souttar venait par cette première commissurotomie mitrale (en 1925) de créer une opération dont il existe à l'heure actuelle plusieurs milliers d'exemples.
                                        Cl. D'ALLAINES, la Chirurgie du cœur, p. 57.

COMMODAT [kɔmɔda] n. m. — 1585 ; lat. jurid. *commodatum* «prêt à usage» ; de *commodus* «commode, avantageux».

♦ Dr. civ. Prêt à usage. ⇒ **Prêt** (art. 1875 du Code civil).
DÉR. Commodataire.

COMMODATAIRE [kɔmɔdatɛʀ] adj. et n. — 1584 ; de *commodat*.
Droit civil.

♦ **1.** Adj. Qui a rapport au commodat. *Un contrat commodataire.*

♦ **2.** N. Personne qui bénéficie d'un prêt par commodat.

1. COMMODE [kɔmɔd] adj. — 1475 ; lat. *commodus* «convenable, approprié ; accommodant, bienveillant» (littéralt «qui est de mesure», de com- «avec», et *modus* «mesure»).

★ **I.** (Choses). ♦ **1.** (Concret). Qui se prête aisément et d'une façon appropriée à l'usage qu'on en fait. ⇒ **Convenable, pratique, propre.** *Une maison commode. Lieu commode pour la conversation. Chemin commode, facile, rapide. Outil, machine commode. Commode à manier.* ⇒ **Maniable.** — REM. *Commode à* (suivi d'un nom de chose) est aujourd'hui vieilli et remplacé par *commode pour (qqch.).*

1   (...) maisons (...) commodes à tout commerce.
                                        LA BRUYÈRE, Disc. sur Théophraste.
2   (...) celle *(la salle à manger)* des de Saint-Papoul, avec ses quelque trente-cinq mètres carrés de surface, et ses proportions commodes, se prêtait à recevoir de nombreux convives.
                                        J. ROMAINS, les Hommes de bonne volonté, t. III, XI, p. 143.

Vx. *Armoire commode.* ⇒ 2. **Commode.**

♦ **2.** (Abstrait). Plus cour. Facile, simple. *Moyen commode. C'est commode. Commode à faire. Il est plus commode pour moi de prendre le train.* ⇒ **Aisé.** *Ce que vous me demandez là n'est pas commode.*

3   Ah! que j'ai de dépit que la loi n'autorise
    À changer de mari comme on fait de chemise!
    Cela serait commode (...)   MOLIÈRE, Sganarelle, 5.
4   (...) c'est fort commode et fort doux de n'avoir qu'un mot à dire pour faire tout plier autour de soi.   G. SAND, la Petite Fadette, XXXVIII, p. 243.
5   Les moyens juridiques furent de tout temps commodes pour l'ambition.
                                        FUSTEL DE COULANGES, Questions contemporaines, p. 49.
6   Peut-être au demeurant Dostoïevsky, pour une intelligence salonnière, n'était-il pas commode à saisir ou pénétrer du premier coup (...)
                                        GIDE, Dostoïevsky, p. 4.

Fam. *C'est commode ; c'est trop commode* : c'est une solution de facilité. *Répondre par une simple dénégation, c'est commode* (Académie). *C'est trop commode de nier.*

♦ **3.** Vx. Agréable. *Une vie commode* : une vie tranquille et douce, où l'on a ses aises. ⇒ **Confortable.**

7   Ce n'est point l'or et l'argent qui procurent une vie commode, c'est le génie ; un peuple qui n'aurait que ces métaux, serait très misérable.
                                        VOLTAIRE, le Siècle de Louis XIV, 30.

★ **II.** (Personnes ; tendances ...). ♦ **1.** (1654). Vieilli. D'un caractère facile et arrangeant. ⇒ **Accommodant.** *Avoir l'humeur, le caractère commode. Un maître commode à servir.* — Mod. (négatif). *C'est un homme qui n'est pas commode* : c'est un homme sévère, exigeant, ou encore, un homme avec lequel on ne peut plaisanter. *Être commode, peu commode à vivre.*

8   Il y a Sylvain qui n'est pas trop commode.
                                        G. SAND, la Mare au diable, VI, p. 49.
9   Le fait est qu'il la connaissait pour point commode, maîtresse femme jusqu'au bout des ongles (...)   COURTELINE, Boubouroche, Nouvelle, p. 33.

♦ **2.** (1661). Péj. Trop complaisant. ⇒ **Indulgent.** *Un mari commode.* — (1656). Vieilli. Qui manque d'exigence, de rigueur. *Vertu commode,* relâchée. *Dévotion, doctrine, morale commode.*

♦ **3.** N. m. *Le commode* : ce qui est commode.

10 Il faut distinguer trois choses, le nécessaire, le commode, le superflu ; le nécessaire que la raison demande ; le commode que la sensualité recherche ; le superflu dont l'orgueil se pare et qui entretient le faste.
                                        BOURDALOUE, Pensées, t. II, p. 493.

CONTR. Difficile, gênant, incommode, inutilisable, malaisé, pénible. — Acariâtre, austère, jaloux, rigoureux.
DÉR. V. 2. Commode ; commodité.
COMP. Commodément.

2. COMMODE [kɔmɔd] n. f. — 1705 ; de 1. *commode* : armoire commode.

♦ Meuble à hauteur d'appui, muni de tiroirs où l'on range (du linge, des objets...). ⇒ **Armoire, chiffonnier, semainier** (II., 2.). *Dessus de marbre d'une commode. Commode de bois d'acajou. Commode Louis XVI, Empire,* de style Louis XVI, Empire.

1 N'ayant pas de secrets, il se passait facilement de secrétaire, et l'incommodité des commodes était un fait démontré pour lui.   Th. GAUTIER, la Toison d'or, I.

2 Le lit des enfants, tiré au milieu de la pièce, découvrait la commode, dont les tiroirs laissés ouverts montraient leurs flancs vides.
ZOLA, l'Assommoir, t. I, I, p. 38.

COMMODÉMENT [kɔmɔdemɑ̃] adv. — 1544 ; de *commode*.

♦ **1.** D'une manière commode, appropriée. *Choisir des chaussures qui permettent de marcher commodément.*
Vieilli. Facilement, agréablement. *« Les lieux où l'on peut vivre le plus commodément »* (Rousseau). → Choisir, cit. 4. — Mod. D'une manière confortable. *S'installer commodément,* à son aise (→ Attabler, cit. 1). ⇒ **Carrer** (se).

♦ **2.** Péj. Trop facilement. *Il manifeste peu de scrupules et s'arrange bien commodément de la morale !*

COMMODITÉ [kɔmɔdite] n. f. — 1409 ; lat. *commoditas,* de *commodus.* → Commode.

♦ **1.** Vieilli ou littér. Qualité de ce qui est commode. ⇒ **Agrément, avantage, confort, utilité.** *Commodité d'un lieu. Les dégagements font toute la commodité d'une maison* (Académie). *Le voisinage du parc nous procure la commodité de la promenade. Rechercher la commodité en tout. Pour plus de commodité...* ⇒ **Facilité.** *Pour la commodité du discours,* pour sa clarté.

1 Cette commodité de retoucher l'ouvrage
Aux peintres chancelants est un grand avantage (...)
MOLIÈRE, la Gloire du Val-de-Grâce, 251.

2 Mais, mon frère (...) faites-vous médecin vous-même. La commodité sera encore plus grande, d'avoir en vous tout ce qu'il vous faut.
MOLIÈRE, le Malade imaginaire, III, 14.

3 (...) c'est une simple hypothèse pour la commodité de mon raisonnement (...)
J. ROMAINS, les Hommes de bonne volonté, t. III, XXII, p. 289.

4 Mieux est de façonner le mal à notre usage, et même à notre commodité.
COLETTE, l'Étoile Vesper, p. 10.

♦ **2.** Plur. *Les commodités de la vie* : ce qui rend la vie plus commode, plus agréable, plus confortable. ⇒ **Aise, confort.** *Apprécier les mille commodités de l'appartement moderne. Prendre ses commodités :* s'installer confortablement. — Vx. *« Les commodités de la conversation »* (formule des précieuses du XVIIe s. reprise par Molière) : les fauteuils.

5 Vite, voiturez-nous ici les commodités de la conversation.
MOLIÈRE, les Précieuses ridicules, 9.

6 À la manière dont M. Dastier m'avait parlé de la Corse, je n'y devais trouver, des plus simples commodités de la vie, que celles que j'y porterais : linge, habits, vaisselle, batterie de cuisine, papier, livres, il fallait tout porter avec soi.
ROUSSEAU, les Confessions, XII.

7 Venez vous réchauffer chez moi ; vous n'y trouverez pas les commodités de la vie, mais vous y aurez un abri (...)
CHATEAUBRIAND, Atala, Le récit, Les chasseurs.

8 Une foule de petites commodités sont maintenant indispensables.
TAINE, Philosophie de l'art, t. I, II, IV, p. 149.

Mod. (Recomm. off., 1973, pour traduire l'angl. *utilities*). Équipements apportant à un logement, un ensemble d'habitations, un quartier, le confort et l'hygiène (voirie, eau potable, électricité, évacuation des eaux usées, etc.).

♦ **3.** (1677). Spécialt (euphémisme vieilli). Lieux d'aisances. *Aller aux commodités.*

9 (...) quand je veux aller aux commodités satisfaire mes petits besoins !...
COURTELINE, Messieurs les ronds-de-cuir, 2e tableau, II, p. 67.

10 Les commodités, munies d'une seule demi-porte inférieure et placées dans la salle, permettaient à leurs usagers de continuer la conversation commencée à la table (...)   R. QUENEAU, Loin de Rueil, p. 189.

CONTR. Désagrément, embarras, gêne, incommodité, inconvénient.

COMMODO ⇒ De commodo et incommodo.

COMMODORE [kɔmɔdɔʀ] n. m. — 1760, *in* Höfler ; mot angl. ; du néerl. *kommandeur,* d'orig. franç. → Commandeur.

♦ Dans les marines de guerre britannique, américaine et néerlandaise, Officier qui vient immédiatement au-dessous du contre-amiral.

COMMONWEALTH [kɔmɔnwɛls] n. m. — 1948, Larousse ; mot angl., « communauté », abrév. de *Commonwealth of Nations.*

♦ Ensemble des États et territoires émancipés de l'ancien Empire britannique, liés entre eux par le seul serment d'allégeance à la Couronne britannique. *Le terme de Commonwealth a remplacé celui d'Empire dès le traité de Londres en 1922.*

COMMOTION [kɔmɔsjɔ̃] n. f. — V. 1120, *commotium* ; lat. *commotio, -onis* « mouvement », de *com-,* et *motio.* → Motion.

♦ **1.** Ébranlement soudain et violent. ⇒ **Choc, secousse ; explosion.**

— Vieilli. *Commotions d'un tremblement de terre.* — (1753). *Commotion électrique,* due à une décharge électrique.
Mod. Ébranlement violent (de l'organisme ou d'une de ses parties : *commotion cérébrale, commotion de la rétine*) par un choc direct ou indirect, entraînant divers troubles, mais sans lésions apparentes. ⇒ **Traumatisme.** *Une commotion violente au cerveau.*

1 Ruiné, dépouillé, perdu !
Il était resté sur le banc, comme étourdi par une commotion.
FLAUBERT, l'Éducation sentimentale, I, VI.

2 (...) il avait reçu de cet attentat stupide et heureusement raté une forte commotion.
Georges LECOMTE, Ma traversée, p. 182.

♦ **2.** Violente émotion morale. ⇒ **Bouleversement, ébranlement, trouble.** *La mort de son fils a été une terrible commotion pour elle.* ⇒ **Choc, traumatisme.**

3 (...) un intérieur nouveau où je pénétrais était toujours une découverte agréable à mon cœur ; j'en recevais dès le seuil une certaine commotion (...)
SAINTE-BEUVE, Volupté, IV, p. 28.

4 La voix sévère de l'archidiacre frappa le pauvre diable d'une telle commotion qu'il perdit l'équilibre avec tout son édifice (...)
HUGO, Notre-Dame de Paris, VII, II.

5 Elle se redressa sous la commotion de ce qu'elle venait d'entrevoir (...)
LOTI, Ramuntcho, II, V, p. 248.

♦ **3.** (XIVe). Rare et vx. Changement social violent, ébranlement dû à une guerre, une révolution, un mouvement politique ou religieux. ⇒ **Désordre, tempête.**

DÉR. Commotionnel, commotionner.

COMMOTIONNANT, ANTE [kɔmɔsjɔnɑ̃, ɑ̃t] adj. — 1938, Le Corbusier ; p. prés. de *commotionner.*

♦ Qui donne une forte émotion.
Mais commotionnant, clair, voici le timbre qui sonne, résonne (...)
PROUST, Jean Santeuil, Pl., p. 360.

COMMOTIONNEL, ELLE [kɔmɔsjɔnɛl] adj. — 1915 ; de *commotion.*

♦ Méd. Qui consiste dans une commotion (1. ou 2.). *La réaction commotionnelle engendrée par une violente explosion qu'a entendue le patient.*

COMMOTIONNER [kɔmɔsjɔne] v. tr. — 1875 ; de *commotion.*

♦ (Sujet n. de chose). Frapper d'une commotion. *La décharge électrique, cette émotion l'a fortement commotionné.* ⇒ **Choquer, secouer, traumatiser.**
Au p. p. *Des réfugiés commotionnés.* — N. Personne qui a été frappée d'une commotion.
Ils n'ont rien, mon commandant, rien. Ce sont des commotionnés. Ils sont intacts, mais ils n'entendent rien et ne voient rien. Il faut les évacuer.
Armand LANOUX, le Commandant Watrin, p. 174.

DÉR. Commotionnant.

COMMUABILITÉ [kɔmɥabilite] n. f. — 1845 ; de *commuable.*

♦ Dr. Caractère de ce qui peut être commué. *La commuabilité d'une peine.* — REM. On trouve aussi *commutabilité.*

COMMUABLE [kɔmɥabl] ou COMMUTABLE [kɔmytabl] adj. — 1483, *commuable* ; *commutable,* 1547 ; de *commuer.*

♦ Dr. Qui peut être commué. *Peine commuable.*
DÉR. Commuabilité.

COMMUER [kɔmɥe] v. tr. — 1361 ; dr., 1548 ; du lat. *commutare* « échanger », sous l'influence de *muer.* → Commuter.

♦ **1.** Dr. et cour. Changer (une peine) en une peine moindre. *Commuer une peine, une sentence.* ⇒ **Commutation.** *Commuer la peine de mort en celle de prison à vie.*
Rare (sujet n. de personne) :
Jean-Etienne, né à Saint-Nazaire, le 11 juillet 1840. Condamné à mort comme parricide, puis commué ; fin, rusé, dangereux s'il n'est employé avec intelligence (bon à tout faire s'il est bien dirigé).   Louise MICHEL, la Misère, t. II, p. 466.

♦ **2.** (1906). Techn. Commuer (qqch.) : changer, transformer. *« Le courant alternatif (...) commué en courant unidirectionnel »* (Rev. gén. des sc., 1906, p. 675).
DÉR. Commuable ou commutable.

COMMUN, UNE [kɔmœ̃, yn] adj. et n. m. — 842 ; lat. *communis.*

★ **I.** Adj. ♦ **1.** (XIIe). Qui appartient, qui s'applique à plusieurs personnes ou choses, à un groupe. *D'un usage commun. Un puits, un passage commun. Cour commune. Terres communes* (⇒ **Communal). Maison commune.** ⇒ **Hôtel** (de ville), **mairie.** *La salle com-*

mune d'une maison, d'un café. Mur commun à deux propriétés. ⇒ **Mitoyen.** Avoir des intérêts communs avec qqn. Tout est commun entre eux. Des goûts, des désirs communs. Un but commun. ⇒ **Même.** Avoir un caractère commun. ⇒ **Comparable, identique, semblable.** Des qualités communes. Des traits communs. ⇒ **Analogie, ressemblance.** C'est un point commun entre eux. Vivre dans une chambre commune. Avoir un ami commun, en parlant de deux personnes qui ont pour ami une troisième personne. Nos ennemis communs.

1 Il hait autant que moi nos communs ennemis (...)   RACINE, Mithridate, II, 3.

2 (...) unies (les deux amies) par les mêmes besoins, ayant éprouvé des maux presque semblables (...) Tout entre elles était commun.
BERNARDIN DE SAINT-PIERRE, Paul et Virginie, p. 22.

3 Ainsi conduite, l'explication sera complète, puisqu'elle rendra compte à la fois des traits communs qui forment les écoles, et des traits distinctifs qui caractérisent les individus.   TAINE, Philosophie de l'art, t. I, I, II, IX, p. 104.

4 Si la vérité de chacun est ce qui le grandit, nous pouvons, vous et moi, qui ne sommes pas de même obédience, nous sentir rapprochés par notre goût commun de la grandeur, par notre amour commun de l'amour.
A. MAUROIS, Études littéraires, Saint-Exupéry, t. II, III, p. 279.

T. de comparaison. Avoir qqch. de commun avec qqch. d'autre. Deux choses qui ont qqch. de commun. ⇒ **Rapport.** Cela n'a rien de commun avec ceci, de comparable, de semblable (→ Cela n'a rien à voir).

COMMUNE MESURE. La commune mesure entre deux choses. Cela n'a pas de commune mesure. ⇒ **Incommensurable, incomparable** (→ Abâtardir, cit. 3; aventure, cit. 19). Sans commune mesure (même sens).

COMMUN À : propre également à (plusieurs). Mur mitoyen, commun à deux propriétés.

Dr. Droit commun. ⇒ **Droit.** Jugement*, arrêt commun. Avoir des ancêtres communs. Les biens communs, par opposition aux biens « propres » dans la communauté du mariage. — Souveraineté commune. ⇒ **Condominium.**

Math. Diviseur*, dénominateur* commun. Le plus grand commun diviseur. ⇒ **P.G.C.D.** Le plus petit commun multiple. ⇒ **P.P.C.M.** Grandeur commune. ⇒ **Commensurable.** Deux triangles qui ont un côté commun, un angle commun. Mise en facteur* commun.

♦ **2.** Qui se fait ensemble, à plusieurs. Travail commun. Œuvre commune. ⇒ **Collectif.** Mener une action commune. ⇒ **Coaliser** (se). Vie commune des époux, vie commune de religieux. Faire cause commune avec qqn. ⇒ **Associer** (s'). — Programme commun, qui a été établi par différents partis politiques unis (spécialt, le programme commun de la gauche, en France). — D'un commun accord [dœkɔmœnakɔʀ] : avec une communauté d'intentions, de décision, de volonté; par ext., ensemble (et en étant d'accord; → Accord). — Faire bourse commune : réunir ses ressources pour les gérer, les dépenser ensemble.

EN COMMUN. ⇒ **Communauté** (en), **concert** (de), **ensemble, société** (en). Personnes qui vivent en commun. Travailler en commun. ⇒ **Collaboration.** Posséder des biens en commun. ⇒ **Indivision.** Mettre des biens en commun, partager (⇒ **Communisme**).

5 La génisse, la chèvre et leur sœur la brebis
Avec un fier lion, seigneur du voisinage,
Firent société (...)
Et mirent en commun le gain et le dommage.   LA FONTAINE, Fables, I, 6.

6 Chacun de nous met en commun sa personne et toute sa puissance sous la suprême direction de la volonté générale; et nous recevons encore chaque membre comme partie indivisible du tout.   ROUSSEAU, Du contrat social, I, VI, p. 244.

♦ **3.** Qui appartient au plus grand nombre ou le concerne. ⇒ **Général, public, universel.** L'intérêt, le bien commun. La volonté commune. Sens* commun. Notre destinée commune. Les aspirations communes. L'utilité commune. Rendre qqch. commun à tous (en parlant de connaissances) ⇒ **Communiquer, divulguer, répandre, vulgariser.** Objet d'usage commun. ⇒ **Courant.**

7 Je n'ai pour ennemis que ceux du bien commun (...)
CORNEILLE, Sertorius, III, I.

8 (...) les mutins virent
Que celui qu'ils croyaient oisif et paresseux
A l'intérêt commun contribuait plus qu'eux.   LA FONTAINE, Fables, III, 2.

9 (...) Rome le louait d'une commune voix (...)   RACINE, Britannicus, II, 6.

10 Les distinctions ne peuvent être fondées que sur l'utilité commune.
Déclaration des droits de l'homme (Constitution du 3 sept. 1791), art. 1er.

11 (...) la volonté commune ne se retrouve que peu ou point dans chaque personne, qui pourtant en subit la contrainte tout entière.
FRANCE, les Opinions de J. Coignard, Œ., t. VIII, p. 324.

12 Je lis dans les lettres de Diderot à Falconet : «(...) on doit quelquefois plus à une erreur singulière qu'à une vérité commune. »   GIDE, Journal, 8 déc. 1924.

Gramm. Nom commun, qui appartient à tous les individus de la même espèce (opposé à nom propre). ⇒ **Appellatif.** Nom commun masculin, féminin, épicène.

♦ **4.** N. m. Vieilli. Le commun de... ⇒ **Ensemble, généralité.** Le commun des hommes, le plus grand nombre, la plus grande partie. ⇒ **Foule, masse, monde.**

13 L'amour a d'autres yeux que le commun des hommes.
RACINE, la Thébaïde, I, 5.

(...) au commun des êtres il faut une époque de liberté dans la vie, et pour être solitaire il faut avoir le monde à satiété.   STENDHAL, Souvenirs d'égotisme, p. 271.   14

Le commun des Français fait si volontiers ses délices de la crasse ignorance des plus illustres éléments de la géographie!   Ch. MAURRAS, Anthinéa, p. 110.   15

Mod. Le commun, le commun des mortels : la majorité (opposé à les privilégiés). → aussi II., 1.

Michel Bielski lui propose (...) le commerce des poètes difficiles, hérauts en ce monde de vérités que le commun ignore. Il lui parle de Hölderlin, de Blake (...)   Alain BOSQUET, les Bonnes Intentions, p. 171.   15.1

♦ **5.** Qui, étant adopté par le plus grand nombre, est considéré comme dépourvu de distinction (terme relatif, de jugement social).

a Habituel, ordinaire. ⇒ **Accoutumé, banal, courant, naturel.** Les règles, les façons communes. Langage commun. ⇒ **Usuel.** Rien n'est si commun que...

Se croire un personnage est fort commun en France (...)
C'est proprement le mal français.
La sotte vanité nous est si particulière.   LA FONTAINE, Fables, VIII, 15.   16

(...) cela s'appelle de la ladrerie en langage commun.
Mme DE SÉVIGNÉ, 947, 31 déc. 1684.   17

(...) les choses extraordinaires et qui sortent des communes règles (...)
LA BRUYÈRE, les Caractères, XIV, 70.   18

b Péj. Empreint de vulgarité. ⇒ **Banal, plat, vulgaire.**

(...) je hais l'esprit satirique comme étant l'esprit le plus petit, le plus commun et le plus facile de tous (...)   CHATEAUBRIAND, Mémoires d'outre-tombe, t. II, p. 219.   19

(...) rien n'est plus irrésistiblement grotesque, monstrueusement ordinaire, indignement commun, que ces gens qui pleurent des parents aimés.
MAUPASSANT, la Vie errante, III, p. 48.   20

N. m. (dans : hors du commun). Hors du commun (⇒ **Extraordinaire**). Destinée, œuvre hors du commun.

Spécialt. Qui n'appartient pas à l'élite, n'est pas distingué. ⇒ **Quelconque, trivial, vulgaire.** Il a des manières très communes.

Ma versification n'est point un assemblage de sentiments communs et d'expressions triviales que la rime seule soutienne; c'est une poésie mâle qui émeut le cœur et frappe l'esprit.   LESAGE, le Diable boiteux, XIV.   21

♦ **6.** Qui se rencontre fréquemment. ⇒ **Abondant, fréquent, répandu.** Une variété commune. Une espèce des plus communes.

Chaque année, en retrouvant mon jardin, même déconvenue : disparition des espèces et des variétés rares : triomphe des communes et des médiocres.
GIDE, Journal, 15 juin 1910.   22

Je m'empare de quelques beaux papillons porte-queue, jaune soufré maculés de noir, très communs; et d'un autre un peu moins fréquent, semblable au machaon (...)   GIDE, Voyage au Congo, in Souvenirs, Pl., p. 691.   22.1

(...) ils les classeraient parmi les dévotes de l'espèce la plus commune.
F. MAURIAC, la Pharisienne, XII.   23

Loc. Peu commun : exceptionnel, rare. Une force peu commune.

LIEU COMMUN. ⇒ **Lieu,** IV.

REM. Dans l'histoire de cette expression, l'adjectif commun est d'abord senti (« commun à tous, collectif ») puis, en français moderne, sa valeur n'est plus analysée, les connotations péjoratives de commun l'emportant.

(...) j'ai pris soin de m'écarter des lieux communs et des phrases proverbiales.
LA BRUYÈRE, Disc. à l'Académie, Préface.   24

Il y avait là, un ancien ministre, le curé d'une grande paroisse, deux ou trois hauts fonctionnaires du gouvernement; ils s'en tenaient aux lieux communs les plus rebattus.   FLAUBERT, l'Éducation sentimentale, II, II.   25

♦ **7.** Sc. nat. Répandu. Cerfeuil commun.

★ **II.** N. m. ♦ **1.** (V. 1160). Vx. Le peuple; le « vulgaire ». — Loc. Les gens du commun : la partie la plus nombreuse et la moins favorisée de la société. Un homme du commun (⇒ aussi I., 5., subst.).

♦ **2.** (1690). Liturgie. Le commun des apôtres, des martyrs, des vierges... : l'office que l'Église romaine a réglé d'une façon générale pour tous ces cas.

♦ **3.** N. m. pl. (1704). Les communs : les bâtiments d'un château, d'une résidence, etc., servant aux cuisines, aux garages, aux écuries... De beaux communs de style Louis XIII.

Une porte grinça sur ses gonds, très loin, du côté des communs.
H. BOSCO, Hyacinthe, p. 196.   26

Mais Théodore (...) n'avait pas regagné le réduit qu'il occupait seulement l'hiver, préférant dormir dans les communs tant que la froidure ne l'en délogeait pas.
Suzanne PROU, la Terrasse des Bernardini, p. 154.   27

CONTR. Différent, distinct, inaccoutumé, individuel, inhabituel, original, particulier, personnel, singulier. — **Divis, propre.** — **Distingué, exceptionnel, extraordinaire, rare, recherché, spécial.**
DÉR. Communal, communauté, communément, communisme, communiste.

COMMUNAL, ALE, AUX [kɔmynal, o] adj. et n. — 1160, « public »; de commun.

♦ **1.** Qui appartient à une commune. École communale. Collège communal. Archives communales. La représentation communale. ⇒ **Municipal** (conseil). Champs, bois communaux (⇒ **Affouage**).

Plusieurs années après avoir quitté pour le lycée l'école communale de mon fau-   1

bourg des Minimes, j'allais encore, chaque fois, présenter à mes anciens instituteurs mes notes de trimestre.
Raymond ABELLIO, Ma dernière mémoire, t. I, p. 46.

N. m. pl. *Les communaux* : les terrains communaux (prés, bois) où peuvent paître les troupeaux.

N. f. *La communale* : l'école communale. *Aller à la communale. Il vient tout droit de la communale*, il n'est pas très fort, pas très dégrossi.

2   Tout au fond du stock d'injures que lui avait légué la communale, il cherchait le terme adéquat (...)   Roger IKOR, les Fils d'Avrom, Les eaux mêlées, p. 382.

Régional (Belgique). *Conseil communal*, municipal. *Le collège des bourgmestres et échevins est choisi au sein du conseil communal. Maison communale* : mairie, hôtel de ville.

♦ **2.** Qui concerne la commune. *Le budget communal. Préconiser une plus grande autonomie communale.*

DÉR. Communalement, communaliser, communaliste.

COMMUNALEMENT [kɔmynalmã] adv. — 1866 ; de *communal.*

♦ Admin. Au point de vue communal.

COMMUNALISER [kɔmynalize] v. tr. — 1842 ; de *communal.*

♦ Dr., admin. Mettre sous la dépendance de la commune. *Communaliser un bois, un terrain.* — Au p. p. *Terrains communalisés.*

COMMUNALISTE [kɔmynalist] adj. et n. — 1871 ; de *communal.*
Administration, politique.

♦ **1.** (1902). Partisan de l'autonomie des communes.

♦ **2.** Hist. Partisan de la Commune de Paris.

COMMUNARD, ARDE [kɔmynaʀ, aʀd] adj. et n. — 1871 ; de *commune*, d'après la *Commune révolutionnaire* de 1793.

♦ **1.** Hist. (d'abord péj.). Partisan de la Commune de Paris, en 1871.

♦ **2.** Membre d'une commune* (5.) populaire, en Chine.

♦ **3.** Rare. Membre d'une communauté (5.).

♦ **4.** (De *commun[iste]*, et suff. péj. *-ard*). Pop., péj. Communiste.

COMMUNAUTAIRE [kɔmynotɛʀ] adj. — 1842 ; de *communauté.*

♦ **1.** Qui a rapport à la communauté. *Vie communautaire. Avoir l'esprit, le sens communautaire.*
Cicéron parle de leur cohésion, de leur sens communautaire, de leur esprit d'entreprise *(des Juifs).*   DANIEL-ROPS, le Peuple de la Bible, IV, II, p. 336.

♦ **2.** Qui appartient, est propre au Marché commun européen (Communauté européenne). *S'intéresser aux problèmes communautaires.*

♦ **3.** (En Belgique). Relatif aux différentes communautés (française, flamande, allemande) du pays.

COMMUNAUTÉ [kɔmynote] n. f. — XIIIᵉ ; de *commun.*

♦ **1.** État, caractère de ce qui est commun (à une personne et à une autre ; à plusieurs personnes). *Une communauté d'intérêts, de goûts, de plaisirs, de peines entre plusieurs personnes. Communautés de vues, d'idées, de sentiments.* ⇒ **Accord, affinité, unanimité, unité.** *Communauté de devoirs, d'espérances. Communauté d'origine. Communauté d'intérêts entre plusieurs personnes.*

1   Les hommes sentent dans leur cœur qu'ils sont un même peuple lorsqu'ils ont une communauté d'idées, d'intérêts, d'affections, de souvenirs et d'espérances.
FUSTEL DE COULANGES, Questions contemporaines, p. 96.

(En parlant des biens matériels). *Posséder qqch. en communauté avec qqn*, en commun avec lui. ⇒ **Commun, indivision.**

♦ **2.** Groupe social dont les membres vivent ensemble, possèdent des biens communs, ont des intérêts, un but commun. ⇒ **Collectivité, corps, groupe, société.** *Communauté de travail.* ⇒ **Association, corporation.** — *Communauté nationale.* ⇒ **État, nation, patrie.** *Communauté d'habitants* : groupe d'habitants d'une commune jouissant de certains droits pour des raisons diverses. *La communauté d'habitants peut posséder des biens, des droits d'usage. Communauté linguistique. La communauté francophone, anglophone.*

2   Mais voici l'heure du danger. Alors on s'épaule l'un à l'autre. On découvre que l'on appartient à la même communauté. On s'élargit par la découverte d'autres consciences.
SAINT-EXUPÉRY, cité par A. MAUROIS, Études littéraires, t. II, I, p. 261.

3   Il avait connu ce « miracle », cette communauté mystique des troupes au feu, cette épuration de l'individu, cette formation soudaine d'une âme collective et fraternelle (...)   MARTIN DU GARD, les Thibault, t. IX, p. 32.

Polit. **COMMUNAUTÉ URBAINE** : groupe de communes autour d'une grande ville, associées pour la gestion de services d'intérêts communs. — *Communauté économique d'un groupe d'États.* ⇒ **Union.**

3.1   L'affaire coloniale... Il faut que je dise à tous ceux qui forment l'Empire : les colonies, c'est fini. Faisons ensemble une Communauté. Établissons ensemble notre défense, notre politique étrangère et notre politique économique.
MALRAUX, Antimémoires, Folio, p. 148.

Communauté européenne (cour. *le Marché* * *commun*).
Communauté de peuples. → 1. Peuple, cit. 6.

♦ **3.** (XVIᵉ). Dr. *Communauté entre époux* : régime matrimonial dans lequel tout ou partie des biens des époux sont communs et partagés après la dissolution du régime.

L'ensemble des biens composant la masse commune (opposé à biens « *propres* »). — *Communauté légale*, pour les époux qui n'ont pas fait de contrat de mariage *(communauté réduite aux acquêts). Communauté conventionnelle*, par contrat. *Apport à la communauté.*

4   La communauté qui s'établit à défaut de contrat ou par la simple déclaration qu'on se marie sous le régime de la communauté (...)   Code civil, art. 1400.

5   La communauté se dissout : 1º par la mort de l'un des époux, 2º « par l'absence déclarée », 3º par le divorce ; 4º par la séparation de corps ; 5º par la séparation de biens ; 6º par le changement du régime matrimonial.   Code civil, art. 1441.

♦ **4.** (1538). Groupe de religieux qui vivent ensemble et observent des règles ascétiques et mystiques. ⇒ **Congrégation, ordre.** *Communauté de moines, de cénobites. Communauté de prêtres, de chanoines. Communauté de clercs.* ⇒ **Séminaire.** *Communauté de carmélites, de franciscains. Les règles, la règle* * *d'une communauté. Vivre en communauté. L'esprit d'une communauté. Vie de communauté.* ⇒ **Conventualité.** *Biens des communautés religieuses* (⇒ **Mainmorte**).

Maison religieuse où vit une communauté. ⇒ **Cloître, couvent, monastère.** *Visiter la communauté. Dîner à la communauté.*

6   Et ne voyons-nous pas que c'est justement dans les communautés les plus régulières et les plus austères qu'on témoigne plus de satisfaction.
BOURDALOUE, Pensées, t. II, p. 367.

7   Chez ces jeunes et ces simples, qui vivent là isolés du reste du monde, l'être individuel s'annihile, autant que dans les communautés religieuses (...)
LOTI, Matelot, XXII, p. 83.

♦ **5.** (V. 1960). Groupe de personnes vivant en commun, mettant leurs moyens d'existence en commun. *Une communauté écologiste. Vivre dans une communauté, en communauté.*

DÉR. Communautaire.

COMMUNE [kɔmyn] n. f. — XIIᵉ, *comugne* ; du lat. *communia*, pl. neutre substantivé de *communis.* → Commun.

♦ **1.** Ancienn. Ville affranchie du joug féodal, et que les bourgeois administraient eux-mêmes ; corps des bourgeois. ⇒ **Bourgeoisie** (1.) ; **ville** (franche, consulaire). *Certaines communes étaient administrées par un capitoul, un consul. L'affranchissement des communes. Les privilèges des communes.* ⇒ **Charte, franchise.**

1   La commune ne comprend que les bourgeois domiciliés dans son ban et liés par le serment de paix et d'assistance. Elle est administrée par un corps municipal d'*échevins*, de *pairs* ou de *jurés*, dirigé souvent par un maire (*major*).
Fr. OLIVIER-MARTIN, Précis d'hist. du droit, p. 124.

♦ **2.** (1793). Admin. et cour. La plus petite subdivision administrative du territoire français, administrée par un maire, des adjoints et un conseil municipal. ⇒ **Municipalité.** *Chef-lieu de commune. Siège de la commune.* ⇒ **Hôtel** (de ville), **mairie.** *Le territoire de la commune. Dictionnaire des communes.* — (Dans d'autres pays). *Magistrats des communes belges.* ⇒ **Bourgmestre.**

2   Il y a, dans chaque commune, un conseil municipal comprenant de 10 à 36 membres et une municipalité. Celle-ci est constituée par le maire, lequel a auprès de lui un ou plusieurs adjoints, ses suppléants éventuels.
Louis ROLLAND, Précis de droit administratif, p. 144.

Dr. Personne morale représentée par les habitants d'une commune. *Les biens de la commune. Le budget de la commune. La commune peut ester en justice, être assignée devant les tribunaux.*

Cour. Bourg, village. *Une petite commune rurale.*

♦ **3.** (1789). Hist. La municipalité de Paris, qui devint Gouvernement révolutionnaire.

3   Le procédé consistait toujours à tenir les autorités municipales de Paris, la Commune et par elles (...) à entretenir dans les quartiers les plus exaltés (...) une agitation continuelle (...)   Pierre GAXOTTE, Hist. des Français, t. II, p. 278.

(1871). Le Gouvernement révolutionnaire de Paris (⇒ **Communard**).

4   La guerre civile entre le gouvernement légal de la France et la *Commune*, soutenue par les *fédérés* parisiens, se résuma en un siège de Paris par l'armée française.
Ch. SEIGNOBOS, Hist. sincère de la nation franç., XX, p. 451.

♦ **4.** N. f. pl. (De l'angl. *commons*). *La Chambre des communes*, et, ellipt., *les Communes* : la chambre élective en Grande-Bretagne. ⇒ **Chambre** (basse).

Hist. *Les Communes* : les députés du Tiers-État.

5   Les députés des Communes, car le mot de Tiers-État est ici proscrit, comme un monument de l'Ancienne servitude.
ROBESPIERRE, Correspondance, 24 mai 1789, *in* D. D. L.

♦ **5.** *Commune populaire* : en Chine, Ensemble administratif et économique groupant plusieurs villages.

DÉR. Communard.

COMMUNÉMENT [kɔmynemɑ̃] adv. — 1539 ; *commun(i)elment,* mil. XIIIᵉ ; *cumunalment,* v. 1160 ; de *commun.*

♦ **1.** Suivant l'usage commun, ordinaire. ⇒ **Couramment, généralement, habituellement, ordinairement.** *On dit communément... Cela se fait communément.* — *Communément parlant* ou *à parler communément* : selon la façon ordinaire de parler, et, aussi, selon l'opinion commune.

1 (...) l'idée extraordinaire qu'on se fait communément de ce pays.
E. FROMENTIN, Un été dans le Sahara, p. 184.

♦ **2.** D'une manière habituelle. ⇒ **Généralement, habituellement.**

2 (...) il remplaçait communément, n'étant pas très spirituel, le trait par le calembour (...) GIDE, Si le grain ne meurt..., VIII, p. 207.

CONTR. Exceptionnellement, extraordinairement, rarement.

COMMUNIANT, ANTE [kɔmynjɑ̃, ɑ̃t] n. — 1531 ; de *communier.*

♦ **1.** Personne, enfant qui communie. ⇒ **Communion.** *Premier communiant* : celui qui fait sa première communion. — Ellipt. *Les communiants* : les premiers communiants. *Aube de communiant ; voile de communiante.*

♦ **2.** Fig. *Premier communiant ; première communiante* : personne pure, innocente, naïve. → Enfant* de chœur.

COMMUNICABILITÉ [kɔmynikabilite] n. f. — 1722 ; «libéralité», 1282 ; de *communicable.*

♦ Didact. Qualité de ce qui est communicable. « *La communicabilité d'une image singulière* » (Bachelard).

CONTR. Incommunicabilité.

COMMUNICABLE [kɔmynikabl] adj. — XVIᵉ ; «sociable», 1380 ; de *communiquer* ou empr. du bas lat. *communicabilis* «qui peut se communiquer, qui se communique» de *communicare* (→ Communiquer).

♦ **1.** Rare. Qu'on peut faire communiquer. *Rivières communicables,* que l'on peut joindre par un canal.

♦ **2.** Qui peut être communiqué (à...). *Feu communicable.* — Cour. (en parlant de la communication par signes). *Sens, idée communicable. Pensée communicable. Connaissance, savoir communicable.* — N. m. (Rare). *Le communicable.*

Spécialt. Qui peut être communiqué, transmis (opposé à *secret*). *Dossier communicable.*

♦ **3.** Qui se communique facilement. *Une joie communicable.* ⇒ **Communicatif.**

DÉR. Communicabilité.
CONTR. Incommunicable.

COMMUNICANT, ANTE [kɔmynikɑ̃, ɑ̃t] adj. — 1761 ; «communautaire» (d'une secte), 1690 ; de *communiquer.*

♦ **1.** Qui communique, qui établit une communication. *Vases* (5.) communicants. Principe des vases communicants.* — *Routes communicantes. Pièces, chambres communicantes,* qui ont une porte commune par laquelle elles communiquent.

1 Deux chambres, demanda Norman.
On nous les donna communicantes. Il me fit choisir ; mais elles se ressemblaient à tel point que sans la porte de communication, qui dans l'une se trouvait à droite et dans l'autre à gauche, on aurait pu se tromper de chambre sans s'en apercevoir.
Philippe HÉRIAT, les Enfants gâtés, p. 99.

2 Il n'en restait plus qu'une *(chambre).* On proposa d'y coucher Paul et Gérard et de dresser un lit pour Élisabeth dans la salle de bain communicante.
COCTEAU, les Enfants terribles, V, p. 81.

♦ **2.** Méd. *Artère, veine communicante. Rameau communicant,* dans le système nerveux.

Écon. *Économies, activités communicantes. Marchés communicants.*

♦ **3.** Didact. Qui participe à un processus de communication (3. ou 5.). — N. (rare au fém.). *Les communicants sont l'émetteur et le récepteur du message.*

COMMUNICATEUR, TRICE [kɔmynikatœʀ, tʀis] n. et adj. — 1866 ; sens religieux, 1375 ; de *communiquer,* d'après *communication.*

♦ **1.** Adj. Didact. Qui sert à mettre en communication. *Fil communicateur.*

♦ **2.** N. Techn. Appareil transmettant un mouvement.

♦ **3.** N. (Fin XXᵉ). Journalisme. Correspondant local (d'un journal).

COMMUNICATIF, IVE [kɔmynikatif, iv] adj. — Fin XVᵉ ; «libéral», 1282 ; bas lat. *communicativus,* du supin de *communicare.* → Communiquer.

♦ **1.** Qui se communique facilement (attitudes, comportements). *Rire communicatif. Gaieté, ardeur communicative.*

1 L'ennui, que je sens quelquefois avec elle, vient de ma timidité qui me fait préparer ce que je dis comme un livre. Or, l'ennui est communicatif.
STENDHAL, Journal, p. 214.

♦ **2.** (Personnes). Qui aime à communiquer ses idées, ses sentiments. ⇒ **Causant, confiant, expansif, exubérant, ouvert.** *Caractère peu communicatif.*

2 (...) vous savez que je suis communicative, et que je n'aime point à jouir d'un plaisir toute seule. Mᵐᵉ DE SÉVIGNÉ, 491, 12 janv. 1676.

3 Si quelquefois encore il paraissait triste et en train de rêvasser, la Fadette le réprimandait, et tout aussitôt il devenait souriant et communicatif.
G. SAND, la Petite Fadette, XL, p. 252.

4 En somme, rien de moins communicatif que ce gentleman. Il parlait aussi peu que possible, et semblait d'autant plus mystérieux qu'il était silencieux.
J. VERNE, le Tour du monde en 80 jours, p. 4.

5 J'estime sa méfiance fondée et la partagerais volontiers si, comme vous le voyez, ma nature communicative ne s'y opposait. Je suis bavard, hélas ! et me lie facilement (...) Toutes les occasions me sont bonnes. CAMUS, la Chute, p. 9-10.

CONTR. Cachottier, dissimulé, secret, taciturne.

COMMUNICATION [kɔmynikasjɔ̃] n. f. — 1365, «relations sociales» ; lat. *communicatio,* du supin de *communicare.* → Communiquer.

♦ **1.** Action de communiquer* (qqch. à qqn) ; information, ensemble d'informations ainsi communiquées. *La communication d'une nouvelle, d'un renseignement, d'un avis (à qqn par qqn). La communication des idées* (⇒ **Diffusion**), *des sentiments* (⇒ **Effusion, expression, manifestation**).

1 La libre communication des pensées et des opinions est un des droits les plus précieux de l'homme.
Déclaration des droits de l'homme (Const. du 3 sept. 1791), art. II.

Dans quelques expressions. Le fait de transmettre à qqn une information écrite, un ensemble d'informations (textes, dossiers...). *Demander communication d'un dossier, d'une pièce. Prendre communication d'un dossier.* ⇒ **Compulser, étudier.** *Prise de communication des actes d'un officier public.* ⇒ **Compulsoire.**

EN COMMUNICATION. *Demander, recevoir un livre, un dossier, une pièce en communication. J'ai demandé le volume à la bibliothécaire, mais il était en communication.*

2 J'aurai cette copie en communication, je la lirai ou ne la lirai pas selon le temps que j'aurai. Ch. PÉGUY, Œ. compl., t. I, p. 43.

Dr. *Communication des pièces* : moyen de procédure autorisant le défendeur à exiger du demandeur, au début de l'instance, la communication soit de l'original, soit de la copie des pièces dont celui-ci entend se servir. *La communication des pièces se fait par acte d'avoué à avoué ou verbalement à l'audience.* — *Communication au Ministère public* : action de communiquer les dossiers d'une cause au membre du Parquet qui tient l'audience. *Communication d'office. Délai de la communication.*

3 Le procureur du Roi *(le procureur de la République)* pourra néanmoins prendre communication de toutes les autres causes dans lesquelles il croira son ministère nécessaire ; le tribunal pourra même l'ordonner d'office.
Code de procédure civile, art. 83.

4 Dans les trois jours du dépôt de la pièce, le défendeur pourra en prendre communication au greffe sans déplacement (...) Code de procédure civile, art. 198.

♦ **2.** La chose que l'on communique ; ensemble d'informations communiquées. ⇒ **Annonce, avis, dépêche, message, note, nouvelle, renseignement.** *Il a une communication à vous faire. Une communication du plus haut intérêt. Recevoir, donner, prendre, transmettre une communication.*

5 (...) c'est pour une communication de la plus haute importance.
COURTELINE, Messieurs les ronds-de-cuir, VI, I, p. 212.

Spécialt. Exposé oral ou écrit concernant un sujet déterminé, que l'on fait devant une société savante. *Adresser, faire une communication à l'Académie des sciences. Liste des communications d'un congrès, d'un colloque. Résumé d'une communication.*

♦ **3.** Le fait de communiquer, d'établir une relation avec (qqn, qqch.). *Communication entre deux personnes. Communication réciproque.* ⇒ **Échange.** — Loc. (avec *en*). *Être en communication avec un ami, un correspondant.* ⇒ **Correspondance, liaison, rapport.** *Entrer en communication avec qqn, qqch. Mettre qqn (qqch.) en communication avec qqn (qqch.).*

6 (...) j'ai bien empêché qu'ils n'aient communication ensemble.
MOLIÈRE, le Médecin malgré lui, III, 7.

7 Nous ne connaissons Dieu que par Jésus-Christ. Sans ce médiateur, est ôtée toute communication avec Dieu (...) PASCAL, Pensées, VII, 547.

8 Avec cette idée que je m'étais faite du rêve comme ouvrant à l'homme une communication avec le monde des esprits (...)
NERVAL, la Bohème galante, Le rêve et la vie.

Communication de pensée avec les autres. ⇒ **Communion, échange, transmission.**

9   Pour vous, non seulement je vous vois toujours brillant, mais j'entends une voix douce qui m'explique sans paroles, par une communication mentale, ce que vous devez faire.   BALZAC, le Lys dans la vallée, Pl., t. VIII, p. 906.

10   La musique n'est-elle pas l'exemple unique de ce qu'aurait pu être la communication des âmes ?
              A. MAUROIS, À la recherche de Marcel Proust, VI, III, p. 196.

Sc. Relation dynamique intervenant dans un fonctionnement. *Théorie des communications et de la régulation.* ⇒ **Cybernétique.** Ensemble des processus d'échanges signifiants entre le sujet émetteur et le sujet récepteur (message verbal, codes gestuels, etc.). *Communication et langage*, et systèmes paralinguistiques. Étude du sens et de la communication.* ⇒ **Sémiotique.** *Communication et expression, et signification, et sémiosis.*

♦ **4.** Ce qui permet de communiquer (II., 2.) dans l'espace, de passer d'un lieu à un autre (pers.); passage d'un lieu à un autre. *Porte de communication. Voies, moyens de communication.* ⇒ **Circulation, transport.** *Communications difficiles, lentes, aisées, rapides entre deux villes, deux pays.*

11   (...) facilité des échanges, aisance des communications (...) dans un monde, hélas! disparu où les hommes circulaient librement, sans barrières, sans quotas, sans passeports !   André SIEGFRIED, l'Âme des peuples, I, I, p. 8.

(1690). Artère, route. *Couper, fermer, rompre les communications.*

♦ **5.** Moyen technique par lequel des personnes communiquent (souvent au plur.); message qu'elles se transmettent. ⇒ **Transmission.** *Une communication téléphonique, télégraphique.*

(1892). Spécialt. Message téléphonique. ⇒ **Appel.** *Recevoir, prendre une, la communication. Je vous passe votre communication.* ⇒ **Correspondant.** — *Couper, interrompre les communications entre une armée et sa base. Communication en P. C. V.* (⇒ **P.C.V.**); *communication avec préavis* (⇒ **P.A.V.**).

12   Maintenant il voulait télégraphier, faire quelque chose qui le mette en communication immédiate avec sa mère. Mais monsieur, nous avons le téléphone. On sonne. On répond tout de suite. Il demande la communication avec un tapissier qui habite dans sa maison.   PROUST, Jean Santeuil, Pl., p. 359.

Communication de masse (trad. de l'angl. *mass media*) : procédés de transmission de l'information à une grande quantité de personnes simultanément (journaux, radio, télévision). *Étude sociologique, sémiotique des communications de masse.*

COMP. Intercommunication, radiocommunication, télécommunication.

COMMUNIEL, ELLE, ELS [kɔmynjɛl] adj. — 1939, cit.; du rad. de *communier, communion,* et suff. didact. *-el.*

♦ Didact. (ethnol.). Relatif à la participation religieuse ou magique.

La force impure qu'ils mettent en œuvre, selon la définition de Strehlow, celle qui suspend brusquement la vie ou amène la mort de celui en qui elle s'est introduite, n'appartient pas à un clan déterminé, n'est un lien *communiel* pour personne, ne préside à la formation d'aucun corps moral doublant à la façon de l'Église ou de la religion officielle le corps social de l'État.
         Roger CAILLOIS, l'Homme et le Sacré, p. 64 (1939).

COMMUNIER [kɔmynje] v. — Xᵉ; du lat. chrét. *communicare* « participer à, s'associer à ». → Communiquer.

♦ **1.** [a] V. intr. Recevoir le sacrement de l'eucharistie. *Communier à Pâques. Communier fréquemment, tous les matins. Aller communier. Communier avant la messe, au cours de la messe. Communier de la main d'un évêque. Communier sous l'espèce* du pain* (⇒ **Hostie**), *sous les espèces du pain et du vin.*

1   En 1855, il existait, à Paris, une association composée en majeure partie de femmes; ces femmes communiaient, plusieurs fois par jour, gardaient les Célestes Espèces dans leur bouche (...)   HUYSMANS, Là-bas, v, p. 65.

[b] Trans. (rare). Donner la communion à (qqn). *Communier un enfant, un malade. Le prêtre a communié tous les fidèles.*

♦ **2.** Fig. Être en union spirituelle, intellectuelle (avec qqn). ⇒ **Communion.** *Communier par, dans la douleur. Communier avec qqn dans le même sentiment, le même amour, les mêmes idées... Communier avec les sentiments de quelqu'un.*

2   Il n'était pas le moins ému. Il se sentait admiré, aimé. Il communiait avec ces sentiments limpides que la cité laissait monter vers lui, par les voix, les regards, les mains tendues de ses représentants. Un attendrissement le gagnait, généreux.
         M. GENEVOIX, Forêt voisine, XV, p. 250.

Par anal. Être en union (avec le monde physique).

3   Il me semble par là communier plus intimement avec la nature (...)
         GIDE, Voyage au Congo, in Souvenirs, Pl., p. 774.

COMMUNION [kɔmynjɔ̃] n. f. — 1120; lat. chrét. *communio* « communauté ».

♦ **1.** Union de ceux qui professent une même foi. ⇒ **Communauté, union.** *La communion des fidèles.* ⇒ **Église**; **chrétienté** (cit. 2). *Les communions chrétiennes.* ⇒ **Confession, secte.** *Appartenir à la même communion. La communion de l'Église romaine. Il est dans la communion de l'Église. Retrancher, exclure un membre de la communion.* ⇒ **Excommunier.**

La communion des saints : dogme chrétien selon lequel les Églises triomphante, militante et souffrante sont en union.

(Contexte non religieux). *Communion spirituelle.* ⇒ **Famille** (spirituelle). *La communion humaine.* ⇒ **Humanité, société.**

1   Il n'était point en sympathie avec les habitants de la ville. Faute de pouvoir sentir et comprendre comme eux, il était retranché de la communion humaine (...)
         FRANCE, l'Anneau d'améthyste, t. XII, VI, p. 98.

♦ **2.** (Qualifié, ou dans quelques tours : *en...*). Participation, union. *Communion d'idées, de sentiments, d'idéal, en un idéal. — En communion. Être en communion d'idées, de sentiments avec qqn,* avoir des idées, des sentiments communs avec cette personne. ⇒ **Accord, correspondance, union.** *Être en communion avec la nature* (→ Assimiler, cit. 19).

2   Manger tête à tête surtout est une grande source d'intimité. C'est la satisfaction en commun d'un besoin de l'être matériel et, quand on y cherche un sens plus élevé, c'est une communion comme le mot l'indique.
         G. SAND, Elle et Lui, IV, p. 92.

3   (...) ils s'étonnaient de ne pas se trouver très dissemblables; mais non, au contraire, en parfaite communion d'idées et d'impression (...)
         LOTI, les Désenchantées, XIV, p. 114.

3.1   C'est à travers un texte, c'est-à-dire à travers une confession, c'est-à-dire en plongeant dans l'univers, c'est-à-dire dans les abîmes d'un autre que la communion peut s'accomplir (...) Intimité profonde, discrète, totale.
         IONESCO, Journal en miettes, p. 146.

♦ **3.** (V. 1200). Relig. et cour. Réception du sacrement de l'eucharistie. ⇒ **Banquet** (*supra* cit. 3), **cène, eucharistie.** *La sainte communion* (⇒ **Hostie**). — *Communion pascale. Aller à la communion. Se présenter à la communion.* ⇒ **Table** (sainte); → Approcher, cit. 36 à 38. *La première communion. Faire sa première communion* (⇒ **Communiant**). *Première communion privée, solennelle.* — Fête, réception donnée dans une famille à l'occasion d'une première communion. *Être invité à une première communion et* (fam.) *être de communion.* — *Renouveler sa première communion.* ⇒ **Renouvelant, renouvellement.** *Communion donnée à un moribond.* ⇒ **Viatique.** *Faire une bonne communion. Communion fréquente. Communion sacrilège. Donner, distribuer la communion* (⇒ **Ciboire**). — *La Communion de saint François d'Assise,* œuvre de Rubens.

4   (...) ma ferveur, après la communion, ne fit que croître et pour atteindre son apogée l'an suivant.   GIDE, Si le grain ne meurt, I, VIII.

5   Jusque-là, il avait eu la hantise du péché mortel et de la communion sacrilège.
         J. ROMAINS, les Hommes de bonne volonté, t. IV, VII, p. 58.

Liturgie. Partie de la messe (ou de l'office protestant) au cours de laquelle le prêtre communie et distribue la communion aux fidèles. *Arriver pendant la communion. Sortir de l'église dès la communion.* — Spécialt. Antienne que le prêtre lit, et que le chœur chante à la fin de la communion, et dont le texte varie avec l'office du jour.

CONTR. Excommunication.
DÉR. V. Communiel.
COMP. Postcommunion.

COMMUNIQUÉ [kɔmynike] n. m. — 1853; p. p. de *communiquer.*

♦ Avis (officiel ou non) qu'un service compétent communique au public. ⇒ **Annonce, avis, bulletin, note.** *Communiqué des opérations, en temps de guerre. Lecture du communiqué.*

Les communiqués officiels sont, de part et d'autre, des plus contradictoires, chacun n'annonçant que victoires, que retraites de l'adversaire, encerclement de l'ennemi.   GIDE, Journal, 11 déc. 1942.

Communiqués de la presse écrite, parlée. Communiqué d'une agence de presse.

COMMUNIQUER [kɔmynike] v. — XIVᵉ; du lat. *communicare* « être en relation avec ».

★ **I.** V. tr. ♦ **1.** (1557). Faire connaître, faire savoir (qqch. à qqn). ⇒ **Dire, divulguer, donner, livrer, publier, transmettre.** *Communiquer qqch. à qqn. Communiquer une nouvelle à ses amis.* ⇒ **Mander.** *Communiquer ses intentions, ses projets, ses desseins, ne les communiquer à personne.* ⇒ **Confier, épancher, expliquer** (→ Faire part* de...). *Communiquer un renseignement.* ⇒ **Livrer, révéler.** *Communiquer son savoir, ses connaissances.* ⇒ **Enseigner.** — Dr. *Communiquer les pièces d'un procès.*

1   J'ai quelque chose à vous communiquer.   MOLIÈRE, le Mariage forcé, 4.

2   Mais les gens qui croient avoir des indices, même très faibles, ont raison, dans ces cas-là, de nous les communiquer.
         J. ROMAINS, les Hommes de bonne volonté, t. II, XIII, p. 134.

Se communiquer des renseignements, des souvenirs. ⇒ **Échanger.**

3   (...) j'attendais les heures de promenades régulières, où les anciens officiers aiment à se communiquer leurs souvenirs.
         A. DE VIGNY, Servitude et Grandeur militaires, I, III, p. 58.

Pron. Vieilli. *Se communiquer facilement :* être communicatif. ⇒ **Confier** (se), **découvrir** (se), **exprimer** (s'), **livrer** (se), **ouvrir** (s'), **parler.**

4   Le maréchal de Joyeuse, qui ne se communiquait à personne et à qui il échappait des brusqueries fréquentes.   SAINT-SIMON, Mémoires, 29, 83.

5   Je me communique fort peu; et de tous les gens que je vois je n'en connais aucun.
         MONTESQUIEU, Lettres persanes, 145.

♦ **2.** Faire partager. *Communiquer sa joie, son enthousiasme, sa gaieté à son entourage.* ⇒ aussi **Infuser.**

6   J'ai créé l'homme saint, innocent, parfait, je l'ai rempli de lumière et d'intelligence ; je lui ai communiqué ma gloire et mes merveilles.
                              PASCAL, Pensées, VII, 430.

7   Du moins, malgré leurs fautes, les Girondins surent-ils, en cette période, communiquer au pays le sublime enthousiasme qui atténuait le péril.
            JAURÈS, Hist. socialiste de la Révolution franç., t. IV, p. 170.

8   Il y eut un temps où ma joie devint si grande, que je la voulus communiquer, enseigner à quelqu'un ce qui dans moi la faisait vivre.
                     GIDE, les Nourritures terrestres, IV, I, p. 74.

♦ **3.** (1740). Sujet n. de chose. Rendre commun à ; transmettre (qqch.). *Corps qui communique son mouvement à un autre.* ⇒ **Imprimer, transmettre.** *Le soleil communique sa lumière et sa chaleur à la terre.* — Figuré :

9   En harmonie avec cette vie reposée et sans autres émotions que celles données par la famille, ces lieux communiquaient à l'âme leur sérénité.
            BALZAC, le Lys dans la vallée, Pl., t. VIII, p. 800.

Pron. (Passif). *Mouvement qui se communique. Feu qui se communique.* ⇒ **Gagner ; envahir** (→ Choc, cit. 14).

(Sujet n. de personne ou de chose). *Communiquer une maladie à...* ⇒ **Donner, passer, transmettre ; contagion.**

★ **II.** V. intr. ♦ **1.** Être, se mettre en relation avec. *Communiquer avec un ami. Deux personnes qui communiquent entre elles.* ⇒ **Correspondre.**

10   Entre ce père et ce fils, aucun langage pour communiquer, aucune possibilité d'échanges : deux étrangers (...)   MARTIN DU GARD, les Thibault, t. IV, p. 249.

10.1   Lorsque je désire communiquer avec autrui, je dispose d'une série de techniques anciennes ou nouvelles, dont il n'importe pas de savoir, pour le moment, si elles sont naturelles ou fabriquées : langages, écritures, moyens de stockage, de transport ou de multiplication du message, bandes enregistrées, téléphone, imprimerie, et ainsi de suite.   Michel SERRES, Hermès I, La communication, p. 39.

Absolt. *Le besoin, le refus de communiquer. « La fin du langage est de communiquer »* (Sartre).

10.2   Si je bafouille, vous vous direz que je ne suis sûr de rien (...) Si mes phrases sont correctes et bien lustrées, vous vous direz que tout cela, c'est du chiqué (...) Communiquer, vous croyez que c'est si simple ?
            Alain BOSQUET, les Bonnes Intentions, p. 175.

♦ **2.** (1681). Sujet n. de chose : lieu, espace. Être en rapport avec, par un passage. ⇒ **Correspondre.** *Chambre qui communique avec une autre.* ⇒ **Communicant.** *Corridor qui fait communiquer plusieurs pièces.* ⇒ **Commander, desservir.** *Faire communiquer deux propriétés par une porte.* ⇒ **Relier.** *Route qui fait communiquer deux villes, deux pays.* ⇒ **Communication** (voie de).

11   Regardez aussi comme c'est commode, cette porte qui communique avec votre pièce à vous.   J. ROMAINS, les Hommes de bonne volonté, t. II, VI, p. 64.

▶ **COMMUNIQUÉ, ÉE** p. p. adj. *Avis, dossier communiqué. Message non communiqué. — Mouvement communiqué. Impulsion communiquée.* ⇒ aussi **Communiqué,** n. m.

CONTR. Taire. — Garder.
DÉR. Communicable, communicant, communicateur, communiqué.
COMP. Soit-communiqué.

COMMUNISANT, ANTE [kɔmynizɑ̃, ɑ̃t] adj. — Mil. xxᵉ ; du rad. de *communiste*, d'après *communiser*.

♦ Qui sympathise avec les communistes ; est empreint de communisme. *Des thèses communisantes. Il est communisant, mais n'en fait pas état* (→ Cryptocommuniste).

Tous ces ouvriers communistes ou communisants (...) achètent (...) « l'Huma ».
            S. DE BEAUVOIR, les Mandarins, p. 130.

COMMUNISATION [kɔmynizasjɔ̃] n. f. — 1941 ; de *communiser*.

♦ Action de communiser. *La communisation de l'Europe de l'Est.*

Pour avoir voulu arrêter le communisme en Espagne par des moyens indignes, on donnera une chance sérieuse à la communisation de l'Europe, et si elle s'accomplit, l'Espagne sera communisée par-dessus le marché (...)
            CAMUS, Actuelles II, Création et Liberté, in Essais, Pl., p. 785.

COMMUNISER [kɔmynize] v. tr. — 1919, v. pron., Mercure de France, in D. D. L. ; de *communisme*.

♦ Soumettre (une société...) à l'influence des idées communistes ; donner un régime communiste à (un pays, un État, une région).

DÉR. Communisation.
COMP. Décommuniser.

COMMUNISME [kɔmynism] n. m. — 1840 ; de *commun* ; *communiste* semble antérieur.

♦ **1.** Vx. Organisation économique et sociale fondée sur la suppression de la propriété privée au profit de la propriété collective. ⇒ **Collectivisme, égalitarisme, socialisme.** *Le communisme de Platon, platonicien. Le communisme des socialistes utopiques, de Babeuf* (babouvisme).

(...) le communisme, cette logique vivante et agissante de la Démocratie (...)   1
            BALZAC, les Paysans, VI, Pl., t. VIII, p. 104 (1845).

Si le communisme paraît réalisable c'est sous des conditions qui sont précisément   2
l'inverse de l'idéal libertaire.
            Charles GIDE, Cours d'économie politique, II, p. 178.

♦ **2.** Système social prévu par Marx (et Engels), où les biens de production appartiennent à la communauté. *Le socialisme* d'État, stade transitoire qui doit aboutir au communisme.* ⇒ **Étatisme, socialisme.**

De ceux-là seuls je me sens frère, qui sont venus au communisme par amour,   3
par grande exigence d'amour.   GIDE, Journal, Feuillets, II, Été 1937.

♦ **3.** Système politique, doctrine des partis communistes. ⇒ **Marxisme.** *Le communisme russe de 1917.* ⇒ **Bolchevisme.** *Le communisme léniniste* (⇒ **Léninisme ; marxisme-léninisme**), *trotskyste* (⇒ **Trotskisme**), *stalinien* (⇒ **Stalinisme**). *Le communisme chinois, maoïste. — Le communisme français, italien, européen* (⇒ **Eurocommunisme**) *et son évolution. Défendre, soutenir ; combattre* (⇒ **Anticommunisme**) *le communisme.*

La pensée de Karl Marx et d'Engels exerce déjà son attraction secrète sur toute la   4
jeunesse intellectuelle chinoise, et rien n'arrêtera (...) la marche finale de la communauté chinoise vers un collectivisme proche du communisme léniniste le plus orthodoxe.   SAINT-JOHN PERSE, Correspondance, 3 janv. 1917, in D. D. L., II, 6.

♦ **4.** Ensemble des communistes, de leurs organisations. *Le communisme international.*

CONTR. Anticommunisme, capitalisme, fascisme, libéralisme.
COMP. Anticommunisme, eurocommunisme.

COMMUNISTE [kɔmynist] adj. et n. — 1706 (cit. 0.1) ; « copropriétaire », 1769, Mirabeau ; sens politique en 1832, Lamennais, in Bloch-Wartburg ; de *commun*, et suff. *-iste.* → Communisme.

★ **I.** Adj. et n. (Personnes). ♦ **1.** Vx. Qui a le souci du bien commun, de la communauté.

Il a vécu en parfait honnest homme bon crestien fort charitable, estimé et aymé   0.1
de tous, homme de bons sens, bon comuniste.
            J. SILYY, Livre de raison, 25 juil. 1706, cité par J. P. LASSALLE,
                     in l'Humanité, févr. 1982.

♦ **2.** Hist. Partisan du communisme*, du collectivisme. *« Comment je suis communiste et mon Credo communiste »* (Cabet, 1840). *Babeuf était communiste. — N. Les communistes babouvistes, proudhoniens.*

(1870). Vx. Partisan de la Commune de Paris. ⇒ **Communard.**

♦ **3.** Mod. Partisan du communisme marxiste (→ Capitaliste, cit. 2.1). *Des ouvriers communistes. Être, devenir communiste. Communiste partisan de la 3ᵉ Internationale.* ⇒ **Moscoutaire** (péj.).

Je suis communiste depuis le congrès de Tours 1922.   0.2
            P. NIZAN, la Conspiration, p. 172.

Spécialt. Membre d'un parti se réclamant du communisme marxiste.

♦ **4.** (Emploi spécial ; plus courant). Membre d'un parti marxiste issu de la troisième Internationale. *Un communiste italien, espagnol. — Spécialt (en France). Membre du Parti communiste français* (P. C. F.). *Les Communistes, roman d'Aragon. Un communiste militant.* ⇒ **6. Coco.** (fam.) ; **rouge** (supra cit. 8).

Les communistes sont disciplinés. Ils obéissaient aux secrétaires de cellule, ils   1
obéissent aux délégués militaires (...)   MALRAUX, l'Espoir, p. 546.

★ **II.** Adj. ♦ **1.** (Avec un subst. abstrait). Du communisme (1. ou 2.). *« Axiomes communistes »* (Renan). *Doctrines, théories communistes* (socialistes utopiques, ou, plus cour., marxistes). *— Le Manifeste communiste,* de Marx. — *Idées, propagande communistes.*

Un juif allemand, Marx, vivant à l'étranger, résuma le travail des socialistes en un   2
système dogmatique qu'il exposa en 1848, avant la révolution, dans le *Manifeste communiste* terminé par la formule : Prolétaires de tous les pays, unissez-vous.
            Ch. SEIGNOBOS, Hist. comparée des peuples d'Europe, XVII, p. 369.

♦ **2.** (Groupes). Qui cherche à faire triompher la cause de la révolution sociale, selon les principes du communisme.

(Au sens large). *Parti communiste marxiste-léniniste. Ligue communiste révolutionnaire.*

(Au sens étroit, ci-dessus I., 3.). *Le parti communiste français, italien. — Partis communistes d'U. R. S. S. et des démocraties populaires. Le parti communiste bolchevik d'U. R. S. S.* (P. C. B.). ⇒ **Bolchevik.** *Les apparatchiks* du parti communiste de l'U. R. S. S..*

Le parti communiste ne ressemble à aucun autre. Un socialiste, un radical, un   3
modéré, acceptent un programme, versent des cotisations (...) mais leur vie individuelle (...) échappe à quiconque. Le parti communiste, au contraire, est à la fois une religion, une église, une communauté et un ordre.
            Pierre GAXOTTE, Hist. des Français, t. II, p. 566.

— Permettez. La révolution passe pour moi avant le parti communiste. — (...)   4
dans ces conditions, je dis que la défense concrète de ce que nous voulons défendre ne repose plus en premier lieu sur le prolétariat mondial, mais bien sur l'Union Soviétique et le parti communiste.   MALRAUX, l'Espoir, p. 548.

(Pers.). *Être, devenir communiste. Elle n'est plus communiste, elle a rendu sa carte du Parti. Des ouvriers communistes.*

♦ **3.** Qui appartient aux organisations, aux États (d'abord l'U. R. S. S.) qui se réclament du marxisme. *Les internationales* communistes. *États, pays communistes.* — REM. Cet emploi n'appartient pas au langage officiel : les pays communistes sont dits *républiques socialistes*, démocraties populaires*.*

Par ext. *La politique, la stratégie communiste.*

REM. L'emploi du mot, depuis qu'il existe des partis *communistes,* s'est complètement modifié avec les structures de la vie politique. Au XIXe s. (Michelet, G. Sand, Balzac, Renan...), le mot a la valeur de *collectiviste,* parfois de *communautaire.*

CONTR. Anticommuniste, capitaliste, fasciste, libéral.
DÉR. Communisant, communiser.
COMP. Anticommuniste.

COMMUNS [kɔmœ̃] n. m. pl. ⇒ **Commun.**

COMMUTABLE [kɔmytabl] adj. — Mil. XVIe ; doublet de *commuable ;* de *commuter* ou empr. du lat. *commutabilis* «interchangeable», de *commutare* → Commuter.

♦ Didact. Qui peut être commuté. *Éléments commutables,* qui peuvent commuter, être substitués l'un à l'autre.

COMMUTATEUR [kɔmytatœʀ] n. m. — 1858 ; dér du lat. *commutare* «changer». → Commuer, commuter.

♦ Appareil permettant de modifier un circuit électrique ou les connexions entre circuits (⇒ **Interrupteur**). *Commutateur-inverseur. Commutateur universel. Les plots* d'un commutateur. Commutateur téléphonique.* ⇒ **Jack, relais.**

Ce qui est effrayant surtout dans l'électricité, c'est qu'elle est cachée. On ne la voit pas. On ne sait jamais où elle est. Parfois on croit qu'elle est ici, ou là, dans un fil, dans un commutateur, à l'intérieur de la petite boîte noire du tranformateur (...) J.-M. G. LE CLÉZIO, les Géants, p. 195.

DÉR. Commutatrice.
COMP. Autocommutateur.

COMMUTATIF, IVE [kɔmytatif, iv] adj. — XIVe ; dér. du lat. *commutare.* → Commuer.

♦ **1.** Dr. Qui est relatif à l'échange. *Contrat commutatif,* dans lequel chacun des contractants reçoit l'équivalent de ce qu'il donne (par oppos. à *contrat aléatoire*).* — *Justice commutative,* qui consiste dans l'égalité des choses échangées, dans l'équivalence des obligations et des charges (par oppos. à *justice distributive).*

♦ **2.** Log. Se dit d'une opération portant sur deux ou plusieurs facteurs et dont le résultat ne change pas si l'on change l'ordre de ces facteurs. — Math. *Loi commutative :* loi de composition interne sur un ensemble, commutative pour tous les éléments de cet ensemble mis en relation par la loi (→ ci-dessous cit.). ⇒ **Commutativité.** *L'addition et la multiplication sont commutatives sur l'ensemble des nombres réels ; la soustraction ne l'est pas* (⇒ **Anticommutatif**). — *Groupe commutatif,* dont la loi est commutative. ⇒ **Abélien.** *Anneau commutatif, corps commutatif,* dont la loi de multiplication est commutative. — *Algèbre commutative,* qui étudie les anneaux commutatifs.

Une loi interne est commutative si, pour tous a, b (éléments) de E (ensemble) : $a * b = b * a$ (* représente une loi de composition). Gaston CASANOVA, l'Algèbre de Boole, p. 34.

CONTR. Aléatoire, distributif.
DÉR. Commutativité.
COMP. Anticommutatif.

COMMUTATION [kɔmytasjɔ̃] n. f. — V. 1120, *commutatiun ;* lat. *commutatio* «changement», du supin de *commutare.* → Commuer, commuter.

♦ **1.** Didact. Substitution, remplacement. *La commutation des facteurs d'une opération. Commutation et permutation.*

Ling. Opération par laquelle on substitue les uns aux autres certains éléments phoniques ou sémantiques, permettant ainsi de constituer des paradigmes et de dégager les distinctions linguistiques pertinentes. *Principe de commutation,* selon lequel une distinction phonétique n'est reconnue comme pertinente que si elle est susceptible d'entraîner une distinction sémantique, et inversement.

♦ **2.** Dr. *Commutation de peine :* grâce qui consiste dans la substitution d'une peine plus faible à la première peine. ⇒ **Commuer.**

♦ **3.** (1903, in *Rev. gén. des sc.,* n° 16, p. 883). Établissement ou modification des connexions (entre systèmes, circuits). *Commutation de circuit.*

CONTR. (De 2.) Aggravation (de peine).

COMMUTATIVITÉ [kɔmytativite] n. f. — 1907 ; de *commutatif.*

♦ Math., log. Caractère d'une opération, d'une loi de composition commutative (→ Associativité, cit.).

COMMUTATRICE [kɔmytatʀis] n. f. — 1912 ; de *commutateur.*

♦ Électr. Appareil servant à transformer du courant continu en alternatif.

À la différence du convertisseur, la commutatrice n'utilise qu'un seul rotor, ce qui crée, en plus du couplage mécanique, un couplage magnétique entre les deux enroulements, interdisant la transformation du courant alternatif en courant continu, tandis que le convertisseur, au prix d'un rendement plus faible, peut effectuer cette transformation. Gilbert SIMONDON, Du mode d'existence des objets techniques, Lexique, p. 258.

COMMUTER [kɔmyte] v. tr. — 1611 ; lat. *commutare* qui a donné par ailleurs *commuer,* de *com-* «avec, entièrement» et *mutare* «changer, échanger, déplacer» → Muter.

♦ **1.** Changer par une substitution, une commutation. — Intrans. *Éléments qui peuvent commuter. Faire commuter deux éléments.*

♦ **2.** Techn. Effectuer la commutation (3.) de (un circuit). *Commuter un circuit par un relais.* — Pronominal :

Quand l'homéostat d'Ashby se commute lui-même en cours de fonctionnement (car on peut attribuer à cette machine la faculté d'agir sur ses propres sélecteurs), il se produit un saut des caractéristiques qui anéantit tout fonctionnement antérieur ; (...) quand la machine change de formes en se commutant, elle ne se commute pas pour avoir telle autre forme orientée vers la résolution du problème ; il n'y a pas une modification de formes qui soit orientée par le pressentiment du problème à résoudre ; le virtuel ne réagit pas sur l'actuel (...) Gilbert SIMONDON, Du mode d'existence des objets techniques, p. 144-145.

DÉR. Commutable.

COMOURANTS [kɔmuʀɑ̃] n. m. pl. — XXe ; de *co-,* et *mourant,* p. prés. de *mourir.*

♦ Dr. Personnes susceptibles de se succéder réciproquement et qui meurent simultanément (le fém. *comourantes* n'est pas en usage).

COMPACITÉ [kɔ̃pasite] n. f. — 1752 ; du rad. de *compact.*

♦ Didact. Qualité de ce qui est compact. — Phys. Rapport de la masse volumique à la masse spécifique d'un corps (ou rapport de la densité apparente à la densité absolue de ce corps).

Sitôt franchi le premier rideau d'arbres, j'eus l'impression de pénétrer dans un sanctuaire. Non que les arbres fussent d'aspect différent, non que la relative compacité de leur feuillage interceptât la lumière (...) Robert PINGET, Graal Flibuste, p. 62.

COMPACT, ACTE [kɔ̃pakt] adj. — 1377 ; lat. *compactus* «amassé», de *compingere* «assembler».

♦ **1.** (Substance). Qui est formé de parties serrées, dont les éléments constitutifs sont très cohérents. ⇒ **Dense, serré.** *Terre compacte.* ⇒ **Lourd.** *Brouillard compact.* ⇒ **Épais, impénétrable.**

Tous corps compac(t)s et palpables. PISAN, Chemin de Longue Estude, in HATZFELD. [1]

Quoique l'or soit le plus compact et le plus tenace des métaux, il n'est néanmoins que peu élastique et peu sonore. BUFFON, in LAFAYE. [2]

Poudre compacte. — N. m. *Un compact :* une poudre compacte.

Par anal. *Édition compacte,* comportant beaucoup de matière sous un volume réduit ; dont les caractères sont serrés.

Phonét. Se dit des voyelles dont les deux formants principaux ont des fréquences très voisines (ex. : [a] en français).

♦ **2.** (Ensemble). Dont les éléments sont très rapprochés les uns des autres. *Masse compacte. Une foule compacte s'est rassemblée autour de l'accident.*

(...) il ne fallait pas oublier que les convicts couraient peut-être les bois, et que, au milieu de ces épaisses forêts, un coup de fusil était vite tiré et reçu. De là, nécessité pour la petite troupe des colons de rester compacte et de ne diviser sous aucun prétexte. J. VERNE, l'Île mystérieuse, t. II, p. 730. [2.1]

(V. 1960 ; angl. *compact*). D'un faible encombrement ; présenté sous un volume réduit. *Chaîne (Hi*-Fi) compacte,* et, n. m., *un compact,* où sont rassemblés en un seul élément la platine, l'amplificateur et éventuellement le récepteur radio («tuner»). — *Un appareil photo compact. Un lave-vaisselle compact.*

(1982 ; angl. *compact disc*). *Disque* compact,* à codage numérique. (⇒ **Audionumérique**). — N. m. *Un compact.*

♦ **3.** (Abstrait). Qui ne se laisse pas diviser ; massif. *Une majorité compacte. Un raisonnement compact,* condensé, ramassé. *Un silence compact.* ⇒ **Épais, lourd.**

Le silence est énorme et l'obscurité, à quelques pas, est si compacte, si coagulée, si poisseuse, que le soleil s'y éteindrait. Léon BLOY, la Femme pauvre, I, XXXIV. [3]

(Ces adeptes) forment aujourd'hui une masse passionnelle compacte, dont chaque élément se sent en liaison avec l'infinité des autres. Julien BENDA, la Trahison des clercs, I, p. 96. [4]

Par anal. (et littér.). Qui présente des formes ramassées. ⇒ **Massif.** *Sa silhouette compacte est apparue sur le seuil de la porte.* — Qui manque de finesse. *Elle fait montre d'un esprit compact.* ⇒ **Épais, lourd.**

♦ 4. Math. *Ensemble compact*, réduit à un point. — N. m. *L'intersection de compacts est elle-même compacte.* — *Espace métrique, topologique compact.*

CONTR. Dispersé, épars, ténu.

DÉR. Compacité, compactage, compacter, compaction.

COMPACTAGE [kɔ̃paktaʒ] n. m. — 1952 ; de *compact* ou de *compacté.*

♦ Techn. Action de compacter ; son résultat. Augmentation de la densité sèche (d'un sol). *Compactage par pression, percussion. Engin de compactage.* ⇒ **Compacteur.**

COMPACTER [kɔ̃pakte] v. tr. — 1963 ; p. p., 1938 ; de *compact.*

♦ Techn. Rendre plus compact. *Compacter du béton.* — Réduire de volume en compressant. *Compacter les ordures ménagères.*

DÉR. Compacteur.

COMPACTEUR [kɔ̃paktœʀ] n. m. — Mil. xxᵉ ; de *compacter.*

♦ Techn. Appareil, engin de travaux publics destiné au compactage. — Appareil destiné à réduire sous un petit volume les ordures ménagères.

COMPACTION [kɔ̃paksjɔ̃] n. f. — D. i. ; de *compact.*

♦ Géol., techn. Densification ; création d'un état compact (par tassement des roches).

COMPAGNE [kɔ̃paɲ] n. f. — Fin xıɪᵉ, *compangne ;* de l'anc. franç. *compain.* → Copain ; compagnon.

♦ 1. Celle qui partage ou a partagé la vie, les occupations d'autres personnes (par rapport à elles). ⇒ (vx) **Compagnonne.** *Une compagne d'école, de classe ; de travail, de jeux. La compagne d'une écolière. Allez rejoindre vos compagnes.* ⇒ **Camarade.**

1 J'étais le seul garçon dans cette ronde, où j'avais amené ma compagne toute jeune encore, Sylvie, une petite fille du hameau voisin (...)
NERVAL, les Filles du feu, « Sylvie ».

2 (...) aux heures du travail où l'ouvrière craignait tant la médisance de ses compagnes. PROUST, la Prisonnière, p. 142.

Personne qui accompagne* qqn (dans une activité, un déplacement...). *Compagne de voyage.* — Par métaphore :

3 Je quitte ma compagne, la Reuss (*une rivière*) qui m'avait amené, en la remontant, du lac de Lucerne, pour descendre au lac de Lugano avec mon nouveau guide, le Tessin.
CHATEAUBRIAND, Mémoires d'outre-tombe, t. IV, 1848, p. 121, *in* T. L. F.

♦ 2. Littér. Épouse, femme ; maîtresse.

4 La femme que vous m'avez donnée pour compagne m'a présenté du fruit de cet arbre ; et j'en ai mangé. BIBLE (SACY), Genèse, III, 12.

5 Nous quittons les cités, nous fuyons aux montagnes,
Nous laissons nos chères compagnes (...) LA FONTAINE, Fables, XI, 7.

(1568). Celle qui participe aux joies et aux épreuves (de qqn), qui partage le même idéal. *La compagne d'infortune* (de qqn).

6 Véronique, irréparablement enlaidie, deviendrait cette amie très douce, cette compagne bienfaisante des heures de lassitude intellectuelle et de tristesse, cette quasi-sœur qu'on avait rêvée et que la jolie femme ne pouvait être.
Léon BLOY, le Désespéré, III, Le retour, p. 132.

♦ 3. (V. 1535). Chose (désignable par un nom féminin) qui va de pair avec (qqch.).

7 L'avarice, compagne et sœur de l'ignorance. LA FONTAINE, Fables, X, 4.

8 (...) l'oisiveté, plus féconde encore quand elle est compagne de servitude.
P.-L. COURIER, Œuvres, p. 84.

♦ 4. (1691). Littér. Femelle (d'un animal). *Les cris plaintifs de l'ours, dont la compagne avait été tuée...* (Crèvecœur, 1801, *in* T. L. F.).

COMPAGNIE [kɔ̃paɲi] n. f. — V. 1050, *cumpainie ;* du lat. pop. **compania,* de *com-* (*cum*) et *panis* « pain ». → Compagnon.

♦ 1. Présence auprès de qqn, fait d'être avec qqn (dans quelques expressions). ⇒ **Société.** *Aller de compagnie avec...* ⇒ **Accompagner.** *Voyager de compagnie,* ensemble. ⇒ **Conserve** (de). *Sans compagnie* : seul. *En compagnie, avec la seule compagnie de... Se plaire en la compagnie de, apprécier la compagnie de, rechercher la compagnie de.* ⇒ **Présence.** *Être l'un pour l'autre une compagnie. Fausser compagnie à qqn.* ⇒ **Quitter.** *Tenir compagnie à qqn* : rester auprès d'une personne, et, fig. (en parlant des choses), se trouver auprès, aller de pair avec...

1 La vertu n'irait pas si loin si la vanité ne lui tenait compagnie.
LA ROCHEFOUCAULD, Maximes, 200.

2 Capitaine renard allait de compagnie
Avec son ami bouc des plus haut encornés. LA FONTAINE, Fables, III, 5.

3 (...) mon âme et mon corps marchent de compagnie.
MOLIÈRE, les Femmes savantes, IV, 2.

Mˡˡᵉ Planude s'agenouillait à la Table sainte, avec un petit sac de titres ou d'obligations ficelé sur sa chaste peau, en compagnie des médailles et scapulaires. 4
Léon BLOY, la Femme pauvre, II, XVIII, p. 263.

Un homme seul est toujours en mauvaise compagnie. VALÉRY, l'Idée fixe, p. 163. 5

(...) il faussait poliment compagnie au Patron et se hâtait de courir à ses affaires (...) MARTIN DU GARD, les Thibault, t. III, p. 129. 6

Loc. **... DE COMPAGNIE.** *Dame, demoiselle de compagnie* : personne appointée pour tenir compagnie à une autre. — Anciennt. *La dame de compagnie d'une jeune fille.* ⇒ **Chaperon, porte-respect.**

(...) Camille a une dame de compagnie, Mᵐᵉ veuve Tribou, qui ne la quitte 7
jamais (...) Alphonse DAUDET, le Petit Chose, II, VI, p. 233.

Être de bonne, de mauvaise compagnie : être d'une société agréable, déplaisante ; aussi (→ ci-dessous, 2.) : être bien, mal élevé.

Animal de compagnie : animal domestique élevé pour vivre dans la familiarité des personnes, pour leur faire une compagnie, par opposition aux animaux élevés à des fins purement utilitaires — pour leur viande, leur lait, leur fourrure, etc. (→ aussi ci-dessous, 5., *bête de compagnie,* dans un autre sens). *Les chiens et les chats sont les animaux de compagnie les plus répandus.*

♦ 2. (xvıᵉ). Vx. Réunion volontaire, souvent organisée, de personnes. ⇒ **Assemblée, réunion, société** (→ aussi Arriver, cit. 55 ; boire, cit. 21 ; caleter, cit. 1 ; chacun, cit. 1). *Une joyeuse compagnie. Être en nombreuse compagnie. La bonne compagnie* : la haute société (→ Bain, cit. 9). — Prov. *Il n'est si bonne compagnie qu'on ne quitte* : les choses les plus agréables ont une fin.

(...) — à préparer ma maison pour la compagnie qui doit venir tantôt (...) — et 8
toutes vos compagnies font tant de désordre céans, que ce mot est assez pour me
mettre en mauvaise humeur. MOLIÈRE, le Bourgeois gentilhomme, III, 2.

(...) la bonne compagnie est de fort bonne compagnie. 9
Mᵐᵉ DE SÉVIGNÉ, 659, 4 oct. 1677.

(...) que je fusse peuple à la guinguette et bonne compagnie au Palais Royal. 10
ROUSSEAU, Émile, IV.

Mod. *Une bonne compagnie* : un groupe de personnes choisies. ⇒ **Communauté.**

Ce qui restreint beaucoup notre recrutement tient en outre à ce que notre Com- 10.1
pagnie est (...) une bonne compagnie (...)
F. MAURIAC, le Nouveau Bloc-notes, 1958-1960, p. 204.

Loc. **DE BONNE COMPAGNIE** : empreint de courtoisie, d'urbanité, d'affabilité. *Avoir, garder un ton, des manières de bonne compagnie.*

Dans la salle du petit théâtre, quelques commentaires s'échangent alors, assez bas, 10.2
sur un ton de bonne compagnie. A. ROBBE-GRILLET, la Maison de rendez-vous, p. 45.

♦ 3. (1636). Association de personnes que rassemblent des statuts communs. ⇒ **Société.** *Compagnie industrielle, commerciale, financière, coloniale* (→ Chocolat, cit. 3). *La Compagnie des Indes. Compagnie de transports en commun* (→ Autobus, cit. 1), *de chemins de fer, d'assurances... La Compagnie financière de Suez. Compagnie aérienne* : entreprise de transport aérien.

Histoire :

Ils concluaient avec les travailleurs des villages des compagnies, des *societates,* 10.3
de même allure que les associations de commerce : ils fournissaient le capital, le
paysan son travail et ses soins ; le bénéfice était partagé.
Georges DUBY, Guerriers et Paysans, p. 292.

Et Cie (et compagnie), à la fin d'une raison sociale, désigne les associés qui n'ont pas été nommés.

(...) le sujet de ce roman (*... et Cⁱᵉ*) consiste dans l'étude — je préfère dire : le récit 10.4
de l'ascension d'une famille de petits fabricants juifs d'Alsace qui optent pour la
France en 71, triomphent de la concurrence, arrivent à la fortune, à la puissance,
et se trouvent finalement, en l'espace de deux générations, victimes de cette puissance qu'ils ont ainsi créée, victimes avant tout de l'argent. Ce qui se désigne sous
cette dénomination mystérieuse de *... et Cⁱᵉ,* c'est cette vague force anonyme qui
détruit le premier terme positif et nominal de toute construction industrielle.
J.-R. BLOCH, Deux hommes se rencontrent, p. 128.

Fam. (après un n. pr.). Et tous les autres.

À ton âge, je savais Virgile et compagnie par cœur. 10.5
J. DE MAISTRE, Correspondance, 1808-1810 ; t. III, p. 142.

(Après un qualificatif péjoratif, laisse sous-entendre tous les synonymes envisageables) :

Meussieu Marcel et son copain, i veulent met' la main sur l'argent du père Taupe. 10.6
C'est voleur et compagnie. Mais on arrivera avant eux.
R. QUENEAU, le Chiendent, p. 163.

Compagnie savante. ⇒ **Collège, société.** *L'illustre compagnie* : l'Académie française.

Une sage Compagnie peut bien, comme une personne, considérer sa vie, interro- 11
ger ses souvenirs, faire un examen de sa conscience (...)
VALÉRY, Regards sur le monde actuel, p. 291.

Il (*le conducteur de train*) allait alors rendre visite à deux ou trois collègues de la 12
Compagnie (...) La Compagnie faisait les frais de toutes les conversations. On ne
la ménageait pas. C'était quelque chose de grand, de sombre, de despotique, une
redoutable divinité. On la traitait donc durement, puisqu'elle était dure, mais presque religieusement aussi, parce qu'elle était devenue pour ces gens simples, une
Puissance obscure et sans visage, une abstraction : la Compagnie.
H. BOSCO, Antonin, p. 43.

(1706). Troupe théâtrale permanente. ⇒ **Théâtre ; troupe** (cit. 1). *Les jeunes compagnies.*

Gémier m'ayant donc entendu, m'a dit que ce que je faisais pouvait intéresser Dul- 12.1
lin et il m'a envoyé de sa part chez lui. Dullin m'a entendu jeudi et tout de suite
après, j'étais reçu dans sa compagnie.
A. ARTAUD, Lettre à Yvonne Gilles, 1921, *in* Œ. compl., t. III, p. 121.

♦ **4.** a (XIVᵉ). Vx ou hist. Réunion de gens armés (→ Avec, cit. 33). *Les grandes compagnies emmenées en Europe par Du Guesclin. Les compagnies d'ordonnance, instituées par Charles VII. Compagnies colonelles.* — *Les massacreurs des compagnies de Jéhu.* ⇒ **Troupe.**

b (V. 1650). *La Compagnie de Jésus :* les Jésuites, leur organisation. ⇒ **Jésuite.** — Absolt. *Un membre influent de la Compagnie.*

c Unité de formation d'infanterie placée sous les ordres d'un capitaine (appelé *commandant de compagnie*). *Les compagnies d'un bataillon, d'un escadron, d'un régiment. Compagnie d'accompagnement. Compagnie hors-rang. Les sections d'une compagnie.* — Ancienntt (jusqu'en 1910). *Compagnies de discipline,* où étaient incorporés ceux qui, dans leur vie militaire, avaient encouru une condamnation (remplacées en 1910 par des sections spéciales, jusqu'en 1975). ⇒ **Bataillon** (bataillons d'Afrique ; Bat' d'Af) ; **biribi, joyeux.**

13 Autrement dit son colonel de ce temps-là déplore de n'avoir pas pu l'envoyer aux compagnies de discipline.
J. ROMAINS, les Hommes de bonne volonté, t. II, XIV, p. 147.

14 Non (...) mais il y a, en ce moment, deux compagnies de la quatrième qui doivent relever les deux autres compagnies.   P. MAC ORLAN, la Bandera, XX, p. 252.

(1945). *Compagnies républicaines de sécurité* (C. R. S.) : formations mobiles de police, chargées d'assurer l'ordre public.

♦ **5.** (1559). Groupe d'animaux de même espèce, qui vivent en colonie. *Compagnie de cerfs, de bêtes fauves.* ⇒ **Harde.** — *Bête de compagnie :* jeune sanglier qui ne quitte pas encore sa mère (→ aussi ci-dessus, 1., *animal de compagnie,* dans un autre sens). — Fig. et fam. (vieilli). Se dit plaisamment d'une personne qui n'aime pas à rester ni à agir seule.

15 Le café est tout à fait disgracié ; le chevalier croit qu'il l'échauffe (...) et moi en même temps, bête de compagnie, comme vous me connaissez, je n'en prends plus (...)   Mᵐᵉ DE SÉVIGNÉ, 1079, 1ᵉʳ nov. 1688.

16 Vous savez que les perdreaux vont par bandes et nichent ensemble au creux des sillons (...) Notre compagnie à nous *(c'est un perdreau qui parle)* est gaie et nombreuse, établie en plaine sur la lisière d'un grand bois, ayant du butin et de beaux abris de deux côtés.
Alphonse DAUDET, Contes du lundi, II, « Les émotions d'un perdreau rouge ».

CONTR. Absence, isolement, solitude.

COMPAGNON [kɔ̃paɲɔ̃] n. m. — 1080, *cumpainz ;* lat. pop. *companio, -onis* « qui mange son pain *(panis)* avec *(cum)* ». → Copain.

♦ **1.** (Vieilli ou littér.). Homme, garçon qui partage habituellement ou occasionnellement la vie, les occupations d'autres personnes, par rapport à elles. ⇒ **Camarade, copain.** *Compagnon de table* (⇒ **Commensal**), *de chambrée* (→ Pousser, cit. 64), *d'études* (⇒ **Condisciple**), *de jeu* (⇒ **Partenaire**), *de travail* (⇒ **Collègue**), *d'exil. Compagnon d'armes. Les Compagnons de la Libération.*

1 Mieux *vaut vivre* à deux que solitaire ; il y a pour les deux un bon salaire dans leur travail ; car s'ils tombent, l'un peut relever son compagnon. Mais malheur à celui qui est seul, et qui tombe sans avoir un second pour le relever !
BIBLE (CRAMPON), l'Ecclésiaste, IV, 9-10.

2 Nourris ensemble, et compagnons d'école.   LA FONTAINE, Fables, X, 11.

3 On peut trouver un compagnon, mais non pas un ami fidèle.
LOTI, Aziyadé, Solitude, XXIII, p. 64.

Vieilli. *Un joyeux, un franc compagnon :* un homme plein d'entrain. ⇒ **Gaillard.** *Un hardi compagnon :* un homme audacieux et énergique.

De pair à compagnon : sur un pied d'égalité.

4 Rien n'égalise comme l'épée. Sous l'ancienne monarchie, les rois anoblissaient les hommes qui leur apprenaient à la tenir (...) Ces gentilshommes de province qui sentaient encore à plein nez leur monarchie, furent en peu de temps de pair à compagnon, comme s'il vieux prévôt *(d'armes),* les mieux été l'un des leurs.
BARBEY D'AUREVILLY, les Diaboliques, « Le bonheur dans le crime ».

5 (...) ce franciscain que ses compagnons laissèrent un jour, seul dans le couvent.
HUYSMANS, En route, II, p. 162.

Spécialt. Celui qui accompagne* qqn dans un déplacement. *Compagnon de voyage.*

♦ **2.** (1568). *Compagnon de...* (et nom psychologique) : celui qui partage les sentiments, l'idéal d'une autre personne, qui a subi les mêmes épreuves. ⇒ **Ami ; compagne.** *Compagnon, frère d'infortune.*

6 (...) il n'apercevait même plus ces compagnons de peine, ni les chômeurs que la mi-août n'épargnait pas.   Joseph PEYRÉ, Matterhorn, p. 175, in T. L. F.

(V. 1535). choses désignables par un n. m. ; → aussi Compagne. Ce qui va de pair avec (qqch.) ; ce qui est la consolation de (qqn).

7 Mes livres, les compagnons de ma vie.   MICHELET, l'Oiseau, Préf., p. XXV.

♦ **3.** Vieilli. Mari ; amant *(compagne,* 2., reste plus vivant dans ce sens).

♦ **4.** (1691). Littér. Le mâle, dans un couple d'animaux. *Il faut un compagnon à cet oiseau.*

♦ **5.** (1455). Ancienntt. Celui qui n'était plus apprenti (« aspirant ») et n'était pas, ou pas encore, maître. ⇒ **Artisan ;** et aussi **alloué** (1.). *Les Compagnons du Tour de France* (titre d'un roman de George Sand). *Aspirant reçu compagnon après avoir présenté son chef-d'œuvre*. *Boucles d'oreilles des anciens compagnons.* ⇒ **Joint.** *Cérémonie d'adieu à un compagnon quittant une ville du Tour de France.* ⇒ **Conduite.** *Compagnons du Devoir.* ⇒ 2. **Devoir,** III.

Mon oncle Joseph (...) est un paysan qui s'est fait ouvrier (...) Il est compagnon du devoir, il a une grande canne avec de longs rubans, et il m'emmène quelquefois chez la Mère des menuisiers *(l'hôtesse qui héberge les compagnons).* 8
J. VALLÈS, Jacques Vingtras *(L'Enfant),* p. 18.

Tous ces artisans qui franchissent, s'ils valent, les trois degrés d'apprentis, de compagnons, de maîtres, s'affinent dans leurs états, se muent en de véritables artistes.   HUYSMANS, Là-bas, VIII, p. 120. 9

(...) ces règlements de corporations qui exigeaient du *compagnon,* anxieux de devenir *maître,* l'épreuve d'un ouvrage dans lequel toutes les difficultés fussent affrontées et surmontées, toutes les conventions satisfaites, et qui pût enfin prendre place parmi les modèles de l'art.   10
VALÉRY, Regards sur le monde actuel, Les lettres françaises, p. 279.

Mod. Ouvrier qualifié, dans certaines professions artisanales.

Titre correspondant au deuxième degré de dignité dans la franc-maçonnerie.

DÉR. Compagnonnage, compagnonne, compagnonnique. — V. aussi les dérivés de *compain* (autrefois cas sujet de *compagnon*) **accompagner, compagne, copain.**

COMPAGNONNAGE [kɔ̃paɲɔnaʒ] n. m. — 1719 ; de *compagnon.*

♦ **1.** Forme d'organisation ouvrière caractérisée par des sociétés d'aide mutuelle et de formation professionnelle dont les membres qualifiés se considèrent comme « compagnons » (et se désignent eux-mêmes par cette appellation). *Le compagnonnage, très vivant sous l'Ancien Régime, perpétue encore aujourd'hui ses traditions. Le musée du Compagnonnage de Tours. Le compagnonnage trouve son origine dans les métiers du bâtiment* (tailleurs de pierre, charpentiers, maçons, etc.).

Ancienntt. Qualité de compagnon (5.). Temps du stage qu'un compagnon devait faire chez un maître.

♦ **2.** Vieilli. (Souvent péj.). Relations de compagnons, entre deux ou plusieurs personnes. ⇒ **Copinage.** *Faire sa carrière grâce au compagnonnage.*

COMPAGNONNE [kɔ̃paɲɔn] n. f. — Fin XVIᵉ, G. Bouchet, « compagne », repris XIXᵉ ; de *compagnon.*

♦ Vx et plais. Compagne. — Femme masculine (cf. Balzac, *in* T. L. F.). ⇒ **Virago.**

COMPAGNONNIQUE [kɔ̃paɲɔnik] adj. — Déb. XXᵉ ; de *compagnon.*

♦ Didact. Relatif aux associations de compagnons, au compagnonnage (1.).

— La fête des Moteurs pourrait être la Saint-Éloi ou la Sainte-Barbe, car nous sommes ouvriers du métal mais aussi du feu. Personne n'a songé à reconstituer l'assemblée compagnonnique sous le patronage du saint du métier.
Pierre HAMP, la Peine des hommes (Moteurs), p. 186.

COMPARABILITÉ [kɔ̃paʀabilite] n. f. — 1832 ; de *comparable.*

♦ Didact. Caractère de ce qui est comparable.

(...) l'observation des prix doit s'efforcer d'assurer la comparabilité des résultats dans le temps, par le maintien des conditions d'enquêtes sur la période la plus longue possible, tout en s'adaptant à l'évolution des comportements et des techniques.   A. MARC, l'Évolution des prix, p. 36.

COMPARABLE [kɔ̃paʀabl] adj. — Fin XIIᵉ ; lat. *comparabilis,* de *comparare.* → Comparer.

♦ (Construit avec *à* ou *avec*). Qui peut être comparé (avec qqn ou qqch.). ⇒ **Analogue, approchant, assimilable.** *Exactement comparable à...* ⇒ **Égal, semblable.** *Comparable aux grands hommes de l'Antiquité. Rien de comparable avec... Rien n'est comparable à...* (→ Agilité, cit. 4). *Il ne vous est pas comparable. Personnes, choses comparables, comparables entre elles. Ce n'est pas comparable.*

On te voyait dès lors, à toi seul comparable,
Faire éclater partout ta conduite adorable.   CORNEILLE, Poésies diverses, 61. 1

Les biens les plus charmants n'ont rien de comparable
Aux torrents de plaisirs qu'il répand dans un cœur.   RACINE, Esther, III, 9. 2

(...) la distance qui les sépare du génie est comparable aux espaces qui s'étendent entre les pâturages alpestres et les glaciers.   3
J. ROMAINS, les Hommes de bonne volonté, t. IV, XXII, p. 246.

Math. *Grandeurs comparables :* grandeurs de même espèce entre lesquelles on peut établir un rapport par comparaison. — *Grandeurs comparables par rapport à une unité.* ⇒ **Commensurable.**

CONTR. Incomparable.
DÉR. Comparabilité.

COMPARAISON [kɔ̃paʀɛzɔ̃] n. f. — V. 1174, *comparisun ;* lat. *comparatio,* du supin de *comparare.* → Comparer.

♦ **1.** Fait d'envisager ensemble (deux ou plusieurs objets de pensée) pour (en) chercher les différences ou les ressemblances. ⇒ **Comparer ; analyse, jugement, rapprochement.** *Faire des comparaisons injustes, blessantes. Établir une comparaison entre deux, plusieurs choses. Faire la, une comparaison de deux choses, entre deux cho-*

ses. Juger par comparaison. ⇒ **Comparativement.** — *Mettre une chose en comparaison avec une autre.* ⇒ **Balance, parallèle, regard.** *Tel projet ne peut entrer en comparaison avec tel autre.* — *Il n'y a pas de comparaison possible. Soutenir la comparaison.* — *... de comparaison. Choisir un terme de comparaison.* ⇒ **Mesure** (commune mesure), **modèle, parangon.** *Élément, échelle de comparaison.* ⇒ **Critère, échelle, niveau, pied, rapport.** *Éléments de comparaison.* ⇒ **Analogie, différence, rapport, relation, ressemblance.** — *Comparaison de textes, d'écritures.* ⇒ **Collation, collationnement, confrontation, recension.**

1   Comme nous ne connaissons rien que par comparaison, dès que tout rapport nous manque, et qu'aucune *analogie* ne se présente, toute lumière fuit.
            BUFFON, *in* LAFAYE, *Dict. des synonymes*, p. 340.

2   Par la *comparaison*, je remue les objets, je les transporte pour ainsi dire, je les pose l'un sur l'autre pour prononcer sur leur différence ou sur leur *similitude*.
            ROUSSEAU, *in* LAFAYE, *Dict. des synonymes*, p. 948.

3   (...) elle avait l'esprit qui observe, qui fait des comparaisons, des remarques, des essais, et cela c'est un don de nature, on ne peut pas le nier.
            G. SAND, la Petite Fadette, XXVI, p. 174.

4   La *comparaison* est faite par l'esprit, qui réunit les traits de ressemblance sous un même point de vue.   LAFAYE, Dict. des synonymes, Similitude, comparaison.

5   (...) subir l'épreuve des comparaisons, affronter la critique, la jalousie, la concurrence, la raillerie et le dédain.
            VALÉRY, Regards sur le monde actuel, p. 152.

Loc. prov. Toutes comparaisons (de personnes) *sont odieuses.*

Gramm. Adverbes de comparaison, qui indiquent un rapport de supériorité, d'égalité ou d'infériorité (ex. : ainsi, autant, comme, même, de même que, moins, plus). — *Degrés de comparaison.* ⇒ **Comparatif, positif, superlatif.** *Comparaison d'égalité, de supériorité, d'infériorité.*

♦ **2.** *Loc. En comparaison de... :* si l'on compare avec... ⇒ **Auprès, côté** (à), **égard** (à l'), **prix** (au), **proportion** (en), **rapport** (par), **regard** (en), **relativement, vis-à-vis.** — REM. La langue classique utilise la locution *à comparaison de.*

6   (...) le peu que j'ai appris jusqu'ici n'est presque rien, à comparaison de ce que j'ignore et que je ne désespère pas de pouvoir apprendre (...)
            DESCARTES, Discours de la méthode, VI.

7   (...) nous étions des géants en comparaison de la société (...) qui s'est engendrée.
            CHATEAUBRIAND, Mémoires d'outre-tombe, t. IV, p. 93.

Absolument :

8   *(C'est une aventure)* À faire perdre la raison,
     Et tous les maux de la nature
     Ne sont rien en comparaison.   MOLIÈRE, Psyché, I, 1.

Par comparaison à... Pour lui, c'est la misère, par comparaison à sa richesse passée. — Absolt. *La plupart des choses ne sont bonnes ou mauvaises que par comparaison.*

9   On est parfait par comparaison aux états inférieurs.   BOSSUET, Oraisons, VI.

Sans comparaison, hors de comparaison. C'est sans comparaison : c'est excellent, sans pareil, supérieur. *Préférer sans comparaison un lieu à un autre,* le préférer de beaucoup, infiniment ; sans hésitation.

10   J'aime bien mieux, sans comparaison, être ici.   Mᵐᵉ DE SÉVIGNÉ, 583.

♦ **3.** Rapport établi entre un objet et un autre terme, dans le langage. ⇒ **Allusion, image, métaphore.** *Certaines comparaisons soulignent les différences, les oppositions.* ⇒ **Antithèse, contraste.** *Comparaison juste, ingénieuse, poétique.* — *Le premier, le second membre d'une comparaison. Parler par comparaison.* « *Beau comme le jour* », « *riche comme Crésus* », « *gai comme un pinson* », « *prompt comme l'éclair* », « *bavard comme une pie* » *sont des comparaisons.* ⇒ **Comme.** *Comparaisons et métaphores** (cit. 1 et 5), *en rhétorique.*

11   Or, par comparaison, (car la comparaison
     Nous fait distinctement comprendre une raison,
     Et nous aimons bien mieux, nous autres gens d'étude,
     Une comparaison qu'une similitude) ;
     Par comparaison donc (...)   MOLIÈRE, le Dépit amoureux, IV, 2.

12   La métaphore ou la comparaison emprunte d'une chose étrangère une image sensible et naturelle d'une vérité.   LA BRUYÈRE, les Caractères, I, 55.

13   Elle lui sauta aux yeux, furieuse comme une lionne à qui on a ravi ses petits (j'ai peur que la comparaison ne soit ici trop magnifique).
            SCARRON, le Roman comique, II, VII, p. 192.

14   Le papillon se brûle à la chandelle, continua le prince, comparaison vieille comme le monde.   STENDHAL, le Rouge et le Noir, II, 24, p. 393.

15   Comme toute comparaison originale doit forcément, à la longue, se banaliser, n'en jamais faire.   J. RENARD, Journal, 10 mars 1894.

16   Au terme actuel des recherches poétiques il ne saurait être fait grand état de la distinction purement formelle qui a pu être établie entre la métaphore et la comparaison. Il reste que l'une et l'autre constituent le véhicule interchangeable de la pensée analogique et qui si la première offre des ressources de fulgurance, la seconde (qu'on en juge par les « beaux comme » de Lautréamont) présente de considérables avantages de *suspension*. Il est bien entendu qu'auprès de celles-ci les autres figures que persiste à énumérer la rhétorique sont absolument dépourvues d'intérêt.   André BRETON, Signe ascendant, p. 10.

Prov. Comparaison n'est pas raison : une comparaison n'est pas un argument, elle ne prouve rien.

COMPARAÎTRE [kɔ̃paʀɛtʀ] v. intr. — Conjug. *paraître.* — 1437 ; de l'anc. franç. *comparoir** ; lat. jur. *comparere,* refait d'après *paraître.*

♦ **1.** Dr. Se présenter par ordre. ⇒ **Comparoir.** *Comparaître en*

jugement, en justice. Comparaître personnellement, en personne. Comparaître par avoué. Comparaître devant un juge. ⇒ **Comparant, comparution.** *Exploit d'huissier appelant une personne à comparaître comme défendeur, comme témoin.* ⇒ **Assignation, citation.** *Ordre de faire comparaître.* ⇒ **Mandat.** *Faute, refus de comparaître.* ⇒ **Défaut.**

Quelques autres (...) ont payé l'amende pour n'avoir pas comparu à une cause appelée.   LA BRUYÈRE, les Caractères de Théophraste, « Débit des nouvelles ».   1

Un citoyen du Mans, chapon de son métier,
Était sommé de comparaître
Par-devant les lares du maître,
Au pied d'un tribunal que nous nommons foyer.   LA FONTAINE, Fables, VIII, 21.   2

Dans les cas où les parties intéressées ne seront point obligées de comparaître en personne, elles pourront se faire représenter par un fondé de procuration spéciale et authentique.   Code civil, art. 36.   3

Par anal. *Comparaître devant le tribunal de Dieu.*

Regarde avec quel front tu pourras comparaître
Devant le tribunal de ton souverain maître.   CORNEILLE, l'Imitation de J.-C.   4

Je suis d'avance pénétré de confusion à la pensée d'avoir un jour à comparaître devant le Tribunal suprême.   MARTIN DU GARD, les Thibault, t. IV, p. 227.   5

♦ **2.** Fig. Se présenter, se montrer.

Dans cette collection, ou plutôt dans cette vaste composition (...) Holbein a fait comparaître les souverains, les pontifes, les amants, les joueurs, les ivrognes... tout le monde de son temps et du nôtre (...)   G. SAND, la Mare au diable, I, p. 10.   6

CONTR. Défaut (faire défaut).
DÉR. Comparution.
COMP. Recomparaître.

COMPARANT, ANTE [kɔ̃paʀɑ̃, ɑ̃t] adj. et n. — V. 1390 ; adj. participial de *comparoir.*

♦ Dr. Qui comparaît en justice, devant un officier de l'état civil ou un officier ministériel. *Parties comparantes. Déclaration du comparant.*

Les officiers de l'état civil ne pourront rien insérer dans les actes qu'ils recevront (...) que ce qui doit être déclaré par les comparants.   Code civil, art. 85.

CONTR. Contumax, défaillant, non-comparant.
HOM. Comparant (p. prés. de *comparer*).

COMPARATEUR, TRICE [kɔ̃paʀatœʀ, tʀis] n. m. et adj. — 1836, cit. ; de *comparer.*

♦ **1.** N. m. Didact., techn. Instrument destiné à mesurer avec précision de très petites différences de longueur, et, spécialt, la différence de longueur de règles sensiblement égales.

Lorsqu'on a pour objet d'apprécier la différence de deux longueurs qui passent pour être égales, de deux mètres étalons par exemple, on peut employer le *Comparateur,* dont la précision est beaucoup plus grande que celle du vernier. La pièce principale de cet instrument est un levier coudé à branches inégales, dont la position est horizontale, et qui est mobile sans aucun ballottement autour d'un axe vertical.   G. LAMÉ, Cours de physique, Bachelier, 1836, p. 10-11.

♦ **2.** Adj. Rare. Qui aime à comparer. *Esprit comparateur.*

COMPARATIF, IVE [kɔ̃paʀatif, iv] adj. — 1290 ; du lat. *comparativus,* du supin de *comparare.* → Comparer.

♦ Qui contient ou établit une comparaison*. *Tableau comparatif. État comparatif des forces militaires de deux nations. Degré, état comparatif.* ⇒ **Diapason, niveau.** *Méthode, étude comparative. Anatomie comparative :* anatomie comparée.

Gramm. La forme comparative, et, n. m., *le comparatif,* exprime le second degré dans la signification des adjectifs. *Comparatif de supériorité* (⇒ **Plus**), *d'égalité* (⇒ **Aussi**), *d'infériorité* (⇒ **Moins**), qui expriment une idée de supériorité, d'égalité ou d'infériorité par rapport au positif. — *Adjectifs, adverbes comparatifs* ou *de comparaison.* — *Adjectif au comparatif.*

Il ne reste en réalité que trois formes de comparatif : *meilleur, pire,* et *moindre,* auxquels il faut ajouter les anciens neutres *mieux, pis* et *moins* (...)   F. BRUNOT, la Pensée et la Langue, XIX, II, v, p. 728.   1

(...) la langue moderne a emprunté des formes comparatives, telles que *ultérieur.* Ce sont : *a) extérieur, intérieur, supérieur, inférieur, citérieur ; b) antérieur, postérieur.* Les premiers de ces adjectifs avaient originairement rapport au lieu, les seconds au temps.   F. BRUNOT, la Pensée et la Langue, XIX, II, v, p. 729.   2

DÉR. Comparativement.

COMPARATISME [kɔ̃paʀatism] n. m. — Av. 1957, *in* T. L. F. ; de *comparer.*

♦ Didact. Ensemble des études comparées. — Spécialt. Aspect comparatiste des études littéraires.

Le comparatisme, en écrivant l'histoire des relations littéraires internationales, montre qu'aucune littérature n'a jamais pu s'isoler sans s'étioler (...)
            M.-F. GUYARD, la Littérature comparée, p. 122.

COMPARATISTE [kɔ̃paʀatist] adj. et n. — V. 1900 (→ cit. 1) ; de *comparer.*

Didactique.

★ **I.** Adj. ♦ **1.** Relatif aux études comparées, en quelque domaine que ce soit.

1   Ce livre (*l'Abrégé de grammaire comparée...* de Schleicher) évoque mieux qu'aucun autre la physionomie de cette école comparatiste, qui constitue la première période de la linguistique indo-européenne.
F. DE SAUSSURE, Cours de linguistique générale, Introduction, p. 16.

Qui concerne l'étude des rapports entre plusieurs objets. « *Les perspectives comparatistes et psychogénétiques* » (J. Piaget).

♦ **2.** Relatif à la littérature comparée. «*Certaines carences de la recherche comparatiste et même de l'histoire littéraire en général* (au XIXᵉ s.)*»* (M.-F. Guyard, *la Littérature comparée,* p. 30). *Les méthodes comparatistes.*

★ **II.** N. Personne qui se spécialise dans l'étude d'une science comparée (langue, littérature).

2   La littérature comparée (...) c'est l'histoire des relations littéraires internationales. Le comparatiste se tient aux frontières, linguistiques ou nationales, et surveille les échanges de thèmes, d'idées, de livres ou de sentiments entre deux ou plusieurs littératures.   M.-F. GUYARD, la Littérature comparée, p. 12.

COMPARATIVEMENT [kɔ̃paʀativmɑ̃] adv. — 1556 ; de *comparatif.*

♦ Par comparaison. *Ce n'est bon que comparativement. Comparativement à autre chose.*

COMPARER [kɔ̃paʀe] v. tr. — Fin XIIᵉ ; *cumparer,* v. 1120 ; lat. *comparare,* de *compar* «égal, pareil». → Pareil.

♦ **1.** Examiner les rapports de ressemblance et de différence. ⇒ **Confronter, rapprocher; comparaison.** — REM. On dira dans ce sens *comparer à* et, surtout, *comparer avec. Comparer un écrivain avec un autre, à un autre. Comparer plusieurs artistes entre eux. Comparer deux choses ensemble. Comparer une copie avec l'original. Comparer des objets avec le modèle, le type.* ⇒ **Échantillonner.** *Comparer pour critiquer, juger, pour connaître les caractéristiques.* ⇒ **Analyser, évaluer, mesurer.** *Comparer les résultats de deux essais, de deux expériences. Comparer deux textes, deux écritures.* ⇒ **Collationner, confronter, vidimer.**

1   Il faut des châtiments dont l'univers frémisse ;
Qu'on tremble en comparant l'offense et le supplice.   RACINE, Esther, II, 1.
2   (...) je compare ensemble les deux conditions des hommes les plus opposées, je veux dire les grands avec le peuple (...)   LA BRUYÈRE, les Caractères, IX, 25.
3   Les nuances de sens ou d'emploi qui distinguent les synonymes les uns des autres apparaissent bien plus clairement quand on les oppose et les compare que quand on se borne à les définir isolément.   G. PARIS, Extrait du Journal des savants, oct.-nov. 1890, Compte rendu du Dict. général.

Absolt. En comparant, nous étendons nos idées. Vous avez entendu les deux témoignages, comparez. Comparer avant de choisir.

♦ **2.** Rapprocher en vue d'assimiler; mettre en parallèle. *Comparer à, avec. Ces choses ne sauraient se comparer.*

4   Ne te compare point aux autres, mais à moi.   PASCAL, Pensées, VII, 555.
5   Ils ont tous deux l'audace de vouloir comparer leurs professions à la mienne.   MOLIÈRE, le Bourgeois gentilhomme, II, 3.
6   Quelque douleur que puissent causer les passions, il ne faut pas comparer les chagrins de la vie avec ceux de la mort.   A. DE MUSSET, la Confession d'un enfant du siècle, p. 169.
7   Je l'ai comparé *(Flaubert)* à Corneille, et ici la ressemblance s'affirme encore. C'était le même esprit épique auquel les papotages et les fines nuances échappaient (...)   ZOLA, Roman naturaliste, p. 185.
8   Leur courage, comme leur dévouement, pouvaient se comparer au courage et au dévouement des légionnaires sous le feu (...)   P. MAC ORLAN, la Bandera, VI, p. 74.
9   Les médecins ont montré que leur profession ne pouvait et ne devait se comparer avec nulle autre.   G. DUHAMEL, Paroles d'un médecin, p. 38 (*in* HANSE).

♦ **3.** Rapprocher des personnes ou des choses de nature ou d'espèce différente, dans une comparaison (3.). *Comparer la vie à une aventure.*

10   (...) je compare cette soirée, ce ciel, ce paysage, éteints et cependant harmonieux et complets, à l'âme d'un paysan religieux et sage qui travaille et profite de son labeur (...)   G. SAND, François le Champi, Avant-propos, p. 8.
11   Il compara, pour finir, les gens du monde aux chevaux de course qui ne servent à rien, à vrai dire, mais qui sont la gloire de la race chevaline.   MAUPASSANT, Fort comme la mort, p. 78.

▶ **COMPARÉ, ÉE** p. p. adj. *Les interprétations, les versions comparées d'une même chanson.* — Spécialt. Qui étudie les rapports entre plusieurs objets d'étude. *Anatomie comparée* (des espèces différentes). *Grammaire comparée,* étudiant les rapports entre langues. — (1806, *in* D. D. L.). *Littérature comparée,* étudiant les influences, les échanges entre littératures. — N. f. (Fam.) *Faire de la comparée.*

DÉR. Comparateur, comparatisme, comparatiste.

COMPAROIR [kɔ̃paʀwaʀ] (usité seulement à l'inf. et au p. prés. ; → Comparant) v. intr. — XIIIᵉ ; lat. *comparere.* → Comparaître.

♦ Vx. (Dr.). Comparaître en justice. *Assignation à comparoir.*

1   Et le juge signa deux de ces citations formidables qui troublent tout le monde,

même les plus innocents témoins que la justice mande ainsi à comparoir sous des peines graves, faute d'obéir.   BALZAC, Splendeurs et Misères des courtisanes, Pl., t. V, p. 950.

2   Le 30 mars (...) je reçois une citation à comparoir comme prévenu d'une tentative de meurtre pour un coup de chapeau! Comment trouvez-vous ça ?   E. LABICHE, Un monsieur qui prend la mouche, 4.

DÉR. Comparant.

COMPARSE [kɔ̃paʀs] n. — 1798 ; n. f., «action de figurer dans un carrousel», 1669 ; ital. *comparsa* «personnage muet», proprt «apparition», p. p. de *comparire* «apparaître», de *comparere* «apparaître».

♦ **1.** Techn. (théâtre). Acteur, actrice qui remplit un rôle muet. ⇒ **Figurant.**

♦ **2.** Cour. Personnage dont le rôle est secondaire, parfois insignifiant. *Ce n'est qu'un comparse. Jouer le rôle de comparse, un rôle de comparse. Le protagoniste et les comparses.*

1   Chaque fois qu'un des postes importants du ministère venait d'être confié à un jurisconsulte de talent ou simplement à un sage, comme il ne fallait auprès de cette lumière qu'un comparse, Basquettot s'imposait.   GIRAUDOUX, Bella, IV, p. 98.

REM. *Comparse* est le plus souvent employé en référence à une situation particulière (activité collective, etc.) : *le comparse de qqn,* etc. En emploi absolu, le mot correspond à «personne effacée, sans personnalité ».

Le drame de Laura, c'est d'avoir épousé un comparse.   GIDE, les Faux-monnayeurs, III, X, p. 399.

COMPARTIMENT [kɔ̃paʀtimɑ̃] n. m. — 1546, Rabelais ; ital. *compartimento,* de *compartire* «partager», de *com-,* et *partire.* → Répartir.

♦ **1.** (1749). Division pratiquée dans un espace pour loger des personnes ou des choses en les séparant. ⇒ **Case.** *Meuble formé d'un ensemble de compartiments.* ⇒ **Casier, classeur.** *Coffre, tiroir à compartiments. Boîte à compartiments des imprimeurs.* ⇒ **Casse.** *Petit compartiment individuel.* ⇒ **Cellule, loge.** *Compartiment d'un gâteau de cire.* ⇒ **Alvéole.**
Les compartiments d'un garage, d'une salle... ⇒ **Box, stalle.**
(1855). Division d'une voiture de chemin de fer (voyageurs), délimitée par des cloisons. *S'installer dans un coin du compartiment. Compartiment réservé. Compartiment de fumeurs, pour non-fumeurs. Compartiment de première, deuxième classe. Les compartiments et le couloir. Voitures sans compartiments.*

1   Mettez-vous à l'affût dans un compartiment de troisième, si vous voulez surprendre l'âme d'un pays (...)   G. DUHAMEL, Récits des temps de guerre, t. II, IV, p. 68.

Les voyageurs évacuaient le couloir, s'entassaient dans les compartiments.   MARTIN DU GARD, les Thibault, t. IV, p. 116.

Mar. Cellule intérieure d'un navire. *Compartiment hermétiquement fermé. Compartiment étanche,* fermé par des cloisons étanches. — *Le compartiment des chaudières.* ⇒ **Chambre** (de chauffe*).

(Bourse). Abstrait. Groupe de valeurs de bourse dont les cours obéissent à des mouvements similaires.

2.1   Mais la Bourse est le grand moteur. J'ai remarqué que les cuprifères entraînent les autres compartiments. Je fais la Tharsis. Le Rio, ce n'est pas pour moi.   J. ROMAINS, Donogoo, I, II, p. 70 (1929).

Biol. *Compartiment cellulaire :* ensemble de cellules du même type, dans un système complexe et évolutif. *Compartiments des cellules-souches du sang.*

♦ **2.** Par métaphore ou fig. Rare. *Les compartiments du cœur.* ⇒ **Pli, recoin.** *Classer des idées par compartiments.* ⇒ **Catégorie.**

♦ **3.** Subdivision d'une surface (par des figures régulières). *Les compartiments d'un damier, d'un échiquier. Parterre de jardin à compartiments.* ⇒ **Carré.** *Les compartiments d'un plafond.* ⇒ **Caisson.**

3   (...) c'était une broderie de diamants fort gros qui suivait les compartiments d'un velouté noir sur un fond de couleur de paille.   Mᵐᵉ DE SÉVIGNÉ, 772, 17 janv. 1680.

4   Ils furent éblouis par la splendeur du plafond, divisé en compartiments octogones, rehaussé d'or et d'argent (...)   FLAUBERT, l'Éducation sentimentale, III, I, p. 352.

Compartiment de terrain : portion de terrain nettement délimitée.

5   La géographie de cette Méditerranée, où s'est formé l'esprit latin, porte à l'individualisme, et l'esprit social s'y limite au clan. Il s'agit d'une géographie de compartiments : petites plaines isolées, très vite limitées et encadrées par la montagne toujours proche.   André SIEGFRIED, l'Âme des peuples, II, II, p. 35.

♦ **4.** (1884). Techn. Ornement fait de dorures à petits fers qui se mettent sur le plat ou sur le dos des livres. *Reliure à compartiments et à mosaïque.*

DÉR. Compartimenter.

COMPARTIMENTAGE [kɔ̃paʀtimɑ̃taʒ] ou **COMPARTIMENTATION** [kɔ̃paʀtimɑ̃tasjɔ̃] n. m. — 1892, *compartimentage* ; *compartimentation,* 1935 ; de *compartimenter.*

♦ **1.** Division par compartiments. ⇒ **Cloisonnement.** Action de compartimenter. *Le compartimentage d'un navire.*

♦ **2.** Fig. Séparation, isolement dans un ensemble.

1 Durant les années qui suivirent immédiatement le 11 novembre 1918, les nationalités étaient suffisamment mélangées et le compartimentage social assez atténué (...) Michel LEIRIS, l'Âge d'homme, p. 187.

2 L'engagement affectif, le refus des compartimentations protectrices, la responsabilité, l'amour, tout cela n'engage que lui *(C. Rogers)* et cependant est ressenti comme un appel, d'autant plus redoutable qu'il ne nous est fait aucune violence. M. PAGÈS, *in* C. ROGERS, le Développement de la personne, Préface, p. 11.

COMPARTIMENTER [kɔ̃paʀtimɑ̃te] v. tr. — 1892 ; de *compartiment.*

♦ **1.** Diviser en compartiments. *Compartimenter un navire de guerre,* le doter de cellules aux cloisons hermétiques. — Au p. p. *Une armoire compartimentée.*

♦ **2.** (Abstrait). Diviser par classes, par catégories distinctes. *L'auteur a soigneusement compartimenté les questions.* ⇒ **Cloisonner, séparer.** — Au p. p. (plus cour.). *Une société très compartimentée.*

DÉR. **Compartimentage** ou **compartimentation.**

COMPARUTION [kɔ̃paʀysjɔ̃] n. f. — 1453, *comparucion* ; de *comparu,* p. p. de *comparaître.*

♦ Dr. Action de comparaître*. *Mandat de comparution. La comparution du prévenu. Comparution personnelle devant un juge, un tribunal, pour répondre d'une accusation. En cas de non-comparution.* ⇒ **Défaut.**

COMPAS [kɔ̃pa] n. m. — xııe, «mesure, règle» ; de *compasser.*

♦ **1.** Instrument composé de deux éléments rectilignes (jambes ou branches) joints par une charnière et que l'on écarte plus ou moins pour mesurer des angles, transporter des longueurs, tracer des circonférences. *Compas à pointes sèches. Compas porte-crayon. Compas tire-lignes. Compas à balustre*, à pièces de rechange.* ⇒ **Rallonge.** *Compas quart de cercle. Compas d'épaisseur* ou *compas sphérique* (⇒ **Maître-à-danser**), dont les branches courbes servent à mesurer des épaisseurs, des calibres. *Compas d'ellipse,* qui décrit cette courbe. *Compas de proportion,* dont les branches sont de petites règles divisées. *Compas de réduction,* pour tracer des figures proportionnelles au moyen de branches divisées et coulissant l'une sur l'autre. *Tourner, ouvrir, fermer le compas. Ouverture de compas. Décrire, tracer au compas un cercle, une circonférence.*

1 La pensée est semblable au compas qui perce le point sur lequel il tourne, quoique sa seconde branche décrive un cercle éloigné. A. DE VIGNY, Journal d'un poète, p. 40.

1.1 À la lueur du foyer, *(Cyrus Smith)* tailla deux petites règles plates qu'il réunit l'une à l'autre par une de leurs extrémités, de manière à former une sorte de compas dont les branches pouvaient s'écarter ou se rapprocher. Le point d'attache était fixé au moyen d'une forte épine d'acacia (...) J. VERNE, l'Île mystérieuse, 1874, t. I, p. 173.

(1676). Techn. Instrument analogue, servant à prendre des mesures. *Compas de charpentier, de menuisier, de tonnelier. Compas de chapelier, de cordonnier.*

Loc. fig. *Faire tout par règle et par compas* ou *par compas et par mesure,* avec circonspection, exactitude et minutie.

Avoir le compas dans l'œil : juger à vue d'œil, avec une grande précision.

2 Il avait le compas dans l'œil pour la justesse, les proportions, la symétrie. SAINT-SIMON, Mémoires, XII, 9.

Vieilli. *Avoir un bon compas,* une large enjambée. *Allonger, écarter le compas* : allonger le pas. ⇒ **Hâter.** *Les jambes en compas,* écartées (→ Appui, cit. 1).

3 Ses jambes, droites, menues et même assez longues, l'auraient agrandi si elles eussent été verticales ; mais elles posaient de biais comme celles d'un compas très ouvert. ROUSSEAU, les Confessions, IV.

(1879). Fam. *Le compas, les compas* : les jambes. ⇒ **Jambe.**

3.1 Ils virent d'assez loin un homme qui marchait devant eux et que peu à peu ils rattrapèrent. C'était un piéton bien équipé (...) On pouvait lui donner dans les soixante ans mais il ouvrait solidement ses compas comme le juif errant en personne. J. GIONO, le Hussard sur le toit, p. 332.

♦ **2.** Loc. fig. *Ouverture de compas* : ouverture d'esprit, largeur de vue.

3.2 J'aime mieux la Correspondance de Voltaire. L'ouverture du compas y est autrement large ! FLAUBERT, Correspondance, 1876, éd. Conard, p. 384.

♦ **3.** a (1575). Instrument indiquant la direction du Nord magnétique (rare en emploi absolu dans ce sens général, qui inclut *boussole* ; → ci-dessous, cit. 5).

b Spécialt, techn. (opposé à *boussole* ; plus courant dans ce sens restreint). Mar. (et aviat.). Instrument de navigation indiquant la direction du Nord magnétique et dont la partie utile est constituée par une plaque ronde graduée montée sur pivot (la *rose*), à laquelle sont assujettis des barreaux aimantés (à la différence de la *bous-*

---

sole, dont la partie utile est une aiguille). *Compas de route* (→ 1. Pinnule, cit.), celui que l'homme de barre a sous les yeux, et qui lui sert à maintenir le bateau à son cap. *Compas de relèvement*,* utilisé pour relever les amers. *Prendre un relèvement au compas. Compas d'embarcation, de doris,* de petite taille (et consistant parfois en une boussole, c'est-à-dire un *compas* entendu au sens général). *Compas à liquide,* ou, *ellipt., compas liquide,* dont la cuvette est remplie de liquide (eau alcoolisée, huile) pour amortir les mouvements de la rose. *Compas renversé* (ou *mouchard*), suspendu au-dessus d'une couchette (généralement celle du commandant, du commandant en second, qui peut ainsi surveiller la marche du navire en restant allongé). *Naviguer au compas. Cap* compas et cap vrai. Déviation d'un compas. Compas bien, mal compensé. Régulation d'un compas. Courbe de variation d'un compas.*

4 La rose est mobile autour de son axe : son *pivot,* et en principe immobile dans l'espace puisque fixe par rapport au nord. Elle est contenue dans l'*habitacle,* où elle est assujettie à la cardan pour n'être pas entraînée par les mouvements du navire. L'habitacle porte un repère matérialisant la *ligne de foi,* qui est l'axe du navire : les graduations se déplacent donc devant cette ligne. Leur lecture donne l'angle entre le nord du compas et l'axe du navire ; c'est le *cap au compas* (Cc), *le cap vrai* (Cv) étant l'angle entre l'axe et le nord vrai du monde quand le nord indiqué par le compas ne coïncide pas exactement avec lui. La *variation* (W) du compas est alors la différence, en angle, entre ces deux nords. CÉLERIER, Techn. de la navigation, III, p. 29. (éd. P. U. F.).

Par compar. (au sens a) :

5 Comme l'aiguille du compas demeure assez constante tandis que la route varie, ainsi peut-on regarder les caprices ou bien les applications successives de notre pensée (...) VALÉRY, Rhumbs, p. 10.

c (Par ext., désignant des instruments fondés sur un autre principe que celui de l'aiguille aimantée). *Compas gyroscopique.* ⇒ **Gyrocompas.**

DÉR. (Du 1.) **Compassier.**
COMP. (Du 3.) **Radiocompas.**

COMPASSEMENT [kɔ̃pasmɑ̃] n. m. — V. 1180 ; de *compasser.*

♦ **1.** Techn. Action de mesurer au compas. *Le compassement d'une carte maritime.*

♦ **2.** (Av. 1755). Fig. et littér. Caractère de ce qui est compassé, affecté. ⇒ **Raideur.** *Tout dans son comportement est marqué de froideur, de compassement.*

COMPASSER [kɔ̃pase] v. tr. — V. 1130, «mesurer, ordonner, régler» ; lat. pop. *compassare «mesurer avec le compas», de *com-,* et *passus* «pas».

♦ **1.** Techn. Mesurer avec le compas. *Compasser le canon d'une arme à feu,* en vérifier le calibre. *Compasser des distances sur une carte.* — Mar. *Compasser une carte* : déterminer sur la carte le lieu où se trouve le navire. — Par ext. Tracer, disposer avec une rigoureuse exactitude.

♦ **2.** Littér. Considérer avec attention, régler avec exactitude, minutie, et, par ext., avec exagération. ⇒ **Étudier, mesurer, peser.** *Compasser sa démarche, son langage. Il compasse son attitude, ses discours.*

1 Et quant à moi, je trouve, ayant tout compassé, Qu'il vaut mieux être encor cocu que trépassé (...) MOLIÈRE, Sganarelle, 17.

2 On voit des gens sincères, qui toujours ont à s'étudier, à compasser toutes leurs paroles et toutes leurs pensées. FÉNELON, XVIII, 444, *in* LITTRÉ.

▶ **COMPASSÉ, ÉE** p. p. adj.

♦ **1.** Littér. ⇒ **Étudié, mesuré, réglé.**

♦ **2.** Cour. (en parlant des personnes et de leur comportement). Réglé trop rigoureusement, sans rien de libre, de simple, de spontané. ⇒ **Affecté.** *Un homme compassé. Il est solennel et compassé. Elle est aimable, mais trop compassée. — Manières compassées.*

3 (...) il *(l'amiral Collingwood)* était bon, mais froid, et, dans ses manières, ainsi que tous les officiers anglais, il y avait un point où tous les épanchements s'arrêtaient et où la politesse compassée se présentait comme une barrière sur tous les chemins. A. DE VIGNY, Servitude et Grandeur militaires, III, VI, p. 220.

(Dans le domaine esthétique). *Style compassé. Une architecture froide et compassée.*

4 Le menuet garde l'allure compassée, noble et précieuse qu'il doit à ses origines, même si chaque musicien, Haydn ou Mozart, le nuance selon son propre génie. Éd. HERRIOT, la Vie de Beethoven, p. 70.

CONTR. (Du p. p.) **Aisé, libre, naturel, simple.**
DÉR. **Compas, compassement.**

COMPASSIER [kɔ̃pasje] n. m. — 1886 ; de *compas.*

♦ Techn. Fabricant et réparateur de compas (1.).

COMPASSION [kɔ̃pasjɔ̃] n. f. — 1155 ; lat. chrét. *compassio,* de *compati* «souffrir». → Compatir.

♦ Littér. ou style soutenu. Sentiment qui porte à plaindre et à partager les maux d'autrui. ⇒ **Pitié ; apitoiement, commisération** (cit. 1), **miséricorde**. *Avoir de la compassion pour qqn. Un homme de cœur*, plein de compassion* (→ Saint, cit. 13). *Cœur accessible à la compassion.* ⇒ **Humanité, sensibilité.** *Être touché de compassion,* (vx) *ému de compassion. Un spectacle qui fait compassion. Inspirer de la compassion. Être digne de compassion. Leur dénûment excitait la compassion.*

1   Et, en voyant cette multitude d'hommes, il fut ému de compassion pour eux, parce qu'ils étaient harassés et abattus, comme des brebis qui n'ont pas de pasteur.
        · BIBLE (CRAMPON), Évangile selon saint Matthieu, IX, 36.

2   Ouf! Je me sens déjà pris de compassion.   RACINE, les Plaideurs, III, 3.

3   Il y a souvent plus d'orgueil que de bonté à plaindre les malheurs de nos ennemis : c'est pour leur faire sentir que nous sommes au-dessus d'eux que nous leur donnons des marques de compassion.   LA ROCHEFOUCAULD, Maximes, 463.

4   S'il est vrai que la pitié ou la compassion soit un retour vers nous-mêmes qui nous met en la place des malheureux (...)   LA BRUYÈRE, les Caractères, IV, 48.

5   La compassion est un amour qui s'afflige du mal de la personne qu'on aime.
        FÉNELON, Dialogue des morts, 18.

6   Relu *le Cabinet des Antiques* et *le Père Goriot, Honorine* (...) où Balzac emploie le mot : «compatissance». Curieux de chercher s'il figure dans Littré. Il me semble que «compassion» suffisait.   GIDE, Journal, 3 juin 1949.

REM. On trouve également *compatissance* [kɔ̃patisɑ̃s] dans Chateaubriand (*Mémoires d'outre-tombe,* t. II, p. 65).

(1771). *Compassion de la Vierge :* fête catholique célébrée le vendredi qui précède les Rameaux, en mémoire des douleurs de la Sainte Vierge.

CONTR. Cruauté, dureté, indifférence, insensibilité, sécheresse (de cœur).
DÉR. Compassionner (se).

COMPASSIONNER (SE) [kɔ̃pasjɔne] v. pron. — 1569; *compassionné* «touché de compassion», v. 1450; de *compassion.*

♦ Vx, régional. Éprouver de la compassion. — Au p. p. :
(...) Landry était compassionné et attendri pour lui, trouvant tout le monde et lui-même dans le passé bien coupable envers les deux pauvres enfants de la mère Fadet (...)   G. SAND, la Petite Fadette, XXIV, p. 164.

COMPATIBILITÉ [kɔ̃patibilite] n. f. — 1570, de *compatible.*

♦ Caractère, état de ce qui est compatible. ⇒ **Accord, convenance.** *Compatibilité d'humeur.*

Spécialt (sc.). **[a]** Physiol. *Compatibilité sanguine,* exigée, lors d'une transfusion, entre le sang du donneur et celui du receveur.

[b] Math. Propriété de systèmes compatibles; relation qui relie deux systèmes compatibles.

[c] Doc. Correspondances entre systèmes documentaires, établies par des descripteurs communs.

REM. Le mot a de nombreux emplois particuliers en biologie, génétique, chimie, médecine, informatique, etc. (→ aussi Compatible).

CONTR. Désaccord, disconvenance, incompatibilité.

COMPATIBLE [kɔ̃patibl] adj. — 1447; lat. médiéval *compatibilis,* 1384; de *com-* «avec» et *patibilis* «supportable», ou de *compati* (→ Compatir) au sens tardif «permettre, admettre avec».

♦ **1.** Qui peut s'accorder avec autre chose, exister en même temps. ⇒ **Accordable, conciliable.** *Des caractères compatibles. La fonction de préfet n'est pas compatible avec celle de député.*

1   Le Ciel ne m'a point fait (...)
   Une âme compatible avec l'air de la cour (...)   MOLIÈRE, le Misanthrope, III, 5.

2   La vie spirituelle (...) est-elle compatible avec la vie charnelle ?
        F. MAURIAC, Souffrances et Bonheur du chrétien, p. 56.

3   Il ne croyait pas que l'amabilité et la solvabilité fussent des vertus compatibles.
        A. MAUROIS, Bernard Quesnay, II, p. 12.

♦ **2.** Sc. et techn. Math. *Relation compatible,* se dit d'une relation par rapport à une opération effectuée sur un ensemble, lorsqu'elle s'accorde à toutes les lois de l'ensemble considéré.
Système d'équations compatibles, admettant au moins une solution.
Inform. *Matériels compatibles,* qui peuvent fonctionner ensemble (malgré leur origine différente).
Méd. *Médicaments compatibles,* pouvant être administrés en même temps. ⇒ aussi **Compatibilité.**

CONTR. Incompatible, inconciliable.
DÉR. Compatibilité.
COMP. V. Incompatible.

COMPATIR [kɔ̃patiʀ] v. tr. ind. — 1541; *compati* «souffrir avec», de *com-* (*cum* «avec») et *pati* «supporter, souffrir» (→ Pâtir), d'après *pâtir.*

★ **I.** Vx. (Sujet n. de chose abstraite). S'accorder, être compatible. *Son caractère ne peut compatir avec le mien.*

1   Une étroite amitié l'un à l'autre nous joint ;
   Mais enfin nos désirs ne compatissent point.   CORNEILLE, Attila, I, 3.

★ **II.** (1635). Mod. (Sujet n. de personne). **COMPATIR à :** avoir de la compassion pour (une souffrance, un malheur). ⇒ **Apitoyer**

(s'), **attendrir** (s'), **plaindre.** *Il compatit à notre douleur.* ⇒ **Condoléance.**

2   Je sens qu'à sa douleur je pourrais compatir (...)   RACINE, Bérénice, III, 4.

3   L'on s'insinue auprès de tous les hommes (...) en compatissant aux infirmités qui affligent leur corps.   LA BRUYÈRE, les Caractères, XI, 109.

4   Germain, qui était triste pour son compte, compatissait d'autant plus à son chagrin (...)   G. SAND, la Mare au diable, V, p. 46.

5   (...) on ne compatit qu'aux misères que l'on partage (...)
        A. THIBAUDET, Gustave Flaubert, p. 80.

Absolt. *Croyez bien que je compatis !*

COMPATIR AVEC (qqn) : partager la souffrance de (qqn). *Il a du mal à compatir avec les autres, même quand il les voit très malheureux.*

DÉR. Compatissant.

COMPATISSANCE [kɔ̃patisɑ̃s] n. f. ⇒ **Compassion.**

COMPATISSANT, ANTE [kɔ̃patisɑ̃, ɑ̃t] adj. — 1692 ; de *compatir.*

♦ Qui prend part aux souffrances d'autrui; qui est inspiré par la compassion. ⇒ **Miséricordieux; bon, charitable, humain, sensible.** *Être compatissant pour les vaincus. — Un regard compatissant.*

1   (...) cette charité si compatissante (...)   RACINE, Épitaphes, p. 10.

2   Elle se souvenait d'avoir été une enfant malheureuse et délaissée, et ses propres enfants furent stylés de bonne heure à être affables et compatissants pour ceux qui n'étaient ni riches ni choyés.   G. SAND, la Petite Fadette, XL, p. 253.

3   (...) la suivante favorite dit à sa maîtresse d'un ton câlin et compatissant, comme une jeune mère qui berce les petits chagrins de son nourrisson (...)
        Th. GAUTIER, le Roman de la momie, II, p. 59.

CONTR. Dur, indifférent, insensible.

COMPATRIOTE [kɔ̃patʀijɔt] n. — 1396 ; bas lat. *compatriota,* de *com- (cum),* et *patria* «patrie».

♦ Personne originaire du même pays qu'une autre. ⇒ **Patrie.** *Nous sommes compatriotes. Byron est le compatriote de Shelley. Il n'aime pas ses compatriotes. Épargner, secourir, aider un compatriote, une compatriote. Rechercher des compatriotes lorsqu'on est à l'étranger.*

1   (...) j'estime tous les hommes mes compatriotes et embrasse un Polonais comme un Français, postposant *(subordonnant)* cette liaison nationale à l'universelle et commune.   MONTAIGNE, Essais, III, IX.

2   Tous les étrangers ne sont pas barbares, et tous nos compatriotes ne sont pas civilisés (...)   LA BRUYÈRE, les Caractères, XII, 22.

3   Il faut bien quelquefois se battre contre ses voisins, mais il ne faut pas brûler ses compatriotes pour des arguments.
        VOLTAIRE, Lettre à Gallitzin, 19 juin 1773.

4   Derrière lui une de ses compatriotes gesticulait, un drapeau américain de quarante centimètres sur la poitrine (...)   MALRAUX, l'Espoir, p. 456.

Personne originaire de la même province, de la même région (à l'intérieur d'un même pays). *Elle est bretonne comme moi, nous sommes compatriotes. Compatriotes de la même ville.* ⇒ **Concitoyen, 2. pays, payse** (régional).

COMPENDIEUSEMENT [kɔ̃pɑ̃djøzmɑ̃] adv. — V. 1282; de *compendieux.*

♦ **1.** Vx. En abrégé. ⇒ **Brièvement, rapidement, succinctement.**
REM. Ce mot, dans l'usage juridique, signifiait «en résumé et sans rien omettre d'important».

1   Je vais, sans rien omettre, et sans prévariquer,
   Compendieusement énoncer, expliquer (...)   RACINE, les Plaideurs, III, 3.

♦ **2.** (Déb. XIXᵉ ; à cause de l'usage du mot en droit, déjà ambigu au XVIIIᵉ s., ⇒ ci-dessus, cit. 1). Longuement, sans rien omettre.

2   (...) *compendieusement,* que vous employez tout au rebours de sa signification pour dire abondamment, prolixement (...)   FLAUBERT, Salammbô, Appendice, p. 367.

3   *Compendieusement* a eu une aventure curieuse. La longueur du mot l'a fait prendre à contresens. Au lieu de *brièvement,* il a signifié *longuement.*
        F. BRUNOT, la Pensée et la Langue, III, XI, C, VI, p. 451 (note).

Par ext. Minutieusement.

4   (...) il se livre longuement et compendieusement à la composition d'un de ces lavements, dont la recette est perdue depuis Molière (...)
        Ed. et J. de GONCOURT, Journal, 19 oct. 1862.

COMPENDIEUX, EUSE [kɔ̃pɑ̃djø, øz] adj. — 1395 ; lat. *compendiosus,* de *compendium* «abrégé».

Vieux ou archaïsme.

♦ **1.** Exprimé en peu de mots. ⇒ **Abrégé, concis, résumé, succinct.** *Un rapport compendieux.*

♦ **2.** Qui s'exprime de façon concise. ⇒ **Laconique.**

C'était un homme de taille moyenne, de mine frigide et discrète (...) peu parleur, et compendieux quand il se mettait à parler.
        BARBEY D'AUREVILLY, les Diaboliques, «À un dîner d'athées» (1874).

REM. L'adjectif est archaïque et ne semble pas avoir pris le sens antinomique de «long, verbeux», à la différence de *compendieusement**.

CONTR. Abondant, long, verbeux.
DÉR. Compendieusement.

COMPENDIUM [kɔ̃pɑ̃djɔm] n. m. — 1584 ; *compendion*, 1560 ; lat. *compendium* «abréviation».

♦ Didact. Abrégé. ⇒ **Condensé, résumé**. *Un compendium de philosophie. Consulter des compendiums.*

(Déb. XVIIᵉ). Figuré :

1 L'*Essai* offre le compendium de mon existence, comme poète, moraliste, publiciste et politique.   CHATEAUBRIAND, Mémoires d'outre-tombe, t. II, p. 107.

2 (...) la médecine étant un compendium des erreurs successives et contradictoires des médecins, en appelant à soi les meilleurs d'entre eux on a grande chance d'implorer une vérité qui sera reconnue fausse quelques années plus tard.
         PROUST, À la recherche du temps perdu, t. VII, p. 147.

COMPÉNÉTRATION [kɔ̃penetʀɑsjɔ̃] n. f. — 1876 ; «faculté de raisonner avec pénétration», av. 1821 ; de *compénétrer*.

♦ Didact. Action de se compénétrer mutuellement. « *La compénétration des méthodes géométrique et mathématique* » (N. Bourbaki, *in* T. L. F.).

COMPÉNÉTRER [kɔ̃penetʀe] v. tr. — 1832 ; de *com-* (*co-*), et *pénétrer*.

♦ Didact. Pénétrer dans les parties les plus profondes des choses.

1 (...) Psychologie où rien n'est figé, ni même certain. Où personne n'est sûr de rien — ni de lui même. Où tout compénètre tout.
         Claude MAURIAC, le Dîner en ville, p. 282.

▶ **SE COMPÉNÉTRER** v. pron.
Se pénétrer mutuellement. *L'esprit et le corps se compénètrent. Des systèmes philosophiques qui se compénètrent.*

2 Parfois, les événements se compénètrent, s'associent.
         G. DUHAMEL, Chronique des Pasquier, Le jardin des bêtes sauvages, p. 51.

DÉR. Compénétration.

COMPENSABLE [kɔ̃pɑ̃sabl] adj. — 1804 ; «qui peut compenser», 1580 ; de *compenser*.

♦ Qui peut être compensé. *Une perte compensable par un gain dans un autre domaine. Le tort qu'on lui a causé est difficilement compensable.*

COMPENSATEUR, TRICE [kɔ̃pɑ̃satœʀ, tʀis] adj. et n. m. — 1829 ; n. m., «ce qui procure une compensation», 1789 ; de *compenser*.

★ **I.** Adj. ♦ **1.** Qui compense. *Indemnité compensatrice.* ⇒ **Compensatoire**. *Bénéfice compensateur d'une perte. Repos compensateur*, accordé en compensation d'un surcroît exceptionnel de travail.

Les territoriaux de France nous ont apporté l'appoint compensateur des contingents partis et nous ont permis de maintenir à notre armature toute sa solidité.
         L. H. LYAUTEY, Paroles d'action, p. 136.

♦ **2.** Qui corrige un effet par un autre. *Mécanisme compensateur. Pendule compensateur*, et, n. m., *compensateur*, compensant les effets produits sur une horloge par les variations de température.

★ **II.** N. m. Techn. Mécanisme destiné à contrebalancer les déficiences qui peuvent empêcher le bon fonctionnement d'un appareil (→ ci-dessus, I., 2.). — *Compensateur de dilatation*, pour les tiges et tuyaux métalliques. — (1873). *Compensateur magnétique*, destiné à corriger les effets des masses métalliques d'un bateau ou de sa charge sur les compas magnétiques. — Aviat. Volet auxiliaire destiné à corriger l'effet des réactions aérodynamiques sur les gouvernes d'un avion. ⇒ **Compensation**.

COMPENSATIF, IVE [kɔ̃pɑ̃satif, iv] adj. ⇒ **Compensatoire**.

COMPENSATION [kɔ̃pɑ̃sasjɔ̃] n. f. — 1290, *compensacion* ; lat. *compensatio*, du supin de *compensare*. → Compenser.

♦ **1.** **a** Fait de compenser (qqch.). *La compensation d'une perte, d'un désavantage* (par un gain, un avantage). —*A titre de compensation* : pour compenser.

1 (...) j'offre timidement une augmentation de cent francs à titre de compensation. Il accepte.   COURTELINE, Messieurs les ronds-de-cuir, 3ᵉ tableau, III, p. 117.

b Avantage matériel, financier... qui compense (un désavantage). *Compensation reçue pour des services rendus ou des dommages causés.* ⇒ **Dédommagement, indemnité, récompense, réparation, retour, soulte**. *Demander, obtenir une compensation.*

2 Quitte à lui soutirer ensuite une compensation.
         J. ROMAINS, les Hommes de bonne volonté, t. III, XIII, p. 176.

Compensation morale, intellectuelle... ⇒ **Consolation, correctif, dédommagement**. *Avoir, obtenir une compensation. Sans compensation :* sans rien pour compenser, pour atténuer.

3 (...) la nécessité d'une religion qui, prêchant la morale à tous et promettant une vie future de compensation aux misérables, lui semble *(à Bonaparte)*, seule, capable de maintenir, sous quelque régime que ce soit, «l'ordre social».
         Louis MADELIN, le Consulat, VII, p. 104.

4 (...) elle *(la dignité d'archichancelier)* fut accordée, à titre de compensation et de consolation, à Cambacérès, qui l'accepta froidement (...)
         Louis MADELIN, l'Avènement de l'Empire, VIII, p. 101.

5 Le déclin, sans compensation. Pas de gloire. Aucune revanche à attendre.
         J. ROMAINS, les Hommes de bonne volonté, t. III, XVIII, p. 249.

6 Décidément, la vie réservait des haltes, des reposoirs, des compensations, des dédommagements.   G. DUHAMEL, le Voyage de P. Périot, IX, p. 177.

c *En compensation :* à titre de compensation. ⇒ **Échange** (en), **revanche** (en). *Si l'appartement est petit, en compensation nous avons une vue magnifique. Mais, en compensation...*

♦ **2.** Action, fait de compenser, de rendre égal. *Compensation entre les gains et les pertes.* ⇒ **Balance, égalité, équilibre**. *Compensation d'effets contraires, d'écarts...* ⇒ **Neutralisation**. — (1678). Philos. Système selon lequel les maux et les biens se compensent.

7 Quelque différence qui paraisse entre les fortunes, il y a néanmoins une certaine compensation de biens et de maux qui les rend égales.
         LA ROCHEFOUCAULD, Maximes, 52.

8 On se demande si en comparant ensemble les différentes conditions des hommes, leurs peines, leurs avantages, on n'y remarquerait pas un mélange ou une espèce de compensation de bien ou de mal, qui établirait entre elles l'égalité, ou qui ferait du moins que l'un ne serait guère plus désirable que l'autre.
         LA BRUYÈRE, les Caractères, IX, 5.

9 (...) les préjugés, en se combattant, se balancent, et cette compensation mutuelle et continue amène peu à peu l'opinion finale plus près de la vérité.
         TAINE, Philosophie de l'art, t. II, V, I, II, p. 235.

10 Dans la suite d'une vie humaine, le jeu des compensations, en admettant qu'il s'opère toujours, n'a pas la simplicité d'un calcul de physique.
         J. ROMAINS, les Hommes de bonne volonté, t. V, II, p. 17.

(1803). *Horloge, montre de compensation*, munie d'un compensateur. Math. *Loi de compensation :* loi des grands nombres. — Techn. (mar., etc.). *Compensation d'un compas :* opération qui consiste à corriger l'influence du magnétisme du navire (induit par les moteurs, l'appareillage électrique et radioélectrique, etc.) sur le compas, en disposant à demeure près de celui-ci des masselotes métalliques de dimension appropriée.
Aviat. Correction de l'effet des réactions aérodynamiques sur les gouvernes d'un avion. ⇒ **Compensateur**.

♦ **3.** Dr., écon. *Caisse de compensation :* organisme financier dont font partie plusieurs membres et qui compense des inégalités financières.

11 (...) certains états relatifs au fonctionnement de la caisse de compensation du cartel.   J. ROMAINS, les Hommes de bonne volonté, t. III, XVI, p. 215.

(1930). *Caisse de compensation :* organisme d'assurance destiné à répartir équitablement les charges sociales (ex. : allocations familiales).
Dédommagement donné à une personne pour remplacer l'exécution d'une obligation (cf. Capitant). ⇒ **Compensatoire**. *Compensation légale, conventionnelle, judiciaire. Compensation des dépens** : répartition des dépens entre deux plaideurs.
Libération de deux personnes débitrices l'une de l'autre par la balance de leurs dettes réciproques.

12 Lorsque deux personnes se trouvent débitrices l'une envers l'autre, il s'opère entre elles une compensation qui éteint les deux dettes (...)   Code civil, art. 1289.

♦ **4.** (1803). Bourse. Opération par laquelle les marchés à terme, achats et ventes, sont compensés, pour éviter les déplacements d'argent. *Cours de compensation :* cours uniforme auquel ces opérations sont censées avoir été conclues.

13 Les compensations sont établies d'après un cours uniforme déterminé par le syndic ou un agent de service, d'après les cours cotés le premier jour de la liquidation des différentes valeurs.   Code de commerce, I, V, art. 67.

Chambre de compensation : endroit où sont réglés les engagements entre banquiers. ⇒ **Clearing** (house).
Accord bilatéral de paiement entre deux pays. ⇒ **Clearing** (anglicisme).

♦ **5.** Psychol. Mécanisme psychique inconscient permettant de soulager une souffrance intime (sentiment d'infériorité, déficience physique) par la recherche d'une satisfaction supplétive ou par des efforts pour redresser la fonction déficitaire. ⇒ **Surcompensation**.

CONTR. Déséquilibre, inégalité.
COMP. Surcompensation.

COMPENSATOIRE [kɔ̃pɑ̃satwaʀ] adj. — 1823 ; de *compenser*, d'après *compensation*.

♦ Didact. Qui compense. ⇒ **Compensateur**. *Indemnité compensatoire. Intérêts, prestations compensatoires. Montants compensatoires monétaires* (ou *agricoles*) : sommes reversées aux agriculteurs de la Communauté économique européenne pour réduire les disparités des prix agricoles dans les différents pays qui la composent. *Les montants compensatoires représentent théoriquement la diffé-*

rence entre les prix des produits agricoles exprimés en monnaie nationale et les prix considérés conventionnellement comme étant ceux du marché, fixés annuellement par accord entre les différents partenaires.

REM. On rencontre le syn. plus rare (et vieilli) *compensatif, ive* [kɔ̃pɑ̃satif, iv].

Toute place qui ne serait qu'un simple préceptorat élémentaire, ne me semble guère pouvoir être acceptée, à moins d'avantages compensatifs.
RENAN, *Lettres intimes*, 1842-1845, p. 294-295.

Psychol. Qui correspond à une compensation (5.).

COMPENSÉ, ÉE [kɔ̃pɑ̃se] adj. — 1877; p. p. de *compenser.*

♦ **1.** Équilibré. — Mar., aviat. *Gouvernail compensé. Compas compensé.*

(1877). Méd. *Affection, lésion compensée,* dont les effets sont atténués ou supprimés par des modifications de l'organisme qui tendent à en rétablir l'équilibre.

♦ **2.** Cour. *Semelle compensée,* qui fait corps avec le talon (chaussures hautes).

♦ **3.** (Abstrait). *Temps compensé :* en sport, Temps calculé en tenant compte des handicaps. — *Valeurs compensées* (en statistique).

COMP. **Surcompensé.**

COMPENSER [kɔ̃pɑ̃se] v. tr. — 1277, «solder une dette»; dans un sens extensif, fin xvᵉ; lat. *compensare,* de *com-(cum),* et *pensare,* littéralt «peser ensemble pour comparer, équilibrer».

♦ **1.** Équilibrer (un effet négatif) par une chose considérée comme équivalente et positive. ⇒ **Balancer, contre-balancer, équilibrer.**
(Sujet n. de personne). Donner, procurer (qqch.) à qqn, de manière à réparer un effet négatif. — Vieilli. (Le compl. désigne un objet matériel ou de l'argent). *Compenser la perte de qqch. par un cadeau.* ⇒ **Dédommager.** — *Compenser une perte par un gain, sa perte par un gain, un déficit par un bénéfice... — Compenser les services de qqn par une somme d'argent, une rémunération, une récompense...* ⇒ **Indemniser, récompenser** (qqn); **échanger** (qqch.). *Compenser les frais de qqn par une indemnité.* ⇒ **Couvrir.** — Vieilli. *Compenser qqn de qqch.,* lui donner l'équivalent. ⇒ **Dédommager.**

1   (...) il lui vint l'idée de faire à chacun des pauvres acquéreurs un petit avantage pour les compenser des intérêts qu'ils avaient déjà payés.
G. SAND, *François le Champi,* XIX, p. 140.

(Le compl. désigne un avantage moral, intellectuel...). *Compenser un préjudice moral, une peine* (par un avantage). ⇒ **Réparer; rendre.** *Il essayait vainement de compenser tous les torts qu'il m'avait causés.* ⇒ **Expier, racheter** (se racheter de). *Pour compenser, je t'emmènerai au cinéma.* ⇒ **Peine** (pour la), *récompense* (en).

1.1   C'était le jour *(la Toussaint)* où l'on essayait de compenser auprès du défunt l'isolement et l'oubli où il avait été tenu pendant de longs mois.
CAMUS, *la Peste,* p. 258.

(Le sujet désigne ce qui compense). Plus cour. *Son succès ne compense pas les échecs précédents.* ⇒ **Balancer, contre-balancer, corriger, équilibrer, neutraliser, racheter, réparer.** *Ceci compense cela.* ⇒ **Égaler.** *Le gain ne compense pas le déficit.* ⇒ **Combler.** *Compenser de manière à rétablir l'équilibre, à égaliser... Aucun plaisir, aucune distraction ne pourra compenser cette peine. Rien ne pourra compenser l'injure, l'affront.* ⇒ **Venger; revanche.**

2   (...) il est indispensable que de telles âmes *(les convers)* existent pour compenser les nôtres; ils sont les oasis divines d'ici-bas où Dieu réside, alors qu'il a vainement parcouru le désert des autres êtres. HUYSMANS, *En route,* Préface, V.

3   Hélas! Rien de plus mauvais pour un intestin délicat et enclin à la constipation. Est-ce que dix minutes d'exercice supplémentaire peuvent compenser un petit morceau de râble? J. ROMAINS, *les Hommes de bonne volonté,* t. III, XI, p. 155.

Absolt. *Il est jaloux mais très amoureux, cela compense.* ⇒ **Rattraper.** *« L'hiver y est* (à Jersey) *triste et noir; mais l'été compense »* (Hugo, *in* T. L. F.).

♦ **2.** Rare. Équilibrer (une chose positive) par un équivalent négatif.

4   Il en faudra, des semaines de pluie, pour compenser cette journée claire.
G. DUHAMEL, *les Pasquier, Le désert de Bièvre,* p. 134, *in* T. L. F.

REM. L'emploi neutre (avec l'idée de réciprocité) est, comme pour le pronominal, beaucoup plus normal et usuel : *il y a de bonnes et de mauvaises choses là-dedans, les unes compensent les autres.* Cet emploi est normal dans les domaines d'où les jugements de valeur sont exclus, sciences, etc. (→ ci-dessous, 3.).

♦ **3.** Équilibrer (un effet, une force) par son contraire, son équivalent. *Équilibrer et compenser la pensée par une contre-pensée. Force qui en compense une autre.*
Organiser (un système complexe), régler (un instrument) de manière que des effets contraires, des variations, etc., soient compensés. *Compenser un compas, un gouvernail.* ⇒ **Compensé.**

♦ **4.** Méd. Rétablir un équilibre physiologique menacé en contrebalançant les effets pathologiques de (une maladie). *Compenser une lésion valvulaire.*

Psychol. Chercher à soulager (une souffrance intime : sentiment d'une infériorité, réelle ou imaginaire) par la recherche d'une satis-

---

faction supplétive. *Compenser qqch. par qqch.* — Absolt. *Il cherche à compenser.* ⇒ aussi **Surcompenser.**

▶ **SE COMPENSER** v. pron.
S'équilibrer. *Leurs caractères se compensent. Effets réciproques, forces, poussées... qui se compensent.*

5   La cause principale et peut-être unique de l'amélioration des terres est le mélange d'une autre terre différente, dont les qualités se compensent et font de deux terres stériles une terre féconde. BUFFON, *Hist. nat. des minéraux,* t. I, p. 312.

6   L'inégalité des lots en nature se compense par un retour, soit en rente, soit en argent. *Code civil,* art. 833.

7   La matière étendue, envisagée dans son ensemble, est comme une conscience où tout s'équilibre, se compense et se neutralise (...)
H. BERGSON, *Matière et Mémoire,* p. 245.

8   (...) ces deux inégalités, bien loin de s'opposer et de se compenser, s'ajoutent au contraire et s'alourdissent l'une l'autre. Ch. PÉGUY, *la République,* p. 173.

CONTR. **Accentuer, aggraver, ajouter** (s'), **déséquilibrer.**
DÉR. **Compensable, compensateur, compensatoire, compensé.**
COMP. **Surcompenser.**

COMPÉRAGE [kɔ̃peʀaʒ] n. m. — V. 1175, *comparage;* de *compère.*

♦ **1.** Vx ou régional. Affinité spirituelle entre le parrain et la marraine, et entre chacun d'eux et le père et la mère de l'enfant baptisé.

♦ **2.** (1794). Vx. Concours secret prêté à qqn qu'on fait semblant de ne pas connaître (⇒ **Compère,** 3.); entente entre les auteurs d'une supercherie. ⇒ **Complicité, connivence.** *Compérage d'un spectateur avec un charlatan.*

Tout ce qu'on en pourra écrire dans les journaux sera factice et faux comme tout ce qui est dans les journaux, coterie et compérage désormais organisés pour tromper le public. SAINTE-BEUVE, *Correspondance,* t. II, p. 195.

COMPÈRE [kɔ̃pɛʀ] n. m. — 1174, *compere;* du lat. ecclés. *compater* «père *(pater)* avec».

♦ **1.** Vx ou régional. Le parrain d'un enfant, par rapport à la marraine (⇒ **Commère**) et aux parents.

♦ **2.** Fam. et vieilli (archaïque, rural ou ironique). Terme d'amitié entre gens qui ont des relations de camaraderie. *Bonjour, compère !* — Homme (avec une idée d'âge moyen, de bonnes relations...). *Un rusé compère :* un homme adroit, retors. *Un bon compère :* un bon compagnon, d'humeur et de commerce agréables. *Un joyeux compère :* un bon vivant, toujours gai.

1   Selon les deux compères, toutes les femmes étaient infaillibles, à l'exception des leurs. Tous les maris étaient aveugles, sauf eux, dont la splendide lucidité n'avait d'ailleurs pas besoin de s'exercer, étant sans objet.
Jean-Louis CURTIS, *le Roseau pensant,* p. 177.

Loc. *Être compère et compagnon avec tout le monde :* être très familier. *Être compère et compagnon :* être inséparables. ⇒ **Cochon** (fam.). — (Dans des noms traditionnels). *Compère Guilleri* (personnage de chanson).

Fig. *Le brochet compère de la carpe* (→ Commère, cit. 1 et 2). *Compère le renard.* — REM. Cet emploi est vivant dans les contes créoles : *compère lapin,* etc.

Théâtre. *Le compère et la commère* d'une revue.*

♦ **3.** (1594). Mod. Celui qui, sans qu'on le sache, est de connivence avec un escamoteur, un charlatan, pour l'aider à exécuter ses tours et abuser le public. *Le compère d'un camelot, d'un prestidigitateur.* ⇒ **Baron** (argot).
Celui qui est secrètement d'intelligence avec qqn pour favoriser ses projets ou l'aider dans quelque supercherie.

2   En 1863, un jeune escroc danois arrivé la veille de New York et qu'il a rencontré dans une assemblée religieuse, lui prend ses papiers, le présente le lendemain à un compère qui se fait passer pour le secrétaire du Ministre de la Justice.
B. CENDRARS, *l'Or,* p. 249.

DÉR. **Compérage.**
COMP. **Compère-loriot.**

COMPÈRE-LORIOT [kɔ̃pɛʀlɔʀjo] n. m. — 1838; *compere loriot,* 1564; de *compère,* et *loriot*.*

♦ **1.** Loriot (oiseau).

♦ **2.** (1838). Grain d'orge, petit bouton du bord de la paupière. ⇒ **Orgelet.**

Plur. *Des compères-loriots (des compères-loriot* selon Académie, 8ᵉ éd., plur. qui introduit une difficulté inutile.

Il lui survit un mal d'yeux, une sorte de compère-loriot qui dégénéra bientôt en ophtalmie. Ed. et J. DE GONCOURT, *Sœur Philomène,* p. 50.

COMPÉTENCE [kɔ̃petɑ̃s] n. f. — 1596; «rapport», 1468; lat. *competentia,* de *competens,* p. prés. de *competere* «convenir à».

♦ **1.** (1596). Dr. Aptitude reconnue légalement à une autorité publique de faire tel ou tel acte dans des conditions déterminées. ⇒ **Attribution, autorité, pouvoir, qualité.** *La compétence d'un pré-*

fet, d'un maire, d'un recteur d'Académie. Étendue, domaine d'une compétence. ⇒ **Ressort.** *Être de la compétence de qqn.* ⇒ **Compéter.** Aptitude (d'une juridiction) à connaître d'une cause, à instruire et juger un procès. *Cause relevant de la compétence de tel tribunal.* ⇒ **Justiciable.** *Compétence d'attribution* (lat. ratione materiæ), relativement au caractère de la cause (civil, pénal, administratif...). *Compétence territoriale* (lat. ratione personæ, ratione loci), relativement à la situation, au domicile des parties. *Contester, décliner, récuser la compétence d'une juridiction.* ⇒ **Déclinatoire, exception.** *Le tribunal a statué sur l'incompétence, a établi sa compétence. Conflit* de compétence.*

1　Le même jugement *(du tribunal de commerce)* pourra, en rejetant le déclinatoire, statuer sur le fond, mais par deux dispositions distinctes : l'une sur la compétence, l'autre sur le fond ; les dispositions sur la compétence pourront toujours être attaquées par la voie de l'appel.　　　　Code de procédure civile, ancien art. 425.

　♦ **2.** (1690). Cour. Connaissance approfondie, habileté reconnue qui confère le droit de juger ou de décider en certaines matières. ⇒ **Art, capacité, qualité, science.** *Faire appel aux grandes compétences d'un homme. Avoir de la compétence, des compétences. S'occuper d'une affaire avec compétence. Compétence d'expert, de spécialiste. Ce critique littéraire est plein de compétence.* — *Manquer de compétence. Il n'a pas de compétence particulière sur le sujet. Cela n'entre pas dans mes compétences. Ce n'est pas de sa compétence. Hors de sa compétence. Sortir de sa compétence :* aller au-delà de ses pouvoirs, de ses capacités. *Dépasser la compétence de qqn ; outrepasser* (cit. 4) *les limites de sa compétence.*

2　Du moins devrait-il se taire sur les choses qui ne sont pas de sa compétence.
　　　　VOLTAIRE, Lettres en vers et en prose, 43.
3　Puis elle songea que sa maîtresse, peut-être, avait raison. Ces choses dépassaient sa compétence.　　FLAUBERT, Trois contes, « Un cœur simple », III.
4　(...) la vigueur de cet esprit critique, cette compétence jamais en défaut et qui semblait le fruit de l'expérience plutôt que celui de la lecture ou de la compilation (...)　　MARTIN DU GARD, les Thibault, t. V, p. 32.

(1903). Fam. *Une, des compétences :* une, des personne(s) compétente(s). *Consulter les compétences. Utiliser les compétences. C'est une compétence en la matière.*

5　Après quelques années de massacres stériles, on a compris qu'il fallait, selon la formule admise, « utiliser toutes les compétences » pour la guerre.
　　　　G. DUHAMEL, Récits des temps de guerre, t. II, p. 130.

　♦ **3.** Ling. (angl. *competence,* Chomsky). Système fondé par les règles (⇒ **Grammaire,** 2.) et les éléments auxquels ces règles s'appliquent (lexique), intégré par l'usager d'une langue naturelle et qui lui permet de former un nombre indéfini de phrases « grammaticales » dans cette langue et de comprendre des phrases jamais entendues. *La compétence est une virtualité dont l'actualisation* (par la parole ou l'écriture) *constitue la « performance ». Acquérir la compétence d'une langue.* — *Compétence lexicale.* — Par ext. *Compétence culturelle, idéologique, etc. :* maîtrise des systèmes de référence sociaux (par un individu).

　♦ **4.** Biol. Caractère d'un tissu compétent* (3.).

6　Les différences spécifiques *(de la formation du cristallin)* sont en rapport avec les différences de vieillissement de l'ectoderme et se ramènent à un problème de compétence ectodermique. En effet, la compétence de l'ectoderme à donner un cristallin diminue à des vitesses différentes suivant les espèces. De plus, cette compétence ectodermique ne s'acquiert qu'au contact de l'endo-mésoderme céphalique.
　　　　Charles HOUILLON, Embryologie, p. 168 (1967).

CONTR. (Du 2). **Incompétence.**

COMPÉTENT, ENTE [kɔ̃petã, ãt] adj. — 1480 ; « approprié, suffisant », v. 1240 ; lat. *competens,* p. prés. de *competere* « convenir à ».

　♦ **1.** Dr. Qui a droit de connaître d'une matière, d'une cause. ⇒ **Compétence.** *Le tribunal s'est déclaré compétent.* ⇒ **Retenir** (une cause). *Juge compétent.* — *En référer à l'autorité compétente.*

Rare. (Choses). ⇒ **Convenable, légal, requis, suffisant.** *Âge compétent pour le mariage.*

　♦ **2.** (1680). Cour. (Personnes). Capable de bien juger d'une chose en vertu de sa connaissance approfondie en la matière. ⇒ **Capable, entendu, expert, maître, qualifié, savant.** *Un critique compétent. Il est compétent en archéologie. Ne pas être compétent.*

1　Nul, dans une littérature vivante, n'est juge compétent que des ouvrages écrits dans sa propre langue.　CHATEAUBRIAND, Mémoires d'outre-tombe, t. II, p. 143.

Fig. *Dans les milieux compétents :* dans les milieux bien informés.

　♦ **3.** Didact. (biol.). *Tissu compétent :* tissu qui, sous l'action d'un inducteur, est susceptible d'effectuer certaines différenciations. ⇒ **Compétence** (4.).

2　Certains auteurs ont tendance à restreindre le rôle des inducteurs à celui de stimulants banals et à exalter les propriétés des tissus compétents comme seuls responsables de la différenciation. Il est certain que le tissu compétent est l'effecteur de la différenciation (...)
　　Le tissu compétent contient certes en puissance presque tout ce qu'il faut pour

réaliser l'une ou l'autre différenciation ; il lui manque cet apport encore mal défini que lui fournit l'inducteur.　　E. WOLFF, *in* Sciences, nº 1, p. 12-13.

CONTR. (Du sens 2). **Inapte, incapable, incompétent, ignorant.**

COMPÉTER [kɔ̃pete] v. tr. ind. — V. 1370 ; lat. *competere,* de *com-(cum),* et *petere.*

Dr. (vieilli).

　♦ **1.** Appartenir en vertu de certains droits à (qqn).

Des effets de l'absence, relativement aux droits éventuels qui peuvent compéter à l'absent.　　　　Code civil, I, IV, III, II.

　♦ **2.** Être de la compétence de. ⇒ **Ressortir.** *Cette affaire compète au tribunal de commerce.*

COMPÉTITEUR, TRICE [kɔ̃petitœʀ, tʀis] n. — 1402 ; lat. *competitor,* de *competere* « rechercher, briguer ».

　♦ **1.** Didact. ou littér. Personne qui entre en compétition* avec d'autres, qui poursuit le même objet qu'un autre. ⇒ **Adversaire, candidat, concurrent ; émule, rival.** *Les compétiteurs à la même dignité, au même titre, à la même charge, au même emploi. Compétiteurs qui postulent, qui revendiquent.* ⇒ **Aspirer, briguer.** *Compétiteurs dangereux. Compétiteurs heureux, malheureux. Ils sont compétiteurs dans cette affaire.*

On est très occupé de l'élection prochaine de l'Académie où se présente l'excellent M. Ballanche. Ce sera décidé au moment où vous recevrez cette lettre. Son compétiteur est M. Ancelot qui pourrait bien l'emporter sur notre philosophe.
　　　　SAINTE-BEUVE, Correspondance, t. II, p. 33.

　♦ **2.** (1860, *in* Petiot). Concurrent, dans une épreuve sportive. *Compétiteurs sportifs.* ⇒ **Challenge** (anglicisme).

　♦ **3.** Écon. Individu, société capable d'entrer en concurrence avec d'autres.

COMPÉTITIF, IVE [kɔ̃petitif, iv] adj. — 1907 ; angl. *competitive,* de même origine que *compétition.*

　♦ **1.** Vx. Qui concerne une compétition.

Mod. (Sports). *Course compétitive,* mettant en compétition plusieurs coureurs (opposé à *contre la montre*).

Psychol. Relatif à la compétition avec autrui. « *La volonté de puissance d'une personnalité névrotique et de ses satisfactions compétitives* » (J. Delay, *Introduction à la médecine psychosomatique,* p. 34).

　♦ **2.** (Mil. xxᵉ). Cour. Qui peut supporter la compétition créée par la concurrence commerciale du marché. *Entreprise compétitive. Prix compétitifs.* — Abusivt. Concurrentiel. « *La concurrence (...) s'est intensifiée et dans certains cas les prix, pour être compétitifs, ont dû revenir à un niveau inférieur...* » (Ingénieurs et Techniciens, nº 200, p. 23). « *La capacité compétitive de l'entreprise* » (le Figaro, 9 octobre 1967). — *Produit compétitif,* dont la vente est possible compte tenu de la concurrence. — Par ext. « *La voie d'eau (...) peut se révéler particulièrement compétitive* » (France-Europe, nº 16, p. 30), aussi rentable que les autres moyens de transport qui sont en concurrence avec elle. — REM. La plupart des emplois de ce mot à la mode remplacent prétentieusement d'autres adjectifs considérés comme trop usés (*prix raisonnables, courants, étudiés ; produit vendable, etc.*).

DÉR. (Du sens 2) **Compétitivité.**

COMPÉTITION [kɔ̃petisjɔ̃] n. f. — 1759, *competition* ; bas lat. *competitio,* du supin de *competere* « rechercher, briguer ».

　♦ **1.** Recherche simultanée par deux ou plusieurs personnes (⇒ **Compétiteur**) d'un même avantage, d'un même résultat. ⇒ **Concours, concurrence, conflit, rivalité.** *La compétition de deux États. Compétition entre partis politiques. Compétition ardente, loyale.*

1　(...) la guerre est fondée sur la compétition, sur la rivalité, sur la concurrence (...)
　　　　Ch. PÉGUY, la République..., p. 19.

En compétition : en lutte par une compétition. — *Esprit de compétition.*
Une, des compétition(s). Sortir vainqueur d'une dure compétition. Compétition de clocher*. ⇒ **Lutte.** *Une dure compétition politique.* ⇒ **Bataille.**

2　A chaque instant les intérêts diffèrent, les conflits et les compétitions éclatent.
　　　　J. BAINVILLE, Hist. de France, v, p. 70.

　♦ **2.** (Déb. xxᵉ). *Compétition (sportive).* ⇒ **Challenge, championnat, coupe, critérium, match ; épreuves.** *Compétitions de vitesse* (courses), *d'athlétisme. Compétition ouverte aux amateurs et aux professionnels.* ⇒ **Open.**

Abrév. fam. (argot sportif). *Compé* (1973, *in* D. D. L.) ou *compét.* [kɔ̃pɛt] (1976, *in* D. D. L.).

　♦ **3.** Lutte, rivalité entre des entreprises. ⇒ **Concurrence ; compétitif.**

　♦ **4.** Biol. ⓐ Comportement simultané de plusieurs organismes ou ensembles vivants tendant à accaparer les ressources d'un milieu. *Compétition microbienne. Compétition entre espèces vivantes* (cf. Lutte pour la vie). *Importance de la notion de compétition en éthologie, en écologie.*

b Action de deux ou plusieurs substances, en biochimie, en biologie, en pharmacologie.

COMPÉTITIVITÉ [kɔ̃petitivite] n. f. — 1960 ; de *compétitif* (2.).

♦ Comm. Caractère de ce qui est compétitif. *Compétitivité des prix, des entreprises, d'un secteur économique.*

COMPILATEUR, TRICE [kɔ̃pilatœʀ, tʀis] n. — 1425 ; lat. *compilator,* du supin de *compilare.* → Compiler.

★ **I.** ♦ **1.** Didact. Personne qui réunit en un seul corps des documents dispersés. *Un compilateur, une compilatrice utile. Un médiocre compilateur de dictionnaires, d'encyclopédies.* — REM. Alors que l'angl. *compiler* désigne le rédacteur* qui met en œuvre les éléments rassemblés, *compilateur* ne désigne en français que la personne qui réunit les documents (→ Documentaliste) et les assemble ; en outre, le sens 2. rend l'emploi neutre difficile.

♦ **2.** Péj. Auteur qui n'a rien d'original et qui emprunte aux autres. ⇒ **Plagiaire.** *Ce n'est qu'un compilateur* (s'oppose à *créateur*).

★ **II.** Inform. (angl. *compiler*). N. m. Dans un ordinateur, Programme qui traduit en langage binaire, avant l'exécution, toutes les instructions établies en langage évolué (Basic, Fortran...). *Un compilateur compile, c'est-à-dire traduit le texte Basic en une suite de sous-programmes ou d'appels à des sous-programmes qui, lorsqu'ils seront exécutés, effectueront les mêmes tâches que l'interpréteur quand celui-ci interprète le programme d'origine non compilé. Le gain de temps est accompli en supprimant, lors de l'exécution, la phase de traduction : elle ne s'effectue qu'une seule fois lors de la compilation* (*l'Ordinateur individuel,* n° 49, juin 1983, p. 163).

COMPILATION [kɔ̃pilasjɔ̃] n. f. — V. 1230 ; lat. *compilatio.*

★ **I.** ♦ **1.** Didact. Action de compiler ; résultat de cette action. *Entasser des compilations* (→ Charger, cit. 14).
Recueil de documents et de textes empruntés à divers ouvrages et portant sur une matière. ⇒ **Collection, recueil.** *Une compilation d'érudit, de bénédictin.*

1 Cette compilation *(livres sibyllins)* fut publiée plusieurs fois avec d'amples commentaires, surchargés d'une érudition presque toujours étrangère au texte, que ces commentaires éclaircissent rarement. VOLTAIRE, *Dict. philosophique,* Sibylle.

♦ **2.** Livre fait d'emprunts et qui manque d'originalité. ⇒ **Plagiat, ramas.**

2 (...) mais il a fait tout cela comme une compilation, en thésauriseur, sans jamais être capable de donner une forme à ses créations.
André SIEGFRIED, *l'Âme des peuples,* V, v, p. 135.

★ **II.** (Angl. *compilation*). Inform. (Anglic.). Changement de langage aboutissant à un code binaire permettant la transmission de l'information. ⇒ **Compilateur (II.).**

COMPILER [kɔ̃pile] v. tr. — 1190 ; lat. *compilare,* du rad. de *pilare* «piller».

★ **I.** ♦ **1.** Didact. Mettre ensemble (des extraits de divers auteurs, des documents provenant de différentes sources) pour former un recueil. *Compiler des documents.*

♦ **2.** Péj. et absolt. *Passer sa vie à compiler.* ⇒ **Plagier.**

Il entassait adage sur adage ;
Il compilait, compilait, compilait ;
On le voyait sans cesse écrire, écrire
Ce qu'il avait jadis entendu dire,
Et nous lassait sans jamais se lasser.
VOLTAIRE, *le Pauvre Diable* (cf. Autrui, cit. 16).

★ **II.** (Angl. *to compile*). Inform. (Anglic.). Changer de langage, transformer en code binaire. ⇒ **Compilateur (II.).**

COMPISSER [kɔ̃pise] v. tr. — V. 1174 ; de *com-,* et *pisser.*

♦ Vx ou plais. Arroser d'urine ; pisser sur... (→ Conchier, cit.).

1 Devant l'hôtel de Gap l'unique curiosité du pays, à ce que je suppose, une énorme pierre, pourquoi pas un aérolithe que tous les chiens du pays viennent flairer et compisser. CLAUDEL, *Journal,* août 1930.

2 J'avais donc la fâcheuse habitude, ayant compissé ma culotte, ou l'ayant conchiée, ce qui m'arrivait assez régulièrement au début de la matinée, vers dix heures dix heures et demie, de vouloir absolument continuer et achever ma journée, comme si de rien n'était. S. BECKETT, *Nouvelles,* p. 20.

Fig. Humilier de manière avilissante. ⇒ **Conchier.**

3 Qu'ils soient conchiés et qu'ils renaissent de leur emmerdement ! Qu'ils soient compissés et qu'ils renaissent de leur humiliation !
R. QUENEAU, *le Chiendent,* Folio, p. 408.

COMPLAINDRE [kɔ̃plɛ̃dʀ] v. tr. — V. 1150, Wace, au pronominal ; mentionné comme vx au XVIIe, Richelet ; du lat. pop. **complangere,* de *cum,* et *plangere* «plaindre».

♦ Archaïsme. Plaindre (qqn) avec compassion. « *Ceux que les épouses savent dorloter et complaindre* » (Gide, *les Caves du Vatican, in* T. L. F.).

▶ **SE COMPLAINDRE** v. pron.
Se plaindre avec des lamentations. ⇒ **Complainte (1.).**

DÉR. Complainte.

COMPLAINTE [kɔ̃plɛ̃t] n. f. — 1175, «plainte en justice» ; de *complaindre.*

★ **I.** ♦ **1.** Vx. Plainte accompagnée de lamentations. ⇒ **Lamentation, plainte.**

Ce seul bruit sensible, hors des murailles de Jérusalem, était la complainte monotone des femmes turques qui pleuraient leurs morts. 0.1
LAMARTINE, *Voyage en Orient,* t. I, p. 431, *in* T. L. F.

Par métaphore ou fig. *La complainte des oiseaux, de la pluie.*

(A) jà *(déjà)* le rossignol doucement jargonné, 1
Dessus l'épine assis, sa complainte amoureuse. RONSARD, *l'Amour de Marie,* III.
A vous seul en pleurant j'adresse ma complainte (...) 2
Mathurin RÉGNIER, *Élégies,* V.

♦ **2.** (1880). Chanson populaire d'un ton plaintif, dont le sujet est en général tragique ou pieux. ⇒ **Cantilène.** *La complainte du Juif errant.*

Chansons rudes et monotones dans les cabarets ; vieux airs à bercer les matelots ; vieilles complaintes venues de la mer (...) LOTI, *Pêcheur d'Islande,* I, III, p. 35. 3
(...) et parfois la brise, si vous tendez l'oreille, vous apporte la voix douce de Dignimont, qui lamente une petite complainte de soldat ou de matelot (...) 4
COLETTE, *la Naissance du jour,* p. 79.

★ **II.** Dr. Plainte en justice (vx). — Spécialt. Action possessoire destinée à faire cesser un trouble apporté à la possession d'un immeuble.

COMPLAIRE [kɔ̃plɛʀ] v. tr. ind. — Conjug. *plaire.* — V. 1370 ; lat. *complacere,* de *com-,* et *placere,* d'après *plaire.*

♦ Littér. *Complaire à qqn,* lui être agréable en s'accommodant à ses goûts, à son humeur, à ses sentiments. ⇒ **Plaire, satisfaire.** *Il ne cherche qu'à vous complaire.*

(...) de me complaire on ne prend nul souci. MOLIÈRE, *Tartuffe,* I, 1. 1
(...) je ne songe qu'à complaire à Monsieur en toutes choses. 2
MOLIÈRE, *le Malade imaginaire,* I, 6.
Ce fut moins par vanité que dans le seul but de lui complaire. 3
FLAUBERT, Mme *Bovary,* III, 5.

♦ **SE COMPLAIRE** v. pron. (1556).

Cour. Trouver son plaisir, sa satisfaction. ⇒ **Plaire** (se) ; **délecter** (se). *Se complaire parmi les gens gais.*
Se complaire à, dans (qqch.) : trouver un plaisir durable à, dans (cette chose). *Se complaire dans ses illusions. Se complaire dans son erreur.*

Il dut lui donner mille détails de toute sorte, ces détails minutieux où se complaît la curiosité jalouse et subtile des femmes (...) 4
MAUPASSANT, *Fort comme la mort,* p. 12.
Comme Rubens, ils se sont complu à peindre la chair florissante et saine (...) 5
TAINE, *Philosophie de l'art,* t. I, I, I, I, p. 4 (cf. Chair, cit. 24).
Il a le malheur, il est vrai, de se complaire parmi la crapule (...) 6
Ed. et J. DE GONCOURT, *Journal,* p. 206.
Combien je déplore, Monsieur, d'avoir à vous gâter, aussi complètement que je vais avoir l'honneur de le faire, les illusions où vous vous complaisez ! 7
COURTELINE, *Boubouroche,* Nouvelle, p. 37.
Mais s'il *(Valéry)* connaît la douleur, il ne s'y complaît pas comme un Pascal. 8
A. MAUROIS, *Études littéraires,* Paul Valéry, t. I, p. 48.

Se complaire à (et inf.) : aimer. *Il se complaît à me contredire.*

Vx. *Se complaire en, dans (qqn)* : trouver une grande satisfaction dans la fréquentation de (qqn).

REM. Aux temps composés, le participe passé (comme pour *plaire* et *déplaire*) reste en général invariable : *elle s'est complu à..., elles se sont complu dans cette attitude.*

CONTR. Blesser, déplaire, heurter, lâcher.

COMPLAISAMMENT [kɔ̃plɛzamɑ̃] adv. — 1680 ; de *complaisant,* d'après *plaisamment.*

♦ Avec, par complaisance. *Il m'a écouté complaisamment.* — Spécialt. ⇒ **Complaisance (4., spécialt).** *Il parle complaisamment de lui.*

L'empereur s'y prêtait complaisamment *(au zèle de ses soldats),* s'aidant de tout pour espérer, quand vinrent tout à coup les premières neiges ; avec elle tombèrent toutes les illusions dont il cherchait à s'environner.
Ph. P. SÉGUR, *Hist. de Napoléon,* VIII, 11.

COMPLAISANCE [kɔ̃plɛzãs] n. f. — 1361 ; du p. p. *(complaisant)* de *complaire.*

♦ **1.** Disposition à s'accommoder, à acquiescer aux goûts, aux sentiments d'autrui pour lui plaire. ⇒ **Amitié** (cit. 4), **bienveillance. Bonté** (cit. 3), *charité et complaisance. Attendre qqch. de la complaisance de qqn. Montrer de la complaisance.* ⇒ **Amabilité, civilité, empressement, serviabilité.** *Faire une chose avec complaisance, par complaisance.* ⇒ **Politesse.** *La politesse donne l'apparence* (cit. 20) *de la complaisance. Auriez-vous la complaisance de* (et inf.) *...?* ⇒ **Obligeance.** *Abuser de la complaisance de qqn. Se plier par complaisance au désir de qqn.* ⇒ **Céder.** *Une basse complaisance.* ⇒ **Servilité.** *Complaisance indulgente. Une complaisance empreinte de condescendance*. Complaisance humble et soumise.* ⇒ **Déférence.** *Il a trop de complaisance à l'égard de cet incapable.* — *Complaisance pour, à l'égard de qqn.*

1 (...) pour moi, je tiens qu'il faut avoir une complaisance mutuelle, et qu'on ne se doit point marier pour se faire enrager l'un l'autre. MOLIÈRE, le Mariage forcé, 2.

2 Je refuse d'un cœur la vaste complaisance
Qui ne fait de mérite aucune différence (...) MOLIÈRE, le Misanthrope, I, 1.

3 J'attends du moins, j'attends de votre complaisance
Que désormais partout vous fuirez ma présence. RACINE, Mithridate, II, 6.

4 Je feignis pourtant, par complaisance, d'ajouter foi à tout ce que me dit mon maître (...) A.-R. LESAGE, Gil Blas, IV, VII.

5 Il est bon d'avoir votre suffrage, mais je veux l'avoir par la force de la vérité, et je ne vous prierai pas même d'avoir la plus légère complaisance. VOLTAIRE, Lettres à Mᵐᵉ du Deffand, 30 juil. 1773.

6 Elle n'a point mauvais cœur, c'est moi qui vous le dis ; à preuve qu'elle a souvent gardé mes petits enfants aux champs avec elle, par pure complaisance, quand ma fille était malade (...) G. SAND, la Petite Fadette, XXIV, p. 168.

7 La plupart des amitiés ne sont guère que des associations de complaisance mutuelle, pour parler de soi avec un autre. R. ROLLAND, Jean-Christophe, t. III, p. 24.

♦ **2.** *(Une, des complaisances).* — Vx. Acte fait en vue de complaire à qqn. *Lâches complaisances. De basses complaisances.*

8 Traître, pour les Romains tes lâches complaisances
N'étaient pas à mes yeux d'assez noires offenses. RACINE, Mithridate, III, 1.

Mod. *Avoir des complaisances pour un homme.* ⇒ **Faveur, galanterie.** *Complaisance d'un mari qui ferme les yeux sur l'inconduite de sa femme.* ⇒ **Facilité.**

9 Cependant, le ménage vivait très heureux, au milieu des bavardages, des histoires qui couraient sur les complaisances du mari et sur les amants de la femme (...) ZOLA, Germinal, t. I, III, p. 110.

♦ **3.** DE COMPLAISANCE. *Sourire, rire de complaisance,* en vue de plaire ou, simplement, de se montrer poli ; peu sincère.

10 Beaucoup de simagrées dans tout cela. Mon contentement de les revoir est vif ; mais je le joue, et mon rire est de complaisance. GIDE, Journal, 15 oct. 1913.

Billet, effet, chèque de complaisance : billet, effet fictif que l'on signe pour obliger qqn, se prêter à un arrangement (couvrir une dette par exemple). *Signature de complaisance. Certificat de complaisance,* délivré dans des conditions illégales, à une personne qui n'y a pas droit.

♦ **4.** Sentiment dans lequel on se complaît par faiblesse, indulgence, vanité. ⇒ **Contentement, délectation, plaisir, satisfaction.** *Parler de qqn avec complaisance, regarder avec complaisance, avec un œil de complaisance. La mère regarde son enfant avec complaisance.* — Spécialt. *Complaisance envers soi-même. S'écouter, se regarder avec complaisance :* être content, satisfait de soi. *Étaler ses grâces avec complaisance.* ⇒ **Beau** (faire le beau, supra cit. 108), **orgueil, vanité.** *Avoir une grande complaisance pour ce qu'on fait :* avoir haute opinion de son mérite.

11 Ne pensez-vous pas que la bonne opinion de soi-même et la complaisance qu'on a pour ses ouvrages, est un des péchés les plus dangereux ? PASCAL, les Provinciales, IX.

12 Madame de Sévigné produisit sa fille à la cour dès qu'elle eut atteint sa seizième année, et se laissa aller avec trop de complaisance peut-être à l'orgueil maternel (...) Émile FAGUET, Études littéraires, XVIIᵉ s., p. 368.

13 Sans complaisance aucune envers soi-même, insatisfait sans cesse, exigeant jusqu'à l'impossible (...) GIDE, Dostoïevski, p. 61.

14 Vous êtes pleins de complaisance pour vous-mêmes, vous jugez toutes vos abominations avec mansuétude et ravissement. G. DUHAMEL, Chronique des Pasquier, VI, XIII, p. 406.

CONTR. Dureté, sévérité.

COMPLAISANT, ANTE [kɔ̃plɛzã, ãt] adj. — 1556 ; p. prés. de *complaire.*

♦ **1.** Qui a de la complaisance* envers autrui. ⇒ **Aimable, bienveillant, empressé, obligeant, prévenant, serviable.** *Être, se montrer complaisant pour, envers qqn. Une personne complaisante pour tout le monde.* ⇒ **Civil** (vx), **poli.** *Un homme bon, charitable, naturellement complaisant. Complaisant avec humilité* (⇒ **Déférent**), *avec hauteur* (⇒ **Condescendant**), *avec indulgence* (⇒ **Indulgent**). *Les amis complaisants ne sont pas les plus sûrs. Caractère complaisant.* ⇒ **Arrangeant, commode, coulant, facile, indulgent.** *Lâchement complaisant.* ⇒ **Servile.** — Vx. *Complaisant à qqn.*

(...) Je hais tous les hommes :
Les uns, parce qu'ils sont méchants et malfaisants,
Et les autres, pour être aux méchants complaisants,
Et n'avoir pas pour eux ces haines vigoureuses
Que doit donner le vice aux âmes vertueuses. MOLIÈRE, le Misanthrope, I, 1.

1

(...) l'on désirerait de ceux qui ont un bon cœur qu'ils fussent toujours pliants, faciles, complaisants (...) LA BRUYÈRE, les Caractères, XI, 9.

2

Je me disais que je n'avais pas été assez patient, assez complaisant, assez caressant, que je pouvais encore vivre heureux dans une amitié très douce en y mettant du mien plus que je n'avais fait. ROUSSEAU, les Confessions, VI.

3

Spécialt. Qui ferme les yeux sur les intrigues galantes d'une personne. *Mari complaisant.* ⇒ **Commode.**

N. (rare au fém.). ⇒ **Flagorneur, flatteur** (→ Parasite, cit. 1).

(...) les gens puissants ne recherchent les faibles que pour avoir des complaisants, (...) on ne peut être complaisant qu'en flattant les passions d'autrui, bonnes et mauvaises. BERNARDIN DE SAINT-PIERRE, Paul et Virginie, p. 53.

4

Tout ce qui s'appelle en France courtisans, serviteurs, flatteurs, adulateurs, complaisants, flagorneurs et autres gens vivant de bassesse et d'intrigues.
P.-L. COURIER, Aux âmes dévotes.

5

♦ **2.** Qui a ou témoigne de la complaisance envers soi-même. ⇒ **Indulgent.** — *Se regarder d'un œil complaisant.* ⇒ **Content, satisfait.** *Prêter une oreille complaisante à des propos flatteurs* (→ Avide, cit. 18).

Un esprit complaisant à lui-même, et toujours incliné vers ce qui le touche fortement, est un esprit à la dérive et livré aux forces. ALAIN, Mars ou la guerre jugée, LV, *in* les Passions et la Sagesse, Pl., p. 642.

6

CONTR. Brutal, désobligeant, dur, grossier, malveillant, sévère.
COMP. Complaisamment.

COMPLANT [kɔ̃plã] n. m. — 1231 ; déverbal de *complanter.*

♦ **1.** Dr. *Bail à complant :* bail en vertu duquel un propriétaire concède une terre à un cultivateur, à charge pour celui-ci d'y planter ou d'y cultiver des arbres, de la vigne, et de lui remettre une certaine proportion des récoltes. *Le bail à complant est résolu sans formalité de justice si le preneur ne tient pas ses engagements.* — La redevance elle-même.

♦ **2.** (Fin xvᵉ). Agric. Plant de vignes ou d'arbres.

COMPLANTER [kɔ̃plãte] v. tr. — 1551 ; lat. *complantare* «planter ensemble».

Agriculture.

♦ **1.** Planter ensemble (des espèces différentes) sur (une terre). *Complanter un terrain... et de...* — Au p. p. *Une terre complantée de vigne et de pommiers.*

♦ **2.** Couvrir de plantations. ⇒ **Planter.** *Complanter un domaine d'orangers.*

DÉR. Complant.

COMPLÉMENT [kɔ̃plemã] n. m. — 1308 (de l'anç. franç. *complir* «remplir») ; repris 1690 ; du lat. *complementum*, de *complere* «remplir».

♦ **1.** Ce qui s'ajoute ou doit s'ajouter à une chose pour qu'elle soit complète. ⇒ **Achèvement, couronnement.** *Le complément est intégré à la chose, le supplément* est extérieur. Le dessert, complément du repas. Demander un complément d'information. Complément à un ouvrage imprimé* (⇒ **Addenda, annexe, appendice**), *à une lettre* (⇒ **Post-scriptum**), *à un testament* (⇒ **Codicille**). *Le complément d'une somme.* ⇒ **Appoint, reste, solde ; soulte.**

Ce n'est pas (...) une partie essentielle du sacrement (...) elle n'est que le complément (...) le sacrement, sans cela, pourrait subsister. BOURDALOUE, Pensées, *in* LITTRÉ.

1

(...) l'idée, pour s'achever et trouver sa forme, a besoin des compléments et des accroissements que lui fournissent les esprits voisins. TAINE, Philosophie de l'art, t. I, I, II, 3, p. 60.

2

Complément de programme (au cinéma) : court métrage (généralement projeté avant le film).

♦ **2.** (1747). Gramm. Mot (de fonction substantive) ou proposition qui se rattache à un autre mot ou à une autre proposition, et que l'on analyse comme de nature à en compléter ou en préciser le sens. ⇒ **Régime.** *Mot (nom, pronom, infinitif) pouvant faire fonction de complément.* — (Appos.). *Proposition complément.* ⇒ **Complétive.** *Le complément d'une proposition principale, du verbe, d'un nom. Nature du complément : déterminatif, explicatif, complément d'objet, d'attribution, de circonstance, d'agent* (avec un verbe passif). *Forme du complément : complément direct, indirect. Mot-outil introduisant un complément indirect.* ⇒ **Préposition.**

(...) on appelle aujourd'hui « *complément direct* » tout complément *rattaché directement au mot complété*, c'est-à-dire sans mot-outil. C'est à une construction que se rapporte désormais cette appellation. De sorte qu'un *complément direct* peut être un complément d'objet : *une mère gronde son enfant, elle ne le bat pas ;* mais un complément direct peut être aussi tout à fait autre chose qu'un objet. Ainsi : *il empoisonne l'ail, il a couru vingt pas, elle va le matin à la clinique.* F. BRUNOT, la Pensée et la Langue, IX, II, 1, p. 300.

3

♦ **3.** Arith. *Complément arithmétique :* nombre qu'il faut ajouter à un nombre entier pour obtenir la puissance de 10 qui lui est immédiatement supérieure. — (1690). Géom. *Complément d'un angle :* ce qu'il faut ajouter pour obtenir un angle droit. — Math. (théorie des ensembles). *Complément d'un ensemble* (inclus dans un ensemble E), ensemble des éléments de E qui n'appartiennent pas à cet ensemble. ⇒ **Complémentaire.**

En numération à base fixe, Nombre qu'il faut ajouter à un autre pour obtenir la base *(complément à la base).*

Astron. *Complément (de hauteur) d'un astre,* sa distance angulaire au zénith.

(1753). Mus. *Complément d'un intervalle,* ce qui lui manque pour faire l'octave.

♦ **4.** (1904, in *Rev. gén. des sc.,* n° 13, p. 637). Biol. Substance protidique complexe du sérum sanguin, qui joue un rôle essentiel dans les réactions entre antigènes et anticorps dans le processus de l'immunité. — Syn. (vieilli) : *alexine.*

CONTR. **Acompte, amorce, commencement. — Essentiel, principal. — Rudiment. — Sujet.**

DÉR. **Complémentaire, compléter.**

COMPLÉMENTAIRE [kɔ̃plemãtɛʀ] adj. et n. m. — 1791 ; de *complément.*

♦ **1.** Qui apporte un complément. *Renseignement complémentaire. Clause, article complémentaire.* ⇒ **Additionnel ; codicillaire** (pour un testament). *Ressources complémentaires,* qui permettent d'équilibrer le budget.

1   Avec beaucoup d'ingéniosité, j'arrivais donc à me procurer des recettes non pas supplémentaires, mais, en vérité, modestement complémentaires.
                              G. DUHAMEL, Biographie de mes fantômes, XI, p. 220.

♦ **2.** Spécialt (math.). *Angle, nombre, arc complémentaire.* ⇒ **Complément** (3.). *Triangle complémentaire d'un autre.* ⇒ **Médian.** *Ensemble complémentaire d'un autre ensemble,* son complément* (dans un ensemble les contenant). — N. m. *Le complémentaire d'un ensemble dans un autre ensemble.* — Chim. *Bases complémentaires des acides nucléiques* (adénine, thymine, cytosine, guanine, uracile). — Gramm. (Vx). *Proposition complémentaire.* ⇒ **Complétive.** — (1862). *Couleurs complémentaires,* dont la combinaison donne la lumière blanche. *Le rouge et le vert, couleurs complémentaires. Importance des couleurs complémentaires, dans la peinture impressionniste.* — *Jours complémentaires du calendrier révolutionnaire.*

N. m. :

2   Les uns font de leur dieu, leur extrême ; et les autres, leur contraire. Il est, de ceux-ci, leur complémentaire.   VALÉRY, Cahiers, t. II, Pl. p. 660.

♦ **3.** Anciennt. *Cours complémentaires :* cours (supprimés en 1959) qui se situaient entre le certificat d'études primaires et le brevet élémentaire (supprimés eux aussi).

CONTR. **Essentiel, initial, fondamental, principal.**
DÉR. **Complémentairement, complémentarité.**

COMPLÉMENTAIREMENT [kɔ̃plemãtɛʀmã] adv. — 1903 ; de *complémentaire.*

♦ Didact. ou littér. D'une façon complémentaire. *Des couleurs complémentairement associées.*

À propos : une bonne manière d'*allumer* les ténèbres : fourrez le soleil dans l'œil de l'observateur superficiel, il verra — complémentairement — trente-six mille nuits.   A. JARRY, le Périple de la littérature de l'art, « Ce que c'est que les ténèbres », in Œ. compl., t. VII, p. 148.

COMPLÉMENTARITÉ [kɔ̃plemãtaʀite] n. f. — 1907 ; de *complémentaire.*

♦ Didact. Caractère de ce qui est complémentaire. *La « dialectique est le sol philosophique sur lequel peut être établie la complémentarité des herméneutiques de l'art, de la morale, et de la religion »* (P. Ricœur, in *la Nef,* n° 31, p. 126).

1   (...) le relief visible d'un objet équivaut à l'ensemble des vues stéréoscopiques qu'on prendrait sur lui de tous les points, et au lieu de voir dans le relief une juxtaposition des parties solides on pourrait aussi bien le considérer comme fait de la *complémentarité réciproque* de ces vues intégrales, chacune donnée en bloc (...) chacune différente des autres et pourtant représentative de la même chose. Le Tout, c'est-à-dire Dieu, est ce relief même pour Leibniz, et les monades sont ces vues planes complémentaires les unes des autres : c'est pourquoi il définit Dieu (...) « l'harmonie universelle », c'est-à-dire la complémentarité réciproque des monades.
                              H. BERGSON, l'Évolution créatrice, p. 351.

2   Au fil des ans, la femme considérée comme l'inférieure de l'homme, rétablissait l'équilibre de telle manière que l'inégalité devint complémentarité.
                              Jean FERNIOT, Pierrot et Aline, p. 282.

(Écon., admin.). *Complémentarité de deux économies. Complémentarité de deux biens,* dont la consommation est liée.

Sc. *Principe de complémentarité,* selon lequel les aspects corpusculaire et ondulatoire étudiés par la physique atomique sont des formes complémentaires d'un même objet de connaissance.

Biol. Ajustement stéréospécifique entre les bases azotées (dans la molécule d'A. D. N.).

COMPLÉMENTATION [kɔ̃plemãtasjɔ̃] n. f. — 1914, Péguy ; de *complémenter.*

Didactique.

♦ **1.** Fait de fournir un complément à (qqch.).

♦ **2.** (Au sens général). Fait de compléter, d'achever. — REM. La rareté du subst. verbal de *compléter* (*complètement,* n. m.) fait que *complémentation* fonctionne avec cette valeur.

♦ **3.** Gramm. Fait de fonctionner comme complément.

COMPLÉMENTER [kɔ̃plemãte] v. tr. — xxᵉ ; attestation isolée, 1891, Verlaine, au sens de «compléter» ; de *complément.*

Didactique.

♦ **1.** Être le complément de... (spécialt, en math.). — Pron. *Deux sous-ensembles qui se complémentent.*

♦ **2.** (En emploi général). Fournir un complément à (qqch.). ⇒ **Compléter ; achever.**

DÉR. **Complémentation.**

1. COMPLET, ÈTE [kɔ̃plɛ, ɛt] adj. — 1367 ; lat. *completus,* p. p. de *complere* «achever».

Après le nom, en épithète, sauf au sens 3.

♦ **1.** Auquel ne manque aucun des éléments qui doivent constituer (ce qui est désigné par le nom), qu'il s'agisse d'un ensemble défini par avance ou d'une estimation subjective. *Habillement, assortiment, trousseau, nécessaire, service de table complet. Jeu complet d'outils. Un jeu complet de (52) cartes. Les œuvres complètes d'un auteur.* *« Des services complets d'argenterie »* (Las Cases, in T. L. F.).

Aliment complet, qui réunit tous les éléments nécessaires à l'organisme humain. *Pain complet,* qui renferme aussi du son. *Petit déjeuner, café, thé complet,* avec pain, beurre, confiture. — Ellipt. (n. m.). *Un complet.* — Vx. *Costume complet.* ⇒ 2. **Complet.**

1   Il alla ouvrir et vit paraître Jeanne qui lui apportait un plateau couvert d'un thé complet.   G. SAND, Jeanne, p. 271 (1844), in T. L. F.

♦ **2.** Qui a un ensemble achevé de qualités, de caractères. — (Personnes). *Un génie, un homme complet,* sans lacune. ⇒ **Accompli, achevé, universel.** *Un athlète complet.* — (Choses). *Donner une idée, une image complète de.* ⇒ **Adéquat** (→ Art, cit. 76 ; bourgeois, cit. 10). *Une étude complète.* ⇒ **Exhaustif.** *Une enquête complète, approfondie.* ⇒ **Compréhensif.** *Ruine, destruction complète.*

Qui ne contient aucun élément susceptible d'altérer. *Une joie complète,* sans mélange, parfaite. *La victoire est complète.* ⇒ **Absolu, entier, total.**

2   (...) avec une satisfaction qui lui fit bien espérer de la suite d'une fête si complète.
                              MOLIÈRE, la Princesse d'Élide, Intermède VI.

3   (...) j'épouse Julie ; et (...) pour rendre la comédie complète de tout point, vous épouserez Monsieur Tibaudier (...)   MOLIÈRE, la Comtesse d'Escarbagnas, 9.

4   Nous voudrions des hommes complets, pour ne pas dire parfaits, sans songer si nous avons, si nous pouvons même avoir une idée bien assurée de la perfection, et si les hautes montagnes ne supposent pas les grandes vallées.
                              MIRABEAU, Notice sur son grand-père, in LITTRÉ.

5   César est l'homme le plus complet de l'histoire parce qu'il réunit le triple génie du politique, de l'écrivain et du guerrier.
                              CHATEAUBRIAND, in LAFAYE, Dict. des synonymes.

6   *L'égalité absolue,* qui présuppose une *soumission complète* à cette *égalité,* reproduirait la plus dure servitude (...)
                              CHATEAUBRIAND, Mémoires d'outre-tombe, t. VI, p. 326.

7   Ce monde à lui seul tel qu'il est, c'est difficile de nous persuader qu'il est complet et suffisant.   CLAUDEL, Feuilles de saints, Ode jubilatoire, 600ᵉ anniversaire de la mort de Dante.

8   Disons tout de suite qu'aucune image romanesque ne saurait être complète. *La Comédie humaine* est une œuvre géante ; ce n'est pas un tableau exhaustif de la France au dix-neuvième siècle.
                              A. MAUROIS, Études littéraires, Jules Romains, t. II, p. 154.

REM. Dans ce sens, *complet* s'emploie normalement en comparatif et superlatif. *Plus, moins complet ; très complet. Un travail très complet, moins complet que...*

Par plais. *C'est complet !* : il ne manquait plus que cela ! ⇒ **Bouquet, comble.**

♦ **3.** (Sens faible : avant [plus littér.] ou après le nom). *C'est un complet idiot.* ⇒ **Fieffé.** *Son intervention est d'un complet ridicule, d'un ridicule complet.* ⇒ **Achevé, parfait.** *Il est tombé dans un complet discrédit, dans un discrédit complet.* ⇒ **Total.**

9   Le nouveau duc de Mazarin était un fou complet, dont tous les témoins du siècle sont d'accord pour dénoncer l'extravagance.
                              Émile HENRIOT, Portraits de femmes, H. et Marie Mancini, p. 59.

♦ **4.** Tout à fait réalisé et (dans un sens temporel) écoulé. *À huit jours complets.* ⇒ **Franc** (à huit jours francs). *Dix années complètes.* ⇒ **Accompli, révolu.** — Vieilli. *Quand la nuit fut complète.* ⇒ **Clos** (à la nuit close).

Les parties complètes et les parties inachevées d'une œuvre d'art. ⇒ **Achevé, complété, terminé.**

10   J'ai été conduit à inférer qu'une partie de l'effet que produisent les statues de Michel-Ange est due à certaines disproportions ou parties inachevées qui augmentent l'importance des parties complètes.   E. DELACROIX, Journal, 9 mai 1853.

Zool. Insecte complet (ou *parfait*), opposé à *larve, chrysalide...*

♦ **5.** Avec toutes les parties, tous les éléments qui le composent en fait. ⇒ **Entier, total.** *Son mobilier complet se réduit à deux chaises. — Collection d'œuvres d'art demeurée complète.* ⇒ **Intact.**

♦ **6.** N. m. (1829). Loc. **AU COMPLET, AU GRAND COMPLET.** ⇒ **Totalité** (en). *J'ai lu ses œuvres au complet.* ⇒ **Entier** (en), **in extenso, intégralement.** *Le parti, au complet, a approuvé son chef.* ⇒ **Unanimité** (à l'). *Conseil d'administration réuni au complet.* ⇒ **Plénière** (assemblée).

11   A onze heures, la cloche des Trembles annonçait le déjeuner : c'était le premier moment de la journée qui réunit la famille au complet et mît les deux enfants sous les yeux de leur père.   E. FROMENTIN, Dominique, p. 24.

♦ **7.** Qui n'a plus de place disponible. ⇒ **Bondé, bourré, chargé, plein, rempli, surchargé.** *La liste est complète, on n'accepte plus aucune inscription.* ⇒ **Clos.** — Spécialt (en parlant d'un lieu où les places sont limitées). *Train, bus complet. C'est complet, on ne prend plus personne. Afficher « complet » au théâtre* (cf. Jouer à bureaux fermés). *Complet* (signale que l'on n'admet plus personne).

11.1   (...) l'omnibus (...) est déjà encombré de voyageurs... la plaque fatale est levée... Vous pouvez lire le mot : *complet !*   Ch. PAUL DE KOCK, la Grande Ville, t. I, p. 331 (1853).

CONTR. **Incomplet.** — **Élémentaire, rudimentaire.** — **Ébauché, esquissé, superficiel.** — **Appauvri, diminué, élagué, réduit.** — **Désert, vide.**
DÉR. 1. **Complètement, compléter, complétude.** — V. aussi **Complétif.**
COMP. et CONTR. V. **Incomplet.**

2. COMPLET [kɔ̃plɛ] n. m. — 1874 ; de *(vêtement, costume) complet.* → 1. Complet.

♦ Vêtement masculin en deux (ou trois) pièces assorties : veste, pantalon (et gilet). — Syn. vieilli : *complet-veston. Des complets sur mesure, de confection.* ⇒ **Costume.** *Un complet en tweed.*

Il était le seul des invités à porter un smoking de couleur foncée (...) et tous les autres, ce soir, étaient en smoking blanc (...) ou bien en complets de ville de teintes diverses, foncées bien entendu.   A. ROBBE-GRILLET, la Maison de rendez-vous, p. 21.

COMP. **Complet-veston.**

1. COMPLÈTEMENT [kɔ̃plɛtmɑ̃] adv. — Fin XIIIᵉ ; de 1. *complet.*

♦ **1.** D'une manière complète. ⇒ **Entièrement, tout** (tout à fait)... *Lire un ouvrage complètement.* ⇒ **Bout** (jusqu'au bout, de bout en bout...), **long** (tout au). — *Traiter complètement un sujet.* ⇒ **Fond** (à) ; **épuiser.** *Citer complètement.* ⇒ **In extenso.** *Armer, équiper qqn complètement.* ⇒ **Pied** (des pieds à la tête ; de pied en cap).

1   (...) quand on aime complètement, on aime ce que l'on on aime tel qu'il est.   FLAUBERT, Correspondance, t. II, p. 374.

2   Ils *(certains verbes)* expriment une action normale : a) Cette action est complètement accomplie, poussée jusqu'au bout : *parfaire, parachever, pourchasser.* b) Elle n'est pas exécutée jusqu'au bout. Il n'y a que demi-exécution. On use de entre : *entrouvrir la fenêtre ; entrebâiller la porte* (...)   F. BRUNOT, la Pensée et la Langue, II, VII, IV, p. 219.

♦ **2.** Très courant. Tout à fait, vraiment. ⇒ **Absolument, parfaitement, totalement** (cf. À cent pour cent). *Il est complètement fou, idiot. Je suis complètement crevé, vanné. — Il s'en fiche complètement. J'ignore complètement...*

REM. Les contextes les plus fréquents concernent une réalité négative, pénible (cf. néanmoins « *complètement satisfait* », in T. L. F.).

3   Pierre Lafeuille se sentait, dans la même minute, tout à fait lucide et complètement idiot.   J. ROMAINS, les Hommes de bonne volonté, Verdun, p. 13.

CONTR. **Incomplètement, insuffisamment.**

2. COMPLÈTEMENT [kɔ̃plɛtmɑ̃] n. m. — 1750 ; de *compléter.*

♦ Rare. Action de compléter. — REM. C'est le dér. du verbe didactique *complémenter* qui sert en fait de substantif d'action à *compléter.* ⇒ **Complémentation.** — Psychol. *Méthode, test de complètement,* qui consiste à faire compléter un système signifiant (dessin, phrase...) inachevé.

COMPLÉTER [kɔ̃plete] v. tr. — Conjug. *céder.* — 1733 ; de 1. *complet.*

♦ Rendre complet*. *Compléter une quantité, un nombre.* ⇒ aussi **Augmenter, enrichir.** *Compléter ses effectifs, une collection, un mobilier, une garde-robe. Compléter par une addition, un complément.* ⇒ **Complémenter.** *Compléter l'assortiment d'un magasin.* ⇒ **Assortir.** *Ajouter un détail pour compléter l'ensemble.* ⇒ **Rajouter, rapporter.** *Compléter une toilette par des accessoires.* ⇒ **Accessoiriser.** *Compléter une somme pour atteindre un chiffre rond*.* ⇒ **Arrondir.** *Compléter un séjour, un stage.* ⇒ **Achever.** *Compléter l'apparence, la valeur d'une chose.* ⇒ **Améliorer, embellir, perfectionner.** *Travailler pour compléter ses connaissances.* ⇒ **Combler** (ses lacunes). *Compléter son œuvre.* ⇒ **Parachever, parfaire.** *Pour*

compléter votre information... Son éducation a besoin d'être complétée. — (Sujet n. de chose : ce qui complète). *Élément, somme qui complète.* ⇒ **Complémentaire, supplétif.**

1   Elle ajoutait l'appoint nécessaire pour compléter les vingt francs.   ZOLA, l'Assommoir, p. 537, in T. L. F.

(Compl. abstrait). *Compléter une impression, une illusion.* ⇒ **Couronner, parfaire.**

▶ **SE COMPLÉTER** v. pron.

♦ **1.** (V. récipr.). Se rendre complet, se parfaire en s'associant. *Leurs caractères se complètent.* — (Personnes). *Ils se complètent.*

2   Lequel des deux, de l'employé ou du bureau, était le fruit naturel de l'autre, sa sécrétion obligée ? C'est ce qu'on n'eût su préciser. Le fait est qu'ils se complétaient mutuellement, qu'ils se faisaient valoir par réciprocité, étant au même titre sordides et misérables.   COURTELINE, Messieurs les ronds-de-cuir, 2ᵉ tableau, I.

♦ **2.** (V. passif). Être complété. *Son trousseau se complète peu à peu. Un repas agréable se complète par un bon cigare.*

CONTR. **Décompléter.** — **Abréger, alléger, appauvrir, diminuer, réduire, restreindre.** — **Amorcer, commencer, ébaucher, esquisser.**
DÉR. et COMP. 2. **Complètement.** — **Décompléter.** — V. **Complétion.**

COMPLÉTIF, IVE [kɔ̃pletif, iv] adj. et n. f. — 1503 ; lat. grammatical *completivus* (vᵉ), de *complere* «achever».

♦ Gramm. Se dit des propositions qui jouent le rôle de complément. *Proposition complétive d'objet ; proposition relative complétive* (déterminative, explicative) ; *proposition complétive circonstancielle* (temporelle, causale, finale, consécutive, concessive ou oppositive, conditionnelle, comparative).

N. f. *Une complétive. Les complétives,* opposées aux *complétées.*

COMPLÉTION [kɔ̃plesjɔ̃] n. f. — 1954 ; «achèvement», au Canada, 1930 ; angl. *completion* (XVIIᵉ), ou bas lat. *completio,* de *completum,* supin de *complere.* → Compléter.

♦ **1.** Philos. ou littér. Action de compléter. Son résultat. — Par ext. Réalisation minutieuse.

♦ **2.** Psychol. Anglic. *Test de complétion.* ⇒ 2. **Complètement.**

♦ **3.** Techn. (pétrole). Anglic. Ensemble des opérations qui permettent de mettre un puits en production.

COMPLÉTUDE [kɔ̃pletyd] n. f. — 1928 ; de 1. *complet,* d'après *incomplétude*.*

♦ Didact. Caractère de ce qui est complet, achevé. ⇒ **Achèvement, finitude.**

1   Il y a par-dessus tout la complétude du nerf. Complétude qui tient toute la conscience, et les chemins occultes de l'esprit dans la chair.   A. ARTAUD, Bilboquet, Œ. compl., t. I, p. 236.

2   (...) nul ne peut assumer la réponse impossible (d'une complétude insoutenable), et l'errance continue.   R. BARTHES, Fragments d'un discours amoureux, p. 119.

(1969). Caractère d'un système hypothético-déductif* qui ne contient pas de propositions indécidables.

CONTR. **Incomplétude.**

COMPLET-VESTON [kɔ̃plɛvɛstɔ̃] n. m. — XXᵉ (1934, Larbaud) ; de 2. *complet,* et *veston.*

♦ Vieilli. Complet (vêtement masculin). ⇒ 2. **Complet.** *Des complets-vestons.*

Des costumes d'une élégance ou d'une étrangeté fort inégales. Beaucoup de gilets de fantaisie. Des complets-veston *(sic)* d'employés, que relevait une cravate à chamarrures.   J. ROMAINS, les Hommes de bonne volonté, t. IV, XXII, p. 239.

COMPLEXE [kɔ̃plɛks] adj. et n. m. — XIVᵉ ; lat. *complexus,* de *complexum,* supin de *complecti* «contenir».

★ I. Adj. ♦ **1.** Qui contient, qui réunit plusieurs éléments différents. *Question, problème complexe. Idée, projet complexe. Le caractère complexe d'une chose, d'un sujet.*

1   Le style simple est semblable à la clarté blanche. Il est complexe mais il n'y paraît pas.   FRANCE, le Jardin d'Épicure, p. 83.

2   (...) à l'instant où elle *(l'Allemagne)* semblait renoncer à exprimer son âme complexe et raisonneuse, pour épouser le style de la pensée latine (...)   R. ROLLAND, Voyage musical au pays du passé, p. 238.

3   (...) un sujet d'une étendue immense et vaste, loin de se simplifier et de s'éclaircir par la méditation, ne fait que devenir plus complexe et plus trouble à mesure que le regard s'y appuie.   VALÉRY, Variété III, p. 198.

4   Hamlet est un personnage parfaitement humain, parce que complexe, parce que trouble.   Louis JOUVET, Réflexions du comédien, p. 58.

N. m. *Le complexe* : ce qui est complexe. *Aller du simple au complexe.*

4.1   Pour voir apparaître la grande idée de l'engendrement du complexe par le simple, du supérieur par l'inférieur, il faudra attendre jusqu'à Jean Lamarck.   Jean ROSTAND, Esquisse d'une histoire de la biologie, p. 60.

Gramm. *Sujet, attribut complexe,* qui est déterminé par un ou plusieurs compléments.

Log. *Terme complexe,* qui est accompagné d'une explication ou d'une détermination. *Proposition, syllogisme complexe,* qui renferme un sujet, un attribut complexe.

Math. *Nombre complexe :* élément d'un ensemble (le *corps des nombres complexes,* noté ℂ ou parfois **C**) dont les éléments sont de la forme a + ib, où a et b sont des nombres réels, i étant le nombre défini par $i^2 = -1$. *Dans l'écriture a + ib d'un nombre complexe, le nombre a est la* partie réelle *de ce nombre, et b sa* partie imaginaire. *Nombre complexe conjugué* (ou, n. m., *le conjugué*) *d'un nombre complexe.* ⇒ **Conjugué.** *Écriture d'un nombre complexe sous la forme trigonométrique, sous la forme exponentielle. Interprétation géométrique des nombres complexes* ⇒ **Affixe, argument.** — *Espace vectoriel complexe :* espace vectoriel sur l'ensemble des nombres complexes. *Fonction complexe :* fonction à valeurs dans l'ensemble des nombres complexes. *Matrice complexe,* dont les éléments sont des nombres complexes. *Plan complexe :* plan affine euclidien utilisé pour représenter les nombres complexes.

N. m. *Un complexe :* un nombre complexe. *Les nombres réels sont des complexes dont la partie imaginaire est nulle.*

♦ **2.** Cour. (souvent considéré comme abusif). Difficile, à cause de sa complication. ⇒ **Compliqué.** *Une situation, un problème, une affaire très complexe.* ⇒ **Embrouillé, emmêlé.** — *C'est complexe, très complexe !*

★ **II. N. m.** (1781). ♦ **1.** Physiol. Association de plusieurs phénomènes ou substances formant une entité ou concourant à une activité bien définie. *Complexe prothrombique :* ensemble des facteurs de la coagulation du sang.

♦ **2.** Pathol. Ensemble de plusieurs lésions ou anomalies. *Complexe primaire,* constitué par la lésion tuberculeuse initiale et la réaction au niveau des ganglions proches. *Complexe ganglio-pulmonaire.*

♦ **3.** Psychol. **a** Ensemble perçu globalement, sans analyse de ses parties composantes. ⇒ **Forme.** *La théorie des complexes,* dans la psychologie de la perception.

b (1906, *in* D. D. L.). Psychan. Ensemble des traits personnels acquis dans l'enfance, doués d'une puissance affective et généralement inconscients, chez un individu. — (1914). *Complexe d'Œdipe :* «attachement érotique de l'enfant au parent du sexe opposé» (Lagache). ⇒ **Œdipe,** 2. (→ Matrilinéaire, cit. ; nécrophilique, cit. ; père, cit. 12). — *Complexe de castration.* — *Complexe d'infériorité :* ensemble des conduites manifestant une lutte contre un pénible sentiment d'infériorité.

Cour. *Ce sentiment. Souffrir d'un complexe d'infériorité* (→ ci-dessous, *un complexe*).

4.2 (...) comment nous nous accommodons de nos petites angoisses morales, et si nous prendrons conscience de nos «complexes» (ceci dit en langage savant) ou bien si nos «complexes» nous étoufferont.
A. ARTAUD, le Théâtre et son double, Idées/Gallimard, p. 60.

5 Chez certains sujets, le sentiment est mêlé d'émotions, d'idées, d'images, d'actes volontaires ou involontaires, de désirs, de regrets, de remords et tout cela forme ce que Freud n'a pas eu tort de nommer, dans son jargon particulier, «un complexe».
G. DUHAMEL, Manuel du protestataire, II, p. 74.

6 Aussi bien, sur les complexes, y aurait-il beaucoup à dire. Presque tout ce que déclare Freud sur ce qu'il appelle le complexe d'Œdipe est absurde et je dirai surtout inexact. Mais la notion du complexe d'infériorité restera sans doute longtemps dans les pensées des hommes. G. DUHAMEL, Manuel du protestataire, p. 74.

7 Notons en passant seulement que les audaces de Gautier, si vives soient-elles, n'ont absolument rien de pervers et ne relèvent d'aucun «complexe» inquiétant ; c'est de la gaillardise naturelle, et à ciel ouvert (...)
Émile HENRIOT, les Romantiques, p. 210.

8 Ah ! çà, pensa-t-il, j'ai un complexe d'infériorité devant mon frère !
SARTRE, l'Âge de raison, VIII, p. 116.

REM. «*Le terme de complexe (...) a connu une désaffection progressive chez les psychanalystes, si l'on excepte les expressions de complexe d'Œdipe[1] et complexe de castration*» (Laplanche et Pontalis, *Vocabulaire de la psychanalyse,* p. 72).
1. On dit d'ailleurs «un Œdipe», dans ce sens.

c (1930). Cour. et fam. Sentiment (d'infériorité) ou angoisse, etc., auquel on attribue tout comportement inhibé, obsessif. *Eh bien, toi, tu n'as pas de complexes, au moins :* tu as de l'audace. *Elle a des complexes :* elle est timide, trop réservée. *Être bourré de complexes.* — *Avoir le complexe de...,* l'obsession.

9 Oh ! avez-vous bien fermé la porte ? Oui ? Vérifiez, s'il vous plaît. Pardonnez-moi, j'ai le complexe du verrou. CAMUS, la Chute, p. 148.

10 Dès qu'elle ouvre la bouche, il la rabroue aussitôt, l'écrase. Au début, quand elle était jeune, il la en devenait toute timide, ça lui donnait des complexes (...)
N. SARRAUTE, le Planétarium, p. 26.

♦ **4.** Chim. Molécule (ou ion) dans laquelle un atome central est lié à d'autres atomes ou groupes d'atomes en nombre supérieur à la charge ou au degré d'oxydation de l'atome central. Édifice formé d'ions ou de molécules venus se lier chimiquement soit à un atome isolé neutre ou ionisé, soit à un atome situé en position centrale

d'une molécule, augmentant ainsi le nombre de liaisons issues de cet atome.

♦ **5.** Math. Se dit de certains ensembles (de courbes, etc.).

♦ **6.** (1918). Écon. Ensemble d'industries qui concourent à une même production. *Un grand complexe sidérurgique.*
Construction formée de nombreux éléments coordonnés. *Complexe routier, complexe urbain* (→ Grand ensemble*). *Complexe universitaire, hôtelier. Complexe sportif. Le complexe Desjardins,* à Montréal. — *Complexe cinématographique :* établissement qui comporte plusieurs salles de cinéma, présentant chacune un programme différent (on dit aussi *complexe multisalles*).

♦ **7.** Par plais. Ensemble concret plus ou moins compliqué.

11 J'entrepris donc au moins de détruire les complexes de trèfle qui poussaient entre les pierres leurs surgeons. ARAGON, Blanche..., III, I, p. 375.
Ensemble abstrait (d'éléments associés). ⇒ **Structure.**

12 Aller à l'église n'était plus que l'un des éléments du complexe dominical, avec les croissants le matin, le quadruple apéritif du midi, et le cinéma vespéral.
R. QUENEAU, le Dimanche de la vie, p. 291.

CONTR. (Du sens I) **Clair, incomplexe, simple.**
DÉR. **Complexer, complexifier, complexisme, complexité.** — (Du sens II, 3) **Complexé, complexuel.**

COMPLEXÉ, ÉE [kɔ̃plɛkse] adj. et n. — V. 1960 ; de *complexe** (II., 3., c, courant).

♦ Fam. et cour. Timide, inhibé ; qui a des complexes*. ⇒ **Inhibé ;** fam. **bloqué, coincé, refoulé.** *Un type gentil, mais un peu complexé.* — *Il n'est pas complexé, celui-là :* il a du culot*.

1 Il est devenu amoureux de moi, mais à sa façon.
— C'est-à-dire ?
— Il est cinglé, complexé, protestant. Il me tournait autour sans jamais rien dire.
H.-F. REY, les Pianos mécaniques, p. 170.

2 Je pensais que dans le fond, Paul était un type malheureux, complexé et tout, et qui voulait cacher sa personnalité. J.-M. G. LE CLÉZIO, le Déluge, I, p. 59.
N. *Un complexé, une complexée.* «*Les refoulés, les complexés...* »
(→ Bloquer, cit. 4.6).

CONTR. **Sûr** (de soi).

COMPLEXER [kɔ̃plɛkse] v. tr. — V. 1960 ; de *complexe.* → Complexé.

♦ **1.** Fam. Donner des «complexes», un sentiment d'infériorité, d'insuffisance à (qqn). *C'est fou ce que vous me complexez ! Un rien le complexe.* ⇒ **Paralyser.**

Quoiqu'il en eût, Hugues et ses professionnels de la jeunesse prolongée (...) le «complexaient» un brin. René FALLET, Y a-t-il un docteur dans la salle ?, p. 67.
Pron. *Se complexer :* se donner des «complexes». *Pour un oui, pour un non, il se complexe et perd ses moyens.*

♦ **2.** Sc. (chim.). Former un complexe d'ions, de molécules.
CONTR. (Du sens 1) **Décomplexer.**

COMPLEXIFICATION [kɔ̃plɛksifikasjɔ̃] n. f. — 1955 ; de *complexifier.*

♦ Didact. Fait de rendre complexe, de devenir complexe.

1 C'est Teilhard qui, le premier, aurait mis en relief le caractère progressif de l'évolution organique, la «complexification» de la matière, puis de la vie.
J. ROSTAND, Inquiétudes d'un biologiste, Livre de poche, p. 46-47.

2 (...) la complexification des rapports sociaux, ou leur simplification, leur enrichissement ou leur appauvrissement (...)
Henri LEFEBVRE, la Vie quotidienne dans le monde moderne, p. 92.

COMPLEXIFIER [kɔ̃plɛksifje] v. tr. — 1951 ; de *complexe* (I.).

♦ Didact. Rendre complexe. — Pron. Devenir complexe.

Sous l'action conjuguée de quelques conditions cosmiques fondamentales (...) l'Humanité est désormais destinée (...) à se complexifier et à s'agréger sur soi, toujours plus vite, et de plus en plus.
TEILHARD DE CHARDIN, l'Activation de l'énergie, p. 321, *in* D. D. L., II, 4.

DÉR. **Complexification.**

COMPLEXION [kɔ̃plɛksjɔ̃] n. f. — V. 1120, *complexiun* ; lat. *complexio,* de *complexum.* → Complexe.

♦ **1.** Littér. Ensemble des éléments constitutifs du corps humain, du point de vue fonctionnel. ⇒ **Constitution, nature, naturel** (n. m.), **tempérament.** *Bonne, mauvaise complexion. Complexion délicate, faible ; robuste, forte. Complexion sanguine, bilieuse, lymphatique.* — Vieilli. *Teint* (→ ci-dessous, cit. 2). *Une complexion mate, de brun.*

1 On n'est point effronté par choix, mais par complexion ; c'est un vice de l'être, mais naturel (...) LA BRUYÈRE, les Caractères, VIII, 41.

2 D'une complexion blanche, aux yeux, aux cheveux noirs, le front aisément caressé de songes, d'un naturel très réfléchi et très sensible, il tenait de sa mère et de sa grand'mère, de cette lignée aimante des O'Neilly.
SAINTE-BEUVE, Volupté, XIX, p. 187.

3 C'était un garçon de mon âge à peu près, mais de complexion plus délicate, blond, mince (...)   E. FROMENTIN, Dominique, IV, p. 65.

4 Il se souvenait d'y avoir lu que la peste épargnait les constitutions faibles et détruisait surtout les complexions vigoureuses.   CAMUS, la Peste, p. 56.

♦ **2.** Vx. Caractère, humeur. ⇒ **Inclination, tendance.** *De complexion mélancolique, triste, gaie, amoureuse.*

5 (...) vous êtes donc de complexion amoureuse (...)
    MOLIÈRE, Monsieur de Pourceaugnac, II, 4.

COMPLEXISME [kɔ̃plɛksism] n. m. — Mil. xxᵉ; de *complexe*, et -*isme*.

♦ Didact. (méd. homéopathique). Doctrine selon laquelle on accroît l'efficacité de la thérapeutique homéopathique si l'on administre simultanément plusieurs remèdes au malade. *Le complexisme ou homéopathie complexe.*

CONTR. Unicisme.
DÉR. Complexiste.

COMPLEXISTE [kɔ̃plɛksist] n. — Mil. xxᵉ; de *complexisme*.

♦ Didact. (méd. homéopathique). Partisan du complexisme.

Les *complexistes* sont ceux qui prescrivent de très nombreux remèdes ensemble. Mais plus les remèdes sont nombreux, sur une prescription, et plus on s'éloigne des principes homéopathiques généralement admis.
    Pierre VANNIER, l'Homéopathie, p. 113.

CONTR. Hahnemannien, uniciste.

COMPLEXITÉ [kɔ̃plɛksite] n. f. — 1755; de *complexe.*

♦ **1.** État, caractère de ce qui est complexe*. *La complexité d'une situation. La complexité du caractère. Complexité des choses.* ⇒ **Complication.**

1 (...) entraînés que nous sommes, avec une rapidité qui s'accélère jusqu'à devenir inquiétante, dans un état de choses dont la complexité, l'instabilité, le désordre caractéristique nous égarent, nous interdisent la moindre prévision, nous ôtent toute possibilité de raisonner sur l'avenir.
    VALÉRY, Regards sur le monde actuel, p. 197.

2 (...) la simplicité des phrases ne représentait pas avec une suffisante exactitude la complexité des choses. A. MAUROIS, Un art de vivre, III, p. 15.

♦ **2.** Difficulté*, due à la multiplicité des éléments. *Un problème d'une effroyable complexité.*

CONTR. Simplicité. — Facilité.

COMPLEXUEL, ELLE, ELS [kɔ̃plɛksɥɛl] adj. — 1942, *in* D.D.L.; de *complexe* (II., 3.).

♦ Psychol. De la nature du (ou d'un) complexe. *« Une situation malade-médecin de nature complexuelle »* (Guy Palmade, *la Psychothérapie,* p. 77).

COMPLEXUS [kɔ̃plɛksys] n. m. — 1704; mot lat., p. p. de *complecti.* → Complexe.

Vieux.

♦ **1.** Anat. Muscle extenseur, dit *transversaire épineux.*

♦ **2.** (1903, *in Rev. gén. des sc.*). Ensemble des phénomènes caractérisant une maladie.

♦ **3.** Didact. Ensemble complexe (syn. mod. : *complexe*). *Un « complexus linguistique »* (Saussure, Bally). *Complexus psychique.*

REM. Proust (*le Côté de Guermantes,* Pl., p. 287) emploie le mot au sens de «fait, action de conjoindre; conjonction».

COMPLIANCE [kɔ̃plijɑ̃s] n. f. — xxᵉ; mot angl., «harmonie, accord», de *to comply* «s'adapter»; lat. *complire;* cf. anc. franç. *complir* et la comp. moderne *accomplir.*

♦ Anglic. Techn. Souplesse adaptative (d'un organe de dispositif électronique). *« (...) la nécessité de réaliser des phonos dont le bras ait aussi une grande "compliance" verticale. (Le mot n'est pas dans le Littré ; nous n'y pouvons rien : c'est le mot technique.) »* (*Science et Vie,* nº 594, p. 123).

COMPLICATION [kɔ̃plikasjɔ̃] n. f. — 1370, *complicacion;* bas lat. *complicatio,* du supin de *complicare.* → Compliquer.

♦ **1.** (1794). Caractère compliqué (de qqch.). *La complication d'une machine. La complication des rouages d'un mécanisme.* ⇒ **Complexité, embrouillement.** *Complication d'un engrenage.* — Par anal. *Complication des routes, des voies de communication.* ⇒ **Labyrinthe, réseau.** *La situation est d'une complication inextricable.*

♦ **2.** (*Une, des complications*). Concours de circonstances susceptibles de créer des embarras, d'augmenter une difficulté. ⇒ **Accident, embarras, ennui.** *Éviter, fuir les complications. Vous aimez les complications !* ⇒ **Alambiquage, bizarrerie, cérémonie, chinoise-**

---

rie, détour. *C'est une complication de plus* (en parlant d'un événement, d'une circonstance qui s'ajoute à une difficulté antérieure). ⇒ **Contre-temps, difficulté, problème** (fam.); **accrochage, anicroche.** *Être retenu par une complication.* ⇒ **Empêchement.** *Se battre avec mille complications.* — *Déchiffrer un texte plein de complications.* ⇒ **Difficulté, piège, traquenard.** *Les complications de la politique, d'une affaire, d'un contentieux...* ⇒ **Imbroglio.**

1 (...) les conférences diplomatiques n'avaient conduit qu'à des altercations violentes et des complications nouvelles.
    MÉRIMÉE, Hist. du règne de Pierre le Grand, p. 32.

2 Quand le visage d'en face est un visage de jolie fille, le sourire qu'il rend agit à son tour, produit son reflet, et il en résulte d'infinies mais aimables complications.
    J. ROMAINS, les Hommes de bonne volonté, t. IV, XVIII, p. 198.

3 On ne veut pas croire qu'un homme tel que Beethoven se soit découragé en présence de toutes ces complications que lui apportait le destin.
    Édouard HERRIOT, la Vie de Beethoven, p. 305.

Par métonymie. (Littér.). *Une complication de...* (suivi d'un nom au plur.) : un ensemble compliqué. *« Cette complication de maux »* (Chateaubriand). *Une complication d'ornements.*

Spécialt. Difficulté, embarras. *Avoir des complications avec qqn, dans une affaire.*

♦ **3.** Spécialt. (Plur.). Apparition de phénomènes morbides nouveaux au cours d'une maladie; ces phénomènes. ⇒ **Aggravation.**

Vous l'auriez guéri...
4 *Sans doute, quand il y aurait eu complication de douze maladies.*
    MOLIÈRE, Monsieur de Pourceaugnac, II, 1.

5 En ce qui concernait Jeanne, l'idée de complications nerveuses d'origine sexuelle, ou plus précisément encore d'un surmenage très particulier, lui avait une fois ou deux effleuré l'esprit, mais il ne s'y était pas arrêté.
    J. ROMAINS, les Hommes de bonne volonté, t. III, VIII, p. 124.

6 (...) il s'agissait d'une fièvre à complications inguinales, c'était tout ce qu'on pouvait dire (...)   CAMUS, la Peste, p. 61.

CONTR. Simplicité, simplification. — Clarification.

COMPLICE [kɔ̃plis] adj. et n. — 1327, *complisse;* du bas lat. *complex, -icis* «uni étroitement», de *complecti.* → Complexe.

★ **I.** Adj. ♦ **1.** (En emploi d'attribut). Se dit d'une personne qui en aide une autre à commettre un délit. ⇒ **Acolyte, affidé, compère, complicité.** *Être complice d'un vol.* ⇒ **Main** (prêter la main à), **mèche** (être de mèche), **part** (avoir part).

Par ext. *Complice de* (qqn, une action) : qui participe à une action répréhensible. ⇒ **Associé.** *Il est complice des légèretés, des mensonges de...*

1 Qui ne gueule pas la vérité, quand il sait la vérité, se fait le complice des menteurs et des faussaires ! Ch. PÉGUY, la République..., p. 14.

2 Forcés d'enchérir contre les Jésuites, les acquéreurs se feraient en apparence complices de la spoliation. J. ROMAINS, les Hommes de bonne volonté, t. V, VI, p. 53.

3 Pour me prouver (...) que je ne suis pas dupe de cette civilisation sans mesure et sans harmonie, que je ne suis pas complice de ce gaspillage, de cette ruée (...)
    G. DUHAMEL, Scènes de la vie future, XIV, p. 216.

♦ **2.** Adj. (épithète ou attribut). Qui favorise l'accomplissement d'une chose. *Une attitude complice. Le silence, la nuit complice. Un sourire complice,* qui dénote un accord secret.

4 Je lui prête à regret un silence complice. CORNEILLE, Médée, III, 1.

5 Sans doute, son coup réussi, avait-il jugé plus prudent de regagner la montagne et de se disperser dans les douars complices.
    P. MAC ORLAN, la Bandera, XVII, p. 209.

★ **II.** N. *Un, une complice.* — Dr. Ancienn. *Complice d'adultère* (cit. 6). — Mod. et cour. *Les complices d'un délit, d'un crime. L'auteur du crime et ses complices ont été arrêtés.* ⇒ **Acolyte.** *Elle était sa complice.*

5.1 (...) les malfaiteurs n'aiment pas à trouver de la résistance dans ceux qu'ils cherchent à séduire ; il n'y a malheureusement point de milieu dès qu'on est assez à plaindre pour avoir reçu leur propositions : il faut nécessairement devenir dès-lors ou leurs complices, ce qui est fort dangereux, ou leurs ennemis, ce qui l'est encore davantage.   SADE, Justine..., t. I, p. 32.

6 Ceux qui, connaissant la conduite criminelle des malfaiteurs exerçant des brigandages ou des violences contre la sûreté de l'État, la paix publique, les personnes ou les propriétés, leur fournissent habituellement logement, lieu de retraite ou de réunion, seront punis comme leurs complices. Code pénal, art. 61.

Fig. ⇒ **Aide, auxiliaire, compagnon.** *C'était le complice, la complice de ses fredaines.* — Littér. (Choses) :

On se glisse
7 *Sans bruit, dans l'ombre, avec le hasard pour complice (...)*
    HUGO, l'Année terrible, nov., III.

CONTR. Adversaire, ennemi, hostile.
DÉR. Complicité.

COMPLICITÉ [kɔ̃plisite] n. f. — 1420; de *complice.*

♦ **1.** Participation intentionnelle à la faute, au délit ou au crime commis par un autre. *Prouver, établir la complicité d'un suspect. Être accusé de complicité. Être lié par la complicité. Agir en complicité avec qqn. Complicité de...* (suivi du nom du délit).

0.1 (...) la route de la vertu n'est pas toujours la plus sûre, et (...) il y a des circonstances dans le monde où la complicité d'un crime est préférable à la délation.
    SADE, Justine..., t. I, p. 96.

1 Même à la rigueur un meurtre commis à l'intérieur d'une famille, et que la complicité de tous les proches maquille en accident ou en suicide.
J. ROMAINS, les Hommes de bonne volonté, t. II, II, p. 18.

♦ **2.** Entente* profonde, spontanée et souvent inexprimée (entre personnes). *Il y a entre eux une complicité totale.*

2 L'intimité du lit établit entre deux êtres, même quand ils ont cessé de s'aimer, une sorte de complicité, d'alliance mystérieuse.
MAUPASSANT, les Sœurs Rondoli, p. 188.

3 Si franc qu'on le suppose, le rire cache une arrière-pensée d'entente, je dirais presque de complicité (...)
H. BERGSON, le Rire, I, p. 5.

4 (...) il y a toujours eu entre les deux pays *(Russie et Allemagne)* un obscur complicité, résultant, à une trouble profondeur, d'une sorte de lointaine parenté.
André SIEGFRIED, l'Âme des peuples, V, II, p. 122.

Littér. (Choses) :

5 La nature a là quelque chose d'indéfinissable ; les arbres n'y sont point comme les autres arbres, et le ciel derrière ses nuages semble cacher une pensée secrète dont le mystère se communique aux pierres des maisons, à l'eau du fleuve, et leur prête un air de complicité sinistre.
J. GREEN, Léviathan, p. 59.

Loc. (Vieilli). *Agir de complicité* (avec qqn).

CONTR. Désaccord. — Hostilité.

COMPLIES [kɔ̃pli] n. f. pl. — V. 1120, *la cumplie* ; du lat. ecclés. *completa (hora)* « heure qui achève l'office ».

♦ Liturgie. Dernière heure de l'office divin, qui se récite ou se chante le soir, après les vêpres. *Dire, chanter les complies.*

Elle portait une petite chaise tapissée et venait s'asseoir au milieu de son « Paradis » où elle disait « Complies » et une prière qui n'était qu'à elle pour la Justice.
M. JOUHANDEAU, Tite-le-Long, Mlle Pauline, p. 112.

Par ext. *Aller à complies*, à la récitation de cette prière.

COMPLIMENT [kɔ̃plimɑ̃] n. m. — 1604 ; esp. *complimiento*, de l'expression *cumplir con alguien* « être poli envers qqn », *complir* signifiant « accomplir (ses devoirs, les politesses requises) ».

♦ **1.** Paroles louangeuses que l'on adresse à qqn pour le féliciter. ⇒ **Congratulation, éloge, félicitation, louange.** *Faire des compliments à qqn. Aimer, rechercher, fuir, redouter les compliments. Un compliment affectueux, sincère, flatteur, maladroit, hypocrite.* — Vx (langue class.). *Faire compliment à qqn de son succès.* ⇒ **Complimenter.** *Je vous fais compliment d'agir ainsi.* ⇒ **Féliciter.** — Mod. *Mes compliments !* ⇒ **Chapeau** *(supra* cit. 5). — *Sans compliment* : sans flatterie. ⇒ **Franchement, ouvertement.** — Iron. *Eh bien ! je vous fais mes compliments !*, ou, ellipt., *mes compliments !*, exprime à qqn combien sa maladresse est remarquable (cf. Bravo !, c'est du joli !).

1 Le loup donc l'aborde humblement,
Entre en propos, et lui fait compliment
Sur son embonpoint qu'il admire.
LA FONTAINE, Fables, I, 5.

2 (...) et, sans vous faire compliment, il y avait des choses à voir dans cette fête qui pouvaient m'attirer, si (...)
MOLIÈRE, les Amants magnifiques, I, 2.

3 Elle était comme presque toutes les femelles, lesquelles s'imaginent qu'un compliment qu'on leur fait est la stricte expression de la vérité et que c'est un jugement qu'on porte impartialement, irrésistiblement, comme s'il s'agissait d'un objet d'art ne se rattachant pas à une personne.
PROUST, Sodome et Gomorrhe, p. 117.

4 Pas d'insensibilité aux compliments. Nul n'y échappe, hormis l'homme souffrant. La plante humaine semble s'épanouir sous les louanges.
VALÉRY, Rhumbs, p. 271.

5 Le compliment était pour elle si inespéré, qu'elle se demanda d'abord s'il n'enfermait pas d'ironie, et qu'ensuite, quand elle le crut sincère, elle rougit de reconnaissance.
J. ROMAINS, les Hommes de bonne volonté, t. V, IV, p. 26.

Vx. *Compliment de condoléance*, que l'on fait à qqn à l'occasion d'un deuil pour marquer que l'on prend part à sa peine. ⇒ **Condoléance** (mod.).

6 La femme du lion mourut :
Aussitôt chacun accourut
Pour s'acquitter envers le prince
De certains compliments de consolation (...)
LA FONTAINE, Fables, VIII, 14.

♦ **2.** Paroles de civilité, de politesse. *Mes compliments à votre femme. Je vous charge de mes compliments pour M. Un Tel. Faites bien mes compliments à...* ⇒ **Chose** *(dites bien des choses...). Présenter, transmettre ses compliments à qqn. Les compliments que vous m'adressez... Formule de compliments. — Faiseur de compliments.* ⇒ **Complimenteur.**

7 Je me retire (...) pour ne me voir point obligée à recevoir ses compliments.
MOLIÈRE, George Dandin, II, 8.

8 Vous ne serez pas le seul à faire vos compliments, mon jeune homme. Il y en a déjà trois à la maison qui attendent comme vous.
G. SAND, la Mare au diable, XII, p. 102.

Vieilli. *Point de compliments, s'il vous plaît ! Trêve de compliments ! Ne faisons point de compliments.* ⇒ **Discours, phrase ; cérémonie, complication.**

9 (...) n'entrons point dans ce vain compliment :
Rien ne me fâche tant que ces cérémonies.
MOLIÈRE, l'École des femmes, III, 4.

10 Finissons cela, de grâce, laissons les compliments, et songeons au portrait.
MOLIÈRE, le Sicilien, 11.

♦ **3.** Péj. et vieilli. Paroles vaines, qui dissimulent la pensée, l'intention réelle. *Tout cela est pur compliment.* ⇒ **Phrase, verbiage.** *Ne vous laissez pas abuser par ses compliments !*

Iron. et vx. Paroles désobligeantes, voire injurieuses. ⇒ **Sortie** (fam.). *Il m'a fait là un mauvais compliment. C'est un fâcheux compliment. Un étrange, un sot compliment. — C'est un joli compliment ! Voilà un compliment flatteur !*

♦ **4.** Petit discours adressé à qqn que l'on veut complimenter. *Compliment en vers, en prose. Apprendre, réciter, servir, débiter un compliment. Faire lire un compliment par un enfant. Compliment du jour de l'an, de fête, d'anniversaire. Tourner un compliment. Compliment bien tourné, bien troussé. Recueil de compliments.*

Loc. fam. *Rengainer son compliment* : supprimer ou ne pas achever ce que l'on se proposait de dire à quelqu'un.

CONTR. Admonestation, affront, blâme, injure, invective, observation, réprimande, reproche, sarcasme.
DÉR. Complimenter.

COMPLIMENTER [kɔ̃plimɑ̃te] v. tr. — 1634 ; de *compliment*.

♦ **1.** Faire un compliment, des compliments à (qqn). ⇒ **Congratuler, féliciter, louer.** *Complimenter un élève pour son succès, de son succès à un examen. Complimenter qqn pour son exploit.* ⇒ **Chapeau** (tirer son chapeau). *Complimenter qqn sur son mariage. Je ne vous complimente pas.*

Complimenter qqn de (et infinitif) :

Il la croyait plus raisonnable, la complimentait d'obéir à son mari.
ZOLA, Son Excellence Eugène Rougon, p. 321, *in* T. L. F.

♦ **2.** Absolt, vieilli. Faire des civilités, des politesses. ⇒ **Flatter.** *C'est trop complimenter. Ne perdons pas notre temps à complimenter. Sans complimenter...*

▶ **SE COMPLIMENTER** v. pron.

Réfl. (Rare). Se féliciter. — Récipr. *Ils passent leur temps à se complimenter mutuellement.*

CONTR. Blâmer, injurier.
DÉR. Complimenteur.

COMPLIMENTEUR, EUSE [kɔ̃plimɑ̃tœʀ, øz] adj. et n. — V. 1660 ; n., 1623 ; de *complimenter*.

♦ Qui fait trop de compliments. ⇒ **Bénisseur, flatteur.** *Personnage complimenteur.* — Par ext. (discours, propos). Rempli de compliments.

0.1 Elles se surveillaient toutes deux (...) Quand elles se rencontraient, elles étaient très douces, très complimenteuses, l'œil furtif sous la paupière à demi-close, cherchant les défauts. Elles affectaient (...) de s'aimer beaucoup.
ZOLA, le Ventre de Paris, t. I, p. 115.

1 Celle *(une femme)* à qui il pouvait tenir indéfiniment les propos les plus complimenteurs (...)
PROUST, Sodome et Gomorrhe, p. 126.

2 Visite de Giovani Papini, directeur de la revue *Leonardo* (...) Trop complimenteur ; mais semble tout de même penser une partie de ce qu'il dit.
GIDE, Journal, 2 janv. 1907.

N. *Un complimenteur, une complimenteuse. Un insupportable complimenteur.*

CONTR. Froid, sévère.

COMPLIQUÉ, ÉE [kɔ̃plike] adj. et n. — V. 1400 ; du lat. *complicatus*, de *complicare*. → Compliquer.

♦ **1.** Qui possède de nombreux éléments dont l'assemblage est difficile à comprendre. *Mécanisme compliqué.* ⇒ **Complexe.** *Des explications compliquées ; des phrases longues et compliquées.* ⇒ **Alambiqué, contourné, embarrassé, entortillé.** *Une histoire très compliquée.* ⇒ **Confus.** — Qui est rendu plus difficile par des circonstances diverses. *Une intrigue compliquée. Un sentiment compliqué.*

1 A un amour tel que le mien, il fallait une lutte pénible et compliquée.
NERVAL, la Bohème galante, Le rêve et la vie, p. 389.

2 A la première lecture, le livre *(l'Adolescent, de Dostoïevsky)* ne m'avait pas paru si extraordinaire, mais plus compliqué que complexe, plus touffu que rempli, et, somme toute, plus curieux qu'intéressant.
GIDE, Journal, mai 1903.

Spécialt. *Une maladie compliquée de (qqch.).* ⇒ **Complication** (3.). *Une agressivité compliquée d'angoisse ; une gêne compliquée de vanité.*

♦ **2.** Difficile à comprendre. *C'est trop compliqué pour moi. C'est très compliqué à expliquer, à faire... Problème très compliqué. Écoutez, ce n'est pas compliqué (fam. c'est pas compliqué), vous prenez la première à droite.* — N. m. *Le compliqué s'oppose au simple.*

♦ **3.** (Choses concrètes). Difficile à réussir, à obtenir, de par sa complexité, ou la complexité des opérations requises. « *Une mayonnaise très compliquée et d'un fort bon goût* » (Gautier, *in* T. L. F.). — N. m. « *Des choses succulentes, mais d'un compliqué...* » (Gyp, *in* T. L. F.).

♦ **4.** (Personnes ; facultés humaines). Qui aime la complication. *Un esprit compliqué.* — N. (Fam.). *Un compliqué, une compliquée* : une personne compliquée. *Vous, vous êtes un compliqué.*

3 — Où va-t-il en venir? dit la comtesse de Chiffrevas à sa voisine, car, vraiment, ce ne peut pas être là le plus bel amour de Don Juan! Toutes ces compliquées ne pouvaient croire à cette simplicité! BARBEY D'AUREVILLY, les Diaboliques, « Le plus bel amour de Don Juan », p. 114.
CONTR. Clair, simple.

COMPLIQUER [kɔ̃plike] v. tr. — 1797; fin XVIIe, sens lat.; du lat. *complicare* « lier, rouler ensemble » et, au fig., « embarrasser ».

♦ **1.** Rare. Assembler (différentes choses) d'une façon peu simple, assez confuse. ⇒ **Embarrasser, embrouiller.** *Compliquer un mécanisme. Compliquer à l'excès les rouages d'une machine.*

♦ **2.** Rendre difficile à comprendre. ⇒ **Alambiquer** (vieilli), **embrouiller, entortiller, obscurcir; confus** (rendre confus). *Vous compliquez les choses par vos ratiocinations.* ⇒ **Chinoiser.** *Compliquer un problème, une question. Compliquer une intrigue.* ⇒ **Emmêler.** *Compliquer une situation à plaisir.* ⇒ **Emberlificoter.**

1 Toute velléité de compliquer la situation, d'ajouter aux risques acquis ceux d'une nouvelle aventure, quelle qu'elle puisse être, aurait presque un caractère de folie. J. ROMAINS, les Hommes de bonne volonté, t. II, II, p. 12.
2 Sois donc plus simple! Il faut toujours que tu compliques les choses! Paul GÉRALDY, Toi et Moi, p. 21.

Compliquer l'existence, la vie de (qqn). — Loc. *Se compliquer la vie,* se la rendre plus difficile par son propre comportement. *Ne pas se compliquer la vie :* rechercher avant tout la facilité.

♦ **3.** Rendre plus complexe, en multipliant les éléments. ⇒ **Diversifier, enrichir.** *Compliquer ses distractions, ses plaisirs, ses émotions.*

♦ **4.** Rare. Rendre compliqué (qqn). *« Thérèse avait troublé Bernard. Elle l'avait compliqué »* (Mauriac, *in* T. L. F.).

▶ **SE COMPLIQUER** v. pron.
Devenir compliqué, plus compliqué. *Les choses se compliquent. L'intrigue se complique au deuxième acte.* ⇒ **Nouer** (se). — *Maladie qui se complique.* ⇒ **Aggraver** (s'), **complication** (3.).

3 (Il) entrevit que son intérêt (...) était de nouer avec ces gens, qu'il représentait encore à peine, le plus de liens possibles; que plus leurs relations se compliqueraient, mieux il les tiendrait. J. ROMAINS, les Hommes de bonne volonté, t. V, VI, p. 57.

Ses réactions se compliquaient. — *Se compliquer de qqch. :* être rendu plus compliqué par...

▶ **COMPLIQUÉ, ÉE** p. p. Voir l'adjectif.
CONTR. Aplanir, démêler, éclaircir, simplifier.

COMPLOT [kɔ̃plo] n. m. — V. 1180, « accord commun »; « conjuration », 1213; orig. inconnue; pour P. Guiraud il s'agit du déverbal d'un verbe **com-peloter* « mettre ensemble des petits bouts de corde en les serrant autour de l'un d'eux », du rad. de *pelote,* avec chute de l'*e* atone; on y retrouve, selon lui, les trois idées d'« assemblage », de « très serré » et de « recouvert » donc « caché ».

♦ **1.** Projet concerté secrètement contre la vie, la sûreté de qqn, contre une institution. ⇒ **Conjuration, conspiration, machination.** *Faire, former, machiner, monter, ourdir, préparer, tramer un complot.* ⇒ **Comploter; intrigue, menée, ruse.** *Arrêter, découvrir, déjouer, dénoncer, dévoiler, éventer, miner un complot* (→ Éventer la mèche*). — (Littér.). *Un noir, un ténébreux complot.* — *Mettre qqn dans un complot. Tremper dans un complot.* — Vieilli. *Faire complot. Ils avaient fait complot de le tuer* (⇒ **Attentat**), *complot de se révolter* (⇒ **Sédition**).

1 Et la main de Pallas trame tous ces complots (...) RACINE, Britannicus, IV, 2.
2 Celui qui met un frein à la fureur des flots Sait aussi des méchants arrêter les complots. RACINE, Athalie, I, 1.
3 Il n'était bruit dans cette République que de scandales, de fortunes foudroyantes ou foudroyées, de complots et d'attentats. VALÉRY, M. Teste, p. 91.
4 (...) le complot, enfin découvert, allait brusquement avorter. Louis MADELIN, l'Avènement de l'Empire, IV, p. 39.

Spécialt. *Complot contre la sûreté de l'État :* projet séditieux contre la sûreté intérieure.

5 L'attentat dont le but sera, soit d'exciter la guerre civile en armant ou en portant les citoyens (...) à s'armer les uns contre les autres, soit de porter la dévastation, le massacre et le pillage, dans une ou plusieurs communes, sera puni de *mort.* Le complot (...) et la proposition de former ce complot, seront punis de peines portées en l'article 89 (...) Code pénal, ancien art. 91.

♦ **2.** Manœuvres secrètes concertées pour nuire (à qqn, à qqch.) dans quelque domaine que ce soit. ⇒ **Cabale, menée.**

6 (...) il a besoin que je sois environné de ténèbres impénétrables, et que son complot me soit toujours caché, sachant bien qu'avec quelque art qu'il en ait ourdi la trame, elle ne soutiendrait jamais mes regards. ROUSSEAU, les Confessions, X.

♦ **3.** Projet concerté secrètement entre quelques personnes (sans idée de nuire). *Mettre qqn dans le complot,* dans le secret. *Venez vous joindre à notre petit complot.*

DÉR. Comploter.

COMPLOTER [kɔ̃plɔte] v. — 1450; de *complot;* P. Guiraud suppose un verbe antérieur, d'où viendrait *complot.* → Complot.

♦ **1.** V. tr. (Vieilli). Préparer par un complot. ⇒ **Machiner.** *Comploter la révolution.* — Trans. ind. (Mod.). *Comploter de tuer qqn.*

♦ **2.** V. tr. Préparer secrètement et à plusieurs. ⇒ **Manigancer, tramer.** — Fam. *Qu'est-ce que vous complotez là? Nous avons comploté de vous offrir ce voyage.* ⇒ **Projeter.**

1 (...) pour venir ce jour-là, il avait renoncé à une belle partie de pêche aux écrevisses que les gars de la Priche avaient complotée toute la semaine (...) G. SAND, la Petite Fadette, VII, p. 50.

♦ **3.** V. intr. **a** Vieilli. Ourdir* des complots, conspirer. *Comploter contre quelqu'un.*

2 (...) enlever une fille à son père! — Assurément (...) je le dois quand ce père est assez barbare pour comploter contre les jours de sa fille. SADE, Justine..., t. I, p. 131.

b Mod. Faire des intrigues, former des projets secrets en s'associant. ⇒ **Intriguer.**

DÉR. Comploteur.

COMPLOTEUR, EUSE [kɔ̃plɔtœʀ, øz] n. — 1571, au fém.; au masc., 1580; de *comploter.*

♦ Personne qui complote. *Les comploteurs ont été démasqués.*

Par ext. (au sens fam. et plaisant de *comploter*). *Alors, les comploteurs, qu'est-ce que c'est que ces messes basses? Petite comploteuse, tu nous avais caché tout ça!*

COMPO [kɔ̃po] ou **COMPOTE** [kɔ̃pɔt] n. f. — 1875, *compo; composition,* 1885; de *composition,* et jeu de mots avec *compote.*

♦ **1.** Fam. Composition (en vue d'un classement scolaire). *Préparer sa compo. Compote de maths.*

1 Oui, je sais : ce n'est jamais le samedi que Marine tombe malade; je sais qu'elle a compo de calcul demain, que je pars après-demain. Mais comment prouver devant des larmes vraies que la souffrance est simulée? Benoîte et Flora GROULT, Il était deux fois..., p. 157.
2 — Et ça, qu'est-ce que c'est? — Les livres d'Aurélie, tu vois bien! — Tous ces livres pour deux jours? — J'ai une compote lundi. Benoîte et Flora GROULT, Il était deux fois..., p. 143.

♦ **2.** (Seulement *compo*). Composition typographique.

HOM. Compote.

COMPONCTION [kɔ̃pɔ̃ksjɔ̃] n. f. — XIIe; lat. chrét. *compunctio,* du supin de *compungere* « piquer ».

♦ **1.** Relig. Sentiment de tristesse, éprouvé devant notre indignité à l'égard de Dieu. *Éprouver une vive componction de ses fautes.* ⇒ **Contrition, repentir.** *Demander à Dieu la componction du cœur. S'approcher du sacrement de pénitence dans un sentiment de componction, avec componction.*

0.1 (...) je lui (...) dévoilais les saints dogmes et les sublimes mystères (...) Ô Mademoiselle, lui disais-je un jour en recueillant les larmes de sa componction, l'homme peut-il s'aveugler au point de croire qu'il ne soit pas destiné à une meilleure fin? SADE, Justine..., t. I, p. 121.
0.2 Dimanche 8. La *Pagode des Manguiers* sous les masses étagées de ces édifices végétaux. Le Tonkin noir et brun sourd est le pays des larmes et de la componction. CLAUDEL, Journal, févr. 1925.

♦ **2.** Cour. Gravité recueillie et affectée. *Adopter un air, une attitude de componction. Baisser les yeux avec componction.*

1 (...) les gens qui s'adonnent aux pratiques de la dévotion contractent un caractère de physionomie uniforme; l'habitude de baisser les yeux, de garder une attitude de componction, les revêt d'une livrée hypocrite que les fourbes savent prendre à merveille. BALZAC, Une double famille, Pl., t. I, p. 972.
1.1 Un ou deux inconnus viennent serrer les mains, s'incliner, regarder la terre humide et le cercueil tout simple. Seuls les professionnels ont une mine compassée, pleine de regrets parfaitement visibles quoique mâtinés de componction impeccable. Alain BOSQUET, les Bonnes Intentions, p. 195.

Iron. Air sérieux, solennel.

2 L'hôtelier ramassa les louis avec componction et les fit glisser l'un après l'autre au fond de son escarcelle. Th. GAUTIER, le Capitaine Fracasse, t. I, VIII, p. 276.

CONTR. Désinvolture, légèreté.
DÉR. Componctueux.

COMPONCTUEUSEMENT [kɔ̃pɔ̃ktɥøzmɑ̃] adv. — 1887; de *componctueux.*

♦ Littér., rare. Avec componction.

Nous y étions, le Constace allait agir sur le trop impressionnable enfant. Je dressai componctueusement l'oreille. VILLIERS DE L'ISLE-ADAM, Tribulat Bonhomet, p. 56.

COMPONCTUEUX, EUSE [kɔ̃pɔ̃ktɥφ, φz] adj. — 1889, Verlaine, mais antérieur (→ Componctueusement) ; de *componction*, d'après *onction, onctueux.*

♦ Littér., rare. Empreint de componction ; qui a de la componction.
DÉR. Componctueusement.

COMPONÉ, ÉE [kɔ̃pɔne] adj. — 1302 ; anc. franç. *compon*, de *compondre* ; lat. *componere*. → Composer.

♦ Blason. Divisé en fragments de couleurs alternées, dits *compons. Bordures, pièces componées.*

COMPONENTIEL, ELLE [kɔ̃pɔnɑ̃sjɛl] adj. — V. 1960 ; angl. *componential (analysis)*, de *component* « élément ».

♦ Anglic. Didact. *Analyse componentielle : analyse d'une structure en éléments simples, selon ses traits pertinents (linguistique, sémantique, anthropologie).*

COMPORTE [kɔ̃pɔʀt] n. f. — 1469, « seau » ; du lat. *comportare*. → Comporter.

♦ Régional. Baquet* de bois servant au transport de la vendange. ⇒ **Baquet, benne** (cit.), **cuve.**
Le vendangeur armé de ciseaux coupe le raisin, et en remplit son panier dont il verse le contenu dans une comporte. Le bouvier vient avec sa charrette prendre les comportes pleines. Claude MAURIAC, le Temps immobile, p. 333.

COMPORTEMENT [kɔ̃pɔʀtəmɑ̃] n. m. — 1475, repris fin XIXᵉ ; de *comporter.*

♦ **1.** Manière de se comporter*. ⇒ **Air, allure, attitude, conduite, manière.** *Le comportement d'un auditoire.* ⇒ **Réaction.** *Le comportement d'un élève en classe. Je n'admets pas ce comportement.* ⇒ **Procédé.** *Un comportement bizarre, incompréhensible.* ⇒ **Conduite.** *Avoir, prendre, garder tel comportement à l'égard de, envers, vis-à-vis de qqn, face à qqch.*

1 Les actions et comportements de la dame sont la règle et le compas de la volonté du mari. Ph. DE MARNIX, Différ. de la relig., I, III, 6, *in* HUGUET, Dict. XVIᵉ s.
2 Pour reconnaître si c'est Dieu qui nous fait agir, il vaut bien mieux s'examiner par nos comportements au dehors que par nos motifs au dedans. PASCAL, Fragment d'une lettre à M. Périer, 1661.
3 (...) le pauvre Sylvinet pensa aussi en lui-même à la manière dont il expliquerait son mauvais comportement vis-à-vis de son frère et de sa mère (...) G. SAND, la Petite Fadette, X, p. 75.
4 En France, la répercussion de ce climat sur le tempérament des hommes s'exerce surtout par les vents, qui jouent dans leur vie un grand rôle : le comportement de chacun en est directement affecté. André SIEGFRIED, l'Âme des peuples, II, II, p. 32.
5 Au delà de la sienne *(sa bibliothèque)*, Sainte-Beuve voit plus loin que la chose imprimée : les choses de l'âme, tout le comportement humain, idéal, sensible, affectif, réaliste. Émile HENRIOT, les Romantiques, p. 215.
6 (...) nous montrer l'allure, la démarche, les comportements, les frissons de cette humanité si constante dans sa nature et si variable dans ses apparences. G. DUHAMEL, Inventaire de l'abîme, XV, p. 223.

♦ **2.** (1908, pour traduire l'angl. *behavior*). Psychol. Ensemble des réactions objectivement observables. *La psychologie du comportement* ou *psychologie de réaction.* ⇒ **Behaviorisme.** *Montrer des troubles du comportement. Une anomalie de comportement. Le comportement social, linguistique, sexuel, d'une personne, d'un groupe, d'une population.*
Par anal. *Étudier, observer le comportement d'un insecte, de souris. Études de comportement animal.* ⇒ **Éthologie.**

♦ **3.** Didact. Manière d'être, de se mouvoir, etc. (d'un élément concret). — Biol., méd. *S'intéresser au comportement des chromosomes, de certaines cellules.*
Le comportement d'une particule, d'un électron, d'une molécule, d'un corps chimique en présence d'un autre. ⇒ aussi **Action, effet, mouvement, réaction.**
DÉR. Comportemental.

COMPORTEMENTAL, ALE, AUX [kɔ̃pɔʀtəmɑ̃tal, o] adj. — Av. 1949 ; de *comportement*, pour traduire l'angl. *behavioral.*

♦ Didact. Qui est relatif au comportement (2.). *Des troubles comportementaux. « (...) comment, outre son action sur l'hypophyse et la régulation hormonale, une neurohormone pouvait aussi déterminer, du moins chez l'animal, des réactions comportementales (...) » (Science et Vie, mars 1978, nº 373, p. 9).*
DÉR. Comportementaliste.

COMPORTEMENTALISTE [kɔ̃pɔʀtəmɑ̃talist] adj. et n. — Av. 1970, la Recherche ; de *comportemental.*

♦ Didact. Behavioriste*.

COMPORTER [kɔ̃pɔʀte] v. tr. — V. 1450 ; « porter », XIIᵉ ; lat. *comportare* « transporter ; supporter », de *com- (cum)*, et *portare*. → Porter.

♦ **1.** Permettre d'être, d'aller avec ; inclure en soi ou être la condition de. ⇒ **Admettre, contenir, emporter, impliquer, inclure.** *Toute règle comporte des exceptions. La situation comporte bien des avantages. Les inconvénients que comporte cette solution. La loi, la règle comporte tels effets* (⇒ **Autoriser**), *telles exceptions* (⇒ **Souffrir, tolérer**).

Cette place comporte plus de dépense que celle du capitaine. Mᵐᵉ DE SÉVIGNÉ, 598, *in* LITTRÉ. 1
Les faiblesses humaines sont essentiellement lâches, elles ne comportent ni paix ni trêve (...) BALZAC, le Lys dans la vallée, Pl., t. VIII, p. 922. 2
Vous voyez bien que je suis trop jeune pour vous, puisque déjà vous me reprochez de parler sans raison ! Je ne puis pas avoir plus de raison que mon âge n'en comporte. G. SAND, la Mare au diable, XI, p. 95. 3
Notre enfance comporte des douzaines de destinées en puissance. A. THIBAUDET, Réflexions sur la littérature, 1936, Gallimard, p. 172. 4
Le plus grand *(des sentiments)* était la séparation et l'exil, avec ce que cela comportait de peur et de révolte. CAMUS, la Peste, III, p. 185. 5

♦ **2.** (Concret). Comprendre* en soi. *L'autoroute comporte deux voies séparées. Ce poème comporte mille vers. Le concours comporte trois épreuves.* ⇒ **Inclure.**
La maison comportait un rez-de-chaussée, un étage et un grenier spacieux (...) G. DUHAMEL, Chronique des Pasquier, III, VI, p. 68. 5.1

REM. Ce sens est contesté par certains puristes.

▶ **SE COMPORTER** v. pron.

♦ **1.** Se conduire, agir d'une certaine manière. ⇒ **Comportement.** *Se comporter en brave, comme un brave. Se comporter en homme de cœur. Comment s'est-il comporté devant cette nouvelle ?* ⇒ **Réagir.** *Se comporter avec élégance. Nous ignorons comment il se comporte avec (envers, vis-à-vis de) ses inférieurs.* ⇒ **User** (en user avec).
Un homme dissimulé se comporte de cette manière : il aborde ses ennemis (...) et leur fait croire par cette démarche qu'il ne les hait point (...) LA BRUYÈRE, les Caractères de Théophraste, De la dissimulation. 6
Il lui fut dit que la petite Fadette s'y était si bien comportée qu'il n'y avait point le plus petit blâme à lui donner. G. SAND, la Petite Fadette, XXXIV, p. 222. 7
Ce que je peux te promettre, c'est d'être discret, invisible, de me comporter enfin, comme un parfait gentleman, de m'arranger enfin toujours pour sauver les apparences. G. DUHAMEL, Chronique des Pasquier, II, XIX, p. 411. 8

♦ **2.** (Choses). ⇒ **Fonctionner, marcher.** *Cette voiture se comporte bien sur la route. Ce navire se comporte bien par gros temps.*
Dr. *Vendre un immeuble tel qu'il se poursuit et se comporte*, tel qu'il est.
CONTR. Exclure.
DÉR. Comportement.

COMPOSACÉES [kɔ̃pozase] ou (vieilli) **COMPOSÉES** [kɔ̃poze] n. f. pl. — 1815, *composées*, Lamarck et Candolle, *in* D.D.L. ; *composacées*, XXᵉ (attesté 1948) ; de *composer*, et *-acées.*

♦ Bot. Famille de plantes dicotylédones gamopétales très nombreuses (herbes, arbustes, arbres), à fleurs groupées en capitules *(fleurs composées)* ; ex. : absinthe, artichaut, bardane, chicorée, chrysanthème, dahlia, edelweiss, laitue, marguerite, pissenlit, souci, topinambour. *Les composacées comprennent trois tribus, les Tubuliflores* (corolle en tube ; ex. : bleuet), *les Radiées* (ex. : pâquerette) *et les Liguliflores* (corolle soudée en tube à la base mais élargie en languette ou *ligule* ; ex. : chicorée). — Au sing. *Une composacée.*

1. COMPOSANT, ANTE [kɔ̃pozɑ̃, ɑ̃t] adj. — V. 1390 ; de *composer.*

♦ Rare. Qui entre dans la composition de qqch. ⇒ **Élément.** *Corps composant.* ⇒ 2. **Composant.** *Force composante.* ⇒ **Composante.**
DÉR. 2. Composant, composante.
HOM. 2. Composant.

2. COMPOSANT [kɔ̃pozɑ̃] n. m. — XVIIIᵉ, Voltaire ; de 1. *composant.*

♦ Didact. Élément qui entre dans la composition de qqch., qui remplit une fonction particulière. *Les composants d'une philosophie, d'une théorie.* ⇒ **Composante.**

(Déb. XIXᵉ). Spécialt (chim.). Élément d'un corps composé*. *Les composants de l'eau sont l'oxygène et l'hydrogène.*

Techn. Élément qui entre dans la composition d'un circuit électronique, d'un circuit* intégré. *Composants actifs et passifs. L'industrie des composants.*

L'analyse a prouvé que le neurone est étroitement comparable, par ses performances, aux composants intégrés d'une calculatrice électronique...
Jacques MONOD, le Hasard et la Nécessité, p. 187.

Ling. *Le composant syntaxique.* ⇒ **Composante.**

HOM. 1. Composant.

COMPOSANTE [kɔ̃pozɑ̃t] n. f. — 1863 ; de 1. *composant.*

♦ **1.** Mécan. Chacune des forces qui, en se combinant, produisent une force résultante. — Math. *Composantes d'un vecteur,* nombres qui le déterminent, par rapport à une base*. ⇒ **Coordonnées.**

♦ **2.** (1872). Didact. Élément dynamique (force) entrant en composition. — Cour. Élément (d'un ensemble complexe). ⇒ 2. **Composant.**

Tout ce petit volume est écrit de cette sorte, avec cet art de dissocier les composantes d'une idée ou d'un sentiment, où excellent Racine, Laclos, Voltaire, Stendhal.
Émile HENRIOT, les Romantiques, p. 447.

Ling. L'une des parties constitutives de la grammaire d'une langue. *La composante phonologique, syntaxique.*

COMPOSÉ, ÉE [kɔ̃poze] adj. et n. ⇒ **Composer.**

COMPOSÉES [kɔ̃poze] n. f. pl. ⇒ **Composacées.**

COMPOSER [kɔ̃poze] v. — V. 1120 ; du lat. *componere* «mettre ensemble, arranger», de *com-* (*cum*), et *ponere,* d'après *poser*.*

★ **I.** V. tr. ♦ **1.** (1559). Former par l'assemblage, la combinaison de parties. *Composer un bouquet de fleurs.* ⇒ **Agencer, arranger, assembler, combiner, constituer, disposer, faire, former, organiser.** *Composer un remède, un breuvage, un plat.* ⇒ **Confectionner, préparer** (→ ci-dessous, cit. 3). — Par métaphore ou fig. (→ ci-dessous, cit. 4).

1   (...) ils n'ont ni aïeuls ni descendants : ils composent seuls toute leur race.
LA BRUYÈRE, les Caractères, II, 22.

2   Une armée est ordinairement composée de soldats à peu près du même âge, de la même taille, de la même force. Bien différente était la nôtre, assemblage confus d'hommes faits, de vieillards, d'enfants descendus de leurs colombiers (...)
CHATEAUBRIAND, Mémoires d'outre-tombe, t. II, p. 42.

3   (...) il lui fit boire un breuvage que la petite Fadette lui avait appris à composer.
G. SAND, la Petite Fadette, XXVI, p. 172.

4   Le jeune homme se persuade qu'un temps va venir où il lui sera facile de se ranger. Mais tu composes dans ta jeunesse l'homme mûr, le vieillard que tu seras.
F. MAURIAC, le Jeune Homme, p. 85.

(Sujet n. de chose). Être parmi les éléments constituants de... (sujet au sing. ou au plur.). *Pièces qui composent une machine.*

Les troupes qui composent une armée. Cette somme compose toute ma fortune.

5   (...) Aïcha regardait la photographie de Gilieth accrochée au-dessus de son lit au centre même de ce qui composait son trésor sentimental.
P. MAC ORLAN, la Bandera, XIV, p. 161.

Par métaphore (dans un contexte analogue à celui du sens 2) :

6   C'est se méprendre étrangement sur le rôle de l'imagination poétique que de croire qu'elle compose ses héros avec des morceaux empruntés à droite et à gauche autour d'elle, comme pour coudre un habit d'Arlequin.
H. BERGSON, le Rire, III, p. 128.

Composer (ou *former*) *un numéro de téléphone,* faire sur le cadran les chiffres successifs qui le composent.

6.1   C'est le premier mouvement qu'il fait vers la délivrance (...) en composant ce numéro : un simple numéro de téléphone comme les autres en apparence (...)
N. SARRAUTE, le Planétarium, p. 88.

Se composer (*qqch.*) : composer, assembler, organiser pour soi. *Il s'est composé une belle bibliothèque.* — Fig. *Se composer une idée de qqch.*

♦ **2.** (V. 1480). Faire, produire (une œuvre). ⇒ **Bâtir, créer, écrire, produire.** *Composer un livre, un poème, des vers. Composer une pièce, un scénario. Composer une page, une phrase, un discours. Composer un chef-d'œuvre. Composer avec application, soin, minutie.* ⇒ **Ciseler, polir, sculpter.** — Absolt. (→ ci-dessous, cit. 9). *Il compose mieux le soir que le matin.* ⇒ **Écrire, travailler.**

6.2   Composé et ébauché le matin la *Femme qui se peigne* et *Michel-Ange dans son atelier.*
E. DELACROIX, Journal, 16 sept. 1849.

7   Quand le devoir de composer cette oraison de louange m'est apparu avec précision, je n'ai pas laissé de le trouver bien redoutable.
VALÉRY, Variété IV, p. 21.

8   Vous avez un certain nombre qui composent les vers et qui mettent par là-dessus une mélodie. Mais quand il s'agit ensuite d'harmoniser, il faut qu'ils s'adressent à un copain.
J. ROMAINS, les Hommes de bonne volonté, t. V, XXI, p. 167.

9   (...) qu'est-ce que composer ? c'est associer avec puissance.
Henri GUERLIN, l'Art enseigné par les maîtres, p. 106.

10   (...) il arrive que des souvenirs d'âges divers se superposent dans la mémoire, se fondent et composent un tableau.
FRANCE, le Petit Pierre, XVI, p. 98.

♦ **3.** (1690). Écrire une œuvre musicale). *Composer une sonate, un chœur. Composer une musique pour un opéra,* ou, ellipt., *composer un opéra.* ⇒ **Compositeur, composition.**

(1643, *in* D.D.L.). Absolt. *Composer sur un instrument. C'est un grand interprète, mais il ne compose pas.*

♦ **4.** (1621). Imprim. Assembler des caractères pour former (un texte). *Composer un texte. Le texte est composé, on va commencer le tirage. Composer à la main, mécaniquement, photographiquement, automatiquement.* ⇒ **Composition.** — Absolt. *Calibrer avant de composer.*

11   Il eut, le premier, fini de composer quatre lignes. Picquenart, d'un geste adroit, les porta sur la galée et les noua d'une ficelle. Puis il retourna le tout, glissa le rouleau chargé d'encre, saisit une feuille de papier, une brosse et fit une épreuve.
G. DUHAMEL, Chronique des Pasquier, V, VIII, p. 109.

♦ **5.** (1559). Élaborer, adopter (une apparence, un comportement). ⇒ **Affecter.** *Composer son attitude, son maintien.* ⇒ **Contenance** (se donner, prendre une contenance). *Composer son visage.* ⇒ **Étudier.** *Composer son personnage.* — *Se composer un visage de circonstance.* — Vieilli. *Composer son discours, ses paroles* (→ ci-dessous, cit. 13).

12   Mais ceux qui de la cour ont un plus long usage
Sur les yeux de César composent leur visage.
RACINE, Britannicus, V, 5.

13   (...) l'on peut dire que *(la dissimulation)* c'est un certain art de composer ses paroles et ses actions pour une mauvaise fin.
LA BRUYÈRE, les Caractères de Théophraste, De la dissimulation.

14   (...) il *(Bonaparte)* était naturel et vrai dans ce moment-là ; il ne songeait point à se dessiner comme il fit depuis dans ses dialogues de Sainte-Hélène ; il ne songeait point à s'idéaliser, et ne composait point son personnage de manière à réaliser les plus belles conceptions philosophiques ; il était lui, lui-même mis au dehors.
A. DE VIGNY, Servitude et grandeur militaires, III, V, p. 210.

15   Arrivé sur les pas de sa femme, il la laissa pleurer copieusement, se composa, séance tenante, un visage non point recueilli, mais sérieux (...)
G. DUHAMEL, le Voyage de P. Périot, X, p. 181.

★ **II.** V. intr. ♦ **1.** (XVᵉ). S'accorder (avec qqn ou qqch.) en faisant des concessions. ⇒ **Accommoder** (s'), **accorder** (s'), **entendre** (s'), traiter, transiger. *Composer avec ses créanciers. Composer avec l'ennemi.* ⇒ **Pactiser.** *Ils refusent de composer.* ⇒ **Négocier ; capituler.** *Il nous faut composer.* ⇒ **Céder.**

16   (...) me voyant pris, il fallut composer.
CORNEILLE, le Menteur, II, 5.

17   On ne compose jamais avec les tyrans.
DANTON, cité par BARTHOU, Danton, p. 78.

Fig. Transiger. *Composer avec sa conscience*.*

18   Il *(Montalembert)* n'a pas perdu ses convictions, mais il consent à entrer dans celles des autres, à compter et à composer avec elles.
SAINTE-BEUVE, Causeries du lundi, 5 nov. 1849.

19   Je fus lâche, et je composai avec ma déception.
COLETTE, Histoire de Bel-Gazou, IV, Le curé sur le mur, p. 32.

20   Trop longtemps, ce monde a composé avec le mal, trop longtemps, il s'est reposé sur la miséricorde divine.
CAMUS, la Peste, p. 111.

♦ **2.** Faire une composition (II., 2.). *Les élèves sont en train de composer.*

▶ **SE COMPOSER** v. pron.

♦ **1.** Être composé de. *La maison se compose de deux étages. Cette œuvre se compose de trois volumes. La pièce se compose de quatre actes. Cette famille se compose de cinq enfants.* ⇒ **Comporter, comprendre.**

21   La reine l'avait reçu seul, dans ses appartements privés qui se composaient de trois petites pièces, moelleuses et sourdes à l'envi.
Pierre LOUŸS, Aphrodite, Démétrios, III, p. 41.

22   La méchanceté humaine, qui est grande, se compose, pour une large part, de jalousie et de crainte. Le malheur la désarme (...)
A. MAUROIS, le Cercle de famille, XIII, p. 294.

♦ **2.** Se faire, se former.

23   (...) l'existence humaine est faite de dépouillements successifs et les choses de la vie, comme les ondes de l'océan, se composent et se décomposent sans cesse.
HUGO, Post-Scriptum de ma vie, V.

♦ **3.** (Récipr.). S'arranger ensemble. ⇒ **Mêler** (se).

24   Et cet univers possédait une espèce de double fond philosophique où se composaient, dosés au hasard, marxisme, nietzschéisme, freudisme, lamaïsme, existentialisme.
M. AYMÉ, le Confort intellectuel, XI, p. 175.

♦ **4.** (Réfl.). Vieilli. Composer son attitude. ⇒ **Déguiser** (se), **étudier** (s').

25   Il faut que votre sexe ait fait une étude bien réfléchie de l'art de se composer, pour réussir à ce point.
BEAUMARCHAIS, le Mariage de Figaro, II, 19.

▶ **COMPOSÉ, ÉE** p. p. adj. et n.

En valeur de participe. *Chose composée de plusieurs autres.*

26   (...) un bon clystère (...) composé avec catholicon double, rhubarbe, miel rosat et autres (...)
MOLIÈRE, le Malade imaginaire, I, 1.

26.1   Cet immeuble composé d'un vaste bâtiment, de nombreuses dépendances et de plusieurs hectares de terrain varié, avait appartenu aux jésuites.
J. ROMAINS, les Hommes de bonne volonté, t. V, VI, p. 51.

♦ **1.** Adj. et n. Formé de plusieurs éléments. ⇒ **Complexe, composite.** *Des engrais composés. Un bouquet composé,* fait de fleurs différentes.

Rendu difficile par sa complication.

27   (...) conduire par ordre mes pensées, en commençant par les objets les plus simples et les plus aisés à connaître, pour monter peu à peu comme par degré jusqu'à la connaissance des plus composés (...)
DESCARTES, Discours de la méthode, II.

Dont les éléments sont strictement ordonnés ; qui obéit à un plan. ⇒ **Élaboré, ordonnancé, réglé.** — Au passif du verbe :

28 Un livre tel que je le conçois doit être composé, sculpté, posé, taillé, fini et limé, et poli comme une statue de marbre de Paros.
A. DE VIGNY, Journal d'un poète, p. 278.

Trop travaillé sur le plan esthétique. ⇒ **Fabriqué.**

29 Mounet-Sully dit le Testament de Murger (...) des vers de Gautier. C'est bien, mais c'est trop composé.
J. RENARD, Journal, p. 532.

♦ **2.** |a| (1701). Bot. *Feuille composée,* formée de plusieurs folioles reliées à un pétiole commun. *Tige, racine composée. Fleurs composées.* — N. f. pl. *Les composées.* ⇒ **Composacées.**

|b| *L'œil composé des insectes.*

|c| (1585). Chim. *Corps composé,* constitué d'atomes d'espèces différentes.
N. m. *Un composé.* — Par métaphore. Ensemble formé de parties différentes. ⇒ **Alliage, amalgame, complexe, mélange.**

30 Ô Dieu! qu'est-ce donc que l'homme? (...) Est-ce un composé monstrueux de choses incompatibles (...) BOSSUET, Sermon pour la profession de Mme La Vallière.

31 En attendant, je me répète le mot que Littré m'a dit un jour : « Ah! mon ami, l'homme est un composé instable, et la terre une planète bien inférieure ».
FLAUBERT, Correspondance, t. IV, p. 221.

32 Ainsi, la fusion des races a commencé dès les âges préhistoriques. Le peuple français est un composé. C'est mieux qu'une race. C'est une nation.
J. BAINVILLE, Hist. de France, I, p. 11.

33 Nous aimons les êtres parce qu'ils sécrètent une mystérieuse essence, celle qui manque dans notre formule pour faire de nous un composé chimique stable.
A. MAUROIS, Climats, IV, p. 34.

|d| Gramm. *Mot composé,* formé de deux ou plusieurs suites ininterrompues de lettres ou «mots» (ex. : *chemin de fer, pomme de terre ; grand-mère*) ou d'une particule placée devant un mot (ex. : *reprendre, antigel*). *Nom, adjectif composé.*
(1549). N. m. *Les composés et les dérivés*.* — N. B. Selon les linguistes, on distingue ou non les mots composés et les syntagmes lexicalisés (ou *synthèmes*).

34 Malgré une erreur courante, les composés sont très nombreux en français. Ils sont toujours formés de mots, les uns joints suivant les règles syntaxiques ordinaires : *aide de camp, Conseil d'État ;* ce sont des juxtaposés ; les autres joints avec ellipse : *timbre-quittance* (timbre à *mettre sur* les quittances).
F. BRUNOT, la Pensée et la Langue, I, II, IV, p. 55.

Temps composé, formé de l'auxiliaire *(avoir, être)* et du participe passé du verbe. ⇒ **Surcomposé.**

|e| Log. *Terme composé,* formé de plusieurs termes unis par *et* ou par *ou.*

|f| Mécan. *Mouvement* composé. Vitesse* composée. Pendule* composé.*

|g| Arithm., fin. *Intérêts* composés.*

♦ **3.** (1559). Rare. Affecté, plein de componction. ⇒ **Compassé.** *Une attitude composée.* ⇒ **Apprêté, étudié.**

♦ **4.** N. m. Math. Élément associé à un couple d'éléments par une loi de composition interne.

CONTR. Analyser, décomposer, défaire, dissocier. — (Du p. p.) Simple, un. — Divisé. — Naturel, spontané.
DÉR. Composacées ou composées, 1. composant, composeuse, compositeur, composition.
COMP. Décomposer, recomposer. — (Du p. p.) Surcomposé.

COMPOSEUSE [kɔ̃pozøz] n. f. — 1866 ; de *composer.*

♦ Typogr. Machine à composer. *Anciennes composeuses à chaud, au plomb.* ⇒ **Linotype, monotype.** *Composeuse photographique.* ⇒ **Photocomposeuse.**

COMP. Photocomposeuse.

COMPOSITE [kɔ̃pozit] adj. et n. m. — 1361 ; lat. *compositus,* p. p. de *componere* «arranger». → Composer.

♦ **1.** (1542). Qui participe de plusieurs styles d'architecture. *Ordre composite. Chapiteau composite.* ⇒ **Composé.** *Colonne composite.*
Ordre composite : ordre d'architecture romain, dans lequel le chapiteau réunit les feuilles d'acanthe du corinthien et les volutes de l'ionique (ordres grecs).
N. m. *Le chapiteau du composite.*

0.1 Entré dans tous les détours du vieux palais. Cour de marbre, fontaine au milieu ; chapiteaux d'un mauvais composite ; l'attique des pierres toute simple : délabrement complet.
E. DELACROIX, Journal, 26 janv. 1832.

♦ **2.** Formé d'éléments très différents, souvent disparates. *Mobilier composite.* ⇒ **Divers, hétéroclite, hétérogène.** *Assemblée composite.*

1 (...) un grand dîner dont je connaissais par hasard, au moins de nom, les dix invitées, aussi dissemblables que possible, parfaitement rejointes cependant, si bien que je ne vis jamais dîner si homogène bien que si composite.
PROUST, À la recherche du temps perdu, t. XI, p. 109.

2 Le mobilier est des plus composites. De très beaux sièges, Louis XV et Louis XVI, quelques petits meubles de même époque, héritage de famille, sont répartis dans le grand salon, et dans la chambre de Madame.
J. ROMAINS, les Hommes de bonne volonté, t. I, III, p. 39.

♦ **3.** Techn. |a| Qui est composé de plusieurs composants de structures différentes étroitement liés entre eux. *Un matériau composite,* et, n. m., *un composite.*

|b| Aviat. *Avion composite :* ensemble formé de deux avions reliés de manière rigide, dont l'un porte l'autre (le porteur larguant le porté en cours de vol). *Avion composite expérimental.* — N. m. *Un composite. Composite de bombardement.*

CONTR. Homogène, pur, simple.

COMPOSITEUR, TRICE [kɔ̃pozitœʀ, tʀis] n. — 1274, dr. ; de *composer.*

★ **I.** Dr. (Rare). *Amiable* (cit. 2) *compositeur.*

★ **II.** ♦ **1.** (1549). Cour. Personne qui compose des œuvres musicales. *Un grand, un célèbre compositeur.* ⇒ **Musicien.** *Elle est compositrice (rare) ; elle est compositeur. Il est compositeur et chef d'orchestre. Germaine Tailleferre, compositeur français. La Société des auteurs et compositeurs dramatiques.* ⇒ aussi **Arrangeur, orchestrateur.**

Elle avait l'oreille assez juste, en effet, pour comprendre que ces musiciens jouaient médiocrement, qu'ils n'observaient pas toujours la mesure, que la qualité de leurs instruments répondait mal aux intentions du compositeur.
J. GREEN, Adrienne Mesurat, p. 96.

♦ **2.** (1513). Imprim. Personne qui compose des lignes et des pages avec des caractères d'imprimerie. ⇒ **Typographe.** — Personne qui dirige, possède un atelier de composition. *Envoyer la copie au compositeur.*

♦ **3.** Techn. *Compositeur de parfum* (→ Parfumeur, cit. 1).

COMPOSITION [kɔ̃pozisjɔ̃] n. f. — V. 1155 ; de *composer.*

★ **I.** ♦ **1.** Action ou manière de former un tout*, un ensemble* en assemblant plusieurs parties, plusieurs éléments ; disposition des éléments. ⇒ **Agencement, arrangement, assemblage, combinaison, constitution, disposition, formation, organisation, structure, synthèse.** *La composition d'un remède, d'un breuvage, d'un plat, d'un mets.* ⇒ **Confection.** *Composition d'un tout par association* d'éléments.*

1 Les vices entrent dans la composition des vertus, comme les poisons entrent dans la composition des remèdes : la prudence les assemble et les tempère, et elle s'en sert utilement contre les maux de la vie. LA ROCHEFOUCAULD, Maximes, 182.

♦ **2.** Nature des éléments. *Quelle est la composition de cette sauce?* — *La composition d'une assemblée.*

2 L'état social et politique d'une nation est toujours en rapport avec la nature et la composition de ses armées.
FUSTEL DE COULANGES, la Cité antique, IV, VII, p. 327.

Chim. *La composition des corps.* ⇒ **Alliage, combinaison.** *Substances qui entrent dans la composition d'un composé.*

3 Elles avaient déclaré qu'à première vue cette eau avait une composition intéressante, possédait très probablement des propriétés curatives, et pouvait s'exploiter tout comme une autre.
J. ROMAINS, les Hommes de bonne volonté, t. V, XXII, p. 173.

♦ **3.** (1636). Techn. (imprim.). |a| Action de composer (un texte) ; son résultat. *La composition et le tirage. Commencer la composition d'un ouvrage. Cet imprimeur assume la composition et le tirage. Composition à la main.* ⇒ **Compositeur.** *Composition mécanique.* ⇒ **Linotype ; photocomposition.** *Composition informatisée.* ⇒ **Saisie.** *La composition de cet ouvrage a coûté très cher.*

|b| Ensemble des caractères (plomb). *Serrer la composition dans un châssis.* — Fam. *La compo.*

|c| Service d'une imprimerie (ateliers, etc.) qui se charge de la composition.

♦ **4.** (1753). Mécan. *La composition des forces.* ⇒ **Résultante.**

♦ **5.** Math. *Loi de composition,* permettant de faire correspondre une grandeur à un couple d'éléments d'un ensemble. *Loi de composition interne, externe.*

♦ **6.** Ling. Formation des composés. *Dérivation et composition* (→ Parasynthétique, cit.).

★ **II.** (XVIe). ♦ **1.** Action de composer (une œuvre intellectuelle, artistique) ; façon dont une œuvre est composée. ⇒ **Élaboration, rédaction.** *La composition d'un livre, d'un poème, d'un tableau.* — Loc. *De la composition de qqn :* composé par... *Il nous a montré des vers de sa composition.* ⇒ **Cru.**

3.1 Il y a toujours, dans la composition d'un roman par un professionnel expérimenté, une part de métier. A. MAUROIS, Études littéraires, J. de Lacretelle, t. II, p. 246.

3.2 À mesure que j'y progresse, ordonnant ce que ma vie passée me propose, à mesure que je m'obstine dans la rigueur de la composition — des chapitres, des phrases, du livre lui-même — je me sens m'affermir dans la volonté d'utiliser, à des fins de vertus, mes misères d'autrefois. Jean GENET, Journal du voleur, p. 65.

Spécialt. L'œuvre réalisée. *La Divine Comédie est une vaste et savante composition.* — Mus. *Composition pour orchestre à cordes.* — Peint. *Composition géométrique, abstraite.*

4 Ayant appris la composition du plus facile de tous les vers qui est l'hexamètre, j'eus la patience de scander presque tout Virgile. ROUSSEAU, les Confessions, VI.

5   C'est pour imaginer trop vite, que tant d'artistes d'aujourd'hui font des œuvres caduques et de composition détestable.   GIDE, Journal, Feuillets 1893.

6   M. Hœpffner croit que le lai a été à l'origine une composition musicale, puis un poème chanté sur la harpe.
                        Émile HENRIOT, Portraits de femmes, Marie de France, p. 18.

7   C'est une grande composition digne du Véronèse pour l'ambition et le volume, mais qu'il faudrait peindre tout entière dans l'esprit du fameux *Bar* de Manet.
                        Francis PONGE, le Parti pris des choses, p. 70.

♦ **2.** (1694). Exercice de rédaction que doit effectuer un élève sur un sujet littéraire donné. ⇒ **Devoir, dissertation, rédaction.** *Une composition française.*

8   Et j'étais là, après le déjeuner, peinant sur cette composition latine, guère plus avancée qu'au lundi de Pâques (...)   LOTI, Figures et Choses..., IV, p. 41.
Épreuves comptant pour un classement. Les compositions trimestrielles. Corriger des compositions. Être premier, dernier en composition d'anglais (abrév. fam. : *compo**, *compote*).

8.1   Le matin, chaque fois que la journée scolaire comportait une composition comptant pour le classement trimestriel (...)
                        Raymond ABELLIO, Ma dernière mémoire, t. I, p. 171.

★ **III.** ♦ **1.** (1538, *venir à composition*). Vx ou mod. (en loc.). Accord entre deux ou plusieurs personnes qui acceptent de transiger sur leurs prétentions respectives. ⇒ **Accommodement, accord, compromis.** *Entrer en composition avec.* ⇒ **Composer** (avec). *Venir à composition. Les ennemis refusèrent toute composition.* ⇒ **Concession, transaction.**

9   (...) ils demandèrent à capituler. Quoiqu'ils eussent attendu cette extrémité, le Roi ne laissa pas de leur accorder une composition honorable, et le gouverneur eut la triste consolation de sortir de sa citadelle par la brèche.
                        RACINE, les Campagnes de Louis XIV.

10   Sur la discipline, on peut entrer en composition.   BOSSUET, Projet.

Hist. du dr. Compensation pécuniaire due par l'offenseur à l'offensé ou à sa famille. ⇒ **Wergeld.**

11   Le meurtre chez les Francs se rachetait par une composition pécuniaire.
                        CHATEAUBRIAND, Voyage en Amérique, 249.

12   Ils *(les Francs)* doivent accepter du coupable une composition proportionnée au crime et dont le taux est fixé par la coutume. La vengeance n'est possible que si la composition n'est pas payée; c'est le système connu des compositions légales.
                        F. OLIVIER-MARTIN, Précis d'hist. du droit franç. nᵒ III, p. 45.

♦ **2.** Loc. cour. (1672). **DE BONNE COMPOSITION :** qui est accommodant, facile à vivre. ⇒ **Conciliant.** — *Il, elle est de meilleure, d'excellente composition.*

13   Savez-vous bien que je reçus hier seulement votre lettre du 19 mars par cet honnête marchand qui fait crédit, et qui ne presse pas trop? Plût à Dieu qu'il s'en trouvât ici présentement d'aussi bonne composition.
                        Mᵐᵉ DE SÉVIGNÉ, Lettre à Bussy-Rabutin, 24 avr. 1672, in D.D.L., II, 10.

CONTR. Analyse, décomposition, dissociation, dissolution. — Désaccord, opposition.
COMP. Décomposition, recomposition.

COMPOSSIBILITÉ [kɔ̃pɔsibilite] n. f. — 1922; de *compossible.*

♦ Philos. Possibilité (pour une chose) d'exister en même temps (qu'une autre).

Selon les commentateurs on a pu successivement voir le rôle joué par la logique, la dynamique, l'histoire, la jurisprudence... Un fil tiré, dans ce labyrinthe, rend tout l'écheveau. Rendre compte synthétiquement de l'ensemble de ces compossibilités de recomposition est l'un des beaux problèmes du leibnizianisme.
                        Michel SERRES, Hermès I, La communication, p. 131.

COMPOSSIBLE [kɔ̃pɔsibl] adj. — 1907; attestation isolée, v. 1370; de *co-*, et *possible.*

♦ Philos. Qui peut exister en même temps qu'autre chose. ⇒ **Compatible.**

DÉR. Compossibilité.

COMPOST [kɔ̃pɔst] n. m. — 1721; mot angl., de l'anc. franç. *compost*, XIIIᵉ, «engrais composé». → Compote.

♦ Engrais formé par le mélange fermenté de débris organiques avec des matières minérales. ⇒ **Humus** (→ Plantation, cit. 1). *Composts utilisables après un an de fermentation.*

1   Pécuchet fit creuser devant la cuisine un large trou et le disposa en trois compartiments, où il fabriquerait des composts qui feraient pousser des tas de choses (...)
                        FLAUBERT, Bouvard et Pécuchet, Pl., t. II, p. 688.

Par métaphore :

2   Toujours prêts à déguerpir à la minute, sans laisser de trace (...) tout ce compost

hétéroclite, apparemment anonyme, mais identifiable, qui est comme l'odeur singulière que laisse un homme dans le trou où il dort.
                        Régis DEBRAY, l'Indésirable, p. 20.

DÉR. 1. Composter.

1. COMPOSTAGE [kɔ̃pɔstaʒ] n. m. — Mil. xxᵉ; de 1. *composter.*

♦ Agric. Traitement (d'une terre) au compost*.
HOM. 2. Compostage.

2. COMPOSTAGE [kɔ̃pɔstaʒ] n. m. — 1922; de 2. *composter.*

♦ Action de perforer au composteur. *Le compostage des billets.*
HOM. 1. Compostage.

1. COMPOSTER [kɔ̃pɔste] v. tr. — 1350, repris 1721; de *compost.*

♦ Agric. Amender une terre avec du compost.
DÉR. 1. Compostage.
HOM. 2. Composter.

2. COMPOSTER [kɔ̃pɔste] v. tr. — 1740; de *composteur.*

♦ **1.** Imprim. Utiliser un composteur dans la composition d'imprimerie. — Assembler sur le composteur.

♦ **2.** (1922). Perforer (un billet de chemin de fer, une facture) à l'aide d'un composteur. — Au p. p. *Billets compostés.*
DÉR. 2. Compostage.
HOM. 1. Composter.

COMPOSTEUR [kɔ̃pɔstœʀ] n. m. — 1680; «ouvrier imprimeur qui composte», 1672; ital. *compositore*, de *comporre* «composer».

Technique.

♦ **1.** Imprim. Réglette sur laquelle le compositeur assemble les caractères d'imprimerie. *Justifier le composteur.* ⇒ **Justifier.**

Nous tenions tous un composteur de la main gauche et nous faisions de notre mieux pour bien saisir, de la main droite, le caractère dans les cassetins, pour sentir ses encoches (...)   G. DUHAMEL, Chronique des Pasquier, V, VIII, p. 109.

♦ **2.** Appareil mécanique portant des lettres ou des chiffres amovibles et servant à perforer des billets de chemin de fer, des factures. ⇒ 2. **Composter.**
DÉR. 2. Composter.

COMPOTE [kɔ̃pɔt] n. f. — xiᵉ, *composte* «aliments confits dans du vinaigre ou du sel»; lat. *composita*, de *componere* «mettre ensemble». → Composer.

♦ **1.** Vx ou gastron. Ragoût* (de gibier). *Une compote de pigeons.* — Pâté ou terrine. *Compote de lapereau.*

♦ **2.** Mod. et cour. Entremets fait de fruits coupés en quartiers ou écrasés, cuits avec de l'eau et du sucre (moins cuits que la confiture*, et moins sucrés). ⇒ aussi **Marmelade.** *Une compote de pommes, de poires. Fourrer une pâtisserie avec de la compote.* ⇒ **Chausson.**

1   Nous aperçûmes de loin une île de sucre avec des montagnes de compote.
                        FÉNELON, XIX, 38.

♦ **3.** Loc. fam. (Déb. xviᵉ). *Avoir la tête, les membres en compote*, en piteux état, meurtri. ⇒ **Meurtrir** (être meurtri). *Réduire qqn en compote.* ⇒ **Battre; coup.**

2   Il me prend des tentations d'accommoder tout son visage à la compote (...)
                        MOLIÈRE, George Dandin, II, 2.

3   Gagnière, le dimanche d'auparavant, était sorti d'une audition de Wagner, avec un œil en compote.   ZOLA, l'Œuvre, p. 135.

DÉR. Compotier.
HOM. V. Compo.

COMPOTIER [kɔ̃pɔtje] n. m. — 1746; *compontier*, 1733; de *compote.*

♦ **1.** Plat en forme de coupe. *Un compotier de cristal.*

1   Plus loin, la maison Guillout (...) étalait délicatement, derrière ses glaces, des paquets dorés de biscuits et des compotiers pleins de petits fours.
                        ZOLA, le Ventre de Paris, t. I, p. 44.

Par métonymie. *Un compotier de marmelade, de fruits*, le contenu d'un compotier.

2   Autour du compotier de reines-claude une guêpe bourdonnait, et toute la maison semblait ronronner avec elle sous la caresse de midi.
                        MARTIN DU GARD, les Thibault, t. II, p. 187.

Par compar. (à propos d'une vasque de fontaine) :

3   Au centre de leur pelouse, devant la terrasse à lions écailleux, s'élevait le compotier à trois plateaux étagés qui fournissait d'eau le bassin et ses poissons rouges.
                        COLETTE, Flore et Pomone, in Gigi, p. 148.

♦ **2.** Argot. Tête. — Loc. *S'en faire péter le compotier :* s'efforcer en vain.

Mon salaud, faut pas qu'ça te la coupe, mais j'suis trop ancien au peloton pour qu'on essaye de me passer des curettes ; et pour porter mon sabre sous le bras, macache, c'est midi sonné ; tu t'en ferais péter le compotier.
COURTELINE, les Gaîtés de l'escadron, p. 314.

1. COMPOUND [kɔ̃pund ; kɔmpawnd] adj. invar. et n. — 1874 ; mot angl., «composé».

Anglicisme. Technique.

♦ **1.** *Machine compound :* machine à vapeur à plusieurs cylindres dans lesquels la vapeur se détend successivement. — N. f. *Une compound.*

♦ **2.** (1887, *in* Höfler). Électr. *Enroulement, fil compound :* fil composé de différents métaux.

N. m. Composition isolante pour machines électriques.

♦ **3.** N. m. Mélange destiné à un moulage (matières plastiques, etc.).

Si l'on utilisait une aiguille d'acier assez fine et une matière abrasive dans le *compound* du disque *(ardoise),* l'aiguille était émoussée après quelques tours du disque.
P. GILOTAUX, l'Industrie du disque, p. 59.

DÉR. Compoundage.
HOM. 2. Compound.

2. COMPOUND [kɔmpund ; kɔmpawnd] n. m. — 1892, *in* Rey-Debove et Gagnon ; mot angl., altér. du malais *kampoug, kampœng* en afrikaans, «quartier clos».

♦ Didact. Enclos où vivent et sont surveillés des ouvriers travaillant dans une mine de substances précieuses. *Les compounds des mines de diamants d'Afrique du Sud.*
HOM. 1. Compound.

COMPOUNDAGE [kɔ̃pundaʒ] n. m. — 1894, *in* Höfler ; de 1. compound.

♦ Techn. Association, combinaison de plusieurs éléments.

COMPRADOR ou COMPRADORE [kɔ̃pʀadɔʀ] n. m. et adj. — 1841, *compradore, in* D.D.L. ; *comprador,* 1875 (cit. ci-dessous) ; mot portugais, «acheteur», de *comprar* «acheter», du lat. *comparare,* appliqué en Orient d'abord aux serviteurs chargés d'effectuer les achats (XVIIᵉ), puis aux intermédiaires commerciaux, notamment en Chine (XIXᵉ) ; le mot est connu en anglais, dans ce sens, depuis 1840.

♦ **1.** Ancienn. En Chine, commerçant fournissant les étrangers.

On y lit sur les enseignes du marché que «Ah-Yet», «Sam-Ching», «Canton Tom», et «Cheap Jack», sont prêts, comme *compradors* de vaisseaux, à fournir les quantités que l'on voudra de volaille, de viande de boucherie, de légumes et épiceries (...) au plus bas prix possible.
J. THOMSON, Voyage en Chine, *in* le Tour du monde, 1875, p. 361.

♦ **2.** Polit. Commerçant (national ou étranger) servant les intérêts d'occupants coloniaux ou néocolonialistes, dans un pays soumis à ces intérêts. *« Rien n'appartient au Tchad. Nous, nous voulons installer le socialisme marxiste à la place de ce régime de compradores »* (Interview de responsables du «Frolinat», in *Paris-Match,* nº 1367, 9 août 1975, p. 56). — Adj. (Mil. XXᵉ). *Activités compradores. Bourgeoisie compradore.*

COMPRÉHENSIBILITÉ [kɔ̃pʀeãsibilite] n. f. — 1829 ; de *compréhensible.*

♦ Caractère de ce qui est compréhensible. ⇒ **Clarté, intelligibilité.**

Nous accordons aux psychanalystes que toute réaction humaine est, à priori, compréhensible. Mais nous leur reprochons d'avoir justement méconnu cette «compréhensibilité» initiale en tentant d'expliquer la réaction considérée par une réaction antérieure, ce qui réintroduit le mécanisme causal : la compréhension doit se définir autrement. Est compréhensible toute action comme projet de soi-même vers un possible.
SARTRE, l'Être et le Néant, p. 537.

CONTR. Incompréhensibilité.

COMPRÉHENSIBLE [kɔ̃pʀeãsibl] adj. — 1375 ; lat. *comprehensibilis,* de *comprehendere.*

♦ **1.** Qui peut être compris, qui peut correspondre à une connaissance, à une représentation intellectuelle. ⇒ **Accessible, clair, intelligible, simple ; compréhensibilité** (cit.) ; et aussi **parler** (cela parle de soi). *Expliquer qqch. d'une manière compréhensible. Théorie, système plus ou moins compréhensible.* ⇒ **Concevable.** *Tenir des propos peu compréhensibles. Ce qui n'est pas compréhensible n'est pas explicable*.*

Dont on peut saisir la signification profonde et la raison d'être.
— REM. Cet emploi, illustré par la cit. 1 ci-dessous, recouvre en partie l'acception donnée en 2.

Je viens de me rendre compte, après y avoir beaucoup pensé depuis quelque temps,

qu'une séparation aussi totale n'est pas compréhensible, ne peut pas durer indéfiniment entre toi et moi.
J. ROMAINS, les Hommes de bonne volonté, t. IV, XVII, p. 187.
(...) si le surnaturel était compréhensible, il ne serait pas le surnaturel et (...) c'est justement parce qu'il outrepasse les facultés de l'homme qu'il est divin.
HUYSMANS, Là-bas, I, p. 14.

♦ **2.** Qui s'explique facilement et peut être au moins partiellement approuvé, excusé. ⇒ **Concevable.** *Une attitude compréhensible.* ⇒ **Défendable ; cohérent.** *C'est très compréhensible ; il est compréhensible que...* ⇒ **Évident, naturel, normal ; humain.** *Sa réaction est excessive, mais bien compréhensible.*

Ce qu'il y a de joli dans son indignation compréhensible, c'est qu'elle ne protesta pas pour elle, mais pour la mémoire de Chassériau vilainement travesti dans ce récit (...)
Émile HENRIOT, Portraits de femmes, Alice Ozy et ses poètes, p. 374.

CONTR. Incompréhensible.
DÉR. Compréhensibilité.

COMPRÉHENSIF, IVE [kɔ̃pʀeãsif, iv] adj. — 1501, repris XIXᵉ (1821, *in* D.D.L.) ; bas lat. *comprehensivus,* de *comprehendere.*

♦ **1.** Vx. Qui a la faculté de comprendre, de saisir par l'esprit. *Une intelligence compréhensive.*

Philos. Qui atteint un grand nombre d'objets de pensée. *Pensée compréhensive, compréhensive des relations spatiales, temporelles.* — Théol. *Connaissance, science compréhensive* (de Dieu, et parfois de l'intuition humaine en relation avec Dieu).

(Avec infl. de l'angl. *comprehensive*). *Une enquête compréhensive, très compréhensive.* ⇒ **Complet.**

♦ **2.** Mod. Qui est apte à comprendre autrui. ⇒ **Bienveillant, indulgent, large** (d'idées), **tolérant.** *Des parents compréhensifs. C'est un homme compréhensif : il vous excusera sûrement. Soyez compréhensive !*

Vous étiez, Sire, le meilleur et le plus compréhensif des sultans.
SUPERVIELLE, Shéhérazade, I, VII.

♦ **3.** Qui embrasse dans sa signification un nombre plus ou moins grand d'êtres, d'idées. ⇒ **Étendu, extensif, large, vaste.** — REM. Cet emploi, relativement courant, est contraire au sens logique du terme → ci-dessous, 4.

Le mot tiers état est évidemment plus étendu, plus compréhensif que celui de commune.
GUIZOT, *in* Pierre LAROUSSE.
C'est l'histoire *(celle de Gibbon)* la plus compréhensive qui se puisse voir...
SAINTE-BEUVE, Causeries du lundi, 29 août 1853.
Apaiser, c'est rendre la paix ; calmer, c'est rendre le calme. Comme calme est d'une signification plus étendue que paix, calmer est plus compréhensif que apaiser.
LITTRÉ, Dict., art. *Apaiser.*
Si telle est la portée économique du mot commerce, il est loin d'avoir juridiquement un sens aussi compréhensif.
COLSON, Cours d'économie politique, t. I, 1, p. 9.

♦ **4.** Log. Qui comprend un nombre plus ou moins grand de caractères (par oppos. à *extensif*). *«Animal» est un terme moins compréhensif que «vertébré». «Homme» est un terme plus compréhensif que «mammifère» : il faut énumérer plus de caractères pour le définir ; mais il est moins extensif.*

CONTR. Borné, obtus. — Entier, impitoyable, incompréhensif, intolérant. — (Du sens 4) Extensif.
DÉR. Compréhensivement.
COMP. Incompréhensif.

COMPRÉHENSION [kɔ̃pʀeãsjɔ̃] n. f. — 1372, repris XVIIIᵉ ; lat. *comprehensio,* de *comprehendere.* → Comprendre.

♦ **1.** Faculté de comprendre, d'embrasser par la pensée. ⇒ **Entendement, intelligence ; comprenette** (fam.), **comprenoire** (régional). *La compréhension de qqch.* (par qqn). *La compréhension de qqn, sa compréhension de qqch. Il a la compréhension lente. Cela dépasse ma compréhension.*

Avec cette prodigieuse compréhension de tout le détail et du plan universel de la guerre, on le voit toujours attentif à ce qui survient.
BOSSUET, Oraison funèbre du prince de Condé.
L'indulgence est la compréhension des causes du mal.
Max JACOB, Conseils à un jeune poète, p. 70.
(...) une compréhension intuitive, qui s'accompagne d'une trace de mimétisme.
J. ROMAINS, les Hommes de bonne volonté, t. III, II, p. 28.
M. le préfet (...) félicita (...) les ouvriers de leur intelligente compréhension de leurs intérêts corporatifs.
A. MAUROIS, Bernard Quesnay, XVIII, p. 118.

♦ **2.** (Choses). Possibilité d'être compris. ⇒ **Clarté, compréhensibilité, intelligence.** *La ponctuation est utile à la compréhension d'un texte. — Les poèmes de Mallarmé, les textes de Heidegger sont d'une compréhension malaisée.*

♦ **3.** Qualité par laquelle on comprend autrui. ⇒ **Bienveillance, indulgence, largeur** (d'idées), **mansuétude, tolérance.** *Être plein de compréhension à l'égard des autres. Avoir de la compréhension pour un coupable. Manquer de compréhension.*

♦ **4.** La totalité des éléments signifiés par un signe. *La compréhension de ce terme est très étendue.*

Log. Ensemble des caractères qui appartiennent à un concept, le constituent et servent à le définir*. ⇒ **Compréhensif** (4.) ; **caractéri-sation, détermination** (opposé à *extension*). — REM. *Compréhension* peut s'entendre en divers sens, comme l'observe Lalande, qui propose pour les préciser des qualificatifs afin d'éviter les équivoques.

5   Une idée est «plus ou moins abstraite» qu'une autre, selon que sa compréhension — c'est-à-dire l'ensemble des caractères qu'elle évoque — est plus ou moins restreinte que celle de cette autre.   CUVILLIER, Petit voc. de la langue philosophique.

6   La compréhension d'une idée consiste dans le nombre des éléments qui la composent, dans celui des idées dont elle est formée ou extraite.
        F. BRUNOT, la Pensée et la Langue, I, V, I, p. 135 (note).

CONTR. Incompréhension. — Obscurité. — Intolérance, obstination, sévérité. — Extension, indétermination.

COMPRÉHENSIVEMENT [kɔ̃preɑ̃sivmɑ̃] adv. — 1951 ; de *compréhensif*.

♦ **1.** De manière compréhensive, indulgente.

Jean-sans-Tête hocha la tête, compréhensivement.
        R. QUENEAU, le Dimanche de la vie, p. 213.

♦ **2.** Didact. De manière compréhensive (4.) ; en embrassant un nombre plus ou moins grand de caractères. *Définir un mot compréhensivement* (s'oppose à *extensivement*).

COMPRENDRE [kɔ̃prɑ̃dR] v. tr. — Conjug. *prendre.* — V. 1120 ; du lat. pop. *comprendere*, du lat. class. *comprehendere*, proprt «saisir» (→ Compréhension) ; les deux sens du mot existent dès Cicéron.

★ **I.** Embrasser dans un ensemble.

♦ **1.** (Sujet n. de chose). Contenir en soi en tant qu'élément constitutif. ⇒ **Comporter, compter, englober ; embrasser, impliquer, inclure, renfermer.** *La péninsule Ibérique comprend l'Espagne et le Portugal. Le concours comprendra trois épreuves. Le programme comprend une loterie.*

1   — *Roseau pensant...* par l'espace, l'univers me comprend *(sens I)* et m'engloutit comme un point ; par la pensée, je le comprends *(sens II).* PASCAL, Pensées, VI, 348.

2   La vente ou cession d'une créance comprend les accessoires de la créance, tels que caution, privilège et hypothèque.   Code civil, art. 1692.

3   L'étage comprenait quatre pièces en enfilade, desservies par un couloir obscur.
        MARTIN DU GARD, les Thibault, t. V, p. 50.

4   Avec l'Empire (ou plutôt le Commonwealth, comme on l'appelle désormais de préférence) le territoire relevant de l'influence britannique dans le monde comprend plus du quart de l'ensemble mondial.
        André SIEGFRIED, l'Âme des peuples, IV, p. 79.

♦ **2.** (Sujet n. de personne). Faire entrer dans un tout, une catégorie. ⇒ **Compter ; compte** (faire entrer en ligne de compte), **englober, inclure, incorporer, intégrer.** *Comprendre le voyage dans les frais généraux. Je le comprends dans mon équipe. Le recensement a été fait sans comprendre les étrangers, étrangers non compris* (→ ci-dessous, *compris*). *Comprendre dans un tout des éléments hétéroclites.* ⇒ **Mélanger, mêler.**

5   Qu'ils ne soient point compris en l'exil de leur mère (...)   CORNEILLE, Médée, I, 3.

★ **II.** (V. 1200, rare avant le XVe ; sujet n. de personne). Appréhender par la connaissance ; être capable de faire correspondre à (qqch.) une idée claire. *Chose facile, difficile à comprendre.* ⇒ **Compréhensible.** *Chercher à comprendre qqch. Éclair d'intelligence, trait de lumière, idée lumineuse qui font comprendre subitement quelque chose.*

Absolt. *Il comprend, il ne comprend pas.* — *Tout comprendre. Ne rien comprendre. Il ne comprend rien à rien* (cf. fam. N'y voir que du feu, n'y entraver, n'y piger que couic, que dalle).

♦ **1.** Donner à (qqch.) un sens clair. ⇒ **Déchiffrer, interpréter, piger** (fam.), **saisir, traduire.** *Comprendre l'énoncé d'un problème. Comprendre un discours, une explication* (⇒ **Suivre**), *une allusion* (⇒ **Entendre**). *Comprendre qqch. à... :* comprendre un peu, en partie. *Il n'y comprend rien ; il ne comprend pas un mot à ce texte.* — *Comprendre qqch. à demi-mot.* ⇒ **Mot. Faire comprendre qqch. à qqn, par qqn.** ⇒ **Apprendre, montrer ; démontrer, prouver.** — *Comprendre un mot,* connaître son sens*. *Comprendre un mot de telle façon,* l'interpréter. *Comprendre une langue étrangère.* ⇒ aussi **Lire.**

(Compl. n. de personne). *Comprendre qqn,* ce qu'il dit, écrit. *Il prononce mal, on le comprend à peine. Se faire comprendre :* être clair. — *Comprendre un code, un schéma, une carte :* savoir lire, déchiffrer*. — Absolt. (→ ci-dessous, cit. 6, 11 et 12). — Iron. *Il comprend vite, mais il faut lui expliquer longtemps !* : il met longtemps à comprendre.

6   (...) cette lenteur à comprendre (...) est la marque d'un bon jugement...
        MOLIÈRE, le Malade imaginaire, II, 4.

7   (...) je ne puis rien comprendre à ce baragouin.
        MOLIÈRE, les Précieuses ridicules, 4.

8   Le grimoire d'un sorcier semble facile à comprendre en comparaison de plusieurs articles de nos codes et de nos coutumiers.
        FRANCE, les Opinions de J. Coignard, Œ., t. VIII, XXI, p. 504.

9   S'il continuait à s'instruire, dévorant tout, le manque de méthode rendait l'assimilation très lente, une telle confusion se produisait, qu'il finissait par savoir des choses qu'il n'avait pas comprises.   ZOLA, Germinal, t. II, p. 21.

10   (...) il *(Yves)* apprenait à comprendre les cartes marines (...)
        LOTI, Mon frère Yves, XCIII, p. 226.

11   Qui se hâte a *compris* ; il ne faut point s'appesantir : on trouverait que les plus clairs discours sont tissus de termes obscurs.   VALÉRY, Monsieur Teste, p. 89.

12   Ce n'est pas du tout qu'elle soit incapable de comprendre ; mais elle veut trop vite avoir compris.   GIDE, Journal, 14 janv. 1912.

13   Sammécaud fit semblant de comprendre les plaisanteries des sketches.
        J. ROMAINS, les Hommes de bonne volonté, t. V, XXVI, p. 263.

Passif. *Être compris.*

14   (...) pour être compris, et aussi pour éviter toute fatigue inutile à l'interlocuteur, il faut se donner la peine de parler distinctement.
        A. DAUZAT, le Génie de la langue franç., p. 12.

♦ **2.** Se faire une idée claire des motifs, des causes de (qqch.). ⇒ **Apercevoir, pénétrer, saisir, sentir, voir.** *Comprendre la rancune d'une personne ; comprendre une attitude.* ⇒ **Admettre, approuver.** *Il comprendra votre attitude si elle est vraiment compréhensif*. Comprendre les causes, les motifs, les raisons... Faire comprendre à l'aide d'arguments, d'exemples.* ⇒ **Démontrer, prouver.** *Comprendre, savoir de quoi il retourne. Comprendre pourquoi, comment, de quelle manière... — Comprendre que...* (suivi du subjonctif). *Je ne comprends pas qu'il puisse s'ennuyer. Je comprends qu'il soit mécontent.* ⇒ **Concevoir.**

15   Ô toi qui sais aimer, réponds, amant d'Elvire, Comprends-tu que l'on parte et qu'on se dise adieu ?
        A. DE MUSSET, Lettre à Lamartine.

16   (...) il me paraît impossible de comprendre les actes des hommes sans se représenter leurs motifs.
        Ch. SEIGNOBOS, Hist. sincère de la nation franç., Introd., p. 9.

17   (...) certaines phrases de la sonate (...) apparaissaient comme tellement banales qu'on ne pouvait pas comprendre comment elles avaient pu exciter tant d'admiration.   PROUST, À la recherche du temps perdu, t. XII, p. 76.

18   Du désespoir de ce lévite, à peine sorti d'une adolescence attardée, elle n'avait jamais très bien compris les raisons secrètes.   F. MAURIAC, le Sagouin, I, p. 29.

19   On comprend que des affinités électives aient uni Proust à Ruskin.
        A. MAUROIS, À la recherche de Marcel Proust, IV, 2, p. 108.

20   Son renoncement, cet écrasement du cœur que j'ai eu sous les yeux, son désespoir dont j'ai souffert, ma pitié, ma révolte... tout cela je le comprends mieux aujourd'hui.   J. CHARDONNE, les Destinées sentimentales, Pauline, p. 230.

(Compl. n. de personne). *Comprendre qqn. Je le comprends :* je comprends son attitude, ses réactions, etc. — Absolt. *Il tâche de comprendre afin de pardonner* (cit. 10). *Faire comprendre qqch. à, par qqn. Ce qui fait comprendre une chose obscure, difficile :* explication, éclaircissement. ⇒ aussi **Clef** (du mystère...), **fil, mot** (de l'énigme).

♦ **3.** Se rendre compte de (qqch.). ⇒ **Apercevoir** (s'), **sentir, voir.** *Comprendre la portée d'un acte ; je comprends quelles difficultés il a pu rencontrer. Comprendre pourquoi, comment...* (suivi de l'indicatif). *Comprendre que...* (suivi de l'indicatif). *Je compris qu'il s'ennuyait en ma présence.*

21   Mais quand vous avez fait ce charmant «quoi qu'on die», Avez-vous compris, vous, toute son énergie ?
        MOLIÈRE, les Femmes savantes, III, 2.

22   S'il se vante, je l'abaisse ; s'il s'abaisse, je le vante et le contredis toujours, jusqu'à ce qu'il comprenne qu'il est un monstre incompréhensible.
        PASCAL, Pensées, VI, 420.

23   J'ai mis, à comprendre que mon âpreté était un mensonge, autant de temps qu'à devenir vieille.   COLETTE, l'Étoile Vesper, p. 92.

24   Il commençait à comprendre (...) qu'il ne s'agit pas de se mesurer, mais de s'assassiner.   MALRAUX, l'Espoir, p. 47 (→ Approcher, cit. 35).

25   (...) j'eus le sentiment que le visage de ma mère avait changé (...) il me fallait bien distinguer quelque chose de nouveau, de très triste et de très angoissant (...) Je compris tout cela soudain.
        DUHAMEL, les Pasquier, Le jardin des bêtes sauvages, p. 36.

Absolt. *Ah ! je comprends ! ; enfin j'ai compris !* ⇒ **Être** (j'y suis). *Tu comprends ?* (→ Tu vois* ?).

♦ **4.** (Sens fort). Avoir une connaissance intuitive, une compréhension de (qqch. ou qqn). ⇒ **Connaître, savoir, sentir.** *Comprendre la nature, l'art. Comprendre la plaisanterie,* l'admettre sans se vexer. *Comprendre le caractère de qqn.* — (Compl. n. de personne). *Je ne comprends pas votre ami. Personne ne me comprend.* ⇒ **Incompris.** *Se comprendre* (récipr.). ⇒ **Accorder** (s'), **entendre** (s'). *Ils ne se sont jamais compris.* — *Se comprendre soi-même.*

26   Critiques et louanges m'abîment et me louent sans comprendre un mot de mon talent.   Th. GAUTIER, cité par Ed. et J. DE GONCOURT, Journal, t. I, p. 182.

27   Il est clair qu'en ce moment on découvre la nature ; les écailles tombent des yeux ; on vient de comprendre, presque tout d'un coup, tout le dehors sensible, ses proportions, sa structure, sa couleur.   TAINE, Philosophie de l'art, t. II, III, I, p. 18.

28   Jusque-là les hommes n'avaient compris l'autorité que comme un appendice du sacerdoce.   FUSTEL DE COULANGES, la Cité antique, IV, VIII, p. 348.

29   Je fais souvent ce rêve étrange et pénétrant D'une femme inconnue (...) Et qui n'est chaque fois, ni tout à fait la même Ni tout à fait une autre, et m'aime et me comprend.
        VERLAINE, Poèmes saturniens, VI, «Mon rêve familier».

30   L'infini est notre premier sens intellectuel ; nous ne comprenons quelque chose que parce que nous comprenons Dieu.
        Émile FAGUET, Études littéraires, XVIIe s., p. 84.

31   Les expériences scientifiques sont faites d'après une idée préconçue et qu'il s'agit de vérifier ou de contrôler afin de comprendre le phénomène et de saisir (... *la circonstance*) qui constitue réellement son déterminisme *(du phénomène).*
        Cl. BERNARD, Principes de médecine expérimentale, p. 37.

32   Ce qui permet la suffisance de certains insuffisants auteurs d'aujourd'hui, c'est

leur incapacité de comprendre ce qui les dépasse, de jauger à leur juste valeur les grands écrivains du passé.   GIDE, *Pages de journal*, p. 27.

33   C'est sous cet angle qu'il faut envisager les États-Unis d'aujourd'hui si l'on se soucie de les comprendre.   André SIEGFRIED, l'*Âme des peuples*, VII, III, p. 171.

33.1   (...) elle disait qu'elle « n'était pas comprise » : c'est ce que disent toutes les femmes en qui il n'y a rien à comprendre.
                                                             MONTHERLANT, *Pitié pour les femmes*, p. 74.

34   Je ne dédaigne pas les autres. Bien loin de les dédaigner, je souhaiterais mieux les comprendre, car comprendre c'est déjà aimer.
                                                 BERNANOS, les *Grands Cimetières sous la lune*, III, p. 78.

35   Comprendre le monde pour un homme, c'est le réduire à l'humain, le marquer de son sceau.   CAMUS, le *Mythe de Sisyphe*, p. 32.

Allus. historique :

35.1   À partir du « je vous ai compris ! », lancé aux Algériens, il ne fut pas toujours aisé de le suivre *(de Gaulle)* dans tous ses cheminements.
                                        F. MAURIAC, le *Nouveau Bloc-notes 1958-1960*, p. 296.

Comprendre qqch. de telle ou telle manière. Comment comprenez-vous cette notion ? Comprendre la société comme un rapport de forces (→ ci-dessus, cit. 28).

▶ **SE COMPRENDRE** v. pron.

(Réfl.). *Je me comprends :* je sais ce que je veux dire. ⇒ **Entendre** (s'), 2., c.

(Passif). *Cela se comprend de soi.* ⇒ **Évident.**

(Récipr. ; au sens 4). *Ils n'arrivent pas à se comprendre. Ils sont fait pour se comprendre* (→ Bagarre, cit. 3).

▶ **COMPRIS, ISE** p. p. adj.

♦ **1.** Contenu dans qqch. *Je vous cède mes terres, la ferme comprise* (ou *la ferme y comprise*). *Il s'est fâché avec toute sa famille, y compris sa sœur.* — REM. Y est facultatif lorsque *compris* suit le nom ; il est obligatoire lorsque *compris* précède le nom ; dans ce cas, *compris* est invariable. *Cela fait 500 francs, pourboire non compris. Tout compris.* ⇒ **Net.** *Ma voiture me coûte tant par mois, tout compris. Compris entre :* dans l'intervalle (→ Assimilable, cit. 1). ⇒ **Situé.** *L'espace compris entre le bassin et la grille du jardin. Jours compris entre deux dates.* — Géom. *Angle compris entre deux côtés égaux.*

36   (...) je trouve que la portion du cercle comprise entre les deux côtés de l'angle est la sixième partie du cercle.   ROUSSEAU, *Émile*, II.

37   (...) je connus tout, y compris une douleur inattendue (...)
                                                E. FROMENTIN, *Dominique*, VII, p. 117.

38   Les statues des empereurs divinisés avaient constitué des lieux d'asile dans l'État païen ; la même faveur fut reconnue aux temples chrétiens, leurs dépendances y comprises.   A. ESMEIN, *Cours élémentaire d'hist. du droit franç.*, p. 149.

39   La religion totale — foi comprise — a toujours été pour moi toxique ; dès l'enfance (...)   J. ROMAINS, les *Hommes de bonne volonté*, t. IV, VII, p. 57.

39.1   Cette ignorance ne l'empêcha pas de venir à bout de tout le repas, jusques et y compris la peau du saucisson et la croûte du gruyère.
                                                R. QUENEAU, le *Dimanche de la vie*, p. 85.

♦ **2.** Dont le sens, les raisons, les idées sont saisis. ⇒ **Assimilé, enregistré, interprété, saisi.** *Une leçon comprise. Un texte mal compris,* et, par ext., *un auteur mal compris.* — Ellipt. *Compris ?* ⇒ **Vu** (fam.).

40   Si je siffle, tout le monde se rabat sur Barca. Compris ? — Compris.
                                                             MALRAUX, l'*Espoir*, p. 471.

40.1   Cent cinquante garçons bourdonnent dans la vaste salle à manger. J'ai tout de suite été avisé par le Père « qu'il n'y avait pas de micro ». Compris. Me voilà délivré de la petite angoisse que c'eût été de parler « d'abondance du cœur » à cette jeunesse dont je ne sais rien.   F. MAURIAC, le *Nouveau Bloc-notes 1958-1960*, p. 22.

(En parlant d'un signe, d'un mot, d'une langue, d'un style). *Dont le signifié est connu.* « *Cuider* » *n'est plus compris de nos jours. L'anglais est la langue la plus largement comprise en Asie du Sud-Est. Ce geste n'est pas compris de la même façon en Europe et en Chine.*

41   Parle droit ! Parle sans fard et sans apprêt ! Parle pour être compris. Compris, non pas d'un groupe de délicats, mais par les milliers, par les plus simples, par les plus humbles !   R. ROLLAND, *Jean-Christophe*, Introduction, XVII.

Bien compris ?, formule employée dans les communications militaires, après un message, pour s'assurer de sa réception.

41.2   Dans les automitrailleuses, après les embuscades, nous entendions : « Allô Panthère, ou Primevère, ou Dieu sait quoi ! vous entendez ? Le capitaine est mort. Bien compris ? » Pas de réponse (...) Puis, nous entendions un grincement de scie, d'où sortait : « Bien compris. Ici, Panthère » et ainsi de suite.
                                                MALRAUX, *Antimémoires*, Folio, p. 440.

CONTR. **Excepter, exclure, omettre. — Échapper, ignorer, méconnaître.**
DÉR. **Comprenette, comprenoire.**
COMP. **Incompris.**

COMPRENETTE [kɔ̃pʀənɛt] n. f. — 1896 ; de *comprendre.*

♦ Fam. Faculté de comprendre. ⇒ **Compréhension, comprenoire** (régional). *Il a la comprenette un peu dure, rouillée. Avoir la comprenette difficillette.*

À qui n'a pas connu cette rage de creuser, ce démon du système, cette fièvre mentale, ce délire d'absolu, je pense qu'il manquera toujours quelque chose du côté de la comprenette.   M. TOURNIER, le *Vent Paraclet*, p. 152.

COMPRENOIRE [kɔ̃pʀənwaʀ] n. f. — 1926 ; mot picard et normand ; dér. dialectal de *comprendre* (surtout Nord et Ouest) ; cf. *comprenure* en Bourgogne et dans l'Est, *comprenette* à Paris.

♦ Fam. Entendement, esprit. ⇒ **Comprenette.**

Je t'ai déjà dit que je l'avais balancé dans l'escalier, répondit-il avec une impatience agressive. T'as la comprenoire enrayée !
                                                Roger VERCEL, *Capitaine Conan*, XII, p. 218.

COMPRESSE [kɔ̃pʀɛs] n. f. — 1539 ; « action de serrer, de presser », v. 1159 ; de l'anc. franç. *compresser* « presser sur ». → Compresser, comprimer.

♦ Morceau de linge fin plusieurs fois replié que l'on applique sur une partie malade. ⇒ **Pansement** (cit. 1). *Compresse stérilisée. Compresse de gaze. Mettre une compresse sur une plaie pour absorber la suppuration. S'appliquer une compresse d'eau chaude sur un abcès, une compresse d'eau froide sur le front.*

(...) il avait imbibé la compresse et l'avait prestement dépliée sur le nez de l'enfant.   1
                                        MARTIN DU GARD, les *Thibault*, t. II, p. 141.

Il écarta la femme d'une poussée brusque, arracha la compresse qui couvrait le   2
visage de la petite opérée (...)   MARTIN DU GARD, les *Thibault*, t. II, p. 144.

Sur cet œil malade, mon père appliqua pendant plusieurs jours des compresses à   3
l'eau d'iris.   G. DUHAMEL, *Inventaire de l'abîme*, IV, p. 55.

COMPRESSER [kɔ̃pʀese] v. tr. — XIᵉ, repris de nos jours ; de *com-*, et *presser.*

♦ Serrer, presser. ⇒ **Comprimer.** — REM. Ce verbe et le p. p. *compressé* (pour *comprimer, comprimé*) sont critiqués par les puristes, mais usuels par analogie avec *presser, pressé.* — *On est un peu compressé dans le métro, aux heures de pointe.* ⇒ **Comprimé.**

CONTR. **Décompresser.**

COMPRESSEUR [kɔ̃pʀesœʀ] n. et adj. m. — 1824 ; nom d'un muscle, 1808 ; du lat. *compressus,* p. p. de *comprimere.* → Comprimer.

♦ **1.** Appareil qui comprime les gaz ou les vapeurs. *Compresseur frigorifique. Compresseur à pistons. Compresseur d'un moteur Diesel.*

Renand passa devant un compresseur, un bloc d'acier trapu qui bourrait d'air les caissons, lors des opérations de renflouement.   Roger VERCEL, *Remorques*, p. 117.

Chir., méd. Instrument qui sert à comprimer un organe, une artère, un nerf, etc. *Compresseur urétral. Compresseur de Dupuytren.*

♦ **2.** Adj. Qui comprime, tasse. *Un cylindre compresseur.*

Cour. **ROULEAU COMPRESSEUR.** ⇒ **Rouleau** (cit. 7 et *supra*). — Par métonymie. Engin de terrassement et de travaux publics, véhicule très lourd dont le train avant est constitué par un rouleau compresseur, et qui est utilisé notamment pour le compactage des agrégats (chaussées, etc.). — Fig. *Une politique de rouleau compresseur.* ⇒ **Rouleau.**

COMP. **Turbocompresseur.**

COMPRESSIBILITÉ [kɔ̃pʀesibilite] n. f. — 1680 ; de *compressible.*

Didactique.

♦ **1.** Propriété qu'ont les corps de pouvoir diminuer de volume sous l'effet d'une pression. ⇒ **Coercibilité, élasticité.** *La compressibilité des liquides est plus grande que celle des solides. Loi de Mariotte sur la compressibilité des gaz.*

♦ **2.** Fait de pouvoir être serré, restreint. *La compressibilité des dépenses, des frais. La compressibilité des effectifs.*

CONTR. **Incompressibilité.**

COMPRESSIBLE [kɔ̃pʀesibl] adj. — 1648 ; de *compressus* « comprimé ».

♦ **1.** Qui peut être comprimé. ⇒ **Coercible, comprimable, condensable, élastique.** *L'air est compressible* (→ Baromètre, cit. 2). *Les solides sont peu compressibles.*

Un fluide rare, transparent, compressible et élastique, qui environne un corps, en s'appuyant sur lui, est ce que l'on nomme son atmosphère.
                                        LAPLACE, *Exposition du système du monde*, IV, 10.

♦ **2.** Fig. Qui peut être diminué. *Des dépenses compressibles,* que l'on peut restreindre. — *Des sentiments, des pulsions difficilement compressibles.*

CONTR. **Dilatable, expansible, incompressible.**
DÉR. **Compressibilité.**
COMP. **Incompressible.**

COMPRESSIF, IVE [kɔ̃pʀesif, iv] adj. — 1478, *comprissif* ; lat. médiéval *compressivus,* de *comprimere.* → Comprimer.

♦ **1.** Didact. Qui sert à comprimer. — Chir. *Bandage compressif.*

♦ 2. Fig. Littér. et rare. *Mesures compressives, régime compressif,* contraires à la liberté. ⇒ **Comprimant, oppressif.**

C'était tout simple qu'une Turre-Cremata épousât un Sierra-Leone (...) même pour moi, élevée (...) dans cette dure et compressive étiquette qui empêcherait les cœurs de battre, si les cœurs n'étaient pas plus forts que ce corset de fer.
  BARBEY D'AUREVILLY, les Diaboliques, « La vengeance d'une femme » (1874).

CONTR. (Du sens 1) **Extensif.** — (Du sens 2) **Libéral.**

COMPRESSION [kɔ̃pʀesjɔ̃] n. f. — 1314 ; lat. *compressio*, de *comprimere*. → Comprimer.

♦ 1. Action de comprimer ; résultat de cette action. ⇒ **Pression.** *Compression de l'air. La densité d'un corps est proportionnelle à sa compression. Pompe de compression.* — *Compression des marchandises destinées à être embarquées.* ⇒ **Estivage.** *Détruire par compression.* ⇒ **Écrasement.** — *Corps meurtri par compression.* ⇒ **Contus, contusion.**

1 Comme les différentes couches de l'atmosphère sont capables de dilatation et de compression (...)
  D'ALEMBERT, Œuvres, t. XIV, p. 29, *in* POUGENS.

Par métonymie. Ce qui est comprimé. — Spécialt (art). Œuvre obtenue par compression (de matériaux divers : voitures, etc.). *Les compressions du sculpteur César.*

♦ 2. (XVᵉ). Vx. Contrainte, oppression. *Mesures de compression :* mesures politiques contraires à la liberté. — (1878). Cour. *Compression des dépenses.* ⇒ **Économie, réduction, restriction.** *La compression du personnel.* ⇒ **Dégraissage.** *Une, des compressions de dépenses, de personnel.*

2 (...) après une si longue compression la démocratie ne devait pas s'arrêter à des réformes politiques, mais (...) elle devait arriver du premier coup aux réformes sociales.
  FUSTEL DE COULANGES, la Cité antique, IV, XIII, p. 411.

3 (...) resserré par la compression de sa case sociale et déjeté tout d'un côté par une spécialité et une monomanie comme les personnages de Balzac.
  TAINE, Philosophie de l'art, t. II, IV, II, III, p. 159.

Littéraire :

4 Les romanciers nous abusent lorsqu'ils développent l'individu sans tenir compte des compressions d'alentour.
  GIDE, les Faux-monnayeurs, III, VI, p. 351.

CONTR. Décompression, dilatation, expansion, extension. — **Élargissement, gonflement.**

COMP. Décompression.

COMPRIMABLE [kɔ̃pʀimabl] adj. — 1845 ; de *comprimer*.

♦ Qui peut être comprimé. ⇒ **Compressible.**

COMPRIMANT, ANTE [kɔ̃pʀimɑ̃, ɑ̃t] adj. — P. prés. de *comprimer*.

♦ Didact. ou littér. Qui comprime (propre ou fig.). « *L'action comprimante de la justice* » (Claudel, *in* T. L. F.). ⇒ **Compressif.**

COMPRIMÉ [kɔ̃pʀime] n. m. — 1920 ; de *comprimer*.

♦ 1. Pastille pharmaceutique faite de poudre comprimée. *Prendre un comprimé d'aspirine.* ⇒ **Cachet** (abusif).

Spécialt. Pastille contenant sous un volume réduit des substances alimentaires. *Des comprimés de potages. Rêver du jour où l'on se nourrira de comprimés.*

♦ 2. Fig. Connaissances, informations condensées. *Absorber des comprimés de littérature, de droit... Mettre une théorie en comprimés.*

COMPRIMER [kɔ̃pʀime] v. tr. — 1314, « opprimer, contenir (une manifestation) » ; lat. *comprimere*, de *com- (cum)*, et *premere* « serrer, presser ».

♦ 1. Exercer une pression sur (un corps) pour diminuer le volume. ⇒ **Compresser, presser, serrer ;** et aussi **diminuer, réduire, restreindre.** *Comprimer de l'air. Comprimer une artère pour éviter l'hémorragie.* — *Se comprimer le buste avec un corset. Comprimer qqch. pour le rendre plat.* ⇒ **Aplatir.** *Comprimer un objet contre qqch., entre deux choses.* ⇒ **Coincer, écraser, resserrer.** *Comprimer des marchandises destinées à être embarquées.* ⇒ **Estiver.** *Comprimer un corps pour en exprimer le suc.* ⇒ **Épreindre, presser.**

1 Jacques (...) comprimait le menton contre sa poitrine afin qu'aucun sanglot ne pût jaillir de sa gorge (...)
  MARTIN DU GARD, les Thibault, t. I, p. 140.

2 (...) le buste bien pris dans une robe de drap qui lui comprimait la gorge.
  G. DUHAMEL, Chronique des Pasquier, II, III, I.

3 Il se leva et son cœur battit si fort qu'il se comprima la poitrine des deux mains.
  P. MAC ORLAN, la Bandera, XV, p. 186.

♦ 2. (V. 1380). Abstrait. Empêcher de se manifester. ⇒ **Contraindre, empêcher, opprimer, refouler, réprimer, retenir.** *Comprimer des factions. Comprimer l'opinion. Comprimer sa colère, ses larmes, sa peur.*

4 Il y a au fond de presque tous les hommes je ne sais quel sentiment d'envie qui veille incessamment sur leur cœur pour y comprimer l'expression de la louange méritée, ou y enchaîner l'élan du juste enthousiasme.
  HUGO, Littérature et Philosophie mêlées, Journal des idées, Fantaisie.

---

5 Puis, il s'était habitué par degrés à comprimer ses sentiments, à se faire de son cœur un sanctuaire où il se retirait. BALZAC, le Cousin Pons, Pl., t. VI, p. 535.

6 Tout ce que la misère et les défiances d'un rétractile orgueil avaient, jusque-là, comprimé, fit explosion : l'ignorance, les niaises pudeurs, les crédulités jobardes, les lyriques éruptions, les attendrissements dangereux (...)
  Léon BLOY, le Désespéré, I, Le départ, p. 41.

Absolument :

7 Comprimez ! Opprimez ! Vous ne supprimerez pas. GIDE, Corydon, p. 50.

▶ COMPRIMÉ, ÉE p. p. adj.

♦ 1. Diminué de volume par pression. *De l'air comprimé. Machine-outil à air comprimé.* ⇒ **Pneumatique.** — *Être comprimé dans un train bondé.* — REM. On emploie parfois **compressé*** (critiqué).

8 Il (*l'enfant*) était moins à l'étroit, moins gêné, moins comprimé dans l'amnios qu'il n'est dans les langes. ROUSSEAU, Émile, I.

9 Le son n'est-il pas une modification de l'air, comprimé, dilaté, répercuté ?
  BALZAC, Séraphîta, Pl., t. X, p. 556.

10 (...) plus la source du jet d'eau est comprimée, plus il monte haut.
  Max JACOB, Conseils à un jeune poète, p. 18.

11 Alors sa taille, une fois libre, devint plus parfaite ; n'étant plus comprimée, ni trop amincie par le bas, elle reprit ses lignes naturelles, qui étaient pleines et douces (...)
  LOTI, Pêcheur d'Islande, I, V, p. 54.

12 Je lui trouvai le nez long, et cette face figure comme comprimée entre deux battants de porte, qu'on voit aux gens qui croient dissimuler leurs contrariétés.
  COLETTE, la Naissance du jour, p. 159.

Aplati sur les côtés. *Un front comprimé.*

13 Le buffle a les cornes moins rondes et en partie comprimées.
  BUFFON, Hist. nat. des animaux, Le buffle.

♦ 2. Littér. ou style soutenu. Dont on empêche les manifestations. ⇒ **Opprimé, refoulé, réprimé.**

14 (...) je me vis sur le déclin de l'âge (...) sans avoir effleuré du moins cette enivrante volupté que je sentais dans mon âme en puissance, et qui, faute d'objet, s'y trouvait toujours comprimée, sans pouvoir s'exhaler autrement que par mes soupirs.
  ROUSSEAU, les Confessions, IX.

15 (...) la vague heureuse est lancée au but comme un trait, tandis qu'une fois au-dessus du niveau commun, l'énergie humaine, jusque-là comprimée, réagit, se déploie, pose le pied où elle veut, et tient l'empire (...)
  SAINTE-BEUVE, Volupté, VII, p. 61.

16 Ce mécontentement, pour ne pouvoir, sous ce régime dictatorial, s'exprimer à trop haute voix, était pourtant patent, et, pour être comprimé, n'était que plus violent.
  Louis MADELIN, l'Ascension de Bonaparte, XIII, p. 181.

17 Il se sentaient assez riches pour se permettre d'organiser une féerie à la mesure de leurs désirs comprimés. P. MAC ORLAN, la Bandera, VI, p. 74.

CONTR. Décomprimer, desserrer, dilater, étendre. — **Étaler, exhaler, exprimer, extérioriser, libérer, manifester.**

DÉR. Comprimable, comprimant, comprimé.

COMP. Décomprimer, surcomprimer.

COMPROMETTANT, ANTE [kɔ̃pʀɔmetɑ̃, ɑ̃t] adj. — 1842 ; de *compromettre*.

♦ Qui compromet ou peut compromettre. *Opinion compromettante. Avoir des relations compromettantes. Documents très compromettants. Un homme compromettant. Ce n'est pas compromettant : cela ne présente aucun risque ; cela n'engage à rien.*

C'est à la limite n'importe quel travail social qui est « compromettant » et même « scandaleux », et cela dans la mesure même ou ses produits, en échappant à leur créateur, nourrissent indistinctement honnêtes gens et crapules sans qu'on puisse en suivre indéfiniment la transformation et l'emploi.
  Raymond ABELLIO, Ma dernière mémoire, t. II, p. 85.

COMPROMETTRE [kɔ̃pʀɔmetʀ] v. — Conjug. *mettre.* — 1283 ; du lat. jurid. *compromittere*, de *com- (cum)*, et *promittere*, d'après *promettre*.

♦ 1. V. intr. Dr. S'en remettre à l'arbitrage d'un ou de plusieurs juges. ⇒ **Rapporter** (s'en), **référer** (se) ; **compromis ; compromissoire** (clause).

1 Toutes personnes peuvent compromettre sur les droits dont elles ont la libre disposition. Code de procédure civile, art. 1003.

2 Le mandataire ne peut rien faire au delà de ce qui est porté dans son mandat : le pouvoir de transiger ne renferme pas celui de compromettre.
  Code civil, art. 1989.

(1580). Fig. (Vieilli). S'en remettre, se soumettre à.

3 L'incertitude de mon jugement est si également balancée en la plupart des occurrences que je compromettrais volontiers à la décision du sort et des dés.
  MONTAIGNE, Essais, II, 17.

♦ 2. V. tr. (1690). Mettre dans une situation critique, en exposant au jugement d'autrui. ⇒ **Exposer, impliquer.** *Compromettre qqn en l'engageant dans des affaires peu honnêtes, en se servant de son nom. Jouer serré pour ne pas se laisser compromettre par un chantage* (→ Avilir, cit. 4). *Se compromettre avec un misérable* (→ Avilir, cit. 4). *Craindre de se compromettre* (→ Circonspect, cit. 5). ⇒ **Commettre** (se). — *Compromettre sa santé. Compromettre son autorité, sa dignité, son honneur, son prestige, sa réputation.* ⇒ **Risquer.** *Compromettre l'honneur de qqn.* ⇒ **Atteindre, blesser, entacher.** *Compromettre ses chances.* ⇒ **Diminuer.** — REM. Dans ce sens, la forme transitive indirecte (avec *de...*), employée au XVIIᵉ s. (→ ci-dessous, cit. 4), est aujourd'hui inusitée.

4   (...) il me serait honteux qu'il *(mon nom)* y passât *(à la postérité)* avec cette tache, et qu'on pût à jamais me reprocher d'avoir compromis de ma réputation.
CORNEILLE, *Avertissement du Cid.*

5   Un homme de cette conséquence *(un créole)...* ne se résoudrait jamais, par une vile et mécanique industrie de *(à)* compromettre l'honneur et la dignité de sa peau.
MONTESQUIEU, *Lettres persanes*, 78.

6   Il se peut que le ministère ne veuille pas se compromettre, en demandant grâce pour ceux dont l'entremise n'a pas été avouée par lui.
VOLTAIRE, *Lettre à Richelieu*, 30 mai 1772.

7   Les nuances infinies par lesquelles nos langues analytiques sont si supérieures, peuvent et doivent être étudiées. Mais il faut se garder des excès qui ne pourraient que compromettre une méthode féconde pour l'éducation de l'esprit. C'est une question de prudence et de tact.
F. BRUNOT, *la Pensée et la Langue*, II, X, XIV, p. 405.

8   L'amitié de Barras le *(Bonaparte)* compromet, aux yeux des gens plus qu'elle ne le sert.
Louis MADELIN, *l'Ascension de Bonaparte*, II, p. 21.

9   — Je regrette cette décision. Tu compromets ta carrière pour un scrupule honorable, mais déplacé.
J. CHARDONNE, *les Destinées sentimentales, La femme de J. Barnery*, p. 146.

Spécialt (en parlant d'un homme). Nuire à la réputation de (une femme) par ses actes, ses paroles, spécialt, en manifestant que l'on a des relations sexuelles avec elle (dans un contexte social réprobateur). *Compromettre une femme, une jeune fille.* — *Cette femme se compromet.*

10   Vous vous compromettez d'une horrible manière, et, si vous n'y prenez garde, vous allez vous perdre de réputation...
Th. GAUTIER, *Fortunio*, p. 74.

▶ **COMPROMIS, ISE** p. p. adj.
Exposé à un dommage (matériel ou moral). *Place compromise par une démarche inconsidérée. Réputation compromise. Être gravement compromis par des indiscrétions. Il est plus que compromis, il est perdu* de réputation* (cf. Être pris, et, fam., cuit, fait, refait).

11   Les plus compromis de ses adhérents ne pensaient qu'à la fuite (...)
MÉRIMÉE, *Hist. du règne de Pierre le Grand*, p. 53.

12   Il se reprochait d'avoir subi depuis un mois l'enveloppement de Sammécaud et de s'être compromis, d'une façon peut-être irréparable.
J. ROMAINS, *les Hommes de bonne volonté*, t. III, XVI, p. 217.

13   (...) les pires situations demeurent aisées tant qu'aucune parole ne les a irréparablement compromises.
Edmond JALOUX, *les Visiteurs*, IV, p. 41.

Homme compromis, femme compromise, dont la réputation n'est pas intacte (en parlant d'une femme, concerne notamment les jugements négatifs concernant la sexualité).

CONTR. Justifier. — Affirmer, assurer, garantir. — Respecter.
DÉR. Compromettant, compromission.

COMPROMIS [kɔ̃pʀomi] n. m. — XIIIᵉ; lat. *compromissum*, du p. p. de *compromittere*. → Compromettre.

♦ **1.** Dr. Convention par laquelle les parties, dans un litige, recourent à l'arbitrage* d'un tiers. *Faire, dresser, passer, signer un compromis. Mettre en compromis une affaire douteuse, litigieuse.*

1   Le compromis pourra être fait par procès-verbal devant les arbitres choisis, ou par acte devant notaire, ou sous signature privée.
Le compromis désignera les objets en litige et les noms des arbitres, à peine de nullité.   *Code de procédure civile*, art. 1005 et 1006.

Convention provisoire par laquelle deux personnes constatent leur accord sur les conditions d'une vente, en attendant l'acte notarié de régularisation.

♦ **2.** Arrangement* dans lequel on se fait des concessions mutuelles. ⇒ **Accord, amiable** (cit. 2); **composition; transaction** (→ Mezzotermine). *En arriver, consentir à un compromis. Compromis branlant, chancelant, imparfait* (→ Cote* mal taillée).

2   Qui part d'une équivoque ne peut aboutir qu'à un compromis.
BERNANOS, *les Grands Cimetières sous la lune*, p. 234.

3   (...) il avait refusé d'accepter un nécessaire compromis entre la perfection du temple grec et le chaos originel.
A. MAUROIS, *Études littéraires, Jacques de Lacretelle*, t. II, p. 221.

♦ **3.** (Fin XIXᵉ). Fig. État, situation intermédiaire, moyen terme.

4   Un chapeau noir qui était un compromis entre le melon et le haut-de-forme.
M. AYMÉ, *la Jument verte*, p. 29.

DÉR. Compromissoire.

COMPROMISSION [kɔ̃pʀomisjɔ̃] n. f. — 1262, «compromis»; de *compromis*, p. p. de *compromettre*.
Littéraire ou style soutenu. (Souvent au pluriel).

♦ **1.** (1787). Action de transiger avec ses principes. ⇒ **Accommodement.**

♦ **2.** (1860). Action, parole par laquelle on est compromis. *Être exposé à des compromissions. Consentir à toutes les compromissions.*

COMPROMISSOIRE [kɔ̃pʀomiswaʀ] adj. — 1848; de *compromis*, et *-oire*, d'après *compromission.*

♦ Dr. Relatif au compromis. ⇒ **Arbitrage.** *Clause compromissoire* : clause insérée dans un contrat et par laquelle les parties s'engagent,

en cas de contestation, à s'en remettre à des arbitres (Code de commerce, art. 631).

COMPTA [kɔ̃ta] n. f. ⇒ Comptabilité.

COMPTABILISABLE [kɔ̃tabilizabl] adj. — Mil. XXᵉ (attesté 1964); de *comptabiliser.*

♦ Qui peut être comptabilisé. *Résultats, sommes comptabilisables.*

COMPTABILISATION [kɔ̃tabilizasjɔ̃] n. f. — Mil. XXᵉ (attesté 1957); de *comptabiliser.*

♦ Action de comptabiliser; son résultat. Fait d'être comptabilisé. *La comptabilisation des recettes et des dépenses.*

COMPTABILISER [kɔ̃tabilize] v. tr. — 1900; de *comptable.*

♦ **1.** Inscrire dans la comptabilité; établir (une valeur) d'après les techniques comptables.

♦ **2.** Par métaphore ou fig. Évaluer quantitativement. *Comptabiliser les chances de succès.* — Pron. :

L'avenir m'inspire une confiance irréfléchie. Oui, tant pis pour les chiffres : un an, deux ans, six mois. La vie ne se comptabilise pas.
Pierre MOUSTIERS, *la Mort du pantin*, p. 173.

DÉR. Comptabilisable, comptabilisation.

COMPTABILITÉ [kɔ̃tabilite] n. f. — 1579; de *comptable.*

♦ **1.** Tenue des comptes; ensemble des comptes tenus selon les règles. ⇒ **Compte.** *Apprendre la comptabilité. Cours de comptabilité. Règles de la comptabilité. Comptabilité bien, mal tenue. La comptabilité d'une entreprise, d'une industrie, d'un magasin... La comptabilité d'un médecin, d'un pharmacien... Comptes, éléments d'une comptabilité.* ⇒ **Actif, avoir, crédit, profit; débit, doit, passif, perte; capital, espèce(s), valeur(s); solde.** *Comptabilité matières*, qui se rapporte aux objets matériels en magasin. *Tableau de comptabilité.* ⇒ **Balance, bilan.** *Livres de comptabilité.* ⇒ **Livre** (de copie de lettres, journal, inventaires); **brouillard, brouillon, mémorial, sommier.** *Double d'un registre de comptabilité.* ⇒ **Contrepartie.** — *Tenir, gérer une comptabilité. Examiner, vérifier la comptabilité d'une entreprise. L'inspecteur du fisc veut voir votre comptabilité. Comptabilité en partie simple* (⇒ **Unigraphie**), dans laquelle le commerçant n'établit le compte que de la personne à qui il livre ou de qui il reçoit. *Comptabilité en partie double.* ⇒ **Digraphie.** — *Comptabilité informatisée.*

(...) il existe dans la pratique un grand nombre de livres auxiliaires ou facultatifs; ils varient suivant l'importance des maisons de commerce et leur spécialité. La plupart se réfèrent à une catégorie particulière d'opérations (livre de caisse, livre de traites et billets, livre de factures et commissions, etc.). Le seul dont l'objet soit général est le *grand-livre.* Ce registre est indispensable pour la tenue de la comptabilité en partie double. Toutes les opérations y figurent deux fois à des comptes différents, dont les uns sont les comptes généraux, correspondant aux divers éléments de l'actif et du passif de la maison, les autres comptes particuliers, concernant chacun de ses fournisseurs et clients habituels. Ce mode de comptabilité présente les meilleures garanties d'exactitude.
Léon LACOUR, *Précis de droit commercial*, nᵒ 58.

Comptabilité publique : «ensemble des règles qui concernent la gestion des finances publiques, c'est-à-dire la préparation, le vote, l'exécution et le contrôle du budget de l'État, ainsi que des budgets des collectivités et établissements publics» (Dalloz, *Nouveau répertoire*). *Agent de la comptabilité publique.* ⇒ **Comptable, ordonnateur.**

Comptabilité économique ou *nationale* : présentation comptable des informations chiffrées relatives à l'activité économique de la nation. — Abrév. fam. : *compta, conta* (1931, *in* D.D.L.).

♦ **2.** Service chargé d'établir les comptes. ⇒ **Comptable.** *Chef de la comptabilité.* ⇒ **Comptable** (chef de comptabilité). *Commission de comptabilité.* — Local où se tient le personnel de la comptabilité. *L'accès de la comptabilité est interdit.*

♦ **3.** Fig. Détermination précise, détaillée. ⇒ **Décompte.** *Tenir la, une comptabilité précise de...*

COMPTABLE [kɔ̃tabl] adj. et n. — 1340, «qu'on peut compter»; de *compter.*

★ **I.** Adj. ♦ **1.** (XVᵉ). Qui a des comptes à rendre. *Agent comptable* (→ ci-dessous, II.). *Officier comptable.*

♦ **2.** Fig. *Être comptable de...* ⇒ **Responsable.** *N'être comptable à personne de ses actions. Comptable de... envers sa patrie.*

1   Il est de tout son sang comptable à sa patrie (...)
CORNEILLE, *Horace*, III, 6.

2   Tout tuteur est comptable de sa gestion lorsqu'elle finit.
Code civil, art. 469.

3   Comme il est injuste et absurde de rendre les êtres humains comptables de leurs promesses !
A. MAUROIS, *Climats*, I, IX, p. 71.

♦ **3.** (XVIIIᵉ; choses). Qui concerne la comptabilité. *Pièce, quittance* *comptable*, en due forme. — *Plan comptable normalisé*, pour établir une comptabilité. *Règles comptables. Machine, caisse comptable.*

★ II. N. (1469). Personne dont la profession est de tenir les comptes. *Comptable qui tient les livres.* ⇒ **Facturier, teneur** (de livres). *Expert-comptable. Comptable agréé. Chef comptable. Une bonne comptable. Comptable de la Direction générale des impôts* : préposé aux recouvrements et aux paiements des deniers publics (receveur des impôts, conservateur des hypothèques, etc.).

> Entre deux le comptable connaît un ordre abstrait, car le gain et la perte se comptent par la même arithmétique.
> ALAIN, les Idées et les Âges, v, *in* les Passions et la Sagesse, Pl., p. 213.

DÉR. Comptabiliser, comptabilité.
CONTR. Incomptable.

COMPTAGE [kɔ̃taʒ] n. m. — 1567 ; *comptaige*, 1415 ; de *compter*.

♦ 1. Fait de compter. *Le comptage de plusieurs éléments, objets par qqn. Faire de nombreux comptages.*

> Afin de faciliter sa tâche d'inspection, elle essaie d'abord de compter les portes qui s'ouvrent de chaque côté du couloir (...) le nombre (...) a augmenté d'une unité entre le premier comptage et le second.
> A. ROBBE-GRILLET, Projet pour une révolution à New York, p. 123.

Spécialt. Dénombrement d'éléments nombreux au moyen d'un dispositif spécial. *Comptage des voitures sur une autoroute. « Comptage d'atomes »* (P. Rousseau, *De l'atome à l'étoile*, p. 27). ⇒ **Compteur.**

♦ 2. Énumération de nombres de deux en deux, de trois en trois, etc. *Exercices de comptage servant d'entraînement au calcul mental.*

HOM. Contage.

COMPTANT [kɔ̃tɑ̃] adj. m., n. m. et adv. — V. 1265, *contens* «payé sur-le-champ» ; p. prés. de *compter*.

♦ 1. Que l'on compte sur-le-champ. *Argent comptant, deniers comptants*, payés sur l'heure et en espèces (opposé à *à terme*). → *Argent*, cit. 51.1 et *supra*.

> Argent comptant il faut s'y fier
> Comme à un soleil absent.
> ÉLUARD, Cours naturel, « La mauvaise parole », Pl., t. I, p. 827.

Loc. (Vieilli). *C'est de l'argent comptant* : cela ne peut manquer d'arriver. — *Avoir de l'esprit argent comptant* : avoir la repartie prompte.

Mod. *Prendre qqch. pour (de l') argent comptant* : croire trop facilement ce qui est dit ou promis.

♦ 2. N. m. (Vx). Argent comptant. *Avoir, amasser du comptant. Voilà tout mon comptant.*

Loc. mod. *Au comptant* : en argent comptant (espèces) ou par chèque portant la somme totale, sans terme ni crédit. *Acheter, vendre au comptant. Achat au comptant.*

> Il avait du comptant
> Et partant
> De quoi choisir. Toutes voulaient lui plaire (...) LA FONTAINE, Fables, I, 17.

♦ 3. Adv. *Payer, régler comptant, au comptant.*

> (...) lorsqu'il écrivait de sa main, le jour voulu, une lettre polie et véridique, payait comptant, livrait exactement ce qu'il avait promis, il croyait se conformer aux commandements de Dieu.
> J. CHARDONNE, les Destinées sentimentales, La femme de J. Barnery, I, p. 13.

Fig. *Payer comptant* : rendre immédiatement (en bien ou en mal) ce qu'on nous a fait.

CONTR. Crédit, terme.
HOM. Contant (p. prés. du v. *conter*), **content.**

COMPTE [kɔ̃t] n. m. — 1549 ; *conte*, v. 1165 ; *cunte*, 1080 ; du lat. *computus*, de *computare*. → Compter.

★ I. ♦ 1. Action d'évaluer une quantité (⇒ **Compter**) ; cette quantité. ⇒ **Calcul, dénombrement, énumération.** *Faire un compte, le compte de... Le compte des dépenses. Faire le compte des suffrages exprimés.* ⇒ **Recensement, statistique, total.** *Le compte n'y est pas* : le résultat n'est pas ce qu'il devrait être. *Un compte rond*, sans fraction, ou qui tombe bien. *Le compte des points.* ⇒ **Décompte.**

> Les plaisirs qu'on a dans le sommeil, on ne les fait pas figurer dans le compte des plaisirs éprouvés au cours de l'existence.
> PROUST, À la recherche du temps perdu, t. X, p. 153.

> J'ai fait mes comptes. J'ai fait une espèce de recensement.
> G. DUHAMEL, Cri des profondeurs, XII, p. 241.

Le compte des dix secondes du knock-out (boxe). — Absolt. *Aller au tapis pour le compte. Compte à rebours.* ⇒ **Rebours** (suivi du compte positif, concernant le vol).

♦ 2. Loc. fig. *À, selon votre compte* (vx) : d'après vous.

> Je suis donc bien coupable, Alceste, à votre compte ?
> MOLIÈRE, le Misanthrope, I, 1.

Mod. **À CE COMPTE-LÀ** : d'après ce raisonnement, avec cette

manière de faire, d'agir. *Vous allez répéter ce que je viens d'entendre ? À ce compte-là, vous n'allez pas vous faire que des amis !*

Au bout du compte : tout bien considéré. — *En fin de compte* : après tout, pour conclure. — Fam. *Fichez-nous la paix, à la fin du compte.* ⇒ **Fin** (à la fin).

> On trouve au bout du compte que les choses sont bien comme elles sont.
> FONTENELLE, Sapho, Laure.

Être loin de compte, loin du compte (du total) : se tromper de beaucoup ; ou encore : être très en-deçà de ce qu'on escomptait. *Deux ans pour ce travail ! Vous êtes encore loin du compte !*

Tout compte fait : tout bien considéré (→ Avoir, cit. 24 ; bouquiner, cit. 1).

Vx. *De bon compte* : pour le moins. *Ce placement lui rapporte, de bon compte, cent mille francs par an.*

♦ 3. *Le compte de qqn* : l'argent dû à qqn. *Donner, régler son compte à qqn, à un employé*, lui donner son dû, et, par ext., le congédier. *Avoir, recevoir son compte.*

Fig., fam. *Régler son compte à qqn*, lui faire un mauvais parti. *Règlement* de compte. — *Son compte est bon* : il aura ce qu'il mérite. *Ton compte est bon !* (menace). — *Il a eu son compte*, tout ce qu'il pouvait supporter. *Avoir son compte* : être ivre.

> Pharaon s'y trompera, croira les Hébreux égarés au désert et pensera saisir l'occasion de leur régler leur compte. DANIEL-ROPS, le Peuple de la Bible, II, I, p. 96.

> Les nationalistes, les capitalistes, tous les *gros*, on les retrouvera après ! et on leur réglera leur compte (...) MARTIN DU GARD, les Thibault, t. VII, p. 282.

> Tu as pensé qu'il suffisait tout bêtement de payer des tueurs pour me régler mon compte ? M. AYMÉ, la Tête des autres, III, 6.

> — On finira bien par l'arrêter, le bandit, tu entends ? Et toi, toi, tu auras ton compte. Tu es sa complice, tu as reçu de l'argent pour te taire. Tout le monde le dit. C'est sûr. J. GREEN, Léviathan, II, I, p. 140.

> (...) le XXᵉ siècle n'a pas inventé la haine. Mais il cultive une variété particulière qui s'appelle la haine froide, mariée avec les mathématiques et les grands nombres. La différence entre le massacre des Innocents et nos règlements de comptes est une différence d'échelle.
> CAMUS, Actuelles II, Justice et haine, *in* Essais, Pl., p. 726.

> Alors, vous faites pas d'illusion, votre combine est mauvaise mais votre compte est bon. J. PRÉVERT, Choses et autres, p. 128.

♦ 4. À BON COMPTE : à bon prix. — *Se divertir à bon compte*, sans qu'il en coûte beaucoup. *En être quitte, s'en tirer à bon compte*, sans trop de dommage.

> *(Qu')* À si bon compte encore je m'en sois trouvé quitte.
> MOLIÈRE, l'Étourdi, III, 4.

> Estimez-vous très heureux de vous en tirer à si bon compte et, surtout, évitez, dans l'avenir, d'attirer notre attention. P. MAC ORLAN, la Bandera, XIX, p. 235.

Par ext. *Trouver son compte (à qqch.).* ⇒ **Avantage, bénéfice, intérêt, profit.** *Il y trouve son compte* (cf. Ça l'arrange).

> (...) je trouve bien mieux mon compte avec l'un qu'avec l'autre ; car il me divertit avec sa voix (...) MOLIÈRE, la Princesse d'Élide, Intermède III, 1.

> Les fripons trouvent leur compte dans la bonne foi des honnêtes gens.
> BEAUMARCHAIS, *in* Pierre LAROUSSE.

♦ 5. État contenant l'énumération, le calcul des recettes et des dépenses. ⇒ **Comptabilité, écriture(s).** *Les comptes d'une administration, d'une entreprise. Les comptes d'une ménagère. Les articles* d'un compte. Chapitre d'un compte.* ⇒ **Poste.** *La somme du compte.* ⇒ **Ci ; montant, total.** *Compte à déduire.* ⇒ **Décompte, précompte.** *Compte gestionnaire*. Tenir les comptes.* ⇒ **Écriture.** *Inscrire un report* dans la colonne d'un compte. Bordereau* de compte. Carnets*, livres de comptes.* ⇒ **Livre.** *Compte administratif, financier* (compte d'exécution du budget). — *Passer, mettre une somme en compte, sur le compte ; imputer en compte.* ⇒ **Comptabiliser, facturer.** *Dresser un compte.* ⇒ **Balance, bilan.** *Balancer*, équilibrer, solder* un compte commercial.* ⇒ **Appoint, solde.** *Arrêter, clore* un compte.* ⇒ **Arrêté ; cadrer** (faire cadrer). *Bénéfices que révèle un compte.* ⇒ **Avoir, bénéfice, boni, encaisse, gain, revenant-bon, ristourne.** *Manques d'un compte.* ⇒ **Déficit, doit, perte.** *Dû après l'arrêté* de compte.* ⇒ **Débet, reliquat, soulte.** — *Présenter, rendre un compte. Rendre un compte* (→ ci-dessous, fig.). *Vérifier un compte.* ⇒ **Apurement ; apurer.** *Erreur d'un compte.* ⇒ **Mécompte.** *Corriger, rectifier un compte.* ⇒ **Rectificatif.** *Approuver un compte, reconnaître l'exactitude d'un compte.* ⇒ **Approuvé, quitus.** *Régler, liquider un compte.* ⇒ **Liquidation, règlement.** — *Compte des profits* et pertes*. Compte des valeurs livrées d'avance.* ⇒ **Découvert.** — *Compte de retour*, dressé pour un effet de commerce protesté et non payé.

> Il ne se donne pas la peine de régler lui-même des parties *(factures, mémoires)* ; mais il dit négligemment à un valet de les calculer, de les arrêter et les passer à compte. LA BRUYÈRE, les Caractères de Théophraste, « De l'orgueil ».

Plur. Comptabilité. *Faire ses comptes. Livre de comptes. — Comptes d'apothicaire* (fig.), longs et compliqués. — *Les comptes de l'État. La Cour* des comptes.*

> Mᵐᵉ Aubain étudia ses comptes *(du comptable)*, et ne tarda pas à connaître la kyrielle de ses noirceurs : détournements d'arrérages, ventes de bois dissimulées, fausses quittances, etc... FLAUBERT, Trois contes, « Un cœur simple », IV.

> J'ai fait tous les comptes, au plus juste. Je peux montrer mon bordereau.
> G. DUHAMEL, Chronique du Pasquier, II, III, I.

> La société a le droit de demander compte à tout agent public de son administration.
> Déclaration des droits de l'homme (Constitution du 3 sept. 1791), art. 15.

17 Ce Pellisson (...) était secrétaire de Fouquet; c'est par lui que passaient les comptes du surintendant, et l'on conçoit que cette fonction dût le mettre en état de voir et de savoir beaucoup de choses.
Émile HENRIOT, *Portraits de femmes, Mlle de Scudéry*, p. 38.

Spécialt. État de l'avoir et des dettes d'une personne, dans un établissement financier. *Faire ouvrir un compte. Compte de dépôt d'espèces (compte de chèque; abrév. : C. C.). Compte chèque postal (C. C. P.) ou compte courant postal. Ouvrir un compte courant postal. Compte en banque. Numéro de compte. Compte courant*, représentant toutes les opérations entre une personne et son banquier. *Versement au compte courant. Compte chèques. Alimenter, approvisionner; créditer, débiter son compte. Son compte est à découvert. Compte créditeur. Compte débiteur. Transporter une somme d'un compte à un autre.* ⇒ **Virer.** *Situation, position d'un compte. Établir la position d'un compte.* ⇒ **Positionner.** *Détail, résumé de compte.* ⇒ **Relevé.**

17.1 À qui s'étonnerait de ce qu'un gentleman aussi mystérieux comptât parmi les membres de cette honorable association, on répondra qu'il passa sur la recommandation de MM. Baring frères, chez lesquels il avait un crédit ouvert. De là, une certaine « surface », due à ce que ses chèques étaient régulièrement payés à vue par le débit de son compte courant invariablement créditeur.
J. VERNE, *le Tour du monde en 80 jours*, p. 3 (1873).

18 Pour devenir président de onze compagnies, membre de cinquante-deux conseils d'administration, titulaire d'autant de comptes en banque, et désigné comme directeur de la société mondiale (...) GIRAUDOUX, *la Folle de Chaillot*, I, p. 17.

Loc. *Donner (une somme) à compte, à valoir.* ⇒ **Acompte.** — *Publier à compte d'auteur*, aux frais de l'auteur. *Livre, recueil à compte d'auteur.* — *Être en compte avec qqn.* — *Laisser une marchandise pour compte*, la laisser au vendeur. ⇒ **Refuser.** *Un laissé pour compte* : une personne abandonnée de tous.

♦ **6. Loc. fig.** *Au compte de (à son compte), pour, sur le compte de. Travailler à son compte, pour son propre compte* : être autonome. *S'installer, s'établir à son compte.*

19 L'espion chasse pour le compte d'autrui, comme le chien; l'envieux chasse pour son propre compte, comme le chat. HUGO, *l'Homme qui rit*, II, I, VII.

19.1 Un ancien ouvrier de chez Maple qui s'est établi à son compte (...)
N. SARRAUTE, *le Planétarium*, p. 47.

Prendre à son compte : endosser la responsabilité de (un acte). — *Commercer pour le compte d'autrui*, au nom d'un commettant. **Fig.** *Pour mon compte* : en ce qui me concerne. *Pour mon compte, je n'ai rien à dire. — Il n'y a rien à dire sur son compte*, à son sujet, à son endroit. *On a mis sa faute sur le compte de sa distraction.* ⇒ **Attribuer, imputer.**

20 (...) il ne s'exprimait jamais sur mon compte qu'en termes outrageants, méprisants, sans me désigner autrement que par ce *petit cuistre*, sans pouvoir cependant articuler aucun tort d'aucune espèce (...) ROUSSEAU, *les Confessions*, VIII.

21 (...) une madame Moser sur le compte de laquelle on chuchotait (...)
FRANCE, *le Petit Pierre*, XVI, p. 98.

21.1 Quand ils sont revenus dans la grande maison, on a mis la mauvaise mine de Laure au compte d'une fatigue heureuse.
Suzanne PROU, *la Terrasse des Bernardini*, p. 93.

♦ **7. TENIR COMPTE DE...** : prendre en considération, accorder de l'importance à... *Tenir compte à qqn d'une chose*, la mettre au crédit de qqn, lui en savoir gré. *Tenir compte du dévouement de qqn.*

22 Victor (*Hugo*) ne tiendra aucun compte des observations paternelles et il imprimera sans y changer une virgule le manuscrit litigieux.
Émile HENRIOT, *les Romantiques*, p. 30.

23 Vous tenez compte des lacunes de mémoire, chez autrui, de l'inattention, et du fait que ces choses-là, quant aux dates, ne se démontrent pas avec rigueur?...
J. ROMAINS, *les Hommes de bonne volonté*, t. V, XXVIII, p. 310.

24 Et pourvu que je passe ma nuit à bien calculer les termes de ma déposition, en tenant compte de tout, même du danger qu'il y aurait à être trop précis (...)
J. ROMAINS, *les Hommes de bonne volonté*, t. II, XII, p. 128.

★ **II.** (XIIe; fig., de I., 1. ou 5.; → ci-dessus, cit. 16). *Demander, rendre compte, des comptes (à qqn)* : demander, donner le rapport de ce que l'on a fait, de ce que l'on a vu, pour faire savoir, expliquer ou justifier. ⇒ **Explication, rapport.** *Demander des comptes à qqn. Devoir des comptes. Il ne doit de compte à personne. N'avoir de comptes à rendre à personne. Rendre compte de sa mission.*

25 Je vous le dis : au jour du jugement, les hommes rendront compte de toute parole vaine qu'ils auront dite.
BIBLE (CRAMPON), *Évangile selon saint Matthieu*, XII, 36.

26 Heureux si, averti par ces cheveux blancs du compte que je dois rendre de mon administration, je réserve au troupeau que je dois nourrir de la parole divine les restes d'une voix qui tombe et d'une ardeur qui s'éteint.
BOSSUET, *Oraison funèbre du prince de Condé*.

27 Libres et sans avoir de compte à rendre de nos actions et de nos absences à personne (...) LAMARTINE, *Graziella*, Épisode, III, p. 21.

28 Le Français s'est toujours senti actionnaire d'une société dont chaque membre doit des comptes à tous les autres. CLAUDEL, *Positions et Propositions*, p. 19.

(1845). **COMPTE RENDU.** ⇒ **Exposé, rapport, récit, relation.** *Compte rendu d'une mission. Compte rendu d'une séance. Compte rendu d'un spectacle, d'un livre.* ⇒ **Analyse, critique.** *Principaux articles* et comptes rendus d'un universitaire.*

29 Jacques y avait publié des comptes rendus de livres allemands et suisses.
MARTIN DU GARD, *les Thibault*, t. VII, p. 137.

30 On cherche des intentions et des indications dans un entrefilet de la deuxième page, dans la longueur d'un compte rendu.
J. ROMAINS, *les Hommes de bonne volonté*, t. V, XXIV, p. 224.

REM. L'expression fonctionne comme un véritable nom composé et a donné naissance à un dérivé fam. : *compte rendufier (rendre compte sous cette forme).*

SE RENDRE COMPTE. ⇒ **Apercevoir (s'), comprendre, découvrir, noter, remarquer, voir.** *Se rendre compte d'une chose*, y prendre garde, en trouver la raison, l'explication, en vérifier l'exactitude. *Se rendre compte d'un danger. Se rendre un compte exact des choses* (→ **Passé**, cit. 16).

31 Et un léger soupir, un minuscule hochement de tête avaient l'air d'ajouter : « Pourvu, au moins, qu'il s'en rende compte! Qu'il ne gâche pas ça!»
J. ROMAINS, *les Hommes de bonne volonté*, t. V, XVII, p. 123.

32 Ça me tarabustait. J'ai préféré perdre ma demi-journée. Je voulais me rendre compte. J. ROMAINS, *les Hommes de bonne volonté*, t. IV, III, p. 20.

33 Mme Forestier était myope et vivait dans le passé : deux raisons qui l'empêchaient de se rendre un compte exact des choses présentes.
COCTEAU, *le Grand Écart*, III, p. 55.

Se rendre compte que..., du fait que...

34 J'ai mis assez longtemps à me rendre compte que, dans ses lectures, il cherche surtout à se renseigner (...) GIDE, *Journal*, 6 avr. 1943, p. 150.

35 Il (*Hérault*) ne répondit rien. Mais se rendant compte que, suivant l'expression de Mallet du Pan, il marchait «sur la lame d'un rasoir», il s'élimina du Comité (...)
Louis MADELIN, *Danton*, p. 271.

Fam. (Exprimant l'étonnement partagé). *Vous vous rendez compte! Tu te rends compte du culot de ce type!*

Prov. *Erreur n'est pas compte* : on peut toujours revenir sur une erreur.

Les bons comptes font les bons amis : l'absence de tout problème d'argent entre des personnes est le meilleur garant de leur bonne entente.

36 Le capitaine se tourna vers le soldat en continuant d'irradier la bonté : — Tu auras quatre jours de plus, mon vieux. Faisons un peu nos comptes, tu veux : Deux plus deux, plus quatre, ça fait huit jours de salle de police. Tu es bien d'accord? — Oui, mon capitaine. — Les bons comptes font les bons amis.
Jacques LAURENT, *les Bêtises*, p. 154.

HOM. Comte, conte.

COMPTE-FILS [kɔ̃tfil] n. m. invar. — 1836; de *compter*, et *fil*.

♦ **Techn.** Petite loupe de fort grossissement enchâssée dans une monture pliable (qui sert de protection lorsqu'elle est pliée et de pied lorsqu'elle est dépliée). *Un compte-fils de typographe, de photograveur.*

COMPTE-GOUTTES [kɔ̃tgut] n. m. invar. — Av. 1850; de *compter*, et *goutte*.

♦ **1.** Instrument servant à doser les liquides (médicaments, en particulier) en les faisant couler goutte à goutte (souvent, petite pipette en verre amincie à une extrémité et munie à l'autre d'une poire de matière souple; parfois, tube gradué à piston). *Compte-gouttes pour instillations.*

♦ **2. Fig.** *Au compte-gouttes* : avec parcimonie, petit peu par petit peu. *Tu me le donnes au compte-gouttes, cet argent!* (cf. fam. Avec des élastiques).

Enfin, ce qu'on peut dire pour les Anglais, c'est qu'eux au moins ils embarquent leurs hommes, tandis que du côté français!... En principe, ça se passe à Dunkerque et à Malo, mais jusqu'ici au compte-goutte (*sic*), et seulement des unités constituées. Robert MERLE, *Week-end à Zuydcoote*, p. 47 (1949).

COMPTE-PAS [kɔ̃tpɑ] n. m. — 1647, *contepas*, Mersenne; de *compter*, et *pas*.

♦ Podomètre.

COMPTER [kɔ̃te] v. — 1348; *cunter*, v. 1080; *conter*, XIIe; éliminé dans ce sens au XVIe; du lat. *computare*. → **Conter.**

★ **I. V. tr.** ♦ **1.** Déterminer (une quantité) par le calcul; spécialt, établir le nombre de. ⇒ **Chiffrer, dénombrer, nombrer.** *Compter les spectateurs d'un théâtre, les habitants d'une ville.* ⇒ **Recenser.** *Compter les voix, les suffrages. Compter une somme d'argent. Compter les points, les coups d'une partie de billard.* — Loc. fig. *Compter les points* : assister à un conflit et juger de son évolution sans y participer. *Combien en avez-vous compté? Compter les fils d'un tissu* (⇒ **Compte-fils**), *des gouttes* (⇒ **Compte-gouttes**). *Appareil qui compte qqch.* ⇒ **Compteur.** *Compter en nommant.* ⇒ **Énumérer.**

1 Sais-tu quel est Pyrrhus? T'es-tu fait raconter
Le nombre des exploits (...) Mais qui peut les compter?
RACINE, *Andromaque*, III, 3.

2 Notre laitière ainsi troussée
Comptait déjà dans sa pensée
Tout le prix de son lait, en employant l'argent (...) LA FONTAINE, *Fables*, VII, 10.

3 Quoi! toujours il me manquera
Quelqu'un de ce peuple imbécile!
Toujours le loup m'en gobera!
J'aurai beau les compter : Ils étaient plus de mille (...)
LA FONTAINE, *Fables*, IX, 19.

4 Elle avait pris son ouvrage et comptait sur de grosses aiguilles les points de son tricot.   J. CHARDONNE, les Destinées sentimentales, Pauline, p. 330.

On ne les compte pas, plus : ils sont innombrables.

5 (...) que le conservatisme (...) est, dans son essence, quelque chose d'entièrement différent du patriotisme et que cette différence, dont on ne compte plus les manifestations au cours de l'histoire (...)
    Julien BENDA, la Trahison des clercs, note c, p. 113.

Loc. fam. *Compter les clous de la porte :* attendre. — *Compter les pas de qqn,* observer toutes ses démarches.

♦ **2.** Mesurer avec parcimonie. *Compter l'argent que l'on dépense.* ⇒ **Regarder** (à la dépense).

Par extension :

6 Vous lui pourrez bientôt prodiguer vos bontés,
Et vos embrassements ne seront plus comptés.   RACINE, Andromaque, IV, 1.

Compter ses pas : marcher lentement*; économiser sa peine. — Fig. (Vieilli). Agir avec circonspection. — Au p. p. (Mod.). *Marcher à pas comptés,* lentement, solennellement.

7 Ce petit homme, au dos solide, les épaules larges et vénérables, marche à pas comptés.   André SUARÈS, Trois hommes, « Ibsen », III, p. 108.

.1 Il affecta de ne point plier sa serviette, assena sur la nappe un petit coup de poing puis se retira, très digne, à pas comptés.
    Francis CARCO, les Belles Manières, p. 13.

♦ **3.** Payer (qqch.) à qqn. *Compter une somme à qqn* (→ Palper, cit. 5). *Vous lui compterez mille francs pour son travail.*

8 Si tu veux mon avis, comme il t'épargnera des gros sous que tu serais forcé de compter aux gens de la justice à Grenoble (...)
    BALZAC, le Médecin de campagne, Pl., t. VIII, p. 370.

♦ **4.** Mesurer (le temps). *Compter les jours, les heures.* — Fig. Trouver le temps long, par ennui ou impatience.

9 Si nous comptons les moments, les jours, les années, nous finirons par compléter la somme des siècles.   DESCARTES, Règles pour la direction de l'esprit.

10 Il commençait à compter les moments dans l'attente de son retour.
    Antoine HAMILTON, Mémoires du comte de Grammont, 7.

11 Il était sept heures vingt-cinq ; elle le savait, elle avait compté les minutes seconde par seconde au tic-tac du cartel noir.   J. GREEN, Léviathan, II, IV, p. 165.

Il faut compter plusieurs heures pour faire cela : plusieurs heures sont nécessaires*.

Détenir (une fonction, un emploi) un certain temps. *Il compte déjà deux ans de règne, de service.* — (Choses). Avoir duré (un certain temps). *Cette civilisation compte un millénaire.* — Poét. Être âgé de.

12 (...) son visage, couvert de rides comme celui d'une vieille coquette, comptait douze ans de plus que son acte de naissance.   BALZAC, les Petits Bourgeois, Pl., t. VII, p. 78.

Décider (un temps imparti). — Poét. *Le destin a compté ses jours.* — (Passif). *Ses jours sont comptés :* il lui reste peu de temps à vivre.

13 (...) les tristes jours que le Ciel m'a comptés.   MOLIÈRE, Tartuffe, IV, 3.

♦ **5.** Vx (langue class.). *Compter* (qqch., dans une successivité) *par...* ⇒ **Marquer, signaler** (par).

14 Vous comptez tous vos jours et marquez tous vos pas
Par des plaisirs affreux et des assassinats.   VOLTAIRE, Catilina, I, 5.

♦ **6.** Comprendre* dans un compte, un total, une énumération... ⇒ **Inclure.** *Ils étaient quatre, sans compter les enfants. En me comptant, nous étions cinq.*

N'oubliez pas de le compter. — Spécialt. Faire payer, inclure dans un compte. *Il ne nous a pas compté les consommations.* ⇒ **Facturer.**

Fig. *Compter qqch. à qqn,* lui en tenir compte*, lui en savoir gré*.

15 Il est doux pour un amant de faire des sacrifices qui lui soient tous comptés.   ROUSSEAU, Julie ou la Nouvelle Héloïse, I, 10.

Littér. *Compter qqch., qqn parmi, au nombre de... :* ranger au nombre de... ⇒ **Comprendre, englober ; rang** (mettre au rang). *Je le compte parmi mes ennemis. Il compte des princes parmi ses ancêtres. Ce monument peut être compté parmi les plus beaux.*

16 Et l'on sait que toujours la Colchide et ses princes
Ont compté ce Bosphore au rang de leurs provinces.   RACINE, Mithridate, I, 1.

Passif et p. p. *Être compté dans, parmi...*

♦ **7.** Littér. *Compter* (qqch.) *pour...* ⇒ **Considérer, estimer, prendre, regarder, réputer** (comme). *Il le compte pour mort. Il compte cela pour beaucoup.* ⇒ **Apprécier.**

17 À table comptez-moi, si vous voulez, pour quatre ;
Mais comptez-moi pour rien s'il s'agit de se battre.   MOLIÈRE, le Dépit amoureux, V, 1.

18 (...) Ils *(les amants)* comptent les défauts pour des perfections,
Et savent leur donner de favorables noms.   MOLIÈRE, le Misanthrope, II, 4.

19 Comptez-vous vos soldats pour autant de héros ?   RACINE, Mithridate, III, 1.

20 *(Amants)* Tenez-vous lieu de tout, comptez pour rien le reste.
    LA FONTAINE, Contes, IX, 2.

Fam. *Compter qqch. pour rien, le compter pour du beurre,* le considérer comme négligeable.

SANS COMPTER QUE : sans considérer que. ⇒ **Autant** (d'autant plus que), **nonobstant.**

21 Avec sa pâleur et ses grands yeux noirs, je ne puis dire combien cela frappait, sans compter que de temps en temps (...) il était clair qu'elle avait souffert (...)
    A. DE MUSSET, la Confession d'un enfant du siècle, III, V.

Faire cas* de (qqch.).

22 On ne daigne peser ni compter mon suffrage.   CORNEILLE, Suréna, I, 1.

★ **II.** V. intr. et tr. ind. ♦ **1.** Intrans. Calculer. *Compter de tête. Compter jusqu'à cent. Compter juste. Compter mal. Compter sur ses doigts. Cet enfant sait lire, écrire et compter. Apprendre à compter. Savoir compter.*

Fig. Être attentif à ses intérêts. *Il compte sou par sou, au sou près.* — Surtout : **SANS COMPTER.** Donner, dépenser ; recevoir *sans compter,* sans se limiter. ⇒ **Généreusement, largement** (cf. À pleines mains).

23 Un, deux, trois, quatre corps, ce sont quatre semaines,
Si je sais compter, toutes pleines.   LA FONTAINE, Fables, VIII, 27.

24 Mais quand on avait tout, ô grande audacieuse,
Quand on avait toujours on ne comptait jamais.
    Ch. PÉGUY, Ève, in Œ. poétiques complètes, Pl., p. 722.

25 La mère, toujours malade, comptait sou à sou.
    MARTIN DU GARD, les Thibault, t. V, p. 58.

26 Lui *(Bonaparte)* qui est économe jette les millions — je ne dirai pas sans compter, mais sans hésiter — dans les travaux publics, les routes et les canaux.
    Louis MADELIN, Vers l'empire d'Occident, VIII, p. 100.

♦ **2.** **COMPTER AVEC :** tenir compte de. *Il a de l'influence et il faut compter avec lui. Compter avec l'opinion.*

27 La valeur et la capacité les plus réelles n'auraient pas suffi, il faut toujours dans de semblables cas compter avec l'opinion des hommes.
    FONTENELLE, Marsigli, in LITTRÉ.

♦ **3.** Trans. ind. Vx. *Compter de* (qqch.) : rendre compte* de (qqch.).

28 Il *(le duc de Bourgogne)* ne doit pas être en crainte d'en compter un jour devant Dieu.   SAINT-SIMON, Mémoires, 265, 74, in LITTRÉ.

♦ **4.** **a** Trans. ind. Vx. *Compter de* (et inf.) : former le projet de...

29 (...) il *(Ch. de Sévigné)* compte de pouvoir partir demain (...)
    Mme DE SÉVIGNÉ, 975, 12 août 1685.

b Mod. *Compter* (et inf.). ⇒ **Espérer, penser.** *Il compte pouvoir partir demain.* — *Compter que* (et complétive). ⇒ **Escompter.** *Je compte bien qu'il viendra. Je comptais qu'il viendrait.* ⇒ **Attendre** (s'), **croire.**

30 Je vous avais fait préparer votre appartement, comptant *que vous* descendriez *tout droit ici.*   DUMAS, in F. BRUNOT, la Pensée et la Langue, III, XII, III, p. 544.

31 La colère peut être prise comme une ivresse, en ce sens qu'on se plaît à s'y jeter par un semblant, en comptant bien qu'elle dépassera ce semblant.
    ALAIN, les Aventures du cœur, p. 95.

♦ **5.** **COMPTER SUR :** faire fond, s'appuyer sur. ⇒ **Tabler.** *Comptez sur moi. Compter entièrement sur qqn,* s'abandonner à lui. *On ne peut pas compter sur lui. Il compte trop sur son adresse.* ⇒ **Présumer** (de). *J'y compte bien :* je l'espère bien.

32 C'est folie
De compter sur dix ans de vie.   LA FONTAINE, Fables, VI, 19.

33 Hypocrites, ils comptent sur la gentillesse de leurs amis et ne ménagent que la méchanceté de leurs ennemis.   J. RENARD, Journal, 30 avr. 1902.

34 Tu ne peux guère compter sur un garçon pondéré pour aller fusiller un chef d'État à bout portant, et se faire écharper par la foule.
    J. ROMAINS, les Hommes de bonne volonté, t. IV, X, p. 102.

35 Il comptait aussi sur la vénalité de la Slaoui (...)
    P. MAC ORLAN, la Bandera, XVI, p. 189.

36 On ne sait jamais quand la vie va vous trahir ; inutile de compter sur le lendemain, ni même sur l'heure qui va suivre ; il n'y a de certain que la mort.
    J. GREEN, Léviathan, VII, p. 192.

Fam. et iron. *Compte là-dessus ; compte là-dessus et bois de l'eau fraîche :* n'y compte pas.

♦ **6.** Intrans. Entrer en ligne de compte, avoir de l'importance (correspond au sens du passif *être compté*). ⇒ **Importer.** *Cela compte peu, ne compte pas. Ce qui compte, c'est ça. Le succès seul compte pour lui.* — *Compter pour rien,* et, fam., *compter pour du beurre, pour des prunes :* ne pas compter.

37 Les événements ne comptent que pour ceux qui en pâtissent ou qui en profitent (...)
    CHATEAUBRIAND, Mémoires d'outre-tombe, t. VI, p. 34.

38 Elle souffrit d'être comme si elle n'était pas et de ne plus compter pour une personne, pas même une chose.   FRANCE, le Mannequin d'osier, Œ., t. XI, IX, p. 331.

39 De tels hommes leur joie est toujours muette, tant elle compte peu.
    André SUARÈS, Trois hommes, « Dostoïevski », IV, p. 234.

40 (...) pour Louis XI, le résultat seul comptait. Il mettait loin en arrière l'orgueil et l'amour-propre.   J. BAINVILLE, Hist. de France, VII, p. 128.

41 Mais le but, le succès nécessaire comptait uniquement à ses yeux, comme la guérison pour le médecin.
    J. CHARDONNE, les Destinées sentimentales, Pauline, IV, p. 297.

42 Mais pour qui cherche la quantité des joies, seule l'efficacité compte.
    CAMUS, le Mythe de Sisyphe, p. 99.

♦ **7.** Être (parmi). *Compter parmi, au nombre de.* ⇒ **Figurer.** *Compter parmi les meilleurs.*

♦ **8.** Vx. ⇒ **Dater.** — Mod. *À compter de :* à partir de. *À compter d'aujourd'hui.*

▶ **SE COMPTER** v. pron.

♦ 1. Se mettre au nombre de. *Je ne me compte pas au nombre de ses amis.*

43　(...) Le triste Antiochus
　Se compta le premier au nombre des vaincus.　　　RACINE, *Bérénice*, I, 4.

♦ 2. Être compté ; être susceptible d'être dénombré. *Ses erreurs ne se comptent plus, elles sont innombrables.*

44　Il y a des choses qui se comptent, ce sont les choses nombrables : des lits ; cent lieues ; vingt nuits ; dix grammes ; s'il y en a plusieurs, ce sont plusieurs unités.
　　　F. BRUNOT, la Pensée et la Langue, I, IV, I, p. 95.

45　(...) le *quotidien*? Tout s'y compte. Parce que tout y est compté : argent, minutes. Tout s'y dénombre en mètres, kilogrammes, calories. Pas seulement les objets mais les vivants et pensants.
　　　Henri LEFEBVRE, la Vie quotidienne dans le monde moderne, p. 45.

Se dénombrer, dénombrer la quantité de personnes composant un groupe (en parlant des membres de ce groupe). *Comptez-vous de droite à gauche.*

CONTR. Négliger, omettre.

DÉR. Comptable, comptage, comptant, compte, compteur, comptine, comptoir.
COMP. Acompte, décompter, mécompte, recompter. — Compte-fils, compte-gouttes, compte-pas, compte-tours.
HOM. Comté, conter.

COMPTE RENDU [kɔ̃tʀɑ̃dy] n. m. ⇒ Compte (II.).

COMPTE-TOURS [kɔ̃ttuʀ] n. m. invar. — 1869 ; de *compter*, et *tours*.

♦ Appareil comptant les tours faits par une pièce en rotation. ⇒ **Tachymètre.** *Cette voiture est munie d'un compte-tours.*

Son génie *(de Louis Seguin)* s'appliquait au moteur à explosion et au compte-tours des broches de filature.　Pierre HAMP, la Peine des hommes (Moteurs), p. 9.

COMPTEUR [kɔ̃tœʀ] n. m. — 1752 ; *conteor* «celui qui compte», 1213 ; de *compter*.

♦ 1. Rare. Personne qui compte. ⇒ **Calculateur.**

1　Du noir passé perçant les voiles,
　Notre esprit flotte sans repos
　Entre tous ces compteurs d'étoiles
　Et tous ces compteurs de troupeaux.
　　　HUGO, les Contemplations, III, XXX, Magnitudo parvi.

Ancienn. Aux Halles, Agent chargé de compter et de répartir certaines marchandises *(compteurs-verseurs, in Zola, le Ventre de Paris,* t. I, p. 148).

REM. Le fém. *compteuse* [kɔ̃tøz], virtuel dans ce sens, n'est pas attesté.

♦ 2. (1752). Appareil servant à compter, à mesurer automatiquement un temps, une vitesse, un volume, etc., en unités ; à dénombrer des signaux, des opérations. *Compteur enregistreur.* — *Compteur de vitesse d'une automobile, d'une bicyclette.* ⇒ **Indicateur** (de vitesse). — Absolt. *Faire du cent à l'heure au compteur. Compteur kilométrique, horokilométrique. Compteur de taxi, de voiture de louage, calculant le prix de la course.* ⇒ **Taximètre.**

2　Malheureusement, observa Mˡˡᵉ Bernardine, les fiacres du vieux système sont devenus très rares. Presque toutes les voitures à chevaux, maintenant, ont un compteur elles aussi.　J. ROMAINS, les Hommes de bonne volonté, t. III, XI, p. 150.

(1857, *Année sc. et industr.* 1858, p. 419). *Compteur à gaz :* instrument mesurant le débit du gaz. *Compteur normal, à niveau constant.* — *Compteur à eau,* à mouvement rotatif, à compartiments extensibles, à piston mobile. — *Compteurs d'électricité : compteurs horaires, compteurs de quantité, compteurs d'énergie (compteurs-moteurs, compteurs pendulaires). Compteur bleu*.* — *Relever le compteur, les compteurs.*

3　(...) des vieilles rentières avares que guettent dans les escaliers silencieux les assassins sournois, faux camelots venant leur proposer des brosses, des machines à laver, faux inspecteurs venant faire le relevé de leurs compteurs à gaz (...)
　　　N. SARRAUTE, le Planétarium, p. 171.

Loc. fig. *Relever les compteurs :* contrôler un travail fait, l'argent gagné (d'abord en parlant des proxénètes vérifiant et percevant l'argent gagné par les prostituées).

Compteur de stationnement. ⇒ **Parcmètre.**

Sc. *Compteur proportionnel :* détecteur de radiation analogue à une chambre d'ionisation, dont la tension appliquée aux électrodes est telle que le courant recueilli soit d'impulsion proportionnelle aux nombres d'ions formés par la radiation. — (1938). *Compteur (de) Geiger :* compteur à rendement élevé, où l'impulsion est indépendante du nombre d'ions formés. — *Compteur à scintillations :* scintillomètre.

4　Grâce au compteur de Geiger, on a pu compter les hélions qui émanent, chaque seconde, d'un gramme de radium (...)
　　　Pierre ROUSSEAU, De l'atome à l'étoile, p. 27.

Adj. *Boulier compteur* (abaque).

HOM. Conteur.

COMPTINE [kɔ̃tin] n. f. — 1922 ; de *compter*.

♦ Formule enfantine (chantée ou parlée) servant à désigner celui,

celle à qui sera attribué un rôle particulier dans un jeu. *Désigner le chercheur par une comptine.* «Am, stram, gram» *est une comptine. Recueil de comptines. La poésie des comptines.*

Les gosses avaient besoin de se tenir au courant des atrocités, construisaient de petits camps d'internement dans les sablières, apprenaient à cisailler des barbelés en chantant des comptines ou à donner le change avec des amusements.
　　　Jean CAYROL, Histoire de la mer, p. 171.

COMPTOIR [kɔ̃twaʀ] n. m. — 1345, *comptœr ;* de *compter.*

♦ 1. Table, support long et étroit, sur lequel le marchand reçoit l'argent, montre les marchandises. — Vx. *Demoiselle de comptoir.* ⇒ **Vendeuse.** *Comptoir-caisse.* ⇒ **Caisse.**

Comptoir d'un débit de boisson (⇒ **Bar, zinc ;** argot *rade*) : table haute, longue et étroite, naguère recouverte de zinc ou d'étain, sur laquelle sont servies les consommations.

Mais le comptoir surtout, à droite, était très riche, avec son large reflet d'argent poli. Le zinc, retombant (...) en une haute bordure gondolée, l'entourait d'une moire, d'une nappe de métal (...)　ZOLA, le Ventre de Paris, t. I, p. 161 (1875).

Whiskey irlandais,
Rhum américain,
Saké japonais,
Opium indien,
Et glaces mirant
En jaune et en noir
Les cuivres luisants
Au dos du comptoir (...)　　　Max ELSKAMP, la Rue Saint-Paul.

Accoudé à un comptoir de zinc, un ouvrier en cotte bleue buvait un verre de vin en regardant un enfant qui dessinait dans le fond de la boutique (...)
　　　J. GREEN, Adrienne Mesurat, IV, p. 176.

Fig. *Passer sa vie derrière un comptoir,* dans un magasin.

♦ 2. (1690). Installation commerciale d'un entreprise privée ou publique dans un pays éloigné. ⇒ **Établissement, factorerie, loge.** *Comptoir colonial. Posséder des comptoirs en Afrique noire, aux Indes. Les comptoirs français en Extrême-Orient.*

Nos comptoirs de l'Inde nous étaient, je l'ai dit, rendus, maigres épaves de la grande entreprise de Dupleix ; mais c'étaient, pour un Bonaparte, non des épaves négligeables, mais peut-être des pierres d'attente.
　　　Louis MADELIN, le Consulat, XVII, p. 272.

♦ 3. *Comptoir de vente en commun :* entente entre vendeurs ou producteurs pour la vente de leurs produits. ⇒ **Cartel, coopérative, entente, trust ; syndicat** (de producteurs).

Comptoir central d'achats : entreprise privée, constituée en forme de société anonyme et participant au fonctionnement de services publics par des opérations commerciales, en vertu d'un contrat administratif passé entre cette entreprise et l'État. ⇒ **Consortium.**

♦ 4. Spécialt. *Comptoir national d'escompte.* ⇒ **Bureau** (*supra* cit. 5). *Comptoir d'une banque.* ⇒ **Agence, succursale.**

COMP. Sous-comptoir.

COMPULSATION [kɔ̃pylsasjɔ̃] n. f. — 1787 ; de *compulser.*

♦ Didact. et rare. Action de compulser. *La compulsation des documents est interdite.*

COMPULSER [kɔ̃pylse] v. tr. — Av. 1588, «exiger» (→ Compulsif) ; lat. *compulsare* «pousser», et, au fig., «contraindre», de *com-* (*cum*), et *pulsare.* → Pulsation.

♦ 1. (XVIᵉ). Dr., admin. Prendre connaissance de (un registre, une pièce, les minutes d'un officier public...). *Compulser un dossier.*

♦ 2. (1800). Consulter en parcourant. *Compulser des livres, des manuscrits, des notes.* ⇒ **Consulter, examiner, feuilleter.** *Compulser des notes pour retrouver un renseignement. Il passe son temps à compulser ses grimoires.* ⇒ **Fouiller** (dans).

(L'homme d'affaire) ne se déplace qu'en voiture, et tout le long du trajet compulse ses dossiers sans jeter un coup d'œil par la vitre.
　　　J. ROMAINS, les Hommes de bonne volonté, t. V, XVIII, p. 133.

(...) il s'agit de toutes les factures de la pauvre Marie Duplessis. J'ai passé une soirée à les compulser, dans leur encre pâlie et leur papier jauni.
　　　Émile HENRIOT, Portraits de femmes, La dame aux camélias, p. 377.

DÉR. Compulsation, compulseur.

COMPULSEUR [kɔ̃pylsœʀ] n. m. — 1768 ; de *compulser.*

♦ Didact. et rare. Celui qui compulse. — REM. Le fém. *compulseuse* [kɔ̃pylsøz] est virtuel.

COMPULSIF, IVE [kɔ̃pylsif, iv] adj. — 1584 ; du lat. *compulsare.* → Compulser.

★ **I.** (1762). Vx. Qui contraint, oblige.

★ **II.** (Av. 1929 ; angl. *compulsive*). Psychol. Qui constitue une compulsion*. ⇒ **Compulsionnel.** *Conduite compulsive dans la névrose obsessionnelle.* — Par ext. (Cour.). Qui est caractérisé par une tendance à agir de manière répétitive, quasi automatique. — (Personnes). ⇒ **Maniaque** (cour.).

DÉR. Compulsivement.

COMPULSION [kɔ̃pylsjɔ̃] n. f. — 1311; *compulsium*, 1298; lat. *compulsio*, de *compulsere*. → Compulser.

★ **I.** ♦ **1.** Dr. Vx. Contrainte.

♦ **2.** Vx. Action de compulser. ⇒ **Compulsation.**

★ **II.** (Angl. *compulsion*). Psychol., psychan. Impossibilité de ne pas accomplir un acte, lorsque ce non-accomplissement est cause d'angoisse, de culpabilité. *La compulsion de répétition,* selon Freud.

(...) quand il s'agit de conduites, on parle de compulsion, d'action compulsionnelle (Zwangshandlung), de compulsion de répétition, etc. (...) Entre compulsion et impulsion, l'usage établit des différences sensibles. Impulsion désigne la survenue soudaine, ressentie comme urgente, d'une tendance à accomplir tel ou tel acte, celui-ci s'effectuant hors de tout contrôle, et généralement sous l'empire de l'émotion; on n'y retrouve ni la lutte ni la complexité de la compulsion obsessionnelle, ni le caractère agencé selon un certain scénario fantasmatique de la compulsion de répétition.
J. LAPLANCHE et J.-B. PONTALIS, Voc. de la psychanalyse, art. *Compulsion.*

DÉR. (Du sens II) **Compulsionnel.**

COMPULSIONNEL, ELLE [kɔ̃pylsjɔnɛl] adj. — Déb. xxᵉ; de *compulsion* (II.).

♦ Psychol., psychan. De la compulsion (cit.). *Action compulsionnelle.* — Compulsif.

COMPULSIVEMENT [kɔ̃pylsivmɑ̃] adv. — 1929; de *compulsif.*

♦ Psychol. De manière compulsive. *Agir compulsivement. Acte délictueux accompli compulsivement.*

COMPUT [kɔ̃pyt] n. m. — 1584; lat. *computus* «compte», p. p. de *computare.*

♦ Relig. Supputation qui sert à dresser le calendrier des fêtes mobiles, spécialement pour les usages ecclésiastiques. ⇒ **Calendrier.** *Le comput renferme le nombre d'or, le cycle solaire, l'indiction romaine... Le comput ecclésiastique.* ⇒ **Ordo.**

Aux jours sacrés, aux jours de l'Empire et aux jours de fête furent alors ajoutés, pour rétablir la concordance, cinq ou six jours par an : ces jours, dits *vagues* ou *embolismiques* ou encore *épagomènes* dans les computs de l'Empire, apparurent toujours comme erratiques et irrationnels.
J. D' ORMESSON, la Gloire de l'Empire, t. II, p. 396.

COMPUTABLE [kɔ̃pytabl] adj. — xxᵉ; de *computer.*

♦ Qui peut être computé (en parlant du temps).

Je constate, j'enregistre le retard de l'autre : ce retard n'est encore qu'une entité mathématique computable (je regarde ma montre plusieurs fois).
R. BARTHES, Fragments d'un discours amoureux, 1977, p. 47.

COMPUTATION [kɔ̃pytasjɔ̃] n. f. — 1413; lat. *computatio,* de *computare.* → Comput, computer.

♦ Didact. Méthode de supputation du temps.

COMPUTER [kɔ̃pyte] v. tr. — 1595, Montaigne; lat. *computare.*

♦ **1.** Vx. Calculer, supputer (un temps). ⇒ **Comput.**

♦ **2.** Calculer, évaluer (sous l'infl. de l'angl. *to compute* «calculer», dès le déb. du xixᵉ).

DÉR. Computable.

COMPUTEUR [kɔ̃pytœR] ou COMPUTER [kɔmpjutœR] n. m. — 1964, *in* Höfler; mot angl., de *to compute* «compter».

♦ Anglic. Rare. ⇒ **Ordinateur** (courant).

Du robot et du computeur, ne craignons pas de répéter que ce sont des dispositifs de production.
Henri LEFEBVRE, la Vie quotidienne dans le monde moderne, 1968, p. 130.

COMTAL, ALE, AUX [kɔ̃tal, o] adj. — 1216, *contal;* de *comte.*

♦ Rare. De comte. *Couronne comtale.*

COMTAT [kɔ̃ta] n. m. — V. 1140, anc. provençal *comtat;* de *comitatus.* → Comté.

♦ Régional (Provence). Comté, dans certaines expressions géographiques. *Le Comtat Venaissin.*

COMTE [kɔ̃t] n. m. — 1407; *cons, cuens,* v. 1050; *compte,* cas régime, xᵉ; lat. *comes* «compagnon» puis «attaché à la suite de l'empereur» d'où «haut dignitaire».

♦ **1.** Hist. À la fin de l'empire romain et dans le haut moyen âge, Nom de certains dignitaires (officier du palais, commandant militaire, gouverneur d'un territoire). *Comte du sacré palais. Comte palatin* (cit. 1).

(...) le comte franc cumula le commandement militaire et l'administration civile, même après la période troublée des invasions. 1
Fr. OLIVIER-MARTIN, Précis d'hist. du droit franç., p. 42, nº 103.

♦ **2.** (Féod.). Seigneur d'un fief. ⇒ **Comté.** *Couronne de comte.* ⇒ **Comtal.**

♦ **3.** Mod. Titre de noblesse qui, dans la hiérarchie nobiliaire, prend rang après le marquis, et avant le vicomte. ⇒ **Noblesse.** *Il est comte. C'est un comte. Le comte et la comtesse X..., de X...* — (Appellatif). *Oui, monsieur le comte.* — (D'égal ou de supérieur). *Bonjour, mon cher comte. «À moi, comte, deux mots !* » (Corneille, *le Cid*).

(...) Non, monsieur le comte, vous ne l'aurez pas... vous ne l'aurez pas. Parce que 2
vous êtes un grand seigneur, vous vous croyez un grand génie !... Noblesse, fortune, un rang, des places, tout cela rend si fier !
BEAUMARCHAIS, le Mariage de Figaro, v, 3.

Certains prétendaient que M. de Champcenais avait pour grand-père un vulgaire 3
minotier, qui s'était acheté un titre de comte du pape. En tout cas l'anoblissement datait du xixᵉ siècle.
J. ROMAINS, les Hommes de bonne volonté, III, xiii, p. 177.

DÉR. Comtal, 1. comté, comtesse.
HOM. Compte, conte.

1. COMTÉ [kɔ̃te] n. m. — xvᵉ; *conté,* xiiᵉ; de *comte.*

♦ **1.** Domaine dont le possesseur prenait le titre de comte. *Terre érigée en comté* (→ Bénéficiaire, cit. 2).

♦ **2.** Subdivision territoriale, en Grande-Bretagne et dans les pays anglo-saxons (traduit l'angl. *county*).

Au Canada (Bas-Canada, 1792), Subdivision territoriale administrative; abusivt, circonscription électorale. *Le parti a perdu deux comtés.* ⇒ **Circonscription, siège.**

DÉR. Comtois.
COMP. Comté-pairie (V. Pairie).
HOM. Compter, 2. comté, conter.

2. COMTÉ ou CONTÉ [kɔ̃te] n. m. — xxᵉ; de *Franche-Comté,* province.

♦ Fromage français voisin du gruyère*. *Acheter deux cents grammes de comté, chez le fromager.*

DÉR. Comtois.
HOM. Compter, 1. comté, conter.

COMTESSE [kɔ̃tɛs] n. f. — 1080; de *comte.*

♦ **1.** Anciennt. Femme qui possédait un comté.

♦ **2.** Mod. Femme possédant le titre équivalent à celui de comte; femme d'un comte. *Madame la comtesse. La comtesse X...*

COMTOIS, OISE [kɔ̃twa, waz] adj. et n. — 1661; de 2. *comté.*

♦ **1.** De Franche-Comté. *Les fromages comtois. Horloge comtoise* (→ ci-dessous, *une comtoise*). — N. *Un Comtois, une Comtoise.*

(...) j'affrontai, sur ce coteau comtois, aussi bien Pâques venteuses que novembre 1
au tranchant de glace. COLETTE, Flore et Pomone, *in* Gigi, p. 176.

♦ **2.** N. f. (1934). Horloge à balancier (fabriquée d'abord en Franche-Comté), dans un meuble posé sur le plancher (et dite aussi *horloge de parquet*).

Elle se voyait déjà, quand l'aiguille de sa vieille comtoise approcherait de l'heure 2
fatidique, se regardant dans la glace de sa grande pièce, levant son verre face à son double, le seul être, maintenant, avec lequel elle supportait de vivre.
Paul VIALAR, Mon seul amour, p. 11.

CON, CONNE [kɔ̃, kɔn] n. et adj. — Déb. xiiiᵉ, *Roman de Renart;* du lat. *cunnus.*

★ **I.** N. m. CON. Érotique. Sexe de la femme. ⇒ **Sexe; vagin, vulve.** — Pubis de la femme. ⇒ **Chatte** (fam.).

Avant-hier nous fûmes chez une femme qui nous en fit baiser deux autres (...) 1
J'ai peu joui du reste, ayant la tête par trop excitée. Ces cons rasés font un drôle d'effet. Elles avaient du reste des chairs dures comme du bronze et la mienne possédait un admirable fessier.
FLAUBERT, Lettre à L. Bouilhet, 1ᵉʳ déc. 1849, *in* Correspondance, t. I, Pl., p. 541.

C'est une impiété inepte d'avoir fait du mot con un terme bas, une injure. Le 2
mépris de la faiblesse ? Mais nous sommes si heureux qu'elles soient faibles. C'est non seulement le propagateur de la nature, mais le conciliateur, le vrai fond de la vie sociale pour l'homme. MICHELET, Journal, 1857, p. 331, *in* T. L. F.

REM. Le passage fait allusion au sens II.

Son con. Très peu de poils, de la même teinte que ses cheveux; les grandes lèvres 3

formant deux bourrelets onctueux. Son odeur de varech, son odeur de filets à sardines. Le cœur, la fontaine de Tantale. La rose lasse et fripée. La fin des peines.
André HARDELLET, Lourdes, lentes..., p. 42-43.

★ **II.** (Av. 1831, Stendhal, selon Mérimée [→ ci-dessous, cit. 4], adj.; nom, 1791; semble issu de la compar. *comme un con*, appliquée dépréciativement à une activité virile [→ ci-dessus, cit. 2, le commentaire de Michelet]; à noter que *connart* est ancien dans ce sens). Fig. ♦ **1.** Adj. **CON**, adj. m. et f., ou **CON, CONNE** [kɔ̃, kɔn], adj. Imbécile, idiot. *Ce qu'il peut être con! Elle est vraiment con. — Loc. Con comme la lune.*

4   Vous me croyez plus con que je ne suis, pour me servir d'une de vos expressions.
MÉRIMÉE, Correspondance générale, 1, 90 (à Stendhal, 1831).

5   Quand même, dit Charlier. Ce que c'est con, la guerre. Je ne connais rien de plus con.
SARTRE, le Sursis, p. 273.

6   On se trouve devant un écrivain, on a recours au questionnaire de Marcel Proust (...) bien que pour être con, il soit con, ce questionnaire (...)
ARAGON, Blanche..., III, III, p. 457.

7   Je voudrais une espèce de reportage bizarre. Un paysage très con, genre picard, nul en tout (...)
MALRAUX, Antimémoires, éd. Gallimard, p. 416.

Adj. fém. *Une histoire conne. Des « questions connes »* (A. Simonin, *Touchez pas au grisbi*, p. 50).

8   Elle a raison, dit Zazie qui était près de ses sous. Elle est moins conne que je ne croyais.
R. QUENEAU, Zazie dans le métro, Folio, p. 105.

♦ **2.** N. (1790, *in* D.D.L.). Imbécile, idiot. *Quel con! C'est un sale con, un méchant con. Le roi des cons. Pauvre con, petit con, va! Bande de cons. Mort aux cons!* (exclamation à laquelle le général de Gaulle aurait répondu par ce commentaire : « Vaste programme! »).

9   C'est un vieux con, dit Marin.
— Non, dit Carlo. Il a l'air brave.
— C'est un bon vieux con, dit Marin. Il y en a aussi.
Boris VIAN, l'Automne à Pékin, p. 182.

10   Mais je t'assure... commença Dhéry.
— Ne me prends pas pour un con.
Robert MERLE, Week-end à Zuydcoote, p. 183.

Piège (cit. 8) *à con(s)* : attrape-nigaud.
Faire le con, jouer au con : se conduire d'une manière absurde. *(Ne) fais pas le con* : sois raisonnable.

11   Quand on se mêle d'écrire et que l'on fait le con.
B. CENDRARS, Bourlinguer, p. 204.

12   Qu'est-ce que c'est que cette histoire? — Elle vous aime et vous aussi. Assez de faire le con.
É. AJAR (R. GARY), l'Angoisse du roi Salomon, p. 281.

En interjection et sans valeur injurieuse :

13   Cher vieux Boulard! (...) Je lui ai téléphoné. J'ai entendu sa grosse voix me dire : « Salut, vieux con! » et le monde a été encore plus savoureux que l'instant d'avant.
J. DUTOURD, Pluche, VII, p. 50.

N. f. (1872, Larchey). **CONNE** : idiote (→ la var. Conasse*).

14   Elle, elle pense qu'elle a été une conne, une conne, la reine des reines des connes de s'embarquer avec ce manieur de grues aux poches pleines de grains de tabac.
J. CAU, la Pitié de Dieu, p. 143.

15   (...) il y a eu tout de suite une paumée au bar, la Cathy, qui a eu justement le sourire en question (...) Cette conne était perchée sur un tabouret avec les mines de pute, alors qu'elle travaille à la boulangerie de son père (...)
É. AJAR (R. GARY), l'Angoisse du roi Salomon, p. 117.

Loc. adv. *À la con* : mal fait; ridicule, inepte (cf. À la noix).

16   Tu ne voudrais pas qu'on l'envoie au feu, ce régiment à la con?
Roger NIMIER, le Hussard bleu, p. 33.

DÉR. Con(n)ard, con(n)asse, connerie.
COMP. Déconner. — Tape-con.

CON-, COM-; COL-, COR- Élément, du lat. *cum* « avec » (⇒ **Co-**), dont la consonne finale s'assimile à celle du radical pour *m, l* et *r*. — Ex. : *concentrer, commémorer, collatéral, correspondance.*

CONARD, ARDE ou **CONNARD, ARDE** [kɔnaʀ, aʀd] adj. et n. — XIIIᵉ, *conart* (lecture douteuse), et XIVᵉ; de *con.*

♦ Fam. et vulg. Imbécile, crétin. ⇒ **Con, conasse** (fém.). *Il est un peu conard. Quelle conarde!*

1   Des fois, quand je suis sur les nerfs, je lui en veux, je l'assaisonne à grands coups de bottine, mais après, j'ai regret, je me dis, c'est la nature chétive, qu'est-ce qu'il en peut, pauvre conard.
M. AYMÉ, le Passe-muraille, p. 262.

2   Après, elle a râlé contre moi, elle m'a dit, sacrée conarde, qu'est-ce que t'avais besoin de raconter cette histoire de hache?
R. QUENEAU, Zazie dans le métro, Folio, p. 55.

Var. : *conneau* (av. 1896, Verlaine), *conno, connot* [kɔno].

CONASSE ou **CONNASSE** [kɔnas] n. f. et adj. — 1610, « con de vieille femme »; « prostituée inexperte », v. 1810; de *con.*

♦ Vulg. et péj. Idiote, imbécile. *Quelle conasse!*

1   Elle se croit chez Fior, cette petite conasse.
R. QUENEAU, Zazie dans le métro, Folio, p. 48-49.

2   Et cette petite conasse, la voilà à vingt ans la femme d'un des hommes les plus riches de France.
S. DE BEAUVOIR, les Belles Images, p. 160.

Adj. *Ce que tu peux être connasse!*

Fig. **CONASSE DE** (suivi du n. f. d'une chose) : (chose) gênante, inutile, importune, agaçante, etc. *Conasse de porte qui bat sans arrêt!*

Elle était en plein drame bourgeois. Elle mettait cette connasse de bagnole entre elle et moi.
Maurice CLAVEL, le Tiers des étoiles, p. 172.

CONATIF, IVE [kɔnatif, iv] adj. — 1951; de *conation.*

♦ Didact. Qui exprime l'idée d'effort. — Qui (dans le message linguistique) exprime la tension, est destiné à produire un certain effet sur le récepteur.

CONATION [kɔnasjɔ̃] n. f. — XXᵉ; lat. *conatio* « tentative, effort ».

♦ Didact. (philos., psychol.). Impulsion déterminant un acte, un effort.
DÉR. Conatif.

CONCASSAGE [kɔ̃kasaʒ] n. m. — 1845; de *concasser.*

♦ Action de concasser. *Concassage des graviers; de grains. Machine de concassage.* ⇒ **Concasseur.** *Concassage moyen, fin.* ⇒ **Concassement.** — Spécialt. Broyage du malt (brasserie). — REM. *Concassage* est le seul terme cour. en technique; *concassement* est mieux attesté en emploi fig. (cf. T.L.F.); mais on parlerait assez naturellement du *concassage des esprits*, etc.

CONCASSEMENT [kɔ̃kasmɑ̃] n. m. — XVIᵉ, *conquassement* « brisement »; de *concasser.*

♦ **1.** Rare. Concassage* jusqu'à la réduction en poudre.

♦ **2.** Par métaphore ou figuré :

C'est plus qu'une tempête physique, c'est un concassement d'esprit que le tremblement épars de leurs membres et de leurs yeux roulants signifie.
A. ARTAUD, le Théâtre et son double, Idées/Gallimard, p. 101.

Anéantissement. *Pilonner les esprits jusqu'à complet concassement.*

CONCASSER [kɔ̃kase] v. tr. — XIIIᵉ; lat. *conquassare*; de *con-* (*cum*), et *quassare.* → Casser.

♦ **1.** Réduire (une matière solide) en petits fragments. ⇒ **Briser, broyer, écraser, piler.** *Concasser des graines d'avoine, du poivre, des fèves. Concasser de la pierre.* ⇒ **Ballast...**

♦ **2.** Par métaphore ou fig. Triturer, réduire en miettes, anéantir. — Au p. p. *« Le corps concassé par les cauchemars de la nuit »* (Huysmans), broyé.
CONTR. Lier, souder, unir.
DÉR. Concassage, concassement, concasseur.

CONCASSEUR [kɔ̃kasœʀ] n. m. et adj. — 1848; de *concasser.*

♦ Techn. Appareil servant à concasser (spécialt, des graines, du malt, des pierres, du minerai). *Concasseur à plateaux, à mâchoires, à marteaux.* ⇒ **Broyeur.** *Concasseur de grains.* — Adj. ou appos. *Cylindre concasseur.*

Il y a beaucoup de machines, de bulldozers, de bétonneuses, de marteaux-pilons, de grues, de concasseurs, de rouleaux-compresseurs, de polisseuses (...)
J.-M. G. LE CLÉZIO, les Géants, p. 184.

DÉR. Concasseuse.

CONCASSEUSE [kɔ̃kasøz] n. f. — 1838, au fig., Stendhal, en parlant d'une diligence; fém. de *concasseur.*

♦ Techn. Appareil à concasser les pierres, pour la voierie.

CONCATÉNATION [kɔ̃katenasjɔ̃] n. f. — V. 1500; lat. *concatenatio*, de *catena* « chaîne ».
Didactique.

♦ **1.** Enchaînement (des causes et des effets, des termes d'un syllogisme).

♦ **2.** Suite de termes formant un arrangement linéaire (« chaîne » des éléments d'un énoncé linguistique, suite de symboles, etc.).
DÉR. Concaténer.

CONCATÉNER [kɔ̃katene] v. tr. — XVIᵉ, *concatené* (G. Bouchet), repris XXᵉ; de *concaténation.*

♦ Didact. Joindre par concaténation.

CONCAVE [kɔ̃kav] adj. — 1314; lat. *concavus*, de *cavus* « creux ». → 2. Cave.

♦ **1.** Sc. Qui présente une surface courbe en creux. ⇒ **Biconcave.** *Surface concave. Miroir* concave. Lentille concave. Des verres con-

caves. Moulure concave. ⇒ **Cavet.** *Voûte concave.* ⇒ **Intrados.** *Le côté concave d'une courbe.* ⇒ **Courbure.**

Par extension :

Toute peinture hollandaise est concave ; je veux dire qu'elle se compose de courbes décrites autour d'un point déterminé par l'intérêt, d'ombres circulaires autour d'une lumière dominante.   E. FROMENTIN, les Maîtres d'autrefois, Hollande, 2.

♦ **2.** Cour. (Surtout style écrit). Qui présente un creux, un enfoncement. ⇒ **Creux, enfoncé.** *Un rocher concave. Ventre concave.*

CONTR. **Bombé, convexe.**
DÉR. **Concavité.**
COMP. **Biconcave.**

CONCAVITÉ [kɔ̃kavite] n. f. — 1314 ; de *concave.*

♦ **1.** Caractère concave (en parlant d'une forme) ; forme concave (1.). *La concavité d'une lentille, d'un miroir sphérique.* — Par anal. *La concavité d'une ligne courbe.* ⇒ **Courbure.**

♦ **2.** Cavité, creux. *Les concavités d'un rocher* (→ Chêne, cit. 7). *Les concavités de la surface du globe terrestre.* — *Les concavités du crâne.*

CONTR. **Convexité.**

CONCÉDANT, ANTE [kɔ̃sedɑ̃, ɑ̃t] adj. et n. — 1939 ; de *concéder.*

♦ Dr., écon. Qui concède (1.).

CONCÉDER [kɔ̃sede] v. tr. — Conjug. *céder.* — XIIIᵉ ; lat. concedere. → Céder.

♦ **1.** Accorder (qqch.) à qqn comme une faveur. ⇒ **Accorder, allouer, céder, donner, octroyer.** *Concéder un privilège à qqn. Ce droit lui a été concédé pour deux ans. Se faire concéder une terre. Concéder à qqn l'exécution d'une entreprise, l'exploitation d'une ligne de chemin de fer...* ⇒ **Concession.**

1   Je suis ravi, Madame, que vous me concédiez la grâce d'embrasser Monsieur le Comte votre fils.   MOLIÈRE, la Comtesse d'Escarbagnas, 7.
2   Le souverain lui-même *(Charlemagne),* en échange de services civils et militaires, concéda, à titre révocable, *(bénéfice)* des portions de son domaine (...)   J. BAINVILLE, Hist. de France, III (cf. Bénéfice, cit. 6).

Au p. p. *Avantages, biens concédés.* ⇒ **Concession** (I.).

♦ **2.** Abandonner de son propre gré (un des points en discussion). ⇒ **Accorder, céder.** *Je vous concède ce point. Vous concéderez bien que j'ai raison sur ce point.* ⇒ **Admettre, avouer, convenir.** *Chacun des deux adversaires a concédé à l'autre un point du débat.* ⇒ **Concession** (II.) ; **composer ; mettre** (y mettre du sien).

Absolt. Faire des concessions.

3   (...) lorsque l'une de mes amies se lassait d'attendre l'Austerlitz de notre passion et parlait de se retirer. Aussitôt, c'était moi qui faisais un pas en avant, qui concédais, qui devenais éloquent.   CAMUS, la Chute, p. 78.

♦ **3.** (1937). Sports. (Anglic.). Abandonner à l'adversaire (en le laissant prendre l'avantage). *Concéder un but, un corner à l'équipe adverse. Le club X a dû concéder deux buts* (à son adversaire).

4   L'équipe de Médoc, désemparée par cette ruée soudaine, concéda deux corners coup sur coup.   René FALLET, le Triporteur, p. 368.

CONTR. **Contester, disputer, refuser, rejeter, repousser.**
DÉR. **Concédant.**

CONCÉLÉBRATION [kɔ̃selebʀasjɔ̃] n. f. — 1898 ; de *concélébrer,* d'après *célébration.*

♦ Liturgie. Célébration (de l'Eucharistie) par plusieurs prêtres ensemble.

CONCÉLÉBRER [kɔ̃selebʀe] v. tr. — Conjug. *céder.* — XVIᵉ, Amyot, « célébrer » ; lat. ecclés. concelebrare.

♦ Liturgie. Célébrer à plusieurs (un office religieux). — Au p. p. *Messe concélébrée.*

La messe française, je voudrais m'y habituer, l'aimer peut-être, mais, concélébrée par des prêtres en chemise de nuit, elle me rebute.   J. GREEN, Journal, 10 juil. 1976, La terre est si belle, p. 25.

DÉR. **Concélébration.**

CONCENTRATEUR [kɔ̃sɑ̃tʀatœʀ] n. m. et adj. — 1845, Bescherelle ; de *concentrer.*

♦ Techn. Appareil utilisé pour la concentration des liquides, des sirops. ⇒ **Évaporateur.** — Adj. *Appareil concentrateur.*

Concentrateur acoustique : réflecteur servant à concentrer les ondes sonores, pour certaines prises de son.

Installation téléphonique permettant de concentrer plusieurs lignes ou réseaux de faible exploitation (à certains moments).

Inform. Unité permettant d'une part la mise en mémoire provisoire de messages issus de voies lentes et leur émission groupée sur voie rapide, d'autre part la réception d'un groupe de messages par voie rapide et leur répartition sur voies lentes.

CONCENTRATION [kɔ̃sɑ̃tʀasjɔ̃] n. f. — 1732 ; de *concentrer,* d'après l'angl. *concentration,* de *to concentrate,* même orig. que *concentrer.*

♦ **1.** Action de concentrer, de réunir en un centre. ⇒ **Accumulation, assemblage, réunion.** *La concentration des rayons lumineux au foyer d'une lentille.* ⇒ **Convergence.** — Mise en convergence (d'un faisceau d'électrons).

Milit. *La concentration des troupes en un point du territoire.* ⇒ **Groupement, rassemblement, regroupement.**

Concentration d'entreprises, réunion sous une direction commune. ⇒ **Association, cartel, comptoir** (de vente), **consortium, entente, konzern, trust.** *Concentration horizontale ; verticale.* ⇒ **Intégration.**

Fig. *La concentration du pouvoir,* entre les mains d'un ou de quelques hommes. ⇒ **Centralisation.**

1   (...) le remaniement de 1803, en supprimant un grand nombre de principautés ecclésiastiques et de villes libres, préparait la concentration et l'unité de l'Allemagne.   J. BAINVILLE, Hist. de France, XVII, p. 402.
2   (...) le langage a été fixé ou modifié consciemment en quelque manière, tantôt par la Cour, tantôt par l'Académie, tantôt par l'enseignement d'État, et enfin (...) par l'action de Paris, et par la concentration à Paris de la production et de la publication des idées.   VALÉRY, Regards sur le monde actuel, Pensée et art français, p. 182.
3   (...) les germes de la crise étaient là. On eût pu en discerner la présence dans les effets, déjà sensibles, du machinisme et de la concentration industrielle (...)   André SIEGFRIED, l'Âme des peuples, I, 1, p. 9.

Spécialt. *Camp de concentration.* ⇒ **Camp ; concentrationnaire.**

♦ **2.** Ce qui réunit des éléments assemblés. — Loc. *Les grandes concentrations urbaines.* ⇒ **Agglomération, conurbation, mégalopole, ville.**

♦ **3.** Chim. Fait de concentrer, ou d'être concentré. *Point, degré de concentration* (rapport entre la quantité d'un corps et sa solution). — *Concentration maximale admissible :* concentration d'un polluant (dans l'air, dans un aliment, dans une boisson) telle que la dose susceptible d'être absorbée par un récepteur est inférieure à la dose maximale admissible.

Concentration d'un minerai (par élimination des impuretés : gangue, etc.), teneur en l'élément pur.

Par métaphore. *La concentration du vrai, de la passion,* son expression concentrée.

♦ **4.** (1632). Abstrait. Application de l'effort intellectuel sur un seul objet. *Concentration d'esprit. Ce travail exige une grande concentration.* ⇒ **Application, attention, contention, recueillement, réflexion, tension.**

4   On n'écrit pas avec son cœur, mais avec sa tête encore une fois et si bien doué que l'on soit, il faut toujours cette vieille concentration qui donne vigueur à la pensée et relief au mot.   FLAUBERT, Correspondance, t. II, p. 136.
5   (...) je ne me soucie pas qu'on sache que je m'adonne, corps et âme, aux Infusoires, moi ! Les visites, les questions, les consultations et les compliments m'empêcheraient d'apporter la concentration désirable dans mes vertigineux travaux.   VILLIERS DE L'ISLE-ADAM, Tribulat Bonhomet, p. 48.

CONTR. **Diffusion, dispersion, dissipation, dissolution, éparpillement.** — **Déconcentration, dilution.** — **Détente, distraction.**
DÉR. **Concentrationnaire.**
COMP. **Déconcentration.**

CONCENTRATIONNAIRE [kɔ̃sɑ̃tʀasjɔnɛʀ] adj. et n. — 1946, David Rousset ; de *(camp de) concentration.*

♦ Relatif aux camps de concentration. *« L'Univers concentrationnaire »* (D. Rousset). — Par ext. Qui rappelle les camps de concentration.

1   Il *(M. Beigbeder)* demeure en tout cas un allié plus ou moins camouflé du Parti qui est lui-même au service d'un Empire concentrationnaire où des Rosenberg à coup sûr innocents ont été sacrifiés et continuent d'être sacrifiés par millions.   F. MAURIAC, Bloc-notes 1952-1957, p. 9.

N. Détenu d'un camp de concentration.

2   Les affaires intérieures d'un pays ne regardent que ce pays (...) Ce principe est inattaquable. Il a des inconvénients sans doute. L'arrivée au pouvoir de Hitler ne concernait que l'Allemagne, et les premiers concentrationnaires, juifs ou communistes, étaient allemands en effet.   CAMUS, Actuelles II, Création et liberté, *in* Essais, Pl., p. 782.

CONCENTRER [kɔ̃sɑ̃tʀe] v. tr. — 1611 ; de *con-,* et *centrer.*

♦ **1.** Réunir en un point (ce qui était dispersé). ⇒ **Converger** (faire). *Concentrer des rayons lumineux dans le foyer d'une lentille.* — *Concentrer des effectifs.* ⇒ **Accumuler, assembler, grouper, rassembler, réunir.** *Concentrer des forces d'artillerie.* — *Concentrer des entreprises.* ⇒ **Associer, intégrer.**

Concentrer le tir sur un point donné. ⇒ **Diriger.**

Fig. Centraliser. *Concentrer tous les pouvoirs dans les mains d'un seul.*

♦ **2.** Chim. Augmenter la masse de (un corps dissous dans une unité de volume d'un liquide solvant).

♦ **3.** (Compl. n. de chose abstraite : sentiment, etc.). Appliquer avec force sur un seul objet. *Concentrer son énergie, son attention, son esprit.* ⇒ **Réfléchir.** *Concentrer toutes ses forces pour obtenir le succès.* ⇒ **Canaliser.** *Concentrer son affection sur son unique enfant* (→ Chéri, cit. 2).

1 (...) Marie l'entourait davantage de sa tendresse, concentrait sur lui toute sa force de volonté, le veillait comme un petit enfant (...)
LOTI, Mon frère Yves, LVIII, p. 140.

♦ **4.** Vx ou littér. Refouler en soi. *Concentrer sa fureur, sa haine, sa colère, sa douleur.* ⇒ **Contenir, dissimuler, refouler, renfermer.**

▶ **SE CONCENTRER** v. pron.

♦ **1.** Se réunir en un point, se rassembler. *Les forces armées se concentrent en un point du territoire.* — Être rassemblé et acquérir plus de force. *Le pouvoir gagne à ne pas être dispersé et à se concentrer dans quelques mains.*

♦ **2.** Se fixer sur un seul objet. *Toute sa capacité d'aimer se concentre sur son chien !* — Spécialt. Faire un grand effort d'attention, de réflexion (à propos d'un problème). *Se concentrer sur une difficulté à résoudre.* — *Taisez-vous, je me concentre. Il n'aime pas à se concentrer.*

2 (...) il se réservait sur une cour intérieure bien éclairée une pièce large et haute où il pouvait se concentrer dans la paix (...)
J. CHARDONNE, les Destinées sentimentales, Porcelaine de Limoges, V, p. 463.

3 Moi vous savez... il se baisse, se plie... il m'est très difficile, moi, vous savez, de me concentrer... il s'agenouille... Tout détourne mon attention, un rien suffit...
N. SARRAUTE, le Planétarium, p. 207.

▶ **CONCENTRÉ, ÉE** p. p. adj. (1762).

♦ **1.** Dont la concentration (3.) est grande. *Solution concentrée. Lait concentré sucré.* ⇒ **Condensé.** *Bouillon concentré,* et, n. m., *un concentré. Du concentré de tomate.*

4 Il mange volontiers ce que nous lui offrons : des confitures, du pain, du miel, et se montre particulièrement friand de lait concentré.
GIDE, Voyage au Congo, in Souvenirs, Pl., p. 770.

Par métaphore ou figuré :

5 À notre époque affairée, il faut des auteurs rapides et concentrés. J'admire beaucoup l'homme de génie qui a inventé la littérature concentrée.
A. ROBIDA, le Vingtième Siècle, p. 16 (av. 1900).

♦ **2.** Fig. Dont l'esprit est fortement appliqué à qqch. *Il écoute, concentré, ce qu'on lui dit. Un esprit concentré.* ⇒ **Attentif, réfléchi.** — Qui manifeste de la concentration (4.). *Un visage, un air concentré.*

6 (...) il n'est pas attentif, concentré tout entier dans un regard profond ou avide ; il est au repos, détendu, sans fatigue (...)
TAINE, Philosophie de l'art, t. II, IV, II, III, p. 165.

♦ **3.** Fig. Qui est renfermé, peu communicatif. *Un caractère concentré.* ⇒ **Fermé, secret, taciturne.**

7 Descartes était méditatif, mais nullement concentré.
Émile FAGUET, Études littéraires, XVIIe s., p. 6.

CONTR. Diluer, disperser, disséminer, éparpiller, étendre. — (Du p. p.) Communicatif, expansif.
DÉR. Concentrateur, concentration.

CONCENTRICITÉ [kɔ̃sɑ̃tʀisite] n. f. — 1869, Lautréamont ; de *concentrique.*

♦ Didact. Caractère concentrique.

CONCENTRIQUE [kɔ̃sɑ̃tʀik] adj. — 1361 ; de *con-,* et *centre.*

♦ **1.** Qui a un même centre (en parlant de courbes, de cercles coplanaires, de sphères). ⇒ **Homocentrique.** *Cercles concentriques. Les pelures concentriques d'un oignon.*

Cinq enceintes concentriques de murailles, contenant, à mesure qu'on s'approche du centre, des personnages de plus en plus considérables et de plus en plus mystérieux.
LOTI, Figures et Choses..., Trois journées de guerre, III, p. 250.
Le « vol concentrique d'un oiseau de proie » (J. Green), *en cercles concentriques, en spirale.*

♦ **2.** *Mouvement concentrique,* qui tend à se rapprocher du centre. ⇒ **Centripète.** *Le mouvement concentrique de l'ennemi.* ⇒ **Enveloppant.**

♦ **3.** Qui forme des courbes, des figures concentriques (1.). *Le développement concentrique d'une ville.*

CONTR. Excentrique. — Centrifuge.
DÉR. Concentricité, concentriquement.
COMP. Excentrique, homocentrique.

CONCENTRIQUEMENT [kɔ̃sɑ̃tʀikmɑ̃] adv. — 1511 ; de *concentrique.*

♦ Didact. ou littér. D'une manière concentrique. *Cercles disposés*

concentriquement. — *« L'armée britannique, attaquant concentriquement... »* (Foch, in T. L. F.).

S'il y a lieu, des frontières nous marchons concentriquement sur cette ville. Moscou encerclée, ce qui reste de la Russie d'Europe peut être à nous en moins de huit jours.
B. CENDRARS, Moravagine, in Œ. compl., t. IV, p. 154.

CONCEPT [kɔ̃sɛpt] n. m. — 1404 ; lat. *conceptus,* de *concipere* « recevoir ».

Didactique.

♦ **1.** Vx. Acte de pensée aboutissant à une représentation générale et abstraite. ⇒ **Conception, concevoir.** — Idée générale et abstraite.

♦ **2.** Mod. (depuis Kant). Philos. Objet de la pensée (idée), correspondant à une règle ou schème* lui assurant une valeur générale et abstraite (⇒ **Abstraction**), et souvent considéré comme lié à un nom*. — REM. *Notion,* souvent employé dans le même sens, correspond dans la langue courante à tout objet de pensée, qu'il soit individuel ou général, vague et mal formé ou analysable. — *Définition nominaliste* (⇒ **Nom**), *réaliste ; définition mentaliste, fonctionnaliste du concept. Le concept, opposé au percept*. Le concept défini en compréhension* correspond en extension à une classe d'objets.* ⇒ **Classe, catégorie.** *Définition* et concept. Symbole* et concept.* — *Le signe* (le nom, le mot), *le concept et la chose* (ou *référent*). *Le signifié* et le concept.* — *Du concept.* ⇒ **Conceptuel.**

1 On peut (...) dire que le concept général n'est ni un simple signe, ni une idée véritable, *eidos* (...) mais qu'il consiste en un *schème opératoire* de notre entendement, quelque chose comme le rythme d'un vers dont on ne peut retrouver les mots (...)
A. LALANDE, Lectures sur la philosophie des sciences, 1893, I.

2 Mais si l'on commence par écarter les concepts déjà faits, si l'on se donne une vision directe du réel (...) les concepts nouveaux qu'on devra bien former pour s'exprimer seront cette fois taillés à l'exacte mesure de l'objet.
H. BERGSON, la Pensée et le Mouvant, I, p. 23.

2.1 Les premiers temps, nous causions surtout du petit monde qui nous était commun : nos camarades, nos professeurs, le concours. *(Herbaud)* me citait le sujet de dissertation dont s'amusaient traditionnellement les normaliens : « Différence entre la notion de concept et le concept de notion ».
S. DE BEAUVOIR, Mémoires d'une jeune fille rangée, p. 312.

Sens non technique (style didactique, soutenu). Idée, notion.

3 L'homme autrefois était divin parce qu'il avait su acquérir le concept de justice, l'idée de loi, le sens de Dieu ; aujourd'hui il l'est parce qu'il a su se faire un outillage vivace qui le rend maître de la matière.
Julien BENDA, la Trahison des clercs, III, p. 198.

DÉR. V. Conceptuel.

CONCEPTACLE [kɔ̃sɛptakl] n. m. — 1547 ; lat. *conceptaculum.* → Réceptacle.

♦ (1832). Bot. Petite poche dans laquelle sont groupés les filaments reproducteurs, chez la plupart des algues.

CONCEPTEUR, TRICE [kɔ̃sɛptœʀ, tʀis] n. — 1795 ; de *conception.*

♦ **1.** Vx. Celui, celle qui conçoit (qqch.).

♦ **2.** Mod. Personne qui est chargée de trouver des idées nouvelles (publicité, mise en scène, etc.). *Concepteur-projeteur,* qui élabore un projet qu'il a conçu. *Concepteur-rédacteur,* qui trouve et met en œuvre dans un texte publicitaire des « idées de vente ». *« L'équipe de concepteurs qui définit la façon dont une mission de ce genre (à bord d'un vaisseau interplanétaire) serait effectuée »* (*Science et Vie,* févr. 1976, n° 701, p. 42).

Le travail d'esthétique industrielle doit être le fruit d'une équipe plutôt que le travail d'un seul concepteur.
D. HUISMAN et G. PATRIX, l'Esthétique industrielle, p. 96.

CONCEPTION [kɔ̃sɛpsjɔ̃] n. f. — V. 1150 ; lat. *conceptio,* de *concipere.* → Concevoir.

♦ **1.** Formation d'un nouvel être dans l'utérus maternel à la suite de la réunion d'un spermatozoïde et d'un ovule ; moment où un enfant (un petit d'animal) est conçu. ⇒ **Coït, copulation, fécondation, génération.** *Conception et grossesse. La conception d'un enfant. Éviter la conception* ⇒ **Anticonceptionnel, contraceptif.**

1 Mme de Saint-Papoul aurait pu réfléchir encore qu'il y a pour les époux chrétiens un moyen correct d'éviter les mauvaises surprises, qui est de ne se rapprocher qu'aux moments où une conception leur paraît souhaitable.
J. ROMAINS, les Hommes de bonne volonté, t. III, VIII, p. 123.

L'Immaculée Conception (de la Vierge Marie, qui, selon le dogme catholique, a été conçue, est née exempte du péché originel).

♦ **2.** (1315). Didact. Formation d'un concept* dans l'esprit. ⇒ **Abstraction, généralisation.**

Par ext. Action de concevoir, acte de l'intelligence, de la pensée, s'appliquant à un objet. ⇒ **Entendement, intellection, jugement.** *Conception vive, facile, lente.*

Cour. Résultat de cette activité intellectuelle, façon de concevoir qqch., ensemble de concepts. ⇒ **Idée, notion, vue.** *Une conception claire, hardie, originale. Conception idéale et générique d'une*

chose. ⇒ **Type**. *Se faire une conception personnelle d'une chose.*
⇒ **Opinion**. *La conception d'une œuvre*, son projet, sa première élaboration. *De la conception à la réalisation. La conception d'une œuvre musicale.* — *Conception assistée* par ordinateur (C.A.O.).*

2   La conception du dictionnaire fut due, en de telles circonstances, à une occasion fortuite, n'eut d'abord qu'un petit commencement et un caractère fragmentaire, et ne parvint que par des élaborations successives à se former un plan général et en un ensemble où toutes les parties concouraient.
    LITTRÉ, *Comment j'ai fait mon dictionnaire*, p. 2.

3   (...) un jeu libre des facultés, une conception plus saine de la vie, une âme et une intelligence moins tourmentées, moins surmenées, moins déformées (...)
    TAINE, *Philosophie de l'art*, t. II, IV, II, II, p. 156.

4   (...) c'est bien du point de vue de sa conception générale de la société et de la vie que l'historien observe les événements.
    JAURÈS, *Hist. socialiste...*, t. I, La Constituante, Introd., p. 9.

5   Il avait de la famille une conception religieuse, antique, presque barbare.
    R. ROLLAND, *Vie de Michel-Ange*, p. 19.

6   C'est des Latins également que nous tenons notre conception du droit, de ce droit écrit, aux arêtes dures, si différent du droit coutumier britannique.
    André SIEGFRIED, *l'Âme des peuples*, III, IV, p. 65.

CONTR. Stérilité. — Imagination, mémoire.
DÉR. Concepteur.
COMP. Préconception.

CONCEPTISME [kɔ̃sɛptism] n. m. — xxᵉ; esp. *conceptismo*, de *concepto* «pensée»; cf. *conceptiste*, 1845.

♦ Didact. (littér.). Style raffiné et intellectuel, dans la littérature espagnole (déb. XVIIᵉ siècle). ⇒ **Cultisme**.

CONCEPTUALISABLE [kɔ̃sɛptyalizabl] adj. — 1923; de *conceptualiser*.

♦ Didact. Qui peut être conceptualisé. *Une qualité conceptualisable.*

CONCEPTUALISATION [kɔ̃sɛptyalizasjɔ̃] n. f. — 1936, Maritain; de *conceptualiser*.

♦ Didact. Action de former des concepts (⇒ **Idéation**) ou d'organiser en concepts (⇒ **Systématisation**). *La conceptualisation aboutit à la conceptualité.*

C'est finalement dans l'enceinte de la relation analytique que se joue, c'est-à-dire à la fois se mime et se confirme, la conceptualisation freudienne.
P. RICŒUR, *Une interprétation philosophique de Freud*, *in* la Nef, nº 31, p. 116.

CONCEPTUALISER [kɔ̃sɛptyalize] v. — 1920; de *conceptuel*.
Didactique.

♦ **1.** V. intr. Élaborer des concepts.

♦ **2.** V. tr. Élaborer des concepts à partir de... *Conceptualiser une expérience.* — Organiser (un contenu mental, des connaissances) en concepts ou en un système de concepts. *Conceptualiser une théorie.*

Chaque doctrine philosophique (...) vit d'une intuition centrale, qui peut être mal conceptualisée et traduite dans un système d'assertions et de négations sérieusement déficient (...)   J. MARITAIN, *Raison et Raisons*, p. 86.

▶ CONCEPTUALISÉ, ÉE p. p. adj. *Une doctrine mal, peu conceptualisée.*

DÉR. Conceptualisable, conceptualisation.

CONCEPTUALISME [kɔ̃sɛptyalism] n. m. — 1832; lat. scolast. *conceptualis*, et *-isme*.
Philosophie.

♦ **1.** Hist. de la philos. Théorie suivant laquelle les concepts sont considérés comme les produits d'une construction de l'esprit et sont fondamentaux par rapport aux signes (opposé à *nominalisme*) et aux choses perçues (opposé à *réalisme*).

♦ **2.** Découpage de l'expérience selon un système de concepts définis et nommés.

REM. Les deux sens font référence aux définitions pré-kantiennes du *concept* comme idée générale et abstraite (→ Universaux).

DÉR. Conceptualiste.

CONCEPTUALISTE [kɔ̃sɛptyalist] adj. et n. — 1832; de *conceptualisme*.

♦ Philos. Relatif au conceptualisme. *Une philosophie conceptualiste.* (Personnes). Partisan du conceptualisme. — N. Personne qui se réclame du conceptualisme.

CONCEPTUALITÉ [kɔ̃sɛptyalite] n. f. — xxᵉ; de *conceptuel*.

♦ Didact. Aboutissement de la conceptualisation; ensemble des concepts. *Le «décalage qui existe entre la découverte freudienne et*

la conceptualité mise en œuvre par le système» (P. Ricœur, in *la Nef*, nº 31, p. 116).

CONCEPTUEL, ELLE, ELS [kɔ̃sɛptyɛl] adj. et n. m. — V. 1845; lat. scolast. *conceptualis* (→ Conceptualisme), de *conceptus*. → Concept.
Didactique.

♦ **1.** Du concept. *Catégories conceptuelles. Schème conceptuel.* — Qui procède par concepts. *L'intelligence conceptuelle et l'intelligence pratique. Analyse conceptuelle.* ⇒ **Notionnel**.

D'autre côté — n'est pas science, toute connaissance dont les éléments conceptuels ne sont pas faits ad hoc, mais pris dans le langage ordinaire.   1
VALÉRY, *Cahiers*, t. II, Pl., p. 837.

Psychol. *Tests de pensée conceptuelle*, permettant d'étudier l'aptitude d'un individu à la catégorisation.

N. m. *Le conceptuel et l'empirique.*

♦ **2.** Qui constitue un concept, correspond à une idée générale.

Je changerais de nom avec délices. On n'entend cela que de l'individu Stendhal,   2
on n'ose pas penser que c'est l'homme en Stendhal qui parle ainsi, l'homme conceptuel.   ARAGON, *Blanche...*, III, III, p. 427.

♦ **3.** (V. 1969). *Art conceptuel* : forme d'art privilégiant «l'idée artistique au détriment de son apparence spécifique» ou «la structure même du langage spécifique à l'œuvre d'art (...) ce qui constitue son autoanalyse» (*Dict. universel de la peinture*, t. I, p. 152). — Par ext. (Abusif). *Un «artiste conceptuel»; une «avant-garde conceptuelle et minimaliste»* (*le Monde*, 17 févr. 1977).

DÉR. Conceptualiser, conceptualité.

CONCERNANT [kɔ̃sɛrnɑ̃] prép. — 1596; du p. prés. de *concerner*.

♦ À propos, au sujet de. ⇒ **Touchant**. *Loi concernant les étrangers. Avez-vous lu l'article concernant la crise ministérielle?*

Tout d'abord, le préfet prit des mesures concernant la circulation des véhicules et le ravitaillement.   CAMUS, *la Peste*, II, p. 94.

HOM. Concernant (p. prés. de *concerner*).

CONCERNER [kɔ̃sɛrne] v. tr. — 1385; lat. scolast. *concernere*, de con- (cum), et *cernere* «considérer».

♦ **1.** (Sujet n. de chose; compl. n. de personne ou de chose rapportée à une personne). Avoir rapport à, s'appliquer à. ⇒ **Intéresser, porter** (sur), **rapporter** (se rapporter à), **regarder, toucher**. *Cette entrevue concerne vos intérêts. Veuillez vous présenter au commissariat pour une affaire qui vous concerne. Un livre qui concerne la chasse sous-marine. Voici une lettre qui vous concerne. Cela ne vous concerne pas.* ⇒ **Affaire** (ce n'est pas votre affaire; mêlez-vous de vos affaires). *Le pouvoir de décider ne nous concerne pas.* ⇒ **Dépendre** (de), **juridiction** (être de la juridiction de), **rayon** (être le rayon), **relever, ressort** (être du ressort de).

Il a cinquante mille livres de rente (...) Cela le concerne tout seul, et il ne m'en   1
fera jamais ni pis ni mieux (...)   LA BRUYÈRE, *les Caractères*, VI, 9.

Dans l'annonciation que Charles (*le Chauve*) fit au peuple de la partie de ce traité   2
qui le concernait.   MONTESQUIEU, *l'Esprit des lois*, XXXI, 25.

(...) la femme du croupier (...) fait des enfants de la cuisine et tout ce qui con-   3
cerne son état.   Laurent TAILHADE, *le Paillasson*, III, p. 36.

(*Ascèse a le*) même sens qu'*ascétisme*, mais avec une nuance : *ascèse* concerne   4
moins les exercices ou les privations matérielles, et davantage la vie intérieure.
LALANDE, *Voc. de la philosophie*, art. *Ascèse*.

(...) ces hommes qui, jusqu'ici, avaient montré un si vif intérêt pour toutes les nou-   5
velles qui concernaient la peste ne s'en préoccupaient plus du tout.
CAMUS, *la Peste*, IV, p. 207.

(Au p. prés.). *Une affaire vous concernant*, qui vous concerne. ⇒ aussi **Concernant**.

Loc. prép. (1690). *En ce qui concerne, pour ce qui concerne* : pour ce qui est de. ⇒ **Quant** (à); **concernant**. *Pour ce qui concerne le service, c'est un hôtel impeccable. En ce qui concerne cet individu, tu me feras le plaisir de ne pas le revoir. En ce qui me concerne* (→ Pour ma part*).

(...) pour ce qui concerne le médisant, voici ses mœurs.   6
LA BRUYÈRE, *les Caractères de Théophraste*, «De la médisance».

Elle (*la langue*) se sert d'isolants : quant à, en ce qui concerne, pour ce qui est   7
de (...)   F. BRUNOT, *la Pensée et la Langue*, I, XI, p. 30.

♦ **2.** (Au passif ou au p. p.; emploi critiqué, signalé par Littré, répandu par l'infl. de l'angl.). *Être concerné*, intéressé, touché (par qqch.); avoir affaire avec. *La peinture «cessa de se sentir concernée par ce qui s'était appelé sublime»* (Malraux). *Je ne suis pas concerné :* cela ne me regarde pas.

(*Ma profession*) me plaçait au-dessus du juge que je jugeais à son tour, au-dessus   8
de l'accusé que je forçais à la reconnaissance. Pesez bien cela, cher monsieur : je vivais impunément. Je n'étais concerné par aucun jugement.
CAMUS, *la Chute*, p. 32.

DÉR. Concernant.

CONCERT [kɔ̃sɛr] n. m. — Fin XVIᵉ, Pasquier, «cours public, conférence»; ital. *concerto* «accord».

★ **I.** ♦ **1.** Vx. Accord de personnes qui poursuivent un même but. ⇒ **Accord, entente, intelligence, union.**

1 (...) ce qu'a fait Valère, en voyant cet écrit,
Marque bien leur concert (...)   MOLIÈRE, le Dépit amoureux, I, 4.

2 (...) ce qu'un sage général doit le mieux connaître, c'est ses soldats et ses chefs. Car de là vient le parfait concert qui fait agir les armées comme un seul corps, ou, pour parler avec l'Écriture, « comme un seul homme ».
                                                  BOSSUET, Oraison funèbre du prince de Condé.

Mod. (Polit.). *Le concert des nations. Le concert européen.*

3 On voulait donc qu'elle *(la France)* ne trouvât aucune fissure dans le *concert* des « grandes puissances ».   Louis MADELIN, Talleyrand, XXX, p. 318.

Loc. adv. (V. 1660, Pascal). **DE CONCERT :** en accord. ⇒ **Ensemble, harmonie** (en). *Travailler de concert. Nos intérêts nous commandent d'agir de concert. Aller, voyager de concert avec qqn.* ⇒ **Conserve** (de).

4 Louis et le Destin me semblent de concert
Entraîner l'univers.   LA FONTAINE, Fables, XII, 10.

5 Tous deux soumis à son empire,
Nous allons de concert lui découvrir nos feux.   MOLIÈRE, Psyché, I, 2.

6 (...) et soyons de concert auprès des malades pour nous attribuer les heureux succès de la maladie, et rejeter sur la nature toutes les bévues de notre art.
                                                  MOLIÈRE, l'Amour médecin, III, 1.

7 (...) l'un et l'autre, comptant sur le succès de leurs mesures, agissaient de concert (...)   ROUSSEAU, les Confessions, IX.

8 Il y a quelque impiété à faire marcher de concert la vérité immuable, absolue, et cette sorte de vérité imparfaite et provisoire qu'on appelle la science.
                                                  FRANCE, l'Orme du mail, Œ., t. XI, VI, p. 75.

8.1 Berthe s'employait à parer sa fille, lui conseillait tel corsage dont le décolleté rond dégageait bien le cou, dont les petits plis soulignaient la poitrine. Ainsi ces deux femmes honnêtes *(la mère de Paul et Berthe)*, pensant bien, travaillaient de concert à éveiller le désir de Paul. On les eût choquées en les traitant d'entremetteuses.   Suzanne PROU, la Terrasse des Bernardins, p. 85-86.

♦ **2.** LE, UN CONCERT DE... (et n. au plur.). — Vx. Ensemble harmonieux. — Mod. Ensemble de manifestations de même caractère et simultanées. ⇒ **Chœur.** *Un concert de louanges, d'approbations, de bénédictions.*

9 Ce concert éclatant et merveilleux de rares qualités.
                                                  CORNEILLE, Au lecteur d'Œdipe.

10 Presque toujours les gens ont trouvé que les choses allaient mal. Sous Louis XII, c'est un concert de bénédictions.   J. BAINVILLE, Hist. de France, VII, p. 134.

11 Les étrangers ajoutaient, par leur admiration, à ce concert de louanges.
                                                  Louis MADELIN, le Consulat, XIV, p. 226.

12 Comment, vous vous portez au-devant du coup mortel, à travers l'inouï concert des périls.   G. DUHAMEL, Récit des temps de guerre.

★ **II.** (1608). Mus. ♦ **1.** Vx. Ensemble d'instruments de musique, de voix, produisant une harmonie. ⇒ **Accord.** *Tenir sa partie dans le concert.* ⇒ **Concertant, concerter** (3.).

13 L'ouverture se fait par Éraste, qui conduit un grand concert de voix et d'instruments, pour une sérénade.   MOLIÈRE, Monsieur de Pourceaugnac, Ouverture.

14 (...) seize faunes, dont les huit jouèrent de la flûte et les autres du violon avec un concert le plus agréable du monde.   MOLIÈRE, la Princesse d'Élide, Intermède, 6.

15 (...) les harpes et les voix célestes forment un concert autour d'elle (...)
                                          CHATEAUBRIAND, le Génie du christianisme, I, I, 5.

16 (...) un de ces concerts, riches de cuivre (...)
                                          BAUDELAIRE, les Fleurs du mal, Tableaux parisiens, XCI, III.

♦ **2.** (Répandu XIXe). Mod. Séance musicale. *Concert donné par un seul musicien.* ⇒ **Audition, récital.** *Concert donné en plein air.* ⇒ **Aubade, sérénade** (ancienn). *Concert spirituel :* séance de musique religieuse. *Aller au concert. Salle, programme de concert. Il fréquente les concerts et achète des disques. Concert de musique ancienne, contemporaine ; concert de jazz.*

17 (...) au concert, des amateurs fanatiques qui s'exténuaient à applaudir et à crier *bis* (...)   PROUST, À la recherche du temps perdu, t. XII, p. 76.
Association musicale qui donne des concerts réguliers. ⇒ **Orchestre ; chœur.** *Les concerts X...*

Loc. *Café concert.* ⇒ **Café-concert.**

18 (...) les histoires d'atelier (...) la scie de café-concert (...)
                                          J. ROMAINS, les Hommes de bonne volonté, t. III, IV, p. 62.

19 *(Les)* enseignes lumineuses qui indiquaient les cafés-concerts.
                                          P. MAC ORLAN, la Bandera, II, p. 23.

♦ **3.** Ensemble de bruits, de sons simultanés. — Poét. *Le concert des oiseaux.* ⇒ **Chœur.** — Par plais. *Un concert de klaxons, d'aboiements.*

20 Les rossignols commencent leur musique,
Et leurs petits concerts retentissent partout.
                                          MOLIÈRE, la Princesse d'Élide, Intermède, I, 2.

21 Quelle parole peut peindre le délicieux concert que produisaient les bruits étouffés du bourg animé par les travailleurs à leur retour des champs?
                                          BALZAC, le Curé de village, Pl., t. VIII, p. 742.

22 Un incessant concert de grillons et, formant fond, de grenouilles.
                                          GIDE, Voyage au Congo, 1927, in Souvenirs, Pl., p. 692.

CONTR. **Contradiction. — Désaccord, discorde, mésentente, mésintelligence, opposition. — Cacophonie.**
DÉR. **Concerter, concertiste.**
COMP. **Café-concert.**

CONCERTANT, ANTE [kɔ̃sɛʀtɑ̃, ɑ̃t] adj. — 1690 ; n., 1762 ; de *concerter.*
Musique.

♦ **1.** Qui exécute une partie dans une composition musicale. *Instruments concertants.*

♦ **2.** (1786, *in* D.D.L.). *Symphonie concertante :* concerto* à plusieurs solistes, dont la structure est celle de la symphonie (forme sonate).

CONCERTATION [kɔ̃sɛʀtasjɔ̃] n. f. — 1963 ; lat. *concertatio,* de *concertare* (→ Concerter [se]) ; cf. moy. franç. *concertation* (1541), « lutte d'athlètes antiques ».

♦ Polit. Fait de se concerter.

1 Ni les Arméniens jadis (...) ni Saint-Domingue il y a trois ans, ni les Kurdes à l'heure même où j'écris, n'eurent et n'ont rien à espérer dans l'immédiat d'une « concertation » de Grands qui ne se soucient que de continuer à grandir, ou de paraître moins petits qu'ils ne sont.   J.-F. REVEL, *in* l'Express, 24 juil. 1967.

2 Le terme de l'évolution est appelé coopération. Il s'agit d'unité morale, de « concertation » politique entre États souverains.   R. ARON, *in* le Figaro, 11 sept. 1967.
Politique de consultation des intéressés avant toute décision. ⇒ **Participation.**

CONCERTER [kɔ̃sɛʀte] v. tr. — 1476 ; de *concert.*

♦ **1.** Projeter de concert avec une ou plusieurs personnes. ⇒ **Arranger, combiner, organiser, préméditer, préparer.** *Concerter un projet, une décision. Concerter une action ensemble, avec qqn.* — Au p. p. *Un plan, une action concertée.*

1 (...) pour concerter avec lui les moyens de se venger (...)
                                                  FÉNELON, Télémaque, VIII.

1.1 Après que la fée et le génie eurent concerté ensemble tout ce qu'ils voulaient faire, le génie enleva doucement Bedreddin.
                                                  A. GALLAND, les Mille et une Nuits, t. I, p. 303.

Économie, politique concertée. ⇒ **Concertation.**

1.2 (...) l'économie dirigée annonçait l'économie planifiée et la doctrine de l'économie concertée était contenue dans celle de l'économie contractuelle.
                                                  Jean-Paul COURTHÉOUX, la Politique des revenus, p. 5.

♦ **2.** (XVIIe). Décider après réflexion. ⇒ **Calculer.** — Rare à l'actif. *Concerter une attitude.* — Au p. p. :

2 Sur les cinq autres lits, des formes remuaient et gémissaient, mais avec une discrétion qui semblait concertée.   CAMUS, la Peste, IV, p. 235.

2.1 (...) moi qui croyais n'avoir rien laissé au hasard dans ce texte on ne peut plus concerté, monté avec une minutie horlogère.
                                                  Claude MAURIAC, le Temps immobile, p. 31.

Par métonymie. *C'est une personne très concertée,* réfléchie, qui concerte. *Une élégance concertée.* ⇒ **Affecté.**

♦ **3.** Mus. Tenir sa partie dans un concert (II., 1.). ⇒ **Concertant.** « *Un seul instrument, qui concerte avec l'orchestre entier* » (André Hodeir).

▶ **SE CONCERTER** v. pron.
S'entendre* pour agir de concert. *Ils se concertèrent longtemps avant de prendre une décision.*

3 Les faux témoins qui ont déposé contre lui ayant eu le temps de se concerter, et de s'affermir dans leurs iniquités (...)
                                                  VOLTAIRE, Lettre à Mme de Saint-Julien, 4 juin 1773.

4 (...) à mesure qu'ils approchèrent de la maison, ils ralentirent, se concertèrent et firent silence.   G. SAND, la Mare au diable, Appendice II, p. 153.

5 Ils sont, ceux-là, les beaux joueurs de la contrée (...) c'est pour la partie de « pelote » de l'après-midi qu'ils se concertent tous (...)
                                                  LOTI, Ramuntcho, I, IV, p. 38.

▶ **CONCERTÉ, ÉE** p. p. adj. Voir ci-dessus, à l'article.
DÉR. **Concertant.**
COMP. **Déconcerter.**

CONCERTINA [kɔ̃sɛʀtina ; kɔntʃɛrtina] n. m. — 1869 ; mot angl., d'un dér. ital. de *concerto.*

♦ Mus. Instrument à anches et à soufflet, voisin de l'accordéon.

CONCERTINO [kɔ̃sɛʀtino] n. m. — 1866 ; mot ital., dimin. de *concerto.* → Concerto.
Musique.

♦ **1.** Groupe des solistes dans le concerto grosso.

♦ **2.** Bref concerto. *Des concertinos.*

CONCERTISTE [kɔ̃sɛʀtist] n. — 1834 ; de *concert.*

♦ Musicien qui donne des concerts (II., 2.) ; spécialt, musicien soliste. ⇒ **Musicien, virtuose.** *Une grande concertiste.*

(Il) venait à peine de faire ses premières armes au concert public, comme « concertiste » et comme improvisateur.   R. ROLLAND, Vie de Beethoven, II, p. 564.

CONCERTO [kɔ̃sɛʀto] n. m. — 1739 ; mot ital. [kɔntʃɛʀto] « concert ».

♦ **1.** Anciennt. Toute composition musicale à plusieurs parties concertantes. *Concerto vocal* (cantate) *avec accompagnement instrumental.*

CONCERTO GROSSO, où les solistes (le *concertino*) dialoguent avec l'orchestre *(ripieno ; grosso).*

1 Le *concerto grosso*. — C'est aussi bien un concerto de chambre *(concerto da camera)* que d'église ; seul son caractère en décide. Ici les instruments « concertent », se concurrencent entre eux : l'orchestre est divisé en deux groupes : celui des solistes ou *concertino*, d'une part, et d'autre part le *ripieno* ou *grosso*, c'est-à-dire la masse orchestrale ; d'où le nom de *concerto grosso* (...) les modèles du concerto grosso sont les six *Concertos brandebourgeois* de J.-S. Bach.
                         A. HODEIR, les Formes de la musique, p. 35.

♦ **2.** Mod. Composition de forme sonate*, pour orchestre et un instrument soliste. *Concerto pour piano et orchestre. Des concertos pour violon (violoncelle, flûte...) et orchestre. Le double concerto* (violon, violoncelle) *de Brahms.*

2 Il *(Chopin)* a écrit de beaux *concertos* et de belles *sonates :* toutefois il n'est pas difficile de distinguer dans ces productions plus de volonté que d'inspiration. La sienne était impérieuse, fantasque, irréfléchie.
                         E. DELACROIX, Journal, 28 févr. 1851.

CONCESSIBLE [kɔ̃sesibl] adj. — 1866 ; de *concession.*

♦ **1.** Rare. Qui peut être concédé. ⇒ **Concéder** (1. ou 2.).

♦ **2.** Techn. Qui peut faire l'objet d'une concession minière. « *La région centrale (...) ne présente pas moins de 22 000 hectares exploitables et concessibles* » *(l'Année sc. et industr.,* 1899, p. 128-129).

CONCESSIF, IVE [kɔ̃sesif, iv] adj. et n. m. — 1842 ; de *concession.*

♦ Gramm. Qui indique une opposition, une restriction. *Proposition concessive* (introduite par *bien que..., même si...,* etc.).

N. m. Mode du verbe exprimant spécifiquement la concession, dans certaines langues.

CONCESSION [kɔ̃sesjɔ̃] n. f. — 1264 ; lat. *concessio,* de *concedere.* → Concéder.

★ **I.** ♦ **1.** Action de concéder (un droit, un privilège, une terre) ; acte qui concède. ⇒ **Cession, don, octroi.** *La concession d'un privilège* (⇒ **Charte**), *d'un droit à qqn (par son détenteur). Faire la concession d'un terrain. Concession de travaux publics par adjudication. Concession d'eau, d'électricité,* contrat accordant le droit de branchement sur les conduites publiques. *Concession de voirie :* autorisation accordée à un particulier d'occuper une parcelle du domaine public. ⇒ **Autorisation.**

♦ **2.** Droit concédé. — Cour. Terre concédée. *Les anciennes concessions européennes d'Extrême-Orient. Concession minière, forestière.*

1 Des consulats, des douanes, des manufactures ; un dock où trône une frégate russe ; toute une *concession* européenne avec des villas sur les hauteurs, et, sur les quais, des bars américains à l'usage des matelots.
                         LOTI, Mme Chrysanthème, II, p. 9.

2 Je puis obtenir pour dix millions de couronnes la concession d'une maison de jeux au lac Balaton.   A. MAUROIS, Bernard Quesnay, VII, p. 48.

♦ **3.** Terrain concédé par une commune dans un cimetière. *Concession de dix ans. Concession à perpétuité.*

3 Il a déjà fait achat de la concession, au cimetière de Nesles, car il veut reposer, plus tard, dans le village de ses pères.
          DUHAMEL, Chronique des Pasquier, VI, Les maîtres, X, p. 366.

★ **II.** ♦ **1.** Fait d'abandonner à son adversaire un point de discussion ; ce qui est abandonné. ⇒ **Abandon, désistement, renoncement.** *Faire une concession à son adversaire. Se faire des concessions mutuelles.* ⇒ **Compromis, transaction.**

4 Que de concessions ne fait-on pas à la crainte de l'originalité apparente !
                 FLAUBERT, Correspondance, t. III, p. 8.

5 L'éclair de cette intuition l'avait arrêté net dans les concessions de langage qu'il avait commencé à faire au jeune homme pour éviter une querelle.
           Paul BOURGET, Un divorce, VI, p. 218.

6 Il me semblait que ma mère venait de me faire une première concession qui devait lui être douloureuse, que c'était une première abdication de sa part devant l'idéal qu'elle avait conçu pour moi, et que pour la première fois, elle, si courageuse, s'avouait vaincue.   PROUST, À la recherche du temps perdu, t. I, p. 57.

♦ **2.** (1884). Gramm. *Complément de concession. Dans « bien qu'il soit fatigué, il fera son travail », « bien qu'il soit fatigué » est une proposition de concession.* ⇒ **Complétif, concessif.**

Rhét. Figure consistant à accepter provisoirement un argument qu'on pourrait réfuter.

CONTR. Refus, rejet, retrait. — Contestation, dispute.
DÉR. Concessible, concessif, concessionnaire.

CONCESSIONNAIRE [kɔ̃sesjɔnɛʀ] n. et adj. — 1664 ; de *concession.*

♦ **1.** Personne qui a obtenu une concession de terrain à exploiter, de travaux à exécuter. — Adj. *Compagnie, société concessionnaire.*

Dites à l'agent cadastral, diraient-ils au nouveau concessionnaire, de vous mener sur le reste de la concession. Une fois là vous enfoncerez votre doigt dans la boue de la rizière et vous le goûterez. Croyez-vous que le riz puisse pousser dans le sel ? Vous êtes le cinquième concessionnaire. Les autres sont morts ou ruinés.
          M. DURAS, Un barrage contre le Pacifique, p. 292.

Admin. Personne à qui a été concédé un terrain dans un cimetière. — Adj. *Les familles concessionnaires.*

♦ **2.** Comm. Cour. Intermédiaire qui a reçu un droit exclusif de vente dans une région. *Le, la concessionnaire d'une marque d'automobiles.*

N. m. Établissement, magasin d'un concessionnaire. *C'est à côté du concessionnaire Renault.*

CONCETTO [kɔntʃetto] n. m. — 1721 ; mot ital., « concept » et, par ext., « mot d'esprit ».

♦ Trait d'esprit brillant (souvent péj.). — Plur. : *des concetti* [kɔntʃetti]. *Ouvrage, discours farci de concetti.*

1 Le feu du cœur d'un amant comparé à l'embrasement *(sic)* de Troye est un concetto digne du Marino. Il eût mieux valu faire rimer hallebarde avec miséricorde.
     VOLTAIRE, Correspondance, 1736, I, p. 711, in D. D. L., II, 12.

2 Ses vers *(de Berbardo Accolti),* trop ingénieux, étincelaient de *concetti* raffinés, et ces agréments littéraires, semblables aux fioritures dont les chanteurs italiens brodent leurs airs les plus tragiques, étaient si bien compris que les applaudissements éclataient de toutes parts. TAINE, Philosophie de l'art, t. I, II, III, p. 132.

CONCEVABLE [kɔ̃s(ə)vabl] adj. — 1647 ; attestation isolée, « perceptible », 1547 ; de *concevoir.*

♦ Qui peut être conçu, imaginé ; que l'on peut comprendre. ⇒ **Compréhensible, imaginable.** *Cela n'est pas concevable. Il est très concevable que...* (→ Buter, cit. 3). *Un rapport concevable. — Quel est le résultat concevable de cette évolution ?* ⇒ **Prévisible.** *Étudier toutes les solutions concevables.*

1 Ce n'est pas une chose concevable que la fidélité qu'il a gardée à ses alliés.
          RACINE, les Campagnes de Louis XIV, p. 301.

2 Un homme courageux n'a aucune idée de son courage. Le courage n'est concevable que chez un poltron.   J. CHARDONNE, l'Amour du prochain, VI, p. 132.

CONTR. et COMP. Inconcevable.

CONCEVOIR [kɔ̃s(ə)vwaʀ] v. tr. — Conjug. *apercevoir.* — V. 1120 ; du lat. *concipere* « recevoir », de *con-(cum),* et *capere* « saisir ».

★ **I.** (Le sujet désigne une femme). Former (un enfant) dans son utérus par la jonction d'un ovule et d'un spermatozoïde ; devenir, être enceinte. ⇒ **Engendrer, féconder ; conception.** *Concevoir un enfant.* — Absolt. *Femme qui ne peut plus concevoir,* qui ne peut être enceinte, avoir un enfant.

1 Adam connut Ève, sa femme ; elle conçut et enfanta Caïn (...)
                    BIBLE (CRAMPON), Genèse, IV, 1.

2 Les dettes (...) sont comme les enfants que l'on conçoit en joie,
Et dont avecque peine on fait l'accouchement. MOLIÈRE, l'Étourdi, I, 5.

3 Le Sacrement, je ne l'ignore pas, vous concède la permission de jouir de votre mari, et il serait téméraire de prétendre que l'acte par lequel vous allez peut-être concevoir un fils n'importe pas à la translation des globes.
         Léon BLOY, la Femme pauvre, II, VI, p. 209.

4 Des enfants conçus dans de telles émotions, formés de ce sang et bercés par des récits d'un si ferme caractère hagiographique étaient prédestinés.
            M. BARRÈS, la Colline inspirée, p. 24.

5 Si Jeanne avait été conçue à la fin de septembre, par exemple, en Périgord, au moment où la vendange le petit vignoble du domaine, et où se répand dans le château une légère odeur de grappes foulées qui n'est pas désagréable à de jeunes époux, elle serait née en juillet aux jours les plus accueillants de l'année.
     J. ROMAINS, les Hommes de bonne volonté, t. III, VIII, p. 122.

6 L'enfant conçu pendant le mariage a pour père le mari.   Code civil, art. 312.

Théol. *Jésus-Christ a été conçu dans le sein de la Vierge Marie. La Vierge Marie a conçu du Saint-Esprit.*

7 Joseph, fils de David, ne crains point de prendre chez toi Marie ton épouse, car ce qui est conçu en elle est du Saint-Esprit.
        BIBLE (CRAMPON), Évangile selon saint Matthieu, I, 20.

(En parlant des animaux femelles). *Concevoir ses petits.*

★ **II.** ♦ **1.** Didact. Former (un concept). *L'esprit conçoit les idées.* Absolt. *Pour concevoir, l'intelligence abstrait et généralise.*

8 Qui doute que les enfants ne conçoivent, qu'ils ne jugent (...)
              LA BRUYÈRE, les Caractères, XI, 58.

9 Ma tête, pour concevoir et retenir les idées positives, est forcée de les jeter dans le domaine de l'imagination. A. DE VIGNY, Journal d'un poète, p. 33.

10 Le Grec ne sait pas, comme le Romain, se subordonner à quelque grande unité, à une vaste patrie qu'on conçoit et qu'on ne voit pas.
        TAINE, Philosophie de l'art, t. II, IV, I, III, p. 112.

♦ **2.** Cour. Avoir une idée claire de. ⇒ **Comprendre, saisir.** *Concevoir qqch. Je ne conçois pas ce qu'il veut dire. — Vx. Concevoir qqch., ne rien concevoir à qqch.* ⇒ **Comprendre** (→ ci-dessous, cit. 12). — *Concevoir qqch. mal, bien, clairement.* — Pron. passif. (→ ci-dessous, cit. 14).

11 (...) ces traits font voir
    Ce que l'esprit de l'homme a peine à concevoir.
                                    MOLIÈRE, la Gloire du Val de grâce.

12 (...) Ma foi ! je n'y conçois plus rien (...)   RACINE, les Plaideurs, III, 3.

13 Nous ne concevons ni l'état glorieux d'Adam, ni la nature de son péché, ni la trans-
    mission qui s'en est faite en nous. Ce sont choses qui se sont passées dans l'état
    d'une nature toute différente de la nôtre, et qui passent l'état de notre capacité
    présente.   PASCAL, Pensées, VIII, 560.

14 Ce que l'on conçoit bien s'énonce clairement,
    Et les mots pour le dire arrivent aisément.   BOILEAU, l'Art poétique, I.

15 (...) il *(l'artiste moderne)* doit par un effort suprême, concevoir le *comment* et le
    pourquoi de ce qu'il exécute en vertu de son génie d'artiste, il doit, suivant la for-
    mule de Wagner, devenir «conscient de l'inconscient».
                                    Henri LICHTENBERGER, Richard Wagner, p. 41.

Avoir une idée de ; imaginer. ⇒ **Envisager, représenter** (se). *Concevoir qqch. de telle ou telle façon, comme..., sous la forme de...* —
Concevoir que (et le subj. ou le cond., plus rarement l'indic.) : comprendre, trouver naturel que. *Je conçois qu'il ne vienne pas,* je le
comprends ; par ext., je l'admets. *On ne pouvait pas concevoir qu'il
manquerait de parole.* ⇒ **Prévoir, supposer.** *Je ne conçois pas cela,*
je ne peux pas l'imaginer.

16 Je ne concevrai jamais que ce que tout homme est obligé de savoir soit enfermé
    dans des livres (...)   ROUSSEAU, Émile, IV.

17 Aussi je me console bien de déplaire à qui ne me plaît point, et je ne conçois
    guère pourquoi toutes ces belles filles, que je vois courtisées, sont coquettes avec
    tout le monde, comme si tout le monde était de leur goût.
                                    G. SAND, la Petite Fadette, XIX, p. 131.

18 Or, je suis incapable, ceci est bien connu, de concevoir le journalisme autrement
    que sous la forme du pamphlet.   Léon BLOY, le Désespéré, IV, p. 165.

19 Entre homme et femme, l'amitié est un des plus délicats commerces qui se puis-
    sent concevoir (...)   Edmond JALOUX, le Jeune Homme au masque, VIII, p. 131.

20 Par lui-même il ne pouvait concevoir ni le scepticisme, ni surtout le manque de
    passion pour une vérité qu'on a reconnue.
                                    J. ROMAINS, les Hommes de bonne volonté, t. III, I, p. 22.

♦ **3.** Créer par l'imagination. ⇒ **Former, imaginer, inventer.** *Concevoir un projet, un dessein.* ⇒ **Échafauder.** *Cet ouvrage est bien
conçu.*

21 (...) je vais vous communiquer un projet que j'ai formé ; un projet qui, sans con-
    tredit, est des plus ingénieux que puisse concevoir l'esprit humain.
                                    A.-R. LESAGE, Gil Blas, VI, I.

22 (...) la tâche d'un écrivain est de concevoir les passions, puisqu'il met sa gloire à
    les exprimer (...)   BALZAC, les Illusions perdues, Pl., t. IV, p. 905.
    N. B. Cet exemple joue sur les sens 2 et 3.

23 Il est impossible que deux têtes humaines conçoivent le même sujet absolument
    de la même manière (...)   HUGO, Littérature et Philosophie mêlées, Fantaisie.

Rare. *Concevoir de faire quelque chose.*

♦ **4.** Littér. Commencer à éprouver (un état affectif). *Concevoir de
l'amitié pour qqn.* — *Concevoir des craintes, des soupçons, des
doutes, de l'inquiétude.* ⇒ **Éprouver, ressentir.** — REM. À la différence
du sens 2, l'objet, même rationnel, n'est ni net ni clair.

24 J'ai conçu pour mon crime une juste terreur (...)   RACINE, Phèdre, I, 3.

25 On assure que ses parents en conçurent une rage inouïe, dont ses dents grincent
    encore (...)   Léon BLOY, le Désespéré, IV, p. 182.

▶ **SE CONCEVOIR** v. pron. (Passif). *Cela se conçoit facilement.
Le pire qui se puisse concevoir.* ⇒ **Concevable.** — *Allus. littér.* (→ ci-
dessus, cit. 14, Boileau).

▶ **CONÇU, UE** p. p. adj.

♦ **1.** *Des enfants conçus...* (→ ci-dessus, cit. 4 et 6).

♦ **2.** Chose conçue (par l'esprit). *Projet bien, mal conçu.*

♦ **3.** Loc. *Ainsi conçu :* rédigé, libellé comme suit. *Un plan, un télégramme ainsi conçu.*

CONTR. (Du sens I) **Avorter.** — **Stérile** (être).
DÉR. (Du sens II) **Concevable.**
COMP. (Du sens II, au p. p.) **Préconçu.**

CONCHE [kɔ̃ʃ] n. f. — 1471 ; «coquille d'huître», 1267 ; lat. *concha*
«coquillage». → Conque.

♦ Régional (Sud-Ouest). Petite crique sablonneuse. ⇒ **Baie.** *La conche de Royan.*

CONCHIER [kɔ̃ʃje] v. tr. — XIIe ; de *concacare,* de *con-* (cum), et
cacare (→ Chier) ; cf. moy. franç. *incaguer* (Rabelais), de *in,* et lat.
cacare.

♦ Fam. (vulg., plais.). Souiller d'excréments (→ Compisser, cit. 2).

1 Tarzan *(le chien)* renifle. Cela veut dire qu'il a envie de faire pipi (...)
   Allons compisser et conchier le trottoir du boulevard Edgard-Quinet.
                                    J. DUTOURD, Pluche, XV, p. 291.

2 (...) la pompe grotesque de Satan (...) qui culmine dans la basilique de Saint-
   Pierre avec le monstrueux baldaquin du Cavalier Bernin dont les quatre pattes et
   le ventre de mammouth couvrent l'autel comme pour le conchier.
                                    M. TOURNIER, le Roi des Aulnes, p. 80.

Par métaphore. Traiter (qqn) de manière insultante (→ Compisser,
cit. 3).

CONCHIFÈRE [kɔ̃kifɛʀ] adj. ⇒ **Conchylifère.**

CONCHITE [kɔ̃kit] n. f. — 1702 ; grec *konkhitès* «marbre portant
des empreintes de coquillage».

♦ Vx. Minér. Roche* calcaire qui, en se pétrifiant dans des coquilles vides, en conserve la forme.

CONCHOÏDAL, ALE, AUX [kɔ̃kɔidal, o] adj. — 1752 ; de *conchoïde.*
Didactique.

♦ **1.** En forme de coquille.

♦ **2.** Relatif à la conchoïde.

CONCHOÏDE [kɔ̃kɔid] adj. et n. f. — 1636 ; du lat. *concha*
«coquille», du grec *konkhê,* et *eidos* «forme» (→ -oïde).
Didactique.

♦ **1.** Qui est en forme de coquille*. — On dit aussi *conchoïdal, ale.
Cassure conchoïdale.*

♦ **2.** Géom. *Courbe conchoïde,* et, n. f., *une conchoïde :* courbe obtenue en menant d'un point les sécantes à une droite, à une courbe,
et en portant une longueur constante de part et d'autre des intersections.

Pierrot avait repris sa course, décrivant avec élégance des lemniscates et des con-
choïdes.   R. QUENEAU, Pierrot mon ami, éd. L. de Poche, p. 24.
DÉR. **Conchoïdal.**

CONCHYLI-, CONCHYLIO- Premier élément de mots
savants (1757), du grec *konkhulion* «coquillage», de *konkhê.*
⇒ **Conchoïde.**

CONCHYLICULTEUR, TRICE [kɔ̃kilikyltœʀ, tʀis] n. — Mil.
XXe (attesté 1955) ; de *conchyliculture.*

♦ Didact. Personne qui se spécialise dans l'élevage des coquillages
(notamment huîtres et moules). ⇒ **Ostréiculteur ; mytiliculteur...**

CONCHYLICULTURE [kɔ̃kilikyltyʀ] n. f. — Mil. XXe (attesté
1953) ; de *conchyli-,* et *culture.*

♦ Didact. Élevage des coquillages comestibles (huîtres, moules, etc.). ⇒ **Mytiliculture, ostréiculture.**
DÉR. **Conchyliculteur.**

CONCHYLIEN, IENNE [kɔ̃kiljɛ̃, jɛn] adj. — 1834 ; du rad. du lat.
conchylium «coquille».

♦ Géol. Qui contient des coquilles. *Terrain, calcaire conchylien.*

CONCHYLIFÈRE [kɔ̃kilifɛʀ] ou **CONCHIFÈRE** [kɔ̃kifɛʀ] adj.
— 1838 ; de *conch(yli)-,* et *-fère.*

♦ Didact. (animaux). Qui est muni d'une coquille ; porte-coquille.
Mollusque conchylifère.

CONCHYLIOLOGIE [kɔ̃kiljɔlɔʒi] n. f. — 1742 ; de *conchylio-,*
et *-logie.*

♦ Didact. Partie des sciences naturelles qui traite des coquillages.

Dans les galeries du Muséum (...) les fossiles les firent rêver, la conchyliologie les
ennuya.   FLAUBERT, Bouvard et Pécuchet, Pl., t. II, p. 677.

CONCHYLIOLOGISTE [kɔ̃kiljɔlɔʒist] ou **CONCHYLIO-
LOGUE** [kɔ̃kiljɔlɔg] n. — 1763 ; de *conchylio-,* et *-logiste* (ou *-logue*).

♦ Didact. Personne qui s'occupe de conchyliologie.

CONCHYLIS [kɔ̃kilis] n. m. ⇒ **Cochylis.**

CONCIERGE [kɔ̃sjɛʀʒ] n. et adj. — 1195, *cumcerge* ; probablt du
lat. pop. **conservius,* de *servus.*

♦ **1.** (1803). Personne qui a la garde d'un immeuble, d'une maison
importante. ⇒ **Gardien, portier ; cerbère** (iron.), **pipelet** (fam.), **suisse**
(vx) ; **bignole** (argot). *Le, la concierge, les concierges d'un château,
d'une école, d'un hôpital, d'une prison. La loge du concierge. La
concierge est dans l'escalier. Adressez-vous, parlez au concierge. La
concierge a la garde de la porte, tirait le cordon*, montait le courrier. Le, la concierge revient de suite, est dans l'escalier.* — REM. Le
mot, dans son emploi concret, tend à vieillir, comme l'institution elle-
même. ⇒ **Gardien.** — *Remplacer les concierges par des parlopho-
nes* (cit.).

1 Votre concierge, voyant que les chambres demeuraient vides, en a meublé quelqu'une et l'a louée. RACINE, Lettres, 3 oct. 1692.

2 (...) chaque fois que la porte cochère s'ouvrait, la concierge appuyait sur un bouton électrique qui éclairait l'escalier (...)
PROUST, À la recherche du temps perdu, t. IX, p. 166.

3 Son mari lit le journal, que la concierge monte chaque matin avec la boîte au lait.
J. ROMAINS, les Hommes de bonne volonté, t. II, I, p. 5.

(Terme techn. d'hôtellerie). Membre du personnel d'un grand hôtel affecté à la conciergerie (1., b).

♦ **2.** Fig. *C'est une (vraie) concierge,* une personne bavarde, qui aime à rapporter des anecdotes, des commérages (→ Citoyen, cit. 4; coller, cit. 7). *Histoires, potins de concierges.*

Adj. *Ce qu'il (elle) est concierge!*

♦ **3.** (Dans quelques expressions). Personne sans éducation. *Le café, « qu'il appelait avec mépris un breuvage de concierge »* (Zola, *Paris,* I, p. 244). *Comme dit ma concierge :* comme on dit populairement.

REM. Alors que le sens 2 mêle un jugement social défavorable à un cliché antiféministe, le sens 3 exprime le mépris bourgeois du locataire ou du propriétaire envers le personnel de service; cependant le personnage de la *portière,* de la *concierge* est typé très différemment de celui de la *bonne* au XIXᵉ s. et au début du XXᵉ s.

DÉR. **Conciergerie.**

CONCIERGERIE [kɔ̃sjɛʀʒəʀi] n. f. — 1328; de *concierge.*

♦ **1.** [a] Vx ou littér. Charge de concierge*. *On lui a confié la conciergerie du château.*

1 Votre Excellence m'a gratifié de la conciergerie du château; c'est un fort joli sort (...) BEAUMARCHAIS, le Mariage de Figaro, III, 5.

[b] Mod. (t. techn. d'hôtellerie). Service d'un grand hôtel qui assure l'accueil de la clientèle (remise des clés, manutention des bagages, parcage des véhicules, etc.), la répartition des chambres, la réception et la distribution du courrier; partie de l'hôtel, locaux où ce service est installé.

♦ **2.** Bâtiment où est logé un concierge. ⇒ **Loge.** *S'adresser à la conciergerie* (ne se dit que pour les châteaux, les immeubles publics).

♦ **3.** Hist. Prison* attenante au Palais de justice à Paris. *Marie-Antoinette fut enfermée à la Conciergerie.*

2 (...) en donnant ordre qu'on le mît (le cardinal de Bouillon) dans les prisons de la Conciergerie (...) VOLTAIRE, le Siècle de Louis XIV, 33.

♦ **4.** Régional (Québec). Immeuble d'habitation. *« Les Jardins Mérici, une conciergerie très moderne »* (le Québec tel quel, 1975).

CONCILE [kɔ̃sil] n. m. — V. 1260; *cuncile,* déb. XIIᵉ; lat. *concilium* « assemblée ».

♦ **1.** Assemblée des évêques de l'Église catholique, légitimement convoquée pour statuer sur des questions de dogme, de morale ou de discipline. ⇒ **Consistoire, synode** (→ Archevêque, cit. 1; apôtre, cit. 3; célibat, cit. 8). *Concile œcuménique*. Le concile de Nicée, premier concile œcuménique. Le concile de Trente,* où l'Église romaine décida d'une réforme. *Concile national, provincial, diocésain. La convocation, la célébration d'un concile. Ouvrir un concile. Les canons, les décrets, les définitions, les décisions, les actes d'un concile. Les anathèmes* (cit. 1) *prononcés par un concile. Citer qqn au concile. En appeler au futur concile. Pères d'un concile.* ⇒ **Docteur.** *La canonicité* (cit.) *d'un concile. D'un concile.* ⇒ **Conciliaire.**

1 Constantin assembla à Nicée, en Bithynie, le premier concile général.
BOSSUET, Disc. sur l'hist. universelle, I, 11.

2 Mais moi je suis sûr que ce qui les agace, ce qui leur porte ombrage, c'est surtout le Socialisme en tant que parti; sa hiérarchie, sa doctrine, son pédantisme, ses airs d'infaillibilité; tout ce qu'il y a en lui d'Église romaine, avec papes, conciles, encycliques et bulles d'excommunication.
J. ROMAINS, les Hommes de bonne volonté, t. V, XXIV, p. 222.

3 Comme psychologue et comme médecin, j'admire l'intransigeance des conciles.
A. MAUROIS, les Discours du Dʳ O'Grady, II, p. 12.

♦ **2.** Au plur. Décrets et canons d'un concile. *Recueil des conciles. Collection des conciles.*

♦ **3.** Fig., littér., plais. ⇒ **Assemblée, réunion.**

4 Les membres de ce concile matinal, à les examiner de mon coin, me semblaient tous assez profondément malades, paludéens, alcooliques, syphilitiques sans doute... CÉLINE, Voyage au bout de la nuit, p. 109.

DÉR. **Conciliaire.**

CONCILIABLE [kɔ̃siljabl] adj. — 1776; sens actif, « qui gagne les cœurs », 1536; de *concilier.*

♦ Qui peut se concilier avec autre chose. ⇒ **Compatible.** *Ces deux*

textes paraissent très conciliables. Ces opinions ne sont pas conciliables. ⇒ **Accordable.**

CONTR. **Inconciliable.**

CONCILIABULE [kɔ̃siljabyl] n. m. — 1549; lat. ecclés. *conciliabulum* « concile irrégulier, hérétique ou schismatique », de *conciliare.* → Concilier.

♦ **1.** Vieilli. Concile*, considéré par l'Église catholique romaine comme hérétique ou schismatique. ⇒ **Synode.**

♦ **2.** (1594). Vieilli. Réunion* secrète de personnes soupçonnées de mauvais desseins. *Tenir un conciliabule. Faire cesser les conciliabules.*

♦ **3.** Mod. Conversation où l'on chuchote, comme pour se confier des secrets.

1 Elles causaient entre elles avec cette voix chuchotante et ces demi-rires étouffés d'un conciliabule de jeunes filles au milieu desquelles il y a un jeune homme.
HUGO, Notre-Dame de Paris, VII, 1.

2 Les hirondelles sur le toit
Tiennent des conciliabules :
Voici l'hiver, voici le froid!
Th. GAUTIER, Émaux et Camées, Ce que disent les hirondelles.

3 (...) cette nuit empoisonnée, trouée d'éclairs, pleine de chuchotements et de conciliabules (...) SARTRE, le Sursis, p. 285.

CONCILIAIRE [kɔ̃siljɛʀ] adj. — 1586; de *concile.*
Didactique (religion).

♦ **1.** D'un concile (1.). *Décisions, canons conciliaires.*

♦ **2.** Qui participe à un concile (1.). *Les pères conciliaires.*
DÉR. **Conciliairement.**

CONCILIAIREMENT [kɔ̃siljɛʀmɑ̃] adv. — 1704; de *conciliaire.*

♦ Didact., rare. En concile. *Les évêques conciliairement assemblés.*

CONCILIANT, ANTE [kɔ̃siljɑ̃, ɑ̃t] adj. — Fin XVIIᵉ, Mᵐᵉ de Sévigné; p. prés. de *concilier.*

♦ (Personnes, tendances, comportements). Qui est porté à maintenir la bonne entente avec les autres par des concessions. ⇒ **Accommodant, arrangeant, conciliateur, coulant, facile.** *Une personne très conciliante, peu conciliante. Il est d'un caractère conciliant, d'une humeur conciliante. Il n'est pas très conciliant en affaires.*

Par ext. *Prononcer des paroles conciliantes.* ⇒ **Apaisant, doux.** *Prendre des mesures conciliantes* (→ Batailleur, cit. 2).

1 (...) Eugène Spuller (...) avait eu le courage de prononcer son fameux discours sur l'esprit nouveau pour répondre loyalement aux déclarations conciliantes du Pape Léon XIII et pour dire que, victorieuse, n'ayant plus rien à craindre pour sa longévité, la République se devait à elle-même une politique de concorde (...)
Georges LECOMTE, Ma traversée, p. 181.

2 (...) et verrait qu'il faut dans le commerce avec ses semblables, être plus conciliant et plus agréable. A. MAUROIS, le Cercle de famille, II, I, p. 134.

3 (...) tu pourrais être un peu plus conciliante, dis-je. Tu ne fais jamais aucune concession : tu devrais lui céder quand par hasard il te demande quelque chose.
S. DE BEAUVOIR, les Mandarins, p. 349.

CONTR. **Absolu, agressif, désagréable.**

CONCILIATEUR, TRICE [kɔ̃siljatœʀ, tʀis] n. et adj. — 1512; *consiliateur,* v. 1380; lat. *conciliator,* du supin de *conciliare.* → Concilier.

♦ Personne qui s'efforce de concilier les personnes entre elles. ⇒ **Arbitre, médiateur.** *Jouer un rôle de conciliateur. S'interposer, intervenir comme conciliateur.*

1 De bons curés seront (...) dans les villes et dans les campagnes (...) des arbitres, des conciliateurs, de fidèles dépositaires de la confiance des familles, des liens de concorde, de zélés surveillants de la tranquillité publique.
MARMONTEL, Éléments de littérature, t. VI, p. 70, in POUGENS.

2 (...) un pouvoir qui devrait jouer le rôle d'arbitre et de conciliateur (...)
RENAN (→ Arbitre, cit. 7).

Adj. *Esprit conciliateur.* ⇒ **Conciliant.** *Des mesures conciliatrices.*

3 (...) l'intelligence conciliatrice rencontre toujours son heure, même après de rudes traverses. G. DUHAMEL, Inventaire de l'abîme, IV, p. 50.

CONTR. **Diviseur, excitateur.**

CONCILIATION [kɔ̃siljasjɔ̃] n. f. — XIVᵉ; lat. *conciliatio,* du supin de *conciliare.* → Concilier.

♦ **1.** Action de concilier (des personnes divisées d'opinion, d'intérêt; résultat de cette action, bonne entente après une division. ⇒ **Accommodement, accord, agrément, arbitrage, arrangement, concorde, entente, médiation, rapprochement, réconciliation, transaction.** *Travailler à la conciliation des esprits.* ⇒ **Harmonie.** *La conciliation entre des personnes brouillées. Une conciliation difficile.* — Absolt. *Moyen de conciliation. Essai de conciliation entre deux partis. Agir dans un but de conciliation.*

1 La Curie, composée en énorme majorité de prélats italiens et espagnols, n'était

guère portée à la conciliation, braquée d'avance contre des ouvertures qui pouvaient être un piège et aboutir à la plus avilissante des avanies.
                                        Louis MADELIN, Hist. du Consulat, VIII, p. 110.

Atténuation des différends entre une personne et d'autres. *Faire preuve d'un réel esprit de conciliation.* ⇒ **Conciliant.**

♦ **2.** (1790). Dr. Accord de deux personnes en litige, réalisé par un juge. *Procédure de conciliation. Tentative* ou *préliminaire de conciliation :* formalité imposée aux parties qui doivent se présenter devant un magistrat pour essayer de se concilier avant de commencer un procès. ⇒ **Concilier** (cit. 1). *La tentative de conciliation a lieu soit devant le juge de paix* (petite conciliation), *soit sur citation d'huissier* (grande conciliation). *Procès-verbal, ordonnance de non-conciliation.* — *Appeler, assigner, citer qqn en conciliation.* — Anciennt (jusqu'en 1975). En matière de divorce :

2   Au jour indiqué, le juge entend les parties en personne ; si l'une d'elles se trouve dans l'impossibilité de se rendre auprès du juge, ce magistrat détermine le lieu où sera tentée la conciliation, ou donne commission pour entendre le défenseur ; en cas de non-conciliation ou de défaut, il rend une ordonnance qui constate la non-conciliation ou le défaut, et autorise le demandeur à assigner devant le tribunal.
                                        Code civil, ancien art. 238 (Procédure du divorce.)

REM. L'actuel article 238 du Code civil (loi du 11 juil. 1975) concerne la rupture de vie commune par altération des facultés mentales d'un conjoint.

En matière de conflits collectifs du travail. Règlement amiable du conflit. ⇒ **Arbitrage** (cit. 4). — *Comité de conciliation,* composé de délégués patronaux et ouvriers réunis sous la présidence du juge de paix pour éviter un conflit collectif du travail.

♦ **3.** (1680). Action de faire concorder deux textes, deux opinions différentes, deux méthodes. ⇒ **Concordance.** *La conciliation des lois. La conciliation d'intérêts opposés.*

3   Et pas plus que le chrétien ne doit chercher à obtenir conciliation de deux vérités contradictoires, telles que prescience de Dieu et libre arbitre individuel (...)
                                        GIDE, Journal, janv. 1925.

CONTR. Désaccord, dispute, divergence, division, divorce, inconciliation, opposition, rupture, séparation.
COMP. Réconciliation.

CONCILIATOIRE [kɔ̃siljatwaʀ] adj. — 1583, rare avant 1775 ; de *concilier, conciliation.*

♦ Rare. Propre à concilier. — Dr., polit. *Procédure conciliatoire.*

CONCILIER [kɔ̃silje] v. tr. — 1549 ; «réconcilier», v. 1175 ; lat. *conciliare* «assembler».

♦ **1.** Littér. ou dr. Mettre d'accord, amener à s'entendre (des personnes divisées d'opinion, d'intérêt). ⇒ **Accorder, raccommoder** (fam.), **réconcilier.** *Concilier deux adversaires. Le magistrat tente de concilier les parties.* ⇒ **Conciliation.**

1   Le président fera aux deux époux les représentations qu'il croira propres à opérer un rapprochement ; s'il ne peut y parvenir, il rendra, ensuite de la première ordonnance, une seconde portant qu'attendu qu'il n'a pu concilier les parties, il les renvoie à se pourvoir, sans citation préalable au bureau de conciliation (...)
                                        Code de procédure civile, anc. art. 878.

2   Elle (*Mme Récamier*) désarmait les colères, elle adoucissait les aspérités ; elle vous ôtait la rudesse et vous inoculait l'indulgence. Elle n'avait point de repos qu'elle n'eût fait se rencontrer chez elle ses amis de bord opposé, qu'elle ne les eût conciliés sous une médiation clémente.
                                        SAINTE-BEUVE, Causeries du lundi, 26 nov. 1849.

3   (...) la tentative d'organisation mixte, qui avait pour objet de concilier, de faire vivre et agir ensemble, malgré leur hostilité profonde, tous les éléments de la société.
                                        GUIZOT, Histoire générale de la civilisation en Europe, 10, p. 29, *in* T. L. F.

♦ **2.** (1647). Faire aller ensemble, rendre harmonieux (ce qui était très différent, contraire). *Concilier les opinions, les intérêts, les témoignages.* ⇒ **Arbitrer.** *Chercher à tout concilier.* ⇒ **Adoucir, arranger** (→ Arrondir les angles*). *Concilier la morale avec ces goûts,* faire aller ensemble. ⇒ **Ajuster, cadrer** (faire cadrer). *Concilier la richesse du style avec* (et) *la simplicité.* ⇒ **Allier, réunir.** *Concilier deux textes de loi. Concilier les termes d'une antinomie. Concilier les exigences de la foi avec celles de la raison,* les mettre en harmonie. ⇒ **Concorder** (faire concorder), **harmoniser.**

4   On trouve un livre de dévotion, et il touche ; on en ouvre un autre qui est galant, et il fait son impression. Oserai-je dire que le cœur concilie les choses contraires, et admet les incompatibles ?
                                        LA BRUYÈRE, les Caractères, IV, 73.

5   Les Grecs n'ont jamais su concilier l'égalité civile avec l'inégalité politique.
                                        FUSTEL DE COULANGES, la Cité antique, IV, X, p. 387.

6   La difficulté pour elle (*l'Assemblée*) était de concilier le droit naturel, tel qu'elle le concevait, c'est-à-dire antérieur et supérieur aux sociétés, avec le droit historien.
                                        JAURÈS, Hist. socialiste, t. I, La Constituante, p. 341.

7   Jamais je n'ai été foncièrement convaincu de ma supériorité sur aucun autre ; c'est ainsi que j'arrive à concilier beaucoup de modestie avec beaucoup d'orgueil.
                                        GIDE, Journal, Feuillets 1893.

♦ **3.** SE CONCILIER (qqn), le disposer favorablement envers soi. *Se concilier la bienveillance, l'amitié, les bonnes grâces de qqn.* ⇒ **Attirer** (s'), **gagner, procurer** (se).

▶ SE CONCILIER v. pron.

♦ **1.** Vx. *Se concilier avec qqn.* ⇒ **Accommoder** (s'), **accorder** (s'), **entendre** (s'), **réconcilier** (se).

Ils délibèrent ensemble, ils se communiquent leurs pensées, ils se concilient.   8
                                        MONTESQUIEU, l'Esprit des lois, VI, 4.

♦ **2.** (Choses). *Se concilier avec :* être compatible avec. *Ces deux interprétations ne peuvent pas se concilier,* sont inconciliables.

CONTR. Accuser, aggraver, brouiller, déranger, désaccorder, désunir, disputer, diverger, diviser, fâcher, heurter, opposer, séparer.
DÉR. Conciliable, conciliant, conciliatoire.
COMP. Réconcilier.

CONCIS, ISE [kɔ̃si, iz] adj. — 1553 ; lat. *concisus* «tranché», p. p. de *concidere.*

♦ Qui s'exprime en peu de mots. ⇒ **Bref, compendieux, court, dense, dépouillé, incisif, laconique, lapidaire, sobre, succinct.** *Écrire dans un style concis et vif.* ⇒ **Nerveux, serré.** *Pensée claire et concise. Expression nette et concise.* ⇒ **Précis.**

(...) j'aurais péché contre l'usage des maximes, qui veut qu'à la manière des oracles elles soient courtes et concises.   LA BRUYÈRE, les Caractères.   1

Il faut supposer que ce que vous avez à dire est intéressant car s'il n'en était pas ainsi, peu importe que vous soyez long ou concis.   2
                                        E. DELACROIX, Écrits, t. II, p. 84.

N. m. Concision. *Le concis et le prolixe.*

Par métonymie. (Personnes). *Écrivain, orateur concis. Il n'est pas assez concis.*

Démosthène est grand en ce qu'il est serré et concis, et Cicéron au contraire en   3
ce qu'il est diffus et étendu.   BOILEAU, Trad. de Longin, Traité du sublime, X.

CONTR. Bavard, diffus, long, prolixe.
DÉR. Concision.

CONCISION [kɔ̃sizjɔ̃] n. f. — 1706 ; «suppression», 1488 ; de *concis.*

♦ Qualité de ce qui est concis. ⇒ **Brièveté, densité, sobriété.** *La concision du style, de la pensée. Concision dans le style, précision* (cit. 1) *dans la pensée. Tacite est un modèle de concision. S'exprimer avec une concision extrême.* ⇒ **Laconisme.**

(...) la concision, c'est-à-dire l'art de renfermer une pensée dans le moins de mots   1
possible.   Antoine ALBALAT, l'Art d'écrire, VI, p. 90.

Il y a des gens qui n'arrivent à la concision qu'avec une gomme à effacer : ils suppriment des mots nécessaires.   J. RENARD, Journal, mai 1909.   2

Par ext. Simplicité, dépouillement (cf. Hugo, *in* T. L. F.).

CONTR. Bavardage, longueur, prolixité.

CONCITOYEN, ENNE [kɔ̃sitwajɛ̃, ɛn] n. — XIIIe, *concitien ; de con-,* et *citoyen,* d'après le lat. *concivis,* de *con-* (cum), et *civis.*

♦ Citoyen du même État, d'une même ville (qu'un autre). ⇒ **Compatriote, 2. pays.** *Le concitoyen, la concitoyenne de qqn ; des concitoyens. C'est mon concitoyen. Mes chers concitoyens !* (formule d'adresse).

J'ai paru devant les Romains, citoyen au milieu de mes concitoyens, et j'ai osé   1
leur dire : Je suis prêt à rendre compte de tout le sang que j'ai versé pour la République.   MONTESQUIEU, Sylla et Eucrate.

Ce que l'Église, jusqu'à nos jours, exaltait dans le patriotisme, quand elle l'exaltait, c'est la fraternité entre concitoyens, c'est l'amour de l'homme pour d'autres hommes (...)   2
                                        Julien BENDA, la Trahison des clercs, III, p. 164.

Par plais. Compagnon.

Le lièvre et la perdrix, concitoyens d'un champ,   3
Vivaient dans un état, ce semble, assez tranquille (...)
                                        LA FONTAINE, Fables, V, 17.

DÉR. Concitoyenneté.

CONCITOYENNETÉ [kɔ̃sitwajɛnte] n. f. — Av. 1845 ; de *concitoyen,* d'après *citoyenneté.*

♦ Didact. Qualité de concitoyen, de concitoyenne.

CONCLAVE [kɔ̃klav] n. m. — V. 1360 ; lat. médiéval *conclave* «chambre fermée à clef», de *cum,* et *clavis.* → Clef.

♦ **1.** Lieu où s'assemblent les cardinaux pour élire un nouveau pape.

Grégoire X sortit enfin du scrutin, et, pour remédier à l'avenir à un tel abus, établit alors le conclave, CUM CLAVE ; *sous clef* ou *avec une clef.*
                                        CHATEAUBRIAND, Mémoires d'outre-tombe, t. V, p. 97.

♦ **2.** Assemblée réunie pour élire le pape. *Réunir le conclave. Il y eut des intrigues au conclave de ce pape,* au conclave où il fut élu. — *Durée de la réunion.*

Il y aura de grandes difficultés au conclave.   Mme DE SÉVIGNÉ, 582, *in* LITTRÉ.   2

3 (...) elle sentait la nécessité d'une victoire, devant l'éventualité d'un conclave possible (...) ZOLA, Rome, p. 379.

DÉR. Conclaviste.

CONCLAVISTE [kɔ̃klavist] n. m. — 1546, Rabelais ; de *conclave*.

♦ Relig. Ecclésiastique attaché à la personne d'un cardinal pendant un conclave.

Soixante-deux cardinaux assistés chacun d'un conclaviste et d'un garde noble se sont enfermés avant-hier dans la partie du Vatican réservée au conclave.
M. TOURNIER, le Roi des Aulnes, p. 110.

CONCLUANT, ANTE [kɔ̃klyɑ̃, ɑ̃t] adj. — 1587 ; p. prés. de *conclure*.

♦ (Choses). Qui conclut*, qui prouve* sans réplique. *Argument* concluant.* ⇒ **Convaincant, décisif, définitif, irrésistible, probant.** *Raison, preuve concluante. Expérience concluante. Cet essai n'est guère concluant.*

1 Des appareils qui conduisent à des expériences exactes et concluantes.
CONDORCET, d'Arci, in LITTRÉ.

2 Très régulièrement, il vint près d'un mois et tendit l'oreille comme un lévrier, sans recueillir la matière d'une concluante et valable déposition.
Léon BLOY, la Femme pauvre, II, XVIII, p. 259.

CONTR. Improbant, inconcluant.

CONCLURE [kɔ̃klyʀ] v. — *Je conclus, nous concluons ; je concluais, nous concluions ; je conclus, nous conclûmes ; je conclurai ; je conclurais ; conclus, concluons ; que je conclue, que nous concluions ; que je conclusse ; concluant ; conclu.* — XIIᵉ ; lat. *concludere*, de *claudere*. → Clore.

♦ **1.** V. tr. dir. (Sujet n. de personne ou d'une force humanisée). Ⓐ Amener à sa fin*, par un accord. ⇒ **Arrêter, fixer, régler, résoudre.** *Conclure une affaire avec qqn. Ils ont conclu l'affaire ensemble.* — Pron. *Un accord s'est conclu* (→ ci-dessous, cit. 4). — Au p. p. (→ ci-dessous, cit. 3). *Accord conclu. Marché conclu, affaire conclue* (cf. fam. Tope-là !). *Conclure un accord, un arrangement.* ⇒ **Accorder** (s'), **entendre** (s') ; **passer.** *Conclure un traité, la paix.* ⇒ **Signer, traiter.**

1 Le Ciel, Seigneur, Arnolphe, a conclu mon malheur (...)
MOLIÈRE, l'École des femmes, V, 6.

2 (...) vous ferez bien de ne point conclure ce mariage (...)
MOLIÈRE, les Femmes savantes, IV, 4.

3 Il faut rompre la paille : une paille rompue
Rend, entre gens d'honneur, une affaire conclue.
MOLIÈRE, le Dépit amoureux, IV, 4.

4 La paix se conclut donc ; on donne des otages (...) LA FONTAINE, Fables, III, 13.

5 Quinette obtint sans difficulté, moyennant une majoration insignifiante, de conclure la sous-location au mois.
J. ROMAINS, les Hommes de bonne volonté, t. II, IX, p. 94.

Vx. (Sujet n. de chose). Parachever. *Cela a conclu ses malheurs.* ⇒ **Achever, couronner, terminer.**

Ⓑ Spécialt. (Sujet n. de personne). Terminer un discours, un récit, un ouvrage. ⇒ **Conclusion ; conclusif.** *Conclure un discours par une longue péroraison. Conclure une fable, un roman, une tragédie. Conclure à la hâte un ouvrage.* ⇒ **Bâcler.**

6 Trouvez bon, Madame, que... je conclue ce mot, en vous faisant considérer (...)
MOLIÈRE, la Comtesse d'Escarbagnas, 4.

7 Milton est le premier poète qui ait conclu l'épopée par le malheur du principal personnage (...) CHATEAUBRIAND, le Génie du christianisme, II, I, 3.

Absolt. *Vous avez assez discuté ; maintenant, il faut conclure. Concluez ! Cet écrivain ne sait pas conclure.*

Mus. Amener une conclusion*.

Ⓒ (Avec un compl. second en *par*, en *sur*). Achever (une action). *Conclure une réunion par un repas. Ils ont conclu leur rencontre sur une réconciliation générale.*

♦ **2.** Littér. ou style soutenu. *Conclure qqch. de qqch.* : tirer (une conséquence) de (qqch. qui précède). *Que pouvons-nous conclure de ces événements ? « Qu'ils en concluent ce qu'ils voudront contre le déisme, ils n'en concluront rien contre la religion chrétienne »* (Pascal). ⇒ **Arguer, argumenter, déduire, induire, inférer.**

8 Concluons que la Providence
Sait ce qu'il nous faut mieux que nous. LA FONTAINE, Fables, VI, 4.

9 (...) l'expérience que vous avez faite ne conclut rien pour tous les autres.
MOLIÈRE, le Bourgeois gentilhomme, III, 15.

10 Que conclure à la fin de tous mes longs propos ?
C'est que les préjugés sont la raison des sots.
VOLTAIRE, Poème sur la loi naturelle, IV.

11 (...) je crois avoir le droit de conclure que jusqu'à la grande tempête de la guerre, il y a eu plutôt animation que dépression de l'industrie en France.
JAURÈS, Hist. socialiste..., t. II, L'œuvre de la Constituante, p. 258.

Pop. (d'après *se dire*).

11.1 Ma position (...) est que la vie humaine est sacrée. D'où je me conclus qu'un individu n'a pas le droit d'en tuer un autre. M. AYMÉ, Travelingue, p. 253.

Conclure que... Je conclus que vous avez tort. Conclure de qqch. que... : déduire ou induire que... *On conclura de cette affirmation*

qu'il se trompe, qu'il peut, qu'il pourrait se tromper. « Il ne faut pas conclure que vous soyez un ingrat » (Delacroix).
(Sujet n. de chose). Faire aboutir à la conclusion que...

12 (...) tout ce que de vous je viens d'ouïr contre elle
Ne conclut point, parent, qu'elle soit criminelle. MOLIÈRE, Sganarelle, 12.

Absolt. Donner une conclusion.

13 La rage de vouloir conclure est une des manies les plus funestes et les plus stériles qui appartiennent à l'humanité. FLAUBERT, Correspondance, t. III, p. 270.

14 Aucun génie n'a conclu et aucun grand livre ne conclut, parce que l'humanité elle-même est toujours en marche et qu'elle ne conclut pas.
FLAUBERT, Correspondance, t. III, p. 87.

15 Quand Flaubert dit que l'art ne doit pas conclure, et qu'il se défend lui-même de conclure, tout cela est bon en théorie, mais la vie apporte toujours une conclusion.
A. THIBAUDET, Gustave Flaubert, p. 114.

Sports. Obtenir un résultat décisif (but, essai...) dans une rencontre entre équipes.

♦ **3.** V. tr. ind. Littér. CONCLURE (de qqch.) À (qqch.) : induire qqch. de qqch. *Conclure de la beauté du style à l'intérêt de l'œuvre.*

15.1 La réalité révolutionnaire concluait à la République avant que la conscience française fût préparée à conclure de même...
JAURÈS, Hist. socialiste, t. I, La Constituante, p. 291.

15.2 (...) et les sages concluent, comme toujours, du néant de la réclame au néant de l'œuvre. Léon BLOY, le Désespéré, II, p. 97.

CONCLURE DE (et l'inf.) : décider de (faire qqch.), après délibération.

16 Après divers avis, on résout, on conclut
D'envoyer hommage et tribut. LA FONTAINE, Fables, IV, 12.

Vx. *Conclure à qqch.* : décider de...

17 Ils concluent à faire baptiser l'ingénu. VOLTAIRE, l'Ingénu, 2.

Rare. *Conclure à ce que...* (et subj.). *Il conclut « à ce que la cession fût poursuivie »* (Barante, in T. L. F.).

Dr. *Conclure à (qqch.)* : aboutir à la conclusion de (qqch.), après examen. *Les enquêteurs concluent à l'assassinat.* — (En jugement). *Conclure au non-lieu, à la peine de mort.* ⇒ **Prononcer** (se prononcer pour).

18 De vingt-deux juges, il n'y en en eut que neuf qui conclurent à la mort.
VOLTAIRE, le Siècle de Louis XIV, 25.

♦ **4.** V. intr. (Sujet n. de personne). Style soutenu. *Conclure contre, en faveur de...* : se prononcer contre, en faveur de...
(Sujet n. de chose). Être concluant. *Ce témoignage conclut contre lui.*

▶ **SE CONCLURE** v. pron. *La paix se conclut* (→ ci-dessus, cit. 4). *Ceci ne se conclut pas.* ⇒ **Démontrer** (se).

19 Les principes se sentent, les propositions se concluent ; et le tout avec certitude, quoique par différentes voies. PASCAL, Pensées, IV, 282.

S'achever. *Les négociations se sont conclues sur, par un échec.*

Absolt. *Il se conclut de cet argument que... :* on peut en conclure que...

▶ **CONCLU, UE** p. p. adj. Voir ci-dessus à l'article.

CONTR. Amorcer, commencer, débuter, entreprendre. — **Exposer, préfacer, présenter.**
DÉR. Concluant.

CONCLUSIF, IVE [kɔ̃klyzif, iv] adj. — V. 1460 ; lat. scolast. *conclusivus*, de *concludere* «conclure».

♦ **1.** Vx. Qui exprime, qui indique une conclusion. *Proposition conclusive. « Donc » est une conjonction conclusive.*

♦ **2.** Mus. Qui amène une conclusion*. *Accord conclusif. Note conclusive.*

CONCLUSION [kɔ̃klyzjɔ̃] n. f. — V. 1260 ; lat. *conclusio*, du supin de *concludere*. → Conclure.

♦ **1.** Arrangement final (d'une affaire). ⇒ **Règlement, solution, terminaison.** *Conclusion d'un traité ; d'un mariage.* — **Fin*.** *Ce fut la conclusion de ses mésaventures.* ⇒ **Couronnement, issue.** *Les événements se dessinent, approchent de la conclusion.*

Cour. Ce qui termine un récit, un ouvrage. ⇒ **Dénouement, épilogue, fin.** *La conclusion d'un discours.* ⇒ **Péroraison.** *La conclusion de ce livre en résume la teneur. Conclusion d'une fable.* ⇒ **Morale, moralité.**

1 Belle conclusion, et digne de l'exorde ! RACINE, les Plaideurs, III, 3.

2 Aussi fit-elle *(cette scène)* une avantageuse conclusion aux divertissements de ce jour (...) MOLIÈRE, la Princesse d'Élide, Intermède, VI.

Mus. Fin d'une phrase musicale ou d'une séquence, selon les règles de la composition (dans un système donné). *Accords de conclusion. Conclusion d'une période.* ⇒ **Cadence.** *Conclusion d'une fugue.* ⇒ **Coda.**

♦ **2.** Log. Proposition dont la vérité résulte de la vérité d'autres propositions *(prémisses). Conclusion d'un syllogisme.* — Cour. Jugement qui suit un raisonnement. *Sa conclusion est fausse. Déduire, tirer une conclusion de qqch.* ⇒ **Enseignement, leçon ; prouver.**

3 Ce n'est pas assez de compter les expériences, il les faut peser et assortir, et les avoir digérées et alambiquées pour en tirer les raisons et conclusions qu'elles portent. MONTAIGNE, Essais, III, VIII.

4 Tous leurs principes sont vrais, des pyrrhoniens, des stoïques, des athées, etc. Mais leurs conclusions sont fausses, parce que les principes opposés sont vrais aussi.
PASCAL, Pensées, VI, 394.

5 La majeure en est inepte, la mineure impertinente, et la conclusion ridicule.
MOLIÈRE, le Mariage forcé, 4.

6 (...) j'étais déjà arrivé à cette conclusion que nous ne sommes nullement libres devant l'œuvre d'art (...) PROUST, À la recherche du temps perdu, t. XV, p. 25.

7 Ce sont moins en effet les conclusions identiques qui font les intelligences parentes, que les contradictions qui leur sont communes.
CAMUS, le Mythe de Sisyphe, p. 132.

Adverbial. Fam. Bref*, en un mot, au total. *Conclusion, il n'y a rien à faire.*

8 Conclusion, qu'il ne la put fléchir. LA FONTAINE, Contes, « Le faucon ».

En conclusion (loc. adv.). ⇒ **Ainsi, donc; prendre** (à tout prendre), **somme** (somme toute, en somme). — Vx. *Pour conclusion* (même sens).

9 La galante fit chère lie (...)
La voilà pour conclusion,
Grasse, mafflue et rebondie. LA FONTAINE, Fables, III, 17.

♦ **3.** N. f. pl. (1453). CONCLUSIONS : acte de procédure par lequel une des parties porte ses prétentions à la connaissance du tribunal et de son adversaire. *L'avoué a pris ses conclusions. Conclusions écrites, verbales. Conclusions recopiées sur placet. Poser, signifier, déposer des conclusions. Conclusions irrecevables. Conclusions principales, subsidiaires. Conclusions alternatives. Conclusions au fond, exceptionnelles. Conclusions primitives, additionnelles. Les conclusions saisissent le tribunal, en fixent et en limitent la compétence, mettent en état la procédure.*

10 Les avoués auront exclusivement le droit de postuler et de prendre des conclusions dans le tribunal pour lequel ils seront établis.
Loi du 27 ventôse an VIII, art. 94.

11 L'affaire sera en état, lorsque la plaidoirie sera commencée ; la plaidoirie sera réputée commencée, quand les conclusions auront été contradictoirement prises à l'audience. Code de procédure civile, art. 343.

Conclusions du Ministère Public : avis fourni par l'organe du Ministère Public sur la valeur des prétentions des parties ; avis que donne le Ministère Public dans les affaires où la communication préalable est exigée (cf. Code de procédure civile, art. 83). *Ce procureur de la République donne ses conclusions.*

CONTR. **Commencement, début. — Avant-propos, exorde, exposition, introduction, préambule, préliminaire, prémisses.**

CONCOCTER [kɔ̃kɔkte] v. tr. — xxᵉ (av. 1945, où *concoction* est attesté dans ce sens) ; de *concoction.* → Concoctionner, chez Balzac « mitonner ».

Par plaisanterie.

♦ **1.** Préparer, élaborer. *Concocter une sauce.*

♦ **2.** Abstrait :

Mais soudain, par bonheur, surgit de son réservoir à bien-bonnes *(bonnes histoires)* une plaisanterie qu'il concocta en classe de quatrième (...)
R. QUENEAU, le Dimanche de la vie, p. 65.

CONCOCTION [kɔ̃kɔksjɔ̃] n. f. — 1528, didact. « digestion, cuisson », repris 1825 en cuisine, puis fam. 1945, A. Arnoux, *in* T. L. F. → Concocter ; lat. *concoctio,* de *con-* (cum), et *coctio* « cuisson ».

♦ Rare ou par plais. Action de préparer, d'élaborer (qqch.). ⇒ **Élaboration, préparation.** — Coction.

DÉR. **Concocter.**

CONCOMBRE [kɔ̃kɔ̃bʀ] n. m. — 1390 ; *cocombre,* 1256 ; anc. provençal *cocombre,* du lat. *cucumis, eris.*

♦ **1.** Plante *(Cucurbitacées)* scientifiquement appelée *cucumis,* herbacée, rampante. ⇒ **Coloquinte, zuchette.** *Maille de concombre. Graine de concombre. Cultiver des concombres.* — Le fruit de cette plante, qui se consomme comme légume ou en hors-d'œuvre (cru). *Concombres à la russe.* ⇒ aussi **Cornichon.** *Salade de concombres.*

1 On me servait du veau aux concombres et aux oignons.
CHATEAUBRIAND, Itinéraire..., II, 844.

2 (...) le rouge saignant d'un tas de tomates, l'effacement jaunâtre d'un lot de concombres (...) ZOLA, le Ventre de Paris, t. I, p. 42.

Vieilli. *Lait de concombre :* préparation adoucissante (pour pommades, etc.).

♦ **2.** *Concombre de mer :* holothurie*.

♦ **3.** Compar. et métaphore (de 1.) *Être blanc, pâle comme un concombre.*

Régional. Personne stupide. ⇒ **Cornichon** (courant).

CONCOMITAMMENT [kɔ̃kɔmitamɑ̃] adv. — 1874 ; de *concomitant.*

♦ Rare. D'une façon concomitante ; en même temps, à la fois.

Pendant ces mois, concomitamment, il s'est peu à peu rendu compte qu'il n'aimait plus Agnès.
J. DUTOURD, les Horreurs de l'amour, p. 611.

CONCOMITANCE [kɔ̃kɔmitɑ̃s] n. f. — 1377 ; lat. *concomitancia,* de *concomitari* « accompagner ».

♦ Didact. Rapport de simultanéité (⇒ **Accompagnement, coexistence, simultanéité**) existant entre deux faits, deux phénomènes.

Si la divinité et l'âme s'y trouvent *(dans l'eucharistie),* c'est, comme parle l'école, par concomitance. BOURDALOUE, Saint-Sacrement, I.

En concomitance (avec). ⇒ **Concomitamment.**

CONCOMITANT, ANTE [kɔ̃kɔmitɑ̃, ɑ̃t] adj. — 1503 ; lat. *concomitans,* de *concomitari* « accompagner ».

♦ **1.** Qui accompagne un autre fait, qui coïncide avec lui. ⇒ **Coexistant, coïncidant, simultané.** *Symptômes concomitants accompagnant les phénomènes essentiels d'une maladie. Les circonstances concomitantes de la perception primitive.* → Reconnaître, cit. 4. *Concomitant à (de, avec) quelque chose.*
Log. *Méthode des variations* concomitantes, simultanées et proportionnelles.

♦ **2.** (1690). Théol. cathol. *Grâce concomitante,* que Dieu donne au cours des actions pour les rendre méritoires.

DÉR. **Concomitamment.**

CONCORDANCE [kɔ̃kɔʀdɑ̃s] n. f. — 1160, « accord » ; de *concorder.*

♦ **1.** (1270). Le fait d'être semblable ou analogue ; le fait de tendre au même effet, au même résultat. ⇒ **Accord** (II.), analogie, conformité, convenance, correspondance, harmonie. *La concordance de deux versions, de deux témoignages. Mettre ses actes en concordance avec ses principes.* — *Concordance de deux situations.* ⇒ **Analogie, ressemblance, similitude, symétrie.** *Concordance des sons finaux, en vers,* assonance, rime. *Concordance en nombre, en valeur.* ⇒ **Égalité, parité.**

1 Le corps social et politique exige que les pouvoirs qui le gouvernent aient une concordance et une conspiration entre eux pour arriver au but qu'ils se proposent, c'est-à-dire la perfection du gouvernement. MIRABEAU (cité par LAVEAUX).

2 Madame de la Tour me fit le récit d'un songe tout à fait semblable, qu'elle avait fait cette même nuit (...) Je fus donc frappé de la concordance de leur songe (...)
BERNARDIN DE SAINT-PIERRE, Paul et Virginie, p. 146.

Concordance temporelle. ⇒ **Synchronisme.**

Phys. *Concordance de phases,* se dit de vibrations sinusoïdales lorsque la différence de phases est nulle. — Géol. Disposition parallèle des strates.

♦ **2.** (1564). Index alphabétique des mots contenus dans un texte, avec l'indication des passages où ils se trouvent (pour comparer). *Éditer une concordance de la Bible.* — *Concordance établie automatiquement, par ordinateur.*

♦ **3.** Log. *Méthode de concordance,* qui conclut devant la simultanéité d'apparition ou de disparition de deux phénomènes à un rapport de cause à effet entre eux.

♦ **4.** Gramm., ling. Accord de plusieurs mots entre eux. *Syntaxe de concordance. Concordance des temps :* règle subordonnant le choix du temps du verbe dans certaines propositions complétives, à celui du temps choisi dans la proposition complétée (ex. : *je regrette qu'il vienne ; je regrettais qu'il vînt*).

3 Ce n'est pas le temps principal qui amène le temps de la subordonnée, c'est le sens. Le chapitre de la concordance des temps se résume en une ligne : Il n'y en a pas... F. BRUNOT, la Pensée et la Langue, XX, II, I, p. 782.

4 Il faut se garder d'appliquer sans discernement des règles mécaniques qui indiqueraient une correspondance toujours obligatoire entre le temps de la principale et celui de la subordonnée. Sans doute, dans bien des cas, une concordance s'établit, qui règle le temps de la subordonnée par rapport au temps du verbe principal, mais bien souvent aussi il faut tenir compte de certaines modalités de la pensée, et marquer, selon une syntaxe appropriée, le temps de la subordonnée par rapport au moment où l'on parle : ainsi, par la discordance des temps peuvent être rendues bien des nuances délicates. GREVISSE, le Bon Usage, nº 1047.

CONTR. **Désaccord. — Antagonisme, antinomie, contradiction, discordance.**

CONCORDANT, ANTE [kɔ̃kɔʀdɑ̃, ɑ̃t] adj. — XIIIᵉ ; de *concorder.*

♦ **1.** Qui concorde avec autre chose ; (sujet plur.) qui concordent. *Témoignages concordants. Versions concordantes.* — Rare. *Concordant à, avec quelque chose.*

♦ **2.** (1845). Géol. Qui présente une disposition régulière (strates parallèles, etc.). *Structure, stratification concordante.*

CONTR. **Discordant, opposé.**

CONCORDAT [kɔ̃kɔʀda] n. m. — 1452, au sens 2 ; « accord » en général, au xviᵉ ; lat. médiéval *concordatum,* p. p. de *concordare.* → Concorder.

♦ **1.** Accord écrit, à caractère de compromis. ⇒ **Convention, transaction.** *Proposer, refuser, consentir, débattre, signer, appliquer un concordat. Les clauses d'un concordat.*

(1787). Dr. comm. Accord passé entre un failli et ses créanciers, qui lui consentent remise d'une partie de sa dette. ⇒ **Atermoiement.** *Banqueroute simple liquidée par un concordat. Homologuer un concordat. Il ne peut y avoir de concordat dans une faillite frauduleuse.*

1   Dans les trois jours qui suivront les délais prescrits pour l'affirmation, le juge-commissaire fera convoquer par le greffier, à l'effet de délibérer sur la formation du concordat, les créanciers dont les créances auront été vérifiées et affirmées ou admises par provision.   *Code de commerce, art. 504.*

♦ **2.** Plus cour. Hist. *Concordat entre le pape et un État souverain,* pour régler la situation de l'Église catholique sur le territoire soumis à la juridiction de cet État. *Le Concordat de Worms* (1122), entre Calixte II et Henri V d'Allemagne. *Le Concordat de 1801,* entre Pie VII et Bonaparte.

2   Il *(Bonaparte)* déclarait vouloir se faire accorder purement et simplement, sur ce point *(la nomination des évêques),* le droit conféré à François Iᵉʳ par l'antique concordat de Bologne (...) Le Concordat, bien entendu, réinstituant le droit de *nomination* au profit du pouvoir civil, laisserait au Pape le droit d'*institution.*   Louis MADELIN, le Consulat, VIII, p. 115.

DÉR. Concordataire.

CONCORDATAIRE [kɔ̃kɔʀdatɛʀ] adj. — 1838, au sens 2.; de *concordat.*

Droit, histoire.

♦ **1.** (1863). Qui bénéficie d'un concordat lors d'une faillite. *Failli concordataire.*

♦ **2.** Relatif à un concordat (2.), notamment, à celui de 1801. *Clause, évêché, fête concordataire.*

CONCORDE [kɔ̃kɔʀd] n. f. — 1160; lat. *concordia,* de *concordare.* → Concorder.

♦ Vieilli ou littér. Paix, harmonie qui résulte de la bonne entente entre les membres d'un groupe. ⇒ **Accord, entente, fraternité, harmonie, intelligence** (bonne), **union.** *La concorde engendre la paix*. Une concorde étroite, parfaite. La concorde publique. Vivre dans la concorde. Faire naître, faire régner; menacer, troubler, rompre, détruire; rétablir la concorde. Un esprit de concorde.*

Union des volontés, conformité des sentiments. *La concorde ne règne pas toujours entre eux.*

1   Vous voyez, reprit-il, l'effet de la concorde.
Soyez joints, mes enfants, que l'amour vous accorde.   LA FONTAINE, Fables, IV, 18.

2   L'homme est celui des animaux qui est le plus né pour la concorde et l'homme est celui des animaux où l'inimitié et la haine font de plus sanglantes tragédies.   BOSSUET, Sermon sur la charité fraternelle, Préambule.

3   Lorsque les hommes ont des admirations communes et qu'ils en donnent chacun la raison, la concorde se change en discorde.   FRANCE, le Jardin d'Épicure, p. 176.

4   Ce qui est écrit, ce qui a pu être signé ne serait encore que peu de chose si nous ne réussissions pas à le vivifier constamment par l'esprit de concorde qui a présidé à la rédaction. Il faut qu'après nous avoir fait gagner la guerre, l'harmonie (...) et la convergence des volontés nous fassent gagner la paix.   Raymond POINCARÉ, Disc. du 27 juin 1919.

La Concorde, personnifiée, dans les mythes, les allégories. *Temple capitolin de la Concorde, dans la Rome antique. La place de la Concorde, à Paris* (et, ellipt., *la Concorde*).

N. m. *Le Concorde,* nom d'un avion de transport supersonique franco-britannique.

CONTR. Antagonisme, désaccord, discorde, dissension, dissentiment, haine, mésintelligence, zizanie.

CONCORDER [kɔ̃kɔʀde] v. intr. — 1777; v. 1160, «être d'accord avec»; *concorder à* «correspondre», XIVᵉ; lat. *concordare.*

Avoir un rapport de concordance. *Une chose concorde avec une autre; deux choses concordent.*

♦ **1.** Être semblable; correspondre au même contenu. *Les renseignements, les témoignages concordent.* ⇒ **Accorder** (s'), **cadrer, correspondre.** *Faire concorder des chiffres, des mesures.*

♦ **2.** Trans. ind. *(concorder avec)* ou intrans. Pouvoir s'accorder. — Rare (concret). *La clé concorde avec le pêne.* ⇒ **Adapter** (s'), **convenir.** — (Abstrait). Être en convenance, aller bien avec (ou ensemble). *Leurs caractères ne concordent pas. Prendre des mesures qui concordent avec les nécessités de l'heure.* ⇒ **Répondre.** *Ça concorde mal.* ⇒ (fam.) **Coller.** *Faire concorder deux couleurs* (⇒ **Harmoniser).**

1   Les antiques vérités morales concordent d'une si étroite façon avec les intimes besoins de notre âme, que les âmes de bonne foi les affirment, malgré elles, dans l'instant même où elles les nient.   Paul BOURGET, Un divorce, V, p. 164.

2   Je ne fis que vaguement allusion à une possibilité de mariage, tout en disant que c'était irréalisable parce que nos caractères ne concorderaient pas.   PROUST, À la recherche du temps perdu, t. X, p. 329.

3   D'ailleurs, son train de vie, qui est des plus modestes, concorde avec ses ressources avouées   J. ROMAINS, les Hommes de bonne volonté, t. II, XIV, p. 147.

Vx. CONCORDER À... «*Leurs gestes détraqués qui ne concordent pas exactement au sens des paroles*» (T. Gautier, in T. L. F.).

♦ **3.** Se passer au même moment; être synchrone. *L'apparition de ces deux phénomènes concorde toujours.* ⇒ **Coïncider.** *Faire concorder (deux phénomènes).* ⇒ **Synchroniser.**

♦ **4.** Concourir à un but. *Tous les efforts concordent.*

CONTR. Contraster, exclure (s'), opposer (s').
DÉR. Concordance, concordant, concordisme.

CONCORDISME [kɔ̃kɔʀdism] n. m. — Av. 1907; de *concorder.*

♦ Didact. Système d'exégèse biblique visant à mettre en concordance les données de la Bible avec les données scientifiques.

(...) les théories pseudo-scientifiques du concordisme qui, il y a un demi-siècle, prétendaient faire cadrer les données de la Bible avec celles de la géologie, de l'astronomie ou de la biologie modernes, n'ont abouti qu'à de vaines gloses.   DANIEL-ROPS, le Peuple de la Bible, IV, II, p. 311.

CONCOURANT, ANTE [kɔ̃kuʀɑ̃, ɑ̃t] adj. — 1753; n. m., «candidat», J. d'Aranton d'Alex, 1668, in D.D.L.; p. prés. de *concourir.*

♦ **1.** Qui concourt à un résultat. *Tentatives concourantes.*

♦ **2.** Géom. Qui converge vers un même point (opposé à *parallèle*). *Droites concourantes* (⇒ **Convergent).** — Phys. *Forces concourantes.*

CONTR. Divergent.

CONCOURIR [kɔ̃kuʀiʀ] v. — Conjug. *courir.* — 1636; *concurre* «se rencontrer», 1355; *concurrer,* fin XVᵉ; du lat. *concurrere,* modifié d'après *courir,* de *con-* (cum), et *currere.* → Courir.

★ **I.** ♦ **1.** V. intr. (1753). Sujet n. de chose. Géom. Converger (vers un même point). *Deux droites non parallèles concourent vers un même point, en un même point.* ⇒ **Concourant.**

♦ **2.** V. tr. ind. (1636). Sujet n. de personne ou de chose. *Concourir à :* tendre avec d'autres à un but commun; contribuer avec d'autres à un même résultat. ⇒ **Collaborer, coopérer, unir** (s'). *Ces efforts concourent au même but, au même résultat.* ⇒ **Participer.** *Il a concouru à mon succès. — Concourir au bien public. Tout concourt à son bonheur. Les expériences concourent à prouver que... Concourir à ce que* (et subj.). — Sans compl. en *à* (→ ci-dessous, cit. 1 et 2).

1   (...) une action complète, où plusieurs personnes concourent (...)   RACINE, Britannicus, 1ʳᵉ préf.

2   (...) il est rare de les voir réunies *(ces vertus),* dans un même sujet, il faut que trop de choses concourent à la fois (...)   LA BRUYÈRE, les Caractères, X, 35.

3   La loi est l'expression de la volonté générale. Tous les citoyens ont droit de concourir personnellement, ou par leurs représentants, à sa formation.   Déclaration des droits de l'homme, Constitution 3 sept. 1791, art. 6.

4   (...) toutes les forces employées à bien faire concourent au même but, et s'additionnent   MARTIN DU GARD, les Thibault, I, p. 197.

5   En moi, autour de moi, dessus moi, sans me demander mon avis tout conspire au-dessus de moi, tout concourt à faire de moi un paysan (...)   Ch. PÉGUY, la République..., p. 264.

★ **II.** V. intr. ♦ **1.** **a** (Sujet n. de personne). Entrer, être en compétition pour obtenir un prix, un emploi promis aux meilleurs (⇒ **Concours, concurrent).** *Concourir pour le prix de Rome; pour un poste. Concourir dans un championnat,* participer aux concours*. *Être admis à concourir.*

6   Mais comme il voulait concourir plus tard pour une chaire de professeur à l'École (...)   FLAUBERT, l'Éducation sentimentale, I, II.

b (Sujet n. de chose). *Ses tableaux ne concourront pas pour le prix de peinture.*

♦ **2.** (1558). Didact. Avoir les mêmes droits. «*Tous les officiers de l'armée concourent pour l'avancement*» (Littré).

Dr. *Créanciers qui concourent,* dont l'hypothèque est de même date.

CONTR. Contrecarrer, opposer (s'). — Diverger.
DÉR. Concourant.

CONCOURS [kɔ̃kuʀ] n. m. — V. 1330, «recours»; lat. *concursus,* du supin de *concurrere.* → Concourir (étymologie).

★ **I.** ♦ **1.** (1572). Vx ou littér. Rencontre (de nombreuses personnes) dans un même lieu. ⇒ **Affluence, foule, multitude, presse, rassemblement.** *Un grand concours de peuple, de badauds, de curieux, de spectateurs.* — Vx (sans compl.). *Un grand concours :* une grande foule.

1   (...) ces lieux d'un concours général, où les femmes se rassemblent (...)   LA BRUYÈRE, les Caractères, VII, 3.

2   Je voulais éviter cette foule importune;
Au-devant de mes pas le concours s'est grossi.   André CHÉNIER, Gracques, I, 5.

3   Ce n'est pas assez qu'il suive des yeux les mouvements d'une ville, le concours de toutes ces fourmis dans les tranchées et les tunnels de la fourmilière.   André SUARÈS, Trois hommes, «Ibsen», VII, p. 166.

♦ **2.** Fig. Rencontre, réunion (de choses). — Vx. *Le concours de* *deux événements.* ⇒ **Coïncidence, concomitance, conjoncture.** — (1753). *Le concours de deux droites.* ⇒ **Intersection.**

4 Ce n'est pas ici l'univers tel que l'ont conçu les philosophes, formé selon quelques-uns par un concours fortuit des premiers corps (...)
BOSSUET, *Hist.*, II, I, *in* LITTRÉ.

5 (...) votre ami vous mandera (...) quelles cloches sonnées à Paris, quels canons tirés, quel concours de compliments et de harangues (...)
Mme DE SÉVIGNÉ, 896, 7 août 1682.

Loc. mod. Concours de circonstances. Par un curieux concours de circonstances. ⇒ **Rencontre.**

6 Un étonnant concours de circonstances, et de volontés, et d'audaces, avait réuni là (...) ces hôtes qui (...) semblaient voués par leur destinée première à ne se rencontrer jamais.
LOTI, les *Désenchantées*, XXXIV, p. 197.

♦ **3.** *Dr. pén. Concours de qualification :* même fait constitutif de plusieurs infractions. Participation (de plusieurs personnes) à un même acte. *Concours des colocataires d'un immeuble à un acte.*

♦ **4.** *Géom.* Rencontre, intersection. *Point de concours de deux droites.*

★ **II.** (1644). Le concours (de qqn, de qqch., de plusieurs personnes ou choses) à (une action, un résultat). Fait d'aider, de participer (à une action, à une œuvre). ⇒ **Collaboration, coopération ; concourir.** *Apporter, fournir, prêter son concours à un projet, à un spectacle...* ⇒ **Aide, apport, appui.** *Apporter son concours à qqn en l'aidant.* → Faire la courte échelle*, fig. *Le concours d'un aide, d'un auxiliaire, d'un collaborateur. Le concours de la force militaire fut nécessaire.* ⇒ **Intervention.** *Son concours fut décisif.* — *Le concours des facteurs géographiques et sociaux.*

7 Entre le peuple et la royauté, dont le double concours lui est également indispensable (...)
BARTHOU, *Mirabeau*, p. 168.

8 (...) le fer agissait de son côté, ou de connivence, avec le concours d'on ne sait quels éléments subtils, et tout cela mêlé faisait l'extraordinaire efficacité de la cure.
GIDE, *Si le grain ne meurt*, IV, p. 119.

9 Il était entendu que la moitié au moins en irait au professeur Ducatelet, s'il consentait à apporter le genre de collaboration qu'on espérait de lui ; et que le surplus servirait éventuellement à rémunérer des concours privés (...)
J. ROMAINS, les *Hommes de bonne volonté*, t. V, XXII, p. 194.

Dr. « Participation d'une personne à un acte juridique passé par un autre » (Colin et Capitant).

10 La femme, même non commune ou séparée de biens, ne peut donner, aliéner, hypothéquer, acquérir à titre gratuit ou onéreux, sans le concours du mari dans l'acte ou son consentement par écrit.
Code civil, art. 217.

Situation de personnes ayant les mêmes droits. Concours de créanciers. ⇒ **Concourir** (4.), **concurrence, ordre.**

★ **III.** Cour. (Idée de compétition). ♦ **1.** (1660). Épreuve dans laquelle plusieurs candidats entrent en compétition pour un nombre limité de places, de récompenses. *Concours et examens. Ouvrir un concours. Les candidats d'un concours. Se présenter, être admissible, admis, reçu ; être refusé, collé, disqualifié à un concours. Le programme, les épreuves d'un concours. Les compositions, l'écrit, l'oral d'un concours. Les examinateurs d'un concours. Concours d'entrée aux grandes écoles. Le concours de l'École Normale supérieure, de Polytechnique, de l'E. N.A.... Candidat reçu premier au concours d'une grande école* (cacique, major). *Concours d'entrée, de sortie* (pour un classement). — *Absolt. Il prépare les concours. Bête à concours. Mettre un prix, une récompense, une bourse d'études au concours. Obtenir un prix, un accessit, une médaille, une mention au concours. Le CAPES, l'agrégation sont des concours. Concours littéraire. Concours de peinture.*

11 Dans cette école qui aboutit à un concours, l'émulation conduit à des excès et à des prodiges ; on voit des hommes qui s'exercent toute leur vie.
TAINE, *Philosophie de l'art*, t. II, IV, III, II, p. 191.

12 Pour me remettre du service militaire, et des années de bahut qui ont précédé, voici Honoré, l'érudition virulente, les embuscades successives des examens et des concours.
J. ROMAINS, les *Hommes de bonne volonté*, t. IV, XV, p. 147.

Concours général, auquel participent les meilleurs élèves des lycées de France. *Prix de latin au concours général.*

Loc. Mettre une question au concours, la proposer comme sujet d'un concours.

♦ **2.** Suite d'épreuves organisées (⇒ **Jeu**) et dotées de prix. *Grand concours publicitaire. Concours doté de nombreux prix. Concours d'élégance, de beauté.* — *Concours agricole.* ⇒ **Comices, exposition.**

♦ **3.** (1864, *in* Petiot). Sports. Épreuve où les concurrents se disputent les prix. *Concours de tir.* — (1889 ; angl. *concourse*). Épreuve de saut ou de lancer (opposé à *course*). *Les courses et les concours dans un championnat d'athlétisme.*

(1860, « concours où l'on comparait et jugeait des chevaux de selle » ; sens mod. 1870, *in* Petiot). *Concours hippique :* épreuve d'obstacles pour chevaux montés. *Concours complet d'équitation*, disputé en trois jours avec le même cheval pour un cavalier (épreuves : dressage, steeple-chase, cross-country, jumping*).

♦ **4.** *Être, être mis hors concours :* être classé hors des compétiteurs.

HORS CONCOURS ou **HORS-CONCOURS**, loc. adv. *Courir hors-concours. Loc. adj. :*

a Vx. Qui n'est plus admis à concourir, qui est exclu de la compétition, disqualifié.

b Mod. Exclu de la compétition par sa supériorité reconnue ; classé à part. *Concurrent hors-concours.* ⇒ **Hors-concours** (n. m.).

HOM. Formes du v. **concourir.**

CONCRESCENCE [kɔ̃kResɑ̃s] adj. — 1884, Van Tieghem ; dér. du lat. *concrescere* « croître ensemble ».

♦ **1.** Bot. Soudure normale de deux organes végétaux qui ont crû ensemble côte à côte.

♦ **2.** Pathol. Croissance commune (de parties primitivement séparées). *Concrescence de deux racines dentaires.*

CONCRESCENT, ENTE [kɔ̃kResɑ̃, ɑ̃t] adj. — Av. 1929, Larousse ; du lat. *concrescere*, de *con-*, et *crescere* « croître » ; cf. anc. franç. *concroistre.*

♦ **1.** Bot. Soudé avec l'organe voisin qui a poussé en même temps. *Pétales concrescents.*

♦ **2.** Pathol. Atteint de concrescence.

CONCRET, ÈTE [kɔ̃kRɛ, ɛt] adj. et n. m. — 1508, « solide » ; lat. *concretus*, de *concrescere* « se solidifier ».

★ **I.** Vx ou littér. ♦ **1.** Adj. Dont la consistance est épaisse (opposé à *fluide*). ⇒ **Condensé, épais ; concrétion.** *Huile concrète. Boue concrète.*

La liqueur demeure concrète et glacée.
Ambroise PARÉ, XVIII, 44. 1

♦ **2.** N. m. Techn. Produit solide obtenu après extraction des principes odorants de matières végétales servant à faire des parfums. *Concret de jasmin.* — REM. Dans ce sens, on rencontre aussi le n. f. *concrète. Concrète de rose.*

★ **II. A.** Adj. ♦ **1.** (XVIIe). Philos. (opposé à *abstrait*, cit. 1). Qui exprime quelque chose de réel sans que l'on en isole une notion de qualité, de relation ; qui désigne ou qualifie un être réel perceptible par les sens. *Homme est un terme concret ; humanité, un terme abstrait.* — *Idée, image concrète. Sens concret et sens abstrait* (souvent : figuré, métaphorique, métonymique, etc.) *d'un mot.*

♦ **2.** (1949). *Musique concrète.* ⇒ **Musique** (cit. 18 et *supra*). — REM. Voici les raisons du choix du mot *concret :*

On peut (...) comparer exactement les deux démarches musicales, l'abstraite et la concrète. Nous appliquons (...) le qualificatif d'abstrait à la musique habituelle, du fait qu'elle est d'abord conçue par l'esprit, puis notée théoriquement, enfin réalisée dans une exécution instrumentale. Nous avons appelé notre musique « concrète » parce qu'elle est constituée à partir d'éléments préexistants, empruntés à n'importe quel matériau sonore (...) puis composée expérimentalement.
P. SCHAEFFER, *Polyphonie*, déc. 1949. 1.1

Par ext. Musicien concret. — N. (le fém. semble inusité). *Un concret.* « Chez les sériels comme chez les concrets » (P. Schaeffer, *la Musique concrète*, p. 27).

♦ **3.** Cour. Qui peut être perçu par les sens ou imaginé comme perceptible. *Exemple concret* (portant sur un cas particulier). *Rendre concret.* ⇒ **Concrétiser.** *Style concret.* ⇒ **Réaliste.** *Tirer d'une situation des avantages concrets.* ⇒ **Matériel, palpable, positif, réel.**

(...) deux sortes d'images : celles qui mettent sous les yeux directement les objets du discours (...) Dans *(ce)* premier cas, le style est concret ou pittoresque (...)
Gustave LANSON, l'*Art de la prose*, p. 159. 2

Mais les clercs ont attisé par leurs doctrines le réalisme des laïcs bien autrement qu'en exaltant le particulier et flétrissant l'universel ; ils ont inscrit au sommet des valeurs morales (...) la possession des avantages concrets...
Julien BENDA, la *Trahison des clercs*, III, p. 178. 3

Par ext. Esprit concret. Penser les choses d'une façon concrète, réaliste.

♦ **4.** Math. *Nombre concret*, exprimé en indiquant la nature des unités dénombrées.

B. N. m. LE CONCRET : caractère de ce qui est concret ; ensemble des choses concrètes. ⇒ **Réel.**

Le poète, ce philosophe du concret et ce peintre de l'abstrait (...)
HUGO, *Post-Scriptum de ma vie*, L'esprit, Tas de pierres, III. 4

Ce n'est point le goût du concret, le sens de la condition humaine que je retrouve ici, mais un intellectualisme assez débridé pour généraliser le concret lui-même.
CAMUS, le *Mythe de Sisyphe*, p. 68. 5

L'œuvre d'art naît du renoncement de l'intelligence à raisonner le concret.
CAMUS, le *Mythe de Sisyphe*, p. 134. 6

CONTR. **Fluide, liquide.** — **Abstrait.**
DÉR. **Concrètement, concréter, concrétiser, concrétude.**

CONCRÈTEMENT [kɔ̃kRɛtmɑ̃] adv. — 1927 ; de *concret* ; cf. *concrétivement*, XVe.

♦ **1.** Didact. Relativement à ce qui est concret. *Aborder concrètement un problème.*

♦ 2. Cour. D'une manière concrète, en fait, en pratique. ⇒ **Pratiquement.** *Concrètement, quel avantage en tirez-vous ?*

CONTR. Abstraitement ; théoriquement.

CONCRÉTER [kɔ̃kʀete] v. tr. — Conjug. *céder.* — 1789 ; de *concret.*

♦ 1. Rare. Rendre concret, solide. ⇒ **Durcir, solidifier.**

♦ 2. Littér. Rendre concret, perceptible. ⇒ **Concrétiser.**

En l'articulant, elle avait précisé et comme concrété un sentiment vague dont elle ne pourrait plus secouer l'obsession.   Paul BOURGET, *Un divorce,* VII, p. 230.

▶ **SE CONCRÉTER** v. pron. (1835, *in* D.D.L.). Vx ou littéraire.

♦ 1. S'épaissir, se solidifier.

♦ 2. Se concrétiser. *Les pensées se concrètent autour d'une figure qui leur est jetée par hasard* (Balzac, *in* G. L. L. F.).

CONTR. Liquéfier, abstraire.

CONCRÉTION [kɔ̃kʀesjɔ̃] n. f. — 1537 ; lat. *concretio,* du supin de *concrescere.* → Concret.

♦ 1. Le fait de prendre une consistance plus solide. ⇒ **Épaississement, solidification.** *La concrétion de l'huile sous l'action du froid.* ⇒ **Congélation.**

♦ 2. Réunion de parties en un corps solide ; ce corps. — Géol. *Concrétion saline, calcaire, pierreuse. Concrétion en dépôt, en stalactites... Des concrétions à la surface d'une pierre.*

1   Lorsque l'eau n'est chargée que des molécules de sable calcaire pur, son sédiment forme une concrétion calcaire tendre.   BUFFON, *Hist. des minéraux,* t. V, p. 145, *in* POUGENS.

2   Le soufre, formant des croûtes et des concrétions cristallines, tapissait le sol.   J. VERNE, *les Enfants du capitaine Grant,* t. III, p. 183.

Méd. Corps étranger (qui se forme dans les tissus, les organes...) ⇒ **Bézoard, calcul, modus, pierre, tophus.** *Concrétions arthritiques, calcaires.*

♦ 3. Fig., littér. Fait de rendre concret, perceptible. ⇒ **Concrétisation.**

CONTR. Amollissement, fusion, liquéfaction.
DÉR. Concrétionné.

CONCRÉTIONNÉ, ÉE [kɔ̃kʀesjɔne] adj. — 1801 ; de *concrétion.*

♦ 1. Géol. Formé par concrétion. *Roche, calcaire concrétionnés.*

♦ 2. Littér. Qui ressemble à une concrétion géologique.

(...) *une perspective de coups de canons, crachant de gros nuages concrétionnés, ressemblant à des déroulements d'entrailles.*   Ed. et J. DE GONCOURT, *Journal,* t. IV, p. 72.

CONCRÉTISATION [kɔ̃kʀetizasjɔ̃] n. f. — 1936 ; de *concrétiser.*

♦ Fait de se concrétiser, de devenir concret ou réel. *La concrétisation de ses espoirs.* ⇒ **Réalisation.** *La concrétisation d'une idée en mots.*

Chose concrétisée. *Son succès constitue la concrétisation de plusieurs années d'espoir.*

CONTR. Abstraction.

CONCRÉTISER [kɔ̃kʀetize] v. tr. — 1890 ; de *concret.*

♦ 1. Rendre concret (ce qui était abstrait). ⇒ **Matérialiser, préciser.** *Concrétiser une idée en mots.* ⇒ **Formuler.** *Concrétiser un sentiment par un acte, une décision.*

(...) *son impression se concrétisait dans cette phrase vague, qu'elle se répétait avec accablement :* « *Rien de bon ne peut sortir de là* » (...)   MARTIN DU GARD, *les Thibault,* t. VIII, p. 54.

♦ 2. Plus cour. *Concrétiser ses aspirations.* ⇒ **Réaliser.**

▶ **SE CONCRÉTISER** v. pron.

Devenir concret. ⇒ **Manifester** (se), **traduire** (se). *Son mécontentement se concrétisa par sa démission.* — *Ses aspirations se sont concrétisées.*

CONTR. Abstraire, idéaliser.
DÉR. Concrétisation.

CONCRÉTUDE [kɔ̃kʀetyd] n. f. — 1951, Piéron ; de *concret,* d'après l'anglais *concreteness.*

♦ Psychol. État mental caractérisé par l'impossibilité d'élaborer des idées sans recours à des données concrètes.

CONÇU, UE [kɔ̃sy] p. p. adj. ⇒ **Concevoir.**

CONCUBIN, INE [kɔ̃kybɛ̃, in] n. — 1213, *concubine* ; masc., XIVᵉ ; lat. *concubina* « qui couche avec », de *concumbere,* de *con-* (*cum*), et *cumbere* « coucher (avec) ».

♦ 1. Personne qui vit en état de concubinage, qui a des relations sexuelles régulières (avec qqn) sans être mariée. ⇒ **Amant** (cit. 16), **ami(e), compagne, compagnon, maîtresse.** *Des concubins. Les concubines royales. Entretenir une concubine au domicile conjugal.* → Adultère, cit. 7.

Quand l'on devient malade, l'on quitte sa concubine, et l'on croit en Dieu.   LA BRUYÈRE, *les Caractères,* XVI, 6.   1

(...) une concubine, pleine de toupet, à qui tout cède, qui donne des ordres, qui change de sa propre autorité la place des meubles, le pli des tentures, et devant qui la plus vieille servante s'évanouit en tremblant.   J. ROMAINS, *les Copains,* III, p. 122.   2

(...) sa très chère fille universellement décriée pour son incontinence et le malpropre choix de ses concubins.   Léon BLOY, *le désespéré,* p. 102.   3

REM. Le mot, de littéraire et péjoratif, est devenu moralement plus neutre, mais n'est plus que d'un usage juridique ou plaisant, comme ses dérivés. La série, comme celle de *concupiscence,* est marquée par la présence de « syllabes sales » qui prêtent à sourire.

♦ 2. N. f. (1721). Hist. rom. Femme mariée sous le régime du concubinat.

DÉR. Concubinage, concubiner.

CONCUBINAGE [kɔ̃kybinaʒ] n. m. — V. 1377 ; de *concubine.* → Concubin.

♦ Dr. ou par plais. État d'un homme et d'une femme qui vivent comme mari et femme sans être mariés. ⇒ **Collage** (fam.), **liaison, union** (libre). *Vivre en concubinage.* Cf. fam. Se marier du côté gauche, derrière la mairie, à la mairie du XXIᵉ (arrondissement fictif de Paris). Dr. *Concubinage notoire. Personne vivant en concubinage.* ⇒ **Concubinaire, concubin ;** aussi **colle** (argot : *être, vivre à la colle*).

(...) Quoi ? débuter d'abord par le mariage !
Et par où veux-tu donc qu'ils débutent ? par le concubinage ?   MOLIÈRE, *les Précieuses ridicules,* 4.   1

On avait vu, sous le Directoire, l'usage dégénérer aux plus monstrueux abus, des hommes, des femmes contracter, en cinq ans, trois et quatre unions — ce qui, suivant l'expression d'un contemporain — réduisait le mariage à « n'être qu'un concubinage légal ».   Louis MADELIN, *le Consulat,* XII, p. 184.   2

L'adultère, en dépit de quelques scrupules, lui semblait cent fois plus tolérable que ce concubinage d'essai.   J. ROMAINS, *les Hommes de bonne volonté,* t. III, X, p. 137.   3

Par métaphore. Liaison. « *L'incessant concubinage du luxe et de la misère* » (Balzac, *in* T. L. F.).

CONCUBINAIRE [kɔ̃kybinɛʀ] n. m. et adj. — 1391 ; du bas lat. *concubinarius* de *concubina* « concubine ». Vieux.

♦ 1. N. m. Homme qui vit avec une femme en état de concubinage.

♦ 2. Adj. Qui vit en concubinage.

(...) *deux ou trois prêtres soi-disant mariés, mais en réalité concubinaires* (...)   BARBEY D'AUREVILLY, *les Diaboliques,* « À un dîner d'athées. »

CONCUBINAT [kɔ̃kybina] n. m. — 1845 ; av. 1598, « concubinage » ; lat. *concubinatus* de *concubina* « concubine ».

♦ Dr. et hist. rom. Sous Auguste, Union licite, devenue durant le Bas-Empire une sorte de mariage inférieur, quoique légal.

CONCUBINE [kɔ̃kybin] n. f. ⇒ **Concubin.**

CONCUBINER [kɔ̃kybine] v. — 1507 ; de *concubin.* Vieux ou par plaisanterie.

★ **I.** V. tr. ind. *Concubiner avec* (qqn) : vivre en concubinage avec (qqn).

Que diable ! lui qui concubinait une servante dans sa propre maison, ne pouvait guère s'encolérer parce que sa femme ne guérissait pas !   BARBEY D'AUREVILLY, *les Diaboliques,* « Le bonheur dans le crime ».   1

★ **II.** V. tr. (1951). Rare (par plais. ; semble n'être qu'un emploi d'auteur). Vivre en concubinage avec.

Elle est allée à l'enterrement du monsieur qui concubinait sa mère à Paris.   R. QUENEAU, *le Dimanche de la vie,* p. 110.   2

CONCUPISCENCE [kɔ̃kypisɑ̃s] n. f. — 1265 ; lat. *concupiscentia,* de *concupiscere* « désirer ardemment », de *con-* (*cum*), et *cupiscere,* de *cupere* « désirer ». → Cupide.

♦ 1. Théol. Désir vif des biens terrestres. ⇒ **Appétit, désir ; convoi-**

tise, cupidité. Les trois concupiscences de la philosophie classique sont le désir de savoir, de sentir et de dominer.

1 Ô Dieu, encore un coup qui oserait parler de cette profonde et honteuse plaie de la nature, de cette concupiscence qui lie l'âme au corps par des liens si tendres et si violents, dont on a tant de peine à se déprendre, et qui cause aussi dans le genre humain de si effroyables désordres ?
    BOSSUET, Traité de la concupiscence, 4.

2 Tout ce qui est au monde est concupiscence de la chair, ou concupiscence des yeux, ou orgueil de la vie : *libido sentiendi, libido sciendi, libido dominandi.*
    PASCAL, Pensées, VII, 458.

3 La concupiscence nous est devenue naturelle, et a fait notre seconde nature. Ainsi il y a deux natures en nous : l'une bonne, l'autre mauvaise.
    PASCAL, Pensées, X, 660.

4 (...) véritablement je ne sache rien de plus hideux à voir pour quelqu'un de sang-froid que cet obscène et sale maintien, et ce visage affreux enflammé de la plus brutale concupiscence.   ROUSSEAU, les Confessions, II.

5 Plus qu'un noble goût intellectuel, sa passion pour les lieux saints est une concupiscence paysanne de posséder la terre.   M. BARRÈS, la Colline inspirée, II, p. 32.

6 (...) l'appétit de souffrir est, lui aussi, une concupiscence.
    F. MAURIAC, Souffrances et Bonheur du chrétien, p. 71.

♦ **2.** Vieilli ou par plais. Penchant aux plaisirs des sens. *La concupiscence de la chair* (⇒ **Amour, chair, sens ; sensualité ; bestialité...** ; → Péché, cit. 11). *Exciter la concupiscence de qqn. Regarder qqn avec concupiscence.*

REM. Plus encore que *concubin* et ses dérivés, les mots issus du latin *concupiscere*, par leur sonorité, prêtent à la plaisanterie ; leur usage sérieux, dominant dans la langue classique, se borne aujourd'hui au langage théologique et didactique, ou au pastiche de ce langage.

7 Son année de philosophie, comme il arrive trop souvent sous la direction de maîtres athées, lui fut particulièrement funeste. Il n'y apprit le mécanisme des passions humaines que pour mieux s'asservir aux siennes et utiliser celles d'autrui. Il se mit à fumer, à boire et à regarder les femmes avec des yeux tout brillants d'une vilaine concupiscence.   M. AYMÉ, le Passe-muraille « Légende poldève ».

CONTR. **Désintéressement, détachement** (des biens de ce monde). — **Chasteté, continence, pureté.**
DÉR. V. **Concupiscer.**

CONCUPISCENT, ENTE [kɔ̃kypisɑ̃, ɑ̃t] adj. et n. m. — 1558, rare jusqu'au XIXᵉ ; lat. *concupiscens*, de *concupiscere.* → Concupiscence.

♦ Littér. ou par plais. (→ Concupiscence, REM.). Relatif à la concupiscence ; empreint de concupiscence. *Des regards concupiscents.*

1 Les narines palpitèrent, une lueur concupiscente s'alluma dans les prunelles.
    Jean-Louis CURTIS, le Roseau pensant, p. 40.

N. *Un concupiscent, une concupiscente.* ⇒ **Lascif, sensuel.**

2 (...) des concupiscents acharnés à jouir.
    F. MAURIAC, Souffrances et Bonheur du chrétien, p. 48.

CONTR. **Chaste, pur.**

CONCUPISCER [kɔ̃kypise]. v. intr. — 1896 ; du rad. de *concupiscence*, ou repris au lat. *concupiscere.*

♦ Rare, par plais. Être rempli de désirs charnels. *« Elles concupiscent toutes »* (S. Guitry, *Tu m'as sauvé la vie*).

CONCUPISCIBLE [kɔ̃kypisibl] adj. — XIVᵉ ; lat. *concupiscibilis*, de *concupiscere.* → Concupiscent.

♦ **1.** Théol. Qui est le principe du désir. *Appétit* (cit. 2) *concupiscible.*

Les anciens philosophes, en analysant l'âme humaine, y admettaient trois facultés, la concupiscible, l'irascible et la raisonnable.
    BERNARDIN de SAINT-PIERRE, Harmonies..., V, Harmonie des animaux.

♦ **2.** Littér. et par plais. Qui excite le désir. *« Un aimable troupeau de courtisanes aux jambes concupiscibles »* (Willy, *la Mouche des croches*, p. 230, *in* T. L. F.).

CONCURREMMENT [kɔ̃kyʀamɑ̃] adv. — 1596 ; de *concurrent.*

♦ **1.** Par un concours mutuel, une rencontre. ⇒ **Conjointement, ensemble ; concert** (de). *Agir concurremment avec qqn. Ils ont agi concurremment.*
Il faut que le criminel, concurremment avec la loi, se choisisse des juges.
    MONTESQUIEU, Esprit des lois, XI, 6.
Dr. À titre égal. *Créanciers qui viennent concurremment.* ⇒ **Concourir.** — Cour. *Exercer concurremment un pouvoir.*

♦ **2.** (1690). Rare. En concurrence*. *Ils se présentèrent concurremment pour cette place.*

CONCURRENCE [kɔ̃kyʀɑ̃s] n. f. — V. 1370, « rencontre » ; de *concurrent.*

♦ **1.** Vx. Rencontre. — (1690). Théol. *Concurrence d'offices :* coïncidence des offices de deux fêtes doubles consécutives, aux secondes vêpres.

♦ **2.** (1740, *jusques à la concurrence de*, 1559). Loc. *Jusqu'à concur-*

rence de, jusqu'à ce qu'une somme parvienne à en égaler une autre. *Il doit rembourser jusqu'à concurrence de cent mille francs.* Techn. *Somme payable jusqu'à une concurrence de...*

(...) une version heureuse de la journée, qui les porta, selon leur façon d'entendre l'hospitalité, à réunir leurs fils et filles jusqu'à concurrence de quatre pour me jouer un quatuor (...).   GIRAUDOUX, Siegfried et le Limousin, p. 87. 0.1.

(1690). Dr. Égalité entre plusieurs personnes sur une question de droit, de privilège, d'hypothèque (⇒ **Concourir, concours**).

♦ **3.** (1559). Vieilli ou littér. Rivalité entre plusieurs personnes, plusieurs forces poursuivant un même but, et tentant de se supplanter mutuellement. ⇒ **Compétition, concours, rivalité.** *Une concurrence âpre, sévère ; dangereuse. Se faire concurrence. La concurrence de rivaux. Être, se trouver en concurrence avec un adversaire, un antagoniste, un émule, un rival. Entrer en concurrence avec qqn.* ⇒ **Brisée** (aller sur les brisées).

1 N'est-ce pas une chose épouvantable, qu'un fils qui veut entrer en concurrence avec son père ?   MOLIÈRE, l'Avare, IV, 4.

2 Il y avait, en Proudhon, l'étoffe de deux hommes qui se firent continuellement concurrence, le savant et l'écrivain.
    SAINTE-BEUVE, Proudhon, Sa vie et sa correspondance, p. 88.

3 Toute guerre est bourgeoise, car la guerre est fondée sur la compétition, sur la rivalité, sur la concurrence (...)   Ch. PÉGUY, la République..., févr. 1900, p. 19.

4 La concurrence (qui est l'un des traits les plus frappants de l'ère moderne), a atteint de très bonne heure, en Méditerranée, une intensité singulière : concurrence des négoces, des influences, des religions.   VALÉRY, Variété III, p. 247.

5 N'oublions pas que la concurrence la plus pressante est une des dures conditions du temps actuel. Jusque dans la science, jusque dans les sports, les nations se disputent chaque jour la prééminence.   VALÉRY, Variété IV, p. 203.

6 Certains officiers essayaient de me la souffler, Lola. Leur concurrence était redoutable, armés qu'ils étaient, eux, des séductions de leur Légion d'honneur.
    CÉLINE, Voyage au bout de la nuit, p. 54.

Fig. *Être, entrer en concurrence avec... :* être, entrer en balance avec...

Nul intérêt n'est jamais entré dans son âme en concurrence avec la vérité.   7
    MASSILLON, Oraison funèbre Conty.

Biol. *Concurrence vitale :* lutte* entre plusieurs espèces pour leur survie. ⇒ **Sélection** (naturelle).

♦ **4.** (1648, in T. L. F.). Mod. et cour. Rapport entre producteurs, entre commerçants qui se disputent une clientèle (⇒ **Concurrent, 4.**). *Libre concurrence :* régime qui laisse à chacun la liberté de produire, de vendre ce qu'il veut, aux conditions qu'il choisit (⇒ **Libéralisme**). *La libre concurrence a fait son temps* (→ Marché, cit. 29). *Concurrence illicite, déloyale* (⇒ **Fraude**). *Prix défiant toute concurrence :* prix très bas. *Concurrence par dumping*. Restrictions à la concurrence par les monopoles* (trusts, cartels...). *Ces deux commerçants se livrent une concurrence acharnée, très vive. Personne ne leur fait concurrence. Les effets, le jeu de la concurrence.* ⇒ **Concurrentiel.**
Ensemble des producteurs, des commerçants concurrents. *La concurrence nous a privé d'une partie de la clientèle. La concurrence internationale.*

C'est la concurrence qui met un prix juste aux marchandises.   8
    MONTESQUIEU, l'Esprit des lois, XX, 10.

Si la concurrence n'était qu'une forme de l'émulation, elle assurerait la victoire au   9
plus moral, au plus dévoué, au plus altruiste, et alors elle serait un instrument de progrès et de sélection véritable. Mais comme elle est aussi une forme de la lutte pour la vie, elle assure la victoire au plus fort et au plus habile, et par là, elle peut même entraîner une véritable rétrogradation morale.
    Charles GIDE, Cours d'économie politique, I, p. 213.

Vx. Entreprise qui fait concurrence à une autre. *Fonder une concurrence. Créer une concurrence à une autre entreprise.*

CONTR. **Association, entente ; monopole.**
DÉR. **Concurrencer.** — (Du sens 4) **Concurrentiel.**

CONCURRENCER [kɔ̃kyʀɑ̃se] v. tr. — Conjug. *placer.* — 1868 ; de *concurrence.*

♦ Faire concurrence (commercialement ou non) à. *Cette entreprise concurrence dangereusement l'industrie française.* ⇒ **Menacer.**
Pron. *Des entreprises qui se concurrencent.*

CONCURRENT, ENTE [kɔ̃kyʀɑ̃, ɑ̃t] adj. et n. — 1119 ; lat. *concurrens*, p. prés. de *concurrere* « accourir ensemble ». → Concourir.

♦ **1.** Astron. *Jours concurrents,* ou, n. m. pl., *les concurrents :* jours qui s'ajoutent aux cinquante-deux semaines de l'année pour faire concorder l'année civile avec l'année solaire.

♦ **2.** (XVIᵉ). Vieilli. Qui se rencontre avec ; qui concourt au même but que d'autres. *Forces concurrentes.* ⇒ **Concourant.** *Autorité concurrente à une autre.*

1 Il y a des muscles qui se meuvent ensemble, en concours et en même sens, pour s'aider les uns les autres ; on les peut appeler concurrents.
    BOSSUET, Traité de la Connaissance de Dieu, II, 3.

N. *Le concurrent, la concurrente de...*

2 (Trois saints) Portés d'un même esprit, tendaient à même but (...)
    Tous chemins vont à Rome : ainsi nos concurrents
    Crurent pouvoir choisir des sentiers différents.   LA FONTAINE, Fables, XII, 24.

♦ 3. N. Personne qui cherche, en même temps qu'une ou plusieurs autres, à obtenir quelque chose. ⇒ **Compétiteur, contendant** (vx), **émule, rival.** *Avoir l'avantage sur ses concurrents. Éliminer, éloigner, distancer ses concurrents. Vaincre, écarter, supplanter un concurrent. Concurrent malheureux. Concurrent sérieux ; concurrent négligeable. Les concurrents ont tous pris part au concours.* ⇒ **Candidat.**

(1855, in Petiot). Participant à une compétition sportive. *Les concurrents ont pris le départ dans la course.* ⇒ **Champion, participant.** *Les concurrents de la transatlantique. Une centaine de concurrents sont engagés dans la course.*

3 On dit que Psyché lui dispute *(à Vénus)* la prééminence de ses charmes ; c'est justement le moyen de la rendre furieuse ; sa concurrente fera fort bien de ne pas tomber entre ses mains.   LA FONTAINE, Psyché, II, p. 117.

4 Il *(Leibniz)* excite tout le monde à travailler ; il se fait des concurrents s'il peut.   FONTENELLE, Éloge de Leibniz.

5 (...) des concurrents qui sont prêts à acheter toutes les complicités ?   MARTIN DU GARD, les Thibault, t. III, p. 89.

♦ 4. Fournisseur, commerçant qui fait concurrence* (4.) à d'autres. *Son concurrent vend moins cher que lui. Il n'a pas un seul concurrent* (⇒ **Monopole**). *Ses concurrents le forcent à améliorer la qualité de sa marchandise.*

6 Vos concurrents n'ont pas craint de morceler leurs expéditions, comme de petits marchands ; ils ont imposé leur nom par la réclame (...)   J. CHARDONNE, les Destinées sentimentales, p. 60.

Adj. *Produit concurrent (d'un autre). Entreprises concurrentes.*

CONTR. Associé.

DÉR. Concurremment, concurrence.

CONCURRENTIEL, IELLE [kɔ̃kyʀɑ̃sjɛl] adj. — 1872 ; de *concurrence,* 4.

Didact., technique.

♦ 1. Où s'exerce la concurrence. *Marché concurrentiel. « Situation concurrentielle »* (P. de Calan, *Le coton et l'industrie cotonnière,* p. 109).

Quelles que soient les considérations subjectives développées par les capitalistes libéraux sur la valeur d'usage, la thèse marxiste de la valeur d'échange est ici irréfutable, tout au moins en économie de marché.   Raymond ABELLIO, Ma dernière mémoire, t. II, p. 157.

♦ 2. Qui fait concurrence à... *Société concurrentielle d'une autre. Compagnies concurrentielles. Entreprises concurrentielles.* — REM. Le mot ne désigne que le fait objectif de la lutte des concurrents ; *compétitif** y ajoute l'idée d'une capacité à survivre (ou à prospérer) dans une situation de concurrence, ce dernier adjectif est cependant employé abusivement dans ce dernier sens.

Prix concurrentiels, qui permettent de soutenir la concurrence.

CONCUSSION [kɔ̃kysjɔ̃] n. f. — 1539, *Recueil des anciennes lois françaises,* in D.D.L. ; «commotion, secousse», v. 1300 ; lat. *concussio,* de *concutere* «frapper».

♦ Dr. et didact. Perception illicite par un agent public de sommes qu'il sait ne pas être dues. ⇒ **Exaction, malversation, péculat.** *Exercer des concussions. Être accusé de concussion. Le crime, le délit de concussion.*

1 Tous fonctionnaires, tous officiers publics (...) qui se seront rendus coupables du crime de concussion, en ordonnant de percevoir ou en exigeant ou en recevant ce qu'ils savaient n'être pas dû ou excéder ce qui était dû pour droits, taxes, contributions (...) seront punis (...) de la peine de la réclusion (...) Code pénal, art. 174.

2 Tel était le dédale effroyable où les passions engageaient un des hommes les plus probes jusqu'alors (...) : la concussion pour solder l'usure, l'usure pour fournir à ses passions et pour marier sa fille.   BALZAC, la Cousine Bette, Pl., t. VI, p. 257.

3 Mais ces gouvernants mêmes s'exposaient aux rancunes des misérables en menant une vie fort luxueuse, produit, disait-on, de leurs concussions.   Louis MADELIN, l'Ascension de Bonaparte, XIII, p. 182.

4 «Oui, oui, grommelait le maître d'hôtel, mais tout cela pourrait bien changer, les ouvriers doivent faire une grève au Canada et le ministre a dit l'autre soir à Monsieur qu'il a touché pour ça deux cent mille francs.» Le maître d'hôtel était loin de l'en blâmer, non qu'il ne fût lui-même parfaitement honnête, mais croyant tous les hommes politiques véreux, le crime de concussion lui paraissait moins grave que le plus léger délit de vol.   PROUST, le Côté de Guermantes, t. I, Folio, p. 31.

DÉR. Concussionnaire.

CONCUSSIONNAIRE [kɔ̃kysjɔnɛʀ] adj. et n. — 1559 ; de *concussion.*

Dr. et didactique.

♦ 1. Qui commet des concussions. *Fonctionnaire concussionnaire.*

1 (...) il importait assez peu que Topaze fût ou non concussionnaire (...)   Emmanuel BERL, le Virage, p. 141.

Nom :

2 On verra des nuées de concussionnaires s'abattre sur le trésor public.   FRANCE, Opinions de J. Coignard, Œ., t. VIII, VII, p. 391.

♦ 2. (Rare). Relatif aux concussions.

3 Elle leur parlait dans l'enthousiasme, ne pouvant résister à la tentation de leur

---

faire partager sa récente initiation et sa compréhension maintenant parfaite de la technique concussionnaire des agents de Kam.   M. DURAS, Un barrage contre le Pacifique, p. 56.

CONCUTEUR [kɔ̃kytœʀ] n. m. — 1908, cit. ci-dessous ; du lat. *concutere* «frapper». → Concussion.

♦ Techn. Pièce qui vient frapper l'amorce dans certains obus (⇒ **Percuteur**).

(Dans les fusées actuelles) une rondelle de poudre comprimée s'enflamme au départ, par suite du choc d'un concuteur sur une capsule fulminante.   ALVIN, Leçons d'artillerie, p. 232, in D.D.L.

CONDAMNABLE [kɔ̃danabl] adj. — 1404 ; de *condamner.*

♦ Qui mérite d'être condamné. ⇒ **Blâmable, critiquable, déplorable, répréhensible.** *Action, attitude, opinion condamnable. Un homme condamnable. Il n'est pas condamnable.*

1 C'est une proposition condamnable dans toutes les terres de la philosophie.   MOLIÈRE, le Mariage forcé, 4.

2 Je trouve condamnable une telle action (...)   MOLIÈRE, le Dépit amoureux, III, 4.

3 O d'un si grand service, oubli trop condamnable !   RACINE, Esther, II, 3.

4 Deux tomes très condamnables et très brûlables, que de charitables âmes m'ont fait la grâce de m'imputer.   VOLTAIRE, Lettre à d'Argental, 13 avr. 1773.

5 (...) ainsi trouvant parmi nos sentiments actuels des répugnances folles et des goûts condamnables (...)   A. MAUROIS, le Cercle de famille, I, p. 13.

CONTR. Irréprochable, louable, recommandable.

CONDAMNATEUR, TRICE [kɔ̃danatœʀ, tʀis] n. — 1776 ; *condemnateur,* déb. XVIᵉ ; lat. *condemnator,* de *condemnare.* → Condamner.

♦ Rare. Personne qui condamne.

CONDAMNATION [kɔ̃danɑsjɔ̃] n. f. — XIIIᵉ, *condempnation ;* lat. *condemnatio,* du supin de *condemnere* (→ Condamner), devenu *condamnation* par attr. de *damner.*

♦ 1. Décision de justice qui condamne une personne à une obligation ou à une peine. ⇒ **Arrêt, jugement, sentence.** *La condamnation de l'accusé par les juges. Condamnation pour vol, pour meurtre. Infliger une condamnation à qqn, prononcer une condamnation contre qqn.* ⇒ **Astreinte, peine, punition, sanction.** *Porter une condamnation contre qqn. Encourir une condamnation sévère. Subir une condamnation.*

Dr. *Condamnation contradictoire*. Condamnation par contumace*, par défaut*. Condamnation à une peine afflictive, à une peine infamante.* — *Condamnation à une amende, aux dépens, aux dommages-intérêts. Condamnation par laquelle on perd ses biens.* ⇒ **Confiscation.** *Condamnation à la prison ; aux travaux forcés à perpétuité, à temps. Condamnation politique.* ⇒ **Bannissement, déportation, exil, expatriation, indignité** (nationale), **proscription.** *Condamnation religieuse.* ⇒ **Anathématisation, bûcher, damnation, excommunication, interdit.** *Condamnation au supplice. Condamnation à mort* (cf. Arrêt de mort). — Loc. *Passer condamnation :* accepter d'être condamné sans se défendre ; fig. admettre qu'on a eu tort, et, par ext., revenir sur son jugement. *Ne discutons plus ; je passe condamnation.* — *Aggravation d'une condamnation* (fam. rallonge). *Réduire une condamnation.* ⇒ **Commuer.** *Annuler une condamnation.* ⇒ **Amnistie, grâce, réhabilitation, rémission.** *Fiche personnelle où sont reportées les condamnations.* ⇒ **Casier** (judiciaire).

1 Il *(Calas)* ne put répondre quand il fut traîné sur la sellette ; son trouble servit à sa condamnation.   VOLTAIRE, Politique et Législation, Lettre à E. de Beaumont.

2 La réhabilitation est acquise de plein droit au condamné qui, dans les délais ci-après déterminés, subi aucune condamnation nouvelle à l'emprisonnement ou à une peine plus grave pour crime ou délit (...)   Code d'instruction criminelle, art. 620.

3 (...) si le frère de Louis XVI passait condamnation sur le passé d'un Fouché, comment en présence de l'ex-évêque d'Autun pourrait-elle maintenant être tenue pour «scandaleuse» ?   Louis MADELIN, Talleyrand, IV, XXXII, p. 357.

Décision de justice qui condamne une chose (et par conséquent son auteur). *Condamnation de la fraude. Condamnation de « Madame Bovary », des « Fleurs du Mal », comme contraires aux bonnes mœurs. Condamnation du luthéranisme par le Pape.* ⇒ **Index** (mise à l'), **interdiction, interdit, prohibition.**

Fig. *Prononcer la condamnation d'un malade,* le déclarer perdu.

Par ext. *Condamnation à :* fait d'être obligé de.

3.1 C'était le drame de sa vie intime que cette inaptitude au contact, cette condamnation à demeurer incommunicable.   MARTIN DU GARD, les Thibault, Épilogue, p. 880.

♦ 2. Action de critiquer (qqn, qqch.) en portant un jugement de réprobation complète. ⇒ **Accusation, animadversion, attaque, censure, critique, désaveu, procès, réprimande, réprobation.** *La condamnation du prochain. Condamnation d'opinions, d'idées, de théories. Lire la condamnation de qqch., de qqn sur le visage de qqn. Condamnation des mœurs, des abus* (⇒ **Flétrir**). *La condamnation du luxe romain par Caton l'Ancien.*

Condamnation du style de Desportes par Boileau, de la rime riche par Verlaine. Condamnation absolue, sans appel.

Par ext. *Ce livre est la condamnation du régime actuel. Ce décret est la condamnation de la liberté.* ⇒ **Négation.** *Signer la condamnation d'un projet.*

4 Je trouve non seulement dans Calvin (...) mais encore dans les synodes nationaux des condamnations expresses de ceux qui confondent le gouvernement civil avec le gouvernement ecclésiastique.   BOSSUET, Hist. des Variations, X.

5 Notre amour-propre souffre plus impatiemment la condamnation de nos goûts que de nos opinions.   LA ROCHEFOUCAULD, Maximes, 13.

6 (...) ce qui ment, ce qui pose, ce qui est à la fois condamnation de la passion et la grimace de la vertu, me révolte par tous les bouts.   FLAUBERT, Correspondance, t. II, p. 254.

7 (...) il est beaucoup plus facile de répéter une condamnation que de motiver une accusation (...)   Ch. PÉGUY, la République..., p. 34.

8 Mais sur la condamnation des civilisations de masses (et cela dans tous les pays) je crois qu'il *(Duhamel)* transigerait moins que jamais (...)   A. MAUROIS, Études littéraires, t. II, p. 82.

CONTR. **Absolution, acquittement, non-lieu.** — **Apologie, appréciation, approbation, éloge, prescription.**
COMP. **Recondamnation.**

CONDAMNATOIRE [kɔ̃danatwaʀ] adj. — 1559 ; xvᵉ, *condemnatoire* ; de *condamner*.

♦ **Dr.** Qui condamne. *Sentence condamnatoire.*

CONDAMNER [kɔ̃dane] v. tr. — xviᵉ, par attr. de *damner* ; *condemner*, xiiᵉ ; p. p. *condemneto* « blessé », xᵉ ; lat. *condemnare*, de *con-* (*cum*, intensif), et *damnare*. → Damner.

♦ **1.** Frapper (qqn) d'une peine, faire subir une punition à (qqn), par un jugement. *Condamner un coupable. Condamner à tort un innocent.* ⇒ **Erreur** (judiciaire). *Les juges le condamneront sévèrement* (→ fam. Sucrer). *Condamner qqn pour crime, pour vol, le condamner par défaut, par contumace.* — *La loi condamne les faux témoins. Condamner qqn aux dépens.*

1 Celui qui absout le coupable et celui qui condamne le juste sont tous deux en abomination à Yahweh.   BIBLE (CRAMPON), Proverbes, XVII, 15.

2 On en vient au partage, on conteste, on chicane.
Le juge sur cent points tour à tour les condamne.   LA FONTAINE, Fables, IV, 18.

3 C'est de lui que les nations tiennent ce grand principe : Qu'il vaut mieux hasarder de sauver un coupable que de condamner un innocent.   VOLTAIRE, Zadig, VI.

4 (...) les juges absolvent les pharisiens qui l'ont crucifié et condamnent la Madeleine qu'il releva de ses mains divines.   FRANCE, la Rôtisserie de la reine Pédauque, Œ., t. VIII, p. 502.

Condamner (qqn) à (qqch., faire qqch.) : obliger (qqn) en guise de punition à (faire qqch.), à subir (une peine). Condamner qqn à une peine. Condamner qqn à payer une amende. Condamner un coupable à la prison, à la déportation, aux travaux forcés. Condamner des criminels au supplice, au feu, à la corde, à mort. Fig. *Condamner les pécheurs à l'enfer.* ⇒ **Damner.**

5 L'Évêque et l'Inquisiteur remirent le coupable à la Cour séculière qui, retenant les captures d'enfants et les meurtres, prononça la peine de mort et la confiscation des biens. Prélati, les autres complices, furent en même temps condamnés à être pendus et brûlés vifs.   HUYSMANS, Là-bas, XVII, p. 247.

6 Les indigents ne furent condamnés formellement ni au feu, ni à l'écartèlement, ni à l'estrapade, ni à l'écorchement, ni au pal, ni même à la guillotine.   Léon BLOY, le Désespéré, V, p. 253.

(Sujet n. de chose). Ses aveux, des circonstances aggravantes condamnent l'accusé.

Vx. *Condamner qqn en dommages et intérêts.* — *Condamner qqn de payer.*

(Compl. n. de chose). Condamner un ouvrage, un livre. ⇒ **Censurer, interdire.**

(1704). Condamner un malade, le déclarer incurable dans une maladie mortelle. Il n'y a plus d'espoir, les médecins l'ont condamné. (Surtout au passif et p. p. → ci-dessous, Condamné, 2.).

♦ **2.** (1578). *Condamner (qqn) à... :* obliger (qqn) à (faire une chose pénible). ⇒ **Astreindre, contraindre, forcer.** *Condamner qqn à une besogne.* ⇒ **Atteler, vouer ; imposer** (une besogne à qqn). *Depuis son accident, il est condamné à ne faire aucun effort violent. L'état de nos finances nous condamne au silence* (→ 1. Pouvoir, cit. 25), *à l'inaction.*

7 Trop de choses, hélas! condamnent mes feux à un éternel silence.   MOLIÈRE, les Amants magnifiques, I, 1.

8 On ne doit pas de rimer avoir aucune envie,
Qu'on n'y soit condamné sur peine de la vie.   MOLIÈRE, le Misanthrope, IV, 1.

9 Il va falloir vous condamner à une réserve inouïe (...)   Léon BLOY, le Désespéré, II, p. 107.

10 C'est la société capitaliste qui a vicié les hommes en les condamnant à la poursuite de la richesse (...)   J. CHARDONNE, l'Amour du prochain, I, p. 19.

11 Il n'acceptait pas l'idée d'avoir condamné à la solitude et à la déraison une femme engagée si avant dans sa propre vie.   J. CHARDONNE, les Destinées sentimentales, I, III, 141.

Pron. *Se condamner à faire un travail.* « Un prêtre se condamnait à une réclusion volontaire » (Chateaubriand, *in* T. L. F.).

♦ **3.** Interdire, empêcher formellement (qqch.). ⇒ **Défendre, prohiber, proscrire.** *La loi condamne la bigamie, l'alcoolisme, la vente*

de certains journaux. Le médecin condamne ce régime alimentaire. L'Église condamne cet ouvrage.

12 La Loi condamne ces mariages, sans les proscrire absolument.   FLAUBERT, Trois Contes, « Hérodias », II.

13 Les prédicateurs du réalisme politique se réclament souvent de l'enseignement de l'Église ; ils la traitent d'hypocrite quand elle condamne leurs thèses.   Julien BENDA, la Trahison des clercs, III, p. 185.

♦ **4.** (Concret). Faire en sorte qu'on n'utilise pas (un lieu, un passage). *Condamner une porte, une voie, une pièce...* ⇒ **Barrer, boucher, fermer, murer.** *Condamner sa porte :* refuser de recevoir qui que ce soit.

14 J'ai condamné la salle à manger. Nous vivons dans le salon, mais on étend une épaisse couverture sous la toile cirée pour protéger la table de marqueterie (...)   J. CHARDONNE, les Destinées sentimentales, III, I, p. 363.

♦ **5.** (xivᵉ). Blâmer (qqn, qqch.) avec rigueur. ⇒ **Accabler, bannir, censurer, critiquer, désapprouver, désavouer, flétrir, improuver, maudire, prononcer** (se prononcer contre), **redire** (trouver à redire contre...), **reprendre, réprimander, réprouver, stigmatiser.** *Condamner un sentiment, une attitude, une conduite. Condamner quelqu'un. On condamne souvent autrui à la légère. Condamner une autorité.* ⇒ **Fronder.** *Condamner un usage. L'Académie condamne ce mot. Condamner l'énergie nucléaire.*

15 *(Leur conclusion fut)* Qu'on doit se regarder soi-même un fort long temps,
Avant que de songer à condamner les gens (...)   MOLIÈRE, le Misanthrope, III, 4.

16 (...) Vous ne condamnerez pas la liberté que je prends (...)   RACINE, Bérénice. Épilogue.

17 Que peuvent des évêques qui ont anéanti eux-mêmes l'autorité de leur chaire (...) en condamnant ouvertement leurs prédécesseurs.   BOSSUET, Oraison funèbre de la Reine d'Angleterre.

18 Les esprits médiocres condamnent d'ordinaire tout ce qui passe leur portée.   LA ROCHEFOUCAULD, Maximes, 375.

19 Celui qui écoute s'établit juge de celui qui prêche, pour condamner ou pour applaudir (...)   LA BRUYÈRE, les Caractères, XV, 2.

20 (...) elle ne pensait à son trouble de ces derniers jours que pour condamner sa faiblesse, et la renier.   MARTIN DU GARD, les Thibault, t. VI, p. 155.

21 C'est la thèse qui veut que l'homme moral — le clerc — tienne pour valeur suprême la paix et condamne par essence tout usage de la force.   Julien BENDA, la Trahison des clercs, p. 34.

▶ **CONDAMNÉ, ÉE** p. p. adj. et n.

♦ **1.** Que la justice a condamné.

22 Un coupable puni est un exemple pour la canaille ; un innocent condamné est l'affaire de tous les honnêtes gens.   LA BRUYÈRE, les Caractères, XIV, 52.

(1753). N. (rare au fém.). Un condamné. ⇒ **Bagnard, banni, détenu, repris** (de justice). *Condamné à mort. Un condamné à mort s'est échappé,* film de R. Bresson (1956). — Spécialt. *Condamné à mort. Les derniers jours d'un condamné,* récit de Hugo. *Les condamnés seront emmenés au petit jour. Traîner un condamné au supplice. Exécution d'un condamné. Assister un condamné. La charrette* (cit. 2) *des condamnés.*

23 En silence ils attendirent, comme attendent les condamnés, la voiture qui devait venir les prendre.   LOTI, Matelot, XVII, p. 62.

24 Même chez un condamné, un mort en sursis, il y a un tel appétit de projets, d'espérances !   MARTIN DU GARD, les Thibault, t. IX, p. 149.

Loc. *La cigarette du condamné,* la dernière cigarette offerte avant son exécution ; (fig.) faveur qu'on accorde à celui qui va exposer sa vie ou (sens atténué) subir une chose désagréable.

♦ **2.** Qui n'a aucune chance de guérison, qui va bientôt mourir. *Un malade condamné. Il se sait condamné.* ⇒ **Inguérissable, incurable, perdu,** et fam. **fichu, foutu.** — N. (Rare ; plutôt métaphore du sens 1). *Un condamné.*

25 (...) l'attachement de médecin pour ce condamné, dont il était seul à connaître la sentence, et qu'il fallait mener le plus doucement possible vers sa fin.   MARTIN DU GARD, les Thibault, t. III, p. 271.

♦ **3.** Obligé (à...). *Les gens condamnés à une tâche monotone, à gagner péniblement leur vie. Condamné à rester au lit, il faisait de nombreuses lectures.*

26 Sa vie, à ces forfaits par le ciel condamnée,
N'a pu se dégager de cet astre ennemi,
Ni de son ascendant s'échapper à demi.   CORNEILLE, Œdipe, 1136.

27 (...) il se sentait captif, condamné à la passivité.   MARTIN DU GARD, les Thibault, t. VII, p. 260.

♦ **4.** *Ouverture, endroit condamné,* dont on n'a plus l'usage.

CONTR. **Absoudre, acquitter, amnistier, disculper, gracier, innocenter, libérer, réhabiliter, relaxer.** — **Accepter, applaudir, approuver, décharger, excuser, fermer** (les yeux sur), **pardonner.** — **Conseiller, prescrire, recommander.**
DÉR. **Condamnable, condamnatoire.**
COMP. **Recondamner.**

CONDÉ [kɔ̃de] n. m. — 1822 ; étym. incert., probablt de la même famille que *compte.*

Argot.

♦ **1.** Autorisation officieuse d'exercer une activité illégale accordée par la police en échange de services (communication de renseignements, dénonciations, en général).

1 En échange de tout cela, je vous donnerai le condé.
— Le condé ?
— Oui, ou si vous préférez, l'autorisation formelle de vous livrer à la prostitution, la promesse de vous protéger, de protéger votre julot si vous en avez un, en gros, de vous laisser travailler en paix. Martin ROLLAND, la Rouquine, p. 59-60.

(1929). Renseignement sûr. ⇒ **Tuyau.**

♦ **2.** (1844). Commissaire de police, agent de la sûreté. ⇒ **Flic.**

2 Que ça fasse un foin terrible dans Montmartre, ces histoires, je voulais bien le croire (...) Les condés, inutile d'en parler. Depuis ce matin, ils se déchaînaient. C'avait été descente sur descente dans les hôtels, les tapis (*jeux clandestins*) et les bars du coin. Albert SIMONIN, Touchez pas au grisbi, p. 145.

♦ **3.** Moyen (souvent illégal) pour obtenir un résultat ; travail (Céline, *Mort à crédit, passim*).

CONDENSABILITÉ [kɔ̃dɑ̃sabilite] n. f. — 1808, Boiste ; de *condensable*.

♦ Didact. Propriété d'un corps condensable. *La condensabilité des gaz.* ⇒ **Compressibilité.**

CONDENSABLE [kɔ̃dɑ̃sabl] adj. — 1803 ; de *condenser*.

♦ Didact. Qui peut être condensé. ⇒ **Compressible.** *Gaz condensable.*
CONTR. **Dilatable.**
DÉR. **Condensabilité.**

CONDENSANT, ANTE [kɔ̃dɑ̃sɑ̃, ɑ̃t] adj. — 1880 ; de *condenser*.

♦ Rare. Techn. Qui condense ; qui se condense. *Action condensante.* « *Postérité condensante* » (Calmette, *in* T. L. F.).

CONDENSATEUR [kɔ̃dɑ̃satœʀ] n. m. — 1753 ; de *condenser*, d'après *condensation*.

♦ **1.** Vx. Machine à condenser les gaz.

♦ **2.** (1783 ; Bertholon, *De l'électricité des végétaux, in* D. D. L.). Appareil qui accumule de faibles quantités d'électricité. ⇒ **Accumulateur, électrophore.** *Permittivité d'un condensateur. Capacité d'un condensateur, exprimée en microfarads. Condensateur plan ; électrochimique ; variable. La bouteille* de Leyde est un condensateur. Condensateur de protection. Condensateur industriel. Groupement de plusieurs condensateurs.* ⇒ **Batterie.** *Armatures, diélectrique d'un condensateur. Condensateur chargé. Le condensateur se décharge. Condensateur utilisé comme générateur. Capacité d'un condensateur, mesurée en farads.*

0.1 Un condensateur électrolytique a un moindre degré de technicité qu'un condensateur à diélectrique sec, comme le papier ou le mica. En effet, un condensateur électrolytique a une capacité qui varie en fonction de la tension à laquelle on le soumet ; ses limites thermiques d'utilisation sont plus restreintes. Il varie dans le même temps si on le soumet à une tension constante, parce que l'électrolyte comme les électrodes se modifient chimiquement au cours du fonctionnement. Au contraire, les condensateurs à diélectrique sont plus stables. Gilbert SIMONDON, Du mode d'existence des objets techniques, p. 75.

0.2 On croyait qu'elle (l'électricité) se contentait de rester dans la prison des fils, dans les transformateurs, les aimants, les condensateurs. J.-M. G. LE CLÉZIO, les Géants, p. 198.

Radio. *Condensateur d'antenne, de syntonisation.* — *Condensateur variable*, « capacité variable (...) servant à la recherche et à l'accord des stations radiophoniques » (*Lexique des termes de « haute fidélité »* ; *Fisher handbook*, 1966).
Vx. Appareil permettant d'accumuler de l'énergie.

1 (...) il n'aurait pu expliquer à un profane qui ignorait le sens des mots facteurs de puissance, quelle économie lui procurerait l'emploi de condensateurs pour la force motrice (...) J. CHARDONNE, les Destinées sentimentales, III, III, p. 391.

♦ **3.** (1924). *Condenseur optique* : appareil dont les lentilles font converger les rayons lumineux sur une petite surface.

♦ **4.** Par métaphore, littér. Ce qui condense (2.).

2 Les poètes ont en eux un réflecteur, l'observation, et un condensateur, l'émotion ; de là ces grands spectres lumineux qui sortent de leur cerveau, et qui s'en vont flamboyer à jamais sur la ténébreuse muraille humaine. HUGO, William Shakespeare, II, I, II.

CONDENSATION [kɔ̃dɑ̃sɑsjɔ̃] n. f. — V. 1370 ; lat. impérial *condensatio*, du supin de *condensare*. → Condenser.

♦ **1.** Phénomène par lequel un gaz, une vapeur, diminue de volume et augmente de densité ; action de condenser. *Condensation de l'air par pression.*
Spécialt. *Condensation de la vapeur par refroidissement*, retour à son état liquide. ⇒ **Liquéfaction.** *Eau de condensation. Point de condensation :* tension maximum que peut supporter une vapeur à une température donnée. ⇒ **Saturation.** *Condensation de la vapeur sur une vitre produisant des arborisations, dans l'air* (⇒ **Bruine, brume, buée, givre, rosée**). *Réfrigérant* destiné à la condensation de la vapeur dans un alambic. Hygromètre* à condensation.*

La quantité considérée dans l'air, sa pesanteur, son mouvement, sa condensation, 1
raréfaction, etc., donne le pneumatique. D'ALEMBERT, Système des Connaissances humaines, t. I, p. 340, *in* POUGENS.
D'ailleurs, la route montait vers ces grosses nuées, très denses et presque arrivées 2
déjà au degré de condensation. Avant peu, route et vapeurs se confondraient, et si, en ce moment, les nuages ne se résolvaient pas en pluie, le brouillard serait tel (...) J. VERNE, Michel Strogoff (1876), p. 134.

♦ **2.** Accumulation d'énergie électrique sur une surface (⇒ **Condensateur**).

♦ **3.** Chim. Réaction de chimie organique aboutissant à des molécules de complexité accrue.

♦ **4.** (1839). Fait de rapprocher des éléments séparés. ⇒ **Concentration.** *La condensation des populations sur les plaines fertiles. La condensation de plusieurs récits en un seul.*
(1834). Concentration, concision. *La condensation de sa pensée, de ce texte.*

♦ **5.** Psychan. Mécanisme psychique par lequel une représentation inconsciente « condense » les éléments d'une série de représentations. *La condensation est « un des modes essentiels du fonctionnement des processus inconscients : une représentation unique représente à elle seule plusieurs chaînes associatives à l'intersection desquelles elle se trouve. Du point de vue économique, elle est alors investie des énergies qui, attachées à ces différentes chaînes, s'additionnent sur elle (...) C'est dans le rêve (que la condensation) a été le mieux mise en évidence* » (Laplanche et Pontalis.)

CONDENSÉ [kɔ̃dɑ̃se] n. m. — xxᵉ ; p. p. de *condenser*.

♦ Texte présentant sous une forme concise, abrégée, un écrit plus long. *Faire le condensé d'une œuvre littéraire.* ⇒ **Digest** (anglic.), **résumé.** *Lire un condensé.*
Condensé de (qqch.) : texte, objet qui présente de façon concentrée, qui réunit en soi. *Cette revue est le condensé des événements de la semaine.*
En vérité Onaïs est devenue un condensé exemplaire de toutes les dépravations de l'esprit et de la sensibilité (...) M. AYMÉ, le Confort intellectuel, 1949, p. 122.

CONDENSER [kɔ̃dɑ̃se] v. tr. — 1314 ; du lat. *condensare* « rendre épais », rac. *densus.* → Dense.

♦ **1.** Rendre (un fluide) plus dense par rapprochement de ses molécules. ⇒ **Comprimer, réduire, saturer.** *Condenser un gaz par pression.*
Liquéfier (un gaz) par refroidissement ou compression. *Le froid condense la vapeur d'eau* (⇒ **Condensation**). — Pron. *Se condenser. La buée se condense sur les vitres en fines gouttes d'eau.*
Le brouillard, en s'attachant aux arbres, s'y condensait en gouttes qui tombaient 1
lentement sur les feuilles, comme des pleurs. BALZAC, le Médecin de campagne, Pl., t. VIII, p. 532.
Faire se resserrer, se rassembler, se regrouper. ⇒ **Concentrer** (se).
Pron. *La population se condense autour des points d'eau.*
(...) les algues travaillaient pour l'industrie, en condensant, dans leurs tissus, les 1.1
sels que les eaux où elles vivent contiennent en faible proportion. ZOLA, la Joie de vivre, 1884, p. 863, *in* T. L. F.

♦ **2.** (1827). Réduire, ramasser (l'expression de la pensée). *Condenser sa pensée. Condenser un récit.* ⇒ **Abréger, dépouiller, réduire, resserrer.**
(...) l'imagination est plutôt une faculté qu'il faut, je crois condenser pour lui don- 2
ner de la force, qu'étendre pour lui donner de la longueur. FLAUBERT, Correspondance, t. I, p. 171.
La pièce à propos du volume de Musset est bonne, insolente, troussée, un peu lon- 2.1
gue seulement, surtout (et rien que là) vers la fin. Si tu pouvais la condenser un peu (...) ce serait parfait. FLAUBERT, Lettre à Louis Bouilhet, 29 juin 1850, *in* Correspondance, Pl., t. I, p. 646.
Percevoir consiste donc, en somme, à condenser des périodes énormes d'une exis- 3
tence infiniment diluée en quelques moments plus différenciés d'une vie plus intense (...) H. BERGSON, Matière et Mémoire, p. 231.

▶ **CONDENSÉ, ÉE** p. p. et adj. (Passif).
Réduit à un volume plus petit. — Transformé par condensation*.
Vapeur condensée en eau. — *Lait condensé*, conservé par concentration sous vide (⇒ **Concentré**).
Nous lui avons donné à boire, en ajoutant un peu de lait condensé dilué car elle 3.1
semblait fatiguée. Bernard MOITESSIER, Cap Horn à la voile, p. 269.
Texte condensé, résumé.
Exprimé de façon concise et dense. *Une théorie condensée.*
N. m. *C'est du condensé !*
Ces livres de maximes et d'observations morales condensées, comme l'était déjà 4
celui de La Bruyère et comme celui de M. Joubert, ne se peuvent lire de suite sans fatigue. C'est de l'esprit distillé et fixé dans tout son suc : on n'en saurait prendre beaucoup à la fois. SAINTE-BEUVE, Causeries du lundi, 10 déc. 1849.
Littér. Transformé par une sorte de condensation.
Toute clarté est quelque part condensée en une flamme ; de même que toute épo- 5
que est condensée en un homme. L'homme expiré, l'époque est close. HUGO, William Shakespeare, III, III, IV.

CONTR. **Dilater, évaporer, raréfier.** — **Allonger.** — **Délayer, diluer, disséminer, éparpiller, étendre.**

DÉR. **Condensable, condensant, condensateur, condensé.** — REM. *Condensation* vient du latin, *condenseur* de l'anglais.

CONDENSEUR [kɔ̃dɑ̃sœʀ] n. m. — 1796 ; angl. *condenser* (Watt), de *to condense*, de même orig. que le franç. *condenser*.

Technique.

♦ **1.** Récipient où se fait, par refroidissement, la condensation de la vapeur qui a agi sur le piston d'une machine.

♦ **2.** Appareil destiné à éliminer les produits condensables (eau, goudron) par refroidissement du gaz de ville en cours de fabrication. *Condenseur échangeur.* — (1857, cit. 1) Appareil d'une installation frigorifique dans lequel le fluide frigorigène comprimé passe de l'état de vapeur à l'état liquide.

1   La pompe aspire de nouveau la vapeur d'éther et la refoule dans un condenseur d'où elle revient, à l'état liquide, dans le réfrigérateur.
                  L. FIGUIER, l'Année scientifique et industrielle 1858, p. 416 (1857).

♦ **3.** (1885, cit.). Système optique (⇒ **Condensateur**) éclairant un objet examiné dans un appareil de projection ou d'agrandissement.

2   C'est un système de lentilles, dit *condenseur*, destiné à faire converger les rayons émanant de la source lumineuse (...)
                  L. FIGUIER, l'Année scientifique et industrielle 1886, p. 118 (1885).

COMP. **Aérocondenseur.**

CONDESCENDANCE [kɔ̃desɑ̃dɑ̃s] n. f. — 1609 ; de *condescendre*.

♦ **1.** Vieilli (en bonne part). Complaisance par laquelle une personne qui se juge et est jugée supérieure s'abaisse au niveau d'autrui. *La condescendance d'un riche pour un pauvre, d'un initié pour un profane. Condescendance envers un enfant. Pousser la condescendance jusqu'à...*

1   Ce qui la caractérise *(la condescendance)* d'une manière décisive, c'est que, à la différence de la *déférence,* elle a toujours lieu du supérieur à l'inférieur.
                  LAFAYE, Dict. des synonymes, p. 152.

2   La comtesse (...) montra cette condescendance aimable des très nobles dames qu'aucun contact ne peut salir et fut charmante.
                  MAUPASSANT, Boule de suif, p. 27.

3   Toujours cette idée ancrée en moi, que l'amour de la femme ne peut pas être une condescendance, puisque, dans l'acte de chair, c'est elle qui l'a vaincue.
                  MONTHERLANT, les Jeunes Filles, p. 42.

Vx. *(Une, des condescendances).* Acte dénotant cette complaisance.

3.1   L'ancien député de la noblesse de Riom se permet néanmoins des condescendances au pouvoir (...)   CHATEAUBRIAND, Mémoires d'outre-tombe, in T. L. F.

♦ **2.** (1826). Mod. Supériorité bienveillante mêlée de mépris. ⇒ **Arrogance, dédain, hauteur, supériorité.** *Il nous a traités avec une condescendance blessante, humiliante. Une bienveillance empreinte de condescendance. Un sourire de condescendance. Marquer de la condescendance à qqn par un air protecteur*. Il est avec nous d'une condescendance ridicule, insupportable.*

4   Mais Mᵐᵉ Londe ne paraissait pas être en colère. Bien au contraire, elle lui souriait et inclinait la tête dans sa direction avec un air de condescendance royale.
                  J. GREEN, Léviathan, X, p. 86.

5   Avec sa verve corrosive, et du haut de sa condescendance, Saint-Simon n'a pas traité plus cruellement le chétif héros d'une aussi royale aventure que ne l'a fait dans son dépit cette véhémente amoureuse, à travers ses cris et ses plaintes.
                  Émile HENRIOT, Portraits de femmes, la religieuse portugaise, p. 80.

6   Être, pendant toute sa vie, de la part de ses amis et copains, l'objet d'une raillerie permanente, aussi affectueuse fût-elle, pouvait n'être pas de tout repos. Était-il possible que Félix eût souffert de la condescendance amusée qu'on lui témoignait ?
                  Jean-Louis CURTIS, le Roseau pensant, p. 24.

CONDESCENDANT, ANTE [kɔ̃desɑ̃dɑ̃, ɑ̃t] adj. — XIVᵉ ; p. prés. de *condescendre*.

♦ **1.** Vx. Qui condescend. ⇒ **Complaisant, indulgent.** *Un caractère doux et condescendant.*

♦ **2.** Mod. Qui a, qui manifeste de la condescendance (2.). ⇒ **Dédaigneux, hautain, protecteur, supérieur.** *Une personne condescendante et hautaine. — Des airs condescendants.* ⇒ **Grand.**

1   Un sourire ironique et condescendant, un sourire qui signifie : — Vous êtes docteur, chef de service et le reste ; mais je suis plus âgé que vous, j'ai mille fois plus d'expérience que vous. Je veux bien être un modèle de politique, mais je suis bien obligé de vous considérer comme un gosse.
                  G. DUHAMEL, Chronique des Pasquier, IV, VIII, IV.

2   Elle aurait bien envie de les rabrouer, ils l'agacent avec leurs airs condescendants, dédaigneux, légèrement dégoûtés, installés là confortablement comme des grands seigneurs assis les jambes croisées (...)   N. SARRAUTE, le Planétarium, p. 234.

CONDESCENDRE [kɔ̃desɑ̃dʀ] v. tr. ind. — 1866 ; « se laisser fléchir », 1350 ; *condescendant à qqn* « qui montre de la condescendance », fin XVᵉ ; du bas lat. *condescendere,* proprt « descendre au même niveau » de *con- (cum),* et *descendere.* → Descendre.

♦ Littér. ou style soutenu. *Condescendre à* (qqch., faire qqch.). Daigner consentir, daigner accepter. *Condescendre à une invitation. Il condescendit à lui faire part de ses projets.* ⇒ **Daigner, vouloir**

(vouloir bien). *Condescendre aux désirs, à la volonté de quelqu'un.* ⇒ **Accéder, complaire, prêter** (se), **rendre** (se), **supporter.**

1   (...) faire condescendre une femme à vos vœux (...)
                  MOLIÈRE, les Femmes savantes, II, 9.

2   Il semblait ne pas vouloir condescendre à discuter avec des profanes, de choses qui lui tenaient à cœur.   MARTIN DU GARD, les Thibault, t. V, p. 129.

DÉR. **Condescendance, condescendant.**

CONDIMENT [kɔ̃dimɑ̃] n. m. — Fin XIIᵉ ; lat. *condimentum,* de *condire* « assaisonner ».

♦ **1.** Substance de saveur forte destinée à relever le goût des aliments. ⇒ **Épice.** *Condiments faits de légumes et de fruits macérés.* ⇒ **Achards, piccalillies, pickles.** — Vx. Assaisonnement.

1   *(L'auteur veut énumérer les usages les plus fréquents du sucre)* L'usage du sucre ne se borne pas là. On peut dire qu'il est le condiment universel, et qu'il ne gâte rien. Quelques personnes en usent avec les viandes, quelquefois avec les légumes (...)   A. BRILLAT-SAVARIN, Physiologie du goût, t. I, Méditation 6.

Spécialt. Moutarde douce.

♦ **2.** Fig. et littér. Ce qui excite, pique.

2   Il se mit à rire, songeant que le remords était peut-être le condiment qui sauve l'inappétence des passions blasées, puis il plaisanta...
                  HUYSMANS, Là-bas, XII, p. 179.

DÉR. **Condimentaire, condimenter.**

CONDIMENTAIRE [kɔ̃dimɑ̃tɛʀ] adj. — 1863 ; de *condiment*.

♦ Didact. Utilisé comme condiment. *Aliment condimentaire.* — Qui a rapport aux condiments, à leur usage.

La sensibilité gustative et le toucher buccal constituent ainsi la partie profonde de l'esthétique culinaire, sur laquelle se fondent les broderies de la gastronomie olfactive. C'est aussi la base primitive, celle que les pratiques alimentaires les moins élaborées connaissent par associations simples liées à des perceptions olfactives d'origine non condimentaire.
                  A. LEROI-GOURHAN, le Geste et la Parole, t. II, p. 11.

CONDIMENTER [kɔ̃dimɑ̃te] v. tr. — 1885 ; de *condiment*.

♦ **1.** Relever le goût de (qqch.) à l'aide de condiments. *Condimenter un plat.* — Au p. p. « *Une morue cuite avec des pruneaux et condimentée d'affreuses épices* » (Huysmans, in G. L. L. F.).

♦ **2.** Fig., littér. (J. Laforgue, A. Arnoux, *in* T. L. F.). Donner de l'intérêt à. *Ses récits condimentaient les trop longues soirées.* ⇒ (fig.). **Assaisonner.**

CONDISCIPLE [kɔ̃disipl] n. m. — 1740, n. f. ; n. m., 1570 ; du lat. *condiscipulus* de *con- (cum),* et *discipulus.* → Disciple.

♦ **1.** Compagnon d'études. *Ils furent condisciples au lycée, à la faculté, au séminaire. Son collègue est un ancien condisciple de lycée.*

1   Mes condisciples étaient pour la plupart de jeunes paysans des environs de Tréguier (...) Presque tous travaillaient pour être prêtres.
                  RENAN, Souvenirs d'enfance..., éd. Colin, p. 85.

2   Il trouva Paris aimable. Il se félicita de vivre dans une cité pareille, et non point en province, comme la plupart de ses anciens condisciples.
                  Jean-Louis CURTIS, le Roseau pensant, p. 14.

♦ **2.** Fig. et iron. Personne dont on ne se sépare jamais. *Je l'ai rencontré avec son condisciple.* ⇒ **Acolyte.**

CONDIT [kɔ̃di] n. m. — 1690, « fruit confit utilisé comme produit pharmaceutique » ; « assaisonnement », 1458 ; p. p. de l'anc. franç. *condir* « assaisonner » ; du lat. *condire.* → Condiment.

♦ Techn. Substance végétale confite dans du sucre cristallisé ou du miel. ⇒ **Confit** (fruit confit). *L'orange, l'angélique sont des condits utilisés dans la pâtisserie pour leur arôme.*

CONDITION [kɔ̃disjɔ̃] n. f. — V. 1160, « convention, pacte » ; bas lat. *conditio,* lat. class. *condicio* « engagement, manière d'être » ; de *condicere,* de *con- (cum),* et *dicere* « dire ».

★ **I.** (État, manière d'être). ♦ **1.** (Fin XIVᵉ). État passager, relativement au but visé. *En (bonne, mauvaise) condition (pour) :* dans un état favorable à. *Cet élève est en bonne condition pour passer son examen,* bien préparé. — Loc. (1872, in Petiot). *Mettre un cheval, un athlète en condition par un entraînement intensif. Il est en mauvaise condition dans cette affaire* (→ Il est mal parti*).

♦ **2.** N. f. pl. *(Les, des conditions.)* Ensemble de faits caractéristiques de (qqch.). ⇒ **Circonstance** (s). *Les conditions économiques d'un marché.* ⇒ **Conjoncture.** *Attendre des conditions propices. Les conditions psychologiques, sociologiques d'un fait.* ⇒ **Base, donnée, élément, fondement.** *Les conditions de vie, d'existence dans un milieu donné. Lutter pour améliorer les conditions de vie.* — Math. *Les conditions d'un problème,* ce qui caractérise, ce qui particularise ce problème. ⇒ **Donnée, hypothèse.** *Conditions favorables à* *l'expérience. Les conditions sont favorables* (⇒ **Climat, milieu, terrain**). *Des conditions médiocres de température. Analyse, étude des conditions d'existence. Les conditions atmosphériques.* — *Conditions d'emploi d'un mot.* — *Dans de (bonnes, mauvaises) conditions. Je refuse de travailler dans de telles conditions. Dans ces conditions... :* dans cet état de choses. *Dans ces conditions, vous pouvez partir.* ⇒ **Circonstance, événement.**

1 (...) l'expérience nous apprend bientôt que nous ne pouvons pas aller au delà du comment, c'est-à-dire au delà de la cause prochaine ou des conditions d'existence des phénomènes.
Cl. BERNARD, Introd. à l'étude de la médecine expérimentale, I, p. 125.

2 (...) nous ne pouvons accepter cet héritage dans ces conditions. Ce serait d'un effet déplorable. Tout le monde croirait la chose, tout le monde en jaserait et rirait de moi.
MAUPASSANT, Bel Ami, p. 363.

3 Comme j'ai naturellement beaucoup de pudeur, je ne puis concevoir la paillardise que dans certaines conditions de mystère respectable.
J. ROMAINS, les Hommes de bonne volonté, t. III, I, p. 10.

4 Il exposait les difficultés réelles d'une enquête menée dans des conditions qui ne le favorisaient pas.
P. MAC ORLAN, la Bandera, XVI, p. 199.

5 *(Le capitaliste)* n'a aucun souci des hommes qu'il emploie et ne s'inquiète pas de leurs conditions d'existence matérielle et morale.
J. CHARDONNE, l'Amour du prochain, VIII, p. 196.

♦ **3.** (V. 1275). Situation où se trouve un être vivant (spécialt, l'homme). *La condition humaine;* (vx) *l'humaine condition.* ⇒ **Destinée, sort.** *La Condition humaine,* roman de Malraux. *La condition de l'homme. La misère de notre condition commune. La condition de l'existence humaine, des choses humaines. Améliorer la condition de la classe ouvrière. La pire condition dans cette société, c'est... Condition de célibataire.*

6 Il est donc vrai que tout instruit l'homme de sa condition, mais il le faut bien entendre : car il n'est pas vrai que tout découvre Dieu, et il n'est pas vrai que tout cache Dieu.
PASCAL, Pensées, VIII, 557.

7 Quelle condition vous paraît la plus délicieuse et la plus libre, ou du berger ou des brebis ?
LA BRUYÈRE, les Caractères, X, 29.

8 Notre véritable étude est celle de la condition humaine.
ROUSSEAU, Émile, I.

9 Lorsqu'un grand changement s'opère dans la condition humaine, il amène par degrés un changement correspondant dans les conceptions humaines.
TAINE, Philosophie de l'art., t. II, III, II, II, p. 22.

9.1 (...) dans sa condition de petite brodeuse elle avait l'âme d'une reine.
ZOLA, le Rêve, éd. Bernouard, p. 80 (1888).

10 Aucune morale, ni aucun effort ne sont *a priori* justifiables devant les sanglantes mathématiques qui ordonnent notre condition.
CAMUS, le Mythe de Sisyphe, p. 30.

10.1 — Il est très rare qu'un homme puisse supporter, comment dirais-je ? sa condition d'homme...
Il pensa à l'une des idées de Kyo : tout ce pour quoi les hommes acceptent de se faire tuer, au delà de l'intérêt, tend plus ou moins confusément à justifier cette condition en la fondant en dignité : christianisme pour l'esclavage, nation pour le citoyen, communisme pour l'ouvrier.
MALRAUX, la Condition humaine, p. 191.

10.2 Entre la critique marxiste qui affranchit l'homme de ses premières chaînes — lui enseignant que le sens apparent de sa condition s'évanouit dès qu'il accepte d'élargir l'objet qu'il considère — et la critique bouddhiste qui achève la libération, il n'y a ni opposition ni contradiction.
Claude LÉVI-STRAUSS, Tristes tropiques, p. 372.

Dr. internat. *Condition des étrangers,* ensemble des droits dont ils peuvent jouir sur le territoire français.

Vx. Situation (d'une personne) à un moment donné.

11 Notre condition jamais ne nous contente;
La pire est toujours la présente (...)
LA FONTAINE, Fables, VI, 11.

♦ **4.** (1270). Vieilli ou littér. Rang* social, place dans la société. ⇒ **Classe,** état (vx), **rang, situation.** — REM: *Condition,* comme *état,* tend à être remplacé par *classe, situation* (sociale). *L'inégalité des conditions. La différence des conditions et des rangs. Les trois conditions, au moyen âge :* les nobles, les serfs, les vilains. *De haute, de grande condition. De condition noble. Une personne de condition élevée,* et, ellipt. (1474, vx), *une personne de condition.* ⇒ **Noble** (→ De haute volée*). *Les gens de condition.* — *De pauvre, de basse, de médiocre, de servile condition. Gens de condition inférieure* (→ Plébéien, cit. 6). *Les gens de peu de condition.* ⇒ **Pauvre, peuple, prolétariat.** *Se contenter, se satisfaire de sa condition. Vivre selon sa condition. Épouser qqn de sa condition. Un homme de ma condition.* ⇒ **Espèce, sorte.** *Sortir de sa condition en se déclassant.* ⇒ **Milieu, sphère.** *Rougir de la condition de ses parents.*

12 En vous ôtant un gendre, on vous en donne un autre,
Dont la condition répond mieux à la vôtre (...)
CORNEILLE, Polyeucte, V, 2.

13 (...) vouloir faire l'homme de condition.
MOLIÈRE, les Précieuses ridicules, 1.

14 La cause la plus immédiate de la ruine et de la déroute des personnes des deux conditions, et de la robe et de l'épée, est que l'état seul, et non le bien, règle la dépense.
LA BRUYÈRE, les Caractères, VI, 81.

15 (...) l'éducation naturelle doit rendre un homme propre à toutes les conditions humaines (...)
ROUSSEAU, Émile, I.

16 En m'attachant seulement à ce qui différencie les personnes, je perds de vue ce qu'elles ont de commun avec beaucoup d'autres : la marque de leur profession, de leur état, l'influence de leur condition.
Valery LARBAUD, Amants, heureux amants, p. 141.

17 Leur condition ne permet pas qu'ils paressent le matin au lit.
J. ROMAINS, les Hommes de bonne volonté, t. III, XII, p. 168.

18 Tous de conditions différentes, pauvres ou riches, c'est à peine si l'on distingue les variétés d'origine à un détail du vêtement.
J. CHARDONNE, les Destinées sentimentales, p. 466.

♦ **5.** Loc., vieilli. *Être de condition, en condition chez qqn :* être en service comme domestique. *Se mettre en condition.* ⇒ **Placer** (se).

18.1 Ils allèrent ensuite demeurer à Oviédo, où ils furent obligés de se mettre en condition; ma mère devint femme de chambre, et mon père écuyer.
A.-R. LESAGE, Gil Blas, I, I.

18.2 Je n'ai jamais compris par l'effet de quelles traverses un homme si justement intelligent s'était trouvé dessaisi de son bien et dans la nécessité de se mettre en condition.
G. DUHAMEL, Temps de la recherche, VIII, p. 106.

♦ **6.** Loc. (1965). *Mettre qqn en condition :* préparer l'esprit de (qqn) par la propagande. ⇒ **Conditionner.** *Mise en condition :* action de mettre en condition. ⇒ **Conditionnement.** *La mise en condition du public, de l'électorat.*

18.3 Autre grave danger des doctrines : ceux qui en font la justification de leurs pouvoirs ont toujours tendance à les imposer comme des articles de foi soustraits à toute discussion. Par la répétition incessante et la «mise en condition» ils prétendent créer un homme nouveau conforme à la doctrine et à leur dévotion. On oublie que les expériences de Pavlov ne sont certaines que sur les animaux. Car le propre de l'homme est que la réflexion s'intercale entre la perception et la réaction.
Gaston BOUTHOUL, Sociologie de la politique, p. 100.

♦ **7.** État (d'une chose). *Bonne condition :* état de ce qui a les qualités requises (surtout dans : *en bonne condition*). *Cette marchandise a été livrée en bonne condition, dans de bonnes conditions* (⇒ **Conditionnement**). *Ce livre est en bonne condition,* en bon état de conservation.

Techn. *La condition des textiles :* l'état hygrométrique convenable des tissus (⇒ **Conditionnement**). *Faire des essais sur la condition d'une soie, d'un coton.* — Par métonymie. Établissement public où se font les essais de conditionnement. *Les conditions de Lyon, de Paris.*

★ **II.** (Circonstance). ♦ **1.** État, situation, fait dont l'existence est indispensable pour qu'un autre état, un autre fait existe. *La santé est la condition du bonheur, le travail la condition du succès. Satisfaire, répondre aux conditions requises pour obtenir quelque chose. Remplir les conditions exigées* (⇒ **Formalité**). *Conditions, l'admission (à qqch.). C'est une condition nécessaire*, une condition suffisante*, une condition formelle*.* — (1704). *Condition sine qua non :* condition sans laquelle une chose est impossible — *Les conditions d'un armistice, d'un traité.* ⇒ **Clause, stipulation.** *Dicter, faire, imposer, marquer, poser, signifier ses conditions.* ⇒ **Exigence.** *Des conditions sévères, dures, draconiennes. Poser ses dernières conditions.* ⇒ **Ultimatum.** *Quelles sont vos conditions?* ⇒ **Prétention.** *Se rendre sans condition,* sans restriction, purement et simplement. *Armistice* (cit. 2), *capitulation sans condition* — *À telle condition :* seulement dans ce cas. *À cette condition, j'accepte.*

19 Il ne m'est pas permis, à ces conditions, de vous rien refuser (...)
MOLIÈRE, le Sicilien, 15.

20 Les lois ne sont proprement que les conditions de l'association civile. Le peuple, soumis aux lois, en doit être l'auteur; il n'appartient qu'à ceux qui s'associent de régler les conditions de la société.
ROUSSEAU, Du contrat social, II, VI, p. 259.

21 L'admission dans les écoles spéciales étant assujettie à certaines conditions (...)
RENAN, Questions contemporaines, L'instruction supérieure en France, *in* Œ t. I, p. 80.

22 Le but du monde est le développement de l'esprit, et la première condition du développement de l'esprit, c'est sa liberté.
RENAN, Souvenirs d'enfance..., Préface, p. 15.

23 L'ignorance est la condition nécessaire du bonheur des hommes.
FRANCE, Les dieux ont soif, p. 54.

23.1 Vois si tu as assez d'influence dans les milieux littéraires pour me faire imprimer mon «joli petit poème» (il n'est pas long en effet) *en son entier* (condition *sine qua non*) dans quelque Revue.
Germain NOUVEAU, Lettre à Ernest Delahaye, 12 août 1912, Pl., p. 995.

24 La première condition du bonheur est que l'homme puisse trouver joie au travail. Il n'y a vraie joie dans le repos, le loisir, que si le travail joyeux le précède.
GIDE, Journal, 4 août 1935.

25 (...) la condition *sine qua non* du rétablissement d'une autorité forte lui avait paru la restauration de la religion catholique...
Louis MADELIN, le Consulat, VII, p. 95.

26 Et l'inégalité des biens temporels n'est-elle pas la condition même de l'équilibre social?
MARTIN DU GARD, les Thibault, t. III, p. 243.

(1787). *À la condition de..., à condition de...* (suivi de l'inf.). *À la condition que..., à condition que...* (suivi de l'indic. futur ou du subj.). ⇒ **Autant** (que), **charge** (à charge de), **moyennant** (quoi), **pourvu** (que). *Vous partirez en vacances, à condition de réussir votre examen. Je lui ai écrit, je lui écrirai à condition qu'il me réponde. Je vous laisse libre de partir à condition que vous m'écriviez, à condition que vous m'écrirez. «J'y consens bien volontiers à la condition que vous dînerez chez moi ce soir»* (Maupassant). *«À la condition qu'elle sût les diriger»* (Madelin). *À la seule condition que...* — REM. Dans ce dernier cas, l'emploi de l'indicatif futur exprime la condition avec plus de force, plus d'énergie.

27 Les obstacles au divorce sont utiles, à condition de ne pas être insurmontables.
J. CHARDONNE, l'Amour du prochain, II, p. 50.

28 C'est un procès que nous ne pouvons gagner qu'à condition qu'on ne le plaide pas.
J. CHARDONNE, les Hommes de bonne volonté, t. II, XIV, p. 140.

SOUS CONDITION. *Faire quelque chose sous condition,* en respectant certaines conditions préalables. *Promettre sous condition.* ⇒ **Réserve** (sous). — Liturg. *Baptiser sous condition :* administrer le baptême à qqn dans le doute de l'existence ou de la validité d'un baptême antérieur.

Serf affranchi sous condition, moyennant l'obligation de fournir certains services.

Sous condition de... ; sous (la) condition que... (→ ci-dessus : à la condition de.)

Gramm. *Complément de condition.* ⇒ **Conditionnel.** *Proposition de condition.*

♦ **2.** Dr. Modalité ayant pour effet de subordonner la validité d'un acte juridique à l'arrivée d'un événement futur et incertain. *Condition casuelle** (cit. 1). *Condition défaillie,* qui ne s'est pas réalisée. *Condition illicite* : contraire aux lois impératives, prohibitives ou à l'ordre public. *Condition immorale* : contraire aux bonnes mœurs. *Condition impossible. Condition mixte**. *Condition potestative**. *Condition résolutoire**. — *Condition suspensive**. — *Condition expresse, tacite, positive, négative, restrictive.* ⇒ **Clause, convention ; charge.** *Les conditions d'un contrat, d'un acte juridique.*

29   Dans toute disposition entre vifs ou testamentaire, les conditions impossibles, celles qui seront contraires aux lois ou aux mœurs, seront réputées non écrites.
                                             Code civil, art. 900.

♦ **3.** Conditions de prix, de vente, d'achat. *Cela dépend de vos conditions. Obtenir des conditions de faveur. Conditions onéreuses. Conditions intéressantes, avantageuses, faire les meilleures conditions. Acheter, vendre sous condition* : sous garantie ; en réservant à l'acheteur le droit de rendre la chose achetée s'il n'en est pas satisfait (→ *supra,* sous condition).

Absolt. *Faire des conditions,* des conditions avantageuses. *Conditions de payement.* ⇒ **Crédit ; facilité, modalité.**

CONTR. Cause, conséquence, fin.
DÉR. Conditionner.

CONDITIONNÉ, ÉE [kɔ̃disjɔne] adj. — 1394 ; p. p. de *conditionner.*

♦ **1.** Vieilli Qui est dans une condition, un état. *Meuble bien conditionné.* « *Un ouvrage bien conditionné* » (Littré). *Personne bien, mal conditionnée.*

1   (...) c'est moi (...) qui ai commencé la mode de vous aimer et de vous trouver aimable : une amitié si bien conditionnée ne craint point les injures du temps.
                               Mᵐᵉ DE SÉVIGNÉ, 1410, 26 avr. 1695.

2   (...) procréer des enfants bien conditionnés et de corps et d'esprit.
                                 MOLIÈRE, Monsieur de Pourceaugnac, II, 1.

♦ **2.** (1869). Didact. Soumis à des conditions. *Contrat conditionné. Expérience conditionnée. Proposition conditionnée* (→ Antécédent, cit. 3). — Cour. *Réflexe conditionné.* ⇒ **Réflexe.**

(Personnes). Dont le comportement est lié à certaines conditions. *L'ouvrier* (cit. 4) *conditionné par sa classe, son salaire.*

3   De toute façon l'homme est conditionné, disent certains d'entre eux : alors, à quoi cela peut-il servir d'étudier, de réfléchir ?
                                 S. DE BEAUVOIR, Tout compte fait, p. 233 (1972).

4   Nous sommes menés, nous sommes conditionnés, nous sommes traînés en laisse comme des chiens.
                                 IONESCO, Journal en miettes, p. 50.

N. m. (1823, Maine de Biran). Philos. *Le conditionné* : ce qui dépend de qqch. d'autre, quant à son existence. *Philosophie du conditionné* : philosophie suivant laquelle il n'y a ni absolu ni infini.

5   Des animaux inférieurs aux mammifères supérieurs, on assiste à l'inversion des proportions entre le conditionné génétique et le conditionné appris, puis à l'émergence d'un choix possible entre les opérations simples.
                                 A. LEROI-GOURHAN, le Geste et la Parole, t. II, p. 21.

♦ **3.** Cour. Qui a subi un conditionnement. *Produit conditionné.*

♦ **4.** (Angl. *air-conditioned*). **AIR CONDITIONNÉ** : air maintenu à une température et à un degré hygrométrique voulus. ⇒ Climatisation (du bas lat. *conditio*).

— REM. Ce calque de l'anglais est remplaçable par *climatiseur* et *climatisation.* ⇒ **Climatisation.**

6   Un lieu connu, confortable, protégé et clos. Lumières tamisées, air conditionné, température égale exactement appropriée.   N. SARRAUTE, le Planétarium, p. 40.

7   Goldwater aime tant les feux de bois que l'été il glace sa maison à l'air conditionné et il allume de grandes flambées.
                                 S. DE BEAUVOIR, Les Belles Images, p. 127.

CONTR. Absolu, catégorique, formel, inconditionné.

CONDITIONNEL, ELLE [kɔ̃disjɔnɛl] adj. et n. — Fin xivᵉ ; bas lat. *condicionalis,* du lat. class. *condicio, onis.* → Condition (du bas lat. *conditio*).

♦ **1.** Adj. Qui dépend de certaines conditions, d'événements incertains. ⇒ **Hypothétique.** *Promesse conditionnelle. Événement conditionnel.* ⇒ **Contingent.**

   La faculté d'élire qui était restreinte et conditionnelle, devint pure et simple.
                                 MONTESQUIEU, l'Esprit des lois, XXXI, 17.

Dr. *Contrat** conditionnel. *Clause** conditionnelle. *Legs** conditionnel. Vente conditionnelle. Libération conditionnelle d'un détenu.*

Log. *Jugement conditionnel.* ⇒ **Hypothétique.** *Syllogisme** conditionnel.*

Gramm. *Proposition conditionnelle,* qui exprime une condition, une hypothèse. ⇒ **Hypothétique.**

Psychol. *Réflexe** conditionnel. Stimulus conditionnel.*

♦ **2.** (Av. 1546). Gramm. *Le mode conditionnel.* N. m. (1660). *Le conditionnel* : mode du verbe (comprenant un temps présent et deux

---

passés) exprimant un état ou une action subordonnée à quelque condition (ex. : *j'irais,* si vous le vouliez). ⇒ **Optatif** (cit.). *Conditionnel présent. Présent du conditionnel.*

Se dit aussi du « futur du passé », qui a la forme de ce mode, mais une toute autre valeur sémantique, et qui s'emploie dans la correspondance des temps (ex. : j'affirmais qu'il *viendrait*).

CONTR. Absolu, catégorique, formel, inconditionnel, net, pur (et simple).
DÉR. Conditionnellement.
COMP. Inconditionnel.

CONDITIONNELLEMENT [kɔ̃disjɔnɛlmɑ̃] adv. — xivᵉ, *condicionelement* ; de *conditionnel.*

♦ Littér. ou didact. Sous une ou plusieurs conditions. *Promettre, accorder conditionnellement quelque chose.*

CONTR. Inconditionnellement.

CONDITIONNEMENT [kɔ̃disjɔnmɑ̃] n. m. — 1845 ; de *conditionner.*

♦ **1.** Techn. Opération qui a pour but de déterminer le pourcentage normal d'humidité que doit contenir chaque matière textile. ⇒ **Traitement** (des textiles). *Étuve de conditionnement,* dans laquelle on dessèche un échantillon du lot examiné. *Le conditionnement du coton, de la soie. Établissement où s'opère le conditionnement des textiles.* ⇒ **Condition.** — *Conditionnement des bois tropicaux.*

(1929). Opération qui a pour but d'amener le grain de blé dans la meilleure condition de mouture*.

Agric. Aplatissement (du fourrage), destiné à accélérer sa dessiccation.

♦ **2.** (Adapt. de l'angl. *air conditioning*). *Conditionnement de l'air* : réglage de la température et du degré hygrométrique de l'air d'un local. ⇒ **Climatisation ; conditionné** (air).

♦ **3.** Fait d'emballer et de présenter un produit pour la vente. *Service de conditionnement.*

1   (...) vous n'allez pas nous reprocher d'apporter tous nos soins au conditionnement de produits qui doivent parfois attendre longuement l'usage ou la fin de l'usage (...)   G. DUHAMEL, Cri des profondeurs, II, p. 41.

Emballage d'un produit. *Le conditionnement d'un médicament. Vendre un produit sous divers conditionnements.*

♦ **4.** (1863). Action de conditionner, de provoquer artificiellement des réflexes* « conditionnés » ; processus d'acquisition d'un réflexe conditionné. *Conditionnement et apprentissage** ⇒ aussi **Dressage.**

2   Pavlov a cherché à créer des réflexes conditionnés à la douleur. Sous l'action d'un fort courant électrique, le chien crie et se débat, il ne présente alors de la viande il n'y fait même pas attention, mais on répète de nombreuses fois l'expérience, et à condition de faire suivre régulièrement d'un repas l'excitation électrique douloureuse, celle-ci finit par devenir régulièrement sialogène. On a remplacé le réflexe inhibiteur spontané dû au stimulus électrique par un réflexe conditionnel dynamogénique. *Le conditionnement l'a emporté sur l'instinct,* on a appris au chien à surmonter la douleur immédiate en lui faisant escompter le plaisir futur, le chien a été dressé.   Jean DELAY, la Psycho-physiologie humaine, p. 106.

Action, concertée ou non, qui a pour résultat de susciter des habitudes de pensée, de comportement, chez une personne ou (plus souvent) dans un ensemble social, par des moyens agissant sur les psychologies, les consciences. *Le conditionnement d'une personne, d'un groupe, par une propagande habilement menée. Le conditionnement du public par les mass-medias.* ⇒ aussi **Intoxication, matraquage.**

3   La science du conditionnement musculaire est empiriquement pratiquée pour les besoins d'uniformité politique depuis l'aube des premières cités, c'est sur elle que reposent les mouvements de foule, le comportement des masses qui marchent « comme un seul homme ».
                                 A. LEROI-GOURHAN, le Geste et la Parole, t. II, p. 105.

♦ **5.** Didact. et rare (emploi général). Mise en dépendance de certaines conditions ; fait de conditionner.

CONDITIONNER [kɔ̃disjɔne] v. tr. — 1250, « soumettre à des contraintes » ; de *condition.*

♦ **1.** (1694). Sujet n. de personne. [a] Pourvoir une chose des qualités requises par sa destination. *Conditionner parfaitement un mécanisme (à des fonctions,* etc.).

Techn. *Conditionner des étoffes, des textiles,* leur faire subir l'opération du conditionnement*.

Agric. *Conditionner du fourrage,* en effectuer le conditionnement*.

[b] *Conditionner des produits, des articles,* les préparer pour l'expédition et la vente. ⇒ **Traiter ; emballer.**

[c] Littér. Fabriquer, élaborer (qqch.) dans les conditions requises.

1   Cet écumeur de pots de chambre a trouvé, par là, le moyen de se conditionner une spécialité de patriotisme.   Léon BLOY, le Désespéré, p. 196.

♦ **2.** (1932). Sujet n. de chose. Être la condition de. *Son retour conditionne mon départ* : de son retour dépend mon départ. *Fait qui conditionne l'apparition d'un phénomène.* ⇒ **Commander.** *Proposition qui en conditionne une autre.*

2 Enfin, peu à peu, cette idée d'humiliation se détacha de ce qui la conditionnait (...) et elle demeura seule, de soi-même seule raison d'être (...)
　　　　　　　　　　　　　　　Jean GENET, Journal du voleur, p. 94.

♦ **3.** Sens critiqué (d'après *conditionné*). Déterminer l'état moral de (qqn), la nature de (un sentiment) ; mettre en condition. *Conditionner les esprits.* « *Que d'éléments étrangers à l'amour conditionnèrent mes amours* » (R. Vailland, in *Grand Larousse Encyclopédique*). ⇒ **Déterminer, influencer.** — Au passif. *Ils ont été conditionnés par la propagande.* — REM. En ce sens, *conditionner* ne signifie ni « être la cause » ni simplement « influencer », mais « donner une forme, une qualité à ».

3 On peut par là préparer la petite fille à la causalité ménagère, la conditionner à son futur rôle de mère.　　　　R. BARTHES, Mythologies, p. 59 (1957).
CONTR. (Du sens 3.) Déconditionner.

DÉR. **Conditionné, conditionnement, conditionneur.**

CONDITIONNEUR, EUSE [kɔ̃disjɔnœʀ, øz] n. — 1909 ; « domestique qui vole ses patrons », 1887 ; de *conditionner*.

♦ **1.** Professionnel qui s'occupe du conditionnement des marchandises. ⇒ **Emballeur.**

♦ **2.** N. m. (De l'angl.). Appareil servant au conditionnement de l'air. ⇒ **Climatiseur.**
Les plaques d'isorel recouvrent les paroles, les conditionneurs d'air ronflent dans les murs, et c'est peut-être du HCN qui sort de leurs bouches à grilles.
　　　　　　　　　　　J.-M. G. LE CLÉZIO, les Géants, p. 28 (1973).

♦ **3.** N. f. Machine pour le conditionnement du fourrage. — Appos. *Faucheuse* conditionneuse.*

CONDOLÉANCE [kɔ̃dɔleɑ̃s] n. f. — V. 1460, *avoir condoléance* ; de l'anc. franç. *condouloir*, du lat. *condolere*, de *dolere* « souffrir ».
Expression de la part que l'on prend à la douleur de qqn, à l'occasion d'un deuil. ⇒ **Sympathie.**

♦ **1.** Au sing. Vx. « *Le professeur (...) ne donnait pas une seule condoléance qu'ont pût croire feinte* » (Proust, in T. L. F.). *Lettre, compliment* de condoléance.*

♦ **2.** Au plur. Mod. *Présenter, offrir, exprimer, faire ses condoléances.*
Ellipt. *Toutes mes condoléances ; mes condoléances ; sincères condoléances.*

DÉR. **Condoléancer, condoléant.**

CONDOLÉANCER [kɔ̃dɔleɑ̃se] v. tr. — Conjug. *placer*. — 1921, cit. ; de *condoléance(s)*.

♦ Rare. Présenter des condoléances à (qqn).
On sait ce qu'est (...) le moment de l'année où les fêtes commencent : au point que la marquise d'Amoncourt, laquelle (...) finissait souvent par dire des sottises, avait répondre à quelqu'un qui était venu la condoléancer sur la mort de son père (...) « C'est peut-être encore plus triste qu'il vous arrive un chagrin pareil au moment où on a à sa glace des centaines de cartes d'invitations ».
　　　　　　　PROUST, le Côté de Guermantes, Pl., t. II, p. 477.
CONTR. Féliciter.

CONDOLÉANT, ANTE [kɔ̃dɔleɑ̃, ɑ̃t] adj. — 1782 ; de *condoléance*.

♦ Vx. Qui prend part à la douleur d'autrui et l'exprime. « *La foule condoléante* » (Chateaubriand, in T. L. F.).

CONDOM [kɔ̃dɔm] n. m. — 1795, Sade ; probablt de l'angl. *condum*, 1706 ; *condon*, 1708 ; *condom*, 1717 ; orig. inconnue ; on n'a retrouvé aucun médecin ou inventeur portant ce nom, cf. *Oxford dict., Suppl.*, 1972.

♦ Didact. Préservatif* masculin. ⇒ **Capote** (anglaise).
(...) d'autres obligent leurs fouteurs de se servir d'un petit sac de peau de Venise, vulgairement nommé condom, dans lequel la semence coule, sans risque d'atteindre le but (...)
　　　　SADE, la Philosophie dans le boudoir, Troisième dialogue, éd. Pauvert 1953, p. 80.

CONDOMINIUM [kɔ̃dɔminjɔm] n. m. — 1866 ; mot angl., du lat. *dominium* « souveraineté ».

♦ **1.** Souveraineté exercée en commun par deux ou plusieurs États sur un même pays. *L'ex-condominium franco-britannique sur les Nouvelles-Hébrides* (jusqu'en 1980). *Régime de condominium. Des condominiums.*

♦ **2.** Immeuble en co-propriété, dans un pays anglo-saxon.

CONDOR [kɔ̃dɔʀ] n. m. — 1598, hispanisme ; mot esp., du quichua, langue indienne du Pérou.

♦ **1.** Oiseau rapace de grande taille, au plumage noir, frangé de blanc aux ailes. ⇒ **Vautour.** *Les condors vivent en bande sur les sommets des Andes, et se nourrissent souvent d'animaux morts. Le Sommeil du Condor,* poème de Leconte de Lisle.

♦ **2.** Hist. Monnaie d'or de quelques pays (Chili, Colombie, Équateur) d'Amérique latine.

CONDOTTIERE [kɔ̃dɔttjeʀe] n. m. — 1770 ; mot ital., « chef de soldats mercenaires », de *condotta* « engagement », p. p. fém. de *condurre*, du lat. *conducere* « louer ».

♦ **1.** Hist. Au moyen âge, Chef de soldats mercenaires italiens. *Des condottieres,* ou, rare, *des condottieri* (→ Aventurier, cit. 9). *Le Voyage du Condottiere,* de Suarès.
On le vit *(Maximilien)* à la fin gagnant sa vie comme condottiere, dans le camp des Anglais, empereur à cent écus par jour.   1
　　　　　　　MICHELET, Hist. de France au XVe s., I, VIII.
Ces condottieri, dont la renommée a duré trois siècles, valaient leur prix ; il existait à la fin du XVe, dans l'Italie du Nord, un véritable marché des bandes, des *milizie* (milices) achetables, compagnies d'aventure louées à temps ou à forfait, cotées très cher, même à l'étranger.　　Paul MORAND, Venises, p. 128.   2

♦ **2.** (1836). Fig. Aventurier. « *Don Juan, le condottiere de l'équipée érotique et de la séduction innombrable* » (Jankélévitch, *in* T. L. F.).

CONDUCTANCE [kɔ̃dyktɑ̃s] n. f. — 1893, Congrès de Chicago ; mot angl., de *to conduct* « conduire ».

♦ Phys. Inverse de la résistance électrique d'un conducteur. *L'unité de conductance est le mho, inverse de l'ohm* (⇒ **Ohm**). — Par ext. « *La diode est une conductance asymétrique* » (G. Simondon, *Du mode d'existence des objets techniques,* p. 42).
DÉR. **Conductivité.**

CONDUCTEUR, TRICE [kɔ̃dyktœʀ, tʀis] n. et adj. — Après 1350, *conductour* ; du lat. *conductor,* du supin de *conducere* (→ Conduire) ; a remplacé l'anc. franç. *conduiteur,* du p. p. de *conduire*.

★ **I.** N. Personne qui conduit qqn ou quelque chose. ♦ **1.** (Avec un compl. introduit par *de*). Personne qui dirige, mène des hommes. ⇒ **Berger, chef, guide, pasteur** (cit. 5). *Conducteur d'hommes.* — (Sans compl.). Vx. — ci-dessous, cit. 2 et 3. *Moïse était le conducteur du peuple de Dieu. Conducteur d'armée.* ⇒ **Général, stratège.** — Fig. *Un conducteur d'âmes.* ⇒ **Conseiller** (spirituel), **guide, directeur** (spirituel).
(...) toi qui te flattes d'être le conducteur des aveugles, la lumière de ceux qui sont dans les ténèbres, le docteur des insensés, le maître des ignorants (...) toi donc qui enseignes les autres, tu ne t'enseignes pas toi-même !   1
　　　　　　　BIBLE (SEGOND), Épître aux Romains, II, 19.
M. de Sainte-Beuve a laissé beaucoup de pauvres âmes errantes et vagabondes, sans conducteur et sans gouvernail dans les orages de cette vie.   2
　　　　　　　Mme DE SÉVIGNÉ, 674, 23 déc. 1677.
La France, depuis la Révolution, a souvent changé de conducteurs, et n'a point encore vu une femme au timon de l'État.   3
　　　　　　　CHATEAUBRIAND, Mémoires d'outre-tombe, t. V, p. 327.
Moïse a la grandeur sans charme des vrais conducteurs d'hommes, de ceux qui, au cœur d'un peuple, frappent un sceau ineffaçable.   4
　　　　　　　DANIEL-ROPS, le Peuple de la Bible, II, I, p. 95.
Vx. Personne qui dirige la marche (de qqch.). « *Conducteur de ses affaires* » (Commynes).

♦ **2.** (1559). Vx. Personne qui dirige (un animal), conduit (un troupeau). *Le conducteur d'un troupeau. Conducteur de bestiaux.* ⇒ **Berger, gardien, pasteur, toucheur** (de bœufs). *Conducteur de caravane.* ⇒ **Caravanier.** *Conducteur de chameaux* (⇒ **Chamelier**), *de mulets* (⇒ **Muletier**), *d'éléphants* (⇒ **Cornac**), *de bêtes de sommes.*

♦ **3.** Personne qui conduit (un véhicule), en dirige la marche. *Le conducteur d'une voiture à cheval, d'une charrette, d'un tombereau, d'un fardier.* ⇒ **Charretier, cocher, messager** (vx), **postillon, roulier, voiturier.** *La conductrice d'un tilbury.*
N. m. Par ext., vx. Employé chargé des rapports avec le public, dans une voiture collective (diligence, etc.). *Les cochers, les postillons et les conducteurs.*
Le conducteur, la conductrice d'une machine électrique, d'une locomotive. ⇒ **Mécanicien.** — Ancienn. *Conducteur de tram.* ⇒ (vx) **Wattman.**
REM. *Conducteur* ne se dit guère en parlant de la personne qui conduit un bateau ou un avion (→ Pilote).
Spécialt. [a] Avec ou sans compl. Cour. (1904, à propos de courses automobiles, in Petiot). Personne qui conduit un véhicule automobile. ⇒ **Chauffeur.** *Conducteur de voiture de course* (⇒ **Pilote**), *de voiture de tourisme, de camion* (⇒ **Camionneur, routier**), *de taxi, d'autobus, de car* (⇒ **Chauffeur**). *Le conducteur, la conductrice du tracteur.* ⇒ Sans compl., surtout en parlant d'une voiture automobile privée (→ Automobiliste). *Les responsabilités du propriétaire et du conducteur. C'est une excellente conductrice :* elle conduit* très bien. *Le conducteur et ses passagers* (→ Tenir le volant*).

5   Dans la circulation automobile, les gens et les choses s'accumulent, se mêlent sans se rencontrer. C'est un cas surprenant de simultanéité sans échange, chaque élément restant dans sa boîte, chacun bien clos dans sa carapace. Ce qui contribue aussi à dégrader la vie urbaine et à créer la « psychologie » ou plutôt la psychose du conducteur.
         Henri LEFEBVRE, la Vie quotidienne dans le monde moderne, p. 192.

   b Ch. de fer. Employé placé sous les ordres du chef de train et chargé du service des bagages, des freins de secours. ⇒ **Serre-frein.**

6   Le conducteur-chef venait de descendre de son fourgon (...) Il était gelé dans sa vigie, il déclarait qu'il était incapable de distinguer un signal d'un poteau télégraphique.
         ZOLA, la Bête humaine, p. 213.

♦ **4.** Techn. Ouvrier chargé de la conduite de certaines machines *(conducteur de presse, de machines, de moteurs)*, de la surveillance de dispositifs *(conducteur de four, de cuve).*

♦ **5.** (1845). *Conducteur de travaux* : technicien chargé de conduire des travaux de construction, des travaux publics, en appliquant les directives d'un architecte ou d'un ingénieur (travail de lecture et d'interprétation des plans, de coordination des équipes d'ouvriers, etc.). *Conducteur des Ponts et Chaussées.* ⇒ **Ingénieur.**

REM. Aux sens 4 et 5, le fém. est virtuel.

♦ **6.** Mus. Partition abrégée à l'usage du chef d'orchestre.

♦ **7.** N. m. Électr. → ci-dessous II., 2.

★ **II.** Adj. et n. ♦ **1.** Adj. (1805). Qui conduit, qui permet d'aller d'un point à un autre. *« Tube conducteur de l'air »* (Cuvier, *in* T. L. F.).
Qui conduit, dirige. *Idée conductrice.* ⇒ **Directeur.**

(1824). Fig. *Fil*conducteur* : principe, idée directrice qui permet de se repérer.

♦ **2.** Adj. et n. (1771, n. m.). Qui conduit l'électricité. *Corps conducteurs* (opposé à *isolant). Fil conducteur.*

6.1   Un terrible fluide d'égoïsme ou d'orgueil traversait devant lui les corps les moins conducteurs, et donnait au bouchon de liège tombé de la bouteille toute la densité d'un ennemi.   GIRAUDOUX, les Aventures de Jérôme Bardini, p. 111.

N. m. *Les métaux sont de bons conducteurs.* ⇒ aussi **Semi-conducteur.** *Conducteur mixte,* fait de plusieurs fils de divers métaux. ⇒ **Compound.**

7   J'ai un antitonnerre à Ferney dans mon jardin, vous savez que cela s'appelle un conducteur.   VOLTAIRE, Lettre à d'Argental, 8 mars 1775.

Par ext. *Corps conducteur de la chaleur.* — *Conducteur de lumière :* faisceau de fibres optiques assemblées dans une gerbe. — *Conducteur de photons, conducteur d'images* (même sens).

CONDUCTIBILITÉ [kɔ̃dyktibilite] n. f. — 1808, *in* D. D. L. ; dér. du lat. *conductus,* p. p. de *conducere.*

Didact. (sciences).

♦ **1.** Propriété qu'ont les corps de transmettre la chaleur, l'électricité. ⇒ **Conduction.** *Conductibilité calorifique, électrique. L'argent a un coefficient de conductibilité élevé. Conductibilité électrique.*

♦ **2.** Physiol. Faculté de propager l'influx nerveux.

COMP. **Conductimètre.**

CONDUCTIBLE [kɔ̃dyktibl] adj. — 1832 ; dér. du lat. *conductus.*

♦ Didact. Qui possède la propriété de conductibilité. *Corps conductibles et non conductibles.*

CONTR. **Isolant.**

CONDUCTIMÈTRE [kɔ̃dyktimɛtʀ] n. m. — 1974 ; de *conducti(bilité),* et *-mètre.*

♦ Techn. Appareil permettant de mesurer la conductibilité électrique.

CONDUCTION [kɔ̃dyksjɔ̃] n. f. — XIIIᵉ ; lat. *conductio,* du supin de *conducere* « louer ; conduire ».

♦ **1.** Dr. rom. Action de prendre (qqch.) en location. ⇒ **Location.**

♦ **2.** (1863). Phys. Transmission de la chaleur, de l'électricité dans un corps conducteur (→ Conductibilité). *Conduction ionique,* due à un déplacement des ions.

Physiol. Transmission de l'influx nerveux.

Notons que dans le cas des nerfs volontaires, les grandes vitesses de conduction ne sont possibles que parce que les fibres nerveuses ont un diamètre d'autant plus

grand qu'elles sont plus rapides. Sans cela, un trop faible diamètre freinerait le déplacement des charges électriques.
         Paul CHAUCHARD, le Système nerveux..., p. 38.

COMP. **Autoconduction.**

CONDUCTIVITÉ [kɔ̃dyktivite] n. f. — 1907 ; de *conductance,* d'après *résistivité.*

♦ Électr. Inverse de la résistivité*.

CONDUIRE [kɔ̃dyiʀ] v. tr. — *Je conduis, nous conduisons ; je conduisais ; je conduisis ; je conduirai ; je conduirais ; que je conduise ; que je conduisisse* (inus.) ; *conduisant ; conduit, conduite.* — Xᵉ ; du lat. *conducere,* de *con- (cum),* et *ducere* « conduire ».

♦ **1.** (Personnes). *Conduire* (qqn, un animal) *à, en, dans, vers* (qqch.)*, chez* (qqn)*, quelque part,* (le) mener (quelque part). ⇒ **Accompagner, diriger, emmener, guider, mener.** *Conduire qqn chez le médecin. Conduire un enfant chez sa grand-mère. Conduire un ami au restaurant, dans un restaurant. Conduire un malade à l'hôpital. Conduire un enfant à l'école. Conduire un accusé en prison.* ⇒ **Escorter.** *Conduire des voyageurs à la gare. Conduire qqn vers la sortie. Être conduit, se faire conduire quelque part.* — (Sans compl. de lieu). *Il nous a conduits sans se tromper. Conduire un aveugle par la main. Le chien qui conduit un aveugle.*

1   En sortant de chez le cardinal, il fut arrêté par un alguazil, et conduit à la tour de Ségovie, où il a été longtemps prisonnier.   A.-R. LESAGE, Gil Blas, VIII, VI.

2   Je me rappelle qu'elle me conduisit très doucement (...) et qu'elle orienta ses phares (...) de manière qu'ils éclairassent l'allée (...)
         COLETTE, la Naissance du jour, p. 212.

3   Ses relations anglaises venaient le chercher à l'hôtel, le conduisaient à quelque restaurant des alentours de Leicester Square.
         J. ROMAINS, les Hommes de bonne volonté, t. V, XXVI, p. 247.

Conduire des soldats au combat, à l'assaut. ⇒ **Entraîner, mener.** Loc. (Vieilli ou par plais.). *Conduire sa fille à l'autel.* ⇒ **Marier.** (1829). *Conduire une femme à l'autel,* l'épouser.

Par ext. *Conduire les bagages d'un ami à la gare.* ⇒ **Apporter, porter.**

Littér. Diriger. *Conduire les pas de qqn (quelque part).* ⇒ **Guider.** *Conduire ses pas vers...* ⇒ **Diriger** (se). — Spécialt. *Conduire la main d'un enfant,* pour lui apprendre à écrire. ⇒ **Tenir, guider.** — *Conduire ses invités jusqu'à la porte.* ⇒ **Raccompagner, reconduire.**

4   (...) vite un flambeau pour conduire M. Dimanche... Voulez-vous que je le reconduise ?   MOLIÈRE, Dom Juan, IV, 3.

5   De quel autre côté conduiriez-vous vos pas ?   RACINE, Alexandre, III, 1.

Littér. *Conduire qqn des yeux, du regard.* ⇒ **Accompagner, suivre.**
Absolt. *Se laisser conduire.* ⇒ **Faire** (se laisser faire). *Se laisser conduire comme un enfant :* faire preuve d'une docilité extrême.

6   De ces secrets, Madame, on saura vous instruire ; Vous n'avez seulement qu'à vous laisser conduire.   MOLIÈRE, Tartuffe, IV, 5.

7   Si vous n'avez appris à vous laisser conduire, Vous êtes jeune encore, et l'on peut vous instruire.   RACINE, Britannicus, III, 8.

8   D'ailleurs, les ouvriers ne sont pas les principaux coupables. Ils se laissent conduire comme des enfants par les professionnels du désordre.
         J. ROMAINS, les Hommes de bonne volonté, t. V, p. 298.

♦ **2.** (1690). Sujet n. de personne ; sans compl. de lieu. **a** Diriger (un animal, un véhicule). *Conduire un troupeau,* le mener devant soi. *Conduire des chevaux, une caravane. Conduire un attelage.*
Techn. (manège). *Conduire un cheval de la main. Conduire un cheval étroit ou large,* lui faire parcourir dans le manège, un cercle plus ou moins grand.
Rare. *Conduire un bateau, une barque.* ⇒ **Mener, piloter.** — Loc. mod. *Conduire, bien conduire la (sa) barque* (cit. 7).
Rare. *Conduire une bicyclette* (⇒ **Monter** [à bicyclette]), *une moto.*
Cour. Mener (un véhicule automobile). *Conduire une voiture, une automobile, un autobus, un taxi, une camionnette* (→ Permis, cit. 1). — (1904, *in* Petiot). Absolt. Diriger une automobile. *C'est ma sœur qui va conduire* (→ Prendre le volant*). *Façon de conduire. Il conduit mal, il conduit comme un pied.* — *Permis** (cit. 2) *de conduire. Apprendre à conduire.*

9   Votre valet de chambre, celui que vous dites si sûr, sait-il conduire ?
         LOTI, les Désenchantées, XXVI, p. 164.

Conduire une voiture de course, un avion. ⇒ **Piloter.**

   b Loc. (1828). *Conduire le deuil*.* ⇒ **Mener.**

♦ **3.** **a** (1851). Sujet n. de chose. Faire passer, transmettre. *Corps qui conduisent la chaleur, l'électricité* (⇒ **Conducteur**). *Conduire l'eau,* la faire aller d'un endroit à un autre par des canalisations. ⇒ **Canaliser, drainer.**

   b Sujet n. de personne. Techn. (arbor.). *Conduire une futaie, une forêt,* l'aménager. *Conduire un arbre,* diriger par la taille le développement de sa charpente.

Math. *Conduire une ligne,* la faire passer par différents points.

Techn. *Conduire la pierre*. Conduire un mur,* le prolonger jusqu'à un endroit déterminé.

♦ **4.** Faire aller (quelque part). **a** (Concret). Sujet n. de chose. *Ses traces nous ont conduits jusqu'ici. Cette route conduit à la ville.* ⇒ **Mener.** *Cette rue conduit au boulevard.* ⇒ **Déboucher** (dans).

b (Abstrait ; → Conduite, I., B.). Sujet n. de personne. Amener (qqn) à une situation (intellectuelle, morale) nouvelle. *Conduire qqn à de nouvelles idées, à croire que... Conduire qqn à des connaissances, dans une science.* ⇒ **Initier** (à), **introduire** (à). — Compl. n. de chose. *Conduire une chose, un projet... à des développements imprévus, à sa fin.* ⇒ **Achever, terminer.** *Conduire un travail à son point de perfection.*

Sujet n. de chose. *Doctrine qui conduit au mysticisme.* ⇒ **Aboutir, amener, entraîner, mener.** *Ses actions l'ont conduit à la gloire, à l'infamie. La philosophie conduit à la sagesse.*

10 Toutes ces contrariétés, qui semblaient le plus m'éloigner de la connaissance de la religion, est ce qui m'a le plus tôt conduit à la véritable.
PASCAL, Pensées, IV, 424.

11 (...) et elle *(ma mère)* se gardait bien de me conduire dans ces sentiers de la grammaire où elle craignait de s'égarer. FRANCE, le Petit Pierre, XXIX, p. 200.

Sans compl. direct.

12 L'exercice de la vie de l'esprit me semble conduire nécessairement à l'universalisme, au sens de l'éternel (...) Julien BENDA, la Trahison des clercs, III, p. 229.

Allus. littér. (par métaphore) :

13 Aucun chemin de fleurs ne conduit à la gloire. LA FONTAINE, Fables, X, 13.

(Passif). *Être conduit (par qqn, qqch.) à qqch.* → ci-dessous *infra* cit. 23.

♦ **5.** Sujet n. de personne ; sans compl. de lieu. Mener, faire progresser (qqch.) selon une direction. *Conduire un récit, une intrigue. Conduire logiquement, impeccablement un raisonnement* (⇒ **Raisonner ; déduire, induire**).

♦ **6.** (1372). Dr. Faire agir, mener en étant à la tête de. ⇒ **Commander, diriger, gouverner ; barre** (tenir la), **gouvernail** (tenir le). *Conduire une armée, une flotte. Des troupes difficiles à conduire. L'art de conduire les peuples.* ⇒ **Guider.** *Conduire une entreprise, une affaire.* ⇒ **Administrer, gérer.** *Conduire sa maison. Conduire une entreprise avec autorité, avec compétence, de main de maître.* ⇒ **Mener.** *Conduire des travaux.* ⇒ **Surveiller ; conducteur.** *Conduire une intrigue, un complot.* ⇒ **Comploter.** *Conduire un orchestre, un ballet,* les diriger. — Fig. *Conduire la danse, conduire le bal*.* — Vx (→ ci-dessous, cit. 15). *Conduire un enfant.* ⇒ **Éduquer, élever.** — Avec un compl. second. *Conduire une armée à, vers la victoire. Conduire les hommes, les peuples à...* (→ ci-dessous, cit. 17). — Fig. *Conduire la conscience de qqn.* ⇒ **Influencer.**

14 Dès que la mère Angélique (...) eut connu par quel chemin sûr il conduisait les âmes (...) RACINE, Hist. de Port-Royal.

15 Il est bien étrange que (...) l'on n'ait jamais imaginé d'autre instrument pour les conduire *(les enfants)* que l'émulation, la jalousie, l'envie, la vanité, l'avidité (...) ROUSSEAU, Émile, II.

16 (...) l'art de conduire les peuples est plus difficile que celui de les éclairer. ROUSSEAU, Disc. sur les sciences et les arts, II, p. 23.

17 Ceux qui conduisent les hommes à la conquête des choses n'ont que faire de la justice et de la charité.
Julien BENDA, la Trahison des clercs, Avant-propos de la 1re éd., p. 93.

18 Aucune entreprise ne prospère sans l'impulsion d'un homme qui a pour vocation de la conduire (...) J. CHARDONNE, l'Amour du prochain, VII, p. 183.

♦ **7.** (V. 1175). Abstrait. Entraîner. ⇒ **Animer, pousser, soulever.** *Les instincts, les tendances conduisent l'homme faible. Ses passions le conduisent. La colère conduisait son bras. Être conduit par la vertu. La raison conduit le sage.*

19 (...) ce même Néron, que la vertu conduit,
Fait enlever Junie au milieu de la nuit. RACINE, Britannicus, I, 1.

20 (...) il *(Ch. de Sévigné)* lut cet endroit ; il fut conduit, comme moi, par les sentiments qu'il inspire (...) Mme DE SÉVIGNÉ, 1248, 1er janv. 1690.

21 (...) si c'est la raison qui fait l'homme, c'est le sentiment qui le conduit.
ROUSSEAU, Julie ou la Nouvelle Héloïse, III, Lettre VII, p. 326.

22 Quinette n'osait jurer qu'il n'avait pas obéi à quelque impulsion aussi aveugle que celle qui conduit les criminels à un traquenard de police.
J. ROMAINS, les Hommes de bonne volonté, t. II, VIII, p. 80.

(1080). *Conduire (qqn) à* (un sentiment, un comportement). *Conduire qqn au désespoir.* ⇒ **Acculer, réduire.** *Conduire qqn à l'erreur.* ⇒ **Induire.** *Conduire qqn à ses raisons.* ⇒ **Convaincre, persuader.**

23 Vaincre les êtres et les conduire au désespoir est facile.
A. MAUROIS, Climats, I, XXII, p. 148.

(Passif). *Être conduit à... (et inf.). Je suis conduit à vous parler ainsi.... Je suis conduit à conclure que... Cela me conduit à vous confier ce secret.* ⇒ **Amener, entraîner, porter.**

▶ **SE CONDUIRE** v. pron. (Mil. XIIIe, sens 2).

♦ **1.** Vieilli. Se conduire soi-même. *Dans l'obscurité, on ne voit pas pour se conduire.*

24 La nuit est avancée (...) Je ne vois point à me conduire.
MOLIÈRE, George Dandin, III, 1.

25 À présent, on voit à se conduire, et nous trouverons bien une maison qui nous ouvrira (...) G. SAND, la Mare au diable, X, p. 88.

♦ **2.** Cour. Se comporter. ⇒ **Agir.** *Les façons de se conduire.*

⇒ **Conduite.** *Se conduire bien, mal. Se conduire vaillamment, courageusement. Tâchez de vous bien conduire. Conduisez-vous avec modération, avec prudence. Se conduire comme en pays conquis.* — *Savoir se conduire :* bien se conduire, se conduire conformément au savoir-vivre. *Il ne sait pas se conduire en société.*

26 Et maintenant, rois, conduisez-vous avec sagesse !
BIBLE (SEGOND), Psaumes, II, 10.

27 Prétendrais-tu nous gouverner encor,
Ne sachant pas te conduire toi-même ? LA FONTAINE, Fables, VI, 6.

28 En dehors de cette conception immorale de ses rapports avec les hommes, il se conduisait dans la vie avec une certaine loyauté (...)
P. MAC ORLAN, la Bandera, V, p. 63.

♦ **3.** (Passif). Être conduit, dirigé. *Cette voiture se conduit facilement.* — (Abstrait) :

29 Je sais bien comment ces affaires-là se conduisent (...)
G. SAND, François le Champi, XIX, p. 134.

CONTR. Abandonner, laisser. — Obéir.
DÉR. Conduiseur, conduit, conduite.
COMP. Éconduire, reconduire.

CONDUISEUR [kɔ̃dɥizœʀ] n. m. — XIIe ; de *conduire.*
Technique.

♦ **1.** (Vx). Commis d'un marchand de bois.

♦ **2.** Ouvrier ardoisier qui conduit les pièces à leur sortie de la carrière, du puits d'extraction.

CONDUIT [kɔ̃dɥi] n. m. — V. 1175 ; p. p. de *conduire.*

★ **I.** Ce qui conduit. ♦ **1.** Canal étroit, tuyau par lequel s'écoule un liquide, un fluide. ⇒ **Canalisation, manche, tube.** *Conduit de fonte* (en fonte), *de plomb, de pierre. Conduit isolant. Conduit d'entrée, d'admission. Conduit principal. Conduit de décharge. Conduit d'une fontaine. Conduit d'eau.* ⇒ **Conduite ; aqueduc, 2. buse, cheneau, goulotte, gouttière, reillère.** *Conduit de trop-plein d'un bassin.* ⇒ **Déchargeoir.** *Conduit d'eaux sales.* ⇒ **Égout.** *Conduit à gaz. Conduit de fumée, de ventilation. Boucher, fermer un conduit. L'engorgement d'un conduit. Conduit collecteur*. Conduit à escarbilles. Le conduit de vapeur d'une chaudière.* ⇒ **Tubulure.** *Conduit souterrain.* ⇒ **Boyau, passage, souterrain, tranchée.**

Mar. Cosse ou tube servant à diriger des cordages. *Conduit pour amarres.*

♦ **2.** (Déb. XIIIe). Canal d'un organisme vivant, et, spécialt, de l'organisme humain. *Conduit respiratoire.* ⇒ **Bronche, voie.** *Conduit circulatoire.* ⇒ **Artère, veine ; sang** (→ Artérite, cit.). *Conduit auditif, externe, interne. Conduit lacrymal. Conduit urinaire.* ⇒ **Uretère.** *Conduit intestinal.* ⇒ **Intestin.** *Conduit vaginal.* ⇒ **Vagin.**

1 Le vagin est un conduit musculo-membraneux à la fois très long, très large et très extensible (...) L. TESTUT, Traité d'anatomie, V, p. 413.

2 Recueillies par le pavillon de l'oreille, puis acheminées dans le conduit auditif externe jusqu'à l'oreille moyenne, les ondes sonores font vibrer la membrane du tympan. P. VALLERY-RADOT, Notre corps..., p. 132.

Introduire une sonde dans un conduit de l'organisme. ⇒ **Cathétériser, sonder.** *Conduit artificiel.* ⇒ **Drain.**

★ **II.** Action de conduire. ♦ **1.** (1218). Didact. (mus.). Genre polyphonique, mélodie accompagnée de contrepoints, au moyen âge.

3 Aux XIIe et XIIIe siècles, on donne le nom de conduit à toute pièce polyphonique vocale écrite à la manière de l'organum, c'est-à-dire note contre note, mais dont le *ténor*, au lieu d'être emprunté au fonds grégorien, est librement composé. Le conduit, à deux, trois ou quatre voix, peut ainsi échapper au répertoire liturgique. Ce type d'écriture a été repris par diverses formes profanes, notamment celle du rondeau. A. HODEIR, les Formes de la musique, p. 45.

♦ **2.** Passage de quelques mesures servant de liaison entre l'exposition du sujet et sa réponse, dans une fugue.

CONTR. Fermeture.
COMP. Sauf-conduit.

CONDUITE [kɔ̃dɥit] n. f. — XIIIe ; p. p. fém. de *conduire.*

★ **I. A.** ♦ **1.** Action de conduire*(qqn, qqch.), d'accompagner, de guider. ⇒ **Accompagnement, direction.** *Être chargé de la conduite d'un aveugle.* — Loc. fam. *Faire la conduite à un ami.* ⇒ **Accompagner.** *Je vais vous faire un bout, un brin de conduite.* — *Être chargé de la conduite d'un personnage officiel* (⇒ **Cortège, escorte**). — Loc. *Sous la conduite de... Visiter une ville sous la conduite d'un guide.*

1 À vous mettre en lieu sûr, je m'offre pour conduite. MOLIÈRE, Tartuffe, V, 6.

2 Elle nous adopta tous dans son cœur *(Toutouque),* suivit ma mère à la boucherie, me fit un bout de conduite quotidienne sur le chemin de l'école.
COLETTE, Histoires pour Bel-Gazou, VI, « La toutouque », p. 46.

3 *(Haverkamp)* fit la visite de l'établissement sous la conduite d'un gardien (...)
J. ROMAINS, les Hommes de bonne volonté, t. V, IX, p. 74.

Spécialt, anc. (langue du compagnonnage). Cérémonie d'adieu à un compagnon quittant une ville du Tour de France, consistant à l'accompagner solennellement en cortège jusqu'aux portes de la ville, à le « mettre aux champs ».

Conduite de Grenoble : rituel de dégradation et d'exclusion d'un compagnon qui avait gravement manqué à la morale ou à l'honnêteté, ou aux règles de sa société (la tradition fait remonter l'origine de la locution à une rixe qui aurait opposé aux portes de Grenoble deux obédiences compagnonniques rivales). — Par ext., langue courante (vieilli). *Faire à qqn la (une) conduite de Grenoble* : faire à qqn une réception hostile, l'escorter de huées, le malmener.

♦ **2.** Le fait de conduire (des animaux, un véhicule). *La conduite d'un troupeau, d'une caravane. Prendre en charge la conduite d'un convoi. La conduite d'un attelage. Assurer la conduite d'un navire, d'un avion.* ⇒ **Pilotage.** — Fig. *Prendre la conduite de la barque** (cit. 6). ⇒ **Gouvernail.**

Spécialt. *La conduite d'une voiture, d'une automobile.* — Absolt (correspond à *conduire, supra* cit. 9). *Conduite en ville, sur route. Les règles de la conduite.* ⇒ **Code** (de la route). *La conduite la nuit, la conduite par temps de pluie ne lui plaît pas. Leçons de conduite données par un moniteur d'auto-école. Passer l'épreuve de conduite du permis de conduire, et, ellipt., passer la conduite.* — *La conduite de qqn,* sa manière de conduire. *Conduite rapide, sportive; prudente, maladroite.*

Par métonymie. Ensemble des dispositifs d'une voiture permettant de conduire (volant, manettes, pédales, levier de vitesses, tableau de bord). *Cette voiture est anglaise : elle a la conduite à droite.*

(1913, *la Vie automobile, in* D. D. L.; ellipse de *voiture à conduite intérieure*). **CONDUITE INTÉRIEURE :** automobile entièrement couverte, fermée (par oppos. à *cabriolet, décapotable*). ⇒ (vieilli) **Limousine.** *Des conduites intérieures.*

3.1 (...) conduisant une vieille guimbarde, une vieille conduite intérieure aux hautes vitres.   Claude SIMON, *le Vent,* p. 36.

♦ **3.** Techn. Le fait de conduire (une machine, un dispositif). *La conduite d'un réacteur atomique,* l'ensemble des opérations de commande et de contrôle de sa marche.

B. ♦ **1.** Action de diriger (qqn) au point de vue psychologique et moral; résultat de cette action. ⇒ **Direction, influence.** — Vx. *Avoir la conduite de qqn, de son destin* (→ ci-dessous, cit. 6). — Mod. **SOUS LA CONDUITE DE...** *Placer un élève sous la conduite d'un professeur, d'un précepteur. Travailler sous la conduite d'un maître. Se mettre, marcher sous la conduite de qqn.*

4   (...) une personne (...) sous la conduite de qui je puisse marcher sûrement dans le chemin où je m'en vais entrer.   MOLIÈRE, *Dom Juan,* v, 1.

5   *(Elle)* vit sous la conduite d'une bonne femme de mère, qui est presque toujours malade (...)   MOLIÈRE, *l'Avare,* I, 2.

6   Allez. De votre sort laissez-moi la conduite (...)   RACINE, *Andromaque,* IV, 3.

7   Il faut une grande naïveté pour croire qu'une révolution peut s'opérer par des procédés démocratiques, et sous la conduite de meneurs qui ne mènent rien du tout, qui ne sont en réalité que des chefs de majorités de Congrès et des orateurs applaudis.   J. ROMAINS, *les Hommes de bonne volonté,* t. IV, XVI, p. 176.

♦ **2.** (1465). Action de diriger, de commander, d'assurer la bonne marche (d'une entreprise, d'une affaire). ⇒ **Commandement, direction, gouvernement.** *Laissez-lui la conduite de cette affaire.* ⇒ **Charge, soin.** *La conduite d'un procès. Prendre en charge la conduite de travaux.* ⇒ **Exécution, surveillance; conducteur** (I., 4.). *Être chargé de la conduite de l'État* (⇒ **Gouvernement**), *d'un ministère* (⇒ **Administration**). — *Avoir la conduite d'une armée.* ⇒ **Commandement.** — Loc. *Servir sous la conduite d'un grand soldat.*

8   Sa Majesté lui dit *(à Luxembourg)* qu'il avait donné de si bons juges pour examiner ces sortes d'affaires, qu'il leur en laissait toute la conduite.
                                   Mᵐᵉ DE SÉVIGNÉ, 775, 26 janv. 1680.

9   Toute la conduite des choses doit avoir pour objet l'établissement et la grandeur de la religion (...)   PASCAL, *Pensées,* VIII, 556.

10 (...) le combat célèbre que ceux de Lacédémone ont livré aux Athéniens sous la conduite de Lysandre.
                                   LA BRUYÈRE, *les Caractères de Théophraste,* « Du grand parleur ».

Vieilli. *La conduite d'un ouvrage littéraire, d'une pièce de théâtre :* le déroulement de l'action dramatique. ⇒ **Déroulement.**

11 (...) la conduite de son théâtre, qu'il *(Corneille)* a quelquefois hasardée contre les règles des anciens (...)   LA BRUYÈRE, *les Caractères,* I, 54.

Au plur. Vx. *Les conduites de la Providence, de la grâce divine.* ⇒ **Chemin, voie.**

12 J'honore plus que jamais les conduites de la Providence (...)
                                   Mᵐᵉ DE SÉVIGNÉ, 853, 15 sept. 1680.

♦ **3.** (1680; « penchant », 1520). Action de se diriger soi-même; façon d'agir, manière de se comporter. ⇒ **Action, agissement, allure, attitude, comportement.** *La conduite de qqn,* sa conduite. *Avoir une conduite étrange, originale, inattendue. Conduite changeante, versatile. Ma conduite est commandée par les événements. Observer, suivre la même conduite, en toute circonstance. Régler, tracer sa conduite sur qqn,* le copier, l'imiter. *On ne sait quelle conduite adopter dans ce cas. Quelle est la conduite à tenir? que faut-il faire?* — *Ligne de conduite :* directives générales à suivre. *Se donner, adopter une nouvelle ligne de conduite. Décider d'une ligne de conduite. Changer de ligne de conduite.* ⇒ **Ligne, plan, régime,**

règle. — Vx. *La, les conduites du pouvoir, d'une autorité* (→ ci-dessous cit. 14). ⇒ **Agissements.**

13 Il y a une infinité de conduites qui paraissent ridicules, et dont les raisons cachées sont très sages et très solides.   LA ROCHEFOUCAULD, *Maximes,* 163.

14 (...) l'embarras où il est d'accommoder les conduites de l'Église dans les premiers siècles avec celles d'aujourd'hui.   Mᵐᵉ DE SÉVIGNÉ, 836, 28 juil. 1680.

15 Si l'on n'est pas maître de ses sentiments, au moins on l'est de sa conduite.
                                   ROUSSEAU, *Julie ou la Nouvelle Héloïse,* VI, Lettre II, p. 282.

16 Ma conduite est assez simple si je suis une ligne très droite.
                                   GIDE, *Journal,* 12 févr. 1907.

17 Toute ma conduite présente serait d'un imbécile, si elle n'était pas commandée par la sympathie.   J. ROMAINS, *les Hommes de bonne volonté,* t. III, p. 222.

18 (...) je connais les hommes et je les reconnais à leur conduite, à l'ensemble de leurs actes, aux conséquences que leur passage suscite dans la vie.
                                   CAMUS, *le Mythe de Sisyphe,* p. 25.

Psychol. *La conduite humaine. Les conduites :* les manières d'agir, de se comporter d'un individu dans une circonstance déterminée. *Conduite de l'attente. Une conduite d'échec.* ⇒ **Comportement.**

♦ **4.** Manière d'agir, du point de vue de la morale, des bonnes mœurs.

19 « Avoir de la conduite », c'est se gouverner, ne pas se laisser aller à ses instincts ou ses impulsions (...)
                                   LALANDE, *Voc. de la philosophie,* art. *Comportement* (remarque).

Vx. *Bonne conduite. Avoir de la conduite. N'avoir pas de conduite, aucune conduite. Manquer de conduite* (cf. Mal se conduire). Mod. (qualifié par un adj. ou un compl., ou dans un syntagme : *écart de conduite*). *Nous ignorons rien de sa mauvaise conduite. Une conduite déréglée, déshonorante, désordonnée, énigmatique, équivoque, excentrique, honteuse, ignoble, immorale, impardonnable, imprudente, indigne, inexcusable, légère, libertine, licencieuse, louche, malhonnête, malpropre, relâchée, répréhensible, scandaleuse* (cf. Il est au-dessous de tout).

ÉCART DE CONDUITE. *Faire, commettre un écart de conduite.* ⇒ **Débauche, dépravation, désordre, déviation, errement, erreur, faute, frasque, fredaine, incartade, inconduite; cascader, déranger** (se), **émanciper** (s'), **trébucher; bonnet** (jeter son bonnet par-dessus les moulins).
La conduite de qqn, sa conduite. Racheter, regretter, déplorer sa conduite passée. ⇒ **Ranger** (se), **repentir** (se), **reprendre** (se). *Justifier sa conduite. N'être pas fier de sa conduite* (cf. Il n'y a pas de quoi se vanter). *Changer, modifier sa conduite.* ⇒ **Dépouiller** (dépouiller le vieil homme), **peau** (faire peau neuve). — *Prendre une nouvelle, une meilleure conduite.* Loc. fam. *Acheter, s'acheter une conduite.* ⇒ **Acheter; amender** (s'); **voie** (rentrer dans la bonne voie). *Une bonne conduite. Conduite digne, droite, édifiante, excusable, exemplaire, irréprochable, irréprochable, prudente, rangée, régulière, rigoureuse, sage... Nous admirons la droiture de votre conduite* (→ Cause, cit. 55). *Avoir une belle conduite, devant un danger, sur le champ de bataille* (⇒ **Exploit**). *Blâmer, critiquer, juger la conduite d'autrui.*

20 Les gens heureux ne se corrigent guère, et ils croient toujours avoir raison, quand la fortune soutient leur mauvaise conduite.   LA ROCHEFOUCAULD, *Maximes,* 227.

21 Le moindre solécisme en parlant vous irrite;
    Mais vous en faites, vous, d'étranges en conduite.
                                   MOLIÈRE, *les Femmes savantes,* II, 7.

22 Je n'étais pas fort satisfait de sa conduite (...)   MOLIÈRE, *l'Amour médecin,* I, 1.

23 Ces croyances donnèrent lieu de très bonne heure à des règles de conduite.
                                   FUSTEL DE COULANGES, *la Cité antique,* I, II, p. 15.

24 Je le sais, après ma lâche conduite, je n'ai plus le droit de vivre au milieu de vous.
                                   Alphonse DAUDET, *le Petit Chose,* XVI.

25 Marie en vint à se dire qu'elle faisait connaissance, assurément par sa faute, avec les inconvénients d'une conduite irrégulière; mais que bien d'autres femmes avaient dû passer par là avant elle.
                                   J. ROMAINS, *les Hommes de bonne volonté,* t. V, I, p. 10.

26 À la rigueur, nous pourrons vous donner un certificat de bonne conduite.
                                   P. MAC ORLAN, *la Bandera,* XIX, p. 236.

27 Ne jugez pas la conduite du prochain. En toutes circonstances il y a place pour la noblesse ou la turpitude, suivant l'intime complexion de l'être.
                                   J. CHARDONNE, *l'Amour du prochain,* II, p. 51.

Spécialt. *La conduite d'un élève en classe,* sa façon d'observer la discipline scolaire. *Obtenir, mériter un zéro de conduite.* ⇒ **Blâme.** *Le professeur n'est pas satisfait de votre conduite. Un bulletin de conduite.*

★ **II.** (Av. 1590, en anat.). Canalisation permettant l'écoulement d'un liquide, d'un fluide. ⇒ **Boisseau, canal, canalisation, collecteur, colonne, conduit, tube, tuyau, tuyauterie.** *Conduite d'eau, de gaz, d'électricité. Conduite d'air,* dans un fourneau. *Conduite souple.* ⇒ **Durit.** *Conduite de plomb, de caoutchouc.*

28 Même l'eau finira par se perdre dans la terre si on n'entretient pas les conduites.
                                   J. ROMAINS, *les Hommes de bonne volonté,* t. V, p. 80.

Conduite forcée : gros tuyau qui amène l'eau d'une installation hydraulique aux turbines.

29　Déjà je n'avais pas vu poser sans malaise ces lignes électriques, ces conduites forcées qui blessent les pentes d'un trait artificiel et rigide.
　　　　　　　　　Raymond ABELLIO, Ma dernière mémoire, t. II, p. 196.

Techn. Partie épaisse du manche d'un outil de menuisier.

COMP. Inconduite.

CONDYLE [kɔ̃dil] n. m. — 1539 ; lat. *condylus*, grec *kondulos* « articulation »

♦ Anat. Extrémité articulaire arrondie, convexe, d'un os, s'emboîtant dans une cavité d'un autre os (⇒ **Glénoïde**). *Condyle huméral, fémoral. Condyles de la mâchoire.*

1　Du côté du maxillaire, nous avons les deux condyles de cet os. Ce sont deux saillies ellipsoïdes mesurant en moyenne 20 à 22 millimètres de longueur sur 7 à 8 millimètres de largeur.　　　L. TESTUT, Traité d'anatomie, I, p. 542.

2　(...) à une dent d'herbivore correspondra un certain type de condyle, de mâchoire, et un membre sans griffes.
　　　　　Jean ROSTAND, Esquisse d'une histoire de la biologie, p. 124 (note).

3　Son front à peine fuyant, ses cheveux, ses oreilles, ses narines, ses deux dépressions symétriques à la place des condyles.　　J.-M. G. LE CLÉZIO, la Fièvre, p. 63.

DÉR. Condylien, condyloïde.

CONDYLIEN, IENNE [kɔ̃diljɛ̃, jɛn] adj. — 1832 ; a remplacé *condyloïdien* ; de *condyle*.

♦ Anat. D'un condyle. *Articulation condylienne.*
Littér. Qui a la forme d'un condyle.

Les crêtes de granit de la Serra do Mar si étrangement découpée ; des montagnes allongées, couchées, vautrées, au profil fuyant ou, la tête relevée, génial. Ramifications condyliennes et tourmentées.
　　　　　　　　　　　B. CENDRARS, Trop c'est trop, p. 171.

CONDYLOÏDE [kɔ̃diloid] ou CONDYLOÏDIEN, IENNE [kɔ̃diloidjɛ̃, jɛn] adj. — 1740 ; de *condyle*.
Anatomie, vieux.

♦ **1.** D'un condyle. ⇒ **Condylien.** *Fossette condyloïdienne* (E. Perrier, *in* T. L. F.).

♦ **2.** Qui a la forme d'un condyle. « *Pédicule condyloïde du temporal* » (Cuvier, *in* T. L. F.).

CONDYLOME [kɔ̃dilom] n. m. — 1560 ; lat. *condyloma*.

♦ Méd. Petite tumeur inflammatoire d'origine infectieuse, localisée sur la muqueuse génitale ou anale. *Condylome acuminé*, dû à un virus comparable à celui des verrues. Syn. : *crête de coq. Condylome plat*, d'origine syphilitique.

CÔNE [kon] n. m. — 1552 ; lat. *conus*, grec *kônos*.

♦ **1.** Solide dont la base est une courbe fermée, engendré par une droite mobile (*génératrice*) qui passe par un point fixe (*sommet*), en s'appuyant sur une courbe fermée (*directrice*). *Cône à base circulaire. Cône circonscrit à une sphère. Cône droit* ou *de révolution*, engendré par la révolution d'un triangle rectangle autour d'un des côtés de l'angle droit, dit *hauteur* ou *axe* du cône (l'hypoténuse du triangle, appelée *arête* ou *apothème* du cône, engendre l'aire latérale). — *Cône oblique*, dont l'axe est oblique à la base. — *Tronc de cône* ou *cône tronqué**, dont on a retranché le sommet (⇒ **Tronconique**).
Par ext., géom. Réunion de toutes les droites passant par un même point et rencontrant une même courbe (syn. : *surface conique*).
Cour. Cône droit ; objet de base circulaire (ou ellipsoïde) ; objet conique. *En forme de cône, en cône.* ⇒ **Conique, conoïde, strobiliforme.** *Montagne en cône.* ⇒ **Pain** (de sucre). *Tailler* un arbre en forme de cône.* — *Cornet de papier, pain de sucre en cône.* Le couchoir, cône tronqué pour le commettage des cordages. Les cônes de maçonnerie d'un mur, les dames-rondes de ce mur. L'entonnoir, l'éteignoir, instruments en forme de cône. Le cœur, organe en forme de cône aplati. *Cellule à cône.* ⇒ ci-dessous, sens 4.

1　Une bande très nette de nuages d'un gris nacré coupait Ténériffe horizontalement par le milieu, et, au-dessus, le pic dressait son grand cône baigné de soleil.
　　　　　　　　　　　LOTI, Mon frère Yves, XLI, p. 109.

2　(...) nous faisons un cornet de papier. Nous engendrons ainsi un cône, sur lequel un bord du papier marque une rampe qui s'élève vers la pointe, et s'y termine après quelques tours.　　　　　　　VALÉRY, Variété V, p. 12.

3　Un chinois (...) portant le chapeau traditionnel en cône évasé.
　　　　　　　　　A. ROBBE-GRILLET, la Maison de rendez-vous, p. 16.

Opt. *Cône de lumière :* faisceau de rayons lumineux partant d'un point et allant en divergent.
(1690). Astron. *Cône d'ombre :* ombre conique qu'une planète éclairée d'un côté projette de l'autre côté. *Les éclipses de Lune ont lieu quand la Lune entre en tout ou en partie dans le cône d'ombre de la Terre.*

♦ **2.** (1753). Bot. Inflorescence de certains gymnospermes (*Conifères*) formée d'écailles portant les ovules. *Cône du pin* ou *pomme de pin.* — Inflorescence femelle du houblon.

♦ **3.** (1803). Zool. Mollusque gastéropode dont la coquille conique présente une ouverture en forme de fente.

♦ **4.** (1904, *in* Rev. gén. des sc., nº 5, p. 276). Prolongement conique de certaines cellules rétiniennes, sensibles à la lumière vive (à la différence des cellules à *bâtonnets*). *Cônes et bâtonnets de la rétine. Cône rétinien* (même sens).

♦ **5.** (1797). Géol. *Cône d'un volcan :* relief formé par les laves refroidies autour de la cheminée, par les cendres, les scories tombées autour du cratère. *Cône de déjection*. Cône sous-marin, abyssal,* amas de sédiments. *Cône d'avalanche :* accumulation des débris d'une avalanche.

♦ **6.** (1753). Techn. Partie, objet conique. *Cône de torpille,* partie qui contient la charge. — Mécan. *Cône d'entraînement. Embrayage à cônes.* — Aéron. *Cône d'ablation* ou *cône érodable :* partie antérieure d'un engin spatial destinée à le protéger de l'échauffement aérodynamique.
Techn. *Cône d'eau claire :* appareil monté sur une caméra sous-marine.

♦ **7.** Confis. Cornet de crème glacée. ⇒ **Glace.**

CÔNE-ANCRE [konɑ̃kʀ] n. m. — 1890 ; de *cône,* et *ancre.*

♦ Techn. Vx. Ancre flottante utilisée par les hydravions et les aérostats. *Des cônes-ancres* [konɑ̃kʀ].

CONESSINE [kɔnesin] n. f. — 1887, cit. ; de *conessi,* nom de plante.

♦ Chim., méd. Alcaloïde stéroïdique utilisé essentiellement dans le traitement des amibiases.

La conessine. On a importé récemment en Allemagne une écorce employée contre la dysenterie dans l'Afrique Tropicale, et désignée sous le nom d'*écorce de conessi.*
　　　　L. FIGUIER, l'Année scientifique et industrielle 1888, p. 201 (1887).

CONFABULANT, ANTE [kɔ̃fabylɑ̃, ɑ̃t] adj. — xxᵉ ; p. prés. de *confabuler.*

♦ Psychiatrie. Qui est porté à la confabulation. *Malade confabulant.* — N. *Un confabulant.*

CONFABULATION [kɔ̃fabylɑsjɔ̃] n. f. — Après 1450 ; lat. chrét. *confabulatio* « entretien » ; lat. class. *confabulari* « conserver ». → Confabuler.

♦ **1.** Vx. Entretien familier.

♦ **2.** Psychiatrie. Récit imaginaire fait par un malade atteint de troubles de la mémoire ou de confusion mentale. ⇒ **Fabulation.**

CONFABULER [kɔ̃fabyle] v. intr. — 1521 ; lat. *confabulari,* de *con-* (*cum*), et *fabulari* (→ Fabuler), de *fabula* « propos ». → Fable.

♦ **1.** Vx. S'entretenir familièrement. *Confabuler avec qqn. Ils passaient leur temps à confabuler.*

♦ **2.** Psychiatrie. Affabuler (dans certains cas pathologiques graves). ⇒ **Confabulation.**

DÉR. Confabulant.

CONFECTION [kɔ̃fɛksjɔ̃] n. f. — 1155 ; lat. *confectio* « achèvement », du supin de *conficere* « achever ».

♦ **1.** Vieilli. Action de faire un ouvrage jusqu'à complet achèvement. ⇒ **Fabrication, façon.** *La confection d'une machine, d'une route.* — Mod. Action de fabriquer, de préparer, de mettre au point. *La confection de sa robe lui a pris trois jours. Il travaillait à la confection de casiers neufs. Confection d'une préparation* pharmaceutique. Des gâteaux de sa confection.*

1　La seconde partie de l'entrevue tourna autour de la confection du thé dans la cuisine.　　　J. ROMAINS, les Hommes de bonne volonté, t. V, IV, p. 30.

Confection des listes électorales. Confection des rôles de contribution, d'inventaires.

♦ **2.** Vx. Préparation pharmaceutique. « *On donnera quelques stomachiques plus actifs tels que (...) la confection d'hyacinthe* » (Geoffroy, *in* T. L. F.).

♦ **3.** (1854). Mod. et cour. Industrie des vêtements qui sont fabriqués en série (opposé à *sur mesure**). ⇒ **Prêt-à-porter.** *Vêtements de confection. S'acheter un costume de confection. Une robe de confection. Rayon de confection d'un grand magasin. Maison de confection. Être dans la confection.*

2　Vêtu d'un complet de confection, il avait l'élégance outrée des Marseillais dont il se moquait.　　　Jean GENET, Journal du voleur, p. 205.

Vx. *Les confections :* le rayon des vêtements de confection (Zola, *Au Bonheur des dames*).

Vêtement fait en série. *Ne porter que des confections.* — Collectif.
Ne porter que de la confection.
Vx. Châle, manteau de femme (ex. de 1898, *in* T. L. F.).
DÉR. Confectionner.

CONFECTIONNER [kɔ̃fɛksjɔne] v. tr. — 1580 ; de *confection.*

♦ **1.** Faire, préparer. *Confectionner un plat, un gâteau. Confectionner du pain de troupe.* ⇒ **Manutentionner.** — *Confectionner, se confectionner des vêtements. Se confectionner des outils de fortune.*

1 (...) un grand dîner à trois services (...) servi dans une détestable vaisselle, mais confectionné avec la science qui distingue les cuisinières de province.
BALZAC, le Cabinet des antiques, Pl., t. IV, p. 430.

2 Mademoiselle Rouault s'occupa de son trousseau. Une partie en fut commandée à Rouen, et elle se confectionna des chemises et des bonnets de nuit (...)
FLAUBERT, Mᵐᵉ Bovary, I, III, p. 21.

♦ **2.** Fabriquer en série (des vêtements). *Industriel qui confectionne des chemisiers* (⇒ **Confection**).
Au p. p. *Vêtement confectionné,* fabriqué en confection.
DÉR. Confectionneur.

CONFECTIONNEUR, EUSE [kɔ̃fɛksjɔnœʀ, øz] n. — 1830 ; de *confectionner.*

♦ Vieilli. Personne qui confectionne. — Mod. Fabricant de vêtements de confection.

CONFÉDÉRAL, ALE, AUX [kɔ̃federal, o] adj. — 1598, en Suisse ; de *confédération,* d'après *fédéral.*

♦ Relatif à une confédération. *L'armée confédérale* (en Suisse). *État confédéral.* — *Secrétaire confédéral d'un syndicat. Caisse, conseil confédéral.*
En franç. de Suisse. Relatif aux rapports qui doivent exister entre les cantons (membres de la confédération). *Solidarité confédérale. Esprit confédéral.*
DÉR. Confédéraliste.

CONFÉDÉRALISTE [kɔ̃federalist] adj. — 1966 ; de *confédéral.*

♦ Partisan d'une confédération.
Il reste que son plaidoyer *(de B. Constant)* pour les individualités vivantes des peuples conduit à des projets confédéralistes, sinon fédéralistes.
R. POMEAU, l'Europe des lumières, p. 219, *in* D. D. L., II, 7.

CONFÉDÉRATIF, IVE [kɔ̃federatif, iv] adj. — 1761 ; de *confédérer, confédération.*

♦ Rare. Relatif à une confédération. *Gouvernement confédératif.* ⇒ **Confédéral.**

CONFÉDÉRATION [kɔ̃federasjɔ̃] n. f. — 1358 ; lat. *confœderatio,* du supin de *confœderare.* → Confédérer.

♦ **1.** Union entre plusieurs États qui s'associent tout en conservant leur souveraineté. *La Confédération helvétique constitue un État fédéral.* ⇒ **Fédération.** *Le Président de la Confédération* (du Conseil fédéral suisse).

1 *(Bonaparte)* ne rêvait d'ailleurs certainement pas d'un empire *unitaire,* mais d'une *confédération* d'États : il parlera, un jour, des *États-Unis d'Europe.*
Louis MADELIN, Vers l'Occident, X, p. 130.

Hist. Union d'entités souveraines contre un adversaire commun, ou pour défendre une cause commune. *Confédération de villes dans l'Antiquité. Confédération de seigneurs au moyen âge. Confédération contre un pays.* ⇒ **Coalition.**

2 On est las partout de l'inquisition de la cour de Vienne (...) et de ses petites trames pour unir, dans une confédération contre la France, des peuples qui détestent le joug autrichien. CHATEAUBRIAND, Mémoires d'outre-tombe, p. 474.

♦ **2.** (1895). Groupement (d'associations, de fédérations professionnelles, syndicales, sportives...) pour la défense d'intérêts communs. *La confédération générale du travail* (C. G. T.). *La confédération générale des cadres* (C. G. C.). *Confédération française démocratique du travail* (C. F. D. T.). *Confédération internationale des anciens prisonniers de guerre, des syndicats libres* (C. I. S. L.), etc.
DÉR. Confédéral.

CONFÉDÉRER [kɔ̃federe] v. tr. — Conjug. *céder.* — V. 1355 ; lat. *confœderare,* de *fœdus, fœderis* «traité».

♦ Réunir en confédération. *Confédérer des États. Confédérer un État avec un autre. Confédérer l'agriculture française.*
Pron. Se regrouper pour défendre des intérêts communs. *Se confédérer avec qqn (contre...). Les nobles polonais se confédérèrent.*

▶ **CONFÉDÉRÉ, ÉE** p. p. adj. et n.

♦ **1.** (1861, *in* D. D. L.). Qui fait partie d'une confédération. *Nations confédérées.* — N. m. Membre d'une confédération. *« Deux gros confédérés comme l'Autriche et la Prusse »* (Tocqueville, *in* T. L. F.).
N. **a** (V. 1550). En franç. de Suisse. Admin. Membre de la confédération helvétique. *« Fidèles et chers confédérés »,* formule d'adresse du Conseil fédéral à un gouvernement cantonal.
(xvⁱᵉ). Spécialt. Suisse ressortissant d'un autre canton. *(À Genève),* *« l'apprenti genevois, l'apprenti confédéré, l'apprenti étranger »* (Feuille d'avis de Genève, 10 oct. 1973).

Valet de ferme ! Le domestique, c'est le Confédéré un peu défavorisé, un Uranais éberlué, un Fribourgeois du Gibloux (...) Ce sont des Suisses, nom de Dieu !
Jacques CHESSEX, Portrait des Vaudois, p. 34.

Suisse allemand (en Suisse romande).

b (1866). Pendant la guerre de Sécession américaine, les sudistes, opposés aux *Fédéraux. L'armée des Confédérés.*

c (1885). Hist. Combattant de la Commune de 1871.

♦ **2.** Polit. Dans un mouvement syndicaliste, Partisan de la confédération (opposé à *unitaire*).
DÉR. Confédératif.

CONFER [kɔ̃fɛʀ] ⇒ Cf.

CONFÉRENCE [kɔ̃feʀɑ̃s] n. f. — 1464 ; lat. *conferentia* «confrontation, réunion», de *conferre.* → Conférer.

★ **I.** Vx. Action de rapprocher des objets pour les comparer. ⇒ **Collation.** *La conférence de plusieurs textes.*

★ **II.** Mod. ♦ **1.** Conversation, discussion à caractère officiel ou solennel. ⇒ **Entretien ;** et (fam.) **palabre, parlote.** *Avoir une conférence avec qqn. Tenir conférence.* ⇒ **Conférer ; négocier.** *Conférence rompue, renouée. Conférence secrète.* ⇒ **Conciliabule.**

1 Enfin, après plusieurs discours, voici où s'est réduit le résultat de notre conférence. MOLIÈRE, les Fourberies de Scapin, II, 5.

1.1 Ils avaient avec le cuisinier d'un petit restaurant réputé d'interminables conférences sur la composition du menu et la confection des plats.
PROUST, À l'ombre des jeunes filles en fleurs, Pl., t. I, p. 682.

♦ **2.** Réunion de travail (dans une entreprise). *Être en conférence.* ⇒ **Réunion** (en).

1.2 Quand je leur téléphone, ils sont en Conférence ou ils reçoivent quelqu'un, et quand ils me reçoivent ils ne cessent de téléphoner.
Pierre DANINOS, Un certain Monsieur Blot, p. 21.

1.3 (...) il me serait difficile de dire avec exactitude le nombre de conférences auxquelles j'ai été convoqué depuis mon entrée dans la maison. Six mille, approximativement. Ces six mille conférences, d'une durée moyenne d'une heure, n'ayant le plus souvent pour résultat que d'inciter les participants à reposer la question, sous une autre forme, lors d'une nouvelle conférence à l'échelon supérieur, on peut évaluer le temps légal perdu à près de trois ans.
Pierre DANINOS, Un certain Monsieur Blot, p. 30.

♦ **3.** Assemblée de hautes personnalités discutant d'un sujet important. ⇒ **Réunion, congrès, conseil.** *Conférence politique, diplomatique, internationale.* ⇒ **Pourparler.** *Conférence pour la paix* (→ Apposer, cit. 2). *Conférence à quatre.* — *Conférence au sommet.* ⇒ **Sommet.** *Participants à une conférence internationale.* ⇒ **Conférent.**

2 (...) on rêve d'une Conférence où les cinq grandes puissances maritimes et pacifiques (...) ne se préoccuperait que de définir les forces navales nécessaires pour sauvegarder l'ordre, la tranquillité et la justice dans le monde. Malheureusement ce n'est pas ce que nous suppose la Conférence de Londres.
J. BAINVILLE, la France, 21 janv. 1930, t. II, p. 249.

Réunion de personnes discutant un sujet en commun. *Conférence religieuse, théologique.* — *Conférence de médecins.* ⇒ **Consultation.** *Conférence d'étudiants,* sous la direction d'un *maître de conférences. Conférence de droit. Conférences du stage des avocats.* — *Conférence d'une société savante, conférence scientifique.* ⇒ **Colloque, congrès, table** (ronde).
Conférences de Saint-Vincent-de-Paul, société pieuse de bienfaisance.

♦ **4.** (1680, théol.). Discours, causerie (où l'on traite en public une question littéraire, artistique, scientifique, politique). ⇒ **Causerie, exposé ; communication.** *Une série de conférences sur les pays étrangers. Conférence gratuite. Conférence contradictoire. Faire une conférence. Personne qui donne une conférence.* ⇒ **Conférencier.** *Conférence accompagnée de projections, d'un film. Salle de conférences.*

3 Monsieur Régis, étant parti de Paris avec une espèce de mission de son maître, alla établir la nouvelle philosophie à Toulouse par des conférences publiques.
FONTENELLE, Régis, *in* Littré.

Spécialt. Discours sur un sujet religieux. *Les conférences de Notre-Dame. Les conférences de Massillon.*

♦ **5.** (1752). Leçon (dans certaines écoles, dans les facultés). ⇒ **Cours.** *Conférences publiques. Conférence magistrale.* — Loc. *Salle de conférences. Maître* de conférences.*

♦ **6.** CONFÉRENCE DE PRESSE : réunion où une ou plusieurs personnalités s'adressent aux journalistes et répondent à leurs questions. *La conférence de presse donnée hier soir par le chef de l'État.*

4 Hier soir, conférence de presse télévisée du général de Gaulle.
　　　　　　　F. MAURIAC, le Nouveau Bloc-notes 1958-1960, p. 118.

DÉR. Conférencier.

CONFÉRENCIER, IÈRE [kɔ̃feʀɑ̃sje, jɛʀ] n. — 1859; «personne qui préside à une conférence ecclésiastique», 1752; de *conférence* II., 4.

♦ Personne qui parle en public, qui fait des conférences. ⇒ **Orateur.** *Un conférencier passionnant, ennuyeux. Écouter, présenter le conférencier.*

Adj. (Par plais.). *Ses activités conférencières,* de conférencier.

CONFÉRENT [kɔ̃feʀɑ̃] n. m. — 1915; «dignitaire vénitien», 1743; lat. *conferens,* d'après *conférence.*

♦ Vieilli. Personne qui prend part à une conférence internationale (ex. de Joffre, De Gaulle, *in* T. L. F.).

CONFÉRER [kɔ̃feʀe] v. — Conjug. *céder* —1370; lat. *conferre.*

★ **I.** V. tr. ♦ **1.** Accorder en vertu d'une autorité. ⇒ **Administrer, attribuer, déférer, donner.** *Conférer des honneurs, un grade, un titre, une décoration à qqn* (⇒ **Décorer**). *Diplôme conférant un degré universitaire. Brevet, commission conférant une charge, une dignité.* — *Conférer les ordres sacrés à qqn.* ⇒ **Consacrer, ordonner, ordination;** → Caractère, cit. 24. *Conférer un sacrement.*

1 Dans l'Église naissante, on enseignait les catéchumènes, c'est-à-dire ceux qui prétendaient au baptême, avant que de le leur conférer.
　　　　　　　　　　　　PASCAL, Comp. des chrétiens.

2 (...) comment se perpétuera-t-elle *(l'Église constitutionnelle)* si les nouveaux évêques élus n'ont pas reçu, avec le sacre, le pouvoir de conférer l'ordre et même de sacrer eux-mêmes?　　　Louis MADELIN, Talleyrand, I, IV, p. 48.

Fig. *Les privilèges que confère l'âge, la notoriété.* ⇒ **Apporter, donner.**

3 Il avait appris, depuis peu, à ne pas négliger ce surcroît d'aisance et de bonne humeur que confèrent une lingerie fine, un col ajusté, un vêtement de bonne coupe.　　　　　MARTIN DU GARD, les Thibault, t. VI, p. 10.

4 (...) le style cursif, haché (...) conférait à ces notes un caractère de vérité qui forçait l'intérêt.　　　MARTIN DU GARD, les Thibault, t. IV, p. 105.

♦ **2.** Didact. Rapprocher pour comparer. ⇒ **Collationner, collation.** *Conférer deux manuscrits entre eux. Conférer un auteur avec un autre.* — Spécialt. *Conférez* : rapportez-vous à (tel document). ⇒ **Cf., consulter.**

5 Et M. Bergeret conféra soigneusement un grand nombre de textes, pour éclaircir le sens du mot qu'il comprenait mal, et qu'il devait expliquer.
　　　　　　FRANCE, l'Anneau d'améthyste, Œ., t. XII, p. 110.

★ **II.** V. intr. et tr. ind., construit avec *de.* (V. 1455). Être en conférence*; s'entretenir (avec qqn, de qqch, sur qqch.). ⇒ **Causer, parler.** *Conférer de son affaire avec son avocat. Nous en avons conféré ensemble. Ils en ont conféré entre eux.*

6 La prudence que Malin venait de déployer en conférant avec Grévin en plein air (...)　　BALZAC, Une ténébreuse affaire, Pl., t. VII, p. 484.

CONTR. (Du 1.) **Ôter, refuser.**

CONFERVE [kɔ̃fɛʀv] n. f. — 1797; *conferva,* 1615; lat. *conferva,* de *confervere* «souder», à cause des propriétés cicatrisantes qu'on lui attribuait. → Consoude.

♦ Bot. Algue verte filamenteuse *(Chlorophycées)* qui croît en eau douce et en eau salée.

CONFESSE [kɔ̃fɛs] n. f. — V. 1175; de *confesser.*

♦ Action de se confesser. ⇒ **Confession.** (Ne s'emploie que précédé des prépositions *à* et *de,* sans article). *Aller à confesse.* → Pâque, cit. 4. *Mener un enfant à confesse. Venir de confesse. «Il va à confesse à tel prêtre»* (Académie).

1 Quand elle *(Emma)* allait à confesse, elle inventait de petits péchés, afin de rester là plus longtemps, à genoux, dans l'ombre, les mains jointes, le visage à la grille sous le chuchotement du prêtre.　FLAUBERT, Mᵐᵉ Bovary, I, VI, p. 28.

2 Jouhandeau, un corps restreint, une voix pâle, des mains blanches, un bec de lapin, une tache de vin dans la nuque, des cheveux en forme de duvet de moineau pauvre, parle comme à confesse.
　　　　Benoîte et Flora GROULT, Journal à quatre mains, p. 74.

CONFESSER [kɔ̃fese] v. tr. — V. 1175, *soi confesser;* anc. franç. *(estre) cunfes,* 1080; lat. pop. *confessare,* de *confessus,* p. p. de *confiteri* «avouer, confesser».

♦ **1.** Déclarer (ses péchés, à un prêtre catholique) dans le sacrement de la pénitence. *Confesser ses fautes, ses péchés (à un prêtre).* Par ext. *Confesser ses fautes à Dieu,* dans la prière (→ Examen* de conscience).

1 Il ne pouvait confesser sa faute sans glisser malgré lui au besoin de la commettre encore en pensée.　ZOLA, la Faute de l'abbé Mouret, III, IV, p. 367.

Pron. *Se confesser à un prêtre, à Dieu. Il ne s'en est pas confessé.* Absolt. *Aller se confesser, avant de communier.*

2 Qui a écrit : *Confessez-vous les uns aux autres?* n'est-ce pas les disciples immédiats de notre Sauveur?　BALZAC, le Curé de village, Pl., t. VIII, p. 757.

3 Je me suis confessée plus d'une fois d'avoir pensé que je préférais croire en Dieu que de le voir dans toute sa gloire, et j'ai été blâmée.
　　　　　　　　　　　VALÉRY, M. Teste, p. 40.

4 Lucas se confessait au «padre» chaque dimanche au matin.
　　　　　　　　　　P. MAC ORLAN, la Bandera, XIV, p. 169.

♦ **2.** (Déb. XIIIᵉ). Le sujet désigne le prêtre. Entendre (un fidèle) en confession. *Confesser et absoudre un pénitent* (⇒ **Absolution, rémission**). Absolt. *Ce prêtre ne confesse pas,* n'a pas les pouvoirs pour confesser.

5 Le lendemain l'abbé Mionnet passa environ une heure et demie à son église, et eut l'occasion de confesser trois fidèles.
　　　　　J. ROMAINS, les Hommes de bonne volonté, t. V, XVII, p. 124.

5.1 — Vous confessez depuis combien de temps?
— Une quinzaine d'années (...)　MALRAUX, Antimémoires, Folio, p. 9.

Fig. et fam. Tirer des aveux, un secret à (qqn) ⇒ **Parler** (faire parler), **sonder.** (Cf. Tirer les vers du nez). *La police l'a confessé.*

6 (...) comme c'était une fille fort retenue, il avait eu un peu de mal à la confesser.　　G. SAND, François le Champi, XIII, p. 103.

Loc. (Vieilli). *C'est le diable à confesser,* se dit d'un aveu, d'un résultat difficile à obtenir.

♦ **3.** (V. 1275). Déclarer spontanément, reconnaître pour vraie (une chose qu'on a honte ou réticence à confier). ⇒ **Accuser** (s'accuser de); **avouer, convenir** (de), **reconnaître.** *Confesser la vérité. Confesser sa faute, son crime, son erreur, son ignorance, ses torts. Il confesse qu'il a eu tort. Confesser sa faiblesse. Je le confesse sans honte. La vérité nous oblige à confesser que...* ⇒ **Accorder, admettre, reconnaître;** → Tomber d'accord*. *Je confesse mon scepticisme.* ⇒ **Déclarer.** *Entre nous je vous confesse que...* ⇒ **Confier.**

7 Il voit bien qu'il a tort, mais une âme si haute
N'est pas sitôt réduite à confesser sa faute.　CORNEILLE, le Cid, II, 6.

8 Hé! mon pauvre garçon, que ta colère cesse :
J'ai mal jugé de toi, j'avais tort, je le confesse (...)　MOLIÈRE, Étourdi, I, 8.

9 Je confesse mon faible, elle a l'art de me plaire (...)
　　　　　　　　　　MOLIÈRE, le Misanthrope, I, 1.

10 Les faux honnêtes gens sont ceux qui déguisent leurs défauts aux autres et à eux-mêmes; les vrais honnêtes gens sont ceux qui les connaissent parfaitement, et les confessent.　　LA ROCHEFOUCAULD, Maximes, 202.

11 (...) comme il avait honte, à dix-huit ans, d'avoir les mêmes faiblesses d'esprit qu'il avait eues à quinze, il ne voulut jamais confesser ce qui le rongeait.
　　　　　　　G. SAND, la Petite Fadette, XXVII, p. 181.

12 Elle estimait que, tout de même, celle-là était un peu violente, et Boubouroche, en son for intérieur, fut bien forcé de confesser qu'elle n'avait pas tout à fait tort.
　　　　　COURTELINE, Boubouroche, Nouvelle, III, p. 54.

13 Le plus grand bonheur, après que d'aimer, c'est de confesser son amour.
　　　　　　　　　　　GIDE, Journal, 11 mai 1918.

Pron. *Se confesser coupable; se confesser incapable de faire quelque chose.* ⇒ **Reconnaître** (se). Absolt. *Il aime à se confesser,* à exposer ses défauts, ses torts.

14 Je ne veux plus, Seigneur, me confesser coupable.　CORNEILLE, Médée, II, 5.

15 Il faut être discret quand on parle de son bonheur, et l'avouer comme si l'on se confessait d'un vol.　J. RENARD, Journal, 10 déc. 1906.

16 Comme chacun de nous, il a eu ses tares, dont la plus dangereuse pour sa réputation a été le goût maladif de se confesser.
　　　　　　　A. BILLY, Sainte-Beuve, XXVIII, p. 201.

♦ **4.** (1564). Déclarer publiquement (une croyance)... ⇒ **Affirmer, proclamer, profession** (faire profession de). *Confesser la foi de Jésus-Christ* : reconnaître que l'on est chrétien (⇒ **Confesseur**). *Confesser son opinion à la face du monde. Confesser ses croyances malgré les menaces, en bravant les menaces.*

17 Oser confesser Dieu chez les philosophes.　ROUSSEAU, Émile, IV.

18 Si reconnaître une erreur passée et confesser une foi nouvelle est un devoir, nier cette erreur ou la dissimuler (...) est une sorte d'apostasie.
　　　　　　　　　G. SAND, Lélia, Préface, 8.

19 Il commençait de me faire connaître des dieux que j'ai, pour mon allégement et ma joie, confessés dans la suite des jours.
　　　　　G. DUHAMEL, Chronique des Pasquier, II, V, p. 271.

▶ **SE CONFESSER** v. pron. → ci-dessus à l'article.

▶ **CONFESSÉ, ÉE** p. p. adj. *Des fidèles confessés et absous.*
N. *Un confessé.*

CONTR. Cacher, contester, déguiser, démentir, dénier, désavouer, disconvenir, dissimuler, nier, omettre, taire.
DÉR. Confesse. — V. (du lat.) **Confesseur, confession.**

CONFESSEUR [kɔ̃fesœʀ] n. m. — Av. 1155, *confessour* «saint»; lat. ecclés. *confessor,* du lat. pop. *confessere.* → Confesser.

♦ **1.** Relig. Chrétien qui, dans l'Église primitive, confessait sa foi malgré les persécutions. *Les confesseurs et les martyrs*. Confesseur de la foi.* En appos. *Évêque confesseur.* — Par ext. Saint qui a manifesté sa foi par sa vie, ses œuvres, et à qui l'Église ne confère pas de titre particulier (par oppos. à *apôtre, docteur, martyr...*).

1 Ce courageux confesseur de Jésus-Christ adressa à l'empereur un livre (...)
BOSSUET, Variat. avert. V, § 18, *in* LITTRÉ.

2 On jetait aux lions les confesseurs, les prêtres.
HUGO, Odes et Ballades, II, 5, 1.

♦ **2.** (V. 1195). Cour. Prêtre à qui l'on se confesse. *Un confesseur sévère, indulgent. Choisir un confesseur. Elle a un confesseur attitré.* ⇒ **Directeur** (de conscience). *Confesseur d'une communauté de religieuses* (⇒ **Aumônier**). *Le confesseur donne l'absolution, impose une pénitence...* (⇒ **Confession**).

3 Le pénitent apporte sa formule de contrition et le confesseur lui passe en échange sa formule d'exhortation.   Léon BLOY, le Désespéré, III, Le retour, p. 152.

4 Je n'ai pas de confesseur au collège. Je me confesse à un prêtre de la paroisse.
MONTHERLANT, La ville dont le prince est un enfant, I, 3, *in* Théâtre, Pl., p. 864.

Par ext. Personne à qui l'on se confie. ⇒ **Confident** (→ Directeur de conscience, médecin de l'âme, médecin spirituel).

CONFESSION [kɔ̃fesjɔ̃] n. f. — V. 980; du lat. ecclés. *confessio*, du lat. pop. *confessere.* → Confesser.

♦ **1.** Déclaration, aveu de ses péchés que l'on fait à un prêtre catholique, dans le sacrement de la pénitence. ⇒ **Confesse, pénitence.** *Confession sincère.* ⇒ **Attrition, contrition, propos** (ferme propos), **repentir.** *Confession sacrilège. Mourir sans confession.* ⇒ **Déconfès.** *Faire une confession générale. Confession publique.* ⇒ **Péché,** cit. 4. *La confession publique était de règle dans la primitive Église. Confession auriculaire*. Entendre, ouïr qqn en confession. Le prêtre donne l'absolution*, inflige une pénitence* à l'issue de la confession. Le secret de la confession. Avouer sous le sceau de la confession. — Billet de confession.* ⇒ **Billet.**

1 Il disait qu'il ne mourrait jamais sans confession.
Mᵐᵉ DE SÉVIGNÉ, 398, *in* LITTRÉ.

2 Le repentir de ses fautes peut seul tenir lieu d'innocence. Pour paraître s'en repentir il faut commencer par les avouer. La confession est donc presque aussi ancienne que la société civile.   VOLTAIRE, Dict. philosophique, Confession, XXVI.

3 La confession (...) l'acte le plus intolérable que l'Église ait imposé à la vanité de l'homme.   HUYSMANS, En route, p. 148.

4 La confidence n'est parfois qu'un succédané laïque de la confession.
J. ROMAINS, les Hommes de bonne volonté, t. V, III, p. 19.

Loc. *On lui donnerait le bon Dieu sans confession,* se dit d'une personne d'apparence vertueuse et trompeuse.

4.1 Quoique ses yeux d'un bleu limpide fussent magnifiques, ils n'étaient jamais plus beaux que quand ils étaient baissés (...) ce fut une sensation nouvelle que cette créature à qui, comme on dit avec une expression vulgaire, mais énergique, « on aurait donné le bon Dieu sans confession ».
BARBEY D'AUREVILLY, les Diaboliques, « À un dîner d'athées ».

Action de confesser (un fidèle).

4.2 — Qu'est-ce que la confession vous a enseigné des hommes ?
— Vous savez, la confession n'apprend rien, parce que dès que l'on confesse, on est un autre, il y a la Grâce.   MALRAUX, Antimémoires, Folio, p. 9.

♦ **2.** (V. 1265). Déclaration que l'on fait (d'une faute, d'une erreur). ⇒ **Aveu, déclaration, reconnaissance.** *Confession franche, ingénue, naïve, simple. Confession impudique.* ⇒ **Déballage, strip-tease** (fam.). *Confession humble. Confession hypocrite. Confession forcée. Confession complète, entière, sans réticences. Confession d'un crime, d'une faute, d'une erreur.* — Par ext. Action de se confier*.

5 (...) sur votre propre confession, vous êtes environ à votre cinquante-deuxième année.   MOLIÈRE, le Mariage forcé, 1.

6 La confession conjugale (un sacrement de l'avenir) est l'essence du mariage.
MICHELET, la Femme, p. 347.

7 Soulevé soudain par cette rage de confession qui tourmente certains hommes (...)
G. DUHAMEL, Chronique des Pasquier, II, III, p. 244.

CONFESSION (au sing. ou au plur.), titre d'ouvrages où l'auteur expose avec franchise les fautes, les erreurs de sa vie. *Les Confessions,* de saint Augustin (Vᵉ siècle). *Les Confessions,* de J.-J. Rousseau (1781-1788). *La Confession d'un enfant du siècle,* de Musset (1836).

8 L'objet propre de mes confessions est de faire connaître exactement mon intérieur dans toutes les situations de ma vie. C'est l'histoire de mon âme que j'ai promise, et pour l'écrire fidèlement je n'ai pas besoin d'autres mémoires; il me suffit, comme je l'ai fait jusqu'ici, de rentrer au dedans de moi.
ROUSSEAU, les Confessions, VII.

9 On a beaucoup dit de mal de Rousseau et de ses *Confessions,* tout en les goûtant.
SAINTE-BEUVE, Causeries du lundi, 29 oct. 1849, p. 74.

9.1 L'individu a pris dans les Mémoires la place que l'on sait, lorsqu'ils sont devenus des Confessions. Celles de saint Augustin ne sont nullement des mémoires et s'achèvent en traité de métaphysique. Nul ne songerait à nommer confessions les *Mémoires* de Saint-Simon : quand il parle de lui, c'est pour être admiré.
MALRAUX, Antimémoires, Folio, p. 14.

♦ **3.** (1537). Relig. Action de faire profession de sa foi religieuse. *Faire une confession de foi devant les persécuteurs.* ⇒ **Confesser** (4.), **confesseur** (1.). — Spécialt. Liste, déclaration des articles de la foi des églises chrétiennes. ⇒ **Credo.** *La Confession d'Augsbourg,* présentée à Charles-Quint par les protestants en 1530.

♦ **4.** Croyance religieuse. ⇒ **Église, foi, religion; confessionnel.** *Pays de confession islamique. Sans distinction de race ni de confession.*

10 (...) il estimait que le pays avait besoin d'une tolérance mutuelle entre les diverses confessions.   J. ROMAINS, les Hommes de bonne volonté, t. III, XI, p. 156.

CONTR. Contestation, démenti, déni, désaveu, dissimulation, mutisme, omission, protestation, silence.
DÉR. Confessionnal, confessionnel.

CONFESSIONNAL, AUX [kɔ̃fesjɔnal, o] n. m. — 1633; adj., *chaires confessionnalles,* 1610; de *confession,* l'ital. *confessionnale* est postérieur.

♦ **1.** Lieu fermé, isoloir disposé pour que le confesseur y entende le pénitent. *Entrer, s'agenouiller dans un confessionnal. La grille du confessionnal. — Un beau confessionnal baroque. Les confessionnaux d'une église. Dans le secret du confessionnal.*

1 (...) elle avait été résolument se présenter au guichet d'un confessionnal quelconque et, assoiffée de mépris, ambitieuse d'être foulée aux pieds, elle avait tout d'abord déclaré ceci : Mon père (...)   Léon BLOY, le Désespéré, III, p. 150.

2 Voici, par contre, une superbe périphrase de Bossuet pour désigner le confessionnal : « Ces tribunaux qui justifient ceux qui s'accusent ».
Antoine ALBALAT, l'Art d'écrire, V, p. 82.

♦ **2.** (1720). Fauteuil profond dont le dossier est muni d'oreilles. ⇒ **Bergère.**

CONFESSIONNEL, ELLE [kɔ̃fesjɔnɛl] adj. — 1863; de *confession,* 3.

♦ Relatif à une religion. *Articles confessionnels. Écoles confessionnelles. Dissidences, querelles confessionnelles.* ⇒ **Religieux.**

1 (...) l'entente qui régnait à Rouen entre mes parents m'aveuglait sur leurs divergences confessionnelles (...)   GIDE, Si le grain ne meurt, IV, p. 107.

Qui appartient à une confession, à une religion. *Un journal confessionnel.*

2 Une fois de plus, nous voyons, nous touchons le péril que représente pour l'Église un parti confessionnel.   F. MAURIAC, Bloc-notes 1952-1957, p. 130.

REM. Dans le contexte français, il s'agit en général — sauf précision — de la religion catholique.

CONTR. Laïc.

CONFETTI [kɔ̃feti] n. m. (Plur. *des confetti* ou *des confettis,* plus normal). — 1841; mot niçois, « boulettes de plâtre »; plur. de l'ital. *confetto* « dragée », du lat. *confectus* « préparé, confit ».

♦ **1.** Vx. Boulette de plâtre frais qu'on se lançait pendant le carnaval.

♦ **2.** Mod. Petite rondelle de papier coloré qu'on lance par poignées pendant le carnaval, les fêtes. *Lancer des confettis, des serpentins. Poignée de confetti, de confettis. Bataille de confettis. Grand comme un confetti* : minuscule.

Fig. *En confettis* : en petits morceaux. *Réduire quelque chose en confettis.* « *Quelques cartes cégétistes se sont retrouvées en confettis* » (le Monde, 17 mars 1974).

Fam. *Vous pouvez en faire des confettis !* : ce papier (texte, lettre, contrat, etc.) est tout juste bon à être déchiré en menus morceaux, est d'une valeur nulle. Syn. : *vous pouvez en faire des papillotes.*

CONFIANCE [kɔ̃fjɑ̃s] n. f. — 1408; *confience,* au XIIIᵉ; adapt. du lat. *confidentia,* d'après l'anc. franç. *fiance* « foi ».

♦ **1.** Fait de croire, espérance* ferme (en qqch.), foi (en qqn); assurance qui en découle. ⇒ **Fier** (se); **confidence** (vx); **créance, foi, sécurité** (sentiment de). *La confiance envers qqn. Avoir confiance, une grande confiance, une confiance absolue, solide, imperturbable, inébranlable, aveugle, totale, sans bornes* (→ Agir avec les yeux de la foi*, les yeux fermés; ne voir que par les yeux* du cœur). *Le fondement de son aveugle confiance.* → Montrer, cit. 38. *Avoir totalement confiance, n'avoir pas confiance en qqn, en qqch. Faire qqch. avec confiance. Confiance excessive, naïve.* ⇒ **Crédulité.** *Mettre, placer sa confiance en Dieu* (⇒ **Croire; abandon, amour**). *Avoir confiance en son étoile*. Il ne met pas sa confiance dans les hommes. Avoir confiance dans les médecins. Avoir confiance dans une entreprise, une tentative, un remède. — Faire confiance à qqn, à qqch.* ⇒ **Crédit** (accorder du), **fond** (faire fond sur); **abandonner** (s'), **compter** (sur), **confier** (se), **fier** (se), **livrer** (se), **rapporter** (s'en), **remettre** (s'en), **reposer** (se). *Vous pouvez lui faire confiance. — Inspirer confiance. — Rechercher, obtenir, capter, gagner la confiance de qqn. Investir* qqn de sa confiance.* ⇒ **Accréditer.** *Donner, engager, manifester, témoigner sa confiance. Rendre confiance pour confiance à qqn. Avoir toute la confiance de qqn.* ⇒ **Intime** (être l'), **oreille** (avoir l'oreille de), **secret** (n'avoir pas de secret pour). *Confiance mal placée. Décevoir, trahir*, tromper la confiance de qqn. Abuser de la confiance de qqn. — Loc. Abus de confiance. — Retirer sa confiance. Perdre la confiance de qqn. Merci de votre confiance. — Absolt. Attitude confiante. Perdre confiance. Manquer de confiance. Reprendre confiance. Climat de confiance. — (Souvent iron.). La confiance règne !* (dans une situation où la défiance est évidente).

1 La confiance plaît toujours à celui qui la reçoit : c'est un tribut que nous payons à son mérite ; c'est un dépôt que l'on commet à sa foi ; ce sont des gages qui lui donnent un droit sur nous, et une sorte de dépendance où nous nous assujettissons volontairement.   LA ROCHEFOUCAULD, Maximes, 5.

2 (...) et j'en veux un *(mari)* qui ne s'épouvante de rien, un si plein de confiance, et si sûr de ma chasteté, qu'il me vît sans inquiétude au milieu de trente hommes.
MOLIÈRE, George Dandin, II, 1.

3 (...) je ne dois m'en prendre qu'à moi-même d'avoir donné ma confiance à un homme que je ne connaissais point, et dont j'avais sujet de me défier, après tout ce qu'on m'en avait dit. A.-R. LESAGE, Gil Blas, I, V, I, p. 321.

4 Bientôt il eut toute mon amitié, toute ma confiance ; nous devînmes inséparables.
ROUSSEAU, les Confessions, XII.

5 (...) ces deux jeunes cœurs étaient arrivés à cette confiance sans bornes qui fait peut-être le plus doux charme de l'amour.
STENDHAL, Armance, Pl., t. I, p. 655.

6 Je lui parlais avec une entière confiance, un abandon complet et ce besoin de me livrer que j'éprouvais ardemment avec elle.
FRANCE, la Vie en fleur, XXIX, p. 338.

7 (...) quelques-uns d'entre nous ont eu le bonheur de rencontrer un homme (ou une femme) dont le naturel et la franchise ne les ont jamais déçus, qui, presque en toutes circonstances, a agi exactement comme ils le souhaitaient, qui, dans les moments les plus pénibles, ne les a jamais abandonnés. Ceux-là connaissent ce sentiment merveilleux : la confiance.
A. MAUROIS, Un art de vivre, II, VI, p. 85.

8 Merci de m'avoir fait assez confiance pour me choisir comme moniteur (...)
MALRAUX, l'Espoir, p. 476.

Loc. *Fais-moi, faites-moi confiance ; tu peux me faire confiance :* c'est absolument sûr, vous pouvez me croire. *Fais-moi confiance, il ne recommencera pas !*

8.1 Ne vous inquiétez pas : ces notaires, si on les écoutait ! (...) Mais laissez-moi faire, faites-moi confiance (...) Claude SIMON, le Vent, p. 30.

Être en confiance avec qqn. Se sentir en confiance, être confiant. En confiance, en toute confiance : sans crainte.

9 Vous puis-je en confiance expliquer ma pensée ? CORNEILLE, Rodogune, I, 3.

Homme, personne de confiance, à qui l'on se fie entièrement. ⇒ **Sûr**. *Place, poste de confiance,* que l'on confie à qqn de sûr. *Maison de confiance. — Faire qqch. de confiance,* sans se défier. *Acheter qqch. de confiance* (→ Les yeux fermés).

9.1 — Avez-vous quelquefois lu votre contrat de mariage ?
— Ma foi, non !... je l'ai entendu bredouiller un jour par votre notaire de Caen... et je l'ai signé de confiance. E. LABICHE, les Petites Mains, II, 3.

♦ **2.** Sentiment de sécurité dans le public qu'inspire un gouvernement, une politique. *Ce ministère fait renaître la confiance. Monnaie fondée sur la confiance publique.* ⇒ **Fiduciaire** (monnaie).

10 Les ressources du Trésor étaient taries parce que, la confiance étant ébranlée, sinon détruite, on ne souscrivait plus aux emprunts tandis que les banquiers refusaient des avances. J. BAINVILLE, Hist. de France, XV, p. 316.

Polit. *Question* de confiance. — Vote de confiance,* d'approbation.

♦ **3.** (1611). Vieilli. Sentiment qui fait qu'on se fie à soi-même. ⇒ **Assurance, hardiesse**. *Confiance excessive.* ⇒ **Outrecuidance, présomption.** *Aborder qqn avec confiance,* franchement. *Agir, parler avec confiance.*

11 Tant de victoires avaient donné aux Suédois une si grande confiance qu'ils ne s'informaient jamais du nombre de leurs ennemis, mais seulement du lieu où ils étaient. VOLTAIRE, Charles XII, 4.

Mod. *Confiance en...* (et pron. pers.). *Il manque de confiance en soi, en lui.*

12 Tu manques de confiance en toi et je veux te débarrasser de cette infirmité qui fait boiter ton bonheur. SUPERVIELLE, Shéhérazade, II, 4.

13 Mais il avait trop de confiance en lui pour imaginer qu'il pourrait être inférieur à une tâche qu'il ferait avec plaisir.
J. ROMAINS, les Hommes de bonne volonté, t. XX, p. 242.

CONTR. Anxiété, crainte, découragement, défaitisme, défiance, désespérance, doute, inconfiance, méfiance, misanthropie, ombrage, suspicion ; caution (sujet à caution).

CONFIANT, ANTE [kɔ̃fjɑ̃, ɑ̃t] adj. — XIVᵉ, *confient* ; p. prés. de *confier.*

♦ **1.** Qui a confiance (en qqn ou en qqch.). *Confiant en ses amis. Être confiant dans le succès. Confiant dans l'avenir.* Par ext. *Parole confiante. Sourire, regard confiant.*

1 (...) regard confiant (...) mais qui interrogeait malgré tout, qui souhaitait d'être confirmé dans sa confiance (...) MARTIN DU GARD, les Thibault, t. I, p. 116.

2 D'esprit ouvert ; en contact confiant avec chacun (..)
J. ROMAINS, les Hommes de bonne volonté, t. IV, X, p. 111.

♦ **2.** Personnes. (Sans compl.). Qui a confiance en soi. ⇒ **Assuré, sûr** (de soi). *Il attend, confiant et tranquille. Excessivement confiant.* ⇒ **Présomptueux, téméraire.** *Être confiant jusqu'à la fatuité.* ⇒ **Fat, outrecuidant ; enfariné** (avoir la bouche enfarinée, fam.).

♦ **3.** Enclin à la confiance, à l'épanchement. *Être d'un naturel confiant.* ⇒ **Communicatif, ouvert.** *Un caractère trop confiant.* ⇒ **Crédule, naïf.**

3 Tandis que, tranquille dans mon innocence, je n'imaginais qu'estime et bienveillance pour moi parmi les hommes ; tandis que mon cœur ouvert et confiant s'épanchait aux des amis et des frères, les traîtres m'enlaçaient, en silence, de rets forgés au fond des enfers. ROUSSEAU, Rêveries..., 3ᵉ promenade.

CONTR. Anxieux, craintif, découragé, défaitiste, désespéré. — Défiant, méfiant, misanthrope, ombrageux, soupçonneux.

CONFIDEMMENT [kɔ̃fidamɑ̃] adv. — Av. 1661 ; *confidenment* « avec assurance », XIIIᵉ ; de *confident.*

♦ Vx ou littér. En secret, en confidence. *« Je vous dis cela confidemment »* (Académie). ⇒ **Confidentiellement.**

Un homme se trouvant là, sans fonctions apparentes, m'aborda familièrement et me demanda confidemment si je n'étais point auteur de certaines brochures (...)
P.-L. COURIER, Pamphlet des pamphlets.

CONFIDENCE [kɔ̃fidɑ̃s] n. f. — V. 1370 ; lat. *confidentia,* de *confidere.* → Confier.

♦ **1.** (Cour. jusqu'au XVIIᵉ). Vx. Confiance intime.

1 Sa confidence auguste a mis entre mes mains
Des secrets d'où dépend le destin des humains.
RACINE, Britannicus, V, 3.

♦ **2.** (1647). Communication d'une chose qui ne doit pas être divulguée ; fait de se confier *(une, des confidences) ;* attitude d'une personne qui se confie *(la confidence). Faire une confidence à qqn. Il ne m'a pas fait de confidences. Elles se font, elles échangent leurs confidences. Recevoir des confidences, les confidences de qqn. Besoin, désir de confidence, de confidences.* ⇒ **Abandon, confession, effusion, épanchement, expansion** (de l'âme) ; → Besoin, cit. 21. *Ton de confidence* (→ Bénéficier, cit. 13). *Fausse confidence :* fausse déclaration pour tromper qqn. *Les Fausses Confidences,* pièce de Marivaux (1737). *Les Confidences* et *Nouvelles confidences,* de Lamartine. *Confidence pour confidence, je t'avouerai que je ne l'aime pas non plus.*

2 (...) au milieu des confidences les plus intimes, il y a toujours des restrictions, par fausse honte, délicatesse, pitié.
FLAUBERT, l'Éducation sentimentale, III, I, p. 362.

3 (...) le besoin de confidence étant chez lui plus fort que la crainte de la divulgation.
PROUST, À la recherche du temps perdu, t. XII, p. 123.

4 La confidence n'est parfois qu'un succédané laïque de la confession.
J. ROMAINS, les Hommes de bonne volonté, t. V, III, p. 19.

5 J'aurais bien aimé en savoir davantage, mais de Mᵐᵉ M... j'avais remarqué la tendance à l'allusion plutôt qu'à l'aveu explicite. Dans la confidence elle s'arrêtait toujours en chemin ; le reste, il fallait soi-même y pousser sa pointe, l'explorer.
H. BOSCO, Un rameau de la nuit, p. 174.

Vieilli. *Faire confidence de qqch. à qqn,* le lui confier.

♦ **3.** Loc. DANS LA CONFIDENCE : dans le secret. *Mettre qqn dans la confidence. Entrer dans la confidence. Nous ne sommes pas dans la confidence.* — Loc. adv. EN CONFIDENCE : secrètement, sous le sceau du secret. *Parler en confidence,* confidentiellement.

DÉR. Confidentiel.

CONFIDENT, ENTE [kɔ̃fidɑ̃, ɑ̃t] n. — Av. 1630 ; *confidens* « suivants d'un chevalier », 1555 ; *confedens* « confiant », v. 1450 ; ital. *confidente,* du lat. *confidens* « confiant ».

★ **I.** ♦ **1.** Personne qui reçoit les pensées secrètes de qqn. ⇒ (par ext.) **Confesseur.** *Être le confident des secrets, des projets, des chagrins de qqn. Un confident discret. Être trahi par une confidente.*

1 Et te fis, mon fils, mon plus cher confident. CORNEILLE, Cinna, V, 1.

2 C'est à vous de choisir des confidents discrets (...) RACINE, Britannicus, I, 4.

3 Je ne crois pas, après tout, être le premier confident de prince qui ait trahi son maître en matière de galanterie. Les grands seigneurs sont souvent dans leurs Mercures des rivaux dangereux. A.-R. LESAGE, Gil Blas, t. I, V, I, p. 319.

4 (...) Battaincourt m'a pris pour confident, sans crier gare. Il m'a raconté toute sa vie, comme on confie sa fortune à un banquier (...)
MARTIN DU GARD, les Thibault, t. II, p. 215.

♦ **2.** (Théâtre). Personnage secondaire qui reçoit les confidences des principaux personnages pour que le public soit instruit des desseins et des événements. *Confidente de princesse.* ⇒ **Suivante.** *Céphise, confidente d'Andromaque.*

★ **II.** N. m. Anciennt. Siège en S à deux places dont les occupants se font face (il en existe également à trois places). *Un confident Second Empire.*

DÉR. Confidemment.

CONFIDENTIALITÉ [kɔ̃fidɑ̃sjalite] n. f. — XXᵉ ; de *confidentiel,* sur le modèle de l'angl. *confidentiality,* de *confidential* « confidentiel ».

♦ Didact., admin. Maintien du secret concernant des informations (dans une administration, dans un système informatisé...), dans le dessein d'en empêcher une utilisation frauduleuse. *Règle, obligation de confidentialité. « Les données : lorsqu'elle circule sur des outils de télécommunication, l'information est vulnérable. Chacun sait que la confidentialité des conversations téléphoniques pose un problème (...). Nous avons mis au point un certain nombre de dispositions permettant de garantir la confidentialité et l'intégrité des données transmises par des réseaux de télécommunication ou de télédiffusion dans le cadre d'un système de saisie et de traitement d'informations »* (Systèmes d'informatique, nᵒ 33, printemps 1981).

CONFIDENTIEL, IELLE [kɔ̃fidɑ̃sjɛl] adj. — 1775 ; de *confidence.*

♦ **1.** Qui se dit, se fait sous le sceau du secret. *Avis, entretien confidentiel. Lettre, note confidentielle. Pli, dossier confidentiel, très*

confidentiel, ultra-confidentiel ⇒ **Secret ; top secret** (anglic.). — *Confidentiel* (sur un pli, un dossier).
À titre confidentiel : de façon non officielle. — *Je vais vous confier ceci, ne le répétez pas : c'est confidentiel.*

Non. J'ai un rendez-vous assez important, et confidentiel (n'y faites allusion devant personne) avec un journaliste influent dont nous espérons l'appui.
J. ROMAINS, les Hommes de bonne volonté, t. III, XVI, p. 203.

♦ **2.** Qui concerne la confidence. *Ton, air confidentiel. Relation confidentielle.*

DÉR. Confidentiellement. — V. Confidentialité.

CONFIDENTIELLEMENT [kɔ̃fidɑ̃sjɛlmɑ̃] adv. — 1775 ; de *confidentiel.*

♦ De façon confidentielle. *Je vous le dis, je vous en informe confidentiellement, tout-à-fait confidentiellement.* Cf. Entre nous.

CONFIER [kɔ̃fje] v. tr. — 1357, pron. ; du lat. *confidere* de *con-* (cum), et *fidere* d'après *fier.*
Confier (qqn, qqch.) à (qqn, qqch.)

♦ **1.** (1601). Remettre (qqn, qqch. de précieux) à (qqn) en se fiant (à lui). ⇒ **Abandonner, laisser ;** → Remettre à la garde* ; aux mains*, entre les mains de. *Confier l'un de ses enfants à un ami. Confier un dépôt, sa voiture à qqn. Confier une mission, un mandat à qqn.* ⇒ **Déléguer, mandater.** *On lui a confié la charge.* ⇒ **Conférer.** *Confier judiciairement qqch.* (⇒ **Dation**). — *Quand je serai fatigué, je te confierai le volant.*

1   Plus j'ai cherché, Madame, et plus je cherche encor
En quelles mains je dois confier ce trésor (...)   RACINE, Britannicus, II, 3.
2   À dix-huit ans, ma famille me confia aux soins d'une de mes parentes que des affaires appelaient en Toscane (...)   LAMARTINE, Graziella, I, p. 1.
2.1   Un camion suit l'auto, chargé de trois caisses de sel pour Bosangoa. Ces caisses sont trop énormes pour être confiées à des porteurs (...)
GIDE, Voyage au Congo, in Souvenirs, Pl., p. 813.

♦ **2.** (1753). Fig. Livrer à l'action, à l'influence de (quelque chose considérée comme dépositaire). *Confier des semences à la terre. Ne confier aucun secret au papier. Confier un souvenir à sa mémoire. Confier son sort au hasard.*

3   (...) le culte de sa gloire qu'il *(Mirabeau)* confiait à l'avenir.
BARTHOU, Mirabeau, p. 315.
4   Il semble que, chez les êtres d'action, l'esprit, surmené par l'attention à ce qui se passera dans une heure, ne confie que très peu de choses à la mémoire.
PROUST, la Prisonnière, I.
5   Vous êtes l'eau qui va ; malheur à ce que l'on confie à votre cours !
MONTHERLANT, les Jeunes Filles, p. 156.

♦ **3.** (1667). Communiquer (qqch. de personnel) sous le sceau du secret à (qqn). ⇒ **Part** (prendre, tirer qqn à part pour lui parler). *Confier une crainte, un souci à son mari, à sa femme. Je vous confie mes soupçons. Confier ses secrets à un ami. Ne confier ses espérances, ses projets à personne. Confiez-moi ce qui ne va pas.*

6   Mais je l'ai vue enfin me confier ses larmes (...)   RACINE, Andromaque, I, 1.
7   Il n'est pas permis de s'emparer d'un secret qui ne nous est pas confié.
VOLTAIRE, Dict. philosophique, Poste.
8   Il travaille toujours seul ; il ne confie jamais à personne ce qu'il fait ; nul ne connaît rien de ses drames (...) il ne dicte pas et n'a point de scribe.
André SUARÈS, Trois hommes, « Ibsen », III, p. 108.
8.1   (...) j'appris qu'elle avait confié à un tiers mes insuffisances.
CAMUS, la Chute, p. 75.

▶ **SE CONFIER À (qqn, qqch.) v. pron.**

♦ **1.** Se reposer sur, s'en remettre à (qqn, qqch.). ⇒ **Fier** (se). *Se confier à qqn, au hasard... Se confier aux promesses de qqn.* — Vx. *Se confier en... Il se confie trop en ses propres forces.*

9   Sera-t-il venu si loin pour désoler un roi qui se confie en son pouvoir et en sa vertu ?
FLÉCHIER, Panégyrique de saint François de Paule.
10   Heureux le roi qui aime son peuple, qui en est aimé, qui se confie en ses voisins, et qui a leur confiance.   FÉNELON, Télémaque, IX, p. 243.
11   (...) moi qui crois
Qu'on peut se confier aux paroles des rois
HUGO, la Légende des siècles, XVIII, XIV.
12   Je me confie à vous corps et âme.   GIRAUDOUX, la Folle de Chaillot, p. 28.

♦ **2.** Faire des confidences à (qqn). *Se confier à un ami.* ⇒ **Épancher** (s'), **livrer** (se), **ouvrir** (s').

Absolt. Faire des confidences. *Il n'aime pas se confier.*

13   On se confie le plus souvent par vanité, par envie de parler, par le désir de s'attribuer la confiance des autres, et pour faire un échange de secrets.
LA ROCHEFOUCAULD, Maximes, 5.
14   Oh! de se confier noble et douce habitude !
Non, mon cœur n'est point né pour vivre en solitude.
André CHÉNIER, Élégies, XII.
15   S'il se confiait, c'était pour éblouir le confident.
J. ROMAINS, les Hommes de bonne volonté, t. V, III, p. 21.

♦ **3.** (Passif). Être confié à (qqn). *« Des papiers aussi importants ne se confient pas au premier venu »* (Littré).

♦ **4.** (Récipr.). *Se confier (qqch.) :* se faire réciproquement la confidence de (qqch.). *Ils se confièrent mutuellement leurs craintes.*
Se donner réciproquement avec confiance (qqn, qqch.). *Ils se sont confiés leurs enfants pour les vacances.*

CONTR. Ôter, retirer. — Cacher, dissimuler, taire.
DÉR. Confiant.
HOM. Formes du v. confire.

CONFIGURATION [kɔ̃figyʀasjɔ̃] n. f. — XIIIᵉ ; lat. *configuratio*, du supin de *configurare.* → Configurer.

♦ Forme* extérieure ; aspect général. ⇒ **Conformation, façon, figure.** *La configuration du corps humain. — La configuration du sol, de la terre. La configuration d'un lieu, des lieux.*

1   Ne dirait-on pas que la nature s'est plu à dessiner par d'ineffaçables hiéroglyphes le symbole de la vie norvégienne, en donnant à ces côtes la configuration des arêtes d'un immense poisson ?   BALZAC, Séraphîta, Pl., t. X, p. 458.
2   (...) et, grâce à la vague clarté du ciel, il put se rendre compte aussitôt de la configuration des lieux.   ALAIN-FOURNIER, le Grand Meaulnes, p. 84.

Astron. Situation apparente relative (des corps planétaires les uns par rapport aux autres). ⇒ **Aspect.** *Configuration d'étoiles.* ⇒ **Constellation.**
Géom. Disposition relative (de points).
Chim. Disposition relative (des substituants d'un carbone asymétrique).
Inform. Ensemble organisé (d'éléments).
Par ext. Aspect, air extérieur. *«(À Nyon), le français suisse commence à se noyer dans les enseignes, dont les noms ont des configurations déjà allemandes ou italiennes »* (Gautier, in G. L. L. F.).

CONFIGURER [kɔ̃figyʀe] v. tr. — XIIᵉ, selon Bloch ; lat. *configurare*, de *con-* (cum), et *figurare.* → Figurer.

♦ **1.** Littér. Donner une forme, une figure propre à (qqch.). ⇒ **Façonner, former.** *La cristallisation configure les sels de diverses manières.*
(Sujet n. de chose). Représenter, figurer.

1   Cela me fit souvenir d'un livre (...) dont le frontispice configurait des jeunes filles en costume de bain de mer regardant une sirène peigner ses cheveux.
Paul BOURGET, Études et portraits, Ét. angl., 1888, p. 78, in T. L. F.

♦ **2.** Vx ou littér. **CONFIGURER** (qqch.) À (qqch.). Rendre semblable, adapté à.

2   Elle écoutait des pieds à la tête, incapable d'une objection, configurant, comme elle pouvait, sa pensée à la pensée de ce pathétique démonstrateur.
Léon BLOY, la Femme pauvre, I, XII, p. 72.

CONFINEMENT [kɔ̃finmɑ̃] n. m. — 1579, « emprisonnement » ; « terrain confiné », 1481 ; de *confiner.*

♦ **1.** Littér. ou style soutenu. Action de confiner (3.). *Le confinement des prisonniers dans leur cellule.* ⇒ **Isolement.** — Méd. Interdiction (à un malade) de quitter la chambre. ⇒ **Quarantaine** (2.). *Le confinement (d'un malade) à la chambre.* — (Sans compl.). *Un long confinement.*

♦ **2.** Techn. Restriction, moyen par lequel on réalise une restriction de l'espace accessible à un ensemble de particules. *Confinement des produits de décomposition d'une substance explosive.* — Phys. *Le confinement des matières radioactives dans un réacteur, des particules chargées d'un plasma.*

CONFINER [kɔ̃fine] v. tr. — 1225 ; de *confins.*

♦ **1.** Trans. indir. (1466). Sujet n. de chose, de lieu. **CONFINER À, AVEC (qqch.) :** toucher aux confins*, aux limites de (un pays). ⇒ **Aboutir, toucher.** *La Belgique confine à, avec la France.* — Être tout proche, voisin de. *Les prairies qui confinent à la rivière.*

1   Leurs terres peuvent confiner à la vigne de Naboth.   ROUSSEAU, Émile, v.
2   (...) cette petite rue de l'École-de-Médecine (...) où des boutiques de libraires spéciaux confinent à des magasins d'instruments de chirurgie.
Paul BOURGET, Un divorce, III, p. 116.

(Abstractions). *Cela confine à l'inconscience.* ⇒ **Approcher** (de), **côtoyer, friser.**

3   La rêverie, qui est la pensée à l'état de nébuleuse, confine au sommeil et s'en préoccupe comme de sa frontière.   HUGO, les Travailleurs de la mer, I, I, VII.

♦ **2.** V. tr. Rare. Être voisin de.

3.1   Au-delà du Tibre, il *(ce territoire)* confinait Céré et Veïes.
MICHELET, Hist. romaine t. I, 1831, p. 115, in T. L. F.

♦ **3.** V. tr. **CONFINER** (qqn) **DANS** (qqch.) : forcer à rester dans. ⇒ **Enfermer, reléguer.** *Confiner qqn dans le silence, un cloître, une cellule* (cit. 2). *Confiner un malade dans sa chambre.*

4   Je prenais donc en quelque sorte congé de mon siècle et de mes contemporains, et je faisais mes adieux au monde en me confinant dans cette île pour le reste de mes jours (...)   ROUSSEAU, les Confessions, XII.

5 Dans cette espèce de retraite forcée où des circonstances passagères me confinent, privé d'études suivies, entouré d'étrangers dont je parle mal la langue (...)
SAINTE-BEUVE, Volupté, I, p. 9.

Rare. *Confiner qqn à qqch., à un travail.*

▶ **SE CONFINER** v. pron. *Se confiner chez soi.* ⇒ **Cloîtrer** (se), **isoler** (s'), **retirer** (se). *Se confiner dans la solitude. Se confiner dans un trou de province.*

6 Au bout de l'univers va, cours te confiner (...)
RACINE, Bérénice, IV, 4.

Fig. *Se confiner dans ses pensées. Se confiner dans une science.* ⇒ **Spécialiser** (se). *Se confiner dans un rôle.* ⇒ **Cantonner** (se).

7 Il tentait de prendre la chose en badinage et de se confiner dans un rôle de vieil ami, très aîné, un peu paternel.
LOTI, les Désenchantées, XXI, p. 140.

▶ **CONFINÉ, ÉE** p. p. adj.

♦ **1.** Enfermé. *Vivre confiné chez soi.* Fig. *Être confiné dans ses idées.*

8 J'aurais voulu être tellement confiné dans cette île, que je n'eusse plus de commerce avec les mortels (...)
ROUSSEAU, les Confessions, XII.

9 Ils *(les Grecs)* n'ont point eu l'abnégation moderne qui emploie tout son génie à éclaircir un point d'érudition obscur, qui (...) confiné volontairement dans un labeur ingrat, passe sa vie à tailler patiemment deux ou trois pierres pour un édifice immense, dont il ne verra pas l'achèvement, mais qui servira aux générations futures.
TAINE, Philosophie de l'art, t. II, IV, I, IV, p. 125.

10 Les jours de pluie, confiné dans l'appartement, je faisais la chasse aux moustiques (...)
GIDE, Si le grain ne meurt, II, p. 55.

♦ **2.** (1842, F. Leblanc, *in* D.D.L.). *Air confiné,* non renouvelé. ⇒ **Renfermé.** — *Atmosphère confinée.* Fig. *Milieu dans lequel on se sent psychologiquement à l'étroit. Quitter l'atmosphère confinée de la bourgeoisie de province, de l'université traditionnelle.*

CONTR. **Aérer.** — **Répandre** (se).
DÉR. **Confinement.**

CONFINS [kɔ̃fɛ̃] n. m. pl. — 1463 ; *confin,* 1308 ; lat. *confinium* (plur. *confinia*), de *con-* (cum), et *finis* « limite ».

♦ **1.** Parties (d'un territoire) situées à l'extrémité, à la frontière. ⇒ **Borne, frontière, limite.** *Les confins d'une forêt, d'un désert. Les confins du département, de l'arrondissement. — Aux confins... Le Tchad, aux confins du Sahara. Aux confins de la Bretagne et de la Normandie,* dans la zone limitrophe de ces deux régions. — *Sur les confins de...*

1 Les chiens du lieu, n'ayant en tête
Qu'un intérêt de gueule, à cris, à coups de dents,
Vous accompagnent les passants
Jusqu'aux confins du territoire.
LA FONTAINE, Fables, X, 14.

2 Ma petite ville est assise sur les confins de deux pays presque contraires, et cependant elle est l'ouvrage de l'un et de l'autre.
Ch. MAURRAS, Anthinéa, p. 209.

REM. Le mot implique un simple repérage local ; un ex. comme *«ces confins sont beaux»* (Joseph de Maistre, *in* T.L.F.) ne correspond pas à un emploi normal.

Par ext. Bout, extrémité, espace éloigné. *Aller jusqu'aux confins des terres habitées, de la terre. Venu des confins de l'horizon.*

♦ **2.** (XVIIᵉ). Fig. et littér. *Les confins de la science.*

3 (...) vous semblez surveiller quelque expérience créée aux confins de toutes les sciences !
VALÉRY, M. Teste, p. 27.

Passage intermédiaire, transition (entre deux états, deux situations). *Les confins de la vie, de la mort. Les confins de la douleur et de la joie.* — *« Des cheveux aux confins de la rousseur »* (Aragon), presque roux.

CONTR. **Centre, milieu.** — **Intérieur.**
DÉR. **Confiner.**

CONFIRE [kɔ̃fiʀ] v. tr. — *Je confis, nous confisons ; je confisais ; je confirai ; je confirais ; je confis ; que je confise ; que je confisse ; confisant ; confit, ite ; rare,* sauf inf. et p. p. — 1226 ; «préparer», 1175 ; du lat. *conficere* «préparer».

♦ **1.** Vieilli. Mettre (des substances comestibles) dans un élément qui les conserve. *Confire des cornichons, des câpres dans du vinaigre ; des olives dans l'huile ; des légumes verts dans du sel ; du porc, du lapin, de la volaille dans de la graisse* (⇒ **Confit**) ; *des cerises, des prunes dans l'eau-de-vie ; du cédrat dans le miel.*

Mod. Préparer (des fruits) dans du sucre. *Confire des prunes, des poires, des oranges. Cerises confites* (→ ci-dessous, le p. p.).

1 Et le premier citron à Rouen fut confit.
BOILEAU, Satires, X.

Littér. (Sujet n. de chose). Rendre sucré.

2 (...) le soleil ride et confit sur le cep la grappe tôt mûrie (...)
COLETTE, la Naissance du jour, p. 20.

♦ **2.** Fig. **CONFIRE (qqn) DANS** : fixer de façon immuable dans (une attitude).

2.1 Ce sort presque inévitable qui finit d'ordinaire par confire un attaché dans la sottise.
TOCQUEVILLE, Correspondance avec Gobineau, 1855, p. 227, *in* T.L.F.

▶ **3.** Techn. Tremper (des peaux) dans un confit (2. Confit, 1.) avant de les chamoiser.

▶ **SE CONFIRE** v. pron.

♦ **1.** Être confit. *Les petits oignons se confisent dans le vinaigre.*

♦ **2.** Fig. S'imprégner d'une habitude, d'une atmosphère, au point d'y perdre toute personnalité. *Se confire dans la dévotion.*

▶ **CONFIT, ITE** p. p. adj.

♦ **1.** *Fruits confits* : confiserie faite de fruits trempés dans des solutions de sucre et glacés ou givrés. *Fruits confits verts, bruns, glacés, givrés...* ⇒ **Condit** (→ Aussi, cit. 53). *Petites oranges confites* (⇒ **Chinois**). *Kumquats confits.*

2.2 D'habitude monsieur Salomon offrait de beaux fruits qui venaient directement de la nature, et j'étais un peu étonné qu'il fasse porter à cette dame des fruits confits de Nice qui font une mine bon enfant de fraîcheur.
É. AJAR (R. GARY), l'Angoisse du roi Salomon, p. 41.

(En parlant d'autres préparations. → Confire, 1.). *Salade confite,* qui a séjourné longtemps dans l'huile et le vinaigre. — Vx. *Oie confite.* ⇒ 2. **Confit.** — Mod. *Des gésiers de canard confits.*

♦ **2.** (Mil. XIIIᵉ, *en luxure... confite*). Personnes. **CONFIT EN, DANS** : figé dans (une attitude plus ou moins affectée, hypocrite). *Être confit dans la piété. Être confit en, de dévotion.* — Vieilli. Qui se maintient obstinément dans (une situation). *Être confit dans le célibat.*

3 *(Notre ami)* me paraît tout confit en dévotion spéculative.
Mᵐᵉ DE SÉVIGNÉ, 1049, 24 nov. 1687.

Absolt (rare). *Un dévot confit,* confit en dévotion.

4 Mˡˡᵉ Planude était une pucelle confite qui portait avec une facilité singulière ses soixante-cinq ans de vertu.
Léon BLOY, la Femme pauvre, II, p. 262.

Littér. Qui a un comportement affecté, retenu, de la componction*. *Un homme confit. Figure, mine confite,* douce, mièvre.

5 Mon oncle Henri était la crème des hommes : doux, paterne, même un peu confit (...)
GIDE, Si le grain ne meurt, IV, p. 99.

DÉR. **Confiserie, confiseur, confiture.**
COMP. **Déconfire.**
HOM. Formes du v. **confier** (confie...).

CONFIRMAND [kɔ̃fiʀmɑ̃] n. m. — 1907 ; lat. chrét. *confirmandus,* de *confirmare.* → Confirmer.

♦ Liturgie cathol. Personne qui va recevoir le sacrement de confirmation. *Les confirmands.*

CONFIRMATEUR, TRICE [kɔ̃fiʀmatœʀ, tʀis] adj. et n. — Fin XVᵉ ; de *confirmer.*

♦ Rare. Qui confirme. *« Une négation confirmatrice »* (Claudel, *in* T.L.F.). ⇒ **Confirmatif.**

CONFIRMATIF, IVE [kɔ̃fiʀmatif, iv] adj. — 1473 ; lat. *confirmativus,* du supin de *confirmare.* → Confirmer.

♦ Dr. Qui confirme. *Arrêt confirmatif de la Cour d'appel* (Code de Procédure civile, art. 472). *Signe confirmatif. Expériences confirmatives.* ⇒ **Confirmateur.**

CONFIRMATION [kɔ̃fiʀmasjɔ̃] n. f. — V. 1174, *confermeisun ;* du lat. *confirmatio, ionis,* du supin de *confirmare.* → Confirmer.

♦ **1.** Action de confirmer, de rendre plus certain. *La confirmation d'une nouvelle par qqn. Le fait mérite confirmation. Il m'a donné confirmation de la nouvelle ; j'en ai reçu pleine, entière confirmation. Confirmation d'une décision par un accord.* ⇒ **Approbation.** *Confirmation d'une intention pour l'avenir.* ⇒ **Maintenance** (vx), **maintien ; continuation, reconduction, renouvellement.** *Confirmation d'un acte par une autorité officielle.* ⇒ **Attestation, entérinement, garantie, homologation, légalisation, ratification, sanction, validation.** *J'en ai entendu parler, on le prétend, mais nous n'en avons aucune confirmation. Confirmation d'un jugement,* son maintien par une juridiction supérieure. — Chose (parole, attitude) qui rend plus certain (qqch.). ⇒ **Affirmation, assurance, certitude, consécration.** *Confirmation d'une nouvelle, d'une promesse. J'ai bien reçu la confirmation de ce que tu m'avais dit. Envoyer la confirmation, envoyer confirmation de qqch. à qqn. Envoyer la confirmation d'une commande. Son attitude actuelle est la confirmation de ce que nous avions supposé.* ⇒ **Preuve, vérification.**

1 Voilà un diagnostic qui nous manquait pour la confirmation de son mal (...)
MOLIÈRE, Monsieur de Pourceaugnac, I, 8.

2 J'attends avec impatience (...) mes lettres de vendredi ; il me faut encore cette confirmation de votre chère et précieuse santé.
Mᵐᵉ DE SÉVIGNÉ, 507, 26 févr. 1676.

3 (...) ce vieil adage reçut une nouvelle confirmation, que là, où l'incrédulité règne, la superstition s'est déjà ouvert une porte.
NERVAL, la Bohème galante, p. 284.

Réth. Partie du discours où l'on prouve ce qu'on a avancé dans l'exposition.

♦ **2.** (1541). Sacrement de l'Église catholique destiné à confirmer*

(4.) le chrétien dans la grâce du baptême en faisant descendre sur lui le Saint-Esprit. *L'Évêque peut seul donner la confirmation. Recevoir la confirmation. Cérémonie de la confirmation. La confirmation consiste dans l'onction du saint chrème et l'imposition des mains accompagnée d'un léger soufflet. Personne qui va recevoir la confirmation.* ⇒ **Confirmand.**

4 Monseigneur ne donnera la confirmation qu'aux personnes exactement instruites de toutes les principales vérités du catéchisme.
FÉNELON, XVIII, 174, *in* LITTRÉ.

5 Sans doute, nous recevons une infusion du Saint-Esprit au baptême, mais c'est par la confirmation que la troisième personne de la sainte Trinité descend en nous avec la munificence de ses dons. Mgr GRENTE, les Sept Sacrements, p. 42.

CONTR. (De 1.) **Abrogation, annihilation, annulation, contradiction, démenti, désaveu, infirmation, négation, réfutation, rétractation.**

CONFIRMATOIRE [kɔ̃fiʀmatwaʀ] adj. — 1863, Littré ; de *confirmer.*

♦ Rare. Qui confirme. *Déclaration confirmatoire.* ⇒ **Confirmatif.**

CONFIRMER [kɔ̃fiʀme] v. tr. — xᵉ ; v. 1174, aussi *confermer*, jusqu'au xvıᵉ ; lat. *confirmare*, de *con-* (*cum*), et *firmus*. → 1. Ferme.

♦ **1.** Vieilli. Rendre plus ferme (une chose établie). ⇒ **Affermir, appuyer, assurer, consacrer ; cimenter, compléter, fortifier, renforcer, sceller** (fig. et littér.). *L'appauvrissement de la noblesse servit à confirmer la monarchie.*

1 Scipion Émilien qui confirma par cette victoire le nom d'Africain dans sa maison (...)
BOSSUET, Hist., I, 9, *in* LITTRÉ.

2 (...) je m'étonnais (*qu'il*) ne voulût pas confirmer l'effet de ces bains par la douceur d'un climat qui fait la consolation de tous les pauvres goutteux (...)
Mᵐᵉ DE SÉVIGNÉ, 1237, 23 nov. 1689.

3 Le travail et la production ne constituent pas, mais confirment et développent le droit de propriété. Victor COUSIN, Justice et Charité.

Loc. mod. *L'exception* confirme la règle.*

♦ **2.** *Confirmer qqn dans qqch.*, rendre (qqn) plus ferme dans. *Confirmer qqn dans un sentiment, dans une attitude.* ⇒ **Affermir** (cit. 2), **encourager, fortifier.** *Nous l'avons confirmé dans sa résolution. Se confirmer dans une opinion.*

4 L'expérience acquise au long de la carrière m'a confirmé dans ce sentiment (...)
G. DUHAMEL, Discours aux nuages, I, p. 12.

Vx. *Confirmer qqn à quelque chose.*

Spécialt (sans compl. second). T. de manège. *Confirmer un cheval*, achever de le dresser.

♦ **3.** Cour. Rendre certain ; affirmer l'exactitude, l'existence de (qqch.). ⇒ **Assurer, certifier, corroborer, garantir.** *Confirmer l'exactitude d'un fait. Confirmer une théorie, un diagnostic. Confirmer un bruit, une nouvelle.* — Pron. *La nouvelle se confirme*, et impers., *il se confirme que...* ⇒ **Avérer** (s'). — *La radio a confirmé ce que disaient les journaux du matin. Confirmer une intention. Confirmez-moi votre arrivée par télégramme. Confirmer en donnant un caractère officiel.* ⇒ **Attester, entériner, homologuer, légaliser, ratifier, sanctionner, valider.** — (Le sujet désigne la chose, l'information qui confirme). *Chose qui vient en confirmer une autre. Votre témoignage confirme le sien. Les résultats confirment mes soupçons.* ⇒ **Vérifier.** *Cela confirme ses craintes. Les résultats confirment que...* (et indic.). ⇒ **Attester, démontrer, prouver.**

5 (...) une trahison que tant d'apparences me confirmaient.
MOLIÈRE, Dom Juan, I, 3.

6 (...) et si je changeais, je confirmerais mon opinion.
PASCAL, Pensées, VI, 375 (→ Changement, cit. 2).

7 L'expérience confirme que la mollesse ou l'indulgence pour soi et la dureté pour les autres n'est qu'un seul et même vice. LA BRUYÈRE, les Caractères, IV, 49.

8 (...) le trouble de tous vos amis et le changement de votre visage ne confirmaient que trop mes craintes et mes frayeurs. Mᵐᵉ DE SÉVIGNÉ, 614, 16 juin 1677.

Au passif. *Cela a été, n'a pas été confirmé* (par qqn, par une information, un fait).

9 La nouvelle, sans doute, demande à être confirmée.
FRANCE, le Mannequin d'osier, Œ., t. XI, p. 325.

10 Le jugement définitif de l'histoire dépend d'une infinité de jugements qui auront été prononcés d'ici là et qui seront alors confirmés ou infirmés.
CAMUS, l'Homme révolté, p. 297.

♦ **4.** (V. 1174). Théol. Conférer le sacrement de la confirmation* (2.) à (qqn). *Les apôtres furent confirmés le jour de la Pentecôte.*

Fig., fam., vieilli (par allus. au soufflet que donne l'évêque qui confirme). Gifler.

▶ **CONFIRMÉ, ÉE** p. p. adj.

♦ **1.** Rendu, reconnu certain. ⇒ **Avéré.** *Nouvelle confirmée. Déposition confirmée par les témoins. Personne confirmée dans ses décisions.* — Spécialt. *Cheval confirmé sur les obstacles.* ⇒ **Dressé.**

♦ **2.** Que l'on peut à coup sûr reconnaître comme tel. *« Des hystériques confirmés »* (P. Janet, *in* T. L. F.).
Expérimenté et compétent. *C'est un équipier confirmé.*

♦ **3.** Qui a reçu le sacrement de confirmation. *Un chrétien con-*

firmé. — Être confirmé en grâce : être dans la grâce de Dieu. N. *Les confirmands et les confirmés.*

CONTR. Abroger, annihiler, annuler, casser, contredire, dédire, démentir, dénier, désavouer, ébranler, infirmer, invalider, nier, rapporter, réformer, réfuter, rétracter.
DÉR. Confirmateur, confirmatoire.

CONFISCABLE [kɔ̃fiskabl] adj. — 1481 ; de *confisquer.*

♦ Qui peut être confisqué. *Marchandises confiscables par la douane.*

CONFISCATION [kɔ̃fiskasjɔ̃] n. f. — 1381 ; *confiscacion*, 1358 ; lat. *confiscatio*, du supin de *confiscare*. → Confisquer.

♦ **1.** Le fait de confisquer (qqch. à qqn) ; mesure, peine par laquelle un bien est confisqué à son propriétaire. ⇒ **Mainmise, saisie.** *La confiscation de biens à qqn (par qqn). Prononcer la confiscation des biens de qqn* (→ Condamner, cit. 5). *Confiscation des biens des émigrés, après la révolution de 1789. Confiscation de marchandises non déclarées, prohibées par la douane...* — Par anal. *La confiscation par le maître des objets propres à troubler la classe.*

Spécialt. *Confiscation et dévolution des biens des entreprises de presse.*

1 (...) ils se donnèrent l'hérédité d'un homme vivant, et la confiscation d'un prince allié. MONTESQUIEU, Grandeur et décadence des Romains, VI.

2 Les tribunaux de police pourront aussi, dans les cas déterminés par la loi, prononcer la confiscation, soit des choses saisies en contravention, soit des choses produites par la contravention, soit des matières ou des instruments qui ont servi ou étaient destinés à la commettre. Code pénal, art. 470.

♦ **2.** Par métonymie, rare. Chose confisquée ; bien confisqué.

3 Les confiscations de terres, d'argent, de vaisselle, étaient distribuées par le duc aux seigneurs de sa cour.
BARANTE, Hist. des ducs de Bourgogne, t. III, 1821-1824, p. 152, *in* T. L. F.

CONTR. Remise, restitution.

CONFISERIE [kɔ̃fizʀi] n. f. — 1753 ; de *confire*, d'après *confiseur* ; ces deux mots se sont détachés par le sens de leur origine, sauf dans : *fruit confit.*

♦ **1.** (*La confiserie*). Technique, commerce du confiseur. *La bonbonnerie*, le pastillage*, le pralinage*, branches de la confiserie. Confiserie artisanale, industrielle. Travailler dans la confiserie.*

♦ **2.** (*Une, des confiseries*). [a] Atelier de fabrication ou usine du confiseur. *Les fourneaux, bassines, branloires, videlles, tamis, tambours, poches, moules, sorbetières d'une confiserie. Elle travaillait dans une confiserie. Une grande confiserie industrielle.*

[b] Magasin où l'on vend des sucreries. *Aller acheter des chocolats, des fruits confits dans une confiserie. Confiserie-pâtisserie** (où l'on vend aussi des gâteaux).

[c] (xıxᵉ ; du sens 1. de *confire*, qu'a en partie conservé *confit*, n. m.). Vx. Atelier, usine de conserves. *La première « confiserie de sardines » fondée en France par J. Colin en 1823.* ⇒ (mod.) **Conserverie.**

♦ **3.** [a] (Av. 1866). *Une confiserie, des confiseries :* produit à base de sucre fabriqué et vendu par le confiseur*. — *La confiserie :* ensemble de ces produits. ⇒ **Chocolaterie, douceur, friandise, lichouserie** (régional), **sucrerie** ; (vx) **confiture**, 1. *Confiseries variées.* ⇒ **Berlingot, bombe, bonbon** (acidulé, fourré, à la liqueur), **bouchée, caramel, chewing-gum, chocolat, confit** (fruit), **confiture** (sèche), **croquette, crotte, dragée, four** (petit), **gelée, glace, gomme, granité, guimauve, marron** (glacé), **marshmallow, nougat, nougatine, pastille, pâte** (de fruit), **praline, roudoudou, sucette, tailladin.** *Confiseries régionales françaises* (ex. : *bêtises* de Cambrai, calissons* d'Aix, bergamotes* de Nancy*). *Confiseries orientales.* ⇒ **Halva, loukoum** (et **rahat-loukoum**). *Petite confiserie figurant un objet* (⇒ **Pastillage**). *Ingrédients destinés à relever le goût d'une confiserie* (ex. : *angélique, pistache, vanille...*). *Déguster des confiseries, de la confiserie. Garnir de confiseries une boîte, une bonbonnière, un comptoir, une assiette. Confiseries entortillées de papillotes, de papier métallique.*

1 Il s'en fut, par le chemin le plus long, jusqu'à l'avenue de l'Opéra pour acheter de fines essences de cédrat et de cet alkermès dont le goût évoque l'idée d'une confiserie pharmaceutique de l'Orient. HUYSMANS, Là-bas, X, p. 149.

[b] Décor mièvre, de couleurs tendres, rappelant des sucreries.

2 (...) les sarcophages de carton rose, toute la confiserie dans laquelle se décomposa l'Égypte hellénistique, s'accumulent en vrac avec les portraits du Fayoum et les têtes d'Antinoé (...) MALRAUX, Antimémoires, Folio, p. 66.

CONFISEUR, EUSE [kɔ̃fizœʀ, øz] n. — 1635 ; *confisseur*, 1600 ; de *confire* (des fruits).

♦ **1.** Personne qui fabrique ou vend des sucreries. → Bonbon, cit. 3. *Un grand confiseur, spécialisé dans les chocolats* (⇒ **Chocolatier**), *les glaces* (⇒ **Glacier**). *Pâtissier confiseur.* — REM. Le fém. est rare :

« la confiseuse principale, madame Meunier » (Nerval, *Voyage en Orient,* in T. L. F.).
Industriel qui fabrique de la confiserie.

♦ **2.** (1874, *in* D. D. L.). Loc. *Trêve des confiseurs,* celle qu'observent les parlementaires à l'égard du gouvernement durant les fêtes du Nouvel An; par ext., trêve dans les débats politiques, sociaux, pendant ces fêtes.

DÉR. V. **Confiserie.**

CONFISQUER [kɔ̃fiske] v. tr. — 1331; lat. *confiscare,* de *con-* (cum), et *fiscus.* → Fisc.

♦ **1.** Prendre, au nom et au profit de l'autorité, de la puissance publique (ce qui appartient à qqn) par une mesure de punition. ⇒ **Saisir; main** (mettre la main sur). *Confisquer les terres d'un vassal, d'une tribu rebelle. Confisquer des marchandises de contrebande, des biens au profit de l'État.*

♦ **2.** Retirer provisoirement (qqch.) à qqn. *Confisquer son lance-pierres à un enfant. L'instituteur a confisqué divers objets aux écoliers. Il s'est fait confisquer son harmonica.*

0.1   Ces recommandations faites, la *Duvergier* s'empare du petite paquet de *Juliette;* elle lui demande si elle n'a point d'argent, et celle-ci lui ayant trop franchement avoué qu'elle avait cent écus, la chère maman les *confisque* en assurant sa nouvelle pensionnaire qu'elle placera ce petit fonds à la loterie pour elle, mais qu'il ne faut pas qu'une jeune fille ait d'argent.   SADE, Justine..., t. I, p. 13.

1   (...) comme la balle avait roulé à ses pieds, il la confisqua en riant.
                                                        MARTIN DU GARD, les Thibault, t. VI, p. 50.

♦ **3.** Fig. Prendre (qqch.) à son profit. ⇒ **Absorber, accaparer, détourner, retenir, voler.**

2   (...) l'arrivée des Français, qui avaient sauvé les républicains, mais qui avaient confisqué la République.   LAMARTINE, Graziella, I, p. 9.

3   L'Internationale, en étendant ses positions, en multipliant les gains apparents, avait perdu sa vitalité, tout en confisquant l'énergie du prolétariat.
                                                        J. ROMAINS, les Hommes de bonne volonté, IV, XVI, p. 174.

Confisquer qqn, l'accaparer tout entier en l'enlevant aux autres. ⇒ **Enlever, ravir, soustraire.** Par plais. *Je vous confisque votre sœur jusqu'au dîner.*

4   (...) il y avait dans l'appareil religieux de la mort une force de vertige qui le confisquait tout entier avec un absolu despotisme.
                                                        Léon BLOY, le Désespéré, I, p. 55.

▶ **CONFISQUÉ, ÉE** p. p. adj.

♦ **1.** Pris à son propriétaire. *Biens, objets confisqués. Mettre sous séquestre des biens confisqués.*

5   Quand la maison et les biens du tyran Nabis eurent été vendus comme confisqués, à la chose publique (...)   J. AMYOT, Philop., 26, in LITTRÉ.

♦ **2.** Fig., littér. (Personnes). Absorbé, accaparé.

6   Je ne vous ai pas écrit à l'instant, me trouvant confisqué pour toutes les minutes par un travail de revue : mais ma pensée ne vous a pas manqué.
                                                        SAINTE-BEUVE, Correspondance, II, p. 265.

CONTR. **Remettre, rendre, restituer.**
DÉR. **Confiscable.**

1. CONFIT, ITE [kɔ̃fi, it] adj. ⇒ Confire, p. p. adj.

2. CONFIT [kɔ̃fi] n. m. — V. 1268; du p. p. de *confire.*

♦ **1.** Techn. Mélange d'eau et de son dans lequel on fait tremper les peaux de bêtes avant de les chamoiser.

♦ **2.** (1890). Cour. Préparation (de certaines viandes cuites et mises en conserve dans leur propre graisse). *Préparer un confit d'oie. Manger du confit de canard. Confit de porc. Cassoulet au confit d'oie. — (Sans compl.). Confit d'oie ou de canard. Une boîte de confit.*

(...) elles ont été bien embarrassées pour faire souper tout ce monde. Cependant, moyennant quelques morceaux de confit chacun s'est déclaré satisfait (...)
                                                        Claude MAURIAC, le Temps immobile, p. 46.

HOM. 1. **Confit.**

CONFITEOR [kɔ̃fiteɔʀ] n. m. invar. — V. 1205; mot lat. «je confesse, j'avoue».

♦ Liturgie. Prière de la liturgie catholique commençant par ce mot, par laquelle on se reconnaît coupable de ses péchés et on exprime son repentir. *On récite le confiteor avant de se confesser, au début de la messe, avant la communion.*

(...) le prêtre, incliné profondément, les mains jointes de nouveau, récitait le *confiteor.* Elle *(la vieille servante)* s'arrêta, se frappant à son tour la poitrine, la tête penchée (...)   ZOLA, la Faute de l'abbé Mouret, II, p. 8.

Fig., littér. *Dire son confiteor :* faire des aveux et exprimer des regrets. ⇒ **Mea culpa** (faire son). — Plur. *Des confiteor* ou *des confiteors* (Queneau, *les Fleurs bleues,* p. 55).

CONFITURE [kɔ̃fityʀ] n. f. — XIIIᵉ; de *confit,* p. p. de *confire.*

♦ **1.** (Jusqu'au mil. du XIXᵉ). Vx. Aliments bouillis et conservés dans le sucre (fruits au sirop, pâtes de fruits, fruits confits, dragées et confitures, 2.). ⇒ (mod.) **Confiserie.** *Confitures sèches :* fruits confits.

♦ **2.** Mod. Fruits coupés ou entiers qu'on a fait cuire dans du sucre (plus longuement et avec plus de sucre que les compotes) pour les conserver (au sens large, inclut les *marmelades* et *gelées). Confitures et compotes*. Manger de la confiture, des confitures. Pot de confiture. Confitures de coings* (⇒ **Cotignac**), *de prunes* (⇒ **Prunelée**), *de moût de raisin* (⇒ **Raisiné**), *de cédrat* ⇒ **Cheveu** (cheveux d'ange), *d'écorce d'orange* (⇒ **Orangeat, roquille,** vx), *de fraises, groseilles, cerises, abricots, rhubarbe, framboises, mûres, myrtilles, poires, roses, églantines... Recuire de la confiture. Faire perler le sucre, recueillir l'écume sur la bassine à confitures. Faire de la confiture, des confitures* (le plur. ne s'emploie qu'en parlant de la fabrication familiale, traditionnelle). *Usine fabriquant de la confiture, des confitures* (variées). ⇒ **Confiturerie.** *Mettre les confitures, la confiture en pots. Chausson, crêpe, omelette à la confiture. Gâteau fourré de confiture, à la confiture. Tartine de confiture. Un gosse barbouillé de confitures.*

1   Jeanne était au pain sec dans le cabinet noir,
    Pour un crime quelconque, et, manquant au devoir,
    J'allais voir la proscrite en pleine forfaiture,
    Et lui glissai dans l'ombre un pot de confiture (...)
                                                        HUGO, l'Art d'être grand-père, VI, VI.

2   Mais il y avait aussi de bonnes paroles, des tartines de confitures, des soins et des baisers les jours de rhume.
                                                        J. ROMAINS, les Hommes de bonne volonté, t. V, XXIII, p. 206.

♦ **3.** (1866). Loc. fig. *Mettre en confiture :* écraser, mettre en morceaux. ⇒ **Bouillie, compote, marmelade.**

DÉR. **Confiturerie, confiturier.**

CONFITURERIE [kɔ̃fityʀʀi] n. f. — 1823; de *confiture.*
Technique.

♦ **1.** Industrie, commerce de la confiture. *Les ouvriers, les techniciens de la confiturerie.*

♦ **2.** Établissement où l'on fabrique et conserve les confitures. *Une, des confitureries.*

CONFITURIER, IÈRE [kɔ̃fityʀje, jɛʀ] n. — 1584; de *confiture.*

♦ **1.** Techn. Personne dont le métier est de fabriquer des confitures. — Adj. *L'industrie confiturière.*

♦ **2.** N. m. (1760, «meuble où l'on range les confitures»). Récipient dans lequel on sert les confitures. *Un confiturier de verre.*

CONFLAGRATION [kɔ̃flagʀasjɔ̃] n. f. — V. 1375; rare du XIVᵉ au XVIIIᵉ; du lat. *conflagratio,* de *con-* (cum), et *flagrare* «brûler». → Flagrant.

♦ **1.** Vx. Embrasement général. ⇒ **Incendie.** *La conflagration d'une ville.*

1   Et si jamais pestes au monde, famines, guerres, orages, cataclysmes, conflagrations et autre malheur advient (...)   RABELAIS, le Cinquième Livre, 11.

2   Néron fit accuser les chrétiens de la conflagration de Rome.
                                                        FURETIÈRE, in LITTRÉ.

2.1   La conflagration de la bourgade s'opérait avec une violence extraordinaire. Ces maisons, construites en sapin, flambaient comme des résines. Elles étaient à cent cinquante qui brûlaient à la fois. Aux crépitements de l'incendie se mêlaient les hurlements des Tartares.   J. VERNE, Michel Strogoff, p. 439.

♦ **2.** (Av. 1791). Mod., littér. ou style soutenu. Bouleversement* de grande portée. ⇒ **Effervescence, explosion** (fig.), **révolution.** — Spécialt. *Conflagration générale.*

3   Vous périrez, et dans la conflagration universelle que vous ne frémissez pas d'allumer, la perte de votre honneur ne sauvera pas une seule de vos détestables jouissances.   MIRABEAU, Collection, t. II, p. 185.

4   (...) j'en arrive presque à me demander (...) si les guerres ne seraient pas plutôt le résultat d'un obscur, d'un indomptable conflit de passions, auquel la conflagration des intérêts servirait seulement d'occasion, de prétexte (...)
                                                        MARTIN DU GARD, les Thibault, t. VII, p. 282.

CONFLICTUEL, ELLE [kɔ̃fliktɥɛl] adj. — 1958; dér. sav. du lat. *conflictus.*

♦ Didact. (relativement cour.). Qui constitue un conflit (psychique, social...), est source de conflits. *Pulsions conflictuelles. Situation conflictuelle,* qui comporte un conflit.

1   L'émotion-choc est biologiquement traumatisante et il en va de même des états de tension émotionnelle engendrés par des situations conflictuelles.
                                                        Jean DELAY, Introd. à la médecine psychosomatique, p. 23.

2   Les rapports conflictuels entre la Parole et l'Écriture ne se réduisent pas aux relations entre le sexe et la chose écrite, pas plus qu'aux relations entre l'esprit et la lettre. Ils vont plus loin.
                                                        Henri LEFEBVRE, la Vie quotidienne dans le monde moderne, p. 328.

CONFLIT [kɔ̃fli] n. m. — Fin XIIᵉ ; du bas lat. *conflictus* «choc», du supin de *confligere* «se heurter».

♦ **1.** Vx. Lutte, combat. *Un conflit entre personnes, entre groupes. Le conflit des armées. Un sanglant conflit. Conflits entre cités.* → Paix, cit. 9.

1   Le pigeon profita du conflit des voleurs,
S'envola, s'abattit auprès d'une masure (...)   LA FONTAINE, Fables, IX, 2.

Littér. Choc (de plusieurs choses). ⇒ **Collision, heurt.**

2   Alors, dans le conflit des tampons et le hennissement prolongé des freins, éclatait une bourrasque de portières claquant brusquement (...)
   Léon BLOY, le Désespéré, III, p. 117.

♦ **2.** (1686). Mod. Rencontre provoquant une opposition (d'éléments, de sentiments contraires). ⇒ **Antagonisme, conflagration, désaccord, discorde, lutte, tiraillement.** *Conflit d'intérêts, de passions, de devoirs, d'idées. Conflit religieux, racial. Le conflit des générations* (→ Perdre, cit. 37). *Conflit psychologique, conflit intérieur* (⇒ **Conflictuel**). *Conflit des classes* (cit. 8). ⇒ **Lutte.** *Intervenir dans un conflit pour le régler* (⇒ **Arbitrage**). *Rester hors d'un conflit* (⇒ **Neutralité**). *Résoudre, trancher un conflit.* ⇒ **Dispute.**

3   Bien que ses rapports avec ma sœur fussent toujours tendus, elle avait jusqu'alors évité les conflits ouverts.   F. MAURIAC, la Pharisienne, p. 124.

4   Il y a, en particulier, conflit de devoirs, quand dans la morale appliquée, un même acte paraît à la fois légitime et illégitime suivant la règle à laquelle on se rapporte.
   A. LALANDE, Voc. de la philosophie.

5   (...) la vie en société et la vie de famille, en conflit avec l'exigeante sincérité de chaque individu.   Georges LECOMTE, Ma traversée, p. 99.

6   Le moindre conflit met un mur entre les gens.
   J. CHARDONNE, l'Amour du prochain, VI, p. 143.

En conflit. Entrer, être en conflit avec qqn. ⇒ **Compétition, rivalité** ; → ci-dessus, cit. 5. — Fig. *« L'âme en conflit avec le corps »* (Huysmans). *Forces en conflit.*

(1949). Psychol., psychan. Action simultanée de motivations incompatibles ; son résultat. *Conflit affectif. Surmonter un conflit. Liquider un conflit.* — Psychan. Opposition d'exigences internes contraires, considérée comme constitutive de l'être humain. *Conflit œdipien.*

♦ **3.** Contestation entre deux puissances qui se disputent un droit. *Les conflits internationaux peuvent trouver une solution pacifique. Arbitrage d'un conflit.* — *Conflit armé* ou *conflit.* ⇒ **Guerre.** *Menace de conflit. En cas de conflit. Origines, enjeu d'un conflit. Prendre part à un conflit.*

♦ **4.** (1680). Dr. Rencontre (de plusieurs lois, textes, principes) empêchant leur application normale, de par les contradictions qu'elle entraîne. *Conflit des lois, dans leur application. Conflit de juridiction,* entre deux tribunaux de même ordre sur leur compétence respective pour juger une affaire. *Conflit d'attribution,* entre deux tribunaux d'ordre différent. *Les conflits de juridiction sont terminés par un règlement de juges, les conflits d'attribution sont jugés par le tribunal des conflits* (⇒ **Litige**).

7   Lorsque l'autorité administrative et l'autorité judiciaire se sont respectivement déclarées incompétentes sur la même question, le recours devant le Tribunal des conflits, pour faire régler la compétence, est exercé directement par les parties intéressées.   Décret du 26 oct. 1849, art. 17.

CONTR. Accord, concorde, entente, paix.

CONFLUENCE [kɔ̃flyɑ̃s] n. f. — Mil. XVᵉ ; lat. *confluentia*, de *confluere.* → Confluer.

Didactique ou littéraire.

♦ **1.** Fait de confluer. *La confluence de deux fleuves.* ⇒ **Confluent.** Par anal. Littér. *La confluence de deux corps d'armée.* ⇒ **Rencontre, jonction.**

Au delà de P..., notre marche, entravée par la confluence des convois et des corps de troupe, devint fort pénible, sans cesser d'être rapide.
   G. DUHAMEL, Récits des temps de guerre, I, p. 66.

♦ **2.** Méd. Éruption de la peau dont les vésicules, les pustules sont très rapprochées. *Confluence de la petite vérole.*

♦ **3.** (Av. 1896). Fig. *La confluence de courants de pensée.* ⇒ **Convergence, rencontre.**

1. CONFLUENT [kɔ̃flyɑ̃] n. m. — 1511 ; lat. *confluens, entis,* p. prés. de *confluere.* → Confluer.

♦ **1.** Endroit où deux cours d'eau se joignent. ⇒ **Jonction, rencontre.** *Le confluent du Mississippi et du Missouri. Pointe de terre au confluent de deux cours d'eau.* ⇒ **Bec.** *Rivière qui forme un confluent en se jetant dans le fleuve qu'elle alimente* (⇒ **Affluent**). *Coblence est au confluent de la Moselle et du Rhin.*

0.1   Ce matin, nous sommes retournés au confluent du Congo et du Djoué, à six kilomètres environ de Brazzaville.
   GIDE, Voyage au Congo, in Souvenirs, Pl., p. 691.

Par anal. *Le confluent de deux rues.* ⇒ **Carrefour, croisement.**

Méd. *Le confluent de deux veines.*

---

1   La seconde branche de la veine ombilicale s'unit à la veine porte et forme avec elle une espèce de confluent qui se partage ensuite en différentes branches.
   CONDORCET, Bertin, in LITTRÉ.

♦ **2.** Fig., littér. Concours, rencontre.

2   Un fatal enchaînement et confluent de circonstances fait que je n'ai pas une minute à moi jusqu'à la fin du mois.
   SAINTE-BEUVE, Correspondance, II, p. 258.

2. CONFLUENT, ENTE [kɔ̃flyɑ̃, ɑ̃t] adj. — 1734, méd. ; lat. *confluens, entis,* p. prés. de *confluere.* → Confluer.

Didactique ou littéraire.

♦ **1.** Qui conflue. — Par anal. *Lignes confluentes.* ⇒ **Concourant, convergent.** — Bot. *Feuilles confluentes,* dont les tiges viennent se réunir.

♦ **2.** Méd. *Boutons confluents,* très rapprochés. — Par ext. *Variole confluente* (⇒ **Confluence,** 2.).

♦ **3.** Fig. et littér. *Opinions confluentes,* qui vont dans le même sens, tendent à se rejoindre.

CONTR. Divergent, parallèle.

CONFLUER [kɔ̃flye] v. intr. — Avant 1340 ; lat. *confluere* «se rejoindre (rivières)», de *con-* (*cum*), et *fluere* «couler». → Flux.

♦ **1.** Littér. et vx. Affluer, se diriger vers un même lieu.

Des soldats du dehors confluent au pied des murailles.
   CHATEAUBRIAND, Mémoires d'outre-tombe, t. III, p. 325.

♦ **2.** (1834). Géogr. ou littér. *Confluer avec...* (cours d'eau). Rejoindre. *L'Allier conflue avec la Loire.* ⇒ **Jeter** (se jeter dans). *L'Allier et la Loire confluent près de Nevers,* se rejoignent.

♦ **3.** Fig. Tendre vers un même but. *Leurs efforts confluent.*

CONTR. Diverger, écarter (s').

CONFONDANT, ANTE [kɔ̃fɔdɑ̃, ɑ̃t] adj. — 1845 ; p. prés. de *confondre,* II., 2.

♦ Qui confond, étonne, stupéfie. ⇒ **Étonnant, stupéfiant.** *Une ressemblance confondante. Une mauvaise foi, une sottise confondante,* extrême, extraordinaire. ⇒ **Ahurissant.**

Ma foi, messieurs, dit-il, parfaitement sincère, avouez que ce que nous venons d'entendre est confondant.   Léon BLOY, le Désespéré, p. 217.

CONFONDRE [kɔ̃fɔdR] v. tr. — Conjug. *rendre.* — 1080, « anéantir, détruire » ; du lat. *confundere* «mêler», de *con-* (*cum*), et *fundere* «répandre, disperser». → Fondre.

★ **I.** (1538). ♦ **1.** Réunir, mêler pour ne former qu'un tout. ⇒ **Amalgamer, associer, fondre, fusionner, identifier, mélanger, mêler, réunir, unir.** *Projecteurs qui confondent leurs rayons lumineux. L'Oise confond ses eaux avec celles de la Seine.* Fig. *Confondre ses pleurs, ses regrets avec ceux de qqn. Confondre ses droits avec ceux d'un ami.* — Pron. *Leurs intérêts se confondent.*

1   Tous ces yeux qu'on voyait venir de toutes parts
Confondre sur lui seul leurs avides regards (...)   RACINE, Bérénice, I, 5.

2   — Oui, crièrent deux voix qui confondirent leurs intonations.
   BALZAC, Séraphîta, Pl., t. X, p. 485.

Littér. *Confondre quelque chose à quelque chose.*

2.1   (...) l'eau plate, monotone, interminable, qui confond ses limites à celles de la terre ?   CAMUS, la Chute, p. 126.

♦ **2.** (1580). Prendre* (une personne, une chose) pour une autre ; ne pas distinguer (plusieurs choses, personnes). *Confondre deux jumeaux. Confondre l'innocent et le coupable. Confondre des noms entre eux.* — Absolt. Faire une confusion. ⇒ **Tromper** (se). *Il est possible que je confonde. Il ne faudrait pas confondre.* — Fam. *Faut pas, faudrait pas confondre !*

3   (...) je l'ai prié de me démêler ces deux noms. Il l'a fait en galant homme ; il a compris qu'il était très possible que je les confondisse (...)
   Mᵐᵉ DE SÉVIGNÉ, 279, 23 mai 1672.

4   (...) il faut bien se garder de confondre l'ordre avec la régularité (...) La régularité est une combinaison matérielle et purement humaine ; l'ordre est pour ainsi dire divin.   HUGO, Odes et Ballades, Préf. 1826.

5   (...) les orateurs, qui confondent langage et pensée.
   J. PAULHAN, Entretien sur des faits divers, IV, p. 151.

★ **II.** (V. 1160). ♦ **1.** Vx. Troubler (qqn) en déconcertant*. ⇒ **Assommer, atterrer, désarçonner.** *Confondre l'ennemi, l'adversaire...* ⇒ **Abattre, anéantir, foudroyer, vaincre.** Vx (langue class.). Faire échouer, réduire à néant. ⇒ **Anéantir.** *Confondre les plans de l'ennemi. Confondre l'orgueil des grands.* ⇒ **Humilier.** *Dieu confond les projets, les desseins des méchants.* ⇒ **Déjouer.**

6   Les yeux de l'Éternel gardent la science,
Mais il confond les paroles du perfide.   BIBLE (SEGOND), Proverbes, XXII, 12.

Loc. *Que le ciel le confonde !,* le punisse.

7 Diable, conclus ; ou bien que le ciel te confonde ! RACINE, les Plaideurs, III, 3.

♦ **2.** (Sujet n. de chose). Mod. (style soutenu). Remplir (qqn) d'un grand étonnement, de stupeur. ⇒ **Consterner, déconcerter, étonner, interdire, stupéfier.** *Cette nouvelle le confond. votre insolence me confond. Il restait confondu. Cela confond l'imagination, l'entendement.* ⇒ **Dépasser, passer.**

8 *(Je)* ne raisonne plus
Tant mes sens coup sur coup se trouvent confondus.
MOLIÈRE, le Dépit amoureux, II, 1.

9 C'étaient, chaque fois, de ces constructions géantes, confondant nos imaginations modernes (...) LOTI, Jérusalem, VIII, p. 97.

♦ **3.** Style soutenu. Réduire (qqn) au silence, en lui prouvant publiquement son erreur, ses torts. *Confondre qqn par un raisonnement serré. Confondre l'accusé. Confondre un calomniateur, un hypocrite.* ⇒ **Démasquer.**

10 C'est cet homme-là qu'il faut chercher, découvrir et confondre. c'est lui qu'il faut convaincre de son crime et punir. G. DUHAMEL, Récits des temps de guerre, IV, p. 96.
Rendre confus, gêné. *Vos louanges, vos compliments me confondent. Je suis confondu de tant d'honneurs.* ⇒ **Honteux.**

▶ **SE CONFONDRE** v. pron.

♦ **1.** Se mêler, s'unir.

11 Comment ! me disais-je, elle ne saura pas même que je l'ai aimée ! (...) Elle croira que j'ai passé à côté d'elle sans la voir, que nos deux existences auront coulé bord à bord sans se côtoyer, ni même se toucher, pas plus que deux ruisseaux indifférents ! E. FROMENTIN, Dominique, IX, p. 136.
Être impossible à distinguer de...

11.1 Les maisons des paysans, coiffées d'un chaume poli par le temps, se confondaient avec les champs voisins : leurs briques ternes avaient pris la couleur de la glaise jaunâtre. A. MAUROIS, les Silences du colonel Bramble, p. 16.

12 Ce que l'on aurait pu faire se confond avec ce que l'on aurait dû faire, et l'emporte de beaucoup sur ce que l'on a fait. GIDE, Journal, 18 juil. 1932.

♦ **2.** Vx. S'abandonner au trouble, au désordre.

13 Ils paraissent armés, les Mores se confondent (...) CORNEILLE, le Cid, IV, 3.

♦ **3.** Mod., style soutenu. *Se confondre en remerciements, en politesses, en excuses :* multiplier les remerciements, les excuses...

14 (...) l'hôtelier qui se confondait (...) en politesses impatientes et superflues (...) Th. GAUTIER, le Capitaine Fracasse, t. II, XIII, p. 126.

14.1 D'où provenait cette bienveillance ? Il se confondit en remerciements. FLAUBERT, l'Éducation sentimentale, Pl., t. II, p. 221.

▶ **CONFONDU, UE** p. p. adj.

♦ **1.** Indistinct, mêlé. *La mer confondue avec le ciel, au ciel,* unie avec... *Des couleurs confondues.* ⇒ **Confus.**

15 Ils se regardèrent ; et leurs pensées, confondues dans la même angoisse, s'étreignaient étroitement, comme deux poitrines palpitantes. FLAUBERT, Mme Bovary, II, VI.

♦ **2.** Littér. ⇒ **Déconcerté, étonné, interdit, stupéfait ; confus, humilié.** *Le mari confondu,* comédie de Molière. *Rester confondu.*

16 Cela dit, Madeleine ouvrit la porte de la maison pour faire sortir son mari et Cadet Blanchet, tout confondu de la voir prendre ces façons-là, content au fond de s'en aller (...) s'en retourna auprès de la Sévère. G. SAND, François le Champi, IX, p. 80.

CONTR. Démêler, différencier, discerner, dissocier, distinguer, particulariser, séparer. — Exalter, glorifier, louer. — Aider.
DÉR. (De II.) Confondant.

CONFORMABILITÉ [kɔ̃fɔʀmabilite] n. f. — V. 1970, in *la Banque des Mots*, nᵒ 13 ; de *conformer*.

♦ Techn. Capacité (d'un matériau pour coussins*) à s'adapter aux déformations de l'arbre dont il permet le fonctionnement.

CONFORMATEUR [kɔ̃fɔʀmatœʀ] n. m. — 1611, «personne» ; de *conformer*.

Technique.

♦ **1.** (1845). Appareil servant aux chapeliers à déterminer la forme et la mesure de la tête.

1 Mon grand front donnait du fil à retordre au chapelier. Je coiffais du 59 (...) Il me montrait le dessin de ma tête, un modèle riche, au conformateur.
— En général, me disait-il, la tête des hommes a la forme d'une ellipse allongée. La vôtre est presque ronde (...) P. GUTH, le Mariage du naïf, VI, p. 63-64.

♦ **2.** Appareil destiné à donner sa forme définitive à une matière plastique.

2 On la place souvent *(la pièce)* sur conformateur pour en assurer le mûrissement. J.-C. DESJEUX et J. DUFLOS, les Plastiques renforcés, p. 76.

CONFORMATION [kɔ̃fɔʀmasjɔ̃] n. f. — 1560 ; bas lat. *conformatio*, du supin de *conformare.* → Conformer.

♦ **1.** Disposition des différentes parties (d'un corps organisé). ⇒ **Configuration, constitution, forme, organisation, structure.** *Conformation anatomique. Conformation du squelette, des organes génitaux. Mauvaise conformation.* ⇒ **Difformité, malformation.**

Vice de conformation : défaut congénital dans le corps d'une personne, d'un animal. ⇒ **Infirmité, monstruosité.** *Présenter un vice de conformation* (→ Canon, cit. 3 ; aplomb, cit. 3).

1 On prétend que les enfants en liberté pourraient prendre de mauvaises situations, et se donner des mouvements capables de nuire à la bonne conformation de leurs membres. ROUSSEAU, Émile, I.

2 Qu'est-ce, selon lui, qu'être homme ? Je tiens que ce n'est pas relever d'une certaine conformation anatomique, mais présenter un certain caractère moral. Julien BENDA, la Trahison des clercs, p. 71.

Conformation moléculaire (d'un corps).

♦ **2.** Techn. Opération par laquelle on conforme (un objet souple, une matière plastique).

CONFORME [kɔ̃fɔʀm] adj. — 1372 ; lat. *conformis* ; de *con-* (cum), et *forma.* → Forme. — Construit avec *à.*

♦ **1.** Dont la forme est semblable (à celle d'un modèle). ⇒ **Analogue, identique, pareil, semblable.** *Cette écriture est conforme à la vôtre.* Vx. *Son caractère est conforme à celui de son frère* (⇒ **Affinité**). — *Il est conforme à lui-même.* ⇒ **Égal.** — Au plur. (Sans compl. en *à*). *Choses, personnes conformes, conformes en tout.*

1 (...) les caractères de ces personnes *(dans Théophraste)* semblent rentrer les uns dans les autres (...) ils ne sont pas aussi toujours suivis et parfaitement conformes (...) LA BRUYÈRE, Disc. sur Théophraste.

2 Conforme à son aïeul, à son père semblable (...) RACINE, Athalie, V, 6.

3 Mais, en thèse générale, je crois que la connaissance qu'on a des faits et des hommes est rarement conforme aux hommes eux-mêmes et aux faits accomplis (...) FRANCE, l'Anneau d'améthyste, Œ., t. XII, p. 125.

Copie conforme à l'original (⇒ **Vidimus**). *Passage conforme au texte. Signature, document certifié conforme.* ⇒ **Bon, correct, exact.** *Pour copie conforme* (⇒ **Ampliation**). — *Conforme à l'échantillon*, à *l'étalon, au standard, au type.* — (Absolt). *Copie conforme. Pour copie conforme* (pcc).

Math., topographie. (Emploi absolu). *Représentation ou transformation conforme,* qui conserve les angles. Syn : *isogonal. Projection conforme d'une sphère sur un plan.* ⇒ **Équi-angle.**

♦ **2.** **a** (Avec un compl. en *à*). Qui s'accorde avec (qqch), qui convient à sa destination. ⇒ **Adapté ; ajusté, approprié, assorti, convenable.** *Mener une vie conforme à ses goûts, à ses désirs, à ses moyens. Acte conforme à l'esprit de justice, à la morale, au bon goût. Interprétation peu conforme à l'esprit d'un texte. Conforme à la règle, à un canon.* ⇒ **Canonial, canonique.** *Cette opinion est conforme à la raison* (⇒ **Juste, logique**), *à la vérité* (⇒ **Vrai**). *Sa conduite est conforme à ses principes* (⇒ **Conséquent**). *Une définition conforme à l'objet défini.* ⇒ **Adéquat.**

4 Il n'y a rien de si conforme à la raison que ce désaveu de la raison. PASCAL, Pensées, IV, 272.

5 (...) Dieu lui donnera quelque place (...) plus conforme à son humeur agissante. Mme DE SÉVIGNÉ, 906, 9 févr. 1683.

6 C'était conforme à son idée de la puissance virile, de la santé surabondante. J. ROMAINS, les Hommes de bonne volonté, V, VIII, p. 71.

b Absolt. Conforme à la norme, à la majorité. *Avoir des opinions conformes, une vie conforme.* ⇒ **Classique ; conformiste, orthodoxe.**

7 *(En France)* Toute pensée non conforme devient suspecte et est aussitôt dénoncée. GIDE, Journal, 15 janv. 1945.

Faire un choix conforme. ⇒ **Convenable** (→ Affaire, cit. 19). — *Conforme à une règle* (administrative). *Pièce d'identité, papiers conformes.* ⇒ **Règle (en), réglementaire, régulier.** *Tout est conforme.*

CONTR. Attentatoire, contraire, dérogatoire, différent, dissemblable, inconséquent, informe, irrégulier. — Opposé, original.
DÉR. Conformément.

CONFORMÉMENT [kɔ̃fɔʀmemɑ̃] adv. — 1503 ; de *conforme.*

♦ *Conformément à :* d'une manière conforme à. ⇒ **Après (d'), conformité (en), selon, suivant.** *Conformément à la loi. Conformément à vos conseils, ils ont procédé ainsi.* ⇒ **Sur.** *Vivre conformément à son état. Conformément au plan prévu. Conformément à l'échantillon joint à votre envoi.*

Le style efficace, c'est celui qui s'individualise conformément à l'auteur et se particularise conformément à l'auditeur. Gustave LANSON, l'Art de la prose, p. 47.

CONTR. Contrairement, encontre (à l'encontre).

CONFORMER [kɔ̃fɔʀme] v. tr. — 1190 ; lat. *conformare* «donner une forme» ; de *con-* (cum), et *formare* «former», de *forma* «forme».

♦ **1.** *Conformer* (qqch.) *à* (qqch.) : rendre conforme à. ⇒ **Accorder, adapter, ajuster, approprier, assortir, calquer (sur), copier, imiter.** *Conformer ses sentiments à ceux de qqn. Conformer sa volonté à celle d'un parti. Conformer sa production à la demande de la clientèle* (→ Faire cadrer* avec, faire correspondre* à...).

1 Pour faire que les membres soient heureux, il faut qu'ils aient une volonté, et qu'ils la conforment au corps. PASCAL, Pensées, VII, 480.

2 Il ne conforme pas exactement sa conduite à ses maximes. FRANCE, le Mannequin d'osier, Œ., t. XI, p. 331.

♦ **2.** Techn. Donner sa forme définitive à (un objet souple, une matière plastique, etc.). *Conformer un objet en matière plastique. Conformer un chapeau (à la tête de qqn).* ⇒ **Conformateur.**

▶ **SE CONFORMER** v. pron. (Du sens 1).

[a] Sujet n. de personne. (Réfl.). *Se conformer à :* devenir conforme à ; se comporter de manière à être en accord avec. ⇒ **Aligner** (s'), **assujettir** (s'), **modeler** (se), **plier** (se), **régler** (se), **soumettre** (se), **suivre** ; **niveau, ton** (se mettre au ton, dans le ton). *Se conformer aux circonstances. Se conformer aux façons de vivre de qqn.* ⇒ **Accommoder** (s'), **accorder** (s'). *Se conformer au modèle choisi. Se conformer aux ordres reçus.* ⇒ **Obéir, observer.** *Se conformer à une indication, à un avis.* ⇒ **Acquiescer.** *Se conformer aux préjugés, à la mode.* ⇒ **Sacrifier.** *Se conformer aux convenances* (⇒ **Conformisme**).

3   Elle se conformait aux ordres de Dieu, elle lui offrait ses souffrances en expiation de ses fautes.   BOSSUET, Oraison funèbre de la Duchesse d'Orléans.

4   Comme il doit être fatigant et attristant, cet effort continu pour se conformer aux opinions, règles et convenances du monde impossible qui les entoure.
          Valery LARBAUD, Amants, heureux amants, p. 126.

5   Vous n'avez qu'à écouter, qu'à recevoir mes ordres, — à vous conformer à mes décisions irrévocables.   F. MAURIAC, Thérèse Desqueyroux, IX, p. 162.

[b] Sujet n. de chose. (Passif ou réfl.). *La copie doit se conformer au modèle. — Ses idées se conforment à celles de sa famille.* ⇒ **Conformiste.**

▶ **CONFORMÉ, ÉE** p. p. adj.
Qui a telle conformation. *Corps bien conformé, bizarrement conformé. Avoir les jambes mal conformées.* ⇒ **Bâti, disposé, organisé.** *Le bébé est bien conformé.*

6   Les fondations *(des couvents)* ne sont que pour la jeunesse et les personnes bien conformées.   VOLTAIRE, l'Homme aux 40 écus.

CONTR. Opposer. — Contrevenir, refuser (se), révolter (se).
DÉR. Conformabilité, conformateur, conformité.

CONFORMISME [kɔ̃fɔʀmism] n. m. — 1904 ; de *conformiste.*

♦ **1.** Hist. Profession de foi anglicane, anglicanisme, en Angleterre. *Le conformisme anglican.*

♦ **2.** Fait de se conformer aux normes, aux usages. ⇒ **Orthodoxie, traditionalisme.** *Un conformisme rigoureux* (→ Atavisme, cit. 2). Péj. Attitude passive de celui qui se conforme aux idées et aux usages de son milieu.

1   (...) il *(Descartes)* sera en règle avec les lois, respectueux des coutumes, de la religion, de l'opinion et des opinions, *se réservant de changer les siennes selon son humeur ou selon les circonstances.* Ce qui est *probabilisme,* ou, dans le jargon moderne : *conformisme et opportunisme.*   VALÉRY, Variété V, p. 228.

2   Vous allez à la messe par conviction ou par conformisme ?
          Jean-Louis CURTIS, le Roseau pensant, p. 222.

CONTR. Anticonformisme, non-conformisme, originalité.
COMP. Anticonformisme, non-conformisme.

CONFORMISTE [kɔ̃fɔʀmist] n. et adj. — 1666 ; angl. *conformist,* de *conform* « conforme », de même orig. que *conforme.*

♦ **1.** Hist. Personne qui professe la religion de l'Église anglicane. *Église conformiste.* ⇒ **Anglican.**

1   L'Église anglicane met les calvinistes puritains au nombre des non-conformistes.   BOSSUET, Hist. des Variations, 13.

♦ **2.** N. et adj. Qui se conforme aux usages, aux traditions, aux coutumes. ⇒ **Traditionaliste.** *Esprit conformiste. Morale conformiste.* ⇒ **Orthodoxe** (→ Antitotalitaire, cit.). — *C'est un, une conformiste.*

2   Contre toute son éducation morale et conformiste, ses instincts l'avaient entraîné vers l'inversion.   A. MAUROIS, À la recherche de Marcel Proust, IV, III, p. 114.

CONTR. Anticonformiste, non-conformiste ; dissident, hétérodoxe. — Original, révolté.
DÉR. Conformisme.
COMP. Anticonformiste, non-conformiste.

CONFORMITÉ [kɔ̃fɔʀmite] n. f. — XIVᵉ ; de *conformer.*

♦ **1.** Qualité de ce qui est conforme*. ⇒ **Accord, analogie, concordance, convenance, correspondance, rapport, ressemblance, similitude.** *Conformité apparente, réelle, d'une chose et d'une autre, d'une chose avec une autre. Il y a conformité parfaite entre ces deux choses.* ⇒ **Harmonie, régularité.** *Conformité de goûts, d'inclinations, de sentiments.* ⇒ **Affinité, sympathie ; unanimité.** *Conformité de vues.* ⇒ **Unité ; union.**

1   (...) mettre dans un mariage cette douce conformité qui sans cesse y maintient l'honneur, la tranquillité et la joie (...)   MOLIÈRE, l'Avare, I, 5.

2   Il avait une Nanette ainsi que j'avais une Thérèse ; c'était entre nous une conformité de plus.   ROUSSEAU, les Confessions, VII.

3   (...) lorsque je le trouvais d'accord avec moi (...) lorsque je distinguais en lui l'écho tout à fait exact et comme l'unisson de la corde émue qui vibrait en moi, c'était une conformité de plus dont je me réjouissais comme d'une nouvelle alliance.
          E. FROMENTIN, Dominique, p. 156.

Loc. (1665). *En conformité avec, en conformité de* (vx) : conformément à. *Agir en conformité des ordres reçus. En conformité de telle loi.*

Si j'avais déserté, l'an dernier, ou si, jadis, je m'étais enfui avec Hélène, ça se serait fait en conformité avec mes plans, dont le détail était raisonnable.   4
          J. ROMAINS, les Hommes de bonne volonté, t. III, XXIII, p. 310.

Être en conformité de goûts : avoir les mêmes goûts.

♦ **2.** (1662). Vieilli. Fait de se conformer (à qqch.). *La conformité de ses actions à la volonté de son père.* ⇒ **Adhésion, soumission.** *La conformité aux usages établis* (→ Bienséance, cit. 17). *Conformité à la religion, à l'idéologie dominante.* ⇒ **Alignement** (I., 3.), **conformisme ; orthodoxie.**

(...) la conformité à la volonté de Dieu (...)   5
          Mᵐᵉ DE SÉVIGNÉ, 205, 23 sept. 1671.

En général, je dis que la morale est la conformité de l'action à la raison. L'immo-   6
ralité consiste à désobéir au jugement de la raison.
          Victor COUSIN, cité par JANET, Victor Cousin et son œuvre.

CONTR. Non-conformité ; désaccord, dissemblance, opposition ; anomalie. — Originalité. — Révolte.
COMP. Non-conformité.

1. CONFORT [kɔ̃fɔʀ] n. m. — V. 1100 ; de *conforter.* → Réconforter.

♦ **1.** Vx. Secours, assistance matérielle ou morale. ⇒ **Aide, consolation, réconfort ; conforter.**

Et traîner sans confort (...)
Une pauvre vieillesse (...)   Mathurin RÉGNIER, Satires, III.

♦ **2.** Mod. (Méd.). *Médicament de confort :* médicament qui permet de mieux supporter un mal assez minime, sans s'attaquer à sa cause (analgésique, calmant faible, somnifère léger). — REM. Le plus souvent confondu avec 2. *confort.*

CONTR. Abandon.
DÉR. V. 2. Confort.
COMP. Réconfort.

2. CONFORT [kɔ̃fɔʀ] n. m. — 1815, Chateaubriand, *Correspondance* ; angl. *comfort,* de 1. *confort,* d'abord « encouragement, consolation », en angl. comme en franç., puis (déb. XIXᵉ), « bien-être matériel » ; on a dit, av. 1850, *confortabilité* et le *confortable.*

♦ **1.** Ensemble de ce qui contribue au bien-être, à la commodité de la vie matérielle. ⇒ **Aise, bien-être, commodité.** *L'amour du confort. Le confort quotidien, ménager. Le confort de qqn. Jouir de son confort. Il aime son petit confort. Avoir l'habitude du confort. Niveau du confort.* ⇒ **Niveau** (de vie), **standing.**
Le fait (pour un logement) de posséder les commodités entraînant le bien-être. *Le confort d'un appartement. Logement sans confort, qui manque de confort. Éléments de confort :* chauffage, climatisation, électricité, eau courante chaude et froide, sanitaires, cuisine équipée, etc.
Le confort moderne (expr. vieillie, correspondant à l'époque où l'eau courante, le gaz, l'électricité sont installés dans les logements).

Un sinistre lavabo de faïence fêlée représentait à lui seul le confort moderne dans   1
cet hôtel (...)   P. MAC ORLAN, la Bandera, I, p. 9.

♦ **2.** Fig. Situation confortable, absence d'éléments pénibles ou difficiles. *Confort intellectuel, confort moral* (souvent péjoratif).

(...) nous appelons confort intellectuel l'ensemble des commodités qui, assurant le   2
bien-être de l'esprit, sa vigueur et le sain exercice de ses fonctions, le préservent
des altérations flatteuses du vocabulaire et des séductions énervantes, trompeuses,
empoisonnées, de certaines lectures, de certains entraînements de la sensibilité
ambiante.   M. AYMÉ, le Confort intellectuel, XII, p. 193.

♦ **3.** Par appos. *Pneu confort,* qui assure un meilleur confort à l'automobile.

CONTR. et COMP. Inconfort.
DÉR. Confortable.

CONFORTABILITÉ [kɔ̃fɔʀtabilite] n. f. — 1826 ; de *confortable.*

♦ Vx. Confort (2. Confort, 1.). ⇒ **Confortable** (A., 4., n. m.).

CONFORTABLE [kɔ̃fɔʀtabl] adj. — 1786, rare av. XIXᵉ ; angl. *comfortable* « où l'on est à l'aise », « qui est à l'aise » ; de *confort.* → 2. Confort.

A. ♦ **1.** (Choses). Qui procure, présente du confort. *Maison, appartement confortable. Ce n'est pas très confortable, chez toi. Un siège, un fauteuil confortable.* — *Des pantoufles confortables.*

Lui trouvait tout très joli, très bien (...) cet intérieur si soigné lui paraissait pres-   1
que confortable, avec la blancheur bleuâtre de ses rideaux de mousseline fraîchement repassés.   LOTI, Matelot, XXVI, p. 100.

(...) il était lui aussi décemment habillé de vêtements décents, et même conforta-   2
bles (pensant : « Un confortable costume recouvrant ma prothèse... »), et son visage
sans doute apparemment décent lui aussi puisque personne ne se détournait (ou
ne se retournait) à sa vue (...)   Claude SIMON, le Palace, p. 105.

(En parlant d'une situation). *Mener une vie confortable.* ⇒ **Bourgeois, douillet.**

♦ **2.** Fig. Qui assure un bien-être, une tranquillité psychologique. *Il est plus confortable de penser que vous n'êtes pas coupable.*

♦ **3.** Spécialt (nombre, somme). De nature à assurer la sécurité. *Jouir d'une retraite confortable.*

♦ **4.** N. m. **a** (1788). Vieilli. *Le confortable. Le goût du confortable.* ⇒ (mod.) 2. **Confort.**

3 (...) l'école hollandaise se borne à reproduire la quiétude de l'appartement bourgeois, le confortable de l'échoppe ou de la ferme, les gaietés de la promenade et de la taverne, toutes les petites satisfactions de la vie paisible et réglée.
TAINE, *Philosophie de l'art*, t. I, III, I, III, p. 268.

4 — Et pourquoi que je me retirerais, Monsieur ? Voulez-vous me dire où je serais mieux qu'ici, où j'aurais plus mes aises et tout le confortable ?
PROUST, *le Côté de Guermantes*, t. I, Folio, p. 372.

b (1863). Spécialt, vx. *Un confortable :* un fauteuil capitonné.

c (1894). Plur. *Des confortables :* pantoufles fourrées.

d (Déb. xxᵉ). Grand verre de bière (→ Formidable).

B. (En parlant des personnes). Vx ou par anglic. Qui est confortablement installé, à l'aise. *« Bourgeois confortables »* (Gautier). *« Je me sentais confortable près de lui »* (Beauvoir).
CONTR. Désagréable, incommode, inconfortable, rudimentaire.
DÉR. Confortabilité, confortablement.

CONFORTABLEMENT [kɔ̃fɔʀtabləmɑ̃] adv. — xviiiᵉ ; de *confortable.*

♦ **1.** D'une manière confortable. *Un appartement confortablement installé. Vivre confortablement. S'accouder confortablement* (→ Chien, cit. 44). *Être installé confortablement pour manger* (→ Être le dos au feu et le ventre* à table).

Les uns recherchent les femmes pour en jouir et puis penser librement à autre chose. Et ainsi ils sont portés à désirer d'en changer. D'autres ont une femme comme on a des pantoufles, confortablement les mêmes.
VALÉRY, *Cahiers*, t. II, Pl., p. 412.

♦ **2.** *Être très confortablement payé.* ⇒ **Correctement,** 1. **bien.**
CONTR. Inconfortablement.

CONFORTANT, ANTE [kɔ̃fɔʀtɑ̃, ɑ̃t] adj. — 1840 ; de *conforter.*

♦ Rare. Qui conforte. ⇒ **Réconfortant.** *Remède confortant. — Paroles confortantes.*

Est-ce à dire que tout soit beau et particulièrement confortant autour de nous, en ce moment ? Non pas.   J.-R. BLOCH, *Deux hommes se rencontrent*, p. 287.

CONFORTATIF, IVE [kɔ̃fɔʀtatif, iv] adj. — V. 1200 ; bas lat. *confortativus,* du supin de *confortare.* → Conforter.

♦ Vx. Fortifiant. — N. m. *Un confortatif.*

CONFORTATION [kɔ̃fɔʀtasjɔ̃] n. f. — 1478 en méd. ; « fortification », in Froissart ; repris xviᵉ ; lat. chrét. *confortatio,* du supin de *confortare.* → Conforter.

♦ **1.** Vx. Réconfort, encouragement.

♦ **2.** Rare. Action de conforter (3.) ; son résultat.

CONFORTER [kɔ̃fɔʀte] v. tr. — Fin xᵉ ; lat. ecclés. *confortare,* de *con-* (cum), et *fortis* « fort ».

♦ **1.** Vx. Réconforter, raffermir moralement (qqn). ⇒ **Affermir, consoler, encourager, soutenir.** *Conforter les affligés, les malades.*

1 Je suis toujours ce Dieu qui console et conforte.
CORNEILLE, *l'Imitation de J.-C.*, 3172.

♦ **2.** (xiiiᵉ). Vx. Donner des forces physiques à (qqn ; un organe). *Cela conforte l'estomac.*

2 (...) la salade rafraîchit sans affaiblir, et conforte sans irriter (...)
A. BRILLAT-SAVARIN, *Physiologie du goût*, Omelette du curé.

♦ **3.** (1972). Mod. Donner des forces à (un régime politique, une situation, une thèse, etc.). *Conforter sa situation.* — Raffermir (qqn) dans son opinion. *Être conforté dans son analyse, son interprétation. Cela l'a conforté dans son idée que...* « *Conforter ici ce qui s'apparente à des rentes de situation historiques, aggraver là la situation de certains établissements* » (*Libération,* 2 mars 1984, p. 18). — REM. Le mot, dans ce sens, constitue un cliché à la mode, issu du discours politique de bon ton.

▶ **SE CONFORTER** verbe pron.

♦ **1.** Littér. Se réconforter.

3 (...) dans les moments où il avait à se conforter lui-même, Noël Schoudler aimait à rappeler la guerre brillante de François et les trois citations qu'il en avait rapportées, comme si le courage du fils avait servi pour deux.
M. DRUON, *les Grandes Familles*, IV, II, p. 179.

4 Sans hâte, mais sans hésitation, avec une sorte de prescience infaillible, ils formaient toujours et partout, à eux deux, le cadre idéal où Lothar venait s'inscrire et se conforter.   M. TOURNIER, *le Roi des Aulnes*, p. 332.

♦ **2.** Se raffermir dans une opinion (sens 3). « *Le vieil imam* (Kho-

meiny) *se conforte sans doute dans l'idée que le monde occidental est bel et bien pourri* » (*l'Express,* 2 mars 1984, p. 21).
CONTR. Débiliter, décourager. — Affadir, affaiblir.
DÉR. 1. Confort, confortant.

CONFRATERNEL, ELLE [kɔ̃fʀatɛʀnɛl] adj. — 1829 ; de *confrère,* d'après *fraternel.*

♦ Style soutenu (mais plus cour. que *confraternité*). Qui a rapport aux relations entre confrères ou consœurs. *Amitié confraternelle. Émulation, rivalité confraternelle. Rapports de courtoisie confraternelle.*
DÉR. Confraternellement.

CONFRATERNELLEMENT [kɔ̃fʀatɛʀnɛlmɑ̃] adv. — 1892, Bloy ; de *confraternel.*

♦ De manière confraternelle.

CONFRATERNITÉ [kɔ̃fʀatɛʀnite] n. f. — 1283 ; de *confrère,* d'après *fraternité.*
Didactique.

♦ **1.** Bonnes relations entre confrères ou consœurs.

♦ **2.** Relation de bonne entente.
La confraternité de l'homme, des animaux et des plantes (...)
G. DUHAMEL, *Chronique des Pasquier*, Les maîtres, 1937, p. 198, *in* T. L. F.

CONFRÈRE [kɔ̃fʀɛʀ] n. m. — xiiiᵉ ; du lat. médiéval *confrater,* de *con-* (cum), et *frater* « frère », d'après *frère.*

♦ **1.** Personne qui appartient à une société, à un corps, à une compagnie, considérée par rapport aux autres membres de cette société... ⇒ **Collègue** (cit. 1) ; **consœur** (→ Perceptible, cit. 2). *Mon confrère de l'Académie. Le confrère, les confrères du professeur X. Des confrères dans une discipline, en... Mon cher confrère.* — Membre d'une même profession libérale. *Mon confrère du barreau. Médecin estimé de ses confrères.*

1 Le médecin Tant-pis allait voir un malade
Que visitait aussi son confrère Tant-mieux.   LA FONTAINE, *Fables*, V, 12.

2 Des *confrères* font partie d'un même corps ou ont la même profession. C'est le titre que se donnent les prêtres (...) les membres d'une académie, les avocats, les médecins, les comédiens, les artistes (...)
LAFAYE, *Dict. des synonymes*, Associé, collègue, confrère.

Personne qui est dans une situation identique (à une ou plusieurs autres). ⇒ **Associé, compagnon.**

3 Blaireaux, renards, hiboux, race encline à mal faire,
Pour l'exemple pendus, instruisaient les passants.
Leur confrère aux abois entre ces morts s'arrange.
LA FONTAINE, *Fables*, XII, 23.

Loc. (vx). *Confrère de la lune :* mari trompé.

♦ **2.** Personne appartenant à une confrérie religieuse. — Hist. littér. *Les confrères de la Passion :* association médiévale organisant la représentation du mystère de la Passion.

REM. *Confrère* a normalement pour féminin *consœur**. Il peut arriver cependant que l'on emploie *confrère* au féminin *(une confrère),* ou au masculin pour une femme *(son confrère le docteur Madeleine X).* Aux xvᵉ et xviᵉ siècles, on a utilisé une forme *confréresse,* pour désigner les membres féminins des confréries religieuses, et des corporations professionnelles.

CONFRÉRIE [kɔ̃fʀeʀi] n. f. — xiiiᵉ ; altér., d'après *frère,* de *confrarie,* v. 1190 ; du lat. médiéval *confratria,* de *con-* (cum), et *fratria* « fratrie ».

♦ **1.** Association généralement formée par des laïques pour accomplir des œuvres de piété, de charité. ⇒ **Communauté, congrégation.** *La confrérie du Saint-Sacrement. La confrérie blanche,* formée pour combattre les Albigeois. *La confrérie de la Passion.*

1 Vous *(Henri III)* faisiez des confréries, des vœux, des pèlerinages, des oratoires.
FÉNELON, XIX, 398, *in* LITTRÉ.

♦ **2.** Vieilli. Réunion de personnes unies par un lien commun. — (1260). Association professionnelle. ⇒ **Corporation, réunion.** — LOC., vx. *Entrer dans la confrérie,* dans la catégorie des gens mariés ; des maris trompés, etc.

2 En tout cas, ce qui peut m'ôter ma fâcherie,
C'est que je ne suis pas seul de ma confrérie (...)   MOLIÈRE, *Sganarelle*, IV, 17.

CONFRONTATION [kɔ̃fʀɔ̃tasjɔ̃] n. f. — 1385, en dr., *confrontation de témoins* ; « limite », 1341 ; lat. médiéval *confrontatio,* du supin de *confrontare.* → Confronter.

♦ **1.** Action de confronter* (des personnes, des choses). ⇒ **Comparaison.** *La confrontation de deux textes, de deux écritures. Confrontation de témoins. Ordonner la confrontation de l'accusé avec les témoins.*

1   Il est très important que l'on confronte tous les témoins avec le prévenu, et qu'en
     ce point la confrontation ne soit pas arbitraire.
                              VOLTAIRE, Politique et Législation, Procédure criminelle.

♦ **2.** Fig. Le fait de mettre en présence pour comparer. *La confrontation des idées. Une confrontation d'idées. Confrontation entre personnes, entre organisations.*

2   La conclusion dernière du raisonnement absurde est (...) le rejet du suicide et le
     maintien de cette confrontation désespérée entre l'interrogation humaine et le
     silence du monde.   CAMUS, l'Homme révolté, Introduction, p. 16.

REM. On trouve (rarement) dans le même sens *confrontement*, n. m.
(de *confronter*).

3   L'une des seules positions philosophiques cohérentes, c'est ainsi la révolte. Elle est
     un confrontement perpétuel de l'homme et de sa propre obscurité. Elle est exi-
     gence d'une impossible transparence.
                    CAMUS, le Mythe de Sisyphe, I, La liberté absurde, in Essais, Pl., p. 138.

CONTR. **Isolement, séparation.**

CONFRONTER [kɔ̃fʀɔ̃te] v. tr. — 1538; «être attenant à», 1344;
lat. médiéval *confrontare*, de *con- (cum)*, et *frons* «front».

♦ **1.** Mettre en présence (deux ou plusieurs personnes) pour comparer les affirmations. ⇒ **Comparer.** *Confronter deux personnes
ensemble.*
Mettre (un inculpé) en présence d'un témoin, de la victime du
délit. *Confronter les témoins entre eux, les témoins avec le prévenu.*
⇒ **Confrontation** (cit. 1).

1   Les juges prononçaient sans jamais confronter les témoins et l'accusé, souvent sans
     les interroger.   VOLTAIRE, Annales de l'Empire, Charlemagne, 788.

Par ext. Mettre face à face, en présence (des personnes, des groupes, des réalités intellectuelles ou morales) pour un débat. *Confronter deux tendances politiques, confronter des idées.*
Pron. *Se confronter à qqn, à qqch. ; avec qqn, avec qqch.*

1.1 *(Sa présence)* empêchait absolument Léontine de revenir en arrière, de communi-
     quer avec elle-même, de se confronter avec elle-même.
                              Francis CARCO, l'Homme traqué, p. 45.

(Au passif et au p. p.). *Être confronté avec qqn, à qqn.* — (Emploi critiqué). *Être confronté à qqch.,* mis en présence de qqch.

1.2 (...) confronté jour et nuit à son crime innocent, il devenait trop difficile pour lui
     de se maintenir et de continuer.   CAMUS, la Chute, p. 131.

1.3 Cette foule, hier, confrontée à la peinture de Bernard Buffet, s'est-elle reconnue?
                    F. MAURIAC, le Nouveau Bloc-notes 1958-1960, p. 16.

♦ **2.** Comparer* (des personnes, des choses) pour mettre en évidence les ressemblances ou les différences. *Confronter deux textes,
deux paragraphes.* ⇒ **Accoler, collationner.** *Confronter deux écritures. Confronter les déclarations de qqn avec ses écrits.*

2   Quel moyen de vous définir (...)? Il faudrait (...) vous confronter avec vos pareils,
     pour porter de vous un jugement sain et raisonnable.
                              LA BRUYÈRE, les Caractères, IX, 20.

3   Je prenais conscience de mes propres transformations en les confrontant à l'iden-
     tité des choses.   PROUST, À la recherche du temps perdu, t. X, p. 332.

♦ **3.** Régional (sens étym.). V. trans. ind. *Confronter à qqch. :* être
attenant à... (Pesquidoux, 1925, *in* T. L. F.).

CONTR. **Isoler, séparer.**
DÉR. **Confrontement** (cf. Confrontation).

CONFUCÉEN, ENNE [kɔ̃fyseɛ̃, ɛn] adj. — 1921, cit.; du
nom de *Confucius*, et *-éen*.

♦ Didact. Inspiré par le confucianisme, relatif à la doctrine de Confucius. *Morale confucéenne.*

Shanghaï, transformé, ce n'est plus la ville chinoise d'autrefois reliée par les
canaux à la campagne confucéenne (...)   CLAUDEL, Journal, 14 nov. 1921.

CONFUCIANISME [kɔ̃fysjanism] n. m. — 1876; du rad. du nom
de *Confucius*, et *-(an)isme*.

♦ Didact. Doctrine philosophique et religieuse du philosophe chinois Confucius.

CONFUCIANISTE [kɔ̃fysjanist] adj. et n. — 1892; du rad. du nom
de *Confucius*, et *-(an)iste*.

♦ Didact. Qui professe le confucianisme. *Théologie confucianiste.* —
N. *Un, une confucianiste.*

(...) l'oncle chargé de Tchen ne l'avait envoyé aux missionnaires que pour qu'il
apprît l'anglais et le français, et l'avait mis en garde contre leur enseignement,
contre l'idée de l'enfer surtout, dont se méfiait ce confucianiste.
                              MALRAUX, la Condition humaine, p. 54.

CONFUS, USE [kɔ̃fy, yz] adj. et n. m. — Mil. xiiᵉ, *cunfus*, au
sens 3; lat. *confusus*, p. p. de *confundere*. → Confondre.

♦ **1.** (1292). Dont les éléments sont mêlés de façon telle qu'il est
impossible de les démêler. ⇒ **Confondu, désordonné, disparate,
indistinct, pêle-mêle.** *Amas* (cit. 1) *confus.* ⇒ **Chaos, tohu-bohu.**
Assemblage (cit. 9 et 15), *mélange, amalgame confus. Une bouscu-*

*lade, une foule, des ombres confuses. Des silhouettes, des formes,
une lueur, une végétation confuses.*

(1546; en parlant des bruits et des sons). *Voix confuses. Bruit confus.*
⇒ **Brouhaha, charivari.** *Cris confus. Clameurs confuses. Murmure
confus.* ⇒ **Bourdonnement** (cit. 8), **chuchotement.** *Rumeur confuse*
(→ Bruit, cit. 18).

1   Un bruit confus s'élève, et du peuple surpris
     Détourne tout à coup les yeux et les esprits.   RACINE, Athalie, II, 2.

1.1 Le jardin était (...)
     Plein de bourdonnements et de confuses voix.
                    HUGO, les Voix intérieures, «Les rayons et les ombres».

♦ **2.** (1549). Qui manque de clarté; dont la complexité ou l'incertitude sont telles que la compréhension en est gênée. ⇒ **Amphigou-
rique, brouillé, compliqué, embrouillé, équivoque, incertain, indécis,
indéterminé, indistinct, obscur, vague;** confusion (I., 2.). *Des idées
confuses et obscures. Avoir la notion confuse d'une chose. Pressentiment, souvenir, savoir confus. Dessin confus* (→ Achever,
cit. 6). *Style, langage confus, compliqué et confus, lourd et confus.* ⇒ **Alambiqué, embarrassé, entortillé, filandreux, indigeste, inintelligible, nébuleux.** *Discours confus et ridicule* (⇒ **Galimatias**). *Une
affaire, une situation confuse* (⇒ **Écheveau, imbroglio**). *Rendre confus un problème.* — (Sentiments). Indécis, éprouvé de manière incertaine. *Des espérances, des craintes confuses.* — Littér. (antéposé). *De
confuses espérances.* — *Images, souvenirs, rêves confus.*

2   Tu ne flattes mon cœur que d'un espoir confus.
                              CORNEILLE, la Galerie du Palais, III, 4.

3   (...) il se réveillait en sursaut, le cœur serré (...) avec le souvenir confus d'un rêve
     terrible et singulier qu'il venait d'avoir.
                              Alphonse DAUDET, le Petit Chose, II, XII.

4   (...) Joanny regardait le jour grandir, encore engourdi, les idées confuses, il sentait
     du bonheur au fond de lui, quelque part en lui, il ne savait pas où (...)
                    Valery LARBAUD, Fermina Marquez, XI, p. 112.

Esprit confus, intelligence confuse (ne s'emploie pas avec un nom
de personne, à cause de l'ambiguïté avec le sens 3).

N. M. Ce qui est confus. «*Il n'est d'illimité en art que le* flou,
le vague, *le* confus» (R. Rolland, Beethoven, t. I, 1928, p. 121,
in T. L. F.).

♦ **3.** (Personnes). Qui est embarrassé, soit en raison d'une faute
commise, soit par modestie, par pudeur. ⇒ **Déconcerté, embarrassé,
honteux, penaud, piteux, sot, troublé;** et aussi (vx, class.). 3. **capot,
quinaud.** *Il était confus d'avoir été pris sur le fait. Demeurer tout
confus. Être confus de sa méprise, de son erreur. Confus d'être surpris dans une situation délicate. Être confus d'une réussite, des éloges que l'on reçoit.* ⇒ **Intimidé** (→ Baisser* les yeux, la voix; souhaiter être à cent pieds* sous terre; ne pas savoir où se mettre*).
Être confus des bontés de qqn. — Absolt. *Je suis confus,* pour marquer le regret d'une faute, d'une erreur et s'en excuser. ⇒ **Désolé,
ennuyé.**

5   (...) je suis plus confus, Seigneur, de vos bontés (...)   CORNEILLE, Cinna, V, 3.

6   Le corbeau, honteux et confus,
     Jura, mais un peu tard, qu'on ne l'y prendrait plus.   LA FONTAINE, Fables, I, 2.

7   J'ai tort, je le confesse, et mon âme confuse
     Ne cherche à vous payer d'aucune vaine excuse.
                              MOLIÈRE, le Misanthrope, V, 4.

8   Je m'attendais que, confus de ma condescendance et de mes avances, Grimm me
     recevrait les bras ouverts, avec la plus tendre amitié.
                              ROUSSEAU, les Confessions, IX.

Qui a le sentiment de ne pas mériter qqch. (éloges, récompenses).
⇒ **Gêné.** *Vous êtes trop aimable, je suis confus.*

(Choses, actions). Qui exprime la confusion. *Un sourire confus.*

♦ **4.** N. m. Psychiatr. *Un confus :* un malade atteint de confusion
mentale. — REM. Ne semble pas usité au féminin.

CONTR. **Clair, distinct, net, précis.** — **Désinvolte, libre.**
DÉR. **Confusément.**

CONFUSÉMENT [kɔ̃fyzemɑ̃] adv. — 1573; *confusement*, 1213;
de *confus*.

♦ D'une manière confuse (1. ou 2.). ⇒ **Indistinctement.** *Objets
entassés confusément.* ⇒ **Pêle-mêle.**

1   Cet horrible débris d'aigles, d'armes, de chars,
     Sur ces champs empestés confusément épars (...)   CORNEILLE, Pompée, I, 1.

Entendre confusément des bruits. Murmurer confusément qqch.
(→ Bourdonner, cit. 2). — *Écrire confusément.* ⇒ **Illisiblement.**
Parler confusément (cit. 14). *Comprendre confusément qqch.*
⇒ **Obscurément, vaguement** (→ Approfondir, cit. 9).

2   Confusément j'apercevais bien que ce qui délectait ainsi mon jeune précepteur,
     c'était le spectacle même du jeu de la vie (...)
                              E. FROMENTIN, Dominique, III, p. 54.

CONTR. **Clairement, distinctement, nettement, précisément.**

CONFUSION [kɔ̃fyzjɔ̃] n. f. — 1120, sens II; «ruine, destruction»,
1080; lat. *confusio* «désordre, trouble», aussi «destruction» en lat.
chrétien, du supin de *confundere*. → Confondre.

★ **I.** (Déb. XIIIᵉ). ♦ **1.** État de ce qui est confus* (2.). ⇒ **Désordre**

(1., en désordre), **trouble**. *Mettre la confusion dans une assemblée, dans les rangs d'une armée.* ⇒ **Troubler**. — (Abstrait ou concret). *Une confusion indescriptible.* ⇒ (vx) **Billebaude**, (fam.) **bordel**, (vx) **bredi-breda, brouhaha, brouillamini, capharnaüm, cohue, débâcle, débandade, embarras, embrouillamini, embrouillement, enchevêtrement, fatras, fouillis**, (fam.) **foutoir, gâchis, imbroglio, mélange, mêlée, méli-mélo**, (fam.) **merdier, pêle-mêle, pétaudière, ramassis, remue-ménage, saccage, salade, salmigondis**. *Confusion bruyante.* ⇒ **Tintamarre, tumulte**. *La confusion originelle du monde.* ⇒ **Chaos, tohu-bohu**. *Ses papiers, ses livres sont dans une extrême confusion.* — *La confusion règne, s'instaure, augmente. La séance se termina dans une confusion totale.*

1   Trop de confusion règne dans cette salle,
Et j'aimerais mieux être au milieu de la Halle.
MOLIÈRE, le Bourgeois gentilhomme, Ballet des nations.

2   Que nous crie donc ce chaos et cette confusion monstrueuse, sinon la vérité de ces deux états, avec une voix si puissante qu'il est impossible de résister ?
PASCAL, Pensées, VII, 435 (→ Chaos, cit. 4).

Vx ou littér. (Concret). Ensemble confus. Une confusion de voies, de chemins. ⇒ **Dédale, labyrinthe**. *Une confusion de personnes vivant ensemble dans la promiscuité*. Une confusion d'ornements.*

3   Quelquefois, au tournant d'une côte, il voyait sous ses yeux une confusion de toits pressés, avec des flèches de pierre (...)
FLAUBERT, Trois contes, « La légende de saint Julien l'Hospitalier », III.

La confusion des langues dans la tour de Babel*. — *Fig. C'est ici la confusion des langues :* il n'y a pas d'entente possible entre ces personnes.

Situation confuse, embrouillée (souvent mêlée de violences). ⇒ **Anarchie, bouleversement, désordre, désorganisation, ébranlement**, 2. **trouble**. *La confusion politique.*

3.1   Si le signe de l'époque est la confusion, je vois à la base de cette confusion une rupture entre les choses, et les paroles, les idées, les signes qui en sont la représentation. A. ARTAUD, le Théâtre et son double, Idées/Gallimard, p. 10.

♦ **2.** (→ Confus, 2.). *Manque de clarté, d'ordre dans ce qui touche les opérations de l'esprit. Confusion des idées.* ⇒ **Complication, désordre, indécision, indétermination, obscurité**, 1. **trouble, vague**. *Il y a de la confusion dans ce discours. Tenter d'éviter toute confusion. Installer la confusion dans son travail. Jeter la confusion dans les esprits.* ⇒ **Désarroi**. *Esprit qui tourne à la confusion.* ⇒ **Égarer** (s'), **trouble** (se troubler) (→ Assimilation, cit. 4).

4   On peut dire d'une grande lecture ce que Sénèque dit d'une vaste bibliothèque, qu'au lieu d'enrichir et d'éclairer l'esprit, elle ne sert le plus souvent qu'à y jeter le désordre et la confusion. ROLLIN, Traité des Études, III, 3.

5   (...) un de ces esprits légers, habitués à la confusion, dont il est convenu que le Parlement abonde. J. ROMAINS, les Hommes de bonne volonté, III, XVI, p. 210.

5.1   Et il continue de parler, s'égarant dans une surabondance de précisions d'une confusion sans cesse croissante, s'en rendant compte tout à fait, s'arrêtant presque à chaque pas pour repartir dans une direction différente, persuadé maintenant, mais trop tard, de s'être fourvoyé dès le début et n'apercevant pas le moyen de se tirer d'affaire. A. ROBBE-GRILLET, Dans le labyrinthe, p. 151.

Psychiatrie. **CONFUSION MENTALE** : état mental pathologique, accidentel ou chronique, dans lequel le malade présente des troubles perceptifs, mnémoniques et intellectuels. ⇒ **Démence** (démence précoce ; → Confusionnel, cit. 1.), **confus** (4.), **confuso-onirique**. *La confusion mentale s'accompagne d'anxiété, d'hallucinations.*

♦ **3.** *Action de confondre entre elles deux personnes ou deux choses.* ⇒ **Erreur, méprise**. *Faire une confusion entre deux personnes.* ⇒ **Confondre**. *Confusion de noms, de dates, de personnes. Une grossière, une étrange confusion. Il y a confusion. C'est une confusion que de dire...*

♦ **4.** *Dr., polit. Le fait de confondre, de mêler en un. La confusion des pouvoirs.* ⇒ 2. **Pouvoir**. *La confusion du spirituel et du temporel dans la même main.* ⇒ **Réunion**.

Réunion, sur une même personne, de deux qualités juridiques qui s'éteignent ou qui doivent reposer sur deux personnes différentes. Spécialt. En matière d'obligation, Réunion en une même personne des qualités de créancier et de débiteur.

6   Lorsque les qualités de créancier et de débiteur se réunissent dans la même personne, il se fait une confusion de droit qui éteint les deux créances.
Code civil, art. 1300.

7   La confusion constitue moins un mode d'extinction de l'obligation qu'un empêchement d'agir résultant des circonstances.
DALLOZ, Nouveau répertoire, art. *Confusion*, 3.

Confusion de parts ou de paternité. ⇒ **Paternité**.

Confusion des peines : non cumul des peines au cas de concours d'infractions. ⇒ **Cumul**. *Bénéficier d'une confusion des peines.* Ellipt. *Obtenir la confusion.*

7.1   Tout de même, Zi, si tu avais la confusion, tu décarrais en même temps que moi ! À condition que, moi, je sois confirmée (...) A. SARRAZIN, la Cavale, p. 405.

★ **II.** *Trouble qui résulte de la honte, de l'humiliation, d'un excès de pudeur ou de modestie.*

8   (...) je le dis à ma confusion (...) Mme DE SÉVIGNÉ, 737, 29 sept. 1679.

9   J'en dois rougir de honte et de confusion. MOLIÈRE, le Dépit amoureux, III, 4.

10   (...) il n'y a point de confusion si touchante que celle d'un tendre père qui croit s'être mis dans son tort. Le cœur d'un père sent qu'il est fait pour pardonner, et non pour avoir besoin de pardon.
ROUSSEAU, Julie ou la Nouvelle Héloïse, I, Lettre LXIII, p. 163.

11   (...) les derniers mots de la jeune fille l'accablaient de confusion et de crainte.
Paul BOURGET, Un divorce, III, p. 125.

CONTR. Clarté, distinction, netteté, ordre, précision. — **Assurance, désinvolture, impudeur, liberté.**
DÉR. Confusionnel, confusionnisme.
COMP. Confuso-onirique.

CONFUSIONNEL, ELLE [kɔ̃fyzjɔnɛl] adj. — 1930 ; de *confusion*.

♦ *Psychiatrie. Propre à la confusion mentale.* ⇒ **Confuso-onirique**.

1   (...) un ralentissement réel et observable de toutes les activités psychiques, avec obnubilation, lenteur des réponses, parfois troubles des perceptions avec onirisme, désorientation. On a affaire alors au tableau clinique de la psychose désignée sous le nom de *confusion mentale* (...) Dans cet état confusionnel, le malade apparaît (...) dans un état de torpeur qui (...) peut aboutir à une inhibition complète, à un aspect pétrifié que l'on désigne sous le nom de stupeur.
H. BARUK, Psychoses et Névroses, p. 10-11.

2   Brusquement, sans qu'aucune cause puisse être relevée, le malade est pris d'un délire confusionnel avec onirisme. Il dit que son lit est humide par la pluie et les brouillards de la mer ; il se croit sur l'Orénoque au printemps *(sic!)*.
B. CENDRARS, Moravagine, in Œ. compl., t. IV, p. 258.

CONFUSIONNISME [kɔ̃fyzjɔnism] n. m. — 1907, Péguy, *Œuvres en prose*, in D.D.L. ; de *confusion*.

♦ **1.** *Psychiatrie. État de la pensée syncrétique, chez l'enfant, où les éléments distincts chez l'adulte se mêlent, alternent et fusionnent.*

♦ **2.** *(Domaine intellectuel, politique, social). Fait d'entretenir la confusion dans les esprits.*

L'électeur ne comprend pas. Il croit à la compromission et à du confusionnisme.
J. ROMAINS, les Hommes de bonne volonté, t. XXIII, p. 278 (1932).

DÉR. Confusionniste.

CONFUSIONNISTE [kɔ̃fyzjɔnist] adj. et n. — 1920, R. Allard, N.R.F., n° 87, p. 943, in D.D.L. ; de *confusionnisme*.

♦ *Littér. Qui entretient la confusion dans les esprits.*

CONFUSO-ONIRIQUE [kɔ̃fyzoɔniʀik] adj. — V. 1960 ; de *confusion*, et *onirique*.

♦ *Psychiatrie. Qui tient de la confusion mentale et de l'onirisme. Des états confuso-oniriques.*

(...) détérioration des synthèses psychiques, altération des fonctions du réel, cet ensemble plonge le malade dans un état très proche du rêve et qu'on appelle précisément (...) *confuso-onirique*. J. CAU, la Pitié de Dieu, p. 113.

CONGA [kɔ̃ga] n. f. — V. 1937, d'après G. L. L. F. ; mot esp. des Antilles.

♦ *Danse cubaine d'origine africaine à quatre temps, avec trois pas rectilignes et le quatrième en diagonale* (→ Maracas, cit.).

CONGAÏ ou CONGAYE [kɔ̃gaj] n. f. — 1929, *congaï ; congaye*, 1908 ; vietnamien *con gaï* « la fille ».

♦ *Vieilli. Femme annamite (au temps de la colonisation).*

1   Un drôle d'homme, épuisé par le climat *(de Saigon)* mais qui ne voulait plus rentrer en France (...) Il n'était pas marié, parlait beaucoup des congaïs, avec un air de vantardise (...) ARAGON, Blanche..., III, I, p. 368.

2   Jadis, la République lui avait offert sa part de tropique, de saké, de congayes.
A. BLONDIN, Un singe en hiver, p. 12.

CONGE [kɔ̃ʒ] n. m. — 1545 ; du lat. *congius*.

♦ **1.** *Hist. rom. Mesure de capacité (3,25 l) chez les Romains.*

♦ **2.** *Ancienn. S'est dit de divers récipients.* — (1907). *Techn. Récipient de cuivre où se font les mélanges pour la préparation des liqueurs.*

CONGÉ [kɔ̃ʒe] n. m. — Xe, *cumgiet ;* du lat. *commeatus* « action de s'en aller, permission de s'en aller », concrètement « passage » (→ ci-dessous, II.), de *com- (cum)*, et *meare* « circuler ».

★ **I.** ♦ **1.** *(Vx sauf dans* prendre, donner *congé). Autorisation, permission de partir. Donner congé à qqn. Prendre congé :* demander l'autorisation de partir, saluer les personnes à qui l'on doit du respect. ⇒ **Adieu** (faire ses adieux), **retirer** (se). *Prendre congé d'un supérieur avant de partir en mission. Fig. et littér. Prendre congé du monde :* se retirer ; mourir. *Audience de congé :* dernière audience publique d'un ambassadeur avant son départ.

1   Elle m'a donné congé d'un cœur déjà tout détaché de la terre.
Mme DE SÉVIGNÉ, 144, in LITTRÉ.

2   Sans trop d'impolitesse, je voudrais prendre congé de moi-même. Je me suis décidément assez vu. GIDE, Journal, 12 juin 1944.

3   Il n'est si bonne compagnie qui ne se quitte ; mais je m'engage ici à prendre courtoisement mon congé.
COLETTE, la Naissance du jour, p. 35.

♦ 2. (xvᵉ, milit.). Permission de s'absenter, de quitter un service, un emploi, un travail. *Congé d'un militaire.* ⇒ **Permission.** *Congé définitif, absolu ; congé renouvelable, congé d'ancienneté, congé de réforme, de libération. Congé de maladie, de convalescence.* ⇒ **Repos.** *Congé de maternité, d'éducation, de longue durée. Demander, obtenir, accorder un congé. Congé sans solde. Congé annuel.* ⇒ **Vacances.** *Congé d'un mois, de huit jours. Congé d'un an accordé à certains professeurs.* ⇒ **Sabbatique** (année sabbatique). *Prolongation de congé. — Congé donné aux écoliers. Les congés de Pâques, de Noël* (⇒ **Campos, vacances**). *Congés mobiles. Aujourd'hui, c'est congé. Pendant les congés. La période des congés. Passer ses congés à la montagne. — Loc. Congés payés,* auxquels les salariés ont droit chaque année. — Absolt. *La cinquième semaine de congé.*

4 (...) beaucoup de gens réduits à l'inaction par la fermeture des magasins ou de certains bureaux emplissaient les rues et les cafés. Pour le moment, ils n'étaient pas encore en chômage, mais en congé.   CAMUS, la Peste, p. 94.

4.1 Commençant ses cours avec un quart d'heure de retard, s'octroyant de solides congés de maladie, sa qualité d'ancien le rendait intouchable.
                          Claude COURCHAY, La vie finira bien par commencer, p. 34.

Par métonymie. *Les congés payés :* les personnes, les salariés qui vont en vacances, grâce aux congés payés (terme péj. dans la bouche de la bourgeoisie aisée qui était seule à pouvoir profiter des vacances avant les lois sociales de 1937).

4.2 Cet été-là, on vit partir vers les plages, vers les campagnes, les premiers congés payés. Quinze jours, ce n'est pas long ; tout de même, les ouvriers de Saint-Ouen, d'Aubervilliers allaient respirer un autre air que celui des usines et des faubourgs.
                          S. DE BEAUVOIR, la Force de l'âge, p. 274.

En apposition ou adjectivement :

4.3 (...) Et tout cela si minable, si mesquin, si «congés payés» (...)
                          F. MALLET-JORIS, le Jeu du souterrain, p. 100.

♦ 3. (1265). Avec le possessif. Autorisation de cesser, invitation à quitter un service à gages. ⇒ **Renvoi.** *Un domestique qui demande son congé. Son patron lui donnera son congé.* ⇒ **Congédiement, licenciement** (cf. Ses huit jours).

5 J'ai que l'on me donne aujourd'hui mon congé, Monsieur.
                          MOLIÈRE, les Femmes savantes, II, 5.

5.1 (...) voilà votre congé en bonne et due forme, vous allez avoir à vous en aller, et promptement.   Henri MONNIER, Scènes populaires, t. I, p. 302.

Vieilli. *Donner, signifier à qqn son congé,* lui signifier qu'il doit se retirer, abandonner ses prétentions, etc. *Prendre son congé :* renoncer. *Il a pris son congé sans attendre qu'on le lui donne.*

6 Parlons un peu de votre frère : il a eu son congé de Ninon.
                          Mᵐᵉ DE SÉVIGNÉ, 153, 8 avr. 1671.

♦ 4. (1130). Vx. Autorisation, permission (dans quelque domaine que ce soit). *Se marier sans le congé de ses parents* (Académie).

♦ 5. (1611). Dr. Acte par lequel une partie fait connaître à l'autre sa volonté de ne pas continuer un contrat de louage. *Donner congé à un locataire. Accepter le congé.*

6.1 Le vrai de cette affaire d'honneur, c'est que M. Chèbe avait donné congé de la petite maison de Montrouge.
                          Alphonse DAUDET, Fromont jeune et Risler aîné, p. 111.

Dr. Jugement par défaut obtenu contre le demandeur qui ne s'est pas présenté à l'audience. On dit aussi *congé faute de plaider ; défaut-congé.*

♦ 6. (1602). Dr. fisc. Autorisation donnée par l'Administration des contributions indirectes de transporter une marchandise soumise à l'impôt indirect. *Le congé accompagne les marchandises dont le droit a été payé au départ, à la différence de l'acquit-à-caution*.* Congé pour le transport des vins, des boissons.* ⇒ **Capsule** (capsule-congé), **laissez-passer.**

Mar. *Congé de navigation :* document que délivre la douane aux navires de commerce et qui les autorise à naviguer. ⇒ **Passeport.** *Le congé fait partie des papiers de bord.*

★ **II.** (1676 ; du lat. *commeatus* «passage»). Technique. **ⓐ** Partie concave servant de raccord entre deux pièces. — Spécialt. Moulure concave, en quart de cercle (⇒ **Cavet**) raccordant deux saillies d'un élément d'architecture.

ⓑ Motif sculpté amortissant plusieurs moulures.

ⓒ Mécan. Arrondi servant de raccord entre deux surfaces. *Congé de roulement d'un pneumatique.*

CONTR. (Du sens I) **Activité, embauchage, engagement, occupation, service, travail.**
DÉR. Anc. franç. **Congéer** (cf. congédier, étym.).
COMP. **Défaut-congé.**

CONGÉABLE [kɔ̃ʒeabl] adj. — 1570, congeable ; de l'anc. franç. *congeer.* → Congédier.

♦ 1. Dr. Sujet à congé. ⇒ **Congé** (5.). *Bail à domaine congéable.*

♦ 2. Vx. Congédiable. *Des commis « congéables à merci »* (Balzac, les Employés).

CONGÉDIABLE [kɔ̃ʒedjabl] adj. — 1869 ; remplace *congéable* (2.) ; de *congédier.*

♦ Qui peut être congédié, qui peut obtenir un congé. *Soldat congédiable.*

CONTR. **Incongédiable.**

CONGÉDIEMENT [kɔ̃ʒedimɑ̃] n. m. — 1842 ; de *congédier.*

♦ Action de congédier. ⇒ **Congé, renvoi.** *Lettre de congédiement.* — Octroi d'un congé.

Les députés sentent combien est grave cet insolite congédiement du Premier Magistrat de la République.   Georges LECOMTE, Ma traversée, p. 173. 1

Encaissant mal la leçon qu'il venait d'essuyer, et plus mal encore la désinvolture du congédiement, Johnny blême, passa la lourde *(la porte)...*
                          Albert SIMONIN, Hotu soit qui mal y pense, p. 27. 2

CONGÉDIER [kɔ̃ʒedje] v. tr. — 1409 ; de l'ital. *congedare,* de *congedo,* n. m., lui-même empr. du franç. *congé ;* a remplacé l'anc. franç. *congeer, congier,* de *congé.*

♦ 1. Inviter (qqn) à se retirer, à s'en aller. ⇒ **Éconduire, renvoyer ;** (fam.) **expédier, virer** (cf. Envoyer dinguer, paître, promener, valser). *Congédier un visiteur importun,* le mettre à la porte* (→ Mettre, ficher dehors*).

Il y a dans les cours deux manières de ce qu'on appelle congédier son monde ou se défaire des gens, se fâcher contre eux, ou faire si bien qu'ils se fâchent contre vous et s'en dégoûtent.   LA BRUYÈRE, les Caractères, VIII, 35. 1

(M. le recteur) lui donna encore quelques sages conseils et le congédia d'une tape amicale sur la joue en lui promettant de ne pas le perdre de vue.
                          Alphonse DAUDET, le Petit Chose, I, IV, p. 47. 2

♦ 2. Renvoyer* définitivement (une personne que l'on emploie). *Congédier un salarié, un employé, un domestique.* ⇒ **Chasser, licencier, remercier, révoquer ;** (fam.) **balancer, débarquer, sacquer, vider, virer** → (vx) Casser aux gages* ; mettre, ficher dehors*, à la porte*. *Il s'est fait congédier.* — REM. Cet emploi tend à vieillir.

♦ 3. Fig., littér. Chasser, éloigner (qqch., un sentiment, une idée). ⇒ **Écarter, supprimer.**

Congédier la passion et la raison, c'est tuer la littérature.
                          BAUDELAIRE, Curiosités esthétiques, p. 422. 3

Je ferme l'électricité. Je congédie les pensées déplaisantes et je sens que je m'enfonce.   G. DUHAMEL, Cri des profondeurs, IV, p. 77. 4

CONTR. **Accueillir, appeler, convier, convoquer, inviter.** — **Évoquer, entretenir.** — **Embaucher, engager.**
DÉR. **Congédiable, congédiement.**

CONGELABLE [kɔ̃ʒlabl] adj. — 1612 ; repris 1800 ; de *congeler.*

♦ Qui peut être congelé. *Liquide facilement congelable.*
CONTR. **Incongelable.**

CONGÉLATEUR [kɔ̃ʒelatœʀ] n. et adj. m. — 1845 au sens 1 ; de *congeler.*

♦ 1. Vx. Appareil pour congeler les liquides. ⇒ (mod.). **Réfrigérateur.**

♦ 2. Mod. **ⓐ** Vieilli. Partie d'un réfrigérateur où se forme la glace, à température d'environ − 15 °C. ⇒ (anglic.) **Freezer.** — Syn. : *compartiment à glace. Les cubes à glace du congélateur.*

ⓑ Compartiment d'un réfrigérateur capable de conserver des aliments à moins de − 18 °C. — Syn. (techn.) : *conservateur. Réfrigérateur-congélateur.* ⇒ **Surgélateur.**

Mais tout le monde entier s'en fout, ma pauvre dame (...) que vous vous leviez à quatre heures du matin pour aller chercher vos légumes à Rungis parce que vous « n'aurez jamais de congélateur».
                          F. MALLET-JORIS, le Jeu du souterrain, p. 61 (1973).

ⓒ Techn. Appareil capable de congeler des aliments (à − 30 °C). ⇒ **Surgélateur.**

♦ 3. Adj. Techn. Se dit d'un navire de pêche qui dispose d'installations frigorifiques pour conserver les produits de la pêche. *Langoustier, thonier congélateur. Des « chalutiers-usines entièrement congélateurs »* (A. Boyer, les Pêches maritimes, p. 42).

CONGÉLATIF, IVE [kɔ̃ʒelatif, iv] adj. — Fin xvᵉ ; de *congeler.*

♦ Vx ou littér. Qui peut produire une congélation.

CONGÉLATION [kɔ̃ʒelɑsjɔ̃] n. f. — V. 1320 ; «concrétion calcaire», 1676 ; lat. *congelatio,* du supin de *congelare.* → Congeler.

♦ 1. Passage de l'état liquide à l'état solide par refroidissement (à pression constante) ou par abaissement de pression. *Point de congélation de l'eau :* 0 °C, sous la pression atmosphérique. *Température de congélation* (⇒ **Cryogénie**). *Congélation fractionnée.* — Par ext. ⇒ **Coagulation.** *Congélation de l'huile. Point de congélation d'un produit pétrolier.*

On sait que la congélation s'opère par la partie supérieure des liquides ; puis, si le froid persévère, l'épaisseur de la carapace solide s'accroît en allant de haut en bas. Du moins, il en est ainsi pour les eaux tranquilles. Au contraire, pour les eaux courantes, on a reconnu qu'il se formait des glaces de fond, lesquelles montaient ensuite à la surface.   J. VERNE, le Pays des fourrures, p. 50.

Techn. Consolidation des terrains par injection d'une saumure à basse température.

♦ **2.** Action de soumettre un produit au froid (plus vif que la réfrigération, moins de − 18 °C) pour le conserver. *Congélation de la viande.* ⇒ aussi **Surgélation.**

Altération des tissus par l'action du froid. ⇒ **Gelure.** *Les engelures sont des congélations bénignes.*

♦ **3.** Par métonymie. *(Une, des congélations).* Forme produite par l'eau gelée.

Par anal. Motif décoratif évoquant des stalactites.

CONTR. **Débâcle, dégel, fusion, liquéfaction, réchauffement.**

COMP. **Surcongélation.**

CONGELER [kɔ̃ʒle] v. tr. — Conjug. *geler.* — 1265 au p. p. ; lat. *congelare,* de *con-* (cum), et *gelare.* → **Geler.**

♦ **1.** Faire passer à l'état solide par l'action du froid. ⇒ **Figer, geler, réfrigérer, solidifier.** *Congeler de l'alcool.* — Pron. *L'eau se congèle à 0 °C en augmentant de volume.*

Par métaphore. Se fixer, se figer comme par l'effet du froid.

1   Il n'était pas jusqu'à la simple joie que cause à tout artiste l'achèvement d'un ouvrage, qui ne se fût desséchée, ou pour mieux dire, qui ne se fût congelée en moi.   M. YOURCENAR, Alexis..., p. 108.

Par ext. Coaguler.

♦ **2.** (1636). Cour. Soumettre à un froid intense (− 15° ou − 18 °C), pour conserver. ⇒ **Surgeler.** *Congeler de la viande, des légumes pour les conserver.* ⇒ **Frigorifier.** — Au p. p. *Viande congelée, bœuf congelé.* — N. m. *Du congelé.*

♦ **3.** Désorganiser les chairs, par un froid excessif. *Congeler les pieds.* ⇒ **Geler, glacer.**

Au p. p.

2   Ils demeuraient encore, pour quelques heures, des légionnaires parce que leurs corps congelés se durcissaient sous l'uniforme.   P. MAC ORLAN, la Bandera, XVII, p. 211.

Par exagér. Donner très froid à. *Le vent nous congelait jusqu'aux os.* ⇒ **Geler.** — (Surtout au passif et pron.). *Être congelé. Se congeler.*

♦ **4.** Empêcher de circuler. ⇒ **Geler.** — Au p. p. *Crédits congelés.* ⇒ **Gelé.**

▶ **CONGELÉ, ÉE** p. p. adj. Voir à l'article ci-dessus.

CONTR. **Décongeler, dégeler, fondre, liquéfier, réchauffer.**

DÉR. **Congelable, congélateur, congélatif.** — Cf. **Congélation.**

CONGÉNÈRE [kɔ̃ʒenɛʀ] adj. et n. — 1562 ; lat. *congener,* de *con-* (cum), et *genus* « genre ».

♦ **1.** Didact. Qui appartient au même genre, à la même espèce. *Plantes, animaux congénères.*

Anat. *Muscles congénères* (ou *agonistes*), qui concourent à un même mouvement (opposé à *antagonistes*).

Mots congénères, de la même famille.

Littér. De même origine. *Théorie congénère à une autre, d'une autre. Arts congénères.*

1   (...) son origine *(celle du Rhin)* est congénère à ces peuples du Nord dont il devint le fleuve adoptif et la ceinture guerrière.   CHATEAUBRIAND, Mémoires d'outre-tombe, t. V, p. 388.

♦ **2.** N. *Cet animal et ses congénères.*

2   Les congénères de ces eucalyptus de l'Australie (...)   J. VERNE, l'Île mystérieuse, t. I, p. 234 (1874).

Cour., souvent péj. (Personnes). *Lui et ses congénères.* ⇒ **Pareil, semblable.** *Les congénères de cet imbécile.*

CONTR. **Antagoniste** (et, spécialt, *muscle antagoniste*), **différent, opposé.**

CONGÉNIAL, ALE [kɔ̃ʒenjal] adj. — 1806, anglic. ; angl. *congenial,* de *genial* « conforme à la nature de », du lat. *genus.*

♦ Vx ou littér. Qui fait partie de la nature profonde. ⇒ **Congénital, intrinsèque.**

Sachons dire la vérité : la France n'est pas poète ; elle éprouve même, pour tout dire, une horreur congéniale de la poésie.   BAUDELAIRE, l'Art romantique, XX, V, Théophile Gautier.

REM. Baudelaire a hésité entre *congénital,* qu'il avait d'abord écrit, et *congénial.* Littré considère que les mots ne sont nullement synonymes ; cependant, leurs emplois peuvent interférer.

Congénial à... : qui s'accorde avec la nature profonde de... « *L'Orient, doublement congénial à sa nature* » (Chateaubriand, *in* G. L. L. F.).

CONGÉNITAL, ALE, AUX [kɔ̃ʒenital, o] adj. — 1784 ; du lat. *congenitus* « né avec », de *con-* (cum), et *genitus* « né ».

♦ **1.** (Opposé à *acquis*). Qui est présent à la naissance ; dont l'origine se situe pendant la vie intra-utérine. *Maladie, malformation congénitale.* ⇒ **Héréditaire, inné.** *Caractères congénitaux. Particularité, anomalie congénitale.*

1   (...) comme si la destruction d'une cause éphémère pouvait entraîner celle d'un mal congénital.   PROUST, À la recherche du temps perdu, t. XI, I, p. 26.

♦ **2.** Fig. Inné. — Littér. *Un bonheur congénital.*

2   Le plus frappant *(chez l'Américain),* c'est son optimisme congénital, à peine ébranlé par la participation récente des États-Unis aux épreuves du monde.   André SIEGFRIED, l'Âme des peuples, VII, I, p. 162.

Cour., péj. *Une bêtise congénitale. C'est un crétin congénital,* un crétin de naissance, absolu (→ Congénitalement, cit.).

CONTR. **Acquis.**

DÉR. **Congénitalement.**

CONGÉNITALEMENT [kɔ̃ʒenitalmɑ̃] adv. — 1852, *in* D. D. L. ; de *congénital.*

♦ D'une manière congénitale, innée.

(Au sens 2, péj., de *congénital*) :

Eh bien ! C'est un imbécile tout à fait remarquable ; aussi congénitalement crétin que le plus crétin de l'École (...)   J. ROMAINS, les Hommes de bonne volonté, IV, XXII, p. 240.

CONGÈRE [kɔ̃ʒɛʀ] n. f. — 1866 ; très antérieur dans les dialectes (Centre ; Alpes) ; lat. *congeries,* de *congerere* « accumuler ».

♦ Amas de neige entassée par le vent. → au Canada, Banc* de neige (emploi critiqué comme anglicisme).

1   Ce sont de vastes plaines polaires, creusées de noires crevasses ; ce sont des banquises où moutonnent des congères et où foisonnent de blancs arbustes bourgeonnants.   S. DE BEAUVOIR, Tout compte fait, p. 276.

Amas de neige (en général).

2   Faute de main-d'œuvre, on ne déblaya pas les rues ; même le long des grands boulevards, on marchait sur des névés ; pour traverser, il fallait franchir les hautes congères qui barraient les trottoirs (...)   S. DE BEAUVOIR, la Force de l'âge, p. 444.

CONGESTIBLE [kɔ̃ʒɛstibl] adj. — 1867 ; de *congestion.*

♦ Rare. Prédisposé à la congestion.

CONGESTIF, IVE [kɔ̃ʒɛstif, iv] adj. — 1833, *in* D. D. L. ; du rad. de *congestion,* et suff. *-if.*

♦ **1.** Qui a rapport à la congestion. *État congestif d'un organe. Mouvement congestif.* ⇒ (vx) **Congestionnel.**

♦ **2.** Porté à la congestion ; qui manifeste de la congestion. *Un homme assez congestif.* — *Tempérament congestif. Une face congestive.*

Celui-ci, corpulent, congestif, dans son complet de velours à côtes, était pâle et défait, bredouillant.   Léon DAUDET, *in* G. L. L. F.

CONGESTION [kɔ̃ʒɛstjɔ̃] n. f. — V. 1370 ; lat. *congestio,* du supin de *congerere* « accumuler ».

♦ **1.** Méd., cour. Afflux, excès de sang dans les vaisseaux (d'un organe, d'une partie du corps). ⇒ **Hyperémie, pléthore, tension, turgescence.**

Spécialt. Afflux de sang excessif ou pathologique. — Méd. *Congestion active,* due à une inflammation. ⇒ **Fluxion.** *Congestion passive.* ⇒ **Stase.** *Congestion cérébrale.* ⇒ **Hémorragie ; apoplexie ; (fam.).** *transport* (au cerveau). *Congestion pulmonaire. Congestion cutanée.* ⇒ **Érythème.** *Congestion de la rate, du foie. Congestion du pied de cheval.* ⇒ **Fourbure.** *Traitement des congestions par révulsion, saignée, scarification.*

♦ **2.** Cour. Congestion pulmonaire.

♦ **3.** Cour. Afflux de sang visible (à la face). ⇒ **Congestionné** (→ Coup* de sang).

CONTR. **Décongestion.** — **Anémie, hypotension.**

DÉR. **Congestible, congestif, congestionnel, congestionner.**

CONGESTIONNEL, ELLE [kɔ̃ʒɛstjɔnɛl] adj. — 1847, *in* D. D. L. ; de *congestion.*

♦ Vx. Congestif. *Disposition congestionnelle. Afflux congestionnel.*

CONGESTIONNER [kɔ̃ʒɛstjɔne] v. tr. — 1833, *in* D. D. L. ; de *congestion.*

♦ **1.** Produire une congestion, un afflux de sang dans les vaisseaux de (un organe). *La chaleur congestionne le cerveau.* — Spécialt.

Faire rougir la peau de ... par la congestion. *La colère lui conges-tionne la face.* — Pron. *Son visage se congestionna.*

1 (...) la tête, où l'on sent que la passion monte congestionner aussitôt le cerveau.
               GIDE, Journal, 1er déc. 1905.

2 (...) son rire de bon vivant congestionnait ses pommettes, les couvrait de petits ver-micelles rouges (...)   MARTIN DU GARD, les Thibault, t. I, p. 179.

2.1 Comme ces mères qui se congestionnent en fouettant leur enfant.
           Roger VAILLAND, 325 000 francs, p. 130.

♦ **2.** Fig. Encombrer par un amas, une accumulation de personnes, de choses. *Congestionner une rue, une route.* ⇒ **Embouteiller.**

▶ **CONGESTIONNÉ, ÉE** p. p. adj.

♦ **1.** *Poumons congestionnés.* — Cour. *Avoir le visage congestionné,* rouge par l'afflux de sang. — (Personnes). *Être congestionné, tout congestionné.* ⇒ **Rouge.**

3 Rouvier, congestionné, les épaules tendues comme Atlas, et martelant de ses poings l'air, se résuma (...)   M. BARRÈS, Leurs figures, p. 268.

4 De temps en temps elle soupirait fortement et elle s'épongeait le front. Elle était rouge et congestionnée. M. DURAS, Un barrage contre le Pacifique, p. 109.

♦ **2.** Encombré (par un afflux de véhicules). *Les voies d'accès sont congestionnées.*

CONTR. **Décongestionner.** — (Du p. p., 1.) **Pâle, blême.**

CONGIAIRE [kɔ̃ʒjɛʀ] n. m. — 1554 ; du lat. *congiarum,* de *congius.* → Conge.

♦ Didact. (hist.). Distribution extraordinaire de vivres, d'argent faite au peuple romain dans certaines occasions. — Adj. :
Il y avait 8 000 Juifs à Rome qui recevaient les libéralités congiaires de blé.
      VOLTAIRE, Philosophie, v, 304, *in* LITTRÉ.

CONGLOBATION [kɔ̃ɡlɔbasjɔ̃] n. f. — 1530 ; lat. impérial *conglo-batio,* du supin de *conglobare.* → Conglober.

Vieux.

♦ **1.** Entassement, accumulation.

♦ **2.** (1694). Rhét. Accumulation d'arguments montrant la même chose.

CONGLOBER [kɔ̃ɡlɔbe] v. tr. — xve ; du lat. *conglobare,* de *con-* (cum), et *globus.*

♦ Vx ou littér. Amasser, réunir en boule. ⇒ **Entasser.**

CONTR. **Séparer.**

CONGLOMÉRANT, ANTE [kɔ̃ɡlɔmeʀɑ̃, ɑ̃t] adj. — V. 1960 ; de *conglomérer.*

♦ Rare. Qui conglomère, réunit en un conglomérat. ⇒ **Agglomérant.**
Roulée en boulette, la mie devient un projectile (...) Mâchée avec de la salive, elle acquiert des vertus conglomérantes.
      P. GUTH, le Mariage du naïf, XIV, p. 125.

CONGLOMÉRAT [kɔ̃ɡlɔmeʀa] n. m. — 1818 ; dér. sav. de *conglo-mérer.*

♦ **1.** Minér. Roche détritique formée par des fragments arrachés à une roche préexistante et agglomérés par un ciment. ⇒ **Agglomé-rat.** *Conglomérats à éléments anguleux* (⇒ 2. **Brèche**), *à éléments roulés* (⇒ **Poudingue**).

♦ **2.** (1865). Littér. Agglomération, agglutination.
Si, dans ces périodes de vingt ans, les conglomérats de coteries se défaisaient et se reformaient (...) des cristallisations, puis des émiettements suivis de cristallisa-tions nouvelles avaient lieu dans l'âme des êtres.
    PROUST, À la recherche du temps perdu, t. XV, III, p. 118.
(Abstrait). *Un conglomérat informe d'idées, d'arguments.*

♦ **3.** (1968 ; amér. *conglomerate*). Écon. Anglic. Réunion d'entreprises offrant des produits ou services tout à fait différents entre les mains d'un même groupe financier. «(Chez I. T. T.) *on évite le mot "conglomérat", barbare et franglais*» (le Nouvel Obs., n° 460, sept. 1973, p. 79).

CONTR. **Désagrégation, dispersion, dissémination, éparpillement.**
DÉR. **Conglomératique.**

CONGLOMÉRATION [kɔ̃ɡlɔmeʀasjɔ̃] n. f. — 1829 ; de *conglo-mérer.*

♦ Didact. Action de conglomérer.
Rare. Fait de se conglomérer (personnes).

CONGLOMÉRATIQUE [kɔ̃ɡlɔmeʀatik] adj. — 1846, Besche-relle, Suppl. ; de *conglomérat* (1.).

♦ Minér. Relatif à un conglomérat (1.). *Structure conglomératique.*

CONGLOMÉRER [kɔ̃ɡlɔmeʀe] v. tr. — Conjug. *céder.* — 1721 ; conglomeré, lat. *conglomerare,* de *con-* (cum), et *glomus* «pelote».

♦ Didact. Amasser, réunir en une seule masse. ⇒ **Agglomérer, agglu-tiner, conglutiner, lier.** *Agents naturels capables de conglomérer les sables.* — Au p. p. *Roches conglomérées.* ⇒ **Conglomérat.**

1 (...) d'horribles contre-marées qui conglomèrent les sables, les cailloux.
     BERNARDIN DE SAINT-PIERRE, Étude de la nature, IV.

Par métaphore. ⇒ **Assembler, réunir.** — Pron. :

2 Par moments, voyant des individus assez louches extraits de l'ombre par le pas-sage de M. de Charlus et se conglomérer à quelque distance de lui, je me deman-dais si je lui serais plus agréable en le laissant seul ou en ne le quittant pas.
    PROUST, le Temps retrouvé, Pl., t. III, p. 799.

3 Chacune de ces races aux vocations si diverses que conglomère en une tourbe épaisse chaque province de la Turquie.
     GIDE, Journal, La marche turque, mai 1914.

▶ **CONGLOMÉRÉ, ÉE** p. p. adj.
Anat. *Glandes conglomérées,* réunies en grappes sous une même enveloppe.
Qui forme masse, en parlant d'éléments (choses, personnes) réunis.

CONTR. **Désagréger, disséminer, éparpiller, pulvériser.**
DÉR. **Conglomérant, conglomérat, conglomération.**

CONGLUTINANT, ANTE [kɔ̃ɡlytinɑ̃, ɑ̃t] ou **CONGLUTI-NATIF, IVE** [kɔ̃ɡlytinatif, iv] adj. — 1819, *conglutinant,* in D. D. L. ; *conglutinatif,* xvie ; de *conglutiner.*

♦ Méd. Propre à conglutiner.
Vx ou didact. *Remède conglutinant.* — N. m. *Un conglutinant.*

CONGLUTINATION [kɔ̃ɡlytinasjɔ̃] n. f. — 1314 ; lat. *conglutina-tio,* du supin de *conglutinare.* → Conglutiner.

♦ Vx ou didact. Action de conglutiner ; son résultat.
Méd. Formation d'amas de globules rouges.

CONGLUTINER [kɔ̃ɡlytine] v. tr. — 1314 ; lat. *conglutinare,* de *con-* (cum), et *glutinare* «coller», de *gluten.* → Gluten.

♦ **1.** Vx ou littér. Faire adhérer (deux ou plusieurs corps) par le moyen d'une substance visqueuse. ⇒ **Coller, souder.**
Au p. p. :

1 (...) la chasse aux mantes religieuses (...) dont les paquets d'œufs, conglutinés et pendus à quelque brindille, m'intriguaient si fort (...)
     GIDE, Si le grain ne meurt, II, p. 55.

Méd. Vx. *Conglutiner les bords d'une plaie.* ⇒ **Agglutiner.**

♦ **2.** (V. 1394). Rendre (un liquide) visqueux, gluant. ⇒ **Épaissir.** *Conglutiner le sang par l'amas des globules rouges.* — Absolt :

2 (...) pour épaissir votre sang, qui est trop subtil, il faut manger de bon gros bœuf, de bon gros porc, de bon fromage de Hollande, du gruau et du riz, et des mar-rons et des oublies, pour coller et conglutiner.
    MOLIÈRE, le Malade imaginaire, III, 10.

CONTR. **Dissocier, séparer.** — **Éclaircir, liquéfier.**
DÉR. **Conglutinant** ou **conglutinatif, conglutineux.**

CONGLUTINEUX, EUSE [kɔ̃ɡlytinø, øz] adj. — 1665, Molière ; de *conglutiner.*

♦ Méd. Vx. Gluant, visqueux.
(...) humeurs putrides, tenaces et conglutineuses (...)
     MOLIÈRE, l'Amour médecin, II, 5.

CONGO [kɔ̃ɡo] adj. et n. — 1826, Hugo, *Bug Jargal* ; de *Congo,* nom de pays.

♦ **1.** Vx. Congolais. «*Les nègres congos*» (Hugo).

♦ **2.** (1929 ; de l'angl.). Mod. *Rouge congo :* colorant rouge pour le coton.

CONGOLAIS, AISE [kɔ̃ɡɔlɛ, ɛz] adj. et n. m. — V. 1900 ; congo-lan, aussi congois, av. 1721 ; du n. pr. Congo.

♦ **1.** Du Congo. *L'économie congolaise. Le peuple congolais.* — N. (Un, une Congolaise).

♦ **2.** N. m. Gâteau à la noix de coco . ⇒ **Rocher.**

CONGRATULANT, ANTE [kɔ̃ɡʀatylɑ̃, ɑ̃t] adj. — 1668, Molière ; de *congratuler.*

♦ Rare. Qui congratule, a l'air de congratuler. *Paroles congratulan-tes. Air congratulant.*

Un ton plaintif et entendu, mais un sourire congratulant ; des yeux fixes, tournés vers le dedans, des yeux à malheur, mais des paroles aimables (...) Pas de prise pour la dispute.   Roger IKOR, les Fils d'Avrom, Les eaux mêlées, p. 531.

CONGRATULATEUR, TRICE [kɔ̃gRatylatœR, tRis] adj. et n.
— 1832 ; de *congratuler.*

♦ Rare. Qui congratule. *Un « prologue congratulateur »* (Hugo, *in* T. L. F.).
N. Personne qui en congratule une autre.

CONGRATULATION [kɔ̃gRatylasjɔ̃] n. f. — 1468 ; lat. *congratulatio,* du supin de *congratulare.* → Congratuler.

♦ Vx ou plais. Action de congratuler. ⇒ **Compliment ; félicitation.** *Échanger des congratulations.*

Je me conduisis à peu près convenablement, pendant cette journée où ne cessèrent visites, congratulations, transports de cadeaux et de vœux, jeux d'enfants, cris de plaisir et dons de friandises. H. BOSCO, le Mas Théotime, I, p. 22.

CONTR. Condoléance.

CONGRATULATOIRE [kɔ̃gRatylatwaR] adj. — 1469 ; de *congratuler.*

♦ Rare. Qui contient ou constitue une congratulation. *Lettre congratulatoire.*

CONGRATULER [kɔ̃gRatyle] v. tr. — 1546 ; intrans., *congratuler à qqn,* 1543 ; lat. *congratulari,* de *con- (cum),* et *gratulari* « féliciter » de *gratus* « agréable, reconnaissant ». → Gré.

♦ Vx ou plais. Faire un compliment de félicitation. ⇒ **Complimenter, féliciter.** *Il l'a congratulé sur la naissance de son fils* (Académie). *Congratuler qqn à propos de quelque chose.*

Mille gens à la cour y traînent leur vie à embrasser, serrer et congratuler ceux qui reçoivent (...) LA BRUYÈRE, les Caractères, VIII, 47.

▶ **SE CONGRATULER** v. pron.
Se féliciter, échanger des compliments. *Ils se sont longuement congratulés.*

CONTR. Critiquer.
DÉR. Congratulant, congratulateur, congratulatoire.

CONGRE [kɔ̃gR] n. m. — XIIIᵉ ; lat. *conger.*

♦ Poisson de mer *(Murénidés),* au corps cylindrique, sans écailles (anguille de mer). *Forme larvaire du congre.* ⇒ **Leptocéphale.** *Pêcher, manger du congre. Le congre, très vorace, se nourrit de poissons, de crustacés et de céphalopodes* (→ Pagel, cit.).

Les congres, ces grosses couleuvres d'un bleu de vase, aux minces yeux noirs, si gluantes qu'elles semblent ramper, vivantes encore (...) ZOLA, le Ventre de Paris, t. I, p. 149.

CONGRÉAGE [kɔ̃gRea3] n. m. — 1783 ; de *congréer.*

♦ Mar. Action de congréer.

CONGRÉER [kɔ̃gRee] v. tr. — 1773 ; réfection de l'anc. franç. *conreer* « arranger », d'après *gréer.*

♦ Mar. *Congréer un cordage,* remplir les vides entre ses torons au moyen de fils de caret, de filins.

DÉR. Congréage.

CONGRÉGANISTE [kɔ̃gReganist] adj. et n. — 1680 ; de *congrégation,* d'après les mots en *-iste, organiste,* etc.

♦ D'une congrégation. *École congréganiste,* religieuse.

CONTR. Laïque.

CONGRÉGATION [kɔ̃gRegasjɔ̃] n. f. — Av. 1622 ; « réunion », v. 1120, *congregatiun* ; lat. *congregatio,* de *grex, gregis* « troupeau ».

♦ **1.** Compagnie de prêtres, de religieux, de religieuses. ⇒ **Communauté, ordre.** *La congrégation de l'Oratoire. La loi de 1901 sur les congrégations. D'une congrégation.* ⇒ **Congréganiste.** *Les lazaristes de la congrégation de la Mission. Congrégation enseignante des maristes. Noviciat dans une congrégation.* ⇒ **Alumnat.**

1 Toute congrégation religieuse peut obtenir la reconnaissance légale par décret rendu sur avis conforme du Conseil d'État (...) Loi du 8 avr. 1942 modifiant l'art. 13 de la loi du 1ᵉʳ juil. 1901.

(1680). Confrérie de dévotion, mise sous l'invocation de la Vierge, d'un saint. *Congrégation des Enfants de Marie.*
Vx. Assemblée des fidèles.

♦ **2.** (1630). À la cour de Rome, Comité de cardinaux, d'ecclésiastiques, chargé d'examiner certaines affaires. *La congrégation de l'Index, des Rites.*
Congrégation de l'Inquisition. ⇒ **Saint-office.**

♦ **3.** (1801). Organisation ecclésiastique au sein du protestantisme.

♦ **4.** Assemblée (de laïcs) généralement restreinte, où l'on intrigue.
— Fig. et plais. Assemblée. ⇒ **Réunion, société.**

Là-bas, des congrégations de corbeaux déterrent du bec des semences d'automne. J. RENARD, Histoires naturelles p. 120. 2

REM. Le mot est attiré ici par *corbeau** (fig.) « ecclésiastique ».

Cet Institut national était et allait longtemps rester une sorte de haute *congrégation laïque,* une sorte de *conservatoire* de la Philosophie du siècle, une Église un peu composite où se pressaient pêle-mêle les disciples de Montesquieu, de Voltaire, de Rousseau, de Diderot, d'Holbach (...) Louis MADELIN, l'Ascension de Bonaparte, XV, p. 217. 3

DÉR. Congréganiste.

CONGRÉGATIONALISME [kɔ̃gRegasjɔnalism] n. m. — 1898 ; de *congrégationaliste.*

♦ Relig. Au sein du protestantisme, Système ecclésiastique qui rend chaque paroisse autonome.

CONGRÉGATIONALISTE [kɔ̃gRegasjɔnalist] n. — 1838 ; angl. *congregationalist,* même sens.

♦ Relig. Partisan du congrégationalisme.

REM. On rencontre le syn. (rare) *congrégational, ale, aux* (1752 ; angl. *congregational*).

DÉR. Congrégationalisme.

CONGRÈS [kɔ̃gRɛ] n. m. — XVIᵉ ; lat. *congressus* « réunion », de *congredi* « se rencontrer ».

★ **I.** Vx. Union sexuelle.

(1598). Ancienn. « Épreuve qu'ordonnait autrefois la justice pour constater, en présence de chirurgiens et de matrones, la puissance ou l'impuissance des époux qui plaidaient en nullité de mariage » (Littré). *Le congrès fut aboli en 1677.*

Jamais la biche en rut n'a, pour fait d'impuissance, 0.1
Traîné du fond des bois un cerf à l'audience ;
Et jamais juge, entre eux ordonnant le congrès,
De ce burlesque mot n'a sali ses arrêts. BOILEAU, Satires, VIII.

★ **II.** ♦ **1.** (1692 ; « réunion de personnes », 1611). Réunion diplomatique où les représentants de plusieurs puissances règlent certaines questions internationales. ⇒ **Conférence.** *Le congrès aboutit, non seulement à la rédaction de traités ou actes diplomatiques, mais à l'établissement de statuts politiques ou de règles du Droit international* (Capitant). *Congrès de Westphalie* (1648), *de Vienne* (1815), *de Vérone* (1822), *de Paris* (1856), *de Berlin* (1878). *Assembler, ouvrir un congrès international pour la paix.*

♦ **2.** [a] (1774 ; angl. *congress*). Corps législatif des États-Unis d'Amérique. *Une chambre des représentants et un sénat composent le Congrès. Le Capitole de Washington, siège du Congrès.*

[b] Assemblée* des députés et des sénateurs qui élisaient le Président de la IIIᵉ République.

La constitution nouvelle donne à la réunion de l'Assemblée nationale et du Conseil de la République le nom de « Parlement » (...) Le mot « Congrès », bien que non employé par la Constitution, subsiste et se trouve figurer dans les documents officiels. Marcel PRÉLOT, Précis de droit constitutionnel, n° 388. 1

♦ **3.** (1797). Réunion de personnes qui se rassemblent pour échanger leurs idées ou se communiquer leurs études (sur des questions scientifiques, littéraires, politiques...). *Congrès archéologique. Congrès de sociologie. Congrès eucharistique. Congrès international de médecins, de juristes. Congrès d'étudiants. Congrès du Livre. Congrès de la paix. Actes d'un congrès. Congrès et colloques*, tables* rondes. Assister, prendre part* (⇒ **Congressiste**), *faire une communication à un congrès. Palais des congrès. Congrès d'un parti politique, d'un syndicat.* ⇒ **Assises.**

(...) ces écrivains qui instituent des congrès pour la pensée « au service de la paix », comme si la pensée n'avait pas à être uniquement la pensée et à ne se vouloir « au service » de quoi que ce soit. Julien BENDA, la Trahison des clercs, p. 89. 2

DÉR. Congressiste.

CONGRESSISTE [kɔ̃gResist] n. — 1869 ; de *congrès.*

♦ Personne qui prend part à un congrès. *Les congressistes portent un macaron avec leur nom.*

CONGRU, UE [kɔ̃gRy] adj. — 1282 ; lat. *congruus* « convenable », de *congruere* « concorder ».

♦ **1.** Vx ou littér. Qui convient exactement à une situation donnée. ⇒ **Approprié, convenable, pertinent.** *Phrase, réponse congrue,* exacte et précise. *Régime médical congru.*

(...) mon dit père (...) par mots exquis et sentences congrues, diminuait le bon tour qu'il leur avait fait *(aux Canarriens...)* RABELAIS, Gargantua, 50. 1

Après une attente congrue dans les salons consécutifs, j'ai été admis à lui baiser la main. FRANCE, le Lys rouge, X, p. 100. 2

(Ils) s'étonneront du manque de maintes citations congrues, alors qu'il ne compile 3

des manuels où tout jeune homme lit ce qui est nécessaire pour suivre lesdits usages.   A. JARRY, les Minutes de sable mémorial, Pl., p. 171.

4 Tout romancier doit savoir que s'il lâche dans son livre le personnage d'un grand homosexuel flamboyant, il devra renoncer à le contenir dans les limites congrues.
                                    M. TOURNIER, le Vent Paraclet, p. 251.

Théol. *Grâce congrue,* qui convient aux circonstances et aux dispositions de celui qui la reçoit (⇒ **Congruiste**).

♦ **2. PORTION CONGRUE.** [a] (1615). Anciennt. Pension que le bénéficiaire d'une paroisse donnait au curé pour compléter le casuel.

5 Un vertueux Prêtre, messire Pandevant (...) avait accumulé les revenus de son patrimoine depuis longtemps, pour doter ses deux Nièces, et s'était astreint à vivre de sa modique portion congrue, qui n'allait qu'à cent écus.
                                    RESTIF DE LA BRETONNE, la Vie de mon père, p. 184.

[b] Mod. Revenu, traitement, chose distribué(e) à peine suffisant(e) pour subsister. *Réduire qqn à la portion congrue.*

6 Top, dont la portion avait été fort congrue, saurait bien trouver quelque nouveau gibier sous le couvert des taillis.   J. VERNE, l'Île mystérieuse, t. I, p. 147.

♦ **3.** (1863). Math. *Nombres congrus, par rapport à un troisième,* dont la différence est divisible par ce dernier (module). ⇒ **Congruence; modulo.** *8 est congru à 12 modulo 2.*

CONTR. Discordant, disproportionné, inadéquat, incongru, inconvenant.
DÉR. Congruence, congruiste, congrûment.

CONGRUENCE [kɔ̃gʀyɑ̃s] n. f. — 1374; de *congru.*

♦ **1.** Vx ou littér. Fait de convenir, d'être adapté. ⇒ **Convenance.**

♦ **2.** (1771). Math. Égalité de figures géométriques (dites *congruentes*). — *Congruence de droites :* famille de droites à deux paramètres. *La relation de congruence est une relation d'équivalence.*

♦ **3.** (1845). Math. Caractère de deux nombres congrus.

CONGRUENT, ENTE [kɔ̃gʀyɑ̃, ɑ̃t] adj. — V. 1510; lat. *congruens,* p. prés. de *congruere.* → Congru.

♦ **1.** Qui convient, qui s'applique bien. ⇒ **Congru.** *Arguments congruents. Idée congruente à la situation.*

Quelle épouvantable catastrophe! s'écria l'apothicaire, qui avait toujours des expressions congruentes à toutes les circonstances imaginables.
                                    FLAUBERT, Mᵐᵉ Bovary, II, VIII.

♦ **2.** (1771). Math. *Figures congruentes,* égales (⇒ **Congruence**).

CONGRUISME [kɔ̃gʀyism] n. m. — 1753; de *congruiste.*

♦ Didact. Système théologique des congruistes.

CONGRUISTE [kɔ̃gʀyist] adj. et n. — 1714; de *congru.*

♦ Didact. (relig.). Adepte d'un système théologique défendant le principe de la grâce congrue*, permettant d'expliquer le libre jeu de la volonté humaine à l'égard de la volonté divine (→ Grâce, cit. 35.1).

DÉR. Congruisme.

CONGRÛMENT [kɔ̃gʀymɑ̃] adv. — V. 1370; de *congru.*

♦ Littér. D'une manière congrue. ⇒ **Convenablement,** (cour.) **justement.**

(...) Christy qui parle de lui *(d'un animal)* fort congrûment, mais incidemment, dans son remarquable ouvrage sur les animaux de la forêt équatoriale (...)
                                    GIDE, Feuillets d'automne, in Souvenirs, Pl., p. 1115.

CONIACIEN, IENNE [kɔnjasjɛ̃, jɛn] adj. et n. m. — 1857, Coquand d'après E. Haug; de *Cognac,* ville de Charente.

♦ Géol. Partie inférieure de l'étage sénonien. «(...) un minimum d'une centaine de pierres ont servi à l'éclairage. La plupart sont très frustes; le matériau le plus généralement employé est le calcaire coniacien qui se débite naturellement en plaquettes sur la colline de Lascaux» (la Recherche, nᵒ 110, avr. 1980, p. 145).

CONICINE [kɔnisin] n. f. — 1834; dér. sav. du lat. *conium,* du grec *koneion* «ciguë».

♦ Syn. de *cicutine.* — Syn. vx : *conine,* n. f. (1863, in Littré).

CONICITÉ [kɔnisite] n. f. — 1863, in Littré; de *conique,* et suff. *-ité.*

♦ Didact. Caractère, forme conique.

CONIDIE [kɔnidi] n. f. — 1838; *conide,* 1814; dér. du grec *konis, idis* «poussière». → Coniomètre.

♦ Bot. Spore de champignon, asexué, produit par fractionnement

ou par bourgeonnement du mycélium. *L'ensemble des conidies est aussi appelé* conidiome (n. m.), *ou* appareil conidien (adj.; 1900).

CONIFÈRE [kɔnifɛʀ] adj. et n. m. — 1523, adj.; lat. *conifer,* de *conus* «cône», et *-fère.*

♦ **1.** Adj. Vx. Qui porte des fruits de forme conique. *Arbre conifère.*

♦ **2.** N. m. (1809). Bot. Plante d'une importante famille de gymnospermes, comprenant surtout des arbres dont les organes reproducteurs sont des *chatons* (mâles) et des *cônes** (femelles); var. : *Coniférales;* sous-familles : abiétinées, araucariacées, cupressinées, taxacées. *Principaux conifères.* ⇒ **Araucaria, cèdre, épicéa, ginkgo, if, mélèze, pin, sapin, séquoia, thuya.** *Le fruit des conifères est un cône écailleux* (⇒ **Cône, strobile**), *un galbule, une baie. Térébenthine** extraite de la résine des conifères. Beaucoup de conifères sont exploités pour leur bois.

Cour. (en parlant des conifères les plus connus). → Pin, sapin, etc.). *Une forêt de conifères. Conifère nain.*

Les conifères, heureusement disposés, jetaient sur le tableau de profondes ombres bleues (...)   G. DUHAMEL, Chronique des Pasquier, t. V, XI, p. 132.

CONIOMÈTRE [kɔnjɔmɛtʀ] n. m. — xxᵉ; du grec *konis* «poussière», et *-mètre.*

♦ Techn. Appareil permettant d'identifier et de mesurer les poussières contenues dans l'atmosphère.

CONIOSE [kɔnjoz] n. f. — xxᵉ; grec *konis* «poussière», et 2. *-ose.*

♦ Méd. Maladie (le plus souvent pulmonaire ⇒ **Pneumoconiose**) provoquée par l'inhalation de poussières. ⇒ **Silicose.**

CONIQUE [kɔnik] adj. et n. f. — 1624; grec *kônikos,* de *kônos.* → Cône.

♦ **1.** Qui a la forme d'un cône (⇒ **Conicité**). *Engrenage, pignon conique. Entonnoir, éteignoir de forme conique. Cornes coniques des ruminants.*

♦ **2.** Géom. Qui appartient au cône. *Section conique. Volume conique que déterminent deux plans passant par l'axe du cône.* ⇒ **Onglet.**

N. f. (Av. 1640, Desargues). Courbe qui résulte de la section d'un cône par un plan ne contenant pas le sommet du cône. ⇒ **Ellipse, hyperbole, parabole.** *Si le plan sécant est perpendiculaire à l'axe du cône, la conique obtenue est un cercle*. Directrice, foyer d'une conique. Excentricité d'une conique. Axes* (axe focal, axe non focal) d'une conique. L'Essai sur les coniques, de Pascal.*

DÉR. Conicité.

CONIROSTRE [kɔniʀɔstʀ] adj. et n. — 1806; de *cône,* et lat. *rostrum* «bec».

♦ Zool. Qui a le bec court et conique. *Les oiseaux conirostres.* — N. m. *Les conirostres.*

CONISE [kɔniz] n. f. — 1605, *conyse;* grec *konuza,* même sens.

♦ Bot. Plante *(Composacées)* dite communément *herbe aux puces.*

CONJECTURABLE [kɔ̃ʒɛktyʀabl] adj. — 1580, attestation isolée; repris 1886, Bloy, *le Désespéré,* p. 241; de *conjecturer.*

♦ Rare. Que l'on peut conjecturer, supposer avec vraisemblance.

Un pied sur la conjecturable solidité de ce grillage et l'autre sur la saillie de cette sculpture, il saura bien rejoindre la chambre (...)
                                    A. JARRY, l'Amour en visite, Pl., p. 843.

CONJECTURAL, ALE, AUX [kɔ̃ʒɛktyʀal, o] adj. — V. 1300; de *conjecture.*

♦ Didact. ou style soutenu. Qui est fondé sur des conjectures. *Science conjecturale. Critique conjecturale (des textes anciens).*

1 (...) le genre humain, considéré comme un grand individu collectif (...) a deux aspects : l'aspect historique et l'aspect légendaire. Le second n'est pas moins vrai que le premier; le premier n'est pas moins conjectural que le second.
                                    HUGO, la Légende des siècles, Préface de la 1ʳᵉ série.

2 Lorsque Renan appelait l'histoire une petite science conjecturale, il se servait d'une forte ellipse.   J. BAINVILLE, Lectures, p. 78.

3 (...) ce n'était qu'une hypothèse; et dans un domaine scientifique si conjectural lui-même qu'à peine mérite-t-elle ce nom.
                                    Colette AUDRY, l'Autre Planète, p. 58.

CONTR. Certain, constant, positif.
DÉR. Conjecturalement.

CONJECTURALEMENT [kɔ̃ʒɛktyʀalmã] adv. — 1488 ; de *conjectural*.

♦ Didact. Par conjecture.

CONJECTURE [kɔ̃ʒɛktyʀ] n. f. — V. 1246 ; lat. *conjectura*.

♦ Didact. (cour. dans quelques constructions). Opinion fondée sur des probabilités, des apparences. ⇒ **Hypothèse, supposition.** *Ce n'est qu'une conjecture. Faire, former, hasarder des conjectures sur ce qui s'est passé. Conjecture sur l'avenir.* ⇒ 2. **Augure, prédiction, présage, présomption, prévision, pronostic, prophétie.** *Tirer une conjecture de...* ⇒ **Inférer.** *Appuyer, fonder une conjecture sur... Parler de qqch. par conjecture. Conjecture bien, mal fondée. Conjecture trompeuse, improbable* (→ Avérer, cit. 11), *chimérique, fantaisiste, absurde ; vraisemblable, fondée. De vaines conjectures. En être réduit aux conjectures. Se perdre en conjectures :* envisager de nombreuses hypothèses, rester perplexe.

1 Se douterait-il de quelque chose ? se demandait Léon. Il avait des battements de cœur et se perdait en conjectures. FLAUBERT, Mᵐᵉ Bovary, I, VI, p. 78.

2 Au-delà de 2 500 ans, les origines de la France se perdent dans les conjectures et dans la nuit. J. BAINVILLE, Hist. de France, I, p. 11.

Spécialt. Opinion négative fondée sur des préjugés.

Sc. Théorème supposé vrai, que l'on cherche à démontrer. *Les conjectures de Weil,* en théorie des nombres.

DÉR. **Conjectural.**

CONJECTURER [kɔ̃ʒɛktyʀe] v. tr. — XIIIᵉ ; bas lat. *conjecturare* de *conjectura.* → Conjecture.

♦ Didact., littér. ou style soutenu. Croire, juger, inférer par conjecture*. ⇒ **Imaginer, présumer, soupçonner, supposer.** *Conjecturer l'issue d'un événement. Conjecturer que...* (et indicatif).

1 Je dirai là-dessus ce que j'ai su, qui se borne à très peu de chose ; je me tairai sur ce que j'ai conjecturé. ROUSSEAU, les Confessions, XII.

2 Aucun (*géographe avant Magellan*) n'a osé dire ni même conjecturer qu'il était possible de faire le tour du monde. BUFFON, Œ. compl., t. I, p. 308.

Absolt. *Conjecturer sur ce qu'on ignore.* ⇒ **Augurer, deviner.**

3 Dans tel et tel cas, quel motif ont eu tel et tel d'agir comme ils l'ont fait ? (...) C'est dans cette partie de l'histoire, la plus intéressante mais la plus difficile qu'on est réduit aux hypothèses. Il faut conjecturer. J. BAINVILLE, Lectures, p. 79.

DÉR. **Conjecturable.**

CONJOINDRE [kɔ̃ʒwɛ̃dʀ] v. tr. — Conjug. *joindre.* → Craindre. — V. 1160 ; lat. *conjungere* «unir» de *con- (cum),* et *jungere.* → Joindre.

♦ **1.** Vx ou littér. Joindre, unir, conjuguer.

1 Aussitôt, au lieu de l'intervalle impossible à combler entre mon désir et l'action, l'effet de l'alcool traçait une ligne qui les conjoignait tous deux. PROUST, À la recherche du temps perdu, t. IX, p. 303.

Pron :

2 Alors les extrêmes se conjoindront dans la symbiose de l'esprit d'Occitanie et de la physique sociale d'Orient. Raymond ABELLIO, Ma dernière mémoire, t. I, p. 57.

♦ **2.** (V. 1355). Vx. Unir par le mariage. ⇒ **Conjoint.**

Pron. (rare et plais.) :

3 Mais je ne me suis conjoint qu'à trente-huit, moi !... et j'étais précoce !... E. LABICHE, Mon Isménie, 2.

DÉR. **Conjoint.**

CONJOINT, OINTE [kɔ̃ʒwɛ̃, wɛ̃t] adj. et n. — XIIᵉ ; de *conjoindre.*

♦ **1.** Adj. Didact. Joint avec ; uni. *Problèmes conjoints* (→ Circulation, cit. 5). *Maladies conjointes,* qui coexistent. — Dr. *Personnes conjointes,* liées par des intérêts communs. *Legs conjoint,* fait conjointement à plusieurs. — Bot. *Étamines, feuilles conjointes,* qui paraissent comme soudées ensemble. — Mus. *Degré* conjoint. Mouvement conjoint.* — Arithm. *Règle conjointe :* détermination du rapport de deux quantités dont les rapports avec d'autres quantités sont connus.

1 Elle est la détentrice de trois secrets effrayants, liés entre eux, qu'elle a juré de ne livrer à personne, leur révélation conjointe devant déclencher à coup sûr des catastrophes irréparables (...) A. ROBBE-GRILLET, Projet pour une révolution à New York, p. 91.

2 (...) tenter le calcul de son degré de détermination, de sottise et de criminalité conjointes. A. ROBBE-GRILLET, Projet pour une révolution à New York, p. 128.

♦ **2.** N. (surtout n. m. pl.) 1342. Cour. Personne unie à une autre par les liens du mariage. ⇒ **Époux.** *Les deux conjoints. Les futurs conjoints :* les fiancés. *Le conjoint survivant. Le conjoint de...* (Rare). *Sa conjointe.* ⇒ **Épouse, femme.** *La famille du conjoint* (la belle-famille), *les enfants du conjoint* (les beaux-enfants), etc.

3 J'appelle un bon, voire un parfait hymen, Quand les conjoints se souffrent leurs sottises. LA FONTAINE, Contes et nouvelles, Belphégor.

CONTR. Divisé, éloigné, séparé. — Disjoint.
DÉR. **Conjointement, conjointer** (se).

CONJOINTEMENT [kɔ̃ʒwɛ̃tmã] adv. — 1254 ; de *conjoint.*

♦ Didact., littér. ou style soutenu. D'une manière conjointe (1.), en même temps. ⇒ **Concert** (de), **concurremment, ensemble, simultanément.** *Agir conjointement avec qqn.*

Ces balles, c'est du minerai, sorti des entrailles de la terre, qui vous jaillit à la figure. Et c'est conjointement une convulsion de cette société (...) DRIEU LA ROCHELLE, la Comédie de Charleroi, p. 43.

Dr. *Legs fait conjointement* (→ Assigner, cit. 2).

CONTR. **Isolément, part** (à), **séparément.**

CONJOINTER (SE) [kɔ̃ʒwɛ̃te] v. pron. — 1944 ; de *conjoint.*

♦ Par plais. Vivre maritalement. — REM. Cet emploi manifeste l'archaïsme de *conjoindre.*

(...) on s'est conjointé, mais on ne pensait pas bien précisément au mariage, faut nous excuser : la jeunesse. R. QUENEAU, Loin de Rueil, p. 218.

CONJONCTEUR [kɔ̃ʒɔ̃ktœʀ] n. m. — 1868, *Année sc. et industr.,* 1869, p. 426 ; de *conjonction,* d'après *disjoncteur.*

♦ Électr. Interrupteur automatique pour fermer un circuit. ⇒ **Coupleur.** *Conjoncteur-disjoncteur.*

CONJONCTIF, IVE [kɔ̃ʒɔ̃ktif, iv] adj. — 1372 ; lat. *conjunctivus* du supin de *conjungere.* → Conjoindre.

♦ **1.** Didact. (rare en emploi général). Qui conjoint, unit. *Élément conjonctif.* — Dr. *Testament* conjonctif.*

♦ **2.** (1690 ; n. f., «conjonction», 1680 ; n. m., «subjonctif», XIVᵉ). Gramm. Qui réunit deux mots, deux parties d'un discours. — (Vx). *Particule conjonctive :* conjonction. — (Mod.). *Locutions conjonctives,* jouant le rôle de conjonctions (ex. : *bien que*). *Proposition conjonctive,* et, ellipt. (n. f.), *une conjonctive.*

1 (...) on peut dire qu'il (*le mot* que) est la particule conjonctive par excellence. F. BRUNOT, la Pensée et la Langue, VI, IV, p. 181.

2 La conjonctive, par la variété des rapports qu'elle marque tient à la fois de la subordonnée et de la coordonnée. Quand on dit : *Il poussa la porte* qui *s'ouvrit,* le sens est à peu près : *et elle s'ouvrit.* F. BRUNOT, la Pensée et la Langue, XVIII, III, p. 700.

Log. *Syllogisme conjonctif,* dont la conclusion est tautologique par rapport au contenu (complexe) de la majeure.

♦ **3.** (1863). Anat. Qui unit des parties organiques. *Tissu* conjonctif :* tissu qui occupe les intervalles entre les organes ou entre les différents éléments d'un même organe (→ Cicatrice, cit. 5). *La cellulite* est une inflammation du tissu conjonctif.* — *Fibres, cellules* (cit. 7) *conjonctives. Bourgeon* conjonctif.* Spécialt. *La membrane conjonctive.* ⇒ **Conjonctive.**

CONTR. **Disjonctif.**

CONJONCTION [kɔ̃ʒɔ̃ksjɔ̃] n. f. — XIIᵉ ; lat. *conjunctio,* du supin de *conjungere.* → Conjoindre.

★ **I.** Didact. ou littér. ♦ **1.** Action de joindre. ⇒ **Assemblage, jonction, rencontre, réunion, union.** *La conjonction de deux choses, entre deux choses. Faire qqch. en conjonction avec qqn d'autre.*

1 (...) cela n'empêche pas que toute sa Divinité, aussi bien que toute son Humanité, n'y soit dans une conjonction nécessaire (...) PASCAL, les Provinciales, 16.

2 Un rôle si vaste demande une telle conjonction de talents, que nul acheteur ne peut espérer de les réunir tous. Th. GAUTIER, *in* Pierre LAROUSSE.

3 Le style d'un peintre est dans cette conjonction de la nature et de l'histoire (...) CAMUS, l'Homme révolté, IV, p. 318.

♦ **2.** (V. 1200). Spécialt. *Conjonction des sexes,* et, absolt (vieilli), *conjonction :* rapport sexuel.

4 Les conjonctions illicites contribuent peu à la propagation de l'espèce. MONTESQUIEU, l'Esprit des lois, XXIII, 2.

5 Dans ma verte jeunesse, je croyais que l'animal humain était surtout enclin à la conjonction des sexes. J'en jugeais par moi. Mais, à les considérer en masse, nous voyons que les hommes sont plus intéressés encore à conserver la vie qu'à la donner. FRANCE, la Rôtisserie de la reine Pédauque, Œ., t. VIII, p. 238.

♦ **3.** (V. 1270). Astron. Rencontre (de deux astres) dans une ligne droite, par rapport à un certain point de la terre (opposé à : *opposition*). *Conjonction des planètes en astrologie.* ⇒ **Aspect** (→ Cataclysme, cit. 2 ; présider, cit. 2). — Absolt. Rencontre de la lune avec le soleil dans un même point du zodiaque.

6 Les marées doivent être un peu plus fortes dans la conjonction que dans l'opposition. VOLTAIRE, Éléments de la philosophie de Newton, III, § 11.

★ **II.** (XIVᵉ). Gramm. et cour. Partie du discours qui sert à joindre deux mots ou groupes de mots. *Conjonctions de coordination* (ou *copulatives*), qui, entre des mots ou des propositions de même fonction, marquent l'union (⇒ **Et**), l'opposition (*conjonctions adversatives* ⇒ **Cependant, mais, néanmoins,** 2. **or, pourtant, toutefois**), l'alternative ou la négation (⇒ **Ni ; ou, soit, tantôt**), la conséquence (⇒ **Aussi, donc, partant, sinon, sorte** [de sorte que, en sorte que]), la conclusion (⇒ **Ainsi, enfin**). *Locutions jouant le rôle de conjonction.* ⇒ **Conjonctive,** adj. (ex. : *au reste, au surplus, d'ailleurs, du* reste, c'est pourquoi, par conséquent). *Conjonctions de surbordination,* qui établissent une dépendance entre les éléments qu'elles unissent et marquent le temps (⇒ **Comme, lorsque, quand**), la comparaison (⇒ **Comme**), la condition (*conjonction dubitative* ⇒ **Si**), la conséquence (⇒ **Que**), la concession (⇒ **Quoique**).

7   Le langage réunit des mots, des groupes de mots, des propositions, par des outils de liaison qu'on appelle des conjonctions : *Je pense,* donc *je suis.* les phrases se joignent les unes aux autres ; des *systèmes* se constituent. Une même conjonction peut servir à ces divers rôles. *Mais* unit deux mots, deux compléments ou deux phrases : *sévère* mais *juste.*
F. BRUNOT, la Pensée et la Langue, V, XVIII, IV, p. 702.

8   Il faut aussi proscrire de son style ce que j'appellerais les *parasites,* ces conjonctions dont on abuse pour amener les transitions de phrases, comme : *en effet, certes...*
Antoine ALBALAT, l'Art d'écrire, VI, p. 118.

★ **III.** Log. Opérateur (connectif binaire) d'une proposition complexe correspondant à « et » (symb. Λ), par lequel la proposition complexe est vraie si, et seulement si, les deux propositions élémentaires sont vraies.

CONTR. **Disjonction, séparation.** — (Du sens I., 3) **Opposition.**
DÉR. **Conjoncteur.**

CONJONCTIVAL, ALE, AUX [kɔ̃ʒɔ̃ktival, o] adj. — 1845 ; de *conjonctive.*

♦ Didact. Relatif à la conjonctive ; de la conjonctive. *Glandes conjonctivales.*

CONJONCTIVE [kɔ̃ʒɔ̃ktiv] n. f. — V. 1370 ; → Conjonctif.

♦ Anat. et cour. Membrane muqueuse transparente qui tapisse l'intérieur des paupières et les unit au globe oculaire sur lequel elle se continue jusqu'à la cornée. *Appliquer un collyre sur la conjonctive. Inflammation de la conjonctive.* ⇒ **Conjonctivite.**

DÉR. **Conjonctival, conjonctivite.**

CONJONCTIVITE [kɔ̃ʒɔ̃ktivit] n. f. — 1832 ; de *conjonctive.*

♦ Inflammation de la conjonctive. *Conjonctivite granuleuse.* ⇒ **Trachome.** *Conjonctivite chronique.*

Parmi ces petits phoques beaucoup souffrent d'une espèce de conjonctivite purulente qui n'atteint pas les adultes.
Bernard MOITESSIER, Cap Horn à la voile, p. 135.

CONJONCTURE [kɔ̃ʒɔ̃ktyR] n. f. — Av. 1475 ; de l'anc. franç. *conjointure,* de *conjoindre,* refait d'après le lat. *conjunctus* de *conjungere.*

♦ Didact., littér. ou style soutenu. Situation qui résulte d'une rencontre de circonstances et qui est considérée comme le point de départ d'une évolution, d'une action. ⇒ **Cas, état, occasion, occurrence, situation.** *Une conjoncture favorable, heureuse, difficile, fâcheuse, fatale, malheureuse, triste. Profiter de la conjoncture. Dans la conjoncture présente.* — Au plur. *En de telles conjonctures.* ⇒ **Circonstance.** — Vx. *Conjoncture de lieux, de personnes.* ⇒ **Rencontre.**

1   Il *(notre sort)* dépend d'une conjoncture
De lieux, de personnes, de temps (...)   LA FONTAINE, Fables, VIII, 16.

2   Toute confiance est dangereuse si elle n'est entière : il y a peu de conjonctures où il ne faille tout dire ou tout cacher.   LA BRUYÈRE, les Caractères, V, 80.

3   J'ai lieu de présumer que mes services ne vous sont plus agréables ; et, dans la conjoncture présente, il est naturel que je sache mon sort.
MARIVAUX, les Fausses Confidences, III, 7.

4   Chaque jour et plusieurs fois par jour, les écrivains sont invités à se prononcer sur des problèmes ou des conjonctures dont ils ne savent presque rien et sur des personnalités qu'ils ne connaissent que de manière allusive.
G. DUHAMEL, la Défense des lettres, II, IX, p. 186.

5   Il y a là une conjoncture purement accidentelle ; rien de suspect.
GIDE, Voyage au Congo, in Souvenirs, Pl., p. 809.

(1937). Spécialt. État de l'économie à un moment donné. *La conjoncture nationale, internationale. Les fluctuations de la conjoncture. Dans la conjoncture actuelle. Politique économique destinée à renverser une conjoncture défavorable.* ⇒ **Anticonjoncturel.**

DÉR. **Conjoncturel, conjoncturiste.**

CONJONCTUREL, ELLE [kɔ̃ʒɔ̃ktyRɛl] adj. — 1954 ; de *conjoncture.*

♦ Didact. ou techn. (admin., écon.). De la conjoncture économique. « *Le caractère conjoncturel qui caractérise maints profits* » (J.-P. Courthéoux, *la Politique des revenus,* p. 63). *Politique conjoncturelle.* « *La croissance conjoncturelle des importations* » (France-Europe, n° 16, p. 45). *Dépression, variation conjoncturelle. Prélèvement conjoncturel.*

Pour respecter le plus possible notre désir d'affranchir et de non de soumettre le lecteur, nous allons suivre, le plus possible, l'ordre logique de la recherche clinique : symptômes, diagnostic, pronostic, thérapeutique, qui est aussi, ou devrait être celui des recherches conjoncturelles en économie.
A. SAUVY, Croissance zéro ?, 1973, p. 12.

REM. On trouve aussi la forme *conjonctural, ale, aux* [kɔ̃ʒɔ̃ktyRal, o]. *Éléments conjoncturaux et structuraux.*

CONTR. **Structurel.**
COMP. **Anticonjoncturel.**

CONJONCTURISTE [kɔ̃ʒɔ̃ktyRist] n. — 1953 ; de *conjoncture.*

♦ Techn. (écon.). Spécialiste des problèmes de conjoncture économique. « *Le rôle du conjoncturiste (...) est de détecter les obstacles* » (France-Europe, n° 16, p. 9).

CONJOUIR (SE) [kɔ̃ʒwiR] v. pron. — V. 1450 ; trans., « recevoir avec courtoisie », v. 980 ; du lat. chrét. *congaudere,* de *con-* (cum), et *gaudere* « se réjouir », avec infl. de *jouir.*

♦ Vx et littér. (encore chez J. Lemaître, 1885, *in* T.L.F.). Se réjouir. *Se conjouir avec qqn de qqch.*

CONJUGABLE [kɔ̃ʒygabl] adj. — 1829 ; de *conjuguer.*

♦ Qui peut être conjugué. *Ce verbe n'est pas conjugable à tous les temps.*

CONTR. **Inconjugable.**

CONJUGAISON [kɔ̃ʒygɛzɔ̃] n. f. — 1236, *conjugacion* ; lat. gramm. *conjugatio,* en lat. class. « union charnelle », du supin de *conjugare.* → Conjuguer.

♦ **1.** Ensemble des formes verbales (⇒ **Paradigme**) ; tableau ordonné de toutes les formes d'un verbe suivant les voix (*conjugaison active, passive, réfléchie,* et, en latin, *conjugaison déponente*), les modes, les temps, les personnes, les nombres. *Conjugaison régulière, irrégulière. Les trois groupes de conjugaisons de la langue française :* 1er : *celui des verbes en -er ;* 2e : *celui des verbes en -ir (p. prés. -issant) ;* 3e : *tous les autres. Conjugaison à un radical* (chanter, placer, bouger...), *à deux, à trois radicaux. La conjugaison de* aller *comporte six radicaux. Conjugaison défective. Apprendre, réciter ses conjugaisons.* Groupe des verbes ayant des formes communes. *Verbe de la 2e conjugaison.*

♦ **2.** Didact. ou littér. Action de conjuguer, de combiner (différents éléments). ⇒ **Association, combinaison, conjonction, jonction.** *La conjugaison de leurs efforts.*

♦ **3.** Anat. (Vx). Réunion par paires (de nerfs).

♦ **4.** Biol. Mode de reproduction sexuée, chez des micro-organismes unicellulaires, caractérisée par l'union de deux individus semblables se comportant comme des gamètes (distinct de la *fécondation*). — Union des chromosomes homologues lors de la mitose.

CONTR. **Dispersion, éparpillement, opposition.**

CONJUGAL, ALE, AUX [kɔ̃ʒygal, o] adj. — V. 1282 ; lat. *conjugalis,* de *conjux* « époux, épouse ».

♦ Relatif à l'union entre le mari et la femme. ⇒ **Matrimonial.** *Amour conjugal* (→ Mourant, cit. 8). *Les liens conjugaux. Lit, foyer* (→ Reconnaissance, cit. 7) *conjugal. Union conjugale.* ⇒ **Mariage.** *Foi, fidélité, vie, chambre conjugale. Disputes, criailleries, attentions, prévenances conjugales. Drame conjugal. Bonheur conjugal. Le domicile conjugal se trouve là où réside officiellement le mari. Manquement à la foi conjugale* (→ Adultère). *Le devoir conjugal :* devoir qu'ont les époux de ne pas se refuser sexuellement l'un à l'autre.

1   Mais en venir de but en blanc à l'union conjugale... et prendre justement le roman par la queue !   MOLIÈRE, les Précieuses ridicules, 4.

2   Dans la France d'autrefois, une femme avait plaisir à coucher avec son mari et, si elle n'y avait pas réellement plaisir, elle en prenait son parti et s'acquittait de ses devoirs conjugaux (...)   A. MAUROIS, Terre promise, XXVIII, p. 191.

3   (...) le divin Maître *(Jésus)* rétablissait le mariage dans son éclat, et restituait aux époux « la gloire de la chasteté conjugale ». Il fit plus : en l'élevant à la dignité de sacrement, il le sanctifia.   Mgr GRENTE, les Sept Sacrements, p. 121.

DÉR. **Conjugalement, conjugalité.**
COMP. **Extra-conjugal.**

CONJUGALEMENT [kɔ̃ʒygalmɑ̃] adv. — XVIe ; de *conjugal.*

♦ **1.** D'une manière conjugale. ⇒ **Maritalement.** *Vivre conjugalement.*

(...) je l'ai entendue dire à son mari, de la voix la plus conjugalement impérieuse et la plus claire : « Henri, ramassez mon capuchon ! »
BARBEY D'AUREVILLY, les Diaboliques, éd. L. de Poche, p. 58.

♦ **2.** Avec son conjoint. « *Depuis son mariage, elle a fait conjugalement un voyage en Espagne* » (Gobineau, les Pléiades, *in* T.L.F.).

CONJUGALITÉ [kɔ̃ʒygalite] n. f. — 1846 ; de *conjugal*.

♦ Rare. Vie conjugale.

Quoi ! il s'était contenté de tromper sa femme bourgeoisement, sagement, dans des aventures d'un soir, plus banales les unes que les autres, où dans des liaisons sans éclat, caricatures clandestines de la conjugalité.
Jean-Louis CURTIS, le Roseau pensant, p. 289.

CONJUGUÉ, ÉE [kɔ̃ʒyge] adj. et n. — 1690 ; « marié », 1596 ; p. p. de *conjuguer**.

♦ **1.** Joint, combiné avec. *Influences conjuguées. Leurs efforts conjugués. L'action conjuguée d'une chose et d'une autre.*

1 (...) l'offensive conjuguée qu'elle prenait plaisir à mener, avec Mᵐᵉ Marcenat, contre les jeunes générations. A. MAUROIS, Climats, II, XX, p. 258.

2 Cette infirmité, après tout, était confortable. Conjuguée à ma faculté d'oubli, elle favorisait ma liberté. CAMUS, la Chute, p. 70.

♦ **2.** (1753). Bot. *Feuilles conjuguées :* feuilles composées, dont les folioles s'opposent deux à deux.

♦ **3.** Techn. *Machines conjuguées,* dont le travail est simultané et concourt à une fin commune.

♦ **4.** Math. Entre lesquels il existe une correspondance. *Points conjugués,* divisant un segment de droite selon une division harmonique*. *Nombre complexe* conjugué d'un nombre complexe $z = a + ib$: le nombre $a - ib$, noté $\bar{z}$. — N. m. *Un conjugué. Si un nombre complexe est égal à l'opposé de son conjugué, c'est un nombre imaginaire pur.* Opt. *Le point objet et son image sont conjugués.*

♦ **5.** Anat. Se dit de structures participant à la même fonction ou formées par la réunion de deux parties symétriques. *Nerfs conjugués.* ⇒ **Congénère.**

♦ **6.** N. f. pl. (1866, Larousse). CONJUGUÉES : algues d'eau douce, vertes *(Chlorophycées),* sans spores, à reproduction sexuée *(conjugaison).* ⇒ aussi **Desmidiale, Zygnémales.** — Au sing. *Une conjuguée.*

CONJUGUER [kɔ̃ʒyge] v. tr. — 1572 ; du lat. *conjugare* « unir », de *con-* (cum), et *jugare* « unir », de *jugum* « joug ».

♦ **1.** Didact. ou littér. Joindre ensemble. *Conjuguer les efforts de toute une équipe.* ⇒ **Combiner, unir.** *Conjuguer une chose avec une autre.*

1 (...) rien de plus différent que ces deux provinces de France, qui conjuguent en moi leurs contradictoires influences. GIDE, Si le grain ne meurt, I, I, p. 21.

♦ **2.** Gramm. et cour. Réciter ou écrire la conjugaison de (un verbe). → Aimer, cit. 50. *Vous me conjuguerez vingt fois le verbe « mentir ».* — Par plais. (en parlant d'amoureux). *« Ils conjuguent le verbe aimer. »*

2 Tout conjugue le verbe aimer. Voici les roses (...)
Premier mai. L'amour gai, triste, brûlant, jaloux,
Fait soupirer les bois, les nids, les fleurs, les loups (...)
HUGO, les Contemplations, II, 1.

3 (...) quand M. le curé (...) apercevait Charles qui polissonnait dans la campagne, il l'appelait, le sermonnait un quart d'heure et profitait de l'occasion pour lui faire conjuguer son verbe au pied d'un arbre. FLAUBERT, Mᵐᵉ Bovary, Folio, p. 27.

▶ **SE CONJUGUER** v. pron.

♦ **1.** S'unir. *Nature dans laquelle se conjuguent des tendances différentes.*
Astron. (le sujet désigne des astres). Se mettre en conjonction.

♦ **2.** Par plais. (Personnes). Se marier (→ Conjungo).

4 Qu'elle se conjugue, la Julia. R. QUENEAU, le Dimanche de la vie, p. 13.

♦ **3.** (Passif) Être conjugué. *Ce verbe se conjugue avec l'auxiliaire avoir* (cit. 92).

▶ **CONJUGUÉ, ÉE** p. p. adj. Voir à l'ordre alphabétique..

CONTR. **Disperser, éparpiller, isoler, opposer.**
DÉR. Conjugable, conjugué.

CONJUNGO [didact. kɔ̃ʒɔ̃go ; kɔ̃ʒœ̃go] n. m. — 1670 ; mot lat. « j'unis », tiré de la formule du mariage religieux ; de *conjugare.* → Conjuguer.

♦ Plais. Formule du mariage religieux. — (1694). Mariage. *Prononcer le conjungo. Aspirer au conjungo.*

1 C'est d'abord qu'à cette époque, à ce qu'il semble, la profession de philosophe n'était pas compatible avec le *conjungo ;* et, surtout, que les ambitions d'Abélard ne lui permettaient pas d'être marié, qui aspirait à quelque évêché, voire à la pourpre. Émile HENRIOT, Portraits de femmes, Héloïse, p. 10.

2 Un type honnête, Charles. La preuve, c'est qu'il venait de lui proposer le conjungo. R. QUENEAU, Zazie dans le métro, Folio, p. 135.

CONJURATEUR, TRICE [kɔ̃ʒyratœr, tris] n. — V. 1470 ; « personne qui s'engage par serment », 1344 ; de *conjurer.*

Rare.

♦ **1.** Personne qui dirige une conjuration. *Le conjurateur et les conjurés.*
Par ext. (dans un sens plus large et sans opposition avec *conjuré*). Conspirateur.

1 Ils étaient épars dans les vastes salons dorés (...) ou bien dans une embrasure de fenêtre s'entretenaient à trois ou quatre avec des mines de conjurateurs.
M. DRUON, les Grandes Familles, III, X, p. 149.

Adj. *« Ces grands conspirateurs (...) leurs combinaisons conjuratrices »* (Les citoyens de la section des Quatre Nations, aux citoyens des quarante-sept autres sections de Paris, sept. 1792, in D.D.L. II, 11). *Voix conjuratrices.*

♦ **2.** Personne qui conjure, qui écarte par des pratiques magiques les démons et leurs maléfices.

2 Dès l'heure même on vous met en présence
Notre démon et son conjurateur (...) LA FONTAINE, Contes, « Belphégor ».

Adj. (Littér.). Qui conjure (le mauvais sort).

3 Alors une des plus délurées cracha dans les cendres, et, faisant comme si elle saupoudrait les braises d'encens conjurateurs (...)
J. GIONO, Naissance de l'Odyssée, p. 48.

CONJURATION [kɔ̃ʒyrasjɔ̃] n. f. — V. 1160, « serment » ; lat. *conjuratio,* du supin de *conjurare.*

♦ **1.** (1470). Entreprise concertée secrètement contre l'État, le souverain, par un groupe de personnes que lie un serment. ⇒ **Complot, conspiration.** *La conjuration de Catilina, de Pison. La conjuration d'Amboise. Une vaste, une dangereuse conjuration. Le chef et l'âme* (⇒ **Conjurateur**), *les affiliés* (⇒ **Conjuré**), *le plan, le déroulement, le secret d'une conjuration. Fomenter, monter une conjuration. Entrer dans une conjuration. Étouffer, réprimer une conjuration.*

1 (...) vous *(Henri IV)* avez été exposé à tant de conjurations qu'enfin on vous a fait périr. FÉNELON, Dialogue des morts, XVI, in LITTRÉ.

2 Les conjurés n'avaient formé de plan que pour la conjuration et n'en avaient point fait pour la soutenir. MONTESQUIEU, Grandeur et Décadence des Romains, XII.

3 Tandis que les conjurés de Pison temporisent entre l'espérance et la crainte, la conjuration se découvre et ils périssent tous.
DIDEROT, Claude et Néron, I, in LITTRÉ.

4 (...) le prince était l'âme, sinon le chef, d'une vaste conjuration.
MÉRIMÉE, Hist. du règne de Pierre le Grand, p. 194.

5 (...) il n'y a guère que la fureur religieuse qui explique l'audace d'une conjuration où l'on ne compte que six affidés.
MÉRIMÉE, Hist. du règne de Pierre le Grand, p. 94.

6 Dans sa bouche, la réunion assez inoffensive de l'autre soir devenait une conjuration en règle, et à brève échéance, contre l'ordre établi.
J. ROMAINS, les Hommes de bonne volonté, t. IV, XIX, p. 204.

REM. *Conjuration,* comme *conspiration,* s'emploie surtout en parlant d'un contexte historique.

(1559). Action concertée de plusieurs personnes. *Conjuration contre le règlement, contre un chef de service.* ⇒ **Brigue, cabale, coalition, ligue.** *La conjuration des mécontents. Conjuration en faveur de... C'est une conjuration !*

7 On n'aurait encore obtenu qu'une partie de ce qu'on peut espérer d'une conjuration d'hommes éclairés en faveur du progrès des sciences.
CONDORCET, Sur l'Atlantide, in LITTRÉ.

Fig. et littér. *La conjuration des éléments :* l'union des forces naturelles, notamment dans leur déchaînement (orage, tempête...).

♦ **2.** (Fin XIIᵉ). Rite, formule pour chasser les démons (⇒ **Adjuration, charme, exorcisme**) ; pratique magique pour combattre ou orienter les influences maléfiques. ⇒ **Conjurer** (II.). *Faire une conjuration pour écarter les esprits maléfiques.*

8 (...) il *(le général russe Platof)* n'en fit pas moins fustiger devant tous les cosaques le sorcier qui l'accompagnait, l'accusant hautement de paresse pour n'avoir pas détourné les balles par ses conjurations, comme il en était expressément chargé.
Ph.-P. SÉGUR, Hist. de Napoléon, VII, 5, in LITTRÉ.

9 Il avait entendu sa chanson, et voyait même qu'il faisait une conjuration au feu follet, lequel dansait et se tortillait comme un fou devant elle et comme s'il eût été aise de la voir. G. SAND, la Petite Fadette, XII, p. 93.

Fait d'utiliser ces formules ou ces pratiques. *« Mort par conjuration ou envoûtement »* (Lévi-Strauss, in T.L.F.).

Fait d'éloigner un élément maléfique. *« La conjuration du feu au moulin de la place »* (H. Pourrat, in T.L.F.).

♦ **3.** (1594). Vx. Prière instante. ⇒ **Adjuration, supplication.**

CONTR. (Du sens 2) **Maléfice, sortilège.**

CONJURATOIRE [kɔ̃ʒyratwar] adj. — 1891 ; de *conjurer, conjuration.*

♦ Rare. Qui peut écarter, qui est destiné à écarter le mauvais sort. — Psychol. *Rite conjuratoire, destiné à écarter une obsession*.*

On voit des personnes fort distinguées frapper le bois des fauteuils et pratiquer des actes conjuratoires et fiduciaires.
VALÉRY, Variété III, 1936, p. 225, in T.L.F.

CONJURER [kɔ̃ʒyre] v. tr. — V. 980, « prier » ; lat. *conjurare* « jurer ensemble, comploter », de *con-* (cum), et *jurare.* → Jurer.

★ **I.** (Fin XVᵉ). Vx ou littér. Préparer par un complot (la ruine, la perte de qqn, et, spécialt, d'un chef). *Conjurer la perte, la mort d'un tyran.* ⇒ **Comploter, conspirer, tramer ; conjuration, conjuré.** *Conjurer la ruine de sa patrie.*

1 Ne faut-il pas que j'aie moi-même conjuré ma perte ?
BOURDALOUE, Pensée de la mort, III, *in* HATZFELD.

Absolt. Vx. *Conjurer (contre qqn),* prendre part à une conjuration (1.). *Conjurer contre l'empereur, contre le tyran.* — **Par ext.** Travailler secrètement (contre...).

2 Ses ennemis *(de Rome)* conjuraient contre elle et elle conjurait contre ses ennemis.
MONTESQUIEU, l'Esprit des lois, XI, 17.

★ **II. Mod.** ♦ **1.** (XIIᵉ). Écarter (un esprit, les esprits malfaisants) par des prières, des pratiques magiques. ⇒ **Charmer, chasser.** *Conjurer les démons.* ⇒ **Exorciser.** — *Conjurer un sortilège par un talisman.*

3 Cette église a été autrefois bâtie pour conjurer les vénéfices que l'on pratiquait à l'aide d'épines qui poussaient dans ce pays et servaient à transpercer des images découpées en forme de cœur.
HUYSMANS, Là-bas, XVII, p. 239.

4 (...) les vagues réminiscences d'une vieille oraison qu'on me faisait réciter dans mon enfance, avant de m'endormir, pour conjurer les démons de la nuit.
H. BOSCO, Hyacinthe, p. 221.

♦ **2.** (Fin XVIᵉ). Détourner, dissiper (une menace), écarter (une catastrophe). *Conjurer un péril, un désastre, la foudre, la tempête, le mauvais sort.* — **Au passif.** *Le danger est conjuré.*

5 Et aucun moyen, hélas ! de conjurer ce malheur, plus intimement cruel à leurs âmes que tous les précédents désastres de fortune.
LOTI, Figures et Choses..., « Le mur d'en face », p. 188.

6 Un danger semble très évitable quand il est conjuré.
PROUST, À la recherche du temps perdu, XI, p. 187.

♦ **3.** **Littér. ou style soutenu.** *Conjurer (qqn) de (qqch. ; faire qqch.) :* prier (qqn) avec insistance de... ⇒ **Adjurer, implorer, supplier.** *Je vous conjure de me croire ; je vous en conjure. Il la conjurait en vain de revenir.*

7 (...) je vous en conjure par tout ce qui est le plus capable de vous toucher.
MOLIÈRE, Dom Juan, IV, 6.

8 Loin de me retenir par des conseils jaloux,
Elle me conjurait de me donner à vous. RACINE, Bajazet, V, 4.

9 (...) le père Barbeau le conjurait, en pleurant, de mieux reconnaître son amitié.
G. SAND, la Petite Fadette, XXXI, p. 207.

▶ **SE CONJURER** v. pron. (1544).
Vieilli ou littér. S'unir dans une conjuration (⇒ **Conjuration,** 1.). *Les républicains se conjurèrent contre César.*
Par ext. Se liguer, s'allier contre. ⇒ **Coaliser** (se). *Partis qui se conjurent pour renverser le ministère.* — **Fig. et littér.** (Choses). *Éléments, forces qui se conjurent.*

10 (...) les circonstances allaient se conjurer pour nous rejeter dans le désordre.
J. BAINVILLE, Hist. de France, VI, p. 102.

▶ **CONJURÉ, ÉE** p. p. adj. et n. ⇒ **Coalisé, ligué.**

11 Contre le fils d'Hector tous les Grecs conjurés. RACINE, Andromaque, I, 1.

N. (1213). Membre d'une conjuration. *Les conjurés ont préparé un attentat contre le chef de l'État. Les conjurés, les principaux conjurés ont été arrêtés et condamnés.*

12 Et que vos conjurés entendent publier
Qu'Auguste a tout appris, et veut tout oublier. CORNEILLE, Cinna, V, 3.

CONTR. Attirer, évoquer, invoquer.
DÉR. Conjurateur, conjuratoire.

CONNAISSABLE [kɔnɛsabl] adj. — 1220, *conisavle ; cognissables*, 1235 ; de *connaître.*

♦ **1.** Qui peut être connu. *Pour l'agnostique, l'absolu n'est pas connaissable.*

0.1 Toutes conversations noyées, il reste l'univers absurde des petites flammes courtes dont l'impérieuse présence n'est à l'échelle de rien qui soit connu ou connaissable.
Claude MAURIAC, le Dîner en ville, p. 255.

N. m. *Le connaissable et l'inconnaissable.*

♦ **2. Vx** (langue class.). Personnes. Qui peut être reconnu. *Il n'est plus connaissable.* ⇒ **Reconnaissable.**

1 Mᵐᵉ de Rochefort est changée à n'être pas connaissable (...)
Mᵐᵉ DE SÉVIGNÉ, 553, 1ᵉʳ juil. 1676.

Connaissable à... : qui peut être connu pour ce qu'il est par...

2 Dieu, pour rendre le Messie connaissable aux bons et méconnaissable aux méchants, l'a fait prédire en cette sorte. PASCAL, Pensées, XII, 758.

CONTR. Inconnaissable, incognoscible.

CONNAISSANCE [kɔnɛsãs] n. f. — V. 1080, *conoisance ;* de *connaître.*

★ **I.** ♦ **1.** Fait ou manière de connaître. *La, les connaissances humaines ; nos connaissances.* — *La connaissance* (qualifié). *Connaissance sensorielle ; connaissance intuitive.* ⇒ **Impression, intuition, sensation, sentiment.** *Connaissance relative. Connaissance exacte, profonde.* ⇒ **Certitude, compréhension.** *Connaissance abstraite, spéculative ; pratique, expérimentale* (⇒ **Expérience, pratique**).

Toutes nos connaissances viennent des sensations. 1
CONDILLAC, Traité des sensations.

Je souhaite, si vous voulez toute ma pensée, que le rationalisme ne se considère 2
plus comme l'adversaire-né de la connaissance intuitive ou religieuse ou même mystique ou poétique. G. DUHAMEL, Chronique des Pasquier, VI, p. 297.

Absolt. *Théorie de la connaissance,* des rapports entre le sujet (qui connaît) et l'objet. ⇒ **Épistémologie.** *Le sujet de (la) connaissance. La, une connaissance de qqch. par qqn. La connaissance d'un objet (par un sujet).* ⇒ **Conscience ; compréhension, représentation.** *Une grande connaissance des affaires.* ⇒ **Compétence.** *La connaissance d'une science, d'un art, d'une œuvre ; d'un auteur. La connaissance d'une nouvelle, d'un fait. Traité de la connaissance de Dieu,* œuvre de Bossuet. *Connaissance de l'avenir.* ⇒ **Prescience, prévision.** *Connaissance d'un pays. Connaissance de l'Est,* œuvre de Claudel. — *Avoir la connaissance de qqch.,* en avoir une connaissance précise, entière. — **Vx.** *Avoir connaissance de...* (au sens large).

(Un moi) qui de nos secrets a connaissance pleine (...) 3
MOLIÈRE, Amphitryon, II, 1.

La connaissance de Dieu sans celle de sa misère *(de l'homme)* fait l'orgueil. 4
PASCAL, Pensées, VII, 527.

(...) la connaissance de la mort et de ses terreurs est une des premières acquisi- 5
tions que l'homme ait faites en s'éloignant de la condition animale.
ROUSSEAU, De l'inégalité parmi les hommes, I, p. 49.

(...) la connaissance précise de sa force n'est peut-être une que le génie. 6
FLAUBERT, Correspondance, t. II, p. 75.

Scali éprouvait avec violence la supériorité assez hideuse que donne sur celui qui 7
ment la connaissance de son mensonge. MALRAUX, l'Espoir, p. 103.

Connaissance des Temps, recueil publié chaque année et deux ans à l'avance par le Bureau des longitudes. ⇒ **Éphéméride.**

Loc. *Avoir connaissance de :* être au courant, au fait de (qqch.). ⇒ **Connaître, savoir** (→ Être au courant* de, être instruit* de). — **Rare.** *Avoir connaissance que...*

Vous avez peut-être eu connaissance qu'il était foreman dans un chantier en haut 8
de la Tuque. L. HÉMON, Maria Chapdelaine, p. 138.

Prendre connaissance de... ⇒ **Documenter** (se), **examiner, renseigner** (se). *Prendre connaissance d'un texte.* ⇒ **Lire.** — *Donner à qqn connaissance de qqch.,* le lui apprendre. ⇒ **Renseignement, révélation ; information, initiation.** — *Venir à la connaissance de qqn :* être appris par qqn.

(...) je vous suppliais (...) d'ordonner à M. Boucard de vous donner une entière 9
connaissance des réparations que mon fermier a faites à Bourbilly (...)
Mᵐᵉ DE SÉVIGNÉ, 1396, déc. 1694.

(...) songeant au testament dont on n'avait pas encore pris connaissance et qui sans 10
doute réservait à l'aîné, le silencieux, la direction de B & Cᵒ.
J. CHARDONNE, les Destinées sentimentales, p. 265.

Loc. adv. *À ma connaissance :* autant que je sache. *À la connaissance de tous.* ⇒ **Su** (au vu et au su).

Mar. *Avoir connaissance d'une terre,* constater sa présence.

♦ **2.** (Av. 1650). Dans des loc. Fait de sentir, de percevoir. ⇒ **Conscience, sentiment.** *Avoir toute sa connaissance.* ⇒ **Lucidité.** *Perdre connaissance :* s'évanouir (→ I. Porter, cit. 17). *Tomber, rester sans connaissance :* s'évanouir, être évanoui, tomber en syncope (→ Bouche, cit. 9). *Reprendre connaissance :* reprendre ses esprits.

En même temps, je recevais sur la tête un coup formidable et je perdis connais- 11
sance. Léon BLOY, la Femme pauvre, II, V, p. 203.

Il est mort sans avoir repris connaissance (...) 12
MARTIN DU GARD, les Thibault, t. VI, p. 86.

♦ **3.** (1595). *Les connaissances* (sens objectif) : ce qui est connu ; ce que qqn sait, pour l'avoir appris. ⇒ **Acquis, acquisition, bagage, culture, éducation, érudition, instruction, savoir, science.** *Connaissances acquises. Posséder des connaissances sur qqch.* ⇒ **Clarté, lumière, teinture.** *Approfondir, enrichir ses connaissances par l'étude. Agrandir le cercle* (III., 1.), *le champ, étendre la sphère de ses connaissances. Ensemble de connaissances.* ⇒ **Encyclopédie.** *Diffusion des connaissances par l'enseignement, la vulgarisation. Contrôle des connaissances.* ⇒ **Examen.** *Il n'a que des connaissances élémentaires, fragmentaires, sommaires sur ce sujet.* ⇒ **Aperçu, élément, idée, notion, rudiment.** *Connaissances solides, approfondies. Connaissances théoriques, scolaires. Dans l'état actuel des connaissances.*

De faire entrer chez vous le désir des sciences, 13
De vous insinuer les belles connaissances.
MOLIÈRE, les Femmes savantes, III, 4.

Pour bien savoir les choses, il en faut savoir le détail, et comme il est presque 14
infini, nos connaissances sont toujours superficielles et imparfaites.
LA ROCHEFOUCAULD, Maximes, 106.

(...) je lui trouvai quelques connaissances mathématiques. 15
D'ALEMBERT, Lettre à Voltaire, 22 déc. 1759.

Émile a peu de connaissances, mais celles qu'il a sont véritablement siennes ; il ne 16
sait rien à demi. ROUSSEAU, Émile, III.

(...) les connaissances nous suivent tout le reste de notre vie, nous sont toujours 17
utiles et, quelquefois, nous consolent de bien des peines.
STENDHAL, Souvenirs d'égotisme, p. 135.

(...) il y avait chez Pierre *(le Grand)* une disposition caractéristique — chercher 18
l'application de toutes les connaissances qu'il acquérait, à mettre en pratique tout art dont on venait de lui enseigner la théorie.
MÉRIMÉE, Hist. du règne de Pierre le Grand, p. 65.

(...) il ne paraît pas que l'avancement des connaissances et la multiplicité des 19
inventions aient beaucoup amélioré les mœurs.
FRANCE, la Vie en fleur, XXVIII, p. 317.

20   L'amas sur notre esprit de toutes connaissances acquises s'écaille comme un fard et, par places, laisse voir à nu la chair même, l'être authentique qui se cachait.
GIDE, la Symphonie pastorale, p. 82.

(Sing. collectif). *Dans toutes les branches de la connaissance.* ⇒ **Savoir, science.**

♦ **4.** (V. 1265). Spécialt et vx. Faculté de connaître propre à un être vivant. ⇒ **Compréhension, discernement, entendement, intelligence.** *Être doué de connaissance.*

21   (...) une méthode, par laquelle il me semble que j'ai moyen d'augmenter par degré ma connaissance, et de l'élever peu à peu au plus haut point auquel la médiocrité de mon esprit et la courte durée de ma vie lui pourront permettre d'atteindre.
DESCARTES, Discours de la méthode, I, p. 70.

22   Pourquoi ma connaissance est-elle bornée? ma taille? ma durée à cent ans plutôt qu'à mille?
PASCAL, Pensées, III, 208.

23   Il n'est pas question ici de savoir si les bêtes ont de la connaissance.
FÉNELON, Traité de l'existence de Dieu, XXIII.

Loc. *Les voies, les chemins de la connaissance* (peut aussi être compris au sens 3, collectivt : « les connaissances »).

24   (...) il admettait comme un dogme que la science médicale (...) constituait le plus clair profit de vingt siècles de tâtonnements dans toutes les voies de la connaissance, le plus riche domaine ouvert au génie de l'homme.
MARTIN DU GARD, les Thibault, t. III, p. 225.

♦ **5.** (1283, *connoissance*). Dr. Droit de connaître et de juger. ⇒ **Compétence.** *La connaissance d'une cause par un tribunal.* — Loc. *En connaissance de cause* (→ Cassation, cit. 1).

25   François 1er ôta au Parlement la connaissance de ce qui concerne les évêchés.
VOLTAIRE, Essai sur les mœurs, 138.

Fig. et cour. EN CONNAISSANCE DE CAUSE : avec raison et justesse. ⇒ **Cause** (cit. 54 et 55), **discernement** (avec discernement), **escient** (à bon escient), **judicieusement, pertinemment, sagement, savamment, sciemment** (opposé à *à la légère*). *En toute connaissance de cause.*

26   M. Turgot est protecteur de tous les arts, et il l'est en connaissance de cause.
VOLTAIRE, Lettre à Lalande, 19 déc. 1774.

★ **II.** (XIIe). Vx. Preuve, marque.

Mod. Vén. *Les connaissances* : les traces laissées par la bête chassée.

26.1   (...) les différences
Des pinces de mon cerf et de ses connaissances (...)
MOLIÈRE, les Fâcheux, II, 6.

★ **III.** (1494, *congnoissance*). ♦ **1.** (Dans quelques constructions). Relation sociale qui s'établit entre personnes ayant été au moins une fois en contact. *Lier connaissance avec qqn.* ⇒ **Aboucher** (s'), **accointer** (s'), **contact** (entrer en), **lier** (se), **rapport** (se mettre en), **rencontrer.**

FAIRE CONNAISSANCE. *J'ai fait connaissance avec lui, j'ai fait sa connaissance.* — (Formule de politesse). *Je suis heureux de faire votre connaissance.* — Absolt. *Nous avons fait connaissance. Renouer, renouveler connaissance* : reprendre des relations interrompues. *Faire faire connaissance à deux personnes.* ⇒ **Introduire** (auprès de...), **présenter** (à...). → par ext., cit. 33, 34, ci-dessous.

Vx. *Être, entrer en connaissance avec qqn.*

DE CONNAISSANCE : que l'on connaît. *Une personne, un visage de connaissance. Nous sommes entre gens de connaissance,* qui se connaissent. *Un dessinateur de ma connaissance.* — Loc. (1689, Mme de Sévigné, *in* D.D.L.). *Être en pays de connaissance,* avec des gens que l'on connaît, dans un milieu social, un domaine intellectuel que l'on maîtrise.

♦ **2.** (1628, *in* D.D.L.; répandu XVIIIe; → ci-dessous, cit. 32.1). *Une connaissance* : une personne que l'on connaît. ⇒ **Relation; liaison, rencontre.** *Ce n'est ni un ami ni un camarade, c'est une simple connaissance. Vieille connaissance* : personne que l'on connaît depuis longtemps. ⇒ **Ami, familier.** *Cultiver* une connaissance. Se faire des connaissances.*

27   (...) il est mon ami,
C'est une vieille connaissance.
LA FONTAINE, Fables, IV, 7.

28   Je voudrais l'accoster, s'il est en ma puissance,
Et tâcher de lier avec lui connaissance.
MOLIÈRE, l'École des maris, I, 3.

29   Ce qui nous fait aimer les nouvelles connaissances n'est pas tant la lassitude que nous avons des vieilles, ou le plaisir de changer, que le dégoût de n'être pas assez admirés de ceux qui nous connaissent trop, et l'espérance de l'être davantage de ceux qui ne nous connaissent pas tant.
LA ROCHEFOUCAULD, Maximes, 178.

30   (...) elle (*ma petite enfant*) a trouvé beaucoup de gens de sa connaissance (...)
Mme DE SÉVIGNÉ, 265, 15 avr. 1672.

31   Mme de Sévigné (...) Ce n'est pas seulement un classique, c'est une connaissance, et, mieux que cela, c'est une voisine et une amie.
SAINTE-BEUVE, Causeries du lundi, 22 oct. 1849.

32   (...) l'une de ces personnes qui ne sont ni amies ni indifférentes et avec lesquelles nous avons des relations de loin en loin, ce qu'on nomme enfin *une connaissance* (...)
BALZAC, Mme de la Chanterie, Pl., t. VII, p. 280.

32.1   (...) courir au-devant des distractions, des visages nouveaux, de ces liaisons passagères, de ces amis de rencontre, pour lesquels le siècle invente le mot connaissances (...)
Ed. et J. DE GONCOURT, la Femme au XVIIIe s., t. II, p. 134.

(1852). Fam. Vx. Maîtresse, amant. *Il est sorti avec sa connaissance.*

♦ **3.** (1823). *Faire connaissance, plus ample connaissance avec qqch.,* découvrir, mieux connaître.

33   Marie en vint à se dire qu'elle faisait connaissance, assurément par sa faute,

---

avec les inconvénients d'une conduite irrégulière; mais que bien d'autres femmes avaient dû passer par là avant elle.
J. ROMAINS, les Hommes de bonne volonté, t. V, I, p. 10.

34   Une manière commode de faire la connaissance d'une ville est de chercher comment on y travaille, comment on y aime et comment on y meurt.
CAMUS, la Peste, p. 13.

CONTR. Doute, ignorance, incompréhension, inconnaissance, inconscience, inexpérience, obscurité.

CONNAISSANT, ANTE [kɔnɛsɑ̃, ɑ̃t] adj. — XIIe-XIIIe, anc. franç. *connoissant* « personne qu'on connaît »; « instruit », XIIIe; p. prés. de *connaître*.

♦ **1.** Vx. Qui sait. « *Un esprit capable, instruit, connaissant* » (Tallemant des Réaux).

♦ **2.** (Philos., didact.). Qui joue le rôle actif (sujet) dans le processus de la connaissance.

1   Le sujet connaissant (...) semble constituer le domaine de choix de la réflexion philosophique, en partant du *Cogito* cartésien pour aboutir au *Cogito* husserlien (...)
J. PIAGET, Logique et Connaissance scientifique, *in* Encycl. Pl., p. 11.

N. m. Esprit, personne qui connaît, qui a une activité de connaissance.

2   Il me semble en un mot que la présence d'autrui — et son introduction inaperçue dans toutes les théories — est une cause grave de confusion et d'obscurité dans la relation du connaissant et du connu. M. TOURNIER, Vendredi..., p. 95.

CONNAISSEMENT [kɔnɛsmɑ̃] n. m. — 1803; *cognoissement,* mar., 1643; «connaissance», XIIe; de *connaître*.

♦ Comm. Reçu des marchandises expédiées par voie maritime. — Par ext. Contrat de transport maritime d'une marchandise.

1   Le connaissement doit exprimer la nature et la quantité ainsi que les espèces ou qualités des objets à transporter. Code de commerce, art. 281.

2   Toute une population au téléphone ou dans les cafés, parle de traites, de connaissements et d'escompte. CAMUS, la Peste, 1947, Pl., p. 1219, *in* T. L. F.

CONNAISSEUR, EUSE [kɔnɛsœr, øz] n. et adj. — XIIe; repris XVIIe; de *connaître*.

♦ **1.** N. Personne qui se connaît à qqch., y est experte. ⇒ **Amateur.** *Un connaisseur, un bon connaisseur en qqch.* ⇒ **Compétent, versé** (dans). *Être connaisseur en vins. Connaisseur en gastronomie.* ⇒ **Gourmet.** *Il est connaisseur en architecture. Un grand, un fin connaisseur. Soumettre un objet à l'appréciation d'un connaisseur. Regarder, juger en connaisseur.*

1   (...) il est assuré, au sentiment des connaisseurs qui ont vu la répétition, que Lully n'a jamais rien fait de plus beau (...) MOLIÈRE, le Grand Divertissement royal.

2   (...) un connaisseur, si vous lui présentez une œuvre non signée d'un maître un peu éminent, est capable de reconnaître de quel artiste est cette œuvre, et cela presque certainement. TAINE, Philosophie de l'art, t. I, I, I, I, p. 2.

3   (...) le coup d'œil exact et désabusé du connaisseur à qui on montre un bijou faux (...) PROUST, À la recherche du temps perdu, IX, p. 96.

4   Tel est le ton des lettres de Julie Talma, où tout mot porte un trait essentiel; et nous serions tenté de tout transcrire, tellement l'art de saisir le vrai, chez cette connaisseuse du cœur, nous paraît achevé sous cette plume fine et forte.
Émile HENRIOT, Portraits de femmes, p. 243.

5   Les yeux tournés vers l'angle supérieur de la fenêtre, M. de Mézan semblait savourer en connaisseur la fortune future de l'abbé Mionnet.
J. ROMAINS, les Hommes de bonne volonté, t. V, XVII, p. 122.

(1659, Molière, *les Précieuses ridicules*). Au fém. (rare). *C'est une fine connaisseuse.* — REM. On dit aussi : *Mme X est un fin connaisseur, un excellent connaisseur en...*

5.1   Néanmoins, elle lui parle fort aimablement et parle beaucoup de son admiration pour la pièce qu'elle joue, de l'intérêt qu'elle trouve à son rôle, très désireuse de passer pour une connaisseuse (...) soucieuse seulement de comprendre les intentions de l'auteur (...) PROUST, Jean Santeuil, Pl., p. 645.

5.2   Ce n'est pas là le bilan d'une ogresse. Plutôt le jeu, assez cruel, d'une connaisseuse en plaisirs de l'esprit. Nuire s'abstenant presque de pécher n'est pas le fait d'une femme vulgaire (...) COLETTE, le Pur et l'Impur, p. 115.

♦ **2.** Adj. m. (avec un nom masc. en épithète; ou en attribut). *Un air connaisseur. Un coup d'œil connaisseur. Elle est très connaisseur.*

6   Gilieth alluma une pipe, contempla son paquetage d'un air connaisseur.
P. MAC ORLAN, la Bandera, VIII, p. 98.

CONTR. Ignorant, incompétent, profane.

CONNAÎTRE [kɔnɛtr] v. tr. — *Je connais, il connaît, nous connaissons; je connaissais; je connus; que je connaisse.* — XIe, *conoistre;* du lat. *cognoscere,* de *con-* (*cum* intensif), et *noscere* ou *gnoscere* « apprendre ». → Gnose.

Avoir présent à l'esprit (un objet réel ou vrai, concret ou abstrait; physique ou mental); être capable de former l'idée, le concept, l'image de. *Connaître qqch. par les sens, le cœur* (cit. 143 et 162), *l'esprit. Connaître l'existence d'une chose. Connaître la nature, les caractères d'une chose.*

1   (...) on peut bien connaître l'existence d'une chose, sans connaître sa nature.
PASCAL, Pensées, III, 238.

2   Comme nous ne les connaissons rien que par comparaison, dès que tout rapport nous manque, et qu'aucune *analogie* ne se présente, toute lumière fuit.
BUFFON, *in* LAFAYE, Dict. des synonymes, p. 340.

3 Autre est de savoir en gros l'existence d'une chose, autre d'en connaître les particularités.
CHATEAUBRIAND, Mémoires d'outre-tombe, III, I, I, éd. Levaillant, p. 16.

4 On peut connaître tout excepté soi-même.
STENDHAL, Souvenirs d'égotisme, p. 80.

Absolt. *La difficulté de connaître. Désir, soif de connaître.* ⇒ **Curiosité.**

5 Connaître, ce n'est point démonter, ni expliquer. C'est accéder à la vision. Mais, pour voir, il convient d'abord de participer. Cela est dur apprentissage (...)
SAINT-EXUPÉRY, Pilote de guerre, VII, p. 54.

6 Dans ce monde dévasté où l'impossibilité de connaître est démontrée, où le néant paraît la seule réalité, le désespoir sans recours, la seule attitude, il tente de retrouver le fil d'Ariane qui mène aux divins secrets.
CAMUS, le Mythe de Sisyphe, p. 41.

REM. *Connaître* et *croire* :

7 *Connaître* et *connaissance* désignent donc un genre dont les espèces sont constater, comprendre, percevoir, concevoir, etc. Ils s'opposent à *croire* et *croyance,* non par la force de l'adhésion, mais par le fait que ces deux derniers termes n'impliquent pas *nécessairement* l'idée de vérité.
LALANDE, Voc. de la philosophie.

À l'infinitif substantivé. (N. m.). Didact. *Le connaître :* l'activité de connaissance.

7.1 Cette grande religion du non-savoir *(le bouddhisme)* ne se fonde pas sur notre infirmité à comprendre. Elle atteste notre aptitude, nous élève jusqu'au point où nous découvrons la vérité sous forme d'une exclusion mutuelle de l'être et du connaître.
Claude LÉVI-STRAUSS, Tristes tropiques, p. 372.

★ **I.** *Connaître une chose.* ♦ **1.** Se faire une idée de, soit par l'expérience (→ ci-dessous, 3.), soit par des informations, de manière précise ou imprécise (mais toujours de manière pertinente). *Connaître un fait. Connaître un mot.* ⇒ **Savoir.** *Connaître les tenants et aboutissants d'une affaire. Connaître un aliment pour l'avoir goûté, pour avoir lu sa description. Connaître un pays. Connaître l'avenir.* ⇒ **Prévoir.** *Chercher à connaître qqch.* ⇒ **Documenter** (se), **renseigner** (se), **sonder, tâter** (le terrain). *C'est une chose bonne à connaître.*

8 La chose quelquefois est fâcheuse à connaître (...)
Ne vaudrait-il point mieux (...)
Ignorer ce qu'il en peut être? (...)
La faiblesse humaine est d'avoir
Des curiosités d'apprendre
Ce qu'on ne voudrait pas savoir.   MOLIÈRE, Amphitryon, II, 3.

9 Il est utile à l'homme de connaître tous les lieux où l'on peut vivre, afin de choisir ensuite ceux où l'on peut vivre le plus commodément.   ROUSSEAU, Émile, v.

10 Qui voudrait vivre, mon fils, s'il connaissait l'avenir? (...)
BERNARDIN DE SAINT-PIERRE, Paul et Virginie, p. 108.

11 Gilieth était le seul, dans cette troupe de recrues, à connaître la manœuvre d'un fusil et son usage dans la pratique.   P. MAC ORLAN, la Bandera, IV, p. 46.

12 Car pour qu'un «historien» renverse la thèse d'un autre, il faut qu'il connaisse les faits au moins d'aussi près que lui.
J. ROMAINS, les Hommes de bonne volonté, t. IV, XI, p. 120.

Faire connaître (à qqn, une chose, une idée...). ⇒ **Apprendre, communiquer, dévoiler, divulguer, exposer, lancer, montrer, présenter, propager, publier, vulgariser.** *La publicité fait connaître au public le produit que l'on veut lancer. Faire connaître un sentiment à qqn.* ⇒ **Exprimer, extérioriser, manifester, marquer, témoigner.** *Faire connaître une volonté.* ⇒ **Notifier, signifier ; savoir** (faire savoir).
Vx. Se rendre compte de. ⇒ **Apercevoir** (s'), **entrevoir, sentir, voir.**

13 Le meunier, à ces mots, connaît son ignorance.   LA FONTAINE, Fables, III, 1.

Vx. *Connaître que...* ⇒ (mod.) **Savoir** (→ Capable, cit. 5).

14 (...) je connus bientôt qu'elle avait entrepris
De l'arrêter au piège où son cœur était pris.   RACINE, Alexandre, I, 3.

14.1 Nous nous entretînmes de plusieurs choses jusqu'à la nuit, et je connus que le jeune homme avait beaucoup d'esprit.
A. GALLAND, les Mille et une Nuits, t. I, p. 162.

15 On connaît que les indigènes de la Corse ont le goût prononcé de la fainéantise.
Ch. MAURRAS, Anthinéa, p. 134.

♦ **2.** (1160). Avoir dans l'esprit en tant qu'objet de pensée analysé. *Il connaît assez bien l'œuvre de Hugo. Connaître un texte, un problème, une question à fond, par cœur, sur le bout des doigts. Connaître qqch. par expérience, par intuition, pour avoir appris, étudié...*

Loc. fam. *Je ne connais que ça,* se dit quand on n'arrive pas à se rappeler qqch. qu'on est pourtant sûr de bien savoir. (→ aussi ci-dessous).

15.1 Impossible de retrouver son nom, tout d'un coup... ah, c'est bête. Je le vois comme si j'y étais, en 1922, au théâtre Antoine... et puis son nom, pas mèche! Enfin, je ne connais que ça...   ARAGON, Blanche..., p. 70.

Loc. *Ça me connaît :* j'y suis habitué, je connais cela très bien.
Pouvoir faire usage de; être devenu habile en. Connaître une méthode, son métier. Connaître l'allemand. ⇒ **Savoir.**

Loc. *Connaître la musique*. — Connaître la chanson*. — Connaître qqch. comme sa poche*.*
Connaître (qqch.) *à, en, sur qqch. Il en connaît beaucoup, long... sur la question. — Fam. Il en connaît un bout*, un rayon*.*
Je ne connais que ça : je connais ça très bien. Les vins? Mais je ne connais que ça, j'ai été caviste pendant dix ans!
(Avec la négation). *Ne pas connaître grand-chose à* (un sujet). *Il ne connaît pas grand-chose à l'aviation. Il n'y connaît rien.*

REM. *Savoir* qui ne s'applique qu'aux choses s'emploie souvent dans le même sens que *connaître* (1. et 2.). *Connaître* s'applique à des cho-

ses concrètes et abstraites, *savoir* seulement à des choses abstraites. (*Je sais un pays...* est une exception). Il en résulte que *savoir* s'est spécialisé pour introduire une proposition : *je sais que...,* alors que la tournure *connaître que* est beaucoup plus rare. Dans les sciences, les arts... les deux mots s'emploient souvent indifféremment : *connaître* ou *savoir l'allemand.* Néanmoins, *connaître* ne signifie pas toujours comme *savoir* «avoir appris». *Connaître une fugue de Bach,* avoir une idée de ce qu'elle est. *Savoir une fugue de Bach,* pouvoir l'exécuter. Seul *savoir* peut s'employer avec un infinitif.

(1268). Pron. *Se connaître à* (qqch.). — (1408, *in* D.D.L.). Mod. *S'y connaître* : être très compétent (dans un domaine). ⇒ **Averti, calé, compétent, expert, ferré, qualifié, savant ; entendre** (s'y).

REM. Cette locution verbale, qui vient de *se connaître à* (qqch.) [→ ci-dessous, cit. 16, Molière], est devenue un verbe où la particule *y* n'est plus analysée (on peut en effet la construire avec *en* : *s'y connaître en peinture*). La langue courante l'emploie surtout absolument, par référence au contexte ou à la situation. *Il s'y connaît, celui-là! Tu t'y connais un peu, toi?* Tu es compétent (dans ce domaine qui vient d'être évoqué, qui nous concerne pour l'heure)?

16 *(La cour)* a du sens commun pour se connaître à tout (...)
MOLIÈRE, les Femmes savantes, IV, 3.

17 (...) de ces gens qui (...) parlent hardiment de toutes choses, sans s'y connaître (...)
MOLIÈRE, la Critique de l'École des femmes, 5.

18 C'est bien, nous connaissons ce manège par cœur.
LOTI, Mme Chrysanthème, XXIX, p. 135.

19 C'était un vieux singe qui s'y connaissait en grimace.
A. MAUROIS, les Discours du D^r O'Grady, V, p. 50.

19.1 Par moments, cela sent furieusement la ménagerie. Adoum, qui s'y connaît, nous montre sur une aire de sable des traces de lion, toutes fraîches; on voit que le fauve s'est couché là; ces demi-cercles ont été tracés par sa queue.
GIDE, Voyage au Congo, *in* Souvenirs, Pl., p. 846.

19.2 (...) les confidences d'une belle, dont quelqu'un qui s'y connaît me disait (...)
F. MAURIAC, Bloc-notes 1952-1957, p. 135.

19.3 (...) une petite flamme s'allumera au fond de leur œil : Tiens, tiens, c'est le fin connaisseur, le grand expert, c'est cela, ce goût fameux, mais il n'y connaît rien, ce pauvre Alain (...)
N. SARRAUTE, le Planétarium, p. 283.

Loc. ... *ou je ne m'y connais pas,* se dit pour appuyer une assertion, dans un domaine où on s'estime compétent.

19.4 Vous avez vu sur sa cheminée, cette Vierge avec l'Enfant. C'est du faux Renaissance ou je ne m'y connais pas (...)
N. SARRAUTE, le Planétarium, p. 283.

♦ **3.** (V. 1175). Avoir vécu, ressenti (qqch.). ⇒ **Éprouver, expérimenter.** *Connaître la faim, les privations, l'humiliation.*

20 Tel, lorsque abandonné d'une infidèle amante,
Pour la première fois, j'ai connu la douleur (...)
A. DE MUSSET, Lettre à Lamartine.

21 Qui n'a connu de ces heures où l'on en arrive à ne plus se sentir vivre, tant le sentiment de la vie devient intense et accablant?
Edmond JALOUX, la Chute d'Icare, p. 267.

22 Il avait seulement gagné d'avoir connu la peste et de s'en souvenir, d'avoir connu l'amitié et de s'en souvenir, de connaître la tendresse et de devoir un jour s'en souvenir.
CAMUS, la Peste, p. 313.

Connaître un lieu, y être allé. *Vous connaissez Venise? Jules Verne ne connaissait pas la plupart des pays qu'il a si bien dépeints.*

23 Un couple, occupé de lui-même, ne connaît pas de brefs colloques.
COLETTE, la Naissance du jour, p. 186.

24 Ses portraits connurent des fortunes diverses, chaque modèle jugeant le sien médiocre et ceux des autres excellents.
A. MAUROIS, les Discours du D^r O'Grady, XVI, p. 175.

25 (...) les passions politiques atteignent aujourd'hui à un point de perfection que l'histoire n'avait pas connu.   Julien BENDA, la Trahison des clercs, p. 117.

♦ **4.** (1835). NE CONNAÎTRE QUE... : tenir compte seulement de. ⇒ **Admettre, considérer, préoccuper** (se), **reconnaître.** *Il ne connaît que son devoir, que la consigne. Ne connaître que son plaisir. Il est incorruptible et ne connaît que la justice.* (Négatif). *Ne pas connaître qqch., un sentiment, ne pas en tenir compte. Il ne connaît ni Dieu ni diable :* il ne croit à rien. ⇒ **Mécréant.**

26 Ce ne sont point ici des choses où les enfants soient obligés de déférer aux pères ; et l'amour ne connaît personne.   MOLIÈRE, l'Avare, IV, 3.

27 Le fer ne connaît ni le sexe ni l'âge (...)   RACINE, Esther, I, 3.

Loc. *Ne plus rien connaître* (⇒ **Insensible, sourd**). *Dans sa fureur, il ne connaissait plus rien.*

♦ **5.** (1549). Trans. indir. *Connaître de :* avoir compétence pour juger. *Le tribunal de commerce ne connaît pas des causes civiles.*

28 Quelque bruit que fît le Nonce d'abord, de ce qu'on ne prenait pas des ecclésiastiques pour connaître d'une matière ecclésiastique (...)
PASCAL, les Provinciales, XIX, *in* LITTRÉ.

29 Les juges de paix connaissent en matière civile, de toutes actions purement personnelles ou mobilières en dernier ressort jusqu'à la valeur de six cents francs (35 000 fr. aux termes de la loi du 24 mai 1951).   Loi du 12 juil. 1905, art. 1.

★ **II.** *Connaître une personne.* ♦ **1.** Être conscient de l'existence de (qqn). *Je ne connais pas cet auteur, je n'en ai jamais entendu parler. Je le connais de nom :* je connais son nom, mais guère plus.

(Le sujet désigne la société, le public). *Tout le monde le connaît, la France entière le connaît :* il est connu* (→ ci-dessous). *Faire connaître qqn.* ⇒ **Lancer, produire.** *Son dernier film l'a fait connaître.*
Se faire connaître : se rendre notoire, célèbre, se faire une réputation. ⇒ **Distinguer** (se). → Célébrité, cit. 4.

Loc. *Ne connaître qqn ni d'Ève ni d'Adam* : ne jamais avoir entendu parler de quelqu'un.

◆ **2.** Être capable de reconnaître ; savoir l'identité de. *Je connais cette tête-là. Connaître qqn de vue,* l'identifier pour l'avoir déjà vu, mais sans le connaître autrement. *Je vous connaissais de vue avant qu'on ne nous présente. Connaître une personne pour avoir été présenté à elle, pour l'avoir rencontrée dans la rue. Faire connaître qqn à qqn* (même sens que ci-dessus I., 1.). *Se faire connaître à qqn.* ⇒ **Présenter** (se). *Ne pas se faire connaître :* se cacher. ⇒ **Incognito** (garder l').

◆ **3.** Avoir des relations sociales avec (qqn). ⇒ **Connaissance.** *Chercher à connaître une personne en vue. Faire connaître qqn (à qqn).* ⇒ **Introduire, présenter.** — Pron. (récipr.). *Ils se connaissent depuis longtemps. Nous nous sommes connus à Paris.* ⇒ **Rencontrer.**

30 Comme ils se connaissaient tous deux dès leur bas âge,
Une longue habitude en paix les maintenait (...)   LA FONTAINE, Fables, XII, 2.
31 Je connus feu son père en mon voyage à Rome.
                                          MOLIÈRE, les Femmes savantes, II, 2.
32 Donc, vous n'étiez pas un familier de la maison ? Les voisins n'avaient pas pu vous remarquer ? Ils ne vous connaissaient pas de vue ?
                                          J. ROMAINS, les Hommes de bonne volonté, II, IV, p. 39.

◆ **4.** Se faire une idée de la personnalité de (qqn). ⇒ **Apprécier, comprendre, juger.** *C'est une personne que je connais assez bien. Connaître les hommes et les juger. Se faire connaître et se faire apprécier. Se laisser connaître.* ⇒ **Découvrir** (→ ci-dessous, cit. 40).

Pron. SE CONNAÎTRE : être capable de se juger (→ ci-dessous, cit. 35, 39, et 42). *Il se connaît mal. Connais-toi toi-même* (en grec : *gnôthi seauton*), devise de Socrate. — Vx. *Elle se connaît menteuse :* elle sait qu'elle est menteuse (→ ci-dessous, cit. 36).

33 Mes pareils à deux fois ne se font point connaître,
Et pour leurs coups d'essai veulent des coups de maître.
                                          CORNEILLE, le Cid, II, 2.
34 (...) vous ne me connaissez pas encore. Vous me faites grand tort de juger de moi par les autres (...)   MOLIÈRE, Dom Juan, II, 2.
35 Il faut se connaître soi-même : quand cela ne servirait pas à trouver le vrai cela au moins sert à régler sa vie, et il n'y a rien de plus juste.
                                          PASCAL, Pensées, II, 66.
36 La grandeur de l'homme est grande en ce qu'il se connaît misérable. Un arbre ne se connaît pas misérable.
C'est donc être misérable que de *(se)* connaître misérable ; mais c'est être grand que de connaître qu'on est misérable.   PASCAL, Pensées, VI, 397.
37 Pour connaître les hommes, il faut les voir agir.   ROUSSEAU, Émile, IV.
38 (...) on connaîtrait mal par rapport à soi les autres hommes, si on ne se connaissait pas bien soi-même.   É. DE SENANCOUR, De l'amour, p. 184.
39 L'homme est un apprenti, la douleur est son maître,
Et nul ne se connaît tant qu'il n'a pas souffert.
                                          A. DE MUSSET, Poésies nouvelles, « Nuit d'octobre. »
40 (...) ne vous laissez jamais connaître entièrement, vous qui voulez être toujours aimés de celles qui vous aiment.
                                          BARBEY D'AUREVILLY, Une histoire sans nom, p. 102.
41 Au reste, il n'y a d'intéressant à connaître que les saints, les scélérats et les fous ; ce sont les seuls dont la conversation puisse valoir.
                                          HUYSMANS, Là-bas, XV, p. 206.
42 (...) qu'il y a dans l'analyse un principe de mort, et que l'homme se connaît d'autant moins qu'il se regarde davantage.
                                          J. PAULHAN, Entretien sur des faits divers, III, p. 85.

Loc. *Ne plus se connaître :* ne plus se maîtriser ; être exalté ou en colère. ⇒ **Emporter** (s').

42.1 Il n'est pas ivre, c'est un artiste, affirma-t-elle. En Italie, quand un maestro fait de la grande musique, il ne se connaît plus.
                                          Francis CARCO, les Belles Manières, p. 24.

◆ **5.** (V. 1170). Style biblique. *Connaître une femme,* avoir avec elle des relations charnelles. ⇒ **Posséder, prendre** (→ Autre, cit. 15).

43 Adam connut Ève, sa femme ; elle conçut et enfanta Caïn (...)
                                          BIBLE (CRAMPON), Genèse, IV, 1.
44 Il est plaisant que le mot *connaître une femme* veuille dire : coucher avec une femme... comme si on ne connaissait pas une femme sans cela.
                                          CHAMFORT, Maximes, « Sur les femmes et le mariage », VII.

★ **III.** (V. 1050). Vx. Trouver en (qqch., qqn) ce qu'on connaissait déjà. ⇒ **Reconnaître.** *C'est au fruit que l'on connaît l'arbre** (cit. 41). *À l'œuvre on connaît l'artisan** (La Fontaine, *Fables,* I, 21).

45 — L'amour. — Ce mot est beau. Dites-moi quelques marques
À quoi je le pourrai connaître : Que sent-on ?   LA FONTAINE, Fables, VIII, 13.
46 (...) qui t'aurait connu déguisé de la sorte ?   RACINE, les Plaideurs, II, 2.

(Fin XIIᵉ). ⇒ **Discerner, distinguer.** *Connaître sa main droite de sa main gauche. Connaître le bien et le mal.*

47 (...) à connaître un pourpoint d'avec un haut de chausse.
                                          MOLIÈRE, les Femmes savantes, II, 7.

▶ **CONNU, UE** p. p. adj. (XIIIᵉ).

A. (Choses). ◆ **1.** Qui existe en tant qu'objet de pensée, n'est pas inconnu. ⇒ **Découvert, présenté, révélé** (→ Christianisme, cit. 5). *Secret qui commence à être connu.* ⇒ **Transpirer.** *Cette nouvelle déjà connue* (publiée) *a reçu confirmation* (⇒ **Officiel**). *Le monde connu.* — N. m. *Le connu et l'inconnu.*

◆ **2.** Que la majorité connaît, sait. ⇒ **Répandu.** *Chose, idée très*

connue. ⇒ **Notoire, proverbial ; public ; commun, rebattu, réchauffé ; courir** (qui court les rues). *C'est bien connu.* ⇒ **Évident.** *Chose connue sous le nom de...* (→ Alliance, cit. 6).

(...) Messieurs, mon mérite et ma gloire   48
Sont connus en bon lieu (...)   LA FONTAINE, Fables, IX, 3.
L'anglais est une langue connue dans de nombreux pays. ⇒ **Su.**
Il reste encore la volonté immuable de connaître, ce plaisir du savoir désintéressé,   49
que nous devons à l'ignorance, car ce qui est connu est bientôt insipide.
                                          J. CHARDONNE, l'Amour du prochain, VIII, p. 213.

B. (Personnes). Qui a une grande réputation. ⇒ **Célèbre** (→ Attendre, cit. 117). *C'est un homme connu et influent.* — Loc. *Être connu comme le loup blanc, le loup gris :* être très connu. *Un homme connu dans les milieux littéraires. Être connu comme... en tant que... Il est connu en tant que conférencier, n'est connu que pour tel. Ni vu ni connu,* sans que cela ne se sache, sans qu'on ne le remarque. ⇒ **Incognito.**

Oui, je sais. Tous les grands hommes furent d'abord méconnus ; mais je ne suis   50
pas un grand homme, et j'aimerais autant être connu tout de suite.
                                          J. RENARD, Journal, 28 avr. 1893.

CONTR. Douter, ignorer, méconnaître, renier. — Dédaigner, négliger. — (Du p. p.) Inconnu, inédit, obscur, oublié.
DÉR. Connaissable, connaissance, connaissant, connaissement, connaisseur.
COMP. Méconnaître, reconnaître. — Archiconnu, inconnu.

CONNARD, ARDE [kɔnaʀ, aʀd] n. ⇒ **Conard.**

CONNASSE [kɔnas] n. f. ⇒ **Conasse.**

CONNATURALITÉ [kɔnatyʀalite] n. f. — 1946 ; de *connaturel.*

◆ Didact. (rare). Caractère de ce qui est connaturel.

Hoffmann, dans ce conte très remarquable intitulé *La Mine,* décrit un semblable pouvoir d'intuition chez le véritable mineur ; il sent le danger et il sait découvrir le minerai dans les filons les plus cachés ; il vit dans une espèce de connaturalité avec la nature souterraine, et cette connaturalité est si profonde qu'elle exclut tout autre sentiment ou attachement ; le vrai mineur est un homme souterrain ; celui qui descend dans la mine sans l'aimer, comme ce marin errant qui s'engage courageusement pour travailler à la mine parce qu'il aime une jeune fille, ne découvrira pas cette connaturalité essentielle (...)
                                          Gilbert SIMONDON, Du mode d'existence des objets techniques, 1969, p. 89-90.

CONNATUREL, ELLE [kɔnatyʀɛl] adj. — V. 1370 ; bas lat. *connaturalis* « de la même nature ; inné ».

◆ Rare, didact. *Connaturel à* (qqn, qqch.) : qui est par nature en accord avec.

Mais de tels moyens, s'ils sont connaturels à notre nature charnelle et blessée, sont *contre nature* au regard du *pneuma* qui nous introduit aux mœurs divines (...)
                                          MARITAIN, Humanisme intégral, 1936, p. 267, *in* T. L. F.

DÉR. Connaturalité.

CONNE [kɔn] n. f. ⇒ **Con.**

CONNEAU [kɔno] n. m. — D.i. ; de *con* (II.).

◆ Fam. Petit con, jeune con. ⇒ **Conard.**

CONNECTER [kɔnɛkte] v. tr. — 1780 ; lat. *connectere,* de *con-* (*cum*) et *nectere* « attacher ».

◆ **1.** Vx (ou fig. de 2.). Unir (des choses entre elles). ⇒ **Relier.**
V. pron. *Éléments qui se connectent.*

Propositions qui se suivent et se connectent les unes avec les autres.
                                          VOLTAIRE, *in* Pierre LAROUSSE.

◆ **2.** Techn. Unir par une connexion, mettre en liaison (deux ou plusieurs appareils électriques). *Connecter un calculateur périphérique à une unité centrale.* ⇒ **Brancher.**

CONTR. Couper, débrancher, déconnecter, isoler, séparer.
DÉR. Connecteur, connectif.
COMP. Déconnecter.

CONNECTEUR [kɔnɛktœʀ] n. m. — 1799 ; de *connecter.*

◆ Techn. Appareil de connexion. *Connecteur téléphonique.* — Électr. Prise à broches multiples.

CONNECTIF, IVE [kɔnɛktif, iv] adj. et n. m. — 1799 ; de *connecter.*

★ **I.** Adj. Vx. Qui sert à unir. — Anat. (Rare). *Tissu connectif.* ⇒ **Lamineux.**

★ **II.** N. m. ◆ **1.** Anat. Nerf réunissant des ganglions. — Bot. Organe qui réunit les deux loges de l'anthère dans certaines plantes.

◆ **2.** Log. *Connectif binaire :* symbole qui relie deux propositions élémentaires en une proposition complexe. *L'implication est un connectif.*

CONNEMENT [kɔnmɑ̃] adv. — xxᵉ ; de *con,* adj.

♦ Vulg. Bêtement, d'une manière conne.

Faut pas, Pierrot, que tu te froisses ; j'ai fait ça un peu connement hier, sous le coup de la mauvaise impression.
Albert SIMONIN, Touchez pas au grisbi, p. 205.

CONNERIE [kɔnʀi] n. f. — 1845, Flaubert (*Correspondance,* Pl., t. I, p. 239), dans un sens probablt érotique.

Familier.

♦ **1.** Imbécillité, absurdité ; bêtise. *Tout ça, c'est de la connerie, de la connerie en branche ! Il est d'une connerie insondable.*

1 Voir quoi ? Quels juges ? C'est pas maintenant que tu vas aller te dénoncer. Ça serait de la vraie connerie. Jean GENET, Querelle de Brest, p. 316 (1953).
2 Tâche (...) qu'elle ne soit ni moche ni trop conne, la fille.
— J'essaierai, dit Albert. Pour ce qui est du minois, je m'y connais, mais la connerie, c'est parfois insondable. R. QUENEAU, les Fleurs bleues, p. 102.

♦ **2.** Action ou parole inepte. *Faire, dire des conneries. Arrête tes conneries !*

3 Veux-tu qu'on aille au cinéma ?
— Pour voir des conneries ? merci. R. QUENEAU, le Dimanche de la vie, p. 152.
4 Pourquoi j'aurais pas confiance en vous ? Vous avez été gentil avec les petites. Et puis maintenant j'en peux plus. Je fais peut-être une connerie, mais je n'en peux plus. Claude SIMON, le Vent, p. 79.
Situation, chose absurde. *« Quelle connerie, la guerre »* (Prévert).

CONNÉTABLE [kɔnetabl] n. — 1165, *conestable ;* « commandant militaire », 1155 ; du bas lat. *comes stabuli,* proprt « comte *(comes)* de l'étable *(stabulum)* ».

♦ **1.** N. m. Hist. Sous l'Ancien Régime, Grand officier de la couronne, d'abord surintendant des écuries, puis chef suprême de l'armée. *Louis XIII supprima la dignité de connétable en 1626, après la mort du connétable de Lesdiguières. L'épée de connétable.*

1 Le connétable capétien dérive certainement du *comes stabuli* carolingien ; cependant son nom n'apparaît qu'en 1043. Il a déjà sa place marquée dans l'armée royale ; mais il est sous les ordres du grand sénéchal, jusqu'à la disparition de celui-ci (...) Dès le XIIIᵉ siècle, le connétable revendique le droit de commander l'avant-garde de l'armée royale. Au XIVᵉ siècle, il deviendra le chef de toute l'armée.
CHÉNON, Hist. générale du droit franç., t. I, p. 577.
Au fém. *(Une, la connétable).* Épouse d'un connétable.
2 (...) une lettre que madame Bonacieux a reçue de la connétable, et qu'elle a eu l'imprudence de me communiquer, me porte à croire que ces quatre hommes au contraire sont en campagne pour la venir enlever.
A. DUMAS, les Trois Mousquetaires, t. II, p. 693.

♦ **2.** N. m. Cinquième grand dignitaire sous Napoléon Iᵉʳ. — Doyen des maréchaux de France.

♦ **3.** N. m. Titre héréditaire donné dans certains pays à des personnes de qualité. *Le connétable de Castille.*

DÉR. Connétablie.

CONNÉTABLIE [kɔnetabli] n. f. — V. 1309, *connestablie ; cunestablie* « commandement d'une troupe », 1160 ; *conestablie* « corps d'armée », 1155 ; de *connétable.*

♦ Didact., hist. Juridiction d'un connétable, puis des maréchaux de France, chargée d'instruire et de juger les délits des soldats et officiers en service.

CONNEXE [kɔnɛks] adj. — 1290 ; lat. *connexus,* de *connectere.* → Connecter.

♦ **1.** Qui a des rapports étroits (avec autre chose). ⇒ **Analogue, dépendant, joint, lié, uni, voisin.** *Affaires, matières, idées, sciences connexes. Domaine connexe à une science.*

1 Encore que toutes ces choses soient connexes entre elles (...)
DESCARTES, Secondes réponses.
1.1 Depuis que, par les progrès connexes de la science et de l'industrie, l'esprit moderne s'est affranchi de toute théologie, l'homme occidental n'est plus disciplinable que d'après une loi démontrable.
ALAIN, Abrégés pour les aveugles, VII, *in* les Passions et la Sagesse, Pl., p. 829.
Rare. *Connexe de.* « *Il y a chez moi comme une crise de la dictée, connexe de celle du cours* » (Charles Du Bos, *Journal,* 1926, *in* T. L. F.).

♦ **2.** (1834). Concret. Bot. *Feuilles connexes,* dans lesquelles les pétioles opposés sont soudés à la base.

♦ **3.** Dr. *Causes connexes :* causes jugées par un même tribunal en raison de leur connexité. — *Délit* connexe.*

2 La cour statuera par un seul et même arrêt sur les délits connexes dont les pièces se trouveront en même temps produites devant elle.
Code d'instruction criminelle, art. 220.
3 S'il a été formé précédemment, en un autre tribunal, une demande pour le même

objet, ou si la contestation est connexe à une cause déjà pendante en un autre tribunal, le renvoi pourra être demandé et ordonné.
Code de procédure civile, art. 171.

CONTR. Indépendant, séparé.
DÉR. Connexion, connexité.

CONNEXION [kɔnɛksjɔ̃] n. f. — 1338 ; de *connexe.*

Didact. ou style soutenu.

♦ **1.** Fait d'être connexe ; rapport entre choses connexes. ⇒ **Affinité, analogie, cohérence, liaison, rapport, relation, union.** *La connexion des faits, des idées. Connexion étroite, intime.*

1 Ce monde limité *(le monde actuel)* et dont les connexions qui en rattachent les parties ne cesse de croître, est aussi un monde qui s'équipe de plus en plus. VALÉRY, Regards sur le monde actuel, Avant-propos, p. 27.
2 Si le monde est absurde, nous ne pouvons pas y souscrire, nous pouvons tout au plus nous révolter contre le fait que « l'action ne soit pas la sœur du rêve » et que la connexion des choses ne réponde pas à celle des idées.
Emmanuel BERL, le Virage, p. 87.

♦ **2.** (1546). Concret. Anat. *Connexion des parties d'un organe. Principe des connexions. Un organe tend à conserver les mêmes connexions.*

3 (...) cette idée de l'unité de plan (...) Geoffroy Saint-Hilaire (...) en fait le pivot de son « anatomie philosophique » (...) Ainsi, d'après sa « loi des connexions », les organes, en dépit de leur atrophie ou de leur hypertrophie, en dépit des métamorphoses que nécessite leur ajustement à de nouvelles fonctions, conservent toujours leurs connexions mutuelles : « Un organe est plutôt anéanti que transposé ».
Jean ROSTAND, Esquisse d'une histoire de la biologie, p. 115-116.
Électr. Liaison d'un appareil à un circuit. ⇒ **Câblage ; connecteur.** *Connexion enroulée.*

CONNEXITÉ [kɔnɛksite] n. f. — 1410 ; de *connexe.*

♦ Didact. Qualité de ce qui est connexe. ⇒ **Connexion.** *Il y a une grande connexité entre la psychologie et la morale.*

1 CONNEXION, CONNEXITÉ. Ces deux termes, si voisins, se distinguent en ce que connexion, dérivant directement du radical qui est dans *connectere,* exprime l'action de lier et le résultat de cette action ; et que connexité, dérivant de *connexus,* exprime la qualité d'être connexe. LITTRÉ, Dict., art. *Connexité.*
2 (...) ce qui permettait d'identifier leur visage, c'était la connexité d'un gros nez rouge avec un bec-de-lièvre, ou de deux joues ridées avec une fine moustache.
PROUST, le Côté de Guermantes, Pl., t. II, p. 42.

CONNIL [kɔnil] ou CONNIN [kɔnɛ̃] n. m. — xiiᵉ ; considéré comme vieux depuis le xviᵉ-xviiᵉ, et, dans les dictionnaires, au xviiiᵉ ; parfois repris par archaïsme ou calembour avec *con.* → Con (I.).

♦ Archaïsme littér. Lapin. Par jeu de mots avec l'homonyme :

Je connais un autre connin
Que tout vivant je voudrais prendre
Sa garenne est parmi le thym
Des vallons du pays du Tendre. APOLLINAIRE, le Bestiaire, « Le lapin ».

CONNIVENCE [kɔnivɑ̃s] n. f. — 1539, *Recueil général des anciennes lois françaises, in* D. D. L. ; bas lat. *coniventia,* de *conivens,* p. prés. de *conivere* « cligner les yeux » d'où « fermer les yeux, laisser faire ». → (vx) Conniver.

Entente secrète ou tacite.

♦ **1.** Vieilli. Complicité qui consiste à cacher la faute de qqn. *Acheter la connivence d'un juge.* ⇒ **Corruption.** — *Être de connivence (avec qqn),* complice.

1 Je pourrais aisément compter sur la connivence du premier président en cas que la chose lui fût bien recommandée.
VOLTAIRE, Lettre à M. de Cideville, 30 janv. 1731.

♦ **2.** (1798). Mod. et littér. Accord tacite. ⇒ **Entente, intelligence.**

2 L'œuvre d'art ne s'épanouit qu'avec la participation, la connivence, de tous les éléments vertueux de l'esprit. GIDE, Journal, août 1910, p. 310.
3 De furtives et tacites connivences les liaient.
MARTIN DU GARD, les Thibault, t. V, p. 156.
Cour. *... de connivence. Échanger un sourire, un signe de connivence. Être de connivence avec qqn :* s'entendre avec qqn de manière spontanée, souvent non exprimée.

♦ **3.** Sc. nat. État, situation d'éléments connivents (1.).

CONNIVENT, ENTE [kɔnivɑ̃, ɑ̃t] adj. — 1753 ; « qui est de connivence », 1593 ; lat. *conivere* « rapprocher les paupières ». → Connivence.

♦ **1.** Sc. nat. Qui tend à se rapprocher, forme des replis. *Feuilles conniventes. Valvules conniventes de la muqueuse intestinale humaine.*

♦ **2.** Littér. et rare. Qui est de connivence.

(...) je ne comprenais pas comment cette femme (...) semblât ne pas oser me faire un signe d'intelligence qui m'avertît (...) que nous étions connivents et complices dans le même mystère (...)
BARBEY D'AUREVILLY, les Diaboliques, éd. L. de Poche, p. 60.

CONNIVER [kɔnive] v. intr. — Mil. XVIᵉ, Montluc ; lat. *conivere*, de *nivere* «cligner, fermer les yeux».

♦ Littér. et vx. Être complice, être de connivence. *Conniver avec qqn. Conniver à qqch.* : fermer les yeux sur..., par connivence (encore chez Renan, *in* T. L. F.).

CONNOTATIF, IVE [kɔnɔtatif, iv] adj. — 1866, trad. de l'angl. *connotative*, J. Stuart Mill ; lat. scolast. *connotativus*, de *connotare*. → Connoter.

♦ Didact. (philos., ling.). Qui constitue une connotation, concerne la connotation (opposé à *dénotatif*).

CONNOTATION [kɔnɔtɑsjõ] n. f. — 1660, *Grammaire de Port-Royal* ; de *connoter*.

♦ **1.** Philos., log. (opposé à *dénotation*). Propriété d'un terme de désigner en même temps que l'objet certains de ses attributs. — Ensemble des caractères de l'objet désigné par un terme. ⇒ **Compréhension.**

♦ **2.** Ling. Sens particulier ou effet de sens d'un énoncé ou d'un élément linguistique que lui confère le contexte situationnel.

1 C'est pourquoi la métaphore de l'apocalypse convient non seulement pour sa connotation de déchirement du voile, de destruction des idoles, de débusquage du fantasme, mais aussi pour sa résonance plus familière de peur d'être détruit, de peur de la fin du monde.
Didier ANZIEU, le Moment de l'apocalypse, *in* la Nef, nº 31, p. 132.

2 La sagesse est inséparable de la taille et de l'âge. C'est en ce sens qu'elle comporte toujours une connotation enfantine et justifie l'usage français de parler d'*enfants sages* ou de recommander aux enfants d'*être bien sages.*
M. TOURNIER, le Vent Paraclet, p. 282.

CONNOTER [kɔnɔte] v. tr. — V. 1530 ; de *con-*, lat. *cum*, et *notare* ; repris XIXᵉ à l'angl. *to connote*, de même origine.

♦ **1.** Philos., log. Renvoyer par une connotation* (1.), par la relation de compréhension. «*Tout nom dénote des sujets et connote les qualités appartenant à ces sujets*» (Goblot).

♦ **2.** Ling. (en parlant d'un signe). Renvoyer, outre son acception stable et rationnelle, à un contenu dépendant du contexte situationnel.

Qu'il s'agisse de poisons véritables ou de substances magiques, les Nambikwara les désignent tous du même terme : *nandé*. Ce mot dépasse donc la signification étroite que nous attachons à celui de poison. Il connote toute espèce d'actions menaçantes ainsi que les produits ou objets susceptibles de servir à de telles actions.
Claude LÉVI-STRAUSS, Tristes tropiques, p. 257.

DÉR. Connotation.

CONNU, UE [kɔny] adj. ⇒ **Connaître.**

CONOÏDAL, ALE, AUX [kɔnɔidal, o] adj. — 1611 ; de *conoïde*.

♦ Didact. (sc.). Syn. de *conoïde*.

CONOÏDE [kɔnɔid] adj. — 1556, n. m. ; grec *kônoeidês*.

♦ Didact. (sc.). Qui a la forme d'un cône. — Syn. : *conoïdal*.
Anat. (vx). *Corps conoïde.* ⇒ **Pinéal** (glande pinéale).
Math. *Surface conoïde*, ou, n. m., *un conoïde* : surface engendrée par une droite qui s'appuie à une droite fixe, reste parallèle à un plan fixe et satisfait à une troisième condition.

DÉR. Conoïdal.

CONOPÉE [kɔnɔpe] n. m. — 1887 ; *conopé*, 1882 ; grec *kônôpéion* «tente».

♦ Liturgie. Voile qui enveloppe le tabernacle d'un autel.

CONQUE [kõk] n. f. — 1375 ; du lat. *concha*, grec *konkhê* «coquille».

♦ **1.** Tout mollusque bivalve de grande taille ; sa coquille. *Conque marine. Vénus portée par une conque. — La conque d'un bénitier** (cit. 1).

1 Debout dans sa conque nacrée,
Elle vogue sur le bleu clair,
Comme une Aphrodite éthérée,
Faite de l'écume de l'air. Th. GAUTIER, Émaux et Camées, « La nue ».

2 Mais une vierge consacrée,
Une conque neuve et nacrée (...) VALÉRY, Poésies, Charmes, « La pythie ».

Myth. Coquille en spirale que les tritons utilisent comme trompe. — Par anal. Trompe faite d'une coquille, ou en forme de coquille.

3 (...) les tritons, qui sonnaient de la trompette avec leurs conques recourbées.
FÉNELON, Télémaque, 4.

♦ **2.** (1690). Anat. Cavité de l'oreille externe où prend naissance le conduit auditif.

4 (...) une excavation profonde, connue sous le nom de *conque*. C'est une dépression

en forme d'entonnoir, dont le fond, dirigé en dedans, se continue directement avec le conduit auditif externe.
L. TESTUT, Traité d'anatomie, III, p. 719.

Enceinte acoustique ayant une forme analogue. *Une conque de métal.*

♦ **3.** Forme concave (d'une conque). *La conque d'une chevelure.*

5 Ses cheveux n'étaient que châtain foncé ; mais à distance, ils brillaient presque noirs en recouvrant la nuque de leur conque épaisse.
Pierre LOUŸS, la Femme et le Pantin, I, p. 21.

En conque : en forme de conque.

5.1 (...) nous tressaillons lorsqu'une rose, en se défaisant dans une chambre tiède, abandonne un de ses pétales en conque (...)
COLETTE, Flore et Pomone, *in* Gigi, p. 140.

Mettre sa main en conque, lui donner la forme d'une conque.

6 Il se retourne, la main en conque sur son oreille poilue.
M. GENEVOIX, Forêt voisine, XII, p. 158.

♦ **4.** Archit. Forme semi-circulaire d'une abside ; abside.

CONQUÉRANT, ANTE [kõkerã, ãt] n. et adj. — 1160 ; p. prés. de *conquérir*.

★ **I.** N. (rare au fém.). ♦ **1.** Personne qui fait des conquêtes par les armes. ⇒ **Conquistador, guerrier, vainqueur.** *Guillaume le Conquérant. Alexandre, le grand conquérant.* ⇒ **Conquéreur.** *Les Conquérants*, roman de Malraux.

1 Il n'y a point de plus grande gloire que celle des conquérants : choisissons le plus renommé d'entre eux. Quand on veut parler d'un grand conquérant, chacun pense à Alexandre (...) BOSSUET, Profession de Mˡˡᵉ La Vallière.

2 (...) il n'est rien de si doux que de triompher de la résistance d'une belle personne, et j'ai sur ce sujet l'ambition des conquérants, qui volent perpétuellement de victoire en victoire, et ne peuvent se résoudre à borner leurs souhaits.
MOLIÈRE, Dom Juan, I, 2.

3 (...) le chef de la redoutable phalange, le père du plus grand conquérant qu'ait jamais produit l'histoire, c'est Philippe, père d'Alexandre.
DANIEL-ROPS, le Peuple de la Bible, IV, II, p. 314.

♦ **2.** Personne qui séduit les cœurs, les esprits. *François-Xavier, le conquérant des âmes.* — (En parlant de ceux qui inspirent de l'amour). *Un conquérant des cœurs.* ⇒ **Bourreau** (des cœurs ; → Don Juan).

4 Je l'ai vu vers le temple, où son hymen s'apprête,
Mener en conquérant sa nouvelle conquête (...) RACINE, Andromaque, V, 2.

★ **II.** Adj. ♦ **1.** (Personnes ; collectivités.) Qui conquiert, qui cherche à conquérir par les armes, militairement. *Nations conquérantes. Un régime, un gouvernement militariste et conquérant. Hordes, tribus conquérantes. Roi, peuple conquérant.* — Par anal. *La marche conquérante de l'Occident, de la colonisation, du XVIᵉ au XIXᵉ siècle. Une économie conquérante*, qui conquiert les marchés étrangers.

(Choses). Relatif à l'esprit de conquête. *« La fureur conquérante (...) d'un Gengis ou d'un Tamerlan »* (Maine de Biran, *in* T. L. F.). *Ambition, folie conquérante*, de conquête.

♦ **2.** Qui conquiert (2.), cherche à conquérir. *Idées, théories conquérantes.* « *La classe montante et conquérante* » (J. Lacroix, *in* T. L. F.). *Science conquérante. Art conquérant. La pensée conquérante d'un génie.*

(Choses concrètes). Littér. *Soleil conquérant.*

♦ **3.** (Personnes). Qui conquiert (2.), cherche à conquérir (une situation élevée, d'autres personnes, etc.). *Un aventurier conquérant.*
Vieilli. Qui conquiert les cœurs.

5 Les hommes ne goûtent dans le plaisir d'être aimés que celui de triompher de la personne qui les aime ; et les amants heureux ne sont heureux que parce qu'ils sont conquérants.
FONTENELLE, cité par Adolphe RICARD, l'Amour, les Femmes et le Mariage.

♦ **4.** Fam. et iron. Qui affecte l'apparence d'un conquérant (2.) ; qui témoigne d'une ardeur pour conquérir. *Un petit air conquérant*, prétentieux, un peu fat. *Des gestes conquérants.* — (Traits physiques). *Une moustache conquérante.*

CONQUÉREUR [kõkerœr] n. m. — 1260 ; anc. franç. *conquereour*, XIIᵉ ; de *conquérir*.

♦ Rare. Celui qui conquiert (mot repris pour éviter les connotations que comporte le mot normal, *conquérant* «triomphant» ou «prétentieux»).

Il me semblait *(dit une femme)* que j'étais la toison d'or et que je partais à la recherche d'un conquéreur.
GIDE, les Faux-monnayeurs, I, VII, *in* Romans, Pl., p. 982.

REM. Le fém. *conquéreuse* est virtuel.

CONQUÉRIR [kõkerir] v. tr. — Conjug. *acquérir.* — 1080, *conquerre* ; du lat. pop. *conquærere, lat. class. *conquirere* «chercher à prendre», d'après *quærere* «chercher», de *con-* (*cum*), et *quærere.*

♦ **1.** Acquérir par les armes, soumettre par la force. ⇒ **Assujettir, dominer, soumettre, subjuguer, vaincre.** *Conquérir une place forte, une ville, un pays, une province, un royaume, un empire. Conquérir le monde.* — Absolt. *L'ambition de conquérir.*

1   Il *(Attila)* aime à conquérir, mais il hait les batailles.   CORNEILLE, *Attila*, IV, 1.

2   S'il avait pu conquérir le monde entier, il en aurait cherché un nouveau pour satisfaire l'avidité de ses désirs.   ROLLIN, *Œuvres*, VI, p. 583, *in* POUGENS.

3   L'empereur écoute encore (...) chaque décharge le déchire, car il ne s'agissait plus pour lui de conquérir, mais de conserver.
        Ph.-P. SÉGUR, *Hist. de Napoléon*, IX, 2.

Obtenir en luttant. *Conquérir le pouvoir; un marché.* ⇒ **Obtenir, prendre.** *Conquérir une belle situation, la gloire, le bonheur. Conquérir un siège parlementaire.* — (Abstrait). *Conquérir l'estime de qqn, la sympathie. Conquérir la liberté, la paix intérieure.* — Relig. *Conquérir la perfection, la béatitude, le ciel.*

Spécialt. *Conquérir l'affection, l'amour de qqn* (→ ci-dessous, 2.).

♦ **2.** (Compl. n. de personne). Acquérir une forte influence sur (qqn). ⇒ **Amener** (à soi), **assujettir, attacher** (s'), **attirer, attraper, capter, captiver, charmer, dominer, entortiller, envoûter, gagner.** *Conquérir les cœurs.* ⇒ **Séduire, soumettre, subjuguer.** *Conquérir les païens à la foi.* ⇒ **Convertir.** *Conquérir par un charme, par la magie.* ⇒ **Charmer, enchanter, envoûter.** — Passif. *Être conquis par qqn., par son charme* (→ ci-dessous, Conquis, p. p. adj.).

4   Il y a peu de plaisir à conquérir des gens qui ne veulent pas être conquis (...)
        P.-L. COURIER, *Pamphlets politiques*, Lettre X, Pl., p. 47.

Spécialt. *Conquérir le cœur d'une femme. Conquérir une femme.* ⇒ (fam.) 1. **Avoir,** 1. **tomber.** — Absolt (→ ci-dessous, cit. 5).

5   Quand on n'a que de la vanité, toute femme est utile, aucune n'est nécessaire : le succès flatteur est de conquérir, et non de conserver.
        STENDHAL, *De l'amour*, XLI, p. 162.

6   La plupart d'entre nous doivent conquérir, et sans cesse reconquérir, l'être qu'ils désirent et qui ne s'offre pas à eux sans combat.
        A. MAUROIS, *Un art de vivre*, II, II, p. 61.

▶ **SE CONQUÉRIR** v. pron.

♦ **1.** (Réfl.). Se maîtriser, prendre possession de soi-même.

♦ **2.** (Passif). Être obtenu par une lutte. *La noblesse se conquiert par l'épée et se perd* (cit. 48) *par le travail.*

7   (...) les succès littéraires ne se conquièrent que dans la solitude et par d'obstinés travaux.   BALZAC, *Illusions perdues*, Pl., t. IV, p. 552.

8   La culture ne s'hérite pas; elle se conquiert.
        MALRAUX, *in* GIDE, *Journal*, 22 août 1937.

♦ **3.** (Récipr.). Se soumettre réciproquement par la force. *Se conquérir l'un l'autre, les uns les autres.*

9   Ces hordes se conquièrent sans cesse les unes les autres.
        MONTESQUIEU, *l'Esprit des lois*, XVIII, 19.

▶ **CONQUIS, ISE** p. p. adj.

♦ **1.** Pris par une conquête. *Peuple conquis. Villes conquises. Terrain conquis.*

10   Une troupe qui ne peut plus avancer, devra, coûte que coûte, garder le terrain conquis et se faire tuer sur place plutôt que de reculer.
        Général JOFFRE, *Message du 6 sept. 1914.*

Fig. *Se conduire comme en pays, en terrain conquis,* sans ménagement, cavalièrement.

Obtenu par une lutte. *Dépouilles conquises* (sur l'ennemi). — *Terres cultivables conquises sur la forêt, sur le désert.*

♦ **2.** Fig. Soumis, dominé. — Séduit, soit socialement, soit sentimentalement et sexuellement (surtout au fém.). *Un public conquis. Une femme conquise, un homme conquis.*

11   (...) chargé de mille cœurs conquis par mes bienfaits !   RACINE, *Bérénice*, II, 2.

12   Grosse erreur ! Aucune femme, si soumise et passive qu'on la suppose, n'est conquise une fois pour toutes.   Léon DAUDET, *la Femme et l'Amour*, I, p. 18.

CONTR. Abandonner, conserver, perdre. — (Du p. p.) **Révolté.**

DÉR. Conquérant, conquéreur, conquêt, conquête.

COMP. Reconquérir.

CONQUÊT [kɔ̃kɛ] n. m. — 1283; *cunquest* «conquête», 1155; du lat. pop. **conquæsitus,* p. p. de **conquærere.* → Conquérir.

♦ Dr. Biens acquis par le travail, par oppos. aux *biens de succession.* — Spécialt. Bien acquis à titre gratuit ou onéreux par un époux au cours de la communauté, et qui fait partie des biens communs. ⇒ **Acquêt.**

(...) on est par la Coutume
Communs en meubles, biens immeubles et conquêts (...)
        MOLIÈRE, *l'École des femmes*, IV, 2.

CONQUÊTE [kɔ̃kɛt] n. f. — V. 1160, *conqueste,* et jusqu'au déb. XVIIIᵉ; du lat. pop. **conquæsita,* p. p. de *conquærere.* → Conquérir.

★ **A.** ♦ **1.** *(La conquête).* Action de conquérir (un lieu, un domaine). ⇒ **Assujettissement, domination, prise, soumission.** *Faire la conquête d'un pays. La conquête du Mexique par les Espagnols. Conduire** (cit. 17) *ses hommes à la conquête de... Les conquêtes de Napoléon.* ⇒ aussi **Victoire.** *La conquête de l'espace.* ⇒ **Découverte.** *Régner sur un pays par droit de conquête.* *Esprit de conquête.* ⇒ **Agression, attaque, guerre.**

Loc. *À la conquête de... :* à la découverte de. *S'élancer à la conquête du monde.*

Action de lutter pour obtenir (qqch.). *La conquête du pouvoir, du succès. La conquête d'un droit. La conquête du bonheur, de la liberté.* — *La conquête de nouveaux terrains sur la mer. La conquête des matières premières, de l'or,* le fait de les obtenir.

♦ **2.** *(Une, des conquêtes).* Ce qui est conquis. *Conserver, étendre ses conquêtes. Affermir, assurer* (cit. 4) *ses conquêtes.* Territoire conquis. *Administrer ses conquêtes. Les conquêtes romaines.*

Conquêtes sociales, syndicales; les conquêtes de la révolution bourgeoise. ⇒ **Acquis, résultat, victoire** (fig.). *Les conquêtes de l'esprit, de la science. La conquête de qqch. par qqn* (→ Conquistador, cit. 3). *Une conquête sur la matière.*

1   Il y a des crimes qui deviennent innocents, et même glorieux, par leur éclat, leur nombre et leur excès; de là vient que les voleries publiques sont des habiletés, et que prendre des provinces injustement s'appelle faire des conquêtes.
        LA ROCHEFOUCAULD, *Maximes*, 608.

2   Le plus merveilleux, dans cette conquête admirable, c'est que ce ne fut pas une conquête. Ce ne fut rien d'autre chose qu'un mutuel élan de fraternité.
        MICHELET, *Hist. de la Révolution franç.*, t. II, p. 7.

« La plus noble conquête de l'homme... » (→ Cheval, cit. 1).

★ **B.** ♦ **1.** Action d'amener à soi, de séduire (qqn). *La conquête de qqn, des âmes, des cœurs.* ⇒ **Séduction, soumission.** *La conquête d'un amant. Entreprendre la conquête de qqn. Il a fait sa conquête :* il l'a séduit, il lui a plu. *Il a fait une nouvelle conquête. Des conquêtes amoureuses.*

3   Tant qu'ils ne sont qu'amants, nous sommes souveraines,
Et jusqu'à la conquête ils nous traitent de reines;
Mais après l'hyménée ils sont rois à leur tour.   CORNEILLE, *Polyeucte*, I, 3.

4   (...) comme Alexandre, je souhaiterais qu'il y eût d'autres mondes, pour y pouvoir étendre mes conquêtes amoureuses.   MOLIÈRE, *Dom Juan*, I, 2.

♦ **2.** (1637). Fam. Personne séduite, conquise. *Vous avez vu sa dernière conquête?*

5   (...) ce qu'on cherche précisément à atteindre, elles nous l'offrent déjà; c'est qu'elles ne sont pas des conquêtes.
        PROUST, *À la recherche du temps perdu*, t. XI, p. 175.

CONTR. Abandon, défaite, perte, soumission.

DÉR. Conquêter.

CONQUÊTER [kɔ̃kete] v. tr. — 1155, *conquester;* de *conquête.*

♦ Vx. Conquérir. *Conquêter un empire.*

REM. Ce verbe a été repris par Montherlant (*les Bestiaires,* p. 464, Pléiade).

CONQUIS, ISE [kɔ̃ki, iz] p. p. adj. ⇒ **Conquérir.**

CONQUISTADOR [kɔ̃kistadɔʀ] n. m. — 1841, G. Sand; mot esp. «conquérant».

♦ Aventurier espagnol parti à la conquête de l'Amérique au XVIᵉ siècle. *Pizarro et Cortès, célèbres conquistadores* [kɔ̃kistadɔʀɛs] *ou conquistadors.*

1   Et le Conquistador, bénissant sa folie,
Vint planter son pennon d'une main affaiblie
Dans la terre éclatante où s'ouvrait son tombeau.
        J.-M. DE HÉRÉDIA, *Trophées*, «Jouvence».

2   Il n'est plus question, comme pour les conquistadors, de découvrir, chaque soir, émerveillés, des étoiles nouvelles[1], ni de poursuivre l'ophir insaisissable, mais d'accomplir le geste le plus vil et le plus insupportable de tous, celui de compter.
        A. SAUVY, *Croissance zéro?*, p. 315.

1. Allusion au célèbre sonnet de Hérédia, *Les Conquérants.*

Par métaphore. ⇒ **Conquérant.**

3   Il y a deux catégories d'hommes : ceux qui dirigent et ceux qui sont dirigés. Les premiers sont les créateurs littéraires, artistiques, scientifiques, politiques. En somme, les conquistadors : conquête de la pensée par l'écrivain, de la beauté par l'artiste, de la vérité par le savant et le philosophe, du pouvoir par le politique.
        MONTHERLANT, *les Lépreuses, in Romans*, Pl., t. I, p. 1385.

CONSACRANT [kɔ̃sakʀɑ̃] adj. m. — 1690; p. prés. de *consacrer.*

♦ Relig. Qui consacre. ⇒ **Consécrateur** (1.). *Évêque consacrant,* qui consacre un autre évêque. *Prêtre consacrant,* qui dit la messe et consacre l'hostie. ⇒ **Célébrant.** — N. m. *Le consacrant :* le prêtre consacrant.

Le concile de Nicée veut que la décision pour ce choix *(des prêtres)* appartienne principalement au métropolitain, qui était le consacrant.   FÉNELON, II, 154.

CONSACRER [kɔ̃sakʀe] v. tr. — XIIᵉ; lat. *consecrare* d'après *sacrer.*

♦ **1.** Rendre sacré en dédiant à un dieu, à une divinité (⇒ **Consécration**). *Consacrer une église, un temple, un autel, un calice.* ⇒ **Bénir.** *Consacrer un évêque* (⇒ **Sacrer**), *un prêtre* (⇒ **Oindre, ordonner**).

1   (...) chant des litanies des Saints, pour obtenir la protection céleste sur ceux que le Pontife va «bénir, sanctifier et consacrer» (...)
        Mᵍʳ GRENTE, *les Sept Sacrements*, p. 110.

Spécialt. *Consacrer l'hostie, le vin au cours de la messe.* ⇒ **Consécration.**

Consacrer (qqch.) **à** (une divinité, un saint...) : rendre sacré en dédiant à... *Consacrer un temple à Jupiter.* ⇒ **Bâtir, dédier.**

Donner, offrir à (une divinité, un saint...). *Consacrer un enfant à Dieu, à la Sainte Vierge.* ⇒ **Vouer.** *Consacrer sa vie à Dieu.* ⇒ **Religion** (entrer en).

2 Les fidèles apprennent que le vrai Dieu, le Dieu d'Israël, le Dieu un et indivisible auquel ils sont consacrés par le baptême, est tout ensemble Père, Fils et Saint-Esprit.   BOSSUET, Hist., II, 6, *in* LITTRÉ.

3 (...) les païens en foule adorent Dieu et mènent une vie angélique ; les filles consacrent à Dieu leur virginité et leur vie ; les hommes renoncent à tous les plaisirs.
PASCAL, Pensées, XI, 724.

Théol. *Consacrer certains mots,* pour en déterminer et fixer le sens. ⇒ **Définir.**

♦ **2. CONSACRER (qqch.)** À **(un certain usage, qqn)** : destiner, affecter à. ⇒ **Appliquer, attribuer, dédier, destiner, dévouer, donner, sacrifier, vouer.** *Consacrer sa jeunesse à l'étude. Consacrer sa vie à un être cher, à une œuvre. Consacrer son énergie à une tâche. Consacrer son temps à qqn. Combien de temps pouvez-vous me consacrer?* ⇒ **Accorder.**

4 Surtout j'ai cru devoir aux larmes, aux prières
Consacrer ces trois jours et ces trois nuits entières.   RACINE, Athalie, I, 2.

5 Jamais vocation d'écrivain ne fut plus évidente ; jamais vie ne fut plus entièrement consacrée à une œuvre.
A. MAUROIS, Études littéraires, M. Proust, t. I, p. 113.

6 (...) je t'ai élevée, je t'ai consacré ma vie, je t'ai appris le bien, je suis restée ici seule, malade, malheureuse, pour qu'il y ait auprès de toi un exemple d'honneur. Voilà ma récompense! Tu veux me quitter, toi aussi ... Vous voulez me crucifier.
J. CHARDONNE, les Destinées sentimentales, Porcelaine de Limoges, p. 474.

♦ **3.** Littér. Rendre saint, sacré, vénérable. *Consacrer un lieu par le sang des martyrs.* ⇒ **Sanctifier.**

7 *(Les lévites)* Consacrèrent leurs mains dans le sang des perfides (...)
RACINE, Athalie, IV, 3.

♦ **4.** Rendre durable et faire considérer comme légitime, valable. ⇒ **Affermir, asseoir, confirmer, entériner, ratifier, sanctionner.** *Consacrer un abus.* — (Sujet n. de chose) *Le temps consacre les erreurs, les préjugés, une coutume par l'usage.*

8 Les droits de mes aïeux, que Rome a consacrés (...)   RACINE, Britannicus, IV, 2.

9 (...) je suis, dans la ville des livres *(Paris),* en un coin désert, consacré par quatre ou cinq siècles d'héroïsmes, de labeurs, de détresses, de sacrifices, d'avortements, de suicides et de gloire.   E. FROMENTIN, Dominique, p. 112.

▶ **SE CONSACRER** v. pron.

♦ **1.** *Se consacrer à Dieu.* ⇒ **Offrir** (s'), **réserver** (se réserver pour), **vivre** (pour).

♦ **2.** Fig. *Se consacrer au service de qqn.* ⇒ **Attacher** (s'), **employer** (s'), **livrer** (se). *Elle s'est consacrée à ses enfants. Se consacrer entièrement à une œuvre, à l'étude. Se consacrer à une discipline particulière.* ⇒ **Spécialiser** (se); **occuper** (s').

▶ **CONSACRÉ, ÉE** p. p. adj.

♦ **1.** Qui a reçu la consécration religieuse. ⇒ **Saint.** *Hostie consacrée. Terre consacrée* (d'un cimetière). *Jour consacré* : fête liturgique. → **Bannière,** cit. 7. *Lieu consacré* (sanctuaire, temple...). *Homme consacré* : prêtre. ⇒ **Oint** (→ **Autorité,** cit. 33). *Prêtre consacré à Dieu. Autel consacré à la Vierge.*

♦ **2.** Fig. Attribué, réservé à. *Fonds consacré à une dépense.* — Habituel, ratifié (par l'usage...). *Gloire consacrée par le temps. Expression consacrée par l'usage. Terme consacré,* habituel (pour un emploi, dans un sens).

10 On me reproche d'avoir mis des termes de piété dans la bouche de mon imposteur (...) Il suffit (...) que j'en aie retranché les termes consacrés dont on aurait eu peine à lui entendre faire un mauvais usage.   MOLIÈRE, Tartuffe, Préface.

11 (...) elle *(la mémoire de Turenne)* est consacrée à l'immortalité (...)
Mme DE SÉVIGNÉ, 431, 16 août 1675.

12 (...) les résultats acquis et les conquêtes faites, bourgeois, soldats, prêtres jureurs, ouvriers, paysans, tous ne souhaitent plus que de les voir consacrés, assis, assurés à jamais par un gouvernement fort (...)
Louis MADELIN, De Brumaire à Marengo, IV, p. 54.

CONTR. **Profaner, violer.** — **Abolir, annuler, défaire, invalider.** — **Abandonner.**
DÉR. **Consacrant.** — V. **Consécration.**

CONSANGUIN, INE [kɔ̃sãgɛ̃, in] adj. — 1282, n.; lat. *consanguineus,* de con- (cum) et *sanguis* «sang».

♦ **1.** Didact., dr. Qui est parent du côté du père. ⇒ **Agnat**; et aussi **utérin.** *Frère consanguin, sœur consanguine.*

1 Il était permis *(à Athènes),* d'épouser sa sœur consanguine.
MONTESQUIEU, l'Esprit des lois, V, 5.

2 Les parents utérins ou consanguins ne sont pas exclus *(de la succession)* par les germains (...)   Code civil, art. 733.

N. *Le consanguin, la consanguine de qqn. Les consanguins.*

♦ **2.** Qui a un ascendant commun. *Ensemble des parents consanguins.* → **Parentèle,** cit. 2. — Qui concerne des personnes ayant

un ascendant commun. *Union consanguine.* ⇒ **Croisement.** *Ménage consanguin.*

3 (...) avec une impression de justesse frêle, comme ont parfois les rejetons de vieilles familles aristocratiques, affaiblies par des mariages consanguins.
Henri MICHAUX, Un barbare en Asie, p. 149.

CONTR. **Cognat, germain, utérin.**
DÉR. **Consanguinité.**

CONSANGUINITÉ [kɔ̃sãgɥinite] n. f. — 1277; lat. *consanguinitas,* de *consanguineus.* → Consanguin.

♦ Didact., dr. Lien qui unit les enfants issus du même père. *Degré de consanguinité.* ⇒ **Filiation.** — Par ext. Parenté héréditaire.

(...) ma quadrisaïeule prit pour mari, après dispenses pour second et quatrième degré de consanguinité, son cousin Michel-Donatien de Crayencour.
M. YOURCENAR, Archives du Nord, p. 85.

CONSCIEMMENT [kɔ̃sjamã] adv. — 1834; de *conscient.*

♦ D'une façon consciente, en le sachant. *Il fait le mal consciemment. Il a dit cela consciemment, à peine consciemment.*

Il ne trichait guère avec lui-même; du moins pas consciemment.
MARTIN DU GARD, les Thibault, t. V, p. 107.

CONTR. **Inconsciemment, subconsciemment.**

CONSCIENCE [kɔ̃sjãs] n. f. — Fin XIIe; lat. *conscientia* «connaissance». → Conscient.

Faculté qu'a l'homme de connaître sa propre réalité et de la juger; cette connaissance.

★ **I.** *(Conscience psychologique).* Connaissance immédiate et réflexive que certains organismes vivants, et, spécialt, l'homme, ont quant à leur propre activité psychique. ⇒ **Connaissance, notion, sentiment.** *Conscience et pensée* (1. Pensée, cit. 13).

A. Didact. et cour. ♦ **1.** (Construit avec *de* et un objet). *Avoir la conscience de son existence, de ses sensations. Avoir, perdre la conscience de soi, de soi-même. Conscience d'exister, de vivre. La « conscience positionnelle* (cit.) *du monde »* (Sartre).

1 Sitôt que nous avons la conscience de nos sensations.   ROUSSEAU, Émile, I.

2 Tout ce qui agite puissamment notre organisme nous donne une conscience intime de notre existence : voilà le plaisir.
BALZAC, Physiologie du mariage, Pl., t. X, p. 882.

3 Salammbô était envahie par une mollesse où elle perdait toute conscience d'elle-même.   FLAUBERT, Salammbô, XI, p. 225.

4 Ce qui m'enchante en lui *(Descartes)* et me rend vivant, c'est la conscience de soi-même, de son être tout entier rassemblé dans son attention; conscience pénétrante des opérations de sa pensée; conscience si volontaire et si précise qu'il fait de son Moi un instrument dont l'infaillibilité ne dépend que du degré de cette conscience qu'il en a.   VALÉRY, Variété IV, p. 226.

(Qualifié par un adjectif). *Conscience claire, lucide* (⇒ **Lucidité**), *vague, obscure* (de soi...). *Conscience marginale*. Conscience spontanée, réfléchie.*

Absolt. *La conscience :* la conscience de soi, de son existence. *Avoir conscience, jouir de sa conscience. «Avoir conscience, c'est sentir qu'on sent »* (Goblot).

5 La conscience éclaire donc de sa lueur, à tout moment, cette partie immédiate du passé qui, penchée sur l'avenir, travaille à le réaliser et à se l'adjoindre.
H. BERGSON, Matière et Mémoire, p. 167.

Fait de conscience : phénomène de la vie psychique. *Perte de conscience* (évanouissement, sommeil...). *Perdre conscience. Retour à la conscience.*

6 Le retour à la conscience, l'évasion hors du sommeil quotidien figurent les premières images de la liberté absurde.   CAMUS, le Mythe de Sisyphe, p. 82.

Loc. *Prendre conscience :* devenir conscient (d'un phénomène psychique personnel). — Spécialt (psychan.). *Prise de conscience :* accès à la conscience de sentiments refoulés, déterminants de la conduite. *La prise de conscience n'est rendue possible que par la volonté d'être informé sur les motivations réelles de ses actes, et de vaincre les résistances* qui s'y opposent. ⇒ **Levée** (des résistances).

6.1 (...) le principe même de la thérapeutique *(analytique)* reste toujours la prise de conscience. C'est ainsi que l'analyse des mécanismes de défense du moi doit toujours se traduire par une prise de conscience de ces mécanismes. C'est ainsi que le patient s'il doit vivre ses relations avec l'analyste doit prendre justement conscience de ce qu'il vit.   Guy PALMADE, la Psychothérapie, p. 87.

♦ **2.** Faculté d'avoir une connaissance intuitive de soi, d'avoir la conscience (1). *La conscience et les sens.*

♦ **3.** Didact. (psychol.) La partie de la vie, de l'activité psychique dont le sujet a une connaissance intuitive. ⇒ **Conscient** (C.) *Sentiment inconscient qui arrive à la conscience, pénètre dans le champ de la conscience* (opposé à l'inconscient). *Conscience des sensations internes* (⇒ **Cénesthésie**), *externes.*

♦ **4.** Didact. (philos.) Acte ou état dans lequel le sujet se connaît en tant que tel et se distingue de l'objet qu'il connaît. *Conscience du soi, du moi.*

B. Cour. ♦ **1.** (Dans des loc. verbales : *avoir, prendre conscience,* et nominales). Connaissance immédiate, intuitive, plus ou moins vague (dans quelque domaine que ce soit). ⇒ **Intuition.** *Avoir conscience de qqch.* ⇒ **Pressentir, ressentir, sentir.** *Il a conscience de son talent, de son mérite, de sa force, de sa liberté. Ils n'ont pas conscience de leur droit.* — *Prendre conscience d'une chose.* ⇒ **Apercevoir** (s'), **connaître, savoir.** *La prise de conscience d'une situation dramatique.* — (Qualifié). *Avoir la pleine, une pleine conscience (de qqch.).*

7   Je ressentis devant elle ce désir de vivre qui renaît en nous chaque fois que nous prenons de nouveau conscience de la beauté et du bonheur.
                                          PROUST, À la recherche du temps perdu, t. IV, p. 70.

8   La spontanéité est une qualité gentille, belle et charmante, mais combien je lui préfère une pleine conscience et une lente réflexion.
                                          MAX JACOB, Conseils à un jeune poète, p. 63.

9   Il a déjà très bien conscience de sa supériorité d'homme.
                                          MARTIN DU GARD, les Thibault, t. VIII, p. 246.

♦ **2.** Connaissance spontanée, intuitive (d'une situation). *Conscience individuelle. Conscience collective, politique, sociale. Atteindre une conscience politique.* ⇒ **Conscientisé.**

10   (...) il n'y a guère sur cent hommes que deux ou trois d'entre eux qui aient une âme personnelle. Pour les autres, j'incline à penser, qu'ils ont une sorte de demi-conscience rudimentaire et collective, comme les colonies de madrépores et de coraux.   Edmond JALOUX, Fumées dans la campagne, XI, p. 91.

Spécialt. *Conscience de classe** (cit. 9.4).

C. Par métonymie. ♦ **1.** Siège des phénomènes psychiques conscients et notamment des convictions, des croyances (avec un impact moral. → ci-dessous, II.). *Liberté* de conscience.*

♦ **2.** (Une, des consciences). La personne, en tant que siège des croyances, des convictions. *Opprimer, violer les consciences. Diriger, éclairer les consciences.* ⇒ **Esprit.** *La liberté des consciences.* → aussi ci-dessous, II., 5. (aspect moral).

★ **II.** (Conscience morale). ♦ **1.** Connaissance intuitive par l'être humain de ce qui est bien et mal, et qui le pousse à porter des jugements de valeur morale sur ses propres actes ; personnalité humaine sur le plan de cette connaissance morale. *La conscience de qqn, sa conscience. Une conscience bourrelée, chargée, corrompue, délicate, droite, exacte, intègre, juste, large, lourde, minutieuse, nette, pure, réglée, scrupuleuse, timorée, tourmentée, tranquille, trouble, ulcérée, vénale... Une conscience élastique*. Cas de conscience.* ⇒ **Cas.** *Scrupule de conscience. Motif* de conscience. Les joies, les remords de la conscience. Les prescriptions, le témoignage de la conscience. La voix de la conscience. Les inspirations de la conscience.* ⇒ **Dictamen.** *Les cris, les reproches de la conscience. Parler, agir selon, suivant sa conscience, contre sa conscience. Lire, pénétrer dans les consciences. Interroger, déchiffrer sa conscience. Le secret de la conscience. Descendre dans sa conscience.* — (Dans le contexte religieux). *Dieu lit dans les consciences. Examen de conscience.* ⇒ **Examen.** *Directeur de conscience.* ⇒ **Confesseur, père.** *Le tribunal de la conscience.* ⇒ **For.** *Par acquit de conscience, pour l'acquit de sa conscience :* pour se tranquilliser. *Être en sûreté de conscience. Avoir la conscience en paix, en repos. En toute tranquillité de conscience. Capituler, composer, transiger avec sa conscience. Accommodements avec sa conscience* (⇒ **Compromis**). *Décharger, libérer, soulager sa conscience.* ⇒ **Aveu, confession, contrition, pénitence, regret, remords, repentir.** *Cela blesse sa conscience. Acheter, corrompre les consciences. Vendre sa conscience.*

11   (...) la Rappinière et les siens remarquèrent sur son visage de si grandes marques d'une conscience bourrelée que tout autre, moins entreprenant que lui, n'eût point balancé à l'arrêter.   SCARRON, le Roman comique, I, XV, p. 80.

12   Ne vous flattons donc point, voyons sans indulgence
     L'état de notre conscience.   LA FONTAINE, Fables, VII, 1.

13   Parlerai-je, Monsieur, selon ma conscience (...)   MOLIÈRE, Amphitryon, II, 1.

14   Conscience! conscience! instinct divin, immortelle et céleste voix ; guide assuré d'un être ignorant et borné, mais intelligent et libre ; juge infaillible du bien et du mal, qui rend l'homme semblable à Dieu, c'est toi qui fais l'excellence de sa nature et la moralité de ses actions ; sans toi je ne sens rien en moi qui m'élève au-dessus des bêtes, que le triste privilège de m'égarer d'erreurs en erreurs à l'aide d'un entendement sans règle et d'une raison sans principe.
                                          ROUSSEAU, Émile, IV.

14.1 Je ne parle pas ici en directeur de conscience, notez-le. Je parle en homme, humainement.   BERNANOS, la Joie, in Œ. roman., Pl., p. 698.

Loc. Vieilli. *Se faire conscience de qqch.,* s'en faire un cas de conscience, un problème moral. Par ext. *Il se fait conscience de vous déranger.* ⇒ **Scrupule.**

15   Notre conscience est un juge infaillible, quand nous ne l'avons pas encore assassinée.   BALZAC, la Peau de chagrin, Pl., t. IX, p. 129.

16   (...) mon «état moral» — si j'ose parler de cette maladie secrète qu'est la conscience — est fort bon quand je vais bien.
                                          GIDE, Lettre à Christian Beck, 2 juil. 1907.

17   (...) les scrupules qui (...) harcèlent les consciences tourmentées.
                                          F. MAURIAC, la Pharisienne, XIV, p. 221.

La conscience : le sens moral. *Avoir la conscience de laisser faire telle chose.* ⇒ **Cœur.** *Avoir de la conscience.* ⇒ **Honnêteté.** *Un homme de conscience, de haute conscience.* ⇒ **Probité, courage.** *Être sans conscience. C'est une affaire de conscience,* de sens moral. *Obligation de conscience.* ⇒ **Moral.** *«Science* sans conscience... »*

18   (...) pouvais-je, après tout, avoir la conscience
     De le laisser mourir faute d'une assistance (...)
                                          MOLIÈRE, l'École des femmes, II, 5.

19   Les fonctionnaires français, depuis l'instituteur jusqu'au gouverneur de la Banque

---

de France, offrent l'exemple du labeur et de la conscience dont un homme est capable, par simple attachement à sa profession, sans profit pécuniaire, même lorsque son dévouement est caché.
                                          J. CHARDONNE, l'Amour du prochain, VII, p. 181.

Je m'en remets, je m'en rapporte à votre conscience. ⇒ **Sens** (moral).

♦ **2.** Loc. **SUR LA CONSCIENCE.** *Laisser qqch. sur la conscience de qqn,* l'en rendre responsable. *Vous aurez cela sur la conscience. Il a une faute, un poids sur la conscience :* il a qqch. à se reprocher.

20   Je te le mets sur ta conscience, au moins.   MOLIÈRE, l'Avare, I, 3.

Fig. Le cœur, la poitrine en tant que siège supposé de la conscience. *Se mettre la main sur la conscience :* s'examiner pour savoir si l'on a qqch. à se reprocher. *Dites-moi, la main sur la conscience, ce que vous pensez de cela,* en toute sincérité.

21   Je crois, la main sur la conscience, n'avoir rien exagéré et n'avoir exposé que des faits dans ce que je viens de dire sur la légitimité.
                                          CHATEAUBRIAND, Mémoires d'outre-tombe, t. VI, p. 95.

Dire ce que l'on a sur la conscience. Sur mon honneur et sur ma conscience, je déclare...

EN CONSCIENCE : en vérité, en toute franchise. ⇒ **Franchement, honnêtement.** *Je vous le dis en conscience. En mon âme* et conscience, je pense que..., je déclare...*

22   Lui, (le Christ) demeure inexplicable toujours et quand même, pour qui prend la peine de sonder en conscience les textes de l'Écriture (...)
                                          LOTI, Jérusalem, XXIII, p. 266.

♦ **3.** **BONNE, MAUVAISE CONSCIENCE** : conscience d'avoir bien ou mal agi, sentiment de satisfaction ou d'insatisfaction quant au jugement moral porté sur soi-même. — REM. *Bonne conscience* s'emploie en général dans un contexte péjoratif, impliquant une morale peu exigeante. — *Avoir bonne conscience :* être content, satisfait de soi, sur le plan moral. *Se donner bonne conscience, s'acheter une bonne conscience. Donner bonne, mauvaise conscience à qqn. Avoir mauvaise conscience.* ⇒ **Culpabilité.** — (Dans des emplois analogues). *Avoir la conscience nette, tranquille :* ne pas se sentir coupable.

23   (...) il (le pasteur) avait trop bonne conscience et s'installait trop aisément dans la compassion.   Pierre GASCAR, le Temps des morts, p. 240.

24   (...) le savoir n'a pas le droit de fournir de la bonne conscience (marchandise non pondéreuse, transportable, bien cotée sur le marché) aux intellectuels, aux techniciens, aux gens en place et au pouvoir. La bonne conscience rationalisée, institutionalisée par la Science et bureaucratisée en son nom, qu'y a-t-il de plus laid ?
                                          Henri LEFEBVRE, la Vie quotidienne dans le monde moderne, p. 149-150.

♦ **4.** **CONSCIENCE PROFESSIONNELLE** : honnêteté, soin que l'on apporte à l'exécution de son travail. — Absolt. *Mettre beaucoup de conscience dans son travail.*

25   Il en faisait une sale tête. Elle lui boulottait les foies, sa conscience (...) Ce M. Tolut, il n'y avait rien à faire, il devait mourir comme il est mort, lamentablement, avec ce truc qu'il appelait sa conscience professionnelle en train de lui manger les sangs.   R. QUENEAU, les Derniers Jours, p. 231.

Techn. *Travail en conscience :* travail délicat, rémunéré au temps et non à la pièce, en typographie. *Être en conscience ; journée en conscience.* — Par métonymie. *La conscience :* les typographes en conscience.

♦ **5.** Par métonymie. *Une, des consciences :* personne, en tant que dotée d'une conscience morale. → aussi, ci-dessus, I., C., 2. *Violer les consciences. Endormir, éclairer les consciences.*

♦ **6.** Loc. *Clause de conscience,* par laquelle un journaliste peut, pour sauvegarder sa liberté intellectuelle et morale, rompre son contrat de travail si l'orientation du journal change. — Cour. *Objection*, objecteur** (cit. 1, 2, 3) *de conscience.*

♦ **7.** Techn. Pièce de bois que l'on appuie sur la poitrine (le cœur, la « conscience » → ci-dessus, II., 2) pour pousser un foret que l'on fait tourner à la main (avec un archet, etc.).

CONTR. Inconscience. — Malhonnêteté.
DÉR. Consciencieux.
COMP. Inconscience, subconscience, surconscience.

CONSCIENCIEUSEMENT [kɔ̃sjɑ̃sjøzmɑ̃] adv. — 1585 ; de *consciencieux.*

♦ D'une manière consciencieuse, avec application. ⇒ **Scrupuleusement.** *S'acquitter consciencieusement d'un travail.*

Tendre, douce enfant. Si facile. Si scrupuleuse... c'était attendrissant... frottant consciencieusement ses petits pieds chaussés de daim blanc sur le paillasson, pour ne pas salir (...)   N. SARRAUTE, le Planétarium, p. 57.

Par plais. D'une manière complète et comme volontairement (en parlant d'un acte inconscient, d'un échec). *Il a consciencieusement raté tous les plats.* ⇒ **Systématiquement.** — *Elle a dormi consciencieusement jusqu'à midi,* profondément.

CONTR. Indélicatement, malhonnêtement.

CONSCIENCIEUX, IEUSE [kɔ̃sjɑ̃sjø, jøz] adj. — 1527 ; de *conscience,* II.

♦ **1.** Qui obéit à la conscience morale, qui accomplit ses devoirs avec conscience. ⇒ **Honnête.** *Être consciencieux jusqu'au scrupule.* ⇒ **Délicat, scrupuleux.**

Le duc de Saxe, le plus consciencieux des protestants (...).
BOSSUET, Hist. des variations des Déf. 1er Disc., 942.

Par ext. Minutieux et scrupuleux dans son travail, ses activités. *Employé consciencieux.* ⇒ **Attentif, exact, travailleur.**

N. *Un grand consciencieux. « C'était un scrupuleux, un consciencieux »* (Cendrars, *Bourlinguer*)

♦ **2.** Qui est fait avec conscience. *Travail consciencieux.* ⇒ **Minutieux, soigné.** *Travailler d'une manière consciencieuse.*

Une visite consciencieuse lui avait montré que l'explication n'était pas à chercher du côté du site (...)   J. ROMAINS, les Hommes de bonne volonté, V, XXII, p. 173.

♦ **3.** Littér. Relatif à la conscience morale. *« Mes efforts consciencieux »* (Renan), de conscience.

CONTR. Indélicat, malhonnête. — Bâclé.
DÉR. Consciencieusement.

CONSCIENT, ENTE [kɔ̃sjɑ̃, ɑ̃t] adj. et n. — 1754, cit. 1; lat. *consciens*, de *conscire* «avoir conscience», de *con- (cum)* et *scire* «savoir».

Correspond à *conscience*, I.

A. ♦ **1.** (Personnes). *Conscient de :* qui a un sentiment aigu de (ce qui le concerne). *Il est conscient de ses responsabilités, de sa valeur, de la situation. Il n'est pas conscient d'avoir mal agi.*

Nous sommes conscients de toutes ces choses, nous sentons que c'est en nous, dans notre moi qu'elles se passent (...)   Charles BONNET, Essai de psychologie, XXXV.

Jeune encore, intelligent, très conscient de l'effet qu'il veut produire, et de celui qu'il produit.   GIDE, Voyage au Congo, in Souvenirs, Pl., p. 775.

Être politiquement conscient. Syndicalistes conscients et organisés.

♦ **2.** (Choses). Dont on a conscience. *Sensation consciente* (→ Automate, cit. 7; concevoir, cit. 15). *États conscients.*

(...) impressions contemporaines, qu'elle *(la sensation)* ramène à sa suite avec cette infaillible proportion de lumière et d'ombre, de relief et d'omission, de souvenir et d'oubli, que la mémoire ou l'observation conscientes ignoreront toujours.
PROUST, À la recherche du temps perdu, t. XV, III, p. 23.

(...) ces mouvements que je faisais, s'ils étaient conscients, n'étaient qu'à peu près volontaires.   GIDE, Si le grain ne meurt, p. 115.

B. (Personnes). ♦ **1.** Qui a, par nature, conscience (I.) de ce qu'il fait ou éprouve. *L'homme est un être conscient.* — Spécialt. Qui est lucide, connaît et juge soi-même et le monde extérieur.

On a vu des hommes conscients accomplir leur tâche au milieu des plus stupides des guerres sans se croire en contradiction.   CAMUS, le Mythe de Sisyphe, p. 129.

♦ **2.** Qui est dans un état (momentané) de conscience (I.). *Le moribond est resté conscient jusqu'au bout. Il n'était plus conscient. Elle a mis longtemps à redevenir consciente après l'opération.*

C. N. m. L'ensemble des faits psychiques dont le sujet a conscience. *Le conscient et le subconscient.* ⇒ **Conscience, I., 3.**

CONTR. Inconscient, subconscient. — (De B., 2.) Évanoui ; endormi ; anesthésié.
DÉR. Conscientisé.

CONSCIENTISÉ, ÉE [kɔ̃sjɑ̃tize] adj. — V. 1977 ; de *conscient*.

♦ Didact. Qui a atteint une certaine conscience (I., B., 2.) politique. *« Il faut voir d'où viennent les aliments, dit encore cet homme à l'intestin conscientisé. Croquer des cacahuètes à l'apéritif, par exemple, c'est participer d'une politique néo-coloniale au Sénégal »* (le Nouvel Obs., 5 déc. 1977, p. 88).

CONSCRIPTIBLE [kɔ̃skʁiptibl] adj. — 1838 ; de *conscription*, et suff. *-ible.*

♦ Vx. Qui peut être appelé par la conscription. — *« Âge conscriptible »* (Chateaubriand).

CONSCRIPTION [kɔ̃skʁipsjɔ̃] n. f. — 1789 ; bas lat. *conscriptio*, du supin de *conscribere.* → Conscrit.

♦ **1.** Inscription, sur les rôles de l'armée, des jeunes gens qui ont atteint l'âge fixé par la loi pour le service militaire (cf. Appel sous les drapeaux). ⇒ **Enrôlement, recensement, recrutement.** *Conscription militaire. Atteindre l'âge de la conscription. Armée de conscription. La conscription fut établie par la loi du 19 fructidor an VI.*

(...) c'était le Directoire qui (...) avait stabilisé, en quelque sorte, l'enrôlement forcé, sous le nom de *conscription*, et contraint — en principe — tous les jeunes Français de vingt à vingt-cinq ans à entrer dans l'armée.
Louis MADELIN, l'Avènement de l'Empire, XXI, p. 266.

♦ **2.** Hist. Tirage au sort des jeunes gens appelés sous les drapeaux parmi ceux qui ont été recensés. *Tomber à la conscription.*

Une histoire simple que la sienne. Il était tombé à la conscription.
Ed. et J. DE GONCOURT, Manette Salomon, p. 285.

DÉR. Conscriptible.

CONSCRIT [kɔ̃skʁi] adj. et n. m. — 1355, *pères conscrits*, du lat. *patres conscripti*, lat. *conscriptus*, de *conscribere* «enrôler», de *con- (cum)*, et *scribere* «écrire».

♦ **1.** Adj. Antiq. rom. *Les Pères conscrits :* les membres du Sénat.

♦ **2.** (1789). N. m. Inscrit au rôle de la conscription. — Soldat nouvellement recruté. ⇒ **Recrue ; bleu** (fam.). *Enrôler, incorporer des conscrits. Ajourner un conscrit au prochain conseil de révision* (⇒ **Ajournement**). *Les conscrits de la classe 1980* (⇒ **Classe**). *Histoire d'un conscrit de 1813,* roman d'Erckmann-Chatrian.

(...) dans une armée, on n'admet que des hommes valides, et ici tous sont conscrits dès le berceau.   TAINE, Philosophie de l'art, t. II, IV, III, II, p. 185.

J'aurai un ami, de ma promotion, un pays, un vieux conscrit, nous revivrons nos campagnes en comparant nos éraflures.   S. BECKETT, Textes pour rien, p. 133.

Fam. et vieilli. Homme inexpert. ⇒ **Bleu, novice.** *Il s'est laissé manœuvrer comme un conscrit. « Il me traita de conscrit, ce qui me sembla une injure »* (Stendhal, *Vie d'Henry Brulard*).

♦ **3.** N. f. **CONSCRITE** (régional, rural) : jeune fille née la même année que les conscrits.

Les jeunes filles nées de la même année, les conscrites des conscrits, furent invitées au premier repas, qui dura de midi à six heures, puis se retirèrent, comme il est de coutume, quand les garçons commencèrent à être ivres.
Roger VAILLAND, 325 000 francs, p. 74.

CONSÉCRATEUR [kɔ̃sekʁatœʁ] n. m. — 1568 ; lat. chrét. *consecrator*, du supin de *consecrare.* → Consacrer.

♦ **1.** Relig. ⇒ **Consacrant.**

♦ **2.** Littér. et rare. Celui qui consacre (fig.), confirme (qqch.).

CONSÉCRATION [kɔ̃sekʁasjɔ̃] n. f. — XIIe ; lat. *consecratio*, du supin de *consecrare.* → Consacrer.

♦ **1.** Didact. (relig.). Action de consacrer, dédicace à la divinité. *Consécration d'un temple, d'un autel. La consécration de qqn à Dieu.* — *Consécration d'une église catholique au culte.* ⇒ **Bénédiction, dédicace.** *Consécration d'un évêque.* ⇒ **Onction, sacre.**

Vieilli. Action de destiner (à qqch.). *La consécration d'un édifice à l'usage public.*

♦ **2.** (1309). Action par laquelle le prêtre consacre le pain et le vin, à la messe. *Les paroles de la consécration. L'élévation* et l'anamnèse* suivent la consécration, avant la communion, le don de l'hostie.*

D'un ton solennel (...) il dit : *« Hoc est enim corpus meum »*, puis, au lieu de s'agenouiller, après la consécration, devant le précieux Corps, il fit face aux assistants (...)   HUYSMANS, Là-bas, XIX, p. 263.

♦ **3.** (1820). Plus cour. (mais style soutenu). Action de sanctionner, de rendre durable. ⇒ **Confirmation, sanction, ratification, validation.** *La consécration du temps, de l'usage. La consécration de qqch. par le temps, par l'usage. La consécration du succès*, de la gloire. Cet événement fut la consécration de sa théorie.* ⇒ **Apothéose, triomphe, victoire.**

Agrandis la scène : imagine un groupe immense, joins-y la consécration du temps, et tu auras le gouvernement tel qu'il peut nous paraître.
SAINTE-BEUVE, Correspondance, 12, 11 sept. 1823, p. 44.

Témoignage d'approbation officielle.

(...) l'œuvre, haute et belle, n'a pas reçu, malgré l'admiration qu'elle inspire, toutes les consécrations qui pourtant lui seraient bien dues.
Georges LECOMTE, Ma traversée, p. 312.

CONTR. Profanation, violation. — Abolition, annihilation, annulation, invalidation.

CONSÉCUTIF, IVE [kɔ̃sekytif, iv] adj. — Fin XVe ; dér. du lat. *consecutus*, de *consequi* «suivre», de *con- (cum)* et *sequi* «suivre».

♦ **1.** (Au plur.). Qui se suivent immédiatement dans le temps, ou, moins cour., dans l'espace ou selon un ordre notionnel. *Pendant six jours consécutifs. Des périodes consécutives d'activité et de détente.* ⇒ **Successif.** *Deux angles consécutifs. Nombres consécutifs ; valeurs consécutives.* — Mus. *Octaves, quintes consécutives.*

(...) la lecture de cet admirable poème *(l'Énéide),* à laquelle il *(Auguste)* donna quatre jours consécutifs.   ROLLIN, Hist. ancienne, XXV, I, art. 2.

Interprétation consécutive (opposé à *simultané*).

♦ **2.** (1845). *Consécutif à :* qui suit, résulte de. ⇒ **Résultant.** *Accidents, phénomènes consécutifs à une maladie. La fatigue consécutive à un effort violent.*

Absolument :

(...) son front bombé par tant de quatuors et de migraines consécutives (...)   PROUST, la Prisonnière, Pl., t. III, p. 229.

Physiol. *Image consécutive,* rémanente.

♦ **3.** Gramm. *Proposition consécutive,* ou, n. f., *une consécutive :* proposition qui exprime une conséquence*.

♦ 4. Log., documentation. *Relation consécutive*, «dénotant les rapports d'interdépendance dynamique entre deux notions (causalité, variations concomitantes, etc.)» (Cros-Gardin). Syn. : *relation de consécution* (2.).

CONTR. **Simultané, synchrone. — Antécédent. — Discontinu.**
DÉR. **Consécutivement.**

CONSÉCUTION [kɔ̃sekysjɔ̃] n. f. — 1265 ; lat. *consecutio* «action de suivre», du supin de *consequi*. → Consécutif.

♦ 1. Didact. Suite, enchaînement. *Une consécution de sons, d'images.* — Vx. Psychol. Suite de représentations empiriques et sans lien rationnel (opposé à *conséquence*). ⇒ **Association.** *Consécution empirique.*

Les bêtes ont des consécutions de perception qui imitent le raisonnement (...)
LEIBNIZ, Essais de Théodicée, p. 65 (1710).

Log. *« La conjonction ou la consécution constante »* (Gabriel Marcel).

♦ 2. Log., doc. *Relation de consécution :* relation consécutive. ⇒ **Consécutif** (4.). *« Les relations de consécution sont multiples et diversement orientées : de la cause à l'effet, de la fin au moyen, de la condition à la conséquence, etc. »* (J.-L. Descamps).

CONTR. **Simultanéité, synchronisme. — Antériorité.**

CONSÉCUTIVEMENT [kɔ̃sekytivmɑ̃] adv. — 1373 ; de *consécutif.*

♦ 1. Immédiatement après ; sans interruption. ⇒ **Successivement.** *Il eut consécutivement deux accidents*, coup sur coup ; à la file. *Trois termes pris consécutivement dans une série.*

♦ 2. *Consécutivement à :* par suite de. *Consécutivement à la hausse du prix du papier, certains périodiques diminuent leurs tirages.*

CONTR. **Simultanément ; temps** (en même temps).

CONSEIL [kɔ̃sɛj] n. m. — 980 ; du lat. *consilium* «délibération, projet, conseil».

★ I. Ce qui tend à diriger, à inspirer la conduite, les actions.

♦ 1. Opinion (donnée à qqn) sur ce qu'il convient de faire. ⇒ **Admonition, avertissement, avis, exhortation, incitation, instigation, proposition, recommandation, suggestion ; garde** (mise en garde). *Le, les conseils donnés à qqn par qqn ; les conseils de qqn, ses conseils* (ceux qu'il donne). *Conseil judicieux, prudent, sage, salutaire. Dangereux, mauvais conseil. Conseil pratique. Conseil intéressé, désintéressé. Conseil d'ami. Donner un bon conseil, donner conseil à qqn.* ⇒ **Conseiller.** *Demander conseil à qqn, prendre conseil de qqn.* ⇒ **Consulter.** *Suivre un conseil, le conseil de qqn. Faire qqch. sur le conseil*, (vieilli) *par le conseil de qqn. Négliger, ne pas écouter les conseils, ne pas tenir compte des conseils. Avoir besoin de conseils. Aider qqn de ses conseils. Être avare, prodigue de ses conseils. Donneur de conseils.*

1 On ne donne rien si libéralement que ses conseils.
LA ROCHEFOUCAULD, Maximes, 110.
2 Il n'y a pas quelquefois moins d'habileté à savoir profiter d'un bon conseil, qu'à se bien conseiller soi-même. LA ROCHEFOUCAULD, Maximes, 283.
3 On donne des conseils, mais on n'inspire point de conduite.
LA ROCHEFOUCAULD, Maximes, 378.
4 (...) quoi qu'on fasse,
Propos, conseil, enseignement,
Rien ne change un tempérament.
LA FONTAINE, Fables, VIII, 16.
5 Il fut cru, l'on suivit ce conseil salutaire! LA FONTAINE, Fables, XII, 24.
6 J'ai cru devoir vous donner un conseil, et j'ai mieux aimé risquer de vous en donner un que vous ne suivriez pas, que de manquer à vous en donner un que vous devriez suivre. DIDEROT, Lettre à J.-J. Rousseau, 1757.
7 — Monsieur, répondit le mendiant, je vous demande de l'argent et non pas des conseils. VOLTAIRE, Dict. philosophique, Amour-propre (→ Aumône, cit. 7).
8 (...) un homme qui prétend gouverner les deux mondes, au moins par le moyen de ses conseils et par le ministère de ses exhortations et par la permanente menace de ses objurgations (...) Ch. PÉGUY, la République..., p. 184.
9 Le sage qui demande conseil n'attend pourtant point du dehors l'inspiration de sa conduite ; mais, exposant les motifs de son incertitude, il trouve la leçon qu'il quêtait, à les développer clairement. GIDE, Ajax, 1.
9.1 Je n'ai pas qualité pour vous donner un conseil, et vous savez combien plus volontiers j'en recevrais de vous dont j'ai toujours reconnu et apprécié la hauteur de vue, la lucidité, la droiture... Mais, à votre place, voici comment j'agirais (...)
GIDE, les Faux-monnayeurs, in Romans, Pl., p. 939.

Collectif. *Le conseil.*

10 L'expérience instruit plus sûrement que le conseil.
GIDE, les Faux-monnayeurs, p. 435.

Loc. *Être de bon conseil :* donner de bons conseils, être avisé.

Spécialt. Activité professionnelle consistant à mettre ses connaissances à la disposition de ceux qui en font la demande. *Société de conseil en informatique.*

♦ 2. Incitation qui résulte de qqch. (événement, tendance). *Les conseils de la colère, de la haine, de la vengeance.* ⇒ **Impulsion.** *Conseils de la sagesse, de la raison, de la réflexion.* ⇒ **Voix.**

Prendre conseil des événements, de l'expérience. Les conseils de la morale, de la religion.

11 Il prend conseil du temps, du lieu, des occasions, de sa puissance ou de sa faiblesse (...) LA BRUYÈRE, les Caractères, X, 12.
12 C'est une chose digne de remarque que tous les conseils que nous donne l'expérience ne font que nous enfoncer dans nos défauts ; nous les considérons comme un avertissement que nos efforts n'ont pas obtenu l'adhésion du destin.
Edmond JALOUX, l'Alcyone, p. 112.

(1611, *la nuict donne conseil*). Prov. *La nuit porte conseil :* il faut attendre au lendemain pour prendre une décision délicate.

13 Les conseils que porte la nuit ne sont pas toujours les meilleurs.
BARTHOU, Mirabeau, p. 201.
14 La nuit porte conseil. Dormons, nous verrons demain ce qu'il faut faire.
A. JARRY, Ubu roi, IV, 6.

♦ 3. (1690). Relig. Ce qui est seulement conseillé (opposé à *précepte*). *Conseils évangéliques.*

15 Les conseils sont donnés pour faciliter les préceptes.
FÉNELON, l'Éducation des filles.
16 Tous les casuistes distinguent les choses de précepte d'avec les choses de conseil. PROUDHON, De la justice dans la Révolution et dans l'Église.

♦ 4. (Xᵉ). Vx. Résolution mûrement pesée. ⇒ **Dessein, parti, projet, résolution.** *Le conseil en est pris.*

17 Le conseil le plus prompt est le plus salutaire. RACINE, Bajazet, I, 2.

♦ 5. (1686). Au plur. Vx. Principes qui dirigent une personne. ⇒ **Principe, vue.** *La justice préside à tous ses conseils* (Académie).

18 D'où naît dans ses conseils cette confusion ? RACINE, Athalie, III, 3.

(1536). Spécialt. *Les conseils de Dieu, de la Providence.* ⇒ **Décret, loi.**

19 J'entrerai avec David dans les puissances du Seigneur, et j'ai à vous faire voir les merveilles de sa main et de ses conseils ; conseils de juste vengeance sur l'Angleterre ; conseils de miséricorde pour le salut de la reine, mais conseils marqués par le doigt de Dieu (...) BOSSUET, Oraison funèbre de la reine d'Angleterre.

★ II. (XIIᵉ). Personne auprès de laquelle on prend avis. **♦ 1.** Vx. Conseiller.

20 Cet homme si sage, le conseil de toute une ville (...)
LA BRUYÈRE, les Caractères, XIV, 28.
21 Phorbas était du roi le conseil et l'appui. VOLTAIRE, Œdipe, I, 3.

♦ 2. Mod. Personne qui en assiste une autre dans la direction de ses affaires. *Un conseil en informatique.* (Appos.) *Ingénieur-conseil, avocat-conseil, assureur-conseil, architecte-conseil.*

♦ 3. Dr. anc. *Conseil judiciaire :* personne qui était désignée par justice pour gérer les biens d'un prodigue ou d'un faible d'esprit. ⇒ **Curatelle.** *« Dans tous les textes où il est fait mention de conseil judiciaire (...) cette mention sera remplacée par celle de la curatelle (...) »* (Loi n° 68-5 du 3 janv. 1968, art. 4.) — *Conseil de tutelle :* personne que le père pouvait nommer pour assister la mère survivante et tutrice (Code civil, anc. art. 391). ⇒ **Curateur.**

Mod. *Conseil fiscal*, pouvant assister un contribuable lors de la vérification de sa comptabilité.

★ III. (1080). **♦ 1.** ⓐ (Emplois libres). Réunion, dont la composition est déterminée à l'avance, de personnes qui délibèrent, donnent leur avis sur des affaires publiques ou privées. ⇒ **Assemblée, chambre ; aréopage, juridiction, tribunal.** *Réunir, assembler un conseil. Les membres, le président d'un conseil. Conseil suprême, supérieur. Le conseil siège, délibère. Assister au conseil. Réunir le conseil.*

22 Oui, tandis que vos rois délibèrent ensemble
Et que tout se prépare au conseil qui s'assemble.
Thomas CORNEILLE, Essex, II, 3.
23 Ils n'ont pas appelé ma voix à leur conseil. ROTROU, Antigone, I, 1.
24 (...) les vieillards qui formaient le conseil (...) FÉNELON, Télémaque, VII.

Tenir conseil : s'assembler pour délibérer d'une affaire. ⇒ **Concerter (se), consulter (se).**

25 Le lion tint conseil, et dit (...) LA FONTAINE, Fables, VII, 1.

ⓑ Dans des noms institutionnels. — REM. Sauf précision, il s'agit d'institutions françaises.

Hist. *Conseil aulique** (Grèce). *Conseil du roi :* nom de plusieurs institutions de l'Ancien Régime. *Conseil d'en haut, Conseil privé* ou *Conseil secret*, traitant des grandes affaires de l'État ; *Conseil d'État ; Conseil des dépêches* (conseil administratif) ; *Conseil des finances ; Conseil des parties* (justice) ; *Conseil de conscience* (affaires religieuses). 1664. *Conseil de commerce ; Conseil royal de commerce. Conseil de conscience*, créé par Anne d'Autriche pour la collation des bénéfices. — *Conseil des Anciens, Conseil des Cinq-Cents :* assemblées créées par la Constitution de l'an III (1795). — *Conseil national* (du gouvernement de Vichy) — *Conseil national de la Résistance* (C. N. R.), créé en 1943 à Paris.

Conseil du sultan. ⇒ **Divan.** — *Conseil du pape.* ⇒ **Consulte.** — (En Russie). *Conseil permanent* (1801) ; *Conseil d'État* (1810 : Alexandre Iᵉʳ) ; *Conseil de délégués ouvriers*, en U.R.S.S. ⇒ **Soviet.**

Dr. publ. (XVIᵉ, sous la Monarchie). **CONSEIL D'ÉTAT**, faisant fonction d'assemblée consultative auprès du gouvernement, en matière administrative, et de tribunal administratif central. *Conseiller, maître des requêtes, auditeur au Conseil d'État. Les quatre sections admi-*

nistratives, la section contentieuse du *Conseil d'État* sont divisées en sous-sections. *Avis* (cit. 22) *du Conseil d'État. Recours en Conseil d'État.*

CONSEIL DES MINISTRES : réunion des ministres en présence du chef de l'État. ⇒ **Gouvernement ; cabinet, ministère.** — *Durée de cette réunion. Pendant le dernier conseil des ministres... Conseil de cabinet,* sous la présidence du Premier ministre (naguère, du président du Conseil) et hors de la présence du chef de l'État. *Conseil interministériel.*

(1792). Hist. **CONSEIL EXÉCUTIF** : Conseil des ministres. — Mod. (Canada). À Ottawa, *Conseil exécutif et Conseil législatif.*

Conseil de la République : seconde chambre française créée par la Constitution de 1946, et remplaçant le Sénat*. — (1958). *Conseil économique et social* (assemblée consultative). — (1958) *Conseil constitutionnel,* formé de membres élus et des anciens présidents de la République (pour veiller à la constitutionnalité des lois organiques, règlements, élections).

(En Suisse). *Conseil fédéral :* gouvernement de la Confédération helvétique. *Conseil d'État :* gouvernement d'un canton.

Hist. *Haut Conseil de l'Union française,* formé d'une délégation du gouvernement français et d'une représentation des États associés (loi du 24 avr. 1949). Il remplaçait le *Conseil supérieur des colonies,* de la Constitution de 1875.

CONSEIL GÉNÉRAL : assemblée délibérante composée de membres élus et chargés dans chaque département d'émettre des décisions et des avis sur les questions d'ordre départemental ou interdépartemental (loi du 10 août 1871). *Le préfet et le conseil général. Le conseil général est renouvelé par moitié tous les trois ans, lors des élections cantonales*.*

(1800). Anciennt. *Conseil d'arrondissement** (cit. 5).

(1790). *Conseil municipal,* composé de membres élus, chargé de régler les affaires de la commune (⇒ **Commune, municipalité**).

(1972). *Conseil régional,* composé de parlementaires d'une région et de représentants des principales agglomérations.

Conseil supérieur : se dit d'organismes consultatifs, disciplinaires. — *Conseil supérieur de la magistrature :* organe constitué avant la Constitution de 1946, par la Cour de cassation, toutes chambres réunies, et exerçant un pouvoir disciplinaire ; aujourd'hui, conseil formé de membres élus par l'Assemblée et par les magistrats. — *Conseil supérieur d'hygiène publique ; des chemins de fer ; des transports, des travaux publics, de l'agriculture,* etc. — *Conseil supérieur de l'Éducation nationale* (loi du 18 mai 1946), remplaçant le *Conseil supérieur de l'Instruction publique* et le *Conseil supérieur de l'Enseignement technique. Conseil académique ; conseil de l'Université. Conseils départementaux de l'enseignement primaire.* — *Conseil supérieur de défense, de la fonction militaire, de la gendarmerie. Conseil supérieur des Français à l'étranger.*

Dr. internat. public. Hist. *Conseil de la Société des Nations. Conseil de Sécurité,* de l'Organisation des Nations Unies (O. N. U.).

(1801). Mar. *Conseil des prises,* statuant sur la validité des prises maritimes.

Relig. *Conseil de fabrique,* chargé de régir les biens et les revenus d'une église. ⇒ **Fabricien, marguillier.** — *Conseil presbytéral* (organisation des cultes protestants).

Dr. privé et cour. **CONSEIL D'ADMINISTRATION** : dans une société anonyme, réunion de personnes, obligatoirement actionnaires et qui sont désignées par les statuts ou par l'assemblée générale pour gérer les affaires de la société (abrév. : *C.A.*). — REM. On parle aussi en Droit public du *Conseil d'administration* d'une collectivité publique ou privée. *Membres d'un conseil d'administration.* ⇒ **Administrateur.** Ellipt. *Le conseil aura lieu après l'assemblée générale.*

Conseil de surveillance, chargé de vérifier la constitution régulière d'une société en commandite par actions.

Dr. internat. publ. *Conseil Atlantique* ou *Conseil de l'Atlantique-Nord :* organe suprême de l'O. T. A. N.

25.1 Le Conseil de l'Atlantique-Nord est composé de représentants des États membres (...) Depuis 1952, la présence d'un représentant permanent par État permet de réunir le Conseil une ou plusieurs fois par semaine.
        Pierre GERBET, les Organisations internationales, p. 107.

Conseil de l'Europe : organe d'expression et d'action pour une défense commune des États européens. *Quinze pays font partie du Conseil de l'Europe, dont la Grande-Bretagne, la France et l'Allemagne occidentale.*

25.2 Le *Conseil de l'Europe,* créé le 5 mai 1949, a pour objet le développement de la coopération politique entre les pays européens. Il comprend une Assemblée consultative et un Comité des ministres. Son siège est à Strasbourg.
        Pierre GERBET, les Organisations internationales, p. 115.

Dr. social (français). *Conseil des prud'hommes :* juridiction chargée de juger les conflits individuels du travail. ⇒ **Arbitrage, conciliation.** — (1677). Dr civ. (français). *Conseil de famille :* assemblée constituant l'un des organes de la tutelle des mineurs et interdits et de la curatelle des mineurs émancipés (*Code civil,* art. 389 et 454).

Conseil de l'Ordre des avocats, des médecins, des pharmaciens.

(1623, in D. D. L.). Hist. *Conseil de guerre :* nom donné au *tribunal** *militaire* (av. 1928). Milit. *Conseil d'enquête* (1972). *Conseil de régi-*

---

ment, d'unité. — *Conseil de révision** (av. 1928). *Conseil de discipline :* tribunal faisant respecter la discipline dans certains corps constitués, etc. Spécialt. *Le conseil de discipline d'un lycée. Passer en conseil de discipline.*

26 (...) le *Conseil,* pour une Société, c'est le *Conseil d'administration ;* pour un soldat, *le conseil de guerre ;* pour une Faculté, *la réunion des professeurs* (...)
        F. BRUNOT, la Pensée et la Langue, V, IV, p. 142.

27 *(Il)* devint président du conseil d'administration et suppléa de plus en plus son beau-père dans la direction de l'entreprise.
        J. ROMAINS, les Hommes de bonne volonté, t. III, XI, p. 144.

Conseil de classe : réunion trimestrielle des professeurs, des délégués de classe et des délégués des parents d'élèves d'une classe, chargés de faire le point sur chaque élève. — *Conseil d'école* (écoles maternelles et primaires), *conseil d'enseignement ; conseil d'établissement.*

28 Même qu'elle se voyait déjà reçue et maintenue dans son lycée de jeunes filles à Lyon, où elle aurait certifiée, aux conseils de classe, elle n'avait droit qu'à une chaise au troisième rang.   Yanny HUREAUX, la Prof, p. 320.

Conseil national (de la chasse, du crédit, de l'enseignement supérieur et de la recherche, du patronat français [C. N. P. F.], de la publicité, de la statistique...). — *Conseil international (de la danse, de la langue française [C. I. L. F.],* etc.).

♦ **2.** Réunion, session, séance d'un conseil. *Se rendre au conseil. Le conseil avait duré plusieurs heures.* — Spécialt. Séance d'un conseil d'administration.

DÉR. V. **Conseiller.**
HOM. Formes du v. **conseiller.**

---

1. CONSEILLER [kõseje] v. tr. — V. 1080, sens 2 ; v. 1170, sens 1 ; mil. XIᵉ « parler en secret (à qqn) » ; du lat. pop. **consiliare,* class. *consiliari.* → Conseil.

♦ **1.** **CONSEILLER** (qqch.) À (qqn) : indiquer (qqch.) à (qqn) comme étant préférable, plus avantageux. ⇒ **Inspirer, proposer, recommander, suggérer.** *Je vous conseille la prudence.* — Vieilli. *Conseiller à qqn ce qu'il doit faire.*

1 *(J'aurais)* besoin d'un bon conseil sur cette matière (...) je vous prie de me conseiller tout ce que je dois faire.   MOLIÈRE, l'Amour médecin, I, 1.

Mod., trans. ind. *Conseiller (à qqn) de* (et l'infinitif). ⇒ **Presser ; engager, inciter, pousser** (à). *Je vous conseille de partir, de rester.*

Que me conseillez-vous ?
2 — Je vous conseille, moi, de prendre cet époux.   MOLIÈRE, Tartuffe, II, 4.

3 (...) il se soumit à tout ce qu'on lui conseilla de faire dans l'intérêt de son frère.
        G. SAND, la Petite Fadette, XXXI, p. 209.

(Sujet n. de chose). *La prudence vous conseille de faire cela. La morale vous conseille ceci.* ⇒ **Commander.**

4 Mais la prudence me conseilla aussitôt de ne laisser voir aucune inquiétude.
        MÉRIMÉE, Carmen, I.

5 Il est un homme toujours préoccupé de son devoir, se surveillant toujours regardant en toutes choses, non ce que l'habileté conseille, mais ce que la morale commande.   FUSTEL DE COULANGES, Leçons à l'Impératrice..., p. 170.

♦ **2.** **CONSEILLER** (qqn) : guider (qqn) en lui indiquant ce qu'il doit faire. *Conseiller un ami dans l'embarras.* ⇒ **Avertir, aviser, conduire, diriger, guider.** *Vous avez été mal conseillé.*

6 Aimez qu'on vous conseille et non pas qu'on vous loue.
        BOILEAU, l'Art poétique, I.

7 (...) le devoir de la plus sainte amitié, qui n'est pas de se rendre toujours agréable, mais de conseiller toujours pour le mieux.
        ROUSSEAU, les Confessions, XII, p. 141.

▶ **SE CONSEILLER** v. pron.

♦ **1.** Vx. Prendre conseil de soi-même. ⇒ **Conseil** (cit. 2).

♦ **2.** *Se conseiller (à qqn) :* prendre conseil (auprès de qqn).
8 Je me suis (...) conseillé au Ciel pour cela ; mais, lorsque je l'ai consulté (...)
        MOLIÈRE, Dom Juan, V, 3.

CONTR. Déconseiller, défendre, détourner, dissuader, interdire. — Consulter, interroger.
DÉR. et **COMP.** Conseilleur, déconseiller.

---

2. CONSEILLER, ÈRE [kõseje, kõsɛjɛʀ] n. — 881 ; lat. *consiliarius.*

♦ **1.** Personne qui donne des conseils. ⇒ **Conducteur, conseil,** II., **directeur** (fig.), **guide, inspirateur, instigateur ;** et aussi **conseilleur.** *Un sage, un bon conseiller. La conseillère d'un homme politique.* ⇒ **Égérie** (littér.). *Conseiller avisé, prudent. Un mauvais conseiller. Conseiller importun.* — Adj. (Vx) *Un « valet conseiller »* (Molière, l'Étourdi, I, 2).

1 Qui fait le conseiller n'est plus ambassadeur ;
   Il excède sa charge, et lui-même y renonce.   CORNEILLE, Nicomède, III, 3.

2 Ces deux filles du ciel, ces sages conseillères.   LA FONTAINE, Quinquina, II.

Par ext. (d'une faculté, d'un sentiment). Prov. *La colère est mauvaise conseillère.*

3 L'histoire qu'on appelle avec raison la sage conseillère des princes.
        BOSSUET, Oraison funèbre de la duchesse d'Orléans.

4 Orgueil ! le plus fatal des conseillers humains (...)
        A. DE MUSSET, On ne badine pas avec l'amour, III, 8.

(Dans le langage des précieux, au XVIIᵉ s.). *Le conseiller des grâces : le miroir.*

5 Vite, venez nous tendre ici dedans le conseiller des grâces.
MOLIÈRE, les Précieuses ridicules, 6.

6 (...) les conseillers muets dont se servent nos dames ;
Miroirs dans les logis, miroirs chez les marchands (...)
LA FONTAINE, Fables, I, 11.

♦ **2.** Personne dont le métier est d'apporter des conseils techniques, de faire profiter de connaissances particulières. *Conseiller technique, juridique. Envoyer des conseillers agricoles dans un pays en voie de développement.*
Conseiller, conseillère d'orientation (scolaire, professionnelle) : personne habilitée à juger de la meilleure orientation (scolaire, professionnelle) à donner à un adolescent d'après ses aptitudes et ses dispositions caractérielles (⇒ 2. **Test**). *Conseiller d'éducation.*
Conseiller principal d'éducation (remplace le surveillant* général).
Conseiller militaire, ou, ellipt.; *conseiller* (par euphémisme) : instructeur, officier, spécialiste chargé d'encadrer, d'entraîner une armée étrangère.

6.1 L'année dernière *(au Vietnam)* il y avait 3 000 Nordistes en ligne contre le Sud, et 120 000 guérilleros ; en face, 500 000 soldats et 25 000 conseillers américains.
MALRAUX, Antimémoires, Folio, p. 450.

♦ **3.** N. m. (1340). Membre (homme ou femme) d'un conseil (III.) (En France). *Conseiller d'État :* membre du Conseil d'État placé au-dessus des maîtres des requêtes dans la hiérarchie. *Conseiller de la République.* ⇒ **Sénateur.** *Conseiller général, conseiller de préfecture, conseiller régional. Conseiller municipal.* — Juge de certaines cours judiciaires, de certains tribunaux administratifs. *Conseiller à la cour d'appel. Conseiller à la Cour de cassation ; à la Cour des comptes. Conseiller honoraire.* — Hist. *Conseiller du roi ; conseiller à la Cour, conseiller au parlement.*

7 Les couteaux font tinter les coupes, car un conseiller municipal se lève pour prendre la parole (...)
J. ROMAINS, les Hommes de bonne volonté, III, XII, p. 171.

En Suisse. Membre du Conseil fédéral. — Membre d'un conseil (national, international...). *Monsieur le Conseiller, madame la Conseillère* (→ ci-dessous, 4., b.) ou *Madame le Conseiller* (usage aberrant mais répandu).

(1822). *Conseiller d'ambassade. Conseiller commercial. Conseiller culturel.*

♦ **4.** N. f. ⓐ Vx. Femme d'un conseiller.

8 Madame l'avocate est assez téméraire
Pour aller du même air que va la conseillère.   BOURSAULT, Fables d'Ésope, IV, 3.

ⓑ Mod. Femme exerçant une charge de conseiller (2., 3.). *Conseillère d'éducation, d'orientation* (→ ci-dessus, 2.). — REM. On dit plutôt (mais cet usage est aberrant et contesté) : *elle est conseiller technique, juridique.* « *" Conseillères " municipales* » (l'Œuvre, 11 avr. 1941, in T. L. F.).

CONSEILLEUR, EUSE [kɔ̃sɛjœʀ, øz] n. — V. 1200, *consilleors ;* du v. *conseiller.*

♦ Vx ou littér. Personne qui donne des conseils. ⇒ **Conseiller.**

1 Il était le conseilleur et le jugeur terrible qui, devant un tableau, mettait le doigt sur la plaie, jetait sa critique à l'endroit juste.
Ed. et J. DE GONCOURT, Manette Salomon, p. 350.

(1807). Mod. Prov. *Les conseilleurs ne sont pas les payeurs :* ceux qui conseillent qqch. n'en supportent pas les conséquences.

2 Les pays pauvres se trouvent ainsi devant deux sortes de conseilleurs, qui ont pour caractère commun de ne pas être les payeurs.
A. SAUVY, Croissance zéro ?, p. 93.

CONSENSUEL, ELLE [kɔ̃sɑ̃sɥɛl] adj. — 1838 ; de *consensus.*

♦ Dr. Formé par le seul consentement des parties. *Accord, contrat consensuel.*

CONSENSUS [kɔ̃sɛ̃sys] n. m. — 1824, Nysten ; *consens,* XVIᵉ ; mot lat. « accord ».

♦ **1.** Physiol. Relation, interdépendance qui existe entre les différentes parties du corps. *Consensus entre les organes.*

♦ **2.** *(Année sc. et industr. 1858, p. 268).* Didact. Accord entre personnes ; consentement (1.). *Consensus social. Prise de décision par consensus.*

REM. Le terme est à la mode dans le voc. politique, au sens de « accord social conforme aux vœux de la majorité ».

1 En ce qui concerne l'histoire de la philosophie, il s'est établi, je crois, un consensus tacite et exprès parmi les historiens de la philosophie, sur l'espèce d'objectivité qui peut être atteinte dans cette discipline (...)
P. RICŒUR, Une interprétation philosophique de Freud,
in la Nef, nᵒ 31, p. 112.

On sait bien qu'il vaut mieux s'assurer du consensus des subordonnés avant de choisir un chef.   F. BLOCH-LAINÉ, in l'Express, 8-14 juil. 1968.   2

DÉR. **Consensuel.**

CONSENTANT, ANTE [kɔ̃sɑ̃tɑ̃, ɑ̃t] adj. — XIIᵉ ; de *consentir.*

♦ **1.** Qui consent, accepte. *Il est consentant. La partie consentante.*
— Spécialt. Qui accepte une relation amoureuse, sexuelle (ne se dit guère que des femmes).

En sorte que la jeune Adèle soupirante, mais consentante, dut se résigner à ne pas perdre les modiques avantages de la situation (...)
COURTELINE, Boubouroche, p. 79.

♦ **2.** Par métonymie. *Visage, regard, sourire consentant,* qui exprime le consentement.

CONTR. **Opposant, récalcitrant.**

CONSENTEMENT [kɔ̃sɑ̃tmɑ̃] n. m. — XIIᵉ ; de *consentir.*

♦ **1.** Vx. « Assentiment accordé à une assertion » (Lalande, citant Malebranche, *Recherche de la vérité,* I, II, § 4).

C'est le consentement de vous à vous-même, et la voix constante de votre raison, et non des autres qui vous doit faire croire.   PASCAL, Pensées, IV, 260.   1

♦ **2.** Acquiescement* donné à un projet ; décision de ne pas s'y opposer. ⇒ **Acceptation, accord, adhésion, agrément, approbation, assentiment, autorisation, permission.** *Consentement verbal, écrit. Consentement exprès, tacite. Donner, accorder, refuser son consentement. Arracher le consentement de qqn. Contrat* par consentement mutuel, réciproque.* ⇒ **Consensuel.** *Se marier sans le consentement de ses parents. Du consentement de tous. Consentement unanime.* ⇒ **Unanimité.**

(Le père) Donne à cette hyménée un plein consentement (...)
MOLIÈRE, l'Étourdi, V, 9.   2

Il n'y a pas de mariage lorsqu'il n'y a point de consentement.
Code civil, art. 146.   3

Selon lui *(Kant),* les institutions traditionnelles, si brutales qu'elles soient, n'auraient pu se fonder et durer sans un certain consentement même des opprimés.
JAURÈS, Hist. socialiste..., t. V, p. 94.   4

Ce n'est pas l'amour qui fait le mariage mais le consentement.
Ni l'enfant que je n'ai pas eu, ni le bien de la société, mais le consentement en présence de Dieu dans la foi (...)   CLAUDEL, le Soulier de satin, 2ᵉ journée, 3.

CONTR. **Désaccord.** — **Interdiction, nolonté, opposition, refus, résistance.**

CONSENTIR [kɔ̃sɑ̃tiʀ] v. tr. — Conjug. *partir.* — Xᵉ ; lat. *consentire,* de *con- (cum),* et *sentire* « avoir une opinion ». → Sentir.

★ **I.** V. tr. ind. et intr. ♦ **1.** Littér. ou style soutenu. *Consentir à :* accepter qu'une chose se fasse, ne pas l'empêcher. ⇒ **Accéder** (à), **accepter** (cit. 14), **accorder, acquiescer** (à), **adhérer** (à), **admettre, adopter, approuver, assentir** (à ; vx) **autoriser, opiner** (à), **permettre, prêter** (se prêter à), **soumettre** (se soumettre à), **souscrire** (à), **vouloir** (bien). *Il y consent :* il est d'accord, il marche (fam.). *Je n'y puis consentir. Les parents ont consenti au mariage. Consentir à qqch. avec réticence.* ⇒ **Céder, résigner** (se), **soumettre** (se). *J'y consens avec plaisir, avec joie, de bon cœur, de grand cœur...* — D'accord ; va pour... ; soit. *Il consent à tout* (⇒ **Complaisant**). *Elle a consenti à venir. Je consens à ce qu'il y aille.* — Vx. *Consentir de* (et l'inf.) → cit. 2. — Littér. *Consentir que* (et subj.) → cit. 1, 3 (dans un autre sens → ci-dessous, cit. 11).

Je fais ce que tu veux. Je consens qu'il me voie (...)   RACINE, Andromaque, II, 1.   1
(...) une somme que ses amis consentent de lui prêter (...)
LA BRUYÈRE, les Caractères de Théophraste, De la dissimulation.   2
Je consens qu'une femme ait des clartés de tout (...)
MOLIÈRE, les Femmes savantes, I, 3.   3
(...) la petite Fadette (...) en fin de compte l'aimait trop pour consentir à lui causer des peines dans sa famille (...)   G. SAND, la Petite Fadette, XXVI, p. 175.   4
Quand elle me mènerait aux honneurs, je ne puis consentir à suivre une route toute tracée.   GIDE, Si le grain ne meurt, p. 250.   5

Absolt. *Nous consentons.* — Prov. *Qui ne dit mot consent :* qui n'exprime pas son opinion est supposé consentir.

♦ **2.** Intrans. Mar. Se courber (espar, pièce de bois), s'allonger (cordages) sous l'effet d'une force, d'un poids, etc. « *Cette vergue a fortement consenti* » (Littré). *Les cordages tressés consentent moins que les cordages commis.*

★ **II.** V. tr. dir. ♦ **1.** Accepter (qqch.). Vx. *Consentir un projet.*
L'amitié le consent, si l'amour l'appréhende.   CORNEILLE, Rodogune, IV, 1.   6

♦ **2.** Mod. *Consentir (qqch.) à qqn :* accorder (un avantage) à qqn.

Mon père me refusait constamment des permissions qui m'avaient été consenties (...) par ma mère et ma grand'mère (...)
PROUST, À la recherche du temps perdu, t. I, p. 54.   7
Ces salaires, que les uns voulaient obtenir, que les autres ne pouvaient consentir, il les accorda sans les accorder (...)
A. MAUROIS, Bernard Quesnay, XVIII, p. 117.   8
(...) ils échangeaient une sympathie (...) à laquelle ils n'avaient jamais encore consenti aussi ouvertement.   MARTIN DU GARD, les Thibault, t. II, p. 253.   9

Dr. *Consentir une vente, un prêt, un délai, une hypothèque.*

⇒ **Accorder, octroyer.** *Transaction consentie par les deux parties. Consentir un traité, une alliance.*

10   Joseph et Ferdinand (...) nous ont demandé tous les deux de leur consentir, sur cet argent de la tante Mathilde, une avance assez considérable.
         G. DUHAMEL, Chronique des Pasquier, III, p. 14.

♦ **3.** Vieilli. Considérer comme vrai. ⇒ **Admettre, avouer.** — Passif et p. p. *Vérité consentie par tous* (Académie).
Littér. *Consentir que...* : admettre que...

11   Je consens parfois que le sens de cet engagement soit difficile à dégager.
         Jacques LAURENT, les Bêtises, p. 536.

▶ **CONSENTI, IE** p. p. adj.
Accepté. *Impôt consenti. Lien, accord consenti. « Servitude consentie (...) servitude subie »* (G. Bataille, in T. L. F.).

CONTR. **Empêcher, interdire, opposer** (s'), **protester, refuser, regimber, résister, tête** (tenir tête).
DÉR. **Consentant, consentement.**

CONSÉQUEMMENT [kɔ̃sekamɑ̃] adv. — 1379, « successivement »; de *conséquent.*

♦ **1.** (1689). Littér. Avec esprit de suite. *Parler, raisonner conséquemment.*

1   Pour qu'un projet sorte du rêve il faut décider de certains actes, vouloir les exécuter et le vouloir assez conséquemment pour les exécuter.
         Jacques LAURENT, les Bêtises, p. 393.

♦ **2.** (1559). Littér. Par conséquent. ⇒ **Donc** (→ Bréhaigne, cit. 1. Balzac). *Conséquemment et subséquemment.*

2   Si l'Inde est la contrée la plus anciennement policée, elle doit conséquemment avoir eu la plus ancienne forme de religion (...)
         VOLTAIRE, Essai sur les mœurs, 4, cité par BRUNOT,
         la Pensée et la Langue, XXII, IV, p. 833.

♦ **3.** (1692). *Conséquemment à :* par suite, en conséquence de.
Fam., régional :

3   Je n'ai pas le cœur à parler de coteaux jolis, ni de vins gais. Conséquemment de quoi, je vais raconter une histoire de vin triste.
         M. AYMÉ, le Vin de Paris, p. 105.

CONTR. (De 1.). **Inconséquemment.**

CONSÉQUENCE [kɔ̃sekɑ̃s] n. f. — 1253; lat. *consequentia,* de *consequens.* → Conséquent.

Suite logique (d'une chose).

♦ **1.** Suite, ensemble d'événements entraînés (par une action, un fait). ⇒ **Contre-coup, effet, fruit, réaction, résultat, retentissement, séquelle, suite.** *La conséquence, les conséquences de qqch., d'une action, d'une décision. Conséquence indirecte.* ⇒ **Rejaillissement, ricochet.** *Conséquences sérieuses, graves, funestes. Conséquences prévisibles. Qu'est-ce que cela aura pour conséquence? Cela peut avoir d'heureuses conséquences.* ⇒ **Avantage.** *Évaluer les conséquences possibles de qqch. :* peser (le pour et le contre). *Entrevoir, prévoir les conséquences d'une attitude, d'une démarche, d'une erreur.* ⇒ **Avenir, lendemain.** *Événement gros de conséquences. Être la conséquence de... Produire des conséquences imprévisibles. Avoir pour conséquence.* ⇒ **Accompagner** (s'), **amener, appeler, engendrer, ensuivre** (s'), **entraîner, impliquer, occasionner, procurer, valoir** (qqch. à qqn). *Conséquences incalculables.* ⇒ **Aller, mener** (loin). *Accepter, subir les conséquences de sa faute* (cf. Comme on fait son lit on se couche; au bout du fossé, la culbute; qui s'y frotte, s'y pique; quand le vin est tiré, il faut le boire; nos actes nous suivent; vous l'avez voulu; voilà ce que c'est que de...). Loc. *Tirer à conséquence :* avoir des suites, des conséquences graves; créer un précédent. → cit. 2, 7.1. *Cela ne tire pas à conséquence :* c'est sans inconvénient.

1   Voilà un doute d'une terrible conséquence.   PASCAL, Pensées, III, 195.
2   Je ne sais (...) si un besoin extrême ou une violente passion, ou un premier mouvement tirent à conséquence.   LA BRUYÈRE, les Caractères, XII, 37.
3   Si on vous prouve une vérité, existe-t-elle moins parce qu'elle traîne après elle des conséquences inquiétantes?   VOLTAIRE, Dialogues d'Évhémère, 2.
4   C'est un excellent moyen de bien voir les conséquences des choses, que de sentir vivement tous les risques qu'elles nous font courir.
         ROUSSEAU, Julie ou la Nouvelle Héloïse, I, 11.
5   Sans y avoir beaucoup réfléchi, elle acceptait l'inégalité des conditions comme une conséquence inévitable de l'inégalité des natures.
         MARTIN DU GARD, les Thibault, t. VI, p. 226.
6   L'artisan devenu paresseux par l'habitude du chômage, le paysan devenu inactif par la méfiance, ce sont des faits gros de conséquences.
         Louis MADELIN, De Brumaire à Marengo, III, p. 45.
7   Toutes les morales sont fondées sur l'idée qu'un acte a des conséquences qui le légitiment ou l'oblitèrent.   CAMUS, le Mythe de Sisyphe, p. 94.
7.1   (...) ça a si peu d'importance, ça ne tire pas à conséquence, c'est une simple politesse (...)   N. SARRAUTE, Vous les entendez?, p. 45.

Littér. **DE CONSÉQUENCE** : important, grave. *Affaire de grande conséquence, de la dernière conséquence* (⇒ **Sérieux**). *Chose de peu de conséquence. Ce n'est d'aucune conséquence.* — Vieilli. *Une personne de conséquence :* une personnalité. *Homme de peu de conséquence,* de peu de poids.

8   Des grammairiens ont affirmé que *conséquence* ne peut jamais se dire pour

importance; qu'autrement *important* pourrait se dire pour *conséquent;* ce qui est, comme on sait, une grosse faute. Ils ont raison. Conséquence ne veut jamais dire que suite plus ou moins grave. Mais, de là, les anciens ont tiré la locution *de conséquence* qui, signifiant proprement ayant des suites, a pris facilement le sens de l'importance et s'est appliqué non seulement aux choses, mais aux personnes.
         LITTRÉ, Dict., art. *Conséquence.*

8.1   (...) comment ne pas courir le risque d'attirer par devers soi une pieuse clientèle, les pénitents de conséquence, infidèlement détournés de leurs directeurs légitimes?   BERNANOS, l'Imposture, in Œ. roman., Pl., p. 338.

Sans conséquence : sans suite fâcheuse; qui ne mérite pas l'attention. *Une histoire, une affaire sans conséquence. Un homme sans conséquence,* sans grande valeur (⇒ **Insignifiant**).

9   Sainte-Beuve tâche à classer les esprits; les œuvres lui paraissent sans conséquence.   J. PAULHAN, les Fleurs de Tarbes, I, 1, p. 20.
9.1   Une douzaine de jeunes garçons réunis pour une petite danse sans conséquences.
         GIDE, Voyage au Congo, in Souvenirs, Pl., p. 795.

♦ **2.** (1269). Ce qui découle d'un principe. ⇒ **Conclusion, déduction.** *Conséquences exactes, erronées. Les conséquences de prémisses* (⇒ **Argument, syllogisme**). *Conséquence nécessaire.* ⇒ **Corollaire.** *Cela posé, il s'ensuit telle conséquence. Déduire, tirer les conséquences par le raisonnement. Rattacher une conséquence à sa cause.* ⇒ **Induire, inférer.** *Admettre, suivre toutes les conséquences qui résultent d'un principe. Ce droit a pour conséquence un devoir.* — Loc. *Par voie* de conséquence :* par suite, par l'enchaînement causal.

10   De même encore une démonstration par l'absurde s'effectue en comparant les conséquences de ce raisonnement avec la réalité logique que l'on veut instaurer.
         CAMUS, le Mythe de Sisyphe, p. 48.

Gramm. *Proposition de conséquence* (ou *consécutive*), qui marque une relation entre une cause (la principale) et un effet (la consécutive). *Conjonctions, locutions de conséquence.*

♦ **3.** (1681). Loc. adv. **EN CONSÉQUENCE** : comme il convient. *Agir en conséquence.* — Pour cette raison, par suite. ⇒ **Donc.** *En conséquence, je m'en allai.*

11   (...) la poésie est purement subjective (...) en conséquence l'on peut écrire n'importe quoi aussi bien que quoi que ce soit.   FLAUBERT, Correspondance, II, p. 252.

Loc. prép. **EN CONSÉQUENCE DE.** *En conséquence de vos ordres.* ⇒ **Conformément** (à). *En conséquence de quoi...*

CONTR. **Antécédent, cause, condition, motif, principe.** — **Prémisse.**
COMP. V. **Inconséquence.**

CONSÉQUENT, ENTE [kɔ̃sekɑ̃, ɑ̃t] adj. — 1308, au sens 3; lat. *consequens,* p. prés. de *consequi* « venir après, suivre », de *con- (cum)* « avec, tout à fait », et *sequi* « suivre ».

♦ **1.** (1680). Qui agit ou raisonne avec esprit de suite. ⇒ **Cohérent, logique.** *Être conséquent avec soi-même, avec ses principes, dans ses discours, dans ses actions. Un esprit conséquent.*

(Choses; actions). Qui dénote un esprit de suite. *Une conduite conséquente.*

0.1   Tout ce qu'on peut exiger d'un écrivain, c'est-à-dire d'un homme, c'est que la fin de la page soit conséquente avec le commencement.
         E. DELACROIX, Journal, 3 juil. 1846.

♦ **2.** **CONSÉQUENT à...** : qui fait suite logiquement à (qqch.). ⇒ **Conforme.** *Conduite conséquente à des principes. Conclusion conséquente aux prémisses.*

1   Après les principes si purs que j'avais adoptés il y avait peu de temps, après les règles de sagesse et de vertu que je m'étais faites et que je m'étais senti si fier de suivre, la honte d'être si peu conséquent à moi-même, de démentir si tôt et si haut mes propres maximes, l'emporta sur la volupté.   ROUSSEAU, les Confessions, VI.
2   Je crus donc, en y renonçant, prendre un parti très conséquent à mes principes, et sacrifier l'apparence à la réalité.   ROUSSEAU, les Confessions, VIII.

♦ **3.** Qui suit. Spécialt, log. *Le terme conséquent.* N. m. (1530). *Le conséquent :* la seconde proposition d'un enthymème (par rapport à *antécédent*). Conclusion tirée d'un syllogisme. — Gramm. Qui suit. *Relatif conséquent.* — Phys. *Points conséquents :* pôles secondaires d'un aimant. — Mus. *Partie conséquente.* n. f. (1690), *la conséquente :* la seconde partie d'une fugue (⇒ aussi **Canon,** cit. 6).

(1905, in *Rev. gén. des sc.,* n° 10, p. 463). Géogr. *Rivière conséquente,* qui s'écoule parallèlement au pendage des couches, dans un relief à côte. *Percée conséquente,* faite par une rivière conséquente.

N. m. (1718). Math. Second terme d'un rapport.

♦ **4.** Loc. adv. (1370, Oresme). **PAR CONSÉQUENT** : comme suite logique. ⇒ **Ainsi, dès** (lors), **donc, partant.**

3   Pour ceux qui sont nés compatissants, il y aura toujours à aimer sur la terre, par conséquent à plaindre, à servir, à souffrir. Il ne faut donc point chercher l'absence de douleur.   G. SAND, Histoire de ma vie, I, 15.

♦ **5.** (1780). Fam. (emploi considéré comme socialement marqué). Important. *Il a reçu un héritage conséquent.* ⇒ **Considérable, important.**

3.1   — (...) Et qui est bien meublé... J'ai vu sa chambre.
   — Oui, oui, il a un mobilier assez *conséquent* (...)
         H. MONNIER, Scènes populaires, I, « le Roman chez la portière », p. 39.

REM. Littré condamnait cet emploi (→ aussi Conséquence, cit. 8).

Conséquent pour *considérable* est un barbarisme, que beaucoup de gens commet-   4

tent et contre lequel il faut mettre en garde. *Conséquence* ne signifie qu'en apparence *importance ;* et cette apparence ne peut jamais se trouver dans *conséquent.*
LITTRÉ, Dict., art. *Conséquent.*

CONTR. **Absurde, décousu, incohérent, inconséquent. — Antécédent.**
DÉR. **Conséquemment.**

CONSERVABLE [kɔ̃sɛʀvabl] adj. — Déb. xvie ; de *conserver.*

♦ Qui peut être conservé.

CONSERVATEUR, TRICE [kɔ̃sɛʀvatœʀ, tʀis] n. et adj. — 1361 ; lat. *conservator,* du supin de *conservare.* → Conserver.

A. Qui conserve. ♦ **1.** N. (xve). Personne préposée à la garde de qqch. ⇒ **Gardien.** *Dieu est le créateur et le conservateur de toutes choses* (Académie).

0.1 Le roi, en effet, est essentiellement un Conservateur, dont le rôle consiste à maintenir l'ordre, la mesure, la règle, tous principes qui s'usent, vieillissent, meurent avec lui, et qui, en même temps que décroît son intégrité physique, perdent leur force et leur vertu efficace. Roger CAILLOIS, l'Homme et le Sacré, p. 148.

Conservateur d'une bibliothèque, d'un musée : personne qui administre et organise la bibliothèque, le musée. *Conservateur des eaux et forêts :* le principal agent de l'administration forestière, placé à la tête d'une division territoriale. *Conservateur des hypothèques :* fonctionnaire de l'Enregistrement qui, dans chaque chef-lieu d'arrondissement, est chargé de l'inscription et de la publication des hypothèques et privilèges, des actes translatifs de propriété. — REM. Dans ces emplois où le mot correspond à un titre, la tendance est d'employer le masc. en parlant des femmes. *Mme X, conservateur en chef du musée de...* Mais il serait plus logique de dire : *conservatrice.*

0.2 Digne de figurer dans un musée. Oui. Parfaitement. Dans un musée... Vite... la prendre, l'envelopper, l'emporter, la mettre à l'abri. Bien gardée. Protégée. Derrière une vitrine. Aux parois incassables. Parmi d'autres — aussi bien défendues. Posée là pour toujours. Que les regards de dévots innombrables la patinent. Que garantissent sa survie les soins de générations de conservateurs.
N. SARRAUTE, Vous les entendez ?, p. 40.

♦ **2.** Adj. (1794, *in* D.D.L.). Qui tend à préserver l'ordre social existant. *Lois conservatrices. Esprit conservateur.*

1 Les peuples sont, tout au contraire, en thèse générale, conservateurs des institutions qu'ils possèdent, même quand elles sont médiocres, fidèles à leurs traditions, même quand elles sont fâcheuses, et hostiles à des lois qui, admirables en principe et même en fait, bouleversent des mœurs et coutumes auxquelles ils tiennent, même quand elles paraissent périmées. Louis MADELIN, Vers l'Empire d'occident, X, p. 128.

Parti conservateur (opposé à *réformiste, révolutionnaire*). ⇒ **Conservatisme.** — N. *Un conservateur, une conservatrice. Les conservateurs et les réactionnaires.*

(Au Canada). *Le parti conservateur.* — N. Membre du parti conservateur. ⇒ **Bleu.** — Au Québec, Membre du parti de l'Union nationale.

En Angleterre. → Tory.

Par ext. *Journal conservateur. Opinion conservatrice.*

2 La République sera conservatrice, ou elle ne sera pas.
Adolphe THIERS, Message à l'Assemblée nationale, 13 nov. 1872.

3 Mais à vrai dire, il était, dans son métier, conservateur, et presque réactionnaire. J. ROMAINS, les Hommes de bonne volonté, t. I, p. 291.

4 C'est sans doute qu'ils ont du travail, ne meurent plus de faim, qu'ils ont arraché en cent ans à la société capitaliste ce peu qui suffit pour attacher l'homme à ses modestes richesses et faire de lui un conservateur.
F. MAURIAC, le Nouveau Bloc-notes 1958-1960, p. 319.

B. Adj. (1903, *in Rev. gén. des sc.,* no 23, p. 1216). ♦ **1.** Qui conserve, garde en bon état de conservation les aliments. *Produit conservateur.* — N. m. *Un conservateur :* un produit conservateur. « *Il est important de noter qu'aucun améliorant et aucun conservateur ne sont ajoutés aux préparations infantiles* » (*Guérir,* oct. 1967). — REM. On emploie aussi *conservant,* n. m.

♦ **2.** N. m. Compartiment d'un réfrigérateur où l'on peut conserver (à moins de − 18°) des produits surgelés. ⇒ (cour.) **Congélateur.**

CONTR. (Du sens A, 2.) **Novateur, progressiste, révolutionnaire.**
DÉR. **Conservatisme.**

CONSERVATIF, IVE [kɔ̃sɛʀvatif, iv] adj. — xive-xvie ; bas lat. *conservativus,* du supin de *conservare ;* repris fin xixe ; de *conserver, conservation.*

♦ Didact. Qui est destiné à conserver (un caractère, une qualité, etc.).

1 Tandis que le temps écoulé ne constitue ni un gain ni une perte pour un système supposé conservatif, c'est un gain, sans doute, pour l'être vivant, et incontestablement pour l'être conscient.
H. BERGSON, Essai sur les données immédiates de la conscience, p. 116.

(Rare). *Conservatif de qqch. :*

2 Tout ce que fait la vie est conservatif de quelque chose qui tient à elle, mais non aux individus. VALÉRY, Cahiers, t. II, Pl., p. 768.

CONSERVATION [kɔ̃sɛʀvasjɔ̃] n. f. — 1364 ; lat. *conservatio,* du supin de *conservare.* → Conserver.

♦ **1.** Action de conserver, de maintenir intact ou dans le même état. ⇒ **Entretien, garde, maintien, préservation, protection, sauvegarde.** *La conservation de l'aimantation par le fer.* ⇒ **Rémanence.** *Être chargé de la conservation d'un monument, d'une collection.* ⇒ **Conservateur.** *La conservation d'un droit, d'un privilège, d'une réputation. Conservation d'un bien, d'un capital.* ⇒ **Économie, gestion.** — *La conservation de qqn par lui-même, sa conservation.* Absolt. *Instinct* de conservation.*

1 Le premier sentiment de l'homme fut celui de son existence ; son premier soin celui de sa conservation. ROUSSEAU, De l'inégalité parmi les hommes, II, p. 67.

2 Le but de toute association politique est la conservation des droits naturels et imprescriptibles de l'homme.
Déclaration des droits de l'Homme (Constitution du 3 sept. 1791), art. 2.

3 (...) les syndics seront tenus de faire tous actes pour la conservation des droits du failli (...) Code de commerce, art. 490.

4 *(Le mensonge)* est l'instrument de conservation le plus nécessaire et le plus employé. PROUST, À la recherche du temps perdu, t. XI, p. 211.

5 Si les gouvernements, si les peuples, n'ont pas, sous peu, un sursaut de sagesse, ou d'instinct de conservation, nous roulons tous au gouffre de la guerre générale. J. ROMAINS, les Hommes de bonne volonté, t. III, XXII, p. 298.

Conservation de matières organiques (⇒ **Stérilisation ; appertisation, pasteurisation**). *Conservation de denrées.* ⇒ **Conserver.** *Appareils frigorifiques de conservation.* ⇒ **Congélateur, glacière, réfrigérateur.** *Moyens de conservation et de stockage.* ⇒ **Emballage, emmagasinage, ensilage... ; entrepôt, magasin ; cave, charnier** (vx), **citerne, fruiterie, fruitier, silo...** *Conservation par élimination de l'air* (⇒ **Enrobage**), *par le froid* (⇒ **Congélation, réfrigération**), *par la chaleur* (⇒ **Cuisson, déshydratation, dessiccation**), *par le fumage, par l'emploi d'antiseptiques* (⇒ **Salaison, saumurage**). — *Conservation des pâtes céramiques* (⇒ **Pourrissage**). *Conservation de fourrures, de vêtements dans la naphtaline*. Le natron* utilisé par les Égyptiens pour la conservation des momies...*

Techn. *Procédés de conservation des sols,* mis en œuvre pour empêcher l'érosion.

Techn. (publicité). *Affichage en conservation :* affichage fait avec garantie de l'emplacement pour une durée déterminée (opposé à *affichage libre*).

♦ **2.** (1617). Dr. admin. Charge de conservateur*. *Conservation des eaux et forêts. Conservation des hypothèques.* — Par métonymie. *Aller à la conservation des hypothèques.*

♦ **3.** (1721). Littér. État de ce qui est conservé. ⇒ **Maintien.** *Veiller à la bonne conservation d'un ouvrage d'art. Statue d'une belle conservation. Conservation du teint. Conservation de l'énergie, des forces. Conservation de l'espèce.* Loc. *État de (bonne, parfaite) conservation.*

CONTR. **Abandon, abolition, aliénation, altération, annihilation, annulation, détérioration, dilapidation, fermentation, gaspillage, perte, putréfaction.**
COMP. **Autoconservation.**

CONSERVATISME [kɔ̃sɛʀvatism] n. m. — 1851, Herzen ; de *conservateur* (politique).

♦ Prise de position morale, intellectuelle des conservateurs, de ceux qui sont hostiles à une évolution ; esprit conservateur. *Conservatisme politique, social, religieux.* ⇒ **Conformisme, traditionalisme.**

1 L'armature idéologique du maurrassisme, en s'effondrant d'un coup, a montré à tous les regards ce qu'elle dissimulait (...) un conservatisme buté au service d'intérêts avides, ligués contre l'État et qui, partout, et singulièrement en Afrique du Nord, calomnient la France et la défigurent.
F. MAURIAC, Bloc-notes 1952-1957, p. 188.

2 Sous l'effet de la prolongation de la durée moyenne de vie, et aussi en raison du conservatisme naturel aux sociétés installées dans le confort, l'accession des jeunes aux responsabilités s'est trouvée progressivement ralentie, alors qu'il aurait fallu l'accélérer. J. CAPELLE, *in* le Figaro littéraire, 9 sept. 1968.

CONTR. **Progressisme.**
DÉR. **Conservatiste.**

CONSERVATISTE [kɔ̃sɛʀvatist] n. m. — 1876 ; de *conservatisme.*

♦ Rare. (Le mot courant est *conservateur*). Partisan du conservatisme. ⇒ **Conformiste, traditionaliste.**

1. CONSERVATOIRE [kɔ̃sɛʀvatwaʀ] adj. — V. 1370 ; de *conserver.*

♦ Didact. Qui a pour but de conserver. *Acte, mesure conservatoire. Saisie conservatoire* (opposé à *exécutoire*).

Renault me conseilla de rester au service des Grands Travaux et de prendre, à titre conservatoire, la direction de ce qu'il en restait.
Raymond ABELLIO, Ma dernière mémoire, t. II, p. 271.

HOM. 2. **Conservatoire.**

2. CONSERVATOIRE [kɔ̃sɛʀvatwaʀ] n. m. — 1778 ; « hospice », 1714 ; ital. *conservatorio,* de *conservare* « conserver ».

♦ **1.** *Conservatoire de musique et de déclamation,* et, absolt, *le Conservatoire :* institution fondée à Paris en 1789 pour maintenir la tradition des arts dramatique et musical. École qui forme des musiciens, des comédiens. *Un conservatoire de danse. Professeur au Conservatoire de... Élève d'un conservatoire. Un premier prix de piano, de comédie... du Conservatoire. Le Conservatoire* (de musique) *de Paris.*

♦ **2.** *Conservatoire national des arts et métiers (C.N.A.M.)* : établissement fondé en 1794, pour conserver des collections concernant l'histoire des sciences et des techniques, et qui dispense un enseignement.

♦ **3.** Littér. (emploi général). Lieu, endroit où l'on conserve qqch. « *Un conservatoire de la pensée écrite* » (Claudel, *Correspondance*).
HOM. 1. Conservatoire.

CONSERVE [kɔ̃sɛʀv] n. f. — 1359, au sens I, 1 ; de *conserver*.

★ **I.** ♦ **1.** Aliment conservé.
Vx. Aliment préparé pour être conservé, pour se conserver. — REM. Dans cette acception large, *conserve* inclut les viandes fumées, séchées, les conserves de fruit (confitures, etc.). ⇒ **Confit, semi-conserve.**

0.1 Nab employait presque tout son temps à saler ou à fumer des viandes, ce qui lui assurait des conserves excellentes. J. VERNE, l'Île mystérieuse, t. I, p. 258.

Mod. Substance alimentaire stérilisée (⇒ **Appertisation**) et conservée dans un récipient hermétique. *Conserve de légumes, de viande, de poisson. Faire, préparer des conserves chez soi. Conserves industrielles. Intoxication par des conserves avariées.* ⇒ **Botulisme.** *Maladie des conserves* : troubles causés par la consommation excessive de conserves et la sous-consommation de produits frais. — Boîte de conserve (→ *infra* cit. 0.2). *Des piles de conserves, dans un placard.*

0.2 Enfin ils se décident à entrer, et sortent, emportant sous le bras, le BOILLED MUTTON ou le BOILLED BEEF, etc., toutes les conserves possibles et impossibles de viandes, de légumes, de choses qu'on n'aurait jamais pensé devoir devenir la nourriture du Paris riche. Ed. et J. DE GONCOURT, Journal, t. IV, p. 45.

... **DE CONSERVE.** *Boîte de conserve* : récipient métallique, clos, contenant des conserves. *Ouvrir une boîte de conserve. De vieilles boîtes de conserve.* — (D'un aliment). Préparé, mis en boîte pour être conservé. *Bœuf de conserve.* ⇒ **Corned-beef, singe** (fam.). *Lait de conserve,* en poudre, condensé. *Sardines de conserve.*

1 On servit (...) des petits pois, qui étaient naturellement de conserve, mais qui avaient bon goût (...) J. ROMAINS, les Hommes de bonne volonté, t. V, x, p. 78.

1.1 Il avait vaguement envie d'essayer son adresse en démolissant avec quatre balles la pyramide de cinq boîtes de conserves vides, ou en se photographiant d'un coup de fusil. R. QUENEAU, Pierrot mon ami, éd. L. de Poche, p. 21.

EN CONSERVE : en boîte (opposé à *frais*). *Des petits pois en conserve. Mettre des sardines en conserve.* ⇒ **Conserverie ; conserveur.**
Fig. et fam. *De la musique en conserve* : des disques.
REM. Sémantiquement, *conserve* dans *de conserve* et *en conserve* correspond à un autre contenu (« action de... », « état » et non « chose... ») ; mais le sentiment linguistique n'analyse pas ce contenu, et *boîte de conserve* est synonyme d'*une conserve.*

Pharm. Préparation de consistance molle faite d'un mélange de sucre et d'une substance végétale. *Conserve de roses.*

♦ **2.** Collectif. *La conserve* : l'industrie de la mise en conserve. ⇒ **Conserverie.**

♦ **3.** Rare. Action de conserver (*la conserve d'un produit* : cour., *mise en conserve*) ; état de ce qui se conserve.

★ **II.** (1552). Mar. (de *conserver* « naviguer en gardant à vue »). Navire qui en escorte un autre pour le protéger.
(1559). Loc. *Naviguer de conserve* : suivre la même route.
Loc. adv. Fig. **DE CONSERVE.** ⇒ **Ensemble.** *Aller de conserve,* en compagnie. *Agir de conserve,* d'accord avec qqn. → De concert.

2 (...) jadis l'apostat repenti, jaloux de voler au ciel de conserve avec ses frères, obtenait la grâce de mourir dans le cirque. BALZAC, le Lys dans la vallée, Pl., t. VIII, p. 853.

2.1 Et les deux pas lourds se sont éloignés de conserve, accompagnés par les éclats de voix et les rires. A. ROBBE-GRILLET, Dans le labyrinthe, p. 169.

★ **III.** N. f. pl. (1680). Vx. Lunettes pour ménager la vue.

3 (...) l'étude lui avait sans doute altéré la vue, car il portait des conserves. BALZAC, le Curé de village, Pl., t. VIII, p. 705.

DÉR. Conserverie.

CONSERVER [kɔ̃sɛʀve] v. tr. — 842 ; lat. *conservare*, de *con-* (*cum*), et *servare* « garder, maintenir ».

★ **I.** ♦ **1.** (Compl. n. de chose concrète ou abstraite). Maintenir (qqch.) en bon état, préserver de l'altération, de la destruction, faire durer. ⇒ **Entretenir, garantir, garder, maintenir, préserver, protéger, sauvegarder, sauver.** *Une vie sobre qui conserve la santé.* ⇒ **Ménager.** *Lunettes pour conserver la vue.* ⇒ **Conserve,** III. *Conserver son teint, sa souplesse. Conserver ses vêtements.* ⇒ **Soigner.** *Conserver des produits alimentaires, des denrées périssables* (⇒ **Conserve ; confire**). — (Compl. n. d'être animé). Continuer à avoir vivant et

auprès de soi. *Conserver longtemps ses vieux parents. Conserver qqn en bonne santé.* — Pron. *Ce vin se conserve* (⇒ **Vieillir**). *Ces fruits ne se conservent pas.* — *Conserver qqch.* (et adj.) : maintenir (dans un certain état). *Conserver son honneur intact.* Pron. *Se conserver pur au milieu de la corruption générale* (Académie).

1 Quelquefois l'un se brise où l'autre s'est sauvé,
Et par où l'un périt un autre est conservé. CORNEILLE, Cinna, II, 1.

2 Les uns à s'exposer trouvent mille délices ;
Moi, j'en trouve à me conserver. MOLIÈRE, Amphitryon, II, 1.

3 Et que dans votre sein ce serpent élevé
Ne vous punisse un jour de l'avoir conservé. RACINE, Andromaque, I, 2.

4 La Marianne de Tristan, jouée la même année que le Cid, conserva cent ans sa réputation et l'a perdue sans retour ; Comment une mauvaise pièce peut-elle durer cent ans ? VOLTAIRE, Commentaires sur Corneille, le Cid, *in* LITTRÉ.

5 (...) chez toutes les nations du monde, la langue suit les vicissitudes des mœurs, et se conserve ou s'altère comme elles. ROUSSEAU, Émile, II.

6 Il atteste enfin que le saphir préserve de la peur et conserve les membres vigoureux (...) HUYSMANS, Là-bas, XXI, p. 294.

Conserver (*qqch. à qqch.*) : faire en sorte que (qqch.) garde (telle qualité). *Conserver sa souplesse à un cuir.* — *Conserver* (*qqch. à qqn*). *Conserver sa confiance à qqn.*

♦ **2.** Ne pas laisser disparaître. ⇒ **Garder.** *Conserver précieusement un dépôt, un secret. Conserver qqch. comme la prunelle de ses yeux. Conserver ses conquêtes. Conserver un emploi, une place, un poste, un rang, un titre. Conserver un souvenir.* ⇒ **Entretenir.** *L'histoire conserve la mémoire des grands hommes.* ⇒ **Immortaliser.** *Consolider un édifice, un monument pour le conserver. Conserver un usage* (cf. Maintenir en vigueur). — Pron. (passif). *Les monuments anciens qui se sont conservés.* ⇒ **Rester, subsister.**
Ne pas perdre. ⇒ **Garder.** *Conserver pour soi, par devers soi.* ⇒ **Réserver, retenir.** *Conserver toujours la même valeur* (⇒ **Constant, invariable**). — *Il n'a conservé aucun de ses enfants* : ses enfants sont partis ou sont morts. — *Conserver ses cheveux. Conserver sa beauté, sa fraîcheur, sa jeunesse. Conserver la vie.* ⇒ **Vivre ; survivre.** *Conserver son calme, sa présence d'esprit, son sang-froid* (dans une circonstance). *Conserver du jugement. Conserver sa tête, toute sa tête, son sang-froid, ou, en parlant d'un vieillard, toutes ses facultés mentales, sa lucidité. Conserver l'estime, la faveur de qqn. Conserver son autorité, son crédit. Conserver ses distances à l'égard de qqn. Conserver son équilibre, son assiette. Conserver son allure, son avance. Conserver sa fortune.* ⇒ **Économiser, épargner, ménager** (→ Acquérir, cit. 8). *Se conserver des ressources. Conserver ses droits, ses privilèges. Conserver ses illusions, ses espérances. Conserver son opinion. Il a conservé ses amis, ses serviteurs. Il ne conserve que quelques uns de ses livres. La paix venue, on ne conserva que quelques divisions.* — Pron. *Se conserver.* (Personnes). *Se conserver en parfaite santé.*
Absolt. *Conserver ou abandonner* (→ ci-dessous, cit. 10).

7 On ne veut point perdre la vie, et on veut acquérir de la gloire : ce qui fait que les braves ont plus d'adresse et d'esprit pour éviter la mort, que les gens de chicane n'en ont pour conserver leur bien. LA ROCHEFOUCAULD, Maximes, 221.

8 (...) ô siècles, ô mémoire,
Conservez à jamais ma dernière victoire ! CORNEILLE, Cinna, v, 3.

9 (...) c'est un supplice de conserver intact son être intellectuel, emprisonné dans une enveloppe matérielle usée. CHATEAUBRIAND, Mémoires d'outre-tombe, t. II, p. 168.

10 (...) une femme, c'est différent : son travail dans la maison est bon pour conserver, non pour acquérir. G. SAND, la Mare au diable, IV, p. 36.

11 Si vous voulez conserver une vieille chose, humaine ou divine, code ou dogme, patriciat ou sacerdoce, n'en refaites rien à neuf, pas même l'enveloppe. HUGO, l'Homme qui rit, II, VIII, 3.

12 Un secret, bien gardé par ses détenteurs, couvé hermétiquement, se conserve sans dommage, et sans fruit. COLETTE, la Naissance du jour, p. 144.

13 (...) ils (*les maîtres*) semblent soucieux, surtout, de conserver pour eux seuls le fruit de leur expérience, de se fermer sur leur secret. G. DUHAMEL, Biographie de mes fantômes, v, p. 82.

14 (...) elle allait prendre dans un tiroir où elle conservait des reliques de son passé, un vieux recueil de cartomancie, et se tirait les cartes (...) MARTIN DU GARD, les Thibault, t. VI, p. 19.

15 Conserver ce qu'on possède et s'approprier à l'occasion ce que possède le voisin ! MARTIN DU GARD, les Thibault, t. VI, p. 126.

Garder sur soi. *Conserver son manteau, son chapeau.* — *Conserver le bras en écharpe.*

★ **II.** Mar. Vx. Naviguer de conserve avec. *Conserver un navire.*

▶ **SE CONSERVER** v. pron. Voir ci-dessus à l'article.

▶ **CONSERVÉ, ÉE** p. p. adj.

♦ **1.** (1721). Maintenu en bon état ; maintenu en existence. *Manuscrits conservés avec soin. Souvenirs conservés par la tradition.*
Vx. En conserve. « *Une boîte de sardines conservées* » (R. Bazin, *in* T.L.F.).

♦ **2.** Spécialt. *Personne bien conservée,* qui ne paraît pas son âge.

16 (...) elle n'était pas mal conservée, tout de même, en dépit de ses quarante ans, pour une femme qui avait tant fait la noce. Léon BLOY, la Femme pauvre, II, XV, p. 245.

CONTR. **Abandonner, abolir, aliéner, altérer, annihiler, annuler, briser, casser, céder, défaire** (se), **dépenser, détériorer, détruire, dilapider, dissiper, donner, empêcher, fermenter, gâcher, gaspiller, gâter, perdre, putréfier** (se), **renoncer, vendre.**
DÉR. **Conservable, conservatif,** 1. **conservatoire, conserve, conserverie, conserveur.**

CONSERVERIE [kɔ̃sɛʀvəʀi] n. f. — 1942 ; de *conserver.*

♦ **1.** Fabrique, usine de conserves alimentaires. *Conserverie de poissons. Elle travaille à la conserverie tous les étés. Une grande conserverie.*

♦ **2.** **a** Action de mettre (des aliments) en conserve. — Vx. *La conserverie domestique.*

b Mod. Industrie des conserves. ⇒ **Conserve**, I., 2.

CONSERVEUR, EUSE [kɔ̃sɛʀvœʀ, øz] n. — 1950 ; de *conserver.* → Conserverie.

♦ Techn. Industriel(le) de la conserve alimentaire. — Producteur (-trice) de conserves (pays, région, etc.).
Appos. ou adj. *Pays conserveurs de légumes, de fruits. Industriel conserveur, entreprise conserveuse.* ⇒ **Conserverie**. — *Ouvriers conserveurs.*

CONSIDÉRABLE [kɔ̃sideʀabl] adj. — 1547 ; de *considérer.*

♦ **1.** Vieilli ou littér. Qui attire la considération, qui doit être considéré à cause de son importance, de sa valeur. ⇒ **Éminent, notable, remarquable.** *Homme considérable.* ⇒ **Personnage.** *Tenir un rang considérable. Se rendre considérable. Position, situation considérable.*

1 Ma mère m'a souvent rapporté diverses circonstances de ma naissance qui ne m'ont pas paru aussi considérables qu'elle se le figurait.
FRANCE, le Petit Pierre, I, p. 5.

2 Il y a des traits de sottise aussi considérables, aussi rares, aussi précieux que des traits d'esprit.
VALÉRY, Rhumbs, p. 234.

REM. Les emplois modernes, extensifs, sont aujourd'hui plutôt compris comme une spécialisation du sens 2.

♦ **2.** (1668). Très important (grandeur, quantité). ⇒ **Énorme, grand, gros, immense, important, imposant.** *Dépense considérable. Sommes considérables. Troupes considérables. La partie la plus considérable.* ⇒ **Majeur.** *Travail considérable. Il y a mis un temps considérable. Des changements considérables.*

3 Le néologisme fait *considérable* synonyme de grand, et dit : un bruit considérable. Le vrai sens de ce mot est : qui doit être considéré, qui mérite considération. Il ne faut guère l'étendre au-delà de cette signification, et on ne lui attribuera le sens de grand que quand ce sens pourra se confondre avec celui de : qui mérite considération.
LITTRÉ, Dict., art. *Considérable.*

CONTR. Anodin, bas, faible, insignifiant, léger, médiocre, minime, modeste, petit.
COMP. Considérablement.

CONSIDÉRABLEMENT [kɔ̃sideʀabləmɑ̃] adv. — 1675 ; de *considérable.*

♦ En grande quantité, dans une large mesure. ⇒ **Abondamment, amplement, beaucoup, bien, bougrement (fam.), copieusement, énormément, foison (à), largement.** *Modifier, diminuer considérablement qqch. Son état s'est considérablement amélioré. On a considérablement augmenté son salaire.*

CONTR. Faiblement, légèrement, médiocrement, modestement, petitement.

CONSIDÉRANT [kɔ̃sideʀɑ̃] n. m. ⇒ **Considérer.**

CONSIDÉRATION [kɔ̃sideʀasjɔ̃] n. f. — XIIᵉ ; lat. *consideratio,* du supin de *considerare.* → Considérer.

♦ **1.** Vx. Action d'examiner avec attention. ⇒ **Attention, étude, examen.** *Affaire qui mérite, qui demande une longue considération.* — Vieilli. *Sans considération de personne.* ⇒ **Acception.** *Agir avec considération. C'est de peu de considération, de nulle considération, de peu d'importance, sans aucune importance.*

1 Tout ce qui tombe sous la considération des géomètres.
DESCARTES, Géométrie, III.

REM. On dirait plutôt aujourd'hui : « attention, examen ».
Mod. *Être digne de considération.* — Cour. EN CONSIDÉRATION. *Prendre en considération qqch. :* tenir compte* de... → Particulier, cit. 4. *La prise en considération de qqch.* — Rare. *Mettre qqch. en considération.*

2 Il n'y avait pour lui ni grandes ni petites choses ; il n'y avait que des choses dignes d'être prises en considération.
FRANCE, Jocaste, Œ., t. II, III.

♦ **2.** Au plur. Observations, réflexions (sur un sujet). ⇒ **Dissertation, remarque.** *Présenter des considérations sur... Se perdre en considérations sur, quant à, à propos de la politique. Considérations sur les causes de la grandeur des Romains et de leur décadence,* œuvre de Montesquieu. *Il résulte de ses considérations que...*

♦ **3.** (XIVᵉ). Motif*, raison* que l'on considère pour agir. *Considérations d'honneur, d'intérêt. Diverses considérations l'ont porté à cette démarche. Je ne puis entrer dans ces considérations. Entre autres considérations...*

3 Quand on aime bien, on ne pense qu'à son amour ; il absorbe toute autre considération (...)
MARIVAUX, la Vie de Marianne, VI, p. 252.

Les petites considérations sont le tombeau des grandes choses. 4
VOLTAIRE, Lettre à Damilaville, 6 août 1766.

Loc. prép. EN CONSIDÉRATION DE, PAR CONSIDÉRATION POUR : en tenant compte de, par égard pour. *En considération de son passé militaire, on l'a relâché.* ⇒ **Nom** (au nom de).

♦ **4.** (1310, *considéreson*). Littér. ou style soutenu. Estime que l'on porte (à qqn). ⇒ **Déférence, égard.** *Avoir pour qqn une considération respectueuse.* ⇒ **Révérence, vénération.** *C'est par considération pour votre père, en considération de votre père que... Considération que vaut un emploi, que confère une qualité, une vertu. Gagner, obtenir, s'acquérir de la considération auprès de qqn, dans un milieu.* ⇒ **Autorité, crédit, renommée.** *Jouir de la considération générale, d'une grande considération. Avoir la considération de ses chefs. Être en considération.* ⇒ **Cour** (bien en cour), **faveur, grâce.**

Cette considération personnelle, qui ne s'accorde ni au rang, ni au génie même, 5
mais à la vertu seule, et dont on doit être d'autant plus jaloux qu'on est plus exposé par ses talents ou ses dignités au jugement de ses contemporains.
D'ALEMBERT, Éloges, Abbé de Choisy.

L'estime vaut mieux que la célébrité, la considération vaut mieux que la renom- 6
mée et l'honneur vaut mieux que la gloire.
CHAMFORT, Maximes et Pensées, XXXIV.

(...) le général autrichien reçut le marquis del Dongo avec une considération voi- 7
sine du respect (...)
STENDHAL, la Chartreuse de Parme, II, p. 23.

Il en était venu à croire que les citoyens ne condamnent un si grand nombre de 8
leurs semblables à l'infamie que pour goûter par contraste les joies de la considération.
FRANCE, les Opinions de J. Coignard, Œ., t. VIII, p. 319.

Mais, de cette expérience particulière, j'ai du moins retiré une grande révérence 9
pour toute personne qui sait faire quelque chose, et une singulière considération
pour celles qui nous montrent par leur exemple que l'exercice d'une profession
peut valoir à son homme un autre avantage que son traitement ou son salaire (...)
VALÉRY, Regards sur le monde actuel, p. 268.

(...) nous sommes timides devant nos familiers ; il est si rare qu'à vivre avec eux 10
nous n'y perdions pas toute leur considération (...)
COLETTE, l'Étoile Vesper, p. 73.

Formule de politesse à la fin d'une lettre. *Agréez l'assurance de ma parfaite considération, de ma considération distinguée.*

J'ai l'honneur, d'être, Monsieur, avec la considération la plus distinguée, votre très 11
humble et très obéissant serviteur (...)
CHATEAUBRIAND, Mémoires d'outre-tombe, t. V, 15 nov. 1831, p. 314.

CONTR. **Déconsidération, dédain, ignorance, inconsidération, mépris, mésestime.**

CONSIDÉRÉMENT [kɔ̃sideʀemɑ̃] adv. — 1392 ; de *considéré,* p. p. de *considérer.*

♦ Vx. En considérant bien les choses ; avec circonspection, prudence. *Agir considérément.*

CONTR. **Inconsidérément.**

CONSIDÉRER [kɔ̃sideʀe] v. tr. — Conjug. *céder* (je considère ; je considérerai). — V. 1241 ; lat. *considerare ;* a éliminé l'anc. franç. *consirer* « réfléchir », s'abstenir ».

♦ **1.** Regarder* attentivement. ⇒ **Contempler, observer.** *Considérer qqn de la tête aux pieds. Considérer qqn avec dédain ou arrogance* (⇒ **Toiser**), *avec admiration* (⇒ **Admirer**), *étonnement. Considérer un édifice, un tableau.*

Hé bien ! Qu'est-ce ? M'as-tu tout parcouru par ordre ? 1
M'as-tu de tes gros yeux assez considéré ? MOLIÈRE, Amphitryon, III, 2.

(...) le sourcil est froncé, non parce qu'il menace, mais à cause de l'attention que 2
les moyens portent sans le vouloir à tout ce qu'ils considèrent, dès qu'ils lèvent la
tête. André SUARÈS, Trois hommes, « Ibsen », III, p. 106.

D'ailleurs, Mionnet, loin de chercher l'occasion de regarder les gens à la dérobée, 3
les considérait le plus souvent bien en face.
J. ROMAINS, les Hommes de bonne volonté, t. III, XI, p. 154.

♦ **2.** Envisager* par un examen attentif, critique... ⇒ **Apprécier, approfondir, étudier, examiner, observer, peser.** *Considérer le pour et le contre, impartialement.* ⇒ **Balancer.** *Considérer une chose sous tous ses aspects. Considérer des faits en détail. Isoler* un élément pour mieux le considérer. C'est une raison qu'il faut considérer en elle-même. Considérer l'étendue de son malheur. Considérer dans son ensemble, de haut. Considérer l'avenir*. Manière de considérer.* ⇒ **Opinion, vue** (point de vue). Loc. *À tout bien considérer... :* en considérant tous les aspects de la question.

(...) et ainsi que la diversité de nos opinions ne vient pas de ce que les uns sont 4
plus raisonnables que les autres, mais seulement de ce que nous conduisons nos
pensées par diverses voies, et ne considérons pas les mêmes choses.
DESCARTES, Discours de la méthode, I, p. 2.

Considérer (qqch.) d'une certaine manière, sous un point de vue, par rapport à...

(...) vous dépouillez toutes les choses humaines des propriétés que leur donnent le 5
temps, l'espace, la forme, pour les considérer mathématiquement sous je ne sais
quelle expression pure, ainsi que la géométrie par les corps desquels elle abstrait
la solidité. BALZAC, Séraphîta, Pl., t. X, p. 481.

(...) on peut considérer une force, d'abord par rapport aux autres, ensuite par rap- 6
port à elle-même. TAINE, Philosophie de l'art, t. II, V, III, I, p. 282.

À première vue, on pourrait croire que Tarrou s'est ingénié à considérer les cho- 7
ses et les êtres par le gros bout de la lorgnette. CAMUS, la Peste, p. 35.

Spécialt. Envisager, pour en tenir compte ultérieurement. ⇒ **Égard** (avoir égard à), **garde** (prendre garde à), **attacher** (s'), **préoccuper** (se). *Un point à considérer. Ce n'est pas à considérer. Sans consi-*

dérer l'intention. Considérez son âge, son mérite. Un juge intègre ne considère ni les personnes, ni les recommandations (Académie).

8 Ne considérez point cette grandeur suprême (...)
Traitez-moi comme ami, non comme souverain (...)   CORNEILLE, Cinna, II, 1.

9 En toute chose il faut considérer la fin.   LA FONTAINE, Fables, III, 5.

10 Qui considérerait bien le prix du temps, et combien sa perte est irréparable, pleurerait amèrement sur de si grandes misères.
            LA BRUYÈRE, les Caractères, VII, 20.

10.1 (...) quelle reconnaissance désespérée envers celui qui veut bien, enfin, considérer leur plainte.   GIDE, Voyage au Congo, in Souvenirs, Pl., p. 842.

◆ **3.** (1643). Surtout au passif. Faire cas de (qqn). ⇒ **Estimer, révérer, vénérer.** *Un homme que l'on considère beaucoup. Le besoin d'être considéré.*

11 Votre père y commande *(dans Mélitène)*, et l'on m'y considère (...)
            CORNEILLE, Polyeucte, II, 4.

12 (...) partout on considère les femmes à proportion de leur modestie; partout on est convaincu qu'en négligeant les manières de leur sexe elles en négligent les devoirs.   ROUSSEAU, Lettre à d'Alembert, p. 193.

◆ **4.** (1835). CONSIDÉRER COMME : estimer, juger... ⇒ **Prendre (pour), réputer, tenir (pour).** *Je le considère comme un bon professionnel. Je considère cette théorie comme une grande nouveauté, comme une banalité sans intérêt. Je la considère comme ma fille. Je vous considère comme responsable. Je considère ma collaboration comme terminée*.*

13 (...) il vit bien que les camarades les considéraient non comme des héros, mais comme des traîtres.   A. MAUROIS, Bernard Quesnay, XIII, p. 85.

14 (...) je considère ces problèmes comme dignes du plus grand respect (...) bien que je ne sois pas sûr qu'on les traite toujours avec la largeur qui convient.
            J. ROMAINS, les Hommes de bonne volonté, t. V, VI, p. 44.

(Av. 1511). CONSIDÉRER QUE. ⇒ **Estimer, juger, penser.** *Je considère que c'est, qu'il est un bon professionnel. Je considère que vous êtes responsable, que ma collaboration est terminée. Si vous considérez que ce n'est pas la peine...*

▶ **SE CONSIDÉRER** v. pron.

◆ **1.** (Réfl.). Se regarder soi-même, s'examiner. *Se considérer dans un miroir.*

(Récipr.). Se regarder l'un l'autre. *Ils se considéraient en silence, hostilement.*

◆ **2.** (Réfl.). S'estimer soi-même. *Se considérer avec complaisance. Se juger. Se considérer comme un personnage.*

15 (...) malgré le partage de la succession, Frédéric se considère toujours comme le maître, l'unique successeur de papa, qui a tous les pouvoirs.
            J. CHARDONNE, les Destinées sentimentales, II, IV, p. 279.

◆ **3.** (Passif). Être examiné. *Tout doit se considérer.*

N. m. CONSIDÉRANT : considération qui motive un décret, une loi, et qui en précède le texte. ⇒ **Attendu, motif.** *Considérants d'un jugement. Considérants scientifiques.* → Recouvrir, cit. 3.

16 (...) il m'apparut que mon action était d'autant plus sincère que je balayais devant elle tous ces considérants par quoi je tentais de me la justifier d'abord.
            GIDE, Journal, 1889-1939, Feuillets, I, Pl., p. 776.

Loc. conj. CONSIDÉRANT QUE, formule qui précède l'énoncé des motifs d'un arrêt, d'un jugement. ⇒ **Attendu que.**

17 *Considérant que,* dont il est fait grand usage aujourd'hui, montre à merveille comment le rôle du participe s'efface, et comment la syntaxe, qui rapportait d'abord l'action de considérer à un sujet, s'oblitère. L'expression devient synonyme d'*attendu que.*   F. BRUNOT, la Pensée et la Langue, XVIII, IV, p. 704.

▶ **CONSIDÉRÉ, ÉE** p. p. adj.

◆ **1.** Examiné. *Affaire attentivement considérée.*

18 Cette raison n'était pas admissible pour eux. Vous froissiez une susceptibilité familiale (...) Tout est considéré là-bas sous l'aspect de la respectabilité (...) C'est un point de vue.   J. CHARDONNE, les Destinées sentimentales, II, I, p. 197.

Tout bien considéré : tout étant examiné.

◆ **2.** Regardé comme. ⇒ **Censé, réputé.** *Cet ingénieur considéré comme très habile.* — Estimé. *Être très considéré dans la ville.*

19 On se rappelle la maxime de Beaumarchais : « La nature dit à la femme, sois belle si tu peux, sage si tu veux, mais sois considérée, il le faut. » Sans considération, en France point d'admiration, partant point d'amour.
            STENDHAL, De l'amour, VIII, note.

20 Maître Chesnel avait la confiance de toute la ville, il y était considéré (...)
            BALZAC, le Cabinet des antiques, Pl., t. IV, p. 339.

CONTR. **Déconsidérer, décréditer, dédaigner, ignorer, méconnaître, mépriser, mésestimer.**
DÉR. et COMP. **Considérable, considérément. — Déconsidérer. — V. inconsidéré.**

CONSIGNATAIRE [kɔ̃siɲatɛʀ] n. m. — 1690; de *consigner.*

◆ **1.** Dépositaire d'une somme consignée. — Dr. admin. Préposé à la garde des dépôts et consignations.

◆ **2.** (1829). Négociant, firme commerciale qui reçoit en dépôt des marchandises. ⇒ **Commissionnaire, mandataire.** — Mar. Négociant à qui l'armateur adresse un navire pendant son passage dans un port.

⇒ **Agent** (maritime), **transitaire.** *Le consignataire est le mandataire de l'armateur.*
CONTR. **Consignateur.**

CONSIGNATEUR, TRICE [kɔ̃siɲatœʀ, tʀis] n. — 1845, Bescherelle; de *consigner.*

◆ Dr. Personne qui consigne, qui fait un dépôt entre les mains de quelqu'un.
CONTR. **Consignataire.**

CONSIGNATION [kɔ̃siɲasjɔ̃] n. f. — 1396, *concination*; de *consigner.*

★ **I.** ◆ **1.** Dr. ⓐ Dr. civ. Dépôt dans une caisse publique de sommes ou valeurs dues à un créancier qui ne peut ou ne veut pas les recevoir. *Consignation au greffe. Caisse* des dépôts et consignations.*

1 Lorsque le créancier refuse de recevoir son payement, le débiteur peut lui faire des offres réelles, et au refus du créancier de les accepter, consigner la somme ou la chose offerte.
Les offres réelles suivies d'une consignation libèrent le débiteur (...)
            Code civil, art. 1257 (cf. art. 1257-1264).

ⓑ Dr. admin. Remise de sommes ou valeurs à une caisse publique en garantie d'engagements d'un particulier envers l'État, une personne publique... (loi du 22 juil. 1875). ⇒ **Cautionnement, garantie.**

Somme, valeur consignée.

◆ **2.** (1835). Comm. Remise d'une marchandise à un négociant (⇒ **Commissionnaire, consignataire**) pour qu'il les vende. ⇒ **Commission** (2.). *Compte de consignation. Marchandises en consignation. Envoyer quelque chose en consignation.*
Dépôt de bagages à une consigne. *La consignation a été enregistrée à midi.*

◆ **3.** Cour. Action de consigner (un emballage). ⇒ **Consigne.**

★ **II.** Rare. Action de consigner par écrit. *Consignation dans un registre des entrées et des sorties.*

2 Je groupe ces notes pour quelques jeunes gens. J'aimerais qu'ils les considérassent comme la consignation d'une ascèse entre toutes délicate.
            Jean GENET, Journal du voleur, p. 227.

★ **III.** Rare. Action de consigner qqn. *La consignation d'un élève le mercredi.*

CONSIGNE [kɔ̃siɲ] n. f. — Fin XVe, rare av. 1740 (sens 1); « agent chargé de surveiller le mouvement des personnes et des marchandises », 1622; de *consigner.*

◆ **1.** Instruction stricte donnée à un militaire, un gardien, sur ce qu'il doit faire. ⇒ **Ordre.** *Donner, transmettre la consigne à qqn. Passage des consignes. C'est la consigne.* ⇒ **Règlement.** *Observer, respecter la consigne. Changer, lever la consigne. Forcer, violer la consigne. Manger à la consigne.* — Loc. fam. *Manger la consigne :* oublier d'exécuter un ordre. *Être à cheval sur la consigne :* être très strict dans l'application des instructions. — *Consignes strictes, sévères. Les consignes de la sentinelle, du chef de poste, du guetteur,* celles qu'ils ont reçues. *Ne connaître que la consigne* (→ Baderne, cit.). *La consigne, c'est la consigne :* on ne transige pas avec les ordres reçus.

1 (...) les factionnaires ont une consigne secrète qui concerne lui seul (...)
            LOTI, Aziyadé, XIX, p. 30.

2 Le capitaine commandant la garnison passa les consignes à son successeur.
            P. MAC ORLAN, la Bandera, X, p. 115.

Par ext. Instruction. Spécialt, en psychol. *(consigne d'un test),* en informatique.

3 Il avait donné, dès le début de cette retraite, des consignes impératives : « Si l'on appelle au téléphone, je suis absent. »
            G. DUHAMEL, le Voyage de Patrice Périot, V, p. 90.

◆ **2.** ⓐ (1803; correspond au sens 3 de *consigner*). Défense de sortir, enjointe par punition (dans quelques constructions). *Soldats en consigne* (⇒ **Consigner**). — *Donner quatre heures de consigne à un élève, un écolier, un lycéen.* ⇒ **Colle** (fam.), **retenue.**

ⓑ (Correspond au sens 4 de *consigner*). Défense d'entrer. *Forcer la consigne.*

◆ **3.** (1866). Service chargé de la garde des bagages déposés provisoirement (dans une gare, etc.); lieu où les bagages sont déposés. *Mettre sa valise à la consigne. Retirer de la consigne. Bulletin de consigne. — Consigne automatique :* armoire métallique munie d'un système mécanique d'ouverture, commandé par un monnayeur. *La consigne d'un aérodrome, d'une gare routière,* etc.

4 (...) il revint payer sa chambre, et partit déposer son sac à la consigne de la gare de l'Est.   MARTIN DU GARD, les Thibault, t. V, p. 283.

◆ **4.** Fait de consigner (un emballage) ⇒ **Consignation.** — Somme remboursable versée à celui qui consigne un emballage. *Un franc de* *consigne. Verser un franc pour la consigne d'une bouteille. Rembourser la consigne.*

CONSIGNER [kɔ̃siɲe] v. tr. — 1345, «délimiter»; lat. *consignare* «sceller», de *con-* (cum), et *signare.* → Signer.

♦ **1.** (1402). Remettre en dépôt, en garantie (une somme, un objet). ⇒ **Déposer.** *Consigner une somme d'argent, des valeurs au greffe, à la caisse des dépôts.*

1 Un dépôt que l'on consigne entre tes mains (...)
> BOSSUET, I, Sermon pour le jour de Pâques, 2.

(1723). Comm. Adresser à un consignataire*. *Consigner un navire, une cargaison, des marchandises.*

♦ **2.** (1690). Mentionner, rapporter par écrit, spécialt, dans une pièce officielle. ⇒ **Acter** (dr.), **constater, enregistrer, rapporter, relater.** *Consigner qqch. au procès-verbal. Consigner une réflexion, une pensée sur un carnet.* ⇒ **Écrire, noter.** *Consigner un fait dans des annales.*

2 Possèdent-ils l'un ou l'autre de ces renseignements, c'est que le vendeur a vraiment tenu à le donner; et ils l'ont consigné d'une plume négligente.
> J. ROMAINS, les Hommes de bonne volonté, t. IV, IV, p. 28.

♦ **3.** (1467, «maintenir prisonnier», repris 1743). Compl. n. de personne. Empêcher (qqn) de sortir par mesure d'ordre, par punition. ⇒ **Retenir.** *Consigner un soldat au quartier. Se faire consigner.* Par ext. *Consigner la caserne, les troupes, le régiment au quartier,* en période de troubles, etc. *Consigner un bâtiment, un quartier,* par mesure sanitaire.
Consigner un élève indiscipliné.

3 Un beau jour, comme j'étais consigné à la caserne même où nous voici, pour avoir fait trois fautes dans le maniement d'armes (...)
> A. DE VIGNY, Servitude et Grandeur militaires, II, VIII, p. 138.

4 A Toulon, à Brest, la flotte est consignée dans les ports.
> MARTIN DU GARD, les Thibault, t. VI, p. 212.

Vx. Empêcher d'entrer, de passer. *Je l'ai consigné à ma porte* (Académie).

♦ **4.** Interdire l'accès de (un lieu). *La police a consigné la salle. Ce compartiment est consigné aux civils. Consigner sa porte à qqn,* lui interdire d'entrer.

4.1 La dame de Souville devait se coucher de bonne heure, ou du moins consigner sa porte.
> BERNANOS, Un mauvais rêve, in Œ. roman., Pl., p. 1024.

5 (...) dès que la taule sera consignée aux légionnaires, tu verras entrer (...) un civil (...)
> P. MAC ORLAN, la Bandera, XII, p. 140.

♦ **5.** (1907). Déposer à la consigne. *Consigner ses valises, ses bagages.*

♦ **6.** Facturer (un emballage) en s'engageant à reprendre et à rembourser. *Consigner une bouteille.*

♦ **7.** Vx. *Consigner à qqn de* (et inf.) : ordonner à qqn de. *Consigner à une sentinelle de ne laisser passer personne.*

▶ **CONSIGNÉ, ÉE** p. p. adj.

♦ **1.** *Somme consignée. — Cargaison consignée.*

♦ **2.** Noté, écrit. *Les faits consignés dans son carnet.*

♦ **3.** (Personnes). *Soldats consignés. — N. m. Les consignés. L'appel des consignés. — Élèves consignés.* ⇒ **Collé.** *— Navire consigné* (dans un port). ⇒ **Quarantaine** (en).

♦ **4.** (Lieux). *Compartiment consigné aux civils.*

♦ **5.** *Valise consignée.*

♦ **6.** *Bouteilles consignées, non consignées* («verre perdu»).

DÉR. Consignataire, consignateur, consignation, consigne.

CONSISTANCE [kɔ̃sistɑ̃s] n. f. — 1370, «matière»; de *consister.*

★ **I.** ♦ **1.** (1690). État d'un corps relativement à sa solidité, à la cohésion de ses parties. *La consistance de la boue, de la cire, d'un mélange. Consistance dure, élastique, huileuse, gélatineuse, molle, pâteuse, pulpeuse, subéreuse, visqueuse. Épaissir la consistance d'une sauce, d'une bouillie. — Absolt.* État d'un liquide qui devient pâteux, s'épaissit, se coagule. *Prendre consistance. Donner de la consistance à. — Fermeté, solidité. Ce terrain manque de consistance.*

1 Ces terres vaseuses, comme celles qui n'ont pas acquis toute leur consistance (...)
> G. T. RAYNAL, Hist. philosophique, XVI, 6.

2 (...) la consistance râpeuse et dure de l'argile sèche.
> Edmond JALOUX, Fumées dans la campagne, I, p. 3.

3 Cependant cela existait. Peut-être (...) une substance, celle d'un être, car c'en était un, indécis. Il hésitait à prendre consistance, soit qu'il eût des liens avec l'ombre, qui le retinssent aux confins de l'invisible, soit qu'il fût impuissant à entrer dans ce monde où la matière avait pris forme avec une implacable exactitude.
> H. BOSCO, Un rameau de la nuit, II, p. 59.

♦ **2.** (1580). Abstrait. État de ce qui est ferme, solide. ⇒ **Fermeté, force, solidité, stabilité.** *Un bruit sans consistance.* ⇒ **Crédit, fondement.** *Caractère, esprit sans consistance,* sans fermeté, irrésolu. *Cet*

établissement, cette affaire a pris de la consistance. Un homme sans consistance, sans crédit, sans considération.

4 C'est durant ce précieux intervalle que mon éducation, mêlée et sans suite, ayant pris de la consistance, m'a fait ce que je ne suis plus cessé d'être à travers les orages qui m'attendaient.
> ROUSSEAU, les Confessions, V.

5 Mais ce ne sont là que les tremblants symptômes d'un amour sans consistance.
> SUPERVIELLE, Shéhérazade, II, 8.

♦ **3.** Dr. Ce en quoi consiste une succession, un domaine. *La consistance d'une succession. Héritage en consistance de...*

★ **II.** ♦ **1.** Log., math. Non-contradiction. *La consistance des axiomes.*

♦ **2.** Didact. Cohérence dans un système donné. *La consistance des réponses dans un test psychologique.*

CONTR. Inconsistance; fluidité, liquidité.

CONSISTANT, ANTE [kɔ̃sistɑ̃, ɑ̃t] adj. — 1560; de *consister.*

★ **I.** ♦ **1.** (Concret). Qui a de la consistance. ⇒ **Cohérent, dur, ferme, solide.** *Sauce, bouillie consistante.* ⇒ **Épais, visqueux.** *Chairs consistantes.*

♦ **2.** (Fam.). Important, solide. *Un petit déjeuner consistant.* ⇒ **Copieux.**

♦ **3.** (Abstrait). Ferme, solide. *Argument consistant. Souvenirs consistants. Personnage de roman consistant.*

★ **II.** (1957, de l'angl.). Anglic. Log. *Système consistant :* théorie dans laquelle deux formules contraires ne peuvent être démontrées à la fois.

CONTR. Inconsistant; contradictoire.

CONSISTER [kɔ̃siste] v. intr. — XVe; «avoir de la consistance», XIVe; lat. *consistere* «se tenir ensemble», de *con-* (cum), et *stare.*

♦ Être constitué par; avoir son essence, ses propriétés (dans). — *Consister en, dans.* ⇒ **Composer** (se). *Ce bâtiment consiste en tant d'appartements.* ⇒ **Comporter, comprendre.** *Sa fortune consiste en actions de telle société. Ce domaine consiste en terres labourables, en forêts...* (⇒ **Consistance**). — *Consister dans le fait de.* ⇒ **Résider.** *En quoi consiste votre projet? — Consister à* (et inf.). *Son habileté consiste à savoir se servir des autres. — La liberté consiste en..., à..., se définit*, peut se définir comme...*

1 La religion chrétienne consiste en deux points; il importe également aux hommes de les connaître (...)
> PASCAL, Pensées, VIII, 556.

2 La libéralité consiste moins à donner beaucoup qu'à donner à propos.
> LA BRUYÈRE, les Caractères, IV, 47.

3 Le bonheur ou le malheur consistent dans une certaine disposition d'organes.
> MONTESQUIEU, Cahiers, p. 17.

4 Il prétendit que son péché n'était pas si grave, puisqu'il ne consistait qu'en paroles, et qu'il voulait bien demander pardon (...)
> G. SAND, la Mare au diable, XIV, p. 124.

Avoir pour contenu. *Notre programme consiste à...*

DÉR. Consistance, consistant.

CONSISTOIRE [kɔ̃sistwar] n. m. — 1174; du bas lat. *consistorium* «assemblée», de *consistere.* → Consister.
Religion.

♦ **1.** Dans l'Église catholique. Assemblée de cardinaux convoqués par le pape pour s'occuper des affaires générales de l'Église (⇒ **Concile**). *Consistoire secret; consistoire public, solennel.*

1 Tout le consistoire a fait schisme à la création de ce nouveau pape.
> RACINE, Lettres, 11 juin 1661.

Vx. Fig. et fam. ⇒ **Assemblée, réunion.**

2 Aurait-il cru un consistoire de beaux esprits plus difficile à concilier qu'une assemblée de rois?
> D'ALEMBERT, Éloges, Abbé de St-Pierre.

♦ **2.** (1596). *Consistoire protestant, israélite :* assemblée de ministres du culte et de laïques élus pour diriger les affaires d'une communauté religieuse (⇒ **Synode**).

DÉR. Consistorial.

CONSISTORIAL, ALE, AUX [kɔ̃sistɔrjal, o] adj. et n. — 1432; de *consistoire.*

♦ Relig. Qui appartient à un consistoire. *Jugement consistorial. — N. m.* Membre d'un consistoire.

Dans son mémoire, l'avocat consistorial Morano, une des autorités du barreau romain, négligeait simplement de dire que cette impuissance avait pour cause unique la résistance de la femme (...)
> ZOLA, Rome, p. 62.

DÉR. Consistorialement.

CONSISTORIALEMENT [kɔ̃sistɔrjalmɑ̃] adv. — 1580; de *consistorial.*

♦ Religion. En consistoire.

CONSŒUR [kɔ̃sœʀ] n. f. — 1342, *consuer*; de *sœur*, d'après *confrère*.

◆ **1.** (xvᵉ). Anciennt. Religieuse, considérée en tant qu'appartenant au même ordre que d'autres.
Femme membre d'une confrérie.

◆ **2.** (1764). Mod. (mais admin. ou style soutenu). Femme appartenant à une profession libérale, un corps constitué, considérée par rapport aux autres membres (et notamment aux autres femmes) de cette profession. ⇒ **Collègue, confrère.** *Maître Jeanne X et ses consœurs du barreau.*

CONSOL [kɔ̃sɔl] n. m. — Mil. xxᵉ; du nom de l'inventeur.

◆ Techn. Système de radiobalises à caractéristiques variables, émettant dans une direction déterminée; procédé de radionavigation utilisant ce système. *« Nous ne recevons ni gonio... ni consol, et... il n'y a pas de soleil. Nous ne pouvons donc apprécier et corriger notre dérive »* (*Bateaux*, nᵒ 100, p. 86). — Appos. *Système consol.*

Les récepteurs spéciaux joignant à un fonctionnement plus sûr des possibilités plus étendues peuvent recevoir les émissions météo des bandes Chalutiers, le réseau Consol et les radiophares. Le réseau Consol s'étend en Manche, Atlantique et Méditerranée ouest. La précision est excellente au-delà de 15 milles des côtes.
Jean GIORDAN, le Yachting, p. 116.

HOM. Console. — Formes du v. **consoler.**

CONSOLABLE [kɔ̃sɔlabl] adj. — 1647; «qui console», v. 1450; lat. *consolabilis*, de *consolare* (→ Consoler) ou de *consoler*.

◆ Qui peut être consolé. *Sa douleur est telle qu'il n'est pas consolable. Son chagrin sera aisément consolable. Une veuve, un veuf facilement consolable.*

CONTR. Inconsolable.

CONSOLANT, ANTE [kɔ̃sɔlɑ̃, ɑ̃t] adj. — 1470; de *consoler*.

◆ **1.** Propre à consoler. ⇒ **Apaisant, calmant, consolateur, consolatif, consolatoire, lénitif, réconfortant.** *Pensée, parole consolante. Nouvelle consolante. Il est consolant de se dire que... ; il y a qqch. de consolant à...*

1 Je voudrais bien pouvoir adoucir ses maux; mais il est accoutumé à vos soins qui sont consolants, et si précieux (...)　Mᵐᵉ DE SÉVIGNÉ, 1079, 1ᵉʳ nov. 1688.
2 (...) tout événement a deux aspects, toujours accablant si l'on veut, toujours réconfortant et consolant si l'on veut (...)　ALAIN, Propos sur le bonheur, p. 13.

(Rare). Personnes. Qui console. ⇒ **Consolateur.** — Par antiphrase. *Eh bien! vous êtes consolant, vous!*

◆ **2.** N. f. (Pop. et vx). *La consolante :* la bouteille bue dans certaines circonstances (cuisiniers après le «coup de feu». Cf. P. Hamp, *in* T. L. F.).

CONTR. Accablant, affligeant, attristant, désespérant, désolant, navrant.

CONSOLATEUR, TRICE [kɔ̃sɔlatœʀ, tʀis] n. et adj. — 1265; lat. *consolator*, du supin de *consolare*. → Consoler.

◆ **1.** Littér. Personne qui console, qui cherche à consoler. *Dieu est le consolateur des affligés. L'ami qui devait être leur consolateur.* → Prévoyant, cit. 1. — Par ext. *L'espoir est le consolateur des malheureux.* — Loc. Relig. cathol. *La consolatrice des affligés :* la Sainte Vierge. *Le consolateur :* l'Esprit-Saint.

1 «Eh! Messieurs, laissez-moi mourir.
(...) et finissez vos pleurs».
Point du tout : les consolateurs
De ce triste devoir tout au long s'acquittèrent (...)　LA FONTAINE, Fables, XII, 6.
2 Levez donc vos regards vers les célestes plaines,
Cherchez Dieu dans son œuvre, invoquez dans vos peines
Ce grand consolateur (...)　LAMARTINE, Méditations, I, 7.

◆ **2.** Adj. Mod. Qui console. ⇒ **Consolant.** *Ange consolateur. Espérance, religion consolatrice.*

3 (*Isabelle*) lui jeta (...) un regard d'ange consolateur, si chargé de tendresse, de sympathie, de passion, qu'il (...) ne se sentit plus malheureux. Ce fut un baume divin qui cicatrisa les plaies (...) de son orgueil (...)　Th. GAUTIER, le Capitaine Fracasse, t. II, p. 30.
4 La religion chrétienne est principalement consolatrice; elle est belle surtout pour cela.　GIDE, Journal, sept. 1893.

CONTR. Bourreau, tourmenteur.

CONSOLATIF, IVE [kɔ̃sɔlatif, iv] adj. — xivᵉ; bas lat. *consolativus*, du supin de *consolare*. → Consoler.

◆ Littér., rare. Qui console, apporte un apaisement. *Paroles consolatives.*

Confirmation par Holzhauser (1658) de l'idée que j'ai toujours eue sur les sept lettres de l'Apocalypse. Il distingue (... *l'âge*) consolatif, préparant les fidèles aux tribulations des derniers temps; désolatif, ou de l'Antéchrist.
CLAUDEL, Journal, janv. 1912.

CONSOLATION [kɔ̃sɔlasjɔ̃] n. f. — xiᵉ, *consulaciun*; lat. *consolatio*, du supin de *consolare*. → Consoler.

◆ **1.** Soulagement apporté à la douleur, à la peine de quelqu'un. ⇒ **Adoucissement, allégement, apaisement, réconfort, soulagement.** *La consolation de qqn, par qqn, par qqch. La consolation de qqn,* celle qu'il reçoit *(sa consolation fut brève);* celle qu'il apporte *(sa consolation fut inefficace). Donner, apporter la consolation, une consolation à qqn. Un sujet de consolation. Être sans consolation,* privé de consolation. *Chercher une consolation dans l'étude, dans la piété. Avoir une dernière consolation avant de mourir. Paroles de consolation. Consolation à Du Périer,* stances de Malherbe. *Les Consolations,* poèmes de Sainte-Beuve.

1 L'amitié est la consolation de ceux qui se trouvent accablés par les sots et par les méchants.　VOLTAIRE, Lettre à Helvétius, 11 mai 1761.
2 Il faut enfin que la mort ne soit plus ni le châtiment de la prospérité, ni la consolation de la détresse.　G. SAND, la Mare au diable, I, p. 11.

◆ **2.** (1771). Sujet de satisfaction, d'allégement d'une peine. *C'est une grande consolation pour lui que de voir ses amis autour de lui. Il avait au moins la consolation de savoir qu'il n'était pas le seul. La religion est sa principale consolation. Les consolations de l'étude.* ⇒ **Dédommagement, joie, plaisir, satisfaction.** *De la consolation philosophique,* œuvre de Boèce (vers 524).

3 C'est une consolation de laisser promener ses idées dans l'antiquité et à six mille lieues de son trou.　VOLTAIRE, Lettre à du Deffand, 13 août 1773.
4 L'amour est un repos pour la femme. C'est un refuge, un oubli, une consolation, une sorte de sommeil éveillé.　Edmond JALOUX, le Jeune Homme au masque, X, p. 153.

Fiche* de consolation. — (1855, *in* Petiot). *Prix* de consolation.*

◆ **3.** Personne qui console ou peut consoler. ⇒ **Consolateur; appui...** *Son fils est sa seule consolation.*

5 (...) venez, vous serez ma consolation dans cette solitude; et je ferai votre bonheur, pourvu que vous sachiez en jouir.　FÉNELON, Télémaque, I, p. 5.

CONTR. Affliction, amertume, blessure, chagrin, désespoir, désolation, malheur, mortification, peine, regret, remords, tourment, vexation.

CONSOLATOIRE [kɔ̃sɔlatwaʀ] adj. — Déb. xivᵉ; lat. *consolativus*, du supin de *consolare*. → Consoler.

◆ Littér. Dont le but est de consoler. *Écrit, discours consolatoire. « Poème... consolatoire »* (Gide).

CONSOLE [kɔ̃sɔl] n. f. — 1565; p.-ê. forme abrégée de *consolateur* «figure d'homme supportant une corniche», hypothèse contestée par P. Guiraud qui rattache directement le mot à *consoler* «soulager un mal physique», la console étant «ce qui soulage le bras ou la corniche».

◆ **1.** Archit. Moulure saillante en forme de volute ou d'S, et qui sert de support. ⇒ **Corbeau.** *Console d'une corniche, d'un balcon. Console renversée. Construction sur consoles.* ⇒ **Encorbellement.**

1 (...) des galeries de bois, des saillies de poutres formant console.　J. ROMAINS, les Hommes de bonne volonté, t. V, XXVII, p. 285.

Constr. *Grue à console.* ⇒ **Cantilever.** — Électr. Élément en S soutenant un isolateur électrique.

◆ **2.** (1640). Meuble en forme de table étroite adossé contre un mur, et dont les pieds ont la forme d'une console. *Console Empire, Directoire.*

2 (...) l'image est toujours aussi forte et précise de la petite clef d'acier poli, demeurée sur le marbre de la console, dans le coin droit, près du bougeoir en cuivre. Il y a donc une console dans cet obscur vestibule.
C'est un meuble de teinte sombre, en placage d'acajou en assez mauvais état, qui doit dater de la seconde moitié du siècle passé.
A. ROBBE-GRILLET, Projet pour une révolution à New York, p. 12.

Par ext. Table-applique.

Petit support appliqué au mur. ⇒ **Cul-de-lampe; gousset.**

◆ **3.** Mus. Partie supérieure (d'une harpe), renfermant les chevilles. — Meuble placé devant le buffet d'un orgue, et qui comporte les claviers, registres, pédalier.

◆ **4.** (Mil. xxᵉ; par anal. de forme). Inform. Élément périphérique ou terminal d'un ordinateur, permettant de recevoir des informations et d'émettre des questions et des consignes vers l'unité centrale. *Console à visualisation cathodique.* ⇒ aussi **Télétype, terminal.**

3 Là, dans le discret crépitement des appareils à longue distance, devant leur console électronique méditant jour et nuit face à une seule et unique carte d'opérations, immense planisphère translucide aux reflets d'aquarium, une pléiade de bonzes au crâne rasé (...)　Régis DEBRAY, l'Indésirable, p. 47.

Techn. (enregistrement sonore). Pupitre de commandes situé dans la cabine d'enregistrement, muni d'un dispositif électronique propre à obtenir le mixage des diverses sources sonores (micros, tourne-disques, magnétophones, postes de radio, etc.). ⇒ **Pupitre.** *C'est à la* *console d'enregistrement qu'aboutissent toutes les commandes des micros. Console de mélange* ou *de mixage.*

HOM. Consol. — Formes du v. **consoler.**

CONSOLER [kɔ̃sɔle] v. tr. — XIIIᵉ ; lat. *consolari*, de *con-* (cum), et *solari* «réconforter».

♦ **1.** *Consoler (qqn) de (qqch.)* : soulager (qqn) de (son chagrin, sa douleur). ⇒ **Apaiser** (cit. 7), **calmer**, **dérider**, **distraire**, **égayer**, **essuyer** (les larmes), **guérir**, **rasséréner**, **réconforter**, **remonter** (fam.), **sécher** (les larmes), **verser** (de l'huile, du baume sur les plaies)... *Il, elle console les affligés, les malades, les malheureux. On ne peut le consoler de sa peine, il ne se laisse pas consoler* (⇒ **Inconsolable**). *Cette nouvelle l'a consolé d'avoir échoué. Consoler qqn dans ses malheurs. Consoler qqn avec, par des paroles d'affection, en le réconfortant. L'enfant est consolé.* — Allus. hist. *C'est Rachel qui ne veut pas être consolée* : il, elle est inconsolable.

1 Heureux ceux qui sont affligés, car ils seront consolés !
     BIBLE (SEGOND), Évangile selon saint Matthieu, v, 4.
2 (...) tu sais combien une âme sensible qui a pitié de vous, vous console !
     STENDHAL, Souvenirs d'égotisme, p. 194.
3 Les bons meurent souvent seuls, et ceux qui consolèrent ne sont pas toujours consolés. MICHELET, la Femme, p. 433.
4 Madeleine la regretta et la pleura beaucoup, mais elle tâcha de consoler le pauvre champi, qui, sans elle, n'aurait jamais surmonté son chagrin.
     G. SAND, François le Champi, IV, p. 52.
5 Tu me souris sans partager ma joie.
 Tu me plains sans me consoler !
     A. DE MUSSET, Poésies nouvelles, « Nuit de décembre. »
6 Quand on l'est *(heureux),* il reste beaucoup à faire : à consoler les autres.
     J. RENARD, Journal, oct. 1897.

(Choses). *L'espoir, la foi, la religion consolent. Peu de chose suffit à le consoler. Rien ne me consolera. Ce succès l'a consolé de tout.*

7 Peu de chose nous console parce que peu de chose nous afflige.
     PASCAL, Pensées, II, 136.
8 Ma fille, ton bonheur me console de tout. RACINE, Iphigénie, III, 2.
9 Ce souvenir le consola de bien des regrets. GIRAUDOUX, Bella, IX, p. 225.

Absolt. *Cette idée console de bien des peines. Le temps console. Celui qui console* : Dieu. ⇒ **Consolateur.**

Rare. Soulager (qqn) de la perte, de l'absence de (un objet, un être cher). *Rien ne consolait l'enfant de sa mère.*

♦ **2.** *Consoler (qqch.)* : alléger (un sentiment douloureux, une situation pénible). ⇒ **Adoucir, alléger, assoupir, atténuer, bercer, diminuer, endormir, flatter, tromper.** *Consoler l'affliction, la douleur, la peine. Consoler la disgrâce, la captivité de qqn. Il consola leurs jours d'infortune.*

10 Je ne viens pas ici consoler tes douleurs. CORNEILLE, le Cid, IV, 2.
11 Ainsi la pieuse reine consolait la captivité des fidèles et relevait leur espérance.
     BOSSUET, Oraison funèbre de la reine d'Angleterre.

▶ **SE CONSOLER** v. pron.
Éprouver de la consolation, être consolé. *Se consoler de la mort d'un animal familier. Il ne peut se consoler de son mal.*

Récipr. S'apporter mutuellement un réconfort moral. *Ils se consolèrent l'un l'autre.*

12 Nous nous consolons souvent, par faiblesse, des maux dont la raison n'a pas la force de nous consoler. LA ROCHEFOUCAULD, Maximes, 325.
13 (...) il y a de certaines douleurs dont on ne doit point se consoler (...)
     Mᵐᵉ DE SÉVIGNÉ, 447, 20 sept. 1675.
14 On guérit comme on se console : on n'a pas dans le cœur de quoi toujours pleurer et toujours aimer. LA BRUYÈRE, les Caractères, IV, 34.
15 Et ces deux grands débris se consolaient entre eux.
     DELILLE, les Jardins, IV (→ Débris).
16 Plus facile (...) de consoler les autres que de se consoler soi-même (...)
     MALRAUX, la Condition humaine, p. 246.
17 Je ne me suis pas encore consolé d'avoir laissé échapper un beau longicorne vert pré (...) GIDE, Voyage au Congo, in Souvenirs, Pl., p. 691.

CONTR. Accabler, affliger, aggraver, aigrir, attrister, blesser, chagriner, consterner, déchirer, déprimer, désoler, empoisonner, envenimer, mortifier, navrer, peiner, tourmenter, vexer.
DÉR. Consolant. — V. **Consolable.**
COMP. Inconsolé.

CONSOLIDABLE [kɔ̃sɔlidabl] adj. — 1842 ; de *consolider.*

♦ Que l'on peut consolider. ⇒ **Réparable.** *Le mur est en ruine : il n'est plus consolidable.*

CONSOLIDANT, ANTE [kɔ̃sɔlidɑ̃, ɑ̃t] ou CONSOLIDATIF, IVE [kɔ̃sɔlidatif, iv] adj. — 1839, Boiste, *consolidant ; consolidatif,* 1845, Bescherelle ; de *consolider.*

♦ Vx. Qui consolide. — Méd. *Remède consolidant,* qui tend à assurer les effets d'un traitement et à affermir la guérison.

CONSOLIDATION [kɔ̃sɔlidasjɔ̃] n. f. — 1314, «cicatrisation» ; de *consolider.*

♦ **1.** (1694, abstrait). Action de consolider*, de rendre solide. ⇒ **Affermissement, renfort, réparation, stabilisation.** *La consolidation d'un mur, d'un bâtiment menaçant ruine. Nervure de consolidation. Consolidation d'un ciel de mine. Consolidation des glissements de terrain.*

Fait de se consolider. *Consolidation des argiles par tassement.*

(1754). Méd. Rapprochement et soudure de parties (os) accidentellement séparées. *Consolidation d'une fracture.* — Stabilisation d'une maladie, d'une liaison.

(Abstrait). *La consolidation d'un régime politique, d'une amitié.*

♦ **2.** (1345). Dr. *Consolidation de l'usufruit* : réunion de l'usufruit à la nue propriété, mode d'extinction de l'usufruit (Code civil, art. 617).

(1789). Fin. Le fait de consolider (2.). *Consolidation de rentes, de valeurs* : conversion de titres remboursables à court terme en titres à long terme ou perpétuels. *La consolidation de la dette flottante. Consolidation d'un compte ou d'un bilan. Consolidation par substitution de titres, par transformation de titres primitifs.*

CONSOLIDÉ, ÉE [kɔ̃sɔlide] adj. et n. — 1768 ; angl. *consolidated annuities,* même orig. que *consolider*.

♦ Adj. (Fin.) Garanti. (Dans un groupe d'entreprises). *Compte d'exploitation* (ou *bilan*) *consolidé,* où sont éliminés les avoirs et les dettes de chaque entreprise par la mise en commun des comptes. *Rentes consolidées. Tiers consolidé* : fonds réduit au tiers de sa valeur de 1797.

N. m. plur. (1835). **CONSOLIDÉS** : fonds publics de la dette d'Angleterre. *Le cours des consolidés,* en Bourse.

CONSOLIDEMENT [kɔ̃sɔlidmɑ̃] n. m. — 1839, Boiste ; de *consolider.*

♦ Rare. Action de consolider. ⇒ **Consolidation.**

CONSOLIDER [kɔ̃sɔlide] v. tr. — 1314, «cicatriser» ; XIVᵉ, «unir, joindre» ; lat. *consolidare,* de *con-* (cum), et *solidus.* → Solide.

♦ **1.** (Fin XVᵉ). Rendre plus solide, plus stable. ⇒ **Affermir, assurer, enforcir, étayer, fortifier, raffermir, renforcer, soutenir, stabiliser.** *Consolider un édifice, une charpente... Consolider un mur à l'aide de contreforts, d'arcs-boutants, d'un contre-mur, d'un revêtement. Consolider une roue...* ⇒ **Arrêter, assujettir, attacher, bloquer, immobiliser.**

Suzanne se retourna vers Joseph qui avait fini de réparer le petit pont de bois. Maintenant il consolidait les piliers avec des pierres qu'il allait chercher sur la piste. M. DURAS, Un barrage contre le Pacifique, p. 103. 0.1

Par extension :

(...) un crapaud de cinq ans, éclopé, qui consolidait de béquilles son rachitisme précoce (...)
     COURTELINE, Messieurs les ronds-de-cuir, IIᵉ tableau, III, p. 78. 1

Méd. Effectuer la consolidation* de. *Consolider une fracture.*

(Abstrait). Rendre solide, durable. ⇒ **Ancrer, asseoir, cimenter, confirmer, enraciner, implanter ; fixer.** *Consolider une alliance, un traité, la paix. Consolider sa puissance, sa situation, sa fortune. Le régime ne s'est pas consolidé.*

Ce pays *(l'Espagne)* avait treize millions d'habitants avant que le despotisme y fût consolidé. B. CONSTANT, le Journal intime, p. 162. 2
(...) il *(V. Hugo)* assoit, il consolide ainsi cette formidable popularité où il mourut.
     A. THIBAUDET, Gustave Flaubert, p. 71. 3
(...) l'État ne se défera pas des armes acquises par lui à la faveur de ces circonstances exceptionnelles. Il les conservera, cherchera à les consolider (...)
     André SIEGFRIED, l'Âme des peuples, I, II, p. 11. 4

(XVIᵉ) Dr. *Consolider l'usufruit,* en effectuer la consolidation*.

♦ **2.** (1789). Rendre consolidé*. *Consolider une rente, un emprunt. Consolider la dette flottante* (⇒ **Consolidation**).

▶ **CONSOLIDÉ, ÉE** p. p. adj. *Charpente consolidée.* — Fig. Figé, fixé.

(...) une expression risible du visage sera celle qui nous fera penser à quelque chose de raidi, de figé, pour ainsi dire, dans la mobilité ordinaire de la physionomie. Un tic consolidé, une grimace fixée (...) BERGSON, le Rire, I, p. 18. 5

Spécialt. (Fin.) ⇒ **Consolidé,** adj.

CONTR. Abattre, affaiblir, annihiler, annuler, briser, démolir, ébranler, miner, remuer, saper. — **Séparer** (droit).
DÉR. Consolidable, consolidant ou **consolidatif, consolidation, consolidement.**

CONSOMMABLE [kɔ̃sɔmabl] adj. — 1758 ; autre sens, 1580 ; de *consommer.*

♦ Qui peut être consommé. *Cette viande n'est consommable que bouillie.* ⇒ **Mangeable.**

1 La publicité n'en possède pas moins une extraordinaire puissance. N'est-elle pas elle-même le premier des biens consommables ?
Henri LEFEBVRE, la Vie quotidienne dans le monde moderne, p. 108.

Fam. (Personnes). Qui peut être « consommé », pris. → Baisable.

2 Curieusement personne ne faisait la cour à Zouzou. Pourtant, elle était consommable, pour un non-végétarien.
Claude COURCHAY, La vie finira bien par commencer, p. 214.

CONTR. Inconsommable.

CONSOMMATEUR, TRICE [kɔ̃sɔmatœʀ, tʀis] n. — 1525 ; lat. ecclés. *consummator*, du supin de *consummare*. → Consommer.

★ **I.** Théol. Personne qui achève, consomme (I.). → Auteur, cit. 1.

1 (...) Jésus, l'auteur et le consommateur de la foi (...)
BIBLE (CRAMPON), Épîtres aux Hébreux, XII, 2.

★ **II.** (1745 ; de *consommer*, II.). Cour. ♦ **1.** Personne qui utilise des marchandises, des richesses, pour la satisfaction de ses besoins. *Les fournisseurs et les consommateurs.* ⇒ **Acheteur, client** (→ Aimer, cit. 54 ; artisan, cit. 4 ; besoin, cit. 22 ; commerce, cit. 3). *Besoins des consommateurs. Associations de consommateurs.* (1912, *in* D. D. L.). *Défense du consommateur.* ⇒ **Consumérisme** (anglic.).

2 La consommation ne crée pas entre les hommes la même communauté d'intérêts, la même concentration permanente d'efforts que le fait l'exercice d'une même profession, nonobstant la concurrence (...) C'est pourquoi l'organisation professionnelle a devancé de beaucoup l'organisation des consommateurs (...)
(...) le consommateur ne veut plus jouer simplement le rôle de *client*, au sens historique et humiliant de ce mot, mais prétend participer au gouvernement économique.
Charles GIDE, Cours d'économie politique, t. II, p. 479-480.

Adj. *Pays producteurs et consommateurs. Industrie consommatrice d'électricité.*

Fig. (avec un compl. abstrait) :

2.1 (...) la crise actuelle ne deviendrait inquiétante que si, comme pour le social, le rapport entre la masse passivement consommatrice d'art et l'élite créatrice entraînait une dégradation du tonus de recherche.
A. LEROI-GOURHAN, le Geste et la Parole, t. II, p. 255.

♦ **2.** (1836). Personne qui prend une consommation dans un café, un restaurant. ⇒ **Buveur, 2.**

3 (...) offrir au public un festin toujours prêt, et dont les mets se détaillent à prix fixe sur la demande du consommateur.
A. BRILLAT-SAVARIN, Physiologie du goût, Médit. 28.

4 Terroriser le bourgeois pantouflard, en massacrant les consommateurs d'une terrasse.
J. ROMAINS, les Hommes de bonne volonté, t. IV, X, p. 103.

♦ **3.** Didact. Organisme qui consomme. *Organismes autotrophes* et consommateurs primaires* (se nourrissant aux dépens des premiers). Les carnivores sont des consommateurs secondaires.*

CONTR. Producteur.
DÉR. Consommateurisme.

CONSOMMATEURISME [kɔ̃sɔmatœʀism] n. m. — 1978 ; de *consommateur*.

♦ Francisation de *consumérisme*.

CONSOMMATIF, IVE [kɔ̃sɔmatif, iv] ou CONSOMMATOIRE [kɔ̃sɔmatwaʀ] adj. — 1972, *consommatif* ; *consommatoire*, v. 1970 ; de *consommation*.

♦ Rare. De la consommation.

Didact. (en parlant de la consommation par des organismes) :

(...) les grandes lignes de la réalisation de l'instinct une fois tracées par les *IRM*, les actes consommatoires qui s'ensuivent se différencient rapidement en exécutions variées (...)
J. PIAGET, Épistémologie des sciences de l'homme, p. 204.

CONSOMMATION [kɔ̃sɔmasjɔ̃] n. f. — XIIᵉ ; lat. ecclés. *consummatio*, du supin de *consummare*. → Consommer.

★ **I.** Didact. ou littér. Action d'amener une chose à son plein accomplissement. ⇒ **Achèvement, couronnement, fin, terminaison.** *La consommation d'un sacrifice, d'un forfait, d'une ruine. Consommation d'un mariage,* par l'union charnelle des époux. — Loc. *Jusqu'à la consommation des siècles :* jusqu'à la fin des temps (→ Ange, cit. 6 ; apocalypse, cit. 1 ; assurer, cit. 32).

1 Il est venu (*le Messie*) enfin en la consommation des temps ; et depuis, on a vu naître tant de schismes et d'hérésies, tant renverser d'États, tant de changements en toutes choses ; et cette Église, qui adore Celui qui a toujours été adoré, a subsisté sans interruption.
PASCAL, Pensées, IX, 613.

2 Mˡˡᵉ d'Armagnac est mariée à ce Cadaval (*seigneur portugais*) ; elle est jolie et belle ; c'est le chevalier de Lorraine qui l'épouse (par procuration) : elle fait pitié d'aller chercher si loin la consommation.
Mᵐᵉ DE SÉVIGNÉ, 420, 26 juil. 1675.

3 Ainsi s'accomplit sans cesse depuis le ciron jusqu'à l'homme, la grande loi de la destruction des êtres vivants. La terre entière, continuellement imbibée de sang, n'est qu'un autel immense où tout ce qui vit doit être immolé sans fin, sans mesure, sans relâche, jusqu'à la consommation des choses, jusqu'à l'extinction du mal, jusqu'à la mort de la mort.
J. DE MAISTRE, les Soirées de St-Pétersbourg, 7ᵉ entretien.

4 Pensiez-vous, ma petite dame, que j'allais, sous prétexte de la consommation des siècles, être votre fournisseur et banquier pour l'amour de Dieu ?
FLAUBERT, Mᵐᵉ Bovary, III, VI, p. 186.

La consommation d'une infraction. ⇒ **Perpétration.**

★ **II.** (XVIIᵉ ; de *consommer*, II.). Cour. ♦ **1.** Action de faire (de qqch.) un usage qui détruit ou rend ensuite inutilisable. *Faire une grande consommation de papier à lettres, d'électricité.* — *Consommation d'essence, d'huile* (d'une automobile). *Réduire la consommation d'une voiture en conduisant en souplesse.* — *La consommation quotidienne d'un animal* (pour sa nourriture). — Par ext. ⇒ **Utilisation.** *Faire une grande consommation de... « Loti " fait " une épouvantable consommation de " et "... »* (Goncourt, *in* T. L. F.).

Absolt. Écon. et cour. Utilisation des biens et des services. ⇒ **Usage.** *Le développement de la consommation. Variations de la consommation. Consommation et débouchés. Impôts, taxes, droits de consommation. Consommation de luxe. Consommation productive de richesses naturelles. Consommation improductive.*

5 La consommation n'est pas une destruction de matière, mais une destruction d'utilité.
J.-B. SAY, Traité, *in* LITTRÉ.

6 Par production, j'entends ce qui confère l'utilité, et par consommation la jouissance produite par cette utilité.
BASTIAT, Œuvres, *in* LITTRÉ.

7 La consommation est la cause finale et, comme le nom le dit si bien, « l'accomplissement » de tout le procès économique, production, circulation, répartition (...)
(...) il ne faut pas croire que consommation soit synonyme de *destruction*. Il est vrai (...) qu'il y a certains besoins, l'alimentation par exemple ou le chauffage, qui ne peuvent être satisfaits que par la transformation des objets propres à nous servir d'aliments ou de combustibles (...) Mais il est beaucoup d'autres richesses qui peuvent être détruites : maisons, jardins, monnaies, meubles, objets d'art.
Charles GIDE, Cours d'économie politique, t. II, p. 472.

8 (...) la standardisation de la production entraîne logiquement celle de la consommation (...)
André SIEGFRIED, l'Âme des peuples, I, III, p. 24.

Mil. XXᵉ. *Biens de consommation :* biens dont l'utilisation détermine la satisfaction immédiate d'un besoin (opposés à *biens de production**).

Biens, articles de consommation courante. — *Société de consommation :* type de société où le système économique pousse à consommer et suscite des besoins dans les secteurs qui sont profitables à son développement. *Coopérative* de consommation.*

8.1 Mais brisons-la : car le pain doit être dans notre bouche moins objet de respect que de consommation.
Francis PONGE, le Parti pris des choses, p. 46.

8.2 Et qui n'a pas connu la France de cette époque ignore ce qu'est l'appétit de biens de consommation, des bas en nylon au réfrigérateur, en passant par les disques et les automobiles pour lesquelles il fallait des licences d'achat, et que l'on attendait un an... Un climat analogue règne aujourd'hui dans les pays de l'Est.
F. GIROUD, Si je mens, p. 123.

8.3 Les Jouets de Georges Michel sont une satire, cruelle et drôle, de notre société de consommation, de l'environnement qui nous est imposé, des slogans dont l'O. R. T. F. nous infecte.
S. DE BEAUVOIR, Tout compte fait, p. 214 (1972).

♦ **2.** (1837). Une, des consommations. Ce qu'un client commande au café. ⇒ **Boisson, rafraîchissement.** *Régler les consommations. Renouveler une consommation. Compte de consommations à crédit.* ⇒ **Ardoise** (fam.).

9 Un instant ! Commençons par jouer
La *consommation* d'abord pour essayer.
Je vais boire à tes frais, pour sûr, un petit verre.
A. DE MUSSET, Poésies nouvelles, « Dupont et Durand ».

10 On boit la dernière et on fait une manille aux enchères à trois, pour savoir qui paiera les consommations ?
M. PAGNOL, Marius, III, 2.

Abrév. pop. : *conso, consom* (1858, Lorchey) ou *consomme* (1872, Verlaine, *in* D. D. L.).

11 Alle (*elle*) paie sa consomme et s'lève. A s' dirige vers son domicile, qu'est sis au quatre-vingt-onze d'la rue Paradis.
R. QUENEAU, le Chiendent, p. 364-365.

CONTR. Commencement, début. — **Production.**
DÉR. Consommatif. — V. **Consommatique.**
COMP. Autoconsommation, sous-consommation, surconsommation.

CONSOMMATIQUE [kɔ̃sɔmatik] n. f. — 1975, *in* G. L. E., Deuxième Suppl. ; de *consommation*, sur les modèles de *économique, mathématique.*

♦ **1.** Ensemble des recherches sur la consommation*.

♦ **2.** Terme proposé pour remplacer l'anglicisme *consumérisme**.

CONSOMMATOIRE [kɔ̃sɔmatwaʀ] adj. ⇒ Consommatif.

CONSOMMÉ [kɔ̃sɔme] n. m. — Av. 1590 ; du p. p. de *consommer*.

♦ Bouillon de viande concentré. *Un consommé de poulet. Consommé froid, frappé. Boire un consommé chaud* (⇒ **Viandox**) *à un comptoir.*

1 Ne mettez point votre pot-au-feu si matin, craignez d'en faire un consommé.
Mᵐᵉ DE SÉVIGNÉ, 332, 10 oct. 1673.

2 Il tendit le grand carton à 70 plats inscrits (...) M. Javellard se serait contenté d'un consommé madrilène (...)
Pierre HAMP, la Peine des hommes (Moteurs), p. 97-98.

HOM. Consommer.

CONSOMMER [kɔ̃sɔme] v. tr. — Fin XIIᵉ ; *consumer* « anéantir », v. 1120 ; lat. *consummare* « faire la somme ; achever ».

★ **I.** Littér. Mener (une chose) au terme de son accomplissement. *Consommer son œuvre.* ⇒ **Achever, couronner, parfaire, terminer.**

Consommer un forfait, un crime, un attentat (cit. 7, 8). ⇒ **Accomplir, commettre, perpétrer.** *Consommer son sacrifice* (→ Bûcher, cit. 5). — *Tout est consommé :* tout est accompli (conformément aux Écritures), dernières paroles de Jésus-Christ sur la croix (*Évangile selon saint Jean*, XIX, 30).

(1588). *Consommer le mariage :* accomplir l'union charnelle.

1 Justinien ordonna qu'un mari pourrait être répudié sans que la femme perdît sa dot, si pendant deux ans il n'avait pu consommer le mariage.
MONTESQUIEU, l'Esprit des lois, XXIX, 16.

2 Le temps qu'un ignorant passe à consommer sa ruine est précisément celui qu'un homme habile sait employer à l'éducation de son bonheur.
BALZAC, Physiologie du mariage, Pl., t. X, p. 645.

3 (...) elle consommait son martyre dans la pénombre claustrale d'une prison cellulaire (...)
Léon BLOY, la Femme pauvre, II, II, p. 187.

4 Tout l'effort du drame est de montrer le système logique qui, de déduction en déduction, va consommer le malheur du héros.
CAMUS, le Mythe de Sisyphe, p. 177.

★ **II.** (XVIᵉ ; «détruire, consumer», XVᵉ). ♦ **1.** Amener (une chose) à destruction en utilisant sa substance ; en faire un usage qui la rend ensuite inutilisable. ⇒ **User** (de), **utiliser** ; **consommation.** *Consommer ses provisions. Consommer des aliments.* ⇒ **Absorber, boire, manger, nourrir** (se nourrir de), **user** (de), **vivre** (de). *Les végétariens ne consomment pas de viande. Consommer du combustible, de l'électricité.* ⇒ **Brûler, consumer, employer.** *Consommer de l'eau pour le bain. Pays, région qui consomme beaucoup d'énergie, de matières premières. Producteur qui consomme les produits de sa propre activité* (⇒ **Autoconsommation**). *Absolt. Des bouches inutiles qui consomment sans produire. Un pays, une économie qui consomme beaucoup.* — *Pron. Mets qui se consomme froid. Qui se consomme par l'usage.* ⇒ **Consomptible.**

5 Le consommateur ne peut (...) satisfaire à un besoin qu'en en sacrifiant un autre (...) il fait la même pesée *(que l'échangiste)* entre l'utilité de ce à quoi il renonce et l'utilité de ce qu'il veut consommer.
Charles GIDE, Cours d'économie politique, t. II, p. 476.

6 L'Amérique peut fort bien maintenir un train de vie supérieur à celui du reste du monde, tant qu'elle mène une existence économique indépendante, n'achetant et ne vendant au dehors qu'une faible part de ce qu'elle consomme ou produit (...)
André SIEGFRIED, les États-Unis d'aujourd'hui, XIV, p. 188.

Utiliser (qqch.), pratiquer (une activité) en considérant comme une marchandise, sans goût véritable, ou en refusant de s'engager. *Consommer de la voile, de la montagne. Ils consomment de la musique, de la culture.*

♦ **2.** (1844). Prendre (une, des consommations) au café. «*Courbet, qui consommait trente bocks dans une soirée*» (Goncourt, *in* T. L. F.). — Absolt (plus cour.). *Consommer à la terrasse, au comptoir.*

♦ **3.** (Choses). User (du combustible, etc.). *Cette voiture consomme trop d'essence,* ou, absolt, *consomme trop.* ⇒ 2. **Bouffer** (fam.).

▶ **CONSOMMÉ, ÉE** p. p. et adj. (1361). Parvenu à un degré élevé de perfection. ⇒ **Accompli, achevé, parfait.** *Diplomate, artiste consommé.* → Prestance, cit. 3. *Habileté consommée. Hypocrisie consommée.*

7 (...) Homme consommé dans toutes les sciences (...)
MOLIÈRE, le Mariage forcé, 4.

8 (...) cette vivacité du premier coup d'œil que je n'eus jamais sur rien, et qui s'acquiert en musique que par une pratique consommée.
ROUSSEAU, les Confessions, V.

9 Il avait vraiment mené cette longue et difficile manœuvre avec une science consommée ; toutes les conventions signées par la conférence avaient été conçues et signées sous son action.
Louis MADELIN, Talleyrand, V, XXXVIII, p. 416.

CONTR. Commencer. — Approvisionner, épargner, produire.
DÉR. Consommable, consommatif, consommé.
HOM. Consommé.

CONSOMPTIBILITÉ [kɔ̃sɔ̃ptibilite] n. f. — XXᵉ ; de *consomptible.*

♦ Dr. Qualité d'un bien consomptible.

La consomptibilité est (...) une *qualité de fait* de certaines choses, qui les rend impropres à devenir l'objet d'un droit de jouissance temporaire, à l'expiration duquel elles se retrouveraient intactes.
M. PLANIOL, Traité élémentaire de droit civil, I, p. 736, nº 2179.

HOM. V. Consumptibilité.

CONSOMPTIBLE [kɔ̃sɔ̃ptibl] adj. — 1585 ; *inconsumptible* dès 1488 ; repris XIXᵉ, var. *consumptible ;* lat. *consumptibilis,* du supin de *consumere.* → Consumer.

♦ Dr. Dont on ne peut se servir sans le détruire. *Biens, produits consomptibles par le premier usage.*

Les choses non consomptibles sont celles qui résistent à un usage même prolongé, comme les maisons, les meubles meublants, les vêtements, les outils de travail (...)
Le plus souvent, les mêmes choses qui sont consomptibles par le premier usage sont en même temps fongibles entre elles.
M. PLANIOL, Traité élémentaire de droit civil, t. I, p. 736-737.

DÉR. Consomptibilité.
HOM. V. Consumptible.

CONSOMPTIF, IVE [kɔ̃sɔ̃ptif, iv] adj. — V. 1390 ; dér. sav. du lat. *consumptus.*

♦ Méd. Relatif à la consomption. *Phase consomptive d'une maladie.*
Rare. Atteint de consomption. *Un enfant consomptif.*

CONSOMPTION [kɔ̃sɔ̃psjɔ̃] n. f. — 1314, «action de consumer» ; lat. *consumptio,* du supin de *consumere.* → Consumer.

♦ **1.** (1521). Vx ou littér. Fait d'être consumé. ⇒ **Combustion.** *Brûler jusqu'à entière consomption.*
Littér. Anéantissement, destruction.

1 Je sais qu'il est des âmes très nobles que l'amour de Dieu a brûlées plus fort que tout autre désir (...) mais c'est alors une consomption trop rapide et la raison en est trop étonnée.
GIDE, Journal, 13 oct. 1894.

♦ **2.** (1559). Méd. Amaigrissement et dépérissement observés dans une maladie grave et prolongée. ⇒ **Affaiblissement, épuisement, langueur.** Vx. Tuberculose pulmonaire.

1.1 (...) ses joies toujours troublées, ses chagrins incessants, avaient affaibli les principes de la vie et développé chez elle une maladie de langueur qui, loin d'être atténuée, prit chaque jour une force nouvelle. Enfin, un dernier coup activa la consomption de la duchesse (...) Elle entra dans une période de dépérissement si visible, que cette maladie nécessita la promotion de Beauvouloir au poste de médecin de la maison d'Hérouville (...)
BALZAC, l'Enfant maudit, éd. 1876, p. 53.

2 Sa femme, morte jeune, du mal qu'on appelait encore à cette époque la consomption.
FRANCE, la Vie en fleur, p. 115.

Par métaphore :

3 Vous souffrez tous ici d'une espèce de consomption morale. Il vous manque quelque chose.
DRIEU LA ROCHELLE, la Comédie de Charleroi, p. 276.

CONTR. Conservation. — Santé, vigueur ; rétablissement.

CONSONANCE [kɔ̃sɔnɑ̃s] n. f. — V. 1150, *consonancie,* sens 2 ; du lat. *consonantia,* de *con-* (cum), et *sonus* «son».

♦ **1.** (Av. 1558 ; *consonancie,* 1377). Mus. Ensemble de sons (accord) considéré dans la musique occidentale (et traditionnellement) comme agréable à l'oreille (opposé à *dissonance*). *Consonances parfaites* (⇒ **Octave, quinte, unisson**), *imparfaites* (⇒ **Sixte, tierce**), *mixtes* (⇒ **Quarte**). *Consonances attractives* (quarte augmentée, quinte diminuée), qui laissent l'oreille en suspens et appellent un autre accord.

1 Quoique les musiciens distinguent fort bien les différentes consonances, ce n'est point qu'ils en distinguent les rapports par des idées claires ; c'est l'oreille seule qui juge chez eux de la différence des sons ; la raison n'y connaît rien.
MALEBRANCHE, De la recherche de la vérité,
Éclaircissement, III, IV, *in* POUGENS.

2 Les Grecs n'ont reconnu pour consonances que celles que nous appelons consonances parfaites.
ROUSSEAU, Examen de deux principes sur la musique, *in* LITTRÉ.

♦ **2.** (1268). Uniformité ou ressemblance du son final de deux ou plusieurs mots. *Consonance à la fin des vers.* ⇒ **Rime.** *Consonance imparfaite.* ⇒ **Assonance.**

3 (...) ces consonances de la fin des vers qui sont comme des échos répercutés où le même sentiment se prolonge dans le même son (...)
LAMARTINE, Premières méditations, Préface, IV.

♦ **3.** Succession, ensemble de sons. *Un nom aux consonances harmonieuses, bizarres, métalliques, heurtées.*

4 «Les Désenchantées», oui, la consonance serait jolie, mais le sens un peu à côté (...)
LOTI, les Désenchantées, XIV, p. 116.

5 Le langage de ce pays semble toujours une suite de consonances incertaines, nasillardes, entrecoupées en monosyllabes un peu haletants (...)
LOTI, Figures et Choses..., «Trois journées de guerre», IV, p. 267.

♦ **4.** Fig. Concordance, harmonie.

6 (...) l'*aube* (→ 2. Aube, cit. 1) offre de douces consonances avec des idées religieuses ; toujours un majestueux souvenir ou une agréable harmonie s'attache aux tissus de nos autels.
CHATEAUBRIAND, le Génie du christianisme, IV, I, II.

7 (...) les tons *(en peinture),* selon qu'ils sont ou non complémentaires l'un de l'autre, ont leurs dissonances et leurs consonances ; ils s'appellent ou s'excluent ; l'orangé, le violet, le rouge, le vert et tous les autres, simples ou mélangés, forment ainsi par leur proximité, comme les notes musicales par leur succession, une harmonie pleine et forte, ou âpre et rude, ou douce et molle.
TAINE, Philosophie de l'art, t. II, V, IV, IV, p. 335.

REM. On trouve aussi, aux divers sens du mot, la graphie *consonnance* (ci-dessus, cit. 6 ; Sainte-Beuve, Barrès...), qui fut adoptée (1718) puis écartée (1932) par l'Académie dans son dictionnaire.

CONTR. Dissonance.

CONSONANT, ANTE [kɔ̃sɔnɑ̃, ɑ̃t] adj. — V. 1165, sens 2 ; lat. *consonans,* p. prés. de *consonare* «résonner ensemble». → Consoner.

♦ **1.** (1377). Mus. Qui produit une consonance. *Accords, intervalles consonants.*
Qui produit une harmonie.

L'harmonie de ces Joueurs *(de Daumier),* aussi magistrale qu'elle soit, appartient au système consonant du musée.   MALRAUX, les Voix du silence, p. 101.

♦ **2.** Qui est formé de consonances. *Phrases consonantes.*

REM. On trouve aussi la graphie *consonnant, ante.*

CONSONANTIQUE [kɔ̃sɔnɑ̃tik] adj. — 1872; de *consonne;* d'après l'allemand.

♦ Phonét. Des consonnes. *Système consonantique* (opposé à *vocalique*).

CONSONANTISME [kɔ̃sɔnɑ̃tism] n. m. — 1872, *consonnantisme;* de *consonantique,* et suff. *-isme.*

♦ Phonét. Système des consonnes d'une langue (opposé à *vocalisme*). — REM. La forme *consonnantisme,* quoique vieillie, se rencontre encore dans l'usage contemporain. « *Des tentatives pour noter (...) les vocalisations ne se manifestent qu'assez tard. Ce consonnantisme, cette absence de vocalisation, apporte un surcroît d'ambiguïté.* » (*Sciences et Avenir,* n° spécial, La nouvelle Égypte ancienne, p. 96).

CONSONER [kɔ̃sɔne] v. intr. — V. 1228, «raconter»; lat. *consonare* «produire un son ensemble», de *con-* (*cum*), et *sonare.* → Sonner.
Rare.

♦ **1.** (V. 1455). Aller de pair. ⇒ **Accorder** (s'), **convenir** (se), **harmoniser** (s'), **seoir.**

Tout vrai à tout vrai consone.   RABELAIS, le Tiers Livre, XXI.

♦ **2.** (1853). Mus. Former une consonance. *Intervalles qui consonent.*

REM. On écrit aussi *consonner.*

CONTR. **Dissoner.** — Contraster, disconvenir, diverger, écarter (s'), jurer (avec).

CONSONNE [kɔ̃sɔn] n. f. — 1529; lat. gramm. *consona* «dont le son se joint à», déverbal de *consonare.* → Consoner.

♦ **1.** Phonème (bruit — *consonnes sourdes* — ou son et bruit) produit par le passage de l'air à travers la gorge, la bouche, formant obstacles. *Consonnes occlusives* (orales; nasales), *constrictives* ou *fricatives* (d'après le mode d'articulation). *Consonnes affriquées. Consonnes bilabiales* [p, b], *labio-dentales* [f, v], *dentales* [t, d], *alvéolaires* [s, z], *palatales, vélaires* [k, g], *uvulaire* [R]. ⇒ aussi **Semi-consonne.** *Consonne implosive, explosive. Consonne aspirée. Les consonnes du français* [p, t, k, b, d, g, f, s, ʃ, v, z, ʒ, m, n, ɲ, R, l]. *Consonne d'appui*. Affaiblissement d'une consonne.* ⇒ **Lénition.**

1   Dans une syllabe composée de plusieurs consonnes qui semblent se presser autour d'une voyelle, sphinx, grecs, cécrops, la réunion précipitée de toutes ces articulations en un temps syllabique rend l'action de l'organe pénible et confuse.
    MARMONTEL, Œuvres, in LITTRÉ.
2   (...) par tout le dortoir, un bruissement confus, où, de temps en temps, se distingue le sifflement bref d'une consonne.   J. RENARD, Poil de carotte, p. 31.
3   J'inventai la couleur des voyelles! (...) Je réglai la forme et le mouvement de chaque consonne, et, avec des rythmes instinctifs, je me flattai d'inventer un verbe poétique accessible, un jour ou l'autre, à tous les sens.
    RIMBAUD, Une saison en enfer, «Délires», II.
4   M. de Segrais écrivit au nom de l'Académie de Caen, pour inviter l'Académie française à décider s'il fallait dire bo-n à monter, bo-n à descendre, ou ne point faire tinter la consonne finale de bon.
    D'OLIVET, Traité de la prosodie franç., III, 6, in LITTRÉ.
4.1 En réalité le souffle c'est la voyelle. La consonne c'est la forme que nos lèvres, notre langue, tout notre instrument buccal donnent au souffle, la manière dont ils le font sortir de nous en le faisant résonner suivant la quintuple voyelle dans notre cavité buccale. La consonne est le support de la voyelle et la voyelle à son tour est le colorant du sentiment qu'exprime la lettre. La consonne est la lettre et la voyelle est l'esprit.   CLAUDEL, Journal, 1er oct. 1922.

♦ **2.** (XVIIe). Lettre représentant une consonne. *Consonnes géminées,* identiques, qui se suivent dans un mot. *Consonne muette. Faire la liaison avec la consonne finale.*

5   La langue hébraïque s'écrivait autrefois sans voyelles, il n'y avait que les seules consonnes, et c'était la tradition et l'usage qui apprenaient comment il fallait placer les voyelles pour la lire et la prononcer.
    DU MARAIS, Œuvres, in LITTRÉ.

♦ **3.** Adj. (1694, *lettre consonne*). Vx. *Lettre, son consonne.*

DÉR. **Consonantique, consonantisme.**
COMP. **Semi-consonne.**
HOM. Formes du v. **consoner.**

CONSONNER [kɔ̃sɔne] v. intr. ⇒ **Consoner.**

CONSORT [kɔ̃sɔR] n. et adj. m. — 1392, *consors* «complice»; *consorte* «épouse», v. 1370; lat. *consors* «qui partage le sort (*sors*)».

♦ **1.** N. m. plur. *Untel et consorts,* et ceux qui agissent avec lui; et les gens de même espèce (souvent péj.). — (1635). Dr. Plaideurs ayant un intérêt commun à un procès *(liticonsorts).*

1   Du même coup, MM. de Lommérie, Thénezay et consorts, sentiront qu'ils ont en

face d'eux non un homme de paille, avec qui l'on ne se gêne pas, mais quelqu'un d'indépendant, et qui compte.
    J. ROMAINS, les Hommes de bonne volonté, t. V, XVIII, p. 140.

♦ **2.** Adj. (1669). **PRINCE CONSORT :** époux d'une reine, quand il ne règne pas lui-même (opposé à *régnant*).
Par métaphore :

2   (...) ma mission n'était point en tout cas de devenir le prince consort d'un maigre champ héroïque (...)   GIRAUDOUX, Simon le pathétique, p. 68.

CONSORTIAL, ALE, AUX [kɔ̃sɔRsjal,o] adj. — 1876; de *consortium.*

♦ Écon. D'un consortium. *Crédits consortiaux.*

(...) s'il n'y a pas de garanties, nous ne pouvons à l'égard de nos actionnaires, envisager un crédit consortial plus élevé que le montant des dépôts à rembourser, et garanti par la reprise que nous ferions des affaires saines du groupe.
    MALRAUX, la Condition humaine, p. 278.

CONSORTIUM [kɔ̃sɔRsjɔm] n. m. — 1869; mot angl., du lat. «association».

♦ Groupement non institutionnel qui a pour objet la réalisation d'une opération financière ou économique. *Des consortiums d'achat* (⇒ **Comptoir**). *Consortium bancaire,* pour la réalisation de crédits ou d'opérations bancaires (→ 1. Pool anglic.). *Consortium de journaux. Consortium industriel, textile.*

DÉR. **Consortial.**

CONSOUDE [kɔ̃sud] n. f. — V. 1265; *consoldre,* XIIe; du bas lat. *consolida,* de *consolidare* «affermir», à cause de ses propriétés.

♦ Plante des lieux humides *(Borraginacées),* herbe haute utilisée autrefois en médecine (astringente).

(...) un rouge-gorge qui boit dans la feuille d'une grande consoude, et qui, la tête encore renversée, lance vers la lumière un petit sifflement vif et pur.
    M. GENEVOIX, la Dernière Harde, éd. J'ai lu, p. 209.

CONSPIRANT, ANTE [kɔ̃spiRɑ̃, ɑ̃t] adj. ⇒ **Conspirer.**

CONSPIRATEUR, TRICE [kɔ̃spiRatœR, tRis] n. — 1574; «personne qui a machiné un forfait», 1302; de *conspirer.*

♦ Personne qui conspire. ⇒ **Comploteur, conjurateur, conjuré** (→ Attaquer, cit. 12). *Association de conspirateurs.* ⇒ **Conspiration.** *Arrêter un conspirateur. Prendre un air de conspirateur.*

(...) de ce bureau, cette main blême, aux longs doigts maigres, tiendra, six ans, sans fatigue le filet où se jetteront les conspirateurs avant qu'ils n'aient pu achever de nouer leur trame.   Louis MADELIN, l'Avènement de l'Empire, X, p. 147.

Adj. *Menées conspiratrices.*

CONSPIRATION [kɔ̃spiRasjɔ̃] n. f. — 1160; lat. *conspiratio,* du supin de *conspirare.* → Conspirer.

♦ **1.** Accord secret (entre deux ou plusieurs personnes) en vue de renverser le pouvoir établi. ⇒ **Complot, conjuration, machination.** *Fomenter, former, machiner, ourdir, préparer, tramer une conspiration. Tremper dans une conspiration. Découvrir une conspiration. La conspiration de Cinna contre Auguste.* — *La conspiration des poudres.*

1   (...) enfermé depuis de longues années pour avoir, disait-on, trempé dans la conspiration de Berne.   ROUSSEAU, les Confessions, V.
2   (...) la plus formidable des conspirations s'ourdissait dans les vues les plus avouées et les desseins les plus sinistres.
    Louis MADELIN, l'Avènement de l'Empire, III, p. 23.

Groupe de conspirateurs. *Le chef, l'âme de la conspiration.*

♦ **2.** (1673). Entente dirigée contre qqn ou qqch. ⇒ **Brigue, cabale, intrigue, ligue.** *Conspiration du silence :* entente pour taire, cacher qqch.

3   Votre belle-mère ne s'endort point, et c'est sans doute quelque conspiration contre vos intérêts où elle pousse votre père.   MOLIÈRE, le Malade imaginaire, I, 8.
4   Une conspiration d'économie unissait les consommateurs contre l'avidité des producteurs.   A. MAUROIS, Bernard Quesnay, XXI, p. 140.

♦ **3.** Vx ou littér. Concours de forces vers un même but.

5   Aucun coin de la terre n'a donné lieu, plus que Venise, à cette conspiration de l'enthousiasme.   MAUPASSANT, la Vie errante, p. 246.

CONSPIRER [kɔ̃spiRe] v. — XIIe, intr.; lat. *conspirare* «s'accorder», de *con-* (*cum*), et *spirare* «respirer» et «aspirer à».

♦ **1.** V. tr. Vieilli. Poursuivre secrètement, avec d'autres (un but commun). ⇒ Méditer de qqn. ⇒ **Méditer, ourdir, projeter, tramer.** *Conspirer la ruine de l'État.* ⇒ **Comploter.**

1   Qui croirait en effet (...)
    Qu'un peuple tout entier, tant de fois triomphant,
    N'eût daigné conspirer que la mort d'un enfant?   RACINE, Andromaque, I, 2.

♦ **2.** V. intr. Mod. Préparer une conspiration ou y participer. *Conspirer contre la République. Accuser qqn de conspirer.*

2   (...) quand M. de Talleyrand ne conspire pas, il trafique.
     CHATEAUBRIAND, Mémoires d'outre-tombe, t. III, p. 379.

♦ **3.** Trans. ind. (1580). Sujet n. de chose. **CONSPIRER À** : contribuer à (un même effet). ⇒ **Concourir, tendre** (à). *Tout conspire à son bonheur, à faire son bonheur.*

3   Tout conspire, Madame, à mon contentement (...)   MOLIÈRE, Tartuffe, IV, 7.
4   Tout semblait conspirer au bonheur de cette journée.
     ROUSSEAU, les Confessions, VI.
5   En moi, autour de moi, dessus moi, sans me demander mon avis, tout conspire, tout concourt à faire de moi un paysan non point du Danube (...)
     Ch. PÉGUY, in MAUROIS, Études littéraires, t. I, p. 245.

▶ **CONSPIRANT, ANTE** adj.

Vx. Qui concourt à un même effet. *Mouvements conspirants. Forces conspirantes.*

6   Ce que les apparences des mouvements planétaires offrent de plus remarquable est leur changement (...) qui ne peut être évidemment que le résultat de deux mouvements alternativement conspirants et contraires.
     LAPLACE, Exposition du système du monde, I, 11.

CONTR. Contrarier. — (De l'adj.) Contraire.
DÉR. Conspirateur.

CONSPUER [kõspɥe] v. tr. — 1530, «cracher sur»; repris 1743; lat. *conspuere* «cracher sur», de *con-* (*cum*), et *spuere* «cracher».

♦ Manifester bruyamment, publiquement et en groupe contre (qqn ou qqch.). ⇒ **Bafouer, huer.** *Conspuer un orateur. Il s'est fait conspuer. Conspuer les valeurs bourgeoises. Conspuer un spectacle.*

1   Plusieurs centaines de grévistes, massés devant la porte, conspuaient les rares ouvriers qui s'obstinaient à vouloir travailler.
     A. MAUROIS, Bernard Quesnay, XV, p. 93.
2   Les effets ignobles et banlieusards de la construction étaient joyeusement conspués par le soleil (...)   DRIEU LA ROCHELLE, la Comédie de Charleroi, p. 273.

▶ **CONSPUÉ, ÉE** p. p. adj. *Gouvernement conspué.*

3   À sept ans, chassé, conspué, vagabond, montré au doigt par les bonnes boutiquières de Montmartre à leurs petits, j'étais recherché dans la haute pègre et, plus d'un escarpe fameux ne dédaignait pas de m'avoir pour complice.
     Louise MICHEL, la Misère, t. II, p. 282.

CONTR. Acclamer, applaudir.

CONSTABLE [kõstabl] n. m. — 1765, *in* Höfler; mot angl., de l'anc. franç. *conestable.* → Connétable.

♦ Dans les pays anglo-saxons (Grande-Bretagne, États-Unis), Officier de police; sergent de ville.

Avec quels soins paternels ces bons constables nous guidaient! avec quel ensemble ils nous dirigeaient à travers d'impures ruelles, des cours sombres, des passages qu'on aurait dits sans issue! On devinait que notre vie leur était confiée.
     Marie-Anne DE BOVET, Trois mois en Irlande, *in* le Tour du monde, 1890, t. I, p. 74.

CONSTAMMENT [kõstamã] adv. — 1414, *constanment;* de *constant.*

♦ **1.** Vx. Avec constance, persévérance, fermeté. ⇒ **Assidûment** (cit. 2 et 3), **relâche** (sans). *Se dévouer constamment aux autres.*

♦ **2.** (1690). Mod. D'une manière constante, sans cesse, sans arrêt. ⇒ **Continuellement, fréquemment, incessamment** (vieilli), **invariablement, permanence** (en), **régulièrement, toujours.** *Être constamment malade. S'absenter constamment.*

1   Ç'est aux gens mal tournés, aux mérites vulgaires,
À brûler constamment pour des beautés sévères (...)
     MOLIÈRE, le Misanthrope, III, 1.
2   (...) l'art est constamment au-dessous de la nature, surtout lorsqu'il cherche à l'embellir!   MUSSET, Comédies et proverbes, Il ne faut jurer de rien, III, 2... non, Il faut qu'une porte soit ouverte ou fermée. *(non lisible)*
3   On dit qu'il (*Bossuet*) s'appuie constamment à l'Écriture. Ce n'est pas assez dire : il s'y appuie sans cesse, et surtout il y ramène toujours.
     Émile FAGUET, Études littéraires, XVIIe s., Bossuet.

CONTR. Inconstamment, jamais, momentanément, quelquefois, rarement, sporadiquement.

1. CONSTANCE [kõstãs] n. f. — V. 1220, au sens 2; v. 1265, au sens 1 ; de *constant.*

♦ **1.** Littér. ou vieilli. Force morale, fermeté d'âme qui permet de garder l'empire sur soi-même. ⇒ **Courage, énergie, résolution, volonté.** *Rien ne peut ébranler sa constance. Témoigner de la constance dans la douleur. Souffrir, endurer son mal avec constance* (⇒ **Fermeté, résignation**). *Le sort a éprouvé sa constance.*

1   La constance des sages n'est que l'art de renfermer leur agitation dans le cœur.
     LA ROCHEFOUCAULD, Maximes, 20.
2   (...) une constance inébranlable à souffrir les plus indignes traitements.
     ROUSSEAU, les Confessions, XII.
3   Mais aussi, en toute chose humaine, la constance n'est-elle pas la plus haute expression de la force ?   BALZAC, le Médecin de campagne, Pl., t. VIII, p. 446.

♦ **2.** Littér. Persévérance dans ce que l'on entreprend. ⇒ **Obstina-**

tion, **opiniâtreté** (cit. 6), **persévérance, régularité.** *Travailler avec constance. Paresse ou constance de l'esprit* (→ Agréable, cit. 17.2). *La constance d'un amour, d'une amitié.* ⇒ **Fidélité.** *La constance de son attachement.*

4   La constance en amour est une inconstance perpétuelle (...)
     LA ROCHEFOUCAULD, Maximes, 175 (→ Inconstance).
5   Il y a deux sortes de constances en amour : l'une vient de ce que l'on trouve sans cesse dans la personne que l'on aime de nouveaux sujets d'aimer, et l'autre vient de ce que l'on se fait un honneur d'être constant.
     LA ROCHEFOUCAULD, Maximes, 176.
6   Non, non : la constance n'est bonne que pour les ridicules ; toutes les belles ont droit de nous charmer, et l'avantage d'être rencontrée la première ne doit point dérober aux autres les justes prétentions qu'elles ont toutes sur nos cœurs.
     MOLIÈRE, Dom Juan, I, 2.
7   Par mon amour et ma constance,
J'avais cru fléchir ta rigueur,
Et le souffle de l'espérance
Avait pénétré dans mon cœur.   NERVAL, Poésies, « Pensée de Byron ».
8   La continuité constitue le style comme la constance fait la vertu.
     FLAUBERT, Correspondance, t. II, p. 356.

Fam. Patience. *Vous avez de la constance de l'attendre si longtemps ! Quelle constance il faut pour le supporter !*

8.1   — Ah! malheur! s'il fallait ramasser les ivrognes. Vous avez de la constance, vous, la mère!   ZOLA, le Ventre de Paris, t. I, p. 8-9 (1875).

♦ **3.** Didact. ou littér. Qualité de ce qui ne cesse d'être le même; caractère constant (3.). ⇒ **Continuité, durabilité, fixité, immutabilité, invariabilité, permanence, persistance, régularité, stabilité.** *La constance des goûts, d'un choix. La constance d'un phénomène. La constance de la pluie en cette saison.* — Psychol. *La constance du moi*. Constance perceptive :* maintien de caractéristiques perçues des réalités extérieures, malgré les modifications dues aux conditions momentanées.

9   Quand tout ce qui est en nous change et passe, c'est un surprenant mystère que cette constance de la nature à reproduire toujours de la même façon ses plus infimes détails (...)   LOTI, Mme Chrysanthème, XI, p. 72.
10   Ce que j'admire le plus, chez Valéry, c'est peut-être bien sa constance. Incapable de vraie sympathie, il n'a jamais laissé briser sa ligne, ne s'est jamais laissé distraire de soi par autrui.   GIDE, Journal, 8 mai 1927, p. 838.
11   Il (*mon père*) avait passé toute sa vie à changer de but et de route. Il me fit, en trois points, l'éloge de la constance.
     G. DUHAMEL, Chronique des Pasquier, V, p. 172.
12   La seule forme de constance du *moi*, c'est la mémoire.
     A. MAUROIS, À la recherche de Marcel Proust, VI, I, p. 171.

CONTR. Inconstance; changement, ébranlement, infidélité, instabilité, irrégularité, légèreté, trahison, variabilité.
COMP. Surconstance.
HOM. 2. Constance.

2. CONSTANCE [kõstãs] n. m. — 1773, E. Parny, *Opuscules poétiques, in* D.D.L.; de *Constantia,* ville d'Afrique du Sud, dans la banlieue du Cap.

♦ Anciennt. Vin produit dans la région du Cap de Bonne Espérance.

Je préfère au constance, à l'opium, au nuits,
L'élixir de ta bouche où l'amour se pavane (...)
     BAUDELAIRE, les Fleurs du mal, Spleen et idéal, XXVI (1861).

HOM. 1. Constance.

CONSTANT, ANTE [kõstã, ãt] adj. — 1355; *constans,* XIIIe; lat. *constans,* de *constare* «s'arrêter».

♦ **1.** Vx. Qui fait preuve de constance (1. constance, 1.), de fermeté d'âme. ⇒ **Courageux, ferme, fort, inaltérable, inébranlable, inflexible, résolu.** *Montrer une âme constante dans l'adversité. Ferme et constante résolution.*

1   Suzanne offrit une âme constante à la plus noire calomnie.
     MASSILLON, Sermon pour le 2e dim. de l'Avent, Sur les afflictions, in LITTRÉ.

♦ **2.** Littér. (Personnes). Qui est persévérant. ⇒ **Assidu, fidèle, obstiné, opiniâtre, persévérant, régulier.** *Être constant dans ses affections. Être constant dans la poursuite d'un but.*

2   L'infidélité est un goût né avec nous. L'homme n'a pas plus le pouvoir d'être constant que celui d'écarter les maladies.
     CHAMFORT, Maximes et Pensées, p. 146.

Un cœur constant, une âme constante. — *Un travail, un effort constant* (compris aujourd'hui au sens 3).

3   La solution de ce terrible problème ne se trouve que dans un travail constant, soutenu, car les difficultés matérielles doivent être tellement vaincues (...)
     BALZAC, la Cousine Bette, Pl., t. VI, p. 322.

♦ **3.** Qui persiste dans l'état où il se trouve; qui ne s'interrompt jamais. ⇒ **Continuel, durable, fixe, immuable, invariable, permanent, persistant, régulier, stable.** *Bonheur constant. Traditions constantes. Préoccupation constante. Voilà son souci constant et unique*. Manifester un intérêt constant pour qqch.* ⇒ **Soutenu.** — Très fréquent. *L'emploi constant de certains mots* (→ Abusif, cit. 1).

4   (...) la prière, véritable aspiration de l'âme entièrement séparée du corps, emporte toutes les forces et les applique à la constante et persévérante union du Visible et de l'Invisible.   BALZAC, Séraphîta, Pl., t. X, p. 577.
5   (...) nous montrer l'allure, la démarche, les comportements, les frissons de cette humanité si constante dans sa nature et si variable dans ses apparences.
     G. DUHAMEL, Inventaire de l'abîme, XV, p. 223.

5.1 La forêt vibre toute d'un constant crissement aigu.
GIDE, *Voyage au Congo, in Souvenirs*, Pl., p. 713.

Math. Quantité constante. ⇒ **Invariable; constante.** — (En parlant d'une grandeur). *Valeur, vitesse constante.* — *Francs constants :* unité abstraite de compte, ramenée à une valeur annulant les effets de l'érosion monétaire. *En francs constants, je gagne moins qu'il y a dix ans.*

♦ **4.** (1660). Rare. *Il est constant que..., c'est un fait constant,* assuré, avéré. ⇒ **Authentique, certain, établi, évident, formel, incontestable, indubitable, patent, positif, sûr.** *Il demeure constant que... Délit constant.*

6 Il est constant (...) que je me trouve infiniment mieux. RACINE, *Lettres.*

7 Personne ne put lui expliquer le fait; mais il était constant qu'après avoir causé avec le fermier la jeune fille était partie sans rien dire (...)
G. SAND, *la Mare au diable*, XIII, p. 113.

8 Ayrton raconta alors toute sa vie, et il fut constant qu'il ne savait rien depuis le jour où le capitaine Grant l'avait débarqué sur la côte australienne.
J. VERNE, *les Enfants du capitaine Grant*, t. II, p. 550 (1874).

CONTR. **Inconstant; changeant** (cf. Changer, cit. 63), **inconsistant, infidèle, instable, léger, variable.**
DÉR. **Constamment, 1. constance, constante.**

CONSTANTAN [kɔ̃stɑ̃tɑ̃] n. m. — 1922; orig. incert., p.-ê. de *constant.*

♦ Techn. Alliage de cuivre et de nickel dont la résistance électrique varie peu avec la température.

CONSTANTE [kɔ̃stɑ̃t] n. f. — 1699; de *constant,* dans *quantité constante.*

♦ **1.** Sc. Quantité qui garde la même valeur; nombre indépendant des variables. — Phys. *Constante de Planck, constante universelle. Constantes biologiques.*

Psychol. Constante personnelle : rapport de l'âge mental et de l'âge chronologique d'un sujet, dans les tests d'intelligence.

♦ **2.** Cour. Caractéristique invariable. *C'est une des constantes de sa conduite.*

CONSTAT [kɔ̃sta] n. m. — 1890; mot lat. «il est certain», 3e pers. de *constare.*

♦ Procès-verbal dressé par un huissier ou sur ordre de justice pour décrire un état de fait. *Constat d'huissier. Constat d'adultère. Constat d'accident.* — *Constat amiable*.* — *Dresser, signer un constat.*

Constatation; ce par quoi on constate quelque chose. *Un constat d'échec, de faillite.*

Nous aurions besoin non de polémistes, mais de têtes froides, capables d'établir un diagnostic, grâce à une analyse politique objective : ceci exige que l'observateur remonte assez haut (mais non jusqu'au déluge!) et qu'il ne recule devant aucun constat, si accablant qu'il puisse être pour tel et tel qui paradent encore.
F. MAURIAC, *Bloc-notes 1952-1957*, p. 260.

CONSTATABLE [kɔ̃statabl] adj. — 1845, chez Radonvilliers, réattesté déb. xxe; de *constater.*

♦ Qui peut être constaté. *Phénomène constatable à l'œil nu.*

CONTR. **Inconstatable.**

CONSTATATION [kɔ̃statasjɔ̃] n. f. — 1586, rare av. xixe; de *constater.*

♦ **1.** Action de constater pour attester. ⇒ **Observation.** *La constatation d'un fait. Procéder aux constatations d'usage.* ⇒ **Examen.** *Faire une constatation. Les constatations de la science.* ⇒ **Observation.**

1 La science est, en outre, universelle; ses constatations, ses découvertes, ses démonstrations valent pour tous les peuples et pour tous les hommes.
JAURÈS, *Hist. socialiste...*, p. 416.

2 Le rédacteur ramena sa réponse à une pure constatation de fait.
COURTELINE, *Messieurs les ronds-de-cuir*, 6e tableau, I, p. 215.
Bulletin de constatation.

♦ **2.** (Une, des constatations). Fait constaté et relaté, servant de preuve, de raison. *Les constatations d'une enquête. Constatation par écrit.* ⇒ **Consignation, enregistrement; parère.** *Constatation dressée par huissier.* ⇒ **Constat.** *Constatation des naissances, des décès.* ⇒ **Acte, bulletin.**

CONSTATER [kɔ̃state] v. tr. — 1726, mais *constatation,* attesté en 1586, peut faire supposer un usage antérieur; lat. *constat* «il est certain»; de *constare,* de *con-* (cum), et *stare.* → Constant.

♦ **1.** Établir par expérience directe la vérité, la réalité de; se rendre compte de. ⇒ **Apercevoir, enregistrer, éprouver, établir, noter, observer, reconnaître, remarquer, sentir, voir.** *Constater un fait, la réalité*

d'un fait. Constater une erreur. ⇒ **Découvrir.** *Vous pouvez constater vous-même, par vous-même ceci. Faire constater qqch. à qqn.* ⇒ **Apparoir** (vx). *Constater qqch. de visu. Je constate que tu n'as rien fait. J'ai constaté qu'il avait menti.*

1 (...) nous n'avons que trois façons de constater l'existence d'un être, le voir, entendre parler de lui, voir son action (...)
RENAN, *Dialogues et Fragments philosophiques*, Œ. compl., t. I, p. 127.

2 On n'explique pas une vocation, on la constate. Elle est évidente chez Jean. Comme vous le disiez, c'est un garçon de valeur (...)
J. CHARDONNE, *les Destinées sentimentales*, p. 52.

♦ **2.** Dr. Consigner par écrit (ce qu'on a constaté [1.]). *Constater qqch. par procès-verbal. Constater l'état authentique d'une pièce* (⇒ **Authentifier, certifier**). *Les pièces de la procédure constatent que...* ⇒ **Foi** (faire foi). *Constater un décès.*

CONTR. **Négliger, omettre, oublier.**
DÉR. **Constatable, constatation, constateur.**

CONSTATEUR [kɔ̃statœʀ] n. m. — 1900, «personne qui fait des constats»; de *constater.*

♦ Techn. Appareil utilisé en colombophilie pour enregistrer l'heure d'arrivée des pigeons-voyageurs.

CONSTELLATION [kɔ̃stelasjɔ̃; kɔ̃stellasjɔ̃] n. f. — 1538; *contellacion,* 1265; lat. *constellatio,* de *con-* (cum), et *stella* «étoile».

♦ **1.** Groupe apparent d'étoiles qui présente un aspect reconnaissable. *La constellation de la Grande Ourse, du Lion. Première étoile d'une constellation.* ⇒ **Alpha** (I., 2.). *Influence des constellations sur les destinées humaines* (d'après l'astrologie*). *Identifier, reconnaître une constellation.* — Loc. fig. Vieilli. *Être né sous une heureuse constellation.* ⇒ **Étoile** (sous une bonne, une heureuse étoile).

1 Il demande encore si, de ce grand nombre d'hommes qui périrent à la bataille de Cannes (...) tous étaient nés sous les mêmes constellations.
ROLLIN, *Hist. ancienne*, Œuvres, t. II, p. 433, *in* POUGENS.

2 Quand les constellations percent leur voûte bleue, je me souviens de ce firmament splendide que j'admirais du giron des forêts américaines, ou du sein de l'Océan.
CHATEAUBRIAND, *Mémoires d'outre-tombe*, t. VI, p. 4.

♦ **2.** Littér. Groupe d'objets brillants. *Une constellation de lumières, de diamants...*

Groupe de personnes illustres. ⇒ **Pléiade.**

Didact. Ensemble (de choses abstraites liées entre elles). *Une constellation de notions, de termes. Constellation mentale* (de faits de conscience). *Constellation de phénomènes économiques.*

CONSTELLER [kɔ̃stele; kɔ̃stelle] v. tr. — 1838, → cit. 1; de *constellation* ou de *constellé.*

♦ **1.** (Sujet n. de chose; astres). Couvrir de constellations*, d'étoiles nombreuses. ⇒ **Parsemer.** *Les astres, les étoiles qui constellent le ciel.*

1 Quel firmament constellait la nuit
Dans leur sein *(des mers).* LAMARTINE, *la Chute d'un ange.*

2 (...) ces belles îles de marbre qui constellent l'azur de la mer Égée (...)
TAINE, *Philosophie de l'art*, t. II, IV, I, I, p. 92.

♦ **2.** (1866, *in* Pierre Larousse). Couvrir, parsemer de points brillants. *Le couturier a constellé cette robe de strass.* — (Sujet n. de chose). *Les décorations constellaient sa tunique.*
Fig. *Les taches qui constellaient sa veste.*

▶ **SE CONSTELLER** v. pron. *Le ciel se constellait d'étoiles. Le mur se constellait de taches brunes d'humidité.*

▶ **CONSTELLÉ, ÉE** p. p. adj. (1519, «aérien»; lat. *constellatus,* de *constellatio*).

♦ **1.** (1752; probablt ital. *costellato*). Parsemé d'étoiles. *Cieux constellés.*

3 (...) un hameau qui porte un nom gracieux et inhospitalier : «la Belle-Étoile». Fut-il baptisé parce qu'il n'offre au voyageur la sécurité d'aucune hôtellerie? Ou plutôt ne doit-il pas cette appellation à la splendeur constellée que la plaine champenoise contemple par les nuits sereines?
G. DUHAMEL, *Récits des temps de guerre*, V, p. 254.

Anneau constellé : anneau magique fabriqué sous l'influence d'une constellation.

4 (...) je guéris par des paroles (...) par des talismans, et par des anneaux constellés.
MOLIÈRE, *l'Amour médecin*, III, 5.

♦ **2.** Qui est parsemé d'objets ou de points brillants. *Pierre constellée. Robe constellée de pierreries, de brillants. Général constellé de décorations.*

5 (...) la fin de la belle saison provençale, constellée de géraniums brasillants (...)
COLETTE, *la Naissance du jour*, p. 109.

CONSTERNANT, ANTE [kɔ̃stεʀnɑ̃, ɑ̃t] adj. — 1845; p. prés. de *consterner.*

♦ **1.** Littér. Qui consterne. *Nouvelle consternante. Des menaces de* *guerre consternantes.* « *La consternante nouvelle de la mort de leur père* » (Sainte-Beuve, *in* T. L. F.).

♦ **2.** Cour. Qui provoque la tristesse (avec un nom désignant une chose négative, remarquable par son intensité). *Il est d'une bêtise, d'une nullité consternante,* absolue, parfaite. *Il est consternant de nullité. — C'est absolument consternant.* ⇒ **Lamentable.** Ellipt. *Dix pages d'inepties. Consternant.*

Cette dernière profession de foi, consternante aux yeux d'un lecteur contemporain, donne cependant l'idée la plus juste des espoirs quasi mystiques soulevés au XIXᵉ siècle par l'essor de l'industrie et les progrès surprenants de la science.
CAMUS, l'Homme révolté, III, *in* Essais, Pl., p. 598.

N. m. *Le consternant de l'affaire, c'est...*

CONSTERNATION [kɔ̃stɛʀnɑsjɔ̃] n. f. — 1512; «émeute», av. 1380; lat. *consternatio,* du supin de *consternare.* → Consterner.

♦ **1.** Littér. ou style soutenu. Fait de consterner; étonnement mêlé de tristesse, de douleur. ⇒ **Abattement, accablement, chagrin, désolation, douleur, épouvante, étonnement, mélancolie, stupéfaction, stupeur, tristesse.** *Cette nouvelle jette la consternation parmi eux, dans le groupe. Lire la consternation sur tous les visages. Il était plongé dans une profonde consternation. Frapper de consternation. Contempler avec consternation une scène de désespoir. Consternation muette, générale.*

1   À ces mots la consternation se répandit sur tous les visages.
MARMONTEL, Contes moraux, *in* LITTRÉ.

2   Je me souviens encore de la consternation que cette histoire jeta dans mon âme.
A. DE VIGNY, Servitude et Grandeur militaires, II, I, p. 99.

3   J'ai composé ce récit en 1940, à la fin de l'été. La France était encore reployée sur sa douleur et frappée de consternation.
G. DUHAMEL, Récits des temps de guerre, III, p. 295.

♦ **2.** État pénible créé par une chose odieuse, ridicule. ⇒ **Consternant,** 2.

REM. La variante *consternement* est attestée (S. Guitry, *in* T. L. F.).

CONTR. Joie.

CONSTERNER [kɔ̃stɛʀne] v. tr. — 1355; lat. *consternare* «abattre», de *constenere,* de *con- (cum),* et *sternere* «étendre sur le sol».

♦ **1.** Littér. ou style soutenu. (Sujet n. de chose). Jeter brusquement dans un abattement profond. ⇒ **Abattre, accabler, anéantir, atterrer, désoler, navrer, stupéfier, terrasser.** *Cette nouvelle m'a consterné.*

1   La prise de cette place acheva de consterner les ennemis.
RACINE, les Campagnes de Louis XIV.

2   (...) il lui fallait faire à mauvaise fortune bon visage et paraître accueillir avec allégresse un événement qui le consternait.
Louis MADELIN, l'Ascension de Bonaparte, XIV, p. 197.

♦ **2.** Attrister et étonner. ⇒ **Consternant,** 2.; **désoler, navrer.** *Son incompétence, sa bêtise nous consternait.* — (Sujet n. de personne). *Il nous a consternés par sa nullité.*

♦ **3.** (1642). Rare (latinisme; sens étym.). Abattre, mettre à terre (Sainte-Beuve, *in* T. L. F.).

▶ **CONSTERNÉ, ÉE** p. p. adj.

♦ **1.** *Air, visage consterné.* ⇒ **Abattu, atterré, honteux, triste.** *Un silence consterné. — Un visage, un regard consterné.*

3   (...) D'un lâche désespoir ma vertu consternée (...)   RACINE, Bajazet, II, 5.

4   Ce qui la troublait, c'était de ne pouvoir se dissimuler la joie qu'elle ressentait de ce malheur, dont elle aurait dû être honteuse et consternée (...)
F. MAURIAC, la Pharisienne, p. 92.

♦ **2.** Rare. Abattu. «*Sa bibliothèque consternée*» (A. France, *in* T. L. F.).

CONTR. Réjouir.

CONSTIPANT, ANTE [kɔ̃stipɑ̃, ɑ̃t] adj. — 1843, Landais; p. prés. de *constiper.*

♦ Qui constipe.
Je ne savais trop si ce que je lui donnais à manger (...) pouvait avoir un effet laxatif ou au contraire constipant.
GIDE, le Retour du Tchad, VIII, *in* Souvenirs, Pl., p. 1003.

CONTR. Laxatif.

CONSTIPATION [kɔ̃stipɑsjɔ̃] n. f. — Fin XIIIᵉ; de *constiper.*

♦ Difficulté dans l'évacuation des selles (→ Selle, cit. 0.1, Beckett). *Aliments qui produisent de la constipation.* ⇒ **Échauffant** (→ Compenser, cit. 3). *Laxatif pour combattre la constipation.*

CONTR. Dévoiement, diarrhée, relâchement.

CONSTIPÉ, ÉE [kɔ̃stipe] adj. — Fin XIVᵉ; de *constiper* ou directement du p. p. lat. de *constipere.*

♦ **1.** Qui va difficilement à la selle, qui éprouve de la constipation. → Constiper, cit.

(...) je supportais parfaitement bien la ration d'eau de mer que je continuais régulièrement à absorber «suivant le plan prévu». Nous étions tous deux constipés, déjouant ainsi les pronostics fâcheux des «hommes-au-pot-de-chambre-indispensable-pour-naufragés».   Alain BOMBARD, Naufragé volontaire, p. 71.

N. *Les constipés. Remèdes pour constipés.*

♦ **2.** Fam. Anxieux ; contraint, guindé, embarrassé. *Un intellectuel du genre constipé. Un air constipé.*

Il était pitoyable. Il ne savait que répondre et ne pouvait que sourire. Ce sourire, tout constipé qu'il fût, détendait ses traits, déridait son moral.
Jean GENET, Notre-Dame des Fleurs, p. 276.

Il est constipé du portefeuille, avare.

Qui produit peu, difficilement. *Un auteur constipé.* N. *Les «écrivains secs (les) constipés*» (J. Renard).

CONTR. Relâcher.
HOM. Constiper.

CONSTIPER [kɔ̃stipe] v. tr. — XIVᵉ, *costiver;* lat. *constipare* «serrer», de *con- (cum),* et *stipare* «serrer, entasser».

♦ **1.** Causer la constipation de (qqn). Absolt. *Certains aliments astringents constipent.*

Un jour, en revenant des w.-c., je trouvai la porte de ma chambre fermée à clef et mes affaires empilées devant la porte. C'est vous dire combien j'étais constipé, à cette époque. C'est l'anxiété qui me constipait, je crois. Mais étais-je réellement constipé? Je ne le crois pas. Du calme, du calme. Et pourtant je devais l'être, car comment expliquer autrement ces longues, ces atroces séances aux cabinets, aux water? Je ne lisais jamais, pas plus là qu'ailleurs, je ne rêvais ni ne réfléchissais, je regardais vaguement l'almanach pendu à un clou devant mes yeux (...)
S. BECKETT, Premier amour, p. 14.

♦ **2.** Fig. Contraindre ; rendre anxieux ou embarrassé. ⇒ **Constipé,** 2.

DÉR. Constipant, constipation.
HOM. Constipé.

CONSTITUANT, ANTE [kɔ̃stitɥɑ̃, ɑ̃t] adj. et n. — 1476, «celui qui confère un droit»; p. prés. de *constituer.*

♦ **1.** (1572). Qui entre dans la constitution (d'un tout). ⇒ **Composant, constitutif.** *Parties constituantes d'un corps. Éléments constituants d'un mélange.* ⇒ **Ingrédient.** *Molécules constituantes.*

N. m. *Les constituants de la matière.*

La Nature de Buffon est sans cesse au travail, en gésine (...) Inlassablement, elle se fait et se défait, se construit et se détruit, puisque les «molécules organiques», constituants essentiels de la substance vivante, ne sont pas plus tôt libérées de leurs anciennes combinaisons qu'elles en composent de nouvelles.
Jean ROSTAND, Esquisse d'une histoire de la biologie, p. 47.

Ling. *Constituants immédiats :* dans les théories stucturalistes, Groupes binaires associés qui forment la structure d'un énoncé, fondés sur le sens, et qui peuvent être dégagés à plusieurs niveaux successifs.

♦ **2.** (1770). Dr., vx. Qui donne procuration, qui établit une rente, etc., en faveur de qqn. *Le dit sieur constituant.* — N. m. Personne (homme ou femme) qui donne procuration, etc. *Le constituant et le bénéficiaire.*

♦ **3.** Cour. Chargé d'établir une constitution. *Le pouvoir constituant. Assemblée constituante.* — N. f. *La Constituante :* l'Assemblée de 1789 à laquelle succéda la Législative. — N. m. *Les constituants :* les membres de cette assemblée.

♦ **4.** N. f. (1968; au Canada). Université ou institut de recherches faisant partie de l'université du Québec. *Les constituantes de Montréal, Trois-Rivières, Chicoutimi, Rimouski.*

CONSTITUER [kɔ̃stitɥe] v. tr. — XIIIᵉ, «s'établir», attestation isolée; lat. *constituere,* de *con- (cum),* et *statuere.* → Statuer.

♦ **1.** (1361). Dr. Établir (qqn) dans une situation légale. ⇒ **Faire, instituer.** *Il l'a constitué son héritier.*

Pron. *Se constituer juge de sa propre cause. Se constituer partie civile dans un procès criminel. — Se constituer prisonnier.* ⇒ **Livrer** (se), **rendre** (se).

Vx (langue class.). *Constituer (qqn) à (qqch.) :* placer (qqn) à (un poste), confier à (qqn) la responsabilité de (qqch.). ⇒ **Assigner, placer, préposer.** *Constituer qqn à la garde des enfants.*

(...) je vous constitue, pendant le souper, au gouvernement des bouteilles (...)
MOLIÈRE, l'Avare, III, 1.

♦ **2.** (1549). Dr. *Constituer (qqch.) à (qqn) :* créer (qqch.) à l'intention de (qqn). *Constituer une rente, une pension, une dot à qqn.* — *Constituer (qqch.) en (qqch.) à qqn. Constituer un terrain en dot à sa fille.*

♦ **3.** (1690). Cour. **a** (Sujet n. de chose, d'élément, au plur.). Concourir, avec d'autres éléments, à former un tout. ⇒ **Composer, faire.** *Les éléments, les parties qui constituent un tout, un ensemble. Lois qui constituent une théorie. Les qualités qui constituent un homme de bien.*

2 Les contrariétés les plus bizarres entrent dans le même caractère et le constituent.
VAUVENARGUES, les Caractères, *in* LITTRÉ.

b (Le sujet peut être au sing.). Former l'essence de ; être. ⇒ **Consister (en), représenter.** *Cette action constitue un délit. La vente constitue une opération commerciale* (→ Commerce, cit. 1). *L'intention constitue l'action morale. Le pain constitue l'essentiel de sa nourriture.* — REM. Lorsqu'il s'agit du domaine juridique, des institutions, ce sens peut interférer avec le sens juridique, 2.

3 Le mariage, dans ces conditions, constitue, régularise l'universalité de l'adultère, le divorce dans l'intimité (...) et dans la couche conjugale un froid à geler le mercure.
MICHELET, la Femme, p. 225.

4 Ces livres constituaient, en effet, le plus incroyable des galimatias, le plus inintelligible des grimoires.
HUYSMANS, Là-bas, VI, p. 78.

5 La Légion étrangère de Dar Riffien constitue une troupe solide, parfaitement entraînée et qui sait mourir au feu (...)
P. MAC ORLAN, la Bandera, V, p. 54.

6 (...) toutes les larges et éternelles vérités qui constituent chez tous les peuples et dans tous les temps le fond même des sentiments humains, voilà la matière première de l'art, de l'art immortel et divin.
HUGO, Littérature et Philosophie mêlées, p. 12.

♦ **4.** (1829). Sujet n. de personne. Organiser, créer (une chose complexe). ⇒ **Édifier, élaborer, monter, organiser.** *Constituer une société commerciale. Constituer un ministère. Constituer un groupe, une assemblée avec des amis, d'amis.* — Au passif. *Le gouvernement qui a été constitué par M. X.* — *Constituer qqch. une seconde fois.* ⇒ **Reconstituer.** — Pron. *L'assemblée s'est constituée. Les députés se constituent en commission.*

▶ **CONSTITUÉ, ÉE** p. p. adj.

♦ **1.** (1611). Dr. *Argent constitué en viager. Rente constituée.* — *Assemblée constituée de membres élus.*

♦ **2.** (1690). *Bien, mal... constitué :* dont la constitution physique est bonne ou mauvaise. *Un enfant bien constitué.*

7 La nature (...) rend forts et robustes ceux *(les enfants)* qui sont bien constitués, et fait périr tous les autres. ROUSSEAU, De l'inégalité parmi les hommes, I.

♦ **3.** Formé, organisé.

8 Pourquoi se dire avec tant d'amertume que, dans le monde constitué comme il est, il n'y a pas d'air pour toutes les poitrines, pas d'emploi pour toutes les intelligences ? Augustin THIERRY, Préface de dix années d'études historiques.

♦ **4.** *Autorités constituées,* établies par la constitution.
CONTR. Annuler, démettre, destituer. — Décomposer, défaire, séparer. — Abattre, démolir, renverser.
DÉR. Constituant, constitutif.
COMP. Reconstituer. — Préconstitué.

CONSTITUTIF, IVE [kɔ̃stitytif, iv] adj. — 1488, «qui établit une constitution» ; de *constituer.*

♦ **1.** (1550). Dr. Qui établit juridiquement qqch. *Titre constitutif de propriété.*

♦ **2.** Cour. Qui entre dans la composition de. ⇒ **Constituant.** *Les éléments constitutifs de l'eau.*
Recherches sur la manière dont la religion peut et doit entrer comme partie constitutive dans la composition du corps politique.
ROUSSEAU, Lettres de la montagne, VI, *in* LITTRÉ.
Qui constitue essentiellement une chose. ⇒ **Caractéristique, essentiel, fondamental.** *Propriété constitutive d'un corps.*

CONSTITUTION [kɔ̃stitysjɔ̃] n. f. — V. 1170, *constitucion* «loi» ; lat. *constitutio* «institution», du supin de *constituere.* → Constituer.

★ **I.** ♦ **1.** (V. 1160, *construcïun*). Dr. Action d'établir légalement. ⇒ **Établissement, instauration, institution.** *La constitution d'une rente, une constitution de rente, de pension.* — *Constitution de partie civile :* demande de dommages-intérêts formulée par celui qui se prétend victime d'une infraction. — *Constitution d'avoué, d'avocat.* ⇒ **Désignation.** *Constitution de témoins* (pour un duel).

♦ **2.** (1546). Manière dont une chose est composée. ⇒ **Arrangement, composition, disposition, forme, organisation, structure, texture.** *La constitution d'un corps, d'une substance.* Vx. *La constitution de l'atmosphère, de l'air.*

1 Voici une pièce d'une constitution assez extraordinaire.
CORNEILLE, Examen de Nicomède.
Spécialt. Ensemble des caractères congénitaux, somatiques et psychologiques (d'un individu). ⇒ **Caractère, complexion, conformation, personnalité, tempérament.** *La constitution de qqn, sa constitution. Être d'une bonne, d'une forte, d'une robuste, d'une solide, d'une vigoureuse constitution* (→ Avoir le coffre* solide). *Une constitution malingre, faible, chétive, débile.* ⇒ **Cacochymie.** *Un enfant de constitution délicate. Il est petit de constitution. Présenter un vice de constitution.*

2 (...) la force de sa constitution résista jusqu'à la fin. Un corps et une âme ainsi bâtis semblent de porphyre et de granit, tandis que les nôtres sont de craie et de plâtras. TAINE, Philosophie de l'art, t. I, p. 186.

2.1 — Pourquoi les bains vous sont-ils interdits ?
— Parce que je suis de faible constitution et que les bains de mer me fatiguent.
M. DURAS, Un barrage contre le Pacifique, p. 105.

♦ **3.** 1287, «création (du monde)». Action de constituer (un ensemble) ; manière dont (un ensemble) a été constitué. ⇒ **Composition, construction, création, édification, élaboration, fondation, formation, organisation.** *La constitution d'une société, d'un club sportif. La constitution d'une assemblée. La constitution d'un stock.* — Vx. Organisation (d'un ensemble abstrait, d'une œuvre).

3 La constitution *(de la tragédie)* est plus difficile que l'exécution
RACINE, Livres annotés.

4 Les actions représentant des apports devront toujours être intégralement libérées au moment de la constitution de la société. Loi du 24 juil. 1867, art. 3.

★ **II.** (1683). ♦ **1.** Charte, ensemble des textes fondamentaux qui déterminent la forme du gouvernement d'un pays. *Constitution coutumière. Constitution écrite. Préparer, discuter, faire, établir, donner, voter une constitution. Violer, réviser, réformer, modifier la constitution. Partisan de la révision* de la constitution. *Constitution monarchique, républicaine* (⇒ **Régime**). *Les articles, le préambule de la Constitution. La Constitution de 1791, de l'an VIII, de 1875, de 1946... La constitution française ; américaine, soviétique. Loi conforme à la constitution* (⇒ **Constitutionnel**).

5 Une saine et forte constitution est la première chose qu'il faut rechercher ; et l'on doit plus compter sur la vigueur qui naît d'un bon gouvernement que sur les ressources que fournit un grand territoire.
ROUSSEAU, Du contrat social, II, IX, p. 266.

6 Il n'y aura jamais de bonne et solide constitution que celle où la loi régnera sur les cœurs des citoyens : tant que la force législative n'ira pas jusque-là, les lois seront toujours éludées. Mais comment arriver aux cœurs ?
ROUSSEAU, Considérations sur le gouvernement de Pologne, I, p. 343.

7 Les changements de régime ne changent guère la condition des personnes. Nous ne dépendons point des constitutions ni des chartes, mais des instincts et des mœurs. FRANCE, l'Orme du mail, Œ., t. XI, p. 163.

8 De même que nous appelons «constitution» la composition et le mode physique d'exister d'un corps animal ou végétal, de même, en un sens analogue, nous nommons «constitution juridique» les règles de droit donnant à une société son être et sa physionomie distincts. Dès qu'une agglomération d'hommes a une assiette stable et une activité durable, dès qu'elle possède une structure précise et définie, dès qu'elle obéit à des règles susceptibles d'être sanctionnées, il y a organisation juridique et, en conséquence, constitution.
Marcel PRÉLOT, Précis de droit constitutionnel, p. 8.

♦ **2.** Loi fondamentale. *Les constitutions apostoliques ou papales.* ⇒ **Bulle.** *Les constitutions canoniques. Constitutions des empereurs romains. les Novelles, constitutions de Justinien. Constitutions des rois de France.* ⇒ **Ordonnance.** *Les constitutions d'un ordre religieux.* ⇒ **Règle.**

♦ **3.** Hist. *Constitution civile du clergé :* organisation du clergé français, décrétée par la loi du 12 juillet 1790.

9 Le 12 juillet, deux jours avant la *Fédération* qui est la fête de l'Union nationale, l'Assemblée vote la *constitution civile du clergé*, revanche de l'esprit janséniste et gallican. Désormais, curés, évêques et archevêques (...) seront élus par le corps électoral (...) Pierre GAXOTTE, Hist. des Français, t. II, XXIII, p. 275.
CONTR. Annulation. — Décomposition, déformation, dérangement, désorganisation, dissolution.
DÉR. Constitutionnel.
COMP. Reconstitution.

CONSTITUTIONNALISER [kɔ̃stitysjɔnalize] v. tr. — 1830, p. p. adjectivé «régi par une constitution» ; de *constitutionnel.*

♦ Dr. Donner un caractère constitutionnel à (un texte législatif).

CONSTITUTIONNALISME [kɔ̃stitysjɔnalism] n. m. — 1828 ; de *constitutionnel.*

♦ **1.** Dr. Vx. Doctrine des partisans d'un pouvoir constitutionnel.

♦ **2.** (1946, Mounier). Psychol. Théorie donnant à la constitution une importance essentielle.
DÉR. Constitutionnaliste.

CONSTITUTIONNALISTE [kɔ̃stitysjɔnalist] adj. et n. — 1845 ; de *constitutionnalisme.*

♦ Dr. Partisan du constitutionnalisme (1. et 2.).

CONSTITUTIONNALITÉ [kɔ̃stitysjɔnalite] n. f. — 1797, *in* D. D. L. ; de *constitutionnel.*

♦ Dr. Caractère de ce qui est conforme à la constitution. *Contrôle de la constitutionnalité des lois par le Conseil constitutionnel.*
CONTR. Inconstitutionnalité.

CONSTITUTIONNEL, ELLE [kɔ̃stitysjɔnɛl] adj. — V. 1760 ; de *constitution.*

★ **I.** Qui constitue, forme l'essence (de qqch.). — Qui tient à la constitution physique, psychologique, générale (de qqn). *Faiblesse constitutionnelle (de qqch.). Type constitutionnel.*
Psychiatrie. Qui dépend de la constitution même du malade. *Psychose constitutionnelle.*

★ **II.** (1775). ♦ **1.** Soumis à une constitution*. *Gouvernement constitutionnel. Monarchie constitutionnelle* ⇒ **Parlementaire** opposée à *absolue. Charte constitutionnelle. Acte constitutionnel. Clergé constitutionnel :* ensemble des membres du clergé qui adoptèrent la constitution* civile du clergé en 1790. *Évêque, prêtre constitutionnel.* ⇒ **Assermenté** (opposé à *insermenté, réfractaire*). — N. m. *Un constitutionnel.*

Le schisme constitutionnel.
Conforme à la constitution de l'État. *Formes constitutionnelles. Cette loi n'est pas constitutionnelle.* — *Conseil* constitutionnel.*
Qui est relatif à la constitution d'un État. *Loi constitutionnelle.* ⇒ **Organique.**

♦ **2.** Partisan de la constitution. *Un parti constitutionnel.* — N. m. *Les constitutionnels :* ceux qui adhèrent à un parti constitutionnel. *Le Constitutionnel,* quotidien libéral fondé en 1815.

♦ **3.** *Droit constitutionnel,* qui étudie les constitutions, la structure et le fonctionnement du pouvoir politique (branche du droit public) ⇒ **Assermenté.**

CONTR. et COMP. Anticonstitutionnel, inconstitutionnel.
DÉR. Constitutionnaliser, constitutionnalisme, constitutionnalité, constitutionnellement.

CONSTITUTIONNELLEMENT [kɔ̃stitysjɔnɛlmɑ̃] adv. — 1776 ; de *constitutionnel.*

★ **I.** De manière constitutionnelle (I.) ; par nature. *Il est constitutionnellement incapable de...* ⇒ **Essentiellement.**

★ **II.** D'une manière conforme à la constitution.
En septembre 1850, la Californie entre régulièrement dans la confédération des États-Unis. C'est un État enfin doté de fonctionnaires et de magistrats, un corps constitutionnellement au grand complet.
B. CENDRARS, l'Or, *in* Œ. compl., t. II, p. 197.

CONTR. Anticonstitutionnellement, inconstitutionnellement.

CONSTRICTEUR [kɔ̃stʀiktœʀ] adj. m. — Fin XVIIᵉ ; lat. *constrictor,* du supin de *constringere.* → Constriction.

♦ **1.** Anat. Se dit des muscles qui resserrent circulairement un organe. *Muscles constricteurs du pharynx.* — N. m. *Un constricteur.* ⇒ **Sphincter.** *Constricteur de l'anus. Constricteur du vagin.*

♦ **2.** (1754, *constrictor ; constricteur,* 1845). *Boa constrictor* [kɔ̃stʀiktɔʀ] ou *constricteur :* boa qui étouffe ses proies en les étreignant dans ses anneaux. ⇒ **Devin** (2., vx).

COMP. Vaso-constricteur.

CONSTRICTIF, IVE [kɔ̃stʀiktif, iv] adj. — 1363 ; bas lat. *constrictivus,* du supin de *constringere.* → Constriction.

♦ **1.** Méd. Constricteur*. *Les sphincters sont des muscles constrictifs.* — Qui resserre. *Action constrictive d'un muscle.*
Qui a pour effet de réduire la dimension normale d'un conduit ou d'une cavité. *Péricardite constrictive.*

♦ **2.** N. f. Phonét. *Consonne constrictive ;* ou, n. f., *une constrictive :* consonne fricative.

COMP. Vaso-constrictif.

CONSTRICTION [kɔ̃stʀiksjɔ̃] n. f. — 1306 ; lat. *constrictio,* du supin de *constringere,* de *con-* (*cum*), et *stringere* «serrer». → Contraindre.

Didactique.

♦ **1.** Action de resserrer en pressant tout autour. ⇒ **Étranglement, resserrement.** *La constriction du cou (par une corde),* exercée sur le cou. *La constriction d'un bandage,* exercée par un bandage.

♦ **2.** Fait de se resserrer (en parlant d'un organe circulaire). *La constriction du pharynx. Constriction des vaisseaux sanguins* (⇒ **Vaso-constricteur**). — Rétraction. *Constriction de la pupille, d'un muscle* (⇒ **Contraction**). *Constrictions musculaires spasmodiques.* ⇒ **Crampe ; tétanos.**
Par métonymie. Partie rétrécie, comprimée (d'un organe, du corps).

♦ **3.** Fig. et littér. Sensation d'oppression.
1 Cette parfaite détresse, cette perpétuelle constriction du cœur, ordinairement dévolue aux enfants mélancoliques dans les pénitentiaires de l'Université (...)
Léon BLOY, le Désespéré, p. 30.
Fermeture, resserrement.
2 Décembre. L'hiver définitivement consolidé. Tout est en feu. Impression de patience sombre, de constriction, d'austérité.
CLAUDEL, Journal, déc. 1934, Pl., t. II, p. 74.

CONSTRICTOR [kɔ̃stʀiktɔʀ] adj. ⇒ **Constricteur,** 2.

CONSTRINGENT, ENTE [kɔ̃stʀɛ̃ʒɑ̃, ɑ̃t] adj. — 1743 ; lat. *constringens,* p. prés. de *constringere* «resserrer». → Contraindre.

♦ Didact., vieilli. Qui resserre, produit une constriction. *Action constringente d'un corset.*

CONSTRUCTEUR, TRICE [kɔ̃stʀyktœʀ, tʀis] adj. et n. m. — XIVᵉ ; bas lat. *constructor,* du supin de *construere.* → Construire.

♦ **1.** Personne qui construit (un type d'objets). ⇒ **Ingénieur.** *Constructeur de chaudières, de moteurs.* ⇒ **Fabricant.** *Constructeur mécanicien. Constructeur d'automobiles, de navires, d'avions (avionneur). La constructrice de cet appareil.*
1 M. Olivier, constructeur de vaisseaux, vit que son art avait besoin du secours des sciences mathématiques, et il quitta tout pour les étudier.
CONDORCET, Maurepas, *in* LITTRÉ.
2 Nos constructeurs des grandes époques ont toujours visiblement conçu leurs édifices d'un seul jet et non en deux mouvements de l'esprit ou en deux séries d'opérations, les unes relatives à la forme, les autres à la matière.
VALÉRY, Regards sur le monde actuel, p. 131.
Spécialt. Personne qui construit (des édifices). *Les constructeurs de cathédrales, d'une ville.* ⇒ **Architecte, bâtisseur.** « *Une constructrice de cités* » (Claudel, *in* T. L. F.). — (Sans compl.). *Une époque de grands constructeurs.*
En appos. *Une société constructrice de navires. Industrie constructrice de machines.*

♦ **2.** Adj. *Animaux constructeurs.* — *Capacités constructrices des espèces animales* (→ Constructif).

♦ **3.** Fig. [a] N. Personne qui établit, fonde. *Des constructeurs d'empire.* ⇒ **Bâtisseur.**
3 (...) le soir de Milan, il *(B...)* avait entrevu que ce rôle serait celui, non d'un destructeur de forces, mais d'un constructeur d'États.
Louis MADELIN, l'Ascension de Bonaparte, XIV, p. 210.
[b] Adj. Qui construit, élabore. *Activité, pensée constructrice.* ⇒ **Créateur.** *Force constructrice.*

CONTR. Destructeur.

CONSTRUCTIBILITÉ [kɔ̃stʀyktibilite] n. f. — 1863, Littré ; de *constructible.*

♦ Didact. Caractère de ce qui est constructible.

CONSTRUCTIBLE [kɔ̃stʀyktibl] adj. — 1863 ; du rad. du lat. *constructum,* supin de *construere.* → Construire.

♦ **1.** Dr., admin. Où l'on a le droit de construire un édifice. *Terrain constructible* (⇒ **Bâtissable,** 1.), *non constructible.*

♦ **2.** Didact. Qui peut être construit. ⇒ **Bâtissable,** 2.

CONT. Inconstructible.
DÉR. Constructibilité.

CONSTRUCTIF, IVE [kɔ̃stʀyktif, iv] adj. — 1487, repris 1863 ; lat. *constructivus,* du supin de *construere.*

♦ **1.** Capable de construire ; (fig.) d'élaborer, de créer. ⇒ **Créateur.** *Un esprit constructif. Un effort, un travail constructif.*
Log. *Définition* constructive* (de concept). Opposé à *descriptif.*

♦ **2.** Cour. Qui aboutit à des résultats positifs. ⇒ **Positif.** *Une proposition, une critique constructive. Un dialogue constructif. Cette réunion n'est pas constructive : il n'en sortira rien.* — *C'est, ce n'est pas constructif.*

CONTR. Destructif ; négatif.
DÉR. Constructivisme, constructiviste.

CONSTRUCTION [kɔ̃stʀyksjɔ̃] n. f. — 1130 ; lat. *constructio,* du supin de *construere.* → Construire.

♦ **1.** Action de construire, de faire construire. ⇒ **Assemblage, édification, érection.** *La construction d'un bâtiment, d'une maison, d'un grand ensemble, d'un barrage, d'un mur. Diriger la construction d'un édifice. Construction d'un navire dans une cale. Construction des coques.*
1 L'art de la construction des vaisseaux qui tient à la fois à tout ce que les sciences ont de de plus abstrait, à tout ce que les arts mécaniques ont de plus difficile et de plus minutieux.
CONDORCET, Maurepas, *in* LITTRÉ.
2 J'ai, par la suite, applaudi de grand cœur à la construction des cités universitaires (...)
G. DUHAMEL, Biographie de mes fantômes, XI, p. 222.
En construction, en cours de construction. Navire en construction.
2.1 — Comment se fait-il que vous habitiez une maison en démolition ? reprit l'ex-invisible.
— Elle n'est pas en démolition, elle est en construction. Mon père n'a plus l'sou pour la terminer.
R. QUENEAU, le Chiendent, p. 333.

Manière dont une chose est construite. *Un appareil de construction robuste, solide.*

♦ **2.** (1636). Ce qui est construit, bâti. ⇒ **Bâtiment, bâtisse, édifice, immeuble, installation, maison, monument, ouvrage.** *Élever une construction.* ⇒ **Construire.** *Une construction imposante, massive, cyclopéenne, moderne, rustique, solide, élégante. Construction adossée à une colline. Construction en éléments préfabriqués. Les plans, les devis d'une construction. Les fondations d'une construction.* ⇒ **Assise, infrastructure, lit, œuvre** (gros œuvre, sous-œuvre), **rempiètement, soubassement, structure, substruction, substructure.** *Principaux éléments d'une construction.* ⇒ **Ancre, attique, balcon, balustrade, chaîne, charpente, cloison, comble, contrevent, couverture, mur** (pan de mur, mur de refend), **radier, revêtement, superstruction, superstructure, toit; bombement, cintrage, recoupement, relancis, surélévation...** *Les échafaudages, les accessoires d'une construction.* ⇒ **Échafaud, échafaudage; arasement, boulin, cerce, chanlatte, chape, chapiteau, charpente, châssis, chevalement, chèvre, chevron, colombage, contre-boutant, contre-porte, culée, décharge, enchevalement, gournable, latte, poutre, semelle, traverse.** *Ravalement des constructions. La stabilité, la force cohésive d'une construction. Construction fragile* (cf. Château de cartes). *Constructions symétriques. La portée d'une construction.*

3 Les autres constructions avaient subsisté, en se transformant plus ou moins; la ferme et sa basse-cour gardaient leur destination d'origine.
    J. ROMAINS, les Hommes de bonne volonté, t. V, IX, p. 74.

♦ **3.** Ensemble des techniques qui permettent de construire, de bâtir. ⇒ **Architectonique.** *L'architecture et la construction. Entrepreneur de construction. — La construction individuelle.*

... DE CONSTRUCTION : qui sert à la construction. *Matériaux de construction* (acier, ardoise, béton, bois, brique, ciment, fer, moellon, mortier, pierre, pisé, plâtre, staff, torchis, tuile...). *Pierre de construction. Bois de construction.* — Loc. *Jeu de construction,* formé d'éléments que l'on peut assembler pour construire un ensemble.

4 Quand il s'agit d'une maison, ils en ignorent l'âge exact, la qualité de construction et de matériaux.
    J. ROMAINS, les Hommes de bonne volonté, t. IV, IV, p. 28.
Industrie qui construit (tels objets). *La constructions navale, aéronautique. Ingénieur des constructions navales* (cf. Génie civil). *La construction mécanique européenne.*

♦ **4.** (1694). Fig. Action de composer, d'élaborer (une chose abstraite, une œuvre). ⇒ **Composition, élaboration.** *Construction d'un roman, d'une thèse, d'un poème.*
Ce qui est élaboré. ⇒ **Système.** *C'est une simple construction de l'esprit. Une construction théorique, intellectuelle. Une construction utopique.*

5 Mais l'histoire des audaces gnostiques et la persistance des courants manichéens a plus fait, pour la construction du dogme orthodoxe, que toutes les prières.
    CAMUS, le Mythe de Sisyphe, p. 153.

(1690). Géom. *Figure construite.*

6 (...) il ne lui plaît pas que le symbole se place entre l'objet du problème et la construction géométrique (...)   André SUARÈS, Trois hommes, II, « Pascal », p. 32.

♦ **5.** (Déb. XIIIᵉ). Gramm. Place relative, arrangement des mots dans le discours, l'énoncé (⇒ **Syntaxe**). *L'ordre* (cit. 10) *et la construction de la phrase. Construction grammaticale. Construction analytique, logique, elliptique. Construction latine. Construction vicieuse.* ⇒ **Cacologie.** *Une construction élégante, légère; lourde, boiteuse.*

7 L'on écrit régulièrement depuis vingt années; l'on est esclave de la construction; l'on a enrichi la langue de nouveaux mots (...)
    LA BRUYÈRE, les Caractères, I, 60.

8 La construction des phrases est le secret de l'art d'écrire!
    Antoine ALBALAT, l'Art d'écrire, VIII, p. 139.
Suite d'éléments linguistiques conforme à un schéma. ⇒ **Tour.** *Construction figée.* ⇒ **Locution, phraséologie.**

CONTR. Démolition, destruction, renversement.
COMP. Reconstruction.

CONSTRUCTIVISME [kɔ̃stʀyktivism] n. m. — V. 1925; du rad. de *constructif.*

♦ **1.** Hist. de l'art. Mouvement artistique tendant à substituer une plastique de plans et de lignes assemblées (structure) à une plastique des masses (d'abord appliqué au *Constructivisme russe* qui s'est épanoui vers 1920).

1 En 1913, toujours en Russie, TATLIN lance le *Constructivisme* que GABO et PEVSNER (sculpteur) codifient à Moscou, en 1920. Il est très apparenté au « suprématisme » de MALEVITCH. Par LISSITZKY il entre en Allemagne, en 1922 et, mêlé aux directions de *Bauhaus,* se confond rapidement avec le *Néo-plasticisme* et l'*Élémentarisme* de Mondrian et Van Dœsburg.
    Maurice GIEURE, la Peinture moderne, p. 97.

♦ **2.** Didact. Théorie qui considère un objet de pensée comme « construit ».

(*Brouwer a voulu*) constituer une théorie intuitionniste du nombre en élaborant

dans ce but les règles techniques d'un constructivisme (...) qui relève aussi de la mathématique.
    J. PIAGET, Logique et Connaissance scientifique, *in* Encycl. Pl., p. 53.

♦ **3.** Mus. Système d'élaboration par éléments assemblés, construits.

3 Pierre Henry (*compositeur de musique concrète*) manifesta souvent (...) un vigoureux *constructivisme.*   Pierre SCHAEFFER, la Musique concrète, p. 24.

CONSTRUCTIVISTE [kɔ̃stʀyktivist] n. m. — V. 1925; du rad. de *constructif.*

♦ Didact. Adepte du constructivisme*. *Manifeste constructiviste.*

Pendant les travaux de restauration, on avait dû consolider l'édifice avec des poutrelles en fer qu'il semblait, à l'architecte, malaisé de dissimuler. Vidame, devançant les recherches des constructivistes russes, avait tranquillement décidé qu'il fallait que cette ferraille demeurât partout apparente.
    G. DUHAMEL, Chronique des Pasquier, Suzanne et les jeunes hommes, éd. l'Ambassade du livre, p. 40-41.

CONSTRUIRE [kɔ̃stʀyiʀ] v. tr. — XIIIᵉ, sens 3; lat. *construere,* de con- (*cum*), et *struere* « disposer, ranger ». → aussi Détruire, structure.

♦ **1.** (1466). Bâtir ou faire bâtir suivant un plan déterminé, avec des matériaux divers. ⇒ **Bâtir, édifier, élever, ériger, faire; reconstruire.** *Construire une maison, un immeuble. Construire une maison en bois, en pierre, en fer. Construire un chemin, une route.* ⇒ **Tracer.** *Construire un pont.* ⇒ **Jeter.** — Absolt. *Art de construire.* ⇒ **Construction; bétonner, briqueter, chaîner, cintrer, couler** (du béton), **contre-bouter, crépir, décintrer, enchevaucher, enclaver, enligner, flanquer, forger, maçonner, piser, ragréer.** *Permis de construire.*

1 Il lui semblait voir crouler cet abri que, depuis trois ans, il s'était construit de ses mains (...)   MARTIN DU GARD, les Thibault, t. IV, p. 51.
Se construire qqch. : construire pour soi. Il veut se contruire une maison. — Pron. passif. Être construit, en construction. *Sa maison se construit lentement.*
Fabriquer ou faire fabriquer (un objet complexe). *Construire un navire, des automobiles, des machines.*
Par ext. *Construire un feu.*
(Animaux). *Construire un nid. Les castors construisent des barrages.*

♦ **2.** (Abstrait). Donner une organisation interne à. *Construire sa vie.* ⇒ **Aménager, organiser.**

2 On construit sa vie pour une personne et quand enfin on peut l'y recevoir, cette personne ne vient pas, puis meurt pour vous et on vit prisonnier, dans ce qui n'était destiné qu'à elle.
    PROUST, À l'ombre des jeunes filles en fleurs, éd. la Gerbe, t. II, p. 49.
Construire la personnalité de qqn. ⇒ **Structurer.** — Au p. p. *Une personnalité peu construite.*
Faire exister (un système complexe) en organisant des éléments mentaux. *Construire un roman, un poème, une pièce de théâtre.* ⇒ **Agencer, arranger, assembler, composer, créer.** *Construire un article, une dissertation. Construire un raisonnement. Construire un système, une théorie.* ⇒ **Architecturer, articuler, édifier, élaborer, élucubrer, forger, imaginer, organiser, structurer.** — Passif. *Cet exposé est mal construit, n'est pas construit.*

3 La vie échappe à la logique, et tout ce que la seule logique construit reste artificiel et contraint.   GIDE, Journal, 12 mai 1927.
Art. *Construire une fugue, une symphonie.*
(1690). Géom. Tracer (une figure) selon un schéma. *Construire un triangle rectangle, un cercle tangent à un autre. Construire un triangle isocèle à la règle et au compas.*

♦ **3.** (1530; *construire un mot,* XIIIᵉ). Organiser (un énoncé) en disposant les éléments (mots) selon un ordre déterminé (règles; norme). *Construire une phrase.* ⇒ **Construction.**
Pron. Finir *se construit avec de et l'infinitif.*

CONTR. Abattre, défaire, démolir, détruire, raser, renverser, ruiner, saper.
COMP. Déconstruire, reconstruire.

CONSUBSTANTIALITÉ [kɔ̃sypstãsjalite] n. f. — XIIIᵉ; lat. ecclés. *consubstantialitas,* de *consubstantialis.* → Consubstantiel.

♦ Théol. chrét. Unité et identité de substance des personnes de la Trinité (⇒ **Coexistence**). *Les ariens niaient la consubstantialité du Père et du Fils, du Père avec le Fils.*

En ce temps (325) Constantin assembla à Nicée en Bithynie le premier concile général où trois cent dix-huit évêques (...) condamnèrent le prêtre Arius ennemi de la divinité du Fils de Dieu et dressèrent le symbole où la consubstantialité du Père et du Fils est établie.   BOSSUET, Hist., I, 11, *in* LITTRÉ.
Caractère consubstantiel (2.).

CONSUBSTANTIATION [kɔ̃sypstãsjasjɔ̃] n. f. — 1567; lat. ecclés. *consubstantiatio,* de con- (*cum*), et *substantia.* → Substance.

♦ Théol. chrét. Présence réelle, simultanée du corps et du sang de

Jésus-Christ dans le pain et le vin de l'Eucharistie. *La théorie de la consubstantiation était soutenue par les luthériens.*

CONTR. Transsubstantiation.

CONSUBSTANTIEL, IELLE [kɔ̃sypstɑ̃sjɛl] adj. — Av. 1405; lat. *consubstantialis*, de *con-* (cum), et *substantia*. → Substance.

♦ 1. Théol. chrét. Qui est un par la substance. *Les trois personnes de la Trinité sont consubstantielles. Le Fils est consubstantiel au Père, avec le Père.*

1 (...) l'Église d'aujourd'hui, en France tout au moins, n'affirme plus à la messe que le Christ est consubstantiel au Père?
J. GREEN, *Journal*, 14 nov. 1970, Ce qui reste de jour, p. 267.

♦ 2. Littér. ou didact. Coexistant à, inséparable de...

2 L'idée de ces valeurs abstraites (...) n'est nullement (...) une idée que des métaphysiciens prêtent gratuitement à la conscience humaine. Elle lui est consubstantielle et l'on a l'une dès qu'on a l'autre.
Julien BENDA, la Trahison des clercs, p. 84.

DÉR. Consubstantiellement.

CONSUBSTANTIELLEMENT [kɔ̃sypstɑ̃sjɛlmɑ̃] adv. — 1690; de *consubstantiel*.

♦ Théol. ou didact. De manière consubstantielle. *Le Fils est consubstantiellement uni avec le Père* (Académie).

CONSUL [kɔ̃syl] n. m. — V. 1265; écrit *concile*, 1213, au sens A, 1; mot lat., probablt déverbal de *consulere*. → Consulter.

A. Hist. **♦ 1.** (V. 1370). Antiq. rom. Nom donné aux deux magistrats qui exerçaient l'autorité suprême, sous la République romaine. *Sous l'Empire romain les consuls n'avaient que des attributions honorifiques. Consuls, tribuns et sénateurs. — Consul désigné,* élu mais pas encore en fonction.

1 Rome, ayant chassé les rois, établit des consuls annuels (...)
MONTESQUIEU, Grandeur et décadence des Romains, I.

2 (...) ayant la toge, le laticlave, les brodequins d'un consul et des licteurs autour de sa personne. FLAUBERT, Trois contes, « Hérodias », II.

Que les consuls prennent garde... (formule que le sénat romain adressait aux consuls quand un grave danger menaçait la République).

♦ 2. (1311; *conseuz,* fin XIIIe). **a** (Au moyen âge). Magistrat municipal du Midi de la France. *Consuls de Toulouse.* ⇒ **Capitoul.**

b (1563). Juge choisi parmi les marchands et connaisseur de certaines affaires commerciales. *Juges-consuls.*

♦ 3. (1799). Nom des trois magistrats auxquels la Constitution de l'an VIII avait confié le gouvernement de la République française (1799 à 1804). ⇒ **Consulat.** *Le premier, le second consul. Bonaparte, Premier consul.*

3 Là, consul jeune et fier, amaigri par des veilles
Que des rêves d'empire emplissaient de merveilles,
Pâle sous ses longs cheveux noirs. HUGO, les Orientales, XL, I.

4 Ce siècle avait deux ans. Rome remplaçait Sparte,
Déjà Napoléon perçait sous Bonaparte,
Et du premier consul déjà, par maint endroit,
Le front de l'empereur brisait le masque étroit. HUGO, les Feuilles d'automne, I.

B. (1690). Agent diplomatique chargé par un gouvernement de la défense des intérêts de ses nationaux et de diverses fonctions administratives dans un pays étranger (⇒ **Vice-consul**). *Les consuls s'établissent dans les principaux centres, et particulièrement dans les ports. Consul général. Consul de première, de deuxième classe, consul suppléant. Consul de France. Consul anglais. Ordonnance autorisant un consul à exercer ses fonctions.* ⇒ **Exequatur.**

5 Jacques et Rubiadzan devaient loger chez le consul, monsieur Stahl, monsieur Oliveiro Stahl, un consul qui représentait toutes les nations européennes, asiatiques, africaines et océaniennes et la plupart des américaines (...)
R. QUENEAU, Loin de Rueil, p. 186.

COMP. Proconsul, vice-consul.

CONSULAIRE [kɔ̃sylɛʀ] adj. — Av. 1380; lat. *consularis*, de *consul* « consul ».

A. Hist. **♦ 1.** Antiq. rom. Relatif aux consuls* romains. *La dignité consulaire. Faisceaux consulaires, pourpre consulaire. Comices consulaires,* pour l'élection des consuls. *Provinces consulaires,* où Rome envoyait des consuls. *Fastes consulaires :* tables contenant les noms des consuls. *Année consulaire,* qui s'écoulait entre l'installation successive de deux consuls. *Famille consulaire,* à laquelle avait appartenu un consul. *Personnage consulaire. — N. m.* (1680). *Consulaire :* celui qui avait été consul.

♦ 2. Hist. (au moyen âge). *Juridiction consulaire :* juridiction des juges-consuls. — Mod. *Juge consulaire :* juge élu d'un tribunal de commerce. *Palais consulaire.*

♦ 3. (1799). Relatif au gouvernement des trois consuls établi en l'an VIII. *Régime, gouvernement consulaire.* ⇒ **Consulat.**

Par anal. Se dit d'un régime où la réalité du pouvoir est détenue par quelques personnes (→ Consulat, cit. 2.1).

B. (1803). Relatif à un consulat dans un pays étranger. *Agent* consulaire. Remplir des fonctions consulaires.*

DÉR. Consulairement.

CONSULAIREMENT [kɔ̃sylɛʀmɑ̃] adv. — 1690; de *consulaire*.

♦ 1. Dr. (Hist.). En qualité de consul, de juge-consul. ⇒ **Consul,** A, 2., b. *Demande jugée consulairement* (Académie).

♦ 2. En qualité de consul (B.).

CONSULAT [kɔ̃syla] n. m. — Av. 1380; *consolet,* v. 1268; *consolat* « charge de consul municipal », 1246; lat. *consulatus,* de *consul* « consul ».

A. Hist. **♦ 1.** Antiq. rom. Dignité de consul. Temps pendant lequel un consul exerçait sa charge. *Le consulat de Cicéron.*

Reçois le consulat pour la prochaine année. CORNEILLE, Cinna, V, 3. 1

♦ 2. Fonction de juge-consul.

♦ 3. (1799). Gouvernement des trois consuls institué par la Constitution de l'an VIII; le temps qu'il dura. *L'époque du Consulat* (1799-1804). *Histoire du Consulat et de l'Empire,* de Louis Madelin.

(...) ces cinq ans de Consulat, — l'une des plus belles pages de la plus belle des histoires, l'histoire de France.
Louis MADELIN, l'Avènement de l'Empire, VIII, p. 106. 2

Par analogie :

Mais comme vous rejetez le grand travail entrepris depuis, sous le consulat de de Gaulle (le mot ne me fait pas peur : cette République est consulaire) il faut admettre que vous avez dans l'esprit une République autre que celle-là et différente de l'ancienne. F. MAURIAC, le Nouveau Bloc-notes 1958-1960, p. 202. 2.1

B. (1690). Charge de consul dans une ville étrangère. *Obtenir le consulat de Beyrouth, de New York. — Résidence du consul, bureaux et services qu'il dirige. Aller au consulat pour obtenir un visa. Chancelier* d'un consulat.*

Des consulats, des douanes, des manufactures (...) toute une *concession* européenne (...) LOTI, Mme Chrysanthème, II, p. 9 (→ Concession, cit. 1). 3

Venant d'Albanie, accompagné par Anton, un Autrichien, j'entrai en Yougoslavie en montrant aux douaniers un passeport qui n'était qu'un livret militaire français auquel j'avais ajouté quatre pages d'un passeport autrichien (délivré à Anton) munies des visas du consulat serbe. Jean GENET, Journal du voleur, p. 122. 4

CONSULTABILITÉ [kɔ̃syltabilite] n. f. — XXe; de *consultable*.

♦ Didact. Caractère consultable (d'un document, etc.).

CONSULTABLE [kɔ̃syltabl] adj. — 1660; de *consulter*.

♦ Que l'on peut consulter (I., 2.). *Le manuscrit est consultable à la Bibliothèque nationale. Un ouvrage sans index est peu consultable.*

CONTR. Inconsultable.
DÉR. Consultabilité.

CONSULTANT, ANTE [kɔ̃syltɑ̃, ɑ̃t] adj. et n. — 1584, adj.; n., 1636; p. prés. de *consulter*.

♦ 1. Qui donne des consultations. ⇒ **Conseil.** *Avocat consultant. Médecin consultant,* que l'on appelle en consultation (opposé à *médecin traitant*). — N. *Un consultant, une consultante.*

L'ambition, l'envie, avec les consultants,
Dans la succession entrent en même temps. LA FONTAINE, Fables, IV, 18. 1

♦ 2. N. **a** Vx. Personne qui demande une consultation.

Écoutez tout le monde, assidu consultant (...) BOILEAU, l'Art poétique, IV. 2

b Mod. Personne qui consulte un médecin.

Un médecin psychanalyste expérimenté peut évaluer de plus près les chances d'une psychanalyse, telles qu'elles résultent non seulement du diagnostic, mais des possibilités et des limitations du consultant, de ses conditions de vie, de ses perspectives d'avenir, de sa capacité de communication.
Daniel LAGACHE, la Psychanalyse, p. 85. 3

CONSULTATIF, IVE [kɔ̃syltatif, iv] adj. — 1608; dér. sav. de *consulter*.

♦ Que l'on consulte; qui est constitué pour donner des avis mais non pour décider. *Comité consultatif. Assemblée consultative.* — Par ext. *Avoir voix* consultative dans une assemblée :* avoir le droit de donner son avis mais non de voter.

CONTR. Délibératif (voix). — **Souverain.**

CONSULTATION [kɔ̃syltasjɔ̃] n. f. — Av. 1356, *consultacion,* sens 4; lat. *consultatio,* du supin de *consultare*. → Consulter.

Action de consulter.

♦ 1. (1548). Action de prendre avis, de consulter. *La consultation de plusieurs personnes par quelqu'un. Une longue consultation. — Consultation populaire. Consultation de l'opinion.* ⇒ **Enquête, plébiscite, référendum, vote.** *Consultation de l'opinion publique par échantillon, par sondage*.*

(1580). Plus cour. Action d'examiner, de lire (un ouvrage) pour y chercher une information. *Consultation d'un ouvrage, d'un document. Dictionnaire d'une consultation facile. Consultation sur place, dans une bibliothèque* (opposé à *emprunt*).

♦ 2. (1636). Le fait de consulter (qqn) pour obtenir son avis. *La consultation d'un jurisconsulte, d'un spécialiste, d'un expert, d'un graphologue par qqn. Après consultation d'un expert...* — Le fait de donner avis. *Donner une consultation. Consultation payante, coûteuse, gratuite. Tarif de la consultation.*

1 Un avocat a-t-il quelque réputation établie? Il cesse de plaider et se borne aux consultations où il s'enrichit. FÉNELON, t. XXI, p. 166, *in* LITTRÉ.

2 Voilà ma grand-mère si sourde et si âgée, qu'elle ne s'occupe presque plus de faire et de vendre ses drogues, et qu'elle ne peut plus donner ses consultations. G. SAND, la Petite Fadette, XXIX, p. 194.

3 Oui, je viens d'assister à une consultation de ceux que les journaux qualifient de « prince de la science ». HUYSMANS, Là-bas, VII, p. 99.

♦ 3. Cour. (Correspond à consulter, II., 3.). Examen d'un malade (par un médecin); informations et conseils donnés par un médecin, en général lors d'un examen. *La consultation du médecin,* celle qui donne le médecin. — REM. Le sens correspondant à *consulter* I. (la consultation du médecin par le malade) ne semble pas en usage. *Cabinet, heures de consultation. Aller à la consultation. Consultation par téléphone. Le médecin a repris ses consultations. Consultations à l'hôpital. Consultation prénatale. Consultation des nourrissons.*

4 (...) il donnera tous les lundis matin, de neuf heures trente à onze heures trente, une consultation entièrement gratuite, réservée aux habitants du canton. J. ROMAINS, Knock, II, p. 65.

5 Un jour par semaine, notre service assurait la consultation externe. Cela signifie que tous les élèves réunis derrière le patron devaient recevoir les malades venus du dehors, les examiner et les traiter, les retenir s'il y avait lieu. G. DUHAMEL, le Temps de la recherche, VIII, p. 113.

Méd. *Consultation externe* (service d'un hôpital pour les malades non hospitalisés).

♦ 4. (Av. 1356; premier emploi attesté; correspond à *consulter*, II.). Réunion de personnes qui délibèrent sur une affaire, un cas; discussion ayant lieu hors d'une telle réunion. *Consultation de jurisconsultes. Consultation de spécialistes.* « (...) des consultations étaient en cours avec les alliés des États-Unis pour étudier les moyens de pression à mettre en œuvre en vue d'obtenir le relâchement des otages (...) » (*le Monde*, 14 nov. 1979). **...EN CONSULTATION.** *Entrer, être en consultation (avec qqn, des collègues...).*

6 Un jour, il était en consultation avec d'autres médecins (...) ROUSSEAU, les Confessions, V.

---

1. CONSULTE [kɔ̃sylt] n. f. — 1583; déverbal de *consulter.*

♦ Vx. Consultation.

HOM. 2. **Consulte,** formes du v. **consulter.** — V. **Senatus consulte.**

---

2. CONSULTE [kɔ̃sylt] n. f. — 1708; ital. *consulta,* du lat. *consultare.* → Consulter.

♦ 1. Hist. Ancienne assemblée administrative en Italie, en Suisse. — *Consulte sacrée :* cour judiciaire qui, au Vatican, est « comme le conseil d'État du pape » (Du Marsais).

♦ 2. Mod. En Corse, Large assemblée se réunissant pour traiter d'une question d'intérêt général.

HOM. 1. **Consulte,** formes du v. **consulter.**

CONSULTER [kɔ̃sylte] v. — 1410, *consulter (de qqch.)* « délibérer »; lat. *consultare,* de *consulere* « délibérer; interroger », lui-même d'origine obscure. → aussi Consul.

★ I. V. tr. **♦ 1.** (1549, sans compl.). Demander avis, conseil à (qqn). ⇒ **Interroger, questionner.** *Consulter un ami, ses parents sur, au sujet de qqch., de qqn. Consulter un avocat* (cit. 3), *un médecin. Consulter un expert, un spécialiste, un savant. Il faut le consulter, il s'y connaît, il a voix au chapitre... Les anciens consultaient les augures, les oracles. Consulter un astrologue* (cit. 3, 5, 6), *un sorcier, un devin, un diseur de bonne aventure* (cit. 4). — *Consulter une collectivité. Consulter l'opinion.* ⇒ **Sonder; pouls** (prendre le pouls). *Consulter une assemblée, un comité, un conseil... Consulter le pays, le peuple.* ⇒ **Consultation.**

1 Une femme, à Paris, faisait la pythonisse. On l'allait consulter sur chaque événement (...) LA FONTAINE, Fables, VII, 15.

2 Il faut que je consulte un peu ces gens-là sur l'incertitude où je suis (...) Je viens vous consulter sur une affaire qui m'embarrasse. MOLIÈRE, le Mariage forcé, 3 et 4.

3 De ce pas (...) je m'en vas *(vais)* à la ville consulter les hommes de *(la)* loi. G. SAND, François le Champi, XX, p. 146.

Malgré sa promesse, elle ne veut pas consulter un médecin. Sa maladie est sûrement trop subtile pour un docteur et ses remèdes. 4
J. CHARDONNE, les Destinées sentimentales, Porcelaine de Limoges, p. 369.

Pron. (récipr.). *Il se sont consultés avant d'agir.*

Loc. fig. *Consulter son chevet,* et, fam., *consulter son oreiller, son bonnet de nuit :* passer la nuit avant de décider quelque chose (cf. La nuit porte conseil). — *Consulter son miroir,* s'y regarder.

Absolt. Consulter un médecin; aller à la consultation.

Mais ne suis-je pas las de cette comédie chaque nuit recommencée? Ne devais-je pas consulter? moins boire peut-être et moins manger, absorber des pilules, des sédatifs, des euphorisants, des somnifères? 4.1
François NOURISSIER, le Maître de maison, p. 172.

♦ 2. (1585). Regarder (qqch.) pour y chercher des éclaircissements, des explications, des renseignements, des indices. *Consulter un manuel, un traité.* ⇒ **Compulser, examiner, référer** (se référer à). *Consulter un mémento, un lexique, un dictionnaire. Ouvrage à consulter.* Par métonymie. *Consulter un auteur, consulter Littré. Consulter une référence. Consulter son carnet d'adresses. Consulter l'annuaire, l'indicateur des chemins de fer. Consulter le baromètre* (→ Ascension, cit. 2), *sa montre, une boussole** (cit. 4). — *Consulter l'histoire. Consulter les astres.*

Si vous consultez nos auteurs (...) MOLIÈRE, Monsieur de Pourceaugnac, II, 11. 5

Au lieu de le consulter *(Littré)* on se surprend sans cesse à le lire. 6
G. PARIS, Extrait du Journal des savants, oct.-nov. 1890, Compte rendu sur le Dictionnaire général.

Antoine consulta son agenda, puis l'indicateur, et résolut de prendre, le lundi soir, le rapide de Lausanne. MARTIN DU GARD, les Thibault, t. IV, p. 39. 7

Par anal. *Consulter sa mémoire, ses souvenirs.* ⇒ **Fouiller** (dans), **sonder.**

Se laisser guider par. ⇒ **Interroger; écouter, suivre.** *Consulter son cœur, sa raison, ses intérêts. Ne consulter que son devoir, que sa conscience. Consulter le goût de ses amis.*

Craignez d'un vain plaisir les trompeuses amorces, Et consultez longtemps votre esprit et vos forces. BOILEAU, l'Art poétique, I. 8

Consulte ta raison, prends sa clarté pour guide. MOLIÈRE, Don Garcie, II, 4. 9

(...) en toutes choses, il faut consulter la raison autant que l'amitié. 10
G. SAND, la Mare au diable, V, p. 44.

Pron. (réfl.). S'interroger soi-même, réfléchir (→ ci-dessous, II., 2.).

♦ 3. Vx. Soumettre (qqch., une affaire) à l'examen de qqn.

(...) je vous prie de me mener chez quelque avocat pour consulter mon affaire. 11
MOLIÈRE, Monsieur de Pourceaugnac, II, 10.

★ II. V. intr. (Vieilli ou spécialt). **♦ 1.** (Fin xvᵉ). Vieilli. Examiner un cas en délibérant avec d'autres. ⇒ **Conférer.** *Consulter avec qqn. Médecin qui consulte avec un confrère. Consulter sur qqch.* ⇒ **Concerter** (se), **discuter.**

L'homme, qui vit que le joaillier et le prince de Perse consultaient ensemble, s'imagina qu'ils faisaient difficulté d'accepter la proposition qu'il leur avait faite. 11.1
A. GALLAND, les Mille et Une Nuits, t. II, p. 75.

♦ 2. Vx. Délibérer avec soi-même, s'interroger. ⇒ **Balancer, hésiter, réfléchir, tergiverser.**

Je ne consulte point pour suivre mon devoir (...) CORNEILLE, le Cid, III, 3. 12

♦ 3. Mod. (Méd.). Se réunir à plusieurs médecins pour donner une consultation.

Nous avions été consulter, dans une espèce de clinique installée quai des Grands-Augustins. Les docteurs, au nombre de cinq ou six, y opéraient tous ensemble (...) 13
G. DUHAMEL, Inventaire de l'abîme, VII, p. 104.

Donner sa, ses consultations (d'un médecin). *Le docteur X ne consulte que le matin.*

CONTR. Conseiller, répondre. — Décider.
DÉR. Consultable, consultant, consultatif, 1. consulte, consulteur.

CONSULTEUR [kɔ̃syltœʀ] n. m. — 1458, « personne consultée »; de *consulter.*

♦ Relig. *Consulteur du Saint-Office :* théologien chargé par le pape de donner son avis sur une question de foi, de discipline.

C'est ce qui paraît parfaitement par les avis des consulteurs auxquels le pape les *(les cinq propositions)* donna à examiner. PASCAL, les Provinciales, 17. 1

On nomma des consulteurs. Ils examineraient avec le plus grand soin la matière du livre des *Maximes.* Il est fort possible qu'Innocent XII ait pensé gagner ainsi un temps précieux, pendant lequel l'affaire s'apaiserait. 2
F. MALLET-JORIS, Jeanne Guyon, p. 397.

CONSUMABLE [kɔ̃symabl] adj. — xivᵉ, repris 1842; de *consumer.*

♦ Rare. Qui peut être consumé.

Tout était replié sur soi, cultivant dans sa cachette la bouffée de chaleur consumable. J.-M. G. LE CLÉZIO, le Déluge, p. 197.

CONSUMANT, ANTE [kɔ̃symɑ̃, ɑ̃t] adj. — 1718, Académie; p. prés. de *consumer.*

♦ Rare. Qui consume. *Un feu consumant.* — Littér. « *Cette tristesse consumante qui détruit le cœur...* » (E. de Guérin, *in* T. L. F.).

CONSUMATION [kɔ̃symasjɔ̃] n. f. — xvᵉ, Commynes ; «consuma-tion du monde», in Huguet (→ Consommation, I.) ; de *consumer*, angl. *consummation*.

♦ Didact. Action de consumer, de se consumer pour un accomplis-sement, en s'accomplissant.

(La mort) est bien ce qui n'arrive à personne, l'incertitude et l'indécision de ce qui n'arrive jamais, à quoi je ne puis penser avec sérieux, car elle n'est pas sérieuse, elle est sa propre imposture, l'effritement, la consumation vide, — non pas le Terme, mais l'interminable, non pas la mort propre, mais la mort quelconque, non pas la mort vraie, mais, comme dit Kafka, «le ricanement de son erreur capi-tale ».   M. BLANCHOT, l'Espace littéraire, p. 205.

CONSUMER [kɔ̃syme] — V. 1120 ; lat. *consumere* «détruire ; con-sommer». (→ Consommer), de *sumere* «prendre».

♦ **1.** Vx. Détruire peu à peu dans sa substance. ⇒ **Anéantir, détruire, dévorer, ronger, user.** *La rouille consume le fer.* ⇒ **Corroder.**

(1546). Mod. Détruire (par le feu). ⇒ **Brûler** (cit. 1, 35, 58), **calci-ner** (cit. 3, 4), **dévorer, embraser.** *Le feu a consumé tout un quar-tier.* ⇒ **Incendier.**

1   L'or s'épure dans le même feu où la paille est consumée.
                                    BOSSUET, Disc. sur l'hist. universelle, II, 22.
2   Le corps était déjà consumé par les flammes.   FÉNELON, Télémaque, 17.

♦ **2.** (1538). Vx ou littér. Dissiper complètement (l'argent ; des ali-ments. ⇒ **Consommer.**) *Le temps consume tout.* ⇒ **Absorber, détruire, ruiner.** — (Sujet n. de personne). *Il a consumé tout son avoir, tout son patrimoine.* ⇒ **Dépenser, dissiper, manger.**

3   (...) de son bien en procès consume le plus beau.   RACINE, les Plaideurs, I, 5.
4   (...) il consume son bien en des aumônes, et son corps par la pénitence (...)
                                    LA BRUYÈRE, II, 25.
5   S'il *(l'homme)* était haut comme les plus grands clochers, un petit nombre d'hom-mes consumerait en peu de jours tous les aliments d'un pays.
                                    FÉNELON, Traité de l'existence de Dieu, 12, in LITTRÉ.

♦ **3.** (xiiᵉ). Littér. Épuiser complètement les forces de (qqn). ⇒ **Abattre, affaiblir, dévorer, diminuer, éteindre, épuiser, fatiguer, ruiner, ronger, user ;** et aussi **consomption.**

(1690). *La maladie, la fièvre qui la consumait.* — Passif et p. p. → ci-dessous, cit. 6, 7.

6   (...) de ses feux mon âme consumée (...)   MOLIÈRE, Dom Garcie, V, 6.
7   C'est votre plus grand mal *(la sensibilité)*, vous en êtes dévorée et consumée (...)
                                    Mᵐᵉ DE SÉVIGNÉ, 622, 3 juil. 1677.
8   Mais, au contraire, c'est son ardeur même qui le consume *(l'amour)* ; il s'use avec la jeunesse, il s'efface avec la beauté, il s'éteint sous les glaces de l'âge (...)
                                    ROUSSEAU, Julie ou la Nouvelle Héloïse, II, 20.
9   Un jour de larmes consume plus de forces qu'un an de travail.
                                    LAMARTINE, Graziella, Épisode, XIX, p. 52.
10 (...) malgré elle, le regret fut grand et elle en fut longtemps malade d'une petite fièvre qui la consumait tout doucettement, sans que personne y fît attention.
                                    G. SAND, François le Champi, XI, p. 93.
11 (...) ce regard, si peu humain, éveillait l'idée d'un feu caché, brûlant sans trêve au dedans de lui, consumant l'être, se nourrissant de sa substance.
                                    MARTIN DU GARD, les Thibault, t. V, p. 84.

♦ **4.** (Le compl. désigne le temps). Employer sans réserve. ⇒ **Consa-crer, employer, passer, prodiguer.** *Consumer son temps, sa vie à un ouvrage, dans l'étude...*

12 (...) nous pouvons être hommes sans être savants ; dispensés de consumer notre vie à l'étude de la morale, nous avons à moindre frais un guide plus assuré dans ce dédale immense des opinions humaines.   ROUSSEAU, Émile, IV.
13 Ces trois années, mon père me les avait consumées en des efforts d'esprit si rigou-reux (...)   G. DUHAMEL, Chronique des Pasquier, I, II, IV.

▶ **SE CONSUMER** v. pron.

♦ **1.** (Passif). Être détruit par le feu. *Les bûches se consument dans la cheminée.*

13.1 Quelques arbres, auxquels les indigènes ont mis le feu, se consument lentement par la base.   GIDE, Voyage au Congo, in Souvenirs, Pl., p. 691.

♦ **2.** (Réfl.) Épuiser sa santé, ses forces (à cause de, par...). *Se con-sumer de douleur, d'amour. Se consumer en efforts inutiles. Se consumer d'ennui.* ⇒ **Sécher** (sur pied). — Absolt. *Cet homme se consume.* ⇒ **Dépérir.**

14 L'impression de terreur qu'elle avait conservée d'un si affreux réveil ne lui laissa jamais reprendre la gaieté ni les jeux de son âge ; elle n'a fait que languir depuis, et se consumer peu à peu.
                                    P.-L. COURIER, Pamphlets politiques, Pétition aux deux Chambres, Pl., p. 6.
15 Il ne riait plus jamais ; il ne prenait goût à rien ; il ne pouvait plus guère travail-ler, tant il se consumait et s'affaiblissait.
                                    G. SAND, la Petite Fadette, XXXI, p. 206.
16 (...) elle était de ces esprits qui se consument eux-mêmes par leur trop de flamme (...)   SAINTE-BEUVE, Correspondance, t. II, p. 368.
17 De onze à dix-huit ans, il se consuma comme du papier d'Arménie qui brûle vite et ne sent pas bon.   COCTEAU, Le Grand Écart, p. 16.

▶ **CONSUMÉ, ÉE** p. p. adj. *Consumé par les flammes. — Cœur consumé d'amour.*

18 Quand je vous verrai comme vous devez être (...) non pas usée, consumée, dépé-rie, échauffée, épuisée, desséchée (...)   Mᵐᵉ DE SÉVIGNÉ, 630, 28 juil. 1677.

CONTR. Éteindre, refroidir. — Créer. — Fortifier, remonter. — Entretenir.
DÉR. Consumable, consumant. — V. Consumation.

CONSUMÉRISME [kɔ̃symeʀism] n. m. — 1972, *Entreprise,* in P. Pamart ; angl. des États-Unis *consumerism* (Ralf Nader), de *consu-mer* «consommateur».

♦ Anglic. Action des organisations de consommateurs, visant à pro-téger la santé publique, l'environnement ; défense systématique des intérêts du consommateur. ⇒ **Consommatique.** *Le consumérisme militant.* «*L'utilisateur (...) alarmé par la voix "dramatisante" du consumérisme* » (le Nouvel Obs., 14 nov. 1977, p. 68).

DÉR. Consumériste.

CONSUMÉRISTE [kɔ̃symeʀist] adj. et n. — 1972 ; de *consu-mérisme.*
Anglicisme.

♦ **1.** Adj. Qui prône le consumérisme. «*Auteur consumériste*» (le Matin, 24 oct. 1977).
Relatif au consumérisme. «*Le pouvoir "consumériste"* » (le Nouvel Obs., 9 oct. 1972).

♦ **2.** N. (1979, in Höfler). Partisan du consumérisme.

CONSUMPTIBILITÉ [kɔ̃sɔ̃ptibilite] n. f. ⇒ **Consomptibilité.**

CONSUMPTIBLE [kɔ̃sɔ̃ptibl] adj. ⇒ **Consomptible.**

CONTACT [kɔ̃takt] n. m. — 1586 ; didact., av. xixᵉ ; lat. *contactus,* de *con-* (*cum*), et supin de *tangere* «toucher». → Tact.

♦ **1.** Position, état relatif de corps qui se touchent. ⇒ **Adhérence, attouchement, contiguïté.** *Le contact de deux choses, de deux sur-faces, d'une chose et d'une autre. Contact fugitif, prolongé, rapide. Point de contact. Contact étroit* (→ Tangence). *Certaines mala-dies se communiquent par le contact.* ⇒ **Contagieux ;** *Contacts de deux personnes.* ⇒ **Attouchement, effleurement ; caresse.** *Appro-cher deux pièces jusqu'au contact.* ⇒ **Accoster,** 4. — *Être, entrer, mettre en contact, avec...* ⇒ **Appliquer, joindre, toucher.** *Établir, maintenir un contact entre deux choses. Au contact de l'air. Se défendre d'un contact. Rompre, interrompre un contact.*

1   Le toucher n'est qu'un contact de superficie (...)
                                    BUFFON, Œuvres, t. IV, p. 504.
2   Il s'énervait dangereusement, Raymond, à ces contacts prolongés qu'elle ne défen-dait pas.   LOTI, Ramuntcho, I, XXIII, p. 183.
3   La vie noircit au contact de la vérité, comme fait le douteux champignon au con-tact de l'air, quand on l'écrase.   VALÉRY, l'Âme et la Danse.
4   Je m'assure qu'il y a des hommes pour qui le contact d'un cilice pointu sur la peau peut être délicieux (...)   André SUARÈS, Trois hommes, II, « Pascal », p. 29.
5   Elle considérait Lucas comme une sorte de crapaud velu et elle s'apprêtait à souf-frir, car le seul contact de la main de cet homme sur son bras la contraignait à frissonner de répulsion.   P. MAC ORLAN, la Bandera, XIV, p. 162.

Psychol. *Sensation de contact :* la sensation en tant que perception rapportée à un objet (⇒ Tact, toucher).

Photogr. *Épreuve, copie par contact.*

Chim. *Procédé de contact,* pour obtenir de l'acide sulfurique par catalyse.

Géol. Zone limite entre deux roches, deux couches.

Loc. cour. (mil. XXᵉ ; de l'angl. *contact lenses*). *Lentilles, verres de contact :* verres correcteurs de la vue qui s'appliquent sur l'œil (ver-res cornéens).

♦ **2.** Électr. et cour. *Contact électrique,* entre conducteurs, et per-mettant le passage du courant. — Dispositif permettant l'allumage d'un moteur à explosion. *Établir, mettre le contact. Clef de con-tact. Couper le contact. Demander le contact au pilote d'un avion. Contact !*

Par métonymie. La commande du contact. *Appuyer sur le contact. Contact à fiche.*

6   Il me serait, à la rigueur, possible de couper les contacts. Mais je m'infligerais ainsi une panne définitive.   SAINT-EXUPÉRY, Pilote de guerre, XII, p. 82.
7   Il plante son regard dans le regard troublé de l'enfant : l'étincelle d'un contact : une confiance qui semble hésiter, puis jaillir vers lui.
                                    MARTIN DU GARD, les Thibault, t. III, p. 112.
7.1 Il a tourné, de l'autre main, la clé de contact, et il n'eût pas été surpris que le moteur refusât de partir, car il sait que la chaleur vaporise parfois l'essence dans la pompe d'alimentation.   A. PIEYRE DE MANDIARGUES, la Marge, p. 143.

♦ **3.** (xixᵉ, répandu sous l'infl. de l'angl.). Relation (entre personnes ou entités humaines ; entre faits humains). ⇒ **Rapport, relation.** *Le contact d'une personne avec une autre. Avoir un contact avec qqn. Perdre le contact :* s'éloigner, se séparer. *Contact étroit.* ⇒ **Cohé-sion.** *Rechercher le contact avec d'autres esprits.* ⇒ **Frotter** (se frot-ter à...). *Les contacts humains. Rechercher toutes sortes de con-tacts.* — *Il avait des contacts dans la police, avec des policiers. Vous devriez prendre des contacts avec cette société.* — Absolt. *Aimer le contact, les contacts.*

8   (...) ce désir du contact, du coudoiement, de l'intimité qui sommeille en tout cœur humain, et que tout vieux garçon promène, de porte en porte, chez ses amis où il installe un peu de lui (...)   MAUPASSANT, Fort comme la mort, p. 81.

En contact avec : en relation avec. *Entrer, se mettre, rester en con-*

tact avec qqn, qqch. Mettre les primitifs en contact avec la civilisation. Être constamment en contact avec une influence. ⇒ **Coudoiement, familiarité, intimité.**

9   La tragédie moderne, c'est le moi en contact avec le monde.
                              André SUARÈS, Trois hommes, « Ibsen », v, p. 135.

Au contact de : sous l'influence de. *Il a changé à son contact. Se modifier au contact de quelque chose.*
Prendre contact avec qqn. Prise de contact (⇒ **Communication, rapprochement, rencontre**).

10   Ruskin fut pour Proust l'un de ces écrivains intercesseurs qui nous sont nécessaires pour prendre contact avec les choses.
                              A. MAUROIS, Études littéraires, Marcel Proust, t. I, p. 106.

10.1 (...) je m'aperçois qu'on ne peut y prendre contact réel *(à Brazzaville)* avec rien (...)
                              GIDE, Voyage au Congo, p. 694.

Loc. *Le premier contact.*

11   La timidité de Pauline disparaissait dès le premier contact avec les gens auxquels son attitude si naturelle communiquait la même simplicité.
                              J. CHARDONNE, les Destinées sentimentales, Pauline, p. 281.

Milit. *Entrer en contact avec l'ennemi. Établir le contact. Les deux armées ont pris le contact. Rompre le contact* (⇒ **Combat**).

12   C'est le 8 octobre que l'on prend, pour la première fois, contact avec l'ennemi (...)
                              Louis MADELIN, l'Avènement de l'Empire, XXII, p. 276.

♦ **4.** Par métonymie (de *avoir un, des contacts avec qqn*). Anglicisme ; jargon de l'espionnage. Personne avec laquelle un agent doit rester en contact.

13   Ses mystérieux contacts avec la « subversion castro-communiste », comme répète machinalement l'envoyé de *Paris-Match* — c'est-à-dire avec Frank, son « contact » le plus régulier, dont le Front sait parfois se servir en sens inverse — lui donnent l'auréole du « patron » trônant jour et nuit au-dessus d'une divine bousculade.
                              Régis DEBRAY, l'Indésirable, p. 172.

CONTR. Détachement, éloignement, séparation.
DÉR. Contacter, contacteur.

CONTACTER [kɔ̃takte] v. tr. — 1842, répandu v. 1940 ; de *contact*, d'après l'angl. *to contact.*

♦ Prendre contact avec (qqn). — REM. Mot rejeté par les puristes (cf. des ex. de Vialar, La Varende, in T.L.F.). ⇒ **Rencontrer, toucher.** *Contactez-le dès votre retour. Je n'arrive pas à le contacter. Contacter qqn par téléphone.* — Pron. *Vous vous contacterez dès demain.* — Au p. p. *Les agents contactés.*

CONTACTEUR [kɔ̃taktœʀ] n. m. — 1927 ; de *contact.*

♦ Appareil établissant un contact. *Contacteur utilisé en acupuncture.*
Électr. Appareil servant à établir un contact électrique ; interrupteur.

CONTADIN, INE [kɔ̃tadɛ̃, in] n. et adj. — 1537, *contandin* ; ital. *contadino*, de *contado* « comté, campagne ».

♦ Rare. Qui vit à la campagne. ⇒ **Campagnard, paysan, rustique.** — Qui caractérise les campagnards.
Tout ce qu'il n'a pu ni voulu dire dans ses lettres est là : l'air du temps, gai ou triste, la méditation profonde, mais qui, exprimée, n'aboutit qu'à des lieux communs, quelques mots échangés avec une charmante contadine.
                              M. YOURCENAR, Archives du Nord, p. 153-154.

CONTR. Citadin.
HOM. Comtadin (dér. de *comtat*).

CONTAGE [kɔ̃taʒ] n. m. — 1863 ; lat. sc. *contagium*, 1832, de *contagio.* → Contagion.

♦ Méd. Cause matérielle de la contagion. *La poussière, les exsudats qui portent des microbes pathogènes sont des éléments de contage. Transport du contage. Recevoir le contage.*

HOM. Comptage.

CONTAGIEUSEMENT [kɔ̃taʒjøzmɑ̃] adv. — XVIᵉ ; de *contagieux.*

♦ Rare. De façon contagieuse ; par une contagion.
Cet irréel agissait contagieusement. D'abord, parce que son action n'était pas artistique. Cette frénésie de chevaux ailés et de dieux appartenait à l'irréel de la fête.
                              MALRAUX, Antimémoires, Folio, p. 283.

CONTAGIEUX, EUSE [kɔ̃taʒjø, øz] adj. — V. 1300 ; lat. *contagiosus*, de *contagio.* → Contagion.

♦ **1.** Qui se communique par contagion* (⇒ **Contage**). *Maladie, fièvre contagieuse.* ⇒ **Transmissible.** *La rougeole, la scarlatine, la varicelle sont contagieuses. Propagation d'une maladie contagieuse, épidémique.*

1   Il y a des folies qui se prennent comme les maladies contagieuses.
                              LA ROCHEFOUCAULD, Maximes, 300.

2   Les maladies seules sont contagieuses, et rien d'exquis ne se propage par contact.
                              GIDE, Prétextes, p. 128.

De la contagion. *Caractère contagieux d'une maladie.* ⇒ **Contagiosité.**

♦ **2.** (1539). Qui favorise la contagion, qui est agent de contagion. *Miasmes contagieux* (⇒ **Malsain, pestilentiel**). *Air contagieux. Cet homme est contagieux.*

3   Ici la terre ne porte pour fruit que du poison ; les hommes, contagieux, ne se parlent que pour se communiquer un venin mortel.
                              FÉNELON, Télémaque, in LITTRÉ.

N. *Un contagieux, une contagieuse :* un (une) malade atteint(e) d'une maladie contagieuse. *Isoler, mettre en quarantaine les contagieux.*

♦ **3.** (1665). Qui se communique facilement d'une personne à une autre. *Une erreur, une illusion contagieuse. Exemple, vice contagieux. Rire, enthousiasme contagieux.* ⇒ **Communicatif.** *Exaltation contagieuse. Dévouement contagieux.*

4   L'air de cour est contagieux : il se prend à V. *(à Versailles)*, comme l'accent normand à Rouen ou à Falaise (...)   LA BRUYÈRE, les Caractères, VIII, 14.

5   (...) quand on a le cœur libre, la passion qui s'adresse à nous a toujours quelque chose de contagieux.   ROUSSEAU, Julie ou la Nouvelle Héloïse, VI, lettre II.

6   La trahison n'est pas contagieuse, mais le martyre est épidémique.
                              A. MAUROIS, les Discours du Dr O'Grady, IV, p. 42.

Par ext. *Une personne contagieuse,* qui exerce une influence sur les autres.

CONTR. Incommunicable, intransmissible.
DÉR. Contagieusement.

CONTAGION [kɔ̃taʒjɔ̃] n. f. — 1375 ; lat. *contagio*, de *con- (cum)*, et *tangere* « toucher ».

♦ **1.** Transmission (d'une maladie) d'un organisme atteint à un organisme bien portant, par contact direct ou par l'intermédiaire d'un contage* (⇒ **Communication, contamination, infection**). *Contagion directe, indirecte. Le danger de la contagion.* → Moribond, cit. 3. *La contagion a causé une épidémie, une épizootie. S'exposer à la contagion. Se protéger de la contagion par la prophylaxie. Être réfractaire à la contagion. Précautions, défenses contre la contagion* (cf. Mise en quarantaine, cordon sanitaire...).

1   Il existe une façon pratique d'éviter la contagion des maladies : c'est de supprimer les malades — ou tout au moins de les isoler à jamais.
                              J. PAULHAN, les Fleurs de Tarbes, III, IX, p. 143.

Par ext. Maladie contagieuse ; épidémie*. *Les ravages de la contagion. Pendant la contagion.*

♦ **2.** Transmission involontaire (d'états, de tendances). ⇒ **Propagation, transmission, virus** (fig.) ; *imitation, influence. Une contagion mentale. La contagion de la colère, du vice. Contagion de la bêtise* (cit. 5). *Contagion du rire, du bâillement. Contagion collective. Contagion de l'enthousiasme. La contagion de l'exemple. Faire qqch. par contagion et imitation*.*

2   La contagion des fureurs populaires est parfois si grande et si rapide, qu'on pouvait croire en effet que la première étincelle ferait un grand embrasement.
                              MICHELET, Hist. de la Révolution franç., t. I, p. 1072.

3   Que seulement, sur un seul point des lignes, les troupes ennemies fraternisent, et la contagion gagnera aussitôt comme une traînée de poudre !
                              MARTIN DU GARD, les Thibault, t. VIII, p. 84.

Par ext. *La contagion du malheur. La contagion des idées.* ⇒ **Diffusion.**

4   De même que le mal, le sublime a sa contagion.
                              BALZAC, Mᵐᵉ de la Chanterie, Pl., t. VII, p. 334.

DÉR. Contagionner.

CONTAGIONNANT, ANTE [kɔ̃taʒjɔnɑ̃, ɑ̃t] adj. — 1925 ; p. prés. de *contagionner.*

♦ Rare. Qui détermine une contagion.

CONTAGIONNEMENT [kɔ̃taʒjɔnmɑ̃] n. m. — 1918, Proust ; de *contagionner.*

♦ Rare. Action de contagionner.

CONTAGIONNER [kɔ̃taʒjɔne] v. tr. — 1845 ; de *contagion.*

♦ **1.** Rare. Infecter par contagion. ⇒ **Contaminer.** *Une pestiféré peut contagionner tout une ville.* — Au p. p. *Populations contagionnées.*

♦ **2.** Fig. *L'enthousiasme qu'il manifestait contagionna son entourage.*

DÉR. Contagionnant, contagionnement.

CONTAGIOSITÉ [kɔ̃taʒjozite] n. f. — 1425 ; dér. sav. du lat. *contagiosus.* → Contagieux.

♦ **1.** Méd. Caractère d'une maladie contagieuse. *La contagiosité d'une infection.*

♦ **2.** Fig. et rare. *La contagiosité du fanatisme religieux.* ⇒ **Contagion.**

D'un côté la contagiosité du sacré le conduit à se déverser instantanément sur le profane et à risquer ainsi de le détruire et de se perdre sans profit ; de l'autre, le profane qui a toujours besoin du sacré, est toujours poussé à s'en emparer avec avidité et risque ainsi de le dégrader ou d'être lui-même anéanti.
                                    Roger CAILLOIS, l'Homme et le Sacré, p. 22.

CONTAINER [kɔ̃tɛnœʀ] n. m. — 1932 ; mot angl., « récipient ; contenant ».

♦ Anglic. Caisse pour le transport de marchandises. ⇒ **Cadre, conteneur.** *Charger, décharger des containers.*

J'ai vu des défilés qu'on enfumait comme des essaims et j'ai entendu le floc des containers pleins de déchets atomiques sur une poussière de coraux.
                                    Jean CAYROL, Histoire d'un désert, p. 233.

DÉR. Containeriser.

CONTAINERISABLE [kɔ̃tɛnœʀizabl] adj. — 1969, *in* Höfler ; de *containeriser.*

♦ Anglic. ⇒ **Conteneurisable.**

CONTAINERISATION [kɔ̃tɛnœʀizasjɔ̃] n. f. — 1962, *in* Höfler ; de *containeriser.*

♦ Anglic. Mise en containers ; transport par containers. ⇒ **Conteneurisation.** *« La containerisation, c'est-à-dire l'expédition des marchandises dans des remorques standardisées qui sont chargées directement sur les bateaux »* (le Nouvel Obs., 31 juil. 1972, p. 25).

CONTAINERISER [kɔ̃tɛnœʀize] v. tr. — 1969, *in* Höfler ; de *container.*

♦ Anglic. Mettre en containers. ⇒ **Conteneuriser.**

DÉR. Containerisable, containerisation.

CONTAMINABLE [kɔ̃taminabl] adj. — 1863 ; déb. XVIᵉ, « qui peut être altéré » ; de *contaminer.*

♦ Didact. Susceptible d'être contaminé.

CONTAMINATEUR, TRICE [kɔ̃taminatœʀ, tʀis] adj. et n. m. — 1561, « celui qui altère, endommage » ; dér. sav. de *contaminer.*

♦ Méd. Propre à transmettre une maladie (surtout vénérienne).

CONTAMINATION [kɔ̃taminasjɔ̃] n. f. — Mil. XIVᵉ ; lat. *contaminatio,* du supin de *contaminare.*

♦ **1.** Vx. Souillure résultant d'un contact impur.

♦ **2.** (1866). Mod. Envahissement (d'un objet, d'une surface, d'un milieu) par des micro-organismes pouvant causer une infection* lorsqu'en pénétrant dans un organisme vivant, ils s'y multiplient et provoquent des troubles (⇒ **Contage, contagion**), ou par des polluants. *La contamination de l'eau d'une rivière.* ⇒ **Pollution.** *Contamination d'un organisme. La contamination de toute une ville. La contamination causa un chancre* (cit. 1). *Contamination bactérienne, bacillaire.*
Présence anormale d'une substance radioactive dans un milieu. *Contamination radioactive.*
Fig. et littér. (senti comme métaphore du sens 2 plutôt que comme fig. de sens 1, archaïque). Souillure morale.

(...) une société dure, où le riche exploite le pauvre, où la vénalité progresse et où la pureté spirituelle de la race est compromise par toutes sortes de contaminations.
                                    DANIEL-ROPS, le Peuple de la Bible, III, III, p. 207.

♦ **3.** Didact. ou littér. (Sans idée négative). Transformation au contact de quelque chose. *La contamination d'un souvenir par un autre, de deux souvenirs, de deux théories.*
(1906). Ling. Processus par lequel une forme linguistique exerce une action analogique sur une autre forme. ⇒ **Analogie** (3.). *Contamination d'un mot par un autre.*
Psychiatrie. Émission automatique d'éléments habituellement associés dans le discours (aphasies).

CONTR. Purification.

CONTAMINER [kɔ̃tamine] v. tr. — 1213 ; lat. *contaminare,* de *con-* (cum), et *taminare* « souiller ».

♦ **1.** Relig. Souiller par un contact impur. *Ceux qui mangeaient des animaux déclarés immondes par la loi de Moïse étaient contaminés.*

♦ **2.** (1863). Méd. et cour. Polluer (le sujet désigne des micro-organismes, en général pathogènes). ⇒ **Infecter.** Au p. p. Envahi par des micro-organismes et, de ce fait, capable de transmettre une infec-

---

tion. *Eau contaminée. Linges contaminés. — Malades contaminés.* — Nom :

Les maladies vénériennes ne sont-elles pas des maux particuliers, qui distinguent   0.1
et décorent le contaminé de quelque symptôme aussi discret que le ruban rouge
à la boutonnière de Gédéon Pons ?
                                    A. PIEYRE DE MANDIARGUES, la Marge, p. 219.

Par anal. Rendre radioactif. — Au p. p. *Zone contaminée.*

Par métaphore :

Le tribunal de l'Inquisition, en livrant l'hérétique au bras séculier, retranchait de   1
l'Église un membre malade, de peur que le corps entier n'en fût contaminé.
                                    FRANCE, le Mannequin d'osier, Œ., t. XI, p. 352.

Ainsi le mensonge parlementaire, contaminant le langage même (...) tourne, rôde   2
et bourdonne en un cercle d'outrances.
                                    Ch. PÉGUY, la République..., p. 81.

♦ **3.** Didact. ou littér. (Sans idée négative). Faire se transformer sous son influence. ⇒ **Influencer.** *« Un sentiment de sécurité (...) la contamine (la peur) »* (Vuillemin, *in* T. L. F.).

CONTR. Aseptiser, assainir, guérir, immuniser, laver, nettoyer, préserver, purifier, stériliser. — (Du p. p.) **Propre, pur, sain.**
DÉR. Contaminable, contaminateur.

CONTE [kɔ̃t] n. m. — V. 1130 ; déverbal de *conter.*

♦ **1.** Vx. Récit de faits réels. ⇒ **Histoire, rapport.** *Faire le conte d'une anecdote, d'une aventure.* ⇒ **Conter, raconter.**

(...) j'en avais tant de honte   1
Que je mourais de peur qu'on vous en fît le conte (...)
                                    CORNEILLE, l'Illusion comique, IV, 2.

♦ **2.** (V. 1200). Mod. Récit* de faits, d'aventures imaginaires, destiné à distraire. ⇒ **Fiction, histoire.** *Petit conte.* ⇒ **Historiette.** *Genres littéraires qui s'apparentent au conte.* ⇒ **Épopée, fable, fabliau, légende, nouvelle, roman.** *Contes en vers de La Fontaine. Contes en prose. Les contes appartiennent au genre narratif.* ⇒ **Narration.** — *Contes oraux, traditionnels, folkloriques. Dire, conter* (cit. 7.1) *un conte. Composer, réciter un conte.* ⇒ **Conteur.** *Structure des contes populaires et des mythes. Morphologie du conte,* étude de Vladimir Propp.

Le *conte* est vulgaire *(non savant),* ainsi que le mot qui l'exprime : il ne nous vient   2
pas comme la *fable,* des Grecs et des Romains, mais de l'Asie, et particulièrement des Arabes. C'est dans les temps modernes surtout qu'il a été cultivé sous son propre nom ou sous celui de *nouvelles.*
                                    LAFAYE, Dict. des synonymes, Fable, conte, roman.

Contes merveilleux, fabuleux, fantastiques. Contes de revenants (cit. 2).

Loc. **CONTE DE FÉES** : récit merveilleux. Fig. Aventure, fait étonnant et charmant. *C'est un vrai conte de fées. Le Prince charmant, le magicien, l'enchanteur, l'ogre... des contes de fées. « Il était une fois... »,* début traditionnel des contes de fées. — Conte humoristique, philosophique, satirique. Conte licencieux. Les contes de Boccace. L'Heptaméron, contes de Marguerite de Navarre. Conte de Peau d'âne. Les Contes de Perrault. Les Contes de Voltaire. Contes d'Espagne et d'Italie, de Musset. Contes du lundi, de Daudet. Contes drolatiques, de Balzac. Trois contes, de Flaubert. Contes, de Maupassant. Contes de ma mère l'Oye, œuvre musicale de Ravel. Contes des Mille et une nuits. Le Décaméron, contes de Boccace. Conte du tonneau, de Swift. Contes de Noël, de Dickens. Contes danois, d'Andersen. Contes fantastiques, d'Hoffmann. Les Contes d'Hoffmann, opéra-comique d'Offenbach.*

Une morale nue apporte de l'ennui :   3
Le conte fait passer le précepte avec lui.   LA FONTAINE, Fables, VI, 1.

La mythologie et les contes de fée sont plus nécessaires aux jeunes intelligences   4
que l'orthographe et l'arithmétique.
                                    Edmond JALOUX, Le reste est silence, p. 14.

(...) la grand-mère, comme de coutume, avait commencé de sa voix chevrotante,   5
un peu mystérieuse et lointaine, le conte traditionnel.
                                    L. PERGAUD, De Goupil à Margot, La tragique aventure de Goupil, IX.

Dans l'âge le plus tendre, à peine cesse-t-on de nous chanter la chanson qui fait   6
le nouveau-né sourire et s'endormir, l'ère des contes s'ouvre.
                                    VALÉRY, Variété IV, p. 148.

Candide, de Voltaire, est une œuvre parfaite et qui suffirait à la gloire d'un écri-   7
vain. Ce petit roman n'est pas un roman, c'est un conte philosophique et c'est d'ailleurs le modèle du genre.   G. DUHAMEL, la Défense des lettres, III, p. 250.

♦ **3.** (1538). Vx ou littér. Histoire invraisemblable et mensongère. ⇒ **Baliverne, baratin** (fam.), **blague, boniment, bruit, chanson, craque** (fam.), **fable, fadaise, fagot** (vx), **sornette.** *C'est un conte ! Conte fait à plaisir. Conte bleu* (cit. 7). *Conte en l'air. Conte à dormir debout,* extravagant. *Débiter des contes sur quelqu'un.* ⇒ **Calomnie** (cit. 5). — REM. On dit plutôt aujourd'hui *histoire*.

Ceci n'est pas un conte à plaisir inventé.   LA FONTAINE, Fables, IV, 2.   8

— Voir ? — Oui. — Chansons. — Mais quoi ? Si je trouvais manière... ? — Contes en l'air.   MOLIÈRE, Tartuffe, IV, 3.   9

(...) je préférerais le plus simple entretien   10
A tous les contes bleus de ces discours de rien.
                                    MOLIÈRE, l'École des maris, III, 8.

Je dis que ce sont là des contes à dormir debout (...)   11
                                    MOLIÈRE, George Dandin, I, 6.

12 Croyez qu'il n'y a pas de plate méchanceté, pas d'horreurs, pas de conte absurde, qu'on ne fasse adopter aux oisifs d'une grande ville en s'y prenant bien (...)
                    BEAUMARCHAIS, le Barbier de Séville, II, 9.
CONTR. Réalité, vérité.
HOM. Compte, comte.

CONTEMNEMENT [kɔ̃tɛmnəmɑ̃] n. m. — Mil. XIIIᵉ ; de *contemner.*

♦ Vx. Mépris.

CONTEMNER [kɔ̃tɛmne] v. tr. — V. 1393 ; *contempner,* v. 1350 ; lat. *contemnere.*

♦ Vx ou archaïsme littér. Mépriser, dénigrer (encore chez A. France, Gide).

DÉR. Contemnement.

CONTEMPLATEUR, TRICE [kɔ̃tɑ̃platœR, tRis] n. — V. 1360 ; lat. *contemplator,* du supin de *contemplare.* → Contempler.

♦ **1.** Personne qui contemple, qui s'absorbe dans l'observation attentive d'un objet. *Un contemplateur, une contemplatrice des merveilles de la nature.*

♦ **2.** Personne qui se livre à la méditation intérieure. ⇒ **Contemplatif, rêveur.**

1 Plus un contemplateur a l'âme sensible, plus il se livre aux extases qu'excite en lui cet accord. Une rêverie douce et profonde s'empare alors de ses sens, et il se perd dans une délicieuse ivresse dans l'immensité de ce beau système avec lequel il se sent identifié.   ROUSSEAU, Rêveries..., 7ᵉ promenade.
2 Tout le secret du bonheur du Contemplateur est dans son refus de considérer *comme un mal* l'envahissement de sa personnalité par les choses (...)
                    Francis PONGE, le Parti pris des choses, p. 175.
(Appos. ou attribut, en valeur d'adj.). *Un mystique contemplateur* (⇒ **Contemplatif**).

CONTEMPLATIF, IVE [kɔ̃tɑ̃platif, iv] adj. — V. 1170 ; lat. *contemplativus* « spéculatif ; mystique », du supin de *contemplare.* → Contempler.

♦ **1.** Qui se plaît dans la contemplation*, la méditation intérieure. *Esprit contemplatif. Âme contemplative.* → Recueillement, cit. 3.

1 Tous ces sages contemplatifs, qui ont passé leur vie à l'étude du cœur humain, en savent moins sur les vrais signes de l'amour que la plus bornée des femmes sensibles.   ROUSSEAU, Julie ou la Nouvelle Héloïse, IV, lettre VIII, p. 44.
2 Son âme était contemplative, il vivait plus par la pensée que par l'action.
                    BALZAC, la Vieille Fille, Pl., t. IV, p. 237.

♦ **2.** Relig. *Vie contemplative,* consacrée, vouée à la contemplation. *Ordre contemplatif :* ordre religieux voué à la méditation. *Religieux contemplatif, vivant solitaire.* ⇒ **Anachorète.**

N. (XIIIᵉ). *Un contemplatif.* — Spécialt. *Les contemplatifs :* mystiques qui voient la perfection dans la communion de l'âme avec Dieu. *Les extases béatifiques des contemplatifs.*

CONTR. Actif, pratique, réaliste.
COMP. Contemplativement.

CONTEMPLATION [kɔ̃tɑ̃plasjɔ̃] n. f. — V. 1174 ; lat. *contemplatio* de supin de *contemplare.* → Contempler.
Action de contempler*.

♦ **1.** Action de s'absorber dans l'observation attentive (de qqn ou de qqch.). *La contemplation du ciel, de la mer. — En contemplation. Rester en contemplation devant une œuvre d'art.*

1 (...) la contemplation des merveilles de la nature (...)
                    MOLIÈRE, Tartuffe Préface.
2 La méditation dans la retraite, l'étude de la nature, la contemplation de l'univers, forcent un solitaire à s'élancer incessamment vers l'Auteur des choses, et à chercher avec une douce inquiétude la fin de tout ce qu'il voit et la cause de tout ce qu'il sent.   ROUSSEAU, Rêveries..., 3ᵉ promenade.
3 Il s'approcha de la fenêtre et se perdit dans la contemplation du mur de la courette.   MARTIN DU GARD, les Thibault, t. III, p. 64.

♦ **2.** (1275). Concentration de l'esprit (sur un sujet intellectuel ou religieux). ⇒ **Méditation, rêverie.** *La contemplation d'une idée.* — (Sans compl.). *Être plongé, s'abîmer dans la contemplation. Goût de la solitude et de la contemplation* (→ Bruit, cit. 4). *Les Contemplations,* œuvre de V. Hugo. *Contemplation esthétique.*

4 Je préfère la pensée à l'action, une idée à une affaire, la contemplation au mouvement.   BALZAC, Louis Lambert, Pl., t. X, p. 410.
5 Il était demeuré là jusqu'à la nuit noire, absorbé dans une contemplation dont l'ivresse inondait son âme d'une joie presque surhumaine.
                    Paul BOURGET, Un divorce, III, p. 118.
Relig. Communion de l'âme avec Dieu. *Contemplation béatifique*.* ⇒ **Extase, mysticisme.**

6 J'y reconnais le mouvement magique de la contemplation, le train de l'extase, cette révolution qui emporte l'homme tout entier dans l'effroi de la vision qui lui est promise, qu'il redoute et désire, de tout son être, dans le même moment.
                    André SUARÈS, Trois hommes, « Dostoïevski », IV, p. 226.

7 La contemplation est la fin dernière de l'âme humaine, mais elle est très spécialement et, par excellence, la fin de la vie solitaire. Ce mot de contemplation, avili comme tant d'autres choses en ce siècle, n'a plus guère de sens en dehors du cloître.   Léon BLOY, le Désespéré, II, p. 79.

CONTEMPLATIVEMENT [kɔ̃tɑ̃plativmɑ̃] adv. — XIIIᵉ ; de *contemplatif.*

♦ Rare. D'une manière contemplative.

Il songeait que cette longue migration vers le levant (...) s'accompagnait d'un pèlerinage dans le passé, jalonné contemplativement par la survenue de l'Unhold et de l'homme des tourbières, et de façon plus pratique par l'abandon de la voiture à essence (...)   M. TOURNIER, le Roi des Aulnes, p. 215.
CONTR. Pratiquement.

CONTEMPLER [kɔ̃tɑ̃ple] v. tr. — 1265 ; lat. *contemplari, de con-* (cum), et *templum* au sens de « champ d'observation ».

♦ **1.** Considérer attentivement ; s'absorber dans l'observation de. ⇒ **Considérer, regarder.** *Contempler un monument, un spectacle. Il passe des heures à contempler le ciel, le paysage. Contempler qqch., qqn avec admiration* (⇒ **Admirer**)*, amour, ravissement. Contempler qqch. avec crainte, horreur. « Du haut de ces pyramides* (cit. 2)*, quarante siècles vous contemplent »* (Bonaparte).

1 Que l'homme contemple donc la nature entière dans sa haute et pleine majesté ; qu'il éloigne sa vue des objets bas qui l'environnent. Qu'il regarde cette éclatante lumière, mise comme une lampe éternelle pour éclairer l'univers (...) Qui se considérera de la sorte s'effraiera de soi-même et, se considérant soutenu dans la masse que la nature lui a donnée, entre ces deux abîmes de l'infini et du néant, il tremblera dans la vue de ces merveilles ; et je crois que sa curiosité se changeant en admiration, il sera plus disposé à les contempler en silence qu'à les rechercher avec présomption.   PASCAL, Pensées, II, 72.
2 Le peuple qui vous voit, la cour qui vous contemple (...)
                    CORNEILLE, Nicomède, II, 2.
3 Chacun veut contempler son auguste visage.   VOLTAIRE, Mérope, V, 8.
4 Il est allé aux bains froids *(un homme de notre temps),* il a contemplé ce marécage grotesque dans lequel barbotent toutes les difformités humaines (...)
                    TAINE, Philosophie de l'art, t. I, VI, VI, p. 200.
5 (...) je la contemplais avec cette horreur qui me saisit quand je perçois, chez une créature humaine, la présence de la bête.
                    G. DUHAMEL, Chronique des Pasquier, I, I, VII.

♦ **2.** (V. 1450). Littér. Considérer par la pensée. *Contempler une idée, une théorie. « Je contemplai avec émerveillement l'exemple qu'*(il) *me donnait »* (Beauvoir, *Mémoires d'une jeune fille rangée,* p. 181). Relig. S'absorber dans la contemplation de. Absolt. (Vx ou littér.). *Passer sa vie à contempler.* ⇒ **Méditer, réfléchir.**

6 Dieu veut-il qu'à toute heure on prie, on le contemple ?   RACINE, Athalie, II, 7.
7 (...) elle *(la paix devant la mort)* contemple la douceur du salut, au sein de la volonté divine (...)   André SUARÈS, Trois hommes, II, « Pascal », p. 31.

▶ **SE CONTEMPLER** v. pron.
S'absorber dans la contemplation de soi-même. *Se contempler dans un miroir. Narcisse se contemplait dans l'eau d'une fontaine.* ⇒ **Mirer (se).**
S'admirer, s'absorber dans une contemplation mutuelle. *Amoureux qui ne cessent de se contempler.*

CONTEMPORAIN, AINE [kɔ̃tɑ̃pɔRɛ̃, ɛn] adj. et n. — Av. 1475 ; du lat. *contemporaneus, de con-* (cum), et *tempus* « temps ».

★ **I.** Adj. ♦ **1.** *Contemporain de :* qui est du même temps que. *Être contemporain de qqn, de qqch. — Événements contemporains* (par rapport à une référence temporelle). ⇒ **Simultané, synchronique.**

1 Ces historiens *(Grecs, Égyptiens, Chinois)* fabuleux ne sont pas contemporains des choses dont ils écrivent.   PASCAL, Pensées, IX, 628.
Vx ou littér. *Contemporain à* (qqn, qqch.).

♦ **2.** Absolt. Qui est du temps du lecteur. ⇒ **Actuel, moderne.** *Étudier les auteurs contemporains, la littérature contemporaine. Histoire moderne* et *contemporaine. La jeunesse contemporaine. Les aspirations, les illusions contemporaines. Une description du français contemporain.*

2 La vie de l'homme contemporain consiste à se fuir et à se donner à tout, sauf à soi.   Edmond JALOUX, le Dernier Jour de la création, XI, p. 131.
3 L'Université, de nos jours, sous la direction d'esprits largement ouverts, a montré que la critique affirme sa puissance et prend ses plus hautes responsabilités en s'exerçant courageusement sur les œuvres contemporaines.
                    G. DUHAMEL, la Défense des lettres, IV, V, p. 305.

★ **II.** N. Personne qui vit à la même époque (qu'une autre, que le locuteur), qui est de la même génération. *Je ne suis pas son contemporain. Nos contemporains. — Les contemporains de qqn, de Rabelais.*

4 On met les anciens bien haut pour abaisser ses contemporains.
                    FONTENELLE, Dialogues, III, Morts anciens, *in* LITTRÉ.
5 Pourquoi ma douce contemporaine, la très noble Christine de Pisan, qui écrivit le

« Livre des faits et des bonnes mœurs du roy Charles V », n'a-t-elle laissé aucun écrit de nature à sauvegarder ma mémoire ?
Jean RAY, les Derniers Contes de Canterbury, p. 210.

CONTR. Antérieur, postérieur. — Ancien, vieux.
DÉR. Contemporanéité.

CONTEMPORANÉITÉ [kɔ̃tɑ̃pɔʀaneite] n. f. — 1798 ; dér. sav. du lat. *contemporaneus*. → Contemporain.

Didactique ou littéraire.

♦ **1.** Simultanéité d'existence. *La contemporanéité de deux événements.* ⇒ **Simultanéité, synchronie.**

1 La naissance de la conscience nationale en Afrique entretient avec la conscience africaine des relations de stricte contemporanéité.
F. FANON, *in* Éd. ELIET, Panorama de la littérature négro-africaine, p. 261.

2 (...) toute l'erreur des théories de la connaissance, c'est de postuler la contemporanéité du sujet et de l'objet, alors que l'un ne se constitue que par l'anéantissement de l'autre. G. DELEUZE, Postface à M. TOURNIER, Vendredi..., p. 267.

♦ **2.** Rare. Caractère de ce qui est contemporain. — Ensemble de ce qui caractérise la société contemporaine. ⇒ **Modernité.**

3 Flaubert n'a pas été seulement un peintre de la contemporanéité, il a été un résurrectionniste. Ed. et J. DE GONCOURT, Journal, 1890, p. 1265, *in* T. L. F.

CONTR. Antériorité, postériorité.

CONTEMPTEUR, TRICE [kɔ̃tɑ̃ptœʀ, tʀis] n. — 1449 ; lat. *contemptor*, du supin de *contemnere*. → Contemner (vx).

♦ Littér. Personne qui méprise, dénigre (qqn, qqch.). ⇒ **Critique, dénigreur.** *Les contempteurs de la morale, de la religion.* Appos. *Un critique contempteur des nouveautés.*

1 (...) hommes riches et ambitieux, contempteurs de la vertu (...)
LA BRUYÈRE, Disc. de réception à l'Académie.

2 Le rôle des fortes individualités est peut-être insignifiant ; c'est la masse qui agit, et la société qui triomphe toujours : elle s'incorpore même ses contempteurs, qui en appelaient à un autre monde.
J. CHARDONNE, l'Amour du prochain, VI, p. 151.

3 M. Tailhade ne saura jamais la vérité sur la valeur de ses conférences ; car les élogieux ne le loueront sans doute que par peur, et les critiques ne le blâmeront que par esprit de vengeance. Et puis, ce contempteur des médiocrités présentes qui trouve qu'Armand Silvestre est un grand écrivain, qui lui dédie ses livres, et qui se met sous sa protection ! J. RENARD, Journal, 11 nov. 1893.

Adjectif :

4 Au XIXᵉ siècle, une solitude particulière, féconde et contemptrice, devient liée à la vocation même de l'artiste. MALRAUX, les Voix du silence, p. 491.

CONTR. Laudateur.

CONTEMPTIBLE [kɔ̃tɑ̃ptibl] adj. — 1447 ; *contentible*, v. 1282 ; bas lat. *contemptibilis* « méprisable », du supin de *contemnere* « mépriser ».

♦ Rare (*in* Gide). Méprisable.

CONTEMPTION [kɔ̃tɑ̃psjɔ̃] n. f. — 1535, attestation isolée ; repris XIXᵉ ; lat. *contemptio* « mépris », du supin de *contemnere* « mépriser ».

♦ Rare (Goncourt, Jouhandeau, *in* T. L. F.). Mépris.

CONTENANCE [kɔ̃tnɑ̃s] n. f. — 1080, sens II ; de *contenir*.

★ **I.** ♦ **1.** (XIIIᵉ). Vx ou techn. Superficie (d'un champ ; d'un terrain). *Cette propriété a une contenance totale, est d'une contenance de cent hectares.*

♦ **2.** (XVIIᵉ). Cour. Quantité de ce qu'un récipient (⇒ **Contenant**) peut contenir. ⇒ **Capacité, contenu, mesure, volume.** *La contenance d'une bouteille, d'une barrique, d'un réservoir. Contenance d'un navire.* ⇒ **Tonnage.** *Caisse d'une grande contenance.*

♦ **3.** Fig. et vieilli. Capacité d'absorption. *Manger à sa contenance.*

★ **II.** (De *contenir* « se comporter », en anc. franç.). Manière de se tenir, de se présenter. ⇒ **Air, allure, attitude, maintien, mine.** *La contenance de qqn, sa contenance. Avoir une contenance assurée, ferme, fière.* ⇒ **Aplomb, assurance, prestance.** *Contenance humble, modeste, embarrassée, gênée, contrite. Une contenance humiliée* (→ Bas, cit. 11). *Contenance étudiée, empruntée, forcée, ridicule* (⇒ **Affectation**).
Loc. (plus cour.). *Se donner, prendre une contenance* : se donner un maintien, déguiser son embarras. *Ne plus savoir quelle contenance avoir, adopter, prendre, garder, tenir* (→ Ne savoir sur quel pied* danser). *Perdre contenance* : être subitement déconcerté, décontenancé, confus. ⇒ **Démonter** (se), **troubler** (se). *Reprendre contenance* (→ Abattement, cit. 6). *Faire bonne contenance* : ne pas se déconcerter, garder son sang-froid, et, par ext., montrer du courage, de la fermeté. *Faire bonne contenance devant l'ennemi. Faire qqch. par contenance, pour se donner une contenance,* pour avoir un air naturel.

1 Socrate montra si bonne contenance, que ceux qui poursuivaient les fuyards n'eurent jamais l'audace de l'attaquer. FÉNELON, Socrate, *in* LITTRÉ.

(...) car je le vis tout à coup pâlir, balbutier, perdre contenance (...)
Alphonse DAUDET, le Petit Chose, I, XIII, p. 163. 2

(...) avec la contenance gênée de l'homme tombé mal à propos dans une discussion de ménage. COURTELINE, Messieurs les ronds-de-cuir, Iᵉʳ tableau, II, p. 37. 3

Cet examen m'irritait un peu, mais je m'efforçais de garder une aimable contenance ; et je souriais avec effort. H. BOSCO, Un rameau de la nuit, p. 175. 4

COMP. Décontenancer.

CONTENANT [kɔ̃tnɑ̃] n. m. — XVIᵉ ; p. prés. de *contenir*.

♦ Ce qui contient quelque chose. ⇒ **Récipient.** *Le contenant et le contenu.* ⇒ **Boîte, caisse, emballage, enveloppe, panier, plat, sac, ustensile, vaisseau, vaisselle, vase.**

Figuré :

L'observateur reste arrêté devant le premier de tous les problèmes, celui du contenant et du contenu, celui du principe et de l'usage, celui de la méthode et de l'application. G. DUHAMEL, Manuel du protestataire, VI, p. 145.

CONTR. Contenu.

CONTENDANT, ANTE [kɔ̃tɑ̃dɑ̃, ɑ̃t] adj. — 1407, subst. (n. m.) ; p. prés. de l'anc. franç. *contendre* « disputer » ; du lat. *contendere*, de *con-* (*cum*), et *tendere*. → Tendre.

♦ Vx. Qui débat, dispute, rivalise avec un autre. *Forces contendantes* (→ Balancer, cit. 13). *Princes contendants.* — N. m. *Les contendants.* ⇒ **Compétiteur, concurrent.**
REM. Ne pas confondre avec le paronyme *contondant**.

CONTENEUR [kɔ̃tnœʀ] n. m. — 1956 ; de *contenir*.

★ **I.** (Pour remplacer *container*). Contenant normalisé pour le transport des marchandises. ⇒ **Container** (anglic.) ; **cadre-conteneur.** « *Les jambes du train d'atterrissage sont suffisamment écartées pour qu'un conteneur soit installé* » (*Science et Vie*, nº 588, p. 105). *Conteneur de groupage ; conteneur calorifique, frigorifique ; isotherme. Conteneur démontable, à hayons rabattables. Navire spécialement construit pour le transport des conteneurs.* ⇒ **Porte-conteneur.**
Emballage spécial destiné à protéger des chocs des objets parachutés.

Ces parachutages de conteneurs sont la grande affaire des maquis.
Denyse VAUTRIN, le Reste de l'âge, p. 364.

★ **II.** Techn. Cylindre contenant une masse de métal devant passer à la presse.

DÉR. Conteneuriser.
COMP. Cadre-conteneur, porte-conteneur.

CONTENEURISABLE [kɔ̃tnœʀizabl] adj. — 1973 ; de *conteneuriser*.

♦ Techn. Qui peut être mis en conteneurs.

CONTENEURISATION [kɔ̃tnœʀizasjɔ̃] n. f. — 1973 ; de *conteneuriser*.

♦ Techn. Mise en conteneurs. « *(...) en vue de la conteneurisation du trafic* » (*Actualités sud-africaines*, nº 3, juin 1976).

CONTENEURISER [kɔ̃tnœʀize] v. tr. — V. 1970 ; de *conteneur* ; adapt. de l'anglicisme *containeriser*.

♦ Techn. Mettre (des marchandises) en conteneurs (*Journ. off.*, 18 juil. 1973).

DÉR. Conteneurisable, conteneurisation.

CONTENIR [kɔ̃tniʀ] v. tr. — Conjug. *tenir*. — XIIᵉ ; lat. *continere*, de *con-* (*cum*), et *tenere*. → Tenir.

★ **I.** ♦ **1.** Avoir, comprendre en soi, dans sa capacité, dans son étendue, dans sa substance. ⇒ **Renfermer.** *L'eau contient de l'oxygène et de l'hydrogène. Cette terre contient du sable* : elle est arénifère. ⇒ **-fère.** *Ce minerai contient une forte proportion de métal* (⇒ **Teneur**). *Le parc contient une pièce d'eau.* ⇒ **Comporter, posséder.** *Une grande enveloppe contenant le courrier. Une armoire contenant du linge.* ⇒ **Enfermer.** *Ce récipient, ce réservoir contient de l'eau* (⇒ **Contenant**). *Ce récipient contient un litre. Ne rien contenir* : être vide. *Sa tirelire contient toutes ses économies. Récipient* destiné à contenir de la soupe* (soupière), *du thé* (théière), *des bonbons* (bonbonnière), *du beurre* (beurrier), *des cendres* (cendrier), etc.

Hé ! oui, elle *(la cassette)* est petite, si on le veut prendre par là ; mais je l'appelle grande pour ce qu'elle contient. MOLIÈRE, l'Avare, V, 2. 1

(Les glaises) contiennent une matière grasse qui les rend imperméables à l'eau.
BUFFON, Hist. nat. des minéraux, t. I, p. 250. 2

(...) un verre de cristal, dont le fond évasé contenait un peu de cognac qui répandait une odeur exquise et chaude de bois précieux.
J. CHARDONNE, les Destinées sentimentales, I, p. 17.

4   Le jardin de ma grand-mère, suspendu en haut d'un mur, dominait l'avenue Garibaldi. Il contenait un rond de gazon sous un cèdre, une petite charmille fripée par les fumées, et, sur les marches de la véranda, des orangers poudrés de charbon.
       J. CHARDONNE, l'Amour du prochain, IV, p. 95.

Au p. p. *Les objets contenus dans une boîte.*

♦ **2.** (1530). Avoir une capacité de. ⇒ **Mesurer, tenir.** *La barrique bordelaise contient 225 litres. Salle qui contient deux mille spectateurs.* ⇒ **Recevoir.** — *Avoir une étendue de. Ce domaine contient cent hectares.* ⇒ **Étendre** (s'étendre sur).

♦ **3.** Avoir (un certain nombre d'éléments). ⇒ **Compter.** *Cette ville contient trois millions d'habitants.* ⇒ **Compter.** *Ce dictionnaire contient deux mille pages. Le Code civil contient 2 283 articles. Le nombre neuf contient trois fois trois.* — Au p. p. *Les articles contenus dans ce dictionnaire.*

♦ **4.** (Abstrait). Avoir pour contenu, pour signifié global. ⇒ **Renfermer.** *Que contient cette lettre? Ce mémoire contient tous les détails.* ⇒ **Embrasser, inclure.** *Ce volume contient toute l'œuvre de Platon.* — *Ce livre contient bien des erreurs.* ⇒ **Comporter, recéler.** *L'idée d'effet contient celle de cause.* ⇒ **Impliquer.**

5   (...) Cette lettre sincère
D'un malheureux amour contient tout le mystère (...)   RACINE, Bajazet, V, 4.

6   (...) la chair le cède, ici, à l'esprit qu'elle emprisonne, et l'enveloppe est trop fragile pour ce qu'elle contient.
       André SUARÈS, Trois hommes, II, « Pascal », p. 22.

7   N'est-ce pas qu'il y a des nuits étranges où le paysage qui nous regarde a l'air de contenir tout le bonheur que nous voudrions enfermer en nous?
       Pierre LOUŸS, les Aventures du roi Pausole, VI, p. 40.

8   Ce qui est important, c'est de tirer de chaque moment ce qu'il peut contenir d'intensité.   A. MAUROIS, Climats, I, XII, p. 93.

Au p. p. *Les idées contenues dans ce rapport.*

★ **II.** ♦ **1.** (Concret). Empêcher d'avancer, de s'étendre; faire tenir dans certaines limites. ⇒ **Assujettir, borner, emprisonner, endiguer, enfermer, enserrer, limiter, maintenir, maîtriser, retenir.** *Digues pour contenir un fleuve. Contenir la foule, les manifestants.* ⇒ **Tenir** (en respect). *Contenir l'ennemi,* le tenir en échec. — Au p. p. *Les manifestants un instant contenus...*

♦ **2.** Réprimer, empêcher de se manifester, de s'exprimer. *Contenir ses larmes, ses sanglots.* ⇒ **Refouler, réprimer.** *Rire qu'on ne peut contenir* (⇒ **Incoercible**). *Contenir son émotion, sa joie, sa surprise, son indignation, sa colère.* ⇒ **Dominer, refréner.** *Contenir un penchant, une tendance dans des limites, des bornes précises.*

9   (...) il se plaint *(Jésus)* comme s'il n'eût plus pu contenir sa douleur excessive : « Mon âme est triste jusqu'à la mort. »   PASCAL, Pensées, VII, 553.

10   Contenir ou réprimer ses désirs, ce n'est pas les combattre avec obstination.
       É. DE SENANCOUR, De l'amour, p. 66.

11   La joie va m'inonder le cœur et j'en contiens la violence.
       SAINT-EXUPÉRY, Terre des hommes, p. 166.

▶ **SE CONTENIR** v. pron. (1530).
Ne pas exprimer un sentiment fort. ⇒ **Contrôler** (se), **dominer** (se), **maîtriser** (se), **modérer** (se), **retenir** (se). *Savoir se contenir. Avoir de la peine à se contenir. Jusque-là il s'était contenu.*

12   (...) il *(Letondu)* se contenait, roulait simplement des yeux de fauve (...)
       COURTELINE, Messieurs les ronds-de-cuir, 3e tableau, II, p. 104.

13   Violence sous pression, qui toujours menace et toujours se contient.
       MARTIN DU GARD, les Thibault, t. IV, p. 15.

14   Hélas! il faut se modérer, se contenir, trouver, au lieu des phrases déchaînées qui viendraient toutes seules, des phrases atténuées et réticentes (...)
       J. ROMAINS, les Hommes de bonne volonté, t. V, XXIV, p. 232.

14.1   Voici venir le temps cruel des apologues
Rien ne parle de soi tout est masque d'un secret qui ne se contient guère (...)
       ARAGON, le Voyage de Hollande et autres poèmes, p. 84.

Récipr. *Des forces qui se contiennent* (mutuellement).

▶ **CONTENU, UE** adj. (voir ci-dessus, pour le p. p.).
Que l'on se retient d'exprimer. ⇒ **Maîtrisé, refoulé, refréné, réprimé.** *Passion, émotion contenue. Attitude contenue. Caractère contenu.* ⇒ **Réservé.** — *Style contenu.*

15   Les plantes se hâtent d'exhaler un dernier parfum, d'autant plus suave qu'il est plus subtil et comme contenu.
       G. SAND, François le Champi, Avant-propos, p. 7.

16   La Montagne, à cette explosion longtemps contenue de ses espérances et de ses colères, était comme soulevée d'une force volcanique : Danton en était devenu le cratère.   JAURÈS, Hist. socialiste..., t. VII, p. 221.

17   À la fois prudent *(Justinien)* et astucieux, familier et contenu (...)
       Edmond JALOUX, les Visiteurs, I, p. 2.

18   (...) rien (...) n'était plus propre à me toucher que cette émotion contenue.
       GIDE, les Faux-monnayeurs, III, XII, p. 431.

19   La véritable sérénité n'est pas absence de passion, mais passion contenue, élan maîtrisé.   G. DUHAMEL, Chronique des Pasquier, VI, Les Maîtres, p. 339.

CONTR. Exclure. — **Céder.** — (Pron.) **Exprimer** (s'); **éclater, lâcher.**
DÉR. Contenance, contenant, contenu. — **Contentif.**

CONTENT, ENTE [kɔ̃tɑ̃, ɑ̃t] adj. et n. m. — Fin XIIIe; lat. *contentus,* du supin de *continere.* → Contenir.
Satisfait.

♦ **1.** (Sans compl.). **ⓐ** Vx. Comblé (par son sort, les circonstances). *Rendre des désirs contents.* ⇒ **Contenter.**

1   Ne déguisons plus rien, cher Philiste : il est temps
Qu'un aveu mutuel rende nos vœux contents.   CORNEILLE, la Veuve, II, 4.

2   Périssant glorieux, je périrai content.   CORNEILLE, Polyeucte, IV, 6.

ⓑ Mod. Qui éprouve un plaisir (motivé par une raison précise). ⇒ **Gai, heureux.** *Je suis content, très content. Il n'a pas l'air content : il a l'air fâché. Jamais contente. Vivre content :* vivre heureux. *Rendre content.* ⇒ **Contenter.** *Être content.* ⇒ **Réjouir** (se); **bicher** (fam.). — Loc. *Cocu, battu* et content. — Vous voilà content!, vous êtes bien avancé*. Il était tout content, très content.* ⇒ **Ravi.**

3   Je vis libre, content, sans nul soin qui me presse.   LA FONTAINE, Fables, XII, 1.

4   Un savetier chantait du matin jusqu'au soir :
C'était merveilles de le voir.
Merveilles de l'ouïr; il faisait des passages,
Plus content qu'aucun des sept Sages.   LA FONTAINE, Fables, VIII, 2.

5   Il faut peu de chose pour rendre le sage heureux; rien ne peut rendre un fol content, c'est pourquoi presque tous les hommes sont misérables.
       LA ROCHEFOUCAULD, Maximes, 538.

Par ext. *Le cœur content. Air content.*

♦ **2.** *Content de qqch.* **ⓐ** Vx. Comblé, qui n'a plus besoin d'autre chose. *Être content de peu, de rien.* — Loc. mod. *Non content d'être endetté, il emprunte à tous ses amis,* il ne lui suffit pas de (cf. Non seulement).

6   (...) mon front, au Caucase pareil,
Non content d'arrêter les rayons du soleil,
Brave l'effort de la tempête.   LA FONTAINE, Fables, I, 22.

7   Qui vit content de rien possède toute chose.   BOILEAU, Épîtres, V.

ⓑ Mod. Heureux (de qqch.). ⇒ **Enchanté, ravi, satisfait.** *Être content, très content, assez content de quelque chose. Content de son sort. Je suis assez content de cette acquisition. Être content d'une décision,* l'approuver. *Nous sommes contents qu'il fasse beau, de ce qu'il fasse beau. Ils étaient contents de se promener.* — *Je ne suis pas content. Eh bien, après ça, si vous n'êtes pas content... : si ça ne vous suffit* pas... Il n'a pas l'air content.* — Fam. *Il a un air pas content, pas content du tout.*

8   À chaque instant il passe une femme, qu'on serait peut-être content de quitter dans une heure, mais qu'il y aurait eu délice à posséder.
       J. ROMAINS, les Hommes de bonne volonté, t. IV, V, p. 150.

♦ **3.** N.m. (fin XVe). Avec un possessif (correspond aux sens 1 et 2, a — « comblé » — de l'emploi adjectif). *Avoir son content :* être comblé. *J'ai eu mon content, nous avons eu notre content. Manger, boire son content.* ⇒ **Soûl.** *Avoir son content, tout son content de qqch. :* en avoir autant qu'on en désire, et, iron., avoir assez (d'une chose désagréable). *Cinq ans de prison! Il en a son content!*

9   J'ai vu mon content de figures sympathiques aujourd'hui.
       COLETTE, la Naissance du jour, p. 81.

10   Le visage était charnu, les traits mous, un peu bouffis, comme ceux d'un noctambule qui n'a pas dormi son content.
       MARTIN DU GARD, les Thibault, t. V, p. 37.

♦ **4.** *Content de qqn :* satisfait de son comportement, de son travail. *Être content d'un domestique, d'un fournisseur, d'un avocat... Être content d'un élève* (→ Application, cit. 6).

11   Qu'il est difficile d'être content de quelqu'un!   LA BRUYÈRE, les Caractères, IV, 65.

12   Je ne connaissais rien d'aussi charmant que de voir tout le monde content de moi et de toute chose.   ROUSSEAU, les Confessions, I.

13   Soldats, je suis content de vous; vous avez, à la journée d'Austerlitz, justifié tout ce que j'attendais de votre intrépidité.
       BONAPARTE, in Louis MADELIN, l'Avènement de l'Empire, XXV, p. 333.

♦ **5.** *Être content de soi,* satisfait de soi, de ses actes; spécialt, suffisant, vaniteux. *Être content de soi, de sa personne,* et, fam., *de sa petite personne :* être satisfait de son physique et de son moral. ⇒ **Fat, orgueilleux, présomptueux, suffisant, vaniteux; conscience** (avoir bonne); **féliciter** (se).

14   (...) je ne suis pas sur cela contente de moi-même.
       Mme DE SÉVIGNÉ, 255, 9 mars 1672.

15   Le vrai bourgeois est, par caractère, possesseur paisible et paresseux de ce qu'il a; il est toujours content de lui, et facilement content des autres.
       Joseph JOUBERT, XVI, 24.

16   Comme j'allais me retirer, mon futur prédécesseur *(Anatole France)* me fit compliment. Il me dit que j'avais bien parlé de Racine, et je partis content de lui, c'est-à-dire content de moi.
       VALÉRY, Variété IV, Remerciement à l'Acad., p. 42.

CONTR. Attristé, chagrin, ennuyé, insatisfait, malcontent, mécontent, sombre, triste.
DÉR. Contenter.
COMP. Malcontent, mécontent.
HOM. Comptant.

CONTENTEMENT [kɔ̃tɑ̃tmɑ̃] n. m. — 1468; de *contenter.*

♦ **1.** Vx. ou littér. Action de satisfaire, de contenter (les besoins). ⇒ **Satisfaction.** *Il a tout fait pour le contentement de vos désirs. Le contentement des sens.* ⇒ **Assouvissement.** Loc. (vx). *Avoir, donner contentement à qqn.*

1   Je sais qui vous pourrait donner contentement (...)   MOLIÈRE, les Fâcheux, II, 4.

2   M. de Lavardin (...) prétendait que ces honneurs lui étaient dus ; mais il n'a pas eu contentement.   Mᵐᵉ DE SÉVIGNÉ, 431, 16 août 1675.

3   Oui ; l'intérêt de tous, avant le contentement d'un seul.   GIDE, Ajax, 1.

♦ **2.** État d'une personne qui ne désire rien de plus, rien de mieux que ce qu'elle a. ⇒ **Aise, béatitude, bonheur, félicité, joie, plaisir, ravissement, satisfaction, volupté.** *Le contentement de qqn, son contentement. Contentement de l'âme, du cœur.* — (Sans compl.) *S'il réussit à ses examens, nous en aurons du contentement. Un sourire de contentement.* — Prov. *Contentement passe richesse* : l'argent ne fait pas le bonheur*.

4   (...) en mariage, comme ailleurs, contentement passe richesse.   MOLIÈRE, le Médecin malgré lui, II, 1.

5   Le Ciel défend, de vrai, certains contentements ;
Mais on trouve avec lui des accommodements (...)   MOLIÈRE, Tartuffe, IV. 5.

6   Mais vivre sans plaider, est-ce contentement ?   RACINE, les Plaideurs, I, 7.

7   (...) le signe le plus assuré du vrai contentement d'esprit est la vie retirée et domestique, et que ceux qui vont sans cesse chercher leur bonheur chez autrui ne l'ont point chez eux-mêmes.   ROUSSEAU, Julie ou la Nouvelle Héloïse, IV, Lettre X, p. 82.

REM. Sans être vieilli ou littér., cet emploi est plus marqué et moins courant que celui de l'adj. *content ;* selon les cas, il paraîtra recherché, régional, etc.
Cour. *Le contentement de soi-même.*

♦ **3.** Cause, objet de satisfaction, de plaisir, d'agrément.

8   O doux et grand Racine !... Vous êtes maintenant mon amour et ma joie, tout mon contentement et mes plus chères délices.   FRANCE, le Petit Pierre, XXXIV, p. 246.

♦ **4.** (XVIIIᵉ). Ancienn. *Parfait contentement :* gros nœud de ruban ornant le décolleté d'une robe.

CONTR. Sacrifice. — Chagrin, contrariété, ennui, mécontentement, tristesse.
COMP. Mécontentement.

CONTENTER [kɔ̃tɑ̃te] v. tr. — 1314, *contemter ;* de *content.*

♦ **1.** Donner à (qqn) du plaisir, de l'agrément, de la joie..., en satisfaisant ses besoins. ⇒ **Combler, satisfaire.** *Contenter ses parents, ses maîtres. On ne saurait contenter tout le monde.* ⇒ **Plaire** (à) ; → Assembler, cit. 6 ; prov., ci-dessous, cit. 3. *Faire des concessions, des arrangements pour contenter qqn. Contenter qqn qui réclame.* ⇒ **Apaiser, calmer, exaucer.** *Contenter ses créanciers.* ⇒ **Payer.** *Un rien le contente.* ⇒ **Suffire** (à). *Être facile à contenter* (⇒ **Accommodant, arrangeant**), *difficile à contenter* (⇒ **Exigeant**).

1   On est presque également difficile à contenter quand on a beaucoup d'amour, et quand on n'en a plus guère.   LA ROCHEFOUCAULD, Maximes, 385.

2   Rien ne la contentait, rien n'était comme il faut :
On se levait trop tard, on se couchait trop tôt (...)   LA FONTAINE, Fables, VII, 2.

3   Parbleu, dit le meunier, est bien fou du cerveau
Qui prétend contenter tout le monde et son père.   LA FONTAINE, Fables, III, 1.

4   Je suis donc content de toi et je voudrais te contenter pareillement pour ma part.   G. SAND, François le Champi, XII, p. 99.

Spécialt. Satisfaire les désirs sexuels de (qqn).

4.1   Et il aimait à la passion le visage des femmes, dans l'instant qu'il les contentait.   MONTHERLANT, le Démon du bien, p. 139.

♦ **2.** (Compl. n. de chose). *Contenter son envie, sa curiosité, ses désirs...* ⇒ **Assouvir.** *Mot qui contente l'oreille.* ⇒ **Plaire** (à).

5   Perfides, contentez votre soif sanguinaire.   RACINE, Iphigénie, V, 4.

6   En trois années, elle avait contenté une seule de ses envies, elle s'était acheté une pendule ; encore cette pendule (...)   ZOLA, l'Assommoir, t. I, IV, p. 137.

7   (...) chacune (des filles) recèle quelque chose qui n'est pas dans une autre et qui empêchera que nous puissions contenter avec ses pareilles le désir qu'elle a fait naître en nous (...)   PROUST, À la recherche du temps perdu, t. IV, p. 138.

▶ **SE CONTENTER** v. pron.

♦ **1.** Satisfaire son envie, ses désirs.

8   Il n'est rien tel en ce monde que de se contenter.   MOLIÈRE, Dom Juan, I, 2.

(1559). *Se contenter de :* être satisfait de (qqch.), ne rien demander de plus ni de mieux. ⇒ **Accommoder** (s'), **arranger** (s') ; **faire** (avec) ; **assez** (avoir). *Se contenter d'un repas par jour. Se contenter de l'ordinaire* (cit. 15). *Se contenter de ce qu'on a. Se contenter de peu* (→ aussi le prov. Faute de grives* on mange des merles). *Il faudra bien t'en contenter.*

9   (...) il se contentait de dix écus de gage, et il y avait toute économie à le prendre.   G. SAND, François le Champi, IV, p. 52.

10   (...) je ne veux pas me contenter de connaissances vagues, car il n'y a rien de plus faux que les demi-vérités.   FUSTEL DE COULANGES, Leçons à l'impératrice..., p. 51.

11   (...) ah ! que la vie serait belle et notre misère supportable, si nous nous contentions des maux réels sans prêter l'oreille aux fantômes et aux monstres de notre esprit.   GIDE, la Symphonie pastorale, p. 64.

12   Mais il est mauvais de s'arrêter, difficile de se contenter d'une seule manière de voir (...)   CAMUS, le Mythe de Sisyphe, p. 90 (→ Contradiction, cit.)

♦ **2.** *Se contenter de faire qqch.* : ne faire que. ⇒ **Borner** (se). *Je me contenterai de vous dire que... Pour réponse, elle s'est contentée de sourire.* — *Ne vous contentez pas de balayer autour des meubles !*

13   L'homme est très fort quand il se contente d'être ce qu'il est ; il est très faible quand il veut s'élever au-dessus de l'humanité.   ROUSSEAU, Émile, II.

---

14   Elle ne s'est pas contentée de faire ruiner notre défunt maître.   G. SAND, François le Champi, XVIII, p. 129.

15   (...) si l'on se contente de raisonner, la valeur de ces arguments n'est pas contestable (...)   MARTIN DU GARD, les Thibault, t. III, p. 218.

CONTR. Affliger, attrister, chagriner, contrarier, fâcher, mécontenter. — Sacrifier. — (Du pron.) Plaindre (se plaindre de).
DÉR. Contentement.
COMP. Mécontenter.

CONTENTIEUSEMENT [kɔ̃tɑ̃sjøzmɑ̃] adv. — V. 1333, *contencieusement ;* de *contentieux.*

♦ Vx. D'une manière contentieuse, avec dispute.

CONTENTIEUX, EUSE [kɔ̃tɑ̃sjø, øz] adj. et n. m. — 1257 ; de *contentiosus* «querelleur», de *contentio, onis.* → Contention.

★ **I.** ♦ **1.** Adj. Dr. Qui est, ou qui peut être l'objet d'une discussion devant les tribunaux. ⇒ **Contesté, litigieux.** *Affaire contentieuse. Juridiction contentieuse* (opposé à *gracieux*).

♦ **2.** N. m. (1797). **a** Ensemble des litiges susceptibles d'être soumis aux tribunaux. *Un contentieux administratif, commercial.*

b Service qui s'occupe des affaires litigieuses (dans une entreprise). *Chef du contentieux.* — *Le Contentieux de la Sécurité Sociale.*

1   (...) des mesures sévères étaient prescrites *(sous le Directoire)* au sujet des dépenses : fournitures, rentes et pensions, «bons de réquisition». On établit un «contentieux».   BRUNOT, Hist. de la langue franç., t. IX, p. 1096.

★ **II.** Adj. Vx. Qui soulève des débats, des discussions. *Une humeur contentieuse. Un esprit contentieux.*

2   Ne voulant même pas entrer dans une dispute contentieuse (...)   RACINE, Traductions, Vie de St Polycarpe.

3   (...) vie contentieuse : contentieux est un terme de jurisprudence, et l'on s'en sert dans ce paragraphe pour désigner une vie agitée (...)   Mᵐᵉ NECKER, in BRUNOT, Hist. de la langue franç., t. VI, p. 1190.

4   (...) je disais tout cela d'un ton contrariant, d'un air d'impatience et de révolte, et c'était la première fois qu'avec le marquis pareille chose m'arrivait. Étonné de cette forme nouvelle contentieuse dont je m'étonnais pour le moins autant que lui (...)   SAINTE-BEUVE, Volupté, XIX, p. 196.

CONTR. (De I., 1.) Gracieux. — (De II.) Accommodant.
DÉR. Contentieusement.

CONTENTIF, IVE [kɔ̃tɑ̃tif, iv] adj. — 1752 ; «qui contient», fin XIVᵉ ; du lat. *contentus,* p. p. de *continere.* → Contenir.

♦ Méd. Qui maintient en place. *Appareil*, bandage, pansement contentif.*

1. CONTENTION [kɔ̃tɑ̃sjɔ̃] n. f. — Déb. XIIIᵉ ; cf. anc. franç. *contençon ;* lat. *contentio,* du supin de *contendere* «lutter», d'abord «tendre avec force», de *cum* intensif, et *tendere.* → Tendre.

♦ **1.** Vx. Débat, dispute*. *Un esprit de contention et de chicane.*

1   Ils font de la vérité un sujet de contention et de vaine philosophie.   MASSILLON, Avent, Épiphanie, in LITTRÉ.

2   D'autres guerriers avaient de vives contentions aux jeux de pailles et des osselets.   CHATEAUBRIAND, les Natchez, I, 74.

♦ **2.** (XIVᵉ). Littér. Tension des facultés intellectuelles vers un objet de pensée. ⇒ **Application, attention, concentration, contrainte, effort.** *Contention d'esprit.* → Bander (cit. 7) son esprit. *Il s'applique à cet ouvrage avec une grande contention.* ⇒ **Méditation, pensée.**

3   S'agit-il des affaires du monde, il n'y a point d'étude, point de contention d'esprit qu'on ne fasse pour les examiner à fond.   BOURDALOUE, Pensées, t. I, p. 319.

4   La chose que je suivais le plus exactement était l'histoire et la géographie, et comme cela ne demandait point de contention d'esprit, j'y fis autant de progrès que le permettait mon peu de mémoire.   ROUSSEAU, les Confessions, VI.

5   La conversation (...) loin d'être une contention et une acrobatie, repose et l'on s'y laisse aller comme à un mouvement naturel.   GIDE, Journal, 30 oct. 1927.

6   Ils ont fait un tel effort, ils ont écouté avec tant de contention la leçon, qu'après, c'est bien normal, ils se détendent, ils se déchaînent...   N. SARRAUTE, Vous les entendez ?, p. 34.

♦ **3.** Tension importante, effort physique intense.

7   Il les répétait, mais avec un effort, une contention, une contraction du gosier (...) une crispation qui faisaient peine à voir.   GONCOURT, in G. L. L. F.

(Par jeu sur les sens 2 et 3.)

8   — Je me demande comment ça vous vient, l'inspiration ?
— En général en me retenant d'uriner.
— Il y a un rapport ?
— Un rapport certain. De contention.   R. QUENEAU, Loin de Rueil, p. 30. — Jeu de mots avec 2. *contention.*

CONTR. Détente. — Dissipation, distraction, inattention. — Paix, repos.
HOM. 2. Contention.

2. CONTENTION [kɔ̃tɑ̃sjɔ̃] n. f. — 1771 ; du lat. médical *contentio,* ou de *contentus,* p. p. de *continere* «contenir».

♦ **1.** Chir. Action de maintenir dans une position adéquate (un organe accidentellement déplacé ; les fragments osseux d'une fracture ; une extrémité articulaire luxée). *Contention d'un viscère hernié par bandage. Appareils* de contention des os fracturés : appareils externes* (bandages, plâtres) *et prothèses* (vis, plaques, broches). — Par ext. *Contention d'une fracture, d'une luxation.*

Lamare avait mis au point un excellent appareil pour la contention des fractures de la cuisse (...)   G. DUHAMEL, la Pesée des âmes, XI, p. 258.

Dentisterie. *Prothèses de contention,* destinées à assurer la permanence des résultats d'un traitement d'orthodontie.

♦ **2.** Ancienn, psychiatrie. Immobilisation (d'un malade mental agité ou furieux) au moyen de dispositifs appropriés (camisole, ceinture, etc.). *Philippe Pinel fut l'un des premiers aliénistes à renoncer au principe de la contention des agités, entièrement abandonné depuis la découverte des neuroleptiques* («camisole chimique»). — Par ext. (contention de personnes autres que des malades mentaux). *Des instruments de contention tels que menottes, poucettes, entraves, etc.*

♦ **3.** Techn. Immobilisation (d'un animal que l'on ferre ou que l'on soigne). *Contention mécanique,* utilisant des appareils *(appareils de contention). Contention chimique,* par anesthésie.

HOM. 1. Contention.

CONTENU [kɔ̃tny] n. m. — 1343, contenut, sens figuré ; p. p. de *contenir*.*

♦ **1.** Ce qui est renfermé dans un contenant*. *Le contenu d'un récipient.* ⇒ **Contenance.** *L'étiquette indique la nature du contenu. Contenu d'une poche, d'une corbeille, d'un panier, d'un meuble, d'un sac, d'une valise. Vider le contenu d'un tiroir. Le contenu d'un camion, d'un bateau.* ⇒ **Chargement.** *Contenu évalué en poids* (⇒ **Tonnage**). *Contenu d'une brouette* (⇒ **Brouette**), *d'une hotte* (⇒ **Hottée**). *Contenu d'une assiette* (⇒ **Assiettée**), *d'un bol* (⇒ **Bolée**), *d'une marmite* (⇒ **Marmitée**, rare), *d'une poêle* (⇒ **Poêlée**), *d'un pot* (⇒ **Potée**) ; ⇒ aussi **Brassée, cuillerée, fourchée, fourchetée, pellée, pelletée, pincée,** (vx) **pochée.** *Livrer le contenu d'un camion de charbon.*

REM. Les mots désignant le contenu d'un objet, formés avec le suffixe *-ée* sont concurrencés par l'emploi métonymique du mot désignant le contenant (boire un «bol» de café au lait). Le plus souvent, ce procédé remplace une dérivation inexistante : une «tasse» de thé ; boire un «verre», le contenu d'un verre.

♦ **2.** (1418, in D. D. L.). Fig. Substance, teneur (d'un élément de langage, d'un discours). *Le contenu d'une lettre, d'un livre, d'une loi. Le contenu de son message est très clair.*

Psychan. *Contenu latent* : «ensemble de significations auquel aboutit l'analyse d'une production de l'inconscient, singulièrement du rêve». *Contenu manifeste* «désigne le rêve avant qu'il soit soumis à l'investigation analytique, tel qu'il apparaît au rêveur qui en fait le récit. Par extension on parlera du contenu manifeste de toute production verbalisée — du fantasme à l'œuvre littéraire — qu'on se propose d'interpréter selon la méthode analytique» (Laplanche et Pontalis).

Ling. Ce qui signifie (un signe). ⇒ **Signifié.** *Le contenu et l'expression*. Analyse du contenu :* analyse sémantique. *Deux synonymes ont même contenu.*

1   (...) besoin de rigueur, horreur du vague et de cette apparente clarté dont se contentent presque tous les hommes, et, conséquence de ce besoin de rigueur, besoin de remettre en question le langage et d'exiger des mots un contenu précis.
     A. MAUROIS, Études littéraires, t. I, Paul Valéry, III, p. 21.

Spécialt (dans la théorie de Hjelmslev). *Le plan du contenu s'analyse en substance du contenu et forme du contenu ; il s'oppose au plan de l'expression. Le contenu est différent du sens* (la phrase asémantique a un contenu et pas de sens).

2   Pour Hjelmslev, le sens ne relève que du contexte (*Prolegomena,* p. 45) et certains items qui ont un contenu n'ont pas forcément un sens (...) Le contenu serait donc une constante langagière, et non pas le sens.
On serait autorisé à dire que la tautologie a un contenu mais pas de sens.
     Josette REY-DEBOVE, le Sens de la tautologie, *in* le Franç. moderne, oct. 1978, p. 325.

CONTR. Contenant.

CONTER [kɔ̃te] v. tr. — 1080 ; *in* T. L. F., 1125 ; provençal *comptar,* déb. XIᵉ ; du lat. *computare.* → Compter.

♦ **1.** Vx ou régional. Exposer par un récit. ⇒ **Dire, narrer, peindre, raconter** (cour.), **rapporter, relater.** *Contez-nous la chose en détail, contez-nous comment la chose est arrivée. Vous viendrez me conter la nouvelle. On m'a conté que... Conter brièvement qqch. Conter qqch. de fil en aiguille* (cit. 11). — Absolt. *Il est difficile de bien conter* (→ Auditeur, cit. 4).

1   Si je voulais conter de point en point
Tout le détail, je manquerais d'haleine.   LA FONTAINE, Fables, VII, 8.

2   Hélas ! avec plaisir je me faisais conter
Tous les noms des pays que vous allez dompter (...)   RACINE, Iphigénie, IV, 4.

3   L'une des marques de la médiocrité de l'esprit est de toujours conter.
     LA BRUYÈRE, XII, 52.

Elle avait entendu conter que certaines maladies laissent derrière elles la folie pour guérison.   ZOLA, la Faute de l'abbé Mouret, p. 222.   4

(1595). Loc. *En conter de(s) belles** (cit. 75), *de(s) fortes,* des histoires qui étonnent, choquent, scandalisent.

Iron. *Allons, contez-nous vos malheurs.* ⇒ **Raconter.**

Fig. (Sujet nom de chose). ⇒ **Exprimer.**

Son image seule conte ce combat perpétuel en traits inoubliables.   5
     André SUARÈS, Trois hommes, III, «Pascal», p. 53.

♦ **2.** (1671). Dire (une histoire imaginaire, un conte) pour distraire. ⇒ **Raconter.** *Les grand-mères contaient des histoires à la veillée.* — Absolt. *L'art de conter s'est perdu, dans les civilisations industrielles.*

Si *Peau d'âne* m'était conté,   6
J'y prendrais un plaisir extrême.   LA FONTAINE, Fables, VIII, 4.

Il lui suffisait d'en inviter parfois une à sa table, seul ou avec un couple ami, de   7
lui adresser tout le long du repas des galanteries voisines de l'obscénité, et de la raccompagner jusqu'à sa porte en lui contant des histoires dont il riait seul.
     J. ROMAINS, les Hommes de bonne volonté, t. V, XXV, p. 239.

Ce conte, il aurait pu simplement me le conter, il le savait par cœur, moi aussi,   7.1
mais cela ne m'aurait pas calmé, il devait me le lire, soir après soir, ou faire semblant de me le lire, en tournant les pages et en m'expliquant les images, qui étaient moi déjà, soir après soir les mêmes images, jusqu'à ce que je m'assoupisse contre son épaule.   S. BECKETT, Nouvelles, p. 44.

♦ **3.** Dire (une chose inventée) pour tromper. *Que me contez-vous là ? Contez cela à d'autres. Conter des mensonges.* — Loc. *Conter des sornettes, des fagots* (vx), des choses invraisemblables.

Loc. (1606). EN CONTER à (qqn). ⇒ **Abuser, tromper.** *Il nous en conte !* : il se moque de nous. *S'en laisser, s'en faire conter. Je ne m'en laisserai pas conter par ce petit prétentieux.*

(...) sais-tu que ce fils qu'il m'avait tant vanté   8
Est ce même inconnu qui m'en a tant conté ?   CORNEILLE, le Menteur, III, 3.

Ainsi, on lui avait conté des choses, à ce monsieur, et pas un seul instant l'idée   9
ne lui était venue d'en appeler à la vraisemblance...
     COURTELINE, Boubouroche, Nouvelle, p. 54.

(1637). Spécialt et vieilli. *En conter à une femme,* lui tenir des propos galants. ⇒ **Cour** (faire la cour), **courtiser.** *S'en laisser conter :* se laisser séduire.

(De ces coquettes) Qui s'en laissent conter (...)   10
     MOLIÈRE, l'École des maris, II, 7.

Loc. *Conter fleurette* à quelqu'un.*

Il resta auprès d'elle jusqu'à la nuit, car, encore qu'il n'osât lui conter fleurette,   11
il en était si épris et il prenait tant de plaisir à la voir et à l'écouter parler, qu'il ne pouvait se décider à la quitter un moment.
     G. SAND, la Petite Fadette, XXIV, p. 163.

COMP. Raconter.
HOM. Compter, comté.

CONTESTABILITÉ [kɔ̃tɛstabilite] n. f. — 1845, Bescherelle ; de *contestable.*

♦ Didact. Caractère de ce qui est contestable. *Contestabilité d'un droit.*

CONTR. Incontestabilité.

CONTESTABLE [kɔ̃tɛstabl] adj. — Attesté 1690, mais antérieur (*contestablement,* 1611) ; de *contester.*

♦ **1.** Qui peut être contesté. ⇒ **Discutable, douteux.** *Le fait est contestable. Vous avez sur la question des idées contestables. Droit contestable.* ⇒ **Contentieux, litigieux.** *Ce n'est pas, ce n'est guère contestable en droit.*

(...) si l'on se contente de raisonner, la valeur de ces arguments n'est pas contes-   1
table (...)   MARTIN DU GARD, les Thibault, t. III, p. 218.

«L'histoire, nous disent les vieillards, est un perpétuel recommencement». D'abord   2
cela est contestable. En admettant que cela soit vrai «en gros», c'est assez faux dans les détails pour rendre toute prévision absurde.
     A. MAUROIS, Études littéraires, t. I, Paul Valéry, p. 35.

♦ **2.** Dont la valeur, la qualité est mise en doute, critiquée. ⇒ **Douteux.** *Un goût très contestable. Une attitude contestable.*

(Personnes). *Barbey,* «critique détestable souvent et contestable toujours» (Verlaine, *in* T. L. F.).
D'une authenticité douteuse.

CONTR. Assuré, avéré, certain, évident, incontestable, incontesté, sûr, vrai.
DÉR. Contestabilité, contestablement.
COMP. Incontestable.

CONTESTABLEMENT [kɔ̃tɛstabləmɑ̃] adv. — 1611 ; de *contestable.*

♦ Didact. D'une manière contestable.

CONTR. Incontestablement.

CONTESTANT, ANTE [kɔ̃tɛstɑ̃, ɑ̃t] adj. et n. ⇒ **Contester** (cit. 8 et *supra*).

CONTESTATAIRE [kɔ̃tɛstatɛʀ] adj. et n. — 1968 ; dér. sav.
de *contester.*

♦ Qui conteste (la société, les institutions). ⇒ **Contestation.** *Étudiants, enseignants contestataires. Prêtres contestataires.* — N. *Les contestataires de Mai 68.*

REM. Cette forme a pratiquement éliminé *contestateur, trice.*

1 La civilisation du rendement (travail, efficacité, production) était remplacée par la civilisation du bonheur (érotisation générale de la vie, renaissance de la Fête). Les vœux des contestataires, les prophéties d'Herbert Marcuse étaient accomplis. « Sous les pavés, la plage » (...)
Jean-Louis CURTIS, le Roseau pensant, p. 271-272.

2 Cher David. Il parlait trop, n'admirait pas assez : un contestataire. Il avait fait Mai 68, mais s'était retiré à temps de la rue Gay-Lussac.
Claude COURCHAY, La vie finira bien par commencer, p. 223.

CONTESTATEUR, TRICE [kɔ̃tɛstatœʀ, tʀis] adj. et n. — 1842 ; inus. jusqu'en 1968 ; de *contester.*

♦ Qui conteste (2., spécialt). *Fièvre contestatrice.*

N. (Rare). ⇒ **Contestataire.**

CONTESTATION [kɔ̃tɛstasjɔ̃] n. f. — Fin xivᵉ ; lat. *contestatio,* du supin de *contestare.* → Contester.

♦ **1.** Le fait de contester (qqch.) ; discussion sur un point contesté. ⇒ **Controverse, débat, discussion, objection.** *Élever une contestation sur un point. Il y a matière, sujet à contestation. Contestation sur un point de détail.* ⇒ **Broutille, pointille.** *Accepter sans contestation, à l'amiable. Contestation d'un droit, d'une qualité.* ⇒ **Dénégation, désaveu, litige, procès.** *Saisir un tribunal d'une contestation.* ⇒ **Instance, procédure.**

1 On croit que d'Ambres perdra cette contestation contre le maréchal d'Albret.
Mᵐᵉ DE SÉVIGNÉ, 432, 19 août 1675.

2 Lorsqu'il y aura contestation dans la même Église, le miracle décidera.
PASCAL, Pensées, XIII, 846.

3 J'ai dans mon travail actuel le même défaut que dans ceux que j'ai entrepris. Je me jette dans des détails qui ne sont pas nécessaires et prêtent à la contestation.
B. CONSTANT, Journal intime, p. 241.

4 Il y a peu de temps encore, on peut s'en souvenir, régnaient sans contestation la peinture proprette, le joli, le niais, l'entortillé, et aussi les prétentieuses rapinades.
BAUDELAIRE, Curiosités esthétiques, p. 289.

♦ **2.** (1968). Absolt et cour. Attitude de remise en cause des idées reçues dans un groupe social ; refus d'une idéologie. *Porter la contestation* (⇒ **Contestataire**).

5 Ce que réclament les dirigeants, très naturellement, c'est que la contestation baptisée participation ne mette pas en échec leur autorité et, par conséquent, leur efficacité.
F. BLOCH-LAINÉ, in l'Express, 8 juil. 1968.

6 Une telle démarche suppose une attitude critique. Impossible de saisir le quotidien comme tel en l'acceptant, en le « vivant » passivement, sans prendre un recul. Distance critique, contestation, comparaison vont ensemble.
Henri LEFEBVRE, la Vie quotidienne dans le monde moderne, p. 56.

♦ **3.** Littér. ou style soutenu. Vive opposition. *Entrer en contestation avec quelqu'un.* ⇒ **Altercation, démêlé, différend, dispute, opposition, querelle** (→ Avoir maille* à partir avec quelqu'un). *Arbitre qui tranche une contestation. Éviter un sujet de contestation.*

CONTR. Accord, entente.
COMP. Autocontestation.

CONTESTE [kɔ̃tɛst] n. f. — 1585 ; de *contester.*

♦ **1.** Vx ou littér. Discussion, débat, désaccord. ⇒ **Contestation.** *Point, sujet de conteste.*

1 (...) il avait, tout de suite, pensé appeler à ce Conseil sans distinction de partis et d'origines, les hommes dont la valeur lui paraîtrait sans conteste et la capacité précieuse.
Louis MADELIN, De Brumaire à Marengo, VIII, p. 125.

2 En cas de conteste, la victoire le plus souvent demeure à celui qui parle le plus fort ou le plus longtemps, ou le dernier.
GIDE, Journal, Feuillets, p. 865.

Mod. (déverbal de *contester*). Contestation (2.).

♦ **2.** Loc. adv. (1656). **SANS CONTESTE** : sans contredit, sans discussion possible. ⇒ **Assurément, incontestablement** (→ 1. Bon, cit. 61). *Shakespeare est, sans conteste, le plus grand dramaturge anglais.*

3 Si votre monde n'est pas un pour le bien, il l'est sans conteste pour le mal.
Emmanuel BERL, le Virage, p. 32.

CONTESTER [kɔ̃tɛste] v. tr. — 1338 ; provençal *contestar,* 1140 ; lat. jurid. *contestari* « plaider en produisant des témoins », de *con-* (cum), et *testari* « témoigner », de *testis* « témoin ».

♦ **1.** (1588). Mettre en discussion (le droit, la prétention de qqn). ⇒ **Discuter, révoquer** (en doute). *Contester les déclarations d'un témoin. Contester le titre, la succession de quelqu'un. Contester une prétention.* ⇒ **Résister.** *Contester la compétence d'un tribunal.* ⇒ **Récuser ; déclinatoire.** — Absolt. *Contester en justice.* ⇒ **Plaider** (→ ci-dessous, Contestant).

1 On en vient au partage, on conteste, on chicane.
Le juge sur cent points tour à tour les condamne.   LA FONTAINE, Fables, IV, 18.

(1338). *Contester (qqch.) à (qqn)* : refuser de reconnaître à (qqn)

le droit de disposer de (qqch.) ; revendiquer (qqch.) à la place de (qqn). *On lui conteste le droit de...* ⇒ **Dénier, refuser.**

2 Le Roi l'embrassa tendrement quand elle fut au lit, et la pria de ne rien contester à M. le prince de Conti, et d'être douce et obéissante : nous croyons qu'elle l'a été.
Mᵐᵉ DE SÉVIGNÉ, 772, 17 janv. 1680.

3 (...) assurer votre existence (ou celle de votre race) contre un milieu qui vous la conteste.
Julien BENDA, Lettre à Mélisande, p. 132.

♦ **2.** Mettre en discussion, en doute. ⇒ **Controverser, discuter, nier.** *Contester un fait. Contester la vérité d'une nouvelle, la justesse d'un raisonnement. Fournir des arguments pour contester une théorie.* ⇒ **Objecter.** *Je conteste qu'il soit sincère. Je ne conteste pas qu'il réussisse, qu'il réussira.* — Par ext. *Contester un enseignant, un artiste.*

4 M. de Montmoron sait votre philosophie, et la conteste sur tout (...)
Mᵐᵉ DE SÉVIGNÉ, 853, 15 sept. 1680.

5 Je trouve au contraire naturel que le génie s'impose avec cette autorité et ne soit contesté de personne.   M. AYMÉ, le Confort intellectuel, IX, p. 162.

(1540). Intrans. ou absolt. *Il aime contester.* ⇒ **Argumenter, chicaner, contredire, controverser, discuter, disputer.** *Contester sur des choses puériles.* ⇒ **Chinoiser, ergoter, pointiller.** — REM. Cet emploi absolu s'entend surtout aujourd'hui au sens spécial, ci-dessous.

6 Il faut éviter de contester sur des choses indifférentes, faire rarement des questions, qui sont presque toujours inutiles, ne laisser jamais croire qu'on prétend avoir plus de raison que les autres, et céder aisément l'avantage de décider.
LA ROCHEFOUCAULD, Réflexions diverses, 4.

7 Puis je ne conteste jamais ; je ne réfute personne, j'admets toutes les opinions, et je me contente de chercher ce qu'elles contiennent.
SAINTE-BEUVE, P.-J. Proudhon, Sa vie et sa correspondance, p. 61.

(1968). Spécialt. Faire de la contestation*, être contestataire*.

8 — Ce ne sont pas des lumières, me répond-elle gentiment, mais ils sont braves. Ils ne contestent pas ici ! Tu sais, il paraît qu'à Soissons ou à Charleville, c'est pas drôle. Tu vas voir, ça ira et puis t'es agrégée !
Yanny HUREAUX, la Prof, p. 48-49.

▶ **CONTESTÉ, ÉE** p. p. adj.
Qui est l'objet d'une contestation. *Créance contestée. Affirmation, théorie, autorité contestée.* ⇒ **Discuté, incertain** (→ Baïonnette, cit. 4). *Un chef, un professeur, un peintre contesté.*

9 Si contestées que soient nos H. L. M. elles sont préférables aux grottes de nos lointains aïeux.   Emmanuel BERL, le Virage, p. 39.

N. (au sens spécial) :

10 Il y avait eu un contesté, au lycée, un prof de musique. Voici deux ans, il avait pris sa retraite, avait passé l'été dans sa maison de campagne, et n'avait regagné la ville, à la rentrée, que pour se tirer une balle dans la tempe.
Claude COURCHAY, La vie finira bien par commencer, p. 35 (1972).

▶ **CONTESTANT, ANTE** p. prés., adj. et n. (1690 ; de *contester*).
Vx. Celui qui conteste. ⇒ **Contestataire.** *Personnalité contestante.*
— N. *Les contestants de tous bords.*
Dr. *Les parties contestantes.* — N. ⇒ **Plaideur.**

11 Aussitôt qu'à portée il vit les contestants (...)
(Grippeminaud) Mit les plaideurs d'accord en croquant l'un et l'autre.
LA FONTAINE, Fables, VII, 16.

CONTR. Admettre ; accorder, affirmer, approuver, assurer, attester, avérer, avouer, certifier, concéder, croire, reconnaître. — Incontesté.
DÉR. Contestable, contestataire, contestateur, conteste.

CONTEUR, EUSE [kɔ̃tœʀ, øz] n. — 1155, *conteor* ; de *conter.*

♦ **1.** Vx. Personne qui conte (qqch.). ⇒ **Amuseur, anecdotier, narrateur.** *C'est un grand conteur d'anecdotes.*

1 Et Géralde, Madame ? — O l'ennuyeux conteur !
MOLIÈRE, le Misanthrope, II, 4.

♦ **2.** (Sans compl.). Mod. Personne qui compose, dit ou écrit des contes. *Un excellent conteur. Les conteurs du moyen âge. Les conteurs africains.* — Appos. *Les poètes conteurs.*

2 Un nouvelliste ou un conteur de fables est un homme qui arrange, selon son caprice, des discours et des faits remplis de fausseté (...)
LA BRUYÈRE, les Caractères de Théophraste, Du débit des nouvelles.

3 Elle leur imposa silence. « Vous êtes des conteuses, dit-elle recouchez-vous et laissez-moi me rendormir ».   A. GALLAND, les Mille et Une Nuits, t. III, p. 338.

4 Le conteur, qui veut faire paraître des choses absentes, y réussit bien mieux par le frisson de la peur que par une suite raisonnable de causes et d'effets (...)
ALAIN, les Idées et les Âges, VI, in les Passions et la Sagesse, Pl., p. 215.

HOM. Compteur.

CONTEXTE [kɔ̃tɛkst] n. m. — 1539 ; lat. *contextus* « assemblage », du supin de *contexere* « tisser avec », de *con-* (cum), et *texere* « tisser ».

♦ **1.** (1754). Dr. Ensemble ininterrompu des dispositions (d'un acte). *Unité de contexte. Interpréter un arrêté selon le contexte.*

♦ **2.** Didact. (ling., etc.). Ensemble du texte qui entoure un élément de la langue (mot, phrase ; fragment d'énoncé) et dont dépend son sens, sa valeur. *Éclaircir un passage par le contexte. Lever une ambiguïté en se reportant au contexte. Tenir compte du contexte. Mot isolé de son contexte, pris hors du contexte.*

Ling. Entourage plus ou moins étendu (d'un élément linguistique), dans l'énoncé. **Macrocontexte, microcontexte.** *Contexte linguistique.*

◆ **3.** (1869). Ensemble des circonstances dans lesquelles s'insère un fait donné. *Le contexte psychologique d'une conduite. Contexte sociologique d'un fait politique. Contexte politique, familial.*

1 Notre histoire particulière dépend de nous encore, non le contexte dans lequel elle s'inscrit : ce qui ne signifie pas qu'elle nous échappe. Agir en tenant compte du contexte.
F. MAURIAC, le Nouveau Bloc-notes 1958-1960, p. 78.

Dans tel ou tel contexte, dans le cadre* de... *Dans le contexte de l'économie mondiale. Remettre un événement historique dans son contexte.*

2 *Contexte.* — A supplanté le *cadre* (...) On ne dit presque plus, après l'avoir trop dit : *dans le cadre de.* On va toutefois jusqu'à écrire : *Dans le cadre de ces divers contextes* et même *Pour bien comprendre le président, il faut le replacer dans son contexte familial.* Pierre DANINOS, le Jacassin, p. 82.

◆ **4.** Ling. Éléments de la réalité non linguistique associés à la production d'un énoncé ou d'un élément d'énoncé. *Contexte de situation* (ou *situationnel*), *extralinguistique. Langue et contexte,* ouvrage de T. Slama-Cazacu.

DÉR. **Contextuel.**
COMP. **Macrocontexte, microcontexte.**

CONTEXTUEL, ELLE, ELS [kɔ̃tɛkstɥɛl] adj. — 1963 ; de *contexte,* d'après *textuel.*

◆ Didact. (ling.). Relatif au contexte (2. ou 3.). *Sens, signifié contextuel.*

CONTEXTURE [kɔ̃tɛkstyʀ] n. f. — XIVe ; du lat. *contextus,* du supin de *contexere* (→ Contexte), d'après *texture.*

◆ **1.** Manière dont les éléments (d'un tout organique complexe) se présentent. ⇒ **Agencement, assemblage, composition, constitution, organisation, texture.** *La contexture des os, des muscles, des glandes ; des tissus animaux, végétaux.* ⇒ **Structure.**

1 M. Bertin annonçait que la contexture des différents plans de fibres musculaires qui forment l'estomac était à peu près semblable dans l'homme et le cheval.
CONDORCET, Bertin.

1.1 On eût dit une de ces «côtes de fer», comme on les appelle en certains pays, et sa contexture tourmentée semblait indiquer qu'une véritable cristallisation s'était brusquement produite dans le basalte encore bouillant des époques géologiques.
J. VERNE, l'Île mystérieuse, t. II, p. 574.

(En parlant d'un ensemble artificiel). *La contexture des fibres d'une étoffe, d'un tissu.* ⇒ **Armure, entrecroisement, texture, tissure.** *Une contexture compliquée.* ⇒ **Enchevêtrement, entrelacement.**

◆ **2.** (1690). Vieilli. Composition (d'une œuvre), arrangement des parties. ⇒ **Structure.** *La contexture d'un discours, d'un poème, d'une pièce de théâtre.*

2 L'artificieuse et fine contexture des tragédies de Racine.
VOLTAIRE, Dict. philosophique, Anciens et modernes.

CONTIGU, UË [kɔ̃tigy] adj. — V. 1377 ; lat. *contiguus,* de *contingere* «toucher».

◆ **1.** *(Contigu à...).* Qui touche à... ⇒ **Accolé, attenant, avoisinant, joignant, proche, voisin.** *Maison contiguë à l'église,* qui jouxte* l'église. — (Plus rare). *Sa chambre est contiguë avec la vôtre.*

(Au plur.). *Jardins contigus.* ⇒ **Mitoyen.** *Terres contiguës.* ⇒ **Tenant.** *Délimitation de deux propriétés contiguës.* ⇒ **Bornage.**

1 (...) ce morceau de terre, plus propre et plus orné que les autres terres qui lui sont contiguës (...) LA BRUYÈRE, les Caractères, XVI, 43.

2 Ces maisons n'étaient point contiguës, ayant de chaque côté un vide qui les séparait les unes des autres. ROLLIN, Hist. ancienne, Œ., t. II, p. 27.

3 (...) notre hôte nous conduisit dans une vaste galerie contiguë à son cabinet (...)
FRANCE, la Rôtisserie de la reine Pédauque, Œ., t. VIII, p. 71.

Bot. *Cotylédons, sépales contigus,* qui sont voisins sans adhérer ensemble.

Géom. Vx. *Angles contigus.* ⇒ **Adjacent.** *Les côtés contigus d'un angle.* ⇒ **Commun.**

◆ **2.** (1790). Abstrait. Proche de, qui présente des relations étroites avec. ⇒ **Analogue, semblable, voisin.** «*Le commencement de Paris est contigu au déclin de Rome*» (Hugo, *Actes et paroles,* 3, 1876, p. 300, *in* T. L. F.). — *Idées contiguës. Traiter des sujets contigus.*

4 (...) toutes les affinités sont liées par des similitudes contiguës (...)
BALZAC, Séraphîta, Pl., t. X, p. 556.

CONTR. **Distant, écarté, éloigné, loin, séparé.** — **Différent, opposé.**
DÉR. **Contiguïté.**

CONTIGUÏTÉ [kɔ̃tigɥite] n. f. — XVe ; de *contigu.*

◆ **1.** État de ce qui est contigu. ⇒ **Contact, mitoyenneté, proximité, voisinage.** *La contiguïté de deux terrains, de deux maisons.*

1 (...) l'alternance d'espaces de couleurs nettement tranchées, comme celles qui résultent, dans la campagne, de la contiguïté de cultures différentes (...)
PROUST, À la recherche du temps perdu, t. IX, p. 235.

La contiguïté de deux sépales. Contiguïté de deux angles.

◆ **2.** (Abstrait). *Contiguïté des idées.* ⇒ **Adhérence, analogie, liaison, proximité, rapport, voisinage.** *Association* d'idées par contiguïté dans l'espace, dans le temps.*

2 Le moi touche en effet au monde extérieur par sa surface ; et comme cette surface conserve l'empreinte des choses, il associera par contiguïté des termes qu'il aura perçus juxtaposés : c'est à des liaisons de ce genre, liaisons de sensations tout à fait simples et pour ainsi dire impersonnelles, que la théorie associationniste convient.
H. BERGSON, Essai sur les données immédiates de la conscience, p. 123.

CONTR. **Distance, écartement, éloignement, espacement, séparation.** — **Différence, opposition.**

CONTINENCE [kɔ̃tinɑ̃s] n. f. — Fin XIIe ; de 1. *continent.*

◆ **1.** Littér. ou style soutenu. État d'une personne qui s'abstient de tout plaisir charnel. *La continence volontaire, considérée comme vertu.* ⇒ **Ascétisme, chasteté, pureté, sagesse.** *Vivre dans la continence. Une longue et pénible continence. État de continence parfaite. La Continence de Scipion,* œuvre de Poussin.

1 Les auteurs attribuent avec raison à la continence de ces peuples durant leur jeunesse la vigueur de leur constitution et la multitude de leurs enfants.
ROUSSEAU, Émile, IV.

2 Tous gardaient la continence, portaient le cilice et la cuculle, dormaient sur la terre nue après de longues veilles (...) accomplissaient chaque jour les chefs-d'œuvre de la pénitence. FRANCE, Thaïs, I, p. 4.

Qualité d'une personne qui s'abstient de tout plaisir sensible. ⇒ **Abstinence, mortification, privation, tempérance.**

◆ **2.** Fig. Littér. et vieilli. *Continence du style, de la parole.* ⇒ **Modération, sobriété.**

3 Quant aux romans, ils ne manquent pas : il y a en plusieurs d'une femme *(Mme Du Devant)* qui prend le nom de George Sand et qui ont des parties charmantes. Je crois qu'avec un peu de continence, elle nous donnera de belles choses.
SAINTE-BEUVE, Correspondance, 272, 29 janv. 1833, p. 337.

CONTR. **Concupiscence, débauche, impureté, incontinence, intempérance, luxure, volupté.** — **Prolixité.**

1. CONTINENT, ENTE [kɔ̃tinɑ̃, ɑ̃t] adj. — V. 1160 ; lat. *continens,* p. prés. de *continere* «maîtriser». → Contenir.

◆ **1.** Littér. ou vieilli. Qui observe, pratique la continence. ⇒ **Ascétique, chaste, pur, vertueux ; vierge.** — N. (inus. au fém.). *Un continent* (→ ci-dessous, 1 et 2.1).

1 L'exemple de la chasteté d'Alexandre n'a pas tant fait de continents que celui de son ivrognerie a fait d'intempérants. PASCAL, Pensées, II, 103.

2 Un homme ardent et sensible, jeune et garçon, veut être continent et chaste ; il sait, il sent, il l'a dit mille fois, que la force de l'âme qui produit toutes les vertus tient à la pureté qui les nourrit toutes.
ROUSSEAU, Julie ou la Nouvelle Héloïse, VI, Lettre, VI.

2.1 Les derniers vivants s'exaspèrent, le fils, jusque-là soumis et vertueux, tue son père ; le continent sodomise ses proches. Le luxurieux devient pur.
A. ARTAUD, le Théâtre et son double, Le théâtre et la peste, Idées/Gallimard, p. 33.

Vx. Tempérant.

◆ **2.** Fig. Littér. et vieilli. *Être continent en paroles.* ⇒ **Modéré, sobre.**

3 (...) ce n'est qu'un moyen perfide de m'arracher aux simples images de l'idéale et continente beauté (...) SAINTE-BEUVE, Volupté, II, p. 14.

◆ **3.** Méd. Se dit d'un sphincter qui fonctionne normalement (anus, vessie).

◆ **4.** (1590, avec infl. du lat. *continens* «continu»). Méd. *Fièvre continente,* dont l'action est continue. ⇒ **Continu.** — *Cause continente,* qui continue d'agir.

CONTR. **Concupiscent, débauché, impur, incontinent, intempérant, luxurieux, voluptueux.** — **Prolixe.**
DÉR. **Continence.**
HOM. 2. **Continent.**

2. CONTINENT [kɔ̃tinɑ̃] n. m. — 1671 ; *terre continente,* 1532 ; du p. prés. du lat. *continere* «tenir ensemble», de *con-* (*cum*) «ensemble», et *tenere.*

◆ **1.** Géogr. et cour. Grande étendue de terre limitée par un ou plusieurs océans. *La dérive* des continents. Genèse des continents.*

0.1 On distingue quatre grands continents : l'Eurasie, l'Afrique, les deux Amériques du Nord et du Sud auxquels on ajoute souvent l'Australie et l'Antarctide ou continent Austral. P. GEORGE, Dict. de géographie.

1 L'Europe (...) petit cap du continent asiatique (...)
VALÉRY, Crise de l'esprit (→ 2. Cap, cit. 4).

◆ **2.** Cour. Partie du monde. ⇒ **Sous-continent.** *Les cinq continents sont traditionnellement l'Europe, l'Asie, l'Afrique, l'Amérique et l'Océanie. L'Antarctide ou Antarctique est parfois considérée comme un sixième continent. Le continent européen. La Micronésie fait partie du continent océanien. Voyage autour d'un continent.*

Loc. *L'Ancien Continent :* l'Europe et l'Afrique. *Le Nouveau Continent :* les deux Amériques.

♦ **3.** (1665). *Le continent* (par rapport à une île), la terre principale d'une partie du monde. ⇒ **Continental.** *Le continent australien. Retourner sur le continent.*

(1735). Spécialt. L'Europe (par oppos. aux Îles britanniques). *Passer sur le continent, se réfugier sur le continent.*

2 Sur un fonds d'autochtones ibères, préceltiques, une série d'invasions issues du continent a superposé des Celtes, des Romains, des Saxons, des Normands.
     André SIEGFRIED, l'Âme des peuples, IV, 1, p. 81.

DÉR. Continental.
COMP. Sous-continent.
HOM. 1. Continent.

CONTINENTAL, ALE, AUX [kɔ̃tinãtal, o] adj. — 1773 ; de 2. *continent.*

♦ **1.** a Relatif à un continent, à une grande étendue de terre ; aux continents. *Aires continentales et océaniques. Théorie des dérives continentales. Climat continental,* des terres éloignées de l'influence océanique (grands écarts de température ; pluies assez fortes en été). *Plateau continental :* partie du relief sous-marin proche des côtes.

b Qui appartient au continent européen. *Les puissances continentales. Blocus** (cit. 2) *continental. Politique continentale.*

La France continentale. ⇒ **Métropolitain.**

Petit déjeuner continental (opposé au *breakfast* anglais).

♦ **2.** N. Personne qui habite le continent ou qui en est originaire (par oppos. à *insulaire*).

CONTR. Insulaire.
DÉR. Continentalité.
COMP. Intercontinental, transcontinental.

CONTINENTALITÉ [kɔ̃tinãtalite] n. f. — Mil. xxᵉ ; de *continental.*

♦ Didact. Caractère de ce qui est continental. — Spécialt. Ensemble de caractères du climat* continental.

En Russie où — sauf en Crimée — le régime pluviométrique affirme sa continentalité en opposant un maximum d'été à un minimum d'hiver, février se trouve être partout un mois sec.   Ch.-P. PÉGUY, la Neige, p. 37.
CONTR. Insularité.

CONTINGENCE [kɔ̃tɛ̃ʒãs] n. f. — 1340 ; de *contingent.*

♦ **1.** Philos. Caractère de ce qui est contingent (I., 1.). ⇒ **Éventualité.** *La contingence du monde créé. De la contingence des lois de la nature,* ouvrage d'E. Boutroux.

1 Je conçois clairement que chaque chose pourrait être autrement qu'elle n'est ; j'ai appelé cela contingence, et je dis que, dans ma manière de concevoir, chaque chose est contingente de sa nature.
    Charles BONNET, Palingénésie philosophique, XVII, 2.
2 (...) certes, par nature, le monde des possibles m'a toujours été plus ouvert que celui de la contingence réelle.
    PROUST, À la recherche du temps perdu, t. XI, p. 28.
Preuve de l'existence de Dieu par la contingence du monde : preuve selon laquelle on conclut du caractère contingent du monde empirique à l'existence de Dieu, considéré comme cause nécessaire.

♦ **2.** (1896). Cour. *Les contingences :* les choses qui peuvent changer, qui n'ont pas une importance capitale. *Ne pas se soucier des contingences. Les contingences de la vie quotidienne :* les événements terre-à-terre. *Ne pas se soucier des contingences.*

3 CONTINGENCES. Menus événements, incidents, traverses, vétilles, mesquineries, futilités, plis de l'existence amoureuse ; tout noyau factuel d'un retentissement qui vient traverser la visée de bonheur du sujet amoureux, comme si le hasard intriguait contre lui. R. BARTHES, Fragments d'un discours amoureux, p. 83.
4 Le décor même, ce coin obscur de pays balte isolé par la révolution et la guerre, semblait (...) satisfaire aux conditions du jeu tragique en libérant l'aventure de Sophie et d'Eric de ce que seraient pour nous ses contingences habituelles, en donnant à l'actualité d'hier ce recul dans l'espace qui est presque l'équivalent de l'éloignement dans le temps. M. YOURCENAR, le Coup de grâce, p. 128.

♦ **3.** Math. *Angle de contingence,* formé par la rencontre de deux lignes courbes, ou d'une ligne droite avec une ligne courbe.

CONTR. Nécessité.

CONTINGENT, ENTE [kɔ̃tɛ̃ʒã, ãt] adj. et n. m. — 1361 ; lat. *contingens,* p. prés. de *contingere* «arriver par hasard», de *con-* (cum), et *tangere* «toucher».

★ **I.** Adj. ♦ **1.** Philos. Qui peut se produire ou non. ⇒ **Accidentel, casuel, conditionnel, éventuel, fortuit, incertain, occasionnel** (opposé à *nécessaire*). *Événement contingent, chose contingente,* soumis(e) au hasard. *Un contingent,* qui peut être ou ne pas être. *Futur contingent,* qui peut se produire ou ne pas se produire, dans des circonstances données. ⇒ **Possible.** — Log. *Proposition contingente,* qui énonce un rapport dont la vérité ou la fausseté n'est établie que

par l'expérience seule. *Vérité contingente,* établie par l'expérience, et non par la raison.

1 Il y a deux sortes de vérités, les unes sont nécessaires et les autres contingentes.
    MALEBRANCHE, De la recherche de la vérité, I, II, 3.
2 Spinoza voudrait prouver que, si nous jugeons qu'il y a des choses contingentes, ce n'est que par ignorance (...) CONDILLAC, Traité des sensations, 10.

♦ **2.** Cour. Sans importance ; non essentiel.

3 C'est la morale des grands qu'il faut retenir et dégager des faits contingents de leur vie ; non les petits faits qu'il faut imiter. GIDE, Journal, juin 1891.
3.1 C'est d'une manière plus furtive et plus difficile à définir que me sont donnés les spectacles contingents : paysages, rues, foules (...)
    S. DE BEAUVOIR, Tout compte fait, p. 237.

♦ **3.** (1459). Dr. Qui échoit à quelqu'un. — *Portion contingente :* part qui revient à quelqu'un dans un partage.

★ **II.** N. m. ♦ **1.** (1690). Effectif des appelés au service militaire pour une période déterminée. ⇒ **Classe.** *Fournir un contingent. Appel d'un contingent.*

Par extension :

3.2 — C'est une petite ville, en effet. À peine le contingent de trois usines.
    M. DURAS, Moderato cantabile, p. 59.

♦ **2.** (1922). Dr. Quantité de marchandises autorisées à l'importation. Part qui revient à chacun dans une distribution sujette à restrictions (⇒ **Contingenter**). — Part des charges d'une collectivité administrative, dans les travaux publics intéressant à la fois l'État, les départements et les communes.

Dr. fisc. Produit total d'un impôt à recouvrer dans une circonscription déterminée. ⇒ **Répartition** (des impôts).

♦ **3.** (1690). Part* apportée à une œuvre commune ; part reçue d'un groupe, d'une collectivité. *Apporter son contingent à une œuvre nationale.* ⇒ **Contribution, lot, part.**

4 Chacun de nous assume un drame à sa taille, et reçoit son contingent de tragique. GIDE, les Faux-monnayeurs, III, X, p. 399.
5 Ce n'était plus le chagrin qui dominait en moi, mais la colère, la rage, le désir de leur faire mal : tout ce qui existe déjà de vil en nous à cet âge où l'homme que nous serons est déjà tout formé, tout épuisé, avec son contingent d'inclinations et de passions. F. MAURIAC, la Pharisienne, V, p. 75.

CONTR. Certain, nécessaire, rationnel.
DÉR. Contingence, contingenter.

CONTINGENTEMENT [kɔ̃tɛ̃ʒãtmã] n. m. — 1922 ; de *contingenter.*

♦ Action de contingenter ; son résultat. ⇒ **Répartition.** *Le contingentement des importations.* ⇒ **Limitation.**

CONTINGENTER [kɔ̃tɛ̃ʒãte] v. tr. — 1922 ; de *contingent* (II., 2.).

♦ Fixer un contingent à. ⇒ **Limiter.** — *Denrées contingentées,* dont la circulation et la vente ne sont pas libres.

— Et la nourriture, là-bas, comment ça marche ? Gustin convint qu'il y avait un rationnement sévère comme en France mais ajouta que si tout était contingenté, du moins y avait-il de tout. Jacques LAURENT, les Bêtises, p. 42.
DÉR. Contingentement.

CONTINU, UE [kɔ̃tiny] adj. et n. m. — V. 1306 ; *contenu,* fin xiiiᵉ ; lat. *continuus,* p. p. de *continere,* tenir ensemble.

♦ **1.** Qui est composé de parties non séparées, ininterrompues. ⇒ **Continuel, ininterrompu.** *Étendue continue. Enceinte continue. Tige continue. Ligne continue.* — Archit. *Piédestal* continu.* — Math. *Parties continues. Quantité* continue. Fraction continue. Proportion continue. Fonction continue d'une variable.* — *Codage continu* ou *analogique** (opposé à *binaire*).

N. m. Didact. Ce qui est sans lacune, ne présente pas de parties séparées. *Un continu.* ⇒ **Continuum.** *Le continu et le discontinu, le discret*.* — Math. *Puissance du continu :* puissance de l'ensemble des nombres réels.

1 Une partie de l'étendue est un continu formé par la contiguïté d'autres parties étendues. CONDILLAC, Traité des sensations, III.
1.1 Qu'est-ce au juste que ce continu sur lequel les mathématiciens raisonnent ? (...) Partons de l'échelle des nombres entiers ; entre deux échelons consécutifs, intercalons un ou plusieurs échelons intermédiaires, puis entre ces échelons nouveaux d'autres encore, et ainsi de suite indéfiniment. Nous aurons ainsi un nombre illimité de termes, ce seront les nombres que l'on appelle fractionnaires, rationnels ou commensurables. Mais ce n'est pas assez encore ; entre ces termes qui sont pourtant déjà en nombre infini, il faut encore en intercaler d'autres, que l'on appelle irrationnels ou incommensurables.
Avant d'aller plus loin, faisons une première remarque. Le continu ainsi conçu n'est plus qu'une collection d'individus rangés dans un certain ordre, en nombre infini, il est vrai, mais extérieurs les uns aux autres. Ce n'est pas là la conception ordinaire, où l'on suppose entre les éléments du continu une sorte de lien intime qui en fait un tout, où le point ne préexiste pas à la ligne, mais la ligne au point. De la célèbre formule, le continu c'est l'unité dans la multiplicité, la multiplicité seule subsiste, l'unité a disparu. Les analystes n'en ont pas moins raison de définir leur continu comme ils le font, puisque c'est toujours sur celui-là qu'ils raisonnent depuis qu'ils se piquent de rigueur. Mais c'est assez pour nous avertir que le véritable continu mathématique est tout autre chose que celui des physiciens et celui des métaphysiciens. H. POINCARÉ, la Science et l'Hypothèse, p. 29.
1.2 À l'époque de Cantor, il y a eu certainement des géomètres pour trouver puérile

la courbe de Cantor emplissant un continu à deux dimensions ou son ensemble triadique. R. QUENEAU, Bâtons, chiffres et lettres, p. 326.

♦ **2.** Qui n'est pas interrompu dans le temps. ⇒ **Constant, continuel** (cit. 1) **durable, immuable, incessant, infini, ininterrompu, interminable, invariable, permanent, perpétuel, persistant, sempiternel, successif.** *Une pluie continue. Mouvement continu. Un bruit continu. Une action continue. Un jet continu de vapeur. Une suite, une série continue de désastres. Fournir un effort, un travail continu.* ⇒ **Assidu, indéfectible, opiniâtre, prolongé, soutenu, suivi.**

2   Comme il doit être fatigant et attristant cet effort continu pour se conformer aux opinions, règles et convenances du monde impossible qui les entoure.
Valery LARBAUD, Amants, heureux amants, p. 126.

3   Le doute le torturait et le retenait. Mais je savais aussi que le doute était pour lui une souffrance continue, une obsession.
A. MAUROIS, Climats, II, XVIII, p. 246.

3.1 (...) les flocons blancs tombent toujours avec la même lenteur, d'une chute verticale et régulière. C'est sans doute ce mouvement continu, uniforme, inaltérable, que le soldat contemple, immobile à sa table entre ses deux compagnons.
A. ROBBE-GRILLET, Dans le labyrinthe, p. 109.

3.2 Ses paroles ne forment jamais un discours continu : on dirait des morceaux découpés que plus rien ne relie entre eux, en dépit du ton appliqué laissant supposer un ensemble cohérent (...)
A. ROBBE-GRILLET, la Maison de rendez-vous, p. 95.

Dr. *Servitude* continue.* — Électr. (et cour.). *Courant* continu.* — Méd. *Fièvre* continue.* ⇒ 1. **Continent.** — Mus. *Basse* continue.* ⇒ **Continuo.** — Philos. *Création* continue. Feu continu. Poêle, four à feu continu. L'artillerie bombarde d'un feu continu.* ⇒ **Roulant.** Loc. *À jet continu.* — *Journée continue :* horaire de travail ne comportant qu'une brève interruption pour le repas.

4   La masse anglaise nourrissait ce feu continu quand elle était attaquée.
VOLTAIRE, Louis XV, 15.

5   Agir, c'est une création continue. La nature crée sans arrêt des formes qui n'ont aucune valeur pour elles-mêmes, mais l'ensemble de ces créations infinitésimales est la vie. Edmond JALOUX, la Chute d'Icare, p. 217.

Techn. *Métier à tisser continu.* — N. m. :

6   Il existe plusieurs types de banc à filer au sec. Le plus répandu est le continu à anneau qui est exactement un continu à coton adapté aux dimensions de la fibre technique de lin. Il se compose, comme tout banc à filer, d'une tête d'étirage, d'une broche et d'un système de renvidage.
Jacques LOURD, le Lin et l'Industrie linière, p. 56.

Loc. Cour. EN CONTINU : d'une manière continue, sans interruption. « *Débiter en continu des feuilles de placage* » (J.-C. Reggiani, *Industries et commerce du bois*, p. 48).

7   Les progrès récents suivent la tendance générale de l'industrie à réaliser la fabrication *en continu.* F. MEYER et P. GRIVET, le Verre.

CONTR. **Alternatif, cessant, changeant, coupé, discontinu, discret, divisé, entrecoupé, intermittent, interrompu, momentané, séparé, sporadique, temporaire, variable.**
DÉR. **Continuel, continuité, continûment.**
COMP. **Discontinu.**
HOM. Formes du v. **continuer.**

CONTINUATEUR, TRICE [kõtinɥatœʀ, tʀis] n. — 1579 ; de *continuer.*

♦ Personne qui continue ce qu'une autre a commencé. *Mazarin, le continuateur de Richelieu.* ⇒ **Successeur.** *Indira Gandhi, continuatrice de la politique de Nehru.*

Adj. *Ministre continuateur de la politique de ses prédécesseurs. Écrivain continuateur d'une tradition d'école.*

(...) le digne continuateur des vieux trouveurs qui ont essayé de transvaser dans le cristal léger de notre langue l'enivrant breuvage où les amants de Cornouailles goûtèrent jadis l'amour et la mort.
G. PARIS, Préface, in BÉDIER, Tristan et Iseut, p. 1.

CONTR. **Devancier, novateur, promoteur.**

CONTINUATION [kõtinɥasjõ] n. f. — 1283 ; de *continuer.*

♦ **1.** Action de continuer* (qqch.) ; résultat de cette action. ⇒ **Poursuite, reprise, suite.** *Se charger de la continuation d'une œuvre.*

1   L'idée de continuation est quelquefois introduite dans le verbe lui-même, au moyen du préfixe *pour* : *poursuivre, pourchasser.*
F. BRUNOT, la Pensée et la Langue, III, XI, C, VI, p. 450.

Fam. *Bonne continuation !*, souhait que l'on adresse à quelqu'un qui semble se plaire à ce qu'il fait.

♦ **2.** (1370). Le fait d'être continué, de se continuer. ⇒ **Prolongation, prolongement.** *La continuation des pluies. La continuation de la guerre. Continuation d'un mouvement.* ⇒ **Inertie** (principe d'inertie).

2   Les miracles sont plus importants que vous ne pensez : ils ont servi à la fondation, et serviront à la continuation de l'Église, jusqu'à l'Antéchrist, jusqu'à la fin.
PASCAL, Pensée, XIII, 852.

3   (...) croyez bien que je compte sur la continuation de votre amitié sérieuse.
SAINTE-BEUVE, Correspondance 303, 21 juil. 1833, t. I, p. 375.

4   *(Le)* débat, qui était de savoir si le christianisme était une continuation du mosaïsme ou une religion nouvelle.
Pierre LEROUX, De l'humanité, 1840, t. II, p. 781, in T. L. F.

Dr. *Affaire en continuation.*

5   Accueillant la requête de Me Houssepard, la Cour renvoie l'affaire en continuation au lendemain, et désigne un médecin, qui examinera Louis Martin, séance tenante, et fera son rapport verbal à l'audience.
H. TROYAT, la Tête sur les épaules, p. 84.

CONTR. **Arrêt, cessation, division, interruption.**

CONTINUEL, ELLE [kõtinɥɛl] adj. — V. 1180 ; « qui suit sans retard », 1174 ; « continu dans l'espace », v. 1169 ; de *continu.*

♦ Qui dure sans interruption ou se répète à intervalles rapprochés (pendant une durée ainsi occupée). ⇒ **Continu, éternel, fréquent, perpétuel, sempiternel.** *Pluie continuelle. Changement continuel. Faire des efforts continuels. Vivre dans une inquiétude* continuelle, dans des soucis continuels. Un refus continuel d'obéir.* ⇒ **Constant.** *Chômage continuel.* ⇒ **Chronique.** *Allées et venues continuelles.* ⇒ **Incessant.**

1   Le sens de *continu* se trouve affaibli dans *continuel* qui n'en contient qu'une image approchante et qui suppose des intervalles et des reprises. Le cliquet d'un moulin en mouvement ne fait pas un bruit *continu,* car ce bruit se compose de retours périodiques, séparés par des intervalles de silence ; mais il fait un bruit *continuel,* car ce bruit ne cesse de se renouveler tant que le moulin tourne.
LAFAYE, Dict. des synonymes, p. 263.

2   (...) les continuels éclats de rire que le parterre y fait *(à cette pièce).*
MOLIÈRE, Critique de l'École des femmes, 5.

3   (...) notre vie est une perpétuelle rougeur, parce qu'elle est une faute continuelle.
CHATEAUBRIAND, Mémoires d'outre-tombe, t. II, p. 285.

4   Une pensée profonde est en continuel devenir, épouse l'expérience d'une vie et s'y façonne.
CAMUS, le Mythe de Sisyphe, p. 154.

CONTR. **Interrompu, momentané, rare.**
DÉR. **Continuellement.**

CONTINUELLEMENT [kõtinɥɛlmã] adv. — 1393, *continüellement ; continuelement,* 1160 ; de *continuel.*

♦ D'une manière continuelle, de façon ininterrompue, ou en se répétant très fréquemment. ⇒ **Arrêt** (sans), **cesse** (sans), **constamment, continûment, journellement, relâche** (sans), **répit** (sans), **temps** (tout le temps), **toujours** (→ À tout bout* de champ, à toute heure*, à chaque instant, à longueur de journée*, du matin* au soir, à tout moment*, nuit* et jour). *Travailler continuellement.* ⇒ **Arraché-pied** (d'), **assidûment.** *Jouer, se distraire continuellement. La pluie est tombée continuellement. Nous avons continuellement des réclamations.*

CONTR. **Discontinûment, momentanément, rarement ;** cf. Temps (de temps en temps).

CONTINUER [kõtinɥe] v. — 1160 ; lat. *continuare* « tenir ensemble », de *continuus.* → Continu.

★ **I.** V. tr. ♦ **1.** Faire ou maintenir encore, plus longtemps ; ne pas interrompre (ce qui est commencé). ⇒ **Persévérer** (à, dans), **poursuivre.** *Continuer ses études, ses travaux, ses démarches. Continuer une œuvre, une tâche jusqu'à son achèvement. Continuer sa lecture. Continuer une tradition.* ⇒ **Perpétuer.** *Continuer son voyage, sa route.* — Loc. fig. *Continuer son chemin, sa route :* passer outre à un obstacle, à une objection.

1   On ne revient pas au passé. Il faut continuer sa route.
R. ROLLAND, Jean-Christophe, t. III, p. 208.

2   Le baron, son mari, continuait de son mieux la tradition des gentilshommes oisifs.
J. ROMAINS, les Hommes de bonne volonté, t. III, XIII, p. 177.

2.1 Ils ont continué leur petit bonhomme de chemin entre la paix et la guerre.
DRIEU LA ROCHELLE, la Comédie de Charleroi, p. 122.

Trans. ind. *Continuer à, continuer de* (et inf.). *Continuer d'être, de vivre* (⇒ **Survivre ; subsister).** *Continuer à se battre.* ⇒ **Résister.** *Continuer à boire, à fumer.*

Pron. *L'homme se continue dans ses enfants.* ⇒ **Perpétuer** (se).

Ellipt. *Poursuivre une occupation. Continuez ! On continue. On commence par ceci, on continue par cela. Si vous continuez ainsi, cela finira mal. Il lui est impossible de continuer dans ce bruit.*

3   (...) ces effrontés continuent de parler (...)
LA BRUYÈRE, les Caractères de Théophraste. De l'image d'un coquin.

4   Continuez de chanter et de souffrir : c'est le plus noble état d'un cœur mortel.
SAINTE-BEUVE, Correspondance, I, p. 113.

5   (...) l'artillerie continuait à éventrer le sol disputé.
G. DUHAMEL, Récits des temps de guerre, t. I, II, p. 160.

6   Continuez, Madame, et comptez sur moi, on est trop honoré de pouvoir contribuer au bien que vous faites (...)
MARMONTEL, Contes moraux, Femme comme il y en a peu.

7   Pensez-vous que Calchas continue à se taire (...) ? RACINE, Iphigénie, I, 3.

8   (...) si notre vie est vagabonde notre mémoire est sédentaire, et nous avons beau nous élancer sans trêve, nos souvenirs, eux, rivés aux lieux dont nous nous détachons, continuent à y combiner leur vie casanière (...)
PROUST, À la recherche du temps perdu, t. XV, p. 159.

Poursuivre (ce qui a été commencé par un autre). *Continuer la politique de ses prédécesseurs.* ⇒ **Reprendre.** *Continuer un bail* (⇒ **Prolongation, reconduction, renouvellement, suite).**

Par ext. *Mazarin continua Richelieu,* continua son action, sa politique.

Vieilli. *Continuer (qqch.) à (qqn),* ne pas cesser de lui donner (qqch.).

Continuer ses bienfaits à quelqu'un. Continuer sa pension à un mutilé.

9   Vous, continuez-lui ce service fidèle (...)   CORNEILLE, Pompée, III, 1.

10   On continua la possession des fiefs pour de l'argent, comme on continuait la possession des comtés.   MONTESQUIEU, Esprit des lois, XXXI, 1.

Par ext. (en emploi absolu). Reprendre, après une interruption.

♦ **2.** Prolonger (qqch.) dans l'espace. ⇒ **Étendre, pousser, prolonger.** *Continuer une ligne, une droite. Continuer une allée, une route.* — (Sujet n. de chose). *Une allée continue la route après la grille.*

♦ **3.** Vx. Maintenir (qqn dans ses fonctions). ⇒ **Conserver, laisser, maintenir.** *On le continua dans son commandement, dans son gouvernement* (Académie).

11   Louis XIV voulut que le doge qui viendrait lui demander pardon fût continué dans sa principauté.   VOLTAIRE, le Siècle de Louis XIV, 14.

★ **II.** V. intr. (Sujet n. de chose). ♦ **1.** Ne pas s'arrêter ; occuper encore une durée. ⇒ **Durer.** *La pluie continue, ne cesse pas.* ⇒ **Continu, continuel.** *La guerre ne continuera pas longtemps. Les choses continuent, vont leur train*. *Le contrat continue.* ⇒ **Tenir** (il tient toujours). *Les victoires continuent.* ⇒ **Succéder** (se). *La fête, la séance continue,* elle ne cesse pas, ne s'arrête pas. *La vie continue, tout continue comme auparavant.*

12   Dans la vie, rien ne se résout ; tout continue.   GIDE, les Faux-monnayeurs, III, X, p. 406.

13   (...) la vie continue, cahin-caha (...) Et la paix aussi !   MARTIN DU GARD, les Thibault, t. V, p. 182.

14   J'entends encore ce bruit décevant qui croît, fait naître l'espoir d'un arrêt, puis continue, décroît et s'éloigne.   A. MAUROIS, Climats, II, XX, p. 253.

♦ **2.** S'étendre plus loin. ⇒ **Poursuivre** (se), **prolonger** (se). *Cette route continue jusqu'à Paris. Chaîne de montagnes qui continue jusqu'à la mer.*

▶ **SE CONTINUER** v. pron.
Continuer (II., 2.). *La route se continue jusqu'au village.*

CONTR. Abandonner, achever (s'), arrêter, cesser, commencer, couper, demeurer (court), discontinuer, entrecouper, finir, interrompre, renoncer (à), renouveler, suspendre, terminer.
DÉR. Continuateur, continuation.
COMP. Discontinuer.

CONTINUITÉ [kɔ̃tinᵤite] n. f. — V. 1380 ; de *continu.*

♦ **1.** Caractère de ce qui est continu*. ⇒ **Constance, enchaînement, ininterruption, liaison.** — (Dans l'espace). *La continuité des parties. La continuité des vertèbres.*

♦ **2.** (Dans le temps). ⇒ **Constance, pérennité, permanence, persistance, stabilité.** *La continuité d'une action. La continuité d'un bruit.* — Absence de rupture. *Principe de la continuité de l'État. Assurer la continuité d'une entreprise* (⇒ **Maintien**), *d'une tradition, d'une espèce* (⇒ **Perpétuation**). *Faire preuve de continuité dans un travail.* ⇒ **Assiduité** (cit. 2), **persévérance.** *Le changement, la réforme dans la continuité.*

1   J'ai (...) essayé d'imiter des anciens cette continuité d'action qui fait que leur théâtre ne demeure jamais vide (...)   RACINE, Athalie, Préface.

2   Il me fit sentir que (...) la continuité des petits devoirs toujours bien remplis ne demandait pas moins de force que les actions héroïques (...)   ROUSSEAU, les Confessions, III.

3   Son docile attelage ne se pressait pas plus que lui ; mais, grâce à la continuité d'un labeur sans distraction et d'une dépense de forces éprouvées et soutenues, son sillon était aussi vite creusé que celui de son fils (...)   G. SAND, la Mare au diable, II, p. 19.

3.1   Le Gouvernement et la France m'ont gardé pendant neuf ans au Maroc. C'est uniquement à cette continuité de méthode et de commandement que sont dus les quelques avantages que l'on a pu en retirer.   L.-H. LYAUTEY, Paroles d'action, p. 320.

Philos. *Loi de continuité.*

4   Le principe, que tout se fait dans la nature par degrés insensibles, est celui que Leibniz et ses sectateurs ont appelé loi de continuité.   D'ALEMBERT, Éloges, Bernoulli.

♦ **3.** Loc. *Solution* (cit. 1, 2) *de continuité.* ⇒ **Brisure, coupure, hiatus, interruption, rupture.** *Une brusque solution de continuité.*
Figuré :

5   Vous me demandez ce qui a fait cette solution de continuité entre la Fare et Mᵐᵉ de la Sablière : c'est la bassette (...)   Mᵐᵉ DE SÉVIGNÉ, 831, 14 juil. 1680.

6   Il faut une solution brusque de continuité, une rupture avec la mode (...)   H. BERGSON, le Rire, p. 80.

CONTR. Coupure, division, intermittence, interruption, isolement, séparation, suspension.
COMP. Discontinuité.

CONTINÛMENT [kɔ̃tinymɑ̃] adv. — 1694 ; *continuement,* 1302 ; de *continu.*

♦ D'une manière constante, soutenue (plus actif que *continuellement*). — *Filet d'eau qui tombe continûment,* sans interruption.

(...) je n'écoutais pas Banville. Je le regrette amèrement, et j'ai perdu ce jour-là une belle occasion d'entendre sa causerie triomphale, métaphorique, lyrique et continûment spirituelle dont ses *Souvenirs* nous donnent la sensation lointaine et affaiblie.   J. RENARD, Journal, 26 sept. 1889.

CONTINUO [kɔ̃tinᵤo ; kɔ̃tinyo] n. m. — xxᵉ ; mot ital., «continu».

♦ Mus. Basse* continue.

CONTINUUM [kɔ̃tinᵤɔm ; kɔ̃tinyɔm] n. m. — 1905 ; mot lat., «le continu».

♦ **1.** Phys. Ensemble d'éléments homogènes. — (1935). *Le continuum espace-temps :* espace (I., A., 3.) dont la quatrième dimension est le temps (relativité).

♦ **2.** Didact. et philos. Objet ou phénomène dont on ne peut considérer une partie que par abstraction.

1   La Pythie ne saurait dicter un poème.
Mais un vers — c'est-à-dire une *unité* — et puis une autre.
Cette déesse du Continuum est incapable de continuer.
C'est le Discontinuum qui bouche les trous.   J. VALÉRY, Tel quel, II, Rhumbs, Littérature, Œ., t. II, Pl., p. 628.

2   Tout objet est ainsi une forme imposée à une matière. Une poutre est un continuum de bois, dans une dimension principale, avant de fournir une matière à des objets façonnés.   Pierre SCHAEFFER, la Musique concrète, p. 39.

CONTONDANT, ANTE [kɔ̃tɔ̃dɑ̃, ɑ̃t] adj. — 1503 ; p. prés. de l'anc. v. *contondre,* lat. *contundere* «frapper». → Contusion.

♦ Dr., didact. ou plais. Qui blesse*, meurtrit sans couper ni percer. *Instrument contondant. Un marteau, une massue sont des objets contondants.*

1   Le meurtrier a dû se servir à la fois d'une arme contondante et d'une arme tranchante.   J. ROMAINS, les Hommes de bonne volonté, t. II, I, p. 9.

2   Laissant la jeune Walkyrie balancer à travers son living-room gothique de la rue de Courcelles les bustes en terre cuite de ses compositeurs préférés, le Mozart divin pour tirer à vue, mais si fragile, le Wagner à plus longue portée, mais résolument contondant — surtout la visière du béret (...)   A. BLONDIN, M. Jadis, p. 25.

CONTR. Coupant, perçant, perforant, piquant, tranchant.

CONTORNIATE [kɔ̃tɔrnjat] adj. — 1754 ; mot ital., de *contorno* «contour».

♦ Didact. Se dit des médailles dont le champ est bordé d'une rainure circulaire. *Médaille contorniate. Médaillon contorniate.*
N. m. ou f. (*Un, une contorniate*). — REM. Le substantif semble avoir été féminin jusque vers 1860 (Académie, 1787, Bescherelle, Littré), les dictionnaires ultérieurs enregistrant plutôt le masculin (Larousse, Dict. général).

CONTORSION [kɔ̃tɔrsjɔ̃] n. f. — xivᵉ ; bas lat. *contorsio,* lat. class. *contortio,* du supin de *contorquere,* de *con-* (*cum*) et *torquere* «tordre».

♦ **1.** (1611). Vx. Action, fait de déformer en tordant. ⇒ **Torsion.**

1   Si vous aviez vu la violente contorsion que cet éclat de bombe fit à son épée (...)   Mᵐᵉ DE SÉVIGNÉ, 1108, 19 déc. 1688.

(1664). Fig. *Donner une contorsion à la vérité,* la déformer. ⇒ **Déformation, entorse** (fig.).

♦ **2.** (Vieilli en parlant d'un être humain). Mouvement violent par lequel se tordent et se contractent irrégulièrement les membres, les muscles du corps. ⇒ **Contraction, convulsion, torsion.** *La contorsion des bras. Contorsion de tous les membres. Souffrir mille contorsions. Contorsion anormale des muscles.*

2   L'officier qui entra pour l'arrêter le trouva dans des contorsions étranges.   SAINT-SIMON, Mémoires, III, 12.

2.1   Déchiqueter de malheureux insectes (...) pour le plaisir de voir leurs contorsions grotesques.   R. ROLLAND, Jean-Christophe, L'adolescent, 1905, p. 266.

Mod. Attitude acrobatique ; mouvement volontaire et anormal de parties du corps. ⇒ **Contorsionniste.** *Les contorsions d'un acrobate.* ⇒ **Contorsionniste.**

♦ **3.** Attitude outrée, gestes affectés. ⇒ **Affectation, agitation, grimace.** *Les contorsions d'un courtisan obséquieux, affecté.* ⇒ **Embarras, manière.** — (Abstrait). *Les contorsions d'un manœuvrier, d'un homme politique. Les contorsions de la pensée.*

3   Et je ne hais rien tant que les contorsions
De tous ces grands faiseurs de protestations.   MOLIÈRE, Misanthrope, I, 1.

4   Vous croyez apprendre à vivre à vos enfants, en leur enseignant certaines contorsions du corps et certaines formules de paroles qui ne signifient rien.   ROUSSEAU, Émile, IV.

5   (...) lu quelques pages de La Bruyère, qui m'ont lavé de toutes les agitations, les tourments, les médiocres et vaines contorsions de ce jour.   GIDE, Journal, 21 oct. 1929, p. 946.

DÉR. Contorsionner, contorsionniste.

CONTORSIONNER [kɔ̃tɔrsjɔne] v. tr. — 1771, Masson de Péray, *les Tableaux,* p. 11, *in* D.D.L. ; de *contorsion.*

♦ Rare. Faire se tordre en tous sens (une partie du corps humain). ⇒ **Contracter, convulser.**

1   (*Un sommeil*) d'où me tirent, en me faisant maudire l'existence, des crampes dans

les jambes qui me contorsionnent douloureusement et les mâchoires contractées qui me font me mordre la langue.
B. CENDRARS, Bourlinguer, 1948, p. 109, *in* T. L. F.

▶ **SE CONTORSIONNER** v. pron. Courant.

♦ **1.** Faire des contorsions; spécialt, des contorsions acrobatiques. *Le clown se contorsionne.*

2   Avec quoi allais-je ramper, à l'avenir? Couché sur le bord de la route je me mettais à me contorsionner chaque fois que j'entendais venir une charrette. C'était pour qu'on ne s'imaginât pas que je dormais, ou me reposais.
S. BECKETT, Nouvelles, p. 95.

Littér. Avoir une forme tourmentée (comme un corps qui se contorsionne).

♦ **2.** Avoir une attitude, des gestes affectés. ⇒ **Grimacer, poser.** *L'avocat se contorsionnait à la barre.* — (Abstrait). *Il a beau se contorsionner, il ne convaincra personne.*

▶ **CONTORSIONNÉ, ÉE** p. p. adj. *Pose, posture contorsionnée.* — *Formes, volutes contorsionnées.* ⇒ **Tourmenté.** — (Abstrait). *Raisonnements contorsionnés.*

CONTORSIONNISTE [kɔ̃tɔʀsjɔnist] n. — V. 1860; de *contorsion.*

♦ Acrobate spécialisé dans les contorsions.
La belle Aurora, monsieur Guibal, c'était une contorsionniste qui débutait à l'Elysée-Montmartre dans les années trente avec un numéro de cobra (...)
F. MALLET-JORIS, le Jeu du souterrain, p. 150.

CONTOUR [kɔ̃tuʀ] n. m. — V. 1200, «enceinte», de *contourner,* avec infl. de l'ital. *contorno.*

♦ **1.** Vieilli. Limite circulaire (d'une étendue) ou en courbe fermée. ⇒ **Bordure, enceinte, pourtour, tour.** *Le contour d'une forêt. Le contour d'une ville.* ⇒ **Circuit, périmètre.**

♦ **2.** (1651). Mod. Limite extérieure (d'un objet, d'un corps). ⇒ **Bord, bordure, délinéament, limite, périmètre, périphérie, tour.** *Le contour d'une table, d'un tapis, d'une colonne, d'un vase. Contour d'une pièce chantournée.* ⇒ **Chantournement.** *Contour précis, net. Contour imprécis d'une ébauche, d'une esquisse. Contour apparent* d'un objet représenté en projection.* — (Au plur.). *Les contours : la forme extérieure. Le moelleux des contours. Esquisser, tracer, délimiter, arrondir, estomper les contours d'une figure. Dessiner les contours d'un paysage.* ⇒ **Courbe, forme, ondulation.** *Empâtement, bavochures des contours.*

1   (...) une lueur blanche à l'orient profilait le contour sombre des montagnes, dont la base était perdue dans l'ombre (...)   LOTI, Aziyadé, XXI, p. 32.

2   Un étroit nuage y découpa *(dans le soleil)* comme dans une estampe japonaise, une bande noire aux contours précis.
A. MAUROIS, les Discours du Dr O'Grady, IV, p. 41.

2.1   Lorsque le contour est assez précis pour permettre d'identifier la forme avec certitude, il est aisé de retrouver l'objet original, non loin de là. Ainsi la trace circulaire a-t-elle été visiblement laissée par un cendrier de verre, qui est posé juste à côté.   A. ROBBE-GRILLET, Dans le labyrinthe, p. 10.

Spécialt. *Le contour du corps, du visage.* ⇒ **Forme, galbe.** *Contour du profil.* ⇒ **Profil.** — (Sans compl.). *Beauté, plénitude du contour. Pureté du (de) contour.* — (Au plur.). *Les contours (du corps humain).* ⇒ **Courbe, ligne.** *Draperie qui suit, épouse les contours* (⇒ **Mouler**). *Des contours agréables, arrondis, élégants, fermes, gracieux, onduleux, pleins, purs. Plénitude des contours.*

3   Ses formes sveltes se tranformaient à vue d'œil en contours plus suaves et plus arrondis par l'adolescence.   LAMARTINE, Graziella, IV, XXVII, p. 144.

4   (...) le tissu aérien qui l'effleure ne voilera pas les pleins contours de son beau corps.   TAINE, Philosophie de l'art, t. II, V, I, 1, p. 232.

5   Ce corps, dont tous les contours sont doux, dont toutes les courbes séduisent, dont toutes les molles saillies troublent le cœur, semble fait pour l'immobilité du lit.
MAUPASSANT, Sœurs Rondoli, II, p. 46.

6   Le profil droit; le menton un peu avancé, mais d'une irréprochable pureté de contour.   LOTI, Matelot, XXXI, p. 122.

7   (...) le visage de son grand-père (...) se détachait sur la tenture sombre avec l'éclat net, le contour d'un Holbein.   A. MAUROIS, Bernard Quesnay, I, p. 6.

Contour apparent : limite extérieure (d'un objet) telle qu'elle est perçue par un observateur, selon sa situation (par rapport à cet objet).

♦ **3.** Aspect de ce qui est contourné. *Les contours d'un fleuve, d'une route de montagne.* ⇒ **Détour, lacet, méandre.** *Suivre les contours de la rivière.*

♦ **4.** (Abstrait). Limites* extérieures (plus ou moins contournées).

8   (...) la rouerie qui serre habilement les contours du Code pénal (...)
RENAN, Souvenirs d'enfance et de jeunesse, Préface, p. 14.

CONTOURNEMENT [kɔ̃tuʀnəmɑ̃] n. m. — 1544; de *contourner.*

♦ **1.** Action de contourner. *Le contournement des obstacles. Le contournement d'une ville par une autoroute.*

♦ **2.** Manière dont une chose est contournée; aspect d'une chose

---

contournée. «*L'exubérance folle et les contournements excessifs du rococo*» (Gautier, *in* G. L. L. F.).
(Abstrait). *Les contournements de sa pensée, du style.*

CONTOURNER [kɔ̃tuʀne] v. tr. — 1651; «entourer», 1512; «tourner (vers qqch.)», v. 1360; «être situé» (en parlant d'une terre), 1311; du bas lat. *contornare,* de *con-* (cum) et *tornare* (→ Tourner), d'après *tourner.*

♦ **1.** (Avec infl. de l'ital. *contornare*). Rare. Tracer, façonner les contours de. ⇒ **Délinéer.** *Contourner des volutes, des arabesques; un vase* (→ Arrondir, cit. 4).
Pronominal :

0.1   Maintenant elle allait aux charniers de Rome (...) partout où la mort étale la décoration de ses restes, s'arrange et se contoure en hideuse rocaille, se désosse et s'ornemente.   Ed. et J. DE GONCOURT, Madame Gervaisais, p. 337.

♦ **2.** (1761). Cour. (Sujet n. de chose ou de personne). Faire le tour de, passer autour. *Le fleuve contourne la ville. Contourner les positions de l'ennemi.* ⇒ **Éviter, tourner.** *Contourner un obstacle.*

1   Alors, par mesure d'économie, on avait mis beaucoup de monde sur une certaine *Saône,* qui avait de grandes voiles et devait rentrer par la route ancienne en contournant le cap de Bonne-Espérance.   LOTI, Matelot, XLV, p. 170.

1.1   Nos routes, les routes pour nos souliers et nos pneus, contournent toujours, même si droites, vers le bouquet de lauriers, le chalet en ruines, cette rivière flâneuse où quelqu'un, jadis, nous a fixé rendez-vous.
André HARDELLET, Lourdes, lentes..., p. 88.

Fig. *Contourner la loi, le code.* ⇒ **Tourner.**

♦ **3.** (1548). Vieilli. Déformer* en courbant. ⇒ **Gauchir, tordre.** *Position qui contourne les jambes, chaleur qui contourne un morceau de bois.* — Pron. *Corps qui se contourne.* ⇒ **Contorsionner** (se), **déjeter** (se).

2   (...) ce long corps souple et caressant se contourne en des émotions extrêmes, et ces deux bras jetés en avant, pour les derniers refus, vont défaillir.
E. FROMENTIN, Un été dans le Sahara, I, p. 34.

Fig. *Contourner son style.*

▶ **CONTOURNÉ, ÉE** p. p. adj. (1605, «dirigé vers»).

♦ **1.** Qui présente des courbes et des contre-courbes; (péj.) qui a un contour trop compliqué. *Pieds contournés.* ⇒ **Tors.** *Colonne contournée.* — *Jambes contournées. Corps contourné.* ⇒ **Tordu; distors.**

3   (...) la frange d'or en fleuron contournée.   CORNEILLE, Office de la Vierge, V, 59.

4   (...) ce carrosse dont l'époque est assez indiquée par les glaces convexes, les panneaux bombés et les sophas contournés.   RIMBAUD, Illuminations, Nocturne vulgaire.

5   À chaque étage, un domestique chinois se tient en faction, figé dans une attitude improbable, contournée, comme on voit aux statuettes d'ivoires chez les antiquaires de Kowloon (...)   A. ROBBE-GRILLET, la Maison de rendez-vous, p. 48.

♦ **2.** (1803). Affecté et compliqué. *Style, raisonnement contourné.* ⇒ **Affecté, tarabiscoté.** *Phrase contournée.*

♦ **3.** Blason. Dont la tête est tournée vers la gauche. *Au lion contourné.*

6   (...) regardez l'aigle du IIIe Reich qui porte dans ses serres une couronne de feuilles de chênes où s'inscrit la croix gammée : elle a la tête tournée à *senestre.* C'est une aigle *contournée,* véritable aberration, réservée aux branches bâtardes ou déchues des familles nobles.   M. TOURNIER, le Roi des Aulnes, p. 322.

DÉR. Contour, contournement.

CONTRA- Élément, du lat. *contra* «contre; en sens contraire». ⇒ **Contre-.**

CONTRACEPTIF, IVE [kɔ̃tʀaseptif, iv] adj. et n. m. — 1955; angl. *contraceptive,* de *contra-* «contre», et *(con)ceptive* «de la conception». → Contraception.

Anglicisme.

♦ **1.** Se dit d'un produit qui a des propriétés anticonceptionnelles*. *Gelée contraceptive.* ⇒ **Spermicide.** *Pilule contraceptive.* ⇒ **Pilule** (1., b). — N. m. Ce produit. *L'usage des contraceptifs. Contraceptif féminin, masculin; oral, local.* «*Le 14 juillet du "birth-control" peut être fixé au 20 mai 1960. Ce jour-là, le premier contraceptif oral de l'histoire fut approuvé par l'administration américaine et nul, sans doute, ne prévoyait alors exactement les bouleversements qu'il allait entraîner*» (*Science et Vie,* n° 595, p. 64). *Les contraceptifs et les préservatifs*.* — Spécialt, cour. Contraceptif féminin oral (on ne parle guère de *contraceptif* pour désigner les contraceptifs locaux).

♦ **2.** Qui constitue une contraception*, rend les rapports sexuels inféconds. *Les méthodes, les pratiques contraceptives. Les préservatifs* sont contraceptifs.* — Par ext. *Propagande contraceptive.* ⇒ **Anticonceptionnel, 2.**

Les pratiques antinatales et surtout les pratiques contraceptives n'ayant guère de chance de se répandre dans une population misérable et illettrée (...)
Alfred SAUVY, Croissance zéro?, p. 90.

CONTRACEPTION [kɔ̃tʀasɛpsjɔ̃] n. f. — 1929, *in* Höfler; angl. *contraception*, de *contra-*, et *conception* «conception».
Anglicisme.

♦ Ensemble des moyens employés pour provoquer l'infécondité chez la femme ou chez l'homme. *Contrôle des naissances et contraception. Méthodes de contraception.* ⇒ **Anti-conceptionnel, contraceptif.** *Liberté de la contraception.*

Ahurie, par exemple, de l'ignorance de Ferrier dans le domaine de la contraception, elle lui en explique les diverses méthodes en termes nets.
        René FALLET, Y-a-t-il un docteur dans la salle ?, p. 114.

(Qualifié). Méthode de contraception. *Contraception orale. Contraception hormonale. Contraception locale,* basée sur l'utilisation de préservatifs et de produits spermicides.

CONTRACTANT, ANTE [kɔ̃tʀaktɑ̃, ɑ̃t] adj. — 1472; de 1. *contracter.*

♦ Dr. Qui contracte, qui s'engage par contrat. *Les parties contractantes.* — N. *Un, une contractant(e). Les contractants.* — Polit. *Les hautes parties contractantes.*

1   Entre contractants de bonne foi, les engagements se remplissent selon les termes dans lesquels ils ont été formés.   MIRABEAU, Collections, t. IV, p. 255.
2   Un juge siège comme arbitre dans un procès au civil. Il ne veut pas savoir si l'un des plaideurs est riche et l'autre pauvre. Si l'un des contractants est évidemment naïf, ignorant, ou pauvre d'esprit, le juge annule ou redresse le contrat.
        ALAIN, Propos, p. 136.

COMP. Co-contractant.

CONTRACTE [kɔ̃tʀakt] adj. — 1532, attestation isolée; *contract,* 1680; lat. *contractus,* p. p. de *contrahere* «resserrer». → Contracter.

♦ Gramm. Qui renferme des contractions. *La langue grecque contient des mots contractes. Déclinaison contracte. Forme contracte* (ou *contractée*) *de l'article défini après la préposition à, en français.* ⇒ **Au.**

CONTRACTÉ, ÉE [kɔ̃tʀakte] adj. — 1824; géom., 1784; p. p. de 2. *contracter.*

♦ **1.** Qui est tendu, crispé. *Muscles contractés. Traits contractés par l'effort, par la douleur.* ⇒ **Crispé.** *Visage contracté.* — *Ne soyez pas si contracté : décontractez-vous.*

À ne voir que sa bouche contractée, ses sourcils plissés, on pouvait croire qu'elle était en proie à la torture d'un mal.   PROUST, Jean Santeuil, Pl., p. 657.

Fig. et fam. Inquiet, tendu.

♦ **2.** Ling. Formé de deux éléments réunis en un seul. *Au, du, formes contractées* (ou *contractes*) *de à le, de le.* — Gramm. grecque. ⇒ **Contracte.**

1. CONTRACTER [kɔ̃tʀakte] v. tr. — 1361; du lat. jurid. *contractus,* du supin de *contrahere* «resserrer», de *con-* (*cum*) et *trahere* «tirer, traîner».

♦ **1.** S'engager par un contrat, une convention, à satisfaire (une obligation), à respecter (des clauses). *Contracter une alliance, un pacte, un marché avec qqn. Contracter mariage. Contracter un engagement, des obligations. Contracter une assurance. Contracter un emprunt.* — Absolt. *Contracter par-devant notaire.*

1   L'alliance que Dieu avait contractée avec cette race (...)
        BOSSUET, Hist., II, 3, *in* LITTRÉ.
2   Les époux contractent ensemble, par le seul fait du mariage, l'obligation de nourrir, entretenir et élever leurs enfants.   Code civil, art, 2603.
3   Les incapables de contracter sont : les mineurs, les interdits (...)
        Code civil, art. 1124.

Fig. *Contracter une amitié. Contracter un lien avec qqn.* ⇒ **Lier** (se).

Cour. *Contracter des obligations, une dette envers qqn,* en acceptant un service, une aide, etc.

♦ **2.** ⓐ (1680). Personnes, esprits... Acquérir, prendre (une habitude, un sentiment...) de qqn, de qqch. ⇒ **Former, gagner, prendre.** *Contracter une habitude, un vice. Il a contracté cette manie de sa mère.* — Au p. p. → ci-dessous cit. 7.

4   L'âme ne peut guère s'occuper fortement et longtemps d'un objet sans contracter des dispositions qui s'y rapportent.
        ROUSSEAU, Julie ou la Nouvelle Héloïse, II, Lettre II.
5   Si l'on prend une femme vicieuse, je ne dis pas que son nourrisson contractera ses vices, mais je dis qu'il en pâtira.   ROUSSEAU, Émile, I.
6   Quoique de fort noble naissance, il avait contracté sous le harnois plus qu'une habitude de soudard. La taverne lui plaisait, et ce qui s'ensuit.
        HUGO, Notre-Dame de Paris, II, VII, 1.
7   (...) une fois contracté, le pli persiste.
        TAINE, Philosophie de l'art, t. II, V, II, IV, p. 267.

ⓑ (Choses). Prendre (une caractéristique). *Ce liquide a contracté un mauvais goût.*

8   (...) les événements de cette lutte intestine (*la guerre des Chouans*) contractè-

rent quelque chose de la sauvage âpreté qu'ont les mœurs en ces contrées (*en Bretagne*).
        BALZAC, les Chouans, Pl., t. VII, p. 779.

♦ **3.** (1572). Personnes. Attraper (un mal, une maladie). *Contracter une maladie. Contracter un rhume :* s'enrhumer. — Par ext. *Contracter une infirmité, une incapacité de travail.*

9   Il n'y a (...) mise à la retraite proportionnelle qu'autant qu'il y a eu infirmité contractée dans le service (...)
        COURTELINE, Messieurs les ronds-de-cuir, 3e tableau, III, p. 119.
10   Quelques hommes, pleins de force, contractent à Rome une fièvre que la quinine ne prévient pas (...)   André SUARÈS, Trois hommes, «Ibsen», VI, p. 145.

CONTR. Dissoudre, rompre. — Perdre.
DÉR. Contractant, contractuel.
HOM. 2. Contracter.

2. CONTRACTER [kɔ̃tʀakte] v. tr. — 1732; dér. du lat. *contractus,* de *contrahere* «resserrer». → 1. Contracter.

♦ Réduire le volume de (un corps) sans modifier la masse. ⇒ **Diminuer, raccourcir, réduire, resserrer, tasser.** *Le froid contracte les corps.* — Spécialt. *Contracter les, ses muscles.* ⇒ **Bander, raidir, tendre.** *Contracter ses mâchoires.* ⇒ **Serrer.** *L'émotion contracte sa gorge.*

1   (...) à voir le sourire pétrifié qui contractait son visage, on eût dit qu'il n'y avait plus dans Claude Frollo que les yeux de vivants.
        HUGO, Notre-Dame de Paris, II, VII, II.
2   (...) pour le cœur profondément épris, l'excès d'émotion contracte pour un instant tous les ressorts de la vie (...)
        NERVAL, la Bohème galante, «Le rêve et la vie», p. 390.
3   (...) la flèche trempée dans le curare ne contracte pas les muscles, et ne les frappe pas d'une raideur plus convulsive.
        André SUARÈS, Trois hommes «Ibsen», VIII, p. 172.

(1835). Gramm. Réunir, réduire deux voyelles, deux syllabes en une seule. *Contracter à le en au; de le en du (article contracté* ou contracte).*

▶ **SE CONTRACTER** v. pron. *Son visage se contracte. Le cœur se contracte et se dilate alternativement* (⇒ **Contraction;** systole).

4   Las de s'être contractés tout l'hiver les arbres tout à coup se flattent d'être dupes. Ils ne peuvent plus y tenir : ils lâchent leurs paroles, un flot, un vomissement de vert.   Francis PONGE, le Parti pris des choses, p. 48.

Fig. Se tendre, se raidir intérieurement. *À la moindre parole, il se contracte, et se replie* sur lui-même.*

▶ **CONTRACTÉ, ÉE** p. p. ⇒ **Contracté,** adj.

CONTR. Augmenter, dilater, gonfler. — Décontracter, détendre, relâcher.
COMP. Décontracter.
HOM. 1. Contracter.

CONTRACTIF, IVE [kɔ̃tʀaktif, iv] adj. — V. 1780; «resserré», xve; du lat. *contractus.* → 2. Contracter.

♦ Rare. Qui fait se contracter.

CONTRACTILE [kɔ̃tʀaktil] adj. — 1755; dér. sav. du lat. *contractus.* → 1. Contracter.

♦ Physiol. Qui peut être contracté. *Fibre, muscle contractile. Organe contractile. Tissu contractile.*

On trouve qu'à l'état de simple masse protoplasmique la matière vivante est déjà irritable et contractile, qu'elle subit l'influence des stimulants extérieurs, qu'elle y répond par des réactions mécaniques, physiques et chimiques.
        H. BERGSON, Matière et Mémoire, p. 14.

CONTR. Atone. — Dilatable, expansible, extensible.
DÉR. Contractilité.

CONTRACTILITÉ [kɔ̃tʀaktilite] n. f. — 1735; de *contractile.*

♦ Physiol. Propriété que possèdent certains tissus organiques de changer de forme, de se contracter.

CONTRACTION [kɔ̃tʀaksjɔ̃] n. f. — xve; *contraicion,* 1256; lat. *contractio,* du supin de *contrahere.* → 1. Contracter.

♦ **1.** Vx. Diminution du volume (d'un corps) sans modification de sa masse; fait de se contracter*. *Contraction par le froid, la pression.* — Techn. *Contraction de la veine fluide :* étranglement observé à faible distance de l'orifice par lequel s'écoule un liquide.

Physiol. Diminution de volume ou de longueur (d'un muscle, d'un organe); spécialt, réaction du muscle. *Contractions fibrillaires* (⇒ **Fibrillation**). *Contraction musculaire. Contraction prolongée* (⇒ **Contracture, tétanie**). *Contraction brève* (⇒ **Crispation**). *Contraction anormale, violente, spasmodique.* ⇒ **Convulsion, crampe, spasme, trismus.** *Contraction du cœur*.* ⇒ **Systole.** *Contraction de la paroi d'un vaisseau sanguin.* ⇒ **Angiospasme.** *Contraction d'un sphincter.* ⇒ **Constriction.** *Contractions péristaltiques, antipéristaltiques, œsophagiques. Contraction de la pupille. Contraction* *pénible, douloureuse. Sensations de contraction causées par l'angoisse.*

Contractions d'une femme qui accouche. ⇒ **Douleur** (1.).

1 Elle sentit une contraction douloureuse de l'estomac, un étouffement à la gorge, une brûlure de sang aux joues, une angoisse indicible.
France, Jocaste, VI, Œ., t. II, p. 67.

Cour. Contractions des muscles du visage. ⇒ **Crispation, rictus.** *La contraction de son visage trahissait sa colère.*

2 Les muscles de son visage n'ont plus les mêmes contractions que dans le sommeil.
J. Romains, les Hommes de bonne volonté, t. III, XVII, p. 227.

3 Les traits bridés, sillonnés de contractions douloureuses (...) le corps raidi, soulevé par une respiration difficile (...)
J. Chardonne, les Destinées sentimentales, p. 207.

♦ **2.** (1560). Réduction par soudure de deux éléments linguistiques (⇒ **Contracte, contracté**). *Les crases*, les synérèses sont des contractions.*

4 Lotharingie, nommée depuis par contraction Lorraine.
Voltaire, Essai sur les mœurs, 24.

♦ **3.** Écon. Phénomène ou phase inverse de l'expansion* (caractérisée par la baisse de la production, de l'emploi, des investissements...). *La contraction peut précéder une véritable récession*, une crise*.*

CONTR. Dilatation, expansion, extension. — Décontraction, distension, relâchement.

CONTRACTUEL, ELLE [kɔ̃traktɥɛl] adj. et n. — 1596; dér. sav. du lat. *contractus.* → Contrat.

Droit.

♦ **1.** Stipulé par contrat. *Obligation contractuelle. Action contractuelle. Date contractuelle.* — Qui constitue un contrat. *Rapports contractuels.* → Contrat, cit. 2.1.

♦ **2.** *Agent contractuel :* agent non fonctionnaire coopérant à un service public. ⇒ **Auxiliaire.**

1 La plupart de ces employés contractuels des services secrets britanniques travaillaient clandestinement pour des organismes privés.
A. Robbe-Grillet, la Maison de rendez-vous, p. 163.

N. (1953). Cour. *Un contractuel, une contractuelle :* agent contractuel; spécialt (1959), agent de police contractuel (qui relève les infractions aux règles de stationnement). *Les contractuelles parisiennes furent appelées successivement, de par la couleur de leur uniforme, aubergines, puis pervenches.*

2 Sa petite Cooper était là, garée juste devant le magasin. Elle avait eu la chance de lui trouver une place et, comme le contractuel l'aimait bien, elle avait pu l'y laisser tout l'après-midi.
Paul Vialar, Mon seul amour, p. 11.

CONTR. Unilatéral.
DÉR. Contractuellement.

CONTRACTUELLEMENT [kɔ̃traktɥɛlmɑ̃] adv. — 1838; de contractuel.

♦ Dr., admin. Par contrat. *Fixer contractuellement une rémunération.*

CONTRACTURE [kɔ̃traktyr] n. f. — 1676; «contraction», 1611; lat. *contractura*, de *contractus*, p. p. de *contrahere* → 1. Contracter; cf. anc. franç. *contraiture*, 1256, de *contrait* «paralysé».

♦ **1.** Archit. Rétrécissement de la partie supérieure (d'une colonne).

♦ **2.** (1808). Méd. Contraction prolongée et involontaire d'un ou plusieurs muscles. ⇒ **Crampe, retirement, spasme, tétanie.** *Contracture réflexe. Le tétanos produit une forte contracture.* — *Souffrir d'une contracture. L'athlète a dû abandonner la compétition par suite d'une contracture.*

(...) Saint-Médard, les symptômes de la grande hystérie, ses contractures généralisées, ses résolutions musculaires (...)
Huysmans, Là-bas, IX, p. 147.

CONTR. Renflement.
DÉR. Contracturer.

CONTRACTURER [kɔ̃raktyre] v. tr. — 1837, V. Duval, in *Dict. de la conversation*, in D.D.L.; archit., 1845; de *contracture* (2.).

♦ Mod. Causer la contracture de. *Contracturer un muscle.*

CONTRADICTEUR, TRICE [kɔ̃tradiktœr, tris] n. m. — V. 1350; *contraditor*, v. 1200; lat. *contradictor*, du supin de *contradicere.* → Contredire.

♦ Personne qui contredit. ⇒ **Adversaire, antagoniste, interrupteur, objecteur, opposant.** *Cet avis, cette opinion, cette théorie ont de nombreux contradicteurs. Un contradicteur courtois. Mon honorable contradicteur. Un contradicteur éloquent, redoutable, acharné. Confondre les contradicteurs. Réduire ses contradicteurs au silence. Réunion sans contradicteurs.*

1 En somme, la question romantique est portée par le seul fait d'*Hernani* de cent

lieues en avant, et toutes les théories des contradicteurs sont bouleversées; il faut qu'ils en rebâtissent d'autres à nouveaux frais, que la prochaine pièce de Victor *(Hugo)* détruira encore.
Sainte-Beuve, Correspondance, 114, 8 mars 1830, t. I, p. 181.

Naïfs contradicteurs! C'est à eux que l'on doit de connaître et d'aimer les génies 2 interdits!
R. Rolland, le Voyage intérieur, p. 42.

rem. Le fém. *contradictrice* n'est pas signalé par les dictionnaires de langue; on dira d'une femme qu'elle est *un contradicteur* ou *une contradictrice — redoutable, acharné(e)... —.*

Adj. (rare). *Un esprit contradicteur. Une manie contradictrice.*

Dr. Parties opposées, dans un jugement contradictoire. Vx. *Légitime contradicteur.*

CONTR. Adepte, approbateur, partisan.

CONTRADICTION [kɔ̃tradiksjɔ̃] n. f. — V. 1120, *contradictïun*, lat. *contradictio*, du supin de *contradicere.* → Contredire.

♦ **1.** Action de contredire qqn; échange d'idées entre ceux qui se contredisent. ⇒ **Contestation, démenti, dénégation, négation, objection, opposition, réfutation.** *La contradiction d'une personne par une autre. Opposer la contradiction à une opinion. Il ne supporte pas la contradiction.*

Contradiction est une mauvaise marque de vérité : plusieurs choses certaines sont 0.1 contredites; plusieurs fausses passent sans contradiction. Ni la contradiction n'est marque de fausseté, ni l'incontradiction n'est marque de vérité.
Pascal, Pensées, VI, 384.

(...) cela ne reçoit point de contradiction. Molière, l'Avare, II, 5. 1

(1558, in D.D.L.). *Esprit de contradiction :* disposition à contredire sans cesse. *Il critique par esprit de contradiction* (⇒ **Chicane, dispute**).

Son humeur noire lui donnait un esprit de contradiction. 2
Fénelon, Télémaque, XXIV.

Une, des contradictions : ce qui contredit (qqn), énoncé, texte qui contredit.

Le trait le plus saillant de son caractère était une impatience chronique, un mécon- 3 tentement perpétuel qui devenait de la rage à la plus légère contradiction.
Léon Bloy, la Femme pauvre, II, p. 201.

Être en contradiction avec soi-même, avec ses principes.

Toujours en contradiction avec lui-même, toujours flottant entre ses penchants et 4 ses devoirs, il ne sera jamais ni homme ni citoyen (...) Rousseau, Émile, I.

Spécialt. Le fait de soutenir une thèse opposée (à celle qui est présentée) dans un débat public. *Apporter, porter la contradiction.*

Le candidat modéré, le monsieur de Paris, était venu pour la contradiction. 4.1
Aragon, les Beaux Quartiers, p. 92.

♦ **2.** Vx. *Une, des contradictions :* empêchement, obstacle. ⇒ **Opposition; contrariété, difficulté.** *Les contradictions ne l'ont point rebuté* (Académie).

Tibère lui succéda sans contradiction. Bossuet, Hist., I, 10, in Littré. 5

Là, rien ne trahissait la vie. Une seule puissance, la force improductive de la 6 glace, régnait sans contradiction. Balzac, Séraphîta, Pl., t. X, p. 463.

♦ **3.** Relation qui existe entre deux termes, deux propositions qui affirment et nient le même élément de connaissance. ⇒ **Antilogie, antinomie, incompatibilité, inconséquence, opposition.** *Il y a contradiction entre A est vrai et A n'est pas vrai. Contradiction insoluble dans un raisonnement.* ⇒ **Aporie.** *Se heurter à, buter sur une contradiction. La contradiction n'est qu'apparente. Contradiction évidente, flagrante.*

Philos. *La contradiction chez Platon, chez Aristote.* — Spécialt. Catégorie dégagée par Marx dans sa critique de Feuerbach (à propos de la dialectique hégélienne). *Contradiction principale, secondaire selon Mao Tsé-tung (la Contradiction, 1937). Contradiction et antagonisme.*

L'idée fondamentale que la contradiction Capital-Travail n'est jamais simple mais 7 qu'elle est toujours spécifiée par les formes et les circonstances historiques concrètes dans lesquelles elle s'exerce. Spécifiée par les formes de la superstructure (...) spécifiée par la situation historique interne et externe, qui la détermine en fonction du passé national lui-même d'une part (...) et du contexte mondial existant d'autre part (...) Qu'est-ce à dire, sinon que la contradiction apparemment simple est toujours surdéterminée? L. Althusser, Pour Marx, p. 105.

(...) quelle que soit la spécificité de la contradiction, l'altérité déterminante entre 7.1 des contraires inconciliables *(prolétariat-bourgeoisie)* semble impliquer que la contradiction ne dérive pas de l'existence autonome de chacun des termes *(existence des classes antérieures à leur rapport)* mais du procès constitutif de leur division antagoniste : primat de la contradiction (lutte des classes) sur les contraires (classes). Émerge alors la possibilité d'un idéalisme (formaliste) de la relation.
Georges Labica, Critique du marxisme, art. *Contradiction.*

Cour. Absurdité, invraisemblance. *Un tissu de contradictions.*

Caractère de ce qui réunit des éléments incompatibles. *Les contradictions de l'esprit humain, de la nature humaine, des civilisations* (cit. 14). *Être en proie à des contradictions. Résoudre des contradictions.* → 1. Pensée, cit. 11. *Les contradictions internes d'un système.*

Plus on voit ce monde, et plus on le voit plein de contradictions et d'inconséquen- 8 ces. À commencer par le Grand-Turc, il fait couper toutes les têtes qui lui déplaisent, et peut rarement conserver la sienne.
Voltaire, Dict. philosophique, Contradiction.

Si quelque société littéraire veut entreprendre le dictionnaire des contradictions, 9 je souscris pour vingt volumes in-folio.

Le monde ne subsiste que de contradictions; que faudrait-il pour les abolir?

Assembler les États du genre humain. Mais de la manière dont les hommes sont faits, ce serait une nouvelle contradiction s'ils étaient d'accord. Assemblez tous les lapins de l'univers, il n'y aura pas deux avis différents parmi eux.
VOLTAIRE, Dict. philosophique, Contradiction.

10 (...) ce regard fixe et sans pleurs (...) qu'elle avait depuis la mort de ma grand-mère était arrêté sur cette incompréhensible contradiction du souvenir du néant.
PROUST, À la recherche du temps perdu, t. IX, p. 217.

11 (...) pendant deux mille ans, l'humanité faisait le mal mais honorait le bien. Cette contradiction était l'honneur de l'espèce humaine et constituait la fissure par où pouvait se glisser la civilisation.
Julien BENDA, la Trahison des clercs, III, p. 126.

Le mot incluant à la fois les sens 1 et 3 :

12 Mais il est (...) difficile de se contenter d'une seule manière de voir, de se priver de la contradiction, la plus subtile peut-être de toutes les forces spirituelles.
CAMUS, le Mythe de Sisyphe, p. 90.

Log. Proposition complexe qui est toujours fausse quelle que soit la valeur de vérité des propositions élémentaires. *La contradiction est une fausseté logique et une phrase asémantique.*

13 La phrase toujours vraie (tautologique, sémantique) et la phrase toujours fausse (contradictoire, asémantique) n'ont donc pas le même statut sémiotique. L'assimilation de la phrase asémantique à la tautologie est impossible : la phrase asémantique est du côté de la contradiction et non du côté de la tautologie. Or la contradiction et la tautologie ne sont pas comparables dans la langue naturelle. Celle-ci est autorisée à restituer le code, mais non à le contredire.
Josette REY-DEBOVE, le Sens de la tautologie, *in* le Français moderne, oct. 1978, p. 327.

Principe de non-contradiction : principe d'identité*.

♦ **4.** Ce qui contredit, s'oppose à qqch. ⇒ **Contraire.**

14 La dualité, qui est la contradiction de l'unité, en est aussi la conséquence.
BAUDELAIRE, Curiosités esthétiques, 1867, *in* T. L. F.

CONTR. Accord, analogie, approbation, cohésion, coïncidence, concordance, confirmation, correspondance, entente, identité, unanimité.

CONTRADICTOIRE [kɔ̃tRadiktwaR] adj. — 1361 ; lat. *contradictorius,* du supin de *contradicere.* → Contredire.

♦ **1.** *Contradictoire à, avec (qqch.)* : qui contredit (qqch.). ⇒ **Contraire, opposé.** *Affirmation contradictoire à une autre, contradictoire avec la précédente.*

1 Ce discours au premier est fort contradictoire.
MOLIÈRE, l'Étourdi, I, 4.

♦ **2.** Où il y a contradiction, discussion. *Débat, examen contradictoire. Réunion politique contradictoire.*

Dr. *Jugement, arrêt contradictoire,* entre des parties (contradicteurs) qui ont comparu (opposé à *par défaut*). *Procès-verbal contradictoire.*

♦ **3.** Qui comporte des contradictions internes. *Raisonnement, attitude contradictoire. Proposition contradictoire,* dont les termes s'excluent nécessairement (ex. : Il est absent ; il est présent). — *Âme, esprit contradictoire,* en proie à des contradictions.

(Au plur.). Qui implique contradiction, incompatibilité. ⇒ **Antinomique, contraire, incompatible, subcontraire.** *Affirmations, allégations, assertions contradictoires. Prémisses contradictoires d'un dilemme. Caractères contradictoires. Passions, tendances contradictoires. Influences contradictoires* (→ Conjuguer, cit. 1). *Récits contradictoires.* ⇒ **Divergent.**

2 Tout le monde parlait à la fois dans un tohu-bohu d'affirmations contradictoires et de démentis insultants.
R. DORGELÈS, les Croix de bois, II, p. 26.

3 C'est une chose bien digne de remarque et de réflexion que les récits différents et même contradictoires, faits des mêmes événements par des témoins oculaires (...)
SAINTE-BEUVE, Correspondance, 12, 11 sept., 1823, t. I, p. 43.

4 Et pas plus que le chrétien ne doit chercher à obtenir conciliation de deux vérités contradictoires, telles que prescience de Dieu et libre arbitre individuel : de même devons-nous protéger en nous toutes les antinomies naturelles et comprendre que c'est grâce à leur irréductible opposition que nous vivons.
GIDE, Journal, janv. 1925, p. 802.

5 Tout ce qu'on peut dire de l'Amérique est vrai. Et les pensées, les paroles les plus violemment contradictoires sont toutes vraies, en quelque mesure.
G. DUHAMEL, Scènes de la vie future, XV, p. 220.

Log. *Théorie contradictoire,* inconsistante*.

♦ **4.** N. m. pl. (1679). *Les contradictoires* : les termes qui s'excluent logiquement. *Les contradictoires et les contraires. Concilier les contradictoires.*

6 Voilà le sort des gens qui veulent assembler les contradictoires en contentant tout le monde (...)
RETZ, Mémoires, t. II, III, *in* LITTRÉ.

Ling., sémiot. Couple de deux termes identiques dont l'un est syntaxiquement nié (ex. : « froid » et « non froid », « vouloir » et « ne pas vouloir »). *Le carré sémiotique met en relation les contraires* et *les contradictoires.*

CONTR. Analogique, cohérent, concordant, identique, pareil, semblable, unanime.
DÉR. Contradictoirement.

CONTRADICTOIREMENT [kɔ̃tRadiktwaRmɑ̃] adv. — 1538 ; de *contradictoire.*
D'une manière contradictoire.

♦ **1.** En organisant une confrontation. *Débattre contradictoirement d'un problème.*
Dr. En présence des parties (opposé à *par défaut*).
(...) que Fabrice soit jugé contradictoirement (ce qui veut dire lui présent).
STENDHAL, la Chartreuse de Parme, II, p. 426.

♦ **2.** De façon apparemment incompatible. *Ils ont répondu contradictoirement.* — (Adv. de phrase). *Contradictoirement, il n'a pas refusé de s'engager.*

♦ **3.** *Contradictoirement à :* en s'opposant à. *Contradictoirement à ses habitudes.*

CONTRAIGNABLE [kɔ̃tRɛɲabl] adj. — 1382 ; de *contraindre.*

♦ Dr. Qui peut être contraint par voie de droit. *Il est contraignable par corps.*
Un Français reste cinq ans en prison, et après il en sort sans avoir payé ses dettes, il est vrai, car il n'est plus contraignable que par sa conscience qui le laisse toujours en repos (...)
BALZAC, la Cousine Bette, Pl., t. VI, p. 192.

CONTRAIGNANT, ANTE [kɔ̃tRɛɲɑ̃, ɑ̃t] adj. — 1370 ; *constreignant,* XIIIᵉ ; p. prés. de *contraindre.*

♦ Qui contraint. *Une obligation, une nécessité contraignante.* ⇒ **Astreignant, désagréable, ennuyeux, pénible.**

1 (...) une sorte de traitement (...) qui n'est ni contraignant, ni dégoûtant.
Mᵐᵉ DE SÉVIGNÉ, 964, 13 juin 1685.

2 (...) torse et membres obéissent à des règles si strictes, si contraignantes, que la danseuse paraît maintenant tout à fait immobile, marquant seulement la mesure d'une imperceptible ondulation des reins.
A. ROBBE-GRILLET, la Maison de rendez-vous, p. 15.

CONTRAINDRE [kɔ̃tRɛ̃dR] v. tr. — Conjug. craindre. — V. 1174, pron. ; « peser » aussi écrit *constreindre,* v. 1120 ; du lat. *constringere* « serrer », de *con-* (*cum*) et *stringere* « serrer ».

♦ **1.** Vx ou littér. Exercer une action contraire à. ⇒ **Contenir, empêcher, entraver, gêner, retenir.** *Contraindre les goûts, les passions de qqn. Contraindre ses propres passions, ses tendances.* ⇒ **Comprimer, refouler, réfréner, réprimer.** *Contraindre la liberté de qqn.* ⇒ **Diminuer, réduire, serrer** (la vis, fam.).

1 Il (*le Roi*) ne contraint plus l'inclination qu'il a pour elle (*la princesse de Conti*).
Mᵐᵉ DE SÉVIGNÉ, 778, 2 févr. 1680.

2 (...) l'extrême violence que chacun se fait à contraindre ses larmes (...)
LA BRUYÈRE, les Caractères, I, 50.

3 (*Il*) contraint son humeur (...) parle, agit contre ses sentiments.
LA BRUYÈRE, les Caractères, VIII, 2.

4 Bref, le cliché nous est signe que le langage soudain a pris le pas sur un esprit dont il vient contraindre la liberté, et le jeu naturel.
J. PAULHAN, les Fleurs de Tarbes, p. 46.

♦ **2.** (1253). Forcer, obliger (qqn) à agir contre sa volonté. *Décidez librement, je ne veux pas vous contraindre. Contraindre qqn avec brutalité.* ⇒ **Brusquer, violenter.** *Contraindre qqn par le chantage, le dol, la menace.*

5 Écoutez, les volontés sont libres ; et je suis homme à ne contraindre jamais personne.
MOLIÈRE, le Mariage forcé, 8.

(1283). Dr. Obliger par voie de droit (⇒ **Contrainte**). *Contraindre qqn par voie de justice. Contraindre par saisie de biens, par corps. Contraindre (qqn) à (qqch., à faire qqch.) :* forcer, obliger (qqn) à (qqch., faire qqch.) contre sa volonté. *Contraindre qqn à agir contre son gré.* ⇒ **Acculer, astreindre, entraîner.** *La mort de son père l'a contraint à travailler de bonne heure* (⇒ **Exiger, imposer, ordonner**). *La nécessité, la force, la violence m'y a contraint. Contraindre qqn à l'obéissance, à la soumission.*

6 Le respect me force à me taire, la reconnaissance m'y oblige, l'autorité m'y contraint (...)
D'ALEMBERT, Dict. des synonymes, *in* LITTRÉ.

7 Tant qu'un homme est contraint d'obéir et qu'il obéit, il fait bien ; sitôt qu'il peut secouer le joug, et qu'il le secoue, il fait encore mieux (...)
ROUSSEAU, Lettre à d'Alembert.

8 Tout ce qui n'est pas défendu par la Loi ne peut être empêché, et nul ne peut être contraint à faire ce qu'elle n'ordonne pas.
Déclaration des droits de l'homme, Constit. 3 sept. 1791, art. 5.

9 Le plus cruel de tous les malheurs, c'est d'être contraint par une force morale plus puissante que celle des événements à renoncer volontairement, heureux, au bonheur, vivant, à la vie.
HUGO, Bug-Jargal.

10 Elle (*la science*) a contraint les esprits à s'attendre toujours à des surprises dans tous les domaines où le langage et les discours ne font pas tout.
VALÉRY, Rhumbs, p. 130.

10.1 L'administrateur de l'époque, M. Bouquet, envoie quatre miliciens, accompagnés d'un sergent indigène, pour contraindre les gens au travail.
GIDE, Voyage au Congo, *in* Souvenirs, Pl., p. 742.

Littér. *Contraindre (qqn) de (faire qqch.). Les circonstances le contraignirent de quitter la France.*

▶ **SE CONTRAINDRE** v. pron.
⇒ **Contrôler** (se), **retenir** (se). *Se contraindre devant qqn. Se contraindre en qqch. Il ne se contraint en rien. Il n'aime pas se contraindre.*

11 (...) je ne me contraignis point devant lui de répandre quelques larmes, tellement amères, que je serais étouffée, s'il avait fallu me contraindre (...)
Mme DE SÉVIGNÉ, 934, 20 sept. 1684.

12 Il embarrasse tout le monde, ne se contraint pour personne, ne plaint personne (...)
LA BRUYÈRE, les Caractères, XI, 121.

Se contraindre à (qqch., faire qqch.). ⇒ **Forcer** (se), **obliger** (s').
Littér. *Se contraindre de (faire qqch.).*

DÉR. Contraignable, contraignant, contraindre, contraint.

CONTRAINT, AINTE [kɔ̃tRɛ̃, ɛ̃t] adj. — XIVᵉ ; p. p. de *contraindre.*

♦ **1.** Qui est gêné, mal à l'aise ; n'est pas naturel. *Air contraint, mine contrainte.* ⇒ **Embarrassé, emprunté, forcé, gauche, gêné.** *Un air prétentieux et contraint.* ⇒ **Affecté, artificiel, étudié.** *Sourire contraint. Posture, démarche, manière contrainte.*

1 (...) ce masque de gaieté contrainte, qu'on se colle au visage pour rassurer les moribonds, ne put pas tenir sur mes joues (...)
Alphonse DAUDET, le Petit Chose, II, xv, p. 373.

2 Ses regards étaient lents, ses gestes contraints, son attitude morne.
FRANCE, le Crime de S. Bonnard, Œ., t. II, p. 478.

3 Chacun d'eux se dépitait à ne sortir de soi rien que de sec, de contraint (...)
GIDE, les Faux-monnayeurs, I, ix, p. 103.

Par anal. *Style contraint.*

4 (...) tout ce que la seule logique construit reste artificiel et contraint.
GIDE, Journal, 12 mai 1927.

♦ **2.** Loc. **CONTRAINT ET FORCÉ** : sous la contrainte. *Nous n'avons accepté que contraints et forcés.*

♦ **3.** Mus. *Basse* contrainte.*

♦ **4.** Ling. Entièrement déterminé par des règles, qui n'est pas laissé au choix de l'encodeur : *contraindre* : contraindre (⇒ **Empêchement, entrave, gêne**). *Con-*. « "J'avais faim, froid, et envie de fumer", avec ses trois substantifs sans déterminants, est "contraint" : nous ne pouvons dire ni écrire autrement. » (J. Cellard, le Monde, 17 mars 1974).

CONTR. Autoriser, dispenser, laisser, permettre, tolérer. — Affranchir, libérer. — Naturel.

DÉR. Contraignable.

CONTRAINTE [kɔ̃tRɛ̃t] n. f. — XIIᵉ ; de *contraindre.*

♦ **1.** Violence (exercée contre qqn) ; entrave à la liberté d'action. ⇒ **Coaction, coercition, force, pression, violence.** *Employer, exercer la contrainte ; user de contrainte contre qqn, à l'égard de qqn, pour forcer qqn à faire qqch. Empêcher qqn d'agir, le retenir par la contrainte* : contraindre (⇒ **Empêchement, entrave, gêne**). *Contrainte et nécessité* (cit. 2). *La contrainte de la nécessité, des circonstances. Il le fera librement ou par contrainte,* de gré ou de force. — Loc. *Agir sous la contrainte. — Régime de contrainte. Contrainte physique. —* Vx. *La contrainte de qqn,* exercée par qqn → ci-dessous cit. 1.

1 Il y en a d'aucunes qui prennent des maris (...) pour se tirer de la contrainte de leurs parents (...) MOLIÈRE, le Malade imaginaire, II, 6.

2 La contrainte, d'accord avec mon désir, suffit pour l'anéantir et le changer en répugnance, en aversion même, pour peu qu'elle agisse trop fortement ; et voilà ce qui me rend pénible la bonne œuvre qu'on exige et que je faisais de moi-même lorsqu'on ne l'exigeait pas. ROUSSEAU, Rêveries..., 6ᵉ promenade.

3 Elles *(les femmes)* ne consentent qu'à la contrainte. Mais alors avec enthousiasme.
GIRAUDOUX, la Guerre de Troie n'aura pas lieu, p. 32.

♦ **2.** Règle obligatoire, pénible à appliquer. *La contrainte sociale, morale ; une contrainte sociale.* ⇒ **Discipline, loi.** — Sociol. *Contrainte organisée* : les lois et règlements ; *contrainte diffuse* : les mœurs et coutumes, la morale... — *Les contraintes de la discipline, du devoir. Les contraintes de la vie familiale.* ⇒ **Difficulté, exigence.** *Les contraintes de la forme, de la métrique, de la rime. S'imposer une contrainte. La contrainte d'être toujours disponible.*

4 La contrainte d'un long respect humain finit par inspirer un goût forcené pour l'impudeur. HUGO, les Travailleurs de la mer, I, VI, VI.

5 (...) des corps affranchis de toutes les contraintes sociales, et dont rien ne gêne ni n'a gêné la pousse (...) TAINE, Philosophie de l'art, t. II, V, III, v, p. 308.

5.1 À aucun moment je ne me suis imposé la contrainte d'avoir l'air un peu épris d'elle. LOTI, Mme Chrysanthème, p. 104.

Ling. Obligations à respecter pour former un énoncé normal, acceptable. *Contraintes logiques, syntaxiques, d'usage, de niveau de discours...*

5.2 (...) la liberté de combiner des phrases est la plus grande qui soit, car il n'y a plus de contraintes au niveau de la syntaxe (les contraintes de cohérence mentale du discours qui peuvent subsister ne sont plus d'ordre linguistique).
R. BARTHES, Éléments de sémiologie, p. 143.

♦ **3.** Gêne, retenue ; fait de se contraindre. *Agir avec contrainte, dans la contrainte* (⇒ **Contraint**). *S'exprimer sans contrainte.*

6 Avec son dédain des autres, il pleura sans aucune contrainte ni honte, comme s'il eût été seul. LOTI, Pêcheur d'Islande, III, IX, p. 170.

7 D'ailleurs l'entrain de Robert Michels, la promptitude de ses reparties, les gestes tout méridionaux dont il les accompagnait, auraient suffi à dissiper la contrainte.
J. ROMAINS, les Hommes de bonne volonté, t. IV, IX, p. 87.

♦ **4.** Littér. État d'une personne à qui l'on fait violence. ⇒ **Asservis-**

---

sement, assujettissement, captivité, chaîne, esclavage, joug, oppression, servitude, sujétion, tutelle. *Vivre dans la contrainte. Être sous une dure, une pénible contrainte. Tenir qqn dans la contrainte.*

8 (...) la contrainte où l'on me tient (...) MOLIÈRE, le Malade imaginaire, I, 4.

9 *(Le)* chagrin et *(la)* colère que donne à l'esprit d'une femme la contrainte et la servitude. MOLIÈRE, le Sicilien, 6.

♦ **5.** Dr. Acte de poursuite, mandement destiné à permettre à l'administration de recourir aux voies d'exécution contre un débiteur. *Contrainte des régies. Contrainte administrative, ministérielle. Porteur de contraintes.* → aussi **Débet** (arrêté de débet).

Procéd. civ. *Contrainte par corps* : emprisonnement destiné à contraindre un débiteur à remplir ses engagements. *La contrainte par corps n'est appliquée qu'à ceux dont la dette provient d'une infraction à la loi pénale* (Loi 22 juil. 1867).

10 (...) les négociants étant obligés de confier de grandes sommes pour des temps souvent forts courts (...) il faut que le débiteur remplisse toujours au temps fixé ses engagements ; ce qui suppose la contrainte par corps.
MONTESQUIEU, l'Esprit des lois, XX, 15.

♦ **6.** Sc. [a] Mécan. Grandeur qui caractérise l'intensité des forces de contact superficielles. *Contrainte de traction, de cisaillement.*

[b] Chim. Force empêchant certaines réactions chimiques de se produire sans catalyseur.

CONTR. Affranchissement, libération. — Arbitre (libre), liberté. — Abandon, aisance, familiarité, laisser-aller, naturel.

CONTRAIRE [kɔ̃tRɛR] adj. et n. m. — XIIᵉ ; lat. *contrarius* « opposé, défavorable », de *contra* « contre ».

♦ **1.** Qui présente la plus grande différence possible (en parlant de deux choses du même genre) ; qui s'oppose à. ⇒ **Antinomique, antithétique, contradictoire, incompatible, inverse, opposé ;** préf. 2. A-, anti-, contra-, contre-, dé-, in-. *Contraire à qqch. Son attitude est contraire à la morale, à la raison. Le froid et le chaud sont des concepts contraires. Deux opinions contraires. Instincts, passions contraires. Cela est contraire à mes habitudes. Jusqu'à avis contraire. Concilier, ménager des choses contraires. —* (Au sing. ou au plur., sans compl. en à). *Contraire à une référence implicite. —* REM. Cet emploi n'est plus aussi libre que dans la langue classique → ci-dessous cit. 2, où *ordres contraires* signifie « contraires à ceux qui avaient été donnés ». *Mots de sens, de valeur contraire.*

1 Les passions en engendrent souvent qui leur sont contraires : l'avarice produit quelquefois la prodigalité, et la prodigalité l'avarice ; on est souvent ferme par faiblesse, et audacieux par timidité. LA ROCHEFOUCAULD, Maximes, 11.

2 Allons, par des ordres contraires,
Révoquer d'un méchant les ordres sanguinaires, RACINE, Esther, III, 8.

3 (...) le cœur concilie les choses contraires, et admet les incompatibles (...)
LA BRUYÈRE, les Caractères, IV, 73.

4 (...) un bon esprit repousse tout ce qui est contraire à la raison, hors en matière de foi, où il convient de croire aveuglément.
FRANCE, la Rôtisserie de la reine Pédauque, Œ., t. VIII, p. 86.

5 (...) l'accouplement des éléments contraires est la loi de la vie, le principe de la fécondation (...) PROUST, À la recherche du temps perdu, t. XI, p. 133.

6 (...) Bergson observe (...) que langage et pensée sont de nature contraire : celle-ci fugitive, personnelle, unique ; celui-là fixe, commun, abstrait.
J. PAULHAN, les Fleurs de Tarbes, II, 5, p. 78.

De direction opposée. *Des routes contraires. Arriver au même but par des chemins contraires. Tirer en sens contraire* (→ À hue et à dia).

7 Son cœur était comme la mer qui est le jouet de tous les vents contraires (...)
FÉNELON, Télémaque, VII.

8 Entraînés par la nature et par les hommes dans des routes contraires, forcés de nous partager entre ces diverses impulsions, nous en suivons une composée qui ne nous mène ni à l'un ni à l'autre but. ROUSSEAU, Émile, I.

Log. *Propositions contraires,* se dit de deux propositions qui ne peuvent être vraies en même temps, mais peuvent être fausses l'une et l'autre (⇒ **Contradictoire**). *Tous les hommes sont bons, aucun homme n'est bon, sont deux propositions universelles contraires.*

Procéd. *Parties contraires en fait* : parties dont les assertions sont contradictoires. — Dr. rom. *Action contraire,* née accidentellement d'un fait postérieur au contrat (s'oppose à *direct*).

Mus. *Mouvement contraire* (une partie ascendante, une descendante).

♦ **2.** (XIIᵉ). Littér. ou style soutenu. Qui, en s'opposant, gêne le cours d'une chose. ⇒ **Adverse, antagoniste, défavorable, ennemi.** *Un sort, un destin contraire. Vents contraires.*

Vieilli. *Contraire à.* ⇒ **Attentatoire, hostile, nuisible, préjudiciable.** *Cet accident est contraire à ses desseins. Ces excès sont contraires à sa santé.* — Par métonymie : *le vin lui est contraire. Déclarations contraires à la vérité, à la justice.*

9 *(Le ciel)* ne saurait m'être contraire, si vous m'êtes fidèle.
MOLIÈRE, les Fourberies de Scapin, I, 3.

10 (...) sonder mon père sur les sentiments où je suis ; et si je l'y trouve contraire (...)
MOLIÈRE, l'Avare, I, 2.

11 Tantôt il réunit quelques-uns qui étaient contraires les uns aux autres, et tantôt il divise quelques autres qui étaient unis. LA BRUYÈRE, les Caractères, X, 12.

♦ **3.** N. m. *Le contraire de qqch., son contraire* : ce qui est logiquement opposé (à qqch.). ⇒ **Antithèse, opposition.** *Faire ressortir une* *vérité par son contraire.* ⇒ **Contraste, envers.** *Faire le contraire de ce que l'on dit.* — *Sans compl. Soutenir, prouver le contraire. J'ai la preuve du contraire. C'est tout le contraire.* — *Concilier les contraires.*

12 La nature procède par contrastes.
C'est par les oppositions qu'elle fait saillir les objets. C'est par leurs contraires qu'elle fait sentir les choses (...)   HUGO, Post-scriptum de ma vie, III.

13 Les contraires ne paraissent jamais mieux que lorsqu'on les oppose à leurs contraires.   BOURDALOUE, Pensées, t. II, p. 384.

14 (...) le beau de la force humaine est de se contenir, de se diriger entre des impulsions diverses et d'assembler sous une même loi les contraires.
    SAINTE-BEUVE, Causeries du lundi, 5 nov. 1849.

15 L'inspiration est décidément la sœur du travail journalier. Ces deux contraires ne s'excluent pas plus que tous les contraires qui constituent la nature.
    BAUDELAIRE, Curiosités esthétiques, p. 388.

16 Je ne crois pas avoir jamais entendu prouver quoi que ce soit dont le contraire n'aurait pu être prouvé par d'autres, avec la même force d'évidence.
    MARTIN DU GARD, les Thibault, t. VI, p. 200.

16.1 Supposons que vous affirmiez d'abord une chose, puis son contraire ; l'ensemble des deux réponses comporte alors, à coup sûr, l'expression de la vérité dans la moitié des cas. À partir de cette certitude, tout le reste n'est plus qu'une question de calculs mathématiques, exécutés par le cerveau électronique auquel on soumettra votre déposition.
    A. ROBBE-GRILLET, Projet pour une révolution à New York, p. 102.

Fam. *C'est le contraire d'un honnête homme :* il est malhonnête.

Spécialt. Mot de sens opposé (opposé à *synonyme*). ⇒ **Antonyme.** *« Long »* est le contraire de *« court ».* *Un adjectif et ses contraires.*

Ling., sémiot. *Contraires :* couple de deux termes différents dont les signifiés s'opposent (ex. : « chaud » et « froid », « vouloir » et « ne pas vouloir »). — REM. Ne pas confondre avec *contradictoire* (4.).

♦ **4.** Loc. adv. **a** (V. 1370). AU CONTRAIRE : contrairement, d'une manière opposée. ⇒ **Autrement** (tout autrement), **contre** (par contre), **encontre** (à l'), **loin** (loin de là), **opposé** (à l'opposé), **rebours** (au rebours), **revanche** (en revanche), **tant** (tant s'en faut). *Il ne pense pas à lui ; au contraire il est très dévoué. Bien au contraire. Tout au contraire.*

17 L'Âne n'en sait juger que par ce qu'il en voit :
Le Renard, au contraire, à fond les examine (...)   LA FONTAINE, Fables, IV, 14.

18 Je vis bien que je lui déplaisais ; mon camarade, au contraire ; il était de la famille.   P.-L. COURIER, Lettres, I, 212.

18.1 — Des hommes sans instruction, qui se mêlent de raisonner sans connaître la nature humaine... des primaires, quoi ! (...) — Ce que je dis là n'est pas pour Cadom et je dirai même au contraire. J'ai toujours eu de l'estime pour Cadom, je prétends que c'est un garçon sérieux (...)   M. AYMÉ, Maison basse, p. 199.

Aller au contraire de qqch. Au contraire du devoir. ⇒ **Mépris** (au mépris de).

Loc. prép. **AU CONTRAIRE DE** : d'une manière opposée à. *Au contraire de ses concurrents, il s'est enrichi.*

19 Le feu se répand en tous sens, au contraire des autres éléments (...)
    VOLTAIRE, Éléments de la philosophie de Newton, II, Conclusion.

b Vx. PAR CONTRAIRE : au contraire (Bourdaloue, *in* G. L. L. F.).

CONTR. Analogue, conforme, identique, même, pareil, semblable. — Auxiliaire, bienveillant, favorable, propice.
DÉR. Contrairement.
COMP. Subcontraire.

CONTRAIREMENT [kɔ̃tʀɛʀmɑ̃] adv. — xvᵉ ; de *contraire.*

♦ **1.** Vieilli. En sens contraire.

1 L'âme humaine (...) devient bientôt comme une machine ingénieuse qui s'électrise contrairement en un rien de temps.   SAINTE-BEUVE, *in* G. L. L. F.

♦ **2.** (1558). Cour. *Contrairement à (qqch.) :* d'une manière contraire, opposée, inverse. *Agir contrairement à ses décisions. Contrairement à ce que l'on m'avait dit.*

2 (...) contrairement à ce qu'elle imaginait déjà, il ne nous était rien arrivé (...)
    PROUST, À la recherche du temps perdu, t. I, p. 182.

CONTRALTO [kɔ̃tʀalto] n. m. — 1636 ; *contralte,* n. f. ou m., 1845 ; mot ital. « près *(contra)* de l'*alto* ».

♦ Mus. La plus grave des voix de femme. *La voix d'homme la plus aiguë est plus basse que la voix de contralto.*

0.1 Et elle citait quelques vers de la vocératrice, dans ce fier patois corse qui allait bien à son contralto.   Alphonse DAUDET, l'Immortel, p. 320.

N. f. Femme qui a cette voix. *Des contraltos.*

1 Que tu me plais, ô timbre étrange !
Son double, homme et femme à la fois,
Contralto, bizarre mélange ;
Hermaphrodite de la voix !   Th. GAUTIER, Émaux et Camées, « Contralto ».

2 Elle avait les inflexions de contralto, caressantes et graves, qui succédaient sans transition à des résonances plus rêches.
    MARTIN DU GARD, les Thibault, t. III, p. 147.

CONTRAPONTISTE [kɔ̃tʀapɔ̃tist] n. ⇒ **Contrapuntiste.**

CONTRAPOSÉ, ÉE [kɔ̃tʀapoze] adj. et n. — Mil. xxᵉ ; de *contra-* et *posé.*

♦ Didact. (log.). Obtenu par contraposition. *Proposition contraposée.* — N. f. *Une proposition et sa contraposée.* $\bar{B} \rightarrow \bar{A}$ *est la contraposée de* $A \rightarrow B$.

CONTRAPOSITION [kɔ̃tʀapozisjɔ̃] n. f. — 1900, Larousse ; de *contra-,* et *position.*

♦ Didact. (log.). Déduction consistant à inverser les termes d'une proposition en les niant. ⇒ **Contraposé.**
« Si en effet A″ se déduit de A′, la fausseté de A″ entraîne, par contraposition, celle de A′ (...)   O. DUCROT, Dire et ne pas dire, p. 100.

CONTRAPUNTIQUE [kɔ̃tʀapɔ̃tik] adj. — 1909 ; *contrapunctique,* J. Marnold, *in* D.D.L., 1903 ; var. *contrapontique,* 1930 ; *contrapointique,* 1924 ; *contrepointique,* 1928 ; de l'ital. *contrappunto.* → Contrepoint.

♦ Mus. Qui utilise le contrepoint. Relatif au contrepoint. *Art, technique contrapuntique.*
Premiers accords du prélude à la symphonie, qui se déroula avec ma vie, non sans incidents variés, fantaisies contrapuntiques, sautes de rythmes et modulations inattendues (...)   R. ROLLAND, le Voyage intérieur, Le Sagittaire, p. 189-190.
REM. R. Rolland emploie ailleurs la forme francisée (devenue rare) *contrepointique* [kɔ̃tʀəpwɛ̃tik].

CONTRAPUNTISTE ou CONTRAPONTISTE [kɔ̃tʀapɔ̃tist] n. — 1835, *contrapuntiste* ; *contrapontiste,* 1820 ; cf. Contrepointiste, 1791 ; ital. *contrappuntista,* de *contrappunto* « contrepoint ».

♦ Mus. Compositeur, compositrice qui use des règles du contrepoint.
(...) mais je crois que le même opéra traité par le fameux contrapontiste n'aurait pas eu ces élans de passion et cette simplicité, en même temps.
    E. DELACROIX, Journal, 7 juin 1854.
REM. Stendhal (1823) employait la forme francisée *contrepointique.*

CONTRARIANT, ANTE [kɔ̃tʀaʀjɑ̃, ɑ̃t] adj. — 1361 ; p. prés. de *contrarier.*

♦ **1.** Qui est porté à contrarier. *Homme, esprit contrariant. Personne d'humeur contrariante. Attitude contrariante pour qqn.* « *Je suis d'un naturel très contrariant* » (G. Leroux, *in* T. L. F.). — *Il n'est pas contrariant :* il est facile à vivre, ne cherche pas à imposer ses volontés contre celles des autres.

♦ **2.** (1787). Qui contrarie. *Comme c'est contrariant !* ⇒ **Agaçant, ennuyeux, fâcheux.** *Une pluie bien contrariante. Cette affaire est assez contrariante.*

CONTR. Agréable. — Opportun.

CONTRARIER [kɔ̃tʀaʀje] v. tr. — V. 1100, intr., « se quereller » ; lat. *contrariare* « contredire », de *contrarius.* → Contraire.

♦ **1.** Avoir une action contraire à..., aller contre, s'opposer à (qqch.). ⇒ **Barrer, combattre, contrecarrer, déranger, entraver, gêner, freiner, nuire** (à), **résister** (à). *La tempête contrarierait la marche du navire. Contrarier les mouvements de l'ennemi. Contrarier les lois de la nature.* ⇒ **Forcer, violenter** (→ Agir, cit. 31), **violer.** *Contrarier les desseins, les désirs, les idées, les projets de qqn. Contrarier la volonté de ses parents.* — Pron. (récipr.). *Hypothèses qui se contrarient.*

Spécialt. Émettre une opinion opposée à celle de. *Cesse donc de me contrarier tout le temps.* ⇒ **Contredire.**

1 (...) De contrarier tout et de faire le maître.   MOLIÈRE, Tartuffe, I, 1.

2 La nature a, pour fortifier le corps et le faire croître, des moyens qu'on ne doit jamais contrarier.   ROUSSEAU, Émile, II.

3 Le sort, qui semblait contrarier leur passion, ne fit que l'animer.
    ROUSSEAU, les Confessions, I.

(Compl. n. de personne). S'opposer par une décision, des paroles à la volonté de (qqn). *Contrarier un enfant.*

4 (...) la méchanceté ne lui venait que quand on la contrariait dans ses intérêts ou dans son contentement d'elle-même (...)
    G. SAND, François le Champi, VII, p. 69.

(Sujet n. de chose). Littér. et rare. S'opposer aux intentions, aux désirs de (qqn).

5 (...) cela seul vous éduque vraiment, qui vous contrarie.
    GIDE, Journal, 17 sept. 1935.

♦ **2.** (1775). Causer du dépit, du mécontentement à (qqn). ⇒ **Agacer, blesser, chagriner, chicaner, déranger, désoler, embêter, emmerder** (fam.), **ennuyer, fâcher, irriter, mécontenter, rembrunir, troubler.** *Il cherche à vous contrarier.*
(Sujet n. de chose). Rendre inquiet, mal à l'aise. *Les nouvelles l'ont contrarié ; cette histoire me contrarie un peu.* ⇒ **Chicaner, chiffonner, embêter, tarabuster ;** → Faire faire du mauvais sang* à... *Ne te laisse pas contrarier comme ça, tu vas en faire une maladie*. Cette affaire, cette nouvelle l'ont contrarié à l'extrême.* ⇒ **Abattre, désespérer.**

♦ **3.** (1822). Littér. Faire alterner pour obtenir des effets de con-

traste. *Contrarier les couleurs. Contrarier les fils d'une tapisserie.*
Pronominal :

6 (...) ces horizons estompés qui fuient en se contrariant.
                              BALZAC, le Lys dans la vallée, Pl., t. VIII, p. 789.

▶ **CONTRARIÉ, ÉE** p. p. adj.

♦ **1.** Combattu, freiné, arrêté. *Projet contrarié (par les circonstances).*

7 Le genre de malheur que porte dans l'âme un amour contrarié, fait que toute chose demandant de l'attention et de l'action devient une atroce corvée.
                              STENDHAL, la Chartreuse de Parme, II, p. 468.

8 On sent chez l'artiste un talent dévié, un naturel contrarié, un instinct appliqué à rebours (...)   TAINE, Philosophie de l'art, t. II, III, II, II, p. 36.
Gaucher contrarié, que l'on a contraint à se servir de sa main droite.

♦ **2.** (Personnes). Dépité, ennuyé, fâché, irrité, mécontent. *Ils sont très contrariés. — Avoir l'air contrarié, une mine contrariée.*

9 (...) les laboureurs, bien contrariés de la perte d'une si belle vache (...)
                              G. SAND, la Petite Fadette, XXVI, p. 172.

♦ **3.** Alterné. *Joints contrariés. Couleurs contrariées. Bois à veines contrariées.*

CONTR. Accorder (s'), **aider, favoriser, seconder. — Amuser, contenter, réjouir, satisfaire. — Fondre, unir.**

CONTRARIÉTÉ [kɔ̃tRaRjete] n. f. — V. 1170, «choses contraires»; lat. *contrarietas*, de *contrarius.* → Contraire.

♦ **1.** (Av. 1280). Vieilli ou littér. Opposition entre des choses contraires. ⇒ **Contradiction.** *La contrariété entre deux choses, de deux choses. Contrariété de desseins, d'humeurs, d'intérêts, d'opinions, de sentiments. Contrariété d'arrêts, de lois* (⇒ **Antinomie,** cit. 1).

1 L'imagination ne saurait inventer tant de diverses contrariétés qu'il y en a naturellement dans le cœur de chaque personne.
                              LA ROCHEFOUCAULD, Maximes, 478.

2 (...) l'ordre de l'événement et l'ordre de la justice ont en eux et entre eux une contrariété native, une incompatibilité, une inconciliabilité (...)
                              Ch. PÉGUY, la République..., p. 354.
Vx. Esprit de contrariété : esprit de contradiction*.

♦ **2.** (Fin XIIᵉ). Vx. *Une, des contrariétés* : ce qui contrarie le cours de qqch. ⇒ **Contretemps, difficulté, obstacle;** (vx) **traverse.** *Il a éprouvé de grandes contrariétés* (Académie).

♦ **3.** (1793). Mod. *(Une, des contrariétés).* Déplaisir causé par une opposition, par ce qui chagrine. ⇒ **Agacement, déception, déplaisir, irritation, mécontentement, souci.** *Éprouver une contrariété de qqch., à cause de qqch.* (→ Nerveux, cit. 6), *une vive contrariété. Contrariété passagère, légère. Geste de contrariété.*

3 Le jeune homme flaira une tuile. De son mieux il réprima un geste de contrariété (...)   COURTELINE, Messieurs les ronds-de-cuir, 1ᵉʳ tableau, II, p. 31.

4 La contrariété lui tordait la bouche, d'un mauvais sourire; et la satisfaction du cœur y ramenait une gravité nourrie d'innocence.
                              André SUARÈS, Trois hommes, «Dostoïevski», II, p. 211.

CONTR. Accord, aide, appui, satisfaction.

CONTRAROTATIF, IVE [kɔ̃tRaRɔtatif, iv] adj. — Mil. XXᵉ; de *contra-,* et *rotatif.*

♦ **Mécan.** *Organes contrarotatifs,* qui tournent en sens inverse l'un de l'autre.

CONTRASTANT, ANTE [kɔ̃tRastɑ̃, ɑ̃t] adj. — 1787; p. prés. de *contraster.*

♦ **Didact., arts.** Qui contraste. *Figures contrastantes. Effets contrastants. Idées, propriétés contrastantes. Un tableau contrastant.*

Qu'un nez droit de cette façon est contrastant avec un nez retroussé de la manière de sa femme!   E. DELACROIX, Journal, 22 août 1822.

CONTRASTE [kɔ̃tRast] n. m. — 1671; «lutte, contestation», 1580; ital. *contrasto* de *contrastare,* du lat. pop. **contrastare* «se tenir *(stare)* contre».

♦ **1.** Opposition (de deux choses dont l'une fait ressortir l'autre). ⇒ **Antithèse;** → Opposition, cit. 2. *Le contraste du jour et de la nuit. Un contraste d'ombre et de lumière* (⇒ **Clair-obscur**). *Le contraste entre une qualité et un défaut. Un grand contraste de caractères, de goûts, de sentiments. Les contrastes du laid et du beau, entre le laid et le beau. Contraste frappant, saisissant, violent. Contraste flagrant, criant. Faire ressortir un contraste. Effet de contraste. La loi des contrastes. Repoussoir* qui met en valeur un contraste. Comparaison tirée du rapprochement et du contraste. L'art des contrastes. Contraste d'idées.* ⇒ **Antithèse** (cit. 5). *Comique de contraste. Contrastes d'un tableau. Adoucir les contrastes. Le Japon, etc. terre de contrastes* (cliché). *Présenter, offrir un contraste avec qqch. Former un contraste avec qqch. Association* (cit. 17) *des idées par contraste ou par ressemblance. — Loc. adv. Par contraste* : par opposition. *Par contraste, cette nourriture lui parut très familière.*

Les différents contrastes qu'offre votre caractère de naturel sans simplicité, de réserve et d'imprudence, contrastes qui viennent en vous du combat de l'art et de la nature.   D'ALEMBERT, Portrait de Mˡˡᵉ de Lespinasse.   1

De même que les yeux habitués à ne voir que les couleurs douces sont blessés par le grand jour, de même il est certains esprits auxquels déplaisent les violents contrastes.   BALZAC, le Lys dans la vallée, Pl., t. VIII, p. 942.   2

La nature procède par contrastes.   3
                              HUGO, Post-Scriptum de ma vie, III (→ Contraire, cit. 13).

À chaque défaut elle réunissait une qualité qui ressortait peut-être plus fortement par le contraste.   MÉRIMÉE, Carmen, II.   4

Tout l'homme *(Mirabeau)* est dans ces contrastes, mais ces contrastes sont moins des contradictions que les aspects différents d'une même politique.   5
                              BARTHOU, Mirabeau, p. 168.

Se retenir à une touffe d'herbe : contraste émouvant entre l'énergie extraordinaire de la prise, et ce brin de graminée si fragile. Contraste entre la fragilité de la vie *(puisqu'elle tient à un brin d'herbe),* et la puissance presque infinie du vouloir vivre.   VALÉRY, Rhumbs, p. 86.   6

(...) le contraste, tous les jours plus criant, de cette misère générale avec la débauche dorée qui, plus que jamais, s'étalait.   7
                              Louis MADELIN, l'Ascension de Bonaparte, XIII, p. 181.

Loin de moi au reste la pensée de blâmer ces poignants contrastes où les larmes et les rires se confondent.   SAINTE-BEUVE, Correspondance, t. I, p. 79.   8

(...) la blancheur neigeuse des chairs, le rouge sanglant des draperies, le lustre éblouissant des soies *(dans la peinture flamande),* ont toute leur force, et ne sont point reliés, tempérés, enveloppés, comme à Venise, par cette teinte ambrée qui empêche les contrastes de se heurter et les effets d'être rudes.   9
                              TAINE, Philosophie de l'art, t. I, III, I, III, p. 276.

(...) la musique instrumentale se fait le souple vêtement de l'âme vivante, toujours en mouvement, perpétuellement changeante, avec ses fluctuations et ses contrastes inattendus.   R. ROLLAND, Voyage musical, p. 89.   10

En contraste (avec qqch.). *Être en contraste* (de deux, plusieurs choses). *Mettre une chose en contraste avec une autre. Mettre deux langues en contraste pour les comparer.* ⇒ **Contrastif.** *Des esprits « en contraste et en lutte »* (Sainte-Beuve).

♦ **2.** Sc. et techn. **ⓐ** (Opt.). *Contraste des couleurs,* dû au rapprochement d'objets colorés différemment. *Contraste d'une image optique* : variation de l'éclairement à l'intérieur de cette image. *Contraste de phase. Microscope à contraste de phase, à contraste interférentiel. —* Spécialt (sur une photo, un cliché). *L'image manque de contraste. —* Rapport des brillances entre parties claires et sombres d'un poste de télévision. *Régler le contraste.*

ⓑ Méd. *Substance de contraste,* pour rendre certains organes ou tissus opaques aux rayons X. — Ellipt. *Employer un contraste.*

ⓒ (Angl. *contrast*). Ling. Rapport entre deux unités contiguës (phonologiques, morphologiques, syntaxiques) de la chaîne du discours. *Le contraste est un rapport syntagmatique, alors que l'opposition est paradigmatique. Unités en contraste.*

CONTR. Accord, analogie, identité, ressemblance, similitude, uniformité.

CONTRASTÉ, ÉE [kɔ̃tRaste] adj. — 1665, en art. → Contraster, cit. 5; de *contraster.*

♦ **1.** (Au plur.). Qui présentent des contrastes. *Couleurs contrastées. Situations, attitudes, caractères contrastés. Mouvements, rythmes contrastés.*

Spécialt. *Photo bien, trop contrastée. Image de télévision trop contrastée.*

♦ **2.** (Sing. ou plur.). Qui comporte en soi des contrastes. *Sentiment contrasté. Un groupe contrasté.*

CONTRASTER [kɔ̃tRaste] v. — 1669, au p. p., cit. 5; «lutter», 1543; réfection de l'anc. franç. *contrester,* d'après l'ital. *contrastare* ou lat. pop. **contrastare,* de *contra* et *stare.* → Contraste.

♦ **1.** V. tr. indir. (1740). *Contraster avec* (qqn, qqch.). Être en contraste (avec); s'opposer d'une façon frappante (à...). ⇒ **Opposer** (s'), **ressortir.** *Contraster très vivement* (⇒ **Trancher**), *désagréablement* (⇒ **Détonner**) *avec qqch. Sa conduite contraste avec sa situation. —* (Sujet au plur.). *Des couleurs, des expressions qui contrastent entre elles. Des caractères qui contrastent.*

La familiarité du style qui contraste et qui tranche avec la délicatesse ou la grandeur de la pensée.   D'ALEMBERT, Éloge de Lamotte, in LITTRÉ.   1

(...) son élégant équipage contrastait avec les lourdes charrettes (...) traînées par des haridelles attelées de cordes (...)   2
                              CHATEAUBRIAND, Mémoires d'outre-tombe, t. II, p. 170.

Les têtes vigoureuses de Benassis et de Genestas contrastaient admirablement avec la tête apostolique de Monsieur Janvier (...)   3
                              BALZAC, le Médecin de campagne, Pl., t. VIII, p. 432.

La prudence du fils contrastait étrangement avec l'heureuse audace du père.   4
                              MÉRIMÉE, Hist. du règne de Pierre le Grand, p. 144.

♦ **2.** V. tr. Littér. Mettre en contraste (une chose avec une autre; plusieurs choses). *Il sait contraster son sujet. Ce peintre sait bien contraster les têtes. —* Au p. p. *Caractères bien contrastés.*

De groupes contrastés un noble agencement (...)   5
                              MOLIÈRE, la Gloire du Val-de-Grâce, 74.

(...) la pointe rose frémit et se redresse, contrastant avec l'immobilité du marbre sa mobilité de chair.   M. YOURCENAR, Archives du Nord, p. 310.   6

CONTR. Accorder, adopter, unifier; 2. **appareiller; ressembler.**
DÉR. Contrasté.

CONTRASTIF, IVE [kɔ̃tRastif, iv] adj. — D. i. (v. 1970); angl. *contrastive* (1816, terme rare, repris aux États-Unis en linguistique — 1949, Trager), de *to contrast*, même orig. que *contraster*.

Didactique (linguistique).

♦ **1.** Qui produit un contraste. *Fonction contrastive.*

♦ **2.** Qui met deux langues en contraste, qui compare systématiquement des langues, à tous les niveaux d'analyse. *Grammaire contrastive du français et de l'allemand. Dictionnaire contrastif* (type de dictionnaire bilingue). — *Linguistique contrastive.*

CONTRAT [kɔ̃tRa] n. m. — 1370, *contract*; du bas lat. jurid. *contractus*, du supin de *contrahere*. → 1. Contracter.

♦ **1.** Dr. et cour. « Convention par laquelle une ou plusieurs personnes s'obligent, envers une ou plusieurs autres, à donner, à faire ou à ne pas faire quelque chose » (Code civil, art. 1101). ⇒ **Convention, pacte.** *Contrat synallagmatique, ou bilatéral,* dans lequel les contractants s'obligent réciproquement les uns envers les autres (Code civil, art. 1102). ⇒ **Échange, louage** (bail, cheptel, ferme), **société, vente**... *Contrat unilatéral,* dans lequel une ou plusieurs personnes sont obligées envers une ou plusieurs autres sans aucun engagement de la part de ces dernières (Code civil, art. 1103). ⇒ **Cautionnement, dépôt, mandat, prêt, promesse.** *Contrat commutatif* (Code civil, art. 1104). — *Contrat de bienfaisance** (Code civil, art. 1105) ou *à titre gratuit.* (⇒ aussi Dépôt, mandat). *Contrat à titre onéreux,* qui assujettit chacune des parties à donner ou à faire quelque chose (Code civil, art. 1106). ⇒ **Aléatoire, commutatif.** *Contrat nommé,* prévu par la loi sous une dénomination propre. *Contrat innommé,* sans dénomination particulière et régi par les principes généraux des conventions. *Contrat consensuel,* produit par le seul consentement des parties. *Contrat réel,* produit par la livraison effective de l'objet du contrat. *Contrat solennel,* valable seulement quand il est revêtu des formes légales prescrites. — *Contrat d'antichrèse, contrat de gage.* ⇒ **Nantissement.** *Contrats spéciaux ; contrat pignoratif, contrat mohatra. Contrat forfaitaire.* ⇒ **Forfait.** *Contrat réglant une contestation par des concessions réciproques.* ⇒ **Compromis, transaction.** *Contrats et quasi-contrats. Contrat judiciaire :* accord de deux parties devant le juge. — *Contrat d'assurance*.* — *Contrat de mariage,* passé devant notaire et qui fixe le régime des biens des époux pendant le mariage. ⇒ **Communauté, dotal** (régime dotal), **séparation** (de biens). → Mutisme, cit. 1. — Loc. *Donner des coups de canif** (cit.) *dans le contrat.* — *Contrat de travail,* se rapportant au louage de services et au louage d'industrie. — *Contrat de transport,* par lequel un transporteur, moyennant rémunération, fait parcourir une distance donnée à une personne, à une chose. — (1937). *Contrat collectif,* passé avec un groupe de personnes (⇒ **Concordat, convention**). *Contrat d'entreprise.* — *Contrat administratif,* conclu par l'Administration en vue d'assurer le fonctionnement d'un service public. ⇒ **Concession, marché** (de travaux publics). *Contrat d'apprentissage. Contrat de vente.* — *Accepter* (cit. 2.1) *un contrat.*

1   Une convention est l'accord de deux ou plusieurs personnes sur un objet d'intérêt juridique (AUBRY et RAU), et le contrat est une espèce particulière de convention, dont le caractère propre est d'être *productif d'obligations.*
M. PLANIOL, Traité de droit civil, t. II, p. 363.

2   Le contrat est seulement la convention, qui a pour but de faire naître une ou plusieurs obligations. Un accord dans le but d'éteindre une obligation, ou dans le but de créer, modifier ou éteindre un droit quelconque est une convention et non pas un contrat. Il faut remarquer toutefois que dans la pratique l'on confond souvent les deux expressions. D'ailleurs les principes généraux qui dominent la formation et les effets des contrats s'appliquent à toutes les conventions.
JULLIOT DE LA MORANDIÈRE, Précis de droit civil, n° 11.

2.1   Il y a des *contrats* spécifiques, caractérisés par un contenu. Le contrat de mariage spécifie et réglemente les rapports entre des individus de sexe différent selon un code (un ordre) social déterminé, en subordonnant par conséquent les rapports sexuels à des rapports de propriété (le patrimoine, la dot, l'héritage et sa transmission, la répartition des acquêts, etc.). Le contrat de travail régularise l'achat et la vente de la force de travail. Et ainsi de suite. Cependant, il y a une forme générale des contrats, la forme juridique, relevant du code civil. Remarquons comment tout rapport contractuel suppose discussion, détermination par un échange verbal entre les parties contractantes des termes «justes» du contrat. Cependant, ces préalables disparaissent ensuite. Un écrit fait foi : l'acte notarié. Le contrat se conclut par le moyen de la forme ultime de l'écriture, la signature.
Henri LEFEBVRE, la Vie quotidienne dans le monde moderne, p. 330-331.

Les parties d'un contrat ; parties au contrat : ceux qui s'engagent. ⇒ **Contractant.** *Capacité, consentement des parties au contrat. Validité d'un contrat. — Vices des contrats.* ⇒ **Dol, erreur, violence ; lésion.** *Objet et cause* (but) *licites du contrat* (⇒ **Cause**, cit. 42 et *supra*). *Clauses d'un contrat.* ⇒ **Clause** (cit. 3), **condition, disposition, stipulation.** *Stipulé par contrat.* ⇒ **Contractuel.** *Passer un contrat.* ⇒ **Contracter ; passation.** *Approuver, ratifier, valider un contrat. Contre-lettre modifiant un contrat. Exécuter un contrat* (⇒ **Obligation**). *Contrat léonin*. Rescision d'un contrat pour lésion. Révision du contrat pour imprévision. Inexécution d'un contrat.* ⇒ **Contravention, dédit, dérogation, inobservation, résiliation, résolution, rupture ; commissoire** (clause), **résolutoire, rescindable.** *Nullité d'un contrat. Annuler un contrat.* ⇒ **Casser, dénoncer, résilier, révoquer.** *Expiration, suspension d'un contrat. Propagation d'un contrat.*

♦ **2.** Acte qui enregistre cette convention. ⇒ **Document, instrument.**

Contrat authentique, sous seing privé. Rédiger un contrat en bonne et due forme. Les articles d'un contrat. Le notaire a dressé le contrat. ⇒ **Instrumenter.** *Signer un contrat, à un contrat. Faire enregistrer un contrat. Contrat d'assurance.* ⇒ **Police.** *Cahier des charges d'un contrat administratif. Avoir son contrat en poche. Brûler, déchirer le contrat.*

Pour dresser le contrat, elle envoie au Notaire.   3
— Et je vais le quérir pour celui qu'il doit faire.
MOLIÈRE, les Femmes savantes, IV, 5.

♦ **3.** Par anal. *Contrat social* (1762, Rousseau) : convention entre les gouvernants et les gouvernés, ou entre les membres d'une société. ⇒ **Pacte.**

«Trouver une forme d'association qui défende et protège de toute la force commune la personne et les biens de chaque associé, et par laquelle chacun, s'unissant à tous, n'obéisse pourtant qu'à lui-même, et reste aussi libre qu'auparavant. » Tel est le problème fondamental dont le *Contrat social* donne la solution.   4
ROUSSEAU, Du contrat social, I, VI.

Je me borne, en suivant l'opinion commune, à considérer ici l'établissement du corps politique comme un vrai contrat entre le peuple et les chefs qu'il se choisit ; contrat par lequel les deux parties s'obligent à l'observation des lois qui y sont stipulées et qui forment les liens de leur union.   5
ROUSSEAU, De l'inégalité parmi les hommes, II.

Le contrat social (...) sera donc un pacte perpétuel entre ceux qui possèdent contre ceux qui ne possèdent pas.   6
BALZAC, le Médecin de campagne, Pl., t. VIII, p. 42.

(Avec la même valeur, mais dans d'autres syntagmes).

Il n'y a d'autre paix pour l'homme que dans un contrat avec tous les hommes.   7
CLAUDEL, Feuilles de Saints, Ode jub. pour 600ᵉ anniv. mort de Dante.

♦ **4.** *Bridge* contrat,* où un joueur s'engage à faire un certain nombre de levées. — *Réaliser son contrat (au bridge),* le nombre de levées auquel on s'était engagé.

♦ **5.** *Réaliser, remplir son contrat,* ce qu'on avait promis, ce qu'on avait fait attendre de soi.

COMP. Quasi-contrat.

CONTRAVENTION [kɔ̃tRavɑ̃sjɔ̃] n. f. — XIVᵉ ; dér. sav. du bas lat. *contravenire* «s'opposer à». → Contrevenir.

♦ **1.** Dr. Infraction aux prescriptions (d'une loi, d'un règlement, d'un contrat). ⇒ **Entorse.** *Commettre une contravention à une loi, à une règle, à des obligations. Charmé de la prendre en contravention à ses ordres* (Balzac, *Eugénie Grandet, in* T.L.F.). — Absolt (plus cour.). *Être en contravention.*

Infraction* que les lois punissent de peines de police (art. 1 du Code pénal), par opposition aux délits et aux crimes. *Citations* (cit. 1) *pour contravention de police. L'emprisonnement, l'amende et la confiscation de certains objets saisis sont les peines applicables aux contraventions* (Code pénal, art. 465 et suivants).

Les contraventions seront prouvées, soit par procès-verbaux ou rapports, soit par témoins à défaut de rapports et procès-verbaux, ou à leur appui.   1
Code d'instruction criminelle, art. 154.
Le délit de vagabondage, lequel ne devrait être même pas une contravention.   2
FLAUBERT, l'Éducation sentimentale, *in* T.L.F.

♦ **2.** Cour. Amende punissant une infraction à la loi. *Attraper une contravention pour infraction au code de la route. L'agent lui a donné, lui a flanqué une contravention.* ⇒ **Contredanse, P.V.** *Faire sauter une contravention. — Procès-verbal de cette infraction. Dresser contravention. Trouver une contravention sur son pare-brise.* ⇒ **Papillon.**

DÉR. Contraventionnel.

CONTRAVENTIONNEL, ELLE [kɔ̃tRavɑ̃sjɔnɛl] adj. — 1796 ; de *contravention.*

♦ Dr. Qui constitue une contravention (1.). *Délit contraventionnel.* — Qui relève d'une contravention. *Amende contraventionnelle.*

DÉR. Contraventionnellement.

CONTRAVENTIONNELLEMENT [kɔ̃tRavɑ̃sjɔnɛlmɑ̃] adv. — Attesté mil. XXᵉ ; de *contraventionnel.*

♦ Dr. Par contravention. *« "Sanctionner contraventionnellement le défaut d'établissement" des bulletins d'enregistrement des interventions (dans les hôpitaux)» (le Monde,* 28 nov. 1979).

CONTRAVIS [kɔ̃tRavi] n. m. — V. 1900 ; de *contre,* et *avis.*

♦ Dr., admin. Avis contraire à un avis précédent.

CONTRE [kɔ̃tR] prép., adv. et n. m. — 842, *contra,* latinisme, «en opposition à» ; lat. *contra* «en face de».

★ **I.** Prép. et adv. **A.** (1080). ♦ **1.** (Marque la proximité, le contact). ⇒ **Auprès** (de), **face** (en face de), **près** (de), **sur.**

Prép. *Sa maison est contre la mienne. Pousser le lit contre le mur. Il est étendu la face contre terre. Presser qqn contre sa poitrine.*

Se serrer contre qqn. — Front contre front. Joue contre joue. (Pour introduire le compl. d'un verbe). *Frapper contre une enclume. Donner, buter contre un objet.* ⇒ **Heurter.** *Lancer une pierre contre une vitre.*

1 La pensée de coucher contre un homme vraiment nu (...)
                                    MOLIÈRE, les Précieuses ridicules, 4.

2 (...) mettons mon luth contre la porte.
                                    MOLIÈRE, le Malade imaginaire, 1ᵉʳ Intermède.

3 (...) en posant le verre, il le fit tinter contre la carafe.
                                    MARTIN DU GARD, les Thibault, t. IV, p. 100.

4 Ce corps contre son corps, aussi léger qu'il fût, l'empêchait de respirer (...)
                                    MAURIAC, Thérèse Desqueyroux, XI, p. 194.

Adv. *Prenez la rampe, appuyez-vous contre.* **Loc. adv.** *Contre à contre :* tout près, et sans se toucher. ⇒ **Côté** (à côté).

Tout contre : très près. *Vous cherchez bien loin et il est là tout contre.* — *Là-contre.* ⇒ **Ici.** — *Ci-contre :* en regard. *Consulter le tableau ci-contre.*

5 Le logis de mon père est tout contre.   RACINE, Remarques sur l'Odyssée, VII.

6 (...) l'on tourne la clef, l'on pousse contre, ou l'on tire à soi (...)
                                    LA BRUYÈRE, les Caractères, XIV, 64.

7 Un homme lié à un arbre ou à un mât est appliqué contre (...)
                                    LAFAYE, Dict. des synonymes, p. 733.

Régional (Belgique). *Mettre la porte contre,* l'appuyer contre le chambranle sans la fermer. *La porte est contre.*

7.1 La porte de l'appartement était contre, de façon à laisser entrer les visiteurs.
                                    G. SIMENON, la Cage de verre, V (1971).

7.2 Il s'était précipité chez lui en courant, Jeantet l'avait suivi plus lentement et, trouvant la porte contre, avait cru bon de frapper.
                                    G. SIMENON, le Veuf, V (1959).

♦ **2. Prép. Régional (Suisse).** ⓐ Dans la direction de. ⇒ **Vers.** *Aller contre la ville. « Le Diégo regardait contre l'est »* (C. F. Landry, *Diégo*).

ⓑ (Avec une valeur temporelle). Vers, approximativement. *Contre les dix heures, contre le soir, contre l'été.* ⇒ **Vers.**

7.3 Si tôt qu'on se levât, contre les six heures, les sept heures on les trouvait à l'œuvre.
                                    Ph. MONNIER, Mon village, p. 36.

B. (Marque l'opposition). ♦ **1.** (V. 1174, *cuntre*). À l'opposé de, dans le sens contraire à. *Nager contre le courant. Agir contre son habitude, contre l'ordinaire, contre son gré* (→ Atavique, cit. 1). *Parler contre sa pensée. Contre toute attente :* contrairement à ce qu'on attendait (→ Attente, cit. 32). *C'est comme contre nature. Avoir des goûts contre nature.* — *Aller* contre* (qqch.). ⇒ **Contrarier, desservir, infirmer.** *Un tel langage va contre ses convictions. Nous ne voulons pas aller contre vos désirs.* ⇒ **Encontre** (à l').

Adv. *On ne peut aller là-contre :* on ne peut rien dire contre cela.

Mar. *Voile bordée à contre,* dont le point d'écoute est au vent. *Border une voile à contre.* ⇒ **Contrer,** 2., c. — REM. On écrit aussi *à-contre.*

Loc. adv. *Par contre.* ⇒ **Compensation** (en), **contraire** (au), **mais, revanche** (en). *Le magasin est bien situé, par contre il est assez exigu.*

REM. *Par contre* a été condamné par certains pédagogues puristes; cependant il n'est pas toujours remplaçable. Il introduit un avantage ou un inconvénient; alors que *en compensation* et *en revanche* n'introduisent qu'un avantage. Si on peut l'employer dans la phrase « S'il n'a pas de cœur, par contre il est intelligent ». Il est impossible de les substituer à *par contre* dans celle-ci : « S'il est intelligent, par contre il n'a pas de cœur ». *Mais* n'insiste pas assez sur l'opposition. *Au contraire* marque une opposition trop précise.

8 Je sais bien que Voltaire et Littré proscrivent cette locution; mais «en revanche» et «en compensation», formules de remplacement que Littré propose, ne me paraissent pas toujours convenables (...) Trouveriez-vous décent qu'une femme vous dise : « Oui, mon frère et mon mari sont revenus saufs de la guerre; *en revanche* j'ai perdu mes deux fils »? ou «la moisson n'a pas été mauvaise, mais *en compensation* toutes les pommes de terre ont pourri » ? (...) « *Par contre* » m'est nécessaire et, me pardonne Littré, je m'y tiens.
                                    GIDE, Attendu que..., IX, p. 89.

(V. 1450). Par ext. En dépit de. ⇒ **Malgré, nonobstant.** *Contre toute apparence** (cit. 19), *c'est lui qui a raison. Il a agi contre mes conseils. C'est contre notre volonté, nous y sommes obligés.* — *Naviguer contre vents et marées.* — Au fig. En dépit des obstacles.

Loc. *Aller là-contre :* aller contre qqch., s'opposer.

9   Le cas parut étrange et contre l'ordinaire (...)   LA FONTAINE, Fables, XI, 4.

10 (...) si, contre mes vœux,
    Vous lui dites encor le moindre mot fâcheux (...)
                                    MOLIÈRE, Mélicerte, II, 4.

11 (...) on ne peut pas aller là-contre (...)   MOLIÈRE, Dom Juan, I, 2.

12 (...) ces gens (...) esclaves des grands, dont ils ont épousé le libertinage (...) contre leurs propres lumières et contre leur conscience.
                                    LA BRUYÈRE, les Caractères, XVI, 9.

13 J'espérais être contredit; mais, contre mon attente, je trouvai dans les officiers anglais plus d'admiration encore pour l'Empereur que je ne pouvais en montrer pour leur implacable ennemi.
                                    A. DE VIGNY, Servitudes et Grandeur militaire, III, VI, p. 233.

Prov. *Faire contre mauvaise fortune* bon cœur.*

14 (...) riant comme une personne qui fait contre mauvaise fortune bon cœur (...)
                                    G. SAND, François le Champi, VII, p. 5.

Loc. *Envers et contre tout :* en dépit de tout.

---

15 André se laissait charmer par cette gaîté de race et de jeunesse, qui leur était restée envers et contre tout, et qu'elles montraient mieux, à présent qu'il ne les intimidait plus.
                                    LOTI, les Désenchantées, XIV, p. 14.

♦ **2.** (1080, *cuntre*). En opposition à, dans la lutte avec (spécial. après les verbes *combattre, lutter,* etc.). ⇒ **Avec.** *Se battre, être en colère contre qqn. Lutter contre la mort. Lutter contre le pouvoir, comploter contre l'État. Agir, travailler contre les intérêts de qqn.* — Fig. *Se battre contre la montre* (→ 2. Montre, cit. 4.1). — *Être contre, s'élever, se dresser contre qqch., qqn.* ⇒ **Combattre, condamner, contester, désapprouver, opposer** (s'); et les préfixes **anti-** et **contre-** (cf. Être hostile à, être ennemi de). *« Qui n'est pas avec moi est contre moi »* (⇒ ci-dessous, cit. 16). *Seul contre tous.* Rousseau *est contre le luxe et les défenseurs du luxe. Imprécations contre le ciel.* — **Loc.** *Course contre la montre.* — *Avoir quelque chose contre* (qqch.) : ne pas approuver entièrement, ne pas aimer. *Avez-vous quelque chose contre cette doctrine, contre le régime actuel ?* (⇒ **Objection**). *Je n'ai rien contre lui; mais il a une dent* contre moi* (fam.). — *Avoir qqch., qqn contre soi* (⇒ **Adversaire, ennemi, obstacle**). *La chance est contre moi.* Fam. *Il a tout le monde contre lui.* ⇒ **Dos** (à dos, sur le dos). *Il a contre lui le rapport d'un témoin.* ⇒ **Charge.**

16 Qui n'est pas avec moi est contre moi, et qui n'amasse pas avec moi disperse.
                                    BIBLE (CRAMPON), Évangile selon saint Matthieu, XII, 30.

17 Le voilà qui déteste et jure de son mieux,
    Pestant, en sa fureur extrême,
    Tantôt contre les trous, puis contre ses chevaux,
    Contre son char, contre lui-même.   LA FONTAINE, Fables, VI, 18.

18 Le soir, Sa Majesté fit jouer une comédie nommée Tartuffe, que le sieur de Molière avait faite contre les hypocrites.
                                    MOLIÈRE, les Plaisirs de l'île enchantée, Dernières journées.

19 (...) nous serons pour vous contre elle.   MOLIÈRE, George Dandin, II, 7.

20 (...) la guerre contre l'Autriche pour affranchir la nationalité italienne tournait court et tournait mal.   J. BAINVILLE, Hist. de France, XX, p. 494.

21 On dit qu'il lève des troupes contre moi.   SUPERVIELLE, Shéhérazade, II, 6.

Prov. *C'est le pot* de terre contre le pot de fer.*

Adv. *Vous êtes pour, ou contre? Ils ont voté contre. Les raisons pour et les raisons contre.* — *Je n'ai rien contre :* je ne m'oppose pas, je suis d'accord.

21.1 L'esclavage, ah, mais non, nous sommes contre!   CAMUS, la Chute, p. 54.

Loc. régionale (Suisse). *Venir contre, sauter contre* (en emploi trans. indir. : *il lui saute contre*) : attaquer, se jeter sur.

21.2 Derborence, c'est d'abord un peu d'hiver qui vous vient contre en plein été, parce que l'aube y habite presque toute la journée.
                                    C.-F. RAMUZ, Derborence, Œ. compl., t. XIV, p. 220.

♦ **3.** (V. 1160). Pour se défendre de (→ le préfixe Para-). *Se protéger, se prémunir, s'abriter contre la pluie. Elle est équipée contre le mauvais temps. S'assurer contre l'incendie. Se débattre contre la maladie. Sirop, remède contre la toux.* ⇒ **Pour.** *Tenir contre qqn, qqch.* ⇒ **Résister.** *La ville tiendra encore quelques jours contre les assauts ennemis. Protection contre le gel* (⇒ **Anti-**).

22 Angélique (...) nom donné à cette plante, à cause des vertus qu'elle a contre les venins.   O. DE SERRES, 606.

23 Que vouliez-vous qu'il fît contre trois ? (...)   CORNEILLE, Horace, III, 6.

24 (...) il servait de refuge
    Contre le chaud, la pluie et la fureur des vents (...)   LA FONTAINE, Fables, X, 1.

25 (...) pour vous demander votre appui contre son injustice.
                                    MOLIÈRE, le Sicilien, 14.

26 Ruses des hommes, désirs des dieux, ne tiennent pas contre la volonté et l'amour d'une femme fidèle (...)   GIRAUDOUX, Amphitryon 38, II, 7.

♦ **4.** (V. 1174, *cuntre*). En échange de (avec quelques verbes). *Changer** (cit. 1, 2, 3) *un objet contre un autre. Je te donne mon briquet contre ton couteau de poche. J'accepte contre une assurance expresse de votre part. Troquer* qqch. contre... Envoi contre remboursement.*

(1080, *cuntre*). Proportion, comparaison. *Parier cent contre un* (→ Cent, cit. 7). *Il n'y en a pas un contre mille qui vous donnera raison. La résolution a été votée à quinze voix contre neuf.*

27 Vous vendez dix rabats contre moi deux galands.
                                    CORNEILLE, la Galerie du Palais, 1404.

28 (...) en une seconde Crapuce échangeait le masque de l'extrême tyrannie contre celui de la servilité.   GIRAUDOUX, Bella, IV, p. 91.

29 Le complément d'échange exprime l'être, l'objet, l'idée, l'état que l'action a pour effet de substituer à un autre (...) Le complément d'échange se construit avec (...) *contre :* parier cent francs contre un sou; — envoyer contre remboursement; — « Il lui semble qu'il échange des loques pesantes de boue et de pluie contre un vêtement neuf et léger (RENARD, Poil de Carotte, Les poules) ».
                                    F. BRUNOT, la Pensée et la Langue, X, XI, p. 402.

29.1 Ça ira dans les vingt contre un s'il gagne.   R. QUENEAU, Loin de Rueil, p. 5.

★ **II. N. m. A. Chasse.** *Prendre le contre :* prendre la voie à l'envers. *Les chiens ont pris le contre.*

B. ♦ **1.** (Employé avec *le pour*). Ce qui est opposé à, défavorable à. *Le pour et le contre. On lui donne tort, mais il faut savoir le pour et le contre pour en juger. Peser le pour et le contre avant de prendre une décision,* les avantages et les inconvénients. *Il y a du pour et du contre. Discuter, soutenir le pour et le contre :* soutenir alternativement des opinions, des points de vue contraires. ⇒ **Délibérer.**

30 Le pour et le contre se trouvent en chaque nation.
BAYLE, Pensées sur la comète, p. 142.

31 Même sans aucune mauvaise foi, ils découvriraient probablement que l'autre affaire ne pressait pas, qu'il convenait de peser à loisir le pour et le contre, de chercher d'ailleurs.
J. ROMAINS, les Hommes de bonne volonté, t. V, XVIII, p. 127.

♦ **2.** (1906, in Petiot). Au billard. *Faire un contre*, se dit lorsque la boule touchée est repoussée par la bande sur la boule qui vient de la toucher. — (XVIIᵉ). Escr. Parade à un dégagement. *Contre de quarte, de sixte*. — (1925, in Petiot). Sports de combat. Riposte dont l'impact devance et stoppe l'attaque adverse.

♦ **3.** (Déverbal de *contrer*, 1.). Cartes. Action de contrer (bridge, tarot...). *Faire un contre*.

CONTR. Loin. — Après (d'), conformément, selon, suivant. — Avec, pour. — Pour (le).
DÉR. Contrer (V. Contraire, contrarier, contrée).
COMP. Encontre (V. aussi Rencontrer, rencontre, malencontreux...).

CONTRE- Élément, du latin *contra* (⇒ **Contre,** adv.) qui se joint, avec ou sans trait d'union, à des noms et des verbes (⇒ **Contra-, contro-**), et qui a plusieurs sens, centrés sur l'idée d'opposition.
REM. 1. *Contre-* reste invariable dans un composé. *Des contre-allées, des contre-digues, des contre-révolutionnaires.*

2. Les composés en *contre-* s'écrivent encore souvent avec le trait d'union, même quand le second élément commence par une consonne, surtout lorsqu'il s'agit d'un substantif.

♦ **1.** Opposition dans l'espace, inversion. Ex. : *contrechamp, contre-courbe, contre-empreinte, contre-jour, contre-pente, à contrevoie, contretype.* — Dans des loc. prép. « *L'homme, qui maintenait à contre-vent la boue (...)* » (Verhaeren, *les Rythmes souverains,* le navire).

♦ **2.** Proximité de ce qui touche ou double. Ex. : *contre-allée, contrebas, contrebasse, contrecoller, contre-écrou, contre-fenêtre, contre-filet,* ou *contrefilet, contresigner ; haute-contre.*
Vérification, répétition. Ex. : *contre-appel, contre-assurance, contre-expertise, contremarque.*

♦ **3.** Sens contraire, direction opposée. Ex. : *contre-alizé, contre-courant, contre-lame, à contre-poil.*

♦ **4.** Échange. Ex. : *contrebalancer, contrepoids, contre-valeur.*

♦ **5.** Opposition dans l'action ou dans la parole. Ex. : *contre-attaque, contre-culture, contre-espionnage, contremine, contrepoison, contre-projet, contre-publicité, contrevent.* ⇒ **Anti-para-.**
REM. 1. Ce sens, le plus productif, permet la formation de nombreux composés littéraires et techniques : *contre-note* (1819, in D.D.L.).

2. Certains mots en *contre-* ont été remplacés par des termes en *anti-* : *contre-sémitisme* (1907, in D.D.L.).

1 Cette crainte, cette honte, amènent le contre-rythme, le reflux (...)
PROUST, Sodome et Gomorrhe, Pl., t. II, p. 829.

2 (...) le péril vient des formes de folie, énormes et toujours renaissantes. On ne peut les combattre que par de la contre-folie. Et de la contre-folie à dose massive.
J. ROMAINS, les Hommes de bonne volonté, t. XXII, p. 153.

3 (...) en ce qui concerne l'Afrique du Nord, nous aidons puissamment à maintenir, à travers toutes les violences de la terreur et de la contre-terreur, une amitié vivante qui ne périra plus (...)
F. MAURIAC, Bloc-notes 1952-1957, p. 157.

4 Il ne s'agit pas d'un homme mais d'une mystique, ou plutôt d'une contre-mystique.
F. MAURIAC, le Nouveau Bloc-notes, 1958-1960, p. 214.

5 Mais je vois la situation politique, la bataille autour de la C.E.D., les remous au sein du gouvernement, les sapes et les contresapes avant Genève, tandis qu'à Dien-Bien-Phu, le sang continue de couler.
F. MAURIAC, Bloc-notes 1952-1957, p. 75.

6 (...) façon émotionnelle (...) qui caractérisa les premières expériences vécues de l'enfant (...) conféra à celles-ci leurs vertus dynamiques les plus importantes et provoqua la formation de ces contre-forces refoulantes et si tenaces (...)
R. HELD, le Processus de guérison, in la Nef, nᵒ 31, p. 23.

♦ **6.** Valeur complémentaire et inverse (sans idée d'opposition active). ⇒ **Anti-.**

7 Emma est une véritable « héroïne » de roman (au contraire de Sancho et de Homais qui sont des contre-héros), pour cette seule raison qu'elle a des sens.
A. THIBAUDET, Gustave Flaubert, p. 101, in D.D.L., II, 15.

8 Il serait faux de ne voir dans la bande dessinée contestataire qu'un simple épi-phénomène purement provocateur. Elle a, au contraire, créé un véritable contre-univers et une contre-esthétique destinée à durer.
Magazine littéraire, nᵒ 95, déc. 1974, p. 15.

CONTRE-ALIZÉ [kɔ̃tralize] n. m. — 1863 ; de *contre-,* et *alizé.*

♦ Mar. Vent qui souffle en sens inverse de l'alizé dans les couches supérieures de l'atmosphère. *Des contre-alizés.*

CONTRE-ALLÉE [kɔ̃trale] n. f. — 1669 ; de *contre-,* et *allée.*

♦ Allée latérale, parallèle à la voie principale. *Des contre-allées. Garer sa voiture dans la contre-allée.*

---

1 Il était pris par une fatigue profonde, comme s'il avait voyagé toute la nuit dans un train. Il quitta le banc et marcha dans la contre-allée.
J.-M. G. LE CLÉZIO, le Déluge, p. 203.

Nef latérale (d'une église).

2 (...) je venais de le remettre à lui-même, dans le confessionnal de la chapelle, quand j'ai été pris dans la contre-allée à bras-le-corps par Rançonnet.
BARBEY D'AUREVILLY, les Diaboliques, « À un dîner d'athées ».

CONTRE-AMIRAL, AUX [kɔ̃tramiral, o] n. m. — 1642 ; de *contre-,* et *amiral.*

♦ Officier général de la marine, immédiatement au-dessous du vice-amiral dans la hiérarchie. *Des contre-amiraux.*

CONTRE-APPEL [kɔ̃trapɛl] n. m. — 1690 ; « protestation », v. 1180 ; de *contre-,* et *appel.*

♦ Milit. Second appel pour vérifier le premier. *Des contre-appels.*

CONTRE-APPROCHES [kɔ̃traproʃ] n. f. pl. — 1676 ; de *contre,* et *approche.*

♦ Milit. Travaux de défense opposés par des assiégés à des travaux d'approche. *Ligne de contre-approches.*

CONTRE-ASSURANCE [kɔ̃trasyrɑ̃s] n. f. — 1913 ; de *contre-,* et *assurance.*

♦ Seconde assurance (chez un autre assureur) qui en garantit une première. *Des contre-assurances.*

CONTRE-ATTAQUE [kɔ̃tratak] n. f. — 1842 ; de *contre-,* et *attaque.*

♦ **1.** N. f. pl. Vieilli. *Contre-attaques* : ouvrages de défense opposés par les assiégés à leurs assaillants.

♦ **2.** (1887). Brusque mouvement offensif d'une troupe attaquée. ⇒ **Contre-offensive.**
(1905, in Petiot). Sports. Dans les jeux de ballon, Mouvement offensif qui part de l'équipe dont le terrain est occupé. — Réponse brutale et agressive à une attaque verbale. *Il a répondu à la critique par une contre-attaque très violente.*
DÉR. Contre-attaquer.

CONTRE-ATTAQUER [kɔ̃tratake] v. — Fin XIXᵉ ; de *contre-attaque.*

♦ **1.** V. tr. Faire une contre-attaque contre... *Contre-attaquer une ligne ennemie.*

♦ **2.** V. intr. Faire une contre-attaque. — Par ext. (sans idée de mouvement) :
(...) Quelle idée de m'attendre.
— Je croyais que tu rentrerais plus tôt...
Martial bougonna encore un peu. C'était sa méthode quand il se sentait coupable : il contre-attaquait immédiatement. Jean-Louis CURTIS, le Roseau pensant, p. 61.

CONTRE-AUGMENT [kɔ̃trɔgmɑ̃] n. m. ⇒ **Augment** (2.).

CONTRE-BALANCEMENT [kɔ̃trəbalɑ̃smɑ̃] n. m. — 1929 ; de *contre-balancer.*

♦ Action de contre-balancer. ⇒ **Équilibrage.** — Fait de se contre-balancer. — REM. On pourrait écrire *contrebalancement* comme *contrebalancer.*
On apprend bien peu de choses sur le cours d'une maladie microbienne en considérant le contre-balancement de deux causes, l'une impulsive et l'autre dépressive.
RUYER, Esquisse d'une philosophie de la structure, 1930, in T.L.F.

1. CONTREBALANCER [kɔ̃trəbalɑ̃se] v. tr. — Conjug. *placer.* — 1549 ; de *contre-,* et *balancer.*

♦ **1.** Faire équilibre à. ⇒ **Compenser, équilibrer.** *Poids qui en contrebalance un autre.*

♦ **2.** Égaler en force, en valeur, en mérite. *Les avantages contrebalancent les inconvénients. Raisons qui en contrebalancent d'autres.*
Le plaisir que j'ai à recevoir vos lettres, chère demoiselle, est contrebalancé par le chagrin qui s'y étale. FLAUBERT, Correspondance, t. III, p. 327.

2. CONTREBALANCER (S'EN) [sɑ̃kɔ̃trəbalɑ̃se] v. pron. — XXᵉ ; de *s'en balancer* « s'en moquer », d'après *s'en contrefiche, s'en contrefoutre.*

♦ **Fam.** Se moquer éperdument de..., considérer comme indifférent. *Tu parles si je m'en balance et contrebalance de ses menaces!*

Si je ne lui plais pas, c'est son affaire (...) je m'en contrebalance.
S. DE BEAUVOIR, les Mandarins, p. 60.

CONTREBANDE [kɔ̃tRəbɑ̃d] n. f. — 1512; ital. *contrabbando* «contre le ban». → **Ban.**

♦ **1.** Introduction clandestine, dans un pays, de marchandises prohibées ou dont on ne règle pas les droits de douane, d'octroi. ⇒ **Fraude.** *Faire la contrebande d'une marchandise. Se livrer à la contrebande* (→ Cent, cit. 3). *Marchandises de contrebande, introduites en, par contrebande.* ⇒ **Interlope** (2.). *Contrebande du sel.* ⇒ **Saunage** (faux saunage). *Contrebande du tabac.* — *Contrebande de guerre :* introduction illicite d'armes, de munitions, par un navire neutre dans le territoire d'une puissance belligérante.

1 On avait causé pêche et contrebande, discuté toutes sortes de façons pour attraper les messieurs douaniers... LOTI, Pêcheur d'Islande, IV, VII, p. 247.

2 (...) les étiquettes de provenance anglaise qui pendent sur la faïence brune marquaient peut-être une denrée de contrebande navale, trafic presque licite dans le port (...) A. PIEYRE DE MANDIARGUES, la Marge, p. 117.

♦ **2.** Par métonymie. Marchandise en contrebande. *Navire chargé de contrebande. Vendre, acheter de la contrebande.*

♦ **3.** Loc. fig. *De contrebande.* ⇒ **Clandestin, défendu, illégitime.** *Titre de contrebande. Amour de contrebande.*

DÉR. Contrebandier.

CONTREBANDIER, IÈRE [kɔ̃tRəbɑ̃dje, jɛR] n. et adj. — 1715; de *contrebande.*

♦ Personne qui fait de la contrebande (fém. rare). ⇒ **Bandolier** (vx). *Suivre un chemin de contrebandiers, dans la montagne. Troupe de contrebandiers. Contrebandier de sel.* ⇒ **Saunier** (faux saunier; hist.). *Contrebandier d'alcool, aux États-Unis, au temps de la prohibition.* ⇒ **Bootlegger.** — Adj. *Navire contrebandier* (→ Bateau, cit. 2).

1 Edmond connut alors que c'était un *Contrebandier;* les marchandises qu'il avait entrées devaient être des pierres précieuses.
RESTIF DE LA BRETONNE, la Vie de mon père, p. 75.

2 Le braconnier, de même que le contrebandier, côtoie de fort près le brigand.
HUGO, les Misérables, I, II, 6, p. 93.

CONTREBAS (EN) [ɑ̃kɔ̃tRəba] adv. et n. m. — V. 1382, adv., «de haut en bas»; de *contre,* et *bas.*

♦ **1.** Loc. adv. (V. 1530, Marot). EN CONTREBAS : à un niveau inférieur. ⇒ **Bas, creux** (dans un). *Chemin de halage en contrebas de la maison. — Regarder en contrebas.*

1 La nuit était toujours tombée quand elle arrivait au logis; avant d'entrer, il fallait descendre un peu, sur des roches usées, la chaumière se trouvant en contrebas de ce chemin de Ploubazlanec, dans la partie du terrain qui s'incline vers la grève.
LOTI, Pêcheur d'Islande, III, XII, p. 191.

2 (...) sur une route en contrebas, le long de l'eau, on put distinguer un régiment en marche suivi par une longue file de voitures régimentaires.
MARTIN DU GARD, les Thibault, t. VIII, p. 9.

Loc. prép. *En contrebas de...*

♦ **2.** N. m. *Un contrebas* ou *un contre-bas,* endroit le plus bas d'un terrain, dépression.

3 Nous parvenons à un contre-bas inondé; l'eau noire double la profondeur de la voûte (...) GIDE, Voyage au Congo, in Souvenirs, Pl., p. 706.

CONTREBASSE [kɔ̃tRəbas] n. f. — 1740; «partie inférieure d'une partition», 1500; ital. *contrabbasso,* de *basso* «basse».

♦ **1.** Le plus grand et le plus grave des instruments à archet, en forme de grand violoncelle, tenu verticalement. *Tenir la contrebasse dans un orchestre, un quintette à cordes.* ⇒ **Contrebassiste.** *Archet de contrebasse. Un pizzicato* à la contrebasse.* — Abrév. (en jazz). ⇒ **Basse** (anglic.).

La contrebasse est le plus grand des instruments à corde de la famille des violons; il est accordé par quartes et non par quintes (en raison de la dimension du manche et de l'écartement des doigts qui en résulte) et sonne une octave plus bas (que le violoncelle). Initiation à la musique, p. 160.

Par anal. *Une voix de contrebasse,* grave et profonde.

♦ **2.** Instrument à vent, saxhorn très volumineux et très grave. ⇒ **Bombardon.** *Jouer de la contrebasse dans une fanfare.*

♦ **3.** Musicien qui joue de la contrebasse. *Être contrebasse dans un orchestre.* ⇒ **Bassiste, contrebassiste.**

DÉR. Contrebassiste.

CONTREBASSISTE [kɔ̃tRəbasist] n. — 1834; *contre-bassiste,* 1821; de *contrebasse.*

♦ Musicien qui joue de la contrebasse ⇒ **Bassiste.** *Il, elle est contrebassiste dans un orchestre symphonique. Les violoncellistes et les contrebassistes.*

CONTREBASSON [kɔ̃tRəbasɔ̃] n. m. — 1821; de *contre-,* et *basson,* d'après *contrebasse.*

♦ **Mus.** Instrument analogue au basson, sonnant à l'octave inférieur.

CONTREBATTERIE [kɔ̃tRəbatRi] n. f. — 1580; de *contrebattre,* d'après *batterie.*

♦ **Milit.** Tir contre l'artillerie, les batteries de l'ennemi.

CONTREBATTRE [kɔ̃tRəbatR] v. tr. — Conjug. *battre.* — V. 1220, fig.; de *contre-,* et *battre.*

♦ **1.** S'opposer vigoureusement et avec succès à.

Quoi que la pauvre mère dise, son fils, comme s'il avait été emmené malgré lui et voulait faire payer cher de sa présence, contrebat immédiatement d'une contradiction ironique, précise, cruelle, l'assertion timidement risquée.
PROUST, le Côté de Guermantes, Folio, p. 336.

♦ **2.** (1845; probablt antérieur; → Contrebatterie). **Milit.** Atteindre par un tir de contrebatterie. *Contrebattre l'artillerie ennemie.*

DÉR. Contrebatterie.

CONTRE-BIAIS (À) [akɔ̃tRəbjɛ] loc. adv. — Av. 1662 (1680, *in* T.L.F.); de *contre-,* et *biais.*

♦ **Rare.** Dans le sens opposé à celui qu'on attendrait; à rebours, à contresens. *Agir à contre-biais.*

CONTRE-BORD (À) [akɔ̃tRəbɔR] loc. adv. — 1833, *in* D.D.L.; nom, 1680; de *contre-,* et *bord.*

♦ **Mar.** En sens opposé (l'un de l'autre ou de la marche du navire). *Navires qui s'amarrent à contre-bord.*

En ce moment, un énorme bloc de glace, engagé dans l'étroite passe que suivait *La Jeune-Hardie,* filait rapidement à contre-bord et il parut impossible de l'éviter, car elle barrait toute la largeur du chenal, et le brick se trouvait dans l'impossibilité de virer. J. VERNE, Un hivernage dans les glaces, p. 242.

CONTRE-BORDÉE [kɔ̃tRəbɔRde] n. f. — 1869, *in* P. Larousse; de *contre-,* et *bordée.*

♦ **Mar.** Bordée en sens contraire d'une autre. *Des contre-bordées.*

CONTRE-BOUTANT [kɔ̃tRəbutɑ̃] n. m. — 1474; de *contreb(o)uter.*

♦ **Techn.** (archit.). Pièce de bois oblique qui sert d'appui à un mur → Contrebuter. ⇒ **Arc-boutant, contrefort, étai.**

CONTREBRAQUER [kɔ̃tRəbRake] v. intr. — 1952, *in* Petiot, au p. p.; de *contre-,* et *braquer.*

♦ Faire tourner une voiture dans le sens opposé à la direction suivie, en agissant sur le volant. ⇒ **Braquer.**

CONTREBRASSER [kɔ̃tRəbRase] v. tr. — 1771; de *contre-,* et *brasser.*

♦ **Mar.** Brasser* en sens contraire.

CONTREBUTER [kɔ̃tRəbyte] ou **CONTREBOUTER** [kɔ̃tRəbute] v. tr. — 1441, p. p.; de *contre-,* et *buter.*

♦ **Archit.** Soutenir (une poussée) par un contrefort, un pilier (*contreboutant*). ⇒ **Étayer.**

DÉR. Contreboutant.

CONTRE-CALQUER [kɔ̃tRəkalke] v. tr. — 1771; de *contre-,* et *calquer.*

♦ **Techn.** Calquer de façon à obtenir une image inverse.

CONTRECARRE [kɔ̃tRəkaR] n. m. — 1952, Esnault; de *contrecarrer;* cf. anc. franç. *contrecarre* «opposition», av. 1475.

♦ **Argot.** Empêchement de diverse nature, ennui, pépin. *Faire un contrecarre à qqn,* lui faire des ennuis (→ Mettre des bâtons* dans les roues).

J'avais un peu plus de deux cents raides (*billets de mille francs*) sur moi; j'en ai filé cent à la mère Bouche.
Gardez-moi ça quelques jours, la mère, j'ai dit. En cas de contrecarre, je vous écrirai pour vous demander de m'assister; ça fera pour les premiers colis.
A. SIMONIN, Touchez pas au grisbi, p. 188.

CONTRECARRER [kɔ̃tʀəkaʀe] v. tr. — 1541 ; de l'anc. franç. *contrecarre* «opposition» ; pour P. Guiraud, le mot est issu de *se carrer* «montrer de l'arrogance», proprement «redresser les épaules» (en signe de défi), de *carre* «carrure», d'où *contrecarrer* «se placer en face de son adversaire pour le défier».

♦ Faire obstacle à (qqn, qqch.), par une opposition directe. ⇒ **Opposer** (s') ; **contrarier, contrer, résister.** *Contrecarrer qqn* (vieilli). *Contrecarrer les projets, les plans de qqn. Contrecarrer l'influence de...* ⇒ **Neutraliser.** — Au p. p. *Volonté, vocation contrecarrée.*

1   Et dès ce soir je veux,
Pour la contrecarrer, vous marier tous deux (...)
                           MOLIÈRE, les Femmes savantes, IV, 5.

2   Ces noms *(du système métrique)* ont eu beaucoup de mal à s'introduire en France ; ils ont rencontré une vive résistance. Les habitudes des diverses professions ont même contrecarré la diffusion de certaines de ces mesures, de telle sorte que l'État a dû tolérer des noms anciens (...)
              F. BRUNOT, la Pensée et la Langue, IV, IX, p. 123.

3   (...) il avait la volonté âpre et sciemment absurde d'une mule basque, la détermination d'autant plus irrévocable qu'il la sentait irrévocablement contrecarrée.
              COURTELINE, le Train de 8 h 47, p. 38.

4   Nulle part encore, l'Internationale ne représente une force susceptible de contrecarrer effectivement les actes d'un gouvernement.
              MARTIN DU GARD, les Thibault, t. VI, p. 204.

CONTR. Aider, favoriser.
DÉR. Contrecarre.

CONTRECHAMP [kɔ̃tʀəʃɑ̃] n. m. — 1929, théâtre ; de *contre-* (1.), et *champ.*

♦ Cin. Prise de vue dans le sens opposé au champ ; plan ainsi filmé.

Balestrero entre dans sa cellule, il regarde le lit ; contrechamp sur le lit, le lavabo : contrechamp sur le lavabo, il lève les yeux : contrechamp sur l'angle des murs et du plafond, il regarde les barreaux : contrechamp sur les barreaux.
       J.-L. GODARD, À propos de «The wrong man» d'A. HITCHCOCK, *in* Coll. des Cahiers du cinéma, p. 73.

HOM. Contre-chant.

CONTRE-CHANT [kɔ̃tʀəʃɑ̃] n. m. — 1578 ; de *contre-*, et *chant.*

♦ Mus. Phrase mélodique sur les harmonies du thème, jouée en même temps que lui (contrepoint). *Des contre-chants.* — Fig.

La réflexion grecque, cette pensée aux deux visages, laisse presque toujours courir en contre-chant, derrière ses mélodies les plus désespérées, la parole éternelle d'Œdipe qui, aveugle et misérable, reconnaîtra que tout est bien.
       CAMUS, l'Homme révolté, *in* Essais, Pl., p. 439.

HOM. Contrechamp.

CONTRECHÂSSIS [kɔ̃tʀəʃɑsi] n. m. invar. — 1694 ; de *contre-*, et *châssis.*

♦ Techn. Châssis appliqué contre un autre châssis.

CONTRECHOC [kɔ̃tʀəʃɔk] n. m. — 1893 ; de *contre-*, et *choc*, d'après *contrecoup.*

♦ Littér. Choc en retour. — On écrit aussi *contre-choc. Des contrechocs.*

Les Anglais s'apprêtaient à subir le choc et à porter un coup terrible en contre-choc (...)
       B. CENDRARS, Bourlinguer, p. 290.

CONTRECLEF [kɔ̃tʀəkle] n. f. — 1754 ; de *contre-*, et *clef.*

♦ Archit. Voussoir qui touche la clef de voûte.

1. CONTRECŒUR (À) [akɔ̃tʀəkœʀ] loc. adv. — 1579 ; *avoir à contrecuer* «détester», 1393 ; de *contre-*, et *cœur.*

♦ Malgré soi, avec répugnance (→ Contre son gré, à son corps défendant, à regret). *Faire une chose à contrecœur. Donner, prêter qqch., accorder qqch. à contrecœur.*

1   Je n'allais plus à mon bureau qu'à contre-cœur *(contrecœur)* ; la gêne et l'assiduité au travail m'en firent un supplice insupportable, et j'en vins enfin à vouloir quitter mon emploi (...)
           ROUSSEAU, les Confessions, V.

2   Expédiés çà et là comme des colis, et en général tous désireux de prendre la mer, ils stationnent souvent bien à contrecœur dans ces ports (...)
           LOTI, Matelot, XXX, p. 117.

CONTR. Cœur (de bon, de grand, de tout, de gaieté de cœur), **consentement** (de son plein), **gré** (de bon, de plein gré), **spontanément, volontairement, volontiers.**

2. CONTRECŒUR [kɔ̃tʀəkœʀ] n. m. — XIIIᵉ, *contrecuer* ; de *contre-*, et *cœur.*

Technique.

♦ **1.** Fond de cheminée (⇒ **Contre-feu**) et plaque de fonte appliquée sur ce fond. *Contrecœur décoré d'armoiries.*

(...) les réparations à faire :
Aux âtres, contrecœurs, chambranles et tablettes des cheminées (...)
            Code civil, art. 1754.

♦ **2.** Techn. Rail couché à l'intérieur d'un croisement de voie ferrée.

CONTRECOLLER [kɔ̃tʀəkɔle] v. tr. — 1955 ; de *contre-*, et *coller.*

♦ Techn. Coller deux feuilles de carton ou de papier l'une sur l'autre avec un adhésif. — P. p. adj. *Bois contrecollé :* forte pièce de bois faite de planches collées entre elles.

DÉR. Contrecolleuse.

CONTRECOLLEUSE [kɔ̃tʀəkɔløz] n. f. — 1974 ; de *contrecoller.*

♦ Techn. Machine destinée à contrecoller des matériaux.

CONTRECOUP [kɔ̃tʀəku] n. m. — 1560 ; de *contre-*, et *coup.*

♦ **1.** Vx ou littér. Répercussion d'un coup, d'un choc. ⇒ **Choc** (en retour), **ricochet.** *Des contrecoups. La balle a donné contre la muraille et il a été blessé du contrecoup* (Académie). *Frapper par contrecoup.* — On écrit aussi *contre-coup.*

0.1   (...) c'est en effet ce qui se produit quelquefois lorsque l'on claque certaines serrures avec trop de force et que le pêne se rouvre immédiatement sous le contrecoup du choc (...)
       A. ROBBE-GRILLET, la Maison de rendez-vous, p. 124.

♦ **2.** (1665). Mod. Événement qui se produit en conséquence indirecte d'un autre. ⇒ **Conséquence, effet, réaction, suite.** *Subir le contrecoup d'un désastre. Par contrecoup.*

1   Je vous vois partout dans un déchirement de cœur si terrible, que j'en sens vivement le contrecoup.
       Mᵐᵉ DE SÉVIGNÉ, 1070, 11 oct. 1688.

2   (...) l'art flamand et hollandais du XVIIᵉ siècle (...) est le contrecoup d'une vaste tragédie jouée pendant trente ans au prix de milliers de vies.
       TAINE, Philosophie de l'art, t. II, III, II, II, p. 39.

3   (...) toute révolution politique a son contrecoup dans une révolution artistique, et la vie d'une nation est un organisme où tout est lié (...)
       R. ROLLAND, Musiciens d'autrefois, p. 2.

CONTRE-COURANT [kɔ̃tʀəkuʀɑ̃] n. m. — 1783 ; de *contre-*, et *courant.*

♦ **1.** Courant secondaire qui se produit en sens inverse d'un autre courant. *Utiliser les contre-courants pour remonter une rivière. Contre-courants le long des berges d'une rivière, au fond d'une baie.*

1   A l'aide des contre-courants, les pirogues remontent le Meschacebé, et entrent dans le lit de l'Ohio.
       CHATEAUBRIAND, Atala, Prologue.

1.1   En effet, des couches inférieures de ce brouillard sortait un sourd tumulte de courants et de contre-courants qui s'entrechoquaient. Les eaux, très hautes à cette époque de l'année, devaient couler avec une torrentueuse violence.
       J. VERNE, Michel Strogoff, p. 370.

1.2   Il y a des contre-courants, d'étranges vortex, et des retours en arrière, qu'accusent les îlots d'herbe entraînés.   GIDE, Voyage au Congo, *in* Souvenirs, Pl., p. 697.

♦ **2.** *À contre-courant :* en remontant le courant. *Naviguer à contre-courant, nager à contre-courant.*

Par métaphore :

2   Je comprends, en lisant les *Thibault,* que ceux-là seuls m'intéressent profondément qui luttent contre leur époque et nagent à contre-courant.
       A. MAUROIS, Études littéraires, Martin du Gard, t. II, p. 169.

Fig. *Aller à contre-courant de son époque.*

♦ **3.** Techn. Courant électrique employé pour obtenir un effet inverse.

3   (...) le moteur d'une locomotive doit fournir le maximum d'énergie dans les régimes transitoires, soit à l'accélération, soit à la décélération, pour le freinage par contre-courant.
       Gilbert SIMONDON, Du mode d'existence des objets techniques, p. 52.

CONTRE-COURBE [kɔ̃tʀəkuʀb] n. f. — 1845 ; de *contre-*, et *courbe.*

♦ Techn. (archit., décoration, etc.). Courbe concave accolée à une courbe convexe. *Des contre-courbes.*

CONTRE-COURS [kɔ̃tʀəkuʀ] n. m. invar. — V. 1970 ; de *contre-*, et *cours.*

♦ Cours organisé en dehors des structures d'enseignement habituelles, selon des méthodes non traditionnelles. *Les étudiants en grève ont organisé des contre-cours dans le métro.*

CONTRE-CULTURE [kɔ̃tʀəkyltyʀ] n. f. — 1972 ; de *contre-*, et *culture.*

♦ Littér. Culture définie en opposition à la culture dominante (considérée comme culture de classe) et formée d'éléments variés empruntés à la «culture populaire», etc. «*On démystifie Malraux ou Gide. Une contre-culture est née. On fera des thèses sur Lucky*

Luke et son message» (*les Nouvelles littéraires,* 21 août 1972). *Des contre-cultures.*

1 Certaines thèmes de la contre-culture sont incorporés à la machine de l'ordre établi, en général comme soupapes. Quant à la contre-culture qui reste contestataire, justement elle «reste» et elle sait qu'elle reste.
M. CLAVEL, *in le Nouvel Obs.,* n° 414, 16 oct. 1972, p. 71.

2 *(La conception, l'espérance de la «base»)* ce n'est pas, enfin, négation de la culture, ni même «contre-culture» rejetant les acquis de millénaires d'hominisation ou d'humanisation de l'homme.   Roger GARAUDY, *Parole d'homme,* p. 191.

CONTREDANSE [kɔ̃trədɑ̃s] n. f. — 1626; altér. de l'angl. *country dance* «danse de campagne».

♦ **1.** Danse où les couples de danseurs se font vis-à-vis et exécutent des figures. ⇒ **Quadrille.** *La contredanse se danse généralement à huit personnes.*

1 On quitta les danses françaises pour se mettre aux contredanses.
Antoine HAMILTON, *Mémoires du conte de Grammont,* 137.

Air sur lequel on exécute cette danse. *Jouer une contredanse.*

2 La ritournelle d'une contredanse interrompit notre dialogue (...)
Ch. DE BERNARD, *Un acte de vertu, in* LITTRÉ.

♦ **2.** (1901, jeu de mots). Fam. Contravention. ⇒ **Amende, P. V.**

3 Je connais le code de la route, moi. Jamais de contredanses.
R. QUENEAU, *Zazie dans le métro,* Folio, p. 109 (1959).

CONTRE-DÉCLARATION [kɔ̃trədeklaʀasjɔ̃] n. f. — 1792; de *contre-,* et *déclaration.*

♦ Dr., admin. Déclaration contraire à une déclaration antérieure. *Des contre-déclarations.*

CONTRE-DÉGAGEMENT [kɔ̃trədegaʒmɑ̃] n. m. — 1846, Bescherelle; de *contre-,* et *dégagement.*

♦ Escr. Dégagement fait en même temps que celui de l'adversaire. *Des contre-dégagements.*

CONTRE-DÉGAGER [kɔ̃trədegaʒe] v. intr. — Conjug. *dégager* (→ Bouger). — 1846, Bescherelle; de *contre-,* et *dégager.*

♦ Escr. Faire un contre-dégagement.

CONTRE-DÉNONCIATION [kɔ̃trədenɔ̃sjasjɔ̃] n. f. — 1863; de *contre-,* et *dénonciation.*

♦ Dr. Acte extra-judiciaire par lequel le saisissant porte à la connaissance du tiers saisi l'assignation en validité adressée par lui au saisi. *Des contre-dénonciations.*

CONTRE-DIGUE [kɔ̃trədig] n. f. — 1839; *contredicque,* av. 1598; de *contre-,* et *digue.*

♦ Ouvrage destiné à consolider la digue principale. *Des contre-digues.*

CONTREDIRE [kɔ̃trədiʀ] v. tr. — Conjug. *dire,* sauf *(vous) contredisez.* — XIIᵉ; «refuser», Xᵉ; lat. *contradicere,* de *contra,* et *dicere.* → Dire.

♦ **1.** S'opposer à (qqn) en disant le contraire de ce qu'il dit. ⇒ **Démentir, réfuter; contradiction** (→ Pourvoyeur, cit. 2). *Contredire qqn. Contredire un témoin.* — Absolt. *Aimer à contredire.* ⇒ **Critiquer, fronder.** *Porté à contredire.*

1 Au lieu de les contredire ou de les interrompre *(ceux qui parlent),* comme on fait souvent, on doit, au contraire, entrer dans leur esprit et dans leur goût, montrer qu'on les entend, leur parler de ce qui les touche, etc. Il faut éviter de contester (...)
LA ROCHEFOUCAULD, *Réflexions diverses,* p. 4 (→ Contester, cit. 4).

2 (...) il prit plaisir à contredire son frère — mais sur un ton conciliant (...)
MARTIN DU GARD, *les Thibault,* t. V, p. 181.

Contredire le témoignage de qqn. Contredire une assertion, une déclaration. ⇒ **Nier.**

Trans. ind. Vx ou littér. *Contredire à qqch. Je n'y contredis pas :* je ne contredis pas ce que vous dites.

3 Accablez-moi de noms encor plus détestés :
Je n'y contredis point, je les ai mérités.
MOLIÈRE, *Tartuffe,* III, 6.

4 Il est des naturels farouches, intraitables,
Qui tirent vanité de contredire tout.
CORNEILLE, *l'Imitation de J.-C.,* VIII.

♦ **2.** Aller à l'encontre de. ⇒ **Démentir.** *Les événements ont contredit ses prédictions, ses espérances... Contredire un dessein, un projet.* ⇒ **Contrarier; opposer** (s'opposer à).

5 Nos plus importantes pensées sont celles qui contredisent nos sentiments.
VALÉRY, *Rhumbs,* p. 242.

Dr. Opposer des pièces à celles de la partie adverse. *Contredire un moyen.* — Absolt. *Prendre communication et contredire.*

▶ **SE CONTREDIRE** v. pron.

Être en contradiction avec soi-même. *Il se contredit sans cesse depuis le début de son récit.* ⇒ **Couper** (se).

6 Comme Aristote se contredit souvent et qu'on peut appuyer presque toutes sortes de sentiments par quelques passages tirés de lui (...)
MALEBRANCHE, *De la recherche de la vérité,* I, IV.

Récipr. *Se contredire l'un l'autre :* être en contradiction (avec qqn, qqch.). *Ils se contredisent sans cesse.* ⇒ **Opposer** (s').

7 *(Ils)* se contredisaient assez souvent l'un l'autre.   RACINE, *Hist. de Port-Royal.*

8 (...) tous les récits que j'entends se contredisent; ce qui m'amène à me méfier de tous et de chacun.   GIDE, *Voyage au Congo, in Souvenirs,* Pl., p. 694.

CONTR. Approuver, appuyer, confirmer. — Accorder (s'), entendre (s').
DÉR. Contredisant, contredit.

CONTREDISANT, ANTE [kɔ̃trədizɑ̃, ɑ̃t] adj. — V. 1450, *contredisans,* n.; de *contredire.*

♦ Rare. Qui aime à contredire. *Esprit contredisant.* ⇒ **Contradicteur.**

CONTREDIT [kɔ̃trədi] n. m. — XIIᵉ, «contradiction, opposition»; p. prés. de *contredire.*

♦ **1.** Dr. Pièce qu'une des parties oppose à celles que fournit la partie adverse. *Contredit de compétence. Fournir des contredits. Les dits et les contredits.*

1 (...) je produis, je fournis
De dits, de contredits, enquêtes, compulsoires (...)   RACINE, *les Plaideurs,* I, 7.

2 Quel métier de passer son temps avec des chicanes et des contredits.
VOLTAIRE, *Lettres,* 74, *in* LITTRÉ.

♦ **2.** (1541). Littér. Affirmation que l'on oppose à ce qui a été dit. ⇒ **Contradiction, objection.** *Affirmation sujette à contredit. Sauf contredit.*

3 (...) je sais ce qu'il m'a dit,
Et ne veux plus du tout souffrir de contredit.
CORNEILLE, *la Galerie du Palais,* II.

♦ **3.** Loc. adv. Cour. SANS CONTREDIT : sans qu'il soit possible d'affirmer le contraire. ⇒ **Assurément, certainement.** *Il est, sans contredit, le meilleur,* sans conteste, à l'évidence.

4 Le jardinet de Madame Renoncule, ma belle-mère, est un des sites les plus mélancoliques, sans contredit, qu'il m'ait été donné de rencontrer dans mes courses par le monde.   LOTI, Mᵐᵉ Chrysanthème, XXXV, p. 177.

CONTRE-DON [kɔ̃trədɔ̃] n. m. — V. 1970; de *contre-,* et *don.*

♦ Ethnol. Don répondant de façon obligatoire à un premier don, dans les systèmes sociaux où cette règle régit les échanges de biens. ⇒ **Contre-prestation, potlatch.** *Des contre-dons. Système du don et du contre-don.*

Les rapports entre les individus et les groupes reposent sur un postulat qui est à la base de toutes les relations sociales et qui veut que tout don mette celui qui l'a reçu dans l'obligation de faire un contre-don au moins de même valeur. Quiconque faillirait à cette obligation serait l'objet de la réprobation générale et mis au ban de la société (...) Ainsi s'établit un courant de dons et de contre-dons; entre des collectivités différentes il favorisera l'échange de marchandises.
Françoise GIRARD, *la Nouvelle Guinée, La société, in* Encycl. Pl., *Ethnologie régionale,* t. I, p. 1085.

CONTRÉE [kɔ̃tʀe] n. f. — XIIᵉ; lat. pop. *contrata (regio),* de *contra* «pays en face».

♦ Vieilli ou régional. Étendue de pays. ⇒ **Pays; parage, région.** *Description d'une contrée.* ⇒ **Chorographie.** *Contrée riche, fertile, riante, verdoyante; pauvre, sablonneuse, déserte, sauvage... Contrée sauvage sans être pittoresque* (→ Peler, cit. 4). *Les produits de chaque contrée. Contrée en bordure de la mer.* ⇒ **Bord.** *Contrée méditerranéenne. Les meilleures terres de la contrée. Dans nos contrées.* ⇒ **Pays.**

(...) le vent
Me chasse à son plaisir de contrée en contrée.   LA FONTAINE, *Fables,* IX, 7.

HOM. Contrer.

CONTRE-ÉCARTÈLEMENT [kɔ̃tʀekaʀtɛlmɑ̃] n. m. — 1832; de *contre-,* et *écartèlement.*

♦ Blason. Subdivision en quatre parties de deux parties d'un écu écartelé.

CONTRE-ÉCARTELER [kɔ̃tʀekaʀtəle] v. tr. — 1545; de *contre-,* et *écarteler.*

♦ Blason. Diviser en quatre parties (un quartier de l'écu déjà écartelé). *Écu contre-écartelé.*

CONTRE-ÉCHANGE (EN) [ɑ̃kɔ̃tʀeʃɑ̃ʒ] loc. adv. — 1557, *en contr'échange; en contre eschange,* 1461; de *contre-,* et *échange.*

♦ Littér. En échange, en contrepartie. *Promettre une chose en contre-échange d'une autre.*

CONTRE-ÉCROU [kɔ̃tRekRu] n. m. — 1870 ; de *contre-*, et *écrou*.

♦ Techn. Écrou que l'on visse à bloc au-dessus d'un autre écrou pour empêcher le desserrage. *Des contre-écrous.*

CONTRE-ÉDIT [kɔ̃tRedi] n. m. — xviiie ; de *contre-*, et *édit*.

♦ Hist. Édit qui s'oppose à un autre.

(...) ce sont des contre-édits dont tout le monde se moquait à Constantinople (...)
VOLTAIRE, l'Ingénu, XI.

CONTRE-ÉLECTROMOTRICE [kɔ̃tRelɛktRomotRis] adj. f. — xxe ; de *contre-*, et *électromoteur*.

♦ Sc., techn. *Force contre-électromotrice*, qui s'oppose à celle du courant direct (quotient de la puissance électrique absorbée par l'intensité du courant). — Abrév. : *f. c. e. m. Les forces contre-électromotrices.*

CONTRE-ÉMAIL [kɔ̃tRemaj] n. m. — 1755 ; de *contre-*, et *émail*.

♦ Techn. Émail recouvrant le dessus d'un cadran, d'une plaque de métal..., dont le dessus est émaillé. *Des contre-émaux.*

CONTRE-EMPREINTE [kɔ̃tRɑ̃pRɛ̃t] n. f. — 1845 ; de *contre-*, et *empreinte*.

♦ Géol. Relief (dépôt d'argile, etc.) dans une empreinte en creux. *Des contre-empreintes.*

CONTRE-ENQUÊTE [kɔ̃tRɑ̃kɛt] n. f. — 1649, *contr'enquête*, Boisrobert, *in* D. D. L. ; de *contre-* (2.), et *enquête*.

♦ Enquête pour vérifier les résultats d'une autre enquête. *La police procède à une contre-enquête. Des contre-enquêtes.*

CONTRE-ENTREPRISE [kɔ̃tRɑ̃tRəpRiz] n. f. — 1587, d'Aubigné ; de *contre-*, et *entreprise*.

♦ Vx. Entreprise opposée à une autre. ⇒ **Contre-attaque.** *Des contre-entreprises.*

CONTRE-ÉPAULETTE [kɔ̃tRepolɛt] n. f. — 1786 ; de *contre-*, et *épaulette*.

♦ Techn. Plaque d'épaule (sans franges), sur un uniforme. *Des contre-épaulettes.*

CONTRE-ÉPREUVE [kɔ̃tRepRœv] n. f. — 1828, *in* D. D. L. ; *contrepreuve*, 1676 ; de *contre-*, et *épreuve*.

♦ **1.** Épreuve que l'on tire sur une estampe fraîchement imprimée. *Tirer une contre-épreuve. Des contre-épreuves.* — Par métaphore ou figuré. ⇒ **Calque, contrefaçon, copie, imitation.** *Cet ouvrage n'est qu'une mauvaise contre-épreuve de tel autre.*

1   (...) la manière de voir de Mᵐᵉ de La Mole n'était jamais qu'une contre-épreuve des opinions de *(son)* mari (...)   STENDHAL, le Rouge et le Noir, II, 25, p. 402.

♦ **2.** Épreuve inverse d'une chose, en vue de vérifier si les résultats obtenus à l'épreuve sont exacts. ⇒ **Contre-essai ; vérification.**

(1791). Dans une assemblée délibérante, fait de compter ceux qui votent contre une proposition, après avoir compté ceux qui votent pour. *Passer à la contre-épreuve.*

2   (...) un expérimentateur qui demande à des contre-épreuves la vérification de ce qu'il a supposé.   PROUST, À la recherche du temps perdu, t. V, p. 222.

CONTRE-ESPALIER [kɔ̃tRespalje] n. m. — 1651 ; de *contre-*, et *espalier*.

♦ Agric., hortic. Palissade formant un cadre rigide, destinée à supporter des arbres fruitiers parallèlement à un espalier. *Des contre-espaliers.* — Rangée d'arbres ainsi soutenue.

CONTRE-ESPION [kɔ̃tRespjɔ̃] n. m. — 1793 ; de *contre-*, et *espion*.

♦ Agent chargé du contre-espionnage. *Des contre-espions.*

CONTRE-ESPIONNAGE [kɔ̃tRespjonaʒ] n. m. — 1899 ; de *contre-*, et *espionnage*.

♦ Action d'espionner des espions. *Faire du contre-espionnage. Les services de contre-espionnage.* — Organisation chargée de la surveillance des espions des puissances étrangères en territoire national. *Contre-espionnage par des espions doubles. Les contre-espionnages de deux pays.*

CONTRE-ESSAI [kɔ̃tRese] n. m. — 1870 ; de *contre-*, et *essai*.

♦ Techn. Second essai pour contrôler les résultats d'un premier. ⇒ **Contre-épreuve** (plus cour.). *Des contre-essais.*

CONTRE-ÉTIQUETTE [kɔ̃tRetikɛt] n. f. — 1973, *in la Clé des mots* ; de *contre-*, et *étiquette*.

♦ Techn. Étiquette placée sur une bouteille du côté opposé à l'étiquette principale (étiquette « de corps »). *Des contre-étiquettes.*

CONTRE-ÉTRAVE [kɔ̃tRetRav] n. f. — 1677 ; de *contre-*, et *étrave*.

♦ Mar. Pièce courbe doublant et renforçant l'étrave sur sa face intérieure. *Des contre-étraves.*

CONTRE-EXEMPLE [kɔ̃tRegzɑ̃pl] n. m. — Attestation isolée, 1599 ; repris 1957 ; de *contre-*, et *exemple*, avec infl. de l'angl. *counter-example*.

♦ Didact. Exemple qui illustre le contraire de ce qu'on veut démontrer, cas particulier qui va à l'encontre d'une thèse. *Ceci reste à discuter, je peux vous fournir des contre-exemples. En science, un contre-exemple suffit à montrer la fausseté d'une loi.*

CONTRE-EXPERTISE [kɔ̃tRekspɛRtiz] n. f. — 1847 ; de *contre-*, et *expertise*.

♦ Expertise destinée à en contrôler une autre. *Des contre-expertises successives.*

CONTRE-EXPOSITION [kɔ̃tRekspozisjɔ̃] n. f. — 1869, *in* P. Larousse ; de *contre-*, et *exposition*.

♦ Mus. Partie (d'une fugue) venant après le premier épisode. *Au cours de la contre-exposition, les entrées et les réponses sont exposées sous une forme différente. Des contre-expositions.*

CONTRE-EXTENSION [kɔ̃tRekstɑ̃sjɔ̃] n. f. — Déb. xviie ; de *contre-*, et *extension*.

♦ Chir. Action opposée à l'extension et qui consiste à retenir fixe et immobile la partie supérieure d'un membre luxé ou fracturé, au cours d'une réduction par extension. *Des contre-extensions.*

CONTREFAÇON [kɔ̃tRəfasɔ̃] n. f. — 1268 ; de *contrefaire*, d'après *façon*.

♦ **1.** Action de contrefaire (une œuvre littéraire, artistique, industrielle) au préjudice de l'auteur, de l'inventeur ; résultat de cette action. ⇒ **Contre-épreuve, copie, falsification, imitation, pastiche, plagiat** (cit. 3). *La contrefaçon d'un livre, d'une gravure, d'un produit. Les contrefaçons* (ou « préfaçons ») *belges des romans de Balzac. C'est une contrefaçon.*

♦ **2.** Imitation frauduleuse. ⇒ **Contrefaction, faux, fraude.** *La contrefaçon d'une monnaie. Une contrefaçon de monnaie, de billets de banque, de poinçon, de timbres-poste, d'écritures ou de signatures, de clefs. Contrefaçon d'une marque.* ⇒ **Copie.** — Dr. *Poursuivre qqn en contrefaçon. Délit de contrefaçon.*

1   Seront punis des travaux forcés à temps, toutes autres personnes qui auront commis un faux en écriture (...) par contrefaçon ou altération d'écritures ou de signatures (...)   Code pénal, art. 147.

♦ **3.** Fam. Imitation.

2   — Voyons, es-tu parvenu à découvrir mon sosie ?... ma doublure ? (...)
— Ah ! tu l'as rencontré ? (...)
— Oui, hier soir, au foyer de l'Opéra... C'est un Belge (...)
— Ah ! ma contrefaçon est belge !... Voyez-vous ça !
   E. LABICHE, les Petites Mains, III, 12.

CONTREFACTEUR [kɔ̃tRəfaktœR] n. m. — 1754 ; de *contrefaction*.

♦ Dr. Personne qui est coupable de contrefaçon frauduleuse. ⇒ **Faussaire.**

CONTREFACTION [kɔ̃tRəfaksjɔ̃] n. f. — 1798, Académie ; *contrefaire*, avec infl. du lat. *factio*, var. de *contrefaçon**.

♦ Dr. (Rare). Action de contrefaire frauduleusement (des effets publics, des monnaies, des poinçons de l'État). ⇒ **Contrefaçon.** *Contrefaction des sceaux de l'État.*

DÉR. Contrefacteur.

CONTREFAIRE [kɔ̃tʀəfɛʀ] v. tr. — Conjug. *faire* : *il contrefaisait* [kɔ̃tʀəfəzɛ]. — Av. 1155 ; bas lat. *contrafacere* « imiter », de *contra,* et *facere.* → **Faire.**

Littéraire.

♦ **1.** Littér. ou style soutenu. Reproduire par imitation (qqn ou qqch.). ⇒ **Calquer, copier, imiter, mimer, reproduire.** *Contrefaire qqn. Contrefaire la voix, les gestes de qqn.*

1   Il ne put du pasteur contrefaire la voix.   LA FONTAINE, Fables, III, 3.
2   (...) je suis si remplie de vous, que je tâche d'être votre singe, et de vous contrefaire en tout.   MOLIÈRE, Critique de l'École des femmes, 3.
3   La puissance du calcul au milieu des complications de la vie est le sceau des grandes volontés que les poètes, les gens faibles ou purement spirituels ne contrefont jamais.   BALZAC, Illusions perdues, Pl., t. IV, p. 809.
4   À force de contempler ce portrait, et par un miracle de mimétisme, Éric Vidame était arrivé non seulement à en contrefaire la noble et majestueuse expression, mais encore à reproduire jusqu'aux rides et aux méplats du modèle.   G. DUHAMEL, Chronique des Pasquier, V, IX, II.

(1549). Copier ou évoquer pour tourner en dérision, pour se moquer. ⇒ **Caricaturer, parodier, pasticher, singer.** *Contrefaire un bossu. Contrefaire les manies de qqn.*

5   Il faut empêcher les enfants de contrefaire les gens ridicules ; car ces manières moqueuses et comédiennes ont quelque chose de bas et de contraire aux sentiments honnêtes.   FÉNELON, XVII, 18.

♦ **2.** (XIVᵉ). Vieilli. Feindre (un état, un sentiment) pour tromper. ⇒ **Simuler.** *Contrefaire la folie, la douleur. Contrefaire une maladie. Contrefaire le mort.* ⇒ **Faire.**

6   *(Il)* Eut recours à son sac de ruses scélérates,
Feignit vouloir gravir, se guinda sur ses pattes,
Puis contrefit le mort, puis le ressuscita.   LA FONTAINE, Fables, XII, 18.
7   Mettez-vous tout étendu dans cette chaise, et contrefaites le mort.   MOLIÈRE, le Malade imaginaire, III, 11.

(Sujet n. de chose). Faire apparaître comme...

8   J'évite toutes les apparences qui semblent contrefaire le favori (...)   GUEZ DE BALZAC, Œuvres, v, Lettre 10, *in* LITTRÉ.

♦ **3.** (Déb. XIIIᵉ). Imiter frauduleusement. ⇒ **Contrefaçon ; altérer, falsifier.** *Contrefaire une monnaie, une marque, une écriture, une signature, des clefs* (cit. 4).

9   Quiconque aura contrefait ou altéré les monnaies d'or ou d'argent ayant cours légal en France (...) sera puni des travaux forcés à perpétuité.   Code pénal, art. 132.

♦ **4.** Changer, modifier l'apparence de (qqch.) pour tromper. ⇒ **Déguiser, dénaturer.** *Contrefaire son écriture. Contrefaire sa voix.* — Pron. *Se contrefaire :* s'efforcer de déguiser son comportement.

10   Que sert-il qu'on se contrefasse ?
Prétendre ainsi changer est une illusion :
L'on reprend sa première trace
À la première occasion.   LA FONTAINE, Fables, XII, 9.
11   (...) il contrefait son ton,
Et d'une voix papelarde
Il demande qu'on ouvre, en disant : « Foin du loup ! » LA FONTAINE, Fables, IV, 15.

Rare (le sujet est un nom abstrait) :

11.1   Théophile voyait chaque être et lui-même — isolé dans un cercle de sentiments qui se contrefaisaient pour jouer l'amour impossible.   M. JOUHANDEAU, la Jeunesse de Théophile, p. 67.

♦ **5.** Vx. (Sujet n. de chose). Rendre difforme. ⇒ **Altérer, décomposer, défigurer, déformer.** *Des convulsions contrefaisaient son visage.*

12   Leurs femmes *(des Grecs)* ignoraient l'usage de ces corps de baleine, par lesquels les nôtres contrefont leur taille, plutôt qu'elles ne la marquent.   ROUSSEAU, Émile, v.

▶ **CONTREFAIT, AITE.** ⇒ **Contrefait.**

**DÉR. Contrefaçon, contrefaction, contrefaisable, contrefaiseur, contrefait.
HOM. Contrefer.**

CONTREFAISABLE [kɔ̃tʀəfəzabl] adj. — 1843, Radonvilliers ; de *contrefaire.*

♦ Rare. Que l'on peut contrefaire.

CONTREFAISEUR, EUSE [kɔ̃tʀəfəzœʀ, øz] n. — 1798, Académie ; de *contrefaire.*

♦ Vx. Personne qui contrefait les autres, par artifice. ⇒ **Mime ; simulateur.**

CONTREFAIT, AITE [kɔ̃tʀəfɛ, ɛt] adj. — XIᵉ, *contrefet ;* de *contrefaire.*

♦ Rendu difforme. *Homme au corps contrefait.* ⇒ **Difforme, malbâti.** *Il est tout contrefait ; elle est un peu contrefaite.* — Vieilli. *Avoir la taille contrefaite. Jambes contrefaites.*

Je ne suis pas le seul ; et puisque même on quitte
Un prince si charmant pour un nain contrefait,
Il ne faut pas que je m'irrite
D'être quitté pour un valet.   LA FONTAINE, Contes, I, 1.
Il était court de stature, mais large de carrure ; il avait je ne sais quoi de contrefait dans sa taille, sans aucune difformité particulière (...)   ROUSSEAU, les Confessions, III.

N. (rare) :

Tenez-vous droite, mademoiselle, vous avez l'air d'une contrefaite.   Henri MONNIER, Scènes populaires, t. I, p. 174.

CONTR. Authentique, original. — Droit.

CONTRE-FASCE [kɔ̃tʀəfas] n. f. — 1690 ; de *contre-,* et *fasce.*

♦ Blason. Fasce opposée à une autre ou fasce divisée en deux demifasces de deux émaux différents. *Des contre-fasces.*

CONTRE-FASCÉ, ÉE [kɔ̃tʀəfase] adj. — 1690, Furetière ; de *contre-,* et *fascé.*

♦ Blason. Qui a les fasces en opposition.

CONTRE-FENÊTRE [kɔ̃tʀəf(ə)nɛtʀ] n. f. — 1319 ; de *contre-,* et *fenêtre.*

♦ Techn. Double fenêtre amovible. *Des contre-fenêtres.*

CONTRE-FER [kɔ̃tʀəfɛʀ] n. m. — XVᵉ, *contreferre ;* de *contre-,* et *fer.*

♦ Techn. Partie d'un outil qui double le fer. *Le contre-fer d'un rabot. Des contre-fers.*

HOM. Contrefaire.

CONTRE-FEU [kɔ̃tʀəfø] n. m. — 1531 ; de *contre-,* et *feu.*

♦ **1.** Techn. Plaque métallique garnissant le fond d'une cheminée. ⇒ **Contrecœur.** *Des contre-feux.*

♦ **2.** Feu allumé pour circonscrire un incendie de forêt. *Allumer des contre-feux.*

Par métaphore :

Ces humbles chrétiens savent ce que nous autres nous tendons à oublier, que l'Évangile a gardé toute sa puissance explosive, qu'il demeure face au marxisme athée l'unique contre-feu efficace (...)   F. MAURIAC, le Nouveau Bloc-notes 1958-1960, p. 300.

CONTRE-FICHE [kɔ̃tʀəfiʃ] n. f. — 1690 ; de *contre-,* et *fiche.*

♦ Techn. Pièce de charpente soutenant ou reliant une pièce verticale (contrefort). *Des contre-fiches.*

HOM. V. Contreficher (se).

CONTREFICHER (SE) [kɔ̃tʀəfiʃe] v. pron. — 1839 ; de *contre-,* et *ficher (se).*

♦ Fam. Se moquer complètement (de). *Il s'en contrefiche.* ⇒ **Contrefoutre** (se).

HOM. V. Contre-fiche.

CONTRE-FIL ou CONTREFIL [kɔ̃tʀəfil] n. m. — 1540 ; de *contre-,* et *fil.*

♦ Techn. ou rare. Sens contraire à la direction normale (fil d'un bois, courant d'un liquide...). — Loc. adv. *À contre-fil :* dans le mauvais sens. ⇒ **Contre-poil, rebours.**

CONTRE-FILET ou CONTREFILET [kɔ̃tʀəfilɛ] n. m. — XXᵉ ; de *contre-* (2.), et *filet.*

♦ Morceau de bœuf correspondant aux lombes. *Grillade dans le contre-filet, dans le contrefilet.* ⇒ **Faux-filet.** *Le contre-filet fait partie de l'aloyau*.* — *Contrefilet grillé, saignant.*

CONTREFORT [kɔ̃tʀəfɔʀ] n. m. — XIIIᵉ ; de *contre-,* et 1. *fort.*

♦ **1.** Pilier, saillie, mur massif servant d'appui à un autre mur qui supporte une charge. ⇒ **Arc-boutant.** *Les contreforts d'une terrasse, d'une voûte.*

Les murs évidés sont presque tout entiers occupés par les fenêtres ; l'appui manque ; sans les contreforts plaqués contre les parois, l'édifice croulerait (...)   TAINE, Philosophie de l'art, t. I, I, II, VI, p. 84.

♦ **2.** (1572 ; « renfort en cuir », v. 1268). Pièce de cuir qui renforce le derrière d'une chaussure. *Contrefort d'un pneu :* partie située entre le bord de roulement et le flanc.

♦ **3.** (1831). Chaîne de montagnes latérales qui semblent servir d'appui à une chaîne principale. *Les contreforts des Alpes.*

2   Le mont se composait de deux cônes. Le premier, tronqué à une hauteur de deux mille cinq cents pieds environ, était soutenu par de capricieux contreforts, qui semblaient se ramifier comme les griffes d'une immense serre appliquée sur le sol. Entre ces contreforts se creusaient autant de vallées étroites, hérissées d'arbres.
J. VERNE, l'Île mystérieuse, t. I, p. 120 (1874).

CONTREFOUTRE (SE) [kɔ̃tRəfutR] v. pron. — 1790; de *contre-*, et *foutre (se)*.

♦ Pop. Se moquer complètement (de). ⇒ **Foutre** (se). *Je m'en contrefous :* cela m'est bien égal. ⇒ **Contreficher** (se). *Je m'en fous et je m'en contrefous, de tes histoires.*

1   Tu ne crains pas que ça t'attire des histoires ?
— Je m'en contrefous! crie-t-il dans le bois sonore.
Roger VERCEL, Capitaine Conan, I, p. 25.

2   Et si cela n'avait abouti qu'à des livres, on pourrait bien s'en contrefoutre. Le malheur, c'est que ça fait aussi des millions de retardés, de malades mentaux.
Régis DEBRAY, l'Indésirable, p. 130.

CONTRE-FRASAGE [kɔ̃tRəfRasaʒ] n. m. — 1850, Bescherelle; de *contre-*, et *frasage*.

♦ Techn. En boulangerie, Dernière opération du pétrissage qui consiste à agiter la pâte par masses.

On trouve aussi *contre-frase* [kɔ̃tRəfRaz] (1845, Bescherelle).

CONTRE-FRASER [kɔ̃tRəfRaze] v. tr. — 1771, Trévoux; de *contre-*, et *fraser*.

♦ Techn. Donner un dernier tour à la pâte.

CONTRE-FRUIT [kɔ̃tRəfRɥi] n. m. — 1694; de *contre-*, et 2. *fruit*.

♦ Techn. Diminution d'épaisseur donnée à un mur à mesure qu'on l'élève, l'inclinaison ne portant que sur la face intérieure de ce mur. *Des contre-fruits.*

CONTRE-FUGUE [kɔ̃tRəfyg] n. f. — 1680; de *contre-*, et *fugue*.

♦ Mus. (Vx). Fugue inversée. *Des contre-fugues.*

À l'égard des contre-fugues, doubles fugues, fugues renversées, basses contraintes et autres sottises difficiles que l'oreille ne peut souffrir et que la raison ne peut justifier, ce sont évidemment des restes de barbarie (...)
ROUSSEAU, Lettre sur la musique française.

CONTRE-GARDE [kɔ̃tRəgaRd] n. f. — 1676; «sauvegarde», 1419; de *contre-*, et *garde*.

♦ Fortif. Ouvrage construit autour d'un bastion, d'une demi-lune. *Des contre-gardes.*

CONTRE-GOUVERNEMENT [kɔ̃tRəguvɛRnəmɑ̃] n. m. — XXᵉ; de *contre-*, et *gouvernement*.

♦ Polit. Réunion d'hommes politiques d'opposition formant une équivalence de gouvernement (dans un régime démocratique). *Des contre-gouvernements.*

CONTRE-GUÉRILLA ou CONTREGUÉRILLA [kɔ̃tRəgeRija] n. f. — 1870, Mérimée, *in* T.L.F.; de *contre-*, et *guérilla*.

♦ Action de guérilla contraire à une autre guérilla.

CONTRE-HÂTIER [kɔ̃tRəatje] n. m. — 1530; de *contre-*, et *hâtier*.

♦ Anciennt. Landier de cheminée, destiné à supporter les broches. *Des contre-hâtiers.*

On écrit aussi *contre-hastier*.

Une silhouette se détacha du fond rouge du foyer, où elle s'était tenue jusqu'alors les pieds sur les contre-hastiers.
Jean RAY, les Derniers Contes de Canterbury, p. 48.

CONTRE-HAUT (EN) [ɑ̃kɔ̃tRəo] loc. adv. — 1701; de *contre-*, et *haut*.

♦ À un niveau supérieur. *Regarder en contre-haut.* — Loc. prép. *Maison en contre-haut d'une route.*

Il y avait une section derrière nous, en contre-haut, qui, phénomène étrange aux yeux de débutants, trouvait moyen de nous tirer dans le dos.
DRIEU LA ROCHELLE, la Comédie de Charleroi, p. 40.

CONTR. Contrebas (en).

CONTRE-HERMINE [kɔ̃tRɛRmin] n. f. — 1690, Furetière, art. *Hermine*; de *contre-*, et *hermine*.

♦ Blason. Fourrure constituée, à l'inverse de l'hermine, par un fond de sable semé de mouchetures d'argent.

DÉR. Contre-herminé.

CONTRE-HERMINÉ, ÉE [kɔ̃tRɛRmine] adj. — D. i.; de *contre-hermine*.

♦ Blason. Garni de contre-hermine.

CONTRE-HOULE [kɔ̃tRul] n. f. — 1873, cit.; de *contre-*, et *houle*.

♦ Houle qui se forme dans un sens différent de la houle établie et se superpose à elle, à la suite d'un changement de direction du vent.

Cette mer démontée, dont les lames se heurtaient alors à celles que provoquait la nouvelle aire du vent. De là un choc de contre-houles qui eût écrasé une embarcation moins solidement construite.
J. VERNE, le Tour du monde en 80 jours, p. 182.

CONTRE-INDICATION [kɔ̃tRɛ̃dikasjɔ̃] n. f. — 1697; de *contre-*, et *indication*.

♦ Méd. Circonstance qui empêche d'appliquer un traitement. *Les contre-indications d'un traitement, d'un médicament,* les cas où il ne faut pas l'appliquer.

CONTRE-INDIQUER [kɔ̃tRɛ̃dike] v. tr. — 1770, Nicolas, *Manuel du jeune chirurgien, in* D.D.L.; de *contre-*, et *indiquer*.

♦ Méd. Déconseiller, interdire par une contre-indication. *Contre-indiquer un remède.*

▶ **CONTRE-INDIQUÉ, ÉE** p. p. adj.

♦ **1.** Méd. Qui fait l'objet d'une contre-indication. *Ce traitement est contre-indiqué.*

♦ **2.** Cour. Qui ne convient pas, est dangereux (dans un cas déterminé). ⇒ **Déconseillé.** *Cette façon d'agir est plutôt contre-indiquée.*

CONTRE-ISSANT, ANTE [kɔ̃tRisɑ̃, ɑ̃t] adj. — 1694; de *contre-*, et *issant*.

♦ Blason. Qui est adossé à un autre animal issant comme lui. ⇒ **Issant.** *Lion contre-issant; lionnes contre-issantes.*

CONTRE-JOUR [kɔ̃tRəʒuR] n. m. — 1606, *in* D.D.L.; de *contre-*, et *jour*.

♦ Éclairage d'un objet recevant de la lumière en sens inverse de celui du regard. *Des contre-jours. Être gêné par le contre-jour. Tableau placé dans le contre-jour. Des effets de contre-jour* (en photo).

Photo prise en contre-jour. *Réussir un beau contre-jour.*

Loc. adj. et adv. À CONTRE-JOUR : dans un éclairage tel que la lumière vienne en sens inverse de celui du regard. *La statue était à contre-jour. Prendre une photographie à contre-jour.*

1   Il conduisit Jacques jusqu'à une chambre où, près de la fenêtre une femme d'une trentaine d'années cousait à contre-jour.
MARTIN DU GARD, les Thibault, t. VII, p. 14.

2   (...) la montmorency d'une chair si fine que le noyau y transparaît à contre-jour (...)
COLETTE, Flore et Pomone, *in* Gigi, p. 142.

3   Frank rêve de savanes noyées, de montures fourbues, s'ébrouant sous la dentelle des caroubiers, le soir, à contre-jour (...)
Régis DEBRAY, l'Indésirable, p. 303.

CONTRE-LAME [kɔ̃tRəlam] n. f. — 1966; de *contre-* (3.), et *lame*.

♦ Lame, vague qui vient en sens contraire (à un mouvement de l'eau). *Des contre-lames.*

(...) le rythme de la grande gesticulation de la mer : d'abord l'inspiration profonde, quand l'eau se repliait sur elle-même (...) puis survenait la contre-lame qui rebondissait (...)
J.-M. G. LE CLÉZIO, le Déluge, VIII, p. 171.

CONTRE-LETTRE [kɔ̃tRəlɛtR] n. f. — XIIIᵉ; de *contre-*, et *lettre*.

♦ Dr. Acte secret annulant, modifiant les dispositions stipulées dans un premier acte ostensible et leurs effets. *Des contre-lettres.*

Préparez les actes nécessaires pour transporter à Gobseck la propriété de mes biens. Je ne me fie qu'à vous, monsieur, pour la rédaction de la contre-lettre par laquelle il déclarera que cette vente est simulée (...)
BALZAC, Gobseck, Pl., t. II, p. 655.

CONTREMAÎTRE, CONTREMAÎTRESSE [kɔ̃tRəmɛtR, kɔ̃tRəmɛtRɛs] n. — 1404, *contremaistre*; au fém., 1862; de *contre-*, et *maître, maîtresse*.

♦ **1.** Personne responsable d'une équipe d'ouvriers. ⇒ **Chef** (d'équipe), **porion** (mines), **prote** (imprimerie). *Contremaître et apprenti.*

1 Arriva sa marraine, contremaîtresse de l'atelier où travaille sa mère.
Roger VAILLAND, 325 000 francs, p. 143.

2 L'usine bourdonne comme une ruche, pourtant nul ne bavarde et il me faudra cinq semaines pour apprendre qu'il existe un contremaître : celui-ci travaille comme les 249 copains, au lieu de déambuler dans l'atelier avec un crayon sur l'oreille et une clé à molette dans la main gauche.
Bernard MOITESSIER, Cap Horn à la voile, p. 43.

REM. Pour désigner une femme, les deux formes sont en concurrence : *elle est contremaître, contremaîtresse dans une usine...*

♦ **2.** N. m. (1425). Mar. (Anciennt). Officier adjoint au maître d'équipage.

CONTRE-MANDAT [kɔ̃tʀəmɑ̃da] n. m. — D. i. ; de *contre-*, et *mandat*.

♦ Admin. Mandat destiné à en annuler un autre. *Des contre-mandats.*

CONTREMANDEMENT [kɔ̃tʀəmɑ̃dmɑ̃] n. m. — D. i. ; de *contremander*, d'après *mandement*.

♦ Vx. Action de contremander ; déclaration, texte qui contremande. ⇒ **Contre-avis, contre-ordre.**

CONTREMANDER [kɔ̃tʀəmɑ̃de] v. tr. — 1175 ; de *contre-*, et *mander*.

♦ **1.** Vx. Avertir (qqn) de ne pas exécuter un ordre donné. *Les personnes convoquées ont été contremandées.*

♦ **2.** Littér. Décommander. *Contremander un dîner.* ⇒ **Annuler.**

1 *(Je vais)* Contremander aussi notre voiture prête. MOLIÈRE, l'Étourdi, v, 3.
2 (...) celui-ci *(Pétion)* une heure avant le tour, contremanda la revue.
MICHELET, Hist. de la Révolution franç., t. I, p. 931.
3 Le télégramme avait apporté la nouvelle de l'insurrection à Paris trop tard pour qu'on pût contremander la fête (...) M. YOURCENAR, Archives du Nord, p. 169.

CONTR. Confirmer.
DÉR. Contremandement.

CONTRE-MANIFESTANT, ANTE [kɔ̃tʀəmanifɛstɑ̃, ɑ̃t] n. — V. 1870 ; de *contre-*, et *manifestant*.

♦ Personne qui prend part à une contre-manifestation.

En poursuivant son chemin, il assista pourtant à un choc entre une colonne de Front Populaire et une de contre-manifestants. M. AYMÉ, Travelingue, p. 37.

CONTRE-MANIFESTATION [kɔ̃tʀəmanifɛstasjɔ̃] n. f. — 1848 ; de *contre-*, et *manifestation*.

♦ Manifestation organisée pour faire échec à une autre.

Mais le branle était donné. Déjà, dans la soirée du 9 février, à Paris, au cours de la contre-manifestation de la place de la République, qu'il avait voulu organiser seul, le parti communiste avait eu six morts. Raymond ABELLIO, Ma dernière mémoire, t. II, p. 230.

CONTRE-MANIFESTER [kɔ̃tʀəmanifɛste] v. intr. — V. 1870 ; de *contre-*, et *manifester*.

♦ Prendre part à une contre-manifestation ; manifester contre une autre manifestation.

On a mis des signes «attention, travaux» dans une petite rue à Bologne, et on a fait un pique-nique au caviar, champagne et faisan au milieu de la chaussée, avec habits, robes du soir et maître d'hôtel ! Ça a fait un malheur. Ils contre-manifestent encore. On a passé une nuit au poste. Provocation fasciste, vous comprenez.
R. GARY, Au-delà de cette limite votre ticket n'est plus valable, p. 244.

CONTRE-MANŒUVRE [kɔ̃tʀəmanœvʀ] n. f. — 1842 ; de *contre-*, et *manœuvre*.

♦ Milit. Manœuvre opposée aux manœuvres ennemies. *Des contre-manœuvres victorieuses.*

CONTREMARCHE [kɔ̃tʀəmaʀʃ] n. f. — 1359 ; de *contre-*, et *marche*.

♦ **1.** Techn. Hauteur de chaque marche d'un escalier. — Partie verticale qui forme cette hauteur (opposé à « *marche* partie horizontale »).

♦ **2.** (1622, *in* D. D. L.). Marche qu'on fait faire à une armée dans la direction contraire de celle qu'elle suivait auparavant.

1 Mais les marches et contre-marches à la frontière belge m'avaient écœuré.
DRIEU LA ROCHELLE, la Comédie de Charleroi, p. 67.

Fig. Volte-face.

2 *(Fénelon)* a bataillé, argumenté, discuté, dogmatisé, mêlé la religion à la politique et la politique à la religion, conçu les marches, les contremarches, les menées et même les intrigues. Émile FAGUET, Études littéraires, XVIIe s., Fénelon.

Par métaphore :

3 (...) la voix est donc mise de côté (scéniquement, les récitants occupent une estrade

latérale). Le *Bunraku* lui donne un contrepoids, ou, mieux, une contremarche : celle du geste. R. BARTHES, l'Empire des signes, p. 71.

CONTRE-MARÉE [kɔ̃tʀəmaʀe] n. f. — 1702 ; de *contre-*, et *marée*.

♦ Didact. Courant dont la direction est contraire à celle de la marée. ⇒ **Contre-courant.** *Des contre-marées.*

CONTREMARQUE [kɔ̃tʀəmaʀk] n. f. — 1526, *contremerque* ; «représailles» (→ 2. Marque), 1443 ; de *contre-*, et *marque*.

♦ **1.** Admin., comm. Seconde marque qu'on applique sur un ballot de marchandises, sur les objets d'or et d'argent.

♦ **2.** (1762). Ticket délivré à ceux qui s'absentent pendant une représentation, afin qu'ils aient le droit de rentrer (à l'entracte, par exemple). *Réclamez une contremarque avant de quitter la salle.*

(...) la contremarque se vend maintenant comme la rente ; elle a son cours, elle hausse, elle baisse suivant le mérite des pièces que l'on joue ; elle est nécessairement plus chère à huit heures qu'à neuf (...)
Ch. PAUL DE KOCK, la Grande Ville, t. I, Les marchands de contremarque, p. 163.

Par anal. *La contremarque d'un ticket de vestiaire, de consigne, d'une carte d'accès à bord.*

DÉR. Contremarquer.

CONTREMARQUER [kɔ̃tʀəmaʀke] v. tr. — 1518 ; de *contremarque*.

♦ Admin., comm. Faire une contremarque (1.) sur qqch. — Au p. p. *Marchandise contremarquée.*

CONTRE-MESURE [kɔ̃tʀəm(ə)zyʀ] n. f. — Fin XIXe, *Nouveau Larousse illustré* ; de *contre-*, et *mesure*.

♦ Mesure contraire à une autre mesure. (⇒ **Mesure,** III., B.). *Des contre-mesures peu efficaces.* — Milit. Mesure destinée à rendre inefficaces les armements ennemis. *Le camouflage, les dispositifs antibrouillage sont des contre-mesures électroniques.*

CONTRE-MINE [kɔ̃tʀəmin] n. f. — 1520 ; *contermine*, v. 1380 ; de *contre-*, et *mine*.

♦ **1.** Milit. Mine pratiquée pour éventer ou détruire une mine de l'ennemi. *Des contre-mines.*

♦ **2.** Par métaphore ou fig. (Littér.). Manœuvre secrète visant à déjouer des menées hostiles.

Athos lui avait bien dit quelques mots qui prouvaient que la conversation qu'elle avait eue avec le cardinal était tombée dans des oreilles étrangères ; mais elle ne pouvait admettre qu'il eût pu creuser une contre-mine si prompte et si hardie.
DUMAS, les Trois Mousquetaires, t. II, p. 573.

CONTRE-MINER [kɔ̃tʀəmine] v. tr. — 1404 ; de *contre-*, et *miner*.

♦ **1.** Milit. Protéger en creusant des contre-mines. *Contre-miner les abords d'une ligne fortifiée.*

♦ **2.** Fig. et vx. Parer, par une action secrète, les effets d'une intrigue hostile.

CONTREMONT [kɔ̃tʀəmɔ̃] adv. — 1080 ; de *contre-*, et *mont*.

♦ Vx. En allant vers le haut.

La Seine dans son lit verra plutôt son onde
Rebrousser contremont sa course vagabonde. RACAN, *in* G. L. L. F.

Loc. adv. À CONTREMONT. *Le bateau va à contremont* (Académie).

CONTRE-MOT [kɔ̃tʀəmo] n. m. — 1797 ; de *contre-*, et *mot*.

♦ Milit. Mot que l'on échange contre le mot d'ordre. — Second mot d'ordre donné par surcroît, de peur que le premier ne vienne à être connu de l'ennemi. *Des contre-mots.*

CONTRE-MOULAGE [kɔ̃tʀəmulaʒ] n. m. — 1845 ; de *contre-*, et *moulage*.

♦ Techn. Opération de fonderie qui consiste à faire dans un même châssis plusieurs moules du même objet. *Le contre-moulage d'une matrice.* — Moule obtenu par cette opération. *Des contre-moulages.*

CONTRE-MOULE [kɔ̃tʀəmul] n. m. — 1771 ; de *contre-*, et *moule*.

Technique.

♦ **1.** Chape de moule qui enveloppe et consolide le moule direct. *Des contre-moules.*

♦ **2.** (1803). Carton portant des dessins à reproduire.

DÉR. V. **Contre-mouler.**

CONTRE-MOULER [kõtʀəmule] v. tr. — 1863 ; de *contre-moule*, d'après *mouler.*

♦ Techn. Faire le contre-moulage de. *Contre-mouler une statue.*

CONTRE-MUR [kõtʀəmyʀ] n. m. — 1371 ; «second mur de défense», v. 1154 ; de *contre-*, et *mur.*

♦ Techn. (archit.). Petit mur bâti contre un autre mur, contre une terrasse, pour servir d'appui, de contrefort. *Des contre-murs.*

DÉR. **Contre-murer.**

CONTRE-MURER [kõtʀəmyʀe] v. tr. — xvıᵉ ; de *contre-mur.*

♦ Techn. Consolider, soutenir par un contre-mur. — Au p. p. *Terrasse contre-murée.*

CONTRE-NATURE [kõtʀənatyʀ] adj. invar. et n. f. — 1535 ; de *contre-*, et *nature.*

♦ **1.** Adj. Qui est contraire aux lois morales considérées comme naturelles (→ Nature, cit. 44 et *supra*). *Sentiments, crimes contre-nature.*

♦ **2.** N. f. État de ce qui n'est pas naturel. *Des contre-natures.*

«On appelle contre-nature ce qui est contre la coutume» (Montaigne). La «contre-nature» est la nature même, comme le contre-torpilleur est bel et bien un torpilleur.   MONTHERLANT, Pitié pour les femmes, p. 233.

CONTRE-NOTE [kõtʀənɔt] n. f. — 1869, *in* P. Larousse ; de *contre-*, et *note.*

♦ Diplomatie. Note rédigée dans un sens opposé à la précédente. *Des contre-notes.* ⇒ **Contre-avis.**

CONTRE-OFFENSIVE [kõtʀɔfãsiv] n. f. — Déb. xxᵉ ; de *contre-*, et *offensive.*

♦ Contre-attaque exécutée par une grande unité, en vue d'enlever à l'ennemi l'initiative des opérations. *Des contre-offensives.*
Par anal. ou métaphore :

Son machiavélisme *(du capitalisme)* ne cesse de préparer la contre-offensive.   MARTIN DU GARD, les Thibault, t. V, p. 62.

CONTRE-OPÉRATION [kõtʀɔpeʀasjõ] n. f. — 1861 ; de *contre-*, et *opération.*

♦ Opération qui annule l'effet d'une opération précédente. *Des contre-opérations.*

CONTRE-OPPOSITION [kõtʀɔpozisjõ] n. f. — 1826, *in* D.D.L. ; de *contre-*, et *opposition.*

♦ Vx. Faction minoritaire d'un parti, d'un groupe parlementaire d'opposition, qui s'oppose à la majorité. *Des contre-oppositions.*

CONTRE-ORDRE [kõtʀɔʀdʀ] n. m. ⇒ **Contrordre.**

CONTRE-OUVERTURE [kõtʀuvɛʀtyʀ] n. f. — xvıᵉ ; de *contre-*, et *ouverture.*

♦ Chir. Ouverture pratiquée à l'opposé d'une autre. *Des contre-ouvertures.*

CONTRE-PAL [kõtʀəpal] n. m. — 1551 ; de *contre-*, et *pal.*

♦ Blason. Pal divisé en deux moitiés, l'une d'émail et l'autre de métal. *Des contre-pals.*

DÉR. **Contre-palé.**

CONTRE-PALÉ, ÉE [kõtʀəpale] adj. — 1671 ; de *contre-pal.*

♦ Blason. Chargé d'un ou de plusieurs contre-pals. *Écu contre-palé d'or et de gueules de quatre pièces.*

CONTRE-PAREMENT [kõtʀəpaʀmã] n. m. — xxᵉ ; de *contre-*, et *parement.*

♦ Techn. Face invisible, non décorée, d'un panneau de menuiserie. *Des contre-parements.*

CONTR. Parement.

CONTREPARTIE [kõtʀəpaʀti] n. f. — 1262, «adversaire» ; de *contre-*, et *partie.*

♦ **1.** (1723). Double d'un registre sur lequel toutes les parties d'un compte sont inscrites. — Écritures qui servent de vérification.

♦ **2.** Sentiment, avis contraire. ⇒ **Contraire, inverse, opposé.** *Soutenir la contrepartie d'une opinion,* en prendre le contre-pied.

♦ **3.** (1791). Chose qui s'oppose à une autre en la complétant ou en l'équilibrant. ⇒ **Compensation, contrepoids, pendant.** *En contrepartie.* ⇒ **Contre** (par), **échange** (en), **revanche** (en). *Vous aurez quelques avantages en contrepartie. Sans contrepartie.*

(...) le défaut avait pour contrepartie une qualité précieuse.   PROUST, À la recherche du temps perdu, t. XI, p. 79.   [1]

S'il est vrai que la critique soit la contrepartie des arts et comme leur conscience, il faut avouer que les lettres de nos jours n'ont pas bonne conscience.   J. PAULHAN, les Fleurs de Tarbes, p. 19.   [2]

Spécialt. **a** (1675, cit.). Mus. Partie d'un morceau qui s'oppose à une autre. *Jouer, chanter la contrepartie.*

(...) je songe que vous aimez cet air et que vous me prierez quelque jour de le chanter avec M. de Grignan. Qu'il apprenne la contrepartie : c'est un air divin.   Mᵐᵉ DE SÉVIGNÉ, Lettre à Mᵐᵉ de Grignan, 12 juil., I, p. 763, *in* D.D.L., II, 14.   [3]

b (1829). Jeu. ⇒ **Revanche.**

♦ **4.** (1907). Bourse. Opération de celui qui se porte vendeur ou acheteur contre son client (au lieu d'exécuter ses ordres). ⇒ **Contrepartiste.**

De cette façon, jouant sur les deux tableaux, faisant ce qu'on appelle en termes de coulisse de la contrepartie, il ne laissait jamais courir aucun risque à son influence (...)   PROUST, À l'ombre des jeunes filles en fleurs, Pl., t. I, p. 940.   [4]

DÉR. **Contrepartiste.**

CONTREPARTISTE [kõtʀəpaʀtist] n. — 1973, in *l'Express* ; de *contrepartie* (4.).

♦ Bourse. Personne qui fait de la contre-partie.

CONTRE-PAS [kõtʀəpa] n. m. invar. — 1771 ; «ancienne danse espagnole», 1606 ; de *contre-*, et *pas.*

♦ Milit. Demi-pas pour reprendre le pas cadencé, sur le bon pied.

CONTRE-PASSATION [kõtʀəpasasjõ] n. f. — 1723 ; de *contre-*, et *passation.*
Commerce.

♦ **1.** Action de repasser une lettre de change à la personne de qui on la reçoit. *Des contre-passations.*

♦ **2.** (1907). Rectification d'une écriture erronée dans un livre de comptabilité.

CONTRE-PASSER [kõtʀəpase] v. tr. — 1836 ; «surpasser», v. 1170 ; de *contre-*, et *passer.*

★ **I.** Comm. ♦ **1.** Repasser (une lettre de change) à la personne de qui on la reçoit.

♦ **2.** (1842). Rectifier (une écriture) au grand livre, au journal.

★ **II.** (1825). Vx. Croiser en chemin. ⇒ **Croiser.**

Un peu avant Essones, je contre-passe la tête du bataillon, qui fait halte pour rallier une partie de son monde, et entrer en ville d'une façon un peu décente.   STENDHAL, Mémoires d'un touriste, t. I, p. 23.   [1]

Comme je vais au Conseil des Musées — une femme jeune me contrepasse. Je l'observe passer.   VALÉRY, Cahiers, t. II, Pl., p. 1298.   [2]

CONTRE-PENTE ou **CONTREPENTE** [kõtʀəpãt] n. f. — 1694 ; de *contre-*, et *pente.*

♦ **1.** Pente opposée à une autre pente. *Contre-pentes d'une colline, d'une montagne.*

Derrière la grille, la contre-pente descendait jusqu'à un vallon. Une autre pente remontait en face (...)   DRIEU LA ROCHELLE, la Comédie de Charleroi, p. 250.   [1]

Loc. adv. *À contrepente :* sur la pente opposée ; sur deux pentes opposées. — Loc. prép. *À contre-pente de...*

(...) les deux accès de mon abri s'enfonçaient déjà à contrepente, l'un à cadres jointifs sous l'éboulis du château, l'autre dans le rocher franc, et l'on se préparait à attaquer par les deux bouts le corps central lui-même.   Raymond ABELLIO, Ma dernière mémoire, t. II, p. 69.   [2]

♦ **2.** Techn. Irrégularité d'un terrain ; interruption brusque de la pente (d'une route, d'un chemin).

CONTRE-PERFORMANCE [kɔ̃tʀəpɛʀfɔʀmɑ̃s] n. f. — 1949, *in* Petiot ; de *contre-*, et *performance*.

♦ Sports. Mauvaise performance, résultat anormalement faible de qqn qui réussit bien d'habitude. *Après une série de contre-performances, ce coureur a abandonné la compétition.*
Par ext. *Les contre-performances d'un leader politique, d'un écrivain, d'un chanteur. Son dernier passage à la télé est une contre-performance complète.*

CONTRE-PESER [kɔ̃tʀəpəze] v. tr. — XIIᵉ ; de *contre-*, et *peser*.

♦ **1.** Vx. Faire contrepoids à. ⇒ **Contrebalancer, équilibrer.**
1 Je veux expliquer pourquoi un poids de quatre livres est contrepesé par un poids d'une livre.   VOLTAIRE, Éléments de la philosophie de Newton..., I, 10, *in* LITTRÉ.

♦ **2.** (Abstrait). Littér. et vieilli. ⇒ **Compenser, corriger.**
2 L'orgueil contre-pèse et emporte toutes les misères.   PASCAL, Pensées, VI, 406.
3 (...) si les faits étaient tout, si la valeur des noms ne contre-pesait dans l'histoire la valeur des événements, quelle différence entre mon temps et le temps qui s'écoula depuis la mort de Henri IV jusqu'à celle de Mazarin !
     CHATEAUBRIAND, Mémoires d'outre-tombe, t. II, p. 167.

CONTR. Déséquilibrer. — Accentuer.

CONTREPET [kɔ̃tʀəpɛ] n. m. — 1947, Luc Étienne ; de *contrepèterie*, d'après *pet*.

♦ **1.** Art de résoudre les contrepèteries ou d'en faire de nouvelles. *« L'art du contrepet »* (Luc Étienne).

♦ **2.** Contrepèterie.
DÉR. Contrepétiste.

CONTREPÈTERIE ou (moins cour.) **CONTRE-PÈTERIE** [kɔ̃tʀəpɛtʀi] n. f. — 1582 ; de l'anc. franç. *contrepéter* « rendre un son pour un autre, équivoquer », de *contre*, et *péter*, hypothèse réfutée par P. Guiraud qui rattache le mot à *piéter*, d'où **contrepéter* « prendre le contrepied », mais l'équivoque sur *péter* est immédiate.

♦ Interversion des lettres ou des syllabes d'un ensemble de mots spécialement choisis, afin d'en obtenir d'autres dont l'assemblage ait également un sens burlesque ou grivois. ⇒ **Antistrophe** (vx), contrepet. *Une erreur de prononciation* (⇒ **Lapsus**) *est à l'origine des contrepèteries ;* ex. : « Un mot de vous, et je suis sauvé ! » et « Un mou de veau, et je suis sauvé ! » (*in Larousse du XIXᵉ s.*) ; « Femme folle à la messe » et « femme molle à la fesse » (Rabelais, *Pantagruel*, XVI).
1 (...) l'invention desquelles consiste à trouver deux mots, les premières lettres desquelles échangées, leur donnent une diverse signification.
     TABOUROT, Des antistrophes ou contrepèteries, *in* SAINÉAN, la Langue de Rabelais.
2 (...) il portait en lui un monde de catastrophes et d'espoirs dont il se libérait par le discours. Et j'ai dit quel discours : une espèce de déconnage orphique, un galimatias d'anthologie avec des contre-pèteries jaillies de source et des coq-à-l'âne qui donnaient à réfléchir.   Jacques PERRET, Bande à part, p. 148.
3 Naturellement, l'existence, le nom et la profession de Madame Astiné étaient une source d'ébaudissement infini, à base de contrepèteries et de calembours d'un goût exécrable ; mais plus la facétie volait bas, plus vif était l'amusement.
     Jean-Louis CURTIS, le Roseau pensant, p. 22.

DÉR. Contrepet.

CONTREPÉTISTE [kɔ̃tʀəpetist] n. — 1957, Luc Étienne ; de *contrepet*.

♦ Rare. Auteur de contrepèteries ; spécialiste du contrepet.

CONTREPIÈCE [kɔ̃tʀəpjɛs] n. f. — 1974, *la Clé des mots* ; de *contre-*, et *pièce*.

♦ Techn. Pièce, élément de mécanisme opposé à un autre ou fonctionnant en sens contraire.

CONTRE-PIED [kɔ̃tʀəpje] n. m. — 1561 ; de *contre-*, et *pied*.

♦ **1.** Vén. Fausse direction prise par les chiens qui croient suivre la bête. *Les chiens ont pris le contre-pied du sanglier.*

♦ **2.** (Fin XVIᵉ). Cour. Ce qui est diamétralement opposé à (une opinion, un comportement). ⇒ **Contraire, contrepartie, inverse, opposé.** *Vos opinions sont le contre-pied des siennes.* — Loc. *Prendre le contre-pied de qqn, de ses idées.* ⇒ **Contradiction, opposition** (→ Classicisme, cit. 2). *Prendre le contre-pied d'une attitude, d'une affirmation.*
1 Les gens avaient pris justement
Le contre-pied du testament.   LA FONTAINE, Fables, II, 20.
2 Faire de l'homme un dieu nous semble le contre-pied de la religion.
     FUSTEL DE COULANGES, la Cité antique, p. 35.
3 En face de celui-ci (*le gouvernement*), il (*Bonaparte*) s'était dressé en maître, transgressant ses volontés, prenant le contre-pied de ses instructions, et le contraignant à l'approuver cependant et à le féliciter de lui avoir désobéi.
     Louis MADELIN, l'Ascension de Bonaparte, XIV, p. 209.

(...) on n'a qu'à prendre en tout le contre-pied de ce qui est raisonnable.   4
     F. MAURIAC, Thérèse Desqueyroux, VI, p. 102.
Par une réaction prévisible, le fils prend en tout le contre-pied du père : Michel,   5
de deux épouses et bon nombre de maîtresses, a en tout deux enfants ; Michel-Joseph sera père d'une famille nombreuse.
     M. YOURCENAR, Archives du Nord, p. 297.

♦ **3.** (1921, tennis, *in* Petiot). Sports. *Être à contre-pied,* sur le mauvais pied (pour une action). *La balle l'a surpris à contre-pied.*
Fig. *Prendre qqn à contre-pied,* le déconcerter, agir lorsqu'il n'est pas prêt à la réplique. ⇒ **Contre-poil, rebours** (à).

CONTRE-PLACAGE [kɔ̃tʀəplakaʒ] n. m. — 1873, *Dictionnaire technologique français-allemand-anglais, in* D.D.L. ; de *contre-plaqué*.

♦ Techn. Fabrication du contre-plaqué par application de feuilles de bois des deux côtés d'un panneau (les fibres du bois étant perpendiculaires). *Des contre-placages.*

CONTRE-PLAINTE [kɔ̃tʀəplɛ̃t] n. f. — 1877, *in* Littré, *Suppl.* ; de *contre-*, et *plainte*.

♦ Dr. intern. Plainte contradictoire déposée par un État auprès d'un organisme international en réponse à la plainte qui a été faite contre lui. *Des contre-plaintes.*

CONTRE-PLAQUE [kɔ̃tʀəplak] n. f. — Mil. XXᵉ ; de *contre-*, et *plaque*.

♦ Techn. Plaque fixée sur un support plus vaste, pour le renforcer, avant d'y fixer une pièce. *Des contre-plaques.*

CONTREPLAQUÉ ou **CONTRE-PLAQUÉ** [kɔ̃tʀəplake] n. m. — 1914, *Année sc. et industr.*, p. 52, adj., *bois contre-plaqué* ; de *contre-*, et *plaque*, p. p. de *plaquer*.

♦ Bois formé de plaques minces collées, à fibres opposées. ⇒ **Contreplacage.** *Du contre-plaqué de 19 mm. Contre-plaqué marine. Contre-plaqué et aggloméré. Bateau, meuble en contre-plaqué. Les plis* du contre-plaqué.*
(...) des éléments de décors y sont abandonnés çà et là dans une grande confusion.   1
Contre une touffe de bananiers à moitié morts est appuyé de travers un grand panneau de contreplaqué dont la face peinte représente un mur de pierre (...)
     A. ROBBE-GRILLET, la Maison de rendez-vous, p. 132.
Par métaphore. Symbole de matériau artificiel, de peu de valeur. ⇒ **Toc.** *C'est du contre-plaqué. Des sentiments en contre-plaqué.*
(...) là où Claude voit une merveille de grâce légère, c'est la fausse poésie qui   2
m'apparaît, la poésie en contreplaqué, une fantaisie aux ailes de zinc.
     F. MAURIAC, Bloc-notes 1952-1957, p. 7.
REM. Le verbe *contreplaquer*, traité dans les dictionnaires depuis 1922, semble inusité.

DÉR. Contre-placage, contre-plaqueur.

CONTRE-PLAQUEUR [kɔ̃tʀəplakœʀ] n. m. — 1955, *Dict. des Métiers* ; de *contre-plaqué*.

♦ Techn. Ouvrier qui colle et ajuste les pièces de bois du contre-plaqué. *Des contre-plaqueurs.* — REM. Le féminin *contre-plaqueuse* [kɔ̃tʀəplakøz] est virtuel.

CONTRE-PLONGÉE [kɔ̃tʀəplɔ̃ʒe] n. f. — 1946 ; de *contre-*, et *plongée*.

♦ Cin., télév. Prise de vue faite de bas en haut (à l'inverse de la plongée). *Séquence filmée en contre-plongée. Des contre-plongées.*

CONTREPOIDS [kɔ̃tʀəpwa ; kɔ̃tʀəpwɑ] n. m. — V. 1180 ; de *contre-*, et *poids*.

♦ **1.** Poids qui fait équilibre à un autre poids pour en neutraliser ou en modérer l'action. *Les contrepoids d'une horloge.* ⇒ **Balancier.** *Contrepoids de tournebroche :* poids qui, avec le balancier, sert à régler le tournebroche. *Contrepoids qui referme automatiquement une porte.* ⇒ **Valet.** *Faire contrepoids.* ⇒ **Balancer, contrebalancer, contre-peser, équilibrer.**
Balancier dont les danseurs de corde se servent pour se maintenir en équilibre.

♦ **2.** Vx. Équilibre. *Le contrepoids de deux choses, entre deux choses. En contrepoids :* en équilibre.
Tellement que le poids de ce vif argent ayant autant de force pour tomber que le   1
poids de l'eau a pour le pousser en haut, tout demeure en contrepoids.
     PASCAL, Traité de l'Équilibre des liqueurs, III, *in* LITTRÉ.
Loc. *Faire le contrepoids ; constituer un contrepoids* (au sens 1).
Et cette barrière, avec un bloc de pierre pour faire le contrepoids ! Sont-ils retardés   2
par ici !   MARTIN DU GARD, les Thibault, t. III, p. 79.

♦ **3.** (XIIIᵉ). Abstrait. Ce qui équilibre, neutralise. ⇒ **Compensation,**

contrepartie, correctif. *L'opposition fait contrepoids aux tentations autoritaires du gouvernement.*

Vx. Équilibre. *Il y a contrepoids.* ⇒ **Compensation, équilibre, neutralisation.**

3 Nous ne nous soutenons pas dans la vertu par notre propre force, mais par le contrepoids de deux vices opposés, comme nous demeurons debout entre deux vents contraires : ôtez un de ces vices, nous tombons dans l'autre.
PASCAL, Pensées, VI, 359.

4 Ceux qui espèrent leur salut sont heureux en cela, mais ils ont pour contrepoids la crainte de l'enfer.
PASCAL, Pensées, III, 239.

5 Si le sens moral se développait en raison du développement de l'intelligence, il y aurait contrepoids et l'humanité grandirait sans danger (...)
CHATEAUBRIAND, Mémoires d'outre-tombe, t. VI, p. 321.

Mod. (Par métaphore du sens 1). *Cela fait (un) contrepoids. Il y a un effet de contrepoids.*

6 Il y a en Europe un esprit latin sans lequel notre civilisation n'aurait pas son équilibre. Son réalisme intellectuel apporte un contrepoids au dynamisme anglo-saxon, dans la mesure où celui-ci s'éloigne de la tradition classique.
André SIEGFRIED, l'Âme des peuples, II, I, p. 28.

CONTR. Surcharge. — Déséquilibre.

CONTRE-POIL (À) [akɔ̃tʀəpwal] loc. adv. — 1205, *contrepoil*; *encontre poil ester* «aller à rebours», v. 1167; de *contre-*, et *poil*.

♦ **1.** Dans le sens inverse du sens naturel des poils (à rebroussepoil). *Les chats détestent qu'on les caresse à contre-poil. Étriller un cheval à contre-poil. Se raser la barbe à contre-poil. Assembler des morceaux de tissu à contre-poil.*

♦ **2.** Fig. et fam. *Prendre qqn à contre-poil,* maladroitement, en l'irritant. — *Prendre une affaire à contre-poil.* ⇒ **Envers** (à l'), **opposé** (à l'), **rebours** (à).

CONTREPOINT [kɔ̃tʀəpwɛ̃] n. m. — 1398; de *contre-*, et *point* «note», les notes étant figurées par des points.

♦ **1.** Mus. Art de composer de la musique en superposant des dessins mélodiques. *L'harmonie combine des notes disposées verticalement (accords), et le contrepoint les notes qui se succèdent suivant un dessin horizontal soumis à des règles. Les cinq façons d'écrire le contrepoint suivant la durée qu'on donne aux notes. Contrepoint fleuri. Contrepoint à deux, trois, à huit parties. Apprendre l'harmonie et le contrepoint.* ⇒ **Contrapuntiste.** Combinaisons (cit. 4) de *contrepoint.*

1 Créé au moyen âge, à partir du XIIᵉ siècle, il (le *contrepoint*) est l'art de superposer deux ou un plus grand nombre de lignes ou parties mélodiques. Ces mélodies étant alors écrites sous la forme de points, leur association présentait aux yeux des « points contre des points ».
Initiation à la musique, p. 376.

1.1 (...) un ménage de cousins à lui, qui, comme les ménages d'ouvriers, n'était jamais à la maison pour soigner les enfants, car dès le matin la femme partait à la « Schola » apprendre le contrepoint et la fugue, et le mari à son atelier faire de la sculpture sur bois et des cuirs repoussés (...)
PROUST, le Côté de Guermantes, t. I, Folio, p. 37.

Un, des contrepoints, composition faite d'après les règles du contrepoint.

♦ **2.** Fig. Motif secondaire qui se superpose à qqch., en ayant une réalité propre. *La musique doit fournir un contrepoint aux images d'un film.*

2 (Les comédiens) juxtaposent au texte une espèce de contrepoint déclamatoire, absolument étranger, qui ne laisse pas transparaître un atome du poème vivant qu'ils ont la prétention d'interpréter.
Léon BLOY, la Femme pauvre, I, p. 119.

Loc. adv. Fig. *En contrepoint :* simultanément, et indépendamment, mais comme une sorte d'accompagnement. — Loc. prép. *En contrepoint de...*

3 Il aurait fallu que la pièce (*Sud,* de Julien Green) telle qu'elle est se déroulât en contrepoint de la vie simple et normale du couple humain.
F. MAURIAC, Bloc-notes 1952-1957, p. 17.

DÉR. 3. Contrepointer.

CONTRE-POINTE [kɔ̃tʀəpwɛ̃t] n. f. — 1825; de *contre-*, et *pointe*.
Technique.

♦ **1.** Escrime au sabre où l'on combine les coups d'estoc et de taille.

♦ **2.** (1838). Partie tranchante de l'extrémité du dos d'un sabre. *Des contre-pointes.*
Par anal. *Contre-pointe d'un hameçon.* ⇒ **Ardillon.**

1. CONTRE-POINTER ou CONTREPOINTER
[kɔ̃tʀəpwɛ̃te] v. tr. — 1520, p. p.; de *contre-pointe,* var. de *courte-pointe.*

♦ Cout. (Vx). Piquer une étoffe des deux côtés. *Contre-pointer une couverture.*

2. CONTRE-POINTER ou CONTREPOINTER
[kɔ̃tʀəpwɛ̃te] v. tr. — 1476; de *contre-*, et *pointer*.

♦ Techn. (milit.). Pointer (une pièce d'artillerie) contre une autre.

Contre-pointer un canon. — Au p. p. *Des bouches à feu contre-pointées.*

3. CONTREPOINTER [kɔ̃tʀəpwɛ̃te] v. tr. — Av. 1544; de *contrepoint.*

♦ Mus. Composer, développer suivant les règles du contrepoint. *Contrepointer une mélodie, une chanson.*

CONTREPOISON [kɔ̃tʀəpwazɔ̃] n. m. — V. 1500; de *contre-*, et *poison.*

♦ **1.** Substance destinée à combattre, à neutraliser l'effet d'un poison, d'une substance toxique. ⇒ **Alexipharmaque, antidote** (cit. 1). *Administrer un contrepoison. Le lait, le café, l'eau de chaux, les blancs d'œufs peuvent servir de contrepoisons.*

♦ **2.** Par métaphore ou fig. *Chercher un contrepoison à une doctrine subversive.*

Il n'est point de contrepoisons
Contre le noir venin des langues médisantes.
CORNEILLE, Office de la Vierge, V, IX, 179.

CONTRE-POLICE [kɔ̃tʀəpɔlis] n. f. — 1796; de *contre-*, et *police.*

♦ Police secrète qui surveille et contrôle la police. *Des contre-polices. Des histoires de services secrets, de contre-espionnage et de contre-police.*

CONTRE-PORTE [kɔ̃tʀəpɔʀt] n. f. — 1690; «porte en renforçant une autre dans des fortifications», 1582; de *contre-*, et *porte.*
Technique.

♦ **1.** Porte légère, généralement capitonnée, qui double une porte. *Des contre-portes protégeaient du froid et étouffaient le bruit des conversations.*

♦ **2.** Face intérieure (d'une porte, aménagée pour recevoir des accessoires). *La contre-porte d'un réfrigérateur, d'une machine à laver. Contre-porte de voiture.*

CONTRE-POUVOIR [kɔ̃tʀəpuvwaʀ] n. m. — 1973, *in* P. Gilbert; de *contre-*, et *pouvoir.*

♦ Pouvoir qui s'oppose ou qui fait équilibre à un pouvoir antérieur. ⇒ **Tricontinental.** *« Le contre-pouvoir des consommateurs »* (le Monde, 5 déc. 1979). *Des contre-pouvoirs.*

CONTRE-PRÉPARATION [kɔ̃tʀəpʀepaʀasjɔ̃] n. f. — 1929; de *contre-*, et *préparation.*

♦ Milit. Bombardement destiné à neutraliser une préparation (d'artillerie). *Des contre-préparations d'artillerie.*

CONTRE-PRESSION [kɔ̃tʀəpʀesjɔ̃] n. f. — 1861; de *contre-*, et *pression.*

♦ Techn. Pression opposée à une autre pression.
Spécialt. Pression secondaire réduisant l'effet de la pression motrice. *Des contre-pressions.*

Ces écrans, ou contre-vents, ont pour effet de concentrer la force du vent, de dévier les parties extrêmes du courant qui pourraient donner une *contre-pression* nuisible (...)
L. FIGUIER, l'Année sc. et industr. 1883, p. 120 (1882).

CONTRE-PRESTATION [kɔ̃tʀəpʀɛstasjɔ̃] n. f. — V. 1970; de *contre-*, et *prestation.*

♦ Didact. Obligation, dans certaines sociétés, de répondre à un don par un autre don. ⇒ **Contre-don.** *Des contre-prestations. Le potlatch* est une forme de contre-prestation.*

CONTRE-PROJET ou CONTREPROJET [kɔ̃tʀəpʀɔʒɛ] n. m. — 1791, *in* D.D.L.; de *contre-*, et *projet.*

♦ Projet que l'on oppose à un autre projet sur la même question. *Proposer des contre-projets.*

CONTRE-PROPAGANDE [kɔ̃tʀəpʀɔpagɑ̃d] n. f. — 1943, *in* D.D.L.; de *contre-*, et *propagande.*

♦ Propagande destinée à détruire les effets d'une autre propagande. *Des contre-propagandes.*

1 (...) repérer les éléments sains, les organiser, amorcer une contre-propagande clandestine, voilà les objectifs immédiats.
SARTRE, la Mort dans l'âme, p. 241.

2 Nos voisins ont beau, par une contre-propagande sournoise, dénoncer la malhonnêteté de notre procédé, personne ne prête foi à leurs dires (...)
Robert PINGET, Graal flibuste, p. 76.

CONTRE-PROPOSITION ou **CONTREPROPOSITION** [kɔ̃tʀəpʀɔpozisjɔ̃] n. f. — 1771 ; de *contre-*, et *proposition*.

♦ Proposition qu'on fait pour l'opposer à une autre. *Des contre-propositions.*

CONTRE-PUBLICITÉ [kɔ̃tʀəpyblisite] n. f. — xxᵉ ; de *contre-*, et *publicité*.

♦ **1.** Action (publicité ou propagande) qui a un effet contraire à son objet, qui diminue les ventes. ⇒ **Antipublicitaire.** Argument qui entraîne un tel effet. *Ce slogan, cette affiche leur fait de la contre-publicité ; est une contre-publicité.*

1 Il est à remarquer que lorsqu'on s'adresse à une certaine classe sociale, le bon marché peut être une contre-publicité.
        B. DE PLAS ET H. VERDIER, la Publicité, p. 30.

♦ **2.** Publicité destinée à lutter contre une autre publicité.

2 Aux États-Unis, sous la pression des consommateurs et de Ralph Nader, il est question de compléter et de corriger la publicité à la télévision par une contre-publicité permettant à chacun de juger.
        A. SAUVY, Croissance zéro, p. 215 (1973).

CONTRE-QUILLE [kɔ̃tʀəkij] n. f. — 1677 ; de *contre-*, et *quille*.

♦ Mar. Pièce de bois disposée sur la face supérieure de la quille d'un navire en bois, pour la doubler et la renforcer. *Des contre-quilles.*

CONTRER [kɔ̃tʀe] v. — 1838 ; de *contre*.

♦ **1.** V. intr. Cartes. Défier l'adversaire de réaliser sa demande, son contrat. ⇒ **Contre** (II., 3.). *Réussir un chelem contré, au bridge.* ⇒ **Surcontrer.**

♦ **2.** V. tr. **a** S'opposer avec succès à (qqn). *Il a contré son interlocuteur. Se faire contrer.* — (À qqch.). *Contrer une attaque. Contrer une proposition.*

1 Le 9 février au soir, le P. C. avait organisé une manifestation antifasciste que la police contra brutalement, tuant six ouvriers.
        S. DE BEAUVOIR, la Force de l'âge, p. 168.

b Sports (boxe). Frapper en contre. — (Tennis). *Contrer la balle :* riposter en annulant l'attaque adverse.

c Mar. (Rare). *Contrer une voile,* la border à contre.

2 La trinquette est ensuite contrée pour faire abattre sur le bord favorable.
        Bernard MOITESSIER, Cap Horn à la voile, p. 91.

COMP. **Surcontrer.**
HOM. **Contrée.**

CONTRE-RAIL [kɔ̃tʀəʀaj] n. m. — 1855 ; «aiguille», 1841 ; de *contre-*, et *rail*.

♦ Techn. Second rail placé contre le rail normal aux passages à niveau, aux croisements. *Des contrerails.*

CONTRE-RÉACTION [kɔ̃tʀəʀeaksjɔ̃] n. f. — 1961 ; de *contre-*, et *réaction*.

♦ Techn. Action de contrôle en retour. ⇒ **Rétroaction ; autorégulation.** *Des contre-réactions.*

Une pareille incapacité devant les variations rapides s'explique par le fait que, dans les moteurs thermodynamiques, même quand il existe une auto-régulation, cette auto-régulation ne possède pas de canaux d'information distincts des effecteurs. Il y a bien, dans le *governor* de Watt, une voie de contre-réaction *(feed-back),* mais cette voie ne se distingue pas de la voie effectrice qui permet au moteur de mouvoir un organe résistant (...)
        GILBERT SIMONDON, Du mode d'existence des objets techniques, p. 128.

REM. Le mot est l'un des équivalents français de l'anglicisme *feedback**.

CONTRE-RÉFORME [kɔ̃tʀəʀefɔʀm] n. f. — 1914 ; de *contre-*, et *réforme*.

♦ Hist. Réforme catholique qui succéda à la Réforme pour s'y opposer. *Les Jésuites, artisans de la contre-réforme.*

CONTRE-RÉVOLUTION [kɔ̃tʀəʀevɔlysjɔ̃] n. f. — 1790 ; de *contre-*, et *révolution*.

♦ Mouvement politique, social, destiné à combattre une révolution. ⇒ **Réaction.** *Des contre-révolutions.*

(...) des crises de contre-révolution, de réaction furieuse (...) une longue chaîne de violences rétrogrades et de haines basses, de représailles et de servitudes.
        J. ROMAINS, les Hommes de bonne volonté, t. IV, XXIII, p. 256.

CONTRE-RÉVOLUTIONNAIRE [kɔ̃tʀəʀevɔlysjɔnɛʀ] adj. et n. — 1790 ; de *contre-*, et *révolutionnaire*.

♦ Favorable à une contre-révolution. ⇒ **Réactionnaire.** — N. Partisan d'une contre-révolution. *Les contre-révolutionnaires de Vendée, les chouans*.*

CONTRE-REZZOU [kɔ̃tʀəʀɛdzu] n. m. ⇒ **Rezzou.**

CONTRE-RIPOSTE [kɔ̃tʀəʀipɔst] n. f. — 1838 ; de *contre-*, et *riposte*.

♦ Escr. Riposte à une riposte. *Des contre-ripostes.*

CONTRE-SAISON (À) [akɔ̃tʀəsezɔ̃] loc. adv. — Fin xviiiᵉ ; de *contre-*, et *saison*.

♦ Littér. En dehors de la saison normale. *Fleur, légume obtenu à contre-saison.*

Fig. et littér. A un moment, dans un temps anormal.

Où que j'aille et quoi que je fasse, c'est toujours à contre-saison. Mais il me plaît ainsi. Seul hôte d'un grand hôtel morne (oh ! simplement parce qu'il est vide) qui ne commencera pas de s'emplir avant juillet !
        GIDE, Journal, 1935, p. 1228, *in* T. L. F.

CONTRE-SANGLE [kɔ̃tʀəsãgl] n. f. — V. 1160, *contrecengle* ; de *contre-*, et *sangle*.

♦ Techn. Courroie clouée à l'arçon de la selle, pour arrêter la boucle de la sangle. *Des contre-sangles.*

CONTRE-SANGLON [kɔ̃tʀəsãglɔ̃] n. m. — V. 1583 ; de *contre-*, et *sanglon*.

♦ Techn. (sellerie). Courroie attachée à une boucle, fixant une partie du harnais. *Des contre-sanglons.*

CONTRESCARPE [kɔ̃tʀɛskaʀp] n. f. — 1546 ; de *contre-*, et *escarpe*.

♦ Fortif. Pente du mur extérieur d'un fossé, du côté de la campagne. ⇒ **Glacis.** *Escarpe** et contrescarpe. *La rue de la Contrescarpe, à Paris, doit son nom au tracé d'anciennes fortifications.*

Alors on entendit un grand bruit de fagots entre-choqués et de poutres gémissantes : c'étaient les contrescarpes et les bastions d'Athos, que l'assiégé démolissait lui-même.
        DUMAS, les Trois Mousquetaires, t. I, p. 342.

CONTRE-SCEAU [kɔ̃tʀəso] n. m. — 1256, *contre-saul* ; de *contre-*, et *sceau*.

♦ Techn. Petit sceau complémentaire, apposé au revers du grand. *Des contre-sceaux.*

DÉR. V. **Contre-sceller.**

CONTRE-SCELLER [kɔ̃tʀəsele] v. tr. — 1307 ; de *contre-scel*, var. anc. de *contresceau*, d'après *sceller*.

♦ Techn. et vieilli. Marquer d'un contre-sceau.

CONTRESEING [kɔ̃tʀəsɛ̃] n. m. — 1564, *contresing* ; «marque d'un orfèvre sur son poinçon», 1355 ; de *contre-*, et *seing*.

♦ **1.** Dr. Deuxième signature destinée à authentifier la signature principale, ou à marquer un engagement solidaire. ⇒ **Contre-signer.** *Le contreseing des ministres aux actes du chef de l'État engage leur responsabilité devant les Chambres.*

♦ **2.** Énonciation sur une lettre de la qualité de l'expéditeur, en vue d'obtenir la franchise postale.

CONTRESENS [kɔ̃tʀəsãs] n. m. — 1560 ; de *contre-*, et *sens*.

♦ **1.** Interprétation contraire à la signification véritable. *Faire un contresens et des faux sens dans une traduction, une version.*
Vx. Sens opposé. *Vous prenez le contresens de mes paroles* (Académie).

Il ne manqua pas de dire : « Je viens *vous faire l'honneur* de vous *semondre* (convier)...» Locution très juste, bien qu'elle nous paraisse un contresens, puisqu'elle exprime l'idée de rendre les honneurs à ceux qu'on en juge dignes.
1   G. SAND, la Mare au diable, Appendice I, p. 145.

Fig. Mauvaise interprétation. ⇒ **Erreur.** *Cette interprétation de Hamlet est un contresens. Sa manière de jouer, de lire, de chanter est un perpétuel contresens.*

♦ **2.** Fig. Erreur de choix, fondée sur une mauvaise interprétation des faits. ⇒ **Aberration, absurdité, ineptie.**

2 (...) un des contresens des éducations communes (...)   ROUSSEAU, Émile, II.
3 (...) sa vie était un contresens perpétuel.
        BALZAC, la Vieille Fille, Pl., t. IV, p. 330.

♦ **3.** (1671). Direction contraire à la direction normale. *Prendre le contresens d'une étoffe.* — Fig. *Prendre le contresens d'une affaire.*

♦ **4.** Loc. adv. (1607). À CONTRESENS : dans un sens contraire au sens naturel, normal. ⇒ **Contrepoil** (à), **envers** (à l'). *Coudre une* *dentelle à contresens.* — REM. On écrit aussi *à contre sens, à contre-sens. Prendre une rue à contre-sens.*

3.1 La feuille de papier qui vient de lui servir est restée un peu déformée par l'opé-ration. Lady Ava la roule à contre-sens, afin de lui rendre sa platitude primitive.
A. ROBBE-GRILLET, la Maison de rendez-vous, p. 104.

(Abstrait). ⇒ **Rebours** (à), **travers** (de). *Interprétation à contresens. Jouer un rôle à contresens.*

4 *(Ces gens qui)* blâment (...) et louent tout à contresens (...)
MOLIÈRE, Critique de l'École des femmes, 5.

5 Elle perd tout en chemin. Et à contresens. Son missel au marché. Son cache-cor-set à l'église.
GIRAUDOUX, la Folle de Chaillot, II, p. 158.

CONTR. Exactitude, fidélité, sens. — **Correctement, fidèlement, logiquement, nor-malement.**

CONTRESIGNATAIRE [kɔ̃tʀəsiɲatɛʀ] adj. et n. — 1818, n. m. ; *contresigneur*, 1763 ; de *contre-*, et *signataire.*

♦ Dr. Personne qui contresigne un acte, appose un contreseing. *Un contresignataire.* — Adj. *Autorité contresignataire.*

CONTRESIGNER [kɔ̃tʀəsiɲe] v. tr. — 1415 ; de *contre-*, et *signer.*

♦ Dr. et cour. Apposer un contreseing sur. *Décret contresigné par un ministre.*

(Av. 1784). *Contresigner une lettre pour obtenir la franchise postale.*

CONTRE-SOLEIL (À) [akɔ̃tʀəsɔlɛj] loc. adv. — xxᵉ ; de *contre-*, et *soleil.*

♦ Rare. Le soleil étant en face, sa lumière éclairant les yeux de l'observateur. ⇒ **Contre-jour** (à).

Un couloir de plus de cent mètres. Au fond, à contre-soleil (dans une salle, je sup-pose) une vingtaine de personnes.
MALRAUX, Antimémoires, Folio, p. 530.

REM. On trouve aussi *en contre-soleil* (J. Joffo, *Baby-foot*, p. 223).

CONTRE-STIMULANT [kɔ̃tʀəstimylɑ̃] ou CONTRO-STIMULANT [kɔ̃tʀostimylɑ̃] n. m. — 1820, Stendhal ; de *contre-*, *contro-*, et *stimulant.*

♦ Hist. de la méd. Médicament qui diminue l'excitation (cf. Cl. Ber-nard, *in* T. L. F.).

CONTRESUJET [kɔ̃tʀəsyʒɛ] n. m. — 1834, Fétis, *in* D. D. L. ; aussi «contrefugue», 1838 ; de *contre-*, et *sujet.*

♦ Mus. Second ou troisième sujet d'une fugue. — REM. On a écrit et on écrit encore *contre-sujet.*

CONTRETAILLE [kɔ̃tʀətaj] n. f. — xvɪᵉ ; de *contre-*, et *taille.*

♦ **1.** Comm. Seconde taille servant de contrôle à celle sur laquelle un commerçant marquait les fournitures. *Des contretailles.* — REM. On écrit aussi *contre-taille.*

♦ **2.** (1754). Gravure. Chacune des tailles qui croisent les premiè-res tailles sur une planche de cuivre ; trait qui en résulte sur l'estampe.

DÉR. Contretailler.

CONTRETAILLER [kɔ̃tʀətaje] v. tr. — 1839 ; de *contretaille.*

♦ Gravure. Couvrir de contretailles (une plaque de cuivre, une sur-face).

CONTRETEMPS [kɔ̃tʀətɑ̃] n. m. — 1559, en équitation ; «moment importun», 1611 ; de *contre-*, et *temps* ; cf. A *contrattempo.*

♦ **1.** (1654). Événement, circonstance qui s'oppose à ce que l'on attendait. ⇒ **Accident, accroc** (fig.), **complication, difficulté, empê-chement, ennui.** *Un fâcheux, un cruel, un ennuyeux contretemps. Contretemps imprévu, inopportun. Un contretemps vint contrarier ses projets.*

1 (...) je réponds du succès, à moins qu'il n'arrive quelqu'un de ces contretemps qui confondent les desseins les mieux concertés.
A.-R. LESAGE, Gil Blas, VI, I.

2 Je me trouvai ce jour-là fort incommodé ; il fallut remettre la partie et les contre-temps qui survinrent m'empêchèrent de l'exécuter.
ROUSSEAU, les Confessions, XI.

3 Il demeura les pieds au bord du trottoir, ravi (...) de ce contretemps imprévu qui allait retarder de quelques minutes encore l'instant désormais imminent de son arrivée au bureau (...)
COURTELINE, Messieurs les ronds-de-cuir, 1ᵉʳ tableau, I, p. 19.

REM. On écrit (rarement) aussi *contre-temps.*

3.1 Un absurde contre-temps m'empêche, en passant à Boma (Congo belge), d'aller présenter mes respects au Gouverneur.
GIDE, Voyage au Congo, *in* Souvenirs, Pl., p. 690.

Vx. Action faite mal à propos. *L'Étourdi ou les contretemps,* comé-die de Molière (titre de l'édition originale).

♦ **2.** Loc. adv. (1627). À **CONTRETEMPS** : mal à propos*, au mauvais

moment. ⇒ **Inopportunément** (→ Hors de saison*). *Arriver à con-tretemps* (→ Comme des cheveux* sur la soupe, comme un chien* dans un jeu de quilles...). *Il fait tout à contretemps.*

4 Thomas Diafoirus est un grand benêt (...) qui fait toutes choses de mauvaise grâce et à contretemps.
MOLIÈRE, le Malade imaginaire, II, 5.

5 Mais nos destinées et nos volontés jouent presque toujours à contretemps.
A. MAUROIS, Climats, II, p. 286.

♦ **3.** (1805 ; «note exécutée sur un temps qui n'est pas le bon», 1704). Mus. Action d'attaquer un son sur un temps faible, ou sur la partie faible d'un temps, le temps fort ou la partie forte du temps suivant étant formé d'un silence. *Le contretemps, l'anacrouse et la syncope sont attaqués sur le temps faible. Jouer à contretemps.*

Chorégr. Manière de retomber sur un seul pied, après un saut.

CONTR. Aide, aplanissement, arrangement, facilité, opportunité. — **Opportuné-ment, temps** (à).

CONTRETENIR [kɔ̃tʀət(ə)niʀ] v. tr. — xɪɪᵉ ; de *contre-*, et *tenir.*

♦ Techn. Maintenir par derrière. *Contretenir une planche sur laquelle on frappe pour enfoncer des clous.*

(Les tireurs de pousse-pousse) contretiennent de toutes leurs forces, en raidissant leurs jambes musculeuses : ces petites voitures chargées descendraient bien toutes seules, beaucoup trop vite, si on les laissait faire (...).
LOTI, Mᵐᵉ Chrysanthème, p. 282.

CONTRE-TÉNOR [kɔ̃tʀətenɔʀ] n. m. — D. i. ; de *contre-*, et *ténor.*

♦ Mus. (et hist. de la mus.). Chanteur masculin dont la voix a le même registre que le contralto (plus aigu que le ténor). — Syn. : *haute-contre. Des contre-ténors.* — Cette voix. *Un contre-ténor exceptionnel.*

CONTRE-TERRASSE [kɔ̃tʀətɛʀas] n. f. — 1694 ; de *contre-*, et *terrasse.*

♦ Archit. Terrasse disposée en contrebas d'une terrasse plus élevée. *Des contre-terrasses.*

CONTRE-TERRORISME [kɔ̃tʀətɛʀɔʀism] n. m. — V. 1960 ; de *contre-*, et *terrorisme.*

♦ Lutte violente contre le terrorisme (par les mêmes méthodes). *Les terrorismes et les contre-terrorismes.*

Le droit européen qui s'esquisse sera allemand. C'est-à-dire fondé sur la notion strictement actuelle de «contre-terrorisme», notion négative, polarisée, obsession-nelle, pure réaction émotive de trouille et de haine.
CAVANNA, *in* Charlie-Hebdo, 8 déc. 1977.

CONTRE-TERRORISTE [kɔ̃tʀətɛʀɔʀist] n. et adj. — V. 1960 ; de *contre-*, et *terroriste.*

♦ Personne qui fait du contre-terrorisme. — Adj. *Activités contre-terroristes.*

CONTRE-TIMBRE [kɔ̃tʀətɛ̃bʀ] n. m. — 1816 ; de *contre-*, et *tim-bre.*

♦ Admin. Timbre que l'Administration appose sur une feuille de papier timbré pour indiquer que sa valeur initiale est modifiée. *Des contre-timbres.*

Opération (dite aussi *contre-timbrage* [kɔ̃tʀətɛ̃bʀaʒ]) qui consiste à apposer cette empreinte.

CONTRE-TIRER [kɔ̃tʀətiʀe] v. tr. — 1586 ; de *contre-*, et *tirer.*

♦ **1.** Vx. Calquer.

♦ **2.** Mod. Tirer en contre-épreuve. — Au p. p. *Des épreuves contre-tirées.*

CONTRE-TONIQUE [kɔ̃tʀətɔnik] n. f. — xxᵉ ; de *contre-*, et *toni-que.*

♦ Phonét. Syllabe tonique secondaire (portant un accent de hauteur secondaire). *Des contre-toniques.*

CONTRE-TORPILLEUR [kɔ̃tʀətɔʀpijœʀ] n. m. — 1890 ; de *contre-*, et *torpilleur.*

♦ Navire de guerre très rapide, de tonnage réduit (jusqu'à 3 000 tonnes), destiné à attaquer les bâtiments ennemis au canon ou à la torpille. ⇒ **Destroyer.** *Contre-torpilleur équipé en mouilleur de mines.*

(...) trois contre-torpilleurs américains (...) pointent vers le ciel des choses en forme de griffes.
A. PIEYRE DE MANDIARGUES, la Marge, p. 28.

CONTRE-TRANSFÉRENTIEL, ELLE [kõtʀǝtʀɑ̃sfeʀɑ̃sjɛl] adj. — Mil. xxᵉ ; de *contre-transfert*, d'après *transférentiel*.

♦ Psychan. Du contre-transfert. *Manifestations contre-transférentielles du thérapeute.*

CONTRE-TRANSFERT [kõtʀǝtʀɑ̃sfɛʀ] n. m. — xxᵉ ; de *contre-*, et *transfert*.

♦ Psychan. « Ensemble des réactions inconscientes de l'analyste à la personne de l'analysé et plus particulièrement au transfert de celui-ci » (Laplanche et Pontalis). *Des contre-transferts.*

1 La notion de transfert et celle de contre-transfert, qui est son corollaire et s'applique à l'attitude consciente et inconsciente du médecin vis-à-vis de son malade, sont restées le pivot de tout traitement psychanalytique. Sans doute la notion de contre-transfert a-t-elle pris beaucoup plus d'importance dans ces dernières décades. Elle a amorcé certains changements qui se sont produits dans la technique psychanalytique (...) S. NACH, Guérir avec Freud, *in* la Nef, nº 31, p. 168.

2 Importance du contre-transfert et, corrélativement, de la formation du psychanalyste. Ici l'accent est venu des embarras de la terminaison de la cure, qui rejoignent ceux du moment où la psychanalyse didactique s'achève dans l'introduction du candidat à la pratique. Et la même oscillation s'y remarque : d'une part, et non sans courage, on indique l'être de l'analyste comme élément non négligeable dans les effets de l'analyse et même à exposer dans sa conduite en fin de jeu ; on n'en promulgue pas moins énergiquement, d'autre part, qu'aucune solution ne peut venir que d'un approfondissement toujours plus poussé du ressort inconscient. J. LACAN, Écrits, p. 243.

DÉR. **Contre-transférentiel.**

CONTRETYPAGE [kõtʀǝtipaʒ] n. m. — Mil. xxᵉ ; de *contretyper*.

♦ Techn. Action de contretyper ; son résultat. *La qualité d'un contretypage.*

CONTRETYPE [kõtʀǝtip] n. m. — 1900 ; de *contre-*, et *type*.

♦ Techn. Cliché négatif inversé. — Copie d'une épreuve ou d'un cliché photographique. *Des contretypes.*

DÉR. **Contretyper.**

CONTRETYPER [kõtʀǝtipe] v. — 1952 ; de *contretype*.
Technique.

♦ **1.** V. intr. Faire un contretype.

♦ **2.** V. tr. Copier par un contretype.

DÉR. **Contretypage.**

CONTRE-UT [kõtʀyt] n. m. — 1832 ; de *contre-*, et *ut*.

♦ Mus. Note plus élevée d'une octave que l'ut supérieur du registre normal. *Contre-ut de trompette.* — On emploie aussi *contre-ré*, *contre-mi*, etc. — *Des contre-uts* ou *des contre-ut* (cf. Giraudoux, *Églantine*, p. 34).

Le pianiste plaqua les derniers accords, pendant que Florence lançait un contre-ut retentissant. Roger NAÏM, l'Ère des truands, p. 35.

CONTRE-VAGUE [kõtʀǝvag] n. f. — xxᵉ ; de *contre-*, et *vague*.

♦ Didact. ou rare. Vague née d'une autre vague, et animée d'un mouvement opposé ou différent ; masse d'eau qui déferle en sens inverse de la vague dont elle est issue. *Des contre-vagues.*

Il observa les vagues. Quatre, cinq normales, et une énorme, mais pas au point de... Si, regarde... Percutant la falaise de gauche, elle éclatait, renvoyant une contre-vague perpendiculaire. Claude COURCHAY, La vie finira bien par commencer, p. 182.

CONTRE-VAIR [kõtʀǝvɛʀ] n. m. — 1636 ; de *contre-*, et *vair*.

♦ Blason. Fourrure analogue au vair, mais où les petites pièces de même métal (argent) et de même couleur (azur) sont opposées par la pointe, au lieu d'être alternées. *Des contre-vairs.*

DÉR. **Contre-vairé.**

CONTRE-VAIRÉ, ÉE [kõtʀǝveʀe] adj. — 1690 ; de *contre-vair*.

♦ Blason. Garni de contre-vair. *Pièce contre-vairée.*

CONTRE-VALEUR [kõtʀǝvalœʀ] n. f. — 1837, Balzac ; de *contre-*, et *valeur*.

♦ **1.** Fin. Valeur échangée contre une autre. « *Falleix signera des contre-valeurs* » (Balzac, in T.L.F.). *Contre-valeur en francs d'une devise étrangère.* ⇒ **Certain** (n. m.).

♦ **2.** Comm. Somme remise ou créditée en échange d'un objet.

♦ **3.** Littér. Valeur (morale, intellectuelle) opposée à une autre.

CONTREVALLATION [kõtʀǝva(l)lasjõ] n. f. — 1676 ; de *contre-*, et lat. *vallatio* « retranchement ».

♦ Techn. (fortif.). Fossé, retranchement autour d'une place forte.

Sans qu'il eût fait ni lignes de circonvallation, ni de contrevallation. RACINE, les Campagnes de Louis XIV.

CONTRE-VALLÉE [kõtʀǝvale] n. f. — Av. 1874 ; de *contre-*, et *vallée*.

♦ Didact. (géogr.). Vallée constituant une ramification d'une autre vallée de direction opposée ou très différente.

La base de la montagne, entre ses contreforts et leurs nombreuses ramifications, formait un labyrinthe de vallées et de contre-vallées disposé très capricieusement. J. VERNE, l'Île mystérieuse, t. II, p. 757 (1874).

CONTRE-VAPEUR [kõtʀǝvapœʀ] n. f. — 1866, *Année sc. et industr.* 1867, p. 100 ; de *contre-*, et *vapeur*.

♦ Mécan. (Vx). Vapeur renversée. *Des contre-vapeurs.*

Le capitaine Montcrieff a voulu utiliser la force même du recul pour combattre le recul, à peu près comme on se sert dans les chemins de fer de la contre-vapeur pour arrêter la marche d'une locomotive. L. FIGUIER, l'Année sc. et industr. 1879, p. 163 (1878).

CONTREVENANT, ANTE [kõtʀǝv(ǝ)nɑ̃, ɑ̃t] adj. et n. — 1516, adj., *Recueil général des anciennes lois françaises*, in D.D.L. ; de *contrevenir*.

♦ Dr. (Rare). Qui contrevient à un règlement. *Les personnes contrevenantes.* — N. (1597). Cour. *Les contrevenants seront punis de prison.*

CONTREVENIR [kõtʀǝv(ǝ)niʀ] v. tr. ind. — Conjug. *venir*. — 1331 ; du lat. médiéval *contravenire* (→ Contravention), d'après *venir*.

♦ Dr. ou littér. *Contrevenir à* (qqch.) : agir contrairement à (une prescription, une obligation que l'on a contractée...). ⇒ **Déroger, désobéir, enfreindre, transgresser, violer.** *Contrevenir à la loi, au règlement ; aux commandements de Dieu. Contrevenir à une clause du contrat. Contrevenir au pacte, au traité. Contrevenir au code de la route, au règlement de police.* ⇒ **Contravention.**

C'est contrevenir à un commandement du décalogue... BOSSUET, Images. 1

(...) il demeurait persuadé, quand il était saisi, à la fin de la journée par une crampe d'estomac, qu'il avait dû contrevenir (...) aux justes règles du manger et du boire. G. DUHAMEL, le Voyage de Patrice Périot, I, p. 9. 2

(...) je ne rentrais qu'à l'aube, ayant contrevenu à mes promesses envers moi-même (...) M. YOURCENAR, Alexis, p. 61. 3

CONTR. **Accomplir, conformer (se), exécuter, obéir, observer, obtempérer, respecter, soumettre (se), suivre.**
DÉR. **Contrevenant.**

1. CONTREVENT [kõtʀǝvɑ̃] n. m. — 1642 ; autres sens, xvᵉ ; de *contre-*, et *vent*.

♦ **1.** Grand volet extérieur qui sert à garantir la fenêtre des intempéries. ⇒ aussi **Jalousie, persienne.** *Ouvrir, fermer les contrevents. Fenêtre à un, à deux contrevents. Contrevents de bois, de métal. Les persiennes* (cit. 1) *diffèrent à la fois des contrevents et des jalousies.* — Par métaphore. (→ Fuchsia, cit. 2).

Sur le penchant de quelque agréable colline bien ombragée, j'aurais une petite maison rustique, une maison blanche avec des contrevents verts (...) ROUSSEAU, Émile, 4. 1

On entend le bruit des lourds contrevents de fer que le domestique referme. J. CHARDONNE, les Destinées sentimentales, p. 298. 2

REM. Par rapport à *volet*, *contrevent* est marqué comme régional ou désuet, en français contemporain.

♦ **2.** Techn. Dans une charpente, Pièce de bois oblique destinée à renforcer les fermes.

♦ **3.** Techn. Dans un haut-fourneau, Paroi du creuset opposée à la tuyère.

DÉR. **Contreventer.**
HOM. 2. **Contrevent.**

2. CONTREVENT [kõtʀǝvɑ̃] n. m. — 1559 ; de *contre-*, et *vent*.

♦ Vent contraire.
HOM. 1. **Contrevent.**

CONTREVENTEMENT [kõtʀǝvɑ̃tmɑ̃] n. m. — 1694 ; mar., xvⁱᵉ ; repris 1866 ; de *contreventer*.

♦ Techn. Assemblage de charpente destiné à lutter contre les déformations. ⇒ **Contrevent.** *Entretoise de contreventement.*

CONTREVENTER [kɔ̃tʀəvɑ̃te] v. tr. — 1691 ; mar., 1534 ; de 1. *contrevent.*

♦ Techn. Renforcer (une charpente) à l'aide de contrevents.
DÉR. Contreventement.

CONTREVÉRITÉ [kɔ̃tʀəveʀite] n. f. — 1620 ; de *contre-*, et *vérité.*

♦ **1.** Antiphrase. *Des contrevérités ironiques.* ⇒ **Ironie.** — REM. On écrit aussi *contre-vérité.*

♦ **2.** (1831). Mod. Assertion visiblement contraire à la vérité, mais qui peut être faite de bonne foi. ⇒ **Mensonge.**
Nul plus que moi n'admire les analyses politiques de notre directeur, mais nul ne s'installe dans la contrevérité comme lui, dès qu'il cède à la passion.
F. MAURIAC, le Nouveau Bloc-notes 1958-1960, p. 362.

CONTRE-VISITE [kɔ̃tʀəvizit] n. f. — 1680 ; de *contre-*, et *visite.*

♦ Nouvelle visite destinée à contrôler les résultats d'une première visite, d'une première inspection. — Spécialt. Seconde visite médicale. *Passer des contre-visites.*

CONTRE-VOIE [kɔ̃tʀəvwa] n. f. — 1894 ; de *contre-*, et *voie.*
Technique.

♦ **1.** Voie empruntée à contresens par un train (en cas d'interruption de la voie normale, par exemple).

♦ **2.** Loc. adv. (1917). *À contre-voie :* dans le sens inverse de la marche normale d'un train. *Descendre à contre-voie,* du mauvais côté de la voie, à l'opposé du quai.

CONTRIBUABLE [kɔ̃tʀibɥabl] n. — 1401 ; de *contribuer.*

♦ Personne qui paye des contributions. ⇒ **Assujetti.** *Les petits, les gros contribuables. Aux frais du contribuable. Répartition de l'impôt entre les contribuables.* ⇒ **Coéquation.** *Contribuables de l'ancienne France.* ⇒ **Censitaire, corvéable, taillable...** *Contribuable qui était incapable de payer.* ⇒ **Morte-paye.** *Contribuable payant en nature.* ⇒ **Prestataire.** *Charges qui pèsent sur le contribuable* (→ Alourdissement, cit. 2). *Les relations des contribuables et du fisc.*
Les conditions de l'imposition sont posées par une règle *générale et impersonnelle* (...) qui établit le régime juridique auquel est soumis le redevable de l'impôt et que l'on peut appeler, en bref, *le statut de contribuable.*
Louis TROTABAS, Précis de science et législation financières.

CONTRIBUER [kɔ̃tʀibɥe] v. tr. ind. — 1309, d'après Bloch-Wartburg ; *contrebuer,* 1340 ; lat. *contribuere* «fournir pour sa part», de *con- (cum),* et *tribuere* «répartir (entre les tribus)», de *tribus.* → Tribu.

♦ **CONTRIBUER À :** aider à l'exécution d'une œuvre commune ; avoir part (à un résultat). ⇒ **Aider, collaborer** (à), **concourir** (à), **coopérer** (à), **participer** (à) ; → Apporter sa pierre à l'édifice, être pour qqch. dans... *Il a contribué au succès de l'entreprise. Cela contribue pour beaucoup à son bonheur. L'argent ne fait pas le bonheur, mais il y contribue. Contribuer de ses deniers à une construction. Tous les associés ont contribué au résultat en agissant de concert**. — (Sujet n. de chose). *Le sport contribue au développement des muscles.* ⇒ **Tendre** (à). *Cela a contribué à sa perte, à sa ruine. Les facteurs qui contribuent à développer l'industrie, à affaiblir le pouvoir d'achat.*

1   C'est à quoi je vais travailler ; et je vous prie, Monsieur, de vouloir bien contribuer à ce dessein, et de m'aider (...)   MOLIÈRE, Dom Juan, V, 1.

2   C'est une partie essentielle de la destination de chaque homme de contribuer à la perpétuité de la race humaine ; il a reçu pour ainsi dire cette mission.
É. DE SENANCOUR, De l'amour, p. 102.

3   On peut être un très grand homme sans avoir contribué à la moralisation du genre humain et même sans en avoir eu souci.
Émile FAGUET, Études littéraires, XVIIᵉ s., Molière.

(Sujet n. de personne). Payer une partie, sa part de (une dépense ou une charge commune). *Contribuer pour un tiers, un quart. Contribuer aux charges publiques, à l'entretien d'une personne.*

4   Quelle que soit la personne à laquelle les enfants seront confiés, les père et mère conserveront respectivement le droit de surveiller l'entretien et l'éducation de leurs enfants, et seront tenus d'y contribuer à proportion de leurs facultés.
Code civil, art. 303.

5   (...) il trouvait même, de temps à autre, l'occasion de calmer ses scrupules, en faisant porter au compte de sa femme quelques billets de mille francs, afin de contribuer, lui aussi, à l'entretien de Jenny et de Daniel.
MARTIN DU GARD, les Thibault, t. III, p. 50.

Absolt. *Il n'a pas contribué. Faire contribuer qqn.*
CONTR. Abstenir (s'), **contrarier.**
DÉR. Contribuable. — V. **Contributif.**

CONTRIBUTIF, IVE [kɔ̃tʀibytif, iv] adj. — 1594 ; dér. sav. de *contribuer,* ou du lat. *contributum.*

♦ Dr. Qui concerne une contribution. *Part contributive.*

CONTRIBUTION [kɔ̃tʀibysjɔ̃] n. f. — 1317 ; lat. *contributio,* du supin de *contribuere.* → Contribuer.

♦ **1.** Part que chacun donne pour une charge, une dépense commune. ⇒ **Cotisation, écot, part, quote-part, tribu.** *Contribution occasionnelle et volontaire pour venir en aide.* ⇒ **Subside, subvention.** *Il a donné telle somme pour sa contribution, comme contribution, en contribution.*

Anc. Dr. Part de ce qui doit être payé par chacun. *Contribution aux dettes d'une succession.*

♦ **2.** Impôt payé ou devant être payé à l'État par les personnes. ⇒ **Droit, imposition, impôt, taxe.** *Répartir les contributions. Lever, percevoir une contribution. Payer des contributions.* ⇒ **Contribuable.** *Contributions directes,* directement établies sur les personnes et les biens. *Contributions indirectes,* établies sur les objets de consommation. ⇒ **Droit** (indirect). *Contribution personnelle, foncière, mobilière.* ⇒ **Cote.** *Registre des contributions.* ⇒ **Matrice, rôle.** *Contribution des commerçants.* ⇒ **Patente.**

1   Pour l'entretien de la force publique, et pour les dépenses d'administration, une contribution commune est indispensable : elle doit être également répartie entre tous les citoyens.
Déclaration des droits de l'homme (Constitution du 3 sept. 1791), art. 13.

Dr. Participation de chacun des coobligés au paiement d'une dette commune ou faite dans un intérêt commun (Capitant).

(1680). *Contribution de guerre,* payée à l'ennemi qui occupe un territoire. ⇒ **Prélèvement.** *Mettre tout un pays à contribution.*

Par métonymie. *Les contributions :* l'administration chargée de la répartition et du recouvrement des impôts. *Être dans les contributions. Fonctionnaires des contributions.* ⇒ **Contrôleur, percepteur, receveur.** *Autorisation des contributions indirectes pour le transport de certaines marchandises.* ⇒ **Acquit-à-caution, congé.** *Vérification opérée par les agents des contributions indirectes.* ⇒ **Exercice.**

♦ **3.** (1580). Collaboration à une œuvre commune. ⇒ **Aide, appoint, apport, collaboration, concours, tribut.** *Contribution à une entreprise. Apporter sa contribution à une science* (→ Butiner, cit. 3). *Une contribution sérieuse aux recherches des savants.*

(1905). Étude d'un point particulier. *Contribution à l'étude de...* (titre d'ouvrage).

Loc. *Mettre (qqn, qqch.) à contribution :* utiliser les services de, avoir recours à (qqn, qqch.).

2   Écrivains grecs et latins, auteurs anciens et modernes, livres imprimés et manuscrits, amis absents et présents, j'ai tout mis à contribution pour faire entrer dans mon ouvrage le plus de beautés et de richesses qu'il m'a été possible.
ROLLIN, Traité des Études.

3   Et, vous savez, nous vous gardons tout le jour ; nous vous mettrons même à contribution pour nous faire un peu de musique : vous jouez trop délicieusement.
LOTI, les Désenchantés, X, p. 88.

4   — Si vous avez besoin d'un renseignement ou si quelque chose vous arrête, n'hésitez pas à me mettre à contribution.   M. AYMÉ, Travelingue, p. 154.

CONTR. Abstention, entrave, obstacle.

CONTRIBUTOIRE [kɔ̃tʀibytwaʀ] adj. — 1441 ; du lat. *contributum,* supin de *contribuere* (→ Contribuer), et *-oire.*

♦ Dr. *Portion contributoire,* à verser pour contribution (1.).
DÉR. Contributoirement.

CONTRIBUTOIREMENT [kɔ̃tʀibytwaʀmɑ̃] adv. — 1804, *Code civil,* art. 1414 ; de *contributoire.*

♦ Dr. En contribution (1., spécialt).

CONTRISTER [kɔ̃tʀiste] v. tr. — V. 1170 ; intrans., «être affligé avec», v. 1120 ; lat. *contristare,* de *con- (cum* intensif), et *tristis.* → Triste.

♦ Littér. Causer de la tristesse à (qqn). ⇒ **Affliger, attrister, chagriner, fâcher, navrer.** *Cette nouvelle l'a beaucoup contristé. Cette défection lui contriste l'âme, le cœur.* — Pron. *Se contrister facilement.*

1   (...) la première idée qui me vint, en commençant à me recueillir, fut celle d'un mensonge affreux fait dans ma première jeunesse, dont le souvenir m'a troublé toute ma vie, et vient, jusque dans ma vieillesse, contrister encore mon cœur déjà navré de tant d'autres façons.   ROUSSEAU, Rêveries..., 4ᵉ promenade.

2   Paphnuce était surpris et contristé de l'incroyable ignorance de cet homme.
FRANCE, Thaïs, p. 27.

3 (...) souvent il la contristait sans le vouloir.
MAUPASSANT, Fort comme la mort, p. 18.

▶ **CONTRISTANT, ANTE** [kɔ̃tʀistɑ̃, ɑ̃t] adj. participial.
Littér., rare. ⇒ **Affligeant, attristant.** *Une nouvelle contristante.*

▶ **CONTRISTÉ, ÉE** p. p. adj.
CONTR. Dérider, égayer, ravir, réjouir, transporter.

CONTRIT, ITE [kɔ̃tʀi, it] adj. — V. 1174; lat. *contritus,* proprt
« broyé », p. p. de *conterere,* de *con- (cum),* et *terere* « frotter ».

♦ **1.** Relig. Qui est profondément touché du sentiment de ses
péchés. ⇒ **Pénitent, repentant.** *Un cœur contrit.*
Ô Dieu! tu ne dédaignes pas un cœur brisé et contrit.
BIBLE (SEGOND), Psaume LI, 19.

♦ **2.** (Av. 1695). Cour. Qui marque le repentir, l'accablement. *Air
contrit. Contenance, mine piteuse* (cit. 2) *et contrite* (plus rare au
fém.). — *Il avait l'air tout contrit.* ⇒ **Chagrin, marri** (vx), **mortifié,
penaud.** *Être tout contrit d'une maladresse.* ⇒ **Confus.**
CONTR. Impénitent.

CONTRITION [kɔ̃tʀisjɔ̃] n. f. — V. 1200; « destruction », v. 1120;
lat. *contritio,* de *contritus.* → Contrit.

♦ **1.** Relig. Douleur vive et sincère d'avoir offensé Dieu, provoquée
non par la crainte du châtiment (*contrition imparfaite*; ⇒ **Attrition**), mais par un sentiment d'amour (⇒ **Componction**). *Contrition parfaite. Acte de contrition.* ⇒ **Confession, pénitence, repentir**
(→ Absolution, cit. 1).

1 Le concile de Trente définit la contrition, en disant que c'est une douleur et une
détestation des péchés commis, jointe à la volonté de n'en plus commettre.
BOURDALOUE, Pensées, t. I, p. 302.

2 La justice de Dieu était satisfaite, le crime était reconnu, puni, mais effacé par
la contrition et la pénitence. La justice humaine demeurait seule.
HUYSMANS, Là-bas, XVII, p. 247.

♦ **2.** (1393). Littér. Remords, repentir; attitude contrite.

3 (...) elle pensa que le silence lui serait d'un meilleur secours que la contrition, car
les excuses rappellent la faute plus certainement qu'elles ne l'atténuent, et elles
provoquent le ressentiment même lorsqu'elles obtiennent les mots du pardon.
Pierre LOUŸS, les Aventures du roi Pausole, XI, p. 201.

CONTR. Endurcissement, impénitence, indifférence.

CONTRÔLABILITÉ [kɔ̃tʀolabilite] n. f. — D. i.; de *contrôlable.*

♦ Didact. Fait d'être contrôlable. *« On étudie, après en avoir donné
une définition, la contrôlabilité du système »* (*la Recherche,* juin
1972).

CONTRÔLABLE [kɔ̃tʀolabl] adj. — 1900; proposé par Radonvil-
liers, 1845; de *contrôler.*

♦ Qui peut être contrôlé. *Témoignage contrôlable.*
CONTR. Incontrôlable.
DÉR. Contrôlabilité.

CONTROLATÉRAL, ALE, AUX [kɔ̃tʀolateʀal, o] adj. — 1912,
in D. D. L.; de *contro-,* de *contre-,* et *latéral.*

♦ Méd. Situé du côté opposé. *Lésion, paralysie controlatérale,*
dont l'effet atteint le côté opposé à celui où se trouve la lésion nerveuse.

CONTRÔLE [kɔ̃tʀol] n. m. — 1422; *contre-rôle* « registre tenu en
double », 1367; de *contre-,* et *rôle.*

★ **I.** ♦ **1.** Vx. Registre double qu'on tenait pour la vérification
d'un autre.
(1802). Mod., milit. État nominatif des personnes (qui appartiennent
à un corps). *Officier rayé des contrôles de l'armée.*

♦ **2.** (1740). Techn. Marque du poinçon de l'État apposé sur les
bijoux et ouvrages d'orfèvrerie. *Le contrôle fait foi que les droits
ont été payés et garantit le titre.* ⇒ **Poinçon.**

♦ **3.** Cour. Vérification (d'actes, de droits, de documents). ⇒ **Inspection, pointage, vérification.** *Contrôle d'une perception. Contrôle
d'une comptabilité, d'une caisse. Contrôle des billets de chemin
de fer. Contrôle des billets de théâtre. Contrôle des pièces d'identité par la police. Le contre-appel, la contre-expertise, la contre-
visite... : le contrôle d'un premier appel, d'une première expertise,
d'une première visite. — Contrôles aux frontières. Contrôle sanitaire. — Sports. Contrôle de passage d'un concurrent. Contrôle
horaire.
Contrôle politique, juridictionnel. Contrôle de la constitutionnalité
des lois. Pouvoir sans contrôle dans l'absolutisme.
Contrôle des finances publiques.* ⇒ **Comptabilité** (publique). *Con-*

*trôle de l'exécution du budget. Contrôle des dépenses et des recet-
tes. Contrôle des ordonnateurs. Contrôle des comptables. Le contrôle administratif et juridictionnel de la Cour des comptes.
Corps de contrôle* (armée, marine, aéronautique), *les fonctionnaires
qui veillent aux intérêts du Trésor.*

1 Pour que la volonté des Chambres soit respectée, il faut que les prescriptions de
recettes et de dépenses soient rigoureusement observées, et de l'efficacité du contrôle dépend dès lors la sincérité et la régularité de l'exécution du budget.
Louis TROTABAS, Précis de science et législation financières, n° 134.

Contrôle continu (des connaissances) : dans les universités, Système
fondé sur la présence effective et la régularité des activités, qui
existe concurremment avec celui des examens. *Dérogation au contrôle continu.*
(Avec infl. de l'angl. *control;* → ci-dessous, II.). Techn. Fait de surveiller le bon fonctionnement (d'un appareil). *Contrôle d'un réacteur nucléaire. Contrôle continu d'un enregistrement, d'un processus.* ⇒ **Monitoring** (anglic.). — *Liste de contrôle, lue par le pilote
avant le décollage d'un avion.* ⇒ **Check-list** (anglicisme).
Examen pour surveiller ou vérifier. *Exercer un contrôle sévère,
vigilant, sur la conduite de qqn.* ⇒ **Censure, critique.** *Accepter une
assertion, sans contrôle. Le contrôle du législatif sur l'exécutif.
Exercer un pouvoir de contrôle (administratif, politique...).*

2 (...) la prudence méticuleuse qui soumet toute supposition au contrôle des vérifi-
cations prolongées et méthodiques.
TAINE, Philosophie de l'art, t. II, V, III, II, p. 285.

Psychol. (→ Contrôler, cit. 4, Lacan).

♦ **4.** (1869, *in* Petiot). Par métonymie. Bureau, lieu où se fait un contrôle; corps des contrôleurs. *Passage des cyclistes au contrôle.*

♦ **5.** Hist. *Contrôle civil* : circonscription administrative au Maroc,
en Tunisie, sous les protectorats français.

★ **II.** (XXᵉ; angl. *control* « direction, commande, conduite, maîtrise »).
♦ **1.** (Angl. *self-control*). Fait de se maîtriser. *Le contrôle de soi.*
⇒ **Maîtrise.** *Il n'a plus, il a perdu son contrôle.* ⇒ **Contrôler**
(se). *Perdre* (cit. 16) *tout contrôle sur soi-même. Avoir le contrôle
de ses nerfs, de ses réactions. Échapper au contrôle de la volonté*
(→ 2. Bol, cit.).

3 Comment puis-je (...) perdre aussi complètement tout contrôle sur moi-même?
MARTIN DU GARD, les Thibault, t. V, p. 41.

♦ **2.** Fait de dominer, de maîtriser. ⇒ **Maîtrise.** *S'assurer le contrôle d'une entreprise. Prendre le contrôle d'une société. Prise
de contrôle. Contrôle financier, commercial. Être sous le contrôle
d'une puissance étrangère. Les syndicats ont perdu le contrôle du
mouvement revendicatif. Le conducteur a perdu le contrôle de son
véhicule. — Tour* de contrôle d'un aérodrome.*

4 (...) elle rêvait que, descendant une pente à bicyclette, elle perdait le contrôle de
sa machine (...) MONTHERLANT, Pitié pour les femmes, p. 62.

Sports. *Avoir perdu le contrôle de la balle.* — Absolt. *Contrôle de
réception.* ⇒ **Amorti, blocage, tacle.**

(Calque de l'angl. *birth-control*). Spécialt. *Contrôle des naissances*
(1933) : libre choix d'avoir ou non des enfants grâce aux méthodes
contraceptives. ⇒ **Birth-control, contraception, planning** (familial).

DÉR. Contrôler, contrôleur.

CONTRÔLER [kɔ̃tʀole] v. tr. — XVᵉ, sens I.; *contre-roller,* 1310;
de *contrôle* (I.).

★ **I.** ♦ **1.** (1446, *controoller*). Vx. Porter sur le registre de contrôle.

♦ **2.** (1740). Techn. Poinçonner (les ouvrages d'or et d'argent).

♦ **3.** (1437, *conteroller*). Cour. Soumettre (qqch.) à un contrôle.
⇒ **Examiner, inspecter, pointer, vérifier.** *Contrôler des billets de
chemin de fer, des passeports,* en vérifier la validité. *Contrôler
des comptes, des renseignements, contrôler un texte sur l'original*
(⇒ **Collationner**), en vérifier l'exactitude. *Contrôler un produit en
fin de fabrication. Contrôler le bon fonctionnement d'un appareil.
Contrôler par soi-même.* ⇒ **Assurer** (s'). *Contrôler si tout marche
bien, quels ordres ont été compris.*

0.1 Je ne veux tenir pour certain que ce que j'aurai pu voir moi-même, ou pu suffisamment contrôler. GIDE, Voyage au Congo, *in* Souvenirs, Pl., p. 695.

♦ **4.** Soumettre à une surveillance critique. ⇒ **Surveiller.** *La
chambre élue contrôle les actes du gouvernement. Contrôler les
publications, la presse.* ⇒ **Censurer.** *Contrôler la conduite de qqn.
Contrôler qqn.* — Psychol. (→ ci-dessous, cit. 4).

1 (...) De ces brutaux fieffés, qui sans raison ni suite
De leurs femmes en tout contrôlent la conduite. MOLIÈRE, l'École des maris, I, 4.

2 Car il contrôle tout, ce critique zélé.
— Et tout ce qu'il contrôle est fort bien contrôlé. MOLIÈRE, Tartuffe, I, 1.

3 Comment voulez-vous empêcher les meilleures gens de la ville (...) de contrôler les
actions de leur prochain? BALZAC, in P. LAROUSSE.

★ **II.** (De *contrôle,* II.). ♦ **1.** (1662, Pascal, attestation isolée; repris
1903). Maîtriser; dominer. *Contrôler ses réactions, ses réflexes, sa
respiration, ses mouvements.* — V. pron. (1910). SE CONTRÔLER : rester maître de soi. ⇒ **Contenir** (se), **contraindre** (se), **maîtriser** (se).

♦ 2. (1895). Avoir sous sa domination, sa surveillance. *Armée, puissance qui contrôle une région stratégique. Société commerciale qui en contrôle une autre. Contrôler le volume du son à l'aide d'un bouton. Syndicat contrôlé par le patronat. Contrôler son adversaire dans un combat.*

♦ 3. Être en mesure de régler, de déclencher et d'arrêter (un phénomène, un processus, le fonctionnement d'une machine).
REM. L'influence de l'anglais *to control* se fait sentir notamment sur les sens 2 et 3, mais moins fortement que sur le substantif *contrôle*, le passage du sens I au sens II étant plus normal en français pour le verbe.

▶ **CONTRÔLÉ, ÉE** p. p. adj.
Soumis à un contrôle. *Titres de transport contrôlés et poinçonnés.*
N. Psychan. *Le contrôlé et le contrôleur.*

4 Si le contrôlé pouvait être mis par le contrôleur dans une position subjective différente de celle qu'implique le terme sinistre de *contrôle* (avantageusement remplacé, mais seulement en langue anglaise, par celui de *supervision*), le meilleur fruit qu'il tirerait de cet exercice serait d'apprendre à se tenir lui-même dans la position de subjectivité seconde où la situation met d'emblée le contrôleur.
J. LACAN, Écrits, p. 253.
Maîtrisé. *Geste non contrôlé.* V. **Incontrôlé.**

DÉR. Contrôlable, contrôleur.
COMP. Incontrôlable, incontrôlé.

CONTRÔLEUR, EUSE [kɔ̃tʀolœʀ, øz] n. et adj. — 1320; *contrerollour*, 1292; de *contrôle.*

♦ 1. Personne qui exerce un contrôle, une vérification. ⇒ **Inspecteur, vérificateur.** *Contrôleur des Finances. Contrôleur des dépenses engagées. Contrôleur des Contributions. Contrôleur des Tabacs. Contrôleur des Douanes. Contrôleur de l'administration de l'Armée. Contrôleur de la Marine.* — Hist. *Contrôleur civil,* au Maroc, en Tunisie. — (Plus cour.). *Contrôleur des chemins de fer. Contrôleur des wagons-lits. Contrôleur d'autobus. Contrôleur d'un théâtre. Contrôleur de la navigation aérienne, contrôleur aérien,* chargé du contrôle et de la direction des mouvements d'un avion. ⇒ **Aiguilleur** (du ciel).
C'était un gars râblé, coiffé d'une casquette à visière de cuir vernie et vêtu d'une capote, telle qu'en portent les contrôleurs des trains.
Francis CARCO, les Belles Manières, p. 78.
Fig. Personne qui exerce une surveillance sur les actions d'autrui. ⇒ **Censeur, critique, juge.** «*Impitoyable contrôleur des faits et gestes*» (Hugo, *in* T. L. F.). — Psychan. (→ Contrôler, cit. 4; *le contrôleur et le contrôlé*).
REM. Le fém. est rare; il semble qu'on dirait plutôt «*elle est contrôleur*», au moins professionnellement. *Mᵐᵉ X, contrôleur des Contributions.*

♦ 2. N. m. (1865, *in Année sc. et industr.,* 1866, p. 76). Appareil de réglage, de contrôle. ⇒ **Mouchard.** *Contrôleur de ronde* (en parlant d'un veilleur de nuit). *Contrôleur d'allumage. Contrôleur de marche, de vitesse... Contrôleur d'une locomotive* (anglic. : *controller*). *Contrôleur des signaux de chemin de fer.* — *Contrôleur de pression.*

♦ 3. Adj. (1400, *contrerolleuse*). Littér. «*La plus contrôleuse des administrations*» (Balzac, *in* T. L. F.). — Fig. «*Cette jalousie soupçonneuse, contrôleuse...*» (Maupassant, *in* T. L. F.).

CONTRORDRE [kɔ̃tʀɔʀdʀ] n. m. — 1680; de *contre-,* et *ordre.*

♦ Révocation d'un ordre donné. *Recevoir un contrordre. Il y a contrordre. Partez, sauf contrordre. Des ordres et des contrordres continuels.*
1 (...) ils *(les amiraux)* recevront souvent, au hasard des circonstances, le contrordre avant l'ordre, ou ne le recevront pas (...)
Louis MADELIN, l'Avènement de l'Empire, XI, p. 161.
2 Pour l'obtenir, je pris un ton rogue. L'air du tueur professionnel, frustré par un contrordre.
Jacques LAURENT, les Bêtises, p. 181.

CONTROUVER [kɔ̃tʀuve] v. tr. — 1119; «décider», fin xᵉ; probablt du rad. de *trouver;* cf. bas lat. *contropare* «comparer», de *con-* (*cum*), et *tropare* «trouver».

♦ 1. Littér. et vieilli. Inventer mensongèrement pour tromper. ⇒ **Forger** (de toutes pièces).
1 Quand j'épanchais avec lui mon cœur sans réserve, il eut le courage de me fermer constamment le sien, et de m'abuser par des mensonges. Il me controuva je ne sais quelle histoire qui me fit juger que sa présence était nécessaire dans son pays
ROUSSEAU, les Confessions, XII.
2 Ce Français que nous trouvâmes aux mines de Swapavara, homme simple, et que je ne crois pas capable de controuver une histoire, nous assura que pour faire plaisir à quantité de Lapons, il les avait soulagés du devoir conjugal (...)
J.-F. REGNARD, Voyage en Laponie, p. 105.

♦ 2. Rare. Démentir, révéler faux.

▶ **CONTROUVÉ, ÉE** p. p. adj.
Inventé; qui n'est pas exact. ⇒ **Apocryphe, mensonger.** *Fait controuvé pour perdre un innocent. Nouvelle controuvée,* inventée de toutes pièces.

3 Les journaux français ont ébruité — comme toujours, à la légère, — la nouvelle (heureusement aujourd'hui controuvée) du subit décès de notre illustre ami (...)
VILLIERS DE L'ISLE-ADAM, Tribulat Bonhomet, p. 179.
4 (...) si un quart de seconde l'hypothèse de la loi de la pesanteur était controuvée, quel magnifique décombre! GIRAUDOUX, Juliette au pays des hommes, p. 172.
CONTR. (Du p. p.) Authentique, vrai.

CONTROVERSABLE [kɔ̃tʀovɛʀsabl] adj. — 1832; de *controverser.*

♦ Didact. Qui est sujet à controverse. *Opinion, question controversable.* ⇒ **Discutable.**
CONTR. Certain, incontestable, indiscutable, irrécusable, irréfragable.

CONTROVERSE [kɔ̃tʀovɛʀs] n. f. — 1285, *controversie* «querelle», 1245; lat. *controversia* «choc», de *contra-,* et *versus,* p. p. de *vertere* «tourner».

♦ Discussion suivie (sur une question, autour d'une opinion). ⇒ **Discussion, polémique.** *Soulever, provoquer une vive controverse. Controverse théologique, scientifique. Soutenir une controverse. De longues, de vives controverses. Matière à controverse.* ⇒ **Débat.**
1 Si, dans une controverse, l'un des adversaires se bornait à reprendre ce que vient d'alléguer l'autre contre lui, sans rien contester, sans rétorquer, sans qualifier, — en un mot, sans répondre; mais en précisant de plus en plus les arguments dont on veut l'accabler, — je m'assure que cette redite approfondie qu'il en ferait, ce «grossissement» et cette rigueur suffiraient dans le plus grand nombre des cas à énerver et à exécuter la thèse et les raisons ennemies. VALÉRY, Suite, p. 178.
2 (...) l'œuvre du puissant statuaire Rodin était le sujet de vives et fréquentes controverses. Georges LECOMTE, Ma traversée, p. 215.
La controverse (collectif) : l'ensemble des controverses. — (Nom d'action). Fait de controverses. *L'art de la controverse.* ⇒ **Éristique.** *En controverse :* controversé. *Question en controverse entre les spécialistes.*
Discussion théologique. *Controverse entre catholiques et protestants sur un point de foi. Livres de controverse.* — *Étudier la controverse,* la technique de la discussion théologique. ⇒ **Controversiste** (1).
DÉR. Controverser, controversiste.

CONTROVERSER [kɔ̃tʀovɛʀse] v. tr. — 1579; de *controverse.*

♦ Rare. Débattre (un point de doctrine, une question) dans une controverse. ⇒ **Argumenter, discuter** (→ Mettre en question*). *Controverser une décision, un choix.* — Spécialt. *Théologiens qui controversent un dogme.* — Pron. *Ces questions peuvent se controverser.* Absolt. *Controverser avec passion.*

▶ **CONTROVERSÉ, ÉE** p. p. adj. (1611).
Qui fait l'objet d'une controverse. ⇒ **Discuté.** *Une théorie très controversée.*
(...) la conversation roula sur la question controversée de l'émancipation féminine.
Jean-Louis CURTIS, le Roseau pensant, p. 45.
CONTR. Admettre.
DÉR. Controversable.

CONTROVERSISTE [kɔ̃tʀovɛʀsist] n. — 1630; de *controverse,* et suff. *-iste.*

♦ 1. Relig. Personne qui traite des matières de controverse religieuse.

♦ 2. (1843). Didact. Personne qui se plaît à prendre part à des débats, des discussions, et y fait preuve de talent. *Un brillant controversiste* (cf. l'anglicisme *debater*).
REM. On trouve la forme *controverseur* [kɔ̃tʀovɛʀsœʀ] (de *controverser*) chez les Goncourt.

CONTUITION [kɔ̃tɥisjɔ̃] n. f. — V. 1960; de *con-* «avec», et *(in)tuition.*

♦ Psychol. Connaissance d'un objet par la connaissance intuitive d'un autre objet lié au premier.

1. CONTUMACE [kɔ̃tymas] n. f. — 1268; lat. *contumacia* «orgueil», de *contumax.* → 2. Contumace.

♦ 1. Dr. Refus que fait un prévenu de comparaître devant le tribunal où il est appelé. ⇒ **Défaut.** *Être en état de contumace. Purger sa contumace :* comparaître après une condamnation par défaut.
1 Lorsque, après un arrêt de mise en accusation, l'accusé n'aura pu être saisi, ou ne se présentera pas dans les dix jours de la notification qui en aura été faite à son domicile (...) il sera déclaré rebelle à la loi (...) ses biens seront séquestrés pendant l'instruction de la contumace (...) Code d'instruction criminelle, art. 465.

♦ **2.** Loc. (1536). Cour. **PAR CONTUMACE** : en l'absence de l'intéressé. *Condamné à mort par contumace* (opposé à *contradictoirement*). *Contumace :* condamnation en l'absence du condamné.

Fig. et littéraire :

2   (...) cassé aux genoux, dans la nuit. Y arrivera-t-on, à me glisser en lui, mémoire et rêve de moi, en lui encore vivant, n'y suis-je pas déjà, depuis toujours, répandu comme un remords, et serait-ce là, ma nuit et ma contumace, au secret de ce mourant, et sa mort mon dernier délai.   S. BECKETT, *Textes pour rien*, p. 198-199.

2. CONTUMACE [kɔ̃tymas] ou **CONTUMAX** [kɔ̃tymaks] adj. et n. — 1381, *contumaux*; *contumas*, 1392; *contumax*, 1549; «rebelle», XIIIe; lat. *contumax* «fier, obstiné, rebelle», de *con-* (*cum* intensif), et *tumere* «être gonflé (d'orgueil, etc.)».

♦ Didact. (dr.). Se dit de l'accusé en état de contumace. ⇒ **Absent, défaillant.** *Un accusé contumace. Prévenu déclaré contumace.*

Alors l'Évêque et le Vice-Inquisiteur le déclarent contumace et prononcent contre lui la sentence d'excommunication qui est aussitôt rendue publique.
                HUYSMANS, *Là-bas*, XVI, p. 225.

N. *Un contumace, une contumace.*

CONTUMÉLIE [kɔ̃tymeli] n. f. — Av. 1328; repris XIXe; lat. *contumelia.*

♦ Vx, littér. (latinisme). Offense grave (mot utilisé par Huysmans, Léon Bloy, *in* T. L. F.).

CONTUMÉLIEUSEMENT [kɔ̃tymeljøzmɑ̃] adv. — 1541, Calvin; du lat. de *contumélieus* «insultant», lat. *contumeliosus*, même sens, de *contumelia.* → Contumélie.

♦ Rare. De façon offensante, injurieuse (cf. Chateaubriand, *Mémoires d'outre-tombe*; Mérimée, *Correspondance*, *in* T. L. F.).

CONTUS, USE [kɔ̃ty, yz] adj. — 1503; lat. *contusus*, p. p. de *contundere* «frapper, meurtrir». → Contusion.

♦ Didact. Qui présente, qui a subi une contusion. *Sortir tout contus d'un accident.* ⇒ **Blessé, contusionné.** — *Plaie contuse.*

1   L'homme qui tient le volant est ou semble être le maître de l'espace. Il est, en outre, dans une mesure notable, protégé. Qu'un choc non excessif se produise, la coque d'acier souffre, mais le conducteur n'est pas nécessairement blessé ni même contus.   G. DUHAMEL, *Manuel du protestataire*, IV, p. 131.

2   La contusion, ou plutôt la plaie contuse apparut. Un trou ovalisé existait sur la poitrine entre la troisième et la quatrième côte. C'est là que la balle avait atteint Harbert.   J. VERNE, *l'Île mystérieuse*, t. II, p. 684.

CONTUSIF, IVE [kɔ̃tyzif, iv] adj. — 1835; dér. sav. de *contusion.*

♦ Méd. Produit par une contusion. — *Pneumonie contusive.* Qui semble causé par une contusion. *Douleurs contusives.*

CONTUSION [kɔ̃tyzjɔ̃] n. f. — 1314; lat. *contusio*, du supin de *contundere* «frapper, meurtrir», de *con-* (*cum*), et *tundere* «frapper».

♦ Cour. Lésion produite par un choc, un corps contondant, sans qu'il y ait déchirure de la peau. ⇒ **Bleu, bosse** (cit. 1), **ecchymose, lésion, meurtrissure.** *Légère contusion. Se tirer d'un accident avec quelques contusions. Être couvert de contusions.* ⇒ **Contus** (cit. 2). *Écrasement par contusion.* ⇒ **Mâchure.**

1   Je l'ai voulu saigner, parce qu'il a le corps tout couvert de contusions, mais il n'a pas voulu; il en a pourtant bien besoin.
                SCARRON, *le Roman comique*, II, IV, p. 177.

2   (...) un (...) laquais (...) se fit une légère contusion à la tête.
                ROUSSEAU, *Julie ou la Nouvelle Héloïse*, V, Lettre, 9.

CONTR. **Déchirure.**
DÉR. **Contusif, contusionner.**

CONTUSIONNER [kɔ̃tyzjɔne] v. tr. — 1819; au p. p., 1672, «*les bras de la pauvre Montgobert sont bien contusionnés*» (Sévigné); de *contusion.*

♦ Blesser par contusion. ⇒ **Meurtrir.** *Accident qui contusionne le corps. Quelques personnes ont été contusionnées.*

Absolument :

Je les sentais proches, les rues glaciales et tumultueuses, les visages terrifiants, les bruits qui coupent, percent, lacèrent, contusionnent.
                S. BECKETT, *Nouvelles*, p. 109.

▶ **CONTUSIONNÉ, ÉE** p. p. adj. *Bras, jambes contusionné(e)s.* — (Personnes). *Des accidentés tout contusionnés.* ⇒ **Contus.**

CONURBATION [kɔnyʀbasjɔ̃] n. f. — 1922; de *con-* «autour», et lat. *urbs* «ville», probablt par l'angl. *conurbation* (de même orig.), 1915.

♦ Géogr. Agglomération formée d'une ville et de ses banlieues, ou de villes voisines réunies (cf. Zone urbaine). «*C'est le cas des conurbations de l'Europe du Nord ou des grandes nappes urbaines de l'Ouest américain*» (*Sciences et Avenir*, n° 25, p. 15). *Grandes conurbations.* ⇒ **Mégalopole.**

CONVAINCANT, ANTE [kɔ̃vɛ̃kɑ̃, ɑ̃t] adj. — 1633; de *convaincre.*

♦ **1.** Qui est propre à convaincre. *Démonstration, preuve convaincante. Cet argument est convaincant.* ⇒ **Concluant, décisif, probant.** *Plaidoyer convaincant. Ce n'est pas très convaincant.*

1   Une preuve convaincante que l'homme n'a pas été créé comme il est, c'est que, plus il devient raisonnable, et plus il rougit lui-même de l'extravagance, de la bassesse et de la corruption de ses sentiments et de ses inclinations.
                LA ROCHEFOUCAULD, *Maximes*, 523.

2   La lettre pathétique et convaincante que vous nous avez envoyée (...)
                VOLTAIRE, *Lettre à Damilaville*, 19 sept. 1766.

♦ **2.** (Personnes). Qui convainc, éloquent. *Ton convaincant. Orateur convaincant.*

CONTR. **Contestable, douteux, faible.**
HOM. **Convainquant** (p. prés. de *convaincre*).

CONVAINCRE [kɔ̃vɛ̃kʀ] v. tr. — Conjug. *vaincre.* — XIIe; lat. *convincere*, de *con-* (*cum* intensif), et *vincere* «vaincre». → Conviction.

♦ **1.** Amener (qqn) à reconnaître la vérité, la nécessité d'une proposition ou d'un fait. ⇒ **Persuader** (cit. 1 et 3). *Convaincre un sceptique, un incrédule. Se laisser convaincre. Parvenir, réussir à convaincre qqn. Convaincre qqn par de bonnes raisons.* — (Absolt.) → ci-dessous, cit. 4, 5 et 6). *L'art** (cit. 3) *de convaincre.* ⇒ **Rhétorique, sophistique.** *Convaincre par des arguments affectifs.* ⇒ **Persuader, toucher.** *Chercher à convaincre.* ⇒ **Prêcher.** — *Convaincre qqn de qqch.*, l'amener à reconnaître (qqch.) comme vrai. *Il a convaincu son auditoire de la gravité de la situation, de la valeur de son projet. Cela m'a convaincu du contraire.* — Au passif. *Je suis convaincu de sa sincérité. J'en suis absolument convaincu.* — *Convaincre qqn que...*, l'amener à reconnaître comme vrai que... (→ ci-dessous, cit. 3 et 7). *Il est convaincu que vous réussirez, il en est convaincu.* — (Le compl. désigne une faculté humaine). *Convaincre l'esprit, l'entendement, la raison* (de qqn).

1   (...) cela n'est pas capable ni de convaincre mon esprit, ni d'ébranler mon âme.
                MOLIÈRE, *Dom Juan*, V, 2.

2   (...) un de ces Chrétiens qui croient sans preuves n'aura peut-être pas de quoi convaincre un infidèle (...)   PASCAL, *Pensées*, IV, 287.

3   Il est aisé de convaincre un enfant que ce qu'on lui veut enseigner est utile : mais ce n'est rien de le convaincre, si l'on ne sait le persuader. En vain la tranquille raison nous fait approuver ou blâmer; il n'y a que la passion qui nous fasse agir (...)
                ROUSSEAU, *Émile*, III.

4   Je ne tardais pas à sentir que j'avais tort de vouloir convaincre par le raisonnement dans un genre où il ne faut que persuader par le sentiment.
                BEAUMARCHAIS, *in* LAFAYE, *Dict. des synonymes*, p. 468.

5   — Qu'à cela ne tienne, répondit Germain, qui mourait d'envie de se laisser convaincre.   G. SAND, *la Mare au diable*, VI, p. 54.

6   Et moi, qui ai tant parlé, avec le désir insatiable de convaincre, je me suis moi-même à la longue convaincu que les plus graves arguments et les démonstrations les mieux conduites avaient bien peu d'effet, sans le secours de ces détails insignifiants en apparence (...)   VALÉRY, *Eupalinos*, p. 20.

7   Aucun raisonnement ne saurait me convaincre que l'addition d'unités sordides puisse donner un total exquis.   GIDE, *les Faux-monnayeurs*, III, XI, p. 417.

7.1   Non, l'avoir dit me convainc du contraire, je n'ai jamais vu le jour, pas plus que lui, voilà la beauté toute négative de la parole.
                S. BECKETT, *Textes pour rien*, p. 171.

Convaincre qqn de (et inf.), l'amener à considérer comme nécessaire de. *Nous l'avons convaincu de rester.* — Passif. *Il est convaincu de ne pas se tromper. En êtes-vous vraiment convaincu ?*

♦ **2.** *Convaincre (qqn) de (qqch.)*, donner des preuves de (sa faute, sa culpabilité); amener (qqn) à reconnaître qu'il est coupable. ⇒ **Conviction** (1). *Convaincre qqn d'imposture, de trahison. Il a été convaincu de mensonge. Convaincre un accusé de son crime.*

8   C'est cet homme-là qu'il faut chercher, découvrir et confondre. C'est lui qu'il faut convaincre de son crime et punir.
                G. DUHAMEL, *Récits des temps de guerre*, IV, p. 96.

Vx. *Convaincre (qqch.) de (qqch.). Convaincre un raisonnement d'erreur.*

9   (...) vous ne sauriez inventer d'excuse qu'il ne me soit facile de convaincre de fausseté.   MOLIÈRE, *George Dandin*, III, 6.

▶ **SE CONVAINCRE** v. pron.

Se persuader. *Se convaincre par l'expérience, par la réflexion. Chercher à se convaincre. — Se convaincre de la véracité d'une affirmation. Se convaincre que qqn a raison. Il veut s'en convaincre lui-même.*

9.1   Il fallut se payer de ces réponses, mais s'en convaincre était plus difficile.
                SADE, *Justine...*, t. I, p. 123.

10   Elle allait et venait dans la pièce, parlant pour se convaincre soi-même autant que son fils (...)   F. MAURIAC, *Génitrix*, X, p. 117.

11   Que (...) l'orgueil soit une passion plus forte que l'intérêt, on s'en convainc si l'on

observe combien les hommes se font couramment tuer pour une blessure à leur orgueil, peu pour une atteinte à leurs intérêts.
                    Julien BENDA, la Trahison des clercs, p. 106.

▶ **CONVAINCU, UE** p. p. adj. (1677).

♦ **1.** Qui possède, qui exprime la conviction de. *Des auditeurs convaincus, des partisans convaincus.* ⇒ **Certain, persuadé, sûr.** *Convaincu d'avance (de qqch).*

12 (...) avec le froid entêtement d'un homme convaincu.   ZOLA, Nana, I, p. 5.
13 (...) je refusais la direction de l'infirmerie, convaincu que ces pauvres bougres allaient claquer dans leur cave si on ne les évacuait pas sur-le-champ.
                    MARTIN DU GARD, les Thibault, IX, p. 244.

(Fin XIXᵉ). Sûr de son opinion. *Un orateur très convaincu. — Air convaincu. Parler d'un ton convaincu.* ⇒ **Assuré, éloquent, pénétré.**
N. *Les convaincus. Prêcher un convaincu. C'est vraiment une convaincue, elle!*

14 *(Mon père)* c'est un convaincu professionnel. Un professeur de conviction. Il inculque la foi (...)   GIDE, les Faux-monnayeurs, in Romans, Pl., p. 1230.

♦ **2.** CONVAINCU DE... Dont la culpabilité a été prouvée. — Dr. (Vieilli). *Atteint et convaincu d'un délit, d'un crime.*

CONTR. **Douter.** — **Sceptique, incrédule** (être).
DÉR. **Convaincant.**

CONVALESCENCE [kɔ̃valesɑ̃s] n. f. — 1455; «santé», 1355; bas lat. *convalescentia,* de *convalescens.* → Convalescent.

♦ **1.** Période de transition entre la fin d'une maladie et le retour à la santé. ⇒ **Analepsie.** *Entrer en convalescence.* ⇒ **Guérir, mieux** (aller), **renaître** (littér.), **requinquer** (se). *État, période de convalescence. Une longue, une difficile, une rapide convalescence. Maison de convalescence.* ⇒ **Repos.** *La fin d'une convalescence.* ⇒ **Rétablissement, santé.** — *Être en convalescence d'une grave maladie.*

1 (...) un de ces moments qui sont entre la maladie et la convalescence et où l'on est encore plus sensible aux témoignages de l'amitié.
                    SAINTE-BEUVE, Correspondance, II, p. 56.
2 Pour bien réussir une convalescence, il y faut la complicité du printemps.
                    GIDE, Journal, 1ᵉʳ juin 1949.

Permission, congé accordé à un convalescent. *Partir en convalescence* (cf. argot milit. *convalo* [kɔ̃valo] n. f., 1915; cf. Barbusse, *le Feu,* I, chap. 9).

♦ **2.** Par métaphore. (Littér.). Période d'amélioration, d'apaisement après un mal. ⇒ **Guérison** (fig.). *Convalescence morale, mentale; convalescence du cœur. «Une convalescence d'âme»* (Balzac). — *Période de convalescence après une guerre. — Entrer, être en convalescence. Au moment «où la France blessée entre en pleine convalescence»* (De Gaulle, in T. L. F.).

ANT. **Rechute.**

CONVALESCENT, ENTE [kɔ̃valesɑ̃, ɑ̃t] adj. et n. — V. 1400; lat. *convalescens,* p. prés. de *convalescere* «reprendre des forces», de *con-* (cum), et *valescere,* de *valere* «être en bonne santé».

♦ Qui est en convalescence. *Il est encore convalescent. — Un corps convalescent. — Air convalescent.*
N. (1628, in D.D.L.). *Un convalescent, une convalescente. Première sortie d'un convalescent. Un convalescent encore un peu faible. Les malades et les convalescents.*
Le convalescent sacrifie tout à l'intérêt de la santé.
                    BOURDALOUE, Pensées, t. I, p. 392.
Littér. Propre à un convalescent, à une convalescente. *Des faiblesses, des pâleurs convalescentes.*

CONTR. **Malade, rétabli.**

CONVALLAIRE [kɔ̃valɛʁ] n. f. — D. i.; lat. *convallaria.*

♦ Bot. Muguet de mai (nom sc. : *Convallaria maialis*).

CONVALO [kɔ̃valo] n. f. ⇒ **Convalescence.**

CONVECTEUR [kɔ̃vɛktœʁ] n. m. — 1901; du rad. lat. (*convectus*) de *convection.*

♦ **1.** Techn. Dispositif qui transporte (de l'énergie). «*Les convecteurs de l'électricité*» (H. Poincaré).

♦ **2.** Techn. et cour. Appareil de chauffage utilisant les phénomènes de convection.

CONVECTIF, IVE [kɔ̃vɛktif, iv] adj. — 1911; du rad. lat. (*convectus*) de *convection.*

♦ Techn. Produit ou caractérisé par des phénomènes de convection. *Couche, zone convective du soleil.* «*Dans la tache solaire, l'effet mécanique n'est pas convectif, mais est dû à un tourbillon gazeux*» (*Sciences,* nº 2, 1959, p. 11).

CONVECTION ou **CONVEXION** [kɔ̃vɛksjɔ̃] n. f. — 1890; du lat. *convectum,* de *con-* (cum), et supin de *vehere* «transporter». → Véhicule.

Didactique (sciences).

♦ **1.** Mouvement (d'un fluide) dû à une variation de la température; transfert de chaleur qui y correspond. *Échauffement par convection. L'énergie stellaire est transportée par convection vers les zones externes.*

♦ **2.** Météor. Mouvement vertical (d'une masse d'air). *La convection comprend les mouvements ascendants et les mouvements descendants.* ⇒ aussi **Ascendance; subsidence.** *Convection thermique* (⇒ **Thermoconvection**); *convection orographique, dynamique... Convection résultant de l'échauffement du sol dans la journée. Les échanges thermiques entre masses d'air se font par convection.*

♦ **3.** *Convection électrique* : déplacement (des porteurs de charge électrique).

CONTR. **Advection.**
DÉR. V. **Convecteur, convectif.**
COMP. **Thermoconvection.**

CONVENABLE [kɔ̃vnabl] adj. — V. 1150; de *convenir.*

♦ **1.** Vx. CONVENABLE À... : qui convient, s'adapte bien à. ⇒ **Adapté.** *Le temps est peu convenable à nos projets. Dire une parole convenable à la situation. Être reçu d'une manière convenable à son rang.*

1 Cette solitude n'est-elle pas bien convenable à une personne (...) qui est ou veut être chrétienne?   Mᵐᵉ DE SÉVIGNÉ, 1191, 29 juin 1689.
2 Cette bassesse m'a paru plus convenable à une nourrice.
                    RACINE, Phèdre, Préface.
2.1 (...) il pouvait s'attendre à une récompense convenable à la libéralité du sultan, son seigneur et maître.   A. GALLAND, les Mille et une Nuits, t. III, p. 361.

♦ **2.** Littér. Qui convient, est approprié. ⇒ **Adéquat, ad hoc, compatible, conforme, congru, convenant, expédient, idoine, pertinent, propre, propos** (à propos), **raisonnable, saison** (de saison). *Solution convenable. Présenter qqch. sous une forme convenable. Choisir le moment convenable.* ⇒ **Favorable, opportun, propice.** *Au moment convenable. Faire un mariage convenable.* ⇒ **Assorti.** *Un parti convenable.* ⇒ **Sortable.**

Qui est proportionné à son objet, à sa destination. ⇒ **Adapté, conforme, proportionné.** *Une récompense convenable. — Mesures convenables pour obtenir un résultat. — Il est, il n'est pas convenable de... (et infinitif).*

3 (...) le moyen le plus convenable pour gouverner les enfants est de les mener par leur bouche.   ROUSSEAU, Émile, II.
4 Il n'est pas toujours convenable de consulter uniquement le droit sans rien accorder aux circonstances.   MIRABEAU, in BARTHOU, p. 291.
5 (...) je ne suis pas dans les dispositions convenables pour recueillir mon passé dans le calme où il dort, tout agité qu'il fut quand il était à l'état de vie.
                    CHATEAUBRIAND, Mémoires d'outre-tombe, t. VI, p. 1.

♦ **3.** Suffisant, acceptable. ⇒ **Décent, passable.** *Un salaire convenable, à peine convenable. Des vêtements encore convenables.*

6 (...) il est de toutes les contrebandes, aussi bien de celles qui rapportent un salaire convenable que des autres où l'on risque la mort pour cent sous.
                    LOTI, Ramuntcho, IX, p. 264.

(Euphémisme). *Convenable, très convenable :* bon, excellent. *Goûtez donc ce vin (ces cigares), il est (ils sont) très convenable(s).*

♦ **4.** (V. 1611). Conforme aux règles, aux conventions de la bienséance. ⇒ **Bienséant, correct, décent, digne, honnête, honorable, séant.** *Des manières convenables. Une tenue, une mise convenable.* — Impers. *Il n'est pas convenable que vous sortiez seule.* ⇒ **Beau** (fam.). *Ce n'est pas convenable. C'est une démarche peu convenable. Juger convenable de faire, de dire telle chose.* ⇒ **Bon, juste.** *Adopter une conduite peu convenable.*

7 C'était en hiver, aux environs du carnaval, époque de l'année où il est séant et convenable chez nous de faire les noces.
                    G. SAND, la Mare au diable, Appendice, I, p. 143.
8 C'était un petit hôtel blanc, fort convenable d'aspect, et dont rien ne décelait la vie intérieure.   Pierre LOUŸS, les Aventures du roi Pausole, VIII, p. 234.
9 Puisqu'on avertissait, puisqu'on prévenait tout le monde, et le grand public des journaux et des meetings (...) il était indispensable, il était convenable, il était juste, il était correct de nous prévenir aussi, de prévenir les dreyfusistes.
                    Ch. PÉGUY, la République..., p. 75.

(1803; personnes). *C'est une personne très convenable,* qui respecte les convenances, les conventions sociales du milieu bourgeois (cf. Très bien, comme il faut).

10 C'était une jeune fille excessivement convenable. C'est à peine si l'on voyait sa figure sous une voilette et une couche de poudre, quand elle allait à l'église accompagnée par une petite bonne.   J. CHARDONNE, les Destinées sentimentales, p. 397.

N. m. «*Le convenable est le grand malheur du dix-neuvième siècle*» (Stendhal, *Promenades dans Rome*).

CONTR. **Déplacé, déraisonnable, disconvenant, disproportionné, impertinent, impropre, inadéquat, incompatible, incongru, inconvenant, incorrect, indécent, indigne, indu, inopportun, intempestif, malhonnête, malséant, malsonnant, messéant, saugrenu.**
DÉR. **Convenablement.**

CONVENABLEMENT [kɔ̃vnabləmɑ̃] adv. — V. 1150 ; de *convenable*.

D'une manière convenable.

♦ **1.** Vx. Opportunément.

♦ **2.** Mod. D'une manière acceptable. *Il est payé convenablement.* ⇒ **Adéquatement ; décemment.** *Il travaille convenablement.* ⇒ **Correctement.**

♦ **3.** Mod. Correctement. *Un homme pauvre, mais convenablement vêtu.*

Sa robe était plus longue et tombait plus convenablement sur ses bas, qui étaient bien blancs, ainsi que sa coiffe, laquelle avait pris la forme nouvelle et s'attachait gentiment sur ses cheveux noirs bien lissés (...)
G. SAND, la Petite Fadette, XXII, p. 155.

CONVENANCE [kɔ̃vnɑ̃s] n. f. — Fin XIIᵉ, « pacte » ; de *convenir*.

♦ **1.** (1504). Littér. Caractère de ce qui convient à une destination (correspond à *convenable*, 1.). ⇒ **Accord, adéquation, affinité, conformité, harmonie, pertinence, rapport.** *La convenance d'une chose à un usage, d'une chose et d'une autre. Convenance d'humeur, de caractère, de goût entre deux époux, deux amis.* ⇒ **Affinité, assortiment, compatibilité, concordance, correspondance, rapport.** — *Rapport de convenance.* — *Des convenances et des oppositions. Convenances entre personnes* (→ ci-dessous, cit. 5).

1   C'est autre chose de faire tout convenablement (comme les animaux), autre chose de connaître la convenance (comme l'homme).
BOSSUET, Traité de la connaissance de Dieu..., v, 2.

2   La nature est pleine de convenances et de disconvenances, de proportions et de disproportions, selon lesquelles les choses ou s'ajustent ensemble ou se repoussent l'une l'autre. BOSSUET, *in* LAFAYE, Dict. des synonymes, p. 898.

3   Tout a ses convenances et ses rapports dans la nature (...)
CHATEAUBRIAND, le Génie du christianisme, I, 5, 9.

4   (...) l'art d'écrire réside tout entier dans la convenance de l'idée et du sentiment au rythme et au nombre de la phrase.
J. BÉDIER, la Chanson de Roland, Avant-propos.

Loc. (1798). *Mariage de convenance,* pour lequel on tient compte des rapports de fortune, de milieu social (par oppos. à *mariage d'amour* ou *d'inclination*).

4.1   *Mariage de convenance.* Sur le fond brossé légèrement, la lumière caresse avec amour, c'est la seule manifestation de ce sentiment, ces noces de l'ennui et des dernières illusions. J. GREEN, Journal, La terre est si belle, 18 juin 1978.

REM. L'expression, de nos jours, est plutôt comprise au sens 3, « conforme aux convenances » ; dans l'usage du XIXᵉ s., elle correspondait plutôt au sens ci-dessus, « convenances sociales personnelles ».

5   Toutes les convenances qui font les grands mariages s'accordaient avec ce penchant mutuel. MARMONTEL, Contes moraux, « Les deux infortunées ».

♦ **2.** (Surtout dans quelques constructions). Ce qui convient à qqn. ⇒ **Goût.** *Consulter les convenances de qqn. Prendre un congé pour des raisons de convenance personnelle.* — (Avec à). *Être à la convenance de qqn,* lui plaire, lui convenir. *Trouver qqn, qqch. à sa convenance. Faire qqch., travailler... à sa convenance.* ⇒ **Gré** (à son gré).

6   *(Il)* resterait sans domicile fixe, en attendant d'avoir trouvé un gîte à sa convenance. J. ROMAINS, les Hommes de bonne volonté, t. II, II, p. 23.

♦ **3.** (1740). Fait de se conformer aux usages ; caractère de ce qui s'y conforme. ⇒ **Correction, décence.** *La convenance des manières.* — Plus cour. (Sans compl.). *Faire qqch. par convenance, par raison de pure convenance.* ⇒ **Forme, politesse ; cant.**

7   La convenance de ses manières ne faisait rêver à d'autres attitudes ; pendant qu'elle causait d'un ton froid, il se rappelait ses mots d'amour balbutiés (...)
FLAUBERT, l'Éducation sentimentale, III, IV, p. 403.

Mariage de convenance. (→ ci-dessus, 1).

(1762). *Les convenances :* ce qui est en accord avec les usages acceptés et recommandés par un milieu social (spécialt, la bourgeoisie). ⇒ **Bienséance, décorum, savoir-vivre.** *Observer, respecter les convenances.* ⇒ **Apparence.** *Avoir le sens des convenances. Braver, blesser les convenances. Ne pas se soucier des convenances. Manquer aux convenances.* ⇒ **Oublier** (s'). *S'afficher au mépris des convenances. Rappeler qqn aux convenances. Les convenances oratoires* (la modération du ton, la courtoisie). *Faire qqch. par souci des convenances.*

8   Comme il doit être fatigant et attristant cet effort continu pour se conformer aux opinions, règles et convenances du monde impossible qui les entoure.
Valery LARBAUD, Amants, heureux amants, p. 126.

CONTR. **Disconvenance.** — **Désaccord, désadaptation, disproportion, impertinence, impropriété, inadéquation, inutilité.** — **Incommodité.** — **Inconvenance.** — **Déshonnêteté, grossièreté, indécence, malséance, sans-gêne.**

CONVENANT, ANTE [kɔ̃vnɑ̃, ɑ̃t] adj. et n. m. — V. 1275 ; p. prés. de *convenir*.

♦ **1.** Adj. Vx. Qui convient. ⇒ **Convenable ; bienséant, correct, décent.** *Prononcer des paroles convenantes.* — *Convenant à (qqch., quelqu'un).*

(...) retirant sa main, elle lui dit que ce n'était pas convenant à une jeune fille de donner comme cela dans la main à un garçon.
G. SAND, François le Champi, XX, p. 145.

♦ **2.** N. m. (1640 ; angl. *covenant* « accord »). Dr. *Bail à convenant* ou *à domaine congéable.* ⇒ **Congé** (5.).

CONTR. et COMP. **Disconvenant, inconvenant.**

CONVENIR [kɔ̃vniʀ] v. tr. ind. — Conjug. *venir.* — XIᵉ ; lat. *convenire* « venir avec », de *con-* (cum), et *venire*.

★ **I.** (1538). Être assorti, aller bien avec ou ensemble. ⇒ **Accorder** (s'), **cadrer, correspondre** (→ Être en rapport*). *Cela convient avec ce que vous disiez. Ces deux étoffes conviennent bien, ont bien convenu. Leurs opinions conviennent en tout.*

1   Votre âge, monsieur, ne convient pas avec celui de ma fille (...)
HAUTEROCHE, Crispin médecin, I, 3.

2   On est obligé de mettre *(les pièces)* les unes sur les autres pour voir d'une manière plus sûre que par la vue si elles conviennent en grandeur.
MALEBRANCHE, De la recherche de la vérité, I, 6.

★ **II.** (XIIIᵉ). Mod. *Convenir de (qqch.), convenir que...* (auxiliaire *être* [littér.] ou *avoir*). ♦ **1.** (Sujet n. de personne, au sing.). Reconnaître la vérité ; tomber d'accord sur. ⇒ **Avouer, concéder, confesser, dire, reconnaître.** *Je conviens de ce que vous dites. J'en conviens volontiers. Convenez-en. Convenir de son erreur.* — Vx ou littér. *Il est convenu lui-même de sa faute.* — Mod. *Il en a convenu.* — *Il a bien fallu en convenir.* — *Convenir que...* (et indic.). *Il faut convenir qu'il avait raison. Convenez que vous aviez tort, convenez-en.*

3   Je suis âne, il est vrai, j'en conviens, je l'avoue (...) LA FONTAINE, Fables, III, 1.

4   Il feint de n'avoir pas aperçu les choses où il vient de jeter les yeux, ou s'il est convenu d'un fait, de ne s'en plus souvenir.
LA BRUYÈRE, les Caractères de Théophraste, De la dissimulation.

5   (...) convenez que me prescrire si affirmativement ce que je dois faire, sans vous être mis en état d'en juger, c'est, mon cher philosophe, opiner en franc étourdi.
ROUSSEAU, les Confessions, IX.

6   Il faut convenir que le bon sens relevé d'esprit et de gaieté soulage un peu de bien des bêtises. SAINTE-BEUVE, Correspondance, II, p. 282.

7   — Mais non ! Vous avez eu les sentiments les plus contradictoires et les plus naturels, qu'aurait eus n'importe qui. Mais d'autres auraient l'hypocrisie ne pas en convenir. J. ROMAINS, les Hommes de bonne volonté, t. V, XX, p. 163.

7.1   Dans le hall, il croisa diverses figures qu'il connaissait plus ou moins. Il convint de leur existence mais non de leur intérêt. R. QUENEAU, le Chiendent, p. 207.

♦ **2.** (Sujet plur.). Faire un accord, s'accorder sur. ⇒ **Entendre** (s'). *Ils conviennent, ils convinrent de partir ensemble.* ⇒ **Décider.** *Nous avions convenu d'un lieu de rendez-vous.* ⇒ **Arranger, arrêter, régler.** *Ils ont convenu entre eux du prix. Vous devez convenir des termes,* vous entendre sur le sens des mots.

Vieilli ou littér. *Ils sont convenus de se retrouver à la campagne.*

8   On mit près du jeu les enjeux.
Savoir quoi, ce n'est pas l'affaire,
Ni de quel juge l'on convint. LA FONTAINE, Fables, VI, 10.

9   (...) avant que de convenir du prix, pour avoir une meilleure composition du marchand, il lui fait ressouvenir qu'il lui a autrefois rendu service.
LA BRUYÈRE, les Caractères de Théophraste, De l'effronterie causée par l'avarice.

10   (...) après une longue délibération, nous sommes convenus qu'il achètera un petit vaisseau tout équipé (...) A. R. LESAGE, le Diable boiteux, XV, p. 162.

11   (...) dans le parc de Saint-Leu, où les deux jeunes gens étaient convenus d'aller pour visiter les riantes prairies et les bosquets (...)
BALZAC, Une double famille, Pl., t. I, p. 933.

REM. Bien que la règle traditionnelle demande l'auxiliaire *être* avec *convenir* dans les sens 1 et 2 (cf. Académie, 8ᵉ éd., et Littré), de nombreux auteurs emploient l'auxiliaire *avoir* (cf. Grevisse, nᵒ 658 § 3 ; Hanse, art. *Convenir* ; Littré, *in* Suppl., cite J.-J. Rousseau).

12   Ne reparlons plus de cela je vous prie ; j'ai convenu de mon tort de trop bonne grâce, pour que vous deviez vous en souvenir.
ROUSSEAU, Lettre à Duchesne, 21 nov. 1771.

13   Au moment de se séparer d'elle, il ne pouvait se défendre d'une tristesse dont il n'eût jamais convenu (...) F. MAURIAC, Thérèse Desqueyroux, XIII, p. 224.

14   Par besoin d'espérer, il rêvait de son départ de Fréville pour Paris, comme jadis (...) il avait rêvé à Chatenay de son départ de Chatenay, dont plus que de cela il n'eût jamais convenu. MONTHERLANT, les Célibataires, X, p. 281.

Passif. *Il a été convenu que :* on a décidé que. — Loc. **COMME CONVENU :** comme il a été décidé. *Nous vous rejoindrons demain, comme convenu* (→ Comme prévu). « *Vous me permettrez de demander instamment à ce que cet arrangement d'intérêts soit parfaitement convenu* » (Balzac, *in* T. L. F.).

REM. *Convenir que,* au sens II, 2, de « faire un accord », se construit avec le subjonctif ou l'indicatif. *Ils conviennent que chacun prenne sa part tout de suite* ou *ils conviennent que chacun prendra sa part tout de suite.* Dans le sens II, 1, « reconnaître », on emploie l'indicatif. *Nous convenons qu'il a raison. Il faut convenir que...*

15   Il faut convenir que les mœurs vont se dépravant de jour en jour.
HUGO, le Dernier Jour d'un condamné.

16   Et même j'avais convenu avec lui, ajouta-t-il, qu'au besoin je remettrais de quelques jours mon départ. GIDE, les Faux-monnayeurs, p. 1131.

★ **III.** (Auxiliaire *avoir*). ♦ **1.** (Déb. XIIᵉ). *Convenir à (qqch.) :* être convenable (1.) pour ; être approprié à (qqch.). *Les vêtements qui conviennent à la circonstance.* ⇒ **Aller, seoir.** *Ce livre convient mal, convient très bien à tes goûts. Cela convient à sa situation.* ⇒ **Cadrer** (avec), **correspondre.** *Cette terre convient à de nombreuses cultures.* ⇒ **Prêter** (se).

17   Ces festons dans vos mains, et ces fleurs sur vos têtes
     Autrefois convenaient à nos pompeuses fêtes.   RACINE, Athalie, I, 3.

18   J'estime qu'il faut avoir égard à ce qui convient à l'âge aussi bien qu'au sexe (...)
                                  ROUSSEAU, Émile, v.

19   Le prénom d'Isaac convenait d'emblée à son profil, à sa barbe d'émir, à ses yeux fiévreux de mage oriental (...)   MARTIN DU GARD, les Thibault, t. V, p. 167.

Absolt. *C'est exactement l'homme qui convient. Trouver la phrase qui convient, la phrase juste. Cela pourra convenir; cela conviendra.* — Spécialt. Être conforme aux usages. « *Elle avait à un haut degré le sentiment de ce qui sied et de ce qui convient* » (Reybaud, *in* T. L. F.).

♦ **2.** *Convenir à (qqn).* — Vx. Être approprié à son état, sa situation. — Iron. *Il vous convient bien de faire le difficile* (cf. Cela vous va bien [mod.]).

Mod. Être agréable ou utile (à qqn); être conforme à son goût. ⇒ **Agréer, aller, arranger, plaire, sourire**; (fam.) **botter, chanter.** *Cela me convient parfaitement. Cette chambre me convient à peu près, je m'en accommoderai. Si cela vous convient, venez me voir ce soir. Ce métier ne lui convient pas du tout.*

20   (...) pensions, honneurs, tout leur convient et ne convient qu'à eux (...) ils ne comprennent point que sans leur attache *(sans leur agrément, leur assentiment)* on ait l'impudence de les espérer.   LA BRUYÈRE, les Caractères, XVI, 26.

Impers. *Il ne me convient pas de faire ce travail.*

21   Il ne convient pas à tout le monde de rester dans une maison qui brûle.
                    Comte DE SAINT-AULAIRE, Talleyrand, p. 405.

♦ **3.** (XIᵉ, *covient* « il faut »). Impers. **IL CONVIENT DE** (et l'inf.) : il est conforme aux usages, aux nécessités, aux besoins. ⇒ **Propos** (être à), **expédient** (être); → Il faut, il sied. *Je voudrais savoir ce qu'il convient de faire.*

IL CONVIENT QUE (et subj.). *Il convient que vous y alliez :* vous devez y aller, il vous appartient d'y aller, c'est votre rôle. « *Il convient que la raison entreprenne sur le sentiment* » (→ Attarder, cit. 4).

22   J'ai commandé qu'on porte à votre père
     Les faibles dons qu'il convient de vous faire.   VOLTAIRE, Droit du Seigneur, III, 6.

23   Il convient que l'impôt soit payé par celui qui emploie la chose taxée plutôt que par celui qui la vend.   ROUSSEAU, Disc. sur l'économie politique.

24   (...) il convenait de se taire jusqu'à ce que certaines obscurités fussent éclaircies.
                    HUGO, l'Homme qui rit, II, IV, 3.

▶ **SE CONVENIR** v. pron. (Récipr.).
Être approprié l'un à l'autre; se plaire mutuellement.

25   Deux créatures qui ne se conviennent pas pourraient aller chacune de son côté (...)
           CHATEAUBRIAND, Mémoires d'outre-tombe, IV, 1 (cf. Bouder, cit. 6).

▶ **CONVENU, UE** p. p. adj. — 1690; *covenu* « assigné », 1483.

♦ **1.** Qui est le résultat d'un accord, d'une convention. *Chose convenue.* ⇒ **Décidé.** — *Langage convenu. Mot convenu. Prix convenu.*

26   Toutes les histoires anciennes, comme le disait un de nos beaux esprits, ne sont que des fables convenues.   VOLTAIRE, Jeannot et Colin.

27   Je pensais que c'était chose convenue entre vous (...)
                  G. SAND, la Petite Fadette, XXIX, p. 196.

27.1   Mes professeurs croyaient tout convenu que je devinsse professeur.
                  GIRAUDOUX, Simon le pathétique, p. 35.

♦ **2.** Péj. Conforme à une convention (littéraire, sociale). ⇒ **Artificiel, banal, conventionnel.** — N. m. *Le convenu.*

28   Il *(Stendhal)* aime en tout être d'un avis imprévu; il ne supporte le convenu en rien.   SAINTE-BEUVE, M. de Stendhal, p. 13.

29   L'histoire supplanta chez lui le roman dont l'affabulation (...) forcément banale et convenue, le blessait.   HUYSMANS, Là-bas, II, p. 18.

30   L'on ne voulait rompre qu'avec un langage trop convenu et voici que l'on est près de rompre avec tout le langage humain.   J. PAULHAN, les Fleurs de Tarbes, I, p. 31.

CONTR. Disconvenir, opposer (s'). — **Désaccord** (être en désaccord). — **Nier.**
DÉR. Convenable, convenance, convenant.
COMP. Disconvenir.

CONVENT [kɔ̃vɑ̃] n. m. — 1844, au sens 2; angl. *convent*, du lat. *conventus* « réunion », emploi substantivé du p. p. de *convenire*.

♦ **1.** Vx. ⇒ **Couvent.**

♦ **2.** Dans la franc-maçonnerie, Assemblée générale, le plus souvent annuelle, des représentants des loges d'une obédience, possédant les pouvoirs les plus étendus (législatifs, constitutionnels), désignant les dirigeants de la fédération et fixant l'orientation générale de celle-ci. ⇒ **Congrès.**

Par ext. Réunion savante, colloque, congrès.

Cette comparaison (...) vaut bien celles qui ont cours dans nos convents les plus graves et qui pour avoir pris naissance dans notre discours aux idiots, n'ont même pas la saveur du canular d'initiés, mais n'en semblent pas moins recevoir valeur d'usage de leur caractère de pompeuse ineptie.   J. LACAN, Écrits, p. 240.

CONVENTICULE [kɔ̃vɑ̃tikyl] n. m. — 1384; lat. *conventiculum* « petite réunion », de *conventus.* → Convent.

♦ Didact. Petite assemblée, généralement secrète.

1   En 1545 (...) vingt ans après que Luther eut renversé les bornes posées par nos pères (...) Socin et ses compagnons tinrent secrètement en Italie leurs conventicules contre la divinité du Fils de Dieu.   BOSSUET, Hist. des variations, XV.

2   Je ne remarquai pas qu'ils fussent vus de mauvais œil par la partie mahométane de l'assemblée, tolérance louable, surtout dans un conventicule de fanatiques.
            Th. GAUTIER, Constantinople, p. 149.

Petit groupe obscur. ⇒ **Cénacle, groupuscule.**

1. CONVENTION [kɔ̃vɑ̃sjɔ̃] n. f. — Av. 1350; *convencion*, 1268, Bloch et Wartburg; lat. *conventio*, du supin de *convenire*, de *venire.* → Venir.

♦ **1.** Dr. et cour. Accord (de deux ou plusieurs personnes) portant sur un fait précis. ⇒ **Arrangement, compromis, contrat, engagement, entente, marché, pacte, traité.** *Conventions particulières entre deux personnes. Convention verbale, écrite. Convention expresse, tacite. Convention à l'amiable. Convention unilatérale, réciproque. Convention authentique* (cit. 3). *Convention sous seing privé. Convention matrimoniale.* ⇒ **Contrat** (de mariage). *Établir, faire, former, conclure, ratifier une convention. La signature d'une convention. Exécuter une convention. Convention entachée de dol. Respecter, annuler une convention.*

1   Pourquoi veut-on que je tienne, malgré moi, une convention qui s'est faite sans moi?   MONTESQUIEU, Lettres persanes, 71.

2   Puisque aucun homme n'a une autorité naturelle sur son semblable, et puisque la force ne produit aucun droit, restent donc les conventions pour base de toute autorité légitime parmi les hommes.   ROUSSEAU, Du contrat social, I, IV, p. 239.

3   Les conventions légalement formées tiennent lieu de loi à ceux qui les ont faites. Elles ne peuvent être révoquées que de leur consentement mutuel, ou pour les causes que la loi autorise. Elles doivent être exécutées de bonne foi.   Code civil, art. 1134.

4   On ne peut déroger, par des conventions particulières, aux lois qui intéressent l'ordre public et les bonnes mœurs.   Code civil, art. 6.

4.1   La femme observait nos conventions de son mieux. Elle apportait vers midi un plateau chargé de vivres et enlevait celui de la veille. Elle apportait en même temps un pot de chambre propre.   S. BECKETT, Nouvelles, p. 82.

Conventions internationales, diplomatiques, militaires, postales, commerciales, douanières. ⇒ **Accord, alliance, capitulation, concordat, covenant, entente, pacte, protocole, traité.** *Projet de convention. Convention de Genève* (portant sur le traitement des prisonniers en temps de guerre). — *Cet établissement a signé une convention avec la Sécurité sociale.* ⇒ **Conventionné.**

CONVENTION COLLECTIVE : accord entre salariés et employeurs réglant les conditions de travail, dans une branche d'activité.

Clause particulière (d'un accord). ⇒ **Article, disposition, stipulation.** *Les conventions d'un contrat. Modifier les conventions d'un accord, d'un traité. Sauf convention contraire. Ceci n'était pas dans les conventions.*

Littér. Accord.

5   Quelle convention peut-il y avoir entre Jésus-Christ et Bélial, et comment peut-on accorder le temple de Dieu avec les idoles?
           BOSSUET, Hist., II, 12, *in* LITTRÉ.

6   On se trompe gravement sur la nature humaine si l'on suppose qu'une religion puisse s'établir par convention et se soutenir par imposture.
           FUSTEL DE COULANGES, la Cité antique, p. 257.

♦ **2.** (Av. 1703). Ce qui résulte d'un accord réciproque, d'une règle acceptée (et non de la nature). *Les conventions sociales, les conventions :* ce qu'il est convenu de penser, de faire, dans une société. ⇒ **Convenance; conventionnel.** *Respecter les conventions. Avoir le respect des conventions. C'est une convention, un fait culturel. Le langage, les habitudes sociales sont un ensemble de conventions.* ⇒ **Code.**

7   Qu'est-ce qu'une convention? C'est une règle acceptée par un ou plusieurs hommes. Un seul homme qui fait une réussite ne peut jouer que parce qu'il a accepté une convention (...) Toute société repose sur un langage, qui est la première et la plus importante des conventions, sur des écritures, sur des habitudes, sur des conventions observées.   A. MAUROIS, Études littéraires, I, Valéry, III, p. 41.

8   L'attaque et la défense, l'audace des hommes, la pudeur des femmes, ne sont point des conventions, comme le pensent les philosophes, mais des institutions naturelles dont il est facile de rendre raison, et dont se déduisent aisément toutes les autres distinctions morales.   ROUSSEAU, Julie ou la Nouvelle Héloïse, I, lettre 46.

8.1   Si, plein de respect pour nos conventions sociales, et ne s'écartant jamais des digues qu'elles nous imposent, il arrive malgré cela, que nous n'ayons rencontré que des ronces, quand les méchants ne cueillaient que des roses, des gens privés d'un fond de vertus assez constaté pour se mettre au-dessus de ces remarques, ne calculeront-ils pas alors qu'il vaut mieux s'abandonner au torrent que d'y résister?
           SADE, Justine..., t. I, p. 5.

9   La jeunesse est un temps pendant lequel les conventions sont, et doivent être, mal comprises : ou aveuglément combattues, ou aveuglément obéies.
           VALÉRY, M. Teste, Préface.

10   Car c'est encore une des lois de l'action héroïque qu'elle engendre des êtres qui ont peine à se plier aux conventions mondaines et sociales.
           A. MAUROIS, Études littéraires, Saint-Exupéry, t. II, p. 267.

10.1   L'état de veille, et de maturité et de raison est donc fait de *conventions*. Un enfant ne changerait pas un morceau de sucre ou de chocolat contre un billet de mille francs. Il ne peut pas concevoir que ce morceau de papier *est* une montagne de sucre et une colline de chocolat. S'il vient à le *croire*, c'est comme magie. Et il a raison.   VALÉRY, Cahiers, t. II, Pl., p. 98.

Ce qui est admis par un accord tacite. ⇒ **Conventionnel.** *Les conventions du théâtre, de l'opéra, du roman.* ⇒ **Procédé.** *Les conventions de la peinture figurative, de la perspective classique.*

11   Au théâtre, ce qui sort de la convention paraît faux. Le théâtre vit de conventions. On en veut à qui nous en tire; on ne peut s'en tirer.
           GIDE, le Roi Candaule, Préface de la 1ʳᵉ éd., IV.

Philos., sc. Principe choisi par décision volontaire pour la commodité d'une description systématique. ⇒·**Conventionnalisme.** *Le rôle de la convention et celui de l'expérience dans les sciences.*

♦ **3.** Loc. adj. et adv. (1762). **DE CONVENTION** : admis par convention. ⇒ **Conventionnel, convenu.** *Signe de convention, langage de convention.* ⇒ **Secret.** *Monnaie ayant une valeur de convention* (cf. Papier-monnaie).

Péj. Conforme aux conventions sociales, dicté par elles ; peu sincère.

12 (...) nos arts et notre littérature *(sont-ils)* en droit de mépriser ces types de convention plutôt que ceux que la mode inaugure.
G. SAND, François le Champi, Avant-propos, p. 15.

13 Tous, les jeunes comme les vieux, me paraissaient avoir adopté uniformément un masque de convention, des sentiments de convention, lorsqu'ils étaient devant les femmes. Th. GAUTIER, Mlle de Maupin, v, p. 72.

14 Ce qu'il y a peut-être de plus fatigant dans les tristes cérémonies de ce genre, c'est de devoir essuyer tant de phrases toutes faites, n'exprimant que des sentiments de convention. GIDE, Robert ou l'intérêt général, I, 1.

DÉR. 2. Convention, conventionné, 1. conventionnel.

2. CONVENTION [kɔ̃vãsjɔ̃] n. f. — 1688, en parlant de l'Angleterre, puis 1776 ; angl. *convention* «assemblée extraordinaire du Parlement anglais», mais le sens d'«assemblée» est français depuis le XVe : *convencion,* 1488 ; de 1. *convention.*

♦ **1.** Assemblée exceptionnelle réunie pour établir ou modifier une constitution. ⇒ **Constituant(e).** *La Convention nationale,* et, ellipt., *la Convention,* qui, de 1792 à 1795, exerça tous les pouvoirs en France. *L'œuvre de la Convention. La Convention, évoquée par Michelet, par Hugo (Quatre-vingt treize). La Convention,* en Angleterre, instituée par le Parlement anglais en 1688.

15 (...) elle fut appelée convention, parce qu'il n'y a que le roi qui puisse convoquer un parlement. G. T. RAYNAL, Parlement d'Angleterre, époque 8.

16 Le mot *convention* est emprunté au vocabulaire du droit constitutionnel américain. D'après la définition contemporaine de Pétion, il désigne «une assemblée établie pour faire ou défaire une constitution».
Marcel PRÉLOT, Précis de droit constitutionnel, p. 83.

♦ **2.** (1853, Eyma, *les Deux Amériques, in* D.D.L. ; angl. *convention* «congrès»). Aux États-Unis, Congrès d'un parti pour désigner son candidat à la présidence. *La convention démocrate.*

(Anglic.). Congrès extraordinaire (d'un parti politique). *La convention du parti socialiste.* — Tout congrès, aux États-Unis.

DÉR. 2. Conventionnel.

CONVENTIONALITÉ [kɔ̃vãsjɔnalite] n. f. — 1908 ; de 1. *conventionnel.*

♦ Didact. Caractère de ce qui est conventionnel.

C'est en ce sens, et dans cette mesure, qu'il faut tenir la science pour conventionnelle, mais la conventionalité est de fait, pour ainsi dire, et non pas de droit.
H. BERGSON, l'Évolution créatrice, p. 208.

CONVENTIONNALISME ou CONVENTIONALISME [kɔ̃vãsjɔnalism] n. m. — Av. 1922 ; de 1. *conventionnel,* et *-isme.*

♦ **1.** Didact. (philos., sc.). Théorie, position des conventionnalistes. *« L'analyse de Poincaré s'est engagée dans une autre voie, celle du conventionnalisme »* (J. Piaget).

1 C'était là une vue réaliste et non point nominaliste, mais le conventionnalisme prend sa revanche, sans qu'on s'en doute toujours, en ce sens que, faute d'unité objective de mesure (...) il est clair que (l'expérience psychologique ne fournissant jamais que des relations d'ordre) on est obligé de choisir une métrique arbitraire et que l'on peut alors toujours s'arranger de manière à retrouver la distribution «normale» présupposée et souhaitée.
J. PIAGET, Epistémologie des sciences de l'homme, p. 217.

♦ **2.** (Souvent écrit *conventionalisme*). Caractère conventionnel, préférence pour ce qui est conventionnel. *Le conventionalisme de ses idées.*

2 (...) une collection de porcelaine de Saxe — arlequins, marquis, bergères, tous sujets d'un tendre conventionalisme éparpillés sur la chinoiserie brodée et poussiéreuse qui recouvre le piano (...)
Pierre DANINOS, Un certain Monsieur Blot, p. 160.

CONVENTIONNALISTE ou CONVENTIONALISTE [kɔ̃vãsjɔnalist] adj. — XXe ; de 1. *conventionnel.*

♦ Didact. (philos.). Qui considère la connaissance, la science comme résultant de conventions.

P. Duhem (...) s'est orienté vers un positivisme nominaliste et conventionnaliste interdisant l'explication aux sciences (...)
J. PIAGET, Logique et Connaissance scientifique, Encycl. Pl., p. 52.

CONVENTIONNÉ, ÉE [kɔ̃vãsjone] adj. — 1615 ; «convenu par contrat», 1550 ; repris 1952 ; de 1. *convention.*

♦ Admin. Lié par une convention, un accord avec la Sécurité sociale.

Médecin conventionné. ⇒ **Conventionnement.** *Clinique conventionnée.*

DÉR. Conventionnement.

1. CONVENTIONNEL, ELLE [kɔ̃vãsjɔnɛl] adj. et n. m. — 1453 ; de 1. *convention.*

♦ **1.** Qui résulte d'une convention. *Acte, clause conventionnelle. Valeur conventionnelle de la monnaie.* ⇒ **Arbitraire.** *Signe, caractère conventionnel. Langage conventionnel.*

♦ **2.** Plus cour. Conforme aux conventions sociales ; peu naturel, peu sincère. *Formule conventionnelle de politesse. Il a des idées très conventionnelles.* — *Éducation conventionnelle. Langage conventionnel.* ⇒ **Académique, banal, officiel, rituel.** *Le français conventionnel et les usages non conventionnels* (argot, mots tabous, formes populaires proscrites...).

1 Comme les formules de fin de lettre sont bien reçues, non en dépit mais en faveur de ce qu'elles ont de conventionnel.
J. ROMAINS, les Hommes de bonne volonté, t. V, VIII, p. 69.

2 Chez nous il était admis que tous les sentiments conventionnels sont vrais, que les parents aiment toujours leurs enfants, les enfants leurs parents, les maris leurs femmes. A. MAUROIS, Climats, p. 16.

3 Il ne faut pas être conventionnel, dit Marthe avec entrain, fichez-moi à la porte si je vous embête. R. QUENEAU, Loin de Rueil, p. 95.

♦ **3.** (1955 ; angl. *conventional*). Anglic. *Armement conventionnel,* non atomique. *Moyens conventionnels,* classiques.

CONTR. Bizarre, original. — Naturel, sincère. — Direct.
DÉR. Conventionnalité, conventionnalisme, conventionnaliste, conventionalité, conventionnellement.

2. CONVENTIONNEL [kɔ̃vãsjɔnɛl] n. m. — 1792 ; de 2. *convention* (1.).

♦ Hist. Membre de la Convention. *Les conventionnels.*

Les conventionnels se piquaient d'être les plus bénins des hommes (...)
CHATEAUBRIAND, Mémoires d'outre-tombe, t. II, p. 10.

Adj. (Vx). De la Convention. *« Durant ses fonctions conventionnelles,* (Dubois...) »* (B. Constant, *in* T. L. F.).

CONVENTIONNELLEMENT [kɔ̃vãsjɔnɛlmã] adv. — 1636 ; de 1. *conventionnel.*

♦ **1.** Par convention (→ Abstrait, cit. 5).

♦ **2.** (1762). D'une manière conventionnelle. *Déterminer une procédure conventionnellement.* ⇒ **Arbitrairement.**

Par les conventions sociales. *« Un regard conventionnellement triste »* (Proust, *in* T. L. F.).

CONVENTIONNEMENT [kɔ̃vãsjɔnmã] n. m. — V. 1958 ; de *conventionné.*

♦ Admin. Accord entre médecins et organismes d'État. ⇒ **Conventionné.**

CONVENTUALITÉ [kɔ̃vãtɥalite] n. f. — 1690 ; de *conventuel.*

♦ Relig. État des personnes qui vivent dans une communauté religieuse, sous une même règle.

CONVENTUEL, ELLE [kɔ̃vãtɥɛl] adj. et n. m. — 1461 ; *conventual,* 1249 ; lat. ecclés. *conventualis,* de *conventus.* → Convent, couvent.

♦ **1.** Relig. Qui appartient à une communauté religieuse. ⇒ **Communautaire.** *Assemblée conventuelle. Maison conventuelle.* ⇒ **Couvent.** *La vie conventuelle. Messe conventuelle :* messe où assiste toute la communauté. *Religieux conventuel.* — N. m. *Un conventuel* (→ Aumône, cit. 6).

1 La vieille nostalgie de la vie conventuelle me reprend de temps à autre.
J. GREEN, Journal, La Terre est si belle, 9 juin 1978.

♦ **2.** Littér. Qui évoque ou rappelle le couvent, la vie monacale.

2 Leur vie s'écoule dans une paix conventuelle (...)
M. YOURCENAR, Archives du Nord, p. 206.

DÉR. Conventualité, conventuellement.

CONVENTUELLEMENT [kɔ̃vãtɥɛlmã] adv. — 1463 ; de *conventuel.*

♦ Relig. Selon la règle d'une communauté religieuse ; en communauté. *Vivre conventuellement.*

CONVENU, UE [kɔ̃vny] adj. et n. ⇒ Convenir (p. p.).

CONVERGENCE [kɔ̃vɛʀʒɑ̃s] n. f. — 1671 ; de convergent.

♦ **1.** Fait de converger. *La convergence de deux lignes, de deux rayons lumineux.* — (1890). *Convergence d'un système optique, d'une lentille...,* grandeur caractéristique de ce système, égale à l'inverse de la distance focale ⇒ **Vergence.** *La convergence est généralement exprimée en dioptries* * ; *elle est positive si la lentille est convergente, négative si la lentille est divergente.*

Météor. Divergence négative ; rétrécissement d'une colonne d'air en rotation.

♦ **2.** (1816). Fig. Action d'aboutir au même résultat, de tendre vers un but commun. ⇒ **Concours.** *La convergence des efforts, des volontés* (→ Concorde, cit. 4).

1   (...) toujours le chef-d'œuvre a pour cause une convergence universelle d'effets.
                        TAINE, Philosophie de l'art, t. II, v, ɪv, v, p. 341.

Didact. (sc. nat., sc. humaines). Fait de converger, de se rassembler sans qu'il y ait influence causale. *Phénomènes de convergence entre cultures très différentes* (ethnol.).

2   Les faits d'adaptation mécanique sont normaux et l'on en possède de nombreux cas dans l'organisation dentaire où, par exemple, des animaux aussi disparates génétiquement que le lièvre, le cheval et le bœuf ont des molaires de structure mécanique voisine. Qualifié de convergence, ce phénomène, s'il était pris pour base d'une typologie systématique, donnerait lieu à la construction d'un dispositif très différent du buisson phylétique, mais qui en recouperait un grand nombre de rameaux.
                        A. LEROI-GOURHAN, le Geste et la Parole, t. I, p. 48.

♦ **3.** Math. Propriété d'une série dont la somme des termes est un nombre fini. *Convergence en moyenne d'une suite,* propriété de cette suite d'avoir pour moyenne arithmétique une suite admettant une limite.

CONTR. Divergence.

CONVERGENT, ENTE [kɔ̃vɛʀʒɑ̃, ɑ̃t] adj. et n. m. — 1611 ; lat. convergens, p. prés. de convergere. → Converger.

♦ **1.** Qui converge. *Lignes convergentes. Des routes convergentes en un point. Regards convergents, convergents sur un même objet* (ou *convergeant sur...*). — (1814). *Lentille convergente,* qui fait converger les rayons lumineux. *Miroir convergent.*

Par extension :

1   (...) sa fille Sirdah, svelte enfant de dix-huit ans dont les yeux convergents se voilaient de taies épaisses.   Raymond ROUSSEL, Impressions d'Afrique, p. 18.

Math. *Séries* * convergentes.* — *Feux convergents des batteries.* ⇒ **Croisé.** — Par ext. *Attaques convergentes.*

N. m. (1963). Techn. Tuyère conique, resserrée dans le sens de l'écoulement des gaz, et destinée à augmenter sa vitesse. ⇒ **Collecteur.**

♦ **2.** (1812). Abstrait. Qui tend au même résultat, se rapproche des autres. *Des efforts convergents. Opinions convergentes. Expériences convergentes. Phénomènes convergents et indépendants.*

2   Il y a des maladies qui commencent lentement par des malaises légers et convergents (...)   A. MAUROIS, Climats, I, 8 (cf. Accès, cit. 9).

CONTR. Diffus, divergent.
DÉR. Convergence.
HOM. Convergeant (p. prés. de *converger*).

CONVERGER [kɔ̃vɛʀʒe] v. intr. — Conjug. bouger. — 1720 ; bas lat. convergere, de con- (cum), et vergere «incliner vers».

♦ **1.** Se diriger (vers un point commun). ⇒ **Concentrer** (se), **concourir.** *Les rayons lumineux traversant une lentille convergent vers le foyer.* ⇒ **Convergence.** *Faire converger les feux d'une batterie.* ⇒ **Diriger.** *Chemins qui convergent vers la ville.* ⇒ **Aboutir.** *Point où convergent plusieurs routes.* ⇒ **Rencontrer** (se). *Lignes de chemin de fer convergeant vers Paris.* ⇒ **Convergent.**

1   (...) tous font converger leurs piques sur Roland.
                        HUGO, la Légende des siècles, Le petit roi de Galice, XV, VIII.

Par ext. *Regards qui convergent sur un objet, sur qqn.*

2   Jacques se tut, aussitôt les regards convergèrent sur le Pilote.
                        MARTIN DU GARD, les Thibault, t. V, p. 135.

♦ **2.** (1803). Abstrait. Tendre au même résultat ; aller en se rapprochant. *Leurs théories convergent. Efforts qui convergent vers un même résultat.*

3   L'univers venait tout à coup de s'élargir. Elle était le point lumineux où l'ensemble des choses convergeait (...)   FLAUBERT, l'Éducation sentimentale, I, ɪ, p. 41.

CONTR. Diffuser, diverger, éparpiller (s'), **répartir** (se).
HOM. (Du p. prés.) **Convergent.**

CONVERS, ERSE [kɔ̃vɛʀ, ɛʀs] adj. et n. — V. 1160, n. m. ; n. f., v. 1200 ; lat. ecclés. conversus «retourné, inversé, converti», p. p. de convertere. → Convertir.

♦ **1.** Relig. *Frère convers, sœur converse :* personne qui, dans un monastère ou un couvent, se consacre aux travaux manuels. ⇒ **Lai,**

---

servant. *Les frères convers ne reçoivent pas les ordres sacrés.* — N. m. *Un convers.*

Les moines de Cîteaux amenèrent leurs frères convers avec plusieurs écuyers (...)   1
                        VOLTAIRE, Essai sur les mœurs, 64.

Hist. Moine entré en religion à l'âge adulte (par oppos. à *oblat*). — Moine non soumis à la règle de l'ordre, mais aux «us et coutumes», règlement mineur (au XIIᵉ siècle).

(...) les «convers». Pour eux, la participation aux prières fut très réduite : un rôle   1.1
décisif leur revenait dans la création des biens.
                        Georges DUBY, Guerriers et Paysans, VII-XIIᵉ s., p. 246.

♦ **2.** (1704). Log. Se dit d'une relation non symétrique dont les propositions sont inversées. *Implication converse* (p est impliqué par q). — N. f. *Une converse.*

Les grands hommes sont mes rois ; mais la converse n'a pas lieu ici ; les rois ne   2
sont pas mes grands hommes (...)   VOLTAIRE, Lettre à Maupertuis, 1740.

CONVERSANT, ANTE [kɔ̃vɛʀsɑ̃, ɑ̃t] adj. — Mil. XIXᵉ, Sainte-Beuve ; p. prés. de 1. converser.

♦ Rare. Qui converse ; où l'on converse. *« Une solitude très animée, très conversante... »* (Sainte-Beuve, in T. L. F.).

CONVERSATION [kɔ̃vɛʀsasjɔ̃] n. f. — 1160 ; lat. conversatio «fréquentation», du supin de conversari. → 1. Converser.

♦ **1.** Vx. Rapport, relation que l'on entretient avec qqn. — *Être en conversation avec qqn pour affaires.*

La conversation des femmes de 50 ans, et d'une laideur constatée, leur est seule   0.1
accordée *(aux maris espagnols).*   Th. GAUTIER, Tra los montes, in T. L. F.

Dr. anc. *Être surpris en conversation criminelle,* en flagrant délit d'adultère.

Fam. Rapports sexuels.

♦ **2.** (1537). Mod. et cour. Échange de propos (naturel, spontané) ; ce qui se dit dans un tel échange. ⇒ **Causerie, entretien.** *Conversation entre deux personnes.* ⇒ **Dialogue, tête-à-tête.** *Conversation secrète.* ⇒ **Aparté, conciliabule.** *Conversation revêtant un caractère officiel.* ⇒ **Conférence, pourparler.** *Conversations diplomatiques.* — *Conversation familière.* ⇒ **Badinage, bavardage** (cit. 3), **causette, parlotte.** *Dans la conversation courante... Commencer, amorcer, engager, entamer une conversation.* — Vieilli. *Nouer* (cit. 8) *conversation.* — *Entrer, être en conversation. Lier, tenir conversation avec qqn.* ⇒ **Interlocuteur.** *Avoir une conversation avec qqn. Prolonger, suivre, poursuivre, ranimer, réchauffer, soutenir, alimenter la conversation. Reprendre le fil de la conversation. Reprendre la conversation où elle en était la veille. Faire la conversation avec qqn ; à qqn* (fam.). *Arrêter, interrompre, rompre la conversation.* ⇒ **Briser** (brisons là) ; **chien** (rompre les chiens). *Changer de conversation. Détourner la conversation. Éviter un sujet de conversation* (→ Ne pas parler de corde* dans la maison d'un pendu). *Trouver qqn en conversation avec... Laisser tomber la conversation. Faire tomber la conversation sur tel sujet. La conversation tourne, roule sur tel sujet, autour de tel sujet. Conversation à bâtons rompus. Briller* (cit. 19) *dans la conversation. Banalités de la conversation. La conversation languit, se traîne, s'éternise, s'éteint. Conversation brève, courte, légère, captivante, animée, agréable, instructive, courtoise ; longue, interminable, languissante, morne* (cit. 7). *Parler sur le ton* * de la conversation. Le style de la conversation. Être à la conversation,* écouter attentivement ce qui s'y dit. *Au cours de la conversation... Par forme, par manière de conversation. Défrayer* * les conversations. Chassé-croisé de conversations. Lambeaux de conversation. Bourdonnement, chuchotement, murmure des conversations. Il a fait les frais de la conversation :* on n'a parlé que de lui. — *Salle de conversation.* ⇒ **Exèdre** (vx). — *Avoir une courte conversation téléphonique.* ⇒ **Communication.**

On se forme l'esprit et le sentiment par les conversations. On se gâte l'esprit et le   1
sentiment par les conversations. Ainsi les bonnes ou les mauvaises le forment ou
le gâtent.   PASCAL, Pensées, I, 6.

Ce qui fait que si peu de personnes sont agréables dans la conversation, c'est que   2
chacun songe plus à ce qu'il veut dire qu'à ce que les autres disent.
                        LA ROCHEFOUCAULD, Réflexions diverses, De la conversation.

(...) bien écouter et bien répondre est une des plus grandes perfections qu'on puisse   3
avoir dans la conversation.
                        LA ROCHEFOUCAULD, Maximes, 139 (→ Agréable, cit. 6).

L'esprit de la conversation consiste bien moins à en montrer beaucoup qu'à en   4
faire trouver aux autres : celui qui sort de votre entretien content de soi et de son
esprit, l'est de vous parfaitement.   LA BRUYÈRE, les Caractères, V, 16.

La conversation roulait dans un cercle de lieux communs, sur le climat de la   5
Bohême, sur la santé de Madame la Dauphine (...) pas un mot de politique.
                        CHATEAUBRIAND, Mémoires d'outre-tombe, t. VI, p. 69.

Il y a égalité dans la conversation quand chacun à son tour voit qu'il attire de   5.1
manière égale et favorable l'attention des autres.
                        STENDHAL, Journal, 1ᵉʳ juil. 1813, Pl., p. 1270.

La conversation fut languissante, Mᵐᵉ Bovary l'abandonnant à chaque minute, tan-   6
dis qu'il demeurait lui-même tout embarrassé.   FLAUBERT, Mᵐᵉ Bovary, II, v.

À partir de ce moment, la conversation languissante se traîna en paroles détachées   7
qui n'avaient que peu de sens.   FRANCE, Histoire comique, III, p. 41.

Faire tous les frais de la conversation, c'est encore le meilleur moyen de ne pas   8
s'apercevoir que les autres sont des imbéciles.   J. RENARD, Journal, 1ᵉʳ avr. 1890.

Il faut que chaque personnage dise peu de choses à la fois, par la raison que, dans   9 une conversation, chacun veut parler et n'écoute pas longtemps son interlocuteur. Sauf des tirades voulues et préparées, c'est la riposte rapide qui forme l'intérêt d'un dialogue.　Antoine ALBALAT, l'Art d'écrire, XIX, p. 302.

10　Devant le mutisme de Jacques, Antoine se découragea : impossible d'amorcer aucune conversation.　MARTIN DU GARD, les Thibault, t. IV, p. 61.

11　Pourtant la conversation languissait : on aurait pu croire qu'ils ne savaient que se dire, elle assise et lui debout à contre-jour.　F. MAURIAC, la Pharisienne, p. 241.

11.1　La conversation britannique est un jeu comme le cricket ou la boxe (...) quiconque discute avec passion est aussitôt disqualifié.
　　　A. MAUROIS, les Silences du colonel Bramble, p. 60.

Vx (lang. des Précieuses). *Les commodités** (cit. 5) *de la conversation.*

Langue familière utilisée dans les entretiens courants. *Dans la conversation courante, on dit...*

♦ **3.** Entretien entre personnes responsables, en petit nombre et souvent à huis clos. *Conversations secrètes, diplomatiques.* ⇒ **Consultation.**

♦ **4.** *La conversation de qqn, sa conversation,* sa manière de parler ; ce qu'il dit dans la conversation. *Apprécier, rechercher la conversation de qqn. Il aime beaucoup votre conversation. Sa conversation est agréable, brillante, amusante.*

12　La conversation de Charles était plate comme un trottoir de rue, et les idées de tout le monde y défilaient, dans leur costume ordinaire, sans exciter d'émotion, de rire ou de rêverie.　FLAUBERT, Mme Bovary, I, VII.

13　Il y a des personnes dont la conversation est brillante et qui sont hors d'état d'écrire ce qu'elles savent dire avec esprit.
　　　MÉRIMÉE, Hist. du règne de Pierre le Grand, p. 292.

14　Sa conversation, très intéressante, fut la première qui m'arracha à cette perpétuelle analyse de difficultés sentimentales où je me consumais.
　　　A. MAUROIS, Climats, p. 135.

Fam. *Avoir de la conversation :* avoir toujours qqch. à conter, à raconter ; parler avec aisance. *Elle n'a pas beaucoup de conversation.*

DÉR. Conversationnel, conversationner, conversationniste.

CONVERSATIONNEL, ELLE [kɔ̃vɛʁsasjɔnɛl] adj. et n. m. — 1902 ; de *conversation.*

♦ **1.** Littér., rare. Relatif à la conversation (cf. Valéry, *in* T. L. F.).

1　La seule responsabilité conversationnelle qui lui est donnée *(à la maîtresse de maison)* est, à la première apparition de ce silence total, d'enchaîner en demandant innocemment : « Avez-vous vu le dernier Fellini ? »
　　　Jacques MERLINO, les Jargonautes, p. 43.

♦ **2.** (V. 1970 ; angl. *conversational mode*). Inform. *Mode conversationnel* (d'utilisation d'un ordinateur), dans lequel l'utilisateur dialogue avec la machine par l'intermédiaire d'un terminal, et peut intervenir pendant le déroulement des opérations. — REM. L'équivalent français de cet anglicisme est *dialogué. Langage, mode conversationnel. Études conversationnelles,* assistées par l'ordinateur. — Par ext. *Écran conversationnel.*

2　Aujourd'hui, l'occupant d'une cabine doit surveiller de multiples appareils, si nombreux qu'il serait inconcevable qu'il puisse s'intéresser à tous. Des robots s'en chargent donc, le rôle de l'homme se bornant à les surveiller en les interrogeant par l'intermédiaire d'un écran conversationnel ou en recevant leurs doléances exprimées grâce aux lampes de panneaux électro-luminescents.
　　　Albert DUCROCQ, Sept hommes dans l'espace, *in* Sciences et Avenir, n° 425, juil. 1982, p. 46.

N. m. [a] *Le conversationnel :* le mode conversationnel. *Calculatrice qui travaille en conversationnel.*

[b] Périphérique* permettant de dialoguer avec un ordinateur.

CONVERSATIONNER [kɔ̃vɛʁsasjɔne] v. intr. — 1936, Céline ; de *conversation.*

♦ Fam. Converser.

CONVERSATIONNISTE [kɔ̃vɛʁsasjɔnist] n. — 1836, Barbey d'Aurevilly ; de *conversation.*

♦ Littér. Personne dont la conversation est brillante.

CONVERSE [kɔ̃vɛʁs] adj. et n. f. ⇒ Convers (2.).

1. CONVERSER [kɔ̃vɛʁse] v. intr. — 1680 ; « demeurer, vivre quelque part », XIe ; « vivre avec qqn, fréquenter », XIIe ; du lat. *conversari* « fréquenter ».

♦ Parler avec (une ou plusieurs personnes) d'une manière spontanée, dans les relations sociales habituelles. ⇒ **Causer, deviser, entretenir (s'), parler.** *Converser familièrement avec qqn.* ⇒ **Bavarder, blaguer** (fam.). *Converser à voix basse avec qqn.* ⇒ **Bourdonner, chuchoter.** *Se plaire à converser avec qqn.* — Absolt. *Aimer à converser. Converser familièrement. Converser solennellement.* ⇒ **Conférer** (avec). — Par ext. *Converser par gestes.*

1　Heureux de converser avec des héros comme lui.
　　　RACINE, Remarques sur Pindare.

2　Il s'y prit très bien pour me faire jaser, se familiarisa avec moi, me mit à mon aise autant qu'il était possible, me parla de niaiseries et de toutes sortes de sujets,

le tout sans paraître m'observer, sans la moindre affectation, et comme si, se plaisant avec moi, il eût voulu converser sans gêne.　ROUSSEAU, les Confessions, III.

3　Je fus fort surpris, ce jour-là, en entrant dans le salon, d'y trouver ma mère conversant avec un vieillard d'un air respectable (...)
　　　FRANCE, le Petit Pierre, XXI, p. 153.

Par ext. *Converser avec soi-même, intérieurement.* ⇒ **Méditer, monologuer.** — Littér. (le compl. et parfois le sujet désignant des choses). *Converser avec la nature, avec les fleurs.* « *Le vent converse avec quelqu'un qui gronde* » (H. de Régnier, *in* T. L. F.).

CONTR. Taire (se).
DÉR. Conversant.

2. CONVERSER [kɔ̃vɛʁse] v. intr. — 1835 ; de *conversion* (4.).

♦ Milit. Vieilli. Exécuter une conversion.

CONVERSIBILITÉ [kɔ̃vɛʁsibilite] n. f. ⇒ **Convertibilité.**

CONVERSIBLE [kɔ̃vɛʁsibl] adj. ⇒ **Convertible.**

CONVERSION [kɔ̃vɛʁsjɔ̃] n. f. — 1190 ; lat. *conversio* « action de se tourner vers (Dieu) », du supin de *convertere.* → Convertir.

♦ **1.** Théol. Action de se tourner vers Dieu, de tendre à la perfection en se soumettant à sa volonté.

1　La conversion véritable consiste à s'anéantir devant cet Être universel qu'on a irrité tant de fois, et qui peut vous perdre légitimement à toute heure (...)
　　　PASCAL, Pensées, VII, 470.

♦ **2.** Cour. Fait de passer d'une croyance considérée comme fausse à la vérité présumée. *La conversion d'un païen, d'un athée au christianisme. La conversion d'un chrétien à l'islam, au bouddhisme.* ⇒ **Adhésion.** *La conversion d'un sceptique, d'un agnostique. Conversion d'une foi à une autre.* ⇒ **Abjuration, apostasie, reniement, renoncement.** — Absolt (ou christianisme, dans le contexte historique français). *La conversion de saint Paul (Actes des Apôtres, IX, 3-4). Chercher, obtenir la conversion des infidèles. Ce missionnaire fit de nombreuses conversions. La conversion de tout un peuple, de tout un pays.*

2　La conversion des païens n'était réservée qu'à la grâce du Messie.
　　　PASCAL, Pensées, XII, 769.

3　Nous faisons cependant six mille lieues de mer pour la conversion des Indes, des royaumes de Siam, de la Chine et du Japon, c'est-à-dire pour faire très sérieusement à tous ces peuples des propositions qui doivent leur paraître très folles et très ridicules.　LA BRUYÈRE, les Caractères, XVI, 29.

4　Ma conversion ne regarde personne, répétait-il. C'est affaire entre Dieu et moi.
　　　GIDE, les Caves du Vatican, I, 8.

Retour à la pratique religieuse ; à l'observation des règles morales. *La conversion du pécheur est compromise par ses rechutes.*

5　J'avais entrevu la conversion au bien et au bonheur, le salut.
　　　RIMBAUD, Une saison en enfer, p. 50.

6　(...) la conversion du pécheur n'est pas sa guérison, mais seulement sa convalescence.　HUYSMANS, En route, p. 236.

Changement d'opinion se traduisant par l'adhésion (à un système d'idées). *Conversion au libéralisme, au communisme. Conversion aux idées modernes. La Conversion d'Alceste,* comédie de Courteline.

7　(...) la prompte conversion des détracteurs de la médecine.
　　　CONDORCET, Malouin.

8　(...) tandis que nous pouvons travailler dans la joie à faire la conversion des consciences (...)　Ch. PÉGUY, la République..., p. 19.

♦ **3.** (1330). Vx. (Choses). Fait de se changer en autre chose. ⇒ **Changement, métamorphose, mutation, transformation.** *Les alchimistes croyaient à la conversion des métaux. La conversion de l'eau en vapeur.* — Relig. *La conversion eucharistique.*

9　Il est prodigieux que la vaste étendue de la Pologne n'ait pas déjà cent fois opéré la conversion du gouvernement en despotisme (...)
　　　ROUSSEAU, le Gouvernement de Pologne, V.

(1690). *Conversion des poids et mesures en unités nouvelles. Conversion de la toise en mètre.* — Fin. *Conversion d'une somme d'argent liquide en valeurs ; d'un billet de banque en or.* ⇒ **Convertible.** *Conversion de rente :* remplacement d'une dette publique par une autre produisant un intérêt moindre. *La conversion par voie d'autorité est une banqueroute partielle. Conversion par offre de remboursement du capital. Conversion de titre à court terme en titre à long terme.* ⇒ **Consolidation.** — *Conversion de titre :* changement d'une valeur mobilière de la forme nominative à la forme au porteur. — Absolt. *Droit de conversion :* taxe qui frappe la conversion de titre.

Dr. *Conversion de séparation de corps en divorce** (*Code civil,* art. 310). *Conversion de saisie immobilière en vente volontaire.*

Écon. Adaptation (d'une personne, d'une entreprise) à une nouvelle activité sociale par suite de la suppression ou de la dispersion de l'ancienne. ⇒ **Reconversion.**

Math. *Conversion des fractions ordinaires en fractions décimales.* — *Conversion du temps moyen en temps sidéral.*

(1662). Log. Permutation des termes d'une proposition (donnant une nouvelle proposition).

Inform. Changement de code (d'un mot, d'un message).

♦ **4.** (XIIe, attestation isolée; XIVe). Action de changer de sens. ⇒ **Retournement, révolution, tour, volte.** — (1516). Milit. Mouvement tournant effectué dans un but tactique. *La troupe effectua une conversion.*

10   Il complimenta le sergent. Puis, à son commandement, les jeunes soldats rectifièrent la position et se raidirent avant d'exécuter une conversion par quatre.
               Francis CARCO, les Belles Manières, p. 40.

Mar. Changement progressif de direction (d'une ligne de navires).

Sports. Demi-tour sur place (effectué par un skieur).

11   Les changements de direction sur le plat se font (...) surtout en exécutant une conversion. Le skieur lève une jambe en avant jusqu'à ce que le ski se dresse verticalement. Il le fait alors basculer vers l'extérieur et le repose au sol contre l'autre. Portant alors tout le poids du corps sur ce ski, il ramène l'autre sans effort à ses côtés et se retrouve face à la direction d'où il venait.
               François GAZIER, les Sports de la montagne, p. 81.

♦ **5.** Psychan. Somatisation d'un conflit psychique, notamment dans l'hystérie, qui a une valeur symbolique (représentations refoulées). *Hystérie de conversion. Conversion psychosomatique.*

12   Avec le développement de la psychanalyse, la conversion a pris le sens beaucoup plus général d'un mécanisme de défense du moi contre l'angoisse (...) Les pulsions sexuelles ou agressives qui menacent le moi sont source d'angoisse, et celui-ci se protège contre le danger par toute une série de mécanismes de défense dont le plus archaïque, le plus enfantin et le plus primitif est précisément la fuite dans une maladie corporelle.
               Jean DELAY, Introd. à la médecine psychosomatique, p. 32.

DÉR. (Du sens 4) 2. **Converser.**

CONVERTI, IE [kɔ̃vɛʀti] adj. et n. ⇒ **Convertir.**

CONVERTIBILITÉ [kɔ̃vɛʀtibilite] n. f. — XIIIe, repris en 1845 (la var. *conversibilité* est attestée chez Lavoisier, 1789); de *convertible.*

♦ Fin. Qualité de ce qu'on peut convertir. *Convertibilité d'une rente. Non-convertibilité d'un billet* (cours forcé).

CONVERTIBLE [kɔ̃vɛʀtibl] adj. et n. m. — 1265; lat. *convertibilis,* de *convertere.* → Convertir. La var. *conversible* (lat. *conversibilis* formé sur le thème du p. p. de *convertere*) est attestée chez Turgot, av. 1781.

♦ **1.** Fin. Qui peut être l'objet d'une conversion. *Rente convertible* ou *convertissable.* — *Billet de banque convertible* (opposé à *papier-monnaie**).

1   Le billet convertible est un instrument qui sert originairement à faire circuler plus rapidement la monnaie métallique des banques d'émission (...*Il*) est une créance donnant droit à un paiement nettement défini : des pièces de monnaie que la banque d'émission rembourse dès qu'on les demande (...) La valeur du billet convertible est égale à celle du métal auquel il donne droit.
               REBOUD et GUITTON, Précis d'économie politique, I, p. 665.

♦ **2.** Vx ou littér. Qui peut être converti, changé. ⇒ **Convertir** (3.). *L'eau est convertible en vapeur.* — (Abstrait). ⇒ **Changeable, transformable.**

2   Multitude, solitude : termes égaux convertibles par le poète actif et fécond.
               BAUDELAIRE, le Spleen de Paris, « Les foules ».

♦ **3.** (De l'angl.). Se dit d'un meuble qui peut être transformé pour un autre usage. *Canapé convertible.* ⇒ **Canapé** (canapé-lit). — N. m. *Un convertible.*

3   Agathe était plantée devant la devanture d'un marchand de meubles et pointait le doigt vers un convertible.   Hervé BAZIN, Madame Ex, p. 241.

N. m. Avion à propulsion horizontale ou verticale.

CONTR. Immuable, inchangeable, inconvertible, intransformable.
DÉR. Convertibilité.
COMP. Inconvertible.

CONVERTIR [kɔ̃vɛʀtiʀ] v. tr. — 980; du lat. *convertere* « se tourner vers », de *con-* (cum), et *vertere* « tourner ».

♦ **1.** Pron. **SE CONVERTIR.** Théol., relig. *Se convertir à Dieu, à l'Éternel :* se tourner vers Dieu, lui soumettre sa volonté.

1   Je jure par moi-même, dit le Seigneur, que je ne veux point la mort de l'impie; mais que je veux que l'impie se convertisse, qu'il quitte sa voie et qu'il vive.
               BIBLE (SACY), Ézéchiel, XXXIII, 11.

2   Ainsi l'Éternel frappera les Égyptiens,
  Il les frappera, mais il les guérira ;
  Et ils se convertiront à l'Éternel.   BIBLE (SEGOND), Ésaïe, XIX, 22.

3   Convertissez-vous à moi de tout votre cœur, nous dit aujourd'hui le Seigneur.
               MASSILLON, Motifs des conversions, 1.

♦ **2.** Cour. Amener (qqn) à croire, à adopter une croyance, une religion (considérée comme vraie). *Convertir les païens, les idolâtres au christianisme. Convertir un sceptique, un matérialiste à la foi catholique. Convertir un hérétique.* ⇒ **Ramener** (à la foi). *Les missionnaires s'efforcent de convertir les infidèles. Convertir une peuplade; une région, un pays. Convertir au protestantisme, au catho-*

licisme... Abjurer, apostasier une religion pour se convertir à une autre. Se convertir sur le tard.

4   En matière de religion, ainsi que de langage, le peuple fait loi ; le peuple de tout temps a converti les rois.
               P.-L. COURIER, Pamphlets politiques, Lettre, VII, Pl., p. 27.

Ramener à la pratique religieuse ; à l'observance des lois morales. *Convertir un pécheur, un libertin. Se convertir en dépouillant* le vieil homme.*

(1458). Par anal. Faire adhérer (qqn) à une opinion. ⇒ **Amener, gagner, rallier.** *Convertir à l'idéalisme, au matérialisme. Il s'est converti à votre avis, à votre opinion.* ⇒ **Adopter.** — Absolt. ⇒ **Catéchiser, convaincre...** *Il aime à convertir.*

5   (...) la joie florissante s'échappait de son corps, de ses mains, et de ses yeux quand il (*Jaurès*) parlait pour convertir (...) PÉGUY, la République..., p. 20.

6   (...) on avait en réalité converti bien peu d'hommes au socialisme.
               Ch. PÉGUY, la République..., p. 25.

♦ **3.** (V. 1120). Vx ou littér. Changer (une chose en une autre). ⇒ **Métamorphoser, transformer, transmuter.** *Convertir du sucre en alcool. L'eau se convertit en vapeur.* — Agric. *Convertir une lande en pâturage. Convertir une terre en blés.*

7   Regardez les abeilles sur le thym ; elles y trouvent un suc fort amer ; mais, en le suçant, elles le convertissent en miel.
               Saint FRANÇOIS DE SALES, Introd. à la vie dévote, 2.

8   Dans les sapinières de la plaine, des déracinements laissaient des places vides ; le sol avait été converti en prairies.
               CHATEAUBRIAND, Mémoires d'outre-tombe, t. VI, p. 17.

9   À la même époque, Helvétius (...) reçoit également d'un autre inconnu une poudre de projection avec laquelle il convertit un lingot de plomb en or.
               HUYSMANS, Là-bas, VI, p. 84.

(1690). Mod. *Convertir sa fortune, ses biens en espèces.* ⇒ **Réaliser.** *Convertir une rente, un titre.* ⇒ **Conversion** (3.). *Convertir une somme en monnaie étrangère.*

10   (...) le rustre en paix chez soi
  Vous fait argent de tout, convertit en monnaie
  Ses chapons, sa poulaille (...)   LA FONTAINE, Fables, XI, 3.

Dr. *Convertir la séparation de corps en divorce*.*

(1872). Math. *Convertir une fraction en fraction décimale. Convertir des mètres en centimètres.*

(Abstrait). *Convertir un soupçon en certitude.*

11   La peine corporelle se convertissait en peine pécuniaire.
               MONTESQUIEU, l'Esprit des lois, VI, 19.

12   Le travail et le talent sont d'essence collective ; il est juste que leurs acquisitions soient directement converties en bien social.
               J. CHARDONNE, l'Amour du prochain, VIII, p. 193.

♦ **4.** Log. *Convertir une proposition.* ⇒ **Conversion** (4.).

▶ **SE CONVERTIR** v. pron.

♦ **1.** (Voir *supra* cit. 1).

♦ **2.** Adopter une foi en abandonnant ce qui est considéré comme une erreur (absence de croyance, autre croyance).

♦ **3.** Écon. Opérer une conversion. ⇒ **Reconvertir** (se).

▶ **CONVERTI, IE** p. p. adj. (1310).

Qui a passé d'une croyance (religion) à une autre (considérée comme vraie). *Des païens convertis.* — N. *Un converti, une convertie. Zèle du nouveau converti.* ⇒ **Néophyte, prosélyte.** — Par ext. ⇒ **Partisan.**

13   Pour avoir battu autrefois toutes les routes de l'impureté, un converti a tôt fait de les reconnaître (...)   F. MAURIAC, Souffrances et Bonheur du chrétien, p. 167.

Loc. *Prêcher un converti :* tenter de convaincre qqn qui est déjà convaincu.

CONTR. Détourner. — Éloigner, pervertir. — Abandonner, opposer (s').
DÉR. Convertissable, convertissage, convertissement, convertisseur.

CONVERTISSABLE [kɔ̃vɛʀtisabl] adj. — V. 1390 ; de *convertir.*

♦ Rare. Qui peut être converti. ⇒ **Convertible.**
CONTR. Inconvertissable.

CONVERTISSAGE [kɔ̃vɛʀtisaʒ] n. m. — 1929 ; de *convertir.*

♦ Métall. Transformation de la fonte en acier au convertisseur.

CONVERTISSEMENT [kɔ̃vɛʀtismɑ̃] n. m. — XIIIe ; de *convertir.*

♦ Fin. Action de convertir. *Convertissement des monnaies.*

CONVERTISSEUR [kɔ̃vɛʀtisœʀ] n. m. — 1530 ; du p. prés. de *convertir,* et *-eur.*

♦ **1.** (1530). Rare. Celui qui opère des conversions (religieuses, en particulier). *Un convertisseur zélé.* ⇒ **Apôtre.**

1   Mais comme on sentait bien que cette joie de fièvre et d'amère indignation n'était pas entière, n'était pas son habituelle et innocente joie de convertisseur !
               Ch. PÉGUY, la République..., p. 21.

♦ **2.** (1869). Techn. Cornue basculante où l'on transforme la fonte en acier par oxydation du carbone, en y insufflant de l'air comprimé. ⇒ **Convertissage.** *Convertisseur Bessemer* (⇒ **Bessemer**), *convertisseur Thomas.*

(1890). Appareil de meunerie transformant en farine les gruaux.

(1904, in *Rev. gén. des sc.*, n° 6, p. 316). Appareil permettant de modifier la nature d'un courant électrique. ⇒ **Transformateur.** *Convertisseur transformant le courant continu en alternatif. Convertisseur de fréquence, de phase. Convertisseur et commutateur* (cit.).

Électron. *Convertisseur d'image :* tube permettant de transformer une image optique en image électronique.

Mécan. *Convertisseur de couple :* appareil réglant la démultiplication du couple d'un moteur transmis à un organe d'utilisation.

2   Des expressions baroques lui reviennent : convertisseur de couple, engrenage planétaire (...)   Régis DEBRAY, l'Indésirable, p. 299.

CONVEXE [kɔ̃vɛks] adj. — V. 1370 ; lat. *convexus.*

♦ Courbé, arrondi en dehors. ⇒ **Arqué, arrondi, bombé, busqué, renflé.** *Surface courbe convexe,* située tout entière du même côté d'un plan tangent à l'un de ses points. *Lentille, verre convexe, miroir convexe.*

Dans l'autre pièce (...) une grande malle à couvercle convexe.
J. ROMAINS, les Hommes de bonne volonté, t. II, IX, p. 95.

(1765). *Polyèdre convexe,* tout entier du même côté du plan d'une de ses faces. — (1874). Géom. plane. *Polygone, arc convexe.*

Géogr. *Rive convexe,* qui forme une avancée de terre (dans une courbe de la rivière).

CONTR. Concave, creux.
COMP. Biconvexe.

CONVEXION [kɔ̃vɛksjɔ̃] n. f. ⇒ **Convection.**

CONVEXITÉ [kɔ̃vɛksite] n. f. — 1450 ; lat. impérial *convexitas,* du lat. class. *convexus.* → Convexe.

♦ Didact. et cour. Qualité, état d'un corps plus ou moins convexe. ⇒ **Arcure, bombement, cambrure, courbure.** *La convexité d'un couvercle.* ⇒ **Bouge** (1.). *Convexité de la colonne vertébrale.*

Oui, elle était brune de cheveux jusqu'au noir le plus jais, le plus miroir d'ébène que j'aie jamais vu reluire sur la voluptueuse convexité lustrée d'une tête de femme (...)
BARBEY D'AUREVILLY, les Diaboliques, « Le plus bel amour de Don Juan ».

CONVICT [kɔ̃vikt] n. m. — 1796 ; mot angl., du lat. *convictum,* du p. p. *convictus,* de *convictere* « convaincre (d'un crime) ».

♦ Criminel emprisonné ou déporté, en droit anglais. ⇒ **Bagnard.** *Les premiers colons d'Australie furent des convicts.*

En 1791, les Anglais prirent la résolution d'utiliser le sol fertile de la plus grande de ces îles. Le gouvernement songea à en faire un lieu de déportation pour y établir un certain nombre de convicts et l'on fit choix, pour y former cette colonie pénitentiaire, du port Cornwallis.
Ferdinand DENIS, les Îles Andamans, *in* le Tour du monde, 1860, t. I, p. 96.

CONVICTION [kɔ̃viksjɔ̃] n. f. — 1579 ; lat. chrét. *convictio* « démonstration convaincante, fait d'être convaincu », du supin de *convincere.* → Convaincre.

♦ **1.** (1623). Vx. Preuve établissant la culpabilité de qqn. ⇒ **Convaincre, 2.** (convaincre qqn de...). *Conviction de mensonge, de complicité, de vol.*

1   (...) ne faut-il pas que vous soyez bien imprudents d'avoir fourni vous-mêmes la conviction de votre mensonge (...)   PASCAL, les Provinciales, 16.

Loc. mod. (1825). **PIÈCE À CONVICTION :** objet à la disposition de la justice pour fournir un élément de preuve dans un procès pénal.

2   (Le regard) s'abaissa même tout à fait, comme soumis sans espoir à l'inéluctable, lorsqu'il eut rencontré des objets qui probablement étaient des pièces à conviction (...)   LOTI, les Désenchantées, II, p. 14.

♦ **2.** (1688). Cour. Acquiescement de l'esprit fondé sur des preuves évidentes ; certitude qui en résulte (fait d'être convaincu de qqch.). ⇒ **Convaincre** (1.) ; **adhésion, assurance, certitude, confiance, croyance, foi.** *Acquérir une conviction. Être dans une complète, une entière conviction. Agir par conviction. Parler avec conviction et chaleur. Agir avec conviction, avec zèle. Conviction du cœur* (cit. 163), *de l'instinct.* ⇒ **Persuasion.** *Conviction inébranlable, profonde, sincère, invincible. J'en ai la conviction* (→ J'en mettrais ma main au feu*). *Accent de conviction*.

3   La conviction est la volonté humaine arrivée à sa plus grande puissance.
BALZAC, le Curé de village, Pl., t. VIII, p. 615.

4   Plus aucune de mes convictions n'est solide suffisamment pour que la moindre objection aussitôt ne l'ébranle (...)   GIDE, Pages de journal, 26 juin 1940, p. 48.

5   Est-ce que tu t'imagines que j'étais convaincu quand je suis entré au P. C. ? Une conviction, ça se fait.   SARTRE, l'Âge de raison, VIII, p. 128.

Sans conviction : sans enthousiasme (→ Du bout* des dents).

— *Manquer de conviction. Sa voix manquait de conviction. Il manque de conviction :* il n'y croit pas.

Fam. *Avec conviction :* avec sérieux. ⇒ **Componction, sérieux.** *Ces enfants jouent avec conviction. Jouer son rôle avec une conviction comique.*

6   Pourtant je dois dire qu'il tenait son emploi avec la plus grande conviction, et que pour imiter les rugissements des sauvages, il n'y en avait pas comme lui.
Alphonse DAUDET, le Petit Chose, I, I, p. 9.

7   (...) pendant la nuit, Nicolas, tout en conduisant, s'endormait et ronflait avec une conviction qui témoignait du calme de sa conscience.
J. VERNE, Michel Strogoff, p. 360.

♦ **3.** Opinion assurée. *Une, des convictions* (rare au sing.). *Il agit selon ses convictions personnelles. Convictions politiques, religieuses* (→ Chrétien, cit. 9), *philosophiques. C'est tout à fait contraire à mes convictions. Des convictions étroites, bornées. Ébranler, saper les convictions de qqn. Un sceptique sans convictions. Partager les convictions de qqn.*

CONTR. Agnosticisme, doute, scepticisme.

CONVIER [kɔ̃vje] v. tr. — XVIe ; *cunveer,* 1125 ; du lat. pop. *convitare* « inviter ».

♦ **1.** Inviter (qqn) à (un repas, à une réunion). ⇒ **Inviter, prier, semondre** (vx), **traiter.** *Convier des amis, des invités à un banquet* (cit. 6 et 7). *Convier qqn à une fête, à une réception, à une cérémonie. Convier qqn à un bal, à une soirée, à un mariage. — Convier ses amis à dîner. — Passif. Être convié à... par qqn.*

1   Entre un passant morfondu,
Au brouet on le convie.   LA FONTAINE, Fables, V, 7.

2   S'il est prié d' (à) un repas, il demande en entrant si la convié où sont ses enfants (...)   LA BRUYÈRE, les Caractères de Théophraste, « Du complaisant ».

3   Dans ces réunions, à peu près muettes, où toujours les mêmes sont conviés (...)
J. CHARDONNE, l'Amour du prochain, VII, p. 179.

♦ **2.** Fig. Inviter (qqn) à (une activité). ⇒ **Engager, exciter, inciter, induire, inviter.** *Convier qqn à faire qqch. Le beau temps convie à la promenade. — Passif. Vous êtes conviés à...*

4   Quel sujet si pressant à sortir vous convie ?   CORNEILLE, Polyeucte, I, 2.

5   (Buvons) Le temps qui fuit nous y convie (...)
MOLIÈRE, le Bourgeois gentilhomme, Chanson à boire.

Convier qqn à se taire, lui demander de se taire.

▶ **CONVIÉ, ÉE** p. p. adj. et n.

♦ **1.** Adj. Invité. *Les amis conviés à la réception.*

♦ **2.** N. Littér. Personne qui a reçu une invitation (à un repas, une réception). ⇒ **Conviés, invité.**

6   Venez souper chez moi, nous ferons bonne vie.
Les conviés sont gens choisis (...)   LA FONTAINE, Fables, I, 14.

7   Il comptait donc revenir sur cette chose stupéfiante dont il avait été témoin, et qu'il tenait à éclaircir, en présence de tous les conviés du vendredi qu'il régalerait de cette histoire.   BARBEY D'AUREVILLY, les Diaboliques, « À un dîner d'athées ».

CONVIVE [kɔ̃viv] n. — XVe ; lat. *conviva,* de *convivere,* de *con(cum),* et *vivere.* → Vivre.

♦ Personne qui se trouve invitée à un repas en même temps que d'autres. ⇒ **Commensal, convié, hôte, invité.** *De nombreux convives. D'agréables, d'aimables, de joyeux convives. Convive indélicat.* ⇒ **Parasite, pique-assiette** (fam.). *Nous avions de charmantes convives* (Académie). *Qualité de convive.* ⇒ **Conviviat.**

1   En cette circonstance, la ménagère avait tenu à se surpasser en offrant à ses convives un menu fort supérieur à l'ordinaire presque frugal de leurs festins.
Léon BLOY, le Désespéré, IV, p. 173.

2   (La salle à manger) avec ses quelque trente-cinq mètres carrés de surface, et ses proportions commodes, se prêtait à recevoir de nombreux convives.
J. ROMAINS, les Hommes de bonne volonté, III, XI, p. 143.

2.1   Sur le pont, une vingtaine de convives à la table commune. Une autre table, parallèle à la première, où l'on a mis nos trois couverts.
GIDE, Voyage au Congo, in Souvenirs, Pl., p. 697.

Par métaphore :

3   Au banquet de la vie infortuné convive,
J'apparus un jour et je meurs :
Je meurs, et sur ma tombe, où lentement j'arrive,
Nul ne viendra verser des pleurs.
Nicolas GILBERT, Ode imitée des psaumes, in LITTRÉ.

Loc. *Le convive de pierre :* la statue du commandeur, invitée par Don Juan son meurtrier et qui, dans ce mythe, vient le punir.

CONTR. Amphitryon, hôte. — Maître, maîtresse (de maison).

CONVIVIAL, ALE, AUX [kɔ̃vivjal, o] adj. — 1612 ; *convival,* 1541 ; lat. impérial *convivalis, convivialis,* de *conviva* (→ Convive), repris à l'angl. *convivial.*

♦ **1.** Didact. Qui a rapport aux repas, aux banquets. *Atmosphère conviviale.* « *Entretien convivial* » (Gobineau, in T. L. F.).

À l'époque dont nous nous occupons, la poésie conviviale subit une modification nouvelle et prit, dans la bouche d'Horace, de Tibulle et autres auteurs à peu près contemporains, une langueur et une mollesse que les Grecs ne connaissaient pas.
A. BRILLAT-SAVARIN, Physiologie du goût, Méditation, XVII, p. 130.

♦ **2.** Qui concerne la convivialité (2.). — REM. La vogue de *convivialité* a donné à l'adjectif des connotations à la mode, que l'emploi traditionnel (1.), didactique, n'avait pas. « *Les repas conviviaux préparés dans la joie (...)* » (*Sciences et Avenir*, août 1980, p. 72). « *La cuisine conviviale de loisir* » (*l'Express*, 29 déc. 1979, p. 59).

♦ **3.** Inform. Se dit d'un système informatique dont l'accès est facile.

CONVIVIALITÉ [kɔ̃vivjalite] n. f. — 1816, dans un récit de voyage en Angleterre ; repris 1973, au sens 2 ; angl. *conviviality*, de *convivial*, de même orig. que le franç. *convivial*. → Convivial.

♦ **1.** Goût des réunions joyeuses où l'on mange, des banquets. — REM. La vogue du sens 2 a donné au mot des valeurs nouvelles, même dans son sens initial.

On ne mange pas bien avec n'importe qui, on ne mange pas bien dans le bruit et l'agitation, même si la chère est fine. C'est pourquoi je préfère de beaucoup le mot « convivialité » (...) au mot « gastronomie ».
le Nouvel Obs., n° 681, 28 nov. 1977, p. 97.

♦ **2.** (1873, trad. de Ivan Illich). Ensemble des rapports entre personnes au sein de la société ou entre les personnes et leur environnement social, considérés comme «autonomes et créateurs» (I. Illich). « *Il voulait rencontrer les hommes dans leur vérité quotidienne, dans leurs soucis concrets. Avant que le mot ne soit lancé par Ivan Illich, il rêvait de convivialité* » (*le Nouvel Obs.*, n° 682, 5 déc. 1977, p. 113). « *Un bar en bois (...) du papier à fleurs 1950 une convivialité (merci messieurs les cuistres d'un si précieux néologisme) joviale...* » (Gault et Millau, *Guide de Paris*, 1982, p. 118).

♦ **3.** Inform. Facilité d'accès, d'emploi (d'un système informatique). « *En ces temps de convivialité, d'informatique répartie et de télématique (...)* » (*la Recherche*, nov. 1979, p. 1160).

CONVIVIAT [kɔ̃vivja] n. m. — 1825 ; du rad. du lat. *convivium* «festin», et *-at*.

♦ Didact. et vx. Qualité de convive ; obligations d'un convive (durée de sa présence, etc.).

Souvent, au milieu des festins les plus somptueux, le plaisir d'observer m'a sauvé des ennuis du conviviat.
A. BRILLAT-SAVARIN, Physiologie du goût, 1825, Préface, p. 21.

CONVOCABLE [kɔ̃vɔkabl] adj. — 1845 ; de *convoquer*, et *-able*.

♦ Qui peut être convoqué.

CONVOCATEUR, TRICE [kɔ̃vɔkatœR, tris] n. et adj. — Av. 1755 ; de *convoquer*, et *-ateur*.

Rare.

♦ **1.** N. Personne ou chose qui convoque. *Les « jeunes convocatrices »* (A. Daudet, *in* T. L. F.).

♦ **2.** Adj. (1900). Qui convoque. *Décret convocateur.*

CONVOCATION [kɔ̃vɔkasjɔ̃] n. f. — 1341 ; lat. *convocatio*, du supin de *convocare*. → Convoquer.

♦ **1.** Action de convoquer (qqn, un ensemble de personnes). *La convocation de qqn, la convocation d'un groupe par qqn. Convocation urgente.* ⇒ **Appel, avertissement, semonce** (vx). *Convocation de l'Assemblée nationale. Convocation de la Chambre, du Sénat, du Parlement, d'un conseil d'administration. Convocation adressée aux parties pour comparaître devant une juridiction.* ⇒ **Assignation.** *Convocation en vue d'une conciliation.* ⇒ **Citation.** *Convocation pour se présenter tel jour au tribunal.* ⇒ **Ajournement.** *Convocation d'un concile.* ⇒ **Indiction.** *Convocation à une fête, à une cérémonie.* ⇒ **Invitation.** *Se rendre, répondre à une convocation.*

1   Des cas si pressants qu'il y aurait danger à remettre la levée de l'impôt après la convocation des États.   FÉNELON, *in* LITTRÉ.

2   Du temps de Charlemagne, on était obligé, sous de grandes peines, de se rendre à la convocation pour quelque guerre que ce fût.
MONTESQUIEU, l'Esprit des lois, XXXI, 27.

3   Cette convocation est la suite normale de ma démarche de ce matin.
J. ROMAINS, les Hommes de bonne volonté, t. II, XVI, p. 186.

♦ **2.** (1693). Lettre, feuille de convocation. *Recevoir une convocation. Présenter sa convocation à l'entrée de la salle d'examen.* ⇒ argot **Collante.**

4   Estrachard tira d'une poche intérieure de son veston la convocation qu'il avait reçue, et, de son gousset, le timbre-quittance.
J. ROMAINS, les Hommes de bonne volonté, t. IV, XVI, p. 171.

♦ **3.** Hist. *Les convocations anglaises* : les deux assemblées de l'Église anglicane qui se réunissent tous les ans en même temps que le Parlement, avec un rôle consultatif.

♦ **4.** Littér. Action de convoquer (4.). *La convocation d'un thème par un poète.*

CONTR. Congé, congédiement, dissolution, expulsion, licenciement, renvoi.

CONVOI [kɔ̃vwa] n. m. — XIIe ; déverbal de *convoyer*.

♦ **1.** (1680). Ensemble de véhicules militaires ou de navires faisant route sous la protection d'une escorte armée. *Guetter, surprendre, attaquer, arrêter, harceler, décimer les convois. Dresser une embuscade sur le passage d'un convoi. S'emparer d'un convoi. Donner l'assaut à un convoi. Un convoi de troupes, de munitions, de ravitaillement, d'essence, escorté de blindés. Bagages qui suivent en convoi le régiment.* ⇒ **Impedimenta.**

1   Nos longs et lourds convois auraient appesanti notre marche ; il était plus à propos de vivre du pays.   Ph.-P. SÉGUR, Hist. de Napoléon, III, 2, *in* LITTRÉ.

Escorte accompagnant un convoi. *Convoi aérien escortant, protégeant un transport de troupes.*

♦ **2.** Groupe de véhicules qui font route ensemble et se dirigent vers le même point. *Diriger un convoi sur un port, sur une ville. Se joindre au convoi, se détacher du convoi. À tel endroit, le convoi se fractionna. Un convoi de chariots.* ⇒ **Charroi.** *Convoi de nomades traversant le désert.* ⇒ **Caravane.**

2   On y voit des troupeaux d'ânes trottinant d'un pied sonore, ou des convois de chameaux qui y montent avec lenteur (...)
E. FROMENTIN, Une année dans le Sahel, p. 76.

♦ **3.** Spécialt. *Convoi de chemin de fer,* et, absolt, *un convoi.* ⇒ **Train.** *Un convoi de voyageurs ; de marchandises. Détourner un convoi. Ajouter une rame* au convoi. Prendre le premier convoi.*

3   Müller et de Man étaient pressés par l'heure : il leur restait à peine le temps de gagner la gare du Nord, s'ils voulaient attraper le dernier convoi civil à destination de la Belgique.   MARTIN DU GARD, les Thibault, t. VII, p. 301.

3.1   À ce moment précis la porte du wagon s'est refermée, et le convoi a aussitôt repris sa marche, interrompue par les conjurés pour cette petite opération sans que les machinistes se soient doutés de rien.
A. ROBBE-GRILLET, Projet pour une révolution à New York, p. 147.

♦ **4.** Groupe important (de personnes) qu'on achemine vers une destination. *Des convois de prisonniers, de réfugiés. Convoi de troupes montant vers le front.*

3.2   On le condamna à la déportation. Au bout de six semaines, en janvier, un geôlier le réveilla, une nuit, l'enferma dans une cour, avec quatre cents et quelques autres prisonniers. Une heure plus tard, ce premier convoi partait pour les pontons et l'exil, les menottes aux poignets, entre deux files de gendarmes, fusils chargés.   ZOLA, le Ventre de Paris, t. I, p. 19.

♦ **5.** ⓐ Vx. Fait d'accompagner en groupe ; cortège.

ⓑ (1538). Mod. Action d'accompagner un défunt à l'église, au cimetière. *Assister au convoi, service et enterrement de... Le convoi funèbre de...* ⇒ **Enterrement, funérailles, obsèques.** Ensemble du cortège funèbre : char, voitures, assistants. *Un magnifique convoi. Le convoi des pauvres. Être, faire partie du convoi.*

4   Ami, m'a-t-elle dit, garde que ce convoi,
Quand je vais chez les dieux, ne t'oblige à des larmes.
LA FONTAINE, Fables, VIII, 14.

5   Ma tante et moi avons la douleur de vous annoncer la mort de ma tante Carmier (...) et de vous inviter au convoi qui aura lieu demain vendredi, à midi très précis, Église Saint-Sulpice.   SAINTE-BEUVE, Correspondance, 35, 1er mars 1827, t. I, p. 82.

Assistants d'un enterrement.

6   (...) un convoi, c'est-à-dire les parents et les plus proches voisins d'un mort de la semaine (...)   LOTI, Ramuntcho, I, III, p. 32.

CONVOIEMENT [kɔ̃vwamɑ̃] n. m. — XIIIe ; de *convoyer*.

♦ Rare. Action de convoyer (1. ou 2.). *Le « convoiement des denrées »* (Aragon), *des marchandises...* ⇒ **Convoyage.**

CONVOITABLE [kɔ̃vwatabl] adj. — Fin XIIe, *conveitable* ; de *convoiter*.

♦ Rare. Qui peut être convoité.

CONVOITER [kɔ̃vwate] v. tr. — 1289, *convetier ; convoitier,* v. 1280 ; *coveitier,* av. 1155 ; du bas lat. *cupidietare,* du bas lat. *cupidietas* (d'après *anxietas,* etc.), altér. du lat. class. *cupiditus.* → Cupidité.

♦ Désirer avec avidité la possession de (une chose disputée ou qui appartient à un autre). *Convoiter la couronne, le trône, le bien d'autrui, un héritage, la première place.* ⇒ **Ambitionner, briguer, désirer, envier, guigner** (de). *Convoiter qqch avec passion.* ⇒ **Brûler.** *Convoiter qqch. des yeux.* — Spécialt. Éprouver un désir sexuel pour (qqn) et désirer (le) posséder. *Convoiter une femme,* désirer la posséder. ⇒ **Désirer, soupirer** (pour). — (Le sujet désigne une faculté humaine, un organe des sens). → ci-dessous, cit. 3.

1   Vous épousiez ma fille, et convoitiez ma femme !   MOLIÈRE, Tartuffe, IV, 7.

2   Enfin, je l'aimais trop pour la convoiter : voilà ce qu'il y a de plus clair dans mes idées.   ROUSSEAU, les Confessions, V.

3   (...) il *(le prêtre)* trempa son pouce droit dans l'huile et commença les onctions :

d'abord sur les yeux, qui avaient tant convoité toutes les somptuosités terrestres (...)   FLAUBERT, Mme Bovary, III, VIII, p. 206.

4   (...) l'arriviste étant le monsieur qui convoite la meilleure place possible dans
l'ordre établi.   J. ROMAINS, les Hommes de bonne volonté, t. III, I, p. 19.

(En parlant des animaux). *Convoiter sa proie :* rechercher une proie
(pour la dévorer).

Absolt. *Être prompt à convoiter* (→ Chaleur, cit. 4).

5   L'homme vicieux n'aime point, il convoite : il a faim et soif de tout ; son œil, tel
que l'œil du serpent, fascine et attire, mais pour dévorer.
        F. DE LAMENNAIS, Paroles d'un croyant, p. 72.

6   Le pauvre sans désirs possède le plus grand des trésors ; s'il se possède lui-même.
Le riche qui convoite n'est qu'un esclave misérable.
        FRANCE, le Crime de S. Bonnard, Œ., t. II, p. 285.

▶ **CONVOITÉ, ÉE** p. p. adj.

Fortement désiré. *Faveur, situation convoitée.*

CONTR. **Dédaigner, détaché** (être), **mépriser, refuser, repousser.**
DÉR. Convoitable, convoiteur, convoitise. — V. **Convoiteux.**

CONVOITEUR, EUSE [kɔ̃vwatœʀ, øz] adj. et n. — XVIe ; repris
XIXe ; *covoitiere,* av. 1257 ; de *convoiter.*

♦ Vx. (Personnes). Qui convoite. *Il est passablement envieux et convoiteur.* — N. *Un convoiteur du bien d'autrui.*
Par ext. *Un regard convoiteur,* de convoitise.

CONVOITEUX, EUSE [kɔ̃vwatø, øz] adj. — 1155, *coveiteus ;* de
convoiter, ou plus probablt d'un lat. vulg. *cupidietosus,* de *cupidietare.*
→ Convoiter.

♦ Littér. Qui convoite. *Regard convoiteux.* ⇒ **Avide, concupiscent,
cupide, désireux, envieux.** *Être convoiteux de richesse, de gloire.*

CONVOITISE [kɔ̃vwatiz] n. f. — V. 1150, *coveitise ;* de *convoiter,* et *-ise.*

♦ Désir immodéré de posséder. ⇒ **Appétence, appétit, ardeur, avidité, envie.** *La convoitise des richesses.* ⇒ **Cupidité.** *Convoitise de
gloire et d'honneurs.* ⇒ **Ambition.** *Convoitise de la chair.* ⇒ **Concupiscence** (→ aussi Chair, cit. 55). — *La convoitise de qqn pour
qqch., sa convoitise.* (Sans compl.). *La convoitise ; une, des con-
voitise(s). Regarder, lorgner avec* (cit. 74) *convoitise, d'un œil de
convoitise.* ⇒ **Avaler, caresser, couver, dévorer, manger** (des yeux).
*Regard brûlant de convoitise. Allumer une flamme, une lueur de
convoitise dans le regard.* — *Une, des convoitises. Être l'objet de
toutes les convoitises.* ⇒ **Mire** (point de). *Éveiller, exciter, attiser,
assouvir, endormir, éteindre, apaiser, calmer, assoupir, contenter,
satisfaire les convoitises.* — REM. Dans l'emploi absolu, ces expressions peuvent se comprendre comme dans l'emploi spécial ci-dessous.

1   (...) Dieu même est l'ennemi de ceux dont il trouble la convoitise.
        PASCAL, Pensées, VIII, 571.

2   (...) où tout enfin ce que je voyais devenait pour mon cœur un objet de convoitise,
uniquement parce que j'étais privé de tout.   ROUSSEAU, les Confessions, I.

3   Il y a les hommes de convoitise, qui demandent toujours de l'or, des honneurs, des
jouissances, et ne sont jamais rassasiés.
        F. DE LAMENNAIS, Paroles d'un croyant, p. 140.

4   Savoir distinguer le mouvement qui vient des convoitises du mouvement qui vient
des principes, combattre l'un et seconder l'autre, c'est là le génie et la vertu des
grands révolutionnaires.   HUGO, Quatre-vingt-treize, II, II, III.

5   (...) et les nomades habitués à l'abstinence, les soldats de Rome experts en débauches, les avares publicains, les vieux prêtres aigris par les disputes, tous, dilatant
leurs narines, palpitaient de convoitise.
        FLAUBERT, Trois contes, « Hérodias », III.

Spécialt. Désir sexuel.

6   (...) et tout à coup, devant cette femme laide qui avait dans la taille des ondulations de panthère, Frédéric sentit une convoitise énorme, un désir de volupté bestiale.   FLAUBERT, l'Éducation sentimentale, II, VI, p. 287.

7   Il y avait là des jeunes hommes qui, depuis un an, n'avaient pas mis les pieds sur
la terre ; leurs poches à tous étaient garnies d'or, et des convoitises terribles bouillonnaient dans leur sang.   LOTI, Mon frère Yves, III, p. 17.

CONTR. **Aversion, dégoût, éloignement, indifférence, répulsion.**

CONVOLER [kɔ̃vɔle] v. intr. — 1417 ; lat. jurid. *convolare* « voler
vers », en dr. « se remarier », de *con-* (cum), et *volare.* → Voler.

♦ **1.** Rare. Aller rapidement (vers qqch.). *Convoler à...*

1   Si la nature humaine était telle que la conçoit M. Comte, toutes les belles âmes
convoleraient au suicide (...)
        RENAN, l'Avenir de la science, 1890, p. 150, in T. L. F.

♦ **2.** (1417). Vx ou plais. Se marier, se remarier. *Convoler en justes
noces.* — REM. Pour Académie (8e éd.), *convoler* signifie « contracter un
nouveau mariage, en parlant d'une femme). Cette définition, contraire
à l'emploi classique, n'est pas ratifiée par l'usage.

2   (...) leur coutume était d'enlever par force de la maison des pères les filles qu'on
menait marier, afin qu'il ne semblât pas que ce fût de leur consentement qu'elles
convolaient dans les bras d'un homme.   MOLIÈRE, le Malade imaginaire, II, 6.

3   Cette scène semble faire prévoir que les héros convoleront.
        MONTHERLANT, Pitié pour les femmes, p. 109.

Convoler avec qqn, se marier avec lui.

Depuis 1340, on avait vu invariablement un van Tricasse, devenu veuf, se remarier avec une van Tricasse, plus jeune que lui, qui veuve, convolait avec un van
Tricasse plus jeune qu'elle, qui veuf, etc., sans solution de continuité.
        J. VERNE, le Docteur Ox, p. 11.   4

Absolt. *Être en âge de convoler,* de se marier.

CONVOLUTA [kɔ̃vɔlyta] n. m. — 1890, *convolute ; convoluta,*
1900 ; lat. *convoluta,* fém. de *convolutus.* → Convoluté.

♦ Zool. Ver marin (fam. des *Turbellariées*), plat et sans tube digestif, qui forme des colonies très communes sur certaines plages.

CONVOLUTÉ, ÉE [kɔ̃vɔlyte] adj. — Av. 1778, Rousseau ; du lat.
convolutus, p. p. de *convolvere* « rouler autour ».

♦ Bot. Roulé en cornet ou en spirale sur soi-même ou autour d'un
corps. *Les feuilles convolutées du bananier.*

CONVOLUTION [kɔ̃vɔlysjɔ̃] n. f. — Fin XIVe, *convolucion ;* dér.
sav. du lat. *convolutus.* → Convoluté.

♦ **1.** Littér., rare. Action de s'enrouler sur soi-même ou autour de
quelque chose.

♦ **2.** Math. *Transformation de la convolution.*

CONVOLVULACÉES [kɔ̃vɔlvylase] n. f. pl. — 1798-1799, in
D. D. L. ; lat. sc. *convolvulacæa,* 1794 ; de *convolvulus,* et suff. *-acées.*

♦ Bot. Famille de plantes *(Dicotylédones gamopétales)* comprenant
des arbrisseaux ou herbes généralement volubiles, aux fleurs à cinq
pétales soudés, formant entonnoir. *Types principaux des convolvulacées :* cressa, ipomée ou volubilis, jalap, liseron *(convolvulus),*
patate, turbith. — Au sing. *Une convolvulacée.*

CONVOLVULUS [kɔ̃vɔlvylys] n. m. — 1545 ; lat. *convolvulus,* nom
de la plante.

♦ Bot. (relativement cour.). Liseron. ⇒ **Belle-de-jour, liseron** (→ aussi
1. Belle-de-nuit, cit.). *Convolvulus bleu* (→ Pergola, cit. 1).

Sans savoir pourquoi, mes yeux revenaient au point blanc, à la femme qui brillait dans ce vaste jardin comme au milieu des buissons verts éclatait la clochette
d'un convolvulus, flétrie si l'on y touche.
        BALZAC, le Lys dans la vallée, Pl., t. VIII, p. 789.   1

Autres danses insensées autres pas en miettes   2
Robes déchirées parquets rompus
Les convolvulus de l'air débordent de chaleur (...)
        ÉLUARD, la Vie immédiate, « Tournants d'argile », Pl., t. I, p. 394-395.

CONVOQUER [kɔ̃vɔke] v. tr. — v. 1355 ; du lat. *convocare* « appeler, convoquer, réunir », de *con-* (cum), et *vocare* « appeler », de *vox*
« voix ».

♦ **1.** Appeler (plusieurs personnes, un groupe) à se réunir, de
manière impérative. ⇒ **Assembler ; convocation.** *Convoquer une
assemblée à une date, pour telle date. Convoquer la Chambre,
le Sénat, le Congrès, les membres d'une commission, d'un comité,
le conseil d'administration. Convoquer l'assemblée des créanciers
d'un failli* (⇒ **Concordat,** cit. 1), *les membres de l'ordre des médecins, des avocats..., les candidats à un examen, le conseil de discipline, le conseil de famille. Convoquer les parties devant le juge,
devant les tribunaux.* ⇒ **Assigner ; ajourner, citer.** *Convoquer à un
repas, à une cérémonie, à une fête.* ⇒ **Convier, inviter, mander** (vx).
*Convoquer des gens par lettre, par téléphone, par la voie de la
presse... Le héraut convoqua le ban et l'arrière-ban* (cit. 3).

Les rois convoquaient les états généraux substitués aux anciens parlements de la
nation.   VOLTAIRE, Essai sur les mœurs, 76.   1

Le Parlement est convoqué par un arrêté du bureau de l'Assemblée nationale qui   2
est aussi le bureau du Parlement (art. II)
        M. PRÉLOT, Précis de droit constitutionnel, IX, XXV, 388,
        Nomination du président de la République.

♦ **2.** Faire venir, de manière impérative (une seule personne, en
général hiérarchiquement subordonnée), auprès de soi. *Le directeur
m'a convoqué pour mardi à 3 heures dans son bureau.*

J'ai vu la petite, dimanche, à la première heure. J'avais pris l'initiative de convo-   3
quer un auriste (...)   MARTIN DU GARD, les Thibault, t. III, p. 133.

Convoquer qqn à (une activité), *à faire qqch.*

♦ **3.** (Sans idée d'ordre ou d'autorité). Inviter (des personnes) à
venir. *Il a convoqué tous ses amis pour leur annoncer la bonne nouvelle.*

♦ **4.** Littér. Rassembler (des choses abstraites).

Et ce livre de grande classe *(Les Origines de la France contemporaine)* convoque   4
en un feu d'artifice suprême toutes les ressources et toute la force du génie classique.
        A. THIBAUDET, Hist. de la littérature française, 1936, p. 350, in T. L. F.

(Par infl. probable de *évoquer*). Faire intervenir (un thème, une idée)
dans une œuvre. *Convoquer un thème avec maîtrise.* ⇒ **Appeler, évoquer.**

▶ **CONVOQUÉ, ÉE** p. p. adj. *Délégués convoqués par le minis-*
tre. Héritiers convoqués par le notaire. Employé convoqué par le
patron. — Fig. *Une idée convoquée à propos.*

CONTR. Chasser, congédier, dissoudre, exclure, expulser, licencier, renvoyer.
DÉR. Convocable, convocateur.

CONVOYAGE [kɔ̃vwajaʒ] n. m. — 1926, *navire de convoyage, in*
D. D. L. ; de *convoyer.*
Technique.

♦ **1.** (Cour. en marine). Fait de convoyer (1.), et notamment de conduire un bateau d'un lieu à un autre.
Spécialt. Fait de convoyer un ou des avions neufs vers leur lieu d'utilisation militaire. — Par métonymie. Convoi d'une opération de convoyage.

> J'étais venu avec un convoyage. Je revins avec le courrier. Entre ces deux termes,
> il y a toute la différence qui sépare une promenade d'une marche forcée.
> J. KESSEL, Vent de sable, p. 229.

♦ **2.** Action de convoyer (2.). *Le convoyage du minerai.* ⇒ **Convoiement.**

CONVOYER [kɔ̃vwaje] v. tr. — Conjug. *broyer.* — V. 1150, *con-*
veier ; bas lat. *conviare* « se mettre en route avec », de *con- (cum),* et
viare, de *via* « voie, route ».

♦ **1.** Milit. Accompagner (un convoi) pour (le) protéger. ⇒ **Escorter.**
Blindés, avions convoyant un transport de troupes, de munitions.
— Passif et p. p. *Navires marchands convoyés par des bateaux*
de guerre.
Mar. Faire naviguer (un bateau) jusqu'au lieu où il doit être utilisé.
Convoyer un yacht de Cannes à Saint-Malo, pour le compte de
son propriétaire.
Par anal. (Vieilli). Accompagner (qqn). *Nous l'avons convoyé jusqu'à*
la gare.

♦ **2.** Transporter (qqch., qqn). *Convoyer du minerai, des matières*
premières. — (Sujet n. de chose). *Conduites convoyant du gaz.*

♦ **3.** Rare. Accompagner (un cercueil, un défunt...) au cimetière.
⇒ **Convoi** (5., b).

CONTR. Abandonner.
DÉR. Convoi, convoiement, convoyage, convoyeur.

CONVOYEUR, EUSE [kɔ̃vwajœʀ, øz] n. et adj. — 1777, au
sens 1 ; *conveiëor,* v. 1195 ; de *convoyer.*

♦ **1.** N. m. Mar. Bâtiment qui en convoie d'autres. *Convoyeur de*
sous-marins. Bâtiment convoyeur. — Personne qui convoie un
bateau. ⇒ **Convoyage.**

♦ **2.** (1907). Personne chargée d'accompagner un convoi, des marchandises transportées et de veiller sur eux. *Un convoyeur de fonds.*

> 1 (...) j'ai quelqu'un qui te permettrait de passer en douce la ligne de démarcation,
> quelqu'un de sûr, un brave type de la gare, convoyeur.
> Francis CARCO, les Belles Manières, p. 76.
> 2 Elle refusait de servir de convoyeuse à ce misérable petit gang.
> Michel DÉON, les Gens de la nuit, p. 193.

N. f. *Convoyeuse de l'air :* membre du personnel féminin de l'armée
de l'air, chargée d'accompagner à bord les malades et les blessés.

♦ **3.** N. m. Transporteur automatique. *Tapis roulant faisant fonction de convoyeur.*

♦ **4.** Par appos. (ou adj.). *Une équipe convoyeuse.* — (Sens 3). *Bande,*
courroie convoyeuse.

CONVULSER [kɔ̃vylse] v. tr. — 1578 ; du lat. *convulsus,* au sens
médical, p. p. de *convellere* « arracher ».

♦ **1.** (Le sujet désigne la cause). Tordre, agiter (une partie du corps)
par des convulsions. *Convulser légèrement la peau, les muscles.*
⇒ **Contracter, crisper, tirailler.** *Convulser les muscles, les membres,*
les nerfs. — Par anal. *L'effroi convulsait son visage.*

> 0.1 L'étonnement, la joie, la peur d'être surpris convulsaient sa figure jusqu'à la rendre
> méconnaissable. M. LEBLANC, l'Aiguille creuse, p. 213.

La peur, la fureur le convulsait, convulsait ses traits.

♦ **2.** Fig. et littér. *Agitation qui convulse l'eau.* ⇒ **Bouleverser, rider.**

> 1 Par instants, elle était parcourue d'une agitation légère et inexplicable, comme les
> feuillages qu'une brise inattendue convulse pendant quelques instants.
> PROUST, À la recherche du temps perdu, t. XI, p. 86.

Provoquer une forte agitation psychologique chez (qqn), dans... Les
problèmes sociaux convulsaient le pays.

♦ **3.** Littér. Donner une apparence tourmentée à (qqch.). *Les arbres*
que convulsait l'ouragan.

▶ **SE CONVULSER** v. pron.
Être pris de convulsions. *Ses membres, son visage se convulsent*
sous l'empire de la douleur, de la terreur (→ Blêmir, cit. 2).

(Le compl. indique la cause). *Ses traits se convulsaient de rage, de*
rire. Elle se convulsait de douleur.
Avoir, prendre l'apparence d'un corps tordu par des convulsions.

> 1.1 (...) des chênes rugueux, énormes, qui se convulsaient, s'étiraient du sol, s'étrei-
> gnaient les uns les autres (...)
> FLAUBERT, l'Éducation sentimentale, t. II, 1869, p. 158, *in* T. L. F.

▶ **CONVULSÉ, ÉE** p. p. adj. et n.

♦ **1.** Tordu, agité par des convulsions. *Nerfs, membres convulsés*
par la maladie. Visage convulsé par la peur, de peur, de colère.
⇒ **Bouleversé, décomposé.**
(Sans compl.). *Traits convulsés.*

> 2 Je retrouve Philippe à peine un peu plus faible, le visage convulsé, secoué ; luttant
> d'un peu plus bas contre la mort.
> GIDE, Journal, 1909, La mort de Charles-Louis Philippe, Vers Cérilly.

♦ **2.** Fig. Qui semble agité par des convulsions. *Les arbres convulsés*
des tableaux de Van Gogh. ⇒ **Convulsif.**

♦ **3.** N. (1877). Fig. *Un convulsé, une convulsée,* personne qui semble
agitée de convulsions, qui est dans un état d'agitation psychologique violente.

> 3 Vous êtes bien haut, bien loin au-dessus de ces convulsés ou de ces jobards d'un
> moment. A. GILL, Lettre à Vallès, mi-janv. 1877, p. 104, *in* D. D. L., II, 5.

CONTR. Apaiser, calmer, détendre.

CONVULSIF, IVE [kɔ̃vylsif, iv] adj. — 1546 ; du rad. de *convul-*
sion, et *-if.*

♦ **1.** Méd. ⓐ Caractérisé par des convulsions. *Maladies convulsi-*
ves. ⇒ **Chorée** (ou danse de Saint-Guy), **éclampsie, épilepsie, tétanie,**
tétanos, urémie. *Trouble convulsif.* ⇒ **Bégayement** ; et aussi **balbu-**
tiement (cit. 1), **tic.** *Toux convulsive.*

ⓑ (1587). Vx. Qui produit des convulsions. *Venin convulsif.* ⇒ **Con-**
vulsivant.

♦ **2.** (Réalités humaines, physiques ou psychiques). Cour. Qui a le
caractère mécanique, brusque, involontaire, en général violent, des
convulsions. ⇒ **Nerveux, spasmodique.** *Agitation convulsive, trem-*
blement convulsif. Effort, geste, mouvement convulsif. Craquement
convulsif des mâchoires. Voix convulsive. ⇒ **Saccadé.** *Grimace con-*
vulsive. Rire convulsif. Sanglots convulsifs.

> 1 (...) emporté quelquefois près de celles que j'aimais par les fureurs d'une passion
> qui m'ôtait la faculté de voir, d'entendre, hors de sens et saisi d'un tremblement
> convulsif dans tout mon corps (...) ROUSSEAU, les Confessions, I.
> 2 (...) nous nous embrassons avec des transports convulsifs, nous étouffions (...)
> ROUSSEAU, les Confessions, I.

Qui résulte de convulsions.

> 3 (...) la flèche trempée dans le curare ne contracte pas les muscles, et ne les frappe
> pas d'une roideur plus convulsive.
> André SUARÈS, Trois hommes, « Ibsen », VIII, p. 172.

Qui est accompagné de mouvements brusques, violents. *Une joie*
convulsive.

♦ **3.** Littér. Qui paraît violent, dangereux. — (Concret). *Mer convul-*
sive. — (Abstrait). Qui est extrême, violent. ⇒ **Paroxystique.**

> 4 La beauté sera CONVULSIVE ou ne sera pas.
> A. BRETON, Nadja, p. 155 (→ aussi Beauté, cit. 15.4).
> 5 Nous n'avons jamais demandé une répression aveugle et convulsive. Nous détes-
> tons l'arbitraire et la sottise criminelle, nous voudrions que la France garde ses
> mains pures. CAMUS, Actuelles 1, Pl., p. 1536-1537.

♦ **4.** Littér. Qui semble résulter de convulsions. *Sol convulsif.*
⇒ **Convulsé.**

CONTR. Calculé, calmé, doux, équilibré, posé, régulier.
DÉR. Convulsivant, convulsivement.
COMP. Anticonvulsif, anticonvulsivant, convulsivothérapie.

CONVULSION [kɔ̃vylsjɔ̃] n. f. — 1538 ; lat. méd. *convultio, -onis,*
du supin de *convellere.* → Convulser.

♦ **1.** (1538). Méd. et cour. Contraction violente involontaire et saccadée des muscles. ⇒ **Convulsif** (maladies convulsives), **spasme.** *Con-*
vulsions tétaniques. ⇒ **Tétanos.** *Convulsions toniques,* qui mettent
les muscles dans un état de rigidité durable. *Convulsions cloniques,*
où les contractions se succèdent à un rythme irrégulier, plus ou
moins accéléré. *Convulsions internes, externes, aiguës, chroniques.*
Se tordre, se rouler dans les convulsions. Mourir dans des convul-
sions épouvantables (→ Poison, cit. 2.1). *Avoir les yeux révulsés,*
injectés de sang pendant les convulsions. Convulsions accompa-
gnées de sueurs froides. Sursauts, soubresauts, spasmes des con-
vulsions. Remède antitétanique contre les convulsions. ⇒ **Anticon-**
vulsif, antispasmodique, spasmolytique. *Il fut pris de convulsions*
(→ Révolte, cit. 2). *Enfant qui fait des convulsions. Convulsions*
infantiles. Les dernières convulsions de l'agonie, de la mort.

> 1 Nous trouvâmes cette charmante créature pâle, livide, agitée de convulsions, les
> lèvres retirées. VOLTAIRE, Hist. de Jenni, *in* LITTRÉ.
> 2 (...) la violence des convulsions décrut : les mouvements épileptiformes s'espa-
> cèrent. MARTIN DU GARD, les Thibault, t. IV, p. 154.

♦ **2.** Cour. Mouvement désordonné provoqué par certaines émotions. *Les convulsions de la colère, de la jalousie, du désespoir. Des convulsions de colère.*

3 (...) la vue d'un demandeur lui donne des convulsions. C'est le frapper par son endroit mortel. MOLIÈRE, l'Avare, III, 5.

4 Son engouement outré pour ou contre toutes choses qui ne lui permettait de parler de rien qu'avec des convulsions. ROUSSEAU, les Confessions, XI.

5 Un désespoir paisible, sans convulsions de colère et sans reproches au ciel est la sagesse même. A. DE VIGNY, Journal d'un poète, p. 32.

Plaisant. ⇒ **Contorsion, distorsion.**

6 Et tandis que tous deux étaient précipités
Dans les convulsions de leurs civilités (...) MOLIÈRE, les Fâcheux, I, 1.

♦ **3.** Par anal. Mouvement violent (non humain, non vivant). *Les convulsions du globe terrestre. Convulsions géologiques.*

Par métaphore :

7 (...) la montagne semble avoir eu des convulsions, tant elle est soulevée, fendue, crevée dans tous les sens. E. FROMENTIN, Un été dans le Sahara, p. 61.

♦ **4.** Fig. Agitation violente. Troubles soudains. *Les convulsions de l'âme.*

(1756). Polit. *Convulsions politiques, sociales.* ⇒ **Agitation, bouleversement, crise, remous, révolution, secousse, soubresaut, spasme, trouble** (→ aussi Charnier, cit. 5).

8 Depuis un an, le régime directorial achevait de se dissoudre dans une série de convulsions. Louis MADELIN, l'Ascension de Bonaparte, XIX, p. 269.

9 Les sociétés humaines cherchent, à travers des convulsions dramatiques, une formule de vie sociale qui leur donne l'équilibre et peut-être plus de justice et sans doute plus de bonheur. G. DUHAMEL, le Temps de la recherche, II, p. 23.

♦ **5.** Littér. Aspect tourmenté. *La convulsion, les convulsions des branches d'olivier.* — REM. *Convulsion*, comme *convulsé* et *convulsif*, implique en général le résultat d'un mouvement violent plus ou moins évoqué par le contexte. Ces mots excluent le statisme de la description.

DÉR. Convulsionnaire, convulsionner. — V. Convulsif.

CONVULSIONNAIRE [kɔ̃vylsjɔnɛʀ] adj. et n. — 1735; de *convulsion*, et suff. *-aire.*

♦ **1.** Adj. Méd. ou vx. Qui est affecté de convulsions. *Malade convulsionnaire.*

♦ **2.** N. (1754). *Un, une convulsionnaire*, personne qui a des convulsions.

Hist. *Les convulsionnaires*, jansénistes fanatiques qui étaient pris de convulsions sur la tombe du diacre Pâris au cimetière Saint-Médard. *« La sombre farce des convulsionnaires »* (M. Yourcenar, *Archives du Nord*, p. 64).

♦ **3.** Adj. Littér. Convulsé (figuré).

CONVULSIONNER [kɔ̃vylsjɔne] v. tr. — 1783, v. intr. ; de *convulsion.*

♦ Méd. Donner des convulsions à... *La colère convulsionnait ses traits, le convulsionnait.* ⇒ **Convulser.**

▶ **SE CONVULSIONNER** v. pron.
Être, devenir agité de convulsions. ⇒ **Convulser** (se).

▶ **CONVULSIONNÉ, ÉE** p. p. adj. (1845).
Agité ou déformé par des convulsions. *Visage convulsionné.* ⇒ **Convulsé.**

CONVULSIVANT, ANTE [kɔ̃vylsivɑ̃, ɑ̃t] adj. et n. m. — 1865, in D. D. L. ; de *convulsif.*

♦ Méd. Qui produit des convulsions. ⇒ **Convulsif** (1.). *Thérapeutiques convulsivantes en psychiatrie.* ⇒ **Sismothérapie.** *Action convulsivante d'une substance.*

L'injection de substances convulsivantes, comme la strychnine, fait apparaître des ondes électriques de grande amplitude (1 millième de volt). Des réactions analogues s'observent chez les épileptiques, même en l'absence de crises manifestes ; il s'agit d'un véritable orage électrique cérébral. Paul CHAUCHARD, le Système nerveux..., p. 90.

N. m. *Un convulsivant.*

CONTR. et COMP. Anticonvulsivant.

CONVULSIVEMENT [kɔ̃vylsivmɑ̃] adv. — 1803; de *convulsif.*

♦ **1.** D'une manière convulsive. *S'agiter, marcher, rire, pleurer convulsivement.*

♦ **2.** Par anal. ou par métaphore. D'une manière violente. ⇒ **Frénétiquement.** *Hurler convulsivement.* ⇒ **Hystériquement.**

CONVULSIVOTHÉRAPIE [kɔ̃vylsivoteʀapi] n. f. — 1932; de *convulsif*, et *thérapie.*

♦ Méd. **ⓐ** Vx. Méthode de choc qui consiste à provoquer volontairement l'apparition de convulsions.

ⓑ Mod. ⇒ **Électrochoc, sismothérapie.**

COOBLIGÉ, ÉE [kɔɔbliʒe; kɔɔbliʒe] n. — 1395; de *co-*, et *obligé.*

♦ Dr. Celui, celle qui est obligé avec d'autres en vertu d'un contrat.

COOCCUPANT, ANTE [kɔɔkypɑ̃, ɑ̃t; kɔɔkypɑ̃, ɑ̃t] n. et adj. — 1877; de *co-*, et *occupant.*

♦ Dr. Qui occupe (un lieu) en même temps que d'autres. *Locataire cooccupant.* ⇒ **Colocataire.**

CO-OCCURRENCE [kɔɔkyʀɑ̃s; kɔɔkyʀɑ̃s] n. f. — v. 1960; mot angl., de *co-*, et *occurrence*, de *to occur* « se manifester ». → **Occurrence, occurrent.**

♦ Didact. (ling.). Présence simultanée de deux ou plusieurs éléments ou classes d'éléments dans le même énoncé.

1 Dire que deux éléments X et Y sont co-occurrents (*coexistent*) dans une phrase donnée P, cela veut simplement dire que ces deux éléments se rencontrent dans P, que X est un segment de P, que Y est un autre segment de P, distinct de X et n'empiétant pas sur X. Certaines régularités dans les co-occurrences des éléments sont une donnée de base de la linguistique descriptive, et la notion de co-occurrence sert à définir toutes sortes de relations possibles entre les éléments à l'intérieur d'une phrase, telles qu'implication simple, implication mutuelle, exclusion mutuelle, etc. Nicolas RUWET, Introd. à la grammaire générative, p. 237.

2 Il s'agit, en effet, de relations de co-occurrence entre certaines séquences dont les éléments appartiennent à des classes d'équivalences, et ces relations, selon les types de séquences, peuvent être réversibles (...) irréversibles (actif-passif) ou quasi transformationnelles. Claude HAGÈGE, la Grammaire générative, réflexions critiques, p. 116.

DÉR. Co-occurrent.

CO-OCCURRENT, ENTE [kɔɔkyʀɑ̃, ɑ̃t; kɔɔkyʀɑ̃, ɑ̃t] adj. et n. m. — D. i. (v. 1970); de *co-occurrence.*

♦ Ling. Se dit d'éléments qui coexistent dans un énoncé, dans une phrase. ⇒ **Co-occurrence** (cit. 1). — N. m. *Les co-occurrents :* les éléments co-occurrents, les classes co-occurrentes.

COOL [kul] adj. invar. et n. m. — 1952, in Höfler; mot angl., proprt « frais », d'abord par opposition à *hot* « chaud », employé en musique. Anglicisme.

♦ **1.** Mus. *Jazz cool :* style de jazz succédant au bop, aux États-Unis (vers 1960), caractérisé par un jeu moins expressionniste, un phrasé moins exubérant, un traitement du tempo plus discret. *Style, jeu cool.* « *Ce son, cool et paresseux...* » (l'Express, 10 nov. 1979, p. 29). — Adv. *Jouer cool.*

♦ **2.** (1964). Fam. Calme, imperturbable et détendu. *T'es pas assez cool. Il est cool, le mec. Une voix, des manières très cool.* « *Les infirmiers sont cool. Toujours disponibles* » (le Nouvel Obs., 22 oct. 1973). « *Le mari, présent durant toute l'interview, ne bronche pas. Cool, pas encombrant, il vaque discrètement à ses occupations* » (le Nouvel Obs., 12 déc. 1977, p. 69).

1 (...) on ne rit pas autour d'une table de poker, car la logique du jeu est cool, mais non désinvolte. J. BAUDRILLARD, De la séduction, p. 182.

Adv. ou interj. *Cool :* calmement, calmez-vous, détendez-vous (cf. Calmos). — Var. suffixée : *coolos* [kulos].

2 Si, par exemple, votre fils vous ramène un carnet épouvantable, attaquez-le, comme disait Lénine, à son niveau de conscience :
« Dis donc, mec, quand je vois ton livret, je flippe comme une bête !
— Cool papa... cool...
— Cool, cool ! C'est trop facile. Tu crois que c'est le pied d'avoir un gosse comme toi ? Tu pourrais tout de même te défoncer un peu (...) »
Jacques MERLINO, les Jargonautes, p. 65.

N. m. *Le cool.*

3 Il n'y a pas de drame apparent. On s'installe dans le *cool*. On dédramatise ostensiblement. Il n'y a plus de drame; seulement des choses, des certitudes, des « valeurs », des « rôles », des satisfactions, des « jobs », des emplois, des situations et des fonctions. Henri LEFEBVRE, la Vie quotidienne dans le monde moderne, p. 126.

COMP. V. Baba-cool (V. 5. Baba).

COOLIE [kuli] n. m. — 1843, in Höfler; *couli*, 1791; *coly*, 1666; *colles*, plur., 1638; orig. incert., p.-ê. empr. à un parler hindi par l'intermédiaire de l'anglais.

♦ (En Orient) Travailleur, porteur chinois ou hindou (→ Palanquin, cit. 1). *Des coolies.*

1 (...) les deux cent mille ouvriers des filatures, la foule écrasante des coolies. MALRAUX, la Condition humaine, p. 48.

2 Des coolies, portant chacun sur les épaules un gros sac de jute aux formes rebondies, cheminent le long de ces passerelles branlantes qui fléchissent sous les pieds nus et oscillent de façon inquiétante, sans jamais cependant faire tomber dans l'eau noire un de ces porteurs l'un des porteurs qui se succèdent à intervalle de quatre ou cinq pas. A. ROBBE-GRILLET, la Maison de rendez-vous, p. 193.

Coolie-pousse. ⇒ **Pousse-pousse.** — Plur. *Des coolie-pousse* (J. Hougron, *la Gueule pleine de dents*, p. 150) ou *des coolies-pousse.*

3 (...) il avait quitté son père, vécu à Canton, à Tientsin, de la vie des manœuvres et des coolies-pousse, pour organiser les syndicats. MALRAUX, la Condition humaine, p. 55.

REM. 1. On a aussi écrit *coulie*.

4 Un convoi de coulies, c'est-à-dire de travailleurs arrivant des Indes sur un navire anglais (...)
Jules CREVEAUX, *in* le Tour du monde, t. 37, 1er semestre 1879, p. 338.

2. Le mot peut s'employer en parlant de femmes.

5 Des coolies rouges et noirs, surtout des femmes, à poitrine aplatie, montent le charbon dans des paniers, se suivant comme les godets d'une drague.
Paul MORAND, Rien que la terre, p. 66.

HOM. Coulis.

COOLOS [kulos] adj. invar. ⇒ **Cool.**

COOPÉ [kɔpe] n. f. ⇒ **Coopérative.**

COOPÉRANT, ANTE [kɔɔpeʀɑ̃, ɑ̃t] adj. et n. — 1967 ; p. prés de *coopérer.*

♦ **1.** Adj. Rare. Qui agit conjointement avec qqn.

1 On a déjà noté, à propos de ce difficile problème de l'orientation, l'importance capitale de l'adhésion des parents. Il faut aussi avoir l'adhésion et la compréhension des principaux intéressés : les élèves, qui devront être coopérants et non résignés. J. CAPELLE, L'école de demain reste à faire, 1966, p. 78, *in* T. L. F.
REM. Dans cet emploi, le mot est un calque de l'angl. *cooperative.*

Théol. *Grâce coopérante :* grâce qui se joint à l'effort personnel.
⇒ **Coopération** (1., b).

♦ **2.** N. Personne, ou groupe de personnes qui travaillent conjointement avec d'autres.

Écon. Spécialiste (technicien, enseignant...), et, en particulier, soldat du contingent, chargé par un pays industrialisé, au titre de la coopération, d'aider un autre pays à scolariser et alphabétiser sa population, moderniser son agriculture, développer son industrie, etc. (mot très courant en franç. d'Afrique ; → aussi V. S. N.). *Un coopérant, une coopérante. Les coopérants.*
En appos. *Technicien, instituteur coopérant.*

2 C'est la demande d'armes aux uns pour se protéger des autres (...) c'est l'arrivée des techniciens coopérants, c'est la construction d'une usine (...) c'est la nouvelle colonisation. Michèle PERREIN, Entre chienne et louve, p. 158-159.

COOPÉRATEUR, TRICE [kɔ(ɔ)peʀatœʀ, tʀis] n. et adj. — 1516 ; sens 1., bas lat. *cooperator ;* sens 2., de l'angl. *cooperator,* de *cooperation.* → Coopération.

♦ **1.** Personne qui travaille, qui agit avec qqn. ⇒ **Associé, collaborateur.** *Des coopérateurs solidaires.* — Adj. *Agent coopérateur.*

♦ **2.** (1928). Membre d'une coopérative de production ou de consommation. *Les coopérateurs de Lorraine.* ⇒ **Coopération** (2.).

♦ **3.** Adj. Rare. Qui coopère. « *Un public coopérateur* » (H. Massis, *in* T. L. F.). ⇒ **Coopératif.**

COOPÉRATIF, IVE [kɔ(ɔ)peʀatif, iv] adj. — 1550, *cause coopérative* « secondaire » ; bas lat. *cooperativus,* du supin de *cooperare* (→ Coopérer) ; repris à l'angl. *cooperative,* de *to cooperate* « coopérer ».

♦ **1.** (1842). Écon., sociol. Qui est fondé sur la coopération et la solidarité. *Système coopératif. Association, société coopérative.* ⇒ **Coopérative.** — *Droit coopératif.* — *Doctrine, mouvement coopératif.* ⇒ **Associationnisme.**

1 Le secteur coopératif est extrêmement diversifié. Il existe des coopératives dans tous les domaines : production, consommation, crédit, agriculture, artisanat, etc. Quel que soit leur nom, toutes les coopératives ont un même idéal : celui de réaliser par l'union et la solidarité une œuvre en commun *(cum operari),* en se rendant service les uns aux autres, et en se répartissant entre soi les avantages de cette tâche commune, au prorata des mérites de chacun.
REBOUD et GUITTON, Précis d'économie politique, III, p. 333.

2 L'association coopérative de consommation a le même but que celle de production, à savoir abolir l'entrepreneur et le profit, mais tandis que dans celle-ci les ouvriers deviennent leurs propres patrons, dans celle-là les consommateurs deviennent leur propre fournisseur, appliquant ainsi l'adage qu'on n'est jamais mieux servi que par soi-même. Charles GIDE, Cours d'économie politique, t. I, II, p. 257.

♦ **2.** (Av. 1964). Anglic. (Personnes). Qui est prêt à coopérer, à aider un effort, une entreprise. *Un témoin coopératif* (avec la police). ⇒ **Coopérant.**

3 (...) si les Allemands de Paris s'étaient montrés plus coopératifs.
Edmonde CHARLES-ROUX, Elle, Adrienne, p. 313.

CONTR. **Indépendant, individuel.**
DÉR. **Coopératisme, coopérativement.**

COOPÉRATION [kɔ(ɔ)peʀasjɔ̃] n. f. — Av. 1435 ; lat. chrét. *cooperatio* « part prise à une œuvre faite en commun », du supin de *cooperare* (→ Coopérer) ; sens 2 de l'angl. *cooperation,* créé dans ce sens par Robert Owen, de *to cooperate* « coopérer ».

♦ **1. a** Action, fait de participer à une œuvre commune. ⇒ **Collaboration.** *Apporter sa coopération à une entreprise.* ⇒ **Accord, aide, appui, concours, contribution...** *Coopération utile, efficace, sans*

réserve. *Résultat obtenu grâce à la coopération de plusieurs personnes.*

1 En toute coopération, on est, en quelque sorte, dépendant de ses collaborateurs et solidaire avec eux ; on ne peut dire tout ce qu'on pense qu'autant qu'ils ne pensent pas le contraire, et réciproquement, tout ce qu'ils disent reçoit votre assentiment tacite par le fait même de la collaboration.
SAINTE-BEUVE, Correspondance, 23, 7 févr. 1825, t. I, p. 62.

2 Ce désir, et cette espérance de Jaurès, que la coordination et la coopération de tous les enseignements, d'un bout à l'autre de l'échelle sociale, pourraient préparer l'unité et la continuité de toutes les classes, ne devait pas se réaliser de sitôt.
Ch. PÉGUY, la République..., p. 18.

b (Av. 1435). Théol. *Coopération à la grâce :* effort personnel qui s'ajoute à l'effet de la grâce pour porter au bien. *Coopération de la grâce :* action de la grâce qui s'ajoute à l'effort personnel.

♦ **2.** (1828). Écon. Système par lequel des personnes intéressées à un but commun s'associent et se répartissent le profit selon un pourcentage en rapport avec leur part d'activité. ⇒ **Coopératif** (1.) ; **coopératisme.** *La coopération en agriculture, dans l'industrie. Société de coopération.* ⇒ **Association ; coopérative** (cour.). *Coopération de consommation.*

3 Par son anti-capitalisme, par la prééminence affirmée du service social sur le profit individuel, par l'appel adressé, et souvent entendu, à la fidélité, au dévouement, à l'altruisme de ses membres, la coopération de consommation introduit, dans un monde économique axé principalement autour de l'intérêt personnel, un souffle généreux et humain (...)
PIROU et BYÉ, Traité d'économie politique, t. I, IV, III, p. 316.

Sociol. Entente entre plusieurs personnes quant à un but commun. *La coopération sociale,* fondement du développement économique.

♦ **3.** Entente en vue d'une action commune, en parlant des groupes humains (pays, nations...). *Coopération économique, intellectuelle, internationale. Coopération en matière de recherche scientifique.* (V. 1965). Spécialt. Politique par laquelle un pays apporte sa contribution au développement économique, culturel de nations moins développées. ⇒ **Aide ; coopérant** (2.). *Accords de coopération. Ministère de la Coopération. Fonds d'aide et de coopération.*

CONTR. **Abstention, autonomie, concurrence, opposition, rivalité.** — **Individualisme.**

COOPÉRATISME [kɔ(ɔ)peʀatism] n. m. — 1870 ; du rad. de *coopératif,* et *-isme.*

♦ Écon. Système économique qui attribue un rôle important aux coopératives.

COOPÉRATIVE [kɔ(ɔ)peʀativ] n. f. — 1901 ; de *société coopérative ;* probablt d'après l'angl. *cooperative,* de *to cooperate* « coopérer », même orig. que le français.

♦ Société coopérative (⇒ **Coopératif**), entreprise où les droits de chaque associé *(coopérateur)* à la gestion sont égaux et où le profit est réparti entre eux. ⇒ **Association, mutuelle** (→ Coopératif, cit. 1). *Coopérative d'achat, de vente. Coopérative de production :* association de producteurs qui s'unissent pour exercer leur industrie à meilleur compte et s'en partager les profits. *Coopératives agricoles. Coopérative vinicole. Cave coopérative. Coopérative des fromages de l'Est.* ⇒ **Fruitière.**
Coopérative de consommation : association de consommateurs supprimant les intermédiaires du commerce.
(1972). *Coopérative de commerçants,* en vue d'organiser en commun leurs achats et différents services (gestion, publicité...).
COOPÉ [kɔpe], nom donné à certains magasins de vente (qui ne sont généralement pas de vraies coopératives). *Aller faire ses courses à la coopé.*
Coopérative de crédit : association de petits capitaux, fondée sur la solidarité (crédit agricole ; crédit populaire urbain). *Se grouper en coopérative.*
En appos. (ou adj.). *Épicerie, boulangerie, pharmacie coopérative,* organisée en coopérative de consommation.

COOPÉRATIVEMENT [kɔ(ɔ)peʀativmɑ̃] adv. — Mil. xxe ; de *coopératif.*

♦ Écon. En coopération.

COOPÉRER [kɔɔpeʀe] v. tr. ind. — Conjug. *céder.* — 1525 ; lat. chrét. *cooperari,* de *co-,* et *operari.*

♦ *Coopérer à :* agir, travailler conjointement avec qqn à. ⇒ **Aider, associer (s'), collaborer, concourir, contribuer, participer.** *Coopérer avec qqn à qqch. Coopérer à une œuvre, à une entreprise. Coopérer à l'exécution d'un projet. Coopérer au succès de.* — (Sans compl.). *Nous voudrions coopérer.*

J'ai le regret de vous dire qu'étant tout à fait étranger au théâtre par mes travaux, il me serait impossible de coopérer à un recueil dont c'est le principal objet.
SAINTE-BEUVE, Correspondance, 381, juil. 1834, t. I, p. 444.

CONTR. **Abstenir (s'), concurrencer, opposer (s'), rivaliser.**
DÉR. **Coopérant.**

COOPTATIF, IVE [kɔɔptatif, iv] adj. — Mil. xxᵉ; de *cooptation*.

♦ Didact. Relatif à la cooptation (2.).

COOPTATION [kɔɔptasjɔ̃] n. f. — 1639; lat. *cooptatio* «élection pour compléter un collège», du supin de *cooptare*. → Coopter.

♦ **1.** Vx. Admission d'un membre dans une société, sans qu'il remplisse toutes les conditions requises.

♦ **2.** Mod. (sens développé à partir de la fin du xixᵉ). Nomination (d'un membre nouveau, de membres nouveaux) dans une assemblée, un corps constitué, par les membres qui en font déjà partie. ⇒ **Collégial** (désignation collégiale). *Les élections à l'Institut se font par cooptation* (Académie). *Recruter par cooptation.*

DÉR. **Cooptatif.**

COOPTER [kɔɔpte] v. tr. — Av. 1721; lat. *cooptare* «choisir pour compléter un corps», de *co-*, et *optare*. → Opter.

♦ **1.** Vx. Admettre (un membre) dans une société, sans qu'il remplisse toutes les conditions requises.

♦ **2.** Mod. Admettre par cooptation. *Académie qui coopte ses membres.* — Au p. p. *Membre coopté.* — N. *Un coopté.*

COORDINANCE, COORDINENCE [kɔɔʀdinɑ̃s] n. f. — 1953, *coordinence*; *coordinance*, 1963; du rad. de *coordination*.

♦ Chim. Nombre des atomes qui sont proches voisins d'un autre atome, dans un édifice atomique (molécule, ion ou cristal).

COORDINAT [kɔɔʀdina] n. m. ⇒ **Ligand.**

COORDINATEUR, TRICE [kɔɔʀdinatœʀ, tʀis] n. ⇒ **Coordonnateur.**

COORDINATION [kɔɔʀdinasjɔ̃] n. f. — xivᵉ; bas lat. *coordinatio*, de *co-*, et *ordinatio* «mise en ordre», du supin de *ordinare*. → Ordonner.

♦ **1.** (1361). Agencement (des parties d'un tout) selon un plan logique, pour une fin déterminée. ⇒ **Arrangement, organisation.** *La coordination des articles d'une loi. Coordination d'efforts individuels. Coordination des opérations d'une troupe. Coordination dans le temps.* ⇒ **Synchronisation.** *Coordination de services publics. Coordination du rail et de la route. Règlements de coordination. Comité interministériel de coordination.*

1 Je veux bien reconnaître que, dans l'état présent de nos sociétés, une carrière de spécialiste de la synthèse, une carrière de technicien de la coordination, une carrière d'agent de liaison, si l'on préfère ce dernier terme, serait une carrière tout à fait chanceuse. Elle risquerait de procurer, à celui qui s'y aventurerait, une réputation d'amateur, encore qu'elle suppose de grands dons et une prodigieuse ouverture d'esprit. G. DUHAMEL, Manuel du protestataire, IV, p. 113.

(1822, Flourens; cf. *Année sc. et techn.*, 1874, p. 373). Physiol. *Coordination des mouvements* : combinaison des contractions des muscles réglée par les centres nerveux situés dans le cerveau et le cervelet en vue d'une action bien ordonnée, cohérente. *Troubles de la coordination.* ⇒ **Ataxie, incoordination**; et aussi **asynergie.**

Chim. *Indice de coordination.* ⇒ **Coordinance.**

♦ **2.** (1890). Ling. Action de relier deux mots ou deux suites de mots de même nature ou de même fonction. *Conjonction de coordination*, liant des éléments lexicaux (mots) ou syntaxiques (propositions) de même nature ou fonction (et, ou, donc, or, ni, mais, car).

2 (...) en général, pour que la coordination soit possible, il faut que les constituants coordonnés soient des constituants *du même type* (...) Nicolas RUWET, Introd. à la grammaire générative, p. 158.

3 (...) coordination syntaxique : deux segments d'un énoncé sont coordonnés lorsqu'ils ont même fonction (c'est le cas pour «le soir» et «avant le déjeuner» dans «Téléphonez-moi le soir ou avant le déjeuner». O. DUCROT et T. TODOROV, Dict. encyclopédique des sciences du langage, p. 273.

Log., philos. Relation de deux ou plusieurs concepts qui se trouvent sur le même rang dans une classification (Lalande).

♦ **3.** État de choses coordonnées, harmonieusement disposées. *Il y a dans ce discours une habile coordination des idées.* ⇒ **Agencement, disposition, enchaînement.**

CONTR. **Chaos, confusion, désarroi, désordre, gâchis, incoordination, trouble.**
DÉR. **Coordinance, coordonnateur.**
COMP. **Incoordination.**

COORDINENCE [kɔɔʀdinɑ̃s] n. f. ⇒ **Coordinance.**

COORDONNANT, ANTE [kɔɔʀdonɑ̃, ɑ̃t] adj. et n. m. — 1842, Sainte-Beuve, *in* T. L. F.; p. prés. de *coordonner*.

♦ **1.** Adj. Qui coordonne.

♦ **2.** N. m. Ling. Terme qui sert à relier des éléments lexicaux ou syntaxiques de même nature ou de même fonction. *Les conjonctions de coordination sont des coordonnants.*

Par appos. *Mot coordonnant.* Soit, néanmoins, pourtant, et, ou, ni... *sont des mots coordonnants* (ou *des coordonnants*). ⇒ **Coordination, copulatif.**

COORDONNATEUR, TRICE [kɔɔʀdonatœʀ, tʀis] adj. et n. — 1794; sens 1., de *coordonner*, et *-(at)eur*; sens 2., du rad. de *coordination*, et *-eur*.

♦ **1.** Adj. (1878). Qui coordonne. *Esprit coordonnateur. Intelligence coordonnatrice. Élément coordonnateur. Bureau coordonnateur.*

REM. On trouve aussi *coordinateur, coordinatrice*, anglic. (v. 1955), qui semble plus courant.

Sur les deux pôles du champ opératoire se constituent, à partir des mêmes sources, deux langages, celui de l'audition qui est lié à l'évolution des territoires coordinateurs des sons, et celui de la vision qui est lié à l'évolution des territoires coordinateurs des gestes traduits en symboles matérialisés graphiquement. A. LEROI-GOURHAN, le Geste et la Parole, t. I, p. 270.

♦ **2.** N. m. (Av. 1892). Ce qui coordonne. — Méd. *Le coordonnateur des mouvements, le coordonnateur des réflexes.*

N. m. et f. Personne qui coordonne. *Jouer le rôle de coordonnateur (de coordinateur) dans une entreprise.*

Aviat. Agent chargé d'établir le plan d'occupation des aires de trafic.

COORDONNÉ, ÉE [kɔɔʀdone] adj. et n. m. ⇒ **Coordonner.**

COORDONNÉE [kɔɔʀdone] n. f. ⇒ **Coordonnées.**

COORDONNÉES [kɔɔʀdone] n. f. pl. — 1754; de *co-*, et *-ordonné*.

♦ **1.** [a] Math. Nombres qui déterminent la position d'un point, dans le plan, dans l'espace, ou dans un espace affine de dimension quelconque. *Coordonnées cartésiennes, définies par rapport à un repère* cartésien : dans un plan* (abcisse, ordonnée), *dans l'espace* (abcisse, ordonnée, cote), *ou dans un espace à n dimensions. Il y a autant de coordonnées que de dimensions dans l'espace de référence. Système de coordonnées. Les nouvelles coordonnées d'un point, lors d'un changement de repère, se calculent à l'aide de matrices de passage.* — *Coordonnées polaires* (dans le plan); *coordonnées cylindriques, coordonnées sphériques* (dans l'espace). *Coordonnées barycentriques, bipolaires. Coordonnées homogènes*; coordonnées projectives.* — *Coordonnées d'un vecteur, relativement à une base*.* ⇒ **Composante.** — Au sing. *Une coordonnée*, chacun de ces nombres.

[b] *Coordonnées géographiques* : système figuré des méridiens et parallèles. ⇒ **Latitude; longitude.**

Astron. *Coordonnées équatoriales.* ⇒ **Ascension, déclinaison.**

♦ **2.** Fig. et fam. (Argot des grandes écoles, puis emploi familier et courant). Élément qui permet de situer, de préciser (qqch.). *Donnez-moi vos coordonnées*, votre adresse, le calendrier de vos déplacements, etc. *Voici mes coordonnées pour le mois d'août.*

Coordonnées. — Naguère réservé aux opérations purement mathématiques, ce substantif sert maintenant à demander une adresse : «Si vous voulez me donner vos coordonnées...». En apportant un petit parfum de grande école, marque la tendance du langage à la technicité, sinon à la complication. Pierre DANINOS, le Jacassin, p. 130.

HOM. **Coordonner.**

COORDONNER [kɔɔʀdone] v. tr. — 1771; de *co-*, et *ordonner*; *coordination*, du lat., est antérieur.

♦ **1.** Sens général. (Sujet n. de personne). Disposer selon certains rapports en vue d'une fin. ⇒ **Agencer, arranger, combiner, ordonner, organiser.** *Coordonner entre elles les dispositions d'une loi. Coordonner une chose à une autre, avec une autre, et une autre. Coordonner ses idées, ses plans. Coordonner les parties d'un discours.* ⇒ **Distribuer, enchaîner, lier.** *Coordonner l'action de divers services.* ⇒ **Calculer, harmoniser.** *Coordonner les mouvements des troupes, les opérations militaires. Coordonner des activités économiques. Coordonner le rail et la route. Coordonner les activités de ses collaborateurs.*

1 Je conjure nos évêques et nos curés de réfléchir à la nécessité que leur caractère leur impose, de coordonner l'Église et d'aider la patrie, encore chancelante sur ces nouvelles bases, à s'étayer de la force de la religion. MIRABEAU, Collections, t. IV, p. 351.

2 Notre force (...) nous la devons au groupement social qui nous rassemble, qui coordonne nos activités. MARTIN DU GARD, les Thibault, t. VII, p. 172.

(Sujet non humain ou collectif). *Centre nerveux coordonnant les mouvements. La direction, le centre chargé de coordonner les différentes activités de l'entreprise.*

2.1 Ces centres ganglionnaires commandent à tous les organes, règlent leur travail. D'autre part, grâce à leurs relations avec la moelle, le bulbe, et le cerveau, ils coordonnent l'action des viscères avec celle des muscles (...) Alexis CARREL, l'Homme, cet inconnu, 1935, p. 116, *in* T. L. F.

♦ **2.** Ling. Gramm. Relier (deux ou plusieurs mots, deux ou plusieurs propositions) par un coordonnant. ⇒ **Coordination.** *Coordonner des propositions au moyen de la conjonction de coordination* et. — Absolt. « *Cicéron coordonne huit fois sur dix dans les ouvrages de rhétorique* » (G. Antoine, *la Coordination en français,* p. 543).

▶ **SE COORDONNER** v. réfl.
Être coordonné. *Ces idées se coordonnent aisément.*

▶ **COORDONNÉ, ÉE** p. p. adj.
Disposé, ordonné selon certains rapports en vue d'une fin. *Des plans bien coordonnés. Action coordonnée.*

3 (...) tout était cause et effet réciproquement (...) les mondes visibles étaient coordonnés entre eux et soumis à des mondes invisibles.
BALZAC, Séraphîta, Pl., t. X, p. 553.

(1967). S'accordant avec. ⇒ **Assorti.** *Draps et serviettes coordonnés. Une jupe et un chemisier coordonnés.* — N. m. pl. Tenue vestimentaire formée d'éléments coordonnés. *Les coordonnés sont à la mode.* — Au singulier :

3.1 Arlette Cordeau (...) explique où et comment elle a trouvé le petit ensemble à fleurs qu'elle porte. Elle appelle ça un « *coordonn .*
Geneviève DORMANN, Saint Jules, p. 89.

(1863). Ling. *Propositions coordonnées,* et, n. f., *des coordonnées* : propositions reliées entre elles par une conjonction de coordination, ou un adverbe (*aussi, pourtant*).

4 On considère comme coordonnées les propositions ou principales ou subordonnées qui sont reliées par un mot de coordination, une conjonction : *et, ou, mais, car, donc, or,* ou bien un adverbe qui joue le même rôle : *aussi, pourtant, cependant, néanmoins.*
F. BRUNOT, la Pensée et la Langue, I, X, p. 26.

CONTR. **Déranger, désordonner, désorganiser, gâcher, isoler, mélanger, troubler.** — (Du p. p.). **Incoordonné.**
DÉR. **Coordonnant, coordonnateur.**
HOM. **Coordonnées.**

COP [kɔp] n. m. — xxᵉ ; mot angl. fam. (1859), équivalant au franç. *flic.*

♦ Policier (anglais, américain). → Lyncher, cit. 2. « *Cinq minutes après, les " cops" étaient là, pistolet au poing* » (l'*Express,* 23 avr. 1973, p. 135).

1 Le col relevé, nous rentrons ; les policemen, les *cops,* leur terrible grand bâton noir à la main, cachés dans l'ombre des portes, nous regardent passer...
Paul MORAND, New York, p. 200.

2 — Connaissez-vous l'homme à barbe grise et vêtu d'un gros manteau de drap sombre qui me suit ? demandai-je à l'agent en faction dans la solitaire Rider Lane. Le cop me regarda sévèrement.
— Rentrez chez vous, sir, et ne perdez pas votre temps à dire des bêtises ; personne ne vous suit et, sauf vous et moi, il n'y a personne dans la rue.
Jean RAY, les Derniers Contes de Canterbury, p. 246-247.

COPAHIER [kɔpaje] n. m. ⇒ **Copayer.**

COPAHU [kɔpay] n. m. — 1696 ; *coupahu,* 1654 ; *copa-ü,* 1578 ; mot tupi du Brésil.

♦ Didact. Substance résineuse (*oléorésine*) extraite de divers copayers et utilisée autrefois en médecine.
DÉR. V. **Copayer.**

COPAÏBA [kɔpajba], **COPAÏER** [kɔpaje] n. m. ⇒ **Copayer.**

COPAIN [kɔpɛ̃] n. et adj. m. — 1838 ; *copin,* 1708 ; *compaing,* 1883 ; *compain,* 1919 ; forme dénasalisée de l'anc. franç. *compain* (→ Compagnon).

A. N. ♦ **1.** Fam. Homme, garçon avec qui qqn entretient des relations familières et amicales. ⇒ **Ami.** Camarade de classe, de travail. ⇒ **Camarade.** *De bons copains* (→ Basane, cit. 2). *Un copain de classe, de bureau, de voyage, de vacances. Un copain de régiment. Il revoit ses copains de l'armée, du régiment. Copains de parti, de syndicat. Un vieux copain. Son meilleur copain. Sortir avec des copains et des copines*, entre copains.* ⇒ **Copinage, copinerie.** *Salut ! les copains. Ce n'est qu'un copain,* ni un véritable ami, ni un amant.

1 (...) ces trois copains qui s'avancent sur une ligne n'ont besoin de personne, ni de la nature, ni des dieux. J. ROMAINS, les Copains, III, p. 139.

En copain : comme de simples camarades (notamment, sans qu'il y ait de relations amoureuses ou érotiques). → ci-dessous, B.

♦ **2.** N. m. Péj. Complice. Personne avec qui l'on s'entend pour des motifs peu honorables. *Partager avec les (petits) copains. Les copains et les coquins* (formule polémique et politique).

2 Il disait « le patron » pour parler de Marquet car il avait jadis tiré profit des conseils de ce grand peintre et plus tard « exposé » à la même galerie que lui sans que les « petits copains » pussent insinuer traîtreusement que sa peinture était du Marquet « démarqué ». Francis CARCO, Ombres vivantes, p. 224 (1952).

♦ **3.** (1895). Par euphém. ⇒ **Ami, amoureux.** *C'est son petit copain* (→ Petit ami*).

B. Adj. m. (ou emploi attribut). *Ils sont très copains. Je ne suis pas du tout copain avec ce type.*
Loc. fam. *Être copain-copain,* se dit de deux ou plusieurs personnes qui sont très copains (avec une idée de franchise et de simplicité). ⇒ **Ami** (être ami-ami). *Ils sont copains-copains.*

Une tendresse superflue à avouer, c'est se diminuer. Même pas un baiser dans le style copain-copain. Christine ARNOTHY, Un type merveilleux, p. 76.
Sans érotisme ou sans affectivité. *À bas l'amour copain* (album de Reiser).
DÉR. (De *copin*). **Copine, copiner, copinerie.**

COPAL [kɔpal] n. m. — 1588 ; esp. *copal,* lui-même empr. au nahuatl *copalli.*

♦ Résine fournie par certains conifères tropicaux, utilisée dans la fabrication des vernis. *Des copals.* — Appos. « *Le vernis copal* » (Delacroix, *Journal,* 5 oct. 1847).

On entendait la marimba du cloître voisin, et des pétards qui éclataient au-dessus des fumées de copal que les encensoirs poussaient comme des fumées d'incendies. MALRAUX, Antimémoires, Folio, p. 76.

DÉR. **Copalier.** — V. **Copalme.**

COPALIER [kɔpalje] n. m. — 1904, in *Rev. gén. des sc.,* nº 12, p. 579 ; de *copal.*

♦ Bot. Arbre, de la famille des Dipterocarpées, dont on extrait le copal. *Le vouapa, copalier du Brésil.*

COPALME [kɔpalm] n. m. — 1753 ; altération de *copal,* d'après *palme.*

♦ Grand arbre d'Amérique (n. sc. : *Styraciflua*). — Syn. : *liquidambar.*

En appos. *Baume copalme* ou *copalme* : substance balsamique extraite du tronc de cet arbre.

COPARTAGE [kɔpaʀtaʒ] n. m. — 1834 ; de *co-,* et *partage.*

♦ Dr. Partage entre plusieurs personnes. ⇒ **Copartager.**

COPARTAGEANT, ANTE [kɔpaʀtaʒɑ̃, ɑ̃t] adj. et n. — 1690 ; *compartageant,* 1599 ; de *co-,* et *partageant.*

♦ Dr. (Personnes). Qui participe à un partage. *Les héritiers copartageants.* — N. *Les copartageants.*
Personne qui a qqch. en commun avec d'autres.

Mais en même temps il nous faut la penser sous une forme générale qui nous fait dans une certaine mesure échapper à son étreinte, qui fait de tous les copartageants de notre peine, et qui n'est même pas exempte d'une certaine joie. PROUST, le Temps retrouvé, Pl., t. III, p. 905.

COPARTAGER [kɔpaʀtaʒe] v. tr. — Conjug. *partager* (→ Bouger). — 1863, in Littré ; au p. prés., 1845 ; de *co-,* et *partager,* d'après *copartageant.*

♦ Dr. Partager avec une ou plusieurs personnes (dites *copartageants*). *Copartager une succession.* — Au p. p. *Héritage copartagé.*

COPARTICIPANT, ANTE [kɔpaʀtisipɑ̃, ɑ̃t] adj. et n. — 1874 ; de *co-,* et *participant.*

♦ Dr. Qui participe avec d'autres à une entreprise.

COPARTICIPATION [kɔpaʀtisipɑsjɔ̃] n. f. — V. 1860 ; de *co-,* et *participation.*

♦ Dr. Participation en commun.

COPATERNITÉ [kɔpatɛʀnite] n. f. — 1855 ; de *co-,* et *paternité.*

♦ Paternité (fig.), responsabilité d'auteur partagée avec qqn d'autre.

Le germe de la pièce vous appartient (...) cela constitue, malgré vous, une copaternité que je ne dois ni ne veux passer sous silence... Émile AUGIER, Ceinture dorée, 1855, II, p. 333, in T. L. F.

COPAYER [kɔpaje] n. m. — 1786, *copaïer* ; issu par changement de suffixe de *copaïba,* et empr. au tupi par l'intermédiaire du portugais, de *copa.* → Copahu.

♦ Arbre de grande taille des régions tropicales d'Amérique et d'Afrique. *Le copahu est extrait des copayers d'Amérique.*

Après la savane, on commençait à traverser des zones de forêt sèche à châtaigniers (non pas le nôtre mais celui du Brésil : *Bertholletia excelsa*) et à copayers qui sont de grands arbres sécrétant un baume. Claude LÉVI-STRAUSS, Tristes Tropiques, p. 286.

REM. On écrit parfois *copaïer* et *copahier*. On trouve aussi la var. étym. *copaïba* (M. Tournier, *Vendredi*, p. 193).

-COPE Suffixe tiré du grec *kopto* « je coupe » (rac. *koptein*). — Ex. : *apocope, syncope*.

COPEAU [kɔpo] n. m. — 1680 ; *coipeau*, 1637 ; *coipel*, 1213 ; *cospel*, 1170 ; du lat. pop. *cuspellus*, lat. class. *cuspis* « pointe ».

♦ **1.** Fragment, mince morceau détaché d'une pièce de bois par un instrument tranchant. *Gros copeaux. Copeaux fins, frisés. Copeaux de hêtre, de sapin. Brûler des copeaux.*

(...) des outils naïfs, avec un manche poli par la main et une grosse tête de fer, des rabots, des couteaux plus modernes à lame d'acier, et la *doloire*, orgueil du tonnelier, grand couperet dont la lourde lame détache de fins copeaux qui frisent.
J. CHARDONNE, les Destinées sentimentales, I, p. 12.

Par ext. Morceau de bois débité à la scie pour faire un peigne.
Loc. vieillie. (1600). *Vin de copeaux :* vin nouveau dans lequel on faisait tremper des copeaux pour l'éclaircir.

(Par anal. de forme). *Copeaux d'acier, de cuivre, de savon.*
Par métaphore (littér.). *Des « copeaux de prose »* (Benda, *in* T. L. F.) : des bribes.

♦ **2.** (1923, Esnault). Argot fam. Vieilli. *Des copeaux :* une chose insignifiante, méprisable. — Spécialt. Course insignifiante, pour un taxi.

♦ **3.** Loc. pop. *Avoir les copeaux :* avoir peur. ⇒ **Trouille.**

COPECK [kɔpɛk] n. m. ⇒ **Kopeck.**

COPÉPODES [kɔpepɔd] n. m. pl. — 1845, Bescherelle ; du grec *kopê* « rame », et *-pode*.

♦ Zool. Sous-classe de petits crustacés marins (abondants dans le plancton). *Les copépodes sont de petite taille, dépourvus de carapace et à respiration cutanée ; la plupart sont marins ; certains sont parasites des poissons ou des crustacés.* — Au sing. *Un copépode.*

COPERMUTANT [kɔpɛrmytɑ̃] n. m. — 1552 ; de *co-*, et *permutant*.

♦ Dr., didact. Personne qui contracte un échange.

COPERMUTATION [kɔpɛrmytasjɔ̃] n. f. — xxᵉ ; de *co-*, et *permutation*.

♦ Dr., comm. Action de copermuter. *Copermutation de bénéfices.*

COPERMUTER [kɔpɛrmyte] v. tr. — 1829 ; *compermuter*, 1611 ; de *co-*, et *permuter*.

♦ Didact. (dr., comm.). Échanger. — Spécialt. Échanger des bénéfices ecclésiastiques.

COPERNICIEN, IENNE [kɔpɛrnisjɛ̃, jɛn] adj. et n. — 1686 ; de *Copernic*, astronome polonais.

♦ **1.** Hist. des sc. Relatif à Copernic, à son système. *Révolution copernicienne :* bouleversement des théories astronomiques dont Copernic fut l'initiateur, avec son système héliocentrique. — Par ext. Innovation considérée comme fondamentale, dans une science.

♦ **2.** Partisan du système copernicien. *Les astronomes coperniciens.* N. *Les coperniciens.*

COPHTE [kɔft] adj. et n. ⇒ **Copte.**

COPIABLE [kɔpjabl] adj. — 1922, cit. ; de *copier*.

♦ Qui peut être copié. ⇒ **Imitable.**

Aussi le charme apparent, copiable, des êtres m'échappait parce que je n'avais pas la faculté de m'arrêter à lui, comme un chirurgien qui, sous le poli d'un ventre de femme, verrait le mal interne qui le ronge.
PROUST, le Temps retrouvé, Pl., t. III, p. 718.

COPIAGE [kɔpjaʒ] n. m. — 1766 ; de *copier*.

♦ **1.** Action de copier. *Le copiage scrupuleux, exact, d'un texte.* Spécialt. Fait de copier (dans un examen), d'imiter servilement.

♦ **2.** (1961). Techn. Reproduction automatique (d'une pièce) sur une machine-outil.

COPIE [kɔpi] n. f. — Après 1250, au sens 1 ; d'abord « grande quantité », XIIIᵉ ; lat. *copia* « abondance, ressources » (→ Copieux) ; le sens

moderne vient de la spécialisation du lat. médiéval *copiare* « commenter, transcrire abondamment », d'où « reproduire (un écrit) », ou (selon Wartburg) d'une équivoque sur *copiam describendi facere*, où *copia* signifie « permission, licence », et *describere* « copier ».

★ **I.** ♦ **1.** Reproduction (d'un écrit). ⇒ **Calque, double, épreuve, fac-similé, imitation, photocopie, reproduction.** *Copie exacte, fidèle, conforme. Pour copie conforme. Copie in extenso. Copie partielle. Mauvaise copie. Copie collationnée à, sur, avec l'original. Demander, donner copie d'un texte. Prendre, garder, tirer copie d'une lettre.* ⇒ **Copier.** *Faire faire une copie. Copie d'un diplôme. Posséder plusieurs copies d'un texte.* ⇒ **Exemplaire.** — REM. L'emploi de *copie* pour « exemplaire imprimé » est un anglicisme (→ ci-dessous, II., 1., b). — *Copie manuscrite, dactylographiée. Copie d'un texte autocopié, polycopié.* ⇒ **Autocopie, polycopie.** *Copie photographique.* ⇒ **Photocopie.**

Ce roman (*Télémaque*), que Fénelon avait uniquement destiné pour le duc de Bourgogne, son élève, vit le jour par l'infidélité d'un domestique qui en avait pris une copie.   D'ALEMBERT, Éloges, Fénelon.   1

Cet engagement pouvait figurer sur une lettre qu'il leur adresserait, et dont lui ne garderait même pas la copie.   J. ROMAINS, les Hommes de bonne volonté, t. V, p. 87.   2

Dr. *Copie d'un contrat, d'une pièce officielle, d'un acte.* ⇒ **Ampliatif, ampliation, duplicata, triplicata ; compulsoire.** *Copie d'un acte judiciaire ou notarié.* ⇒ **Expédition, grosse.** *Copie collationnée :* copie dont le notaire certifie la conformité avec le document original. *Copie d'un acte de vente, d'hypothèque.* ⇒ **Inscription, transcription.** *Expédier, délivrer une copie. Copie de copie. Faire faire copie d'un acte. Copie de jugement :* copie de la grosse d'un jugement signifiée par exploit d'huissier à la partie perdante. *Copie de pièces. Copie d'exploit, d'acte du Palais :* copie de l'original d'un exploit d'huissier remise par celui-ci à la personne contre laquelle l'exploit est rédigé en vue de lui faire connaître les prétentions de l'autre partie.

Lorsque le titre original n'existe plus, les copies font foi d'après les distinctions suivantes : 1° Les grosses ou premières expéditions font la même foi que l'original (...) 2° Les copies, qui (...) auront été tirées sur la minute de l'acte par le notaire qui l'a reçu (...) peuvent (...) faire foi quand elles sont anciennes. 3° Lorsque les copies tirées sur la minute d'un acte ne l'auront pas été par le notaire (...) ou par officiers publics (...) elles ne pourront servir (...) que de commencement de preuve par écrit. 4° Les copies de copies pourront, suivant les circonstances, être considérées comme simples renseignements.   Code civil, art. 1335.   3

Les huissiers seront tenus de mettre, à la fin de l'original et de la copie de l'exploit, le coût d'icelui (...)   Code de procédure civile, art 67.   4

Comm. *Copie de factures.* — *Copie-lettres :* registre contenant la copie d'une correspondance commerciale. — *Copie d'un modèle, d'un type de fabrication.* ⇒ **Échantillon.**

♦ **2.** (1623). Imprim. Écrit à partir duquel on compose. ⇒ **Manuscrit.** *Copie manuscrite, dactylographiée* (tapuscrit). *Avoir de la copie,* du texte à faire imprimer. *Préparer la copie. Préparation de la copie* (codage typographique, etc.). — *Tenir la copie. Tenue de copie. Le teneur de copie est souvent un correcteur*. Donner, fournir de la copie à l'imprimeur. Manquer de copie.* — Fam. *Journaliste en mal de copie,* qui manque de sujet d'article (par oppos. à *pisseur de copie* [argot]).

Mon cher directeur, vous avez tort de ne pas prendre aujourd'hui ma copie. Elle est bonne. Je la soigne. Avec elle je veux me faire un nom.   J. RENARD, Journal, 29 mars 1894.   4.1

Le journaliste souhaiterait au moins quelques heures de plus pour étudier une question neuve et obscure, mais déjà les typographes réclament sa copie (...)   A. MAUROIS, Un art de vivre, V, p. 19.   5

♦ **3.** (1828). Devoir qu'un écolier rédige au net et qu'il remet à ses professeurs. ⇒ **Devoir ; composition.** *Ramasser les copies après un examen, une composition. Corriger des copies. Remettre, distribuer les copies aux élèves. Les copies du baccalauréat, de l'agrégation. Une excellente copie.*

(...) et si par miracle tout se passe bien, des leçons à préparer et des copies à corriger pendant quarante ans (...)   J. ROMAINS, les Hommes de bonne volonté, t. IV, XV, p. 147.   6

Portant dans sa serviette en cuir les copies à corriger de ses quarante-deux élèves, M. Josserand imaginait qu'il était le poète Virgile, remonté des Enfers par la sortie principale du métro Clichy (...)   M. AYMÉ, Maison basse, p. 7.   6.1

(...) ce moment, je suis un peu bousculé (...) j'ai les épreuves d'un bouquin qui va sortir à corriger (...) et les copies d'agrégation qui vont arriver.   N. SARRAUTE, le Planétarium, p. 289.   6.2

Feuille (double) destinée à la rédaction (écoliers, lycéens). *« Prenez une copie double et venez ! »* (Paul Guth, *le Naïf aux quarante enfants*, p. 47).

★ **II.** ♦ **1.** ⓐ (1636). Reproduction (d'une œuvre d'art originale). ⇒ **Contre-façon, imitation, reproduction.** *Copie d'un tableau* (→ 1. Original, cit. 2 et 3). *Le musée des copies. Copie par l'auteur lui-même de son œuvre originale.* ⇒ **Réplique ; répétition.** *Copie réduite.* ⇒ **Réduction ; maquette.**

Vous me demandez le portrait d'un homme qui vous aime autant qu'il vous estime ; je n'ai plus qu'une mauvaise copie (...) je vous enverrai ce barbouillage (...)   VOLTAIRE, Lettre à Damilaville, 5 avril 1765.   7

Fig. ⇒ **Imitation.**

Il n'y a que d'une sorte d'amour, mais il y en a mille différentes copies.   LA ROCHEFOUCAULD, Maximes, 74.   8

b (1915; angl. *copy*). Exemplaire (d'un film de cinéma). *Faire tirer vingt copies d'un film.*

REM. L'anglicisme *copie* pour « exemplaire (d'un livre, d'un périodique) » correspond à un emploi de *copie* attesté en français au XVII⁰ s.

♦ **2.** (1690). Imitation (notamment, d'une œuvre). ⇒ **Plagiat ; centon** (vx), **pastiche.** *Ce roman n'est qu'une pâle copie de tel autre.*

9   Huet a prétendu que Bacchus est une copie de Moïse et de Josué.
VOLTAIRE, *Essai sur les mœurs*, Bacchus.

10   L'œuvre de Shakespeare est absolue, souveraine, impérieuse, éminemment solitaire, mauvaise voisine, sublime en rayonnement, absurde en reflet, et veut rester sans copie.
HUGO, *William Shakespeare*, II, IV, V.

♦ **3.** (Av. 1680). Vieilli. Personne qui reproduit ou imite les manières, les paroles d'une autre. ⇒ **Réplique** (→ Allure, cit. 2). *Acteur qui se fait la copie d'un autre. Ce fils est la copie de son père* (→ C'est tout son père, c'est son père tout craché*). *Copie trait pour trait.* — *C'est une mauvaise copie d'un bon original.*

11   Les seules bonnes copies sont celles qui nous font voir le ridicule des méchants originaux.
LA ROCHEFOUCAULD, *Maximes*, 133.

12   On peut dire que chacun a l'original de sa beauté dont il cherche la copie dans le grand monde.
PASCAL, *Disc. sur les passions de l'amour*, p. 125.

13   J'étais trop jaloux de la bonne gloire, pour vouloir être la copie d'un autre.
FÉNELON, XIX, 408.

CONTR. Archétype, autographe, minute, modèle, original, type.
DÉR. Copier.
COMP. Autocopie, électrocopie, photocopie, polycopie.

COPIER [kɔpje] v. tr. — XIVᵉ ; de *copie.*

♦ **1.** Reproduire (un écrit) à la main ou par un procédé artisanal. ⇒ **Calquer, imiter, recopier.** *Copier fidèlement un texte, un passage important.* ⇒ **Noter, prendre** (en note), **relever.** *Copier une lettre.* ⇒ **Reproduire, transcrire** (→ Charger, cit. 14). *Copier de la musique. Copier qqch. au propre, au net.* ⇒ **Recopier.**

1   On peut juger des efforts qu'il (*Démosthène*) fit pour se perfectionner en tout genre par la peine qu'il prit de copier de sa propre main jusqu'à huit fois l'histoire de Thucydide (...)
ROLLIN, *Hist. ancienne*, Œ., V, p. 536.

2   Je vous ai dit que je l'avais trouvé copiant de la musique à dix sous la page.
ROUSSEAU, *Dialogues.*

Dr. *Copier un acte.* ⇒ **Expédier, grossoyer, inscrire, transcrire.**

(1683). Reproduire frauduleusement (le texte d'un livre, le devoir d'un autre). *Il a copié le manuel.* — *Il a copié son voisin.*

Intrans. *Copier sur qqn. Élève qui copie sur son voisin, sur son livre de cours.* — Absolt. *Cet élève a copié.* ⇒ **Tricher.**

♦ **2.** (1636). Reproduire (une œuvre d'art). ⇒ **Contrefaire, imiter.** *Copier un tableau, une statue. Copier un maître.*

3   Par degrés (*au moyen âge*), la connaissance et l'étude du modèle vivant sont interdites. On a cessé de le voir ; on n'a plus sous les yeux que les œuvres des anciens maîtres, et on les copie. Bientôt on ne copie que des copies de copies, et ainsi de suite ; et à chaque génération, on s'éloigne d'un degré de l'original.
TAINE, *Philosophie de l'art*, t. I, I, I, II, p. 20.

(1658). Imiter (une œuvre). ⇒ **Démarquer, pasticher, plagier.** *Copier un roman. Copier une œuvre exactement, fidèlement, servilement, sans scrupule.*

Vieilli. Reproduire, imiter (une réalité), souvent de manière servile ou plate, dans un projet artistique. — REM. Dans la langue classique, *copier*, comme *imiter*, n'était pas nécessairement péjoratif.

4   J'avais copié mes personnages d'après le plus grand peintre de l'antiquité (...)
RACINE, *Britannicus*, 2ᵉ préface.

5   La mission de l'art n'est pas de copier la nature, mais de l'exprimer !
BALZAC, *le Chef-d'œuvre inconnu*, Pl., t. IX, p. 394.

6   Le dessin est une lutte entre la nature et l'artiste, où l'artiste triomphera d'autant plus facilement qu'il comprendra mieux les intentions de la nature. Il ne s'agit pas pour lui de copier, mais d'interpréter dans une langue plus simple et plus lumineuse.
BAUDELAIRE, *Curiosités esthétiques*, p. 100.

7   (...) quelque mendiante de la route de Pistoïa, brûlée par les soleils et les neiges, qu'avait copiée dans l'argile avec une fidélité horrible et touchante, un précurseur inconnu de Donatello.
FRANCE, *le Lys rouge*, VIII, p. 85.

♦ **3.** (1656). Imiter (qqn). ⇒ **Mimer, reproduire, ressembler** (à). *Copier les manières d'un camarade. S'amuser à copier qqn.* ⇒ **Contrefaire, moquer** (se).

8   Il avait l'âge de Metchnikoff et vivait dans l'ombre de cet homme extraordinaire, imitant ses façons de parler, copiant, sans le vouloir, la silhouette fameuse (...)
G. DUHAMEL, *Chronique des Pasquier*, IV, p. 258.

♦ **4.** Loc. fam. *Tu me la copieras, vous me la copierez :* c'est un peu fort ! je m'en souviendrai ! — Var. (moins cour.) : *vous me le copierez.*

9   Il est sidéré, le gaffe (*le gardien*), et il me jette en s'en allant : Eh bien, vous alors vous me le copierez.
Henri CHARRIÈRE, *Papillon*, p. 260.

10   (...) la fille (...) qui grognait encore : Ah ! tu me la copieras (...) Pétasse, sale pétasse !
H. TROYAT, *Amélie*, p. 683.

CONTR. Créer, inaugurer, innover, inventer.
DÉR. Copiable, copiage, copieur, copion, copiste.
COMP. Autocopier, photocopier, polycopier, recopier.

COPIEUR, EUSE [kɔpjœʀ, ⌀z] n. et adj. — 1863 ; *coppieur*, av. 1488 ; de *copier.*

★ **I.** N. (1884). ♦ **1.** (Sens général). Personne qui copie.
(1926). Élève qui triche en classe, qui copie sur ses camarades ou sur ses livres de classe.

♦ **2.** (1966, *in* Gilbert). Machine permettant de reproduire des documents. ⇒ aussi **Photocopieur.** *Copieur électrostatique.*

★ **II.** Adj. Rare. Qui copie. — REM. Le fém., homonyme du fém. de *copieux*, ne peut guère être employé.
COMP. Électrocopieur.

COPIEUSEMENT [kɔpjøzmɑ̃] adv. — XIVᵉ ; de *copieux.*

♦ **1.** D'une manière copieuse. ⇒ **Beaucoup, bien, considérablement, foison** (à). *Manger, boire copieusement* (→ Accroissement, cit. 1). Allus. littér. *« Ceux qui pieusement... Ceux qui copieusement... »* (premiers vers du premier poème du recueil *Paroles* de J. Prévert).

♦ **2.** Fig. Beaucoup, intensément (surtout avec un verbe exprimant l'ennui).

Des Indes tu t'es mollement embarqué et puis dans le désert tu t'es copieusement barbé sous un ciel non habité.
Jacques LAURENT, *les Bêtises*, p. 391.

COPIEUX, EUSE [kɔpjø, ⌀z] adj. — 1365 ; lat. *copiosus* « riche, abondant en qqch. », de *copia* « grande quantité ».

♦ **1.** Abondant. *Un repas copieux.* ⇒ **Ample, plantureux.** *Une mesure copieuse.* ⇒ **Bon, fort, large.** *Un pourboire copieux.* ⇒ **Généreux, important.**

1   Lorsqu'en on fut au fruit, nous leur apportâmes une copieuse quantité de bouteilles des meilleurs vins d'Espagne (...)
A.-R. LESAGE, *Gil Blas*, III, 4.

2   Il n'était pas assez mal avisé pour laisser sa raison dans son verre, et il gardait la mesure. Il est vrai que cette mesure était copieuse, et que dans son verre une raison plus débile se fût infailliblement noyée.
R. ROLLAND, *Jean-Christophe*, t. II, p. 22.

3   Il entendit à peine la fille qui, en le remerciant d'un copieux pourboire, ajoutait (...)
J. ROMAINS, *les Hommes de bonne volonté*, t. V, p. 73.

3.1   Une infime — mais, à cet âge, capitale et presque solennelle — différence d'âge expliquait la rondeur plus copieuse d'un sein, l'angle plus aigu d'une épaule, ce qui n'empêchait pas les bouches, les yeux, les genoux d'être pareils.
Jacques LAURENT, *les Bêtises*, p. 532.

♦ **2.** Vx ou littér. Qui s'exprime avec une abondance extrême (en parlant d'un écrivain, de son style). ⇒ **Abondant, long, prolixe, riche.**

4   C'est le défaut qu'on reproche au grand-Amyot, d'être trop copieux en synonymes ; mais nous devons à ce défaut, l'abondance de tant de beaux mots et de belles phrases (...)
VAUGELAS, *Remarques sur la langue franç.*, II, p. 911.

5   Les propagandes triomphantes, celles qui étaient au pouvoir, inondaient les pays à gagner, les inondaient de publications copieuses et illustrées avec magnificence.
G. DUHAMEL, *le Voyage de P. Périot*, III, p. 58.

CONTR. Chiche, frugal, maigre, médiocre, mesquin, modéré, pauvre, petit, sobre.
DÉR. Copieusement.

COPILOTE [kɔpilɔt] n. — 1937, *in* Petiot ; cf. angl. *copilot* (1927) ; de *co-*, et *pilote.*

♦ Aviat. et cour. Pilote auxiliaire.

COPINAGE [kɔpinaʒ] n. m. — 1960 ; de *copiner*, et *-age.*

♦ **1.** Fait de copiner, d'être copain. ⇒ **Copinerie.**
(...) la literie de nos jeunes sans complexes et leur copinage de draps.
P. GUTH, *Lettre ouverte aux idoles*, Charles Trénet, p. 122 (1968).

♦ **2.** Fam. et péj. Favoritisme, entente au profit d'amis, de relations (→ Copain, A., 2.). — *Spécial* copinage.*

COPINE [kɔpin] n. f. — 1895 ; fém. de *copin.* → Copain.
Familier.

♦ **1.** Camarade (femme), amie. *Une copine de classe. Les copines et les copains de mon fils, de ma fille.*

♦ **2.** Compagne, petite amie (d'un homme, d'un garçon). *C'est sa copine, sa petite copine.*

— Quand j'avais seize ans — seize ans, vous entendez — j'avais une petite copine de quatorze ans. Je l'aimais comme on aime pour la première fois, c'est-à-dire avec un feu qu'on ne retrouve jamais plus.
MONTHERLANT, *les Jeunes Filles*, 1936, p. 1069, *in* T. L. F.

♦ **3.** (Dans l'usage des homosexuels). Homosexuel.

COPINER [kɔpine] v. intr. — 1928 ; de *copin*, et *-er.* → Copain.

♦ Fam. Avoir des relations de camaraderie. ⇒ **Camarader** (rare). *Copiner avec une bande de jeunes. Ils se sont mis à copiner.*

1   Sans compter que ça ne serait pas très convenable, pour la pure mademoiselle Saulnier, de copiner avec des putains.
Roger IKOR, *les Fils d'Avrom*, Les eaux mêlées, p. 496.

2 Rat et lui avaient copiné. Ils partageaient, entre autres, une solide inimitié à l'égard de nos chers Alliés d'outre-Atlantique.
Vladimir VOLKOFF, le Retournement, p. 41.

DÉR. Copinage, copineur.

COPINERIE [kɔpinʀi] n. f. — 1936 ; de *copin*, et *-erie*. → Copain.
Familier.

♦ **1.** Relations de copains. *Il n'y avait entre eux que de la copinerie.* ⇒ **Copinage.**

♦ **2.** Ensemble de copains. *Ils ont invité toute la copinerie.*

COPINEUR, EUSE [kɔpinœʀ, øz] adj. — 1968 ; de *copiner*, et *-eur.*

♦ Rare et littér. Qui copine, ou feint de copiner.
Tu es propre comme un sou neuf. La loyauté copineuse t'est d'autant plus aisée que tu n'as aucun charme.
P. GUTH, Lettre ouverte aux idoles, Sheila, p. 89 (1968).

COPION [kɔpjɔ̃] n. m. — Attesté xxe ; de *copier.*

♦ Régional (Belgique), fam. Note écrite pour frauder à un examen. ⇒ **Antisèche.**

COPISTE [kɔpist] n. — xve ; de *copier*, et *-iste.*

♦ **1.** (xve). Personne dont le travail est de copier des manuscrits, de la musique. ⇒ (hist.) **Bullaire, clerc, scribe.** *Une faute de copiste. Un mauvais copiste.*

1 Et le copiste Jean-Jacques, prenant dix sous par page de son travail pour s'aider à vivre (...)
ROUSSEAU, Dialogues.

♦ **2.** (1644). Péj. Personne qui imite les œuvres d'un autre. ⇒ **Calqueur, contrefacteur, démarqueur, pasticheur, plagiaire** (→ Baisser, cit. 5).

2 Je conseille à un auteur né copiste, et qui a l'extrême modestie de travailler d'après quelqu'un, de ne se choisir pour exemplaires *(modèles)* que ces sortes d'ouvrages (...)
LA BRUYÈRE, les Caractères, I, 64.

3 L'architecture est en général ici lourde ; en voulant calquer les palais italiens, on a imité sans goût des originaux qui ont décelé le larcin des copistes.
RIVAROL, IV, XXVIII, p. 344.

4 Son talent (...) est, surtout, une incontestable dextérité de copiste et de démarqueur.
Léon BLOY, le Désespéré, IV, p. 193.

♦ **3.** Fig., vx. Celui, celle qui cherche à imiter les manières, les gestes de qqn. ⇒ **Imitateur.**

5 L'assemblée des animaux se moqua de ces deux mauvais copistes *(le singe et le perroquet)* de l'homme.
FÉNELON, XIX, 75.

CONTR. Créateur, inventeur, novateur, original.

COPLANAIRE [kɔplanɛʀ] adj. — 1890, Encycl. Berthelot ; de *co-*, et lat. *planus.*

♦ Géom. Situé dans un même plan. *Droites coplanaires.*

DÉR. Coplanarité.

COPLANARITÉ [kɔplanaʀite] n. f. — 1968, *in* Larousse, *Deuxième Suppl.* ; dér. sav. de *coplanaire.*

♦ Géom. Propriété d'éléments coplanaires.

COPOLYMÈRE [kɔpɔlimɛʀ] n. m. — V. 1960 ; de *co-*, et *polymère.*

♦ Chim. Macromolécule constituée par deux ou plusieurs sortes de motifs monomères (opposé à *homopolymère*). *Copolymère bloc, copolymère greffé, copolymère séquencé.*

COPOLYMÉRISATION [kɔpɔlimeʀizasjɔ̃] n. f. — Av. 1948, cit. ; de *co-*, et *polymérisation.*

♦ Chim. Polymérisation dans laquelle se combinent deux ou plusieurs motifs monomères différents et qui aboutit à la formation d'un copolymère.
Remarquons d'ailleurs qu'un phénomène analogue peut intervenir dans certains cas particuliers lorsque deux molécules se polymérisent simultanément ; il peut y avoir alors production d'une macromolécule mixte en quelque sorte :
$$nM + nM' \rightarrow (MM')n$$
(en considérant le cas simple où le même nombre de molécules M et M' participent à la constitution de la macromolécule) ; on a alors une *copolymérisation.*
Jean VÈNE, les Plastiques, p. 23 (1948).

COPOSSÉDER [kɔpɔsede] v. tr. — Fin xixe ; de *co-*, et *posséder.*

♦ Dr. Posséder (une chose) en même temps que d'autres possesseurs. ⇒ **Copossesseur.**

COPOSSESSEUR [kɔpɔsesœʀ] n. m. — D. i. (xxe) ; de *co-*, et *possesseur.*

♦ Dr. Personne qui possède (une chose) en même temps que d'autres.

COPOSSESSION [kɔpɔsesjɔ̃] n. f. — 1852, *in* D.D.L. ; de *co-*, et *possession.*
Droit.

♦ **1.** Possession en commun (de qqch.).
Napoléon, on le sait, ne fit rien pour la Pologne (...) La loi française, prenant le paysan polonais pour un fermier, le déclarait libre, c'est-à-dire libre de partir en quittant la terre qui le faisait vivre. Elle ne comprit pas le lien antique qui constitue au paysan une sorte de copossession. S'il est attaché à la terre, la terre aussi lui est attachée.
MICHELET, Pologne et Russie, 1852, *in* D.D.L., II, 7.

♦ **2.** Chose possédée en commun. *Leur copossession sera partagée après leur mort.*

COPPA [kɔ(p)pa] n. f. — Répandu en France v. 1950 ; mot italien.

♦ Charcuterie italienne, en forme de gros saucisson, qui ressemble au jambon cru fumé. *Des tranches de coppa.*
Ils vivaient à peu près gratis, prenant de temps à autre un repas dans un bistrot de pêcheurs et le reste du temps achetant des conserves ou de la *coppa.*
J. DUTOURD, les Horreurs de l'amour, p. 628.

HOM. Koppa.

COPRA ou COPRAH [kɔpʀa] n. m. — 1602, *copra* ; *copre*, 1845 ; *coprah*, 1869 ; empr. au port. *copra*, lui-même empr. au malayalam (langue dravidienne du Sud de l'Inde) *koppara* ; la forme *coprah* est peut-être due à l'anglo-indien *coprah.*

♦ Albumen de la noix de coco décortiquée. *Huile, tourteau de coprah.*

1 (...) pour y transiter des sacs de coprah à l'odeur exécrable, et des fûts d'huiles oléagineuses qui sentent tout aussi mauvais (...)
H. BOSCO, Un rameau de la nuit, p. 41.

2 En dehors de la saison du café (environ deux mois) le coprah occupe en permanence la population des Îles : les cocos secs sont ramassés au pied des arbres (avec la pointe de la machette), lancés en tas comme avec une fronde, et décortiqués sur place à l'aide d'un pieu planté en terre. Les noix sont ensuite ouvertes d'un coup de machette, la pulpe blanche extraite avec un couteau très court à large lame, puis mises à sécher.
Bernard MOITESSIER, Cap Horn à la voile, p. 148-149.

COPRENEUR [kɔpʀənœʀ] — D. i. ; de *co-*, et *preneur.*

♦ Dr. Personne qui prend un bien à loyer, à ferme, en même temps que d'autres.

COPRÉSIDENCE [kɔpʀezidɑ̃s] n. f. — 1966 ; de *co-*, et *présidence.*

♦ Présidence assurée conjointement par les représentants de plusieurs organismes ou gouvernements.

COPRÉSIDENT, ENTE [kɔpʀezidɑ̃, ɑ̃t] n. — 1965 ; de *co-*, et *président.*

♦ Personne (ou puissance) participant à une coprésidence. *« La Grande-Bretagne et l'Union soviétique sont coprésidentes de la conférence... »* (*le Monde*, 19 juin 1966).

COPRÉSIDER [kɔpʀezide] v. intr. — 1964 ; de *co-*, et *présider.*

♦ Présider en tant que coprésident.

COPRIN [kɔpʀɛ̃] n. m. — 1816, *in* D.D.L. ; grec *koprinos* « qui vit dans les excréments (en parlant de vers) ». → Copro-.

♦ Champignon basidiomycète hyménomycète (*Agaricinées*), de petite taille et de durée éphémère, à feuillets généralement noirs et déliquescents à maturité, qui pousse sur des matières organiques (souche d'arbre, terreau), des excréments (crottin de cheval).

COPRINCE [kɔpʀɛ̃s] n. m. — xxe ; de *co-*, et *prince.*

♦ Didact. Celui qui est prince en même temps qu'un autre. *Le président de la République française et l'évêque d'Urgel sont les coprinces de la principauté d'Andorre.*

COPRO- Préfixe tiré du grec *kopros* « excrément », et servant à former plusieurs mots savants. — Ex. : *coprolagnie, coprolalie, coprolalique, coprolithe, coprologie, coprologique, copromanie, coprophage, coprophagie, coprostanol.* ⇒ aussi **Coprin.**

COPRODUCTEUR, TRICE [kɔpʀɔdyktœʀ, tʀis] n. — 1826, J. B. Say, *in* D.D.L. ; de *co-*, et *producteur.*

♦ 1. Rare. Personne qui participe avec d'autres à la production de qqch.

♦ 2. (1955). Cour. Personne qui produit (un film, un spectacle...) avec un autre (ou d'autres).

COPRODUCTION [kɔpʀɔdyksjɔ̃] n. f. — 1953, *in* Larousse mensuel; *co-production,* 1950, *in* D.D.L.; de *co-,* et *production.*

♦ Production (d'un film, d'un spectacle) par plusieurs producteurs *(coproducteurs),* souvent de nationalités différentes; ce spectacle. *Une coproduction franco-italienne. Une coproduction de plusieurs pays de la communauté (européenne). Des coproductions télévisées.*

Abrév. fam. *Une coprode* [kɔpʀɔd].

COPRODUIRE [kɔpʀɔdɥiʀ] v. tr. — V. 1950; de *co-,* et *produire.*

♦ Produire (un film, un spectacle) avec un autre (ou d'autres). *« Le discutable Otello* (l'*Otello* de Verdi) *qu'il a coproduit »* (*l'Express,* 31 oct. 1977).

COPROLAGNIE [kɔpʀɔlaɲi; kɔpʀɔlaɲi] n. f. — D. i. (xxᵉ); de *copro-,* et *-lagnie.*

♦ Didact. Comportement sexuel dans lequel l'individu recherche la satisfaction en relation avec les matières fécales. ⇒ aussi **Urolagnie.**

COPROLALIE [kɔpʀɔlali; kɔpʀɔlali] n. f. — 1893, *in* D.D.L.; de *copro-,* et *-lalie.*

♦ Didact. Impulsion morbide à employer des mots scatologiques.

DÉR. Coprolalique.

COPROLALIQUE [kɔpʀɔlalik; kɔpʀɔlalik] adj. et n. — 1897, cit. 1.; de *coprolalie.*

♦ Didact. Qui est de la nature de la coprolalie; qui y a trait.

1   Et, comme l'énergumène à barbe blanche achevait dans un cri grave et une obscène contorsion la phrase coprolalique (...)
A. JARRY, Gestes et Opinions du Dʳ Faustroll, 1897, Pl., p. 693.

N. *(Un, une coprolalique).* Personne qui est affligée de coprolalie, qui affectionne les mots scatologiques, orduriers.

2   Ici s'installe une certaine Foi,
Mais que les coprolaliques m'entendent, les aphasiques, et en général tous les discrédités des mots et du verbe, les parias de la Pensée.
Je ne parle que pour ceux-là.
A. ARTAUD, Bilboquet,
L'activité du bureau de recherches surréalistes, Œ., compl., t. I, p. 271.

COPROLITHE [kɔpʀɔlit] n. m. — 1845; de *copro-,* et *-lithe.*

♦ Géol. Concrétion formée de matières fécales durcies.

COPROLOGIE [kɔpʀɔlɔʒi] n. f. — 1842; de *copro-,* et *-logie.*

♦ Didact., techn. Étude des matières fécales. *«Adieu, qu'elle dit, à la coprologie »* (Queneau, *Loin de Rueil,* p. 163).

DÉR. Coprologique.

COPROLOGIQUE [kɔpʀɔlɔʒik] adj. — 1906, *in Rev. gén. des sc.,* nᵒ 22, p. 992; de *coprologie,* et *-ique.*

♦ Didact., techn. Relatif à la coprologie. *Analyse coprologique.*

Tiffauges eut l'occasion de voir s'exercer cette vocation coprologique du maître de Rominten *(Gœring),* notamment un matin de printemps où il n'y avait rien qu'on pût tirer sans enfreindre grossièrement la déontologie de la chasse, mais où l'état du terrain permettait un relevé particulièrement clair des laissées.
M. TOURNIER, le Roi des Aulnes, p. 227.

COPROMANIE [kɔpʀɔmani] n. f. — 1895; repris 1953; de *copro-,* et *-manie.*

♦ Méd. Attirance pathologique pour les matières fécales.

COPROPHAGE [kɔpʀɔfaʒ] adj. et n. — Fin xviiiᵉ; de *copro-,* et *-phage,* ou directement du grec *koprophagos.*

♦ 1. Adj. Qui se nourrit d'excréments. *Le bousier, insecte coprophage.* ⇒ **Scatophage; stercoraire.** — Adj. et n. Atteint de coprophagie (2.).

♦ 2. N. m. pl. Groupe d'insectes coléoptères qui vivent dans les excréments des mammifères herbivores. — Au sing. *Un coprophage.*

DÉR. Coprophagie.

COPROPHAGIE [kɔpʀɔfaʒi] n. f. — 1884; de *coprophage.* Didactique.

♦ 1. Zool. Fait de se nourrir d'excréments.

♦ 2. Méd. Tendance pathologique à manger des excréments.

COPROPRIÉTAIRE [kɔpʀɔpʀijetɛʀ] n. — 1634; de *co-,* et *propriétaire.*

a Dr. Propriétaire en copropriété.

b Cour. Personne qui a un droit de propriété sur un appartement et qui détient une quote-part des parties communes d'un immeuble. *Réunion des copropriétaires.*

La mère Tourneux est morte au mois de mars 59, à quatre-vingts ans, toujours concierge. À ce moment-là, les locataires étaient devenus copropriétaires.
Jean FERNIOT, Pierrot et Aline, p. 219.

COPROPRIÉTÉ [kɔpʀɔpʀijete] n. f. — 1767, *in* D.D.L.; de *co-,* et *propriété.*

a Dr. Propriété de plusieurs personnes sur un seul bien (meuble ou immeuble). *Copropriété indivise où chaque propriétaire a une quote-part.* ⇒ **Indivision.** *Partage d'une copropriété en parts divises.*

Copropriété d'une clôture (mitoyenneté). *Copropriété sans indivision* (d'un immeuble). → ci-dessous, b.

b Cour. *Copropriété (d'immeuble) :* situation d'un immeuble dont chaque appartement est la propriété d'une personne déterminée (⇒ **Copropriétaire**), qui détient aussi une quote-part des parties communes. *Règlement de copropriété. Immeuble en copropriété.*

Un écriteau devant la cage de l'ascenseur. Encore détraqué? C'est impossible, on l'a réparé le mois dernier. Ne me parlez jamais de la copropriété.
Pierre MOUSTIERS, la Mort du pantin, p. 17.

COPROSTANOL [kɔpʀɔstanɔl] n. m. — Av. 1970 (*in* Manuila); de *copro-,* et *stanol,* ou de *coprost(ér)ol,* avec intercalation de l'élément *-an-,* qui indique la saturation.

♦ Biochim. Stérol saturé (⇒ **Stanol**) présent dans les selles, formé par la flore intestinale à partir du cholestérol. — Syn. : *coprostérol.*

COPROSTÉROL [kɔpʀɔsteʀɔl] n. m. — Av. 1961 (*in* G.L.E.); de *copro-,* et *stérol.*

♦ Biochim. Coprostanol.

COPTE [kɔpt] n. et adj. — 1704; *cophte,* 1690; *cofte,* 1665; arabe *qûbt,* nom donné par les Arabes aux chrétiens d'Égypte, dès le viiᵉ; du grec *Aiguptios* «Égyptien».

♦ 1. Adj. Relatif aux chrétiens originaires d'Égypte, appartenant à la secte des eutychéens. *L'Église copte. Patriarche copte.*
N. (avec C majuscule). *Un, une Copte. Les Coptes.*

♦ 2. Adj. Qui se rapporte aux Coptes. — *La tradition copte.* — *Langue copte,* et, n. m., *le copte* (langue liturgique). *L'étude du copte a permis à Champollion de comprendre les hiéroglyphes.*

1   (...) la langue copte, ou, simplement, le copte, l'idiome de transition qui s'est parlé en Égypte depuis l'introduction du christianisme, qui est éteint maintenant, et qui a les plus grandes ressemblances avec l'ancien égyptien. C'est cette ressemblance qui a permis de pénétrer dans l'interprétation des textes hiéroglyphiques. Son application seule (du principe que le système graphique égyptien employa simultanément des signes d'idées et des signes de sons) a pu me conduire à la lecture proprement dite des portions phonétiques, formant en réalité les trois quarts au moins de chaque texte hiéroglyphique; de là est résultée la pleine conviction que la langue égyptienne antique ne différait en rien d'essentiel de la langue vulgairement appelée copte ou cophte (...)
CHAMPOLLION, Grammaire égyptienne, Introd., p. 18, *in* LITTRÉ.

2   N'empêche que la langue copte est morte. Ceux qui psalmodient aujourd'hui les offices dans les pauvres couvents de Haute-Égypte ne comprennent plus ce qu'ils lisent, sinon par les traductions arabes.
CAPART et CONTENAU, Hist. de l'Orient ancien, p. 19.

3   Les effigies d'âmes destinées aux cercueils coptes doivent appartenir à un autre monde — comme les scènes représentées par les mosaïstes; et, comme les peintres, les mosaïstes font appel à la couleur plus encore qu'à la forme, pour entraîner dans cet autre-monde ce qu'ils représentent.
MALRAUX, la Métamorphose des dieux, p. 129.

DÉR. Coptisant.

COPTER [kɔpte] v. tr. — 1564; *coppeter,* 1403; *gobeter,* déb. xivᵉ; forme syncopée, de l'anc. franç. *cop* «coup», et *-eter.*

♦ Techn. et vieilli. Faire sonner (une cloche) en la frappant d'un seul côté avec le battant. *Copter la cloche.* ⇒ **Sonner, tinter** (faire).

COPTISANT, ANTE [kɔptizɑ̃, ɑ̃t] adj. et n. — 1876, *in* Littré, *Suppl.*; de *copte*, et *-isant*.

Didactique.

♦ **1.** Adj. Qui concerne la culture et la civilisation coptes.

♦ **2.** N. Orientaliste spécialisé dans la langue, la religion, la civilisation coptes (on réserve en général *égyptologue* aux spécialistes de l'Égypte pharaonique). *Champollion, « excellent orientaliste et en particulier coptisant »* (J. Bottéro, *l'Histoire et ses méthodes*, p. 162, *in* Encyclopédie Pl.). *Une remarquable coptisante.*

COPULATEUR, TRICE [kɔpylatœʀ, tʀis] adj. — 1847, *in* D.D.L.; de *copuler*, et *-ateur*.

♦ Didact. Qui est propre à la copulation; de la copulation. *Organes copulateurs.* — Zool. *Brosses copulatrices :* excroissances transitoires dues à un dépôt de kératine, et qui se développent chez les mâles de certains amphibiens (Urodèles, Anoures) à l'époque de la reproduction.

Les brosses copulatrices sont sujettes à d'importantes fluctuations saisonnières; en dehors de la période de reproduction elles régressent et peuvent disparaître complètement. Elles ont surtout pour objet de permettre aux mâles de s'agripper aux femelles lors de l'amplexus (...)   Jean GUIBÉ, les Batraciens, p. 55.

COPULATIF, IVE [kɔpylatif, iv] adj. et n. f. — 1370; lat. *copulativus*, de *copulare*. → Copuler.

♦ **1.** Ling. Qui marque une liaison entre les termes ou les propositions. *Conjonction copulative.* — N. f. *Une copulative.* ⇒ **Coordination** (conjonction de coordination).

1   — Je soutiens, moi, que c'est la conjonction copulative ET...
         — Je soutiens, moi, que c'est la conjonction alternative OU...
                       BEAUMARCHAIS, le Mariage de Figaro, III, 15.

Verbe copulatif : verbe qui est suivi d'un adjectif ou d'un syntagme nominal attribut (devenir, rester, etc.).

Phrase copulative, formée avec le verbe être.

2   Par phrase copulative, j'entends ici les phrases de forme sujet-*être*-attribut.
                       Nicolas RUWET, les Phrases copulatives en français,
                                     Recherches linguistiques 3, p. 143.

♦ **2.** Log. *Jugement copulatif :* jugement catégorique qui a plusieurs sujets et un seul prédicat.

CONTR. Adversatif, alternatif, disjonctif.

COPULATION [kɔpylɑsjõ] n. f. — 1342; *compulacion*, XIIIᵉ; lat. chrét. *copulatio* « union charnelle », de *copula*. → Copule.

♦ Didact. ou plais. Accouplement du mâle avec la femelle. ⇒ **Coït.**

1   Il y a beaucoup d'animaux qui engendrent sans copulation.
                       VOLTAIRE, l'Homme aux 40 écus, Mariage.

2   Dans ces animaux qui vivent d'herbe, la société entre le mâle et la femelle ne dure pas plus longtemps que chaque acte de copulation, parce que (...) le mâle se contente d'engendrer, et il ne se mêle plus après cela de la femelle ni des petits (...)
                       ROUSSEAU, De l'inégalité parmi les hommes, note 1.

Spécialt. Accouplement de l'homme et de la femme.

3   Lui (*Paradis*), après la tentative de conversation météorologique, continuait à se demander ce qu'il pourrait bien sortir, en dehors d'appréciations tendancieuses sur la direction de l'Uni-Park ou des invites directes à la copulation.
                       R. QUENEAU, Pierrot mon ami, éd. L. de Poche, p. 86.

DÉR. Copulateur.

COPULE [kɔpyl] n. f. — 1482; lat. *copula* « union, lien ».

♦ **1.** (1482). Vx. ⇒ **Copulation.**

♦ **2.** (1752). Mod. (Log.). Verbe d'un jugement, en tant qu'il exprime une relation entre le sujet et le prédicat. *L'assertion réside dans la copule.*

Ling. Mot qui relie le sujet et le prédicat. *La copule* être.

On sait que parmi les verbes, il convient de distinguer en français ce que l'on appelle couramment les auxiliaires, et parmi eux la copule : sans doute n'est-il pas très aisé de préciser ici les critères et les analyses, néanmoins leur intuition empirique est suffisamment ferme pour qu'on puisse accepter l'existence à tout le moins d'un élément distingué noté comme verbe *être* en français.
                       Jean-Claude MILNER, De la syntaxe à l'interprétation, p. 247.

Conjonction de coordination et, quand elle relie deux phrases ou deux constituants. ⇒ **Coordination.**

DÉR. Copuler.

COPULER [kɔpyle] v. intr. — 1450; « lier, joindre », XIVᵉ; de *copule*.

♦ Didact. Avoir des relations sexuelles, s'accoupler. *Des animaux qui copulent.* — (Humains). Plais. Faire l'amour.

Par métaphore :

C'était plein de nègres, de Chinois, d'Hindous, et d'un tas de gens qui ne savaient pas d'où ils étaient — ils étaient nés dans le grand tunnel où entre les deux tropiques la misère et le lucre se battent et copulent — mais qui nous emboîtaient le pas.   DRIEU LA ROCHELLE, la Comédie de Charleroi, p. 175.

COPURCHIC [kɔpyʀʃik] adj. invar. et n. m. — 1886; de *co-*, *pur*, et *chic*; l'élément *co-* est inexpliqué.

Vx (à la mode peu avant 1900).

♦ **1.** Adj. invar. Très élégant.

Une foule élégante, copurchic, se presse devant les comptoirs chargés de lingeries, d'albums, de frivolités (...)   Francis JOURDAIN, De mon temps, p. 91.

♦ **2.** N. m. Un élégant.

(En parlant d'élégance, de mode). Ce qui se fait de mieux. *« Le copurchic des villes d'eau »* (Verlaine, 1891, *in* T. L. F.).

COPYRIGHT [kɔpiʀajt] n. m. — 1878; mot angl., « droit (*right*) de copie ».

♦ Droit exclusif que détient un auteur ou son représentant d'exploiter pendant une durée déterminée une œuvre littéraire ou artistique. *Le copyright est obligatoire dans les pays ayant adhéré à la Convention universelle sur le droit d'auteur* (symb. : ©). *Dépôt de copyright. Le copyright de ce livre appartient à tel éditeur, mais il est diffusé, vendu par tel autre. La mention de copyright doit figurer sur chaque exemplaire d'un livre, sur la page de titre ou au verso.*

1. COQ [kɔk] n. m. — V. 1125, Philippe de Thaon; onomat. d'après le cri du coq; pour P. Guiraud, il s'agit d'un mot picard et anglo-normand, probablt du germanique *cocke* « tas », croisé avec le lat. *coccum* « couleur écarlate »; a éliminé l'anc. franç. *jal*, du lat. *gallus.*

♦ **1.** Oiseau de basse-cour, mâle de la poule (*Gallinacés*). ⇒ **Galliforme.** *Le coq et ses poules. Le bec, les plumes, la queue, les éperons du coq. Les barbillons* (1. Barbillon, cit. 2), *les oreillons, la crête rouge vif du coq.* ⇒ **Caroncule.** *Le plumage du coq : camail, duvet ou bouffant, rémiges, lancettes, faucilles* (queue). *La voix claironnante du coq. Le chant du coq.* ⇒ **Clairon, coqueliner, coqueriquer, coquerico.** *Chantecler, nom traditionnel du coq. Coqs qui se répondent dans la campagne. Au chant du coq :* au point du jour. — *Le caractère hardi, fier, orgueilleux, querelleur, batailleur prêté au coq.* — *Coq de combat :* coq élevé pour le combat. ⇒ **Coqueleur.** *Combat de coqs* (→ Allumer, cit. 18). *Armer un coq de combat de ses éperons.* ⇒ régional Armeur.

1   Jésus lui dit : Je te le dis, en vérité, cette nuit-ci, avant que le coq ait chanté, trois fois tu me renieras.
         (...) Et aussitôt un coq chanta. Et Pierre se souvint de la parole de Jésus (...)
                       BIBLE (CRAMPON), Évangile selon saint Matthieu, XXVI, 34-75.

2   Et de dormir sur pied comme un coq sur la perche.
                       Mathurin RÉGNIER, Satires, XI, 225.

3   Les coqs (...) ont beau chanter matin;
         Je suis plus matineux encore.   LA FONTAINE, Fables, VI, 11.

4   Longtemps entre nos coqs le combat se maintint.   LA FONTAINE, Fables, VII, 13.

5   (...) le coq jaloux monte sur ses ergots pour un combat suprême; sa queue à l'air d'un pan de manteau que relève une épée.
                       J. RENARD, Histoires naturelles, « Coqs », p. 22.

5.1   (...) ils entendaient, partant des fermes silencieuses et comme endormies, l'encouragement plus hardi, la fanfare des coqs hérauts du matin, tranquilles dans leur cour d'où ils s'adressent au voisinage, à des lieues à la ronde, dans leurs proclamations éclatantes qui sonnent, comme les trompettes des régiments, le réveil, le départ pour la marche, l'infatigable exhortation à toutes les fatigues auxquelles ils ne participent pas.   PROUST, Jean Santeuil, Pl., p. 469.

Cuis. *Coq vierge,* châtré. ⇒ **Chapon, coquâtre.** *Chaponner, châtrer un coq. Écrêter un coq. Plumer, flamber un coq. Rognons* de coq.* — Préparation à base de coq, de poulet ou de volaille. *Coq au vin, à la bière, au cidre* (→ ci-dessous, au fig., Coq en pâte).

Blason. Figure héraldique représentant un coq de profil, la tête levée et la queue redressée.

Le coq gaulois, symbole national de la France.

Symbole représentant un coq de profil et figurant comme girouette sur le clocher d'une église. *Revoir le coq de son clocher.*

Poinçon d'argenterie représentant un coq. *Une timbale au coq.*

5.2   (...) du train qui (...) nous amenait de Paris, mon père l'apercevait (*le clocher*) qui filait tour à tour sur tous les sillons du ciel, faisant courir en tous sens un petit coq de fer (...)   PROUST, Du côté de chez Swann, p. 76.

Loc. *Avoir des jambes de coq,* grêles et sèches. — *Mollet de coq,* cambré. *Être rouge comme un coq* (→ Rouge, cit. 12.1), très rouge (notamment, de honte, d'embarras). — *Se battre, faire front comme un petit coq.*

5.3   Le pantalon de toile à carreaux moulait ses jambes sèches de coq.
                       F. MAURIAC, la Pharisienne, p. 36.

(1672, Sévigné, sens douteux). *Être comme un coq en pâte :* être choyé et exempt de soucis. ⇒ **Pâte** (cit. 6).

5.4   Tu te mets à table les pieds dans tes pantoufles, tu prends une plume et tu écris ce qui te passe par la tête sans te fatiguer, après tu trouves même quelqu'un pour te publier et te donner des sous. C'est un métier de coq en pâte.
                       R. QUENEAU, le Vol d'Icare, p. 94.

Prov. vieilli. *Ce n'est pas à la poule à chanter devant* (avant) *le coq :* la femme doit toujours céder à son mari, à l'homme.

6 Ce n'est point à la femme à prescrire, et je sommes *(suis)*/Pour céder le dessus en toute chose aux hommes (...)/La poule ne doit point chanter devant le coq.
MOLIÈRE, *les Femmes savantes*, v.

Passer, sauter du coq à l'âne. ⇒ **Coq-à-l'âne.**

♦ **2.** [a] Loc. vieillie. (1467). *Faire le coq* : avoir une attitude arrogante, prétentieuse, se pavaner. ⇒ **Fanfaron.**

[b] Vx. Homme important socialement. *C'est un coq de paroisse, de village.*

7 Un petit bourgeois, le coq de ce canton (...)
VOLTAIRE, Lettre à Mme du Deffand, *in* LITTRÉ.

[c] Mod. Homme qui séduit ou prétend séduire les femmes par son apparence avantageuse. *C'est un vrai coq, un petit coq de village.* — *Le Coq de bruyère,* récit de M. Tournier.

8 (...) tu vis là, chez moi, comme un chanoine, comme un coq en pâte, à te gober!
FLAUBERT, Mme *Bovary*, III, II, p. 161.

9 Mon Dieu! lui, faisait son métier de coq : un homme est un homme, on ne peut pas lui demander de résister aux femmes qui se jettent à son cou.
ZOLA, *l'Assommoir*, t. II, IX, p. 56.

10 De mon séjour en zone libre, que pouvais-je lui transmettre? (...) mes «histoires de femmes» lui auraient inspiré soit de la réprobation, soit de la vilaine complicité de la mère pour le petit coq qui fait des siennes.
Jacques LAURENT, *les Bêtises*, p. 142.

♦ **3.** (1924, *in* Petiot). Boxe. *Poids coq* : catégorie dans laquelle se classent les boxeurs dont le poids est situé entre 50,800 kg et 53,520 kg.

♦ **4.** (1317). Mâle (d'une espèce de Gallinacés). *Coq faisan.* ⇒ **Faisan.** *Coq de perdrix*. Coq de bruyère, coq sauvage.* ⇒ **Tétras; grianneau, grouse.** *Coq de roche.* ⇒ **Rupicole.** *Coq de marais.* ⇒ **Gélinotte.** *Coq héron.* ⇒ **Huppe.** *Coq d'Amérique.* ⇒ **Hocco.** *Coq d'Inde.* ⇒ **Dindon.**

11 Dans la jonchée des plumes tombées, Berlaisier ramassa les faisans, trois poules mortes qui semblaient fanées, un coq royal, éclatant de carmin, d'émeraude, et d'or rouillé, chatoyant de fugaces reflets mauves.
M. GENEVOIX, *Raboliot*, III, 6, p. 189.

Fig. *Coq-de-roche,* adj. invar. «*Des cravates coq-de-roche moins hurlantes que le rire que nous arborons*» (Cendrars, *Moravagine,* Œ. compl., t. IV, p.181).

♦ **5.** (Par anal. de couleur). Rare. Daurade; rouget.

♦ **6.** *Coq des jardins, coq-franc, herbe au coq,* noms vulgaires de la balsamine.

♦ **7.** [a] (1641). Techn. *Coq de montre* : pont de balancier. ⇒ 2. **Coqueret.**

[b] Œuf métallique placé sur une tige, dont on se servait pour repasser les fronces et les bouillonnés (cf. Zola, *l'Assommoir*, p. 510, *in* T. L. F.).

DÉR. Cochelet, cochet, 1. coquard, coquassier, coquâtre, coquelet, coqueleur, coqueliner, 2. coqueret, coquet, 2. coqueter, 3. coqueter, 1. coquetier. — V. Coquerelle, 1. coqueret.
COMP. Coq-à-l'âne, coquebin. — V. Coquecigrue, coquerico (et cocorico), coquelourde.
HOM. Coke, 2. coq, coque.

2. COQ [kɔk] n. m. — 1671 ; néerl. *kok,* du lat. *coquus* «cuisinier».

♦ Mar. Cuisinier à bord d'un navire. *Le coq est dans la cambuse*, dans la coquerie*. Maître-coq,* le cuisinier en chef. ⇒ **Queux.**

HOM. Coke, 1. coq, coque.

COQ-À-L'ÂNE [kɔkalɑn] n. m. invar. — 1536 ; *coq-à-l'asne,* v. 1370 ; de 1. *coq,* et *âne.*

♦ **1.** Passage sans transition et sans motif d'un sujet à un autre. *Faire un coq-à-l'âne.* — Plur. *Des coq-à-l'âne.*

Ce jour-là le gouvernement saura parler haut et clair ou il laisserait tomber en quenouille ce qui est sa prérogative essentielle. Les coq-à-l'âne ne suffiront plus.
PROUST, *le Côté de Guermantes*, t. I, Folio, p. 294.

♦ **2.** Littér. Épître satirique, burlesque et volontairement incohérente. *Marot a composé des coq-à-l'âne.*

1. COQUARD, ARDE [kɔkaʀ, aʀd] n. — 1803 ; *quoquart,* v. 1300 ; de 1. *coq,* et suff. *-ard.*

♦ **1.** N. m. Vx. Vieux coq.

Mod. (Techn.). Oiseau obtenu par le croisement du faisan et de la poule.

♦ **2.** Fig. et péj. Niais prétentieux. — REM. À peu près inusité, surtout au féminin.

HOM. (Du fém.) Cocarde. — 2. Coquard.

2. COQUARD ou COCARD [kɔkaʀ] n. m. — 1867 ; probablt de *coque,* et *-ard,* d'après l'idée d'«objet rond».

♦ **1.** Pop. Œil.

♦ **2.** Fam. Œil au beurre noir ; coup sur l'œil.

1 Monsieur Jadis avait oublié ce coquard, contracté dans le tourbillon du panier à salade. Passant sa main sur sa paupière, il ressentit une légère douleur qui ne le renseigna pas sur le volume ni sur la couleur.
A. BLONDIN, *Monsieur Jadis,* p. 157.

Var. graphique : *coquart, cocart.*

2 Il est amusant *(ce chien)* avec ce coquart sur l'œil et ces plumeaux en guise de sourcils.
H. TROYAT, *Tendre et violente Élisabeth,* p. 425.

COQUASSIER [kɔkasje] n. m. — 1546, Rabelais ; de 1. *coq,* et *-assier.*

♦ Vx ou rare. Marchand d'œufs. ⇒ 1. **Coquetier.**

Ces montures étaient aussi les seuls chevaux de Chantilly inaptes à la course, les chevaux des coquassiers.
GIRAUDOUX, *Juliette au pays des hommes,* p. 76.

COQUÂTRE ou COCÂTRE [kɔkɑtʀ] n. m. — 1450, *coquastre,* adj. ; nom, 1690 ; de 1. *coq,* et *-âtre.*

♦ Techn. Coq châtré à moitié, demi-chapon.

COQUE [kɔk] n. f. — V. 1275 ; orig. incert. ; on évoque le lat. *coccum* «kermès», du grec *kokhos* «graine», et aussi le lat. *concha.* → **Conque.**

★ I. ♦ **1.** [a] (1306). Vx ou littér. Enveloppe extérieure calcaire d'un œuf d'oiseau. *Poussin qui brise sa coque.* ⇒ **Coquille** (mod. et courant).

Loc. mod. À LA COQUE. *Œuf à la coque* : œuf de poule cuit quelques minutes à l'eau bouillante, dans sa coque. *Tu préfères les œufs sur le plat, ou à la coque? Faire cuire des œufs à la coque dans une coquetière.*

1 Les œufs furent leur unique ressource et encore à la coque, frais ou non.
SAINT-SIMON, *Mémoires, in* LITTRÉ.

2 Il y a des poules qui donnent des œufs hardés ou sans coque (...)
BUFFON, *Hist. nat. des oiseaux,* III, 107, *in* LITTRÉ.

[b] Fig. et vieilli. Enveloppe qui protège, dissimule la personnalité de qqn. — Loc. *Se renfermer, se fermer dans sa coque* : vivre à l'écart de toute société ou en soi-même, sans prêter attention au monde extérieur (plus cour. : *dans sa coquille*). ⇒ **Retraite, solitude, tour** (d'ivoire).

Par anal. (avec le poussin qui vient de briser sa coque). *Sortir de sa coque* : être très jeune et manquer d'expérience.

♦ **2.** Enveloppe naturelle plus ou moins rigide.

[a] Vx. Cocon. *Coque de chrysalide** (→ Art, cit. 25 ; brosse, cit. 3).

3 Le grand insectologiste M. de Geer parle de coques de chenilles qui avaient la consistance d'un parchemin.
Charles BONNET, *Contemplation de la nature,* 1764, XII. 34, *in* LITTRÉ.
Coquille (d'huître).

[b] (V. 1275). Mod. *Coque d'amande, de noisette, de noix, de noix de coco,* enveloppe ligneuse de ces fruits. ⇒ **Coquille.** *Trois noisettes dans leurs coques* (blason). ⇒ **Coquerelle.**

4 Il pouvait encore, à soixante-dix ans et plus, vous écraser une amande à la coque dure, sous son pouce plat, sans le moindre effort. Labartelade seul savait en faire autant, mais il était plus jeune, et il serrait la mâchoire en cassant la coque.
H. BOSCO, *Un rameau de la nuit,* II, p. 43.

Vx. COQUE DE NOIX. ⇒ **Coquille.** — Loc. fig. *Je n'en donnerais pas pour une coque de noix* : je n'en fais aucun cas. — *Coque de noix* : très petite embarcation. ⇒ **Coquille.**

4.1 Cependant, la tempête arrivait. À 1 heure du matin, les premières grandes vagues commencèrent à jouer avec ma coque de noix. Pendant les derniers jours de ma traversée je n'allais pas être épargné. Si pendant les vingt jours de tempête que j'avais déjà subis, les vagues avaient rempli deux fois mon bateau (...)
Alain BOMBARD, *Naufragé volontaire,* p. 242.

Bot. Enveloppe rigide des fruits à loges* (autres que les noix, etc. ; → ci-dessus). Parois de ces loges. *Les coques de la capucine, des euphorbiacées.* — Ensemble des enveloppes externes (péricarpe) du fruit séché du caféier.

Anat. Capsule condylienne.

♦ **3.** (1751). Coquillage marin comestible (mollusque bivalve, *Cardiidés*), à coquille symétrique arrondie, à stries rayonnantes, très commun. *Pêcheur de coques.* ⇒ 3. **Coquetier.**

5 (...) les oiseaux de mer un enfant pieds et jambes nus poudrés de sel il cherche des crabes des coques des solens (...)
Tony DUVERT, *Paysage de fantaisie,* p. 224.

♦ **4.** (1827, *in* D. D. L.). *Coque de cheveux* : boucle, réunion de cheveux en forme de coque (d'œuf), gonflés ou tournés. ⇒ **Bouf-fette, choupette.**

6   (...) les toutes petites mousmées de dix ans (...) ayant déjà de hautes coiffures et d'imposantes coques de cheveux comme les dames.
            LOTI, Mme Chrysanthème, XXXVIII, p. 195.

7   La miniature représente une jeune dame à coiffure trilobée — une grosse coque en haut, une grappe de boucles, genre chipolatas, sur chaque tempe.
            COLETTE, l'Étoile Vesper, p. 98.

8   Dressé sur l'oreiller, grandi soudain, en pleine lumière, M. Thibault, avec sa men-tonnière dont les deux coques ridicules s'érigeaient en cornes sur sa tête, avait pris l'aspect d'un personnage de légende (...)
            MARTIN DU GARD, les Thibault, t. IV, p. 189.

En coque. « *Les cheveux (...) relevés en coque sur la droite...* » (Claude Simon, *le Palace*, p. 75).

(1827). Rubans, tissu en forme de coque ; nœud bouffant.

9   Seconde jupe, taillée par devant en tablier carré et venant rejoindre, par derrière, une écharpe nouée, avec coques et longs pans garnis de plissés.
            MALLARMÉ, la Dernière Mode, Gravures noires du texte, Pl., p. 730.

♦ **5.** Mar. Boucle que forme (accidentellement) un cordage. *Les drisses « retournées à plat sur le pont pour pouvoir filer claires, sans coques »* (B. Moitessier, *Cap Horn à la voile*, p. 76).

♦ **6.** (Par métaphore des sens 1 ou 2). Littér. Ce qui entoure, enve-loppe, protège.

★ **II.** ♦ **1.** (1834). Ensemble formé par la membrure et le revête-ment extérieur (d'un navire). ⇒ **Carcasse, corps.** *Partie renflée de la coque.* ⇒ **Ventre.** *Partie immergée de la coque.* ⇒ **Carène.** *Double coque,* intérieure, destinée à garantir le navire en cas de voie d'eau. ⇒ **Cofferdam.** *Le calfatage* d'une double coque. Bateau à une, à plusieurs coques.* ⇒ **Monocoque, multicoque.**

10   L'eau verte pénétra ma coque de sapin.   RIMBAUD, Poésies, « Le bateau ivre ».
11   Dans une minuscule pirogue, un nègre isolé chasse l'eau envahissante, d'un cla-quement de jambe contre la coque.
            GIDE, Voyage au Congo, in Souvenirs, Pl., p. 686.
12   D'esclave, il devint mystérieusement le patron d'une barque ; et de marin, se fit maître calfat. Las de radoubs, et laissant les vieilles coques pour les neuves, il s'ins-titua constructeur de navires.   VALÉRY, Eupalinos, p. 104.

♦ **2.** (1929). Partie centrale du fuselage (d'un avion, d'un aéronef). *Coque d'avion, d'hydravion.*

♦ **3.** (1951). Bâti rigide remplaçant le châssis et la carrosserie. ⇒ **Monocoque.** *Coque d'automobile.*

DÉR. 2. Coquard, coquerelle, 2. coquetier, 3. coquetier, coquetière.
COMP. V. **Coquecigrue.** — **Monocoque, multicoque.** — REM. Plusieurs comp., **dico-que, tricoque, tétracoque..., multicoque,** sont attestés en botanique : « à une, deux, trois, quatre..., plusieurs loges », en parlant des fruits.
HOM. Coke, 1. coq, 2. coq.

-COQUE Élément, du grec *kokkos* « grain », servant à former des noms de micro-organismes. — Ex. : *diplocoque, gonocoque, micro-coque, pneumocoque, staphylocoque, streptocoque.* — Les noms de maladies correspondants sont en *-coccie* (de *-coccus* «-coque» en lat. sav. → Coccus, 3.). Ex. : *mélitococcie, méningococcie, pneumo-coccie.*

COQUEBIN [kɔkbɛ̃] n. m. et adj. — 1426 ; de 1. *coq* « fanfaron » ; cf. *coquebert, cokebert,* XIIIe.
Vieux.

♦ **1.** N. m. Jeune garçon encore très naïf. ⇒ **Innocent, niais.**

1   (...) le visage de Mme Chasseglin prit l'expression alléchée d'une matrone à qui un coquebin avoue en rougissant sa parfaite innocence.   H. TROYAT, le Vivier, p. 42.

♦ **2.** Adj. Niais, naïf. *Un air coquebin.*

2   Quel contraste avec le Paris ensoleillé, gai, vivant, que notre enthousiaste coque-bin a eu le plaisir d'apercevoir la veille !
            Georges LECOMTE, Ma traversée, p. 117.

COQUECIGRUE [kɔksigʀy] n. f. — 1534, orig. obscure ; les élé-ments *coq, grue* et p.-ê. *cigogne* sont vraisemblablement utilisés ; pour P. Guiraud, de *coque* « coquille, objet sans valeur », syn. du lat. *ciccum* « pellicule de grenade, zeste », d'où « un rien », et finale de l'anc. franç. *gruer* « attendre », d'où *coquecigrues* « attente de rien ».
Vieux.

♦ **1.** Oiseau fantastique, d'invention burlesque. *Un franc viédaze* (cit. Gautier) *regardant voler les coquecigrues.* — Loc. *À la venue des coquecigrues* : jamais.

1   (Pichrochole) fut avisé par une vieille lourpidon (sorcière) que son royaume lui serait rendu à la venue des coquecigrues.   RABELAIS, Gargantua, 49, p. 163.
  Regarder voler les coquecigrues : se faire des illusions.

♦ **2.** Archaïsme littér. Insanité, chose inventée. ⇒ **Baliverne, sornette.** *Il invente toutes sortes de coquecigrues.*

2   (...) la psychanalyse ne quitte pas l'individu, ne recourt pas aux coquecigrues de la psychologie théorique : on s'apercevra vite que le complexe d'Œdipe est aussi répandu que l'amour.   MALRAUX, l'Homme précaire et la Littérature, p. 188.

♦ **3.** Ononix (plante).

COQUELET [kɔklɛ] n. m. — 1790 ; de 1. *coq,* et *-(el)et.*

♦ **1.** Jeune coq (désigne plus souvent l'animal préparé pour être mangé que l'animal vivant). ⇒ **Poulet.** *Coquelet au vin blanc, coque-let grillé.* — REM. Le mot, courant dans l'usage de la restauration, est plus valorisé que *poulet* ; théoriquement, il désigne un jeune coq (non châtré).

♦ **2.** Vx et péj. Jeune homme prétentieux ; jeune coq (fig.).

COQUELEUR [kɔklœʀ] ou **COQUELEUX** [kɔklø] n. m. — 1876, *coqueleux ; coqueleur,* 1935 ; de 1. *coq,* et *-(el)eur, -(el)eux.*

♦ Régional (Nord, Belgique). Éleveur de coqs de combat. « *La pas-sion des coqueleurs est-elle un jeu ou un sport ?* » (le Coq gaulois, 15 mars 1971, p. 5). *Les coqueleux des Flandres.*

  Une dispute s'engageait au bout du cabaret entre deux hommes qui portaient des sacs blancs. Des coqueleurs, que l'atmosphère du cabaret surexcitait. Ils tirèrent leurs coqs.   M. VAN DER MEERSCH, Invasion 14, t. I, p. 100.

COQUELICOT [kɔkliko] n. m. et adj. invar. — 1547 ; *coquelicoq,* 1545 ; altér. de *coquerico,* a désigné d'abord le coq (1339), puis la fleur (XVIe) à cause de sa ressemblance avec la crête du coq.

♦ **1.** Petit pavot sauvage, à fleurs d'un rouge vif, qui croît dans les champs. ⇒ **Ponceau.** *Le coquelicot a des tiges flexibles hérissées de poils, des fleurs rouges. Le coquelicot entre dans la composi-tion de la tisane des quatre fleurs.*

  Mais çà et là, au revers des talus, dans les champs, tout à coup un coquelicot né de la chaleur de l'été, hôte de ses herbes touffues et de son ombre lumineuse, dressait sur la hauteur de sa mince tige verte sa fleur éclatante et simple comme un seul vaste pétale rouge.   PROUST, Jean Santeuil, Pl., p. 461.

Loc. *Être rouge comme un coquelicot,* rouge de confusion, de timi-dité.

Adj. invar. De la couleur du coquelicot. *Rouge coquelicot. Des robes coquelicot.*

♦ **2.** Confis. Bonbon parfumé au coquelicot.

♦ **3.** (Par anal. de couleur). Personne, soldat vêtu de rouge.

COQUELINER [kɔkline] v. intr. — 1752 ; autre sens, 1611 ; de 1. *coq, (el)in,* et *-er.*

♦ Rare. Chanter (en parlant du coq). — Syn. : *coqueriquer.*

COQUELLE [kɔkɛl] n. f. — 1750 ; altération de *coquemar,* par changement de suffixe.

♦ Régional (Centre, Franche-Comté, franco-provençal). Casserole, cocotte en fonte, avec ou sans pieds.

COQUELOURDE [kɔkluʀd] n. f. — 1539 ; orig. obscure ; p.-ê. de *coque,* et l'adj. *lourd,* ou altér. de *cloquelourde* ; cf. *herbe aux cloques* ; 1. *coq* est certainement en cause pour le sens 2 ; P. Guiraud pro-pose *coquelle* « fleur à calice arrondi en forme de coque », de *coque,* et *-ourde,* de l'adj. *ord, ourd,* d'après le lat. *horridus* « méchant, dange-reux », d'où *coquelourde* « coquelle dangereuse ».

♦ **1.** Anémone pulsatille, dite aussi *coquerelle.*

♦ **2.** Fleur rouge ou jaune (nom commun à plusieurs espèces : lych-nis, narcisse...).

COQUELUCHE [kɔklyʃ] n. f. — 1414 ; orig. obscure ; p.-ê. ratta-ché à *coque, coquille* (désignant notamment un capuchon), et dernier élément de *capuche.*

♦ **1.** Anciennt. Capuchon que portaient les femmes. ⇒ **Coqueluchon.**

♦ **2.** (Av. 1453 ; évolution de sens obscure : la maladie prend la tête du malade, mais la toux a pu être comparée au cri du *coq*). Cour. Maladie contagieuse, caractérisée par une toux convulsive. *Enfant atteint de coqueluche.* ⇒ **Coquelucheux.** *Quintes de la coqueluche. Le bacil-lus pertussis, bacille de la coqueluche. Attraper, avoir la coquelu-che. Vaccination contre la coqueluche.* ⇒ **Anticoquelucheux.**

0.1   Vois-tu mon ami, l'amour, c'est comme la coqueluche : tôt ou tard, faut l'avoir.
            LABICHE, Deux merles blancs, III, 13.

♦ **3.** (1625 ; du sens 1 ; cf. *être coiffé de qqn*). Fig. *Être la coquelu-che de...* : être en vogue, faire l'objet des conversations, être aimé, admiré (dans un lieu, un milieu). ⇒ **Favori, idole.** *Il est la coquelu-che du pays* : toutes les femmes en raffolent, en sont « coiffées ».

1   (...) lorsque vous étiez la coqueluche ou l'entêtement de certaines femmes qui ne juraient que par vous (...)   LA BRUYÈRE, les Caractères, V, p. 66.
2   Beau, vigoureux, gaillard, la coqueluche des femmes, le bourreau des cœurs (...)
            FRANCE, le Petit Pierre, p. 158.
3   Vous savez ce qu'elle aime en ce moment ? Piero Della Francesca, comme par hasard, justement lui, pour ne pas faire comme tout le monde, ha, ha, juste main-tenant quand il est la coqueluche (...)
            N. SARRAUTE, Vous les entendez ?, p. 67.

Rare. Chose qui est l'objet d'un engouement.

DÉR. Coquelucheux, coqueluchon.

COQUELUCHEUX, EUSE [kɔklyʃφ, φz]. adj. et n. — 1868; de *coqueluche.*

♦ **1.** Adj. et n. Atteint de la coqueluche. *Un enfant coquelucheux.* — N. *Un coquelucheux, une coquelucheuse.*

Moi aussi, je tousse comme un coquelucheux (...)
R. ROLLAND, in Deux hommes se rencontrent, p. 206.

♦ **2.** De la coqueluche, qui est relatif à la coqueluche. *Toux coquelucheuse.*

COMP. Anticoquelucheux.

COQUELUCHON [kɔklyʃɔ̃] n. m. — Fin xvᵉ; de *coqueluche,* et *-on.*

♦ **1.** Ancienn. Capuchon porté par les femmes.

(...) ou bien elles portent le coqueluchon qui sera plus tard la Thérèse.
Ed et J. DE GONCOURT, la Femme au xviiiᵉ siècle, t. II, p. 51.

♦ **2.** Régional. Primevère officinale.

COQUEMAR [kɔkmaʀ] n. m. — 1280; orig. obscure, p.-ê. du néerl. *kookmoor,* ou du bas lat. *cucuma.*

♦ Bouilloire à anse. ⇒ **Coquelle.**

1   Un maigre feu léchait de ses langues jaunes la plaque de la cheminée, et de temps en temps atteignait le fond d'un coquemar de fonte pendu à la crémaillère (...)
Th. GAUTIER, le Capitaine Fracasse, t. I, p. 13.

2   (...) Rose mettait au feu le coquemar qui contenait le cidre sucré.
P. MAC ORLAN, l'Ancre de miséricorde, p. 46.

Par métonymie. Contenu d'un coquemar.

DÉR. Coquelle.

COQUERELLE [kɔk(ə)ʀɛl] n. f. — 1600, au sens 1; de *coque* (ou 1. *coq* pour le sens 1), et *-erelle (-elle).*

♦ **1.** Bot. ou régional. ⇒ 1. **Coqueret** (plante).

♦ **2.** (1690). Blason. Figure représentant trois noisettes dans leurs coques.

1. COQUERET [kɔkʀɛ] n. m. — 1545, *coqueret;* probablt de 1. *coq,* et *-eret (-et).*

Botanique ou régional.

♦ **1.** Bot. Plante vivace *(Solanacées),* appelée aussi *alkékenge*.* ⇒ **Physalis.**

(...) un peuple de pyrèthres roses et blancs, des corylopsis et des coquerets veinés comme les poumons (...)
COLETTE, Flore et Pomone, in Gigi, p. 178.

♦ **2.** Régional. Anémone pulsatile. — Syn. : *coquelourde.*

2. COQUERET [kɔkʀɛ] n. m. — 1804; de 1. *coq* (7.).

♦ Techn. (horlog.). Petite pièce circulaire servant à fixer le pivot du balancier.

COQUERICO [kɔkʀiko] n. m. — 1547, *coquerycoq; coquelicoq,* av. 1550; *cocorico,* 1862; onomatopée formée sur 1. *coq.*

♦ Cri du coq. — REM. On dit, on écrit aussi *cocorico*. Les coqs lancent leurs coquericos. Pousser des coquericos éclatants.*

En regardant ma belle pendule de bronze, je me disais : voilà un meuble bien inutile, puisque je connais l'heure au soleil et que, la nuit, les coqs la chantent en coquericos retentissants.
Louise MICHEL, la Misère, t. I, p. 216.

DÉR. Coqueriquer.

COQUERIE [kɔkʀi] n. f. — 1845; de l'angl. *cookery,* de *cook.* → 2. Coq.

♦ Mar. Cuisine (à bord ou à terre).

HOM. Cokerie.

COQUERIQUER [kɔkʀike] v. intr. — 1771; *coqueliquer,* 1625, in D.D.L.; de *coquerico.*

♦ Chanter (en parlant du coq). — Syn. : *coqueliner.*

On ne sait jamais ces choses-là. Tenez même le coq... Il chante !
Oui, mais aussi il coquerique...
Claude MAURIAC, le Dîner en ville, p. 151.

COQUERON [kɔkʀɔ̃] n. m. — 1702; angl. *cook-room,* de *to cook* «cuire», et *room* «pièce».

♦ Techn. (navig.). Compartiment étanche à l'avant ou à l'arrière de la coque d'un navire, qu'on peut remplir d'eau pour régler l'assiette du bateau. *Coqueron arrière, coqueron avant.*

COQUET, ETTE [kɔkɛ, ɛt] adj. et n. — 1643; n. m., 1611, «petit coq»; de 1. *coq,* et suff. *-et.*

A. ♦ **1.** (1643). Vx. Qui cherche à plaire, à séduire (physiquement, intellectuellement ou moralement).

C'était *(Fénelon)* un esprit coquet qui, depuis les personnes les plus puissantes jusqu'à l'ouvrier et au laquais, cherchait à être goûté et voulait plaire.   1
SAINT-SIMON, Mémoires, t. I, XVII, p. 237.

La femme est coquette par état, mais sa coquetterie change de forme et d'objet selon ses vues.   2
ROUSSEAU, Émile, IV.

REM. Cet exemple peut être compris au sens 2, mais il semble plus général.

♦ **2.** Spécialt. (Vieilli ou littér.). Qui cherche à plaire aux personnes du sexe opposé. *Se montrer coquet,* empressé auprès des dames. ⇒ **Flirteur, fringant, galant.** *Elle est un peu trop coquette.* — N. (→ ci-dessous, cit. 3 et 4). *Faire le coquet. Petite coquette.*

Son rival autour de la poule   3
S'en revint faire le coquet (...)   LA FONTAINE, Fables, VII, 13.

Vous pensiez fort bien trouver quelque jeune coquette,   4
Friande de l'intrigue, et tendre à la fleurette ?   MOLIÈRE, l'École des maris, II, 6.

(...) Zoé était une petite fille très jolie, très coquette et qui ne pensait pas à mal.   5
M. PAGNOL, Marius, IV, 5.

N. f. (Vieilli; cour. du xviiᵉ au xixᵉ). COQUETTE : femme qui recherche les hommages masculins, par pur esprit de conquête; femme frivole. ⇒ (vieilli) **Célimène, cruelle;** (mod.) **aguicheuse, allumeuse** (→ Âge, cit. 39). *Amusements* (cit. 9) *de coquette. Manège, agaceries de coquette.* ⇒ **Coquetterie.** *Une vieille coquette qui a passé l'âge et se rend ridicule* (→ Compter, cit. 12).

Quand nous nous serons prouvé l'un à l'autre que je suis une coquette et vous un libertin, uniquement parce que c'est minuit et que nous sommes en tête à tête, voilà un beau fait d'armes que nous aurons à écrire dans nos Mémoires !   6
A. DE MUSSET, Un caprice, 8.

REM. L'adj. fém. peut évoquer l'une ou l'autre de ces valeurs.

Mais surtout elle était née coquette; et, dès qu'elle se sentit libre dans l'existence, elle se mit à poursuivre et à dompter les amoureux, comme le chasseur poursuit le gibier, rien que pour les voir tomber.   MAUPASSANT, Notre cœur, I, II, p. 38.   7

Rôle de grande coquette : au théâtre, Rôle de jeune femme élégante et séduisante (Célimène, Elmire, la comtesse Almaviva...) dans une comédie de caractère. *Jouer les grandes coquettes. La grande coquette de la troupe,* l'artiste spécialisée dans ce genre de rôle.

Fig. *Jouer les grandes coquettes :* chercher à séduire.

Ancienn. (xviiiᵉ). « *La coquette* », mouche que les élégantes fixaient sur la lèvre.

Et quelle attention à jeter joliment ces amorces d'amour (...) à poser, selon les règles, l'*assassine* au coin de l'œil (...) la *galante* au milieu de la joue, et la *coquette,* appelée aussi *précieuse* et *friponne,* auprès des lèvres!   7.1
Ed. et J. DE GONCOURT, la Femme au xviiiᵉ siècle, t. II, p. 47 (cf. Assassin, cit. 14.1).

♦ **3.** (Avec un nom désignant une action, etc.). *Mine, manœuvre, attitude coquette.* ⇒ **Provocant.** *Œillade coquette.* ⇒ **Assassin** (œillade assassine).

(Célimène) De qui l'humeur coquette et l'esprit médisant (...)   8
MOLIÈRE, le Misanthrope, I, 1.

Ces phrases furent dites d'un ton si coquet, que monsieur de Montriveau ne pouvait se défendre d'accepter l'invitation.   9
BALZAC, la Duchesse de Langeais, Pl., t. V, p. 167.

♦ **4.** N. f. COQUETTE : poisson de couleurs vives.

Ici se poursuivent l'isabelle violette et vert d'or et la coquette jaune de feu, noire et striée de vermillon.   9.1
Jean CAYROL, Histoire de la mer, 1973, p. 56.

B. Cour. ♦ **1.** (1743; personnes). Qui veut plaire par sa mise, qui a le goût de la toilette, de la parure. *Une petite fille très coquette. Il est plus coquet que sa femme. Homme trop coquet.* ⇒ **Dameret, dandy** (→ aussi Attifer, cit. 6). *Personne coquette, soignée. Petite Parisienne coquette.* ⇒ **Élégant.**

Une vieille fée, marraine de quelque princesse méconnue, avait seule pu tourner autour du cou de cette coquette personne le nuage d'une gaze dont les plis avaient des tons vifs que soutenait encore l'éclat d'une peau satinée. La duchesse était éblouissante.   10
BALZAC, la Duchesse de Langeais, Pl., t. V, p. 174.

Pour ses pieds, dont elle est si justement coquette, Joséphine essaie tour à tour tous les marchands qui ont la vogue.   11
Frédéric MASSON, la Journée de l'impératrice Joséphine, p. 33.

Il *(Ibsen)* est coquet; il a le soin de sa personne : on le voit lui-même dans un jeu de scène admirable, quand Borkmann *(l'un de ses personnages)...* prend une petite glace à main, s'y mire, remet de l'ordre dans ses cheveux, rajuste sa cravate.   12
André SUARÈS, Trois hommes, «Ibsen», p. 107.

Je ne suis pas coquet. Je me soucie assez peu de l'élégance. Mais, peut-être à cause de cela, j'ai horreur de me singulariser.   12.1
G. SIMENON, les Mémoires de Maigret, p. 45.

Coquet de... (suivi d'un nom désignant une partie du vêtement). *Filles « coquettes des dessous qu'elles montrent »* (Colette, in T. L. F.). — *Être coquet, coquette de ses dents, de ses cheveux,* en être fier, chercher à les mettre en valeur.

N. (rare au masc.). *Un coquet, une coquette.*

♦ **2.** (Choses). Qui a un aspect élégant et soigné. ⇒ **Mignon, pimpant.** *Parure, coiffure coquette. Petit nœud coquet. Petit tablier coquet. Logement, mobilier coquet. Il habite une coquette petite ville. Vitrine, présentation coquette. Agencement coquet. C'est très coquet, chez vous.* ⇒ **Charmant, gentil.**

As-tu jamais vu dans les rues une grisette trottant menu ? Sa tête vaut un tableau :
joli bonnet, joues fraîches, cheveux coquets, fin sourire, le reste est à peine soigné.
BALZAC, la Duchesse de Langeais, Pl., t. V, p. 200.

C. (1899). D'une importance assez considérable, qui séduit par son
importance. ⇒ **Gentil, joli, rondelet.** *Un magot, un héritage assez
coquet. Atteindre un total, un chiffre plutôt coquet. Il en a coûté
la coquette somme de... Une coquette fortune.*

CONTR. Bourru, misanthrope, ours, sauvage. — Ingénu, innocent, naturel, sincère.
— Négligé. — Insignifiant, négligeable.
DÉR. 1. Coqueter. — Coquettement.

1. COQUETER [kɔkte] v. intr. — Conjug. *jeter.* — 1611 ; de *coquet*
« petit coq », et *-eter.*

♦ **1.** (1611). Vieilli. Se pavaner, faire des grâces comme le coq au
milieu des poules. ⇒ **Minauder, poser.**

1 (...) la petite bonne, qui coquetait et faisait des grâces pour le monsieur, ayant
compris qu'il la trouvait à son goût.   MAUPASSANT, Notre cœur, III, I, p. 256.
1.1 Elle se mit à coqueter comme une coupable, jeta des miettes aux passereaux, se
récria devant un rouge barrage de géraniums.
COLETTE, Julie de Carneilhan, p. 154.

♦ **2.** Vieilli ou littér. Faire le coquet, la coquette avec une personne
de l'autre sexe. ⇒ **Flirter, marivauder.** *Coqueter avec une jolie personne.* ⇒ **Cour** (faire la cour à), **courtiser.**

2 Ils ont en ce pays de quoi se contenter,
Car les femmes y sont faites à coqueter (...)   MOLIÈRE, l'École des femmes, I, 4.
3 Elles vont coquetant, riant, jouant de l'œil (...)   Edmond ROSTAND, l'Aiglon, IV, 9.

(En parlant d'homosexuels) :

3.1 Il divague en des visions farouches, tandis qu'au pédé de latinité douteuse succèdent des garçons en blousons de cuir noir et pantalons de cuir blanc qui manient
des guitares électriques, puis d'autres, plus féminins, qui dansent et coquettent en
jouant d'ombrelles brodées (...)   A. PIEYRE DE MANDIARGUES, la Marge, p. 173.

♦ **3.** Fig. et vieilli. *Coqueter avec* (qqch.) : entretenir des relations
étroites. ⇒ **Flirter.**

3.2 Sanguinetti a coqueté avec tous les pouvoirs.   ZOLA, Rome, p. 445.
4 Le trouble était si grand que (...) certains intellectuels allèrent jusqu'à coqueter
avec l'anarchie, un moment fort en vogue (...)
Georges LECOMTE, Ma traversée, p. 101.

DÉR. V. 3. Coqueter.

2. COQUETER [kɔkte] v. intr. — Conjug. *jeter.* — D. i. ; de 1. *coq,*
et *-eter.*

♦ Vx. ⇒ **Côcher.**

3. COQUETER [kɔkte] v. intr. — Déb. XVIᵉ ; de 1. *coq,* et 1. *coque-
ter.*

♦ Vieilli. Caqueter, glousser (en parlant d'une poule).

1. COQUETIER [kɔktje] n. m. — 1307, *in* D. D. L. ; de 1. *coq,*
et *-(t)ier.*

♦ Comm. (Vieilli). Marchand d'œufs, de volailles en gros. *Les coque-
tiers allaient de ferme en ferme pour ramasser les œufs, le beurre,
la volaille pour les diriger vers les centres* (→ Arriver, cit. 5).
⇒ **Volailler.** — Syn. : *coquassier.*

2. COQUETIER [kɔktje] n. m. — 1524 ; de *coque,* et *-ier,* avec
intercalation du *-t-.*

♦ Cour. Petite coupe dans laquelle on met un œuf pour le manger
à la coque. *Un coquetier d'argent, de bois, de porcelaine.*
Loc. fam. *Décrocher, gagner le coquetier :* réussir (→ Décrocher la
timbale*, et, par confusion, le cocotier).

3. COQUETIER [kɔktje] n. m. — XXᵉ ; de *coque* (I., 3.).

♦ Techn. Pêcheur de coques.

COQUETIÈRE [kɔktjɛʀ] n. f. — 1786 ; de *coque,* et *-(t)ière.*

♦ Cuis. Ustensile où l'on met à cuire les œufs à la coque. *Coquetière électrique.*

Elle ouvrit le grimoire à la page soixante-deux. Des figures représentaient
des *coquetières.*
Préfères-tu la coquetière en fer-blanc de la première figure ? (...) On la plonge
avec les œufs dans une casserole d'eau bouillante. On la couvre, on la retire aussitôt du feu. En cinq minutes, les œufs sont en lait et ne cuisent guère plus.
P. GUTH, le Naïf sous les drapeaux, III, IV, p. 160.

COQUETTEMENT [kɔkɛtmɑ̃] adv. — 1770, Rousseau, de
coquet, et *-ment.*

D'une manière coquette.

♦ **1.** Vx. Avec le souci de plaire.

Spécialt. (Littér.). Avec coquetterie (psychologique, intellectuelle).
« *Regard coquettement tendre* » (Proust).

♦ **2.** Mod. (En parlant de la toilette, de la parure). Avec une élégance
coquette. *Elle portait un béret coquettement posé sur l'oreille.*

♦ **3.** (En parlant d'un décor). Avec goût, soin, élégance. *Une
chambre, une maison coquettement meublée.*

COQUETTERIE [kɔkɛtʀi] n. f. — 1651 ; de *coquet.*

♦ **1.** Vieilli ou littér. Souci de se faire valoir pour plaire, par des
manières recherchées. ⇒ **Amabilité.** *Coquetterie étudiée.* ⇒ **Affectation, afféterie.** *Mettre toute sa coquetterie à...* (→ Mettre son
amour-propre* à..., se donner les gants* de...). *Avoir la coquetterie d'en faire plus qu'il ne faut, de se tirer seul d'un pas difficile.
Coquetterie en matière de mode et snobisme*.*

1 C'est une espèce de coquetterie de faire remarquer qu'on n'en fait jamais.
LA ROCHEFOUCAULD, Maximes, 107.

La coquetterie de : le goût affecté pour...

2 Les propos des salons, trop souvent inspirés par la mode, par la coquetterie des
opinions rares, du paradoxe et de la préciosité (...)
Georges LECOMTE, Ma traversée, p. 265.

Des coquetteries : des manières aimables, par quoi on cherche à
plaire. *Avoir des coquetteries intellectuelles.*

2.1 (...) je prenais des airs, je mettais mes coquetteries à montrer mon habileté physique plutôt que mes dons intellectuels.   CAMUS, la Chute, p. 65.

♦ **2.** (1657). Souci de plaire aux personnes de l'autre sexe, attitude quelque peu provocante que l'on adopte avec elles. *Coquetterie masculine* (⇒ **Galanterie, séduction**), *féminine. Coquetterie innocente. Coquetterie agressive*. Coquetterie perverse :* désir de susciter et d'entretenir chez qqn un amour que l'on n'est pas disposé
à partager, à contenter. *Scènes de coquetterie. La coquetterie d'un
geste. Sans coquetterie :* franchement. — *La coquetterie de qqn,
sa coquetterie. Mettre sa coquetterie, toute sa coquetterie à... Une,
des coquetteries,* acte, comportement de coquetterie. *Coquetteries
aguichantes, agaçantes* (cit. 2). ⇒ **Agacerie, minauderie** (cit. 3). —
REM. Le mot, surtout dans ce dernier emploi, se dit traditionnellement
des femmes, dites *coquettes*.*

3 Les femmes croient souvent aimer, encore qu'elles n'aiment pas : l'occupation
d'une intrigue, l'émotion d'esprit que donne la galanterie, la pente naturelle au
plaisir d'être aimée, et la peine de refuser, leur persuadent qu'elles ont de la passion, lorsqu'elles n'ont que de la coquetterie.
LA ROCHEFOUCAULD, Maximes, 277.

4 Le plus grand miracle de l'amour, c'est de guérir de la coquetterie.
LA ROCHEFOUCAULD, Maximes, 349 (cf. aussi Maximes 241 et 334, 376).

5 C'est l'esprit que la vanité de plaire nous donne, et qu'on appelle, autrement dit,
la coquetterie.   MARIVAUX, la Vie de Marianne, II, p. 48.

6 N'est-elle *(la pudeur)* chez la femme qu'une coquetterie bien entendue ?
BALZAC, la Physiologie du mariage, Pl., t. X, p. 860.

7 J'ai su, par mes propres douleurs, combien mes coquetteries vous ont fait souffrir ;
mais j'étais alors dans une complète ignorance de l'amour.
BALZAC, la Duchesse de Langeais, Pl., t. V, p. 244.

8 (...) retirée à l'ombre et recueillie, elle (Mᵐᵉ Récamier) garda toujours son désir
de conquête et sa douce adresse à gagner les cœurs, disons le mot, sa coquetterie ; mais (...) c'était une coquetterie angélique.
SAINTE-BEUVE, Causeries du lundi, 26 nov. 1849, p. 126.

9 (...) la *coquetterie,* c'est-à-dire le jeu délibéré des alternances, jeu qui consiste à
tendre l'appât, à le retirer, puis à le tendre encore, semble bien fait pour éveiller
et pour retenir un amour. Comme le jeune chat se laisse tenter et bondit sur la
pelote de laine, offerte puis refusée, ainsi la jeune proie humaine se laisse prendre
aux agaceries de la coquette. C'est un mouvement naturel et facilement explicable
que de poursuivre ce qui se refuse et de refuser ce qui s'offre (...)
A. MAUROIS, Un art de vivre, II, II, p. 59.

9.1 Il l'avait revue (...) retenu et irrité chaque fois de la coquetterie tendrement insolente par quoi elle stimulait son désir (...)
MALRAUX, la Condition humaine, p. 180.

Loc. *Être en coquetterie avec qqn,* chercher à le séduire en étant
soi-même sensible à son charme ; être en relations de séduction réciproque. — Par ext. *Être en coquetterie avec* (un groupe, une abstraction), en bons termes.

9.2 On disait que Montgerrand, autrefois mangeur de prêtres, était à présent en
coquetterie souriante avec le clergé.   ZOLA, Paris, t. I, p. 104.

♦ **3.** Fig. et fam. *Avoir une coquetterie dans l'œil :* être affligé d'un
léger strabisme.

10 Elle n'était pas maigre, elle était mince et elle ne louchait pas, elle avait ce que
l'on appelle une coquetterie dans l'œil.   M. PAGNOL, Fanny, II, 7.

♦ **4.** (1762). Goût de la toilette, désir de plaire par sa mise (→ Ajuster, cit. 17 ; acier, cit. 0.2). *S'arranger avec coquetterie. Il est d'une
coquetterie exagérée. Par coquetterie :* par souci d'élégance. — Par
ext. *La coquetterie d'une robe, d'une coiffure...* ⇒ **Chic** (fam.), **élégance.**

11 À pleines caisses arrivaient de Paris les toilettes du soir, les « déshabillés », les parfums, les fards ; tous les artifices de la coquetterie d'Occident et ceux de notre
coquetterie orientale étaient devenus mon seul souci.
LOTI, les Désenchantées, XXII, p. 146.

Par ext. (Moins cour. que *coquet,* dans ce sens). *Maison meublée,
vitrine arrangée... avec coquetterie. Ensemble plein de coquetterie.*
⇒ **Goût** (bon).

♦ **5.** Littér., art. Élégance maniérée. *La coquetterie d'une phrase, du* *style.* — *Une, des coquetteries,* détail recherché (avec excès). *Des coquetteries ridicules, inutiles.*

CONTR. Candeur, ingénuité, misanthropie, négligence, sauvagerie, sincérité.

COQUILLAGE [kɔkijaʒ] n. m. — 1573 ; de *coquille,* et *-age.*

♦ **1.** Mollusque (généralement marin) pourvu d'une coquille. ⇒ **Testacé.** *Noms de coquillages.* ⇒ **Bigorneau, buccin, clam, clovisse, cône, coque, cyprée** ou **porcelaine, huître, moule, palourde, pinne** ou **jambonneau, praire, solen** ou **couteau, triton, trompette...** *Coquillage turriculé,* en forme de tour. *Coquillages lithophages. Coquillages palustres. Coquillages comestibles.* ⇒ **Fruit** (de mer). *Aimer les coquillages. Manger des coquillages. Élevage des coquillages.* ⇒ **Conchyliculture.** *Lieux ménagés pour l'élevage des coquillages.* ⇒ **Bouchot, claire, moulière, parc.** *Exploiter un gisement* (II., 3.) *de coquillages. Chercher des coquillages sur la plage* (aussi au sens 2).

1 Sous ces végétations se dérobaient et se montraient en même temps les plus rares bijoux de l'écrin de l'océan, des éburnes, des strombes, des mitres, des casques, des pourpres, des buccins, des struthiolaires, des cérites turriculées. Les cloches des patelles, pareilles à des huttes microscopiques, adhéraient partout au rocher et se groupaient en villages (...) Les galets ne pouvant que difficilement entrer dans cette grotte, les coquillages s'y réfugiaient. Les coquillages sont des grands seigneurs, qui, tout brodés et tout passementés, évitent le rude et incivil contact de la populace des cailloux. HUGO, les Travailleurs de la mer, II, I, XIII.

1.1 Si alors il me vient à l'esprit que ce coquillage, qu'une lame de la mer peut sans doute recouvrir, est habité par une bête, si j'ajoute une bête à ce coquillage en l'imaginant replacé sous quelques centimètres d'eau, je vous laisse à penser de combien s'accroîtra, s'intensifiera de nouveau mon impression, et deviendra différente de celle que peut produire la plus remarquable des monuments que j'évoquais tout à l'heure ! Francis PONGE, le Parti pris des choses, p. 74-75.

Spécialt. *Coquillage comestible,* à l'exclusion des huîtres (→ ci-dessous, cit. 2) et parfois des moules. *Plateau de fruits de mer composé d'oursins, d'huîtres et de coquillages.*

2 — Je viens déguster... Des coquillages ? — Tout juste. Je vous prépare un panaché ? — Moitié moules, moitié clovisses. — Et deux beaux violets au milieu. — Avec une bouteille de petit vin blanc. M. PAGNOL, Marius, I, 4.

♦ **2.** Par ext. Coquille de mollusque. *Un collier de coquillages. Coffret, miroir garni de coquillages. Coquillages bruissants. Coquillage doré, rosé, nacré, irisé.*

3 L'amoncellement étincelant des coquillages faisait sous la lame, à de certains endroits, d'ineffables radiations à travers lesquelles on entrevoyait un fouillis d'azurs et de nacres, et des ors de toutes les nuances de l'eau. HUGO, les Travailleurs de la mer, II, I, XIII.

4 (...) ces coquillages qui, lorsqu'on les approche de l'oreille, simulent le bruit roulant des vagues. HUYSMANS, Là-bas, V, p. 70.

5 Ce coquillage que je tiens et retourne entre mes doigts, et qui m'offre un développement combiné des thèmes simples de l'hélice et de la spire (...) VALÉRY, Variété V, L'homme et la coquille, p. 12.

6 Sur la chevelure de la princesse, et s'abaissant jusqu'à ses sourcils, puis reprise plus bas à la hauteur de sa gorge, s'étendait une résille faite de ces coquillages blancs qu'on pêche dans certaines mers australes et qui étaient mêlés à des perles (...) PROUST, le Côté de Guermantes, Folio, p. 48.

Par comparaison :

7 Une bouche quelquefois entr'ouverte avec la netteté rose et le nacré d'un coquillage. Ed. et J. DE GONCOURT, Journal, 1865, p. 135, *in* T. L. F.

Loc. plais. Vx. *Raisonner comme un coquillage :* faire un raisonnement creux (Dumas, *le Comte de Monte-Cristo, in* T. L. F.). → Comme un tambour*.

1. COQUILLARD [kɔkijaʀ] n. m. — 1628 ; *coquillar,* 1455 ; de *coquille,* et *-ard.*

♦ **1.** *Les Coquillards,* nom d'une bande de voleurs (qui portaient à leur collet une coquille comme les pèlerins). *Le jargon, argot des Coquillards.*

♦ **2.** (1455). Hist. Malfaiteur (aux XVᵉ et XVIᵉ siècles).

Villon se concevait sans doute comme un coquillard et un grand poète, non comme un génie réduit au cambriolage par les faiblesses de la monarchie. MALRAUX, les Voix du silence, p. 491, *in* T. L. F.

HOM. 2. Coquillard, coquillart.

2. COQUILLARD [kɔkijaʀ] n. m. — XIXᵉ ; de *coquille,* par comparaison.

♦ Vx. Œil.

Loc. fam. (1878). *Se tamponner le coquillard de qqch.,* s'en moquer, s'en « battre l'œil ».

HOM. 1. Coquillard, coquillart.

COQUILLART [kɔkijaʀ] n. m. et adj. — 1723 ; de *coquille,* et *-art.*

♦ Minér. Calcaire renfermant des coquilles fossiles. — Adj. masc. *Calcaire coquillart.*

HOM. 1. Coquillard, 2. coquillard.

COQUILLE [kɔkij] n. f. — 1262 ; *corquille,* v. 1170 ; croisement de *coccum* « coque » avec le lat. *conchylium,* grec *kogkhulion.*

★ **I.** ♦ **1.** (V. 1265). Enveloppe calcaire qui recouvre le corps de la plupart des mollusques, des brachiopodes, des foraminifères, de quelques crustacés (anatife). ⇒ **Coque, coquillage, écaille, test.** *Mollusques à coquille.* ⇒ **Ostracé, testacé.** *Étude des coquilles.* ⇒ **Conchyliologie.** *Coquilles fossiles.* ⇒ **Conchylien** (terrain) ; **ammonite, nummulite ; coquillart, falun, lumachelle.** *Coquille univale des mollusques gastéropodes et céphalopodes. Coquille bivalve des mollusques lamellibranches et des brachiopodes. Coquille en forme de camée, de conque, de toupie* (⇒ **Turbiné**), *de tour* (⇒ **Turriculé**). *Coquille enroulée du limaçon, de l'escargot. Coquille spiralée du strombe. Spires en cône d'une coquille.* ⇒ **Volute.** *Coquille à charnière. La coquille des mollusques est sécrétée par le manteau*. Description d'une coquille de mollusque.* ⇒ **Acétabule, charnière, cuticule, lèvre, nacre, opercule, spire, valve.** *La coquille du tridacne* sert de bénitier*. Le cauri, les petites porcelaines...,* coquilles servant de monnaie d'échange. Vote à l'aide de coquilles chez les Athéniens.* ⇒ **Ostracisme** (rac. *ostrakon* « coquille »). *Les pagures* (⇒ **Bernard-l'ermite**) *se logent dans les coquilles vides. Marne qui se pétrifie dans les coquilles vides.* ⇒ **Conchite.** *Coquilles ornant une grotte, un bassin.* ⇒ **Rocaille.**

1 Comme on trouve ces coquilles incorporées et pétrifiées dans les marbres des plus hautes montagnes (...) BUFFON, Hist. nat., 2ᵉ disc., *in* LITTRÉ.

2 En fouillant à fond de cuve les terrasses de ce jardin, il trouva des coquillages fossiles, et il en trouva une si grande quantité, que son imagination exaltée ne vit plus que coquilles dans la nature, et qu'il crut enfin tout de bon que l'univers n'était que coquilles, débris de coquilles (...) ROUSSEAU, les Confessions, VIII.

3 (...) ces grosses coquilles à lèvres roses où l'on entend ronfler la mer. Alphonse DAUDET, le Petit Chose, II, 16 (→ Bourdonnement, cit. 8).

4 Mais cette simplicité n'est que de principe. Si je visite toute une galerie de coquilles, j'observe une merveilleuse variété. Le cône s'allonge ou s'aplatit, se resserre ou s'évase ; les spirales s'accusent, ou se fondent ; la surface se hérisse de saillies ou de pointes, parfois fort longues, qui rayonnent ; elle se renfle quelquefois, se gonfle de bulbes successifs que séparent des étranglements ou des gorges concaves sur lesquelles les tracés de courbes se rapprochent. Gravés dans la matière dure, sillons, rides ou stries se poursuivent et se soulignent, cependant qu'alignées sur les génératrices, les saillies, les épines, les bossettes s'étagent, se correspondent de tour en tour, divisant les rampes à intervalles réguliers. VALÉRY, Variété V, L'homme et la coquille, p. 13.

Fig. *Rentrer dans sa coquille* (comme fait l'escargot) : se replier sur soi, se retirer prudemment d'une discussion, se taire. (→ Se limaçonner, fig.). *Rester dans sa coquille :* ne pas sortir de chez soi, vivre sédentaire. *Sortir de sa coquille.*

REM. Dans certains emplois, on a employé *coque*, aujourd'hui vieilli dans ce sens, pour *coquille.*

♦ **2.** Par ext. Valve d'une coquille. *Boire dans une coquille. La coquille de Diogène. Coquille de pèlerin* (→ ci-dessous, Coquille saint-jacques).

5
À Notre-Dame de Lorette
J'ai promis, dans mon noir chagrin,
D'attacher sur ma gorgerette (...)
Les coquilles du pèlerin. HUGO, Ballade, VI, la Fiancée du timbalier.

♦ **3.** COQUILLE SAINT-JACQUES (appelée ainsi parce que les pèlerins de Saint-Jacques-de-Compostelle en fixaient une valve à leur manteau et à leur chapeau, usage qui fut imité par ceux du Mont Saint-Michel ; → aussi Coquillard) : mollusque bivalve du genre *Pecten* (⇒ **Peigne**), appelé aussi *grand peigne,* comestible, très recherché, dont la coquille est cannelée de côtes rayonnantes très marquées, de section arrondie. *La coquille Saint-Jacques vit sur le sable et le gravier, en eau profonde ; la valve inférieure de sa coquille est plate. On élève des coquilles Saint-Jacques en rade de Brest, dans la baie de Saint-Brieuc. La « noix » et le corail* d'une coquille Saint-Jacques.* — La valve inférieure (bombée) de ce mollusque. Se servir d'une coquille Saint-Jacques comme cendrier.*

5.1 Ouvrez les coquilles Saint-Jacques (...) jetez les barbes, ne gardez que la noix et le corail de chaque coquille (...) décorez avec les corails des coquilles cuits trois minutes. M. DE TOULOUSE-LAUTREC, la Cuisine de Mapie, p. 149.

Ce mollusque, accommodé et servi comme mets. *Coquilles Saint-Jacques à la provençale, à la bretonne, à la nage, à la Newbourg, au champagne, grillées, en brochettes.* — Ellipt. *Des Saint-Jacques.*

♦ **4.** Arts. Motif ornemental représentant une coquille. Petit ornement en quart-de-rond. *Coquille de bénitier, de fontaine :* vasque en forme de coquille. *Stèle, fronton orné d'une coquille. Coquille d'une commode Louis XV. Coquille de triton.* ⇒ **Conque.**

6 (...) la nudité de Rachel, glorieusement étalée, semblait reposer comme une figure allégorique, au creux d'une coquille transparente. MARTIN DU GARD, les Thibault, t. III, p. 10.

♦ **5.** *En coquille, en forme de coquille,* se dit spécialement d'objets circulaires, en hélice ou en spirale (comme le sont de nombreuses coquilles). — *Coquille :* objet en forme de coquille.

6.1 Je vous assure que Napoléon ou Attila vous sont de peu d'assistance devant un regard de onze ans, ou un petit corps rachitique, ou une coquille d'oreille déviée par les coups. GIRAUDOUX, les Aventures de Jérôme Bardini, p. 177.

Archit. *Coquille d'escalier,* le dessous de l'escalier en forme d'hélice. ⇒ **Limaçon.**

Coquille à rôtir : récipient de fonte dans lequel on met la braise et qu'on place sous la broche.

Coquille à hors-d'œuvre : récipient creux, ravier ou assiette.

Par métonymie. Mets (viande blanche, poisson, etc.) servi dans une coquille (→ ci-dessus, Coquille saint-jacques). *Coquille de champignons, de volaille, de viande, de poisson.*

Coquille de beurre : noix de beurre moulée (ou levée au couteau) en forme de coquille.

Bouch. Aloyau détaché du filet.

Coquille d'épée : collerette concave, en métal, fixée à la garde d'une épée, pour protéger la main.

7   Les coquilles tintent, ding-don !
   Ma pointe voltige : une mouche !   Edmond ROSTAND, Cyrano de Bergerac, I, 4.

Coquille de peintre : moulette dans laquelle on vend de l'or et de l'argent pour enluminer. *Or de coquille.*

Techn. Plaque de métal sortant d'un bain galvanoplastique. — Pièce contre laquelle le métal se solidifie, dans un moule en sable. — Moule métallique (en fonderie).

7.1   Chaque coussinet arrivait en deux coquilles. C'était de la précision claire, mesurable, contrôlable.   Georges NAVEL, Travaux, p. 220.

Méd. Plâtre amovible pour maintenir le dos (des affections de la colonne vertébrale).

(1927, *in* Petiot). Sports de combat. Appareil de protection du bas-ventre.

Mus. Partie supérieure du violon, enroulée en spirale. — Syn. : *volute.*

♦ **6.** Image d'une coquille.

Papet. Papier à écrire qui portait autrefois une coquille dans le filigrane. *Format coquille :* format de papier, 44 × 56 cm.

★ **II.** Par anal. ♦ **1.** Enveloppe calcaire des œufs d'oiseaux (tend à remplacer *coque*). *Coquille d'œuf. La coquille de cet œuf est fêlée. Jeter les coquilles vides.* — Appos. *Une peinture coquille d'œuf,* d'un blanc à peine teinté d'ocre clair.

Par métonymie. *Coquille d'œuf :* porcelaine japonaise, chinoise, extrêmement fine.

Loc. fig. *Sortir de sa coquille :* sortir de l'enfance, se manifester.

♦ **2.** Enveloppe dure (des noix, noisettes...). *Sortir une noix, les cerneaux d'une noix de la coquille.* ⇒ **Coque** (plus cour.).

Fig. *Coquille de noix :* petit bateau, barque. ⇒ **Coque** (de noix).

8   Alors, (il) s'embarque sur la même coquille de noix d'Égypte, passe à la barbe des vaisseaux anglais, met le pied sur la France.
     BALZAC, le Médecin de campagne, Pl., t. VIII, p. 468.

9   De tous ces navires se détachaient des barques, en coquilles de noix (...)
     LOTI, Pêcheur d'Islande, I, v, p. 65.

♦ **3.** Boursouflure du pain qui évoque par sa forme une noisette ou une amande. ⇒ **Coquiller.**

♦ **4.** Parcelle de la coque d'un œuf. *Avaler une coquille.*

♦ **5.** Phys. *Coquille magnétique :* surface «sur laquelle s'appuient les lignes de force situées à une même distance géocentrique» (*la Recherche,* nov. 1973, p. 961).

★ **III.** (1723 ; p.-ê. par une allusion aux fausses coquilles de pèlerins prétendus — ou par la forme de certaines lettres retournées). Faute typographique, lettre substituée à une autre. *Épreuve pleine de coquilles. Corriger une coquille. On trouve beaucoup de coquilles dans ce journal. Coquilles et mastics.*

10   (...) une revue parisienne venait de publier un de ses poèmes avec des fautes d'impression, coquilles aussi larges que des bénitiers, vastes comme la conque d'Aphrodite.   FRANCE, le Lys rouge, IX, p. 91.

11   Avant d'avoir dirigé, moi-même, une encyclopédie, je me doutais pas que l'erreur fût aussi sournoise et multiforme, je faisais tout de même *assez* confiance aux ouvrages dits «de référence». Je n'y avais jamais remarqué de coquilles, par exemple. Celle que j'ai dû lire ligne par ligne une collection qui a, sans doute à titre apotropaïque, pris comme signe et label une coquille — celle du nautile —, j'en découvre maintenant chez les autres ! partout ! Dans les dictionnaires les plus chevronnés ! Même une chez Bourbaki, pourtant fort attentif. Comme je la lui avais signalée, il me répondit que c'était par humour qu'il l'avait laissée, pour distraire un peu le lecteur au passage. Au lieu d'«ensemble filtrant à gauche et à droite», il y a «ensemble flirtant à droite et à gauche».
     R. QUENEAU, Bourbaki et les mathématiques de demain (*in* Critique, n° 176, janv. 1962), repris dans Bords, 1963.

DÉR. Coquillage, coquillard, coquillart, coquillé, coquiller, coquillettes, coquilleux, coquillier.

COQUILLÉ, ÉE [kɔkije] adj. — XIXe ; de *coquille.*

♦ **1.** Qui contient des coquilles de mollusques fossiles. *Calcaire coquillé.* ⇒ **Coquillier.**

♦ **2.** Qui rappelle la forme arrondie d'une coquille.

(En parlant d'un tissu ; 1897, *in* D.D.L.). Légèrement ondulé. *Volant coquillé.* — N. m. (1924, *in* D.D.L.). *Un coquillé de dentelles.*

♦ **3.** (1899, *in* T.L.F.). Zool. *Pigeon coquillé :* pigeon d'une espèce portant des plumes redressées derrière la tête.

HOM. Coquiller.

COQUILLER [kɔkije] v. intr. — 1350 ; de *coquille* ; II., 3., et *-er.*

Technique.

♦ **1.** Former des boursouflures, en parlant de la croûte du pain. — Au p. p. *Pain coquillé.*

♦ **2.** (1846, *in* D.D.L.). Former de légères ondulations (d'un tissu «coquillé»).

HOM. Coquillé.

COQUILLETTES [kɔkijɛt] n. f. pl. — XXe, «petite coquille», XIIIe ; de *coquille,* et *-ette.*

♦ Pâtes alimentaires en forme de petits coudes creux. *Un paquet de coquillettes. Rôti de veau aux coquillettes.* — Au sing. *Une coquillette.*

COQUILLEUX, EUSE [kɔkijø, øz] adj. — Av. 1607 ; de *coquille,* et *-eux.*

♦ Rare. Qui contient des coquilles. *Sable coquilleux.*

COQUILLIER, IÈRE [kɔkije, jɛʀ] adj. et n. m. — 1752, au sens I, 1 ; «en forme de coquille», 1571 ; de *coquille,* et *-ier.*

★ **I.** Adj. ♦ **1.** Géol. Qui contient de nombreuses coquilles fossiles. *Sables, calcaires coquilliers.* ⇒ **Conchylien.** *Le calcaire coquillier des Vosges.*

♦ **2.** (XXe). Techn. Qui concerne les coquillages comestibles. *L'industrie coquillière* ou *conchyliculture* (ostréiculture, mytiliculture). — *Casier sanitaire coquillier :* liste officielle des éleveurs et des expéditeurs de coquillages.

♦ **3.** Zool. *Membrane coquillière :* membrane située entre l'œuf et sa coquille.

★ **II.** N. m. (1743). Didact. Collection de coquilles.

COQUIN, INE [kɔkɛ̃, in] n. et adj. — XIIe, «gueux, mendiant» ; orig. obscure ; l'étymon lat. *coquinus* «de la cuisine», de **coquistro,* est peu satisfaisant, ainsi que l'hypothèse d'une dérivation de *coq* ; P. Guiraud rattache le mot à la famille de *coque,* l'idée première étant p.-ê. celle d'un oiseau «élevé dans l'œuf».

A. N. ♦ **1.** (Surtout au masc.). Vx. Personne vile, capable d'actions blâmables. ⇒ **Bandit, canaille, escroc, scélérat, voleur.** *Un dangereux, un infâme coquin. La bassesse* (cit. 14) *d'un coquin.*

1   Un coquin est celui à qui les choses les plus honteuses ne coûtent rien à dire ou à faire (...)
     LA BRUYÈRE, les Caractères de Théophraste, De l'image d'un coquin.

2   C'est une chose étrange que la facilité avec laquelle les coquins croient que le succès leur est dû.   HUGO, les Travailleurs de la mer, I, VI, VII.

3   On peut se servir de coquins, a dit La Bruyère, mais l'usage en doit être discret. Peut-être, en ce temps, l'usage en est-il sans discrétion ?
     Ed. et J. DE GONCOURT, Journal, p. 99.

4   Un coquin est souvent un homme supérieur, mal à l'aise au milieu de nos préjugés.
     Paul LÉAUTAUD, Passe-temps, p. 28.

Vieilli. Homme ou femme méprisable, coupable d'actions viles, immorales... (terme d'injure, sans signification précise). ⇒ **Bélître, faquin, fripon, gredin, gueux, maraud, maroufle, pendard, vaurien** (vx pour la plupart). *Vous n'êtes qu'un coquin, un fieffé coquin. S'enfuir comme un coquin.* ⇒ **Lâche.** *Un beau, un fameux coquin. Mon coquin de valet, de fils... Ce coquin de X...*

5   — Hé bien ! petit coquin, voilà encore de vos âneries (...)
     MOLIÈRE, la Comtesse d'Escarbagnas, 3.

6   Votre coquine de Toinette est devenue plus insolente que jamais.
     MOLIÈRE, le Malade imaginaire, I, 6.

7   C'est mon coquin de fils qui aura mis la main dessus.
     DANCOURT, les Bourgeoises à la mode, III, 3.

♦ **2.** (Mil. XVIe). Mod. Personne qui a de la malice, de l'espièglerie... *Petit coquin !* ⇒ **Garnement** ; fam. **bandit, brigand.** *Quelle coquine, avec ses manières enjôleuses !* — REM. Cette valeur, au fém., subit l'infl. de *coquette.*

8   La curiosité rend ces coquines de femmes si insinuantes (...)
     ROUSSEAU, les Confessions, VI.

COQUIN DE..., sert à qualifier ce qui est jugé comme malicieux (avec soit l'idée de séduction, soit celle de tromperie). *Une coquine de gravure, un peu licencieuse. Un coquin de canapé rose.* — Loc. régionale (Sud de la France). Vieilli. **COQUIN DE SORT !,** exprime l'étonnement, l'admiration, etc. (ci-dessous, cit. 10).

9   Elle ne cachait point son aise, faisait reluire ses coquins d'yeux noirs, et relevait sa petite tête et sa grosse coiffe avec une poule huppée.
     G. SAND, la Petite Fadette, XV, p. 112.

10   Jamais on ne se serait cru devant la demeure d'un héros. Mais, quand on entrait, coquin de sort ! (...)   Alphonse DAUDET, Tartarin de Tarascon, I, I, p. 10.

11   (...) il ne reste plus dans le pays qu'un vieux coquin de lièvre, échappé comme par miracle aux septembrisades tarasconnaises (...)
     Alphonse DAUDET, Tartarin de Tarascon, I, I, p. 17.

♦ **3.** (Avec une valeur plus nettement érotique que le sens 2 ; cf. *Vercoquin et le plancton,* de Boris Vian).

ⓐ Fam. (*Le coquin de..., son coquin*). Amant.

11.1 — Et qui était ce Georges ? — Un charcutier. Tout rose. Le coquin de maman.
R. QUENEAU, Zazie dans le métro, Folio, p. 52.

b N. f. Vx. Femme débauchée.

12 La coquine aura su par quelque ami présent
Se faire consoler de son époux absent.
J.-F. REGNARD, Démocrite, V, 1.
(La coquine de..., sa coquine). ⇒ **Maîtresse.**

13 Pour un catholique, je vous trouve profanant, dit-elle lentement, mais un peu crispée, et je vous prie de m'épargner le détail des soupers de vos coquines, si c'est une manière inventée par vous de m'en donner des nouvelles que de me parler, ce soir, de Don Juan.
BARBEY D'AUREVILLY, les Diaboliques, « Le plus bel amour de Don Juan ».

B. Adj. et n. ♦ **1.** (Au sens 2 du nom). Espiègle, malicieux (surtout en parlant d'enfants). *Qu'il est coquin ! — N. Ah ! la coquine ; elle a voulu nous faire peur ! Petit coquin, va !*

♦ **2.** Adj. Qui exprime la séduction. *Un œil, un regard coquin.* ⇒ **Canaille.**
Grivois, leste. ⇒ **Égrillard, libertin, libre.**

CONTR. **Honnête, sérieux.**
DÉR. **Coquinement, coquinerie, coquinet.**

COQUINEMENT [kɔkinmɑ̃] adv. — 1576 ; de *coquin*, et *-ment*.

♦ **1.** Vx. Comme un coquin.

♦ **2.** Mod. D'une manière coquine (→ Coquin, B.).
(...) Simon déplaçait le centre de gravité de son commerce ; tantôt le magasin semblait virer à la maroquinerie, tantôt il regorgeait de ces blouses blanches qui font si coquinement saillir les poitrines féminines.
Roger IKOR, les Fils d'Avrom, Les eaux mêlées, p. 442.

COQUINERIE [kɔkinʀi] n. f. — V. 1330 ; de *coquin*, et *-erie.*
Vieilli ou littéraire.

♦ **1.** Action de coquin. ⇒ **Canaillerie, friponnerie...** *Commettre des coquineries.*

♦ **2.** Caractère du coquin (au sens propre, et par plais.). *Il est d'une coquinerie fieffée.*
(...) ses bouffons *(de Dostoïevski)* affirment tout un monde qui n'a pas réussi, mais qui, tout de même a continué sa croissance dans la honte, le péché, la coquinerie, la crapule et les remords.
André SUARÈS, Trois hommes, « Dostoïevski », V, p. 252.

♦ **3.** Caractère d'une action, d'une personne (d'une femme) séductrice de manière insistante. ⇒ **Coquin**, A., 3., et B., 2. — Action ayant ce caractère (Daudet, *in* T. L. F.).

COQUINET, ETTE [kɔkinɛ, ɛt] adj. et n. — 1761 ; de *coquin*, et *-et.*
Rare.

♦ **1.** Adj. Un peu coquin (B., 2.).
Le deuxième gendarme était petit et râblé, avec un képi penché sur l'œil, plus coquinet que celui du premier.
Violette LEDUC, la Folie en tête, p. 24.

♦ **2.** N. Petit coquin, petite coquine (B., 1.).

1. COR [kɔʀ] n. m. — 1080, *Chanson de Roland,* au sens II ; lat. *cornu* « corne ».

★ **I.** (Mil. XIVe). Vx. Au plur. Ramification des bois du cerf*. ⇒ **Andouiller, bois** (III., 2.), **épois.** — REM. Ne s'emploie plus que dans les expressions *un cerf de six cors, de dix cors,* qui a trois, cinq andouillers de chaque côté. — Ellipt. *Le cerf dix cors a atteint sept ans.*

1 (...) pas un d'aventure
N'aperçut ni cors ni ramure,
Ni cerf enfin.
LA FONTAINE, Fables, IV, 21.
Par métonymie. *Un six cors, un dix cors :* un cerf de six, dix cors.

★ **II.** ♦ **1.** Instrument à vent, formé à l'origine d'une corne évidée, percée et servant à faire des signaux, des appels. ⇒ **Corne, trompe.** *Le cor de Roland.* ⇒ **Olifant.** *Cor des Alpes,* dont se servent les montagnards pour appeler leurs troupeaux.

2 Roland a mis l'olifant à ses lèvres. Il l'embouche bien, sonne à pleine force. Hauts sont les monts, et longue la voix du cor : à trente grandes lieues on l'entend qui se prolonge.
J. BÉDIER, la Chanson de Roland, CXXXIII, p. 135.

♦ **2.** Instrument à vent en métal, contourné en spirale et terminé par une partie évasée.

a (Cor). *Le pavillon*, l'embouchure* d'un cor. Cor de chasse* ou *cor* (lang. cour.) : le plus simple des cors, en ré (les chasseurs disent *trompe).* ⇒ **Trompe.** *Donner, sonner du cor* (⇒ **Grailler**) *Cordon servant à porter le cor.* ⇒ **Enguichure.** *Les cors sonnent l'hallali, les piqueurs donnent du cor.*

3 (...) plusieurs cors et trompes de chasse se firent entendre (...)
MOLIÈRE, la Princesse d'Élide, Intermède, I, 2.

4 J'aime le son du cor, le soir, au fond des bois (...)
A. DE VIGNY, Poèmes antiques, « Le cor » (→ Abois, cit. 2).

Blason. Symbole des chasseurs à pied, des chasseurs alpins et du personnel des Eaux et Forêts.

Loc. Argot, vieilli. *Être moulé dans un cor de chasse :* être disgracieux, « tordu ».

Loc. *Chasser à cor et à cri,* à grand bruit, avec le cor et les chiens. ⇒ **Chasse.**

Fig. **À COR ET À CRI.** *Réclamer, demander, vouloir, poursuivre qqch. à cor et à cri,* à grand bruit, en insistant*.

5 L'archevêque de Reims (...) demande le Coadjuteur à cor et à cri.
Mme DE SÉVIGNÉ, 377, 2 févr. 1674.

6 Par sa faute, nous voici frustrés de la belle chasse traditionnelle, des chevauchées à cor et à cris.
M. GENEVOIX, Forêt voisine, XII, p. 162.

6.1 Je sais que le parti socialiste réclame sa tête à cor et à cri, ainsi que l'élargissement immédiat du prisonnier *(Dreyfus)* de l'île du Diable.
PROUST, le Côté de Guermantes, Folio, p. 293.

b Dans des syntagmes : *cor de..., cor,* et adj. *Cor d'harmonie :* instrument d'orchestre en ut, produisant une gamme incomplète de sons ouverts que l'on complète par des sons bouchés. *Le cor d'harmonie peut changer de ton au moyen de corps de rechange, de tuyaux mobiles. — Cor à piston* ou *cor chromatique,* en fa.

Absolt, mus. *Cor :* cor chromatique. *Jouer du cor. Solo de cor. Sonnerie de cor dans une composition musicale.* ⇒ **Appel** (I., 1.). *Partie de cor dans une symphonie. Virtuose du cor. Classe de cor au Conservatoire.*

Cor anglais : hautbois alto.

7 Le cor anglais est une variété de hautbois équivalente à l'ancien « hautbois de chasse » en usage du temps de Bach, dans la première moitié du XVIIIe siècle. Son nom demeure inexpliqué, car le cor anglais n'a rien de britannique. C'est à la vérité un hautbois alto qui sonne une quinte au-dessous du hautbois ordinaire, mais en *fa.*
Initiation à la musique, p. 162.

Cor de basset : sorte de clarinette alto.

c *Cor de mer :* coquillage, utilisé autrefois comme porte-voix.

d Par métonymie. Musicien qui joue du cor. ⇒ **Corniste.** *Il est premier cor à l'orchestre de la Garde républicaine.*

HOM. 2. **Cor, corps.**

2. COR [kɔʀ] n. m. — 1575 ; spécialisation de sens de l'anc. franç. *cor(n)* « matière cornée ».

♦ **1.** Cour. *Cor au pied,* ou *cor :* petite tumeur dure siégeant en général au-dessus des articulations des phalanges des orteils. ⇒ **Callosité, durillon, oignon, tylose.** *Les cors sont formés par l'épaississement des couches cornées de l'épiderme qui s'enfoncent dans le derme.* ⇒ **Induration.** *Cor entre les doigts de pied.* ⇒ **Agassin** (vx ou dial.) ; œil-de-perdrix. *Soigner un cor par excision, par un topique* (⇒ **Coricide**)... *Extirper cors, oignons, durillons.* → Pédicure, cit.

L'aînée, en se retournant, m'appuya son talon pointu sur le bout du pied, où un cor fort douloureux m'avait forcé de couper mon soulier ; l'autre vint ôter brusquement de derrière moi une chaise sur laquelle j'étais prêt à m'asseoir.
ROUSSEAU, les Confessions, IV.

♦ **2.** Vétér. Chez les bêtes de somme, Croûte, épaississement de la peau produit par le contact du harnais et de la selle.

HOM. 1. **Cor, corps.**

COR- Var. de l'élément *con-* (ex. : *correspondre*).

CORACLE [kɔʀakl] n. m. ou f. — 1898, *Nouveau Larousse illustré ;* angl. *coracle* (1547), du gallois *korwgl,* irlandais *curach* (latinisé en *curuca,* VIIe).

♦ Mar. Petit bateau en osier recouvert à l'origine de peaux de bêtes qui était utilisé en Écosse et en Irlande. — REM. Les dict. français donnent le mot au masc., mais, les noms de navire étant féminins en anglais, ce genre est aussi attesté.

Les photographes (...) se bousculent pour aller faire un cliché de la coracle de la reine.
Hervé BAZIN, les Bienheureux de la désolation, p. 69.

CORACO- Élément servant à former des mots savants et exprimant un rapport avec l'apophyse coracoïde*. Ex. : *coraco-brachial,* adj. ; *coraco-humérien,* adj. (1805) ; *coraco-claviculaire,* adj.

CORACOÏDE [kɔʀakɔid] adj. et n. — 1541 ; du grec *korakoeides* « semblable à un corbeau ».

♦ **1.** Adj. et n. f. (1541). Anat. Se dit de l'apophyse de forme pointue qui termine le bord supérieur de l'omoplate. *Apophyse coracoïde,* et, n. f., *la coracoïde.*

♦ **2.** N. m. Zool. Os indépendant* (chez les poissons, les reptiles et les oiseaux).

DÉR. Coracoïdien.

CORACOÏDIEN, IENNE [kɔʀakɔidjɛ̃, jɛn] adj. — 1732, Trévoux ; de *coracoïde*.

Anatomie.

♦ **1.** Qui appartient à l'apophyse coracoïde. *Région coracoïdienne.*

♦ **2.** (En parlant d'un ligament, d'un muscle). Qui prend insertion sur l'apophyse coracoïde. *Le ligament coracoïdien.*

COMP. Sous-coracoïdien.

CORAH [kɔʀa] n. m. — Av. 1863 ; corat, 1830 ; angl. *corah*, empr. à l'hindi *kōra* « étoffe de soie écrue, non teintée ».

♦ Vx. Foulard en soie écrue ou imprimée importé des Indes.

Au milieu du rayon, une exposition des soieries d'été éclairait le hall d'un éclat d'aurore (...) C'étaient des foulards (...) des surahs (...) Et il y avait encore (...) les tussores et les corahs des Indes (...)
ZOLA, Au bonheur des dames, Pl., t. III, p. 630.

1. CORAIL, CORAUX [kɔʀaj, kɔʀo] n. m. — 1416 ; *courail*, 1328 ; *coral*, av. 1150.

♦ **1.** Polypier à support calcaire rouge ou blanc, animal marin qui vit dans les mers chaudes et qui sécrète un squelette calcaire *(Cnidaires)*. ⇒ **Alcyonaires** ; **coralliaires**. *Les coraux groupés en colonies peuvent former des récifs.* ⇒ **Atoll.** *La pêche du corail, la pêche au corail, à la drague, avec des plongeurs,* etc. *Débris de coraux rejetés par la mer.* ⇒ **Herpes.** — REM. Le mot s'emploie au sing. collectif *(du corail)* ou au plur. *(des coraux)* ; le sing. avec le déterminant *le* ou *un* est inusité, ce qui correspond à l'impossibilité effective de distinguer un élément dans le polypier, pour l'expérience courante.

1   M. Peyssonnel avait observé et reconnu le premier que les coraux, les madrépores, etc. devaient leur origine à des animaux, et n'étaient point des plantes, comme on le croyait.   BUFFON, Hist. nat., Œ. compl., t. I, p. 424, *in* LITTRÉ.

♦ **2.** (*Le, du corail*). Matière calcaire qui forme les coraux, appréciée en bijouterie et en décoration ; matière qui l'imite. *Corail mort ou pourri* (noir) ; *corail noir ; corail vivant, rouge ; corail blanc. Bijoux, bracelet, collier, chapelet de corail. Corail artificiel* ou *fausse purpurine. Fragment de corail.* ⇒ **Puntarelle.** *Manches d'argent incrustés de corail.* → Poignard, cit. 3.
Littér. *De corail :* d'une couleur vermeille, analogue à celle du corail rouge. *Bouche, lèvres de corail.*

2   C'est la sultane du sérail,
Riant au miroir qui l'admire
Avec un rire de corail (...)
Th. GAUTIER, Émaux et camées, « Poème de la femme ».

Appos. *Couleur corail. Un foulard corail.*

♦ **3.** (Par anal. de couleur). **a** *Serpent corail,* ou, ellipt., *corail :* serpent d'Amérique du Nord, très venimeux, jaune et rouge. ⇒ **Élaps.**

b Partie rouge du mollusque dit coquille* Saint-Jacques et de certains crustacés (homard, langouste).

REM. Dans ce sens, on trouve aussi le plur. *corails. « Décorez avec les corails des coquilles* (Saint-Jacques) *cuits trois minutes »* (M. de Toulouse-Lautrec, *la Cuisine de Mapie,* p. 149).

DÉR. Coraillerie, corailleur, coraline. — V. (du lat.) les mots en **coralli-, corallin.**

2. CORAIL [kɔʀaj] adj. ou appos. — 1975 ; de *co-*, de *confort*, et *rail*, avec infl. de 1. *corail.*

♦ *Voitures corail :* type de voitures de la S. N. C. F., sans compartiments, à couloir central.

Corail, tel est le nom donné à ces nouvelles voitures du service intérieur, type VTU 75 (...) Que la dénomination « Corail » vienne de la couleur des portes ou de l'évocation de l'association des mots « confort » et « rail », peu importe, les deux interprétations sont en effet recevables dans la mesure où, pour ces nouvelles voitures, il aura d'une part été largement fait appel aux techniques de design les plus récentes, l'esthétique ayant été d'autre part largement considérée comme un des éléments de l'amélioration du confort.
La Vie du rail, n° 1527, 25 janv. 1976, p. 4.

CORAILLERIE [kɔʀajʀi] n. f. — Av. 1877, Daudet ; de 1. *corail.*

♦ Techn. Exploitation de corail.

CORAILLEUR, EUSE [kɔʀajœʀ, øz] n. et adj. — 1679 ; de 1. *corail.*

♦ **1.** N. (1679). Pêcheur de corail ; personne qui travaille le corail.

Elle était *corailleuse,* c'est-à-dire elle apprenait à travailler le corail. Le commerce et la manufacture du corail formaient alors la principale richesse de l'industrie des villes de la côte d'Italie.   LAMARTINE, Graziella, éd. Garnier, p. 73.

♦ **2.** Adj. (1829). *Navire corailleur,* ou, n. m., *un corailleur* (1869) : bateau utilisé pour la pêche au corail.

CORALINE [kɔʀalin] n. f. — 1694, dér. de 1. *corail,* anc. forme *coral,* et *-ine.*

♦ Mar. Embarcation utilisée pour la pêche au corail.

CORALLIAIRES [kɔʀaljɛʀ] n. m. pl. — 1898, *Nouveau Larousse illustré* ; dér. du rad. du lat. *corall(i)um* (→ 1. Corail), et *-aire.*

♦ Zool. Ancien nom des Anthozoaires*. — Au sing. *Un coralliaire.*

COMP. **Hydrocoralliaires, octocoralliaires, tétracoralliaires.**

CORALLIEN, IENNE [kɔʀaljɛ̃, jɛn] adj. — 1866 ; dér. du rad. du lat. *corall(i)um* « corail », et *-ien.*

♦ Didact. Formé de coraux. *Formations coralliennes :* îles et récifs madréporiques.
Géol. *Étage corallien,* ou, n. m., *le corallien :* étage moyen du jurassique caractérisé, formé en grande partie de calcaires coralliens. *Partie supérieure de l'étage corallien.* ⇒ **Astartien.**

CORALLIFÈRE [kɔʀalifɛʀ] adj. — 1845, Bescherelle ; dér. du rad. du lat. *corall(i)um* « corail », et *-fère.*

♦ Didact. Qui porte des coraux. *Bancs, îlots coralifères.*

Tout le jeudi et le vendredi se passèrent dans ce repos forcé au milieu de hautes falaises rouges, surplombant un fond multicolore digne des atolls coralifères, zébré d'éclairs lumineux par les poissons qui reflétaient le soleil au passage.
Alain BOMBARD, Naufragé volontaire, p. 109.

CORALLIFORME [kɔʀalifɔʀm] adj. — 1784 ; dér. du rad. du lat. *corall(i)um* « corail », et *-forme.*

♦ Didact. Qui a la forme du corail.

CORALLIGÈNE [kɔʀaliʒɛn] adj. — 1803, Boiste ; dér. du rad. du lat. *corall(i)um* « corail », et *-gène.*

Didactique.

♦ **1.** Qui produit la substance calcaire du corail, qui doit son existence à une production corallienne.

♦ **2.** Qui contient des coraux. *Roche coralligène.*

(...) cette zone tropicale occupée par les îles coralligènes.
J. VERNE, l'Île mystérieuse, t. I, p. 275.

CORALLIN, INE [kɔʀalɛ̃, in] adj. — 1509 ; de *corail, coral,* p.-ê. d'après un lat. tardif **corallinus.*

♦ Vx ou littér. Rouge comme du corail. *Des lèvres corallines.*

1   L'île Fragrante est toute sensitive, et fortifiée de madrépores qui se rétractent, à notre abord, dans leurs casemates corallines.
A. JARRY, Gestes et Opinions du Dr Faustroll, Pl., p. 682.

2   Autrefois, ce devait être un lit de rivière car les pneus écrasaient d'immenses coquilles plates et corallines, encore nacrées et dont les morceaux s'enfonçaient comme des bouts de verre dans le caoutchouc.
Jean CAYROL, Histoire d'un désert, p. 197.

CORALLINE [kɔʀalin] n. f. — 1567, au sens 1 ; lat. sc. *corallina* ; au sens 2, dér. du rad. du lat. *corall(i)um,* et *-ine.*

♦ **1.** Bot. Algue marine *(Floridées)* qui forme des buissons roses, riches en calcaires.

♦ **2.** (1835). Chim. Substance colorante rouge.

CORAMINE [kɔʀamin] n. f. — 1939 ; du rad. lat. *cor* « cœur », et *amine.*

♦ Pharm. Médicament à base de pyridine, pour la circulation et la respiration (analeptique cardiaque). — Syn. : *nicorine.*

CORAM POPULO [kɔʀampɔpylo] loc. adv. — Mots latins.

♦ Didact. Devant le peuple, en public (cf. Horace, *Art poétique,* 185). *Parler coram populo,* à voix haute, sans crainte.

Défense à moi de rapporter un fait patent, un événement qui s'est passé *coram populo, senatu et patribus* (devant le peuple, le sénat et les patriciens).
Charles NODIER, *in* P. LAROUSSE.

CORAN [kɔʀɑ̃] n. m. — 1657 ; *Alcoran,* XIVe ; arabe *(ǎl-)qūrǎn,* proprt « (la) lecture » et « la lecture par excellence, le Coran ».

♦ **1.** LE CORAN : le livre sacré des Musulmans, contenant la doctrine islamique. ⇒ **Alcoran** (vx). *Les versets du Coran. Les chapitres du Coran sont rangés suivant leur longueur* (⇒ **Surate** ou **sourate**).

— REM. La graphie *koran* est vieillie (Goncourt, *la Femme au XVIIIᵉ siècle*, t. 2, p. 48).

La loi religieuse des Musulmans, contenue dans le Coran. Exemplaire du Coran. *Un coran ancien, enluminé.*

♦ **2.** Vx ou littér. Livre de chevet ou ouvrage de référence. ⇒ **Bible.**

Le recueil des bulletins de la grande armée et le Mémorial de Sainte-Hélène complétaient son coran.   STENDHAL, le Rouge et le Noir, p. 47.

DÉR. **Coranique.**

CORANIQUE [kɔʀanik] adj. — 1877, Renan ; de *coran,* et *-ique.*

♦ **1.** Qui a rapport au Coran.

♦ **2.** Qui est conforme au Coran. *La pensée coranique. La loi coranique.* ⇒ **Islamique, musulman.**

École coranique, où l'on enseigne le Coran de manière traditionnelle (récitation de versets...).

(...) l'école coranique, telle qu'on la voit encore dans les pays musulmans. Les écoliers se balancent en psalmodiant une phrase du Coran et en regardant cette phrase écrite sur une tablette qu'ils tiennent entre leurs mains.
    G. DUHAMEL, Manuel du protestataire, VI, p. 159.

CORBEAU [kɔʀbo] n. m. — XIIᵉ, *corbiaus* ; d'un dér. en *-ellus* du lat. *corvus,* cf. anc. franç. *corp, corb.*

★ **I.** ♦ **1.** Oiseau (*Passereaux, Corvidés*) à plumage noir ou gris souvent lustré, au bec légèrement recourbé (Conirostres). *Le grand corbeau (Corvus corax) a plus de 60 cm de long, les ailes longues et pointues, un plumage noir à reflets bleus ; il est omnivore. Le corbeau freux (Corvus frugilegus), la corneille grise (Corvus cornis), le corbeau corneille (Corvus corone) font partie des Corvus.* ⇒ aussi **Choucas, corneille, freux, grole.** *Cri du corbeau.* ⇒ **Crailler, croasser.** *Petit du corbeau.* ⇒ **Corbillat.** *Servir de pâture aux corbeaux :* être mort (les corbeaux mangeant les charognes). *Noir comme un corbeau :* très noir, très brun. *Couleur aile de corbeau. Le corbeau, oiseau de mauvais présage. — Le corbeau et le renard ; le corbeau voulant imiter l'aigle,* fables de La Fontaine (I, 2, et II, 16). → Beau, cit. 9. *Le corbeau,* poème d'E. Poe.

1 Maître corbeau, sur un arbre perché,
    Tenait en son bec un fromage (...)
    Le corbeau, honteux et confus,
    Jura, mais un peu tard, qu'on ne l'y prendrait plus.   LA FONTAINE, Fables, I, 2.

2 Le faucon est léger, l'aigle plein de courage ;
    Le corbeau sert pour le présage (...)   LA FONTAINE, Fables, II, 17.

3 Des bandes de corbeaux, quittant les lierres et les trous des ruines descendaient sur les guérets ; leurs ailes moirées se glaçaient de rose au reflet du matin.
    CHATEAUBRIAND, Mémoires d'outre-tombe, t. VI, p. 240.

4 Les derniers corbeaux de l'hiver, juchés sur des mottes de boue, ricanaient à mon passage, puis s'envolaient lourdement pour se poser un peu plus loin sur un buisson. C'étaient des bêtes voraces, lustrées, au ventre robuste.
    H. BOSCO, Hyacinthe, p. 214.

5 Le lieutenant Luis d'Ortéga était petit et noir comme un corbeau.
    P. MAC ORLAN, la Bandera, X, p. 121.

En franç. d'Afrique. Corvidé noir à jabot blanc. — N. sc. : *Corvus albus.* — (I. F. A.).

REM. 1. La langue courante utilise souvent *corbeau* pour désigner la corneille*, le freux*, etc., le «grand corbeau» étant devenu extrêmement rare en France.
2. La forme argotique *corbac, corbacque* s'emploie tant au propre qu'au figuré.

5.1 Il y avait des corbacques, plein, tout noirs dans le blanc, l'air furax. Ils claquaient du bec (...)   CAVANNA, les Ritals, p. 224.

Zool. Grand corbeau *(corvus corax),* opposé à *corneille, freux.*

Corbeau blanc : sorte de vautour. *Corbeau de mer.* ⇒ **Cormoran.**

Loc. *En bec de corbeau :* crochu (du nez). — *Aile de corbeau :* d'un noir brillant (en adj. invar. : *des cheveux aile de corbeau*).

♦ **2.** (1845). Vieilli (péj. et fam.). Homme avide et sans scrupules, médisant, acharné. ⇒ **Rapace, requin.** *Les Corbeaux,* comédie d'Henri Becque.

6 (...) je ne doute point que le public ne soit enfin étourdi et fatigué d'entendre (...) de vieux corbeaux croasser autour de ceux qui, d'un vol libre et d'une plume légère, se sont élevés à quelque gloire par leurs écrits.
    LA BRUYÈRE, Disc. de réception à l'Acad., Préface.

Par compar. ou fig. Se dit des prêtres (à cause du vêtement noir).

7 Homais, comme il le devait à ses principes, compara les prêtres à des corbeaux qu'attire l'odeur des morts (...)   FLAUBERT, Mᵐᵉ Bovary, III, VIII.

Spécialt. Auteur de lettres (ou d'appels téléphoniques) anonymes. *Le Corbeau,* film de H. G. Clouzot.

8 (...) une fenêtre entrouverte derrière laquelle bougeait l'ombre d'un de ces êtres qui savent tout et jouent les corbeaux dans les petites villes (...)
    Suzanne PROU, la Terrasse des Bernardini, p. 63.

Vx. Employé des pompes funèbres. ⇒ **Croque-mort.** — Hist. Personne qui transportait les corps des pestiférés.

♦ **3.** Nom d'une constellation de l'hémisphère austral, évoquant la silhouette d'un corbeau.

★ **II.** Par anal. (de la forme du bec). ♦ **1.** Milit. Grappin* d'abor-

---

dage, utilisé autrefois sur les galères. ⇒ **Croc.** — Par anal. *Corbeau de rempart,* servant à arracher les pierres des travaux de défense ennemis, pendant les sièges, etc.

♦ **2.** (V. 1230). Archit. Pierre ou pièce de bois en saillie sur l'aplomb d'un parement, et qui est destinée à supporter un linteau, une corniche, un encorbellement, etc. (⇒ **Appui, support ; console, cul-de-lampe, modillon**). *Corbeau décoré, sculpté. — Corbeau de fer :* crochet scellé dans un mur et soutenant une poutre.

Support en fer (en mécanique, serrurerie...) muni d'un talon à une extrémité.

♦ **3.** Techn. *Bec de corbeau.* ⇒ **Bec** (cit. 15).

DÉR. **Corbillat.**

CORBEILLAGE [kɔʀbɛjaʒ] n. m. — XXᵉ (av. 1974) ; de *corbeille,* et *-age.*

♦ Méd. Aspect des vaisseaux d'un organe (foie, poumon, rein...) qui, écartés par le développement d'une tumeur, se disposent en corbeille.

CORBEILLE [kɔʀbɛj] n. f. — V. 1160 ; du bas lat. *corbicula,* de *corbis* «panier».

♦ **1.** Panier léger, généralement en osier (vannerie), avec ou sans anses. *Corbeille antique d'osier.* ⇒ **Ciste.** *Porteuse de corbeille* (⇒ **Canéphore,** cit.). *Corbeille de jonc. Corbeille à deux anses.* ⇒ **Manne.** *Corbeille garnie de soie.* ⇒ **Sultan.** *Corbeille formant berceau.* ⇒ **Moïse.**

1 (...) je me mis, par son ordre, dans une grande corbeille d'osier, couverte d'un ouvrage de soie (...)   A.-R. LESAGE, Gil Blas, V, 1.

2 Elle demande un croissant pour la seconde fois. Mais le garçon, tout à ses manettes, n'a pas écouté ; et la corbeille aux croissants se penche là-bas comme une barque échouée dans la rigole de zinc.
    J. ROMAINS, les Hommes de bonne volonté, t. IV, XVIII, p. 196.

Loc. *Corbeille à pain,* pour présenter le pain sur la table. *Corbeille à ouvrage,* en vannerie, en tissu etc., où l'on met un ouvrage de dames en cours. *Corbeille à papier :* ustensile de bureau où l'on jette les papiers.

3 (...) devant une grosse corbeille à ouvrage d'où jaillissaient des aiguilles d'acier, la pointe en l'air.   H. BOSCO, Un rameau de la nuit, IV, p. 128.

♦ **2.** Par métonymie. Contenu d'une corbeille. *Une corbeille de fruits.* On dit aussi *une corbeillée.*

(1762). Fig. *Corbeille de mariage, de mariée :* l'ensemble des présents offerts par le fiancé à sa future épouse, autrefois disposés dans une corbeille. Par ext. Les cadeaux offerts aux nouveaux mariés.

3.1 *Une Corbeille de Mariage !* Nous commencerions par y mettre une paire de pendants d'oreilles tout en or, d'un travail absolument artistique, longs (car la Mode le veut ainsi), à quoi nous assortirions une jolie croix avec la chaîne ; une deuxième parure en lapis, pierre très appréciée aujourd'hui, et une troisième plus habillée ; des cabochons grenats en forme de poires ou de pommes dont la queue est garnie de diamants. Boutons de manchettes assortis à chacune de ces garnitures.
    MALLARMÉ, la Dernière Mode, Pl., p. 713.

Par anal. Admin. Ensemble de dépenses affectées à une utilisation. → Enveloppe (financière). *Corbeille culturelle.*

♦ **3.** (1690). Archit. Partie du chapiteau entre l'astragale et le tailloir qui, dans le chapiteau corinthien, rappelle une corbeille d'acanthes. — Ornement en forme de corbeille, en architecture, en sculpture.

♦ **4.** (1798). Hortic. Massif de fleurs, rond ou ovale, rappelant par sa forme une corbeille. ⇒ **Massif, parterre.**

3.2 Certes, les hépatiques y seront bleues (...) Bleues, et assez nombreuses pour border la corbeille («toutes les corbeilles doivent être bombées...»).
    COLETTE, Flore et Pomone, in Gigi, p. 179.

3.3 La lassitude entière de l'heure est exprimée par la *Centaurea Candidissima,* feuillage pâle et mat, presque blanchi de poussière, et négligemment le même sur les deux faces chiffonnées. Tout l'effet de la corbeille se passe entre cette plante et une autre : l'*Obelia erineus,* qui, sèche et délicate, elle, avec ses fleurettes d'un bleu dur, va, par des interstices, de la bordure ovale se perdre vers le sommet du tertre.   MALLARMÉ, la Dernière Mode, Pl., p. 720.

Par métaphore :

4 Ce beau pays (...) présentait une corbeille de verdure de plus de 800 stades de tour.   CHATEAUBRIAND, les Martyrs, 9.

En corbeille : en forme de corbeille. *Arbuste taillé en corbeille.*

Par appos. *Store corbeille,* en quart de cercle.

♦ **5.** Techn. *Corbeille de protection d'une lampe,* en fil de fer. *Corbeille de soupape, de régulation.*

♦ **6.** (À la Bourse ; 1855, in D. D. L.). Espace circulaire entouré d'une balustrade et réservé aux agents de change. ⇒ **Parquet.**

(1883, in D. D. L.). Dans une salle de spectacle, Balcon* immédiatement au-dessus de l'orchestre. ⇒ **Mezzanine.** *Place de corbeille.* — Ellipt. *Louer une corbeille.*

♦ **7.** (1829). Bot. *Corbeille d'or.* ⇒ **Alysse, thlaspi.** — (1867). *Corbeille d'argent.* ⇒ **Arabette.**

♦ **8.** Zool. Cavité allongée des pattes postérieures des abeilles ouvrières servant à loger le pollen.

DÉR. Corbeillage. — Corbillon.
COMP. Corbeille d'argent ; corbeille d'or (ci-dessus, 7.).

CORBILLARD [kɔʀbijaʀ] n. m. — 1688, Mᵐᵉ de Sévigné, « carrosse » ; *corbillat* « coche d'eau faisant le service de Corbeil à Paris », xviᵉ ; dér. de *Corbeil*, et *-at*, supplanté par *-ard*.

♦ **1.** (xviiᵉ-xviiiᵉ). Vx. Grand carrosse utilisé par les laquais d'un grand seigneur.

♦ **2.** (1798 ; donné alors comme propre au « peuple » ; J. Cellard, critiquant l'hypothèse du passage du sens 1 au sens 2, évoque *corbillat* « petit corbeau », cet oiseau étant symbole de mort). Mod. Voiture servant à transporter les morts jusqu'à leur sépulture. *Corbillard tiré par des chevaux noirs* (autrefois ; de nos jours, lors de funérailles solennelles). *Corbillard automobile.* ⇒ **Fourgon** (mortuaire). *Mettre un cercueil sur le corbillard. Corbillard couvert de fleurs, de couronnes. Draperies noires d'un corbillard. Corbillard à deux chevaux. Le cortège suit le corbillard. Marcher derrière le corbillard.*

1 Le corbillard franchit le seuil du cimetière.   HUGO, les Contemplations, VI, VI, VI.

2 Quand le corbillard s'ébranla et descendit lentement la rue de la Goutte-d'Or, au milieu des signes de croix et des coups de chapeau, les quatre croque-morts prirent la tête, deux en avant, les deux autres à droite et à gauche.
                                               ZOLA, l'Assommoir, t. II, IX, p. 99.

3 Bernard, à un corbillard :
Cocher, êtes-vous libre ?   J. RENARD, Journal, 12 nov. 1893.

4 Mais où sont les funérailles d'antan
Les petits corbillards, corbillards, corbillards, corbillards de nos grands-pères
Qui suivaient la route en cahotant.
                        G. BRASSENS, les Funérailles d'antan (chanson).

5 Quatre hommes en uniforme noir et à casquette s'occupèrent de retirer le cercueil hors du corbillard.   Jean-Louis CURTIS, le Roseau pensant, p. 89.

Loc. fam. *Une tête à caler une roue (des roues) de corbillard :* une tête sinistre.

CORBILLAT [kɔʀbija] n. m. — xviᵉ ; de *corbeau*.

♦ Rare. Petit du corbeau. — On dit parfois *corbillot*.

CORBILLON [kɔʀbijɔ̃] n. m. — Déb. xiiiᵉ, *corbeillon* ; de *corbeille*, et *-on*.

♦ **1.** (Av. 1250). Vx. Petite corbeille. *Le corbillon du pain bénit.* — *Corbillon de boulanger,* contenant la quantité de pâte nécessaire pour faire un pain.

1 On vit (...) le comédien Destin couché sur un matelas, un corbillon dans la tête, qui lui servait de couronne (...)   SCARRON, le Roman comique, I, II, p. 7.

Mar. Vx. Petit baquet qui contenait la ration de biscuits pour une table de matelots.

♦ **2.** (1663). Fig. Jeu de société où chacun doit répondre par une rime en *-on* à la question : *« Que met-on dans mon corbillon ? ».*

2 Et s'il faut qu'avec elle on joue au corbillon
Et qu'on vienne à lui dire à son tour : « Qu'y met-on ? »
Je veux qu'elle réponde : « Une tarte à la crème » ;
En un mot, qu'elle soit d'une ignorance extrême (...)
                                   MOLIÈRE, l'École des femmes, I, 1.

CORBIN [kɔʀbɛ̃] n. m. et adj. m. — xiiᵉ ; lat. *corvinus*, de *corvus* « corbeau ».

★ **I.** ♦ **1.** Vx. Corbeau. ⇒ **Bec-de-corbin.**

♦ **2.** Adj. m. Recourbé. *Nez corbin.* (S'emploie uniquement pour qualifier un nez ou un bec).

★ **II.** Régional. Bec de corbin.

Le corbin de cette canne est formé d'un riche pommeau d'argent (...) La forme en est insolite et c'est pourquoi, dans les cantons, M. Töpffer est toujours reconnu au pommeau de son corbin avant de l'être à sa figure ou à son parler.
            Rodolphe TÖPFFER, Voyages en zigzag, 1838, 4ᵉ journée, p. 103.

CORBINE [kɔʀbin] n. f. — Fin xviiiᵉ, Buffon ; de *corbin*.

♦ Régional. Corneille* noire.

CORBLEU [kɔʀblø] ou **CORDIEU** [kɔʀdjø] interj. — 1564, *corbleu* ; *cordieu*, 1752 (Trévoux) ; *corbieu*, 1546 ; *le corps Dieu*, 1534 ; *por le cuer Dieu*, v. 1240 ; *por le cuer bieu*, v. 1179 ; *cordieu* pour le *cœur de Dieu*, puis pour le *corps de Dieu* ; *corbleu* par euphém. ; on trouve aussi au xviiᵉ : *par la corbieu.*

♦ Ancien juron, en usage surtout au xviiᵉ siècle. ⇒ **Morbleu, palsambleu.**

1 Corbleu ! mon gendre, ne m'échauffez pas la bile : je me mettrais avec lui contre vous.   MOLIÈRE, George Dandin, I, 6.

Corbleu ! je suis plus votre ami que vous ne pensez, car dès la première rencontre j'aurais pu, en disant un mot au cardinal, vous faire couper le cou.   2
                        A. DUMAS, les Trois Mousquetaires, t. II, p. 743.

REM. On dit, on écrit aussi *corbieu*.

CORDACE [kɔʀdas] n. f. — 1564, Rabelais ; grec *kordax*.

♦ Didact. Danse obscène ou comique des Grecs de l'Antiquité, d'origine lydienne.

(...) on dansait la cordace sur le théâtre (...)
            TAINE, Philosophie de l'art, t. II, IV, I, IV, p. 123.

CORDAGE [kɔʀdaʒ] n. m. — 1358 ; de *corde* (sens I) ou de *corder* (sens II).

★ **I.** Lien servant au gréement et à la manœuvre (de navires, de machines, d'engins). ⇒ **Corde.** *Attacher, tirer, hisser (qqch.) avec un cordage. Commande d'une machine avec un cordage. Cordage employé dans l'artillerie* (⇒ **Jarretière**), *la maçonnerie* (⇒ **Brayer**). *Cordage dont sont munis les wagons de chemin de fer* (⇒ **Prolonge**), *les aérostats* (⇒ **Guiderope**), *les charrettes* (⇒ **Liure**). *Cordages pour la gymnastique. Résistance, force, poids d'un cordage. Fabrication des cordages. Cordages textiles en fibres naturelles* (chanvre, manille, sisal, coton, jute, abaca). — (Vieilli). *Cordage en fil de fer, en acier. Cordage métallique.* ⇒ **Câble, câblot, filin.** *Fils de caret* tordus en torons commis ensemble pour obtenir des cordages de grosseurs différentes. Cordage câblé, tressé* (avec âme). *Les fils, les torons du cordage se décommettent. Conchoir servant au commettage des cordages.*

Mar. ⇒ **Bout, filin.** *Petits cordages en fibre naturelle.* ⇒ **Bitord, fil** (à voile), **ligne, lusin, merlin, quarantenier, ralingue.** *Gros cordages.* ⇒ **Aussière, câble, grelin.** *Petit cordage en fibre synthétique.* ⇒ **Garcette.** *Travail des cordages* (⇒ **Matelotage**). *Goudronner un cordage à l'aide d'une limande.* — Vx. *Cordage noir,* goudronné ; *cordage blanc,* non goudronné. *Congréer, limander un cordage. Fourrer un cordage à l'aide d'une mailloche, d'un minahouet. Réunir deux cordages en se servant d'un trésillon. Couper, arrêter un cordage par une surbure, en soudant les fils. Épisser un cordage. Moucher un cordage. Ajout de deux cordages. Fourrer un cordage à l'aide d'une mailloche, d'un minahouet. Réunir deux cordages en se servant d'un trésillon. Couper, arrêter un cordage par une surbure, en soudant les fils. Épisser un cordage. Moucher un cordage. Ajout de deux cordages. Cordage en patte d'oie,* se terminant par plusieurs branches. *Cordage mobile. Cordage appartenant au gréement.* ⇒ **Manœuvre.** *Partie libre* (⇒ **Ballant, courant**), *fixe* (⇒ **Dormant**) *d'un cordage. Noms des cordages, selon leurs fonctions.* ⇒ **Agui, armure, aussière, balancine, bosse, bouline, brague, bras, cargue, commande, cravate, draille, drisse, drosse, écoute, enfléchure, erse, estrope, étai, gambe, garcette, gerseau, halebas, hauban, laguis, marguerite, martingale, orin, pantoire, passeresse, ride, sabaye, sous-barbe, suspente, tourtouse, trélingage.** *Cordage de traction* (⇒ **Élingue, lève-nez, saisine, trévire**), *de maintien* (⇒ **Garde-corps, filière, retenue, sauvegarde**). *Installer un va-et-vient des cordages.*

Cordage qui passe dans le réa d'une poulie, dans un cap-de-mouton, dans une moque, dans l'œillet d'une voile. Cordage d'un palan. ⇒ **Garant.**

Cordages des filets de pêche. ⇒ **Bras, ralingue.**

Cordage qui ripe. Cordage qui rague, s'use, se rompt. Lover, délover, démêler un cordage. Cordage qui fait des coques. Rouleau de cordages. ⇒ **Glène.**

Tourner un cordage sur un cabillot, un taquet. Garnir un cordage au cabestan. Amarrer, bosser, frapper un cordage. Filer, affaler un cordage. ⇒ **Choquer.** *Haler, embraquer, raidir un cordage.* ⇒ **Amurer, brider, rider.**

1 — L'abordage ! l'abordage ! —
On se suspend au cordage,
On s'élance des haubans.
La poupe heurte la proue.   HUGO, les Orientales, V, 4.

2 On voyait sur ses ponts des rouleaux de cordages
Monstrueux, qui semblaient des boas endormis (...)
            HUGO, la Légende des siècles, LXVIII, Pleine mer.

3 Toujours prompt à la manœuvre, ne se trompant jamais dans le jeu infiniment compliqué des cordages, jamais ne faiblissant en service, il avait toutes les qualités du matelot sans reproche.   LOTI, Matelot, XX, p. 73.

★ **II.** (1535 ; *cordaige*, 1265 ; de *corder*, II., 2., et *-age*). Techn.

♦ **1.** Manière de mesurer du bois à la corde. *Le cordage du bois.*

4 Dans beaucoup de chantiers, on vend du bois au poids ; mais cette nouvelle invention ne fera jamais tomber le cordage (...)
            Ch. PAUL DE KOCK, la Grande Ville, t. I, p. 44.

♦ **2.** (1936). Action de poser les cordes d'une raquette de tennis. — Ensemble des cordes d'une raquette. *Le cadre et le cordage d'une raquette.*

CORDE [kɔʀd] n. f. — V. 1135 ; *corda*, dès le xᵉ ; lat. *corda*, grec *khordê* « boyau ».

★ **I.** (*Une, des cordes*). Lien formé par un assemblage de fils tordus ou tressés, relativement serrés et assez résistants (par oppos.

à *ficelle*). ⇒ **Cordage, cordon, lien.** *Corde épaisse, grosse; fine* (⇒ **Cordelette**). *Petite corde; longue corde. Corde solide, résistante. Corde de chanvre* (⇒ **Larderasse**), *de lin, de coton, d'alfa, de jute, de tille, de nylon. Corde en nylon; en crins, en poils d'animaux, en écorce. Corde en fils de métal* (⇒ **Câble**). *Faire, fabriquer une corde. Fabrique de cordes* (⇒ **Corderie, cordier**). *Brins textiles* (⇒ **Duite**) *tordus* (⇒ **Toron**) *et retordus pour faire une corde. Tordre, tresser des brins, des fils en corde.* ⇒ **Corder, cordeler.** *Détortiller, détordre, défaire une corde.* ⇒ **Décorder.** — (Usages d'une corde). *Lier, attacher qqch., suspendre, tirer qqch. avec une corde. Attacher qqch. lâche, serré* (⇒ **Ligature, ligoter**) *avec une corde. Accrocher, nouer une corde* (⇒ **Nœud**). *Tendre une corde; tirer sur une corde. Dénouer, défaire, couper une corde. Régler la tension d'une corde en tirant, en serrant, avec un tendeur**, *un garrot**. *Extrémité, bout d'une corde* (⇒ **Bout**). *Extrémité d'une corde formant anneau* (⇒ **Ansette**). — *Avoir une corde en guise de ceinture* (⇒ **Cordelier**). — *Frapper avec une corde en guise de fouet**. — *Cordes d'attache, de tirage... Corde de puits,* pour tirer le seau. *Corde d'une cloche* (→ Carillon, cit. 3). *Cordes de tension d'une scie. Cordes de suspension. Les deux cordes d'une escarpolette, d'une balançoire. Cordes d'agrès**. — *Cordes pour mener les animaux* (⇒ **Longe, trait; licol, licou**). *Promener un chien au bout d'une corde* (⇒ **Laisse**). — *Corde à nœud coulant formant lasso**. — *Tendre une corde à hauteur d'homme pour servir de rampe* (⇒ **Tire-veille**, mar.). *Tirer une ligne droite à l'aide d'une corde tendue.* ⇒ **Cordeau.** — Techn. *Cordes de transmission. Corde sans fin,* tendue sur deux poulies. *Cordes de manœuvre* (machines, marine). ⇒ **Cordage.** — REM. Le mot *corde* ne s'emploie pas en marine, sauf dans le cas de la *corde de la cloche.* On dit *bout* ou *cordage.* — *Cordes d'un palan.* ⇒ **Courant.** *L'arbalète**, *corde d'anciens métiers à tisser.* — *Cordes de serrage. Paquet, marchandise emballé(e) à l'aide de cordes* (⇒ **Ficeler; cordée, seizaine**). — Loc. *Vendre qqch. sous corde,* en ballots, en gros (→ Balle, cit. 1). — *Cordes nouées servant de symboles* (→ ci-dessous, cit. 2 et ⇒ **Quipou**).

1   Il y porte une corde, et veut avec un clou
    Au haut d'un certain mur attacher le licou.
                                LA FONTAINE, *Fables*, IX, 16.

2   Les Péruviens transmettaient les principaux faits à la postérité par les nœuds qu'ils
    faisaient à des cordes.
                                VOLTAIRE, *Essai sur les mœurs*, 148.

3   De plusieurs de ces cordons réunis et tortillés ensemble on compose les plus grosses cordes.
                                BRISSON, *Traité de physique*, t. I, p. 145.

Par compar. *Avoir une cravate comme une corde,* tortillée.

En corde : comme une corde. *Mettre, tordre des chiffons en corde.*

Loc. fig. *Il tombe, il pleut des cordes :* il pleut très fort.

3.1 Un jour, c'était peut-être novembre, octobre, je me rappelle qu'il avait plu des
    cordes.   François NOURISSIER, le *Maître de maison*, p. 229-230.

Emplois spéciaux (souvent dans des syntagmes ou des contextes déterminés).

A. (Sports et jeux). ♦ **1.** a (1538). Corde, fil ou câble sur lesquels on fait des exercices d'équilibre. *Marcher, danser sur la corde.* — *Danseur de corde.* ⇒ **Funambule.** *Voltige sur la corde raide.* Loc. fig. *Être sur la corde raide,* dans une situation très difficile. *C'est de la corde raide.*

b Corde suspendue à une certaine hauteur et le long de laquelle le gymnaste doit s'élever. (1830, *in* Petiot). *Corde lisse. Corde à nœuds* (→ Nœud, cit. 2.1). *Monter à la corde avec les bras, à la force des bras.* — Par métonymie. Exercice consistant à monter à la corde. *Faire de la corde et des anneaux.*

c (1837). *Corde à sauter, corde :* corde (tortis de chanvre, puis corde de nylon, etc.) munie de deux poignées que l'on fait tourner au-dessus de la tête puis près du sol, en sautant à chacun de ses passages. *Saut à la corde. Fillettes qui sautent à la corde. Figures de saut à la corde.* — Par métonymie. *La corde :* le saut à la corde. *Elle est très forte à la corde.*

4   Les petites filles sautent à la corde sous les arbres qui bordent la grande place
    rectangulaire (...)   J. CHARDONNE, les *Destinées sentimentales*, p. 316.

d (1868, *in* Petiot). Lien utilisé par les alpinistes pour s'attacher les uns aux autres et pour s'assurer contre les glissades, les chutes. ⇒ **Cordée.** *Corde d'attache.* ⇒ **Encorder** (s'), **décorder** (se). *Corde d'assurance**. ⇒ **Assurance.** *Corde de rappel**. *Corde fixe,* placée pour franchir un passage difficile, et sur laquelle on se déplace au moyen de poignées autobloquantes (⇒ **Ascendeur**). *Longueur de corde :* distance de corde qui sépare deux membres d'une cordée. *Anneau** *de corde.*

♦ **2.** (V. 1165). Corde servant à envoyer des projectiles. *Cordes de catapulte, de fronde. Corde d'arc, d'arbalète. Tendre, bander la corde d'un arc. Corde trop tendue qui se rompt. Changer la corde d'un arc.*

Loc. fig., vx (langue class.). *Si la corde ne rompt :* si tout marche bien.

5   Nous allons voir beau jeu, si la corde ne rompt.   MOLIÈRE, l'*Étourdi*, III, 7.

Avoir plus d'une corde, plusieurs cordes à son arc : avoir des ressources pour parvenir à ses fins.

6   Si tu as plusieurs cordes à ton arc, elles s'embrouilleront, et tu ne pourras plus
    viser.   J. RENARD, *Journal*, 8 déc. 1896.

6.1 Que veux-tu! ils se portent comme des bœufs dans ce pays-ci!... alors, voyant que
    la pharmacie languissait... j'ai joint une seconde corde à mon arc... la corde de
    l'horlogerie!   E. LABICHE, *Un monsieur qui a brûlé une dame,* 1.

Avec tant de cordes à mon arc, il me paraît difficile de coucher à la belle étoile   6.2
partout où, comme dans la forêt du petit Poucet, je verrai luire une lumière.
                                G. NOUVEAU, *Lettre à L. Silvy*, 1er déc. 1908, Pl., p. 950.

Tirer sur la corde : exagérer, abuser de la patience de qqn, d'une situation.

(1690; de *corde d'un arc*). Fig., géom. Segment d'une ligne droite coupant une circonférence ou un cercle. ⇒ **Amplitude** (d'un arc). *Corde qui sous-tend un arc.* ⇒ **Sous-tendant** (→ aussi Arc, cit. 9).

♦ **3.** (Corde servant de limite). a (1855, *in* Petiot). Corde qui, dans les hippodromes, limite intérieurement la piste sur laquelle courent les chevaux.

Par ext. (Athlétisme, cyclisme, automobile). Partie de la piste située le long de sa limite intérieure. *Tenir la corde,* se dit de l'écuyer, du coureur qui est le plus proche de la corde, et, fig. (1869, *in* Petiot), d'une personne qui a un avantage sur les autres. — (1905, *in* Petiot). Autom. *Prendre un virage à la corde,* en serrant de très près le bord intérieur du tournant.

7   Quand Joseph doublait une voiture puissante, quand il prenait, à la corde, dans
    le ruisseau, un tournant difficile, ou quand il abordait à grande allure une rampe
    longue et sinueuse, Joseph serrait un peu les dents (...)
                                G. DUHAMEL, *Chronique des Pasquier*, X, Passion de J. Pasquier, p. 310.

7.1 Quinze jours plus tard, seconde course sur un autre champ, corde à gauche.
                                Pierre DANINOS, *Un certain Monsieur Blot,* p. 263.

Passer à la corde, tout juste; réchapper de peu (à un danger).

7.2 Mon vieux, si tu avais eu affaire à un type plus service, tu n'y coupais pas de
    Biribi! T'as passé à la corde! (...)   Roger VERCEL, *Capitaine Conan*, VI, p. 103.

b (1904, *in* Petiot). *Les cordes :* enceinte en cordes d'un *ring** de boxe. *Être envoyé dans les cordes.*

7.3 C'est notre tour, nous passons sous les cordes; mon adversaire, souple et brusque,
    s'est relevé trop tôt, et secoue la corde inférieure.
                                Jean PRÉVOST, *Plaisirs des sports,* p. 82.

B. Lien que l'on passe autour du cou de qqn pour le pendre. *Corde de chanvre**. — (1612). Supplice de la potence. ⇒ **Pendaison.** *Condamner qqn à la corde. Mériter la corde. Il ne vaut pas la corde pour le pendre :* il est très méprisable. *Homme de sac** *et de corde :* filou, scélérat. *Sentir la corde :* être suspect. — (1680). *Parler de corde dans la maison d'un pendu :* faire une allusion maladroite, rappeler un souvenir fâcheux. *Une vieille superstition veut que la corde d'un pendu porte chance. Avoir de la corde de pendu dans sa poche :* être chanceux.

8   Sans nulle miséricorde, je serai digne de la corde.   RÉGNIER, *Mac., in* LITTRÉ.

9   Vollichon ne voulait avoir pour gendre qu'un homme de sac et de corde.
                                FURETIÈRE, le *Roman bourgeois, in* HATZFELD.

10 On les condamna à la corde, et par grâce on les arquebusa, ce qui est, dit-on, plus
    honorable.   VOLTAIRE, *le Siècle de Louis XIV,* 35.

10.1 (...) elle pensa que «ces trois pécores» ne valaient pas la corde pour les pendre (...)
                                ZOLA, *le Ventre de Paris,* t. I, p. 121.

La corde au cou, dans l'attitude ou la situation du condamné prêt à être pendu. — (1884). *Se mettre la corde au cou,* dans une situation d'asservissement, de dépendance (notamment, se marier, en parlant d'un homme).

11 Édouard III exigea que six bourgeois vinssent lui demander pardon la corde au
    cou.   VOLTAIRE, *Essai sur les mœurs,* 75.

11.1 On dit que Mme du Fleuriel avait un moment pensé arranger un mariage entre sa
    fille et Paul Bernardini. L'union eût été avantageuse des deux côtés, mais Paul
    s'était fait tirer l'oreille, il refusait de consentir, alléguant qu'il avait bien le temps
    de se mettre «la corde au cou», et que la future présumée n'était point belle.
                                Suzanne PROU, la *Terrasse des Bernardini,* p. 72.

Hist. *Corde d'estrapade.* — Loc. (1598). *Avoir la corde :* subir l'estrapade. *Trait de corde :* coup d'estrapade.

C. Corde tendue sur laquelle les dormeurs appuient leur nuque (et que l'on détachait au matin, pour un réveil brutal, dans certains asiles de nuit). Loc. *Coucher à la corde.*

D. Techn. Corde ou lien de longueur déterminée servant à entourer un volume régulier de bois pour l'estimer. *Mesurer du bois à la corde.* ⇒ **Corder.** — Par métonymie. *Une corde de bois :* volume valant environ 4 stères.

— Il a fait un froid, cet hiver! dit-elle.   11.2
— Vous aviez du bois pour vous chauffer.
— Oui, du bois à 45 francs la corde.   J. RENARD, *Journal,* 8 févr. 1909.

★ **II.** (Seult au sing.). ♦ **1.** Fil dont une étoffe est tissée (dans quelques expressions). ⇒ **Chaîne, fil, trame.** *Vêtement qui montre la corde, usé jusqu'à la corde,* dont le tissu est devenu si clair, par l'usure, qu'on en distingue la trame (⇒ **Limé, râpé**).

12 (...) un méchant tapis étroit qui montrait la corde (...)
                                BALZAC, le *Médecin de campagne,* Pl., t. VIII, p. 373.

13 (...) user jusqu'à la corde ses vêtements cent fois reprisés (...)
                                G. DUHAMEL, *Chronique des Pasquier,* I, I, p. 168.

Fig. *Usé jusqu'à la corde. Un argument usé jusqu'à la corde.* ⇒ **Rebattu.** — (1672). *Montrer la corde,* le fond des choses.

14 J'ai dit que le prétexte étant si petit et si mince, on voyait la corde et le fond.
                                Mme DE SÉVIGNÉ, 313, 1673.

15 C'est un homme qui est de mise un quart d'heure de suite, qui le moment d'après
    baisse, dégénère, perd le peu de lustre qu'un peu de mémoire lui donnait, et montre
    la corde.   LA BRUYÈRE, les *Caractères,* II, 40.

15.1 (...) des mots à nous, des mots à tous, des mots de série, prêts à porter, des mots usés jusqu'à la corde, ceux des humbles, ceux des pauvres (...) plats et vulgaires (...)   N. SARRAUTE, *Vous les entendez?*, p. 72.

♦ **2.** *(De la corde).* Matière première dont sont faites les cordes. — *De corde. Échelle* de corde. Filet de corde.* ⇒ **Filoche.** *Tapis de corde.*

Semelles de corde, faites de cordes repliées et cousues. Espadrilles* *à semelles de corde.*

★ **III. A.** ♦ *(Déb. XII*e*).* ♦ **1.** Mus. *Boyau, crin, fil métallique ou fil de nylon tendu qui rend les sons sur certains instruments. Les cordes d'une guitare, d'un luth, d'un piano.* — *...À CORDES. Instruments* à cordes et instruments à vent. Le piano, le clavecin, la guitare, la cythare, le luth, la lyre, la mandoline, le banjo... sont des instruments à cordes. Instruments à cordes grattées, pincées* (guitare, luth. ⇒ **Médiator, plectre**), *frappées* (piano), *frottées* (violon, violoncelle. ⇒ **Archet**). *Instrument à une corde* (⇒ **Monocorde**), *à plusieurs cordes* (→ *infra*, les composés de *corde*). *L'arc musical est un instrument à une corde.* — REM. *En emploi normal et courant,* instrument à cordes *ne se dit guère que des cordes frottées.* — *Corde à boyau.* ⇒ **Boyau, catgut.** *Corde métallique d'acier, de cuivre. Filer une corde métallique avec une filière*. Corde filée,* qu'on entoure d'un fil de métal (⇒ aussi **Cannetille**). *Instrument pour tendre les cordes.* ⇒ **Cheville.** *Support des cordes d'un violon.* ⇒ **Chevalet.** *Corde la plus fine d'un violon* (⇒ **Chanterelle**), *corde la plus grosse* (⇒ **Bourdon**). — Loc. *Jouer en double(s) corde(s) :* toucher deux cordes à la fois avec l'archet. *Doigté de l'index sur plusieurs cordes, en travers du manche de la guitare* (⇒ **Barré**). *Appareil permettant de changer de tonalité en raccourcissant les cordes* (⇒ **Capodastre**). *Flatter la corde,* la toucher très légèrement. *Faire vibrer les cordes d'un instrument.* — Par ext. ⇒ **Note, ton.** *Ce piano est bon dans les cordes aiguës* (on dit plutôt : *dans les aigus*). *Corde fondamentale.* ⇒ **Accord.**

15.2   Il *(Paganini)* a su faire ressortir et rendre dominateur le timbre du violon solo en accordant ses quatre cordes un demi-ton plus haut que celles des violons de l'orchestre ; ce qui lui permettait de jouer ainsi dans les tons brillants de *ré* et de *la,* pendant que l'orchestre l'accompagnait dans les tons moins sonores de *mi bémol* et de *si bémol.* Il a découvert dans l'emploi des sons harmoniques simples et doubles, des notes pincées de la main gauche, dans la forme des arpèges, dans les coups d'archet, dans les passages en triple corde, passe toute croyance (...)   H. BERLIOZ, les Soirées de l'orchestre, 16, p. 216.

♦ **2.** (1797). Par métaphore ou fig. (dans quelques emplois). *Ce qui vibre, ce qui est sensible. Les cordes du cœur. Faire vibrer, toucher la corde sensible :* parler à une personne de ce qui la touche le plus (⇒ **Point**). *Toucher une corde délicate,* un sujet qui risque de froisser, d'attirer des ennuis. *Évitez de toucher cette corde-là.* — REM. Cet emploi est assez littér., notamment dans les métaphores, sauf pour le syntagme courant : *corde sensible.*

16   Ne savez-vous pas bien que l'astrologie est une affaire d'État, et qu'il ne faut point toucher à cette corde ?   MOLIÈRE, les Amants magnifiques, I, 2.

17   Notre cœur est un instrument incomplet, une lyre où il manque des cordes, et où nous sommes forcés de rendre les accents de la joie sur le ton consacré aux soupirs.   CHATEAUBRIAND, René, p. 193.

18   (...) lorsque je distinguais en elle l'écho tout à fait exact et comme l'unisson de la corde émue qui vibrait en moi, c'était une conformité de plus dont je me réjouissais comme d'une nouvelle alliance.   E. FROMENTIN, Dominique, p. 167.

19   (...) ces esprits chimériques, ces exaltés, ces fous si étrangement raisonnables nous font rire en touchant les mêmes cordes en nous (...)   H. BERGSON, le Rire, p. 10.

20   C'est vrai, mais je dirais qu'un écrivain doit cultiver *(ses souffrances)* et appuyer sur les points névralgiques. C'est quand il se fait crier de douleur, quand il touche aux cordes sensibles, qu'il libère le meilleur de son talent (...)   A. MAUROIS, le Cercle de famille, IX, p. 275.

Rare. *La corde délicate :* la corde sensible.

♦ **3.** (1903 ; surtout au plur.). *Instrument à cordes* (frottées). *Les cordes d'un orchestre :* le quatuor. ⇒ **Alto, contrebasse, violon, violoncelle.**

B. Au plur. *Boyaux ou fils de nylon entrecroisés garnissant une raquette de tennis. Faire retendre les cordes de sa raquette.*

★ **IV.** Par anal. ♦ **1.** (1805, Cuvier). *Cordes vocales :* replis musculo-membraneux du larynx, entre lesquels se trouve la glotte, et qui constituent l'organe essentiel de la phonation (sons produits par vibration). ⇒ **Voix.** *Avoir les cordes vocales fatiguées pour avoir trop parlé, trop chanté.*

21   Les cordes de sa voix remuaient harmonieusement les fibres de mon cœur.   FRANCE, le Petit Pierre, XXIX, p. 204.

22   (...) les deux seuls malades dont les cordes vocales étaient intactes, et qui discouraient du matin au soir (...)   MARTIN DU GARD, les Thibault, t. VIII, p. 207.

23   La glotte (...) formée de deux muscles parallèles ou cordes vocales, s'ouvre par leur écartement ou se ferme par leur resserrement. La fermeture complète n'entre pour ainsi dire pas en ligne de compte ; quant à l'ouverture, elle est tantôt large, tantôt étroite. Dans le premier cas, l'air passe librement, les cordes vocales ne vibrent pas ; dans le second, le passage de l'air détermine des vibrations sonores. Il n'y a pas d'autre alternative dans l'émission normale des sons.   F. DE SAUSSURE, Cours de linguistique générale, p. 67.

24   (...) ces chiens à qui l'on coupe les cordes vocales avant de les soumettre aux tortures de la vivisection : pas un signe de leur souffrance dans le monde ; ce serait moins intolérable de les entendre hurler.   S. DE BEAUVOIR, les Mandarins, p. 285.

Par ext. *Le son que rendent ces cordes. Il a une belle voix dans les*

---

cordes élevées. — Loc. fig. *Ce n'est pas dans mes cordes :* ce n'est pas de ma compétence.

(1732). *Corde du tympan :* nerf qui longe le tympan.

♦ **2.** (XIXe). *Ligament musculaire.* — Par ext. *Saillie provoquée par la tension d'un muscle. Corde cervicale.* — Par anal. *Engorgement de l'urètre survenant lors d'une blennorragie.*

Zool. *Bourrelet allongé sur une coquille.*

♦ **3.** (Fin XIXe). *Corde* (ou *chorde*) *dorsale :* cordon cellulaire des vertébrés primitifs, et première ébauche de la colonne vertébrale chez l'embryon. ⇒ **Chordal.** *Les animaux munis d'une corde dorsale sont dits cordés.* ⇒ **Cordés.**

DÉR. Cordage, cordeau, cordée, cordelle, corder, corderie, cordier, cordon.
COMP. Anémocorde, heptacorde, hexacorde, octacorde, pentacorde, tétracorde.

CORDÉ, ÉE [kɔʀde] adj. — 1808, Boiste ; lat. *cor, cordis* « cœur », et -*é.*

♦ Sc. nat. *Qui a la forme d'un cœur schématisé. Coquillage cordé.*
HOM. Cordé (p. p. de *corder*), cordée, corder.

CORDEAU [kɔʀdo] n. m. — 1549 ; *cordel,* v. 1165 ; de *corde.*

♦ **1.** *Petite corde que l'on tend entre deux points pour obtenir une ligne droite. Cordeau dont le jardinier se sert pour semer, planter régulièrement.* — *Cordeau de charpentier.* ⇒ **Simbleau.** *Tracer une ligne droite avec un cordeau frotté de craie.* ⇒ **Tringle, tringler.** — (Dans : *tirer, tracer... au cordeau*). *Tracer une rue au cordeau. Aligner au cordeau un mur, une rangée d'arbres. Plate-bande tirée au cordeau* (⇒ **Aligné, droit, régulier, symétrique**).

1   Vous ne voyez rien d'aligné, rien de nivelé, jamais le cordeau n'entra dans ce lieu ; la nature ne plante rien au cordeau.   ROUSSEAU, Julie ou la Nouvelle Héloïse, IV, Lettre II.

1.1   Abraham nous disait que les maçons élevaient en général les murs sans cordeau entièrement d'instinct (...)   E. DELACROIX, Journal, 24 mars 1832.

Fig. *Au cordeau :* de façon nette et régulière.

2   J'arrange au cordeau chaque mot ;
Je sens que je deviens puriste (...)   D'ALEMBERT, Éloge de Dangeau, *in* LITTRÉ.

3   L'autre *(portrait)* montre un personnage tout aussi officiel, mais aux traits et aux favoris un peu moins tirés au cordeau.   M. YOURCENAR, Archives du Nord, p. 236.

♦ **2.** *Mèche d'une mine. Cordeau Bickford.* ⇒ **Bickford.** *Cordeau détonant :* tube rempli de mélinite.

♦ **3.** Pêche. *Ligne de fond pour la pêche fluviale (par exemple pour la pêche aux anguilles). Ils sont partis à la nuit tombante pour poser des cordeaux.*

DÉR. Cordelet.

CORDÉE [kɔʀde] n. f. — 1481 ; de *corde,* et -*ée.*

♦ **1.** (1481). Techn. *Ce qui peut être entouré d'une corde ; mesure que donne cette corde. Une cordée de fagots.*

♦ **2.** (1886, *in* Petiot). *Groupe de grimpeurs attachés l'un à l'autre par la taille avec une corde, pour faire une ascension. Chef de cordée, premier de cordée* (titre d'un roman de Frison-Roche), celui qui mène la caravane. *Second de cordée. Cordée inversée :* cordée de deux grimpeurs qui inversent à tour de rôle leur position dans la cordée. *Former une cordée :* s'encorder.

Fig. *Union de personnes solidaires (dans une entreprise périlleuse).*

  Il n'est pas de camarades que s'ils s'unissent dans la même cordée, vers le même sommet (...)   SAINT-EXUPÉRY, *in* A. MAUROIS, Études littéraires, t. II, p. 261.

♦ **3.** (1752). Techn. (pêche). *Petite ficelle attachée à une ligne de fond* (⇒ **Cordeau**), *et qui porte les hameçons.*
HOM. Cordé, corder.

CORDELER [kɔʀdəle] v. tr. — Conjug. *appeler.* — 1512 ; *cordelé,* 1350 ; de *cordel.* → Cordeau.

♦ **1.** Techn. *Tordre en forme de corde.* ⇒ **Corder, cordonner, tortiller, tordre.** *Cordeler ses cheveux pour en faire un chignon.*

V. pron. *Se cordeler :* se tordre comme une corde.

1   Ses souliers le blessent, il n'en dit mot, et ses doigts se cordellent ; le bout de ses orteils enfle, ce qui leur donne la forme de petits marteaux.   J. RENARD, Poil de Carotte, 1894, p. 229, *in* T. L. F.

♦ **2.** Vx. *Serrer avec une corde. Cordeler une malle.* ⇒ **Corder, II., 1.**

▶ **CORDELÉ, ÉE** p. p. adj. (Du sens 1).
Tordu en forme de corde.

2   La queue de certains bœufs est comme une tresse de graisse cordelée.   J. RENARD, Journal, 7 mars 1899.

CORDELETTE [kɔʀdəlɛt] n. f. — 1213 ; de *cordelle*, et *-ette*.

♦ Corde fine. ⇒ **Ficelle**.
Par ext. *Cheveux tressés en cordelettes*, en forme de petites cordes.

CORDELIER, IÈRE [kɔʀdəlje, jɛʀ] n. — 1249 ; de *cordeller*, et *-ier*.

♦ Religieux, religieuse de l'ordre de Saint-François d'Assise (⇒ **Franciscain**), ainsi nommés parce qu'ils portent pour ceinture une corde à trois nœuds. *Le Club des cordeliers*, fondé par Danton, Marat et C. Desmoulins dans l'ancien couvent des Cordeliers de Paris (1790).
Loc. fam. *Avoir la conscience large comme la manche d'un cordelier* : avoir peu de scrupules.
Gris comme un cordelier : ivre (par jeu de mots sur la couleur grise du vêtement des Cordeliers).

CORDELIÈRE [kɔʀdəljɛʀ] n. f. — Fin xvᵉ ; de *cordelle*, et *-ière*.

♦ **1.** (Fin xvᵉ). Relig. Corde à plusieurs nœuds dont les religieux et les religieuses de l'ordre de Saint-François se ceignent.
Cour. Gros cordon servant de ceinture. ⇒ **Ceinture** ; → Rêver, cit. 30. *La cordelière de soie d'une robe de chambre. Cordelière tressée.*
Par ext. Cordon. *Porter une cordelière autour du cou.*

Pauline sentait trembler ses genoux ; elle nouait et dénouait la cordelière de son sac autour de ses doigts (...)
                              J. CHARDONNE, les Destinées sentimentales, p. 198.

♦ **2.** Archit. Moulure sculptée en forme de corde.

♦ **3.** (1690). Blason. Collier qui entoure les armoiries des personnes ayant une dévotion pour saint François d'Assise. *L'écu des veuves est entouré d'une cordelière.*

CORDELLE [kɔʀdɛl] n. f. — V. 1180, au sens 1 ; de *corde*, et *-elle*.

♦ **1.** Rare. Petite corde. — Par métaphore, littér. :

1   Laure soutenait sa tête *(du blessé)* : à chacun de ses mouvements, une longue tresse effleurait le front du blessé.
Quand il a rouvert les yeux, c'est le visage renversé de Laure qu'il a vu d'abord.
Il a levé une main encore hésitante, il a saisi entre ses doigts maculés de glaise et de charbon la cordelle de doux cheveux.
                              Suzanne PROU, la Terrasse des Bernardini, p. 36.

♦ **2.** Techn. Petit câble pour le halage des bateaux. *Haler à la cordelle.*

2   Nos matelots nous tiraient à la cordelle.   CHATEAUBRIAND, Itinéraire..., III, 70.

DÉR. Cordelette, cordelier, cordelière.

CORDER [kɔʀde] v. tr. — V. 1165, au sens I, 1 ; de *corde*.

★ **I.** ♦ **1.** Tordre, rouler en corde. ⇒ **Cordeler, cordonner, tortiller**. *Corder du chanvre, du crin, du tabac.*
Tordre comme une corde. *Corder du tabac.*

♦ **2.** Par anal. (en parlant des veines). Donner à (un membre) un aspect noueux, en prenant l'aspect de cordes saillantes. — Intrans. Prendre l'aspect d'une corde saillante. *Veines qui cordent.*

★ **II.** ♦ **1.** (V. 1200). Lier avec une corde. ⇒ **Attacher, lier, serrer**. *Corder un ballot, un paquet, une malle.* ⇒ **Cercler**.

1   Vite, il faut se vêtir, faire replier toutes ces toiles tendues, corder nos bagages, et nous voilà dehors (...)   LOTI, Jérusalem, v, p. 57.

Absolt (ou intrans.). Faire glisser un cercueil dans une fosse à l'aide d'une corde. *« Les porteurs cordèrent rapidement »* (Hervé Bazin, *Cri de la chouette*, p. 284).

♦ **2.** (XIIIᵉ, *in* F. E. W.). Mesurer en entourant d'une corde. *Corder du bois.* — Par métonymie :

1.1   Si l'on vous corde mal, refusez votre bois.
                              Ch. PAUL DE KOCK, la Grande Ville, t. I, p. 44.

★ **III.** Garnir de cordes (une raquette). *Corder une raquette de tennis.*

▶ **SE CORDER** v. pron.

♦ **1.** (En parlant de certains légumes, comme le céleri, les radis, etc.). Devenir filandreux.

♦ **2.** Alpin. Se mettre en cordée*. ⇒ **Encorder** (s').

▶ **CORDÉ, ÉE** p. p. adj.

♦ **1.** Tordu en corde. *Chanvre cordé.*

♦ **2.** Par anal. Qui présente l'aspect de cordes saillantes. *Muscle cordé. Mains cordées de veines.*

2   Ses cuisses courtes sont toutes cordées de muscles, ni plus ni moins qu'à un lutteur japonais.   COLETTE, la Paix chez les bêtes, p. 121.

Géol. *Lave cordée*, formant des replis évoquant de grosses cordes.

♦ **3.** Lié à l'aide d'une corde. *Malle cordée. Canons « cordés par des câbles de fer »* (Loti, *in* T. L. F.).

♦ **4.** (Au sens III). *Raquette mal cordée.*

DÉR. Cordage (II.), cordeur.
COMP. Décorder, encorder, recorder.
HOM. Cordée.

CORDERIE [kɔʀdəʀi] n. f. — 1239 ; de *cordier* ou de *corde*, et suff. *-erie*.

♦ **1.** (1754). Industrie de la fabrication des cordes et cordages. *Corderie du chanvre* : fabrication du fil de caret. *Opérations de corderie* : peignage, étalage, doublage, étirage, filage, filature, commettage, tressage. *Corderie métallique* (⇒ **Câblerie**). *Corderie à la main* : fabrication du fil de caret ; apprêt par encollage, goudronnage, ourdissage, torsion. *Corderie industrielle à la machine* : bobinage, retordage, toronnage, câblage, livardage, encollage, polissage, ramollissage, mise en pelote... ⇒ aussi **Cordier** (outils du cordier).

(...) je les engageai à travailler pour moi à différentes sortes d'ouvrages de corderie (...)   A. GALLAND, les Mille et une Nuits, t. III, p. 254.

♦ **2.** (1239). Atelier, usine où l'on fabrique des cordes, cordages, ficelles.

CORDÉS [kɔʀde] n. m. pl. — xxᵉ ; de *corde*, IV., 3., et *-és*.

♦ Zool. Groupe (phylum) des animaux à corde* dorsale. *Les Cordés comprennent les Tuniciers et les Céphalocordés (Procordés), ainsi que la totalité des Vertébrés.* — Au sing. *Un cordé.*

COMP. Procordés ; céphalocordés.
HOM. Cordé, cordée, corder.

CORDEUR [kɔʀdœʀ] n. m. — 1538 ; de *corder*.

♦ Techn. (ancienn). Ouvrier mesurant le bois à la corde.

(...) il n'est guère possible à la personne qui achète d'avoir l'œil sur le cordeur.   Ch. PAUL DE KOCK, la Grande Ville, t. I, p. 44.

CORDI- Élément, du lat. *cor, cordis* « cœur ». → Cordiforme.

CORDIAL, IALE, IAUX [kɔʀdjal, jo] adj. et n. — 1314 ; lat. médiéval *cordialis*, de *cor, cordis* « cœur ».

♦ **1.** Vieilli ou littér. Propre à faciliter le fonctionnement du cœur* ; qui stimule le cœur. ⇒ **Fortifiant ; réconfortant, reconstituant, remontant** (fam.), **stimulant, tonique**. *Remède* cordial, potion cordiale.*

(...) quelques bouteilles de vin vieux, afin d'augmenter la gaieté de nos repas indiens, par ces douces et cordiales productions de l'Europe.   1
                              BERNARDIN DE SAINT-PIERRE, Paul et Virginie, p. 52.

N. m. (1495). *Un cordial. Administrer un cordial à un malade. Prendre un cordial.* ⇒ **Restaurant** (vx).

Mêlé au vin *(le sucre)*, il donne un cordial, un restaurant tellement reconnu, que, dans quelques pays, on en mouille des rôties qu'on porte aux nouveaux mariés la première nuit de leurs noces (...)   2
                              A. BRILLAT-SAVARIN, la Physiologie du goût, Méditation VI, t. I, p. 132.

Par ext. Boisson alcoolisée. *Voulez-vous prendre un petit cordial ?*
Fig. Ce qui stimule (le courage), réconforte.

L'enthousiasme est un cordial.   HUGO, Post-Scriptum de ma vie, v.   3

♦ **2.** (xvᵉ). Cour. Qui vient du cœur ; qui exprime une spontanéité, une sincérité dans les sentiments positifs (affection, amitié...). ⇒ **Affectueux, amical, bienveillant, chaleureux, franc, sincère, spontané, sympathique**. *Langage, entretien cordial. Accueil cordial. Réception cordiale. Amitié, affection cordiale. Sentiments cordiaux. Apparence, mine, physionomie cordiale. Manières cordiales. Cordiaux remerciements. Poignée de main cordiale. Jeter un salut cordial.* → Politesse, cit. 10.
Hist. *Entente* cordiale.* (Personnes). *Un ami cordial, un homme affectueux et cordial*, qui parle sincèrement, et agit avec cœur.

— Votre physionomie m'a plu (...) J'y ai vu quelque chose d'honnête (...) de franc (...) et de cordial.   MOLIÈRE, Monsieur de Pourceaugnac, I, 3.   4

(...) il m'a paru, vis-à-vis de moi, un peu sur la réserve, quoique cordial (...)   5
                              SAINTE-BEUVE, Correspondance, t. I, 67, 23 avr. 1829.

Il *(Bonaparte)* avait toujours deviné, derrière les cordiales effusions d'un Barras et les phrases mielleuses d'un La Revellière, une antipathie pouvant tourner à la haine.   Louis MADELIN, l'Ascension de Bonaparte, XV, p. 220.   6

Par antiphrase. *Il lui voue une antipathie, une haine cordiale.*

(D'un lieu, d'un milieu). ⇒ **Accueillant, agréable**.

Ce logis était bien pauvre, mais il était si cordial, si mollet, si doux !   7
                              HUYSMANS, Là-bas, v, p. 57.

♦ **3.** Rare. Qui vient du fond du cœur, de la conscience. *« Adhésion (...) nullement cordiale et de toute l'âme... »* (Bremond, *in* T. L. F.).

CONTR. Affaiblissant, débilitant. — Faux, hypocrite, insincère, menteur. — Froid, indifférent, insensible. — Antipathique, hostile, malveillant.
DÉR. Cordialement, cordialisé, cordialité.

CORDIALEMENT [kɔʀdjalmɑ̃] adv. — V. 1393; de *cordial*, et *-ment*.

♦ D'une manière cordiale (2.), spontanée. *Il nous a reçus très cordialement. Il lui a parlé cordialement, sans fard, en ami.* → À cœur* ouvert. *Se serrer la main cordialement. Vivre cordialement avec ses voisins,* en bonne entente. — *Cordialement, cordialement vôtre* (formule d'amitié en fin de lettre).

1 J'embrasse toute votre aimable compagnie, et vous très tendrement et *très cordialement :* c'est un mot de ma grand'mère.   Mᵐᵉ DE SÉVIGNÉ, 826, 3 juil. 1680.

2 Je le pardonne non point seulement de bouche ni en apparence, mais sincèrement, mais cordialement.   BOURDALOUE, Pensées, Or. domin., X, 5.

Par antiphrase. *Haïr, détester qqn cordialement,* avec force, de tout cœur.

3 MM. Servien et Le Tellier se haïssaient cordialement.
          RETZ, Mémoires, III, IV, p. 327, *in* POUGENS.

4 On se disait cordialement, de part et d'autre, des injures si grossières (...)
          MONTESQUIEU, Lettres persanes, 36.

CONTR. **Faussement, hypocritement, froidement.**

CORDIALISÉ, ÉE [kɔʀdjalize] adj. — Fin xixᵉ, Allais; de *cordial,* et *-isé.*

♦ Littér. et rare. Rendu cordial, chaleureux.

Le cœur à la joie, cordialisé par les quelques verres de champagne qu'il venait d'avaler coup sur coup, Blaireau, la main grande ouverte, se précipita au-devant de M. Lerechigneux.   A. ALLAIS, l'Affaire Blaireau, p. 96.

CORDIALITÉ [kɔʀdjalite] n. f. — V. 1450; de *cordial.*

♦ Comportement cordial (2.), sincérité et spontanéité dans les sentiments positifs (affection, bienveillance, amitié...). ⇒ **Chaleur, franchise, sincérité, spontanéité, sympathie.** *Parler avec cordialité. Affecter la cordialité.*

1 Mais ma froide et tutoyeuse cordialité, à laquelle ils *(mes amis)* ne se trompent pas, les contient.   COLETTE, la Naissance du jour, p. 23.

2 — « Alors », fit Antoine, s'efforçant à une cordialité qui sonnait faux, « je m'assieds (...) ».   MARTIN DU GARD, les Thibault, t. IV, p. 53.

3 (...) des gens dont la cordialité est un peu rude et l'hospitalité si amicale.
          J. CHARDONNE, les Destinées sentimentales, p. 258.

Par métonymie, littér. (en général au plur.). Témoignages d'amitié. *Des cordialités affectueuses.*

CONTR. **Fausseté, hypocrisie, mensonge. — Froideur, insensibilité. — Antipathie, hostilité.**

CORDIER, IÈRE [kɔʀdje, jɛʀ] adj. et n. — 1240, comme nom; de *corde.*

♦ **1.** [a] Adj. Qui est relatif à la fabrication ou à la vente des cordes. *Industrie cordière.*

[b] N. (1240). Personne (ouvrier, artisan; entrepreneur) qui fabrique ou vend des cordes, des cordages (⇒ **Corderie**). *Outils du cordier :* carré, dévidoir (touret), émerillon, molette, plantage, quilloir, rouet, sabot. *Appareils, machines utilisés par le cordier :* machines à toronner, machine à câbler, fileuse, coureuse (fileuse mobile), rouleaux frotteurs, cylindres à lisser. *Chanvre utilisé par le cordier* ⇒ **Peignon.**

1 (...) une de ces vieilles églises de province abandonnées, oubliées sur quelque place solitaire où un cordier fait de la corde.
          Ed. et J. DE GONCOURT, Sœur Philomène, p. 42.

2 Le roi des Dentelles l'étirait, comme un cordier persuade sa ligne rétrograde, et les fils tremblaient un peu dans l'obscurité de l'air, comme ceux de la Vierge.
          A. JARRY, Gestes et opinions du Dʳ Faustroll, p. 677.

♦ **2.** N. m. (1470). Mar. Bateau de pêche utilisant les lignes de fond. *« Le chalutier "La Jeanne d'Arc" et le cordier "Fend l'Air"... »* (le Figaro, 14 nov. 1970).

En appos. *Navire cordier.*

♦ **3.** N. m. (1875). Mus. Partie du violon où s'attachent les cordes. ⇒ **Queue.**

DÉR. Corderie.

CORDIEU [kɔʀdjø] interj. ⇒ **Corbleu.**

CORDIFORME [kɔʀdifɔʀm] adj. — 1771, Trévoux; lat. *cor, cordis* « cœur », et *forme.*

♦ Didact. En forme de cœur. ⇒ **Cordé.**

1 Le soleil paraissait avoir fait le vide dans tout le village. Seule la fontaine cordiforme jasait intarissablement.   M. TOURNIER, le Roi des Aulnes, p. 164.

Bot. *Feuille, fleur cordiforme.*

2 À peine l'insecte s'est-il enfoncé dans cette belle fleur cordiforme qu'un déclic referme sur lui une partie de la corolle.   M. TOURNIER, Vendredi..., p. 119.

CORDILLÈRE [kɔʀdijɛʀ; kɔʀdiljɛʀ] n. f. — 1838, *cordillère; cordillière,* 1801; esp. *cordillera* « chaîne de montagnes », du lat. *chorda.* → Corde.

♦ **1.** Cour. Chaîne de montagnes (dans les pays de langue espagnole). *Cordillère des Andes.* Absolt. *La Cordillère.*

REM. On écrit parfois *cordillière.*

♦ **2.** Géogr. (avec une minuscule). Chaîne de montagnes (dans une région quelconque). *La cordillère alpine.*

Géomorphol. Type de montagnes caractérisé par une structure plissée d'origine géosynclinale.

Par métaphore :

(...) on put voir une cordillère de vapeurs, tout à l'heure encore éblouissante et indiscernable, maintenant aiguë et sombre.
          Claude LÉVI-STRAUSS, Tristes tropiques, p. 52.

CORDITE [kɔʀdit] n. f. — 1890-1891, *Année sc. et industr.,* p. 462; mot angl. (1889), de l'angl. *cord* (→ Corde), et *-ite.*

♦ Techn. Poudre sans fumée, pressée à la filière.

CORDON [kɔʀdɔ̃] n. m. — V. 1170; de *corde.*

★ I. ♦ **1.** Vx (Techn.). Cordelette qui entre dans la composition d'une corde à plusieurs éléments. *Corde à cinq cordons.* Mar. *Trois cordons forment un grelin* (⇒ **Haussière**).

♦ **2.** (V. 1165). Petite corde*, petite tresse ronde ou (plus rarement) plate (ruban) servant à divers usages. ⇒ **Aiguillette, attache, bandereau, brandebourg, câble, cordelière, cordonnet, dragonne, enguichure, frange, galon, ganse, lacet, lacs, lien, passepoil, ruban, soutache, toron, tresse.** *Attacher, lier, nouer avec un cordon, avec des cordons. Faire passer un cordon dans une coulisse. Délier, détacher un cordon. Cordon de fil, de soie, de coton... Cordons d'un tablier, d'un bonnet. Les tirants* d'un cordon. Le passementier fabrique les cordons.* ⇒ **Passementerie.**

1 L'un d'eux (...) chausse des guêtres (...) passe un cordon où pend le fourniment (...) d'un fusil (...)   LA BRUYÈRE, les Caractères, VII, 10.

2 Humilité attendrie et attendrissante de pataud qui n'a oncques su délacer un corset sans en embrouiller les cordons (...)
          COURTELINE, Boubouroche, Nouvelle, p. 30.

Loc. *En cordon :* en forme de cordon. *Une cravate nouée en cordon.* (1593). *Cordons d'un chapeau :* ruban, tissu dont on entoure la forme du chapeau. ⇒ **Laisse.** Spécialt. *Cordon d'un évêque, d'un cardinal :* cordon qui pend du chapeau d'un évêque..., et qui est figuré sur ses armoiries. *Le cordon héraldique des cardinaux est de gueules à quinze houppes.*

Liturgie. Longue cordelière dont le prêtre se ceint pour célébrer la messe.

(Emplois spéciaux). *Les cordons d'une bourse.* Loc. *Tenir les cordons de la bourse*. Desserrer, délier les cordons de la bourse :* payer, donner de l'argent.

(1690). Vx. *Cordons de souliers.* ⇒ **Lacet.** *Dénouer les cordons des souliers de qqn,* le déchausser. Loc. fig. (Mod.). *Il n'est pas digne de dénouer les cordons de ses souliers :* il est loin de l'égaler en mérite (il ne lui arrive pas à la cheville). Cf. Bible, saint Luc, III, 16 (→ Baptiser, cit. 1).

(V. 1753). *Cordons de tirage. Cordon de sonnette. Cordon de rideaux.* ⇒ **Embrasse, tirette.**

2.1 (...) le cordon de tirage cassé de mon rideau pendouillant comme un serpent mou égaré par son derviche (...)   Benoîte et Flora GROULT, Il était deux fois, p. 271.

Anciennt. Petite corde permettant au concierge, au portier, d'ouvrir à ceux qui veulent entrer ou sortir. *Demander le cordon. Tirez le cordon,* et, par ellipse, *cordon, s'il vous plaît.*

3 On y pénètre par des galeries sans fenêtres, un large et sombre escalier de pierre, sous le regard d'un domestique invisible : du premier étage, il a tiré le cordon de la porte, et vous surveille, penché sur la rampe.
          J. CHARDONNE, l'Amour du prochain, VII, p. 179.

(1695). Vx. *Cordon coulant,* ou, absolt, *cordon :* lacet servant à étrangler. ⇒ **Nœud** (coulant). *Périr par le cordon.*

4 On ne manque à Athènes ni de cordons coulants ni de précipices.
          FÉNELON, Dialogue des morts, 18.

♦ **3.** Artill. *Cordon tire-feu*. Cordon Bickford.* ⇒ **Bickford.**

♦ **4.** Électr. *Cordon souple. Cordon chauffant.* ⇒ **Résistance.** *Cordon conducteur :* conducteur formé de fils tressés ensemble. — *Cordons reliant les éléments d'une chaîne haute fidélité.*

★ II. ♦ **1.** (1671). Large ruban qui sert d'insigne aux membres de certains ordres honorifiques. *Porter le cordon de tel ordre. Grand cordon de la Légion d'honneur :* écharpe que porte le titulaire du grade de grand-croix de la Légion d'honneur. *Cordon rouge,* de Saint-Louis. — (1617). *Cordon bleu,* de l'ordre du Saint-Esprit (se dit, par ext. [1609], de celui qui porte le cordon). *Il est grand cordon.*

4.1 Puis, partout les taches vertes, bleues, rouges des cordons, l'argent mat et les feux en étoiles des brochettes et des plaques.
          Alphonse DAUDET, l'Immortel, p. 114.

♦ **2.** (1814). *Un cordon-bleu* (Acad. : *un cordon bleu*) : une cuisinière très habile. *Sa femme est un véritable cordon-bleu.* — (Par plais.). *Je sais un peu faire la cuisine, mais je ne suis pas un cordon-bleu.* — Plur. *Des cordons-bleus.*

4.2 J'ai supposé que ma Grand mère qui avait abandonné sa place de cordon bleu, Clarisse ma marraine qui avait quitté sa place de cuisinière dans la maison où tu avais été séduite, j'ai supposé que toutes les trois, vous vous demandiez si un oreiller sur ma trogne couleur de tomate n'était pas préférable à l'avenir que je vous imposais. Violette LEDUC, la Bâtarde, p. 34.

♦ **3.** (1609). Petite cordelette que portent les membres de certaines confréries. *Le cordon de saint François.* ⇒ **Cordelière.**

5 Et l'ordre du cordon des pères recollets (...) Mathurin RÉGNIER, Satires, XIII.

6 Cette multitude nombreuse, éblouie et subjuguée par les décorations extérieures, et à qui un cordon en impose plus qu'un bon ouvrage (...) D'ALEMBERT, Éloges, Clérembault.

♦ **4.** Cordelette tressée, munie de glands, qui garnit le coin d'un drap mortuaire. Loc. *Tenir les cordons du poêle :* accompagner le char funèbre. → 1. Poêle, cit. 1.

★ **III.** Par anal. ♦ **1.** (1688). Anat. (organe, partie ressemblant à une corde).

(1754). Obstétrique. *Cordon ombilical** (cit.) : cordon qui rattache l'embryon au placenta. Absolt. *Couper le cordon. Cicatrice de cordon ombilical.* ⇒ **Nombril.**

6.1 Devant nous une sage-femme tranche avec un couteau de bois le cordon ; elle en laisse à l'enfant une longueur qu'elle mesure soigneusement à la nuque après avoir fait passer le cordon par-dessus la tête du petit. GIDE, Voyage au Congo, in Souvenirs, Pl., p. 711.

Figuré :

6.2 Comme ça elle *(la belle-mère)* nous possède (...) Elle en tomberait malade si on coupait le cordon (...) Mais moi j'en ai assez. Je me fiche de l'appartement, des meubles et de tout le reste (...) N. SARRAUTE, le Planétarium, p. 85.

Cordon nerveux. Cordon médullaire*. ⇒ **Moelle** (épinière). *Douleurs des cordons.* ⇒ **Cordonal.** — ⇒ aussi **Corde** (dorsale).

Cordon spermatique, comprenant le canal déférent, des artères, des veines, des lymphatiques et les nerfs du testicule.

Cour. Tendon saillant.

7 Dans l'échancrure de la chemise, Antoine aperçut le cou décharné, la pomme d'Adam saillante entre deux cordons tendineux. MARTIN DU GARD, les Thibault, t. III, p. 249.

Bot. Filet qui joint l'ombilic de la graine au placenta. ⇒ **Funicule.**

♦ **2.** Série de plusieurs choses alignées. ⇒ **File, ligne, rangée.** *Un cordon d'ampoules électriques dans une illumination. Cordon de lampions*.*

8 Autour de cet amas de viandes entassées
Régnait un long cordon d'alouettes pressées (...) BOILEAU, Satires, 3.

♦ **3.** Spécialt. *Cordon de troupes. Cordon d'agents de police.* ⇒ **Barrage** (→ Agent, cit. 4).

9 (...) tout le long de cette côte qui semble le pays du vide et des ténèbres, il y a des carabiniers, échelonnés en cordon interminable et veillant chaque nuit sur l'Espagne comme sur une terre défendue (...) LOTI, Ramuntcho, VIII, p. 93.

(1821). *Cordon sanitaire :* ligne de postes de surveillance établie aux limites d'un pays, d'une région où règne une maladie contagieuse, une épidémie.

9.1 Qui expliqua également que les cordons sanitaires établis à grands renforts de troupes, par Mehmet Ali, vers la fin du siècle dernier, à l'occasion d'une recrudescence de la peste égyptienne, se soient montrés efficaces pour protéger les couvents, les écoles, les prisons et les palais (...) A. ARTAUD, le Théâtre et son double, Idées/Gallimard, p. 30.

(Au sens militaire) :

9.2 L'idée d'entourer la Russie soviétique d'un cordon sanitaire de bases menaçantes pour elle, eût été défendable si ces bases n'avaient pas été établies sur des terres étrangères, parmi des peuples où la Russie soviétique avait ses bases, elle aussi, dans les cœurs et dans les esprits. F. MAURIAC, le Nouveau Bloc-notes, p. 346.

♦ **4.** (1611). Archit. Moulure* décorative peu saillante. *Cordon uni, cordon décoré, sculpté. Cordon de perles. Cordon marquant les étages d'une façade, garnissant une corniche.* — *Cordon en cuivre ornant le haut des barreaux d'une grille* (⇒ 1. **Astragale**).

10 (...) les fenêtres, les portes, les entablements, les angles et les cordons de pierre à chaque étage sont de granit taillé en pointes de diamant. BALZAC, le Curé de village, Pl., t. VIII, p. 645.

(1690). Bord façonné d'une pièce de monnaie. *Cordon rogné. Bordure du cordon.* ⇒ **Carnèle.**

♦ **5.** Techn. *Cordon de protection :* bossage situé sur le flanc d'un pneumatique et destiné à le protéger du frottement contre les bordures de trottoir et les obstacles.

♦ **6.** (1704). Hortic. *Cordon de gazon.* ⇒ **Bande.** *Cordon autour d'une plate-bande. Cordon d'arbres.* ⇒ **Bordure, lisière.** — Forme donnée à certains arbres fruitiers. *Taille en cordon.*

11 Bien des jardins m'ont laissé leur souvenir. Presque tous me contentèrent, sauf ceux qui étaient trop jeunes et qu'il m'eût fallu planter. Passe encore de couvrir un mur d'espalier, de restaurer les palmettes et les cordons. COLETTE, Flore et Pomone, in Gigi, p. 147.

♦ **7.** Géogr. *Cordon littoral,* et, absolt, *cordon :* bande de terre qui émerge à peu de distance d'une côte. *Cordon sablonneux. Cordon*

littoral recouvert par la marée haute. Lagune derrière un cordon littoral.

DÉR. Cordonal, cordonner, cordonnet.

CORDONAL, ALE, AUX [kɔʀdɔnal, o] adj. — xxᵉ ; de *cordon,* et -*al.*

♦ Méd. Qui se rapporte aux cordons de la moelle épinière. *Douleurs cordonales. Syndromes cordonaux :* anesthésie, ataxie, abolition des réflexes, douleurs fulgurantes, paralysie.

CORDON-BLEU [kɔʀdɔ̃blø] n. m. ⇒ **Cordon** (II., 2.).

CORDONNER [kɔʀdɔne] v. tr. — V. 1210 ; de *cordon,* et -*er.*

♦ Tordre* en cordon. ⇒ **Corder.** *Cordonner du chanvre, de la soie, des cheveux* (⇒ **Tresser**).

Archit. Orner d'un cordon.

▶ **CORDONNÉ, ÉE** p. p. adj.
Tordu en cordon.
Le duc d'Anjou porta la toison d'or avec un ruban noir cordonné. SAINT-SIMON, Mémoires, 83, 86, in LITTRÉ.

Spécialt (numism.). *Pièce de monnaie cordonnée,* dont le métal, repoussé sur le contour, forme un cordon.

REM. Ne pas confondre avec le paronyme *coordonner.*

CORDONNERIE [kɔʀdɔnʀi] n. f. — 1532 ; *cordouannerie,* 1236 ; dér. du rad. de *cordoennier, cordoanier, cordouannier* (→ Cordonnier), et -*erie.*

♦ **1.** Métier, commerce du cordonnier*. Mod. Industrie, commerce des chaussures en cuir. ⇒ **Chaussure.** *Opérations en cordonnerie :* fabrication des chaussures à la main (coupe, montage, gravure, cambrure, assouplissage, finissage, astiquage) ; fabrication à la machine (découpage, cambrage, piqûre, montage, gravure, finissage).

L'étonnement de Macaire sur ce point était dû à la qualité spéciale des cuirs, aux teintures dont on les imprègne en cordonnerie fine, ainsi qu'à l'abondance et à la diversité du cirage. J. ROMAINS, les Hommes de bonne volonté, t. IV, VIII, p. 77.

♦ **2.** Boutique, atelier du cordonnier*. *Faire réparer ses chaussures à la cordonnerie, dans une cordonnerie* (plus cour. : *chez le cordonnier*). *Cordonnerie express* (→ Talon-minute).

Rare. Articles de cordonnerie.

♦ **3.** Lieu (dans un collège, une garnison, un couvent) où on range les chaussures.

CORDONNET [kɔʀdɔnɛ] n. m. — 1515 ; de *cordon,* et -*et.*

♦ **1.** Petit cordon, petite tresse (le plus souvent à usage décoratif). *Cordonnet de coton, de soie, de fil d'argent, d'or. Cordonnet servant de ganse.*

(1754). Spécialt. Gros fil de soie, de coton, à trois brins servant à broder, à faire les boutonnières, etc. *Cordonnet pour boutonnières.*

♦ **2.** Numism. Marque empreinte sur la tranche d'une monnaie. ⇒ **Cordon, listel.**

CORDONNIER, IÈRE [kɔʀdɔnje, jɛʀ] n. — V. 1255, in D.D.L. ; *cordoennier,* déb. xiiiᵉ ; de *cordoan, cordouan* « de Cordoue », ville célèbre pour ses cuirs, et -*ier,* avec une altération due à l'infl. de *cordon.*

♦ **1.** Anciennt. Fabricant et marchand de chaussures. ⇒ **Bottier, chausseur, savetier** (vx).

Prov. *Les cordonniers sont toujours les plus mal chaussés*.* — Adapt. lat. *Cordonnier, pas plus haut que la (ta) chaussure !,* que l'on s'en tienne à ses compétences.

REM. Le fém., dans ce sens et dans le suivant, semble rare.

♦ **2.** Mod. Artisan qui répare, entretient les chaussures. ⇒ fam. **Bouif, gnaf.** *Le cordonnier répare, ressemelle les chaussures.* ⇒ **Carreler, dessemeler, recarreler, recoudre, remonter, ressemeler.** *Porter des chaussures à ressemeler chez le cordonnier. La boutique du cordonnier :* la cordonnerie*. *Les outils, le matériel du cordonnier :* ⇒ **Crépin, saint-crépin** (vx) ; **alène, astic, billot, buis, buisse** ou **bouisse, ébourroir, embauchoir, emporte-pièce, fer** (à lisser), **fil** (poissé), **forme, grattoir, ligneul, machinoir, manicle, marteau, moule, régloir, rivetier, tire-pied, tire-point, tranchet.**

Je vous apporte mon âme à ressemeler et à décrotter. Je vous prie de souffrir ces expressions de cordonnier. 　　　　LÉON BLOY, le Désespéré, II, p. 69.

DÉR. Cordonnerie.

CORDOUAN, ANE [kɔʀdwã, an] adj. et n. — 1168; *cordoan*, av. 1150; empr. à l'esp. mozarabe *cordobán* «cuir de bouc ou de chèvre fabriqué à Cordoue», esp. *Córdoba.*

♦ **1.** Adj. (Personnes). Qui est originaire de Cordoue. — N. *Un Cordouan, une Cordouane.*
(Choses). Qui provient de Cordoue.

♦ **2.** N. m. Cuir de mouton ou de chèvre fabriqué originairement à Cordoue. *Un fauteuil de cordouan.*

CORÉ [kɔʀe] n. f. ⇒ **Koré.**

CO-RÉDACTEUR, TRICE [kɔʀedaktœʀ, tʀis] n. — 1869; de *co-*, et *rédacteur.*

♦ Personne qui rédige avec une ou plusieurs autres (des articles pour un périodique, des textes...).
(1879). *Co-rédacteur en chef :* personne qui dirige avec une ou plusieurs autres la rédaction d'un périodique.

CORÉEN, ENNE [kɔʀeɛ̃, ɛn] adj. et n. — 1797; de *Corée,* et *-éen.*

♦ **1.** Adj. (1838). Qui est relatif, qui est propre à la Corée ou à ses habitants. *Populations coréennes.*
Ling. *La langue coréenne.*

♦ **2.** N. (1797; *corain,* 1616, *in* D.D.L.). *Un Coréen, une Coréenne :* personne qui est née en Corée, qui y habite ou qui en est originaire. *Les Coréens. Coréen du Nord, du Sud.*
N. m. (1842, *in* D.D.L.). Ling. *Le coréen :* langue du groupe arabo-altaïque parlée en Corée. *Le coréen est une langue du type dit « agglutinant ».*

CORÉFÉRENCE [kɔʀefeʀɑ̃s; kɔʀefeʀɑ̃s] n. f. — V. 1970; de *co-*, et *référence.*

♦ Didact. Le fait, pour deux signes linguistiques (mots, groupes de mots), d'avoir la même référence*, de renvoyer au même élément de la réalité. *Les pronoms (pronominalisation), noms propres, descriptions définies ont un rôle essentiel dans la coréférence. Coréférence sémantique* (ex. 4 de la cit.), *syntaxique* (ex. : *il se croit malin*).

Dans un même discours, plusieurs groupes de mots peuvent avoir la même référence, c'est-à-dire renvoyer au même objet :
(2) *je crois qu'Amanda me déteste*
(3) *la mère supérieure se regarde dans l'eau du bassin*
(4) *je découvris que Bernard d'Andrésy n'était autre qu'Arsène Lupin*
Je et *me* dans (2), *la mère supérieure* et *se* dans (3), *Bernard d'Andrésy* et *Arsène Lupin* dans (4) ont la même référence. Nous dirons que deux termes de même référence sont *coréférentiels.* Ces exemples diffèrent cependant quant à la manière dont la coréférence y est représentée (...)
　　　　Gilles FAUCONNIER, la Coréférence : syntaxe ou sémantique, Préface.

DÉR. Coréférentiel.

CORÉFÉRENTIEL, ELLE, ELS [kɔʀefeʀɑ̃sjɛl; kɔʀefeʀɑ̃sjɛl] adj. — V. 1970; de *coréférence.*

♦ Didact. Qui a la même référence (qu'un autre signe, qu'un autre élément). → Coréférence, cit.
Relatif à la coréférence.

CORÉGENCE [kɔʀeʒɑ̃s; kɔʀeʒɑ̃s] n. f. — 1811; de *co-*, et *régence.*

♦ Hist. Régence exercée en commun (par des corégents).

CORÉGENT [kɔʀeʒɑ̃] n. m. — 1826; de *co-*, et *régent.*

♦ Hist. Celui qui partage la fonction de régent avec un ou plusieurs autres.

CORÉGONE [kɔʀegon] n. m. — 1839; lat. mod. *coregonia,* du grec *korê* «pupille», et *gonia* «angle».

♦ Zool. Poisson physostome *(Salmonidés)* qui vit dans les eaux douces et pures des lacs et se nourrit de minuscules proies vivantes, à cause de la petitesse de sa bouche. *Variétés de corégones.* ⇒ **Féra, lavaret.**

CORELIGIONNAIRE [kɔʀeliʒjɔnɛʀ; kɔʀəliʒjɔnɛʀ] n. — 1827; *coreligionnaire,* 1806, *in* D.D.L.; de *co-*, *religion,* et *-aire.*
Didactique.

♦ **1.** Personne qui a la même religion qu'une autre. *Les coreligionnaires de qqn. Ce sont des coreligionnaires.*

♦ **2.** Personne qui professe la même religion, la même doctrine qu'une ou plusieurs autres. *Ses coreligionnaires politiques.*

CORÉOPSIS [kɔʀeɔpsis] n. m. — 1798; *coréopse,* 1805; du grec *koris* «punaise», et *opsis* «apparence».

♦ Bot. (relativement cour.). Plante dicotylédone *(Composacées)* annuelle ou vivace, d'origine tropicale. *Le coréopsis est cultivé pour ses fleurs richement colorées, jaunes ou brunes.*

COREQUIS, ISE [kɔʀəki, iz] adj. — 1980, au Québec; de *co-*, et *requis.*

♦ Admin. Qui est requis en même temps qu'un (ou une) autre. «*Un cours est dit corequis s'il doit être suivi en même temps qu'un autre, à moins qu'il n'ait été préalablement suivi*» (*Règlement...,* Faculté des arts et des sciences de l'université de Montréal, 1981, p. 2-4).

CORGI [kɔʀgi] n. m. — Mil. xxe; mot angl. *(welsh) corgi.*

♦ Race de chiens de petite taille. «*Les corgis de la reine* (d'Angleterre)» (*le Parisien libéré,* 10 avr. 1967).

CORIACE [kɔʀjas] adj. — 1549; *corias,* 1531; probablt du bas lat. *coriaceus* «de cuir», de *corium* «cuir».

♦ **1.** (En parlant d'une viande). Qui est dur comme du cuir. ⇒ **Ferme.** *Chair, viande coriace* (⇒ **Carne, corne, semelle**). *Pellicule coriace de certaines viandes* (⇒ **Peau**). *Un bifteck rendu coriace par excès de cuisson.* ⇒ **Racorni.**
(En parlant d'autres aliments que la viande). *Des légumes coriaces.*

♦ **2.** Abstrait (personnes; choses humaines). Qui ne cède pas. ⇒ **Dur.** *Il est coriace en affaires. Caractère coriace,* difficile, entêté, tenace. *Air coriace,* revêche.

On eût dit que mon père avait accaparé toute l'aménité dont pouvait disposer la famille, de sorte que rien plus ne tempérait, des autres membres, l'air coriace et renfrogné. 　　　　GIDE, Si le grain ne meurt, I, II, p. 41. [1]
Les morts de Paris doivent avoir le sommeil coriace pour goûter quelque paix dans cette retraite investie. 　　G. DUHAMEL, le Voyage de P. Périot, I, p. 7. [2]
Avare. *C'est un homme coriace,* un avare dont on ne peut rien tirer.
N. *C'est un coriace, une coriace.*

CONTR. Flasque, fongueux, moelleux, mou, tendre; large, généreux; accueillant, doux, souple.
DÉR. Coriacé, coriacement, coriacité.

CORIACÉ, ÉE [kɔʀjase] adj. — 1783, *in* D.D.L.; dér. du lat. *corium* «cuir», et *-acé.*

♦ Sc. nat. Qui a la dureté du cuir. *Un feuillage coriacé.*

CORIACEMENT [kɔʀjasmɑ̃] adv. — D.i.; de *coriace.*

♦ Rare. D'une manière coriace (concret et abstrait).
Je me souviens de la relation coriacement chaleureuse de Khrouchtchev avec le général de Gaulle :
«Après la reddition de Stalingrad, le maréchal von Paulus m'a remis son revolver.
— Tiens? répond le général, angélique. Et plus tard, il ne vous l'a pas réclamé?»
　　　　MALRAUX, Antimémoires, Folio, p. 447.

CORIACITÉ [kɔʀjasite] n. f. — Repris 1844, Gautier; *coriaceté,* xvie; de *coriace.*

♦ Rare. État de ce qui est coriace.
(...) elle adore la choupe *(soupe)* et c'est pour cela qu'elle a tellement grandi en force, en audace et en coriacité. 　　R. QUENEAU, le Chiendent, p. 266.

CORIANDRE [kɔʀjɑ̃dʀ] n. f. — xiiie; grec *koriandron,* par le lat. class. *coriandrium.*

♦ Plante annuelle *(Ombellifères),* dont le fruit séché, aromatique, est employé comme assaisonnement* ainsi que dans la fabrication de liqueurs. *Décoction de graines de coriandre.*
Par métonymie. La graine aromatique de cette plante. *Essence de coriandre.*

CORICIDE [kɔʀisid] n. m. — 1868; de 2. *cor,* et *-cide.*

♦ Préparation qu'on applique sur les cors* aux pieds, pour les détruire.

CORINDON [kɔʀɛ̃dɔ̃] n. m. — 1781; empr. au tamoul *corundum, curundom; corind,* av. 1667, donné comme mot indien.

♦ **1.** Minéral dense et très dur, formé d'oxyde d'aluminium (Al_2O_3). Pierre précieuse formée de ce minéral, diversement colorée par des oxydes métalliques. *L'aigue-marine orientale, l'améthyste orientale, la topaze orientale, le rubis oriental, les saphirs vert et jaune sont des corindons.*

Spécialt. *Corindon granulaire utilisé comme abrasif*.* ⇒ **Émeri.**

Géronimus se tint à l'écart derrière des broussailles pourvues d'abondantes épines recouvertes d'une poudre abrasive de corindon granulaire qui blessait les doigts.
Jean CAYROL, Histoire d'un désert, p. 95.

♦ **2.** Électron. Céramique blanche (alumine cristallisée) utilisée comme isolant.

CORINTHE [kɔʀɛ̃t] adj. invar. — 1925, *in* D.D.L.; de *raisin de Corinthe,* employé comme nom de couleur (1846, Balzac, *la Cousine Bette*).

♦ Vieilli (mode). D'une couleur brune évoquant les raisins de Corinthe secs. — N. m. *Du corinthe.*

CORINTHIEN, IENNE [kɔʀɛ̃tjɛ̃, jɛn] adj. et n. — V. 1530; de *Corinthe,* et *-ien.*

♦ **1.** Qui est relatif à Corinthe. *Histoire corinthienne. Populations corinthiennes. Les courtisanes corinthiennes étaient célèbres dans l'Antiquité.*

N. *Un, une Corinthienne.*

♦ **2.** Archit. *Ordre corinthien,* ou, par ellipse, *le corinthien :* le plus riche des ordres classiques de l'architecture grecque, caractérisé par un chapiteau orné de deux rangs de feuilles d'acanthe entre lesquelles s'élèvent de petits rangs qui forment les volutes. → Ordre, cit. 35. *Quand on superpose les trois ordres, on place le dorique en bas, l'ionique au milieu et le corinthien en haut* (Réau).
Adj. Relatif à l'ordre corinthien. *Colonne* (cit. 1) *corinthienne* (→ Chapiteau, cit. 1). *Pilier* (cit. 3) *corinthien. Chapiteau corinthien, sculpté de feuilles d'acanthe et de caulicoles. Temple corinthien, de style corinthien.*

1 (...) le sculpteur Callimachus, passant auprès de ce tombeau *(d'une jeune fille)* vit le panier *(qui avait été posé sur la racine d'une acanthe)* sur la quelle sorte ces feuilles naissantes l'avaient environné : cette forme nouvelle lui plut infiniment, et il en imita la manière dans les colonnes qu'il fit depuis à Corinthe, établissant et réglant sur ce modèle les proportions et la manière de l'ordre corinthien.
PERRAULT, Vitruve, IV, 1, *in* LITTRÉ.

2 Le dorique sans fard, l'élégant ionique,
Et le corinthien superbe et magnifique,
L'un sur l'autre placés élèvent jusqu'aux cieux
Ce pompeux édifice où tout charme les yeux.
LA FONTAINE, Psyché, I.

CORMAILLOT [kɔʀmajo] n. m. — 1908, *Encyclopédie universelle;* de *cor* «corne, coquillage» (1611), lat. *cornu,* et *maillot,* var. anc. et dial. de *maillet.*

♦ Régional. Coquillage (Murex) appelé aussi *bigorneau perceur,* qui perce les coquilles les plus épaisses pour se nourrir.

Un autre Murex *(M. erinaceus)* dit bigorneau perceur ou cormaillot est un des fléaux de nos parcs à huîtres.
Louis LAMBERT, les Coquillages comestibles, p. 98.

CORME [kɔʀm] n. f. — V. 1225; probablt d'un gaulois **corma.* Régional.

♦ **1.** Fruit du cormier. ⇒ **Sorbe.** *Boisson faite de cormes.* ⇒ **Cormé.**

♦ **2.** (Suisse, etc.). Fruit du cornouiller. ⇒ **Cornouille.**

DÉR. **Cormé, cormier.**

CORMÉ [kɔʀme] n. m. — 1532, Rabelais; de *corme.*

♦ Vx ou régional. Boisson fermentée (analogue au cidre) faite de cormes.

CORMIDIE [kɔʀmidi] n. f. — 1933 *(Larousse du xxe siècle);* lat. sc. *cormidium,* du grec *kormos* «tronc d'arbre».

♦ Didact. (zool.). L'un des groupes de polypes *(Siphonophores)* fixé sur le stolon* et comprenant : un polype protecteur (aspidozoïde), un ou plusieurs polypes excréteurs (cystozoïde), un polype nourricier (gastrozoïde) avec, à sa base, un filament pêcheur muni de boutons urticants, et enfin les individus reproducteurs mâles et femelles (gonozoïdes).

CORMIER [kɔʀmje] n. m. — V. 1160; de *corme.*

♦ **1.** Régional. Sorbier.

1 Seule, au centre du tertre flanqué sur sa droite du grand cormier, la dalle de marbre blanc, entourée à distance de sa chaîne, étincelait sans contraste.
GIRAUDOUX, les Aventures de Jérôme Bardini, p. 43.

2 Leurs ronds concentriques donnent l'âge des défunts et je penche de-ci, de-là pour reconnaître le cormier géant (...) Hervé BAZIN, Cri de la chouette, p. 156.

Par métonymie. Bois de cet arbre, très dur, utilisé dans la fabrication d'instruments résistants. *Manche, fût d'outil de cormier, en cormier.*

♦ **2.** Régional. Cornouiller.

CORMORAN [kɔʀmɔʀɑ̃] n. m. — 1550; *cormorant,* v. 1374; *cormaran, cormare(n)g* au XIIᵉ; de l'anc. franç. *corp* «corbeau», et *marenc* «marin».

♦ Oiseau palmipède au plumage sombre, bon plongeur (utilisé pour la pêche, au Japon). *Le cormoran se nourrit de poissons, de mollusques, de crustacés; il niche en colonies sur les falaises, dans les roches. Le cormoran ordinaire est parfois appelé* corbeau de mer.

1 Les cormorans qui vont tendre de noirs crieurs (...)
HUGO, la Légende des siècles, « Les pauvres gens », IX.

2 Le port a aussi ses oiseaux familiers. Au milieu des navires et des caïques, on voit les cormorans voler ou qui se reposent sur les flots.
FLAUBERT, À Louis Bouilhet, 14 nov. 1850,
in Correspondance, t. I, Pl., p. 706.

3 (...) cormorans plongeurs dont le cou sinueux évoque un serpent ailé (...)
Claude LÉVI-STRAUSS, Tristes tropiques, p. 172.

CORNAC [kɔʀnak] n. m. — 1695; *cornaca,* 1637; empr. au port. *cornaca,* du cinghalais *kūrawa-nāyaka* «dresseur d'éléphant».

♦ **1.** Celui qui est chargé des soins et de la conduite d'un éléphant. ⇒ **Mahout** (rare).

L'éléphant fut amené et équipé sans retard. Le Parsi connaissait parfaitement le métier de «mahout» ou cornac. Il couvrit d'une sorte de housse le dos de l'éléphant et disposa, de chaque côté sur ses flancs, deux espèces de cacolets assez peu confortables. J. VERNE, le Tour du monde en 80 jours, p. 83.

Fam. Conducteur de gros engins.

♦ **2.** (1833, *in* D.D.L.). Fig. et fam. Personne qui introduit, guide qqn (un personnage officiel, etc.). *Servir de cornac à qqn.* ⇒ **Cornaquer.** *Être le cornac de qqn. Il l'a pris pour cornac.*
Personne qui défend (une idée, qqn). *« Le cornac de l'art japonais »* (Goncourt, *Journal,* 1883, p. 252, *in* T.L.F.).

DÉR. **Cornaquer.**

CORNACÉES [kɔʀnase] n. f. pl. — 1845; du lat. *cornus,* et *-acé.* → Cornouille.

♦ Bot. Famille de plantes dialypétales (cornouiller, aucuba). — Au sing. *Une cornacée.*

CORNADE [kɔʀnad] n. f. — 1652, Scarron; de *corne,* et *-ade,* d'après l'esp. *cornada.*

♦ Coup de corne.

(...) de lui-même le taureau revint, donna la cornade en soufflant un coup sec, et cette fois il passa si près qu'on cria : *Suicida!*
MONTHERLANT, les Bestiaires, p. 287.

CORNAGE [kɔʀnaʒ] n. m. — V. 1394; de *corner* «sonner du cor» et «faire entendre un râle (du cheval)».

♦ **1.** (V. 1394). Vx. Action de sonner du cor, en particulier pour annoncer l'approche de l'ennemi.

♦ **2.** (1781). Méd. vétér. Râle laryngo-trachéal que les chevaux, les ânes poussifs... font entendre en respirant. ⇒ **Sifflage.** — Affection correspondante. *Mulet atteint du cornage.* ⇒ **2. Cornard, corneur.**

(1814; Nysten, *in* D.D.L.). Méd. Bruit qui se produit lors de l'inspiration en cas de rétrécissement de la glotte (par exemple dans la diphtérie).

Avec une sorte de cornage, Mᵐᵉ Rezeau respire l'ombre rougeâtre où veille une lampe de chevet à la lumière étouffée sous une écharpe de soie.
Hervé BAZIN, Cri de la chouette, 1972, p. 273.

♦ **3.** Fam. Ronflement.

CORNALINE [kɔʀnalin] n. f. — 1538; *corneline* au XIIIᵉ; de *corne.*

♦ **1.** Variété de calcédoine translucide rouge plus ou moins foncé, utilisée en joaillerie. ⇒ **Calcédoine.** *Cachet de cornaline. Bible en cornaline* (→ Caler, cit. 4).

1 (...) la forêt varie depuis le vert de l'émeraude jusqu'à la pourpre de la cornaline (...) Th. GAUTIER, Mˡˡᵉ de Maupin, VI, p. 114.
Objet en cornaline.

2 (...) il ouvrit la bourse et il en tira une cornaline gravée de figures et de caractères qui lui étaient inconnus.
A. GALLAND, les Mille et une Nuits, 1923, t. II, p. 134.

♦ **2.** Régional (Suisse). Grosse bille de verre (analogue à l'agate*).

CORNAQUER [kɔʀnake] v. tr. — 1857, Goncourt ; de *cornac*.

♦ Fam. Servir de guide à (qqn). ⇒ **Accompagner, guider, piloter.** *Cornaquer des touristes.* ⇒ **Cornac.**

(...) il crut m'apprendre que Monica travaillait dans un office de publicité et qu'elle avait été chargée de cornaquer de gros clients (...)
Cécil SAINT-LAURENT, Don Juan les Pins, *in* Marie-Claire, n° 186.

(Compl. n. de chose). Guider, piloter. *« Les ordinateurs les plus modernes, cornaqués par de jeunes polytechniciens »* (Philippe Bernert, *S. D. E. C. E. Service 7*, p. 19).

1. CORNARD [kɔʀnaʀ] n. m. — 1608 ; *cornair*, v. 1275 ; de *corne*, et *-ard*.
Familier.

♦ **1.** Celui qui « porte des cornes », dont la femme est infidèle. ⇒ **Cocu.** (En parlant d'une femme. ⇒ **Cornette**).

1   L'un amasse du bien, dont sa femme fait part
    À ceux qui prennent soin de le faire cornard (...)
                    MOLIÈRE, l'École des femmes, I, 1.

♦ **2.** (Argot milit., d'abord à Saint-Cyr, « désordre à l'exercice »). Erreur (plus ou moins ridicule). *Il a fait un cornard.*

2   Alors, monsieur Tibéron, je voulais d'abord vous dire qu'il y a un cornard terrible pour la photo de la dernière page *Notre seule photo :* les Palais des Nations Unies à la place de la fille au bistrot.
                    Michel DE SAINT-PIERRE, les Nouveaux Aristocrates, p. 199.

2. CORNARD, ARDE [kɔʀnaʀ, aʀd] adj. — 1834 ; de *corner*, et *-ard*.

♦ Qui est atteint de cornage*. *Mulet cornard.* ⇒ **Corneur.**

Après quoi, ayant hoché gravement le menton à la manière du croquant qui vient de faire un bon tour — de vendre une vache soufflée, par exemple, ou un cheval cornard — il s'est remis à pleurnicher de plus belle.
                    BERNANOS, Monsieur Ouine, p. 42.

CORNE [kɔʀn] n. f. — V. 1120 ; lat. pop. *corna* ; lat. class. *cornua*, plur. de *cornu*.

★ **I.** (Une, des cornes). **A.** ♦ **1.** (V. 1120). Excroissance épidermique, conique et dure, sur la tête de certains animaux. *Cornes frontales des ruminants. Cornes de taureau, de mouton, de chèvre. Cornes de bison, de buffle. Corne nasale du rhinocéros. Cornes annelées. Cornes contournées, droites, enroulées, lyriformes. Cornes marbrées, zébrées. Cornes persistantes et creuses des bovidés. Le cornillon, axe osseux des cornes des cavicornes*. Vache qui n'a plus qu'une corne.* ⇒ **Dagorne.** *Bubale à cornes rapprochées à la base. Cornes petites et pleines de la girafe, qui restent cachées sous la peau.*
Animal qui porte des cornes (⇒ **Encorné**), *de longues cornes* (⇒ **Longicorne**). — *Prendre, attacher un animal par les cornes* (→ **Bélier**, cit. 1). *Atteler un bœuf par les cornes. Lier les cornes au joug.* — *Donner, frapper, heurter de la corne.* ⇒ **Encorner.** *Coup de corne. Bouler, scier les cornes d'un taureau, d'un bœuf, pour l'empêcher de nuire.* ⇒ **Bouler, décorner, écorner.**

1   C'est un taureau fameux (...) il pourrait lancer son homme au ciel, ainsi qu'une flèche, avec l'arc et ses cornes.
                    J. RENARD, Histoires naturelles, « Le taureau », p. 74.

1.1 (...) un bœuf couleur chamois (...) Ses cornes énormes étaient à peine incurvées.
                    GIDE, Voyage au Congo, *in* Souvenirs, Pl., p. 835.

Loc. **BÊTES À CORNES :** les bœufs, les vaches, les chèvres (⇒ **Bestiaux, bétail**), par opposition aux *bêtes à laine :* brebis, moutons.

1.2 (Bahorel) avait un gilet cramoisi et de ces mots qui cassent tout. Son gilet bouleversa un passant qui cria tout éperdu :
    — Voilà les rouges !
    — Le rouge, les rouges ! répliqua Bahorel. Drôle de peur, bourgeois. Quant à moi, je ne tremble point devant un coquelicot, le petit chaperon rouge ne m'inspire aucune épouvante. Bourgeois, croyez-moi, laissons la peur du rouge aux bêtes à cornes.
                    HUGO, les Misérables, IV, XI, IV.

REM. La phrase de Hugo, *laissons la peur du rouge aux bêtes à cornes,* avait été reprise sous forme de slogan par les étudiants contestataires pendant les événements de mai-juin 1968.

(Cour. ; incorrect dans les usages techniques). Excroissance caduque de la tête (des cervidés). *Les cornes du cerf, du daim, du chevreuil.* ⇒ **Andouiller, bois, cor, ramure.**

Loc. fig. *Prendre le taureau par les cornes :* prendre de front une difficulté, affronter directement qqch. ou qqn. — Vieilli. *Montrer les cornes :* se mettre sur la défensive. *Rentrer ses cornes :* renoncer au combat.

(Cornes attribuées à des êtres fictifs, imaginés). *Monstre à corne.* ⇒ **Cornu.** — *Corne de licorne*.* — *Les cornes du diable, de Satan.*

(Image de corne ; attribut imaginaire...). Loc. *Faire, montrer les cornes à qqn,* diriger vers lui deux doigts écartés évoquant une paire de cornes, par menace magique, dérision.

Loc. fig. *Avoir, porter des cornes :* être trompé par une femme (d'un homme), plus rarement par un homme (d'une femme). ⇒ **Cocu** (cit. 1), 1. **cornard ;** → Apanage, cit. 3. *Mettre, planter des cornes à qqn,* le tromper. — *Les cornes, la paire de cornes d'un cocu.*

Ce mari commode, qui n'avait pas voulu voir le cocuage chez lui, rigolait à mort de la paire de cornes de Poisson.   ZOLA, l'Assommoir, X, p. 3.

REM. Ces expressions font de *corne* un mot utilisable dans des exclamations plaisantes. Cf. chez Jarry Cornes au cul !, et cornegidouille*.

Loc. fig. **CORNE DE CERF :** le plantain. — **CORNES DE GAZELLE :** gâteau oriental en forme de corne.

Blason. Représentation de la corne (d'un animal) qui peut être d'un émail différent (⇒ **Accorné**).

♦ **2.** Appendice assimilé à une corne (*supra,* 1.). *Les cornes d'un insecte :* les antennes (⇒ **Serricorne**). *Les cornes d'un escargot, d'une limace :* les pédicules qui supportent les yeux. *« Escargot, montre-moi tes cornes »* (comptine). — *Vipère à cornes d'Égypte.* ⇒ **Céraste.** — *La corne du grand duc* (oiseau), son aigrette.

♦ **3.** Angle saillant ou proéminence (que présente un objet). *Les cornes d'un chapeau.* ⇒ **Bicorne, tricorne ; biscornu.** — Pointe d'une étoffe nouée sur la tête. *Les cornes d'un foulard. Faire les cornes à un mouchoir,* en nouer les coins pour en faire une coiffe.
Corne d'un bois, un des angles. ⇒ **Coin.** *Poteau cornier, à la corne d'un champ. À la corne du bois.*
(V. 1265). *Les cornes de la lune* (→ Argent, cit. 6). — *Les cornes d'un autel antique,* les angles saillants recourbés de cet autel (→ Cardinal, cit. 1). *Cornes d'abaque.* ⇒ **Abaque.** — Fortif. *Ouvrage à cornes.* — Techn. *Les cornes d'une enclume* (⇒ **Bigorne**). *Cornes d'une charrue,* les poignées.

Mar. Vergue oblique. *Brigantine enverguée sur la corne d'artimon. Pic* de corne d'artimon.*

Anat. *Cornes du larynx. Cornes de l'utérus*. Cornes de l'os hyoïde.*

♦ **4.** Pli fait au coin (d'un papier, d'un carton ; ⇒ **Corner, écorné**). *Faire une corne à une carte de visite.*

B. Ustensile fait d'une corne d'animal évidée.

♦ **1.** Rare (récipient). *Corne à boire des anciens.* ⇒ **Rhyton.** — Loc. *Corne d'abondance.* ⇒ **Abondance.**

♦ **2.** Plus cour. Instrument de musique fait d'une corne évidée. ⇒ **Bouquin, bugle, cor, cornet, trompe.** *Corne d'appel. Une corne de berger. Corne pour la chasse. Sonner de la corne.*

Par anal. (de son). Vieilli. Avertisseur* (d'automobile) formé d'une poire et d'un cornet de métal. *Donner un coup de corne.* ⇒ **Trompe.**

Mar. *Corne de brume.*

★ **II.** ♦ **1.** (V. 1340). Substance compacte composée de cellules mortes imprégnées de kératine, qui compose les ongles, les cornes, les sabots et les griffes, ... le bec des oiseaux, les fanons de la baleine, les écailles de la tortue. ⇒ **Kératine.** *La bute, instrument pour couper la corne des sabots des chevaux. Par ext. Corne cutanée.* ⇒ **Callosité ; châtaigne** (aux membres du cheval).

3   Il abandonnait ses pieds à l'eau vive ; elle emportait la boue, mais laissait sous les plantes les cornes protectrices si précieuses.
                    J. CHARDONNE, les Destinées sentimentales, p. 348.

Dur comme de la corne : très dur.

♦ **2.** Substance résistante, légèrement élastique, tirée de la corne naturelle. *Corne ramollie à l'eau bouillante. Aplatissage, moulage de la corne. Rendre dur comme la corne.* ⇒ **Racornir.** — *Peigne de corne. Boutons en corne. Corne utilisée en tabletterie. Manche de couteau en corne. Lanterne de corne* (translucide).

4   Les manches des couteaux, ainsi en corne travaillée, représentaient des figures bizarres.
                    BALZAC, le Médecin de campagne, Pl., t. VIII, p. 432.

Loc. littér. *La porte, les portes de corne du sommeil.*

♦ **3.** (1827, *in* D. D. L.). *Une corne à chaussures :* un chausse-pied (fait de corne, à l'origine).

DÉR. Cornade, cornaline, 1. cornard, corner, cornet, cornette, corniaud, cornichon, cornier, cornière, cornillon.
COMP. Cornegidouille, écorner, encorner, encornure. — Bicorne, quadricorne, tricorne, unicorne. — Serricorne.

CORNÉ, ÉE [kɔʀne] adj. — 1314, *tunique cornée :* la cornée*, de *corne,* II.

♦ **1.** Constitué par de la corne. *Écaille cornée. Couche cornée.*

♦ **2.** Dur comme de la corne. *Avoir la plante des pieds cornée.*

DÉR. Cornéenne.
HOM. Cornée, corner.

CORNEAU [kɔʀno] n. m. ⇒ **Corniaud.**

CORNECUL [kɔʀnəky] adj. et n. — 1936, argot de l'École polytechnique ; de *corne,* et *cul* ; Esnault signale v. 1901 *vent de cornecul* « vent fort », argot de marine, qui viendrait selon lui du breton *kornaouck*

« cornu », désignant le vent d'Ouest ; l'élément *cul* fonctionnant comme « suffixe libre ». — REM. L'orthographe *corne-cul* est attestée.

♦ **1.** Adj. Argot de Polytechnique. Beau, admirable.
N. Chose ou personne admirable.

♦ **2.** Argot milit. Absurde, ridicule. — N. « *"Toutes ces histoires, c'est ce qu'on appelait à l'armée des histoires de corne-culs."* L'idée d'accueillir la romancière Marguerite Yourcenar sous la Coupole fait retrouver à l'académicien André Chamson le parler débridé des gaillards de Rabelais (sic) » (*l'Express*, 1er déc. 1979, p. 159).

CORNED-BEEF [kɔʀnbif] n. m. — 1716 ; mot angl., de *corned* « formé de grains *(corns)*, granulé » (1577), et « salé » (1621-51 : *beef corned*, in Oxford), et *beef* « bœuf ».

♦ Viande de bœuf salée, le plus souvent en conserve. ⇒ **Singe**, C., 1. (fam.).

1   Une boîte de corned-beef, enchaînée comme une lorgnette,
Vit passer un homard qui lui ressemblait fraternellement.
Il se cuirassait d'une carapace dure.
Sur laquelle était écrit qu'à l'intérieur, comme elle, il était sans arêtes (...)
   A. JARRY, le Homard et la Boîte de corned-beef, Pl., t. I, p. 699.

Var. (sur la prononciation). *Corn-beef.*

2   Graisse de « corn-beef », de masses géantes que le Parlement se trouverait recouvert et Leicester et Waterloo, qu'on les reverrait plus pris dessous, si ça les engouffrait subit !   CÉLINE, Guignol's band, p. 47.

CORNÉE [kɔʀne] n. f. — 1314, *tunique cornée* ; lat. médiéval *cornea*, 1503 ; de *tunica cornea*, de *corneus* « corné », de *cornu* « corne ».

♦ **1.** Anat. Tunique antérieure et transparente de l'œil. *Espace compris entre le cristallin et la cornée.* ⇒ **Chambre** (de l'œil), cit. 15 ; **kérat-**. *Altérations de la cornée.* ⇒ **Albugo, arc** (sénile), **kératocèle, leucome, néphélion, pannicule, staphylome, taie.** *Inflammation de la cornée.* ⇒ **Kératite.** *Excision, incision de la cornée.* ⇒ **Kératectomie, kératotomie, kératoplastie.**

La cornée est encore une membrane fibreuse, enchâssée dans l'ouverture antérieure de la sclérotique et complétant en avant la tunique externe de l'œil (...) La cornée diffère essentiellement de la sclérotique par sa transparence, qui permet aux rayons lumineux de la traverser : la cornée est à la fois pour le globe oculaire une membrane enveloppante et un milieu réfringent.
   L. TESTUT, Traité d'anatomie, t. III, p. 558.

♦ **2.** Cour. Tunique externe de l'œil, formée par la sclérotique et la cornée proprement dite. *Avoir la cornée brillante. De la cornée.* ⇒ **Cornéen, kératique** (rare), et préf. **kérat(o)-.**

DÉR. **Cornéen.**
HOM. **Corné, corner.**

CORNÉEN, ENNE [kɔʀneɛ̃, ɛn] adj. — 1864, *in* D.D.L. ; de *cornée*, et *-éen (-ien).*

♦ Anat. De la cornée. ⇒ **Kératique.** — *Lentilles cornéennes, verres cornéens* : verres optiques de contact, qu'on applique sur la cornée.

CORNÉENNE [kɔʀneɛn] n. f. — 1798 ; de *corné*, et *-éen*, par ellipse de *roche.*

♦ Géol. Roche métamorphique compacte, riche en quartz.

CORNEGIDOUILLE [kɔʀnəʒiduj] exclam. — 1888, A. Jarry ; de *corne*, et *gidouille* « bedaine », autre mot de Jarry.

♦ Littér. et plais. Exclamation du Père Ubu, personnage d'A. Jarry.

CORNEILLARD [kɔʀnɛjaʀ] n. m. — Attesté 1842 ; de *corneille.*

♦ Rare. Petit de la corneille noire et du choucas.

CORNEILLE [kɔʀnɛj] n. f. — V. 1180 ; du bas lat. *cornicula*, de *cornix* « corneille ».

♦ **1.** Oiseau du genre *corvus* (⇒ **Corbeau**), plus petit que le grand corbeau, à queue arrondie et plumage terne. ⇒ **Choucas.** — (1767, *in* D.D.L.). *Corneille mantelée,* ou *corneille grise,* ou (1775) *corneille cendrée,* au plumage gris cendré, avec tête, ailes et queue noires. *Corneille noire,* ou *corbeau corneille* (appelée cour. *corbeau*). *Cri de la corneille.* ⇒ **Crailler, croasser, grailler.**

1   (...) l'on voit, autour des lieux habités, des volées nombreuses, composées de toutes les espèces de corneilles, se tenant presque toujours à terre pendant le jour (...)
   BUFFON, Hist. nat. des oiseaux, t. V, p. 63.

2   (...) je tournoyais au dehors de l'abbaye avec les corneilles, ou je m'arrêtais à considérer les clochers (...)   CHATEAUBRIAND, Mémoires d'outre-tombe, t. II, p. 81 (→ Couchant, cit. 1).

Fig. et fam. *Bayer aux corneilles.* ⇒ **Bayer.** — *Comme une corneille qui abat* des noix,* avec étourderie, maladresse.

Régional (Canada). *Avoir une corneille à plumer avec qqn* : avoir une affaire à régler avec qqn.

♦ **2.** Régional. Lysimaque vulgaire, dite aussi *herbe chasse-bosse.*

DÉR. **Corneillard, corneillon.**

CORNEILLON [kɔʀnɛjɔ̃] n. m. — 1863 ; de *corneille.*

♦ Rare. Petit de la corneille, ou du corbeau freux.

1. CORNÉLIEN, IENNE [kɔʀneljɛ̃, jɛn] adj. — 1838 ; dér. de *Lucius Cornelius Sulla* ou *Sylla,* nom d'un général et homme politique romain.

♦ Hist. Qui a un rapport avec Lucius Cornelius Sylla. *Loi cornélienne.*

2. CORNÉLIEN, IENNE [kɔʀneljɛ̃, jɛn] adj. — 1764, Voltaire ; *corneillien,* 1657 ; de *Corneille,* le célèbre poète tragique, et *-ien.*

♦ **1.** Qui appartient à Pierre Corneille. *Le style, le vers cornélien. La tragédie cornélienne.*

♦ **2.** Fig. Qui est dans le style de Corneille, évoque ses héros, ses tragédies. *Un héros cornélien,* qui fait passer son devoir par-dessus tout.

C'est *(le pathétique cornélien)* un arrachement cruel et héroïque où la décision généreuse élève l'homme au-dessus de lui-même.
   D. MORNET, Hist. générale de la littérature franç., p. 74.

(Du style). Dense et expressif. *Il s'exprimait avec une simplicité cornélienne.*

♦ **3.** Se dit d'une situation caractérisée par un dilemme, un conflit entre le sentiment et le devoir. *C'est cornélien !*

CORNEMENT [kɔʀnəmɑ̃] n. m. — 1549 ; de *corner.*

♦ **1.** Pathol. État des oreilles qui cornent. ⇒ **Bourdonnement.**

♦ **2.** Techn. Bruit anormal produit par un tuyau. *Le cornement d'un tuyau de vapeur.* ⇒ **Grondement, sifflement.** *Cornement d'un tuyau d'orgue* : son qui peut se produire lorsque la soupape est mal fermée.

CORNEMUSE [kɔʀnəmyz] n. f. — V. 1300 ; XIIIe ; déverbal de *cornemuser.*

♦ **1.** Instrument de musique à vent composé d'un sac de cuir qu'on remplit d'air avec un *tuyau porte-vent,* et de deux ou trois tuyaux percés de trous pour émettre les sons. *Les cornemuses sont utilisées dans la musique populaire : en Bretagne* (⇒ **Biniou**), *en Auvergne* (⇒ **Cabrette, chabrette**), *en Écosse* (⇒ **Pibrock**). ⇒ aussi **Bedondaine, bousine.** *Le pifferaro, musicien italien jouant de la cornemuse. Joueurs de cornemuse.* ⇒ **Cornemuseur ; sonneur** (de biniou).

(...) Je m'arrêtai (...) pour regarder la longue chaîne de la gavotte tournoyer et courir, menée par la voix aigre des cornemuses.
   LOTI, Mon frère Yves, XCV, p. 229.

Spécialt. Instrument de la famille des cornemuses autre que celui qui est normalement employé dans une région [en Bretagne, on oppose la *cornemuse* (écossaise) au *biniou*].

♦ **2.** Argot. Vieilli. Estomac. — Gosier. *Se rincer la cornemuse.*

CORNEMUSER [kɔʀnəmyze] v. intr. — V. 1223 ; de *corner,* et *muser* « jouer de la musette ».

♦ Rare. Jouer de la cornemuse.

DÉR. **Cornemuse, cornemuseur.**

CORNEMUSEUR [kɔʀnəmyzœʀ] n. m. — Av. 1313 ; de *cornemuser.*

♦ Joueur, sonneur de cornemuse.

1   (...) les hommes au marché de leurs cochons ronds et jaunes, eux ronds et bleus, saucissonnés dans leurs habits. Le tout était enflé comme les jambes d'un cornemuseur, plein comme une cornemuse avant de rendre le vent, ou comme un estomac.   A. JARRY, Gestes et Opinions du Dr Faustroll, III, XIV, Pl., p. 680.

Var. régionale. *Cornemuseux* [kɔʀnəmyzø].

2   Il y avait une fois une fille très belle, mais qui était très froide (...) Or, il advint qu'un pauvre garçon, un cornemuseux du village voisin, se déclara amoureux d'elle.   Germain NOUVEAU, la Souriceuse, 1874, Pl., p. 437.

Adj. « *Leurs genoux rugueux de montagnards cornemuseux* » (Catherine Paysan, *l'Empire du Taureau,* p. 217).

REM. Le fém. *cornemuseuse* semble inusité.

1. CORNER [kɔʀne] v. intr. et tr. — 1080, *Chanson de Roland* ; de *corne.*

★ **I.** (De *corne*, I., B., 2.). **A.** V. intr. ♦ **1.** Sonner d'une corne, d'un cor, d'une trompe. *Le vacher corne. Corner pour avertir, appeler. Des trompes qui cornent* (→ Claironner, cit. 1).

♦ **2.** Par ext. Produire un son ressemblant à celui d'une corne, d'une trompe. (Vieilli). *Automobiliste, tramway qui corne.* ⇒ **Avertir, klaxonner.**

♦ **3.** Parler dans un cornet qui amplifie la voix.

♦ **4.** (1835). Méd. véter. Être atteint de cornage (d'un cheval).

B. V. tr. ♦ **1.** Rare. **a** Annoncer à son de trompe, en cornant (A., 1.). — Par comparaison :

0.1   Sur la bruyère longue infiniment
      Voici le vent cornant Novembre.   E. VERHAEREN, les Villages illusoires.

b Avertir (qqn) en cornant. « *C'est une automobile pétaradante qui les corne...* » (Henri Troyat, *les Héritiers*, t. III, p. 104).

♦ **2.** Fam. Dire, proclamer bruyamment (surtout dans *corner qqch. aux oreilles*). *Corner qqch. aux oreilles, dans les oreilles de qqn. Corner une nouvelle,* la publier partout, importunément. ⇒ **Claironner, publier ; beugler.**

1   J'entends corner sans cesse à mes oreilles : *L'homme est un animal raisonnable.* Qui vous a passé cette définition ?   LA BRUYÈRE, les Caractères, XII, p. 119.
2   (...) quand la radio (...) nous cornait dans les oreilles que la France avait demandé l'armistice ?   SARTRE, la Mort dans l'âme, p. 210.

♦ **3.** V. intr. Faire un bruit sourd, prolongé. (En parlant de la sensation auditive sourde et prolongée que l'on éprouve sans qu'il y ait d'excitation extérieure). ⇒ **Bourdonner, siffler, sonner, tinter.** *Ses oreilles cornaient. Les oreilles me cornent.* — Fig. et fam. *Les oreilles ont dû vous corner :* on a souvent parlé de vous.

3   Il faut donc que les oreilles m'aient corné.
                                              MOLIÈRE, le Malade imaginaire, III, 9.
4   Les oreilles ne vous ont-elles point corné depuis que j'ai ici notre cher Corbinelli, et surtout l'oreille droite ? car c'est l'oreille droite qui corne quand on dit du bien.
                                              Mme DE SÉVIGNÉ, 304, 18 sept. 1672.
5   On se mit à table. Dovobo ne se servait pas, regardait ailleurs. Subitement, se tournant vers le vice-roi : « Les oreilles me cornent de tout ce que tu me dis. » Le vice-roi ne répondit pas.   Henri MICHAUX, Ailleurs, p. 124.

★ **II.** (De *corne*, I., A., 4.). V. tr. Plier en forme de corne ; relever un coin* de (qqch.). *Corner les pages d'un livre. Ce joueur corne ses cartes. Corner une carte de visite,* pour indiquer à qqn qu'on lui a rendu visite et qu'on ne l'a pas trouvé.

6   (...) elle enleva le papier, le plia, le corna vivement, du bout des doigts.
                                              ZOLA, le Ventre de Paris, t. I, p. 108 (1875).
7   L'hôtel a appartenu au duc de Charost qui lisait un livre alors qu'on le menait à la guillotine et qui, avant de s'aller faire couper la tête, a corné la page.
                                              J. GREEN, Journal, 1er févr. 1946.

▶ **CORNÉ, ÉE** p. p. adj.
(Du sens II). Plié, replié en coin. *Pages cornées. Carte cornée.*

DÉR. Cornage, 2. **cornard, cornement, corneur.**
HOM. Corné, cornée, cornet.

2. CORNER [kɔʀnɛʀ] n. m. — 1889 ; au sens 1, mot angl. *corner,* de *to drive into a corner* « acculer » ; au sens 2, mot angl. *corner* « coin », de *corner kick* « coup de pied, donné d'un coin (du jeu) ».

Anglicisme.

♦ **1.** (1888). Écon. Arrangement entre spéculateurs pour obtenir la maîtrise du marché d'un produit et créer une hausse artificielle des cours.

♦ **2.** (1897, au sens b). Sports, cour. **a** Faute commise par un joueur qui a envoyé le ballon derrière la ligne de but de son équipe.

b Coup accordé à l'équipe adverse à la suite de cette faute. *Le corner est tiré d'un angle du terrain.*

Sur un corner, un second but est marqué d'un coup de tête que son auteur sentait infaillible d'avance.   Jean PRÉVOST, Plaisir des sports, p. 143.

CORNET [kɔʀnɛ] n. m. — Déb. XIIIe ; dimin. de *corne.*

★ **I.** ♦ **1.** Mus. **a** Vx. Petit cor ou petite trompette* rustique. *Cornet de vacher.*

Mus. anc. Instrument à vent percé de sept trous. — Milit. *Cornet de voltigeurs,* ou, par ellipse, *cornet :* instrument à vent remplaçant parfois le clairon au XIVe siècle.

(1841). *Cornet à bouquins,* ou, par ellipse, *cornet :* grande flûte courbée.

b (1836). Mod. *Cornet à pistons,* ou *cornet :* instrument analogue à la trompette, mais plus court, muni de pistons que presse l'exécutant et qui rend toutes les notes. ⇒ **Bugle, néo-cor.** *Jouer du cornet.* — Par métonymie. Celui qui joue du cornet. *Le cornet* ou *cornettiste d'un orchestre de jazz New-Orleans.*

1   Le cornet à pistons est un clairon muni de trois pistons. Il a un son vulgaire et n'est guère employé dans l'orchestre symphonique. Par contre, sa facilité d'exécution lui a assuré sa fortune dans les musiques militaires, les fanfares, les orchestres de bal.   Initiation à la musique, p. 165.

Par ext. Un des jeux de l'orgue. *Grand cornet.*

---

c Blason. Meuble de l'écu, figurant un cornet (1., a). *Cornet attaché, pendu, virolé.*

♦ **2.** Vx. Instrument utilisé pour amplifier les sons. *Cornet portevoix.*

(1660). *Cornet acoustique :* instrument à l'usage des sourds (→ Armer, cit. 26).

1.1   (...) le subterfuge grâce auquel on dissimule les cornets de sourds dans des montures d'éventails ou de parapluies.
                                              Raymond ROUSSEL, Impressions d'Afrique, p. 404.

Anciennt. *Cornet d'un phonographe :* partie évasée amplifiant les sons.

(1913, Colette, *l'Entrave, in* D. D. L.). Anciennt. Écouteur et microphone téléphonique. *Téléphone à cornet.*

2   (...) je trouve dans une des premiers albums la photo où je suis debout sur une chaise, durant la Grande Guerre et vêtu des lainages d'un poilu, faisant semblant de téléphoner, le fameux cornet à l'oreille (...)
                                              Claude MAURIAC, le Temps immobile, p. 387.

★ **II.** (Par anal. de forme).

♦ **1.** Loc. **EN CORNET :** en forme de cornet ou de corne. *Rouler du papier en cornet. Feuilles roulées en cornet.* ⇒ **Convoluté.** *Mettre la main en cornet sur l'oreille pour mieux entendre.*

3   Il (...) passa devant un homme très brun qui téléphonait, la main en cornet autour de sa bouche.   G. SIMENON, Feux rouges, p. 19.

♦ **2.** *Le cornet de l'oreille :* le creux de l'oreille.

♦ **3.** Partie d'une fleur en forme de cornet (→ Cloc, cit.).

♦ **4.** Objet en forme de corne ; récipient conique. ⇒ **Cône.** *Cornet de papier :* papier roulé en corne et susceptible de contenir qqch. *Cornet de dragées, de frites.* — *Cornet de pâtisserie :* oublie* conique. — *Cornet à surprise, cornet surprise :* sachet de papier en forme de cornet, contenant des friandises et des petits jouets pour les enfants. ⇒ **Pochette-surprise.**

4   Elle restait toute sérieuse. Puis, se décidant :
      — Non, j'aime bien les cornets.
      Alors, il lui prit le bras, il l'emmena, sans qu'elle résistât. Ils traversèrent la rue Rambuteau, suivirent le large trottoir des Halles, allèrent jusque chez un épicier de la rue de la Cossonnerie, qui avait la renommée des cornets. Les cornets sont de minces cornets de papier, où les épiciers mettent les débris de leur étalage, les dragées cassées, les marrons glacés tombés en morceaux, les fonds suspects des bocaux de bonbons. Muche fit les choses galamment ; il laissa choisir le cornet par Pauline, un cornet de papier bleu.   ZOLA, le Ventre de Paris, t. II, p. 89.
5   (Un modèle...) vieux débris d'un Empire de l'art, auxquels l'atelier ne manquait jamais de faire la charité d'habitude avec les vieux modèles, ce qu'on appelle « un cornet », une feuille de papier tournée par un des nouveaux, qui circule, et où chacun met le fond de sa poche.
                                              Ed. et J. DE GONCOURT, Manette Salomon, p. 2.

Régional (Savoie, Suisse...). Sachet de papier. *Cornet de farine, de fruits.*

Petit vase à fleurs en cornet. *Cornet de faïence, de porcelaine.* — *Éteignoir en cornet.*

Cuis. Préparation en forme de cornet. *Cornet à la crème feuilleté, cornet de jambon.*

Cornet à dés : long gobelet en corne, en cuir, en carton..., qui sert à agiter et à jeter les dés. *Le Cornet à dés,* recueil de poèmes de Max Jacob.

Anat. *Cornets du nez :* lames osseuses contournées des fosses nasales.

Mar. *Cornet de mât :* entourage que l'on fait au pied des mâts de certaines embarcations.

Papet. Type de papier mince. *Grand cornet, petit cornet.*

♦ **5.** Fam. Estomac, ventre (dans quelques expressions). *Se mettre qqch. dans le cornet :* manger.

DÉR. Cornetage, cornettiste.
HOM. Corné, cornée, corner.

CORNETAGE [kɔʀnətaʒ] n. m. — XIIIe, *cornage* ; de *cornet* « petit cor », et -*age.*

♦ Rare. Action de sonner du cor.

À midi on casse un peu la croûte sur le pouce. Pierre-le-Brave résume alors la situation d'après les cornetages du matin : personne n'a rien vu ; les bois sont vides. Et on repart.   J. GIONO, Un roi sans divertissement, p. 137 (1947).

CORNETTE [kɔʀnɛt] n. f. (et m.) — Après 1250 ; de *corne,* et -*ette.*

♦ **1.** **a** (Après 1250). Ancienne coiffure de femme.

1   On ne comprend guère que tous ces hommes en blouse, mélangés du plus beau sexe de la banlieue en cornettes et en marmottes, se nourrissent si convenablement ; mais, je l'ai dit, ce sont de faux paysans et des millionnaires méconnaissables.   NERVAL, les Nuits d'octobre, XIV, « Baratte ».

Cornette de nuit : coiffure que les femmes portaient la nuit. — Coiffure de veuve.

Coiffure de certaines religieuses, notamment, des sœurs de Saint-Vincent-de-Paul.

2   — Les religieuses étaient d'une distinction parfaite. Elles avaient des robes noi-

res, des grands scapulaires bleu de roi, un voile noir et une cornette de fine toile blanche, toute simple, avec deux M entrelacés sur le dessus formant visière (...)
A. BILLY, Sur les bords de la Veule, p. 92.

Loc. *Prendre la cornette* : prendre le voile.

b Par métonymie. Vx. Femme portant une cornette. — Religieuse à cornette.

Cornette blanche : infirmière (Soubiran, *les Hommes en blanc*, t. II, p. 220).

(XIXᵉ). Spécialt. Femme dont le mari est infidèle (correspond à 1. *cornard*). → Cocu.

♦ **2.** (1532). Large et longue bande de taffetas que portaient autour du cou les conseillers du Parlement, puis les professeurs du Collège de France.

♦ **3.** (Av. 1514). Ancienn. Étendard d'une compagnie de cavalerie ou de chevau-légers. — (1554). Par métonymie. La compagnie elle-même.
En partic. *Cornette blanche, royale* : étendard du roi. — Par métonymie. Corps de la maison du roi.
N. m. (1578). L'officier qui portait l'étendard de la compagnie.

3   Un jour, à la table commune du régiment (the mess), un jeune cornette avait entrepris de découper un faisan et s'en tirait fort mal.
STENDHAL, Mémoires d'un touriste, t. I, p. 170.

♦ **4.** Mar. Long pavillon à deux pointes qui est la marque* de l'officier commandant une division de navires de guerre.

♦ **5.** (Nom donné à diverses plantes faisant de petites cornes). Violette des blés (1690), mélampyre des champs (1845) ; cf. aussi *cornotte, cornille* « vrille de vigne ».
Variété de scarole* très croquante aux feuilles enroulées.
Ancolie. — Lotier.

♦ **6.** Régional (Suisse ; parallèle à l'all. de Suisse *Hörnli*). *Cornettes* : pâtes alimentaires coudées.

CORNETTISTE [kɔʀnetist] n. — 1866, *in* Larousse XIXᵉ siècle ; de *cornet*, instrument de musique, et -*iste*.

♦ Joueur de cornet à pistons. ⇒ **Cornet,** I., 1., b. *Cornettiste de jazz. Louis Armstrong fut cornettiste avant d'adopter définitivement la trompette.*

CORNEUR [kɔʀnœʀ] n. m. — V. 1185 ; de *corner* « sonner du cor, faire entendre un râle », et -*eur*.

♦ **1.** (V. 1185). Vx. Joueur de corne, de trompe.

♦ **2.** Techn. (fabrication des cartes à jouer). Ouvrier qui arrondit les coins des cartes.

♦ **3.** (1835). Méd. vétér. En appos. *Cheval corneur* : cheval atteint de cornage.
REM. Aux sens 1 et 2, le fém. *corneuse* est virtuel.

CORNIAUD [kɔʀnjo] n. m. — 1929 ; *corniot*, 1925 ; ellipse de *chien corniau*, 1845 ; reprise de la forme *corneau*, 1655 ; de *corne* « coin » : chien bâtard, fait au coin des rues, et -*eau, -iau*, confondu avec -*aud, -ot* ; le sens 2, probablt de *cornier* « dupe, niais » par substitution de suffixe.

♦ **1.** Chien mâtiné, issu du mâtin et du chien courant, souvent employé comme chien de chasse.

1   Les yeux délavés des corniauds qui accompagnent les chasseurs, le trot désenchanté des chevaux qui saboulent à dix francs l'heure des zorros aux moustaches d'aide-comptables (...) : tout m'est devenu prétexte à blessure et plaisirs.
François NOURISSIER, le Maître de maison, p. 208.
En appos. *Chien corniaud.*
REM. On trouve aussi *corneau, corniot.*

♦ **2.** (1949). Fig. et fam. Imbécile, sot. *Quel corniaud ! Se faire avoir comme un corniaud.* ⇒ **Cornichon, gourde.**

2   (...) les hommes de demain, quand ils penseront à moi, quand ils raconteront mon histoire à leurs enfants, me verront et me décriront comme un pauvre corniaud, un pauvre mec inintelligent, à peine plus évolué qu'une grenouille (...)
Jean-Louis CURTIS, le Roseau pensant, p. 150.
Adj. (en constr. d'attribut). *C'est corniaud.* ⇒ **Idiot.** *Ce qu'il peut être corniaud !* — REM. Le fém. *corniaude* semble inusité.

1. CORNICHE [kɔʀniʃ] n. f. — 1524 ; ital. *cornice*.

♦ **1.** Couronnement saillant d'un édifice, destiné à protéger de la pluie les parties sous-jacentes. *La corniche, la frise*, l'architrave* forment l'entablement*. Système d'égouttement d'une corniche.* ⇒ **Larmier, mouchette, soffite.** *Cimaise*, claveau*, modillons*, ressaut* d'une corniche. Corniche ornée d'oves*, de billettes*, de denticules*. Proportion des moulures* d'une corniche.* ⇒ **Modénature.** *Console*, cariatide* soutenant une corniche. Corniche dorique, ionique, corinthienne. Corniche chantournée, cintrée ; corni-*

che à modillons ; corniche en archivolte. Corniche terminée par un astragale* (⇒ **Astragalée**).

1   Tous les ans j'y vais et je niche
Aux métopes du Parthénon.
Mon nid bouche dans la corniche
Le trou d'un boulet de canon.
Th. GAUTIER, Émaux et Camées, « Ce que disent les hirondelles ».

2   Les acrotères et les corniches du palais servent de perchoir à des familles de goélands, de plongeons et de cigognes.
LOTI, Aziyadé, III, XII, p. 88.

Ornement en saillie disposé sur un mur, autour du plafond (d'une pièce), au faîte (d'un meuble, d'un piédestal...). → Architrave, cit. 1 ; armoire, cit. 6. *Corniche de plâtre, de bois... Corniche peu saillante entre deux étages.* ⇒ **Cordon.** *Corniche d'un buffet, d'une armoire.* ⇒ **Chapiteau.**

3   On y devinait encore *(sur les murs de l'escalier)* une suite d'Hercules terminés en gaine supportant une corniche à modillons (...)
Th. GAUTIER, le Capitaine Fracasse, t. I, p. 7.

4   (...) les murs disparaissaient des plinthes aux corniches (...)
COURTELINE, Messieurs les ronds-de-cuir, 1ᵉʳ tableau, II, p. 32.

5   Comme c'est beau d'avoir ça. Un appartement pareil pour moi. Ces moulures. Ces corniches.
J. ROMAINS, les Hommes de bonne volonté, t. II, VI, p. 65.

5.1 *(Alphonse Karr)* récompensait Louis-Philippe de « pousser la simplicité plus loin que ses ministres », en lui décochant cette flèche dans les Guêpes : « Le roi règne comme la corniche autour du plafond. »
Francis CARCO, Nostalgie de Paris, p. 128.

Techn. *Corniche d'une charpente, d'un boisage,* la partie formant toit.
Régional (Canada). Tablette de cheminée.

♦ **2.** (1796). Saillie naturelle surplombant un escarpement. *Sommets en corniche des montagnes de calcaires durs. Sentier, chemin en corniche.*

5.2 Ce pas consiste en un bout de sentier en corniche, large de quatre semelles, incliné sur un précipice à pic et appuyé contre un rocher qui surplombe.
Rodolphe TÖPFFER, Voyages en zigzag, 1839, 14ᵉ-15ᵉ journée, p. 181.

Route dominant un à-pic. *La petite, la moyenne et la grande Corniche de la Côte d'Azur.*

6   (...) la route n'est plus qu'une étroite corniche taillée dans le roc même, au-dessus du torrent qui roule.   MAUPASSANT, Au soleil, La Kabylie, p. 219.

Alpin. Surplomb formé par la neige accumulée sur une arête rocheuse.

HOM. 2. **Corniche.**

2. CORNICHE [kɔʀniʃ] n. f. — 1881 ; de *cornichon*, 5.

♦ Argot scol. Classe préparatoire à l'École militaire de Saint-Cyr.
HOM. 1. **Corniche.**

CORNICHON [kɔʀniʃɔ̃] n. m. — 1549, « petite corne » ; ne s'emploie plus que par plais. en ce sens ; dimin. de *corne*, et -*ichon*.

♦ **1.** (1654). Petit concombre* (Cucurbitacées), que l'on cueille avant maturité et que l'on utilise comme condiment après l'avoir fait confire dans du vinaigre. *Assaisonnement aux cornichons. Bocal de cornichons. Faire des conserves de cornichons. Voulez-vous des cornichons avec le pâté ?*

♦ **2.** (D'un sens argotique). Cornet porte-voix des forains. — Fam. Téléphone.

1   Passez-moi un coup de cornichon après-demain. Je suis sur la liste rouge pour ne pas être emmerdé, mais voici mon numéro.
Roger BORNICHE, le Play-boy, p. 208.

♦ **3.** *Cornichon de mer* : holothurie.

♦ **4.** (1808). Fig. et fam. Niais, imbécile, que l'on dupe facilement (→ Carotteur, cit.). *Quel cornichon !* ⇒ **Corniaud.**

2   Ah, ah ! vous n'en savez rien, espèces de mufles, tas de marsupiaux, graine de cornichons ! Mais regardez-moi donc un peu, pour voir.
Léon BLOY, la Femme pauvre, II, XV, p. 248.

Adj. « *On n'est pas cornichon comme ça* » (Labiche, *Deux merles blancs*, III, 13).

3   Tous les regards s'étaient tournés vers lui et le public se mit à rire gaiement, du reste sans hostilité. On le trouvait simplement cornichon, cucul la rainette, rata-poil et rantanplan.   M. AYMÉ, Travelingue, p. 225.

♦ **5.** (1858). Argot scol. Élève du cours préparatoire à l'École militaire de Saint-Cyr. ⇒ 2. **Corniche.**
DÉR. 2. **Corniche.**

CORNICULE [kɔʀnikyl] n. f. — 1557 ; du lat. class. *corniculum* « petite corne ; petit entonnoir », dimin. de *cornu* « corne ».

♦ **1.** Didact. Petite corne.

♦ **2.** Hist. rom. Ornement en forme de corne qui surmontait le casque de certains soldats romains.

CORNIER, IÈRE [kɔʀnje, jɛʀ] adj. — Fin XIIᵉ ; de *corne* « angle », et -*ier*.

♦ Qui est « à la corne », au coin, à l'angle. (1519, *in* D.D.L.). *Pied cornier.* ⇒ **Borne,** cit. 2. — (1500, *in* D.D.L.). *Poteau cornier d'une charpente. Arbre cornier,* qui marque le coin d'une coupe.

CORNIÈRE [kɔʀnjɛʀ] n. f. — 1636 ; *cornere,* 1170 ; de *corne,* et *-ière.*
Technique.

♦ **1.** Rangée de tuiles pour l'écoulement des eaux à la jonction de deux combles. — Par appos. *Jointure cornière.*

♦ **2.** ⓐ Barre métallique ayant la forme d'un L, d'un T ou d'un V, utilisée dans diverses constructions. *Cornière d'angle.*

(...) ébranlé, le mas est de tous côtés pénétré de tirants d'acier, de chaînes qui en leurs extrémités tiennent les murs comme à pleines mains, à l'aide de rails, de cornières, des X et des S scellés dans la pierre.
François NOURISSIER, le Maître de maison, p. 48.

ⓑ Équerre métallique qui maintient les angles (d'un coffre, d'un meuble, d'une presse d'imprimerie...). *Remplacer une cornière.*

CORNILLON [kɔʀnijɔ̃] n. m. — 1845 ; de *corne.*

♦ Zool. Squelette de la corne des ruminants (prolongement du crâne).

CORNIQUE [kɔʀnik] adj. — 1869 ; du rad. de *Cornouailles,* angl. *cornish.*

♦ De Cornouailles. *Légendes corniques.* — N. m. *Le cornique :* dialecte celtique*.

CORNISTE [kɔʀnist] n. — 1821, *in* D.D.L. ; de *corne,* et *-iste.*

♦ Joueur, joueuse de cor (les dictionnaires ne donnent le mot qu'au masc., mais le fém. est normal).

(...) le malheureux corniste ne peut plus retirer sa main, qu'il a trop profondément enfoncée dans le pavillon de son cor !   J. VERNE, le Docteur Ox, p. 59.

CORNOUILLE [kɔʀnuj] n. f. — 1680 ; *cornoille,* 1538 ; *cornolle,* v. 1240 ; de l'anc. franç. *cornolle,* dér. en *-ulla,* du lat. *cornum.* → Corne.

♦ Rare ou régional. Fruit du cornouiller. ⇒ **Corme,** 2. *La cornouille est rouge et aigrelette. Cornouilles fraîches, séchées. Confiture de cornouilles.*

DÉR. Cornouiller.

CORNOUILLER [kɔʀnuje] n. m. — 1680 ; *corgnollier,* 1320 ; de *cornolle, cornouille,* et *-ier.*

♦ Arbre ou arbrisseau vivace *(Cornacées),* commun dans les haies, les bois (nom sc. : *cornus). Cornouiller mâle,* à fruits comestibles, rouges, à bois très dur au grain fin. ⇒ **Cormier** (régional). *Cornouiller femelle,* ou *sanguin* (⇒ **Sanguinelle**), au bois qui rougit en vieillissant, à l'odeur désagréable, aux fruits amers.
Bois de cet arbre. *Canne en cornouiller.* « *Un fléau, au long manche et au battoir de cornouiller* » (→ Fléau, cit. 1, Zola).

CORN-PICKER [kɔʀnpikœʀ] n. m. — 1949, *in* Höfler ; anglo-amér., de *corn* « maïs », et *picker* « ramasseuse » (de *to pick* « cueillir, ramasser »).

♦ Anglic. Machine pour la récolte du maïs. Plur. *Des corn-pickers.*

CORNU, UE [kɔʀny] adj. — V. 1150 ; lat. *cornutus,* dér. de *cornu* « corne ».

♦ **1.** (Fin XIIᵉ). Qui a des cornes ou des bois (Cervidés). *Bête cornue.* « *Animal cornu* » (La Fontaine, *Fables,* v, 4). *Diable cornu.* N. m. pl. *Les cornus :* les bêtes à cornes.

Les bêtes cornues, nous ne voulons pas parler des bipèdes mariés qui lors traversaient le Pont-Neuf, mais bien des bœufs (...)
Th. GAUTIER, le Capitaine Fracasse, II, p. 65.

(1608). Par plais. Fig. et fam. *Mari cornu :* mari trompé. ⇒ **Cocu,** 1. **cornard, corne** (et ci-dessus, cit. Gautier).
Par anal. *Vipère cornue,* à cornes (⇒ **Céraste**). *Escargot cornu.*

♦ **2.** Vx. *Argument cornu :* argument faux (appelé ainsi parce que dans l'argument type il est question de cornes). ⇒ **Argument** (cit. 12 et 13). Par anal. *Raisons, idées, visions cornues.* ⇒ **Extravagant ; biscornu, bizarre.**

♦ **3.** Qui a la forme d'une corne, ou qui présente des saillies en forme de corne. *Vase au bec cornu. Pain cornu. Blé cornu,* dont

les épis présentent des cornes ou ergots*. ⇒ **Ergoté** (blé). *Cheval cornu :* cheval à la hanche très saillante.
DÉR. et COMP. Biscornu, cornue.

CORNUE [kɔʀny] n. f. — 1575, au sens 1 ; de *cornu.*

♦ **1.** Chim. et cour. Vase à col étroit, long et courbé, qui sert à distiller (⇒ **Alambic**). *Le col, la panse d'une cornue. Cornue de verre, de terre, de métal.*
Par métaphore :

Il était arrivé à ce degré de fatigue où le corps d'un malade n'est plus qu'une cornue où s'observent des réactions chimiques.   [1]
PROUST, Sodome et Gomorrhe, éd. L. de Poche, p. 102.

♦ **2.** Techn. Four à distiller. *Cornue pour fabriquer l'acier.* ⇒ **Convertisseur.**
Dans les usines à gaz, Partie du four où l'on chauffe la houille. *Enduit permettant aux cornues d'aller au feu.* ⇒ **Lut.** *Le délutage consiste à retirer le coke des cornues à gaz.*

Le charbon de cornue, c'est-à-dire ce dur graphite qui se trouve dans les cornues des usines à gaz, après que la houille a été déshydrogénée, on eût pu le produire, mais il eût fallu installer des appareils spéciaux.   [2]
J. VERNE, l'Île mystérieuse, t. II, p. 559.

(1600). Par anal. de forme. Vitic. Vx ou régional. Récipient de bois utilisé pour porter la vendange.

Il maniait les cornues de raisin comme des bassines de cinq litres.   [3]
Ch.-F. LANDRY, Petit bar Mistral, p. 105.

CORNUELLE [kɔʀnɥɛl] n. f. ⇒ **Macre.**

COROLLAIRE [kɔʀɔlɛʀ] n. m. — 1611 ; *corellaire,* 1372 ; du lat. *corollarium* « petite couronne » puis « petite couronne donnée comme gratification », d'où « don, supplément », de *corolla* « petite couronne ». → Corolle.
Didactique ou littéraire.

♦ **1.** Log. Proposition dérivant immédiatement d'une autre. *Les corollaires d'une proposition. Avoir pour corollaire.*

(...) voulez-vous peindre et toucher, on vous demande des *axiomes* et des *corollaires.*   [1]
CHATEAUBRIAND, le Génie du christianisme, I, I, IV.

♦ **2.** (1611). Math. Conséquence directe d'un théorème déjà démontré. ⇒ **Déduction, porisme.**

Les stations et rétrogradations sont un corollaire mathématique des mouvements autour d'un même foyer.   [2]
DELAMBRE, Abrégé d'astronomie, 17ᵉ leçon, *in* LITTRÉ.

♦ **3.** (1788). Vérité qui découle d'une autre conséquence, suite naturelle. ⇒ **Conséquence, suite.**

Le sport (...) est devenu la plus avantageuse des entreprises de spectacle. Il est — corollaire obligé — devenu la plus étonnante école de vanité.   [3]
G. DUHAMEL, Scènes de la vie future, XII, p. 185.

Argument supplémentaire qui vient appuyer une affirmation.

♦ **4.** En appos. Qui est la conséquence d'une proposition. *Problème corollaire.*

CONTR. Théorème.
DÉR. Corollairement.

COROLLAIREMENT [kɔʀɔlɛʀmɑ̃] adv. — 1884, *in* D.D.L. ; de *corollaire,* et *-ment.*

♦ Didact. Comme corollaire, en conséquence.

(...) doué pour la finance (...) péniblement studieux, froid, tenace, personnel, corollairement hypocrite.   Hervé BAZIN, Vipère au poing, p. 34.

COROLLE [kɔʀɔl] n. f. — 1749 ; lat. *corolla,* dimin. de *corona* « couronne ».

♦ **1.** Bot. et cour. Ensemble des pétales d'une fleur. *Le calice et la corolle forment le périanthe. La corolle est formée de pièces blanches ou colorées* (⇒ **Foliole, pétale**). *Fleur sans corolle.* ⇒ **Apétale.** *Fleur dont la corolle a les pétales soudés* (⇒ **Monopétale**), *a des pétales séparés* (⇒ **Dialypétale**). *Fleur dont la corolle a trois, plusieurs pétales.* ⇒ **Tripétale, polypétale.** *Forme, disposition d'une corolle.* ⇒ **Binervé, hypogyne ; labié, bilabié ; ligulé, papilionacé.** *Tube d'une corolle,* la partie inférieure. *Corolle close, éclose, épanouie.*

Il (le bourdon) revient à l'ancolie et, cette fois, il perce la corolle et suce le nectar à travers l'ouverture qu'il a faite.   [1]
FRANCE, le Crime de Sylvestre Bonnard, Œ., t. II.

Par comparaison :

Nous regardions la mer calme où des mouettes éparses flottaient comme des corolles blanches.   [2]
PROUST, Sodome et Gomorrhe, 1922, p. 808, *in* T.L.F.

♦ **2.** EN COROLLE : en forme de corolle de fleur (circulaire et évasée). *Une jupe en corolle.* — (Dans un aménagement hydraulique). *Déversoir en corolle :* déversoir de crue évasé.

♦ **3.** (Objet en forme de corolle). Techn. Type de présentoir en forme de cône creux.

CORON [kɔʀɔ̃] n. m. — 1877, Littré, *Suppl.* ; mot du Nord et de l'Est, prolongeant l'anc. franç. *coron* «coin, bout d'un bâtiment» (v. 1200), dér. de *cor* «angle, extrémité», répandu dans l'usage général par Zola, *Germinal*, 1885.

♦ **1.** Régional, puis cour. Ensemble d'habitations identiques, disposées régulièrement le long de voies, et construites pour loger les ouvriers des mines de charbon, notamment dans le Nord de la France. *Habiter un coron.*

Au milieu des champs de blé et de betteraves, le coron des Deux-Cent-Quarante dormait sous la nuit noire. On distinguait vaguement les quatre immenses corps de petites maisons adossées, des corps de caserne ou d'hôpital, géométriques, parallèles, que séparaient les trois larges avenues, divisées en jardins égaux.
                                                ZOLA, Germinal, t. I, II, p. 13.

Par métonymie. *Habitants, population d'un coron. Tout le coron est en grève.*

♦ **2.** Par ext. Maison, ou groupe de maisons semblables d'une cité ouvrière.

CORONAIRE [kɔʀɔnɛʀ] adj. — 1562, n. f. ; du lat. *coronarius* «en forme de couronne», de *corona.* → Couronne.

♦ **1.** Antiq. rom. *Or coronaire :* couronne d'or offerte à un général romain vainqueur par les nations alliées ou vaincues. (La couronne fut remplacée par une taxe, payable en or ou en argent).

♦ **2.** Anat. Qui est disposé en couronne. ⇒ **Coronal.** *Artères coronaires labiales :* artères des lèvres.
Spécialt. Se dit d'artères et de veines du cœur. *Artères coronaires. Grande veine coronaire.* — N. f. pl. *Les coronaires.*

Les artères du cœur proviennent des artères coronaires, ainsi appelées, probablement à cause du trajet de leur portion initiale qui entoure le cœur en manière de couronne. Elles se détachent de l'aorte au niveau de son origine. Normalement, elles sont au nombre de deux l'une gauche, l'autre droite.
                                        L. TESTUT, Traité d'anatomie, t. II, p. 98.

Méd. Se dit des maladies des organes se rapportant au cœur. *Thrombose coronaire.* ⇒ **Coronarien.**

(Personnes). Emploi abusif. Qui souffre de coronarite. ⇒ **Coronarien.** « *Il est tout seul, il a de l'arthrite, il est coronaire* » (Émile Ajar-Romain Gary, *l'Angoisse du roi Salomon*, p. 259).

♦ **3.** Didact. D'une couronne (II., 3.). — De la couronne dentaire. *Dysplasie coronaire.*

DÉR. et **COMP. Coronaro-, coronarien, coronarite.**

CORONAL, ALE, AUX [kɔʀɔnal, o] adj. — 1314 ; lat. *coronalis* «qui a rapport à une couronne», de *corona.* → Couronne.

♦ **1.** Bot. *Périanthe coronal :* enveloppe circulaire des organes sexuels (de la plante).

♦ **2.** (1314). Anat. En forme de couronne. *Os coronal,* ou, n. m., *le coronal :* le frontal*.
Suture coronale, unissant les deux parties de l'os coronal au premier âge. Syn. : *suture frontale.*

♦ **3.** Littér. et rare. (Péguy, *in* T. L. F.). Qui couronne, conclut.

♦ **4.** (1874). Astron. De la couronne solaire. *Les gaz coronaux. Condensation coronale. Jet coronal.*

♦ **5.** Phonét. *Consonne coronale,* ou, n. f., *une coronale :* consonne réalisée par l'action de la couronne de la langue (partie située entre la pointe et le dos) contre la voûte du palais.

CORONARIEN, IENNE [kɔʀɔnaʀjɛ̃, jɛn] adj. — 1897, *in* D. D. L. ; du rad. de *coronaire,* et -*ien.*

♦ Méd. Des artères coronaires. *Spasmes coronariens* (angine* de poitrine).

Son emploi (de la papavérine), bien que moins répandu que celui de l'atropine, est plus spécifiquement réservé aux spasmes coronariens (angine de poitrine) (...)
                                A. GALLI et R. LELUC, les Thérapeutiques modernes, p. 23.

N. *Un coronarien, une coronarienne :* malade atteint d'une maladie coronarienne. Syn. abusif : *coronaire.* « *L'ouverture dans les hôpitaux d'unités de surveillance pour coronariens* » (*la Recherche*, oct. 1980, p. 1120).

CORONARITE [kɔʀɔnaʀit] n. f. — 1897, *in* D. D. L. ; du rad. de *coronaire,* et -*ite.*

♦ Méd. Lésion des artères coronaires du cœur. *Coronarite diabétique.* — Spécialt. Les lésions d'artériosclérose.

CORONARO- Premier élément de mots savants (méd.), du rad. de *coronaire.* Ex. : *coronarographie,* n. f. : examen (du cœur) par

injection d'un produit opaque aux rayons X dans les vaisseaux coronaires. « *L'existence de cette néovascularisation a pu être démontrée par coronarographie sur des cœurs prélevés à l'autopsie* » (la Recherche).

CORONELLE [kɔʀɔnɛl] n. f. — XIVe ; du lat. *corona* «couronne».

♦ Serpent du genre couleuvre*.

CORONER [kɔʀɔnœʀ] n. m. — 1624 ; mot angl., de l'anc. normand *coroneor* «représentant de la Couronne», du lat. *corona.* → Couronne.

♦ Officier de police judiciaire dans les pays anglo-saxons : Grande-Bretagne, États-Unis (→ Attorney, cit. 2), Canada. «*Selon le coroner* (officier civil chargé des enquêtes concernant les morts violentes)..., *il n'y aura pas de décision quant à l'ouverture d'une enquête légale tant qu'on ne sera pas en possession, dans une dizaine de jours, des rapports de police* » (le Monde, no 9964, 11 févr. 1977).

On retrouva son cadavre, après des recherches anxieuses, au cours desquelles Francis se signala par son dévouement. Le coroner local conclut à la mort par accident.
                                        Roger NAÏM, l'Ère des truands, p. 44.

CORONILLE [kɔʀɔnij] n. f. — 1752, Trévoux ; esp. *coronilla* «petite couronne», dimin. de *corona,* du lat. *corona.* → Couronne.

♦ Plante dicotylédone (*Légumineuses-papilionacées*), aux fleurs disposées en ombelles axillaires aux longs pédoncules, et qui pousse en Europe centrale et dans les pays méditerranéens.

(...) une corne sauvage appelait les derniers joueurs de la prairie où la coronille et le pied-de-chat écrasés levaient déjà la tête et respiraient le crépuscule (...)
                                        A. ARNOUX, Suite variée, p. 42.

CORONIUM [kɔʀɔnjɔm] n. m. — 1904, in *Rev. gén. des sc.,* no 14, p. 674 ; angl. *coronium,* formé par anal. avec *hélium,* à partir du lat. *corona* «couronne (solaire)».

♦ Hist. de la chim. Élément gazeux dont on a imaginé l'existence dans la couronne solaire, mais qui a été par la suite identifié comme étant formé d'atomes connus, très ionisés par la température élevée de la couronne solaire.

CORONOGRAPHE [kɔʀɔnɔgʀaf] n. m. — Attesté 1941 ; date de l'invention par Lyot : 1931 ; du lat. *corona* «couronne», et -*graphe.*

♦ Astron. Instrument d'étude de la couronne solaire et de la chromosphère.

CORONOÏDE [kɔʀɔnɔid] adj. — 1654 ; du grec *korône* «corneille», et *eidos* «forme».

♦ Anat. Qui rappelle la forme du bec de la corneille. *Apophyse* coronoïde.*

CORONULE [kɔʀɔnyl] n. f. — 1819, Boiste ; du lat. sc. *coronula,* dimin. de *corona.* → Couronne.

♦ **1.** (1834). Bot. Chez les Charophytes, Ensemble de cinq cellules en couronne qui surmontent l'oosphère.

♦ **2.** Zool. Crustacé (type de la famille des Coronulidés) vivant fixé sur d'autres animaux marins et dont la coquille en forme de couronne est formée de six pièces égales.

COROSSOL [kɔʀɔsɔl] n. m. — Fin XVIe ; du créole des Antilles.

♦ Cour. en franç. des Antilles. Fruit du corossolier. ⇒ **Anone,** 2. « *Patates douces, gombos, corossols, bananes à cuire* (...) » (le Point, no 4, 16 oct. 1972, p. 19). — *Corossol écailleux :* l'anona squamosa.

DÉR. Corossolier.

COROSSOLIER [kɔʀɔsɔlje] n. m. — D. i. ; de *corossol.*

♦ Arbre fruitier (*Anonacées*), variété d'anone commune en Afrique (nom sc. : *Anona muricata*), dont le fruit est le corossol. ⇒ **Anonacées, anone,** 1.

COROZO [kɔʀɔzo] n. m. — 1838 ; mot esp. de l'Équateur, proprt «fruits dont les grains sont utilisés pour fabriquer cet ivoire végétal», du lat. pop. *carudium* «noyau».

♦ **1.** Matière blanche tirée de la noix du palmier phytéléphas et dite *ivoire végétal. On travaille le corozo au tour pour en faire des boutons. Boutons de corozo.*

♦ **2.** Bot. Palmier dont on tire le corozo.

CORPOCOMPTEUR [kɔʀpokɔ̃tœʀ] n. m. — xxᵉ ; de *corpo-*, du lat. *corpus* (→ Corps), et *compteur* (comp. hybride).

♦ Méd. Appareil servant à mesurer la radioactivité d'un organisme entier.

CORPORAL [kɔʀpɔʀal] n. m. — Déb. xııı° ; lat. ecclés. *corporale*, rac. *corpus* « corps (de Jésus-Christ) ».

♦ Liturgie cathol. Linge consacré, de forme rectangulaire, que le prêtre étend sur la pierre d'autel au commencement de la messe pour y déposer le calice et la patène. *Le prêtre* (cit. 1) *étalait le corporal. L'ostensoir est posé sur le corporal au moment de la bénédiction du saint sacrement. Des corporaux.*

CORPORATIF, IVE [kɔʀpɔʀatif, iv] adj. — 1830 ; du rad. de *corporation*, et *-if*.

♦ **1.** (Av. 1837). Qui est relatif, propre aux corporations. *Problèmes corporatifs.* — *Esprit corporatif :* esprit de corps.

♦ **2.** Qui a la structure d'une corporation. *Groupement corporatif.* Qui est fondé sur les corporations. *Système corporatif. Structure corporative d'une branche d'activités.*

1 (...) la société anonyme par actions, appelant n'importe qui à la participation de l'entreprise, est la négation absolue du système corporatif qui ne permet qu'à des personnes déterminées une activité déterminée.
JAURÈS, Hist. social. Révol. franç., t. I, p. 66.

2 L'organisation corporative est, à mon sens, un type d'organisation sociale où des groupements obligatoires, basés sur la profession, ont dans l'État un rôle reconnu et jouissent de certaines prérogatives pour accomplir leurs fins.
OLIVIER-MARTIN, l'Organisation de la France d'Ancien Régime, Introd., p. 9.

CORPORATION [kɔʀpɔʀasjɔ̃] n. f. — 1530 ; angl. *corporation* « réunion, corps constitué », du lat. médiéval *corporatio*, du supin du lat. médiéval *corporari* « se former en corps », de *corpus* « corps ».

♦ **1.** Hist. (Antiq. rom.). Groupement réglementé de différents métiers, dans l'État romain (⇒ **Collège**). *Les corporations ont disparu à l'époque franque.*

♦ **2.** (1672). Hist. et cour. Association d'artisans, groupés en vue de réglementer leur profession et de défendre leurs intérêts. ⇒ **Communauté, corps, métier.** *Maîtres, compagnons, apprentis d'une corporation. Chefs d'une corporation.* ⇒ **Bayle, garde, juré, syndic.** *Le chef-d'œuvre, œuvre que devait réaliser un compagnon pour recevoir la maîtrise dans une corporation* (⇒ **Artisan**). *Corporations des arts et métiers. Délégués des corporations* (⇒ **Jurande**). *Corporation de marchands.* ⇒ **Corps, guilde, hanse.** *Corporation religieuse.* ⇒ **Confrérie.** *Suppression des corporations, en France, par l'édit de Turgot* (1776).

1 (...) l'abolition des corporations, jurandes et maîtrises, bouleversant l'économie du travail national, n'avait pas été sans faire tort à la bonne fabrication.
Louis MADELIN, Vers l'Empire d'Occident, VII, p. 89.

2 La corporation rapproche tous ceux qui exercent le même métier (...)
OLIVIER-MARTIN, Précis d'hist. du droit franç. (→ Apprenti, cit. 2).

♦ **3.** (Av. 1740). Cour. L'ensemble des personnes qui exercent le même métier, la même profession. ⇒ **Corps, métier, ordre.** *La corporation de la boucherie. La corporation des notaires, des médecins.*

Fam. *Il n'est pas de la corporation :* il n'est pas du métier (→ Bâtiment).

Par anal. Groupe de personnes ayant une activité commune, des intérêts communs.

Spécialt (Grande-Bretagne). Corps politique ou communauté civile créé par une charte royale, ou un acte juridique, et qui jouit des mêmes droits qu'un particulier.

♦ **4.** (En parlant d'animaux qui ont une vie communautaire très développée). *La corporation des fourmis.*

DÉR. Corporatif, corporatisme, corporatiste.

CORPORATISME [kɔʀpɔʀatism] n. m. — 1911, Jaurès ; du rad. de *corporation*, et *-isme*.

♦ Écon. (relativement cour.). Système des corporations ; doctrine qui préconise les groupements professionnels du type des corporations.

Du corporatisme au syndicalisme la route est longue. Chacun de ces mouvements représente deux orientations historiques différentes du travail ouvrier (...) Mais dans les deux cas se retrouve la préoccupation fondamentale d'améliorer les conditions de travail (...)
Claude FOHLEN, le Travail au xıxᵉ siècle, p. 61.

Attitude d'esprit de corps professionnel.

CORPORATISTE [kɔʀpɔʀatist] adj. et n. — V. 1930 ; du rad. de *corporation*, et *-iste*.

♦ **1.** Adj. Relatif, conforme au corporatisme. *Système corporatiste, doctrine corporatiste.* « (...) *en 1947 l'Unef avait élaboré la charte* (...) *qui définissait le syndicat comme un organe chargé de défendre*

les intérêts spécifiques des étudiants. Or cette définition corporatiste, l'Unef elle-même n'a cessé de la condamner » (l'Express, 8-14 juil. 1968). « (...) *une véritable structure corporatiste regroupe les horlogers* » (l'Express, n° 1153, 13 août 1973, p. 14).

♦ **2.** Adj. et n. Adepte du corporatisme. *Un, une corporatiste.*

CORPORÉ, ÉE [kɔʀpɔʀe] adj. — 1785 ; empr. soit au lat. *corporatus* « qui a un corps », en bas lat. « corpulent » ; soit au lat. class. *corporeus* « qui a un corps ».

♦ Régional (en parlant d'une personne). Bâti. *Il est bien corporé,* bien bâti. « *Étant corporée comme un laboureur et hardie comme un soldat* » (G. Sand, *François le Champi*).

CORPORÉITÉ [kɔʀpɔʀeite] n. f. — 1482 ; lat. médiéval *corporeitas*, du lat. class. *corpus, -oris* (→ Corps) ; cf. *corporalité* (1495), du lat. chrét. *corporalitas* « nature corporelle, matérialité ».

♦ Philos. Caractère de ce qui est corporel, de ce qui a un corps.

1 Le corps d'autrui ne doit pas être confondu avec son objectivité. L'objectivité d'autrui est sa transcendance comme transcendée. Le corps est la facticité de cette transcendance. Mais corporéité et objectivité d'autrui sont rigoureusement inséparables.
SARTRE, l'Être et le Néant, 1943, p. 418.

2 Qui a observé des jumeaux ne peut échapper à la fascination de leur corps, dont la corporéité en quelque sorte se trouve grossièrement soulignée par la duplication.
M. TOURNIER, le Vent Paraclet, p. 234 (1977).

REM. La var. *corporalité* ne semble usitée qu'en théologie.

CORPOREL, ELLE [kɔʀpɔʀel] adj. — V. 1160 ; lat. *corporalis* (→ Corporal), de *corpus, -oris* (→ Corps).

♦ **1.** (V. 1160). Didact. Qui a un corps (II.). *Nature corporelle. Les êtres corporels. Dieu, dans la théologie chrétienne, n'est pas corporel.* ⇒ **Matériel.**

1 On peut dire qu'il y a plus d'analogie ou de rapport entre les couleurs et les sons qu'entre les choses corporelles et Dieu.
DESCARTES, Réponses aux 2ᵉˢ objections.

2 (...) tous les peuples du monde, sans excepter les Juifs, se sont fait des dieux corporels.
ROUSSEAU, Émile, IV.

♦ **2.** Qui est relatif au corps* humain. ⇒ **Physique.** *Peine corporelle.* ⇒ **Afflictif.** *Châtiment corporel. Punition corporelle. Plaisir corporel.* ⇒ **Charnel.** *Besoin corporel.* ⇒ **Naturel.** *Exercice corporel.* ⇒ **Gymnastique.** — *Expression* corporelle. — *Hygiène corporelle, fatigue corporelle. La servitude corporelle de l'homme.*

3 Souffre les chaînes et la servitude corporelle ; je ne te délivre que de la spirituelle à présent.
PASCAL, Pensées, VII, 553.

4 Je ne dédaigne l'exercice corporel : je l'aime, je le recommande, je le souhaite souvent, au fond d'une retraite trop studieuse.
G. DUHAMEL, Scènes de la vie future, XII, p. 184.

Psychol. *Schéma corporel :* image qu'une personne a de son corps. *Troubles du schéma corporel.* ⇒ **Asomatognosie, autotopoagnosie.**

♦ **3.** Qui a la nature d'un corps (I.), qui est matériel.
Dr. *Biens corporels :* biens matériels susceptibles d'appropriation.

CONTR. Incorporel, intellectuel, spirituel.
DÉR. Corporellement.
COMP. V. Incorporel.

CORPORELLEMENT [kɔʀpɔʀelmã] adv. — Fin xvᵉ ; *corporeilment*, v. 1180 ; de *corporel*.

♦ Didact. D'une manière corporelle (2.). ⇒ **Matériellement, physiquement.** *Punir, châtier, corporellement qqn,* lui infliger une peine corporelle.

Relig. *Recevoir le corps de Jésus-Christ réellement et corporellement.*

CONTR. Spirituellement.

CORPORENCE [kɔʀpɔʀãs] n. f. — Av. 1527 ; probablt déformation de *corpulence*, sous l'infl. de *corporel*, et de *corporu* « corpulent ».

♦ Régional et vx. Corpulence, allure d'une personne (cf. ex. de Balzac et de G. Sand, *in* T. L. F.).

CORPORIFICATION [kɔʀpɔʀifikasjɔ̃] ou **CORPORISATION** [kɔʀpɔʀizasjɔ̃] n. f. — 1690, *corporification* ; *corporisation,* 1701 ; de *corporifier*, ou *corporiser*.

♦ Vx. Action de corporifier, de corporiser un corps fluide.

Fig. (rare). Action de rendre matériel, fait de prendre une forme matérielle.

CORPORIFIER [kɔʀpɔʀifje] ou **CORPORISER** [kɔʀpɔʀize] v. tr. — 1651, *corporifier* ; *corporiser,* 1704 ; du lat. *corpus, corporis* « corps », et *-ifier, -iser*.

♦ **1.** Chim. anc. Amener (un corps fluide) à l'état solide. — Fixer une substance éparse à l'état de corps non divisé. *Corporifier des globules de mercure.*

♦ **2.** (1790). Littér. et rare. Donner une forme matérielle, une forme corporelle humaine à... — Au p. p. (cit. 1).

1 Ayant ainsi le peuple à ses pieds, le firmament sur sa tête, et autour d'elle l'immensité de la mer, le golfe, les montagnes et les perspectives des provinces, Salammbô resplendissante se confondait avec Tanit et semblait le génie même de Carthage, son âme corporifiée. FLAUBERT, Salammbô, Pl., t. I, p. 1023.

2 Elles cherchaient peut-être à corporiser leurs rêveries, ce qui est aussi difficile que de spiritualiser ses sensations.
BARBEY D'AUREVILLY, les Diaboliques, « Le dessous de cartes... ».

(1762). Spécialt (théol.). Attribuer un corps à (un être spirituel). *Corporifier les anges.*

DÉR. Corporification ou **corporisation.**

CORPS [kɔʀ] n. m. — V. 881 ; *cors,* XIIᵉ, XIIIᵉ, au sens II ; du lat. *corpus, corporis* (à l'accusatif). — REM. Historiquement, le sens II est premier, dans l'opposition *corps-âme,* mais, dès le XIIIᵉ s., on parle de *corps céleste,* et aussi, abstraitement, d'un *corps de lois.*

★ **I.** Objet matériel. ♦ **1.** (V. 1270). *Corps céleste.* ⇒ **Astre, planète.**

♦ **2.** (XVIᵉ). Objet matériel caractérisé par ses propriétés physiques. ⇒ **Chose, objet, substance.** *Le monde des corps.* ⇒ **Matière.** *Volume, masse, poids d'un corps. Les corps sont étendus. Surface, volume ; épaisseur d'un corps. Les trois dimensions des corps :* largeur, longueur, profondeur (ou hauteur). *La substance des corps. Constitution, structure des corps. Corps pur.* ⇒ **Combinaison.** — Loc. Vx. *Les petits corps :* les atomes (→ Atome, cit. 1, 2, 3). — *Corps élémentaire, minéral. Propriétés des corps.* ⇒ **Physique ; dilatation, dissolution, énergie, fusion, liquéfaction, pression, solidification, vaporisation...** *Les corps solides.* ⇒ **Amorphe, cristallisé ; homogène, isotrope.** *Corps fluides* (liquides, gazeux). *Impénétrabilité des corps. Corps aérien, compact, dense, diaphane, léger, lourd, opaque, pesant, spongieux, transparent. Chaleur des corps.* ⇒ **Caloricité ; température.** *Les corps sont pesants.* ⇒ **Densité, masse, poids.** *La chute des corps.* ⇒ **Pesanteur ; accélération** (cit. 1), **attraction, gravitation.** *Mouvement des corps.* ⇒ **Dynamique, mécanique ; force, inertie, travail.**

1 J'ai eu dessein (de) comprendre tout ce que je pensais savoir (...) touchant la nature des choses matérielles (...) j'entrepris seulement (d') exposer bien amplement ce que je concevais (...) de tous les corps qui sont sur la terre, à cause qu'ils sont ou colorés, ou transparents ou lumineux, et enfin de l'homme, à cause qu'il en est le spectateur. DESCARTES, Discours de la méthode, 5ᵉ partie.

2 En dressant une liste de toutes les substances, dans l'ordre de résistance aux déformations, on passerait, par degrés presque insensibles, des corps comme le fer ou la pierre aux corps comme l'eau ou l'alcool, sans qu'il soit possible de dire où se trouve la séparation entre les liquides et les solides (...)
A. BOUTARIC, Précis de physique, II, p. 4.

3 Qui donc irait faire grief au physicien d'isoler la pesanteur des autres qualités du corps qu'il étudie et de négliger le parfum, la couleur et le goût de la pomme dont il observe la chute ! J. PAULHAN, Entretien sur des faits divers, III, p. 96.

Loc. (1903, in *Rev. gén. des sc.,* nᵒ 2, p. 91). **CORPS NOIR*** : corps absorbant toutes les radiations qu'il reçoit, et, chauffé, émettant également toutes les radiations, corps qui ne renvoie aucun rayonnement.

(1585, *corps simple*). Chim. *Corps pur. Corps simple,* constitué par un seul élément et que l'on ne peut décomposer. ⇒ **Élément.** *Les atomes, les molécules d'un corps. Corps pur* (simple ou composé), dont toutes les molécules* sont identiques. *Corps pur composé.* ⇒ **Combinaison.** *Variétés, états allotropiques* d'un corps. Corps organiques, inorganiques.* — *Corps gras.*

Fig. *Prendre l'ombre pour le corps,* l'apparence pour la réalité. — REM. Dans cette expression, le mot n'est plus compris dans ce sens général, aujourd'hui.

Vieilli. *Les corps organisés, vivants :* les organismes. → ci-dessous, II., 2.

Anat. (Qualifié). Élément anatomique étudiable isolément (organe, etc.). *Corps calleux*. Corps caverneux de la verge, du clitoris. Corps muqueux*. Corps jaune*. Corps strié*. Corps vitré*. Corps thyroïde*.* ⇒ **Glande.**

(1680). **CORPS ÉTRANGER** : corps, objet ne faisant plus partie de l'organisme ou s'y étant introduit accidentellement. *Introduction d'un corps étranger dans l'organisme. Corps volant.*

3.1 J'ai parfois une petite tache qui vole à gauche de mon œil gauche, parfois elle disparaît la journée entière. Il paraît que ce n'est rien, que cela s'appelle un corps volant. J. GREEN, Journal, Ce qui reste de jour, 20 juin 1971.

♦ **3.** Dr. Chose (ayant une existence juridique). *Corps certain :* chose matérielle et individuelle, non interchangeable.

(1824). Dr., cour. **CORPS DU DÉLIT** (lat. *corpus delicti*) : objet qui constitue et forme la preuve d'un délit.

♦ **4.** Mar. *Corps flottant.* ⇒ **Bouée.** — *Corps mort* (métaphore du sens II). ⇒ **Corps-mort.**

★ **II.** La partie matérielle (d'un être animé), le plus souvent considérée comme unie avec une partie immatérielle. — REM. Ne se dit guère que de l'homme, mais le syntagme *corps humain* montre que des emplois plus généraux sont possibles. → Ci-dessous, 2.

♦ **1.** (V. 881). L'organisme humain, par opposition à *l'esprit,* à *l'âme. L'homme, composé de corps et d'âme, corps et esprit. L'union substantielle, la compénétration du corps et de l'âme.* ⇒ **Âme** (cit. 18 à 26). *L'âme anime le corps. Le corps, considéré comme prison de l'âme. Le corps mortel,* par opposition à *l'âme immortelle. La séparation de l'âme et du corps* (⇒ **Mort**). *Âme détachée, séparée, sortie du corps. L'âme abandonne le corps. — Consacrer son corps à Dieu. Les mortifications, les austérités du corps.* ⇒ **Ascèse** (→ Ascète, cit. 3). *Être maître de son corps. Les passions du corps.* ⇒ **Chair, sexualité** (→ Animal, cit. 11 ; avertissement, cit. 10).

Loc. *Se donner corps et âme* [kɔʀzeɑm] *à qqn, à qqch.* ⇒ **Âme,** cit. 27. *Appartenir corps et âme* à qqn. — C'est un corps sans âme.* ⇒ **Âme,** cit. 28. — *Âme chevillée au corps.* ⇒ **Âme** (infra cit. 28). — *Avoir le diable au corps.* ⇒ **Diable.** — Fig., vx. *Femme, fille folle de son corps,* qui s'adonne aux plaisirs de la chair. *Faire des folies de son corps.*

4 Le corps, cette guenille, est-il d'une importance,
D'un prix à mériter seulement qu'on y pense,
Et ne devons-nous pas laisser cela bien loin ?
— Oui, mon corps est moi-même, et j'en veux prendre soin (...)
MOLIÈRE, les Femmes savantes, II, 7.

5 Trois fois il (le prince de Condé) fut repoussé par le valeureux comte de Fontaines, qu'on voyait porter dans sa chaise, et, malgré ses infirmités, montrer qu'une âme guerrière est maîtresse du corps qu'elle anime.
BOSSUET, Oraison funèbre du prince de Condé.

6 La conscience est la voix de l'âme, les passions sont la voix du corps.
ROUSSEAU, Émile, IV.

7 L'âme et le corps, hélas ! ils iront deux à deux,
Tant que le monde ira, — pas à pas, — côte à côte, — (...)
A. DE MUSSET, Pœsies nouvelles, « Namouna », XLIX.

7.1 Soyez remercié mon corps,
D'être ferme rapide et frémissant encor
Au toucher des vents prompts ou des brises profondes ;
Et vous, mon torse droit et mes larges poumons,
De respirer au long des mers ou sur les monts,
L'air radieux et vif qui baigne et mord les mondes.
VERHAEREN, la Multiple Splendeur.

8 L'âme, disait-il, est la substance ; le corps, l'apparence. Les mots l'expriment d'eux-mêmes : l'apparence est ce qui se voit, et qui dit substance dit chose cachée.
FRANCE, le Petit Pierre, I, p. 9.

8.1 Je remontai et trouvai ma grand-mère plus souffrante. Depuis quelque temps, sans trop savoir ce qu'elle avait, elle se plaignait de sa santé. C'est dans la maladie que nous nous rendons compte que nous ne vivons pas seuls, mais enchaînés à un être d'un règne différent, dont des abîmes nous séparent, qui ne nous connaît pas et duquel il est impossible de nous faire comprendre : notre corps. PROUST, le Côté de Guermantes, Folio, p. 358.

8.2 Et c'est parce qu'ils contiennent ainsi les heures du passé que les corps humains peuvent faire tant de mal à ceux qui les aiment, parce qu'ils contiennent tant de souvenirs de joies et de désirs déjà effacés pour eux, mais si cruels pour celui qui contemple et prolonge dans l'ordre du temps le corps chéri dont il est jaloux, jaloux jusqu'à en souhaiter la destruction. Car après la mort le Temps se retire du corps, et les souvenirs, si indifférents, si pâlis, sont effacés de celle qui n'est plus et le seront bientôt de celui qu'ils torturent encore, mais en qui ils finiront par périr quand le désir d'un corps vivant ne les entretiendra plus.
PROUST, le Temps retrouvé, Pl., t. III, p. 1047.

9 Les hommes livrent leur âme, comme les femmes leur corps, par zones successives et bien défendues. A. MAUROIS, Climats, I, I, p. 13.

9.1 Bouge d'abord, il faut un corps, comme jadis, je ne dis pas non, je ne dirai plus non, je me dirai un corps, un corps qui bouge, en avant, en arrière, et qui monte et descend, selon les nécessités. Avec des tas de membres et d'organes, de quoi vivre encore une fois, de quoi tenir, un petit moment, j'appellerai ça vivre (...) S. BECKETT, Textes pour rien, p. 129-130.

Le corps humain après la mort. ⇒ **Cadavre.** — REM. L'emploi *un corps mort* ne constitue pas un sens, mais découle de l'opposition « partie matérielle » (*corps*) — « partie non matérielle ». La mort dégage le *corps* proprement dit. — *Ensevelir les corps.* ⇒ **Bière** (mise en bière) ; **cercueil ; linceul.** *Levée* du corps. Mettre, porter un corps en terre* (⇒ **Cimetière**). *Enterrer, inhumer, embaumer, incinérer un corps. Faire l'autopsie d'un corps. Il a légué son corps à la science.*

10 (...) le corps d'un homme vivant diffère autant de celui d'un homme mort que fait une montre ou autre automate (c'est-à-dire autre machine qui se meut de soi-même), lorsqu'elle est montée et qu'elle a en soi le principe corporel des mouvements pour lesquels elle est instituée (...)
DESCARTES, les Passions de l'âme, I, 6.

11 La chair changera de nature ; le corps prendra un autre nom ; même celui de cadavre ne lui demeurera pas longtemps (...)
BOSSUET, Sermon sur la mort (→ Cadavre, cit. 2).

11.1 Le néant n'épouvante pas un philosophe ; et même, je le dis souvent, j'ai l'intention de léguer mon corps aux hôpitaux, afin de servir plus tard à la Science.
FLAUBERT, Mᵐᵉ Bovary, III, p. 425.

REM. C'est le pharmacien Homais qui parle.

12 Ce corps délicat, si blanc, rayé de rouge, c'était la même loque humaine, le pantin cassé, la chiffe molle, qu'un coup de couteau fait d'une créature. Oui, c'était ça. Il avait tué, et il y avait ça par terre. ZOLA, la Bête humaine, XI, p. 377.

13 Les corps enfermés dans des cercueils de bois blanc, fabriqués avec des caisses d'emballage, étaient placés sur des arabas.
P. MAC ORLAN, la Bandera, XVIII, p. 215.

Relig. *La résurrection* des corps.* — Loc. (1524). *Les corps glorieux*.*
Spécialt. *Le corps du Christ.* ⇒ **Eucharistie.** *Recevoir le corps de Jésus-Christ.* ⇒ **Communier.** *Corps et sang de Jésus-Christ.* ⇒ **Espèce** (les saintes espèces).

14 L'Église croit, et enseigne, comme un des articles fondamentaux de notre foi, que

son corps *(de Jésus-Christ)*, son sang, son âme et sa divinité s'y trouvent réellement *(dans l'Eucharistie)*, après la consécration de la Messe.
Mgr GRENTE, les Sept Sacrements, p. 84.

Organisme humain. *Étude du corps.* ⇒ **Anatomie, anthropologie, anthropométrie, physiologie, somatologie.** *Les parties du corps.* ⇒ **Membre** (bras, jambe, main, pied), **tête** (crâne, cou, visage), **tronc** (épaule, buste, poitrine, sein, dos, hanche, ceinture, bassin, ventre). *La surface, l'enveloppe du corps.* ⇒ **Épiderme, peau.** *La charpente du corps.* ⇒ **Carcasse, ossature, squelette.** *Les attaches du corps.* ⇒ **Articulation, jointure.** *Constitution du corps.* ⇒ **Cellule, glande, muscle, poumon, sang** (circulation, cœur ; artère, vaisseau, veine), **viscère** (foie, estomac, intestin ; cerveau...). — *Physiologie du corps.* → *Appareil circulatoire*, digestif*, génital*, respiratoire*. La température du corps.*

Loc. *Le corps humain* (syn. des emplois précédents).

15 Le corps humain se trouve, sur l'échelle des grandeurs, à mi-chemin entre l'atome et l'étoile. Suivant les objets auxquels on le compare, il apparaît grand ou petit. Sa longueur est équivalente à celle de deux cent mille cellules des tissus, ou de deux millions de microbes ordinaires, ou de deux milliards de molécules d'albumine placées bout à bout. Par rapport à un atome d'hydrogène, il est d'une grandeur impossible à imaginer. Mais, comparé à une montagne, ou à la terre, il devient minuscule (...) En réalité, notre grandeur ou notre petitesse spatiales n'ont aucune importance. Car ce qui est spécifique de nous-mêmes ne possède pas de dimensions physiques. La place que nous occupons dans le monde ne dépend certainement pas de notre volume.
Alexis CARREL, l'Homme cet inconnu, III, II, p. 70.

16 C'est ainsi que dans le domaine médical, la plupart ignorent à peu près tout des rudiments de la mécanique humaine. On trouve naturel d'être versé dans les lettres, les sciences, les arts. On croit en savoir assez pour se passer du médecin. Quant à réfléchir sur soi-même, savoir de quoi notre corps est fait et comment il fonctionne, on ne s'en soucie guère. Pourtant, l'organisme humain ne fait pas partie, comme on pourrait le croire, d'un monde à part réservé aux médecins. Les profanes eux-mêmes ont droit de regard sur ce mécanisme infiniment perfectionné qu'est le moteur humain (...) Puisque le corps humain représente un incomparable instrument de travail, le plus compliqué de tous, n'est-il pas naturel de chercher à le mieux connaître ?
P. VALLÉRY-RADOT, Notre corps, p. 6.

L'aspect extérieur du corps (humain). *La forme du corps. Les lignes du corps. Les attitudes, les gestes, les mouvements du corps. La santé du corps. Le bien du corps :* la santé. *Être le bourreau de son corps :* ne pas ménager sa santé. *Corps malade, malingre, souffreteux ; faible, frêle, débile, maigre, petit ; brisé, fatigué, moulu, rompu, exténué. Trembler, frissonner de tout son corps. Beau* corps. Corps bien formé, bien bâti, bien charpenté, bien constitué, bien proportionné. Corps agile, souple, vif, élégant, élancé, dégagé, découplé, gracieux, vigoureux. Corps épais, boursouflé, gros, informe, lourd, potelé, ramassé. Prendre (du) corps :* devenir corpulent. ⇒ **Corpulence, embonpoint, obésité.** *L'atrophie du corps. La beauté du corps. La hauteur du corps.* ⇒ **Taille.** *Cambrer, redresser son corps. Cassé* du corps, au saut à la perche. Exercice du corps.* ⇒ **Gymnastique.** *La vigueur du corps* (⇒ **Athlète**). *Le port, l'allure, la stature, la carrure du corps. Une âme saine dans un corps sain* (→ lat. *Mens* sana in corpore sano*).

17 Plus le corps est faible, plus il commande ; plus il est fort, plus il obéit.
ROUSSEAU, Émile, I.

18 La vigueur du corps s'entretient par l'occupation physique ; le labeur cessant, la force disparaît (...) CHATEAUBRIAND, Mémoires d'outre-tombe, t. VI, p. 319.

19 Tout à coup elle trembla de tout son corps (...)
HUGO, Notre-Dame de Paris, VI, 3.

20 Un corps souffreteux, amaigri, languissant, exténué, est plus faible (...)
TAINE, Philosophie de l'art, t. II, V, III, 4, p. 298.

21 (...) ce corps souple, frais et parfumé comme un ruisseau coulant dans les fleurs.
FRANCE, le Lys rouge, XXVIII, p. 204.

22 Il restait petit de corps et remédiait à la brièveté de sa taille par la hauteur de sa pensée. FRANCE, la Vie en fleur, VI, p. 75.

23 Les attitudes, gestes et mouvements du corps humain sont risibles dans l'exacte mesure où ce corps nous fait penser à une simple mécanique.
H. BERGSON, le Rire, IV, p. 22.

24 Il regardait son petit corps potelé de sauvageonne, et songeait pour la première fois que cette gamine de onze ans deviendrait femme, se marierait.
MARTIN DU GARD, les Thibault, t. I, p. 254.

25 Ô mon corps, qui me rappelez à tout moment ce tempérament de mes tendances, cet équilibre de vos organes, ces justes proportions de vos parties, qui vous font être et vous rétablir au sein des choses mouvantes (...)
VALÉRY, Eupalinos, p. 45.

Couvrir, vêtir son corps. Linge* de corps.

Psychol. *Corps propre :* représentation de son corps par le sujet (dit aussi *corps-sujet, corps phénoménal,* par oppos. à *corps objectif*).

25.1 Son corps était divisé d'un côté, son corps propre — sa peau, ses yeux — étant chaleureux, et, de l'autre, sa voix, brève, retenue, sujette à des accès d'éloignement, sa voix, qui ne donnait pas ce que son corps donnait. Ou encore : d'un côté, son corps moelleux, tiède, mou juste assez, peluchaux, jouant de la gaucherie, et, de l'autre, sa voix — la voix, toujours la voix —, sonore, bien formée, mondaine, etc. R. BARTHES, Fragments d'un discours amoureux, p. 85.

Image du corps : représentation qu'une personne a de son corps (→ ci-dessus, *corps propre*). ⇒ **Corporel** (schéma).

Loc. *N'avoir rien dans le corps :* n'avoir pris aucune nourriture. *Un aliment qui tient au corps,* nourrissant. — *Pleurer toutes les larmes de son corps :* pleurer abondamment.

À BRAS-LE-CORPS. ⇒ **Bras,** cit. 48.

Loc. adv. **CORPS À CORPS** [kɔʀakɔʀ] : en serrant le corps d'un autre contre le sien (dans la lutte). *Combattre, lutter corps à corps*

(→ **Assaut,** cit. 9). — (Abstrait). *Affronter corps à corps la réalité, ses passions,* de front.

N. m. *Un corps à corps :* lutte corps à corps. *Se jeter dans le corps à corps,* dans la mêlée, dans la bataille.

26 Don Luis Weller, comme l'appelait toujours « El Chino », le vieux colonel, menait ses troupes au feu un crucifix passé dans sa ceinture ainsi qu'un pistolet. Il se servait de ce crucifix comme d'un casse-tête dans les corps à corps.
P. MAC ORLAN , la Bandera, X, p. 21.

Spécialt (en boxe) :

26.1 Il s'éloigne, puis il rentre au corps à corps, très bas. En voyant son dos s'arquer, je m'apprête à parer le coup au menton. Mais c'est du coin de la tête qu'il m'a touché, il m'a écrasé une lèvre (...) Jean PRÉVOST, Plaisirs des sports, p. 85.

Se jeter à plein corps dans... Se jeter à plein corps dans la bataille. — Figuré :

26.2 Un puissant génie doit se jeter, à plein corps, dans la mêlée des mots, des images, des pensées de son temps, pures et impures, et brasser cette pâte, en robuste boulanger. R. ROLLAND, Deux hommes se rencontrent, p. 234.

♦ **2.** Vx ou rare. La partie physique d'un organisme (non humain). *« Corps animaux »* et *« corps végétaux »* (Lamarck). — REM. Dans cet emploi scientifique ancien, comme dans la phrase *« les végétaux sont des corps vivants »* (Lamarck, in T.L.F.), *corps* peut aussi être interprété au sens I : *corps matériel.* — *Le corps d'un animal.*

26.3 *(Les moucherons)* faisaient courber les pointes des joncs sous le poids de leurs corps légers. FLAUBERT, in G. L. L. F.

♦ **3.** (Déb. XIIe). Le tronc (humain) par opposition aux membres. *Avoir le corps et les membres bien proportionnés. Avoir le corps trop long. Une grosse tête sur un petit corps. Passer une épée au travers du corps de qqn. Entrer dans l'eau jusqu'au milieu du corps.* ⇒ **Mi-corps** (à). *Séparer la tête du corps. Avancer le corps, plier le corps en avant. Vêtement, robe qui moule le corps. Vêtement près du corps,* très ajusté.

27 (...) la monstrueuse Chimère, mise à mort par Bellérophon, avec sa tête de vierge, ses pattes de lion, son corps de chèvre et sa queue de dragon (...)
Th. GAUTIER, Mlle de Maupin, VI, p. 108.

28 (...) le corps tassé, bien d'aplomb sur ses jambes, il s'immobilisa, face au public, il semblait un colosse trapu qui tend le dos (...)
MARTIN DU GARD, les Thibault, t. VII, p. 55.

♦ **4.** (V. 1170). Partie (d'un vêtement) qui recouvre le corps au niveau du torse ou de la ceinture. ⇒ **Corsage ; camisole, corselet, corset.** *Corps de jupe* ; corps de robe* :* corsage d'une robe. — Vx. Corset. Loc. *Corps de baleines :* corset muni de baleines pour affiner la taille. *Corps rembourré pour dissimuler les défauts de la taille.* — *Corps d'armure, de cuirasse.*

28.1 Le corsage s'ouvre sur un corps garni d'une échelle de rubans.
Ed. et J. DE GONCOURT, la Femme au XVIIIe s., II, p. 61.

♦ **5.** (V. 1050). Dans des loc. Homme, individu. Vx. *C'est un pauvre corps.* Cf. mod. Un pauvre type.

28.2 Ce qui l'amusa encore prodigieusement, ce fut d'entendre que Florent s'était promené tout le matin avec Claude Lantier, un drôle de corps, qui était justement le neveu de madame Quenu. ZOLA, le Ventre de Paris, t. I, p. 54.

Garde du corps. ⇒ **Garde.**

Dr. *Séparation* de corps. Contrainte* par corps. Prise* de corps. Décret de prise de corps.*

Loc. *Couvrir qqn de son corps,* lui faire un rempart de son corps. — Vieilli. *Tomber sur le corps de qqn,* lui tomber dessus, l'attaquer.

Loc. *À son corps défendant :* malgré soi, à contrecœur.

29 Et l'on sait qu'elle est prude à son corps défendant. MOLIÈRE, Tartuffe, I, 1.

30 (...) mais je n'ai jamais versé le sang d'un homme qu'à mon corps défendant !
BALZAC, le Curé de village, Pl., t. VIII, p. 683.

Fig. *Passer sur le corps de qqn pour parvenir à ses fins.*

30.1 Le défi de l'époque, c'est : pratiquer sans avoir la foi. Si nous ne le relevons pas, l'époque va nous passer sur le corps. Régis DEBRAY, l'Indésirable, p. 296.

(1580). **À CORPS PERDU.** *Se jeter à corps perdu dans une entreprise,* étourdiment, avec fougue, impétuosité.

31 (...) je me jetai à corps perdu dans ma passion.
Alphonse DAUDET, le Petit Chose, II, VII, p. 252.

31.1 Mais n'y pense plus, renonce, viens, lance-toi à corps perdu comme nous (...)
N. SARRAUTE, Vous les entendez ?, p. 85.

★ **III.** (XIIIe). Par anal. ♦ **1.** Partie principale (d'une chose).

Mar. Partie principale d'un navire (restreint à la coque, ou étendu à la totalité des éléments fixes et opposé aux biens). *Assurance sur corps* (excluant les biens). Loc. *Navire perdu corps et biens,* complètement. *Couler, sombrer corps et biens* (souvent mal interprété comme : hommes et marchandises). — Au figuré :

31.2 Nous savons trop que (...) la littérature alexandrine a sombré *corps et biens.* Nous savons que la tragédie grecque est morte avec le chœur.
MALRAUX, l'Homme précaire et la Littérature, p. 20.

Archit. *Le corps d'un bâtiment*,* par oppos. à *aile, avant-corps. Corps de bâtiment :* un bâtiment dans son entier. (1590). *Corps de logis.* ⇒ **Logis.** — *Corps d'une place, d'une forteresse.*

Corps de bibliothèque, de meuble. Corps d'une voiture. ⇒ **Caisse.**

Techn. *Corps de pompe :* cylindre dans lequel joue le piston d'une pompe.

Mus. *Corps d'une guitare, d'un violon,* sa partie creuse, évidée.

Numism. *Le corps d'une devise** (opposé à *l'âme d'une devise*).

Anat. *Le corps d'un os, d'un muscle. Corps vertébral :* partie antérieure, renflée et cylindrique d'une vertèbre (⇒ **Centrum**).

Bot. *Corps ligneux :* partie d'un arbre, comprise entre la moelle et l'écorce (⇒ **Bois**). — *Corps d'un arbre.* ⇒ **Tige, tronc.**

♦ **2.** *Corps d'une lettre :* le trait principal qui dessine, qui forme la lettre.

(1528). **Typogr.** *Corps d'une lettre :* la dimension d'un caractère d'imprimerie (mesurée en points d'après la hauteur). ⇒ **Caractère, point.** *La force de corps d'un caractère.*

Corps d'une lettre, d'un article : le texte même de la lettre, de l'article, sans tenir compte des indications secondaires (date, formules de politesse).

(1671). *Corps d'un livre, d'un ouvrage,* le texte, par opposition aux *éléments adventices* (préfaces, commentaires, notes...).

Corps de discours (→ Autre, cit. 6.1).

★ **IV.** ♦ **1.** Consistance*, épaisseur plus ou moins grande, de certains objets. ⇒ **Épaisseur, force.** *Drap, étoffe qui a du corps* (⇒ **Corsé**). *Papier qui a du corps.* ⇒ **Main.** — (1680). *Vin qui a, qui prend du corps.* ⇒ **Corsé.** *Donner du corps à une substance.* ⇒ **Charger, épaissir.** *Avoir du corps :* en parlant d'aliments divers, avoir de la consistance.

32 Ce sont viandes creuses qui n'ont pas assez de corps pour la sustenter.
BOSSUET, Bonté, 2.

♦ **2.** (Av. 1715). **Fig.** *Donner un corps à des idées,* les rendre fortes, les incarner. *Donner corps à un projet. Donner du corps à sa pensée.* ⇒ **Préciser, réaliser.**

33 (...) donner de la couleur et du corps aux pensées.
BRÉBEUF, Paraphrase de Pharsale, L, III.
34 L'esprit n'accueille une idée qu'en lui donnant un corps ; de là les comparaisons.
J. RENARD, Journal, 4 déc. 1887.

Prendre corps, prendre du corps (⇒ **Forme, structure, tournure**) : prendre un aspect sensible, réel. *Idée, dessein qui prend corps. Discours qui prend corps.*

35 Les héroïnes raciniennes prennent corps, prennent vie, en proportion de l'obstacle contre lequel leur passion se précipite et se brise.
F. MAURIAC, la Vie de Jean Racine, VII, p. 116.
35.1 (...) le projet, d'abord rêvé, que j'avais fait à Paris d'échapper à l'A. et au naufrage de l'Europe, prenait corps, devenait possible, débouchait sur un champ illimité.
Jacques LAURENT, les Bêtises, p. 536.

FAIRE CORPS : adhérer, ne faire qu'un. ⇒ **Adhérer.** *Branche qui fait corps avec le tronc de l'arbre.*

Fig. *Faire corps avec une idée. Faire corps avec qqn,* s'unir à lui pour une action commune.

35.2 Mon problème est de retrouver le moment privilégié où mon œuvre a fait corps avec moi.
Jacques LAURENT, les Bêtises, p. 433.

★ **V.** (Fin XIIIᵉ). Abstrait. ♦ **1.** Groupe formant un ensemble organisé sur le plan des institutions. ⇒ **Assemblée, association, cellule, communauté, compagnie, ensemble, groupe, organe, société.** — (1585). *Le corps politique.* ⇒ **État ; république, royaume...** — (1792). *Le corps social.* ⇒ **Société.** → 2. Pouvoir, cit. 13. — (1790). *Le corps électoral :* l'ensemble des citoyens exerçant la fonction électorale*. *Corps législatif.* ⇒ **Législatif** (Assemblée législative) ; **parlement.** — (1789). *Les corps constitués :* dans le langage usuel, Les organes de l'administration et les tribunaux, par opposition aux *assemblées législatives. Les grands corps de l'État. Corps de la magistrature.* ⇒ **Municipalité.**

36 Pourquoi tant résister, et refuser la gloire d'être attachée au corps de la Faculté ?
MOLIÈRE, le Malade imaginaire, II, 6.
37 Ce corps qui s'appelait et qui s'appelle encore le saint empire romain n'était en aucune manière ni saint, ni romain, ni empire.
VOLTAIRE, Essai sur les mœurs et l'esprit des nations..., LXX.
38 Le corps social et politique exige que les pouvoirs qui le gouvernent aient une concordance et une conspiration entre eux pour arriver au but qu'ils se proposent, c'est-à-dire la perfection du gouvernement.
MIRABEAU, in LAVEAUX, Dict. des difficultés grammaticales...
39 Le principe de toute souveraineté réside essentiellement dans la nation. Nul corps, nul individu ne peut exercer d'autorité qui n'en émane expressément.
Déclaration des droits de l'homme (Constit. 3 sept. 1791), art. 3.
40 Les corps (parlements, académies, assemblées) ont beau se dégrader, ils se soutiennent par leur masse, et on ne peut rien contre eux. Le déshonneur, le ridicule glissent sur eux, comme les balles de fusil sur un sanglier, un crocodile.
CHAMFORT, Maximes, III.
41 (...) l'étude attentive de la Constitution de 1791 montre que, dès cette époque, le corps électoral est bien un organe puisqu'il est « organisé » par la constitution (...)
Marcel PRÉLOT, Précis de droit constitutionnel, p. 71.

Le corps de l'Église (catholique romaine). ⇒ **Chrétienté ; église.** *Le corps mystique :* union spirituelle de tous les chrétiens autour de Jésus-Christ. *Le Christ est la tête du corps mystique, les chrétiens en sont les membres. Corps ecclésiastique.* ⇒ **Clergé.**

42 Des membres retranchés du corps de l'Église.
RACINE, Traductions.
43 Un prêtre fervent est à l'autel le ministre de toutes les grâces répandues sur le corps de l'Église.
MASSILLON, Confession, Excel. du sacerdoce.

♦ **2.** **Hist.** (sous l'Ancien Régime). Particult. *Les corps du commerce et de l'industrie. Corps de marchands.* ⇒ **Communauté, corporation, métier.** *Corps de commerce.* ⇒ **Compagnie.** *Les corps d'auxiliaires de la justice. Les corps de la médecine. Les corps d'officiers*

royaux. La suppression des corps intermédiaires sous la Révolution française.

44 L'Ancien Régime ne connaissait pas les droits individuels ; par contre, les individus avaient de grandes facilités pour se grouper en vue de la défense de leurs intérêts ; en face du roi, qui avait tous les pouvoirs, ils formaient dans l'État d'innombrables corps intermédiaires. Le Nouveau Régime, au contraire, proclame les droits individuels et favorise la liberté publique, en définissant et en séparant les pouvoirs. Mais l'individu doit se contenter de cette liberté ; il n'a pas le droit d'alléguer un « intérêt intermédiaire », de « se séparer de la chose publique par un intérêt de corporation » (Le Chapelier).
OLIVIER-MARTIN, Précis d'hist. du droit franç., p. 395.

♦ **3.** **Mod.** Compagnie, groupe organisé. *Corps savants.* ⇒ **Académie, université.** — (1817). *Corps diplomatique*.* — (1834). *Le corps médical.* — (1806). *Le corps enseignant* (⇒ **Enseignement**). *Entrer dans le corps enseignant* (⇒ **Agrégation**). *Corps des Mines. Le corps des ingénieurs des Ponts* (cit. 7) *et Chaussées. Le corps des avocats, des médecins.* ⇒ **Corporation, ordre.** *Membres d'un même corps.* ⇒ **Collègue, confrère.**

(1771). *Avoir l'esprit de corps :* se sentir solidaire du groupe auquel on appartient.

EN CORPS : en masse, collectivement. *Faire une démarche en corps,* tous ensemble. — *Repas de corps.*

44.1 (...) les membres de l'Académie des sciences écoutaient en corps devant le cornet, fiers d'être hommes, voluptueux d'être savants, les chansons de Polin.
GIRAUDOUX, Juliette au pays des hommes, p. 184.

♦ **4.** **Milit.** Unité administrative indépendante (bataillon, régiment). *Se rendre au corps. Rejoindre son corps. Visiter le corps. Chef de corps.* ⇒ **Armée.** — (Av. 1662). *Corps d'armée. Commandant de corps d'armée.* ⇒ **Général.** *Corps de troupe :* groupe militaire d'importance numérique variable. *Corps d'infanterie, de cavalerie, ... Corps détaché, avancé, séparé. Corps de réserve*. Corps franc*. Corps auxiliaire.*

45 Bernadotte, ayant commandé le corps d'armée français en Poméranie s'était attiré l'estime des Suédois (...)
CHATEAUBRIAND, Mémoires d'outre-tombe, t. III, p. 185.
46 Un légionnaire touchait donc au service du roi 4 pesetas 10 par jour en attendant mieux, pour la première et la deuxième année de présence au corps.
P. MAC ORLAN, la Bandera, III, p. 33.
47 Nous apprîmes, en même temps, que ça chauffait à Verdun. Les Boches avaient attaqué et tout enfoncé. Mais notre corps était là, notre fameux corps, et un autre, presque aussi fameux, était à côté. C'était le gros coup qui arrivait, sans attendre le printemps.
DRIEU LA ROCHELLE, la Comédie de Charleroi, p. 143.

Corps de garde. ⇒ **Garde.**
Corps des sapeurs-pompiers.

♦ **5.** (1835). **Danse.** *Corps de ballet.* ⇒ **Ballet, chœur.**

♦ **6.** Recueils de textes, d'ouvrages. ⇒ **Corpus.** *Corps des poètes grecs, latins. Corps du droit civil. Corps des lois*.* ⇒ **Ensemble.** — *Un corps de doctrines.* ⇒ **Système.** *Corps de preuves.* ⇒ **Faisceau.**

♦ **7.** (1903, in *Rev. gén. des sc.,* nᵒ 6, p. 334). **Math.** Ensemble ayant une structure d'anneau* et dont les éléments forment également un groupe* par rapport à la deuxième loi de composition. *Le corps est un anneau dont les éléments non neutres pour la première loi de composition interne forment un groupe par rapport à la seconde.*

CONTR. Âme, esprit. — **Membres.** — Individu.
DÉR. Corsage, corser, corset. — V. les composés de la racine grecque *soma* « corps » : somatique, ... et aussi les composés de *chair* (lat. *caro, carnis*) : carnation, incarnation.
COMP. Anticorps. — Avant-corps. — Corps-Dieu : juron (V. Corbleu). — Corps-mort. — Garde-corps, haut-le-corps, mi-corps. — (De V., 7.) Sous-corps.

CORPS-MORT [kɔʀmɔʀ] n. m. — 1732 ; « cadavre ; héritage » en anc. franç. (1309) ; de *corps,* et *mort.*

♦ **Mar.** Ancre, dispositif de mouillage attaché à un poste fixe. *S'amarrer à un corps-mort.*

CORPULENCE [kɔʀpylãs] n. f. — Av. 1450 ; lat. *corpulentia,* de *corpus* « corps ».

♦ **1.** Vieilli. Ampleur du corps humain, considéré sous le rapport de la taille et de la grosseur. *Homme d'une petite corpulence. Ils ont la même corpulence. De même corpulence.*

1 Quelque garçon d'honnête corpulence (...)
LA FONTAINE, Mandragore.
2 (...) Rodin (...) se mit à la recherche de compatriotes de Balzac, ayant à peu près sa corpulence et son allure, offrant des analogies avec son physique.
Georges LECOMTE, Ma traversée, p. 219.

♦ **2.** **Mod.** Conformation d'une personne forte ou obèse ; forte corpulence (1.). *Prendre, avoir de la corpulence.* ⇒ **Embonpoint.** *Il est agile, pour un homme de sa corpulence.*

3 De la corpulence, sans véritable obésité.
J. ROMAINS, les Hommes de bonne volonté, t. III, XXII, p. 287.

CONTR. Maigreur.

CORPULENT, ENTE [kɔʀpylã, ãt] adj. — XVᵉ ; lat. *corpulens,* de *corpus* « corps ».

♦ Qui est d'une forte corpulence*. ⇒ **Étoffé, gras, gros, mastoc, obèse.**

1 Il *(Gluck)* était grand, gros, très fort, corpulent sans être obèse, de charpente ramassée et musculeuse.   R. ROLLAND, les Musiciens d'autrefois, p. 226.

2 L'un de leurs amis, à son tour, s'est installé au «Prieuré», le manoir des Guyot (...) Il s'agit d'un homme corpulent de type oriental.
                                                  Patrick MODIANO, les Boulevards de ceinture, p. 28.

Par métaphore. *Un parfum corpulent. Une voix corpulente.*

CONTR. Maigre.

CORPUS [kɔʀpys] n. m. — 1863, *in* Littré au sens de «recueil»; fin XIIᵉ au sens de «hostie»; de *corpus* «corps».

♦ **1.** Dr., sc. hum. Recueil de pièces, de documents concernant une même discipline. ⇒ **Corps** (V., 6.), **recueil.** *Corpus d'inscriptions latines et grecques.*
Par anal. Répertoire scientifique.

♦ **2.** (1961). Ling. Ensemble limité des éléments (énoncés) sur lesquels se base l'étude d'un phénomène linguistique.

Le *corpus* : quelle belle idée! À condition que l'on veuille bien lire dans le corpus le *corps* : soit que dans l'ensemble des textes retenus pour l'étude (et qui forme le corpus), on recherche, non plus seulement la structure, mais les figures de l'énonciation; soit qu'on ait avec cet ensemble quelque rapport amoureux (faute de quoi le corpus n'est qu'un *imaginaire* scientifique).
                                                  R. BARTHES, Roland Barthes, p. 163.

♦ **3.** (1863). Dr. *Le corpus juris,* ou, par ellipse, *le corpus :* le corps du droit romain.

CORPUSCULAIRE [kɔʀpyskylɛʀ] adj. — 1721; de *corpuscule,* et -*aire.*

♦ **1.** Philos. Vx (ou hist. de la philos.). Relatif aux corpuscules de matière. *Philosophie corpusculaire,* qui explique la formation du monde par le groupement de particules invisibles.

♦ **2.** (1906). Mod. Phys. Relatif aux constituants ultimes (discontinus) de la matière, de l'énergie. *Théorie corpusculaire de la lumière. Théories corpusculaires et ondulatoires. Physique corpusculaire.*

CORPUSCULE [kɔʀpyskyl] n. m. — 1495; lat. *corpusculum* «atome».

♦ **1.** Hist., philos. Petite parcelle de matière (atome, molécule).

1 Les corpuscules, quels qu'ils soient, qui passent des aliments dans nos muscles et dans nos nerfs, sont certainement séparés et recomposés, formant des édifices fort complexes, et différents selon les organes.
                                                  ALAIN, Descartes, *in* les Passions et la Sagesse, Pl., p. 976.

♦ **2.** (1749). Anat. Petit élément anatomique. *Les corpuscules du tact*. Corpuscule articulaire. Corpuscule de la variole.*
Zool. Spore de pébrine du ver à soie. → Corpusculeux.

♦ **3.** (1905). Phys., vieilli. Élément, constituant discret (de la matière), particule*. ⇒ **Corpusculaire; électron, neutron;** aussi **quantum.** *Réintroduire dans la théorie de la lumière la notion de corpuscule.* → Photon, cit. 2.

2 Appliquant aux corpuscules émis par les corps incandescents les méthodes d'étude des rayons cathodiques, on a constaté que le rapport *e/m* de la charge à la masse de ces corpuscules est le même que pour les corpuscules cathodiques ou *électrons :* d'où la conclusion que l'émission d'électricité négative par les corps incandescents est due, comme l'émission cathodique, à un flux d'électrons.
                                                  A. BOUTARIC, la Vie des atomes, p. 89.

DÉR. Corpusculaire, corpusculeux.

CORPUSCULEUX [kɔʀpyskylφ] adj. — 1870, *in* Année sc. et industr., 1872, p. 404; de *corpuscule,* et -*eux.*

♦ Didact. Se dit des vers à soie malades, qui contiennent des corpuscules, c'est-à-dire des spores de pébrine, qui sont la cause de la maladie.

CORPUS DELICTI [kɔʀpysdelikti] n. m. — Mots latins.

♦ Dr. Corps du délit. ⇒ **Délit.**

CORRAL [kɔʀal] n. m. — 1868; *coural,* 1668; empr. à l'hispano-amér. *corral.*

♦ **1.** Enclos où l'on parque le bétail, particulièrement les bœufs, les taureaux (dans certains pays : Amérique latine, et, par ext., pays d'élevage extensif).

1 La construction de ce corral ne demanda pas moins de trois semaines, car, outre les travaux de palissade, Cyrus Smith éleva de vastes hangars en planches, sous lesquels les ruminants pourraient se réfugier.
                                                  J. VERNE, l'Île mystérieuse, t. I, p. 408 (1874).

2 Détruire tout cela (...) Ouvrir les corrals, et fouailler les chèvres et les boucs jusqu'au sang pour qu'ils foncent éperdument dans toutes les directions.
                                                  M. TOURNIER, Vendredi..., p. 124.

En France. Régional (Sud-Ouest). Enclos situé dans un bois où l'on parque le bétail pendant la nuit.
Spécialt (taurom.). Enclos attenant à l'arène et où sont parqués les taureaux.

♦ **2.** Par métonymie. Exploitation agricole formée autour d'un corral. ⇒ **Ranch.**

CORRASION [kɔʀazjɔ̃] n. f. — 1900, *Nouveau Larousse illustré;* d'abord en all., *Richthofen;* dér. sav. du lat. *corradere* «racler», et suff. d'après *érosion.*

♦ Géogr. Érosion éolienne par les grains de sable.

CORRECT, ECTE [kɔʀɛkt] adj. — 1512; lat. *correctus,* p. p. de *corrigere.* → Corriger.

♦ **1.** (1512). Qui respecte les règles, dans un domaine déterminé. *Rendre correct (qqch.).* ⇒ **Rectifier.** *Copie correcte,* conforme à l'original. ⇒ **Bon, conforme, exact, fidèle, juste...** *Style scrupuleusement correct.* ⇒ **Châtié, pur.** *Phrase grammaticalement correcte. Traduction correcte. Le tracé de cette route est correct. — Dessin correct,* qui observe certaines règles arbitrairement définies. — Par métonymie (vx, à cause du sens 3). *Un écrivain, un peintre correct. Un architecte, un médecin correct,* qui respecte les règles de son métier.

1 Quinault, méprisé par Despréaux si injustement, est (...) le plus pur et le plus correct de tous *(nos poètes).*   D'ALEMBERT, Dial. poésie et phil., t. IV, p. 188.

2 Je reçus de lui *(M. de Fontanes)* d'excellents conseils; je lui dois ce qu'il y a de correct dans mon style; il m'apprit à respecter l'oreille; il m'empêcha de tomber dans l'extravagance d'invention et le rocailleux d'exécution de mes disciples.
                                                  CHATEAUBRIAND, Mémoires d'outre-tombe, t. II, p. 118.

3 Quoique un peu sec, le dessin de Masaccio et du Ghirlandajo était scrupuleusement correct.   STENDHAL, Hist. de la peinture en Italie, t. I, p. 161 (*in* T. L. F.).

♦ **2.** (Av. 1696). Qui est conforme aux usages, aux mœurs considérés comme bons (dans une société, un groupe donné). ⇒ **Bienséant, convenable, décent.** *Conduite correcte. Attitude, manières, procédés corrects. Cela n'est pas correct venant d'un inférieur.* ⇒ **Bien.** — Fam. *C'est correct* (cf. Rien à dire là-dessus). — (1830). *Une tenue correcte est de rigueur. Il s'habille d'une façon extrêmement correcte.*

4 Les privautés qu'il prend sont peu correctes, peut-être, mais naturelles.
                                                  J. ROMAINS, les Hommes de bonne volonté, t. IV, XII, p. 130.

5 (...) le corps vêtu de noir, l'habit correct d'un digne gentilhomme.
                                                  André SUARÈS, Trois hommes, «Ibsen», III, p. 109.

REM. Comme le *goût*,* la *distinction*,* la *correction* suppose un jugement social appuyé sur une norme et une mesure : faire qqch., se comporter de manière correcte, c'est le faire, se comporter «bien» et avec mesure.

♦ **3.** (Av. 1755). Cour. Conforme à la morale, à la justice. *Sa réaction n'est pas très correcte. Prendre une attitude politique correcte.* — Par ext. (Des personnes). *Il n'a pas été correct avec lui. Correct en affaires, parfaitement correct.* ⇒ **Honnête, régulier, scrupuleux.** *Il n'a pas été très correct avec ses associés. — C'est correct; il serait correct de le dédommager.*

6 Puisqu'on avertissait, puisqu'on prévenait tout le monde, et le grand public des journaux et des meetings (...) il était indispensable, il était convenable, il était juste, il était correct de nous prévenir aussi (...)
                                                  Ch. PÉGUY, la République..., p. 75.

♦ **4.** Adapté à son objet; qui remplit bien son rôle, sa fonction. *Dosage, enregistrement correct. Réglage correct.* ⇒ **Bon, exact.**

♦ **5.** Cour. Qui, sans présenter de graves fautes, de graves inconvénients, n'est pas remarquable par sa qualité. *Votre devoir est tout juste correct.* ⇒ **Honnête, moyen, passable.** *Un hôtel modeste, mais correct.* Fam. *Le prix en est correct.* ⇒ **Acceptable, normal.**

♦ **6.** (Anglic.; cour. au Canada). En réponse ou avec le verbe *être. C'est correct;* ça va bien. *«Viens-tu avec nous? C'est correct, j'embarque»* (Bélisle, *in* T. L. F.). ⇒ **O.K.**

CONTR. Défectueux, faux, incorrect, inexact, infidèle, mauvais. — Fautif, indécent. — Burlesque, comique, ridicule. — Excellent, parfait.
DÉR. Correctement. — V. Correcteur, correctif, correction.

CORRECTEMENT [kɔʀɛktəmã] adv. — 1402; de *correct.*
Sans faute, d'une manière correcte*.

♦ **1.** Sans erreur. *Écrire, parler correctement.*

1 Parlez toujours correctement devant eux *(les enfants)* (...) et soyez sûrs qu'insensiblement leur langage s'épurera sur le vôtre sans que vous les ayez jamais repris.
                                                  ROUSSEAU, Émile, I.

2 J'ai donc renoncé délibérément à l'usage du style historique et j'ai tenu à exposer toujours les faits dans une langue simple et familière, aussi rapprochée du ton de la conversation que le permettait le souci d'écrire correctement.
                                                  Ch. SEIGNOBOS, Hist. sincère de la nation franç., Introd.

3 (...) ne serait-il pas décent d'envoyer un instituteur français, qui parlât correctement notre langue.   GIDE, Voyage au Congo, *in* Souvenirs, Pl., p. 817.

♦ **2.** Conformément aux règles, aux usages, aux mœurs considérés comme bons. *Agir, s'habiller correctement. S'asseoir correctement. Tiens-toi correctement !*

♦ **3.** D'une manière correcte (5.), acceptable, à peu près bonne. ⇒ **Moyennement, passablement.**

4   (...) des Cigales étendu tout de son long respire à peu près correctement, les poumons sifflent et glougloutent pleins d'un mucus en ébullition.
                                                      R. QUENEAU, Loin de Rueil, p. 25.

CONTR. Incorrectement.

CORRECTEUR, TRICE [kɔʀɛktœʀ, tʀis] n. et adj. — 1371 ; *corretor,* 1275 ; lat. *corrector* « celui qui corrige qqch., qqn, censeur », du supin de *corrigere.* → Corriger.

★ **I.** N. ♦ **1.** Vx. Personne qui corrige en punissant. ⇒ **Censeur.**

1   Ce censeur et correcteur des autres, Caton (...)   MONTAIGNE, Essais, II, 2.

♦ **2.** Personne qui corrige en relevant les fautes et en jugeant. — (1907). Spécialt. *Correcteur des épreuves écrites d'un examen, d'un concours. Une correctrice sévère, indulgente. Le jury des correcteurs du baccalauréat.* ⇒ **Examinateur.**

♦ **3.** (1531). Personne qui corrige les épreuves d'imprimerie (⇒ **Corrigeur**) ; qui est membre d'une équipe de correction. *Le correcteur cherche les fautes d'impression, les coquilles, les lacunes, les doublons... pour les corriger. Chef-correcteur ; correcteur-réviseur*. Correcteur préparateur de copie. Une excellente correctrice. Correcteur d'imprimerie. Correcteur de presse.*

2   Robespierre fut l'effrayant correcteur d'épreuves de la Révolution. Il y mit son *deleatur.* Cet immense exemplaire du progrès, revu par lui, garde encore la lueur de sa prunelle sinistre.   HUGO, Post-Scriptum de ma vie, V.

3   Drujon exerça le métier de correcteur d'imprimerie. C'était un correcteur à la vieille marque, et qui semblait survivre au temps des Elzévir et des Plantin.
                       G. DUHAMEL, Biographie de mes fantômes, IX, p. 173.

♦ **4.** Hist. relig. Supérieur, supérieure d'un couvent dans certains ordres monastiques.

♦ **5.** N. m. Techn. Dispositif de correction. *Correcteur de tonalité. Correcteur gazométrique.*

♦ **6.** N. m. Techn. Substance liquide en général blanche permettant d'effacer les fautes de frappe. (On trouve aussi *corrector*,* marque déposée).

★ **II.** Adj. Qui a pour but et résultat de corriger. *Politique correctrice. Action correctrice.*

(Concret). *Roue correctrice, dispositif correcteur.* — (1911). Opt. *Verres correcteurs. Gymnastique correctrice.* ⇒ **Correctif.**

CORRECTIF, IVE [kɔʀɛktif, iv] adj. et n. m. — 1371 ; bas lat. *correctivus* « qui a le pouvoir de corriger », du supin de *corrigere.* → Corriger.

★ **I.** Adj. (1371). ♦ **1.** Qui a le pouvoir de corriger. *Gymnastique corrective* (syn. : *correctrice*). *Terme correctif.*

♦ **2.** Qui a le pouvoir de tempérer, d'atténuer. — Méd. *Substance corrective,* que l'on ajoute à un médicament pour en adoucir, en modifier l'action. → ci-dessous, II., 2., *un correctif.*

♦ **3.** Dont le but est de redresser un comportement. *Châtiment correctif.*

★ **II.** N. m. (1559). ♦ **1.** Ce qui apporte une correction, une rectification.

0.1   L'épaisseur déformante des préjugés prétentieux empêche un homme de voir clair. Rien ne se place entre l'œil de l'enfant et ce qu'il regarde. Mais à l'enfant comme au nègre il manque des correctifs.
                 COCTEAU, Poésie critique 2, Monologues, 1960, p. 25, *in* T.L.F.

♦ **2.** Terme par lequel on atténue l'expression (d'un discours). ⇒ **Adoucissement, atténuation, correction.** *Simulacre de correctif* (⇒ **Épanorthose,** rhét.).

1   Ce dernier mot de ma lettre servira, s'il vous plaît, de correctif au premier.
                 GUEZ DE BALZAC, VII, Lettre 13, *in* LITTRÉ.

Spécialt (pharm., alim.). Substance ajoutée à une autre pour en modifier l'action ou la saveur.

♦ **3.** Antidote, contrepartie.

2   La bonne humeur est ainsi le correctif de toute philosophie.
               RENAN, Dialogues et fragments philosophiques, p. XVIII.

CONTR. Aggravant, excitant.

CORRECTION [kɔʀɛksjɔ̃] n. f. — XIIIᵉ ; lat. *correctio* « action de corriger, de redresser qqch. ; réprimande, châtiment », du supin de *corrigere.* → Corriger.

★ **I.** Action de corriger.

A. ♦ 1. Vx. Action de corriger*, de changer en mieux, de ramener à la règle. ⇒ **Amélioration, amendement, perfectionnement, réforme.**

La correction des fautes, des défauts, des vices, des abus. La correction des mœurs, des habitudes.

1   Dieu l'avait élevé comme un signal à tous ceux qui aiment la correction des mœurs.
               FLÉCHIER, Panégyrique, II.

2   On sent les abus anciens, on en voit la correction ; maiss on voit encore les abus de la correction même (...)   MONTESQUIEU, l'Esprit des lois, Préface.

Dr. Châtiment conforme à la loi. *Correction paternelle,* infligée par un magistrat à un enfant mineur, à la demande de son père.

(1718). Ancienn (mais l'expression s'emploie encore). **MAISON DE CORRECTION :** établissement chargé du redressement* des mineurs délinquants, remplacé par les *colonies* pénitentiaires* (loi du 5 août 1850), puis par les *centres d'éducation surveillée.* ⇒ **Correctionnel** (maison correctionnelle, cit. 1.1). *Les maisons de correction n'étaient bien souvent que des prisons*.* On disait de même : *envoyer un enfant en correction.*

♦ **2.** ⓐ Changement fait (à un ouvrage) pour améliorer. ⇒ **Modification, rectification, refonte, remaniement, reprise, retouche, révision.** *Corrections de forme, de fond. Faire de nombreuses corrections à un conte, à un récit. Pièce de théâtre reçue à correction,* à condition que l'auteur y fera certains changements. *Manuscrit chargé de corrections.* ⇒ **Biffure, rature, surcharge.** *Les corrections d'une ébauche, d'un brouillon. Étudier les corrections d'un écrivain, ses manuscrits* (⇒ **Manuscriptologie**). *Corrections et variantes* d'un texte.*

3   Rien n'est plus propre à former le goût que de démêler, dans les corrections d'un grand écrivain, le motif des arrêts qu'il a prononcés contre lui-même.
                D'ALEMBERT, Éloges, Despréaux.

4   Il y a assez de corrections et essentielles. J'aimerais mieux revoir, si c'était possible, et, dans ce cas, il faudrait me renvoyer cette première épreuve que'il me fût facile de vérifier.   SAINTE-BEUVE, Correspondance, II, p. 123.

5   (...) les manuscrits de Péguy qui lui passaient entre les mains, ne comportaient jamais la moindre rature (on s'en doutait) ; les seules et uniques corrections étaient parfois quelques surcharges.   GIDE, Journal, 24 janv. 1946, p. 247.

ⓑ (1531). Typogr. Indication des fautes (⇒ **Coquille**) de composition, des changements à effectuer sur une épreuve d'imprimerie. *Correction d'épreuves. Signes de correction. S'occuper de la correction d'une revue, d'un journal...* ⇒ **Correcteur.** — *Page couverte de corrections. Corrections typographiques ; corrections d'auteur.* — Exécution matérielle des changements indiqués sur épreuve. *Correction d'une forme.*

ⓒ *Service de correction ; correction :* ensemble des travaux, du personnel exigé par la correction des textes. *La rédaction et la correction d'un journal.*

ⓓ (1860). Action de corriger des devoirs, les épreuves d'un examen, d'un concours. *La correction de l'écrit n'est pas terminée. Il est chargé de la correction des copies de composition.*

♦ **3.** (1797). Opération qui rend exact, plus exact ; élimination des erreurs. *La correction d'une observation, d'une erreur*.* — Mar. *Correction des compas. Correction de dérive.* — Techn. *Came de correction, roue de correction.* ⇒ **Compensation.**

Élimination des écarts, des distorsions. Spécialt. *Correction monétaire :* technique d'indexation destinée à réduire les déséquilibres, les distorsions (en période d'inflation).

♦ **4.** Phrase, locution destinée à atténuer ce que l'on vient de dire. ⇒ **Correctif.** — Loc. adv. *Sauf correction :* sauf erreur, si je ne me trompe. ⇒ **Erreur** (sauf erreur).

6   (...) je pense, sauf correction, qu'il a le diable au corps.   MOLIÈRE, l'Avare, I, 3.

7   Il me semble, sauf correction, que ceci ne vous regarde pas (...)
              P.-L. COURIER, Lettres, I, 61.

♦ **5.** Pharm. Opération par laquelle on tempère, on adoucit l'effet d'une substance, au moyen d'un correctif*.

Techn. *La correction des eaux calcaires,* leur adoucissement. *Correction d'un sol par amendement.*

♦ **6.** Le fait de corriger en atténuant, en modérant (ce qui était trop intense, trop fort). ⇒ **Adoucissement, assouplissement, atténuation, compensation, contrepoids, tempérament.**

8   Toute petite société (...) est portée ainsi, par un vague instinct, à inventer un mode de correction et d'assouplissement pour la raideur des habitudes contractées (...)
              H. BERGSON, le Rire, p. 103.

B. (XIIIᵉ). Du sens 1. Vieilli. Action de réprimander, de châtier, en vue de corriger, d'ôter les défauts. ⇒ **Admonestation, admonition, leçon, réprimande ; châtiment, peine, punition.** *Administrer, infliger une correction. Correction sévère, injuste, méritée.* — Mod. Châtiment corporel ; coups donnés à qqn. ⇒ **Battre ; coup ; raclée, volée.** *Ce boxeur a reçu une sévère correction.* — Spécialt. Punition corporelle (à un enfant). *Si tu n'es pas sage, tu vas recevoir une correction, une bonne correction ! Flanque une correction à ce garnement !*

9   (...) je pourrais te rouer de coups si je voulais ! Mais je n'aime pas à faire du mal, et, d'ailleurs, aucune correction n'amenderait ta conscience (...)
              G. SAND, la Mare au diable, XIV, p. 124.

★ **II.** ♦ **1.** (1680). Qualité de ce qui ne s'écarte pas des règles, de ce qui est jugé conforme à une norme, correct*. *La correction d'une* *traduction* (⇒ **Conformité, exactitude, fidélité, justesse...**). *La correction du langage, du style* (⇒ **Pureté**). *Correction du dessin.*

♦ **2.** Comportement correct (2., 3.). *Correction de la conduite, des mœurs. Être d'une parfaite correction.* ⇒ **Bienséance, décence, politesse.** *Correction parfaite dans la tenue, les manières.* ⇒ **Distinction, élégance.** *Correction stricte, froide, glacée.* — (Moral). *Correction en affaires.* ⇒ **Honnêteté, scrupule.**

10 Ses chevaux, ses uniformes, les livrées de ses gens étaient tenus avec une correction qui aurait fait honneur à la ponctualité d'un grand seigneur anglais.
STENDHAL, le Rouge et le Noir, II, 35, p. 447.

11 La correction est une forme de la droiture, après tout ; dans le Nord, elle supplée à l'élégance. André SUARÈS, Trois hommes, « Ibsen », III, p. 110.

12 (...) un homme mince et brun, d'à peine trente ans, en qui Haverkamp croit reconnaître la « froide correction diplomatique ».
J. ROMAINS, les Hommes de bonne volonté, t. V, XIX, p. 144.

13 Sous le regard de la vieille fille, Jerphanion essayait de manier sa tasse et ses tartines avec le plus de correction possible.
J. ROMAINS, les Hommes de bonne volonté, t. III, VII, p. 107.

CONTR. Altération, corruption, dégradation, dépravation, perversion, pervertissement. — Défectuosité, erreur, faute ; coquille (typogr.) ; aggravation. — Éloge, félicitation, louange, récompense. — Incorrection ; débraillé, grossièreté, impertinence, impolitesse, inconvenance, laisser-aller, négligence.

DÉR. Correctionnel.

COMP. Autocorrection, incorrection.

CORRECTIONNALISATION [kɔʀɛksjɔnalizasjɔ̃] n. f. — 1968 ; de *correctionnaliser.*

♦ Dr. Action de transformer un crime en délit.

CORRECTIONNALISER [kɔʀɛksjɔnalize] v. tr. — 1829, Boiste ; de *correctionnel*, et *-iser.*

♦ Dr. Transformer par voie légale ou judiciaire (un crime) en délit correctionnel*. ⇒ **Délit.** *La loi du 27 mars 1923 avait correctionnalisé l'avortement.*

DÉR. Correctionnalisation.

CORRECTIONNEL, ELLE [kɔʀɛksjɔnɛl] adj. et n. — 1454 ; de *correction.*

★ **I.** Adj. ♦ **1.** Vx. Qui corrige en améliorant.

♦ **2.** Dr. Qui a rapport aux actes qualifiés de délits par la loi. *Délit* correctionnel. Peine correctionnelle. Tribunal de police correctionnelle* (opposé à *police criminelle* et à *simple police*).

1 Les peines en matière correctionelle sont : 1° l'emprisonnement à temps dans un lieu de correction ; 2° l'interdiction à temps de certains droits civiques, civils ou de famille ; 3° l'amende. Code pénal, art. 9.

2 Ma paresse et ma rêverie m'ayant conduit à la maison correctionnelle de Mettray (...) je m'en évadai (...) Jean GENET, Journal du voleur, p. 47.

★ **II.** ♦ **1.** N. f. Cour. *La correctionnelle* : le tribunal correctionnel. *Passer en correctionnelle.*

♦ **2.** N. (1876). Vx. *Un correctionnel, une correctionnelle* : personne qui a été frappée d'une peine correctionnelle.

3 Elle *(la supérieure)* ne croyait plus du tout à l'amendement des correctionnelles qu'elle appelait avec un mépris indéfinissable « des traînardes », et n'avait guère gardé qu'un rien de confiance dans le repentir possible des *criminelles*, des grandes *criminelles* (...) Ed. DE GONCOURT, la Fille Élisa, 1877, p. 226, in T. L. F.

CONTR. Criminel, police (de simple police).

DÉR. Correctionnaliser, correctionnellement.

CORRECTIONNELLEMENT [kɔʀɛksjɔnɛlmɑ̃] adv. — 1791 ; de *correctionnel.*

♦ Dr. Selon la juridiction correctionnelle. *Être poursuivi correctionnellement.*

CORRECTOR [kɔʀɛktɔʀ] n. m. — 1947, in D. D. L. ; marque déposée.

♦ Produit servant à effacer l'écriture. *« Je passe au corrector le canon qui tourne et les bombes qui explosent... »* (Christine de Rivoyre, *Bay*, p. 142).

Des copeaux de crayon donnaient un parfum de bois à tout le cartable. Et il y avait encore la chimie du corrector (produit rouge, produit blanc).
R. SABATIER, les Allumettes suédoises, p. 42.

CORREGIDOR [kɔʀeʒidɔʀ] n. m. — 1579 ; *corrigideur*, 1506 ; mot esp., de *corregir* « corriger », du lat. *corrigere.*

♦ Hist. Premier magistrat d'une ville espagnole dans laquelle ne résidait pas de gouverneur. — On écrit parfois *corrégidor.*

Partout on voit l'alcade et le corrégidor
Pendus, leurs noms au dos, à la potence vile.
HUGO, la Légende des siècles, X, « Jour des rois », v.

CORRÉGIEN, IENNE [kɔʀeʒjɛ̃, jɛn] adj. — 1812, Stendhal ; ital. *corregiano*, de *il Corregio*, le Corrège, peintre italien.

♦ Didact. Propre au Corrège, à son art. — Qui évoque le style, les sujets du Corrège.

Se rappeler ce beau caractère raphaélesque et plus encore corrégien : le beau et simple modelé et la hardiesse de l'indication.
E. DELACROIX, Journal, 13 oct. 1849.

CORRÉLAT [kɔʀela] n. m. — Av. 1949, Ricœur ; dér. régressif de *corrélation.*

♦ Didact. Terme d'une corrélation, d'une relation.

(...) parallèlement à cette activité de travail, comme corrélat nécessaire, se développe une étrange passion de détente et de sexualité.
G. DELEUZE, in M. TOURNIER, Vendredi..., p. 272.

CORRÉLATIF, IVE [kɔʀelatif, iv] adj. et n. — XIVe ; lat. médiéval *correlativus*, de *co-* (*cum*), et *relativus.* → Relatif.

♦ **1.** Qui est en corrélation* ; qui présente une relation logique avec autre chose. ⇒ **Correspondant, relatif.** *Les termes de cause et d'effet, d'antécédent et de conséquent, de supérieur et d'inférieur,... sont corrélatifs. Être corrélatif de qqch.* « *L'idée de date me semble corrélative de celle d'événement* » (G. Marcel, *in* T. L. F.). Rare. *Corrélatif à qqch.*

Il *(le développement cérébral)* joue, lorsque l'humanité est acquise, un rôle décisif dans le développement des sociétés, mais il est certainement, sur le plan de l'évolution stricte, corrélatif de la station verticale et non pas, comme on l'a cru pendant longtemps, primordial. 0.1
A. LEROI-GOURHAN, le Geste et la Parole, t. I, p. 33.

Obligation corrélative, dépendant de l'accomplissement d'une autre obligation.

(Av. 1756). Gramm. *Mots, termes corrélatifs* : mots qui sont généralement employés ensemble, et qui servent à indiquer une relation entre deux membres de phrase. — N. m. *Le corrélatif* : le premier de ces deux termes (l'autre étant le *relatif*). Ex. : Autant (*corrélatif*)... que (*relatif*)... ; assez... pour, tellement... que, etc. *Propositions corrélatives*, et, n. f., *des corrélatives.*

♦ **2.** Qui s'oppose à une notion donnée et est impliqué par cette notion. *Les notions corrélatives de châtiment et de récompense* (Camus, *l'Homme révolté*, 1951, p. 92, *in* T. L. F.).

Phonologie. *Paire corrélative*, se dit de deux phonèmes dont l'un a une certaine particularité phonique et l'autre non.

N. m. *Un corrélatif* : terme corrélatif. « *Le droit est le corrélatif du devoir* » (Alain, *les Passions et la Sagesse*, Pl., p. 1042). — Spécialt. Chez Aristote, Le terme opposé à un relatif donné.

À l'adoption correspondait comme corrélatif l'émancipation. 1
FUSTEL DE COULANGES, la Cité antique, IV, p. 57.

Un relatif n'est ce qu'il est que par rapport à son corrélatif (...) le double est le double de la moitié ; la connaissance est la connaissance du connaissable. 2
HAMELIN, le Système d'Aristote, p. 132, *in* LALANDE.

♦ **3.** Simultané. ⇒ **Concomitant.** *Les effets corrélatifs d'une même évolution.*

♦ **4.** Statist. Relatif à une corrélation (4.). *Analyse corrélative* (ou *analyse des corrélations*).

CONTR. Autonome, indépendant.

DÉR. Corrélativement.

CORRÉLATION [kɔʀelasjɔ̃] n. f. — 1718 ; *correlacion*, v. 1420 ; bas lat. *correlatio* « relation mutuelle », de *co-* (*cum*), et *relatio.* → Relation.

♦ **1.** (1718). Philos. Rapport existant entre deux phénomènes qui varient en fonction l'un de l'autre parce qu'il existe un lien de cause* à effet entre eux, ou qu'ils comportent des causes communes. ⇒ **Causalité, concordance, correspondance, dépendance, interdépendance, liaison, rapport, réciprocité, relation.**

Pour savoir le sens vrai des lois phénoménales, ne faudrait-il pas connaître les corrélations qui existent entre les phénomènes et la loi d'ensemble ? 1
BALZAC, Séraphîta, Pl., t. X, p. 552.

Corrélation organique : « ensemble des influences qu'exercent les uns sur les autres les éléments d'un même organisme ou les organismes vivant dans un même milieu » (Husson, *Dict. de biologie*, 1970).

♦ **2.** Cour. Caractère de deux choses qui varient simultanément ; lien, rapport réciproque. *Corrélation de la fertilité du sol et de la densité de la population ; de l'alcoolisme et de la criminalité. Établir une corrélation entre... La loi de corrélation des parties d'un être organisé*, de Cuvier.

(...) n'est-il pas plus sage de comprendre que tout ici demeure en corrélation très étroite, que la surabondance de vie de la Renaissance ne pouvait déborder dans la littérature sans déborder du même coup dans les mœurs (...) 2
GIDE, Journal, Feuillets, p. 725.

(1890). Gramm. *Corrélation de deux propositions.*

♦ **3.** Philos. Relation qui existe entre une notion et son opposé.

Platon découvrit la corrélation des idées opposées (Alain, *Propos*, 1934, p. 1230, *in* T. L. F.).

♦ **4.** Statist. Relation entre deux variables statistiques telle que leurs variations sont liées. *Coefficient de corrélation :* nombre qui mesure le degré de dépendance de deux variables (⇒ **Covariance**). *Si les variables sont indépendantes, le coefficient de corrélation est nul.*

DÉR. **Corrélat, corrélationnel, corréler.**

CORRÉLATIONNEL, ELLE [kɔʀelasjɔnɛl] adj. — Mil. xxᵉ ; de *corrélation*.

♦ Didact. Qui concerne une corrélation. *« Une étude corrélationnelle et factorielle »* (G. Palmade, *la Psychothérapie*, p. 121).

CORRÉLATIVEMENT [kɔʀelativmã] adv. — 1660 ; de *corrélatif*.

♦ Didact. D'une manière corrélative.

Le temps est inextricablement, corrélativement lié à l'être.
VALÉRY, Cahiers, t. II, Pl., p. 729.

CORRÉLER [kɔʀele] v. — Conjug. *céder.* — 1963 ; de *corrélation*, d'après l'angl. *to correlate*.

♦ V. tr. Statist. Établir une corrélation entre (deux, plusieurs phénomènes). *Corréler deux phénomènes. « Des méthodes sensorielles dont le résultat doit être ensuite corrélé, d'une part, avec des mesures analytiques chimiques et physiques (...) »* (la Recherche, avr. 1980, p. 441). — Passif et p. p. *Être corrélé avec... ; séries corrélées.*

CORRESPONDANCE [kɔʀɛspɔ̃dɑ̃s] n. f. — xivᵉ ; du rad. de *correspondant*, p. prés. de *correspondre*, et *-ance*.

★ **I.** ♦ **1.** Log. Rapport logique entre un terme donné (⇒ **Antécédent**) et un ou plusieurs termes (⇒ **Conséquent**) déterminés par le premier. ⇒ **Liaison, rapport, relation.**
Opérateur permettant d'associer les éléments d'un premier ensemble à ceux d'un second. *Correspondance univoque où un conséquent correspond à chaque antécédent ; correspondance biunivoque ; correspondance réciproque.* ⇒ **Application, fonction, rapport, réciprocité, relation** ; *courbe, dépendance, diagramme, liaison. Loi de correspondance entre plusieurs termes.*
Théorie des correspondances, suivant laquelle dans l'univers composé de règnes analogues, chaque élément correspond à un élément d'un autre règne et peut lui servir de symbole. *Correspondances,* sonnet de Baudelaire. → Répondre, cit. 43, Baudelaire.

♦ **2.** (xivᵉ). Cour. Rapport de conformité. ⇒ **Accord, affinité, analogie, concordance, conformité, convenance, corrélation, harmonie, ressemblance.** *Une correspondance étroite, parfaite entre deux choses. Correspondance d'idées, de sentiments entre deux personnes.* ⇒ **Accord, intimité, union.** *Ils sont en parfaite correspondance d'idées. Correspondance dans le temps de deux événements, de deux situations.* ⇒ **Simultanéité, synchronisme.** — Gramm. *Correspondance des temps.* ⇒ **Concordance** (cit. 4). — *Correspondance entre les parties d'un édifice, les plans, les lignes d'un tableau.* ⇒ **Équilibre, proportion, symétrie.** — Vieilli. Accord entre personnes (→ ci-dessous, cit. 2).

1 Ce corps, à le regarder comme organique, est un par la proportion et la correspondance de ses parties ; de sorte qu'on peut l'appeler un même organe (...)
BOSSUET, Traité de la connaissance de Dieu, III, 1.

2 Ce n'est qu'une harmonie et une correspondance parfaite entre un père et un précepteur qui peut assurer le succès d'une bonne éducation.
ROUSSEAU, Projet d'éducation, *in* LITTRÉ.

3 Deux horloges qui vont un certain temps dans une correspondance parfaite (...)
VOLTAIRE, Éléments de la philosophie de Newton, IV, 7.

4 Se peut-il qu'il y ait, entre deux êtres, des correspondances aussi profondes ?
DUHAMEL, Récit des temps de guerre, II, v, p. 188.

★ **II.** ♦ **1.** Vx (langue class.). Rapport de communication entre plusieurs personnes. ⇒ **Relation** ; *commerce, intelligence.*

5 Nous avons entretenu des correspondances avec les ennemis (...)
BOSSUET, Paix, 2.

♦ **2.** [a] (1675). Mod. Relation par écrit entre deux personnes ; échange de lettres. ⇒ **Courrier** ; *épistolaire* (relations épistolaires). *Avoir, entretenir une correspondance avec qqn. Être en correspondance avec qqn.* ⇒ **Écrire.** *Correspondance active, régulière, suivie. Être chargé de la correspondance d'une maison de commerce. Les règles de la correspondance commerciale. Correspondance amicale, amoureuse, intime. Interrompre sa correspondance avec un ami. Correspondance par lettres, cartes, dépêches, télégrammes. Correspondance diplomatique.* ⇒ **Courrier, valise** (diplomatique). *Correspondance secrète, chiffrée, cryptographique.*

6 J'aurais admirablement travaillé si toute ma matinée (...) n'avait été mangée par la correspondance, comme quotidiennement, ou presque — et presque uniquement des lettres de refus et d'excuses.
GIDE, Journal, 8 juin 1948.

7 Une correspondance affectueuse, mais espacée, lui semblait être le seul climat qui convînt à ce que leur amitié était devenue.
MARTIN DU GARD, les Thibault, t. V, p. 296.

8 Mais il souffrait de diverses choses, et, par exemple, de cette correspondance exténuante, exigeante, indiscrète, qui lui prenait une si grande part de son temps bien qu'il reçût les soins d'une secrétaire diligente, d'une dame qui répondait à presque toutes les lettres (...)
G. DUHAMEL, le Voyage de P. Périot, III, p. 55.

[b] Par métonymie. Les lettres qui constituent la correspondance. *Lire la correspondance de deux ambassadeurs, de deux hommes d'État. Faire publier la correspondance de qqn. La correspondance de Madame de Sévigné, de Diderot, de Voltaire, de Stendhal, de Flaubert, de Sainte-Beuve, de Gide et de Claudel, etc. Dépouiller, lire, relire sa correspondance.* ⇒ **Courrier.**

9 La correspondance de Dostoïevski est un monument à la misère du génie, un long cri de désespoir.
André SUARÈS, Trois hommes, « Dostoïevski », I, p. 204.

[c] (1832). Chronique adressée à un journal par un correspondant (⇒ **Correspondant**, II., 2. ; **chronique,... reportage**). *Les correspondances d'un journal. La correspondance de Londres.* — *Dans un périodique, Rubrique où l'on publie des lettres, des communications, etc.* ⇒ **Courrier, rubrique.**

10 Plus tard, elle avait longtemps collaboré à la petite correspondance des journaux de modes, qui est pour les jeunes filles un ersatz d'homme (...)
MONTHERLANT, les Jeunes Filles, p. 70.

[d] *Bulletin, cahier, carnet de correspondance,* où sont consignées les notes d'un élève, les appréciations de ses professeurs, et qui doit être transmis aux parents et contresigné par eux.

[e] *Par correspondance :* par échange de courrier. *Cours par correspondance. Il fait des études de droit par correspondance.* — *Acheter par correspondance. Vente* par correspondance* (abrév. : *V. P. C.*).

♦ **3.** [a] (1670). Vx. Communication entre plusieurs lieux. ⇒ **Communication, transport** (moyen de). *Entre ces deux villes, il n'y a de correspondance que par route. Établir une correspondance maritime, aérienne entre deux ports.*

11 Quel rapport, quel commerce, quelle correspondance peut-il y avoir entre nous et des globes éloignés de notre terre d'une distance si effroyable ?
MOLIÈRE, les Amants magnifiques, III, 1.

[b] (1829). Mod. Concordance d'horaire entre deux trains, permettant au voyageur d'emprunter deux lignes successives avec un faible délai d'attente. *Le rapide et cet omnibus sont en correspondance. Intervalle, battement* entre deux trains en correspondance.*

[c] (1843). Relation commode entre deux moyens de transport de même nature ou différents. ⇒ **Changement.** *Un train omnibus, un autocar assurera la correspondance à la gare de X. Il n'y a pas de correspondance prévue. Correspondance entre deux avions, un transatlantique et un train paquebot. Faire correspondance avec.*
Le moyen de transport qui assure la correspondance (chemin de fer, autocar). *Attendre la correspondance. La correspondance pour Lyon est au quai nº 4. Manquer la, sa correspondance.*
Postes. *Services de correspondance,* transportant le courrier aux endroits non desservis par le chemin de fer.
(Dans les transports urbains). *Correspondance des autobus, des tramways :* faculté de payer sur la première ligne empruntée la totalité d'un trajet à effectuer avec un ou plusieurs changements. *Billet, ticket de correspondance. Demander, prendre une correspondance.*
(Dans le métro, les autobus). Changement de ligne en cours de trajet. *Couloir de correspondance* (→ 1. Affiche, cit. 1, Robbe-Grillet).

12 Je me demande à quelle station il va descendre. Grande poussée ; Saint-Denis ; il va prendre la correspondance.
R. QUENEAU, le Chiendent, p. 22 (1932).

CONTR. **Antagonisme, désaccord, différence, discordance, dissemblance, éloignement, opposition, séparation. — Silence.**
DÉR. **Correspondancier.**

CORRESPONDANCIER, IÈRE [kɔʀɛspɔ̃dɑ̃sje, jɛʀ] n. — 1900, *Nouveau Larousse illustré* ; de *correspondance*, et *-ier*.

♦ Employé(e) chargé(e) de la correspondance, dans une entreprise commerciale. ⇒ **Rédacteur.**

CORRESPONDANT, ANTE [kɔʀɛspɔ̃dɑ̃, ɑ̃t] adj. et n. — V. 1350 ; p. prés. de *correspondre*.

★ **I.** Adj. ♦ **1.** Qui a avec qqch. un rapport de conformité, de symétrie ; qui correspond* à qqch. ⇒ **Analogique, concordant, conforme, convenable, corrélatif, relatif.** — (Sans compl.) *Les numéros correspondants de l'autre série... Les éléments correspondants de deux séries, de deux systèmes.* ⇒ **Homologue.** *Mots correspondants de deux langues. Les effets correspondants de plusieurs causes.* — (Avec un compl. en à). *Fonds correspondant à une dépense.* ⇒ **Applicable, implicable.**

1 (...) de même qu'il y a trois espèces principales de corneilles (...) je trouve aussi trois espèces ou races correspondantes de choucas.
BUFFON, Hist. nat. des oiseaux, t. V, p. 96.

2   Si la richesse de langue s'y prêtait et qu'elle possédât huit cent dix-neuf mots correspondants aux huit cent dix-neuf teintes de la palette (...)
                     DIDEROT, Pensées sur la peinture.

(1762). **Géom.** Se dit de deux angles formés par deux parallèles et une sécante et qui sont l'un interne, l'autre externe, du même côté de la sécante. *Les angles correspondants sont égaux.*

♦ **2.** Qui correspond avec qqch. (dans le temps). Spécialt. *Trains correspondants.* ⇒ **Correspondance**, II., 3.

★ **II. N.** (1615). ♦ **1.** Personne avec qui l'on entretient des relations épistolaires, téléphoniques. *Les élèves de cette classe ont chacune une correspondante anglaise. Avoir des correspondants dans plusieurs pays. Un correspondant fidèle, régulier.* — (Au téléphone). Personne à qui on téléphone. *Le numéro de votre correspondant a changé.*

3   Il me fit faire connaissance avec Jean Neaulme, libraire d'Amsterdam, son correspondant et son ami.   ROUSSEAU, les Confessions, X.

Comm. Personne avec qui on est en relation d'affaires, par courrier, télex, etc. *Ce commissionnaire, cet entrepositaire, ce fournisseur, sont des correspondants de la maison X. Ce banquier est le correspondant du Comptoir d'escompte.*

4   Pour subvenir aux frais de l'entreprise,
On lui donna mainte et mainte remise,
Toutes à vue, et qu'en lieux différents,
Il pût toucher par des correspondants.   LA FONTAINE, Contes, « Belphégor ».

♦ **2.** (1634). Personne employée par un journal, une revue, une agence d'informations pour envoyer des nouvelles d'un lieu éloigné (⇒ **Chroniqueur, envoyé, reporter, représentant**). *Les correspondants d'un journal. Correspondant particulier. Correspondant local, régional ; correspondant à l'étranger. Correspondant de presse. Correspondant diplomatique. Correspondant de guerre. De notre correspondante permanente à Washington... Nous apprenons, par notre correspondant ; notre correspondante nous câble, nous transmet la nouvelle suivante. Un correspondant bien informé.*

4.1   Et une résidence à piscine au Country Club, qui n'est pas celle d'un correspondant de presse ordinaire : maîtres d'hôtel, garden-parties, dîners aux chandelles.
              Régis DEBRAY, l'Indésirable, p. 169.

♦ **3.** Membre d'une société savante qui réside dans un autre lieu et n'assiste pas régulièrement aux séances. *Correspondant de l'Institut, de l'Académie des sciences morales.* Appos. (ou adj.). *Membre correspondant de l'Institut.*

♦ **4.** (1781, *in* D.D.L.). Personne chargée de veiller sur un enfant qui fait ses études comme interne dans un établissement.

5   Il *(Ch. Bovary)* avait pour correspondant un quincaillier en gros de la rue Ganterie, qui le faisait sortir une fois par mois, le dimanche, après que sa boutique était fermée (...)   FLAUBERT, Mme Bovary, I, I.

CONTR. Antagoniste, différent, discordant, dissemblable, opposé.
DÉR. Correspondance.

CORRESPONDRE [kɔʀɛspɔ̃dʀ] v. — Conjug. *rendre.* — Av. 1380 *correspondre* est plus fréquent en moy. franç. et en franç. class. ; du lat. médiéval *correspondere*, de *co-* (cum), et *respondere*. → Répondre.

★ **I. V. tr. ind. (CORRESPONDRE À). ♦ 1.** Être en rapport de conformité, d'harmonie, de symétrie (avec qqch.), être conforme (à). ⇒ **Accorder** (s'), **aller, concorder, convenir, harmoniser** (s'), **représenter, ressembler.** — **REM.** Le rapport concerné peut être d'identité temporelle, de nature spatiale (image : symétrie, etc.), de complémentarité fonctionnelle, etc. — (Temporel). Être synchrone. *L'an 1 de l'hégire correspond à l'an 622 de l'ère chrétienne. Faire correspondre l'heure de deux montres.* ⇒ **Synchroniser.** — (Spatial). *Les deux ailes de ce palais correspondent, se correspondent exactement,* sont symétriques. *Objet qui correspond à un autre.* ⇒ **Pendant.** — (Correspondance fonctionnelle). *Cette vis ne correspond pas au filetage. Cette fiche correspond à cette prise. Votre envoi ne correspond pas à notre commande. Ce chèque correspond à la facture que nous lui avons envoyée.* ⇒ **Rapporter** (se), **référer** (se). — (Abstrait). *Cette nouvelle ne correspond pas à ce que l'on m'avait dit. Ceci ne correspond pas à la réalité. Votre théorie ne correspond à rien,* n'est fondée sur rien (⇒ **Rimer**).

1   (...) dans notre nature humaine, à chaque qualité correspond un défaut.
          FUSTEL DE COULANGES, Leçons à l'Impératrice, p. 219.

2   À chaque défaut du père Dorval correspondait, dans le caractère d'Albert, un relief.   GIDE, Si le grain ne meurt, III, p. 79.

3   (...) chacun d'eux, le cœur lourd, se demanda si l'image qu'il avait conservée de l'autre correspondait encore à une réalité.
          MARTIN DU GARD, les Thibault, t. VI, p. 90.

4   Je suis bien persuadé, note-le, qu'à toutes les époques la liste des gloires reconnues n'a jamais correspondu à celle des gloires vraies et durables.
       J. ROMAINS, les Hommes de bonne volonté, t. IV, XXII, p. 236.

♦ **2.** Spécialt. Avoir un équivalent. *Cette tournure française correspond à ceci en anglais. Cette expression ne correspond à rien en français,* n'est pas traduisible.

♦ **3.** Être conforme à, satisfaire à. ⇒ **Conformer** (se), **répondre, satisfaire.** *Cela correspond à ses désirs, à ses sentiments. La production ne correspond pas à la demande, aux besoins.*

---

5   Tout ce qu'elle disait, tout ce qu'elle faisait, correspondait à ce qu'il attendait d'elle.   MARTIN DU GARD, les Thibault, t. II, p. 169.

6   S'ils *(les livres)* ne correspondent pas à notre humeur présente, nous ne les trouvons pas bons.   COCTEAU, la Difficulté d'être, p. 93.

6.1   Il s'arrêta devant un certain hôtel du Cheval blanc, qui lui parut correspondre à sa situation sociale.   R. QUENEAU, Pierrot mon ami, éd. L. de Poche, p. 140.

★ **II. V. intr. ♦ 1.** (1795). Avoir des relations par lettres, par téléphone, etc. (avec qqn). *Correspondre avec un ami, une relation.* Absolt. *Nous avons cessé de correspondre.* ⇒ **Écrire** (s'). — *Correspondre à distance, par signaux,* etc. *Correspondre par signes.*

7   Tout homme d'esprit, d'esprit rompu et mobile, quand il prend la plume pour correspondre, est un peu comme Alcibiade, et revêt plus ou moins les nuances de la personne à laquelle il s'adresse.
          SAINTE-BEUVE, cité par A. BILLY,
          Sainte-Beuve, sa vie et son temps, I, 29, p. 211.

Journal. *Correspondre avec un journal :* envoyer des articles à un journal, en tant que correspondant*.

Par ext. Communiquer.

8   (...) l'impossibilité de *correspondre* qui est le drame de certains couples.
          J. GREEN, Journal, 15 sept. 1958, Vers l'invisible, p. 45.

♦ **2.** (1690). Avoir ou constituer une communication avec (de deux lieux). ⇒ **Communiquer.** *La salle à manger correspond avec la cuisine par un couloir. Ces deux pièces correspondent.* ⇒ **Commander.** *Faire correspondre deux parties d'un édifice.* ⇒ **Relier.** *Mers qui correspondent par un détroit, un canal.*

♦ **3.** (1874, Flaubert). Être en correspondance* (II., 3.), en parlant de deux moyens de transport. *Cet omnibus correspond avec le rapide Paris-Marseille.*

★ **III. V. pron. Récipr.** (1690 ; de I.). Même sens que II, 2. *Ces deux pièces se correspondent.* — (Éléments abstraits). *Être en correspondance* (I., 1.). *Ces éléments, ces idées ne se correspondent pas. Éléments de deux ensembles qui se correspondent. Se correspondre terme à terme.*

CONTR. Différer, discorder, opposer (s').
DÉR. Correspondant.

CORRICOLO [kɔ(ʀ)ʀikɔlo] n. m. — 1842 ; ital. (Naples), *corricolo,* désignant ce type de voiture ; ital. *curricolo* « charrette », XVe ; du lat. *curriculum* « course, char ».

♦ **Vx.** À Naples, Voiture légère à deux roues, attelée d'un cheval, que le cocher dirigeait debout.

CORRIDA [kɔʀida] n. f. — 1804, dans une trad. de l'angl. du *Voyage en Espagne* de Fisher, *in* D.D.L. ; le mot reste un emprunt pittoresque jusqu'au XXe ; mot esp. « course », puis « course de taureaux » *(corrida de toros)* ; substantif du v. *corrir.* ⇒ Courir.

♦ **1.** Course de taureaux qui se déroule dans des arènes. (⇒ **Taureau**). *Des corridas. Les toreros et les matadors d'une corrida. Parade d'ouverture d'une corrida.* ⇒ **Paseo.** *Un passionné de corridas.* ⇒ **Aficionado.** *Arènes consacrées à la corrida.* ⇒ **Plaza.** *Taureau réservé pour la corrida.* ⇒ **Toro.**

1   Dimanche est le jour de la corrida. Sigismond a vu les taureaux assez passionnément, souvent, à Nîmes, à Béziers ou à Carcassonne, mais son bref séjour en Espagne lui a suffi pour comprendre combien la corrida était patronnée par le régime furhonculiste et combien elle aidait sa propagande.
       A. PIEYRE DE MANDIARGUES, la Marge, p. 118.

♦ **2.** (1902). Fam. Dispute, lutte violente ou désordonnée.

2   « Ça y est, a dit mon voisin, ça va être la corrida. » En effet, c'est la corrida. Couverts de sueur sous l'éclairage implacable, les deux boxeurs ouvrent leur garde, tapent en fermant les yeux, poussent des épaules et des genoux, échangent leur sang et reniflent de fureur.   A. CAMUS, l'Été, p. 823.

Fig. Série de difficultés, agitation. *Si tu les avais vus faire leur valise en cinq minutes, quelle corrida !*

3   Du moins aurai-je échappé aux premières corridas théâtrales. Qu'a donc pu inventer Anouilh pour blesser à la fois tant de gens ? (...) Qu'a-t-il pu écrire cette fois-ci qui a fait hurler la meute si fort que je l'ai entendue de Malagar ?
       F. MAURIAC, Journal, 19 octobre 1956, t. I, p. 273.

CORRIDOR [kɔʀidɔʀ] n. m. — 1611 ; de l'ital. *corridore* « passage étroit entre un local et un autre ».

♦ **1.** (1636). Passage* couvert mettant en communication plusieurs pièces d'un même étage. ⇒ **Couloir, galerie.** *Long, étroit corridor. Corridor obscur, sombre. Au fond du corridor, à droite.*

1   Ici s'offre un perron, là règne un corridor (...)   BOILEAU, l'Art poétique, I.

2   Nous enfilâmes à droite, au rez-de-chaussée, un long corridor qu'éclairaient de loin en loin des lanternes de verre accrochées aux parois du mur (...)
       CHATEAUBRIAND, Mémoires d'outre-tombe, t. VI, p. 50.

3   Il avait pris à gauche, un long corridor. Il tourna deux fois, la première encore à gauche, la seconde à droite. Le corridor s'allongeait toujours, se bifurquait, resserré, lézardé, décrépi, de loin en loin éclairé par une mince flamme de gaz (...)
       ZOLA, l'Assommoir, t. I, II, p. 66.

3.1   Il se trouve à l'extrémité d'un corridor obscur, sur lequel donnent plusieurs por-

tes. À l'autre bout se devine l'amorce d'un escalier, qui s'élève dans le prolongement du corridor et se perd vite dans le noir.
A. ROBBE-GRILLET, Dans le labyrinthe, p. 54.

REM. Dans ce sens, le mot connaît, notamment au XIXᵉ s., l'altération populaire *collidor* (ex. *in* H. Monnier, *Scènes populaires* : «*le gros caniche du collidor*», p. 21).

Théâtre. Balcon suspendu à droite ou à gauche des cintres.

(1611). Par anal. de forme. Fortif. Passage couvert. *Corridor de contrescarpe.*

Par métaphore. Voie de passage (→ Couloir, passage, tunnel...).

4 L'avenir *(pour E. Bovary)* était un corridor tout noir, et qui avait au fond sa porte bien fermée. FLAUBERT, Mᵐᵉ Bovary, I, IX.

♦ **2.** Passage étroit dans un accident de terrain. — Délimitation géographique faisant communiquer une enclave avec l'extérieur. ⇒ **Couloir.** *Le corridor polonais* (1918-1939). — Tout passage* entre deux ensembles caractérisés géographiquement.

5 Ce pays de Syrie et de Palestine a toujours, au cours des siècles, été un corridor. Du nord au sud, du sud au nord, les invasions ont déferlé sur lui, cependant que, de la Méditerranée vers les pays de l'Euphrate, il est aussi un passage obligatoire.
DANIEL-ROPS, le Peuple de la Bible, I, p. 20.

Par ext. (Astronaut.). *Corridor de lancement :* zone qu'utilise la trajectoire d'un engin spatial lors de son lancement. *Corridor de rentrée :* zone qu'utilise la trajectoire d'un engin spatial lors de son retour sur la terre.

♦ **3.** Fam. Gosier (dans la loc.) : *se rincer le corridor* (cf. se rincer la dalle, le lampas...). ⇒ **Boire.**

CORRIGEABLE [kɔʀiʒabl] adj. — Fin XVIᵉ ; de *corriger*, et *-able.*

♦ Didact. Qui peut être corrigé.

CORRIGENDA [kɔʀiʒɛ̃da] — Mot lat., «devant être corrigé» ; de *corrigere* «corriger».

♦ (Dans la loc.). *Addenda et corrigenda* « (éléments) devant être ajoutés et corrigés ». *Les* addenda et corrigenda *d'une édition savante.*

CORRIGER [kɔʀiʒe] v. tr. — Conjug. *bouger.* — V. 1270 ; lat. *corrigere* «redresser», fig. «redresser, améliorer (une erreur, un défaut)», de *con- (cum)* «tout à fait» et *regere* «diriger en droite ligne».

♦ **1.** Ramener à une norme morale ou sociale (ce qui s'en écarte) soit en supprimant (le compl. désignant un élément jugé négatif : faute, défaut) soit en modifiant par amélioration (ce qui comporte un tel élément). ⇒ **Améliorer, amender, perfectionner, redresser, relever, reprendre.** *Corriger les défauts, les vices de quelqu'un. On ne corrigera jamais sa vanité, sa prétention. Vouloir corriger les abus. Corriger son mauvais caractère, son égoïsme. Corriger les mœurs.* ⇒ **Civiliser, moraliser, policer, réformer, régénérer ; changer.**

1 La faiblesse est le seul défaut que l'on ne saurait corriger.
LA ROCHEFOUCAULD, Maximes, 130.
2 Nous essayons de nous faire honneur des défauts que nous ne voulons pas corriger.
LA ROCHEFOUCAULD, Maximes, 442.
3 Sachez que le secret des arts
Est de corriger la nature.
VOLTAIRE, Épître, CV.
4 Vous avez corrompu mes mœurs en voulant les corriger (...)
A.-R. LESAGE, Gil Blas, II, VII, p. 115.
5 La nature nous enseigne à nous entre-dévorer et elle nous donne l'exemple de tous les crimes et de tous les vices que l'état social corrige ou dissimule.
FRANCE, Les dieux ont soif, p. 65.
6 (...) ce prédicateur doit se frapper, lui-même, pour corriger ses propres vices, avant que de reprocher leurs péchés aux autres.
HUYSMANS, Là-bas, IX, p. 131.

♦ **2.** (V. 1270). Supprimer, enlever (les fautes, les erreurs) ; rendre meilleur (un texte, un discours, une forme) en supprimant les fautes. ⇒ **Correction.** *Corriger les fautes de style, les erreurs contenues dans un ouvrage.* ⇒ **Rectifier.** — *Corriger un manuscrit.* ⇒ **Biffer, raturer.** *Corriger un livre, un poème, un roman que l'on vient d'écrire,* l'améliorer en corrigeant les fautes, les défauts qu'il peut contenir. ⇒ **Dégauchir, modifier, rectifier, refondre, remanier, reprendre, retoucher, réviser, revoir ;** → Faire la toilette* d'un texte. *Corriger sans cesse son style.* ⇒ **Polir, raboter, remettre** (sur le métier). *Corriger un texte, une œuvre, un travail en biffant, en raturant, en modifiant. Corriger et mettre au net un rapport* (cf. mettre la dernière main à...). *Corriger un texte de droit.* ⇒ **Émender.** *Corriger en expurgeant*.

7 Quand dans un discours se trouvent des mots répétés, et qu'essayant de les corriger, on les trouve si propres qu'on gâterait le discours, il les faut laisser (...) cette répétition n'est pas faute en cet endroit ; car il n'y a point de règle générale.
PASCAL, Pensées, I, 48.
8 Haverkamp, dont pas un regard ne restait inutile, ne cessait de formuler mentalement ses conclusions et de les corriger au fur et à mesure de la visite.
J. ROMAINS, les Hommes de bonne volonté, t. V, IX, p. 75.

(Abstrait). *Corriger les excès, les erreurs, les incertitudes d'une opinion, d'un raisonnement.* — *Corriger une hypothèse, une théorie, en fonction d'expériences nouvelles. Corriger une idée préconçue.* ⇒ **Revenir** (de).

(1694). Lire et relire minutieusement afin d'éliminer les erreurs typographiques. *Corriger des épreuves d'imprimerie. Corriger une mise en page. Corriger une morasse, une forme.* ⇒ **Correction** (I., 2., b), **correcteur** (I., 3.).

9 Je lui ai envoyé la fin d'André, aie la bonté d'en corriger les épreuves (...) Enfin, corrige les mots bêtes, les redites, les fautes de français.
G. SAND, Lettre à Musset.

(1680). Relever les fautes de (qqch.) en vue de donner une appréciation, une note. *Corriger des devoirs d'écoliers. Corriger un thème, une composition française. Corriger des copies d'examen, de concours.*

10 (...) et si par miracle tout se passe bien, des leçons à préparer et des copies à corriger pendant quarante ans (...)
J. ROMAINS, les Hommes de bonne volonté, t. IV, XV, p. 147.

♦ **3.** (1797). Rendre exact ou plus exact. ⇒ **Rectifier.** *Corriger une erreur de calcul. Corriger une observation. Corriger le tir.* ⇒ **Tir.** — Mar. *Corriger la route d'un bâtiment :* rectifier les erreurs provenant de la dérive. *Corriger les compas.*

Opt. *Corriger la vue.*

♦ **4.** Améliorer quant au fonctionnement. *Corriger la carburation défectueuse d'un moteur.* — *Corriger la vue de qqn par des verres correcteurs.*

♦ **5.** (1575). Ramener à la mesure (quelque chose d'excessif) par une action contraire. ⇒ **Adoucir, atténuer, balancer, compenser, dulcifier, équilibrer, neutraliser, pallier, racheter, réparer, tempérer.** *Corriger le sort, l'injustice du sort. Corriger l'effet d'une parole trop dure* (⇒ **Réparer ; correctif, correction,** I., 4.).

11 J'ai su de mon destin corriger l'injustice. RACINE, Esther, II, 1.
12 La beauté de son regard corrigeait cet excès de grâce.
HUGO, les Travailleurs de la mer, VII, III.
13 Or, la profondeur du sentiment corrige seule la subtilité qu'elle implique ; seule, la profondeur de l'analyse suppose l'extrême complexité et la justifie.
André SUARÈS, Trois hommes, « Dostoïevski », V, p. 258.

Littér. (Sujet n. de chose). Compenser, atténuer.

Loc. fam. (Vx). *Corriger la fortune :* tricher* au jeu.

14 La fortune est devenue mauvaise, il la faut corriger.
Antoine HAMILTON, Mém. du comte de Grammont, 3.

Spécialt. Vieilli. *Corriger l'amertume, l'acidité d'une substance.* ⇒ **Correctif.**

15 Corriger la crudité de l'eau avec un peu de vin.
Dictionnaire de l'Académie, éd. 1936.

Cuis. *Corriger une sauce,* y ajouter une substance pour en modifier le goût.

♦ **6.** (1285). Vieilli. Ramener (qqn) à la règle ; traiter avec sévérité pour supprimer les défauts (réprimander ou punir). ⇒ **Morigéner, reprendre, réprimander ; châtier, fustiger, punir.** Cf. Apprendre à vivre (fam.), ramener dans le droit chemin...

16 (...) étant seule exempte *(la religion chrétienne)* d'erreur et de vice, il n'appartient qu'à elle et d'instruire et de corriger les hommes. PASCAL, Pensées, VII, 435.
17 Et c'est une folie à nulle autre seconde
De vouloir se mêler de corriger le monde. MOLIÈRE, le Misanthrope, I, 1.

Corriger (qqn) d'un défaut. ⇒ **Défaire, guérir.** *Le père doit corriger ses enfants. Corriger modérément, sévèrement, sans faiblesse.* — Mod. Infliger une punition corporelle à (qqn) afin de le corriger. ⇒ **Châtier, punir ; battre.**

17.1 Celui qui ménage sa verge hait son fils, mais celui qui l'aime le corrige de bonne heure. BIBLE (CRAMPON), Proverbes, XIII, 24.
17.2 Mais tiens... suis-moi, me dit *Rosalie,* c'est précisément aujourd'hui Vendredi, un des trois jours de la semaine où il corrige ceux qui ont fait des fautes ; c'est dans ce genre de correction que mon père trouve ses plaisirs.
SADE, Justine (...), t. I, p. 106.

Par anal. *Corriger un cheval rétif, un chien hargneux.* ⇒ **Dresser ; dompter.**

▶ **SE CORRIGER** v. pron. *Se corriger soi-même. Se corriger de ses défauts.* ⇒ **Défaire** (se), **guérir** (se), **reprendre** (se) ; **convertir** (se).

18 Il coûte moins à certains hommes de s'enrichir de mille vertus que de se corriger d'un seul défaut. LA BRUYÈRE, les Caractères, IX, 98.
19 (...) ne pouvant se corriger de sa folie, il tentait de lui donner l'apparence de la raison. A. DE MUSSET, Confession d'un enfant du siècle, p. 377.
20 Si, depuis un an, je me suis corrigée de mes défauts, ce n'est pas assez de temps pour qu'il y prenne confiance (...) G. SAND, la Petite Fadette, XXIX, p. 193.

(Passif). Être corrigé ; pouvoir être corrigé. *Ces imperfections se corrigeront d'elles-mêmes.*

21 (...) Cette crainte maudite
M'empêche de dormir, sinon les yeux ouverts.
— Corrigez-vous, dira quelque sage cervelle.
— Eh ! la peur se corrige-t-elle ? LA FONTAINE, Fables, II, 14.

▶ **CORRIGÉ, ÉE** p. p. adj. et n. *Défauts corrigés, mal corrigés. Erreur corrigée.* ⇒ **Correction.** — (1478, *in* D.D.L.). *Texte corrigé. Édition revue et corrigée. Épreuves corrigées avec soin.*

Spécialt. *Devoir corrigé,* et, n. m., *un corrigé :* composition donnée en exemple par le professeur, par un manuel, sur un devoir. ⇒ **Modèle, plan** (de devoirs). *Dicter le corrigé d'un devoir, d'une version. Recueil de corrigés. Le livre du maître contient les corrigés. Se servir du corrigé pour faire un devoir. Cahier de corrigés.*

CONTR. Altérer, corrompre, dégrader, détériorer, gâter, pervertir. — Aggraver, compliquer, envenimer, exaspérer, exciter. — Épargner, féliciter, louer, récompenser.
DÉR. Corrigeable, corriger, corrigible.

CORRIGEUR, EUSE [kɔriʒœʀ, øz] n. — 1311 ; « correcteur » ; de *corriger*.

♦ Imprim. Typographe qui exécute la correction des fautes relevées par le correcteur (surtout en monotypie). ⇒ aussi **Metteur** (en page).

CORRIGIBILITÉ [kɔriʒibilite] n. f. — 1946, Mounier ; de *corrigible*.

♦ Didact. Qualité d'une personne, d'une chose corrigible.

CORRIGIBLE [kɔriʒibl] adj. — 1444 ; de *corriger*, et *-ible*.

♦ Rare. Qui peut être corrigé. ⇒ **Améliorable, modifiable, rectifiable, réparable.**
CONTR. Incorrigible (cour.).
DÉR. Corrigibilité.

CORROBORANT, ANTE [kɔʀɔbɔʀɑ̃, ɑ̃t] adj. et p. prés. — 1860, au sens 2 de *corroborer*.
Didactique.

♦ **1.** Mod. Qui corrobore*. *Aliment, remède corroborant.* ⇒ **Corroboratif, fortifiant, tonique.**
N. m. *Un corroborant.*

♦ **2.** (1866). Qui confirme. *Preuve corroborante.* — (1860). Absolt. *Corroborant*, n. m. : élément qui atteste le bien-fondé d'une théorie.

CORROBORATIF, IVE [kɔʀɔbɔʀatif, iv] adj. — 1628 ; du lat. *corroboratum*, supin de *corroborare*. → Corroborer.

♦ **1.** Méd. (Vx). Qui donne des forces. *Remède corroboratif. Médecine corroborative* (Molière, *le Malade imaginaire*, I, 1).

♦ **2.** N. m. Ling. *Les corroboratifs* : en arabe, Classe de noms qui se construisent en apposition, renforçant ainsi le sens d'un autre nom.
Mot redondant renforçant une expression.

CORROBORATION [kɔʀɔbɔʀasjɔ̃] n. f. — 1286 ; bas lat. *corroboratio*, du supin de *corroborare*. → Corroborer.

♦ Didact. (Rare). Action de corroborer ; son résultat. ⇒ **Affermissement, confirmation.**
Spécialt. [a] Méd. Vx. *Corroboration alimentaire.*

[b] Dr. *La corroboration d'une preuve.*

CORROBORER [kɔʀɔbɔʀe] v. tr. — 1389 ; lat. *corroborare* « donner force à, confirmer », de *co-* (cum), et *roborare* « renforcer », de *robor, -oris* « force ».

♦ **1.** (1530). Vx. ⇒ **Fortifier.** *Médicament qui corrobore.* ⇒ **Corroborant** (1.), **corroboratif** (1.).

1   Ces exercices (...) avaient développé sa force, corroboré ses muscles (...)
              Th. GAUTIER, le Capitaine Fracasse, t. I, p. 304.

Pron. Se fortifier.

♦ **2.** Mod. (Sujet n. de chose). Donner appui, ajouter de la force à (une idée, une opinion). ⇒ **Affermir, appuyer, confirmer, étayer, renforcer.** *Cela vient corroborer mon opinion. Cette nouvelle corrobore ce qu'il a dit, corrobore ses assertions. Corroborer une hypothèse.*

2   Cet événement vint à l'appui des préjugés qui existent à Besançon contre les étrangers et qui, deux ans auparavant, s'étaient corroborés à propos de l'affaire du journal républicain.
              BALZAC, Albert Savarus, Pl., t. I, p. 845.
3   (...) elle n'avait pas fait une action, pas prononcé une parole, pas ébauché un geste qui ne corroborât ce jugement qu'il avait porté sur elle d'instinct.
              Paul BOURGET, Un divorce, III, p. 110.

Être corroboré par : être confirmé, renforcé par. — Rare en épithète. « *Un témoignage corroboré de celui de* (X) » (Balzac).
Rare. (Sujet n. de personne). *Corroborer quelque chose* : confirmer, renforcer (par des arguments). *Corroborer ses vues, son système...*

4   Je fais cette observation et je corrobore toutes celles qui précèdent.
              E. DELACROIX, Journal, 12 oct. 1853.

CONTR. Affaiblir, atténuer, démentir, détruire, infirmer, invalider, ruiner.
DÉR. Corroborant.

CORROBORI [kɔʀɔbɔʀi] n. f. — 1872, in Littré, *Suppl.* ; angl. *corroboree* « nom de la danse des aborigènes australiens », altér. de *cariberrie* (1793), d'un mot australien de Nouvelles Galles du Sud.

♦ Ethnol. Chez les aborigènes australiens, Lieu où l'on chante et où l'on danse. — Écrit à l'anglaise :

Un *corroboree* australien, avec ses costumes et ses accessoires, ses épisodes où les danseurs miment le comportement de l'animal mythique, ne sépare pas cérémonie et théâtre (...)   A. LEROI-GOURHAN, le Geste et la Parole, t. II, p. 207.

CORRODANT, ANTE [kɔʀɔdɑ̃, ɑ̃t] p. prés., adj. et n. — 1377 ; p. prés. de *corroder*.

♦ **1.** Qui a la propriété de corroder. *Substance corrodante.* ⇒ **Corrosif.** — N. m. *Les acides sont des corrodants.*

♦ **2.** N. m. pl. (1792). *Corrodants* (Zool ; vx) : sous-ordre d'insectes archiptères qui détruisent des substances (bois, etc.) : psoque, termite. — Au sing. *Un corrodant.*

CORRODER [kɔʀɔde] v. tr. — 1314 ; lat. *corrodere*, de *co-* (cum), et *rodere*. → Ronger.

♦ **1.** (1314). Didact. (Sujet n. de chose). Détruire lentement, progressivement, par une action chimique. ⇒ **Attaquer, brûler, consumer, désagréger, ronger ; corrosif, corrosion.** *Les acides corrodent les métaux. Ce poison corrode l'estomac.*

1   (...) de cet autre les chairs devinrent molles et tombantes ; le sang âcre de ce troisième lui corrodait la peau.   M. BARRÈS, Leurs figures, p. 20.
2   Il lui semblait que le sel de tous les océans les eussent corrodées *(les valises d'une voyageuse).*   F. MAURIAC, le Mal, I, p. 14.

Pron. *Le fer se corrode.*

♦ **2.** (1756). Fig. et littér. Détériorer, user progressivement. ⇒ **Détériorer, détruire, entamer, user.** *L'égoïsme, l'envie corrodent leur amitié. L'inquiétude corrode l'âme.* ⇒ **Miner, ronger, tourmenter.** *Corroder les sentiments naturels.* ⇒ **Corrompre, dénaturer.**

3   Comme si j'étais passé à côté d'un coup d'être qui m'appelait à combattre, à creuser, à craquer, à me laisser corroder encore, pour sa conquête (...)
              M. CLAVEL, le Tiers des Étoiles, p. 143.

▶ **CORRODÉ, ÉE** p. p. adj.
Détruit par la corrosion. *Fer corrodé.* ⇒ **Rouillé.**
Ces objets corrodés comme les troncs rejetés par la mer semblaient les jouets des esprits du volcan ; au-dessus d'eux, reine de leur cour maléfique, régnait une rose de sable.   MALRAUX, Antimémoires, Folio, p. 166 (1972).

4

Fig. Détérioré, usé.
DÉR. Corrodant.

CORROI [kɔʀwa] n. m. — V. 1135, *conret* ; déverbal de *corroyer*.
Technique.

♦ **1.** Préparation que l'on donne à une substance battue, étirée et foulée (⇒ **Corroyer**). — Spécialt. Préparation donnée au cuir. ⇒ **Apprêt, corroyage.**

♦ **2.** Étendoir où l'on apprête une pièce de drap.

♦ **3.** Enduit obtenu en pétrissant et foulant certaines substances. ⇒ **Mortier, braye.** *Faire un corroi.*
Spécialt. Terre glaise dont on garnit les parois d'un bassin, d'un canal... pour les rendre étanches. *Un corroi imperméable.*
Il chauffait l'argile du corroi comme on chauffe les briques d'un four (...)   ZOLA, Germinal, in Romans, Pl., t. III, p. 1398.

CORROIERIE [kɔʀwaʀi] n. f. — 1247, *courroierie* ; de *corroyer*, et *-erie*.
Technique.

♦ **1.** Technique du corroyage ; ensemble des opérations effectuées par le corroyeur. ⇒ **Corroyage.**
Dans un cagibi, à la violente odeur de corroierie, reposaient des générations de bottes et de bottines.   S. DE BEAUVOIR, Mémoires d'une jeune fille rangée, p. 77.

♦ **2.** Atelier, usine où l'on corroie les cuirs.

CORROMPRE [kɔʀɔ̃pʀ] v. tr. — Conjug. *rompre*. — V. 1770 ; lat. class. *corrumpere* « détruire, anéantir, altérer », de *cum-*, préf. à valeur intensive, et *rumpere* (→ Rompre).
Littéraire ou style soutenu. — REM Tous les emplois sont marqués, alors que certains emplois de *corruption* sont très vivants ; le sens I a plus vieilli que le sens II (moral).

★ **I.** (V. 1260). ♦ **1.** Vieilli. Altérer (une substance) en décomposant, en désorganisant. ⇒ **Corruption.** *La chaleur corrompt la viande.* ⇒ **Altérer, avarier, décomposer, gâter, pourrir, putréfier.** *Des miasmes délétères ont corrompu cette eau.* ⇒ **Empester, empoisonner, infecter, souiller, vicier.** *L'infection corrompt les chairs.* ⇒ **Attaquer, désorganiser, gangrener.**

(La terre que nous habitons) était couverte de forêts et de marécages qui corrompaient l'air (...)   G. T. RAYNAL, Hist. philosophique..., IV, 4.

1

Vx. *La douleur corrompt ses traits.* ⇒ **Défigurer, déformer.**

2   (...) ces prodigieux efforts de mémoire (...) qui corrompent le geste et défigurent le visage (...)   LA BRUYÈRE, les Caractères, XV, 29.

Vx. *Corrompre le sang* (de qqn).

3   (...) aucune intempérance n'avait corrompu leur sang *(de Paul et Virginie)* (...)   BERNARDIN DE SAINT-PIERRE, Paul et Virginie, p. 59.

♦ **2.** Fig. et littér. Altérer, gâter, troubler (un sentiment heureux). ⇒ **Affaiblir, altérer, gâter, détruire, troubler.** *L'inquiétude corrompt son plaisir, son bonheur.*

4   (...) fi du plaisir
Que la crainte peut corrompre !   LA FONTAINE, Fables, I, 9.

5   L'effroi qui me saisit, corrompant mon espoir (...)   VOLTAIRE, le Triumvirat, IV, 6.

6   Rien ne corrompit la joie de Landry et de toute la famille (...)   G. SAND, la Petite Fadette, XL, p. 252.

♦ **3.** Altérer en éloignant d'un état premier, jugé meilleur. ⇒ **Abâtardir, altérer, déformer.** *L'usage corrompt certains mots. La fréquentation des mauvais auteurs corrompt le goût littéraire. Ses facultés critiques sont corrompues par la passion.*

7   (...) l'on feint quelquefois de ne se pas souvenir de certains noms que l'on croit obscurs, et (...) l'on affecte de les corrompre en les prononçant.   LA BRUYÈRE, les Caractères, V, 70.

8   Dès le premier jour que j'eus le malheur de te voir, je sentis le poison qui corrompt mes sens et ma raison (...)   ROUSSEAU, Julie ou la Nouvelle Héloïse, I, Lettre IV, p. 10.

9   (...) la multiplication des ouvrages médiocres corrompt le goût au lieu de le former (...)   CONDORCET, Haller.

(V. 1165). Vieilli. *Corrompre un texte,* le déformer, l'interpréter à tort. ⇒ **Trahir.** *Le copiste, le commentateur a corrompu ce passage.*

10   (...) il a omis ces paroles par un dessein outrageux, pour corrompre la pensée de ce père (...)   PASCAL, les Provinciales, Réfutation de la réponse à la 12e lettre.

♦ **4.** (1762, *in* D.D.L.). Techn. Modifier la substance ou la forme de (un matériau).

★ **II.** (Sur le plan moral). ♦ **1.** (V. 1173). Altérer ce qui est sain, honnête, dans l'âme. ⇒ **Corruption; abâtardir, avilir, dénaturer, dépraver, pervertir, souiller, tarer.** *Corrompre le cœur, les sentiments naturels. Corrompre la jeunesse.* ⇒ **Perdre, séduire.** *Les passions, les vices corrompent l'homme.*

11   Ne vous laissez pas séduire : « les mauvaises compagnies corrompent les bonnes mœurs. »   BIBLE (CRAMPON), 1re Épître aux Corinthiens, XV, 33.

12   (...) très souvent les biens corrompent l'homme (...)   MOLIÈRE, Tartuffe, V, 5.

13   Tous les vices de notre âge corrompaient notre innocence, et enlaidissaient nos jeux.   ROUSSEAU, les Confessions, I.

14   (...) les passions les plus dangereuses, les plus promptes à fermenter, et les plus propres à corrompre l'âme, même avant que le corps soit formé.   ROUSSEAU, Émile, II.

14.1   Autre apprentissage ; si dans la première école, à quelques écarts près, *Juliette* a servi la Nature, elle en oublie les loix dans la seconde ; elle y corrompt entièrement ses mœurs ; le triomphe qu'elle voit obtenir au vice dégrade totalement son amour.   SADE, Justine..., t. I, p. 14.

15   Afin de le corrompre *(le peuple),* on le peint corrompu.   P.-L. COURIER, Œ., p. 165.

Absolument :

16   Le plaisir de corrompre est un de ceux qu'on a le moins étudié ; il en va de même de tout ce qu'on prend d'abord soin de flétrir.   GIDE, Journal, mai 1917.

♦ **2.** (1283). Engager (qqn) par des dons, des promesses, ou par la persuasion, à agir contre sa conscience, contre son devoir. ⇒ **Acheter, circonvenir, gagner, soudoyer, stipendier, suborner.** Cf. Graisser la patte à (fam). *Corrompre un juge, un témoin. Corrompre quelqu'un en le payant.*

17   Il avait corrompu par argent la garnison.   FÉNELON, Télémaque, 20.

18   Le magistrat n'est juge que du droit rigoureux : mais le peuple est le véritable juge des mœurs, juge intègre et même éclairé sur ce point, qu'on abuse quelquefois, mais qu'on ne corrompt jamais.   ROUSSEAU, De l'inégalité parmi les hommes, Notes.

19   Ceux que l'on peut corrompre ne valent jamais d'être corrompus (...)   MIRABEAU, cité par Louis BARTHOU, Mirabeau, p. 132.

(V. 1165). Vx. *Corrompre une femme, une fille.* ⇒ **Débaucher, séduire, suborner.**

▶ **SE CORROMPRE** v. pron.

♦ **1.** Vieilli. S'altérer en se décomposant. *La viande se corrompt.* ⇒ **Pourrir, putréfier** (se). *Liquide qui se corrompt.* ⇒ **Croupir, éventer** (s'), **tourner.**

♦ **2.** Fig. et vx. S'altérer, se gâter. *Le plaisir se corrompt facilement. Les monarchies se corrompent.* → Perdre, cit. 59, Montesquieu.

♦ **3.** Littér. S'altérer en s'éloignant d'un état jugé meilleur.

20   *(Il craint)* Qu'en faveur d'un rival ta foi ne se corrompe (...)   MOLIÈRE, le Dépit amoureux, I, 1.

21   (...) pour sentir les grands biens, il faut qu'il *(l'homme)* connaisse les petits maux ; telle est sa nature. Si le physique va trop bien, le moral se corrompt.   ROUSSEAU, Émile, II.

22   S'amollir ou se distraire, pour lui *(Proudhon)* c'était se corrompre.   SAINTE-BEUVE, P.-J. Proudhon, p. 102.

---

23   (...) l'amour humain s'altère, se corrompt et meurt dès que les amants prétendent renoncer au martyre d'être séparés.   F. MAURIAC, Souffrances et Bonheur du chrétien, p. 126.

▶ **CORROMPU, UE** p. p. adj.

♦ **1.** Vx. Altéré, en décomposition. *Viande corrompue.* ⇒ **Pourri.** *Gibier corrompu.* ⇒ **Avancé.** *Air corrompu.* ⇒ **Pestilent, pestilentiel.** *Lait corrompu.* ⇒ **Aigri, tourné.**

24   (...) il y a beaucoup d'impureté dans son corps, quantité d'humeurs corrompues.   MOLIÈRE, l'Amour médecin, II, 2.

♦ **2.** Littér. *Goût corrompu, jugement corrompu.* ⇒ **Faux, mauvais** (goût).

(Moral). Plus cour. *Une jeunesse corrompue.* ⇒ **Dépravé, dissolu, pervers, roué, vicieux.** *Conscience corrompue. La nature humaine est corrompue.* ⇒ **Bas, mauvais, vil.** *Société corrompue, civilisation corrompue.* ⇒ **Décadent.**

25   (...) la nature des hommes est corrompue et déchue de Dieu (...)   PASCAL, Pensées, VII, 441.

26   Il y a sans doute des lois naturelles ; mais cette belle raison corrompue a tout corrompu (...)   PASCAL, Pensées, V, 294.

27   Un esprit corrompu ne fut jamais sublime.   VOLTAIRE, Épîtres, XCV, à Mlle Clairon.

28   (...) modifications toujours en rapport inverse de la dépravation des mœurs et se faisant pures et sentimentales d'autant plus que la société était corrompue et impudente.   G. SAND, François le Champi, Avant-propos, p. 14.

29   Nous avons, il est vrai, nations corrompues,
Aux peuples anciens des beautés inconnues :
Des visages rongés par les chancres du cœur (...)   BAUDELAIRE, Spleen et Idéal, V.

30   Il y a des vierges qui sont toujours corrompues ; il y a des prostituées qui ont une innocence d'enfant.   Edmond JALOUX, Le reste est silence, p. 183.

♦ **3.** Qu'on a corrompu, qu'on peut corrompre (par des dons, des promesses, etc.). → Corrompre, II., 2. *Juge corrompu.* ⇒ **Vénal, vendu.**

CONTR. Assainir, bonifier, purifier. — Affermir, renforcer. — Respecter ; corriger (un texte). — Améliorer, amender, corriger, édifier, moraliser, perfectionner, réformer. — Respecter (une femme). — Frais. — Pur, vertueux ; intègre.

CORROSIF, IVE [kɔʀozif, iv] adj. — XIIIe ; dér. du lat. *corrosum,* supin de *corrodere.* → Corroder.

♦ **1.** Qui corrode ; qui a la propriété de corroder. ⇒ **Brûlant, caustique, mordant, mordicant ;** (rare) **agressant.** *Les acides sont corrosifs. Antiseptique corrosif.*

1   Quelque corrosive qu'ait été la liqueur dans le calice, le métal du calice est vierge et n'a pas été altéré.   SAINTE-BEUVE, Correspondance, 281, 10 mars 1833.

1.1   (...) une cuisine toute composée de jus, de coulis, d'épices, de brûlots, un sublimé de succulence donnant au jeu des organes une effervescence factice, brûlant au lieu de nourrir, et mettant dans le chyle, dans le sang, dans la lymphe, un élément corrosif.   Ed. et J. DE GONCOURT, la Femme au XVIIIe siècle, t. II, p. 142.

N. m. *Un corrosif :* une substance corrosive.

1.2   (...) ma main libre, où il essayait de lire. Un corrosif ayant rendu dans son enfance ses paumes indéchiffrables, il ne pouvait en tirer d'indication personnelle sur sa vie (...)   GIRAUDOUX, Siegfried et le Limousin, p. 264.

♦ **2.** (Abstrait). Qui semble mordre, attaquer. *Voix corrosive. Des regards corrosifs.*

2   Et Maigrier, avec un sérieux magnifique, posa sur mon regard un regard corrosif comme une goutte de vitriol.   G. DUHAMEL, Récits des temps de guerre, IV, p. 137.

Qui attaque avec violence. ⇒ **Destructif.** *Un discours corrosif. Une œuvre corrosive.* ⇒ **Acerbe, caustique, venimeux, virulent.** *Un humour corrosif et impitoyable.*

3   Les larmes que votre conversion fera répandre annuleront l'effet corrosif de dix éditions des œuvres impies de Voltaire.   STENDHAL, le Rouge et le Noir, II, 45, p. 505.

4   C'est une des plus grandes erreurs des temps modernes (...) que de s'imaginer qu'une révolution est essentiellement corrosive, qu'une révolution est essentiellement une opération qui détruit.   Ch. PÉGUY, la République..., p. 170.

5   (...) une ironie corrosive et impitoyable qui manquait rarement son effet !   G. DUHAMEL, Chronique des Pasquier, IX, Suzanne et les jeunes hommes, p. 27.

6   Martial avait eu l'œil pour la comédie, — celle que les autres vous jouent, ou celle qu'ils se jouent à eux-mêmes. Il pouvait la démonter sans effort, à la façon d'un écolier qui parodie le maître, avec un sens corrosif de la caricature.   Jean-Louis CURTIS, le Roseau pensant, p. 158.

♦ **3.** Vx (au sens moral). ⇒ **Corrupteur ; malfaisant, nuisible.**

CORROSION [kɔʀozjɔ̃] n. f. — V. 1300 ; bas lat. *corrosio* « action de ronger, morsure », du supin de *corrodere.* → Corroder, corrosif.

♦ **1.** (V. 1300). Action de corroder ; résultat de cette action. ⇒ **Brûlure, désagrégation, destruction, usure.** *La corrosion d'une substance par un acide. Agent de corrosion. Résister à la corrosion. Corrosion de contact :* usure de contact par réaction chimique (⇒ **Abrasion**). — Mar. *Corrosion de l'eau de mer sur la coque d'un navire.*

1   (...) les navires de commerce opposent à la corrosion l'épaisseur de leurs tôles. C'est vrai : une tôle de 15 à 20 mm (navire) résistera plus longtemps que les tôles de 5 et 6 mm employées dans la construction des yachts.   Bernard MOITESSIER, Cap Horn à la voile, p. 42.

Géol. Dissolution produite par les eaux de ruissellement. ⇒ **Érosion, ravinement.**

Techn. *Figure de corrosion :* modification de la surface d'un cristal attaqué par un réactif donné.

Chir. dent. Altération des dents, de la surface d'une obturation.

♦ **2.** (1756). Le fait d'être attaqué (*la corrosion d'un sentiment,* etc.); le fait d'attaquer, de ronger. ⇒ **Corroder,** 2.

2   Il entrevoit une corrosion qui s'amorce, puis qui se propage, comme la flamme, tant qu'il lui reste un aliment (...)
    J. ROMAINS, les Hommes de bonne volonté, t. III, v, p. 86.

CORROYAGE [kɔʀwajaʒ] n. m. — 1761 ; *courreage,* 1432 ; de *corroyer.*

Technique.

♦ **1.** Ensemble des opérations que l'on fait subir aux cuirs après le tannage*, pour les assouplir et les rendre utilisables par les industries de transformation. *Le corroyage du cuir. Opérations de corroyage :* échantillonnage, défonçage, foulage, drayage, rebroussage (à la machine) ou paumelage, butage, étirage, déridage, dérayage, grainage... *Outils dont on se sert pour le corroyage :* bigorne, butoir, couteau (à revers), demi-rond, drayoire, étire, lunette, marguerite ou paumelle, paroir. *Le dégras* est utilisé en corroyage.

♦ **2.** Soudure ou forgeage à chaud de barres, de tôles métalliques.

♦ **3.** Action de dégrossir le bois avant le façonnage ; résultat de cette action. ⇒ **Blanchissage, dressage, rabotage.**

CORROYER [kɔʀwaje] v. tr. — Conjug. *noyer.* — 1674 ; *courroyer,* 1538 ; *conroyé,* 1371 ; *conreer ;* lat. pop. *conredare* mot d'orig. gotique dont le rad. *(reths-)* signifie «provisions».

Techn. Préparer (une matière) en la battant, en l'étirant, en la foulant.

♦ **1.** *Corroyer le cuir,* le préparer pour les divers usages auxquels il est destiné. ⇒ **Corroyage; apprêter, assouplir.** *On corroie les cuirs d'œuvre* (⇒ **Mollèterie**). — Au p. p. *Peaux corroyées.*

♦ **2.** (1674). Forger ensemble ou souder à chaud (du métal). *Corroyer du fer.*

♦ **3.** Dégrossir (du bois) au riflard.

♦ **4.** Malaxer, pétrir avec de l'eau. *Corroyer un mortier :* malaxer, pétrir, piler du sable, de la chaux ou de la glaise avec de l'eau, pour en faire un mortier. ⇒ **Corroi.**

Ordinairement, les briques sont tassées dans des moules, mais l'ingénieur se contenta de les fabriquer à la main. Toute la journée et la suivante furent employées à ce travail. L'argile, imbibée d'eau, corroyée ensuite avec les pieds et les poignets des manipulateurs, fut divisée en prismes d'égale grandeur.
    J. VERNE, l'Île mystérieuse, t. I, p. 165 (1874).

Par ext. Enduire (qqch.) de cette substance foulée. *Corroyer un mur, un bassin, un canal.*

♦ **5.** Trav. publ. Rendre dense, agglomérer au rouleau compresseur. *Corroyer les matériaux d'une digue ; une digue.*

DÉR. Corroi, corroierie, corroyage, corroyeur.

CORROYEUR [kɔʀwajœʀ] n. m. — V. 1260, *coureare ;* de *corroyer.*

♦ Techn. Ouvrier qui corroie les cuirs. — En appos. *Ouvrier corroyeur.*

J'empruntai à ma logeuse, dont le mari était maître corroyeur aux tanneries de Putney Commons, le cachet de la corporation, portant la drayoire.
    Jean RAY, les Derniers Contes de Canterbury, p. 232.

CORRUDE [kɔʀyd] n. f. — XVIIIᵉ ; lat. *corruda.*

♦ Bot. ou régional. Plante (*Liliacées*) dite aussi asperge sauvage (n. sc. : *asparagus acutifolius*).

CORRUGATEUR [kɔʀygatœʀ] adj. et n. m. — XVIIIᵉ ; du rad. de *corrugation.*

♦ Didact. Qui produit la corrugation. *Muscle corrugateur.*

CORRUGATION [kɔʀygɑsjõ] n. f. — XIVᵉ ; lat. médical *corrugatio,* de *cor- (cum),* et *ruga* «ride».

♦ Didact. (anat., physiol.). Formation de plis cutanés.

DÉR. Corrugateur.

CORRUPTEUR, TRICE [kɔʀyptœʀ, tʀis] n. et adj. — 1531 ; lat. class. *corruptor* «celui qui corrompt», du supin de *corrumpere.* → Corrompre.

♦ **1.** N. (1561). Vx ou littér. Personne qui corrompt le jugement, le goût, le langage ; qui altère ce qu'il y a de sain, d'honnête. ⇒ **Des-**

tructeur, séducteur (→ Brebis* galeuse). *Un habile corrupteur, un corrupteur sans scrupules. Les mauvais écrivains sont les corrupteurs du langage, du goût. Corrupteur des mœurs.*

1   (...) on n'enveloppe point (...) la bonté des choses que l'on corrompt avec la malice des corrupteurs (...)
    MOLIÈRE, Tartuffe, Préface.

2   Un lâche, un corrupteur, un traître l'a séduite.
    DUCIS, Othello, I, 4.

3   (...) le corrupteur, c'est l'enfance de l'art, épargne au corrompu la gêne de tout savoir (...)
    M. BARRÈS, Leurs figures, p. 75.

Mod. Personne qui soudoie, qui achète (qqn). *Le corrupteur de qqn, son corrupteur. Le corrupteur et le témoin qu'il avait circonvenu ont été punis.*

♦ **2.** Adj. (1767). Littér. Qui corrompt moralement. ⇒ **Destructeur; corrosif, dissolvant, malfaisant, nuisible.** *Des spectacles corrupteurs. Une littérature corruptrice. Une philosophie corruptrice. Influence corruptrice.*

4   Byron, d'après l'opinion fantasmagorique, est l'ancien serpent séducteur et corrupteur, parce qu'il voit la corruption de l'espèce humaine (...)
    CHATEAUBRIAND, Mémoires d'outre-tombe, t. II, p. 150.

5   (...) la force corruptrice des pierreries et de l'or qui n'agit que sur les âmes viles.
    Th. GAUTIER, le Capitaine Fracasse, t. II, p. 34.

6   Mais ce serait un paradoxe de soutenir que le jeune homme est corrompu par l'amour, alors que le plus souvent c'est lui qui est corrupteur.
    F. MAURIAC, le Jeune Homme, p. 39.

CONTR. Correcteur, édifiant, moralisateur, réformateur.

CORRUPTIBILITÉ [kɔʀyptibilite] n. f. — 1492 ; lat. chrét. *corruptibilitas,* de *corruptibilis.* → Corruptible.

♦ Vx ou littér. Nature, caractère de ce qui est corruptible (au propre et au figuré).

CONTR. et COMP. Incorruptibilité.

CORRUPTIBLE [kɔʀyptibl] adj. — 1267 ; lat. chrét. *corruptibilis* «qui peut être corrompu», de *corruptum,* supin de *corrumpere.* → Corrompre.

♦ **1.** Vx ou didact. Qui peut être corrompu, décomposé. *Matière corruptible.* ⇒ **Décomposable, putrescible.**

♦ **2.** (Abstrait). Jugement corruptible. ⇒ **Altérable, influençable.** — (Sur le plan moral). *Mœurs corruptibles. Consciences corruptibles.*

♦ **3.** (Personnes). Qui peut se laisser acheter. *Homme corruptible.* ⇒ **Vénal.**

(...) les courtisans et les gens de robe, qui voient tous les jours avec plaisir représenter des marquis fats et des juges ignorants et corruptibles (...)
    A.-R. LESAGE, Critique de Turcaret.

CONTR. Incorruptible, intègre.

CORRUPTIF, IVE [kɔʀyptif, iv] adj. — V. 1385 ; du lat. tardif *corruptivus* «qui peut corrompre», du supin de *corrumpere.* → Corrompre.

♦ Rare. Qui corrompt, en particulier par l'argent.

(...) Fraisier avait fait venir chez lui la loueuse de chaises, et la soumettait à sa conversation corruptive, aux ruses de sa puissance chicanière, à laquelle il était difficile de résister.   BALZAC, le Cousin Pons, 1847, p. 274, *in* T. L. F.

CORRUPTION [kɔʀypsjõ] n. f. — V. 1130 ; lat. class. *corruptio,* du supin de *corrumpere.* → Corrompre.

♦ **1.** (V. 1170). Didact. et vx. Altération par décomposition. ⇒ **Décomposition, pourriture, putréfaction.** *Corruption de l'eau, de l'air.* ⇒ **Empoisonnement, infection, pestilence.** *Corruption des chairs par la gangrène*.*

1   (...) je vous abandonne (...) à la corruption de votre sang, à l'âcreté de votre bile (...)
    MOLIÈRE, le Malade imaginaire, III, 5.

1.1   (...) ils étaient tailladés en morceaux, écrasés jusqu'à la moelle, bleuis sous les strangulations, ou largement fendus par l'ivoire des éléphants. Bien qu'ils fussent morts presque en même temps, des différences existaient dans leur corruption.
    FLAUBERT, Salammbô, Pl., t. I, p. 934.

♦ **2.** (Abstrait). Vieilli ou littér. Altération (du jugement, du goût, du langage, etc.). ⇒ **Abâtardissement, altération, déformation; corrompre** (I., 2.). *La corruption de la peinture, du style.* ⇒ **Décadence.** *La corruption d'une langue par des influences étrangères. Corruption d'un mot,* modification phonétique qui l'altère. *Mot employé pour un autre par corruption.* — REM. Tous ces emplois supposent un système de valeurs où la stabilité est plus appréciée que le changement, notamment que les évolutions spontanées ; l'usage moderne préfère des termes plus neutres (*changement, modification...*) ou moins péjoratifs (*altération...*).

2   La corruption de la raison paraît par tant de différentes et extravagantes mœurs (...)   PASCAL, Pensées, VII, 440.

3   C'est (*Rabelais*) un monstrueux assemblage d'une morale fine et ingénieuse, et d'une sale corruption.   LA BRUYÈRE, les Caractères, I, 43 (→ Chimère, cit. 2).

4   La délicatesse d'esprit est une corruption, longue, longue à acquérir et que ne possèdent jamais les peuples jeunes.
    Ed. et J. DE GONCOURT, Journal, p. 185.

♦ **3.** Le fait de corrompre moralement ; état de ce qui est corrompu. ⇒ **Avilissement, démoralisation, dépravation, perversion,** souillure, tare, vice. *Corruption de la conscience, du cœur. Une profonde, une intégrale corruption.* ⇒ **Pourriture.** *La corruption de la nature humaine. Corruption des mœurs** (cit. 3). ⇒ **Décadence, déliquescence, dérèglement, dissolution.** *Vivre dans la corruption.* ⇒ **Bassesse, boue** (fig.), **débauche, impureté, perversité, vice.** *Lieu de corruption.* ⇒ **Égout, pandémonium, sentine.**

5 (...) les hommes sont tout ensemble indignes de Dieu, et capables de Dieu : indignes par leur corruption, capables par leur première nature.
PASCAL, Pensées, VIII, 557.

6 La corruption des mœurs, qui peut se maintenir jusqu'à un certain point malgré l'instruction, était infiniment favorisée et accrue par l'ignorance.
FONTENELLE, le Czar Pierre.

Vieilli (au plur.). Mœurs corrompues. *« Une figure fatiguée par les corruptions parisiennes »* (Balzac, *Splendeur et misère des courtisanes,* 1844, p. 77, *in* T. L. F.).

7 Il y a deux genres de corruptions : l'un, lorsque le peuple n'observe point les lois ; l'autre, lorsqu'il est corrompu par les lois.
MONTESQUIEU, l'Esprit des lois, VI, 12.

8 L'image de la félicité ne flatte plus les hommes : la corruption du vice n'a pas moins dépravé leur goût que leurs cœurs.
ROUSSEAU, Émile, V.

9 Le germe de corruption qui était en moi s'est développé bien vite, et la gangrène a dévoré impitoyablement tout ce que j'avais de pur et de saint.
Th. GAUTIER, Mlle de Maupin, III, p. 39.

10 Les hommes sont tous pareils, enragés de vice et de corruption (...)
Alphonse DAUDET, Sapho, IV, p. 22.

♦ **4.** **a** (1373). Action de corrompre *(corruption active);* fait de se laisser corrompre *(corruption passive). Fonctionnaire convaincu de corruption et de malversation. Corruption parlementaire. Corruption d'employé; corruption de fonctionnaire* (délits spécifiques). — *Corruption de mineurs* (relevant de l'attentat aux mœurs).

b Moyens employés pour faire agir quelqu'un contre son devoir, contre sa conscience. *Employer la corruption pour détourner quelqu'un de son devoir. Tentative de corruption. Corruption de témoins.* — *La corruption électorale est un délit* (loi du 31 mars 1941). *Corruption de fonctionnaires* (crime puni par l'art. 117 du Code pénal). *Corruption d'employés* (délit puni par la loi du 16 février 1919 et l'art. 177 du Code pénal).

11 La corruption avait gagné toutes les parties de l'administration publique.
DIDEROT, Opinions des anciens philosophes (Philosophie socratique).

12 Il prétend que nous nous exagérons de beaucoup la corruption parlementaire.
J. ROMAINS, les Hommes de bonne volonté, t. II, XIV, p. 140.

CONTR. Assainissement, bonification, purification. — Amélioration, amendement, correction, édification, moralisation, perfectionnement, progrès, pureté, réformation, réforme.

CORS [kɔʀ] n. m. pl. ⇒ 1. **Cor** (I.).

CORSAGE [kɔʀsaʒ] n. m. — V. 1150; de l'anc. franç. *cors* (→ Corps), et suff. *-age.*

♦ **1.** (V. 1150). Vx. Le buste, des épaules à la ceinture, spécialement en parlant de la femme. ⇒ **Buste, poitrine,** 1. **torse.** *Elle a un superbe corsage.*

0.1 (...) les épaules rondes, le corsage plein, dont le corset tendait l'étoffe (...)
ZOLA, le Ventre de Paris, t. I, p. 57.

Absolt (littér. et par plais.). *Avoir du corsage :* avoir de la poitrine, une poitrine opulente.

0.2 Elle était vêtue à l'opulente, d'une robe de bure, avec des fonds énormes qui se plissaient et se déplissaient autour d'elle à chaque pas, le long de son corps de statue. Elle avait du corsage et elle l'agrémentait de jabots de linon.
J. GIONO, Un roi sans divertissement, p. 113.

Loc. fam. Vx. *Ni cul ni corsage :* sans forme et sans intérêt.

Mod. (en parlant des animaux). Poitrail. *Le corsage du cerf, du lévrier. « Dame Belette au long corsage »* (La Fontaine).

♦ **2.** Par anal. (en parlant d'une étoffe). Qualité, consistance. ⇒ **Corps.** *Ce tissu a du corsage.*

♦ **3.** (Av. 1778). Mod. Vêtement féminin en tissu, qui recouvre le buste. ⇒ **Basquine, blouse, canezou, caraco, casaquin, chemisette, chemisier, guimpe, jersey.** *Corsage à manches, sans manches. Corsage fermé devant, dans le dos. Corsage croisé sur la poitrine.* ⇒ **Cache-cœur.** *Corsage montant, échancré, décolleté. Corsage ajusté, baleiné, bouffant. Pattes d'épaules, empiècement d'un corsage. Bords découverts des corsages.* (→ Plein, cit. 60). *Corsage en soie, en linon, en nylon. Corsage brodé, pailleté. Assortir un corsage à une jupe. Porter un corsage sous une veste. Robe à corsage monté. Robe à jupe ample et corsage ajusté. Petit corsage de bébé.* ⇒ **Brassière.**

0.3 Leurs longues jupes, bouffant autour d'elles, semblaient des flots d'où leur taille émergeait, et les seins s'offraient aux regards dans l'échancrure des corsages.
FLAUBERT, l'Éducation sentimentale, Pl., t. II, p. 190-191.

1 Leur taille *(des femmes)* était très serrée dans des doubles corsages de drap bleu qui ressemblaient à des corselets d'insectes (...)
LOTI, Mon frère Yves, L, p. 128.

2 (...) proprement habillée d'un jupon bleu en cotonnade et d'un petit corsage rose, à fleurs. Le jupon bien plissé et retenu aux hanches par une ceinture de cuir ; le corsage, serré étroitement au buste et aux épaules.
H. BOSCO, Un rameau de la nuit, p. 148.

Vx. Partie d'un vêtement féminin couvrant le buste. *Le corsage d'une robe. Un tablier à corsage.* ⇒ **Haut** (mod.).

Rare. Vêtement de bébé couvrant le buste. ⇒ **Brassière, cache-brassière.**

CORSAIRE [kɔʀsɛʀ] n. m. — 1477; *cursaire,* 1443; ital. *corsaro;* du bas lat. *cursarius,* dér. de *cursus* «cours; course».

♦ **1.** Anciennt. Navire qui était armé en course* par des particuliers, avec l'autorisation du gouvernement. — Le capitaine qui commandait ce navire. *Jean Bart, Forbin, Surcouf sont de célèbres corsaires.* — Membre de l'équipage d'un tel navire.

1 De longue date les Bart s'étaient établis à Dunkerque pour se faire pêcheurs d'hommes, autrement dit corsaires.
MICHELET, Hist. de France, Extraits historiques, p. 248.

(1939-1945). Navire, avion chargé d'attaquer la flotte marchande de l'ennemi.

♦ **2.** Aventurier faisant la course sur mer par piraterie. ⇒ **Boucanier, écumeur** (de mer), **flibustier, forban, pirate.** *Tomber entre les mains des corsaires.* — Spécialt. *Les corsaires barbaresques qui opéraient contre les chrétiens.*

2 Ils commencèrent à se canonner, et les chrétiens semblaient avoir quelque avantage; mais un corsaire d'Alger, avec un vaisseau plus grand et mieux armé que les deux autres, arrivant au milieu de l'action, prit le parti du pirate de Tunis.
A.-R. LESAGE, le Diable boiteux, XV, p. 148.

Adj. ou par appos. (1470). *Navire corsaire, capitaine corsaire.*

♦ **3.** Fam. et vx. Homme dur et impitoyable par cupidité. ⇒ **Rapace.** *C'est un corsaire, un vrai corsaire* (→ Arabe, cit. 2).

Loc. prov. *À corsaire, corsaire et demi.*

♦ **4.** (1945). Mod. *Pantalon corsaire :* pantalon court, serré au-dessous du genou. — N. m. *Porter un corsaire à rayures.*

CORSE [kɔʀs] adj. et n. — 1684; *in* D. D. L.; du nom de la Corse, île de la Méditerranée, lat. *corsus* «qui appartient à la Corse»; *Corsi* «les Corses».

♦ **1.** Adj. De Corse, particulier à la Corse. *Populations corses. Bandits corses prenant le maquis** (bandits d'honneur). *Vengeance corse.* ⇒ **Vendetta.** *Chant funèbre corse.* ⇒ **Vocéro.** *Histoires corses. Les autonomistes corses. À la corse :* typiquement corse. *Vengeance à la corse.*

♦ **2.** N. et adj. Personne originaire de Corse. *Bonaparte, Corse de naissance. Il, elle est corse.*

Ô Corse à cheveux plats (...)
A. BARBIER, Iambes, «L'idole» (→ Cheveu, cit. 3).

N. m. et adj. Spécialt (dans le langage des royalistes). *Le Corse, l'ogre corse :* Bonaparte, Napoléon Ier.

N. m. (1840). Ling. *Le corse :* dialecte italique parlé en corse.

HOM. Formes du v. **corser.**

CORSELET [kɔʀsəlɛ] n. m. — Après 1250; dér. de l'anc. franç. *cors* (→ Corps), et suff. *-elet.*

♦ **1.** (1562). Anciennt. Cuirasse légère couvrant le buste. *Un corselet de métal, de bronze.*

♦ **2.** (1533). Anciennt. Vêtement féminin qui serre la taille et se lace sur le corsage. *Corselet de femme. Jupe à corselet.* ⇒ **Corset** (3.). *Le corselet d'un costume folklorique.*

1 Cambrée à outrance, comme elle l'était, pour accrocher son chapeau à cette patère placée très haut, elle déployait la taille superbe d'une danseuse qui se renverse, et cette taille était prise (c'est le mot, tant elle était lacée!) dans le corselet luisant d'un spencer de soie verte à franges qui retombaient sur sa robe blanche, une de ces robes du temps d'alors, qui serraient aux hanches et qui n'avaient pas peur de les montrer, quand on en avait (...)
BARBEY D'AUREVILLY, les Diaboliques, «Le rideau cramoisi».

♦ **3.** (1546). Sc. nat. Partie antérieure du thorax, chez les coléoptères, les hémiptères et les orthoptères. ⇒ **Prothorax.** *Le corselet supporte la première paire de pattes. Corselet d'abeille* (cit. 8), *de hanneton.*

2 (...) avec la même grâce naturelle que les libellules portent leur corselet de turquoise et d'or.
Léon BLOY, la Femme pauvre, I, p. 60.

3 *(Les papillons)* se laissent saisir entre le pouce et l'index — et non point par les ailes qu'on risquerait ainsi de détériorer, mais par le corselet.
GIDE, Voyage au Congo, in Souvenirs, Pl., p. 773.

4 (...) deux sous-verres servaient de prison limpide à d'énormes papillons aux ailes vertes, diaprées. Une épingle les clouait, par leur corselet, à un rectangle de carton blanc.
H. TROYAT, la Tête sur les épaules, p. 18.

Par anal. Partie antérieure du corps (de crustacés). *Corselet d'écrevisse, de homard.*

♦ **4.** Techn. Armure métallique servant à maintenir de jeunes arbres.

CORSER [kɔʀse] v. tr. — V. 1860-1870 (un ex. de Scribe, *in* P. Larousse); au p. p., v. 1820; repris du moy. franç. *corser*, 1572; *courser* «prendre, saisir au corps», 1455; de *cors*. → Corps.

♦ **1.** Donner du corps, de la consistance à (qqch.). *Corser du vin,* en y ajoutant de l'alcool. *Corser un repas,* le rendre plus copieux, plus savoureux.

Peint. *Corser un vernis,* l'épaissir.

Par ext. Rendre plus fort. *Corser un mets avec des épices.*

0.1 (...) nous achetions à pleins couffins la laide orange d'été, pour presser sa chair petite et pâle, corser son jus en le mêlant à celui du citron frais cueilli.
   COLETTE, Flore et Pomone, *in* Gigi, p. 162.

♦ **2.** Abstrait. *Corser l'action d'une pièce, l'intrigue d'un drame, d'un roman,* la renforcer, l'intensifier, en accroître l'intérêt. *Corser son récit,* le rendre énergique, ou y ajouter des détails piquants. ⇒ **Étoffer.** *Corser un dossier* (Clemenceau, 1899, *in* T. L. F.).

1 La Guillaumette scandant ses mots pour en corser l'énergie (...)
   COURTELINE, le Train de 8 h 47, p. 31.

▶ **SE CORSER** v. pron. (plus cour.).

♦ **1.** Devenir plus consistant. *Les repas se corsent.*

(En parlant d'un vin). Prendre du corps.

♦ **2.** *L'affaire, l'histoire se corse,* elle se complique, devient plus importante, plus intéressante, plus piquante.

2 (...) un vaudeville joyeux s'ébauche à la cuisine, se mue, dans la salle à manger, en pantomime sacrée, se corse d'un peu de drame au jardin, et se mouille de larmes, le soir, au coin du feu. COLETTE, la Paix chez les bêtes, Poucette, p. 30.

▶ **CORSÉ, ÉE** p. p. adj.

♦ **1.** (1819). Vx ou régional. Qui a un corps robuste.

2.1 Cet homme mince, maigre, alerte, bien corsé, toujours debout, infatigable, trempé comme l'acier et souple comme un fleuret.
   SAINTE-BEUVE, Nouveaux lundis, t. III, 1863-1869, p. 107, *in* T. L. F.

♦ **2.** (1830). Qui a plus de consistance. *Repas corsé,* plantureux, riche, bien arrosé.

Vin corsé, rendu plus fort par addition d'alcool. — (1838). *Sauce très corsée,* très relevée. — *Corsé de... :* renforcé par... *Café corsé de calvados.*

Techn. *Vernis corsé,* épais. — *Drap corsé,* qui a de l'étoffe*, qui est épais, solide.

♦ **3.** (1830, «une érudition corsée», Balzac). Vieilli. Qui a de l'importance, du «corps», de la force.

Mod. *Affaire corsée,* compliquée.

3 Pour m'introduire dans une intrigue aussi corsée, je suis décidément un peu jeune.
   GIDE, les Faux-monnayeurs, I, XIV, p. 163.

Très fort. *Critique corsée, maladie corsée.*

♦ **4.** Spécialt (plus cour.). Scabreux. ⇒ **Épicé, piquant, salé.** *Une histoire un peu corsée.*

CONTR. **Affaiblir, diminuer, édulcorer, modérer, tempérer.**

CORSET [kɔʀsɛ] n. m. — XIIIᵉ, «vêtement de dessous»; sens mod., 1829; de l'anc. franç. *cors* (→ Corps), et suff. *-et.*

♦ **1.** Hist. Partie ajustée du bliaut, couvrant le buste d'une femme. ⇒ **Corsage.**

(1924; lat. médiéval *corsetus*). Vêtement militaire en cuir ou en acier protégeant le thorax. *Corset de fer.*

Mod. Pièce qui se lace sur le corsage, dans certains costumes provinciaux. ⇒ **Corselet.** *Corset de velours des Alsaciennes.*

♦ **2.** (1821). Mod. (le mot a vieilli avec la chose, depuis les années 1950-1960). Gaine baleinée et lacée, en tissu résistant, qui serre la taille et le ventre des femmes (exceptionnellement, d'un homme). ⇒ **Ceinture, gaine.** *Corset de coutil. Lames rigides de corset. Baleines de corset.* ⇒ **Baleine** (cit. 3), busc. *Agrafe de corset. Mettre, lacer, serrer un corset. Porter un corset pour paraître plus mince, pour se tenir plus droit. La gaine élastique est souvent préférée au corset trop rigide.*

1 Alors, elle levait un peu les bras, en montrant qu'elle, dans son intérieur, ne portait pas de corset; et elle gardait son sourire, développant son torse superbe, qu'on sentait rouler et vivre, sous sa mince camisole mal serrée.
   ZOLA, le Ventre de Paris, t. I, p. 208.

2 Mᵐᵉ de Champcenais ne répond pas. Elle réfléchit aux ressorts secrets de la mode. Ce sont les hommes qui ont voulu le corset, comme tant d'autres complications et surcharges, parce qu'à ce moment-là ils avaient une idée de la femme vêtue qui s'éloignait le plus possible de la femme nue, et qui les excitait d'autant. — Et aussi, s'empresse-t-elle d'ajouter, parce que les femmes de ce temps-là avaient beaucoup d'enfants, peu d'hygiène, et devenaient vite des cascades de chair informe. J. ROMAINS, les Hommes de bonne volonté, t. I, III, p. 48.

Vx. *Corset habillé,* rembourré. *Corset à la paresseuse :* corset sans baleines porté sous l'Empire.

Vx. *Corset d'enfant :* corselet souple, à bretelles, qui porte des boutons pour attacher la culotte.

(1824). *Corset orthopédique*, corset médical,* qui maintient l'abdomen, le thorax ou redresse la colonne vertébrale. *Corset de plâtre. Corset de maintien* (⇒ **Bandage**).

♦ **3.** (1876). Arbor. Armature servant à protéger les jeunes arbres. ⇒ **Corselet.** — On dit aussi : *corset-tuteur.*

♦ **4.** Par métaphore. Se dit de ce qui enserre, opprime. *Un corset de fer.* «*La discipline est un corset plus sûr que la bonne volonté*» (H. Bazin, *in* T. L. F.).

3 Est-il impossible que le corset de fer imposé par ce qui nous éloigne de l'état animal, le degré de renoncement au plaisir que la civilisation exige, soit déplacé d'un cran? F. GIROUD, Si je mens, p. 273.

DÉR. Corsetage, corseter, corsetier.
COMP. Cache-corset.
HOM. Formes du v. corser.

CORSETAGE [kɔʀsətaʒ] n. m. — 1944, A. Arnoux, *in* T. L. F.; de *corseter.*

Vieilli.

♦ **1.** Emploi du corset dans l'habillement.

♦ **2.** Fig. Action de corseter.

CORSETER [kɔʀsəte] v. tr. — Conjug. *acheter.* — 1842, Balzac; de *corset,* et suff. *-er.*

♦ **1.** Vieilli ou méd. Revêtir d'un corset. *Sa femme de chambre achevait de la corseter.* — Pron. *Se corseter :* mettre un corset.

♦ **2.** Techn. Serrer (qqch.) par des sangles, une armature. *Corseter un arbre* (→ Corset, 3.).

♦ **3.** Fig. (Rare à l'actif). Donner un cadre rigide à...

▶ **CORSETÉ, ÉE** p. p. adj. (Plus courant).

♦ **1.** Qui porte un corset, est serré par un corset. *Cette femme est bien corsetée* (Académie).

0.1 (...) son armée, bel échantillonnage de têtes de jeu de massacre, depuis le Feldwebel au front de bœuf jusqu'à l'officier monoclé et corseté.
   M. TOURNIER, le Roi des Aulnes, p. 192.

♦ **2.** Techn. *Arbre corseté.*

Par métaphore :

0.2 (...) une capitale d'eaux et de brumes, corsetée de canaux (...).
   CAMUS, la Chute, p. 160.

♦ **3.** Placé dans un cadre rigide. *C'est un milieu, un monde corseté de principes.* ⇒ **Guindé, serré; enserré.**

1 Six heures de marche, et pendant quatre heures, ce rôle corseté de prince du mal (...) SARTRE, la Mort dans l'âme, p. 143.

2 Qu'une faute de cette dimension ait trouvé place dans un sonnet aussi corseté, voilà qui est regrettable (...) M. AYMÉ, le Confort intellectuel, III, p. 28.

3 Sa fantaisie s'en trouvait corsetée, réduite à quelques galipettes in petto, qui supportaient mal le transport. A. BLONDIN, Monsieur Jadis, p. 103.

DÉR. Corsetage.

CORSETIER, IÈRE [kɔʀsətje, jɛʀ] n. et adj. — 1842, *corsetière; corsetier,* 1845; de *corset.*

Technique.

♦ **1.** N. Personne qui fait ou vend des corsets.

♦ **2.** Adj. Qui fabrique ou vend des corsets. *Ouvrière corsetière; marchand corsetier.*

Qui a rapport aux corsets. *L'industrie corsetière.*

CORSO [kɔʀso] n. m. — 1807; ital. *corso* «grande avenue, promenade publique», et «défilé de chars lors d'une fête publique», du lat. *cursus.* → Cours.

♦ **1.** (1839). Avenue principale (d'une ville, en général en Italie), où l'on se promène. ⇒ **Cours.** *Être au, sur le corso.*

1 Le grand corso qui traversait la ville était comme un théâtre où roulaient tout le jour les flots d'une population futile, légère, changeante, émeutière, parfois spirituelle, occupée de chansons, de parodies, de plaisanteries et d'impertinence.
   Jean D'ORMESSON, la Gloire de l'empire, I, p. 193.

♦ **2.** Par métonymie. Promenade en va-et-vient (sur un corso, etc.). *Faire le corso.*

♦ **3.** (1846). Cour. Défilé de chars, lors d'une fête. *Un corso fleuri.*

2 Lavinia était nue sous son caraco et son jupon. C'était une très belle fille déjà célèbre à Turin pour sa beauté. À chaque corso on venait la demander à Mᵐᵉ la duchesse pour personnifier Diane, ou la Sagesse ou même l'archange Michel.
   J. GIONO, le Hussard sur le toit, p. 217.

CORTAILLOD [kɔʀtajo] n. m. — 1848; *courtailloux,* 1804; de *Cortaillod,* nom d'une commune du canton de Neuchâtel.

♦ Vin de la région de Cortaillod, en Suisse. *Du cortaillod, une bouteille de cortaillod.*

CORTÈGE [kɔʀtɛʒ] n. m. — 1622 ; ital. *corteggio* « suite de personnes qui accompagnent un personnage important pour lui rendre hommage » ; de *corteggiare* « accompagner un personnage important pour lui rendre hommage », de *corte* « cour ».

◆ **1.** (1622). Suite de personnes qui en accompagnent une autre pour lui faire honneur dans une cérémonie. ⇒ **Défilé, escorte, procession, suite, théorie.** *Cortège entourant un haut personnage.* ⇒ **Appareil, état-major** ; et aussi **cour.** *Cortège funèbre. Cortège nuptial* (cit. 2). *Cortège brillant, joyeux, tumultueux* (→ Agacerie, cit. 4). *La tête, les files du cortège. Être du cortège. Grossir le cortège. Faire cortège à quelqu'un.* — *Se former en cortège. Marcher en cortège.* — *Le cortège se met en marche, s'ébranle* (→ Bête, cit. 9), *défile. Couper le cortège. Le cortège se désagrège.*

1 Le cortège, d'abord uni comme une seule écharpe de couleur, qui ondulait dans la campagne (...) s'allongea bientôt et se coupa en groupes différents, qui s'attardaient à causer. FLAUBERT, Mᵐᵉ Bovary, I, IV, p. 23.

2 (...) un frémissement houleux fit brusquement osciller le cortège. MARTIN DU GARD, les Thibault, t. VII, p. 63.

◆ **2.** Groupe (de personnes) qui suit quelqu'un ou quelque chose (sans intention de lui faire honneur). *Un cortège d'enfants.* ⇒ **Ribambelle.** *Cortège de carnaval.* ⇒ **Cavalcade.**

Par métaphore (littéraire) :

3 Et quand la nuit, guidant son cortège d'étoiles, Sur le monde endormi jette ses sombres voiles (...) LAMARTINE, Premières méditations, « La prière ».
Fig. *Les infirmités sont le cortège de la vieillesse,* elles l'accompagnent naturellement.

◆ **3.** (1674). Groupe organisé qui avance. ⇒ **Défilé, procession.** *Un cortège d'étudiants, de réfugiés.*
(1903). Cyclisme. Groupe de coureurs.

◆ **4.** (Choses). **a** Littér. Suite (de choses) évoquant un cortège. « *Un cortège d'images imprécises* » (Duhamel, *in* T. L. F.).

b Phys. *Cortège d'électrons, cortège électronique :* ensemble des électrons qui gravitent autour du noyau.

c Mus. *Cortège d'harmoniques :* ensemble ou suite de sons produits en même temps qu'un son fondamental.

DÉR. **Cortéger.**
HOM. Formes du v. **cortéger.**

CORTÉGER [kɔʀteʒe] v. tr. — Conjug. *céder* et *bouger.* — V. 1650 ; de *cortège.*

◆ Rare. Accompagner en cortège (Chateaubriand, Goncourt, Bourget, *in* T. L. F.).

CORTÈS [kɔʀtɛs] n. f. pl. — 1519, *in* D.D.L. ; mot esp., plur. de *corte* « cour ».

◆ Assemblée représentative (en Espagne, au Portugal). ⇒ **Assemblée.**

CORTEX [kɔʀtɛks] n. m. — 1896, *in* D. D. L. ; mot lat. « écorce ».
Anatomie.

◆ **1.** Partie externe périphérique *(cortex cérébral, rénal).* — Absolt. *Le cortex :* l'écorce cérébrale. ⇒ **Cortical.** *Cortex surrénal.* ⇒ **Cortico-surrénal.**

◆ **2.** Partie externe (d'organes végétaux ou animaux) qui a une structure concentrique.

CORTICAL, ALE, AUX [kɔʀtikal, o] adj. — Fin xvᵉ ; dér. sav. du lat. *cortex, -icis* « écorce ».

◆ **1.** Bot. Qui appartient à l'écorce. *Couches corticales.*

◆ **2.** Anat. Relatif à la partie externe des organes, et, spécialt, au cortex. *Substance corticale du cerveau :* substance externe et grise qui enveloppe la substance blanche, dite *médullaire. Cellules corticales.*

◆ **3.** (xxᵉ). *Hormones corticales,* sécrétées par la cortico-surrénale.
COMP. **Sous-cortical.**

CORTICI-, CORTICO- Élément tiré du lat. *cortex, -icis* « écorce », et servant à former principalement des termes de médecine, au sens de « relatif au cortex ».

CORTICICOLE [kɔʀtisikɔl] adj. — 1846, Bescherelle ; de *cortici-,* et *-cole.*

◆ Biol. Se dit d'un organisme qui vit dans l'écorce des arbres.

CORTICIPÈTE [kɔʀtisipɛt] adj. — 1912 ; de *cortici-,* et *-pète.*

◆ Méd. Qui se dirige vers le cortex cérébral.

CORTICOÏDES [kɔʀtikɔid] n. m. pl. — 1956 ; du lat. *cortex, -icis,* et suff. *-oïde.*

◆ Biol. Hormones sécrétées par le cortex des glandes surrénales (⇒ **Cortico-surrénal**). *Traitement aux corticoïdes.* — Adj. *Hormones corticoïdes.*
Produits similaires aux corticoïdes, obtenus par synthèse.

CORTICO-MÉDULLAIRE [kɔʀtikomedylɛʀ] adj. — 1925 ; de *cortico-,* et *médullaire.*

◆ Méd. Relatif au cortex cérébral et à la moelle épinière.

CORTICOSTÉROÏDE [kɔʀtikosteʀɔid] n. m. — Mil. xxᵉ ; de *cortico-,* et *stéroïde.*

◆ Biochimie. **a** Hormone produite par la partie corticale de la glande surrénale. *Les corticostéroïdes.*

b Dérivé synthétique de ces hormones.

CORTICO-SURRÉNALE [kɔʀtikosy(ʀ)ʀenal] n. f. et adj. — 1938, *in* D. D. L. ; de *cortico,* et *surrénale.*

◆ **1.** N. f. Anat. Périphérie de la glande surrénale *(cortex)* dont les hormones sont des régulateurs du métabolisme.
Le virilisme (...) se rencontre surtout lors de certaines affections de la corticosurrénale. Pierre REY, les Hormones, p. 124.

◆ **2.** Adj. Relatif au cortex surrénal. *Hormones cortico-surrénales.* ⇒ **Corticoïdes,** 2. **cortine** (cit.), **cortisone.** — *Fonctions corticosurrénales.*
On écrit aussi : *corticosurrénale.*

CORTICOTHÉRAPIE [kɔʀtikoteʀapi] n. f. — 1959 ; de *cortico-,* et *-thérapie.*

◆ Méd. Emploi thérapeutique des hormones cortico-surrénales, notamment de la cortisone.

CORTICOTROPE [kɔʀtikotʀɔp] adj. — 1964 ; de *cortico-,* et *-trope.*

◆ Méd. Qui agit sur le cortex des capsules surrénales.

CORTICOTROPHINE [kɔʀtikotʀofin] n. f. — Mil. xxᵉ ; de *cortico-,* et *trophine.*

◆ Chim., biol. Hormone sécrétée par le lobe antérieur de l'hypophyse, qui règle la sécrétion des hormones de la cortico-surrénale.

CORTILE [kɔʀtile] n. m. — 1918 ; empr. à l'ital. *cortile,* du bas lat. **cohortile.* → Courtil.

◆ Didact. (arts). Cour intérieure, découverte, donnant de l'air et de la lumière aux pièces intérieures de la maison, en Italie. — REM. Le mot se prononce en général à l'italienne et son plur. n'est pas francisé : *des cortili,* ou, invar., *des cortile.*

CORTINAIRE [kɔʀtinɛʀ] n. m. — 1816, *in* D. D. L. ; de 1. *cortine* (2.).

◆ Bot. Genre de champignons comportant une cortine et dont les feuillets deviennent bruns quand le champignon grandit. *Cortinaire violet, à pied courbe. Certains cortinaires sont comestibles.*

1. CORTINE [kɔʀtin] n. f. — 1575 ; *courtine,* 1553 ; lat. *cortina* « vaisseau rond, chaudière », d'où « cuve que portait le trépied d'Apollon ».
Didactique.

◆ **1.** Archéol. Récipient rond, chaudron (dans l'Antiquité).
(1553). Trépied consacré à Apollon, et surmonté d'un tel récipient.

◆ **2.** (1824). Bot. (par anal. de forme). Ensemble de filaments formant une membrane qui réunit le bord du chapeau à la partie supérieure du pied de certains genres de champignons.
DÉR. **Cortinaire.**
HOM. 2. **Cortine.**

2. CORTINE [kɔʀtin] n. f. — 1958 ; angl. *cortin,* formé sur le rad. de *cortex.*

◆ Méd. Hormone cortico-surrénale.
L'hormone corticosurrénale ou *cortine* n'est connue que depuis quelques années. Le premier extrait actif a été préparé en 1928 ; actuellement, grâce aux travaux

de Kendall et de Richter, on a isolé de l'écorce surrénale une série de corps de formules chimiques voisines, dont cinq ont une activité hormonale. Le plus important est la *corticostérone*. La cortine n'est donc pas une hormone déterminée, mais plutôt un complexe hormonal. Pierre REY, les Hormones, p. 21.

HOM. 1. Cortine.

CORTISOL [kɔRtisɔl] n. m. — Après 1950 ; du rad. de *cortici-, cortico*, et *-sol*.

♦ Biol. Principale hormone cortico-surrénale. « *Il est apparu que l'administration de cortisol permettait de rétablir l'équilibre (...) du malade* (dans certains cas d'intersexualité somatique)» (*la Recherche*, juin 1970, p. 121).

CORTISONE [kɔRtizɔn] n. f. — 1950 ; angl. *cortisone*, du rad. de *cortex*, et *(horm)one*.

♦ Cour. Hormone du cortex surrénal, employée en thérapeutique, pour son action anti-inflammatoire et antiallergique.

(Ce lupus) moins spectaculaire, était aussi moins curable malgré la cortisone qui, depuis quelque temps, faisait des miracles. Hervé BAZIN, Qui j'ose aimer, 11, p. 97.

DÉR. Cortisonique.

CORTISONIQUE [kɔRtizɔnik] adj. — 1965 ; de *cortisone*.

♦ Didact. De la cortisone. *Les dérivés cortisoniques*.

CORTON [kɔRtɔ̃] n. m. — 1861, *in* D. D. L. ; du nom d'une colline voisine de *Aloxe-Corton*, village de la Côte-d'Or.

♦ Vin rouge très renommé de Bourgogne. ⇒ **Bourgogne**. « *Le corton d'Aloxe* » (E. Cadol, 1861). *Une bouteille de corton*.

CORUSCANT, ANTE [kɔRyskɑ̃, ɑ̃t] adj. — 1507 ; repris XIXe ; lat. *coruscans* «brillant», p. prés. de *coruscare* «étinceler».

♦ Littér. et rare. Brillant*, éclatant. *Lumière coruscante*.

1 Nous couchions dans des lits de tôle ornés de bouquets coruscants, peints sur fond noir par des artistes ingénus. G. DUHAMEL, Biographie de mes fantômes, VII, p. 131.

2 Alors, tandis que le grondement de la pluie redoublait sur les feuillages et que tout semblait vouloir se dissoudre dans la nuée vaporeuse qui montait du sol, il vit se former à l'horizon un arc-en-ciel plus vaste et plus coruscant que la nature seule n'en peut créer. M. TOURNIER, Vendredi..., p. 31.

REM. On trouve aussi la forme *coruscanté*.

3 Il (*Barbey d'Aurevilly*) a ses ennemis, qui n'ont d'yeux que pour l'excès, l'enflure, la *phrase*, coruscantée et cambrée sur son busc. J. GRACQ, Préface des Diaboliques, de BARBEY D'AUREVILLY.

CORUSCATION [kɔRyskasjɔ̃] n. f. — Fin XIIIe-déb. XIVe ; bas lat. *coruscatio* «action de briller, éclair», de *coruscare* «étinceler». → Coruscant.

♦ Littér. et rare. Vif éclat de lumière. *La coruscation d'un météore*.

Le bateau en route vers le sud. Devant lui l'immense système stellaire d'Orion. Mon étoile ! Non pas une étoile seulement mais la coruscation au troisième étage du ciel de ce corps fait de feux. CLAUDEL, Journal, janv. 1917.

CORVÉABLE [kɔRveabl] adj. — 1594, *in* D. D. L. ; lat. médiéval *corveabilis*, du lat. médiéval *corvea* ou *corvata*. → Corvée.

♦ **1.** Dr. anc. (Rare, sauf dans la loc. corvéable à merci. → Merci, cit. 8.1). Assujetti à la corvée. ⇒ aussi **Taillable**.

1 Nous étions la gent corvéable, taillable et tuable à volonté, nous ne sommes plus qu'incarcérables. P.-L. COURIER, I, 164.

N. (*Un, une corvéable*). *Les corvéables*.

♦ **2.** Fig. Se dit d'une personne dont on abuse en l'obligeant de faire toutes sortes de corvées.

2 Gustin profita d'un arrêt et des remous qui s'ensuivirent pour se glisser dans le couloir et s'emparer d'une place assise. Il fut éveillé à Valence par de tristes êtres qui poussaient devant eux une vieille chose ; à l'habit de Gustin ils le jugeaient corvéable à merci et comptaient sur lui pour qu'il fît place à la chose emmitouflée. Jacques LAURENT, les Bêtises, p. 28.

CORVÉE [kɔRve] n. f. — XIIe, *corovée* ; cf. lat. médiéval *corvea* (1265), *corvata* ; du lat. pop. *corrogata (opera)* «travail sollicité», de *corrogare* «solliciter», de *co- (cum)*, et *rogare* «demander».

♦ **1.** (V. 1170). Dr. anc. Travail gratuit que les serfs, les roturiers devaient au seigneur. *Être astreint à la corvée*. ⇒ **Corvéable**. *Corvée réelle* : corvée liée au fonds. *Corvée personnelle* : corvée liée au lieu de résidence. *Corvée à merci* : corvée laissée à la discrétion du seigneur. *Corvée publique* : corvée due au souverain ; *corvée particulière*, due au seigneur.

1 On distinguait la corvée particulière ou seigneuriale due spécialement par les serfs mais aussi par les vilains d'ordinaire au profit du seigneur, et la *corvée publique* ou *royale* due au souverain. (*Celle-ci*) consiste surtout en une obligation pour les roturiers (*corvée personnelle*) ou les propriétaires de terres roturières (*corvée réelle*)

de fournir leur travail pour l'exécution de certains travaux publics, spécialement les chemins. LEPOINTE, Voc. d'hist. du droit franç., Corvée.

2 Sa femme, ses enfants, les soldats, les impôts,
Le créancier et la corvée,
Lui font d'un malheureux la peinture achevée. LA FONTAINE, Fables, I, 16.

3 (...) dans les anciens temps, lorsqu'on voulait forcer le pauvre monde à payer la taille et à faire la corvée, contrairement aux termes de la loi, qui était déjà bien assez dure, telle qu'on l'avait donnée. G. SAND, la Petite Fadette, XXII, p. 156.

Spécialt. Travail pour l'entretien des chemins. ⇒ **Prestation**.

Régional (Suisse rurale). Travaux en groupe obligatoires, dans une communauté. *Corvée communale, bourgeoisiale ; la corvée d'un alpage communautaire*. — Ensemble des personnes participant à ces travaux.

3.1 Et, comme la maison d'école appartient à tout le monde, il s'agissait aussi que tout le monde participât à ce travail (*la reconstruire*), d'où ces corvées organisées ; chaque habitant devait tant de jours de travail ou verser une somme d'argent équivalente. C.-F. RAMUZ, la Guerre dans le Haut-Pays, Œ. compl., t. VI, p. 129.

♦ **2.** (1835). Mod. Travail que font à tour de rôle les hommes d'un corps de troupe, et, par anal., les membres d'une communauté. ⇒ **Besogne, service, travail**. *Une corvée ennuyeuse, fastidieuse, pénible. Corvée de vivres. Corvée d'eau. Corvée de patates* : épluchage des pommes de terre. *Corvée de quartier. Tenue de corvée. Être de corvée*. — Fam. *S'allonger, s'appuyer une corvée*. — *Hommes de corvée*.

4 (...) quelques légionnaires descendus au méchouar pour les corvées quotidiennes de ravitaillement. P. MAC ORLAN, la Bandera, XII, p. 137.

4.1 Des jeunes filles au teint frais font la corvée d'eau du matin (car l'eau est le grand problème des Isles Fortunées). La taille cambrée et le port noble, elles marchent sans gêne aucune, portant sur la tête les récipients les plus variés, qui vont du plus classique pot de terre au moderne baril de tôle ondulée. Alain BOMBARD, Naufragé volontaire, p. 144.

Loc. *Corvée de bois* : exécution sommaire d'un prisonnier emmené pour un simulacre de corvée de ramassage de bois et dont on prétendait qu'il avait tenté de s'évader.

4.2 Aujourd'hui, ce garçon me donne, de ce que les Algériens appellent « la corvée de bois », telle que la civils la pratiquent une version nouvelle pour moi (et atroce). F. MAURIAC, le Nouveau Bloc-notes 1958-1960, p. 36.

Mar. Service imposé à une partie de l'équipage. *La corvée d'équipage*.

Par ext. Ensemble des personnes qui accomplissent une corvée. *La corvée de soupe vient d'arriver*.

4.3 Après la soupe, une corvée balayait la chaussée, ponçait et remisait les roulantes (...) Francis CARCO, les Belles Manières, p. 104.

Rare. Homme de corvée ; spécialt, soldat chargé de toucher la subsistance (3., b).

4.4 Les corvées nous servirent avec une attention extrême, supervisées par le prince, dont le tablier écru n'était pas de toute fraîcheur, suivi de son chien la truffe à la couture du pantalon de son maître. Georges BORGEAUD, le Voyage à l'étranger, I, p. 107.

♦ **3.** (V. 1460). Fig. Obligation ou travail pénible, inévitable et sans intérêt. *Quelle corvée ! Je me serais bien passé de cette corvée. Corvées domestiques, ménagères* : travaux du ménage. *C'est une corvée pour moi. C'est lui, c'est elle qui fait, qui se tape, qui se farcit toutes les corvées*.

5 Le genre de malheur que porte dans l'âme un amour contrarié, fait que toute chose demandant de l'attention et de l'action devient une atroce corvée. STENDHAL, la Chartreuse de Parme, II, p. 468.

6 Mais il cherchait des prétextes pour esquiver ce qui avait l'air d'être une corvée à ses yeux. J. ROMAINS, les Hommes de bonne volonté, t. V, XXVI, p. 244.

♦ **4.** Régional (Canada). Travail en commun, entre voisins ou amis, occasionnel et gratuit.

♦ **5.** Argot de métier. Travail peu important (en serrurerie, par exemple).

CONTR. Amusement, plaisir (partie de).

CORVETTE [kɔRvɛt] n. f. — 1476 ; orig. incert. ; soit du moy. néerl. *corver* «bateau chasseur» ; soit de *corve, corbe* «bateau de pêche» ; soit enfin (P. Guiraud) de *corve, corbe* du lat. *curvus* «courbe», d'où *corvette* «bateau arrondi», avec un croisement avec le lat. *corbita* «vaisseau de transport», senti comme «bateau aux flancs arrondis».

Marine.

♦ **1.** Ancient. Navire de guerre intermédiaire entre le brick et la frégate.

(...) c'était une corvette un peu ancienne, un peu fatiguée de courir, qui avait encore de grande voiles comme jadis et s'en allait, pour la dernière fois de sa vie, en station dans les mers de Chine. LOTI, Matelot, XXXVIII, p. 150.

Loc. *Capitaine* de corvette.

♦ **2.** Petit bâtiment d'escorte de la guerre 1939-1945, utilisé dans la lutte contre les sous-marins.

CORVICIDE [kɔRvisid] n. m. — D. i. ; dér. du rad. du lat. *corvus* «corbeau», et *-cide*.

♦ Didact. Substance ou préparation ayant la propriété de tuer les corbeaux, les corneilles et les oiseaux analogues.

CORVIDÉS [kɔʀvide] n. m. pl. — 1838; du lat. *corvus* «corbeau», et *-idé(s)*.

♦ Zool. Famille d'oiseaux passériformes *(Passereaux)* au bec plus ou moins épais, un peu arqué, avec échancrure vers la pointe, et dont le type est le corbeau. *Les corvidés comprennent des oiseaux grands et robustes, les uns omnivores, les autres frugivores* ou *carnivores. Types principaux de corvidés.* ⇒ **Choucas, corbeau, corneille, freux, geai, pie.** — Au sing. *Un corvidé.*

REM. Une partie des Corvidés (corneilles, freux) est usuellement nommée *corbeau**.

CORVIFUGE [kɔʀvifyʒ] adj. et n. m. — 1974, in *la Clé des mots*; dér. du rad. du lat. *corvus* «corbeau», et *-fuge*.

♦ Didact. Qualifie un produit capable d'éloigner les corbeaux.

CORYBANTE [kɔʀibɑ̃t] n. m. — 1512; *coribante*, après 1450; *corybant*, 1605; *coryban*, v. 1375; du grec *korubas, -antos*.

♦ Antiq. grecque. Prêtre de la déesse Cybèle.
(...) ces danses sacrées (...) que les Corybantes exécutaient en Crète et en Phrygie. Armés de lances et de boucliers, ils se livraient à des gesticulations frénétiques, images indiscutables de la guerre, et qui, très probablement, furent les ancêtres de la Pyrrhique. F. de MIOMANDRE, Danse, Introd., p. 8.

CORYDALIS [kɔʀidalis], **CORYDALE** [kɔʀidal] n. — 1704, *corydalis; corydale*, 1829; bas lat. *corydallus, corydalis* «alouette huppée».

♦ **1.** N. m. Bot. Plante vivace *(Fumariacées)* à fleurs jaunes, blanches ou roses dont un pétale a la forme d'un éperon. — Plus souvent : *un corydalis.*

♦ **2.** N. f. (1829, *corydale; corydalis*, 1900). Zool. Insecte névroptère à grandes ailes grises, à mandibules développées en forme de faux, volant la nuit, et que l'on trouve en Amérique du Nord. — Plus souvent : *une corydale.*

CORYDONIEN, IENNE [kɔʀidɔnjɛ̃, jɛn] adj. — 1925; dér. du lat. *Corydon, -onis*, grec *Korudon*, nom de berger chez les poètes bucoliques (Virgile).

♦ Littér. Qui a les caractéristiques du berger grec antique.
(Par allus. au *Corydon* de Gide). Relatif à l'homosexualité masculine.

CORYLACÉES [kɔʀilase] n. f. pl. — D. i.; du lat. bot. *corylus* «noisetier» (du grec *korus* «capuchon», à cause de l'involucre qui protège le fruit), et suff. *-acées*.

♦ Bot. Famille de plantes arbustives dicotylédones apétales (ordre des *Fagales**), à fleurs réunies en chatons et à feuilles caduques, dont le noisetier *(Corylus)* est le type. — Au sing. *Une corylacée.*

CORYLOPSIS [kɔʀilɔpsis] n. m. — 1845, *corylopse*; du lat. sc. *corylopsis*, du lat. class. *corylus* «noisetier», et du grec *opsis* «apparence extérieure d'une chose».

♦ Bot. Arbrisseau originaire d'Asie *(Hamamélidacées)* dont les feuilles rappellent celles du noisetier, et qui est cultivé en Europe comme arbuste d'ornement (→ 1. Coqueret, cit.).

CORYMBE [kɔʀɛ̃b] n. m. — XIVᵉ; lat. impérial *corymbus* «grappe de lierre»; grec *korumbos* «sommet, extrémité supérieure d'une chose».

♦ **1.** Bot. Inflorescence dans laquelle les pédicelles (de longueur inégale) s'élèvent en divergeant de sorte que leurs fleurs se trouvent sur un même plan. *Fleurs de lierre en corymbe.*
(...) cet arbuste auprès duquel je me suis baigné avant-hier. Corymbe de petites fleurs blanc rosé, quadrilobées autour d'une fine tubulure. GIDE, Voyage au Congo, *in* Souvenirs, Pl., p. 794.

♦ **2.** (1545). Antiq. grecque. Coiffure où les cheveux relevés sont rattachés au sommet de la tête par une aiguille, un bandeau.
COMP. Corymbifère.

CORYMBIFÈRE [kɔʀɛ̃bifɛʀ] adj. — D. i.; du lat. *corymbus* (→ Corymbe), et *-fère*.

♦ Bot. Qui porte un corymbe. — N. m. pl. Vx. *Les Corymbyfères* : les composées.

CORYPHÉE [kɔʀife] n. m. — 1556; grec *koruphaios*, de *koruphê* «tête».

♦ **1.** (1578). Chef du chœur, dans les pièces du théâtre antique.

Elle chante avec lui *(le chœur)*, porte la parole pour lui, et fait enfin les fonctions de ce personnage des anciens chœurs qu'on appelait le coryphée. RACINE, Athalie, Préface.

(1754). Chef de chœur ou de ballet dans l'opéra moderne.
Je ne dis pas que le rôle d'*Achille*, que prend ordinairement le coryphée du théâtre, soit inférieur à celui d'*Agamemnon* (...) E. DELACROIX, Journal, 21 oct. 1854.

♦ **2.** (1556). Celui qui se distingue le plus, qui tient le premier rang (dans un parti, une secte, une société). *Être le coryphée d'une doctrine, d'une école.* ⇒ **Chef, guide.** *On a longtemps qualifié Staline de «coryphée du socialisme».*

♦ **3.** Danse. Troisième échelon dans la hiérarchie du corps de ballet de l'Opéra de Paris.
REM. La var. *choryphée* est archaïque.

CORYPHÈNE [kɔʀifɛn] n. m. — 1798; grec *koruphaina*.

♦ Zool. Poisson aux couleurs métalliques vivant dans les mers chaudes. ⇒ **Daurade.**

CORYSTE [kɔʀist] n. m. — 1802; grec *korustes* «(guerrier) armé d'un casque»; de *korus* «casque».

♦ Zool. Crabe des mers d'Europe, à carapace étroite et longue dont la partie antérieure est prolongée d'une pointe rostrale.
HOM. Choriste.

CORYZA [kɔʀiza] n. m. — XIVᵉ, *coryse; corysa*, 1655; grec *koruza* «écoulement nasal».

♦ Méd. Inflammation de la muqueuse des fosses nasales, dite couramment *rhume de cerveau. Attraper un coryza. Coryza allergique. Des coryzas.*

COSAQUE [kɔzak] n. m. et adj. — 1578; polonais *kozak*, lui-même emprunté aux langues turques par l'intermédiaire de l'ukrainien *kozak*.

★ **I.** N. ♦ **1.** Géogr. Membre d'une population du sud-est de la Russie (Dniepr, Don), descendant de nomades guerriers. *Chef des Cosaques d'Ukraine.* ⇒ **Atman, hetman.** *Les Cosaques Zaporogues.*

♦ **2.** Hist. et cour. Cavalier* de l'armée russe. *Une sotnia, troupe de cent cosaques.*

♦ **3.** (XIXᵉ). Vx. *C'est un cosaque*, une brute. *Espèce de cosaque !*

★ **II.** Adj. ♦ **1.** Qui est caractéristique des Cosaques. *Toque cosaque. Danses cosaques.*

♦ **2.** (XIXᵉ). Fig. et vx. Brutal, violent. *À la cosaque :* brutalement. ⇒ **Hussard** (à la hussarde).

COSÉCANTE [kosekɑ̃t; kɔsekɑ̃t] n. f. — 1708; de *co-*, et *sécante.*

♦ Math. Ligne trigonométrique, l'inverse du sinus* (abrév. : *cosec*). *La cosécante d'un angle (d'un arc) est la sécante de son complément.*

COSIGNATAIRE [kosiɲatɛʀ; kɔsiɲatɛʀ] n. et adj. — 1876, de *co-*, et *signataire.*

♦ Dr., admin. Une des personnes qui signent en commun un acte. *Les cosignataires d'un contrat.*
REM. Le verbe *cosigner* «signer (un document) à plusieurs», et le nom féminin *cosignature* «signature (d'un document) à plusieurs», sont plus rares que *cosignataire*. «*Un metteur en scène (qui a cosigné la régie de* la Flûte enchantée)» (le Figaro, 1ᵉʳ oct. 1974).
Attention, Ted... Toi et moi, on cosignera désormais les paroles avec les auteurs (...) Jacqueline MONSIGNY, le Miroir aux pingouins, p. 122.

COSINUS [kɔsinys] n. m. — 1754; *co-sinus*, 1717; de *co-*, et *sinus.*

♦ Math. Fonction faisant correspondre à l'angle de deux axes la mesure de la projection orthogonale sur l'un, d'un vecteur unitaire porté par l'autre. *Le cosinus d'un angle est égal au sinus* de l'angle complémentaire* (⇒ **Trigonométrie**). *Des cosinus. Fonction cosinus*, qui à un nombre réel fait correspondre le cosinus de l'angle dont ce nombre est la mesure. — *Cosinus hyperbolique**.

-COSME Suffixe tiré du grec *kosmos* «monde». ⇒ **Cosmo-, macrocosme, microcosme.**

COSMÈTE [kɔsmɛt] n. m. — 1845, Bescherelle; grec *kosmetes*, de *kosmos* «ordre». → Cosmo-.

♦ Didact. Dans l'Antiquité grecque, Magistrat ayant la charge de surveiller les gymnases.

Antiq. rom. Esclave chargé de la garde-robe de ses maîtres.

COSMÉTICIEN, IENNE [kɔsmetisjɛ̃, jɛn] n. — Mil. XXᵉ ; du rad. de *cosmétique*.

♦ Techn. Fabricant de produits cosmétiques. *« Certains cosméticiens célèbres pour la sophistication de leur gamme, axent leurs toutes nouvelles campagnes sur le bon vieux savon »* (*l'Express*, 14 nov. 1977).

COSMÉTIQUE [kɔsmetik] adj. et n. m. — 1555 ; *commatique*, 1363 ; grec *kosmêtikos* « relatif à la parure », de *kosmos*. → Cosmo-.

♦ **1.** Didact. Qui est propre aux soins de beauté (de la peau, des cheveux). *Pommade cosmétique. La laque, les fards à cils, le fond de teint, le rouge à lèvres sont des produits cosmétiques.* ⇒ **Fard** (1.).

1   N'est-ce pas là le but de ces parures, de ces fards, de ces bains, de ces frisures, de ces parfums, de ces odeurs, et enfin de toutes ces préparations cosmétiques, qui servent à embellir, à peindre ou à déguiser le visage, les yeux et la peau ?   Trad. d'ÉRASME (par THIBAULT DE LAVEAUX, 1780), Éloge de la folie, p. 26.

1.1   (...) le fait absolument nouveau, commun à tous les pays d'Europe occidentale, c'était l'augmentation foudroyante du nombre des hommes comme consommateurs de produits cosmétiques.   Jean-Louis CURTIS, le Roseau pensant, p. 184.

N. m. (1690). Produit cosmétique. *Cosmétique liquide, solide.*

1.2   Deux ou trois planches sur lesquelles on met des pots de rouge, de blanc, de bleu, de pommades, de pâtes, de savons, d'essences, d'huiles antiques, de poudres, d'opiat, de gomme, et une infinité d'autres cosmétiques.   Ch. PAUL DE KOCK, la Grande Ville, t. I, p. 357.

♦ **2.** N. m. (Mil. XIXᵉ). Plus cour. Produit servant à fixer et lustrer la chevelure. *Cosmétique à base de cire*. Cosmétique pour lustrer les cheveux, les cils, la barbe* (⇒ vx **Bandoline, brillantine, gomina, huile, laque**).

2   Ses cheveux, qu'il garde assez longs, et qu'il peigne soigneusement, en les fixant par un peu de cosmétique (...)   J. ROMAINS, les Hommes de bonne volonté, t. II, I, p. 5.

♦ **3.** N. f. Didact. Vx. Partie de l'hygiène qui traite de la préparation et de l'usage des cosmétiques. ⇒ **Cosmétologie.**

DÉR. Cosméticien, cosmétiquer, cosmétologie.

COSMÉTIQUER [kɔsmetike] v. tr. — 1876 ; de *cosmétique*.

♦ Rare. Enduire de cosmétique. — Pron. *Se cosmétiquer les cheveux.* Au participe passé :

(...) et sa forte moustache blonde, très cosmétiquée, sa face large et pâle, lui donnaient l'air d'un mousquetaire malade.   Alphonse DAUDET, Jack, t. I, p. 44.

COSMÉTOLOGIE [kɔsmetɔlɔʒi] n. f. — 1845 ; de *cosmé(tique)*, et *-logie*.

♦ Didact. Étude de ce qui a trait aux produits cosmétiques (composition, fabrication et mode d'emploi). ⇒ **Cosmétique** (3.).

DÉR. Cosmétologue.

COSMÉTOLOGUE [kɔsmetɔlɔg] n. — 1970 ; de *cosmétologie*.

♦ Didact. Spécialiste de la cosmétologie.

(...) par la mise à la disposition du cosmétologue d'excipients nouveaux aux possibilités pratiquement illimitées.   Charles BOURGEOIS, Chimie de la beauté, p. 6.

COSMICIEN, IENNE [kɔsmisjɛ̃, jɛn] n. m. — 1964 ; de *cosmique*.

♦ Didact. et rare. Spécialiste de l'astronautique ou de l'astrophysique. ⇒ **Astro-physicien.**

COSMICITÉ [kɔsmisite] n. f. — 1957 ; dér. du rad. de *cosmique*, et *-ité*.

♦ Didact. Caractère de ce qui est cosmique.

COSMIQUE [kɔsmik] adj. — V. 1380 ; grec *kosmikos*, de *kosmos*. → Cosmo-.

♦ **1.** Philos. De l'univers matériel. ⇒ **Universel.** *Espaces cosmiques. Matières cosmiques* : matière dont se forment les mondes.

1   Pour donner une idée du rôle que peut jouer la matière cosmique répandue dans les espaces interplanétaires (...)   L. FIGUIER, l'Année scientifique et industrielle 1883, p. 17 (1882).

Qui concerne l'univers physique, le monde extérieur.

2   Quant à moi, qui ne suis pas un auteur « cosmique », et qui m'y résigne, je ne me sens pas à l'étroit dans ce monde intérieur, j'ai mes raisons de m'y trouver heureux.   F. MAURIAC, le Nouveau Bloc-notes 1958-1960, p. 213.

♦ **2.** (1863). Plus cour. Du monde extra-terrestre, du cosmos en

tant qu'espace à parcourir. *Les corps cosmiques.* ⇒ **Astral, céleste.** *Vaisseau cosmique.* ⇒ **Spatial.** *Voyage cosmique.* ⇒ **Interplanétaire, interstellaire.**

Je suis devenu, brusquement, beaucoup plus vieux que toi, depuis ces histoires   3
d'ère atomique, de vaisseaux cosmiques, et de temps qui court si vite.   P. GUTH, Lettre ouverte aux Idoles, Dutronc, p. 80.

Influences cosmiques (sur la Terre). ⇒ **Astral, sidéral.**

♦ **3.** Astron. **a** *Lever, coucher cosmique d'une étoile :* lever ou coucher d'une étoile dans le soleil levant et qui, de ce fait, ne peut être observé mais seulement calculé (opposé à *acronyque**).

b *Rayons cosmiques :* rayonnement de grande énergie, étudié sur terre par ses effets ionisants sur les atomes de l'atmosphère, et d'origine cosmique inconnue.

♦ **4.** (1862, *amour cosmique*, Hugo). Littér. Infini, universel ; extrêmement important.

Autour de moi tout était accablant de haine et d'ennui. Il faut dire aussi qu'il est   4
incroyable cet ennui du bord, cosmique pour parler franchement. Il recouvre la mer, et le bateau, et les cieux. Des gens solides en deviendraient bizarres, à plus forte raison ces abrutis chimériques.   CÉLINE, Voyage au bout de la nuit, 1932, p. 148, *in* T. L. F.

DÉR. Cosmicité, cosmicien, cosmiquement.
COMP. Acosmique.

COSMIQUEMENT [kɔsmikmɑ̃] adv. — V. 1380 ; de *cosmique*, et *-ment*.

♦ **1.** D'une manière cosmique.

♦ **2.** (1746, *in* D. D. L.). Astron. Au moment du lever du soleil. ⇒ **Cosmique** (3., a). *Astre qui se couche cosmiquement.*

COSMO- Élément, du grec *kosmos* « ordre », et, par ext., « ordre dans l'univers », d'où « univers, monde », servant à former des mots savants dans le domaine de l'astronomie ; ou du russe *kosmos* au sens d' « espace extra-terrestre », du grec *kosmos*. ⇒ **Cosmos** ; et aussi **cosmobiologie, cosmochimie, cosmodrome, cosmogare, cosmogénèse, cosmologie, cosmométrie, cosmonaute, cosmonef, cosmopathologie, cosmorama, cosmo-tellurique, cosmovision.**

COSMOBIOLOGIE [kɔsmobjɔlɔʒi] n. f. — XXᵉ, d'abord *cosmobiologie* ; de *cosmo-*, et *biologie*.

♦ Didact. Biologie de l'espace extra-terrestre.

À la suite d'une *cosmochimie organique*, va-t-on voir apparaître aussi une *cosmobiologie* ? Si les mêmes acides aminés que sur la Terre existent dans le cosmos, pourquoi ne les trouverait-on pas aussi (...) sous la forme de protéines ?   La Recherche, nº 9, févr. 1971.

DÉR. Cosmobiologique.

COSMOBIOLOGIQUE [kɔsmobjɔlɔʒik] adj. — 1948, *cosmobiologique*, *in* D. D. L. ; de *cosmobiologie*.

♦ Didact. De la cosmobiologie.

COSMOCHIMIE [kɔsmoʃimi] n. f. — 1964 ; de *cosmo-*, et *chimie*.

♦ Biochim. Chimie des astres autres que la Terre ; extension de la géochimie à l'ensemble du cosmos.

COSMODROME [kɔsmodʀom] n. m. — 1961, *in* P. Gilbert ; de *cosmos* (→ Cosmo-), d'après *aérodrome*.

♦ Base de lancement d'engins spatiaux (en Union Soviétique). *Le cosmodrome de Baïkonour.*

Fig. *« Le cosmodrome du show-business »* (Volkoff, *le Retournement*, p. 108).

COSMOGARE [kɔsmogaʀ] n. f. — 1973, *in* la Clé des mots ; de *cosmo-*, et *gare*.

♦ Techn. Station orbitale destinée à assurer les fonctions de gare pour les expéditions planétaires.

REM. On a proposé pour cette notion le mot *spatiogare*.

COSMOGÉNÈSE [kɔsmoʒenɛz] n. f. — 1955, Teilhard de Chardin ; de *cosmo-*, et *génèse*.

♦ Didact. Formation et évolution du cosmos, de l'univers (Teilhard de Chardin, *le Phénomène humain*). ⇒ **Cosmogonie.**

COSMOGONIE [kɔsmogoni ; kɔsmɔgoni] n. f. — 1585 ; grec *kosmogonia*, de *kosmos*. → Cosmos.

♦ Didact. Théorie (scientifique ou mythique) expliquant la formation de l'univers, ou de certains objets célestes. *Petite cosmogonie portative*, ouvrage de R. Queneau.

La cosmogonie est un genre littéraire d'une remarquable persistance et d'une étonnante variété, l'un des genres les plus antiques qui soient. On dirait que le monde est à peine plus âgé que l'art de faire le monde.
VALÉRY, Variété I, 1924, p. 136, *in* T. L. F.

DÉR. Cosmogonique, cosmogoniste.

COSMOGONIQUE [kɔsmɔgɔnik ; kɔsmɔgɔnik] adj. — 1796 ; de *cosmogonie*.

♦ Didact. De la cosmogonie. *Mythe cosmogonique.*

1   C'est d'abord l'émerveillement des premiers jours devant cette enfance équatoriale, cette royauté des bêtes, cette fête de la lumière cosmogonique, ces aromates nouveaux.   Paul MORAND, Rien que la terre, p. 42.

2   (...) de jeunes Ménapiens peu tentés par la voie violente des hommes de leur clan ont dû parfois se rendre, selon l'usage des Celtes continentaux, dans un séminaire druidique de l'île de Bretagne. Ils ont appris par cœur les vastes poèmes cosmogoniques et généalogiques, réservoirs des sciences de la race.
M. YOURCENAR, Archives du Nord, p. 29-30.

COSMOGONISTE [kɔsmɔgɔnist ; kɔsmɔgɔnist] n. — 1877, *in* Littré *Suppl.* ; de *cosmogonie*, et *-iste*.

♦ Didact. et rare. Personne qui s'occupe de cosmogonie. ⇒ **Cosmographe** (2.).

COSMOGRAPHE [kɔsmɔgʀaf] n. — V. 1361 ; bas lat. *cosmographus* « géographe », du grec *kosmographos* « qui décrit (*graphein* ; → -graphe) le monde *(kosmos)* ».

♦ **1.** Personne qui s'occupe d'astronomie descriptive *(cosmographie*).

♦ **2.** Personne qui étudie l'origine et l'évolution de l'univers. ⇒ **Cosmogoniste.**

COSMOGRAPHIE [kɔsmɔgʀafi] n. f. — 1512 ; grec *kosmographia* de *kosmos* (→ Cosmo-), et *graphein* (→ -graphie). Didactique.

♦ **1.** Astronomie* descriptive (spécialt, du système solaire). *Cours de cosmographie.* — Ouvrage traitant de ce sujet. *Lire une cosmographie.*

♦ **2.** Vx. Théorie philosophique concernant l'origine et l'évolution de l'univers. ⇒ **Cosmogonie.**

DÉR. Cosmographique.

COSMOGRAPHIQUE [kɔsmɔgʀafik] adj. — 1542 ; de *cosmographie.*

♦ Didact. De la cosmographie. *Atlas cosmographique. Calculs cosmographiques.*

COSMOLOGIE [kɔsmɔlɔʒi] n. f. — 1582 ; du lat. sc. *cosmologia* de *cosmo-* (→ Cosmo-), et *logia* (→ -logie). Didactique.

♦ **1.** Étude, science des lois physiques de l'univers, de sa formation (→ Nucléosynthèse, cit.).

♦ **2.** Philos. Étude métaphysique du monde physique.

Ce premier thème suppose le contexte général d'une cosmologie, d'une *doctrine fondamentale de la nature* qui étend un système commun de déterminations aux sujets et aux choses, mêlant des déterminations de choses, comme l'idée de nature, et des déterminations de sujet, comme l'idée d'appétit.
RICŒUR, Philosophie de la volonté, 1949, p. 180, *in* T. L. F.

DÉR. Cosmologique, cosmologiste.

COSMOLOGIQUE [kɔsmɔlɔʒik] adj. — 1582 ; de *cosmologie.* Didactique.

♦ **1.** Relatif à la cosmologie. *Théories cosmologiques. Position du problème cosmologique par la relativité généralisée. «À partir de 1924, Hubble établissait la première relation entre deux quantités observables d'intérêt cosmologique : le décalage spectral et la luminosité apparente des galaxies»* (la Recherche, janv. 1978, p. 38).

♦ **2.** Philos. scolast. *Preuve cosmologique (de l'existence de Dieu)*, par l'existence du monde.

COSMOLOGISTE [kɔsmɔlɔʒist] n. — 1838 ; de *cosmologie.*

♦ Didact. Spécialiste de la cosmologie (astronome ou philosophe). *« Le but des cosmologistes est de tenter d'intégrer ces observations*

(de Hubble, Penzias et Wilson...) *dans une description géométrique et physique de l'univers...* » (la Recherche, janv. 1978, p. 38).
REM. La var. virtuelle *cosmologue* n'est pas attestée.

COSMOMÉTRIE [kɔsmɔmetʀi] n. f. — 1801 ; *cosmimométrie*, 1664 ; de *cosmo-*, et *-métrie.*

♦ Vieilli. Science qui s'occupe de la mesure de l'Univers. ⇒ **Astronomie ; cosmologie.**

COSMONAUTE [kɔsmɔnot ; kɔsmonot] n. — 1934 ; de *cosmo-*, du russe *kosmos* (→ 1. Cosmos), et *-naute.*

♦ Cour. Voyageur de l'espace, occupant d'un véhicule spatial. ⇒ **Astronaute.** *« Les Vostok et leurs cosmonautes avaient survolé à plus faible altitude encore les États-Unis »* (Science et Vie, nº 590, p. 127). — REM. Le mot ne s'emploie guère qu'en parlant des expériences spatiales soviétiques ; dans les autres cas, on dit *astronaute*, qui semble plus usuel, ou *spationaute.*

DÉR. Cosmonautique.

COSMONAUTIQUE [kɔsmɔnotik ; kɔsmɔnotik] adj. — V. 1961 ; de *cosmonaute.*

♦ Rare. Des cosmonautes. *« La biologie cosmonautique »* (Science et Vie, nº 571, p. 80).

COSMONEF [kɔsmɔnɛf] n. f. — V. 1963, *in* Gilbert ; de *cosmo-* (russe *kosmos*), et *nef.*

♦ Vaisseau spatial.
REM. La forme *astronef* semble vieillie ; on trouve aussi *spationef.*

COSMOPATHOLOGIE [kɔsmɔpatɔlɔʒi] n. f. — D.i. ; de *cosmo-*, et *pathologie.*

♦ Didact. (Mod.). Étude des effets nuisibles exercés sur l'organisme par divers facteurs cosmiques (soleil, rayons cosmiques).

COSMOPOLITE [kɔsmɔpɔlit] n. et adj. — 1560 ; grec *kosmopolitês* « citoyen *(politês)* du monde *(kosmos)* ».

♦ **1.** N. et adj. (1560). Vx. (Personne) qui se considère comme citoyen de l'univers.
(1560). (Personne) qui vit indifféremment dans tous les pays. *Un, une cosmopolite. Des voyageurs cosmopolites.*

1   Il faut n'avoir ni foyer, ni patrie pour rester à Paris. Paris est la ville du cosmopolite ou des hommes qui ont épousé le monde et qui l'étreignent incessamment avec le bras de la Science, de l'Art ou du Pouvoir.
BALZAC, la Recherche de l'Absolu, Pl., t. IX, p. 492.

1.1   Aux yeux de ceux qui l'observaient incomplètement, il *(le prince Dakkar)* passait peut-être pour un de ces cosmopolites, curieux de savoir, mais dédaigneux d'agir, pour un de ces opulents voyageurs, esprits fiers et platoniques, qui courent incessamment le monde et ne sont d'aucun pays.
J. VERNE, l'Île mystérieuse, t. II, p. 804 (1874).

♦ **2.** Adj. (1831). Mod. Qui s'accommode de tous les pays, de mœurs nationales variées. *Existence, vie cosmopolite. Mœurs cosmopolites. Esprit cosmopolite.*

2   Le style n'est pas, comme la pensée, cosmopolite : il a une terre natale, un ciel, un soleil à lui.   CHATEAUBRIAND, Mémoires d'outre-tombe, t. II, p. 144.

♦ **3.** Adj. (1825). Plus cour. Qui comprend des personnes de tous les pays ; qui subit des influences de nombreux pays (opposé à *national*). *Ville cosmopolite. Quartier cosmopolite.*

3   C'était un grouillement cosmopolite inimaginable, dans lequel dominait en grande majorité l'élément grec.   LOTI, Aziyadé, III, XXXI, p. 117.

♦ **4.** Adj. (1784). Didact. Qui a une répartition géographique très large. *Animal, plante cosmopolite.*

CONTR. Chauvin, nationaliste, patriote. — Autochtone, sujet. — Citoyen, indigène.
DÉR. Cosmopolitisme.

COSMOPOLITISME [kɔsmɔpɔlitism] n. m. — 1823 ; *cosmopolisme*, 1739 ; de *cosmopolite.*

♦ **1.** Disposition à vivre en cosmopolite (1.) ; état d'esprit des cosmopolites.

1   Enfin, l'humanisme est aussi quelque chose d'entièrement différent du cosmopolitisme, simple désir de jouir des avantages de toutes les nations et de toutes leurs cultures, et généralement exempt de tout dogmatisme moral.
Julien BENDA, la Trahison des clercs, III, p. 159.

2   Pourquoi regretterais-je Paris plus que Florence ou Weimar ou Oxford, toutes villes chéries que j'ai voulu voir dès dix-huit ans et qui vont s'abîmer dans le prochain tremblement de terre ? Je vous jure que je le regrette également, que j'ai autant besoin de l'une que de l'autre. Ce n'est pas vague cosmopolitisme, mais ce sont les noms des villages de l'étroite république qu'est la république des hommes.   DRIEU LA ROCHELLE, la Comédie de Charleroi, p. 286.

♦ **2.** Caractère d'un lieu, d'une réunion cosmopolite.

3 (...) on se contenta d'un concert-salade où furent joués les morceaux en vogue des grands opéras de tous les pays. Ceci était commandé par le cosmopolitisme de la réunion.   A. ROBIDA, le Vingtième Siècle, p. 114.

COSMORAMA [kɔsmɔʀama] n. m. — 1811, cit.; de *cosmo-*, et *-(o)rama*.

♦ Vx. Panorama* présentant des vues de pays lointains (spectacle à la mode au début du XIXᵉ siècle).

M'expliquera-t-on pourquoi la curiosité (...) ne conduit personne au Cosmorama, où les tableaux sont plus vastes, plus intéressants et surtout plus variés ?
                    JOUY, l'Hermite de la chaussée d'Antin, p. 23, *in* D.D.L., II, 5.

1. COSMOS [kɔsmos] n. m. — 1847; *kosmos*, 1827; grec *kosmos* « bon ordre; ordre de l'univers; monde, univers ». → Cosmo-.

♦ **1.** Philos. L'univers considéré comme un système bien ordonné.

1 Si l'on pose, avec Pythagore, que le Cosmos est le lieu de l'existence réglée et uniforme et l'Ouranos le lieu du devenir et du mouvant, on peut dire que toute la métaphysique moderne porte l'Ouranos au sommet de ses valeurs et tient le Cosmos en fort médiocre estime.   Julien BENDA, la Trahison des clercs, III, p. 177.

♦ **2.** (1959; russe *kosmos*, du grec). Espace extra-terrestre où se déplacent les engins spatiaux. *Envoyer une fusée dans le cosmos. Voyage dans le cosmos. Relatif au cosmos.* ⇒ **Spatial.**

2 Le timide et charmant commandant Glenn, retour du cosmos (...)
                    MALRAUX, Antimémoires, Folio, p. 11.

HOM. 2. **Cosmos.**

2. COSMOS [kɔsmos] n. m. — 1838; lat. sc. *cosmos*, du grec *kosmos* « ornement ».

♦ Bot. Plante ornementale *(Composées)* cultivée pour son feuillage et ses fleurs.

HOM. 1. **Cosmos.**

COSMO-TELLURIQUE [kɔsmotelyʀik] adj. — 1928; de *cosmo-*, et *tellurique.*

♦ Didact. Qui relève des influences du milieu physique ambiant.

COSMOTRON [kɔsmotʀɔ̃] n. m. — 1952; angl. *cosmotron*, 1949, de *cosmic (rays)* « rayons cosmiques », et *-tron.* → Cyclotron.

♦ Phys. Appareil accélérateur de particules (protons) du type synchrotron*.

COSMOVISION [kɔsmovizjɔ̃] n. f. — XXᵉ; de *cosmo-*, et *(télé)vision.*

♦ Transmission par télévision à la terre entière.

CO-SOUVERAINETÉ [kosuvʀɛnte] n. f. — 1797, *in* D.D.L.; de *co-*, et *souveraineté.*

♦ Didact. Souveraineté partagée, exercée avec un autre.

1 Tout se ramène à la question co-souveraineté dont les nationalistes ne veulent pas.
                    F. MAURIAC, Bloc-notes 1952-1957, p. 80.

2 (...) ils renieraient Mohammed ben Youssef si celui-ci se résignait à la co-souveraineté qui pour eux demeure un piège (...)
                    F. MAURIAC, Bloc-notes 1952-1957, p. 80.

COSSARD, ARDE [kɔsaʀ, aʀd] n. et adj. — 1898; p.-ê. de *cossu* (le cossu étant suffisamment riche pour ne pas travailler); P. Guiraud rattache le mot au dial. (poitevin) *cossard* « souche », d'où par métaphore « personne lourde » (XVIIᵉ-XIXᵉ), p.-ê. sous l'infl. de *cossarde* « buse », animal réputé pour sa passivité.

♦ Fam. Paresseux. ⇒ **Flemmard.** *C'est une sacrée cossarde. Remue-toi un peu, cossard ! — Il est gentil, mais un peu cossard.*

— Ils dorment déjà, ceux-là ! ... Quels cossards !
— Vous l'avez dit, chef .... Y a que moi qui travaille ici (...)
                    J. BECKER et J. GIOVANNI, le Trou (scénario de film),
                    in l'Avant-Scène, nº 13, p. 40.

CONTR. Courageux, travailleur.
DÉR. 2. Cosse.

1. COSSE [kɔs] n. f. — V. 1225; probablt d'un lat. pop.* *coccia*, lat. class. *cochlea* « coquille d'escargot », p.-ê. par croisement avec *coccum* « coque »; mais cette hypothèse est contestée par P. Guiraud qui propose l'étymon gallo-roman* *costeus*, de *costa* « côté, flanc ».

♦ **1.** (Fin XIᵉ). Enveloppe qui renferme les graines (de légumineuses). ⇒ **Gousse.** *Cosse de haricots, de fèves, de pois. Cosse dure, ferme, tendre. Ôter un légume de la cosse.* ⇒ **Écosser.**

(1398). Enveloppe des graines (d'autres végétaux). *Une cosse de châtaigne.* ⇒ **Bogue.**

1 Nos châtaignes ne sont pas moins bizarres, pas moins belles que ces graines dont on ne voit à terre que les cosses velues.
                    GIDE, Voyage au Congo, *in* Souvenirs, Pl., p. 746.

Enveloppe des graines (de quelques arbustes). *Cosse de genêt, de baguenaudier* (→ 1. Baguenaudier, cit.).

2 (...) la crépitante cosse de l'ajonc mûr (...)
                    COLETTE, Flore et Pomone, *in* Gigi, p. 143.

♦ **2.** Techn. [a] (1751). Couche supérieure (d'une ardoisière*). [b] (1752). *Parchemin en cosse :* peau de mouton dont on a seulement fait tomber la laine.

♦ **3.** [a] (1552). Mar. Anneau métallique qui recouvre et protège la boucle d'un cordage. *Cosses baguées.*

[b] (XXᵉ). Électr. Anneau métallique fixé à l'extrémité d'un conducteur et pouvant être fixé sur une borne. *Les cosses de la batterie d'une voiture.*

DÉR. Cossette.
COMP. Écosser.
HOM. 2. **Cosse**; formes du v. **cosser.**

2. COSSE [kɔs] n. f. — 1900; de *cossard.*

♦ Fam. Paresse. ⇒ **Flemme.** *Il a une de ces cosses !*

J'ai voulu reprendre le boulot aux docks, mais c'était complet. J'avais la poisse. Et moi pour le boulot, tu sais, j'ai pas la bosse et comme les petis pois j'ai la cosse.
                    Jean GENET, Querelle de Brest, p. 175.

HOM. 1. **Cosse**; formes du v. **cosser.**

COSSER [kɔse] v. intr. — 1559; adapt. de l'ital. *cozzare.*

♦ **1.** (1559). Régional ou vx. Heurter de la tête l'un contre l'autre, en parlant des béliers. *Béliers qui cossent.*

♦ **2.** (1823). Fig. et vx. Lutter en heurtant de front.

COSSETTE [kɔsɛt] n. f. — Fin XVᵉ; de 1. *cosse*, et *-ette.*

♦ **1.** (Fin XVᵉ). Vx. Petite cosse.

♦ **2.** (Av. 1869). Techn. Lamelle (de betterave à sucre, de racine de chicorée).

1. COSSON [kɔsɔ̃] n. m. — fin XIᵉ; du bas lat. *cossone*, du lat. impérial *cossus* « ver du bois ». → Cossus.

♦ **1.** (Fin XIᵉ). Insecte coléoptère *(Curculionidés)*, genre de charançon qui vit dans les souches de peupliers et de saules.

♦ **2.** (Fin XIIIᵉ). Charançon* qui attaque le blé, les pois.

HOM. 2. **Cosson**; forme du v. **cosser.**

2. COSSON [kɔsɔ̃] n. m. — 1700; probablt forme méridionale de *courson*.*

♦ Régional. Nouveau sarment que pousse une vigne que l'on a taillée.

HOM. 1. **Cosson**; forme du v. **cosser.**

COSSU, UE [kɔsy] adj. — 1378; de *cosse*, et suffixation adjectivale.

★ **I.** (1580). Vx. Qui a beaucoup de cosses. *Des pois bien cossus. Tiges de fèves cossues.*

★ **II.** (1378). Mod. (style soutenu). Personnes. Qui a une large aisance. ⇒ **Riche.** *C'est un homme cossu. Bourgeois cossu.*

(1830). Choses. Qui dénote d'aisance, l'opulence. *Mobilier cossu. Maison cossue. Toilette, mise cossue.*

1 Château, ou maison bourgeoise très cossue, avec des communs spacieux, une ferme, et environ huit hectares de terres.
                    J. ROMAINS, les Hommes de bonne volonté, t. V, IX, p. 74.

2 Pas de flafla (...) comme on en voit dans de certaines maisons de Paris; mais du confortable sérieux, un air de décence riche, de vie provinciale cossue, régulière et calme.   O. MIRBEAU, le Journal d'une femme de chambre, p. 16.

N. m. (1848). Vieilli. *Le cossu :* ce qui est cossu, le genre cossu.

CONTR. Pauvre.
DÉR. Cossard.

COSSUS [kɔsys] n. m. — 1798; lat. sc. *cossus*, lat. class. *cossus* « ver du bois ». → 1. Cosson.

♦ Zool. Insecte lépidoptère *(Cossidés)* dont la chenille ronge le bois des arbres ou arbustes. *Le cossus s'appelle aussi gâte-bois ou ronge-bois.*

COSTAL, ALE, AUX [kɔstal, o] adj. — 1550; du lat. médiéval *costalis*, du lat. class. *costa* « côte ».

♦ **1.** Anat. Qui appartient aux côtes. *Muscles, nerfs costaux. Vertèbres costales. Région costale.*

♦ **2.** Sport. *Saut costal,* qui s'exécute le flanc tourné vers la barre.

COMP. Intercostal, sous-costal.
HOM. (Du m. plur.) Costaud.

COSTARD ou **COSTAR** [kɔstaʀ] n. m. — 1926; d'abord «habit de forçat»; de *costume,* et *-ard.*

♦ Fam. Costume d'homme. *Il a un chouette costard. Il a mis son costard du-dimanche.*

(...) les mecs qui vont sortir ce matin avec des costards taillés dans mes couvrantes, ils vont avoir une surprise (...)   Joseph JOFFO, Baby-Foot, p. 197.

COSTAUD ou **COSTEAU** [kɔsto] adj. et n. — Av. 1806, *costeau,* cf. *costel* «souteneur» en argot, 1846; *costaud,* 1884; de 1. *côte,* littéralt «homme qui a de fortes côtes», et *-eau, aud* avec infl. du provençal *costo* «côte, nervure».
Familier.

♦ **1.** ⓐ ⇒ 1. **Fort, robuste;** argot. **balès.** *Un type costaud. Il n'est pas très costaud.*

1   Souvent, les types les plus costauds s'emparent ainsi des charges légères et partent vite de l'avant, pour éviter le contrôle.
                                    GIDE, Voyage au Congo, in Souvenirs, Pl., p. 767.

Au fém. *Costaude* ou *costaud. Elle est rudement costaud! Elles sont plutôt costaud* (invar.), *costaudes.*

2   La belle-mère est d'une délicatesse adorable; frêle d'apparence, mais costaude en vérité; une vraie femme d'intérieur; ravissante à vingt ans, elle fait illusion à quarante-neuf.   Christine ARNOTHY, Un type merveilleux, 1972, p. 31.

N. *(Un, une costaud* ou *costaude). Un gros costaud* (→ une vraie armoire* à glace).

3   À gauche, des blouses crasseuses; des peaux plus rouges, quelques carrures de costauds (...)   J. ROMAINS, Les Hommes de bonne volonté, t. III, III, p. 47.

ⓑ Résistant, robuste; qui n'est pas souvent fatigué ou malade.

♦ **2.** Qui a de vastes connaissances. ⇒ **Calé,** 1. **fort, fortiche.** — N. m. Homme compétent. *C'est un costaud en maths.*

(Choses). Qui est fort (du point de vue moral), réussi. *Ça, c'est un coup costaud, c'est costaud.*

♦ **3.** (Choses concrètes ou abstraites). Solide, résistant; puissant. *Ce tissu est drôlement costaud. Son camion a un moteur plutôt costaud.*

♦ **4.** Adv. Puissamment. *«Ils jouent gonflé, cambré, musclé, ils jouent costaud les Écossais...»* (L.-F. Céline, *Mort à crédit,* 1936, p. 312, *in* T. L. F.).

CONTR. Faible.
HOM. Plur. de costal.

1. COSTIÈRE [kɔstjɛʀ] n. f. — Répandu xxᵉ; empr. languedocien, cf. provençal *coustiero; costiere* «côté», «côte, rivage» et «versant d'une montagne», xiiᵉ; de *coste* «côte»; conservé dans ce sens dans les dialectes d'oc.

♦ Géogr. et régional. Nappe de graviers, de cailloux en pente, dans certains plateaux du Languedoc. — Cette pente, plantée de vignes. *Vin des costières du Gard.* ⇒ 2. **Côte, coteau.**

HOM. 2. Costière.

2. COSTIÈRE [kɔstjɛʀ] n. f. — 1313, *costere* «poutre d'appui»; même orig. que 1. *costière.*
Technique.

♦ **1.** (1757, «encadrement de pierre d'un four»). Encadrement de pierre en saillie d'une cheminée.

♦ **2.** (1869). Vide, trappe dans le plancher de la scène (sur le côté), servant à faire passer les décors.

La pente assez rapide de la scène l'avait surpris (...) Par les costières ouvertes, on apercevait les gaz brûlant dans les dessous.
                                    ZOLA, Nana, in Romans, Pl., t. II, p. 1206.

♦ **3.** ⇒ **Côtière.**
HOM. 1. Costière. — (De *côtière*) fém. de **côtier, côtière.**

COSTO- Élément correspondant à côte, (lat. *costa)* servant à former des composés en anatomie et chirurgie. Ex. : *costo-coracoïde,* adj. (1805); *costo-abdominal,* adj. *(Larousse XIXᵉ siècle); costo-inférieur, costo-supérieur,* adj. (1924).

COSTRESSE [kɔstʀɛs] n. f. — 1491; terme wallon, dér. de *coste,* 2. *côte,* et *-eresse.*

♦ Techn. (mines). Galerie qui relie les chantiers en exploitation à la galerie d'évacuation.

COSTUME [kɔstym] n. m. — 1662; *coustume* «manière d'être extérieure consacrée par l'usage», 1641; ital. *costume,* proprt «coutume». → Coutume.

★ **I.** Vx. Ensemble des caractéristiques d'une époque, des mœurs, des coutumes d'un peuple; spécialt, couleur locale (dans une œuvre). — REM. Ce sens est encore vivant vers 1850, cf. Balzac, Sainte-Beuve, Delacroix, *in* T. L. F.

★ **II.** Mod. ♦ **1.** (1747). Manière de se vêtir particulière à un pays, une époque, une condition. ⇒ **Accoutrement, équipage, habillement, habit, vêtement.** *Le costume grec, latin, oriental. Le costume du clergé, de la magistrature. Les Jacobins réclament un costume national* (→ Pantalon, cit. 3). *Histoire du costume en Europe.*

(...) les nouveaux styles en musique sont comme les costumes étrangers, ridicules aux yeux des esprits étroits, routiniers ou superficiels.   BERLIOZ, Beethoven, p. 15.   1

♦ **2.** Pièces d'habillement qui constituent un ensemble. ⇒ **Vêtement; tenue.** *Costume de bal, de bal masqué* (⇒ **Domino**), *de carnaval. Costumes de théâtre, de scène. Les décors et les costumes sont très réussis. Louer un costume.*

Il y a une troupe de petits comédiens en costumes, aperçus sur la route à travers la lisière du bois.   RIMBAUD, Illuminations, l'« Enfance », III.   2
EN COSTUME. *Acteurs en costumes,* habillés d'un costume de scène. — *Bal en costume.* ⇒ **Costumé.** *Être en grand costume* (→ En grand uniforme*). *En costume d'apparat, de cérémonie.*

♦ **3.** Cour. Vêtement d'homme composé d'une veste, d'un pantalon, et parfois d'un gilet. ⇒ **Costard** (fam.). *Les trois pièces du costume d'homme.* ⇒ **Complet-veston** (cit.); **veste, gilet, pantalon.** *Costume trois pièces, costume deux pièces* (veste et pantalon). *Costume habillé, costume du soir.* ⇒ **Habit, smoking.** *Se faire faire un costume sur mesure par un tailleur. Costume de confection. Costume en pure laine, en velours. Costume d'été.* — (1895, in D.D.L.). Vieilli. *Costume tailleur :* vêtement féminin composé d'une veste et d'une jupe. ⇒ **Tailleur.** — *Son costume lui va bien* (→ Il est tiré à quatre épingles*). *Costume qui tombe bien. Costume de bonne coupe. Mettre, porter, revêtir un costume. Être vêtu d'un costume clair, foncé. Il a mis son beau costume des dimanches. Un vieux costume.*

Jean étrennait (...) son premier costume d'homme et certain petit chapeau de feutre marron à ruban de velours, qu'il portait très en arrière, à la façon d'un matelot.   LOTI, Matelot, II, p. 6.   3

♦ **4.** Fig. ⇒ **Déguisement; habit.**

C'est vrai! *(reprit Bonaparte).* Tragédien ou Comédien. Tout est rôle, tout est costume pour moi depuis longtemps et pour toujours.   4
                                    A. DE VIGNY, Servitude et Grandeur militaires, III, v, p. 209.
Dans ce costume de la pièce qu'est le décor (...)   5
                                    Louis JOUVET, Réflexions du comédien, p. 189.

Fig. et fam. *En costume d'Adam :* tout nu. ⇒ **Appareil** (cit. 11).

DÉR. Costard, costumier, costumier.
HOM. Formes du v. costumer.

COSTUMER [kɔstyme] v. tr. — 1792; de *costume.*

♦ **1.** Vx. Revêtir (une personne, un animal) d'un certain costume). ⇒ **Habiller, vêtir.**

♦ **2.** Mod. Vêtir d'un costume typique et inhabituel. ⇒ **Déguiser.** *On a costumé les enfants en cow-boys.* — *Costumer un singe.*

▶ **SE COSTUMER** v. pron.

♦ **1.** Vx. S'habiller.

(...) au pays basque (...) les femmes et les filles des moindres villages ont toutes pris l'habitude de se costumer au goût du jour, avec une élégance inconnue aux paysannes des autres provinces françaises.   LOTI, Ramuntcho, I, III, p. 30.

♦ **2.** Mod. Se déguiser, se revêtir d'un costume, typique et inhabituel (costume de bal, de théâtre, déguisement...). *Il s'était costumé en pierrot.*

▶ **COSTUMÉ, ÉE** p. p. et adj. (1785).

♦ **1.** Déguisé, revêtu d'un costume de bal, de théâtre. *Acteurs costumés,* en costume. *«Une scène de "Bérénice" jouée par des acteurs non costumés»* (Mauriac, *in* T. L. F.). *Des enfants costumés en astronautes.* ⇒ **Déguisé.**

♦ **2.** *Bal costumé,* où les danseurs sont travestis.

COSTUMIER, IÈRE [kɔstymje, jɛʀ] n. — 1799; de *costume.*

♦ **1.** Personne qui fait, vend ou loue des costumes* (II. 2.) : costumes de théâtre, travestis, déguisements.

♦ **2.** Personne qui s'occupe des costumes d'une représentation théâtrale, d'un spectacle. *Costumier de théâtre. Elle est costumière dans un music-hall* (⇒ aussi **Habilleur,** autre sens).

Le costumier se croit exact en donnant à Dandini un costume très ponctuel de grand seigneur du temps de Louis XV (...) E. DELACROIX, Journal, 17 nov. 1853.

HOM. Forme du v. **costumer.**

COSTUS [kɔstys] n. m. — V. 1150, *coste ;* lat. class. *costum,* du bas lat. *costus,* du grec *kostos.*

♦ Bot. Plante tropicale, herbacée, vivace *(Zingibéracées).* On pensait que le rhizome du costus servait à préparer la thériaque*.

1. COSY [kozi] n. m. — 1904, *in* D. D. L. ; mot angl. signifiant «confortable».

♦ Anglic. (rare). Enveloppe fourrée qu'on met sur un plat, une théière..., pour en conserver la chaleur. ⇒ **Couvre-** (couvre-plat, couvre-théière).

Le composé anglais *tea-cosy* [tikozi] est également attesté en français.

(...) elle avait (...) assez de personnalité pour être distinguée de ces poupées de tea-cosy que l'on rencontrait par douzaines dans les réceptions (...)
Maurice DENUZIÈRE, Louisiane, p. 93.

HOM. 2. **Cosy.**

2. COSY [kozi] ou **COSY-CORNER** [kozikɔʀnœʀ ; kozikɔʀnɛʀ] n. m. — 1946 ; *cosy-corner,* 1906 ; angl. *cosy corner* «coin confortable» *(cosy-corner* ne désignant pas un meuble, en anglais).

♦ Anglic. (vieilli, surtout *cosy-corner,* à la mode v. 1930-1950). Divan muni d'une étagère et que l'on place généralement dans l'encoignure d'une pièce. *Des cosy-corners ; des cosies ; des cosys.*

1   Elle s'était arrêtée dans la nouvelle installation de sa chambre, et couchait sur un matelas. Il serait toujours temps (...) d'avoir un cosy-corner et un divan de panne.
GIRAUDOUX, les Aventures de Jérôme Bardini, p. 79.

2   (...) la poignante nostalgie des édredons en satin, des abat-jour tamisants, des plantes vertes et des cosys (...)   F. MALLET-JORIS, le Jeu du souterrain, p. 138.

COTABLE [kɔtabl] adj. — Av. 1866 ; «qui mérite d'être noté», av. 1606 ; de *coter.*

♦ Fin. Qui est susceptible d'être coté en Bourse.

COTANGENTE [kɔtɑ̃ʒɑ̃t] n. f. — 1721 ; adapt. du lat. sc. *cotangens, -entis,* t. formé par le mathématicien anglais E. Gunter (1620), de *co-,* et *tangens.* → Tangent.

♦ Math. *Cotangente d'un arc, d'un angle :* rapport du cosinus au sinus de cet arc, de cet angle (symb. : *cotg). La cotangente est l'inverse de la tangente, et la tangente du complément* (d'un arc, d'un angle). — Appos. *Fonction cotangente,* qui à un nombre réel fait correspondre la cotangente de l'angle dont ce nombre est la mesure. — *Cotangente hyperbolique*.*

(...) de purs poètes tous ces savants ! Voyez Le Verrier. Il lui manque une planète, il l'espère de toutes ses forces, il l'appelle à coups de logarithmes et de cotangentes : quelques années plus tard, la planète est là.
A. BLONDIN, les Enfants du bon Dieu, p. 178.

COTATION [kɔtasjɔ̃] n. f. — 1527, *quottation ;* de *coter (quoter),* et *-ation.*

♦ **1.** Techn. Attribution d'une cote, de cotes.
Chiffres indiquant sur un plan d'architecture les dimensions des ouvrages.
Attribution d'une cote à un document, un ouvrage en vue de le classer ; cette cote. *La cotation des livres, des manuscrits dans une grande bibliothèque.*
Journal. Le fait de porter sur la copie les indications nécessaires à la composition.

♦ **2.** (1929). Action de coter* les valeurs, résultat de cette action. *Cotation des titres en Bourse.* ⇒ **Cote, cours.** *Cotation boursière.*
Comm. Indication du prix d'une marchandise.

♦ **3.** Alpin. Chiffre ou lettre indiquant la difficulté d'un passage, d'une course.

COMP. **Sous-cotation.**

COT COT CODAC [kɔtkɔtkɔdak], **COT COT CODEC** [kɔtkɔtkɔdɛk] interj. — 1881 ; onomat. du gloussement de la poule.

♦ Onomatopée évoquant le gloussement de la poule lorsqu'elle va pondre ou lorsqu'elle a pondu.

DÉR. **Cotecoder.**

COTE [kɔt] n. f. — 1390, *quote ;* lat. médiéval *quota,* du lat. class. *quotus* «en quel nombre», *quota pars* «part qui revient à chacun».

♦ **1.** (1600). Marque alphabétique ou numérale servant au classement d'un inventaire, des pages d'un registre d'état civil... *Pièce*

sous la cote A, B, 3, 4. Cote de placement. — Par métonymie. Document portant une cote.

♦ **2.** (1784). Constatation officielle des cours (d'une valeur, d'une monnaie, d'une marchandise) qui se négocient par l'intermédiaire d'agents qualifiés.
Spécialt. Bourse. Cours constatés par les agents de change sur les valeurs qui se négocient au parquet. ⇒ **Cotation, cours.** *Valeur ayant une cote exceptionnelle.*

1   On peut voir, dans cette cote qui est inscrite en toutes les pages des journaux, comment elle vient en concurrence ici et là avec d'autres valeurs.
VALÉRY, Regards sur le monde actuel, p. 228.

1.1 Bientôt ils lurent à haute voix une foule de bulletins qui, remis entre leurs mains par les joueurs groupés autour d'eux, contenaient des ordres d'achat et de vente écrits en piètres vers de douze pieds pleins de chevilles et d'hiatus. Une cote s'établit suivant l'importance de l'offre ou de la demande, et les actions, aussitôt payées et livrées, passèrent de main en main.
Raymond ROUSSEL, Impressions d'Afrique, p. 323.

1.2 Tout à l'heure, bientôt, avant de m'endormir, je ferai comme chaque soir, les cotes du jour en main, le compte de ma fortune.
Claude MAURIAC, le Dîner en ville, p. 239, 1959.

Tableau indicateur des cours officiels, publié chaque jour par le syndicat des agents de change. *Cote officielle. Valeurs admises à la cote de la Bourse. Actions inscrites à la cote. Cote des valeurs en banque. Cote des changes. Cote à terme. Cote au comptant* (→ Cause, cit. 5).

2   Toutes les valeurs admises à la *Cote officielle,* que publie chaque jour la chambre syndicale des agents de change, ne peuvent pas être négociées à terme. Aussi, la cote officielle est-elle divisée en deux parties : dans la première figurent les cours cotés au comptant, et dans la seconde, beaucoup plus courte que l'autre, les cours cotés à terme.   Paul REBOUD, Précis d'économie politique, p. 13.

Hors-cote. *Titre hors-cote :* titre qui, dans une Bourse de valeurs, se négocie par des intermédiaires autres que les agents de change.

Comm. Cours officieux de marchandises (en général d'occasion). *Cote des voitures d'occasion.*

♦ **3.** (1390). Dr. fisc. Montant d'une cotisation, d'un impôt demandé à chaque contribuable. Anciennt. *Cote mobilière.* — *Cote foncière. Payer sa cote* (⇒ **Quote-part**).

Loc. fig. **COTE MAL TAILLÉE** : répartition approximative ; compromis, transaction. *Accepter, faire une cote mal taillée.* ⇒ **Compromis, transaction** (→ Couper la poire* en deux).

3   Le régent demanda l'avis à Besons, qui barbouilla et qui proposa une cote mal taillée.   SAINT-SIMON, Mémoires, 426, 152, *in* LITTRÉ.

♦ **4.** (1877). Hippisme. *Cote d'un cheval :* estimation de la valeur de l'animal, et de ses chances de victoire, et, spécialt, taux des paris aux courses. — Loc. *Pari à la cote :* pari où les gains sont annoncés à l'avance.

♦ **5.** Note attribuée. *La cote d'un devoir.* ⇒ **Note.** — Loc. **COTE D'AMOUR** : appréciation d'un candidat, basée sur une estimation de sa valeur morale, sociale. *Soigner sa cote d'amour :* être soucieux de se faire apprécier. — Par ext. *La cote d'amour d'un pays à l'étranger.* → **Image*** (II., 4.) de marque.

Fam. *Être à la cote, avoir la cote :* être apprécié, estimé. *Avoir une grosse cote dans une assemblée. Le pauvre n'a pas la cote. Il, elle a une cote fantastique.* ⇒ **Popularité.**

4   (...) j'ai toujours redouté un «emballement» sur le Maroc. Le Maroc, évidemment, en ce moment-ci, «a la cote», si j'ose ainsi parler. On est très bienveillant pour lui.
L.-H. LYAUTEY, Paroles d'action, p. 358.

Cote de popularité : résultat d'un sondage d'opinion sur la popularité d'une personne. *La cote de popularité du Premier ministre a encore baissé.*
Cote morale (d'un film), indication de sa valeur morale, selon un code (religieux, en général).

♦ **6.** ⒜ (1755). Chiffre indiquant un niveau (en topographie). *Cote de niveau, d'altitude :* indication sur une carte des niveaux *(courbe de niveaux).* ⇒ **Nivellement.** *La cote 206 :* le point qui, sur la carte, est coté 206. ⇒ **Altitude.** *Cote de 300 pieds au-dessus du niveau de la mer.* — *Les cotes d'une position,* les coordonnées de cette position.

5   S'efforcer de parvenir à la cote moins huit cents, au risque de se trouver la tête coincée dans un goulet rocheux (un siphon, comme disent ces inconscients !) me paraissait l'exploit de caractères pervertis ou traumatisés. Il y avait du crime là-dessous.   CAMUS, la chute, p. 31.

COTE D'ALERTE : niveau d'un cours d'eau au delà duquel commence l'inondation. — Fig. Point critique, niveau au delà duquel une situation devient critique ; situation inquiétante. ⇒ **Crise.** *Atteindre, dépasser la cote d'alerte.*

⒝ (1799). Techn. Chiffre indiquant une dimension. *Cotes d'un dessin, d'une machine.* ⇒ **Dimension.** *Indiquer les cotes. Pièce usinée aux cotes requises.* — *Cote ronde :* cote qui a pour valeur un nombre entier. — Archit. Indication des dimensions sur un plan.

DÉR. **Coter, cotiser.**
COMP. **Décote.**
HOM. 1. **Cotte,** 2. **cotte, quote ;** formes du v. **coter.**

1. CÔTE [kot] n. f. — V. 1160, *coste*; lat. *costa* «flanc, côté», et «partie en relief d'un objet».

★ **I.** ♦ **1.** Anat. Os plat et courbé du thorax, qui s'articule sur la colonne vertébrale et qui rejoint ou non le sternum; spécialt, cet os, dans l'espèce humaine. ⇒ **Costo-.** *Les douze paires de côtes. L'ensemble des côtes constitue la cage thoracique.* ⇒ **Côté.** *Portion osseuse, cartilagineuse d'une côte. Côtes vraies,* celles qui s'articulent directement sur le sternum. *Fausses côtes,* qui s'articulent par leur cartilage sur le sternum. *Côtes flottantes* ou *surnuméraires,* les deux dernières paires qui ne rejoignent pas le sternum. ⇒ **Costal.** *Artère et nerf des côtes.* ⇒ **Intercostal.** *Muscles sterno-costal, costo-abdominal, costo-vertébral des côtes. Douleur aiguë dans la région des côtes.* ⇒ **Côté** (point de).

1   Les côtes s'articulent avec la colonne vertébrale sur deux points différents, constituant ainsi deux articulations distinctes : la tête de la côte (...) c'est l'*articulation costo-vertébrale de la côte* (...); la tubérosité de la côte (...) c'est l'*articulation costo-transversaire.*   L. TESTUT, Traité d'anatomie, I, p. 553.

Se briser, se fracturer, se fêler une côte. Côte froissée.

2   Notre malade n'ira pas jusqu'à demain. Il était déjà perdu. La moitié des côtes fracturées, un poumon en charpie (...)   Léon BLOY, le Désespéré, V, p. 263.

Loc. *Bourrer les côtes de qqn (de coups),* lui donner des coups dans les côtes.

2.1   Mon voisin me bourra les côtes à coups de coude avec une hargne que je ne compris pas.   M. TOURNIER, le Roi des Aulnes, p. 28.

Vieilli. *Mesurer, chatouiller, rompre, tricoter les côtes à quelqu'un.* ⇒ **Battre.**

On lui voit les côtes; on lui compterait les côtes : il, elle est très maigre.

Fig. et fam. **AVOIR LES CÔTES EN LONG :** être paresseux; (vx) être bizarre, original, étrange.

Se tenir les côtes de rire, et, ellipt., **SE TENIR LES CÔTES :** rire démesurément, s'esclaffer.

2.2   Je vous cherchais. Je vous croyais à la salle de jeux. La représentation est terminée et tout le monde fait ses valises. Mais qu'avez-vous, tous, à vous tenir les côtes?   Roger NAÏM, l'Ère des truands, p. 84.

LA CÔTE D'ADAM : la côte de laquelle Dieu forma Ève, selon le texte de la Genèse. *Nous sommes tous de la côte d'Adam,* de la même extraction.

3   De la côte qu'il avait prise de l'homme, Yahweh Dieu forma une femme, et il l'amena à l'homme.   BIBLE (CRAMPON), Genèse, II, 22.

Sortir de la côte de... : descendre de... (une ascendance très ancienne ou remarquable; → La cuisse* de Jupiter.)

Hist. *Côtes de fer :* sobriquet donné aux soldats de Cromwell.

♦ **2.** Morceau de viande découpé près des côtes. *Côte de bœuf, de veau, de mouton.* ⇒ **Côtelette; entrecôte.** *Côtes premières, secondes. Côte couverte. Côte d'aloyau, de surlonge*. Plat* de côte. — Côte de veau panée. Côtes de mouton grillées. Côtes d'agneau dans le filet. Côtes d'agneau servies non détachées.* ⇒ **Carré.** — *Côte de bœuf marchand de vin. Une côte à l'os,* servie avec l'os. *Côte de bœuf à la moelle.*

♦ **3.** Loc. adv. (XIIIᵉ; de *coste* «côté du corps»). **CÔTE À CÔTE :** l'un à côté de l'autre. ⇒ **Côté; contre.** *Marcher côte à côte* (⇒ **Coudoyer**).

4   (...) gravée sur sa tombe, deux dates côte à côte, 1876-1926, séparées par un tiret.   GIRAUDOUX, Bella, VI, p. 133.

5   Nous avons pensé des choses pures
Côte à côte, le long des chemins,
Nous nous sommes tenus par les mains (...)   VALÉRY, Poésies, « Le bois amical ».

N. m. Fait d'être côte à côte, de côtoyer. *« Ces pardons qui montent du côte-à-côte de la vie »* (Goncourt, *Manette Salomon,* p. 418).

★ **II.** (1530, «ridelle»). Partie saillante de divers objets.

♦ **1.** (1676). Saillie qui orne la surface concave (d'une voûte), la surface convexe (d'un dôme). *Les côtes d'une coupole, d'un dôme.* Listel* qui sépare les cannelures d'une colonne.

Par analogie.

6   La salle, massive, obscure, soutenue par de lourds piliers romans, se rajeunissait à mi-corps, s'effilait en ogive, élançait à des hauteurs de cathédrale les arceaux de sa voûte qui se rejoignaient ainsi que les côtes des mitres abbatiales, en une pointe.   HUYSMANS, Là-bas, XVII, p. 243.

Techn. *Côtes vénitiennes :* légères ondulations dans l'épaisseur du cristal.

♦ **2.** (V. 1256). Grosse nervure (d'une feuille) formée par le prolongement du pétiole. *Côte de chou, de salade, de bette* (⇒ **Carde**), *de rhubarbe.*

Division naturellement marquée sur certains fruits. *Côte de melon. Côte de citrouille.* ⇒ **Tranche.**

7   Voilà un melon; il faut qu'elle en mange une petite côte.   Mᵐᵉ DE SÉVIGNÉ, 569, *in* LITTRÉ.

Côtes de bettes gratinées.

♦ **3.** Rayure saillante (d'un tissu, d'un tricot). *Étoffe à côtes.* ⇒ **Côtelé.** *Les côtes d'un tricot. Bas* à côtes* (→ 2. Bas, cit. 2.1, Barbey d'Aurevilly). *Velours* à côtes.*

♦ **4.** Mar. *Côtes d'un navire :* pièces de bois qui joignent la quille au plat-bord.

DÉR. Costaud, 2. côte, côtelette. — (Du sens II) **Côtelé.** — Cf. Costal.
COMP. Entrecôte.
HOM. 2., 3. Côte.

2. CÔTE [kot] n. f. — V. 1160; de 1. *côte,* même métaphore que *flanc.*

♦ **1.** Pente qui forme l'un des côtés d'une colline. ⇒ **Coteau.** *Côte fertile, plantée de vigne, de bois. Sur la côte; le long de la côte. Au bas de la côte. Écrêter une côte.* —*À mi-côte :* au milieu d'une côte. *Maison construite à mi-côte.* — Régional. *Coteau planté de vignes. Les côtes du Rhône.* ⇒ 1. **Costière, coteau.** *Vin des côtes du Rhône.* ⇒ **Côtes-du-Rhône.**

8   Pour laisser passer une ondée, je me réfugie dans la cour d'un très vieux temple, qui est à mi-côte, abandonné au milieu d'un bois d'arbres séculaires aux ramures gigantesques (...)   LOTI, Mᵐᵉ Chrysanthème, XXXII, p. 150.

Géogr. Relief formé par un talus (front) et par un plateau en pente douce à l'opposé (revers), dans une zone à couches alternées dures et tendres. *Relief de côtes.*

♦ **2.** Route en pente. ⇒ **Pente, raidillon, rampe.** *Monter, gravir la côte. Descendre une côte.* — (Opposé à *descente*). ⇒ **Montée.** *Côte raide, pénible. Vitesse en côte d'une automobile. Rendement en côte.*

9   Maintenant que j'ai gravi la côte, je retourne la tête pour embrasser d'un regard tout l'espace que j'ai traversé si vite (...)   FRANCE, le Livre de mon ami, p. 8.

10   Cette voiture atteignait dans les lignes droites le cent à l'heure; et dans les côtes, en échappement libre, elle faisait encore un assez beau grondement.   J. ROMAINS, les hommes de bonne volonté, t. V, XXIII, p. 195.

(1895). Sport cycliste. *Course de côte,* «disputée dans une rampe à fort pourcentage» (Petiot). *De la passion considérée comme une course de côte,* texte de A. Jarry, in *la Chandelle Verte.*

DÉR. Costresse, coteau.
HOM. 1., 3. Côte.

3. CÔTE [kot] n. f. — 1530; de *côte* «côté, bord».

♦ **1.** Rivage* de la mer. ⇒ **Bord, bordure, littoral, rivage; cordon** (littoral). *Côte sablonneuse.* ⇒ **Plage.** *Côte escarpée.* ⇒ **Falaise.** *Côte basse, marécageuse, rocheuse, à pic, accore*; inabordable, accostable, saine, malsaine. Côte court au Nord,* dont la direction est orientée sud-nord. *Les découpures de la côte.* ⇒ **Contour, échancrure.** *Route qui longe la côte.* ⇒ **Corniche.** *La côte et l'arrière-pays. Batterie de côte. Feu sur la côte.* ⇒ **Fanal, phare.** *La côte de France; les côtes de France, les côtes françaises, italiennes. Les côtes de l'océan.*

11   (...) un petit village de la côte normande qui s'adosse à une forêt et qui descend doucement vers une plage de sable (...)   FRANCE, le Livre de mon ami, II, p. 11.

12   Une sorte de proportion heureuse existe en ce pays entre l'étendue des plaines et celle des montagnes, entre la surface totale et le développement des côtes; et sur les côtes mêmes, entre les falaises, les roches, les plages qui bordent de calcaire, de granit ou de sables le rivage de la France sur trois mers.   VALÉRY, Regards sur le monde actuel, p. 119.

Loc. *La côte d'Azur*,* ou ellipt, *la Côte* (avec une majuscule) : le littoral méditerranéen français des Alpes-Maritimes. ⇒ **Riviera; azuréen** (2.).

12.1   La Côte, c'est toujours un beau jardin, comme celui où j'écris en ce moment, avec, entre les pins, la Méditerranée.   F. MAURIAC, le Nouveau Bloc-notes 1958-1960, p. 356.

♦ **2.** Partie de la mer aux approches de la terre, jusqu'à une certaine distance du large. *Une côte dangereuse. Côte frangée d'écueils. Côte pleine de bancs. Espace de mer peu profond, voisin de la côte.* ⇒ **Lagune.** *Côte infestée de pirates. Escadre qui paraît sur la côte.* — Mar. *Longer, ranger les côtes :* naviguer le long des côtes. *S'élever* d'une côte. Faire côte,* en parlant d'un navire qui s'échoue sur le bord d'une côte, ou qui fait naufrage. *Aller à la côte, être chargé en côte :* être poussé vers la côte, par le vent ou la mer.

13   Les anciens n'ayant pas de boussole, ne pouvaient naviguer que sur les côtes (...)   MONTESQUIEU, Grandeur et Décadence des romains, 4.

Loc. *Les Frères de la côte :* pirates, boucaniers.

♦ **3.** Loc. fig. *Être à la côte :* être sans ressources, sans argent.

DÉR. Côtier, côtoyer.
HOM. 1., 2. Côte.

CÔTÉ [kote] n. m. — 1080, *Chanson de Roland,* au sens 1, b; lat. pop. *costatum,* du lat. class. *costa* «côté».

A. (En emploi libre). ♦ **1.** [a] Région des côtes (→ 1. Côte) qui s'étend depuis l'aisselle jusqu'à la hanche. ⇒ **Flanc.** *Avoir mal au côté. Recevoir un coup dans le côté. Être blessé au côté. Mettre les mains aux côtés.* ⇒ **Hanche** (mains aux hanches, sur les hanches).

1   Martine, les mains sur les côtés, lui parle en le faisant reculer.   MOLIÈRE, le Médecin malgré lui, I, 2.

Loc. vieillie. *Se tenir les côtés de rire :* rire démesurément (⇒ 1. **Côte,** I., 1.).

2 J'ouvrais de grands yeux sans rien répondre : Mme d'Épinay se tenait les côtés de rire (..) ROUSSEAU, les Confessions, IX.

Loc. *Point de côté :* douleur aiguë au-dessous des côtes. ⇒ 1. **Point** (cit. 55 et 55.1).

b (1080). Surtout avec *sur, à.* La partie droite ou gauche de tout le corps. *Se coucher sur le côté. Il était perclus de tout le côté gauche. Porter l'épée au côté.*

À mes (vos, ses) côtés : près de moi (de vous, lui). → *infra,* à côté de... *S'installer aux côtés de quelqu'un. Venez vous asseoir à mes côtés.* ⇒ **Auprès, contre, près.**

3 (...) l'incommode jaloux qui (...) ne fait pas un pas sans la traîner à ses côtés. MOLIÈRE, le Sicilien, 2.

4 Bonaparte avait voulu que les hommes de la Révolution ne parussent à la cour qu'en habit habillé, l'épée au côté (...) CHATEAUBRIAND, Mémoires d'outre-tombe, t. II, p. 208 (→ Anachronisme, cit. 3).

5 Hélas! j'aurai passé près d'elle inaperçu,
Toujours à ses côtés, et pourtant solitaire (...) ARVERS, Sonnet.

6 Dans sa lassitude, elle penchait de tout son poids, tantôt sur un côté du corps, tantôt sur l'autre. André SUARÈS, Trois hommes, « Ibsen », VI, p. 153.

7 (..) l'abandon enchanté de son sommeil qui la surprenait parfois sur l'herbe, à mes côtés. F. MAURIAC, la Pharisienne, VI, p. 84.

Le côté de l'épée. Le côté du cœur : le côté gauche du corps.

♦ **2.** (V. 1260). Partie latérale (d'une chose) située à droite ou à gauche, dans un objet. ⇒ **Latéral.** *Le milieu et les côtés. Le côté d'une armoire, d'une cheminée. Coucher un meuble sur le côté,* le renverser latéralement. *Un côté, les deux côtés de qqch. S'appuyer à, contre un côté de la porte. S'asseoir à l'un des côtés de la cheminée. Monter dans une voiture par le côté gauche.*

8 Chez les coqs un ou deux barbillons garnissent les côtés et la partie inférieure du bec (...) BUFFON, Hist. nat. des animaux, le Coq.

Loc. vieillie. *Mettre, coucher une bouteille sur le côté,* la vider, boire.

Loc. (avec *de*). *De chaque côté de... :* de part et d'autre de... *De chaque côté de la rue, du chemin. De chaque côté de la porte. De chaque côté du mur.*

9 Antoine regardait avec ravissement de chaque côté du chemin les champs hersés, déjà verdissants, et, sous le ciel clair de l'horizon (...) les coteaux de l'Oise (...) MARTIN DU GARD, les Thibault, t. I, p. 157.

D'un côté. De l'autre côté. Demeurer de l'autre côté de la rue. ⇒ **Face** (en). *De l'autre côté du mur.* Loc. *Être de l'autre côté de la barricade*. Mettez-vous de l'autre côté de la table. D'un côté de la cheminée, une chaise ; de l'autre, l'armoire.*

10 Rangeons-nous chacune immédiatement contre un des côtés de la porte. MOLIÈRE, George Dandin, III, 6.

11 Ou bien, si je parvenais à m'endormir lorsque tu es d'ailleurs, tout près, de l'autre côté du mur, quelque chose d'essentiel serait modifié en moi (...) J. CHARDONNE, les Destinées sentimentales, p. 252.

Les côtés d'une montagne. ⇒ 2. **Côte, coteau, flanc, pente, versant.** *Le côté d'une route, d'un chemin.* ⇒ **Bas-côté.**

(Dans une assemblée). *Le côté droit, le côté gauche. Siéger au côté droit.* ⇒ 2. **Droit, gauche.**

Couture. *Point de côté.*

Liturgie. *Le côté de l'épître :* le côté droit de l'autel, par oppos. au *côté de l'évangile,* le côté gauche. *Servir la messe du grand, du petit côté,* du côté droit, gauche.

12 (...) on nous apprenait à servir la messe du grand et du petit côté, à chanter les antiennes (...) Alphonse DAUDET, le Petit Chose, I, II, p. 23.

Mar. *Le côté d'un navire.* ⇒ **Bande** (vx), **bord, flanc.** *Côté de babord*, de tribord*. Le côté faible d'un navire. Navire de côté faible,* se dit d'un navire qui s'incline facilement sur l'eau. *S'incliner sur le côté.* ⇒ **Giter ; bande, gite.** — *Côté sous le vent :* côté du navire incliné vers la mer sous l'action du vent, par oppos. au *côté du vent. Mettre un navire sur le côté,* pour le caréner, le radouber. — *Côté de la chute*,* d'une voile.

13 Un navire qui entre beaucoup dans l'eau navigue vers le même côté à presque tous les vents. MONTESQUIEU, l'Esprit des lois, XXI, 6.

Théâtre. *Côté cour, côté jardin :* les côtés droit et gauche de la scène. *Côté piste, côté avions* (sur un aérodrome).

♦ **3.** (XIIIe). Limite extérieure, ligne ou surface qui constitue la limite d'une chose (par oppos. à *centre,* à *milieu*). ⇒ **Face, ligne, pan.** *Les côtés d'un triangle. Les quatre côtés d'un carré* (⇒ **Quadrilatère**). *Figure à trois côtés.* ⇒ **Triangulaire.** *Qui a deux, trois côtés.* ⇒ **Bilatéral, trilatéral.** *Le côté de l'hypoténuse, le grand, le petit côté d'un triangle. Triangle ayant deux, trois côtés égaux.* ⇒ **Isocèle, équilatéral.** *Le côté intérieur, extérieur de qqch. Le côté de devant, de derrière. Les côtés d'une pyramide.*

14 Le cercle (...) se peut considérer comme un polygone d'un nombre infini de côtés. MALEBRANCHE, De la recherche de la vérité, III, I, 1.

Le côté nord, sud d'un bâtiment. Le côté de devant. ⇒ **Façade.** *L'autre côté,* le côté opposé, le côté arrière. ⇒ **Derrière.** *Il est de l'autre côté de la maison. Le bon, le beau côté d'une étoffe.* ⇒ **Endroit.** *Le mauvais côté.* ⇒ **Envers.**

Spécialt. L'une des deux surfaces (d'un objet plat). — *Les côtés d'une pièce de monnaie. Côté pile, côté face.* ⇒ **Croix, face, pile.** *Le beau côté d'une médaille* ou *côté face.* ⇒ **Avers, obvers.** *Le mauvais côté.* ⇒ **Revers.**

Les deux côtés d'une feuille de papier. ⇒ **Recto, verso.**

Techn. Surface (d'une peau). *Côté poil, côté fleur.*

♦ **4.** Partie localisée par rapport à une orientation, à un point de référence (centre, etc.), dans un espace. *Le côté vers lequel descend un cours d'eau.* ⇒ **Aval.** *Le côté de la source.* ⇒ **Amont.** *Le côté de l'horizon où se lève, où se couche le soleil.* ⇒ **Occident, orient ; couchant, levant.**

(...) il y avait autour de Combray deux « côtés » pour les promenades, et si opposés qu'on ne sortait pas en effet de chez nous par la même porte, quand on voulait aller d'un côté ou de l'autre : le côté de Méséglise-la-Vineuse, qu'on appelait aussi le côté de chez Swann parce qu'on passait devant la propriété de M. Swann pour aller par là, et le côté de Guermantes. PROUST, Du côté de chez Swann, Pl., t. I, p. 134. 14.1

♦ **5.** (Abstrait). Manière dont les choses se présentent. ⇒ **Aspect** (surtout dans : *bon, mauvais côté*). *Le bon côté d'une chose.* ⇒ **Agrément, avantage.** *Les bons et les mauvais côtés d'une entreprise.* ⇒ **Contre, pour** (le pour et le contre). *Prendre une chose par le bon côté, du bon côté,* avec bonne humeur, optimisme. *Ne voir que le mauvais côté des choses :* faire preuve de pessimisme.

Nous ne voyons jamais qu'un seul côté des choses; 15
L'autre plonge en la nuit d'un mystère effrayant.
L'homme subit le joug sans connaître les causes.
Tout ce qu'il voit est court, inutile et fuyant. HUGO, les Contemplations, IV, XV.

(...) le côté simple et naturel des choses ne se révèle à moi qu'après tous les autres, et je saisirai tout d'abord l'excentrique et le bizarre (...) Th. GAUTIER, Mlle de Maupin, VI, p. 111. 16

Vous ne savez vraiment pas prendre les choses par leur bon côté! J. VERNE, Michel Strogoff, p. 151 (1876). 16.1

Les gouvernements très ordonnés, très « sages », ont certes leurs bons côtés, mais ils en ont aussi dont les sujets apprécient moins l'agrément. DANIEL-ROPS, Histoire Sainte, III, p. 187. 17

L'angle, la perspective (qui permet de considérer qqch.) ⇒ 1. **Angle, aspect, perspective,** 1. **point** (de vue), **sens.** *Regarder qqch., par un certain côté,* sous un certain angle. *D'un côté, vous avez raison, mais d'un autre côté...,* dans un certain sens, dans une certaine mesure.

Chacun regarde les choses du côté de ce qui le touche (...) MOLIÈRE, Épître à la Reine mère. 18

(...) je la vois *(cette mort)* par un côté qui me la fait paraître fort mauvaise pour nos amis. Mme DE SÉVIGNÉ, 225, 2 déc. 1671. 19

Le côté d'une question, d'un problème. Ceci n'est qu'un côté de la question. Retourner la question sur tous ses côtés. ⇒ **Aspect, face.** *Cette théorie a un côté faible.* ⇒ 1. **Point.**

Il y a des chances pour qu'il en soit ainsi et vous voilà à peu près fixés sur un des côtés de la question. COURTELINE, Boubouroche, Petit historique, p. 9. 20

(Caractérisé par un adj. évaluatif). *Les bons côtés de quelqu'un.* ⇒ **Qualité.** *Les beaux côtés d'un caractère.* ⇒ **Avantage.** *Se faire voir sous ses beaux côtés. Les petits côtés de quelqu'un.* ⇒ **Défaut ; mesquinerie, petitesse, travers.** *C'est un côté ridicule de son caractère. C'est là son côté faible.* ⇒ 1. **Point ; défaut** (de la cuirasse).

Quand sur une personne on prétend se régler, 21
C'est par les beaux côtés qu'il lui faut ressembler;
Et ce n'est point du tout la prendre pour modèle,
Ma sœur, que de tousser et de cracher comme elle.
MOLIÈRE, les Femmes savantes, I, 1.

On regarde les gens par leurs méchants côtés. le Misanthrope, I, 2. 22

Il y a chez le Slave un côté enfant, comme chez tous les peuples primitivement sauvages, et qui ont plutôt fait irruption chez les nations civilisées qu'ils ne se sont réellement civilisés. BALZAC, la Cousine Bette, Pl., t. VI, p. 331. 23

(...) il n'est pas de belle cause, ni de bonnes gens, qui, vus sous un certain angle, avec un certain grossissement, n'offrent des côtés ridicules (...) R. ROLLAND, Jean-Christophe, t. VII, p. 83. 24

Les grands et les petits côtés d'une œuvre. Le beau côté de la chose.

(...) l'intelligence parisienne elle-même, aiguë, fiévreuse, toujours en mouvement, avide de connaître, prompte à se lasser, excellant à saisir aujourd'hui les grands côtés d'une œuvre, et demain ses défauts (...) R. ROLLAND, Musiciens d'aujourd'hui, p. 212. 25

(Caractérisé par une apposition) :

Que donneraient, transposés dans le roman ou au théâtre, le garagiste au cœur d'or, le petit musicien de génie que les gosses chahutent : tout le côté gentil plombier... F. MAURIAC, Bloc-notes 1952-1957, p. 7. 25.1

B. (Précédé d'une prép., *de, du...*). ♦ **1.** Lieu, direction (considérée comme la partie d'un espace; → ci-dessus, A., 4.). ⇒ **Endroit, partie,** 1. **point.** *De ce côté-ci; de ce côté-là :* par ici, par là. ⇒ **Par** (par ici, par là).

Loc. *De tout côté; de tous côtés :* de toute part, partout. ⇒ **Part** (de toute part), **partout.** *L'effroi se répand de tout côté. Devoir de l'argent de tous côtés. Courir de tous côtés,* çà et là. ⇒ **Çà** (çà et là), **val** (par monts et par vaux). *Surgir de tous les côtés,* de partout. *« Et de tous les côtés au soleil exposé... »* (→ 4. Coche, cit. 1., La Fontaine). *S'en aller de tous les côtés :* tomber en décrépitude. — Loc. adv. *D'un côté..., d'un autre côté ; d'un côté..., de l'autre :* d'une part... d'autre part. *De côté et d'autre :* par-ci, par-là. *Devoir faire face de tous les côtés à la fois. — Allons, passons de l'autre côté* (→ ci-dessous, À côté).

26 (...) il y avait l'autre jour des femmes à cette comédie (...) qui par les mines qu'elles affectèrent (...) firent dire de tous côtés cent sottises de leur conduite (...)
MOLIÈRE, *Critique de l'École des femmes*, 3.

27 (...) l'infini sous les pieds, l'infini sur la tête ; un infini de tous les côtés (...)
André SUARÈS, *Trois hommes*, « Pascal », II, p. 25.

DU CÔTÉ DE (sens concret) : dans la direction... (avec mouvement), ou aux environs de (sans mouvement). ⇒ **Direction** (dans la direction de...), **environ** (aux environs de), **région** (dans la région de), **vers...** *Aller du côté de la Bretagne. Demeurer du côté de Lyon. Il est parti du côté opposé au vôtre. Jeter les yeux du côté de quelqu'un. Du côté de chez Swann, roman de Proust* (→ cit. 14.1, ci-dessus).

28 (...) Et on s'en va, bras dessus, bras dessous, du côté de Recouvrance (...)
LOTI, *Mon frère Yves*, IV, p. 21.

29 Il jetait parfois les yeux du côté de Jerphanion, mais tout à fait comme si le jeune Normalien eût fait partie de la famille, et sans mettre dans son regard la moindre nuance de complicité.
J. ROMAINS, *les Hommes de bonne volonté*, t. III, XI, p. 153.

Se placer du côté de la fenêtre. ⇒ **Près** (de...) ; **loin** (non loin de...). *Se mettre du côté du jour.* — Fam. *Du côté de la santé, il n'a aucune inquiétude.* ⇒ **Relativement** (à).

♦ **2.** (Sens abstrait ; → ci-dessus, A., 5.). *De mon côté :* en ce qui me concerne. ⇒ **Quant** (à moi) ; **part** (pour ma part). *De mon côté, j'essaierai de vous aider. Ils bavardaient de leur côté.* ⇒ **Aparté** (en). — Fam. *Tirer les choses de son côté,* s'arranger pour qu'elles soient à son avantage ; les interpréter suivant son intérêt (→ Tirer la couverture* à soi).

30 Bertrand dérobait tout ; Raton, de son côté,
Était moins attentif aux souris qu'au fromage.   LA FONTAINE, *Fables*, IX, 17.

31 Si vous avez le plaisir de quereller, il faut bien que, de mon côté, j'aie le plaisir de pleurer : chacun le sien (...)   MOLIÈRE, *le Malade imaginaire*, I, 2.

32 Laissez-moi faire ; agissez de votre côté.   MOLIÈRE, *le Malade imaginaire*, III, 2.

33 La chair a ses volontés, ses instincts, ses convoitises, ses prétentions au bien-être ; c'est une sorte de personne inférieure qui tire de son côté, fait ses affaires dans son coin (...)   HUGO, *Post-Scriptum de ma vie*, I, III, v.

Du côté de... : quant à..., en ce qui concerne... Fam. *De ce côté, il n'a rien à craindre,* dans ce domaine.

33.1 En lisant ces témoignages d'élèves (...) je sens mieux à quel point j'ai été frustré du côté des maîtres : adolescent je me suis formé seul (...)
F. MAURIAC, *Bloc-notes 1952-1957*, p. 5.

REM. On a tendance à employer *du côté* suivi d'un nom sans article. *Du côté argent, tout va bien.* Ellipt. (fam.). *Côté fric, ça peut aller.*

33.2 Il y avait là un peintre illustre, un bâtonnier (...) et, côté femmes, une actrice de cinéma, un assortiment de comtesses dans le train et des épouses diverses.
M. AYMÉ, *le Vin de Paris*, « La bonne peinture », p. 208.

33.3 Nous l'y aiderons tous — mais en gardant notre franc-parler, en restant du côté public.   F. MAURIAC, *Bloc-notes 1952-1957*, p. 106.

♦ **3.** (1409). *Du côté de... :* du parti, du camp de... *N'être ni d'un côté, ni de l'autre.* ⇒ **Neutre**. *Comptez sur lui, il est de votre côté :* il est pour vous. *Mettre les rieurs* de son côté. Du côté ennemi. Les torts sont de votre côté.*

34 C'est qu'il est généreux de se ranger du côté des affligés.
MOLIÈRE, *Critique de l'École des femmes*, 6.

35 (...) la guerre peut être juste de deux côtés à la fois (...)
Julien BENDA, *la Trahison des clercs*, III, p. 187.

36 (...) il est absurde et malséant de ne voir l'intelligence, la probité, le courage et la noblesse, que d'un côté, le sien propre, et de l'autre, que lâcheté, sottise ou félonie.   GIDE, *Journal*, 7 juil. 1943, p. 188.

36.1 Pour prévenir le rire, j'imaginai donc de me jeter dans la dérision générale. En somme, il s'agissait encore de couper au jugement. Je voulais mettre les rieurs de mon côté ou, du moins, me mettre de leur côté.   A. CAMUS, *la Chute*, p. 106.

♦ **4.** (1280). *Parent du côté du père, du côté maternel. De mon côté ; du côté de ma famille* (opposé à *la famille du conjoint*). ⇒ **Chez** (moi). — Spécialt. *Être né du côté gauche.* ⇒ **Bâtard**. *Se marier du côté gauche.* ⇒ **Concubinage**. *Elle l'a épousé du côté gauche.*

De quel côté est-il venu ? ⇒ **Direction, où** (d'où, par où).

Loc. *Regarder de quel côté vient le vent :* regarder au dehors sans dessein précis, comme si l'on n'avait rien à faire, et, fig., observer le cours des événements avec circonspection, avant de prendre une décision. — *Ne plus savoir de quel côté se tourner :* être indécis, et aussi, être surchargé d'occupations (→ Ne plus savoir où donner de la tête*).

37 De quel côté porter mes pas ? Où m'aviserai-je d'aller...?
MOLIÈRE, *les Amants magnifiques*, V, 1.

♦ **5.** (1580). Loc. adv. À CÔTÉ : à une distance proche. *Marcher à côté. Qui est à côté.* ⇒ **Attenant, proche, voisin.** *Il demeure à côté, tout à côté.* ⇒ **Auprès, près** (tout près). — *Passons à côté,* dans la pièce voisine. *Nous serons mieux à côté pour bavarder.* — *Le coup est passé à côté,* et, ellipt. : *À côté !* ⇒ **Rater.** *Donner à côté :* s'éloigner du but. — N. m. *Côté* ⇒ **À-côté.**

Être à côté : ne pas être là où il faudrait ; (abstrait) se tromper. *Vous êtes complètement à côté.* — Spécialt. Fam. Ne pas être « dans le coup » (cf. angl. *out*). « *Offrir des glaïeuls, affirme Pierre Daninos dans "Snobissimo" est terriblement "à côté" et ne se fait plus du tout* » (*Elle*, 5 juin 1964, p. 41, *in* D.D.L.).

Fig. En comparaison. *Ça n'est rien à côté* (→ ci-dessous À côté de...).

Loc. prépositive. À CÔTÉ DE... ⇒ **Auprès** (de), **contre, près** (de). *Se placer, marcher à côté de quelqu'un. Mettre qqch. à côté de qqch.*

⇒ **Accoler, accoter, flanquer, juxtaposer.** *Homme placé à côté d'une femme,* à l'occasion de certaines cérémonies. ⇒ **Cavalier.** *L'église est à côté du village. Le salon est à côté de la salle à manger.*

38 Cet hôte était alors dans une chambre à côté de la cuisine, prêt à rendre l'âme d'une fièvre chaude qui lui avait si fort troublé l'esprit qu'il s'était cassé la tête contre une muraille (...)   SCARRON, *le Roman comique*, II, VI, p. 183.

39 Comment ! me disais-je, elle ne saura pas même que je l'ai aimée !... Elle croira que j'ai passé à côté d'elle sans la voir, que nos deux existences auront coulé bord à bord sans se confondre ni même se toucher...
E. FROMENTIN, *Dominique*, IX, p. 136.

40 Ses doigts sentent le livre, dans sa reliure neuve, couché à côté du paquet de lettres.   J. ROMAINS, *les Hommes de bonne volonté*, II, XX, p. 231.

(Précédé de la préposition *de*). « *Son fils disparu d'à côté d'elle* » (Goncourt, *Madame Gervaisais*, p. 241).

Par ext. *Vivre à côté de qqn, près de, auprès de...*

Fig. ⓐ ⇒ **Comparaison** (en comparaison de). *Mes maux ne sont rien à côté des siens. À côté de cela, il reste que...* ⇒ **Contre** (par), **revanche** (en).

ⓑ En plus de. « *L'instinct créant, à côté de nos besoins réels, des besoins imaginaires* » (Gaultier, *le Bovarysme*, 1902, p. 40).

ⓒ *Mettre un écrivain à côté d'un autre.* ⇒ **Avec, niveau** (au même niveau), **pied** (sur le même pied), **plan** (sur le même plan).

41 Peut-être Babylone, honorant ma mémoire,
Mettra Sémiramis à côté des grands rois.   VOLTAIRE, *Sémiramis*.

ⓓ *Passer à côté d'une difficulté,* et ne pas la voir. *Vous êtes resté à côté de la question.* ⇒ **Hors** (du sujet) ; **dehors** (en dehors de...). *Être à côté de la vérité. Que de fois on passe* (cit. 18) *dans la vie à côté de ce qui en ferait le charme.*

Loc. fam. *Être à côté de ses pompes*.*

♦ **6.** Loc. adv. DE CÔTÉ. ⇒ **Biais** (de biais), **travers** (de travers). *Marcher de côté. Aller de côté. Tournez-vous de côté.* — *Poser un objet de côté.* ⇒ **Obliquement.**

42 (...) une perruque tant soit peu de côté (...)
MOLIÈRE, *le Grand divertissement royal*, I.

43 (...) un mulet qui, de côté, lance une jambe brisée, à la manière des ataxiques.   GIDE, *Journal*, 1910, p. 316.

44 Un jeune homme frétillant, le feutre posé de côté sur la tête, s'approcha de Gilieth et lui tendit son paquet de cigarettes.   P. MAC ORLAN, *la Bandera*, IV, p. 42.

Regarder de côté : regarder obliquement, latéralement ; (fig.) regarder avec dédain, ressentiment, réserve, embarras.

Se jeter de côté, sur la droite ou sur la gauche. ⇒ **Écart** (faire un écart). *Se laisser tomber de côté, par côté.*

45 (...) la bête a manqué sous lui, et s'est laissée tomber de côté.
E. FROMENTIN, *Un été dans le Sahara*, p. 101.

Loc. fig. (1787). *Laisser (qqch.) de côté,* à l'écart. ⇒ **Abandonner ; abstraction** (faire abstraction de...), **négliger, oublier ; compte** (ne pas tenir compte de...). *Laissez de côté cet aspect du problème. Laissez, mettez de côté vos reproches.* ⇒ **Réserve** (en). *Il a laissé son travail de côté pour vous voir.* — *Mettre de côté. Mettre qqch. de côté, de l'argent de côté.* ⇒ **Économiser.** — Absolt. *Mettre de côté :* économiser. — *Avoir de l'argent de côté :* épargner. ⇒ **Devant** (soi), **derrière** (soi).

46 Dès que le mariage fut décidé, elle s'arrangea, fit des heures en plus, le soir, arriva à mettre trente francs de côté.   ZOLA, *l'Assommoir*, t. I, III, p. 80.

47 Son père et sa mère, quoique riches, vivaient étroitement, ennemis pour les autres et pour eux-mêmes de tout plaisir, hors celui au-dessus de quoi ils ne voyaient rien et qui est de « mettre de côté ».   F. MAURIAC, *le Mal*, I, p. 15.

48 La première idée qui vient aux esprits simples, et même aux esprits moins simples que cela, pour garder l'argent qu'ils ont, c'est de le mettre de côté. Pourtant le premier conseil qu'ils reçoivent des experts, c'est de ne pas le garder.
Pierre DANINOS, *Un certain Monsieur Blot*, p. 247.

Équit. *Porter* (un cheval) *de côté,* en faisant décrire à ses pattes de devant et de derrière deux traces parallèles.

CONTR. Poitrine, dos. — Devant, derrière. — Centre, milieu. — Ensemble, totalité.
COMP. Bas-côté.

CÔTE À CÔTE [kotakot] loc. adv. ⇒ 1. **Côte** (I., 3.).

COTEAU [koto] n. m. — 1611, *costeau* ; *couteau*, 1599 ; *costel*, v. 1160 ; dér. de l'anc. franç. *coste, côte,* et *-eau* ; de 2. **côte**.

♦ **1.** Petite colline. ⇒ **Colline, côte, monticule.** *Au pied du coteau. Les flancs, les versants d'un coteau.*

1 Plaine variée, onduleuse, qui fait surgir d'un mouvement harmonieux des échappées bleuâtres sur les coteaux.
J. CHARDONNE, *les Destinées sentimentales*, p. 121.

♦ **2.** Versant, pente d'une colline. *Coteau planté de vignes. Les coteaux du Beaujolais, du Gard* (⇒ 1. **Costière**), *du Rhône* (⇒ 2. **Côte**).

2 (...) au bois de la vigne, un bourgeon pointu, enflé d'un pleur de sève. La vie déjà fourmille sur ces sonores coteaux de Nuits (...)
COLETTE, *Prisons et Paradis*, En Bourgogne, p. 71.

COTECODER [kɔtkɔde] v. intr. — Attesté xxᵉ; onomatopée, de *cot, cot, codac*.

♦ Glousser, caqueter (en parlant de la poule).

Une poule qui vient de pondre chante l'œuf et s'enroue à force de cotecoder (...)
M. GENEVOIX, la Dernière Harde, p. 175.

CÔTELÉ, ÉE [kotle] adj. — xiiᵉ, *costelé* de 1. *côte* (II.).

♦ Qui est couvert de côtes* (en parlant d'un tissu). *Un pantalon en velours côtelé. Étoffe, velours côtelé,* ou *à côtes. Papier côtelé,* légèrement plissé.

CÔTELETTE [kotlɛt] n. f. — V. 1393, *costelette*; de 1. *côte* (I.), et *-(el)ette.*

♦ **1.** Côte* (d'un animal) destinée à la consommation. *Côtelette de mouton, de veau, de porc. Manche de côtelette. Côtelettes découvertes,* qui sont sous l'épaule. *Côtelette de filet*.*

0.1 On vit (...) un mouton, un mouton lui-même, défendre vaillamment contre le couteau du boucher les côtelettes qu'il portait en lui!
J. VERNE, le Docteur Ox, p. 74.

Côtelette grillée, panée (→ Charcutier, cit. 1). *Côtelette en papillotte.*

1 Je crois qu'il reste une côtelette.
— Non, ça ne me dit pas, murmura la petite vieille, qui glissa toutefois son nez sous le second couvercle. J'avais un caprice, mais les côtelettes panées, le soir, c'est trop lourd...
ZOLA, le Ventre de Paris, t. I, p. 105.

♦ **2.** Vieilli. *Favoris en côtelette.*

2 Il avait un costume de basin, la taille raide et les favoris en côtelette, l'air à la fois d'un magistrat et d'un dandy.
FLAUBERT, Bouvard et Pécuchet, Pl., t. II, p. 689.

Côtelettes : favoris.

3 Les concierges et larbins à côtelettes, en sentinelle sur le seuil, confirment par toute leur attitude que l'inscription ne ment pas.
J. ROMAINS, les Hommes de bonne volonté, t. V, XV, p. 113.

4 Ces derniers mots réjouirent profondément Angélo et il continua à s'avancer. Il y avait encore assez de jour pour qu'il pût suivre sur le visage blême, encadré de côtelettes cotonneuses, les progrès d'une terreur sans nom.
J. GIONO, le Hussard sur le toit, p. 96.

♦ **3.** Fam. Côte (humaine). — Loc. fam. *Chatouiller* (ou *caresser*) *les côtelettes à qqn,* le rouer de coups, le battre.

5 (...) la foule s'en brisait les côtelettes, tellement elle trouvait l'aventure savoureuse.
R. QUENEAU, Pierrot mon ami, éd. L. de Poche, p. 25.

♦ **4.** (1903). Argot et vx. *Côtelette de Brie :* morceau de fromage de Brie.

Avoir sa côtelette : être très applaudi, (en parlant d'un comédien).

COTER [kote] v. tr. — xvᵉ; de *cote.*

♦ **1.** Marquer d'une cote (les pièces d'un dossier, les pages d'un registre...). ⇒ Cote (1.); **noter, numéroter.** *Le notaire a coté ces pièces dans la marge.* — Par ext. *Coter un chapitre, un article :* marquer le numéro du chapitre, de l'article.

♦ **2.** (1832, in D.D.L.). Indiquer le cours, la cote de (une valeur, une monnaie, une marchandise...). ⇒ Cote (2.); **estimer, évaluer.** *Coter la rente, le change. La rente a été cotée à tant.*

Par métonymie (en parlant d'une personne, d'une société) :

1 Il croyait dur comme fer pouvoir les utiliser encore *(les actions)* et les remettre sur le marché. «Quand nous serons cotés en Bourse...», me disait-il d'un petit air espiègle.
Patrick MODIANO, les Boulevards de ceinture, p. 89.

Comm. Indiquer la valeur de (une marchandise). → ci-dessous, Coté (2.).

♦ **3.** Imposer (un contribuable) d'une cotisation. ⇒ **Quote-part; cote** (3.).

♦ **4.** (1755). *Coter une carte géographique :* indiquer les niveaux, les coordonnées. — *Coter un dessin industriel,* y indiquer les cotes. ⇒ Cote (6., b).

Coter un devoir d'élève. ⇒ **Estimer, noter;** et aussi **cote** (5.). — Par ext. Faire plus ou moins cas (de qqch., de qqn). ⇒ **Apprécier, estimer.** *Employé bien coté par ses supérieurs hiérarchiques.* (Rare). *Être coté pour...* : être considéré comme...

1.1 Joli d'un côté
et vilain de l'autre,
il était coté
pour un bon apôtre.
Paul NEUHUYS, Indication, in l'Arbre de Noël (1930).

2 (...) c'est fausser le jugement que coter l'art d'après son rendement moral.
GIDE, Pages de journal, 2 sept. 1940, p. 83.

▶ **COTÉ, ÉE** p. p. et adj.

♦ **1.** (1888). Qui a une bonne cote, qui a la cote (5.). ⇒ **Estimé.** *Être bien coté dans un groupe.*

♦ **2.** *Coté en Bourse,* dont la valeur est indiquée par la Bourse. *Valeur cotée en Bourse :* valeur qui figure sur la cote*officielle.*

(En parlant d'un véhicule). *Coté à l'Argus,* dont la valeur est donnée par l'Argus. *C'est un vieux modèle qui n'est plus coté.*

♦ **3.** (1922). Caractérisé par des cotes (6., b). *Croquis coté. Géométrie cotée.*

DÉR. Cotable. — Cotation, coteur.
COMP. Surcoter.
HOM. 1. Cotte. — (Du p. p.) Cotté.

COTERIE [kɔtʀi] n. f. — 1611, au sens 1; lat. médiéval *coteria* «petite tenure», 1255; de *coterius* (1086), d'où *cotier* «tenancier», t. de féodalité, v. 1280; rac. germ. *kote,* cf. anç. franç. *cotin* «cabane».

♦ **1.** Hist. Association de paysans chargés de tenir les terres d'un seigneur.

♦ **2.** (1660, non péj.). Vieilli ou péj. Réunion de personnes soutenant leurs intérêts et qui s'opposent à ceux qui ne font pas partie de leur groupe. ⇒ **Association,** 2. **bande, caste, cercle, chapelle, clan, clique, école, église, famille, parti, secte, tribu.** *Coterie dirigée contre un personnage important.* ⇒ **Cabale** (vx), **camarilla.** *Assemblée divisée en coteries. Les intrigues d'une coterie. Coterie secrète.* ⇒ **Mafia.** *Coterie littéraire, politique, religieuse. N'appartenir à aucune coterie. Coterie politique d'intérêt.* ⇒ (mod.) **Groupe** (de pression), **lobby.**

1 Qui diantre me poussait à vouloir être de l'Académie, moi qui m'étais moqué quarante ans des coteries littéraires?
P.-L. COURIER, Lettres, I, 121.

2 Les écoles, les coteries ne sont autre chose que des associations de médiocrités, pour se garantir mutuellement un semblant de renommée qui, à la vérité, est de courte durée mais qui fait traverser la vie agréablement.
E. DELACROIX, Écrits, Lettre à Mᵐᵉ Cavé, t. II, p. 5.

(Sans élément péj.). Société restreinte de personnes ayant des intérêts communs. *La petite coterie, le petit clan :* nom donné au salon des Verdurin, dans Proust.

3 Les uns avaient oublié, les autres pouvaient répondre qu'à l'origine de toutes les fermentations humaines, à la naissance de toutes les écoles, et même des plus grandes religions, il y a toujours de très petites coteries, d'imperceptibles groupes longtemps fermés, longtemps impénétrables; bafoués, fiers de l'être, et avares de leurs clartés séparées. Au sein de ces secrètes sociétés, germe et se concentre la vie des très jeunes idées et se passe le temps de leur première fragilité.
VALÉRY, Variété IV, 1938, p. 17, in T.L.F.

4 Le regard de Vidaloche, d'une pudeur déchirante, m'enveloppa d'un manteau. Il porta délicatement l'index à la perpendiculaire de sa bouche, puis l'écarta d'un geste ample et prompt, geste de coterie qui scellait on ne savait quel serment, mais qui allait de soi. Il signifiait avec une solennité furtive que nous étions des compagnons et qu'il y avait de l'honneur à n'être pas compris.
A. BLONDIN, Monsieur Jadis, p. 64.

Spécialt. Société d'ouvriers. — (Argot professionnel). Ensemble d'ouvriers du bâtiment. *La coterie peintre, la coterie maçon.*

CÔTES-DU-RHÔNE [kotdyʀɔn] n. m. invar. — D. i.; de *Côtes* (→ 2. *Côte), du,* et *Rhône.*

♦ Vin rouge des côtes du Rhône. *Un bon Côtes-du-Rhône* (aussi écrit : *côtes-du-rhône). Un côtes-du-rhône primeur.* Abrév. fam. (usage des cafés). *Un côtes. Un ballon de côtes.*

COTEUR [kɔtœʀ] n. m. — 1891, Zola; de *coter,* et *-eur.*

♦ Bourse. Personne qui enregistre les cotes atteintes par les valeurs.

À ce moment-là, le coteur soulignait le cours : terminé. Après, dans le courant de la séance, s'il y avait à nouveau des ordres sur une valeur, on faisait un deuxième cours.
Jean FERNIOT, Pierrot et Aline, p. 86.

Argot (journal.). Responsable de la rubrique boursière dans un journal.

REM. Le fém. *coteuse* est virtuel.

COTHURNE [kɔtyʀn] n. m. — V. 1500, O. de Saint-Gelays; lat. *cothurnus,* grec *kothornos.*

♦ **1.** Didact. Chaussure montante que portaient les anciens Grecs. Spécialt. Brodequins de cuir à semelle très épaisse dont les acteurs tragiques se servaient pour paraître d'une taille élevée.

1 Eschyle invente le cothurne, qui grandit l'homme, et le masque, qui grossit la voix. Ses métaphores sont énormes.
HUGO, William Shakespeare, IV, I, p. 41.

1.1 Les capitaines, portant des cothurnes de bronze, s'étaient placés dans le chemin du milieu, sous un voile de pourpre à franges d'or, qui s'étendait depuis le mur des écuries jusqu'à la première terrasse du palais.
FLAUBERT, Salammbô, Pl., t. I, p. 743.

2 Le masque et les cothurnes, le maquillage qui réduit et accuse le visage dans ses éléments essentiels, le costume qui exagère et simplifie, cet univers sacrifie tout à l'apparence, il n'était fait que pour l'œil.
CAMUS, le Mythe de Sisyphe, p. 112.

2.1 Qu'Ausonius le sache : distinguer entre le brodequin et le cothurne est affaire de culture profonde, pas moins! Il convient de savoir, entre autres, que dans Athènes les acteurs comiques portaient le brodequin, tandis que les acteurs tragiques lui préféraient le cothurne, dont la semelle est beaucoup plus épaisse. On se perd en conjectures sur la raison profonde de ce choix, encore que l'explication soit assez banale : le cothurne rehausse la taille du tragédien; l'épouvante et l'horreur ne peuvent venir de personnages à la taille moyenne.
Alain BOSQUET, les Bonnes Intentions, p. 226.

♦ **2.** Fig. et vx. *Chausser le cothurne :* composer ou jouer des tragédies. — Littér. *Le cothurne :* symbole du genre tragique, par oppos.

au genre comique (⇒ **Brodequin, socque**). *Quitter le brodequin* pour prendre le cothurne* (→ Comique, cit. 1).

3   La comédie doit prendre un ton moins haut que la tragédie : le socque est inférieur au cothurne.   FÉNELON, Œ., t. XXI, p. 221.

♦ **3.** (1831, Balzac, *la Peau de chagrin*). Lacets, rubans servant à attacher une chaussure de femme et montant jusqu'au mollet.

4   La robe de mousseline blanche semée de fleurs bleues (...) le corsage à pointe et sans ceinture, les souliers à cothurnes croisés sur un bas de fil d'Écosse accusaient une admirable science de toilette.   BALZAC, Béatrix, 1839-45, p. 132, *in* T. L. F.

(1823). Chaussure attachée de cette façon.

HOM. Coturne.

COTICE [kɔtis] n. f. — 1213, *cortice* ; probablt de **(bande) costice*, dér. de l'anc. franç. *coste* « côte », et *-icius*.

♦ Blason. Bande étroite traversant diagonalement l'écu. *Écu chargé de cotices. Cotice alésée* : cotice qui ne touche pas les bords de l'écu. *Pile et cotice*.

COTIDAL, ALE, AUX [kɔtidal, o] adj. — 1872 ; mot angl., de *co-*, et *tidal* « de la marée ».

♦ Géogr. *Courbe, ligne cotidale*, en tous les points de laquelle la marée a lieu à la même heure.

COMP. **Intercotidal.**

CÔTIER, IÈRE [kotje, jɛʁ] adj. — 1376 ; *costier*, 1250 ; de 3. *côte*, et *-ier*.

♦ **1.** Qui est relatif aux côtes*, au bord de la mer. *La ligne côtière. Profil côtier. Navigation côtière*. ⇒ **Bornage** (vx), **cabotage**. *Bateau côtier*, et n. m., *un côtier* : bateau qui ne s'éloigne pas des côtes. *Pilote côtier*, et, n. m., *un côtier*. — *Pêche côtière. — Fleuve côtier* : fleuve dont la source est proche de la côte. — *Région côtière. Le versant côtier d'une montagne* (→ Bordure, cit. 2). *Batterie côtière*.

♦ **2.** Qui est relatif à une côte, à une montée. *Cheval côtier*, et, n. m., *un côtier* : cheval de renfort pour monter une côte. Par ext. Celui qui conduit un cheval côtier.

HOM. (Du fém.) **Côtière.** — Cf. Costière.

CÔTIÈRE [kotjɛʁ] n. f. — 1740, Académie ; var. graphique de *costière**.

♦ Agric. Planche de jardinage à bonne exposition. ⇒ **Ados.**

HOM. Fém. de **côtier.** — Cf. Costière.

COTIGNAC [kɔtiɲak] n. m. — 1530 ; *coudoignac, coudougnac*, XIVᵉ ; *coudignac*, 1534 ; du provençal *codonat*, de *codonh, codounh* « coing », et *-ac*.

♦ Confiture épaisse et forte en sucre (de certains fruits, notamment coings, oranges). — Pâte de coing.

COTILLON [kɔtijɔ̃] n. m. — 1461 ; de 1. *cotte*, et *-illon*.

★ **I.** ♦ **1.** Vx (se disait surtout du jupon des femmes du peuple). Jupe de dessous. ⇒ **Jupon.**

1   Légère et court vêtue, elle allait à grands pas,
Ayant mis ce jour-là, pour être plus agile,
Cotillon simple et souliers plats.   LA FONTAINE, Fables, VII, 10.

2   Son cotillon de droguet était trop court de deux mains ; et, comme elle avait grandi beaucoup dans l'année, ses bras maigres, tout mordus par le soleil, sortaient de ses manches comme deux pattes d'aranelle.   G. SAND, la Petite Fadette, XIV, p. 106.

2.1   (...) l'une des sœurs, un pan de cotillon passé dans la ceinture, faisait à grands seaux d'eau claire la toilette de la devanture.   BERNANOS, Un Crime, *in* Œ. roman., Pl., p. 802.

Loc. fam. *Trousser un cotillon. Relever le cotillon d'une femme. Trousseur de cotillon.* ⇒ **Galant.**

♦ **2.** Vx. Femme. — (1718). Fam. et vieilli. *Aimer, courir le cotillon* : rechercher la compagnie des femmes.

3   (...) Germain trouva si ridicule d'être traîné ainsi de compagnie par un cotillon, à la vue de tout le monde, qu'il se tint à distance convenable, causant avec le père Léonard (...)   G. SAND, la Mare au diable, XII, p. 106.

4   Une vraie tête de linotte ! Il brûlait la chandelle par les deux bouts ! Le cotillon l'a perdu !   FLAUBERT, l'Éducation sentimentale, III, v, p. 436.

★ **II.** (1708). Vx. Danse collective mêlée de figures (à 4, 8 personnes), de mimiques. ⇒ **Contredanse, quadrille.** *Danser le cotillon.* Loc., vx. *Pincer un cotillon*, le danser (Labiche, *Deux merles blancs*, III, 5).

5   Je veux que nous dansions ensemble le rigaudon, la chasse, les cotillons (...)   J.-F. REGNARD, Critique du Légataire, sc. 3.

Vx. Moment où l'on danse, dans une réunion mondaine.

À trois heures du matin, le cotillon commença. Emma ne savait pas valser.   FLAUBERT, Mᵐᵉ Bovary p. 84.

Mod. (d'abord « danse collective, farandole, à la fin d'un bal »). Réunion accompagnée de danses et de jeux, le plus souvent à l'occasion d'une fête (jour de l'An, etc.). *Repas suivi d'un cotillon.* — *Objets pour bals et cotillons, accessoires de cotillons* : accessoires et ornements de papier, de clinquant (chapeaux, serpentins, confettis, etc.), petits instruments de musique (mirlitons). Ellipt. *Des cotillons. Magasin de farces et attrapes et de cotillons.*

DÉR. Cotillonner.

COTILLONNER [kɔtijɔne] v. intr. — 1866, mais antérieur (→ Cotillonneur) ; de *cotillon*.

♦ Vx. Danser le cotillon.

DÉR. Cotillonneur.

COTILLONNEUR, EUSE [kɔtijɔnœʁ, øz] n. — 1864, Goncourt ; de *cotillonner*.

♦ Vx. Personne qui danse le cotillon ; cavalier, cavalière, dans un cotillon.

COTINGA [kɔtɛ̃ga] n. m. — 1765 ; empr. à une langue indienne d'Amérique.

♦ Oiseau passeriforme (*Passereaux cotingidés*) exotique, au plumage richement coloré.

DÉR. Cotingidés.

COTINGIDÉS [kɔtɛ̃ʒide] n. m. pl. — 1889 ; de *coting(a)*, et *-idés*.

♦ Zool. Famille d'oiseaux passeriformes exotiques, vivant en Amérique du Sud. — Au sing. *Un cotingidé.*

COTIR [kɔtiʁ] v. tr. — V. 1270 ; du lat. pop. *cottire* « heurter ». → Cosser.

♦ **1.** Agric. Meurtrir* (des fruits). — Au p. p. *Fruits cotis par la grêle.*

♦ **2.** V. intr. (Vx). Heurter de front. ⇒ **Cosser.**

DÉR. Cotissure.

COTISANT, ANTE [kɔtizɑ̃, ɑ̃t] p. prés., adj. et n. — Mil. XXᵉ ; de *cotiser*.

♦ (Personnes). Qui verse une cotisation. *Les personnes cotisantes.* N. *Un, une cotisante.*

Déjà le bon citoyen possède un portefeuille spécial, un petit album de poche pour y ranger les différents aspects de son identité, cartes d'adhérent, de sociétaire, de cotisant, d'immatriculé, par lesquels le sens collectif le pénètre (...)   Jacques PERRET, Bâtons dans les roues, p. 50.

COTISATION [kɔtizasjɔ̃] n. f. — 1515 ; de *cotiser*, et *-ation*.

♦ **1.** Action de cotiser, de se cotiser*. *Faire, organiser une cotisation.* ⇒ **Collecte.** *Souscrire à une cotisation.* ⇒ **Cotiser** (se).

♦ **2.** Somme versée comme contribution. ⇒ **Quote-part.** *Payer, verser, envoyer sa cotisation.* — Somme fixée d'avance, à verser par les membres d'un groupe ou d'une association en vue des dépenses communes. *Régler sa cotisation au trésorier. Cotisation syndicale. Assurance à cotisations.* ⇒ **Assurance** (5.).

Le plus souvent, il se rendait au Cercle des Saussaies, dont le recrutement était fort mondain, et où il ne payait, comme homme de lettres, qu'une cotisation très réduite.   J. ROMAINS, les Hommes de bonne volonté, t. III, XVIII, p. 246.

Cotisation de Sécurité sociale : cotisation saisie sur le salaire ou sur les revenus de chaque assuré* social (⇒ **Cotisant**) versée (pour le salarié) pour partie par l'employeur, pour partie par lui-même à la Sécurité sociale. *Cotisation de l'assuré* (ou *cotisation salariale*) *et cotisation patronale.*

Spécialt (fin.). Imposition faite par cote.

COTISER [kɔtize] v. tr., pron. et intr. — 1513 ; de *cote*, et *-iser*.

♦ **1.** V. tr. (1513). Vx (en usage au Québec ; recomm. off. 1981). Imposer à (qqn) une quote-part. *Cotiser quelqu'un à tant.*

♦ **2.** V. pron. (1549). **SE COTISER** : contribuer, chacun pour sa part, à réunir une certaine somme en vue d'une dépense commune. *Se cotiser pour offrir un cadeau d'anniversaire à quelqu'un. Se cotiser pour une bonne œuvre.*

À cinq chevaliers, en nous cotisant tous,
Et ramassant écus, livres, deniers, oboles,
Nous n'avons encor pu faire que deux pistoles.   J.-F. REGNARD, le Distrait, I, 6.

2   Si, dit Yoland à Lucet, on se cotisait pour lui offrir une tévé pour son anniversaire, ça empêcherait son cerveau de ruminer.
        R. QUENEAU, les Fleurs bleues, p. 66.

♦ **3.** [a] V. tr. ind. (1877). *Cotiser à* : verser une somme régulière (cotisation) à (un organisme, une organisation, en échange des avantages qu'ils offrent et garantissent). *Il cotise à ce Club depuis des années. Cotiser à la Sécurité sociale.* — Absolt. *Oublier de cotiser.*

[b] V. intr. (sujet au plur.). *Ils ont tous cotisé pour le cadeau.* ⇒ **Boursiller** (vx). → ci-dessus, Se cotiser.

DÉR. Cotisant, cotisation.

COTISSURE [kɔtisyʀ] n. f. — 1701 ; de *cotir*.

♦ Techn. (agric.) ou régional. Meurtrissure sur un fruit. *Les cotissures font pourrir les fruits.*

CÔTOIEMENT [kotwamɑ̃] n. m. — 1862, Hugo ; de *côtoyer*.

♦ Le fait de côtoyer, de se côtoyer. *Le côtoiement d'une rivière, d'un précipice.* — Fig. *Des gens dont le côtoiement est dangereux. Un côtoiement trop étroit, dans la promiscuité*.*

COTON [kɔtɔ̃] n. m. et adj. — V. 1160 ; ital. *cotone* ; arabe *qŭtn*.

★ **I. N. m.** ♦ **1.** Matière végétale douce, de la consistance de la bourre, formée de courts filaments soyeux, qui entourent les graines du cotonnier*. *Cueillette du coton*, à la main, aux ciseaux, à la machine ⇒ (**Picker**). — *Coton des Indes. Coton d'Égypte. Coton longue soie, courte soie. Égrenage du coton. Balle de coton égrené. Filature du coton.* ⇒ **Battage, cardage, étirage, peignage, séchage.** *Machine à filer le coton.* ⇒ **Jenny.** — *Pneumoconiose due à l'inhalation de poussières de coton.* ⇒ **Byssinose.** — *Tissage du coton. Industrie textile du coton.* ⇒ **Batteur, cardeur ; banc** (à broches), **brise-balles, étireuse, ouvreuse, peigneuse, réunisseuse.** *Coton brut, cardé, épluché, filé. Étoffe de coton. Toile de coton.* ⇒ **Cotonnade ; andrinople, batiste, bombasin, boucassin, calicot, cellular, circassienne, cotonnette, coutil, cretonne, éponge, finette, flanelle, futaine, guinée, jaconas, linon, lustrine, madapolam, masulipatan, nankin, nansouk, orléans, oxford, percale, percaline, pilou, piqué, plumetis, rouennerie, satinette, shirting, siamoise, tarlatane, tennis, vichy, voile, zéphyr...** *Un tissu de coton* (→ ci-dessous, 2., Du coton). *Velours de coton.* ⇒ **Moleskine, velvet.** *Velours, voile, gabardine de coton. Tissu de coton très léger.* ⇒ **Tarlatane, voile.** *Crêpe, mousseline, tulle de coton. Fil de coton. Coton perlé. Rembourrer un vêtement avec du coton.* ⇒ **Ouate.**

1   Ils vont presque nus ; leur vêtement ne consiste que dans une toile de coton qui les couvre depuis la ceinture jusqu'au milieu de la cuisse (...)
        BUFFON., Hist. nat. homme, Œ., t. V, p. 134.
2   Les plantes à coton du pays, renversant leurs capsules épanouies, ressemblent à des rosiers blancs.
        CHATEAUBRIAND, Voyage en Amérique, 350.

Plante fournissant cette matière. ⇒ **Cotonnier.** *Coton à longues, à courtes fibres. Culture de coton. Graines de, du coton. Huile, tourteaux de coton.*

3   Le coton est, à l'heure actuelle, la plus importante des plantes textiles (...) Le coton tend de plus en plus à remplacer dans nos pays non seulement le lin mais le chanvre (...) Il est le produit végétal textile dont la production est la plus considérable (...) En toutes les régions qui peuvent lui être propices, on tente de le cultiver.
Le coton est de la famille des Malvacées. La graine est contenue dans une capsule qui s'ouvre toute seule à maturité ; elle est entourée de poils qui ont une longueur de 1 à 4 centimètres ; et ces poils uni-cellulaires, d'un blanc tantôt éclatant, tantôt jaunâtre, sont utilisés pour fabriquer les tissus.
        Jean BRUNHES, la Géographie humaine, I, p. 361.
3.1   L'hybride fertile du Coton américain et du Coton asiatique a les longues fibres du premier et la maturation précoce du second (...)
        J. ROSTAND, Idées nouvelles de la génétique, p. 58.

♦ **2.** Étoffe, tissu fabriqué à partir du coton. *Une pièce de coton. Matelas, couverture de coton. Bonnet* de coton. Chemise de coton, chemise pur coton. Ruban de coton.* — *Du coton :* des tissus de coton. ⇒ **Cotonnade.**

3.2   Les toiles qui composaient l'enveloppe de l'aérostat furent ensuite dégraissées au moyen de soude et de potasse obtenues par incinération de plantes, de telle sorte que le coton, débarrassé du vernis, reprit sa souplesse et son élasticité naturelles ; puis, soumis à l'action décolorante de l'atmosphère, il acquit une blancheur parfaite.
        J. VERNE, l'Île mystérieuse, t. I, p. 400.

♦ **3.** Fil de coton. *Coton à broder. Coton à repriser. Coton plat ; coton perlé ; coton mercerisé*.*

♦ **4.** Substance essentiellement formée de coton, utilisée en thérapeutique. *Coton cardé*, servant aux enveloppements. *Coton hydrophile* : coton blanchi dont on a éliminé les substances grasses et résineuses. ⇒ **Ouate.** *Boîte, tampon, plaque de coton aseptique.*
(*Un, des cotons*). *Morceau de coton. Mettre un coton sur une plaie. Un coton imbibé d'alcool à 90°.* — *Coton hydrophile*, souvent mélangé de fibres synthétiques. *Coton à démaquiller.*
Loc. fam. *Avoir du coton dans les oreilles :* être dur d'oreille, un peu sourd.

♦ **5.** Loc. fig. [a] (De *coton*, au sens 1). *Élever un enfant dans du coton, dans une boîte à coton*, l'élever trop mollement, en l'entourant de soins excessifs. «*J'ai été élevé dans du coton*» (Drieu la Rochelle, *la Comédie de Charleroi*, p. 245). «*Cette éducation ridicule dans du coton*» (N. Sarraute).

4   Gouvernez-la bien, divertissez-la, amusez-la, enfin mettez-la dans du coton, et nous conservez cette chère et précieuse personne.
        Mᵐᵉ DE SÉVIGNÉ, 20 sept. 1695.

Avoir les bras, les jambes en coton, les sentir mous, sans force. ⇒ **Faible.**

[b] (1846, H. Monnier ; de *coton* «fil de coton»). *Filer un mauvais coton :* être dans une situation dangereuse (en parlant de quelqu'un dont la santé donne de graves inquiétudes ; et aussi de quelqu'un qui s'engage sur une pente dangereuse où il risque de perdre sa fortune, son crédit, sa réputation, ses qualités morales). → **Macchabée**, cit. 1, Zola.

4.1   Vous filez un mauvais coton (...) vous n'êtes pas seul, d'ailleurs. On croirait que ce maudit village est sous le coup d'un sort.   BERNANOS, Monsieur Ouine, p. 222.
4.2   (...) les gens ont commencé à dire qu'il était fou. Pendant des années, on ne s'était aperçu de rien. Simplement : «Il file un mauvais coton», parce qu'il maigrissait (...)
        F. MALLET-JORIS, le Jeu du souterrain, p. 193.

Rare (avec une autre construction). «*Sûr que tu vas à la catastrophe. Enfin, tu ne vois pas le coton que tu files ?*» (Yanny Hureaux, *la Prof*, p. 239).

♦ **6.** (1574). Duvet formé de poils courts et crépus (à la surface des fruits, des feuilles de certains végétaux).

5   Leurs fleurs tendres et délicates, et, durant l'hiver, enveloppées comme dans un petit coton (...)   BOSSUET, Traité de la connaissance de Dieu..., v, 2.

Poil follet (sur les joues et le menton des adolescents). ⇒ **Duvet.** *Menton qui commence à se couvrir de coton.*

6   A peine adolescent, de son léger coton
  La jeunesse en sa fleur ombrage son menton (...)   DELILLE, Énéide, IX.

♦ **7.** (1847). **COTON-POUDRE** : explosif* obtenu en nitrant une cellulose de coton, préalablement blanchie. ⇒ **Fulmicoton ; pyroxyle.** *Coton-poudre, dissous dans un mélange d'éther et d'alcool.* ⇒ **Collodion.** *Mélange de coton-poudre et de nitro-glycérine.* ⇒ **Dynamite** (gomme). *Des cotons-poudres.*

★ **II. Adj. attribut, invar.** (1890 ; des loc. *jeter un vilain coton* «se cotonner», *filer un mauvais coton*). Fam. Difficile, ardu. *C'est coton, ce problème !*

7   Il faut faire plus vrai que le vrai, et cela, mon vieux, c'est coton, crois-moi.
        J. DUTOURD, les Horreurs de l'amour, p. 285.
8   Nous ne savons pas ce qui nous attend sinon que, d'après ce que nous avons déjà vu ce sera sans doute *coton*. Tâchons d'être à la hauteur des événements.
        J. GIONO, le Hussard sur le toit, p. 321.
9   (...) ce voyage pèsera aussi lourd qu'un long hiver à Paris. Ça allait être coton de rentrer rue Jean-Jacques Rousseau.
        Benoîte et Flora GROULT, Il était deux fois, p. 237.

DÉR. Cotonnade, cotonne ou cotonnette, cotonner, cotonnerie, cotonneux, cotonnier.
COMP. Fulmicoton.
HOM. Forme du v. *coter*.

COTONÉASTER [kotoneasteʀ] n. m. — D.i. ; lat. mod., autrefois francisé en *cotinéastre*.

♦ Bot. Plante dicotylédone (*Rosacées*), arbrisseau indigène, vivace, tortueux. *Le cotonéaster pyracanthe*, ou *buisson ardent, arbre de Moïse*, est cultivé comme plante ornementale.

COTONNADE [kotonad] n. f. — 1771 ; «charpie», 1615 ; de *coton*, et *-ade*.

♦ Étoffe fabriquée avec du coton. ⇒ **Coton.** *De la cotonnade. Une, des cotonnades. Cotonnade blanche* ou *tissu de blanc. Des cotonnades légères, de coloris variés.* ⇒ **Indienne.** *Cotonnades épaisses et feutrées. Cotonnade servant à doubler un vêtement. Apprêtage des cotonnades.* ⇒ **Encollage ; apprêteuse, encolleuse ; ourdissage ; ourdissoir.** *Robe de cotonnade.*

Ici toutes les femmes qui viennent danser au tam-tam sont vêtues de cotonnades aux couleurs vives et seyantes, formant corsages et jupes.
        GIDE, Voyage au Congo, *in* Souvenirs, Pl., p. 726.

COTONNE [koton] ou COTONNETTE [kotonɛt] n. f. — 1746, *cotonne* ; *cotonnette*, 1755, *in* D.D.L. ; de *coton*.

♦ Vx. Étoffe de coton de qualité commune.

COTONNER [kotone] v. — 1244 ; de *coton*.

★ **I. V. tr.** ♦ **1.** Garnir (qqch.) de coton.

♦ **2.** Vx. Mettre (qqn) dans du coton, l'entourer de soins excessifs.

★ **II. V. intr.** ♦ **1.** Se couvrir d'un duvet, d'une bourre comparable au coton. *Ce lainage cotonne.*

♦ 2. Fig. Devenir mou, cotonneux. « *Les jambes qui cotonnent* » (Barrès, *in* T. L. F.).

▶ SE COTONNER v. pron.

(Du sens II, 1). Se couvrir d'un léger duvet ressemblant aux filaments de coton*. *Étoffe qui se cotonne.*

Par anal. *Fruits qui se cotonnent,* dont la pulpe devient molle comme du coton. ⇒ **Cotonneux.**

▶ COTONNÉ, ÉE p. p. adj. *Toile cotonnée.*

Fig. *Menton cotonné,* couvert d'un léger duvet. ⇒ **Cotonneux** (→ Barbe, cit. 6). — *Cheveux cotonnés :* cheveux courts, frisés et crépus.

COTONNERIE [kɔtɔnʀi] n. f. — 1772 ; de *coton.*

Technique et vieux.

♦ 1. Champ de coton.

♦ 2. (1798, *in* D.D.L.). Lieu où l'on travaille le coton.

COTONNEUX, EUSE [kɔtɔnø, øz] adj. — 1552 ; de *coton.*

♦ 1. (1552). Qui est couvert d'un duvet ressemblant au coton*. *Feuille, tige cotonneuse.* ⇒ **Duveté, tomenteux.**

(Dans les noms de plantes). *Bauhinia cotonneuse.*

1   Le bourgeon cotonneux du pommier se gonfle et se crève (...)
      BERNARDIN DE SAINT-PIERRE, Harmonies, I.

Fig. *Visage cotonneux,* couvert d'un léger duvet.

♦ 2. (1611). Qui est devenu mou. ⇒ **Flasque, mou, spongieux.** *Fruit cotonneux ; chair, pulpe cotonneuse.* ⇒ **Cotonner,** p. p. adj.

Fig. *Style cotonneux,* mou.

2   (...) une suite de phrases pas trop cotonneuses (...)
      M. BARRÈS, Leurs figures, p. 238.

♦ 3. (1801). Semblable à du coton. *Ciel cotonneux,* dont les nuages sont analogues à de la ouate (⇒ **Brouillardeux**). *Brume cotonneuse.*

3   (...) sur ce fond vaporeux passaient lentement des nuages cotonneux semblables à de grands morceaux d'ouate (...)   Th. GAUTIER, Mˡˡᵉ de Maupin, p. 142.

3.1 Je les revois, ces forêts, par ces jours cotonneux de novembre, où l'appel lointain du cor se mêlait aux aboiements de la meute et aux coups cadencés de quelque hache lointaine.   Claude MAURIAC, le Temps immobile, p. 341.

♦ 4. *Bruit cotonneux :* bruit sourd, comme s'il parvenait à travers de la ouate. ⇒ **Sourd.**

4   Ils étaient assis au fond du bar, en face du comptoir, c'était douillet, entourés d'un gros bruit cotonneux qui berçait.   SARTRE, le Sursis, p. 131.

5   Et tout cela est, en outre, remarquablement silencieux ni cris, ni paroles à voix trop haute, ni tapage d'aucune sorte ne viennent troubler l'atmosphère feutrée, cotonneuse (...)   A. ROBBE-GRILLET, Projet pour une révolution à New York, p. 32.

♦ 5. Fam. *Se sentir tout cotonneux.* — Syn. : *en coton.* ⇒ **Faible, mou.**

6   *La Roche du Diable,* occasion d'exposer sa théorie sur le vertige. Le corps en arrière, on ne s'appuie à la rampe de fer que du bout du doigt. On devient cotonneux.   J. RENARD, Journal, 5 juil. 1895.

CONTR. **Lisse, uni.** — **Glabre.** — **Dur, résistant, solide.**

COTONNIER, IÈRE [kɔtɔnje, jɛʀ] n. et adj. — 1252, *cotonier* ; *cottonier,* 1542 ; *cotonnier,* 1837 ; de *coton.*

★ I. N. m. (1694). Plante dicotylédone (*Malvacées*) appelée scientifiquement *gossypium,* arbrisseau des régions chaudes aux fleurs jaunes ou pourpres, aux graines entourées de poils soyeux constituant les filaments du coton et qui fournissent aussi une huile alimentaire. ⇒ **Coton.** *Capsules du cotonnier,* contenant les graines et les filaments. *Le black arm, maladie du cotonnier.*

1   Des figures entouraient les cuisines ; un bois de sycomores se prolongeait jusqu'à des masses de verdure, où des grenades resplendissaient parmi les touffes blanches des cotonniers.   FLAUBERT, Salammbô, Pl., t. I, p. 743.

2   (...) à une époque (*celle de Christophe Colomb*) où l'on se préparait à décrire le cotonnier (et même à le dessiner) sous le nom d'arbre à moutons : un arbre portant, en guise de fruits, des moutons entiers pendus par le dos et dont il suffisait de tondre la laine.   Claude LÉVI-STRAUSS, Tristes tropiques, p. 60.

★ II. Adj. (1837). *Cotonnier, cotonnière.* Qui a rapport au coton. *Syndicat cotonnier. Industrie, coopérative cotonnière.*

★ III. N. m. et f. **♦ 1.** Ouvrier, ouvrière qui travaille le coton.

♦ 2. (1853). Fabricant, fabricante de tissus de coton.

COTONNINE [kɔtɔnin] n. f. — 1479 ; probablt empr. à l'ital. *cotonina,* de *cotone* « coton ».

♦ Techn. anc. Toile de gros coton utilisée autrefois pour faire les voiles de certains navires.

COTON-POUDRE [kɔtɔ̃pudʀ] n. m. ⇒ **Coton** (7.).

CÔTOYER [kotwaje] v. tr. — Conjug. *noyer.* — XIIᵉ ; de 3. *côte.*

♦ 1. Vx. Aller côte à côte avec (quelqu'un). Littér. et vieilli. (Passif et p. p.). *Être côtoyé de qqn.*

Quelques femmes, mises à la française, sauf la coiffure, se promenaient ensemble, côtoyées d'un mari ou d'un amant (...)   Th. GAUTIER, Constantinople. p. 47.   0.1

♦ 2. Par ext. *Côtoyer une armée,* marcher sur son flanc. *Côtoyer l'armée ennemie.*

Pron. *Les deux armées se côtoient.*

♦ 3. Aller le long de (qqch., un lieu). ⇒ **Border, longer.** *Côtoyer le bord de la forêt. Côtoyer la rivière.* — (Sujet n. de chose). Se trouver le long de... *Arbres qui côtoient le fleuve.* ⇒ **Étendre** (s'étendre le long de...). *Côtoyer un précipice.*

Un jour sur ses longs pieds allait je ne sais où
Le héron au long bec emmanché d'un long cou.
Il côtoyait une rivière.   LA FONTAINE, Fables, VII, 4.   1

Quant au cimetière, on ne le voyait point : on fermait les yeux en le côtoyant.
      G. SAND, la Mare au diable, Appendice, I, p. 150.   2

Absolt. Mar. *Navire qui côtoie,* qui suit la côte.

♦ 4. Se rapprocher de..., sans atteindre à... ⇒ **Frôler ; coudoyer.** *Côtoyer la cour d'assises. Côtoyer le ridicule. Côtoyer la légalité.*

(...) il aimait frauder, tourner les règlements, côtoyer la légalité, marcher sur les gazons sacrés (...)   G. DUHAMEL, Biographie de mes fantômes, IV, p. 61.   3

♦ 5. Vivre à côté de, près de (qqn). ⇒ **Coudoyer.** — Pron. *Ils se côtoient tous les jours.*

DÉR. **Côtoiement, côtoyeur.**

CÔTOYEUR [kotwajœʀ] n. m. — 1883, M. Rollinat ; de *côtoyer.*

♦ Littér. et rare. Personne qui côtoie (une chose concrète). — REM. Le fém. *cotoyeuse* n'est pas attesté.

COTRE [kɔtʀ] n. m. — 1834 ; *cutter,* 1777, *in* Höfler ; angl. *cutter,* littéralt « ce qui coupe (l'eau) ».

♦ Petit navire à un seul mât, gréant foc et trinquette (à la différence du *sloop,* qui ne comporte qu'une seule voile d'avant). → **Barge,** cit. Céline. — Var. anc. : *cutter* (anglic.).

Ça, c'était resté le secret du mystérieux petit lieutenant (...) qui venait d'accompagner Charles X de Rambouillet à Cherbourg, puis en Écosse. Un cotre du port de Douvres l'avait débarqué à Dunkerque.   BERNANOS, Monsieur Ouine, p. 36.

COTRET [kɔtʀɛ] n. m. — 1623 ; *coteet,* 1606 ; *costerais,* 1298 ; probablt dér. du lat. *costa* « côté », et *-aricius.*

Technique ou régional.

♦ 1. Petit fagot de bois court et de grosseur moyenne. — Par ext. Chacun des bâtons qui composent le fagot.

♦ 2. Loc. fam. *Huile de cotret :* coups de bâton. — *Sec comme un cotret :* fort maigre ⇒ **Trique** (comme une). — Vieilli. *Jambe de cotret,* sèche et maigre.

Quoiqu'elle fût laide, sèche comme un cotret, et bourgeonnée comme un printemps, certes Mᵐᵉ Dubuc ne manquait pas de partis à choisir.
      FLAUBERT, Mᵐᵉ Bovary, I, I, p. 12.

♦ 3. Techn. Montant en bois (d'un métier à tisser).

COTRIADE [kɔtʀijad] n. f. — 1877, *Nouveau Larousse illustré ;* de l'expr. *sardines de cotériade* « sardines distribuées aux membres de l'équipage », 1877, *in* Littré, *Suppl. ;* orig. obscure.

Régional.

♦ 1. Part de poissons que reçoivent les pêcheurs comme avantage en nature.

♦ 2. (1898). Soupe de poissons, en Bretagne. → **Bouillabaisse.**

Et Marianne apporta la cotriade fumante et parfumée d'épices.
      P. MAC ORLAN, l'Ancre de miséricorde, p. 115.

COTTABE [kɔtab] n. m. — 1803, Boiste ; du grec *kottabos.*

♦ Antiq. grecque. Jeu qui consistait à lancer les dernières gouttes d'une coupe de vin dans un bassin de bronze pour interpréter le son produit et en tirer des présages (sur le succès d'une entreprise amoureuse).

Il habitait une des tentes carthaginoises à bordures de perles, buvait des boissons fraîches dans les coupes d'argent, jouait au cottabe, laissait croître sa chevelure et conduisait le siège avec lenteur.   FLAUBERT, Salammbô, Pl., t. I, p. 874.

Par métonymie. Le bassin dans lequel on jetait le vin. Le vin lui-même.

COTTAGE [kɔtɛdʒ ; kɔtaʒ] n. m. — 1754 ; mot angl., de *cot* « cabane, chaumière ».

◆ Petite maison de campagne élégante, de style rustique (en particulier en Grande-Bretagne). *Ils ont acheté un cottage en Écosse.*

Eugène Giraud nous mène à la maison rustique qu'il possède à Saint-Gratien, une maison inventée dans une grange, et bâtie et décorée de débris moyenâgeux, et où les lierres, la vigne folle, toutes les plantes de liberté, jettent leurs lianes et leur verdure zigzaguante sur le bric-à-brac de l'architecture de l'intérieur. C'est le cottage, le vrai nid d'une lune de miel romantique.
    Ed. et J. DE GONCOURT, *Journal*, t. II, p. 227.

Régional (Canada). Pavillon, maison individuelle.

1. COTTE [kɔt] n. f. — 1155 ; p.-ê. du francique *kotta*, anc. haut all. *kozza* « manteau de laine grossière » ; ou (P. Guiraud) apparenté à l'anc. franç. *cote* « peau (d'un animal, d'un fruit) » d'orig. provençale ou ital., d'un roman *cutita*, du lat. *cutis* « peau ».

◆ **1.** Hist. Tunique d'homme ou de femme. — Loc. *Cotte d'armes* : sorte de casaque qui se mettait sur la cuirasse. — Cour. **COTTE DE MAILLES** : armure défensive faite de mailles ou d'anneaux de fer entrelacés. ⇒ **Armure, brigandine.** *Longue cotte de mailles munie de manches.* ⇒ **Haubert.** *Les cottes de mailles des Normands* (→ Arme, cit. 40). — Rare. *Cotte à mailles* (même sens).

0.1 Avec son costume de guerre, cotte à mailles d'or et d'argent, baudrier étincelant de pierres précieuses (...) Féofar offrait au regard l'aspect plutôt étrange qu'imposant d'un Sardanapale tartare (...) J. VERNE, Michel Strogoff, p. 282 (1876).

1 Quand il sort dans la journée, il a le plus souvent sous son pourpoint une cotte de mailles complète (...) TAINE, Philosophie de l'art, t. I, II, v, p. 201.

◆ **2.** (1539). Vx. Jupe courte, plissée à la taille. *Une cotte de paysanne. Petite cotte de dessous.* ⇒ **Cotillon.** *Relever, trousser sa cotte.*

2 De l'autre main, elle relevait sa jupe, et ses cottes de futaine noire : indifférente à tout ce qui fait le souci des passants, elle se troussait assez haut : on voyait ses pieds chaussés de pantoufles en cuir noir, sans boucles ni lacets, et les gros bas de laine noire tombaient à plis lourds le long de sa jambe.
    André SUARÈS, Trois hommes, « Ibsen », VI, p. 153.

3 Alors elle a bien vite commencé sa besogne, courageusement, cotte troussée, à grands pleins seaux d'eau claire sur les dalles, comme pour faire honte à la mauvaise chance, au pressentiment, au malheur (...)
    BERNANOS, Monsieur Ouine, p. 93.

REM. Un passage très voisin est cité à l'art. Cotillon.

◆ **3.** Par ext. Jupe plissée à la taille, que portent les hommes dans certains pays.

◆ **4.** (1867 ; Delvau, *Dict. d'argot, in* D.D.L.). Vieilli. Vêtement de travail, pantalon montant sur la poitrine ou combinaison. ⇒ **Bleu, combinaison, salopette.** *Ouvriers en cotte bleue* (→ Comptoir, cit. 1). *Cotte de mécanicien.*

DÉR. Cotillon, cotté, cotteron. — V. Cottereaux.
COMP. Cotte-hardie, surcot.
HOM. Cote, 2. cotte, quote ; formes du v. coter.

2. COTTE [kɔt] n. m. — 1838 ; grec *kottos* « chabot ».

◆ Poisson acanthoptérygien *(Cottidés)* de petite taille, comestible, qui vit en eau douce sous les pierres (⇒ **Chabot**), et dont certaines variétés vivent en eau salée, près du rivage.

HOM. Cote, 1. cotte, quote ; formes du v. coter.

COTTÉ, ÉE [kɔte] adj. — 1915, Claudel ; de 1. *cotte.*

◆ Littér. et rare. Revêtu d'une cotte (de mailles).

Visite du Vatican. Musée où beaucoup d'hommes-femmes. La beauté commence avec les magnifiques tapisseries de Raphaël. Puis les chambres. Un bas-relief. Un poète entouré de muses rigides et comme cottées de mailles.
    CLAUDEL, Journal, 17 mai 1915.

HOM. Formes du v. coter.

COTTE-HARDIE [kɔtəardi] n. f. — V. 1250 ; de 1. *cotte,* et *hardie.*

◆ Hist. Vêtement de dessus, court, porté par les hommes et les femmes aux XIVᵉ, XVᵉ et XVIᵉ siècles.

COTTEREAUX [kɔtRo] n. m. pl. — V. 1173 ; de *coterel* « cotte d'armes », dimin. de *cote* « tunique à manche », à cause du vêtement que portaient ces hommes.

◆ Hist. Aventuriers, pillards réunis en bandes, qui sévirent en France dans la deuxième moitié du XIIᵉ siècle. — REM. On écrit aussi *cotereau.*

COTTERON [kɔtRõ] n. m. — V. 1365 ; de 1. *cotte.*

◆ **1.** Hist. Veste courte, étroite et sans manches portée par les paysans, au moyen âge.

Cotte d'armes courte et étroite.

◆ **2.** Vx. Petite cotte (1. Cotte, 2.), étroite et courte.

Spécialt. Cotillon de lainage que portaient les paysannes dans la Flandre française.

COTTIÈRE [kɔtjɛR] n. f. — 1808, Boiste ; orig. inconnue.

◆ Techn. Barre* de fer de gros calibre.

COTURNE [kɔtyRn] n. m. — D. i. ; de *co-,* et *turne,* par jeu de mots avec *cothurne.*

◆ (Argot de l'École normale supérieure, à l'origine). Étudiant (-ante) avec lequel (laquelle) un (une) autre étudiant (-ante) partage sa chambre. *J'ai trouvé un nouveau, une nouvelle coturne.* — REM. On écrit aussi par plais. *cothurne.*

HOM. Cothurne.

COTUTELLE [kɔtytɛl ; kɔtytɛl] n. f. — 1868 ; de *co-,* et *tutelle.*

◆ Dr. Fonction dévolue au mari d'une tutrice (Code civil).

COTUTEUR, TRICE [kɔtytœR, tRis ; kɔtytœR, tRis] n. — XVIᵉ ; de *co-,* et *tuteur.*

◆ Dr. Personne chargée avec une autre de la tutelle d'un mineur.

COTYLE [kɔtil] n. f. — XIVᵉ ; grec *kotulê* « cavité ».
Didactique.

◆ **1.** ⓐ Bol à boire (dans l'antiquité grecque).

ⓑ Mesure de capacité grecque et romaine.
(...) le commun des hommes n'est pas disposé, comme est Socrate, à vider la grande coupe de huit cotyles sans être ivre (...)
    ALAIN, Platon, VII, *in* les Passions et la Sagesse, Pl., p. 894.

◆ **2.** (1561). Anat. Cavité d'un os dans laquelle un autre os s'articule. ⇒ **Acétabule.**

◆ **3.** Zool. Ventouse des tentacules des céphalopodes.

DÉR. Cotyloïde.

COTYLÉDON [kɔtiledõ] n. m. — 1534 ; *cotillidones,* 1314 ; grec *kotulêdon* « creux, cavité », de *kotulê.* → Cotyle.

◆ **1.** (1534). Embryol. Chacun des segments polygonaux, délimités par des cloisons, à la surface utérine du placenta humain ou animal.

◆ **2.** (1786). Bot. Feuille ou lobe séminal* qui naît sur l'axe de l'embryon des végétaux phanérogames. *Cotylédon qui croît au-dessus du sol* (⇒ **Épigé**), *dans le sol* (⇒ **Hypogé**). *Les deux cotylédons du haricot qui germe. Les phanérogames angiospermes sont à un ou deux cotylédons* (⇒ **Monocotylédone, dicotylédone**).

◆ **3.** Par anal. Plante grasse aux feuilles charnues qui pousse sur les rochers et les vieux murs. — Syn. : *écuelle, herbe-aux-hanches, nombril de Vénus.*

DÉR. Cotylédonaire, cotylédoné.
COMP. Acotylédone, dicotylédone, monocotylédone.

COTYLÉDONAIRE [kɔtiledɔnɛR] adj. — 1865, *Année sc. et industr.* (1866), p. 218 ; de *cotylédon.*

◆ Bot. Qui a rapport aux cotylédons. *Feuille cotylédonaire.*

COTYLÉDONÉ, ÉE [kɔtiledɔne] adj. — 1829 ; de *cotylédon.*

◆ Bot. Pourvu de cotylédons. *Plante cotylédonée.*

COTYLOÏDE [kɔtilɔid] adj. — 1704 ; de *cotyle,* et *-oïde.*

◆ Anat. En forme de coupe, de cupule. *Cavité cotyloïde* (ou *cotyle*) : cavité de l'os coxal dans laquelle s'articule la tête du fémur.

DÉR. Cotyloïdien.

COTYLOÏDIEN, IENNE [kɔtilɔidjɛ̃, jɛn] adj. — 1814 ; de *cotyloïde.*

◆ Anat. Qui a rapport à la cavité cotyloïde.

COTYLOSAURIENS [kɔtilosɔRjɛ̃] n. m. pl. — 1945 ; du grec *kotulê* « creux, cavité » (→ Cotyle), et *saurien.*

◆ Paléont. Reptiles primitifs de la fin de l'ère primaire. — Au sing. *Un cotylosaurien.*

COTYPE [kɔtip ; kotip] n. m. — XXᵉ ; de *co-,* et *type.*

◆ Didact. (biol.). Individu trouvé dans le même lieu qu'un premier spécimen de type (d'une espèce), et qui sert de référence dans les études taxinomiques.

Les fameuses valises jaunes qu'il traînait à son arrivée recélaient précisément ses plus précieux *cotypes*. (Pour les barbares, je précise qu'un cotype est le premier spécimen connu et décrit, à quoi se réfèrent les catalogues des spécialistes).
             Hervé BAZIN, Vipère au poing, p. 38 (1948).

COU [ku] ou (vx) COL [kɔl] n. m. — xiᵉ, *col* ; lat. *collum*.

♦ **1.** (V. 1170). Partie du corps (de certains vertébrés) qui unit la tête au tronc. *Le cou d'un oiseau, d'un mammifère. Poil du cou d'un cheval, d'un lion* (⇒ **Crinière**). *Peau pendante sous le cou des bœufs* (⇒ **Fanon**). *Prendre un chat par la peau du cou. Sonnette, clarine pendue, au cou du bétail. Collier* d'identité au cou d'un chien. Attacher, atteler un animal par le cou. Porter quelque chose sur le cou.*

1   *Le héron au long bec emmanché d'un long cou.*   LA FONTAINE, Fables, VII, 4.

Cour. (chez l'homme). *Devant* (⇒ **Gorge**), *arrière* (⇒ **Nuque**) *du cou. Relatif au cou.* ⇒ **Cervical** (1.), et l'élément **cervic(o)-** ; aussi **trachélien** (vx). *Vertèbres du cou.* ⇒ **Atlas, axis.** *Muscles* (⇒ **Splénius**), *artères* (⇒ **Carotide**), *veines* (⇒ **Jugulaire**), *glandes* (⇒ **Thymus, thyroïde**) *du cou. Cartilage saillant du cou.* ⇒ **Pomme** (d'Adam). *L'œsophage, la trachée-artère, canaux qui passent dans le cou. Partie antérieure du cou.* ⇒ **Gorge.** *Partie postérieure du cou.* ⇒ **Nuque.** *Plis cutanés du cou.* → *Collier** (cit. 6) *de Vénus. Douleur ressentie dans le cou.* ⇒ **Torticolis.** — *Avoir un long cou. Cou raide, droit. Cou engoncé* dans les épaules. Cou rond. Cou robuste.* — *Cou* (caractérisé par un compl. de nom). *Cou de taureau, large, puissant.* — *Littér. Cou de cygne, long, blanc, souple et gracieux* (→ **Argenté**, cit. 2). *Cette femme a un cou de cygne. Un cou d'albâtre, d'ivoire, de lis,* très blanc.

2   Lorsque le cou est long et mince, sa direction générale suit celle de la colonne cervicale. Il est plus ou moins incurvé avec convexité tournée en avant, et c'est cette disposition qui a pu faire comparer par les poètes le cou de la femme au cou du cygne.   Paul RICHER, Nouvelle anatomie artistique, La femme, p. 159.

3   Lorsque l'attitude *(dans la position verticale)* est correcte, la tête est droite, le cou vertical, les épaules sont portées en arrière (...)   A. BINET, les Formes de la femme, p. 60 (→ **Forme**).

4   Sous votre aimable tête, un cou blanc, délicat,
Se plie, et de la neige effacerait l'éclat.   André CHÉNIER, Bucoliques, XVII, « Les colombes ».

5   Je vis que, devant moi, se balançait gaiement
Sous une tresse noire un cou svelte et charmant ;
Et voyant cet ébène enchâssé dans l'ivoire,
Un vers d'André Chénier chanta dans ma mémoire (...)   A. DE MUSSET, Poésies nouvelles, « Une soirée perdue ».

6   Je ne dis pas un mot : je regarde toujours
La chair de leurs cous blancs brodés de mèches folles.   RIMBAUD, Poésies, « A la musique ».

7   Regarde son cou, cette nuque énorme, engoncée dans les épaules : quand il tourne la tête, tout le reste vient avec.   MARTIN DU GARD, les Thibault, t. III, p. 22.

Avoir le cou à nu. ⇒ **Décolleté.** *Partie du vêtement qui entoure le cou.* ⇒ **Col, collerette, encolure.** *Robe qui dégage le cou. Pièce d'armure qui protégeait le cou.* ⇒ **Colletin.** *Coltin qui couvrait le cou des débardeurs. Envelopper le cou dans un cache-col, une fourrure, un tour de cou* (→ **Boa**, cit. 2). *Avoir, porter un bijou, une jeannette, une médaille, un pendentif au cou.* ⇒ **Chaîne, collier.**

8   (...) le front ruisselant de sueur, le cou tendu en avant sous le poids du sac (...)   P. MAC ORLAN, la Bandera, IX, p. 111.

9   (...) sa robe noire sans autre ornement qu'une petite croix huguenote en argent, suspendue à son cou par un ruban.   J. CHARDONNE, les Destinées sentimentales, p. 460.

REM. La forme archaïque *col* (→ **Col**, I.) s'emploie encore dans quelques contextes évoquant l'habillement (→ **Col**, cit. 4) ou la prise au collet*.

(1644). *Loc. (Au cou). Sauter, se jeter, se pendre au cou de qqn,* l'embrasser avec effusion. *Se cramponner au cou de quelqu'un.* — *Être dans l'eau, dans le bain jusqu'au cou.* — *Fig. Plongé jusqu'au cou :* profondément absorbé (par une affaire, une situation). *Être dans la misère jusqu'au cou. S'enfoncer jusqu'au cou :* s'engager à fond.

10   (...) j'étais plongé jusqu'au cou dans l'histoire de la philosophie (...)   Alphonse DAUDET, le Petit Chose, I, VII.

11   Il se leva lentement, ses deux mains saisirent en avant sous le corsage et il serra en se souvenant de toute son ancienne force.   P. MAC ORLAN, la Bandera, III, p. 36.

Prendre au cou (→ argot **Colback**). *Serrer le cou.* ⇒ **Étrangler.** *Tordre le cou :* donner la mort par strangulation. *Tordre le cou à un poulet.*

Fam. Tordre, casser le cou à une bouteille, la boire. — *Attacher un criminel par le cou.* ⇒ **Carcan.** — *Mettre à quelqu'un la corde au cou,* pour le pendre, et, fig., le soumettre. ⇒ **Corde.** *Se mettre la corde au cou. Fig. Couper le cou à qqn, de qqn,* lui trancher la tête. ⇒ **Décapiter, décoller.** *Fig. et vieilli. Rompre le cou à quelqu'un,* l'empêcher de réussir. *Rompre le cou à une affaire. Se rompre, se casser le cou :* se blesser grièvement en tombant, ou, fig., perdre ses avantages. ⇒ **Casse-cou.**

Laisser, mettre la bride sur le cou : lâcher les rênes d'un cheval (→ **Bride**, cit. 7), ou, fig., laisser toute liberté à quelqu'un.

Prendre ses jambes à son cou : faire de grandes enjambées en se sauvant ; partir au plus vite.

Pense un peu ! Un contre mille !... Salut !... Mes jambes à mon cou ! 12
        CÉLINE, Guignol's band, p. 137.

Allus. littér. Soleil, cou coupé, vers d'Apollinaire ; titre d'un recueil poétique d'Aimé Césaire.

♦ **2.** (1690). *Le cou* ou *le col d'une bouteille, d'une cruche,* le goulot. → *fam.* Casser, tordre le cou à une bouteille* (où *cou* a le sens 1).

♦ **3.** (1767). Spécialt (qualifié, désignant des animaux). *Cou-rouge :* le rouge-gorge. *Cou coupé.* ⇒ **Amadine.** *Cou-tors :* le torcol.

♦ **4.** *Cou de cygne :* robinet, tuyau formant un double coude. ⇒ **Col-de-cygne.**

Ameublement. Motif du style Empire. « *Fauteuils à cous de cygne* » (Hugo).

Mar. Cheville d'articulation d'un mât de charge.

Techn. Avant-train recourbé d'une voiture à cheval (Stendhal, *in* T. L. F.).

DÉR. Voir **Col.**
COMP. Cache-col, casse-cou. — Cou-coupé, cou-de-pied.
HOM. Coup, coût ; formes du v. **coudre.**

COUAC [kwak] n. m. — 1544, *coac* ; onomat. du cri du corbeau.

♦ Son faux et discordant rendu par une voix, ou (1834), par un instrument de musique. ⇒ **Canard** (fam.). *Ce soliste a fait un couac. Trompette qui fait un couac.*

Quant aux chants, mes oreilles habituées au plain-chant, à la psalmodie monastiques, souffraient de leur fadeur et des couacs fréquents. 1
      Georges BORGEAUD, le Voyage à l'étranger, t. I, p. 77.

(...) le couac fatidique et impuissant du jeune trompette (...) 2
      Claude SIMON, le Palace, éd., 10/18, p. 108.

Fausse note.

(le) repassage des nappes damassées dont chaque faux pli ferait l'effet d'un couac. 3
      M. YOURCENAR, Archives du Nord, p. 189.

Faire couac : émettre un cri discordant.

DÉR. Couaquer.

COUAGGA [kwaga] n. m. — 1755, Buffon ; étym. inconnue ; on évoque (sans preuve) une onomat. du cri de cet animal.

♦ *Zool.* Petit cheval d'Afrique dont la robe est rayée comme celle d'un zèbre* sur le cou et les épaules.

Ce sont les onaggas ! s'écria Harbert, des quadrupèdes qui tiennent le milieu entre le zèbre et le couagga !   J. VERNE, l'Île mystérieuse, t. I, p. 397.

COUAILLE [kwaj] n. f. — 1611 ; de *coe,* anc. forme de *queue.*
Technique.

♦ **1.** Laine de seconde qualité coupée près de la queue.

♦ **2.** Extrémités d'un étang laissées à sec par les basses eaux.

COUAQUER [kwake] v. intr. — 1895 ; *couacquer,* 1609 ; de *couac.*

♦ Rare. Pousser un cri, faire un bruit discordant, une fausse note.

COUARAIL [kwaʀaj] n. m. — 1876 ; de l'anc. franç. *carrogier* « causer sur la place publique », de *carroge* « carrefour », du lat. *quadrivium.*

♦ *Régional* (Lorraine). Réunion ou veillée où l'on bavarde tout en faisant de petits travaux.

(..) la *veillée* autour du feu de la cuisine. Tout en écossant les légumes pour l'hiver, on causait des menus événements du jour, et Bibi Cholion faisait des plaisanteries dont les sœurs s'amusaient. C'était le couarail ordinaire des villages lorrains.
      M. BARRÈS, la Colline inspirée, p. 163.

COUARD, ARDE [kwaʀ, aʀd] adj. — V. 1100, *cuard* ; xiiᵉ, *couard,* proprt « qui a la queue basse » ; de *cüe, cöe, coue,* formes anc. de *queue,* et *-ard.*

Littéraire ou régional.

♦ **1.** (Personnes). Qui est lâche, peureux. ⇒ **Capon, lâche, poltron, pusillanime.** — N. *Un franc, un vrai couard. Une couarde.*

(...) un couard qui s'est monté la tête ressemble à un vilain qui se met en dépense, et pousse toujours les choses à l'extrême. 1
      NERVAL, Contes et facéties, « La main enchantée ».

Il fallut que l'hostilité grandissante des temps modernes fît comprendre, peu à peu, à cette milice, la nécessité d'être couarde, et la sublime sagesse de décamper en jetant ses armes aux pieds de l'ennemi.   Léon BLOY, le Désespéré, III, p. 143. 2

♦ **2.** Qui manifeste peur et lâcheté. *Un air couard.* — *Une réponse couarde.*

(Abstractions) :

3 Je hais l'idéalisme couard, qui détourne les yeux des misères de la vie et des faiblesses de l'âme.   R. ROLLAND, Vie de Michel-Ange, p. 10-11.

CONTR. Audacieux, brave, courageux, crâne, hardi, vaillant.
DÉR. Couardement, couarder, couardise.
COMP. Accouardir.
HOM. (Du fém.) Formes du v. **couarder.**

COUARDEMENT [kwaʀdəmɑ̃] adv. — Déb. xiiie, *cuardement; coairdement,* v. 1209; de *couard.*

♦ Littér. et rare. D'une façon couarde. ⇒ **Peureusement.**

CONTR. Courageusement.

COUARDER [kwaʀde] v. intr. — 1611; pron., v. 1100; de *couard.*

♦ Littér. et rare. Agir comme un couard.

COUARDISE [kwaʀdiz] n. f. — V. 1100, *cuardie, cuardise;* de *couard,* et *-ise.*

♦ Littér., vieilli ou régional. Caractère d'une personne couarde. ⇒ **Lâcheté, poltronnerie.** *La plus grande couardise consiste à éprouver sa puissance sur la faiblesse d'autrui.*   AUDIBERTI, le Mal court, p. 166, *in* T. L. F.
(Une, des couardises). Acte d'un couard. *C'est une couardise inexcusable.*

CONTR. Audace, bravoure, courage, hardiesse, vaillance.

COUCHAGE [kuʃaʒ] n. m. — 1657; de 1. *coucher,* et *-age.*

♦ **1.** (1657). Techn. (milit.). Action de coucher, de se coucher. *Le couchage des troupes.*

♦ **2.** (1838). Cour. Ensemble des objets qui servent au coucher. *Apporter son couchage. Le couchage des campeurs. Matériel de couchage.* ⇒ **Literie.** *Sac de couchage,* pour le campement. ⇒ **Duvet.**

1 Par terre, d'autres couchages improvisés, matelas et couvertures de satin bleu ou rose (...)   LOTI, les Désenchantées, II, p. 22.
2 Une camionnette nous accompagne, avec notre attirail de couchage, car nous ne devons rentrer que le lendemain.   GIDE, Voyage au Congo, *in* Souvenirs, Pl., p. 715.

♦ **3.** (1931). Fam. Commerce sexuel. *Histoire de couchage.* ⇒ **Coucherie** (2., plus cour.).

♦ **4.** Techn. ⓐ (1808). Hortic. Action de coucher des tiges aériennes pour obtenir des marcottes.
ⓑ Action de mettre des graines en couche.
ⓒ (1897). Papet. Fabrication du papier couché.

COUCHAILLER [kuʃaje] v. intr. — xxe; de 1. *coucher,* et suff. péj. *-ailler.*

♦ Fam. Avoir des aventures galantes sans lendemain; coucher à droite et à gauche. ⇒ 1. **Coucher** (II., 3.), **couchotter.**

Mais enfin, je perdais mon temps. Que faisait-on en Allemagne?
Couchailler chez l'habitant, jouer au théâtre, attendre.
    Roger NIMIER, le Hussard bleu, p. 221 (1950).
Coucher un peu, de temps à autre (avec qqn). « Moravagine couchaillait avec elle » (Cendrars, Moravagine, *in* Œ. compl., t. 4, p. 205).

COUCHANT, ANTE [kuʃɑ̃, ɑ̃t] p. prés., adj. et n. — xiie; p. prés. de 1. *coucher.*

♦ **1.** Qui se couche. ⓐ (Déb. xviiie). *Chien couchant :* chien d'arrêt qui se couche sur le ventre lorsqu'il flaire le gibier. ⇒ **Chien** (*supra,* cit. 19). *Chiennes couchantes* (→ Biscotin, cit.). — (1605, *in* D. D. L.). Fig. *Faire le chien couchant :* être servile. ⇒ **Chien** (cit. 37, 38 et supra). *C'est un vrai chien couchant.*

ⓑ *Soleil couchant,* qui est près de disparaître sous l'horizon. *On est arrivé au soleil couchant. Les teintes du soleil couchant* (→ Boulevard, cit. 2.).

1 (...) je m'arrêtais à considérer les clochers (...) que le soleil couchant ensanglantait de ses feux sur la tenture noire des fumées de la Cité.   CHATEAUBRIAND, Mémoires d'outre-tombe, t. II, p. 81.
Moment où le soleil se couche. Il devait la rencontrer au soleil couchant.
Par métaphore. Déclin (de qqch.). *Le soleil couchant d'une vie.*
Ciel couchant : le ciel, quand le soleil se couche, au couchant.
Rare. *Le soleil qui se couche. — Le moment où le soleil se couche. Juste avant le couchant.*

♦ **2.** N. m. (V. 1265, B. Latini). *Le couchant.* ⓐ Le côté de l'horizon où le soleil semble se coucher. ⇒ **Occident, ouest, ponant** (opposé à *aurore, est, levant, orient). Maison exposée au couchant. Entre le midi et le couchant. Les pays du couchant.*

Au couchant rouge encore, sanglant et sans ardeur, ce globe hagard descend sur l'horizon humide, pareil au cyclope dont l'œil rond se cache dans l'eau verte et pâle.   André SUARÈS, Trois hommes, I, « Ibsen », p. 70. 2
Crépuscule ensanglanté de rouille et d'or; couchant de turquoise et de cuivre (...)   Laurent TAILHADE, Contes et poèmes en prose, « Les noces de Messidor », I. 3

ⓑ Fig. ⇒ **Déclin, vieillesse; crépuscule.** *Toucher à son couchant. Au couchant de la vie.*

1. COUCHE [kuʃ] n. f. — 1575; *culche,* v. 1170; *colche,* xiie; déverbal de 1. *coucher.*

★ **I.** ♦ **1.** Vx, poét. ou plais. Lit. *S'étendre sur sa couche. Partager la couche de quelqu'un. Couche nuptiale :* (fig.) mariage. *Dieu a béni leur couche. Déshonorer, souiller la couche conjugale, nuptiale... :* manquer à la fidélité conjugale. — Loc. fig., iron. *Honorer la couche (d'une personne) :* avoir des rapports sexuels (avec elle). — *Petite couche aménagée sur les bateaux, dans les chemins de fer.* ⇒ **Couchette.**

1 Cette couche sans délices, à peine garnie d'un matelas équivoque et d'une paire de draps sales insuffisamment dissimulés par une courtepointe gélatineuse (...)   Léon BLOY, la Femme pauvre, II, p. 17.
2 Je me confonds à la douce chaleur de ma couche. Tout est possible à l'homme qui se tourne et se retourne entre la veille et le sommeil.   VALÉRY, Autres rhumbs, p. 46.

♦ **2.** Garniture de tissu ou de cellulose dont on enveloppe les bébés, au-dessous de la ceinture, pour qu'ils ne se salissent pas. ⇒ **Pointe.** *Changer la couche d'un bébé. Mouiller ses couches. Couche jetable.* — Garniture de même type, utilisée par les malades incontinents.
(1929). *Couche-culotte :* couche à jeter dont la face extérieure est recouverte d'une feuille de plastique, et qui tient lieu de culotte. ⇒ **Change** (III.). *Des couches-culottes.*

★ **II.** (1552; dans quelques expressions, au sing., ou plus souvent au plur.). *En couche* (vx); *en couches.* Alitement de la femme qui accouche. ⇒ **Accoucher.** *Être en couche, en couches,* dans le travail de l'enfantement ou dans la période qui suit.
3 Il arrive tant d'accidents aux femmes en couche.   Mme DE SÉVIGNÉ, 101, *in* LITTRÉ.

Loc. *Faire une fausse couche.* ⇒ **Fausse-couche.**

Au plur. *(Les couches). Relever de couches :* se rétablir. ⇒ **Relevailles.** *Couches laborieuses, pénibles. Suites de couches.*
3.1 — L'impératrice est bien contente, disait-il. Elle a eu des couches superbes. Oh! c'est une gaillarde! Vous allez voir quelle prestance elle a...   ZOLA, Son Excellence Eugène Rougon, t. I, p. 99.

COMP. Fausse-couche.
HOM. 2. **Couche;** formes du v. 1. **coucher.**

2. COUCHE [kuʃ] n. f. — 1580; de 1. *coucher* (I., A., 4.).

★ **I.** ♦ **1.** Substance plus ou moins épaisse étalée sur une surface. *Couche extérieure, superficielle, formée ou déposée sur une surface.* ⇒ **Croûte, pellicule.** *Couche de plâtre, de ciment.* ⇒ **Enduit.** *Couche de teinte.* — Absolt. *Passer la troisième couche.* — *Cloque* que fait une couche de peinture. Couche de vernis. Couche d'argent, d'or, de platine.* ⇒ **Argenture, dorure, platinage; coucher, plaquer; couchoir.** *Couche de chrome, de nickel. La couche sensible d'une pellicule.* ⇒ **Film, pellicule.** — *Étaler une couche de beurre sur une tartine. Disposer des fruits par couches sur un plat, dans un panier, une caissette..., les disposer par lits. Superposer, alterner, varier les couches. Couche de feuilles mortes. Couche de gravier dans l'allée d'un jardin. Couche de cailloutage** (cit.). — *Une épaisse couche de neige couvrait le sol.*

4 (...) les jonquilles détachées de leurs tiges couvraient le sol d'une épaisse couche odorante (...)   LOTI, Aziyadé, XLVIII, p. 146.
5 C'est à peine si l'on voyait sa figure sous une voilette et une couche de poudre (...)   J. CHARDONNE, les Destinées sentimentales, III, p. 397.
5.1 (...) la neige n'a pas encore fondu. Elle forme une couche assez peu épaisse — quelques centimètres — mais parfaitement régulière, qui recouvre toutes les surfaces horizontales de la même couleur blanche, terne et neutre.   A. ROBBE-GRILLET, Dans le labyrinthe, p. 23.

Fam. *Avoir une bonne couche de crasse.* — (1883). Loc. fig. et fam. *Avoir, en tenir une couche :* faire preuve d'une grande sottise. ⇒ **Sot.** *Quelle couche il tient! :* comme il est bête!

5.2 De temps en temps, je le rencontre, ce brave Lapouille, et il ne manque jamais de me dire :
— Crois-tu qu'ils en ont une couche, hein?   A. ALLAIS, Contes et chroniques, p. 69.
5.3 Et bêtes par-dessus le marché... Et bêtes...
— Ça, il y en a qui en tiennent une couche, d'une taille... Et puis des plaisanteries, grosses comme eux.
Ils se croient malins et ne disent que des bêtises, d'une taille... Et puis des plaisanteries, grosses comme eux.   R. QUENEAU, Pierrot mon ami, éd. L. de Poche, p. 22.

♦ **2.** (1529). Hortic. Carré de fumier mêlé à de la terre pour favoriser la croissance de certaines plantes. ⇒ **Planche, semis,** et aussi 1. **capot** (II., 3.). *Couche recouverte d'une bâche; d'un châssis. Châssis de couche. Adossement** pour protéger les couches.

— *Couche sourde,* qui n'est pas en relief. *Venir sur couche. Melons, chrysanthèmes sur couches.*

(1835). *Champignon* de couche :* agaric comestible cultivé sur couches (⇒ **Champignonnière**).

♦ **3.** Sc. et cour. Disposition d'éléments en zones superposées ; assise, banc, formation, lit, strate. *Couches horizontales, inclinées, parallèles. Couche tordue* (→ Cassure, cit. 2). *Couche plane de minerai. Couches géologiques. Couche secondaire, tertiaire. Couche sédimentaire.* ⇒ **Alluvion** (cit. 3), **sédiment.** *Couches stratifiées*. Couche aquifère*.* ⇒ **Nappe.** *Couche imperméable* (→ Cavité, cit. 1 ; capillarité, cit.). *Couche de calcaire, d'argile. Mince couche de gypse.* ⇒ **Cliquart.** *Fendre une roche dans le sens de ses couches lamellaires.* ⇒ **Clivage, cliver.** *Galeries de mine établies dans chaque couche de houille.* — *Couches de l'océan.* — Par compar. ou métaphore (→ ci-dessous, cit. 6 et 7). « *Les couches profondes du moi* » (Bergson, *in* T. L. F.). ⇒ **Région, sphère.**

6 Nos ans et nos souvenirs sont étendus en couches régulières et parallèles, à différentes profondeurs de notre vie, déposés par les flots du temps qui passent successivement sur nous. CHATEAUBRIAND, Mémoires d'outre-tombe, t. VI, p. 138.

7 (...) le fond national toujours intact et persistant, voilà le granit primitif ; il dure une vie de peuple et sert d'assise aux couches successives que les périodes successives viennent déposer à la surface. TAINE, Philosophie de l'art, t. II, v, II, II, p. 253.

7.1 Tantôt, sur les bords de l'Orne, ils apercevaient, dans une déchirure, des pans de rocs dressant leurs lames obliques entre des peupliers et des bruyères, ou bien ils s'attristaient de ne rencontrer le long du chemin que des couches d'argile. FLAUBERT, Bouvard et Pécuchet, III, Pl., t. II, p. 787.

8 C'est ainsi que des vagues luttent sans trêve à la surface de la mer, tandis que les couches inférieures observent une paix profonde. H. BERGSON, le Rire, p. 202.

9 A mesure que, sous les « tells » d'argile *(de la Mésopotamie),* la pioche minutieuse des archéologues découvre, couche par couche, la trace émouvante des civilisations (...) DANIEL-ROPS, le Peuple de la Bible, I, 1, p. 7.

(1783). Zone, surface délimitée (d'un fluide). *Couches de l'atmosphère. Couche d'air. Couche limite* (adjacente à la surface du globe).

Anat. *Couche superficielle du derme. Couche papillaire.*

Bot. *Couche corticale :* lamelle fibreuse qui constitue l'écorce. *Chute d'une couche d'écorce.* ⇒ **Exfoliation.** — (1771). *Couche ligneuse,* qui forme l'aubier. ⇒ **Cerne.**

Techn. *Les couches d'un revêtement de sol. La couche d'usage d'un sol textile.*

Bâtiment, travaux publics. Assise de matériaux de même nature, d'une épaisseur relativement faible par rapport à son extension horizontale, et remplissant une fonction déterminée dans une structure construite. *Lit de pierraille formant couche de drainage dans les fondations d'un bâtiment.* — Spécialt. Une telle assise, constituant un élément d'une chaussée. *Couche de base, couche de fondation, couche de revêtement.*

♦ **4.** Fig. Ensemble des personnes ayant des caractères communs (âge, activité professionnelle...). ⇒ **Catégorie, classe.** *Couche d'âge.* — (1830). *Les couches sociales.*

10 (...) j'annonce la venue et la présence dans la politique d'une couche sociale nouvelle (...) GAMBETTA, Disc. prononcé à Grenoble, 26 sept. 1872.

♦ **5.** Phys. Niveau caractérisant l'état d'un certain nombre d'électrons liés à un noyau.

★ **II.** ♦ **1.** DE COUCHE : selon une disposition couchée, horizontale. — (1869). *Arbre de couche :* pièce de transmission. ⇒ **Arbre.** — (1680, *couche*). *Plaque de couche d'un fusil :* semelle de la crosse.

♦ **2.** Charpent. Pièce de bois qui supporte des étais, maintient des terres.

DÉR. Couchette.
COMP. Sous-couche.
HOM. 1. Couche ; formes du v. 1. coucher.

COUCHÉ [kuʃe] adj. et n. m. — P. p. de *coucher.* → Coucher.

♦ Techn. (papet.). *Papier couché,* et, n. m., *du couché :* ⇒ **1. Coucher** (p. p. couché, B.).

COUCHE-CULOTTE [kuʃkylɔt] n. f. ⇒ **1. Couche** (I., 2.).

COUCHE-DEHORS [kuʃdəɔR] n. m. invar. — 1881, Maupassant ; de 1. *coucher* « dormir », et *dehors.*

♦ Fam. et rare. Personne sans travail et sans domicile fixe. ⇒ **Vagabond.** « *Et qu'est-ce que c'est, ce merle-là ? Un va-nu-pieds, un sans-le-sou, un couche-dehors, un crève-la-faim ?* » (Maupassant, *Contes et nouvelles, in* T. L. F.).

COUCHÉE [kuʃe] n. f. — XVIᵉ ; de 1. *coucher.*
Vieux.

♦ **1.** Action, fait de se coucher. ⇒ **2. Coucher.**

1 Donc, l'ingénieur, sans tenir compte de ses fatigues, laissant Pencroff et Nab organiser la couchée, et Gédéon Spilett noter les incidents du jour, commença à suivre

la lisière circulaire du plateau, en se dirigeant vers le nord. Harbert l'accompagnait. J. VERNE, l'Île mystérieuse, t. I, p. 127-128 (1874).

♦ **2.** ⓐ Lieu où l'on couche en voyage. ⇒ **Étape.**

ⓑ Personnes couchées ensemble.

2 Cette association par paires donne lieu à l'association par chambrées (...) il y a des paires calmes qui se recherchent pour former des couchées tranquilles et respectables (...) Rodolphe TÖPFFER, Voyages en zigzag, 1838, 1ʳᵉ journée, p. 85.

♦ **3.** Régional. (Animaux). Fait de se poser, de s'arrêter pour dormir.

3 Hier soir, j'étais caché là-haut, pour la couchée des grives. M. PAGNOL, Manon des Sources, p. 183.

HOM. Formes du v. 1. coucher.

COUCHE-PARTOUT [kuʃpaRtu] n. m. invar. — Mil. xxᵉ ; de 1. *coucher,* et *partout.*

♦ Petite couchette pliante.

Sur le sable fin, s'étalaient des couche-partout, des tapis de raphia, des matelas de caoutchouc, des rabanes, des chaises longues (...) R. SABATIER, les Fillettes chantantes, p. 148.

COUCHE-POINT [kuʃpwɛ̃] n. m. — 1808, Boiste ; de 1. *coucher,* et *point.*

♦ Techn. Pièce de cuir, entre le talon et l'emboîtage d'une chaussure.

1. COUCHER [kuʃe] v. tr., intr. et pron. — Fin xIVᵉ ; *couchier,* 1172 ; *culcher, culcer,* v. 1100 ; *colchier,* xIIᵉ ; du lat. *collocare* « placer dans une position horizontale, étendre », de *co-,* et *locare* « placer ».

★ **I.** V. tr. **A.** ♦ **1.** (1172). Mettre (qqn) au lit. *Coucher un enfant. Coucher un malade.* ⇒ **Aliter.**
Offrir, procurer à (qqn) un lieu pour passer la nuit, une chambre, un lit pour dormir. *Je ne peux vous coucher.* — (Sujet n. de chose : lieu). *L'hôtel peut coucher deux cents personnes.*
Étendre (qqn) dans le sens de la longueur, à terre ou sur quelque chose. *Coucher un blessé sur un brancard.* — Faire tomber qqn, qqch. *Coucher quelqu'un sur le carreau*.* ⇒ **Terrasser.** *La mitrailleuse coucha plusieurs soldats sur le champ de bataille.*

1 Et, non moins bon archer que mauvais raisonneur, Raide mort étendu sur la place il le couche (...) LA FONTAINE, Fables, VIII, 10.

2 Ainsi le trait fatal dans les rangs se promène Et comme des épis les couche dans la plaine. LAMARTINE, Méditations poétiques, II, 15.

3 Ils l'ont pansée, couchée le plus douillettement possible, ils la soignent avec une sollicitude extrême. LOTI, Figures et Choses..., Trois journées de guerre, III, p. 254.

♦ **2.** Mettre (qqch.) à l'horizontale. *Coucher un meuble. Coucher une échelle le long d'un mur.* ⇒ **Renverser.** *Coucher un navire sur le flanc pour le caréner.* ⇒ **Abattre** (I.).

♦ **3.** (Fin xIVᵉ). Rapprocher de l'horizontale (ce qui est naturellement vertical). ⇒ **Courber, incliner, pencher.** — (Sujet n. de personne). *Coucher son écriture. Coucher sa feuille de papier.*

4 Le violoniste couchant la joue sur son violon, comme si sa tête se pâmait (...) J. ROMAINS, les Hommes de bonne volonté, t. IV, xv, p. 154.

(Sujet n. de chose). *La tempête coucha le bateau. Rafale qui couche la flamme des lampes* (→ Chavirer, cit. 6). *Le vent et la pluie couchent les blés.* ⇒ **Renverser, verser.**

5 Le vent couchait la pluie presque horizontalement, comme des épis de blé. J. RENARD, Journal, 27 oct. 1887.

Loc. *Coucher un fusil en joue :* disposer le fusil horizontalement, contre la joue. ⇒ **Épauler** (→ Baguette, cit. 8). — *Coucher qqn en joue,* le viser. ⇒ **Joue** (et → Mettre en joue* ; berne, cit. 2).
(1538). Spécialt. *Coucher une plante,* en plier les rameaux et les couvrir de terre pour qu'ils prennent racine. ⇒ **Marcotter.** *Coucher le poil d'un chapeau, d'une étoffe,* en rabattre le poil avec une brosse.
Jeu. ⇒ **Miser.** *Coucher cent francs sur une couleur.*
Fam., vieilli. *Coucher une bouteille sur le côté,* la vider en buvant.

♦ **4.** Étendre (qqch.) en couche. *Coucher une couleur, de l'or, de l'argent sur une surface.* ⇒ **Couche, couchoir.** — Spécialt. *Coucher des couleurs,* les étendre avec le pinceau l'une à côté de l'autre avant de les fondre.
Absolt, techn. *Machine à coucher,* qui fabrique le papier couché* (→ Coucheur, *infra* cit. 4).

B. (1283). Fig. Mettre par écrit. ⇒ **Consigner, inscrire, porter.** *Coucher qqch. par écrit. Coucher qqch. noir sur blanc. Coucher une clause, un article dans un acte, un contrat.* — *Coucher qqn sur un état, sur une liste. Coucher qqn sur son testament.*

6 En attendant on couchait les offres, après enquête, sur les belles fiches de papier glacé. J. ROMAINS, les Hommes de bonne volonté, t. IV, IV, p. 35.

★ **II.** V. intr. ♦ **1.** S'étendre, être étendu (pendant un certain temps ou habituellement) pour prendre du repos. *Coucher dans un lit*, dans des draps*, sur un matelas.* ⇒ aussi **Couchage, 1. couche.** *Elle* *préfère coucher à plat, sans oreiller*. Coucher mollement, sur la dure. Coucher sur le dos* (⇒ **Supination**), *sur le ventre, sur le côté, sur le flanc. Coucher en chien* de fusil. Les enfants coucheront tête-bêche dans le même lit. Coucher tout habillé. Coucher sur la dure. Coucher dans un sac de couchage.*

7   (...) cet abri trop petit pour l'escouade où il fallait coucher tête-bêche pour y loger tous.   J. CHARDONNE, les Destinées sentimentales, III, p. 408.

7.1   (...) nous remarquâmes pour lors (...) que toute la famille couche ensemble sur la même peau.   J.-F. REGNARD, Voyage en Laponie, p. 151.

Loc. *Chambre* à coucher.*

(Animaux). *Litière sur laquelle couche le bétail.*

Spécialt. *Allez coucher !,* se dit à un chien que l'on veut éloigner.

♦ **2.** Passer la nuit. ⇒ **Dormir, gîter, loger.** *Coucher chez soi, chez des amis. Coucher à l'hôtel* (→ Chambre, cit. 7). *Coucher sous le même toit. Coucher en ville. Coucher dehors* (⇒ **Découcher**). — Loc. fig. et fam. *Un nom à coucher dehors :* un nom difficile à prononcer et à retenir. « *Des noms à coucher à la porte* » (Duhamel, *la Passion de Joseph Pasquier,* p. 80). — *Coucher sous la tente* (⇒ **Camper**). *Coucher dans une grange, dans le foin. Coucher dans la rue. Coucher sous les ponts. Coucher à la belle étoile.*

8   Ne plaise aux dieux que je couche,
Avec vous sous même toit !   LA FONTAINE, Fables, V, 7.

9   (...) après de longs pourparlers, nous réussissions à ne pas coucher au poste.   LOTI, Aziyadé, LXIII, p. 171.

9.1   J'étais un peu las vers le soir et, après mon dîner, je m'en fus coucher chez Angèle. Je dis chez et non avec elle, n'ayant jamais fait avec elle que de petits simulacres anodins.   GIDE, Paludes, *in* Romans, Pl., p. 104.

10   Pendant l'absence de la colonne Weller, il couchait à l'infirmerie, en compagnie du sergent infirmier (...)   P. MAC ORLAN, la Bandera, XIV, p. 168.

♦ **3.** *Coucher avec qqn,* partager son lit, sa chambre avec lui. — Fam. *Coucher avec quelqu'un :* avoir des relations sexuelles avec lui (⇒ **Amour,** *supra* cit. 20). *Ils couchent ensemble. Coucher avec sa voisine* (→ Paillard, cit. 2).

11   (...) dans l'ardeur qui m'enflamme,
Je vais dire partout qu'il couche avec ma femme.   MOLIÈRE, Sganarelle, 17.

12   Il est plaisant que le mot connaître une femme veuille dire : coucher avec une femme, et cela, dans plusieurs langues anciennes (...) comme si on ne connaissait point une femme sans cela.   CHAMFORT, Maximes, III, p. 138.

13   C'est une erreur que, parce que l'on a couché ensemble, on se doit réciproquement adorer.   Th. GAUTIER, Mlle de Maupin, I, p. 13.

14   Mais au moment où il allait murmurer à l'oreille de Marie une question où il y aurait ce mot « coucher », si voluptueux et si louche, qui sent le drap chaud et le traversin, il se dit qu'il ne réussirait pas à le prononcer, fût-ce dans la phrase la plus simple, sans lui donner un ton de liberté choquante, et sans faire rougir Marie de l'avoir employé elle-même. Quant à le prononcer d'un ton neutre, c'était un crime ; c'était jeter un verre d'eau froide sur ce mot ardent et ronflant qu'on avait entre les tempes.   J. ROMAINS, les Hommes de bonne volonté, t. V, XXIII, p. 198.

Absolt. *Coucher :* avoir une vie sexuelle (se dit surtout des femmes). ⇒ **Baiser, couchailler, couchoter ; couchage** (3.), **coucherie** (2.).

14.1   Ce n'était plus une fille (*Mme de Lorsange*) entretenue, c'était une riche veuve qui donnait de jolis soupers, chez laquelle la Cour et la ville étaient trop heureuses d'être admises ; femme décente en un mot et qui néanmoins *couchait* pour deux cens louis, et se donnait pour cinq cens par mois.   SADE, Justine..., t. I, p. 16 (1791).

14.2   Si elle l'oublie à la rentrée, ce ne sera pas un drame. Comment voulez-vous que ça tourne ? (...) Une histoire de chantage... Vous n'êtes pas fou, depuis quand, puis chanter pourquoi ? Tout le monde couche, non ?   ARAGON, Blanche..., I, p. 14.

▶ **SE COUCHER** v. pron.

♦ **1.** S'étendre*, se mettre dans la position allongée. *Se coucher dans l'herbe à plat ventre. Se coucher sur le dos, sur le côté.* ⇒ **Mettre** (se). *Je ne veux plus marcher : je me couche par terre et je me repose. Couchez-vous sur ce divan que je vous examine.* ⇒ **Allonger** (s').

Spécialt (sans compl. de lieu). S'étendre (sur une surface prévue à cet effet) pour se reposer, dormir ; se mettre au lit. ⇒ **Drap** (se mettre, se glisser dans les draps), **lit** (se mettre au lit) ; fam. **dodo** (aller au, aller faire dodo) ; fam. et pop. **bâcher** (se), **pageoter** (se), **pager** (se), **pagnoter** (se), **pieuter** (se), **plumarder** (se), **plumer** (se). → fam. et pop. Se mettre au paddock, au page, au pageot, au pieu, au plumard ; mettre la viande dans les bâches, les bannes, les toiles, les torchons... *Il est l'heure, c'est l'heure d'aller se coucher.* ⇒ **Dormir.** — *Vous êtes fatigué, il faut vous coucher. Il a la grippe, il a dû se coucher.* ⇒ **Aliter** (s').

15   On se levait trop tard, on se couchait trop tôt (...)   LA FONTAINE, Fables, VII, 2.

16   (...) le pauvre ne doit se coucher que pour mourir.   BALZAC, la Peau de chagrin, Pl., t. IX, p. 88.

17   Il se coucha à tâtons, n'essayant même pas d'allumer la lampe.   P. MAC ORLAN, la Bandera, XVI, p. 195.

Avec un compl. désignant le lieu où l'on dort :

18   (...) l'on se couchait harassé, soit dans un lit d'auberge, soit dans une grange ouverte, ou bien au pied d'une meule (...)   Alphonse DAUDET, Contes du lundi, « Alsace ! Alsace ! ».

Loc. fam. *Allez vous coucher :* laissez-moi tranquille ; fichez-moi la paix. *Va te coucher !*

Prov. *Comme on fait son lit, on se couche :* il faut se résigner à subir les conséquences de sa conduite. Cf. On récolte ce que l'on a semé.

(Avec ellipse du pron.). Vieilli ou régional. *Aller coucher,* se coucher. *Envoyer qqn coucher* (au fig.) : envoyer promener*.

♦ **2.** S'étendre, se courber (sur qqch.). *Les rameurs se couchent sur les avirons. Le cavalier se couchait sur l'encolure du cheval.* — *Se coucher à terre en témoignage d'adoration.* ⇒ **Prosterner** (se). *Se coucher dans la boue.* ⇒ **Vautrer** (se). *Se coucher dans un fossé pour se protéger, se cacher.* ⇒ **Planquer** (se).

19   (*Le reste*) Se couche contre terre, et sans faire aucun bruit,
Passe une bonne part d'une si belle nuit.   CORNEILLE, le Cid, IV, 3.

20   L'autre, plus froid que n'est un marbre,
Se couche sur le nez, fait le mort, tient son vent.   LA FONTAINE, Fables, V, 20.

21   Éconduit, il (*le courtisan*) insiste ; repoussé, il tient bon ; qu'on le chasse, il revient ; qu'on le batte, il se couche à terre.   P.-L. COURIER, Simple discours, *in* LITTRÉ.

22   Les six légionnaires avaient rejoint le caporal. Ils se couchèrent à plat ventre dans la neige.   P. MAC ORLAN, la Bandera, XVII, p. 207.

(Animaux). *Chien qui se couche aux pieds de son maître.* ⇒ aussi **Couchant** (chien). — Ellipt. *Allez coucher !*

(Choses). *Le blé se couche sous le poids des épis.* ⇒ **Verser.** *Le navire se couche sur le flanc.* ⇒ **Renverser** (se).

♦ **3.** Fig. (Le sujet désigne le soleil, les astres). Descendre sous l'horizon. ⇒ **Couchant,** 2. **coucher.** *Le soleil se couchera dans une heure* (→ Abri, cit. 7 ; brillant, cit. 4).

▶ **COUCHÉ, ÉE** p. p. adj.

A. ♦ **1.** (Personnes). Étendu, allongé. *Être couché sur un brancard. Il lit, couché sur le dos. Rester couché dans son lit.* ⇒ **Lit** (garder le). *Être couché à terre, inanimé.* ⇒ **Gésir.**

23   (...) couché de tout mon long dans l'herbe sèche des fossés (...)   Alphonse DAUDET, Contes du lundi, « Alsace ! Alsace ! ».

24   « Debout ou couché », disait-il : « la position assise est pour les fonctionnaires ».   MARTIN DU GARD, les Thibault, t. V, p. 174.

♦ **2.** (Choses). Qui est mis à l'horizontale. ⇒ **Incliné, penché.** *Blés couchés. Navire couché sur le flanc. Écriture couchée.* — Géol. *Pli* couché.*

♦ **3.** Avant, *après (le) soleil couché :* avant, après le coucher du soleil.

B. (Correspondant à *coucher* I., A., 4.). Techn. (papet.). *Papier couché :* papier enduit d'une couche de plâtre, de kaolin, pour la reproduction de photographies, d'illustrations ou l'édition d'ouvrages de luxe. ⇒ **Glacé** (plus cour., non techn.). — N. m. *Un beau couché. Illustration sur couché. Couché mat, couché brillant.*

C. (Correspondant à *coucher* I., B.). Inscrit. *Son nom est couché sur la liste.*

CONTR. Asseoir, lever. — Dresser, ériger, planter. — Paraître. — Effacer.
DÉR. Couchage, couchailler, couchant, 1, 2. couche, couchée, 2. coucher, coucherie, coucheur, couchis, couchoir, couchotter, couchure.
COMP. Accoucher, découcher, recoucher. — Couche-dehors, couche-partout, couche-point, couche-tard, couche-tôt.
HOM. Couchée ; 2. coucher.

---

2. COUCHER [kuʃe] n. m. — 1694 ; *couchier,* 1285 ; *choucier,* XIIIe ; substantivation de 1. *coucher.*

★ **I.** ♦ **1.** Action de se coucher. ⇒ **Couchée** (1.). *C'est l'heure du coucher. Le coucher des enfants.* — *Le coucher des oiseaux.* ⇒ **Couchée** (3.).

1   Ce lieu déborde de vie, surtout à la pointe du jour et au coucher des oiseaux.   COLETTE, la Naissance du jour, p. 85.

Hist. *Le coucher du roi :* réception qui précédait son coucher. *Le petit coucher :* l'espace de temps entre le bonsoir que le roi donnait aux étrangers et le moment de se mettre effectivement au lit.

♦ **2.** (1694). ⓐ Manière dont on est couché. *Coucher en supination, sur le dos.*

ⓑ Ce sur quoi ou dans quoi on couche. ⇒ 1. **Couche.** *Un bon coucher. Un coucher doux, moelleux. Coucher scandinave.* ⇒ 1. **Couette.** — *Être délicat, difficile pour le coucher.*

1.1   Ces lits (*de plume*) composent, avec une paillasse rebondie, tout le coucher des habitants aisés ou misérables d'un pays où les oies abondent et où les hivers sont très-froids.   G. SAND, le Meunier d'Angibault, 1845, p. 44, *in* T. L. F.

♦ **3.** (1694). Le fait de coucher dans un lieu. *Il ne paya rien pour son coucher.* ⇒ **Couchée, gîte.** *Le coucher et la nourriture.*

♦ **4.** Argot (en parlant d'une prostituée). Fait de passer une nuit entière avec un client. *Faire un coucher.*

★ **II.** (1564). ♦ **1.** Moment où un astre descend et se cache sous l'horizon. *Au coucher du soleil.* ⇒ **Crépuscule ; couchant** (→ Chêne, cit. 6). *Contempler un coucher de soleil.* — *Coucher cosmique* d'une étoile.*

2   Coucher du soleil. Ciel pur, le disque orange est tangent à l'horizon.   VALÉRY, Autres rhumbs, p. 81.

Lumière d'un coucher de soleil.

3   Sur une moitié des champs le coucher s'éteignait ; au-dessus de l'autre était déjà allumée la lune (...)   PROUST, le Temps retrouvé, Pl., t. III, p. 691.

♦ **2.** Tableau qui représente le coucher du soleil. *Le musée possède un fort beau coucher de soleil de Turner.*

HOM. Couchée ; formes du v. 1. **coucher.**

COUCHERIE [kuʃʀi] n. f. — 1760 ; de 1. *coucher,* et *-erie.*

♦ **1.** Rare et vx. Fait de se coucher, de se reposer dans un lit.

♦ **2.** Fam. Fait de coucher avec qqn, commerce charnel. ⇒ **Couchage** (3.).

1   Je n'ai vu dans le monde que des dîners sans digestion, des soupers sans plaisir, des conversations sans confiance, des liaisons sans amitié et des coucheries sans amour.   CHAMFORT, Maximes, 37.

2   Il faut les entendre me dire : « Vous ne connaissez pas les femmes ! » Ces êtres vulgaires s'imaginent sentir des choses que je ne sens pas. Quand je leur explique : « Que voulez-vous donc dire, avec vos coucheries ? » ils me ripostent, avec des yeux qui tournent au blanc : « Mais il ne s'agit pas de coucheries ».   J. RENARD, Journal, 10 févr. 1900.

3   Il était excédé par la quantité d'enfants qui peuplaient les films, et aussi par toutes les coucheries si identiquement conventionnelles dans leurs audaces mesurées.   S. DE BEAUVOIR, Tout compte fait, p. 244.

Par métaphore :

4   (...) quand vous avez fini vos coucheries avec l'État, vous prenez votre lâcheté pour de la sagesse, et croyez qu'il suffit d'être manchot pour devenir la Vénus de Milo (...)   MALRAUX, la Condition humaine, p. 273.

COUCHE-TARD [kuʃtaʀ] n. et adj. invar. — 1971, *in* Gilbert ; de 1. *coucher,* et *tard.*

♦ Fam. Personne qui se couche habituellement tard. ⇒ **Noctambule.** *Les couche-tard. Une couche-tard.* — Appos. ou adj. *Des jeunes gens couche-tard.*

Montmartre n'était noctambule qu'à demi : aux couche-tard faisant la grasse matinée s'opposait le petit peuple des lève-tôt par force.   R. SABATIER, Trois sucettes à la menthe, p. 237.

CONTR. **Couche-tôt.**

COUCHE-TÔT [kuʃto] n. et adj. invar. — 1870, Goncourt ; de 1. *coucher,* et *tôt.*

♦ Fam. Personne qui se couche habituellement de bonne heure. Appos. ou adj. *« Des maisons (...) pleines de bourgeois couche-tôt »* (H. Troyat, *Lionceaux,* p. 13). *Elles sont couche-tôt.*

C'est l'heure mauve que nous n'osions jamais faire semblant de voir poindre, à Montmartre, dans les carreaux du bar où nous avions passé la nuit car il en résultait une tournée générale aux frais du couche-tôt qui se serait permis de donner le signal du départ.   F. CARCO, Nostalgie de Paris, p. 58.

CONTR. **Couche-tard.**

COUCHETTE [kuʃɛt] n. f. — 1374 ; de *couche,* et *-ette.*

♦ **1.** Petit lit*. *Couchette pliante.* ⇒ **Couche-partout.**

Elle *(la chambre)* communiquait avec une chambre plus petite, où l'on voyait deux couchettes d'enfant, sans matelas.   FLAUBERT, Trois contes, « Un cœur simple », I.

♦ **2.** Plus cour. Lit étroit, peu confortable, souvent escamotable.
(1882). Mar. Lit de bord. ⇒ **Bonnette** (2.), et aussi **branle, hamac.** *Installer une toile à roulis* au fond de sa couchette. Couchette à tiroirs :* dans les chambres d'officiers, couchettes en bois formant meuble avec tiroirs. Par ext. ⇒ **Cabine.**
(1908). Cour. Banquette aménagée pour pouvoir dormir dans un train (→ Sleeping-car, cit. 1). *Réserver une couchette de seconde, de première* (classe). *Train autos-couchettes* (⇒ **Auto-couchettes**). *Wagon, voiture à couchettes,* ou *wagon-couchettes. Compartiment à couchettes* (différent du *wagon-lit,* du *sleeping-car*).

COMP. **Auto-couchettes.**

COUCHEUR, EUSE [kuʃœʀ, øz] n. — V. 1534 ; de 1. *coucher.*

★ **I.** ♦ **1.** Rare. Personne qui est couchée pour dormir.

♦ **2.** Vx. Personne qui couche à côté d'une autre personne. *Les coucheurs d'un dortoir.* — Loc. *Mauvais coucheur,* qui empêche de dormir ses compagnons (compagnes) de lit.

0.1   Ce terme de « mauvais coucheur » dont les hommes libres, dans la vie civile, font un usage si détourné de sa source et si léger, reprenait alors pour nous toute l'énergie de son sens originel, puisque nous nous étendions par rangées de douze pour dormir, côte à côte sur le même matelas bat-flanc.   Francis AMBRIÈRE, les Grandes Vacances : 1939-1945, p. 38.

(1823). Fig. et mod. **MAUVAIS COUCHEUR :** personne de caractère difficile. ⇒ **Hargneux, querelleur,** (fam.) **râleur.** — Adj. *Elle est un peu mauvaise coucheuse.*

1   Le Comte de La Bourdonnaye, jadis mon ami, est bien le plus mauvais coucheur qui fut oncques : il vous lâche des ruades, sitôt que vous approchez de lui (...)   CHATEAUBRIAND, Mémoires d'outre-tombe, t. V, p. 171.

2   Mais vous ne pourriez pas avoir des ennuis avec un particulier, mauvais coucheur, qui vous accuserait de lui avoir fait manquer la vente en dépréciant sa marchandise ?   J. ROMAINS, les Hommes de bonne volonté, t. V, p. 38.

3   (...) les mauvais coucheurs comme mon aïeul Bieswal qui refusa au XVIIe siècle qu'on mît ses armoiries dans D'Hozier, parce que cet enregistrement lui semblait

---

un subterfuge de plus du roi de France pour extorquer quelques pièces d'or à ses sujets.   M. YOURCENAR, Archives du Nord, p. 26.

♦ **3.** Adj. Vx. Qui s'adonne aux plaisirs amoureux. ⇒ **Baiseur.**

★ **II.** Techn. (Personne qui couche qqch.). ♦ **1.** N. m. (1752). Ouvrier qui, dans la fabrication du papier à la main, était chargé de renverser sur des feutres la forme (contenant la feuille de papier) que lui tendait le puiseur.

L'ouvrier *puiseur,* debout devant la cuve, y plonge la forme munie de ses rebords ; elle se remplit de pâte ; il la sort et la balance en tous sens au-dessus de la cuve (...) il passe le tamis, recouvert d'une pellicule de pâte encore très molle et très humide au *coucheur,* qui retourne l'embryon de feuille sur un feutre et le recouvre d'un autre feutre.   F. MEYER et L.-J. OLMER, Le Papier et les Dérivés de la cellulose, p. 54.   4

Mod. Se dit aussi, dans la fabrication du papier à la machine, de l'ouvrier conduisant une machine à coucher (utilisée pour la fabrication du papier couché). — REM. Le fém. *coucheuse* est virtuel.

♦ **2.** N. f. (1863). *Une coucheuse :* ouvrière qui, dans la confection du point d'Alençon, fixe et rabat la bride.

COUCHIS [kuʃi] n. m. — 1694 ; de 1. *coucher,* et *-is.*
Technique.

♦ **1.** (1694). Lit de sable et de terre qu'on étend sur les madriers d'un pont de bois pour asseoir les pavés.

♦ **2.** (1863). *Couchis de lattes d'un plancher.* ⇒ **Lattis.**

♦ **3.** Assemblage servant à étayer une tranchée de fondation. ⇒ **Étai.**

COUCHOIR [kuʃwaʀ] n. m. — 1680 ; de 1. *coucher,* et *-oir.*
Technique.

♦ **1.** (1680). Palette du doreur.

♦ **2.** (1900). Cône généralement en buis, servant au commettage des cordages.

COUCHOTTER [kuʃɔte] v. intr. — 1877 ; de 1. *coucher,* et *-otter.*

♦ Fam., péj. Avoir des relations sexuelles plus ou moins fréquentes et en général médiocres. ⇒ **Couchailler.** — On écrit aussi *couchoter.*

(...) la petite fille à nattes qui (...) a couchotté ou couchaillé ou les deux en Angleterre, comme toutes les jeunes filles un peu trop protégées.   G. CESBRON, Don Juan en automne, p. 193.

COUCHURE [kuʃyʀ] n. f. — 1751 ; de 1. *coucher,* et *-ure.*

♦ Techn. Point de broderie utilisé pour fixer des motifs en fils d'or, d'argent, etc.

COUCI-COUÇA [kusikusa] ou (vx) COUCI-COUCI [kusikusi] loc. adv. — 1649, *couci-couci* ; *couci-couça,* 1848 ; ital. *cosi-cosi* « à peu près », d'après *comme-ci, comme-ça.*

♦ Fam. À peu près, ni bien ni mal. ⇒ **Comme** (I., 4. : comme ci, comme ça), **deux** (entre les deux). *Comment allez-vous ? Couci-couça. Les affaires vont couci-couça.* → Moyen (c'est moyen).

1   Ai-je pas réussi
En tout ce que j'ai dit depuis... ?
— Couci-couci...   MOLIÈRE, l'Étourdi, IV, 4.

2   Quand notre fortune a été reconstruite, couci-couci, quand j'ai eu moins d'ennui, le mal était fait (...)   BALZAC, le Lys dans la vallée, Pl., t. VIII, p. 955.

CONTR. **Bien** (très bien), **mal** (très mal).

COUCOU [kuku] n. m. — XIIe ; onomat. → Cocu.

★ **I.** ♦ **1.** Oiseau grimpeur, de la taille d'un petit pigeon, au plumage gris cendré barré de noir (n. sc. : *Cucubus*). *Le coucou est un insectivore. La femelle du coucou pond ses œufs dans le nid des bruants, des bergeronnettes, des fauvettes. Le cri du coucou. Cri sur deux notes du coucou.*

1   Un misérable oiseau pensa me rendre fou
À force de crier coucou, coucou, coucou.   BOURSAULT, le Mercure galant, III, 4, *in* LITTRÉ.

2   Et très loin, perceptible pourtant comme l'oiseau nous suivait de son vol, tinte l'appel sonore du coucou.   M. GENEVOIX, Forêt voisine, III, p. 29.

3   (...) vous allez encore entendre le coucou. C'est le plus simple et le plus monotone des chants d'oiseaux. Il a toujours frappé tous les musiciens qui n'ont pas fini de nous en expliquer le sens, à leur façon.   G. DUHAMEL, Chronique des Pasquier, II, p. 323.

Loc. *Être maigre comme un coucou,* très maigre.

♦ **2.** (1832). Par anal. *Pendule à coucou,* et, ellipt., *un coucou :* pendule dont la sonnerie est remplacée par l'imitation du cri du coucou, et par la sortie d'un petit oiseau de bois pour chaque signal d'heure.

3.1 (...) dans un coin un vieux coucou qui semble respirer bruyamment chaque seconde de l'heure (...) Ed. et J. DE GONCOURT, *Journal*, t. I, p. 209.

3.2 (...) il n'y avait que le coucou, un coucou énorme, enluminé de fleurs rouges, qui parut gai et propre, avec son tic-tac sonore (...) ZOLA, *l'Œuvre*, p. 17.

4 (...) on entendait le tic tac régulier d'un coucou battant les secondes (...)
COURTELINE, *Messieurs les ronds-de-cuir*, 4ᵉ tableau, I, p. 131.

L'oiseau d'une pendule à coucou (→ Coucouer, cit.).

♦ **3.** ⓐ (1845). Narcisse des bois, ou jonquille *(Narcissus pseudo narcissus)* de la famille des amaryllidacées.

ⓑ Primevère sauvage; primevère officinale *(Primula officinalis)* de la famille des primulacées. *Un bouquet de coucous.*

4.1 Je crus m'isoler en entrant dans le bois. Il y avait des promeneurs qui cueillaient des coucous, des campeurs, des pique-niques.
Geneviève DORMANN, *la Fanfaronne*, p. 105.

ⓒ *Bran de coucou, coucou :* gomme distillée par certains arbres fruitiers, en particulier les cerisiers.

♦ **4.** (V. 1800). Ancienne voiture publique à deux roues. *Un cocher de coucou.*

5 Ainsi les pittoresques *coucous* qui stationnaient sur la place de la Concorde en encombrant le Cours-la-Reine, les coucous si florissants pendant un siècle (...)
BALZAC, *Un début dans la vie*, Pl., t. I, p. 600.

Fam. et vieilli. Vieille locomotive servant à la manœuvre dans les gares. — Automobile en mauvais état. ⇒ **Tacot.**

(1914). Mod. Avion d'un modèle ancien (souvent dans l'expr. : *un vieux coucou*). *Les coucous de la guerre de 14.*

6 Ces virtuoses faisaient exécuter à cet appareil élévateur *(l'ascenseur)* tous les tours dont il ne se serait pas cru capable. Il était vieux, à bout de souffle, mais entre les mains de ces spécialistes il ressuscitait, comme un antique coucou de l'air sous l'impulsion, jadis, de l'acrobate Doret. P. GUTH, *le Naïf locataire*, p. 233.

Mar. ⇒ **Chronomètre.**

★ **II. Interj.** (1660). *Coucou!*, terme qu'utilisent les enfants quand ils jouent à cache-cache. *Faire coucou.*

(1887). *Coucou, le voilà (me voilà)!*, cri utilisé pour annoncer l'arrivée inattendue de quelqu'un.

7 Le bonhomme lâcha le bouton de la porte, dit avec rondeur : «Coucou! le voilà», fit quatre ou cinq pas dans la pièce et tendit à Laurent une lettre cachetée.
G. DUHAMEL, *Chronique des Pasquier*,
Le combat contre les ombres, 1939, p. 97, *in* T.L.F.

Rare (évoquant non plus l'apparition, mais la disparition). «*Pour te prêter de l'argent, coucou! pour l'aider : coucou! Pour la récupération, coucou!*» (H. Bazin, *la Tête contre les murs*, p. 359, *in* T. L. F.).

DÉR. Coucouer ou coucouler.
HOM. Formes du v. coucouer.

COUCOUER [kukwe] ou **COUCOULER** [kukule] v. tr. — 1838; de *coucou*.

♦ Rare. Pousser le cri du coucou. — Par ext. Imiter ce cri.

(..) il fallut lire le chapitre suivant, qui était celui des animaux avec celui de leur ramage, de leur appel ou de leur cri; et quand le coucou reparut pour sauver la fin de la leçon nous savions qu'il coucoulait.
GIRAUDOUX, *Siegfried et le Limousin*, p. 116.

COUCOUMELLE [kukumɛl] n. f. — 1816, *in* D.D.L.; provençal mod. *coucoumèlo.*

♦ Oronge blanche, champignon comestible *(Agaricacées).* ⇒ **Lépiote.**

(...) des têtes de champignons gris (peut-être des coucoumelles), cuites sur le gril (...) A. PIEYRE DE MANDIARGUES, *la Marge*, p. 202.

COU-COUPÉ [kukupe] n. m. — D.i.; de *cou*, et *coupé.*

♦ Zool. Nom d'une espèce de Bengali dont la couleur du cou est très différente de celle du reste du corps. — Au plur. *Des cous-coupés.*

COUCOUPHA [kukufa] n. m. — XIXᵉ : lat. sav. *cucupha, cucufa*, d'un mot copte «huppe».

♦ Didact. (antiq. égyptienne). Animal, mammifère à longues oreilles (confondu avec une huppe-oiseau) dont la tête décore les sceptres des rois (et la figuration des sceptres des dieux) de l'ancienne Égypte.

Nous trônions tous les deux dans un monde plus sublime, monarques-jumeaux, époux dès le sein de l'éternité, — lui, tenant un sceptre à tête de coucoupha, moi un sceptre à fleur de lotus, debout l'un et l'autre, les mains jointes.
FLAUBERT, *la Tentation de Saint-Antoine*, Pl., t. I, p. 158 (cf. *in Salammbô*, «des colliers à tête de coucoupha», Pl., p. 979).

COUDE [kud] n. m. — V. 1390; *coute*, 1458; *cote*, v. 1165; du lat. *cubitus* «pliure du bras; courbure; mesure de longueur».

♦ **1.** Partie du membre supérieur, saillante lorsque l'avant-bras est fléchi, située en arrière de l'articulation du bras et de l'avant-bras. — (Anat). Partie du membre supérieur correspondant à l'articulation

entre le bras et l'avant-bras. *Du coude.* ⇒ **Cubital.** *Os de l'articulation du coude* (⇒ **Humérus; cubitus, radius**). *Flexion, extension du coude. Muscles du coude :* (extenseur) triceps brachial; (fléchisseurs) biceps, muscle brachial antérieur. *Nerf du coude.* ⇒ **Cubital** (nerf). *Pli du coude.* ⇒ **Saignée.** *Le coude et la saignée* du bras. Luxation du coude. Tumeur du coude, chez le cheval.* ⇒ **Éponge.**

1 Trois pièces osseuses (...) concourent à former l'articulation du coude : du côté du bras, l'extrémité inférieure de l'humérus; du côté de l'avant-bras, l'extrémité supérieure du cubitus et l'extrémité supérieure du radius.
L. TESTUT, *Traité d'anatomie*, t. I, p. 597.

1.1 (...) celui *(le corps)* de droite a en outre les mains passées sous la nuque, les coudes repliés pointent en l'air, obliquement, de chaque côté. L'homme ne dort pas (...) A. ROBBE-GRILLET, *Dans le labyrinthe*, p. 105.

1.2 Dans un réflexe d'enfant prise en faute, elle lève un coude avec précipitation pour se protéger la figure (bien qu'il n'ait pas ébauché le moindre geste de violence à son égard). A. ROBBE-GRILLET, *Projet pour une révolution à New York*, p. 27.

Loc. *S'appuyer sur le coude; se soulever* (lorsqu'on est couché) *sur le coude.* ⇒ **Accouder** (s'); **accotoir, accoudoir, appui-bras, appui-coude.**

2 Sophie était seule; elle avait les coudes appuyés sur sa table, et la tête penchée sur sa main (...) DIDEROT, *le Père de famille*, I, 7.

3 (...) je m'étais appuyé sur mon coude, et, me soulevant sur mon lit, je l'écoutais attentivement. A. DE MUSSET, *la Confession d'un enfant du siècle*, I, v, p. 43.

Donner, envoyer un coup de coude à qqn. Pousser qqn du coude pour l'avertir. Se pousser le coude, du coude : se faire un signe d'intelligence.

4 (...) quand vous rencontrez dans la rue une mystérieuse à triple voile, vous pouvez dire : Celle-ci va où elle ne devrait pas aller. Et c'est tellement connu que les autres femmes sur son passage sourient et se poussent le coude.
LOTI, *les Désenchantées*, XIV, p. 116.

5 M. Perruel envoya un coup de coude à son patron. En sortant, il le chapitra (...) A. MAUROIS, *Bernard Quesnay*, VI, p. 41.

5.1 (...) ses méfiants compagnons de chambrée, bien se que se poussant du coude comme les collégiens devant le loustic, préparaient des combines compliquées pour qu'il ne fût jamais garde-chambre. MALRAUX, *Antimémoires*, Folio, p. 304.

Fam. *Lâche-moi le coude :* laisse-moi tranquille (→ Lâche-moi les baskets*).

Jusqu'au coude. Plonger les mains dans l'eau jusqu'au coude. — Fig. et fam. Complètement. *Se fourrer le doigt dans l'œil jusqu'au coude :* se tromper lourdement. — *S'en mettre jusqu'au coude :* manger énormément.

Sous le coude, se dit d'une affaire, d'un dossier qui n'est pas traité, dont on ne s'occupe pas. *Garder un dossier sous le coude.*
Courir coudes au corps, en appliquant les coudes au niveau de la ceinture.

Loc. fam. *L'huile de coude :* l'énergie. *Mettre de l'huile de coude pour parvenir à un résultat.*

Loc. *Ne pas se moucher du coude :* ne pas manquer d'argent, et, aussi, ne pas manquer de prétention.

(Av. 1755). **COUDE À COUDE :** très proche l'un de l'autre. *Travailler coude à coude.* ⇒ **Contre** (contre à contre), **côte** (côte à côte); **ensemble.** — N. m. *Un coude à coude fraternel* (⇒ **Coudoiement**). — *Être au coude-à-coude.* — (Abstrait). Rapprochement, solidarité étroite (entre personnes).

5.2 Nous le buvons, notre espresso, debout dans une bonbonnière-nickel, c'est le coude à coude, c'est le jet de vapeur, c'est la chaleur humaine dans la grande chaleur.
Violette LEDUC, *la Folie en tête*, p. 551.

5.3 Ils se tiennent en demi-cercle, serrés les uns contre les autres au coude à coude, leurs visages sont immobiles, leurs yeux pareils à des yeux de verre sont fixés sur lui. N. SARRAUTE, *Vous les entendez?*, p. 187.

6 Le sentiment du coude à coude et de la responsabilité mutuelle est très fort dans la famille patriarcale. DANIEL-ROPS, *le Peuple de la Bible*, I, II, p. 42.

Fig. *Se serrer, se sentir, se tenir les coudes.* ⇒ **Entraider** (s').

7 (...) l'essentiel demeurait à ses yeux d'aller de l'avant, avec un esprit de confiance réciproque, et la volonté de «se sentir les coudes».
J. ROMAINS, *les Hommes de bonne volonté*, t. V, XII, p. 93.

7.1 Un prêté pour un rendu. On se tient les coudes dans la famille.
Régis DEBRAY, *l'Indésirable*, p. 237.

7.2 Il n'importe ni de penser, ni de descendre dans la rue, mais de se serrer les coudes, de se tenir chaud. Tout ce qui menace de perturber les affectueuses retrouvailles de la fête à l'Huma relève de la provocation gauchiste.
M. TOURNIER, *le Vent Paraclet*, p. 285.

(1752). Fig. et pop. *Lever, hausser le coude :* boire beaucoup. *Il lève bien le coude.*

Jouer des coudes, pour tenter de se frayer un passage à travers une foule. — Fig. Manœuvrer pour parvenir à ses fins aux dépens des autres.

8 (...) une société où, pour s'avancer, il fallait jouer des coudes (...)
FRANCE, *la Vie en fleur*, XV, p. 180.

9 Jacques et ses amis, jouant des coudes, essayèrent de se frayer un chemin à travers cette marée humaine (...) MARTIN DU GARD, *les Thibault*, t. VI, p. 280.

Douleur (tendinite) *du coude des joueurs de tennis* (cf. l'anglic. *tennis elbow*).

♦ **2.** (Av. 1660). Partie de la manche d'un vêtement, qui recouvre le coude. *Veste trouée, lustrée aux coudes.* — *Coude d'une armure.* ⇒ **Cubitière.**

♦ **3.** (1611). Angle saillant (de certains objets). ⇒ **Angle, saillie.** *Coude d'un tuyau. Arbre de transmission à deux coudes. Coude d'une baïonnette. Coude ou bras mobile d'un phonographe.* —

Coude d'un cep de vigne : naissance de la branche qui donne le raisin.

(1690). *Coude que fait un mur, une muraille. Coudes d'une rivière.* ⇒ **Détour, méandre, retour, sinuosité.** *La route présente un coude à cet endroit.* ⇒ **Courbe ; tournant, virage.**

10   Tout disparut. L'homme (...) fit environ deux cents pas. Brusquement, à un coude du chemin, les feux reparurent près de lui (...)
                     ZOLA, Germinal, t. I, I, I, p. 2.

♦ **4.** Plur. Pâtes alimentaires en forme de coude.

DÉR. **Coudée, couder, coudière, coudoyer.**
COMP. **Accouder. — Appui-coude.**
HOM. Formes du v. **couder.**

COUDÉE [kude] n. f. — 1850 ; *couldée*, 1530 ; *codee*, mil. XIIIᵉ ; *cotee*, v. 1165 ; de *coude.*

♦ **1.** Anciennt. Mesure de longueur représentant la distance du coude à l'extrémité du majeur, évaluée à 50 centimètres.

1   Alors Dieu dit à Noé : «(...) Fais-toi une arche de bois résineux (...) la longueur de l'arche sera de trois cents coudées, sa largeur de cinquante coudées et sa hauteur de trente ».   BIBLE (CRAMPON), Genèse, VI, 13, 14.

1.1   Le prophète Zacharie voit voler dans les airs un rouleau de parchemin long de vingt coudées et large de dix qui semait la malédiction sur la face de toute la terre.
            CLAUDEL, Journal, janv.-févr. 1908.

Fig. *Cent coudées :* valeur relativement considérable. — Loc. *Dépasser (qqn) de cent coudées. Être de cent coudées, à cent coudées au-dessus de quelque chose.*

2   (...) Crevel croyait avoir dépassé son bonhomme Birotteau de cent coudées.
           BALZAC, la Cousine Bette, Pl., t. VI, p. 230.

On trouve dans le même sens : *mille coudées.*

♦ **2.** (1580). Loc. **COUDÉES FRANCHES :** liberté de mouvement, d'action. *Avoir ses coudées franches :* être libre. *Donnez-moi mes coudées franches* (→ Donner carte* blanche).

3   Entrée dans la *Sainte-Alliance*, la France ne s'en était jamais considérée comme la prisonnière, et après avoir, par ce geste, désarmé les hostilités des «Cours du Nord», elle avait repris ses coudées franches.
           Louis MADELIN, Talleyrand, XXXVII, p. 397.

COU-DE-PIED [kudpje] n. m. — XIIᵉ ; on écrivait aussi *coudepied* et *cou-du-pied* ; comp. de *cou*, et *pied.*

♦ **ⓐ** Anat. Articulation qui réunit le pied à la jambe. *Os contribuant à former le cou-de-pied :* tibia, péroné, astragale (premier os du tarse). *Des cous-de-pied.*

ⓑ Cour. Partie antérieure et supérieure du pied, bombée, sur laquelle se noue ordinairement la chaussure. *Avoir le cou-de-pied fort.*

1   Voilà, mam'selle ! (A part). J'ai monté derrière elle ; elle a un cou-de-pied digne de l'Olympe !   E. LABICHE, la Chasse aux corbeaux, II, 3.

2   (...) on lui voyait sous un pantalon remonté, un tout petit pied de femme, au cou-de-pied busqué d'Espagnole.   Ed. et J. DE GONCOURT, Manette Salomon, p. 145.

3   (...) de fines lanières barrent de trois croix le cou-de-pied et enserrent la cheville par-dessus un bas très fin (...)
           A. ROBBE-GRILLET, la Maison de rendez-vous, p. 15.

Par métonymie. Partie de la chaussure qui recouvre le cou-de-pied.

COUDER [kude] v. tr. — 1601 ; *colder*, 1493 ; de *coude.*

♦ Plier en forme de coude*. ⇒ **Plier.** *Couder une barre de fer. Couder une branche d'arbre.*

(1680). Techn. (confection). *Couder une manche*, en confectionner le coude.

▶ **SE COUDER** v. pron. *Barre qui se coude.* — Former un coude, un angle. ⇒ **Fausser** (se).

▶ **COUDÉ, ÉE** p. p. adj.

(1601). Plus cour. Qui présente un coude. *Outil coudé. Ciseau coudé*, de coupeur. *Levier coudé. Arbre, essieu coudé.*

Le terrible hiver 40-41 vint avec toute sa rigueur. À longueur de journée, Henriette fourrait du charbon dans la vieille salamandre de dentelles noires, avec un long tuyau coudé, traversant la vaste pièce sans cheminée.
Elsa TRIOLET, Le premier accroc coûte deux cent francs, 1945, p. 126, *in* T. L. F.
REM. On rencontre des emplois intransitifs, au sens de «faire un coude» : «*La ruelle coudait derrière la maison du juge*» (M. Zermatten, *le Sang des morts*, p. 77).

CONTR. **Redresser. — Droit.**

COUDIÈRE [kudjɛʀ] n. f. — 1898, *Nouveau Larousse illustré* ; de *coude.*

♦ **1.** Saillie (d'un meuble, d'un bâtiment) qui permet de s'accouder.

♦ **2.** Mod. Dispositif attaché au coude, sur le coude, pour le protéger. «*Il faut encore* (pour la planche à roulettes) *des genouillères, des coudières, des gants de jardinier*» (*Marie-France*, oct. 1978, p. 23).

COUDOIEMENT [kudwamã] n. m. — 1832, Hugo ; du rad. de *coudoyer*, et *-ment.*

♦ **1.** Action de coudoyer (qqn, qqch.) ; résultat de cette action. ⇒ **Contact, frôlement, rencontre.** *Coudoiement fraternel.* ⇒ **Coude** (à coude).

1   (...) le frôlement de sa robe, le coudoiement, parfois, de son bras, la rencontre, si parlante, de leurs regards (...)   MAUPASSANT, Notre cœur, II, I, p. 80.

2   Et on s'aperçoit soudain qu'on est vraiment et toujours et partout seul au monde, mais que dans les lieux connus, les coudoiements familiers vous donnent seulement l'illusion de la fraternité humaine.
           MAUPASSANT, les Sœurs Rondoli, I, p. 12.

♦ **2.** Abstrait. Contact habituel avec quelqu'un, entre personnes.

3   (...) ce désir du contact, du coudoiement, de l'intimité qui sommeille en tout cœur humain, et que tout vieux garçon promène, de porte en porte, chez ses amis où il install un peu de lui, ajoutait une force d'égoïsme à ses sentiments d'affection.
           MAUPASSANT, Fort comme la mort, p. 78.

COUDOYER [kudwaje] v. tr. — Conjug. *noyer.* — 1595 ; de *coude*, et *-oyer.*

♦ **1.** Vx. Heurter quelqu'un du coude*. — Par ext. Marcher côte à côte. ⇒ **Côtoyer.** — Mod. Spécialt. Passer très près de..., passer fréquemment près de... ; être en contact avec... ⇒ **Frôler.** *Coudoyer des inconnus dans la foule. Coudoyer qqn dans la rue.*

1   (...) cette vie d'auberge où l'on coudoie sans cesse des inconnus, où l'on s'assied à une table muette à côté d'hommes toujours nouveaux et toujours indifférents (...)
           LAMARTINE, Graziella, III, III, p. 83.

2   (...) après avoir visité quelque bel édifice, repentant, il gagnait les quartiers pauvres, il se laissait coudoyer par une foule assez sale.   GIRAUDOUX, Bella, V, p. 117.

3   (...) de vivre auprès d'un grand malade, de coudoyer des infirmières, des médecins, de respirer des remèdes, agissait sur elle à la façon d'un poison (...)
           MARTIN DU GARD, les Thibault, t. III, p. 121.

♦ **2.** Abstrait. Être en contact avec (qqch.). *Coudoyer le bonheur. Coudoyer la faillite.* ⇒ **Côtoyer.** — (Le sujet et le compl. désignent des choses). Aller de pair avec. *La bêtise coudoie souvent la méchanceté.* ⇒ **Pair** (aller de pair).

4   L'on sait, depuis Flaubert et Bloy, qu'il n'est idée ni phrase «reçue» où la bêtise ne coudoie la méchanceté, où la grandeur ne se voie immolée à la sottise et les martyrs aux bourreaux.   J. PAULHAN, les Fleurs de Tarbes, I, 3, p. 44.

▶ **SE COUDOYER** v. pron.

(Sujet collectif ou pluriel : réciproque). ⇒ **Côte** (être côte à côte) ; **coude** (être coude à coude) ; **rencontrer** (se). *Ils se coudoient dans la rue.*

5   Cette foule mouillée, qui hurle et se coudoie, c'est un méli-mélo de costumes turcs et de loques européennes (...)   LOTI, les Désenchantées, LIII, p. 245.

Fig. «*L'adultère, le crime et la faiblesse se coudoient*» (Nerval). (Sujet sing. ou plur. : réfléchi). *Se coudoyer avec qqn.*

6   (...) le prêtre misérable (...) une tourbe de mendiants en soutane (...) se coudoyant avec le bas peuple au fond des cabarets les plus mal famés.
           ZOLA, Rome, p. 110.

DÉR. **Coudoiement.**
REM. On trouve chez Colette (*Claudine en ménage*, in D. D. L.) le dérivé *coudoyeur* («*la hâte coudoyeuse des passants*»).

ÇOUDRA [ʃudʀa] n. m. — 1853, M. du Camp ; probablt empr. à l'anglo-indien *sudra*, du hindi *shūdr*, urdu *sūdr.*

♦ Didact. Membre d'une caste inférieure de l'Inde qui était exclu des sacrifices, qui n'avait pas le droit de recevoir l'enseignement religieux et qui était le serviteur des castes supérieures.

COUDRAIE [kudʀɛ] ou COUDRETTE [kudʀɛt] n. f. — XIIᵉ ; de 1. *coudre* «coudrier» et *-aie, -ette.*

♦ Terrain planté de coudriers (noisetiers).

1. COUDRE [kudʀ] n. m. — XIIᵉ ; *codre*, v. 1160 ; lat. *corylus.*

♦ Vx. Noisetier. ⇒ **Coudrier.**

DÉR. **Coudraie** ou **coudrette.**
HOM. 2. **Coudre.**

2. COUDRE [kudʀ] v. tr. — *Je couds, il coud, nous cousons ; je cousais ; je cousis* (rare) *; je coudrai ; couds ; que je couse ; que je cousisse* (inus.) *; cousant ; cousu.* — V. 1160, *coldre* ; du lat. pop. *cosere* ; lat. class. *consuere*, de *con-(cum)*, et *suere* «coudre».

Assembler (deux ou plusieurs choses) au moyen d'un fil passé dans une aiguille.

♦ **1.** Cour. *Coudre du linge, des étoffes.* ⇒ **Couture.** *Coudre une étoffe à, sur une autre. Coudre une pièce à un vêtement.* ⇒ **Linger, raccommoder, rapiécer, ravauder, repriser.** *Coudre une marque sur du linge.* ⇒ **Marquer.** *Coudre du linge en vue de l'orner.* ⇒ **Broder, festonner.** *Coudre des boutons, des agrafes à un vêtement. Coudre* *deux morceaux de tissus. Coudre ce qui était décousu.* ⇒ **Racommoder, recoudre.**

1 Deux tailleurs civils mobilisés cousaient dans un coin des écussons, des galons dorés ou de laine rouge. J. CHARDONNE, les Destinées sentimentales, II, p. 340.

Fabriquer en assemblant des morceaux. Coudre une robe après l'avoir coupée. ⇒ **Monter; bâtir, faufiler, ourler, surfiler, surjeter; couture.**
Absolt. *Savoir coudre. Apprendre à coudre. Personnes dont le métier est de coudre.* ⇒ **Couturière; cousette; tailleur.** *Coudre avec du fil, de la soie. Coudre à la main, à la machine* (⇒ **Piquer**). *Coudre à contresens. Différentes manières de coudre. Coudre à petits points, à grands points.* ⇒ **Couture** (point de couture). *Dé* à coudre. Aiguille à coudre.*

2 Il *(François)* aurait voulu pouvoir passer la nuit à coudre et à filer à sa place (...) G. SAND, François le Champi, VII, p. 63.

3 Il conduisit Jacques jusqu'à une chambre où, près de la fenêtre, une femme d'une trentaine d'années cousait à contre-jour. MARTIN DU GARD, les Thibault, t. VII, p. 14.

3.1 (...) mais quand il se fut agi de coudre, il n'eut pas son égal. Personne n'ignore, en effet, que les marins ont une aptitude remarquable pour le métier de couturière. J. VERNE, l'Île mystérieuse, t. I, p. 400.

(1857). *Machine à coudre* (à main, à pied, électrique, électronique). *La cannette, le pied-de-biche d'une machine à coudre.*

3.2 Les fonctions générales d'une machine à coudre peuvent se définir par trois mouvements : le premier est le mouvement par lequel l'aiguille plonge dans l'étoffe, en entraînant le fil pour fermer la boucle à travers laquelle viendra passer la navette; le deuxième est le mouvement qui fait passer la navette ou un crochet circulaire dans la boucle fermée par le fil de l'aiguille; le troisième est le mouvement de translation de l'étoffe après chaque point fait, et qui varie par conséquent suivant la longueur du point (...) Ces trois mouvements sont indispensables (...) et quand ils sont produits convenablement, toutes les machines cousent bien, si les tensions du fil, de l'aiguille et de la navette sont bien réglées... G. LEROUX, Rouletabille chez Krupp, p. 120-121.

Coudre (qqch., qqn) dans qqch : enfermer dans un contenant que l'on coud. *Coudre qqn dans un linceul. Coudre de l'argent dans la doublure d'une veste.*

♦ **2.** Techn. (Reliure). *Coudre les cahiers d'un livre.* ⇒ **Brocher; relier.**
Coudre des pièces de cuir avec la paumelle. ⇒ **Paumoyer.** *Coudre, recoudre la semelle d'une chaussure.* ⇒ **Couture, piqûre.**
Chir. *Coudre une plaie, les lèvres, les bords d'une plaie,* fermer, réunir au moyen d'un fil, d'agrafes. ⇒ **Suturer.**
Pêche. *Coudre un filet :* joindre ensemble plusieurs filets pour en former un seul.
Vannerie. Lier les sarments avec de l'osier. — Arrêter (les parties d'un treillage) avec des liens de fer.

♦ **3.** Abstrait. ⇒ **Assembler, joindre, lier, réunir.** *Coudre des phrases entre elles,* les assembler avec art.

4 On leur apprend à coudre des phrases de Cicéron (...) ROUSSEAU, Émile, II.

Loc. (absolt). *Après avoir taillé, il faut coudre :* lorsque l'on a défait quelque chose, il faut refaire, reconstruire pour le remplacer.

5 (...) avant de coudre, il fallait tailler; il *(Sieyès)* rêvait donc d'un homme à poigne qui osât pour lui, mais qui, le coup fait, lui restât inféodé. Louis MADELIN, l'Ascension de Bonaparte, XXI, p. 229.

On ne sait quelle pièce y coudre : on ne sait quel remède y apporter. — *Coudre la peau du renard à celle du lion :* joindre la ruse à la force, au courage.
Coudre la bouche de qqn, le forcer à se taire.

▶ **COUSU, UE** p. p. adj.

♦ **1.** Attaché par des points. *Cousu à la main; cousu à la machine.* Fam. *Cousu main. Des gants cousus main.* — N. m. Fam. DU COUSU-MAIN : affaire facile, entreprise qu'on est sûr de réussir (cf. Du billard, du tout cuit).

5.1 (...) Alex, je te donne Khadi *(un boxeur),* ce soir, parce que je suis un brave type mais ne mets pas le paquet puisque je t'offre du cousu-main (...) J. CAU, la Pitié de Dieu, p. 43.

Fig. *Cousu de... :* qui a une grande quantité de... *Un visage cousu de cicatrices. Livre cousu de citations,* très abondant en citations, formé de citations. — *Être cousu d'or :* être fort riche.

6 (...) on me viendra chez moi couper la gorge, dans la pensée que je suis tout cousu de pistoles. MOLIÈRE, l'Avare, I, 4.

Loc. *Cousu de fil blanc.* ⇒ **Fil.**
Bouche (cit. 13) *cousue. Motus** (cit. 3) *et bouche cousue.*

♦ **2.** N. f. Fam. *Une cousue* ou (plus cour.) *une toute cousue :* cigarette manufacturée vendue en paquet (par oppos. à *la cigarette roulée.* ⇒ **Rouler**, II., 2.).

7 J'ai éparpillé les épingles à chignon, posé la glace en équilibre sur la boîte à mégots : inutile de laisser celle-ci en évidence pour inviter Jane à s'en rouler une; tant qu'il y a de la gitane toute cousue, elle se sert dans le paquet. A. SARRAZIN, la Cavale, p. 170.

CONTR. Découdre.
DÉR. Cousette, couseuse.
COMP. Découdre, recoudre.
HOM. 1. Coudre.

COUDRETTE [kudʀɛt] n. f. ⇒ **Coudraie.**

COUDREUSE [kudʀøz] n. f. — 1929, *Larousse du xxᵉ s.;* dér. de l'anc. verbe *coudrer* «tremper une dernière fois le cuir dans la jusée, pour le débarrasser des poils» (1571), et *-euse.*

♦ Techn. Cuve dans laquelle on purge les chaux, en tannerie.

COUDRIER [kudʀije] n. m. — 1555; *couldrier,* 1503; du lat. pop. *colurus.*
Régional.

♦ **1.** Noisetier. *La baguette de coudrier du sourcier. Plantation de coudriers.* ⇒ **Coudraie** ou **coudrette.** *Bois de coudriers.*

♦ **2.** Bois de cet arbre. *Des sabots de coudrier.*

COUÉ, ÉE [kwe] adj. — 1155, *cué;* dér. de l'anc. franç. *coue* «queue».

♦ Vx (en parlant d'animaux). Dont on n'a pas coupé la queue; qui a sa queue. *Chien coué.*

COUENNE [kwan] n. f. — V. 1223, *coenne; couane,* 1271; *coäne,* v. 1210; du lat. pop. **cutinna,* altér. de *cutina,* du lat. class. *cutis* «peau».

♦ **1.** Peau du porc, particult. flambée et raclée. *De la couenne. Couenne de lard.* — *Une, des couennes :* morceau de couenne. «*Une soupe aux herbes avec une couenne de lard et un gros os de bœuf*» (A. France, *les Dieux ont soif,* 1912, p. 66, *in* T. L. F.).
ar anal. Peau des cétacés, des pachydermes. *Couenne des marsouins.*

♦ **2.** Fam. Peau de l'homme. *Risquer sa couenne. Vieille couenne :* vieille peau.

♦ **3.** (1803). Méd. Partie supérieure du caillot sanguin qui se forme après une saignée, lorsque ce caillot se décolore. — Altération locale de la peau. *Couenne inflammatoire dans le cas d'une angine.* ⇒ **Couenneux,** 2. *Couenne pleurétique,* se formant sur la plèvre.

♦ **4.** Régional (Suisse). Croûte (de fromage).

♦ **5.** N. f. et adj. Personne maladroite, sotte. *Ce type est une vraie couenne. Ce qu'il est couenne!*
DÉR. Couenneux.

COUENNEUX, EUSE [kwanø, øz] adj. — 1743; *coeneux,* 1611; de *couenne.*

♦ **1.** Rare. Qui ressemble à la couenne.

1 Jeune encore, elle avait réuni les mains derrière une nuque couenneuse, et elle tournait sur elle-même avec lenteur, exhibant les sombres touffes de ses aisselles. A. PIEYRE DE MANDIARGUES, la Marge, p. 70.

♦ **2.** (1833). Méd. Qui est couvert d'une couenne (3.). *Angine couenneuse.* ⇒ **Membraneux.**

2 Je tombai malade : angine couenneuse, jets de permanganate, bleu de méthylène, ma mère me soigna avec dévouement. Violette LEDUC, la Bâtarde, p. 17.

1. COUETTE [kwɛt] n. f. — V. 1160, *coute, coite;* du lat. *culcita* «matelas, coussin».

♦ **1.** ⓐ Vx. Lit de plumes. *Coucher sur une couette.*
ⓑ Mod. Édredon, qui recouvert d'une housse, remplace le drap de dessus et les couvertures. *Couette norvégienne. Housse de couette. Couette en duvet d'oie.*

♦ **2.** ⓐ (1676). Techn. Pièce de métal sur laquelle pivote un gond, l'arbre d'une machine.
ⓑ (1694). Mar. *Couettes mortes :* glissières fixées à la cale de construction d'un navire, et sur lesquelles il glisse pendant son lancement. ⇒ **Coulisse.** *Couettes vives :* pièces en bois fixées au ber et qui glissent sur les couettes mortes. — On écrit aussi (rare) *coite, coitte.*

♦ **3.** Régional. Mouette.
HOM. 2. Couette.

2. COUETTE [kwɛt] n. f. — XIIIᵉ, *keuete;* de l'anc. franç. *coue* «queue», et *-ette.*

♦ **1.** Petite queue*. *La couette d'un lapin.*

♦ **2.** Mod. (fam.). Mèche ou touffe de cheveux retenue par une barrette, un nœud, un lien sur le côté de la tête, d'où elle retombe. *Une coiffure à tresses, à couettes. Elle s'est fait des couettes.*

1 Deux *couettes* de cheveux en désordre, couleur de chanvre, s'échappaient sur son front de la ruche de son bonnet (...) Ed. et J. DE GONCOURT, Manette Salomon, p. 271.

2 Tu sors d'une boîte, astiquée comme un jouet. Carrière t'a trouvé une silhouette, indispensable pour la marque (...) Il a hésité : chignon? tresses? bandeaux? Il a choisi les couettes, plus folâtres, plus voltigeantes, plus petite fille, en accord avec tes dansottements. P. GUTH, Lettre ouverte aux idoles, Sheila, p. 95.

HOM. 1. Couette.

COUFFE [kuf] n. f. — V. 1665 ; *cuffe*, 1633 ; provençal *couffo* (xve) ; arabe *qûffāh* «sorte de panier»; probablt du bas lat. *cophinus*, grec *kophinos* «corbeille».

♦ **1.** Régional. Grand cabas* servant à transporter des marchandises. ⇒ **Cabas, panier.** *Couffe à olives.*

1 Je vois qu'on n'a pas encore coupé les sagnes du ruisseau et je crois qu'au printemps nous manquerons de couffes solides, peut-être même déjà cet hiver, quand il faudra retirer du grenier les champignons secs. J. GIONO, Vraies richesses, p. 1212.

1.1 Trois pièces vides, ou simplement des jarres, des boisseaux à mesurer le blé (...) des corbeilles, des couffes, des sacs (...) J. GIONO, le Hussard sur le toit, p. 109-110.

Le contenu d'une couffe. *Une couffe de figues.*

2 En passant par la maison-de-commerce, il prit une couffe de raisins avec une buire d'eau pure (...) FLAUBERT, Salammbô, XIII, p. 289.

♦ **2.** Mar. *Couffe de palangre :* panier immergé en mer, muni de nombreux hameçons.

COUFFIN [kufɛ̃] n. m. — 1478 ; arabe *qûffāh*, par le bas lat. *cophinus.* → Couffe.

♦ **1.** Régional. Couffe, grand cabas (→ Corser, cit. 0.1)

Le boulanger déposa trois énormes pains bis et un sac de son dans le couffin de droite, puis il offrit une poignée de blé à l'âne qui la mangea proprement dans sa main. H. BOSCO, l'Âne Culotte, p. 16.

Par métonymie. Contenu d'un couffin.

♦ **2.** Cour. Corbeille souple de paille, d'osier, munie d'anses et servant notamment de berceau. ⇒ **Moïse.** *«À poser sur le couffin, une moustiquaire de tulle de nylon»* (l'Express, 16 juin 1979, p. 171).

COUFIEH ou COUFFIÉ [kufje] n. m. — 1854 ; *coufié*, 1736 ; arabe *kûfiyya*, même sens.

♦ Vx. ⇒ **Keffieh.**

(...) des coufiehs, autrefois jaunes et rouges, pendent en guenilles le long de leurs joues creuses et vidées. DU CAMP, le Nil, 1854, p. 54, *in* T. L. F.

COUFIQUE [kufik] adj. et n. — 1845 ; *coufite, cuphique,* 1763 ; *kiufi,* 1672 ; de *(al-) Kûfāh,* nom d'une ville d'Irak, et *-ique.*

♦ **1.** *Écriture coufique :* écriture dont se servaient les Arabes avant le quatrième siècle de l'hégire pour la calligraphie du Coran, puis pour les inscriptions sur les monuments et les monnaies.

♦ **2.** Qui est écrit, gravé dans cette écriture.

♦ **3.** N. m. *Le coufique :* l'écriture coufique.

REM. Les spécialistes de la civilisation islamique utilisent plutôt la graphie *kûfique.*

COUGOURDE [kuguRd] n. f. — 1673 ; *coucourde,* 1273 ; mot provençal, anc. provençal *cogorda* «courge»; du lat. class. *cucurbita* «courge».

♦ Régional (Provence). Courge ou potiron.

Fig. T. d'injure. ⇒ **Courge.**

COUGUAR ou COUGOUAR [kugwaR] n. m. — 1761, Buffon, couguar ; cougouar, 1768 ; t. dû à Buffon, contraction du portugais du Brésil *cuguacu ara* (aussi *cuguacu arana*), corruption, par influence de *cuguacu* (→ Cariacou), de *çuçurana,* tupi *susurana.*

♦ Grand félin (puma) d'Amérique du Sud. ⇒ **Jaguar** (cit. J. Verne), **puma.**

COUIC [kwik] interj. — 1809 ; onomatopée.

♦ **1.** Onomatopée imitant un petit cri, un cri étranglé. — N. m. *«Vous en avez fait un couic!»* (Anouilh, *la Valse des toréadors,* p. 144).

♦ **2.** Par ext. (évoquant une action rapide : absorption, destruction...).

1 La serine est partie et le mâle a attrapé la cerise : couic, terminé. Jean FERNIOT, Pierrot et Aline, p. 35.

(1809). Évoquant le fait de tordre le cou, une mort violente :

2 (...) des milliers et des milliers de proies, autant que d'heures. Il s'agit de n'en rater aucune, avant la dernière, la dernière des dernières, celle qui nous échappe toujours, — couic! Une chose qui bouge et tu sautes dessus. BERNANOS, Monsieur Ouine, p. 45.

(1885). Fam. *Faire couic :* mourir de mort violente, en général par strangulation.

♦ **3.** Fam. (Dans des loc. de forme négative). Rien. *N'y voir, n'y comprendre que couic. J'y entrave que couic.* → Que pouic*.

3 Ça m'plaisait guère, l'école, faut être franc. Pour c'qu'est d'l'étude, j'y comprenais que couic. Yves GIBEAU, Allons z'enfants, p. 160.

4 Zézette disait qu'elle m'apprendrait à couper des rideaux... Des portières relevées à l'italienne? Elle n'y comprenait que couic. Violette LEDUC, la Folie en tête, p. 448.

COUILLARD [kujaR] adj. et n. m. — xiie ; du rad. de *couille,* et *-ard.*

★ **I.** Adj. (xiie). Pop. Qui a de gros testicules (animaux). *Bélier couillard.*

(...) le taureau, roi des arènes,
Le plus férocement couillard. G. NOUVEAU, Dauphin, Pl., p. 624.

★ **II.** N. m. ♦ **1.** (1643). Mar. Garcette servant à retrousser et à serrer une voile carrée sur la vergue.

♦ **2.** Techn. Chacune des deux pièces de bois dans la cage d'un moulin à vent.

♦ **3.** (1866). Typogr. Petit filet que l'on met à la fin d'un chapitre.

COUILLE [kuj] n. f. — V. 1178, *coille* ; du lat. pop. *colea,* du lat. class. *coleus* «testicule».

Familier et vulgaire.

★ **I.** Testicule (surtout au plur.). ⇒ **Burette, burne, couillon** (vx). *Recevoir un coup dans les couilles.*

1 (...) un homme de soixante-trois ans, qui a de l'amabilité, qui a été homme à femmes dans sa jeunesse, de ces têtes dont la force suit celle des couilles (...) STENDHAL, Journal, 26 janv. 1808, Pl., p. 879.

2 Mes couilles, dit-il, mes couilles, les femmes elles aiment en présentant les nichons, elles paradent avec, les femmes, mes couilles j'ai bien le droit de les offrir, de les mettre en avant, et même, mes couilles, de les présenter sur un plateau. J'ai même le droit, elles sont belles, de les envoyer comme cadeau à Pola Négri ou au Prince de Galles! Jean GENET, Journal du voleur, p. 150-151.

3 Je suis un intellectuel. Ça m'agace qu'on fasse de ce mot une insulte : les gens ont l'air de croire que le vide de leur cerveau leur meuble les couilles. S. DE BEAUVOIR, les Mandarins, p. 133.

Loc. *Se vider les couilles :* éjaculer.

Loc. fig. *Avoir des couilles (au cul),* du courage. (1847). Par ext. *Couille molle :* homme sans courage (parfois écrit plaisamment *couyemol* : G. Chevallier, *Clochemerle,* p. 104).

4 Le colonel, le drapeau, tout ça des blagues, et la musique et les chevaux. Mais il y a un certain nombre de types qui ont des couilles, ça c'est le régiment, c'est le groupe, le régiment quoi — et le reste suit. DRIEU LA ROCHELLE, la Comédie de Charleroi, p. 65.

5 (...) je l'ai souvent entendu affirmer que les républicains étaient des couilles molles. Roger NIMIER, Le Hussard bleu, p. 59.

En avoir plein les couilles : être agacé. *Tu me fais mal aux couilles.* — *Casser** les couilles à qqn,* l'ennuyer, l'importuner. *Tu me casses les couilles :* tu m'exaspères. Cf. Casser les bonbons, les burnes ; casser les pieds.

Mes couilles! Rien à faire! Pas question! (cf. Mon cul!).

6 Juste côte à côte! pressés, constants! faciles à vivre! heureux de tout, Tommies, Sammies, Boys, mes couilles! suant les whiskys, les petits cadeaux!... CÉLINE, Guignol's band, p. 92.

... de mes couilles, se dit par dérision, pour déprécier.

7 «On peut dire ce qu'on veut, ça fait plaisir de se rencontrer avec une race supérieure.
— Race supérieure de mes couilles, dit Alexandre». Robert MERLE, Week-end à Zuydcoote, p. 43 (1949).

Loc. *C'est de la couille :* cela ne vaut rien.

8 Je te raconte ça pour te montrer qu'un type tout à fait affranchi comme moi a ses moments de stupidité. Parce que ces raisonnements-là, mon vieux, c'est de la couille. J. DUTOURD, Pluche, XIV, p. 250.

Partir en couille(s) : se gaspiller, ne pas aboutir.

9 (...) il arrive aussi que le chagrin désagrège les facultés, disperse l'esprit. Les gars de là-bas ont aussi une expression pour désigner l'homme qu'une trop grande souffrance a désagrégé. *Il s'en va en couille.* Jean GENET, Pompes funèbres, p. 73.

REM. Le mot est souvent remplacé par un pronom dans des locutions (cf. Il n'en a pas ; les avoir à zéro ; tu nous les casses, etc.).

★ **II.** Fig. (probablt de *partir en couille*). *Une couille :* une erreur, un échec ; un ennui sérieux.

10 Ce n'est qu'une petite couille de rien du tout. Ça arrive à presque toutes celles qui sont là pour casse : tu comprends, les fonds d'origine douteuse sont toujours,

pour le juge, des fonds d'origine frauduleuse. Mais t'as qu'à t'arranger avec l'avocat, il va te faire débloquer ça tout de suite.   A. SARRAZIN, la Cavale, p. 33.
Cf. dans le même texte et avec le même sens : *coup de couille*, p. 94.

DÉR. Couillard.

COUILLON [kujɔ̃] n. m. — 1592, *coyon*; *coion*, 1560; *coillon(s)*, déb. XIIIᵉ; du bas lat. **coleonem*, accusatif de **coleo*, du lat. class. *coleus* « testicule ». → Couille.

♦ **1.** Vx. Testicule (avec l'idée de grosseur, d'importance). ⇒ **Couille.**

♦ **2.** Fig. Très fam. Imbécile. ⇒ **Con.** *Quel pauvre couillon! Faire le couillon.* ⇒ **Idiot.**

1   N'empêche qu'on a fait les couillons, en reculant de dix kilomètres (...)
        MARTIN DU GARD, les Thibault, t. VIII, p. 67.

2   Faut être couillon pour jouer un nom pareil (...)
        R. QUENEAU, Loin de Rueil, p. 65.

(1813). Vx. Poltron.

3   Non, mon cher monsieur, je n'ai commis aucune *lâcheté*, même de geste, relative à votre endroit ; et avant de traiter un homme de couillon, il faut avoir des preuves. »   FLAUBERT, Correspondance, 1857, p. 198, *in* T. L. F.

Régional (Sud de la France). Apostrophe non injurieuse. *Eh! couillon! comment vas-tu? Brave couillon!* — Adj. *Il est un peu couillon.* Au fém. : *couillonne.*

♦ **3.** Mar. Tampon d'étoupe, ficelé dans la toile de la voile et permettant de l'empoigner pour le serrer (*in* T. L. F.).

DÉR. Couillonnade, couillonner.
COMP. Attrape-couillon.

COUILLONNADE [kujɔnad] n. f. — 1791; *coyonnade*, 1592; de *couillon*, et *-ade*.
Très familier.

♦ **1.** Niaiserie, imbécillité ; acte ou parole de couillon (2.). ⇒ **Connerie.** *Il a encore fait, dit une couillonnade. C'est de la couillonnade.*

1   Je suis effrayé, épouvanté, scandalisé par la couillonnade transcendante qui règne sur les humains.   FLAUBERT, Correspondance, 1859, p. 318, *in* T. L. F.

2   L'adjudant Chalumot allait commander un autre apéritif, s'esclaffer, et crier, en tapant sur le ventre de son pays :
— Sacré Pradier! Toujours les mêmes couillonnades! I changera pas, le monstre (...)   Yves GIBEAU, Allons z'enfants, p. 178.

♦ **2.** (1791). Vétille, chose de peu de valeur.

COUILLONNER [kujɔne] v. tr. — 1656; de *couillon*.

♦ Tromper, duper. *Se faire couillonner.* — Au p. p. :
(...) pauvre papa, empoisonné par ses souvenirs de Verdun et une fois de plus couillonné, une fois de plus impuissant, grinçant des dents (...)
    Jean-Louis BORY, Ma moitié d'orange, p. 108.

N. *Un couillonné, une couillonnée.* « *Les bafouillages d'un couillonné* » (Queneau, *Pierrot mon ami*, p. 316). « (...) *dix pages sur Jeanne Moreau sont là pour faire rêver des femmes qui ne joueront jamais qu'un seul rôle, celui de la couillonnée.* » (*Charlie Hebdo*, 12 janv. 1978, p. 15).

COUIN [kwɛ̃] n. m. ⇒ **Coin-coin.**

COUINE [kwin] n. f. — V. 1980; déverbal de *couiner*.

♦ Fam. Action de couiner, de faire couiner. — Spécialt. « *Les maires socialistes et communistes ont très mal vécu cet été de rodéo, de "couine" comme disent ceux qui font grincer les pneus des voitures volées* » (*Libération*, 16 sept. 1981, p. 15).

COUINEMENT [kwinmɑ̃] n. m. — Av. 1866; de *couiner*.

♦ **1.** (Av. 1866). Cri bref et aigu de certains mammifères (lièvre, lapin, souris...).

1   Les mots d'un seul homme sont pareils à des couinements de rats, les mots sont en vente dans tous les grands magasins, achetez le mot LIBERTÉ, achetez le mot AMOUR, achetez le mot VÉRITÉ, achetez, achetez le mot MONDE.
      J.-M. G. LE CLÉZIO, les Géants, p. 31.

2   La grosse lapine a poussé un couinement. Mᵐᵉ Laure tremble. Mᵐᵉ Thérèse tourne le couteau dans la plaie, et le sang jaillit (...)
      Suzanne PROU, la Terrasse des Bernardini, p. 157.

Fig. Petit cri.

3   Écoutez-le, écoutez ces couinements affolés... Toi qui te croyais imbattable, si bien armé... Nous te faisons donc si peur que tu as besoin de te mettre sous la protection des forces de l'ordre, voilà maintenant que tu cries au secours, tu appelles les flics (...)   N. SARRAUTE, Vous les entendez?, p. 188.

♦ **2.** (1929). Bruit aigu.

4   Le droguiste du village, représentant de la maison de T. S. F., vint poser lui-même mon appareil. Je n'entendais rien que des sifflets, des couinements, de la friture.
      Paul MORAND, Magie noire, 1930, p. 81, *in* T. L. F.

COUINER [kwine] v. intr. — 1867; onomat. → Coin.
Familier.

♦ **1.** (Animaux : petits mammifères). Pousser de petits cris, des couinements.

1   (...) on n'entendait pas couiner les rats de buissons (...)
      J. GIONO, le Serpent d'étoiles, p. 14.

2   Corner courut à son maître en couinant d'allégresse.
      René FALLET, le Triporteur, p. 254.

(Personnes). Produire des sons aigus, de petits cris. *Arrête de couiner!* — Trans. Dire sur un ton aigu. ⇒ **Piailler.** *Qu'est-ce qu'il nous couine encore?*

♦ **2.** (Sujet n. de chose). Grincer. *Porte qui couine.*

DÉR. Couine, couinement, couineur.

COUINEUR [kwinœR] n. m. — 1917; de *couiner*.

♦ Fam. et techn. Appareil d'entraînement aux manipulations télégraphiques.

COULAGE [kulaʒ] n. m. — Fin XVIᵉ; de *couler*.

♦ **1.** Action de faire couler*. — (1845). *Coulage de la lessive* : action de faire bouillir le linge dans une lessiveuse. ⇒ **Blanchissage.** — (Pour donner une forme). *Le coulage d'une statue, d'un métal en fusion. Coulage et moulage du verre. Coulage de pièces céramiques* (⇒ **Barbotine**). *Coulage d'une dalle de béton.*
(Le compl. désigne un liquide, une matière en fusion). *Le coulage d'une bougie.*

♦ **2.** (Sujet n. de chose). **ⓐ** Action de s'écouler ou de couler en causant une perte. *Coulage du vin. Le coulage de la vigne.*

1   Le coulage du sel au travers de ces trémies grillées en dérobe ordinairement dix livres par minot.   VAUBAN, Dîme, p. 140.

ⓑ Le fait de fondre et de couler (d'un métal, d'un alliage).

2   (...) en fait, pour tel ou tel usage, un moteur de 1910 reste supérieur à un moteur de 1956. Par exemple, il peut supporter un échauffement important sans grippage ou coulage, étant construit avec des jeux plus importants et sans alliages fragiles comme le régule (...)
      Gilbert SIMONDON, Du mode d'existence des objets techniques, p. 20.

♦ **3.** (1837). Fig. Perte, gaspillage. ⇒ **Coule** (vx); *gaspillage*, *perte*. *Maîtresse de maison qui se plaint du coulage.* — *Tenir compte du coulage dans une entreprise.*

3   Tout le monde ne peut être riche! Aucune fortune ne tient contre le coulage!
      FLAUBERT, Mᵐᵉ Bovary, Folio, p. 357.

4   On parle toujours de leur organisation... Possible! mais certains chefs, paraît-il, savent surtout s'entendre pour l'organisation du coulage!... Tu penses s'il doit y en avoir un de coulage, dans une affaire pareille!...
      G. LEROUX, Rouletabille chez Krupp, p. 109.

1. COULANT, ANTE [kulɑ̃, ɑ̃t] p. prés. et adj. — XIIᵉ; de *couler*.

♦ **1.** Vx. Qui glisse. ⇒ **Coulissant.** — Mod. (1571, *in* D. D. L.). *Nœud* coulant* : nœud qui se serre et se desserre sans se dénouer.

1   Les bêtes, toutes fangeuses, sont saisies par une patte, saisies dans un nœud coulant et accrochées à la chaîne.   G. DUHAMEL, Scènes de la vie future, VIII, p. 127.

♦ **2.** Qui coule facilement. **ⓐ** (Liquides). Vx. *Eau coulante.* — *Vin coulant* : vin léger et agréable à boire.
ⓑ (Substances pâteuses, crémeuses). *Un camembert très fait, coulant.*

1.1   La seule personne qui sût faire (...) tous les plats qu'il aimait, le café assez chaud et la crème au chocolat assez coulante (...)   PROUST, Jean Santeuil, p. 283.

♦ **3.** Fig. Qui semble se faire aisément, sans effort. ⇒ **Agréable, aisé, facile.** *Style coulant, vers coulants.*

2   Comme il ne pouvait encore s'exprimer en français, il ne me parlait et ne m'écrivait qu'en latin : je lui répondais en français, et ce mélange des deux langues ne rendait nos entretiens ni moins coulants, ni moins vifs à tous égards.
      ROUSSEAU, les Confessions, XII.

3   (...) tu sentiras bientôt combien son vers *(de Voltaire)* coulant, mais vide, est inférieur au vers plein de choses du tendre Racine et du majestueux Corneille.
      STENDHAL, Souvenirs d'égotisme, p. 135.

Arts. *Dessin coulant*, qui procède par courbes légères.

♦ **4.** (Personnes). Accommodant. *Être coulant en affaires.* ⇒ **Accommodant, facile.** *Professeur qui se montre coulant.* ⇒ **Indulgent.** *Elle n'est pas très coulante avec ses enfants :* elle est sévère.

4   Je fus surpris de voir ce magistrat, toujours si craintif, devenir si coulant dans cette affaire.   ROUSSEAU, les Confessions, X.

5   (...) devenir le vrai maître dans cette maison où il n'y avait rien à faire, et où le bourgeois passait pour être coulant (...)
      Ed. et J. DE GONCOURT, Sœur Philomène, p. 69.

CONTR. Serré. — Difficile, malaisé, rugueux. — Chicaneur, dur, sévère.

2. COULANT [kulɑ̃] n. m. — 1689, *in* D. D. L.; subst. participial de *couler*.

♦ **1.** Pièce qui glisse le long de quelque chose. ⇒ **Anneau.** *Le cou-*

lant d'une chaîne, d'un collier. — *Coulant d'une bourse. Coulant d'une ceinture.* ⇒ **Passant.** *Coulant d'une tenaille, d'une pince.* — Vx. *Anneau maintenant une serviette de table.*

♦ **2.** Bot. Rejeton (d'une plante rampante). *Le coulant des fraisiers.* ⇒ **Stolon.**

♦ **3.** Techn. (aéron., mar.). *Un coulant :* un nœud qui se serre lorsqu'on tire sur une corde. → **Nœud*** coulant (courant).

COULARD, ARDE [kulaʀ, aʀd] adj. — 1751 ; de *couler,* et -*ard.*

♦ (1878). Vitic. En parlant des cépages, Qui est sujet à la coulure*. *Cépages coulards.*

1. COULE [kul] n. f. — V. 1180 ; *cuoüle,* v. 1165 ; du lat. *cuculla* «capuchon de moine». → **Cuculle.**

♦ Relig. Vêtement à capuchon porté par certains religieux. ⇒ **Cagoule.**

HOM. Cool, 2. **coule.**

2. COULE [kul] n. f. — 1864 ; déverbal de *couler.*

♦ **1.** Pop. et vx. Coulage (3.).

♦ **2.** Loc. fam. À LA COULE. *Mettre quelqu'un à la coule,* l'initier sur les façons dont on peut se procurer quelques petits profits. — *Être à la coule,* au courant, averti (cf. Affranchi ; et aussi, être adroit, habile ; connaître bien son affaire, la connaître dans les coins). *Un type à la coule.*

1 Mais une femme de chambre à la coule, et qui a de l'œil, sait parfaitement ce qui se passe chez ses maîtres (...)
O. MIRBEAU, le Journal d'une femme de chambre, p. 116.

2 Toi qui en as vu du pays et qui es à la coule et qui la connais, va donc faire un tour dans les États. B. CENDRARS, Moravagine, p. 203.

HOM. Cool, 1. **coule.**

COULÉ [kule] n. m. — XIIIᵉ ; p. p. de *couler.*
Technique.

♦ **1.** Métal coulé dans un moule par le fondeur, l'orfèvre.

♦ **2.** Pas de danse glissé. — Billard. Coup par lequel on pousse une bille sur une autre de manière à les faire se suivre l'une l'autre.

Escr. Action de glisser son fleuret contre celui de l'adversaire, avant d'attaquer.

Natation. Position allongée du nageur qui revient à la surface après avoir plongé.

Peinture. Première teinte que l'on donne à une ébauche.

Autre ton sanguine plus verdâtre : bon coulé, préparation, etc.
DELACROIX, Journal, 15 janv. 1853.

Mus. Passage qui se fait sans interruption d'une note à l'autre. ⇒ **Liaison.** *Le coulé s'indique par une courbe horizontale.*

HOM. Coulée.

COULÉE [kule] n. f. — 1611 ; de *couler.*

♦ **1.** [a] Action de jeter en moule. *La coulée d'un métal. Coulée sous pression. Coulée d'une cloche* (⇒ **Fonderie**). *Coulée du verre. Surveiller la coulée.*

Masse de matière en fusion que l'on verse dans un moule. *Trou de coulée. Coulée de métal, d'acier, de verre.*

[b] (Correspond à *couler,* II., 1.). *La coulée de la lessive.*

♦ **2.** Action de s'écouler ; résultat de cette action. *Coulée de lave :* masse de lave qui s'échappe d'un volcan. *Coulée volcanique. Coulée linéaire* (de lave fluide). *Coulée de neige :* neige qui glisse sur la pente d'une montagne. ⇒ **Flot.**

1 Une nuit de la douzième année, l'inondation périodique noie le bétail, emporte les habitations. Soutenant sa femme, conduisant deux de ses enfants, portant le troisième, il s'enfuit dans la coulée de la boue primordiale (...) A peine s'est-il redressé dans la nuit emplie par le fracas gluant, qu'un arbre arraché l'assomme. L'épais torrent le jette sur un rocher (...) MALRAUX, la Métamorphose des dieux, p. 16.

Par métaphore ou fig. Ce qui s'écoule.

2 (...) sur les planches de la promenade, qui borde la plage (...) c'était maintenant une coulée continue (...) foule élégante (...)
MAUPASSANT, Pierre et Jean, 1888, p. 366, *in* T. L. F.

3 Il possédait un joli visage un peu rond, un peu mou, aux yeux pâles et paresseux à la chevelure blonde, bouclée, lumineuse, avec des coulées rousses sur les tempes.
H. TROYAT, le Vivier, p. 53.

♦ **3.** Chasse. Sentier étroit par lequel le cerf gagne son réduit. Par ext. Faux chemins que les animaux tracent sous bois. *Se glisser dans une coulée.*

4 Je retrouverai le collet, nom de Dieu ! cria soudain le maire d'une voix tonnante. Oui, nous descendrons le cours de la rivière avec ces Messieurs du Parquet — il y a des coulées tout le long des berges, un nigaud a voulu peut-être tendre aux loutres, les gens sont si bêtes ! BERNANOS, Monsieur Ouine, p. 62.

♦ **4.** Techn. [a] En calligraphie, Écriture penchée, dont toutes les lettres sont liées, et dont les jambages sont parallèles.

[b] Peint. Ton qui forme une tache dominante dans un tableau. *Une coulée de jaune.*

[c] Cout. *Point de coulée.*

HOM. Coulé.

COULEMELLE [kulmɛl] n. f. — V. 1600 ; *columelle,* fin XVIᵉ ; du lat. class. *columella* «petite colonne».

♦ Lépiote* élevée (champignon comestible).

COULER [kule] v. tr. et intr. — 1131 ; du lat. *colare* «passer, filtrer, épurer».

★ **I.** V. intr. ♦ **1.** (Le sujet désigne un liquide). Se déplacer, se mouvoir naturellement (par gravité) ou sous l'effet d'une autre force. ⇒ **Écouler** (s'), **filer, fluer ; flux.** *Eau qui coule d'une source.* ⇒ **Jaillir, sourdre ; effluent.** *L'eau coule fort, coule à flots, à pleins bords, coule abondamment, en torrent. La rivière coule lentement. Fleuves et rivières qui coulent dans une région.* ⇒ **Arroser, baigner.** *La Seine coule vers l'Ouest, vers la mer.* ⇒ **Affluer.** *Cours d'eau qui coulent vers le même point.* ⇒ **Confluer.** — *L'eau qui coule d'un robinet.* ⇒ **Courant** (eau courante). *Le vin coule d'un tonneau.* ⇒ **Fuir.** *La pluie coule sur le sol.* ⇒ **Courir, déverser** (se) ; **déborder, dégouliner, filer, fuir, répandre** (se), **rouler, ruisseler.** *Jet d'eau qui coule.* ⇒ **Jaillir, rejaillir.** *Couler goutte à goutte.* ⇒ **Dégoutter, égoutter** (s'), **goutter, instiller, suinter ; stillation.** *Couler fort.* ⇒ **Gicler, ruisseler ;** fam. **pisser.**

1 L'union de deux rivières en une les fait couler plus vite, parce que, au lieu du frottement des quatre rives, elles n'ont plus que celui de deux à surmonter.
FONTENELLE, Guglielmini.

2 La rivière qui coulait à mes pieds tour à tour se perdait dans le bois, tour à tour reparaissait (...)
CHATEAUBRIAND, le Génie du christianisme, I, V, XII, (→ Brillant, cit. 2).

3 Le long des trottoirs coulaient encore de rapides ruisseaux (...)
MARTIN DU GARD, les Thibault, t. III, p. 212.

4 Une source qui, pendant les mois de chaleur, coulait faiblement, permettait de tenir la citerne toujours pleine. P. MAC ORLAN, la Bandera, X, p. 116.

(Dans la Bible). *Pays d'abondance* où coulent le lait et le miel* (cf. *Exode,* III, 8, etc.).

Loc. fig. *Il coule (il a coulé, il coulera) beaucoup d'eau sous les ponts* (⇒ **Eau,** cit. 7.1 et *supra*).

♦ **2.** [a] S'échapper au dehors, s'épancher (en parlant des humeurs). *Les larmes lui coulent des yeux.* ⇒ **Pleurer.** — Littér. *Faire couler les pleurs de qqn. Laisser couler ses larmes :* épancher ses pleurs. ⇒ **Épancher** (→ Amer, cit. 10).

5 Je n'ai jamais vu couler de larmes sans en être attendri.
MONTESQUIEU, Cahiers, p. 6.

6 Ah ! laissez-les couler, elles me sont bien chères,
Ces larmes que soulève un cœur encor blessé !
A. DE MUSSET, Poésies nouvelles, «Souvenir».

7 Elles *(les larmes)* se formaient entre les cils, grossissaient, débordaient et coulaient à longs intervalles, rejoignant après un détour la bouche entr'ouverte où elles s'arrêtaient et d'où elles repartaient comme d'autres larmes.
COCTEAU, les Enfants terribles, p. 179.

Sang qui coule d'une blessure. ⇒ **Échapper** (s'), **extravaser, répandre** (se). *Le sang coule dans les veines.* ⇒ **Circuler** (→ Absent, cit. 2).

8 Que de vie, cependant, je sens au fond de mon âme ! Jamais, quand le sang le plus ardent coulait de mon cœur dans mes veines, je n'ai parlé le langage des passions avec autant d'énergie que je le pourrais faire en ce moment.
CHATEAUBRIAND, Mémoires d'outre-tombe, t. V, p. 383.

9 Il *(le sang)* était d'un rouge magnifique, coulait en de larges gouttes, sous la lame.
HUYSMANS, Là-bas, IX, p. 133.

Fig. *Faire couler le sang :* être la cause d'une guerre, d'un massacre. *Le sang a coulé :* il y a eu des blessés.

[b] Se répandre. Loc. *Cette histoire a fait couler beaucoup d'encre :* on a beaucoup écrit à son sujet, et, par ext., on en a beaucoup parlé.

9.1 Cette intimité a fait couler beaucoup d'encre (...) sur la tête de Sainte-Beuve, mais c'est grâce à elle qu'il n'est pas allé se perdre dans le professorat, en province.
A. BILLY, Sainte-Beuve, I, Le romantique, II, p. 77.

[c] Par métaphore. *La vie, la passion coule dans ses veines. La joie, la lumière coule sur son visage.* ⇒ **Émaner.**

10 (...) Thaïs, en les écoutant *(les hymnes),* sentait les voluptés de la vie et les affres de la mort couler à la fois dans ses sens renouvelés. FRANCE, Thaïs, p. 107.

11 (...) ces heures amoureuses de ma jeunesse, où la vie coulait en moi comme du miel. GIDE, les Nourritures terrestres, VIII, p. 178.

Salive qui coule de la bouche. Sueur qui coule le long du visage. ⇒ **Exsuder, suer ; transpirer.** *Des gouttes de sueur coulent de son front.* ⇒ **Tomber.**

12 Le cœur lui bondissait d'inquiétude et de colère, la sueur lui coulait du front.
G. SAND, la Mare au diable, XIII, p. 115.

13 Les Anciens chancelaient épuisés ; ils aspiraient à pleins poumons la fraîcheur de l'air ; la sueur coulait sur leurs faces livides (...)
FLAUBERT, Salammbô, VII, p. 137.

♦ 3. Fig. *Son style coule sans effort. Les paroles coulent de ses lèvres, s'en échappent avec facilité.*

14   Les paroles coulaient limpides comme son regard.
                         FRANCE, le Lys rouge, XXXIV, p. 259.

15   (...) soyez bénies pour avoir fait couler de vos lèvres divines, comme le miel et l'ambroisie, les vers d'*Esther*, de *Phèdre* et d'*Iphigénie*.
                         FRANCE, le Petit Pierre, XXXIV.

♦ 4. Loc. fig. *Couler de source :* être évident, découler logiquement, naturellement de ce qui précède (→ Aller : cela va de soi). — *Tout ce qu'il dit coule de source.*

16   Cette idée-mère une fois arrêtée, tout le reste a coulé de source (...)
               A. BRILLAT-SAVARIN, Physiologie du goût, Préface, t. I, p. 32.

♦ 5. Littér. *Le temps coule.* ⇒ **Écouler** (s'), **enfuir** (s'), **fuir, glisser, passer.** *Jours qui coulent dans l'innocence. Les heures coulent lentement, interminablement.*

17   Les hommes disent que la vie est courte, et je vois qu'ils s'efforcent de la rendre telle. Ne sachant pas l'employer, ils se plaignent de la rapidité du temps, et je vois qu'il coule trop lentement à leur gré.   ROUSSEAU, Émile, V.

18   L'homme n'a point de port, le temps n'a point de rive ;
   Il coule, et nous passons !   LAMARTINE, Premières méditations, « Le lac ».

L'argent lui coule des doigts, en parlant d'un prodigue. ⇒ **Échapper** (s'), **glisser.**

Loc. *Laisser couler :* laisser aller, laisser faire.

18.1   Tenez moi, avec Josette, quand je l'ai engagée, exactement comme quand je me suis payé ma mon ID... *(type d'automobile)* De la bagnole, du linge : ça leur tord la gueule de la même façon. J'ai dit : Laissons couler. Madame Fromageot est au-dessus des insinuations.   François NOURISSIER, le Maître de maison, p. 200.

♦ 6. Par métonymie. Laisser échapper un liquide. — (Le sujet désigne un contenant). *Tonneau qui coule de toutes parts.* ⇒ **Fuir, vider** (se). — *Nez qui coule, duquel s'écoulent des humeurs...* ⇒ **Émettre.**

19   À côté de lui, le caporal (...) reniflait à cause du froid. Son nez coulait.
               P. MAC ORLAN, la Bandera, XVII, p. 204.

La chandelle coule, lorsque la cire fondue et non brûlée glisse le long de la chandelle. *Stylo qui coule,* qui laisse échapper l'encre qu'il contient.

Fromage qui coule, dont la pâte devient molle et tend à se répandre.

♦ 7. (En parlant de choses solides). Descendre, glisser, tomber. *Sable, tuiles qui coulent. Nœud qui peut couler le long d'une corde.* ⇒ **Coulisser ; coulant** (nœud coulant). *Se laisser couler au bas d'un arbre.*

(1611). En parlant d'arbres fruitiers, de vigne. Avorter à la floraison. *Fleurs, fruits qui coulent,* qui tombent. ⇒ **Coulure ; avorter.**

20   Si la vigne peut passer fleur et ne point couler, on ne saura où mettre tout le vin cette année.   P.-L. COURIER, Gazette du village.

♦ 8. S'enfoncer dans l'eau. *Le navire a coulé à pic.* ⇒ **Chavirer, enfoncer** (s'), **engloutir** (s'), **immerger** (s'), **sombrer.** *Couler bas, couler bas d'eau. Couler à fond. Couler par l'avant.* ⇒ **Sancir.** — *Couler corps et biens.* ⇒ **Corps.** *Faire couler un bateau,* le couler (ci-dessous, II., B., 3., a).

21   (...) petit à petit je comprenais que nous coulions ; car ce fait ne s'imposa pas dès que je vis l'eau (...) Ce qui me mit sur la trace de cette inclinaison grandissante du plancher, c'est que l'eau touchait déjà le bas des hublots et la pente était devenue si raide que je me cramponnais pour ne pas glisser de ce côté-là.
               H. BOSCO, Un rameau de la nuit, p. 79.

22   Là-bas, au large, la torpille   lourd comme un ange de pierre
   touche le but. Un voilier   saluant la vierge, s'incline
   à cinq étages, tout à coup   et coule à pic.
            COCTEAU, Discours du grand sommeil, p. 30.

Par métaphore. Aller jusqu'à la ruine, l'effondrement.

23   (...) nous autres, civilisations, nous savons maintenant que nous sommes mortelles ; nous avions entendu parler de mondes disparus tout entiers, d'empires coulés à pic avec tous leurs hommes et tous leurs engins descendus au fond inexplorable des siècles (...)   VALÉRY, Variété III, p. 201.

Nageur qui coule à pic. ⇒ **Noyer** (se).

24   (...) elle voulait encore des baisers de ce fils, et elle s'accrochait à lui comme s'accrochent les naufragés qui coulent dans les eaux noires et profondes (...)
               LOTI, Ramuntcho, II, VII, p. 254.

24.1   Quand il avait un peu trop bu, Joseph prétendait vouloir nager jusqu'à l'île la plus proche de la côte, à trois kilomètres de là. C'était un projet dont il ne parlait jamais à jeun mais ces soirs-là il se croyait de taille à l'accomplir. En réalité il aurait coulé bien avant d'arriver à l'île.
          M. DURAS, Un barrage contre le Pacifique, p. 92.

★ II. V. tr. **A. ♦ 1.** (1176). Rare ou techn. Faire passer (un liquide) d'un lieu à un autre. ⇒ **Soutirer, tirer, transvaser, verser.** *Couler la lessive* :* faire bouillir le linge dans une lessiveuse. *Couler un liquide à travers un filtre, un linge.* — (En franç. de Suisse). *Couler le lait.* — **Filtrer, passer.** — Par ext. Livrer (le lait) à la laiterie.

♦ 2. (1680). Jeter dans le moule (une matière en fusion). *Couler du verre. Couler du plomb dans un joint. Couler de la cire dans un moule. Couler du bronze, de l'acier* (⇒ **Fonderie**). *Couler de la chaux.* ⇒ **Délayer.**

Par anal. *Couler du béton :* remplir un coffrage de béton frais (⇒ aussi **Bancher**).

Par métonymie. *Couler de la pierre :* sceller de la pierre avec un coulis* (⇒ **Sceller**).

♦ 3. Par ext. Fabriquer (un objet en métal fondu). *Couler une cloche, une statue.* ⇒ **Mouler.** *Fonderie où l'on coule des canons.* ⇒ **Canonnerie.**

Typogr. *Couler une matière dans l'empreinte d'une forme.* ⇒ **Clicher.**

Couler sa pensée dans des mots, la mettre en forme (comme dans un moule).

25   L'image la plus courante que nous formions du rhétoriqueur montre un homme qui prépare et assure, *avant* d'y couler sa pensée, des combinaisons de langage.   J. PAULHAN, les Fleurs de Tarbes, III, 7, p. 118.

♦ 4. Spécialt. Faire fondre (un métal). *Couler une bielle*,* faire fondre l'alliage dont elle est chemisée et sans lequel elle ne peut fonctionner. — Sujet n. de personne. *Il faut s'arrêter : on a coulé une bielle.*

B. (Emplois fig.). **♦ 1.** Vieilli ou littér. Faire passer (qqch.) insensiblement, doucement, d'un lieu dans un autre. ⇒ **Glisser** (cour.), **passer.** *Couler la main dans sa poche. Couler un billet dans la main de quelqu'un.*

26   (Le général Dourakine) se plaisait à les servir (les voyageurs militaires) et à couler des pièces d'or dans leurs poches (...)
       Cⁱˢˢᵉ DE SÉGUR, l'Auberge de l'ange gardien, p. 367, *in* T. L. F.

27   Il coule sans bruit sa clef dans la serrure et entre de son pas timide dans la salle à manger.   FRANCE, le Mannequin d'osier, p. 292.

Fig. *Couler un mot dans la conversation.* ⇒ **Glisser, insinuer, risquer.** *Couler un mot à l'oreille de qqn.* ⇒ **Murmurer.** *Couler une expression dans une phrase.*

28   «Maint» est un mot qu'on ne devrait jamais abandonner, et par la facilité qu'il y avait à le couler dans le style, et par son origine qui est française.
       LA BRUYÈRE, les Caractères, XIV, 73.

29   La femme du préfet était venue, très gentille, lui couler à l'oreille un mot de recommandation.   FRANCE, l'Anneau d'améthyste, Œ., t. XII, p. 239.

Couler un pas de danse. ⇒ **Coulé ; glisser.** — Mus. *Couler plusieurs notes.* ⇒ **Lier.** — Billard. *Couler une bille.* ⇒ **Coulé** (2.). — Fig. *Couler un regard, un sourire dans la direction de quelqu'un.*

30   Cependant il coule vers elle un sourire, un regard qui laisse entendre qu'une autre solution n'est pas impossible.
       J. ROMAINS, les Hommes de bonne volonté, t. IV, XII, p. 127.

30.1   Simon que cette rengaine n'avait jamais troublé (...) fit mine de se retirer, mais Gino lui coula un regard si humble qu'il attendit la fin de la chanson.
       Francis CARCO, les Belles Manières, p. 51.

♦ 2. (V. 1450). Passer (une période de temps). — REM. Correspond aux emplois intrans. : le temps *coule, s'écoule.*
Couler une vie heureuse, des jours heureux. ⇒ **Passer, vivre.**

31   (...) des gens qui savaient coulé leurs jours dans une union étroite (...)
       LA BRUYÈRE, les Caractères, V, 39.

32   Il faut avoir coulé son enfance dans une atmosphère religieuse (...)
       FRANCE, le Jardin d'Épicure, p. 9.

Loc. fam. (a remplacé *la mener douce,* 1853). *Se la couler douce :* mener une vie heureuse, sans complication (→ Ne pas s'en faire*).

33   (...) il se l'était coulée douce, comme on disait dans sa famille, jusqu'à l'âge de vingt-cinq ans.   MAUPASSANT, Toine, « Bombard », p. 47.

33.1   Ce qui n'a pas empêché mon concierge, quand je suis rentré le matin, de me saluer d'un petit air... en homme qui dit : — Ah ! ah ! mon gaillard, nous nous la coulons douce !   A. ALLAIS, Contes et chroniques, p. 164.

33.2   (...) tu te la coules douce, c'est un métier de feignant que le tien.
       R. QUENEAU, Zazie dans le métro, p. 39.

♦ 3. **ⓐ** (Correspond au sens I, 8). Faire s'enfoncer dans l'eau (un navire). *Les ennemis ont coulé plusieurs navires. Capitaine qui coule son propre navire.* ⇒ **Saborder.**

ⓑ (1738). Fig. Perdre (qqn) dans l'estime d'autrui. *On l'a coulé. Couler qqn dans une discussion,* le réduire à ne plus savoir quoi répondre. *Couler à fond quelqu'un.* ⇒ **Perdre, ruiner.** — Passif et p. p. *Il est coulé :* il est perdu.

33.3   Enfin ils se dévoilent. Ils sont coulés, fiston, et nos affaires n'ont jamais été aussi bonnes.   Jean ANOUILH, le Bal des voleurs, p. 198.

▶ SE COULER v. pron.

♦ 1. (V. 1160). Passer d'un lieu à un autre, sans faire de bruit. ⇒ **Glisser** (se). *Lièvre qui se coule le long d'une haie, au ras d'un mur. Coulez-vous dans ce passage.*

34   Denise et son frère montèrent vers les quatre heures à la haute ville en se coulant le long des murs.   BALZAC, le Curé de village, Pl., t. VIII, p. 635.

35   C'était le matin et c'était le printemps. De jeunes rayons de soleil, enivrants comme du vin doux, riaient sur les murs et se coulaient gaiement dans les mansardes.   FRANCE, Les dieux ont soif, p. 10.

36   Zazou accourut toute joyeuse.
   — J'arrive des Barges, lui dit Simon en s'asseyant sur une banquette où elle se coula près de lui.   Francis CARCO, les Belles Manières, p. 63.

Se couler dans son lit. Se couler entre les draps. — *Se couler adroitement dans la foule.* ⇒ **Dérober** (se), **faufiler** (se), **perdre** (se). *Se couler doucement, furtivement, sans bruit.* ⇒ **Introduire** (s'), **pénétrer.**

♦ 2. (Abstrait). Se fondre (dans qqch.). ⇒ **Mouler** (se).

37   (...) il faudra que la femme qui est elle aussi sujet, activité, se coule dans un monde qui l'a vouée à la passivité.   S. DE BEAUVOIR, le Deuxième Sexe, p. 525.

♦ **3.** (Du sens II, B, 3, b). Se perdre. *Se couler dans l'esprit de quel-qu'un.* ⇒ **Déconsidérer** (se). — Absolt. *Il s'est coulé.*

▶ **COULÉ, ÉE** p. p. adj. *Navire coulé. Bielle coulée* (→ ci-des-sus, II., A., 4.). *Écriture coulée.* ⇒ **Coulée,** n. f. — Sports. *Brasse* coulée.*

CONTR. Stagner. — Flotter ; émerger.

DÉR. Coulage, coulant, 2. coule, coulé, coulée, couleuse, coulis, couloir, cou-loire, couture.

COMP. Découler, écouler, recouler.

HOM. Coulé, coulée.

COULEUR [kulœʀ] n. f. — V. 1100, *couleur ; color,* 1050, au sens I, 1 ; du lat. *color* «couleur, teint du visage», fig. «aspect extérieur, argu-ment».

★ **I. ♦ 1.** Caractère d'une lumière, de la surface d'un objet (indé-pendamment de sa forme), selon l'impression visuelle particulière qu'elles produisent *(une couleur, les couleurs) ;* propriété que l'on attribue à la lumière, aux objets de produire une telle impression *(la couleur). La couleur, les couleurs d'une lumière, d'un rayonne-ment, d'un objet.* ⇒ **Coloration, coloris, nuance, teinte, ton, tona-lité ;** le préf. **chromo-** et les suff. **-chrome, -colore.** — *Couleur claire ; foncée, obscure, sombre. Couleur ardente, chaude, écla-tante, fraîche, gaie, vive. Couleur chargée, choquante, criarde, crue, poussée, tranchée, voyante. Couleur franche, nette ; couleur fausse, imprécise, indéfinissable, rompue. Couleur délavée, élavée, éteinte, neutre, tendre, pâle. Couleur fanée, morne, passée, pisseuse* (pop.), *sale, terne, triste. Couleur mate. Couleur tirant* sur le vert... Cou-leur changeante* (→ Changer, cit. 6), *chatoyante.* ⇒ **Moirure, reflet ; caméléon** (cit. 3). *Couleur unie, dégradée. D'une seule cou-leur.* ⇒ **Monochrome, uni ; camaïeu, grisaille.** *De plusieurs couleurs.* ⇒ **Bariolé, bigarré, billebarré, chamarré, chiné, diapré, jaspé, mou-cheté, multicolore, panaché, polychrome, taché, truité ;** en parlant de la robe des chevaux : **arzel, balzan, cavecé, mantelé, miroité, pie, pommelé, tigré, tisonné, truité.** *Les couleurs de la nature. Les cou-leurs des pierres* précieuses. Les couleurs des végétaux. La cou-leur des cheveux* (blond, brun, roux), *des poils* (⇒ **Pelage, robe**), *des plumes... Un plumage* de vives couleurs. Couleurs d'un kaléidoscope.*

1 *(Les)* couleurs du prisme (...) pleines et certaines dans leur milieu, sont toujours un peu équivoques dans les limites où elles se touchent et se confondent.
RIVAROL, Littérature, I, v, p. 118.

2 (...) je pensai que les couleurs et les feuillages avaient une harmonie, une poésie qui se faisait jour dans l'entendement en charmant le regard (...) Si la couleur est la lumière organisée, ne doit-elle pas avoir un sens comme les combinaisons de l'air ont le leur ?
BALZAC, le Lys dans la vallée, Pl., t. VIII, p. 855.

3 Imagine ce qu'il y a de plus impétueux dans le désordre, de plus insaisissable dans la vitesse, de plus rayonnant dans des couleurs crues frappées de soleil.
E. FROMENTIN, Une année dans le Sahel, p. 280.

4 Quand le grand foyer descend dans les eaux, et de rouges fanfares s'élancent de tous côtés ; une sanglante harmonie éclate à l'horizon, et le vert s'empourpre riche-ment. Mais bientôt de vastes ombres bleues chassent en cadence devant elles la foule des tons orangés et rose tendre qui sont comme l'écho lointain et affaibli de la lumière. Cette grande symphonie du jour (...) cette succession de mélodies, où la variété sort toujours de l'infini, cet hymne compliqué s'appelle la couleur.
BAUDELAIRE, Salon de 1846, III, p. 605.

5 Les parfums, les couleurs et les sons se répondent (...)
BAUDELAIRE, les Fleurs du mal, IV, Correspondances.

6 (...) la couleur n'est au physicien qu'une circonstance accessoire ; il n'en retient qu'une indication grossière de fréquence. Quant aux effets de contrastes, aux com-plémentaires, et autres phénomènes de même ordre, ils n'en écarte de ses voies. On arrive ainsi à cette intéressante constatation : tandis que pour la pensée du phy-sicien l'impression colorée a le caractère d'un accident qui se produit pour telle valeur ou telle autre d'une suite indéfinie de nombres, l'œil du même savant lui offre un ensemble restreint et fermé de sensations qui se correspondent deux à deux, tellement que l'une est donnée avec une certaine intensité et une certaine durée, elle est aussitôt suivie de la production de l'autre. Si quelqu'un n'avait jamais vu le *vert,* il lui suffirait de regarder du *rouge* pour le connaître.
VALÉRY, Variété IV, Disc. prononcé au 2ᵉ congrès d'Esthét., p. 263.

Sc. *La sensation de couleur est fonction des propriétés physiques de la lumière* (longueur d'onde) *et de sa diffusion. La lumière blan-che* (solaire) *est décomposée par le prisme en couleurs dites spec-trales* (⇒ **Violet, indigo, bleu, vert, jaune, orangé, rouge**). *Les couleurs du spectre, du prisme, de l'arc-en-ciel* (→ Arc-en-ciel, cit. 1 et 5). *Couleurs simples, primitives. Couleurs fondamentales :* le jaune, le rouge et le bleu, couleurs à partir desquelles on peut pro-duire les autres couleurs. *Couleurs composées. Couleur complé-mentaire* (d'une couleur primaire), celle qui résulte du mélange des deux autres couleurs primaires. *Le vert, couleur complémentaire du rouge* (l'orangé, du bleu ; le violet, du jaune). *Le mélange opti-que d'une couleur et de sa couleur complémentaire donne le blanc.* ⇒ **Complémentaire.** *Trouble dans l'appréciation des couleurs* (⇒ **Achromatopsie ; daltonisme**).

Loc. fig. *Juger d'une chose, parler de qqch. comme un aveugle des couleurs.* — *Des goûts* et des couleurs, on ne dispute** (cit. 4) *point* (ou : on ne dispute pas, point). ⇒ **Opinion.**

Spécialt. Aspect d'une surface (papier, tissu, etc.), quant à la cou-leur. *Un papier à lettres de couleur mauve. Une robe de couleur blanche, verte. La couleur d'un vêtement. De belles couleurs vives. Gamme, palette de couleurs.*

---

7 Les retentissantes couleurs
Dont tu parsèmes tes toilettes
Jettent dans l'esprit des poètes
L'image d'un ballet de fleurs.
BAUDELAIRE, les Fleurs du mal, Pièces condamnées, CXXIX, « À celle qui est trop gaie ».

COULEUR DE... *Couleur d'encre :* noir. *Couleur de rose. Un manteau couleur de muraille*,* gris. *Couleur de nuit :* gris foncé, noir. *Couleur du temps :* couleur changeante, dont les tons vont du gris au bleu. *Des yeux couleur du temps.*

Phys. Nom donné à une caractéristique des particules formant les baryons (ensemble de trois quarks) et permettant de différencier les quarks de même type.

7.1 Ce raisonnement conduisit les théoriciens à introduire la notion de «couleur». Imagi-nons qu'outre les propriétés connues, il en existe une nouvelle, que l'on baptisera donc «couleur». Imaginons qu'il existe trois couleurs fondamentales et que cha-que quark U, D, S, C ou B puisse exister sous ces trois états de couleur. Le pro-blème est résolu puisque, par exemple, on pourra avoir un U vert, un U bleu et un U rouge, cohabitant sans violer le principe d'exclusion. »
Sciences et Avenir, nº 373, mars 1978, p. 85.

♦ **2.** Plur. Livrée, vêtements de couleur déterminée. Vx. *Porter cou-leurs :* porter une livrée* aux couleurs de son maître, et, fig., être laquais, valet. — *Porter les couleurs d'une dame,* inclure dans son costume les couleurs qu'elle affectionne, et, fig., se mettre au rang de ses admirateurs. — (1877, Littré, *Suppl.*). *Les jockeys portent les couleurs d'une écurie. Les couleurs d'un club sportif.*

8 Faire par les couleurs distinguer ses valets (...)
BOILEAU, Satires, v.

9 Les couleurs et les chiffres de Mᵐᵉ de Valentinois paraissaient partout (...)
Mᵐᵉ DE LA FAYETTE, la Princesse de Clèves, I, p. 241.

(1732). Liturgie. *Couleurs liturgiques,* adoptées pour les ornements liturgiques. *Les couleurs liturgiques ont une signification symboli-que.*

♦ **3.** *Les couleurs du drapeau :* les couleurs adoptées par chaque nation comme marque distinctive et qui sont reproduites sur le dra-peau. — (1790). *Les couleurs nationales. Les couleurs françaises. Les trois couleurs* (françaises) : bleu, blanc, rouge. ⇒ **Drapeau, tri-colore.** *Pavoiser aux couleurs d'un pays, de l'Italie, du Brésil... Bateau arborant les couleurs britanniques.* — Absolt (mar. et milit.). *Les couleurs.* ⇒ **Drapeau, pavillon.** *Envoyer, hisser les couleurs ; amener, baisser, rentrer les couleurs. Aux couleurs !*

10 La France reprend ses couleurs. À l'avenir il ne sera plus porté d'autre cocarde que la cocarde tricolore.
Charte de 1830, art. 67.

♦ **4.** (Au sing. : *la couleur*). Ce qui est coloré ; toute autre couleur que le noir, le gris, le blanc. *Elle est encore en deuil et ne porte pas de vêtements de couleur. Renoncer à la couleur. Linge, draps de couleur. Laver le blanc* et la couleur.*

♦ **5.** (1694). Chacune des quatre marques, dans un jeu de cartes. ⇒ **Carreau, cœur, pique, trèfle.** *Avoir les quatre couleurs dans son jeu.* Au bridge. *Couleur majeure* (pique, cœur), *mineure* (trèfle, car-reau). — Ensemble des cartes de la même marque, dans le jeu d'un joueur. *Couleur longue* (plus de 4 cartes), *courte. Couleur pleine* (formant une séquence), *percée. Couleur déclarable,* au bridge. — Spécialt. ⇒ **Atout.** *Donner dans la couleur. Jouer dans la couleur. Annoncer la couleur :* proposer aux autres joueurs une couleur qui servira d'atout. Loc. fig. *Annoncer la couleur :* dire ce qu'on a à dire.

10.1 D'ailleurs, le général (...) avait, d'entrée, annoncé la couleur :
— Si je dois mourir je préfère que ce soit sur l'épaule d'une femme que sur celle d'un tirailleur sénégalais (...)
Y. AUDOUARD, *in* le Canard enchaîné, 16 avr. 1969.

10.2 Hascoët que j'ai aimée presque d'amour! Elle ne l'a jamais su, bien entendu. On n'annonce pas la couleur à treize ans. Elle a cependant été un de mes vrais senti-timents.
Benoîte et Flora GROULT, Il était deux fois, p. 39.

Blason. *Les couleurs de l'écu.* ⇒ **Émail.**

11 (...) ceux-là portent les armes pleines, ceux-ci brisent d'un lambel (...)
Ils ont avec les Bourbons, sur une même couleur, un même métal (...)
LA BRUYÈRE, les Caractères, VII, 10.

♦ **6.** (1080). Teinte naturelle (de la peau humaine). *Couleur de la peau*, du teint.* ⇒ **Carnation, teint.** *Couleur pâle, blême, livide... Couleur vermeille.*

12 Je me meurs. — Dieux puissants ! quelle étrange pâleur
De son teint tout à coup efface la couleur ?
RACINE, Esther, II, 7.

Les couleurs de qqn : carnation rose de la figure (dans la race « blanche »). *Avoir de belles couleurs. Elle se donne de fausses cou-leurs.* → Plâtrer, cit. 2. Absolt. *L'animation, l'ardeur, l'éclat des couleurs. N'avoir pas de couleurs. Reprendre des couleurs. Les couleurs lui sont revenues avec la bonne santé. Devenir de toutes couleurs. Passer par toutes les couleurs.* — *Les pâles couleurs.* ⇒ **Chlorose.**

13 (...) les couleurs dont la santé fleurit un visage bien portant.
Th. GAUTIER, le Capitaine Fracasse, t. I, p. 122.

Loc. *Haut en couleur :* qui a le teint très coloré. — Fig. Pittoresque. → ci-dessous, cit. 31. — *Changer* (cit. 51) *de couleur* (sous l'effet de l'émotion).

(1791, *in* D. D. L.). Loc. *... DE COULEUR. Homme, femme de couleur,* qui n'appartient pas à la race blanche (se dit surtout des Noirs). *Gens, personnes de couleur.* ⇒ **Mulâtre, nègre, noir.**

14 L'Américain partage avec l'Anglais l'horreur, presque sacrée, du mariage entre blancs et gens de couleur (...)
(Dans le Sud des États-Unis), contre la « couleur », les blancs constituent un front uni, qui n'a pas de fissure.
André SIEGFRIED, les États-Unis d'aujourd'hui, VI, p. 87 et 90.

♦ **7.** Aspect que la viande, la pâtisserie, le pain... prennent lorsqu'ils sont cuits à point. *Cette croûte n'a pas de couleur. Cette viande a, prend couleur.*

15 (...) si je ne me trompe à la couleur du mets,
Je dois faire aujourd'hui bonne chère, ou jamais.   LA FONTAINE, Fables, VIII, 9.

Loc. fig. *L'affaire prend couleur :* on commence à discerner la tournure qu'elle va prendre. ⇒ **Figure, tournure.**

16 L'affaire du quiétisme (...) reprit couleur, et couleur qui commença à devenir fort louche pour M. de Cambrai.   SAINT-SIMON, Mémoires, 56, 189.

♦ **8.** Loc. fam. *La couleur de qqch. :* son apparence (dans quelques locutions). *On ne connaît pas la couleur de son argent :* il ne paie pas ses dettes. *Tu n'en reverras plus la couleur,* l'apparence. *Je ne connais pas la couleur de sa voix, de ses paroles.*

Fam. *De toutes les couleurs :* de tous les genres (péj.). *En faire voir* à quelqu'un de toutes les couleurs,* lui faire subir toutes sortes d'avanies, d'épreuves... On dit de même : *Il lui en a dit de toutes les couleurs sur vous* (cf. Des vertes et des pas mûres). — *En voir de toutes les couleurs.*

16.1 Cette petite femme-là lui en fait voir de toutes les couleurs (...)
Alphonse DAUDET, Fromont jeune et Risler aîné, p. 182.

REM. 1. Dans la langue classique et jusqu'au XVIIIᵉ s., *couleur* est pris au masc. dans certaines expressions. *« Le couleur de rose »* (La Fontaine, *Psyché,* 1).

2. Après un nom, *couleur* déterminé par un autre nom s'emploie comme adjectif invariable. *Rubans, robes couleur de chair, couleur chair.*

17 Je vous trouve (...) les lèvres d'un couleur de feu surprenant.
MOLIÈRE, l'Impromptu de Versailles, 4.

18 (...) des rubans couleur de feu (...)   MOLIÈRE, Dom Juan, I, 2.

3. Le nom employé pour désigner une couleur reste invariable, « parce qu'il est le complément du mot "couleur" sous-entendu » (Grevisse, *le Bon Usage,* 381). *Des foulards abricot.* (Il en est de même pour les adj. composés. *Des capotes bleu horizon*).

Désignations de couleurs :

Abricot (O)	Champagne (Ba-J)	Maïs (J)
Acajou (Br)	Châtain (Br)	Marine (Be)
Albâtre (Ba)	Chocolat (Br)	Marron (Br)
Albugineux (Ba)	Ciel (Be)	Mastic (Gr)
Alezan (Br-Chev.)	Cinabre (R)	Mauve (Vi)
Amarante (R)	Cireux (J)	Miel (J)
Ambré (J)	Citron (J)	Molequin (Ve)
Andrinople (R)	Colombin (Rose)	Mordoré (Br)
Anthracite (Gr)	Coquelicot (R)	Moreau (N-Chev.)
Ardoise (Be-Gr)	Corail (R)	Moutarde (Br)
Argent (Ba)	Corallin (R)	Nacarat (R)
Argenté (Ba)	Corbeau (aile de) (N)	Nacré (R)
Argilacé (Gr)	Cramoisi (R)	Neigeux (Ba)
Aubère (Br-Chev.)	Crème (Ba)	Niveux (Ba)
Aubergine (Vi)	Cuisse de Nymphe (Rose)	*Noir*
Auburn (R-Chev.)	Cuivré (R)	Noisette (Br)
Aurore (Rose)	Doré (J)	Opalin (Ba-Be)
Avoine (Ba-J)	Ébène (N)	Or (J)
Azur (Be)	Éburnéen (Ba)	Orange (O)
Bai (Br-Chev.)	Écarlate (R)	*Orangé*
Baillet (Br-Chev.)	Écrevisse (R)	Outremer (Be)
Balais (R)	Émeraude (Ve)	Paille (J)
Banane (J)	Épinard (Ve)	Pain brûlé (Br)
Basané (Br)	Érubescent (R)	Parme (Vi)
Beige (Br)	Fauve (Br)	Pastel (J)
Beurre frais (J)	Feu (O)	Pêche (Rose)
Bis (Br)	Feuille morte (Br)	Pelure d'oignon (R)
Bistre (Br)	Fraise (R)	Pers (Be-Ve)
Blafard (Ba)	Fuligineux (N)	Pinchard (Gr-Chev.)
Blanc	Garance (R)	Platiné (R)
Blanchâtre (Ba)	Géranium (R-O)	Plombé (Gr)
Blême (Ba)	Glauque (Ve)	Ponceau (R)
Blet (Br)	Gorge de pigeon (Rose)	Pourpre (R)
Bleu	Grège (Br)	Poussin (J)
Blond (J)	Grenat (R)	Prune (Vi)
Bordeaux (R)	*Gris*	Puce (Br)
Brique (R)	Groseille (R)	Queue-de-vache (Br)
Bronzé (Br)	Grivelé (Gr)	*Rose*
Brou de noix (Br)	Gueules (R-Blas.)	Rouan (Br-Chev.)
Brun	Hâlé (Br)	*Rouge*
Caca d'oie (Br)	Havane (Br)	Rouille (Br)
Cachou (Br)	Incarnadin (R)	Roussâtre (Br)
Café au lait (Br)	Incarnat (R)	Roux (Br)
Canari (J)	Inde (Be)	Rubican (Ba-Chev.)
Cannelle (R)	Indigo (Be)	Rubigineux (Br)
Capucine (O)	Isabelle (Br)	Rubis (R)
Caramel (Br)	Ivoire (Ba)	Sable (N-Blas.)
Carmélite (Br)	Jade (Ve)	Safran (J)
Carmin (R)	*Jaune*	Sang (R)
Carné (Rose)	Jonquille (J)	Sanglant (R)
Carotte (O)	Kaki (Br)	Saumon (R)
Caviar (N)	Lacté (Ba)	Saure (Br-Chev.)
Céladon (Ve)	Laiteux (Ba)	Serin (J)
Cendré (Gr)	Lavallière (Br-Cuir)	Sinople (Ve-Blas.)
Cendreux (Gr)	Lavande (Be)	Smaragdin (Ve)
Cerise (R)	Lie-de-vin (Vi)	Souris (Gr)
Céruléen (Be)	Lilas (Vi)	Tabac (Br)
Chair (Rose)	Livide (Ba)	Tango (O)
Chamois (J)	Louvet (Br-Chev.)	Tanné (Br)

Terreux (Br)	Tournesol (Be)	*Vert*
Tête-de-maure (Br)	Tourterelle (Gr)	Vineux (R)
Tête-de-nègre (Br)	Turquoise (Be)	*Violet*
Thé (J)	Ventre-de-biche (Br)	Violine (Vi)
Tilleul (Ve)	Vermeil (R)	Zinzolin (Vi)
Tomate (R)	Vermillon (R)	

Ba = *Blanc ;* Be = *Bleu ;* Br = *Brun ;* Gr = *Gris ;* J = *Jaune ;* N = *Noir ;* O = *Orangé ;* Rose = *Rose ;* R = *Rouge ;* Ve = *Vert ;* Vi = *Violet.* — Blas. = *Blason ;* Chev. = *Cheval* (couleur de la robe).

REM. On emploie aussi pour désigner les couleurs de très nombreuses expressions empruntées aux *plantes* (citron, tilleul...), aux *animaux* (chamois...), à des *substances minérales* (rubis, turquoise...), aux *phénomènes naturels* (aurore, horizon...), à des *substances diverses* (paille, rouille...). → aussi les nuances de chaque couleur fondamentale (*suffixes : -é :* bleuté ; *-âtre :* bleuâtre ; *-aille :* grisaille ; *adjectifs...*).

★ **II.** ♦ **1.** (V. 1268). Substance que l'on applique sur un objet pour produire la sensation de couleur. ⇒ **Colorant, pigment ; peinture, teinture ; aquarelle, badigeon, enduit, fard, lavis, gouache, pastel...** *Couleurs végétales, animales. Couleurs minérales, naturelles, artificielles.* — *Fabrication des couleurs naturelles* (cassage, broyage, débourdage, lévigation, décantation, tamisage). — *Couleurs vitrifiables,* servant à la coloration des porcelaines. *Couleurs délayées : couleurs à l'huile, à l'eau, à la colle, à la gomme, à la cire.* — *Cette étoffe prend bien la couleur. Faire l'apprêt* d'un mur avant d'étendre la couleur.*

Loc. *Marchand de couleurs.* ⇒ **Droguiste.** *Aller acheter un balai chez le marchand de couleurs. Des marchands de couleurs.*

18.1 (...) un marchand de couleurs posait ses volets arlequins où s'attardait un dernier rayon (...)   MALRAUX, Antimémoires, Folio, p. 52.

Broyer (→ cit. 4), *préparer les couleurs. Couche de couleur.* ⇒ **Frottis, glacis.** *Couleurs en tube. Tube de couleur ; godet à couleur. Pot de couleur. Crayon de couleur. Boîte de couleurs. Pistolet à couleur. Principales couleurs utilisées en peinture :* blanc fixe, blanc d'argent, céruse, blanc de zinc, lithopone, blanc de titane, laque ; jaune de chrome, de cadmium, indien, de Naples, de strontium ; ocres ; terres de Sienne, d'ambre, de Cassel..., bitume, brun Van Dyck, sépia ; minium, vermillon, rouges ; bleu d'outre-mer, de Prusse, de cobalt, céleste, minéral ; vert émeraude, de cobalt, anglais, terres vertes ; noirs minéraux, noirs de fumée.

Appliquer, coucher, étaler la couleur. Peindre à pleine couleur, avec un pinceau chargé en couleur. *Mettre de la couleur, mettre en couleur.* ⇒ **Badigeonner, barbouiller** (cit. 5), **barioler, bigarrer, colorer, colorier, enluminer, farder, panacher, peindre, teindre, teinter.** *Les couleurs s'altèrent, passent avec le temps.* ⇒ **Décolorer** (se), **déteindre, détremper, pâlir, ternir ; déalbation.** *Couleur qui vire*. Couleurs endommagées, craquelées. Attention à la couleur !* (rare). ⇒ **Peinture.**

19 Une palette de fer-blanc, où l'ouvrier avait pratiqué dix-huit à vingt petits enfoncements, c'est à peu près le nombre de couleurs dont un peintre a coutume de composer sa palette.   DIDEROT, Peinture en cire, Œ., t. XV, in POUGENS.

T. de coiffure. *Faire la couleur :* appliquer une couleur (⇒ **Coloration**) sur un cheveu (préalablement décoloré [⇒ **Décoloration**] ou non). *Se faire faire la couleur, une couleur par un coloriste.*

♦ **2.** Teinte, coloris employé dans une œuvre picturale. *Adoucir, amortir, atténuer les couleurs. Aviver, ranimer, rehausser, relever, renforcer les couleurs. Le fondu des couleurs. Couleurs fondues, assorties, nuées. Couleurs contrastées, opposées.* — *Gamme, ensemble, combinaison, harmonie, symphonie de couleurs.* ⇒ **Palette.** — *Couleurs légères,* voisines du blanc. *Couleurs pesantes. Couleurs rompues, affaiblies par un mélange. Couleurs amies,* qui s'accordent bien ensemble.

19.1 Les couleurs sont encore plus explicatives quoique moins multiples que les lignes par suite de leur puissance sur l'œil. Il y a des tons nobles, d'autres communs, des harmonies tranquilles, consolantes, d'autres qui vous excitent par leur hardiesse.
P. GAUGUIN, Lettre à Émile Schuffenecker, 14 janv. 1885,
in Lettres de Gauguin, p. 45.

Couleur générale d'un tableau, l'impression d'ensemble donnée par le coloris. *« La couleur est composée de masses* (cit. 11) *colorées »* (Baudelaire). *La composition, le dessin, la couleur d'un tableau. Un maître de la couleur.* — Par ext. *Couleur d'une estampe, d'une gravure,* l'impression colorée qu'elle donne.

Les arts* de la couleur. ⇒ **Peinture ; émail, fresque, mosaïque, tapisserie.**

19.2 La couleur n'est rien, si elle n'est pas convenable au sujet, et si elle n'augmente pas l'effet du tableau par l'imagination.   E. DELACROIX, Journal, 2 janv. 1853.

20 En certains endroits *(chez Chasseriau)* c'est déjà de la *couleur,* en d'autres ce n'est encore que coloriage (...)   BAUDELAIRE, Curiosités esthétiques, p. 29.

21 J'en viens au dernier élément *(de la peinture)...* la couleur. Par elles-mêmes et en dehors de leur emploi limitatif, les couleurs, comme les lignes ont un sens. Une gamme de couleurs (...) peut être riche ou maigre, élégante ou lourde. Notre impression varie avec leur assemblage ; leur assemblage a donc une expression (...) La valeur propre de la couleur est donc énorme, et le parti que les peintres prennent à son endroit détermine le reste de leur œuvre. — Mais, dans cet élément, il y a plusieurs éléments, d'abord le degré général de clarté ou d'obscurité (...) D'autre part, l'opposition des clairs et des noirs (...) plus ou moins forte ou plus ou moins ménagée ; l'orangé, le violet, le rouge, le vert et tous les autres, simples ou mélangés, forment ainsi par leur proximité (...) une harmonie pleine et forte, ou âpre et rude, ou douce et molle.
TAINE, Philosophie de l'art, t. II, V, IV, IV, p. 535.

21.1 Voyez Cézanne, l'incompris, la nature essentiellement mystique de l'Orient (son visage ressemble à un ancien du Levant), il affectionne dans la forme un mystère et une tranquillité lourde de l'homme couché pour rêver, sa couleur est grave comme le caractère des Orientaux.
P. GAUGUIN, Lettre à Émile Schuffenecker, 14 janv. 1885, *in* Lettres de Gauguin, p. 45.

22 On lui reproche, comme à Delacroix, l'indigence de son dessin et la frénésie de sa couleur.
Léon BLOY, la Femme pauvre, I, p. 145.

22.1 Le dessin donne sensation de la volonté — et la couleur, magie.
VALÉRY, Cahiers, t. II, Pl., p. 973.

(1699). **COULEUR LOCALE** : couleur propre à chaque objet, indépendamment de la distribution des lumières et des ombres. — Fig. Ensemble des traits extérieurs caractérisant les personnes et les choses dans un lieu, dans un temps donné. *Les peintres et les écrivains romantiques se préoccupaient de reproduire la couleur locale. L'abus de la couleur locale, du pittoresque.* — Fam. *Un paysage, une scène qui font très couleur locale.* ⇒ **Pittoresque**; → **Rester**, cit. 21.

22.2 Cousin ne trouvait pas la moindre couleur locale dans Racine, qu'il n'aime point (...)
E. DELACROIX, Journal, 24 déc. 1853.

23 Les gens du dix-septième siècle étaient bien plus préoccupés que nous ne le sommes de ce qui s'est appelé depuis : couleur locale.
F. MAURIAC, la Vie de J. Racine, VI, p. 85.

♦ 3. (Même valeur que I., 4.; opposé à *noir, blanc*). **EN COULEUR, EN COULEURS.** *Gravure en couleur(s). Des cartes postales en couleurs.* Fam. *Des en noir et des en couleurs. Photo, film, cinéma en couleur* (appos. : *photo, film couleur). Télévision en couleur;* par appos. *une télé couleur.*

Absolt. *La couleur. Faire de la couleur* (photo, cinéma). *Je sais qu'elle a la télé, mais est-ce qu'elle a (est-ce que c'est) la couleur?*

★ III. Par métaphore ou fig. **♦ 1.** Littér. Aspect produisant une impression comparable à celle que la couleur donne aux yeux. *Donner des couleurs, de la couleur à une description. Peindre une situation, un cas sous les plus vives couleurs,* avec force, avec vérité, avec vie. *Exposer qqch. sous de fausses couleurs.*

24 Je (...) ne me suis servi, dans cette peinture, que des couleurs expresses et des traits essentiels qui font reconnaître d'abord un véritable et franc hypocrite.
MOLIÈRE, Tartuffe, 1er placet.

(XIIIe). Absolt. *Qualité qui distingue un style.* ⇒ **Brillant, éclat, force, véracité; coloré.** *Style sans couleur,* terne, impersonnel. *Description pleine de couleur. Cette musique a de la couleur.*

25 Tout le monde peut écrire ainsi, sans couleur, sans évocation, sans image, sans peinture.
Antoine ALBALAT, l'Art d'écrire, p. 60.

26 (...) elle racontait assez bien; les détails qu'elle donnait avaient de la couleur.
MARTIN DU GARD, les Thibault, I, p. 171.

27 Les mots riches de couleur et de sonorité sont aussi difficiles d'emploi que les bijoux voyants et que les teintes vives dans la toilette.
COCTEAU, la Difficulté d'être, p. 198.

Loc. *Haut en couleur :* vif, truculent.

♦ 2. Apparence, aspect particulier que prend qqch. suivant les circonstances. ⇒ **Allure, apparence, aspect, caractère.** *La situation apparut sous de sombres couleurs. Voir tout couleur de rose* (⇒ **Rose** : voir tout en rose). *Brusquement, le récit prend une couleur tragique. Donner une couleur nouvelle à un rôle de théâtre par l'interprétation.* — *La couleur du temps :* la nature des circonstances.

28 (...) je ne trouve point de couleurs assez noires
Pour en représenter les tragiques histoires.
CORNEILLE, Cinna, I, 3.

29 (...) voilà (...) de quelle couleur sont les pensées que l'on a ici; j'espère qu'elles s'éclairciront (...)
Mme DE SÉVIGNÉ, 469, 20 nov. 1675.

30 Un cri de révolte, une protestation qu'explique la longue plainte du premier violon donnent à l'allégro sa couleur sombre *(dans le 11e quatuor),* sa tragique tristesse.
Édouard HERRIOT, la Vie de Beethoven, p. 214.

♦ 3. (1794). Caractère propre à une opinion. ⇒ **Teinte.** *Une légère couleur d'anarchisme. Ce journal est d'une couleur politique indécise.*

♦ 4. Vieilli ou littér. Apparence, raison fallacieuse que l'on donne à une chose, à une action pour la déguiser. ⇒ **Motif, prétexte, raison.** *Revêtir un mensonge, une infamie de belles couleurs. Peindre l'avenir d'une entreprise sous de belles couleurs, sous des couleurs flatteuses. Donner une couleur plausible, spécieuse. Donner des couleurs,* de mauvaises raisons.

31 Ils ont l'art de donner de belles couleurs à toutes leurs intentions (...)
MOLIÈRE, Tartuffe, 2e placet.

32 Je vous promets (...) que c'est pas moi qui (...) — Pas de couleurs!
Je t'ai vu, n'est-ce pas?
COLETTE, la Vagabonde, p. 57.

Loc. prép. Littér. **SOUS COULEUR DE :** avec l'apparence de, sous le prétexte de... *Attaquer sous couleur de se défendre.*

33 Vous pourriez, sous couleur de rendre un bon office,
Mettre quelque autre en peine avec cet artifice.
CORNEILLE, Mélite, IV, 2.

34 (...) Je ne veux plus, moi qui garde ce lieu
Qu'on vienne, sous couleur d'y quérir un caïeu
D'ail, piller mes fruitiers et grappiller ma grappe.
J.-M. DE HEREDIA, les Trophées, « Hort. », III.

CONTR. Blanc, noir (vêtement). — **Pâleur** (teint). — **Banalité, platitude** (style). — **Raison** (bonne raison).

COULEUSE [kuløz] n. f. — Déb. xxe; de *couler* «faire bouillir (la lessive)».

♦ Régional (Suisse). Lessiveuse*. *Une couleuse en zinc.*

COULEUVRE [kulœvʀ] n. f. — V. 1185; *culovre*, v. 1130; d'un lat. pop. *colobra,* du lat. class. *colubra.*

♦ 1. Cour. Serpent non venimeux, commun dans les régions tempérées (⇒ **Anguille**, 4.). *Couleuvre à quatre raies.* ⇒ **Élaphis.** *Couleuvre à collier* ou *serpent d'eau. Couleuvre lisse.* ⇒ **Coronelle.** *Couleuvre d'Esculape. Couleuvre marbrée. Couleuvre vipérine,* aquatique (absolt *vipérine). Grande couleuvre de l'Inde.* ⇒ **Nasique.** — *Peau de couleuvre; œufs de couleuvre.*

1 Puis au sortir de ces bois frais et touffus, une jachère crayeuse où sur des mousses ardentes et sonores, des couleuvres repues rentrent chez elles en levant leurs têtes élégantes et fines.
BALZAC, le Lys dans la vallée, Pl., t. VIII, p. 856.

2 Une couleuvre, par instants, rampe sur la bruyère avec le bruit sec du parchemin froissé.
L. TAILHADE, Contes et poèmes en prose, Les noces de Messidor, III.

3 Un sillage creuse l'herbe à nos pieds, une glissade sinueuse et sifflante. C'est une couleuvre, dit la petite; une belle. Elle nous la montre, nageant à fleur de l'eau plombée qu'elle coupe de sa tête levée : une tête noire, un collier jaune, ce n'est qu'une couleuvre d'eau.
M. GENEVOIX, Forêt voisine, p. 44.

Loc. compar. *Se glisser comme une couleuvre. Être souple, insinuant comme une couleuvre.* ⇒ **Serpent.**

♦ 2. Fig. *Avaler des couleuvres :* subir des affronts sans protester (⇒ **Avaler**, cit. 23, 24), accepter, supporter comme des vérités n'importe quelles déclarations.

4 Je lui dis tous les jours qu'il faut que le goût qu'il a pris pour elle soit bien extrême, puisque ce goût lui fait avaler, et l'été et l'hiver, toutes sortes de couleuvres (...)
Mme DE SÉVIGNÉ, 576, 11 sept. 1676.

5 L'essentiel dans cette manière d'arriver est d'agréer maints soufflets et de savoir avaler une quantité de couleuvres : M. de Talleyrand faisait grand usage de ce régime des ambitions de seconde espèce.
CHATEAUBRIAND, Mémoires d'outre-tombe, t. IV, p. 124.

Vx. Insinuation perfide.

DÉR. Couleuvreau, couleuvrée, couleuvrine.

COULEUVREAU [kulœvʀo] n. m. — 1572; de *couleuvre,* et *-eau.*

♦ Rare. Petit de la couleuvre.

COULEUVRÉE [kulœvʀe] n. f. — 1611; *couleuvree,* 1539; de *couleuvre* (par allusion au caractère rampant de cette plante), et *-ée.*

♦ Bot. Plante grimpante *(Cucurbitacées)* dont la tige ressemble à une couleuvre. ⇒ **Bryone.**

COULEUVRINE [kulœvʀin] n. f. — 1688; *coulouvrine,* fin xive; de *couleuvre,* et *-ine.*

♦ Ancien canon dont le tube était long et effilé. *Couleuvrine de rempart; sur affût.* — *Couleuvrine (à main) :* arme à feu portative.

Voilà vos longues couleuvrines
Qui soufflent du feu sur mes eaux !
HUGO, les Orientales, 35.

DÉR. Couleuvrinier.

COULEUVRINIER [kulœvʀinje] n. m. — 1473; de *couleuvrine.*

♦ Anciennt. Soldat armé de la couleuvrine (à main).

COULIBIAC [kulibjak] n. m. ⇒ **Koulibiac.**

COULIS, COULISSE [kuli, kulis] adj. et n. m. — 1393; *couleis,* v. 1256; de *couler,* et *-is.*

★ I. Adj. **♦ 1.** Vx. Qui coule, qui glisse.

1 Amadis (...) ouvrit un cadenas qui fermait une porte coulisse.
AMADIS, I, 19, *in* HUGUET.

♦ 2. Loc. mod. *Vent coulis :* vent qui coule, qui se glisse par les ouvertures, les fentes. *Il vient un vent coulis de cette fenêtre.* ⇒ **Courant** (d'air).

2 Un vent coulis me donna tellement contre une hanche (...)
Ambroise PARÉ, VIII, 41, *in* LITTRÉ.

★ II. N. m. **♦ 1.** Rare. Courant d'air.

2.1 La fenêtre mansardée joignait mal et laissait passer des coulis d'air froid. Quand le vent soufflait du nord, on l'entendait ronfler entre la toiture et la cloison inclinée.
M. AYMÉ, le Passe-muraille, p. 200.

♦ 2. Techn. Glissement, coulée. *Des coulis de terre.*

♦ 3. Techn. Produit qu'on fait couler dans les joints pour les garnir. Produit d'injection (suspension de ciment dans l'eau) employé pour consolider un terrain. *Coulis instables, stables.*

♦ **4.** (1393). Cuis. et cour. Substance qu'on obtient par la cuisson concentrée de substances alimentaires que l'on pile et que l'on passe au tamis. *Coulis de tomates. Coulis de perdrix.* — *Coulis d'écrevisses*, obtenu en pilant des écrevisses. ⇒ **Bisque.** — Purée de fruits crus pour napper un entremets. *Un coulis de framboises.*

3   Elle avalait, en se couchant, d'excellents coulis.   A.-R. LESAGE, Gil Blas, III, 2.

4   (...) une cuisine toute composée de jus, de coulis, d'épices, de brûlots, un sublimé de succulence (...).
     Ed. et J. DE GONCOURT, la Femme au XVIIIe siècle, t. II, p. 142.

5   On racontait qu'en 1814 il avait apporté à Louis XVIII, détalant vers Gand, d'une main la caisse de son arrondissement, et de l'autre un coulis de truffes qui semblait avoir été cuisiné par les sept diables des péchés capitaux, tant il était délicieux (...)   BARBEY D'AUREVILLY, les Diaboliques, « À un dîner d'athées ».

6   Des bouteilles sur lesquelles Angélo se précipita. C'étaient des bouteilles de coulis de tomate. Il en prit trois.   J. GIONO, le Hussard sur le toit, p. 124.

DÉR. Coulisse.
HOM. Coolie. — (Du fém.) **Coulisse.**

COULISSAGE [kulisaʒ] n. m. — Av. 1951 ; de *coulisser*.

♦ Action de coulisser. *Le coulissage du siège avant d'une automobile.*

COULISSANT, ANTE [kulisã, ãt] p. prés. et adj. — 1928, *in* D.D.L. ; p. prés. de *coulisser*.

♦ Qui glisse sur des coulisses. *Porte coulissante* (ou *à coulisse*).

Le jeune voyou se trouve alors très près de lui, et s'en rapproche encore pour se tenir lui-même à proximité immédiate de la sortie ; mais il tourne le dos, de côté, comme pour inspecter le système coulissant de la porte à glissières, sans paraître s'occuper de son voisin.
     A. ROBBE-GRILLET, Projet pour une révolution à New York, p. 136.

COULISSE [kulis] n. f. — 1754 ; *couloiche*, 1348 ; *coulice*, 1289 ; fém. substantivé de l'adj. *coulis*.

♦ **1.** Support ayant une rainure le long de laquelle une pièce mobile peut glisser. ⇒ **Glissière.** *Réparer la coulisse d'une porte.*
À COULISSE. *Fenêtre, porte, placard à coulisse. Couvercle à coulisse. Tiroir, châssis à coulisse.* — Par métonymie. Le volet* qui glisse sur la rainure. *Ouvrir, fermer une coulisse.* Spécialt. *La coulisse d'un confessionnal.* ⇒ **Grille.**
Archit. Dans une forteresse, cadre et partie mobile d'une herse.
Techn. Organe, pièce en forme de glissière. *Pièce glissant sur une coulisse.* ⇒ **Curseur.** — *Coulisse (de Stephenson)*, servant à la distribution de la vapeur sur une locomotive.

0.1   (...) la locomotive moderne, qui résulte de l'adaptation à la chaudière tubulaire de Marc Seguin, légère et plus petite qu'une chaudière à bouilleurs, de la coulisse de Stephenson, permettant de faire varier le rapport entre le temps d'admission et le temps de détente, ainsi que de passer en marche arrière (renversement de la vapeur) progressivement, par l'intermédiaire du point mort.
     Gilbert SIMONDON, Du mode d'existence des objets techniques, p. 67.

Imprim. *Coulisse de galée* * : pièce qui glisse dans les rainures de la galée.
Mar. ⇒ **1. Couette** (couettes mortes).
(1754). Anat. Rainure à la surface d'un os, où glissent les tendons... *Coulisse bicipitale de l'humérus* (⇒ **Gouttière**).
Mus. Dans un instrument à vent, tube mobile qui glisse sur le tube principal. *La coulisse d'un trombone.* Loc. cour. *Trombone* * à coulisse.*

0.2   La première clarinette a avalé l'anche de son instrument (...) La coulisse du trombone est faussée (...)   J. VERNE, le Docteur Ox, p. 59.

(1802). Cout. Ourlet, rempli qu'on fait à un vêtement, une étoffe, pour y faire passer un cordon, un lacet de serrage.

1   Il avait posé les deux ensouples sur la chanlatte et sur le tréteau, bien en face, de façon à placer de droit fil la soie cramoisie de la chape, qu'Hubertine venait de coudre aux coulisses.   ZOLA, le Rêve, III, p. 18.

Régional (Canada). Conduit permettant l'écoulement d'un liquide.

♦ **2.** (Inus., sauf dans les loc. *à, en coulisse*). Action de coulisser.
Loc. adv. **À COULISSE.** *Glace à coulisse.*
Rare. **EN COULISSE.** *Dispositif en coulisse.* — (1808). Fig. *Faire des yeux en coulisse* : laisser glisser le regard obliquement, à la dérobée*. *Un regard en coulisse.* ⇒ **Coin** (→ Couler : couler un regard).

2   Elle répondait à chacun, faisait les yeux en coulisse, le poing sur la hanche, effrontée comme une vraie bohémienne qu'elle était.   MÉRIMÉE, Carmen, III.

♦ **3.** (1694). Théâtre. **ⓐ** (Techn.). Rainure le long de laquelle glissent les châssis des décors, sur une scène de théâtre ; le châssis lui-même.

ⓑ (1718). Cour. *La coulisse, les coulisses*, partie d'un théâtre située sur les côtés et en arrière de la scène, derrière les décors, et qui est cachée aux spectateurs. *Rester dans les coulisses. Le machiniste, l'électricien sont dans les coulisses.*

3   Nous avons ici l'expérience que le théâtre peut être très bien éclairé avec des bougies en grand nombre et des reflets (*réflecteurs*) dans les coulisses (...)
     VOLTAIRE, Lettre à d'Argental, 4 oct. 1748.

4   (...) le Kain-Ninias pousse du pied vers la coulisse une pendeloque de diamant qui s'était détachée de l'oreille d'une actrice.
     DIDEROT, Paradoxe sur le comédien, p. 1057.

5   Alcide Tousez, Sainville, Ravel sont dans la coulisse ce qu'ils sont sur la scène, faisant des coqs-à-l'âne et disant des joyeusetés.
     HUGO, Choses vues, Nouvelle série, IV, Théâtre, Les Comiques.

En coulisse : dans la, les coulisses.

(1825). Vieilli. Le monde du théâtre. *Argot de coulisse.*
Par anal. Partie annexe (d'une salle) cachée aux personnes présentes (dans cette salle).

5.1   Autrefois, une inélégante cloison séparait la salle de séance de ces coulisses admirables : petite Coupole, derrière la grande, où a pris place, invisible, une autre Académie, l'impossible, la grande (...)
     Claude MAURIAC, le Temps immobile, p. 130.

Fig. *Se tenir dans la coulisse* : se tenir caché, ne pas se laisser voir. *Il laisse agir ses subordonnés et se tient dans la coulisse.* — *Ce qui se dit, se fait, se passe dans la coulisse, en coulisse,* hors de la vue du public. *Les coulisses de la politique* : aspect dissimulé de la politique. ⇒ **Dessous, secret.**

6   Vous pensez bien que ce n'est pas dans cet état d'extase qu'ils peuvent s'apercevoir de ce qui se passe réellement dans la coulisse.
     J. ROMAINS, les Hommes de bonne volonté, t. V, XVII, p. 123.

♦ **4.** (1838). Vx. Bourse. Le marché des valeurs non cotées où des courtiers non autorisés font office d'agents de change (⇒ **Coulissier**).

CONTR. Plateau, scène.
DÉR. Coulisseau, coulisser, coulissier.

COULISSEAU [kuliso] n. m. — XVe-XVIe, *collisseau* ; de *coulisse,* et *-eau.*

Technique.

♦ **1.** Petite coulisse.

♦ **2.** Pièce qui se déplace dans une coulisse.
Spécialt. Pièce de la machinerie d'un ascenseur.

1   « (*Le bruit*) est dû au frottement des coulisseaux » dit le mari de la Tragédienne. Il s'était renseigné auprès des principaux fabricants d'ascenseurs de Paris. «Le frottement des coulisseaux sur les guidages produit de l'électricité statique.»
     P. GUTH, le Naïf locataire, p. 227.

Pièce qui retient la tige d'un verrou, d'une crémone.

♦ **3.** Pièce de bois mortaisée.

2   On fut obligé de passer la nuit à couvrir l'escalier de coulisseaux, à bâtir un vrai praticable pour faire ramener l'attelage à l'écurie.
     Ed. et J. DE GONCOURT, Manette Salomon, p. 49.

COULISSER [kulise] v. — 1671 ; de *coulisse.*

★ **I.** V. tr. ♦ **1.** (1890). Techn. Garnir de coulisses. *Coulisser un rideau, un tiroir.*

♦ **2.** Cout. Coudre à points devant un rempli pour y faire passer une coulisse (→ Coulisse, 1.). *Coulisser une jupe.*

★ **II.** V. intr. (1908). Cour. Glisser sur coulisses. *Porte qui coulisse.* ⇒ **Coulissant.**

▶ **COULISSÉ, ÉE** p. p. adj.

♦ **1.** (1866). Garni d'une coulisse.

Ici, on a mis un rideau en attendant. Plus tard on mettra une porte coulissée (...)
     N. SARRAUTE, le Planétarium, p. 299.

Cout. *Jupe coulissée.* N. m. *Un coulissé* : rempli à l'intérieur duquel passe une coulisse. *Le coulissé d'une jupe.*

♦ **2.** Par anal. (Rare). *Bouche coulissée,* en biais, plissée.
Son coulissé : son qui rappelle le son émis par un instrument à coulisse.

DÉR. Coulissage, coulissant.

COULISSIER [kulisje] n. m. — 1824 ; de *coulisse.*

♦ **1.** Vx, souv. péj. Bourse. Courtier qui s'occupe des transactions de Bourse, hors du parquet des agents de change (⇒ **Agent** [cit. 14] de change). *Les coulissiers servent d'intermédiaires dans les transactions de valeurs non cotées* (coulisse, marché libre, marché en banque). *Syndicat des coulissiers* (syndicat des banquiers en valeurs au comptant, syndicat des banquiers en valeurs à terme).

1   Ce mot printemps (...) on le criait aujourd'hui en pleine Bourse. Des coulissiers ignorants croyaient à une valeur nouvelle.
     GIRAUDOUX, les Aventures de Jérôme Bardini, p. 55.

♦ **2.** Fig. et vx. Personnage subalterne.

2   (*Mme de Villeparisis*) se toquait de connaître tel ou tel individu qui n'avait aucun titre à être reçu chez elle, parfois parce qu'elle l'avait trouvé beau, ou seulement parce qu'on lui avait dit qu'il était jeune coulissier du dernier rang de la société (...)   PROUST, le Côté de Guermantes, Folio, p. 225-226.

COULOIR [kulwaʀ] n. m. — 1378, au sens I; *coledoir* au XIIᵉ; de *couler* (var. de *couloire*), et *-oir*.

★ **I.** Vx. Ce qui sert à faire couler. ⇒ **Couloire.**

♦ **1.** Techn. [a] Anciennt. Écuelle à fond de toile où l'on filtre le lait qu'on vient de traire.

[b] Mod. Conduit pour l'écoulement du métal en fusion.

♦ **2.** (1762). Anat. (vx). Canal par lequel s'écoulent les humeurs.

♦ **3.** Pop. *Puer, « schlinguer du couloir »* (attesté notamment chez Hugo), de la bouche.

★ **II.** Mod. et cour. (1704 sur un navire; mil. XVIIIᵉ dans une construction; par métaphore du sens I).

♦ **1.** Mar. ⇒ **Coursive.**

♦ **2.** Passage étroit et long, servant de dégagement pour aller d'une pièce à l'autre, dans une édifice... ⇒ **Corridor, galerie, passage.** *Le couloir d'un appartement. Couloir dallé. Se promener, faire les cent pas dans les couloirs. Enfiler un couloir.*

1 «Quelle jolie maison!» disait René parcourant les pièces du long rez-de-chaussée, le couloir voûté blanchi à la chaux, la galerie, regardant les boiseries, les meubles grêles et bien patinés.   J. CHARDONNE, les Destinées sentimentales, III, p. 368.

2 (...) un couloir, surtout s'il est long, nous attire. Ce couloir m'attirait. Son étroitesse, sa longueur (...) exerçaient sur moi comme une charme sombre. Confusément il me semblait qu'il fallait le suivre (...)
   H. BOSCO, Un rameau de la nuit, p. 62.

2.1 Au premier étage, n'y a-t-il pas un long couloir, très long, qui est commun à vous et aux autres dans cette maison, et qui fait que vous êtes ensemble et séparés à la fois?   M. DURAS, Moderato cantabile, p. 56.

Couloirs d'un théâtre (⇒ **Coulisse**). *Couloir d'une arène,* intervalle entre la piste et les gradins. (1866). *Couloirs d'une assemblée politique. Conversations, intrigues de couloir* (ou *de couloirs*): conversations, intrigues qui ont lieu autour de la salle des séances.

3 Comme il faisait son opinion sur les pièces, les soirs de répétition générale, en parcourant les couloirs, et en écoutant les propos des critiques les plus réputés, on lui attribuait une certaine sûreté de jugement.
   J. ROMAINS, les Hommes de bonne volonté, t. V, XXV, p. 240.

Le couloir d'un wagon de chemin de fer. Voyageurs entassés dans le couloir. Compartiments à couloir latéral. Couloir de circulation.

4 (...) une aventure commencée dans un hall de palace, dans un couloir de sleeping (...)   J. ROMAINS, les Hommes de bonne volonté, t. V, IV, p. 28.

Couloir du métro: long passage menant aux quais. *Couloir de correspondance.* ⇒ **Correspondance.**

4.1 Le long couloir, d'un bout à l'autre, est vide et silencieux, très sale comme tous ceux de cette ligne de métro, jonché de papiers divers, depuis les journaux déchirés jusqu'aux emballages de bonbons, et maculé de traces humides plus ou moins innommables.
   A. ROBBE-GRILLET, Projet pour une révolution à New York, p. 29.

♦ **3.** Techn. Passage étroit. ⇒ **Canal, conduit.** *Couloir où passe le film dans un appareil de projection de cinéma.*
Système de transport de matériaux, rame d'éléments métalliques montés sur deux roues, circulant sur une voie en circuit fermé. — Glissière en pente assurant le transport du charbon ou du minerai (dans une mine).

♦ **4.** Géogr. Passage étroit sur le terrain. *Fleuve encaissé dans un profond couloir.* ⇒ **Gorge.** — *Le couloir de Dantzig.* ⇒ **Corridor.**

5 (...) le détroit redeviendra, cet hiver, le couloir sinistre où s'engouffrent, sous un ciel de plomb, toutes les rafales glacées de Russie (...)
   LOTI, Suprêmes visions d'Orient, p. 30.

6 Les remous se font plus puissants et plus vastes; puis le Brabant s'engage dans le «couloir». Les rives deviennent berges et se resserrent.
   GIDE, Voyage au Congo, in Souvenirs, Pl., p. 697.

(1786). Géol., alpin. Ravin à flanc de montagne; ravin creusé dans la neige. *Couloir d'avalanche.*

7 On donne à ces ravines ou pentes creusées par les neiges le nom de couloir.
   H. B. DE SAUSSURE, Voyage dans les Alpes, II, p. 565 (1786).

♦ **5.** Météor. *Couloir de basse, couloir de haute pression*: zone atmosphérique comprise entre deux autres zones de pression contraire.

♦ **6.** Zone étroite et allongée, servant de passage. ⇒ **Passage.** *Couloir aérien*: itinéraire que doivent suivre les avions pour atteindre leur destination.
Couloir (de circulation): espace réglementé sur la chaussée. *Couloir réservé*: partie de la chaussée réservée à certains véhicules. *Couloir d'autobus. Couloir à contresens* (dans une voie à sens unique). *Stationnement interdit dans les couloirs. À Paris, les couloirs sont autorisés aux taxis.*

♦ **7.** Sports. Une des deux bandes situées de part et d'autre du rectangle formant la partie médiane d'un court de tennis. *Les couloirs ne sont utilisés que dans le double. Coup dans le couloir.*
Ski. Figure d'un slalom, comprenant deux, trois ou quatre portes horizontales.
Rugby. Passage entre la ligne de touche et les joueurs adverses, devant le trois-quart aile.

Courses. Bande longitudinale de la piste de course, matérialisée par un tracé, et réservée à un seul coureur dans les courses de vitesse. *Le couloir extérieur. Course par couloirs, avec départ décalé.*
HOM. Couloire.

COULOIRE [kulwaʀ] n. f. — 1397; *couloere*, 1332; *coledoire,* av. 1105; de *couler,* et *-oire.* → le doublet Couloir, I.

♦ Techn. Récipient propre à faire passer, à faire égoutter la partie liquide de certaines préparations. ⇒ **Égouttoir, passoire, tamis.** *Égoutter du fromage blanc, des épinards dans une couloire.* ⇒ **Faisselle.**
HOM. Couloir.

1. COULOMB [kulɔ̃] n. m. — 1881; du nom du physicien *Coulomb.*

♦ Didact. (phys.). Quantité d'électricité débitée en une seconde par un courant d'une intensité d'un ampère (symb. *C*).
DÉR. Coulombien.
HOM. 2. Coulomb.

2. COULOMB ou **COULON** [kulɔ̃] n. m. — V. 882, *colomb;* du lat. archaïque *columbus* «pigeon mâle». → Colombe.

♦ Vx, dial. Colombe, pigeon.
HOM. 1. Coulomb.

COULOMBIEN, IENNE [kulɔ̃bjɛ̃, jɛn] adj. — 1956; de *Coulomb,* nom du physicien, et *-ien.*

♦ Phys. Relatif aux phénomènes liés à la *loi de Coulomb,* en électrostatique, magnétisme, etc. *Champ coulombien, répulsion coulombienne.* «(Les électrons sont) *soumis à des forces de répulsion mutuelle dont il faut tenir compte, les forces coulombiennes entre charges de même signe*» (la Recherche, nº 101, juin 1979, p. 672). *Potentiel coulombien.*

COULOMMIERS [kulɔmje] n. m. — 1911; nom d'une ville de la Seine-et-Marne.

♦ Fromage de lait de vache à pâte fermentée, fabriqué dans la Brie.

COULPE [kulp] n. f. — V. 1460; *colpe,* 881; du lat. *culpa* «faute». → Coupable, culpabilité.

♦ Relig. cathol. Péché volontaire entraînant la perte de la grâce. *L'absolution, la confession remettent la coulpe.*
Dire sa coulpe: confesser son péché.
Loc. mod. (relig. ou littér.). *Battre sa coulpe*: se frapper la poitrine en disant: *mea culpa,* et, fig., témoigner son repentir. ⇒ **Accuser** (s'), **avouer** (s'avouer coupable).

1 Battez votre coulpe, demandez à Dieu merci (...)
   J. BÉDIER, la Chanson de Roland, LXXXIX, p. 89.

Par ext. *Faire sa coulpe*: s'imposer une pénitence pour une faute, un péché.

2 Faire sa coulpe, c'est se prosterner à plat ventre durant l'office devant la prieure jusqu'à ce que celle-ci (...) avertisse la patiente, par un petit coup frappé sur le bois de sa stalle, qu'elle peut se relever. On fait sa coulpe pour très peu de chose. Un verre cassé, un voile déchiré, etc., cela suffit, on fait sa coulpe. La coulpe est toute spontanée; c'est la *coupable* elle-même (...) qui se juge et qui s'inflige.
   HUGO, les Misérables, VI, II.

3 Il entreprenait, vingt fois le jour, de se morigéner, de battre sa coulpe (...)
   G. DUHAMEL, le Voyage de P. Périot, XIII, p. 244.

Littér. et archaïque. Faute.

4 À Sainte-Hélène, il *(Bonaparte)* a condamné lui-même avec sévérité sa conduite politique sur deux points: la guerre d'Espagne et la guerre de Russie; il aurait pu étendre sa confession à d'autres coulpes.
   CHATEAUBRIAND, Mémoires d'outre-tombe, t. V, p. 54.

COULURE [kulyʀ] n. f. — 1331; *coleüre,* XIIIᵉ; de *couler,* et *-ure.*

♦ **1.** Mouvement d'un liquide qui s'écoule.
(1846). Traînée d'une matière molle qui a coulé. *Une coulure de boue. Coulure de ciment.*

Simon s'en alla avec, stigmates de sa soirée, son veston taché de poudre de riz, de pollen de lis et de coulures de bougie.
   M. DRUON, les Grandes Familles, III, VII, p. 133.

(1690). Techn. Partie du métal en fusion qui coule à travers les joints du moule, pendant la fonte.

♦ **2.** Agric. Accident qui empêche la fécondation de la fleur, le plus souvent en faisant couler* le pollen. ⇒ **Avortement.** *Il y a eu de la coulure*: les fruits n'ont pas noué. *Coulure de la vigne* (⇒ **Millerandage**). *Prévenir la coulure par incision annulaire du sarment.*

♦ **3.** Techn. (pêche). Filins d'une senne, portant des flotteurs à la partie supérieure et munis à la partie inférieure de plombs (qui *coulent* au fond).

COUMARINE [kumaʀin] n. f. — 1836 ; de *coumarou*, et suff. *-ine*.

♦ Chim., techn. Substance odorante extraite du fruit du *coumarou*, et employée en parfumerie.

DÉR. **Coumarique.**

COUMARIQUE [kumaʀik] adj. — XIXᵉ ; de *coumarine*.

♦ Chim. Se dit d'acides dérivant de la coumarine.

COUMAROU [kumaʀu] n. m. — XVIIᵉ ; d'une langue indienne de Guyane.

♦ Bot. Plante dicotylédone (*Légumineuses ; Papilionacées*), arbre exotique de grande taille. Plur. *Coumarous. Le fruit du coumarou est appelé fève tonka.*

DÉR. **Coumarine.**

COUNTRY-MUSIC [kɔntʀimjuzik] n. f. — 1972, *in* Höfler ; mot angl. (États-Unis), de *country* «campagne», et *music* «musique».

♦ Anglic. Musique américaine dérivée de la musique et des chansons folkloriques du sud-ouest des États-Unis. ⇒ **Folk.** Parfois écrit sans trait d'union : *«Eddy Mitchell, au fond le seul artiste de country music qui passionne les foules»* (*le Nouvel Obs.*, 8 janv. 1979, p. 45). *Des country-musics.* — Abrév. (parfois n. m.). *Country.* — Appos. ou adj. *«Avec le guitariste country M. D.... »* (*l'Express*, 27 janv. 1979, p. 19).

COUP [ku] n. m. — 1606 ; *cop*, v. 1250 ; *colp*, 881 ; du bas lat. *colpus*, du lat. class. *colaphus* «coup donné avec la main», du grec *kolaphos* «soufflet».

★ **I.** Mouvement, geste par lequel un corps vient en heurter un autre ; impressions produites par ce qui heurte.

♦ **1.** (Choc physique, matériel). ⇒ **Choc, ébranlement, heurt, tamponnement** ; fam. **atout, pain, ramponneau, tampon.** *Force d'un coup. Coup sec, violent. Coup très léger, petit coup.* ⇒ **Frôlement.** *Donner un coup de poing sur la table, un coup de coude à qqn. Enfoncer une porte d'un coup d'épaule. Frapper des coups à la porte. Se donner un coup contre un meuble.* ⇒ **Cogner** (se). *Il s'est donné un coup à la tête en tombant. Se donner un coup au tibia. Vieilli. Donner, se donner un coup de la tête.*

1 (...) je me suis donné un grand coup de la tête contre la carne d'un volet.
MOLIÈRE, le Malade imaginaire, I, 2.

2 Au fond, c'est moins le coup que la crainte qui tourmente, quand on s'est blessé.
ROUSSEAU, Émile, I.

3 Il a eu ces jours-ci de grandes douleurs dans la tête ; des élancements dans tout le corps : de ces coups brusques et profonds qui atteignent l'os à travers la chair, et que l'homme compare naïvement à des souffrances qu'il n'a jamais ressenties, mais qu'il suppose les plus cruelles, comme le coup de poignard.
J. ROMAINS, les Hommes de bonne volonté, t. IV, XXII, p. 245.

Action de frapper la balle, le ballon. *Renvoyer le ballon d'un coup de pied, de tête.* ⇒ **Tête.** — (1927). *Coup droit* : au tennis, coup qui consiste à frapper la balle avec la face de la raquette, après rebond (opposé à *volée*, à *revers*). — (Football, rugby). *Coup franc*, coup d'envoi*.*

♦ **2.** Spécialt. Effet sonore d'un coup (donné à ce qui résonne). ⇒ **Bruit, son.** *Coups sonores, retentissants. Coups secs, sourds. J'ai entendu un coup sec. Frapper plusieurs coups à la porte* (→ Toc toc). *Les trois coups au théâtre*, qui annoncent le lever du rideau (frappés avec le «brigadier»). *Sonner trois coups de cloche. L'éclat des coups* (⇒ **Cloche,** cit. 4). *Coups de cymbale, de gong, de tambour, de tam-tam. Coup de tonnerre. Les douze coups de midi. Au premier coup de midi.* Loc. *Au coup, sur le coup de midi* : à midi juste. → À midi sonnant*. — Par ext. (sans heurt). *Coup de sifflet. Coup de sonnette.*

♦ **3.** Choc brutal que l'on fait subir à qqn pour faire mal. *Donner un coup, des coups à qqn.* ⇒ **Battre, cogner, frapper.** *Échanger des coups.* ⇒ **Bagarre, combat, rixe, violence.** *En venir aux coups, se donner, échanger des coups.* ⇒ **Battre** (se). *Rendre coup pour coup. Amortir, détourner, esquiver, parer les coups. Administrer, allonger, appliquer, assener, délivrer, distribuer, envoyer, porter des coups. Fam. Coller, flanquer, foutre, mettre des coups à qqn. Accabler, assommer, bourrer, cribler, éreinter, marteler, meurtrir, rouer qqn de coups. Frapper qqn à coups redoublés. Faire tomber, faire fondre, pleuvoir une avalanche, une grêle, un orage* (vx), *une pluie, une volée, une dégelée de coups.* — *Recevoir,* (fam.) *déguster, écoper, empocher, encaisser, morfler, prendre, ramasser... un coup, des coups, sur la tête, les doigts, les épaules, le dos, l'échine...* ⇒ **Anguillade** (vx), **avoine** (fam.), **bastonnade, bourrade, calotte, castagne** (fam.) **charge** (vx), **chiquenaude, claque, correction, décharge** (vx), **escourgée** (vx), **gifle, gourmande, horion, pichenette, sanglade, soufflet, tape** ; et fam. **abattage, baffe, baston, beigne, beignet, brossée, brûlée, châtaigne, contredanse, coquard, danse, dégelée, dérouillée, frottée, giboulée, gnon, marron, mornifle, pain, peignée, pile, raclée, ramponneau, ratatouille, renfoncement, rincée, rossée,**

roulée, rouste, tabac, talmouse, taloche, tampon, tannée, taquet, tarte, tatouille, torgnole, tournée, trempe, tripotée... *Coup sur les fesses* (⇒ **Fessée**), *sur l'œil* (⇒ **Coquard**). *Recevoir un coup sur la tête, dans le nez. Traces de coups.* ⇒ **Blessure, bleu, bosse, contusion, ecchymose, meurtrissure...** *Il a été condamné pour coups et blessures.* ⇒ **Sévice, traitement** (mauvais traitement), **voie** (voies de fait). *Recevoir un mauvais coup, un coup ayant des conséquences sérieuses. Tomber sous les coups de qqn. Frappé, atteint d'un coup fatal, mortel.* ⇒ **Atteinte** (cit. 6). *Coup de grâce*.*

(Qualifié, dans des syntagmes). *Coup de poing, coup du plat de la main. Coup de pied. Coup de genou. Coup d'ongle, de griffe ; coup de dent. Coup de baguette, de bâton* (⇒ **Bastonnade**), *de canne, de cravache, d'étrivières, de férule, de fouet, de maillet, de marteau, de massue, de matraque, de nerf de bœuf, de schlague, de trique...* (→ **Arme**). *Coup de couteau, de poignard, de sabre. Il a été tué d'un coup de hache. Coup de manchette.* ⇒ **Manchette.** *Coup d'épée* (→ ci-dessous, cit. 20 et *supra*).

À coup de..., à coups de... Attaquer, poursuivre qqn à coups de pierres, de cailloux. ⇒ **Lapider.** *Il a été accueilli à grands coups de poing dans le nez. On l'a chassé à grands coups de pied dans le derrière, dans le cul, au cul.*

4 Je vous en prie pour Dieu, soyez résolus à bien frapper, coup rendu pour coup reçu !
J. BÉDIER, la Chanson de Roland, XCII, p. 93.

5 Certain fou poursuivait à coups de pierre un sage.
LA FONTAINE, Fables, XII, 22.

6 (...) s'il fallait encor que l'on en vînt aux coups,
Je combattrais pour elle en soupirant pour vous.
CORNEILLE, Horace, I, 3.

7 Quels orages de coups vont fondre sur ton dos !
MOLIÈRE, Amphitryon, III, 2.

8 (...) cinq ou six coups de bâton... ne font que ragaillardir l'affection (...)
MOLIÈRE, le Médecin malgré lui, I, 2.

9 Il me prendrait envie, en ce juste courroux,
De me battre moi-même et me donner cent coups.
MOLIÈRE, l'Étourdi, III, 8.

10 Du perfide couteau comme eux il fut frappé,
Mais Dieu du coup mortel sut détourner l'atteinte (...)
RACINE, Athalie, IV, 3.

11 Un homme qui a plus tôt donné un coup de pied au cul le bonjour.
J.-F. REGNARD, Sérén., 3.

11.1 D'abord il essaie ses coups, il semble qu'il n'ait dessein que de préluder ; bientôt enflammé de luxure, le cruel frappe autant qu'il a de forces (...)
SADE, Justine..., t. I, p. 149.

12 Il avait été arrêté, bourré de coups, conduit vers les voitures de police (...)
MARTIN DU GARD, les Thibault, t. VI, p. 28.

13 Il eut un mouvement de recul à l'approche du prêtre, et de nouveau ce geste, ce coude levé, comme pour se garer des coups.
F. MAURIAC, la Pharisienne, p. 41.

14 C'est à coups de crosses de fusil que l'on calmait les combattants avant de les emmener cuver leur vin dans les locaux disciplinaires.
P. MAC ORLAN, la Bandera, VI, p. 75.

15 Il vaut mieux éviter d'avoir des démêlés avec eux, parce que ce sont «des gars qui donnent des coups en vache.»
J. ROMAINS, les Hommes de bonne volonté, t. IV, I, p. 9.

REM. Pour les syntagmes les plus courants et leurs emplois, → le nom compl. et aussi Dent, griffe, ongle, pied, poing, etc.

Frapper un animal à coups de pied, de fouet... Donner des coups d'éperon à un cheval.

16 Voyez nos postillons atteler leurs chevaux ; ils les poussent aux brancards à coups de botte dans le flanc, à coups de manche de fouet sur la tête, leur cassent la bouche avec les mors pour les faire reculer, accompagnant le tout de ju, de cris et d'insultes au pauvre animal.
CHATEAUBRIAND, Mémoires d'outre-tombe, t. IV (→ Âne, 3.).

En parlant des coups donnés par les animaux. *Coup de bec*, de boutoir*, de griffe*, de patte*, de pied*, de queue*, de sabot*. Coup de pied de l'âne.* ⇒ **Âne** (*infra*, cit. 17).

17 Le cheval s'approchant lui donne *(au lion)* un coup de pied,
Le loup, un coup de dent, le bœuf un coup de corne.
LA FONTAINE, Fables, III, 14.

18 Le passereau, peu circonspect,
S'attira de tels coups de bec
Que, demi-mort et traînant l'aile,
On crut qu'il n'en pourrait guérir.
LA FONTAINE, Fables, X, 11.

19 Et elle *(la mule)* vous lui détacha un coup de sabot si terrible, si terrible, que de Pampérigouste même on en vit la fumée (...)
Alphonse DAUDET, Lettres de mon moulin, «La mule du pape», p. 73.

Loc. fig. *Coup de boutoir*. Coup de baguette* magique. Coup de bambou*.* Vx. *Coup de caveçon*.* — *Coup de dent* : attaque mordante. *Coup de bec, coup de griffe* (même sens). — *Coup de patte*. Coup de pied** (de l'âne, etc.). — *Coup de barre*, coup de masse*. Coup de massue*.* — *Coup de fouet*. Un coup d'épée* dans l'eau.* — Loc. *Faire d'une pierre deux coups.* → ci-dessous, cit. 30.

(Sports de combat). Geste déterminé correspondant à un coup porté à l'adversaire. *Coups autorisés et coups défendus*, en boxe.

19.1 Le coup manqua la mâchoire, et frappa sec le dessous du nez, coup peu redoutable, mais aigu et qui force aux larmes.
Jean PRÉVOST, Plaisirs des sports, p. 78.

(1927). *Coup bas*, donné plus bas que la ceinture. — Fig. Procédé déloyal.

19.2 Il *(Mitterrand)* a tenu tête avec calme, avec un excès de calme, il me semble, à un spécialiste des coups bas.
F. MAURIAC, Bloc-notes 1952-1957, p. 145.

19.3 Je ne suis pas d'accord sur le principe pourtant bien établi que les femmes sont

des garces. Lorsqu'il s'agit de sexe ou de sentiments, les hommes font bien plus aisément appel aux coups bas.
                                  Benoîte et Flora GROULT, Il était deux fois, p. 151.

Geste par lequel on tente de blesser l'adversaire à l'arme blanche. ⇒ **Escrime; botte, estocade.** *Allonger un coup d'épée, de fleuret, de sabre. Coup d'arrêt. Coup droit. Coup fourré*. Coup de Jarnac :* le coup imprévu par lequel Jarnac tua La Châtaigneraie en duel. Fig. Coup perfide, déloyal.

20   (...) auriez-vous monté un coup de Jarnac à ma vertu?
                                  Th. GAUTIER, Mlle de Maupin, II, p. 28.

20.1 Serait de bonne guerre... Entre rivaux, on se permet de ces petits coups de Jarnac (...)
                                  E. LABICHE, la Chasse aux corbeaux, V, 7.

Coup de traître : coup déloyal, imprévu, par derrière, etc. — Fig. Perfidie, trahison. *Coup en vache,* même sens. — *Sans coup férir* :* sans combat. ⇒ **Férir.**

Loc. fig. *Compter les coups, juger des coups :* faire l'arbitre, être neutre.

21   Nous étions neutres et nous jugions des coups.   Mme DE SÉVIGNÉ, 344.

22   L'Angleterre resterait neutre, et compterait les coups; en attendant l'heure d'arbitrer (...)
                                  MARTIN DU GARD, les Thibault, t. VI, p. 180.

♦ **4.** (XIVe). Décharge d'une arme à feu; ses effets (action du projectile). *Coup de feu*.* ⇒ **Charge, décharge, détonation** (→ onomat. Pif paf). *Coups de canon, de fusil.* ⇒ **Canonnade, fusillade, salve, tir.** *Artillerie* répondant coup pour coup. Tirer des coups de fusil.* ⇒ **Tirer;** fam. **canarder.** *Tirailleurs qui font le coup de fusil*. Six coups de feu de revolver.* → 3. Pan, cit. 3. *Ajuster son coup. Lâcher un coup. Le coup est parti. Revolver à six coups. Avoir encore un coup à tirer. Le coup a manqué le but. Coup perdu. S'exposer aux coups, au feu de l'ennemi. Le coup l'a effleuré. Être à l'abri des coups.*

23   Il n'a plus besoin d'armer cette tête qu'il expose à tant de périls; Dieu lui est une armure plus assurée; les coups semblent perdre leur force en l'approchant (...)
                                  BOSSUET, Oraison funèbre de Louis de Bourbon.

24   Une de ces flèches qui n'ont jamais manqué leur coup.
                                  FÉNELON, Télémaque, XX.

25   Le coup qui doit l'abattre va bientôt partir et le renverser (...)
                                  BOURDALOUE, Pensées, t. III, p. 72.

26   Il faut attaquer l'opinion avec ses armes : on ne tire pas des coups de fusil aux idées.
                                  RIVAROL, II, IV, p. 226.

27   Le coup passa si près que le chapeau tomba
      Et que le cheval fit un écart en arrière.
                                  HUGO, la Légende des siècles, XLIX, « Après la bataille ».

28   Quelques détonations étouffées par l'éloignement, puis quelques coups de canon, espacés, le tirèrent de cette prostration.
                                  MARTIN DU GARD, les Thibault, t. IX, p. 133.

29   Une flamme rougeâtre éclaira les étangs. Un coup de feu partit, un coup long chargé d'étincelles, et qui fusa avec une détonation sourde. Des plombs crépitèrent sur l'eau et fouettèrent les feuilles. Un affreux gémissement déchira la nuit, à cinquante mètres devant moi, puis un battement d'ailes, et tout se tut. L'air sentait la poudre.
                                  H. BOSCO, Hyacinthe, p. 65.

Par métaphore, fam. (en parlant d'un homme). Vieilli. Rapport sexuel expéditif.

Loc. mod. *Tirer un coup, tirer son coup :* faire l'amour de façon expéditive.

29.1 Quant aux coups, ils ont été bons. Le 3e surtout a été féroce, et le dernier sentimental. Nous nous sommes dit là beaucoup de choses tendres, nous nous serrâmes vers la fin d'une façon triste et amoureuse.
                                  FLAUBERT, Lettre à Louis Bouilhet, 13 mars 1850,
                                  Correspondance, t. I, Pl., p. 607.

29.2 À Esneh j'ai revu Kuchuk-Hanem. Ça été triste. Je l'ai trouvée changée. Elle avait été malade. J'ai tiré un coup seulement.
                                  FLAUBERT, Lettre à Louis Bouilhet, 2 juin 1850,
                                  Correspondance, t. I, Pl., p. 635.

Chasse. **COUP DOUBLE :** coup qui tue deux pièces de gibier. — Loc. *Faire coup double :* obtenir un double résultat par un seul effort. — REM. On dit dans le même sens (mais *coup* a alors le sens 1) : *faire d'une pierre deux coups.*

30   On a fait d'une pierre deux coups : on s'est ménagé des effets de lumière pour le dessous de ces arcades, et l'on a masqué l'unique défaut d'un des plus beaux morceaux d'architecture qu'il y ait au monde.   DIDEROT, Salon de 1767.

31   En décidant la grève, nous, Français, nous faisons coup double : nous paralysons le tsarisme dans ses volontés de guerre, et nous supprimons tout obstacle à la fraternisation de l'ouvrier allemand et de l'ouvrier français!
                                  MARTIN DU GARD, les Thibault, t. VII, p. 126.

De même, *faire coup triple.*

32   Mais, très heureusement, le chien était tombé sur une nichée; il avait fait coup triple, et deux autres rongeurs — les animaux en question appartenaient à cet ordre — gisaient étranglés sur le sol.   J. VERNE, l'Île mystérieuse, t. I, p. 156.

♦ **5.** Action brusque, soudaine ou violente (d'un élément, du temps); impression qu'elle produit. — Loc. *Coup d'air, de chaleur, de foudre, de mer, de soleil, de tonnerre, de vent...* ⇒ **Air, chaleur, foudre, mer, soleil, tonnerre, vent.** — *Entendre les coups des vagues, de qqch.*

33   Un grand bruit de vent dans les voiles, de roues déchirant la mer, de balancier frappant à coups redoublés dans les entrailles du navire.
                                  E. FROMENTIN, Une année dans le Sahel, p. 3.

Coup de froid. « *M. Delaunay, directeur de l'Observatoire de Paris, appelle avec raison "coup de froid" l'abaissement extraordinaire et subit de la température qui s'est manifesté, à Paris, le*

9 *décembre 1871* » (*Année sc. et industr.*, 1872, p. 79). — *Attraper un coup de froid,* un refroidissement.

Loc. fig. *Arriver, repartir en coup de vent,* très vite.

33.1 Sylvia Beach venait chez son amie Adrienne Monnier et repartait en coup de vent.
                                  Violette LEDUC, la Bâtarde, p. 317.

Fig. *Coup de foudre* :* surprise brutale; spécialt, amour subit. *Le coup de foudre est de règle* (cit. 5) *en amitié* (→ Coup de cœur, ci-dessous).

Mar. *Coup de roulis*. Coup de tangage*.* Fig. (quant au compl.). *Coup de torchon*.*

Spécialt. Explosion soudaine, dans les loc. *coup de poussière, coup de grisou*.*

Par anal. (le compl. désigne un élément naturel qui affecte l'individu). *Coup de sang :* congestion. ⇒ **Apoplexie, sang.**

Fam. *Coup de vieux :* effet brusque et visible de l'âge sur qqn. *Il a pris un coup de vieux :* il a vieilli subitement. → Phénomène, cit. 5.1.

34   Il a reçu un coup de vieux; il a eu, l'an dernier, une petite attaque ou quelque chose comme cela.   G. DUHAMEL, le Voyage de P. Périot, II, p. 34.

34.1 Il a l'air fatigué; il a eu un coup de vieux (...)
                                  Christine ARNOTHY, Un type merveilleux, p. 33.

♦ **6.** Fig. Acte, action qui frappe qqch. ⇒ **Attaque, atteinte; blessure.** *Porter, frapper un grand coup, un coup terrible. Subir, ressentir les coups du destin. Coup du destin, de la fortune, du sort. Coup de malheur. Coup dont on est abattu, accablé, anéanti, atterré, foudroyé, frappé... Coup cruel, funeste, imprévu, mortel, rude, sensible, terrible.* Fam. *Coup dur,* fâcheux, difficile à supporter. *Ressentir les coups.* ⇒ **Injure, offense, outrage.** *Être sensible, insensible aux coups. Porter un coup à l'honneur, à la réputation de qqn.*

REM. Selon les contextes et les constructions, cet emploi de *coup* peut être littéraire ou appartenir à l'usage classique (→ cit. 35, 37, 41), ou, au contraire, familier (*coup dur,* cit. 44, qui peut aussi être compris au sens IV).

35   (...) à l'honneur de tous deux il porte un coup mortel (...)
                                  CORNEILLE, le Cid, I, 5.

36   Contre de pareils coups l'âme se fortifie
      Du solide secours de la philosophie (...)   MOLIÈRE, les Femmes savantes, IV, 2.

37   Cette vive douleur dont je ressens les coups.   MOLIÈRE, Psyché, II, 1.

38   (...) le trait est foudroyant,
      Et ce sont de ces coups que l'on pare en fuyant.   MOLIÈRE, Tartuffe, V, 5.

39   Le coup qu'on m'a prédit va tomber sur ma tête
      Il vous accablera vous-même à votre tour.   RACINE, Britannicus, V, 7.

40   La fortune se plaît à faire de ces coups (...)   LA FONTAINE, Fables, VII, 13.

41   Dans l'abîme des maux où je suis submergé, je sens les atteintes des coups qui me sont portés, j'en aperçois l'instrument immédiat; mais je ne puis voir ni la main qui le dirige, ni les moyens qu'elle met en œuvre. L'opprobre et les malheurs tombent sur moi comme d'eux-mêmes, et sans qu'il y paraisse.
                                  ROUSSEAU, les Confessions, XII.

42   Les plus grands coups portés à l'antique constitution de l'État le furent par des gentilshommes.   CHATEAUBRIAND, Mémoires d'outre-tombe, t. I, p. 219.

43   (...) elle m'a asséné tous les coups imaginables, et il n'y a plus de place où frapper.
                                  F. MAURIAC, la Pharisienne, p. 144.

44   S'il y avait, venant de l'extérieur justement, un coup dur, elle se garderait bien de vous tirer dans le dos.
                                  J. ROMAINS, les Hommes de bonne volonté, t. III, XVII, p. 232.

45   Les coups qu'il m'est arrivé de porter à tels de nos aînés, me sont aujourd'hui rendus par tels de mes cadets.
                                  G. DUHAMEL, le Temps de la recherche, XIV, p. 197.

46   (...) je ne crains pas la bataille. J'ai passé une bonne partie de mon existence à donner des coups et à en recevoir.
                                  G. DUHAMEL, Chronique des Pasquier, VIII, p. 441.

Littér. *Donner le dernier coup, le coup décisif, le coup de grâce.* ⇒ **Abattre, anéantir.**

47   Donner le dernier coup au parti des tyrans.   MOLIÈRE, Dom Garcie, V, 6.

En prendre un coup : subir un dommage physique ou moral. Fam. *Il en a pris un vieux, un sale coup.*

47.1 Le patron, si fier, si hautain, il en a pris un coup. Quant les journalistes sont venus pour le questionner, il les aurait tués.   Jean FERNIOT, Pierrot et Aline, p. 88.

Loc. fig. *Tenir le coup :* supporter, résister (peut aussi être compris au sens IV).

47.2 Ils sont forts quand même, allez, les vieux jetons, ils tiennent le coup!
                                  BERNANOS, Un mauvais rêve, Œ. roman., Pl., p. 888.

47.3 Les agresseurs n'eussent peut-être pas tenu le coup longtemps, je vous l'accorde.
                                  F. MAURIAC, le Nouveau Bloc-notes 1958-1960, p. 131.

★ **II.** ♦ **1.** Mouvement vif (d'une partie du corps, de l'homme ou d'un animal) n'aboutissant pas (ou pas forcément) à un choc. *Coup d'aile** (⇒ **Battement**), *coup de collier*, coup de reins*. Coup de gosier d'un chanteur. Coup de gueule*. Coup de langue*. Coup de glotte*. Coup d'œil :* regard bref.

Loc. fig. **COUP DE MAIN** (ne s'emploie pas au sens propre; on dirait *un coup de la main*).

a Attaque de vive force, exécutée à l'improviste, avec hardiesse et promptitude. *Exécuter un coup de main.* ⇒ **Attaque.**

47.4 (...) ne serait-ce pas le commencement d'un coup de main monté contre lui avec l'appât de cette femme pour laquelle on connaissait son amour?
                                  A. DUMAS, les Trois Mousquetaires, t. II, p. 462.

48 (...) Itchoua (...) homme habitué aux manœuvres louches, précieux dans les coups de main, la nuit, et qui, pour de l'argent, est capable de tout faire.
LOTI, Ramuntcho, II, IX, p. 265.

49 (...) devant l'armement redoutable de l'adversaire, Saül, sage, se borne à des guérillas meurtrières, à d'audacieux coups de mains.
DANIEL-ROPS, le Peuple de la Bible, III, p. 171.

b Fam. Action qui aide, porte assistance. ⇒ **Aide, appui, secours.** *Donnez-lui donc un coup de main. J'aurais besoin d'un petit coup de main pour finir ce travail. On va te donner un coup de main, t'aider.* — *Coup de pouce**.

♦ **2. COUP DE...** (et nom). Mouvement (d'un objet, d'un outil qu'on manie, d'un instrument qui fonctionne). *Coup d'archet. Coup de baguette du chef d'orchestre.* — *Coup de pinceau. Coup de crayon. Coup d'aviron. Coup de barre* (de gouvernail). *Coup de sonde. Coup de filet* (du pêcheur). *Coup de bistouri* (du chirurgien). *Coup de ciseau, de couteau, d'épingle. Coup de fourche. Coup de cognée, de hache* (du bûcheron). *Coup de pioche* (du terrassier). *Coup de gaule* (pour gauler des noix). *Coup de marteau, de massue... Coup de piston, de pompe. Coup de frein. Coup de volant. Coup d'accélérateur* (au fig. impulsion). — *Coup de fil, coup de téléphone**. *Je vous passerai un petit coup de fil demain.*

Fam. *Avoir un bon coup de fourchette* : être gros mangeur.

Coup de chapeau* : salut, et, fig., hommage.

♦ **3. COUP DE...** (pour désigner une opération rapide). *Coup de balai, de brosse, de chiffon, d'éponge, de torchon...* : nettoyage rapide avec le balai, etc. *Coup de fer* : repassage rapide. *Donner un coup de peinture* : peindre rapidement. *Se donner un coup de peigne* : se recoiffer rapidement. *Passer chez le coiffeur pour un simple coup de peigne**.

(Sans compl. en *de*). Nettoyage sommaire. *Donnez juste un petit coup au salon.*

À coups de : à l'aide de. *Traduire un texte à coups de dictionnaire. Faire qqch. à coups de millions.*

50 Ne croyez pas que ce soit ici comme en Allemagne où les universités se disputent les professeurs à coups de billets de banque.
G. DUHAMEL, Scènes de la vie future, XIV, p. 207.

Loc. fam. *En mettre, en ficher, en foutre un coup* : se mettre à travailler dur. ⇒ **Secousse** (fam.).

51 Trois heures cependant ont lentement sonné ;
La voix du temps est triste au cœur abandonné ;
Ses coups y réveillaient la douleur de l'absence (...)
A. DE VIGNY, Poèmes antiques et modernes, « Dolorida ».

52 (...) la laissant arriver à l'heure dite sans même regarder la pendule, ignorant encore la sensation de l'attente, ces grands coups à pleine poitrine qui sonnent le désir et l'impatience.
Alphonse DAUDET, Sapho, II.

53 On entendait des coups terribles frappés contre les murailles du navire comme par des béliers énormes.
LOTI, Mon frère Yves, XXVII, p. 88.

54 Le cœur de Guillaume sautait en cadence, battait des coups sourds de mineur (...)
COCTEAU, Thomas l'imposteur, p. 173.

55 (...) des coups de maillet sonnaient mat dans l'atmosphère ouatée.
MARTIN DU GARD, les Thibault, t. III, p. 102.

♦ **4.** Par métonymie, absolt. Mar. (de *coup de vent*). *Avoir du coup* : bien réagir au vent.

55.1 (...) après avoir couru quelques bords, il observa que le *Bonadventure* pouvait marcher cinq quarts du vent, et qu'il se soutenait convenablement contre la dérive. Il virait très bien devant, ayant du « coup », comme disent les marins, et gagnant même dans son virement.   J. VERNE, l'Île mystérieuse, t. II, p. 478.

★ **III.** Action. ♦ **1.** (XIIIe ; « action de lancer les dés »). Acte réglé, effectué selon les règles d'un jeu ou d'un sport. *Les coups les plus difficiles d'un jeu d'adresse. Coup adroit, bien placé, bien joué. Réussir un beau coup, un coup heureux.*

Jouer, parier à coup sûr. Coup malheureux, manqué, raté. Il connaît tous les coups. — Fig. *Le coup est joué.*

55.2 Un mois après, Mme Desroches était lancée. Le coup était joué : au profit de Mme Desroches, diront ceux qui ont vu, pendant les dix ans qui suivirent, son nom dans les journaux à tous les grands dîners donnés dans le faubourg Saint-Germain.
PROUST, Jean Santeuil, Pl., p. 432.

Fig. *Marquer le coup* : manifester que l'on a été sensible à qqch. ⇒ **Marquer.**

Action d'un joueur (dans les jeux de hasard, d'adresse). *Coup de dés**. *Jouer sa fortune sur un coup de dés. Gagner à tous coups. À tous les coups l'on gagne !* « *Un coup de dés, jamais, n'abolira le hasard* » (Mallarmé).

Par anal. *Coup de bourse**.

(1841). *Avoir, attraper le coup pour faire qqch.* ⇒ **Tour, truc.** *Il n'a pas le coup.*

Discuter le coup (d'abord : discuter les circonstances et la valeur d'un coup réussi ou tenté) : discuter (qqch.). *On a passé la soirée à discuter le coup autour d'un verre*, à discuter, à bavarder.

REM. L'expression est souvent comprise au sens 3, ci-dessous.

Fam. *Expliquer le coup* : commenter des faits, donner des explications.

55.3 La table entière suivait ce mouvement intérieur. Une expression sérieuse, passionnée fixait tous les traits. Et l'on commençait ce qui s'appelle en argot d'aviation « à expliquer le coup », c'est-à-dire à commenter les vols, les accidents et les exploits.   J. KESSEL, Vent de sable, p. 71.

Nous détestons l'un et l'autre les gens qui « expliquent le coup ». Nous savons tout   55.4
de suite de quoi il s'agit, comprenons, et coupons court.
Claude MAURIAC, le Temps immobile, p. 241.

Loc. **VALOIR LE COUP** : valoir d'être tenté ; avoir de l'intérêt, de la valeur. *Ça ne vaut pas le coup de se déranger. Un spectacle qui vaut le coup.* Syn. fam. de *valoir la peine*. ⇒ **Valoir** (infra cit. 24).

♦ **2. COUP DE...** **a** Action subite et hasardeuse, souvent considérée comme due à une force extérieure. *Un coup de bonheur* : événement heureux dû au hasard. *Coup de malheur* : événement funeste (→ supra I., 6.). *Un coup de la Providence. Coup du hasard, coup du sort.* — Plus cour. *Coup de chance* : action réussie par hasard ; par ext., fam., *coup de bol, coup de pot*, hasard heureux.

Coup d'audace*. — (1532, in D.D.L.). *Coup d'essai. Coup de maître.*

Mes pareils à deux fois ne se font point connaître,   56
Et pour leurs coups d'essai veulent des coups de maître.
CORNEILLE, le Cid, II, 2.

Coup de théâtre : brusque retournement de situation, comme on en voit dans les intrigues de théâtre.

b Action subite, plus ou moins irraisonnée. — (Le compl. désigne la cause). *Un coup de colère, de folie**, *de désespoir. Un coup de cœur* : un amour subit, un coup de foudre. — *Un coup de tête* : une décision brusque, irraisonnée. *Il est parti sur un coup de tête.*

(Le compl. désigne l'effet). *Un coup d'éclat.* ⇒ **Éclat.**

♦ **3.** Suite d'actions nuisibles, néfastes, ou impliquant un profit considéré comme illicite. *Réussir, manquer le coup, son coup. Parer* (cit. 2, 3) *le coup. C'est lui qui a fait le coup. Faire ses coups en dessous* (→ Macaroni, cit. 2). — *Un beau, un joli coup* (ironique). *Préparer un mauvais coup, un sale coup, un vilain coup. Il est capable d'un mauvais coup. Fam. Sale coup pour la fanfare**, *pour la marine !* — Fam. *Un gros coup* : un coup important. *Un coup réussi* (souvent iron., par antiphrase).

Si le financier manque son coup, les courtisans disent de lui : « C'est un bourgeois,   57
un homme de rien, un malotru ; » S'il réussit, ils lui demandent sa fille.
LA BRUYÈRE, les Caractères, VI, 7.

Ils ont fait un beau coup vraiment (...)   58
Mais pour réparer leur sottise (...)
J.-F. REGNARD, les Folies amoureuses, Divertissement.

(...) je crois que c'est Monsieur votre cher intendant qui a fait le coup.   59
MOLIÈRE, l'Avare, V, 2.

Cet ouvrage, Madame, est un coup d'Agrippine (...)   RACINE, Britannicus, V, 1.   60
On voit bien, aujourd'hui, que les Allemands avaient salement manigancé leur   61
coup !   MARTIN DU GARD, les Thibault, t. VII, p. 279.

J'en ai vu de ces filles qui, parce qu'elles avaient réussi un beau coup, étaient con- 61.1
vaincues que cela se reproduirait indéfiniment.
René FLORIOT, La vérité tient à un fil, p. 78.

Je m'étais mis dans la tête que ça pouvait être le gros coup (...) Des gens du   61.2
cinéma peut-être, ou bien des peintres. Les millions ça leur brûle les doigts.
François NOURISSIER, le Maître de maison, p. 30.

Fam. *Faire un (joli, beau, sacré) coup à qqn. Il ne me fera pas deux fois un coup pareil ! Après le coup qu'il m'a fait, je ne lui parle plus.*

Monsieur Surget, je ferme boutique.   61.3
— Vous ne pouvez me faire un coup pareil.
R. QUENEAU, le Vol d'Icare, p. 180.

Loc. *Coup du père François* : coup exécuté par deux compères, l'un étranglant le passant, tandis que l'autre lui vide les poches. — Fig. Traquenard. *Attention au coup du père François.*

(Sans qualificatif). **a** Fam. Action ou manœuvre délictueuse. *Préparer, faire un coup. Être sur un coup* (par ext., fam., avoir une bonne affaire en vue).

Avec Stilitano, l'accompagnant toujours, je fis d'autres coups. Nous connûmes un   61.4
veilleur de nuit qui nous renseigna. Grâce à lui nous ne vécûmes toujours que
de cambriolages.   Jean GENET, Journal du voleur, p. 61.

b (De *coup d'État* ou *coup de force*). Manœuvre politique violente, souvent destinée à prendre le pouvoir. ⇒ **Putsch.** — Intervention militaire soudaine.

Les noms changent, sans que s'interrompe l'enchaînement des « coups », comme on   61.5
dit : le coup du 20 août 53, le coup du 6 février 56, le coup de l'avion de Ben
Bella, le coup de Suez, pour nommer ceux qui viennent d'abord à l'esprit.
F. MAURIAC, Bloc-notes 1952-1957, p. 287.

Loc. *Monter le coup, un coup à qqn*, le tromper, l'abuser. *Coup monté* : opération complexe organisée volontairement pour nuire.

Alors je vous pardonne de vous être laissé, comme on dit, monter le coup.   61.6
BERNANOS, Sous le soleil de Satan, Œ. roman., Pl., p. 63.

Faire (à qqn) le coup de..., le tromper en simulant une situation, une attitude. ⇒ **Astuce, combine, ruse.** *Il lui a fait le coup de la panne. Le coup du canapé* (par lequel un homme était compromis avec une jeune fille, aux fins de mariage forcé).

Je ne pouvais davantage faire le coup du taxi au veilleur de nuit de l'hôtel, qui le   61.7
connaissait déjà et ne l'appréciait guère.   A. BLONDIN, Monsieur Jadis, p. 129.

Je n'avais connu que très peu de femmes, mais elles m'avaient toutes fait le coup   61.8
de la première fois qui est facile à réussir puisqu'il suffit d'additionner trois circonstances banales pour créer l'unique.
Jacques LAURENT, les Bêtises, p. 95.

(1808). *Faire les cent coups, les quatre cents (les cinq cents, les cent dix-neuf*, etc.) *coups* : faire beaucoup de bêtises, d'excès, mener une vie de débauche.

61.9 Elles détournaient la tête, jugeant impossible de saluer (...) une femme qui était bien capable d'être allée à Bayreuth — ce qui voulait dire faire les cent dix-neuf coups. PROUST, Sodome et Gomorrhe, éd. La Gerbe, p. 152.

♦ **4.** Loc. (où *coup* signifie « action, en général ; situation »). **ÊTRE DANS LE COUP** : participer à qqch. ; être au courant de la situation, de ce qu'il faut savoir (→ Être branché*). *Il n'est pas dans le coup :* il ignore ce qui se passe. — *Mettre qqn dans le coup,* le faire participer ou le mettre au courant*. — Absolt. *Être (ne pas être) dans le coup,* au courant des idées à la mode. → Être dans le vent*, à la page* (et l'anglicisme : *être in*).

61.10 Écoutez, Anglade, vous n'êtes plus dans le coup, maintenant. Vous êtes un peu dépassé. Jean-Louis CURTIS, le Roseau pensant, p. 116.

61.11 Deux centimètres de moins ; ça baisse un peu, dit Blandine qui visiblement n'est pas dans le coup. Hervé BAZIN, Cri de la chouette, p. 13.

61.12 Non seulement il fallut nous remémorer ensemble ce qu'étaient devenus amis et camarades, un par un, et tu le savais bien plus que moi, mais tu étais dans le vent, dans le bain, dans le coup de toutes les conneries de ce monde, surtout par la télé, et tu t'y ébrouais avec des clapotis. Maurice CLAVEL, le Tiers des étoiles, p. 58.

Être hors du coup : ne pas être concerné, ne pas s'intéresser à (qqch.).

61.13 Nous nous intéressâmes modérément à l'affaire Serge pour laquelle se passionnaient les antistaliniens. Nous ne considérions cependant pas nous étions hors du coup ; nous voulions exercer une action personnelle, par nos conversations, notre enseignement, nos livres (...) S. DE BEAUVOIR, la Force de l'âge, p. 141.

♦ **5.** (Situation subie). **COUP DUR** : situation brusque, dangereuse, difficile. *C'est un coup dur pour lui.*

61.14 Quand la guerre est venue, j'ai compris ; autrefois, il m'est arrivé de me trouver dans des coups durs, mais pendant l'exode et l'occupation, j'ai été frappé au cœur, j'ai eu de la peine pour mon pays. M. AYMÉ, le Vin de Paris, « L'indifférent », p. 12.

Fam. **COUP DE CHIEN**, se dit d'une action violente, brutale, soudaine, des hommes ou des éléments, subie par qqn (l'emploi au sens actif : « *on prépare un fameux coup de chien* » [Flaubert] est archaïque).

61.15 Tu te crois plus forte qu'un de mes vieux hussards, se disait Angélo. Ils mangent de la polenta au vin quand ils sont dans les coups de chien. C'est avec des choses aussi bêtes que ça qu'on se fait de la force de caractère. J. GIONO, le Hussard sur le toit, p. 350.

♦ **6.** (Par métonymie du sens III, 1, ci-dessus). Pêche. Endroit où l'on amorce avant de pêcher. *Se placer, se mettre, rester sur un coup.*

★ **IV.** (Fin XIVᵉ). ♦ **1.** Quantité de liquide que l'on boit en une seule fois ou d'un seul trait* (surtout, de boisson alcoolisée). *Boire un coup de vin, de pinard. Boire un coup de trop.* ⇒ **Boire**. *S'envoyer un petit coup derrière la cravate. Allez ! le dernier coup ! Je vous paye un coup, un coup à boire. On boit de bons coups, ici, mais ils sont rares,* formule plaisante pour réclamer à boire.

61.16 On but quelques bons coups ce jour-là, et on arrosa le Cercle polaire comme on eût fait de l'équateur, à bord d'un bâtiment coupant la ligne pour la première fois. J. VERNE, le Pays des fourrures, t. II, XVII, p. 247.

Loc. *Le coup de l'étrier.* ⇒ **Étrier** (cit. 4).

♦ **2.** Par anal. *Respirer, tousser un grand coup.*

62 Toussez ici un bon coup ou deux, et en buvez neuf d'arrache-pied. RABELAIS, le Cinquième Livre, Prologue.

63 Il respira un grand coup, et, lestement, dégringola l'escalier. MARTIN DU GARD, les Thibault, t. III, p. 212.

★ **V.** Loc. ♦ **1.** (*Coup* a le sens de « fois »). *Au premier coup, du premier coup. Du coup, d'un coup, d'un seul coup.* Fam. *D'un seul coup d'un seul.* — Vx. *Tout d'un coup :* d'un seul coup, en une seule fois. Mod. *Tout d'un coup.* → ci-dessous, cit. 84, etc. *Pour ce coup, pour le coup. Pour le coup, c'est trop fort. A tous les coups, à tous coups :* chaque fois, à tout propos, toujours (→ ci-dessus, III., 1).

64 Il l'admire à tous coups, le cite à tout propos (...) MOLIÈRE, Tartuffe, I, 2.

65 (...) je n'ai point étudié, et j'ai fait cela tout du premier coup. MOLIÈRE, le Bourgeois gentilhomme, II, 4.

66 Le buisson accrochait les passants à tous coups. LA FONTAINE, Fables, XII, 7.

67 Pour le coup, la colère lui donnait le ton de la fermeté. STENDHAL, le Rouge et le Noir, p. 49.

68 J'ai vu ça, moi, du premier coup, en entrant. J'ai l'œil américain. FLAUBERT, Mᵐᵉ Bovary, III, III.

69 Il faut qu'une phrase soit si claire, qu'elle fasse plaisir au premier coup, et pourtant, qu'on la relise à cause du plaisir qu'elle a fait. J. RENARD, Journal, mai 1903.

70 Il faut travailler avec acharnement, d'un coup, et sans que rien vous distraie ; c'est le vrai moyen de l'unité de l'œuvre. GIDE, Journal, 8 mai 1890.

71 L'homme frappe sur l'enclume et, d'un seul coup, fait jaillir un brasillement d'étincelles, par quoi toute la forge sombre s'éclaire. Léon DAUDET, la Femme et l'Amour, Conclusion.

72 (...) c'est la loi du hasard qu'on ne perde pas à tout coup. André SUARÈS, Trois hommes, « Ibsen », IV, p. 124.

72.1 Pour le coup, je voudrais être à Paris (...) F. MAURIAC, Bloc-notes 1952-1957, p. 68.

Ce coup-ci, ce coup-là : cette fois. *Ce coup-ci, c'est le bon.*

72.2 Ce coup-ci c'est le pape qui le couronne, à Rome même, comme Charlemagne. R. QUENEAU, Loin de Rueil, p. 36.

Vx. **ENCORE UN COUP** : encore une fois.

Madame, encore un coup, souffrez que je vous aime. 73 CORNEILLE, Othon, II, 2.

Mettons encore un coup toute la Grèce en flamme (...) 74 RACINE, Andromaque, IV, 3.

DU MÊME COUP : par la même occasion, en conséquence de quoi.

La pensée abstraite fatigue l'homme, parce que l'homme n'est pas un pur esprit. 74.1 En touchant ses yeux par des images, ses oreilles par des harmonies, on lui agrée : on lui fait agréer, du même coup, les idées qu'on exprime. La couleur et le son font passer le sens avec eux. Gustave LANSON, l'Art et la Prose, p. 74.

(1594, *in* D.D.L.). **COUP SUR COUP** : successivement, sans interruption, immédiatement, l'un après l'autre.

Tant de malheurs qui arrivaient coup sur coup (...) 75 BOSSUET, Char. frat., 2, *in* LITTRÉ.

Quand il fut rassasié, il but coup sur coup deux bocks et regarda devant lui. 76 MARTIN DU GARD, les Thibault, t. IV, p. 290.

Sur le coup : immédiatement. *Il est mort sur le coup.*

Si possédant, comme Dieu, la vérité, l'unique vérité, un homme la laissait tomber 77 de ses mains, le monde en serait anéanti sur le coup et l'univers se dissiperait aussitôt comme une ombre. FRANCE, le Jardin d'Épicure, p. 26.

♦ **2.** **SOUS LE COUP DE** : sous l'action, l'effet, l'influence, la menace de. (*Coup* garde sa valeur active et implique un effet plus ou moins fort). *Tomber sous le coup de la loi. Être sous le coup d'une accusation, d'une condamnation.* ⇒ **Encourir**.

Désormais il allait être un malade sans cesse sous le coup d'une attaque de suf- 78 focation. A. MAUROIS, À la recherche de Marcel Proust, I, 3.

Et l'administrateur reste impuissant devant des enchères clandestines qui, pour 78.1 paraître illicites, ne tombent pourtant pas sous le coup de la loi. GIDE, Voyage au Congo, in Souvenirs, Pl., p. 719.

AU COUP PAR COUP, se dit d'une opération, d'une politique menée par une suite d'actions séparées. *Régler ses problèmes au coup par coup,* par actions ponctuelles. *Politique du coup par coup.*

APRÈS COUP : plus tard, une fois la chose faite. ⇒ **Après**.

Il s'avisa seulement après coup que, en acquiesçant à ces paroles, il acceptait aussi 79 l'échec de sa démarche. MARTIN DU GARD, les Thibault, t. V, p. 1.

À COUP SÛR (modifiant une phrase) : assurément, sûrement, sans doute, immanquablement, infailliblement. — (Modifiant un verbe). En toute sécurité, avec la certitude de parvenir au but. *N'agir qu'à coup sûr.*

(...) il est, à coup sûr, peu de plus belles pages architecturales que cette façade 80 (celle de Notre-Dame)... HUGO, Notre-Dame de Paris, III, 1.

La plus délicate des roses 81 Est, à coup sûr, la rose-thé. Th. GAUTIER, Émaux et Camées, « La rose-thé ».

Mais il ne se donnerait la peine de décider son client que si l'on pouvait marcher 82 à coup sûr. J. ROMAINS, les Hommes de bonne volonté, V, XXII, p. 180.

TOUT D'UN COUP, TOUT À COUP : brusquement, soudain, soudainement, en un moment.

J'ai senti tout à coup un homicide acier (...) RACINE, Athalie, II, 5. 83

La rivière devint tout d'un coup agitée (...) LA FONTAINE, Fables, VI, 17. 84

Ô nuit désastreuse ! ô nuit effroyable, où retentit tout à coup, comme un éclat de 85 tonnerre, cette étonnante nouvelle : Madame se meurt ! Madame est morte. BOSSUET, Oraison funèbre d'Henriette d'Angleterre.

Tout à coup une porte s'ouvre : entre silencieusement le vice appuyé sur le bras 86 du crime, M. de Talleyrand marchant soutenu par M. Fouché. CHATEAUBRIAND, Mémoires d'outre-tombe, t. IV, p. 41.

L'amour, croyait-elle, devait arriver tout à coup avec de grands éclats et des ful- 87 gurations (...) FLAUBERT, Mᵐᵉ Bovary, II, 4.

L'atmosphère lui sembla s'être raréfiée tout à coup ; il étouffait. 88 MARTIN DU GARD, les Thibault, t. I, p. 53.

DÉR. Couper.
COMP. À-coup, beaucoup, contrecoup. — Coup-de-poing.
HOM. Cou, coût. — Formes du v. coudre.

1. COUPABLE [kupabl] adj. et n. — 1667 ; *corpable*, 1172 ; du lat. *culpabilis*, de *culpa.* → Coulpe.

♦ **1.** Qui a commis une faute, un acte répréhensible. ⇒ **Fautif ; culpabilité**. *Être coupable d'un délit* (⇒ **Délinquant**), *d'un crime* (⇒ **Criminel**). *Être coupable de négligence, de vol, de meurtre. Être coupable de banqueroute* (cit. 3), *de menaces, de voies de fait, d'attentat, de complot, d'atteinte à la sûreté de l'État, de trahison... Se rendre coupable d'une faute* (→ Appréhender, cit. 9). *Coupable de complicité.* ⇒ **Complice.** *Coupable de* (et inf.). *Se sentir coupable d'avoir menti. Se sentir coupable de qqch.* → Avoir qqch. sur la conscience* ; fam. qui se sent morveux* se mouche. *Amener qqn à reconnaître qu'il est coupable.* ⇒ **Convaincre.** *S'avouer coupable. L'accusé est reconnu, déclaré coupable.* ⇒ **Accusé ; condamner.** *Déclarer non coupable.* ⇒ **Acquitter.** *Plaider coupable :* reconnaître la culpabilité de l'accusé, mais essayer de l'atténuer, de l'excuser. *Non coupable :* innocent. *Plaidez-vous coupable, ou non coupable ? Coupable au premier chef*. C'est le plus coupable de tous. Coupable envers Dieu, envers la Société.*

Tout homme étant présumé innocent jusqu'à ce qu'il ait été déclaré coupable, 1 toute rigueur qui ne serait pas nécessaire pour s'assurer de sa personne, doit être sévèrement réprimée par la Loi. Déclaration des droits de l'homme (Constitution 3 sept. 1791), art. 9.

Lorsque l'accusé aura été reconnu coupable, le procureur général fera sa réquisi- 2 tion à la cour pour l'application de la loi. Code d'instruction criminelle, art. 362.

Si j'ai violé les lois de l'Église, je suis prêt à subir la peine de ma faute ; si vous 3 me croyez coupable, faites un jugement canonique et je l'exécuterai, je le jure sur mon honneur sacerdotal ; mais je veux un jugement régulier, car, en droit, personne n'est tenu de se condamner soi-même, *nemo se tradere tenetur*, dit le Corpus Juris Canonici. HUYSMANS, Là-bas, XIV, p. 198.

4 Nous prononçons, nous décidons, nous déclarons que toi, Gilles de Rais, cité à notre Tribunal, tu es honteusement coupable d'hérésie, d'apostasie, d'évocation des démons ; que pour ces crimes, tu as encouru la sentence d'excommunication et toutes les autres peines déterminées par le droit.
HUYSMANS, Là-bas, XVII, p. 247.

(Sur le plan psychologique → Culpabilité). *Se sentir coupable,* responsable et fautif ; éprouver de la culpabilité.

Par plais. *Être coupable d'un livre, d'un article,* en être l'auteur.

♦ **2.** (1667). Actions ; pensées. Condamnable. ⇒ **Blâmable, condamnable, délictueux, fautif, pendable, punissable, répréhensible.** *Commettre une action coupable. Desseins, désirs coupables.* ⇒ **Honteux, inavouable, indigne, infâme, mauvais, vicieux.** *Coupables pensées.* ⇒ **Damnable** (vx) ; → Mouchoir, cit. 1. *Un cœur coupable. Un amour coupable.* ⇒ **Illégitime, illicite.** — *Il a envers ses enfants une faiblesse coupable.*

♦ **3.** N. *Un, une coupable.* **a** Personne qui a commis une faute. *Rechercher, trouver les coupables. La justice atteindra les coupables. Vous êtes le coupable. Appréhender le coupable. Le coupable et ses complices. Tout coupable doit être puni.* ⇒ **Passible** (d'une peine). *Punir un coupable.* ⇒ **Châtier, condamner, frapper** (d'une peine), **punir ; excommunier.** *Accabler les coupables. Avoir pitié du coupable* (→ Clémence, cit. 4). *Épargner, absoudre le coupable. Pardonner aux coupables.*

5 Dérober un coupable au bras de la justice (...) CORNEILLE, Horace, V, 3.
6 Un coupable puni est un exemple pour la canaille ; un innocent condamné est l'affaire de tous les honnêtes gens. LA BRUYÈRE, les Caractères, XIV, 52.
7 C'est de lui que les nations tiennent ce grand principe : qu'il vaut mieux hasarder de sauver un coupable que de condamner un innocent. VOLTAIRE, Zadig, VI.
8 (...) je n'aurai de cesse que je n'aie retrouvé le coupable. Où qu'il se cache, je le pourchasse, et jure qu'il ne m'échappera pas. GIDE, Œdipe, I.

b Fam. ⇒ **Responsable.** *Vous cherchez l'auteur de cette plaisanterie ? En voici le coupable. — Le grand coupable de son échec : c'est le jeu.*

CONTR. **Innocent.**
DÉR. **Coupablement.**
HOM. **2. Coupable.**

2. COUPABLE [kupabl] adj. — xxᵉ ; de *couper.*

♦ Rare ou par plais. (à cause de l'homonymie). Qui peut être coupé. *Ce saucisson est trop dur, il est à peine coupable.*

HOM. **1. Coupable.**

COUPABLEMENT [kupabləmɑ̃] adv. — 1573, *corpablement* ; de 1. *coupable.*

♦ Rare. D'une manière coupable.

COUPAGE [kupaʒ] n. m. — 1364 ; de *couper.*

♦ **1.** (1364). Rare. Action de couper. — Fig. *Coupage de cheveux en quatre.*

♦ **2.** (1836). Action de mélanger (des liquides, un liquide à un autre) pour en modifier les propriétés. *Le coupage de l'alcool par l'eau,* pour en faire tomber le degré. *Coupage d'un vin par un autre :* pour corriger les défauts des uns par les qualités des autres. *Vins de coupage.*

C'est une opération dont le caractère licite est reconnu par la loi ; mais on ne peut pas vendre des vins de coupage sous un nom de cru, quand même ce cru entrerait pour la plus forte proportion dans le mélange. Le coupage est du ressort du commerçant, et non du viticulteur. Omnium agricole, Coupage, p. 272.

Par métonymie. Mélange ainsi obtenu.

COUPAILLER [kupaje] v. tr. — 1870, Goncourt ; de *couper,* et *-ailler.*

♦ Fam. Couper irrégulièrement.

Au p. p. « *Ses cheveux coupaillés, quel massacre* » (Cesbron, *Abeille,* p. 101).

Dans certains cas *(de peste)* pourtant, les poumons et le cerveau lésés noircissent et se gangrènent. Les poumons ramollis, coupaillés, tombant en copeaux d'on ne sait quelle matière noire (...)
A. ARTAUD, le Théâtre et son double, Le théâtre et la peste, Idées/Gallimard, p. 27-28.

COUPANT, ANTE [kupɑ̃, ɑ̃t] p. prés., adj. et n. — xviᵉ ; p. prés. de *couper.*

★ **I.** Adj. ♦ **1.** Qui coupe. ⇒ **Aigu, tranchant.** *Ce couteau n'est*

pas assez *coupant. Lame coupante. Herbe coupante.* — Géom. Qui coupe une ligne, une surface. *Plan coupant.* ⇒ **Sécant.**
Qui donne une sensation de coupure. *Un froid coupant.*

♦ **2.** Fig. ⇒ **Autoritaire.** *Une voix coupante. Ton coupant.* ⇒ **Bref.**
(...) une voix coupante comme une voix d'acier.
Ed. et J. DE GONCOURT, Journal, p. 164. 1
(...) c'est comme cette voix qu'il a, une voix coupante de monsieur qui ne se trompe jamais (...) SARTRE, les Chemins de la liberté, I, II, p. 33. 2

★ **II.** N. m. Le fil des instruments tranchants. *Le coupant d'un sabre, d'une hache.* ⇒ **Fil, tranchant** (n. m.).

CONTR. **Contondant, 4. mousse.**

COUP-DE-POING [kudpwɛ̃] n. m. — 1783 ; de *coup,* et *poing.*

♦ **1.** (1873). Arme de main, masse métallique percée pour le passage des doigts. *Des coups-de-poing. Coup-de-poing américain.*
Son bourreau le suit, maniant avec calme, méthode et précision, un coup-de-poing américain. Roger BORNICHE, le Gang, p. 22.

Fig. En appos. *Une politique coup-de-poing,* qui procède d'une manière violente et soudaine. — *Opération coup-de-poing :* opération de police soudaine et inattendue.

♦ **2.** Didact. *Silex** taillé pour servir d'arme. ⇒ **Biface.**

♦ **3.** (1886, *Année sc. et industr.,* p. 176). Techn. (électr.). Vx. Appareil permettant d'obtenir une étincelle. — Mod. Interrupteur, grand bouton-poussoir sur lequel on appuie avec la paume de la main.

1. COUPE [kup] n. f. — xiiᵉ ; du lat. *cuppa.* → Cuve.

♦ **1.** Récipient à boire, ordinairement plus large que profond, et reposant sur un pied. ⇒ **Vase ; coupelle, cratère, patère, verre.** *Coupe d'argent, d'or, de cristal. Coupe gravée, ciselée. Boire dans une coupe* (→ Banquet, cit. 5). *Coupes et flûtes à champagne.* — Par métonymie. Le contenu d'une coupe. *Boire une coupe, une pleine coupe de champagne.*

Il la vit avec surprise prendre la bouteille dans le seau et remplir sa coupe (...) 1
(...) Ivich porta la coupe à ses lèvres et fit une grimace de dégoût :
— Que c'est mauvais, dit-elle en reposant son verre.
(...) Elle reprit la coupe de champagne et la vida d'un trait (...)
SARTRE, les Chemins de la liberté, I, XI, p. 185.
D'unanimes adhésions acclamèrent, ici, l'orateur ; les coupes s'entrechoquèrent à 1.1
l'envi dans les mains rassurées.
VILLIERS DE L'ISLE-ADAM, Tribulat Bonhomet, p. 34.

Par anal. Récipient à pied très bas ou sans pied. ⇒ **Jatte.** *Poser une coupe sur une soucoupe. Coupe à crème, à glace. Servir une coupe pleine de crème, de compote.* ⇒ **Compotier.** *Coupe à fruits.* Par métonymie (contenu). *Manger une coupe de crème. Une pleine coupe de fruits.* — Vasque de fontaine. Vase d'ornement.
Coupe servant au prêtre à célébrer la cène. ⇒ **Calice.** *Coupe où l'on conserve les hosties.* ⇒ **Ciboire.**

(...) après avoir soupé, il *(J.-C.)* prit la coupe et dit : Cette coupe est la nouvelle 2
alliance en mon sang ; faites ceci en mémoire de moi toutes les fois que vous en boirez. BIBLE (SEGOND), 1ʳᵉ Épître aux Corinthiens, XI, 25.

Fig. (littér.). *Coupe de la joie ; coupe amère ; la coupe du malheur.*
Loc. fig. *Boire la coupe jusqu'à la lie.* ⇒ **Boire** (supra cit. 40), **calice** (supra cit. 5). *Épuiser la coupe du malheur.* — *Boire à la coupe du plaisir,* à la source du plaisir. *Boire* (cit. 26) *la joie à pleine coupe.*

Prov. *Il y a loin de la coupe aux lèvres :* on est souvent loin du but quand on croit le toucher ; il y a un grand intervalle entre les projets et leur réalisation.

La coupe est pleine, déborde, se dit quand on est au sommet de l'exaspération, de l'indignation. *Faire déborder la coupe.*

♦ **2.** (1872, *in* Petiot). Prix* qui récompense le vainqueur d'une compétition sportive, d'un championnat*. *Gagner la coupe.* — La compétition. *Courir la coupe* (Académie). — 1900. *La Coupe Davis,* compétition internationale de tennis. — (1917). *Coupe de France de football. Il a regardé la finale de la Coupe du Monde à la télévision.*

Les rues se vidèrent pour la finale de la Coupe du monde. 3
Claude COURCHAY, La vie finira bien par commencer, p. 260.

DÉR. **Coupeau, coupelle.**
COMP. **Soucoupe.**
HOM. **2. Coupe.**

2. COUPE [kup] n. f. — 1283 ; déverbal de *couper.*

A. (Action de couper ; son résultat). ♦ **1.** Rare. Action de couper, de tailler. ⇒ **Couper.** *Étoffe dure à la coupe :* étoffe qui résiste aux ciseaux. *La coupe des blés, des foins. Longueur et hauteur de coupe d'une tondeuse à gazon. La coupe des cheveux*.* ⇒ **Taille.** — *La coupe du verre,* avec le diamant.

Techn. Art et action de tailler selon des règles. *Coupes des pierres.* ⇒ **Stéréotomie.** *Coupe oblique des escaliers de pierre.* ⇒ **Délarde-**

ment. *Outil de coupe. Angle de coupe d'un outil.* — Art. Manière de graver au burin. *Gravure d'une belle coupe.*
À la coupe, se dit de produits alimentaires débités à la demande du client.

♦ **2.** Cour. Action d'abattre des arbres, dans une forêt. ⇒ **Abattage.** Étendue de forêt à abattre. *Interdiction de faire des coupes dans un bois.* ⇒ **Défens** (ou défends). *Coupe affouagère*, dans une forêt communale.* ⇒ **Affouage.** *Réglementation des coupes.* ⇒ **Aménagement.** *Désigner les bois d'une coupe* (→ Asseoir* une coupe). *Adjudication des coupes en forêt domaniale. Choix des arbres à conserver dans une coupe.* ⇒ **Balivage, réserve.** *Étendue d'une coupe.* ⇒ **Assiette.** *Branches taillées qui marquent les limites d'une coupe.* ⇒ **Brisée.** — *Coupe sombre,* ou *coupe d'ensemencement* : opération qui consiste à n'enlever qu'une partie des arbres pour permettre l'ensemencement de nouveaux arbres et leur croissance.

1   Loin alentour la coupe s'éploie au soleil d'août. C'est une coupe déjà ancienne, traversée de grands clairs où la lumière joue librement dans le vent tiède des soirs d'été (...) Quelques grands chênes de futaie, des baliveaux de charme réservés s'étalent ou fusent de place en place, parmi les souches nombreuses que reboisait la mousse.   M. GENEVOIX, Forêt voisine, XIII, p. 176.

2   À cause de la pauvreté du sol et de la maigreur des essences, les coupes y étaient rares et de faible rendement.   J. ROMAINS, les Hommes de bonne volonté, t. III, XI, p. 144.

Fig. *Coupe sombre* : suppression importante pratiquée dans un écrit. *Les coupes sombres pratiquées dans cet article l'ont beaucoup amélioré* (Académie). Par anal. *On a fait une coupe sombre dans le personnel de l'entreprise* : on a licencié beaucoup d'employés.
Coupe claire, qui éclaircit la coupe sombre et donne de la lumière aux jeunes arbres. *Coupe blanche*.* ⇒ **Blanc-estoc.** *Coupe définitive.* — Fig. *Coupe claire* : suppression plus importante encore que ne l'est la coupe sombre. — REM. Cet emploi, sémantiquement excellent, est littéraire et rare (on n'emploie guère que : *coupe sombre*).

2.1   L'encyclique du Pape sur le célibat obligatoire fera, je le crains, des coupes claires dans les rangs du clergé.   J. GREEN, Journal, Ce qui reste de jour, 1er juil. 1967, p. 24.

(1690). *Coupe réglée* : abattage périodique d'une portion de bois déterminée. *Mettre un bois en coupe réglée.* — Fig. *Mettre en coupe réglée* : imposer indûment à un individu, à une collectivité des prélèvements périodiques, des sacrifices onéreux. *Sous le premier Empire, la population de la France était mise en coupe réglée par la conscription* (Littré). Par ext. Tirer parti (de qqn, de qqch.) de façon répétée et abusive.

2.2   (...) et même ce fut là pour lui une occasion de vivre tout un mois à V..., près de sa fiancée, chez laquelle il passait, en coupe réglée, toutes les journées, mais d'où, le soir, il s'en allait très régulièrement prendre sa leçon (...)   BARBEY D'AUREVILLY, les Diaboliques, « Le bonheur dans le crime ».

♦ **3.** (1640). Manière dont on taille (l'étoffe, le cuir...), pour en assembler les pièces. *École de coupe. Suivre des cours de coupe.* — (1660). *Vêtement de bonne coupe. Une coupe classique, sobre, élégante.*

3   Elle aimait les vêtements de coupe sobre, strictement pratiques.   MARTIN DU GARD, les Thibault, t. VI, p. 266.

♦ **4.** (1822, in D.D.L.). Coupe de cheveux. ⇒ **Taille.** *Une coupe et un shampooing. Coupe aux ciseaux, au rasoir. Coupe au bol*, coupe au carré*.*

♦ **5.** Action de couper (une substance) pour prélever un échantillon. *Faire une coupe histologique.*

♦ **6.** Par anal. Natation. Vx. Manière de couper l'eau en étendant alternativement les bras devant soi. *Nager à la coupe. Faire la coupe.*

B. ♦ **1.** Ce qui est coupé. *Coupe de bois* : le bois coupé. *Acheter une coupe de bois. Une coupe de tissu.* ⇒ **Coupon.** *Fausse coupe* : pièce d'étoffe insuffisante pour un vêtement entier.
Fig. Ce qui est séparé. Techn. Fraction d'une rame de wagons dirigée sur la même voie de triage.

♦ **2.** Fig. Contour, forme. ⇒ **Découpe.** *Cette voiture a une jolie coupe. Coupe gracieuse du visage.*

4   (...) c'était bien ces petits yeux vifs (...) cette coupe de visage que l'ampleur du menton rend presque carrée (...)   BALZAC, Séraphîta, Pl., t. X, p. 487.

♦ **3.** (1611). Endroit où une chose a été coupée. ⇒ **Tranche.** *Ce drap est beau à la coupe. La coupe d'un tronc d'arbre scié.* — (Par métonymie de A., 5.). *Examiner une coupe de tissu, une coupe histologique au microscope.*

♦ **4.** (1732). Représentation graphique, dessin d'un objet qu'on suppose coupé par un plan. *La coupe révèle les dimensions relatives et les détails intérieurs. La coupe d'un navire, d'une maison. Plan d'une machine vue en coupe. Coupe horizontale. Coupe perpendiculaire.* ⇒ **Profil.** *Coupe en long, en travers.*

C. Fig. Division des parties d'un ouvrage. *La coupe en cinq actes est la plus usitée pour une tragédie* (Académie). — Distribution des repos dans la phrase. *Coupe d'un vers.* ⇒ **Césure.** *Coupes bien venues dans la phrase.*

5   Un écrivain, qui a de l'oreille et assez d'art pour donner à son style le mouvement

de la pensée ou du sentiment qu'il exprime, saura bien varier encore la coupe et le rythme du vers.   MARMONTEL, Éléments de littérature, Œ., t. X, p. 472, in LITTRÉ.

D. (1660). ♦ **1.** Division d'un jeu de cartes en deux paquets. *Faire sauter la coupe* : rétablir avec dextérité le paquet de cartes tel qu'il était avant d'être coupé.

♦ **2.** (1690). Loc. SOUS LA COUPE. *Être, se trouver sous la coupe de qqn* : être le premier à jouer, après le joueur qui a coupé. — (Av. 1755). Fig. Être dans la dépendance de qqn. *Tomber sous la coupe de qqn.* — *Il a plusieurs journaux sous sa coupe.*

6   Je reprends ce cahier après une crise qui m'a tenu près d'un mois sous votre coupe. Dès que la maladie me désarme, le cercle de famille se resserre autour de mon lit.   F. MAURIAC, le Nœud de vipères, 1932, p. 148, in T.L.F.

HOM. 1. Coupe.

COUPE- Premier élément de composés, formé sur le verbe *couper.* Voir à l'ordre alphabétique ; cf. aussi *Coupe-douilles,* n. m. invar. « *des armes (...), des sertissoirs, des coupe-douilles* » (Masson, *Drugstore,* p. 64) ; *coupe-tomates,* n. m. pl. « *Je me fais un peu l'effet du monsieur qui vient brader des coupe-tomates chez la marquise de Saint-Glinglin* » (San-Antonio, *En peignant la girafe,* p. 33).

COUPÉ [kupe] n. m. — 1661 ; du p. p. de *couper.*

♦ **1.** (1660). Anciennt. Voiture fermée à quatre roues, et généralement à deux places, qui avait la forme d'une berline dont on aurait coupé le compartiment antérieur. ⇒ **Berlingot.** Par ext. Compartiment antérieur des diligences. — Se disait aussi des compartiments de chemin de fer qui n'avaient qu'une seule banquette.

1   Dans le coupé d'une vieille diligence de campagne, nous sommes assis tous deux à côté d'un curé breton.   LOTI, Mon frère Yves, IX, p. 39.

2   Une sorte de coupé à trois places était juché sur le haut du vieux véhicule, comme un palanquin sur le dos d'un éléphant.   MARTIN DU GARD, les Thibault, t. VIII, p. 215.

2.1   (...) je prenais la diligence de *** (...) qui, pour le moment, n'avait dans son coupé qu'une seule personne.   BARBEY D'AUREVILLY, les Diaboliques, « Le rideau cramoisi ».

(1906, in D.D.L.). Mod. *Coupé automobile,* ou *coupé* : automobile à deux portes et qui ressemble à une voiture de sport.

3   (...) un beau coupé surbaissé aux longues lignes raides.   A. MAUROIS, Bernard Quesnay, XXIV, p. 158 (→ Chauffeur, cit. 2).

3.1   Sort de chez lui entre huit heures et huit heures trente, généralement en Mercedes, un coupé blanc dernier modèle.   Régis DEBRAY, l'Indésirable, p. 289.

♦ **2.** Blason. Partie de l'écu.

♦ **3.** (1661). Pas de danse.

4   Le coupé est utilisé dans les enchaînements de pas pour libérer une jambe et la préparer au départ.   Marcelle BOURGAT, Technique de la danse, Coupé.

HOM. Coupée, couper.

COUPEAU [kupo] n. m. — 1726, in D.D.L. ; *cupel,* 1174 ; dér. de 1. *coupe,* et *-eau.*

★ **I.** ♦ **1.** Vx. Sommet d'une colline, d'une montagne.

♦ **2.** Copeau ; tronçon de bois.

♦ **3.** (1726). Régional. Morceau d'étoffe. → Coupon.

★ **II.** Régional. Bardane* commune.

COUPE-BATTERIE [kupbatʀi] n. m. — xxe ; de *couper,* et *batterie.*

♦ Techn. Interrupteur de fonctionnement d'une batterie électrique. ⇒ **Coupe-circuit.** *Des coupe-batteries.*

COUPE-BOURSE [kupbuʀs] n. m. — xive, *copeborse* ; de *couper,* et *bourse.*

♦ Vx. Voleur qui coupe les cordons qui retiennent les bourses. *Des coupe-bourses.*
Par ext. Voleur.

COUPE-CHOUX [kupʃu] n. m. invar. — V. 1350, *coupechou,* au sens I ; de *couper,* et *chou.*

★ **I.** Vx. En appos. *Frère coupe-choux* : frère lai qui travaille au potager.
Par ext. Personne aux capacités limitées.

★ **II.** ♦ **1.** (1831). Fam. Sabre court, utilisé autrefois dans l'infanterie.

1   MÈRE UBU : Comment ! Après avoir été roi d'Aragon vous vous contentez de mener aux revues une cinquantaine d'estafiers armés de coupe-choux, quand vous pourriez faire succéder sur votre fiole la couronne de Pologne à celle d'Aragon ?   A. JARRY, Ubu roi, p. 353.

2   Le capitaine fit un pas de côté et tira son sabre. Angélo courut aux faisceaux et

prit un coupe-choux de soldat. L'arme était plus courte de moitié que celle de son adversaire mais Angélo désarma très facilement le capitaine.
J. GIONO, le Hussard sur le toit, p. 59.

♦ **2.** Rasoir à longue lame.

Suzanne arrêta sa machine à coudre, leva les yeux vers son mari occupé à se raser avec le vieux coupe-choux dont il n'avait jamais réussi à se déshabituer et ressentit, comme chaque matin au spectacle de ce mâle jardinage, l'impression heureuse qu'une puissance exacte animait ce torse gonflé sous les bretelles.
A. BLONDIN, Un singe en hiver, p. 169.

COUPE-CIGARE [kupsigaʀ] n. m. — 1869 ; de *couper*, et *cigare*.

♦ Instrument pour couper les bouts des cigares, avant de les fumer. *Des coupe-cigares.* — On écrit aussi *un coupe-cigares.*

COUPE-CIRCUIT [kupsiʀkɥi] n. m. invar. — 1890 ; de *couper*, et *circuit*.

♦ Appareil qui interrompt un circuit électrique par la fusion d'un de ses éléments (⇒ **Fusible**) lorsque le courant est trop important, en cas de court-circuit, etc. ⇒ **Plomb** (les plombs). *Des coupe-circuit.*

COUPE-COUPE [kupkup] n. m. invar. — 1912, *in* D. D. L. ; de *couper*.

♦ Sabre pour couper les branches, ouvrir une voie dans la forêt vierge. ⇒ **Machette.** *Les coupe-coupe servent à la récolte, au défrichage.*

La houe sur l'épaule, la main armée d'un coupe-coupe, nous partions au champ de grand matin (...)
Les coupe-coupe s'élevaient et se jetaient sur la plaine de verdure profonde où ils pratiquaient de larges entailles ; les fers brillaient, se croisaient comme dans une danse guerrière.
O. BHÊLY-QUÉNUM, Un piège sans fin, *in* Pages africaines, t. II, p. 30.

REM. Dans sa correspondance (*Lettres du Tonkin...*, p. 195, *in* D. D. L.), Lyautey emploie le dérivé *coupe-coupeur.*

COUPÉE [kupe] n. f. — 1783, *Encyclopédie* ; du p. p. de *couper*.

♦ **1.** Lieu où des arbres ont été coupés. — Allée, clairière.

Pencroff avait remarqué, à quelques centaines de pas au-dessous de l'endroit où ils étaient débarqués, que la côte offrait une étroite coupée qui, suivant lui, devait servir de débouché à une rivière ou à un ruisseau.
J. VERNE, l'Île mystérieuse, t. I, p. 38.

♦ **2.** (1783). Mar. Ouverture faite dans la muraille d'un navire et qui permet l'entrée ou la sortie du bord. *Être reçu à la coupée. Marin de garde à la coupée. Échelle de coupée,* permettant d'accéder à la coupée.

Bahia sur une falaise avec ses maisons peintes et historiées pareilles à un décor de Guignol suranné. Le nègre à la coupée nous conduit à ce clair de lune dans la mer.
CLAUDEL, Journal, janv.-févr. 1917.

Par ordre de la direction du port, les échelles de coupée de tous les bateaux étaient descendues (...)
MALRAUX, la Condition humaine, p. 60.

HOM. Coupé, couper.

COUPE-FAIM [kupfɛ̃] n. m. invar. — D. i. ; de *couper*, et *faim*.

♦ Ce qui coupe la faim. *Crêpe épaisse que l'on mange en guise de coupe-faim.* ⇒ **Matefaim.**

Spécialt. Substance médicamenteuse qui provoque une diminution de l'appétit. ⇒ **Abat-faim, anorexigène.** *Des coupe-faim. Le médecin lui a prescrit un coupe-faim pour l'aider à supporter son régime.*

COUPE-FEU [kupfø] n. m. invar. — 1882 ; de *couper*, et *feu*.

♦ Techn. Espace libre ou obstacle artificiel destiné à interrompre la propagation des incendies (forêts, etc.).

En appos. *Élément coupe-feu.*

COUPE-FILE [kupfil] n. m. — 1869 ; de *couper*, et *file*.

♦ Carte officielle de passage, de priorité. *Coupe-file d'un journaliste. Des coupe-files* ou (invar.) *des coupe-file.*

(...) une voiture munie d'un coupe-file vous emporte au bureau ; déjà on fourmille de suggestions ; on n'arrive pas les mains vides ; on a le dossier dans la tête ; et l'on déborde sur ce tapis vert du trop-plein d'allégresse aride d'un jeune prodige de la technocratie.
A. BLONDIN, Monsieur Jadis, p. 175.

Il fallait que des gens à coupe-files vinssent le rappeler à la raison (...)
Max JACOB, le Cornet à dés, p. 112.

COUPE-GORGE [kupgɔʀʒ] n. m. invar. — XIIIᵉ ; *cope-gorge*, v. 1210 ; « coutelas », XIIIᵉ ; de *couper*, et *gorge*.

♦ **1.** (XIIIᵉ). Lieu, passage dangereux, fréquenté par des malfaiteurs. *Cette impasse est un vrai coupe-gorge.*

(...) par les nuits d'encre comme celle-ci, jamais coupe-gorge n'avait déroulé un décor plus tragique (...)
ZOLA, Rome, p. 400.

(...) la pauvre fille éprouvait le malaise du voyageur qui s'aperçoit qu'il est dans un coupe-gorge.
Louise MICHEL, la Misère, t. III, p. 501.

En appos. (rare). *Un passage coupe-gorge.*

♦ **2.** Vx. Lieu où l'on se fait voler, maison de jeu où l'on perd de l'argent.

COUPE-JAMBON [kupʒɑ̃bɔ̃] n. m. — XXᵉ ; de *couper*, et *jambon*.

♦ Techn. Machine employée en charcuterie pour débiter en tranches le jambon désossé. *Des coupe-jambons* ou *des coupe-jambon* (invariable).

COUPE-JARRET [kupʒaʀɛ] n. m. — 1619, *couppe-jarret* ; *coupe-jaret*, 1587 ; de *couper*, et *jarret*.

♦ Vx ou par plais. Bandit, assassin. *Des coupe-jarrets.*

Le point décisif, c'est de savoir si le demi-million de chômeurs qui croupit dans cette ville va tourner aux coupe-jarrets ou aux sans-culottes.
Régis DEBRAY, l'Indésirable, p. 67.

Par hyperbole. Personne cruelle, sans scrupules.

En appos. « *Tel critique hérissé et coupe-jarrret* » (Sainte-Beuve, *Portraits littéraires,* t. II, 1844-1864, p. 324, *in* T. L. F.).

COUPE-LÉGUMES [kuplegym] n. m. invar. — 1845 ; de *couper*, et *légume*.

♦ Instrument servant à couper les légumes en menus morceaux.

COUPELLATION [kupelasjɔ̃ ; kupɛllasjɔ̃] n. f. — 1771 ; de *coupeller*.

♦ Techn. Opération par laquelle on isole l'or, l'argent contenu dans un alliage au moyen de la coupelle (séparation du mélange liquide par oxydation). *Le rochage, dégagement d'oxygène dans la coupellation de l'argent.*

COUPELLE [kupɛl] n. f. — 1431 ; de 1. *coupe*, et suff. *-elle*.

♦ **1.** Petite coupe.

(*Dieu à Sisyphe*) C'est pourquoi je te donne pour tâche (...) de porter la sphère de diamant dans la coupelle terminale de la pyramide de porphyre.
A. JARRY, les Jours et les Nuits, Pl., p. 817.

À côté des daguerréotypes, une coupelle de verre contenant des épingles à cheveux, une fleur en coquillages, des lacets de corset.
J. GIONO, le Hussard sur le toit, p. 108.

♦ **2.** Techn. Creuset fait avec des os calcinés utilisé pour la coupellation. *Mettre, passer un métal à la coupelle. Or, argent de coupelle :* or, argent très fin, épuré à la coupelle. *Grande coupelle.* ⇒ **Têt.**

Fig. Littér. et vieilli. *Passer, soumettre* (qqn, qqch.) *à la coupelle :* mettre à l'épreuve pour juger.

Mon cœur s'est purifié à la coupelle de l'adversité, et j'y trouve à peine, en le sondant avec soin, quelque reste de penchant répréhensible.
ROUSSEAU, Rêveries..., 1ʳᵉ promenade.

DÉR. Coupeller.

COUPELLER [kupele] v. tr. — 1752 ; de *coupelle*, et *-er*.

♦ Techn. Mettre à la coupelle.

DÉR. Coupellation.

COUPEMENT [kupmɑ̃] n. m. — Mil. XIVᵉ ; de *couper*.

♦ **1.** Techn. Action de couper (à la scie) ; résultat de cette action. *Coupement d'une pièce de bois.*

♦ **2.** Ch. de fer. Intersection de deux voies à angle aigu. ⇒ **Croisement.**

COUPE-ONGLES [kupɔ̃gl] n. m. invar. — XXᵉ ; de *couper*, et *ongle*.

♦ Pince ou ciseaux pour couper les ongles.

COUPE-PAILLE [kuppaj] n. m. invar. — D. i. ; de *couper*, et *paille*.

♦ Techn. (agric.). Appareil pour couper la paille. ⇒ **Hache-fourrage, hache-paille.**

COUPE-PAPIER [kuppapje] n. m. invar. — 1842, *in* D. D. L. ; de *couper*, et *papier*.

♦ Instrument (lame de bois, d'os, de corne, de métal, de matière plastique, etc.) servant à couper le papier. *Couper les pages d'un livre avec un coupe-papier.*

COUPE-PÂTE [kuppɑt] n. m. invar. — xxᵉ; de *couper*, et *pâte*.

♦ Techn. Instrument de boulanger et de pâtissier servant à couper la pâte, ainsi qu'à la disposer en amas (syn. : *amassette*).

COUPER [kupe] v. tr. — xiᵉ, *colper*; de *colp, coup,* au sens de «diviser d'un coup».

★ **I. A.** (Concret). ♦ **1.** Diviser, morceler (un corps solide) avec un instrument tranchant; séparer en tranchant. ⇒ **Sectionner, tailler, trancher; section.** *Couper (qqch.) avec un couteau *, un bistouri, un burin, une bute, une cisaille, des ciseaux, un couperet, un coupoir, une faucille, une hache, une sape, un sécateur... Couper au bistoquet, à la fraise, à la scie...* ⇒ **Instrument, machine, outil.** *Objet contondant* qui casse, écrase, hache, hache les matériaux sans les couper* (→ Chevalet, cit. 1). *Couper l'extrémité de qqch. pour rendre plus court.* ⇒ **Ébouter, écourter, raccourcir, rafraîchir.** *Couper le bout effiloché d'une corde.* ⇒ **Moucher.** *Couper qqch. pour ôter un morceau, une partie d'un tout. Couper un bout*, un morceau* de qqch.* ⇒ **Détacher, enlever, lever, ôter.** *Couper qqch. en plusieurs endroits.* ⇒ **Entrecouper.** *Couper qqch. par petits morceaux, en tranches minces.* ⇒ **Émincer, mincer.** *Couper complètement, de près, à ras, à fleur de terre.* ⇒ **Raser, tondre; estoc** (à blanc-estoc). *Couper net, couper ras.* ⇒ **Extirper.** Fig. *Couper le mal à la racine. — Couper un objet sur les bords. Couper les bords, les défauts* (barbes, etc.) *de qqch.* ⇒ **Ébarber, émarger, rogner.**

Couper du bois. Couper un arbre. ⇒ **Abattre;** 2. **coupe,** *Couper la cime* (⇒ **Écimer, étêter**), *les branches* (⇒ **Ébrancher, élaguer, émonder**) *d'un arbre.* ⇒ **Taille, tailler.** *Couper un tronc d'arbre en planches, en bûches.* ⇒ **Aménager, débiter, fendre.** *Couper l'arbre pour avoir le fruit.* ⇒ **Arbre** (cit. 37 à 40, et *supra*). *Couper une poutre à vive arête.* ⇒ **Aviver.** *Couper une haie.* ⇒ **Cisailler, tailler.** *Couper les mauvais grains d'une grappe.* ⇒ **Égrapper; ciseler.** *Couper de l'herbe, du foin. Couper les blés.* ⇒ **Moissonner; faucarder, faucher, saper.** *Couper les chaumes.* ⇒ **Chaumer, étraper.** *Empêcher le bourgeonnement en coupant la tige.* ⇒ **Décolleter.**

1　La campagne (...) est couverte d'hommes qui taillent et qui coupent (...) qui roulent ou qui charrient le bois du Liban (...)
　　　　　　　　　　　　LA BRUYÈRE, les Caractères, VI, 78.

2　Si Landry le menait dans le jardin de son maître, et que tout en devisant avec lui, il s'interrompit pour couper une branche morte sur une ente, ou pour arracher une mauvaise herbe qui gênait les légumes, cela fâchait Sylvinet (...)
　　　　　　　　　　　　G. SAND, la Petite Fadette, VII, p. 45.

(1611). Fig. et fam. *Couper l'herbe sous les pieds (sous le pied) de qqn,* le devancer. ⇒ **Devancer, précéder, supplanter.**

2.1　N'écris pas ma petite, raccommode le linge de ton mari. Vous me coupez l'herbe sous le pied. Je m'en vais, cela a assez duré.
　　　　　　　　　　　　Violette LEDUC, la Bâtarde, p. 428.

(En parlant d'aliments). *Couper du pain. Couper de la viande.* ⇒ **Découper, dépecer, hacher.** *Viande, bifteck dur à couper. Couper maladroitement qqch.* ⇒ **Écharper.** *Couper le premier morceau.* ⇒ **Entamer.**

3　(...) commençant à manger avec un appétit de laboureur, mais coupant les meilleurs morceaux pour les offrir à sa compagne, qui refusa obstinément et se contenta de quelques châtaignes.　　G. SAND, la Mare au diable, VIII, p. 72.

Couper une corde, une ficelle, un lien..., pour séparer deux choses liées ensemble, délier un paquet, etc.

4　(...) je coupe les ficelles la plupart du temps au lieu de dénouer les nœuds.
　　　　　　　　　　　　COLETTE, la Naissance du jour, p. 149.

♦ **2.** (Déb. xiiᵉ). *Couper un organe, un membre.* ⇒ **Amputer, charcuter** (fam.), **découdre** (fam.), **disséquer, exciser, inciser, mutiler, opérer, ouvrir; ablation, amputation, incision, intervention, opération, résection, vivisection,** et aussi les suff. **-tome, -tomie.** *On a dû lui couper l'avant-bras, la main.* — (Sujet n. de chose). *L'obus lui a coupé le bras.* ⇒ **Emporter.**

Loc. fig. *Couper bras et jambes à qqn :* empêcher (qqn) d'agir, de réagir. *Couper les jambes :* fatiguer.

4.1　L'émotion d'ailleurs, malgré la colère et l'appétit italien pour le mystère, avait coupé les jambes à Angélo. Il les sentait flageoler sous lui à chaque pas.
　　　　　　　　　　　　J. GIONO, le Hussard sur le toit, p. 45.

4.2　— Ça alors! reprit Martial d'un ton pénétré.
　　— N'est-ce pas? dit Delphine.
　　— Ça me coupe bras et jambes, dit Martial.
　　　　　　　　　　　　Jean-Louis CURTIS, le Roseau pensant, p. 47.

Couper la tête, la gorge de qqn (à qqn). Couper le cou* du condamné. ⇒ **Décapiter, décoller, égorger, exécuter, guillotiner, trancher.** *On lui a coupé la tête, le cou.* — Fig. *Donner, gager*, parier sa tête à couper* (de qqch.), exprime une grande conviction. ⇒ **Affirmer.** — Fam. *Couper le sifflet à qqn.* ⇒ **Sifflet,** 3. *Couper les oreilles.* ⇒ **Essoriller.** — Fig. Par plais. ou menace. *Je vous couperai les oreilles.*

5　Il est sournois et porte un sabre, répondait le voisin, il serait assez traître pour leur couper la figure.　　STENDHAL, le Rouge et le Noir, I, 18, p. 101.

6　Je devrais te couper les quatre membres, traître,
　Et te laisser ramper sur tes moignons sanglants.
　　　　　　　　　　　　HUGO, la Légende des siècles, XV, «Éviradnus».

7　On entendait, dans la basse-cour, crier les volailles que la servante poursuivait pour leur couper le cou.　　FLAUBERT, Mᵐᵉ Bovary, II, I.

X. coupe les cheveux en quatre pour connaître mieux leur nature. Y., pour faire valoir sa subtilité.　　GIDE, Journal, 9 mars 1928.　8

Couper un membre à un animal. Loc. fig. *Couper les ailes.* ⇒ **Aile.**

Quand il eut pris l'oiseau,　8.1
Il lui coupa les ailes.
L'oiseau vola encor plus haut.
Quand il reprit l'oiseau,
Il lui coupa les pattes,
L'oiseau glissa tel une barque.
Rageur, il lui coupa le bec.
L'oiseau chanta avec
Son cœur comme chante une harpe.
　　　　　　　Maurice CARÊME, Entre deux mondes, «L'oiseau».

Spécialt. *Couper les organes de la reproduction.* ⇒ **Châtrer.** — *Couper les couilles.* Ellipt. et fam. *Ça vous les coupe, ça te les coupe!:* ça t'étonne, te stupéfie. *Je veux bien qu'on me les coupe, si...* (exprime le doute, l'incrédulité). — (Par équivoque plaisante avec d'autres emplois de *couper*) :

Il y a cinquante pages　8.2
De trop dans votre bouquin
Coupez-les, et je m'engage
À vous éditer demain
Je veux bien qu'on me les coupe
Répond l'auteur pris de court
Je veux bien qu'on me les coupe...
Et il eut le prix Goncourt.　　Boris VIAN, Textes et chansons, p. 37.

REM. Dans les loc. elliptiques *ça te la coupe* et, plus encore, *ça te les* (*ça vous les*) *coupe,* le compl. sous-entendu renvoie aux parties sexuelles, mais le sens est bien celui de «couper le sifflet».

— Il n'y a pourtant pas d'autre hypothèse.　8.3
— Ah si, ça alors, je vais vous la couper, il y en a une autre.
　　　　　　　　　　　　R. QUENEAU, les Derniers Jours, p. 188.

L'air ravi, Helen interrogea :　8.4
— Ça vous les coupe, hein?
Il ne répondit rien. Une violente bouffée de chaleur lui montait au visage : il percevait nettement ses pulsations précipitées... La tête appuyée contre le bras d'Helen, la joue ressentait le contact de sa peau comme une caresse érotique.
　　　　　　　　　　　　Roger NAÏM, l'Ère des truands, p. 188.

Par métonymie. *Couper un animal, un mâle.* ⇒ **Châtrer, émasculer.**

— Pardon, excuse, dit-elle, je ne trouve pas la concierge. C'est pour couper un　8.5
chat.
— La clinique est au rez-de-chaussée, dis-je...
　　　　　　　　　　　　S. DE BEAUVOIR, les Mandarins, p. 411.

♦ **3.** Tailler (une production du corps qui se renouvelle : ongles, cheveux). *Couper les cheveux**(cit. 34 et *supra*), *la barbe* à qqn.* ⇒ **Coupe** (de cheveux). *Couper les poils très courts, ras.* ⇒ **Raser, tondre.** — *Se couper les ongles, les cheveux, les tifs.* — Loc. fig. *Couper les cheveux* en quatre.* REM. *Couper* n'a pas dans cette loc. le sens de «tailler», mais de «diviser».

♦ **4.** Loc. (où *couper* est employé absolt). *Couper dans le vif :* tailler, trancher dans la chair vive pour extirper un mal. Au fig. Prendre des mesures énergiques pour régler une affaire.

Fig. *À couper au couteau* (en parlant de choses très épaisses). *Un brouillard à couper au couteau. Il est bête* à couper au couteau.* ⇒ **Sot.**

♦ **5.** Tailler selon les règles d'une technique. *Couper des pierres de taille* (⇒ **Stéréotomie**). *Couper du marbre* (→ Ciseau, cit. 3). *Couper le verre en vitres. Verre casilleux* que le diamant casse et ne coupe pas. Couper suivant un profil donné.* ⇒ **Chantourner.** *Couper droit, verticalement.* ⇒ **Escarper** (peu usité). — Par ext. *Couper une montagne pour faire passer une route.*

(1679). Cout. Préparer des morceaux de tissu à assembler pour en faire un vêtement. ⇒ **2. Coupe; tailler.** *Couper les manches d'une veste. Reste d'une étoffe que l'on coupe.* ⇒ **Chute, recoupe.** *Personne qui coupe les étoffes.* ⇒ **Coupeur, couturier, tailleur.** — Absolt. *Couper sur un patron. Couper droit fil. Couper en biais**

♦ **6.** (1539). Absolt. Être tranchant. *Les éclats de verre coupent,* sont coupants. *Ce couteau ne coupe plus, il faut l'affûter.* — *Dents qui coupent* ⇒ **Incisive.** *Ce rasoir coupe bien. Le verre, le silex coupent. Cette herbe coupe comme le verre.*

L'eau de la rivière est d'une transparence qui fait mal; si on y plongeait les doigts, elle couperait comme une vitre cassée.　J. RENARD, Histoires naturelles, p. 120.　9

♦ **7.** Blesser (→ Se couper). *Cet enfant a coupé son frère à la main.*

♦ **8.** (Sujet n. de chose). Donner une impression de coupure à (une partie du corps). ⇒ **Blesser, écorcher, entailler, entamer.** *Le froid coupe les mains, les lèvres.* ⇒ **Gercer.** *Bise qui coupe le visage.* ⇒ **Cingler, fouetter.** *Coups de fouet qui coupent la figure.* ⇒ **Balafrer, labourer, taillader.**

Absolt. *Le froid coupe,* est coupant*.

Fig. *Une voix qui coupe :* une voix sèche et brève qui décèle l'autorité. ⇒ **Coupant.**

Il parlait sec, décochant des phrases de jet, brèves et dures, qui coupaient comme　10
du silex, en homme accoutumé à faire marcher des animaux et des esclaves.
　　　　　　　　　　　　Léon BLOY, la Femme pauvre, I, p. 156.

B. Par ext. ♦ **1.** (Diviser sans utiliser un instrument tranchant). Diviser en plusieurs parties. ⇒ **Fractionner, partager, scinder.** *Corde* qui coupe un cercle. Ligne bissectrice*, plan bissecteur, ligne sécante* *qui coupe une surface, un espace.* ⇒ **Sécant.** *Ligne qui en coupe une autre perpendiculairement, obliquement.* ⇒ **Barrer, rayer.** *Couper une ligne.* ⇒ **Tronçonner, tronquer, segmenter.** — *Couper une armée en plusieurs tronçons. Couper une pièce par une cloison. Fossés, talus, haies qui coupent les champs.* ⇒ **Morceler, séparer.** *Couper une armée de ses bases.*

11 Les fumées des usines, couchées par le vent, coupaient de traits parallèles, vaporeux et blanchâtres les brouillards qui montaient du fleuve.
A. MAUROIS, le Cercle de famille, XV, p. 86.

11.1 (...) de droite et de gauche, coupant la ligne d'arbres, des maisons basses, aplaties, aux couvertures de tuiles rouges.
GIDE, Voyage au Congo, in Souvenirs, Pl., p. 686.

♦ **2.** Interrompre (une action). ⇒ **Entrecouper, interrompre.** *Couper le voyage par une étape. Couper sa journée en faisant la sieste.* Fam. *Couper à qqn sa journée :* déranger le plan de ses occupations.

12 Elle *(la couseuse)* travaillait chez elle, ou continûment tout le jour, ou en coupant son travail des soins du ménage.   MICHELET, la Femme, p. 31.

13 (...) c'est la première fois que pareil intermède vient couper sa carrière rude.
LOTI, Mme Chrysanthème, I, p. 262.

♦ **3.** Passer au milieu, au travers de (qqch.). ⇒ **Traverser.** *Couper l'équateur,* en passant d'un hémisphère dans l'autre. *S'évader en coupant la ligne de l'ennemi.* — *La route coupe la forêt. Ce chemin en coupe un autre.* ⇒ **Croiser.** *Voie ferrée qui en coupe une autre.* ⇒ **Coupement, croisement, intersection.** *Navire qui coupe l'eau.* ⇒ **Fendre.** *Couper l'air. Absolt. Couper à travers champs :* passer par le plus court chemin. *Cette route coupe,* elle est directe, elle raccourcit.

♦ **4.** Enlever (une partie d'un texte). *Couper qqch. dans un discours.* ⇒ **Abréger, censurer, effacer, expurger, retrancher, tronquer.** *Couper des passages à un livre. Il faudrait en couper la moitié.*

14 Tu trouveras des points de suspension çà et là. J'ai coupé quelques redondances. Mais le sens est intact.
J. ROMAINS, les Hommes de bonne volonté, t. III, II, p. 36.

Littér. *Couper son style :* faire des phrases courtes. — Mettre des pauses dans les phrases, les vers. *Savoir couper ses phrases à propos.* Mus. *Couper les sons :* observer un silence après chaque son. ⇒ **Détacher, piquer.**

♦ **5.** Interrompre (un discours, une conversation). *Couper une communication téléphonique.* ⇒ **Interrompre.** *Couper la conversation. Je vous coupe la parole* (⇒ **Ôter, retirer**).

15 Vous êtes trop vif ; vous avez la mauvaise habitude de couper la parole aux gens : corrigez-vous de cela.   A.-R. LESAGE, le Diable boiteux, V, p. 69.

16 (...) un projet dont j'étais occupé depuis quelques mois, et dont je n'ai pu parler encore pour ne pas couper le fil de mon récit.   ROUSSEAU, les Confessions, XII.

Interrompre (qqn). *Il l'a brusquement coupé.*

Absolt. *Ne coupez pas, mademoiselle !,* injonction pour demander de maintenir la communication (au téléphone).

Couper ses effets à qqn, l'empêcher de produire l'impression souhaitée. ⇒ **Interrompre.**

17 Je raconte tout ça comme un manche... faudrait d'abord que je m'arrange... que je vous donne un petit peu l'idée, vous représente un petit peu les choses... l'endroit, le décor... C'est l'émotion qui me bouleverse, me déconcerte, me coupe l'effet.
CÉLINE, Guignol's band, p. 181.

REM. Ces emplois de *couper* au fig. équivalent globalement aux loc. traitées au sens propre « couper le sifflet ».

♦ **6.** (Sujet n. de personne ou de chose). Arrêter, barrer (une voie, un passage). ⇒ **Arrêter, barrer, intercepter.** *Une barricade coupe la rue. Les orages ont coupé la route. Couper le chemin à qqn,* passer devant lui. — Ellipt. *Couper qqn. Sa voiture m'a coupé.* — *Couper la retraite à l'ennemi.* — *Couper les voies ferrées ; couper les ponts,* les rendre impraticables pour entraver la marche de l'ennemi ; au fig., cesser, suspendre les relations. ⇒ **Pont,** cit. 12. *Couper les relations diplomatiques, commerciales avec une puissance.*

18 Vous ne m'en voudrez donc pas de couper les ponts : oui, tous les ponts. Dans deux ou trois ans, quand je serai devenu un autre, et j'y aspire de tout mon âme, nous pourrons nous rencontrer de nouveau, impunément. Je vous dis adieu.
Alain BOSQUET, les Bonnes Intentions, p. 190.

♦ **7.** Arrêter en supprimant. *Couper le crédit, les vivres à qqn,* ne plus lui donner de subsides. ⇒ **Bloquer.**

19 Mes commanditaires et mes bailleurs de fonds me couperaient les vivres.
BALZAC, les Illusions perdues, p. 400, in T. L. F.

20 Je finirai par te couper les vivres (...)
A. DE MUSSET, Il ne faut jurer de rien, I, 1.

21 Mais il avait trahi sa destinée bourgeoise, et, en dépit de tout et de tous, pris la mer (...) On lui avait coupé les vivres.   H. BOSCO, Un rameau de la nuit, p. 105.

22 À client flatteur il coupait le crédit.   A. MAUROIS, Bernard Quesnay, II, p. 12.

♦ **8.** Absolt. *Couper court à (qqch.) :* mettre un terme à. ⇒ **Cesser** (et faire cesser), **rompre, suspendre.**

23 Huit heures sonnèrent : la voix du baron de Damas coupa court à notre conversation, comme quand le marteau de l'horloge, en frappant dix heures, suspendait les pas de mon père dans la grande salle de Combourg.
CHATEAUBRIAND, Mémoires d'outre-tombe, t. VI, p. 71.

24 Je coupe court à la citation, qui devient trop vive (...)
TAINE, Philosophie de l'art, t. II, IV, I, IV, p. 122.

25 Cette façon de terminer l'aventure aurait eu pour conséquence forcée un ordre

---

supérieur coupant court à ma vie de Stamboul, et je redoutais cette solution, plus encore que la justice ottomane.   LOTI, Aziyadé, LIII, p. 154.

25.1 Pour couper court aux pensées ternes qui commençaient à monter en mon esprit, je me levai en sursaut, j'avalai l'absinthe d'un trait ; puis, tournant les talons à la guinguette, je me mis à arpenter vivement le chemin des faubourgs maritimes où habitaient les époux Lenoir.
VILLIERS DE L'ISLE-ADAM, Tribulat Bonhomet, p. 65.

♦ **9.** Interrompre le passage de (qqch.). *Couper l'eau, la vapeur, le courant. Couper l'allumage, le contact, les gaz, le son, l'image* (d'un téléviseur).

25.2 Salomé s'est toute refermée, et, lointaine, regarde vaguement la télévision où l'image défile, mais dont Blandine a coupé le son.   Hervé BAZIN, Cri de la chouette, p. 189.

Coupez ! : arrêtez la prise de vue, la prise de son.

♦ **10.** Empêcher les effets de (une fonction ou un processus physiologique). *Couper la respiration à qqn,* le faire haleter. — *Couper l'appétit :* supprimer l'appétit (en dégoûtant, etc.). *Arrête tes histoires ; tu nous coupes l'appétit ! Ça me coupe l'appétit.* — *Couper le souffle à qqn,* l'empêcher de respirer normalement. Fig. Stupéfier.

25.3 Assiettes ébréchées, verres dépareillés, couteaux branlant dans le manche, fourchettes à dents jaunes, rien ne manquait de ce qui coupe net l'appétit d'un honnête homme.   FRANCE, le Crime de S. Bonnard, Œ., t. II, II, p. 455.

25.4 L'émotion, l'espérance, lui coupaient le souffle.
MARTIN DU GARD, les Thibault, t. VI, p. 277.

25.5 Plongées et remontées trop rapides, à vous couper le souffle.
Claude MAURIAC, le Temps immobile, p. 134.

Couper la fièvre, la faire tomber.

25.6 Je reviendrai ce soir, à l'heure où vous m'avez dit que son mal empirait, et je tâcherai de couper encore cette mauvaise fièvre.
G. SAND, la Petite Fadette, XXXIV, p. 226.

C. ♦ **1.** (1903 ; jeu de paume, 1637, in Petiot). *Couper une balle (de tennis),* la frapper par-dessous, de haut en bas, de manière à lui donner un effet ralentissant sa course et diminuant son rebond.

♦ **2.** Absolt (escrime). Dégager par-dessus la pointe de l'épée, ou par-dessus le poignet de l'adversaire.

Danse. Exécuter un coupé*.

D. Par ext. Mélanger à un autre liquide. ⇒ **Coupage.** *Couper son vin,* l'additionner* d'eau. ⇒ **Mélanger, tempérer** ; fam. **baptiser.** *Couper du lait.* ⇒ **Mouiller.**

E. (1606). Diviser (un jeu de cartes) en deux paquets. ⇒ **2. Coupe.** Absolt. *C'est à vous de couper.* — Prendre avec l'atout. *Je coupe le carreau.* Absolt. *Je coupe. Je coupe à carreau. Couper avec un atout plus fort.* ⇒ **Surcouper.**

Loc. fig. (absolt). *Couper dans le pont,* et, par ext., *couper dans le panneau :* tomber dans un piège.

25.7 Le jeu de ma mère, à mon sens, c'était d'en faire tellement que Salomé finisse par faire figure d'intruse : pour que je la rejette et qu'elle la récupère. Il suffisait de ne pas couper dans le pont.   Hervé BAZIN, Cri de la chouette, p. 207.

★ **II.** Trans. indir. ♦ **1.** (1861). Fig. et fam. COUPER À. ⇒ **Éviter.** *Couper à une corvée,* y échapper. *Il n'y coupera pas. Il ne coupera pas des (aux) travaux forcés.*

25.8 Ailleurs à faire des ménages, elle se serait pourtant fait appeler « maid » ! Elle y coupait pas !...   CÉLINE, Guignol's band, p. 197.

25.9 Je n'y couperai pas d'une pleurésie, c'est sûr.
BERNANOS, Un mauvais rêve, Œ. roman., Pl., p. 955.

25.10 Non, il s'agit au contraire de couper au jugement, d'éviter d'être toujours jugé, sans que jamais la sentence soit prononcée.   CAMUS, la Chute, p. 90.

25.11 (...) un Tristan narquois (...) qui, les mains enfoncées dans ses poches, n'a pas l'air mécontent de « couper » aux corvées.   Francis CARCO, Ombres vivantes, p. 256.

♦ **2.** COUPER DANS : accepter, admettre, croire. *Couper dans une nouvelle. Il coupe dans tout ce qu'on lui raconte.*

25.12 Je ne suppose pas que vous coupiez dans le bobard de son génie créateur ?
BERNANOS, Un mauvais rêve, Œ. roman., Pl., p. 893.

26 — Ma pauvre petite ! Comment peux-tu couper dans tout ça ? Mais ça ne tient pas debout.   J. ROMAINS, les Hommes de bonne volonté, t. IV, V, p. 41.

▶ **SE COUPER** v. pron.

♦ **1.** Se blesser avec un instrument tranchant. ⇒ **Écorcher** (s'), **entailler** (s') ; **coupure.** *Il s'est coupé le doigt. Il s'est coupé au doigt, à la main. Se couper en se rasant. Se couper jusqu'à l'os, jusqu'au vif.*

Par anal. *Cheval qui se coupe :* cheval qui s'entretaille des pieds en marchant.

Se faire des excoriations aux plis cutanés. *Cet enfant se coupe aux cuisses.*

Loc. fig. *Il se couperait en quatre pour lui :* il lui est entièrement dévoué.

27 Un homme si bon, répétait-elle, et pour lequel on se laisserait couper en quatre.
ZOLA, le Docteur Pascal, I, p. 55.

♦ **2.** (Choses). *Cette étoffe se coupe,* elle s'use dans les plis qu'elle fait.

♦ **3.** (Passif). Être coupé. *Le calcaire cède et se coupe aisément.* —

Se couper de (qqn, qqch.) : perdre le contact avec. *La huitième division s'est coupée du gros des troupes.*

♦ **4.** Être sécant, s'entrecroiser. *Cercles qui se coupent. Ces deux lignes, ces deux routes se coupent.*

♦ **5.** (1567). Fig. (Personnes). Se contredire, se démentir dans des assertions. Laisser échapper ce qu'on voulait taire. *On se coupe aisément quand on ne dit pas la vérité.*

27.1　— Madame est sortie...
　　　— Ah! elle est sortie!... la Taupin m'a dit le contraire!...
　　　— (...) C'est vrai, monsieur, je me trompe... madame est restée chez elle...
　　　— Tu te coupes! tu mens! je te chasse!　　　E. LABICHE, Deux merles blancs, II, 4.

27.2　(...) sa terrible réalité d'homme à la double fuite, d'homme qui avait fui les hommes, qui avait rompu le pacte et qui se dérobait encore à leur jugement, en mentant, dernier trait, en mentant prudemment, avec la crainte de se couper.
　　　DRIEU LA ROCHELLE, la Comédie de Charleroi, p. 156.

▶ **COUPÉ, ÉE** p. p. adj. et n.

A. ♦ **1.** Tranché, sectionné. *Chicot*, copeau*, picot* d'une pièce de bois coupée. Les lauriers sont coupés* (→ Bois, cit. 12). *Blés coupés. Cheveux coupés.*
Avoir le cou coupé : être guillotiné. — « *Soleil cou coupé* » (Apollinaire, *Zone*). *Bras et jambes coupés* (propre et fig.). Par ext. *Falaise coupée à pic.*

28　C'est sur les sommets de ces rochers coupés à pic, que Julien, heureux, libre, et même quelque chose de plus, roi de la maison, conduisait les deux amies (...)
　　　STENDHAL, le Rouge et le Noir, I, 8, p. 50.

Par métaphore :

29　Année, une tranche coupée au temps, et le temps reste entier.
　　　J. RENARD, Journal, 31 déc. 1902.

Par métonymie. Châtré.

29.1　À la cantine, elles lui glissaient les morceaux les plus présentables, le traitant avec cette gentillesse prévenante que l'on réserve aux petites nièces. Ces attentions lui donnaient l'impression d'être un matou coupé.
　　　Claude COURCHAY, La vie finira bien par commencer, p. 33.

Loc. *Bout coupé* (t. injurieux et raciste faisant allus. à la circoncision) : israélite.

Blason. *Écu coupé,* divisé par le milieu. — *Animaux coupés,* dont la tête, les membres sont nettement séparés du corps.

Techn. *Vitres coupées à la bonne mesure.* — *Pan* coupé* : surface qui remplace l'angle à la rencontre de deux pans de mur. *Costume bien coupé.*

Fig. ⇒ **Dessiné.**

30　(...) un nez long, mince et droit, à narines bien coupées (...)
　　　BALZAC, le Curé de village, Pl., t. VIII, p. 615.

Littér. *Style coupé* : style à phrases courtes, ou à phrases hachées, heurtées. *Strophe, phrase bien coupée,* où les pauses sont bien ménagées. — Mus. *Rythme coupé.* ⇒ **Syncope.**

♦ **2.** Séparé, divisé. ⇒ **Divisé.** *Pièce coupée par une cloison. Pays coupé de canaux. Visage coupé de balafres.* — Figuré :

31　Un homme jeune, grand, maigre, le visage brun, avec une longue moustache, entra, salua avec une brusque souplesse (...)　　　FRANCE, le Lys rouge, I, p. 16.

♦ **3.** ⇒ **Interrompu.** *Communications coupées. Route coupée.* ⇒ **Barré.** *Voix coupée par les sanglots.* ⇒ **Entrecoupé.**

32　(...) une mélopée pathétique, coupée spasmodiquement de sanglots, de gloussements, d'élans (...)　　　GIDE, Si le grain ne meurt, II, p. 60.

33　Le monsieur commença un exposé très long, assez obscur, coupé de réticences, embarrassé de maintes précautions (...)
　　　J. ROMAINS, les Hommes de bonne volonté, t. V, VI, p. 50.

♦ **4.** *Coupé de qqn, de qqch.* ⇒ **Isolé, séparé.** *L'avant-garde est coupée de l'armée.*

34　Il annonce que la première ligne de Murat a été surprise et culbutée, sa gauche tournée à la faveur des bois, son flanc attaqué, sa retraite coupée.
　　　Ph. P. SÉGUR, Hist. de Napoléon, VIII, 11.

35　L'ennemi est d'ores et déjà *coupé de Vienne.* Il ne s'agit plus que de resserrer l'étreinte.　　　Louis MADELIN, l'Avènement de l'Empire, XXII, p. 279.

B. *Balle coupée* (par oppos. à *balle liftée*). — N. m. *Un coupé* : coup qui consiste à envoyer une balle coupée.

C. Mêlé d'un autre liquide. *Boire son vin coupé d'eau. Vins coupés.* — *Lait coupé.*

D. *Levée coupée,* faite par l'atout. — *Chat coupé* : jeu de poursuite où les joueurs doivent passer (« couper ») entre le poursuivant et le poursuivi pour être pourchassés à leur tour.

CONTR. Ajouter, assembler, bloquer, grouper, lier, rapprocher, rassembler, réunir ; bander, ligaturer, panser, recoudre, suturer ; cicatriser ; continuer, établir, installer, maintenir, prolonger.

DÉR. Coupage, coupailler, 2. coupe, coupé, coupée, coupement, couperet, coupeur, coupoir, coupon, coupure.

COMP. Découpage, découper, découpeur, recoupage, recoupement, recouper, surcouper. — Nombreux mots masc. désignant des instruments destinés à couper (au propre et au fig.) : **coupe-batterie, coupe-choux, coupe-cigare, coupe-circuit, coupe-coupe, coupe-faim, coupe-feu, coupe-file, coupe-gorge, coupe-jambon, coupe-jarret,**

coupe-légumes, coupe-ongles, coupe-paille, coupe-papier, coupe-pâte (des boulangers), **coupe-racines, coupe-tête, coupe-vent.**

HOM. Coupé, coupée.

COUPE-RACINES [kupʀasin] n. m. invar. — 1832 ; de *couper,* et *racine.*

♦ Techn. Instrument ou machine servant à couper les racines destinées à l'alimentation des animaux ou à la distillation. ⇒ **Rhizotome.**

COUPERET [kupʀɛ] n. m. — XVIᵉ ; de *couper.*

♦ **1.** Couteau à large lame pour trancher ou hacher la viande. ⇒ **Hachoir, hansart** (→ Copeau, cit.).
(...) avec un couteau mince, elle sépara trois côtelettes d'un carré de porc ; et, levant un couperet, de son poignet nu et solide, elle donna trois coups secs.
　　　ZOLA, le Ventre de Paris, t. I, p. 101.

♦ **2.** Par ext. *Le couperet de la guillotine.* Absolt. *Le couperet. Couperet qui s'abat sur la nuque* (→ Biffer, cit. 2). Fig. *Il se met la tête sous le couperet* : il agit imprudemment.

♦ **3.** Outil d'acier pour couper les filets d'émail.

COUPEROSE [kupʀoz] n. f. — V. 1280 ; *couppe rose,* 1478 ; orig. obscure, peut-être du lat. médiéval *cuprirosa* « rose de cuivre » ; pour P. Guiraud, il y a eu confusion sur le sens de *rose,* qui n'est pas la couleur, mais le p. p. *rosus, a,* de *rodere* « ronger », d'où *cuprirosa* « érosion, rouille du cuivre ».

♦ **1.** (1280). Vx. Nom ancien de sulfates. *Couperose verte* : sulfate de fer ; *couperose blanche* : sulfate de zinc ; *couperose bleue* : sulfate de cuivre.

♦ **2.** (1530). Inflammation chronique, d'origine circulatoire, des glandes cutanées de la face, caractérisée par des taches rougeâtres peu étendues et séparées. ⇒ **Acné** (acné rosacée). *Pommettes vermiculées de couperose* (→ Boursouflure, cit. 1).
Il y avait un pli sous le menton, plusieurs petites rides au front, des traces de couperose aux pommettes et aux ailes du nez.
　　　J. ROMAINS, les Hommes de bonne volonté, t. III, XI, p. 147.

DÉR. Couperosé, couperoser.

COUPEROSÉ, ÉE [kupʀoze] adj. — XVᵉ ; de *couperose,* et *-é.*

♦ Atteint de couperose (2.). *Teint, visage couperosé.*
Devenu presque ignoble de tournure et de maintien, Georges annonçait bien des désastres en amour et une vie de débauches continuelles par un teint couperosé, par des traits grossis et comme vineux.
　　　BALZAC, Un début dans la vie, Pl., t. I, p. 744.
N. m. *Le couperosé des joues.* ⇒ **Couperose.** N. *Un couperosé, une couperosée* : personne atteinte de couperose.

COUPEROSER [kupʀoze] v. tr. — 1585 ; de *couperose,* et *-er.*

♦ Rare. Rendre couperosé. *Le vent, le froid lui couperosait les joues.* — Pron. *Ses joues se couperosaient.*

COUPE-TÊTE [kuptɛt] n. m. — 1660 ; *coupeteste, copeteste,* déb. XIVᵉ ; de *couper,* et *tête.*
Vieux.

♦ **1.** Personne cruelle, bourreau. *Des coupe-têtes,* ou, invar., *des coupe-tête.*

♦ **2.** (Instrument). *Le coupe-tête affûté du bourreau.*

COUPEUR, EUSE [kupœʀ, øz] n. — V. 1230, *coupeeur* ; de *couper.*
Personne qui coupe. — REM. N'est employé que dans des sens spéciaux et dans des syntagmes.

♦ **1.** Techn. [a] (1845). Personne qui coupe les étoffes, les cuirs, etc., dans un atelier de confection. *Une excellente coupeuse. Il est coupeur chez un grand tailleur*.*

[b] Personne qui coupe, cueille des grappes, pendant les vendanges. ⇒ **Cueilleur.** *Les coupeurs et les porteurs.*

[c] Ouvrier chargé de découper les tôles à la cisaille, au chalumeau *(chalumeur-coupeur).*

[d] Ouvrier spécialisé dans la coupe des pièces de cuir (chaussure ; maroquinerie). — *Coupeur, coupeuse en chaussures, en peausserie, en ganterie,* spécialisé dans la fabrication de divers articles.

[e] N. m. Ouvrier boucher chargé de découper les carcasses.

♦ **2.** **COUPEUR DE...** [a] Littér. et cour. *Coupeur de bourses* (cit. 3) : voleur adroit.

1 Mains d'aveugle ou de modeleur, doigts de bossu ou de coupeur de bourses.
A. JARRY, les Jours et les Nuits, Pl., p. 800.

Vx. *Coupeur d'oreilles :* querelleur, spadassin. — *Les Jivaros, chasseurs et coupeurs de têtes de l'Amazonie.* — *Coupeur, coupeuse de cheveux en quatre.* ⇒ **Chicaneur.**

b Techn. ou régional. *Coupeur de mines :* abatteur de roches, de minerai.

Régional. *Coupeur d'arbres.* ⇒ **Bûcheron.**

Agric. *Coupeur, coupeuse de lavande :* personne chargée de la récolte et du bottelage de la lavande.

2 D'ordinaire, à la lavande, les coupeurs travaillent à la tâche. C'est une raison de s'appliquer (...) à manier avec légèreté la faucille autant qu'à saisir les poignées d'épis coupés (...)
Ce n'est pas beau un coupeur de lavande. Ça sue, c'est mal rasé, ça porte sur le dos (...) un ballot qui le fait ressembler à un escargot (...)
Georges NAVEL, Travaux, p. 208.

♦ **3. N. f.** Machine qui sert à couper.

Adj. *La barre coupeuse d'une faucheuse (in* T. L. F.).

COUPE-VENT [kupvã] n. m. invar. — 1894, *Année sc. et industr.,* 1895, p. 121 ; de *couper,* et *vent.*

♦ **1.** Dispositif en angle aigu, pour réduire la résistance de l'air (à l'avant des locomotives). *« Je m'étais moqué autrefois (...) des locomotives à coupe-vent »* (Alain, *les Passions et la Sagesse,* Pl., p. 432). Fam. *Avoir un profil, un nez en coupe-vent.*

Debout, les coudes au corps, gesticulant des mains, il parlait avec tous les muscles de son visage en coupe-vent, gêné par le carré de soie noire, style Pied-Nickelé, qui protégeait son œil droit meurtri sans doute.
MALRAUX, la Condition humaine, p. 23.

(1893, *in* Petiot). Écran adapté derrière une moto pour protéger du vent le coureur cycliste qui tente, derrière, une performance.

♦ **2.** Régional (Canada ; d'après l'amér. *windbreaker*). Blouson dont le tissu protège contre le vent. — REM. Le mot semble adopté en France : *« Le coupe-vent de nylon à bandes élastiques... »* (Science et Vie, nov. 1975).

COUPLAGE [kuplaʒ] n. m. — 1754, « partie d'un train de bois » ; de *coupler,* et *-age.*

♦ **1.** Fait de coupler ; son résultat. *Le couplage de la recherche et de l'industrie.* Fam. *« Le couplage recherche-industrie »* (*Sciences et Avenir,* oct. 1981, p. 43).

1 (Le) résultat que Lamarck voulait expliquer : le couplage étroit des adaptations anatomiques et des performances spécifiques.
Jacques MONOD, le Hasard et la Nécessité, p. 165.

2 Le couplage de l'homme à la machine commence à exister à partir du moment où un codage commun aux deux mémoires peut s'être découvert, afin que l'on puisse réaliser une convertibilité partielle de l'une en l'autre, pour qu'une synergie soit possible. Gilbert SIMONDON, Du mode d'existence des objets techniques, p. 124.

(1863). Techn. Assemblage (de pièces mécaniques fonctionnant ensemble).

♦ **2.** (1904, *in* D. D. L.). Réunion d'éléments, producteurs ou utilisateurs de courant électrique. ⇒ **Association, groupage.** *Couplage en parallèle, en série. Couplage par induction. Couplage d'une batterie d'accumulateurs. Couplage capacitif entre deux électrodes. Couplage de dynamos, d'alternateurs.* — Interaction de deux phénomènes physiques. *Le couplage entre deux signaux électriques.*

3 (...) un transformateur dont les enroulements sont accordés sur une certaine fréquence au moyen de capacités possède un excellent couplage entre son primaire et son secondaire pour cette fréquence.
Gilbert SIMONDON, Du mode d'existence des objets techniques, p. 132.

♦ **3.** Mar. Action d'amarrer deux bateaux, et, particult, deux péniches, bord à bord.

CONTR. Découplage.

COUPLE [kupl] n. — V. 1170, fém. ; *cople,* fin XIIᵉ ; masc. *cuple,* v. 1155 ; du lat. class. *copula* « lien, liaison, groupe de deux personnes liées par l'amitié, l'amour » ; lat. impérial « groupe de deux choses ».

★ **I. N. f.** *(Une, la couple).* ♦ **1.** Techn. Lien servant à attacher ensemble deux ou plusieurs animaux de même espèce. *Couple pour trois chevaux.* — En particulier vén. *Une couple de chiens de chasse. Les chiens ont rompu leur couple.*

1 Garrottez ce maraud : les couples de vos chiens
Vous y pourront servir, faute d'autres liens.
CORNEILLE, Clitandre, IV, 3.

♦ **2.** (V. 1230). Vx ou régional. Deux choses de même espèce, prises ou considérées ensemble, accidentellement. ⇒ **Deux.** — REM. *Couple* ne se dit pas de deux choses semblables qui vont nécessairement ensemble, comme les chaussures, les gants. → Paire.

2 La *paire* se distingue de la *couple* en ce qu'elle ne marque pas une liaison fortuite et arbitraire (...) mais la réunion constante et l'accompagnement de deux choses qui pour l'usage, vont nécessairement ensemble (...) On dit une *couple* de bœufs, quand on ne considère que le nombre, et une *paire* de bœufs destinés à unir leur force et à travailler l'un avec l'autre. LAFAYE, Dict. des synonymes, p. 476.

Une couple d'œufs. Une couple de mouchoirs. Une couple de

pigeons. Assortir par couples. ⇒ **Apparier.** *Une couple d'heures.* ⇒ **Deux.** *Une couple d'années.*

3 (...) on lui faisait une grande injustice de croire qu'un homme élevé à Paris ne sût pas vivre, et ne donnât pas plutôt une bonne couple de soufflets à des coups de plat d'épée (...) Mᵐᵉ DE SÉVIGNÉ, 464, 3 nov. 1675.

3.1 Le soir même, on envoya un télégramme à Ayrton pour le prier de ramener une couple de chèvres que Nab voulait acclimater sur les prairies du plateau.
J. VERNE, l'Île mystérieuse, t. II, p. 676.

4 Toutes les boutiques sont allumées. Les feux des réverbères naissent un à un le long de la rue : par couples, dans la montée du boulevard.
J. ROMAINS, les Hommes de bonne volonté, t. IV, XV, p. 149.

5 Il avait été convenu que je m'arrêterais à Nancy une couple de journées (...)
G. DUHAMEL, le Temps de la recherche, VII, p. 87.

★ **II. N. m.** *(Le, un couple).* ♦ **1.** a Homme et femme unis par des relations affectives, physiques. *Un couple heureux. Un couple d'amants, de concubins, de jeunes mariés. Un jeune couple, un beau couple. Un gentil petit couple. Un vieux couple. Un couple sans enfants. Couple mixte,* dont un membre est d'une race, l'autre d'une autre race. — Spécialt (dans la vie commune : mariage ou concubinage). *Vivre en couple.* ⇒ **Ménage.**

6 Jamais couple ne fut si bien assorti qu'eux :
L'un bien fait, l'autre belle, agréables tous deux.
LA FONTAINE, les Filles de Minée, Appendice, V.

7 Le bonheur d'un couple de très jeunes mariés, qui s'aiment, est un bonheur si innocent, comme tous les bonheurs qu'il n'a vraiment pas de réalité.
J. CHARDONNE, l'Amour du prochain, II, p. 31.

Par ext. Deux personnes du même sexe vivant ensemble et unies par des liens affectifs, physiques. *Un couple d'homosexuels, de lesbiennes.*

b Homme et femme réunis provisoirement (au cours d'une activité sociale, danse, réunion) ; spécialt lorsque des relations sexuelles sont possibles ou envisagées entre eux. *Ils forment un beau couple. Couple de danseurs :* cavalier* et cavalière. → Orchestre, cit. 8. *Les couples se formaient et se défaisaient.*

8 Un couple entrait dans la rotonde. C'était Mʳˢ Ormond, la jolie américaine, au bras du sémillant vicomte de Félines (...)
M. DE VOGUÉ, les Morts qui parlent, p. 64, *in* T. L. F.

8.1 Les danses s'interrompirent, les couples se dénouaient (...)
Edmond JALOUX, le Jeune homme au masque, I, p. 1.

c *Un couple de... :* deux personnes réunies par un sentiment ou un intérêt commun. ⇒ **Paire.** *Un couple d'amis. Un couple de fripons.*

9 Certain couple d'amis, en un bourg établi
Possédait quelque bien (...) LA FONTAINE, Fables, VII, 12.

10 (...) de ce couple perfide *(il s'agit de deux assassins)*
J'avais presque oublié l'attentat parricide (...) RACINE, Esther, II, 3.

d *Bateau de couple,* sur lequel chaque rameur manie un aviron de chaque main. *Couple de rameurs. Ramer en couple* (par oppos. à *en pointe).*

♦ **2.** (1789). En parlant d'animaux. Groupe de deux animaux de même espèce. *Un couple de tourterelles, de pigeons,* le mâle et la femelle. — *Un couple de bœufs :* deux bœufs réunis pour un travail (labour...).

11 De Chine sont venus les pihis longs et souples
Qui n'ont qu'une seule aile et qui volent par couples
APOLLINAIRE, Alcools, p. 10.

★ **III.** Ensemble de deux choses. ♦ **1.** Régional (au sens I). En parlant d'une durée. *Un couple d'heures :* deux heures. — Par ext. Un petit nombre. *Un couple de minutes.*

♦ **2.** (1643). Mar. a Chacun des éléments de la charpente d'un navire qui vont de la quille aux barrots de pont et auxquels le bordé est ajusté. Syn. *: membrure. Dans la construction en bois, les couples sont constitués de pièces de charpentes doubles assemblées* (accouplées) *à joints alternés. Maître*-couple.*

12 Enfin, sa coque serait construite à francs bords, c'est-à-dire que les bordages affleureraient au lieu de se superposer, et quant à sa membrure, on l'appliquerait à chaud après l'ajustement des bordages qui seraient montés sur faux couples.
J. VERNE, l'Île mystérieuse, t. I, p. 428.

13 La coque était inébranlable, et Robinson parvint tout juste à défoncer l'un des couples en pesant sur elle avec un pieu qui basculait en levier sur une bûche.
M. TOURNIER, Vendredi..., p. 36.

b À COUPLE. *Navires amarrés à couple,* bord* à bord. *Navire qui s'amarre à couple d'un autre, à couple d'un quai.*

♦ **3.** (1863). Mécan. Ensemble de deux forces parallèles égales entre elles, de sens contraire, agissant en deux points invariablement liés entre eux. *Bras de levier d'un couple. Moment* d'un couple. Couple élastique.* — (1905). *Couple moteur.*

Phys. *Couple thermoélectrique.* ⇒ **Thermocouple.** — *Un couple de clichés* (en photogrammétrie).

♦ **4.** (1903, *in* Rev. gén. des sc., nº 4, p. 221). Math. (algèbre). Être mathématique, noté (x, y), formé à partir d'un élément x d'un ensemble A et d'un élément y d'un ensemble B. *Dans un couple (x, y), x est appelé la première coordonnée du couple, et y la seconde. Les couples (x, y) constituent un ensemble : le produit** *cartésien des ensembles A et B. Couple de vecteurs, couple de demi-droites. Couple de points d'un espace affine* ⇒ **Bipoint.**

CONTR. Un.
DÉR. Complet.
COMP. Anticouple.

COUPLÉ [kuple] n. m. — 1949 ; du p. p. de *coupler* (3.) substantivé.

♦ Turf. Mode de pari mutuel où l'on parie sur deux chevaux, dans une course (→ Tiercé, plus cour.). *Couplé gagnant. Couplé placé.*

Dans le couplé gagnant, le parieur doit désigner deux chevaux comme devant être classés les deux premiers, sans être tenu de préciser l'ordre respectif de leur arrivée. Dans le couplé placé, le parieur doit désigner une combinaison de deux ou trois chevaux qui se classeront les trois premiers, sans être tenu de préciser l'ordre respectif d'arrivée des deux chevaux choisis.
                                        P. ARNOULT, les Courses de chevaux, p. 116.

COUPLEMENT [kupləmã] n. m. — 1860, in *Lexis* ; de *coupler.*

♦ Rare. Couplage ; action de coupler (3., figuré).

COUPLER [kuple] v. tr. — V. 1173, *cupler* ; XII⁰ ; du lat. *copulare* « réunir, lier ensemble », de *copula* → Couple.

♦ **1.** (1655). Vén. Attacher avec une couple*. *Chiens couplés.*

1   Nous fûmes envoyés au bagne couplés comme des chiens de chasse.
                                        ROUSSEAU, Émile, V.

♦ **2.** Vx (milit.). Loger deux personnes ensemble (Académie, 1835-1878).

♦ **3.** Assembler deux à deux. ⇒ **Accoupler.** *Coupler des roues de wagon. Coupler deux moteurs en parallèle, en série.* — Mar. *Coupler deux bateaux, deux péniches* (⇒ **Couplage**). — Au p. p. *Roues couplées. Bielles couplées. Machines couplées. Forces couplées.*

Fig. Grouper (deux personnes selon leur activité, deux choses abstraites). *Coupler une chose avec une autre, à une autre, coupler deux choses.*

2   (...) la vie maintient plus ou moins mêlées entre elles les deux tendances contradictoires à la raison : elle nous force à admettre des états à double visage, scandales pour la logique, couplant le sadisme au masochisme, la timidité à l'orgueil.   MOUNIER, Traité du caractère, 1946, p. 65, *in* T. L. F.

♦ **4.** Techn. Réunir. *Coupler des pièces de linge,* les attacher par une couture pour les donner au blanchissage. — *Coupler un train de bois,* en assembler les parties.

CONTR. Découper. — Isoler.
DÉR. Couplage, couplé, couplement, coupleur.
COMP. Accoupler, découpler, désaccoupler.

COUPLET [kuplɛ] n. m. — Fin XIII⁰ ; de l'anc. franç. *couple* « couplet » ; « couplet de chanson », au XVI⁰, est repris au provençal *cobla* « couple de vers ».

★ **I.** (1340). Techn. Ensemble formé par deux pièces métalliques accouplées par des charnières, des rivures. ⇒ **Patte** (de fer).

★ **II.** ♦ **1.** (V. 1360). Cour. Chacune des parties composant une chanson, comprenant généralement un même nombre de vers et se terminant par un refrain (⇒ **Stance, strophe**). *Chanson de deux, trois couplets. Le premier couplet. Couplet de trois vers* (⇒ **Tercet**), *de quatre vers* (⇒ **Quatrain**). *Couplet carré :* couplet de huit vers de huit syllabes chacun. *Couplet de facture.* ⇒ **Facture.**

— Oui, trois couplets, c'est un peu court. Le poème m'est venu comme ça. Dommage... Non, parce que c'est une espèce de petit chef-d'œuvre.
                                        J. ROMAINS, les Hommes de bonne volonté, t. V, XXI, p. 169.
Passage chanté d'un vaudeville. *Vaudeville à couplets.*

Par ext. Au pluriel. ⇒ **Chanson.** *Faire des couplets satiriques. Des couplets de circonstance.*

Littér. Dans les chansons de geste, Suite de vers sur une même rime. *Couplets monorimes.*

♦ **2.** (1501). Vx. ⇒ **Tirade.** *Couplet lyrique.* ⇒ **Monodie.** *« Un trop long couplet est une tartine »* (l'Observateur des Modes, 1823, *in* T. L. F.).

♦ **3.** Par métaphore. Propos répétés, ressassés. *Y aller de son couplet sur l'union sacrée. L'orateur a ressorti son couplet sur...* ⇒ **Chanson, refrain.**

DÉR. (De l'anc. franç. *couplete* « groupe de deux vers ») Coupleter, coupletier.

COUPLETER [kuplete] v. tr. — Conjug. *jeter.* — 1712 ; attestation isolée, v. 1360 ; de l'anc. franç. *couplete* « groupe de deux vers ». → Couplet.

♦ Vx. Faire une chanson contre (qqn). ⇒ **Chansonner.**

COUPLETIER [kuplətje] n. m. — 1778 ; de l'anc. franç. *couplete* « groupe de deux vers ».

♦ Vx. Chansonnier, vaudevilliste.

COUPLEUR [kuplœR] n. m. — 1890 ; de *coupler.*

♦ **1.** Techn. Dispositif d'accouplement, de couplage.

♦ **2.** Inform. « Élément logique au niveau d'une interface d'un système informatique, permettant de transformer un code en un autre accessible à l'ordinateur central » (la Clé des mots, C. I. L. F., 1974).

COUPOIR [kupwaR] n. m. — 1690, Furetière ; de *couper.*

♦ Techn. Outil* servant à couper* des corps durs. *Coupoir pour couper le métal, le carton.*

1. COUPOLE [kupɔl] n. f. — 1875 ; altération de *coupelle.*

♦ Techn. Petite tasse utilisée pour la dégustation des vins. ⇒ **Tâte-vin.**

HOM. 2. Coupole.

2. COUPOLE [kupɔl] n. f. — 1666 ; ital. *cupola,* du lat. *cupula* « petite cuve ».

♦ **1.** Voûte sphérique (d'un dôme surmontant un édifice). ⇒ **Dôme.** *L'arc d'une coupole. Coupole hémisphérique, en bulbe*. Église romane à coupoles,* couverte par une série de coupoles (et non par une nef). *Coupole à pendentifs*, à trompes*. La coupole de Saint-Pierre de Rome. La coupole du Panthéon. Bâtiment surmonté d'une coupole.* ⇒ **Observatoire, rotonde.** *La lanterne* d'une coupole.*

Cette capitale, justement nommée par ses poètes Moscou aux coupoles dorées.   1
                                        Ph. P. SÉGUR, Hist. de Napoléon, VIII, 1.
(...) l'une après l'autre, les grandes mosquées passèrent avec leurs amas de coupo-   2
les pâlement grises dans le ciel encore hivernal (...)
                                        LOTI, les Désenchantées, V, p. 67.
La silhouette de l'édifice offrait une grande simplicité : une assez vaste coupole,   3
d'un dessin très pur, posée sur un bâtiment quadrilatère d'un seul étage, tout fait
de lignes horizontales, et raccordée à lui par deux bases en gradins.
                                        J. ROMAINS, les Hommes de bonne volonté, t. V, XXVII, p. 285.
J'ai appris à distinguer le roman poitevin du périgourdin et en reconnaître les   3.1
variantes saintongeaises et angoumoises ; j'ai noté la différence entre les coupoles
à pendentifs et les coupoles à trompes (...)
                                        S. DE BEAUVOIR, Tout compte fait, p. 257.

La coupole de l'Institut. — Absolt. *La Coupole :* l'Institut de France. *Être reçu sous la Coupole :* être reçu à l'Académie française.

En pénétrant sous la Coupole, bondée, murmurante, j'ai l'impression, vite dissipée,   3.2
d'entrer dans un cirque.   Claude MAURIAC, le Temps immobile, p. 130.

Astron. *La coupole d'un observatoire*.*

Fig. (vx, littér.). *La coupole du ciel.* ⇒ **Voûte.**

Les premiers objets qui s'offrirent à sa vue furent la vaste coupole d'un ciel bleu.   4
                                        CHATEAUBRIAND, les Natchez, II, p. 103.

♦ **2.** Milit. Tourelle* cuirassée de forme cylindrique et surmontée d'une calotte sphérique. *Coupole cuirassée, mobile sur son axe. Coupole abritant un canon.* Fortif. *Casemate* (cit.) *surmontée d'une coupole.*

(1890). *Coupole d'un sous-marin.*

Techn. Partie supérieure de la lanterne (d'un phare).

♦ **3.** Anat. *Coupole diaphragmatique :* concavité de la face intérieure du diaphragme.

♦ **4.** *En coupole :* en forme hémisphérique. — Par comparaison :

(Les seins) fermes comme deux coupoles en mousse plastique et de proportions   5
agréables, ils sont à peine plus pâles que le reste du corps, leur aréole légèrement
bombée.   A. ROBBE-GRILLET, Projet pour une révolution à New York, p. 10.

HOM. 1. Coupole.

COUPON [kupɔ̃] n. m. — V. 1223 ; de *couper,* et *-on.*

♦ **1.** (1466). *Coupon d'étoffe :* ce qui reste d'une pièce d'étoffe qu'on a débitée. *Coupons en solde. Marchand de coupons.* ⇒ **Assortisseur,** I. *Utiliser de vieux coupons.* — Pièce d'étoffe roulée.

(...) pour lui — et l'étudiant pouvait voir cela, aussi bien que s'il s'était trouvé dans   0.1
le magasin, à respirer la subtile puanteur s'exhalant des coupons d'étoffes roulés
sur les minces planchettes qui s'entassaient sur les rayons (...)
                                        Claude SIMON, le Palace, 10/18, p. 39.

♦ **2.** (1718). Fin. Feuillet que l'on détache d'un titre et sur la présentation duquel l'établissement émetteur paye les intérêts, les dividendes, les arrérages de ce titre. *Coupon de rente, d'action. Les coupons des rentiers.* ⇒ **Salaire,** cit. 3. *Payer le coupon. Regarnir de coupons un titre.* ⇒ **Recouponner.** *Toucher, vendre ses coupons.*

Les titres au porteur qui produisent des intérêts, des dividendes, ou des arrérages   1

sont accompagnés d'une feuille de *coupons*, qui seront détachés à l'échéance de chacune de ces prestations (...)
　　　　　　　　Léon LACOUR, *Droit commercial*, p. 389 (éd. Dalloz).

2　Dans le sous-sol, des femmes seules, qui avaient au doigt une alliance, des couples de petits rentiers ou de retraités, assis à des tables étroites, détachaient des coupons.　　J. ROMAINS, *les Hommes de bonne volonté*, t. VIII, p. 89.
Négocier un titre, coupon attaché ou coupon détaché (ex-coupon).

◆ **3.** Carte correspondant à l'acquittement d'un droit. *Coupon de théâtre.* ⇒ **Billet, ticket.** *Coupon de loge. Coupon donnant droit à une couchette*, dans un train de voyageurs. — *Coupon magnétique :* ticket magnétisé accompagnant une carte à vue (transports en commun). *Coupons mensuels d'une carte orange.*

(1911). *Coupon réponse* ou *coupon-réponse*, permettant d'envoyer gratuitement une réponse, ou d'obtenir un timbre. *Coupon réponse international. Vente de livres par coupons-réponses.* ⇒ **Couponnage.**

◆ **4.** Régional (Belgique). Vx. Billet de chemin de fer.

2.1　Son mari l'accompagna à la gare. Au moment de prendre son coupon, elle se tourna vers lui : « Dois-je demander un billet de retour ? »
　　　　　　　　H. KRAINS, *le Pain noir*, V (1904).

DÉR. Couponnage.

COUPONNAGE [kupɔnaʒ] n. m. — D. i. (xxᵉ) ; de *coupon*, par un verbe initial *couponner*.

◆ **1.** Le fait de détacher les coupons d'un titre.
Mme Rezeau, se privant des plaisirs du tripotage comme du couponnage, était allée sur-le-champ louer un coffre à la B.N.P.
　　　　　　　　Hervé BAZIN, *Cri de la chouette*, 1972, p. 232.

◆ **2.** (Adapt. angl. *couponing*). Publ. Technique de vente par correspondance au moyen de coupons-réponses — REM. On emploie fréquemment l'anglicisme *couponing* [kupɔniŋ].

COUPURE [kupyʀ] n. f. — 1850 ; *coupeure*, 1393 ; *copeure*, 1279 ; de *couper*, et suff. *-ure*.

A. (Action de couper). ◆ **1.** Séparation, division faite par un instrument tranchant. *Coupure dans une étoffe.* ⇒ **Coupe ; échancrure ; déchirure.**

◆ **2.** Blessure faite par un instrument tranchant. *Coupure au doigt, au visage.* ⇒ **Balafre, entaille, estafilade, incision, taillade.** *Se faire une profonde coupure.* ⇒ **Couper** (se). *Coupure faite avec un couteau, une lame de rasoir.*

1　(...) il se faisait des coupures aux mains en taillant son crayon (...)
　　　　　　　　FRANCE, *le Petit Pierre*, XXXII, p. 230.
2　Et, ce jour-là, exempt de service, à cause d'une légère coupure à la lèvre qui l'empêchait de sonner, il était descendu en ville (...)
　　　　　　　　P. MAC ORLAN, *la Bandera*, XIII, p. 150.

Par anal. Sensation analogue à celle d'une coupure. *Les coupures du froid, du vent.*

◆ **3.** Ouverture, naturelle ou artificielle (crevasse, fossé), qui sépare, fait obstacle. ⇒ **Brèche, fossé.** Géol. Fracture géologique. ⇒ **Brèche, cluse, combe, excavation, fente.**

◆ **4.** Fossé pratiqué pour permettre l'écoulement des eaux. ⇒ **Canal, rigole.** *Saigner un marais par des coupures.*

◆ **5.** Fig. Séparation nette, brutale. ⇒ **Cassure, fossé, séparation.**
2.1　(...) il sentit le plus intensément la coupure entre son passé et l'avenir.
　　　　　　　　MARTIN DU GARD, *les Thibault*, t. VIII, p. 20.

◆ **6.** (1905, in *Rev. gén. des sc.*, nᵒ 12, p. 576). Math. (alg.). Partition de l'ensemble des nombres rationnels en deux classes disjointes permettant de définir un nombre rationnel ou irrationnel. *La coupure entre les nombres rationnels positifs dont le carré est inférieur ou supérieur à 3 définit le nombre irrationnel : racine carrée de 3.*

◆ **7.** (1580). Suppression d'une partie (d'un ouvrage, d'une pièce de théâtre, d'un film). ⇒ **Censure, suppression.** *Faire des coupures dans le rôle de qqn.*
3　(...) peut-être quelques coupures au second acte seraient-elles nécessaires pour arriver moins lentement à l'action.
　　　　　　　　SAINTE-BEUVE, *Correspondance*, 174, 26 juin 1831, t. I, p. 240.
4　(...) il ajusterait nos rôles, ferait les coupures et les additions nécessaires (...)
　　　　　　　　Th. GAUTIER, *le Capitaine Fracasse*, t. I, p. 57.

B. Par métonymie. Ce qui est coupé, découpé.

◆ **1.** *Coupures de journaux :* articles découpés dans un journal en vue de les conserver ou de les reproduire. *Coupures de journaux réunies en un album.* ⇒ **Press-book.**
5　Je vous ai suivi partout autour de la terre, et j'ai des albums pleins de coupures de journaux qui parlaient de vous ; j'en ai entendu dire beaucoup de mal que je n'ai pas cru.　　LOTI, *les Désenchantées*, XIX, p. 136.

◆ **2.** *Coupure de :* interruption dans la distribution de (le complément désigne l'eau, le gaz ou l'électricité). *Coupure de courant. Il y*

---

aura une coupure de quatre heures à cinq heures. Coupure de courant aux heures de pointe.

◆ **3.** Fam. *Connaître la coupure*, l'expédient. — Argot. Excuse, alibi.

◆ **4.** Pop. *Coupure ! :* ça va bien, ça va comme ça, ça suffit !
CONTR. Cicatrice. — Couture. — Addition. — Unité. — Continuité.

1. COUQUE [kuk] n. f. — 1790 ; terme wallon et picard, empr. au néerl. *koek* « gâteau, pain d'épice ».
Régional (Nord, Belgique).

◆ **1.** Pâtisserie flamande briochée ou feuilletée.

◆ **2.** Pain d'épice. *Couque de Dinant.*

(...) une tradition qui voulait que les novices aillent, avant l'office pontifical de minuit, distribuer aux pauvres des faubourgs de Bruges une couque, un pain d'épice.　　Gilles BORGEAUD, *le Voyage à l'étranger*, II, p. 140.

2. COUQUE [kuk] n. m. — 1818 ; adaptation de l'angl. *cook* « cuisinier ». → Cook.

◆ Régional (Canada) et vieilli. Anglicisme. Cuisinier (sur un navire, dans une communauté). ⇒ **Coq.**

COUR [kuʀ] n. f. — V. 1352 ; *court*, déb. XIVᵉ ; *curt, cort*, Xᵉ (sens I et II), du bas lat. *curtis* « cour de ferme », du lat. class. *cohors, cohortis* « cour de ferme » et par ext. « division du camp ». → Cohorte.

★ **I.** ◆ **1.** Espace découvert, clos de murs ou de bâtiments et dépendant d'une habitation. *Cour principale. — Cour d'honneur* (cit. 88) *d'un château, d'un hôtel, d'un collège ; cour située devant l'entrée principale.* ⇒ **Avant-cour.** *Cour intérieure dallée d'une maison.* ⇒ **Patio.** *Cour d'un monastère.* ⇒ **Cloître.** *Cour intérieure d'une maison romaine.* ⇒ **Atrium, aula.** *Au fond de la cour. Cour de service.* ⇒ **Arrière-cour.** *Maison bâtie entre cour et jardin. Chambre donnant sur la cour.* — Théâtre. *Côté cour*, opposé au *côté jardin.* ⇒ **Côté.** *Cour sombre, obscure ; cimentée, pavée, sablée, gazonneuse. — Cour d'une école. Les élèves jouent dans la cour. Surveiller la cour de récréation. Cour couverte d'une école.* ⇒ **Préau.**

1　Les classes venaient de finir ; les externes étaient sortis, les autres s'amusaient dans une cour éloignée.　　LOTI, *Matelot*, III, p. 10.
2　De ma chambre, la vue n'était ni belle ni étendue ; elle donnait sur une cour de service.　　FRANCE, *le Petit Pierre*, XXXV, p. 249.
3　Dès la dernière phrase d'Honoré, Jerphanion glisse entre les bancs, atteint agilement la porte, le bout du couloir, la cour, le portail, comme s'il traversait des lieux pleins de vapeur dangereuse, et attendait d'être dehors pour respirer.
　　　　　　　　J. ROMAINS, *les Hommes de bonne volonté*, t. IV, XV, p. 149.
4　Il fréquentait chez un petit marchand de vin, au fond d'une cour pleine d'ombre et qui sentait le chais, non loin de la place de la Cebada.
　　　　　　　　P. MAC ORLAN, *la Bandera*, XX, p. 245.

◆ **2.** *Cour de ferme :* terrain situé près des (ou entre les) bâtiments. ⇒ **Basse-cour, 1. pailler.**

◆ **3.** Ancienn. À Paris, rue en cul-de-sac. *La cour des Fermes.* — Loc. *La Cour des Miracles :* quartier des truands et des malandrins, ainsi appelée parce que les infirmités des mendiants de ce quartier disparaissaient comme par miracle dès qu'ils avaient regagné leur repaire.

5　Il était en effet dans cette redoutable Cour des Miracles, où jamais honnête homme n'avait pénétré à pareille heure ; cercle magique où les officiers du Châtelet (...) qui s'y aventuraient disparaissaient en miettes ; cité des voleurs, hideuse verrue à la face de Paris (...) ce ruisseau de vices, de mendicité, de vagabondage (...) ruche monstrueuse (...) hôpital menteur (...) C'était une vaste place, irrégulière et mal pavée (...) C'était comme un nouveau monde, inconnu, inouï, difforme, reptile, fourmillant, fantastique.　　HUGO, *Notre-Dame de Paris*, I, II, VI.

Une cour des Miracles : un lieu mal famé, peuplé de mendiants, de voleurs. — Par métonymie. Groupe de mendiants. *C'est une vraie cour des Miracles.* ⇒ **Repaire.**

6　(...) j'ai fait des études de mœurs que peu de gens ont pu faire, dans les *cours des miracles* et les *tapis-francs* des Juifs de la Turquie.
　　　　　　　　LOTI, *Aziyadé*, Salonique, XIIII, p. 20.

◆ **4.** (Belgique). Fam. Toilettes (souvent situées au fond de la cour). *Aller à la cour.*

★ **II.** (XIIIᵉ, *cort* ; du bas lat. *curtis*). Hist. féod. Ferme, exploitation agricole. — Territoire d'un prince *(curia).*

★ **III.** (V. 1100, *curt*). Domaine (d'un prince, d'un souverain).

◆ **1.** Résidence du souverain et de son entourage. *Aller à la cour. Vivre à la cour. La noblesse de cour*, par oppos. à *la noblesse provinciale :* la noblesse qui vivait près du souverain.

7　Mes yeux sont trop blessés, et la cour et la ville (...)
Ne m'offrent rien qu'objets à m'échauffer la bile (...)
　　　　　　　　MOLIÈRE, *le Misanthrope*, I, 1.
8　Qu'après plus de six mois que je t'avais perdu,
À la cour de Pyrrhus tu me serais rendu ?　　RACINE, *Andromaque*, I, 1.
9　(...) ce siècle (*le XVIIIᵉ*)... qui aura vu, en France, la haine de la noblesse de cour et de la noblesse provinciale s'éteindre au profit de la haine de l'une et de l'autre pour tout ce qui n'est pas noble (...)
　　　　　　　　Julien BENDA, *la Trahison des clercs*, I, p. 99.

♦ 2. L'entourage du souverain (⇒ **Courtisan**). *La cour de Louis XIV. Gens de cour. Dame d'honneur à la cour. Dame de la cour de la reine. Intrigue de cour. La cour a suivi le roi. Toute la cour assistait à la cérémonie. Étiquette de cour. Le ton, l'air* (→ Air, cit. 24 à 26), *l'esprit de la cour.* — *Les petites cours :* les cours des princes. *La cour du duc d'Artois.*

(Au XVIIe). Les manières, le milieu de Versailles. *La cour et la ville* (Paris). *Savoir la cour :* être au fait des manières de la cour. *Page* de cour. Habit, robe, manteau de cour,* prescrit par l'étiquette de la cour.

10 Je définis la Cour un pays où les gens,
Tristes, gais, prêts à tout, à tout indifférents,
Sont ce qu'il plaît au Prince, ou, s'ils ne peuvent l'être,
Tâchent au moins de le paraître,
Peuple caméléon, peuple singe du maître (...)   LA FONTAINE, Fables, VIII, p. 14.

11 Vous êtes peu du monde et savez mal la cour (...)
                                        CORNEILLE, Nicomède, III, 5.

12 La ville n'a pas été de l'avis de la cour (...)
                                        LA BRUYÈRE, les Caractères, XV, 5.

13 Deux sortes de gens fleurissent dans les cours, et y dominent dans divers temps, les libertins et les hypocrites : ceux-là gaiement, ouvertement (...) ceux-ci finement, par des artifices (...)   LA BRUYÈRE, les Caractères, XVI, 26.

14 (...) il *(le roi)* vivait au milieu d'un entourage appelé la cour, d'un nom populaire qui désignait à la fois la maison et le domaine.
                                        Ch. SEIGNOBOS, Hist. sincère de la nation franç., IV.

Loc. *De l'eau bénite de cour.* ⇒ **Bénir** (supra cit. 26). *Ami de cour.* ⇒ **Ami.** — *Abbé de cour,* se dit en mauvaise part d'un ecclésiastique mondain.

14.1 (...) l'idée a dû être caressée par un joli petit abbé de cour.
                                        Th. GAUTIER, Constantinople, p. 26.

Homme de cour, en parlant de qqn qui affecte la flatterie, le goût de l'intrigue.

Par anal. *La cour céleste :* le ciel, Dieu, les anges. ⇒ **Paradis.**

Loc. *La cour du roi Pétaud,* allus. à l'époque où les mendiants se nommaient un roi (lat. *peto :* je demande), qui n'avait guère d'autorité sur ses sujets. L'expression *c'est la cour du roi Pétaud* se dit d'une maison, d'une assemblée où chacun veut commander, veut parler à la fois. ⇒ **Pétaudière ; confusion, désordre.**

15 On n'y respecte rien, chacun y parle haut,
Et c'est tout justement la cour du roi Pétaud(d).   MOLIÈRE, Tartuffe, I.

♦ 3. Le souverain et ses ministres. *Recevoir un ordre de la cour.* Loc. *Être bien en cour :* avoir la faveur du roi, et au fig., être estimé, être bien introduit auprès de quelqu'un.

♦ 4. (Politique extérieure). Le gouvernement du souverain, dans ses relations diplomatiques avec les autres gouvernements. *Correspondre avec la cour d'Angleterre.*

16 Bonaparte, désirant alors fonder sa puissance sur la première base de la société, venait de faire des arrangements avec la cour de Rome.
                                        CHATEAUBRIAND, Mémoires d'outre-tombe, t. II, p. 202.

♦ 5. Loc. **FAIRE LA COUR À...** : présenter ses hommages (au souverain). ⇒ **Courtiser ; courtisan.** — (1539). *Faire la cour, sa cour à qqn,* chercher à obtenir ses faveurs.

17 Quand, dans un royaume, il y a plus d'avantage à faire sa cour, qu'à faire son devoir, tout est perdu.   MONTESQUIEU, Cahiers, p. 112.

♦ 6. (1690). Cercle de personnes empressées (autour de qqn) en vue d'obtenir des faveurs. *Femme qui a une cour d'admirateurs.* ⇒ **Cercle, cortège, suite.** *La cour d'un homme important, riche, puissant. Tenir sa cour :* réunir autour de soi une cour d'admirateurs. *Il réunit toute une cour autour de lui.*

18 Ils abordèrent un rivage
Où la fille du dieu du jour,
Circé, tenait alors sa cour.   LA FONTAINE, Fables, XII, 1.

19 Elle l'avait trouvé *(Talleyrand)* à Paris paré de l'auréole que tout un monde, gouvernants et opposants, mettait autour de l'homme, entouré d'une vraie petite cour dans son hôtel princier et considéré comme l'oracle de son temps.
                                        Louis MADELIN, Talleyrand, XXXIV, p. 372.

♦ 7. (1651). Loc. *Faire la cour à une femme,* lui manifester son admiration, se montrer assidu, attentif, courtois, galant auprès d'elle en vue de lui plaire (→ Fleurette : conter fleurette). *Faire une cour respectueuse, timide, discrète, déclarée, assidue. Faire un brin* (1843), *un doigt de cour.* ⇒ **Galanterie.**

20 (...) il était allé faire à l'Aurore sa cour
Parmi le thym et la rosée.   LA FONTAINE, Fables, VII, 16.

21 Un amant fait sa cour où s'attache son cœur ;
Il veut de tout le monde y gagner la faveur ;
Et, pour n'avoir personne à sa flamme contraire,
Jusqu'au chien du logis il s'efforce de plaire.
                                        MOLIÈRE, les Femmes savantes, I, 4.

22 Souvent un homme d'esprit en faisant la cour à une femme n'a fait que la faire penser à l'amour, et attendrir son âme (...)   STENDHAL, De l'amour.

23 (...) il me fit la cour, une cour timide et profondément tendre (...)
                                        MAUPASSANT, Clair de lune, p. 151.

24 L'ensemble des cérémonies, manèges et jeux par lesquels les amants cherchent à plaire se nomme la cour.   A. MAUROIS, Un art de vivre, II, 4, p. 66.

24.1 Elle était jolie, ce soir, et il la trouvait romanesque, dans son tailleur austère. Si elle n'avait pas été une vieille amie (...) il lui aurait volontiers fait un doigt de cour.   S. DE BEAUVOIR, les Mandarins, p. 17.

★ IV. (Déb. XIIe, *curt*). Par ext. **♦ 1.** Hist. À l'époque féodale, Assem-

blée d'ecclésiastiques et de laïques, vassaux du roi, chargée d'examiner les questions importantes du gouvernement royal. ⇒ **Assemblée ; conseil** (du roi), **parlement.** *La cour du roi. Le roi sollicitait l'aide et les conseils de sa cour. Attributions politiques de la cour du roi. Cour de parlement :* section judiciaire de la cour du roi. *Les arrêts de la cour* (→ Article, cit. 19). — *Cour plénière :* réunion de tous les vassaux du roi. — *Cour des pairs :* assemblée comprenant six ecclésiastiques et six laïques, ducs et comtes, et chargée de juger les pairs de France.

25 La cour du roi se réunit d'ordinaire aux grandes fêtes religieuses, dans la ville où le roi séjourne à ce moment. Sa réunion, accompagnée de festins et de réjouissances, assure d'abord un contact personnel et cordial entre le roi et ses vassaux. Puis la cour participe à la besogne du roi en délibérant solennellement sous sa présidence.   OLIVIER-MARTIN, Précis d'hist. du droit franç., p. 157.

26 À ses débuts, la cour du roi n'a pas d'organisation fixe (...) La composition courante présentait des garanties suffisantes pour les justiciables ordinaires. Par contre, douze vassaux privilégiés, les douze pairs de France, ne peuvent être jugés par elle que si elle est garnie d'un nombre suffisant de leurs pairs et devient ainsi la Cour des pairs.   OLIVIER-MARTIN, Précis d'hist. du droit franç., p. 161.

Tribunal de la Cour d'Allemagne. ⇒ **Aulique.** — (Fin XIIIe). *Cour d'amour :* société provençale de personnes des deux sexes qui traitait et jugeait des questions de galanterie.

27 Il y a eu des cours d'amour en France, de l'an 1150 à l'an 1200. Voilà ce qui est prouvé. Probablement l'existence des cours d'amour remonte à une époque beaucoup plus reculée. Les dames réunies dans les cours d'amour rendaient des arrêts soit sur des questions de droit, par exemple : L'amour peut-il exister entre gens mariés? (...)   STENDHAL, De l'amour, Appendice, p. 336.

28 Il est probable que six mois dans une cour d'amour, six mois de conversations subtiles et de sonnets à la Pétrarque, six mois de raffinement provençal et de sublimation des instincts auraient agi autrement (...)
                                        J. ROMAINS, les Hommes de bonne volonté, t. IV, VII, p. 71.

Cour des aides. ⇒ **Aide.** — *Cour laye* ou *cour laïque,* par oppos. à *cour d'église.* — *Cour des monnaies*.*

♦ 2. Mod. Tribunal d'un ordre supérieur. ⇒ **Tribunal.** *La cour est composée de magistrats exerçant un pouvoir de justice. Cour souveraine,* qui juge sans appel. *Cour prévôtale* (sous l'Ancien Régime et pendant la Restauration).

COUR D'APPEL : juridiction permanente du second degré, comprenant une ou plusieurs chambres, composées d'un Premier Président, de Présidents de chambres et de juges, et chargée de juger les appels formés contre les décisions rendues par les juridictions immédiatement inférieures. *Juge à la cour d'appel.* ⇒ **Conseiller.** *Avocat à la cour d'appel de...*

Cour d'assises. ⇒ **Assise.**

Cour de cassation. ⇒ **Cassation.**

(XIIIe). Par métonymie. Ensemble des magistrats qui rendent la justice dans un tribunal. *Faire partie de la cour. Procureur de la cour. Messieurs, la Cour!,* expression par laquelle on annonce l'entrée des magistrats dans l'enceinte du tribunal.

(1830). **COUR DES COMPTES** : corps administratif chargé de contrôler, après l'expiration de la période budgétaire, l'observation des règles de la comptabilité publique dans l'exécution des budgets. *Les arrêts de la Cour des comptes sont susceptibles de recours en cassation devant le Conseil d'État. Conseiller maître, conseiller référendaire, auditeur à la Cour des comptes.*

Cour de discipline. ⇒ **Discipline** (chambre de discipline).

Cour criminelle. ⇒ **Criminel.**

Cour de sûreté* de l'État.

Milit. *Cour martiale.* ⇒ **Martial.**

Haute cour de justice, haute* cour.

Dr. internat. *Cour permanente de justice internationale :* juridiction internationale, créée en 1919 et chargée de contrôler la signature de tous les traités, de donner des avis consultatifs à la S. D. N. *La Cour permanente de justice internationale, supprimée en 1945, a été remplacée par la Cour internationale de justice.*

Cour permanente d'arbitrage, créée par l'acte de La Haye du 29 juillet 1899.

CONTR. Jardin. — Ville.
DÉR. Courette. — Courtil, courtois.
COMP. Arrière-cour, avant-cour, basse-cour.
HOM. Courre, cours, court ; formes du v. **courir.**

COURABLE [kuʀabl] adj. — Mil. XIIIe, «qui court» ; de *courir.*

♦ 1. (1561). Vén. Qui peut être couru, chassé à courre (d'un animal).

♦ 2. Sports. Qu'on peut courir (course, distance).

COURAGE [kuʀaʒ] n. m. — XIIIe ; *curage,* 1050, aussi var. *corage, couraige, chorrage* ; de *cur, cor, cuer...,* var. anc. de *cœur,* et *-age.*

♦ 1. Vx. Force morale ; disposition du «cœur». ⇒ **Cœur, passion, sentiment.** *Un faible courage.* — *Homme de courage,* honnête, fidèle à sa morale.

1 (...) que les travaux,
Les dangers, les soins du voyage,
Changent un peu votre courage.   LA FONTAINE, Fables, IX, 2.

2 Détrompez son erreur, fléchissez son courage.   RACINE, Phèdre, I, 5.

Par métonymie. Personne considérée comme le siège des passions. *Enflammer les courages.*

♦ **2.** Littér. Ardeur, énergie dans une entreprise. ⇒ **Ardeur, énergie, volonté, zèle.** *Avoir du courage à l'étude. Entreprendre qqch. avec courage.* ⇒ **Constance, patience, persévérance.** *Se mettre à qqch. de tout son courage. Donner, redonner du courage à qqn,* encourager, remonter le moral (fam.). — *Perdre courage :* abandonner, céder.

3 Je ne sais pas l'endroit ; mais un peu de courage
   Vous le fera trouver, vous en viendrez à bout.   LA FONTAINE, *Fables*, v, 9.

4 Je me sentis plein de courage contre les plaisirs.   FÉNELON, *Télémaque*, II.

5 (...) du courage. Je n'en ai guère, mais je fais comme si j'en avais, ce qui
   revient peut-être au même.   FLAUBERT, *Correspondance*, t. IV, p. 19.

Par métonymie. Personne, considérée dans sa détermination, son ardeur. ⇒ **Cœur, force.**

5.1 Pour orienter les esprits et les courages vers la continuation de la guerre.
     Ch. DE GAULLE, *Mémoires de guerre*, t. I, p. 45.

♦ **3.** Mod. et cour. Fermeté, force d'âme devant le danger, la souffrance physique ou morale. ⇒ **Bravoure, cran, énergie, fermeté, force, résolution, stoïcisme, valeur.** — *Courage physique :* qualité qui se manifeste devant un danger matériel par l'absence de retenue, le fait d'assumer le risque. *Combattre, se battre avec courage.* ⇒ **Héroïsme, vaillance.** *Un courage téméraire.* ⇒ **Audace, furie, hardiesse, impétuosité, intrépidité, témérité.** *Faire preuve d'un grand courage, d'un courage éclatant. Courage héroïque.*

6 La parfaite valeur et la poltronnerie complète sont deux extrémités où l'on arrive
   rarement (...) Il y a des hommes qui s'exposent volontiers au commencement d'une
   action, et qui se relâchent et se rebutent aisément par sa durée ; il y en a qui sont
   contents quand ils ont satisfait à l'honneur du monde, et qui font fort peu de choses au-delà. On en voit qui ne sont pas toujours également maîtres de leur peur ;
   d'autres se laissent quelquefois entraîner à des terreurs générales ; d'autres vont
   à la charge, parce qu'ils n'osent demeurer dans leurs postes. Il s'en trouve à qui
   l'habitude des moindres périls affermit le courage, et les prépare à s'exposer à de
   plus grands. Il y en a qui sont braves à coups d'épée, et qui craignent les coups
   de mousquet ; d'autres sont assurés aux coups de mousquet, et appréhendent de se
   battre à coups d'épée. Tous ces courages, de différentes espèces, conviennent en
   ce que, la nuit augmentant la crainte et cachant les bonnes et les mauvaises
   actions, elle donne la liberté de se ménager.   LA ROCHEFOUCAULD, *Maximes*, 215.

7 L'inégalité que l'on remarque dans le courage d'un nombre infini de vaillants hommes vient de ce que la mort se découvre différemment à leur imagination, et y
   paraît plus présente en un temps qu'en un autre : ainsi il arrive qu'après avoir
   méprisé ce qu'ils ne connaissent pas, ils craignent enfin ce qu'ils connaissent.
   LA ROCHEFOUCAULD, *Maximes*, 504.

8 C'est une grande question de savoir si la civilisation n'affaiblit pas chez les hommes le courage en même temps que la férocité.
   FRANCE, *l'Anneau d'améthyste*, Œ., t. XII, p. 228.

9 Le courage nourrit les guerres, mais c'est la peur qui les fait naître.
   ALAIN, *Propos*, p. 206.

10 Que n'ai-je, comme vous, ce tranquille courage,
    Si froid dans le danger, si calme dans l'orage.   VOLTAIRE, *Ad. du Guescl.*, II, 1.

11 (...) le vrai courage, sans colère et sans haine, celui qui, pour s'ébranler, n'attend
    pas le coup de fouet venimeux de la frénésie, celui qui jamais ne ressemble à la
    peur, car courage n'est pas rage.   G. DUHAMEL, *Chronique des Pasquier*, I, I, IX.

11.1 Le courage est un état de calme et de tranquillité en présence du danger, état
      rigoureusement pareil à celui où se trouve quand il n'y a pas de danger. Il
      résulte de cette définition, au moins provisoire, que le courage peut être acquis par
      deux moyens : 1., en éloignant le danger ; 2., en éloignant la notion du danger.
      A. JARRY, *Spéculations*, Œ. compl., t. VI, p. 301-302.

11.2 Mon courage, c'est une affaire pour moi tout seul. Pas besoin de témoin. Ça se
      verra bien sur ma figure, quand j'aurai quatre-vingts ans, que j'aurai eu du cou-
      rage, le courage sans quoi il n'y a rien dans le monde, que des mots.
      DRIEU LA ROCHELLE, *la Comédie de Charleroi*, p. 312-313.

11.3 J'avais répondu autrefois à Saint-Exupéry, qui me demandait ce que je pensais
      du courage, qu'il me semblait une conséquence curieuse et banale du sentiment
      d'invulnérabilité. Ce que Saint-Ex avait approuvé, non sans amusement.
      MALRAUX, *Antimémoires*, Folio, p. 223.

Courage moral : qualité de force, de résistance, qui se manifeste devant une situation morale pénible, difficile. ⇒ **Constance, énergie, force** (d'âme). *Un courage inébranlable. Donner du courage à qqn. Accroître, animer, augmenter, exciter, ranimer, rehausser, relever, réveiller, soutenir le courage de qqn.* ⇒ **Affermir, encourager ; conforter, réconforter, remonter** (fam.), **regonfler** (fam.). → *Péril,* cit. 2. *Rendre à qqn son courage. Son courage s'amollit, s'évanouit, disparaît. Perdre courage.* ⇒ **Abandonner** (s'), **céder, mollir.** *Briser le courage de qqn.* ⇒ **Affaiblir, décourager ; couper** (bras et jambes). *Cela lui a fait perdre courage. Le courage lui manque. Manquer de courage. S'armer de courage pour affronter une épreuve.* ⇒ **Contenance** (faire bonne contenance). *Amasser* du courage. *Faire appel à tout son courage.* — Fermeté (dans les idées, les opinions) ; capacité d'exprimer sans hypocrisie. *Avoir le courage de ses opinions.* — *Avoir le courage de ne pas céder, de résister, de refuser...* ⇒ **Braver.**

12 Louis, les animant du feu de son courage,
    Se plaint de sa grandeur qui l'attache au rivage.   BOILEAU, *Épîtres*, IV.

13 Le vrai courage a plus de constance et moins d'empressement ; il est toujours ce
    qu'il doit être ; il ne faut ni l'exciter ni le retenir (...)
    ROUSSEAU, *Julie ou la Nouvelle Héloïse*, I, Lettre LVII, p. 144.

14 Lamiel avait ce courage sans effort des caractères parfaitement naturels.
    STENDHAL, *Lamiel*, p. 666.

15 La vue de cette ardente et inflexible physionomie me rendit en quelque sorte une
    lueur de courage.   E. FROMENTIN, *Dominique*, IX, p. 144.

16 J'ai essayé d'être chrétien, je ne l'ai pu. Cette illusion sublime qui peut éle-
    ver le courage de certains hommes, de certaines femmes (...) jusqu'à l'héroïsme,
    cette illusion m'est refusée.   LOTI, *Aziyadé*, II, X, p. 50.

17 Mais elle passa outre, comme elle faisait parfois, poussée par un goût du risque
    et un esprit de décision qu'elle confondait avec le courage.
    MARTIN DU GARD, *les Thibault*, t. I, p. 33.

18 Mais il faut essayer de vaincre *en nous* les instincts mauvais. Comment ? Par
    l'ordre, par un courage constant, féroce et joyeux, par une attention inflexible, par
    l'obéissance, par l'acceptation.
    A. MAUROIS, *Études littéraires*, Paul Claudel, t. I, p. 214.

19 Surtout un mélange de courage et de faiblesse, de hardiesse et de timidité, de
    pudeur et d'ardeur.   A. MAUROIS, *Climats*, II, v, p. 177.

Loc. *N'écouter que son courage.* — Fam. *Prendre son courage à deux mains :* se décider, oser malgré la difficulté, la peur, la timidité.

Courage !, exhortation à prendre courage.

20 Courage ! ils s'amollissent.   CORNEILLE, *Horace*, II, 6.

Bon courage !, exhortation à l'action, à une attitude forte devant une difficulté ; (iron.) exhortation à supporter qqch. ou qqn. *C'est lui votre nouveau directeur ? Eh bien, bon courage !*

Joindre la ruse au courage. → Peau (coudre la peau du renard à celle du lion).

Force, énergie des animaux (envisagés symboliquement, ou comparés à l'homme). *Le courage du lion, de l'aigle.*

21 Les uns ont la grandeur et la force en partage ;
    Le faucon est léger, l'aigle plein de courage (...)   LA FONTAINE, *Fables*, II, 17.

♦ **4.** Dureté de cœur. *Le courage de faire quelque chose,* la volonté plus ou moins cruelle. ⇒ **Cœur, cruauté, dureté, insensibilité.** *Il a eu le courage d'abandonner ses enfants. Je n'ai pas le courage de lui refuser cette aide.*

22 Il faut avoir le courage d'abandonner ses enfants ; leur sagesse n'est pas la nôtre.
    J. CHARDONNE, *l'Amour du prochain*, II, p. 58.

CONTR. Couardise, faiblesse, lâcheté, peur, poltronnerie, pusillanimité, timidité.

DÉR. Courageux.

COMP. Décourager, encourager.

COURAGEUSEMENT [kuraʒøzmɑ̃] adv. — 1213, *corajeusement ; de courageux.*

D'une manière courageuse.

♦ **1.** Avec fermeté, en manifestant de la force d'âme devant le danger, la souffrance physique ou morale. *Se battre courageusement. Attendre l'épreuve courageusement* (→ De pied ferme*). *Supporter courageusement les épreuves.* ⇒ **Vaillamment.** *Souffrir très courageusement.*

♦ **2.** Avec ardeur. ⇒ **Bravement.** *Travailler courageusement. Répondre courageusement.* ⇒ **Fermement, résolument.**

CONTR. Lâchement.

COURAGEUX, EUSE [kuraʒø, øz] adj. et n. — V. 1160, *corajos ; de courage,* et *-eux.*

♦ **1.** (Personnes). Qui a du courage* ; qui agit malgré le danger ou la peur. ⇒ **Ardent, brave, énergique, ferme, fort, résolu, stoïque, vaillant, valeureux.** *Homme courageux qui méprise témérairement le danger.* ⇒ **Audacieux, casse-cou, héroïque, indomptable, intrépide, téméraire.** → N'avoir pas froid* aux yeux, avoir du sang* dans les veines, avoir du poil au cul (vulg.).

1 Il était naturellement courageux (...) comme tant de timides.
   MALRAUX, *l'Espoir*, p. 76.

Qui a du courage (2.), de l'énergie, et spécialt, une énergie soutenue (⇒ **Constant,** vieilli). *Il n'est pas très courageux pour l'étude.*

Spécialt (fam. et rural). Travailleur ; qui n'a pas peur de la fatigue.

1.1 Et puis c'est pas un homme courageux (cette appréciation aurait pu faire croire
     que Françoise avait changé d'avis sur la bravoure qui, selon elle, à Combray, rava-
     lait les hommes aux animaux féroces, mais il n'en était rien. Courageux signifiait
     seulement travailleur).   PROUST, *le Côté de Guermantes*, Pl., t. II, p. 23.

N. *Un courageux, une courageuse.* « *Les derniers justes, les derniers courageux* » (Giraudoux, *Électre, in* T. L. F.).

2 N'a point peur de la misère qui se sent courageux pour travailler.
   G. SAND, *François le Champi*, X, p. 83.

Être courageux en apparence, en paroles, par vanité. ⇒ **Fanfaron, matamore.**

♦ **2.** (Actions). Qui manifeste du courage*. *Un acte courageux.* ⇒ **Prouesse.** *Une attitude, une conduite courageuse. Une réponse courageuse.* ⇒ **Crâne, décidé, ferme, hardi, résolu.** *Ce n'est pas très courageux de sa part. Un caractère courageux.* ⇒ **Généreux, martial, noble, viril.**

CONTR. Capon, couard, faible, lâche, peureux, poltron, pusillanime ; craintif, timide, timoré.

DÉR. Courageusement.

COURAILLER [kuraje] v. intr. — 1732 ; de *courir,* et suff. péj. *-ailler.*

♦ **1.** Rare. Courir de côté et d'autre.

♦ **2.** Fam. Mener une vie frivole, légère. ⇒ **Coureur** (II., 2.).

(...) si vous aviez eu, voyez-vous, un peu de notre *chique,* vous l'auriez empêché de courailler ; car vous auriez été ce que nous savons être : *toutes les femmes pour un homme.*   BALZAC, la Cousine Bette, Pl., t. VI, p. 459.

DÉR. Couraillerie, courailleur.

COURAILLERIE [kuʀajʀi] n. f. — 1892 ; de *courailler.*

♦ Rare. Le fait de courailler (2.).

COURAILLEUR, EUSE [kuʀajœʀ, φz] n. — 1860 ; « enfant qui court partout », 1845 ; de *courailler.*

♦ Vx. Personne qui couraille (2.). ⇒ **Bambocheur, noceur.**

COURAMMENT [kuʀamɑ̃] adv. — Fin XIIᵉ, *curanment ;* de *courant,* et *-ment.*

♦ **1.** D'une manière courante*, avec facilité. ⇒ **Aisément, facilement ; difficulté** (sans difficulté). *Lire, écrire couramment. Parler couramment une langue étrangère.*
On l'a si peu poussé. Il lit et écrit couramment.
    J. ROMAINS, les Hommes de bonne volonté, t. V, XX, p. 161.

♦ **2.** D'une façon habituelle, ordinaire. ⇒ **Communément, généralement, habituellement, ordinairement.** *Ce mot s'emploie couramment. Outils couramment utilisés. Cela se fait, se dit couramment* (→ Bagnole, cit. 1). *On ne voit pas ça très couramment.*

CONTR. Difficilement, malaisément. — Rarement.

1. COURANT, ANTE [kuʀɑ̃, ɑ̃t] adj. — 1413 ; *curant,* 1080 ; adj. participial de *courir.*

★ **I.** Qui court. ♦ **I.** *Chien courant* (opposé à *chien couchant, chien d'arrêt*). ⇒ **Chien** (*supra* cit. 18). *Eau courante,* qui coule, s'écoule naturellement, par oppos. à *eau dormante* (⇒ 2. **Courant**).

1   Nous allons sans cesse au tombeau, ainsi que des eaux qui se perdent sans retour ; en effet nous ressemblons tous à des eaux courantes (...)
    BOSSUET, Oraison funèbre d'Henriette-Anne d'Angleterre.

2   Le canal s'emplit d'un flot rougeâtre et l'on sentait dans les marais à travers les bassins, par des conduits invisibles, une eau courante qui s'insinuait avec de faibles clapotis (...)   J. CHARDONNE, les Destinées sentimentales, III, p. 383.

Spécialt. Eau distribuée par tuyaux. *Chambre, appartement avec l'eau courante.*

♦ **2.** (1732). *Écriture courante :* écriture manuscrite ordinaire.

♦ **3.** (Av. 1873). Loc. **MAIN COURANTE :** rampe parallèle à celle de l'escalier, et fixée au mur. ⇒ **Rampe.**

♦ **4.** Mar. *Manœuvres courantes* (opposé à *manœuvres dormantes*). ⇒ **Manœuvre** (→ Violon, cit. 4).
Techn. *Courroie* courante.
N. m. (Mar.). Partie (d'un cordage, d'une manœuvre) par laquelle un effort se transmet.

♦ **5.** Typogr. *Titre* courant.

★ **II.** Qui est présent, qui s'écoule au moment où l'on parle. ⇒ **Actuel ; cours** (en cours) ; **courir** (le temps qui court). *L'année courante. Il partira dans le mois courant,* ce mois-ci. — Comm. *Le cinq, le dix courant :* le cinq, le dix de ce mois. *Fin courant :* la fin du mois. « *Nous ferons le mariage fin courant* » (Labiche, *les Petites mains,* I, 13). *Le terme courant.*

2.1   Bref, après quelques grands froids, fin courant peut-être, une sédition — bien autrement sérieuse que celle de 1871 (l'ennemi ne cernant plus la capitale) — pouvait (...)   VILLIERS DE L'ISLE-ADAM, Tribulat Bonhommet, p. 31.

N. m. *Dans le courant de la semaine.* ⇒ 2. **Courant.**

Les affaires courantes (opposé à *affaires extraordinaires*). *Être chargé des affaires courantes. Expédier les affaires courantes.*

3   Pour les élections et autres affaires courantes et momentanées (...)
    ROUSSEAU, Disc. sur l'économie politique, 9.

★ **III.** Fig. ♦ **1.** (Av. 1615). Par anal. Qui a cours d'une manière habituelle. ⇒ **Banal, classique, commun, facile, général, habituel, normal, ordinaire, usité, usuel.** *Employer un mot, une expression d'une manière courante.* ⇒ **Couramment.** *Le langage courant, la langue courante. Acception courante. C'est courant ! Cette méthode est de pratique courante. Cet article est de taille courante. Marchandise de vente courante. Les dépenses courantes. Étoffe de qualité courante.* ⇒ **Moyen.** *La mode courante. Ce trait de caractère est courant chez une femme.* — Comptab. (vieilli) *Main courante :* registre sur lequel on inscrit rapidement des opérations commerciales.* ⇒ **Brouillard, main.**

4   On veut de bonnes qualités courantes, des marques connues.
    J. CHARDONNE, les Destinées sentimentales, II, p. 263.

Ling. *Emploi, mot courant,* fréquent, usuel (opposé à *rare* et abrégé *cour.,* dans ce dictionnaire).

♦ **2.** (1669). Qui a cours*. *Le prix courant d'une marchandise. Acheter au prix courant. Monnaie courante.* — Fig. *C'est monnaie*

---

courante. Mètre courant. Francs courants* (par oppos. à *constants*) : francs considérés sans tenir compte de leur dépréciation.

♦ **3.** Fin. et cour. *Compte courant :* compte* usité dans les relations commerciales et financières, entre deux personnes ou deux sociétés effectuant entre elles des opérations réciproques et qui conviennent de transformer leurs créances et leurs dettes en articles de débit et de crédit dont le solde sera seul exigible. *Le compte courant est simple lorsque les opérations d'encaissement et de versement de fonds sont faites par une seule des parties.*

5   Pourra (...) être revendiqué le prix ou la partie du prix... (des) marchandises qui n'aura été ni payé, ni réglé en valeur, ni compensé en compte courant entre le failli et l'acheteur.   Code de commerce, art. 575.

♦ **4.** Loc. adv. **TOUT COURANT :** très vite, en hâte ; sans hésiter, sans peine, facilement. *Écrire tout courant. Faire quelque chose tout courant.*

6   Mais, à l'instant où l'on détachait les amarres, apparut Alcide Jolivet, tout courant.
    J. VERNE, Michel Strogoff, p. 111-113 (1876).

CONTR. Dormant, stagnant. — Avenir, passé. — Distingué, étonnant, extraordinaire, inhabituel, particulier, rare. — Dépôt (compte de).
DÉR. Couramment.

2. COURANT [kuʀɑ̃] n. m. — V. 1210, au sens 1 ; p. prés. de *courir.*

♦ **1.** Mouvement (d'un liquide, de l'eau) orienté dans une direction. *Le courant de l'eau.* ⇒ **Fil** (de l'eau) ; **cours.** *Fil d'une rivière. Un courant rapide, impétueux, dangereux* (⇒ **Rapide, torrent**). *Suivre, descendre le courant* (Fig. : suivre passivement les habitudes des autres). *Être entraîné par le courant. S'abandonner au courant. Le lit* d'un courant. Lutter, ramer, nager contre le courant, à contre-courant.*

1   Un agneau se désaltérait
  Dans le courant d'une onde pure. LA FONTAINE, Fables, II, 10.

2   (...) un jour, je m'étais amusé à effeuiller une branche de saule sur un ruisseau, et à attacher une idée à chaque feuille que le courant entraînait.
    CHATEAUBRIAND, René, p. 192.

2.1   (..) la hauteur des vagues et l'impétuosité du courant sont particulièrement sensibles.   GIDE, Voyage au Congo, *in* Souvenirs, Pl., p. 692.

3   Le courant jaillissait au pied du talus gazonné, filait d'une seule coulée bourbeuse dardée raide à travers les prés.   M. GENEVOIX, Raboliot, I, I, p. 9.

Loc. fig. *Remonter le courant,* rétablir une situation. — *Suivre le courant :* se laisser entraîner. ⇒ (fig.) **Pente ; opposer** (s'), **réagir.**

4   Quelques Mérovingiens, parvenus à l'âge d'homme, essayèrent de réagir et de rétablir l'autorité royale. Ils ne réussirent pas à remonter le courant.
    J. BAINVILLE, Hist. de France, II, p. 28.

Les courants marins, produits par l'action des marées, par l'action des alizés sur la surface des eaux... *Carte des courants marins. Courants sous-marins. Courants de fond. Le Gulf Stream, courant maritime chaud de l'Atlantique. Courants superficiels. Courant alternatif* ou *courant de marée*. Courant général périodique. Courant tellurien*. Courants qui dérivent, drossent un navire.*

5   Comme un nageur un peu égaré que le courant rapproche de la côte, il sentait revenir le sol sous ses pieds.   J. ROMAINS, les Hommes de bonne volonté, t. V, XIV, p. 106.

6   A l'arrière, Arthur surveillait les courants et manœuvrait le gouvernail.
    J. CHARDONNE, les Destinées sentimentales, I, p. 111.

♦ **2.** Déplacement de masses d'air. *Courant atmosphérique. Courants de conduction, de convection, de précipitation. Courant tubulaire. Courant laminaire* (les *lignes de courant* étant disposées en couches parallèles). *Courant jet* (angl. *jet stream*) : courant tubulaire aplati, horizontal, produisant des vents très forts (fam. : *jet*).
(1749). Cour. **COURANT D'AIR.** ⇒ **Air** (cit. 16), **bouffée** (d'air), **vent.** *Craindre les courants d'air. Éviter les courants d'air. Être en plein courant d'air. Se protéger des courants d'air en garnissant les portes, les fenêtres de bourrelets, de brise-bise.*

7   La fenêtre du jardin, mal poussée, s'était ouverte. Un courant d'air en venait, dont le Conseil des Ministres souffrit silencieusement.
    GIRAUDOUX, Bella, IV, p. 85.

8   Je ne crains rien des tigres, mais j'ai horreur des courants d'air. Vous n'auriez pas un paravent ?   SAINT-EXUPÉRY, le Petit Prince, VIII, p. 32.

9   Un courant d'air perpétuel sifflait sous les préaux, dans les escaliers, dans les couloirs.   MARTIN DU GARD, les Thibault, t. III, p. 274.

Loc. fig. et fam. (1894). *Se déguiser en courant d'air :* s'esquiver rapidement, sans être vu.

9.1   Là-dessus, je me déguise en courant d'air et je fous mon petit camp. J'en ai assez entendu pour aujourd'hui.   Roger VERCEL, Capitaine Conan, p. 79.

(1914). Argot. Secret mal gardé, indiscrétion. *Être victime d'un courant d'air.*

Fam. *Un nom à courants d'air,* à rallonge* (à particule).

Phys. *Courant gazeux, plasmatique.*

♦ **3.** (1806). *Courant électrique :* déplacement d'électricité dans un conducteur. ⇒ **Électricité ; électrodynamique, électromagnétisme, magnétisme.** — *Le courant :* le courant électrique. *Courant continu ; courant alternatif*. Génératrice d'un courant continu.* ⇒ **Accumulateur, batterie, dynamo, magnéto, pile ; circuit, court-circuit.** *Fréquence* d'un courant. Mesure de l'intensité d'un courant.* ⇒ **Résistance ; ampèremètre, galvanomètre, voltmètre.** *Densité de courant.* ⇒ **Électrolyse ; voltmètre.** *Courant de haute, de basse tension.*

⇒ **Volt, voltage.** *Puissance d'un courant alternatif.* ⇒ **Voltampère ; watt-heure, wattmètre.** *Courant triphasé, polyphasé. Courants d'induction* ou *courants de Foucault.* ⇒ **Induction, self-induction ; inducteur, induit ; collecteur.** *Courant tellurique*. Transformation du courant électrique.* ⇒ **Bobine, commutateur, condensateur, interrupteur, transformateur.** *Couper, rétablir, inverser le courant. Le courant passe.* ⇒ (fam.) **Jus.** *Coupure de courant. Prise* de courant.* ⇒ **Plot, prise.**

Loc. *Prendre le courant :* recevoir une décharge.

Par métaphore. *« Les péchés* (cit. 4.1) *sont les courants qui alimentent la vie ».*

Fig. et fam. *Le courant passe :* une entente s'établit (entre deux ou plusieurs personnes).

9.2   Répétition générale d'*Asmodée.* Le Théâtre-Français bondé, où le rideau se lève dans un silence agité de toux. Angoisse du dialogue désincarné qui coule dans un silence mortel. Puis c'est le premier frémissement, le premier rire. Et l'on se sent peu à peu rassuré. Cette banquise impressionnante qui s'arrêtait au ras de la scène, l'emprisonnant de sa glace, a fondu. Le courant passe, l'émotion grandit.
                              Claude MAURIAC, *le Temps immobile,* p. 436.

REM. Le mot *courant* sert à former avec un préfixe plusieurs composés (adjectifs invariables et noms) tels que *bicourant, polycourant.*

♦ **4.** (XIXᵉ). Fig. Déplacement orienté. *Courant de populations :* déplacement de populations. ⇒ **Flot ; émigration, immigration ; circulation.**

10   Les masses les plus nombreuses furent vraisemblablement celles apportées par les courants de l'Est.   VALÉRY, *Regards sur le monde actuel,* p. 121.

11   Le courant d'Est en Ouest alimente l'immigration en provenance de l'Europe (...) Mais le courant Nord-Sud, toujours présent, aspire le Canada vers les États-Unis, d'une façon silencieuse, anonyme, persistante, irrésistible, et à vrai dire fatale.
                        André SIEGFRIED, *le Canada...,* VI, II, p. 79.

(1653). Abstrait. *Les courants de l'opinion.* ⇒ **Mouvement.** *Un courant de pensée, d'idées. Le courant de la science.* ⇒ **Cours, marche, progrès.** *Un courant historique.* ⇒ **Évolution.**

11.1   Un tel livre, si la presse eût daigné seulement l'annoncer, était peut-être de force à déterminer un courant historique (...)   Léon BLOY, *le Désespéré,* II, p. 95.

♦ **5.** (En parlant d'un mouvement continu). Cours d'une durée. *Le courant de la semaine.* ⇒ **Cours.** *Il a écrit dans le courant du mois.* ⇒ **Courir** (le mois qui court) ; 1. **courant,** II. (le cinq courant, etc.).
Le courant des âges. ⇒ **Temps.**

(1690). *Le courant des affaires.* ⇒ 1. **Courant** (affaires courantes) ; **train** (train-train). — Spécialt. *Le courant des affaires :* la quantité habituelle d'affaires traitées. — Fin. *Le courant :* le terme qui court.

(V. 1653). *Le courant des passions, des sentiments.* ⇒ **Force ; entraînement, mouvement.**

12   Ces mêmes préceptes, bien ou mal observés, doivent faire leur effet, bon ou mauvais, sur ceux même qui, faute de les savoir, s'abandonnent au courant des sentiments naturels.   CORNEILLE, *Disc. du poème dramatique.*

13   (...) la force insensible et puissante qu'ont ces courants de la passion et par lesquels l'amoureux, comme un nageur entraîné sans s'en apercevoir, bien vite perd de vue la terre.   PROUST, *À la recherche du temps perdu,* t. X, p. 166.

♦ **6.** (1780). AU COURANT : informé. *Mettre, tenir qqn au courant de qqch.* ⇒ **Avertir, renseigner** (sur)... Absolt. *Nous l'avons mis au courant.* ⇒ **Dire, informer.** — *Se mettre au courant :* s'informer de l'état d'une question, d'une situation. — *Être au courant. Est-ce qu'il est au courant ?* ⇒ **Savoir ; fait** (au fait) ; cf. (fam.) au parfum, dans le coup. — *Être au courant de son travail :* être à jour, ne pas avoir de retard. *Être au courant, dans le paiement de ses dettes :* ne pas avoir d'arriéré. — *Livre tenu au courant.* ⇒ **Jour** (à). *Cette revue est bien au courant,* elle est au fait de l'actualité.

14   Elle est très au courant de ce qui s'imprime de très littéraire.
                      GONCOURT, *Journal,* 1891, p. 80, *in* T. L. F.

15   Enfin, *pour se tenir au courant,* il prit un abonnement à la *Ruche médicale,* journal nouveau dont il avait reçu le prospectus.
                   FLAUBERT, *Mme Bovary,* I, IX, p. 43.

16   (...) les vingt minutes qu'il passait dans le bureau de Rumelles, le tenaient journellement au courant des fluctuations diplomatiques (...)
             MARTIN DU GARD, *les Thibault,* t. VII, p. 37.

♦ **7.** *Écrire au courant de la plume* (en écrivant), sans effort, spontanément. ⇒ **Fil** (au).

17   Je vous écris au courant de la plume.   RACINE, *Lettres.*

DÉR. **Courantologie, courantométrie.**
COMP. **Extra-courant.**

COURANTE [kuʀɑ̃t] n. f. — Déb. XIVᵉ ; fém. du p. prés. de *courir.*

♦ **1.** (1515). Ancienne danse*, sur un air à trois temps.

1   Le bal se donnait tous les soirs, où de très méchants danseurs dansèrent de très mauvaises courantes (...)   SCARRON, *le Roman comique,* II, XVII, p. 267.

Cet air, en vogue au XVIIᵉ siècle et utilisé dans la suite* instrumentale au XVIIIᵉ siècle.

♦ **2.** (Déb. XIVᵉ). Pop. ⇒ **Diarrhée.**

2   Quand il avait la diarrhée, Jean me disait : « J'ai la courante ». Pourquoi fallait-il

---

que ce mot me revînt à l'instant, en regardant le postérieur grave et presque immobile de Paulo et que j'appelasse cette danse à peine indiquée, la courante ?
                  Jean GENET, *Pompes funèbres,* p. 20.

♦ **3.** Didact. Écriture cursive. ⇒ **Cursive.**

COURANTOLOGIE [kuʀɑ̃tɔlɔʒi] n. f. — XXᵉ (1974, in *la Clé des Mots*) ; de *courant,* et *-logie.*

♦ Didact. (mot hybride). Étude des courants marins ou atmosphériques.

COURANTOMÉTRIE [kuʀɑ̃tɔmetʀi] n. f. — XXᵉ (1972, in *la Clé des Mots*) ; de *courant,* et *-métrie.*

♦ Didact. (mot hybride). Mesure des courants.

COURBABLE [kuʀbabl] adj. — D.i. ; de *courber.*

♦ Rare. Qui peut être courbé.

COURBACHE [kuʀbaʃ] n. (l'usage hésite sur le genre ; le fém. semble plus fréquent). — 1848 ; *courbach,* 1854 ; *courbag,* 1838 ; arabe *kurbāǧ,* lui-même empr. du turc *qīrbāč.*

♦ Long fouet utilisé en Orient. ⇒ **Cravache.**

1   (...) la modestie est relevée par l'appareil de la force. Il est bon d'avoir sous ses ordres un homme armé d'une courbache dont on l'empêche de se servir.
            RENAN, *Souvenirs d'enfance...,* 1883, p. 358, *in* T. L. F.

Var. anc. : *courbach,* n. m.

2   (*Un eunuque...*) agite, pour faire ouvrir la foule, le courbach de cuir d'hippopotame, marque distinctive de son autorité.   Th. GAUTIER, *Constantinople,* p. 122.

COURBAGE [kuʀbaʒ] n. m. — 1863, Littré ; de *courber.*

♦ Techn. Action de courber (une tige, etc.).

COURBARIL [kuʀbaʀil] n. m. — 1640 ; mot des Caraïbes ; orig. incertaine.

♦ **1.** Arbre des régions tropicales (*Astronium ; Térébinthacées*) dont le bois est utilisé en ébénisterie.

♦ **2.** Plante, dite aussi *hyménée* courbaril* (*Légumineuses*) qui fournit une résine (courbarine) pour la fabrication des vernis. ⇒ **Copal.**

DÉR. **Courbarine.**

COURBARINE [kuʀbaʀin] n. f. — 1863, Littré ; de *courbaril.*

♦ Techn. Résine de courbaril (2.). *Vernis à la courbarine.*

COURBATU, UE [kuʀbaty] adj. — Mil. XIIIᵉ (1254-55) *in* Arveiller, *80 notes de lexique ;* comp. de *court,* et *battu,* proprement « battu à bras raccourci ».

Atteint de courbature*.

♦ **1.** Techn. (hippol.). État d'un cheval dont la respiration et les mouvements sont gênés. ⇒ **Harassé.**

♦ **2.** Littér. (la langue cour. dit : *courbaturé*). Qui ressent une lassitude extrême dans tout le corps. ⇒ **Courbaturé, fatigué, moulu** (fam.). *Il est revenu tout courbatu de sa première séance de culture physique.*

1   Je me couchais, le soir, heureux, courbatu, mort de saine lassitude.
            G. DUHAMEL, *Biographie de mes fantômes,* III, p. 53.

2   À demi somnolente, courbature, souffrant dès qu'elle remuait, elle entendait vaguement dans le couloir le va-et-vient des visiteurs qui longeaient le mur, derrière sa tête.   MARTIN DU GARD, *les Thibault,* t. IV, p. 211.

Figuré :

3   Son âme courbatue d'orgueil, se reposait enfin dans l'humilité chrétienne (...)
            FLAUBERT, *Mᵐᵉ Bovary,* II, XIV, p. 137.

CONTR. **Dispos.**
DÉR. **Courbature.**

COURBATURE [kuʀbatyʀ] n. f. — 1588 ; probablt dér. de *courbatu,* et *-ure.*

♦ **1.** (1607). Art vétér. État d'un cheval courbatu.

♦ **2.** (Av. 1611). Cour. Sensation de fatigue douloureuse due à un effort prolongé ou à un état fébrile. ⇒ **Fatigue ; ankylose, lassitude.** *Ressentir une courbature dans les membres, le dos, les reins... La grippe se manifeste à ses débuts par une courbature générale.*

1   (...) une espèce de courbature, fruit de la fatigue et du voyage, le retient dans sa chambre, et il a été saigné ce matin.
          ROUSSEAU, *Julie ou la Nouvelle Héloïse,* IV, Lettre VII.

2   Les nuits en chemins de fer, le sommeil secoué des wagons avec des douleurs dans

la tête et des courbatures dans les membres, les réveils éreintés dans cette boîte roulante (...)   MAUPASSANT, les Sœurs Rondoli, I, p. 10.

3 Je sens déjà l'incurvation, l'incurvaison générale, latérale, transversale, horizontale aux épaules, verticale aux reins. Il faut dire aussi que c'est le courbement, la courbure, la courbature, l'inclinaison de l'écrivain sur la table de travail.
                    Ch. PÉGUY, la République..., p. 267.

Figuré :

4 (...) puis, vite dégoûté de ces vaines recherches, l'esprit meurtri par une courbature, il rejeta sa cigarette, siffla un air qui courait les rues, et, se baissant, ramassa sous une chaise un pesant haltère qui traînait.
                    MAUPASSANT, Fort comme la mort, I, I, p. 8.

5 Elle souffrait de façon diffuse, comme d'une courbature morale, qui, ne s'étant encore fixée nulle part, n'avait pas choisi son point de flamme et d'élancement.
                    Edmond JALOUX, les Visiteurs, I, p. 11.

DÉR. Courbaturer.

COURBATURER [kuʀbatyʀe] v. tr. — 1835 ; de *courbature*, et *-er*.

♦ Provoquer une courbature, des courbatures chez (qqn). ⇒ **Ankyloser**. *Rester trop longtemps dans la même position courbature le corps.* — Pron. *Le dos se courbature lorsqu'on reste longtemps penché en avant.*

Fig. Lasser l'esprit de (qqn). « *Je respecte M. Courbet. M. Ingres, me courbature* » (Éluard).

▶ **COURBATURÉ, ÉE** p. p. et adj.

⇒ **Courbatu**. Qui souffre de courbature. *Il est tout courbaturé d'avoir conduit trop longtemps.*

REM. Jusqu'en 1970, seul *courbatu* a été accepté par l'Académie.

0.1 Lacaille, aigri, grisonnant déjà, courbaturé chaque soir par son éternel voyage dans les rues de Paris, regardait parfois d'un œil louche la placidité bourgeoise, les bons souliers et le gros paletot de Robine.
                    ZOLA, le Ventre de Paris, t. I, p. 170 (1875).

1 Il était courbaturé après ces quelques heures d'insomnie (...)
                    MAUPASSANT, Notre cœur, III, I, p. 232.

1.1 Mes amis, quelle journée... J'ai le poignet courbaturé, j'ai mal à la tête... J'ai envie de sortir, allons n'importe où, mais sortons, je n'en peux plus de rester enfermée (...)   N. SARRAUTE, le Planétarium, p. 195.

Fig. *Esprit courbaturé.*

2 (...) elle vivait dans un ennui gai, sans la foi commune au bonheur, en quête seulement de distractions, et déjà courbaturée de lassitude, bien qu'elle s'estimât satisfaite.   MAUPASSANT, Notre cœur, I, II, p. 41.

CONTR. Délasser, détendre, relaxer, reposer.

COURBE [kuʀb] adj. et n. f. — 1699 ; *corbe* (subst.), mil. XIIIᵉ ; *corbe* (adj.) 1262 ; *curb* (adj.) après 1170 ; du lat. pop. *curbus*, class. *curvus* « courbe, recourbé ».

★ **I.** Adj. ♦ **1.** Qui change de direction sans former d'angles ; qui n'est pas droit. ⇒ **Arqué, arrondi, bombé, bouclé, busqué, cambré, cintré, circulaire, concentrique, contourné, coudé, courbé, enflé, enroulé, galbé, incurvé, infléchi, rebondi, recourbé, renflé, rond, tordu, tors, tortu, voûté** ; préf. **curvi-**. *Ligne courbe selon plusieurs directions différentes.* ⇒ **Flexueux, gondolé, lacet (en), ondulé, onduleux, sinueux, tortueux, vallonné.** *Ligne, surface courbe. Objet, tige courbe.*

1 Un aviron droit semble courbe en l'eau.   MONTAIGNE, Essais, I, 319, *in* LITTRÉ.

2 (...) des petits ponts courbes aux balustres de granit rongés par le lichen.
                    LOTI, Mᵐᵉ Chrysanthème, XLII, p. 212.

3 (...) tout à coup dans une violente éclaircie surgit l'océan et ses longues vagues courbes.   J. CHARDONNE, les Destinées sentimentales, III, p. 365.

♦ **2.** Géom. Qui a les caractères d'une courbe géométrique. *Ligne, surface courbe. Surface courbe en creux* (⇒ **Concave**), *bombée* (⇒ **Convexe**). *Volumes à formes courbes.* ⇒ **Cône, cylindre, ellipsoïde, sphère ...** *Espace* courbe.*

3.1 J'en conclus qu'il y a des lignes nobles, menteuses, etc. La ligne droite donne l'infini, la courbe limite la création (...)
                    Paul GAUGUIN, À Émile Schuffenecker, 14 janv. 1885, *in* Lettres de Gauguin, 1946, p. 45.

★ **II.** N. f. (fin XVIIᵉ ; « branche tordue », XIIᵉ ; sens techn., XIVᵉ). ♦ **1.** Ligne courbe. *Courbes décoratives. Courbes ouvertes.* ⇒ **Arabesque, arc, boucle, coude, feston, méandre, ondulation, serpentin, sinuosité, spirale*, volute.** *Courbe en S. La courbe des sourcils, des épaules, des hanches.* ⇒ **Courbure.** *Les courbes d'un vase, d'un coquillage... Courbe d'un mouvement. Décrire une courbe.* ⇒ **Trajectoire** (→ Cerf-volant, cit. 1). *Chemin qui suit une courbe.* ⇒ **Détourné, indirect.** *La route fait une courbe.* ⇒ **Tournant, virage.**

4 Je suis, sous le corsage et les frêles atours,
   Le dos divin où palpite la courbe des épaules.
                    RIMBAUD, Poésies, « À la musique ».

5 Les traits semblaient avoir été moulés par une main sobre et sûre d'elle-même (...) les courbes, à la fois inhésitantes et douces, des joues et du cou, paraissaient être venues d'un seul jet, sans qu'une retouche y eût été nécessaire.
                    LOTI, Matelot, XXXI, p. 122.

6 Il entra et se laissa tomber sur une chaise quelconque, non sans avoir projeté dans la direction du foyer un jet de salive épaisse dont la courbe inexactement calculée s'acheva dans la ficelle d'une carpette (...)
                    Léon BLOY, la Femme pauvre, I, II, p. 14.

7 (...) chaque vague ne doit la beauté de sa courbe qu'au retrait de celle qui la précède (...)   GIDE, les Nouvelles Nourritures, p. 87.

7.1 (...) elle est belle, si l'on accepte les seins tombants ; la ligne des hanches, du bassin et des jambes, d'une courbe très pure.
                    GIDE, Voyage au Congo, *in* Souvenirs, Pl., p. 759.

7.2 On ne peut décrire une ligne, mais je puis dire que la noblesse de cette courbe était telle que je songeai tout aussitôt au Bœuf Apis.
                    GIDE, Voyage au Congo, *in* Souvenirs, Pl., p. 835.

8 Ses cheveux en brosse, sa moustache aux courbes désuètes, rappelaient à Denise les vieux généraux russes des romans de Tolstoï.
                    A. MAUROIS, le Cercle de famille, IX, p. 175.

9 Le fleuve, indécis, s'étale à sa courbe comme un lac.
                    J. CHARDONNE, l'Amour du prochain, III, p. 68.

Courbe de raccordement d'une voie ferrée, qui permet de relier deux alignements.

Courbe d'une voûte. ⇒ **Arc**. *Surfaces courbes d'un toit.* ⇒ **Comble.** Techn. *Les courbes* : pièces de charpente coupées en arc.

10 Faîtes, lattes, chevrons, montants, courbes, filières.
                    CORNEILLE, l'Illusion comique, III, 4.

♦ **2.** Géom. Lieu des positions successives d'un point qui se meut d'après une loi déterminée. *Courbe plane*, dont tous les points sont dans un même plan. *Courbe gauche* ou *dans l'espace*, dont tous les points ne sont pas dans le même plan. *Courbe transcendante*. Sommet, foyer d'une courbe. Axe d'une courbe. Partie de l'axe d'une courbe.* ⇒ **Sous-normale, sous-tangente.** *Tangente à une courbe. Rayon qui part d'un point déterminé pour aboutir à un point quelconque d'une courbe.* ⇒ **Vecteur.** *Point d'inflexion d'une courbe :* point où elle change de sens. *Défaut d'une courbe.* ⇒ **Jarret.** *Géométrie* transcendante qui étudie les propriétés des courbes. Différentes courbes.* ⇒ **Anse, cardioïde, caustique, chaînette, conique, cycloïde, développante, développée, ellipse, ellipsoïde, enveloppe, enveloppée, épicycloïde, focale, hélice, hyperbole, lemniscate, parabole, roulette, sinusoïde, spirale...** *Courbes fermées.* ⇒ **Cercle, circonférence, ellipse, ove, ovale.** *Branche* d'une courbe. Figure formée de courbes.* ⇒ **Curviligne.** *Courbe rentrante*, qui revient sur elle-même. *Aire limitée par une courbe.* ⇒ **Quadrature.** *Courbes parallèles. Instrument pour mesurer les courbes* (⇒ **Curvimètre**), *pour les tracer* (⇒ **Curvigraphe**). *Rotation d'une courbe autour d'un axe.* ⇒ **Révolution.** *Courbe que décrit un mobile*, et, spécialt, *un astre* (⇒ **Orbite**) ; *mouvement par lequel il décrit cette courbe* (⇒ **Révolution**).

11 Quand les plus grands géomètres du XVIIᵉ siècle se mirent à étudier la nouvelle courbe qu'ils appellent la cycloïde, ce ne fut qu'une pure spéculation.
                    FONTENELLE, Utilité des mathématiques, Préface, *in* LITTRÉ.

12 Tout mobile qui se meut dans un cercle ou dans une ellipse ou dans une courbe quelconque se meut autour d'un centre auquel il tend.
                    VOLTAIRE, Éléments de la philosophie de Newton, III, 4.

Math. Ligne représentant la loi d'un phénomène. *Courbe algébrique. Fonction d'une courbe.* ⇒ **Fonction.** *Équation, paramètre* d'une courbe. Caractériser une courbe.*

13 Descartes avait trouvé l'art de mettre les courbes en équation.
                    TURGOT, 2ᵉ discours, Progrès de l'esprit humain, p. 280.

Par ext. Ligne représentant la loi, l'évolution d'un phénomène (⇒ **Graphique, tracé**, et suff. **-gramme**). *Courbe de température. Courbe barométrique. Courbe de la production, des salaires, des prix... Minimum, maximum d'une courbe.*

Acoust. *Courbe de bruit.* — *Courbe de réponse d'un haut-parleur.* Méd. *Courbe d'audibilité* (⇒ **Audiogramme**). Physiol. *Courbe de visibilité (scotopique, photopique).*

Techn. *Courbe d'apprentissage*.*

Géogr. *Courbe de niveau :* ligne qui joint tous les points d'une même altitude (⇒ **Nivellement**). *Les courbes de niveau permettent la représentation du relief sur les cartes.* — Syn. : *isohypse.*

Par métaphore ou fig. Trajectoire, ligne décrite. *La courbe des désirs, des sentiments.*

14 Il ne faudra pas attendre que j'enregistre, dans la courbe de mes relations, de mes échanges avec l'animal, les premiers fléchissements.
                    COLETTE, la Naissance du jour, p. 75.

15 Le dialogue seul, ou le colloque, peut rendre tous les moments, les incidents et les inflexions de la courbe intérieure.
                    André SUARÈS, Trois hommes, « Dostoïevski », IV, p. 228.

♦ **3.** *Courbe de la quille d'un navire*, sa convexité en son milieu. Techn. (mar.). *Courbe de capucine :* pièce de charpente qui lie l'étrave avec l'éperon. *Courbe métacentrique d'un navire.* ⇒ **Métacentre.** — *Courbe constante décrite par un navire. Courbe loxodromique.* ⇒ **Loxodromie.**

CONTR. Direct, droit, rectiligne. — Droite.
DÉR. Courber. — V. Courbette.

COURBEMENT [kuʀbəmã] n. m. — 1478 ; de *courber*.

♦ Rare. Action, fait de courber qqch. ; forme courbe qui en résulte. ⇒ **Courbure.** *Le courbement d'une branche.* — Fait de se courber. *Le courbement des bois de construction.*

COURBER [kuʀbe] v. tr. — XIIᵉ ; lat. pop. *curbare*, du lat. class. *curvare*.

★ **I.** V. tr. ♦ **1.** Rendre courbe (ce qui est droit). ⇒ **Plier ; arquer,** arrondir, **bomber, busquer, cintrer, contourner, coucher, couder, déjeter, fausser, fléchir, gauchir, gondoler, incurver, infléchir, pencher, plier, recourber, replier, tordre, voûter.** *Courber une branche droite en l'inclinant*. Courber un arc pour le bander. Courber au feu une barre de fer. Courber à froid une plaque de métal.* ⇒ **Emboutir.**

1 « Quand l'eau courbe un bâton, ma raison le redresse :
La raison décide en maîtresse. »   LA FONTAINE, Fables, VII, 18.

2 « (L'on voit les poulains) Dessous leurs pas précipités
Faire à peine plier courber les herbes. »   RACINE, Poésies diverses, Ode VI.

3 Ibsen se replie sur soi-même, comme la forêt que courbe un éternel orage, et le vent la fait moins ployer qu'il ne la violente.
André SUARÈS, Trois hommes, « Ibsen », IX, p. 180.

♦ **2.** Pencher en abaissant (le corps, une partie du corps, qqn). *Courber le corps.* ⇒ **Affaisser.** *La vieillesse l'a courbé.* — *Courber le front, la tête sur un livre.* ⇒ **Incliner.** *Courber le dos pour jouer à saute-mouton.* ⇒ **Abaisser, baisser.**

4 (...) Vous avez jusqu'ici
Contre leurs coups épouvantables
Résisté sans courber le dos (...)   LA FONTAINE, Fables, I, 22.

5 La vieillesse languissante et ennemie viendra rider ton visage, courber ton corps, affaiblir tes membres (...)   FÉNELON, Télémaque, XIX.

6 (...) quand il tient un homme, il en exige, je l'ai dit, le « rendement » maximum, et, dans l'expression exacte du mot, le *courbe* sur sa tâche.
Louis MADELIN, De Brumaire à Marengo, VI, p. 95.

7 (Il) incline devant Dieu des épaules que, le reste du temps, le labour courbe vers la terre.   André SUARÈS, Trois hommes, I, « Pascal », p. 16.

Loc. *Courber le genou, le dos, le front...* en signe de respect, d'humilité, de soumission. *Courber la tête sous le joug.*

8 On courbait la tête sous leur bénédiction *(des évêques).*
CHATEAUBRIAND, le Génie du christianisme, IV, III, 2.

9 (...) je courbais mon front : il n'était point encore chargé de ces ennuis qui pèsent si horriblement sur nous, qu'on est tenté de ne plus relever la tête lorsqu'on l'a inclinée au pied des autels.
CHATEAUBRIAND, Mémoires d'outre-tombe, t. I, p. 52.

10 Tout est désert. Mais non ; seul près des murs noircis,
Un enfant aux yeux bleus, un enfant grec, assis,
Courbait sa tête humiliée.   HUGO, les Orientales, XVIII, L'enfant.

Fig. *Courber la tête, le front.* ⇒ **Céder, obéir, soumettre (se), subir.** *Refuser de courber la tête devant une autorité.* — (Abstrait). *Courber les pensées.*

11 Ah ! si la politique ne courbait à ce point ses pensées, quel fin critique ce serait !
GIDE, Journal, 5 janv. 1907.

(Sujet n. de chose) :

12 À la fin du règne de Salomon, une immense lassitude courbait les épaules de ses sujets.   DANIEL-ROPS, le Peuple de la Bible, III, I, p. 198.

Allus. hist. *Courbe la tête, fier Sicambre, adore ce que tu as brûlé, brûle ce que tu as adoré* (→ Brûler, cit. 9).

♦ **3.** (Compl. n. de personne). *Courber qqn sous sa loi, sous sa volonté, sous sa domination.* ⇒ **Assujettir, dominer, humilier, rabaisser, soumettre.**

♦ **4.** Régional et fam. (Suisse, Belgique). Manquer (l'école, la classe, un cours). ⇒ **Sécher.** *Courber l'école, la gym.*

12.1 Écoute, dit-elle, il me vient une idée de génie. On « courbe » le basilic (le basilic était l'excellent Saugier, professeur de philologie romane).
Janine MARAT, le Beau Maistre, p. 114.

★ **II.** V. intr. Littér. et vx. ♦ **1.** Devenir courbe. ⇒ **Ployer.** *Courber sous le poids, le faix de quelque chose. Arbre qui courbe sous le poids des fruits.*

13 L'ombrage n'était pas le seul bien qu'il sût faire :
Il courbait sous les fruits (...)   LA FONTAINE, Fables, X, 1.

14 Quatre monstres marins courbent sous ce fardeau.
CORNEILLE, la Toison d'or, 882.

♦ **2.** (Abstrait). Plier, se soumettre. *Courber sous qqch.* ⇒ **Subir, supporter.** *Courber sous la volonté de qqn.* ⇒ **Soumettre (se).**

15 L'État est florissant, mais les peuples gémissent ;
Leurs membres décharnés courbent sous mes hauts faits.
CORNEILLE, la Toison d'or, 31.

▶ **SE COURBER** v. pron.

♦ **1.** Être, devenir courbe. — (Choses). Devenir courbe. *Tiges qui se courbent dans le vent. Fer, acier qui se courbent lorsqu'on les trempe.* ⇒ **Envoiler (s').** *Qui tend à se courber.* ⇒ **Curvatif** (→ ci-dessous, cit. 17).
(Personnes). S'incliner, se pencher. ⇒ **Baisser (se).** *Se courber pour passer sous une porte basse ; pour s'appuyer sur un bâton, une balustrade. Se courber pour ramasser qqch. Se courber sur un travail, un livre. Se courber en deux* (→ ci-dessous, cit. 16, 18, 19).

16 (...) nous l'avons vue,
Un poignard à la main, sur Pyrrhus se courber (...)
RACINE, Andromaque, V, 5.

17 La cataracte se divise en deux branches et se courbe en fer à cheval.
CHATEAUBRIAND, Atala, Épilogue.

18 (...) il s'affaiblissait, il se courbait davantage vers la terre, qui semblait le rappeler à elle.   ZOLA, la Terre, I, p. 215.

19 Il entra, obligé de se courber en deux comme un gros ours, car il était presque un géant.   LOTI, Pêcheur d'Islande, I, I, p. 5.

Par métaphore :

20 Son idée est constamment grande et haute ; mais, pour sortir de son esprit, elle se courbe et se rapetisse sous l'expression comme sous une porte trop basse.
HUGO, Littérature et philosophie mêlées, Sur Mirabeau, VI.

♦ **2.** Spécialt (personnes). Vieilli. *Se courber pour saluer.* ⇒ **Courbette (faire des), incliner (s'), révérence (faire la).** *Se courber jusqu'à terre devant qqn. Se courber en signe d'humiliation, de soumission.* ⇒ **Prosterner (se).**

21 L'insolent devant moi ne se courba jamais.   RACINE, Esther, II, 1.

22 Séraphins, prophètes, archanges,
Courbez-vous, c'est un roi ; chantez, c'est un martyr !   HUGO, Odes, I, V, II.

♦ **3.** Fig. et littér. Se soumettre. ⇒ **Abaisser (s'), humilier (s'), incliner (s').** *Tout se courbe devant lui.*

23 La véritable grandeur (...) se courbe par bonté vers ses inférieurs (...)
LA BRUYÈRE, les Caractères, II, 42.

24 L'homme y voit *(en Flandres)* exclusivement ce qui est, sa pensée se courbe si scrupuleusement à servir les besoins de la vie qu'en aucune œuvre elle ne s'est élancée au delà du monde réel.
BALZAC, la Recherche de l'absolu, Pl., t. IX, p. 477.

▶ **COURBÉ, ÉE** p. p. et adj.
Qu'on a rendu courbe, qui est devenu courbe. ⇒ **Courbe, croche, crochu, plié.** *Branche courbée qui sert à faire un arc. Route à surface courbée.* ⇒ **Bombé.** *Être courbé sous le poids d'une charge. Une personne courbée de vieillesse, par l'âge.* ⇒ **Bossu, cassé.** *Dos, échine courbée* (→ Caresse, cit. 12). — Incliné. *Une personne courbée sur son ouvrage.*

25 Un pauvre bûcheron, tout couvert de ramée,
Sous le faix du fagot aussi bien que des ans
Gémissant et courbé, marchait à pas pesants,
Et tâchait de gagner sa chaumine enfumée.   LA FONTAINE, Fables, I, 16.

26 Poli jusqu'à l'obséquiosité, il se tenait toujours les reins à demi-courbés dans la position de quelqu'un qui salue ou invite.   FLAUBERT, Mme Bovary, II, IV, p. 69.

27 Jusqu'ici il avait laissé dire sans broncher, courbé sur un rapport (...)
COURTELINE, Messieurs les ronds-de-cuir, 5e tableau, I, p. 171.

28 Ils fuyaient tout courbés, rasant le sol, s'aplatissant comme des léopards.
LOTI, Pêcheur d'Islande, III, I, p. 139.

29 Je serai un vieux cassé, un vieux courbé, un vieux noueux. Je serai un vieux retors.
Ch. PÉGUY, la République..., déc. 1905, p. 267.

30 Elle se tenait sur cette place, comme une fille des champs, quand elle reprend haleine et, redressant son dos courbé, se donne un moment de repos, appuyée à la haie.   André SUARÈS, Trois hommes, « Ibsen », VI, p. 153.

Par métaphore. *Être courbé sous le joug*.* — Fig. et littér. ⇒ **Abaissé, écrasé, humilié, soumis.**

31 Paris sanglant, courbé, sinistre, inanimé,
Voit ces horreurs et garde un silence farouche.   HUGO, les Châtiments, VI, 2.

32 (...) ils *(bourgeois et paysans)* semblaient courbés sous le joug d'une même pensée (...)   BALZAC, les Chouans, Pl., t. VII, p. 768.

Nom (littéraire).

33 À tous les déshérités, les courbés sous le joug et chargés, les assoiffés, les meurtris, les dolents, l'assurance d'une survie compensatoire ! Si chimérique qu'elle soit, oserez-vous leur enlever cette espérance ?   GIDE, Journal, 7 août 1935.

CONTR. **Dresser, raidir, redresser.** — **Relever** (se). — **Défier, tête** (avoir la tête haute, relever la tête). — **Droit, raide, rectiligne.**
DÉR. **Courbable, courbage, courbement, courbet, courbette, courbure.**
COMP. **Recourber.**

COURBET [kuʀbɛ] n. m. — 1390 ; de *courber*, et *-et.*

♦ Techn. Grande serpe à couper les branches.

COURBETTE [kuʀbɛt] n. f. — 1558 ; de *courber*, et *-ette* ; l'ital. *corvetta* est probablt empr. au franç. *corbete* « guirlande ».

♦ **1.** (1558). Techn. (t. de manège). Saut dans lequel le cheval lève et fléchit les deux membres antérieurs sous le ventre. *Faire aller le cheval à courbettes* (Littré). *Faire la courbette, faire faire une courbette à un cheval.*

1 *(Ce cheval)* se maniait très bien, et faisait de très belles courbettes.
BRANTÔME, les Dames galantes, t. II, p. 298.

♦ **2.** (Av. 1585). Cour. Action de s'incliner exagérément, avec une politesse obséquieuse. ⇒ **Révérence, salut.** *Faire une courbette.*

2 Voilà de mes réponses, que j'accompagnais civilement de courbettes de corps courtes et fréquentes.   MARIVAUX, le Paysan parvenu, 5, in HATZFELD.

2.1 Le maître d'hôtel Baldozzo les accueillit avec une courbette à chaque pas et du sourire incessant.   Pierre HAMP, la Peine des hommes (Moteurs), p. 97.

(1704). Fig. *Faire des courbettes à qqn, devant qqn :* donner des marques serviles de déférence, de soumission. ⇒ **Aplatir (s'), bassesse (faire des), flatter, platitude (faire des), ramper.**

3 Ce qui n'empêchera pas que, traité comme Sancho, je ne reçoive partout cent courbettes moqueuses avec autant de compliments de respect et d'admiration.
ROUSSEAU, Correspondance, Lettre à M. de St-Germain, t. VII, p. 217, in LITTRÉ.

4 Nous voulons vivre en ermites, en solitaires, ce qui est tout à fait de mon goût,

et nous allons d'abord faire des risettes et des courbettes aux gens que nous voulons fuir justement parce qu'ils nous dégoûtent.
                              G. DUHAMEL, Chronique des Pasquier, V, p. 27.

DÉR. Courbetter.

COURBETTER [kuʀbete] v. intr. — Après 1500 ; de *courbette*.

♦ Manège. Faire une courbette (en parlant d'un cheval).

COURBURE [kuʀbyʀ] n. f. — XVe, *corveure* ; de *courber*.

♦ **1.** Forme de ce qui est courbe. *La courbure d'une ligne, d'une
surface.* ⇒ **Arrondi, cambrure, cintrage, courbe, fléchissement,
flexion, galbe, inflexion, pliure.** *Courbure rentrante* (⇒ **Concavité**),
sortante (⇒ **Convexité**). *Double courbure, courbure en S.* ⇒ **Torsion.** *Formes présentant plusieurs courbures.* ⇒ **Entrelacement,
lacis, méandre, ondulation, sinuosité.** *Courbure en forme de genou.*
⇒ **Géniculation.** *La courbure d'un arc.* ⇒ **Arcure.** *Arc à contre-
courbure.* ⇒ **Infléchi.** *La courbure d'une voûte.* ⇒ **Voussure.** *Courbure latérale d'un chemin* (⇒ **Tournant, virage**), *courbure verticale.*
⇒ **Dos** (d'âne), **ensellement.** *Courbure du nez.*

1   Que tes pieds sont beaux dans tes sandales, fille de prince ! La courbure de tes
    reins est comme un collier, œuvre d'un artiste.
                              BIBLE (CRAMPON), Cantique des Cantiques, VII, 2.
2   (...) on s'éloigne du Danube, selon les courbures du chemin et les inflexions du
    fleuve.   CHATEAUBRIAND, Mémoires d'outre-tombe, t. VI, p. 22.
3   (...) un nez d'une courbure aquiline dont le bout se rabattait en bec crochu sur
    une moustache épaisse (...)   Th. GAUTIER, le Capitaine Fracasse, t. II, IX, p. 47.
4   (...) on avait conscience (...) de la *courbure* de la terre, qui seule empêchait de
    voir au-delà.   LOTI, Mon frère Yves, XI, p. 52.
5   Elle jette sa tête contre l'épaule de Sammécaud, et lui donne sur la courbure de
    la joue un baiser assez vibrant.
                              J. ROMAINS, les Hommes de bonne volonté, t. IV, XII, p. 135.

Par métaphore :

6   (...) le vice ressemble souvent à une courbure de l'âme.
                              H. BERGSON, le Rire, p. 11.

Anat. *Courbure de la colonne vertébrale.* ⇒ **Ensellé, ensellure, lordose, scoliose.** *Courbure cervicale.* — *Courbure des branches :* inflexion qu'on leur donne en les attachant afin qu'elles produisent plus
de boutons à fruits (⇒ **Arcure**). — *Courbure des bois.* ⇒ **Courbe.**
Courbure de la quille d'un navire. ⇒ **Tonture.** *Courbure d'une
voile.* ⇒ **Sein** (d'une voile).

♦ **2.** Géom. *Courbure d'une ligne. La courbure d'un cercle est uniforme et la même en tous ses points ; elle est inverse au rayon
(1/R). Courbure moyenne d'un arc de courbe plane :* rapport algébrique de l'angle des tangentes aux extrémités à la longueur de
cet arc. *Courbure en un point donné d'une courbe plane :* limite
de la courbure moyenne, quand les extrémités de l'arc se rapprochent indéfiniment du point donné. *Rayon de courbure en un point
donné :* rayon du cercle osculateur* en ce point. *Courbure d'une
courbe gauche. Courbure des surfaces.*

Géogr. *Courbure de la Terre* (en un point).

Phys. *Courbure de l'espace :* propriété d'un espace-temps à quatre
dimensions, en fonction de la présence de matière et de la densité
de cette matière.

♦ **3.** Par métonymie. Partie courbe (d'une chose). *La courbure de
cet arc est en pierres différentes de celles des pieds-droits.*

♦ **4.** Rare. Action de rendre courbe une chose. — Syn. rare : *courbement.* ⇒ aussi **Cintrage, flexion, pliure, torsion.**

CONTR. Raideur, raidissement, redressement.

COURCAILLER [kuʀkaje] v. intr. ⇒ **Carcailler.**

COURCAILLET [kuʀkajɛ] n. m. — V. 1460 ; *court caillet*, après
1374 ; composé de *cour-*, terme onomatopéique et de *caillet*, dér.
de *caille*.

♦ Techn. (chasse, etc.). Cri de la caille. — Par anal. Appeau imitant
ce cri et qui sert à attirer les cailles à la chasse.

COURÇON [kuʀsɔ̃] n. m. — 1316, *courchon* ; de *court*. → Courson.

♦ Techn. (arbor.). Branche d'arbre fruitier qui a été taillée court
pour que la sève s'y concentre.

1. COURÉE [kuʀe] n. f. — 1678 ; de *couroy*, par substitution du suffixe -ée.

♦ Mar. anc. Substance composée de suif, de soufre, de résine, etc.,

appliquée sur la carène des navires faisant des voyages au long
cours.

HOM. 2. 3. Courée.

2. COURÉE [kuʀe] n. f. — Fin XIIe, *coree* ; du bas lat. *corata*
« entrailles ».

♦ Vx ou régional. Poumons ou fressure d'animaux.

HOM. 1. 3. Courée.

3. COURÉE [kuʀe] n. f. — 1845 ; de *cour*, et suff. -ée.

♦ Régional (Nord, Flandres). Petite cour commune à plusieurs
immeubles dans les quartiers pauvres. ⇒ **Courette.** « (À Roubaix)
*des rues vides, des portes murées, des boutiques abandonnées et
pillées, des toits à claire-voie, des courées sales, encombrées de
gravats* » (l'Express, n° 1455 du 26 mai 79, p. 137).
(Jacqueline et Camille) remarquaient pour la première fois, (...) les ténèbres des
entrées de courées, l'aspect de coupe-gorge de leurs longs couloirs tortueux, la
mesquinerie sordide de ces agglomérations humaines où, depuis des générations,
végète une humanité asservie.
                              VAN DER MEERSCH, Invasion 14, 1935, p. 453, in T. L. F.

HOM. 1. 2. Courée.

1. COURETTE [kuʀɛt] n. f. — 1797 ; de *cour*.

♦ Petite cour intérieure.
L'énorme obus avait enfoncé le sol de la courette de deux et trois mètres.
                              DRIEU LA ROCHELLE, la Comédie de Charleroi, p. 254.

HOM. 2. Courette.

2. COURETTE [kuʀɛt] n. f. — XXe ; de *courir*.

♦ Argot fam. Course ; poursuite.
Pendant la guerre, la Gestapo leur a fait une sacrée courette, aux gitans
                              Joseph JOFFO, Baby-foot, p. 20.

HOM. 1. Courette.

COUREUR, EUSE [kuʀœʀ, øz] n. — V. 1160 ; de *courir*.

★ **I.** N. m. ♦ **1.** Personne qui court. *Un coureur rapide, infatigable.
Mauvais coureur. Le coureur de Marathon.* — Par anal. (en parlant
des animaux). *Ce cheval est un excellent coureur. Le zèbre est un
coureur,* il est rapide, léger à la course.
(...) le coureur de Marathon, est à l'heure actuelle, plus célèbre que la bataille   1
même qu'il annonça (...)   G. DUHAMEL, Récits des temps de guerre, IV, p. 86.
Un coureur parti de Bambio, nous a précédés de deux jours, pour annoncer notre   1.1
arrivée.   GIDE, Voyage au Congo, in Souvenirs, Pl., p. 749.
Zool. *Coureurs* (n. m. pl.) : ordre d'oiseaux aux ailes rudimentaires,
aux pattes puissantes. *Coureurs sans bréchet.* ⇒ **Ratites.** *Principaux
coureurs.* ⇒ **Æpyornis, autruche, casoar, dronte, émeu.** — Au sing.
Un coureur. — Adj. (masc. et fém.). *Oiseaux coureurs. Cette jument
est coureuse plutôt que sauteuse.*

♦ **2.** (1903). Sports. Personne qui participe à une course sportive.
REM. *Coureur* est généralement suivi d'un déterminant. *Coureur à pied.
Coureur de fond* (⇒ **Stayer**), *de demi-fond. Coureur spécialiste du
mile.* ⇒ **Mileur.** *Coureur de haies* (⇒ **Hurdler, jumper**). *Le coureur (de haies) piétine devant l'obstacle, plane sur lui. Coureur de
110 m haies. Coureur qui prend le départ dans le premier couloir.
Coureur de vitesse* (⇒ **Sprinter**). *Coureur qui part décalé, en bascule, les pieds appuyés contre les cales, les butoirs, les starting-
blocks. Coureur de relais.* ⇒ **Relayé, relayeur, vireur.** *Coureur qui
lance la course en menant le train.* ⇒ **Lièvre.** *Poussée du coureur
au départ de la course. La foulée du coureur. Coureur qui allonge,
griffe la piste, vire bien. Temps de passage du coureur. Coureur
qui double 5000 et 10000 (mètres). « La Solitude du coureur de
fond »* (titre de film). *Entraîner des coureurs* (⇒ **Entraîneur**).
Parmi les coureurs de cent mètres quelle immense variété ! et parmi les coureurs   1.2
de quinze cents, et les marathoniens eux-mêmes (...)
                              Jean PRÉVOST, Plaisirs des sports, p. 180.
Coureur cycliste : coureur sur route, sur piste (⇒ **Pistard, routier**). *Chandail, maillot de coureur. Coureur amateur, professionnel. Contrôle anti-dopage des coureurs.* — Loc. fam. *Baisse la tête,
t'auras l'air d'un coureur.*
(1908, in Petiot). *Coureur automobile, coureur motocycliste.* — *Les
coureurs, à la ligne de départ ! Disqualifier un coureur.*
REM. Le féminin *coureuse* (1896, in Petiot) est peu employé du fait de
l'acception ci-dessous, II.
Cheval de selle particulièrement propre à la course.* ⇒ **Racer ; pur-
sang.**

♦ **3.** Vx. Celui qui fait des courses pour qqn. — (Déb. XIIIe). Valet
chargé de porter des messages, d'accompagner à pied la voiture de
son maître. ⇒ **Coursier, messager.** *Coureur de vin,* qui accompagnait le roi à la chasse et lui portait des victuailles.
Coursier. ⇒ **Commissionnaire, coursier, garçon** (de courses).

2   J'ai donné ordre à mon coureur, qui vous porte cette lettre, de vous chercher où que vous soyez, et de ne pas revenir sans votre réponse (...)
ROUSSEAU, Julie ou la Nouvelle Héloïse, III, Lettre XXIII.

♦ **4.** [a] *Vx. Coureur de... :* celui, celle qui va et vient, qui se déplace, parcourt (un lieu). — Au Canada (hist.). *Coureur de bois* (ou : *des bois*) : chasseur et trappeur.

[b] *Vx* (v. 1160). *Coureurs :* cavaliers détachés pour battre la campagne ennemie. ⇒ **Éclaireur.**

3   Aussitôt que les premiers coureurs de l'armée française parurent, les ennemis levèrent le siège.   RACINE, les Campagnes de Louis XIV.

★ **II.** N. m. et f. Celui, celle qui court (II., 6.), fréquente ou recherche. ♦ **1.** (1585). N. m. *Coureur de bals, de cafés, de tripots, de spectacles :* celui qui fréquente habituellement les bals... *Coureur de nuit.* ⇒ **Noctambule.** *Coureur de mauvais lieu. Ce matelot est un coureur de bordées. Coureur de places, coureur de dots :* celui qui cherche à obtenir une place par tous moyens, à épouser une jeune fille pour sa dot.

3.1   Un coureur de tavernes et de mauvais lieux.   ROUSSEAU, Dialogues, II.

REM. Semble inusité au fém.

♦ **2.** (1566). N. m. *Coureur de filles, coureur de jupons...,* et, absolt, *coureur :* celui qui court de femme en femme, a de nombreuses aventures galantes. ⇒ **Débauché, juponnier** (→ pop. *Cavaleur*). — REM. Du fait des références morales dominantes, le mot est moins péj. que *coureuse. Un vieux coureur.* ⇒ **Galant, beau.**

4   Eh mon Dieu! je sais mon Dom Juan sur le bout du doigt, et connais votre cœur pour le plus grand coureur du monde (...)   MOLIÈRE, Dom Juan, I, 2.

5   C'est tout de même dégoûtant qu'un vieux coureur de femmes comme lui, qui n'a pas dételé, me donne perpétuellement des leçons.   PROUST, le Côté de Guermantes, p. 169.

6   Elle s'était dit que ses manières entreprenantes prouvaient un «coureur», donc, qu'il pouvait avoir attrapé dans ses aventures quelque «vilaine maladie» (...)   J. ROMAINS, les Hommes de bonne volonté, t. V, XXVI, p. 270.

Adj. *Il est assez coureur.*

♦ **3.** (1560). COUREUSE (n. f.) : fille, femme qui recherche les hommes, a des mœurs sexuelles libres (toujours péj., par référence à une morale de la chasteté ou de la réserve féminine). *C'est une petite coureuse.* ⇒ **Dévergondée** (→ Rouleur, cit. 4.1).

7   Ne voudrait-on point que je mariasse mon fils avec elle? Une fille inconnue, qui fait le métier de coureuse?   MOLIÈRE, les Fourberies de Scapin, III, 10.

8   C'étaient bien les plus grandes salopes et les plus vilaines coureuses qui jamais aient empuanti le bercail du Seigneur.   ROUSSEAU, les Confessions, II.

9   On m'accusait, dans cette lettre, d'avoir exposé mes enfants dans les rues, de traîner après moi une coureuse de corps-de-garde, d'être usé de débauche, pourri de vérole, et d'autres gentillesses semblables.   ROUSSEAU, les Confessions, XII.

10   Le fils de sa pipelette ayant, pour une coureuse, déserté la loge maternelle, Max s'était engagé à le ramener dans le droit chemin.   Francis CARCO, Ombres vivantes, p. 243.

Adj. *Elle est un peu, plutôt coureuse.*

COMP. **Avant-coureur.**

1. COURGE [kuʀʒ] n. f. — Après 1350; du lat. class. *cucurbita.* → Gourde.

♦ **1.** Plante potagère *(Cucurbitacées*),* comportant de nombreuses variétés, herbacée, annuelle ou vivace, cultivée pour ses fruits généralement comestibles (⇒ **Pépon**), appelés *courges* (2.), *citrouilles, potirons. Courge potiron* (Cucurbita maxima), aux fruits volumineux, appelée vulgairement *bonnet turc, bonnet de prêtre.* ⇒ **Giraumon, potiron.** *Courge citrouille** (Cucurbita pepo) avec ses variétés : *courge des Patagons, courge sucrière, courge à la mœlle...* ⇒ aussi **Pâtisson.** *Courge musquée* (Cucurbita moschata). *Courge calebasse* (Cucurbita lagenaria) aux fruits ornementaux. *Courge torchon.* ⇒ **Luffa.**

Loc. régionale. *Boire comme un plant de courge,* boire énormément.

♦ **2.** Cour. Le fruit de certaines variétés de courges, utilisé comme légume. *Manger des courges* (⇒ **Courgette**).
Huile de courge : huile extraite des pépins de courge.

♦ **3.** Fam. Imbécile. *Quelle courge, ce type!* ⇒ **Gourde.** — Adj. (seulement attribut). *Ce que t'es courge!*

Quelle courge alle avait tété *(été).* Croire comme ça à un gosse! C'est menteur les mômes, faut jamais croire c'qui disent.   R. QUENEAU, le Chiendent, p. 363.

DÉR. **Courgeron. — Courgette.**

2. COURGE [kuʀʒ] n. f. — Fin XIᵉ, *corge;* probablt de l'anc. franç. *corjon* «courroie», de **corrigione,* du lat. *corrigia* «courroie».

Régional ou technique.

★ **I.** (Fin XIᵉ). Bâton courbe servant à porter deux seaux sur l'épaule (⇒ **Courgée**). — Par ext. Appareil servant au même usage (cerceau de bois, courroie...).

Pièce de bois sur laquelle repose une cuve (en Bourgogne).

★ **II.** (1486). Techn. Corbeau qui supporte le manteau d'une cheminée (quand il n'y a pas de chambranle).

DÉR. **Courgée.**

COURGÉE [kuʀʒe] n. f. — XIVᵉ; de 2. *courge* «bâton», et *-ée.*

★ **I.** Régional. Charge de deux seaux que l'on porte. sur l'épaule, à l'aide du bâton appelé *courge,* l'un en avant, l'autre en arrière.

★ **II.** (1723, in D. D. L., cf. Courge «sarment de vigne», dans le Centre).

♦ **1.** Régional et vitic. Sarment qu'on sépare du cep pour l'attacher à un échalas éloigné. — Taille longue qui conserve sur le sarment un assez grand nombre d'yeux. — On dit aussi *aste.*

♦ **2.** Régional. Mèche de fouet.

(Une) arme effroyable, au manche d'épine, durcie au feu, faite de lanières de cuir tressées, avec une mordante courgée de six pouces (...)
BARBEY D'AUREVILLY, le Chevalier des Touches, p. 110.

COURGERON [kuʀʒəʀɔ̃] n. m. — 1852; de 1. *courge.*

♦ Régional (Suisse romande). Petite courge.

COURGETTE [kuʀʒɛt] n. f. — 1929; de 1. *courge,* et *-ette.*

♦ Fruit de certaines variétés de courges, récoltées au début de leur développement et consommées comme légumes. *Courgettes farcies. Courgettes au gratin.*

COURIR [kuʀiʀ] v. intr. et tr. — *Je cours, tu cours, il court, nous courons, vous courez, ils courent; je courais; je courus, nous courûmes; je courrai; je courrais; cours, courons; que je coure; que nous courions; que je courusse; courant; couru, courue.* — 1080, *curir;* a remplacé l'anc. franç. *courre,* du lat. *currere.* → Courre.

★ **I.** V. intr. **A.** (Sujet n. d'être animé). ♦ **1.** Aller, se déplacer* par une suite d'élans, en reposant alternativement le corps sur l'une puis l'autre jambe, et d'un train généralement plus rapide que la marche. ⇒ **Course; bondir, cavalcader, élancer** (s'), **hâter** (se); **précipiter** (se); **détaler, filer, galoper, gazer, trotter, voler, voltiger;** fam. **caleter, carapater** (se), **cavaler, droper, foncer, pédaler, tracer, trisser.** Cf. les loc. (littér. et vx) Dévorer l'espace, fendre l'air... ; (fam.) jouer des flûtes; tricoter des pincettes; avoir le feu au derrière; le diable à ses trousses; (vx) brûler le pavé; prendre ses jambes à son cou; piquer un cent mètres. — *Courir vite. Courir à toutes jambes, de toutes ses forces, courir ventre à terre, tête baissée. Courir à perdre haleine, comme un dératé. Courir à fond de train. Courir comme un cerf, un lapin, un lévrier, un lièvre, un zèbre; comme le vent. Il traversa la rue, monta les escaliers en courant. Être essoufflé, hors d'haleine, brisé, éreinté, fourbu, avoir un point de côté pour avoir trop couru.*

1   (...) et nous partons, lui *(un conducteur de pousse-pousse)* courant ventre à terre; moi traîné par lui, tressautant sur la route comme sur un char léger (...)
LOTI, Mᵐᵉ Chrysanthème, III, p. 17.

2   Le matin, de la terrasse de sa chambre, elle voyait les enfants courir dans l'herbe (...)   J. CHARDONNE, les Destinées sentimentales, II, p. 327.

3   Jerphanion qui avait joué sur les toits de village, grimpé à travers les éboulements de phonolithes, couru pieds nus à flanc de précipice (...)
J. ROMAINS, les Hommes de bonne volonté, t. III, I, p. 7.

Courir pour s'échapper, pour fuir. ⇒ **Enfuir** (s'), **détaler, filer;** cf. Ficher, foutre le camp. *Courir pour atteindre, pour rattraper.* ⇒ **Fondre** (sur), **jeter** (se jeter sur), **pourchasser, poursuivre, ruer** (se ruer sur). *Courir sus* à l'ennemi.* Manifestation de personnes qui courent nues dans la rue. ⇒ **Streaking.** *Courir au-devant de qqn. Courir à la rescousse, au secours de qqn. Courir après qqn,* pour le rattraper. ⇒ **Après,** cit. 48. — Fam. *On lui court après :* on le recherche.

4   Ou plutôt on se dira que c'est la vieille qui a renversé le guéridon en se levant précipitamment pour me courir après.
J. ROMAINS, les Hommes de bonne volonté, t. II, IV, p. 43

Figuré :

5   (...) ils apercevaient les bus et motorbus (...) se courant l'un après l'autre avec des allures bousculées de troupeau (...)
J. ROMAINS, les Hommes de bonne volonté, t. V, XXVI, p. 252.

Pop. et régional. *Tout courant :* en courant très vite. *Il est arrivé tout courant.*

(Animaux). *La gazelle, le zèbre courent très vite. Un lapin traversa la route en courant. Le lapin, le lièvre courent en sautant* (→ régional Boultiner). *Cheval courant à bride abattue, à toute bride, à franc étrier.* — REM. Pour le cheval et les équidés, *courir* est plutôt stylistique; on emploie normalement les verbes spécifiques. ⇒ **Trotter; galoper.** — *Il court, il court le furet...,* chanson d'enfant.

6   (...) un cheval eut alors différend
Avec un cerf plein de vitesse,
Et, ne pouvant l'attraper en courant,
Il eut recours à l'homme, implora son adresse.   LA FONTAINE, Fables, IV, 13.

♦ **2.** Disputer une épreuve de course. *Courir dans une compétition d'athlétisme. Courir aux Jeux Olympiques.* — (1855, in Petiot). *Ce* *cheval a couru dans la troisième course. Faire courir un cheval, des lévriers. Faire courir un pilote,* le faire participer à une course. — Participer à une épreuve de vitesse de cyclisme, de motocyclette, d'automobile, de bateau, ... de ski, etc. (⇒ **Coureur, course**). *Courir à bicyclette.*

7 (...) je parle à Émile de ses anciennes courses (...) on lui demande s'il sait courir encore (...) Chacun se tient prêt, le papa donne le signal en frappant des mains. L'agile Émile fend l'air, et se trouve au bout de la carrière qu'à peine mes trois lourdauds sont partis (...) Au milieu de l'éclat du triomphe, Sophie ose défier le vainqueur, et se vante de courir aussi bien que lui.
ROUSSEAU, Émile, v. (→ Course, cit. Rousseau).

7.1 Semelles raides ou pieds armés de pointes, les modernes courent des pieds et du mollet. Les Anciens, forcés de poser en courant le pied à plat par terre, couraient de plus haut : les cuisses de leurs athlètes se prolongent sur les flancs jusqu'à la naissance des côtes flottantes ; les fesses se continuent au niveau des reins ; les muscles des cuisses et des jambes sont longs, et seul le pied se cambre et devient trapu, grâce à la liberté des orteils.
Jean PRÉVOST, Plaisirs des sports, p. 59.

♦ **3.** Aller vite, se dépêcher (sans précisément courir). ⇒ **Dépêcher** (se), **empresser** (s'), **hâter** (se), **presser** (se) ; **pas** (presser le pas). *« Vous ne marchez pas, vous courez »* (Littré). *Ce n'est pas la peine de courir, nous avons le temps. Faire qqch. en courant,* à la hâte, précipitamment. *On ne fait pas les affaires en courant. Lire qqch. en courant,* superficiellement (→ Couramment).

8 Achille va combattre, et triomphe en courant (...) RACINE, Iphigénie, I, 1.
9 Il ne lit pas, ou il ne les lit qu'en courant. BOSSUET, Avertissement, I.

Aller rapidement à un but ; chercher à atteindre qqch. le plus vite possible. ⇒ **Accourir, porter** (se porter vers, sur). *Je prends ma voiture et je cours chez vous. — Les gens courent à ce spectacle* (⇒ **Affluer**) ; *on y court* (⇒ **Écraser** (s')). *Ce chanteur fait courir tout Paris.* ⇒ **Attirer.** *— Courir au feu. Courir au plus pressé*. Courir aux armes.* ⇒ **Prendre** (les armes). *Courir à la vengeance, au combat. — Courir à sa fin, à sa perte, à sa ruine.* ⇒ **Marcher, toucher.** *Courir à la mort. Courir après les honneurs, les places, la richesse ; courir après la gloire, la fortune.* ⇒ **Aspirer** (à). *Courir après les aventures, les dangers.* ⇒ **Chercher, rechercher.** *Courir d'aventure en aventure. — Courir après l'argent,* chercher à en obtenir par tous les moyens. *Courir après son argent :* chercher à regagner, à recouvrer une somme perdue ou prêtée, etc. *— Courir après l'esprit,* chercher à en faire étalage. *— Fam. Courir après qqn,* le rechercher avec assiduité. ⇒ **Presser, importuner.** *Courir après une femme,* la poursuivre de ses assiduités. *Courir après toutes les femmes.* ⇒ **Coureur**, II., 2. ; fam. **cavaler.** *— Courir après son ombre :* poursuivre vainement un but inaccessible. *— Courir après les papillons*. — Courir sur les brisées* de quelqu'un.*

10 Montre toi digne fils d'un père tel que moi.
Accablé des malheurs où le destin me range,
Je vais les déplorer : va, cours, vole, et nous venge.
CORNEILLE, le Cid, I, 5.
11 Au tombeau comme au trône on me verra courir. CORNEILLE, Héraclius, IV, 1.
12 (...) le mérite a pour moi des charmes si puissants, que je cours partout après lui.
MOLIÈRE, les Précieuses ridicules, 9.
13 (...) L'homme au vœu
Courut au trésor comme au feu (...) LA FONTAINE, Fables, IX, 13.
14 Mon cœur court après elle, et cherche à s'apaiser. RACINE, Andromaque, II, 5.
15 (...) après l'invective (...) contre les honneurs, les richesses et le plaisir, il ne reste plus à l'orateur qu'à courir à la fin de son discours (...)
LA BRUYÈRE, les Caractères, XV, 26.
16 Il court de femme en femme, comme tous les jeunes cavaliers ont coutume de faire. A.-R. LESAGE, Gil Blas, I, IV, v, p. 229.
17 Quand on court après l'esprit, on attrape la sottise. MONTESQUIEU, Variétés.
18 Une femme est comme votre ombre ; courez après, elle vous fuit ; fuyez-la, elle court après vous. A. DE MUSSET, Namouna, épigr.
19 L'amour est comme la fortune, il n'aime pas que l'on coure après lui.
Th. GAUTIER, Mlle de Maupin, X, p. 215.
20 « Il court après l'esprit », disait-on devant Boufflers d'un prétentieux personnage (...) « Je parie pour l'esprit » *(répondit Boufflers).* H. BERGSON, le Rire, p. 88.
21 (...) voici cinq pesetas (...) Cours, ou plutôt descends en vol plané jusqu'à l'infernal paradis de Planche-à-pain. P. MAC ORLAN, la Bandera, XIV, p. 165.

(Semi-auxiliaire, suivi de l'inf.). → Aller. *Je cours acheter du pain. Elle a couru le prévenir.*

Prov. *Il vaut mieux tenir que courir* (cf. Un tiens vaut mieux que deux tu l'auras).

Fam. *Tu peux toujours courir !,* attendre (se dit d'un souhait qui ne se réalisera pas, ou pour refuser quelque chose).

S'échapper en hâte. ⇒ **Détaler, distancer, enfuir** (s'), **fuir** ; (fam.) **caleter, cavaler...** — Fig. et fam. *Il court encore,* il s'est échappé ; il ne se laissera plus prendre...

22 Cela dit, maître loup s'enfuit, et court encor. LA FONTAINE, Fables, I, 5.
23 (...) Ami, je te conseille
De fuir, en attendant que ton maître s'éveille ;
Il ne saurait tarder ; détale vite, et cours. LA FONTAINE, Fables, VIII, 17.
24 (...) et ceux qui ne marchent que fort lentement peuvent avancer beaucoup davantage, s'ils suivent le droit chemin, que ne font ceux qui courent et qui s'en éloignent. DESCARTES, Disc. de la méthode, I, p. 70.

Prov. *Rien ne sert de courir, il faut partir à point* (La Fontaine, VI, 10, *Le Lièvre et la tortue*) : en toutes choses mieux vaut une allure soutenue, régulière, qu'une ardeur déréglée.

♦ **4.** Se déplacer beaucoup et rapidement, pour des démarches (⇒ aussi **Course**). *Il a couru toute la journée pour ses affaires.*

Courant de porte en porte, j'expédiai le soir même les courses de Péra (...) 24.1
LOTI, Aziyadé, III, p. 180.

♦ **5.** ⓐ Spécialt et vx. Vagabonder.

ⓑ Courir (II., 6.) les « mauvais lieux », les hommes (pour une femme ; ⇒ **Coureuse**), les femmes (pour un homme) ; → fam. Cavaler. *Il ferait mieux de travailler au lieu de courir. Son mari est gentil, mais il a tendance à courir,* à être coureur*.

B. (Sujet n. de chose). ♦ **1.** Se mouvoir* avec rapidité. *Le train court dans la campagne. Les nuages courent dans le ciel. Des ombres courent sur le mur.* ⇒ **Glisser.** *— Le ruisseau court entre les roseaux. L'eau qui court.* ⇒ **Couler, écouler** (s') ; 1. **courant.** *Un frisson lui courut par tout le corps.* ⇒ **Parcourir.** *— Faire courir, laisser courir sa plume sur le papier,* écrire au courant* de la plume.

Et nous faisons courir des ruisseaux de leur sang (...) 25
CORNEILLE, le Cid, IV, 3.
(...) il est dans sa chaise, avec mille petites douleurs qui courent par toute sa 26
personne. Mme DE SÉVIGNÉ, 1123, 14 janv. 1689.
Une eau courait, fraîche et creuse, 27
Sur les mousses de velours (...) HUGO, les Contemplations, I, « Aurore », XIX.
Au loin court quelque voile hellène ou candiote. 28
HUGO, les Contemplations, V, « En marche », XX.
(...) j'écris sur mes genoux, à la lueur de ma bougie qui se tourmente et fait cou- 29
rir des ombres folles sur les murs blancs (...)
E. FROMENTIN, Un été dans le Sahara, p. 195.
Quoique l'air fût encore tiède, on y sentait courir des fraîcheurs humides. 30
E. FROMENTIN, Une année dans le Sahel, p. 103.
(...) et, sur la cime des platanes, la lune courait dans les nuées. 31
FRANCE, Histoire comique, II, p. 32.
Le vent qui courait sur la neige était glacial. M. BARRÈS, Leurs figures, p. 222. 32
(...) un frémissement parut courir sur toutes ces nuques ployées (...) 33
MARTIN DU GARD, les Thibault, t. VII, p. 199.
De grandes ombres noires, plissées par le vent, couraient sur les eaux vertes (...) 34
A. MAUROIS, le Cercle de famille, I, p. 14.
Deux navires courent à contre bord, lorsqu'ils vont l'un au nord, l'autre au sud, 35
par exemple, en recevant la brise chacun de différent côté.
Jules LECOMTE, Dict. pittoresque de marine (1836), p. 129.

♦ **2.** Mar. ⓐ (D'un navire). Faire route. ⇒ **Filer.** *Courir à terre, au large. Courir sur un navire,* se diriger vers lui. *Courir largue, vent arrière, au plus près. Courir sur son erre, sur son ancre.*

ⓑ Jouer librement (d'un cordage). ⇒ **Claquer, glisser.**

Tout le gréement du bateau est englobé dans une coque de glace (...) et il est tota- 36
lement impossible de faire courir les manœuvres (...)
CHARCOT, le « Pourquoi-pas ? » dans l'Antarctique, p. 352, in T. L. F.

♦ **3.** Circuler rapidement ; aller çà et là. ⇒ **Circuler, mouvoir** (se), **passer.** *Les dés couraient sur le feutre vert. La conversation, les propos courent à bâtons rompus, d'un sujet à l'autre.*

♦ **4.** (Choses ; propos). Être répandu, passer de l'un à l'autre. ⇒ **Circuler, communiquer** (se), **propager** (se), **répandre** (se). *Faire courir une nouvelle.* ⇒ **Colporter.** *Le bruit court que... :* on dit que... *Les propos joyeux courent à la ronde. La rumeur courut dans la foule.* — Impers. *Il court un préjugé contre cette théorie.* — Par ext. Être en vogue, à la mode. *Une chanson qui court par le pays. La mode qui court* (Académie).

(...) je me mets entre vos mains, et connaissant votre fidélité, je dormirai en repos 37
de ce côté-là, mais reposons aussi de M. de Grignan ; car ce ne serait pas une
consolation pour moi que de voir courir mon secret par cet endroit.
Mme de SÉVIGNÉ, 485, 1er jour de l'an 1676.
(...) vous verrez courir de ma façon, dans les belles ruelles de Paris, deux cents 38
chansons (...) MOLIÈRE, les Précieuses ridicules, 9.
(...) Mille bruits en courent à ma honte. RACINE, Britannicus, IV, 2. 39
On fit courir sous son nom cet écrit. RACINE, Port-Royal. 40
Et la légende court, se répand, s'enjolive, un vrai roman de George Sand. 41
Alphonse DAUDET, Numa Roumestan, IX, p. 180.

(Le sujet désigne une maladie). Sévir sous forme d'épidémie. *Il courait alors une fièvre dangereuse* (Littré). *Le mal court,* pièce d'Audiberti.

♦ **5.** (En parlant du temps). Suivre son cours*, se passer. ⇒ **Continuer, passer.** *L'année, le mois qui court.* ⇒ **Cours** (en). — Loc. *Par le temps qui court, par les temps qui courent,* dans le temps où nous sommes. ⇒ **Actuellement** (cf. pop. Au jour d'aujourd'hui). *Le délai ne court qu'après la sommation.*

(...) ma douleur était de voir courir le temps trop vite. 42
Mme de SÉVIGNÉ, 813, 25 mai 1680.
Dans le temps qui court, ce n'est pas un petit mérite (...) 43
Mme de SÉVIGNÉ, 402, in LITTRÉ.
Quand chaque année on est sûr de la suivante, qui peut troubler la paix de celle 44
qui court ? ROUSSEAU, Julie ou la Nouvelle Héloïse, V, Lettre II.
Je suppose que vous êtes toujours apatride, ce qui présente de graves inconvénients 44.1
« par les temps qui courent ».
Patrick MODIANO, les Boulevards de ceinture, p. 108.

(Le sujet désigne une somme d'argent due). Être compté (à partir d'une date). *L'intérêt de cette rente court à partir de tel jour. Mon loyer court du mois de décembre. Ses appointements, son calvaire courent du début de l'année.*

(Sujet n. de chose). Aller rapidement; être en voie, en chemin de. *Courir à sa fin.*

Fam. *Laisser courir :* laisser faire, laisser aller (cf. laisser tomber).

44.2   Ou vous diminuez la circulation fiduciaire, et c'est la porte ouverte à tous les conflits sociaux; ou vous laissez courir et c'est l'inflation.
      Pierre DANINOS, *Un certain Monsieur Blot*, p. 238.

♦ **6.** (Sujet n. de chose concrète; spatial). S'étendre*, se prolonger au long de qqch. *La côte court d'est en ouest. Le chemin court le long de la berge. La voie ferrée court vers le nord. Cette chaîne de montagne court jusqu'à la mer.*

45   (...) deux grandes chaînes de montagnes qui courent presque depuis l'extrémité occidentale de l'Asie Mineure... jusqu'à la mer qui baigne les côtes de Chine (...)
      G. T. RAYNAL, *Hist. philosophique*, I, 4.

★ **II.** V. tr. ♦ **1.** (XIIIᵉ). Poursuivre à la course, chercher à attraper. ⇒ **Courser.** — Vx. *Courir qqn.* — Mod. Chasse. *Courir le cerf, le chevreuil, le daim, le lièvre, le sanglier.* ⇒ **Courre.**

46   Ce maraud de farceur m'a fait si bien connaître,
Que les petits enfants, sitôt qu'on m'aperçoit,
Me courent dans la rue et me montrent au doigt.
      CORNEILLE, *la Suite du Menteur*, I, 3.

47   Mais aller attaquer de ces bêtes vilaines
Qui n'ont aucun respect pour les faces humaines,
Et qui courent les gens qui les veulent courir (...)
      MOLIÈRE, *la Princesse d'Élide*, I, 2.

48   (...) le duc (...) m'a voulu mener (...) courir un cerf avec lui?
      MOLIÈRE, *les Précieuses ridicules*, 11.

Fig. *Courir le même lièvre*, se dit de deux personnes qui poursuivent le même but. — *Il ne faut pas courir deux lièvres à la fois*, poursuivre deux buts en même temps.

♦ **2.** Sports. Participer à (une épreuve de course). *Courir le cent mètres. Ce cheval a couru le grand prix.* — (Vx). *Courir la bague... :* participer à une course de bague...

49   Ce dimanche là (...) on courait le Grand Prix de Paris au Bois de Boulogne.
      ZOLA, *Nana*, Pl., t. II, p. 1375.

Pron. (Passif). *Cette épreuve se court demain.*

♦ **3.** Rechercher avec ardeur, avec empressement. ⇒ **Chercher, poursuivre, rechercher.** *Courir les honneurs. Courir une place.* — Loc. *Courir le cachet*. Courir la leçon*.*

Vx. *Courir qqn*, le rechercher. (S'emploie encore au p. p. → *infra*, Couru).

50   (...) je crois tout de bon que nous les verrions *(les femmes)* nous courir (...)
      MOLIÈRE, *la Princesse d'Élide*, III, 2. (→ Acquiner, cit.1).

51   L'oisiveté des femmes, et l'habitude qu'ont les hommes de les courir partout où elles s'assemblent (...)
      LA BRUYÈRE, *les Caractères*, XV, 19.

♦ **4.** Aller, s'exposer au devant de (qqch.). ⇒ **Exposer** (s'exposer à), **jeter** (se jeter dans, sur...). *Courir les aventures* (cit. 21 et 23).

Spécialt. *Courir un danger. Courir risque, le risque de... :* être en péril* de... *Il court le risque d'être ruiné. Courir la chance.* ⇒ **Essayer, tenter.** *Chacun doit pouvoir courir sa chance. Courir fortune.* ⇒ **Chercher.** — Vx. *Courir la même fortune :* être exposé aux mêmes risques.

52   Ils sont trop habiles pour vouloir courir la fortune.
      Mᵐᵉ DE SÉVIGNÉ, 44, *in* LITTRÉ.

53   Elle *(ma mère)* se représentait avec une terreur folle les dangers que je courais sans cesse (...)
      FRANCE, *le Petit Pierre*, I, p. 11.

54   (...) Au moins, *là-bas (sur le front)*, chacun court sa chance; on peut s'en tirer, avec deux sous de veine!
      MARTIN DU GARD, *les Thibault*, t. VII, p. 281.

55   Pour sauver la vie d'un malade, il était capable de tenter n'importe quelle action téméraire, de courir personnellement n'importe quel risque (...)
      MARTIN DU GARD, *les Thibault*, t. III, p. 210.

♦ **5.** Parcourir (un lieu, un espace) fréquemment. ⇒ **Parcourir, sillonner, traverser.** *Courir la ville, les rues.* ⇒ **Errer.** *Courir le pays, les bois, la campagne, les champs.* ⇒ **Battre.** *Courir le monde.* ⇒ **Voyager.** *Courir la mer, les océans* (spécialt, faire la course* comme corsaire). *Les ennemis courent le pays*, y font des incursions.

56   Tout cassé que je suis, je cours toute la ville (...)
      CORNEILLE, *le Cid*, III, 5.

57   (...) je ne crois pas que personne s'avise de courir maintenant les rues.
      MOLIÈRE, *le Sicilien*, 2.

58   (...) Angélique avait couru les quatre coins du monde, seule avec Roland, et on assure le lecteur qu'elle était aussi entière que quand elle était sortie de chez son père (...)
      Mᵐᵉ DE SÉVIGNÉ, 901, 23 déc. 1682.

59   Les dimanches et les jours où j'étais libre, j'allais courir les campagnes et les bois des environs, toujours errant, rêvant, soupirant (...)
      ROUSSEAU, *les Confessions*, IV.

60   Ah! ces grands chevaux de filles qui courent les chemins seules (...) mènent leur voiture, fument du gros tabac et engueulent père et mère (...)
      COLETTE, *la Naissance du jour*, p. 127.

Loc. *Courir des bordées.* ⇒ **Bordée** (cit. 2, 3, 5).

(Sujet n. de chose). Se répandre, se propager. *Une nouvelle, une rumeur qui court les salons, les ruelles.* — *Courir les rues :* être banal, commun, vulgaire. *Ce genre d'esprit court les rues.*

61   Il y a, dans la vertu qui court le monde, beaucoup de paille (...)
      André SUARÈS, *Trois hommes*, III, « Pascal », p. 52.

♦ **6.** **ⓐ** Fréquenter assidûment. ⇒ **Fréquenter, hanter.** *Courir les*

---

théâtres, les salons, les bals... Courir les maisons de jeu, les mauvais lieux.

REM. Cet emploi est archaïque avec des compl. d'une autre nature.

62   (...) je lui ai laissé la liberté de courir les sermons.
      Mᵐᵉ DE SÉVIGNÉ, 909, 5 mars 1683.

63   Courir le bal la nuit, et le jour les brelans?   RACINE, *les Plaideurs*, I, 4.

ⓑ Rechercher (un, une partenaire) pour des relations sexuelles. *Courir les filles; courir la gueuse, courir le jupon.* ⇒ **Courailler; coureur** (II., 2.). *Courir la prétantaine*, le guilledou*.* — REM. Le verbe ne s'emploie qu'avec un compl. au plur. ou collectif, pour exprimer une activité habituelle (→ Coureur). ⇒ aussi **Draguer** (fam.).

♦ **7.** Vieilli ou littér. Suivre (une profession, une carrière). *Courir la carrière des armes. Courir une brillante carrière.*

64   Ô vous donc qui, brûlant d'une ardeur périlleuse,
Courez du bel esprit la carrière épineuse,
N'allez pas sur des vers sans fruit vous consumer (...)
      BOILEAU, *l'Art poétique*, VIII.

65   Le dégoût de la théologie l'avait jeté dans les belles-lettres, ce qui est très ordinaire en Italie à ceux qui courent la carrière de la prélature.
      ROUSSEAU, *les Confessions*, III.

♦ **8.** Loc. (vx). *Courir la poste*, au fig., aller fort vite.*

♦ **9.** (1902). Fam. *Courir qqn*, l'ennuyer* (cf. Casser les pieds, cavaler...). *Tu nous cours avec tes histoires. Il commence à me courir!* (On dit de même *courir sur le haricot, sur le système...*).

66   Il m'court, avec ses boniments.   Francis CARCO, *Jésus-la-Caille*, II, VIII, p. 137.

66.1   Cette Fiona commence à la courir mais, bon, elle ne peut pas la laisser, dans l'état où elle est, ce soir.
      Geneviève DORMANN, *Je t'apporterai des orages*, p. 107-108.

66.2   Une dame qui passait dans le couloir a dit à une autre : Elle commence à nous courir avec son escalier, son couloir.   Jean FERNIOT, *Pierrot et Aline*, p. 220.

▶ **COURANT, ANTE** p. prés. et adj. Voir à l'article et à l'ordre alphabétique.

▶ **COURU, UE** p. p. et adj.

♦ **1.** Recherché. *Prédicateur, conférencier, auteur très couru*, à la mode, en vogue. *Réunion très courue. C'est un spectacle très couru.*

67   Ce n'est pas un attachement à ce qui est parfait, mais à ce qui est couru (...)
      LA BRUYÈRE, *les Caractères*, XIII, 2.

♦ **2.** Fam. *C'est couru :* on peut le prévoir d'avance, cela se produira, la chose ne fait pas de doute; c'est prévu. ⇒ **Certain, sûr;** → Cuit (c'est du tout cuit).

67.1   Mais j'avais beau dire : «Attendez et prenez patience». La réponse était toute prête : «Est-ce à l'impatient Lyautey qui trouve toujours qu'on ne va pas assez vite, qui ne cesse de secouer nerveusement son entourage, à nous prêcher la patience? Il y a là un dessous; il ne veut pas de colons et voilà tout!» C'était "couru".
      L.-H. LYAUTEY, *Paroles d'action*, p. 171.

67.2   Maintenant, c'est foutu, dit M. Jo (...)
— C'était couru, dit Suzanne, puis, c'est toujours comme ça.
      M. DURAS, *Un barrage contre le Pacifique*, p. 130-131.

REM. *Le courir*, n. m., est stylistique et peu usuel.

68   Nier, croire, et douter bien, sont à l'homme ce que le courir est au cheval.
      PASCAL, *Pensées*, IV, 260.

Vx (et critiqué). *S'en courir :* aller (quelque part) en courant.

69   (...) À la fin le pauvre homme
S'en courut chez celui qu'il ne réveillait plus.   LA FONTAINE, *Fables*, VIII, 2.

70   Des grammairiens ont condamné cette locution *(s'en courir)* comme fautive; c'est à tort; elle est aussi correcte que *s'en aller* ou *s'enfuir*. Tout ce qu'on peut dire, c'est qu'elle est archaïque et tombée en désuétude.   LITTRÉ, *Dict.*, *Courir*.

REM. 1. *Courir* a été employé avec l'auxiliaire *être* (Sévigné, *Correspondance* 224, 472, 482, 766, 953, 1096 ; Racine, *Bérénice*, II, 1...).

2. Le participe passé *couru* employé avec *avoir* s'accorde lorsque le verbe est transitif, et reste invariable lorsque le verbe est intransitif. Ex. : *les cent mètres qu'il a courus; les vingt minutes qu'il a couru* (il a couru pendant vingt minutes).

CONTR. Marcher, piétiner. — Arrêter (s'), stationner, stopper. — Ralentir. — Éviter, laisser. — Fuir.

DÉR. Courable, courailler, courant, courante, coureur.

COMP. — V. Accourir, concourir, encourir, parcourir, recourir, secourir.

COURLAN [kuʀlɑ̃], **COURLIRI** [kuʀliʀi] n. m. — 1758, Buffon; *courlan*, serait une altération de *courliri*, empr. au galibi *kurliri*, d'origine onomatopéique.

♦ Zool. Oiseau aquatique *(Échassiers).*

COURLIS [kuʀli] ou **COURLIEU** [kuʀljø] n. m. — XIIIᵉ, *corlieu; corlys*, 1555; orig. obscure, ou évoque une onomatopée d'après le cri de l'oiseau.

♦ Oiseau échassier migrateur, à long bec courbe, dont la taille varie de celle du pigeon à celle du corbeau, et qui vit près de l'eau. *Courlis cendré, grand courlis* ou *bécasse de mer*, oiseau de passage. *Courlis corlieu* ou *courlis de terre. Courlis vert. Le cri du courlis est appelé* turlui *ou* turlu *(→ Turluter).*

1 Quand il fut au bas de la côte, tout au droit de la carrière, il entendit une voix gémir et pleurer, et tout d'abord il crut que c'était le courlis.
G. SAND, la Petite Fadette, XVII, p. 120.

1.1 Le marin se réveille étendu sur la grève,
Et, rassuré, voyant que ce n'était qu'un rêve,
Il chante, en regardant les mouettes, les courlis,
Qui volent sur la vague en poussant de longs cris (...)
A. JARRY, Ontogénie, Pl., p. 83.

2 (...) quelquefois le grincement des ais de la barque éveillait un nid de courlis ou de brantes, posé dans une touffe humide, au niveau des eaux noires ; et j'entendais alors, presque contre ma joue, quelques pépiements étonnés et le bref frémissement des plumes.
H. BOSCO, Hyacinthe, p. 74.

COURONNANT, ANTE [kuʀɔ̃nɑ̃, ɑ̃t] adj. ⇒ **Couronner.**

COURONNE [kuʀɔn] n. f. — V. 1560 ; *corone,* v. 1220 ; *curune,* v. 1100 ; *corona,* av. 950 ; du lat. *corona,* probablt empr. au grec *korone* « corneille », puis (à cause du bec) « extrémité recourbée », et « objet courbe ».

★ **I.** Cercle destiné à ceindre la tête. ♦ **1.** Cercle de fleurs, de feuillages, qu'on met autour de la tête comme ornement, comme parure ou comme marque d'honneur. *Couronne de branchages, de feuillages, de fleurs ; couronne de chêne, de laurier, de lierre, d'olivier, de bluets, de roses* (⇒ **Guirlande**). *Couronne de première communiante. Couronne de fleurs d'oranger,* que portaient les jeunes filles qui se mariaient. *Gagner, mériter, obtenir une couronne. La couronne du vainqueur. Couronne olympique des Grecs. Décerner une couronne. Tresser des couronnes. Être coiffé d'une couronne.*

1 Apollon à portes ouvertes
Laisse indifféremment cueillir
Les belles feuilles toujours vertes
Qui gardent les noms de vieillir ;
Mais l'art d'en faire des couronnes
N'est pas su de toutes personnes.
MALHERBE, III, 2, *in* LITTRÉ.

Fig. La couronne de l'innocence, de la vertu. ⇒ **Attribut, ornement.**
Dans la Rome antique, Signe de mérite militaire ou civique. (1756, *in* D.D.L.). *Couronne triomphale. Couronne de l'ovation. Couronne obsidionale. Couronne civique. Couronne murale, vallaire. Couronne navale* ou *rostrale.* (Voir aux adj.).

2 Une couronne de feuilles de chêne, de laurier ou de quelque herbe plus vile encore, devenait inestimable parmi les soldats, qui ne connaissaient pas (...) de plus noble distinction que celle qui venait des actions glorieuses.
BOSSUET, Hist., III, 6, *in* LITTRÉ.

Théol. Cercle d'étoiles ceignant la tête de la Vierge, ou de rayons, ceignant la tête des saints. ⇒ **Auréole.**
(V. 1175). *Mod. Couronne académique :* prix remporté dans un concours académique. *On donnait autrefois une couronne de laurier aux écoliers qui remportaient des prix. La couronne du lauréat. Couronne de rosière*. Donner, décerner une couronne à quelqu'un.*
Fig. ⇒ **Récompense ; honneur, prix.** *Décerner une couronne au courage de qqn.* ⇒ **Honorer.** *Obtenir une couronne.*

3 Il y a de fausses vaillances qui ont leur couronne (...)
BOSSUET, Honn., 1, *in* LITTRÉ.

Relig. Récompense céleste. *La couronne du juste. La couronne du martyre. La couronne de gloire :* la béatitude* réservée aux saints (⇒ **Auréole, nimbe**). *La couronne des vierges.*

4 Il y en aura tant *(de personnes)* qui tomberont de leur gloire et qui laisseront prendre à d'autres, par leur négligence, la couronne que Dieu leur avait offerte.
PASCAL, Lettres, 1er fragment.

♦ **2.** Cercle de métal qu'on met autour de la tête comme insigne d'autorité, de dignité, de noblesse. *Couronne votive. Couronne ouverte,* formée d'un simple cercle. ⇒ **Diadème.** *Couronne cintrée, à fleurons, perlée, radiale, tourelée. Couronne de prince ; de duc, ducale ; de comte ; de vicomte ; de vidame ; de baron* (⇒ **Tortil**). *Couronne fermée,* dont le cercle est surmonté d'ornements qui couvrent la tête. *Seules les couronnes royale et impériale sont fermées. Couronne de roi, royale.* ⇒ **Bandeau.** *Couronne d'empereur, impériale. La triple couronne :* la tiare* du pape. ⇒ **Tri-règne.** *Couronne d'or. La couronne de fer,* des rois lombards d'Italie.

5 Les animaux, au décès d'un lion,
En son vivant prince de la contrée,
Pour faire un roi s'assemblèrent, dit-on.
On son étui la couronne est tirée.
LA FONTAINE, Fables, VI, 6.

6 Il reste encore aux meilleurs bourgeois une certaine pudeur qui les empêche de se parer d'une couronne de marquis, trop satisfaits de la comtale (...)
LA BRUYÈRE, les Caractères, XIV, 5.

7 Il avait sur la tête une espèce de coiffure cerclée et fermée par le haut ; mais il était difficile de distinguer si c'était un bourrelet d'enfant ou une couronne de roi ; tant les deux choses se ressemblent.
HUGO, Notre-Dame de Paris, II, VI.

8 L'Empereur est coiffé de la couronne provisoire, simple cercle de lauriers d'or, le sceptre dans la main droite, *la main de justice* dans la gauche (...)
Louis MADELIN, l'Avènement de l'Empire, XV, p. 204.

Blason. Couronne héraldique, un des ornements extérieurs de l'écu. — *Timbre d'une couronne. Couronne peinte.*
Loc. La couronne d'épines, que l'on mit par dérision à Jésus-Christ

qui s'était appelé roi des Juifs. Au fig. ⇒ **Affliction, douleur, tourment.** *C'est sa couronne d'épines.*

9 Ils tressèrent une couronne avec des épines, qu'ils posèrent sur sa tête, avec un roseau dans sa main droite ; et, fléchissant le genou devant lui, ils lui disaient par dérision : « Salut, roi des Juifs ! »
BIBLE (CRAMPON), Évangile selon saint Matthieu, XXVII, 29.

10 Les génies sont une dynastie. Il n'y en a même pas d'autre. Ils portent toutes les couronnes, y compris celle d'épines.
HUGO, Shakespeare, I, III, III.

Loc. fig. C'est un des plus beaux fleurons* de sa couronne, ce que qqn a de plus précieux.

♦ **3.** Fig. La puissance, la dignité royale, impériale. ⇒ **Royauté, souveraineté.** *Donner la couronne à qqn.* ⇒ **Couronner.** *Avènement à la couronne. Aspirer, prétendre à la couronne ; convoiter la couronne. Prétendant à la couronne ; héritier présomptif de la couronne. Renoncer à la couronne.* ⇒ **Abdiquer.** *Perdre la couronne, le domaine de la couronne. Les droits de la couronne. Officier* de la couronne.* ⇒ **Bouteiller, connétable.** *Le trésor ; les joyaux, les perles de la couronne. — Discours de la couronne,* prononcé par le souverain à l'ouverture d'une session législative. *Ordres de la couronne :* ordres honorifiques créés par des souverains.

11 Et l'art et le pouvoir d'affermir des couronnes
Sont des dons que le ciel fait à peu de personnes.
CORNEILLE, Horace, V, 3.

12 (...) une foule d'écrivains trouvaient le désordre partout où ils ne voyaient point de couronne.
MONTESQUIEU, l'Esprit des lois, XXIX, 19.

(1676 ; dans quelques loc.). État gouverné par un roi, un empereur. ⇒ **Empire, monarchie.** *La couronne de France, d'Angleterre.*

13 Le pape Saint-Grégoire a fait cet éloge singulier de la couronne de France, qu'elle est au-dessus des autres couronnes du monde, que la dignité royale surpasse les fortunes particulières (...)
BOSSUET, Oraison funèbre de la Reine d'Angleterre.

Littér. Le souverain lui-même. ⇒ **Souverain ; empereur, monarque, roi.** *Traiter de couronne à couronne.*

14 Le roi *(Louis XIII)* traita avec le duc d'Épernon de couronne à couronne.
VOLTAIRE, Essai sur les mœurs, 175.

★ **II.** Par anal. Ce qui rappelle la forme d'une couronne.

♦ **1.** (1080). Tonsure circulaire que l'on fait sur le haut de la tête des gens d'église. ⇒ **Tonsure.** *Couronne de prêtre. Couronne cléricale.* — Par ext. *Couronne de cheveux.*

♦ **2.** Monnaie portant l'empreinte d'une couronne. Anciennt. *Couronne anglaise,* valant cinq shillings. *Demi-couronne.*
Papier de format 0,46 m × 0,36 m et qui portait une couronne dans son filigrane. Adj. *Papier couronne.*

♦ **3.** Objet circulaire ; ensemble de choses disposées en cercle, en anneau...
Couronne funéraire, mortuaire. Couronne de fleurs artificielles, de perles (cit. 7) *bleues. Ni fleurs ni couronnes* (se dit d'une cérémonie, d'un enterrement très simple).
Pain en couronne, et, absolt (1825, *in* D.D.L.), *couronne :* pain en forme d'anneau. *Couronne de trois livres.*

15 Les pains n'avaient pas la même forme que chez nous. On les appelait des « couronnes ». En voilà un nom !
Alphonse DAUDET, le Petit Chose, I, II.

Techn. Couronne de lumière : couronne de suspension servant à porter les lampes (dans une église, etc.). — *Couronne d'office,* à laquelle on accrochait les victuailles. — Voûte d'un fourneau. — *Mar.* Cercle métallique entourant le cabestan. ⇒ **Barbotin.** — *Autom.* (Se dit de pignons dentés en forme de couronne). *Couronne d'embrayage. — Couronne de différentiel.* — Trépan annulaire pour forage.
En appos. Bouchon*-couronne.
Bot. Cercle formé par l'étui médullaire de certains végétaux. — Réunion des appendices qui surmontent la gorge de la corolle du périanthe. — (Qualifié, dans des noms de végétaux). *Couronne royale.* ⇒ **Mélilot.** *Couronne impériale.* ⇒ **Fritillaire** (cit.). *Couronne de terre :* lierre* terrestre. *Couronne de Saint Jean.* ⇒ **Armoise.** *Couronne des blés* ⇒ **Lychnis.**
Touffe de feuilles attachées au fruit de l'ananas. — *Hortic. Greffe* en couronne. Taille en couronne.*
(1728). *Anat.* Partie de la dent qui sort de la gencive. *Base de la couronne.* ⇒ **Collet** (ou *bourrelet*). — (1846). *Chir. dent.* Capsule métallique dont on entoure une dent plombée pour la consolider, ou une dent saine pour y fixer un bridge. *Couronne en or, en porcelaine.*

REM. Ce mot, employé seul, est d'usage très courant, mais les expressions suivantes sont du langage technique : *couronne creuse ; couronne trois quarts ; couronne à pivot ; couronne jacket,* en porcelaine. → *Jacket* (anglic.), jaquette.

15.1 La *couronne creuse* (...) est une enveloppe sertie au collet de la dent, devant s'enfoncer de 1 ou de 1/2 mm entre la muqueuse et la dent, et qui reconstitue la dent dans sa fonction lorsque le praticien l'estime trop fragile pour résister à la mastication.
P.-L. ROUSSEAU, les Dents, p. 121.

Veines en couronne. ⇒ **Coronaire.** — *Couronne radiante :* épanouissement des fibres médullaires des pédoncules cérébraux. — Bourrelet entourant la base du gland.
(1600). *Art vétér.* Partie inférieure du paturon*. — *Vén.* Bois du cerf, quand les andouillers sont disposés en cercle.
Mus. Trait en demi-cercle surmontant le point d'orgue.

Mobilier. Cercle surmontant le lit et qui soutient des rideaux. *Lit à couronne.*

Géom. *Couronne circulaire,* comprise entre deux cercles concentriques.

Archit. ⇒ **Larmier.** — Art milit. Se dit de deux ouvrages à cornes juxtaposés.

Zone géographique concentrique. — Spécialt. Ensemble de départements de la Région parisienne qui sont disposés en cercle autour de la capitale. *Petite couronne* (Hauts-de-Seine, Seine-Saint-Denis, Val-de-Marne); *grande couronne* (Seine-et-Marne, Yvelines, Essonne, Val-d'Oise).

♦ **4.** (XVIᵉ). Ce qui entoure d'un cercle lumineux. ⇒ **Anneau, auréole, halo.** *La couronne d'une aurore boréale,* son foyer. ⇒ aussi **Halo.**

(1858). Astron. *Couronne solaire :* atmosphère lumineuse diffuse formée principalement d'hydrogène et de coronium, et que l'on peut observer autour du soleil pendant les éclipses totales, ou à l'aide d'un instrument appelé *coronographe.* — Électr. *Effets de couronne,* se produisent autour des conducteurs électriques portés à une grande différence de potentiel par rapport à l'air ambiant.

♦ **5.** Anneau, auréole, cercle... *Ville entourée d'une couronne de verdure. Couronne de montagnes. Couronne de lumière.* ⇒ **Auréole, halo, nimbe.**

16 Cette belle table de famille, cette couronne de jeunes frères et sœurs, qui l'adoraient (...)   MICHELET, la Femme, p. 265.

17 (...) çà et là, des tours qui faisaient comme des fleurons à cette couronne de pierres *(la forteresse)...*   FLAUBERT, Trois contes, « Hérodias », I.

18 (...) le long des golfes et des promontoires de l'Espagne, de l'Italie, de la Grèce, de l'Asie Mineure, de l'Afrique, elles *(les cités)* tressèrent une couronne de villes florissantes autour de la Méditerranée.   TAINE, Philosophie de l'art, t. I, I, II, V, p. 65.

19 (...) l'heure où les minarets allument tous leurs couronnes de feux, pour la féerie d'une nuit de Ramazan (...)   LOTI, les Désenchantées, XXXI, p. 185.

Fig. *La couronne des ans.*

♦ **6.** Par métaphore. Ce qui ceint la tête, le sommet de qqch. — *Couronne de fer :* migraine.

♦ **7.** Littér. Ce qui entoure en ornant (→ Couronner II., 2.).

DÉR. — V. **Couronner**; corollaire, corolle, coronaire, coronal, coronelle, coronille.

COURONNEMENT [kuʀɔnmɑ̃] n. m. — 1559; *coronement,* v. 1165; de *couronner.*

♦ **1.** Action de poser une couronne sur la tête (de qqn) et, spécialt, Cérémonie dans laquelle on couronne solennellement un souverain. ⇒ **Sacre.** *Le couronnement d'un roi, d'un empereur. Cérémonie, fêtes du couronnement. Le couronnement de Louis* (chanson de geste). — Icon. chrét. *Le Couronnement de la Vierge,* tableau de Fra Angelico. — *Le Couronnement de Poppée,* opéra de Monteverdi.

1 Étienne II avait renouvelé la consécration qu'il avait donnée à Pépin. Il avait couronné lui-même le nouveau roi, et ce couronnement, c'était un sacre.   J. BAINVILLE, Hist. de France, III, p. 35.

2 (...) l'Empereur lui adressa *(au Pape)* la demande officielle, l'invitant « à venir donner, au plus éminent degré, le caractère de la religion à la cérémonie du sacre et au couronnement du premier Empereur des Français ». (Au Pape, 15 sept. 1804, Corresp. IX, nº 8020).   Louis MADELIN, l'Avènement de l'Empire, XIII, p. 182.

Action, fait de couronner (un lauréat d'un concours académique).

♦ **2.** ⓐ Action de garnir la partie supérieure (de qqch.). *Travailler au couronnement d'un bâtiment.*

ⓑ Ce qui termine et orne le sommet, le faîte (d'un édifice, d'un meuble, ou de toute autre chose dans sa partie supérieure). ⇒ **Faîte, sommet.** *Couronnement d'un édifice* (⇒ **Comble**), *d'un meuble* (⇒ **Corniche**), *d'une colonne* (⇒ **Abaque, chapiteau, tailloir**), *d'un mur* (⇒ **Entablement**), *d'un toit* (⇒ **Pignon**). *Créneaux de couronnement d'une tour. Couronnement d'une voûte, d'un ciel de mine. Couronnement* (ou *sommet*) *d'une route bombée,* point le plus haut de son profil transversal. — Mar. *L'extrémité supérieure arrière d'un navire. Lisse de couronnement.*

3 Un buffet gigantesque de chêne, si haut que son léger couronnement de colonnettes joignait la céruse du plafond et s'écaillait d'une imperceptible morsure (...)   COURTELINE, Boubouroche, Nouvelle, IV, p. 62.

Milit. *Le couronnement d'une position,* fait de s'établir dans une position prise à ceux qui la défendaient.

♦ **3.** (1559). Fig. Ce qui achève, rend complet. ⇒ **Accomplissement, achèvement, comble, conclusion, perfection, terminaison; bouquet, clou** (fam.). *Le couronnement d'une vie. Le couronnement de l'œuvre. Le succès fut le couronnement de sa carrière.*

4 Il ne lui manque plus que de mourir enfin,
Pour le couronnement de toutes ses sottises.   MOLIÈRE, l'Étourdi, V, 6.

5 La vie de l'homme, avec tous ses projets, s'élève comme une petite tour dont la mort est le couronnement.   BERNARDIN DE SAINT-PIERRE, Paul et Virginie, p. 140.

6 La musique est le couronnement, la suprême fleur des arts.   MICHELET, la Femme, p. 308.

7 (...) vous nous l'avez présenté *(le discours)* comme le couronnement de son éloquence *(de Jaurès).*   Ch. PÉGUY, la République..., p. 27.

8 Ils *(les grands romanciers)* considèrent l'œuvre à la fois comme une fin et un com-

mencement. Elle est l'aboutissement d'une philosophie souvent inexprimée, son illustration et son couronnement.   CAMUS, le Mythe de Sisyphe, p. 138.

♦ **4.** (1845). Hortic. Taille en forme de couronne. — Maladie d'un arbre qui se couronne. — (1863). Vétér. Lésion d'un cheval couronné. Méd. (obstétrique). L'entrée de la matrice, qui entoure la tête de l'enfant comme une couronne lors de l'accouchement.

CONTR. Abdication, découronnement, déposition. — Base. — Amorce, commencement, début.

COURONNER [kuʀɔne] v. tr. — V. 1393; probablt dér. de *couronne**, d'après le lat. class. *coronare.*

★ **I.** ♦ **1.** Ceindre, coiffer (qqn) d'une couronne. *Couronner qqn de fleurs, de laurier. Couronner une rosière. Couronner la reine du bal.*

Placer une couronne sur (qqch.). *Les anciens couronnaient la poupe de leurs vaisseaux* (Académie).

Ceindre (qqn) d'une couronne en signe de distinction honorifique, de récompense. *Les anciens couronnaient les vainqueurs des jeux, les héros militaires.*

1 Leurs fronts sont couronnés de ces fleurs que la Grèce
Aux champs de Marathon prodiguait aux vainqueurs.   VOLTAIRE, Épîtres, LXVI.

(1680). Décerner un prix, une récompense à (qqn). *Couronner un brillant élève. Couronner le lauréat*. Couronner un académicien.* Par ext. *Couronner un livre, un ouvrage. Le jury du Prix littéraire a couronné ce roman.*

2 (...) quand un homme a fait deux ou trois chefs-d'œuvre, si courts qu'ils soient, on doit le couronner et lui pardonner ses erreurs.   G. SAND, François le Champi, Avant-propos, p. 19.

Littér. et vieilli. ⇒ **Honorer, récompenser.** *Dieu couronne les martyrs, les saints.* — *Couronner le mérite.*

3 Digne de venger les crimes et de couronner la vertu (...)   BOSSUET, Hist., II, 1, in LITTRÉ.

4 Pourquoi du saint bonheur sitôt me couronner?   HUGO, Odes, II, 9.

♦ **2.** (1155). Proclamer (qqn) souverain en ceignant d'une couronne. ⇒ **Sacrer.** *Le jour où le roi fut couronné* (⇒ **Couronnement**). *Couronner un empereur.* — Par anal. *Le Christ fut couronné d'épines.*

Fig. Transmettre, conférer le titre de roi, d'empereur, de souverain à (quelqu'un).

5 Il va sur tant d'États couronner Bérénice (...)   RACINE, Bérénice, I, 4.

6 (...) Pie VII a quitté Rome pour *couronner* autant que pour *sacrer* (...)   Louis MADELIN, l'Avènement de l'Empire, XV, p. 205.

Par ext. Donner le pouvoir à... « *La Révolution française* (...) *couronna le peuple* » (Hugo, *les Misérables,* t. 2, 1862, p. 207, in T. L. F.).

★ **II.** ♦ **1.** (Sujet n. de chose). Orner, entourer (la tête) comme fait une couronne (⇒ **Coiffer; auréoler**). *Des fleurs, des guirlandes couronnaient sa tête. Un bandeau, un diadème couronnait son front.* ⇒ **Ceindre.**

7 La mort était sur elle et la sueur de l'agonie couronnait son front.   FRANCE, Thaïs, III, p. 289.

8 (...) la blancheur de ses cheveux couronnait, comme un diadème, son front très jeune, largement découvert.   MARTIN DU GARD, les Thibault, t. II, p. 34.

♦ **2.** (Sujet n. de chose). Fig. et littér. Entourer, ceindre comme d'une couronne. ⇒ **Ceindre, entourer, environner.** *Des marécages couronnent la ville.*

Former le couronnement* de (un meuble, un édifice). *Une corniche, un entablement couronne la façade.* — Par ext. Dominer, surmonter, surplomber. *Les collines qui couronnent la vallée.*

9 Ces bois semblaient couronner ces belles prairies.   FÉNELON, Télémaque, I, in LITTRÉ.

Milit. Occuper une position (en général sur une hauteur) qu'on a prise à l'ennemi. *Une batterie couronne la hauteur.*

♦ **3.** (XVIᵉ). Sujet n. de personne ou de chose. Littér. Achever en complétant, en rendant parfait. ⇒ **Accomplir, achever, conclure, finir, parachever, parfaire, terminer.** *Couronner sa vie par une mort héroïque. Le succès a couronné sa tentative. Cela couronne son crime.* — Prov. *La fin couronne l'œuvre.*

10 Meurs, s'il y faut mourir, en citoyen romain,
Et par un beau trépas couronne un beau dessein.   CORNEILLE, Cinna, I, 4.

11 Et que demain l'hymen couronne leur amour.   CORNEILLE, Cinna, V, 3.

12 Ceux dont une honorable vieillesse couronne une vie sans reproches.   ROUSSEAU, Lettres de la montagne, IX, in LITTRÉ.

13 Ainsi tout déconcerte nos projets, tout trompe notre attente, tout trahit des feux que le ciel eût dû couronner!   ROUSSEAU, Julie ou la Nouvelle Héloïse, I, Lettre 53.

Iron. *Et pour couronner le tout, il arrive en retard.*

13.1 Vous vous offrez d'être chauve, d'être ventru, d'être cagneux, et, pour couronner le tout, vous êtes méchant (...)   G. DUHAMEL, les Pasquier, le Notaire du Havre, p. 227 (in T. L. F.).

Vieilli. *Couronner les vœux de qqn.* ⇒ **Réaliser, remplir.**

14 Jamais aucun succès n'a couronné mes vœux.   VOLTAIRE, Tancrède, I, 4.

♦ **4.** (1845). Hortic. Tailler un arbre en couronne. *Couronner un arbre.*

♦ **5.** Blesser au genou. *Couronner un cheval,* le laisser se blesser au genou.

15 Il se rappela le jour de son enfance où, après avoir couronné son poney, il s'était creusé aux genoux deux plaies. GIRAUDOUX, Bella, V, p. 115.

♦ **6.** Chir. dent. *Couronner une dent,* mettre sur la dent une capsule métallique, une couronne artificielle.

▶ **SE COURONNER** v. pron.

♦ **1.** Se mettre une couronne. *Se couronner de fleurs.*

♦ **2.** Se proclamer souverain. *Se couronner roi. Napoléon Ier se couronna de ses mains.*

♦ **3.** (Choses). Être couronné. *L'édifice se couronnait par une corniche.* — Par ext. *Arbre qui se couronne de fleurs.* ⇒ **Couvrir** (se).

16 Les pentes sont entièrement couvertes de broussailles, et les sommets se couronnent avec gravité de chênes verts, de chênes-lièges et d'arbres résineux.
E. FROMENTIN, Un été dans le Sahara, p. 11.

Arbre qui se couronne, dont la tête se dessèche.

♦ **4.** Se blesser au genou en tombant, en parlant du cheval. *Cette jument s'est couronnée.* — Fam. *Ce petit garçon s'est couronné en tombant.*

▶ **COURONNÉ, ÉE** p. p. adj.

♦ **1.** Qui porte, qui a reçu une couronne. *Héros, vainqueur couronné.* — *Vainqueur couronné de lauriers.*

17 Ce n'étaient que vœux et qu'offrandes,
Sacrifices de bœufs couronnés de guirlandes. LA FONTAINE, Fables, IV, 8.

18 Couronnés de thym et de marjolaine,
Les Elfes joyeux dansent sur la plaine. LECONTE DE LISLE, les Elfes.

Qui a reçu un prix dans un concours... ⇒ **Lauréat.** *Lauréat couronné.* — Par ext. *Ouvrage couronné par l'Académie française. Livre couronné.*

♦ **2.** (1661). Qui porte la couronne de souverain. — Loc. *Tête couronnée,* souverain, souveraine.

19 Encore un lustre ou deux et sous tes destinées
J'aurai rangé le sort des têtes couronnées. CORNEILLE, la Toison d'or, Prologue.

20 (...) Esclave couronnée,
Je partis pour l'hymen où j'étais destinée. RACINE, Mithridate, I, 3.

Loc. *Les trois couronnés :* les trois rois mages. — *Couronné d'épines* (fig.) : tourmenté, affligé.

♦ **3.** (Choses). Entouré, environné.

21 (...) que cette soupe aux châtaignes est parfumée! Elle me rappelle la table couronnée d'enfants où souriait ma mère. FRANCE, Les dieux ont soif, p. 151.

Spécialt. *Ouvrage militaire couronné,* disposé en couronne.

(1605). Surplombé, dominé. *Montagnes couronnées de neiges,* couvertes de neige.

22 Salut, bois couronnés d'un reste de verdure.
LAMARTINE, Premières méditations, « L'automne ».

Par métaphore. Orné, paré. *Un cœur couronné d'innocence* (Chateaubriand, *in* T. L. F.).

♦ **4.** Fig. Accompli, achevé...; qui a reçu satisfaction. *Entreprise couronnée de succès*.*

♦ **5.** (1690). Hortic. *Arbre couronné,* dont la tête est desséchée.

♦ **6.** Qui a une plaie circulaire. — (1393). *Genou couronné,* qui porte les traces d'une chute.

23 Quelques nez saignants, des genoux couronnés, les blessures restaient bénignes.
Raymond ABELLIO, Ma dernière mémoire, t. I, p. 113.

(1678). *Cheval couronné,* dont un genou est couronné.

♦ **7.** Vén. *Cerf couronné,* dont les bois forment une sorte de couronne.

Grue couronnée, dont la tête est surplombée d'une aigrette couleur d'or.

▶ **COURONNANT, ANTE** p. prés. adj.

Rare. Qui couronne. *« Les têtes couronnées et les mains couronnantes »* (Hugo, *in* T. L. F.). — *Montagnes couronnantes,* dominant les alentours.

CONTR. Découronner. — Châtier, punir. — Détrôner, renverser (roi). — Commencer, entreprendre; échouer.

DÉR. et COMP. Couronnement; découronner.

COUROS [kuʀos] n. m. ⇒ **Kouros.**

COUROUCOU [kuʀuku] n. m. — 1760; nom d'orig. onomatopéique.

♦ Zool. Oiseau grimpeur des forêts tropicales, ayant une très longue queue et un très beau plumage d'utilisation ornementale.

En ce moment, une volée d'oiseaux de petite taille et d'un joli plumage, à queue longue et chatoyante, s'éparpillèrent entre les branches, semant leurs plumes, faiblement attachées, qui couvrirent le sol d'un fin duvet. Harbert ramassa quelques-unes de ces plumes, et, après les avoir examinées :
— Ce sont des « couroucous », dit-il. J. VERNE, l'Île mystérieuse, t. I, p. 69.

COU-ROUGE [kuʀuʒ] n. m. — 1767; terme dial. (Yonne); de *cou,* et *rouge.*

♦ Régional. Rouge-gorge. — REM. On écrit aussi *cou rouge.*

---

1. COURRE [kuʀ] v. tr. — Défectif : n'est attesté qu'à l'infinitif — V. 1225; anc. forme de *courir*.*

♦ **1.** Vx (jusqu'au XVIIe). Courir. *Faire, laisser courre un bruit.*

1 Quelques uns faisaient déjà courre le bruit que j'en étais venu à bout.
DESCARTES, Discours de la méthode.

♦ **2.** Chasse. Poursuivre une bête. ⇒ **Chasser, poursuivre, traquer.** *Courre la biche, le brocard, le cerf, le chevreuil, le daim, le faon, le lièvre, le renard, le sanglier.*

2 A-t-on jamais parlé de pistolets, bon Dieu !
Pour courre un cerf ? MOLIÈRE, les Fâcheux, II, 6.

3 On avait fait le bois, en ce matin de Saint-Hubert (...) M. le duc préfère courre la bête noire. M. GENEVOIX, Forêt voisine, IX, p. 113.

Poursuivre une bête, en parlant des chiens. *Laisser courre les chiens,* et, absolt, *laisser courre* (les chiens). Découpler les chiens pour qu'ils poursuivent la bête. ⇒ **Découpler.** — N. m. *Le laisser-courre.* ⇒ **Laisser-courre.**

4 Il sait un rendez-vous de chasse, il s'y trouve; il est au laisser-courre; il entre dans le fort, se mêle avec les piqueurs (...) LA BRUYÈRE, les Caractères, VII, 10.

(Absolt). Loc. cour. CHASSE À COURRE : chasse qui se fait avec les chiens courants et à cheval. ⇒ **Chasse** (cf. *supra,* cit. 3); **vénerie.**

♦ **3.** Vx. Équit. *Courre un cheval,* « le mener à bride abattue » (Littré).

HOM. Cour, 2. courre, cours, court.

---

2. COURRE [kuʀ] n. m. — 1260; substantivation de 1. *courre.*
Vénerie.

♦ **1.** Les chasseurs et les chiens d'une chasse à courre.

♦ **2.** (1752). Région commode pour la chasse à courre.

HOM. Cour, 1. courre, cours, court.

COURRIER [kuʀje] n. m. — 1464; courier, corier, déb. XIVe; de l'ital. corriere « porteur de messages », de correre « courir ».

♦ **1.** Vx. Homme à cheval qui précédait les voitures de poste pour préparer les relais, etc. — Le préposé qui portait les lettres en malleposte. *L'affaire du courrier de Lyon.*
Porteur de dépêches. ⇒ **Estafette, messager.** *Dépêcher, envoyer un courrier. Courrier à cheval. Courrier de cabinet :* porteur de dépêches diplomatiques. *Courrier apostolique :* messager du pape auprès des évêques.

1 L'un, d'éponges chargé, marchait comme un courrier (...)
LA FONTAINE, Fables, II, 10.

Vx. Valet de pied. — *Salle des courriers,* et, par ellipse, *courriers :* salle où se tenaient les courriers des voyageurs.

1.1 Mais si encore Françoise ne s'était liée qu'avec des femmes de chambre amenées par des clients, lesquelles dînaient avec elle aux « courriers » (...) si en un mot Françoise n'eût connu que des gens qui n'étaient pas de l'hôtel, le mal n'eût pas été grand (...) PROUST, À l'ombre des jeunes filles en fleurs, 1918, p. 693, *in* T. L. F.

Par métaphore. *« Octobre* (cit. 2), *le courrier de l'hiver ».*

♦ **2.** Mod. *Courrier convoyeur, courrier auxiliaire :* sous-agent des postes qui accompagne les lettres transportées par chemin de fer. ⇒ **Ambulant.**
Messager, agent de liaison.
Fig. et littér. Personne (ou chose) qui porte une nouvelle. ⇒ **Messager, avant-courrier.** *Courrier de malheur,* celui qui annonce une mauvaise nouvelle.

2 Les yeux et tous nos sens ne sont que des messagers d'erreurs et des courriers de mensonges. FRANCE, la Rôtisserie de la reine Pédauque, Œ., t. VIII, XIX, p. 213.

REM. On trouve dans la langue class. le fém. *courrière.*

3 La Renommée enfin, cette prompte courrière. BOILEAU, le Lutrin, 2.

♦ **3.** Cour. Moyen de transport des dépêches, des lettres, des journaux. ⇒ **Poste.** *Courrier maritime, aérien* (→ Avion postal*). En appos. *Avion* long-courrier, moyen-courrier, court-courrier. Courrier-Sud,* œuvre de Saint-Exupéry. *Le courrier de Chine, d'Amérique. Le départ, l'arrivée du courrier. Les heures du courrier. Hâtez-vous de poster votre lettre, vous allez manquer le courrier de cinq heures. La levée du courrier. Je vous réponds par retour du courrier.*

4 (...) dans la fiévreuse inquiétude de manquer un courrier qui allait passer, il avait écrit à sa mère et au père de Madeleine. LOTI, Matelot, XL, p. 159.

5 — Télégramme pour les escales Nord : Prévoyons retard important du courrier de Patagonie. Pour ne pas retarder trop longtemps courrier d'Europe, bloquerons courrier de Patagonie avec le courrier d'Europe suivant.
SAINT-EXUPÉRY, Vol de nuit, XX, p. 157.

6 Courrier atterrira Agadir 21 heures repartira pour Cabo Juby 21 h 30 s'y posera (...) SAINT-EXUPÉRY, Courrier-Sud, I, p. 13.

♦ **4.** (1770). L'ensemble des lettres, dépêches, journaux que transporte un courrier. *Le courrier est arrivé. Je passe prendre mon* *courrier à la boîte postale. Le facteur, le vaguemestre distribue le courrier.* — *Faire adresser son courrier chez... Dépouiller, ouvrir, parcourir, lire son courrier. Faire son courrier.* ⇒ **Correspondance.** *Expédier le courrier ; mettre le courrier à la boîte. La censure a intercepté son courrier. Courrier à deux vitesses,* selon l'affranchissement. *Le cedex*, système de distribution rapide du courrier pour les entreprises.*

7   (...) il avait donné à son concierge (...) l'ordre d'intercepter son courrier ; et, de temps à autre, il venait, en personne, chercher sa correspondance (...)
                                MARTIN DU GARD, les Thibault, t. III, p. 49.

8   En rentrant chez lui, Gurau trouva un peu de courrier, que l'on avait glissé sous sa porte : des imprimés, quelques prospectus, et une lettre.
                                J. ROMAINS, les Hommes de bonne volonté, t. III, XVI, p. 223.

9   On ouvrait, on disait : « Bonjour, madame », on écoutait l'éloge du disparu que la concierge désignait de la main, et on emportait son courrier.
                                CAMUS, la Chute, p. 42.

10   Le bureau de poste principal est-il éloigné ? Le guichet de la poste restante n'est-il pas déjà fermé, ou sur le point de l'être ? En prenant sa voiture, qu'il a parquée non loin de l'hôtel, sur le terre-plein de la plaza Real, ou un taxi, aurait-il quelque chance d'être à l'heure et d'obtenir qu'on lui donne son courrier ce soir-même ?
                                A. PIEYRE DE MANDIARGUES, la Marge, p. 16.

10.1   Deux ou trois fois par jour (...) au milieu de ce culte, le courrier multicolore, radieux et bête comme un oiseau des îles, tout frais émoulu des enveloppes marquées de noir par le baiser de la poste, vient tout de go se poser devant moi.
                                PONGE, le Parti pris des choses, p. 68.

♦ **5.** (1631). Titre de certains journaux. *Le Courrier de l'Ouest,* etc.

♦ **6.** Article, chronique d'un journal transmettant les nouvelles des théâtres, de la mode, des sports, etc. ⇒ **Article, chronique.** *Courrier mondain. Courrier de la bourse. Courrier littéraire. Courrier des lecteurs. Courrier du cœur,* chronique sentimentale d'un journal, où les lecteurs font part de leurs problèmes et demandent des conseils. *Lire le Courrier du cœur, écrire au Courrier du cœur.*

11   Entre toutes les perles que nous propose ce Courrier du cœur hebdomadaire, admirez l'orient de celle-ci : « Mon mari, bien que jeune encore, est rentré de captivité très diminué. J'ai eu beaucoup de patience, mais ma susceptibilité se trouve atteinte. Je le rabroue. Cette situation me choque ».
                                F. MAURIAC, Bloc-notes 1952-1957, p. 224.

12   Imbibée de courriers du cœur, elle s'identifiait avec la fille-mère abandonnée, la pucelle dévorée de points noirs, la femme de trente ans amoureuse du garçon laitier et l'éternelle-sentimentale-déçue-par-la-vie.
                                René FALLET, le Triporteur, p. 21.

13   Quand Gerry lisait le Courrier du cœur de Marcelle Ségal — il le lisait — il soupirait :
— Elle doit en connaître un bout, cette femme.
                                F. MALLET-JORIS, le Jeu du souterrain, p. 19 (1973).

DÉR. Courriériste.
COMP. Avant-courrier. — Court-courrier, long-courrier, moyen-courrier.

COURRIÉRISTE [kuʀjeʀist] n. — 1857, Goncourt ; de *courrier* « journal », et *-iste*.

♦ Journaliste qui fait la chronique, le courrier. *Courriériste littéraire, théâtral. Une courriériste du cœur.*

1   Sans doute, dans les temps habituels de la paix, une note mondaine subrepticement envoyée au *Figaro* ou au *Gaulois* aurait fait savoir à plus de monde que n'en pouvait tenir la salle à manger du Majestic que Brichot avait dîné avec la duchesse de Duras. Mais depuis la guerre, les *courriéristes* mondains ayant supprimé le genre d'informations (s'ils se rattrapaient les enterrements, les citations et les banquets franco-américains), la publicité ne pouvait plus exister que par ce moyen enfantin et restreint, digne des premiers âges, et antérieur à la découverte de Gutenberg : être vu à la table de Mme Verdurin.
                                PROUST, le Temps retrouvé, Pl., t. III, p. 734.

2   La courriériste des journaux féminins pour le cœur.
                                R. BARTHES, Mythologies, p. 125 (1957).

COURROIE [kuʀwa] n. f. — V. 1268 ; *curreie,* v. 1100 ; du lat. *corrigia.*

♦ Bande étroite d'une matière souple et résistante (cuir, étoffe, caoutchouc...) qui sert à lier, à attacher d'une façon plus ou moins serrée. *Courroie de cuir, de caoutchouc.* ⇒ **Attache, lanière, sangle.** *Engager l'ardillon* (cit. 1) *de la boucle* dans un trou de la courroie. Boucler, nouer, serrer une courroie. Lâcher la courroie. Courroie que l'on passe sur l'épaule pour porter quelque chose.* ⇒ **Bandoulière, bretelle** (→ Chien, cit. 20). *Courroie de bouclier.* ⇒ **Enguichure, guiche.** *Courroie d'un carquois* (⇒ **Archère**). *Courroie d'un chapeau, d'un casque.* ⇒ **Jugulaire.** *Courroie de guêtre.* ⇒ **Souspied.** *Courroies d'une malle. Courroies du harnais.* ⇒ **Étrivière, licou, longe, mancelle, martingale, poitrinière, porte-éperon, porte-étrier, rêne, sous-ventrière, suspied...** *Courroie de roulement.* ⇒ **Assemblage des courroies qui soutiennent la caisse d'une voiture.** ⇒ **Soupente.**

0.1   Un bout de la courroie de transmission qui actionnait le treuil, pendait, semblait la lier, pareil à un fil d'araignée géant (...)
                                ZOLA, Lourdes, p. 153.

1   Et Ramuntcho desserre les courroies de son gant (...)
                                LOTI, Ramuntcho, I, IV, p. 62.

1.1   Ils soulèvent leur boîte à outils, passent la courroie à leur épaule, haussent l'épaule pour rajuster la courroie (...)
                                N. SARRAUTE, le Planétarium, p. 19.

(1869). *Courroie de transmission, courroie sans fin :* sorte de courroie circulaire qui transmet, par frottement, le mouvement d'une poulie à une autre poulie. *Tension de la courroie* (⇒ **Tendeur**). *Brin conducteur de la courroie,* qui transmet le mouvement de la poulie motrice. *Brin conduit de la courroie. Courroie de moteur. Courroie d'un ventilateur d'automobile.*

2   Rien ne sent ici la courroie d'usine, avec son alentour de fer frotté et de graisse frite (...)
                                J. ROMAINS, les Hommes de bonne volonté, t. V, xv, p. 3.

Par compar. ou métaphore. *Courroie de transmission,* ce qui met en relation des personnes, des choses.

3   Elle (...) battit les cartes si vivement que, d'une main à l'autre, elles filaient comme une courroie de transmission.
                                H. TROYAT, le Vivier, p. 22.

COURROUCER [kuʀuse] v. tr. ; — Conjug. *placer.* — V. 1170, *correcier ; corocier,* v. 1050 ; du bas lat. *corruptiare* du lat. class. *corrumpere* « détruire, altérer ». → Corrompre.

♦ Littér. Mettre en colère, irriter. ⇒ **Courroux.** *Cette conduite courrouça son père contre lui. Courroucer son maître, ses chefs.*

▶ **SE COURROUCER** v. pron.
Se mettre en colère. *Se courroucer contre qqn, contre le mensonge.*

1   C'est contre le péché que son cœur se courrouce,
Et l'intérêt du Ciel est tout ce qui le pousse.
                                MOLIÈRE, Tartuffe, I, 1.

Fig. (En parlant de la mer). S'agiter, se déchaîner. *La mer se courrouce.*

▶ **COURROUCÉ, ÉE** p. p. et adj.

♦ **1.** Littér. Animé de courroux ; qui est en colère.

2   Maman ne mentait pas avec moi ; et cette âme sans fiel, qui ne pouvait imaginer un Dieu vindicatif et toujours courroucé, ne voyait que clémence et miséricorde où les dévots ne voient que justice et punition.
                                ROUSSEAU, les Confessions, VI.

Qui exprime la colère. *Parler d'un ton courroucé.*

♦ **2.** Fig. Violemment agité. *Flots courroucés.*

CONTR. Apaiser, calmer, pacifier, rassurer.
DÉR. Courroux.

COURROUX [kuʀu] n. m. — V. 1170, *corroz ; corropt* au Xe ; probablt subst. verb. de l'anc. franç. *corrocier (courroucer*).*
Littéraire.

♦ **1.** Irritation véhémente (contre qqn, et, spécialt, contre un offenseur). ⇒ **Colère, dépit, emportement, fureur.** *Le courroux du ciel. Être, entrer, se mettre en courroux. Un noble courroux* (→ Colère, cit. 1). *Braver, soutenir le courroux de qqn. Fuir le courroux de qqn. Apaiser, calmer le courroux.* (→ Calmer, cit. 7.)

1   Ces deux mots *(courroux, colère)* diffèrent non par le sens qui est le même, mais par l'emploi ; c'est-à-dire que colère appartient à tous les styles, tandis que courroux n'appartient qu'au style soutenu et à la poésie. LITTRÉ, Dict., art. *Courroux.*

2   Que le plus coupable de nous
Se sacrifie aux traits du céleste courroux (...)
                                LA FONTAINE, Fables, VII, 1.

3   Ah ! des dieux indignés, craignez que le courroux ne fasse retomber sur vos têtes ces crimes ! (...)
                                Victor BÉRARD, Trad. HOMÈRE, l'Odyssée, p. 25.

4   Très pressant désir de crier, à pleine gorge, trois ou quatre fois de suite, ce mot qui, chez nous, exprime le courroux, le désespoir, la rébellion, le dessein de mourir plutôt que de se rendre.
                                G. DUHAMEL, Scènes de la vie future, XIV, p. 204.

4.1   C'est contre ça qu'il (Monsieur Salomon) protestait avec la plus grande tendresse et la plus terrible colère, que l'on appelait courroux chez les personnes bibliques.
                                É. AJAR (R. GARY), l'Angoisse du roi Salomon, p. 29.

♦ **2.** Fig. et poét. Agitation violente. *Le courroux de la mer. Les flots en courroux.*

5   Comme Neptune de son trident apaise les flots en courroux (...)
                                FÉNELON, Télémaque, XXIII.

COURS [kuʀ] n. m. — V. 1100 ; du lat. *cursus* « course, cours », de *currere.* → Courir.

★ **I.** ♦ **1.** (Av. 1200). Écoulement continu (de l'eau des fleuves, des rivières, des ruisseaux). ⇒ **Courant.** *Cours rapide, impétueux.* ⇒ **Courant** (→ Bourbeux, cit. 1). *Cours lent, insensible, tranquille. Arrêter, barrer le cours d'un fleuve* (⇒ **Barrage**). *Détourner le cours de la rivière* (⇒ **Dérivation**), *détourner la rivière de son cours* (⇒ **Lit**). *Rivière qui charrie* des glaçons dans son cours. Descendre, remonter le cours du fleuve. Suivre le cours.* ⇒ **Fil** (→ Bateau, cit. 1). — Par ext. Parcours d'un fleuve, d'une rivière. *La Loire a un cours de 1 000 kilomètres* (→ Arroser, cit. 3.1). *Prendre cours, prendre son cours,* commencer à couler. *Le haut cours :* l'endroit proche de la source. *Cours supérieur, inférieur d'un fleuve. Rivière navigable dans son cours inférieur.*

1   Il rencontra sur son passage
Une rivière dont le cours,
Image d'un sommeil doux, paisible et tranquille,
Lui fit croire d'abord ce trajet fort facile.
                                LA FONTAINE, Fables, VIII, 23.

2   Il y a des rivières heureuses, dont le cours silencieux n'est troublé que d'un seul hoquet, un sanglot d'eau qui marque la place d'un caillou immergé (...)
                                COLETTE, la Naissance du jour, p. 144.

3   L'individu le plus singulier n'est que le moment d'une race. Il faudrait pouvoir remonter le cours de ce fleuve aux sources innombrables, pour capter le secret de toutes les contradictions, de tous les remous d'un seul être.
                                F. MAURIAC, la Vie de Jean Racine, p. 8.

♦ **2.** (1754). **Cours d'eau.** ⇒ **Fleuve, rivière, ruisseau, torrent.** *Crues, divagations des cours d'eau. Cours d'eau antécédent*. Alluvions d'un cours d'eau. Matériaux en suspension, en dissolution dans un cours d'eau.* ⇒ **Charge** (I., A., 7.) *L'amont*, l'aval* d'un cours d'eau. Cours d'eau qui se jette dans un autre.* ⇒ **Affluent.** *Cours d'eau qui traverse, arrose* une région. Cours d'eau allogène*. Passage navigable dans un cours d'eau.* ⇒ **Chenal.** *Les cours d'eau navigables* et les cours d'eau flottables* font partie du domaine public* (cf. Code civil, art. 538). ⇒ **Canal, voie** (d'eau). *Canal qui double un cours d'eau.*

4   La vie économique est liée aux cours d'eau : voies de communication commerciales, quand ils sont assez réguliers, obstacles, quand leur largeur ou leur cours impétueux impose le passage en certains points, source des irrigations fécondant les terres arides.   É. DE MARTONNE, Traité de géographie physique, t. I, p. 449.

(En parlant d'autres liquides). Littér. *Le cours du sang dans les veines. Le cours des larmes.*

♦ **3.** Loc. (Fin XVIIᵉ). *Donner cours, donner libre cours à ses larmes,* les laisser couler.

5   De ses premiers sanglots laissez passer le cours (...)   RACINE, Bérénice, III, 2.

Fig. *Donner libre cours à sa fureur, à sa douleur, à sa joie..., ne plus la contenir, la laisser déborder.* ⇒ **Exhaler; carrière** (donner carrière). *Donner libre cours à ses pensées, à son imagination.*

6   Il put même y donner libre cours à ses qualités incisives, mordantes, acérées (...)   SAINTE-BEUVE, Causeries du lundi, I, Montalembert.

★ **II.** ♦ **1.** (V. 1170). Vieilli. Mouvement réel ou apparent (d'un astre). ⇒ **Course.** *Le cours du soleil, de la lune. Le soleil est au plus haut de son cours. Le cours des astres détermine le temps, les saisons.*

7   Le firmament se meut, les astres font leur cours,
Le soleil nous luit tous les jours,
Tous la même sa clarté succède à l'ombre noire.   LA FONTAINE, Fables II, 13.

♦ **2.** (V. 1170). Suite continue, évolution dans le temps. ⇒ **Déroulement, développement, enchaînement, succession, suite.** *Le cours des saisons. Le cours des siècles. Le cours des événements. Le cours normal, habituel des choses. — Suivre son cours. La maladie suit son cours,* elle évolue normalement. *— Le cours que prend une affaire.* ⇒ **Tournure.** *Le cours des études. Cours de la discussion.* ⇒ **Fil.** *Reprendre le cours de ses idées, de ses pensées. Changer le cours de ses idées. Dans le cours de l'ouvrage. Retrouver le cours de ses occupations.* ⇒ **Train.** *Retarder, interrompre, arrêter le cours d'une entreprise. Rompre* le cours des débats.*

8   Nous ne tenons jamais au temps présent. Nous anticipons l'avenir comme trop lent à venir, comme pour hâter son cours; ou nous rappelons le passé, pour l'arrêter comme trop prompt (...)   PASCAL, Pensées, II, 172.

9   Rompons, rompons le cours de ces fâcheux débats.   MOLIÈRE, Tartuffe, III, 7.

10   Faut-il, Abner, faut-il vous rappeler le cours
Des prodiges fameux accomplis en nos jours ?   RACINE, Athalie, I, 1.

11   Le temps nous engloutit et continue tranquillement son cours.   CHATEAUBRIAND, Mémoires d'outre-tombe, t. III, p. 260.

12   O temps, suspends ton vol ! et vous, heures propices,
Suspendez votre cours !   LAMARTINE, Premières méditations, « Le lac ».

13   Aussi loin que je retourne en arrière à travers ces souvenirs si médiocres à leur source, si tumultueux plus tard, et dont j'ai quelque peine à remonter le cours (...)   E. FROMENTIN, Dominique, IV, p. 70.

14   Ne sachant pas encore que tout s'oublie et se perd au cours rapide des heures, que toutes nos actions coulent comme l'eau des fleuves entre ces rivages sans mémoire (...)   FRANCE, Histoire comique, VIII, p. 113.

15   Alors pour se changer le cours des idées, il entra dans un estaminet chercher facile conquête.   LOTI, Matelot, XXXI, p. 124.

15.1 Et maintenant c'est trop tard, les poursuites sont engagées, inéluctablement l'action va suivre son cours.   N. SARRAUTE, Vous les entendez?, p. 117-118.

⇒ **Durée.** *Le cours de la vie, de l'existence.* ⇒ **Carrière** (vieilli). *Pendant le cours de son règne.*

16   Tout est vain en l'homme si nous regardons le cours de sa vie mortelle.
    BOSSUET, Oraison funèbre de Henriette-Anne d'Angleterre.

Vx (langue class.). *Commencer, finir son cours* (d'un sentiment, d'une action).

17   Je sentis que ma haine allait finir son cours.   RACINE, Andromaque, II, 1.

Dans le cours de. *Pauses dans le cours de la journée* (→ Blanc, cit. 30). *Dans le cours de l'année.*

Au cours de, en cours (de). ⇒ **Courant** (dans le), **durant, pendant.** *Au cours de sa carrière. Au cours de ces dix dernières années. Au cours de la conversation. L'année en cours. Affaires en cours. Négociations en cours. — Loc. En cours de route* (fig.) : pendant (une évolution).

18   Il est bien probable (...) que Madame de Fontanin renoncera en cours de route à son projet.   MARTIN DU GARD, les Thibault, t. VI, p. 220.

19   Ou bien, c'est au cours d'une promenade dans un parc que leur tendresse se faisait peu à peu plus pressante.
    J. ROMAINS, les Hommes de bonne volonté, t. V, XXVI, p. 263.

★ **III.** ♦ **1.** (1602). Circulation régulière (d'une marchandise, et, spécial, d'une monnaie) pour une valeur donnée; cette valeur. *Cours des monnaies. — Avoir cours,* avoir valeur légale. *Ces pièces n'ont plus cours. — Donner cours à des billets. — Cours légal. Cours forcé.*

20   Il importe (...) de ne pas confondre le *cours légal* et le *cours forcé* des billets de banque. Ils ont simplement *cours légal* lorsque les vendeurs et les créanciers sont tenus de les accepter en payement sans limitation de sommes, mais la banque qui

les a émis est obligée de les rembourser, au porteur et à vue, en monnaie métallique légale. Les billets de banque ont le *cours forcé* lorsque, tout en jouissant du cours légal, ils sont *inconvertibles,* c'est-à-dire lorsque la banque d'émission se trouve dispensée de les échanger contre de la monnaie métallique.
    REBOUD et GUITTON, Précis d'économie politique, t. I, III, p. 659.

♦ **2.** (1602). Prix auquel sont négociées (les marchandises, les valeurs). ⇒ **Cote, prix, taux.** *Le cours du coton, de la laine. Cours de l'or. Le cours de...,* pratiqué à... *Acheter, vendre au cours du marché, de la place, de la Bourse*. Au cours du jour,* et, absolt, *au cours. — Le cours du change*, de la rente. Cours d'ouverture, de clôture. Premier cours. Dernier cours. Cours moyen,* également distant du plus haut et du plus bas cours de la Bourse. *Soutenir les cours* (→ Alourdir, cit. 6). *Fermeté, bonne tenue des cours. Les cours sont en baisse* (⇒ **Baisse, chute**), *en hausse* (⇒ **Hausse**). *Cours élevés... — Les cours de la Bourse,* le relevé officiel des prix des transactions d'une journée. ⇒ **Cote.**

21   On avait énormément spéculé depuis un an. Les cours des valeurs à Wall-Street montaient à des hauteurs prodigieuses. L'activité des transactions était telle que la Bourse de Paris, en comparaison, n'était qu'un petit marché de margoulins. Et l'on avait beau dire que ça ne pourrait pas durer, que l'effondrement devait venir, la hausse reprenait de plus belle. Tout de même le krach est venu.
    J. BAINVILLE, la Fortune de la France, p. 171.

22   En Bourse, une panique subite avait fait tomber le 3 % français à 80, et même un moment, à 78 francs. Depuis 1871, jamais la rente n'avait connu un cours aussi bas.   MARTIN DU GARD, les Thibault, t. VI, p. 99.

22.1 (...) à Kinshasa, où les commerçants de caoutchouc revendent, les cours se maintiennent depuis quelque temps entre trente et quarante, ce qui laisse une jolie marge.   GIDE, Voyage au Congo, in Souvenirs, Pl., p. 718.

♦ **3.** Par anal. (de l.). **Avoir cours** : être reconnu, utilisé. ⇒ **Crédit, vogue.** *Cette mode avait cours pendant la guerre. Ces usages n'ont plus cours.* ⇒ **Exister.** *Cette opinion a cours chez les gens bien informés. —* Vieilli. *Donner cours à une opinion,* la répandre, l'accréditer. — Vx (dans d'autres emplois).

23   Ces ouvrages ont cela de particulier qu'ils ne méritent ni le cours prodigieux qu'ils ont pendant un certain temps, ni le profond oubli où ils tombent (...)
    LA BRUYÈRE, les Caractères, I, 58.

★ **IV.** ♦ **1.** (1331). Enseignement* suivi sur une matière déterminée. — (1694). L'une des leçons* au cours de laquelle cet enseignement est donné. ⇒ **Conférence, leçon.** *Cours de chimie, d'algèbre, de littérature. Cours de droit civil. Cours de musique, de danse. J'ai ce matin un cours de physique. Ouvrir, donner, faire, professer un cours.* ⇒ **Classe** (cit. 16 et *supra*). *Suivre un cours en Sorbonne, au Conservatoire. Assister à un cours en qualité d'auditeur* libre... Cours magistral :* conférence donnée par un professeur (par oppos. à *travaux pratiques, travaux dirigés, séminaire*). *Cours de rattrapage*.*

24   (...) sa mère aurait voulu (...) qu'il restât là, à Brest, pour suivre des cours d'hydrographie (...)   LOTI, Matelot, XXVII, p. 103.

25   (...) Aline pénétra timidement dans la salle parfumée où madame Lelong déclamait un cours de littérature devant une douzaine d'élèves renvoyées du lycée.
    J. CHARDONNE, les Destinées sentimentales, III, p. 456.

25.1 Dans les amphis rococos, le ronronnement des cours magistraux se poursuivait en face d'étudiants passifs.
    Claude COURCHAY, La vie finira bien par commencer, p. 256.

(Au plur.). Enseignement. *Les cours d'été de l'université de X... Des cours par correspondance*.*

♦ **2.** ⓐ (1887). Degré des études suivies. *Cours élémentaire, moyen, supérieur. Cours complémentaire*. — Cours d'adultes. Cours du soir :* enseignement post-scolaire facultatif.

ⓑ Établissement généralement privé, qui ne reçoit qu'une catégorie d'élèves. *Un cours de jeunes filles, pour jeunes filles. Cours de vacances. Cours privé. —* Établissement d'enseignement spécialisé. *Cours de danse.*

♦ **3.** (1606). Livre reproduisant les leçons d'un cours; livre pédagogique exposant une matière d'enseignement. ⇒ **Manuel, traité.** *Ce professeur a publié un cours de philosophie. Cours de science illustré. Cours de composition musicale* (→ Canon, cit. 6). *Cours polycopié, manuscrit.*

★ **V.** (1690; de l'anc. franç. *cours* «voyage en mer»). **Au long cours.** *Voyage de long cours, au long cours :* longue traversée qu'accomplit un navire par opposition au cabotage et au bornage (→ Cabotage, cit. 1). *Capitaine au long cours,* commandant un bâtiment qui navigue au long cours. ⇒ **Long-courrier.**

★ **VI.** (XVIIᵉ; ital. *corso* «cours, suite continue dans l'espace». → Corso). Avenue* plantée d'arbres qui sert, dans les villes, de lieu de promenade ou de passage. *Se promener sur le cours. Le Cours-la-Reine,* à Paris. *Le cours Mirabeau,* (à Aix-en-Provence).

Régional. *Faire le cours :* se promener sur le cours.

DÉR. Coursière.
HOM. Cour, courre, court; formes du v. **courir.**

COURSE [kuRs] n. f. — 1553; *corse,* 1213; forme fém. de *cours*,* peut-être favorisée par l'ital. *corsa* «course».

★ **I.** ♦ **1.** Action de courir; mode de locomotion dans lequel les

phases d'appui unilatéral sont séparées par un intervalle. ⇒ **Courir.**
La course d'une personne, d'un animal.

1 La course, comme la marche, est un mode de progression dans lequel le corps est alternativement soutenu par l'un des membres inférieurs dont les appuis se succèdent à intervalles égaux. Mais elle en diffère en ce que les phases d'appui unilatéral n'empiètent pas l'une sur l'autre, et qu'elles sont, au contraire, séparées par un intervalle pendant lequel le corps est complètement suspendu en l'air. Il n'y a pas, dans la course, de phase de double appui.
Il y a donc lieu de distinguer dans la course deux phases qui se succèdent régulièrement : la phase d'appui unilatéral et la phase de suspension (...)
Paul RICHER, *Nouvelle anatomie artistique*, t. III, p. 123 (→ aussi Appui, cit. 1).

1.1 Ce n'est plus de la marche, c'est une sorte de course, escortée de tam-tam, d'une troupe d'enfants rieurs (...) GIDE, *Voyage au Congo, in* Souvenirs, Pl., p. 767.
Prendre sa course. ⇒ **Courir, partir.** *Accélérer, ralentir sa course. S'arrêter en pleine course. Course rapide, effrénée, folle. Être léger, prompt, rapide à la course* (⇒ **Coureur**). *Rattraper, distancer, semer à la course.*

2 Les femmes ne sont pas faites pour courir ; quand elles fuient, c'est pour être atteintes. La course n'est pas la seule chose qu'elles fassent maladroitement, mais c'est la seule qu'elles fassent de mauvaise grâce : leurs coudes en arrière et collés contre leurs corps leur donnent une attitude risible, et les hauts talons sur lesquels elles sont juchées les font paraître autant de sauterelles qui voudraient courir sans sauter. ROUSSEAU, Émile, V.

3 Tu fais trop d'exercice. Tu vas laisser la course, l'essoufflement et la natation.
J. CHARDONNE, *les Destinées sentimentales*, II, p. 241.

4 *(Au jardin du Luxembourg)* Les enfants courent, les enfants courent. Courses, éclairs blancs, infimes débandades. SARTRE, *l'Âge de raison*, III, p. 53.
Loc. *À la course, au pas de course,* en courant (→ aussi Au pas accéléré, au pas gymnastique...), et, fig., rapidement.
(Animaux). La course de l'antilope. La course du cheval. ⇒ **Galop, trot.**

5 Un cheval n'admire point son compagnon ; ce n'est pas qu'il n'y ait entre eux de l'émulation à la course, mais c'est sans conséquence (...)
PASCAL, *Pensées*, VI, 401.
(Une course, des courses). Course d'entraînement. ⇒ (anglic.) **Footing, jogging.**

♦ **2.** (1538 ; *course à pied*, 1884 ; sports). Épreuve de vitesse ; compétition sur une distance, un parcours donné. *Course à pied. Course sur cent mètres, de cent mètres* (cf. un cent mètres). *Course de vitesse* (100 m, 200 m, 400 m) *avec départ décalé, par couloirs. Accélération en fin de course.* ⇒ **Rush, sprint.** *Course de fond, de grand fond* (⇒ **Marathon**), *de demi-fond. Course de haies. Course en terrain varié.* ⇒ **Cross-country, steeple.** *Course de relais.* ⇒ **Bâton, relais, témoin.** *Course avec handicap* ; sans handicap* (⇒ **Scratch**). *Donner le départ de la course* (⇒ **Starter**). *Ligne d'arrivée de la course. L'allure, le train de la course. Chronométrer une course. Gagner la course. Le vainqueur de la course. Piste de course. Les courses ont lieu au stade* (⇒ **Anneau**) *ou à l'extérieur* (⇒ **Cross-country, marathon**).

6 Dans les courses du stade, tous courent, mais un seul emporte le prix.
BIBLE (CRAMPON), 1re épître aux Corinthiens, IX, 24.
La course de qqn, sa course, la manière dont il fait une course. *Courses de natation.* — *Courses de ski* (⇒ **Descente, slalom**), *de bobsleigh, de luge...*
(Athlétisme). Course d'élan, qui précède le saut, le lancer.
(1771). *Courses, courses de chevaux,* et, absolt, *les courses.* ⇒ **Courtines** (argot). *Cheval de course.* ⇒ **Cheval** (supra, cit. 5). *Déclarer forfait* avant la course. Course d'entraînement.* ⇒ **Canter.** *Courses de plat ou courses plates :* épreuves de vitesse au galop, sur gazon. *Course d'obstacles.* ⇒ **Steeple-chase ; hippique** (concours). *Course de trot,* ou *trot. Course attelée* (⇒ **Sulky**). *Courses pour chevaux du même âge.* ⇒ **Critérium.** *Courses pour tous les chevaux.* ⇒ **Omnium.** *Course simulant une chasse à courre.* ⇒ **Drag.** *Arrivée de la course.* ⇒ **Poteau.** *Départager les gagnants de la course par la photo* (⇒ **Photo-finish**). *Gagner la course dead-heat. C'est le favori, c'est un outsider qui a gagné la course.* — *Champ de courses.* ⇒ **Hippodrome, turf ; paddock, pelouse, pesage, stand, tribune.** — *Les courses :* l'activité des courses de chevaux ; le lieu (⇒ **Hippodrome**) où elles se font. *Aller aux courses, fréquenter les courses ; jouer, parier aux courses.* ⇒ **Pari** (mutuel), **tiercé, quarté ; bookmaker, ring, sweepstake.** *Avoir un bon tuyau*, une martingale* aux courses. Gagner, perdre de l'argent aux courses.*
Écurie de courses. Garçon d'écurie de courses. ⇒ **Lad.** *Entraîneur de chevaux de courses.*
Loc. *Monter en courses :* participer à des courses en tant que jockey.

6.1 Horace qui fait du trapèze et qui monte en courses a été jusqu'à seize ans poitrinaire et condamné par tous les médecins. PROUST, *Jean Santeuil*, Pl., p. 231.

7 Elle pense aux chevaux de course qui, le départ donné, filent ventre à terre jusqu'au poteau. J. ROMAINS, *les Hommes de bonne volonté*, t. V, VIII, p. 67.
Course de lévriers (⇒ **Cynodrome**).
Courses de bicyclettes. ⇒ **Bicyclette, cyclisme.** *Course cycliste. Les étapes de la course. Course sur piste* (⇒ **Vélodrome**), *sur route. Course sur un circuit* (⇒ **Tour**). *Course-poursuite. Course derrière motos. Course contre la montre. Course d'attente*. Course à l'américaine.* ⇒ **Américaine.**
Courses de motos. ⇒ **Moto ; enduro, moto-cross.** *Course sur cendrée. Courses d'automobiles* et, absolt, *course* (⇒ **Coupe, rallye ; gymkhana...**). *Course de côte.* — *Une voiture de course.* ⇒ **Compétition.**

Dans des stades carrés, aux virages non relevés, plus semblables à ceux des courses de lévriers qu'aux pistes de vélodrome, dix à vingt mille personnes viennent à chaque séance suivre le jeu dangereux des motocyclistes. Paul MORAND, *Londres.* **8**

Course de bateaux à voile. ⇒ **Régate.** *Course-croisière, course au large. Course à l'aviron.* ⇒ **Rowing.** *Course de hors-bord.*
Antiq. *Courses de chars*. Courses de flambeaux* (⇒ **Lampadéphore**).
Loc. *Course au clocher,* qui se fait en vue d'un but à atteindre par tous chemins (→ Clocher, cit. 4). *Course à l'abîme*.* — *Course en sac.*
Par anal. *Course de lenteur :* compétition où le vainqueur est celui qui met le plus de temps à accomplir, dans certaines conditions, un trajet.
... DE COURSE : que l'on destine à la course, aux épreuves sportives de vitesse ; qui est formé, conçu, construit pour la course. *Cheval de course. Écurie de course, de chevaux de course. Voiture, moto, bateau de course.*

♦ **3.** Fig. Compétition entre personnes, entre États pour arriver, obtenir le premier. *La course au pouvoir. La course aux armements.*
Loc. fam. DANS LA COURSE. *N'être pas, n'être plus dans la course :* n'être pas, plus en mesure de gagner ; fig., avoir perdu contact avec la tête, avec l'avant-garde, être complètement dépassé. → Mouvement (n'être plus dans le).

8.1 Il faut vraiment se creuser la tête pour trouver quelque chose à dire sur un film anglais. On se demande pourquoi. Mais c'est comme ça. Il n'y a même pas d'exception qui justifie la règle. Surtout pas en tout cas *La femme en robe de chambre* (de J.-L. Thompson). Malgré son Prix d'Interprétation au récent festival de Berlin. Ça montre tout au plus que les Allemands, eux non plus, ne sont pas dans la course.
J.-L. GODARD, *Arts*, n° 680, juil. 1958, *in* Coll. des Cahiers du cinéma, p. 139.

♦ **4.** (Esp. *corrida.* → Corrida). COURSE DE TAUREAUX (1830, Mérimée, *in* Petiot). ⇒ **Corrida, novillada ; taureau.** *Une course de taureaux aux arènes de Nîmes.* — (1903). *Course landaise.* — Par ext. *Aimer les courses de taureaux.* ⇒ **Tauromachie.**

★ **II.** (Déb. XVIIe). ♦ **1.** ⓐ (1606). Action de parcourir un espace. ⇒ **Déplacement, parcours, trajet.** *Il y a une longue course d'ici à la ville.* ⇒ **Chemin, distance, espace.** *Course à cheval.* ⇒ **Chevauchée.** — *Faire une course en voiture, en fiacre, en taxi. Prix, tarif de la course. Payer sa course au chauffeur,* le prix de sa course.

9 J'allais faire de longues courses à travers la ville, sur les quais, dans la campagne (...) LAMARTINE, *Graziella*, IV, I, p. 105.

10 (...) cette saveur d'imprévu des longues courses dans une campagne admirable (...) Alphonse DAUDET, *Contes du lundi*, Alsace ! Alsace !

ⓑ (Régional, Suisse). Excursion, voyage organisé. *Course d'école. Course des contemporains :* voyage organisé par une association de personnes de la même classe d'âge. — Loc. *Aller, être en course d'école.* — Par métonymie. Les personnes qui participent à une telle excursion.

10.1 Des petits trains bleus, grenat et bruns aux boiseries encaustiquées emportent dans les vallées un peuple de varapeurs, d'Anglais à herbier, de courses d'école.
Jacques CHESSEX, *Portrait des Vaudois*, p. 150.

ⓒ Régional (Suisse). Déplacement, trajet *simple course :* « aller simple », dans les transports publics.
Loc. *Faire les courses,* se rendre à son travail, lorsqu'on habite une agglomération différente. *Il fait les courses en train.*

♦ **2.** (1775, Saussure, *in* Petiot). Alpin. Excursion d'un alpiniste en montagne. ⇒ **Ascension.** *Une course difficile, une grande course. Course avec guide, sans guide. Faire une longue course en montagne.* ⇒ **Excursion, marche, randonnée.** *Course hivernale* (ou, n. f., *une hivernale*). *Course de plusieurs jours en moyenne montagne.* ⇒ **Trekking** (anglic.).

10.2 Jean Servettaz avait très bien pu rentrer à Chamonix à temps pour repartir sur la Charpona et les Drus. Il n'était pas homme à perdre une course, on lui reprochait assez de se surmener. R. FRISON-ROCHE, *Premier de cordée*, p. 28 (1941).

♦ **3.** Allée et venue d'un commissionnaire. *Faire une, des courses.* ⇒ **Coursier.** — Loc. *Garçon de courses.* ⇒ **Commissionnaire ; chasseur, coursier, saute-ruisseau ; arpète, trottin.** *Envoyer qqn faire une, des courses ; l'envoyer en course, en courses.*

11 Et vous, je puis avoir besoin de vous envoyer en courses à n'importe quel moment de la journée (...) J. ROMAINS, *les Hommes de bonne volonté*, t. II, VI, p. 65.
Au plur. Déplacement effectué pour faire des achats. — Par ext. Les achats eux-mêmes. *Aller faire des courses dans les magasins.* ⇒ **Achat, commission.** *J'ai quelques courses à faire.*

12 Il disposait de peu de temps pour des courses nombreuses, mais comme il sortait d'un magasin (...) J. CHARDONNE, *les Destinées sentimentales*, III, p. 491.
Loc. *Être en course,* en train de faire une course.

12.1 Mademoiselle est en course à Saint-Leu, dit l'homme, chez l'ami que Monsieur sait, pour lui porter la lettre. BERNANOS, *l'Imposture, in* Œ. roman., Pl., p. 431.

♦ **4.** Spécialt (mar.). Action de parcourir le pays, la mer pour faire du pillage. ⇒ **Incursion.** *Guerre de course. Faire la course* (⇒ **Corsaire**). — Loc. *Armer un navire en course.*

13 Les Scythes ont plutôt fait des courses que des conquêtes.
BOSSUET, *Hist.*, III, 3, *in* LITTRÉ.

14 Les Danois et les Normands n'étaient point armés en course et ne savaient guère se battre que sur terre. G.-T. RAYNAL, *Hist. philosophique...*, X, 19.

♦ **5.** Danse. Parcours de l'aire de la danse.

♦ **6.** (Choses). Littér. Mouvement plus ou moins rapide. ⇒ **Cours, mouvement.** *La course d'un projectile ; d'un véhicule. La course de la plume sur le papier. La course des nuages dans le ciel. La course d'un fleuve.* Poét. *La course des astres, du soleil, des planètes.*
La course du temps. La course des jours. ⇒ **Fuite, succession, suite.** *Arriver au terme, au bout de la course,* de la vie. *La course des pensées.*

15   Les trois quarts de ma course pour le moins sont passés (...)
              Mme DE SÉVIGNÉ, 1470, août 1696.

16   Enfin le silence est revenu et mes pensées ordinaires ont repris leur course.
              G. DUHAMEL, Chronique des Pasquier, III, VI, I.

17   Pourquoi suspendre la course de ma main sur ce papier qui recueille (...) ce que je sais de moi, ce que j'essaie d'en cacher, ce que j'invente et ce que j'en devine ?
              COLETTE, la Naissance du jour, p. 103.

Au plus haut, au sommet, à l'apogée de sa course. En fin de course, à bout* de course, épuisé. ⇒ **Déclin** (sur le déclin).

18   Ne trouvez-vous pas que les femmes, comme les fleurs et les fruits, traversent une courte saison où leur beauté s'arrête au plus haut de sa course ?
              A. MAUROIS, les Discours du Dr O'Grady, XII, p. 117.

19   Mais ma femme n'était pas d'attaque, elle n'en pouvait plus, à bout de course, recrue de fatigue.
              F. MAURIAC, le Nœud de vipères, p. 192.

Le fait de se répandre rapidement. ⇒ **Élan, force.** *Le fléau n'a pu être arrêté dans sa course.*

♦ **7.** Techn. Mouvement (d'un organe mécanique). *La course rectiligne d'un piston.* ⇒ **Va-et-vient.** *La course d'une valve, d'un excentrique. L'alésage et la course (du piston) servent à calculer la cylindrée*. À bout, à fond de course. Piston à mi-course.*

DÉR. Courser, 2. coursier.
CONTR. Arrêt, immobilité.

COURSER [kuRse] v. tr. — 1843 ; de *course* ; *courcer* un cheval « le mettre au galop », XVe (emploi régional) ; repris au XIXe avec un *s* d'après *course* ; mot fréquent dans les patois du Centre-Ouest et de l'Ouest de la France.

Familier.

♦ **1.** (1843). Poursuivre (une personne, un animal) à la course. — REM. *Courir qqn,* ne se dit plus dans ce sens. ⇒ **Courir** (II., 1. et 2.).

1   Vous savez, mon lieutenant, le grand type (...) qui nous avait coursés avec son vieux flingue (...)
              Roger VERCEL, Capitaine Conan, p. 24.

2   La Floupe a grossi, disait-il, chienne de rivière ! Le courant porte la moitié de mes engins, maintenant, Dieu sait où ! J'ai marché là dedans quatre heures, avec de l'eau jusqu'au ventre. Puis le garde du marquis m'a coursé au petit jour, le long du bois Arbellot.
              BERNANOS, Monsieur Ouine, p. 94.

3   Quelle existence attend ces pauvres petits, songeait-elle *(la cane).* Ils seront malheureux comme nous, coursés par les chiens, relégués dans les odeurs nauséabondes de la basse-cour (...)
              J. DUTOURD, le Vilain Petit Cygne, in le Figaro littéraire, 3 août 1967.

4   *Coursé* est très joli. Je l'ai mis en toute connaissance de cause. *(... Il faut)* être totalement privé de sensibilité littéraire pour me reprocher ce mot, un peu populaire, un peu patoisant.   J. DUTOURD, Lettre au Figaro littéraire, 27 nov. 1967.

♦ **2.** (1871). Fam. Suivre (qqn, et spécialt, une femme). *Elle s'est fait courser par deux garçons.*

5   Je la verrai *(la fille)* un jour crever de faim ou en train de se faire courser par les Arabes dans les rues de la Chapelle et ce sera bien fait.
              M. AYMÉ, Maison basse, p. 233.

▶ **SE COURSER** v. pron. (Récipr.).
Se courir après.

6   Dans le Parc des mômes qui galopent, qui foncent partout, se coursent à travers les allées...
              CÉLINE, Guignol's band, p. 165.

COURSIE [kuRsi] n. f. — 1495 ; *corsia,* même sens, et « courant d'une rivière » du lat. médiéval *cursivus.* → Cursif.

♦ Mar. (vx). Passage dans le sens de la longueur d'une galère, entre les bancs des forçats. ⇒ **1. Coursier** (3.), **coursive.**

DÉR. — V. Coursive.

1. COURSIER [kuRsje] n. m. — V. 1165, adj. ; de l'anc. franç. *cors* « allure rapide ».

♦ **1.** Littér. Cheval*. — Spécialt. Grand et beau cheval de bataille, de tournoi... *Noble, généreux coursier. Coursier ardent, fougueux, rapide, vaillant. Coursier impétueux et bondissant.*

1   Ces superbes coursiers, qu'on voyait autrefois
  Pleins d'une ardeur si noble obéir à sa voix (...)
              RACINE, Phèdre, V, 6.

2   J'aimais les fiers coursiers, aux crinières flottantes,
  Et l'éperon froissant les rauques étriers.
              HUGO, Odes et Ballades, V, IX, 1.

Par plais. *Coursier à longues oreilles* (→ Ânier, cit. 1).

Vx et fam. ou littér, par plais. Bicyclette, moto... ⇒ **Monture.**

Par métaphore :

Tandis que sur la mer, au loin sinistre et haute,
Fuit le navire, ce coursier
(...)
Je songe au bord des eaux, triste (...)
       HUGO, Toute la lyre, t. I, 1885, p. 103, in T. L. F.

♦ **2.** Canal qui conduit l'eau à la roue d'un moulin. ⇒ **Bief.**

♦ **3.** Mar. (vx). Coursie. — Canon placé sous la coursie.

2. COURSIER, IÈRE [kuRsje, jɛʁ] n. — Fin XIXe ; de *course,* II., 3.

♦ **1.** Personne chargée de faire les courses (dans une administration, une entreprise, un hôtel). ⇒ **Course ; chasseur, commissionnaire, coureur.** *Envoyez nous un coursier, en cas de grève de la poste. Envoi par coursier.* — REM. Le féminin est rare.

(...) Mme Arnaud (...) exerçait des fonctions multiples : introductrice auprès du directeur, secrétaire de sa correspondance privée, coursière de ses commissions, trieuse du courrier.   Pierre HAMP, la Peine des hommes (Moteurs), p. 16.

♦ **2.** (1924, *l'Auto, in* D. D. L.). Vx. Coureur cycliste.

HOM. 1. Coursier.

COURSIÈRE [kuRsjɛʁ] n. f. — 1840 ; *corsiere,* v. 1290 ; de *cours.*

♦ Régional. Sentier coupant à travers champs, à flanc de colline.

COURSING [kuRsiŋ] n. m. — 1828 ; mot angl., « chasse ».

♦ Anglic. Chasse à courre au lièvre (avec des lévriers) — Course de lévriers.

Ainsi un lévrier trop malin devine les « trucs » du coursing et y devient fraudeur.
              MONTHERLANT, les Bestiaires, p. 103.

COURSIVE [kuRsiv] n. f. — 1829 ; *courcive,* 1687 ; probablt transformation de *coursie*.*

♦ Mar. Couloir étroit à l'intérieur d'un navire.

Maintenant, je voyais une coursive. Elle s'ouvrait, étroite, noire, sur une file de cabines (...) Sur ma tête glissaient d'énormes tuyauteries grises dont la peinture s'était écaillée.   H. BOSCO, Un rameau de la nuit, p. 61.

COMP. Accourse.

COURSON [kuRsɔ̃] n. m. ou **COURSONNE** [kuRsɔn] n. f.
⇒ **Courçon.**

1. COURT, COURTE [kuR, kuRt] adj. et adv. — 1640, adj. ; *cort,* 1155 ; *curt,* 1080 ; adv., v. 1205 ; du lat. *curtus* « écourté, tronqué ; (fig.) incomplet, insuffisant ».

★ **I.** Adj. ♦ **1.** ⓐ Concret. Qui a peu de longueur d'une extrémité à l'autre (relativement à la taille normale d'une chose, à l'idée qu'on s'en fait, ou par comparaison avec une autre chose). ⇒ **Petit ; bas, étroit, mince.** *Herbe courte. Poils courts, cheveux courts.* ⇒ **Ras.** — *Robe courte. Son habit est trop court.* ⇒ **Étriqué, rétréci.** *Corsage à manches courtes. Manche plus courte que l'autre. Rendre court, plus court.* ⇒ **Accourcir, contracter** (2.), **couper, diminuer, écourter, raccourcir, réduire, restreindre.** *Un texte court, un livre court* (matériellement). → ci-dessous, 3. *Rendre un texte plus court.* ⇒ **Abréger.**

1   (...) les ouvrages les plus courts
  Sont toujours les meilleurs.   LA FONTAINE, Fables, X, 14.

2   Tacite fait un ouvrage exprès sur les mœurs des Germains. Il est court, cet ouvrage, mais c'est l'ouvrage de Tacite, qui abrégeait tout, parce qu'il voyait tout.   MONTESQUIEU, l'Esprit des lois, XXX, 2.

Jambes courtes. Courte cuisse. Bras trop courts. Front court. Nez court et plat (⇒ **Camus**). *Si le nez de Cléopâtre eût été plus court...* (→ **Changer,** cit. 56).

(Êtres vivants). Vieilli ou littér. Qui est de petite taille. ⇒ **Petit** (cour.). *Une personne courte.* ⇒ **Bas, bref, courtaud, crapoussin, lourd, ragot, rond, tassé, trapu, ramassé.** *Il est gros et court.* ⇒ **Courtaud.** *Avoir la taille courte :* être de petite taille. *Court de taille, de bras, de jambes...*

3   La trop courte beauté monta sur des patins.   BOILEAU, Épîtres, IX.

4   Il était court de stature, mais large de carrure (...)
             ROUSSEAU, Confessions, III, p. 167 (→ Contrefait, cit. 14).

5   Ce nain hideux était gros, court, ventru (...)   HUGO, Bug-Jargal, IV.

6   C'était un gros petit homme, chauve, court de bras, de jambes, de cou, de nez, de tout.   MAUPASSANT, les Contes de la Bécasse, p. 209.

6.1   Enfin, ces hommes courts et chétifs, rehaussés en force sous le harnais et le casque, fondus par la discipline dans une minute d'amitié éternelle, passèrent, et il rentra dans son bureau signer des paperasses.
            DRIEU LA ROCHELLE, la Comédie de Charleroi, p. 129.

REM. Appliqué aux personnes, *court* ne s'utilise que stylistiquement ou dans des emplois spéciaux. Il n'en va pas de même en français d'Afrique : *« Cet enfant est trop court pour son âge »* (Zaïre ; IFA). → Petit.

Manège. *Cheval court,* dont le corps a peu de longueur du garrot à la croupe. ⇒ **Bouleux, brassicourt, court-jointé** (dér.). *Cheval court de reins.*

Anat. *Muscle court. Os court,* par oppos. à *os plat* et *os long.*

Le chemin est court. La route est plus courte par la montagne. La ligne droite est le plus court chemin * *d'un point à un autre. Aller par le plus court chemin* (Chemin, cit. 36). — N. m. *Prendre le plus court. Passez par là, c'est le plus court. Couper au court.* On dit aussi *prendre au plus court,* au fig. : prendre le moyen le plus rapide, le plus expéditif. *Le plus court et le meilleur, c'est...*

6.2   Il va s'en aller, fiche le camp par le plus court, sombrer au milieu du parc en faisant un trou dans l'éclaboussement vert de grands jets de branches, et il sera sans doute un peu mort, malgré que cela le mette de mauvaise humeur.
A. JARRY, l'Amour en visites, I, Pl., t. I, p. 846.

6.3   Nous coupons au court à travers champs, vers Chalindry. Je connais les clôtures ; j'irais les yeux fermés.
BERNANOS, Sous le soleil de Satan, in Œ. roman., Pl., p. 168.

6.4   — Si c'est à l'hôpital que vous allez et si vous voulez couper au court, tournez tout de suite à droite et marchez jusqu'à ce que vous trouviez un restaurant à la façade peinte en bleu.
G. SIMENON, Feux rouges, p. 161.

Loc. *Tirer à la courte paille.* ⇒ **Paille,** cit. 9, 10 et *supra.* — *Faire la courte échelle** à quelqu'un.*

Avoir la vue courte, ne pas voir de loin. ⇒ **Vue.** — Fig. N'avoir pas assez de prévoyance, de sagacité. *Un homme à courtes vues.* ⇒ **Borné** (cit. 23 et *supra*), **étroit, obtus.** *Des vues courtes :* sans ampleur. *Politique à courte vue.*

Cent francs, c'est un peu court. — *Le repas est un peu court :* il n'y a pas assez à manger. ⇒ **Juste.** — Cuis. *La sauce est trop courte,* il faut l'allonger.

[b] Abstrait. Insuffisant. *Avoir l'esprit court.* ⇒ **Borné.** *Son intelligence est un peu courte. La science humaine est courte. Son pouvoir, ses moyens sont trop courts pour cela* (Académie).

♦ **2.** Qui a peu de durée. ⇒ **Bref, éphémère, fugace, fugitif, intérimaire, momentané, passager, provisoire, temporaire, transitoire** ; et aussi **fragile, périssable, précaire.** *Trouver le temps court. Les jours de l'hiver sont courts. Une courte nuit d'été. La vie est courte, de courte durée.* — Fig. et fam. *Vouloir la vie courte et bonne :* mener joyeuse vie sans souci de santé. — *Un court moment.* ⇒ **Apparition** (cit. 4), **échappée, instant, passade.** *Maladie courte mais grave. Le spectacle fut très court. Avoir un court entretien.*

7   Les plus courtes erreurs sont toujours les meilleures.   MOLIÈRE, l'Étourdi, IV, 3.
8   Ces jours si longs pour moi lui sembleront trop courts.   RACINE, Bérénice, IV, 5.
9   (...) si la vie est courte pour le plaisir, qu'elle est longue pour la vertu !
ROUSSEAU, Julie ou la Nouvelle Héloïse, VI, Lettre 6.
10   Les hommes disent que la vie est courte et je vois qu'ils s'efforcent de la rendre telle.   ROUSSEAU, Émile, V (→ Couler, cit. 17).
11   La vie est courte et l'art long !
FLAUBERT, Correspondance, t. III, p. 168 (→ Bien (1), cit. 110).
12   (...) un homme est impossible à supposer sans habitudes. Celui qui dit n'en pas avoir est tout simplement un esprit à mémoire courte...
E. FROMENTIN, Une année dans le Sahel, p. 64.
13   La vie est courte mais l'ennui l'allonge. Aucune vie n'est assez courte pour que l'ennui n'y trouve pas sa place.   J. RENARD, Journal, 5 mars 1906.
14   Ils passent leur temps à ruminer leur jeunesse, ils ne font que des projets à court terme, comme s'ils n'avaient devant eux que cinq ou six ans.
SARTRE, l'Âge de raison, XII, p. 224.

Prov. *Les plaisanteries les plus courtes sont les meilleures.*

(1532). Fig. *Avoir la mémoire courte :* oublier très vite les choses. Vieilli. *Être court de mémoire* (même sens).

♦ **3.** (Discours, énoncé). Qui est peu développé. *Livre, récit, roman très court.* ⇒ **Abrégé** (cit. 2), **bref, laconique, résumé, simple, sommaire, succinct.** *Maximes courtes. Exposé court mais complet.* ⇒ **Concis** (cit. 1). *Phrases courtes. Lettre courte.*

Loc. *Pour faire court :* pour abréger. ⇒ **Bref.**
Être court (en parlant des personnes) : parler, écrire de façon brève.

♦ **4.** Qui est rapproché dans le temps. [a] Loc. *À court terme :* pour un avenir rapproché. *Projets à court terme. Crédit à court terme,* à échéances rapprochées.

[b] Littér. Récent. *Être de courte noblesse.*

♦ **5.** Littér. Prompt, rapide. *Les moyens les plus courts pour réussir. Le plus court expédient.*

Loc. *Courte honte.* ⇒ **Honte,** 4.

♦ **6.** Qui est de fréquence rapide. *Rythme court. Avoir l'haleine courte, la respiration courte, le souffle court :* s'essouffler facilement et très vite.
Radio. *Ondes** courtes.*

★ **II.** Adv. (*tenir court,* 1273). ♦ **1.** De manière à rendre court. *Couper les cheveux court.*

15   Ses cheveux frisottants, coupés court (...)
MARTIN DU GARD, les Thibault, t. VII, p. 92.
16   Des cheveux (...) coupés court et frisés.   COLETTE, Julie de Carneilhan, p. 6.
REM. Si *court* est accordé, il s'agit non plus de l'adverbe mais de l'adjectif.

17   (...) un homme très grand, très gros, aux cheveux coupés courts (...)
G. DUHAMEL, Biographie de mes fantômes, X, p. 182.

♦ **2.** Rare. D'une manière brusque, rapide ; brièvement. *« Ils rirent court »* (Colette, *Julie de Carneilhan,* p. 10).

(XVe). Cour. Loc. **COUPER COURT** (à un entretien), l'interrompre au plus vite. Absolt. *Couper court. Couper court au mal :* faire cesser le mal avant qu'il ne se propage. — Vx. *Couper court à qqn* (Académie), le quitter brusquement.

18   Je coupe court, parce que je ne veux point m'embarquer à vous dire les sentiments de mon cœur là-dessus (...)   Mme DE SÉVIGNÉ, 235, 6 janv. 1672.
19   Mon départ était le seul moyen de couper court à cette intrigue sans issue (...)
Th. GAUTIER, Mlle de Maupin, VII, p. 175.
20   (...) je pris le parti d'arrêter les frais et de couper court à la discussion.
COURTELINE, Petit historique de Boubouroche, p. 9.

TOURNER COURT (en parlant d'une voiture qui tourne dans un très petit espace). Par ext. Faire un brusque changement de direction. Fig. Passer d'une chose à une autre sans transition, et aussi s'arrêter brusquement dans son développement.

21   Réveil rapide. Les rêves tournent court.
J. ROMAINS, les Hommes de bonne volonté, t. III, XVII, p. 226.
22   Eh bien ! il a tourné court, il a cané, deux ou trois fois.
G. DUHAMEL, Chronique des Pasquier, II, IV, VI.
22.1 D'une part, son savoir et son goût tournent souvent court.
M. YOURCENAR, Archives du Nord, p. 133.

Pendre qqn haut et court : pendre avec une corde courte, difficile à détacher. *Il a été pendu haut et court.* — REM. L'expression est devenue un simple intensif et équivalait à «pendre bel et bien».
Arrêter court, net. *Arrêter court un cheval lancé au galop* (→ Arrêter, cit. 7).

(1578, in D.D.L.). *Demeurer, rester, se trouver court :* manquer de mémoire, d'idées, d'esprit d'à-propos, de repartie. *Prédicateur qui reste court au milieu d'un sermon. Demeurer court devant les objections, les arguments.* ⇒ **Coi** ; (fam.) **sec.**

23   (...) je ne demeurerais pas court, si je voulais vous dire tous les sentiments que j'ai pour vous.   Mme DE SÉVIGNÉ, 252, 26 févr. 1672.
24   Jeannie, étonné, ouvrit la bouche pour répondre, et resta court d'un air penaud.
G. SAND, François le Champi, V, p. 57.

♦ **3.** **TOUT COURT,** sans rien ajouter d'autre. *Il s'appelle Durand de X ou Durand tout court ?*

25   — (...) à ceux qui sont au-dessus de nous il faut dire «Monsieur» tout court. — Hé bien ! Monsieur tout court, et non plus Monsieur de Sotenville, j'ai à vous dire (...)   MOLIÈRE, George Dandin, I, 4.

Brusquement, subitement. *S'arrêter tout court dans la lecture d'une lettre.*

♦ **4.** **DE COURT.** *Tenir qqn de court,* le serrer de près ; fig., lui laisser peu de liberté. ⇒ **Près.**

26   Mme de Marsan ne fut regrettée ni des siens, ni de son mari qu'elle tenait de court (...)   SAINT-SIMON, Mémoires, 73, 203.

Prendre qqn de court, à l'improviste, au dépourvu ; ne pas lui laisser de temps pour agir. *Pris de court, il n'a pu achever son travail.*

♦ **5.** (1556). **À COURT, À COURT DE.** *Être à court d'argent,* en manquer. Absolt. *Il ne put demeurer longtemps à Paris, il était à court d'argent* (Académie). *Il s'est tu, à court d'arguments** , d'idées.* ⇒ **Faute** (de). — REM. On dit dans le même sens *être court* (adj.). *Elles sont courtes d'argent.* Cette forme, la seule admise par Littré, tend à vieillir, l'usage préférant *être à court.*

26.1 Elle est fort riche. Marsy est toujours à court d'argent.
ZOLA, Son Excellence Eugène Rougon, t. I, p. 87.
27   Que tout me paraît difficile ! J'avance pas à pas, peinant, à court de souffle, de joie, de ferveur.   GIDE, Journal, 13 août 1927.
28   (...) Suarès continue encore de parler. Il n'est jamais à court.
GIDE, Journal, Feuillets, p. 350.
28.1 Sophie avait réclamé de lui une cigarette, et, se trouvant à court, il avait partagé avec elle la dernière d'un paquet.   M. YOURCENAR, le Coup de grâce, p. 217.

CONTR. Allongé, élevé, épais, grand, large, long ; gros ; durable, éternel, interminable, prolongé ; abondant, pourvu, riche ; diffus.
DÉR. Courtaud, courtement.
COMP. Court-bouillon, court-circuit, court-courrier, courte-queue, court-jointé, court-jus, court-noué, court-pendu, court-vêtu. — Écourter. — Raccourcir.
HOM. Cour, courre, cours, 2. court ; formes du v. courir.

2. COURT [kuʀ] n. m. — 1880, *in* Petiot ; mot angl., de l'anc. franç. *court* «cour».

♦ Terrain spécialement préparé pour le jeu de tennis. *Court de tennis. Court en terre battue, en dur. Les courts d'un club sportif. Louer un court. Court central,* ou, ellipt., *le central,* n. m. (1932, *in* Petiot) : court principal, sur lequel se disputent les épreuves importantes.

Le tennis avait été aménagé sur une place à bâtir achetée à Auteuil en 1920 par M. Lasquin (...) Au bout du court, des hamacs étaient tendus en triangle (...)
M. AYMÉ, Travelingue, p. 49.

HOM. 1. Court.

COURTAGE [kuʀtaʒ] n. m. — 1248, *courratage* ; *courtage,* 1358 ; du rad. de *courtier,* et *-age.*

♦ **1.** Dr. comm. Profession du courtier. ⇒ **Courtier.** *Faire le cour-*

tage maritime. Courtage des marchandises. Le courtage des marchandises est libre depuis la loi du 18 juillet 1866. Le courtage des vins. Courtage en valeurs mobilières. Faire le courtage en librairie. ⇒ **Démarchage** .

Procédé de vente par courtiers. *Vendre un produit par courtage. Vente par correspondance et vendre par courtage. Le courtage est un canal de vente.*

♦ **2.** Commission* destinée à rémunérer une opération de courtage. *Droit de courtage. Tarif de courtage.*

Cette affaire me mit en goût, et dix pistoles que je donnai à Scipion pour son droit de courtage l'encouragèrent à faire de nouvelles recherches.
A.-R. LESAGE, Gil Blas, VIII, 9.

♦ **3.** Dr. civil. *Courtage matrimonial :* profession consistant à mettre en relation des personnes qui veulent se marier. ⇒ **Agence** (matrimoniale).

♦ **4.** Fig. et Vx. Souvent péj. Négoce.

COURTAUD, AUDE [kuʀto, od] adj. et n. — 1439; *courtaut,* 1467; de *court.*

♦ **1.** Vx. Se dit d'un animal qui a la queue courte.
Techn. *Chien courtaud,* à qui on a coupé la queue (et les oreilles ; ⇒ **Essorillé**). — N. m. *Un courtaud.*

Cheval courtaud, à qui on a coupé la queue. — N. m. *Un courtaud.*

N. m. Vx. Gros cheval de selle servant de monture auxiliaire.

1 Je fis trois charges sur un excellent courtaud bai brun.
SAINT-SIMON, Mémoires, XII, 139, *in* LITTRÉ.

♦ **2.** (Personnes). Dont la taille est courte et épaisse. *Il est courtaud, un peu courtaud. Une fille un peu courtaude.* ⇒ **Court, gros, râblé.** — N. m. (1640, *in* D.D.L.). *Un courtaud, une courtaude. Un corps assez courtaud. Jambes, mains courtaudes.*

2 Leurs personnages *(des peintres flamands)* sont ordinairement des bourgeois ou des gens du peuple ; ils les ont pris, tels qu'ils les voyaient (...) patauds, courtauds et lourdauds d'échoppe et de ferme, d'atelier et de cabaret.
TAINE, Philosophie de l'art, t. II, v, III, v, p. 306.

♦ **3.** (1585, par allus. aux vêtements plus courts et ajustés que ceux des bourgeois et des nobles). *Courtaud de boutique,* ou *courtaud :* commis de magasin.

3 Nos filles vendent leur honneur
Au dernier courtaud de boutique Louise MICHEL, la Misère, t. II, p. 420.

Péj. Personne rustre.

DÉR. Courtauder.

COURTAUDER [kuʀtode] v. tr. — 1718; de *courtaud.*

♦ Rendre courtaud (un cheval, un chien). — Au p. p. *Cheval courtaudé.*

COURT-BOUILLON [kuʀbujɔ̃] n. m. — 1622, fig., *in* D.D.L.; de *court,* et *bouillon.*

♦ **1.** (1640, *in* D.D.L.). Bouillon composé d'eau, de vin blanc, d'épices et de beurre, dans lequel on fait cuire du poisson. *Carpe au court-bouillon. Court-bouillon fait avec du vinaigre.* ⇒ **Bleu** (au bleu). *Des courts-bouillons.*

— Oui, mon ami ; il est cousu dans cette toile si étroitement que l'air n'y peut entrer. Il cuit dans ce joli court-bouillon qui chante et dans lequel j'ai jeté, avec une poignée de foin, des gousses d'ail, des ronds de carottes, des oignons, de la muscade, du laurier et du thym (...) HUYSMANS, Là-bas, IX, p. 130.

Par métonymie. Plat préparé au court-bouillon. *Un court-bouillon de poisson.*

♦ **2.** Sauce à base de court-bouillon. *Court-bouillon de volaille en gelée.*

♦ **3.** Argot, vieilli. La mer. ⇒ (mod.) **Bouillon.**

DÉR. Court-bouillonner.

COURT-BOUILLONNER [kuʀbujɔne] v. tr. — 1872; de *court-bouillon.*

♦ Cuis. Accommoder (un poisson) au court-bouillon.

COURT-CIRCUIT [kuʀsiʀkɥi] n. m. — 1890; de *court,* et *circuit.*

♦ **1.** Techn. (électr.). Mise en relation de deux points à potentiel différent (par un conducteur de résistance négligeable). *Machine, va-et-vient en court-circuit.* ⇒ aussi **Dérivation.**

♦ **2.** Cour. Accident (interruption du courant par fusion des

« plombs ») qui résulte d'un court-circuit. ⇒ **Court-jus** (fam.). *Des courts-circuits. Provoquer un court-circuit.*

DÉR. Court-circuiter.

COURT-CIRCUITER [kuʀsiʀkɥite] v. tr. — 1931; au p. p., 1905, *in Rev. Gén. des sc.,* n° 4, p. 180; de *court-circuit,* et *-er.*

♦ **1.** Mettre en court-circuit. ⇒ **Shunter** (anglicisme).

♦ **2.** (Av. 1945). Fig. Laisser de côté (un intermédiaire normal) en passant par une voie plus rapide.

L'insurrection combinée « ville-montagne » qui, au jour J — d'ici à quelques mois au plus tard —, devrait court-circuiter les élections bidons.
Régis DEBRAY, l'Indésirable, p. 16.

REM. On trouve aussi, dans ce sens, le dérivé *court-circuitage,* n. m. : « un court-circuitage imprévu entre le comité (...) et le Réseau-Bombes » Cécil Saint-Laurent, *les Passagers pour Alger,* p. 218.

COURT-COURRIER [kuʀkuʀje] adj. — 1965; de *court,* et *courrier.*

♦ Techn. Avion de transport à courtes distances. — N. *Des court-courriers.*

CONTR. Long-courrier (plus courant).

COURTE-BOTTE [kuʀtəbɔt] n. m. — 1762; de *court,* et *botte.*

♦ Fam. et vx. Homme de très petite taille, aux jambes courtes. *Des courtes-bottes.*

COURTE-ÉCHELLE [kuʀteʃɛl] n. f. ⇒ **Échelle** (cit. 8.1).

COURTELINESQUE [kuʀtəlinɛsk] adj. — 1942; dér. du nom de Georges *Courteline,* écrivain français, par allusion au caractère de ses comédies.

♦ Qui a le caractère comique et satirique d'une pièce de Courteline, notamment en parlant de l'armée, de l'administration. *Une bureaucratie courtelinesque.*

Une aube militaire parfumée au café de basse qualité, un frisson courtelinesque avec rumeurs de salle de police et cliquetis de verrous, un sergent de ville emmitouflé, pointant un nez comme un fanal, tirèrent Monsieur Jadis de l'engourdissement. A. BLONDIN, Monsieur Jadis, p. 136. 1

(...) au milieu de ce désordre courtelinesque, Gérard Duglandier de la Bastie (...) travaillait avec élégance (...) J. DUTOURD, Au bon beurre, p. 171. 2

REM. On rencontre, chez P. Vialar, le subst. fém. *courtelinade,* « histoire, affaire courtelinesque ».

COURTEMENT [kuʀtəmã] adv. — XIIᵉ; de *court.*

♦ Vx (langue class.). D'une manière brève, courte (dans la parole). ⇒ **Brièvement, rapidement.**

CONTR. Longuement.

COURTEPOINTE [kuʀtəpwɛ̃t] n. f. — Fin XIIᵉ; *coutrepointe,* 1439; de l'anc. franç. *coute* « lit de plumes » et du p. p. de *poindre* « piquer », « couvre-pied piqué », *coute* altéré en *courte,* le premier mot étant devenu archaïque.

♦ **1.** Couverture de lit ouatée et piquée. ⇒ **Couvre-pied.**

♦ **2.** Couvre-lit d'ornement. ⇒ **Dessus-de-lit.**

On faisait son lit et il n'y avait plus que la courtepointe à y mettre. 1
SAINT-SIMON, Mémoires, 225, 17.

Elle était chez elle, ramenée ou rapportée, mise nu le sais sans savoir par qui 2
(...) encore chaussée de ses souliers, qui avaient maculé de boue la courtepointe blanche. LOTI, Matelot, LIII, p. 211.

DÉR. Courtepointier.

COURTEPOINTIER, ÈRE [kuʀtəpwɛ̃tje, ɛʀ] — 1636; de *courtepointe.*

♦ Techn. Fabricant, marchand de courtepointes.

COURTE-QUEUE [kuʀtəkø] adj. et n. — 1787; de *courte* (1. *court*), et *queue.*

♦ **1.** Adj. et n. m. Vx. Chien ou cheval courtaud*. *Des courtes-queues.* — Animal à queue courte.

♦ **2.** (1793). Bot., hortic. Cerise à queue courte appelée aussi *cerise de Montmorency.*

COURTEROLLE [kuʀtəʀɔl] n. f. — 1572; de *courtil, courtel.*

♦ Vx. Larve du hanneton. ⇒ **Courtilière.** — REM. On écrit aussi *courterole.*

COURTIER, IÈRE [kuʀtje, jɛʀ] n. — 1538; *corretier*, 1241; *curratier*, *corratier*, v. 1235; probablt dér. de l'anc. franç. *corre* (→ Courre, courir) et *(et)ier*.
Personne qui s'entremet pour faciliter la conclusion d'une affaire. ⇒ **Agent, broker, intermédiaire.**

♦ **1.** Dr. comm. Commerçant qui fait profession de s'entremettre pour ses clients dans les transactions commerciales, immobilières, etc. *Le rôle des courtiers cesse à partir du moment où les parties ont contracté entre elles. Rémunération de courtier.* ⇒ **Commission, courtage*.**

1 À la différence du commissionnaire, le courtier se borne à chercher une contrepartie pour son client et à faciliter la conclusion des opérations, sans y prendre part (à moins que son client ne lui ait donné mandat de contracter en son nom). Toute personne peut exercer la profession de courtier, sauf dans les cas où la loi a institué un monopole.
JULLIOT DE LA MORANDIÈRE, *Précis de droit commercial*, n° 790.

2 Cette courtière était une maquignonne d'affaires, qui prêtait et empruntait sur gages (...)   VOLTAIRE, *in* LITTRÉ, *Dict.*, art. *Maquignon*.

Cour. Personne qui fait profession de vendre en prenant contact avec la clientèle. ⇒ **Courtage.** — *Courtiers libres.* ⇒ **Agent, commissionnaire, placier, représentant.** *Courtiers de marchandises. Courtier en vins. Courtier en librairie. Courtier en immeubles. Courtier de publicité. Un réseau de courtiers. Vente par courtiers.* ⇒ **Courtage.**

3 Un pauvre journal d'opinion, qui tire péniblement à trente, trente-cinq mille et qui doit je ne sais combien à l'imprimeur, au fabricant de papier, aux courtiers de publicité.   J. ROMAINS, *les Hommes de bonne volonté*, t. II, XI, p. 118.

4 (...) aujourd'hui la profession de courtier et celle de commissionnaire, bien que distinctes en théorie, sont généralement exercées par les mêmes individus. Rien ne s'oppose à ce qu'un courtier fasse des opérations commerciales pour son propre compte; mais il lui est interdit de se charger d'une entremise dans une affaire où il aurait un intérêt personnel, sans prévenir son client, sous peine d'une amende et de dommages-intérêts (Loi de 1866, art. 7).
JULLIOT DE LA MORANDIÈRE, *Précis de droit commercial*, n° 791 (→ *supra*, cit. 1).

4.1 Elle fit mille choses pour nous maintenir à flot. Elle fut courtière de bijoux, acheta et revendit des fourrures et des antiquités (...)
R. GARY, *la Promesse de l'aube*, p. 129.

Loc. (dr.). *Courtiers inscrits ou assermentés :* courtiers de marchandises inscrits sur une liste dressée par le tribunal de commerce. *Courtiers privilégiés :* officiers publics jouissant d'un monopole : *courtiers d'assurances maritimes* et *courtiers maritimes* (courtiers interprètes et conducteurs de navires). *Chambre syndicale des courtiers maritimes. Courtier marron* ou *clandestin,* qui exerce irrégulièrement le courtage.
Vx. *Courtiers en valeurs mobilières :* intermédiaires, qui jouaient le rôle d'agents de change pour la négociation des valeurs non admises au bulletin officiel de la cote. ⇒ **Bourse, coulissier.**

♦ **2.** Fig., vx. Intermédiaire. ⇒ **Agent.** *Courtier électoral. Courtier de chair humaine.* ⇒ **Négrier.** — Loc. (vx). *Courtier de mariages. Courtier de galanterie.* ⇒ **Entremetteur, proxénète.**

5 C'est une chose merveilleuse que la facilité avec laquelle il se forme une liaison entre les courtiers de galanterie et les femmes qui ont besoin d'eux.
A.-R. LESAGE, *Gil Blas*, VIII, 10.

6 (...) ces intermédiaires encore nécessaires aux hommes, ces courtiers que sont les peintres et les poètes.   GIRAUDOUX, *les Aventures de Jérôme Bardini*, p. 157.

Spécialt. Intermédiaire politique. « *Honnête courtier* » (expression utilisée par Bismarck pour qualifier le rôle de l'Allemagne au congrès de Berlin.)

7 M. Churchill se tenait lui-même comme le courtier désigné entre les prétentions du président Roosevelt et les refus du général de Gaulle.
CH. DE GAULLE, *Mémoires de guerre*, 1956, p. 214, *in* T. L. F.

DÉR. **Courtage.**

COURTIL [kuʀtil] n. m. — V. 1170, *curtil*; du bas lat. **cohortile*, dér. de *cohors.* → Cour.

♦ **1.** Vx ou régional. Petit jardin attenant à une maison de paysan généralement entouré de haies ou de barrières.
Angélo passa plus de deux heures, assis par terre, le dos appuyé contre le tronc d'un lilas. Il était dans une paix complète et même dans une sorte de bonheur. Il voyait la femme aller et venir dans le courtil.
J. GIONO, *le Hussard sur le toit*, p. 94.

Par métonymie. Petite maison de paysan.

♦ **2.** Hist. Dans certaines régions de France, au moyen âge, Parcelle de terre plus petite que la manse.

DÉR. **Courtilière, courtille, courtillier.**

COURTILIÈRE [kuʀtiljɛʀ] n. f. — 1762; *courtilliere*, 1493; *curtiller*, fin XIIIᵉ; fém. de l'anc. franç. *cortillier* (→ Courtillier) ou dér. de *courtil*, et *-ière*.

♦ Insecte orthoptère sauteur appelé aussi *taupe-grillon*, de couleur rousse, et qui cause des ravages dans les jardins. *Les pattes antérieures de la courtilière sont élargies en forme de pelle, et lui servent à creuser des galeries dans les terrains secs.*

La nuit était vraiment très douce. Les grillons et les courtilières que la chaleur de ce jour de faux été avait revigorés faisaient entendre maintenant ce crissement métallique qui semble être l'enivrement de l'air lui-même.
J. GIONO, *le Hussard sur le toit*, p. 318-319.

COURTILLE [kuʀtij] n. f. — 1705; forme fém. de *courtil;* vx depuis le XVIIIᵉ.

♦ **1.** Vx. Enclos, jardin champêtre. *La Courtille,* nom d'un ancien faubourg de Paris.

♦ **2.** Argot (jeu de mots sur *être à court* d'argent). *Être de la courtille :* manquer d'argent (cf. Être fauché, raide).

COURTILLIER [kuʀtije] n. m. — V. 1350, *courtiller; cortelier,* fin XIIᵉ; de l'anc. franç. *cortil* «jardin»; → Courtil.

♦ Vx. Jardinier.

1. COURTINE [kuʀtin] n. f. — Xᵉ; bas lat. *cortina* «tenture», de *cohors, -ortis* (→ Cour).

★ **I.** (Xᵉ). ♦ **1.** Rideau de lit (disposé autour des anciens lits d'apparat).
1 Et tout ce qu'il vit, c'est que les courtines de son lit étaient closes et que, pour sûr, elle était dedans.   G. SAND, *François le Champi*, XVI, p. 117.
1.1 Mais les courtines de pourpre se relevèrent; et l'on découvrit sur un large oreiller une tête humaine tout impassible et boursouflée (...)
FLAUBERT, *Salammbô*, II, Pl., t. I, p. 772.
Tenture masquant un élément, une partie d'une pièce.

♦ **2.** Liturg. Tenture disposée derrière un autel et de couleur généralement assortie à celle de l'office du jour.
2 Les ornements sacerdotaux foisonnent; ici, l'on rencontre des parements d'autel en drap vermeil, des courtines de soie émeraude, une chape de velours cramoisi (...)   HUYSMANS, *Là-bas*, IV, p. 48.

♦ **3.** Blason. *Les courtines,* partie du pavillon qui forme le manteau.

★ **II.** ♦ **1.** Archit. Façade d'un bâtiment, comprise entre deux pavillons.

♦ **2.** (1572). Fortif. Mur rectiligne, compris entre deux bastions. *Terrain limité par une courtine.* ⇒ **Boulevard** (vieilli).
3 La fenêtre du mon donjon s'ouvrait sur la cour intérieure; le jour, j'avais en perspective les créneaux de la courtine opposée (...)
CHATEAUBRIAND, *Mémoires d'outre-tombe*, t. I, p. 115.
4 (...) et l'archer qui tout le long du jour se promenait sur la courtine, dès que le soleil brillait trop fort rentrait dans l'échauguette, et s'endormait comme un moine.
FLAUBERT, *Trois contes, Légende de saint Julien l'Hospitalier*, 1.

Par comparaison :
5 Devant l'îlot, le littoral se composait, en premier plan, d'une grève de sable, semée de roches noirâtres, qui, en ce moment, réapparaissaient peu à peu sous la marée descendante. Au deuxième plan, se détachait une sorte de courtine granitique, taillée à pic, couronnée par une capricieuse arête à une hauteur de trois cents pieds au moins.   J. VERNE, *l'Ile mystérieuse*, t. I, p. 34 (1874).

2. COURTINE [kuʀtɑ̃] n. f. — 1896; initiale de *course*, p.-ê. d'après un nom propre de lieu (*la Courtille ?*) ou infl. — peu compréhensible —, de 1. *courtine.*

♦ Argot, fam. Course de chevaux.
Dépliant le canard qu'il vient d'attriquer au camelot qui va de table en table, Pierrot s'absorbe dans la lecture de la première page.
— Tu cherches un gagnant pour tantôt? charrie Max, sachant fort bien que les courtines sont dans cette feuille reléguées en fin de journal.
A. SIMONIN, *Hotu soit qui mal y pense*, p. 223.

1. COURTISAN [kuʀtizɑ̃] n. m. — 1472; *courtisien*, après 1350, au sens 1; altér. de l'ital. *cortigiano*, de *corte* «cour».

♦ **1.** Celui qui est attaché à la cour, au service du roi, d'un prince. — Celui qui fréquente la cour d'un souverain, d'un prince. → Cour (homme de cour). *Un vieux courtisan* (→ Brigue, cit. 0.1, Corneille). *Un adroit, un habile, un fin courtisan* (→ Assidu, cit. 6). *Les courtisans* (hommes et femmes : le fém. est rendu impossible par le sens qu'a pris *courtisane**).
1 Messieurs les courtisans, cessez de vous détruire :
Faites, si vous pouvez, votre cour sans vous nuire.   LA FONTAINE, *Fables*, VIII, 3.
2 J'étais né pour être courtisan. — On dit que c'est un métier si difficile ! — Recevoir, prendre et demander, voilà le secret en trois mots.
BEAUMARCHAIS, *le Mariage de Figaro*, I, 1.
3 (...) le prince Basile n'était plus jeune, mais il avait la grâce, l'adresse et l'expérience d'un courtisan consommé.   MÉRIMÉE, *Hist. du règne de Pierre le Grand*, p. 26.
4 Pesez bien la force de ce mot. Un courtisan est un homme de la cour du roi, j'entends un homme qui a une charge ou un emploi domestique dans le palais (...)
TAINE, *Philosophie de l'art*, t I, I, II, VII, p. 86.

♦ **2.** (1560). Fig., péj. Celui qui cherche à plaire aux puissants, aux gens influents, par des manières obséquieuses, flatteuses. ⇒ **Flatteur; adulateur, louangeur.** *Flatterie de courtisan. Manières de* *courtisan. Cet homme n'a point d'amis, il n'a que des courtisans* (Académie).

5 L'homme riche a des commensaux ou des parasites, l'homme puissant des courtisans, l'homme d'action a des camarades qui sont aussi des amis.
A. MAUROIS, Études littéraires, Saint-Exupéry, t. II, p. 260.

Par appos. *Poètes courtisans.*

♦ **3.** Littér. et vx. Celui qui, par des manières flatteuses, recherche les faveurs d'une femme.

6 Et tu seras aimée de mes amants, courtisée par mes courtisans. Tu seras la reine des hommes aux yeux verts, dont j'ai serré aussi la gorge dans mes caresses nocturnes (...)
BAUDELAIRE, Petits poèmes en prose, « Les bienfaits de la lune », 1867, p. 179, *in* T. L. F.

CONTR. Hautain, indépendant.
DÉR. Courtisanerie.

2. COURTISAN, ANE [kuʀtizɑ̃, an] adj. — Mil. xvıᵉ ; de 1. *courtisan*

Vieux.

♦ **1.** Qui est propre à la cour. *Mode courtisane.*

♦ **2.** Qui courtise, a une attitude de courtisan (1. Courtisan 2.). *Esprit courtisan. Manières courtisanes.*

COURTISANE [kuʀtizan] n. f. — 1547 ; *courtisanne*, 1537 ; *courtisienne*, v. 1500 ; ital. *cortigiana* « dame de la cour, femme galante » ; de *corte* « cour ».

♦ **1.** Anciennt ou littér. Femme d'un rang social assez élevé, qui monnaye ses faveurs, qui accepte des relations sexuelles moyennant rétribution (⇒ **Prostituée**).
Dans l'Antiquité, *Les courtisanes grecques. Aspasie, Laïs, Phryné, Thaïs, célèbres courtisanes. Courtisane d'un rang assez élevé.* ⇒ **Hétaïre.** — *Influence des courtisanes sur le gouvernement.* ⇒ **Pornocratie.** *Célèbres courtisanes des grandes villes d'Italie. Les courtisanes de Venise. Les ambubaïes*, courtisanes d'origine orientale, à Rome.*

1 Il *(dom Carlos)* savait bien qu'il y avait plusieurs princesses et dames de condition dans Naples, mais il savait bien aussi qu'il y avait force courtisanes affamées, fort âpres après les étrangers, grandes friponnes et d'autant plus dangereuses qu'elles étaient belles.   SCARRON, le Roman comique, I, IX, p. 29.

♦ **2.** (1553). Demi-mondaine. ⇒ **Cocotte, créature** (vx), **fille** (spécialt), **grisette, lorette** (ancient).

2 Il avait souvent singé la passion ; il fut contraint de la connaître ; mais ce ne fut point l'amour tranquille, calme et fort qu'inspirent les honnêtes filles, ce fut l'amour terrible, désolant et honteux, l'amour maladif des courtisanes.
BAUDELAIRE, la Fanfarlo.

3 (...) dans *Manon Lescaut*, la courtisane qui est bonne fille, immorale par le besoin du luxe, mais affectueuse par instinct, capable à la fin de payer d'un amour égal l'amour absolu qu'elle a fait tous les sacrifices, est un type si visiblement durable que George Sand dans *Leone Leoni*, et Victor Hugo dans *Marion Delorme*, l'ont repris pour le mettre en scène, en retournant les rôles ou en changeant le moment.   TAINE, Philosophie de l'art, t. II, v, ɪɪ, ɪɪɪ, p. 260.

4 Quand un amant désirait se présenter à une courtisane, il lui suffisait d'écrire leurs deux noms avec le prix qu'il proposait ; si l'homme et l'argent étaient reconnus dignes, la femme restait debout sous l'affiche, en attendant que l'amateur revînt.
Pierre LOUŸS, Aphrodite, II, p. 33.

COURTISANERIE [kuʀtizanʀi] n. f. — 1560, *courtisannerie* ; de 1. *courtisan.*

Littér. et vieilli.

♦ **1.** Vieilli. En gén. péj. Conduite de courtisan* (1. Courtisan, 2.). ⇒ **Adulation, flatterie.** *Courtisanerie basse et obséquieuse.*

1 (...) il *(Talleyrand)* est toujours dans la plus haute faveur et perd sans cesse en considération et en esprit ce qu'il gagne en souplesse et en courtisanerie.
MIRABEAU, cité par Louis BARTHOU, Mirabeau.

Par ext. Attitude servile (d'une personne qui cherche à plaire à un personnage puissant et influent).

♦ **2.** *Une, des courtisaneries.* Acte, comportement propre au courtisan.

2 Toutes les courtisaneries du premier empereur sont pour l'opinion, toutes ses peurs aussi. Les salons le font trembler, il les hait. L'encre est le sang de l'opinion publique, il la hait ; et cependant que d'actes, que de paroles, que de faussetés pour la séduire et lui plaire !   Ed. et J. DE GONCOURT, Journal, 1859, p. 622, *in* T. L. F.

COURTISANESQUE [kuʀtizanɛsk] adj. — 1578 ; empr. à l'ital. *cortigianesco*, de *cortegiano.* → Courtisan.

♦ **1.** Vx ou littér. Relatif, propre aux courtisans. *Manières courtisanesques. Langue courtisanesque.*

♦ **2.** Péj. Qui cherche à plaire en flattant. *Une âme courtisanesque.*

Ah ! le décor a beau changer, la pièce sera toujours la même : vanité, bassesse, aptitude aux courbettes, courtisanesque besoin de s'avilir, de s'aplatir !
Alphonse DAUDET, l'Immortel, p. 125 (1883).

COURTISER [kuʀtize] v. tr. — 1557 ; altér. de l'ital. *corteggiare* « faire partie de la cour d'un personnage important », « faire sa cour à qqn de puissant », de *corte* « cour ».

♦ **1.** Littér. Faire sa cour* à (qqn) en vue d'obtenir des faveurs. ⇒ **Aduler, caresser, flatter, louanger ; botte** (lécher les bottes), **cour** (faire la cour), **plat** (faire du plat). *Courtiser les grands, les riches, les puissants. Courtiser qqn en l'entourant d'attentions, de soins empressés.*

On t'honore dans Rome, on te courtise, on t'aime.   CORNEILLE, Cinna, v, 1.   1

Par anal. *Courtiser le pouvoir.*

Je ne sais s'il est maintenant plus profitable de courtiser le pouvoir tombé que le   1.1
pouvoir debout.   A. DE MUSSET, Revue des Deux-Mondes, 1833, p. 103, *in* T. L. F.

REM. Même dans ce sens, *courtiser* semble moins péjoratif que *courtisan* et *courtisanerie.*

♦ **2.** (1560). Faire la cour* à (une femme), chercher à (lui) plaire, à (en) obtenir des faveurs. ⇒ **Coqueter** (vx), **galantiser** (vx), **mugueter** (vx). *Galant qui courtise les femmes. Courtiser une jeune fille. Courtiser la brune et la blonde* (cit. 10).

(...) plus d'un garçon, en la voyant marcher si légère et de si belle grâce, eût souhaité qu'elle fût à la fin de son deuil, afin de pouvoir la courtiser et la faire danser.   2
G. SAND, la Petite Fadette, XXXIV, p. 224.

Cela semble absurde, au premier abord, que courtiser une vierge soit plus difficile que de s'attaquer à une femme qui s'est donnée et qui, sachant tout, peut   3
mieux se défendre.   Paul BOURGET, le Disciple, IV, p. 223.

Par anal. *Elle le courtise.*

Intrans. Régional (Belgique). Fréquenter* en vue du mariage.

La Mia n'est pas pour toi. C'est notre fille à nous. D'ailleurs, elle courtise.   3.1
M. LEROY, les Chatons gelés, p. 78 (1969).

♦ **3.** Fig. (Poét. et vx ou par plais.). *Courtiser les Muses :* s'adonner à la poésie, faire des vers. — *Courtiser la gloire, la fortune,* les rechercher.

Juge si, toujours triste, interrompu, troublé,   4
Lamoignon, j'ai le temps de courtiser les Muses.   BOILEAU, Épîtres, vI.

▶ **COURTISÉ, ÉE** p. p. et adj. *Femme très courtisée, courtisée par beaucoup d'hommes.*

N. *Un courtisé, une courtisée.*

Mais il faut bien un courtisan fameusement subtil pour savoir où réside exactement   5
l'inquiétude du courtisé (...) Et quelle ampleur elle a, et comment l'apaiser.
F. GIROUD, Si je mens, p. 19.

CONTR. Dédaigner, mépriser ; brocarder, fronder.

COURT-JOINTÉ, ÉE [kuʀʒwɛ̃te] adj. — 1661 ; de 1. *court,* adv., et *jointé.* → Jointure.

♦ Techn. Qui a le paturon court (cheval), les jambes courtes (faucon). *Des juments court-jointées.*

COURT-JUS [kuʀʒy] n. m. — V. 1914 ; de 1. *court-,* et *jus.*

♦ **1.** (1914). Pop. Court-circuit. *Des courts-jus.*

♦ **2.** (1920). Fam. Jus, sauce courte. *« Un court-jus doré »* (Léon Daudet, *in* T. L. F.).

COURT-MÉTRAGE [kuʀmetʀaʒ] n. m. ⇒ **Métrage.**

COURT-NOUÉ [kuʀnwe] n. m. — xxᵉ ; de 1. *court,* adv., et *nouer.* → Nouer, III.

♦ Régional. Maladie à virus de la vigne, transmise par la greffe, et affectant certains organes de la plante (sarment, feuille). ⇒ aussi **Roncet.** *Des courts-noués.*

COURTOIS, OISE [kuʀtwa, waz] adj. — V. 1130, *corteis ; curteis,* 1080 ; de l'anc. franç. *court* (→ Cour II.) et suff. *-ois.*

♦ **1.** Qui parle et agit avec une civilité raffinée. ⇒ **Affable, aimable, civil, gracieux, honnête, poli.** *Un homme courtois, peu courtois. Il a été parfaitement courtois avec nous.*

Ils sont toujours parfaitement courtois envers un chacun.   1
DESCARTES, les Passions de l'âme, 146, *in* LITTRÉ.

Qui est empreint de courtoisie*. *Un accueil courtois. Des manières courtoises. Un langage, un ton courtois. Discussion, polémique, conversation courtoise. Une réclamation courtoise. Un refus courtois* (→ Acquiescer, cit. 6).

Il me convenait bien plutôt d'aborder de façon courtoise la dame au parler clair,   2
de m'incliner devant elle (...)   FRANCE, le Crime de S. Bonnard, Œ., t. II, p. 305.

La conversation était restée jusque-là courtoise et impersonnelle.   3
J. ROMAINS, les Hommes de bonne volonté, t. II, XX, p. 214.

♦ **2.** (Au moyen âge). *Littérature, poésie courtoise,* pratiquée dans les cours seigneuriales et qui exalte subtilement l'amour (⇒ **Troubadour**).

Littér. Qui correspond à l'esprit de la chevalerie du moyen âge. *Esprit courtois. Morale courtoise.*
L'amour* courtois, tel qu'il était défini et codifié par l'esprit courtois. Cf. provençal *Fin'amor.*

4 Au temps où régnait l'amour courtois, l'amant ne cherchait guère à se faire aimer. Il acceptait d'aimer en silence ou au moins sans espoir. Cela fut vrai encore de Monsieur de Nemours et de la Princesse de Clèves. Certains jugent irréelles et naïves ces passions blanches. Mais *une admiration distante donne à une âme délicate des plaisirs vifs* et qui, étant tout subjectifs, semblent mieux protégés que d'autres contre déceptions et désillusions.
                                        A. MAUROIS, Un art de vivre, II, III, p. 63.

Loc. *Armes courtoises :* armes dont la pointe et le tranchant étaient émoussés pour ne pas blesser l'adversaire. ⇒ **Arme** (*infra*, cit. 40).
Fig. *Combattre, discuter à armes courtoises.* ⇒ **Loyalement.**

CONTR. Discourtois, malappris. — Âpre, dur, grossier, impertinent, impoli, vulgaire.
DÉR. Courtoisement. — Courtoisie.

COURTOISEMENT [kuʀtwazmɑ̃] adv. — V. 1100, *curteisement; de courtois*, et *-ment.*

♦ D'une manière courtoise, avec une politesse raffinée. *Répondre courtoisement. Saluer courtoisement qqn. — « Un sourire supérieur, courtoisement (...) méprisant »* (Barrès, *in* T. L. F.).

COURTOISIE [kuʀtwazi] n. f. — 1155, *curteisie; de courtois.*

♦ **1.** Politesse raffinée. ⇒ **Affabilité, amabilité, civilité, distinction, politesse.** *Traiter qqn avec courtoisie. Répondre avec courtoisie. Paroles de courtoisie. Tournoi de courtoisie. Extrême courtoisie. Visite de courtoisie. Faire des assauts de courtoisie. Manquer de courtoisie.*

1 Mon cher ami, avait dit le pacha, dans un anglais très pur, et avec cet air de courtoisie parfaite des Turcs de bonne naissance, mon cher ami, avez-vous aussi l'intention d'embrasser l'islamisme ?   LOTI, Aziyadé, IV, I, p. 177.

2 Mais, ce ne saurait être dit, rapporté en termes trop pompeux, ce fut l'extrême courtoisie qu'il apporta à l'accomplissement de cette difficile opération (...)   COURTELINE, Boubouroche, Nouvelle, IV, p. 64.

Loc. *Il est de bonne courtoisie de faire...*
Péj. Politesse froide, conventionnelle.

3 (...) Edmée ne l'invita désormais *(Chéri)* que par courtoisie protocolaire, ainsi qu'on offre quand même la bécassine, à table, aux invités végétariens.
                                        COLETTE, la Fin de Chéri, 1926, p. 63, *in* T. L. F.

♦ **2.** Littér. Attitude conforme à l'esprit de la chevalerie du moyen âge.
En partic. Cette attitude à l'égard d'une dame.

♦ **3.** (Calque de l'angl. *curtesy*). *Miroir* de courtoisie.*

COURT-PENDU [kuʀpɑ̃dy] n. m. — 1560, Paré; de 1. *court*, adv., et *pendu.*

♦ Régional. Pomme à queue courte, de couleur rouge (H. Pourrat, *in* G. L. L. F.). *Des courts-pendus.*

COURT-VÊTU, UE [kuʀvety] adj. — V. 1380; de 1. *court*, adv., et p. p. de *vêtir.*

♦ Littér. Dont le vêtement est court. *Des fillettes court-vêtues.*

(...) il l'avisa, toute glacée sous une porte cochère, une mendiante de treize ou quatorze ans, si court-vêtue qu'on voyait ses genoux. La petite commençait à être trop grande fille pour cela. La croissance vous joue de ces tours. La jupe devient courte au moment où la nudité devient indécente.
                                        HUGO, les Misérables, IV, VI, II.

Rare (en parlant d'une partie du corps). *Des jambes court-vêtues.*

COUSCOUS [kuskus] n. m. — 1649, *in* Dauzat; *coscosson*, 1534, Rabelais; *couchou*, 1505; arabe maghrébin *kŭskŭs.*

♦ **1.** Semoule de blé dur étuvée. — Cette semoule, cuite à la vapeur pour préparer le plat du même nom. *Couscous assaisonné à l'huile et à la menthe, servi froid.* ⇒ **Taboulé.**

1 Les Arabes préparent le kous-kous (*couscous*) en roulant à la main de la farine de façon à en former de petits grains pareils à du plomb de chasse.
                                        MAUPASSANT, Au soleil, Le Zar'ez, p. 131.

♦ **2.** Plat originaire du Maghreb composé de semoule roulée en grains (couscous, 1.), généralement servie avec de la viande, des légumes et des sauces piquantes. *Manger le couscous, un couscous. Couscous au mouton, couscous mouton; couscous poulet, brochettes. Couscous tunisien au poisson. Couscous aux raisins secs, aux pois chiches. Plat de couscous. Couscous algérien, marocain.*

REM. La forme *couscoussou* est archaïque.

2 Les gens qui portent le plat de couscoussou dans un tapis.
                                        E. DELACROIX, Journal, 7 mars 1832.

♦ **3.** Restaurant maghrébin où l'on sert notamment du couscous.

COUSCOUSSIER [kuskusje] n. m. — XXᵉ; de *couscous.*

♦ Casserole double utilisée pour cuire la viande et les légumes du couscous. *« La casserole du bas d'un couscoussier ou d'une casserole double... »* (*l'Express*, 19 déc. 1977, p. v).

En franç. d'Afrique. Passoire pour la cuisson du couscous (semoule).

COUSETTE [kuzɛt] n. f. — Av. 1878; du rad. du p. p. et de l'imparfait de 2. *coudre*, et *-ette.*

♦ **1.** Fam. et vx. Jeune ouvrière dans la couture. ⇒ **Arpette, midinette.**

1 Prends pour maîtresse une petite *cousette* de la ville, et ne pense plus à cette sacrée fille-là !   BARBEY D'AUREVILLY, les Diaboliques, « Le rideau cramoisi ».

2 (...) les films où le milliardaire épouse la cousette ne dominent pas plus le cinéma que les contes où le prince épouse la bergère ne dominent la légende, pas plus qu'Hercule ne domine la mythologie antique.
                                        MALRAUX, les Voix du silence, p. 512.

♦ **2.** (1929). Rare. Petit étui contenant le nécessaire de couture.

COUSEUR, EUSE [kuzœʀ, øz] n. — Av. 1300, *couseres; du rad. du p. p., et de l'imparfait de coudre.*

♦ **1.** Celui, celle qui coud*. — Au fém. (1803). Ouvrière qui coud les cahiers dans les ateliers de brochure. ⇒ **Brocheuse.**

♦ **2.** N. f. Vx. (1863). COUSEUSE : machine à coudre industrielle.

(...) la couseuse mécanique, avec laquelle elle avait l'habitude de *rapetasser* ses costumes.   Ed. et J. DE GONCOURT, Journal, t. VII, p. 7.

Machine pour brocher les livres.

1. COUSIN, INE [kuzɛ̃, in] n. — V. 1150, *cosin germain; cusin*, 1080; lat. pop*. *cousinus*, lat. *consobrinus* «cousin germain», de *con*-(*cum*) et *sobrinus* «cousin», de *soror* «sœur».

♦ **1.** Personne descendante de frères ou sœurs (par rapport aux autres descendants d'un frère, d'une sœur ou de leurs parents). *Cousins germains :* cousins ayant un grand-père (ou une grand-mère) commun. *Cousin germain du père ou de la mère. Cousins issus de germains**, ou *au deuxième degré* (enfants de cousins). *Cousin, cousine à la mode de Bretagne :* parent éloigné. *Cousins croisés*, enfants du frère et de la sœur. *Deux cousins germains sont parents au quatrième degré. Cousins au cinquième, au sixième degré... ou petits-cousins. Mon cousin. Mon cher cousin. Un cousin éloigné. Ils sont un peu cousins. Cousin, cousine par alliance :* conjoint, conjointe d'un cousin, d'une cousine. *Le Cousin Pons; la Cousine Bette*, romans de Balzac. *Les Cousins*, film de Cl. Chabrol.

1 (...) la chevelure noire (...) la sécheresse calabraise du teint qui faisaient de la cousine Bette une figure du Giotto (...)
                                        BALZAC, la Cousine Bette, Pl., t. VI, p. 165.

2 (...) vous êtes bien bon, mon cousin. Vous dois-je beaucoup d'argent pour cette petite bêtise ?   BALZAC, le Cousin Pons, Pl., t. VI, p. 549.

3 Ils étaient presque cousins, mais de familles si différentes et de parenté si vague que Pauline n'osait l'appeler par son prénom.
                                        J. CHARDONNE, les Destinées sentimentales, I, p. 98.

En Afrique. Personne du même village, de la même région; ami ou relation. — *Cousins à plaisanterie*.*

♦ **2.** Fig. et fam. Vx. ⇒ **Ami, camarade; commère, compère...** *Si vous faites cela, nous ne serons plus cousins. Ils sont grands cousins. Mon cousin*, titre que le roi de France donnait à des princes du sang, aux cardinaux, aux pairs, aux maréchaux de France...

Loc. prov. *Le roi n'est pas son cousin :* il s'estime au-dessus du roi, il est très prétentieux.

DÉR. Cousinage, cousinal, cousiner.
HOM. 2. Cousin.

2. COUSIN [kuzɛ̃] n. m. — 1551; *cusin*, 1577; orig. discutée, peut-être dér. du lat. *culex, -icis* par le lat. pop. *culicinus.*

♦ **1.** Régional ou vieilli. Moustique*. *Les femelles des cousins piquent les mammifères et les oiseaux pour en sucer le sang. La piqûre du cousin peut inoculer des germes pathogènes (filariose, paludisme).*

♦ **2.** Fig., fam., vx. Parasite, importun. *Être mangé des cousins :* avoir constamment des importuns chez soi.

DÉR. Cousinière.
HOM. 1. Cousin.

COUSINAGE [kuzinaʒ] n. m. — V. 1150; *cusinage*, déb. XIIᵉ; de 1. *cousin*, et *-age.*

♦ **1.** Rare. Parenté entre cousins. — Par ext. Parenté relativement éloignée.

Fam. L'ensemble des parents, des cousins. ⇒ **Parenté**. *Le, son cousinage s'est réuni.*

♦ **2.** Fig. ⇒ **Analogie, lien, ressemblance**. *Un air de cousinage.*

Aussi loin que soit du Chinois le Chinois de paravent cher à Diderot, aussi loin que soit du Persan celui de Montesquieu, ce n'était pas hasard si le XVIIIᵉ siècle leur reconnaissait un cousinage qu'il refusait à l'Inde et même à l'Islam.
MALRAUX, les Voix du silence, p. 496.

COUSINAL, ALE, AUX [kuzinal, o] adj. — D. i. (xxᵉ) ; de *cousin.*

♦ Rare. Relatif à la relation de cousin, au cousinage. *Rapports cousinaux. « Une famille (...) cultivant les relations cousinales avec un soin dévôt »* (Michel Déon, *les Poneys Sauvages*, p. 41).

COUSINER [kuzine] v. — 1605 ; de 1. *cousin,* et *-er.*

♦ **1.** V. tr. Vx. Appeler (qqn) cousin. *Cousiner quelqu'un.* — Pron. *Se cousiner :* s'appeler mutuellement « cousins ».

♦ **2.** V. intr. Être cousin. *Cousiner avec quelqu'un.*
Agir familièrement (avec qqn). — Fig. *Ils ne cousinent pas ensemble :* ils ne s'entendent pas.

COUSINIÈRE [kuzinjɛʀ] n. f. — 1723 ; de 2. *cousin,* et *-ière.*

♦ Vx. Moustiquaire*.

(...) mais, quand je demande qu'on jette sur mon lit une cousinière pour me garantir des cousins qui m'empêchent de dormir (...)
STENDHAL, Mémoires d'un touriste, t. I, p. 107.

COUSOIR [kuzwaʀ] n. m. — 1680 ; *cousouer,* 1517 ; du rad. du p. p., de l'imparfait de *coudre,* et *-oir.*

♦ Techn. Instrument, métier utilisé pour coudre manuellement les livres à brocher ou à relier. — Étau servant pour la couture et le montage des gants.

COUSSIN [kusɛ̃] n. m. — V. 1178, *cousin ; coissin,* v. 1160 ; *cuisin,* av. 1250 ; du bas lat. *coxinus* « coussin », dér. du lat. impérial *coxa* « cuisse ».

♦ **1.** Pièce d'une matière souple, cousue et remplie d'un rembourrage, servant à supporter une partie du corps. ⇒ **Carreau, coussinet**. *Les coussins d'un fauteuil, d'un canapé, d'un divan, d'un sofa* (→ Ameublement, cit. 2). *Un lit, un divan recouvert de coussins. Coussin de plumes servant à tenir chaud.* ⇒ **Édredon**. *Coussin servant à supporter la tête pendant le sommeil.* ⇒ **Oreiller** (cit. 1), **traversin.** — REM. Le mot *coussin,* en franç. central, exclut les objets portant un nom spécifique courant tel que *oreiller, traversin* ou *édredon,* il en inclut d'autres (*pouf,* par exemple). *S'asseoir, s'étendre sur des coussins.* ⇒ **Pouf.** *Appuyer ses pieds sur un coussin. Les bourrelets, la broderie d'un coussin. Coussin en caoutchouc, à air, élastique.* ⇒ **Rond** (de cuir). *Coussin gonflable*.* — *Les coussins et les dossiers de sièges de voiture.*

1 (...) pendant qu'il fumait, nonchalamment étendu sur les coussins du divan.
G. SAND, Elle et lui, IV, p. 85.

2 Il revoit le divan, le coin où il s'est mis, les coussins où il s'est appuyé.
J. ROMAINS, les Hommes de bonne volonté, t. II, X, p. 104.

3 Adrienne heurta le dossier d'un fauteuil devant la table et recula en apercevant sur le siège un coussin un peu aplati au milieu, qui gardait l'empreinte de celui qui avait vécu des années assis à cette place.
J. CHARDONNE, les Destinées sentimentales, II, p. 270.

Objets servant de coussin. *Mettre sa tête sur un coussin de vêtements.*

Régional (Belgique). Oreiller.

♦ **2.** Techn. Dispositif rappelant la forme ou la destination d'un coussin. ⇒ **Bourrelet, coussinet**. *Le coussin d'un collier d'attelage :* la partie rembourrée de ce collier. — Mar. ⇒ **Ventrière**.
Coussin d'air. L'aéroglisseur, l'aérotrain circulent au moyen d'un coussin d'air.*

(Reliure). Petite planche garnie de coton, de poils de chèvre, et recouverte d'une peau de veau sur laquelle on place les feuilles d'or. Métier à dentelle formé d'une boîte carrée rembourrée extérieurement. ⇒ **Carreau**.

♦ **3.** Radio. Élément musical comblant les trous d'un programme. ⇒ **Tampon**.

DÉR. Coussinet, coussinière.

COUSSINET [kusinɛ] n. m. — V. 1285 ; de *coussin.*

♦ **1.** (V. 1285). Petit coussin*. ⇒ aussi **Bourrelet**. *Coussinet sur lequel on fiche des épingles, des aiguilles.* ⇒ **Pelote**. — Petit coussin protégeant une partie du corps. *Coussinet servant à protéger la tête qui supporte un fardeau.*

Perrette, sur sa tête ayant un pot au lait
Bien posé sur un coussinet,
Prétendait arriver sans encombre à la ville. LA FONTAINE, Fables, VII, 10.

(...) elle trouva un petit enfant assis devant sa planchette et jouant avec la paille qui sert de coussinet aux genoux des lavandières.
G. SAND, François le Champi, I, p. 21.

Loc. Vx. *Jeter son coussinet sur qqch. :* avoir envie de quelque chose.

Anciennt (modes). Petit coussin utilisé pour avantager la poitrine d'une femme.

♦ **2.** (1676). Archit. Partie remplie d'un chapiteau ionique, qui s'enroule en volutes des deux côtés de la colonne.

♦ **3.** Régional. *Coussinet des marais :* airelle des marais (→ Canneberge, myrtille).

♦ **4.** (1863). Techn. Pièce cylindrique creuse placée dans un support (palier) et qui soutient une extrémité du tourillon d'un arbre (⇒ aussi **Bague**). *Coussinet en bronze, en alliage antifriction. Coussinet de tête de bielle. Rainure d'un coussinet de graissage.* ⇒ **Araignée, godet**.

(1863). Pièce de fonte sur laquelle reposent certains rails de chemin de fer.

Ils résistaient (*les tréteaux*), et il eut l'idée d'arracher les rails, de couper la voie, d'un bout à l'autre du carreau (...) Maheu fit sauter des coussinets de fonte, armé de sa barre de fer, dont il se servait comme d'un levier.
ZOLA, Germinal, t. II, v, IV, p. 48.

♦ **5.** Bourrelet (de chair, de tissus graisseux, etc.). — Anat. *Le coussinet adipeux de l'orbite.* — Cour. *Des coussinets de chair.*

COUSSINIÈRE [kusinjɛʀ] n. f. — Mil. XVIᵉ, *couissinière ;* de *coussin.*

♦ Régional (domaine occitan). Étoffe recouvrant un coussin.

COUSSO [kuso] n. m. — 1793, *cusso ;* empr. à l'amharique *koço.*

♦ Bot. Plante d'Abyssinie *(Rosacées)* aux propriétés vermifuges. *Des coussos* [kuso].

COUSU, UE [kuzy] p. p. adj. ⇒ **Coudre**.

COÛT [ku] n. m. — XIIᵉ, *cost, cust ;* 1530, *coust ;* dér. verb. de *coûter.*

♦ **1.** Somme que coûte une chose. ⇒ **Montant, prix.** *Le coût d'une marchandise, d'un service, d'un bien... Le coût de production d'un objet fabriqué.* ⇒ **Prix** (de revient). *Le coût de cet objet est de..., le coût en est de dix mille francs. Le coût de la vie augmente dans les périodes d'inflation. Indices du coût de la vie. Les menus coûts :* les petites dépenses. ⇒ **Dépense**. — Loc. *Coût, assurance, fret.* — C. A. F. — Spécialt. *Coût de production :* coût directement lié à l'activité productive d'une industrie (à l'exclusion des frais généraux).

Tant en argent, et tant en cire,
Et tant en autres menus coûts. LA FONTAINE, Fables, VII, 11.

Et puis la Sainte-Alliance, que de coûts, que de dépenses !
P.-L. COURIER, II, 94, *in* LITTRÉ.

À mesure que le coût de la vie augmente. En fait, ils gagnent moins qu'avant la guerre. J. CHARDONNE, les Destinées sentimentales, II, p. 406.

Prov. (vx). *Le coût fait perdre le goût :* le prix élevé d'un objet ôte l'envie de l'acquérir.

♦ **2.** La conséquence négative, les effets supportés (de qqch., d'une action). ⇒ **Prix**. *Le coût d'une imprudence.*

♦ **3.** (*Le coût de qqch. en...*). Dépense. *Le coût d'une production en énergie, en matières premières.*

DÉR. Coûteux.
COMP. Surcoût.
HOM. Cou, coup.

COÛTANT [kutɑ̃] adj. m. — 1679 ; *coustant* « coûteux », XIIIᵉ ; p. prés. de *coûter.*

♦ Loc. *Prix coûtant :* prix qu'une chose a coûté. *Revendre qqch. à, au prix coûtant,* sans bénéfice.

COUTEAU [kuto] n. m. — 1316 ; *coutel, coltel,* 1316 ; du lat. *cultellus,* de *culter.* → Coutre.

★ I. ♦ **1.** Instrument tranchant servant à couper, composé d'une lame et d'un manche. ⇒ **Canif, couperet, coutelas, dague, navaja, poignard, tranchoir** (→ pop. Eustache, 2. schlass, surin). *Couteau pointu, couteau rond. Manche, poignée de couteau en bois, en corne, en ivoire. Virole* d'un manche de couteau. Couteau à manche travaillé. Lame de couteau en acier. Parties d'une lame de couteau.* ⇒ **Dos, fil, morfil, pointe, talon, tranchant.** *Couper, tailler, séparer, ouvrir, piquer, enduire, racler avec un couteau.* — Fig. *Coupé, taillé au couteau,* dont le contour, la section sont nets. — *Brouillard à couper* au couteau. — Couteau qui coupe bien. Se* *blesser en se servant d'un couteau. Peler une pomme avec un couteau* (→ Pomme à couteau). *Tailler un morceau de bois avec un couteau. La carotte** (cit. 0.5), *jeu consistant à planter un couteau en terre. Couteau branlant dans le manche* (→ Couper, cit. 25.3). *Couteau ébréché, émoussé, épointé, rouillé. Affûter un couteau avec une pierre douce, un fusil...* ⇒ **Affiler, aiguiser** (cit. 2, 4), **émoudre, repasser.** *Donner un couteau à affûter au rémouleur*. Aiguiser deux couteaux lame contre lame. Poudre à nettoyer les couteaux. Gaine, étui, fourreau d'un couteau. Fabrication des couteaux.* ⇒ **Coutellerie.**

1   (...) *un petit couteau affilé comme l'aiguille d'un palletier dont il (Panurge) coupait les bourses* (...)   RABELAIS, *Pantagruel*, XVI.

2   *C'est avec son couteau qu'il coupait le pain dur* (...) *c'est avec son couteau qu'il grattait les fruits pourris* (...) *c'est avec son couteau qu'il se taillait des bâtons de voyage* (...) *c'est avec son couteau qu'il exerçait tous les arts de la vie.*
                                    FRANCE, *le Mannequin d'osier*, Œ., t. XI.

3   *Un employé, assis dans la lumière d'une grosse lampe, un couteau à la main, retaille l'extrémité du tuyau de sa pipe.*
                                    J. ROMAINS, *les Hommes de bonne volonté*, t. III, VI, p. 96.

4   *Le manche de corne de son couteau lui brûlait la paume de la main.*
                                    P. MAC ORLAN, *la Bandera*, XVI, p. 191.

5   *Il prit d'une main le bras nu et doré d'Aïscha et, de la pointe de son couteau, il traça une croix sur la peau fine.*   P. MAC ORLAN, *la Bandera*, XII, p. 140.

6   *Le vent le flagelle, siffle à ses oreilles avec la stridence du couteau sur l'aiguisoir.*
                                    MARTIN DU GARD, *les Thibault*, t. VIII, p. 148.

6.1 *Querelle ne voyait pas le couteau, mais il ne voyait que lui qui devint, d'être invisible et si important dans l'issue du combat (il ferait deux morts) monumental. La lame en était blanche, laiteuse et d'une matière un peu fluide. Car le couteau n'était pas dangereux du fait qu'il était coupant : il était le signe de la mort dans la nuit.*   Jean GENET, *Querelle de Brest*, p. 300.

Loc. fig. EN LAME DE COUTEAU : *pointu, acéré, aigu (d'une forme). Visage en lame de couteau. — Fam. C'est comme le couteau de Jeannot* (se dit d'une chose transformée tant de fois qu'il ne reste plus rien de ce qui la constituait auparavant, par allus. *au couteau dont Jeannot, personnage de comédie, avait renouvelé successivement le manche et la lame*).

6.2 *La famille van Tricasse aurait pu s'appeler justement la famille Jannot.* Voici pourquoi :
Chacun sait que le couteau de ce personnage typique est aussi célèbre que son propriétaire et non moins inusable, grâce à cette double opération incessamment renouvelée, qui consiste à remplacer le manche quand il est usé et la lame quand elle ne vaut plus rien. Telle était l'opération, absolument identique, pratiquée depuis un temps immémorial dans la famille van Tricasse, et à laquelle la nature s'était prêtée avec une complaisance un peu extraordinaire. Depuis 1340, on avait vu invariablement un van Tricasse, devenu veuf, se remarier avec une van Tricasse, plus jeune que lui, qui veuve, convolait avec un van Tricasse plus jeune qu'elle, qui veuf, etc., sans solution de continuité.   J. VERNE, *le Docteur Ox*, p. 11.

Spécialt. (Couteaux pour les usages domestiques). *Couteau de poche*, ou *couteau pliant*, dont la lame se replie dans le manche, et est maintenue par un ressort ou un axe fixé à l'extrémité de celui-ci. ⇒ **Canif, jambette.** *Couteau pliant à virole.* ⇒ **Laguiole, opinel** (marques). *Couteau suisse. Ouvrir un couteau. Couteau pliant à plusieurs lames et divers outils (tire-bouchon, ouvre-bouteille,* etc.). *Cran d'arrêt, onglet d'un couteau pliant. Couteau de poche attaché à la ceinture par une chaîne. Couteau porté à la ceinture dans un étui. Couteau de scout.*

(Couteaux utilisés à table, pour manger, et faisant partie du couvert*). *Couteaux et fourchettes d'un service. Couteau inoxydable. Couteau à poisson, à asperges, à fromage, à dessert. Couper les aliments, les pousser sur la fourchette, les étaler sur du pain avec un couteau. Poser les couteaux sur les porte-couteaux* (⇒ **Porte-couteau**). *Service de couteaux rangés dans un écrin.* ⇒ **Coutelière** (vx). *Couteau à beurre. Couteau électrique*, muni d'un petit moteur qui actionne la lame. *Couteau à scie* (pour le pain, etc.). ⇒ **Couteau-scie.**

7   *On entendait crier sous les couteaux les larges miches de pain de ménage.*
                                    M. BARRÈS, *la Colline inspirée*, p. 85.

8   *De l'autre main, il jouait avec un couteau, disposait quelques miettes en une rangée régulière, sur la nappe.*
                                    J. ROMAINS, *les Hommes de bonne volonté*, t. II, XX, p. 216.

Couteau de cuisine. Grand couteau. ⇒ **Couperet, coutelas.** *Couteau à viande. Couteau à saigner* (⇒ **Saignoir**), *à découper, à dépecer* (⇒ **Dépeçoir**), *à hacher* (⇒ **Hachoir**). *Couteau à couper le lard.* ⇒ **Tranchelard.** *Couteau à légumes. Couteau pour éplucher.* ⇒ **Épluchoir.** *Couteau à lame de forme variable, servant à couper les légumes crus selon diverses formes.* ⇒ **Coupe-légumes.** *Couteau à frites. Jeu de couteaux. — Vx. Couteau à conserves*, pour découper le couvercle des boîtes. ⇒ **Ouvre-boîte.**

Cet instrument, utilisable comme arme blanche. ⇒ **Coutelas, navaja, poignard, scramasaxe** (hist.). *Couteau catalan. Couteau à cran* (cit. 2) *d'arrêt. Couteau-poignard des parachutistes.*

(1586). Loc. *Être à couteaux tirés*, en guerre ouverte. — *Jouer du couteau* : se battre au couteau. — *Coup de couteau. Donner des coups de couteau à qqn. Frapper* à coups de couteau* ⇒ (vx et argot) **Chouriner, piquer, suriner.** — *Enfoncer, plonger, planter un couteau dans le ventre* (cf. *Crever le ventre*), *entre les côtes...* — Fig. *Enfoncer, remuer le couteau dans la plaie* : aviver un chagrin. — *Trancher la gorge avec un couteau. Poser la pointe d'un couteau sur la gorge de qqn pour le menacer.* — Fig. (littér.). *Mettre le couteau sur la gorge (à qqn)* : contraindre par la menace, le chantage. Plus cour. *Le couteau sous la gorge. Avoir le couteau sous la*

gorge (→ Acculer ; gorge). *Il a accepté ce marché le couteau sous la gorge.*

Spécialt. *Couteau de chasse*, pour achever le cerf, le sanglier... *Couteau sacré, couteau du sacrifice*, qui servait à égorger les victimes dans les anciens sacrifices. ⇒ **Fer.**

9   *Furieuse, elle vole, et sur l'autel prochain*
    Prend le sacré couteau, le plonge dans son sein.   RACINE, *Iphigénie*, v, 6.

10 *(Qu')On lui fasse en mon sein enfoncer le couteau.*   RACINE, *Athalie*, v, 6.

11 *Elle sortit de son corsage le couteau de Chiquita, l'ouvrit, en tourna la virole et le plaça près d'elle à portée de sa main.*
                                    Th. GAUTIER, *le Capitaine Fracasse*, t. II, p. 193.

12 *Imaginez-vous une grande salle tapissée de fusils et de sabres, depuis en haut jusqu'en bas ; toutes les armes de tous les pays du monde : carabines, rifles, tromblons, couteaux* (...)   Alphonse DAUDET, *Tartarin de Tarascon*, I.

13 (...) *il saisit son couteau, ... il l'ouvre, veut l'enfoncer dans son cœur : la lame rencontre une côte et se replie sur la virole qui a cédé et il s'entame deux doigts.*
                                    FRANCE, *Les dieux ont soif*, p. 234.

14 (...) *le matelot échappé, qui battait les gendarmes ou jouait du couteau contre les alguazils* (...)   LOTI, *Mon frère Yves*, VIII, p. 35.

15 *Comme chez un individu qui aurait la hantise d'un crime, on essayerait de loger l'idée qu'il ne pourra jamais faire ce crime, que sa main tremblera, que le couteau lui échappera.*   J. ROMAINS, *les Hommes de bonne volonté*, t. III, XXII, p. 294.

Vx. *Courte épée.* ⇒ **Dague, rapière.**

Par ext. (littér.). *Instrument de supplice. Le couteau du bourreau.* ⇒ **Hache.**

16 *L'abandonnerez-vous à l'infâme couteau*
    Qui fait choir les méchants sous la main d'un bourreau ?
                                    CORNEILLE, *Horace*, v, 3.

Partie tranchante (de la guillotine).

17 *«(...) envoie-moi à la guillotine ; moi aussi, fais-moi trancher la tête !»*
    Et, à l'idée du couteau sur sa nuque, toute sa chair se fondait d'horreur et de volupté.   FRANCE, *Les dieux ont soif*, p. 224.

Couteau de chirurgie. ⇒ **Bistouri, scalpel ; -tome.**

18 (...) *comme un chirurgien avec son couteau affilé et à deux tranchants à la main* (...)   BOSSUET, *Pensées chrétiennes*, VIII, *in* LITTRÉ.

19 *Quand les chirurgiens ont décidé l'amputation, ils n'attendent pas un mois pour prendre le couteau.*   G. DUHAMEL, *Chronique des Pasquier*, X, 8, p. 429.

♦ **2.** Techn., cour. *Outil, instrument formé d'une lame coupante et d'un manche. Couteau à papier* : lame de métal, de bois, d'ivoire... pour couper les pages d'un livre (⇒ **Coupe-papier, plioir**), pour marquer la page (⇒ **Liseur**). *Petit couteau pour effacer.* ⇒ **Grattoir.** *Couteau pour couper les ficelles* (→ Coupe-ballot). *Couteau mécanique. Couteau mécanique de charcutier* (→ Coupe-jambon). *Couteau de boulanger* (→ Coupe-pâte). *Couteau ramasseur*, instrument du chocolatier. *Couteau à tabac. Couteau à rogner* (le papier), *couteau à parer*, utilisés en reliure. *Couteau à pierre*, de vitrier. *Couteau à étain. Couteau à placage. Couteau de vitrier*, à mastiquer, à démastiquer. *Couteau de peintre*, à reboucher, à enduire. *Couteau à palette. Couteau pour broyer les couleurs.* ⇒ **Amassette.** *Couteau de doreur. Couteau de tanneur, de corroyeur.* ⇒ **Demi-rond, drayoir.** *Couteau à deux manches.* ⇒ **Allumelle, plane.** *Couteau d'apiculteur.* ⇒ **Désoperculateur.** *Couteau à greffe* ou (plus cour.) *couteau à greffer* (⇒ ci-dessous, cit. 20). ⇒ **Écussonnoir, entoir, greffoir.** — Vétér. *Couteau anglais* (vx), pour rogner la corne des sabots. *Couteau de feu* : instrument destiné, une fois chauffé, à brûler la partie affectée d'un animal. *Couteau de chaleur* : latte de bois pour racler la peau d'un cheval et en ôter la sueur après un violent exercice. — *Couteau à ruban.*

20 *L'homme qui venait greffer gardait toujours sur lui son couteau à greffe, qui comportait une douce et courte petite lame d'ivoire en forme d'amande, accoutumée à décoller les écorces sans blesser les aubiers, à ménager les «yeux».*
                                    COLETTE, *Flore et Pomone*, *in* Gigi, p. 175.

Peint. *Petite truelle de peintre. Peindre au couteau.*

♦ **3.** *Élément tranchant* (d'un instrument). *Le couteau d'une charrue.* ⇒ **Coutre.**

★ **II.** Par anal. ♦ **1.** (1863). *Arête du prisme triangulaire qui porte le fléau* (d'une balance). *Le couteau d'une balance.*

♦ **2.** *Plume droite* (garniture d'un chapeau de femme). *« Canotier en feutre orné d'une plume-couteau »* (Colette, *Gigi*, 1944, *in* T. L. F.).

♦ **3.** (1754). Zool. *Manche de couteau* ou *couteau* : coquillage bivalve rappelant par sa forme le manche d'un couteau de table. ⇒ **Coutelier, solen.**

21 (...) *bientôt, le coquillage formel, cette coquille d'huître ou* (...) *ce «couteau», m'impressionnera comme un énorme monument* (...)
                                    Francis PONGE, *le Parti pris des choses*, p. 74.

DÉR. **Coutelier ; couteler.** — **Coutelet.** — V. **Coutelas, coutille.**
COMP. **Couteau-scie.** — **Porte-couteau.**

COUTEAU-SCIE [kutosi] n. m. — 1723 ; de *couteau*, et *scie*.

♦ *Couteau dont la lame porte des dents, et qu'on utilise pour couper le pain, les aliments.* *« Des couteaux-scie »* (Giono, *in* T. L. F.) ou *des couteaux-scies.*

COUTELAS [kutlɑ] n. m. — 1410, *coutelasse, coutelace*; p.-ê. de l'ital. *coltellaccio* ou du moy. franç. *coutel*. → Couteau.

♦ **1.** Vx. Épée courte à un seul tranchant.

♦ **2.** Mod. Grand couteau à lame large et tranchante, utilisé en cuisine ou comme arme. *Être armé d'un coutelas.* ⇒ **Poignard.**

1 Mais Julien ne se fatiguait pas de tuer, tour à tour bandant son arbalète, dégainant l'épée, pointant du coutelas (...)
FLAUBERT, Trois contes, «la Légende de St Julien l'Hospitalier», 1.

♦ **3.** Techn., régional :

2 Au-dessous, jetée sur le sol, dans le coin le plus obscur, une lanière repliée, de celles que les toucheurs de bœufs nomment «coutelas», aiguë à sa pointe, large de trois doigts à sa base, pareille à un plat serpent noir.
BERNANOS, Sous le soleil de Satan, *in* Œ. roman., Pl., p. 288.

COUTELÉE [kutle] n. f. — Attesté 1862; de *couteler*.

♦ Régional, agric. Étendue ou quantité d'herbe coupée d'un seul coup (de faux, faucille...).

COUTELER [kutle] v. tr. — 1160, *coltelé*, p. p.; v. tr. au xiiie, repris 1833; de *coutel, couteau*.
Vieux.

♦ **1.** Frapper avec un couteau.

♦ **2.** Couper au couteau.
DÉR. **Coutelée.**

COUTELET [kutlɛ] n. m. — xiiie; de *couteau.*

♦ Vx ou littér. Petit couteau.
Le capitaine les nourrissait mal mais leur offrait des arbres de Noël constellés de polissoirs, de limes, de coutelets pour ôter les peaux, et d'onguents.
Jacques LAURENT, les Bêtises, p. 19.

COUTELIER, IÈRE [kutəlje, jɛʀ] n. et adj. — 1160; de *coutel, couteau.*
Technique ou vieux.

★ **I.** N. ♦ **1.** Celui, celle qui fabrique, vend des couteaux et autres instruments tranchants (⇒ **Coutellerie**).

♦ **2.** N. m. Coquillage bivalve. ⇒ **Couteau, solen.**

♦ **3.** N. f. (xiiie, «gaine, étui à couteau»). Vx. Boîte à compartiments où les couteaux de table sont rangés tête-bêche.

★ **II.** Adj. Relatif à la coutellerie. *Industrie, techniques coutelières.* ⇒ **Coutellerie.**
DÉR. **Coutellerie.**

COUTELLERIE [kutɛlʀi] n. f. — V. 1268; de *coutelier.*

♦ **1.** Industrie, fabrication des couteaux et autres instruments tranchants. *Coutellerie ordinaire* ou *de table. Coutellerie fine. Coutellerie en ciseaux, rasoirs, etc. Coutellerie en instruments de chirurgie. Grosse coutellerie* (faux, haches, scies...). ⇒ **Taillanderie.** — *Opérations de coutellerie traditionnelle :* fabrication des lames (martelage avec un marteau spécial, le martinaire; forgeage, limage, perçage, émoulage, polissage, placage, métrage); fabrication du manche, par le cacheur ou redresseur de corne; montage du couteau, par le monteur; finissage du couteau (affilage, nettoyage). *Coutellerie de Châtellerault, Langres, Nogent, Thiers, Sheffield.*

Je sors de l'École des Arts et Métiers. Depuis cinq ans, j'étais à la tête d'une grande maison de coutellerie de Guéret.
G. LEROUX, Rouletabille chez Krupp, p. 42.

♦ **2.** Objets fabriqués par cette industrie (couteaux, lames, ciseaux, etc.). — REM. Les syntagmes énumérés sous 1. peuvent s'employer en ce sens.

♦ **3.** Lieu où l'on fabrique, où l'on vend la coutellerie. *Travailler dans une coutellerie.*

COÛTER [kute] v. — xiie, *coster*; du lat. *constare* «être fixé»; en lat. pop. «avoir pour prix», de *con* (*cum*), et *stare* «se tenir debout». → Station.

★ **I.** V. intr., suivi d'un compl. «interne» exprimant le prix (subst. numéral, adv.) et d'un compl. ind. en *à* (facultatif) exprimant le destinataire (*coûter qqch. à quelqu'un*).

♦ **1.** Nécessiter (le paiement d'une somme) pour être obtenu. ⇒ **Revenir.** *Cet objet a coûté beaucoup, peu (X francs...) à* (qqn). *Somme que coûte une chose.* ⇒ **Valoir; coût, dépense, montant, prix.** *Coûter cher, coûter cent francs à qqn. Prix que coûte un objet, la fabrication d'un objet* (à qqn). ⇒ **Revenir** (à). *Combien cela coûte-t-il? Qu'est-ce que cela coûte? Cela ne lui coûte rien,* il l'a pour rien. *Du vin qui coûte douze francs la bouteille. Les trois*

cent mille francs que cette maison m'a coûté. *Sans que cela coûte rien* (cf. Sans bourse délier). *Coûter peu :* être bon marché. *Coûter cher, coûter gros;* (vx) *coûter bon, bel et bon;* (fam.) *coûter chaud :* être cher, coûteux. *Coûter les yeux de la tête :* être très cher. Cf. Être hors de prix. Loc. fam. *Coûter la peau des fesses, du cul,* (même sens). — Par exagér. *Ne rien coûter,* être bon marché. — Fam. (sans compl. ind.). *Ça coûtera ce que ça coûtera,* peu importe le prix. — Absolt. *Cela coûte :* c'est cher. *Une grande famille, ça coûte.*

1 Il est bien nécessaire d'employer de l'argent à des perruques, lorsque l'on peut porter des cheveux de son cru, qui ne coûtent rien. MOLIÈRE, l'Avare, I, 4.

1.1 — Elle l'a habillé tout à neuf, fit remarquer madame Lecœur. Il doit lui coûter bon. ZOLA, le Ventre de Paris, t. I, p. 120.

2 (...) énormes foulards de soie blanche que l'on fabriquait exprès pour lui et qui coûtaient les yeux de la tête.
G. DUHAMEL, Chronique des Pasquier, VIII, III, p. 281.

3 C'est une eau-de-vie magnifique. Elle nous coûtera trois cent mille francs, mais c'est une bonne affaire (...)
J. CHARDONNE, les Destinées sentimentales, III, p. 435.

3.1 C'est ce qui vous trompe, mon bon ami. Je ne suis pas marié sous le régime de la communauté, moi. (Il souligna ce moi d'un coup sur la poitrine). Margie me coûte les yeux de la tête. Roger NAÏM, l'Ère des truands, p. 142.

♦ **2.** Causer, entraîner (des frais, des dépenses). *Sa famille lui coûte cher. Ce que coûte, l'argent que coûte une santé délicate. Vous verrez ce que coûte la négligence.* — Impers. *Il vous en coûtera tant pour réparer votre toiture.*

4 Le porc à s'engraisser coûtera peu de son :
Il était, quand je l'eus, de grosseur raisonnable (...) LA FONTAINE, Fables, VII, 10.

5 Le peu de soin que vous avez de vous coûte quarante mille écus (...)
MOLIÈRE, les Femmes savantes, V, 4.

6 De tous les luxes, la femme est le plus rare et le plus distingué, elle est celui qui coûte le plus cher, et qu'on nous envie le plus (...)
MAUPASSANT, Correspondance, Mes 25 jours, p. 173.

7 Comme le journal, grâce à Gurau, n'était pas loin maintenant de couvrir ses frais, l'affaire, au pis aller, ne coûtait plus rien (...)
J. ROMAINS, les Hommes de bonne volonté, t. V, XXIV, p. 226.

Fig. *Cela pourrait vous coûter cher,* vous attirer des ennuis.

★ **II.** Fig. ♦ **1.** V. tr. Causer (une peine, un effort à qqn). *Ce départ lui a coûté bien des larmes. Les efforts que ce travail lui a coûtés. Ne me remerciez pas, cela ne me coûte rien. Les promesses ne coûtent rien.* ⇒ **Engager.** — Impers. *Il ne lui coûte rien de promettre. Apprenez ce qu'il en coûte de mentir.*

8 (...) il m'en coûtera pour cela quelques paroles de douceur, que je veux bien dépenser pour vous. MOLIÈRE, le Malade imaginaire, I, 8.

9 Après tous les ennuis que ce jour m'a coûtés (...) RACINE, Britannicus, V, 3.

10 (...) l'*Émile*, qui m'avait coûté vingt ans de méditation et trois ans de travail.
ROUSSEAU, les Confessions, VIII.

11 Mes manuscrits raturés, barbouillés, et même indéchiffrables attestent la peine qu'ils m'ont coûtée. ROUSSEAU, Émile, I.

12 Un service vaut ce qu'il coûte. HUGO, l'Homme qui rit, II, I, X.

13 Nous ne nous attachons d'une manière durable aux choses que d'après les soins, les travaux ou les désirs qu'elles nous ont coûtés.
BALZAC, Physiologie du mariage, Pl., t. X, p. 672.

Causer la perte de (qqch.); faire perdre. ⇒ **Ôter, ravir.** *La guerre lui a coûté un fils, sa position sociale et sa fortune. Cela lui coûte sa tranquillité, sa situation. Coûter la vie à qqn,* le faire mourir. — Impers. *Il vous en coûtera la vie.* ⇒ **Payer** (vous le paierez de votre vie). *Quoi qu'il en coûte,* en dépit de tous les ennuis.

14 (...) sa vanité
Lui coûta quatre dents : le cheval lui desserre
Un coup; et haut le pied. LA FONTAINE, Fables, XII, 17.

15 Il m'en coûterait trop s'il m'en coûtait deux fils. RACINE, la Thébaïde, III, 6.

16 (...) ils ont été attaqués à leur tour. Il leur en a coûté quatre ou cinq cents hommes et cinq canons. RIVAROL, IV, XV, p. 324.

17 (...) je coûtai la vie à ma mère, et ma naissance fut le premier de mes malheurs.
ROUSSEAU, les Confessions, I.

Loc. adv. **COÛTE QUE COÛTE** (pour : *qu'il en coûte ce qu'il en coûte*) : à tout prix, quels que soient les efforts à faire, les peines à supporter. ⇒ **Absolument.** *Il faut réussir coûte que coûte. Nous les rattraperons coûte que coûte.*

18 (...) maintenant de gros capitaux sont engagés... Il faut que nous tirions coûte que coûte notre épingle du jeu.
J. ROMAINS, les Hommes de bonne volonté, t. V, XIV, p. 101.

19 (...) Antoine n'avait pas voulu se faire remplacer à l'hôpital le lundi matin, et il devait, coûte que coûte, rentrer à Paris dans la nuit.
MARTIN DU GARD, les Thibault, t. III, p. 84.

19.1 De voir le compteur marquer soixante-dix lui donnait une certaine fièvre et il souhaita presque qu'un policier à motocyclette le prît en chasse, se raconta une histoire à ce sujet, où il était question de sa femme qu'il fallait rejoindre coûte que coûte et des enfants qui attendaient dans le Maine.
G. SIMENON, Feux rouges, 1953, p. 34.

REM. Littré considère *coûter* comme un verbe toujours intransitif, dont le participe passé reste invariable. Mais dès le xviie s. l'usage s'est établi d'en faire un verbe transitif aux sens figurés, et d'accorder dans ce cas le participe passé. L'Académie a ratifié cet usage dans la huitième éd. de son dictionnaire (ex. : *les efforts que ce travail m'a coûtés*). Toutefois, on trouve aussi des exemples d'accord pour le verbe transitif non figuré (ex. : «*Elle reprochait amèrement les sommes d'argent que lui avaient coûtées son instruction*» Zola, *la Fortune des Rougon*, 1871, *in* T.L.F.) et d'absence d'accord pour le verbe transitif figuré (« [Les] *peines qu'elles m'ont coûté* » Cuvier, *Anatomie comparée*, 1805, in T. L. F.).

20   (...) l'usage s'est établi de lui donner (*à coûter*), au figuré, le sens actif de *causer, occasionner*, et l'exemple de nos meilleurs écrivains semble autoriser cet emploi : « *Vous n'avez pas oublié les soins* que *vous m'avez* **coûtés** *depuis votre enfance* ».
                  F. BRUNOT, la Pensée et la Langue, IV, XVI, V, p. 665.

♦ **2.** *Coûter à qqn.* (Sans compl. direct). Être pénible, difficile (à, pour qqn). *Cet effort me coûte. Rien ne lui coûte ; tout lui coûte.* ⇒ **Peser.** — *Il n'y a que le premier pas* qui coûte.* — Impers. *Il ne lui coûte pas d'obéir. Il m'en coûte de vous faire ces reproches.*

(Avec un compl. interne adverbial). *Cela lui coûte beaucoup.* — Impers. *Il lui coûte beaucoup, peu de faire..., il lui en coûte beaucoup, peu.* — (Nominal). *Ce qui lui coûte le plus, le moins à faire.* — Vx (impers.). *Il coûte peu, beaucoup à qqn de..., à...* (faire qqch.). → cit. 21. Mod. *Il en coûte beaucoup, peu* (à...) *de...*

21   On convie, on invite, on offre sa maison, sa table, son bien et ses services : rien ne coûte qu'à tenir parole.   LA BRUYÈRE, les Caractères, IV, 52.

22   Il coûte peu aux femmes de dire ce qu'elles ne sentent point (...)
                  LA BRUYÈRE, les Caractères, III, 66.

23   (...) dans tout il n'y a, dit-on, que le premier pas qui coûte.
                  MARIVAUX, la Vie de Marianne, I, p. 15.

24   Ce n'est pas ce qui est criminel qui coûte le plus à dire, c'est ce qui est ridicule et honteux.   ROUSSEAU, les Confessions, I.

25   Je te croyais ingrat, et, quoique la fierté qu'on t'a enseignée te pousse à l'être, tu es si fidèle à ta parole que rien ne te coûte pour t'acquitter (...)
                  G. SAND, la Petite Fadette, XX, p. 136.

26   Elles sont toutes les mêmes, vois-tu : le premier pas leur coûte ; mais le second, elles le font toutes seules et plus vite qu'on ne pense.
                  LOTI, Ramuntcho, I, XI, p. 284.

CONTR. Gratuit (être). — **Économiser.** — **Rapporter.**
DÉR. Coût, coûteux.

COÛTEUSEMENT [kutøzmɑ̃] adv. — 1833, Balzac ; de *coûteux*.

♦ D'une manière coûteuse. *Ils sont logés trop coûteusement pour leurs moyens.*

CONTR. Économiquement, gratuitement, modestement.

COÛTEUX, EUSE [kutø, øz] adj. — V. 1180-90 ; de *coûter*.

♦ **1.** Qui coûte cher ; qui cause de grandes dépenses. ⇒ **Cher, dispendieux, onéreux, prix** (hors de), **ruineux.** *Les voyages sont coûteux. Une entreprise coûteuse. Un train de vie coûteux. Peu coûteux.*

1   (...) l'application qu'il apportait à la gestion de ses terres coûteuses.
              J. CHARDONNE, les Destinées sentimentales, I, p. 127.

♦ **2.** Fig. et littér. Qui exige des sacrifices. Qui a des conséquences fâcheuses. ⇒ **Dangereux.**

2   En laissant les enfants en pleine liberté d'exercer leur étourderie, il convient d'écarter d'eux tout ce qui pourrait la rendre coûteuse.
              ROUSSEAU, Émile, II, in LITTRÉ.

CONTR. Abordable, donné, économique, gratuit, intéressant (d'un prix), **marché** (bon).
DÉR. Coûteusement.

COUTIER, IÈRE [kutje, jɛʀ] n. — 1927 ; anc. franç. *coute* ; de *coutil*. → Couette.

♦ Vx. Matelassier. — Mod. Celui, celle qui fabrique, vend du coutil.

COUTIL [kuti] n. m. — 1202, *kentil, kentie* ; de *coute, keute*, anc. forme de *couette*.

♦ Toile croisée et serrée, en fil ou en coton. ⇒ **Étoffe.** *Housse de coutil pour la confection des matelas, des oreillers... Tente, store de coutil. Pantalon, corset de coutil. Tissage du coutil en France* (*traditionnellement à Évreux, Lille, Nantes, Roubaix, Armentières, Troyes*).

Un traversin de coutil rempli de plume, un sommier de crin (...)
              COLBERT, Lettres, VII, 383, in LITTRÉ.

Par métonymie. Enveloppe, vêtement fait de coutil. *Travailler en coutil.*
Coutil de soie, qui était utilisé pour fabriquer des corsets.

DÉR. Coutier, coutissé.

COUTILIER [kutilje] n. m. — Mil. XVᵉ ; de *coutille*.

♦ Hist. Soldat armé d'une coutille.

Moi, j'aurais préféré être coutilier, archer, n'importe quoi. Mais pas un de ces pauvres types à cuirasse.   Michel DE SAINT-PIERRE, les Aristocrates, p. 320.

COUTILLE [kutij] n. f. — 1351 ; du rad. de *couteau*.

♦ Hist. Épée large et tranchante fixée à une hampe.

DÉR. Coutilier.

COUTISSÉ, ÉE [kutise] adj. et n. f. — XIXᵉ ; de *coutil*.

♦ Techn. Garni de coutil.

N. f. *Une coutissée* (ou *une coutisse*) : ensouple, sangle garnie d'une grosse bande de toile à laquelle l'étoffe à broder est fixée.

COUTON [kutɔ̃] n. m. — 1600, *coston* ; p.-ê. de *côte* (de plante).

♦ Vx ou régional. Paille courte. — Par anal. Plume naissante (sur un oiseau) ou rudiment de plume sur une volaille plumée.

COUTRE [kutʀ] n. m. — V. 1150, *cultre* ; du lat. *culter* dont le dér. *cultellus* a donné *couteau*, mot d'orig. obscure (sans rapport avec le v. *colere*).

Technique.

♦ **1.** Agric. Fer tranchant fixé à l'avant du soc de la charrue pour fendre la terre.

1   (...) on ne s'y servait pas déjà de mauvais coutres, comme en certaines parties de la France, et la houe suffisait au peu de labours qui s'y faisaient.
        BALZAC, le Médecin de campagne, Pl., t. VIII, p. 364.

1.1   Ils étaient sur la limite d'un champ soigneusement ameubli : un cheval que l'on conduisait à la main traînait un large coffre monté sur trois roues. Sept coutres, disposés en bas, ouvraient parallèlement des raies fines, dans lesquelles le grain tombait par des tuyaux descendant jusqu'au sol.
        FLAUBERT, Bouvard et Pécuchet, Pl., t. II, p. 690.

2   Il a retrouvé son instinct de tueur de bêtes pour enfoncer brusquement le coutre aigu dans la terre.   J. GIONO, Regain, II, II, p. 173.

Fig. :

3   (...) mais que l'on considère la vie apparente de Dostoïevski comme le moyen de sa vie intérieure : toutes les duretés de la fortune, les injures du malheur, autant de coutres et de socs qui servent, tranchants, au labour de la beauté cachée, et que seul le déchirement du sein devait rendre visible.
        André SUARÈS, Trois hommes, « Dostoïevski », I, p. 208.

♦ **2.** Hache à fendre le bois. ⇒ **Merlin.**

DÉR. Coutrier, coutrière.

COUTRIER [kutʀije] n. m. — 1791 ; de *coutre*.

♦ Techn. (agric.). Charrue sans avant-train, labourant profondément le sol.

COUTRIÈRE [kutʀijɛʀ] n. f. — 1900 ; de *coutre*.

♦ Techn. (agric.). Pièce servant à fixer le coutre à l'avant du soc de la charrue.

COUTUME [kutym] n. f. — Fin XIᵉ, *custume* ; du lat. pop. *cosetudine*, du lat. class. *consuetudo, inis*, du supin de *consuescere* de *con-* (*cum*) et *suescere* « habituer ».

Façon d'agir établie par l'usage. ⇒ **Habitude, mœurs, tradition, usage.**

♦ **1.** Dans une collectivité, Manière à laquelle la majorité se conforme. *C'est la coutume en Angleterre de prendre le thé à 5 heures. Fêter la Saint-Jean est une coutume paysanne. Coutume d'une petite communauté.* ⇒ **Règle.** *Vieille, ancienne coutume.* ⇒ **Tradition.** *Coutume passagère.* ⇒ **Mode.** *Fait qui passe en coutume. Coutume qui s'introduit, s'établit, se conserve... Coutume perdue, abolie, qui tombe en désuétude. Mœurs et coutumes des Lapons. Observer les us* et coutumes. Adopter* (cit. 6) *les coutumes d'un pays.*

1   (...) parfois je manie le pinceau, contre la coutume de France, qui ne veut pas qu'un gentilhomme sache rien faire (...)   MOLIÈRE, le Sicilien, 9.

2   L'on peut définir l'esprit de politesse, l'on ne peut en fixer la pratique : elle suit l'usage et les coutumes reçues ; elle est attachée aux temps, aux lieux, aux personnes (...)   LA BRUYÈRE, les Caractères, V, 32.

3   Quand une fois les coutumes sont établies et les préjugés enracinés, c'est une entreprise dangereuse et vaine de vouloir les réformer ; le peuple ne peut pas même souffrir qu'on touche à ses maux pour les détruire, semblable à ces malades stupides et sans courage qui frémissent à l'aspect du médecin.
        ROUSSEAU, Du contrat social, II, VIII.

4   Or elles n'avaient jamais manqué à ce devoir-là, c'était même une des seules coutumes religieuses de l'Islam qu'elles observassent fidèlement encore (...)
        LOTI, les Désenchantées, III, p. 47.

5   (...) on rejette pour le compte de tout le monde les habitudes séculaires d'une coutume et d'un ordre social.   André SUARÈS, Trois hommes, « Ibsen », III, p. 110.

6   Pauline longe le mur qui tient enfermé selon la coutume saintongeaise le jardin et l'habitation.   J. CHARDONNE, les Destinées sentimentales, III, p. 371.

♦ **2.** Dr. et cour. Habitude collective d'agir, consenti à l'origine par ceux qui l'observent, et transmise de génération en génération. *La coutume est fondée sur la tradition et elle peut être transmise oralement, caractères qui la différencient de la loi. La coutume a force* *de loi. La coutume a longtemps régi le Nord de la France. Pays de coutume. Ensemble des coutumes.* ⇒ **Coutumier** (droit).

7 Jean Lapin allégua la coutume et l'usage.
Ce sont, dit-il, leurs lois qui m'ont de ce logis
Rendu maître et seigneur (...)   LA FONTAINE, Fables, VII, 16.

8 Un avocat (...) étudie pendant trois ans les lois de Théodose et de Justinien pour connaître la coutume de Paris (...)   VOLTAIRE, Dict. philosophique, Avocat.

9 (...) la coutume diffère à l'infini suivant les lieux.
                    Ch. SEIGNOBOS, Hist. sincère de la nation franç., p. 77.

10 (...) ils *(les Francs)* doivent accepter du coupable une composition proportionnée au crime et dont le taux est fixé par la coutume.
                    OLIVIER-MARTIN, Précis d'hist. du droit franç., n° III, p. 45.

Spécialt. *La coutume :* loi non écrite et ancestrale, ensemble des règles de conduite traditionnelles (par ex. en Afrique). *Suivre la coutume* (I.F.A.).

Par ext. Recueil de droit coutumier. Au plur. *Les coutumes* (d'une région).

♦ **3.** Vx ou littér. Manière ordinaire d'agir. ⇒ **Habitude.** *C'est sa coutume d'arriver sans prévenir. Il a agi selon sa coutume. Faire prendre une coutume à qqn.* — Loc. *Prendre coutume de :* prendre l'habitude. ⇒ **Accoutumance; accoutumer.** — Loc prov. Mod. *Une fois n'est pas coutume :* changer une fois sa manière de faire est une exception qui n'engage pas l'avenir; on peut faire une exception.

11 (...) la coutume est une seconde nature, qui détruit la première.
                    PASCAL, Pensées, II, 93.

12 Il y a trois moyens de croire : la raison, la coutume, l'inspiration.
                    PASCAL, Pensées, IV, 245.

13 Si vous pensiez ce que vous me dites là, Fanchon, vous me diriez tu et non pas vous; car ce n'est pas la coutume des bessons de se parler avec tant de cérémonie.
                    G. SAND, la Petite Fadette, XXXIX, p. 249.

14 — Une fois n'est pas coutume, susurra modestement M. Chasle.
                    MARTIN DU GARD, les Thibault, t. VII, p. 152.

15 La surprise des œuvres nouvelles provoquant une rupture entre les coutumes de l'esprit et la nouveauté qu'on lui soumet, le public trébuche. Il y aura donc chute et rire.   COCTEAU, la Difficulté d'être, Du rire, p. 182.

Vieilli ou littér. **AVOIR COUTUME DE :** être accoutumé* à, avoir l'habitude* de. ⇒ **Coutumier** (être), **souloir** (vx). *Elle avait coutume de se lever chaque matin à 6 heures.*

16 (...) Germain était si fatigué qu'il eût fort souhaité avoir le temps de faire un somme auparavant; mais il n'avait pas coutume de manquer la messe, et il se mit en route avec les autres.   G. SAND, la Mare au diable, XII, p. 105.

Loc. adv. Cour. ...DE COUTUME (surtout employé dans les comparatifs). ⇒ **Habitude** (d'), **habituellement, ordinaire** (d'), **ordinairement, toujours.** *Il est moins aimable que de coutume. Comme de coutume. Plus que de coutume, plus qu'il n'est coutume.*

17 (...) trouver les jours plus longs que de coutume.   RACINE, la Thébaïde, II, 1.

18 Peut-être bien qu'il avait simplement passé ces deux journées à bord et qu'il revenait comme de coutume, et que tout s'arrangerait encore une fois.
                    LOTI, Mon frère Yves, LXXXI, p. 189.

19 *(Sur les murs des toilettes)* il y a surtout des inscriptions chinoises, pour la plupart pornographiques et dénotant plus d'imagination qu'il n'est coutume dans ce genre de lieux.   A. ROBBE-GRILLET, la Maison de rendez-vous, p. 134.

CONTR. Exception, inhabitude, innovation, nouveauté.
DÉR. Coutumier.
COMP. Accoutumer.

COUTUMIER, IÈRE [kutymje, jɛʀ] adj. et n. m. — V. 1160, *custumier;* de *coutume.*

★ **I.** Adj. ♦ **1.** Vx ou littér. Qui a coutume de. *Être coutumier de* (qqch., faire qqch.). *Elle est coutumière de l'église. Cet enfant est coutumier de mentir.*

1 Le dieu d'amour est coutumier
À ce jour, de fête tenir (...)   Charles D'ORLÉANS, Ballades, 47.

2 Je suis coutumière
De payer toute la première.   LA FONTAINE, les Cordeliers de Catalogne, in LITTRÉ.

Loc. (Mod.). *Être coutumier du fait* (généralt péj.). *« D'autant plus que sa Majesté, assez coutumière du fait, avait tenu à lui faire la surprise »* (Proust, *À l'ombre des jeunes filles en fleurs,* 1918, in T. L. F.).

♦ **2.** Que l'on fait d'ordinaire. ⇒ **Habituel, ordinaire.** *Les travaux coutumiers. Cette manière de penser lui est coutumière. Chemin, route coutumiers,* que l'on a l'habitude de suivre. *Une bonne humeur coutumière. Un train-train coutumier.*

3 (...) mes yeux, éclairés des célestes lumières,
Ne trouvent plus aux siens leurs grâces coutumières.
                    CORNEILLE, Polyeucte, IV, 2.

4 (...) comme il avait négligé de tambouriner sur la porte son petit rappel coutumier (...)
                    COURTELINE, Boubouroche, Nouvelle, p. 50.

5 (...) on dirait qu'elle répugne à tout ce qui n'est pas coutumier; de sorte que le progrès dans la vie n'est pour elle que d'ajouter de semblables jours au passé.
                    GIDE, la Symphonie pastorale, p. 63.

♦ **3.** Spécialt. *Droit coutumier :* ensemble de règles juridiques que constituent les coutumes*. → Plaisir, cit. 2. *Pays de droit coutumier,* et absolt, *pays coutumier.*

6 Si vous étiez en pays de droit écrit, cela se pourrait faire; mais (...) dans les pays coutumiers (...) c'est ce qui ne se peut (...)   MOLIÈRE, le Malade imaginaire, I, 7.

C'est des Latins également que nous tenons notre conception du droit, de ce droit écrit, aux arêtes dures, si différent du droit coutumier britannique.   7
                    André SIEGFRIED, l'Âme des peuples, III, IV, p. 65.

♦ **4.** Vx. Roturier. *Vilain, paysan coutumier.*

♦ **5.** En franç. d'Afrique. Qui suit la coutume, relève de la coutume (2., spécialt). *Chef coutumier. Mariage coutumier. Tribunal coutumier* (d'après I. F. A.).

★ **II.** N. m. (1396). Didact. Recueil* des coutumes d'une province, d'un pays. *Le Grand Coutumier normand du XIIIᵉ siècle.*

Le grimoire d'un sorcier semble facile à comprendre en comparaison de plusieurs articles de nos codes et de nos coutumiers.   8
                    FRANCE, les Opinions de J. Coignard, Œ. compl., t. VIII, XXI, p. 504.

Il venait du même coup de violer le coutumier de Bretagne qui interdisait à tout baron de lever des troupes sans le consentement du Duc (...)   9
                    HUYSMANS, Là-bas, XVI, p. 220.

CONTR. Exceptionnel, inaccoutumé, inattendu, inhabituel.
DÉR. Coutumièrement.

COUTUMIÈREMENT [kutymjɛʀmɑ̃] adv. — 1201 ; de *coutumier.*

♦ Didact. ou littér. D'une manière coutumière. ⇒ **Habituellement, ordinairement.**

Deux hommes disputèrent sur le propos de savoir si les Chinois mangeaient coutumièrement les yeux de leurs défunts.
                    M. AYMÉ, le Vin de Paris, « La traversée de Paris », p. 36.

COUTURE [kutyʀ] n. f. — V. 980, *costure; consture,* XIIᵉ ; du lat. pop. *consutura,* de *consuere.* → Coudre.

★ **I.** ♦ **1.** Action, art de coudre. *La couture a pour but de confectionner qqch. avec du tissu; de raccommoder, ou d'orner un tissu. Faire de la couture. Effectuer des petits travaux de couture. Apprendre la couture. Différents points* de couture. Points de couture pour assembler :* point de devant, point de bâti, point arrière, point de piqûre, point de côté, point de surjet, point d'ourlet ; *pour froncer* (⇒ **Faufilage, faufilure**) ; *pour border :* point de boutonnière, point de feston, surfil ; *pour raccommoder :* point de reprise ; *pour orner :* point de chausson, d'épine, point de Paris, point turc. ⇒ aussi **Broderie.** *Ourlets, pinces, fronces, plis, nids d'abeille, smocks, drapés, volants, jours, incrustations d'un ouvrage de couture.*

La femme contribue de quelque chose à la dépense, par le travail de la quenouille, par la couture, par le tricotage de quelques paires de bas, ou par la façon d'un peu de dentelles selon le pays.   1
                    VAUBAN, Dîme, p. 99, in LITTRÉ.

(Avec le possessif). Ouvrage de couture. *Elle est penchée sur sa couture,* sur son travail, ce qu'elle est en train de coudre.

Adj. (dans quelques syntagmes). Exécuté selon les méthodes de la couture. *Imperméable façon couture. Veste couture* (opposé à *tailleur).*

♦ **2.** (1680, « atelier de couturière »). Profession de ceux qui confectionnent des vêtements féminins. *Travailler, être dans la couture. Branches annexes de la couture :* bonneterie, confection, lingerie, mode.

Spécialt. Profession de couturier. *Maison de couture :* entreprise qui emploie un personnel assez important à la confection de vêtements et d'accessoires féminins. *La haute couture parisienne :* les grands couturiers. — Par métonymie. *La haute couture était présente à cette manifestation.* — En appos. *Un vêtement couture, haute couture.*

Magasin de couture : endroit où l'on vend des vêtements tout faits. ⇒ **Confection, mode.**

♦ **3.** Chir. *Couture d'une plaie :* fermeture au moyen de points d'une plaie accidentelle ou fermeture d'une plaie après une opération.

★ **II.** (Une, des coutures ; la couture de...). ♦ **1.** Assemblage de deux morceaux d'étoffe, de tricot, de cuir, de fourrure... par une suite de points* exécutés au fil et une aiguille. ⇒ **Montage, raccord.** *Les coutures d'un vêtement, d'une chaussure, d'un rideau. Couture faite à la main, à la machine* (⇒ **Piqûre**). *Faire une couture à grands points.* ⇒ **Bâti, bâtir.** *Couture solide, à petits points. Endroit, envers d'une couture. Couture apparente, couture sellier,* qu'on a laissée à l'endroit. *Gants à coutures apparentes. Largeur d'une couture :* largeur des bords du tissu à la piqûre. *Couture de 2 cm. Reprendre une couture,* en augmenter la largeur. *Ressortir une couture,* la diminuer. *Défaire, découdre une couture. Ouvrir une couture,* aplatir les dépassants de chaque côté de la piqûre. *Surfiler une couture.* ⇒ **Surfil, surfilage.** *Extra-fort* qui borde une couture, galon qui la recouvre.* ⇒ **Lézarde.** *Couture anglaise, couture plate ou rabattue* (qui dissimule les dépassants). *Couture bord à bord.* ⇒ **Surjet.** *Couture bout à bout.* ⇒ **Raboutissage.** *Couture invisible.* ⇒ **Rentraiture.** *Vêtement d'une seule pièce ou sans coutures. Tunique sans couture. Couture de bas,* qui le ferme derrière la jambe. *Bas sans coutures.*

2   (...) la couture de la patte de leur poche droite.
SAINT-SIMON, Mémoires, 89, 171, in LITTRÉ.

Reliure. *Les coutures d'un cahier, d'une brochure. Fils de couture.*

◆ **2.** Loc. fig. SOUS, (SUR) TOUTES LES COUTURES. *Examiner qqn, qqch. sur toutes les coutures,* dans tous les sens, très attentivement.

2.1   Samedi à Baltimore le médecin continue à m'examiner sous toutes les coutures. Il trouve que j'ai la pression trop basse et peut-être du sucre.
CLAUDEL, Journal, mars 1929.

2.2   ... qu'elle passait pas inaperçue qu'on la voyait sous toutes coutures... elle pavanait aux entr'actes...
CÉLINE, Guignol's band, p. 198.

(Fin xvᵉ). BATTRE À PLATE COUTURE, ou À PLATES COUTURES : battre, défaire complètement. ⇒ **Battre,** cit. 7.

3   Parlons maintenant de la plus grande affaire qui soit à la cour (...) c'est la défaite des *fontanges* à plate couture (...)
Mᵐᵉ DE SÉVIGNÉ, 1321, 15 Mai 1691.

Milit. LE PETIT DOIGT SUR LA COUTURE (du pantalon) : dans un garde-à-vous impeccable. — Fig. Dans une attitude de respect affecté, de disponibilité absolue.

4   Je rêve pourtant de gens efficaces, d'enfants toujours prêts pour les situations, le doigt sur la couture du pantalon.
Benoîte et Flora GROULT, Il était deux fois, p. 140.

★ **III.** ◆ **1.** (xiiiᵉ). Fam. Cicatrice allongée. ⇒ **Balafre, cicatrice.** *Il a le visage marqué de plusieurs coutures.* ⇒ **Couturé.** — Spécialt. Traces laissées par la petite vérole.

◆ **2.** Techn. (archit.). Assemblage de deux tables ou feuilles de métal. (V. 1155). Mar. Jointure de deux bordages d'un navire, qu'on remplit d'étoupe.

Bot. *Herbe sans couture.* ⇒ **Ophioglosse.**

Techn. Fil de fer tortillé qui sert de lien entre les pièces d'un treillage. — Marque, pli des joints d'un moule sur un objet ou une figure coulée (plâtre ou métal).

DÉR. Couturer, couturier.

COUTURER [kutyʀe] v. tr. — xvᵉ ; de *couture.*

◆ **1.** Marquer de coutures, de cicatrices. ⇒ **Balafrer.** *Il s'est fait couturer le visage par une série d'accidents.*

◆ **2.** Marquer de traces, de sillons, de plis. *Une quantité de chemins creux couturaient la campagne.*

▶ **COUTURÉ, ÉE** p. p. adj. (1787). Marqué de cicatrices. ⇒ **Balafré.** *Visage tout couturé.*

DÉR. Coutureuse.

COUTUREUSE [kutyʀøz] n. f. — 1955, *Dict. des Métiers* ; de *couturer* ou de *couture* « piqûre ».

◆ Techn. Ouvrière qui monte certains travaux ou objets par des coutures. *Coutureuse de bandes en lingerie ; coutureuse en parapluies.*

---

1. COUTURIER [kutyʀje] n. m. — V. 1213, « tailleur » ; repris en 1874 ; de *couture.*

◆ Personne qui dirige une maison de couture*, crée des modèles, les fait présenter par des mannequins, et exécuter dans ses ateliers sur les commandes des clients ; cette maison. *Collection* d'un couturier :* ensemble de vêtements et d'accessoires de mode généralement inspirés d'une même idée, qui se renouvelle chaque saison. *Présentation de la collection d'un couturier au public. Robe portant la marque d'un grand couturier.*

(...) des mannequins des grands couturiers, belles filles, longues, portant bien la toilette.   FRANCE, le Mannequin d'osier, Œ. compl., t. XI, p. 357.   1

(...) on le dirait *(les robes)* faites de brouillard bleu ou de brouillard rose ; toutes les dernières *créations* de vos grands couturiers (...)   2
LOTI, les Désenchantées, II, IV, p. 57.

2. COUTURIER [kutyʀje] adj. et n. m. — V. 1560 ; de 1. *couturier* « tailleur », à cause de la position dite « en tailleur ».

◆ Anat. Muscle fléchisseur de la jambe sur la cuisse et de la cuisse sur le bassin. *Muscle (grand) couturier,* ou, n. m., *le couturier.*

À force de voir sa grande bouche gentille embrassée par Clarisse, ses longues jambes avec la belle cambrure du muscle grand couturier sur lequel Clarisse pose une main de propriétaire (...) je me sens parfaitement intime avec lui (...)
Benoîte et Flora GROULT, Il était deux fois, p. 293.

COUTURIÈRE [kutyʀjɛʀ] n. f. — V. 1200, *costuriere* ; de *couture.*

★ **I.** ◆ **1.** Ouvrière qui travaille dans une maison de couture*. ⇒ **Coupeuse, essayeuse, finisseuse, main** (petite main). *Apprentie couturière.* ⇒ **Arpète.** *Jeune couturière.* ⇒ fam. **Cousette, midinette.** *Fête des Catherinettes, célébrée par les couturières.*

◆ **2.** (1837, Balzac). Femme qui dirige une maison de couture.

◆ **3.** Celle qui exécute, à son propre compte, des vêtements de femme. *Couturière à façon. Couturière à la journée, à domicile. Atelier de couturière. Mannequin*, machine à coudre. boîte à coudre, ciseaux, marquoir*, buisse* de couturière.* — *Opérations successives de la couturière :* confection d'un patron, coupe, montage, essayage, finitions. *Aller faire un essayage chez sa couturière.*

L'aiguille de la couturière picore comme une poule minutieuse.
J. RENARD, Journal, juin 1896.

★ **II.** (Ellipt. de *« répétition des couturières »,* Proust, le Temps retrouvé). Dernière répétition avant la générale* (où les couturières font en principe les dernières retouches aux costumes). *Être invité à une couturière, à la couturière d'une pièce.*

★ **III.** Adj. et n. f. Zool. *Fauvette couturière,* ou, n. f., *une, la couturière :* variété de fauvette qui construit un nid dont les feuilles semblent cousues.

Cet ouvrage
a été réalisé en photocomposition programmée
par M.C.P., 45401 Fleury-les-Aubrais,

imprimé en France par AUBIN, 86000 Poitiers

et relié par la SIRC, 10350 Marigny-le-Châtel,

pour le compte des Dictionnaires LE ROBERT,
107, avenue Parmentier, 75011 Paris.

Dépôt légal : février 1985.
No d'imprimeur : P 13250

Collection « les usuels du Robert » (volumes reliés) :

— *Dictionnaire des difficultés du français,*
par Jean-Paul COLIN,
prix Vaugelas.

— *Dictionnaire étymologique du français,*
par Jacqueline PICOCHE.

— *Dictionnaire des synonymes,*
par Henri BERTAUD DU CHAZAUD,
ouvrage couronné par l'Académie française.

— *Dictionnaire des idées par les mots*
(dictionnaire analogique),
par Daniel DELAS et Danièle DELAS-DEMON.

— *Dictionnaire des mots contemporains,*
par Pierre GILBERT.

— *Dictionnaire des anglicismes*
(les mots anglais et américains en français),
par Josette REY-DEBOVE et Gilberte GAGNON.

— *Dictionnaire des structures du vocabulaire savant*
(éléments et modèles de formation),
par Henri COTTEZ.

— *Dictionnaire des expressions et locutions,*
par Alain REY et Sophie CHANTREAU.

— *Dictionnaire de proverbes et dictons,*
par Florence MONTREYNAUD, Agnès PIERRON et François SUZZONI.

— *Dictionnaire de citations françaises,*
par Pierre OSTER.

— *Dictionnaire de citations du monde entier,*
par Florence MONTREYNAUD et Jeanne MATIGNON.

Ouvrages édités par les DICTIONNAIRES LE ROBERT
107, avenue Parmentier, 75011 PARIS (France).